Wörterbuch der deutschen
Umgangssprache

Dr. Heinz Küpper

Wörterbuch der deutschen Umgangssprache

Ernst Klett Verlag

Stuttgart · München · Düsseldorf · Leipzig

Die Deutsche Bibliothek – CIP-Einheitsaufnahme

Küpper, Heinz:
Pons-Wörterbuch der deutschen Umgangssprache / Heinz Küpper. – 1. Aufl.,
6. Nachdr. – Stuttgart ; München ; Düsseldorf ; Leipzig : Klett, 1997
ISBN 3-12-570600-9
NE: Wörterbuch der deutschen Umgangssprache; HST

1. Auflage 1987 – Nachdruck 1997
© Ernst Klett Verlag für Wissen und Bildung GmbH, Stuttgart 1987.
Alle Rechte vorbehalten.
Konzeption und redaktionelle Durchführung:
Rabe Verlagsgesellschaft mbH, Stuttgart;
VGSI Verlagsgesellschaft Gemeinden Städte Industrie mbH, Suttgart.
Druck: Kösel, Kempten.
Printed in Germany.
ISBN 3-12-570600-9

Zur Methodik der Bestandsaufnahme

Das „Wörterbuch der deutschen Umgangssprache" in der Fassung des Jahres 1955 war von Anfang an und erklärtermaßen als „Versuchsballón" gedacht. Es sollte erkunden, ob mein 1940 in ungünstiger Zeit veröffentlichter Programmentwurf („Forschungen und Fortschritte", Nr. 32/33) in den neuen, sich normalisierenden Zeitläuften überhaupt auf Interesse stieße und ob gar Gesinnungsfreunde sich finden ließen, die bei der Ermittlung des Wortbestands helfen wollten. Da ich aus Gründen, die in der Natur der Sache liegen, die bei Mundartwörterbüchern üblichen amtlichen Wege – etwa über die Lehrerschaft – meiden wollte, mußte es mein Bestreben sein, private sprachinteressierte Kreise für meine Zwecke zu gewinnen.

Dem Volk insgesamt läßt sich nur „aufs Maul sehen", wenn wirklich das Volk selber und nicht nur eine Gruppe zu Worte kommt. Ohne die sprachwissenschaftliche Kompetenz bestimmter Berufsgruppen schmälern zu wollen, war ich nach 18 Jahren einsamen Sammelns doch zu der Überzeugung gelangt, daß von den Bevölkerungsschichten und -gruppen keine einzige bevorzugt werden dürfe, wenn es um die Bestandsaufnahme des gesamtdeutschen Umgangswortschatzes geht. Dieser Grundsatz war für meine wissenschaftliche Arbeit bestimmend und zwang mich, bis dahin unübliche Wege einzuschlagen.

In diesem Sinne lag dem Wörterbuchband des Jahres 1955 ein Druckblatt mit folgendem Text bei:

Lieber Leser!

Verfasser und Verleger sind übereinstimmend der Meinung, daß der Wortschatz der deutschen Umgangssprache unmöglich von einem einzelnen ermittelt werden kann. Trotz vieler und gründlicher Sammlerfahrten und trotz emsiger Mitarbeit vieler Gleichgesinnter sind sie überzeugt, daß sie bei allem planvollen Vorgehen die Bestandsaufnahme so noch nicht befriedigend meistern können. Dazu ist das deutsche Sprachgebiet zu groß.

Soll die bisherige Grundvoraussetzung gewahrt bleiben, so ist es notwendig und wünschenswert, daß in sämtlichen Teilen des deutschen Sprachgebiets allen Leuten gleichmäßig aufs „Maul" gesehen wird. Keine Sprachlandschaft, keine Großstadt und kein Industriebezirk, auch kein Stand, keine Bevölkerungsschicht und kein Alter darf stiefmütterlich behandelt werden. Überall, wo Deutsch gesprochen wird, sollte der Bestand der Umgangssprache erfaßt werden, damit aus dem Zusammenwirken vieler dieses grundlegende Wörterbuch der deutschen Umgangssprache immer mehr vervollständigt werden kann.

Würde es nicht auch Ihnen, lieber Leser, Freude machen, in diesem Sinne an unserer Arbeit teilzunehmen? Außer der Liebe zur Sache, außer einem guten Ohr für sprachliche Dinge, außer Notizbuch und Bleistift ist nichts vonnöten. Zeichnen Sie sich auf, was Ihnen in der Unterhaltung als Bestandteil der Umgangssprache entgegentritt. Sind Sie der, für den Verfasser und Verleger Sie gern halten, so wird Ihnen solch harmlose Jagd nach sprachlichem Wild überraschend viel Freude machen. Was Sie zur Strecke bringen, wird später fröhliche Urständ feiern: säuberlich und gewissenhaft mit Herleitung und Altersangabe versehen, werden Sie Ihre Jagdbeute in unserem Wörterbuch wiederfinden, – in unserem Wörterbuch, das dann auch Ihr Wörterbuch ist. „Das stammt von mir", werden Sie sich später sagen dürfen, und Ihr berechtigter Stolz wird mit dem aufrichtigen Dank von Verfasser und Verleger wetteifern.

Selbstverständlich interessieren in erster Linie nur solche Einzelwörter und Redewendungen, die Ihnen aus eigener Erfahrung bekannt geworden sind. Wörterbücher und Erzeugnisse der zeitgenössischen Literatur brauchen Sie nicht zu bemühen. Schreiben Sie sich auf, wo und wann Sie die einzelnen Vokabeln zum ersten Mal gehört haben. Als Ariadnefaden benutzen Sie, bitte, das nachstehende Schema:

Stichwort:
Bedeutung (hochdeutsche „Übersetzung")
Wann erstmalig gehört?
Wo erstmalig gehört?
a) bei Soldaten, Schülern, Studenten, Kaufleuten, Handelsvertretern, Autofahrern, Handwerkern, Beamten, Kabarettisten, Schauspielern, Journalisten oder bei ...
b) aus dem Munde von Heimatvertriebenen aus ...
c) in welcher Sprachlandschaft?
in welcher Stadt?
in welchem Industriegebiet?
Verfasser und Verleger würden sich sehr freuen, wenn ihre Einladung zur Mitarbeit gute Aufnahme bei Ihnen fände. Ihre Mitteilungen richten Sie, bitte, an ...

Auf diesen gedruckten Beibrief hin setzte eine wahre Flut von berichtigenden und/oder ergänzenden Zuschriften ein, die – im Verein mit zahlreichen anerkennenden Kritiken und Buchbesprechungen – die Erforschung der deutschen Umgangssprache nun erst in voller Breite ermöglichten. Binnen kurzer Zeit erweiterte sich der Umfang meiner Kartei von 15 000 Karteizetteln auf 25 000.

Nun wies die Mehrzahl der hinzugekommenen Karteikarten freilich zu einem Wort in der Regel auch nur eine einzige Meldung auf, so daß der allgemeine Bekanntheitsgrad nicht erkennbar war. Einige der mir gemeldeten Vokabeln nahmen sich auf den ersten Blick hin wie für meine Zwecke erfunden aus; auch schienen manche Listen von persönlichen Vorlieben und Eigenheiten nicht frei zu sein. Die Lebens- und Berufserfahrungen des einzelnen spiegeln sich in seinem Wortschatz wider, ebenso die Atmosphäre im Elternhaus, die Erziehungserlebnisse und die vielfältigen Umwelteinflüsse, nicht zuletzt die Altersstufe und das Geschlecht. Im Wortvorrat verrät sich auch die Verschiedenheit der Charaktere und Temperamente; schwerwiegende Erlebnisse lassen den Menschen diesem oder jenem Sprachstil zuneigen; die geistige Veranlagung und das Gemütsleben geben sich in Lieblingswörtern und -begriffen zu erkennen und verleihen dem Vokabular die individuelle Note, wie ja auch sprachlandschaftliche Eigenheiten, Wohnort und häufiger Wohnortwechsel ihre vokabulären Spuren hinterlassen. Diese und ähnliche Gegebenheiten beeinflussen notwendig nicht nur die Sprachstufe, sondern auch die Kenntnis von Wörtern und Redensarten. Dieses Menschlich-Allzumenschliche muß der Umgangssprachforscher sorgfältig abwägen, damit er nicht blindlings für allgemeingültig erklärt, was nur individuell oder nur als Gelegenheitsbildung gilt.

Um in dieser Lage zu wissenschaftlich greifbaren und unangreifbaren Erkenntnissen zu gelangen und um meinem kritischen Gewissen gerecht zu werden, wählte ich unter den ersten 200 Zuschriftlern zehn kenntnisreiche aus. Sie hatten mir die umfangreichsten und inhaltlich wertvollsten Listen zugeschickt und wohnten in sehr verschiedenen Teilen der Bundesrepublik Deutschland, Österreichs sowie der Schweiz. Zudem hatten sie in ihren Begleitbriefen deutlich zu erkennen gegeben, wes Geistes Kind sie waren; auch war ihnen jener Sinn für Humor eigen, ohne den die Umgangssprache und ihre Erforschung undenkbar sind.

Für diese zehn Gewährsleute zog ich aus den ersten zweihundert Einsendungen diejenigen Vokabeln aus, die mir unbekannt waren oder für die es mir an Meldungen, Belegen und Buchungen mangelte. Diese erste Frageliste *C 25* verschickte ich reihum an die zehn Gewährsleute, ohne daß einer vom anderen wußte.

Nachstehend ein Auszug aus dieser ersten Frageliste *C 25:*

1 sich abbalgen = sich abmühen
2 abschrammen = sich eiligst entfernen
3 jemanden ägstern = jemanden ängstigen, quälen
4 angestochen = leicht verrückt
5 angestochen = leicht betrunken
6 angestochen = sittlich tiefstehend
7 die Atzeln kriegen = zornig werden
8 Bäk = Schrei
9 sich ein Bein ausfreuen = sich sehr freuen
10 bepummeln = verwöhnen, bemuttern
11 bramsig = unwillig
12 es kostet einige Däuser = es ist teuer
13 Dohle = schäbiger, unmoderner Hut
14 Fallobst = Halbweltdamen
15 Ferkelkönig = Treibjagdteilnehmer mit der geringsten Beute
16 Fickfackereien = Ausreden, Ränke
17 Hoftrauer = Schmutz unter den Fingernägeln
18 Knallerbse = steifer Hut
19 mit dem großen Löffel essen = prahlen
20 schoren = Tabak kauen
21 Seelenspiegel = Fragebogen
22 Teebs = Ausgelassenheit
23 Tischrücken = erste Gesellschaft in neubezogener Wohnung, zu der die Gäste sich selbst ansagen und Speisen und Getränke mitbringen
24 Vorpostentabak = minderwertiger Tabak
25 mit etwas wüsten = seine Habe vergeuden; seine Gesundheit untergraben
26 Zahnathlet = Zahnarzt
27 zweibefeln = bezweifeln
28 zweispännige Kälte = Kälte unter 9 Grad
29 Bohnermusik = Rundfunkmusik in den Vormittagsstunden
30 das möchte ich klavierspielen können = das möchte ich können
31 fünsch = wütend

32 Kemach = Spießiges
33 schollern = arpeggieren
34 Eselswiese = Zeitungsspalte „Vermischtes"
35 Ratzefummel = Radiergummi
36 Strunzel = häßliche weibliche Person
37 dammeln = trödeln
38 Mietsche = Straßenprostituierte
39 Salzfässer = Vertiefungen zwischen Hals und Schlüsselbein
40 Kleinkistendorf = Schrebergartensiedlung
41 Trall = Scherz, Ausgelassenheit
42 schluckohrig = schuldbewußt
43 Blechschlips = Ritterkreuz
44 Knastologe = Häftling
45 Radiosuppe = Hülsenfrüchtesuppe
46 Spekuliereisen = Brille
47 Tändel = Nachschlüssel
48 Wonnepfropfen (-proppen) = nettes Mädchen
49 Sehmaschine = Brille
50 kleiner Verdruß = Buckel
51 einen Prickel haben = eingebildet sein
52 mewulwe = benommen
53 Aaltopp = Zylinderhut
54 sich ranschmeißen = sich anbiedern, einschmeicheln
55 Gake = Dummschwätzerin
56 Spundus = Angst
57 mit Wonnegrunzen = sehr gern

Die Empfänger dieser absichtlich buntgemischten Liste bat ich, auf Sonderblättern anzugeben, wann sie die Vokabeln gehört haben, an welchem Ort oder in welcher Landschaft, und aus welcher Bevölkerungsgruppe sie ihnen geläufig sind. Diese Angaben meiner zehn Gewährsleute zu 300 Vokabeln übertrug ich auf die jeweilige Karteikarte. Auf ihr ist somit zu erkennen, wo das Stichwort verbreitet ist, sowohl in sprachlandschaftlicher als auch in soziologischer Hinsicht; außerdem läßt sich aus den verschiedenen Datierungen das ungefähre Alter der Vokabeln ersehen.

Die Beantwortung der Frageliste durch einander unbekannte, voneinander unabhängige Gewährsleute läßt durch Vergleich im allgemeinen deutlich erkennen, welche Angabe stichhaltig ist und welche nicht. Hierüber entscheidet wie von selbst die Mehrzahl der Meldungen. Bei Vokabeln, die nur ein einziger Gewährsmann gemeldet hat, ist hinsichtlich ihrer umgangssprachlichen Gebräuchlichkeit zunächst Zurückhaltung angebracht.

Da die Meldungen von zehn Gewährsleuten selbstverständlich weniger Sicherheit bieten als die Meldungen von hundert und mehr, interessierte ich die Deutsche Forschungsgemeinschaft für mein Unternehmen, zumal die um der Wissenschaft willen unumgängliche Verbesserung und Ausweitung meines Vorhabens meine Geldmittel erheblich überforderten. Da die Deutsche Forschungsgemeinschaft meine Anregung großzügig aufgriff, konnte ich viele Jahre hindurch Fragelisten mit je tausend Vokabeln an rund hundert Gewährsleute verschicken, wodurch der Sicherheitsgrad der Angaben beträchtlich verstärkt wurde. Auch konnte ich dank dieses Materials den bisherigen Versuchsband durch einen Band von streng wissenschaftlichem Gewicht ersetzen und ihm weitere gleichwertige folgen lassen.

Als Beispiel für die wissenschaftliche Verwertbarkeit von Wort-Meldungen führe ich im folgenden alle Angaben auf, die mir auf Grund meiner Frageliste *D 2* zur *Vokabel 386* zugegangen sind. (*B* bezeichnet die Kartei meiner Gewährsleute nebst deren individueller Korrespondenznummer; *mdl* steht für *mündlich*, d. h. vom Verfasser selbst im Alltag gehört und notiert.) Das Stichwort:

Lackaffe *m* = pomadisierter Stutzer; eitler Geck; „Schönling" ohne besondere Geistesgaben; eingebildeter Junge.

Hamburg			*B 54*
Köln			*B 92*
Frankfurt/M.			*B 557*
Stralsund	1920		*B 120*
Düsseldorf	1944		*B 17*
Mittelrhein	1930		*B 23*
Thüringen	1910		*B 561*
Wunstorf	1945 ff		*B 85*
Sachsen	1932		*B 130*
Holstein	1900	Schüler	*B 65*
Berlin	1910		*B 42*
Berlin	vor ... 1912		*B 145*
Münster	1940		*B 149*
Halberstadt	1940	Jugend	*B 12*
Göttingen	1920	Schüler	*B 71*
Berlin	1930		*B 84*
Thüringen	alt		*B 37*
Kassel	1921		*B 19*
Berlin	1930		*B 54*
norddeutsch			*B 105*
Sachsen	vor ... 1914		*B 106*
Sachsen	nach ... 1945		*B 64*
Vorpommern	1900		*B 120*
	1920		*B 36*
Koblenz	1930	Soldaten	*mdl*
Südbayern	gelegentlich		*B 29*
Pommern	nach ... 1918		*B 10*
rheinisch	1939		*B 14*
Ostpreußen	1930		*B 141*
norddeutsch	1916		*B 72*
Hamburg			*B 34*
Halle/S.	1920		*B 147*
allg.	1920		*B 43*
	1910		*B 25*
Sachsen			*B 92*
Berlin	1920		*B 124*
Berlin	1930	Schüler	*B 89*
Kiel	1958		*B 107*
Schlesien	1900		*B 90*
Mecklenburg			*B 642*
Mainz	1961	Beamter	*mdl*
Schlesien			*B 603*
Magdeburg	1930	Land	*B 629*
Wien			*B 119/22396*
Aachen	1958	Schüler	*B 258*
Nürnberg	1968	Jugend	*B 461*
Freudenstadt	1971	Kellner	*mdl*
Michelstadt	1973	Schüler	*B 1789*
München	1973	Schüler	*B 1671*
Weilheim/Obb.		Schüler	*B 1757*
Ingolstadt	1973	Schüler	*B 1756*
Darmstadt	1979	Schüler	*B 1789*
Regensburg	1982		*B 2375*
Würzburg	1982		*B 2375*

Dieses Ergebnis der Befragung zu einer einzigen Vokabel ist erstaunlich genug und überaus ermutigend: war doch damit der Beweis erbracht, daß – über die vordringlichen Alltagssorgen hinaus – Idealismus und Unentgeltlichkeit auch heute noch ihren althergebrachten Wert im (selbst-)bewußten Leben und Erleben der Menschen bewahrt haben. Auch zeigte sich zweifelsfrei, daß auf geschickte Weise Interesse zu wecken ist – und daß nicht bloß Wissenschaftler, sondern in weit größerer Zahl sprachinteressierte Laien zur Mitarbeit zu gewinnen sind.

Unter meinen Gewährsleuten befinden sich Angehörige fast aller wichtigen Berufe, beider Geschlechter und der Geburtsjahrgänge 1890 bis 1970. Die Zahl derer, die Fragelisten ausgefüllt haben oder mir in anderer Weise bei der Bestandsermittlung geholfen haben, schätze ich auf 50 000.

Zur Bestandsaufnahme unserer Alltagssprache führen freilich auch andere Wege. Beispielsweise erfuhr ich im Anschluß an mein erstes Auftreten im Fernsehen (9. November 1955) den Wortschatz von Kriegsgefangenen in Rußland. Auch über Rundfunksender läßt sich Sprachforschung betreiben. So fragte ich 1956 in mehreren halbstündigen Sendungen des Hessischen Rundfunks nach der Bekanntschaft von rund 1000 Vokabeln. Das Verfahren ist einfach, aber verständlicherweise nicht so ergiebig wie das Ausfüllen von Fragelisten. Zu Beginn der Sendung gab der „Wörterdetektiv" eine Einleitung und fuhr dann fort:

„. . . und nun nehmen Sie Ihren Bleistift zur Hand und machen hinter die entsprechende Zahl einen kurzen waagerechten Strich, sofern Sie das Wort nicht gehört haben; aber wenn es Ihnen geläufig war, dann malen Sie hinter die Zahl ein kleines Kreuz. Wenn Sie obendrein noch angeben können, ob Ihnen das Wort in Frankfurt oder in Fulda oder in Kassel oder in Hamburg oder sonstwo begegnet ist, so dürfen Sie hinter das Kreuz den Ortsnamen setzen.

Und nun geht's los: ich frage Sie: kennen Sie für den Begriff *tauschen* das Wort:
1. *kungeln*, 2. *maggeln*, 3. *fuggern*, 4. *kaupeln* oder *käupeln*, 5. *kotzeln* oder *kotscheln*, 6. *gogeln*, 7. *verscheuern*, 8. *versilbern*?

Hinter Zahl 9 dürfen Sie nun gleichbedeutende Wörter eintragen; denn es gab deren ja eine große Anzahl.

(Zwischenmusik)

Wir sprachen vorhin von der unseligen Zigarettenwährung. Was liegt näher, als nun die Bezeichnungen für die Zigarette aufs Korn zu nehmen? Also bitte, zücken Sie wieder den Bleistift und malen Strich oder Kreuz zu folgenden Wörtern:
10. *Glimmstengel*, 11. *Stäbchen*, 12. *Spreizen*, 13. *Lungenbrötchen*, 14. *Aktive*, 15. *Drehburger*, 16. *Marke Deutscher Wald*, 17. *Siedlerstolz*, 18. *Ami*, 19. *Kastrierte.*"

Die Antwortlisten mit den Strichen, Kreuzen und Ortsnamen wurden vom Hessischen Rundfunk gesammelt und an mich weitergeleitet. Aus ihnen erfuhr ich im allgemeinen, welche Stichwörter geläufig waren – an welchen Orten oder in welchen Landschaften.

Ein verwandtes Verfahren ermöglichte mir der *Westdeutsche Rundfunk* am 25. Januar 1971. Es ging damals um Kosewörter. Die Hörer wurden in einer Dreiviertelstundensendung aufgefordert, geläufige Kosewörter für Frau und Mädchen, für Mann und Kind fernmündlich anzugeben. Die Meldungen wurden einem Computer eingegeben: es waren 1585 Anrufe. In der Kürze der Zeit war es leider nicht möglich, für jeden Anruf das geographische und soziologische Verbreitungsgebiet zu ermitteln; es war lediglich auf das weitere Umfeld der Stadt Köln zu schließen. Auch konnte aus Zeitnot das Alter der Kosewörter nicht angegeben werden, so daß diese Art der Befragung für wissenschaftliche Zwecke letztlich nur Teilergebnisse zeitigte. – Diesen Mißstand räumte ich durch eine private Rundfrage nach Kosewörtern 1972 aus.

Von allen Formen der Bestandsaufnahme verspricht wegen der Nachprüfbarkeit die Ausfüllung von Fragelisten den größten Erfolg. Der Beantworter steht hierbei nicht – wie beim Rundfunkverfahren – unter Zeitdruck. Er kann in aller Ruhe und zu der ihm genehmen Zeit die Liste ausfüllen, kann Kameraden und Kollegen zu Rate ziehen. Obendrein wird er – dank der frei verfügbar gebotenen Muße – dazu angeregt, analoge Ausdrücke und Wendungen hinzuzuschreiben oder die ihm geläufige Herleitung anzuführen.

Unter den schriftlichen Verfahren sind zwei Formen zu unterscheiden. Bei der einen werden das umgangssprachliche Wort angegeben und der Beantworter um Auskunft gebeten, seit wann er das Wort kennt, in welcher Landschaft es gehört hat, in welcher Bevölkerungsgruppe es ihm begegnet ist. Diese Form, bei der dem Befragten eine sehr große Arbeit zugemutet wird, hat sich bisher als die ergiebigste erwiesen – auch wenn nicht zu jedem Wort alle drei Fragen beantwortet werden. Hinzu kommt, daß der Beantworter sich zu zusätzlichen Wörtern und Antworten angeregt fühlt, wie es fast in jedem Fall zu beobachten war.

Will man hingegen den Wortschatz einer bestimmten Bevölkerungsgruppe ermitteln, empfiehlt sich als Ausgangspunkt der hochdeutsche Begriff, zu dem der Beantworter lediglich die umgangssprachliche Entsprechung angeben soll. Er äußert sich hierbei im allgemeinen weder zum geographischen Verbreitungsgebiet noch zur Datierung.

Als Beispiel führe ich zunächst unsere Frageliste zum *Schülerdeutsch* an, die wir seit 1973 in Umlauf gesetzt haben. Schon früher hatten wir eine ähnliche Liste herausgegeben, aber uns zu einer verbesserten Form entschließen müssen. Denn an der früheren Liste bemängelten die Schüler die Tatsache, daß sie nur schulische Begriffe enthielt; das war den Schülern zuwenig und zu eng gefragt. Mit gutem Grund wollten sie auch die außerschulischen Bestandteile ihres Wortschatzes erfaßt wissen.

Unsere Frageliste vom Jahre 1973 sah folgendermaßen aus:

An alle Detektive der Schülersprache!

Vielen Dank, daß auch Sie uns bei der Begründung der Sammelstelle des Schülerdeutsch helfen wollen. Schreiben Sie auf ein besonderes Blatt und nur unter Anführung unserer Kennziffer alle Vokabeln und Redensarten, die Ihnen zu den einzelnen Stichwörtern geläufig sind. Natürlich dürfen Sie auch neue Stichwörter aufschreiben und mit den entsprechenden Vokabeln versehen.

Wenn Sie für weitere Detektiv-Anwärter Listen benötigen, schreiben Sie uns eine Postkarte. Vergessen Sie, bitte, nicht die genaue Angabe Ihrer Anschrift auf Ihrem Blatt, das wir gern bald in Händen hätten.

Die Liste:

1. Grund-, Volksschule
2. Hauptschule
3. Hilfs-, Sonderschule
4. Mittelschule
5. Handelsschule
6. Berufsschule
7. Gymnasium
8. Abendgymnasium
9. Heimschule
10. Unterrichtsfächer
11. Klassenzimmer
12. Chemiesaal
13. Physiksaal
14. Musikzimmer
15. Turnhalle
16. Schwimmbad
17. Sanitäre Einrichtungen
18. Schullandheim
19. Lehrmittel
20. Schreibzeug
21. Lehrer
22. Schulleiter
23. Verwaltungsstudienrat
24. Klassenbester
25. Klassenschlechtester
26. Klassensprecher
27. Klassenwiederholer
28. Unterstufe
29. Mittelstufe
30. Oberstufe
31. Klassenarbeiten
32. Klassenaufsatz
33. Hausaufgaben
34. Leistungsnoten
35. Aufnahmeprüfung
36. Abschlußprüfung
37. Tadel
38. Eintragung ins Klassenbuch
39. Strafarbeit
40. Nachsitzen
41. Schulverweisung
42. Vorsagen
43. Abschreiben
44. Absehen
45. Täuschungszettel
46. unerlaubte Übersetzung
47. Schulfeiern
48. Schulferien
49. Elternbeirat
50. Die Erwachsenen (Eltern usw.)
51. Schüler unter sich
52. kameradschaftlich
53. unkameradschaftlich
54. Einzelgänger
55. Party-Keller
56. Klublokal
57. Keller-Party
58. schwungvoll
59. langweilig
60. Tanzkapelle
61. Musikinstrumente
62. Schallplattenansager
63. Schlagersänger(-in)
64. Plattenspieler
65. Schallplatte
66. Tonbandgerät
67. Transistorgerät
68. Tabakwaren
69. Rauschgift
70. Getränke
71. alkoholisch
72. alkoholfrei
73. Partner(-in)
74. Gelegenheitsfreund(-in)
75. fester Freund
76. feste Freundin
77. sympathisch
78. unsympathisch
79. flott
80. energielos
81. (un-)aufrichtig
82. Flirt
83. Petting
84. Koitus
85. unübertrefflich
86. sehr minderwertig o. ä.
87. mittelmäßig
88. Polit-Vokabeln

An der Ausfüllung dieser Frageliste beteiligten sich schätzungsweise 15 000 Schüler und Schülerinnen der verschiedenen Schulformen sowie der Altersstufe ab 10 Jahren. Die meisten Antworten kamen von den 14- bis 19jährigen. Sie meldeten sich einzeln, klassen- oder schulweise bei uns auf Grund eines in der führenden Presse sowie im Rundfunk verbreiteten Aufrufs zur Sammlung der Schülersprache. In keinem Fall wurde auf die Schüler und Schülerinnen Druck ausgeübt, weder von der Lehrerschaft noch von den Kultusministerien.

Die Listen wurden meist während des Unterrichts und in Gegenwart der Lehrer ausgefüllt. Hierbei ist der Verdacht des Abschreibens von Klassenkameraden natürlich nicht auszuschließen und in vielen Fällen sogar nachzuweisen. Daher ist die Häufigkeit des Vorkommens eines Worts in einer und derselben Schulklasse nicht von Belang. Auch wo am selben Ort mehrere Schulen gleicher oder ähnlicher Art vorhanden sind, ist der Wortschatz im allgemeinen einhellig; lediglich in Heimschulen offenbaren sich gelegentlich Hauseigenheiten.

Auf jeden Fall ist es angebracht, Schüler gezielt zu ihrem Wortschatz zu befragen. Ohne die Leitlinie einer Frageliste und hinter dem Rücken der Lehrer bieten manche Klassengemeinschaften eine Wörterzusammenstellung an, die von schierer Wettbewerbssucht einer angriffslüsternen und autoritätsfeindlichen Kameradschaft zeugt: dem Sprachforscher gibt sie nichts, dem Schulpsychologen alles . . .

Im Zusammenhang mit der Schülerbefragung erwies es sich als besonders heikel, Fragelisten ausfüllen zu lassen, – nicht nur wegen der Täuschungsmöglichkeit, sondern auch wegen der vom Forscher unbeabsichtigten Anregung zur Worterfindung. Vor allem Schüler der Oberstufe neigen dazu, sich durch Augenblickseinfälle hervorzutun oder für jede Frage ein Wort bereit zu haben. Offenbar halten sie es für ehrenrührig oder beschämend, zu einem hochdeutschen Wort keine Schülervokabel zu wissen. Diese merkwürdige Erscheinung läßt sich auch bei manchen Erwachsenen beobachten: hinter jedes erfragte Wort schreiben sie „bekannt". Derlei Unsitten durchschaut der Sprachforscher schnell, je öfter er mit solchen Fragelisten zu tun hat. Solche unsicheren Gewährsleute muß er von der Versendung weiterer Listen ausschließen. Bei aller Dankbarkeit für uneigennützige Mitarbeit und bei aller Gerngläubigkeit ist der Sprachforscher, wofern er auf Fragelisten angewiesen ist, aus sachlichen Gründen verpflichtet, ein gesundes Mißtrauen wachzuhalten. Durch Vergleich der einzelnen Listen ist unschwer zu erkennen, wo eine unglaubwürdige Angabe steht oder wo als allgemeingültig bezeichnet wird, was nur in den vier Wänden des Einsenders verbreitet ist.

Böse Absichten oder heimliche Fallstricke sind nicht zu vermuten, wohl aber unbeabsichtigte Irrtümer; daher ist Vorsicht auch hier die Mutter der Weisheit. Der Benutzer des Wörterbuchs erwartet von seinem Verfasser mit Fug und Recht größtmögliche Verläßlichkeit. Unterlassungen werden ihm bitter vorgehalten. Das Ethos des Verfassers wird als selbstverständlich vorausgesetzt, zumal wenn aus Platzmangel die Unterlagen für die einzelnen Angaben nicht gedruckt werden können. Ohne Vertrauen zur Redlichkeit der Gewährsleute und zur Redlichkeit des Wörterbuchmachers bleibt das beiderseitige Bemühen wertlos.

Um darzutun, wie einhellig manche Schülervokabeln über das Gebiet der Bundesrepublik Deutschland verbreitet sind, greife ich als Beispiel die Vokabel „Brettergymnasium" für die Hilfsschule (Sonderschule für das körperlich und/oder geistig behinderte Kind) heraus. Das Wort ist unseren Schülern und Schülerinnen bekannt in:

Göttingen, Kaiserslautern, Speyer, Berlin, Freiburg, Karlsruhe, Frankfurt, Gelnhausen, Kassel, Minden, Oberhausen, Köln, München, Saarbrücken, Bielefeld, Altensteig, Münster, Werne, Friedrichshafen, Nagold, Regensburg, Ingelheim, Künzelsau, Michelstadt, Oberkirchen, Herrenberg, Bremen, Stuttgart, Krainhagen, Kassel, Leonberg, Halver, Trier, Mainz, Duisburg, Brilon, Buxtehude, Neuburg (Donau), Kempten, Essen, Garbeck, Koblenz, Eßlingen, Neuwied, Butzbach, Kornwestheim, Lahde, Memmingen, Balingen, Sulzbach, Rheinkamp, Dillingen, Beckedorf, Burgsteinfurt, Winnigstedt, Herten, Leverkusen, Klein-Berkel über Hameln, Hamm, Gladbeck, Heidelberg, Sulingen, Neheim-Hüsten, Beckum, Rees, Krefeld, Attendorn, Rheine, Moers, Wesel, Langenberg (Rheinland), Bochum, Coburg, Betzdorf, Bremerhaven, Mülheim-Ruhr, Bonn, Hohenacker, Darmstadt, Baden-Baden.

Von diesen vielen Meldeorten erscheint im Wörterbuch kein einziger: dort findet sich lediglich die Angabe „gemeindeutsch". Aus wie vielen Mosaiksteinchen sich eine solche Angabe zusammensetzt, ist im Wörterbuch unmöglich darzustellen. Derlei bleibt Kulissenarbeit. Weitaus die meiste und mühsamste Arbeit an der Bestandaufnahme des Umgangsdeutsch ist Kulissenarbeit: nachprüfbar ist sie lediglich beim Wörterbuchmacher. Von ihm muß der Benutzer des Wörterbuchs zwingend erwarten, daß seine Angaben auf wissenschaftlich hinreichend gesicherten Ermittlungen beruhen und an Hand der Kartei nachprüfbar sind.

Dies gilt im Grundsätzlichen gleichermaßen für die Bestandaufnahme des Bundessoldatendeutsch. Auch hierbei erbat ich zu hochdeutschen Stichwörtern die soldatensprachliche Entsprechung. Meine Frageliste, die 1126 Begriffe auf 24 Seiten umfaßte, wurde vorwiegend kompanie- oder einheits- oder stubenweise ausgefüllt. In ihrem Umfang und in ihrer Gliederung schloß meine Liste an die Erhebungslisten zur Soldatensprache der beiden Weltkriege an, weil ich auf Grund eines Forschungsauftrags der Deutschen Forschungsgemeinschaft auch das Soldatendeutsch der Weltkriegsteilnehmer einbeziehen wollte.

Über die innere Form der Liste unterrichtet der nachfolgende Auszug:

29. Gestellungsbefehl	40. feige
30. in die Kaserne einrücken	41. schmutzig
31. Heeresangehöriger	42. nörgelnd
32. Marineangehöriger	43. widerspenstig
33. Luftwaffenangehöriger	44. besserwisserisch
34. Rekrut	45. kriecherisch
35. Freiwilliger	46. kameradschaftlich
36. Soldat	47. unkameradschaftlich
37. gut	48. selbstsüchtig
38. schlecht	49. unselbständig
39. draufgängerisch	50. bemutternd

X

51. gehorsam
52. mutig
53. ängstlich
54. dumm
55. gewitzt
56. großmäulig
57. Sonstiges
58. Altgedienter
59. Dienstzeit
60. Entlassung
61. am Dienstzeitende
62. in Unehren
63. Berufsförderungsdienst
64. Bestrafung
65. Arrest
66. Arrestwache
67. Militärgefängnis
68. Dienstunwürdig-
    keit
69. Degradierung
70. Kameradengericht
    mit Verprügelung
71. Sonstiges
72. Wehrpaß
73. Löhnung
74. Löhnungsempfang

75. Geldsorten
76. bei Geld sein
77. ohne Geld sein
78. Urlaub
79. Stadturlaub
80. Nachturlaub
81. Familienurlaub
82. Hochzeitsurlaub
83. Ernteurlaub
84. Sonstiges
85. Kasernenbereich
86. Kasernenhof
87. Bekleidungskammer
88. Kompanie-Geschäfts-
    zimmer
89. Handwerkerräume
90. Kantine
91. Offiziersmesse
92. Soldatenheim
93. Erholungsraum
94. Lesestube
95. Eßräume
96. Truppenübungsplatz
97. Lager
98. Lagerstraßen
99. Lagerplätze

1976 *Frankfurter Neue Presse,* Nr. 239
1977 *Hör zu (Zs.),* Nr. 44

Zum selben Stichwort benenne ich die lexikographischen Buchungen:

1883 Meyer, *Der richtige Berliner*
1890 Brendicke, *Berliner Wortschatz*
1914 Müller-Fraureuth, *Wörterbuch der obersächsischen und erzgebirgischen Mundarten*
1933 Brummküsel, *1 000 Worte Marinedeutsch*
1969 *Wörterbuch der deutschen Gegenwartssprache*
1969 Kieser, *Schimpf- und Kosewörter aus Halle an der Saale* (Wissenschaftliche Zs. der Universität Halle)
1975 Koch, *Wenn Schambes schennt*

Der Vergleich der Buchungen und Belege mit den Meldungen meiner Gewährsleute zeigt hinsichtlich der Altersbestimmung und der geographischen Verbreitungsgebiete große Übereinstimmung, so daß auf dem Umweg über die gedruckten Zeugnisse der Verläßlichkeitsgrad der Meldungen sich bestätigt, – abgesehen davon, daß für das Verbreitungsgebiet die Meldungen ergiebiger sind.

Aus diesen Beispielen geht zugleich hervor, daß der Wörterbuchmacher mit aller Umsicht und Mühe den Weg der Vokabel bis in die naheste Gegenwart zu verfolgen hat. Auf diese Weise kann er – zusätzlich zu den Meldungen – auf die Verwurzelung im Wortschatz schließen oder das langsame Aussterben eines Wortes verfolgen.

Als Quelle für Belege dienen neuerdings auch Rundfunk und Fernsehen. Die Sendungen fußen in den meisten Fällen auf einem gedruckten Text, der auf akustischem Wege vermittelt wird. Rundfunk und Fernsehen sind in sprachwissenschaftlicher Hinsicht gleichwertig mit der Presse, nämlich als Vermittler von Vokabeln.

Da Umgangsdeutsch heute in zunehmendem Maße Eingang in den Medien findet, kommt diesen Sprachmittlern erhöhte Bedeutung zu. Die Nachrichtendienste, die Massenblätter und die Zeitschriften mit Millionenauflage verbreiten im engen Netz ihrer Empfänger dasselbe Deutsch in allen Sprachlandschaften. Die Flut solcher Verlautbarungen bringt den Durchschnittsbürger mit bisher unbekannten Wörtern und Redewendungen in Berührung, die er unwillkürlich in seinen Wortschatz aufnimmt, ohne sich die Art der Quelle zu merken. Auf diese verständliche Weise kann mündliche Verbreitung irrtümlich behauptet werden, während tatsächlich aus gedruckter Quelle geschöpft wurde.

Hier gerät der Sprachforscher an die Grenze stichhaltiger Bestandsaufnahme. Vielleicht nach zehn oder zwanzig Jahren wird sich ergeben, welche Redewendung Wurzeln geschlagen hat und ob sie vor ihrem ersten gedruckten Auftreten mündlich bereits verbreitet war. Gleichwohl darf heute nichts unterlassen werden, was für die Kenntnis unserer lebenden Umgangssprache der Gegenwart hilfreich, aber späterer Erforschung anheimzugeben ist.

Diese Liste erbrachte einen Wortschatz von rund 10 000 Vokabeln. Da sie in den wenigsten Fällen von Einzelpersonen ausgefüllt wurde, ist die Häufigkeit der Verbreitung der Wörter kaum feststellbar. Aus privaten Mitteilungen ist mir jedoch bekannt, daß – von sprachlandschaftlichen Eigenheiten abgesehen – die Vokabeln an allen Standorten den Mannschaften und Unteroffizieren geläufig sind.

Bildet für die Erforschung der lebenden Umgangssprache die Bestandsaufnahme die unersetzliche Grundlage, so ist auch die Suche nach gedruckten Belegen und lexikographischen Buchungen von großer Wichtigkeit, – auch dann, wenn die Vokabel nachweislich längst gebräuchlich war, ehe sie in einem Druckwerk erscheint.

Zur Verdeutlichung gebe ich nachstehend zu den vielen Meldungen zum Stichwort „Lackaffe" die literarischen Belege an (Zs. = Zeitschrift; Ztg. = Zeitung):

1952 Sorgenfrei, *Kulicke greift ein*
1954 Howard, *Amis*
1954 *Am Scheidewege (Zs.)*
1955 Richter, *Du sollst nicht töten*
1955 Opitz, *Mein General*
1956 Wendt, *Notopfer Berlin*
1959 *Das grüne Blatt (Zs.),* Nr. 32
1960 *Bunte Illustrierte (Zs.),* Nr. 48
1960, 18. 11. *Der Abend (Ztg.)*
1962, 17. 8. *Handwerkszeitung für Rheinland-Pfalz*
1964 *Berliner Illustrierte Zeitschrift,* Nr. 17
1965 *Quick (Zs.),* Nr. 18
1966 *Neue Illustrierte (Zs.),* Nr. 15
1969 Bunje, *Der Etappenhase* (ARD 17. 2. 1969)
1971 Kempowski, *Tadellöser und Wolff*
1972 *Hör zu (Zs.),* Nr. 12

Dr. Heinz Küpper
Westerwaldstr. 82
D-5413 Bendorf 3

Abkürzungen

abf	abfällig		*jidd*	jiddisch
adj	Adjektiv		*jm*	jemandem
adv	Adverb		*jn*	jemanden
ags	angelsächsisch		*journ*	journalistensprachlich
ahd	althochdeutsch		*jug*	jugendsprachlich
alem	alemannisch			
altfranz	altfranzösisch		*kirchenlat*	kirchenlateinisch
angloamerikan	angloamerikanisch		*konj*	Konjunktion
arb	arbeitersprachlich			
ärztl	Ärztesprache		*lat*	lateinisch
			lit	literarisch
bad	badisch		*Ln*	Ländername
bayr	bayrisch			
bds	beides		*m*	Maskulinum (männlich)
Bn	Beiname		*marinespr*	marinesprachlich
bot	botanisch		*mhd*	mittelhochdeutsch
brit	britisch		*milit*	militärisch
BSD	Bundessoldatendeutsch		*mitteld*	mitteldeutsch
			mittellat	mittellateinisch
dän	dänisch			
d. h.	das heißt		*n*	Neutrum (sächlich)
dim	diminutiv (verkleinernd)		*ndl*	niederländisch
dt	deutsch		*nhd*	neuhochdeutsch
			niederd	niederdeutsch
engl	englisch		*nordd*	norddeutsch
etw	etwas		*nordgerm*	nordgermanisch
			num	Zahlwort
f	Feminimum (weiblich)			
ff	Folgende		*o. ä.*	oder ähnlich(es)
Fn	Familienname		*oberd*	oberdeutsch
franz	französisch		*oberösterr*	oberösterreichisch
fries	friesisch		*obersächs*	obersächsisch
frühnhd	frühneuhochdeutsch		*On*	Ortsname
			österr	österreichisch
ggfs.	gegebenenfalls		*ostgerm*	ostgermanisch
germ	germanisch		*ostmitteld*	ostmitteldeutsch
gleichbed	gleichbedeutend		*ostpreuß*	ostpreußisch
got	gotisch			
griech	griechisch		*part*	Partizipium
			pejorat	pejorativ (verschlechternd, abschätzig)
halbw	halbwüchsigensprachlich		*pers*	persisch
hd	hochdeutsch		*pl*	Plural (Mehrzahl)
hebr	hebräisch		*Pn*	Personenname
hess	hessisch		*poln*	polnisch
			portug	portugiesisch
impers	impersonell		*präd*	Prädikat
indogerm	indogermanisch		*präp*	Präposition
inf	Infinitiv		*pron*	Pronomen
interj	Interjektion (Empfindungsausdruck)		*prost*	prostituiertensprachlich
intr	intransitiv			
ir	irisch		*refl*	Reflexivum
iron	ironisch		*rhein*	rheinisch
ital	italienisch		*röm*	römisch
			rotw	Rotwelsch
jd	jemand			
jds	jemandes			
Jh	Jahrhundert			

sächs	sächsisch		*tr*	transitiv
schles	schlesisch		*trad*	traditionell, tradiert
schott	schottisch		*tschech*	tschechisch
schül	schülersprachlich		*türk*	türkisch
schwäb	schwäbisch			
schwed	schwedisch		*u. ä.*	und ähnlich(es)
schweiz	schweizerisch		*ung*	ungarisch
sg	Singular (Einzahl)			
slaw	slawisch		*v*	Verbum
slovak	slovakisch		*vgl*	vergleiche
slow	slowenisch		*Vn*	Vorname
sold	soldatensprachlich			
span	spanisch		*westd*	westdeutsch
sportl	sportlersprachlich		*westf*	westfälisch
steir	steirisch		*westgerm*	westgermanisch
stud	studentensprachlich			
südd	süddeutsch		*zigeun*	zigeunersprachlich
südwestd	südwestdeutsch		*ziv*	zivilsprachlich

Benutzerhinweise

a) Bestand der verzeichneten Wörter

Dieses Wörterbuch registriert alle Wörter und Redewendungen der deutschen Sprache, die im weitesten Sinne dem Bereich der Umgangssprache zuzurechnen sind. Da die deutsche Umgangssprache ihren Wortbestand im wesentlichen aus anderen Sprachbereichen bezieht (Hochsprache, Dialekte, Gruppensprachen, Sondersprachen, Fachsprachen etc.), ist der jeweilige regionale oder soziale Herkunftsbereich (*bad* = badisch; *ärztl* = Ärztesprache) vermerkt. Ebenfalls vermerkt ist der Zeitpunkt, zu dem ein Ausdruck umgangssprachlichen Charakter angenommen hat oder von der Umgangssprache eigens geprägt worden ist (**Blei** Bleistift. 1800 *ff*, **Bleispritze** Gewehr. 1960 *ff*).

b) Reihenfolge der Stichwörter

Die Stichwörter sind in alphabetischer Folge geordnet. Lediglich Abkürzungen wie **A, a. A. d. W, a. d. D. sein** sind den Stichwörtern mit gleichen Anfangsbuchstaben vorangestellt. Die Umlaute (ä, ö, ü) und die wie Umlaute gesprochenen Doppelbuchstaben (ae, oe, ue) folgen auf die entsprechenden Grundlaute: **hanebüchen, hängen, hapern.**

c) Schriftarten

Die Stichwörter sowie die Numerierungen ihrer Bedeutungen sind **fett** gedruckt. *Kursiv* gedruckt sind grammatikalische Bestimmungen (*v* = verbum; *pl* = Plural), Angaben über regionale oder soziale Herkunftsbereiche (*ags* = angelsächsisch: *jug* = jugendsprachlich) sowie alle darüber hinaus im Abkürzungsverzeichnis aufgeführten Hinweise.

d) Verweise

Mit dem Verweisungspfeil ↗ wird auf andere Zusammensetzungen des Stichworts oder eines seiner Teile (**Bleirotze** Gewehr. ↗ rotzen.) und auf Stichworte mit ähnlichen Bedeutungen (**Busenloser** Kompaniefeldwebel. Zusammenhängend mit „↗ Mutter der Kompanie".) hingewiesen.

e) Betonung und Aussprache

Betonungszeichen (**Bu'sento**) und Hinweise auf die Aussprache finden nur dann Verwendung, wenn es sich um Abweichungen von den allgemeinen deutschen Ausspracheregeln handelt oder wenn unterschiedliche Artikulationen desselben Wortes mit unterschiedlichen Bedeutungen einhergehen.

A

a.A.d.W. = an entlegenem Ort; fernab von jeglicher Zivilisation. Abgekürzt aus „am Arsch der Welt". ↗Arsch 17. 1941 *ff, sold.*

a.d.D. sein = auf dem Weg zur Latrine sein. „a.d.D." ist die militäramtliche Abkürzung von „auf dem Dienstwege". Soldaten deuten sie als „auf dem Donnerbalken" (↗Donnerbalken) oder „auf dem Durchmarsch" (↗Durchmarsch). *Sold* seit 1914.

A.d.W. = entlegene Gegend. Abkürzung von „Arsch der Welt". ↗Arsch 17. 1941 *ff, sold.*

a.f.d.H. = sehr eindrucksvolles Ereignis; große Frechheit; bedenkliche Handlungsweise. Abkürzung von „äußerst faustdikker Hund". Übernommen aus der Soldatensprache 1939 *ff,* wo die Abkürzung „alles für den Hund" im Sinne von „alles vergebens" meinte. *Schül* 1950 *ff.*

a.i.A. = Redewendung, wenn eine Sache mißglückt ist. Abgekürzt aus „alles im Arsch". *Sold* 1939 *ff; BSD.*

A'a *m (n)* **1.** Kothaufen; Darmentleerung. Gibt lautmalerisch den Ton wieder, der entsteht, wenn man nach langer krampfhafter Anstrengung den Atem ausstößt. Kinderspr. 18. Jh.
2. kleine Fliegerbombe. *Sold* 1939 *ff.*
3. ~ am Stecken haben a) = nicht unbescholten sein; vorbestraft sein. Variante zu ↗„Dreck am Stecken haben". 1920 *ff.* – b) = ständig Unglück haben; ständig Mißerfolg erleiden. *Sportl* 1960 *ff.*
4. ~ machen = koten. 18. Jh, Kinderspr.

Aal *m* **1.** Torpedo, Lufttorpedo. Mit dem Aal hat der Torpedo die Glätte und die längliche Form gemeinsam. *Sold* seit dem frühen 20. Jh bis heute.
2. Penis. Wegen der Formähnlichkeit. *Schül* und *sold* 1900 *ff.*
3. Mensch, der sich einer Arbeit (Verpflichtung, Schwierigkeit) listig entzieht. Hergenommen von der Wendigkeit des Aals. *Sold* 1939 *ff.*
4. glatt wie ein ~ = charakterlich geschmeidig; überfreundlich; schlau, ohne überführt werden zu können. Der Aal ist schwierig festzuhalten. 19. Jh.
5. einen ~ erwischen (schnappen) = Glück haben; einen leichten Sieg davontragen. Soll auf dem orientalischen Rechtsbrauch beruhen, wonach der zum Tode verurteilte Verbrecher als letztes in einen Sack greifen durfte, in dem sich 99 Schlangen und 1 Aal befanden; ergriff er den Aal, wurde er begnadigt. 1920 *ff.*
6. einen ~ haben, a) = bezecht sein. Anspielung auf den Torkelgang des Betrunkenen. Seit dem späten 19. Jh. – b) = nicht ganz bei Verstand sein. Bezechte benehmen sich oft wie Geistesverwirrte. 1900 *ff.*
7. einen ~ machen = sich listig einer Verpflichtung entwinden. *Sold* 1939 *ff.* Gleichbedeutend im Ersten Weltkrieg „Aalemann machen".
8. den ~ pellen = onanieren. ↗Aal 2. *Jug* 1910 *ff.*
9. zittern wie ein ~ = sehr furchtsam sein; übertriebene Angst haben. ↗Zitteraal. 1900 *ff.*

aalen *v* **1.** *refl* a) = sich faul dehnen und strecken (in der Sonne, am Strand o. ä.); sich behaglich fühlen. Hergenommen von der Bewegung des Aals im Wasser. 19. Jh. – b) = sich ausruhen. 1900 *ff.*
2. sich mit etw ~ = sich an etw gütlich tun. 19. Jh.
3. *tr intr* = koitieren. ↗Aal 2. Berlin 1920 *ff.*

aalglatt *adj* charakterlich wendig. ↗Aal 4. 19. Jh.

Aaltopp *m* Zylinderhut. Topp = Topf, Eimer. Aalverkäufer trugen früher einen Zylinderhut. 1800 *ff,* Berlin, Hamburg, Niederlausitz u. a.

Aas *n* **1.** Schimpfwort auf Tier, Mensch oder Gegenstand. Meint eigentlich den Tierleichnam. Spätestens seit dem 15. Jh.
2. Hauptkerl. Wohl beeinflußt von ↗As 1. 1900 *ff.*
3. schlauer Mensch; durch überlegene Schlauheit als unangenehm empfundener Mensch. 17. Jh.
4. As. Bei Kartenspielern beliebte Aussprache mittels Vokaldehnung. 1900 *ff.*
5. Begrüßungswort unter Halbwüchsigen (ohne abwertenden Sinn). Halle/Saale 1960 *ff.*
6. ~ auf der Baßgeige. a) = Hauptkönner, Wortführer. Meint eigentlich die Note As auf der Kontrabaß; entstellt durch Vokaldehnung. 1850 *ff.* – b) = lästiges Kind. 1900 *ff.*
7. ~ auf der Geige = Könner, Hauptkerl. ↗Aas 6 a. 1850 *ff.*
8. ~ aus Kalkutta (mit Schwimmbeene) = tüchtiger Mann; Lebens- und Menschenkenner. Anspielung auf den Zoologischen Garten in Kalkutta; Kalkutta war bis 1912 Sitz des engl Vizekönigs. Seit dem späten 19. Jh, Berlin.
9. altdeutsches ~ = sehr strenger Lehrer. ↗altdeutsch. *Schül* 1955 *ff.*
10. blödes (dämliches, doofes) ~ = dümmlicher Mensch. ↗doof 1, 1900 *ff.*
11. dummes ~ = dummer Mensch. 1800 *ff.*
12. selten dummes ~ = sehr dummer Mensch. Der Betreffende ist nicht etwa manchmal dumm, sondern besonders dumm. 1920 *ff.*
13. falsches ~ = charakterloser, unzuverlässiger, gewissenloser Mensch. 1900 *ff.*
14. faules ~ = Nichtstuer; träge Arbeitender. 19. Jh.
15. feiges ~ = Feigling 1900 *ff.*
16. feines ~ = feingekleideter Mensch; Mensch in beneidenswerten Lebensumständen; Mensch von vornehmer Gesinnung. 1850 *ff.*
17. freches ~ = frecher Mensch. 1900 *ff.*
18. gelungenes ~ = humorvoller Mensch. ↗gelungen. 1900 *ff.*
19. gerissenes ~ = listiger, vielerfahrener Mensch. ↗gerissen. 1900 *ff.*
20. goldiges ~ = Kosewort für ein Mädchen. ↗goldig. 1900 *ff.*
20 a. helles ~ = aufgeweckter, aber unsympathischer Mensch. ↗hell 1. 1900 *ff.*
21. kein ~ = (leider) niemand. Berliner Ursprungs, etwa seit 1850.
22. kiebiges ~ = lebenslustiger, aufgeweckter, gutmütiger Mensch. ↗kiebig 3. Seit dem späten 19. Jh.
23. kleines ~, a) = junger Dieb; Tunicht-

gut. 1900 *ff.* – b) = kleines Mädchen (Kosewort). 1900 *ff.*
24. mistiges ~ = niederträchtiger Mensch. ↗mistig. *Sold* 1939 *ff.*
25. patentes ~ = geschickter, anstelliger, kameradschaftlicher Mensch. ↗patent. 1900 *ff.*
26. reiches ~ = Vermögender; Großkapitalist. Seit dem späten 19. Jh.
27. schlaues ~ = schlauer Mensch. 18. Jh.
28. süßes ~ = sehr nettes Mädchen; intime Freundin. ↗süß. 1900 *ff.*
29. vornehmes ~ = vornehmer Mensch; Vornehmtuer. 1920 *ff.*

aasen *v* **1.** mit etw ~ = etw vergeuden, verschwenden. Bezieht sich eigentlich auf den Gerber, der beim Entfleischen unzweckmäßig vorgeht. 18. Jh.
2. *intr* = eilen; rasch fahren. Aus dem Vorhergehenden entwickelt im Sinne von „mit aller Kraft arbeiten". 19. Jh.

Aaser *m* **1.** rücksichtsloser militärischer Vorgesetzter, der die ihm unterstellte Truppe ggfs. bedenkenlos opfert, um sich hervorzutun und einen Orden zu erhalten. Er aast (↗aasen 1) mit seinen Leuten. *Sold* 1917/18 und 1941 *ff.*
2. rücksichtsloser Kraftfahrer. ↗aasen 2.

Aaserei *f* rücksichtslose Fahrweise. ↗aasen 2; beeinflußt von „Raserei". 1920 *ff.*

Aasgeier *m* **1.** Wucherer. Übertragen vom Greifvogel, der sich von Aas nährt. 1920 *ff.*
2. Schimpfwort allgemeiner Art. 1920 *ff.*
3. Nutznießer fremden Unglücks; Ausbeuter. 1920 *ff.*

aasig *adj* **1.** schwierig, unangenehm, häßlich. Aus ↗Aas 1. entwickelt im Sinne eines Kraftausdrucks. 18. Jh.
2. tückisch, niederträchtig. 18. Jh.
3. frech. 1900 *ff.*
4. unangenehm groß. 1900 *ff.*
5. hervorragend; außerordentlich; sehr stark; verwegen. ↗Aas 2 und 3. Etwa seit 1900.
6. *adv* = sehr; sehr viel. 19. Jh.

Aasjäger *m* **1.** Wilddieb; nicht weidgerechter Jäger. Er stiehlt das von ihm in Schlingen gefangene, verendete Tier oder läßt beschossenes Wild verludern. 19. Jh.
2. Angehöriger eines Telegraphen-Bataillons, eines Fernsprechtrupps. Nach Wilddiebart legt er Schlingen und spannt Drähte. Seit dem späten 19. Jh bis 1945.

Aasknochen *m* (Stück Aasknochen) = Schimpfwort. Erweiterung aus ↗Aas 1. 1800 *ff.*

Aaskram *m* Schmutziges; höchst widerwärtige Sache; verwünschender Ausruf. ↗Aas 1. 19. Jh.

Aasstück *n* grobes Schimpfwort. Der Betreffende ist nicht mehr wert als ein Stück Aas. 1850 *ff.*

ab *adj* abgegangen, abgemacht, amputiert (abes Bein; abbes Bein; appes Bein; auch: abenes Bein). Verkürzt aus „es ist ab" und danach flektierbar. Spätestens seit 1900.

ab *präp* **1.** ab dafür! = bekräftigende Schlußformel (etwa = „Schluß damit!" oder „einverstanden!"). Stammt aus der Sprache der Glücksspieler: Haben die Spieler ihre Sätze gemacht, bekundet der Bankhalter mit dem Ruf „ab dafür!" sein Einverständnis. Seit dem frühen 20. Jh.
2. ab durch die Mitte! = geh fort! wegtre-

ten! marsch! Stammt aus Regiebemerkungen in Textbüchern. 19. Jh.

3. ab wie die wilde Jagd! = schleunigst fort! Die wilde Jagd ist das aus der Volkssage bekannte gespenstige Heer, das durch die Lüfte fährt. 1920 *ff*.

4. ab nach Kassel! = hinaus! fort! Zusammenhängend mit dem Untertanenverleih der hessischen Landesfürsten an die Engländer zur Teilnahme an den Kämpfen gegen die nordamerikanischen Kolonien (1776–1783); für die Zwangsrekrutierten war Kassel die Sammelstelle. 1870 kam die Redensart erneut auf, als Napoleon III. ins Exil nach Kassel-Wilhelmshöhe geschickt wurde. Etwa seit 1840/50.

5. ab mit Rückenwind! = schnell fort! Das Flugzeug fliegt schneller mit dem Winde. Fliegerspr. 1914 *ff*.

6. ab mit Schaden! = weg damit! *Vgl* fort mit Schaden, ↗ Schaden. 1945 *ff*.

7. ab Trumeau! = verschwinde! Entweder verdreht aus „türme" (↗ türmen 1) oder Warnruf der Möbelpacker beim Transport eines Spiegels. *Sold* 1914/18 *ff*.

abackern *refl* **1.** sich müde arbeiten. ↗ ackern 1. 1800 *ff*.

2. sich mit jm ~ = sich mit jm abmühen; jm etw mühsam einlernen. 1800 *ff*, vorwiegend *schül* und *stud*.

abartig *adj* **1.** unschmackhaft. Meint hier, was von der rechten Art abweicht. *BSD* 1960 *ff*.

2. unsympathisch, minderwertig. *Jug* 1960 *ff*.

3. das ist ja ~!: Ausdruck der Überraschung. Was von der rechten Art abweicht, ist absonderlich und verwunderlich. *BSD* 1960 *ff*.

abäschern *refl* sich abmühen, abhetzen. Gehört zu „Asche" (Holzasche) und bezieht sich auf die Tätigkeit ihres Herstellers. 1600 *ff*.

abasten *v* sich mit etw ~ = sich mit etw abmühen; eine schwere Last tragen. ↗ asten 1. Spätestens seit 1900.

abbauen *v* **1.** *intr* = sich vom Feind absetzen. Meint eigentlich: die militärische Stellung abbauen, Gerät abbauen, die Telefonleitung abbauen. Seit dem Ersten Weltkrieg.

2. *intr* = davongehen; fliehen. Hergenommen von den umherziehenden Handelsleuten, die am Ende des Marktes ihre Warenstände abbrechen und weiterziehen. Seit dem späten 18. Jh, *stud, sold* und *rotw*.

3. *intr* = ohnmächtig werden; in der Leistung sichtlich nachlassen; zu kränkeln beginnen. 19. Jh, *sold* und *sportl*.

4. *intr* = sterben. *Sold* 1939 *ff*.

5. *intr* = in der Luft durch zu starke Beanspruchung zerbrechen. Fliegerspr. 1939 *ff*.

6. *tr* = jn in den Ruhestand versetzen; jn aus seiner Stellung entlassen. Hergenommen vom Abbau im Bergbau: der abgebaute Stollen ist nicht mehr ergiebig, nicht mehr fündig und wird daher aufgegeben. Nach 1918 aufgekommen, als das 100 000-Mann-Heer sehr viele Weltkriegsoffiziere nicht wieder aufnehmen konnte.

abbaumen *intr* **1.** davoneilen. Hergenommen vom Vogel, der vom Baum wegfliegt. 1920 *ff*.

2. einen Baumhochsitz verlassen; vom Baum steigen. Jägerspr. 19 Jh.

3. einen hochgelegenen Beobachtungsposten schleunigst verlassen. *Sold* 1940 *ff*.

4. mit etw aufhören. 1920 *ff*.

5. sterben. 1920 *ff*.

6. sich beruhigen; friedfertig werden; seinen Ärger abklingen lassen. 1920 *ff*. (Der Zornige meint, es sei, „um auf die Bäume zu klettern" . . .)

abbehalten *tr* die Kopfbedeckung nicht wieder aufsetzen. 19. Jh.

abbeißen *tr* **1.** jn zu verdrängen trachten. Hergenommen von den Gänsen, die die Hühner vom Futtertrog durch Zubeißen zu vertreiben suchen. 19. Jh.

2. jm das Wort abschneiden. 1920 *ff*.

3. einen ~ = den Inhalt eines Schnapsglases in mehreren Zügen leeren; einen Schnaps aus der Flasche trinken. Hieß ursprünglich „einen Kanten Schnaps abbeißen", nämlich den oberen Teil einer Flüssigkeit abtrinken. Spätestens seit 1850.

abbekommen *tr* etw erhalten. Gemeint ist, daß man von einer Menge einen Teil erhält. 19. Jh.

abben *adj* amputiert; abgesprungen o. ä. Flektierte Präposition „ab". Spätestens seit 1900.

abbiegen *tr* **1.** etw vereiteln; in unangenehmer Sache ausweichen. Meint eigentlich die Änderung der anfangs eingeschlagenen Richtung, kann aber auch von „die Spitze biegen" herkommen. Seit dem ausgehenden 19. Jh.

2. etw stehlen. Analog zu „abzweigen" oder „auf die Seite bringen". 1900 *ff, sold, schül* und *rotw*.

abbimsen *intr* vom Mitschüler abschreiben. ↗ bimsen 6. 1900 *ff*.

abblasen *v* **1.** etw ~ = eine geplante Veranstaltung (eine Verordnung) rückgängig machen. Hergenommen von der Jagd, deren Ende durch ein Hornsignal angezeigt wird. 1850 *ff*.

2. sich einen ~ = sich beim Trompeteblasen o. ä. sehr anstrengen. 1900 *ff*.

3. jm einen ~ = sich fellieren lassen. ↗ blasen 7. 1900 *ff*.

abblättern *intr* **1.** von etw Abstand nehmen. Hergenommen vom Baum, der seine Blätter verliert, oder von abblätternder Farbe. 1920 *ff*.

2. an Mitgliederzahl abnehmen. 1920 *ff*.

3. sich nach und nach selbständig machen. 1960 *ff*.

4. alt, müde, teilnahmslos werden. 1900 *ff*.

abbleiben *intr* nicht heimkehren; fernbleiben; zu den Vermißten zählen. *Nordd* Variante zu „wegbleiben". 14. Jh.

Abblitz *m* Abweisung. ↗ abblitzen 1. 1950 *ff*.

abblitzen *v* **1.** *intr* = abgewiesen werden. Hergenommen von Blitz, der sein ursprüngliches Ziel nicht erreicht, wenn er vom Blitzableiter abgelenkt wird. 19. Jh.

2. jn ~ = jn zurückweisen, unmißverständlich abweisen. 19. Jh.

3. jn ~ lassen = jn zurückweisen; jm etw versagen. 19. Jh.

4. sich ~ lassen = sich eine Abfuhr holen. 1920 *ff*.

abblocken *tr* etw vereiteln. Hergenommen vom Eisenbahnwesen: abblocken = vom Stellwerk aus den Haltesignal stellen. 1920 *ff*.

abblubbern *v* den Motor ~ lassen = den Motor langsam zum Stillstand bringen. ↗ blubbern. 1920 *ff*.

abbohren *tr* etw abschreiben; vom Mitschüler abschreiben, absehen. Gehört vielleicht zur Vorstellung des bohrenden Blicks oder fußt auf etw „bohren = betteln". *Schül* seit dem späten 19. Jh.

abbrausen *v* **1.** *intr* = sich eiligst entfernen; schnell wegfahren. Anspielung auf den Motorlärm bei wachsender Drehzahl oder auf das sausende Geräusch des Luftwiderstands. 1920 *ff*.

2. *tr* = jn heftig zurechtweisen. Entweder wird der Betreffende mit brausender Stimme angeherrscht, oder man gießt ihn mit der Brause naß (Vorstellung vom begossenen Pudel). *Sold* 1935 *ff*.

abbrechen *v* **1.** sich einen ~ = a) sich übertrieben dienstfertig geben; überaus förmlich sein. Fußt auf dem Bild von der steifen Körperhaltung: eckige Bewegungen lassen ein Abbrechen befürchten. 20. Jh. – b) sich überanstrengen; sich übermäßig beeilen; sich abmühen. 1900 *ff*.

2. brich dir keinen (nichts) ab = a) sei nicht so übertrieben vornehm; gib dich nicht so ungeschickt; rede nicht so geschraubt. Der Hochmütige gilt in der Volksmeinung als „hochnäsig" oder als Träger einer Zackenkrone, aus der leicht ein Stück abbrechen kann. 1900 *ff*. – b) übertreibe nicht; bausche so auf; mach' es nicht so umständlich. 1920 *ff*.

3. sich einen ~ = a) sich sehr unbeholfen äußern. Der Betreffende scheint sich die Zunge abzubrechen. 1920 *ff*; auch *halbw*. – b) sich über etw künstlich erregen. 1920 *ff*.

4. Sie brechen wohl jeden Moment ab?: Scherzfrage an einen Großwüchsigen. 1940 *ff*.

abbrennen *v* **1.** *intr tr* = (ab-)feuern. Hergenommen von dem veralteten Vorgang des Abbrennens einer Lunte. 19. Jh; auch *BSD*.

2. etw ~ = eine begeisternde Rede halten. Hergenommen vom Feuerwerk, das man abbrennt, und verglichen mit zündenden Worten und Geistesblitzen. Nach 1933 aufgekommen.

3. jn ~ = jm im Spiel das Geld abgewinnen. ↗ abgebrannt sein. 1920 *ff*.

4. *intr* = dreimal umziehen. Eine volkstümliche Weisheit besagt, daß dreimal Umziehen soviel sei wie einmal Abbrennen. 19. Jh.

abbröckeln *intr* **1.** den Widerstand allmählich aufgeben; sich (möglichst unbemerkt vom Feind) zurückziehen. *Sold* in beiden Weltkriegen.

2. heimlich davongehen. *Sold* 1914 bis 1945.

3. sichtlich verfallen; altersschwach werden; dem Tode entgegengehen. Fußt auf der Vorstellung vom Abbröckeln alten Mauerwerks. 19. Jh.

Abbruch *m* **1.** jn auf ~ heiraten = eine bejahrte Person heiraten, von der anzunehmen ist, daß sie nicht mehr viele Jahre zu leben hat. Scherzhaft gebildet nach dem Muster von „ein Haus auf Abbruch verkaufen". Berlin und *rhein*, spätestens seit 1900.

2. etw auf ~ kaufen = etw zum Zerstören kaufen. 1900 *ff*.

abbruchreif *adj* reif zur Amtsenthebung. 1920 *ff.*

abbrüllen *v* 1. etw ~ = im Chor ein Lied singen, ohne auf Harmonie zu achten. Es ist weniger Gesang, erinnert mehr an das Gebrüll von Tieren. *Sold* und *ziv,* 19. Jh. 2. sich einen ~ = laut schimpfen. Anspielung auf Erregung bis zu unfreiwilligem Samenerguß. *Sold* 1935 *ff.*

abbrummen *v* 1. *intr* = a) wütend weggehen. ↗brummen 3. 1920 *ff.* – b) lärmend wegfahren. 1920 *ff.* – c) die Bekanntschaft mit einem Mädchen beenden. Gehört sowohl zu den beiden vorhergehenden Bedeutungen wie auch zu ↗Brumme 2. *Sold* 1939 *ff.* 2. *tr* = a) eine Strafe verbüßen. Gehört zu „brummen = Gefängnisinsasse sein". 19. Jh. – b) eine Strafstunde absitzen. *Schül* 1920 *ff.* – c) eine Strecke fahren. Gemeint ist, daß einer mit heulendem Motor fährt. 1930 *ff.*

abbügeln *tr* jds Absicht vereiteln. Hergenommen vom Oberleitungs-Omnibus oder von der Elektrolokomotive: wird der bügelförmige Stromabnehmer eingezogen, bleibt der Motor stehen. 1977 *ff.*

abbummeln *tr* unbezahlte Mehrarbeit durch Freizeit ausgleichen. ↗bummeln 1. Seit dem frühen 20. Jh.

abbürsten *v* 1. *tr* = jn prügeln, militärisch besiegen. ↗bürsten 1. Seit dem späten 19. Jh, *schül* und *sold.* 2. *tr* = jn heftig rügen. (Ausdrücke des Reinigens haben in der Umgangssprache den Sinn sowohl von Prügel wie auch von Rüge: in beiden Fällen schwebt die Absicht des Besserns vor.) Seit dem späten 19. Jh. 3. *intr* = davonlaufen. Fußt wohl auf der Redewendung „laufen wie ein ↗Bürstenbinder". Seit dem frühen 19. Jh. 4. etw ~ = etw diebisch (auf bedenklichem Wege) an sich bringen. Analog zu „abstauben" (↗abstauben 2.); 1920 *ff.* 5. jn ~ = jn erpressen. ↗abstauben 2. 1900 *ff.*

abbusseln (abbussen) *tr* jn herzhaft, stürmisch, anhaltend küssen. ↗busseln. *Bayr* und *österr* 19. Jh.

abbuttern *v* 1. *tr* = etw durch Lässigkeit vergeuden, verderben. Ist die Butter aus der Milch, ist der Rest mager (fettarme Buttermilch); ~ meint sinngemäß auch ↗Absahne zulassen. 1900 *ff.* 2. *intr* = das bisherige Leistungsvermögen einbüßen. Gemeint ist wohl, daß einer in den Knien weich wird wie Butter. Allerdings hat „abbuttern" auch den Nebensinn „onanieren". *Nordd* 1920 *ff.*

abbützen *tr* jn stürmisch küssen. ↗bützen. *Rhein* 19. Jh.

abbüxen *v* 1. *intr* = davonlaufen. ↗ausbüxen 2. 19. Jh. 2. *tr* = etw stehlen. Spielt auf Entwendung aus der Hosentasche an. *Nordd* 1900 *ff.*

ABC *n* das ABC vergessen = sprachlos werden; die Beherrschung verlieren. Dem Betreffenden hat es die Sprache verschlagen. 1950 *ff.*

abchecken *tr* etw abwägen, sondieren, überprüfen. ↗checken. 1945 *ff.*

ABC-Komiker *pl* ABC-Abwehrtruppe. „Komiker" ist für den Soldaten ein Mensch, den man nicht ernstnimmt. Andererseits

kann „Komiker" aus „Chemiker" entstellt sein. *BSD* 1960 *ff.*

ABC-ler *pl* ABC-Abwehrtruppe. *BSD* 1960 *ff.*

ABC-Schule *f* Grundschule. 1920 *ff, schül.*

ABC-Schütze *m* 1. Schulanfänger; Schüler der unteren Klassen. „Schütze" meint schon im frühen 15. Jh den Anfänger im Lernen; wahrscheinlich übersetzt aus *lat* „tiro = Rekrut, Neuling" unter irrtümlicher Gleichsetzung mit *ital* „tirare" und *franz* „tirer = schießen". 16. Jh. 2. Rekrut. *Sold* 1939 *ff.* 3. *pl* = ABC-Abwehrtruppe. *BSD* 1960 *ff.*

ABC-Shop *m* Gasübungsraum. *Engl* shop = Laden, Geschäft. *BSD* 1960 *ff.*

ABC-Suppe *f* Suppe aus kleinen Buchstabennudeln. 1900 *ff.*

abdackeln *v* 1. *intr* = sich fortscheren. Soldatenausdruck seit 1900. Meint eigentlich „krummbeinig davongehen". In der Meinung der Vorgesetzten ist der untergebene Soldat ein „krummer Hund". 2. *refl* = sich (für andere) abmühen; sich abhetzen. Vom Dackelhund hergenommen, weil er sich für den Jäger abmüht, um das Wild aufzustöbern, zu fangen und zu apportieren. 1900 *ff.*

abdampfen *intr* 1. mit der Eisenbahn (dem Schiff, dem Kraftfahrzeug) abfahren. Ursprünglich Anspielung auf die dampfende Lokomotive. 1850 *ff.* 2. mit brennender Zigarre o. ä. weggehen. 1900 *ff.* 3. (schnell) weggehen. 1860 *ff.*

abdanken *intr* 1. den Soldatentod erleiden. Meint eigentlich den Thronverzicht, dann den Rücktritt vom Amt und schließlich jegliches Abtreten, vor allem das Abtreten von der Bühne des Lebens. *Sold* 1939 *ff.* 2. das Studium vorzeitig beenden. *Stud* 1960 *ff.*

Abdankung *f* Begräbnis eines Häftlings. ↗abdanken 1. 1960 *ff.*

abdecken *v* 1. *tr* = jm die Haut vom Gesicht mit den Nägeln abkratzen. Decke = Haut des Schalenwilds (jägerspr.). 18. Jh. 2. *refl* = sich unkenntlich machen; sich verstecken. Wohl zusammengesetzt aus „abgehen" und „sich decken". 1920 *ff.*

Abdecker *m* 1. Apotheker. Volksetymologischen Ursprungs sowie beeinflußt von *niederd* „Afdeker". 19. Jh. 2. Inhaber eines Bestattungsunternehmens. Eigentlich Bezeichnung für den Schinder, den Beseitiger von Tierkadavern. 1915 *ff.* 3. Mittäter, der beim Diebstahl den Haupttäter schützt. Er deckt ihn ab gegen unerwünschte Zeugen und Polizeibeamte. 1950 *ff.* 4. *pl* = Beerdigungskommando. *Vgl* Abdecker 2. *Sold* in beiden Weltkriegen.

Abdeckerei *f* Lazarett. Eigentlich die Tierleichenverwertung. *Sold* 1939 *ff.*

abdienen *tr* eine Geldstrafe durch Haft abdienen = einer Geldstrafe die Freiheitsstrafe vorziehen. „Abdienen" meint eigentlich soviel wie „eine Geldschuld durch Dienstleistungen abtragen". 1950 *ff.*

abdrehen *v* 1. etw geschickt, listig abweisen. Analog zu ↗abbiegen 1. 1900 *ff.* Beliebter Ausdruck von Rechtsanwälten. 2. einen Film fertigstellen, zu Ende drehen. 1920 *ff.*

abdriften *intr* abgleiten; abweichen; eine

andere politische Richtung einschlagen. Aus dem Seemannsdeutsch in die Politiker- und Journalistensprache übernommen. 1970 *ff.*

abdrücken *v* 1. *intr* = den Fußball plötzlich heftig treten. Hergenommen von der Schießlehre: man feuert einen Schuß ab. Fußballstöße gelten als „Schüsse". 1920 *ff, sportl.* 2. jm etw ~ = jm etw abhandeln. Stammt aus der Jägersprache: bei der Jagd wird ein bestimmtes Gelände abgedrückt, indem die Treiber das Wild dort aufstöbern und es auf die Schützenkette zu oder in einen Kessel treiben. 19. Jh.

abdunsten *v* 1. *intr* = unauffällig davongehen. Der Betreffende geht in Dunst auf. Analog zu ↗verduften. *Sold* und *ziv* seit 1914/18. 2. *tr* = jn kurz abfertigen; jn energisch in die Schranken weisen. Gehört zu „Dunst = Antreibung. 1920 *ff.*

abdüsen *intr* davongehen (gern in der Befehlsform). Eigentlich „mit dem Düsenflugzeug starten". *Österr* 1950 *ff, schül.*

Abé I *m* 1. Abort. Französierendes Tarnwort. 19. Jh. 2. Abtreibung. Verkürzt aus „Abortus". *Österr* 1900 *ff, rotw.* 3. Fehlgeburt. Aus „Abortus" verkürzt. *Österr* 1900 *ff, rotw.* 4. immer noch besser als vor dem ~ in die Hose geschissen: Ausdruck der Befriedigung über ein halbwegs geglücktes Unternehmen. 1910 *ff.*

Abé II *n* Abitur. Zerspielt aus der gebräuchlicheren Abkürzung „Abi". 1930 *ff, schül* und *stud.*

Abédeckel *m* ein Kotelett so groß wie ein ~ = ein sehr großes Kotelett. Parallel zu ↗Abortdeckel. 1900 *ff.*

Abend *m* 1. angebrochener ~ = später Abend; Mitternacht. Beschönigung. Seit dem ausgehenden 19. Jh. 2. angerissener ~ = später Abend; die frühen Morgenstunden. Spätes 19. Jh. 3. feuchter ~ = Abend mit reichlichem Alkoholverzehr. 1950 *ff.* 4. lyrischer ~ = Abendgeselligkeit mit Leuten in Stimmung oder Rausch. Eigentlich ein Abend, an dem Lyrik in Wort und Musik vorgetragen wird. „Lyrisch" steht in der Umgangssprache für „stimmungsvoll". 1940 *ff, sold.* 5. schöner ~ = heute morgen: scherzhafte Redensart (auch: nach durchzechter Nacht), mit der man einander heute einen schönen Abend wünscht. 19. Jh. 6. je später der ~, desto lieber (netter, schöner) die Gäste (die Leute): Redewendung, mit der man das verspätete Erscheinen von Gästen begleitet, o. ä. Seit dem ausgehenden 19. Jh. 7. du kannst mich mal am ~!: Ausdruck derber Abweisung. ~ ist Entstellung für „Arsch". Gemeint ist das Götz-Zitat. Verkürzt aus ↗Abend 9. 1939 *ff, sold.* 8. du kannst mich mal am ~ auf der Heide!: derbe Abweisung. „Am Abend auf der Heide, da küßten wir beide" ist ein bekanntes Schlagerlied; Text von Richter/Reiter, Musik von Eldo di Lazzaro. *Sold* 1939 *ff.* 9. du kannst mich mal am ~ besuchen (treffen)!: derbe Abweisung. *Vgl* ↗Abend 7. 1900 *ff.*

10. einen ~ hinhauen = einen Abend ausgelassen verbringen. „Hinhauen" entwickelt sich aus der Bedeutung „zu einem Ziel schlagen" weiter zu „schlagend wegwerfen", zu „wegbringen" und zu „verbringen". 1920 *ff.*
11. er kann mich mal am ~ küssen!: Ausdruck der Abweisung. Analog zu ↗Abend 9. 1900 *ff.*
12. lieber Gott, laß (es) ~ werden, – wenn's geht, vor dem Frühstück! ↗Gott 50 a.
Abendbummel *m* zielloser, gemütlicher Abendspaziergang. ↗Bummel 1. 19. Jh.
abendfüllend *adj adv* **1.** ausführlich; völlig. Herübergenommen von der Bezeichnung „abendfüllender Film" oder „abendfüllendes Programm". 1900 *ff.*
2. ~ danebengehen = völlig mißglücken. 1950 *ff.*
Abendgedicht *n* sehr schönes Abendkleid. ↗Gedicht. 1920 *ff.*
abendländisch *adj* wenig intelligent. Parallel zu ↗äbsch. Kurz nach 1930 aufgekommen.
Abendlandzünder *m* letzter ~ = Atombombe. *Stud* 1960 *ff.*
Abendlicht *n* Frau, die mit ihrem Make-up nur bei künstlicher Beleuchtung vorteilhaft wirkt, während sie am Tage ältlich erscheint *(abf).* 1900 *ff.*
Abendluft *f* die ~ genießen = mit dem Liebespartner abends spazieren gehen. 1900 *ff.*
Abendmensch *m* Mensch, der sein größtes Leistungsvermögen in den Abendstunden entwickelt. 1920 *ff.*
Abendmuffel *m* Mensch, der abends keine Energie entwickelt. ↗Muffel 1. 1970 *ff.*
Abendpyjama *m* Abendkleid im Pyjamaschnitt (Hosenanzug). 1960 *ff.*
Abendschönheit *f* nur in Abendgesellschaften gepflegte Frau. 1920 *ff.*
Abendschule *f* ~ der Nation = deutsches Fernsehen. Zusammenhängend mit der Auseinandersetzung der Politiker über den Begriff „Schule der Nation", wie Bundeskanzler Kiesinger 1969 die Bundeswehr bezeichnete; *vgl* ↗Schule. 1970 *ff.*
Abendsegen *m* **1.** abendlicher Feuerüberfall. Meint eigentlich den von den Erwachsenen den Kindern erteilten Segen vor dem Schlafengehen, auch das Abendgebet und den abendlichen Gottesdienst. *Sold* in beiden Weltkriegen.
2. Zurechtweisung des spät heimkehrenden Ehemanns. Seit dem frühen 20. Jh.
Abendstern *m* Kosewort. Eigentlich Bezeichnung für den Planeten Venus. Vielleicht übernommen aus der Arie „O du mein holder Abendstern" aus Richard Wagners „Tannhäuser", 1845. Etwa seit 1900.
Abenteuerreißer *m* spannender Abenteuererfilm o. ä. ↗Reißer. 1930 *ff.*
Abenteuerschinken *m* Abenteurerfilm von geringem künstlerischem Wert. ↗Schinken. 1955 *ff.*
aber *adv* **1.** wirklich (im Sinne einer Verstärkung). (Das ist aber schön! Jetzt wird's aber höchste Zeit!) 19. Jh.
2. Ausdruck des Einspruchs, des Vorwurfs. (Aber Kinder, was für ein wüster Lärm!) 19. Jh.
Aber *n* die Sache hat ein ~ (da ist ein ~ bei) = die Sache hat ihre Schwierigkeit, gilt nur mit Einschränkung. Das substantivier-

te Adverb meint hier soviel wie „Einwand" o. ä. Seit dem späten 18. Jh.
Aberchen *n* kleine Schwierigkeit; gewisser Vorbehalt. Spätestens seit dem ausgehenden 18. Jh.
abern *v* **1.** *intr* = Einwände machen; ständig nörgeln oder beanstanden. ↗Aber. Seit Ende des 18. Jhs.
2. es abert sich = dagegen sind Einwände zu erheben. 19. Jh.
Abessinien (Abessinienstrand) *n (m)* = Nacktbadestrand (vor allem in Kampen auf Sylt). Hängt wohl mit dem Glauben zusammen, in Abessinien gehe man unbekleidet. Die Bezeichnung soll in den zwanziger Jahren des 20. Jhs aufgekommen sein.
abextern *refl* sich abmühen. ↗extern. 19. Jh.
abfahren *intr* **1.** sterben. Im Gegensatz zu „ankommen = auf die Welt kommen". 15. Jh.
2. erschossen werden. 19. Jh.
3. sich davonmachen; entfliehen. Berührt sich mit der Aufforderung „fahr' zum Teufel". 19. Jh.
4. abgewiesen werden. Meint entweder „unverrichteterdinge wegfahren" oder leitet sich her von *stud* „Abfuhr = Hieb, der den Gegner zur Fortsetzung der Mensur unfähig macht". 18. Jh.
5. dem Lehrer die Antwort schuldig bleiben. 1900 *ff*, *schül.*
6. sich mit Drogen in einen Rauschzustand versetzen. Der Rauschzustand gilt als Reise durch ein Traumland. 1965 *ff.*
7. das Tonband auf Aufnahme stellen; eine Filmszene aufnehmen. Man läßt die Band bzw. das aufgespulte Filmmaterial abrollen. Film- und Rundfunkdeutsch seit 1930.
8. ich fahre ab (ich bin völlig abgefahren): Ausdruck der Verwunderung o. ä. Vor Überraschung fällt man in Ohnmacht. *BSD* 1960 *ff.*
9. mit jm ~ = jn streng behandeln; jm schwer zu schaffen machen; jn hart bestrafen; jn rücksichtslos einexerzieren. Meint soviel wie „heftig erregt und schnell vorgehen". 19. Jh, vor allem bei Juristen, Polizeibeamten und Soldaten.
10. jn ~ lassen = jn geringschätzig behandeln; jn kurz abfertigen; den Umgang mit jm beenden. Erklärt sich wie ↗abfahren 4. 18. Jh.
11. auf etw (jn) ~ = etw (jn) sehr schätzen; sich für etw (jn) begeistern; sich ausgelassen freuen. Hergenommen von ungehinderter Fahrweise. 1965 *ff.*
12. voll ~ = kein Hemmnis gelten lassen; kraftvoll beginnen; sich völlig hingeben oder verausgaben; sich in Leistung steigern. Anspielung auf Vollgas. 1940 *ff.*
Abfall *m* **1.** bei mir: ~ der Niederlande!: Ausdruck der Ablehnung. Meint „jn ↗abfallen lassen" unter Anspielung auf den Titel von Schillers Geschichtswerk. 1920 *ff.*
2. Abfälle beziehen (kriegen) = geprügelt, auf den Kopf geschlagen werden. Gemeint ist, daß von dem Gesamtvorrat an Prügeln etwas auch den Betreffenden abfällt. Andererseits gehört zu den Abfällen auch die Asche, und „ungebrannte Asche" meint im Umgangsdeutsch die Prügel. 19. Jh.
3. ~ haben a) = in arge Bedrängnis

geraten. Gehört wohl zu „abfallen = an Leistungskraft einbüßen" oder spielt auf die Vorstellung vom steilen Abhang an. 1900 *ff.* – b) = nicht anerkannt werden; nicht gewählt werden. 1930 *ff.*
abfallen *v* **1.** *intr* = abmagern; kraftlos werden. Wenn einer stark abmagert, wird die Haut schlaff; sie hängt herunter. 19. Jh.
2. *intr* = an Leistungskraft nachlassen. Theater- und Sportlerdeutsch 1920 *ff.*
3. *intr* = im Examen scheitern. Weiterentwickelt aus dem Vorhergehenden: wie der Sportler zurückfällt, bleibt auch der Prüfling hinter den Wettbewerbern zurück. 1920 *ff*, *schül* und *stud.*
4. *intr* = nachgeben müssen; im Wortwechsel unterliegen. Stammt aus der Seemannssprache: das Schiff fällt ab, wenn es durch Wind oder Strömung vom Kurs abgetrieben wird. 19. Jh.
5. jn ~ lassen = jn abweisen, nicht würdigen, mit Nichtachtung strafen. 19. Jh.
Abfaller *m* militärische (sportliche) Niederlage. ↗abfallen 2. *Sold* 1943 nach Stalingrad aufgekommen; nach 1950 *sportl.*
Abfallsünder *m* Mensch, der gegen die Umweltschutzbestimmungen verstößt. ↗Sünder. Etwa seit 1970.
abfälschen *tr* den Ball ~ = den Fußball von der Richtung abbringen. 1930 *ff.*
abfedern *tr* **1.** jm viel Geld abnötigen. Parallel zu ↗rupfen. 1900 *ff.*
2. jm beim Spiel unehrlicherweise Verlust zufügen. 1920 *ff.*
3. eine Entscheidung abmildern. Aus der Techniker- und Sportlersprache in die Politikersprache seit 1970 übergegangen.
abfegen *intr* **1.** als Prostituierte die Straße auf- und abgehen, um Kunden zu finden. Berlin 1950 *ff.*
2. schnell abfahren; fortlaufen. ↗fegen 1. 19. Jh.
abfeiern *tr* **1.** jds Verdienste bei seinem Rücktritt hervorheben (oft *iron*); jn mit einer Feier verabschieden. 1900 *ff.*
2. unbezahlte Mehrarbeit durch Freizeit ausgleichen. ↗feiern. 1950 *ff*, DDR.
abfeilen *tr* vom unerlaubten Hilfsmittel abschreiben. ↗feilen 1. *Schül* 1910 *ff*, *südd.*
abfertigen *tr* eine Sportmannschaft überlegen besiegen. 1900 *ff*, *sportl.*
abfetzen *v* **1.** *intr* = durch Granatsplitter mehrere (leichte) Verwundungen erhalten. Die Haut ist abgefetzt. *Sold* in beiden Weltkriegen.
2. etw von jm ~ = etw von jm abschreiben. Fußt wohl auf „abfetzen = abreißen": der Schüler reißt vom Wissen seines Nachbarn etwas ab und reißt es an sich. *Schül* 1900 *ff.*
abfeuern *intr* **1.** den Fußball plötzlich heftig treten. Analog zu ↗abdrücken 1. 1920 *ff.*
2. koten. *BSD* 1960 *ff.*
3. ejakulieren. ↗Schuß. 1920 *ff.*
abficken *v* **1.** *intr tr* = Taschendiebstahl begehen. Gehört zu „Ficke = Tasche". 1920 *ff.*
2. sich ~ lassen = sich geschlechtlich mißbrauchen lassen. ↗ficken 1. 19. Jh.
abfieseln *tr* **1.** etw abnagen. ↗fieseln 1. *Bayr* 19. Jh.
2. jn heftig, entwürdigend rügen. Meint eigentlich „jn mit dem Ochsenziemer schlagen". *Bayr* 1900 *ff.*
3. jn besiegen, übertrumpfen; jm das Geld

abgewinnen. Weiterentwickelt aus dem Vorhergehenden. *Bayr* 1920 *ff.*

abfilzen *v* **1.** *tr* = jn betasten; jm Verbotenes (Gestohlenes) abnehmen. ↗ filzen 1. Seit dem frühen 20. Jh, *sold* und *rotw.*
2. von jm ~ = vom Mitschüler absehen, abschreiben. Meint hier „mit den Augen stehlen". 1950 *ff, schül.*
3. *tr* = jn heftig rügen. Soll vom Filzen der Hutmacher herkommen. 19. Jh.
4. *tr* = jn intim betasten. ↗ filzen 1. 1900 *ff.*

abfingern *tr* **1.** jn abtasten. ↗ fingern 4. 1900 *ff.*
2. einen ~ = onanieren. *BSD* 1960 *ff.*
3. eine Klavierkomposition abspielen. 1850 *ff.*

abfliegen *v* **1.** *intr* = davongehen (gern in der Befehlsform verwendet). Von den Vögeln hergenommen. 14. Jh.
2. *intr* = dem Tode nahe sein. *Sold* 1939 *ff.*
3. *intr* = heftig lachen. Wer heftig lacht, bekommt einen roten Kopf (= Ballon); drum winkt man ihm zu und sagt: „Auf Wiedersehen, wenn du landest!" Andere erblicken in dem Vokabel eine Parallele zu „sich totlachen". 1920 *ff.*
4. *intr* = sehr verwundert sein. *Österr* 1945 *ff, jug.*
5. jn ~ lassen = jm eine Abfuhr erteilen; den Umgang mit jm abbrechen. Vgl abfliegen 1. 19. Jh.

abflitzen *intr* wegeilen; schnell abfahren. ↗ flitzen 1. 1900 *ff.*

abflöhen *tr* **1.** jm Geld abgewinnen, abnehmen. ↗ flöhen 2. 19. Jh.
2. jn auszanken, anherrschen. 1900 *ff.*

Abflug *m* **1.** Sache, über die man in großes Erstaunen gerät. Vgl abfliegen 4. *Österr* 1945 *ff, jug.*
2. ~!: Aufforderung wegzugehen. ↗ abfliegen 1. *BSD* 1960.
3. Urlaub. ↗ abfliegen 1. *BSD* 1960 *ff.*
3 a. Schulverweisung. 1960 *ff.*
4. einen ~ machen = wegeilen. *BSD* 1960 *ff; Rockersprache.*
5. ein ~ sein = höchstes Erstaunen verursachen; großen Spaß bereiten. ↗ Abflug 1. *Österr* 1945 *ff, jug.*

abfohlen *intr* niederkommen. Stammt aus der Pferdezucht: ein Fohlen bekommen. 19. Jh.

abforsten *tr* **1.** vom Mitschüler abschreiben. Meint eigentlich „ein Waldstück kahlschlagen" und weiterhin „Nutzholz gewinnen". Seit dem frühen 20. Jh, *schül.*
2. etw wegnehmen, entwenden, erpressen. 1920 *ff, rotw, prost* und *sold.*

abfotografieren *v* **1.** fotografieren. Die Vorsilbe „ab-" erklärt sich aus dem älteren Vokabeln „abkonterfeien" und „sich abnehmen lassen". 1870/80 *ff.*
2. laß dich abfotografieren!: Ausdruck der Abweisung. Gemeint ist, dann könne sich auch noch die Nachwelt an seinem Gesicht „erfreuen". 1900 *ff.*

abfuggern *tr* jm Geld abnehmen, abschwatzen. Soll mit geldlichen Machenschaften der Fugger zusammenhängen. *Südd* 19. Jh.

Abfuhr *f* sportliche Niederlage. ↗ abfahren 4. *Sportl* 1920 *ff.*

Abfuhrkies *m* Bestattungskosten. ↗ abfahren 1 und ↗ Kies 1. 1900 *ff.*

Abführmittel *n* **1.** Polizeibeamter. Wortwitzelei; „abführen" meint sowohl „pur-

gieren" als auch „ins Gefängnis führen". Wegen der Uniformfarbe hieß der Beamte ursprünglich „blau angestrichenes Abführmittel". (Der Ausdruck „in blaues Tuch gehülltes Abführmittel" wurde 1953 vom Bochumer Schöffengericht als Beamtenbeleidigung mit 300 DM Geldstrafe geahndet.) Seit dem ausgehenden 19. Jh.
2. Handfessel. 1925 *ff.*
3. Umstand, wegen dessen man von einem Vorhaben zurücktritt. 1950 *ff.*
4. minderwertige Sache. 1920 *ff.*

abfüllen *tr* jn betrunken machen. Weiterentwickelt aus der Bedeutung „völlig ausfüllen". *BSD* 1960 *ff.*

abfummeln *tr* **1.** etw in Kleinarbeit, unter Mühen loslösen o. ä. ↗ fummeln. 19. Jh.
2. eine weibliche Person intim betasten; koitieren. ↗ fummeln. 19. Jh.
3. sich einen ~ = onanieren. 1900 *ff.*

abfüttern *tr* **1.** Leute wegen gesellschaftlicher Verpflichtungen beköstigen. Meint eigentlich „dem Vieh Futter geben". 19. Jh.
2. jn beköstigen (ohne Aufwand, nur aus Gastgeberpflicht). 19. Jh.

Abfütterung *f* Essen wegen gesellschaftlicher Verpflichtungen; lieblos gereichte Mahlzeit. ↗ abfüttern 1. 19. Jh.

Abfütterungsmaschine *f* Schnellimbiß-Restaurant. 1975 *ff.*

Abfütterungsschuppen *m* Großgaststätte. ↗ Schuppen. 1975 *ff.*

Abgang *m* **1.** Geschlechtsverkehr; Ejakulation. ↗ abgehen 4. *BSD* 1960 *ff.*
2. Entlassung aus dem Wehrdienst. *BSD* 1960 *ff.*
3. ~!: Ausdruck der Abweisung; Aufforderung wegzugehen. Berlin 1850 *ff.*
4. guten (leichten) ~!: Wunsch an einen, der den Abort aufsucht. 1900 *ff.*
5. einen ~ bauen = weggehen. *Halbw* 1945 *ff.*
6. ich habe einen ~ nach dem andern!: Ausdruck der Freude. ↗ Abgang 1. *BSD* 1960 *ff.*
7. einen ~ machen a) = sich schleunigst entfernen (gern in der Befehlsform). 1945 *ff, halbw.* – b) = nachlässig Dienst tun; sich dem Dienst zu entziehen suchen. *BSD* 1960 *ff.*
8. ~ machen = den Soldatentod erleiden. *Sold* 1939 *ff* und *BSD.*

Abgänger *m* **1.** Ejakulation, Pollution. ↗ abgehen 4. 1900 *ff.*
2. zu einem anderen Truppenteil versetzter Soldat. *Sold* 1940 *ff.*
3. gefallener Soldat; ins Lazarett Eingelieferter. ↗ Abgang 8. *Sold* 1940 *ff.*

abgängerig *adj* geil. ↗ Abgang 1. Seit dem frühen 20. Jh.

abgaunern *v* jm etw ~ = jm etw durch List abgewinnen, abnehmen. ↗ Gauner. 18. Jh.

abgeben *v* **1.** es gibt etwas ab = man trägt einen ernstlichen Schaden davon; man wird geprügelt o. ä. „Abgeben" hat hier die Bedeutung „zur Folge haben". 19. Jh.
2. das gibt mir nichts ab = das fesselt mich nicht; das langweilt mich. Weiterentwickelt aus der Bedeutung „es bereichert mich nicht". 1950 *ff.*
3. *intr* = sich aus Selbstgefälligkeit bescheidener stellen als notwendig. Scherzhaftes Gegenteil von ↗ angeben 3. 1935 *ff.*
4. sich mit jm ~ = mit jm ein Liebesverhältnis anfangen oder unterhalten. Hier im

Sinne von „sich einer Sache annehmen". 18. Jh.

abgebrannt sein 1. kein Geld mehr haben. Meint eigentlich einen, der sein Haus durch eine Feuersbrunst verloren hat; dann im 30jährigen Krieg den Verarmten und im 18. Jh bei den Studenten den Mittellosen.
2. davongelaufen, desertiert sein. Analog zu ↗ durchgebrannt. *Sold* 1939 *ff.*
3. sonnenverbrannt, sonnengebräunt sein. *Bayr* und *österr* 1950 *ff.*

abgebrochen *adj* nicht zum Schul-, Studienabschluß gelangt. 1950 *ff.*

abgebrüht *part* **1.** ~ sein = gewitzigt, unempfindlich, geistig abgestumpft sein. Gehört wohl zu *niederd* und *ndl* „brüen, brüden = necken, plagen, entjungfern". 1800 *ff.*
2. ~ sein wie ein Borstenvieh = gefühllos sein. Hergenommen vom Übergießen geschlachteter Schweine mit heißem Wasser. 1900 *ff.*
3. etw ~ bringen = etw ohne Anstrengung meistern. „Abgebrüht" meint hier „durch Übung gewandt; mühelos – elegant". *Halbw* 1955 *ff.*

Abgebrühtheit *f* Unempfindlichkeit, Gleichgültigkeit o. ä. 1900 *ff.*

Abgebrummte *f* frühere Freundin; Mädchen, mit dem man nichts mehr zu tun haben will. ↗ abbrummen 1 c. *Halbw* 1950 *ff.*

abgedankt werden unehrenhaft aus Amt und Würden verabschiedet werden. „Abdanken" bezieht sich eigentlich nur auf den (hier erzwungenen) Thronverzicht. 19. Jh.

abgedreht (odraht; adraht) *adj* in allen Listen erfahren; nicht zu überführen; verrucht. ↗ Drahrer. *Oberd* 19. Jh.

abgedroschen *adj* durch oftmalige Anwendung bedeutungslos geworden; inhaltsleer; nichtssagend. Hergenommen vom aus- oder abgedroschenen Getreide, das keine Körner mehr enthält und also seinen Hauptnutzen eingebüßt hat. Spätestens seit dem 18. Jh.

abgedudelt *adj* abgegriffen, verbraucht, landläufig. 19. Jh.

abgeerntet *adj* entjungfert; rasch den Liebhaber wechselnd. 19. Jh.

abgefahren *part* sich ~ fühlen = vom Autofahren ermüdet sein. 1950 *ff.*

abgefeimt *adj* in allen Schlechtigkeiten erfahren; verrucht. Feim ist der Schaum; was vom Schaum befreit ist, ist rein. Ein abgefeimter Mensch ist demnach ein rein Verruchter. Seit den späten Mittelalter.

Abgefeimtheit *f* Verruchtheit, Niedertracht, Gewissenlosigkeit. ↗ abgefeimt. 19. Jh.

abgefrühstückt haben überspielt worden sein. Kartenspielersprache. Meint eigentlich „das Frühstück eingenommen haben", dann soviel wie „abgespielt worden sein" und unter Soldaten „gestorben sein". 1900 *ff.*

abgefuckt *adj* **1.** unsympathisch. Gehört zu *engl* „to fuck = koitieren". *Halbw* 1955 *ff.*
2. veraltet; entkräftet; zu nichts (mehr) tauglich; enttäuscht. 1955 *ff.*

abgegangen werden strafweise von der Schule entlassen werden; aus Amt und Würden unehrenhaft entfernt werden. Das Passiv betont hier die Unfreiwilligkeit des

Abgangs. 19. Jh, *schül* und Beamtensprache.

abgegeilt sein geschlechtlich befriedigt sein. *Prost* 1950 *ff*.

abgehalftert werden abgesetzt, entlassen, gekündigt werden. Halfter ist der Zaum; nimmt man dem Pferd den Halfter ab, benötigt man es nicht mehr und stellt es in den Stall. Anfangs auf die Pensionierung der Offiziere bezogen; später verallgemeinert. Seit dem späten 19. Jh.

abgehängt *adj* 1. überflügelt, übervorteilt. ↗abhängen 1. 1900 *ff*, *schül* und *sportl*. **2.** unbeliebt. ↗abhängen 2. 1900 *ff*, vor allem unter Soldaten verbreitet.

abgehen *v* 1. *intr* = eine Freiheitsstrafe antreten. Der Betreffende geht aus der Öffentlichkeit weg. *Sold* seit dem späten 19. Jh. **2.** *intr* = in Orgasmus geraten. Beruht auf der Vorstellung von gelösten Bremsen (ab geht die Post; ab geht der Gaul). 1950 *ff*. **3.** es geht ihr ab = sie treibt ab. Bezieht sich ursprünglich auf die unzeitige Geburt. *Halbw* 1950 *ff*. **4.** ihm geht einer ab = a) er ejakuliert, hat eine Pollution. 1900 *ff*. – b) er läßt einen Darmwind entweichen. 1900 *ff*. – c) bei ihm lockert sich ein Knopf. 1900 *ff*. – d) er ist zornig. Vor innerer Erregung hat er einen unfreiwilligen Samenerguß. 1900 *ff*. **5.** mir geht es ab = ich verstehe das nicht; ich habe dafür kein Verständnis. Abgehen = fehlen. 1900 *ff*, *nordd*.

abgeigen *v* sich einen ~ 1. onanieren. Anspielung auf die Hin- und Herbewegung des Geigenbogens. 1900 *ff*, *schül* und *sold*. **2.** sich wegen einer Kleinigkeit unnötig aufregen. Vor Erregung kommt es zu einem unfreiwilligen Samenerguß. 1910 *ff*. **3.** sich ziemlich überflüssigerweise anstrengen. 1920 *ff*.

Abgeiler *m* intimer Freund eines Mädchens. *Halbw* 1955 *ff*.

abgekämpft *adj* erschöpft; sehr müde. Übernommen vom Zustand des nicht mehr einsatzfähigen Soldaten. Seit den Tagen des Ersten Weltkriegs bis heute.

abgekartet werden eine Niederlage erleiden. Hergenommen vom hohen Verlust beim Kartenspiel. *Sold* 1943 *ff*; *ziv* 1945 *ff*; *sportl* 1960 *ff*.

abgeklappert *adj* 1. abgespielt; stark benutzt. Hergenommen von den wegen Alters klapprigen Maschinen, Fahrzeugen o. ä. und von da übertragen auf vielgespielte Schlager, oft verwendete Gemeinplätze usw. 19. Jh. **2.** erschöpft. 19. Jh.

abgeklingelt sein sich an (Fach-)Gesprächen nicht beteiligen können. Stammt aus der Telefonsprache: „anklingeln" heißt „jn am Telefon zu erreichen suchen"; entsprechend meint „abklingeln" soviel wie „ein Gespräch für beendet erklären". 1970 *ff*.

abgelabert *adj* durch oftmalige Nennung wirkungslos geworden. ↗labern. 1950 *ff*.

abgelaufen *adj* 1. kein Interesse mehr erweckend. Von einem Film heißt es, er sei abgelaufen, wenn er kein Publikumsinteresse mehr findet; abgelaufen sind auch Schuhsohlen und Autoreifen. 1955 *ff*, *schül*, *halbw* und *stud*. **2.** im Geschlechtsverkehr erfahren (auf ein Mädchen bezogen). Gehört zu „sich etw an den ↗Sohlen abgelaufen haben = etw genau kennen". *Jug* 1950 *ff*.

abgelebt *adj* 1. erschöpft, überanstrengt; jünger als der Anschein. 19. Jh. **2.** geschlechtlich nicht mehr leistungsfähig. 19. Jh. **3.** überholt; nicht mehr aktuell. 1920 *ff*.

abgelegen *adj* 1. unansehnlich, verbraucht, verkommen. Stammt aus der Viehzucht: ein Tier ist abgelegen, wenn es zur Zucht nicht mehr verwendbar ist. 19. Jh. **2.** für den Beischlaf nicht mehr ansehnlich genug. 1920 *ff*.

abgelegt *adj* ehemalig (auf Braut, Bräutigam u.ä. bezogen). ↗ablegen 3. 1920 *ff*. (Schlagerlied- Scherz: „Hast du nicht 'ne abgelegte Braut für mich?").

abgeleiert *adj* durch oftmalige Anwendung wirkungslos geworden. Meint eigentlich „von der Leier gespielt"; Bedeutungsverschlechterung unter Einfluß von „die alte ↗Leier" und „leiern". 18. Jh.

abgemacht, Seife (Seefe)! = einverstanden!; es bleibt dabei; es ist ganz sicher! „Seife" ist entweder auf *franz* „c'est fait" oder auf *engl* „safe" (Bekräftigung einer sicheren Annahme). Um 1850 in Berlin aufgekommen.

abgemeldet sein 1. bei jm (für jn) ~ = von jm nicht mehr beachtet werden; sich jds Wohlwollen verscherzt haben. Leitet sich von der polizeilichen Abmeldung her. 1900 *ff*. **2.** die Erfolgsaussichten gänzlich eingebüßt haben; nicht mehr vorhanden sein. 1900 *ff*. **3.** die vom Ausspielenden geforderte Farbe nicht bedienen können. Kartenspielersprache seit 1900.

abgenabelt sein noch nicht ~ (noch nicht abgenabelt haben) = noch stark unter dem Einfluß der Mutter stehen; vom Meister geistig noch ganz abhängig sein; in Gesellschaft Erwachsener nicht mitreden dürfen; für jugendlich-unerfahren gehalten werden. Hergenommen vom Entbindungsvorgang. 1920/30 *ff*.

abgenagt sein 1. mager, dürr sein. Vergleichsweise wie ein Knochen, an dem kein Fleisch mehr geblieben ist. Seit dem frühen 20. Jh. **2.** abgenutzt, veraltet sein; keinen Anreiz mehr bieten. 19. Jh.

Abgeordnetenbunker *m* Abgeordnetenhaus der Bundestagsmitglieder in Bonn. Gegen 1960 aufgekommen.

Abgeordnetensilo *m* Bonner Abgeordnetenhaus. Silo = Lagerspeicher. 1960.

abgerissen *adj* zerlumpt; verschlissen; in schlechten Kleidern. Anspielung auf abgerissene Knöpfe, abgerissene Aufschläge o. ä. 18. Jh.

abgerissen kriegen 1. sie ~ = Prügel erhalten. Gemeint sind ursprünglich so heftige Schläge mit der Peitsche, daß die Haut zerfetzt wird. 19. Jh. **2.** einen ~ = heftig zurechtgewiesen werden. Fußt auf der umgangssprachlichen Gleichsetzung von Prügeln mit Rügen. 19. Jh, *westd* und *niederd*.

abgerupft sein 1. aller Geldmittel entblößt sein. ↗rupfen. 1900 *ff*. **2.** vom Finanzamt zu einer hohen Nachzahlung und Strafe verurteilt sein. 1950 *ff*.

abgerüstet *adj* 1. nicht mehr frontdiensttä- hig. Der Betreffende ist dem Gebrauch der Waffe entzogen. *Sold* in beiden Weltkriegen. **2.** sehr alt. 1914 *ff*, *ziv*. **3.** erschöpft. 1920 *ff*. **4.** abgeschminkt. Zusammenhängend mit ↗Kriegsbemalung. 1920 *ff*. **5.** ~ bis auf die Haut = völlig nackt. 1920 *ff*.

abgeschafft *adj* vom Arbeiten erschöpft. ↗abschaffen 3. *Halbw* 1960 *ff*.

abgeschlachtet werden 1. sinn- und zwecklos ins feindliche Feuer getrieben werden und fallen. Abschlachten = wehrlose Tiere unweidmännisch töten. *Sold* in beiden Weltkriegen. **2.** beim Rasieren geschnitten werden. 1930 *ff*.

abgeschlafft *adj* 1. erschöpft. ↗abschlaffen 1. 1966 durch den Film „Zur Sache, Schätzchen" volkstümlich geworden. **2.** in der Wirkung schwach geworden (auf Sodawässer bezogen). In die Sprache der Werbung 1970 übergegangen. **3.** langweilig, schwunglos. *Jug* 1970 *ff*.

abgeschlagen sein völlig entkräftet, körperlich widerstandslos sein. Stammt aus der Turfsprache: das Pferd ist überholt worden und kann nicht mehr aufholen. 1900 *ff*. Beliebte Vokabel im Sportlerdeutsch.

abgeschnitten *part* dreimal ~ und immer noch zu kurz = noch immer nicht in der gewünschten Länge. Fußt wohl auf einem Witz: Die zu lange Hose wird von Mutter, Frau und Tochter zu verschiedener Stunde in der Nacht abgeschnitten, wodurch sie schließlich viel zu kurz ist; aber der Hosenbesitzer sagt in seiner Wut das Gegenteil des Gemeinten. Nach anderen geht die Redewendung auf das Scherzwort eines Zimmermanns zurück. 19. Jh.

abgeschossen werden in Unehren aus dem Wehrdienst entlassen werden. ↗abschießen 3. *BSD* 1960 *ff*.

abgeschrieben sein 1. nicht mehr gerettet, freigeschossen werden können; dem Gegner rettungslos preisgegeben sein. ↗abschreiben 3. *Sold* 1939 *ff*. **2.** nicht mehr beachtet werden. 1945 *ff*. **3.** im Altersheim leben. 1965 *ff*.

abgespielt *adj* 1. nicht mehr aktuell. Hergenommen von der abgespielten Schallplatte. Spätestens seit 1939. **2.** verbraucht; reizlos geworden (wegen leichten Lebenswandels). Leitet sich wohl vom Liebesspiel her. 1920 *ff*.

abgestanden sein 1. sich in vorgerücktem Alter befinden. Hergenommen vom Getränk, das schal und unschmackhaft wird. 1920 *ff*. **2.** veraltet, langweilig sein. 1920 *ff*.

abgestempelt sein auf eine Einzelaufgabe begrenzt sein; stets dieselbe Bühnenrolle verkörpern. ↗stempeln. 1900 *ff*.

abgetakelt *adj* 1. ältlich; ohne Liebreiz. ↗abtakeln. 19. Jh. **2.** entkräftet; ehemalig. 19. Jh. **3.** abgeschminkt, entfärbt. 19. Jh. **4.** bescheiden (dürftig) gekleidet. 19. Jh. **5.** ~ sein = in sittlicher (sozialer) Hinsicht gesunken sein; an gesellschaftlicher Geltung (Achtung) verloren haben; gekündigt sein. 19. Jh.

abgetuscht *adj* abgeschminkt. ↗antuschen. 1920 *ff*.

abgewetzt *adj* abgetragen; blankgescheuert. Wetzen = hin- und herbewegen (auf dem Wetzstein). 1900 ff.

abgewichst adj **1.** lebenserfahren; ränkevoll o. ä. ↗ gewichst. 19. Jh.
2. kraftlos, geschwächt. Anspielung auf oftmaligen Geschlechtsverkehr (Onanie); ↗ wichsen. 1900 ff.
3. energielos. 1900 ff, ziv und sold.

Abgewöhne f **1.** unsympathisches Mädchen. Den Umgang mit ihm gewöhnt man sich schnell ab. Halbw 1955 ff.
2. sehr langweilige Jugendlichen-Veranstaltung. Halbw 1955 ff.
3. widerliches Getränk. Berlin 1961 ff.

abgewöhnen v **1.** eine Figur zum ~ haben = unschön von Gestalt sein. 1920 ff.
2. noch einen zum ~ trinken = ein letztes Glas Alkohol trinken. Scherzhaft entschuldigende Äußerung beim Weiterzechen. Nach 1850 aufgekommen.
3. zum ~ sein = widerlich, unangenehm sein. 19. Jh.
4. sich jn ~ = den Umgang mit jm abbrechen. Gebildet nach dem Muster von „sich das Rauchen abgewöhnen" o. ä. 1930 ff.

abgewrackt adj part **1.** ausgedient; ältlich; nicht mehr berufsfähig; ehemalig. Wrack ist das beschädigte, zur Ausbesserung untaugliche Schiff. 1900 ff.
2. ~ bis auf die Knochen sein = völlig mittellos sein; moralisch gesunken sein. 1950 ff.

abgrasen tr etw nach Vorteil absuchen; alle Leute in einer Gegend aufsuchen. Leitet sich her entweder vom weidenden Vieh, das das Gras abfrißt, oder von „heuen = das Gras mähen und trocknen". Etwa seit dem ausgehenden 19. Jh, vorwiegend rotw und Handelsvertretersprache.

abgreifen tr **1.** jn intim betasten. Nur als oberd registriert, 1900 ff.
2. einen Täter verhaften. Polizeispr. 1970 ff.

Abgriff m den großen ~ machen = einen langgesuchten Täter verhaften. Polizeispr. 1970 ff.

abgucken tr **1.** etw absehen. ↗ gucken. Seit mhd Zeit.
2. ich gucke (sehe; schaue) dir nichts ab: Redewendung angesichts einer schämigen nackten Person oder einer, die ihre Kleider ordnet. Fußt auf „mit Blicken stehlen". 19. Jh.

abhaben tr **1.** etw ~ = etw losgemacht haben; von etw befreit sein, sich gelöst haben. Z. B.: einen Knopf am Mantel abhaben; den Hut vom Kopf abhaben. Verkürzt aus „abgemacht haben; abgenommen haben" o. ä. 18. Jh.
2. ein bißchen was ~ = geistesbeschränkt sein. Verkürzt aus „abgekriegt haben", ↗ abkriegen. 19. Jh.
3. von etw nichts ~ = von etw nichts verstehen. Verkürzt aus „abgekriegt haben"; vgl „mitkriegen = mitanhören" u. ä. 19. Jh.
4. etw ~ wollen = an einer Verteilung beteiligt werden wollen. Vom Ganzen will der Betreffende ein Teil mitbekommen. 19. Jh.

abhaken tr **1.** etw entwenden, listig einbehalten. Beruht wohl auf der Vorstellung, daß der Betreffende Haken schlägt, also nicht den geraden Weg einhält, woraus sich die Bedeutung „unredlich handeln" entwickelt hat. 1900 ff.

2. jn beim Fahren überholen. Analog zu ↗ abhängen 1: beim Rangierdienst der Eisenbahn werden die Wagen vom Haken gelöst. 1920 ff.
3. eine zur Beförderung vorgesehene Person zurücksetzen, überrunden. Versteht sich nach dem Vorhergehenden. 1920 ff.
4. etw erledigen, als erledigt streichen. Erledigte Verhandlungspunkte werden durch einen Haken gekennzeichnet. 1910 ff.
5. einen Abgeurteilten dem Strafvollzug überlassen. Nach der Urteilsverkündung ist der Fall für das Gericht erledigt. 1910 ff.
6. koten. Bedeutungsverengung aus „erledigen". 1950 ff.
7. als Tourist eine Besichtigung beenden. Stud 1950 ff.
8. jn stehen lassen; jn abweisen. 1900 ff.

abhalftern v **1.** tr = jn entlassen, kündigen, verdrängen, ausschließen. ↗ abgehalftert werden. 19. Jh.
2. intr = müde werden. Stud 1960 ff.
3. sich selbst ~ = den eigenen beruflichen Niedergang verschulden. 1950 ff.

Abhalfterung f Amtsenthebung. ↗ abgehalftert werden. 19. Jh.

abhalten tr **1.** jm die einfachsten Begriffe oder Verrichtungen beizubringen suchen. Meint eigentlich „einem kleinen Kind bei der Notdurftverrichtung behilflich sein". 19. Jh.
2. wollen Sie mich mal ~, Herr Ober? = die Rechnung, bitte, Herr Ober! Scherzhaft verdreht aus „abhalten = den Rechnungsbetrag einbehalten". 1950 ff.

abhängen v **1.** tr = jn im Laufen überholen; jm durch Erhöhung der Fahrtgeschwindigkeit entkommen; jn hinter sich lassen. Sportsprachlich bilden die Läufer anfangs eine Gruppe, bis sich einer von ihr löst und die anderen hinter sich läßt. Der Kraftfahrer hängt sich an eine Wagenkolonne an, der er im Augenblick nicht überholen kann; sobald die Überholung möglich ist, hängt er die Kolonne ab. Etwa seit 1910.
2. tr = jn zurückstoßen, abweisen, abschütteln, ausschließen. Stammt aus dem Rangierdienst der Eisenbahn. Seit dem späten 19. Jh.
3. tr = jn tadeln, für unfähig erklären. 1910 ff.
4. jm den Umgang mit jm abbrechen; ein Liebesverhältnis lösen. 1900 ff.
5. tr = jn überflügeln. Versteht sich nach ↗ abhängen 1. 1900 ff, sportl und schül.
6. tr = den Verfolger abhängen. 1900 ff.
7. tr intr = stehlen (aus der Auslage, aus dem Schaukasten). Etwa wie man den Hut vom Kleiderhaken nimmt oder „etwas an den Fingern hängenbleibt". 1880 ff.
8. intr = hinter anderen zurückbleiben; nicht Schritt halten können. Aus der Eisenbahnersprache übergegangen in das Schüler-, Soldaten- und Sportlerdeutsch. 1910 ff.

abhaspeln v **1.** etw ~ = etw ausdruckslos vortragen, schnell hersagen. Hergenommen von der Garnwinde, von der man das Garn abwickelt. 19. Jh, vorwiegend schül.
2. sich ~ = sich übermäßig beeilen, sich durch Übereifer ermüden, ohne viel zu erreichen. ↗ haspeln. 1900 ff.

abhauen v **1.** tr = etw abschlagen, grob abschneiden. ↗ hauen 1. Seit dem ausgehenden Mittelalter.

2. tr = jn abwehren, den Angreifer abschlagen. Sold in beiden Weltkriegen.
3. tr = den Feind vernichtend schlagen. Eigentlich „jn heftig prügeln". Sold 1914 bis 1945.
4. tr = jn zu Boden schlagen. Etwa wie man einen Ast vom Baum abschlägt. Boxerspr. 1920 ff.
5. tr = etw vom Nebenmann abschreiben, schnell abschreiben. ↗ hauen 2. 19. Jh, schül.
6. intr = weggehen; flüchten; sich eigenmächtig von der Truppe entfernen. Hergenommen (wie ↗ abbauen.) vom Abschlagen der Marktstände am Ende des Marktes. 19. Jh.

abheben intr **1.** auf etw ~ = auf etw abzielen. Meint eigentlich „die Schußwaffe auf das Ziel richten". 19. Jh.
2. abfliegen; mit dem Flugzeug aufsteigen. Fliegerspr. 1914 ff.
3. in einen Rauschgiftrausch geraten. Der Flug ins Traumland beginnt. 1968 ff.

abheften tr eine Sache als erledigt betrachten. Stammt aus der Büropraxis: erledigte Akten werden in die Ablage eingeordnet. 1920 ff.

abhobeln tr jm Zucht, Ordnung und Anstand drastisch beibringen. Stammt aus der Handwerkersprache. 19. Jh.

abholen tr **1.** jn verhaften. Eigentlich soviel wie „jn zu Hause besuchen und mitnehmen". Beliebter Tarnausdruck in der NS-Zeit. 1920 ff.
2. etw abnehmen, amputieren. 1910 ff.
3. jm etw ~ = jm etw stehlen, abnehmen; jm das Geld abgewinnen. 1900 ff.

abholzen tr **1.** etw vom Nebenmann, aus einer unerlaubten Übersetzung abschreiben. Analog zu ↗ abforsten 1. Spätestens seit dem ausgehenden 19. Jh.
2. etw ausplündern, rauben, wegschaffen. Analog zu ↗ abforsten 2. 1920 ff.
3. jn ausrauben. 1920 ff.
4. es wird abgeholzt = beim Schachspiel fallen viele Steine. Österr 1900 ff.

Abhorche f **1.** das Aushorchen. Hängt zusammen mit dem Hörrohr des Arztes. In der NS-Zeit aufgekommen.
2. geschicktes Auffangen von Zuflüsterungen des besser vorbereiteten Mitschülers. 1960 ff, schül.
3. hängt eine ~ drin? = bist du beim Telefonieren durch die Anwesenheit eines andern daran gehindert, frei zu sprechen? Zusammenhängend mit der Telefonüberwachung. 1937 ff.

abhungern tr Pfunde ~ = sich einer Hungerkur unterziehen. 1920 ff.

abhunzen refl sich abmühen. ↗ hunzen. 19. Jh, vor allem südd.

Abi n Abiturientenexamen. Abkürzungssprache der Schüler und Studenten seit 1920.

Abirent m Abiturient (abf). Entstanden durch Verschluckung unbetonter Silben. BSD 1960 ff.

Abitur n **1.** für Autofahrer = Fahrschülerprüfung. 1960 ff.
2. doppeltes ~ = Überbelesenheit. 1910 ff.
3. kleines ~ = Obersekundareife; Mittlere Reife. 1940 ff.
4. das ~ bauen = die Reifeprüfung ablegen. ↗ bauen 1. Seit der 2. Hälfte des 19. Jhs.
5. das ~ machen = zum ersten Mal

koitieren. Gilt auf geschlechtlichem Gebiet als Reifeprüfung. 1910 *ff.*

Abitür *n* Abitur. Gilt bei Neureichs als vermeintlich „feinere" Aussprache. 1900 *ff.*

Abiturfabrik *f* Gymnasium, in dem möglichst viele Oberprimaner die Hochschulreife erhalten. Dort werden Studienanwärter fabrikmäßig produziert. Wohl seit 1920/30.

abjagen *v* **1.** sich ~ = sich abhetzen. Jagen = hetzen, eilen; ein Pferd abjagen = ein Pferd überanstrengen. 19. Jh.
2. jm etw ~ = jm etw entwenden, abgewinnen. Eigentlich „durch schnelleres Laufen an sich bringen". 19. Jh.
3. sich einen ~ = onanieren. *BSD* 1960 *ff.*

abjuckeln *v* **1.** *intr* = langsam abfahren. ↗ juckeln. 1900 *ff.*
2. einen ~ = onanieren. Eigentlich soviel wie „wiederholt reizen". 1960 *ff.*

abkanzeln *tr* **1.** die bevorstehende Trauung (Beerdigung) von der Kanzel verkünden. 19. Jh.
2. jn heftig zurechtweisen. Früher wurde der Kirchenbesucher von der Kanzel herab öffentlich zur Entgegennahme eines Tadels aufgerufen. Auch die Sittenpredigten bestanden aus einer Aneinanderreihung von Rügen. 18. Jh.

Abkanzlung *f* **1.** kirchliche Bekanntgabe des Aufgebots. 19. Jh.
2. Zurechtweisung. ↗ abkanzeln 2. 18. Jh.

abkapiteln *tr* jn heftig tadeln. Kapitel ist die regelmäßige Zusammenkunft der Mönche eines Klosters unter ihrem Abt, wobei Lob wie Tadel ausgesprochen werden. *Vgl mhd* „kapiteln = auszanken". 19. Jh.

abkarren *intr* **1.** mit dem Fahrrad abfahren. ↗ Karre 1. 1910 *ff.*
2. mit dem Auto abfahren. ↗ Karre 1. 1930 *ff.*
3. im Krieg fallen. Karren = fliegen, fahren; abfahren = sterben. *Vgl* auch ↗ abfliegen 2. *Sold* 1940 *ff.*

abkarten *tr* etw heimlich verabreden. Meint eigentlich „die Karten vor Beginn des Spiels zum Nachteil eines Mitspielers verteilen, unredlich mischen, betrügerisch kennzeichnen o. ä.". 18. Jh.

abkassieren *tr* **1.** etw einheimsen, für sich in Anspruch nehmen. ↗ kassieren. *Sold* 1939 *ff,* und *ziv.*
2. jn gefangennehmen. *Sold* 1939 *ff.*
3. jn verhaften. 1933 *ff.*
4. jn (bei jm) ~ = jn ausrauben; jm das verdiente Geld abnehmen. *Prost* 1920 *ff.*

abkatern *v* **1.** jn ~ = das Mädchen abspenstig machen. Hergenommen vom Wettbewerb zweier Kater um eine Katze. 1900 *ff, jug.*
2. jn ~ = a) sich oberflächlich waschen; ↗ Katzenwäsche. 19. Jh. – b) durch geschlechtliche Ausschweifung ermatten. Hergenommen von den oftmaligen Liebesgelüsten unter Katzen. 19. Jh.

abkaufen *v* **1.** jm etw ~ = jm etw wegnehmen, stehlen. Ironische Beschönigung. 1950 *ff.*
2. jm das Mädchen ~ = jm das Mädchen abspenstig machen. *Halbw* 1955 *ff.*
3. jm etw ~ = jds Äußerung für wahr halten; eine Behauptung oder Zusicherung glauben. Was man einem abkauft, hat seinen Wert, gilt also als einwandfrei oder preiswert. 1900 *ff.*
4. das wäre mir zum ~ = darauf könnte

ich gut und gern verzichten. Was man sich abkaufen läßt, ist einem nicht viel wert. *Bayr* 1950 *ff.*

abkieken *tr* **1.** etw absehen. ↗ kieken. Vorwiegend *nordd.* Etwa seit 1500.
2. ich kieke dir nichts ab: Redewendung an eine schämige nackte Person. Analog zu ↗ abgucken 2. 19. Jh.

abkindern *tr* die Tilgungssumme eines Ehestandsdarlehens dadurch vermindern, daß man ein oder mehrere Kinder in die Welt setzt. Wohl aufgekommen mit den bevölkerungspolitischen Maßnahmen der NS-Zeit.

abklabastern *v* **1.** *tr* = Leute der Reihe nach aufsuchen; einen Bezirk ablaufen. ↗ klabastern. 19. Jh.
2. *intr* = davoneilen; (polternd) abfahren. 19. Jh.
3. *refl* = sich durch Fußmärsche ermüden; viele Wege machen; angestrengt arbeiten. 19. Jh.

abklappern *tr* **1.** Leute der Reihe nach aufsuchen; von Haus zu Haus gehen und Bestellungen zu erwirken suchen; von Behörde zu Behörde gehen und sein Anliegen vortragen. Hergenommen vom klappernden Gehen in Holzschuhen. 19. Jh.
2. etw Stück für Stück erörtern. 1950 *ff.*
3. die Gegend ~ = in einer Gegend von Haus zu Haus gehen; eine Gegend abbetteln. 19. Jh. – b) die Gegend durchwandern. 20. Jh.
4. das Gelände ~ = Trommelfeuer auf ein Gelände legen. *Sold* 1939 *ff.*
5. die Straße ~ = als Straßenprostituierte tätig sein. Auch Anspielung auf die klappernden Absätze oder „Hufe" (denn die Straßenprostituierten heißen auch ↗ Pferdchen). 1950 *ff, prost.*

abklären *tr* **1.** jn verprügeln. Meint eigentlich „durch Abgießen einer Flüssigkeit den Bodensatz entfernen" und von da weiterentwickelt zum Begriff „reinigen" (Prügeln gilt umgangssprachlich als Reinigen). 19. Jh.
2. etw im Gespräch genauer zu klären suchen. Politikersprache seit etwa 1960.

abklatschen *v* jm etw ~ = durch Beifallspenden einen Künstler zu einer Zugabe (Wiederholung) bewegen. 1920 *ff.*

Abklatsch *m* vom Torwart mit der Hand abgewehrter, vom Angreifer unhaltbar ins Tor getretener Fußball. *Sportl* 1920 *ff.*

abklavieren *v* sich etw ~ können = etw leicht verstehen. „Klavieren" im Sinne von „die zusammenpassenden Tasten anschlagen" entwickelt sich weiter zur Bedeutung „einen Gedanken harmonisch in einen größeren Zusammenhang einordnen". *Vgl* ↗ Arsch 50. 19.Jh.

abklemmen *tr* einen Radfahrer (Radrennfahrer) zur Seite drängen. Man zwängt ihn zwischen sich und dem Straßenrand ein. 1920 *ff.*

abklieren *tr* etw vom Mitschüler abschreiben. ↗ klieren. Spätestens seit 1900, nördlich der Mainlinie.

abklimpern *tr* **1.** ein Musikstück ausdruckslos (z. B. nach Noten, aber ohne Gefühl) spielen. 19. Jh.
2. etw sehr unsorgfältig verrichten. ↗ klimpern. 1900 *ff.*

abklingeln *intr* **1.** vor dem geplanten Einbruch feststellen, ob der Wohnungs-/Geschäftsinhaber daheim ist, bzw. ob eine

elektrische Alarmanlage in Betrieb ist. Gaunerspr. 1950 *ff.*
2. ↗ abgeklingelt sein.

Abklinger *m* **1.** Mann, der vor einem geplanten Wohnungseinbruch durch Klingeln feststellt, ob der Wohnungsinhaber zu Hause ist, bzw. ob das Objekt durch eine Alarmanlage gesichert ist. Gaunerspr. 1950 *ff.*
2. Person, die vorfühlt (sondiert). 1955 *ff.*

abklopfen *tr* **1.** den Befehl zum Feuereinstellen geben. Hergenommen vom Kapellmeister, der durch Klopfen mit dem Dirigentenstab das Konzert (die Probe) unterbricht. *Sold* in beiden Weltkriegen.
2. etw auf Brauchbarkeit, auf geheime Zusammenhänge untersuchen. Hergenommen von der ärztlichen Praxis. 1955 *ff.*
3. jn einem Verhör unterziehen. 1955 *ff.*
4. jds Eignung, Vorliebe usw. zu ergründen suchen. 1955 *ff.*
5. jn in der Musterung unterziehen. *BSD* 1960 *ff.*
6. eine Gegend (o. ä.) abklopfen (abkloppen) = Haus für Haus besuchen; an allen Haustüren betteln. Hergeleitet vom Klopfen an die Tür. 19. Jh; Bettler, Hausierer, Handelsvertreter u. a.

abknallen *tr* **1.** jn erschießen. ↗ knallen 5. 1850 *ff.*
2. eine ~ = ein Mädchen beischlafwillig machen. ↗ knallen 7. *Sold* 1900 *ff.*

abknapsen *tr* **1.** einen Teil betrügerisch einbehalten; eine Zuteilung kürzen. ↗ knapsen. 18. Jh.
2. sich einer ~ = sich Entbehrungen auferlegen. 1900 *ff.*

abkneifen *v* **1.** *intr* = die Verrichtung der großen Notdurft plötzlich unterbrechen. Der Schließmuskel des Anus kneift die Kotwurst wie mit einer Zange ab. 1900 *ff.*
2. jn ~ = den Mann vor der Ejakulation zurückstoßen. 1900 *ff.*
3. jm etw ~ = jm etw vereiteln. 1920 *ff.*
4. sich etw ~ = sich etw abringen. 1900 *ff.*
5. sich einen ~ = sonderbar, dumm handeln; ungeschickt zu Werke gehen. 1910 *ff, schül* und *stud.*

abknibbeln *tr* etw abzupfen, abzausen, langsam mit den Fingerspitzen ablösen. ↗ knibbeln. 18. Jh.

Abkniff *m* vorzeitige Studienbeendigung. Das Endstück der Studienzeit wird abgekniffen wie mit einer Zange. *Stud* 1955 *ff.*

abknippern *v* **1.** Einsparungen machen; Verpflegungsbetrügereien begehen. ↗ knippern. *Sold* in beiden Weltkriegen.
2. sich einen ~ = a) onanieren. *Sold* 1920 *ff.* – b) sich im Dienst übermäßig anstrengen; Diensteifer heucheln. *Sold* 1920 *ff.*

abknipsen *tr* **1.** etw abschneiden. ↗ knipsen. 18. Jh.
2. jn erschießen, umbringen. ↗ knipsen 4. 1910 *ff.*
3. ein Tier schlachten. Etwa im Sinne von „den Lebensfaden abschneiden". 1900 *ff.*
4. etw fotografieren. ↗ knipsen 1. Seit dem späten 19. Jh.
5. jm etw ~ = jm etw rechtswidrig wegnehmen, vorenthalten. Analog zu ↗ abknapsen 1. 1900 *ff.*
6. *refl* = Schlafmittel einnehmen. Man sucht den Verstand „auszuschalten". 1970 *ff.*

abknobeln *tr* jm etw ~ = jm etw listig abgewinnen. Hängt wohl zusammen mit „knobeln = würfeln". Doch kann man auch mit der Hand knobeln („Stein, Schere, Papier"). Seit dem ausgehenden 19. Jh, vorwiegend *jug* und *sportl.*

abknöpfen *tr* jm etw ~ = jm etw abnötigen, abschwatzen, abhandeln, abnehmen. Leitet sich wohl von alter Gaunerpraxis her: man knöpft dem Opfer die Uhr mit Kette ab und steckt sie ein; oder man stiehlt ihm den festgeknöpften Geldbeutel. 1800 *ff.*

abknutschen *v* **1.** jn ~ (sich mit jm ~) = jn stürmisch herzen und drücken. ↗ knutschen. 18. Jh.
2. sich einen ~ = a) onanieren. Gemeint ist „durch Drücken abgewinnen". 1920 *ff.* – b) sich im Dienst übermäßig anstrengen; Diensteifer heucheln. Hinter „einen" ist „unfreiwilligen Samenerguß" zu ergänzen. *Sold* 1920 *ff.*

abkochen *v* **1.** *tr* = auf unredliche Weise sich einen Vorteil verschaffen; sich alles zum Vorteil zu kehren wissen; mehr auf die Rechnung setzen, als der Gast verzehrt hat. Fußt wohl auf „rotw „kochen = bei Diebstahl Gewalt anwenden". 1910 *ff, sold* und Kellnersprache.
2. Gewinn einheimsen. 1910 *ff.*
3. reiches Trinkgeld sich zu verschaffen wissen. Zürich 1950 *ff.*
4. jn ausnutzen, übervorteilen, erpressen; jm das Geld abgewinnen. Spätestens seit 1900; *sold,* Kartenspielerdeutsch, *prost* u. a.
5. jn erledigen. Aus der Bedeutung „arm machen" weiterentwickelt zu „moralisch, gesundheitlich entkräften". 1920 *ff.*
6. jn überflügeln. *Sportl* 1950 *ff.*
7. etw ~ = heimlich etw vereinbaren. Variante von ↗ auskochen. Vorwiegend *bayr* und *österr* 19. Jh.
8. *intr* = in der Gastwirtschaft Mitgebrachtes verzehren; im Freien, auf der Straße essen. Hergenommen von der Zubereitung warmen Essens am Rastplatz beim Wandern. 1930 *ff, schül.*

Abkocher *m* **1.** Mensch, der sich auf unredliche Weise Vorteile zu verschaffen versteht. ↗ abkochen 1. 1910 *ff.*
2. Heiratsschwindler; Frauenheld, der die Opfer ausnutzt. 1920 *ff.*
3. rücksichtsloser Geldverdiener. 1930 *ff.*
4. Kellner. ↗ abkochen 1 und 3. 1950 *ff.*
5. Zuhälter. ↗ abkochen 4. 1920 *ff.*

abkommen *intr* **1.** Erfolgsaussichten haben. Stammt aus der Seemannssprache: „abkommen = von der gefährlichen Stelle wieder frei werden". 1900 *ff.*
2. abmagern; körperlich ermatten. Verkürzt aus „vom ↗ Fleisch abkommen". 15. Jh.

abkönnen *v* **1.** etw ~ = etw aushalten können; etw bewerkstelligen, durchführen. Im *Nordd* seit dem 18. Jh verkürzt aus „abhalten (aushalten) können = standhalten, ertragen" oder aus „abmachen können".
2. auf etw ~ = sich auf etw verlassen können. Im *Nordd* (etwa seit 1900) verkürzt aus „op etw afgaan können = auf etw ausgehen können".

abkrageln *tr* jn enthaupten, erdrosseln, würgen o. ä. Gehört zu „Kragen = Hals". *Bayr* und *österr,* 19. Jh.

abkratzen *v* **1.** *intr* = weggehen. Beruht

auf der höfischen Anstandslehre des 17. Jhs, wonach die Verbeugung beim Abschiednehmen von leichtem Auskratzen des linken Fußes nach hinten begleitet sein mußte. Etwa seit 1800.
2. *intr* = sterben. Bedeutungsverengung des Vorhergehenden zu „mit dem Tode abgehen". 1800 *ff.*
3. *intr* = einen Jungen abweisen. Gemeint ist, daß das Mädchen mit seinem „kratzigen" Wesen den Jungen abschreckt. *Halbw* 1960 *ff.*

abkriegen *tr* **1.** etw entfernen, loslösen können (z. B. Schmutz vom Finger). 14. Jh.
2. etw Nachteiliges bekommen (Regen, Prügel, Verletzungen o. ä.); einen Schaden erleiden. „Ab" hat hier den Sinn von „Teil eines Ganzen, einer Menge". 18. Jh.
3. seinen Anteil erhalten; bei einer Verteilung berücksichtigt werden. 19. Jh.
4. etw begreifen, lernen. Parallel zu ↗ mitkriegen. 19. Jh., *nordd.*
5. eine (einen) ~ = eine Frau (einen Mann) zum Heiraten finden. 19. Jh.

abkühlen *tr* mit fernsehtechnischen Mitteln ein Gesicht unkenntlich machen; Stellen eines Gesprächs tilgen. Hängt zusammen mit der Gleichsetzung „heiß = gefährlich". 1960 *ff.*

Abkühlung *f* **1.** Prügel. Zusammenhängend mit „den Mut kühlen = jm den Übermut austreiben". 1900 *ff.*
2. Rüge; drastischer Tadel. Beruht auf der Gleichung „Reinigung = Prügel = Rüge". 1910 *ff.*

abkupfern *tr* etw unerlaubt nachbilden; vom Nebenmann oder aus einer Übersetzung abschreiben. Meint eigentlich „einen Kupferstich vervielfältigen". 1960 *ff.*

Abkürzungsdschungel *m* Gesamtheit unverständlicher Abkürzungen. In ihm bewegt man sich (orientierungslos) wie im tropischen Buschwald. 1960 *ff.*

Abkürzungsfimmel *m* törichte Schwäche für Abkürzungen. ↗ Fimmel. 1930 *ff.*

abküssen *refl* mit einem anderen Fahrzeug frontal zusammenstoßen und Kühler an Kühler liegenbleiben. ↗ Kühlerkuß. 1930 *ff.*

ablaatschen *v* **1.** *tr* = Schuhwerk durch nachlässigen Gang abnutzen; die Absätze schieftreten. ↗ laatschen. 18. Jh.
2. *intr* = (schlurfend) weggehen. 1900 *ff.*
3. eine Gegend ~ = eine Gegend gründlich durchwandern. 1900 *ff.*
4. 30 Kilometer ~ = 30 Kilometer (am Tag) wandern. 1950 *ff.*

abladen *v* **1.** Bomben abwerfen. *Sold* in beiden Weltkriegen.
2. bei jm sein Herz ausschütten; sich von einer seelischen Last befreien. 1900 *ff.*
3. *intr* = ein Geständnis ablegen. *Rotw* 1920 *ff.*
4. *intr* = die Schuld (Verantwortung) auf einen anderen abwälzen. *Rotw* 1920 *ff.*
5. zur behördliche Vorladung rückgängig machen. Parallel zu ↗ ausladen. 1955 *ff.*
6. *intr* = ejakulieren. 1900 *ff.*
7. etw ~ = Geld auf den Tisch legen; eine Schuld abtragen. 19. Jh *Rotw, prost,* Gastwirtsspr. u. a.
8. von oben nach unten ~ = die Verantwortung auf die nächstniedrige Instanz übertragen (abwälzen). 1955 *ff.*

Ablage P *f* = Papierkorb. Unwichtige Posteingänge werden dem Papierkorb und nicht der Registratur überantwortet. 1930 *ff,* Bürosprache.

ablappen *tr* **1.** einen Schüler durch Ziehen an den Ohren bestrafen. Lappen = Ohrlappen. 1900 *ff.*
2. jm eine Abfuhr erteilen. Stammt wohl aus der Jägersprache: mit Lappen zwischen den Bäumen wurde früher das Wild zurückgescheucht. 19. Jh.

Ablaß *m* Herabsetzung des Strafmaßes. *Vgl* das Folgende.

Ablaßbrief *m* **1.** Mitteilung, daß eine verhängte Strafe unter Amnestie fällt. Eigentlich die Urkunde über den Sündenstraferlaß. 1920 *ff.*
2. gerichtliche Mitteilung über vorzeitige Haftentlassung. 1920 *ff.*

ablassen *tr* nicht wieder anziehen; nicht wieder aufsetzen. *Rhein* 19. Jh. Verkürzt aus „abgelegt lassen".

ablauben *tr* **1.** jm die Haare schneiden; jn rasieren. Die Haare gelten als Belaubung. 1920 *ff.*
2. jm das Gesicht zerkratzen. Eigentlich „jn beim Rasieren verletzen" und von da verallgemeinert. 1920 *ff.*
3. jm Geld abnötigen oder abgewinnen; jn erpressen, ausplündern. Zur Bezeichnung für Geld und Habe dienen in der Umgangssprache (unter *rotw* Einfluß) Gegenstände, die reichlich vorhanden sind (hier: Laub): wer ausgeplündert oder erpreßt wird, hat Geld im Überfluß. 1920 *ff.*

ablaufen *v* **1.** an ihm läuft alles ab = er beherzigt keine Ermahnungen. Leitet sich wohl her vom Abgleiten des Regengusses. 19. Jh.
2. ihm ist einer abgelaufen = er hatte einen unfreiwilligen Samenerguß. 1900 *ff.*
3. jn ~ lassen = jn zurückweisen, gefühllos abweisen. Stammt aus der Fechtersprache: die gegnerische Klinge gleitet an der eigenen ab, wodurch der Hieb vereitelt und abgewiesen wird. 18. Jh.

ablausen *tr* **1.** jm das Geld ablisten; jn schröpfen. ↗ lausen. 17. Jh.
2. bei jm betteln. 19. Jh.
3. jn bestehlen. 19. Jh.
4. etw vom Mitschüler absehen, abschreiben. *Schül* 1950 *ff.*

Ablaut *m* laut entweichender Darmwind. Wortspielerei. *Schül* um 1900.

abläuten *intr* weggehen. Hergenommen von der Straßenbahn, die beim Abfahren ein Läutesignal gibt. 1930 *ff, rhein.*

ablecken *v* sich einen ~ **1.** beim Schreiben mühsam vorankommen. Hergenommen von der Angewohnheit, am Bleistift zu lecken, wenn man eine gute Formulierung sucht. 1900 *ff.*
2. onanieren. 1900 *ff.*

Ablecken *n* Petting. *Schül* 1950 *ff.*

abledern *tr* **1.** jn prügeln. Eigentlich „jm die Haut abziehen" oder „jn mit einem Ledertuch abreiben". *Vgl* ↗ abreiben. 19. Jh.
2. jm das Gesicht zerkratzen. 1920 *ff.*
3. jn schröpfen; jm das Geld abgewinnen. Entweder Anspielung auf den Lederbeutel für das Geld oder auf die Redensart „jm das ↗ Fell über die Ohren ziehen". 1900 *ff.*
4. den Belag von der Brotschnitte essen. 1970 *ff.*

ablegen *v* **1.** *intr* = sich unerlaubt von der

Truppe entfernen; desertieren. Stammt aus der Seemannssprache: das Schiff legt ab = es entfernt sich vom Hafen oder Ankerplatz. *Sold* in beiden Weltkriegen.

2. *intr* = sich erbrechen (und anschließend weitertrinken). Ablegen = beiseite legen = nicht mehr berücksichtigen. *Sold* 1939 *ff.*

3. *tr* = jm das Wohlwollen entziehen; jn entlassen; den Umgang mit einem Mädchen beenden; sich scheiden lassen. Stammt wohl aus der Büropraxis: nicht mehr benötigte Akten werden abgelegt. 1900 *ff.*

4. etw ~ = etw als abgetan, zwecklos beiseiteschieben. 1900 *ff.*

5. *intr* = gebären (heimlich, unehelich niederkommen). Nach alter Sitte wurde das Neugeborene auf den Stubenboden gelegt. Spätestens seit dem 18. Jh.

Ableger *m* **1.** Sohn, Tochter. Stammt aus der Gärtnersprache und meint dort den als Steckling verwendeten Trieb einer Pflanze. 19. Jh.

2. Mädchen, das bei den Männern keinen Anklang mehr findet. ↗ ablegen 3. *Jug* 1950 *ff.*

Ablehnung *f* begeisterte ~ = laute Mißfallensbezeugung vieler. Scherzhaftes Gegenwort zur begeisterten Aufnahme. Spätestens seit 1900.

ableuchten *tr* jn aushorchen, verhören. Eigentlich „den Lichtstrahl auf Dunkles richten". 1920 *ff.*

Ableuchter *m* Spitzel, der einen Kameraden aushorcht und über ihn an seine Auftraggeber berichtet. ↗ ableuchten. Seit 1940 aus Kriegsgefangenenlagern bezeugt.

ablinken *tr* jn betrügen. ↗ link. 1975 *ff.*

Ablinker *m* Betrüger. 1975 *ff.*

ablinsen *intr* vom Mitschüler abschreiben, absehen. ↗ linsen. 19. Jh.

abloben *tr* jn übertrieben loben, bis der andere das eigentlich gemeinte Gegenteil merkt. 1933 *ff*, *sold* und *ziv.*

ablotsen *tr* jm etw ~ = jm etw ablisten. Hergenommen vom Lotsen, der Schiffe durch schwieriges Fahrwasser leitet; von da übertragen auf schwieriges Bewerkstelligen. Spätestens seit 1900.

abluchsen *v* jm etw ~ **1.** jm etw listig abnehmen, durch Ausdauer abgewinnen. Hängt entweder zusammen mit dem scharf ausspähenden Luchs oder ist Intensivform zu „lugen = äugen". 18. Jh.

2. jm heimlich in die Arbeit sehen und von ihm abschreiben. 19. Jh, *schül.*

abmachen *v* **1.** ~ nach München = aufbrechen, reisen nach München. Ursprünglich in Handelsvertreterkreisen üblicher Ausdruck; später allgemein üblich. 1900 *ff.*

2. sich ~ = weggehen. 1900 *ff.*

3. ein Jahr ~ = ein Jahr Freiheitsstrafe verbüßen. „Abmachen = erledigen, bewerkstelligen". Spätestens seit 1900.

4. zwei Jahre ~ = die zweijährige Wehrpflicht ableisten. Spätestens seit 1900.

Abmagerungskur *f* **1.** Aufenthalt in der Arrestanstalt oder im Gefängnis. Anspielung auf die karge Kost. Seit dem späten 19. Jh.

2. Leibesübungen. Verwandt mit der „Trimm- dich-Aktion". *Schül* 1965 *ff.*

3. Liebesbeziehung. *Jug* 1950 *ff.*

abmalen *v* **1.** *tr intr* = vom Mitschüler abschreiben. Meint hier das säuberliche,

genaue Abschreiben. *Bayr* und *österr* 1950 *ff.*

2. da möchte ich nicht abgemalt sein = da möchte ich nicht immer leben müssen. Später Ausläufer der abergläubischen Vorstellung des Bildzaubers: das Bild wiederholt leibhaft den Abgebildeten. 1800 *ff.*

3. *tr* = jn verleumden. Zum Verständnis ist wohl von fratzenhafter Entstellung auszugehen. 1900 *ff.*

4. das kannst du dir ~!: Ausdruck der Ablehnung. Gemeint ist wohl, daß sich der Betreffende eine Zeichnung von dem gewünschten Gegenstand machen solle, denn den Gegenstand selbst bekommt er nicht. 1900 *ff.*

5. laß dich ~!: Ausdruck der Abweisung. Als Gegenstand eines Gemäldes kann sich der Betreffende auf einer Ausstellung sehen lassen. 19. Jh.

abmarachen *refl* sich abmühen („bis aufs Mark"). Fußt möglicherweise auf *ahd* „marac = Knochenmark", woraus sich die Geltung „bis zur Erschöpfung arbeiten" ergäbe. Auch „Marasmus = Kräfteverfall" dürfte eingewirkt haben. 18. Jh.

abmeiern *tr* jn seines Amtes entheben; jn abweisen, beseitigen. Meint eigentlich „einen Meier (= Pächter) entlassen", statt ihm den Hof zu übergeben". 14. Jh.

abmelden *v* **1.** jn ~ = einem Gegenspieler jede Einwirkungsmöglichkeit nehmen; jm überlegen sein; jn im Fahren überholen. Abmelden = seine Teilnahme aufsagen. 1930 *ff.*

2. sich ~ = fallen *(milit).* Eigentlich soviel wie „seinen Abgang anzeigen". *BSD* 1960 *ff.*

abmessen *tr* **1.** hast du etw abgemessen?: scherzhafte Frage an einen, der zu Boden gefallen ist. Man unterstellt ihm, er habe die Länge oder Breite des Zimmers, der Straße o. ä. messen wollen. Seit dem späten 19. Jh.

2. etw ~ = etw ausspionieren. *Rotw* nach 1945.

abmogeln *v* **1.** *intr* = sich für jünger ausgeben. ↗ mogeln 1. 1930 *ff.*

2. jm etw ~ = jm etw abschwindeln 1930 *ff.*

abmontieren *v* **1.** *intr* = während des Flugs Flugzeugteile verlieren; in der Luft explodieren. In grimmigem Scherz als ein absichtliches Auseinandernehmen hingestellt. Fliegerspr in beiden Weltkriegen.

2. ein Flugzeug ~ = ein Flugzeug kampfunfähig schießen. Fliegerspr 1939 *ff.*

abmoven *v* **1.** *intr* = abfahren. Fußt auf *engl* to move = sich fortbewegen. *Vgl* ↗ mufen. Seemannsspr. 20. Jh.

2. jn ~ = jn abberufen. *BSD* 1960 *ff.*

abmurksen *tr* **1.** jn ermorden, erwürgen, umbringen. Vielleicht zusammengesetzt aus „murksen" (= unordentlich zu Werke gehen) und „abmucken" (= keinen Laut mehr äußern). Spätestens seit 1800.

2. jn im Spiel besiegen. 19. Jh.

3. jn militärisch besiegen. 1939 *ff.*

4. sich mit etw ~ = sich mit etw abmühen. 19. Jh.

abmüssen *impers* amputiert werden müssen. Hieraus verkürzt. 1914 *ff.*

abmustern *intr* **1.** im Krieg fallen. Stammt aus der Marinesprache: den Dienst auf einem Schiff aufgeben. *Sold* 1939 *ff.*

2. vorzeitig von der Schule abgehen. *Schül* 1945 *ff.*

abnabeln *v* **1.** *tr* = jn zur Selbständigkeit erziehen. Eigentlich „die Nabelschnur durchtrennen". 1910 *ff.*

2. *tr* = jn schlechtem Umgang entziehen; jn seinem Schicksal überlassen. 1910 *ff.*

3. *tr* = jm aus heikler Lage aufhelfen. 1910 *ff.*

4. ↗ abgenabelt sein.

5. etw ~ = etw aus der Zuständigkeit abtrennen. 1970 *ff.*

6. *intr refl* = sich von jm trennen; sich selbständig machen. 1970 *ff.*

Abnäher *m* Mensurnarbe des Verbindungsstudenten. Stammt aus der Fachsprache der Schneider: Der Stoff wird an einer Rißstelle zu einer knappen Falte zusammengenäht, und zwar so, daß an beiden Enden die Falte sich mehr und mehr verschmälert. *Stud* 1920 *ff.*

abnarren *v* jm etw ~ = jm etw durch Übertölpelung abgewinnen. *Bayr* 1920 *ff.*

abnehmen *v* **1.** jm etw nicht ~ = jm eine Äußerung nicht glauben. Parallel zu ↗ abkaufen 4. Seit dem frühen 19. Jh.

2. jn ~ = jn fotografieren. Eigentlich „von jm ein Bild machen". Seit dem späten 19. Jh.

3. laß dich ~!: Ausdruck der Abweisung. ↗ abfotografieren 2. Seit dem späten 19. Jh.

abnibbeln *v* **1.** *intr* = zugrundegehen, sterben, fallen. ↗ nibbeln. Spätestens seit 1900.

2. sich einen ~ = onanieren. ↗ nibbeln. *Jug* 1930 *ff.*

abnischeln *tr* **1.** jn am Kopf fassen, schütteln. ↗ Nischel. 19. Jh.

2. jn rügen. 19. Jh.

3. jn enthaupten. Nach 1933 aufgekommen.

abnudeln *v* **1.** jn ~ = jn leidenschaftlich an sich drücken. ↗ nudeln. 1900 *ff.*

2. Reifen ~ = Reifen abnutzen. ↗ nudeln. Soviel wie „durch Drehen abnutzen". 1920 *ff.*

3. *tr* = etw ausdruckslos hersagen; eine Schallplatte nutzen ab. 1920 *ff.*

abonniert sein 1. auf den Erfolg ~ = stets Erfolg haben. Der Erfolg stellt sich ein mit der Regelmäßigkeit der festbestellten Zeitung o. ä. 1950 *ff.*

2. auf einen Titel (o. ä.) ~ = einen sportlichen Titel mehrmals erringen. 1950 *ff, sportl.*

Abort *m* **1.** ~ mit Luftspülung = Abort ohne Wasserspülung. Scherzhafte Vokabel. 1920 *ff.*

2. das ist knapp vor dem ~ in die Hose gegangen: Redewendung, wenn einer mit 60 oder 59 Augen verliert. Skatspielerausdruck 1920 *ff.*

Abortbrille *f* Abortsitz. ↗ Brille. 18. Jh.

Abortdeckel *m* **1.** große, plumpe Hand. Fußt auf dem abtreibend derben Vergleich. 1900 *ff*, vorwiegend *sold.*

2. so groß wie ein ~ = sehr groß (breit, plump). 1900 *ff.*

Abortliteratur *f* Gekritzel an Abortwänden. 1930 *ff.*

Abortröhre *f* das Leben ist eine ~, man macht viel durch - dann scheidet man. Spiel mit zwei Wortbedeutungen: durchmachen = durch etw hindurchkoten; durchmachen = Schweres erleben. *Stud* 1920 *ff.*

Abortwitz *m* altbekannter Witz. Hat mit „Abort" nichts zu tun, sondern meint *österr* „a Bort" (= ein Bart); *vgl* ↗Bartwitz. 1930 *ff.*

abpaschen *v* **1.** *intr* heimlich weglaufen. Gehört zu ↗paschen und meint eigentlich „als Schmuggler oder Hehler flüchten". *Österr* seit dem 18. Jh.
2. etw ~ = etw heimlich verabreden. 1800 *ff, österr.*

abpellen *v* **1.** *refl* = sich entkleiden. Pelle = Haut = Kleidung. Seit dem späten 19. Jh.
2. jn ~ = jn verprügeln. Gemeint ist „auf die Pelle schlagen". 1900 *ff.*
3. jn ~ = jn übervorteilen. Analog zu „jm das ↗Fell über die Ohren ziehen". 1920 *ff.*
4. einen ~ = onanieren. ↗Aal 8. *Jug* 1910 *ff.*

abpfeifen *tr* **1.** ein Vorhaben unterbinden. Entweder parallel zu ↗abblasen 1 oder hergenommen von der Schiedsrichterpfeife. 1900 *ff.*
2. eine Unterbrechung herbeiführen. Zusammenhängend mit dem Pfeifensignal des Schiedsrichters. 1920 *ff.*

Abpfiff *m* Absage; Verzichtleistung. 1920 *ff.*

abpflaumen *tr* jm die Partnerin abspenstig machen. ↗Pflaume = Vagina. 1930 *ff, halbw* und *sold.*

abplacken *refl* sich abmühen. ↗placken. 18. Jh.

abplatzen *intr* sich verirren; sich verfliegen. Gemeint ist „vom Platz (Flugplatz) abkommen". Fliegerspr. 1939 *ff.*

abpolstern *refl* sich finanziell ~ = sich geldlich sichern. 1945 *ff.*

abponzen *tr* etw aus unerlaubter Übersetzung abschreiben. ↗ponzen. *Schül* 1920 *ff.*

abprotzen *intr* **1.** die Hosen zum Koten herunterlassen; koten. Meint eigentlich „die Kanone von der Protze (= Zugwagen) abhängen, um schußbereit zu sein". 1840 *ff.*
2. einen Darmwind laut abgehen lassen. Schallnachahmende Vokabel. 1840 *ff.*
3. sich zum Geschlechtsverkehr anschikken; koitieren. Versteht sich nach ↗abprotzen 1. Etwa seit 1900.
4. enteilen. Eigentlich „mit der Protzn (= Zug-, Schleipfwagen) abfahren". Tirol 1900 *ff.*

abpuffen *tr* etw vom Mitschüler abschreiben. Gehört zu „puffen = borgen": das Abschreiben gilt nur als ein Entleihen. *Schül* 1920 *ff.*

abpumpen *tr* **1.** etw borgen. ↗pumpen. 19. Jh.
2. vom Mitschüler abschreiben, absehen. ↗abpuffen. 1900 *ff.*

abputzen *v* **1.** jn ~ = jn heftig zurechtweisen, entwürdigend anherrschen. ↗putzen. 19. Jh, vorwiegend *schül* und *sold.*
2. etw ~ = etw bis auf den letzten Rest verzehren. ↗putzen. 1900 *ff.*
3. etw ~ = etw stehlen. *Vgl* ↗wegputzen; analog zu ↗abstauben 2. 1900 *ff.*
4. etw ~ = etw ablehnen, durch Überstimmen zurückweisen. *Vgl* ↗putzen = besiegen. Hängt auch zusammen mit „etw vom ↗Tisch wischen". 1950 *ff.*
5. sich ~ = sich einer Sache entledigen; den Verdacht ablenken. Analog zu „sich ↗reinwaschen". 1940 *ff, vorwiegend österr.*

abquetschen *tr* **1.** jn ~ = jds Auto zur

Seite drängen. Analog zu ↗abklemmen. 1920 *ff.*
2. jm etw ~ = jm etw abnötigen, abhandeln; jn erpressen. *Vgl* ↗abdrücken 2. 19. Jh.
3. sich etw ~ = sich etw aneignen, durch Überredung an sich bringen. 1900 *ff.*
4. sich etw (einen) ~ = sich etw abringen. 1900 *ff.*
5. sich einen ~ = a) gepreßt, gequält singen oder sprechen. Der Betreffende hat eine gedrückte, gepreßte Stimme. 1900 *ff.* – b) beim Koten sich heftig anstrengen müssen. 1945 *ff.*

abrabatzen *refl* sich abmühen. Fußt auf *poln* „rabot = Fronarbeit". Etwa seit 1870.

abradieren *tr* jds Kräfte übergebührlich in Anspruch nehmen; jn nervlich überanstrengen. Wohl hergenommen von der Abnutzung der Autoreifen. 1940 *ff.*

Abraham *m* **1.** Heer-, Armeeführer. Benannt nach dem Erzvater der Bibel wegen seiner angesehenen Stellung. *Sold* 1939 *ff.*
2. da hat er noch in ~s Schoß gelegen = das ist lange vor seiner Zeit geschehen. *Vgl* ↗Abraham 6. 19. Jh.
3. in ~s Wurstkessel (Wurschtkessel) kommen = im Krieg fallen. Weiterführung von „Abrahams Schoß": der Wurstkessel ist der vorübergehende Läuterungsaufenthalt für diejenigen Soldaten, die der Aufnahme in Abrahams Schoß noch nicht würdig sind. Im Wurstkessel drängen sich die Würste zuhauf. Seit dem ausgehenden 19. Jh.
4. in ~s Wurstkessel = zu der Zeit war er noch nicht geboren. 1914 *ff.*
5. sicher wie in ~s Schoß sein = sehr sicher, geschützt sein; sich in guter Hut befinden. *Vgl* das Folgende. 19. Jh.
6. in ~s Schoße sitzen (liegen) = in sehr guten Verhältnissen leben; keine Sorgen haben; sich sehr glücklich fühlen. Fußt auf Lukas 16, 22 *ff*: der arme Lazarus wird von den Engeln in Abrahams Schoß getragen. Hieraus entstand spätestens im 17. Jh ein Bild der Seligkeit, der vollkommenen Behaglichkeit.
7. in ~s Wurstkessel sitzen = a) sorglos leben können. 1900 *ff.* - b) sich in Haft befinden. *Rotw* 1950 *ff.*

abrahmen *tr* **1.** jm Geld ablisten; jm mehr auf die Rechnung setzen, als er verzehrt hat. *Vgl* „den ↗Rahm abschöpfen". 1920 *ff, prost* und kellnerspr.
2. etw ~ = das Beste für sich behalten; bei einer Verteilung sich einen Vorgriff auf das Bessere gestatten. 1920 *ff.*

abrasieren *v* **1.** etw abschneiden. 1920 *ff.*
2. etw gründlich zerstören, dem Erdboden gleichmachen; ein Waldstück durch Zerlegermunition beseitigen. *Sold* 1939 *ff; BSD* 1960 *ff.*
3. etw beim Fahren (Skifahren) streifen und beschädigen. 1920 *ff.*

abrasseln *v* **1.** *intr* = davoneilen, weggehen. ↗rasseln = eilen. 1900 *ff, sold, schül* und *halbw.*
2. *intr* = (vor allem mit dem Motorrad) bei geöffneter Auspuffklappe wegfahren. 1930 *ff.*
3. etw ~ = etw ausdruckslos vortragen. ↗runterrasseln. 19. Jh, *schül.*
4. etw ~ = eine Freiheitsstrafe (ohne Reue) verbüßen. 1900 *ff.*

abräumen *v* **1.** *intr tr* = die Schüsseln leeressen. *Nordd* 1900 *ff.*
2. *intr* = den stärksten Beifall von allen erhalten. Abräumen = davontragen. 1930 *ff.*
3. *intr* = tadeln. Beruht wohl auf der Vorstellung „reinen ↗Tisch machen": „Reinigen" hat umgangssprachlich die Bedeutung „rügen". *Österr* 1950 *ff.*
4. etw ~ = etw einheimsen (Geld beim Glücksspiel, Treffer beim Fußballspiel u. ä.). Eigentlich soviel wie ernten. 1910 *ff.*
5. jn ~ = jn degradieren. Man entkleidet ihn der Rangabzeichen usw. *BSD* 1960 *ff.*

abrauschen *intr* **1.** wütend, empört davongehen. Der/die Betreffende entfernt sich mit lauten Worten oder strafendem Schweigen (laut rauschenden Röcken). Seit dem späten 19. Jh.
2. wegfahren, weggehen (gern in der Befehlsform). Herzuleiten von den rauschend fortfliegenden Vögeln; doch *vgl* auch ↗abbrausen 1. 1900 *ff.*

abregen *refl* seine Aufregung abklingen lassen; sich beruhigen. Scherzhafte Gegensatzbildung zu „sich aufregen". 1900 *ff.*

abreiben *tr* **1.** jn heftig prügeln. Bezog sich ursprünglich auf den Badeknecht, der seinem Kunden den Rücken reibt. Hieraus weiterentwickelt zur der übertragenen Bedeutung „den Rücken reiben = prügeln". *Vgl* auch ↗bimsen 2. 19. Jh.
2. jn heftig rügen, ausschelten. Fußt auf der umgangssprachlichen Gleichung „prügeln = rügen". 1910 *ff.*
3. sich einen ~ = onanieren. 1910 *ff.*

Abreibung *f* **1.** Prügel. ↗abreiben 1. 1900 *ff.*
2. das Halbtotgeprügeltwerden. 1920 *ff.*
3. heftige Rüge. ↗abreiben 2. 1910 *ff.*
4. gerichtliche Verurteilung. 1950 *ff.*
5. heftiges Artilleriefeuer. 1914 *ff.*
6. schwere sportliche Niederlage. 1930 *ff.*
7. kalte ~ = Rüge. Eigentlich die kalte Dusche mit Frottieren. 1920 *ff.*
8. proletarische ~ = Überfall auf politische Gegner; Verprügelung eines oder mehrerer politischer Gegner. In der Zeit der Straßenkämpfe und Saalschlachten 1920 *ff* aufgekommen.
9. warme ~ = derbe Tracht Prügel. 1920 *ff.*

Abreise *f* Antritt einer Freiheitsstrafe. Beschönigende Vokabel. 1920 *ff.*

abreisen *intr* **1.** (unfreiwillig) davoneilen. Gern in der Befehlsform gebraucht. 1900 *ff.*
2. eine Freiheitsstrafe antreten. 1900 *ff.*
3. sterben. Auffassung vom Tod als einer Reise ins Jenseits. 17./18. Jh.

abreißen *v* **1.** ~ = weggehen, davonlaufen. Hergenommen vom Abreißen der Marktstände; parallel zu ↗abbauen 2. *Österr* 1900 *ff.*
2. jn ~ = jn ausbeuten, schröpfen, zur Geldhergabe nötigen. Gemeint ist wohl, daß der Betreffende nachher aussieht wie einer in abgerissener Kleidung. 1940 *ff.*
3. es reißt nicht ab = es hört nicht auf; es nimmt kein Ende (z. B.: die Hitze reißt nicht ab). Beruht wohl auf der Vorstellung eines nicht reißenden Fadens (oder dehnbaren Bandes) als Sinnbild einer ununterbrochenen Folge. Gebräuchlich wohl seit dem 18. Jh.
4. etw ~ = etw feiern, vorführen. Entweder Parallele zu ↗„abziehen" oder be-

ruhend auf der Vorstellung, daß eine Sache von Anfang bis Ende, Stück um Stück abgebaut wird. *Halbw* 1950 *ff.*
5. einen ~ = einen Darmwind entweichen lassen. Wohl wegen der Klangverwandtschaft mit dem Reißen eines Tuches. 19. Jh.
6. seinen Dienst (seine Dienstjahre) ~ = seinen Militärdienst wahrnehmen, abdienen. Abreißen = abnutzen, verschleißen. Etwa seit 1870.
6 a. ein Jahr („Jährchen") ~ = eine einjährige Freiheitsstrafe verbüßen. Um 1900 aufgekommen.
7. 40 000 Kilometer ~ = 40 000 Kilometer fahren. 1920 *ff.*
8. ein Pensum ~ = ein Pensum erledigen. 1950 *ff.*
9. 10 Semester ~ = zehn Semester studieren. *Stud* 1950 *ff.*
10. eine Strafe im Stehen ~ = eine Freiheitsstrafe ohne Besserungsvorsatz verbüßen. 1920 *ff.*
11. 8 Stunden ~ = täglich acht Stunden arbeiten. 1950 *ff.*
Abreißkalender *m* **1.** ~ am 31. Dezember = untauglicher Soldat. Anschauliches Sinnbild der Unbrauchbarkeit. *Sold* 1939 *ff.*
2. abnehmen wie ein ~ = zusehends abmagern. 1920 *ff.*
abringen *v* sich etw ~ = eine Rede mehr schlecht als recht halten; ein Bühnen-, Filmstück mühsam verfassen o. ä. 1920 *ff.*
abrollen *v* **1.** *intr* = sich entfernen; abfahren. Gern mit Bezug auf beleibte Personen gesagt (wie ein Fäßchen rollen). 1910 *ff.*
2. es rollt ab = es ereignet sich. Wohl von der Bühnenrolle hergenommen. 1900 *ff.*
3. gegenüber jm seine Meinung ~ = jn zurechtweisen, ausschimpfen. Wohl hergenommen von einem langen Rollentext. 1940 *ff.*
abrotzen *v* **1.** *intr* = ertrinken. Man zieht Wasser in die Nase ein und ertrinkt dadurch. *Marinespr* 1939 *ff.*
2. *tr* = eine Granate abfeuern. ↗ rotzen. *BSD* 1960 *ff.*
3. *tr* = jn anherrschen. ↗ rotzen 5. 1900 *ff.*
abrubbeln *tr* **1.** etw abreiben. ↗ rubbeln. Etwa seit 1800, *nordd* und *westd.*
2. jn derb rügen, ausschimpfen. Parallel zu ↗ abreiben 2. 1950 *ff.*
3. einen ~ = koitieren. 19. Jh.
4. sich einen ~ = onanieren. 19. Jh.
abrüffeln *tr* jn rügen. ↗ rüffeln. 1700 *ff.*
Abrufnutte *f* Callgirl. ↗ Nutte. 1958 *ff.*
abrüsten *intr* **1.** sich entkleiden; sich zum Geschlechtsverkehr anschicken. Eigentlich „die Rüstung ablegen"; *vgl* ↗ Panzer = Korsett. Seit dem ausgehenden 19. Jh.
2. aufbrechen; die Rast beenden; die Geselligkeit verlassen. 1930 *ff.*
3. koten. Bezieht sich eigentlich nur auf das Herablassen der Hose. *BSD* 1960 *ff.*
Abrüstung *f* **1.** das Abschminken. Zur Sache *vgl* ↗ Kriegsbemalung 1. 1920 *ff.*
2. Ablegen der Uniform vor dem Zubettgehen. *Sold* 1939 *ff.*
abrutschen *intr* **1.** abgleiten; leer ausgehen; sittlich sinken. Rutschen = (abwärts) gleiten. 19. Jh.
2. mißhandeln; falsch handhaben. Abgleiten = keinen festen Halt finden. 1920 *ff.*
3. abreisen, abfahren. ↗ rutschen. 19. Jh.

4. sterben; begraben werden. Meint einerseits die Abreise ins Jenseits, andererseits die Seemannssitte, den (in Segeltuch eingenähten) Leichnam auf einem Brett über die Reling ins Wasser gleiten zu lassen. 19. Jh.
5. im Leistungsvermögen nachlassen. 1920 *ff.* Analog zu ↗ abfallen 2.
6. mit einem Antrag (o. ä.) abgewiesen werden. *Vgl* ↗ abfallen 5. 1920 *ff.*
absäbeln *tr* **1.** ein Stück ungeschickt, unordentlich abschneiden; ein Glied amputieren. ↗ säbeln. 18. Jh.
2. jn in seinen Befugnissen einschränken. 1950 *ff.*
absacken *intr* **1.** unter der Wasseroberfläche verschwinden; versinken. Stammt aus der *ndl* Seemannssprache: afzakken = untergehen (wie ein in einen Segeltuchsack eingenähter Leichnam); ↗ abrutschen 4. 14. Jh.
2. in ein „Luftloch" geraten. Fliegerspr. 1914/ 18 *ff.*
3. sterben, fallen. *Sold* in beiden Weltkriegen.
4. verwahrlosen (vor allem in der äußeren Erscheinung, Kleidung usw.). Analog zu ↗ runterkommen. 1910 *ff.*
5. im körperlichen oder geistigen Leistungsvermögen nachlassen; ohnmächtig werden; moralisch haltlos werden. 1900 *ff.*
6. in der Prüfung scheitern. *Stud* 1960 *ff.*
7. jn ~ = jn kastrieren. Bezog sich ursprünglich auf die Kastration männlicher Tiere durch Abbinden des Hodensacks. 1933 *ff.*
Absacker *m* letztes Glas Alkohol am Abend. *Vgl* ↗ absacken 1. Danach geht man zu Bett. 1950 *ff.*
Absäge *f* Amtsverdrängung. *Vgl* das Folgende. 1970 *ff.*
absägen *tr* **1.** jn (wider seinen Willen) verabschieden; jn verdrängen; jn mundtot machen. Man sägt an dem Ast, auf dem der Betreffende sitzt. Etwa seit 1870, vor allem in Offiziers- und Beamtenkreisen.
2. jn degradieren. *Sold* 1960 *ff.*
3. jn mit dem Auto überholen. Der Überholte wird erledigt, überflügelt. 1910 *ff.*
4. einen Schüler nicht versetzen oder aus der Schule entfernen. 1900 *ff.*
5. etw ~ = etw beseitigen, vereiteln. 1900 *ff.*
Absägung *f* Entlassung aus dem Dienst; Amtsenthebung. ↗ absägen 1. 19. Jh.
Absahne *f* **1.** unüberbietbare Meisterleistung. Unter allen Mitbewerbern schöpft der/die ~machende den Rahm von der Milch ab. 1960 *ff.*
2. Verdienst, Gewinn. *Halbw* 1960 *ff.*
absahnen *tr* **1.** viel an einer Sache verdienen; das Beste einheimsen, erobern; sich etw nicht entgehen lassen; es verstehen, wie man sich überall Vorteile verschafft; überhöhte Preise fordern. Versteht sich als „den ↗ Rahm abschöpfen". *Sold* 1939 *ff,* kellnerspr., *prost* u. a.
2. jn schröpfen; jm das Geld abgewinnen; jds Bankkonto plündern. 1917 *ff.*
3. Löhnung in Empfang nehmen. *BSD* 1960 *ff.*
4. ein Dorf ~ = alle Bewohner eines Dorfs schröpfen. 1950 *ff.*
Absatz *m* **1.** neben den Absätzen gehen = a) in zerrissenen oder „schiefgetretenen" Schuhen gehen. 1910 *ff.* – b) abgewirtschaftet sein. *Österr* 1930 *ff.*

2. runde Absätze haben = betrunken sein. Der Betreffende ist nicht mehr standsicher. *Zürich* 1950 *ff.*
3. schiefe Absätze kriegen = lange warten müssen. *Zürich* 1950 *ff.*
4. sich die Absätze krummlaufen = viele Wege machen. 1920 *ff.*
5. einen ~ machen = sich schleunigst entfernen; das Weite suchen. Verwandt mit „sich absetzen = sich zurückziehen". *Sold* 1939 *ff.*
6. in etw mit dem ~ reintreten = sich einer Sache angelegentlich widmen. Der Absatz trägt das größere Gewicht. 1920 *ff.*
absauen *v* **1.** jn ~ = jn entwürdigend beschimpfen. Der Betreffende wird mit säuischen Ausdrücken belegt. 1850 *ff,* vorwiegend *sold,* auch *prost.*
2. etw ~ = etw hastig und unordentlich abschreiben. ↗ sauen. *Stud* und *schül* 1800 *ff.*
absaufen *v* **1.** *intr* = mit dem Schiff untergehen. Das Schiff (torpediert) säuft sich voll Wasser und versinkt, wenn es genug eingenommen hat. 1900 *ff.*
2. *intr* = an Höhe verlieren; in der Luft niedergehen. Segelfliegersprache 1920 *ff.*
3. *intr* = beim Schwimmen die Kraft verlieren und unter die Wasseroberfläche sinken. *Sold* 1939 *ff.*
4. *intr* = unvermittelt starken Leistungsabfall zeigen. Rundfunktechniker 1950 *ff.*
5. *intr* = verkommen. 1950 *ff.*
6. etw ~ = etw abtrinken. 19. Jh.
7. etw ~ = beim zahlungsunwilligen (o. ä.) Gastwirt den Betrag einer Geldforderung vertrinken. 19. Jh.
8. jn ~ = jds Gebefreudigkeit weidlich ausnutzen. Kellnerspr. 1960 *ff.*
9. der Motor ist abgesoffen = der Motor springt nicht an, weil infolge zu starken Gasgebens die Zündkerzen naß geworden sind. 1930 *ff.*
absausen *v* **1.** *intr* = die Frage des Lehrers nicht beantworten (können): Der Schüler erleidet einen tiefen Sturz, scheitert in der Prüfung. Seit dem frühen 20. Jh. *Vgl* ↗ abfahren 5.
2. sich eilig entfernen; schnell starten. Parallel zu ↗ abbrausen 1. 1900 *ff.*
3. jn ~ lassen = a) jn heftig zurechtweisen. 1900 *ff.* – b) den Umgang mit jm abbrechen. Parallel zu ↗ abfahren lassen 10. 1900 *ff.*
äbsch *adj* unfreundlich, widerlich, langweilig, niederträchtig, dummdreist, ungeschickt u. a. Zusammengezogen aus „äbich = von der Sonnenseite abgelegen, schiefstehend; linkisch" u. ä. 18. Jh.
abschaffen *v* **1.** jn ~ = jn umbringen, hinrichten. Im Sinne von „beseitigen". Tarnwort der NS- Zeit.
2. jn ~ = jn zwangsweise über die Landesgrenze verweisen. Hier in der Bedeutung von „wegschaffen". 19. Jh, *österr.*
Abschaffung *f* Abschiebung über die Grenze, in den Heimatort. ↗ abschaffen 2. *Österr* 19. Jh.
abschalten *v* **1.** *intr* = seine Gedanken ruhen lassen; alles um sich zu vergessen suchen; sich entspannen. Aus der Technikersprache: etw außer Betrieb setzen (das Rundfunkgerät, die Zündung beim Automotor o. ä.). Etwa seit 1918.
2. *intr* = die Besinnung verlieren; ohnmächtig werden. 1930 *ff.*
3. *intr* = schlafen. 1930 *ff.*

4. *intr* = nicht mehr zu sprechen sein. 1930 *ff.*

5. jn ~ = die Verbindung mit jm abbrechen; jn amtsentheben. 1920 *ff.*

abschäsen *intr* ↗ abschesen.

abscherbeln *intr* weggehen. ↗ scherbeln = tanzen. 1930 *ff.*

abschesen *intr* abfahren; weggehen. ↗ schesen. 19. Jh.

abscheulich *adv* sehr. Hat wie die ähnlich bedeutenden Adjektiva den Wert einer bloßen Verstärkung angenommen. Etwa seit dem 18. Jh.

abschieben *v* **1.** *intr* = weggehen, flüchten. ↗ schieben. 18. Jh.

2. *intr* = sterben. 18. Jh.

3. jn ~ = jn zwangsweise über die Landesgrenze verweisen. 18. Jh.

4. jn ~ = eine mißliebige Person versetzen oder entlassen. Bürosprache 19. Jh.

abschießen *v* **1.** *tr* = den Fußball kraftvoll treten. ↗ schießen. 1920 *ff, sportl.*

2. *tr* = eine Rundfunk-, Fernsehsendung ausstrahlen. Wie ein Geschoß aus dem Rohr oder Lauf entlassen wird, wird auch eine Sendung gestartet. Rundfunkspr. 1920 *ff.*

3. jn ~ = jn aus einflußreicher Stellung entfernen; jds Rücktritt bewirken; jn für nicht länger tragbar erklären; bewirken, daß jd eine begehrte Nebenfunktion verliert. Stammt aus der Jägersprache: Der Waidmann schießt krankes, überaltertes oder aus anderen Gründen auszumerzendes Wild ab. Etwa seit 1918.

4. einen Schüler ~ = einen Schüler zum vorzeitigen Abgang von der Schule bewegen; einen Schüler nicht versetzen, damit er vorzeitig die Schule verläßt. 1930 *ff.*

5. jn ~ = den Umgang mit jm abbrechen. 1960 *ff.*

6. jn ~ = jn zur Erteilung eines Kaufvertrags gewinnen. Der Käufer wird durch den Verkäufer/ Vertreter zur Strecke gebracht. 1945 *ff.*

7. eine ~ = eine weibliche Person zum Geschlechtsverkehr bewegen; einen Flirt beginnen. Ebenfalls soviel wie „jn zur Strecke bringen". *Sold* 1939 *ff.*

8. jn ~ = jn im Kartenspiel (betrügerisch) besiegen. 1930 *ff.*

9. eine Flasche ~ = eine Flasche leertrinken. *Sold* 1939 *ff.*

10. jn ~ = von jm eine Schnappschuß-Aufnahme machen. ↗ schießen. 1950 *ff.*

11. zum ~ aussehen = widerlich, höchst unerfreulich aussehen. 1925 *ff.*

12. zum ~ sein = unausstehlich, widerwärtig sein. 1925 *ff.*

13. zum ~ sein = ein schlechter Schauspieler o. ä. sein. 1925 *ff.*

abschlachten *v* **1.** jn ~ = jn unschädlich machen. Eigentlich „ein Schlachttier notschlachten". 19. Jh.

2. jn ~ = jn so heftig kritisieren, daß seine Amtsenthebung oder Versetzung fällig wird; jn verdammen. 19. Jh.

3. jn ~ = beim Kartenspiel den Spielmacher besiegen. Seit dem frühen 20. Jh.

4. Leute ~ = Soldaten sinnlos ins feindliche Feuer treiben. *Sold* in beiden Weltkriegen. *Vgl* ↗ abgeschlachtet werden.

5. jn ~ = jn wirtschaftlich zugrunderichten. 1900 *ff.*

6. jn ~ = jn betrügen, übervorteilen. 19. Jh.

Abschlachtung *f* scharfe Kritik. ↗ abschlachten 2. 19. Jh.

abschlaffen *v* **1.** *intr* = wohlig müde werden; kraftlos werden. Gehört zu „schlaff = kraftlos, träge". 1967 durch den Film „Zur Sache, Schätzchen" volkstümlich geworden, vor allem unter Halbwüchsigen.

2. *tr* = etw schwächen. 1970 *ff.*

Abschleppdienst *m* **1.** Nachhilfeunterricht. Eigentliche Bezeichnung für den gewerblichen Abtransport fahruntüchtiger Autos zur Reparaturwerkstätte. Ähnlich nachzieh- und/oder reparaturbedürftig erscheint der Schüler. 1925 *ff.*

2. Frau, die ihren betrunkenen Mann vom Wirtshaus abholt. 1960 *ff.*

Abschleppe *f* Lokal mit überhöhten Preisen, in dem die Geschlechter Bekanntschaft anknüpfen. ↗ schleppen. 1960 *ff.*

abschleppen *tr* **1.** den Dirnenkunden in die Dirnenwohnung mitnehmen. *Prost* 1965 *ff.*

2. ein Mädchen „erobern" und nach Hause bringen; mit einem Mädchen im Auto fahren. *Halbw* 1955 *ff.*

Abschlepp-Hai (-Hyäne) *m (f)* wucherischer Abschleppunternehmer. ↗ Hai 1. 1965 *ff.*

Abschlepp-Schuppen *m* anrüchiges Nachtlokal (Tanzdiele o. ä.). ↗ schleppen und ↗ Schuppen. 1960 *ff. Vgl* ↗ Abschleppe.

Abschlußkränzchen *n* Schlußfeier der Abiturienten. ↗ Kränzchen. 1950 *ff.*

abschmandern *tr* etw vom Mitschüler oder aus der Übersetzung abschreiben. Gehört zu „Schmand = Rahm": man schöpft den Rahm ab = man nimmt sich das Beste. *Schül* 1900 *ff.*

abschmeißen *v* **1.** *tr* = abwerfen, herabwerfen. ↗ schmeißen. 1500 *ff.*

2. *intr* = niederkommen. Die Vokabel wird ursprünglich nur in Bezug auf Tiere angewandt: den Laich abstoßen; Junge werfen, usw. 19. Jh.

abschmelzen *tr* etw verringern, kürzen. Politikerdeutsch 1980 *ff.*

abschmettern *v* **1.** jm etw ~ = jn abweisen; eine Klage abweisen; die Berufung oder Revision verwerfen. ↗ schmettern. 1900 *ff.*

2. etw ~ = einen Vorstoß vereiteln; jm eine schwere Niederlage bereiten. 1950 *ff.*

3. etw ~ = eine Kritik überzeugend widerlegen. 1950 *ff.*

4. *intr* = eiligst sich entfernen. Gemeint ist wohl, daß man die Tür heftig ins Schloß schmettert und abfährt. 1920 *ff.*

abschmieren *v* **1.** etw ~ = etw abschreiben. ↗ schmieren. Vorwiegend *schül.* 18. Jh.

2. jn ~ = jn verprügeln. ↗ schmieren. 16. Jh.

3. jn ~ = jn intim betasten o. ä. ↗ schmieren. 1900 *ff.*

4. jn ~ = jn umarmen, küssen. *Halbw* 1955 *ff.*

5. jn ~ = jn lange unter Beobachtung halten. Gehört zu ↗ Schmiere = Polizei. *Öster* 1930 *ff.*

6. jn ~ = jn bestechen; jn durch eine Bestechungssumme abfinden. ↗ schmieren. *Südd* 1900 *ff.*

7. jn ~ = jn abwehren, zurückschlagen, übertrumpfen. Erklärt sich aus ↗ abschmieren 2. *Sold* und *sportl* 1914 *ff.*

8. jn ~ = jn im Fahren überholen. Ver-

steht sich nach der vorhergehenden Bedeutung. 1920 *ff.*

9. *intr* = abstürzen (von Flugzeugen gesagt). Wohl weil man „wie geschmiert" (= widerstandslos) abstürzt. Seit dem Ersten Weltkrieg bis heute.

10. *intr* = mit einem Wasserfahrzeug untergehen. 1920 *ff.*

abschminken *v* sich (jm) etw ~ = sich (jm) etw abgewöhnen; etw nicht länger verwenden; sich etw aus dem Sinn schlagen. Aus der Theatersprache. 1900 *ff.*

abschmulen *v* jm etw ~ = vom Klassenkameraden absehen. ↗ schmulen. Spätestens seit 1850.

abschmusen *v* jm etw ~ = jm etw abschmeicheln. ↗ schmusen. 1900 *ff.*

abschnacken *v* jm etw ~ = jm etw durch Reden abgewinnen, abhandeln. ↗ schnacken. 18. Jh.

abschnallen *v* **1.** *intr* = sich entkleiden. Meint eigentlich „sich des Riemenzeugs entledigen". 1910 *ff.*

2. *intr* = fassungslos sein; aufbrausen. 1920 *ff.*

3. da schnallst du ab!: Ausdruck der Überraschung. 1930 *ff, sportl, sold, arb* und *schül.*

4. *intr* = kraftlos werden; aufgeben. Am Koppel sind Seitengewehr, Pistolen- und Patronentasche sowie die Feldflasche befestigt; wer abschnallt, streckt die Waffen. 1910 *ff.*

5. *intr* = sterben. 1910 *ff.*

6. schnall' ab = übertreibe nicht! beruhige dich! 1930 *ff, sold* und *halbw.*

7. jn ~ = jn seinem Wirkungskreis entziehen. Wohl hergenommen vom Abschnallen des Degens als Gebärde der Degradierung. 1939 *ff.*

8. *tr intr* = entmilitarisieren. 1945 *ff.*

9. abgeschnallt haben = sich geschlechtlich wieder beruhigt haben. Gehört zu „sich des Riemens entledigen", wobei aber „Riemen" den Penis meint. 1910 *ff.*

abschnappen *v* **1.** *intr* = zurücktreten; von einem Kauf absehen. Hergenommen vom Fisch, der vom Angelhaken abschnappt und ins Wasser zurückfällt. 19. Jh.

2. *intr* = von einem Liebesverhältnis zurücktreten. 1900 *ff.*

3. *intr* = sterben. Beruht auf der Vorstellung vom Schnappen nach Luft: den letzten Atemzug tun. 1870 *ff.*

abschneiden *v* **1.** *intr* gut oder schlecht ~ = mehr oder weniger Erfolg haben. Leitet sich wahrscheinlich von der bäuerlichen Landverteilung her, wobei „abschneiden" die Bedeutung „eine Einbuße an Besitz erleiden" hat. Spätestens 1900 *ff.*

2. schneid' ab! = hör auf! Der Betreffende soll den Gesprächs- oder Gedankenfaden abschneiden. *Bayr* 1920 *ff.*

3. ~ = den Inhalt eines Glases in mehreren Zügen leeren. Parallel zu ↗ abbeißen 3. 1900 *ff.*

Abschneider *m* **1.** Richtweg. Er kürzt den Hauptweg ab, schneidet die Krümmungen ab. 1900 *ff.*

2. abgekürztes Verfahren; Schnellgerichtsverfahren. 1920 *ff.*

abschnellen *intr* eine Abfuhr erleiden. ↗ schnellen. *Öster* 1900 *ff.*

Abschnitzel *n (m)* verkommener Mensch. Eigentlich der Abfall beim Hobeln in der Schreinerei, u. ä. *Südd* 1920 *ff.*

abschöpfen *tr* **1.** etw unredlich sich aneignen oder verwerten. Fußt auf „den ↗Rahm abschöpfen". 1920 *ff.* **2.** etw (nichts) ~ = gut (nichts) verdienen. 19. Jh.

abschotten *v* **1.** sich von jm ~ = sich von jm absondern. Stammt aus der Seemannssprache: „mit einem Schott abschließen = durch eine Querwand abteilen". 1950 *ff.* **2.** etw gegen etw ~ = etw gegen etw sichern, unangreifbar machen. 1956 *ff.*

abschrammen *intr* **1.** wegeilen; durchgehen (aufs Pferd bezogen). Parallel zu ↗abkratzen 1. 19. Jh. **2.** sterben, im Krieg fallen. Analog zu ↗abkratzen 2. 19. Jh.

abschrauben *v* **1.** *intr* = von einem unsinnigen Vorhaben Abstand nehmen; sich beruhigen. Meint soviel wie „sich einer Sache entwinden", wobei „Schraube" den Nebensinn von Verrücktheit hat. 1940 *ff.* **2.** *tr* = etw entwenden. *Sold* 1939 *ff.* **3.** jm etw ~ = jm etw abspenstig machen. *Halbw* 1955 *ff.* **4.** abschrauben, vorzeigen!: Aufforderung, wenn einer über etwas spricht, was man sich aus der Nähe besehen möchte. 1900 *ff.*

Abschreckungsanzug *m* unvorteilhafte Kleidung des vermeintlich arbeitsunwilligen Arbeitsuchenden. Arbeitgebervokabel seit 1975.

abschreiben *tr* **1.** mit Rückempfang nicht mehr rechnen; etw verloren geben. Stammt aus der Kaufmannssprache: nichteinbringliche Forderungen auf Verlustkonto schreiben. 1920 *ff.* **2.** jds Bekanntschaft (Freundschaft) als erloschen betrachten; auf jn verzichten; jn nicht länger in seine Überlegungen einbeziehen. 1920 *ff.* **3.** mit jds Rückkehr nicht mehr rechnen; jn zu den Vermißten zählen. 1939 *ff.*

abschuften *v* **1.** sich ~ (sich einen ~) = sich abmühen. ↗schuften. 1900 *ff.* **2.** 40 Stunden ~ = 40 Stunden lang Schwerarbeit verrichten. 1900 *ff.* **3.** etw ~ = in harter, langer Arbeit eine Geldschuld abtragen. 1900 *ff.*

Abschulung *f* Verweisung von der Schule. Gegenwort „Einschulung". 1950 *ff.*

abschurren *intr* sterben. Eigentlich „schurrenden (= scharrenden) Schritts davongehen"; daher parallel zu ↗abkratzen 2. 18. Jh.

Abschuß *m* **1.** Amtsenthebung, vorzeitige Entlassung; Verdrängung. ↗abschießen 3. 1918 *ff.* **2.** erster Kußwechsel; geglückter Flirt; Gewinnung zum Beischlaf. ↗abschießen 7. 1939 *ff.* **3.** Zerdrückung einer Laus. 1939 *ff, sold.* **4.** Verweisung von der Schule. ↗abschießen 4. 1930. **5.** Lieferungsauftrag. ↗abschießen 6. 1945 *ff.* **6.** frei zum ~ = vorgesehen zur baldigen Entlassung. ↗abschießen 3. 1920 *ff.* **7.** jn zum ~ freigeben = mit jds Amtsenthebung einverstanden sein. 1920 *ff.*

Abschußkandidat *m* Person, die bei der ersten besten Gelegenheit entlassen werden soll. ↗abschießen 3. 1920 *ff.*

Abschußliste *f* **1.** erdachte oder tatsächliche Liste der bei der ersten besten Gelegenheit zur Entlassung (Verdrängung) vor-

gesehenen Personen. ↗abschießen 3. 1925 *ff.* **2.** auf die ~ kommen = zur Entlassung (Verdrängung) vorgesehen sein. 1925 *ff.* **3.** jn auf die erotische ~ kriegen = bei jm die Aussicht auf Geschlechtsverkehr gewinnen. 1935 *ff.* **4.** jn auf die ~ setzen = jn zur Entlassung vormerken. 1925 *ff.* **5.** auf der ~ stehen = a) zur Entlassung (Verdrängung) vorgesehen sein. 1925 *ff.* – b) von jm umworben, für ein erotisches Abenteuer begehrt werden. 1935 *ff.* – c) zur möglichst baldigen Verhaftung vorgesehen sein. 1935 *ff.*

Abschußrampe *f* **1.** Ausgangsgrundlage für weitere Vorhaben; Beginn einer Laufbahn. Eigentlich die Abschußvorrichtung für Raketenwaffen, Raumfahrzeuge usw. 1960 *ff.* **2.** Lazarett. Gemeint ist die Stelle, von der aus die Gestorbenen „wie Raketen himmelwärts starten". *Sold* 1939 *ff.* **3.** auf der ~ stehen = zur Amtsverdrängung (Nichtversetzung, Schulverweisung o. ä.) vorgesehen sein. 1970 *ff.*

abschußreif *adj* **1.** zur Amtsenthebung vorgesehen; zur Stillegung vorgesehen; mangels künstlerischer Qualität nicht länger verwendbar. ↗abschießen 1. 1925 *ff.* **2.** heiratsfähig. ↗abschießen 7. *Sold* 1939 *ff.* **3.** beischlafwillig. ↗abschießen 7. *BSD* 1960 *ff.*

Abschußringe *pl* Ringe unter den Augen (einer übernächtigten Person). Schützen bringen für jeden Treffer einen Ring an der Ringscheibe an. Im übertragenen Sinn meint „Abschuß" den Geschlechtsverkehr. 1939 *ff, sold.*

abschwammen *tr* **1.** jn sanft behandeln. Meint eigentlich „mit dem Schwamm abwischen (statt mit einer Bürste ↗schrubben)". 1950 *ff.* **2.** jn zum bezahlten Beischlaf gewinnen suchen. Mit „Schwamm" bezeichnet man z. B. eine wertlose Menge von Sachen, auch den Bargeldrest. Anspielung darauf, daß man Geld abgewinnen (erschmeicheln) will. 1960 *ff, prost.*

abschwarten *tr* **1.** jn prügeln. ↗schwarten 1. 19. Jh. **2.** jm durch Streifschuß die Haut verwunden; jm ein Stück Kopfhaut wegreißen. *Sold* 1939 *ff.*

Abschwartung *f* Verprügelung. ↗abschwarten 1. 1900 *ff.*

abschwirren *intr* **1.** wegeilen; wegtreten; wegfahren. Übertragen vom Wegflattern der Vögel. *Stud* vor 1900; *sold* 1914 *ff.* **2.** den Soldatentod erleiden. Spätestens seit dem Zweiten Weltkrieg. **3.** mit dem Flugzeug starten. 1930 *ff.*

abschwulen *tr* **1.** den Mitspieler hintergehen, indem man ihm in die Karten sieht. ↗schwulen. Kartenspielerspr 1830/40 *ff.* **2.** von einem unerlaubten Zettel heimlich ablesen. Vielleicht von Kartenspielern übernommen. *Schül* 1840 *ff.*

absegeln *intr* **1.** sich entfernen. Meint eigentlich entweder „mit dem Segelschiff sich entfernen" oder „wie ein segelnder Vogel wegflattern". 1800 *ff.* **2.** sterben. 1800 *ff.*

absegnen *tr* etw billigen. ↗Segen. 1960 *ff.*

Absegnung *f* Gutheißung. ↗Segen. 1960 *ff.*

abseilen *v* **1.** jn ~ = jm eine Abfuhr erteilen. Leitet sich wohl her von Verprügelung mit einem Seilstumpen (Tampen). 1900 *ff.* **2.** *intr* = mit dem Flugzeug landen. Fußt auf der Vorstellung, daß einer am Seil herabkommt. *BSD* 1960 *ff.* **3.** einen ~ = koten; lange auf dem Abort sitzen. *BSD* 1960 *ff.* **4.** einen ~ = onanieren. *BSD* 1960 *ff.* **5.** etw ~ = etw entwenden. *BSD* 1960 *ff.* **6.** sich ~ = sich der Dienstpflicht entziehen; sich dem Dienst zu entziehen trachten; nicht am Dienst teilnehmen. Wohl übernommen von Gefängnisinsassen, die bei einem Ausbruchsversuch sich am Seil hinablassen. *BSD* 1960 *ff.* **7.** sich ~ = verschwinden, weggehen. 1955 *ff, österr, jug.* **8.** sich ~ = sich von einem gefährlichen Unternehmen zurückziehen; wieder geregelter Arbeit nachgehen. 1968 *ff.*

absein *intr* **1.** sich gelöst haben; amputiert sein (der Knopf an meinem Mantel ist ab; sein linker Arm ist ab). Verkürzt aus „abgegangen, abgemacht sein". 16. Jh. **2.** abgearbeitet, müde, geschwächt sein. Verkürzt aus „abgearbeitet sein; ab von den Kräften sein". 18. Jh. **3.** leer ausgehen. Verkürzt aus „ab vom ↗Pott sein". Wohl seit dem späten 19. Jh. **4.** abwesend sein. Verkürzt aus „abgegangen sein". 16. Jh. **5.** von jm ~ = von jm abgekommen, geschieden sein. 19. Jh.

Abseits *n* **1.** ins ~ gehen = a) sich davonmachen. Hergenommen vom Fußballsport: abseits ist der Spieler, der ohne den Ball zu weit in die gegnerische Spielhälfte gelangt ist. 1950 *ff.* – b) die Freundschaft abbrechen. 1950 *ff.* **2.** ins ~ geraten = mit einer Klage erfolglos bleiben. 1930 *ff.* **3.** im ~ sein = sich in einer Haftanstalt befinden. 1950 *ff.* **4.** im ~ stehen (abseits stehen) = hintanstehen; sich auf verlorenem Posten befinden; nicht wirksam werden können; an etw kein Interesse (keinen Anteil) haben. 1930 *ff.* **5.** jn ins ~ stellen = jn disqualifizieren. 1950 *ff.* **6.** sich ins ~ stellen = eine völlig irrige Ansicht vertreten; sich außerhalb einer Gruppe stellen. 1950 *ff.* **7.** jn ins ~ verweisen = jm die Teilnahme an einem Wettbewerb untersagen. 1965 *ff.*

abseitsdenken *intr* sich irren; falsche Schlüsse ziehen. Stammt aus dem Wortschatz der Fußballsportler; ↗Abseits 1. 1939 *ff.*

abservieren *tr* **1.** jn aus seinem Wirkungskreis entfernen. Übernommen vom Tisch, der nach beendeter Mahlzeit abgeräumt wird. 1910 *ff.* **2.** jn abweisen, hinausweisen; den Umgang mit jm abbrechen. 1920 *ff.* **3.** jn überlegen besiegen. *Sportl* 1920 *ff.* **4.** jm viel fortnehmen. 1920 *ff.* **5.** jn töten, umbringen. 1920 *ff.* **6.** etw beseitigen, abschaffen; einem Mißstand ein Ende machen. 1950 *ff.* **7.** etw stehlen. 1910 *ff, sold* und *rotw.* **8.** an einer Sache sich den Vorteil sichern. Fußt wohl auf der Vorstellung, daß einer

beim Abräumen des Tisches Speisen für sich selber einbehält. 1930 *ff.*
9. laß dich nicht ∼! = gib dich nicht mit unverbindlichen Zusagen zufrieden! 1950 *ff.*
10. sich ∼ = Selbstmord verüben. 1920 *ff.*
absetzen *v* **1.** es setzt etwas ab = es gibt Prügel; man zankt miteinander o. ä. Absetzen = verkaufen. 18. Jh.
2. jn ∼ = jn mit dem Auto überholen. Meint wohl soviel wie „jn aussteigen lassen und die Fahrt fortsetzen". 1920 *ff.*
3. sich ∼ = sich heimlich entfernen; fliehen; einem Vorgesetzten aus dem Weg gehen, ausweichen. In beiden Weltkriegen bekannt geworden durch den Text der Heeres-, Wehrmachtberichte im Sinne von „den militärischen Rückzug antreten".
4. sich von daheim ∼ = das Elternhaus verlassen; sich von den Eltern trennen. 1960 *ff.*
5. sich ∼ = sich der Dienstpflicht entziehen. *Sold* 1939 *ff* und *BSD.*
absitzen *tr* eine Strafe ∼ = eine Freiheitsstrafe verbüßen (statt die Geldstrafe zu zahlen). Durch ↗Sitzen im Gefängnis die Geldstrafe abgelten. 18. Jh.
absocken *intr* weglaufen. ↗socken. Seit dem frühen 19. Jh.
Absonderung *f* gänzlich belanglose Mitteilung. Meint eigentlich einen krankhaften Ausfluß, den der Körper abstößt. 1950 *ff.*
abspannen *v* jm etw ∼ **1.** jm etw wegnehmen, ablisten, abspenstig machen; jn bei der Teilung der Beute übervorteilen. Herzuleiten vom Diebstahl angeschirrter Pferde. 1500 *ff.*
2. jm etw absehen und dann nachahmen. ↗spannen. 1960 *ff.*
abspecken *v* **1.** *intr* = abmagern. 1920 *ff.*
2. *intr* = den Mitarbeiterstab, das Geschäftsvolumen verringern; Unliebsamkeiten beseitigen. 1960 *ff.*
3. jn ∼ = jn ausbeuten. ↗Speck = Geld. 1870 *ff.*
4. etw ∼ = Zuschüsse kürzen. 1950 *ff.*
abspeisen *tr* jn kühl abfertigen; jn abfertigen, ohne ihm (wie erwartet) zu helfen. Meint eigentlich „jn mit ausreichender Kost versehen"; dann in bildlicher Bedeutung ins Negative gewandt: einen Bittenden oder Fragenden unbefriedigt entlassen. 18. Jh.
2. jn mit glatten (leeren, trockenen) Worten ∼ = jn mit bloßen Redensarten abfertigen. 18. Jh. *Vgl franz* „repaître quelqu'un de belles paroles".
3. jn mit trockenem Maul ∼ = jm nichts zu trinken vorsetzen. 19. Jh.
Abspeisung *f* billige Bewirtung, die lediglich auf Grund gesellschaftlicher Verpflichtungen vorgenommen wird. 1920 *ff.*
abspicken *v* von jm ∼ = vom Mitschüler oder aus einer unerlaubten Übersetzung abschreiben; jm etw ablernen. ↗spicken. *Schül* 1800 *ff*, vorwiegend *südd.*
abspielen *v* das spielt sich bei mir nicht ab (da spielt sich bei mir nichts ab; da spielt sich nichts ab) = davon kann keine Rede sein; davon ist nichts vorhanden; das ist bei mir ausgeschlossen. *Jug* seit den zwanziger Jahren des 20. Jhs.
abspringen *intr* **1.** sich von jm abwenden; jn im Stich lassen. Soviel wie „entspringen", „von jm flüchten". 1500 *ff.*

2. von einem Geschäft zurücktreten. 19. Jh.
3. als Teilnehmer einer ausländischen Reisegesellschaft um politisches Asyl bitten. 1950 *ff.*
4. (in der Kurve) ∼ = den Beischlaf vor Eintritt des Orgasmus abbrechen. 1930 *ff.*
abspritzen *v* **1.** *intr* = forteilen. ↗spritzen. 1920 *ff.*
2. *intr* = durch Granat- oder andere Splitter getötet werden. Die Splitter einer detonierenden Granate stieben auseinander. *Sold* 1939 *ff.*
3. jn ∼ = jn beschießen. ↗Spritze = Kanone. *Sold* 1939 *ff.*
4. jn ∼ = jn umbringen, durch Injektion von Gift töten. Herzuleiten von der Ermordung von Konzentrationslagerhäftlingen mittels Giftspritzen. 1939 *ff.*
abspülen *tr* jn heftig zurechtweisen. Beruht auf der Gleichung „reinigen = rügen". *Halbw* 1950 *ff.*
Abspülung *f* **1.** unfreiwilliges Bad; Sturz des Reiters in einen Wassergraben o. ä. Spätestens seit 1900.
2. Flugzeugabsturz ins Meer. Fliegerspr. 1939 *ff.*
Abstammung *f* wirf ihm nicht seine ∼ vor! = sag nicht „Affe" zu ihm! 1930 *ff.*
Abstand *m* **1.** mit ∼ = weitaus (er ist mit ∼ der beste Schüler der Klasse). Stammt aus dem Sportlerdeutsch: „Abstand" meint die Entfernung zum nächsten Wettkämpfer. 1920 *ff.*
2. das ist doch der senkrechte ∼! = Ausdruck des Unwillens. Der senkrechte Abstand ist in der Geometrie die Höhe. Also parallel zu „das ist doch die ↗Höhe". 1920 *ff*, *schül.*
Abstandsknochen *m* Entfernungsmesser. So benannt wegen seiner knochenähnlichen Form. Bundesmarine 1960 *ff.*
Abstandsünder *m* Kraftfahrer, der dem vorausfahrenden Auto zu dicht folgt. 1970 *ff.*
Abstaube *f* auf ∼ leben = den Lebensunterhalt auf zweifelhafte Weise erwerben; sich von anderen frei-, aushalten lassen. ↗abstauben 2. 1945 *ff, jug* und *rotw.*
abstauben *tr* **1.** Essen nachverlangen; übriggebliebene Speisen aufessen; zusätzliche Verpflegung sich unrechtmäßig aneignen. Parallel zu ↗wegputzen. Etwa seit 1900, *sold* und *rotw.*
2. etw entwenden; jn bestehlen; jn schröpfen, berauben, ausplündern; soziale Leistungen bis zum äußersten ausnutzen; schmarotzen. Analog zu ↗wegputzen. Gegen 1920 aufgekommen; volkstümlich seit dem Zweiten Weltkrieg.
3. jn zurechtweisen, ausschimpfen. Tadeln = reinigen; *vgl* auch „jm übers ↗Maul wischen". 1910 *ff.*
4. sich das Beste herausholen; ohne eigene Anstrengung den Erfolg anderer ausnutzen. 1920 *ff.*
5. Zigaretten anderer rauchen. *Österr* 1920 *ff, stud.*
6. vom Mitschüler oder aus einer Übersetzung abschreiben. *Schül* 1950 *ff.*
7. Gestohlenes versetzen. 1960 *ff.*
8. Leute der Reihe nach anbetteln. 1920 *ff.*
9. fast mühelos einen Tortreffer erzielen. 1950 *ff.*
10. im Fahren überholen. Man wischt (*vgl* auch ↗witschen) so leichthin vorbei, als gelte es nur Staub zu wischen von dem

überholten Auto, das man dann in einer Staubwolke hinter sich läßt. 1930 *ff.*
11. ein Mädchen ∼ = a) ein Mädchen ansprechen, umwerben. *Halbw* 1950 *ff.* – b) jm die Partnerin abspenstig machen. *Stud* 1955 *ff.*
12. sich ∼ (= den Körper ∼) = sich waschen. *Sold* 1910 *ff.*
Abstauber *m* **1.** Überbleibsel vom Essen; zusätzliche Portion beim Essenfassen (gelegentlich: nicht rechtmäßig erworben). ↗abstauben 1. 1939 *ff.*
2. ohne besondere Vorarbeit, zufällig erzielter Tortreffer. ↗abstauben 9. 1950 *ff.*
3. mühelos erzielter Erfolg. 1950 *ff.*
4. unwesentlicher Erfolg. 1950 *ff.*
5. Gelegenheits-, Beischlafdiebstahl. 1920 *ff.*
6. listig-diebischer Beschaffer; unehrlicher Arbeitnehmer, der Firmeneigentum mitnimmt; Beutemacher; gewissenloser Nutznießer sozialstaatlicher Leistungen; Schmarotzer. ↗abstauben 2. 1920 *ff.*
Abstaubertor *n* einfacher, durch einen groben Verteidigungsfehler leicht zu erzielender Tortreffer. ↗abstauben 9. 1950 *ff.*
Abstecher *m* **1.** Ehebruch. Eigentlich Bezeichnung für eine Nebenreise von kurzer Dauer; hier beeinflußt von „stechen = koitieren". 1920 *ff.*
2. Ehebrecher. 1920 *ff.*
3. Gelegenheitsfreund eines Mädchens. *Jug* 1960 *ff.*
absteifen *refl* jn nach dem Geschlechtsverkehr die Spannung abklingen lassen. Anspielung auf Gliedversteifung. 1900 *ff.*
Absteige *f* **1.** Hotel (Pension) anrüchiger Art mit stunden- oder tageweise vermieteten Zimmern für Liebespaare mit oder ohne Prostitution. Verkürzt aus ↗Absteigequartier 1. 1920 *ff.*
2. gewerbliches Zimmer (Arbeitsplatz) einer Prostituierten. 1920 (?).
absteigen *intr* **1.** das Klassenziel nicht erreichen. Aus dem Ballsportdeutsch. 1960 *ff, schül.*
2. seinen hohen Rang einbüßen. Politikerspr. 1960 *ff.*
Absteigequartier *n* **1.** anrüchige Pension, in der Liebespaare für Stunden oder Tage ein Zimmer mieten. Meint eigentlich die vorübergehende Wohnung einer hochgestellten Persönlichkeit. Spätestens seit 1846.
2. Lazarett. Einerseits wegen des vorübergehenden Aufenthalts, andererseits wegen des möglichen Flirtens mit Krankenschwestern. *Sold* 1939 *ff.*
Absteiger *m* **1.** Klassenwiederholer; Schüler, der in seinen Leistungen nachläßt. Stammt aus der Sprache der Fußballsportler: eine Mannschaft steigt ab, wenn sie in der Rangliste (Tabelle) absinkt. *Schül* 1960 *ff.*
2. Versager. 1960 *ff.*
Abstellgleis *n* **1.** auf dem ∼ bleiben = unentschieden bleiben *(impers).* Meint eigentlich das Eisenbahngleis, auf dem Wagen vorübergehend abgestellt werden. 1950 *ff.*
2. aufs ∼ geraten (kommen; auf dem ∼ landen) = seinen Einfluß einbüßen. 1920 *ff.*
3. jn aufs ∼ rücken (schieben) = jds Einfluß schwächen; jn in eine abgelegene Gegend versetzen. 1920 *ff.*
4. etw aufs ∼ schieben = die Bearbeitung

einer Angelegenheit vorerst aufschieben. 1920 ff.

5. auf dem ~ sein (stehen) = einflußlos geworden sein; in den Hintergrund gerückt worden sein. 1920 ff.

abstempeln tr **1.** jn kennzeichnen. Hergenommen von amtlichen Sichtvermerken mit Stempel, von Urkundenbeglaubigung, auch vom Trichinenstempel. 1850 ff. **2.** einen Schauspieler auf einen Rollentypus festlegen. 1900 ff.

absterben intr **1.** keine Kraftreserven mehr haben. Sportl, 1920 ff. **2.** keine Trumpfkarte mehr haben. Skatspieler, 1920 ff. **3.** nach anfänglicher Kauflust vom Kauf zurücktreten. 1955 ff, im Sprachgebrauch der Handelsvertreter. **4.** bei etw ~ = durch unerwartete Behinderung eine Verrichtung nicht zu Ende bringen können. Meint eigentlich „über der Arbeit sterben". 1930 ff. **5.** der Motor stirbt ab = der Motor läuft langsamer und langsamer, bis er schließlich stehenbleibt. 1940 ff.

abstiefeln intr weggehen. ↗ stiefeln. 19. Jh.

Abstiegsgespenst n Gefahr, in die nächstuntere Spielklasse (Liga) eingereiht zu werden. Sportl 1950 ff.

Abstimmung f ~ mit den Füßen = Flucht in die Freiheit. Der Betreffende stimmt nicht mit dem Wahlschein, sondern durch seine Flucht gegen die Regierung. 1955 aufgekommen; angeblich eine Wortprägung von Lenin.

Abstimmungsmaschine f Abgeordneter, der sich kritiklos der Fraktionsdisziplin unterwirft. Er stimmt nicht nach seinem Gewissen ab, sondern entsprechend dem Mehrheitswillen seiner Fraktion; er funktioniert seelenlos wie eine Maschine. 1960 ff.

Abstinentius m Sankt ~ **1.** (erfundener) Schutzheiliger der Alkoholgegner. 1920 ff. **2.** (erfundener) Schutzheiliger der geschlechtlich enthaltsam Lebenden. 1920 ff.

abstinken v **1.** intr = a) weggehen. Fußt auf der sagenhaften Vorstellung vom Teufel, der nach erfolglosem Bemühen mit Schwefelgestank abzieht. Scheint gegen 1840 bei Studenten aufgekommen zu sein; heute allgemein. - b) mit langer Rauchfahne brennend abstürzen. Sold 1914 ff. - c) mit dem Motorrad (Diesel-Lastkraftwagen o. ä.) abfahren. 1930 ff. - d) in einer Wolke von Parfüm weggehen. 1930 ff. - e) zurückgewiesen werden; mit seiner Meinung unterliegen. Der Betreffende kann gegen seine Gegner nicht ↗ anstinken. 1850 ff. - f) vorzeitig der Schule abgehen. Stud und schül, 1840 ff. - g) auf der Bühne Mißerfolg ernten. Theaterspr. seit 1840. - h) sterben. Hängt zusammen sowohl mit der Bedeutung „weggehen" als auch mit dem Leichengeruch. 1939 ff. - i) Bankrott machen; kurz vor dem Bankrott stehen. 1930 ff. **2.** tr = einen Angriff (den Gegner) abschlagen, zurückweisen. Wie ein Stinktier sein Odium erfolgreich als Abwehrwaffe einsetzt: der durch Stinken Abgewehrte stinkt dann. 1850 ff. **3.** jn ~ lassen = jm grob den Abschied geben; jn unhöflich fortweisen. 1850 ff.

abstoßen tr **1.** etw erübrigen. Stammt aus der Kaufmannssprache: eine Ware billig absetzen, da sie anders nicht (mehr) zu verkaufen ist. 1900 ff. **2.** den Umgang mit jm aufgeben; jn entfernen. Leitet sich her entweder von Tieren, die bei der Paarung den Partner wegstoßen, oder von Säuglingen, die man von der Milch entwöhnt. Seit mhd Zeit. **3.** etw ~ = bei einer Verteilung sich selber bevorzugen. ↗ stoßen. 1940 ff.

abstottern tr eine Geldschuld in Teilzahlungen tilgen. ↗ stottern. Etwa seit 1925.

abstrahlen intr sich wegscheren. Strahlen = pissen; daher parallel zu ↗ verpissen. Berlin 1965 ff, halbw.

abstrampeln refl **1.** sich heftig anstrengen. ↗ strampeln. 19. Jh. **2.** angestrengt radfahren. Seit dem ausgehenden 19. Jh. **3.** sich ~ (sich überzählige Pfunde ~) = durch Radfahren abmagern (abmagern wollen). 1920 ff. **4.** angestrengt schwimmen. 1920 ff. **5.** Diensteifer heucheln; sich stellen, als sei eine Verrichtung übermäßig schwer. 1900 ff.

Absturz m **1.** gesteuerter ~ = Flugzeuglandung. Ironie. BSD 1960 ff. **2.** gezielter ~ = Ansetzen zur Flugzeuglandung. BSD 1960 ff.

Absturzbomber m für Abstürze berüchtigter Flugzeugtyp. BSD 1960 ff.

abstürzen intr kräftig zechen. Der Zecher fällt am Ende betrunken zu Boden; oder er stürzt das Getränk rasch durch die Kehle. 1960 ff.

abtakeln v **1.** intr = ungepflegt, ältlich, verfallen aussehen; altern. Ein Schiff wird abgetakelt (= aus dem Dienst gezogen), wenn es nicht mehr seetüchtig ist. 19. Jh, nordd. **2.** tr = jm die Gunst entziehen; jn unehrenhaft verabschieden; jm kündigen. Seit dem letzten Drittel des 19. Jhs.

Abtakelung f Amtsenthebung; Kündigung. ↗ abtakeln 2. 1900 ff.

abtanken intr harnen. Gemeint ist, daß der Tank der Harnblase geleert wird. BSD 1960 ff.

Abtanz m **1.** letzter Tanz. Ursprünglich Bezeichnung für den letzten Tanz bei der Hochzeitsfeier. Nordd 1900 ff. **2.** ~ machen = weggehen. Analog zu ↗ abtanzen. Rocker 1965 ff.

Abtanzball m Schlußball einer Tanzstunde. Nordd, 19. Jh.

abtasten tr jds Wesensart zu ergründen suchen. Der Arzt tastet die schmerzende Stelle, der Zollbeamte die Kleidung ab, usw. 1939 ff, sold.

Abteilung f das ist nicht meine ~ = dafür bin ich nicht zuständig; das sagt mir nicht zu. Stammt aus der Verwaltungssprache, vielleicht vor allem aus der Krankenhaussprache. 1920 ff.

abtippeln intr **1.** davongehen; heimlich entkommen. ↗ tippeln. Seit dem frühen 19. Jh. **2.** abwandern. 1900 ff.

abtippen tr etw mit der Schreibmaschine abschreiben. ↗ tippen. 1920 ff.

abtoffeln (abtöffeln) tr jn heftig ausschimpfen. Der Betreffende wird wohl als „Toffel" (= Dümmling) behandelt. 19. Jh.

abtöffen intr mit dem Auto abfahren. ↗ Töfftöff. 1910 ff.

abtraben intr **1.** fortgehen; schleunigst wegtreten. ↗ traben. 19. Jh, vor allem sold. **2.** trabe ab und wasch dir deinen Bruch! = scher dich weg und kümmere dich um deine eigenen Angelegenheiten! 1950 ff, jug.

abtreiben tr **1.** etw abnötigen, abspenstig machen. Leitet sich her entweder von der Entfernung der Leibesfrucht oder meint soviel wie „jm etw nachdrücklich abgewöhnen". 17. Jh. **2.** mir ist einer abgetrieben = ich hatte eine Pollution. 1960 ff.

abtreten v **1.** das tritt sich ab = das kommt in Ordnung, wird sich einrenken. Angeblich Äußerung eines Dorfschneiders, als sich ein Kunde über die zu langen Hosen beschwerte. 1910 ff. **2.** jn ~ = jn mit Gewalt aus dem Zimmer weisen. Anspielung auf den Tritt, den man dem anderen ins Gesäß versetzt, damit er endlich davongeht. 1930 ff. **3.** geistig ~ = geistesabwesend werden; nicht zuhören. Der Betreffende ist im Geiste bereits weggegangen. 1960 ff.

Abtritt m im ~ landen = in der Prüfung scheitern. Derbe Variante zu ↗ durchfallen. Stud 1960 ff.

Abtrittsdeckel m **1.** große, breite, plumpe Hand. ↗ Abortdeckel 1. 1900 ff. **2.** so groß wie ein ~ = sehr breit, umfangreich. (z. B.: ein Kotelett so groß wie ein ~). Seit dem ausgehenden 19. Jh. **3.** Gesicht wie ein ~ = rundliches, breites Gesicht. 1920 ff.

Abtrittsfeger m **1.** wirre, ungekämmte, stachelig aufwärtsstehende Haare. Sie ähneln dem Aussehen einer Abortbürste. 1900 ff. **2.** Haartracht von Künstlern („Künstlertolle"). 1920 ff.

Abtrittsloch n das Leben ist ein ~, man macht viel durch = das Leben ist schwer. Vgl ↗ Abortröhre. 1900 ff.

abtropfen intr abprallen und fast senkrecht fallen (auf den Spielball bezogen). Sportl 1950 ff.

abtrudeln intr **1.** in spiraligen Windungen erst langsam, dann immer schneller zu Boden fallen. ↗ trudeln. Fliegerspr. in beiden Weltkriegen. **2.** langsam weggehen. ↗ trudeln. 1914 ff.

abtrumpfen tr **1.** eine Karte mit einem höheren Trumpf stechen. Kartenspielerspr. 18. Jh. **2.** jn beim Kartenspiel besiegen. 18. Jh. **3.** jn überlegen rügen, anherrschen; jn im Wortwechsel mundtot machen. 18. Jh.

abtun tr **1.** etw abnehmen, ablegen (den Hut, den Mantel). 19. Jh. **2.** jn ~ = jm etw abgewöhnen. Soviel wie „bewirken, daß er die Untugend ablegt". 19. Jh. **3.** eine Strafe ~ = eine Strafe verbüßen, abgelten. 1900 ff.

abturnen (engl gesprochen) tr jn beschwichtigen. ↗ anturnen 2. 1960 ff.

Aburʼent m Abiturient. Vgl ↗ Abirent. 1935 ff.

abwackeln v **1.** intr = davongehen; torkelnd weggehen. **2.** jn ~ = jn prügeln. Gemeint ist wohl, daß der Betreffende so heftig zuschlägt, daß sein Opfer hin- und hertaumelt. 19. Jh. **3.** jn ~ = bei jm Geld kassieren (durch den Zuhälter bei der ihm hörigen Prostituierten); jn schröpfen, nötigen. Fußt auf der vorhergehenden Bedeutung „prügeln": das Abkassieren wird mit Nachdruck betrieben. 1900 ff, prost, kellnerspr. u. a.

Abwahl f Amtsenthebung mittels Stimmzettel. 1950 ff.

abwählen tr jn mittels Wahl amtsentheben. 1950 ff.

abwarten intr ~ und Tee trinken (erst ~, dann Tee trinken)!: Mahnrede an einen Ungeduldigen. Wiederholt wohl die Trostworte eines Arztes, der seinem Patienten Kräutertee verschrieben hat. Etwa seit 1850.

abwaschen v 1. jn ~ = jn grob tadeln, anherrschen. ↗waschen. 1900 ff.
2. das ist ein (betontl) ~ = das ist ein einziger Arbeitsgang; das läßt sich auf einmal erledigen. ↗aufwaschen. 19. Jh, nordd.

Abwaschwasser n gehaltlose Suppe; dünnes Getränk; magere Fleischbrühe. Parallel zu ↗Spülwasser. 19. Jh.

Abwechslung f 1. Flirt; Liebesverhältnis o. ä. Jug 1965 ff.
2. Gefängnisaufenthalt. Euphemismus. 1960 ff.

abwechslungsreich adj mit üppigen Formen und schmaler Taille versehen. 1960 ff.

Abwege pl geh deiner ~! = geh weg! (abf). Bezogen auf einen, dem man nur Abwege (= Irr-, Umwege) zutraut. Seit dem frühen 20. Jh.

Abwehr f weiche ~ = nicht ganz ernst gemeintes Sträuben. Hergenommen von der elastischen Verteidigung im Kessel- und Stoßkeiltaktik seit dem zweiten Teil des Zweiten Weltkriegs. 1942 ff, sold u. a.

Abwehrschlacht f bevorzugt auf Verteidigung angelegtes Ballspiel. Dem Militärischen nachgebildet. Sportl 1950 ff.

Abweichler m abtrünniges Mitglied einer politischen Partei. 1950 ff.

Abwesenheit f 1. eigenmächtige ~ = unerlaubte Entfernung von der Truppe. Euphemismus. BSD 1960 ff.
2. durch ~ glänzen = durch Abwesenheit auffallen; abwesend sein. Fußt auf einem Bericht des römischen Geschichtsschreibers Tacitus: Bei der Beerdigung von Julia, der Frau des einen und Schwester des anderen Cäsarmörders, habe man die Bilder der Cäsarmörder nicht im Trauerzug mitgeführt, wodurch Brutus und Cassius gerade durch ihre Abwesenheit hervorgeleuchtet hätten. Etwa seit dem späten 19. Jh übertragen, meist scherzhaft im Sinne von „abwesend sein".

abwettern intr 1. seinen Ärger neutralisieren (in Alkohol ertränken) o. ä. ↗wettern. 1955 ff.
2. seine übermütige Laune an jm auslassen. 1955 ff.

abwetzen intr davoneilen. ↗wetzen. 1900 ff.

abwiegeln tr 1. jn beschwichtigen; jds Erwartungen dämpfen; Aufrührern Einhalt gebieten. Gegensatzwort zu „aufwiegeln". 19. Jh.
2. beim Gegenangriff den Gegner so mit Feuer eindecken, daß er verstummt. Dem Aufruhr der feindlichen Waffen wird Einhalt geboten. 1939 ff.

abwimmeln tr jn abweisen; jn rasch abfertigen; den Kläger abschlägig bescheiden. ↗wimmeln. Seit dem späten 19. Jh.

abwimmern v sich einen ~ 1. eine auf Rührung berechnete Rede halten. Der Redner ringt sich wimmernde Töne ab. 1900 ff, sold und schül.
2. onanieren. 1900 ff, jug.

abwinken intr Unerwünschtheit bekunden; sich abweisend verhalten. Versteht sich als eine in Worte aufgelöste Gebärde. 19. Jh.

abwirtschaften v 1. intr = den gesellschaftlichen Rang, den guten Ruf verlieren; Bankrott machen; verarmen. Soviel wie „schlecht wirtschaften, herunterwirtschaften". 19. Jh.
2. jn ~ = jn geldlich zugrunderichten, schröpfen. 19. Jh.

abwollen intr von etw nicht ~ = von etw sich nicht abkehren wollen. Verkürzt aus „abgehen wollen" oder „abkommen wollen". 1900 ff.

abwracken v 1. jn ~ = jn wegen Alters aus dem Dienst entlassen. Das für den Dienst nicht mehr taugliche Schiff wird verschrottet, der Schiffskörper wird wegen Unbrauchbarkeit zerlegt. 19. Jh.
2. sich ~ = sich abmühen. Gemeint ist wohl, daß sich der Betreffende zu einem Wrack abarbeitet. Auch Zusammenziehung aus „sich abwuracken" ist möglich; ↗wurachen. 19. Jh.

abwürgen v 1. etw ~ = eine Sache vereiteln; eine Äußerung unschädlich machen; ein Gespräch rücksichtslos unterbrechen oder abbrechen. Meint eigentlich „durch Würgen töten". 1920 ff.
2. einer Klage nicht zum Urteilsspruch verhelfen. Juristenspr. 1920 ff.
3. jn ~ = jds Einfluß unterbinden; jn beruflich vernichten. 1920 ff.
4. sich etw ~ = sich widerwillig zu etw zwingen. 1930 ff.
5. sich einen ~ = sich übertrieben dienstfertig geben. 1930 ff.
6. sich mit etw ~ = sich mit etw viel Mühe geben. 1930 ff.

abzapfen tr 1. jm etw ~ = jn zur Hergabe von Geld bewegen; von jm Geld eintreiben. Hergenommen vom Abzapfen des Blutes. 18. Jh.
2. jn ~ = jn streng verhören. 1939 ff.

abzappeln v 1. sich ~ = sich heftig anstrengen. Zappeln = sich unruhig hin- und herbewegen. 19. Jh.
2. sich einen ~ = a) koitieren. 1910 ff. – b) (unter Mühen) onanieren. 1910 ff. – c) eine Verrichtung für übermäßig schwer ausgeben; Diensteifer heucheln. 1914 ff, sold.

abzeichnen impers es zeichnet sich ab = es deutet sich an, es wird erkennbar. Politiker- und Journalistendeutsch: Umrisse heben sich vom Hintergrund ab. 1950 ff.

Abziehbild n 1. Gernegroß; Mensch, der höhergestellten Mitmenschen (Vorgesetzten) nachzueifern sucht. Eigentlich ein Bild, das man von seiner Unterlage auf eine andere übertragen kann. Sold 1939 ff.
2. Versager; dümmlicher Mensch. 1920 ff.
3. du machst schon Leute kommen und keine Abziehbilder: Redewendung auf einen Dummen oder einen Nichtskönner. Jug 1950 ff.

abziehen v 1. etw (eine Schau) ~ = etw vorführen, veranstalten, darstellen. Hergenommen aus dem militärischen Begriff „abziehen = abfeuern, losschießen". 1920/30 ff.
2. jn ~ = jn schröpfen, erpressen, prel-

len. Verkürzt aus „jm das ↗Fell über die Ohren ziehen". 1920 ff.
3. sich einen ~ = onanieren. 1900 ff.
4. intr = den Fußball plötzlich heftig treten. Sportl 1920/30 ff.
5. intr = dufte ~ = mitreißend musizieren. ↗abziehen 1. Halbw 1955 ff.

abzwacken v jm etw ~ = jm etw heimlich (zu Unrecht) vorwegnehmen, abnehmen, abnötigen. Zwacken = zupfen, zerren. 1500 ff.

abzweigen tr einen Teil einbehalten, entwenden; eine Unterschlagung begehen. Hergenommen aus der Elektrizitätslehre: von der Hauptleitung eine Neben-, Seitenleitung herstellen. Spätestens seit 1930.

abzwicken v jm etw ~ 1. jm etw gewaltsam nehmen, abnötigen. ↗zwicken. 19. Jh.
2. jm vom Lohn oder vom Warenpreis etwas abhandeln. 19. Jh.

abzwitschern v 1. intr = weggehen, wegeilen; forsch abfahren. ↗zwitschern. 1900 ff.
2. intr = sterben. 1900 ff.
3. jn ~ = jn schroff abweisen. „Zwitschern" steht beschönigend für „anherrschen". 1940 ff.

Ach n mit ~ und Krach = mit größter Mühe; mit genauer Not; noch gerade. Eigentlich „mit Ächzen und Krächzen = mit vielem Stöhnen". Spätestens seit 1800 ff.

Achel n Essen, Mahlzeit. ↗acheln. Rotw seit dem frühen 18. Jh.

Achelinchen (Acheliniken) n schmale Kost; Gefangenenkost. Verkleinerungsform zu ↗Achel. Rotw 1800 ff.

Acheline f ~ machen = essen, schmausen. 1800 ff.

acheln tr intr essen. Stammt gleichlautend und gleichbedeutend aus dem Jiddischen. 1500 ff.

Achelputz m leckere Speise; gute, ausreichende Kost. Zusammengesetzt aus „↗acheln" und „↗putzen". 1800 ff, rotw. Meist auf Gefängnisverpflegung bezogen, weswegen auch die Verwendung in der Bedeutung „schlechtes Essen" vorkommt.

Ach'ile n 1. Essen, Verpflegung. ↗acheln. 1800 ff, rotw und sold.
2. ~ machen = essen. Sold 1939 ff.

'acho kra'choque (cum acho et cracho) adv mit knapper Not. Von Studenten und Schülern um 1900 latinisiert aus „mit ↗Ach und Krach".

Achse f 1. auf ~ bleiben = dem ortsansässigen Engagement die Tournee vorziehen. Hergenommen von der Achse des Wagens (Karre, Eisenbahn, Auto). Theaterspr. 1930 ff.
2. auf ~ gehen = a) landstreichern. 1900 ff. – b) eine Gastspielreise unternehmen. 1910 ff.
3. sich auf die ~ machen = weggehen. 1950 ff.
4. jn auf ~ schicken = jn zur Beschaffung einer Sache fortschicken. 1950 ff.
5. auf ~ (auf der ~) sein = a) sich auf Reisen befinden; auf dem Fahrzeug unterwegs sein; nicht am Wohnort tätig sein. Seit dem späten 19. Jh. – b) einer Wandertheatertruppe angehören. 1930 ff. – c) tüchtig sein. Spätestens seit 1950.
6. sich die ~ verbiegen = sich eine Geschlechtskrankheit zuziehen. Ein Fahrzeug

mit verbogener Achse ist in seiner Bewegungsfähigkeit stark behindert. 1910 ff.

Achsel f 1. jn über die ~ ansehen = jn verächtlich anblicken; jn geringschätzig behandeln. Formulierte Gebärde. Seit mhd Zeit.
2. etw auf die leichte ~ nehmen = sich um etw keine Sorgen machen; etw nicht nach seiner Bedeutung würdigen; etw bagatellisieren. Die leichte Achsel ist die Achsel (= Schulter), auf der man gewöhnlich die leichteren Lasten trägt oder die stärkere Schulterseite, auf der auch schwerere Belastungen leichter zu ertragen sind. 16. Jh.
3. auf beiden ~n tragen (auf beiden ~n Wasser tragen) = es mit beiden Parteien halten; es allen recht machen wollen. Einst trug man Wasser, Milch u. a. in Eimern an einem über beide Schultern reichenden Joch, das durch Gleichgewichtung zwischen Rechts- und Linkslast in der Waage gehalten wurde. Seit etwa 1500.

Achselträger m Mensch, der jedem nach dem Munde redet; charakterloser Mensch; Opportunist. ↗ Achsel 3. 16. Jh.

acht num acht um ihn (um den König) = alle Kegel außer dem Mittelkegel sind gefallen. Keglerspr. 19. Jh.

Acht f 1. Handfessel, -schelle. Formgleich mit der Ziffer 8. Rotw 19. Jh.
2. gebogene Radfelge. Sie hat die Form einer 8. 1900 ff.
3. nasse ~ = kein voller Erfolg. Stammt aus der Keglersprache: von den neun Kegeln ist ein einziger stehengeblieben. 1900 ff.
4. stählerne ~ = Handfessel. ↗ Acht 1. 1900 ff.
5. eine ~ bauen = a) mit dem Fahrrad stürzen und dabei das Vorderrad verbiegen. 1900 ff. – b) mit dem Auto auf ein anderes aufprallen und dabei den Kühler usw. stark verbeulen. 1930 ff.

Achtel n sieben ~ = schwer bezecht. An völliger Trunkenheit fehlt noch ein Achtel. 1900 ff.

Achter m 1. Handfessel. ↗ Acht 1. Südd 1900 ff.
2. verbogene Radfelge. ↗ Acht 2. Österr 1900 ff.

Achterdeck n Gesäß. Stammt aus der Seemannssprache: Achterdeck = Hinterdeck. 19. Jh.

Achterfront f Rücken, Gesäß. Seemannssprache: achtern = hinten, rückwärtig. 1900 ff.

Achterkastell n Gesäß. Meint eigentlich das hohe, befestigte Hinterteil (= Heckaufbau) mittelalterlicher Segelschiffe. 1400 ff.

achtersinnig adj hinterhältig; voller Hintergedanken. Nordd 1900 ff.

Achtersteven m Gesäß. Eigentlich Bezeichnung eines (in Fortführung des Kiellinie) über das Schiffsheck hinausragenden Balkens oder Rundholzes. 19. Jh.

Achtgroschenjunge m 1. Polizeispitzel; käuflicher Zeuge. Die Berliner Polizei versprach (zahlte) dem Spitzel für jede Anzeige 8 Groschen. Seit dem späten 18. Jh.
2. Polizeibeamter (abf). Unterschichtliche Bezeichnung seit etwa 1900 mit Anspielung auf die geringe Besoldung.
3. zu homosexuellem Verkehr bereiter Jugendlicher (der selbst nicht homosexuell veranlagt ist). 1930 ff.

achtkantig adv 1. nachdrücklich, außerordentlich. Meint eigentlich „achteckig", „in Würfelform". Die übertragene Bedeutung versteht sich nach dem Folgenden. 1930 ff.
2. ~ rausfliegen. = unsanft hinausgewiesen werden. Fußt auf dem Bilde des rollenden Würfels, also einer eckigen, polternden Bewegung. Seit dem frühen 20. Jh.
3. jn ~ rausschmeißen (rauswerfen) = jn gewaltsam (rücksichtslos) aus dem Zimmer weisen. 1900 ff.

achtpassen intr aufpassen; genau zuhören (meist in der Befehlsform). Scherzhaft vermischt aus „achtgeben" und „aufpassen". 19. Jh.

Achtundachtziger m 1. Bäcker. Auf Bäckerei- Aushängeschildern fand man früher oft zwei (der Ziffer 8 ähnliche) Darstellungen von Brezeln nebeneinander. 19. Jh.
2. arg saurer Wein. Der deutsche Weinjahrgang 1888 zeichnete sich durch besondere Unreife und Säure aus. Volkstümliches Synonym um die Jahrhundertwende, heute noch unter Weinschmeckern geläufig.

Achtung f paß ~! = gib acht! Scherzhaft aus „achtgeben" erweitert. 19. Jh.

Achtungsstreifen m aus Hochachtung dargebrachter Zutrunk. ↗ Streifen. Stud 19. Jh.

achtzig num 1. jn auf ~ bringen (kriegen) = jn heftig erzürnen. Fußt auf der Höchstleistung von 80 km Stundengeschwindigkeit oder auf dem Siedepunkt (80 Grad Réaumur). 1910 ff.
2. in auf ~ haben = jn sehr erzürnt haben. 1914 ff.
3. auf ~ kommen (steigen) = wütend werden. 1914 ff.
4. auf ~ sein = sehr zornig sein. 1914 ff.
5. zwischen ~ und scheintot sein = in sehr hohem Lebensalter stehen. Sold 1939 ff.
6. mir wird ~ = ich verspüre Brechreiz. Scherzhaft gebildet im Anschluß an Psalm 90, 10: „Unser Leben währet siebenzig, und wenn's hoch kommt, so sind's achtzig Jahre". Spiel mit zwei Wortbedeutungen: „hochkommen = lange währen" und „es kommt mir hoch = ich bin dem Erbrechen nahe". 1900 ff.

ächzl Klangnachahmung des Ächzens. Beliebt in den Textblasen der Comic Strips. 1950 ff.

Acker m 1. Vagina. Meint hier das Betätigungsfeld des „Bauern" (= Mannes). Spätestens 1950 ff. (?)
2. übler ~ = Flugplatz mit starken Bodenunebenheiten. Sold 1939 ff.
3. geh mir von ~l = a) Ausdruck der Ablehnung. Hergenommen von der Unantastbarkeit des Grundstückseigentums, möglicherweise unter Hinzuziehung der Bedeutung von Acker 1. 1900 ff. – b) laß mich endlich in Ruhe! 1900 ff.

Ackerbau m nichts von ~ verstehen = von einer Sache nichts verstehen; unkundiger Neuling sein. 1900 ff.

Ackerknecht m rangniederer Beamter, dem alle unangenehmen oder mühsamen Arbeiten überantwortet werden. ↗ ackern 1. 1900 ff.

Acker-Limousine f große landwirtschaftli-

che Maschine mit überdachtem Führersitz oder mit Führerhaus. 1955 ff.

ackern intr 1. angestrengt arbeiten. Wer das Feld pflügt oder bestellt, verrichtet Schwerarbeit. 19. Jh.
2. mit jm ~ = a) schlechtbegabte Personen unterrichten; jn unter Mühen einexerzieren. Schül und sold 19. Jh. – b) etw mit jm unter Schwierigkeiten besprechen, aushandeln. 1900 ff.
3. den Fußball über das Spielfeld treiben. 1930 ff.

Ackerpisse f schales, dünnes Bier. Gilt als Jauche. 1900 ff.

action (engl gespr.) f 1. spannende Handlung. 1970 ff.
2. sportliche Betätigung. 1970 ff.
3. ohne ~ = langweilig. Schül 1975 ff.
4. ~ machen = sich körperlich betätigen; arbeiten. 1970 ff.
5. in ~ machen = Sport treiben (im Urlaub). 1970 ff.

actionhaft (engl gesprochen) adj schwungvoll. Jug 1970 ff.

actionmäßig (engl gesprochen) adj schwungvoll. Jug 1970 ff.

'ada interj 1. ~ gehen (ada-ada gehen) = weggehen; spazieren gehen. Ein kindersprachlicher Ausdruck, entstanden entweder aus der Abschiedsformel „adieu" (in der Form „adé") oder durch Abschleifung aus „Tag-Tag machen" im Sinne von „zum Abschied winken". 19. Jh.
2. ~ machen = zum Abschied winken. 19. Jh.
3. ~ sein = a) fortgegangen sein. Verkürzt aus „ada gegangen sein". 19. Jh. – b) fort, verloren sein. 1920 ff.

'Adabei m neugieriger Mensch; Mensch, der sich aufspielt. Meint einen „a" (= auch) dabei ist oder auch dabeigewesen sein will. Stammt wohl aus Wien. Seit dem späten 19. Jh.

Adam m 1. Atem. Hieraus oder aus Odem wortwitzelnd entstellt. 19. Jh.
2. nackter Mann. Fußt auf der biblischen Geschichte vom Paradies. 19. Jh.
3. als ~ ackerte, fand er ein Notizbuch, in dem dieser Witz schon durchgestrichen war: Redewendung nach Anhören eines altbekannten Witzes. Schül und stud 1950 ff.
4. den alten ~ ausziehen = seine alten Gewohnheiten ablegen. Fußt auf dem Brief des Paulus an die Kolosser 3, 9. Etwa seit 1600.
5. seinen ~ in Ordnung bringen = als Mann sich ankleiden. ↗ Adam 2. 1920 ff.
6. das heizt den inneren ~ = dieses alkoholische Getränk wärmt und belebt. 1920 ff.
7. von ~ her verwandt sein (von ~ und Eva her verwandt sein) = entfernt verwandt sein. Etwa seit 1700.

Adamskostüm n im ~ = unbekleidet (auf Männer bezogen). Nacktheit gilt scherzhaft als Kostümierung. Seit dem späten 19. Jh.

Adam-und-Eva-Silo m Wohnhochhaus mit vielen Einzelwohnungen. 1955 ff.

adé interj = nun, ihr Lieben! Redewendung, wenn die guten Karten vom Gegner übertrumpft oder gestochen werden. Fußt auf dem Lied „Wohlauf noch getrunken den funkelnden Wein" des Dichters Justinus Kerner (1809). 19. Jh, Kartenspielersprache.

Adelskalender *m* Steckbriefverzeichnis. Eigentlich das genealogische Taschenbuch der adeligen Häuser. *Rotw* 1906 *ff.*

Adenauerhut *m* **1.** weicher Herrenhut mit fester Krempe. Um 1950 aufgekommen mit Anspielung auf die Kopfbedeckung des ersten Kanzlers der Bundesrepublik Deutschland.

2. Pepitahut. Aufgekommen gegen 1955 im Zusammenhang mit Adenauers Urlaub in Cadenabbia.

Adenauerspiel *n* Boccia. In Cadenabbia gern von Bundeskanzler Adenauer gespielt. 1955 *ff.*

Ader *f* **1.** eine ~ anschlagen = einen vorteilhaften Borg aufnehmen (= Anleihe machen). Hergenommen von der Erzader im Bergbau. 1935 *ff.*

2. eine ~ aufstechen = den Geschmack, die Interessenrichtung, das Anliegen treffen. Wohl vom Arzt hergenommen, der die richtige Ader trifft. *Halbw* 1955 *ff.*

3. bei ihm ist wohl eine ~ geplatzt? = er ist wohl von Sinnen? Anspielung auf Gehirnblutung. 1950 *ff.*

4. ihm ist die dichterische ~ geplatzt = er hat ein schlechtes Gedicht verfaßt. Wien 1950 *ff.*

5. für etw eine ~ haben = für etw Talent, Neigung haben; ein Vorgefühl für etw haben. Ader = Anlage, Veranlagung. 19. Jh.

6. eine humoristische ~ haben = zur Homosexualität neigen. 1935 *ff.*

7. eine sparsame ~ haben = sparsam zu wirtschaften verstehen. 1900 *ff.*

8. eine warme ~ haben = homosexuell sein. ↗ warm 1. 1920 *ff.*

9. jn zur ~ lassen = a) jm im Spiel Geld abgewinnen. Eigentlich „jm Blut entziehen". 19. Jh, Kartenspieler. - b) jn ausrauben. 1900 *ff.* - c) jn gerichtlich bestrafen. *Vgl* ↗ bluten = büßen. 1950 *ff.* - d) koitieren. Etwa im Sinne von geschlechtlicher Ausbeutung. 1950 *ff.*

10. nach etw schlägt ihm keine ~ = das kümmert ihn nicht, berührt ihn nicht. ↗ Ader 5. 19. Jh.

Aderschütze *m* Mann, der sich eine Rauschgiftinjektion setzt. 1965 *ff;* ↗ schießen.

ad'jüs *interj* ↗ atschüß.

Adler *m* **1.** Flugzeug, Flieger. Der Adler gilt als König der Vögel. *Sold* 1914 *ff; BSD* 1960 *ff.*

2. einen ~ machen = a) im Schnee (Sand) liegend mit den ausgestreckten Armen halbkreisförmige Bewegungen auf der Oberfläche machen. Die dadurch entstehende Figur ähnelt dem Adler mit ausgebreiteten Schwingen. 1920 *ff; schül* und Skifahrerspr. - b) fallen (milit.). *BSD* 1960 *ff.* - c) sich einer Aufgabe entziehen. Der Betreffende fliegt davon wie der Adler. *BSD* 1960 *ff.*

3. du kannst mich im schwarzen ~ treffen (am runden Tisch)!: derbe Abweisung. „Adler" steht verhüllend für „Arsch". 1900 *ff.*

Adlerfeder *f* Dienstgradabzeichen vom Major aufwärts (bei Heer und Luftwaffe). Eine Stickerei in Form eines Flügelpaares. *BSD* 1960 *ff.*

Adlerscheiß *m* Fliegerzulage. ↗ Adler 1. „Scheiß" steht verhüllend für „Geringfügigkeit, Minderwertigkeit". *BSD* 1960 *ff.*

Adlersystem *n* im ~ tippen = laienhaft

maschineschreiben. Wie ein Adler kreist der suchende Finger über der Tastatur, ehe er zuschlägt. *BSD* 1960 *ff.*

Adliger *m* Heimatvertriebener, Flüchtling. Der Betreffende ist ein „Herr von", nämlich „von drüben". 1945 aufgekommen.

Admiral *m* (verhinderter) ~ = goldbetreßter Portier. 1920 *ff.*

Adolar *m* Geck; eitler Junge. Eigentlich ein männlicher Vorname (= Edelaar). Etwa seit 1900; im *Halbw* um 1955 wieder aufgekommen.

adoptiert *adj* amputiert (auch auf Arm- und Beinprothese bezogen). In grimmigem Scherz absichtlich mißverstanden. *Sold* 1939 *ff.*

Adresse *f* an die richtige (falsche) ~ kommen = übel anlaufen; an den Unrechten geraten. 1900 *ff.*

adressieren *tr* den Mitspieler genau anspielen. *Sportl* 1920/30 *ff.*

adschüß *intr* ↗ atschüß.

Adventsauto *n* Kleinauto mit Fronttür. Hergenommen von der Textzeile „macht hoch die Tür" aus dem Adventslied von Georg Weißel. 1900 *ff.*

Adventsnase *adj f* nach oben gebogene Nase. Sie ist himmelwärts gerichtet und harrt der Niederkunft des HERRN. 1900 *ff.*

A'ero-Club *m* Flugzeugverband. Übernommen von der Sportfliegerei. Der „Aero-Klub von Deutschland" wurde 1907 gegründet. *Sold* 1939 und *BSD* 1960 *ff.*

Affäre *f* **1.** unangenehme, heikle Sache. Mit wertverschlechterndem Nebensinn im 18. Jh aus Frankreich übernommen.

2. Liebesverhältnis anrüchiger Art. 19. Jh.

3. heiße ~ = leidenschaftliches Liebesverhältnis. ↗ heiß. 1950 *ff.*

4. romantische ~ = Liebesverhältnis voller Gefühl. ↗ romantisch. 1950 *ff.*

Äffchen *n* **1.** Neuling, Anfänger. Wohl weil er sich genau nach den Älteren richtet. 1900 *ff.*

2. geziertes Kind; verzärtelt erzogener Junge. Seit dem ausgehenden 19. Jh.

3. Stutzer; Gast, der viel Geld ausgibt, aber nicht ernst zu nehmen ist. 1950 *ff*, Kellnersprache.

4. Kosewort. 1900 *ff.*

Affe *m* **1.** eitler, eingebildeter Mensch; dummer Mensch. Affen gelten als putzsüchtig. 1500 *ff.*

2. nachahmungssüchtiger Mensch. Der Affe gilt international als Sinnbildtier der Nachahmungssucht. Schon seit *mhd* Zeit.

3. Rekrut. Er macht alles nach und gilt als dumm. *Sold* 1900 *ff.*

4. Tornister, Rucksack. Er ragt über die Achsel, wie der Affe dem Leierkastenmann über die Schulter sitzt. *Sold* 1800 *ff.*

5. Schulranzen, Büchermappe. *Schül* 1920 *ff.*

6. Trunkenheit, Rausch. Affen gelten als trunksüchtig; im alkoholischen Rausch gebärden sie sich menschlich-allzumenschlich: die einen lärmen und toben, werden bösartig; andere dösen stumpfsinnig vor sich hin. Der Ausdruck spielt wohl auch auf schaukelnde Gangart an. 19. Jh.

7. ~ am (auf dem) Schleifstein = Motorrad-Mitfahrer. Anspielung auf die gekrümmte Haltung. 1920 *ff.* ↗ Affe 55.

8. alter ~ = Schimpfwort. 19. Jh.

9. aufgeblasener ~ = eingebildeter Mann. ↗ aufgeblasen. 1900 *ff.*

10. blöder ~ = Schimpfwort. 1900 *ff.*

11. eingebildeter ~ = eingebildeter Mensch. ↗ Affe 1. 19. Jh.

12. eitler ~ = eitler Geck. ↗ Affe 1. 19. Jh.

13. wie ein gebissener ~ = sehr schnell. 1950 *ff.*

14. im Tempo des gehetzten ~n = sehr schnell. Affen sind schnelle Läufer und Kletterer. 1950 *ff.*

15. geleckter ~ = vornehm gekleideter Mensch; eleganter Geck. ↗ geleckt. 19. Jh.

16. geschniegelter ~ = elegant gekleideter Mann. ↗ geschniegelt 1. 1900 *ff.*

17. geselchter ~ = vermeintlich kluger Mensch; Schimpfwort. Selchen = räuchern. *Bayr* 1920 *ff.*

18. haariger ~ = niederträchtiger Mann (Vorgesetzter). ↗ haarig 1. *Sold* 1939 *ff.*

19. lackierter ~ = a) pomadisierter Stutzer; aufgeputzter Mann; eitler Geck. ↗ Lackaffe. Seit dem späten 19. Jh. – b) übertölpelter Mensch. ↗ lackiert sein. 1920 *ff.*

20. polierter ~ = elegant auftretender Mann. Analog zu ↗ Affe 19 a. 1900 *ff.*

21. vergammelter ~ = zähes Gulasch. ↗ vergammelt. *BSD* 1960 *ff.*

22. blau wie tausend ~n = volltrunken. ↗ Affe 6. 1950 *ff.*

23. fit wie ein ~ = volleistungsfähig; einsatzbereit. Leitet sich her entweder von der Lebhaftigkeit der Affen oder von ihrem starken Geschlechtstrieb. *BSD* 1960 *ff.*

24. wie ein ~ = sehr schnell. 1900 *ff.*

25. wie ein vergifteter ~ = überaus rasch. Der an sich bewegliche Affe – so denkt man – läuft noch schneller, wenn er vergiftet ist (bzw. Angst hat). 1900 *ff.*

26. ~ tot, Kasten zu! = Schluß damit! Klingt nach der Redewendung eines Vorführers auf dem Jahrmarkt: Der Affe ist tot, drum ist der Kasten (= Käfig) geschlossen. 19. Jh.

27. sich einen ~n ansaufen (antrinken) = sich betrinken. ↗ Affe 6. 19. Jh.

28. den ~n ausschlafen = den Rausch ausschlafen. ↗ Affe 6. 19. Jh.

29. einem alten ~n braucht man das Lausen nicht beizubringen = erfahrene Leute soll man nicht belehren wollen. Was beim Affen als „Lausen" aufgefaßt wird, ist in Wirklichkeit die Suche nach salzigen Hautpartikeln. 1930 *ff.*

30. sich wie ein wilder ~ benehmen = sich ungesittet aufführen. 1930 *ff.*

31. da fällt ein ~ aus dem Nest!: Ausdruck höchster Überraschung und Empörung. Da Affen keine Nester bauen, will die Redensart besagen, daß über Ungewöhnliches gestaunt wird. 19. Jh.

32. frieren wie ein ~ = sehr stark frieren. Wohl vom Verhalten der Jungtiere hergenommen. 1920 *ff.*

33. ich denke, mir (mich) soll der ~ frisieren!: Ausdruck der Verwunderung, der Abweisung. 19. Jh, Berlin.

34. dem ~n Zucker geben = a) im Rausch sehr lustig und guter Dinge sein; sich in Komik selbst übertreffen. Affen in Zoologischen Gärten gebärden sich in Erwartung von Zuckerstückchen besonders possierlich. 1700 *ff.* - b) jds Torheit zum eigenen Vorteil ausnutzen. „Affe" meint hier den Dummen.

35. vom ~n (vom blauen, blinden, blöden, dicken, heiligen, lahmen, tollen, wilden ~n) gebissen sein = wunderliche

Einfälle haben; nicht recht bei Sinnen (bei Verstande) sein. Die älteste dieser Redensarten lautet „vom blauen Affen gebissen sein", wobei „blau" entweder „betrunken" meint oder *rotw* „sehr böse". Seit dem späten 19. Jh.
36. wie vom wilden ~n gebissen = überstürzt, hastig. 1900 *ff.*
37. an jm einen ~n gefressen haben = für jn besondere Vorliebe hegen. Fußt auf älterem, gleichbedeutendem „an jm einen ↗ Narren gefressen haben". Affen wirken auf Menschen wie närrisch. 19. Jh.
38. du hast wohl einen ~n gefrühstückt? = du bist wohl nicht recht bei Verstande? 1920 *ff.*
39. vom ~n gevögelt sein = wunderliche Einfälle haben; geistig nicht normal sein. ↗ vögeln. 1920 *ff*, *schül.*
40. jn zum ~n haben (halten) = jn veralbern. Der Betreffende ist ebenso hilf- und wehrlos wie der mit einer Fußkette angebundene Affe des Schaustellers: auch er muß sich allen Wünschen seines Herrn fügen. 19. Jh.
41. sich einen ~n holen (kaufen) = sich betrinken. ↗ Affe 6. 19. Jh.
42. klettern wie ein ~ = ein besonders gutes Steigvermögen haben. Fliegerspr. 1939 *ff.*
43. ich denke (glaube), mich soll der ~ lausen (mich laust der ~): Ausdruck höchster Verwunderung, ungläubigen Staunens o. ä. Hängt wohl mit Schaustellern zusammen: deren Affen sprangen gelegentlich Zuschauern auf die Schulter und suchten vermeintlich nach Läusen. Etwa seit 1850.
44. den ~n loslassen = sich ausgelassen amüsieren; zu lustigen Streichen aufgelegt sein. Der Affe als Sinnbildtier der Narretei. 19. Jh.
45. den ~ machen (sich zum ~n machen) = sich närrisch aufführen; zur Unterhaltung anderer sich töricht benehmen; sich auslachen lassen. 19. Jh.
46. jm den ~n machen = jm diensteifrig sein; zu allen schweren (unangenehmen) Arbeiten bereit sein, die ein anderer nicht übernehmen mag. Hergenommen von den zur Unselbständigkeit verurteilten Affen eines Schaustellers. 19. Jh.
47. jn zum ~n machen (mit jm den ~n machen) = jn nicht ernst nehmen; jn veralbern, übertölpeln. 19. Jh.
48. ein Gesicht machen wie ein pensionierter ~ = einfältig, teilnahmslos blikken. Seit dem späten 19. Jh.
49. ich denke, mir bohrt (piekt) ein ~ in den Arsch!: Ausruf höchster Verwunderung, höchsten Mißfallens. Berlin 1920 *ff.*
50. schwitzen wie ein Affe = stark schwitzen. Daß Affen stark schwitzen müssen, schließt man aus ihrem lebhaften Hinundherspringen. Seit dem frühen 20. Jh.
51. jds ~ sein = von jm abhängig sein; sich jm fügen müssen. ↗ Affe 46. 19. Jh.
51 a. auf den ~n sein = unter Rauschgiftentzugserscheinungen leiden. Hergenommen vom Erregungszustand des Affen. *Jug* 1970 *ff.*
52. das ist unter allem ~n = das ist überaus minderwertig. Für das Gemeinte reicht die Schimpfwortgeltung von „Affe" nicht aus. 19. Jh.
53. Sie denken wohl, Sie sind ein ~, und ich bin nichts?: Frage an einen, der mit

seiner Klugheit (Bildung) prunkt. Berlin seit dem späten 19. Jh.
54. einen ~n sitzen haben = betrunken sein. ↗ Affe 6. Seit dem frühen 19. Jh.
55. sitzen wie ein ~ auf dem Schleifstein = mit krummem Rücken sitzen; in gekrümmter Haltung reiten; in schlechter Haltung radfahren. Gemeint ist wahrscheinlich, daß bei gekrümmtem Sitzen die Jacke nicht mehr das Gesäß bedeckt, oder daß die unbequeme Unterlage zu unbequemer Haltung zwingt. Spätestens seit 1900.
56. das ist der Moment, wenn (wo) der ~ ins Wasser rennt (springt, luppt) = das ist der wichtige Augenblick. Affen sind vielfach schlechte Schwimmer oder schwimmen nur ungern. Wohl eine dem Jahrmarktsausrufer abgehörte Redensart. Spätestens seit 1900.
äffen *tr* jn narren, verulken. 14. Jh.
Affenarsch *m* **1.** widerlicher Mensch; starkes Schimpfwort. Das Gesicht des Betreffenden ähnelt dem unbehaarten, oft hochroten Affengesäß. Etwa seit der Mitte des 19. Jhs.
2. widerliches Gesicht. 1850 *ff.*
3. wie ein geölter ~ = sehr schnell (mit gerötetem Gesicht?). Klingt nach Kasernenhofblüte. *Sold* 1914 *ff.*
4. blank wie ein ~ = a) sehr sauber. 1900 *ff.* – b) ohne jegliche Trumpfkarte; ohne jegliches Blatt der geforderten Spielfarbe. Kartenspieler, 1900 *ff.*
5. glatt wie ein ~ = faltenlos; ohne jede Unebenheit. 1800 *ff.*
6. aussehen wie ein ~ = im Gesicht rot geschminkt sein. 1900 *ff.*
7. glänzen wie ein lackierter ~ = hell (oder farbintensiv) glänzen; stark pomadisiert sein. Seit dem frühen 20. Jh.
affenartig *adj* mit ~er Geschwindigkeit o. ä. = sehr schnell. Analog zu dem Ausdruck „affenähnliche Beweglichkeit" von August Krawani in der „Wiener Presse" vom 18. Juni 1866. Die Vokabel „affenartige Geschwindigkeit" taucht zuerst 1866 in der satirischen Zeitschrift „Kladderadatsch" auf.
Affenbude *f* **1.** Raum mit schlechter Luft; Mannschaftsstube. Anspielung auf den starken Geruch der Affen, vor allem in den Affenhäusern der Zoologischen Gärten. *Sold* 1880/90 *ff.*
2. Schulgebäude, das einzelne Klassenzimmer. 1930 *ff*, *schül.*
3. hier mieft (stinkt) es wie in einer ~ = in diesem Raum ist viel verbrauchte Luft. 1914 *ff.*
Affenbudenluft *f* Gestank; verbrauchte Zimmerluft. Seit dem ausgehenden 19. Jh.
Affenbutter *f* Margarine. Soll bei den Soldaten des Zweiten Weltkriegs aufgekommen sein, wohl in Anlehnung an das Wort des Luftwaffen-Feldmarschalls Göring: „Kanonen machen uns mächtig, Butter macht uns nur fett". Für die Mehrheit der Bevölkerung, die den Widerstand für zwecklos hielt und wie ein „Affe" (= willfähriger Untergebener) behandelt wurde, gab es Margarine, während die Butter den höheren Führungsrängen vorbehalten blieb.
Affenernst *m* strenge, undurchdringliche Miene. Aus dem menschlichen Gesicht blikken Affen tiefsinnig und schwermütig. *Vgl* „tierischer ↗ Ernst". 1900 *ff.*

'Affenfahrt *f* sehr hohe Fahrtgeschwindigkeit. Hergenommen von der „ ↗ affenartigen Geschwindigkeit", im Lauf der Zeit die Bedeutung einer Verstärkung erworben hat. *Sold* 1914 *ff.*
Affenfett *n* Margarine; minderwertiges Schweineschmalz; unschmackhafte Butter. Handwerksburschen, Soldaten und Schüler nehmen spätestens seit 1900 an, dieses Fett werde aus Affen hergestellt.
Affenfrack *m* **1.** Waffenrock (sog. Silberrock). Anspielung auf den kleinen Frack, den der Schausteller seinem Affen anzieht. 1910 *ff.* *Vgl engl* „monkey clothes = Paradeuniform".
2. kurze, enge Jacke. 1950 *ff.*
Affenfraß *m* **1.** Banane. Parallel zu ↗ Affenfutter. 1930 *ff.*
2. Minderwertiges Essen. „Affen-" als *pejorat* Steigerung. Seit dem frühen 20. Jh.
Affenfutter *n* Banane. 1930 *ff.*
affengeil *adj* spannend, mitreißend; sehr gut. *Jug* 1977 *ff.*
Affengeschirr *n* Koppeltragegestell. An ihm wird auf dem Rücken auch das Gepäck (↗ Affe 4) getragen. *BSD* 1960 *ff.*
'Affenge'schwindigkeit *f* sehr große Geschwindigkeit. ↗ Affenfahrt. Seit dem frühen 20. Jh.
Affengetue *n* geziertes Benehmen; übertriebenes Zärtlichsein. ↗ Getue. Seit dem späten 19. Jh.
Affenglas *n* **1.** Monokel. Monokelträger gelten als eitle Affen. 1900 *ff.*
2. Spiegel. Affen haben Spaß an Spiegeln. Kundenspr. 1920 *ff*; Tarnwort politischer Häftlinge nach 1945.
'Affen'hitze *f* sehr große Hitze. „Affen-" als verstärkender Bestandteil. Seit dem späten 19. Jh.
Affenjacke *f* **1.** Uniformrock; Uniform. Hergenommen von der Bekleidung des Affen eines Schaustellers. Bald nach den Freiheitskriegen 1813/15 aufgekommen. *Vgl engl* „monkey-jacket".
2. Paradejacke; kurze Seemannsjacke mit großen Messingknöpfen. *Marinespr* 1914 *ff.*
3. Uniformrock des Panzerjägers. *Sold* 1939 *ff.*
4. kurze Dienstjacke des Bundeswehrsoldaten; Feldbluse, Bluse. *BSD* 1955 *ff.*
5. Livrée des Liftboys; Jäckchen des Barmixers; Frack. Etwa seit 1820/30.
6. kurzes (zu enges) Jackett; Bolerojäckchen. 1900 *ff.*
7. die ~ anziehen = Soldat werden. 1900 *ff.*
8. in der ~ stecken = Soldat sein. 1850 *ff.*
Affenkäfig *m* **1.** enges Gelaß; Arrestzelle; Gefängnis. „Käfig" spielt an auf die Vergitterung und die Unfreiheit; „Affen-" deutet die schlechte Luft an. 1900 *ff.*
2. Kaserne. 1914 *ff*, *sold.*
3. Mannschaftsstube. *Sold* 1914 *ff.*
4. Soldatenspind. Anspielung auf die Enge. Sold in beiden Weltkriegen.
5. Klassenzimmer. 1950 *ff*, *schül.*
Affenkasten *m* **1.** geschlossener Raum ohne frische Luft; Straßenbahnwagen, Omnibus u. ä. Anspielung auf die schlechte Luft im Affenhaus. 1900 *ff.*
2. Heil- und Pflegeanstalt für Nerven- und Geisteskranke. Die Insassen benehmen sich vorgeblich wie Affen. 1920 *ff.*
3. Haus *(abf)*; Schul-, Theatergebäude.

Anspielung auf Fensterreichtum (zu jedem Fenster guckt ein „Affe" heraus); auch machen die Schüler nach, was der Lehrer lehrt. 1900 ff.
4. Mädchenschule, -pensionat. Mädchen sind in den Augen der Schüler „affig". 1900 ff.
5. Klassenzimmer. Wohl wegen des Eingesperrtseins und des Geruchs. 1950 ff.
6. Kaserne. Sold 1900 ff.
7. enge Schiffskabine. 1900 ff.
8. Bekleidungskammer. Sold 1939 ff.
9. Fotoapparat. Mit ihm kann man Objekte nachäffen; und vor dem Objektiv posiert man „affig" (= eitel, geziert). Seit dem späten 19. Jh.
10. Fernsehgerät. In der Meinung der Jugendlichen blicken nur „Affen" (= dumme Leute) auf den Bildschirm, und zwar so neugierig wie Affen in einen Spiegel. Jug 1965 ff; BSD.
'Affen'knast m sehr hohe Geschwindigkeit. ↗ Knast. 1930 ff.
Affenkomödie f übertriebenes Gehabe; heftiger Streit wegen einer Belanglosigkeit. 1850 ff.
Affenkram m Unsinn; Albernheit; überflüssiger Aufwand; Wertlosigkeit. ↗ Kram 1. 1900 ff.
Affenkunde f Zoologie. 1950 ff, schül.
Affenliebe f überschwengliche, blinde Liebe; übertriebene Zärtlichkeit. Affenmütter tragen ihr Junges überall mit sich herum. 17. Jh.
Affenlivrée f geschmacklos bunte Uniform des Zirkusportiers u. ä. Anspielung auf die Bekleidung von Affen im Schaugeschäft. 1900 ff.
Affenmusik f schrill-mißtönende Musik. Übertragen vom Gekreisch der Affen. 1955 ff.
'Affen'naht f eine ~ draufhaben = sehr schnell fahren. ↗ Naht. 1920 ff.
Affenpinscher m 1. widerlicher Mann; Liebediener; Energieloser. Wohl wegen des affenähnlichen Gesichts des Pinschers (Hunderasse). Seit dem späten 19. Jh.
2. eitler, eingebildeter Mensch. Der kleine Schnauzerhund ist verspielt und kokett durch den Menschen. 1930 ff.
Affenrock m Waffenrock. Vgl ↗ Affenfrack 1. Seit dem frühen 20. Jh.
'Affen'schande f große Schande; Skandal. Soll auf niederd „apenbare Schanne" (= offenbare Schande) zurückgehen und zu „Apenschanne" verkürzt worden sein. Doch hat „Affen-" auch steigernden Charakter. Etwa seit 1820/30.
Affenschaukel f 1. Adjutantenschnur; Fang-, Schulterschnur. Sie nimmt an allen Bewegungen des Uniformträgers teil, erinnert an Schaukeln für Affen in Schaustellerbuden und Affenhäusern und hebt die männliche Eitelkeit. Gegen Ende des 19. Jhs aufgekommen.
2. schwankendes Boot. Sold 1914 ff.
3. Hängematte. Marinespr 1914 ff.
4. Soziussitz des Motorrads. Österr 1930 ff.
5. Panzerkampfwagen. 1939 ff, sold.
6. Flugzeug mit schlechter Gleichgewichtslage. Sold in beiden Weltkriegen und BSD.
7. Kleinauto. 1955 ff.
8. Zöpfe, die im Bogen zu beiden Seiten des Kopfes hängen. 1900 ff.
9. lange Zierkette am Kleid. 1900 ff.

Affenscheiße f 1. dumm wie ~ = sehr dumm. Wohl dem Folgenden nachgebildet. 1900 ff.
2. frech wie ~ = sehr frech. „Frech" hat hier die Bedeutung von „aufdringlich" hinsichtlich des Gestanks. Affenexkremente riechen streng. Seit dem späten 19. Jh.
3. geil wie ~ = sehr wollüstig, liebeshungrig, liebesgierig. „Geil" kann aus niederd „geel" (= gelb) entstellt sein. 1900 ff.
4. klar wie ~ = völlig einleuchtend (iron). „Wie Affenscheiße" nimmt zunehmend den Sinn eines Unüberbietbaren an. 1900 ff.
5. scharf wie ~ = liebesgierig. Analog zu ↗ Affenscheiße 3. Etwa seit 1940 ff.
Affenschwanz m 1. Schimpfwort auf einen Mann; gelegentlich auch Kosewort. Schwanz = Penis = Mann. 19. Jh.
2. unruhige Person. 1910 ff.
3. eitler Geck; alberner, eingebildeter Mann; dummer Nachäffer. 1850 ff.
'Affen'spaß m großer Spaß; sehr große Belustigung. Hergenommen vom lebhaften Springen und Klettern der Affen. 1920 ff.
Affensprache f gezierte Redeweise. Man spricht jeden Buchstaben einzeln aus, und zwar die Konsonanten, nachdem man sie verdoppelt, mit zwischengeschobenem e. Beispielsweise: Affe = a effe effe e. Seit dem 3. Drittel des 19. Jhs.
Affenstall m 1. Raum jeder kleineren Lebens- oder Arbeitsgemeinschaft (Betrieb, Büro, Kaserne, Mannschaftsstube, Lazarett, Schule, Klassenzimmer, usw.). Anspielung auf verbrauchte Zimmerluft. Um 1900 unter Studenten aufgekommen; sold 1914 ff; schül 1920 ff.
2. Gruppe von Leuten mit wunderlichem, unmilitärischem Verhalten. Hergenommen vom possierlich-närrischen Treiben der Affen im Käfig oder auf dem Affenfelsen. Sold 1939 ff.
affenstark adj unübertrefflich. ↗ stark 1. Jug 1970 ff.
Affentanz m 1. übertriebene Lustigkeit. 1900 ff.
2. künstlicher Aufregungszustand eines Vorgesetzten wegen einer Belanglosigkeit; übertriebene Geschäftigkeit. 1900 ff.
3. einen ~ aufführen = sich auffallend ungewöhnlich benehmen; übertrieben betriebsam sein. 1900 ff.
'Affen'tempo n hohe Geschwindigkeit. ↗ Affenfahrt. 1920 ff.
Affentheater n wilder Lärm; Umständlichkeit; Exerzierdienst; übertriebenes, unnatürliches Gebaren. ↗ Theater. 18. Jh.
'Affen'wärme f sehr große Wärme. Entweder Anspielung auf die Hitze in Affenhäusern oder verstärkender Charakter von „Affen-". 1950 ff.
'Affen'zahn m 1. sehr hohe Fahrtgeschwindigkeit; große Schnelligkeit. ↗ Zahn. Analog zu ↗ Affenfahrt. 1920 ff.
2. einen ~ draufhaben = sehr schnell fahren. 1930 ff.
3. einen ~ hinlegen = eine sehr hohe Geschwindigkeit erreichen. ↗ hinlegen. 1945 ff.
Affenzirkus m ungeordnetes Treiben; Geschäftigkeit; Betrieb; albernes Gehabe. 1930 ff.
Afferei f 1. Albernheit; wunderliche Laune; geziertes Gehabe. Das Benehmen der Affen erscheint dem Menschen als absonderlich. 16. Jh.

2. törichte, mißverstandene Nachahmung. 19. Jh.
affig adj 1. albern; geckenhaft; geziert; eingebildet; nachahmungssüchtig. Der Affe als Sinnbildtier der Eitelkeit und Albernheit. 16. Jh.
2. hervorragend. Wohl hergenommen von Ausdrücken wie „sich affig amüsieren" oder „affiger Sprung = weiter Sprung". 1920 ff, jug.
3. ~ werden = unduldsam, ausfallend werden. Hergenommen von der spontanen Gereiztheit und Angriffslust der Affen. 1920 ff.
Affigkeit f Albernheit; Geckenhaftigkeit; Nachahmungssucht. ↗ affig 1. 19. Jh.
Afro-Bombe f dichtes, stark gekrautes, schwarzes Haar, gleichmäßig um den Kopf abstehend frisiert. Nachahmung einer afrikanischen Frauenhaartracht. „Bombe" spielt auf die Kugelform an. 1971 ff.
Aftermieter m 1. pl = Ungeziefer am Körper oder in der Wäsche. Eigentlich soviel wie „Untermieter". Sold 1914 ff.
2. pl = Filzläuse. Etwa = Untermieter in der Aftergegend. 1914 ff, sold.
3. m = Liebediener; erfolgreicher Schmeichler. Auf derbe Weise ist gemeint, daß der Betreffende dem anderen „in den Hintern gekrochen" ist. 1950 ff.
4. m = Homosexueller. 1920 ff.
aftern intr 1. üble Nachrede führen; verleumderisch reden. Verkürzt aus dem gleichbed „afterreden". 1900 ff.
2. Verräter sein; Mitschuldige anzeigen. 1950 ff, schül.
aftersäuseln intr einen Darmwind leise entweichen lassen; oft Darmwinde ablassen. 1900 ff.
Aftersäuseln n abfälliges Gespräch über abwesende Personen. 1900 ff.
Aftersausen n 1. Durchfall; Ruhr; Stuhldrang; Abgehen von Darmwinden. 1900 ff.
2. Angst. Bei Angst kann der Schließmuskel des Afters versagen. Sold 1914 ff.
Agentenschwein n Agent (sehr abf). ↗ Schwein. 1920/30 ff.
agfa präd schlecht, untüchtig, erfolglos o. ä. Steht nicht in unmittelbarem Zusammenhang mit dem Firmennamen Agfa (= Aktien-Gesellschaft für Anilinfabrikation), sondern setzt sich zusammen aus den Anfangsbuchstaben von „alles glatt für'n Arsch". BSD 1960 ff.
A'ha-Erlebnis n großartiges Erlebnis; emotional erlebte Erkenntnis. Angesichts eines solchen Erlebnisses ruft man aus: „aha!". Geprägt von dem Psychologen Karl Bühler. 1930 ff.
ahnen tr du ahnst es nicht = du kannst es dir nicht vorstellen; es ist geradezu unglaublich. Von Berlin ausgegangene Moderedensart (1880/90). Das Gemeinte ist so unvorstellbar, daß sogar die untrüglichste Ahnung versagt.
Ahnen pl Eltern; Erwachsene. Meint eigentlich die Stammeltern oder Vorfahren. Halbwüchsigenschelte seit 1955.
Ahnenforschung f Geschichtsunterricht. Beeinflußt von dem Nachweis der arischen Abstammung aus der NS-Zeit. Schül 1950 ff.
Ahnfrau f 1. Mutter. Eigentlich Bezeichnung für die Stammutter eines Geschlechts. Halbw 1955 ff.
2. Wahrsagerin, Kartenlegerin, Handli-

niendeuterin, Astrologin usw. Sie gibt zu ahnen vor. 1933 ff.

Ahnimus m Ahnung. Zusammengewachsen aus lat „animus" (= Seele) und dt „ahnen". Soll aus der Juristensprache stammen. 1870 ff.

ähnlich adj das sieht ihm ~ = 1. das entspricht seiner Art, ist ihm zuzutrauen, war von ihm nicht anders zu erwarten. 19. Jh. 2. ironisch-anzügliche Redewendung auf ein un- oder außereheliches Kind. 1900 ff.

Ahnung f 1. eine ~ = ein klein bißchen. Analog zu ↗ Idee 1. 1920 ff. 2. keine ~ haben = nichts wissen. Der Begriff „Vorgefühl" verschiebt sich zu dem der geringen Kenntnis. 18. Jh. 3. hast du (betont!) eine ~!: Ausdruck mißfälligen Staunens über die Unwissenheit eines anderen. 1900 ff. 4. keine blasse ~ haben = nichts wissen; von etw nichts verstehen. „Blaß" verstärkt den verschwommenen Charakter des Begriffs „Ahnung". 1850 ff. 5. nicht die blasseste ~ haben = ohne jegliche Kenntnis sein. 1930 ff. 6. nicht die blasseste ~ eines blauen Dämmerscheins haben = nicht das mindeste wissen. 1950 ff. 7. keine blaue ~ eines blassen Dämmerscheins (Schimmers) haben = gänzlich unwissend sein. 1920 ff. 8. nicht die mindeste ~ von einer ~ haben = nichts ahnen; nichts wissen. 1950 ff. 9. keine ~ von einer Idee haben = nicht das mindeste ahnen, wissen. 1870 ff.

Air n sich ein ~ geben = sich aufspielen; sich ein wichtiges Ansehen geben. Übersetzt aus franz „se donner de l'air" = sich brüsten. „Air" meint im Französischen nicht nur „Miene, Aussehen", sondern auch „Eitelkeit, Stolz". Vgl engl „to give oneself airs". 18. Jh.

Airlaub m Ferienflugreise. Zusammengesetzt aus engl „air" und dt „Urlaub". 1971 ff. Aus Werbetexten hervorgegangen.

Aitsch n Heroin. Englische Aussprache des Buchstabens H. Halbw 1920 ff.

Ajax n Aktion ~ = Putz- und Flickstunde. Hergenommen vom Namen des durch Werbefernsehen und Werbefunk verbreiteten Putzmittels „Ajax" (Colgate-Palmolive-Produkt). BSD 1960 ff.

akadämlich adj akademisch. Spottwort; ↗ dämlich 1. 1930 ff.

Akazien pl 1. auf die ~ klettern = heftig aufbrausen. Analog zu den vielen Ausdrücken, die „zornig werden" bedeuten: der Zornige springt aus dem Stuhl auf (und möchte „die glatten Wände hochgehen"). Seit dem späten 19. Jh. 2. es ist, um auf die ~ zu klettern! = es ist zum Verzweifeln; es ist unerträglich. Seit dem späten 19. Jh. 3. wie stehen die ~? = wie stehen die Dinge? wie geht es geschäftlich (o. ä.)? Wortspielerisch verdreht aus „Aktien": die Redensart betraf anfangs nur den Aktienstand an der Börse. Seit dem späten 19. Jh. 4. die ~ steigen = die Aussichten bessern sich; die Lage wird günstiger. 1900 ff. 5. jn auf die ~ treiben = jn heftig erzürnen. 1900 ff.

Akkord m ~ kloppen = Akkordarbeit leisten; im Akkord arbeiten. 1900 ff.

Akkordarbeiter m Komponist. Meint ei-

gentlich den nach Leistung bezahlten Arbeiter: Akkord = Vereinbarung. In der Musik ist Akkord der Zusammenklang von Tönen verschiedener Tonhöhe. Die Bedeutung „Komponist" soll von Max Reger (1873–1916) stammen.

Akkordma'loche f Akkordarbeit. ↗ Maloche. 1945 ff.

Akku m 1. den ~ aufladen (auftanken) = Kräfte sammeln; sich erholen; eine Erholungsreise unternehmen; ein Schläfchen halten. Der Akku (Akkumulator) ist in der Technik ein Energiespeicher. 1930 ff. 2. der ~ ist leer = man ist entkräftet, braucht Erholung. 1930 ff.

Akte f 1. in zu den ~ n legen = den Umgang mit jm abbrechen. Aus der Amtssprache übernommen: eine Zuschrift als erledigt behandeln und im Aktenordner abheften. 1930 ff. 2. darüber sind die ~ n geschlossen = darüber wird nicht mehr geredet. 19. Jh.

Aktenbearbeitungsmaschine f seelenloser Beamter. 1960 ff.

Aktenblick m ungerührter, keine menschliche Regung verratender Blick eines Beamten. 1900 ff.

Aktengeier m Staatsanwalt u. ä. Auf die Akten stürzt er sich wie der Geier auf seine Beute. Seit dem späten 18. Jh.

Aktenhengst m 1. Bürobediensteter, Gerichtsbeamter. ↗ Hengst 1. 1900 ff. 2. Pedant. 1900 ff. 3. Schreibstubensoldat. 1900 ff.

Aktenkacker m 1. Beamter. ↗ Kacker. 1900 ff. 2. Jurist. 1900 ff.

Aktenlöwe m Beamter. Wie der Löwe König der Tiere ist, ist der Beamte König im Reich der Akten. 1920 ff.

Aktenmensch m Beamter. 19. Jh.

Aktenscheißer m Beamter. ↗ Scheißer. Analog zu ↗ Aktenkacker. 1930 ff.

Aktenschnüffler m Beamter. ↗ schnüffeln. 1950 ff.

Aktenseele f pedantischer Beamter, Bürokrat. Mit „Seele" in tadelndem Sinne meint man die ausschließlich berufsbezogene, enggeistige Gesinnung eines Menschen, der nur mehr im Rahmen amtlicher Richtlinien zu handeln, zu denken, ja zu fühlen wagt. 1900 ff.

Aktenstück n weibliches ~ = schwunglose, ungefällige, sachbezogene Büroangestellte. Sie ist ebenso sachbezogen, neutral und gefühllos wie eine Akte. 1945 ff.

Aktentaschenträger m 1. Beamter in einflußloser Stellung; junger Ordonnanzoffizier. Er trägt seinem Vorgesetzten die Aktenmappe. 1910 ff. 2. Büroangestellter; 1960 ff.

Aktenwanze f Schreiber; Bürovorsteher bei einem Rechtsanwalt; Registrator; Beamter bei der Geschäftsstelle einer Behörde. Er gilt als lästiges Ungeziefer. 1910 ff.

Aktenwurm m Beamter, Archivar o. ä. Er nährt sich von Akten. Vgl ↗ Bücherwurm. 1800 ff.

Aktie f 1. ~ des kleinen Mannes = Briefmarkensammlung. ↗ Mann 48. 1950 ff. 2. heiße ~ = die ~ steigt im Kurswert. Sie ist „heiß" umworben = nach ihr herrscht rege Nachfrage. 1960 ff. 3. bei jm ~n haben = gut mit jm stehen. 1950 ff. 4. seine ~n stehen gut (seine ~n steigen) = man hält viel von ihm; er hat Erfolg.

Stammt aus der Börsensprache des ausgehenden 19. Jhs. 5. wie stehen die ~n? = a) wie sind die Aussichten? wie geht's? Seit dem späten 19. Jh. – b) wie ist der Spielstand? Kartenspielerspr. und sportl seit dem späten 19. Jh. 6. die ~n steigen = die Aussichten bessern sich; die Lage wird günstiger. Seit dem späten 18. Jh.

Aktienkracher m Börsenspekulant; auf Baisse Spekulierender. Krach = Baisse. Der Betreffende wartet den Kurssturz bestimmter Werte ab und kauft dann. 1870 ff.

aktiv adj ~ werden = eine weibliche Person ansprechen. Der Betreffende gibt seine Zurückhaltung auf. 1930 ff, jug.

Aktive f Fabrikzigarette. Hergenommen von der Bedeutung „aktiv = vollwertig" (bezogen auf den aktiven Soldaten im Gegensatz zum Reservisten). Sold 1939 ff und ziv.

Aktivurlaub m Urlaub mit sportlicher Betätigung. 1965 ff.

Aktmaus f junges Mädchen, das sich für Nacktfotos zur Verfügung stellt. ↗ Maus. 1950 ff.

Aktstück n weibliches ~ = Büroangestellte, die Huldigungen männlicher Kollegen schätzt sowie Liebkosungen (und mehr) zuläßt. Umgewandelt aus ↗ Aktenstück unter Anspielung auf „Akt = Darstellung des nackten menschlichen Körpers". 1950 ff.

Aküfi m Abkürzungssucht. Abgekürzt aus „Abkürzungsfimmel"; ↗ Fimmel. 20 Jh.

Akustik f 1. ~ wie in einem Bauernbett = übler Geruch; Gestank. Eigentlich die Lehre vom Schall; hier Anspielung auf laut entweichende Darmwinde. 1930 ff. 2. schlechte ~ = schlechter Geruch. Seit dem ausgehenden 19. Jh. als Pointe eines Witzes verbreitet. 3. heftige ~ in der Luft = widerlicher Gestank. Sold 1930 ff. 4. herbe ~ = verpestete Luft. 1927 ff.

akustisch adj jn ~ niedermachen = jn übertönen. 1950 ff.

Akzente pl ~ setzen = Schwerpunkte angeben; Richtlinien aufstellen; auf Vordringliches hinweisen. Leitet sich her von der Angabe der Betonung. Politiker- und Journalistenspr. seit 1960.

Akzent-Masche f Trick eines Ausländers, der Deutsch absichtlich fehlerhaft spricht, o. ä. Besonders gewinnträchtig in der Unterhaltungsindustrie. ↗ Masche 1. 1960 ff.

Alabasterkörper m schöner Menschenkörper (auch iron). Gemeint ist, daß der Körper makellos weiß sei wie Alabaster. 1920 ff.

Alarmglocke f innere ~ = mahnendes Gewissen. 1928 ff.

Alfanzerei f Albernheit; albernes Gehabe. Ital „all' avanzo = zum Vorteil" entwickelt sich zu den Bedeutungen „Betrug, Gewinn" und „Possen" (ze = Schelmenstreich). Mhd „alevanz = Possen". Wohl von „↗ Firlefanz" beeinflußt.

algerisch adj allergisch. Wortspielerei, um 1960 aufgekommen, wohl im Zusammenhang mit dem Unabhängigkeitskampf der Algerier.

Alibi n 1. eisernes ~ = unerschütterlicher Beweis der Nichtanwesenheit am Tatort. ↗ eisern. 1950 ff.

2. gußeisernes ~ = wie vorstehend. 1950 *ff.*

3. am ~ basteln = auf anrüchige Art (falsche) Zeugen suchen, die den Nachweis der Schuldlosigkeit erbringen sollen. Nach 1933 aufgekommen.

Alimentenflüchtling *m* Mann, der seiner Unterhaltspflicht nicht nachkommt. 1965 *ff.*

Alimentenschleuder *f* Penis. *BSD* 1960 *ff.*

Alimentenstadel *m* Heustadel. Anspielung auf unehelichen Geschlechtsverkehr, der dort vollzogen wird. *Bayr* 1960 *ff.*

Alki *m* Alkoholiker. Hieraus verkürzt seit 1975, *halbw.*

Alkohol *m* **1.** bei ihm denkt der ~ schon mit = sein Denken steht unter alkoholischem Einfluß. 1950 *ff.*

2. ihm läuft der ~ aus den Augen = er ist schwer betrunken (ihm tränen schon die Augen). 1900 *ff.*

Alkoholbremse *f* **1.** Mittel, das angeblich den Alkoholgehalt im Blut abbaut. 1957 *ff.*

2. auf die ~ treten = als Kraftfahrer den Genuß alkoholischer Getränke einschränken oder unterlassen. 1960 *ff.*

Alkoholfahne *f* nach Alkohol riechender Atem. ↗ Fahne. 1939 *ff.*

Alkoholfahnenübergabe *f* Mund-zu-Mund-Beatmung. *BSD* 1960 *ff.*

alkoholfrei *adj* **1.** geistlos. In geistigem Sinne vermißt man den Weingeist. 1930 *ff.*

2. frei von Anstößigkeiten. 1930 *ff.*

Alkoholiker *m* **1.** nasser ~ = Trunksüchtiger. 1960 *ff.*

2. trockener ~ = Mann, der sich einer Alkoholentziehungskur unterzogen hat. Hinsichtlich des Alkohols hat man ihn trockengelegt. 1960 *ff.*

Alkoholitäten *pl* alkoholische Getränke. Scherzhaft zusammengesetzt aus „Alkohol" und „Aktivitäten" (oder „Frivolitäten"). Nach 1945 (?) aufgekommen.

Alkoholkreislauf *m* **1.** ~ mit Blut = Alkohol im Blutkreislauf. Scherzhafte Vertauschung. 1950 *ff.*

2. zu wenig Blut im ~ haben = betrunken am Steuer des Kraftfahrzeugs sitzen. 1950 *ff.*

Alkoholleiche *f* Schwerbezechter. ↗ Leiche. 19. Jh.

Alkoholmangelschaden *m* scherzhafte Krankheitsbezeichnung eines trinkfreudigen Patienten. Auch eine Mangelkrankheit, aber keine ernsthafte. Ahrweiler 1973.

Alkoholpegel *m* Menge des genossenen Alkohols; Grad der Betrunkenheit. ↗ Pegel. 1950 *ff.*

alkoholselig *adj* betrunken. ↗ selig. 1950 *ff.*

Alkoholstange *f* Penisversteifung infolge reichlichen Alkoholgenusses. ↗ Stange. 1900 *ff.*

Alkoholsünder *m* betrunkener Kraftfahrer. ↗ Sünder. 1955 *ff.*

Alkoholverdunstungsstunde *f* **1.** Sportunterricht, Exerzierdienst, Geländelauf. *Sold* 1939 *ff* und *BSD*

2. Kirchgang. *BSD* 1965 *ff.*

alle *adj präd* **1.** bankrott. Verkürzt aus einem Satz wie „die Gelder sind alle aufgebraucht" zu „die Gelder sind alle" o. ä. Nach anderen Quellen ist von *franz* „allé = gegangen" auszugehen, das in der französischen Kolonie zu Berlin weiterent-

wickelt worden sei. *Vgl* aber auch *engl* „to be all gone". 16. Jh.

2. ~gehen = verhaftet werden; in Gefangenschaft geraten. Verhaftung und Gefangennahme sind für den Betreffenden eine Bankrotterklärung. Analog zu ↗pleite. 1800 *ff.*

3. etw ~ haben = etw aufgezehrt, verbraucht haben; einer Sache überdrüssig sein. 1900 *ff.*

4. nicht ~ haben = nicht ganz bei Verstand sein. Hinter „alle" ergänze „Sinne". 18. Jh.

5. etw ~kriegen = etw zu Ende bringen, aufbrauchen; einer Sache überdrüssig werden. 1900 *ff.*

6. jn ~machen = a) jn töten. 1500 *ff.* – b) jn gesellschaftlich, moralisch vernichten. 1900 *ff.*

7. etw ~machen = etw leeren, verzehren, vergeuden. 19. Jh.

8. ~machen = sterben. 1900 *ff.*

9. sich ~machen = a) sich abmühen; alle seine Kräfte erschöpfen. 1900 *ff.* – b) sich entfernen; sich einer Verpflichtung entziehen. 1900 *ff.*

10. ~ sein = a) aufgebraucht, zu Ende sein. 16. Jh. – b) übermüdet, erschöpft sein. 19. Jh. – c) verrückt sein. 1920 *ff.*

11. mit etw ~ sein = mit etw zu Ende sein; etw geleert, zu Ende gelesen haben u. ä. 19. Jh.

12. ~ werden = a) weggehen, verschwinden. 1800 *ff.* – b) sterben. 19. Jh. – c) aufgebraucht werden; zu Ende gehen. 1500 *ff.* – d) verhaftet werden. 1800 *ff.*

13. jn ~ werden lassen = jn denunzieren; jn verhaften lassen. 1800 *ff*, *rotw* und *prost.*

14. zu denen gehören, die nicht ~ werden = zu den Dummen gehören. 1900 *ff.*

allein *adv* **1.** mit jm ~ gehen = mit jm zum Zweck des Geschlechtsverkehrs sich entfernen. 1900 *ff.*

2. nicht mit sich ~ gehen = schwanger (= zu zweit in einem Körper) sein. 1900 *ff.*

3. alles ~ haben = lauter hochwertige Karten haben. Skatspieler 1900 *ff.*

4. der hilft sich ~ = er läßt die Mitspieler nicht zum Ausspielen kommen. Skatspieler 1900 *ff.*

5. er läuft ~ = a) der Käse ist überreif (oder madenhaltig); in dem Schinken befinden sich Maden. 1850 *ff.* – b) der Witz ist anrüchig. Gemeint ist, daß der Witz wie verdorbener („läufiger") Käse stinkt. Seit dem späten 19. Jh.

6. er läuft nicht ~ = er ist nicht recht bei Verstand. Der Betreffende ist wohl so dumm, wie es einer allein nicht sein kann, oder er hat einen „↗Vogel" bei sich. 1955 *ff.*

7. das läuft ~! = Ausruf höchsten Erstaunens. Vielleicht hergenommen von den ersten selbständigen Schritten, die ein kleines Kind macht. 1870 *ff.*

8. zu zweit ~ sein = a) zu zweit ungestört beisammen sein. 1900 *ff.* – b) schwanger sein. 1900 *ff.*

9. ~ auf weiter Flur sein = allein (verlassen) sein. Einer Textzeile aus „Schäfers Sonntagslied" von Ludwig Uhland (Erstdruck 1807) entnommen. Das Lied gehört zum festen Repertoire aller Gesangvereine. Wohl seit dem späten 19. Jh.

10. nicht ~ sein = Ungeziefer haben. Seit dem Ersten Weltkrieg, *sold* und *ziv.*

11. nicht mehr ~ sein = a) schwanger sein. 1850 *ff.* – b) betrunken sein. Der Bezechte ist insofern nicht mehr allein, als er einen „Affen" hat (↗Affe 6). 19. Jh.

Alleingang *m* im ~ = ohne fremde Hilfe; ganz auf sich selbst gestellt; völlig selbständig. Stammt seit etwa 1930/40 aus der Sportsprache. Beim Ballspiel versteht man unter Alleingang den Durchbruch eines einzelnen Spielers durch die gegnerische Verteidigung. Beim Pferdesport ist Alleingang das Rennen ohne ernsthaften Konkurrenten.

Alleinunterhalterin *f* unkontrollierte Prostituierte; „Lebedame". Dem Mann genügt sie zur „Unterhaltung" (= Geschlechtsverkehr) allein. Sie selber verdient sich ihren Lebensunterhalt ohne Bordellabhängigkeit und ohne Zuhälter. 1933 *ff.*

allergisch *adj* ~ gegen Arbeit sein = arbeitsunwillig sein; nicht gern arbeiten. Meint eigentlich „krankhaft überempfindlich". 1960 *ff.*

allerhand *adj* das ist ~ (das finde ich ~)!: Ausdruck der Bewunderung oder des Unwillens. Allerhand = viel, vielerlei. 1900 *ff.*

Allerheiligstes *n* **1.** Chefzimmer. Meint die vom katholischen Priester geweihte Hostie, die nur er berühren darf, auch den Altarschrank, in dem der Kelch mit den geweihten Hostien aufbewahrt wird; von da übertragen zur Bezeichnung einer Sache, die nicht allen zugänglich ist und die man besonders sorgsam hütet. 19. Jh.

2. Lehrerzimmer. 1920 *ff.*

3. Schlafzimmer. 1920 *ff.*

4. Privatzimmer. 19. Jh.

5. Vagina. 1900 *ff.*

6. Hand-, Fußball-, Hockeytor. *Sportl* 1920 *ff.*

allerlei *adj* das ist ~!: Ausdruck der Entrüstung. Analog zu ↗allerhand. 1900 *ff.*

allerleihand *adv* **1.** mancherlei. Zusammengewachsen aus „allerlei" und „allerhand". Seit *mhd* Zeit.

2. das ist ~!: das ist unerhört! 1900 *ff.*

Allerletztes *n* das Schlechteste, Minderwertigste, Häßlichste. *Jug* 1950 *ff.*

allerliebst *adj* höchst minderwertig. Ironisch gemeintes Adjektiv. Soll aus einer Altberliner Posse herrühren. 1850 *ff.*

Allerweltskerl *m* vielerfahrener Mann; Mann, der sich zu allem und jedem zu gebrauchen ist; Hauptspaßmacher u. ä. 18. Jh.

Allerweltsmädel *n* „Lebedame", Callgirl. 1955 *ff.*

Allerwerteste *f* Ehefrau. Gespielt-burschikose Höflichkeitsbezeichnung. 1920 *ff.*

Allerwertester *m* **1.** Gesäß. Euphemismus seit dem frühen 19. Jh.

2. Ehemann, Bräutigam. ↗ Allerwerteste; 1920 *ff.*

3. blauer ~ = verprügeltes Gesäß. 1900 *ff.*

alles *adj* **1.** ~ oder nichts: Ausdruck zur Charakterisierung eines liebesgierigen Mädchens. Fußt auf dem Titel der Fernseh-Sendereihe „Alles oder nichts" mit Erich Hellmensdorfer (Ende der sechziger Jahre) und *usw.*

2. es kostet nicht ~ = es ist nicht unerschwinglich. 1900 *ff*

3. ich und der liebe Gott, wir wissen ~:

Redewendung auf einen vermeintlichen Alleswisser. 1950 *ff, stud.*

4. ~ andere als = keineswegs (z. B.: sie ist alles andere als schön = sie ist keineswegs schön). 1900 *ff.*

allezl *(franz* ausgesprochen) vorwärts! schnell! Verkürzt aus *franz* „allez vite! = geht (gehen Sie) schnell" 19. Jh.

allez-hoppl vorwärts! „Hopp" ist Imperativ von „hoppen = hüpfen, springen". 19. Jh.

Allgäuer Sportabzeichen *n* Kropf. Ein im Allgäu häufig beobachtetes Leiden. Scherzhaft zu einem „Sportabzeichen" bagatellisiert. 1945 *ff.*

Allgemeine *f* Prostituierte. Steht allen Kunden zu Diensten. 1950 *ff.*

Allgemeinheit *f* jn auf die ~ loslassen = jn ins Berufsleben entlassen. Scherzhaft aufgefaßt als Freilassung eines wilden Tieres. 1950 *ff.*

allmächtig *adj* sehr umfangreich; gewaltig. Eigentlich soviel wie „unumschränkte Macht besitzend". Übertragen auf Gegenstände gewaltigen Ausmaßes (ein allmächtiger Baum; ein allmächtiger Felsbrocken u. ä.). 19. Jh.

Al'lotria *pl* Späße, Ulk, Possen; ausgelassenes Treiben. Im 18. Jh. aus *griech* „allotrios = fremdartig" gebildet.

Alltagsgesicht *n* uninteressierte Miene; Gesichtsausdruck eines Menschen, der nur widerwillig oder gelangweilt seine Arbeit verrichtet. Irreführend so gemeint, als trage der Mensch nur an Sonn- und Feiertagen eine heitere, gelöste Miene zur Schau. Seit 1850.

Alltagsmuff *m* Freudlosigkeit des Alltags. ↗ Muff. 1970 *ff.*

Alltagstrott *m* Einerlei des Alltagslebens. ↗ Trott. 1920 *ff.*

Alma *f* **1.** Prostituierte. Der genaue Zusammenhang mit dem weiblichen Vornamen ist unbekannt. 1940 *ff.*

2. ~, spielst du Halma? = a) machst du mit? (Frage an ein Mädchen). 1960 *ff, jug.* – b) gehst du mit (mir) ins Bett? 1960 *ff, jug.*

Alma Marter *f* Universität. Umgewandelt aus „Alma Mater" mit Anspielung auf die engen Hörsaalbänke u. ä. 1960 *ff, stud.*

Almauftrieb *m* **1.** Betriebsamkeit der Skiläufer und Sonnenbadenden auf dem Gipfelplateau. Meint eigentlich das Auftreiben des Weideviehs auf die Alm. 1960 *ff.*

2. großer ~ = festliche Gala-Premiere. 1920/ 30 *ff. südd.*

Almosen *n* **1.** Sold. Anspielung auf die angeblich geringe Höhe der Löhnung. Man betrachtet sie als Armengabe oder milde Spende. *BSD* 1960 *ff.*

2. ~ geben (spenden) = einer liebesgierigen Frau beischlafen. 1800 *ff.*

Almosenbeutel *m* Hodensack. *Vgl* das Vorhergehende. 19. Jh.

Almosenbretter *pl* **1.** Hände. Meint vor allem sehr breite Hände, vergleichbar den Opfertellern der kirchlichen Kollekte. 1914 *ff.*

2. trinkgeldheischende Hände des Kellners und anderer Personen. 1950 *ff.*

Almosenverteiler *m* Mann, der sich keine Gelegenheit zum Geschlechtsverkehr entgehen läßt. ↗ Almosen 2. 19. Jh.

Almstier *m* aufgeputzt wie ein ~ = geschmacklos- bunt gekleidet. *Vgl* ↗ Pfingstochse. 1950 *ff.*

A . . . loch *n* Schimpfwort. Gemeint ist „↗ Arschloch". 1900 *ff.*

Alpen-Dollar *m* österreichischer Schilling. Zwischen den beiden Weltkriegen aufgekommen.

Alpenfex *m* Alpinist *(abf).* ↗ Fex 1. 19. Jh.

Alpenomelette *n* Kuhfladen. *Südd* 1920 *ff.*

Alpenrubel *m* Schweizer Franken. 1945 *ff.*

Alpenschnulze *f* rührseliger Hochgebirgsfilm o. ä. ↗ Schnulze 1. 1955 *ff.*

Alphabet *n* Hodensack. Etwa im Sinne von „das A und O des Mannes". *Sold* 1939 *ff* und ziv.

Alptraumfabrik *f* Herstellungsstätte von Gruselfilmen. Zusammengesetzt aus „Alptraum" und „↗ Traumfabrik". 1950 *ff.*

als ob *konj* mir ist als ob = **1.** ich ahne Ungutes. Verkürzt aus „als ob es ein Unglück gäbe" o. ä. 1910 *ff.*

2. ich sehne mich nach Beischlaf. Verkürzt aus „als ob mir Geschlechtsverkehr guttäte". 1910 *ff.*

Alsche *f* Mutter, Meisterin o. ä. ↗ Altsche. *Nordd* seit dem späten 19. Jh.

alstern *intr* **1.** weitschweifig reden. Herzuleiten vom Flußnamen Alster. Weitschweifige Redeweise gilt als Kennzeichen der Hamburger. 1900 *ff.*

2. sich nicht (nicht offen) äußern mögen, mit der Antwort zögern. 1900 *ff.*

alt *adj* **1.** leidig, unangenehm, widerlich. Epitheton zu allen möglichen Schimpfwörtern. Man will zum Ausdruck bringen, daß der Betreffende seit langem als ein solcher bekannt ist, wie ihn das Substantiv bezeichnet. Vor allem *nordd,* 19. Jh.

2. Epitheton der Vertrautheit, der Anerkennung usw. (alter Freund; altes Haus u. ä.). 19. Jh.

3. etw auf ~ frisieren = etw in betrügerischer Absicht älter erscheinen lassen, als es den Tatsachen entspricht. ↗ frisieren. 1900 *ff.*

4. er ist nicht ~ zu kriegen = er ist unverwüstlich jung. 1930 *ff.*

4 a. Möbel auf ~ quälen = Möbeln mit künstlichen Mitteln ein altes (antikes) Aussehen verleihen. 1950 *ff.*

5. hier werde ich nicht ~ = in dieser Stellung bleibe ich nicht lange; ich muß mit baldiger Versetzung (Entlassung) rechnen. 1900 *ff.*

6. hier werde ich heute nicht ~ = heute gehe ich frühzeitig ins Bett; ich bleibe heute nicht lange im Wirtshaus. Seit dem späten 19. Jh.

altbacken *adj* rückständig, veraltet; abgenutzt, langweilig. Wohl hergenommen vom altbackenen Brötchen (o. ä.), das zäh und trocken ist und den Appetit nicht reizt. 19. Jh.

altbesoffen *adj* vom vorhergehenden Tag noch betrunken. 1950 *ff.*

Altchen *n* bejahrter Mensch (Kosewort). 1900 *ff.*

altdeutsch *adj* **1.** biedermännisch, treuherzig, harmlos. Eigentlich soviel wie „von alter deutscher Art", wie man sie vor allem seit den Freiheitskriegen beschwor. 1840 *ff.*

2. sonderbar, auffallend. Der Moderne ist die „altdeutsche Art" so ferngerückt, daß sie nur noch als wunderlich aufgefaßt wird. Etwa seit 1900.

3. gehörig, kräftig, kernig. Etwa seit 1933 üblich geworden unter dem Einfluß des NS-Germanenkults.

4. veraltet, rückständig, unmodern. 1945 *ff.*

5. ~ beischlafen = auf die üblichste Art koitieren. ↗ altdeutsch 2. 1920 *ff.*

6. eine ~e Gesinnung haben = auf Tradition halten. ↗ altdeutsch 2. 1920 *ff.*

7. ~ reden = ohne Umschweife, geradezu reden. 1933 *ff.* ↗ altdeutsch 3.

Alte *f* **1.** Mutter. Spätestens seit 1800.

2. Ehefrau. 18. Jh.

3. Frau (Kosewort). 1900 *ff.*

4. feste Freundin; Geliebte. *Halbw* 1950 *ff.*

5. Bordellwirtin. 19. Jh.

6. Treff-Dame (= Kreuz-Dame). Sie ist die höchste Karte in einem Spiel, in dem die Damen die höchsten Trümpfe sind. 19. Jh.

7. geile ~ = sympathisches, gut aussehendes Mädchen. „Geil" bezieht sich auf Kleidung und/ oder Benehmensart, die erotisch anziehend bis sexuell aufreizend wirkt. *Jug* 1950 *ff.*

8. die gute ~ = Transportflugzeug Ju 52. ↗ Tante. *Sold* 1939 *ff.*

9. scharfe ~ = gut aussehendes Mädchen. ↗ scharf. *Jug* 1950 *ff.*

10. der ~n reichlich geben = oft koitieren. Rocker 1965 *ff.*

11. die ~ aus dem Nest jagen = so lange Trumpf ziehen, bis die Treffdame (↗ Alte 6.) fällt. Kartenspieler 19. Jh.

Alte *pl* die Eltern; die Erwachsenen. *Jug* 19. Jh.

Alter I *m* **1.** Vater. 1500 *ff.*

2. Ehemann; Vorgesetzter; Meister; Brotgeber; Kompaniechef; Schulleiter; Kapitän; Betriebsleiter u. ä. 1800 *ff.*

3. Mann (Kosewort). 19. Jh.

4. fester Freund; Geliebter. *Halbw* 1950 *ff.*

5. freundschaftliche Anrede unter männlichen Heranwachsenden. 1950 *halbw.*

6. Soldat mit Fronterfahrung; Altgedienter. *Sold* 1920 *ff.*

Alter II *n* **1.** gefährliches ~ = a) die Jahre zwischen dem 40. und 50. Lebensjahr (auf eine Frau bezogen). 1920 *ff.* – b) geschlechtliche Erregungszustände nach den Wechseljahren. 1910 *ff.*

2. ~ schützt vor Torheit nicht = Alter schützt vor Torheit nicht. Hieraus scherzhaft umgemodelt. 19. Jh.

3. das ~ vertuschen = durch Gebrauch kosmetischer Mittel das wirkliche Lebensalter nicht erkennen lassen. Wortspielerei mit zwei Bedeutungen eines Worts: „vertuschen = verdecken, verbergen" und „vertuschen = mit Wasserfarbe übermalen". *Jug* 1955 *ff.*

Alternativ|er (Alternativos) *pl* Leute, die außerhalb der herrschenden gesellschaftlichen (politischen) Ordnung zu leben suchen. 1975 *ff.*

Altersschnulze *f* rührselige Schilderung aus dem Leben alter Menschen. ↗ Schnulze 1. 1960 *ff.*

Altersspeck *m* Rundlichkeit älterer Leute. Dem Begriff „Babyspeck" nachgebildet. 1910 *ff.*

altfadrisch *adj* überkommen, unmodern (auf Tanzweisen bezogen). Wohl aus „altväterlich" umgestaltet unter Einfluß von „fade". *Öster* 1955 *ff.*

altfränkisch (altfränksch) *adj* veraltet, rückständig, unmodern. Im 14. Jh. aufgekommen als Protestwort gegen die neumodischen französischen Rittersitten.

Altherrenbrause *f* Bier. Was den Kindern

die Brauselimonade, ist den Erwachsenen das Bier. 1965 *ff, jug.*

Altherrenspeck *m* Beleibtheit (Fettansatz) älterer Männer. *Vgl* Altersspeck. 1935 *ff.*

Altherrenstart *m* langsames Steigen des Flugzeugs. Fliegerspr. 1935 *ff.*

Alt-Herren-Stiefel *m* einen ~ spielen = langsam und schwunglos Fußball spielen. 1963 *sportl.*

Altmaterial *n* 1. Prostituierte in vorgerückten Jahren. Hat nur noch Schrottwert. 1940 *ff.* 2. ~ mit sich rumschleppen = Geschoßsplitter im Körper haben. Entpathetisierung. *Sold* in beiden Weltkriegen und danach.

Altmerker *m* Mensch mit langsamer Auffassung. Er merkt die Sache erst, wenn sie alt ist. Seit dem späten 19. Jh.

altmodern *adj* nicht sehr modern; altertümlich. 1920 *ff.*

Altsche *f* Hausfrau, Ehefrau, Mutter. „-sche" ist die Endung der volkstümlichen Bezeichnung für weibliche Personen (die Müllersche ist die Frau Müller). 19. Jh, vorwiegend *nordd.*

Alt-Schöne *f* gealterte (Film-)Schauspielerin, die ihren Charme nicht verloren hat. 1960 *ff.*

Altsippe *f* Erwachsene, Eltern u. ä. *Jug* 1960 *ff.*

Alttier *n* Frau nach der ersten Schwängerung; verheiratete Frau; bejahrte Frau. Meint in der Jägersprache die erwachsene Hirschkuh nach der ersten Brunft. 1900 *ff.*

Altvater *m* Student mit hoher Semesterzahl ohne Abschlußexamen. Eigentlich der Ahnherr. *Stud* 1960 *ff.*

Altvordere *pl* die Eltern. Eigentlich Bezeichnung für die Vorfahren. *Halbw* 1955 *ff.*

Altweiberspeck *m* Beleibtheit älterer Frauen. 1910 *ff.* Vgl ⁊ Babyspeck.

Altweibertanz *m* Witwenball. 1900 *ff.*

am *präp* 1. ich bin am Arbeiten (Spielen, Lesen o. ä) = ich bin mit Arbeiten usw. beschäftigt. Mit dieser volkstümlichen Konstruktion kennzeichnet man die Tätigkeit als anhaltend: die Handlung hat begonnen und dauert fort. 19. Jh. 2. die Kuh am Schwanz am Stall am raus am ziehen am tun: Spottwendung auf die grammatischen am-Formen (eigentlich: die Kuh am Schwanz zum Stall herausziehen). 1900 *ff.*

Amateur *m* 1. Soldat auf Zeit. Übertragen von der Bezeichnung für einen Sportler, der den Sport nicht berufsmäßig ausübt, nicht zum Gelderwerb nutzt. *BSD* 1960 *ff.* 2. *pl* = Reservisten. *BSD* 1960 *ff.*

Amateurflittchen *n* leichtlebiges Mädchen ohne Prostituierteneigenschaft. ⁊ Flittchen. Ist kein „Profi". 1930 *ff.*

Amateurfose *f* Gelegenheitsprostituierte. ⁊ Fose. *Sold* 1935 *ff.*

Amateurfotze *f* Gelegenheitsprostituierte. ⁊ Fotze. 1935 *ff.*

Amateurganove *m* Verbrecher ohne ausreichende Vorkenntnisse. ⁊ Ganove. 1930 *ff.*

Amateurgauner *m* Nichtberufsverbrecher. ⁊ Gauner. 1930 *ff.*

Amateurnomade *m* Campingfreund. Er nomadisiert aus freien Stücken. 1955 *ff.*

Amateurnutte *f* junge nichtgewerbsmäßige Prostituierte. ⁊ Nutte. 1930 *ff.*

Amateuse *f* 1. amtlich nicht kontrollierte (gelegentlich tätige) Prostituierte. 1930 *ff.* 2. Prostituierte, die mehr als einen festen Freund hat. 1930 *ff.*

Amazone *f* weibliche Person, die die Stelle des Mannes einnimmt. Eigentlich Angehörige eines sagenhaften kriegerischen Frauenvolks. Hieraus entwickelte sich die Bedeutung „herrschsüchtig"; auch „eigenmächtig, selbständig, emanzipiert"; gelegentlich auch mit dem Nebensinn „Mannweib" verquickt. 1920 *ff.*

Amazonenehe *f* Ehe, in der der Mann zu allen häuslichen Verrichtungen herangezogen wird. 1910 *ff.*

Amazonen-Po *m* mit kurzem Spitzenröckchen und Höschen bedecktes Gesäß der Tennisspielerin. ⁊ Po 1. 1960 *ff.*

Ambulante *f* freischaffende ~ = unkontrollierte Prostituierte. „Ambulante" meint eigentlich die Straßenprostituierte; die freischaffende arbeitet nicht „stationär", ist also unabhängig von einem Bordell. 1930 *ff.*

Ameise *f* 1. betriebsamer Mensch. 1900 *ff.* 2. blaue ~n = Chinesen. Anspielung auf Fleiß, Ausdauer, Schwerarbeit u. ä. „Blau" ist wohl von der Farbe der Arbeitskleidung abgeleitet. 1960 *ff.* 3. fliegende ~ = Kleinauto. 1937 *ff.* 4. ~n im Hintern (o. ä.) haben = nicht ruhig sitzen können; sich keine Pause gönnen; es eilig haben. Ameisen sind unstet und kribbelig. 19. Jh. 5. ~n in der Hose haben = nicht stillsitzen können. 19. Jh. 6. ~n in die Hose kriegen = ungeduldig werden. Seit 1900.

Ameisendorf *n* Campingplatz. 1960 *ff.*

Ameisengorilla *m* Kleinwüchsiger. Groteske Bezeichnung. *Schül* 1950 *ff.*

Ameisenhandel *m* Rauschgifthandel über Verteilerringe. 1974 *ff.*

Amen *n* 1. das ist so sicher wie das ~ in der Kirche (in der Bibel, im Gebet) = das ist ganz bestimmt; das ist mit Sicherheit zu erwarten. Hergenommen vom häufigen und regelmäßigen Gebrauch des Wortes „Amen" im christlichen Gottesdienst. Spätestens seit 1700. 2. dann ~! = dann ist's gänzlich vorbei; dann ist keine Besserung mehr zu erwarten. „Amen" als Schlußwort in Gebeten entwickelt sich zur Bedeutung „Ende". 1950 *ff.*

Ami I *m* 1. unsympathischer Mensch. Stammt aus *franz* „ami = Freund" und hat im Deutschen ironische oder wertverschlechternde Bedeutung angenommen. 19. Jh. 2. Hundename. 19. Jh. 3. nordamerikanischer Soldat. In Deutschland seit 1943 übliche Verkürzung. 4. angerauchter ~ = nordamerikanischer Neger. Das Adjektiv leitet sich her von der im Gebrauch sich in Brauntönen verfärbenden Tabakspfeife. 1945 *ff.* 5. dicker ~ = nordamerikanisches Auto mit hoher Motorleistung. „Dick" spielt auf die breite Bauweise an. 1950 *ff.* 6. fieser ~ = unsympathischer, charakterloser Mann. ⁊ Ami 1; ⁊ fies 1. Vor allem *westd,* 19. Jh. 7. ungebleichter ~ = nordamerikanischer Neger. Stammt aus *engl* „unbleached American", wie man anfangs den Indianer nannte; seit 1914 bezeichnete das Wort

den amerikanischen Soldaten dunkler Hautfarbe. *Sold* 1939 *ff.*

Ami II *f* 1. Großmutter (Kosewort). Ablautende Nebenform zu ⁊ Omi. 19. Jh. 2. nordamerikanische Zigarette. 1945 *ff.*

Amibändchen *n* schwarzes Halsband für Frauen. Solche Halsbänder bekamen vielfach die Stubenhunde; *vgl* ⁊ Ami I 2. 19. Jh.

Amidämchen *n* deutsche Freundin eines US-Besatzungssoldaten. ⁊ Ami I 3. ⁊ Dämchen. 1945 *ff.*

Amidampfer *m* breitgebautes US-Luxusauto. ⁊ Ami I 3. ⁊ Dampfer. 1950 *ff.*

A'mieze *f* intime Freundin. Zusammengesetzt aus *franz* „amie" und *dt* ⁊ Mieze 3. *Jug* 1960 *ff.*

Ami-Fräulein *n* deutsche Freundin eines US-Besatzungssoldaten. ⁊ Ami I 3. ⁊ Fräulein. 1945 *ff.*

Am'igo *m* fester Freund. Aus dem Spanischen übernommen. 1920 *ff.*

Amikaffee *m* US-amerikanischer Bohnenkaffee. 1945 *ff.*

Amikippe *f* Endstück einer US-Zigarette. ⁊ Kippe 1. 1944 *ff.*

Amikreuzer *m* US-Luxusauto. Analog zu ⁊ Amidampfer. 1950 *ff.*

Amikutsche *f* US-Luxusauto. 1950 *ff.*

Amimädchen *n* deutsche als intime Freundin eines nordamerikanischen Soldaten. 1945 *ff.*

A'mine *f* Freundin eines amerikanischen Soldaten. Gilt als weibliche Form von ⁊ Ami I 3. Nach 1945.

Amizigarette *f* nordamerikanische Zigarette. 1944 *ff.*

'Amizone *f* nordamerikanische Besatzungszone in Deutschland. 1945 *ff.*

Ami'zone *f* deutsche Liebschaft eines amerikanischen Besatzungssoldaten. Wortspiel mit Amazone. Nach 1945 aufgekommen.

Ammenbier *n* 1. Milch. Gegenwort zum männerüblichen Bier. 1870 *ff.* 2. Malz-, Nährbier; leichtes, dünnes Bier. Wird von Ammen nicht verschmäht. 1870 *ff.* 3. Schnaps. 1900 *ff.*

Ammenmacher *m* Mädchenjäger, -verführer. Fußt auf der Tatsache, daß uneheliche Mütter als Ammen verwendet wurden. 19. Jh.

Ammenschlaf *m* Schlaf, aus dem man sofort aufwacht, wenn ein bestimmtes Geräusch ans Ohr dringt. Ammen waren (sind) für leichten Schlaf bekannt. 1920 *ff.*

Amo *m* häßliches, widerliches Gesicht. Zusammengesetzt aus den Anfangsbuchstaben von „Arsch mit Ohren". 1900 *ff.*

Amöbe *f* 1. Kleinauto. Amöben bewegen sich langsam fort. *Halbw* 1955 *ff.* 2. schleimen wie eine ~ = langsam begreifen. *Schül* seit 1955.

Amor *m* 1. Penis. Wohl hergenommen von Gott Amor mit dem Liebespfeil. 19. Jh, *rotw* und *prost.* 2. ~s fünfte Kolonne = die Prostituierten. ⁊ Kolonne. 1960 *ff.* 3. ~s Pfeil = Penis. Meint eigentlich die plötzlich erwachende Liebe. 19. Jh. 4. ~ auf Hochtouren = Flitterwochen. 1900 *ff.* 5. ~ auf Urlaub = gänzlicher Mangel an erotischen Gelegenheiten. *Sold* 1939 *ff.*

A'möse *f* intime Freundin eines US-Besatzungssoldaten. Zusammengesetzt aus „Ami" und „⁊ Möse". 1945 *ff.*

ampeln *intr* zappeln. Meint eigentlich „Hände (und Füße) eifrig bewegen, um etw zu erlangen". Mutmaßlich hergeleitet von der alten Signalsprache der Seefahrt: bei Tageslicht werden Flaggen geschwenkt, bei Nacht Ampeln, deren kundige Handhabung durch den Signalgast (Vorläufer des Bordfunkers) dem Laien nur den Eindruck „hüpfender, zappelnder Lichter" vermittelt. Sprachlicher Einfluß von „hampeln" (↗ Hampelmann) kommt hinzu. 18. Jh.

Ampelschreck *m* Kraftfahrzeug mit langsamem Anzugsmoment. 1960 *ff*.

Ampelsünder *m* Kraftfahrer, der bei Gelb oder Rot über eine Kreuzung fährt. ↗ Sünder. 1960 *ff*.

Ampelwald *m* Gesamtheit der Verkehrsampeln. ↗ Wald. 1955 *ff*.

amputiert *adj* adoptiert. *Vgl* ↗ adoptiert. *Sold* 1939 *ff*.

Amt *n* **1.** ~ für Liebesübungen = Bordell. Wohl aus „Amt für Leibesübungen" umgestaltet. 1930 *ff*.
2. ~ für Menschenhandel = Arbeitsamt. Nach 1933 aufgekommen wegen der Dienstverpflichtungen; gegen 1960 wiederaufgelebt im Zusammenhang mit dem Einsatz der ausländischen Arbeitnehmer.

Ämterfilz *m* Häufung vieler amtlicher Funktionen in einer einzigen politischen Person. ↗ Filz 6. 1970 *ff*.

amtlich *adj* **1.** das ist ~ = das steht fest, ist sicher; darauf kannst du dich verlassen. Amtliche Verlautbarungen gelten im allgemeinen als verbindlich. Seit dem späten 19. Jh.
2. er tut, als ob er's ~ hätte = er tut so, als sei jeglicher Zweifel unangebracht. 1950 *ff*.

Amts-Chinesisch *n* schwerverständliche Behördensprache. ↗ Chinesisch; etwa seit 1930.

Amtsdeutsch *n* schlechtes, geschraubtes, weitschweifiges Deutsch. 19. Jh.

Amtsgesicht (-miene) *n (f)* würdige, gewichtige Miene. 19. Jh.

Amtshilfe *f* ~ leisten = dem Mitschüler vorsagen. Meint eigentlich die wechselseitige Hilfsverpflichtung von Behörde zu Behörde. *Schül* 1945 *ff*.

Amtskarosse *f* Dienstwagen. Karosse = Prunkwagen. 1960 *ff*.

Amtsrobe *f* Berufskittel. Eigentlich der Talar des Richters. 1930 *ff*.

Amtsschimmel *m* **1.** Bürokratismus. Im späten 19. Jh aufgekommen, wohl wegen der Bezeichnung „simile" für die amtlichen Vordrucke in Österreich; wer sich nach dem vorgedruckten Schema richtete, hieß „Similereiter", was zu „Schimmelreiter" verschoben wurde und schließlich zum „Amtsschimmel" führte. Nach anderer Deutung bewahrt das Wort die Erinnerung an die ehemals berittenen eidgenössischen Boten.
2. praller ~ = besonders merkbare Beamtenpedanterie. 1955 *ff*.
3. wiehernder ~ = starrer Bürokratismus. 1950 *ff*.
4. der ~ hat ausgewiehert = dem starren Bürokratismus ist ein empfindlicher Stoß versetzt worden. 1950 *ff*.
5. der ~ trabt = der Bürokratismus ist am Werke. 1945 *ff*.
6. der ~ wiehert = der Bürokratismus offenbart sich auf typische Weise; der Bü-

rokratismus gibt Anlaß zu wieherndem Gelächter oder zu Unmut. 1950 *ff*.

Amtsschimmelkäse *m* **1.** unbefriedigender, auf Paragraphen verweisender Behördenbescheid. *Vgl* ↗ Amtsschimmel 1. und ↗ Käse 6. *Südd* seit etwa 1960.
2. amtlicher Fragebogen mit nicht erkennbar sinnvollen Fragestellungen. 1970 *ff*.
3. ↗ Papierkrieg mit Behörden; Schriftverkehr und dessen Ablage (Ordner, Kartei). Um 1970 *ff*.

Amtsschimmelreiter *m* (enggeistiger) Beamter, der sich überstreng an Paragraphen und Verordnungen hält. Zusammengesetzt aus „Amtsschimmel" und „Schimmelreiter" (Titel einer Novelle von Theodor Storm). 1900 *ff*.

amüsabel *adj* vergnüglich, erheiternd, lustig. Von Studenten um 1900 dem Muster von „blamabel", „respektabel" o. ä. nachgebildet.

Amüsier-Adel *m* Begüterte, die sich keine gesellschaftliche Zerstreuung entgehen lassen; vergnügungssüchtige Neureiche. Als Nichtadlige lieben sie einen Aufwand, den früher nur die Aristokraten „von Geblüt" zu entfalten vermochten. 1955 *ff*.

Amüsierdame *f* Prostituierte (in wohlhabenden gesellschaftlichen Kreisen). 1910 *ff*.

Amüsierfleisch *n* gefällige weibliche Personen in anrüchigen Lokalen. 1920 *ff*.

Amüsiergriffel *m* Finger. Anspielung auf intimes Betasten. ↗ Griffel 1. 1920 *ff*.

Amüsierkanone *f* hervorragender Unterhalter in einer Gesellschaft. ↗ Kanone 1. 1950 *ff*.

Amüsierkeller *m* anrüchiges Lokal. 1920 *ff*.

Amüsiermädchen *n* Tischdame in anrüchigen Lokalen; Prostituierte. 1920 *ff*.

Amüsiermatratze *f* Prostituierte; sehr leichtlebiges Mädchen, das in der Wahl der Geschlechtspartner wenig wählerisch ist. ↗ Matratze. Etwa seit 1900, *stud* und *sold*.

Amüsiernudel *f* vergnügungssüchtige, lebenshungrige weibliche Person. ↗ Nudel. 1950 *ff*.

Amüsierrübe *f* Penis. ↗ Rübe. 1900 *ff*.

Amüsierrummel *m* Vergnügungsgewerbe o. ä. ↗ Rummel. 1960 *ff*.

Amüsierschuppen *m* zum Ballsaal umgestaltete Halle; Amüsierlokal. ↗ Schuppen. 1950 *ff*.

Amüsiertempel *m* Nachtbar, Kabarett. 1950 *ff*.

an I *präp* mit wenig an = spärlich bekleidet. „An" ist verkürzt aus „angekleidet". 1920 *ff*.

an II *adj* angezündet. Hieraus verkürzt. Oft in der Form „die ane Lampe", auch „die annne Lampe". 19. Jh.

Ananas *f* deutsche ~ = Kohl-, Runkel-, Steckrübe. Scherzhaft wertsteigerndes Konkurrenzwort. Im Ersten Weltkrieg aufgekommen, als die Rüben zum wichtigsten Nahrungsmittel wurden; noch heute geläufig.

Anatomie *f* **1.** Körperbau. Meint eigentlich die Wissenschaft vom Bau der menschlichen Körperteile und Organe. Die seit 1920 gültige neue Bedeutung scheint von *engl* „anatomy" beeinflußt zu sein.
2. anstrengende ~ = üppig entwickelter Frauenbusen. „Anstrengend", weil da viel zu besehen oder zu betasten ist. 1955 *ff*.

3. prächtige ~ = üppige Form von Busen und Gesäß. 1920 *ff*.
4. straffe (stramme) ~ = überaus üppig entwickelter Frauenbusen. 1920 *ff*.
5. ~ studieren = einer weiblichen Person ins Dekolleté blicken. 1920 *ff*.

anbammeln *refl* die Kriegsorden anlegen. ↗ bammeln. *Sold* in beiden Weltkriegen.

Anbändelei *f* Liebesannäherung. ↗ anbandeln. 19. Jh.

Anbändel-Korso *m* Promenierstraße, auf der die Geschlechter Bekanntschaft schließen können. ↗ anbandeln. 1950 *ff*.

anbandeln (anbändeln) *intr* mit jm ~ = a) mit jm eine Liebelei beginnen. Leitet sich her vom Anknüpfen eines Bandes, des Liebes- und Freundschaftsbandes, auch vom sinnbildlichen Tausch von Liebesbändern. Die Form „anbandeln" herrscht in Österreich und Bayern vor. 1800 *ff*. – b) mit jm Streit anfangen. Variante zu „↗ anbinden 1". 1800 *ff*.

Anbandelpiste *f* Liebesabenteuer bekannte Wintersportgegend. 1960 *ff*.

Anbau *m* **1.** Kropf. 19. Jh.
2. Buckel. 19. Jh.
3. Leib der Schwangeren. 1900 *ff*.

anbauen *v* **1.** *tr* = etw hinzustellen (einen Tisch oder Stuhl); die Tischrunde für Hinzukommende vergrößern. 1900 *ff*.
2. *intr* = verschlossene Lokale mit Diebesinstrumenten zu öffnen suchen; sich zum Stehlen anschicken. Da „bauen" die Bedeutung „bewerkstelligen" hat, meint der Ausdruck „anbauen" soviel wie „mit dem Bewerkstelligen beginnen". *Rotw* 1800 *ff*.
3. *tr intr* = zeugen, schwängern. 1900 *ff*. ↗ Anbau 3.

anbehalten *tr* ein Kleidungsstück nicht ablegen. Verkürzt aus „(die Kleidung) am Körper behalten". 14. Jh.

anbeißen *v* **1.** *intr* = sich bereit finden; sich anlocken lassen; eine günstige Gelgenheit ergreifen; auf einen Liebesantrag eingehen. Hergenommen vom Köder, auf den der Fisch anbeißt. 17. Jh.
2. *intr tr* = sich etw unberechtigt aneignen; jm etw wegnehmen. Wohl herzuleiten vom Fisch, der den Köder von der Angel beißt, ohne sich am Haken zu verfangen. 1930 *ff*.
3. zum ~ sein = appetitlich, verlockend, reizvoll sein. Der Ausdruck wird gewöhnlich auf Mädchen bezogen und dürfte auf der früheren Sitte beruhen, einander Äpfel zu schenken; biß das Mädchen den Apfel an, nahm es die Werbung an. 19. Jh.
4. zum ~ hübsch (süß o. ä.) = sehr anziehend (auf weibliche Personen bezogen). 1900 *ff*.

Anbeterleiste *f* Leiste oder Schiene am Bartisch. Auf sie gestützt, blicken die Männer anbetend zu den Bardamen auf. 1955 *ff*, *stud*.

anbinden *v* mit jm ~ = a) mit jm Streit anfangen. Hergenommen von der Fechtkunst: man bindet mit dem Gegner die Klinge, so daß beide Klingen kreuzweise übereinanderliegen. 18. Jh. – b) mit jm in geschäftliche Verbindung treten; mit jm Freundschaft schließen. 19. Jh.

Anbiß *m* Kauflust. ↗ anbeißen 1. 1920 *ff*.

anblasen *tr* **1.** jn ~ = jn anherrschen. Vom heftigen Luftausstoß wird auf den heftigen Charakter der Worte geschlossen. 16. Jh.

2. jn ~ = fellieren. ↗blasen. 1920 ff.
3. jn ~ = schwängern. Eigentlich soviel wie „die Füllung des Ballons (hier = Leib) beginnen". Rotw 1920 ff.
4. ich blase dich an, da gehst du drei Tage rückwärts!: Drohrede eines, der mit seiner Kraft prunkt. Schül 1930 ff.

anblecken tr jn anherrschen. Blecken = die Zähne fletschen. 1900 ff.

anbleiben intr **1.** brennen bleiben. Verkürzt aus „angezündet bleiben". 19. Jh.
2. nicht ausgezogen werden. Vornehmlich von Kleidungsstücken gesagt: „Der BH bleibt an = der BH wird nicht abgelegt". Verkürzung; vgl ↗anbehalten (tr) und ↗aufbleiben 3. Seit dem 19. Jh.

Anblick m **1.** sehenswerter Mensch oder Gegenstand; anziehendes Mädchen. Verkürzt aus „schöner Anblick". Halbw 1955 ff.
2. ein ~ für Götter = ein besonders schöner Anblick (auch iron). Wohl dem „↗Schauspiel für Götter" nachgebildet. Seit dem ausgehenden 19. Jh.

anblitzen tr jn anherrschen. Eigentlich „mit funkelndem Auge anblicken"; wohl analog zu ↗andonnern 1. 1900 ff.

anblödeln tr jn auf dümmliche Weise ansprechen; jn einfältig anstarren; jn verulken (wollen). ↗blödeln. Vor allem schül und stud seit 1900.

anblümeln ('o'bleameln) tr jn veralbern; jn belügen. Meint soviel wie „verblümt äußern". Bayr und schwäb, spätestens seit 1900.

anbohren tr **1.** jm Blut zur Blutprobe entnehmen. Analog zu „anzapfen". 1930 ff.
2. jn um etw (bei jm) ~ = etw von jm zu erlangen suchen; jn um Geld ansprechen, erpressen, mahnen. Parallel zu ↗anzapfen 2. 19. Jh.
3. jn befragen. Man stellt ihm bohrende Fragen. 19. Jh.
4. eine Sache ~ = eine Sache erfolgversprechend einleiten. Vielleicht hergenommen aus der Bergmannssprache: ein Flöz anbohren und fündig finden. 1950 ff.
5. jn entjungfern, schwängern. ↗bohren. 1900 ff.

anboxen tr einen Autozusammenstoß verursachen. Meint eigentlich „den Faust-, Boxkampf beginnen". 1920 ff.

anbrausen (angebraust kommen) intr eiligst, laut herbeikommen. Vergleichend hergeleitet von Sturm und/oder Meeresbrandung (vgl „viel ↗Wind machen"). 1910 ff.

anbrennen v **1.** jn ~ = jn entjungfern, schwängern. Eigentlich „zum Brennen bringen"; hier weiterentwickelt zu „Leidenschaftlichkeit entfachen". 19. Jh.
2. bei ihm ist etw angebrannt = er ist verstimmt. Hergenommen von der Stimmung angesichts angebrannten Essens. 1920 ff.
3. nichts ~ lassen = a) eine Arbeit nicht lange unerledigt liegenlassen. Weiterentwickelt aus „nicht rechtzeitig vom Feuer nehmen". 1900 ff. - b) sich nichts entgehen lassen; keine Beischlafgelegenheit versäumen; kein Mädchen unbeachtet lassen. Seit dem späten 19. Jh. - c) jeden Ball abwehren (auf den Torwart bezogen). Sportl 1920 ff.
4. intr = leidenschaftlich werden. Analog zu „Feuer fangen". 19. Jh.

anbrennt ('o'brennt) adj **1.** grundlos ein-

gebildet. In Bayern und Österreich verkürzt aus „angebrannt" im Sinne von ↗hirnverbrannt. 19. Jh.
2. dümmlich. 19. Jh.

anbrillen tr jn durch die Brille anblicken. 1930 ff.

Anbruch m Defloration; erster Beischlaf eines Mannes. Stammt aus der Bergmannssprache: Anbruch nennt man die Erschließung eines neuen Flözes. 1900 ff.

anbrummen tr jn barsch abfertigen; jn beschimpfen. Der Betreffende wird „brummig" (= mürrisch) behandelt. Seit dem späten 19. Jh.

anbuffen tr **1.** jn anherrschen, ausschimpfen. ↗buffen. 1910 ff.
2. jn deflorieren, schwängern. Stoßen = koitieren; anstoßen = anbuffen = erstmals stoßen. Seit dem späten 19. Jh.

anbuhen tr gegen jn laut Mißfallen äußern. ↗buhen. 1910 ff, schül, sportl, theaterspr. u. a.

anbummen tr jn schwängern. Analog zu ↗anbumsen 2. Österr 19. Jh.

anbumsen v **1.** intr = dumpf anklopfen; heftig anstoßen. ↗bumsen. 19. Jh.
2. tr = schwängern. ↗bumsen. Spätestens seit 1900.
3. tr intr = ein Auto anfahren; mit dem Auto auffahren. 1930 ff.

Andacht f **1.** mit ~ = a) mit Überlegung. Aus dem Begriff „Versenkung in religiöse Vorstellungen" entwickelt sich die Bedeutung „Aufmerksamkeit". 19. Jh. - b) mit Genuß. 19. Jh.
2. ~ halten = a) Rügen erteilen. Von der Gebetsstunde hergenommen: der Betreffende wird ins ↗Gebet genommen. Obendrein nimmt der zur Meldung Angetretene eine straff-feierliche Haltung ein. Sold 1914 ff. - b) Strafen verhängen. Sold 1914 ff.
3. stille ~ halten = sich in Haft (Arrest) befinden. Stille Andacht ist der Gottesdienst ohne Gesang, ohne Orgel und ohne Vorbeter. Sold 1914 ff.

Andachtsgasometer m Kirchengebäude in Rundform. Formähnlich mit dem Gaskessel. 1925 ff.

andackeln v **1.** jn ~ = jn betrügen; jds Dummheit ausnutzen. ↗Dackel. 1940 ff.
2. intr (auch: angedackelt kommen) = langsam herbeikommen. ↗dackeln. 1900 ff.

andenken tr etw flüchtig überlegen. Politikerdeutsch, 1976 ff.

Andenken n **1.** zurückgelassener Kothaufen. 1900 ff.
2. uneheliches Kind. Es ist ein Andenken an den Kindesvater. 1920 ff.
3. blauer (blutunterlaufener) Fleck, von einem Stoß oder Schlag herrührend. 1880 ff.
4. Erkennungsmarke. Sie ist ein Stück der Erinnerung an einen gefallenen Soldaten. BSD 1960 ff.
5. ~ von der (an die) Hand = heftige Ohrfeige, die Spuren im Gesicht hinterläßt. Vor 1900 aufgekommen.
6. im Körper = Geschoßsplitter im Körper; bleibende Kriegsverwundung. 1914 ff.
7. bleibendes ~ = a) hartnäckige Geschlechtskrankheit. 1910 ff. - b) außereheliches Kind. Einerseits als Andenken an den Vater aufzufassen, andererseits auch in Anspielung auf die monatlichen Unterhaltszahlungen. 1914 ff.

8. lebendes ~ = uneheliches Kind. 1919 ff.
9. ein ~ hinterlassen = a) einen Kothaufen ablegen. 1900 ff. - b) einen Darmwind entweichen lassen. 1930 ff. - c) einen Säugling zurücklassen, aussetzen. 1914 ff. - d) den Beischlafpartner geschlechtskrank machen. 1900 ff. - e) ein geschwängertes Mädchen verlassen. 1900 ff.

anders adv **1.** homosexuell. Euphemistisch gemeint. Seit dem späten 19. Jh.
2. sehr (der Film war anders schön; ich habe anders gestaunt). Aus „anders als gewöhnlich" entwickelt sich die Superlativgeltung „sehr". 19. Jh, südd.
3. ~ geartet = a) dumm. 1930 ff. - b) homosexuell. 1900 ff.
4. ihm ist ~ im Kopf (im Bauch) = er ist unpäßlich, elend. Nämlich „anders als normal". Seit dem späten 19. Jh.
5. es wird mir ~ = a) mir wird übel. Vgl das Vorhergehende. 19. Jh. - b) ich glaube es nicht. Gemeint ist, daß einem bei diesem Gedanken wohl ist. 1870 ff. - c) ich empfinde Wollust; die Ejakulation setzt ein. 1920 ff.
6. ~ gewickelt sein = anders sein als der Durchschnittsbürger. Andere Spulenwicklung erzeugt ein anderes elektro-magnetisches Feld. 1970 ff.
7. ich kann auch ~ = ich kann auch strenger sein. 1870 ff.

andersrum adv **1.** homosexuell. Spätestens seit 1900.
2. ~ denken = nicht streng vernunftgemäß denken; den Gedanken freien (gefühlsbetonten) Lauf lassen. 1972 Broschüre „Ferien mit Fantasie", herausgegeben vom Bundesgesundheitsministerium; der Ausdruck dürfte älter sein.

anderst adj präd ausgezeichnet, unübertrefflich. Das Gemeinte ist „sehr viel anders als üblich"; hieraus weiterentwickelt zur Bedeutung „außergewöhnlich". Jug 1950 ff, österr.

anderswo sein geistesabwesend sein. Der Betreffende ist mit seinen Gedanken irgendwo auf Reisen. 1920 ff.

anderthalbverrückt adj fanatisch. Möglicherweise von NS-Gegnern geprägt im Anschluß an die damals aufgegriffene Vokabel „hundertfünfzigprozentig". 1939 ff.

andibbern tr jn ansprechen. ↗dibbern. Rotw 1900 ff.

andienen v jm etw ~ = **1.** jm schmeicheln in Hoffnung auf materielle Vergeltung. 1950 ff.
2. jm etw aufschwatzen. 1950 ff.

'andi'niert sein angewidert sein. Entstellt aus franz „indigné = entrüstet, unwillig". Schül und stud 1950 ff, österr.

andonnern tr **1.** jn anherrschen, ausschimpfen. ↗donnern. 19. Jh.
2. jn schwängern. Analog zu ↗anbumsen 2. 1960 ff.

andösen v **1.** intr (auch: angedöst kommen) = langsam herbeikommen. ↗dösen. 1900 ff.
2. jn (einander) ~ = wortlos, träumend jn (einander) anblicken; jn (einander) langweilen. 1950 ff.

Andreas-Hofer-Brigade (-Artillerie, -Batterie, -Garde, -Verein) f Flak. Bezieht sich auf die schlechten Schießleistungen der Flak im Luftbeschuß. Hergenommen von Andreas Hofers letzten Worten an das französische Erschießungskommando:

„Ach Gott! Wie schießt ihr schlecht!". 1935 ff.

Andreas-Hofer-Fußball *m* Fußballspiel ohne Spannung und ohne Tortreffer. 1980 ff.

andrechseln *v* 1. jm etw ~ = jm etw in betrügerischer Absicht (z. B. beim Kartenspiel) zuschieben; jm etw zu überhöhten Preisen verkaufen. Analog zu ↗andrehen 2. 1850 ff.
2. einem Mädchen ein Kind ~ = eine Ledige schwängern. ↗drechseln. 19. Jh.

andrehen *v* 1. *tr intr* = den Penis zur Versteifung bringen. Wohl hergenommen vom Ankurbeln des Motors. 1935 ff, *prost.*
2. jm etw ~ = jm etw Minderwertiges aufschwatzen; mit List jm zu seinem Nachteil etw verkaufen oder geben. Der Listige dreht einen wertlosen oder schadhaften Gegenstand (stellt eine üble Sache so dar), daß der Interessent nur die vorteilhafte Seite zu Gesicht bekommt. Ein Zusammenhang mit der Redewendung „jm eine ↗Nase drehen" ist möglich. 15. Jh.
3. einem Mädchen eins (ein Kind) ~ = eine Ledige schwängern. Aus dem Vorhergehenden wird der Nebensinn des Listigen, Niederträchtigen und Betrügerischen deutlich. Seit dem späten 19. Jh.
4. jm eine ~ = jm eine Ohrfeige versetzen. Wahrscheinlich auf einen Schlag mit dem Handrücken bezogen, was früher als Herausforderung zu einem Ehrenhandel (Duell) galt. 1850 ff.
5. etw ~ = eine Sache einleiten, einfädeln. ↗andrehen 1. 1930 ff, auch *sportl.*

andrücken *intr* die Fluggeschwindigkeit erhöhen. Zu diesem Zweck drückt der Pilot gegen den Steuerknüppel. Fliegerspr. 1939 ff.

anecken *v* 1. *intr* = gegen den guten Ton verstoßen; jds Mißfallen erregen; unangenehm auffallen; Widerstand finden. Hergenommen vom Kegelspiel: durch Rückprall eine Gegenstand zu treffen (auch beim Billard), gilt als Verstoß gegen die Regeln. Auch meint „eckig" im Zusammenhang mit dem Benehmen soviel wie „nicht abgeschliffen; ungewandt". 19. Jh.
2. jn ~ = jn anstoßen. 19. Jh.

anekeln *tr* jn absichtlich kränken; jn ungehörig ansprechen; jn schlecht behandeln. Der Betreffende wird ekelerregend behandelt. 1900 ff.

anfahren *tr* 1. jn anherrschen, heftig zurechtweisen. Meint „auf jn heftig eindringen", verengt zu „jn mit Worten angreifen". 16. Jh.
2. etw auftischen. Meint eigentlich wohl „auf dem Servierwagen herbeibringen". 1850 ff.

Anfall *m* 1. ~ von Intelligenz = seltener Geistesblitz einer wenig intelligenten Person. 1935 ff.
2. ~ von Klarheit = lichter Moment (*iron*). 1935 ff.
3. ~ von Vernunft = Geistesblitz; lichter Augenblick. Seit dem späten 19. Jh.

anfangen *impers* so hat es angefangen = so hat die geistige Umnachtung (die Verrücktheit) begonnen. 1900 ff.

Anfänger *m* blutiger ~ = a) völlig Unerfahrener; dummer Mensch. ↗blutig. Seit dem späten 19. Jh. – b) Rekrut. *Sold* in beiden Weltkriegen und *BSD.*

anfärben (anfarbeln) *refl* sich schminken. 1700 ff.

Anfassen *n* Ausführung einer strafbaren Handlung; Diebstahl. ↗anfassen 1. *Rotw* 1900 ff.

anfassen *tr* 1. etw entwenden, auf unrechtmäßige Weise sich aneignen. Das Gemeinte wird mit klebrigen Fingern oder mit Gewalt angefaßt. *Rotw* 1800 ff.
2. du hast wohl bei Mutti angefaßt?: Frage an einen Kartenspieler, dessen Spielerglück ungewöhnlich groß ist. Nach einem Aberglauben der Spieler erringt man Spielerglück, wenn man die Vulva berührt. Seit dem späten 19. Jh.
3. ein Mädchen ~ = ein Mädchen intim betasten. Seit dem späten 19. Jh.
4. zum ~ sein = die unmittelbare Berührung mit den Bürgern (Gläubigen o. ä.) suchen; am nächster Nähe zu erleben sein. Der Papst „zum ~" begibt sich unter die Menge; Geschichte „zum ~" bietet die Ausstellung „Preußen" usw. 1979 ff.

anfauchen *tr* jn anherrschen. Übertragen vom bedrohlichen Fauchen der Katzen. 18. Jh.

anfechten *tr* jn anbetteln. ↗fechten 1. 1600 ff.

Anfechtung *f* 1. Bettelversuch. ↗anfechten. 1900 ff.
2. *pl* = Überfall, Angriff, Überrumpelung usw. Beruht auf dem Spiel mit zwei Bedeutungen eines Wortes: „Anfechtung" meint sowohl die Versuchung als auch die Bekämpfung. *Sold* 1939 ff.

anfegen *v* 1. *intr* (auch: angefegt kommen) = herbeieilen. ↗fegen 1. 1900 ff.
2. jn ~ = jn anherrschen. ↗fegen. 1900 ff.

anfeuern *tr* 1. jm Ohrfeigen versetzen. ↗feuern. 1950 ff.
2. jm Feuer reichen. Wortspielerei. 1930 ff.
3. jds Geschlechtslust erregen. Die allgemeine Bedeutung „jn ermuntern, antreiben" ist hier verengt auf „die Leidenschaft entfachen". *Sold* 1939 ff.

anfixen *tr* jn rauschgiftsüchtig machen. ↗fixen. 1968 ff.

anflegeln *tr* jn gröblich beleidigen; jn ungesittet ansprechen. Flegel nennt man den ungesitteten Mann. 1900 ff.

anflicken *v* jm etw ~ = jn tadeln; jn verleumden. Verkürzt aus der Redewendung „jm etw am ↗Zeug flicken". 19. Jh.

anflitzen (angeflitzt kommen) *intr* herbeieilen. ↗flitzen. 1800 ff.

anflöten *tr* 1. jn gewinnend ansprechen. ↗flöten. Seit dem späten 19. Jh.
2. jn anherrschen. Parallel zu ↗anpfeifen. 1900 ff.
3. jn sinnlich erregen. Bezieht sich wohl auf „Flöte = Penis". 1925 ff.

anflunkern *tr* jn belügen. ↗flunkern. 1900 ff.

anfressen *v* sich (einen Bauch o. ä.) ~ = beleibter werden. 19. Jh.

anfrotzeln *tr* jn anzüglich ansprechen. ↗frotzeln. Spätestens seit 1900.

anfühlen *tr* jn intim betasten. 19. Jh.

anführen *tr* jn hintergehen, täuschen, belügen, verulken o. ä. Verkürzt aus „jn an der ↗Nase führen". 19. Jh.

Anfurz *m* Rüge, Verweis, Anherrschung. ↗anfurzen. 1920 ff.

anfurzen *tr* jn heftig zurechtweisen, anherrschen. Alle Hervorbringungen des Menschen aus Mund, Nase, Penis und

After dienen der Umgangssprache zur Bezeichnung des Anherrschens. Seit dem späten 19. Jh, vor allem *sold.*

anfuttern *v* 1. (anfüttern) *tr* = jm Mut machen; jn durch geschickt ermöglichte Anfangserfolge oder Gefälligkeiten für sich selber gewinnen. Hergenommen vom Futter, mit dem man ein Tier eingewöhnen kann. 1850 ff.
2. sich ~ = reichlich essen; beleibt werden. ↗futtern. 1920 ff.

Angabe *f* 1. selbstgefällige Vorspiegelung von Reichtum, Können, Erfahrung u. ä. ↗angeben 3. Seit dem ersten Jahrzehnt des 20. Jhs, vielleicht von Berlin ausgegangen.
2. ~ ist auch eine Gabe = auch eitle Vorspiegelung ist ein Talent; man muß wissen, wie man sich aufspielen kann. 1920 ff.
3. die beste Gabe ist ~ = Selbstlob führt zum Erfolg. *Jug* 1930 ff.
4. ~ ist das halbe Leben = Prahlerei ersetzt ernsthafte Arbeit in hohem Maße. 1920 ff.

angeben *v* 1. *intr tr* = die erste Austeilung der Spielkarten vornehmen. Soviel wie „mit dem Geben beginnen". Kartenspielerspr. 19. Jh.
2. *intr* = reagieren, antworten; sich rühren. Hergenommen von der Jägersprache: der Hund gibt an, wenn er Laut gibt. 19. Jh.
3. *intr* = aus Eitelkeit Reichtum, Erfahrung, Können vorspiegeln; prahlen; sich aufspielen. Die Herkunft ist umstritten: das Wort kam früher vor in der Bedeutung „befehlen; angeben, welche Arbeit und wie sie zu verrichten ist"; ferner kann es verkürzt sein aus „den Ton angeben", wie es der Chorleiter tut. Sänger, Arbeiter (Gesellen) und Soldaten legten das Anordnen als ein Sichaufspielen aus. Wohl von Berlin um 1830/40 ausgegangen.
4. *intr* = übertreiben; sich wild gebärden; toben, lärmen, wüten. Leitet sich wohl her von der Bedeutung „befehlen; sich Befehlsgewalt zulegen". 1850 ff.
5. *intr* = schimpfen. Seit dem späten 19. Jh.
6. ~, daß die Fenster anlaufen = übermäßig prahlen. Vor solcher Prahlerei beginnen sogar die Fensterscheiben zu schwitzen. 1920 ff.
7. ~ wie sechs wilde Affen = stark prahlen. Anspielung auf die tobenden und kreischenden Affen im Zoo. 1920 ff.
8. ~ wie zehn nackte Affen = sich brüsten. *Jug* 1930 ff.
9. ~ wie tausend Affen (wie eine Kiepe voll Affen; wie eine Lore Affen; wie eine Steige voll Affen) = heftig lärmen; stark prahlen. 1920 ff.
10. ~ wie ein Wald voll Affen = sich aufspielen. Beeinflußt von „nicht für einen ↗Wald von Affen". 1920 ff.
11. ~ wie ein wildgewordener Affe = lärmen; prahlen. 1920 ff.
12. ~ wie ein wildgewordener Affenpinscher = prahlen. Affenpinscher toben possierlich. 1920 ff.
13. ~ wie ein Arschloch mit Dünnschiß = prahlen. Durchfall kann explosionsartig (laut) abgehen. *Sold* 1935 ff.
14. ~ wie eine Tüte Bienen = prahlen. Lautes Summen = starkes Prahlen. 1920 ff.

15. ~ wie Lord Blumenkohl = Reichtum lautstark vortäuschen. 1920 ff.

16. ~ wie eine offene Brause = sehr viel mehr scheinen wollen, als man ist. Die in der geöffneten Flasche Brauselimonade aufsteigenden und sich buchstäblich „in Luft auflösenden" Kohlensäurebläschen versinnbildlichen die Substanzlosigkeit. 1920 ff.

17. ~ wie ein Brummer an der Scheibe = lärmen; prahlen. Brummer = Brummfliege. 1920 ff.

18. ~ wie ein Brummer in einer Trommel = lärmen; laut prahlen. 1920 ff.

19. ~ wie ein Sack Flöhe = sich aufspielen. 1910 ff.

20. ~ wie eine Bürste ohne Haare = toben; unberechtigterweise sich brüsten. „Bürste ohne Haare" ist ein Widerspruch in sich; ähnlich unsinnig ist das Prahlen. 1920.

21. ~ wie eine Handvoll Dreck = ungebührlich prahlen. Dreck gilt als frech und dreist, weil er sich ungebeten auf die Kleidung der Fußgänger setzt. 1920 ff.

22. ~ wie ein Elefant = prahlen. Hergenommen von der lauten Stimme des Elefanten. 1920 ff.

23. ~ wie ein nackter Fürst = toben; prahlen. Ein Zusammenhang mit dem Märchen von „Des Kaisers neue Kleider" erscheint möglich. 1930 ff.

24. ~ wie ein Pfund Gehacktes = prahlen. 1930 ff.

25. ~ wie eine englische Gouvernante = sich mit seiner angeblichen Vornehmheit brüsten. *Nordd* 1920 ff.

26. ~ wie der Großmogul = mit seinem Geld prahlen. 1920 ff.

27. ~ wie ein wilder Hamster = sich aufspielen. 1920 ff.

28. ~ wie ein wildgewordener Handfeger = toben; prahlen. 1920 ff.

29. ~ wie eine unbenutzte Hure = seine Wut anhaltend und laut äußern. Prostituierte werden üblicherweise erst nach dem Beischlaf bezahlt und sind daher aufgebracht, wenn der Kunde den Beischlaf nicht vollzieht. 1920 ff.

30. ~ wie ein Irrer = lärmen und toben. 1920 ff.

31. ~ wie Graf Koks von der Gasanstalt = sich unecht-vornehm geben. ↗Koks. 1930 ff.

32. ~ wie eine Stange Lauch = lärmen. Lauch erzeugt Blähungen. 1930 ff.

33. ~ wie zehn wilde Männer = toben. 1930 ff.

34. ~ wie ein frischer Morgenwind = lärmen; prahlen. „Morgenwind" meint hier wohl den ersten am Morgen entweichenden Darmwind. 1930 ff.

35. ~ wie eine Lore Mücken = prahlen. 1930 ff.

36. ~ wie eine Tüte Mücken = a) prahlen; übertrieben berichten. Mücken (Fliegen) in geschlossener Tüte schwirren und summen und verursachen ein lautes Geräusch, als dessen Urheber man Fliegen nicht vermuten würde. 1910 ff. – b) wild schießen. *Sold* 1939 ff.

37. ~ wie eine Tüte voll toter Mücken = prahlen. 1930 ff.

38. ~ wie zehn Pfund nackte Mücken = poltern. 1920 ff.

39. ~ wie eine Tüte Mückenfett = prahlen. 1930 ff.

40. ~ wie eine Tüte voll Nackter (voll Nackiger) = toben, wüten. 1930 ff.

41. ~ wie ein gelernter Nazi = sich Wichtigkeit anmaßen; mit seinem (angeblichen) Können prunken. 1933 ff.

42. ~ wie ein nackter Neger (wie ein Dutzend nackter Neger; wie ein Waggon nackter Neger; wie zehn nackte Neger auf dem Fensterbrett; wie zehn nackte Neger in der Kiplore) = lärmen, toben. Hergenommen vom einstigen Auftreten vertragsgemäß sich wild gebärdender Negergruppen im Zirkus, auf Tierschaufesten, Jahrmärkten u. a. 1900 ff.

43. ~ wie ein ganzer Waggon nackter Oberlehrer = toben; mehr scheinen wollen als sein. 1930 ff, *schül.*

44. ~ wie ein Pudding in der Kurve = sich brüsten. 1930 ff.

45. ~ wie ein Pup im Schnupftuch = prahlen. 1930 ff.

46. ~ als wäre er Rothschild = den Eindruck eines überaus Wohlhabenden erwecken wollen. 1930 ff.

47. ~ wie Graf Rotz von der Backe = Wohlhabenheit, Vornehmheit u. ä. vortäuschen. ↗Rotz. 1930 ff.

48. ~ wie Rotz am Ärmel = dreist prahlen. 1930 ff.

49. ~ wie tausend Russen = wüst lärmen, kreischen. Abklatsch eines eingelernten Feindbildes. *Sold* 1941 ff.

50. ~ wie eine gesengte Sau = toben, prahlen. ↗Sau. 1930 ff.

51. ~ wie eine nackte Sau = lärmen; sich aufspielen; sich unnötig aufregen. 1930 ff.

52. ~ wie ein nackter (nackiger) Schullehrer = sich in die Brust werfen; aufbegehren; prahlen. 1930 ff.

53. ~ wie ein Seemann = übertreibend berichten. Anspielung auf seemännische Lügengeschichten. 1930 ff.

54. ~ wie zehn Sack Seife (Schmierseife) = übermäßig prahlen. Anspielung auf beachtliche Schaumschlägerei (aus zehn Sack Seife) oder auf die Gleitfähigkeit von Schmierseife. 1920 ff.

55. ~ wie eine offene Selters = prahlen. ↗angeben 16.. Seit dem ausgehenden 19. Jh.

56. ~ wie ein junger Spund = heftig prahlen. ↗Spund. 1950 ff.

57. ~ wie 7 Morgen Streuselkuchen = prahlen. 1920 ff.

58. ~ wie ein Sack (ein Teller; ein Pfund; eine Tüte) Sülze = mehr scheinen wollen als sein. Sülze als Gallertmasse gilt als substanzlos: sie längt die Speise, ohne sie wesentlich schmackhafter oder nahrhafter zu machen. 1900 ff.

59. ~ wie ein Waggon Sülze in der Kurve = sich aufspielen. 1930 ff.

60. ~ wie eine Tüte voll(er) Teufel = toben, prahlen. 1930 ff.

61. ~ wie ein Truthahn = poltern; laut prahlen. 1930 ff.

62. ~ wie eine Tüte Wanzen (wie eine Tüte nackter Wanzen) = lärmen, prahlen. 1930 ff.

63. ~ wie zehn nackte Wilde (wie ein Dutzend nackter Wilder; wie eine Horde Wilder aus dem Busch; wie eine Horde wildgewordener Bantuneger) = toben, kreischen; prahlen. *Vgl* ↗angeben 42. 1900 ff.

64. ~ wie eine Lore Wind = sich wichtig machen. 1950 ff.

65. ~ wie ein Wirbelwind = prahlen. 1920 ff.

66. wer angibt, hat mehr vom Leben = mit Prahlerei macht man sich das Leben angenehmer. 1920 ff.

67. wer angibt, hat's nötig = der Prahler ist im Grunde ein Versager, und das weiß er. 1930 ff.

Angeber m **1.** Mensch, der aus Selbstgefälligkeit mehr scheinen will, als er ist. ↗angeben 3. Etwa seit 1900. **2.** Spieler, der die erste Austeilung der Karten vorzunehmen hat. ↗angeben 1. 19. Jh. **3.** Soldatenausbilder. *Vgl* ↗angeben 3. *Sold* 1939 ff.

Angeberhut m Mexikanerhut (Sombrero). Er hat einen breiten Rand und einen kleinen Kopf. Einen „großen ↗Rand" hat auch, wer großsprecherisch ist. 1960 ff.

angeberisch adj zum Prahlen neigend. ↗angeben 3. 1930 ff.

Angebertum n selbstgefällige Darstellung von Wohlhabenheit, Können, Lebenserfahrung o. ä. ↗angeben 3. 1930 ff.

angebildet adj ein bißchen gebildet. 1960 ff.

angeblasen adj **1.** leicht bezecht. ↗blasen. 1960 ff. **2.** schwanger. ↗anblasen 3. 1920 ff, *rotw.* **3.** es ist wie ~ gekommen = die Krankheit ist plötzlich ausgebrochen. Fußt auf dem Aberglauben, wonach man einen Menschen durch Anhauchen verhexen kann. 1900 ff.

angeblödelt adj präd dümmlich. ↗blödeln. 1910 ff.

angebohrt adj entjungfert. ↗bohren. 1900 ff.

angebrannt sein **1.** entjungfert sein. ↗anbrennen 1. 19. Jh. **2.** schon einmal entlobt sein. Der (die) Betreffende ist ein „gebranntes ↗Kind". 1900 ff. **3.** dümmlich sein. Parallel zu ↗hirnverbrannt; *vgl* ↗anbrennt 2. 19. Jh, *oberd.* **4.** verstimmt sein. ↗anbrennen 2. 1920 ff. **5.** verliebt, verlobt sein. Man ist „vom Feuer der Liebe angebrannt", „entflammt". 19. Jh.

angebrüht adj präd nicht ganz bei Verstande. Gehört zu der Vorstellung, daß einer „zu ↗heiß gebadet" sei. 1900 ff.

angebrütet adj einfältig, geistesbeschränkt sein. Eigentlich soviel wie „nur wenig bebrütet sein", wie es bei Bruteiern vorkommt. 1920 ff.

angebrütet werden nur kurz ausgebildet werden. *Vgl* das Vorhergehende. 1920 ff.

angebufft adj **1.** schwanger. ↗anbuffen 2. Seit dem späten 19. Jh. **2.** nicht ganz bei Verstande. Buffen, puffen = stoßen, schlagen. Der Betreffende hat einen Schlag oder Stoß gegen den Kopf bekommen und davon eine Gehirnerschütterung erlitten. Seit dem späten 19. Jh.

angedonnert stehen (wie ~ stehen) unbeweglich stehen; erstaunt verharren. Der Betreffende steht „wie vom Blitz getroffen". 18. Jh.

angegammelt adj Spuren beträchtlichen Alters aufweisend. ↗gammelig. 1960 ff.

angegangen sein 1. leicht verdorben sein (von Speisen gesagt). Angehen = anfangen; hier bezogen auf den Fäulnisvorgang. 19. Jh.
2. leicht verrückt sein. Der Vorgang des Verrücktwerdens hat bereits eingesetzt. 19. Jh.
3. leicht betrunken sein. 19. Jh.
angegossen sitzen das Kleid sitzt wie ~ = das Kleid sitzt tadellos; es paßt sich der Gestalt gut an. Hergenommen von der Gußform, deren Feinheiten sich das flüssige Metall genau anpaßt. 18. Jh.
angehaucht *adj*, **1.** leicht berauscht. Man ist von den Geistern des Weines angehaucht. Hauch = leichter Anflug. 1900 *ff*.
2. in bestimmtem Sinne leicht beeinflußt. 19. Jh.
angeheitert sein 1. leicht bezecht sein. Alkohol erzeugt heitere Stimmung. 19. Jh.
2. durch Heirat verwandt sein. Wortwitzelei. 1920 *ff*.
angehen *v* **1.** *intr* = anfangen. Eigentlich „zu gehen beginnen". 14. Jh.
2. etw ~ = etw in Angriff nehmen. Erklärt sich aus „an etw herangehen". 14. Jh.
3. es geht an = es ist ausreichend. Gemeint ist, daß es für den Anfang genug ist. 19. Jh.
4. das kann ~ = das läßt sich verwirklichen. 19. Jh.
angehübscht *adj* **1.** hübsch gekleidet; dezent geschminkt. ↗anhübschen 1. 1850 *ff*.
2. leicht ins Gefällige abgewandelt. 1920 *ff*.
angeklatscht *adj* schlecht geschminkt; zu stark angetuscht. ↗Klatsch. 1955 *ff*.
angeknackst sein 1. beschädigt sein. ↗Knacks. 19. Jh.
2. leicht verwundet sein. *Sold* in beiden Weltkriegen.
3. leicht verrückt sein. 1900 *ff*.
4. nicht unbescholten sein. 1900 *ff*.
5. nicht mehr ganz gesund sein; körperbehindert sein. 1900 *ff*.
6. geschäftlich nicht mehr krisenfest sein. 1950 *ff*.
7. leicht bezecht sein. 1900 *ff*.
8. die Ehe (Freundschaft o. ä.) ist ~ = die eheliche (o. ä.) Bindung ist gelockert; der Zusammenhalt ist gestört. 1900 *ff*.
angeknallt sein unter Rauschgifteinwirkung stehen. Knallen = schießen; *Vgl* ↗schießen. 1965 *ff*, *halbw*.
Angeknallte *f* Schwangere. ↗knallen. 1920 *ff*.
angeknautscht *adj* runzelig. ↗knautschen. 1900 *ff*.
angekneipt *adj* leicht berauscht. ↗kneipen 1. 19. Jh.
angeknickt *adj* nicht mehr jungfräulich. Fußt auf dem Bild von der geknickten Lilie. 1945 *ff*.
angekratzt *adj* **1.** (leicht) beschädigt. 19. Jh.
2. bei der Mensur leicht verletzt; im Krieg leicht verwundet. 1870 *ff*.
3. verärgert, aufgeregt, beleidigt, nervös. Meint das seelische Verwundetsein. 1900 *ff*.
4. leicht bezecht. 1900 *ff*.
5. krank. 1900 *ff*.
6. nicht mehr unversehrt (auf Ehre, Lebenskraft u. ä. bezogen). 1930 *ff*.
7. einfältig, dümmlich. 1900 *ff*.

8. defloriert, geschwängert. 1900 *ff*.
9. im mittleren Lebensalter stehend („der Glanz ist hin") 1920 *ff*.
Angel *f* **1.** jn an der ~ haben = a) jn in seiner Gewalt haben. Hergenommen vom Fisch an der Angel. 1920 *ff*. – b) jn verhören. 1920 *ff*.
2. schief in den ~n hängen = einem Irrtum unterliegen; etw verzerrt vortragen, darstellen. Hergenommen von der Türangel oder vom Gelenkband. 1930 *ff*.
3. es hebt (einen) aus den ~n = es raubt (einem) die Fassung. Angel = Gelenkband. 1920 *ff*.
4. jn aus den ~n heben = a) jn hellauf begeistern. Angel = Gelenkband. 1950 *ff*. – b) gegen jn erfolgreich sein. *Sportl* 1950 *ff*.
5. etw aus den ~n heben = eine Sache rückgängig machen; ein Urteil aufheben. 1950 *ff*.
6. jn an die ~ kriegen = jn heiratswillig machen. ↗angeln 2. 1920 *ff*.
7. die ~ raushaben = erzürnt, erregt sein; schimpfen. Angel meint auch den Insektenstachel und die Zunge der Schlange. *Nordd* 1900 *ff*.
8. aus den ~n sein = in Unordnung geraten sein; die Beherrschung verloren haben. ↗Angel 3. 1920 *ff*.
Angelegenheit *f* **1.** feuchte ~ = Zechgelage. 1920 *ff*.
2. kitzlige ~ = a) Berührung einer erogenen Körperstelle. 1900 *ff*. – b) nicht einfach zu bewältigende Aufgabe, deren bloße Berührung schon im voraus unberechenbare Reaktionen auslösen kann. „Kitzlig" meint hier soviel wie „↗knifflig". Spätestens 1942 im Zusammenhang mit der Entschärfung von Blindgängern aufgekommen.
3. teure ~ = hoher Preis bzw. damit belegte Ware oder Dienstleistung. 1920 *ff*.
angeln *v* **1.** sich jn ~ = jn zurechtweisen. Gemeint ist, daß man einen aus vielen herausgreift. 19. Jh.
2. sich jn ~ (nach jm ~) = einen Ehepartner geschickt (mit List) sich zu erwerben wissen; einem Mädchen nachstellen, um es zu heiraten oder mit ihm zu flirten. Etwa seit dem 16. Jh.
3. sich etw ~ = sich etw herausholen; etw zu erwerben suchen; etw entwenden. 1700 *ff*.
4. nach etw ~ = sich um etw bemühen; nach etw greifen. 1700 *ff*.
5. jn ~ = einen Verdächtigen festzunehmen trachten. Verdächtige sind in den Augen der Polizei ↗Fische. 1900 *ff*.
angemacht sein mit etw ~ = mit etw betrogen sein. Eigentlich soviel wie „mit Kot verunreinigt sein", also parallel zu „angeschissen"; *vgl* ↗anscheißen 1. 1900 *ff*.
angenebelt sein 1. bezecht sein. ↗Nebel. 1920 *ff*.
2. dümmlich sein. Anspielung auf Bewußtseinstrübung. 1920 *ff*.
angenehm *adv* ~ enttäuscht sein = nicht sehr (oder überhaupt nicht) enttäuscht sein. Witzige Nachbildung zu „angenehm überrascht sein". 1920 *ff*.
angenüchtert *adj* leicht betrunken. Ironisch sinnverdrehende Bezeichnung. Seit dem späten 19. Jh.
angepustet *part* es ist wie ~ gekommen

= die Krankheit ist plötzlich ausgebrochen. Parallel zu ↗angeblasen 3. 1900 *ff*.
angeraucht sein leicht betrunken sein. Hergenommen vom Räuchern des Fleisches: nur angerauchtes Fleisch hat noch nicht lange genug im Rauch gehangen. 19. Jh.
angerissen sein leicht betrunken sein. Sich einen Rausch anreißen = sich einen Rausch zuziehen. Bezeichnet den Anfangszustand von „hingerissen sein" = vor lauter Alkohol nicht mehr aufrecht stehen können". 19. Jh.
angesäuert *adj* **1.** ältlich. ↗sauer. 19. Jh.
2. verstimmt. ↗sauer. 19. Jh.
3. zart ~ sein = die Wechseljahre überstanden haben. 1900 *ff*.
angesäuselt sein leicht bezecht sein. Weiterentwickelt aus der *mhd* Wendung „in dem suse leben" = ein ausschweifendes Leben führen", hier verengt auf Alkoholgenuß. 19. Jh.
angeschirrt sein 1. in der Freiheit beschränkt sein. Hergenommen vom angeschirrten Pferd. *Rotw* 1950 *ff*.
2. knapp ~ = wenig (zu wenig) Geld haben. 1950 *ff*.
angeschissen kommen herbeikommen; ungelegen kommen. Eigentlich „mit Gestank nahen". 19. Jh.
angeschlagen sein 1. benommen, entkräftet sein; in der Leistungsfähigkeit beeinträchtigt sein; reich an Verlusten sein. Stammt aus der Sprache der Boxer: angeschlagen ist, wer viele Treffer hat hinnehmen müssen. 1900 *ff*.
2. leicht bezecht sein. 1900 *ff*.
3. nicht recht bei Verstande sein. 1920 *ff*.
4. im Ansehen erschüttert sein. 1920 *ff*.
5. moralisch ~ = nicht mehr unbescholten sein. 1945 *ff*.
6. voll ~ = unter Rauschgifteinwirkung stehen. *Halbw* 1970 *ff*.
angeschmutzt *adj* nicht mehr unbescholten. Fußt auf der Vorstellung vom sittlichen Makel als einem Schmutzfleck auf der Weste. 1950 *ff*.
angeschossen *adj* *präd* **1.** aufgeregt, wild, verrückt. Wohl hergenommen vom Verhalten angeschossenen Wildes. 1900 *ff*.
2. defloriert, geschwängert. ↗anschießen 8. 1930 *ff*.
3. leicht betrunken (sein). Leitet sich ebenfalls vom Taumeln des angeschossenen Tieres her. 18. Jh.
4. im Verlieren begriffen (sein), z. B. beim Kartenspiel. Seit dem späten 19. Jh.
angeschossen kommen eiligst herbeikommen. Meint eigentlich „mit der Geschwindigkeit eines Geschosses nahen". 18. Jh.
angeschossen werden (beim Glücksspiel) in Geldverlust geraten. Seit dem späten 19. Jh.
angeschrieben sein 1. bei jm gut ~ = von jm günstig beurteilt werden; jds Wohlwollen besitzen. Hergenommen vom Lehrer, der die Leistungsnoten der Schüler anschreibt, oder fußend auf der Vorstellung, daß die guten und schlechten Taten der Menschen im Himmel verzeichnet und vergleichend gewürdigt werden. *Vgl* auch *franz* ‚être bien dans les papiers de quelqu'un" und ‚être bien noté"; *engl* ‚to be in one's good books". Siehe auch Buch Exodus (2. Moses) 32, 32. 18. Jh.
2. gut ~ = beim Kartenspiel viele Plus-

punkte auf dem Notizblock haben; im Kartenspiel gewonnen haben. Seit dem späten 19. Jh.

angeschwitzt *adj* leicht erregt; aufgeregt. Anspielung auf den Schweißausbruch bei innerer Erregung. Seit dem späten 19. Jh.

Angesetzter *m* **1.** Angestellter. Hieraus umgewandelt, weil er vorzugsweise eine sitzende Tätigkeit ausübt. 1955 *ff, jug.* **2.** Betrogener, Übertölpelter. ↗ansetzen 4. 1930 *ff.*

angespießt *adj präd* leicht betrunken. Spießen = impfen, und impfen = zechen. 1910 *ff.*

angespitzt *adj* **1.** leicht bezecht. ↗Spitz. 1900 *ff.* **2.** mißtrauisch, argwöhnisch, eifersüchtig. Meint das Anfangsstadium von „etw ↗spitz kriegen". 1930 *ff.* **3.** geschlechtlich erregt; liebesgierig. Spielt wohl auf die Erektion des Penis an. 1945 *ff.* **4.** unternehmungslustig. ↗anspitzen = ermuntern. 1960 *ff.* **5.** dich haue ich ~ in den Boden!: Drohrede. Milder als die unter „ungespitzt" aufgeführte Redensart. *Österr* 1930 *ff.*

angespritzt kommen eiligst nahen. ↗spritzen. 1910 *ff, sold* und *ziv.*

angestaubt *adj* **1.** leicht veraltet (auf Sachen bezogen). 1900 *ff.* **2.** altjüngferlich, bejahrt. 1900 *ff.* **3.** leicht bezecht. Wohl (scherzhaft) hergenommen vom Staub des Schlachtfeldes: der Zecher betätigt sich in der Alkoholvernichtungsschlacht. 1914 *ff.* **4.** blutverschmiert; leicht verwundet. Verharmlosung; denn „es staubt" heißt soviel wie „es fliegen Geschosse". *Sold* 1939 *ff.*

angestochen kommen ↗anstechen 6.

angestochen sein 1. leicht betrunken sein. Leitet sich wohl her vom Vergleich mit dem durch Insekten geschädigten Obst. 19. Jh. **2.** nicht unbescholten sein; vorbestraft sein; defloriert sein. ↗anstechen 2. 1900 *ff.* **3.** leicht verrückt sein. Die „↗Birne" (= Kopf) ist von Insekten angestochen. 1900 *ff.*

angestoßen sein 1. begriffsstutzig sein. Entweder ist auszugehen vom Stoß gegen den Kopf, wodurch die Auffassungsgabe Schaden genommen hat, oder vom angestoßenen Obst. 1900 *ff.* **2.** nicht unbescholten sein. ↗stoßen = koitieren. 1900 *ff.* **3.** schwanger sein. ↗stoßen = koitieren. 1900 *ff.*

angestunken *adj* **1.** im Zustand beginnender Verdorbenheit befindlich (auf Speisen, Konserven usw. bezogen). Hergenommen vom Fäulnisgeruch. 1900 *ff.* **2.** anrüchig, unwahrhaftig, unredlich. Parallel zu ↗faul 1. 1920 *ff.*

angetötet sein leicht verwundet sein. ↗antöten. *Sold* in beiden Weltkriegen und *BSD.*

angetrallt sein 1. zum Lustigsein, zum Albern aufgelegt sein. ↗Trall 1. 1900 *ff, nordd.* **2.** nicht ganz bei Verstand sein. 1900 *ff, nordd.*

angetüdelt sein leicht bezecht sein. ↗antüdeln. *Nordd* 1900 *ff.*

angetupft sein verrückt sein. Tupfen = leicht berühren. 1920 *ff.*

angeturned sein („angeturnt sein"; *dt-engl* Mischausdrucksprache) sich im Rauschgiftrausch befinden. ↗turnen. Gegen 1970 aufgekommen.

angetuscht sein geistesbeschränkt sein. ↗tuschen = ohrfeigen. Die Ohrfeige hat Gehirnerschütterung bewirkt. 1920 *ff, österr.*

angewurzelt stehen (wie ~) regungslos stehen. ↗anwurzeln. 19. Jh.

angiften *tr* **1.** jn anherrschen, anfeinden, beschimpfen. ↗giften. 1900 *ff.* **2.** jn böse anblicken. ↗giftig. 1900 *ff.*

Angina *f* **1.** die ~ haben = auf einen Halsorden begierig sein. Angina = Mandelentzündung, Halsbräune; hier analog zu ↗Halsschmerzen. *Sold* 1939 *ff.* **2.** mit ~ zu Bett liegen = angeblich krank sein, aber in Wahrheit aus Beischlafgründen fehlen. Angina wird hier scherzhaft als weiblicher Vorname aufgefaßt. Wahrscheinlich ursprünglich eine Kabarettistenwitzelei. 1950 *ff* (aber wohl älter). **3.** mit der ~ zu Bett liegen = wegen Halsentzündung bettlägerig sein. Auch hier täuscht man scherzhaft einen weiblichen Vornamen vor. 1950 *ff.*

Angler *m* **1.** Mann, der weibliche Personen umschwärmt. ↗angeln 2. 1920 *ff.* **2.** Mann, der Schaufenster ausraubt. Mit einem Stock oder Draht holt er die Waren an sich. *Rotw* 1920 *ff.* **3.** Mann, der Nachttresore mittels kleiner an einer Schnur befestigter Magnete ausraubt. 1975 *ff.*

Anglerin *f* weibliche Person auf der Suche nach Herrenbekanntschaft. ↗angeln 2. 1920 *ff.*

Anglerlatein *n* übertreibende Anglererzählungen; Anglerlügen. ↗Latein 2. 19. Jh.

Anglerwitwe *f* Frau eines leidenschaftlichen Anglers. 1950 *ff.*

angludern *tr* jn mißtrauisch, vorsichtig anblicken. ↗gludern. 19. Jh.

angreifen *refl* sich finanziell anstrengen; viel Geld ausgeben; freigebig sein. Angreifen = anfassen, in Anspruch nehmen. 17. Jh.

Angriffsfahrer *m* Autofahrer, der den vor ihm fahrenden Wagen mit allen Mitteln (auch der Nötigung) zu überholen trachtet. 1955 *ff.*

Angriffsmotor *m* Spieler, der die Kameraden zum Sturm auf die Gegenspieler treibt. ↗Motor. *Sportl* 1950 *ff.*

Angst *f* **1.** ~ vor der eigenen Courage = Selbstvorwurf vor beabsichtigt beherztem Vorgehen. 1900 *ff.* **2.** ~ vor dem eigenen Schneid = wie das Vorhergehende. ↗Schneid 1. *Bayr* 1900 *ff.* **3.** ~ vor dem Torschluß = Beklemmung der (kinderlos) alternden Frau vor den Wechseljahren. ↗Torschlußpanik. 1930 *ff.* **4.** ~ vor nassen Füßen haben = Rückschläge, schwerwiegende Folgen befürchten. Vgl ↗nasse „Füße kriegen". 1935 *ff.* **5.** ~, aber keine Besserung (in Aussicht) haben = ängstlich, feige sein. Angst ist hier als Krankheit aufgefaßt, und der Patient ist unheilbar. 1910 *ff.* **6.** ~ in den Hosen haben = von Angst befangen sein. Zur Sache vgl ↗Schiß 1. 1900 *ff.* **7.** keine ~ vor großen Tieren haben = hochstehende Personen nicht scheuen.

↗Tier. Übernommen aus dem Titel des Films „Keine Angst vor großen Tieren" (1953). **8.** ~ hat er keine, aber rennen kann er: Redewendung auf einen (vermeintlichen) Feigling. 1914 *ff.* **9.** mehr ~ als Vaterlandsliebe haben = ängstlich, feige (vor dem Feind) sein. 1900 *ff.* **10.** ~ kosten: fingierte Preisangabe für Entwendetes (die Gans hat mich 5 Minuten Angst gekostet). 1914 *ff.* **11.** es mit der ~ kriegen (zu tun kriegen) = ängstlich werden. *Nordd* 19. Jh.

angst *adv* **1.** jm (jn) ~ und bange machen (jm Angst und Bange machen) = jn ängstlich machen, einschüchtern. Fußt auf Sirach 4, 19. 1500 *ff.* **2.** ihm ist ~ und bange = er ist ängstlich, befürchtet das Schlimmste. 1600 *ff.* **3.** ihm wird ~ und bange = er wird ängstlich. Stammt aus der Bibelübersetzung (Jeremias 50, 43). 1500 *ff.*

Angstarsch *m* sehr ängstlicher Mensch. ↗Arsch 2. Seit dem späten 19. Jh.

Angstgegner *m* **1.** Sportmannschaft, die der gegnerischen Angst einjagt; Gegner, dessen Stärke aus Grund früherer Erfahrungen zu hoch eingeschätzt wird. *Sportl* nach 1945. **2.** Kartenspieler, bei dem man die gefährliche Gegenkarte vermutet. 1950 *ff.*

Angsthase *m* ängstlicher Mensch. Weil der Hase vor dem Menschen wegläuft, gilt er als feige und ängstlich. 16. Jh.

Angstjacke *f* Frack, Gehrock. Hängt wohl mit der Sitte zusammen, zur Prüfung den Frack (dunklen Anzug) anzuziehen. Prüflinge sind leicht von Angstgefühlen beherrscht, ebenso Künstler vor ihrem Auftritt. 19. Jh.

Angstmaus *f* Mädchen, das sich nur mit Präservativ beischlafen läßt. 1950 *ff, halbw.*

Angstmeier *m* ängstlicher Mensch; Feigling. Der in Deutschland sehr verbreitete Familienname Meier wird mit „Mann, Mensch" gleichgesetzt. Etwa seit 1870.

Angströhre *f* **1.** Zylinderhut. Fußt wahrscheinlich auf dem *engl* „anxiety-hat", den um 1800 der Kurzwarenhändler John Hetherington als erster trug; beim ersten Auftreten verbreitete der Zylinderhut Angst und Beklemmung. Aus dem „Angsthut" machten vor 1848 Studenten die „Angströhre" mit Anspielung auf die zylindrische Form. **2.** Herrenabort im Prüfungsgebäude. Zylinder = Abort. 1920 *ff.* **3.** Luftschutzkeller im Untergrundbahnschacht. 1939 *ff*, Berlin. **4.** *pl* = lange Hosen. Meint vor allem die engen Röhrenhosen. 1925 *ff, stud.*

Angstscheißer *m* Feigling. Bei Angst kann der Schließmuskel des Afters versagen. 19. Jh.

Angstschiß *m* durch Angst hervorgerufener Durchfall. *Sold* 1914 *ff.*

Angstschisser *m* ängstlicher, feiger Mensch. ↗Angstscheißer. 1900 *ff.*

Angsttage *pl* Prüfungstage. *Schül* und *stud* 1950 *ff.*

anhaben *tr* **1.** ein Kleidungsstück am Leibe tragen. Verkürzt aus „angezogen haben"; *vgl engl* „to have on". Seit dem frühen Mittelalter.

2. angezündet haben. Hieraus verkürzt. 19. Jh.

3. das Radio (o. ä.) ~ = das Rundfunkgerät (oder ein anderes Elektrogerät) eingeschaltet haben. 1940 *ff*.

4. etw ~ = wohlhabend sein. Verkürzt aus „etw an den ↗ Füßen haben". 1955 *ff*.

5. jm nichts ~ können = jm nicht schaden können; jn nicht verantwortlich machen können. Fußt auf *mhd* „einem anehaben = sich an jn halten; Hand an jn legen". Etwa seit *frühnhd* Zeit.

anhabig *adj* lästig, aufdringlich, lüstern. ↗anhaben 5. 1500 *ff*, vorwiegend *südd*.

anhalten *v* **1.** den halten wir an = diesen Stich lasse ich mir nicht entgehen. Kartenspielerspr. seit dem späten 19. Jh.

2. zum ~ haben = üppige Körperformen haben (auf weibliche Personen bezogen). ↗festhalten. *Österr* 1920 *ff*.

Anhalter *m* **1.** Person, die Autos anhält, um mitgenommen zu werden. 1920 *ff*.

2. Kraftfahrer, der fremde Personen mitnimmt. Er hält ihretwegen an. 1930 *ff*.

3. per ~ fahren (reisen) = im Auto, das man angehalten hat, mitgenommen werden. 1930 *ff*.

4. ~ spielen = Autos anhalten und um Mitnahme bitten. 1940 *ff*.

Anhalter Bahnhof *m* Autobahneinfahrt. Um 1941/42 wortspielerisch benannt nach dem Berliner Bahnhof dieses Namens. Die Autobahneinfahrten sind beliebte Wartestellen für Leute, die im Auto mitgenommen werden möchten.

Anhalterdame *f* weibliche Person, die Kraftfahrer um Mitnahme anspricht und einer intimeren Annäherung sich nicht versagt. 1955 *ff*.

Anhalterin *f* weibliche Person, die unentgeltlich im Auto mitgenommen werden möchte. 1930 *ff*.

anhaltern *intr* Autos anhalten, um mitgenommen zu werden. 1930 *ff*.

Anhalterstrich *m* vielbefahrene Straße, an deren Rand Prostituierte sich den Kraftfahrern zur Mitnahme anbieten. ↗Strich. 1960 *ff*.

Anhang *m* **1.** Liebhaber der Hausangestellten. Eigentlich soviel wie Gefolge. 19. Jh.

2. Kind einer Ledigen. 19. Jh.

3. Freundin eines Halbwüchsigen. 1955 *ff*. (Im 16. Jh. in der Bedeutung „Konkubine" üblich).

4. (lästige) Verwandtschaft. 19. Jh.

5. männliche Geschlechtsteile. Sie hängen dem Körper an. 1900 *ff*.

anhängen *v* **1.** jm eins ~ = Nachteiliges über jn reden; jn verleumden. Wurde früher einer an den Pranger gestellt, so wurde ihm auch ein Zettel angehängt, auf dem die Ursache der Strafe zu lesen stand; auch hängte man Schandflaschen u. a. an. Ferner hängt man jm unbemerkt irgendeinen Gegenstand an, weswegen die Vorübergehenden den Unwissenden dann verspotten. 17. Jh.

2. jm etw ~ = a) jn mit einer Ware übervorteilen; jm mehr verkaufen als vom Käufer eigentlich beabsichtigt. Am Schluß hinzufügen = obendrein geben. 1500 *ff*. – b) jn mit einer Krankheit anstecken. 19. Jh.

3. sich jm ~ = mit jm eine Freundschaft oder Liebschaft beginnen. Man schließt sich dem Betreffenden an. 19. Jh.

4. jm einen ~ = jm eine Person zum Umgang aufdrängen. 1900 *ff*.

5. einer eins ~ = eine Ledige schwängern. *Vgl* ↗Anhang 2. 1500 *ff*.

anhauchen *tr* jn anherrschen. Analog zu ↗anblasen 1. Seit dem späten 19. Jh, vorwiegend *sold*.

anhauen *v* **1.** etw ~ = etw anschlagen; zu schlagen beginnen. ↗hauen 1. 17. Jh.

2. jn ~ = jn ansprechen; jn um Geld angehen. Wohl herzuleiten vom freundschaftlichen Schlag auf die Schulter oder vom derberen Stoß in die Seite. 19. Jh.

3. sich ~ = sich reichlich sättigen; viel trinken. Verwandte Wendungen sind „in sich reinhauen" oder „sich (den Bauch) vollschlagen". Hergenommen vom Bild des überaus Hungrigen oder Dürstenden, der das Labsal aus der hohlen Hand sich regelrecht in den Mund schlägt. 1920 *ff*.

anheizen *tr* **1.** eine Sache ermuntern, vorwärtstreiben, aufstacheln, verstärken. Hergenommen vom Feueranlegen oder Schüren im Ofen. 1920 *ff*.

2. einen Erfolg von langer Hand vorbereiten. 1920 *ff*.

3. jn ~ = jn aufhetzen, aufwiegeln. Man schürt das Temperament, bis es hitzig wird. 1920 *ff*.

4. jn ~ = jn geschlechtlich erregen. 1920 *ff*.

5. das Publikum ~ = das Publikum für etw erwärmen; die Leute in gelöste, aufnahmebereite Stimmung versetzen. 1950 *ff*.

6. die Spannung ~ = die Spannung erhöhen. 1950 *ff*.

7. einen Streik ~ = zum Streik auffordern; eine Streikbewegung nähren. 1950 *ff*.

Anheizer *m* **1.** Stimmungsmacher. ↗anheizen 5. 1950 *ff*.

2. Aufwiegler, Aufstachler. 1920 *ff*.

3. bezahlter ~ = Claqueur (bestellter, bezahlter Beifallklatscher). 1960 *ff*.

anheuern *v* **1.** *intr* = dem Einberufungsbescheid nachkommen; gemustert werden. Meint in der Seemannssprache soviel wie „anwerben". *BSD* 1965 *ff*.

2. jn ~ = jn für eine Studentenverbindung zu gewinnen suchen. 1960 *ff*.

3. jn ~ = mit jm flirten; jn umwerben. *BSD* 1965 *ff*.

4. jn ~ = jn für sich arbeiten lassen; jn zum Mitarbeiter gewinnen. 1960 *ff*.

Anhieb *m* auf ~ = ohne Zögern; sofort; ohne Schwierigkeit. Leitet sich her entweder vom Baum, der auf den ersten Hieb fällt, oder vom ersten Mensurgang: auf Anhieb treffen = mit dem ersten Hieb den Gegner kampfunfähig machen. 1900 *ff*.

anhimmeln *tr* hingerissen zu jm aufblikken; sich für jn begeistern; jn vergöttern. ↗himmeln. Seit dem späten 19. Jh.

anhorchen *tr* jn anblicken. Eigentlich soviel wie „jn beim Reden anblicken". Wien 1940 *ff*, *schül*.

anhübschen *v* **1.** jn ~ = jn hübsch anziehen; jn schminken; jn fotogen machen. Wohl hergenommen von der Verschönerung eines Hauses durch Verputz. 19. Jh.

2. sich ~ = sich jugendlicher kleiden als dem Lebensalter entsprechend. 1900 *ff*.

anhusten *tr* **1.** jn anherrschen. ↗anfurzen. 1870 *ff*.

2. etw ~ = etw eiligst (mangelhaft) befestigen. 1900 *ff*.

Animierbombe *f* gut aussehende Bardame. ↗Bombe 3. 1955 *ff*.

Animierbude *f* Lokal, in dem die Gäste zu großem Verzehr verführt werden. ↗Bude 1. 1880 *ff*.

Animierdame *f* weibliche Person, die in Lokalen Männer zum Verzehr teurer Getränke verführt und ihnen dabei Gesellschaft leistet (und der geheimen Prostitution nachgeht). Seit dem späten 19. Jh.

Animierfräulein *n* weibliche Person, die in Lokalen zum Verzehr verleitet. 1900 *ff*.

Animierkneipe *f* **1.** Lokal, in dem zu möglichst großem Verzehr verlockt wird. ↗Kneipe 1. 1870 *ff*.

2. Lokal, in dem sich Prostituierte beider Geschlechter anbieten. 1970 *ff*.

Animierlokal *n* Lokal, in dem die Männer durch Mädchen zu großer Zeche verführt werden. Seit dem späten 19. Jh.

Animiermädchen *n* Bardame; Tischdame in einem „Animierlokal". Spätestens seit 1900.

Animöse *f* festangestellte Unterhalterin männlicher Gäste in einer Nachtbar. Zusammengesetzt aus „animieren" und „Möse = Vagina". 1960 *ff*.

Animus *m* Ahnung. ↗Ahmus. 1850 *ff*.

anjuckeln (angejuckelt kommen) *intr* an-, herbeifahren. ↗juckeln. 1900 *ff*.

ankar'jolen *intr* im Wagen ankommen. ↗karjolen. 1900 *ff*.

ankar'juckeln *intr* langsam herbeifahren. ↗karjuckeln. 1900 *ff*.

ankarren *tr* einen Autozusammenstoß verursachen. ↗Karre 1. 1920 *ff*.

ankarten *intr* den ersten Stich ausspielen. Kartenspielerspr. 19. Jh.

ankeilen *tr* **1.** jn ansprechen; jn um Geld fragen; jn zu etw zu überreden suchen. ↗keilen = werben. *Stud* seit dem 18. Jh.

2. jn heftig kritisieren. ↗keilen = prügeln. Hier wird Kritik als Prügel aufgefaßt. *Sold* 1939 *ff*.

Anker *m* **1.** Flugschüler, der beim Fallschirmabsprung zögert oder überhaupt nicht springt. Wie mit Widerhaken wird er am Flugzeug festgehalten. Gleichbed *engl* „anchor". Fliegerspr. 1935 *ff*.

2. Gast, der die schickliche Zeit zum Fortgehen verstreichen läßt. Er ist dort vor Anker gegangen und hebt den Anker nicht. 1900 *ff*.

3. vor ~ gehen = sich in einem Wirtshaus niederlassen; sich auf längeres Verweilen einrichten. Stammt aus der Seemannssprache. 19. Jh.

4. vor ~ gehen = heiraten. *Marinespr* 1914 *ff*.

5. bei einer weiblichen Person vor ~ gehen = koitieren. *Marinespr* 1914 *ff*.

6. vor ~ liegen = sich in einem Wirtshaus festsetzen. 19. Jh.

7. fest vor ~ liegen = verlobt, verheiratet sein. 1914 *ff*.

8. vor ~ naßmachen = vor Anker gehen. 1900 *ff*.

9. ~ werfen = a) stehenbleiben; verweilen; parken. 1950 *ff*, *stud*. – b) (nach langer Zeit) vorübergehend heimkehren. 1960 *ff*.

ankern *intr* **1.** einkehren. ↗Anker 3. 19. Jh.

2. heiraten. ↗Anker 4. *Marinespr* in beiden Weltkriegen.

anklacksen *tr* 1. eine Wand mit Kalk bewerfen, tünchen, verputzen. ↗klacksen. 19. Jh.
2. etw ohne Rücksicht auf den Baustil anbauen. ↗klacksen. 19. Jh.
3. jn (sich) auffallend, schlecht schminken. Schminke = ↗Verputz. 1950 ff.

ankläffen *tr* jn anherrschen, grob anreden. Parallel zu ↗anbellen. *Vgl* ↗Kläffer. 19. Jh.

anklaften *tr* jn anschreien. ↗Klafte. 1950 ff.

Anklagebank *f* die ~ drücken = auf der Anklagebank sitzen; Angeklagter vor Gericht sein. Entwickelt nach dem Muster von ↗Schulbank. 1920 ff.

anklatschen *tr* Haare mit Wasser (o. ä.) ~ = die Haare mit Wasser an den Kopf anlegen. ↗Klatsch. 1900 ff.

anklauen *tr* jn anfassen, zudringlich anfassen. Gehört zu „Klaue = Hand". 19. Jh.

ankleben *tr* 1. etw ~ = etw schlecht verlöten. Technikerspr. 1950 ff.
2. sich einen ~ = sich betrinken. *Vgl* „einen ↗kleben haben". 1930 ff.

ankleckern (angekleckert kommen) *intr* in kleinen Gruppen, nach und nach eintreffen. ↗kleckern 1. 1900 ff, *nordd* und *mitteld*.

anklopfen *v* bei jm ~ = jn um eine Gefälligkeit, um Geld bitten. 1900 ff.

anklotzen *v* 1. eine ~ = ein Mädchen ansprechen. ↗klotzen = dreist auftreten. 1910 ff.
2. *intr* = schwerfällig herbeikommen. ↗klotzen. Seit dem frühen 20. Jh. (Ausdruck aus der Wandervogelbewegung).

ankluften *refl* sich ankleiden. ↗Kluft 1. *Rotw* 19. Jh.

anknabbern *tr* 1. anbeißen, annagen. ↗knabbern 1. 17. Jh, *nordd*.
2. etw ~ = einer Sache geringen Abbruch tun. 20. Jh.
3. jn zum ~ gernhaben = jn sehr gernhaben. 1900 ff. *Vgl* ↗anbeißen 3.
4. zum ~ sein = liebreizend sein. ↗anbeißen 3. 19. Jh.

anknacksen *v* es knackst ihn an = es setzt ihm seelisch zu, bewegt ihn innerlich. ↗Knacks 1. 1920 ff.

anknallen *tr* 1. auf jn einen Schuß abfeuern. ↗knallen 1. 1900 ff.
2. schwängern. ↗knallen. 1900 ff.

anknarren *tr* jn anherrschen. Der Betreffende wird mit knarrender Stimme (mit schnarrendem Laut) angesprochen. 1900 ff, *sold*.

anknipsen *tr* den elektrischen Strom, das Licht einschalten. ↗knipsen. Seit dem ausgehenden 19. Jh.

anknurren *tr* jn anherrschen. Hergenommen vom knurrenden Hund. 19. Jh.

anködeln (anköteln) *refl* sich einschmeicheln. Gehört zu „Ködel, Kötel = Kotklümpchen" und ist Parallele zu „sich ↗anscheißen". 1900 ff.

ankommen *intr* 1. es kommt an = es erzielt die erhoffte Wirkung; es hat Erfolg; es wird verstanden. Stammt seit etwa 1945 aus der Sprache der Rundfunkleute im Sinne einwandfreier Übertragung (es wird gesendet; kommt es auch an?, als verschickte man ein Paket). Auch Sprache der Journalisten und der Werbeleute.
2. das kommt bei mir nicht an = das nehme ich mir nicht zu Herzen; das berührt mich nicht. 1955 ff, *jug*.

3. der Ball kommt an = der Ball wird so genau abgespielt, daß ihn der Mitspieler erreichen kann. *Sportl* 1950 ff.

ankönnen *v* gegen jn nicht ~ = jm nicht gewachsen sein. Verkürzt aus „gegen jn nicht ankämpfen, nicht bestehen können". Ist vielleicht aus der Sportsprache nach 1920 hervorgegangen.

ankötein *refl* ↗anködeln.

ankotzen *v* 1. jn ~ = jn derb ausschimpfen, anherrschen. ↗kotzen. Dabei fallen derbe Ausdrücke mit „Kotz-". *Sold* 1914 ff, danach auch *ziv*.
2. jn ~ = jn beschießen. ↗kotzen. *Sold* 1914 ff.
3. es kotzt mich an = es widert mich an. Eigentlich soviel wie „es erregt Brechreiz". 1914 ff, *sold* und *ziv*.

Ankratz *m* Beliebtheit. Leitet sich wohl her von der Einschmeichelung nach Art von Hund und Katze. Auch ist der Kratzfuß als (übertriebene) Höflichkeitsgebärde bekannt. 16. Jh.

ankratzen *v* 1. jn ~ = jn verwunden. ↗Kratzer. Seit dem ausgehenden 19. Jh.
2. jn ~ = jn aufregen, beunruhigen. Hergenommen vom Bild einer seelischen Verwundung. 1955 ff.
3. jn ~ = jds Stellung (Einstufung, Wertschätzung) beeinträchtigen. 1955 ff.
4. sich ~ = sich einschmeicheln. ↗Ankratz. 1900 ff.
5. sich eine (einen) ~ = ein Mädchen erobern; einen Bräutigam zu bekommen suchen. ↗Ankratz. Seit dem frühen 19. Jh.
6. sich etw ~ = sich etw diebisch (mit sanfter Gewalt) beschaffen. 1920 ff.
7. die Sache ist angekratzt = die Tat ist vorbereitet. Parallel zu ↗geritzt. 1955 ff.
8. etw ~ = etw beeinträchtigen, kritisieren; etw nicht mehr für stichhaltig ansehen. 1955 ff.

ankreiden *v* jm etw ~ = jm etw als Schuld anrechnen; jm etw nachtragen; es jm gedenken. Hergenommen von der Sitte, Zechschulden mit Kreide auf ein schwarzes Brett zu schreiben; von da weiterentwickelt im Sinne einer sittlichen Schuld. 19. Jh.

ankriegen *tr* 1. etw zum Brennen bringen. ↗kriegen. 18. Jh.
2. etw anziehen können. 18. Jh.
3. einen Apparat ~ = einen Apparat zum Funktionieren bringen. 1900 ff.
4. jn ~ = jn zur Rede stellen. Will besagen, daß man den Betreffenden zu sich herzieht und am Rock festhält, während man mit ihm redet. 1900 ff.
5. jn ~ = jn anführen, necken, veralbern. ↗drankriegen. 1900 ff.
6. jn ~ = jn intim berühren; jn vergewaltigen. Verkürzt aus „jn anfassen können" oder „jn zu fassen bekommen". 1900 ff.

ankurbeln *tr* 1. etw ~ = eine Sache in Gang bringen, in die Wege leiten. Hergenommen vom Ankurbeln des Automotors (vor Einführung des Anlassers). 1910 ff.
2. jn ~ = jds Interesse und Tatkraft wecken; jds Geschlechtslust reizen. 1920 ff.
3. den Geist ~ = geistig sich anregen; Überlegungen anstellen; sich Gedanken machen. 1930 ff.
4. Leute ~ = Leute ermuntern, anfeuern. 1920 ff.

5. die Wirtschaft ~ = dem Wirtschaftsleben Auftrieb geben. 1928 ff, (Weltwirtschaftskrise).

anküseln *v* sich einen ~ = sich betrinken. Gehört zu *nordd* „küselig = wirbelig"; dem Bezechten dreht sich alles. 1900 ff.

anlabern *tr* jn einfältig, (auch: dreist) ansprechen; mit jm Streit suchen; jn provozieren. ↗labern 1. 1960 ff, *halbw*.

anlachen *v* 1. *impers* = entgegenglänzen; zum Mitnehmen einladen (die Äpfel lachen mich an). Soviel wie „freundlich anblicken". 19. Jh.
2. sich eine (einen) ~ = Liebesbeziehungen eingehen; durch freundliches Wesen jn für sich gewinnen; Damen-, Herrenbekanntschaft machen. 1900 ff.
3. sich etw ~ = sich etw aneignen, beschaffen. 19. Jh.

anlappen *tr* jn anherrschen, barsch zurechtweisen. Meint soviel wie „anflicken" und ist also verkürzt aus „jm am ↗Zeug flikken". 1850 ff.

anlassen *v* 1. etw ~ = ein Kleidungsstück nicht ablegen. Verkürzt aus „angezogen lassen". *Vgl* ↗anbehalten. 17. Jh.
2. sich ~ = angekleidet bleiben. 19. Jh.
3. etw ~ = etw brennen lassen. Verkürzt aus „angezündet lassen". 19. Jh.

Anlasser *m* auf den ~ drücken = heftig werden. Hergenommen vom Anlasser des Motors: man leitet den Fahrvorgang ein. 1940 ff.

anlasten *v* jm etw ~ = jn für etw verantwortlich machen; jn mit etw belasten. 1920 ff.

anlaufen *v* 1. bei jm ~ = bei jm unerwartet Widerstand finden; bei jm Anstoß erregen. *Vgl* das Folgende. 1500 ff.
2. jn ~ lassen = a) jm Widerstand bieten. Stammt aus der Turnier-, Soldaten- und Jägersprache: der Jäger läßt das Wildschwein, der Turnierreiter den Gegner auf den vorgehaltenen Speer anlaufen. 1500 ff. – b) jn veralbern, übertölpeln. 19. Jh.

anlegen *v* 1. es legt an = es ist nahrhaft, macht beleibt. Vergleicht sich mit „Speck ansetzen". 1900 ff.
2. einen ~ = Karten spielen. Hergenommen von der Fechtersprache: anlegen = Fechtdegen mit Fechtdegen kreuzen. 1900 ff.
3. sich mit jm ~ = mit jm in Händel geraten; sich mit jm einlassen, auseinandersetzen. Parallel zu ↗anbinden 1. 19. Jh.
4. bei jm ~ = a) bei jm zu Besuch kommen. Aus der Schiffahrt übernommen. 1900 ff. – b) bei jm nächtigen. 1900 ff. – c) koitieren. 1900 ff.

anleiern *tr* eine Sache beginnen, in Gang bringen. Hergenommen vom Automobil, dessen Motor früher mit einer Kurbel in Gang gesetzt wurde. 1950 ff.

Anleihe *f* eine ~ machen = 1. vom Mitschüler abschreiben. Analog zu ↗anpumpen 2. 1900 ff, *schül*.
2. die Glatze durch Darüberkämmen der Seitenhaare verdecken. Spätestens seit 1900.

anlesen *v* ein Buch ~ = nur den Anfang eines Buches lesen. 1920 ff.

anliegen *v* 1. koitieren. ↗anlegen 4 c. 1900 ff.
2. was liegt an? = was geht vor? wovon ist die Rede? Stammt aus der Seemanns-

sprache: anliegen = nach einer bestimmten Richtung steuern. 1939 ff.

3. es liegt etwas an = es entwickelt sich eine üble Sache. 1939 ff, *marinespr.*

anloben *tr* jn vor vollbrachter Leistung loben (um ihn anzuspornen). 1940 ff.

anlüften *tr* **1.** etw sprengen, zerstören. Der Gegenstand „geht in die Luft". *Sold* 1935 ff.

2. jn anherrschen, antreiben. Verkürzt aus „jm den ↗ Arsch anlüften". *Sold* 1933 ff.

Anmache *f* **1.** Aufmunterung; Anregung. 1970 ff.

2. Bekanntschaftssuche, Flirt; geschlechtliche Aufreizung. 1970 ff.

anmachen *v* **1.** das Radio ~ = das Rundfunkgerät einschalten. 1930 ff.

2. *intr* = in Stimmung kommen. 1950 ff.

3. *tr* = a) jm flirten; jn geschlechtlich reizen; jn willig machen, umgarnen. 1900 ff. – b) jn belästigen, ärgern. 1950 ff. – c) jn anzüglich ansprechen; jn zur Rede stellen. 1950 ff. – d) jn aufstacheln, anfeuern, in Aufregung versetzen. 1950 ff. – e) jn anlügen. 1900 ff.

4. das macht mich an = das reizt mich, regt mich an, macht mir Appetit. 1900 ff.

5. sich ~ = a) sich mit Kot verunreinigen. *Österr* 1900 ff. – b) sich einschmeicheln, anfreunden. 1900 ff.

Anmacher *m* **1.** mitreißendes Schlagerlied. ↗anmachen 2. 1960 ff.

2. Flirtender; Frauenheld. 1950 ff.

3. Jahrmarktsverkäufer, Werbefachmann. 1970 ff.

4. anregender, zum Nachdenken herausfordernder, aufmunternder Mensch. 1970 ff.

5. Ansteckplakette. 1970 ff (wohl älter).

6. Stimmungsmacher; Conférencier. 1950 ff.

7. *pl* = alkoholische Getränke. 1970 ff.

anmalen *v* **1.** dort möchte ich nicht angemalt sein = dort gefällt es mir gar nicht; dort möchte ich nicht immer leben müssen. *Vgl* ↗ abmalen 2. 1900 ff, *österr.*

2. sich ~ = a) sich schminken. 19. Jh. – b) erröten. 1900 ff.

anmaulen *tr* **1.** jn ungezogen und mürrisch anreden. ↗maulen. 19. Jh.

2. jn mürrisch anblicken; mit jm schmollen; mit jm kein Wort reden. 19. Jh.

3. jn anherrschen. Parallel zu ↗anschnauzen. 1920 ff, *schül* und *sold.*

anmeckern *tr* **1.** jn in kleinlicher Weise kritisieren. ↗meckern. 1800 ff.

2. jn anzüglich ansprechen. 1900 ff.

3. jn telefonisch anrufen. 1930 ff.

4. gegen jn ~ = gegen jn aufbegehren. 1965 ff.

anmeiern *v* **1.** jn ~ = jn verulken, übervorteilen. ↗meiern. 19. Jh.

2. bei jm ~ (sich jm an~) = sich mit jm anbiedern. ↗meiern. 1900 ff, *schül.*

3. jn ~ = jn vorwurfsvoll anreden; sich gegenüber jm ungesittet benehmen. Beruht vielleicht auf *jidd* „mora = Einschüchterung" *Vgl* auch „jn ↗ Mores lehren". *Halbw* 1955 ff.

4. ~ (anmeierln) = weibliche Bekanntschaft suchen. Sonderbedeutung von ↗anmeiern 2. *Österr* 1920 ff.

anmelden *v* ein Baby hat sich angemeldet = man ist schwanger. 1900 ff.

anmiezen *v* **1.** jn ~ = einen Mann zwecks Beischlaf ansprechen. ↗Mieze.

Etwa soviel wie „anmiauen". *Prost* 1935 ff.

2. sich ~ = sich mit einer Prostituierten einlassen. 1935 ff.

anmisten *tr* jn mit Worten hämisch angreifen; jn anherrschen, gehässig, verleumderisch kritisieren. Meint entweder „mit Mist verunreinigen" (parallel zu ↗anscheißen) oder „mit Schimpfwörtern bewerfen" (Mistkerl, Mistvieh o. ä.). 1920 ff.

anmosern *v* **1.** jn ~ = auf jn anzügliche Bemerkungen machen; jn ausschelten, provozieren. ↗mosern. 1935 ff.

2. sich bei jm ~ = sich bei jm beliebt machen suchen. ↗mosern. 1935 ff.

anmotzen *v* **1.** jn ~ = jn zurechtweisen, bekritteln. ↗motzen. 1955 ff, vorwiegend *schül.*

2. gegen etw ~ = sich gegen etw auflehnen. 1970 ff.

anmuffeln *tr* jn mürrisch ansprechen. ↗muffeln. *Halbw* 1955 ff.

anmuntern *refl* sich Mut antrinken. *Sold* und *ziv* 1940 ff.

Anmut *f* ~ eines Nilpferds = plumpes, grobes Auftreten. 1960 ff.

annageln *tr* **1.** koitieren. ↗nageln. 18. Jh, *stud.*

2. jn auf frischer Tat verhaften. Eigentlich „mit Nägeln befestigen" und dann veranschaulichend „dingfest machen". 1900 ff.

3. jn mit Arrest (Haft) bestrafen. 1900 ff, *sold.*

4. einen Stich ~ = einen Stich so sicher nehmen, daß er nicht überstochen werden kann. Kartenspielersp. 19. Jh.

5. jn ~ = jn beim Wort nehmen. ↗festnageln. 1800 ff.

6. jn ~ = jn auf eine Rolle festlegen; jn ohne Rücksicht auf seine Selbstentfaltung in ein bestimmtes Schema pressen. 1920 ff, theatersp.

annehmen *tr* **1.** jn ~ = den Gegner, die feindliche Maschine angreifen. Stammt aus der Jägersprache: angeschossenes (oder auch gesundes) Wild „nimmt" (= greift) Mensch oder Hund an. Fliegersp. 1939 ff.

2. jn ~ = sich jm stellen; jn zur Rede stellen. 1900 ff.

3. das kannst du ~ = darauf kannst du dich fest verlassen; das verhält sich ganz bestimmt so, wie ich es dir sage! Annehmen = als wahr voraussetzen. 1900 ff.

Anno *lat* **1.** ~ Blumenkohl = vor langer Zeit. Zusammenhang unbekannt. 1930 ff.

2. ~ dazumal = vor langer Zeit. Dazumal = damals; aus der Bibelsprache geläufig, wirkt jedoch veraltet. Vielleicht Deutung von A. D. = Anno Domini. 19. Jh.

3. ~ dunnemals = vor langer Zeit; in alter Zeit. *Niederd* „dunn = damals". 19. Jh.

4. ~ eins (als der große Wind war) = vor sehr langer Zeit. Anspielung auf den Orkan vom 3. November 1801. 19. Jh.

5. ~ Krug (Kruke) = vor langer, langer Zeit. Krug oder Kruke = irdenes Gefäß. Gemeint ist die Zeit vor Einführung der Flaschen. 1900 ff.

6. ~ Leipzig/Einundleipzig (~ achtzehnhundertleipzig/einundleipzig) = vor langen Jahren. Verquickung der Völkerschlacht von Leipzig 1813 mit dem Krieg von 1870/71. 1913 aufgekommen (Kasernenhofsprache) im Zusammenhang mit den damaligen Nationalfesten.

7. ~ Scheiße = a) im Ersten Weltkrieg. *Sold* 1939 ff. – b) Hitlerzeit. Auch wegen der braunen Kleidung, der Braunhemden usw. 1939 ff.

8. ~ Schnee = vor langer Zeit. Zusammenhang unbekannt. 1920 ff.

9. ~ Schnee, wie der große Siebzehner gefallen ist = vor langer Zeit. 1933 ff.

10. ~ Tobak (Tubak) = vor langer Zeit. Bezieht sich entweder auf das Aufkommen des Tabaks oder entstellt „domini" zu „Tobak", weil man Gottes Namen nicht zu unrechter Zeit nennen soll. 1800 ff.

'an'ochsen *v* sich etw ~ = sich etw mühsam einlernen. ↗ochsen. *Schül* 1920 ff.

anöden *v* **1.** jn ~ = jn necken, bespötteln, dumm anreden. Gehört wohl zu „öde = langweilig". *Schül* und *stud* seit dem späten 19. Jh.

2. jn ~ = jn langweilen. *Schül* und *stud,* 1880 ff.

3. es ödet mich an = es ekelt mich an, ist mir sehr zuwider. 1950 ff.

Anöder *m* langweiliger Mensch. ↗anöden 2. 1890 ff.

anölen *tr* jn übervorteilen. Analog zu ↗anschmieren und auch zu ↗anpinkeln. 1900 ff.

anpacken *tr* etw in Angriff nehmen, zu handhaben wissen. Wiederaufgelebt durch den Fernsehwerbespruch der Esso AG „Packen wir's an!". 1975 ff.

anpaffen *tr* etw anrauchen. ↗paffen. 1900 ff.

anpappen *refl* **1.** sich einschmeicheln. Pappen = kleben: man klebt sich an jn an und fällt ihm dadurch lästig. 1920 ff, *schül.*

2. sich schminken. Berlin 1920 ff.

anpassen *v* jm eine ~ = jn ohrfeigen, so daß der Abdruck der Hand säuberlich zu sehen ist. Stammt aus dem Schneiderhandwerk. 19. Jh.

anpatzen *tr* **1.** etw beschmutzen. Gehört zu „Patzen = Fleck". *Südd* 19. Jh.

2. ein frisches Stück (Serviette, Hemd, Papier) in Benutzung nehmen, so daß es dann nicht mehr frisch ist, ohne schmutzig zu sein. *Bayr* 1900 ff.

3. jn anzeigen, verraten; jds Ruf zu nahe treten. Schmutzfleck = Makel. 1930 ff.

4. jn anherrschen. Gemeint ist, daß einer „↗patzige" Worte verwendet. 1900 ff, *nordd.*

5. sich ~ = sich beschmutzen. *Südd* 1900 ff.

anpeilen *tr* **1.** den Blick auf jn richten; durch Blicke Anschluß (an ein Mädchen) suchen; auf jn zusteuern. Meint eigentlich „die Richtung einer Schiffahrt oder eines Fluges mit dem Kompaß oder auf drahtlosem Wege bestimmen". Etwa seit 1914, *sold* und später auch *ziv,* vor allem *schül* und *stud.*

2. jn um Geld ansprechen. 1920 ff.

3. von Mitschüler absehen; sich vom Mitschüler vorsagen lassen. 1950 ff.

anpellen *v* **1.** *tr refl* = anziehen, ankleiden. ↗Pelle. 1900 ff.

2. jn ~ = jm um etw bitten. Verkürzt aus „jm auf die ↗Pelle rücken". 1935 ff.

anpesten *tr* jn anzeigen; jm Schlechtes nachsagen. Verstärkung von ↗anstänkern. Man will in schlechten Geruch bringen. 1965 ff, *halbw.*

anpfeffern *tr* **1.** jn beschießen; auf jn einen

Feuerüberfall machen. ↗pfeffern. *Sold* 1939 *ff.*

2. jm eine Schußverletzung beibringen. *Sold* 1939 *ff.*

3. jn antreiben, ermuntern. Fußt auf „jm ↗Pfeffer geben" oder „jm ↗Pfeffer in den Arsch blasen". 1950 *ff.*

anpfeifen *tr* jn anherrschen. Gehört zu der Vorstellung vom Wind, der pfeift (= der scharf, schneidend weht); außerdem ist „pfeifen" eine akustische Gebärde der Geringschätzung. 15. Jh.

Anpfiff *m* **1.** heftige Zurechtweisung. ↗anpfeifen. Seit dem späten 19. Jh, vor allem *sold* und *schül.*

2. ~ für … = reden wir zuerst von … Stammt aus dem Sportlerdeutsch: ein Spiel anpfeifen = das Startzeichen geben. 1960 *ff.*

anpflaumen *tr* **1.** auf jn anzügliche Bemerkungen machen; jn veralbern, verulken. ↗pflaumen. 1900 *ff.*

2. jn ausschimpfen, beschimpfen. Der Betreffende wird wohl als „↗Pflaume" (= Versager) bezeichnet. 1930 *ff.*

anpicheln *v* sich einen ~ = sich betrinken. ↗picheln. 1900 *ff.*

anpichen *v* **1.** etw ~ = die Fehler eines Mitschülers anzeigen. Pichen = kleben: dem Schüler wird ein Makel angeheftet. Seit dem späten 19. Jh, *oberd.*

2. sich ~ = sich einzuschmeicheln suchen. Der Betreffende klebt wie Pech an und fällt dadurch lästig. 19. Jh.

anpicken *tr* **1.** etw ankleben. ↗picken. 19. Jh.

2. jn ~ = jn um etw bitten, angehen. Leitet sich wohl her vom „Anklopfen" wie mit einem Vogelschnabel. 1900 *ff.*

3. sich einen ~ = sich gründlich sattessen. Gehört zu „↗picken = essen". Seit dem späten 19. Jh, *sold.*

anpieken *tr* etw anstechen. ↗pieken. 19. Jh.

anpinkeln *tr* **1.** jn übervorteilen. Eigentlich „jn mit Harn besudeln". Diese Grundvorstellung ist fast allen umgangssprachlichen Wendungen für „übervorteilen" gemeinsam. 1900 *ff.*

2. jm Mißachtung bezeigen; schlecht von jm reden. 1955 *ff*, *halbw.*

3. jm ins Gewissen reden. Verkürzt aus „jm ins ↗Gewissen pinkeln". 1900 *ff.*

4. jn belangen. *Schül* 1955 *ff.*

5. ich lasse mich von dir nicht ~ = ich lasse mich von dir nicht beleidigen. 1935 *ff.*

6. so einen würde ich noch nicht einmal ~!: Ausdruck höchster Verachtung gegenüber einem Menschen. 1960 *ff.*

7. jn kniehoch ~ = beim Skat Dame oder König spielen, um den Gegner zum Stechen zu reizen. Der Betreffende wird gewissermaßen so sehr angeharnt, daß er reagieren muß. Kartenspielerspr. 1950 *ff.*

anpissen *refl* sich zudringlich einschmeicheln; jm die Bekanntschaft aufdrängen. Parallel zu ↗anscheißen 3. 1900 *ff.*

Anpisser *m* **1.** Einschmeichler. ↗anpissen. 1900 *ff.*

2. Bordellkunde, der den normalen Beischlaf vollzieht. 1960 *ff.*

anplotzen *tr* eine Zigarette o. ä. anzünden. ↗plotzen. 19. Jh, vorwiegend *westd* und *südwestd.*

anpöbeln *tr* **1.** jn pöbelhaft anreden; jn anherrschen; jn in unsittlicher Weise belä-

stigen. ↗pöbeln. Gegen Ausgang des 19. Jhs in Studentenkreisen aufgekommen; heute allgemein verbreitet.

2. jn von hinten ~ = beim Kartenspiel in Hinterhand stehen und dem Ausspieler den Stich stechen. 1900 *ff.*

anpoppen *tr* schwängern. ↗poppen. *Halbw* 1955 *ff* (wohl viel älter).

anpreschen (angeprescht kommen) *intr* herbeieilen im Wagen oder zu Pferd, auch zu Fuß. Meint eigentlich „im Galopp anreiten". 19. Jh.

anprobieren *v* sich einen ~ = ein Glas Schnaps trinken; am frühen Morgen das erste Glas Alkohol zu sich nehmen. Hergenommen vom Kleidungsstück, das man zur Probe anzieht, um zu sehen, ob es paßt. 19. Jh.

anpröstern *tr* jn ~ = auf jds Wohl trinken. ↗Prösterchen. 1900 *ff.*

anpummeln *tr refl* warm ankleiden. Pummel = dralles Mädchen. Warme Kleidung macht ↗pummelig. 1900 *ff.*

anpumpen *tr* **1.** jn um Geld ansprechen. ↗pumpen. 1700 *ff*, anfangs *stud.*

2. schwängern. ↗pumpen = koitieren. 19. Jh.

3. *intr* = fehlschießen; Mißerfolg erleiden. Meint wohl soviel wie „anklopfen, aber nicht eingelassen werden". 19. Jh, *südd.*

Anpumperer *m* **1.** Mensch, der aus Ungeschicklichkeit überall anstößt. ↗anpumpern. *Österr* 19. Jh.

2. lästiger, unsympathischer Mensch. *Österr* 19. Jh.

anpumpern *intr* anklopfen, anstoßen. „Pumpern" gibt den dumpfen Schall wieder. *Österr* 19. Jh.

anpuppen *tr* jn schminken o. ä.; jn kleiden. ↗puppen. 1900 *ff.*

anpusten *tr* **1.** etw eilig (mangelhaft) befestigen. 1900 *ff.*

2. jn heftig anherrschen. Parallel zu ↗anblasen 1. 1800 *ff.*

3. jn beschießen. ↗pusten. *Sold* in beiden Weltkriegen.

4. Wenn ich dich anpuste, gehst du drei Tage rückwärts!: Drohrede eines, der sich mit seiner Kraft brüstet. *Schül* 1930 *ff.*

anputzen *tr* schwängern. Putzen = fegen = koitieren. 1900 *ff.*

anquaken *v* **1.** jn ~ = a) jn ansprechen; eine weibliche Person ansprechen. ↗quaken. 1900 *ff.* – b) jn anherrschen. „Quak" ist das Schallwort für den Froschlaut, auch für das Geknarr der Enten und für das Krächzen der Raben. 1900 *ff.*

2. gegen etw ~ = etw benörgeln. ↗quaken. 1920 *ff.*

anquälen *tr* sich etw ~ = sich etw mühsam beibringen; ein unnatürliches Wesen annehmen. 1900 *ff.*

anquieken *tr* jn schrill anherrschen (daß die Stimme überschlägt). Quieken = einen schrill quäkenden Ton von sich geben. 1900 *ff.*

anranzen *tr* **1.** jn anherrschen, heftig zurechtweisen. Fußt vielleicht auf *ndl* „aanranden = anfallen, feindlich angreifen; übel begegnen" mit Einfluß von *dt* „ranzen = lärmen". 18. Jh.

2. jn ~, bis er in keinen Stiefel mehr paßt = jn grob, entwürdigend anherrschen. *Sold* 1935 *ff.*

anrasseln *tr* jn anschreien. Die Stimme äh-

nelt wohl dem Geräusch der Rassel. *Sold* 1914 *ff.*

anrauchen *v* sich einen ~ = sich bezechen. ↗angeraucht sein. 19. Jh.

Anraunzer *m* heftige Rüge. ↗raunzen. *Südd* 1850 *ff.*

anreißen *tr* **1.** Kunden werben; Käufer ausfindig machen. Gemeint ist, daß der Kaufmann die Kunden am Ärmel ergreift und in den Laden zieht. 1800 *ff.*

2. jn zum Verzehr animieren. *Österr* 1920 *ff.*

3. eine Vorführung ansagen. 1960 *ff.*

4. jn um Geld ansprechen. 1900 *ff.*

5. jds Bekanntschaft suchen. *Österr* 1950 *ff.*

6. Leute benachrichtigen, zusammenholen. *Halbw* 1955 *ff.*

7. etw ~ = etw anbrechen; vom Ganzen einen Teil wegnehmen. Man reißt das Geldbündel an, indem man die Bündelung öffnet; man reißt die Banderole auf und bricht die Ware an. 19. Jh.

8. etw angerissen haben = etw verschuldet haben. ↗reißen. 1900 *ff.*

Anreißer *m* **1.** Kundenfänger, Werber, Lockvogel, Jahrmarktshändler, Propagandist u. ä. ↗anreißen 1. 1800 *ff.*

2. die Kauflust reizender Gegenstand. 1945 *ff.*

3. Animiertänzer. *Österr* 1920 *ff.*

4. Blickfang in der Zeitung. 1950 *ff.*

Anreißerin *f* Bardame; auf Prozente arbeitende weibliche Person in Nachtbars o. ä.; Zutreiberin für anrüchige Lokale. 1910 *ff.*

Anrempelei *f* Herausforderung zur Gegenwehr; böswillige Kritik. ↗anrempeln 1. 1900 *ff.*

anrempeln *tr* **1.** jn beim Begegnen stoßen; den Entgegenkommenden anstoßen, um ihn zu reizen. ↗rempeln. 19. Jh, anfangs *stud.*

2. jn taktlos, beleidigend ansprechen. Seit dem späten 19. Jh.

Anrempler *m* **1.** scharfer Angriff mit Worten. ↗anrempeln 2. 1950 *ff.*

2. Mann, der Frauen in geschlechtlicher Absicht anspricht. 1930 *ff.*

3. Gehilfe, der durch Stoßen und Drängen die Aufmerksamkeit auf sich lenkt, damit der Taschendieb unbemerkt stehlen kann. *Rotw* 1950 *ff.*

anrichten *tr* etw verschulden; einen Schaden verursachen. (z. B.: da hast du 'was Nettes angerichtet!). Gehört zu „richten = recht machen". 16. Jh.

anrollen (angerollt kommen) *intr* **1.** mit dem Auto herbeikommen. 1920 *ff.*

2. näher kommen (meist von einem Beleibten gesagt). Seine Bewegung erinnert an das Rollen eines Fasses. 1920 *ff.*

3. im ~ sein = bald eintreffen; bald verwirklicht werden. 1920 *ff.*

4. etw ~ lassen = etw bestellen, in Auftrag geben. Wohl hergenommen von der Beförderung mit dem Rollkarren. 1920 *ff.*

anrotzen *tr* **1.** jn derb anherrschen, ausschimpfen. ↗rotzen. 1900 *ff.*

2. jn beschießen. ↗rotzen. 1900 *ff.*

anrücken (angerückt kommen) *intr* herbeikommen, anmarschieren. Vgl das Gegenwort „↗ausrücken". 1800 *ff.*

anrudern (angerudert kommen) *intr* mit rudernden Armbewegungen nahen. 19. Jh.

Anrufung *f* ~ des heiligen Ulrich = Erbrechen, Brechreiz. ↗Ulrich. 1900 *ff.*

anrutschen (angerutscht kommen) *intr* für kurzen Aufenthalt anreisen. ↗rutschen. 19. Jh. Aus der Studentensprache hervorgegangen.

ansacken *v* 1. etw ~ = etw anfassen. Eigentlich „am Sack, an den Sackzipfeln ergreifen". 19. Jh.
2. *intr* (auch: angesackt kommen) = schwerfällig herbeikommen. Es sieht aus, als ginge der Betreffende in einem Sack, oder als hätte er eine schwere Sacklast zu schleppen. 1900 *ff.*

ansagen *v* 1. *tr* = dem Mitschüler vorsagen. Hergenommen von der Tätigkeit des Nachrichtensprechers bei Rundfunk und Fernsehen. 1950 *ff.*
2. *tr* = jn einer strafbaren Handlung bezichtigen. Sonderbedeutung von „bekanntmachen, ankünden". 1920 *ff.*
3. *tr intr* = die Spielfarbe nennen. Kartenspielerspr. 19. Jh.

ansamen *tr* koitieren. 1955 *ff.*

ansauen *tr* jn grob anherrschen, unflätig beschimpfen. Man gebraucht grobe („säuische") Worte und macht den anderen zur ↗Sau. *Sold* und *schül* seit dem frühen 20. Jh.

ansaugen *tr* 1. sich etw diebisch aneignen. Übertragen vom Blutegel, der Blut ansaugt. *BSD* 1960 *ff.*
2. sich einen ~ = sich betrinken. Saugen = trinken. Was dem Säugling der Saugbeutel, ist dem Trinker die Flasche. 1900 *ff.*

Anschaffe *f* 1. Suche nach Fehlendem. 1900 *ff, prost, sold* und *halbw.*
2. Partnersuche. ↗anschaffen 6. *Halbw* 1950 *ff.*
3. sich eine ~ anlachen = einen Partner gewinnen. *Halbw* 1950 *ff.*
4. auf die ~ gehen = a) sich etw besorgen, was einem fehlt. 1914 *ff, sold* und *halbw.* – b) nach einem Partner (einer Partnerin) Ausschau halten. *Halbw* 1950 *ff.* – c) als Prostituierte auf Männerfang gehen. 1900 *ff.*

Anschaffefrau *f* Prostituierte. 1950 *ff. Vgl* das Folgende.

anschaffen *v* 1. *intr* (auch: anschaffen gehen) = den Lebensunterhalt durch Prostitution erwerben; auf Männerfang gehen. Verkürzt aus „Geld anschaffen", „Kunden herbeischaffen". Seit dem letzten Drittel des 19. Jhs.
2. *intr* = sein Gewerbe gut verstehen; Geld einbringen. 1900 *ff.*
3. jm etw ~ = jn mit etw beauftragen; jm etw befehlen; jm eine Anordnung erteilen. Schaffen (schwach flektiert) = einrichten; bewirken, daß etwas geschieht. *Oberd* 1500 *ff.*
4. wer anschafft, zahlt = wer bestellt, muß auch bezahlen. *Bayr* 1900 *ff.*
5. sich etw ~ = sich etw widerrechtlich aneignen. 1900 *ff.*
6. sich eine ~ = Umgang mit einem Mädchen beginnen. 19. Jh.

anschauen *tr* 1. ich will mich nicht ~ lassen = lieber zeige ich mich großzügig; ich will mir nichts nachsagen lassen. Gemeint ist der vorwurfsvolle oder mitleidige Blick hämischer Nachbarn. *Bayr* 1930 *ff.*
2. er wird sich ~ = er wird eine unangenehme Überraschung erleben. Er wird gewissermaßen in den Spiegel blicken, um sich zu vergewissern, ob er noch derselbe ist. *Bayr* 1930 *ff.*

anscheißen *v* 1. jn ~ = jn betrügen, übervorteilen. Eigentlich „jn mit Kot verunreinigen"; *vgl* ↗anpinkeln 1. Seit dem späten 18. Jh, anfangs *stud.* – b) jn ausschimpfen, anherrschen. Meint soviel wie „jn mit derben Worten belegen". Jede mit Geräusch verbundene Hervorbringung des Menschen dient zur Wiedergabe derben Ausschimpfens. 19. Jh.
2. ich scheiße mich an (da scheißt' dich an)!: Ausdruck der Überraschung. Vor Staunen (im Schock) versagt der Schließmuskel des Afters. Etwa seit 1800.
3. sich ~ = sich erregen, aufregen. *Vgl* das Vorhergehende. 1800 *ff.*
4. sich bei jm ~ = sich bei jm beliebt machen wollen. Man bemüht sich um den Betreffenden dermaßen, daß man vor lauter Eilfertigkeit die Hosen von innen beschmutzt. 18. Jh.
5. jn bei einem ~ = jn hinterhältig anzeigen, verraten, verleumden. Der Schandfleck wird hier derb zu einer Verunreinigung mit Kot. 1930 *ff.*
6. es scheißt mich an = es ekelt mich an (wie Kot). 1900 *ff.*
7. das ist zum ~: Ausdruck der Verzweiflung. 1930 *ff.*

Anscheißer *m* 1. Vorgesetzter von barscher Wesensart. ↗anscheißen 1 b. *BSD* 1960 *ff.*
2. Liebediener. ↗anscheißen 4. *BSD* 1960 *ff.*
3. Betrüger. ↗anscheißen 1 a. 1920 *ff.*
4. Verräter. ↗anscheißen 5. 1930 *ff.*

anschieben *v* 1. *intr* (auch: angeschoben kommen) = langsam herbeikommen. ↗schieben. 19. Jh.
2. jn ~ = einen Unschlüssigen ermuntern; einem Notleidenden Beistand leisten; jm zu etw den Anstoß geben. Hergenommen vom Kraftfahrzeug, das man anschiebt, damit der Motor anspringt. 1930 *ff.*

anschießen *v* 1. *intr* = eine Karte anspielen. Mit einem „Schuß" wird der „Kampf" begonnen. Kartenspielerspr. 19. Jh.
2. jn ~ = jds Ruf und Ansehen schwer schädigen; jn abfällig beurteilen. Der Betreffende wird gewissermaßen mit einem Schuß getroffen, der nicht sofort lebensgefährlich ist. Seit dem späten 19. Jh.
3. jn ~ = jm eine ernste Warnung erteilen. Hergenommen vom Warnschuß. 1950 *ff.*
4. jn ~ = jm zu nahe treten. 1900 *ff.*
5. jn ~ = jn necken, täuschen. Er wird mit ungefährlicher „Munition" beschossen. 1950 *ff.*
6. jn ~ = den Ball gegen einen Spieler treten. *Sportl* 1920 *ff.*
7. jn ~ = jn intim betasten. *Halbw* 1950 *ff.*
8. einen ~ = koitieren. ↗Schuß. *Halbw* 1930 *ff.*
9. jn ~ = schwängern. 1930 *ff.*
10. sich ~ = sich selbst veralbern. ↗anschießen 5. 1950 *ff.*
11. ~ lassen = eine Karte stechen. Kartenspielerspr. 19. Jh.

Anschiß *m* 1. strenge Rüge. ↗anscheißen 1 b. 19. Jh.
2. Betrug, Übertölpelung. ↗anscheißen 1 a. 1900 *ff.*

Anschlag *m* 1. Plan, Vorhaben. Meint eigentlich die Vorbereitung zum Abfeuern eines Schusses (Zielen). Seit *mhd* Zeit.
2. Anschläge frißt der Hund (er braucht einen Hund, der seine Anschläge frißt): Redensart auf einen Menschen, der nur Pläne hat und keinen ausführt. Gemeint ist, daß der Betreffende mit seinen vielen Plänen einen Hund füttern kann; aber deswegen taugt der Hund um nichts mehr. 1900 *ff.*
3. Anschläge haben = kostspielige Wünsche äußern. 1900 *ff.*
4. etw bis zum ~ tun = etw bis zum äußersten tun. Anschlag = schußfertige Haltung des Gewehrs. Fliegerspr. 1939 *ff.*
5. auf jn einen ~ vorhaben = jn um etw bitten wollen. 1900 *ff.*

anschlagen *intr* beim Soufflieren nur das erste Wort der Textzeile vorsagen. So wie man beim Stimmen der Musikinstrumente nur einen Ton anschlägt. 1960 *ff,* theaterspr.

anschlägig *adj* klug, pfiffig. *Vgl* ↗Anschlag 1. 1500 *ff.*

Anschlagsäule *f* verschwiegen wie eine ~ sein = 1. alles ausplaudern. Ironie; denn die Anschlagsäule dient der Reklame. Seit dem späten 19. Jh.
2. sehr verschwiegen sein. Gleichfalls (umgekehrt) ironisch gemeint; denn Reklame gibt keine Geheimnisse preis. Seit dem späten 19. Jh.

Anschleiche *f* 1. es auf die ~ bringen = miteinander tanzen. Gemeint ist wohl, daß der junge Mann sich an ein Mädchen heranschleicht und mit ihm die Tanzfläche betritt. *Halbw* 1950 *ff.*
2. etw auf die ~ bringen = langsam zu handeln beginnen; endlich etw tun. *Halbw* 1950 *ff.*

anschleichen *v* 1. *intr* (auch: angeschlichen kommen) = herbeischlendern; langsam nahen. 19. Jh.
2. sich ~ = a) jn umschmeicheln; sich in jds Gunst zu setzen suchen. Sich schleichend nähern nach Katzenart. 1925 *ff.* – b) sich aufdrängen. 1925 *ff.*

anschleifen *tr* jn wider seinen Willen herbeischleppen. ↗schleifen. Seit dem späten 19. Jh, anfangs *stud.*

anschleppen *tr* jn mitbringen. Eigentlich soviel wie „schleppend herbeibringen". 1900 *ff.*

anschlucken *v* sich einen ~ = sich betrinken. Etwa soviel wie „Schluck um Schluck dem Rauschzustand näherkommen". *BSD* 1960 *ff.*

Anschluß *m* 1. den ~ erreicht haben = betrunken sein. Meint entweder, daß man mit den anderen bis zum Rausch mitgehalten hat, oder spielt an auf den Anschluß (die Einverleibung) Österreichs an das Großdeutsche Reich, 1938. *Sold* 1939 *ff.*
2. ~ finden = einen Freund oder Heiratspartner finden. Sich an jn anschließen = sich jm beigesellen. Seit dem späten 19. Jh.
3. den ~ verpassen = a) keinen Mann (keine Frau) zum Heiraten finden. Seit dem späten 19. Jh. – b) eine Sache verkehrt handhaben; falsche Politik treiben. 1880 *ff.* – c) sich nicht rechtzeitig den Schlaueren (den vermeintlich Klügeren) anschließen; mangels Opportunismus in Nachteil geraten. Wohl schon vor 1933 aufgekommen; 1920 (?).

Anschlußpanik *f* Streben nach Frühehe. Man befürchtet, mit zunehmendem Alter den Anschluß an einen Partner zu versäumen. 1920 ff.

anschmalzen v sich eine ~ = gefühlvoll mit einem Mädchen flirten. ↗ schmalzen. *Jug* 1930 ff.

Anschmeiße f 1. Tanzfigur, bei der das Paar enganeinandergeschmiegt tanzt. Man wirft sich an den Partner heran. *Halbw* 1950 ff.
2. Annäherungsversuch. *Halbw* 1950 ff.
3. es mit jm auf die ~ bringen = sich (beim Tanzen) anschmiegen. *Halbw* 1950 ff.
4. mit jm auf ~ gehen = mit jm flirten; Anschluß suchen; jn zum Beischlaf zu bewegen trachten. *Halbw* und *prost* 1950 ff.

anschmeißen v 1. *intr* = den ersten Wurf tun; anwerfen. ↗ schmeißen. 1500 ff.
2. sich ~ = sich anbiedern; sich aufdrängen; Herrenbekanntschaft suchen. Verkürzt aus „sich jm an den ↗ Hals werfen". 19. Jh.

anschmieren tr 1. jn betrügen, übervorteilen. Analog zu ↗ anscheißen 1 a. 16. Jh, anfangs *stud.*
2. jn belügen. 19. Jh.
3. jn anzeigen. ↗ anscheißen 4. 1930 ff.
4. etw ~ = Wein (o. ä) fälschen. Schmieren = unsauber arbeiten. 1700 ff.
5. eine ~ = schwängern. Leitet sich her entweder von „Schmiere = Sperma" oder von Täuschung beim Beischlaf. 19. Jh.
6. jm etw ~ = jm etw betrügerisch verkaufen, aufschwatzen. 1500 ff.
7. sich ~ = a) sich einschmeicheln, anschmiegen, aufdrängen. ↗ schmieren = schmeicheln. 19. Jh. - b) sich schminken. Meint eigentlich ein geschmackloses Anstreichen, d. h. ein schmutzendes (weil zu dick aufgetragenes) Schminken. 19. Jh. - c) sich täuschen. 19. Jh.

Anschmiß m Flirt, Koketterie. ↗ anschmeißen 2. Seit dem frühen 20. Jh, vorwiegend *halbw.*

anschmitzen tr 1. jm einen kurzen Hieb versetzen. Schmitze = Peitschenschnur; schmitzen = mit Ruten schlagen. 1920 ff.
2. etw beschmutzen. Seit *ahd* Zeit.
3. jn verleumden. Parallel zu ↗ anschwärzen. 1900 ff.

anschnacken tr 1. jn ansprechen. ↗ schnacken. 19. Jh.
2. jm etw ~ = jm etw betrügerisch aufschwatzen. 19. Jh.

anschnallen tr 1. sich etw ~ = sich etw anschaffen. Etwa soviel wie „sich etw umgürten". 18. Jh, *stud.*
2. sich eine Braut ~ = eine Liebschaft beginnen. 19. Jh.
3. jm ein Mädchen ~ = jm ein Mädchen zur Ehe geben. 19. Jh.

Anschnallmuffel m Kraftfahrer ohne Sicherheitsgurt. ↗ Muffel 2. 1976 ff.

anschnarchen tr jn grob ansprechen, anherrschen. *Vgl* ↗ anfurzen. Spätestens seit 1600.

anschnarren tr jn anherrschen. Der Betreffende wird mit schnarrender Stimme angesprochen. 16. Jh.

anschnauben tr jn anherrschen. Wie ein wütendes Pferd einen anschnaubt. *Vgl* ↗ anfurzen. 18. Jh.

anschnauzen tr jn heftig zurechtweisen, grob ansprechen. Häufigkeitsform zu „anschnauben = anblasen". *Vgl* das Vorhergehende. 1500 ff.

Anschnauzer m heftiger Tadel; Anherrschung. *Vgl* das Vorhergehende. 19. Jh.

anschneien (angeschneit kommen) *intr* unangemeldet kommen. Übertragen von unerwartetem Schneefall. 1900 ff.

Anschnitt m zum ~ bereitliegen = zur Erörterung vorbereitet sein. Fußt auf „eine Frage anschneiden". 1950 ff.

anschnurren tr jn anherrschen. Schnurren = dumpf schnarren (wie es Katzen tun). 19. Jh.

anschrammen tr jn heftig zurechtweisen. Schramme = Rißwunde; weiterentwickelt zur Bedeutung „Kränkung". *Sold* 1940 ff.

Anschreibe f etw auf die ~ tun = einen Betrag stunden. Anschreibe ist ein Neuwort, wahrscheinlich in Halbwüchsigenkreisen nach 1950 entwickelt.

anschuften tr sich etw ~ = sich durch schwere Arbeit eine Krankheit zuziehen. ↗ schuften. 1960 ff.

Anschuß m 1. Zurechtweisung; scharfe Rüge. ↗ anschießen 3. Seit dem späten 19. Jh, *schül.*
2. gehässige Bemerkung; satirische Anzüglichkeit. 1920 ff. ↗ anschießen 2.
3. (Spiel-)Verlust. 1900 ff.

anschusseln (angeschusselt kommen) *intr* langsam, nachlässig (behindert) herbeikommen. ↗ Schussel. 1900 ff.

anschwärzen tr jn hinterhältig bezichtigen, verleumden. Soll aus *lat* „adnigrare = anschwärzen" übersetzt sein. Doch *vgl* auch die Begriffe „schwarze Liste", „schwarze Seele" u. ä. 1500 ff.

anschwatzen (anschwätzen) tr jm etw ~ = jm etw betrügerisch aufnötigen. Kaufmannsspr. seit 1700.

anschwimmen *intr* 1. ~ (angeschwommen kommen) = herbeikommen. Wohl Anspielung auf Schwimmbewegungen oder glattes Gleiten wie auf Wasser. 1920 ff.
2. gegen etw nicht ~ können = einem Hindernis nicht gewachsen sein. Fußt auf der Redensart „gegen die Strömung nicht anschwimmen können". 19. Jh.

anschwirren (angeschwirrt kommen) *intr* in Menge/in Massen schnell herbeikommen. Hergenommen vom Heranfliegen eines Vogelschwarms. Seit dem ausgehenden 19. Jh.

anschwitzen tr sich einen ~ = sich in Schweiß arbeiten. *Halbw* 1955 ff.

anschwulen tr 1. jn herausfordernd (auffordernd) ansehen, um ihn zu homosexuellem Verkehr zu ermuntern. ↗ schwul. 1900 ff.
2. jn heimlich, unheildrohend anblicken. ↗ schwulen. 19. Jh.

ansegeln (angesegelt kommen) *intr* gemächlich oder „aufgebläht" (= Aufsehen erregend) herbeikommen. Hergenommen von der langsamen (und schön anzusehenden) Vorwärtsbewegung von Segelbooten oder -schiffen. 19. Jh.

ansehen tr den (die) sieh dir nochmal an! Redewendung, wenn der Kartenspieler günstig für den Gegner spielt. Seit dem späten 19. Jh.

anseichen tr 1. jn anharnen. ↗ seichen. 19. Jh.
2. jn anherrschen, mit gemeinen Worten belegen. Analog zu ↗ anpinkeln 3. 1910 ff.

anseilen v seil an! = gib mir ein Stück ab!

Stammt aus der Bergsteigersprache: anseilen = das Seil verlängern. *Österr* 1960 ff, *schül.*

ansein *intr* 1. brennen. Verkürzt aus „angezündet sein". 19. Jh.
2. begonnen haben (das Theater ist an = die Aufführung läuft bereits). Verkürzt aus „angefangen haben". 19. Jh.
3. angekleidet sein. Hieraus verkürzt. 19. Jh.

ansetzen v 1. *intr* = ein (falsches) Kartenspiel beginnen. Ansetzen = anfangen. *Rotw* 1862 ff, Kartenspielerspr.
2. *intr* = seinen Einsatz machen. Kartenspielerspr. seit dem späten 19. Jh.
3. *intr* (auch: angesetzt kommen) = eiligst nahen. Eigentlich soviel wie „in großen Sätzen (= Sprüngen) herbeikommen". 1600 ff.
4. jn ~ = jn betrügen, übertölpeln, im Stich lassen. Wohl verkürzt aus „jm eine ↗ Nase ansetzen (andrehen)". 19. Jh.
5. etw ~ = jn betrügen, schwängern. Entweder soviel wie „ein Spiel ansetzen" (= beginnen) oder „Bestandteile zusammengeben" (wie es bei der Bowle u. a. geschieht). 1950 ff.
6. jn auf einen ~ = einen Spieler gezielt gegen einen Gegenspieler einsetzen, so daß dieser stark behindert wird. Ballspielerdeutsch. Hergenommen aus der Jägersprache: man setzt den Hund an, wenn man ihn auf Wild hetzt. Ähnlich auch in Polizei- und Agentensprache geläufig. 1950 ff.

ansingen tr 1. jn ~ = ein Mädchen ansprechen. „Singen" hat hier die Sonderbedeutung von „locken, schmeichelnd sprechen". 1950 ff, *jug.*
2. jn um eine Gefälligkeit bitten. Hergenommen von singenden Bettlern oder von Kindern, die an bestimmten Festtagen um eine Gabe singen (Dreikönigssingen). *Oberd* 19. Jh.
3. jn rügen. ↗ singen. 1920 ff.

anspicken tr jn aufstacheln, aufhetzen. Eigentlich soviel wie „jn anstecken". 1950 ff.

anspinnen tr etw verabreden, in die Wege leiten. Parallel zu ↗ anzetteln. 19. Jh.

anspitzen tr 1. jn verraten, verleumden, rügen. Parallel zu ↗ schleifen. 1920 ff.
2. jn zu etw veranlassen, verleiten. Parallel zu „jn zu etw anstiften". 1920 ff.
3. jn um etw bitten oder fragen. *Vgl* das Vorhergehende. 1920 ff.
4. ein Mädchen umwerben. Man will es „spitz" (= beischlafwillig) machen. *Sold* 1939 ff.
5. jn antreiben, ermuntern, aufstacheln. Parallel zu „jm den ↗ Arsch anschärfen". 1930 ff.
6. jn sehr streng, rücksichtslos behandeln, drangsalieren. Analog zu ↗ schleifen. *Sold* 1935 ff.
7. jn ~, daß er nicht mehr weiß, ob er Männchen oder Weibchen ist = jn überaus streng behandeln, quälen. ↗ Männchen. *Sold* 1939 ff.
8. jn verulken. Hängt wohl zusammen mit „Spitze = anzügliche Neckerei". 1950 ff.

Anspitzer m Antreiber. ↗ anspitzen 5. 1935 ff.

Ansprechlokal n Lokal, in dem sich Geschlechtspartner finden. Hamburg 1960 ff.

anspringen *intr* 1. anfangen. Hergenommen vom anspringenden Motor oder vom Pferd, das leicht in Galopp zu versetzen ist. 1933 *ff.*

2. auf etw nicht ~ = auf etw nicht eingehen; sich abweisend verhalten. 1925 *ff.*

anspucken *tr* jn rügen, beschimpfen. ↗ anfurzen. *Sold* 1910 *ff.*

Anstand *m* auf dem ~ sein = Mädchenbekanntschaft suchen. Anstand ist der Ort, an dem der Jäger dem Wild auflauert. 1900 *ff.*

anständig *adj* **1.** gehörig, gut, reichlich; ziemlich (z. B.: das ist ein anständiger Regen; er ist anständig betrunken). Meint eigentlich soviel wie „was sich geziemt", „geziemend". Zur heutigen Bedeutung durch Studenten des frühen 19. Jhs weiterentwickelt.

2. *adv* sehr. 19. Jh.

3. nicht immer von sich auf andere schließen, (denn) es gibt auch ~e Menschen!: rügende Redewendung an einen Menschenfeind. 1900 *ff.*

Anstandsbindfaden *m* schmaler Querbinder. Das Tragen einer Krawatte o. ä. gilt als Zeichen vornehmen Benehmens. *Vgl* ↗ anständig 1. 1960 *ff.*

Anstandsbissen *m* letzter Happen, den die Gäste aus vermeintlicher Höflichkeit übriglassen. Seit dem späten 19. Jh.

Anstandshäppchen (-happen) *n (m)* letztes Stück auf einer Fleisch-, Butterbrotplatte. Seit dem späten 19. Jh.

Anstandsknast *m* Freiheitsstrafe für ein „Kavaliersdelikt". ↗ Knast. 1950 *ff.*

Anstandsrest *m* aus Höflichkeit übriggelassenes Fleisch- oder Butterbrotstück. Seit dem späten 19. Jh.

Anstandswauwau *m* **1.** Hund, den man aus Gründen vermeintlicher Vornehmheit mitnimmt. ↗ Wauwau. 19. Jh.

2. Anstandsbegleiter(in) von jungen Mädchen oder Liebespaaren. Seit dem späten 19. Jh.

3. engherzige Zimmervermieterin. 1920 *ff*, *stud.*

4. Sittenwächter. 1960 *ff.*

anstänkern *tr* mißgünstig über jn reden; sticheln; jn beschimpfen. ↗ stänkern. 1900 *ff.*

anstauben *tr* **1.** jn anherrschen. Der Betreffende wird so stark „angeblasen", daß der Staub aufwirbelt. 1910 *ff.*

2. jn übervorteilen, um Hab und Gut bringen. Fußt auf *oberösterr* „Anstauber = Güterschlächter". Seit dem späten 19. Jh.

anstechen *tr* **1.** jn heimtückisch zu verdrängen suchen; jn verleumden. Hergenommen vom Insekt, das das Obst ansticht, wodurch dieses wurmig wird. 1600 *ff.*

2. jn entjungfern, schwängern. Das Hymen wird durchstoßen. ↗ stechen. 1935 *ff*, *halbw.*

3. jn beobachten, beharrlich ansehen. Hergenommen vom stechenden Blick. *Rotw* 1920 *ff.*

4. eine Zigarre (o. ä) anzünden. Zigarren der herkömmlichen Zeppelinform müssen an den Enden angeschnitten oder angestochen werden, damit die Luft durchziehen kann. 19. Jh.

5. jn ~ = jn in kränkender Weise necken. Meint etwa dasselbe wie „↗ sticheln". 1600 *ff.*

6. ~ (auch: angestochen kommen) *intr*

= herbeistolzieren. Leitet sich wohl vom Reiter her, der dem Pferd die Sporen gegeben hat und nun stolzgeschwellt (im „Stechschritt"?) seinen großen Auftritt hat. Um 1600 *ff.*

anstecken *refl* erröten. Ansteckung (mit einer Krankheit) äußert sich oft in rötlicher bis roter Hautverfärbung. 19. Jh.

anstellen *v* **1.** etw ~ = eine törichte Handlung, eine Straftat begehen. Meint im persönlichen Gebrauch anfangs soviel wie „jm militärisch eine bestimmte Stelle zuweisen, von da an der Gegner schädigen kann"; von da sächlich weiterentwickelt zur Bedeutung „Unheil anrichten". 17. Jh.

2. sich ~ = sich übertrieben (leidenschaftlich) benehmen. Meint eigentlich „sich geschickt aufführen"; von da übertragen auf eindrucksvolles, aber theatralisches Gehabe. 19. Jh.

Ansteller *m* wehleidiger, übertrieben klagender Mensch. *Vgl* das Vorhergehende. 19. Jh.

anstellerig *adj* sich übertrieben aufführend. ↗ anstellen 2. 1900 *ff.*

anstelzen (angestelzt kommen) *intr* ungelenk herbeikommen. Stelzen sind Holzstangen mit Tritthölzern zum Gehen (beliebtes Kinderspielzeug). 1900 *ff.*

Anstich *m* Entjungferung. ↗ anstechen 2. *Sold* 1939 *ff.*

anstiefeln (angestiefelt kommen) *intr* zu Fuß herbeikommen. ↗ stiefeln. 18. Jh, anfangs *stud.*

anstinken *v* **1.** *intr* ~ (auch: angestunken kommen) = a) herbeikommen. *Vgl* das Gegenwort ↗ abstinken 1. 1900 *ff.* – b) einen unerwünschten Besuch abstatten. 1900 *ff.*

2. jn ~ = jn gehässig mit Worten angreifen; jn verleumden. *Vgl* ↗ anstänkern. 1920 *ff.*

3. jn ~ = jn langweilen, nervös machen, anwidern. Meint „jm lästig fallen, bis es ihm stinkt"; ↗ stinken. 19. Jh.

4. es stinkt mich an = es ist mir sehr zuwider. Hergenommen von widerlicher Geruchsempfindung. 18. Jh.

5. gegen etw ~ = gegen etw Einspruch erheben. Meint eigentlich „Gestank mit Gestank erwidern". 19. Jh.

6. gegen etw nicht ~ können = mit etw nicht wetteifern können. Fußt wohl auf dem Sprichwort: „Gegen eine Fuhre Mist kann man nicht anstinken". 19. Jh.

7. gegen jn nicht ~ können = jm nicht gewachsen sein; jn nicht verleumden können. 1930 *ff.*

anstoßen *tr* **1.** entjungfern, schwängern. Anspielung auf die Zerstörung des Jungfernhäutchens. 1900 *ff.*

2. jn nötigen; jm etw deutlich zu verstehen geben. Man verstärkt die Wirkung der Worte durch einen Stoß gegen die Brust, in die Seite o. ä. 1900 *ff.*

anstrebern *refl* beim Lernen übermäßigen Ehrgeiz entwickeln. ↗ strebern. *Österr* 1950 *ff*, *schül.*

anstreichen *v* **1.** jm etw ~ = jm etw gedenken, nachtragen. Analog zu ↗ ankreiden. 18. Jh.

2. sich ~ = sich schminken. Parallel zu ↗ anmalen 2 a. 19. Jh.

Anstreicher *m* Kunstmaler (*abf*). 19. Jh.

Anstrich *m* **1.** Schminke; grelles Schminken; Make-up. ↗ anstreichen 2. 17. Jh.

2. scheinbare Zuverlässigkeit. Der Betreffende macht nach außen einen vertrauenswürdigen Eindruck. 1950 *ff.*

3. sich einen ~ geben = sich schminken. 19. Jh.

4. einer Sache einen ~ geben = einer Sache einen wohlgefälligen äußeren Anschein geben. 18. Jh.

5. einer Sache einen anderen ~ geben = eine Sache wahrheitswidrig darstellen. „Anders" meint hier sowohl „vorteilhafter" als auch „verfälscht". 18. Jh.

6. sich einen falschen ~ geben = sich vorteilhafter zeigen als der Wirklichkeit entsprechend (etwa nach dem Motto: „Mehr scheinen als sein!"). 18. Jh.

anstrudeln *tr* **1.** jm schmeicheln (jn ansingen, anmusizieren). „Strudel" meint entweder eine in Österreich beliebte Mehlspeise (woraus sich dann die Bedeutung „Leckerei" entwickelt) oder den Wasserschwall, der dem Redeschwall gleichgesetzt wird. Vor 1848 hieß in Wien „jn anstrudeln = jn mit Musik feiern". In der heutigen Bedeutung etwa seit 1900 geläufig.

2. jn (feierlich, lobspendend) anreden. *Vgl* das Vorhergehende. *Österr* 1900 *ff.*

anstückeln *intr* mehrere Freiheitsstrafen auf einmal verbüßen. Der Betreffende setzt Stück an Stück und verlängert das Ganze. *Rotw* 1950 *ff.*

antakeln *refl* sich unschön putzen; sich umständlich anziehen. ↗ auftakeln. 19. Jh.

antanzen *v* **1.** *intr* (auch: angetanzt kommen) = herbeikommen; antreten (*milit*). Eigentlich „tänzelnd herbeikommen" oder „den Tanz beginnen". 19. Jh.

2. *intr* = dem Einberufungsbefehl nachkommen. *BSD* 1960 *ff.*

3. jn ~ lassen = jn herbeizitieren; jn zum Rapport befehlen. *Sold* 1910 *ff.*

4. etw ~ lassen = etw herbeibringen lassen. 1900 *ff.*

antappen *tr* jn plump anfassen. ↗ Tappe. 19. Jh.

antapsen *tr* jn beim Tanzen plump anfassen, umfassen. ↗ Tappe; ↗ Taps. *Halbw* 1950 *ff.*

antätscheln *tr* jn mit der Hand berühren. ↗ tätscheln. 19. Jh.

antatschen *tr* **1.** jn (unsanft) anfassen. ↗ tatschen. 19. Jh.

2. jn intim betasten. 19. Jh.

antatzen *tr* jn (unsanft) anfassen. ↗ Tatze. 19. Jh.

antäuschen *tr intr* den Gegenspieler so täuschen, daß er die Richtung des erwarteten Balls falsch einschätzt. Fußballerspr. 1950 *ff.*

anteeren *v* **1.** jn ~ = jn irreführen, belügen. Vielleicht Parallelausdruck zu ↗ leimen. Andererseits ist „anteeren" soviel wie „beschmutzen" und läßt die Analogie zu „beharnen (bekoten) = betrügen" zu. 1900 *ff.*

2. sich ~ = sich schminken. Teerfarbe = Tuschfarbe. 1900 *ff.*

Antenne *f* **1.** Mützenkordel; Drahtreifen in der Mütze. Er dient scherzhaft als Empfangsvorrichtung für elektromagnetische Wellen. *Sold* 1939 *ff.*

2. Zipfel der Baskenmütze. 1930 *ff.*

3. Penis. Wegen seiner Empfindlichkeit für sexuelle „Schwingungen". *Rotw* 1950 *ff.*

4. beischlafwilliges Mädchen. Es ist „empfangsbereit". 1960 ff.

5. die ~ ausfahren = sich umhören und umsehen; seine Fühler ausstrecken. Hergenommen von der Peilantenne. 1950 ff.

6. vergessen Sie nicht, ihre ~ zu beerdigen! = vergessen Sie nicht, Ihre Antenne zu erden! Scherzhafte Verdrehung des Schlußworts des Rundfunksprechers. 1925 ff.

6 a. die ~ einfahren = keinen Kampfgeist mehr entwickeln; lustlos spielen. Sportl 1978 ff.

7. die ~ auf jn einstellen = jds Ansicht anhören wollen. 1950 ff.

8. dir haben sie wohl die ~ geklaut?: Frage an einen Dümmlichen. Antenne = Auffassungsvermögen. 1920 ff.

9. ~ für etw haben = Sinn, Verständnis für etw haben. 1930 ff.

10. für etw keine ~ haben = etw nicht verstehen können; etw ablehnen. 1930 ff.

11. nicht die gleiche ~ haben = sich zu anderer Auffassung bekennen. 1930 ff.

12. eine sensible ~ haben = wetterfühlig sein. 1950 ff.

13. viel in der ~ haben = a) klug sein. Antenne = Intelligenz, Auffassungsvermögen. 1930 ff. – b) geschwätzig sein. 1955 ff.

14. die ~ auf etw schalten = auf etw sein Interesse richten. 1950 ff.

15. die ~ zittert = die Sinne geraten in Wallung. 1955 ff, halbw.

16. jds ~ treffen = jds Eigenart voll entsprechen. 1930 ff.

Antennenwald m Gesamtheit der Dachantennen einer Stadt, der Schiffsantennen. ⁊Wald. Seit dem Zweiten Weltkrieg.

antheken tr sich einen ~ = sich betrinken. Eigentlich „an der Theke im Stehen trinken". 1950 ff.

Anti-Baby-Pille f empfängnisverhütende Pille. 1960 ff.

anticken tr jn herausfordernd ansprechen, provozieren. ⁊ticken 1. 1950 ff.

anti-eingestellt sein sich ablehnend verhalten; verweigern. 1945 ff.

Anti-Fan m (Grundwort engl ausgesprochen) Gegner zügelloser Begeisterung für eine Sache. ⁊Fan 1. 1965 ff.

Anti-Fußball m schlechtes Fußballspiel (ohne Bemühen der Mannschaften um einen Torgewinn o. ä.). 1970 ff.

'Antigrip'pin n Alkohol. Gilt als grippeabweisendes Heilmittel, meist beschönigend gemeint in Monaten starker Grippehäufigkeit. 1950 ff.

'Antigrip'pol n m Grog. 1925 ff.

antik adj altjungferlich. 1950 ff, halbw.

Antike f **1.** bejahrte Ledige. 1950 ff, halbw. **2.** Mutter. 1950 ff, halbw. **3.** pl = Eltern. 1950 ff, halbw.

Antiker m Vater. Halbw 1950 ff.

Anti-Kerl m energie-, charakterloser Bursche. Gegensatz eines kraftvollen, zuverlässigen Kerls. 1960 ff.

Anti-Kicker m Mensch, der sich für Fußballspielen nicht begeistern kann. ⁊Kikker. 1935 ff.

Anti-Kumpel m unkameradschaftlicher Mensch. ⁊Kumpel. BSD 1960 ff und schül.

Antileute pl Gegner. 1960 ff.

Antilope f Straßenprostituierte. Eigentlich das reh- bis rindähnliche Horntier; ~n

sind gute Läufer. Nach 1945 aufgekommen.

Anti-Mille-Bier n alkoholarmes Bier. Meint eigentlich ein alkoholfreies Getränk mit Biergeschmack. Dieses fand beim deutschen Publikum (anders als in der Schweiz) keinen Anklang. Zusammenhängend mit dem „Promillegehalt" des Blutes. 1958 ff.

antippeln intr herbeieilen. ⁊tippeln. 19. Jh.

antippen tr intr **1.** sanft an etw rühren; etw leicht mit dem Finger berühren. ⁊tippen. 19. Jh.

2. bei jm ~ = sich bei jm vorsichtig (scheinbar absichtslos) erkundigen; jn vorsichtig um etw bitten; jm diese und jene Prüfungsfrage stellen. Seit dem späten 19. Jh.

Anti-Promille-Bier n alkoholarmes Bier. Vgl ⁊ Anti-Mille-Bier. 1960 ff.

antiquarisch adv ~ heiraten = eine sehr viel ältere Frau heiraten. Berlin 1950 ff.

Antiquitätenladen m Gymnasium. Wegen der Pflege des klassischen Altertums. Laden = Verkaufsstätte. Österr 1960 ff, schül.

Antiquitätenversteigerung f auf der letzten ~ liegen geblieben sein = eine alte Jungfer sein. Schweiz 1950 ff.

Anti-Rocker m Angehöriger einer feindlichen (Motor-)Bande. ⁊ Rocker. Halbw 1965 ff.

Antisänger m unmusikalisch, kreischend und schreiend singender „Sänger". 1955 ff.

Antischauspielerin f schlechte, unbegabte Schauspielerin. 1955 ff.

Anti-Schwips-Pille f Mittel, das angeblich den Alkoholgehalt im Blut abbaut; Ernüchterungsmittel des Bezechten. ⁊Schwips. 1955 ff.

anti-sein v Gegner sein; sich ablehnend verhalten. 1975 ff.

Anti-Sexbombe f Filmschauspielerin, die in sinnlich erregenden Szenen nicht auftritt. Sie ist das genaue Gegenteil einer ⁊ Sexbombe. 1955 ff.

Anti-Speckweg m beschwerlicher, an Steigungen reicher Wanderweg in Kurorten. Er verhilft zur Abmagerung. 1925 ff.

Antistimmung f ablehnende Stimmung; feindselige Haltung. 1955 ff.

Anton m **1.** Wärmekrug; Thermosflasche u. ä. Stammt aus der Bergmannssprache: nach der Legende spendete St. Antonius den Armen Brot und warme Speisen. 1920 ff.

2. Sperrballon. Wahrscheinlich übertragen vom Namen eines Elefanten aus dem Hamburger Zoologischen Garten. Sold 1939 ff.

3. beim Chorgesang (der Orchestermusik) vorausgehender Ton zum Stimmen. Eigentlich „An- Ton" = Anfangston. 1930 ff.

4. blauer ~ = Monteuranzug; Arbeitsanzug des Maschinisten. Hier ist „Anton" scherzhaft aus „Anzug" entstellt, vermutlich über die niederd Mittelform „Antog". 19. Jh.

5. flotter ~ = Durchfall. Männliche Vornamen werden für Durchfallbezeichnungen sehr häufig gebraucht. BSD 1960 ff.

6. ~, steck' den Degen ein!: beruhigender Zuruf; Zuruf an einen Prahler. Eigentlich Zuruf eines dazwischentretenden Polizei-

beamten an einen Duellanten. 1858 Glaßbrenner und seitdem bis heute.

7. ~ sagen = einen einzelnen Schuß abfeuern. Stammt aus dem Südd: „an Ton" = einen Ton. Sold 1910 ff.

Antonbombe f Atombombe. Scherzhafte oder ursprünglich mißverstandene Benennung, 1945 ff.

antörnen v ⁊anturnen II.

antöten tr jn verwunden. Soviel wie „den Anfang vom Töten machen". Sold in beiden Weltkriegen und BSD.

antraben intr herbeieilen. Eigentlich vom Reiter gesagt. 1939 ff.

Antreiber m Zuhälter. Er treibt die von ihm abhängigen Prostituierten zu Gelderwerb an. 1920 ff.

antrieseln tr jn übertölpeln. Gehört zu ⁊trieselig = benommen. Seit dem ausgehenden 19. Jh.

antrimmen tr ein Kleidungsstück anziehen. Fußt auf engl „to trim = putzen, ordnen". 1950 ff.

Antritt m Entjungferung. Stammt aus der Geflügelzucht: antreten = zum ersten Mal treten = decken. 1900 ff.

antüdeln (antüdern, antüten, antütern) v sich einen ~ = sich betrinken. „Antüdeln" ist nordd Iterativum von „antüern (antüddern)" im Sinne von „anpflocken". Verkürzt aus den Redensarten „sich einen ⁊ Affen anbinden" oder „⁊Kälber anbinden". 19. Jh.

antun tr **1.** etw (sich) ~ = ein Kleidungsstück (sich) anziehen. Ausgangsbedeutung von „tun" ist „setzen, legen". Antun = anlegen. Schon in mhd Zeit.

2. sich einen ~ = sich betrinken. Hinter „einen" ergänze „Rausch" oder „⁊Haarbeutel". 19. Jh.

anturnen I (angeturnt kommen) intr herbeikommen. Turnen = tollen; sich ausgelassen bewegen. 1920 ff.

anturnen II v (engl ausgesprochen) **1.** etw ~ = etw beleben, anfeuern, ermuntern. Engl „to turn = an-, aufdrehen; einschalten". Halbw 1955 ff.

2. jn ~ = jn in Stimmung bringen; auf jn Eindruck machen. Halbw 1955 ff.

3. intr refl = Rauschgift nehmen. Halbw 1968 ff.

antuschen refl Make-up auflegen. Tuschen = mit Wasserfarben malen. 1920 ff.

antütern v ⁊antüdeln.

anvettermicheln refl sich anbiedern. „Vetter" bezeichnet jeden achtbaren verheirateten oder ledigen älteren Mann. Um 1800 gab es einen Walzertext „Gestern abend war Vetter Michel da". 19. Jh.

anwachsen intr ausdauernd und unbeweglich sitzen (stehen). 19. Jh.

anwackeln (angewackelt kommen) intr **1.** langsam herbeikommen. Bezieht sich vorwiegend auf Leute mit Körperfülle oder Unsicherheit auf den Beinen. 18. Jh.

2. beim Ansetzen zur Landung mit den Tragflächen wackeln. Dies ist ein Zeichen, daß man ein oder mehrere feindliche Flugzeuge abgeschossen hat. Fliegerspr. 1939 ff.

Anwaltsfabrik f Zusammenschluß mehrerer Rechtsanwälte; Anwaltsgemeinschaft. 1950 ff.

Anwaltskanone f sehr tüchtiger Rechtsanwalt. ⁊Kanone 1. 1920 ff.

anwalzen (angewalzt kommen) intr langsam herbeikommen. Bezieht sich entweder auf die Körperfülle („Faß"), oder leitet sich her von „walzen = tanzen"; vgl ⁊antanzen 1. 19. Jh.

anwandeln impers ihn wandelt etwas an = er verfällt auf sonderbare Gedanken. Anwandlung = Gestimmtsein zu etwas. 19. Jh.

Anwandlung f ~en haben = sonderbare Einfälle haben. Vgl das Vorhergehende. 19. Jh.

anwanzen v 1. intr (auch: angewanzt kommen) = langsam sich nähern. ⁊wanzen 1. 20. Jh.

2. jn ~ = jn aufdringlich um etw ansprechen. Der Betreffende fällt lästig wie eine Wanze. 1920 ff.

3. sich ~ = sich aufdrängen. Seit dem späten 19. Jh.

anwärmen tr 1. jn für etw ~ = jn für eine Tätigkeit vorbereiten. Der Kochkunst entnommen. Vgl engl "to warm up". 1950 ff.

2. etw ~ = eine Sache vorbereiten, einleiten. 1950 ff.

3. etw ~ = mittels Alkohols eine Unterhaltung (Bekanntschaft) beginnen. 1950 ff.

4. sich ~ = nach dem Aufstehen das nächtliche Zechgelage fortsetzen. Am zweiten Tag bedarf es einer geringeren Alkoholmenge, um den vortägigen Trunkenheitsgrad wieder zu erreichen. 1900 ff.

Anwärmflasche f 1. Bardame. Sie ist keine vollgültige ⁊Wärmflasche. 1930 ff.

2. weibliche Person, die in Nachtbars oder ähnlichen Lokalen männliche Gäste zu hohem Verzehr verleitet. 1930 ff.

3. reizvolles junges Mädchen, bei dessen Anblick „es einem warm wird" infolge geschlechtlicher Erregung. 1950 ff.

Anwärter m ~ auf den goldenen Lenker = würdelos liebedienerischer Mensch. ⁊Lenker. BSD 1960 ff.

anwatzen intr eiligst herbeikommen. Watz = Eber. 1950 ff, schül.

anwerfen tr etw einschalten. Hergenommen von der Ingangsetzung des Motors von Hand. Technikerspr. 1950 ff.

Anwesenheitsnachweis m sehr kleiner Lieferungsauftrag, der kaum Verdienstmöglichkeiten gibt und lediglich das Tätigwerden des Vertreters bestätigt. 1950 ff.

Anwesenheitsprämie f Wehrsold. BDS 1960 ff.

anwettern tr jn grob anherrschen, zurechtweisen, ⁊wettern. 19. Jh.

anwetzen (angewetzt kommen) intr herbeieilen. ⁊wetzen. Seit dem späten 19. Jh.

anwichsen tr 1. jn antreiben, zur Ordnung anhalten, zurechtweisen. Meint eigentlich „mit Schlägen antreiben"; vgl ⁊Wichse. 1930 ff.

2. etw ~ = etw beschleunigen. Wie man einen Kreisel mit der Peitschenschnur auf Touren treibt. 1930 ff.

3. jn ~ = jn beleidigen, von der Seite ansprechen. Hängt zusammen mit stud „wichsen = auf Säbel fechten". 1950 ff.

4. jn ~ = jn um Geld angehen. 1950 ff.

5. intr (auch: angewichst kommen) = herbeilaufen. Gemeint ist, daß durch schnelles Laufen die Schuhsohlen glänzend, glatt werden; wohl von „fix" beeinflußt. Seit dem späten 19. Jh.

anwinken tr einem Autofahrer ein Zeichen geben, daß man mitgenommen werden möchte; ein Auto heranwinken. 1950 ff.

anwuchten (angewuchtet kommen)

---

intr schwerfällig herbeikommen. ⁊wuchten. 1930 ff.

anwurzeln intr träge, phlegmatisch sein; regungslos stehen. Der Betreffende scheint Wurzeln zu schlagen. 18. Jh.

anzapfen tr 1. jm Blut abnehmen. Seit dem frühen Mittelalter.

2. jn um Geld ansprechen. Geld ist für die meisten ebenso teuer wie Herzblut. 15. Jh.

3. jn ausfragen, anzüglich anfragen. 15. Jh.

4. einem Konto Geld entnehmen. 1900 ff.

5. koitieren. 1600 ff.

6. das Telefon ~ = Telefongespräche überwachen. 1945 ff (wohl älter).

Anzeigenfeldzug m breit angelegte, sich über einen längeren Zeitraum erstreckende Aufklärung oder Werbung in Zeitungsanzeigen. Der Werbefachmann als Feldherr. 1930 ff.

Anzeigenfriedhof m Stellenmarkt der Zeitung. Die Kleinanzeigen stehen in ähnlich häßlichem Durcheinander wie die Grabkreuze auf manchen Friedhöfen. 1930 ff.

Anzeigenwiese f Stellenmarkt in der Tagespresse. 1950 ff.

anzetteln tr Ungutes anstiften. Fußt auf „zetteln = die Kette eines Gewebes aufziehen"; anzetteln = ein Gewebe beginnen. Vgl ⁊anspinnen. Seit frühnhd Zeit.

anziehen v 1. sich etw ~ = eine Bemerkung auf sich beziehen. Fußt auf dem Sprichwort „Wem die Jacke (der Schuh) paßt, der zieht sie (ihn) sich an". 18. Jh.

Anzug m 1. ~ von der Stange = Konfektionsanzug. ⁊Stange. Etwa seit 1900 geläufig; sehr volkstümlich seit 1920.

2. elektrischer ~ = Anzug mit viel Achselpolster. Zu elektrisch vgl ⁊Kilowatt. 1930 ff.

3. erster (zweiter) ~ = beste (zweitbeste) Mannschaftsaufstellung. Parallel zu ⁊Garnitur. Sportl 1950 ff.

4. ich boxe (haue, stoße o. ä) dich aus dem ~l: Drohrede. 1910 ff.

5. aus dem ~ fallen = abmagern, hungern. Der Anzug hält den Körper nicht länger zusammen. 19. Jh.

6. aus dem ~ gehen (fahren) = sich aufregen; wütend werden. Der Betreffende legt das Jackett o. ä. ab und schickt sich zu einer Rauferei an. Sinnverwandt: „ihm platzt der ⁊Kragen". 1920 ff.

7. überrascht aus dem ~ gucken = überrascht blicken. Parallel zu ⁊Wäsche. 1935 ff.

8. das haut den stärksten Mann aus dem ~ = das ist überwältigend, überaus überraschend. Vgl ⁊ Anzug 4. 1940 ff.

9. aus dem ~ kippen = a) zu Boden fallen. 1930 ff. – b) sehr überrascht sein. 1930 ff.

10. laß dich nicht aus dem ~ pusten!: Drohrede, Warnrede. Jug 1930 ff.

11. aus dem ~ sein = wütend sein. Vgl ⁊Anzug 6. 1920 ff.

12. aus dem ~ springen = sich sehr aufregen; aufbrausen. Vgl ⁊Anzug 6. 1920 ff.

13. in den ~ steigen = den Anzug anziehen. Eigentlich nur „in die Hose steigen". 1920 ff.

14. jn aus dem ~ stoßen = jm gewalttätig entgegentreten. 1910 ff.

15. es stößt mich aus dem ~ = es raubt mir die Fassung. 1920 ff.

anzwitschern v 1. jn ~ = jn gewinnend

---

ansprechen; sich mit jm telefonisch unterhalten. ⁊zwitschern. 1920 ff.

2. sich einen ~ = sich betrinken. ⁊zwitschern. Spätestens seit 1900.

Apartment-Haus n Bordell. Euphemismus; meint eigentlich ein Haus mit vielen Eigentumswohnungen. Fußt auf dem Englischen, mutmaßlich unter Hinzuziehung von „apart = reizvoll". 1960 ff.

Apartmentsschwalbe f Prostituierte mit eigener Wohnung. Vgl das Vorhergehende. 1960 ff.

Apfel m 1. pl = wohlgeformte Frauenbrüste. Wegen der Formähnlichkeit. Gekürzt aus ⁊Liebesäpfel. 19. Jh.

2. pl = Hoden. 1920 ff.

3. harter ~ = schlechtes Auffassungsvermögen. Der Betreffende ist „hartköpfig = begriffsstutzig". 1920 ff.

4. saurer ~ = griesgrämige Person. Sauer = mißmutig. 1950 ff.

5. wurmstichiger ~ = unzuverlässiger, nicht vertrauenerweckender Mensch. ⁊wurmstichig. 1950 ff.

6. für einen ~ und ein Ei = für eine geringe Gegenabe; weit unter dem eigentlichen Wert; fast unentgeltlich. Äpfel und Eier sind in größerer Bauernwirtschaft so reichlich vorhanden, daß man davon verschenken kann, ohne ärmer zu werden. 16. Jh ff.

7. in den sauren ~ beißen = sich zu etwas Unangenehmem entschließen; eine Widerwärtigkeit hinnehmen. Der saure Apfel ist nicht schmackhaft und daher unbeliebt. 1500 ff.

8. der ~ fällt nicht weit vom Birnbaum = wie der Vater, so der Sohn. Eigentlich: „Der Apfel fällt nicht weit vom Stamm". 1920 ff.

9. der ~ fällt nicht weit vom Pferd (Gaul, Roß) = der Apfel fällt nicht weit vom Stamm. Wortspielerei mit dem „Apfel = Obst" und dem „Apfel = Pferdekot". 1900 ff.

10. einen hinter den ~ jubeln = ein Glas Alkohol trinken. Apfel = Adamsapfel. 1920 ff.

11. keine Äpfel mögen (essen) = zum Beischlaf nicht aufgelegt sein; impotent sein. Anspielung auf den Apfel der biblischen Geschichte von Adam und Eva. 19. Jh.

12. das ist einen ~ und ein Ei wert = das ist (fast) wertlos. Vgl ⁊Apfel 6. 1950 ff.

13. Äpfel mit Birnen vergleichen (verwechseln) = einen unzulässigen Vergleich anstellen. Politikerspr. 1965 ff.

Apfelbäckchen pl gesund rosige Wangen. Wegen der Form- und Farbähnlichkeit. 1900 ff.

Apfelbusen m angenehm üppig entwickelter Busen. 1950 ff.

Äpfelchen pl mädchenhafte Brüste. 17./18. Jh.

Apfelfrau f das ist hier nicht wie bei der ~ = das ist hier nicht gestattet; Ausnahmen werden nicht geduldet. Bei der Obst- und Gemüsehändlerin kann man aussuchen. 1900 ff.

Apfelhöker m du sitzt da wie ein ~ = du bist ungeschickt, bist ratlos. Anspielung auf den Obsthändler, der keinen Abnehmer findet. Skatspielerspr., spätestens seit 1900.

Äpfelkoch n aussehen wie gespienes (gespiebenes) ~ = bleich, hager aussehen.

Äpfelkoch = Apfelmus, -brei. Gespieben = ausgespuckt, erbrochen. *Österr* 1900 *ff.*

Apfelmus *n* **1.** aussehen wie gespienes ~ = bleich aussehen. *Vgl* ↗ Äpfelkoch. *Westd* und *südwestd*, 19. Jh.
2. gerührt wie ~ = seelisch bewegt. Wortspielerei: „gerührt = quirlend durcheinanderbewegt" und „gerührt = innerlich erregt". Soll von dem Berliner Komiker Friedrich Beckmann (1833) stammen: „Ick bin jerührt wie Appelmus, zerfließe wie Pomade, mein Herz schlägt wie 'n Pferdefuß in meine linke Wade".
3. jn zu ~ drücken = jn leidenschaftlich an sich drücken. 1920 *ff.*

'Apfelpo'po *m* angenehm gerundete Gesäßhälften. ↗ Popo. 1950 *ff.*

Apfelsaft *m* ~ mit Schlagsahne = Bier. Farbähnlich mit Apfelsaft; der Bierschaum ähnelt der Schlagsahne. 1950 *ff*, kellnerspr.

Apfelsine *f* **1.** Eierhandgranate. Ähnlich hinsichtlich Form und Außenfläche. *Sold* in beiden Weltkriegen.
2. angestoßene ~ = nicht unbescholtene weibliche Person. ↗ angestoßen sein 2. 1900 *ff.*

Apfeltasche *f* **1.** Bikini-Oberteil bei jungen Mädchen. ↗ Apfel 1. 1955 *ff.*
2. Büstenhalter von jungen Mädchen. 1955 *ff.*

Apfelweingrenze *f* Mainlinie. Weil Apfelwein nördlich des Mains (im Maingebiet) sehr beliebt ist. 1930 *ff.*

'Apo'po *m* Schimpfwort. Zusammengesetzt aus „A" (= Arsch) und „Popo". 1900 *ff.*

apopo I *adv* nebenbei bemerkt; was ich noch sagen wollte . . .; da fällt mir gerade ein . . . Entstellt aus *franz* „à propos". 1850 *ff.*

apopo II *adj* homosexuell. Anspielung auf den Analkoitus (a popo = vom After her). 1950 *ff.*

Apostelbart *m* Kinn- und Backenbart. Fußt auf der Darstellung der Apostel in der bildenden Kunst. 1914 *ff.*

Apostelpferde *pl* Füße. 1600 *ff.* Variante schon im *Mhd.*

Apostelschaffe *f* Kirchengebäude. ↗ Schaffe. 1955 *ff*, *halbw.*

Apostelwein *m* saurer Wein. An einem Glas haben zwölf Männer genug zu trinken. 1950 *ff.*

Apotheke *f* **1.** Geschäft (Gasthaus) mit hohen Preisen. Leitet sich her von der Kostspieligkeit der Arzneien und von der volkstümlichen Meinung, der Apotheker verdiene an seinen Waren 99 Prozent. 18. Jh.
2. ~ für Gesunde = a) Kantine. *Sold* 1870 *ff.* – b) Wirtshaus. 1870 *ff.*
3. kleine ~ = Taschenflasche Alkohol. 1930 *ff.*
4. das gibt es in keiner ~ = das dulde ich nicht; das ist unzulässig. Das Gemeinte ist nicht einmal für viel Geld zu bekommen. 1950 *ff.*

Apotheker *m* **1.** hohe Preise fordernder Kaufmann. ↗ Apotheke 1. 18. Jh.
2. Wucherer; wucherischer Geldverleiher. 1900 *ff.*
3. Koch; Kantinenwirt. Wohl beeinflußt von ↗ Giftmischer. *Sold* 1940 *ff.*

Apothekerpreis *m* hoher Preis. ↗ Apotheke 1. 19. Jh.

Apothekerrechnung *f* Rechnung mit überhöhten Preisen. 18. Jh.

Apothekerschnaps *m* starkes Abführmittel. Meint eigentlich den besonders gebrannten Schnaps mit hohem Alkoholgehalt. 1930 *ff.*

Apothekerwaage *f* die ~ nehmen = übergenau, kleinlich, geizig sein. 1900 *ff.*

Apparat *m* **1.** Ersatzwort für jeden beliebigen Gegenstand, auch für eine verwickelte Angelegenheit, vor allem wenn eindrucksvoll und auffallend. Verkürzt aus „großer Apparat". 1870 *ff.*
2. üppiger Busen. 1870 *ff.*
3. Genitalien; Penis. Im Sinne von „Geschlechtswerkzeuge". 1900 *ff.*
4. zu dickes Mädchen. *Halbw* 1955 *ff.*
5. ein ~ von Buch (Kranz, Rundfunkgerät) = ein sehr großer, umfangreicher Gegenstand. 1900 *ff.*
6. doller (toller) ~ = a) großer Gegenstand; große Menge. 1930 *ff.* – b) üppiger Busen. 1900 *ff*
7. ohne ~ = leicht; ohne Umstände; mühelos; einfach. Apparat = Zurüstung; hier also = „ohne Zurüstung, ohne besondere Vorbereitung". Seit dem späten 19. Jh.
8. am ~ bleiben = hartnäckig ein Ziel verfolgen; jn hartnäckig verfolgen. Hergenommen vom ausdauernden Telefongespräch. 1935 *ff.*
9. aus etw einen ~ machen = etw aufbauschen. Apparat = großer Gegenstand, große Sache. 1955 *ff*, *jug.*
10. den ganzen ~ in Bewegung setzen = alles aufbieten. Apparat = Behördenapparat. 1900 *ff.*
11. jn an den ~ stoßen = jn ans Telefon holen. 1955 *ff.*
12. er wird am ~ verlangt = a) er muß sich rasieren (lassen). Übernommen aus der Telefonsprache mit wortspielerischer Gleichsetzung von Telefonapparat und Rasierapparat. 1935 *ff.* – b) er soll verschwinden! Ausdruck der Mißbilligung gegenüber Fußball-Schiedsrichtern. 1948 *ff.*

Appel *m* **1.** Arbeitshaus. In Berlin im 18. Jh entstellt aus *jidd* „poel = Arbeit".
2. Heim für Schwererziehbare; Jugendhof. 1920 *ff.*
3. Kopf. Formähnlich mit dem Apfel. *Niederd* 1900 *ff.*
4. einen am ~ haben = nicht recht bei Verstand sein. Hinter „einen" ergänze „Defekt". *Niederd* 1920 *ff.*

Äppelei *f* Verhöhnung. ↗ veräppeln. 1910 *ff.*

appelkeß *adj* frech, unverschämt. Zusammengesetzt aus „Appel = Arbeitshaus" und „keß = frech"; also soviel wie „frech wie ein Insasse des Arbeitshauses". 1900 *ff.*

äppeln *tr* jn veralbern; jn durch albernes Reden verspotten; jm kleinere Unwahrheiten vorsetzen. ↗ veräppeln. 1910 *ff.*

Äppelwein-Metropole *f* Frankfurt am Main. Wegen der Beliebtheit des Apfelweins bei den Frankfurtern; bekannt geworden durch die Fernsehsendung „Der blaue Bock" des Hessischen Rundfunks. 1955 *ff.*

Appetit *m* **1.** ~ kannst du kriegen (oder: dir holen): aber gegessen wird daheim! = andere Frauen sieh dir getrost an; aber deine geschlechtlichen Wünsche erfüll' dir nur mit deiner Frau! 1900 *ff.*
2. jm den ~ vergraulen = jm den Appetit verderben. ↗ vergraulen. 1950 *ff.*

Appetithappen *m* geschlechtlich anreizende weibliche Person. Eigentlich der appetitanregende Bissen. 1950 *ff.*

Applaus *m* **1.** Zusammenschlagen der Hände und Füße in der Luft beim Liegestütz (bei der Bauchlage). *Marinespr* 1939 *ff.*
2. dünner ~ = spärlicher Beifall. 1930 *ff.*
3. auf ~ arbeiten = absichtlich so (mit billiger Effekthascherei) spielen, daß das Publikum Beifall spendet. Theaterspr. 1920 *ff.*
4. ~ schinden = durch Tricks die Aufmerksamkeit des Zuschauer auf sich lenken. ↗ schinden. Theaterspr. 1920 *ff.*

applausen *intr* Beifall spenden. Neuwort seit 1950.

approachen (*engl* ausgesprochen) *intr* mit dem Flugzeug landen. Fliegerspr. 1955 *ff, BSD.*

April *m* jn in den ~ schicken = jds Leichtgläubigkeit am 1. April für einen Scherz mißbrauchen. Der 1. April wurde entwertet, als König Karl IX. von Frankreich den Jahresanfang vom 1. April auf den 1. Januar verlegte (Röhrich, Sprichwörtliche Redensarten, S. 63). Die Sitte des In-den-April-Schickens ist für Deutschland seit 1631 belegt.

Aprilgeck (Aprilsgeck) *m* Mensch, der sich am 1. April verulken läßt. 18. Jh.

Aprilnarr *m* Mann, der sich am 1. April verspotten läßt. ↗ April. 17. Jh. Vielleicht Lehnübersetzung aus *engl* „april-fool".

Aquarium *n* **1.** die See. Gilt scherzhaft nur als Behälter für Wassertiere und -pflanzen. *Marinespr* 1900 *ff.*
2. Tanzvergnügen, bei dem die Mädchen in der Überzahl sind. Gemeint ist die Ansammlung von „Backfischen", obwohl dieses Wort heute durch „Teenager" verdrängt ist. *Halbw* 1955 *ff.*
3. verglaste Pförtnerloge. 1960 *ff.*
4. Strandbad. 1930 *ff.*
5. Bordell. 1940 *ff.*
6. in einem ~ leben = allen Blicken ausgesetzt sein. 1960 *ff.*
7. ein ~ vollheulen = reichlich Tränen vergießen. 1920 *ff.*

Aquariumsarchitektur *f* Bauweise, bei der sehr viel Glas verwendet wird. 1960 *ff.*

Aqua rülps *n* kohlensäurehaltiges Getränk. ↗ rülpsen. *Stud* 1960 *ff.*

Äquator *m* **1.** Leibesmitte, Taille. Hergenommen von der Bezeichnung für die Mittellinie (Breitengrad 0) der Erde. 1920 *ff.*
2. Leibesumfang; starke Beleibtheit. 1950 *ff.*
3. moralischer ~ = Gürtellinie des menschlichen Körpers. 1950 *ff.*

Aquatupf *n* Sodawasser. Tupf = kleiner Spritzer. *Österr* 1950 *ff, stud.*

Arbeit *f* **1.** ~ vor der Tür = a) Koitus im Hauseingang. 1910 *ff.* – b) absichtliche Ejakulation vor der Vagina. 1910 *ff.*
2. dicke ~ = schwere, mühsame Arbeit. 1920 *ff.*
3. heiße ~ = Aufschweißen von Panzerschränken. „Heiß" wegen des Schweißapparats. *Vgl* überdies ↗ heiß 5 a. *Rotw* 1910 *ff.*
4. horizontale ~ = Prostitution, Hurerei. ↗ horizontal. 1960 *ff.*
5. kalte ~ = Öffnen eines Geldschranks mittels eines Brechwerkzeugs. *Vgl* das Gegenteil ↗ Arbeit 3. 1910 *ff.*
6. körperliche ~ = Prostitution. 1950 *ff.*

7. saure ~ = mühevolle Arbeit. ↗ sauer. 19. Jh.

8. schöpferische ~ = Zeugung von Nachwuchs. Eigentlich auf künstlerisches Schaffen bezogen. Schöpfer = Erzeuger, Zeugender. 1910 ff.

9. schwere ~ = Zechgelage. 1950 ff.

10. warme ~ = a) homosexuelle Betätigung. ↗ warm 1. 1900 ff. – b) Aufschweißen eines Geldschranks; Einbruch mittels eines Schweißgeräts. ↗ Arbeit 3. 1910 ff.

11. hoch (lebe) die ~, daß man nicht drankann (daß man sie nicht erreichen kann)!: Redensart von arbeitsunlustigen Leuten. 1910 ff. Später und bis heute auch als iron Zuruf zwischen sehr angestrengt Arbeitenden verbreitet.

12. die ~ frißt ihn auf = die Arbeit übermannt ihn, richtet ihn zugrunde. Hier ist die Arbeit als wildes Tier aufgefaßt. 1920 ff.

13. sich von der ~ auffressen lassen = Sklave seiner Arbeit werden. 1920 ff.

14. die ~ aufteilen = sehr träge sein. Man teilt die Arbeit anderen zu. 1920 ff.

15. die ~ nicht erfunden haben = sehr träge sein. Dazu die scherzhafte Redewendung: „Der Kerl, der die Arbeit erfunden hat, muß wohl nichts zu tun gehabt haben!" Seit dem späten 19. Jh.

16. es nicht mit der ~ haben = arbeitsscheu sein. ↗ haben 32. 1950 ff.

17. die ~ hinschmeißen = die Arbeit unfertig niederlegen; streiken. 1920 ff.

18. jn aus der ~ klingeln = jn durch ein überflüssiges Telefongespräch bei der Arbeit stören. Nachgeahmt der Wendung „jn aus dem Bett klingeln". 1950 ff.

19. ~ macht das Leben schön (so sagt der Fleißige; aber der Faule ergänzt: Faulheit stärkt die Glieder). 1900 ff.

19 a. ~ macht Spaß; aber wir können keinen Spaß vertragen: Redewendung von Arbeitsunlustigen. 1920 ff.

20. an die ~ nicht rankommen können = arbeitsfaul sein. Die Arbeit hängt zu hoch, und der Faule hat zu kurze Arme. Vgl ↗ Arbeit 11. 1900 ff.

21. die ~ schmeißen = a) die Arbeit meistern. ↗ schmeißen. 1900 ff. – b) die Arbeit niederlegen; streiken; die Stellung aufgeben. 1900 ff. – c) sich ergeben; die Waffen strecken. Sold 1939 ff.

22. an der Erfindung der ~ unschuldig sein = arbeitsträge sein. Vgl ↗ Arbeit 15. 1900 ff.

23. das ist keine ~ = das ist nichts Gediegenes; das gehört sich nicht. Hergenommen von einer Arbeitsleistung, die in keiner Hinsicht zufriedenstellt. 1920 ff.

24. die ~ sein lassen = nicht arbeiten. 1900 ff.

25. das ist eine ~ für einen, der Vater und Mutter totgeschlagen hat = das ist eine niedrige, schwere Arbeit. Gemeint ist eine Beschäftigung für Zuchthäusler. 1900 ff.

26. die ~ ist kein Frosch, sie hupft uns nicht davon: Leitspruch eines Faulen oder eines langsamen Arbeiters. Seit dem späten 19. Jh.

27. dick in der ~ stecken = reichlich zu tun haben. 1920 ff.

28. die ~ strecken = absichtlich langsam arbeiten. Strecken = verdünnen, längen (Eisen strecken) = Eisen länger und dünner schmieden). 1900 ff.

29. fertige ~ suchen = sich nicht sonderlich anstrengen mögen; Leistungen anderer nutzen. Seit dem späten 19. Jh.

30. die ~ läuft Ihnen nicht weg (die ~ nimmt Ihnen niemand weg)!: Redewendung an einen, der sich an einer Sache nicht beteiligen kann, weil er angeblich zuviel Arbeit hat. 1840 ff.

arbeiten intr **1.** Prostituierte(r) sein. 1920 ff.

2. Diebstähle begehen. 1920 ff.

3. schöpferisch ~ = Nachwuchs zeugen. ↗ Arbeit 8. 1910 ff.

4. beim ~ frieren und beim Essen schwitzen: Redewendung auf einen Trägen. 1900 ff.

Arbeiter-Atika f billigste Zigarette. („Atika" hieß eine teure Markenzigarette.) 1920 ff.

Arbeiterbutter f Margarine. Stammt aus der Zeit der niedrigen Arbeiterlöhne. BSD 1960 ff.

Arbeiterchampagner m **1.** Bier. Was den Begüterten der Champagner, ist den Arbeitern das Bier. 1910 ff.

2. Mineralwasser. Es sprudelt wie Champagner. 1910 ff.

3. Trinkwasser. 1910 ff.

Arbeiterdenkmal n **1.** Stellung des sich auf sein Arbeitsgerät lehnenden, faulenzenden Arbeiters oder Schanzsoldaten. Hergenommen von der Mittelfigur eines von Kaiser Wilhelm II. um 1900 auf dem Andreasplatz zu Berlin errichteten Denkmals zu Ehren des Arbeiters: der Eisenarbeiter stützt sich im Stehen auf seinen Hammer.

2. zum Fotografiertwerden aufgebaute Arbeitskolonne. 1960 ff.

3. langjähriges Betriebsmitglied. 1960 ff.

Arbeiterforelle f Hering. 1900 ff.

Arbeiter-Kaviar m Salzhering. 1920 ff.

Arbeiter-Köm m klarer Schnaps. Köm = Kümmelschnaps. Nordd 1950 ff.

Arbeiterkonfekt n Pfefferminzplätzchen. 1950 ff.

Arbeiterkuh f Ziege. Dem schlecht bezahlten Arbeiter ersetzte sie seit 1900 die (Milch-)Kuh.

Arbeiterloge f erste Sitzreihe im Kino. Österr 1920 ff.

Arbeiter-Memphis f billige Zigarette aus minderwertigem Tabak. („Memphis" war eine teure Orientsorte.) Österr 1920 ff.

Arbeitersalami f billigste Wurst. Österr 1920 ff.

Arbeitersekt m **1.** Bier. Seit dem späten 19. Jh.

2. Berliner Weiße. 1900 ff.

3. Mineralwasser. 1955 ff.

Arbeiterspargel m **1.** Mohrrübe, Möhre. 1900 ff.

2. Schwarzwurzel. 1900 ff bis heute.

Arbeiterwhisky m **1.** Trinkwasser. Österr 1920 ff.

2. mit Wasser verdünnter Weinbrand. 1930 ff.

Arbeiterwurst f Salzgurke. Seit dem späten 19. Jh bis heute.

Arbeiterzigarette f billigste Zigarette. 1960 ff.

Arbeitgeberanzug m guter, eleganter Anzug. 1930 ff.

Arbeitgeberbauch m Beleibtheit (des Arbeitgebers). 1960 ff.

Arbeitgeberhut m Herrenhut mit breiter steifer Krempe; schwarzer Herrenhut; besonders wertvoller Hut. Klassenkämpferische Bezeichnung seit 1920.

Arbeitgebermantel m Frackmantel; schwarzer Mantel; vornehmer Mantel. 1920 ff.

Arbeitgebertasche f besonders wertvolle (auffallende) Aktenmappe. 1950 ff.

Arbeitgeberuhr f Uhr, die nachgeht. Sie verlängert die Arbeitszeit und ist also für den Arbeitgeber von Vorteil. 1930 ff.

Arbeitgeber-Weihnacht(en) f (n) auf ein Wochenende fallendes Weihnachtsfest. Der Arbeitgeber gewinnt in diesem Fall die Arbeitsleistung seiner Belegschaft während insgesamt dreier Tage hinzu. Fallen 1. und 2. Weihnachtsfeiertag und damit auch Neujahr kalendarisch in die Arbeitswoche, werden sie zu gesetzlichen Feiertagen, für die der Arbeitgeber ohne Gegenleistung Löhne und Gehälter zahlen muß. 1960 ff.

Arbeitgeberzigarre f Zigarre bester Sorte. 1920 ff.

Arbeitnehmerhut m Arbeitsmütze. 1950 ff.

Arbeitnehmermantel m Trenchcoat. 1930 ff.

Arbeitnehmeruhr f Uhr, die genau geht oder vorgeht (um nur ja rechtzeitiges Erscheinen am Arbeitsplatz sicherzustellen). 1930 ff. Vgl auch ↗ Arbeitgeberuhr.

Arbeitsbeschaffung f überflüssiger Dienst; unsinnige Arbeit zwecks Beschäftigung der Truppe. Meint eigentlich die Beschaffung von Arbeitsplätzen für Arbeitslose. Sold 1939 ff und BSD.

arbeitsbesoffen adj auf Arbeit versessen; arbeitsfanatisch. 1969 ff.

Arbeitsbestie f Mensch, der fast nur seiner Arbeit lebt. So schilt man den Menschen als ein Tier ohne Seele. 1920 ff.

Arbeitsbesuch m Besuch eines ausländischen Politikers ohne Zeremoniell. ↗ Arbeitsessen. Nach 1960 ff.

Arbeitsbiene f **1.** eifrige Arbeiterin; berufstätiges Mädchen; sehr fleißiger Mensch. Eigentlich diejenige Biene, die nur arbeitet und nicht zur Zucht verwendet wird. 19. Jh.

2. sehr eifrig ihrem Gewerbe nachgehende Prostituierte. 1920 ff.

3. geschlechtslose ~ = weibliche Person, die am Arbeitsplatz wie geschlechtslos (wie ein Roboter) wirkt. 1920 ff.

Arbeitsbummelei f Nichterscheinen an der Arbeitsstätte; langsame Arbeitsweise. ↗ Bummelei. 1920 ff.

Arbeitsehepaar n berufliche Zusammenarbeit zwischen einer männlichen und einer weiblichen Arbeitskraft. 1930 ff.

Arbeitsessen n unzeremonielle Zusammenkunft mit ausländischen Politikern gelegentlich eines Essens, bei dem auch politische Anliegen erörtert werden. Übersetzt aus engl „working lunch" oder franz „déjeuner d'affaires". 1955 ff.

Arbeitsfieber n geheuchelte Krankheit. 1920 ff, sold und schül.

Arbeitsfrühstück n unzeremonielles Frühstück mit ausländischen Politikern, Geschäftsfreunden o. ä. ↗ Arbeitsessen. 1955 ff.

Arbeitsgemeinschaft f eine ~ bilden = voneinander abschreiben. Meint eigentlich den Zusammenschluß einzelner zu gemeinsamem Handeln. 1920 ff, schül.

Arbeitsgesicht n förmliche, ernste, angespannte Miene. 1920 ff.

Arbeitshaß *m* eingefleischte Faulheit. 1920 *ff*.

Arbeitsklamotten *pl* Arbeitskleidung. ↗Klamotten. 1900 *ff*.

Arbeitskluft *f* Arbeitskleidung. ↗Kluft 1. 1900 *ff*.

Arbeitskumpel *m* Arbeitskamerad. ↗Kumpel. 1920 *ff*.

Arbeitslohn *m* Leistungsnote. Fußt scherzhaft auf der Meinung, der Schüler arbeite nur für die Schule und werde dafür mit Zensuren belohnt. 1960 *ff, schül*.

arbeitslos sein keine Torbälle abzuwehren haben. *Sportl* 1920 *ff*.

Arbeitslosenbiskuit *n* Brot. *Österr* 1930 *ff*. Scherzhafte Wertsteigerung.

Arbeitslosenkarpfen *m* Hering. 1920 *ff*.

Arbeitslosenporsche *m* Kleinauto. 1955 *ff*.

Arbeitslosensekt *m* Mineralwasser. 1925 *ff*.

Arbeitslosenstrand *m* Adriaküste. Mit den Arbeitslosen sind hier die deutschen Arbeitnehmer auf Urlaub gemeint. 1960 *ff*.

Arbeitsmaschine *f* Mensch, der nur arbeitet; unentwegter, fleißiger Arbeiter. Er leistet Arbeit wie eine seelenlos funktionierende Maschine. Seit dem späten 19. Jh.

Arbeitsmethode *f* neudeutsche ~ = unsorgfältige Arbeitsweise. Hängt zusammen mit Klagen über Qualitätsminderung in der „Konsumgesellschaft". 1965 *ff*.

Arbeitsmuffel *m* Arbeitsunlustiger. ↗Muffel 1. 1970 *ff*.

Arbeitspäckchen *n* Arbeitsanzug. ↗Päckchen. *Marinespr* 1920 *ff*.

Arbeitspferd *n* Mensch, der eine große Arbeitslast bewältigt; unermüdlicher Arbeiter. Steht im Gegensatz zum Reitpferd. 19. Jh.

Arbeitsplatz *m* der ~ wackelt = der Arbeitsplatz ist gefährdet. 1970 *ff*.

Arbeitsschicht *f* eine ~ schieben = eine Arbeitsschicht ableisten. ↗schieben. 1920 *ff*.

Arbeitsschwänzer *m* Arbeitnehmer, der seiner Arbeitsstelle fernbleibt. ↗Schwänzer. 1950 *ff*.

Arbeitsstelle *f* er wechselt die ~n wie das Hemd (die Hemden) = er bleibt auf keiner Arbeitsstelle lange Zeit. Anspielung auf den Hemdenwechsel am Samstagabend oder auch öfter. 1955 *ff*.

Arbeitstier *n* unentwegter, tüchtiger Arbeiter. ↗Arbeitsbiene 1.; ↗Arbeitspferd. Seit dem späten 19. Jh.

Arbeitsträne *f* Schweißtropfen. 1925 *ff*, Berlin.

Arbeitstreffen *n* Politikertreffen ohne übliches Zeremoniell. ↗Arbeitsessen. 1960 *ff*.

Arbeitsurlaub *m* von Begegnungen mit führenden Politikern unterbrochener Urlaub eines Staatsmanns. 1970 *ff*.

Arbeitsvieh *n* Mann, dem schwere Arbeitsleistung abverlangt wird. 19. Jh. ↗Arbeitstier.

Arche *f* 1. Kraftfahrzeug aus den ersten Jahren des Automobilismus. Anspielung auf die Arche Noah der Bibel. 1925 *ff*.
2. geräumiges Auto. *Halbw* 1955 *ff*.
3. zoologische Sammlung der Schule. Nach dem Vorbild der Arche Noah, nur mit dem Unterschied, daß in der Schule die Tiere ausgestopft sind. *Schül* 1960 *ff*.
4. ~ Noah = alte Frau. 1900 *ff*.
5. aus der ~ Noah stammen = a) sehr alt

und nicht mehr arbeitsfähig sein. 1900 *ff*. – b) völlig veraltete Ansichten hegen. 1920 *ff*.

Arena *f* 1. Kasernenhof. Meint eigentlich den Zirkusplatz und die Rennbahn; der Ausbilder ist der Dompteur, und der Exerzierdienst ist eine Zirkusvorstellung. *BSD* 1965 *ff*.
2. Gerichtssaal. *Rotw* 1950 *ff*.
3. Strafstunde. Aus „Arrest" gebildet. *Schül* 1960 *ff*.
4. für jn (etw) in die ~ treten = sich für jn (etw) einsetzen. Anspielung auf den Kampfplatz der Gladiatoren im alten Rom. 1900 *ff*.

arg *adv* 1. sehr (arg schön; arg blöde; arg gut u. ä.). Die Grundbedeutung „böse, schlimm" entwickelte sich zu einer allgemeinen Verstärkung, anfangs nur in Verbindung mit Wörtern verwendet, die einen schlimmen Sinn hatten. 19. Jh. Vorwiegend *südd*.
2. auf (nach) etw ~ sein = auf etw sehr begierig sein. 19. Jh.

Ärger *m* den ~ runterspülen = mit Trinken den Ärger zu überwinden suchen. 19. Jh.

ärgern *v* nicht (niemals) ~, nur wundern!. Lebensweisheit eines Alltagspraktikers. Soll von der Berliner Possenschreiber David Kalisch (1820–1872) stammen.

ärgernissen *refl* sich moralisch entrüsten. 1925 *ff*.

Ärgernissteuer *f* Getränkesteuer. Sie erregt allenthalben Erbitterung. 1960 *ff*.

Argumente *pl* 1. schlagende ~ = Faustschläge, Ohrfeigen, Schläge mit dem Maßkrug auf dem Kopf u. ä. Wortspielerei mit zwei Bedeutungen von „schlagend": a) mit der Hand ausgeführt; b) überzeugend; unumstößlich. 19. Jh.
2. steinharte ~ = Steinwurf gegen einen Menschen; Bedrohung eines Menschen mit Steinen. 1967 *ff*.

Ari *f* Artillerie. Hieraus seit dem Ersten Weltkrieg verkürzt und bis heute geläufig.

Arie *f* 1. Ansprache an die in der Aula versammelten Schüler. Eigentlich das Einzelgesangsstück aus Oper oder Oratorium, meist im Sinne eines Bravourstücks. Auch die Ansprache ist ein Bravourstück bekannten Inhalts. *Schül* 1960 *ff*.
2. Artillerie. ↗Ari. *Sold* 1914 bis heute.
3. mehrmals verlangte oder Getränke. Gemeint ist wohl eine Arie, deren Wiederholung verlangt wird. *Kellnerspr*. 1960 *ff*.
4. ~n auf Mattscheibe = Fernsehübertragung einer Oper. 1955 *ff*.
5. ~n mit Mattscheibe = wenig wertvolle Fernsehübertragung einer Oper. ↗Mattscheibe. 1956 *ff*.
6. eine große ~ singen = Mittäter benennen. ↗singen. 1950 *ff*.
7. spar dir deine ~n! = laß die großen Worte! 1960 *ff*.

arisch *adj* sein Gesicht wird immer ~er = er bleibt immer mißmutiger drein. Das Mürrische macht ein „langes" Gesicht. Hier Anspielung auf die Langschädel der arischen Rasse. 1950 *ff*.

arm *adj* 1. für ~ = umsonst, unentgeltlich. Armen Leuten überläßt man die Ware schon mal kostenlos. 19. Jh.
2. sich an etw ~ arbeiten = sich erfolglos um etw bemühen; trotz großer Anstrengung wenig erfolgreich sein. 1920 *ff*. Im

späten 19. Jh bekannt in der Bedeutung „für eine Arbeitsleistung schlecht entlohnt werden".
3. sich ~ ficken = sich durch kostspielige Liebesverhältnisse wirtschaftlich zugrunderichten. ↗ficken. 1900 *ff*.
4. jn ~ fressen = als Gast sehr viel essen. 1900 *ff*.
5. sich ~ schlafen = a) arbeitsscheu sein. Der Betreffende verarmt durch Nichtstun. 1890 *ff*. – b) arbeitslos sein. 1920 *ff*.
6. sich ~ schwören = durch vieles Prozessieren arm werden. 1900 *ff*.
7. es ist hier nicht wie bei ~en Leuten = hier kann man sich sattessen; hier geht es großzügig zu. Seit dem späten 19. Jh.
8. es ist hier (wir sind hier) nicht wie bei ~en Leuten, wo das Klavier in der Küche steht (wo die Möbel an die Wand gemalt sind; wo die Tapeten durch Fliegenscheiße ersetzt werden) = wir befinden uns in angenehmen Lebensverhältnissen. 1900 *ff*.
9. ~e Leute zählen = die unterlegenen Kartenspieler rechnen ihre Augenzahl zusammen. Kartenspielerspr. 1880 *ff*.

Arm *m* 1. Gesäß. Verhüllend für „Arsch". Spätestens seit 1900.
2. du ~!: Schimpfausdruck. Gemeint ist „du Arsch!". *Halbw* 1950 *ff*.
3. du hast wohl den ~ auf?: Frage an einen, der dümmlich schwätzt. Entstellt aus „du hast wohl den ↗Arsch auf?". 1930 *ff*.
4. er hat die ~e zu weit durchgesteckt = er hat zu kurze Ärmel. Es liegt an den langen Armen, nicht an den kurzen Ärmeln. Seit dem späten 19. Jh.
5. ihm geht der ~ mit Grundeis = er hat Angst. „Arm" steht verhüllend für „Arsch". ↗Arsch 110. 1910 *ff*.
6. jm unter die ~e greifen = jm in der Not behilflich sein. Stammt aus der Fechtersprache: in der Pause zwischen den einzelnen Gängen greift der Sekundant dem Fechter unter den Fechtarm. 1600 *ff*.
7. mit beiden ~en grüßen = sich ergeben; die Waffen strecken. Parodistisch auf Hitlers „Deutschen Gruß", der nur mit der Rechten ausgeführt wurde. *Sold* 1939 *ff*.
8. einen goldenen (goldigen) ~ haben = vom Glück begünstigt sein. Wohin der Arm greift, ergreift er das Glück. 1925 *ff*.
9. zu kurze ~e haben = arbeitsscheu sein. Der Träge mit den Arbeit nicht heranreichen. *Vgl* ↗Arbeit 20. 1900 *ff*.
10. einen langen ~ haben = viel Einfluß haben. Mit dem langen Arm kann man überallhin greifen. *Vgl franz* „il a le bras long". 1500 *ff*.
11. am ~ hängt der Hammer!: Droh-, Warnrede. Der Hammer ist in diesem Fall die geballte Faust. *Sold* 1939 *ff*.
12. den rechten ~ krumm machen (anwinkeln) = heiraten (vom Mann gesagt). Gemeint ist, daß er den Auserkorenen am Arm bietet und sie an seiner Rechten zum Traualtar führt. 1900 *ff*.
13. dicke ~e machen = Streit anfangen. Man läßt den Bizeps spielen. *Jug* 1955 *ff*.
14. jn auf den ~ (aufs Ärmchen) nehmen = jn veralbern. Gemeint ist, daß man den Betreffenden am Arm nimmt wie ein kleines Kind. Etwa seit 1850.
15. jn unter den ~ nehmen = jn mitnehmen, in die Obhut nehmen. *Halbw* 1955 *ff*.
16. mit den ~en rudern = beim Gehen

die Arme schlenkern. Die Bewegung sieht aus, als säße man im Boot, und die Arme wären die Paddel. 1900 ff.

17. im ~ sein = verloren sein. Verhüllend für „im ↗ Arsch sein". 1914 ff.

18. im (am) ~ des Propheten sein = verloren sein. Vgl „im ↗ Arsch des Propheten sein". 1914 ff, sold.

19. mit jm per ~ sein = mit jm eng befreundet sein; ein Liebespaar sein. 19. Jh.

20. am längeren ~ sitzen = die größere Macht besitzen. Hergenommen vom Hebelarm. 1930 ff.

21. dich lasse ich am langen (ausgestreckten, steifen) ~ verhungern!: Drohrede eines Kraftmenschen nach dem Vorbild Augusts des Starken von Sachsen. 19. Jh.

22. jn am steifen ~ verhungern lassen = jn äußerst schlecht entlohnen. 1900 ff.

23. sich jm in die ~e werfen (schmeißen) = a) sich in jds Schutz begeben. 18. Jh. – b) eine unstandesgemäße Verbindung eingehen. 18. Jh.

Armband n Handfessel. Beschönigend aufgefaßt als Schmuckband am Arm. Seit dem späten 19. Jh.

Armee f 1. zur großen ~ abgehen (abberufen werden; einrücken) = sterben, im Kriege fallen. Die große Armee ist eigentlich die Zusammenziehung der einzelnen Formationen vor der Schlacht oder vor dem entscheidenden Angriff; hier aufgefaßt als erdachter Zusammenschluß der Gefallenen. 1800 ff.

2. komm in meine ~ (und werde mein Soldat; und werde Leutnant)! = komm' in meine Arm! Das Wort „Armee" wird hier scherzhaft eingesetzt, weil es wie „Arme" mit Betonung auf dem letzten e klingt. Wohl um 1900 aus dem Backfisch- oder Leutnantsdeutsch hervorgegangen.

Ärmel m 1. mit aufgekrempelten ~n = mit frischer Tatkraft. Man krempelt die Ärmel auf, wenn man sich so schwerer Arbeit anschickt. 1900 ff.

2. Benehmen wie etwas am ~ = sehr schlechtes Benehmen; Aufdringlichkeit. „Etwas" steht beschönigend für „↗ Rotz am Ärmel". 1900 ff.

3. darf ich Ihnen den ~ (die Stiefel) abwischen?: Frage, auf die hin der Gefragte eine Runde Alkohol ausgeben muß. Bekannt als Sitte der Bauarbeiter, Landarbeiter u. a. 19. Jh.

4. die ~ aufkrempeln = zur Tat schreiten. ↗ Ärmel 1. 1900 ff.

5. in den ~ gucken = bei einer Verteilung leer ausgehen. „Ärmel" steht hier verhüllend für „Arsch". Vgl ↗ Ärmel 13. 1920 ff.

6. etw im ~ haben = etw noch nicht preisgeben. Hergenommen vom Zauberer, der in seinen weiten Ärmeln allerlei verstecken kann, oder auch vom Taschenspieler. 1930 ff.

7. die ~ hochkrempeln = sich zu einer schwierigen Arbeit rüsten; unternehmungslustig sein. ↗ Ärmel 1. 1900 ff.

8. laß mich nicht erst die ~ hochkrempeln!: Drohrede. 1900 ff.

9. küß mich in ~!: derber Ausdruck der Abweisung. Ärmel = Arsch. 19. Jh.

10. leck mich am ~!: derbe Abweisung. „Ärmel" steht verhüllend für „Arsch". 19. Jh.

11. etw aus dem ~ schütteln = etw aus

dem Stegreif tun; etw mit Leichtigkeit vollbringen. Leitet sich her aus der Praxis der Taschenspieler (vgl ↗ Ärmel 6) oder aus der Mode der weiten Ärmel, wie sie auch zum Gewand der Geistlichen gehörten. 16. Jh.

12. einer mit ~n sein = sich überall zu helfen wissen; ein tüchtiger Kerl sein. Als „einer ohne Ärmel" wurde der Bauer bezeichnet, weil (weite) Ärmel ihn bei der Arbeit stören; und der Bauer galt weithin als einfältig. 1800 ff.

13. im ~ sein = verloren, tot sein; der Gefangennahme entgegensehen. Euphemistisch für „im ↗ Arsch sein". 1914 ff.

14. etw aus dem ~ zaubern = Geheimgehaltenes in die Öffentlichkeit bringen. Vgl ↗ Ärmel 6 und Ärmel 11. 1900 ff.

Arme-Leute-Bank f Pfandleihe. 1870 ff.

Arme-Leute-Butter f Margarine. 1920 ff.

Arme-Leute-Geruch m Denkart der Unbegüterten. Meint eigentlich die verbrauchte Luft in den engen Behausungen armer Leute. 1900 ff.

Arme-Leute-Karpfen m ~ mit Lenkstange = Rollmops. 1930 ff.

Arme-Leute-Malerei f Malkunst, die die Lebensumwelt der einfachen Leute zum Gegenstand hat. Um 1900 von Kaiser Wilhelm II. geprägt.

Arme-Leute-Sekt m Mineralwasser; Obstschaumwein. 1950 ff.

Arme-Leute-Wurst f minderwertige Wurst. 1910 ff.

Armenkasse f 1. jm etw aus der ~ geben = jn prügeln. Armenkasse sind die Geldmittel für die Unterstützung armer Leute. Hier wortspielerisch in Verbindung gebracht mit „Herausgeben von dem, was (an Kraft) in den Armen steckt". Etwa seit 1850.

2. etw aus der ~ kriegen = Prügel erhalten. Wie das Vorhergehende zu deuten. 1850 ff.

Ar'mitschkerl m bedauernswerter Mensch. Zusammengewachsen aus dt „arm" und slaw „ićko" (= Verkleinerungs-Endung) sowie der bayr Verkleinerungs-Endung „erl". Österr, 19. Jh.

Armleuchter m 1. Feigling; widerwärtiger Mensch; Schimpfwort. Steht verhüllend für „↗ Armloch", das „↗ Arschloch" meint. 1910 ff.

2. Scheinwerfergerät. Eigentlich der mehrarmige Leuchter, gelegentlich schwenkbar. Fliegerspr. 1939 ff.

3. pl = Scheinwerferbedienung. Sold 1939 und BSD.

4. ~ mit Druckposten = Truppe in ungefährlicher Stellung. Deutung der Abkürzung A. M. D. = Allgemeiner Marine-Dienst. Sold 1939 ff.

5. akademischer ~ = Studierter. Kasernenhofjargon 1939 ff.

Armloch n 1. After. Aus „Arschloch" verhüllt. 1900 ff.

2. Schimpfwort. ↗ Arschloch. 1900 ff.

Armsesselkatholik m lauer Katholik. Er sitzt daheim im Sessel und bleibt dem Gottesdienst o. ä. fern. 1950 ff.

Armsündermiene f Gesichtsausdruck eines Menschen, der sich seiner Schuld bewußt ist. Eigentlich die Miene des Verbrechers vor der Hinrichtung. 1900 ff.

Arm- und Beinbruch m ~!: Wunsch an einen Jäger. Aus Aberglauben vermied

man den unverstellten Glückwunsch. 1900 ff.

Armut f 1. die ~ kommt von der Powertée = Armut beruht auf kleinlicher, geiziger Gesinnung. ↗ pover = dürftig, engherzig. Fußt auf Fritz Reuters „Stromtid", 1862.

2. ~ allein macht auch nicht glücklich = Reichtum allein macht auch nicht glücklich. Scherzhafter Worttausch. 1920 ff. Vgl ↗ Reichtum 2.

Ar'mutschkerl m bedauernswerter Mensch. ↗ Armitschkerl. Österr, 19. Jh.

Armutszeugnis n 1. sich ein ~ ausstellen (geben) = sich eine Blöße geben; sein geistiges Unvermögen beweisen. Meint eigentlich die amtliche Bescheinigung über das Armsein. Hier meint „Armut" die geistige Armut. 19. Jh.

2. jm ein ~ ausstellen = jn als dumm (unfähig) bezeichnen. 1920 ff.

Arsch m 1. Gesäß. Fußt auf griech „orsos = Steißbein". Seit dem frühen Mittelalter.

2. Mann (abf). 19. Jh.

3. Rekrut, Soldat. ↗ Schütze. BSD 1960 ff.

4. Liebediener. Verkürzt aus ↗ Arschkriecher. BSD 1960 ff.

5. Ende einer marschierenden Kolonne. Sold 1914 ff.

6. ~ auf ~ = der Spieler und die Gegner haben je 60 Punkte. ↗ Arsch 29. Kartenspielerspr. 1930 ff.

7. ~ mit Beinen = dicklicher Mensch. Berlin 1930 ff.

8. ~ im dritten Glied = Soldat ohne Rang. ↗ Schütze. Sold 1939 ff.

9. ~ mit Griff = a) Kopfbedeckung der Angehörigen des Reichsarbeitsdienstes. Die in der Mitte eine Einzugsspalte bildenden Wülste erinnern an das Aussehen des Gesäßes. „Griff" spielt auf den Schirm an. 1939 ff, sold. – b) Feld-, Bergmütze. BSD 1960 ff.

10. ~ mit Grundeis = hoffnungslose, rettungslose Lage. ↗ Arsch 110. Sold 1939 ff.

11. ~ über Kopf = kopfüber. 1900 ff.

12. ~ mit Ohren = a) häßliches, feistes Gesicht. Vom Gesäß unterscheidet es sich lediglich durch die Zugabe der Ohren. 1900 ff, sold. – b) Glatzkopf. 1900 ff. – c) sehr unsympathischer Mensch; Schimpfwort auf einen Einfältigen. 1900 ff, sold. – d) steife Schirmmütze der Reichsarbeitsdienstler. ↗ Arsch 9 a. Sold 1939 ff. – e) dicke weibliche Person, von hinten gesehen. 1920 ff.

13. ~ im Quadrat = breites Gesäß. 1935 ff.

14. beim ~e des Propheten!: Beteuerungsformel. Entstellt aus „beim ↗ Barte des Propheten". Sold 1939 ff.

15. am ~ des Propheten = am Ende der Dienstzeit (wenn das Ende noch lange nicht gekommen ist). ↗ Arsch 206. BSD 1960 ff.

16. ~ der Welt = abgelegener Truppenübungsplatz. Vgl das Folgende. 1941 ff und BSD.

17. am ~ der Welt = sehr abgelegene, verlassene Weltgegend; weit vorgeschobene Truppenabteilung jenseits der allgemeinen Front; hoher Norden. In Tichwin (200 km östlich von Leningrad) sollten im Spätsommer 1941 die deutschen und die finnischen Truppen sich vereinen, um Leningrad abzuschnüren; während die Deutschen pünktlich in Tichwin eintrafen, blieben die Finnen aus, weil sie unterwegs auf unüberwindliche russische Truppenverbände gestoßen waren. Während dieser Wartetage entstand der Ausdruck zur Kennzeichnung der äußersten Unbehaglichkeit am „Ende" der Welt.

18. hinter dem ~ der Welt = völlig einsam und abgelegen; auf weit vorgeschobenem Posten tief im Feindesland. *Sold* 1941 *ff.*

19. abber (apper) ~ = Tod. ↗ab *(adj);* ↗Arsch 243. *Sold* 1939 *ff.*

20. du ~!: Schimpfwort; auch harmlose Schelte. 1920 *ff.*

21. ach du armer ~!: Ausruf der Verwunderung oder Verzweiflung. *Sold* 1900 *ff.*

22. mit besoffenem ~ = in bezechtem Zustand. Das Gesäß ist insofern betrunken, als es keinen sicheren Gang zustandebringt (das Becken wankt und schwankt). 1920 *ff.*

23. dicker ~ = Mann, der vorwiegend eine sitzende Tätigkeit ausübt. *BSD* 1955 *ff.*

24. dicker ~ mit Furz = a) Antwort auf die neugierige Frage nach der Art des Mittagessens. 1920 *ff.* – b) Erwiderung auf eine törichte Frage; Ausdruck der Abweisung. 1920 *ff.*

25. einen ~!: derber Ausdruck der Ablehnung. Verkürzt aus „einen Arsch (= nichts) werde ich dir geben". 1920 *ff.*

26. eiserner ~ = a) hohe Trumpfkarte, die man bis zum Schluß des Spiels zurückhält. Man hält die Karte „↗eisern" hinten. 1914 *ff.* – b) Mensch, der sich in allen Lagen durchsetzt. Wohl im Anschluß an den Begriff „eiserner Kanzler" entwickelt. 1920 *ff.*

27. fauler ~ = träger Mensch; Trägheit (das Aufstehen vom Sitz fällt schwer). 1900 *ff.*

28. feiger ~ = Feigling. 1940 *ff.*

29. gespaltener ~ = 60 Punkte des Spielers gegen 60 Punkte des Gegner. Auf jeder Gesäßbacke dieselbe Punktzahl. 1930 *ff.*

30. goldener ~ = sorgenloses Leben der Besitzenden. 1900 *ff.*

31. lieber einen halben ~ als einen toten! = lieber verwundet als tot: *Sold* 1914 *ff.*

32. kalter ~ mit Birnen = a) Antwort auf die Frage, was es zu essen gibt. „Kalter Arsch" meint den Schinken vom Schwein. 1914 *ff.* – b) nichts von Belang! *Sold* 1939 *ff.*

33. kalter ~ mit Schneegestöber = a) mit Sahne servierter Prünelle (Pflaumenlikör). 1920 *ff, stud.* – b) minderwertiges, unschmackhaftes Essen; auch Antwort auf die Neugierfrage, was es zu essen gibt. 1920 *ff.*

34. kein ~, kein J'nick, – ein Jahr zurück!: Redewendung auf das negative Musterungsergebnis. J'nick = Genick, vor allem der Stiernacken. 1910 *ff.*

35. wer bist du denn schon? Keinen ~ in der Hose, keine Zähne im Maul, aber ,La Paloma' pfeifen!: Redewendung auf einen Schwächling. *BSD* 1965 *ff.*

36. lahmer ~ = schwungloser Mensch. ↗Lahmarsch 1. 1939 *ff, sold.*

36 a. letzter ~ = großer Versager. 1930 *ff.*

37. ach du mein ~!: Ausruf der Verzweiflung. Scherzhaft sagt man, so schreie das

Huhn, wenn es ein Ei gelegt hat. *Sold* 1914 *ff.*

38. plombierter ~ = Stuhlverstopfung. *Sold* 1939 *ff.*

39. mit sauberem ~ = reuig und besserungswillig. Bezogen auf die Gesinnung eines zur Entlassung kommenden Häftlings. Die Beschmutzung durch früheres Tun ist abgewaschen (= abgegolten). *Rotw* 1950 *ff.*

40. schwarzer ~ = katholischer Geistlicher. Anspielung auf die schwarze Amtskleidung. 19. Jh, *sold* und *rotw.*

41. verzagter ~ = Energieloser. *Vgl* hierzu das Sprichwort „aus verzagtem Arsch kommt kein fröhlicher Furz". 1900 *ff.*

42. finster wie im ~ = sehr dunkel. 1900 *ff.*

43. am ~!: grobe Abweisung einer Behauptung. Bezogen auf „leck mich am Arsch!". 19. Jh.

44. am ~ die Brühe (am ~ die Brieh)!: derbe Ablehnung; Fluch. Verkürzt aus „du kannst mir am Arsch die Brühe (= Schweiß in der Gesäßkerbe) lecken!". 1950 *ff.*

45. am ~ die Räuber!: derbe Abweisung; Verwünschung. Antwort auf die Feststellung des bis zum Überdruß gesungenen Schlager- und Tanzlieds „Im Wald, da sind die Räuber", etwa soviel wie „laß mich in Ruhe mit den Räubern!". 1960 *ff.*

46. besoffen bis über den ~ = stark betrunken. *Bayr* 1930 *ff.*

47. dir drehe ich den ~ ab!: Drohrede. Gemeint ist wohl, daß man durch ↗Schleifen den Gesäßumfang mindern will. *Sold* 1939 *ff.*

48. sich etw am ~ abfingern können = etw mit Leichtigkeit verstehen können. Derbere Fassung von „sich etw an den ↗Fingern abzählen können". 19. Jh.

49. sich den ~ abfrieren = im Winter Posten stehen; lange in der Kälte verharren müssen. *Sold* 1939 *ff.*

50. sich etw am ~ abklavieren können = etw ohne Mühe verstehen können. ↗abklavieren. 20. Jh.

51. sich den ~ ablaufen = viele Wege machen. 1900 *ff.*

52. jm den ~ abschießen = jn tödlich verwunden, erschießen. Das Opfer hat kein „Sitzfleisch" mehr, sondern fällt um. *Sold* 1939 *ff.*

53. dann ist der ~ ab = dann ist Schluß, Ende; dann tritt der Tod ein. Arsch = Ende, dickes Ende. *Vgl* das Vorhergehende. *Sold* 1939 *ff.*

54. der ~ ist ab = die Dienstzeit ist zu Ende. *BSD* 1960 *ff.*

55. sich einen goldenen ~ anlachen = a) reich heiraten (auf den Mann bezogen). Goldener Arsch = Gesäß einer begüterten weiblichen Person. 1900 *ff.* – b) ein Geschäft abschließen, das einen ungewöhnlich hohen Gewinn erbringt. 1900 *ff.*

56. jm den ~ anlüften = jn antreiben, anherrschen. ↗Arsch 177 b. 1935 *ff.*

57. jm den ~ anschärfen = jn grob anreden. Parallel zu ↗schleifen. 1930 *ff.*

58. jn nicht (nicht mal) mit dem ~ ansehen = jn gründlich verachten. Verstärkt aus „jn mit dem Rücken ansehen" als Sinnbildgebärde der Nichtbeachtung. 18. Jh.

59. jm den ~ anspitzen = jn anherrschen. ↗Arsch 57. *Sold* 1939 *ff.*

60. gegen einen vollen ~ ist nicht anzustinken = der Gegner hat so gute Karten, daß man ihn nicht besiegen kann. Voller Arsch = große Menge. *Vgl* ↗anstinken 6. 1900 *ff.*

61. gut, daß der ~ angewachsen ist: Redewendung auf einen Vergeßlichen. Der Betreffende würde sonst auch das Gesäß mitzunehmen vergessen. 1900 *ff.*

62. den ~ aufhaben = sich viel zutrauen. Der Betreffende leidet nicht an Verstopfung, ist also unbehindert. *Sold* 1939 *ff.*

63. jm den ~ aufreißen = jn anherrschen, rücksichtslos behandeln, körperlich erledigen; jn heftig unter Beschuß nehmen. Vergröberter Kasernenhofjargon, fußend auf „jm Angst einjagen" (daß ihm der Kot abgeht). 1914 *ff, sold.*

64. jm den ~ bis zum Scheitel (bis zum Maul; bis zum Stehkragen, bis zur Halsbinde; bis zum Kragenknopf; bis zum Kehlkopf; bis zur Kragenbinde; bis zum Halskragen; bis unter den Adamsapfel; bis zum Geht-nicht-mehr) aufreißen = jn heftig rügen, anschreien, moralisch erledigen, rücksichtslos einexerzieren. 1914 *ff, sold.*

65. jm den ~ kreuzweise aufreißen = jn äußerst streng behandeln, schikanieren. *Sold* 1914 *ff.*

66. jm den ~ aufreißen = jn beim Kartenspiel überlegen besiegen; jm beim Kartenspiel sehr viel Geld abgewinnen. 1935 *ff.*

67. sich den ~ aufreißen = von einer Sache viel Aufhebens machen. 1920 *ff.*

68. sich nicht den ~ aufreißen = sich nicht besonders anstrengen. 1920 *ff.*

69. den Wagen bis zum ~ aufreißen = mit Vollgas fahren. Kraftfahrerspr. 1920 *ff.*

70. sich den ~ ausfrieren = sehr starker Kälte lange ausgesetzt sein. *Sold* 1941 *ff.*

71. dir hänge ich den ~ aus!: Drohrede. Parallel zu „jm den ~ anlüften" gebildet (↗Arsch 56.). 1939 *ff.*

72. jm den ~ aushauen = jn heftig prügeln. 1900 *ff.*

73. sich den ~ auskugeln = sterben, im Krieg fallen. Fußt auf der Vorstellung vom Arm, den man sich auskugelt; *vgl* ↗Arm 1. *Sold* 1939 *ff.*

74. den ~ auskühlen = a) in freiem Gelände koten. 1900 *ff.* – b) auf dem Marsch eine Ruhepause einlegen. Gemeint ist, daß das Gesäß sich heißgelaufen hat. 1914 *ff.* – c) neuen Mut schöpfen. Gemeint ist, daß man den Motor, der heißgelaufen ist, abstellt und erst nach Abkühlung wieder anläßt. 1914 *ff, sold.*

75. jm den ~ ausreißen = a) jn schikanieren, mißhandeln. 1800 *ff.* – b) jm im Spiel das Geld abgewinnen. 1800 *ff, rotw.*

76. sich den ~ ausreißen = sich sehr bemühen; sehr eifrig tun. Hühner legen des öfteren übergroße Eier, wobei der After aus-, die Darmwandung einreißt. 18. Jh.

77. sich den ~ ausreißen lassen = gründlich geprellt werden (etwa im Spiel). 1800 *ff, rotw.*

78. dir renke ich den ~ aus!: Drohrede. *Sold* 1939 *ff.*

79. etw mit hohem ~ beäugen = etw von hochgelegenem Punkt aus betrachten. 1940 auf Luftaufklärer bezogen, 1958 in Berlin auf die vom Zoo ausgehende und durch das Gelände der Internationalen Bauausstellung führende Seilbahn.

80. sich den ~ begießen = sich betrinken. *Nordd* 18. Jh.

81. sich in den ~ beißen = unsinnig handeln. *Vgl* das Folgende. *Sold* 1939 *ff.*

82. man könnte vor Wut sich selbst in den ~ beißen!: Ausruf der Verzweiflung. 1900 *ff.*

83. lieber sich in den ~ beißen als ... = etw derb ablehnen; einer Zumutung nicht nachkommen. Seit dem letzten Drittel des 19. Jhs, *sold* und *prost.*

84. Ärsche betreuen = Abortwärter(in) sein. 1935 *ff.*

85. den ~ betrügen = a) Aufstoßen haben. Der After wird um einen Magenwind betrogen. Seit dem späten 19. Jh. – b) sich erbrechen. 1900 *ff.*

86. den ~ voll Koste beziehen = gründlich unterliegen. Koste = Prügel; Herkunft unbekannt. *Sportl* 1945 *ff.*

87. blas' mir in den ~!: Ausdruck der Ablehnung. 1500 *ff.*

88. der ~ bleibt immer hinten = Naturgesetze sind unabänderlich; es ist sinnlos, gegen Unabänderliches aufzubegehren. Fußt, ins Derbe verwandelt, auf Adelbert von Chamisso, „Tragische Geschichte" (1822): „Der Zopf, der hängt ihm hinten". 1900 *ff. Vgl* ↗vorkommen 2.

89. so arm, daß ihm der ~ blutet = sehr arm. Wohl die derbere Fassung von „blutige Tränen weinen". Spätestens seit 1900.

90. da könnte einem der ~ bluten! = das ist einfach unerhört! *Vgl* das Vorhergehende. 1930 *ff.*

91. ihm brennt der ~ = angesichts der Gefahr ist er völlig ratlos. Wohl vergröbert aus „ihm brennt der ↗Boden unter den Füßen". *Sold* 1939 *ff.*

92. mein ~ denkt nicht dran!: Ausdruck der Ablehnung. 1950 *ff.*

93. bei ihm guckt der ~ durch = er hat ein Loch in der Hosenboden. 1870 *ff.*

94. mir hängt der ~ durch = ich bin erschöpft, kann nicht länger stehen. Durchhängen = nicht straff gespannt sein. 1940 *ff.*

95. der ~ ist auf Dauerfeuer eingerastet = man hat Durchfall. ↗einrasten. *BSD* 1965 *ff.*

96. er reißt mit dem ~ wieder ein (um), was er mit den Händen aufgebaut hat = er ist überaus ungeschickt. 1900 *ff.*

97. ihm ist der ~ eingeschlafen = er läßt Darmwinde laut entweichen. Hergenommen vom Schnarchen des Schläfers. 1900 *ff.*

98. einen ~ erben = nichts gewinnen; Mißerfolg erleiden. *Vgl* ↗Arsch 25. 1940 *ff.*

99. den Wagen in ~ fahren = das Auto zuschanden fahren. ↗Arsch 109. 1960 *ff.*

100. mit etw auf den ~ fallen = mit etw scheitern. 1930 *ff.*

101. mit dem ~ in die Butter fallen = vorteilhaft heiraten; Glück haben. 1900 *ff.*

102. mit dem ~ Fliegen fangen = Unmögliches mit unzureichenden Mitteln bewerkstelligen wollen. 1930 *ff.*

103. mit dem ~ Mücken (Fliegen o. ä.) fangen = dem erholsamen Nichtstun frönen. 1930 *ff.*

104. ihm flattert der ~ = er hat Angst. Vom Herzflattern übertragen auf die Flat-

terbewegung des Afters; *vgl* ↗Muffensausen. *Sold* 1939 *ff.*

105. du hast wohl lange nicht deinen ~ mit den Händen fortgetragen?: Drohfrage. Man verheißt dem Betreffenden Prügel aufs Gesäß, so daß er sich dieses mit beiden Händen halten muß, um die Schmerzen zu lindern; das sieht dann so aus, als trüge er es von dannen. 1900 *ff.*

106. jm nicht vom ~ gefallen sein = so gut wie der andere sein. ↗Sau. *Oberd* 19. Jh.

107. mit dem ~ fressen = rektal ernährt werden. Lazarettspr. 1914 *ff,* auch *ziv.*

108. dem ~ die Ehre geben = beim Essen stark zulangen. Die Ehre geben = die gebührende Ehre bezeugen. 19. Jh.

109. in den ~ gehen = zugrundegehen; verloren gehen; in Gefangenschaft geraten; sterben, fallen. „Arsch" als Sammelwort für Schlimmstes und Schlechtestes. 18. Jh.

110. ihm geht der ~ mit Grundeis = er hat bange Befürchtungen. Grundeis ist die untere Eisschicht oberhalb des Bodens; es bricht polternd los und steht hier im Vergleich mit dem Geräusch des abgehenden Durchfalls. 18. Jh.

111. ihm geht der ~ 1 : 1000 (1 : 100 000) = er hat große Angst. Der Maßstab bei Landkarten wird hier zum Höchstmaß an (Flucht-)Geschwindigkeit. *Sold* 1939 *ff.*

112. ihm geht der ~ wie eine Kreissäge = er fühlt sich äußerst beklommen. Die schnell sich drehende, kreischend laufende Kreissäge versinnbildlicht hier das Aufgeregtsein. *Sold* 1935 *ff.*

113. ihm geht der ~ mit Schneegestöber = er ist ängstlich, mutlos. *Vgl* ↗Arsch 33 b. *Sold* 1939 *ff.*

114. ihm geht der ~ wie eine Windmühle = er ist aufgeregt, nervös. Die Windmühle als Sinnbild der Ruhelosigkeit. *Sold* 1939 *ff.*

115. der ~ gehört in die Hose = Ordnung muß sein. Spätestens seit 1900.

116. in den ~ gekniffen sein = sich in schlimmer Lage befinden. ↗Arschkneifen. Kriegsgefangenen- und Konzentrationslagerspr. 1941 *ff.*

117. wegen Umbau des ~es werden alle Fürze über die Zunge geleitet: Äußerung nach vernehmlichem Aufstoßen. 1930 *ff.*

118. ihm ist noch nie eine Mark (o. ä.) am ~ gewachsen = er hat noch nie gespart, gibt leicht her, kann sich leicht von etw trennen. 19. Jh.

119. sich in den ~ gucken lassen (in den ~ geguckt kriegen) = vom Musterungsarzt untersucht werden. *BSD* 1958 *ff.*

120. jn am ~ haben = jm übel mitspielen; jn zur Rechenschaft ziehen; jn verhaften, gefangennehmen. Man hat ihn am Gesäß ergriffen, so daß er nicht fliehen kann. *Sold* 1900 *ff* und *ziv.*

121. einen im ~ haben = betrunken sein. Gemeint als Hinweis auf die Ursache des Torkelns. *BSD* 1965 *ff.*

122. einen blauen ~ haben = von Adel sein. Fußt auf dem Begriff ↗blaublütig. 19. Jh.

123. einen dreckigen ~ haben = ein schlechtes Gewissen haben; sich vergangen haben. Schmutziges Gesäß = moralische Unsauberkeit. 1900 *ff.*

124. einen eisernen ~ haben = sich in

jeder Lebenslage durchsetzen können. ↗Arsch 26 b. 1920 *ff.*

125. einen faulen ~ haben = träge sein; sich nicht erheben. Trägheit beruht *(iron)* auf einer physiologischen Gegebenheit, nicht auf Willensschwäche. 1900 *ff.*

126. einen goldenen ~ haben = verzärtelt erzogen worden sein. ↗Arsch 30. In der Volksmeinung ist bei Reichen alles von Gold. 1900 *ff.*

127. einen großen ~ haben = a) dümmlich sein. Zum Ausgleich für das große Gesäß ist der Geist entsprechend kleiner. 1910 *ff.* – b) furchtsam, schüchtern sein. 1910 *ff.*

128. einen kalten ~ haben = tot sein. *Sold* 1914 *ff.*

129. keinen sitzenden ~ haben = unruhig sitzen. 18. Jh.

130. einen verzagten ~ haben = mutlos, niedergedrückt sein. ↗Arsch 41. 1910 *ff.*

131. einen ~ wie ein Brötchen haben = ein schmächtiger Mann sein. „Brötchen" steht sinnbildlich für kleines Format. 1914 *ff, sold.*

132. einen ~ in der Hose haben = ein tüchtiger Kerl sein. Der Betreffende hat wohl ein breites, kräftig entwickeltes Gesäß. *Sold* 1939 *ff.*

133. ein Gesicht wie ein ~ haben = ein feistes Gesicht haben. ↗Arschgesicht 1. 19. Jh.

134. ein Gesicht wie ein ~ mit Ohren haben = ein häßlich feistes Gesicht haben. ↗Arsch 12 a. 1900 *ff.*

135. jetzt hat der ~ Feierabend = a) jetzt kann man sich endlich ausruhen. 1914 *ff.* – b) er ist tot. 1914 *ff.*

136. den ~ vorn haben = dümmlich sein; leicht zu übervorteilen sein. Das Gesäß ist nicht aufmerksam, nicht wachsam, nicht intelligent. Wohl Gegenteilbildung zu „die Nase vorn haben", ↗Nase 69. *Sold* 1939 *ff.*

137. alles an den ~ hängen = putzsüchtig sein. Spätestens seit 1600.

138. am ~e hängt der Kamm: Redewendung des Kartenspielers, wenn er beim Aufheben des Skats einen Buben findet und sich also überreizt hat. Willkürliche Vervollständigung des Ausrufs „am Arsch!" (= ich bin verloren)". 1900 *ff.*

139. da hängst du den ~ ins Feuer!: Ausruf der Verzweiflung. *Halbw* 1955 *ff.*

140. den ~ in die Luft hängen = a) fliegen, mit dem Flugzeug aufsteigen. *Sold* 1939 *ff.* - b) mit dem Fallschirm abspringen. *Sold* 1939 *ff.*

141. ihm hängt der ~ voller Tränen = ihm ist wehleidig zumute; er hat bange Befürchtungen. Entpathetisierung: an die Stelle des Auges wird hier der „Arsch" gesetzt. *Sold* 1935 *ff.*

142. über den ~ hinausfurzen wollen = das Ziel zu weit stecken; des Guten zuviel tun. *Sold* 1939 *ff.*

143. seinen ~ hinhängen = sich als Mitglied der Flugzeugbesatzung der Gefahr aussetzen. Fliegerspr. Variante zu „den ↗Kopf hinhalten", seit 1939.

144. jn den ~ hochbinden = a) jn streng einexerzieren. Parallel zu ↗Arsch 56. *BSD* 1965 *ff.* - b) jm etw ablehnen; jn energisch zur Rede stellen. *Sold* 1939 *ff.* - c) jn hart bekämpfen, niederkämpfen. *Sold* 1939 *ff.*

145. mit 'einem ~ auf 'zwei Hochzeiten

tanzen (hocken o. ä.) = zweierlei gleichzeitig tun wollen; es mit zwei Parteien halten. ↗Hochzeit. 1900 ff.

146. sich einen kalten ~ holen = sterben; als Soldat fallen. *Sold* 1914 ff.

147. etw in den ~ jagen = ein Fahrzeug zuschanden fahren. Entsprechend ↗Arsch 99; *vgl* ↗Arsch 109. *Sold* 1939 ff.

148. etw durch ~ und Pimmel jagen = Hab und Gut verschlemmen. Gemeint ist, daß man sein Geld für Essen, Trinken und Geschlechtsverkehr ausgibt; *vgl* ↗Pimmel. 1910 ff.

149. mir juckt der ~ = ich habe Lust. Konkretisiert aus „es juckt mich", ↗jukken. 1960 ff.

150. den eigenen ~ nicht kennen = nicht einmal über das Nächstliegende, über das persönlich Wichtige Bescheid wissen. 1900 ff.

151. das kann er sich vor den ~ klatschen! = Ausdruck der Ablehnung. Bezieht sich wohl auf ein Schriftstück, mit dem man sich das Gesäß reinigen kann, weil ein anderer Zweck nicht einzusehen ist. *Sold* 1939 ff.

152. sich in den ~ kneifen = sich gröblich irren. Umschreibung für „sich selber wehtun". 1955 ff.

153. ihm klebt der ~ am Stuhl (o. ä.) fest = er ist energielos, träge. Das klebrige Gesäß soll schuld sein an der Willensschwäche. 19. Jh.

154. jn drillen, daß ihm das Wasser im ~ kocht = jn rücksichtslos drillen. Das kochende Wasser meint den Schweiß, der den Rücken hinunterläuft bis in die Gesäßspalte. *Sold* 1930 ff.

155. zu einem kalten ~ kommen = sterben; im Kriege fallen. *Sold* 1939 ff.

156. jn am ~ kratzen = jm schmeicheln. 19. Jh.

157. sich den ~ (am ~) kratzen = in Verlegenheit, ratlos sein. 1935 ff, *sold* und *ziv*.

158. kratz dir den ~! = hilf dir selber, ich kann dir nicht helfen. 1935 ff, *sold* und *ziv*.

159. das laß deinen werten ~ nicht kratzen = das geht dich nichts an; misch' dich nicht ein! *Vgl* „es kratzt mich nicht = es geht mir nicht nahe". *Sold* 1910 ff.

160. jm den ~ kräuseln = a) jn verprügeln. Kräuseln = in Falten legen. 1900 ff. – b) jn besiegen. *Sold* 1939 ff.

161. jm in den ~ kriechen = jm würdelos ergeben sein; sich gegenüber jm völlig unterwürfig zeigen. Soviel wie „vor den schimpflichsten Erniedrigung nicht zurückschrecken". 18. Jh.

162. jm nicht nur in den ~, sondern (sogar) bis in den Dickdarm kriechen = jm würdelos schmeicheln. 1950 ff.

163. jn am (beim) ~ kriegen = jn zur Rechenschaft ziehen. *Vgl* ↗Arsch 120. Etwa seit 1920.

164. etw auf den ~ kriegen = eine Niederlage erleiden; einen Rückschlag hinnehmen müssen; beschossen werden. Bezieht sich eigentlich auf Prügel. *Sold* in beiden Weltkriegen.

165. einen kalten ~ kriegen = sterben, fallen, abstürzen. *Sold* in beiden Weltkriegen.

166. keinen warmen ~ kriegen = oft versetzt werden; an einem Ort, auf einem

Stuhl „nicht warm werden". 1935 ff, Bürospr.

167. da lacht der ~ = a) es wird eine leckere Speise aufgetischt. Vergröbert aus „da lacht einem das Herz". 1914 ff. – b) man erlebt eine große Freude. 1914 ff.

168. den ~ in der Hose lassen = besonnen bleiben; nicht übertreiben. *Vgl* ↗Arsch 115. 1900 ff.

169. er kann mich am ~ lecken! (leck mich am ~!; leckmi'oasch): Ausdruck derber Abweisung. Etwa seit 1500; volkstümlich geworden durch Goethe, Urgötz (1771).

170. leck mich am (im) ~, ich geh ins Kloster!: Ausruf eines dienstüberdrüssigen Soldaten. *Sold* 1939 ff.

171. leck dich selbst im ~!: Ausdruck derber Abweisung, gern als Erwiderung auf die gleichlautende Aufforderung. 1900 ff.

172. man könnte sich selbst im ~ lekken!: Ausdruck der Verzweiflung. 1900 ff.

173. leck mich am ~ (da leckst du mich am ~)!: freudiger Begrüßungsausruf bei unerwarteter Begegnung. Spätestens seit 1900.

174. jn im ~ lecken = jm würdelos schmeicheln. 19. Jh.

175. den ~ in Falten legen = a) nach schwerer körperlicher Anstrengung eine Pause einlegen. Umschreibung für „sich entspannen". 1900 ff. – b) sich nach der Notdurftverrichtung vom Sitz erheben. 1900 ff. – c) sich schlafen legen. 1900 ff.

176. den ~ lüften = a) zur Notdurftverrichtung das Gesäß entblößen. 19. Jh. – b) Darmwinde entweichen lassen. 1850 ff.

177. jm den ~ lüften = a) jn auf das nackte Gesäß schlagen. 1850 ff. – b) jn über den Kasernenhof oder übers Übungsgelände oder übers freie Feld hetzen; jn strafexerzieren lassen. *Sold* 1900 ff.

178. etw mit halbem ~ machen = etw oberflächlich, flüchtig, ohne Interesse erledigen. Derbe Variante zu „etw mit halbem Herzen tun". 19. Jh.

179. den ~ nachtragen = jm alle Mühen abnehmen; jn übereifrig bedienen. 1800 ff.

180. den ~ in die Hand nehmen = weglaufen; loslaufen. Derber als „die ↗Beine in die Hand nehmen". *Vgl* auch ↗Arsch 105. 19. Jh.

181. den ~ offenhaben = a) Darmwinde entweichen lassen. *Sold* 1930 ff. – b) Angst haben. Der Schließmuskel des Afters versagt. *Sold* 1939 ff. – c) ein schlechter Kerl sein. Wohl Anspielung auf Furcht und Feigheit. *Sold* 1939 ff.

182. du hast wohl den ~ auf (offen; dir steht wohl der ~ auf?) = du bist wohl nicht recht bei Verstand? Der Betreffende gibt Darmwinde von sich, aber keine vernünftigen Ansichten. Parallel zu „nicht ↗dicht sein". 19. Jh.

183. den ~ offenhalten = für guten Stuhlgang sorgen. 19. Jh.

184. ihm steht der ~ offen = er hat leichten Stuhlgang. 1900 ff.

185. das paßt wie der ~ auf den Eimer (das paßt wie ~ auf Eimer) = das paßt ausgezeichnet; ist bestens in Ordnung. Eimer = Toiletteneimer. Frühestens aus dem späten 19. Jh.

186. das paßt wie der ~ zum Igel = das

paßt sehr schlecht zusammen. ↗Igel. *Sold* 1935 ff.

187. das paßt wie der ~ auf den Nachttopf = es paßt hervorragend, ganz genau. 1900 ff.

188. solang' der ~ noch in die Hose paßt, wird keine Arbeit angefaßt: Redewendung arbeitsunwilliger Leute. Gearbeitet wird erst wieder, wenn die Hose zu weit geworden ist, weil man mangels Geldes sich nicht mehr satt essen kann. 1910 ff.

189. jm den ~ zu Butter prügeln = jn sehr heftig verprügeln. 1950 ff.

190. jn drillen, daß ihm der ~ raucht = jn sehr rücksichtslos ausbilden. *Vgl* ↗Arsch 154. *Sold* 1930 ff.

191. es reimt sich wie ~ und Friedrich = es paßt durchaus nicht zusammen. Seit dem 16. Jh geläufig, ursprünglich mit Bezug auf Kaiser Friedrich III. (1440–1493).

192. den halben ~ riskieren = (bei einem gefährlichen Unternehmen) viel aufs Spiel setzen. Der „halbe Arsch" bedeutet eine Verwundung, aber nicht den Tod. 20. Jh, *sold* und *ziv*.

193. jn antreiben (o. ä.), bis ihm der ~ runterfällt = jn zu größerer Geschwindigkeit, bis zu seiner Erschöpfung antreiben. *Sold* 1939 ff.

194. jm den ~ salben = jn verprügeln. 19. Jh.

195. sich in den ~ hinein schämen = sich sehr schämen. 19. Jh.

196. der ~ schlägt Falten = man wird unmutig. Derbe Variante zu „die Stirn in Falten legen". *Sold* 1939 ff.

197. und schlägt (wirft, zieht) der ~ auch Falten, wir bleiben doch die alten!: Beteuerung unverbrüchlicher Kameradschaft. Vergröbert aus ↗Bauch. *Sold* 1939 ff.

198. es schmeckt wie ~ auf Eimer = es schmeckt widerlich. *BSD* 1965 ff.

199. es schmeckt wie kalter ~ vom Friedrich = es schmeckt abscheulich. 1950 ff. Zur Herkunft ↗Arsch 191.

200. es schmeckt nach ~ und Friedrich = es schmeckt sehr schlecht. ↗Arsch 191. Etwa seit 1935.

201. den ~ schonen = sich erbrechen. Mildere Bezeichnung als „den ↗Arsch betrügen"; denn Betrug ist unmoralisch, Schonen mildtätig und rücksichtsvoll. 19. Jh.

202. den ~ schwingen = aufreizend die Hüften hin- und herbewegen. 1900 ff.

203. das ist mir ~ = das ist mir völlig gleichgültig. Wohl verkürzt aus ↗arschegal. 1940 ff.

204. das ist für den ~ = das taugt nichts, ist vergeblich, schmeckt widerlich. 1910 *sold* und *ziv*.

205. im (am) ~ sein = a) entzwei, verloren, betriebsunfähig, dem Tode nahe sein. ↗Arsch 109. Etwa seit dem 18. Jh. – b) sich in Verlegenheit befinden. 19. Jh. – c) geflüchtet sein. *Rotw* 1900 ff.

206. im ~ des Propheten sein = a) zugrunde gegangen sein; entzwei, unbrauchbar sein. Ironisches Gegenteil von „in ↗Abrahams Schoße sein". *Sold* 1939 ff. – b) in weiter Ferne, in unwirtlicher Gegend sein; unerreichbar sein. *Sold* 1939 ff.

207. mit dem ~ auf allen Kirmessen (Hochzeiten) sein wollen = möglichst viele Vorteile wahrnehmen wollen. *Vgl* ↗Arsch 145 sowie ↗Hochzeit. 19. Jh.

208. im ~ ist's duster (finster)!: Ausruf

zur Bekräftigung einer Selbstverständlichkeit. Als Begründung steht in einem Bierlied: „scheint doch weder Sonn' noch Mond hinein!". 19. Jh.

209. der ~ ist nicht von Glas: auf einen Zimperlichen gemünzte Redewendung. 19. Jh.

210. glatt wie ein ~ sein = mittellos sein. Wortspielerei: glatt = 1. unbehaart, faltenlos; 2. ohne Geld. *BSD* 1965 *ff.*

211. völlig im ~ sein = sehr dumm sein. *BSD* 1965 *ff.*

212. sich auf den ~ setzen = sehr erstaunt sein. Vor Überraschung setzt man sich spontan und instinktiv: man sucht Halt. 1950 *ff.*

213. mit seinem fetten ~ auf etw sitzen = etw nicht hergeben mögen. Etwa wie die Glucke auf den Eiern. *Sold* 1939 *ff*, mittlerweile auch *ziv.*

214. mit geilem ~ in den Nesseln sitzen = eine gründliche Abfuhr erlitten haben. Geiler Arsch = Geschlechtstrieb, Wollust. *Vgl* „sich in die ↗Nesseln setzen". 1939 *ff.*

215. der ~ hat sich gespalten = jede Partei hat beim Kartenspiel die Hälfte der möglichen Punktezahl erreicht. *Vgl* ↗Arsch 29. 1930 *ff.*

216. mit solchen Karten kann ich nicht mal aus dem ~ spielen = ich habe sehr schlechte Karten bekommen. Mit ihnen kann man aus der Hand ohnehin nicht spielen. 1930 *ff.*

217. aus dem ~ spielen = ein hoffnungsloses Spiel dadurch zu gewinnen suchen, daß man gegen jegliche Regel verfährt und zu Tricks greift. 1930 *ff.*

218. jm mit dem ~ ins Gesicht (in die Fresse o. ä.) springen = jm keck entgegentreten; jn energisch zur Ordnung rufen; jn grob anherrschen. 19. Jh.

219. jm mit dem nackten ~ ins Gesicht springen = der persönlichen Geringschätzung sichtbaren oder hörbaren Ausdruck geben; jn nicht leiden können. 1900 *ff.*

220. jm etw in den ~ stecken = jn überreichlich beschenken; jm alles zuwenden. 19. Jh.

221. dem eigenen ~ nicht trauen = sehr mißtrauisch sein. 1935 *ff.*

222. jn (jm) in den ~ treten = a) jn fortjagen; jn aus der Arbeit entlassen. 1900 *ff.* – b) jn empfindlich rügen. 1930 *ff.*

223. dem trete ich in den ~, daß ihm das Blut aus den Ohren spritzt!: Drohrede. *Jug* 1955 *ff.*

224. ich trete dir in den ~, daß die Darmsaiten zum Schalloch rauskommen!: Drohrede. 1900 *ff.*

225. ich trete Sie in den ~, daß Sie den Stiefel rausscheißen müssen!: Drohrede auf dem Kasernenhof. 1939 *ff.*

226. ich trete dich in den ~, daß der Stiefel steckenbleibt!: Drohrede. 1939 *ff*, *sold.*

227. ich trete dir in den ~, daß die Stiefelspitze abbricht!: Drohrede. 1939 *ff*, *sold.*

228. im ~ verbogen sein = verrückt sein; unsinnige Handlungen begehen. Anatomische Mißgestalt wird als Ausdruck eines geistigen Schadens vorgeschoben. 1900 *ff.*

229. im ~ verbohrt sein = in falschen Ansichten befangen sein. ↗verbohrt. 19. Jh.

230. sich den ~ verbrennen = sich gröblich irren; einen Mißerfolg selbst verschulden. Derbe Variante zu „sich in die ↗Nesseln setzen". 1800 *ff.*

231. den ~ aus der Hose verlieren = abmagern. 1900 *ff.*

232. jm den ~ verlöten = a) jn auf das Gesäß prügeln. Gemeint ist wohl, daß durch die Hiebe die Gesäßbacken anschwellen und den After schließen. 1910 *ff.* – b) analkoitieren. 1935 *ff.*

233. ihm ist der ~ vermauert = er leidet an Stuhlverhärtung. 1935 *ff.*

234. jm den ~ versohlen = jn auf das Gesäß schlagen. ↗versohlen. 19. Jh.

235. den ~ vollhaben = a) geprügelt worden sein. 1900 *ff.* – b) vollauf gesättigt sein. Arsch steht hier für Bauch. 1900 *ff.* – c) betrunken sein. Vollendete Handlung von ↗Arsch 80. 1900 *ff.*

236. jm den ~ vollhauen = a) jn verprügeln. 19. Jh. – b) Krieg gegen jn führen; jn besiegen. Prügel beziehen = unterliegen. *Sold* und *ziv* 1920 *ff.*

237. den ~ vollkriegen = a) Prügel erhalten. 19. Jh. – b) besiegt werden. *Sold, ziv* und *sportl* 1920 *ff.*

238. sich den ~ vollsaufen = sich betrinken. 1900 *ff.*

239. jm den ~ warmmachen = a) jn aufs Gesäß prügeln. *Nordd.* 1900 *ff.* – b) jm heftig zusetzen; jn antreiben, drillen. *Sold* 1939 *ff.*

240. mit dem ~ wedeln = liebedienerisch sein. Hergenommen vom schweifwedelnden Hund. 1900 *ff.*

241. er gibt den ~ noch weg = er ist überaus freigebig. 1900 *ff.*

242. es reißt einem den ~ unterm Gesäß weg = es ist überwältigend; Ausdruck des Erstaunens. 1935 *ff.*

243. der ~ ist weg = er ist tot. *Sold* 1939 *ff.*

244. da tut mir der ~ weh!: Ausdruck der Überraschung. *BSD* 1965 *ff.*

245. das gibt dem ~ seine rosige Gesichtsfarbe wieder!: Ausdruck der Anerkennung über eine Speise, ein Getränk o. ä. *Nordd* 1930 *ff.*

246. sich keinen Rat am ~ wissen = unbeholfen, ratlos sein. 1950 *ff.*

247. dem ~ die Gegend zeigen = in freier Natur koten. *Sold* 1939 *ff.*

248. jm einen freundlichen ~ zeigen = jm wohlwollen; jn begünstigen; jds Zuvorkommenheit erwidern. Seit dem späten 19. Jh.

249. jm den heißen ~ zeigen = überhastet fliehen. *Sold* 1939 *ff*, *ziv* 1945 *ff.*

250. sich mit dem nackten ~ zudecken = arm sein. 19. Jh.

251. den ~ zukneifen (zuschnappen, zumachen, zudrücken) = sterben; als Soldat fallen. 18. Jh.

252. den ~ zusammenkneifen = straffe militärische Haltung annehmen. 1935 *ff.*

253. das zieht einem den ~ zusammen = das ist sehr sauer. Vergröbert von: „das zieht einem den Mund zusammen". 1930 *ff.*

254. es wird ein großer ~ kommen und alles zuscheißen!: Ausruf größten Pessimismus oder sicherer Untergangsstimmung. Auch in der Wunschform: „ich möchte, es erschiene ein großer Arsch über der Welt und würde alles zuscheißen!". *Sold* 1939 *ff.*

255. den ~ zuschließen = sterben; als Soldat fallen. *Sold* in beiden Weltkriegen.

256. wir können den ~ zuschließen = mehr gibt es nicht zu essen. *Sold* in beiden Weltkriegen.

257. dann ist der ~ zu = dann ist das Ende gekommen. 1935 *ff.*

Arschbacke *f* **1.** etw auf der halben (linken) ~ abreißen = eine Strafe ohne Reue verbüßen; eine Bestrafung sich nicht zu Herzen nehmen. Man setzt sich gar nicht erst bequem zurecht und richtet sich auf baldigen Weggang ein. 1900 *ff.*

2. etw auf 'einer ~ absitzen = eine kurzfristige Freiheitsstrafe verbüßen. 1900 *ff.*

3. jm die ~n anlüften = jn antreiben. ↗Arsch 56. 1935 *ff.*

4. die ~n lockern = einen Darmwind entweichen lassen. 1900 *ff*

5. die ~n zusammenbeißen = der Angst Herr werden. Man beherrscht den Schließmuskel. 1939 *ff sold, ziv.*

6. die ~n zusammenklemmen (-kneifen) = sich ermannen; seinen Mut zusammenraffen; straffe Haltung annehmen. 1900 *ff, sold* und *schül. Vgl franz* „serrer les fesses".

7. die ~n zusammenkneifen, daß den Filzläusen die Tränen in die Augen schießen (daß den Filzläusen die Augen tränen) = straffe Haltung annehmen. Kasernenhofjargon seit 1935.

8. die ~n zusammenkneifen, daß ein 5-Mark- Stück die Prägung verliert = straffe Haltung annehmen. *BSD* und polizeispr. 1957 *ff.*

9. die ~n zusammenkneifen, daß man damit einen Nagel aus der Wand ziehen kann = straffe Haltung annehmen. *BSD* 1960 *ff.*

Arschbackenzündung *f* ~ haben = reiten. 1920 *ff.*

Arschbetrüger *m* **1.** Mann mit normaler geschlechtlicher Neigung. Homosexuellenspr. 1900 *ff.*

2. kurzer Mantel; Manteljacke; kurzes Jackett. Das Kleidungsstück bedeckt nicht die Gesäßpartie. 1870 bis heute.

3. kurze Drillichjacke. 1870 *ff.*

4. kurze Frackjacke ohne Schöße. 1935 *ff, sold.*

5. kurze Fliegerjacke (-bluse). 1935 *ff.*

6. kurze Dienstjacke der Panzertruppe. 1935 *ff.*

7. Seekranker; Person, die sich erbricht. *Vgl* ↗Arsch 85. 1900 *ff.*

8. kleine Kampftasche. *BSD* 1972 *ff.*

Arschbombe *f* Sprung, bei dem man mit dem Gesäß aufs Wasser auftrifft; Sprung ins Wasser mit angezogenen Beinen. 1950 *ff.*

Arschbrötchen *n* oben längs eingeschnittenes Brötchen. Wegen der Ähnlichkeit mit dem Gesäß. 1900 *ff.*

arschegal *adv* gleichgültig. Entweder aus „arg egal" absichtlich mißverstanden oder Anspielung auf die Formgleichheit aller Gesäße und beider Gesäßhälften; möglicherweise ist „arsch-" hier auch als bloße Verstärkung zu werten. 1940 *ff.*

Arscheimer *m* Versager; Schimpfwort. Meint entweder den Koteimer oder den Ascheneimer, in beiden Fällen also ein Gefäß für Abfall, für Unverwertbares. 1920 *ff.*

Arschfahnder *m* Beamter der Sittenpolizei,

besonders Fahnder nach männlichen Prostituierten. 1950 ff, Berlin.

Arschfenster n Loch im Hosenboden. Vgl ↗ Arsch 93. Seit dem ausgehenden 19. Jh.

Arschficker m 1. Homosexueller. 19. Jh.
2. homosexueller Verkehr. 1900 ff.
3. schikanöser Ausbilder. ↗ ficken 2. BSD 1965 ff.

Arschfrisur f bis in den Nacken reichender Scheitel. Die Frisur ähnelt dem zweigeteilten Gesäß. Schül 1965 ff.

Arschgeige f 1. dummer, einfältiger, untüchtiger Mann. „Geige" meint auch das lange, verdrossene Gesicht. „Arsch-" betont den Schimpfwortcharakter. 1850 ff.
2. Feiger, Liebediener u. ä. Meint im engeren Sinne auch den Homosexuellen; Homosexuelle gelten vielfach als würdelose Schmeichler, militärisch auch als nicht tapfer. 1850 ff.

Arschgesicht n 1. breites, feistes, ausdrucksloses Gesicht. Vgl ↗ Arsch 12 a. 18. Jh.
2. Schimpfwort auf einen häßlichen, widerlichen Menschen. Seit dem frühen 20. Jh.

Arschi m 1. Kosewort. 1920 ff.
2. widerlicher Mensch. Schül 1955 ff.

arschig adj sehr minderwertig, widerwärtig, unsympathisch, langweilig. Schül 1955 ff.

Arschkanone f 1. After, dem Darmwinde laut entweichen. 1900 ff.
2. Pistole des Offiziers. Wurde getragen in einem Lederfutteral am Koppel oberhalb der rechten Gesäßhälfte. 1939 ff.
3. Schimpfwort. Wohl Anspielung auf die entweichenden Darmwinde: anderes ist von dem Betreffenden nicht zu erwarten. 1955 ff, jug.

Arschkerbe f Gesäßspalte. Spätestens seit dem 19. Jh.

Arschkerl m Schimpfwort auf einen Mann. Spätestens seit 1800.

Arschkitzel m ~ verspüren = Unerfreuliches ahnen. Gemeint ist der Juckreiz am After. Sold 1935 ff und ziv.

arschklar adj völlig einleuchtend; ohne jeden Zweifel. Entweder mundartlich entstellt aus „arg klar" oder zurückgehend auf „Arsch-" als verstärkenden Bestandteil. Seit dem späten 19. Jh.

Arschklemmer m Milchbrötchen. Es ist in der Mitte längs eingekerbt. 1930 ff.

Arschkneipe f Feldflasche, Labeflasche. Wird vorschriftsmäßig am Koppel oberhalb der rechten Gesäßbacke getragen. Sold 1914 ff.

Arschknochen m Verräter; unkameradschaftlicher Kerl. Meint eigentlich das Steißbein und könnte also auf Liebedienerei (Steißbeinverrenkung) hindeuten. Andererseits meint „Knochen" den Mann, und „Arsch-" ist eine wertverschlechternde Steigerungsvorsilbe. Sold 1914 ff.

Arschkram m Unannehmlichkeit, Widerwärtigkeit. ↗ Kram 1. 1935 ff.

Arschkratzer m widerlicher Schmeichler. ↗ Arsch 156. 19. Jh.

arschkriechen intr liebedienern. ↗ Arsch 161. BSD 1965 ff.

Arschkriecher m widerlicher Liebediener. ↗ Arsch 161. 18. Jh.

Arschkrümel m 1. unwichtige Sache; Sache, die sich mühelos bewerkstelligen läßt. Krümel = Brotbröckchen; „Arsch-" als pejorat Steigerungssilbe. Seit dem späten 19. Jh.

2. kleiner Junge. 19. Jh.
3. Schimpfwort auf Erwachsene. 1800 ff.

Arschlecker m würdeloser Ergebener; widerlicher Schmeichler; Schmarotzer. ↗ Arsch 174. 1800 ff, Vgl franz „le lèche-cul".

Ärschlein n Kosewort für eine weibliche Person. 1900 ff.

arschlings (ärschlings) adv rückwärts. Nach dem Muster von „rittlings, blindlings u. ä." gebildet. Seit mhd Zeit.

Arschloch n 1. After, Gesäß. Seit dem frühen Mittelalter.
2. derbes Schimpfwort. 14. Jh ff.
3. Kosewort für eine weibliche Person. 1900 ff.
4. ~ mit Beilage = Kegelwurf, bei dem die drei Mittelkegel (= Arschloch) und ein Seitenkegel gefallen sind. „Arschloch" meint hier die Mitte der beiden Kegelspielhälften. 1900 ff.
5. Herr ~ persönlich = Mann, der unliebsam auffällt, weil er sich sehr stark aufspielt. 1935 ff, ziv und sold.
6. am ~ der Welt = völlig abgelegen. ↗ Arsch 17. Sold 1954 ff, Schweiz.
7. blödes ~ = dümmlicher Mensch. 1900 ff.
8. fliegendes ~ = Aufklärungs- und Beobachtungsflieger. Die Bezeichnung hat einen doppelten Sinn: sie ist schimpfwörtlich gemeint, weil der Aufklärer das feindliche Feuer herbeiruft oder leitet, und außerdem wörtlich, weil der Flugzeuginsasse dem Erdenmenschen sein Gesäß zukehrt. Sold 1939 ff. Gleichbed engl „flying arsehole".
9. gebildetes ~ = a) After, dem ein Darmwind unvernehmlich entweicht. „Gebildet" spielt hier auf feine, vornehme Lebensart an. Sold 1940 ff. - b) überheblicher Akademiker. Trotz seiner Bildung ist er ein „Arschloch". 1930 ff (wenn nicht älter).
10. papierenes ~ = Schimpfwort auf einen würdelos unterwürfigen Menschen. 1920 ff.
11. trauriges ~ = Schimpfwort auf einen Unzuverlässigen. 1920 ff.
12. zweibeiniges ~ = Schimpfwort. 1950 ff.
13. Arschlöcher auf ein Band gezogen = Schimpfausdruck auf eine Gruppe Menschen. „Arschlöcher auf ein Band ziehen" gilt scherzhaft als Beschäftigung der Bauern im Winter. Nordd 1930 ff.
14. ein komisches Gefühl ums ~ haben = Prügel ahnen. 1900 ff, schül.
15. ein schwarzes ~ haben = adlig sein. Vielleicht hervorgegangen aus der Anspielung auf den preußischen Hohen Orden vom Schwarzen Adler, volkstümlich „Schwarzer-Adler-Orden" genannt; der 1701 gestiftete Orden war verbunden mit dem erblichen Adel. 19. Jh.
16. das ~ hochhalten = dünkelhaft, unnahbar sein. Wohl Anspielung auf gestelzte Gangart oder Reitart. 1800 ff.
17. ein zweites ~ kriegen = einen Schuß ins Gesäß bekommen. Sold 1914 ff.
18. das ~ schonen = sich erbrechen. Vgl ↗ Arsch 201. Wohl seit dem späten 19. Jh.
19. das ~ ist überflüssig (ist überflüssig geworden) = man leidet seit längerer Zeit Hunger. Sold und ziv in und nach beiden Weltkriegen.

20. die Gewalt über das ~ verlieren = vor Angst die Hosen von innen beschmutzen. Sold 1939 ff.
21. das ~ zukneifen = sterben. ↗ Arsch 251. 1900 ff.

arschnackt adj völlig nackt. „Arsch-" als Steigerungssilbe (vielleicht scherzhaft von „arg" abgefälscht). 1950 ff.

Arschpapier n 1. Abortpapier. 1900 ff.
2. schlechtes Schulzeugnis. Es ist nicht mehr wert als Abortpapier. Schül 1950 ff.

Arschpauker m 1. Lehrer. Weiterbildung seit dem 17. Jh von „Pauker 1.
2. Homosexueller. Pauken = stoßen = koitieren. Österr 1900 ff, rotw.

Arschrobe f Gesellschaftskleid mit sehr tiefem Rückenausschnitt. 1955 ff, halbw. (1920?).

'Arsch'ruhe f seelische Unerschütterlichkeit. Etwa seit 1900; sold in beiden Weltkriegen.

Arschstoßer m Homosexueller. Stoßen = koitieren. Österr 19. Jh.

Arschtratzerl n Kleidungsstück, das knapp das Gesäß bedeckt. Tratzen = necken; sich einen Spaß erlauben. Bayr 1950 ff.

Arschtritt m Tritt ins Gesäß. 1900 ff.

Arschtrommel f breites Gesäß. Sehr geeignet zum Draufschlagen. Österr 1920 ff.

Arschtrommler m Lehrer. Weil er das Gesäß der Schüler (angeblich) zum Prügeln benutzt. 1900 ff.

Arschtrompeter m Mensch, der Darmwinde laut entweichen läßt. 1920 ff.

Arschverkühler m kurzes Kleidungsstück, das die Gesäßpartie nicht (oder nur mangelhaft) bedeckt. Etwa seit 1930. Vgl angloamerikan „bumfreezer".

Arschvoll m 1. ein ganzer ~ = eine große Menge. 19. Jh.
2. einen ganzen ~ haben = viele Trümpfe und andere gute Karten in der Hand halten. Kartenspielerspr. 1900 ff.

Arschwasser n jn schleifen (o. ä.), bis das ~ kocht = jn streng, schikanös einexerzieren. ↗ Arsch 154. Sold 1930 ff.

arschweinlich adj wahrscheinlich. Hieraus durch Buchstabenstellung gebildet, bis sich ein Bezug zu „Arsch" ergibt. Stud 1900 ff.

Arschwisch m 1. Abortpapier; zum selben Zweck verwendetes Grasbüschel. 1500 ff.
2. Schriftstück, Urkunde (abf). Das Papier taugt nur zum Gebrauch auf dem Abort. 1500 ff.
3. Schimpfwort auf einen Feigling o. ä. Seit dem ausgehenden 19. Jh.

Art f 1. daß es eine ~ hat = gehörig, tüchtig. „Art" meint hier die gehörige Art, auch die Körperkraft. Um 1600.
2. das ist (hat) keine ~ = das schickt sich nicht, ist zweck-, wertlos, gedeiht nicht. „Art" = schickliche Handlungsweise. 19. Jh.

artig adj mit ~es Sümmchen (o. ä.) = viel Geld. Aus „wohlerzogen" entwickelt sich die Bedeutung „ansehnlich". 1800 ff.

Artillerie f 1. Handfeuerwaffe. 1950 ff.
2. ~ der Geistlichkeit = Kirchenglocken. Geprägt von Kaiser Joseph II. (1765–1790).

Artillerieesklerose f Arteriosklerose. Scherzhaft umgewandelt oder mißverstanden. 1930 ff.

Artillerieverkalkung f Arterienverkalkung. Scherzhaft entstellt durch Soldaten des Ersten Weltkrieges.

Artistengepäck n 1. Fülle von Gepäckstücken eines Reisenden. Artisten führen viel Gepäck mit sich, auch solches von ungewöhnlicher Art. 1950 ff.
2. Sturmgepäck. *BSD* 1965 ff.
Arzt m 1. schwarzer ~ = Mann, der ohne Approbation als Arzt tätig ist. ↗ schwarz. 1900 ff.
2. du solltest mal einen ~ aufsuchen!: Rat an einen, den man für geistig nicht normal hält. Gemeint ist der Arzt für Nerven- und Gemütsleiden. 1950 ff.
3. ↗ Doktor.
As n 1. Hauptkönner; Könner; erfolgreicher Flieger. Stammt aus der Kartenspielersprache: das As ist die Zahl Eins und bezeichnet eine hochwertige Karte. Etwa seit 1914 geläufig, anfangs vom erfolgreichen Kampfflieger gesagt (weswegen Herleitung aus *gleichbed engl* „ace" möglich ist), später allgemein auf Könner auf jeglichem Gebiet angewandt.
2. ~ der Asse = Hauptkönner; der Beste von allen. 1930 ff.
3. ein ~ ausspielen (hinblättern) = eine entscheidende Tatsache vorbringen. 1950 ff.
4. beim Grand spielt man Äsae, oder man hält die Fresse = beim Grand spielt man von Anfang an die Vollen, oder man sollte keinen Grand ansagen! Skatspielerregel 1900 ff.
5. noch ein ~ im Ärmel (im Hut) haben = etw noch geheimhalten; noch ein Hauptargument vorbringen können. 1960 ff.
asbachuralt adj sehr betagt; völlig veraltet; völlig unmodisch. Herübergenommen von der Markenbezeichnung für Weinbrand der Firma Asbach, Rüdesheim. Wohl schon 1930 geläufig; neuerdings durch das Werbefernsehen sehr stark verbreitet. Auch in der Kurzform „asbach" gebräuchlich.
ascenden (*engl* ausgesprochen) *intr* mit dem Flugzeug aufsteigen. Übernommen aus *engl* „to ascend". *BSD* 1960 ff.
Aschbecher m ↗ Aschenbecher.
Asche f 1. Geld, Kleingeld. Herkunft unsicher. Entweder ist auszugehen von „Asche = Rückstand in kleinster Form" oder von *franz* „acheter = kaufen". *Rotw* und *sold* 19. Jh.
2. blanke ~ = Silbermünzen. Blank = silbrig glänzend. 1900 ff, sold und rotw.
3. kleine ~ = Kleingeld. *Halbw* 1955 ff.
4. (totale) ~ = völlige Wertlosigkeit. *Jug* 1970 ff.
5. ungebrannte ~ = Prügel; Prügelstock. Wohl ein Scherzausdruck für den hölzernen, also zu Asche verbrennbaren Stock oder fußend auf dem Scherzauftrag an einen Jungen, er solle für 10 Pfennig ungebrannte Asche aus der Apotheke holen. 1500 ff.
6. etw in ~ legen = etw aufrauchen, rauchen. Eigentlich soviel wie „etw niederbrennen, in Schutt und Asche legen". 1900 ff.
7. ~ machen = etw veräußern. Meint „aus einem Gegenstand Geld machen". *BSD* 1965 ff.
Ascheimer m ↗ Ascheneimer.
Ascheneimer m 1. Schimpfwort auf einen Versager. Der Mülleimer enthält nur Unverwertbares. Wohl beeinflußt von „↗ Arscheimer". 1920 ff.

2. ~ auf zwei Beinen = Nichtskönner. *Schül* 1950 ff.
3. rasender ~ = abgenutztes, verkommenes Auto. 1955 ff.
4. seelischer ~ = Mensch, dem man seine inneren Nöte anvertraut. 1960 ff.
5. vierbeiniger ~ = Schimpfwort. *Schül* 1950 ff.
6. ein Gesicht haben wie ein kaputter ~ = ein entstelltes, schiefes Gesicht haben. Hergenommen vom verbeulten Mülleimer. 1955 ff.
Aschenkasten m 1. Kastenmine; große Mine. *Sold* 1914 ff.
2. Geldkassette. ↗ Asche 1. 1920 ff.
Aschenpapst m Aschenbecher. Fußt wohl auf „Papst = Abort" (Papststuhl = Heiliger Stuhl). *Stud* 1900 ff.
Aschermittwochabend m er kann mich am ~ besuchen!: Ausdruck der Ablehnung. *Vgl* ↗ Abend 9. „Ascher-" ist aus „Arsch-" entstellt. 1930 ff.
Aschgraues n 1. bis ins Aschgraue = sehr weit; endlos. Als „aschgrau" bezeichnet man ein dämmeriges Grau, ein Grau der Ferne, wo Himmel und Erde ineinander überzugehen scheinen. Der Ausdruck ist wohl verkürzt aus „bis in die aschgraue ↗ Pechhütte". 18. Jh.
2. das geht ins Aschgraue = das ist unvorstellbar; das geht zu weit. 18. Jh.
Aschkasten m ↗ Aschenkasten.
äsen *intr* reichlich speisen; schmausen. Stammt aus der Jägersprache: Rotwild äst, indem es ohne Hast sein Grünfutter zupft. 1910 ff.
ashaft *adj* hervorragend. ↗ As 1. *BSD* 1965 ff.
Asi m Asozialer. 1960 ff.
asozial *adj* unkameradschaftlich. *Jug* 1960 ff.
Asphalt m Wurzellosigkeit des Großstädters. Im ausgehenden 19. Jh in den Kreisen des Naturalismus aufgekommen und in der NS-Zeit polemisch gegen die Losung „Blut und Boden" angeprangert.
Asphaltantilope f Straßenprostituierte auf Kundenfang. ↗ Antilope. 1950 ff.
Asphalt-Arche f Stadtomnibus. „Arche" spielt auf die vielen Mitfahrenden an. 1960 ff.
Asphaltbeleidiger m 1. Kleinauto; altes, klapperndes Auto. 1960 ff.
2. *pl* = breite Schuhe. *BSD* 1965 ff.
Asphaltbiene f 1. nette junge Städterin. ↗ Biene 3. 1955 ff, jug.
2. Straßenprostituierte. 1960 ff.
Asphaltblase f Kleinauto. 1955 ff, halbw. *Vgl angloamerikan* „bubble-car".
Asphaltblatt n Boulevardzeitung. ↗ Blatt 1. 1920 ff.
Asphaltblüte f Großstädter (abf). 1900 ff.
Asphalt-Cowboy m 1. halbwüchsiger Schlenderer (in Farmerhosen o. ä.). Er nimmt sich aus wie ein Hütejunge in der Großstadt. 1955 ff.
2. Fußgänger. *Österr* 1960 ff.
Asphaltdame f städtische Straßenprostituierte. 1960 ff.
Asphaltdepp m unsicherer Kraftfahrer. ↗ Depp. *Bayr* 1955 ff.
Asphaltdschungel m Großstadt mit ihrer Verlorenheit des Einzelnen; Seelenlosigkeit, Kultur- und Menschenfeindlichkeit der Großstadt. Dschungel ist der sumpfige Buschwald, auch der Urwald. 1955 ff.
Asphaltfieberblase f Frostaufbruchstelle

einer asphaltierten Straße. Fieberblasen nennt man die bei Fieber an den Lippen auftretenden Blasen. 1960 ff.
Asphalthunne m rücksichtsloser Kraftfahrer. ↗ Hunne. 1960 ff.
Asphaltjournalist m Mitarbeiter der Boulevardpresse. 1920 ff.
Asphaltkreuzer m breitgebautes Luxusauto. ↗ Kreuzer. 1950 ff.
Asphaltliteratur f großstädtisches, nicht mehr heimatlich verwurzeltes Schrifttum. 1918 ff; vor allem seit 1933.
Asphaltmensch m Großstädter ohne innere Bindung an seinen Wohnbereich. Zwischen ihm und der Natur befindet sich die künstliche Decke des Asphalts. 1933 ff.
Asphaltpflanze f 1. Großstädter(in). 1900 ff.
2. Straßenkind in der Großstadt. 1900 ff.
3. Straßenprostituierte. Spätestens seit 1920.
Asphaltpirat m Landstreicher (in der Stadt). Er betreibt eine Art Seeräuberei. Kundenspr. 1960 ff.
Asphaltpresse f Großstadtpresse, vorwiegend auf Sensationsmeldungen eingestellt. 1920 ff.
Asphaltschwalbe f Straßenprostituierte. Anspielung auf den Zugvogelcharakter der Schwalbe. 1920 ff.
Asphaltspucker m Arbeitsscheuer. 1930 ff.
Asphaltwanze f 1. Kleinauto. Wird von den anderen Verkehrsteilnehmern als lästiges Ungeziefer angesehen. 1955 ff.
2. Straßenprostituierte. 1960 ff.
Asphalt-Wikinger m Großstädter, der seinen Urlaub (sein Wochenende) auf dem Wasser verbringt. Er spielt Seefahrer. 1950 ff.
Asphaltwimmerl m Kleinauto. Wimmerl = Warze, kleine Hautwulst. *Österr* 1955 ff, halbw.
Asphaltwüste f Großstadt. Wüste = unfruchtbares Land mit nur spärlichem Pflanzenwuchs. 1920 ff.
Aspik m 1. Mensch in ~ ↗ Mensch I 3.
2. in ~ leben = in einem Haus mit vielen Glaswandflächen wohnen. Aspik ist Fleisch- oder Fischsülze und bildet eine matt-durchsichtige Masse. 1955 ff.
'Asquetscher m 1. Kartenspieler, der ein As in den Skat legt. Etwa seit 1900. Quetschen = ↗ drücken.
2. Soldat, der aus Feigheit etwas vortäuscht, um sich einer Pflicht entziehen zu können. *Sold* 1939 ff.
3. Soldat, der ständig Einwendungen macht.
assern *intr* ständig Einwendungen machen. Fußt auf *jidd* „assern = verbieten". Seit dem frühen 19. Jh.
Assi m Assistenzarzt. Abkürzung freundlicher Art. *Sold* 1939 ff.
assig (assisch) *adj* hervorragend; sehr gut. Fußt entweder auf *engl* „ace = hervorragend" oder geht unmittelbar auf „As = Könner, Fachgröße" zurück. *Halbw* 1955 ff.
Ast m 1. Buckel, Höcker. Er wächst aus dem Körper ähnlich wie der Ast aus dem Baumstamm; vor allem ist ein schiefes, krummes Hervorwachsen gemeint. 19. Jh, vielleicht rotw Ursprungs.
2. Schulter, Rücken. Spätestens seit dem ausgehenden 19. Jh.
3. kräftig gebauter Mann. Zum Schwächlichen verhält er sich wie der Ast zum Zweig. *Österr* 1940 ff, jug.
4. erigierter Penis. 1900 ff.

5. schwer zu überwindendes militärisches Hindernis. Leitet sich wohl von dem „Ast" her, an dem der Schnarchende sägt. *Sold* 1939 *ff.*

6. einen ~ absägen = schlafen, schnarchen. 1910 *ff.*

7. den ~ absägen, auf dem man sitzt = sich selber ernstlich schaden; sich um seine Stellung bringen. Sehr alte sprichwörtliche Redensart. 1800 *ff.*

8. einen ~ durchsägen = beim Schnarchen besonders stark röcheln. 19. Jh.

9. auf keinen grünen ~ kommen = wirtschaftlich nicht gesunden; Mißerfolg über Mißerfolg erleiden. Parallel zu „auf keinen grünen ↗Zweig kommen". 1800 *ff.*

10. sich einen ~ lachen = kräftig lachen. Wer sich vor Lachen krümmt, scheint einen Buckel zu haben. ↗Ast 1. 19. Jh.

11. etw auf den ~ nehmen = etw auf die Schulter nehmen. ↗Ast 2. 1900 *ff.*

12. jn auf den ~ nehmen = jn veralbern, verspotten. Man behandelt den Betreffenden wie ein kleines Kind, das man auf die Schultern nimmt. 1910 *ff.*

13. einen ~ sägen = schnarchen. ↗sägen. Tiefe Schnarchtöne klingen wie das Geräusch einer Säge, die im Holz auf einen Ast kommt. 19. Jh.

14. auf dem ~ sein = fest schlafen; vom eigenen Schnarchen nicht aufwachen. 1900 *ff.*

15. das war ein Ast!: Redewendung, wenn einer beim Schnarchen plötzlich abbricht. 1920 *ff.*

16. auf dem absteigenden ~ sein = an Kräften, im Leistungsvermögen nachlassen; sich als Unternehmer einer wirtschaftlichen Krise nähern. Ast meint hier den Linienverlauf einer graphischen Kurve. 1900 *ff.*

asten v 1. *tr* = etw auf dem Rücken, auf der Schulter tragen. ↗Ast 2. Seit dem ausgehenden 19. Jh.

2. *intr* = laut schnarchen; fest schlafen. Bezieht sich auf den „Ast", an dem der Schnarchende sägt. 1900 *ff.*

3. *intr* = sich anstrengen; hart arbeiten; angestrengt lernen; schwer tragen. ↗Ast 2. Seit dem späten 19. Jh.

Asthma n 1. Vergaserdefekt. *Vgl* ↗Asthmakiste. 1920/30 *ff.*

2. ~ haben = beim Kartenspiel keine Trümpfe mehr haben. Der Spieler wird schwach auf der Brust, läßt an Kraft nach. *Schweiz* 1950 *ff.*

3. an ~ unter der Hirnschale (im Kopf) leiden = nicht recht bei Verstand sein. Von der Atemnot wird wohl auf mangelnde Sauerstoffversorgung des Gehirns geschlossen. 19. Jh.

Asthmatiker m Soldat, der eine Krankheit vortäuscht, um „garnisonsverwendungsfähig Heimat" geschrieben zu werden. *Sold* in beiden Weltkriegen.

astig (astisch) *adj* hervorragend, sehr eindrucksvoll. Erklärt sich wie ↗assig oder wie ↗astmäßig. 1965 *ff, jug.*

ästig *adv* sich ~ lachen = kräftig lachen. *Vgl* ↗Ast 10. 19. Jh.

Astloch n 1. After. Verhüllend für „Arschloch". 19. Jh.

2. Schimpfwort. Euphemistisch entstellt aus „Arschloch". Seit dem späten 19. Jh.

3. jm das ~ verkitten = a) analkoitieren. *Vgl* ↗Arsch 232. 1900 *ff.* – b) jm ein Vorhaben vereiteln. *Sold* 1914 *ff.*

Astlochgucker m 1. Person, die durch ein Astloch im Bretterzaun das Treiben im Licht- und Luftbad beobachtet; Voyeur. 1900 *ff.*

2. Strafanstaltswachtmeister. Bezieht sich auf das Guckloch in der Zellentür. 1950 *ff.*

astmäßig *adj* hervorragend. Wortspielerei in Anlehnung an „Ast = erigierter Penis": „emporragend" und „hervorragend" gehen hier ineinander über. *BSD* 1965 *ff.*

Astralkörper m schöner Körper. Eigentlich in alten Geheimlehren und Geisteswissenschaften Bezeichnung für ein nicht mit Händen greifbares, feinstofflich-ätherisches Körper-Gegenbild, als Träger des Lebenskraft und des Gefühlslebens Bindeglied zwischen irdisch-leiblicher und kosmisch-geistiger Existenz. In der Vorstellungswelt des Nichteingeweihten zu idealschöner Körperlichkeit stilisiert. Seit dem späten 19. Jh.

'astrein *adj* 1. charakterlich zuverlässig; politisch (weltanschaulich) einwandfrei; unverdächtig; unzweideutig. Hergenommen von astlochfreiem Holz, das wertvoller ist als Holz mit Astlöchern. 1930 aufgekommen; 1933 und 1945 bei der politischen Überprüfung volkstümlich geworden.

2. tadellos; ausgezeichnet; ohne Vorstrafen. 1930 *ff.*

Astronauten-Look m Von der Kleidung der Weltraumfahrer inspirierte Mode (kastenförmige Jacke; sehr kurzer, leicht ausgestellter Rock; metallisch glänzende Stoffe usw.). 1965 *ff.*

Astronomie f ~ studieren = die Bierflasche an den Mund setzen. Wegen der Ähnlichkeit mit der Haltung des zum Himmel aufgerichteten Fernrohrs. 1900 *ff.*

astronomisch *adj* überaus hoch; unvorstellbar groß (Preis, Honorar o. ä.). Hergenommen von den Zahlenangaben der Astronomen (Zahl der Sterne, der Entfernungskilometer, der Lichtjahre usw.). 1920 *ff.*

ata gehen *intr* 1. spazierengehen. ↗ada 1. 19. Jh.

2. sterben. 1915/20 *ff.*

Ata-Girl n Putzfrau. Die beschönigende Bezeichnung zitiert den Markennamen des Putzmittels „Ata" der Firma Henkel, volkstümlich geworden durch das Werbefernsehen. Der Euphemismus überhöht zugleich *iron* die gemäß Amtssprachenregelung vollzogene Aufwertung der bisherigen „Putzfrau" zur neuen „Raumpflegerin". 1965 *ff.*

Atem m 1. jm den ~ abdrehen = jn würgen, erwürgen. Fußt auf der Vorstellung vom Wasser- oder Gashahn, den man zudreht. 1950 *ff.*

2. ihm geht der ~ aus = er verliert an Durchhaltevermögen. *Sportl* 1950 *ff.*

3. spar' deinen ~! = hör auf mit dem Geschwätz! 1920 *ff.*

a tempo *adv* sehr schnell; sofort. Stammt aus dem Italienischen und meint „zu einem bestimmten Zeitpunkt". 1920 *ff.*

Äther m du hast wohl den ~? du bist wohl nicht recht bei Verstand? Vom Befragten ist anzunehmen, daß er wie nach Einnahme eines Betäubungsmittels benommen ist. *Schül* 1955 *ff.*

Ätherdetektiv m Fahnder nach Benutzern von nichtangemeldeten Rundfunk- und Fernsehgeräten. 1958 *ff.*

Äther-Freibeuter m Betreiber eines amtlich nicht zugelassenen Senders. 1964 *ff.*

Ätherpest f Werbung im Rundfunk. Um 1925 von Eduard Rhein geprägt.

Ätherpirat m 1. Betreiber eines staatlich nicht genehmigten Rundfunksenders. 1964 *ff.*

2. Fernsehteilnehmer, der keine Gebühren bezahlt. 1957 *ff.*

Äthiopien Ln Nacktbadestrand. Dasselbe wie ↗Abessinien *ff.*

Athlet m 1. rücksichtsloser, grober, roher Mensch. Wohl hergenommen vom Erscheinungsbild der Ringer, Boxer usw. 1900 *ff.*

2. ~ Flohbein = Schwächling. Scherzhafte Verbindung von zwei einander widersprechenden Vorstellungen. 1900 *ff.*

Athletenfrühstück n 1. Frühstück, bestehend aus Kaffee (Bier), Brot, Ei, Wurst und Käse. 1923 *ff,* Bauarbeiter- und Soldatensprache.

2. Kaffee mit Zigarette. *Sold* in beiden Weltkriegen.

Athletenfutter n Hering mit Pellkartoffeln. 1900 *ff,* kundensprl.

Athleten-Uni f Sporthochschule. 1965 *ff;* ↗Uni.

Atika f ~ mit Spucke = selbstgedrehte Zigarette. Fußt auf dem Namen einer Zigarettenmarke. *Sold* 1940 *ff.*

Atika-Leiche f Mensch, der sehr viele Zigaretten raucht. *Sächs* 1935 *ff.*

atmen *intr* 1. falsch ~ = Darmwinde entweichen lassen. 1955 *ff.*

2. das ~ vergessen (das Atemholen vergessen) = sterben. Euphemismus: der Betreffende ist an Vergeßlichkeit gestorben. 1800 *ff.*

Atmosphäre f 1. stänkerige ~ = stark verbrauchte, verqualmte Zimmerluft. 1920 *ff.* Atmosphäre = Lufthülle.

2. mit hundert ~n = mit aller Kraft; mit völliger Hingabe an das Ziel. Atmosphäre = Druckmaß. 1950 *ff.*

Atmosphärenkitzler m Hochhaus. Dem Begriff „Wolkenkratzer" nachgebildet. *Österr* 1965 *ff, jug.*

Atmungssphäre f Atmosphäre. Eindeutschung seit dem späten 19. Jh.

Atom n hier geht kein ~ mehr rein = hier ist alles besetzt. 1945 *ff.*

atomar *adj* 1. unübertrefflich. Zusammenhängend mit der Atomphysik und ihren epochemachenden Leistungen. 1945 *ff.*

2. üppig entwickelt (auf Busen und Gesäß der Frau bezogen). 1955 *ff.*

Atombombe f 1. zündender Witz. Er schlägt ein wie eine Atombombe (nicht die Gefährlichkeit, sondern die Treffsicherheit bzw. Breitenwirkung wird hier bedenkenlos übertragen). *Stud* 1950 *ff.*

2. weibliche Person, von der eine starke erotische Wirkung ausgeht. Journalistenspr. 1950 *ff.*

Atombusen m 1. üppiger Busen; Hochbusigkeit. 1949 *ff.*

2. Schutztubus auf der Rückwand des Fernsehgeräts. 1960 *ff,* Technikerspr.

Atomfeuerwehr f 6. US-Flotte. Sie wird eingesetzt, „wo es brennt". 1957 *ff.*

atomfrei *adj* ohne heikle Gesichtspunkte. Meint eigentlich „frei von Nachwirkungen des Atombombenabwurfs"; „frei von Kernwaffen". 1950 *ff.*

atomisieren *tr* 1. jn heftig prügeln. Der Kraftmensch will sagen, daß er seinen

Gegner in kleinstmögliche Teile zerschlagen wolle. 1930 *ff.*

2. jm eine sehr empfindliche Niederlage beibringen. 1950 *ff, sportl.*

Atomkanonier *m* Fußballspieler, der sehr heftige, unhaltbare Tortreffer erzielt. ↗Kanonier. 1958 *ff, sportl.*

Atomkraftbrot *n* Schinkenschnittchen mit Spiegelei. 1957 *ff.*

Atomladung *f* kräftige Dosis eines schnellwirkenden Anregungsmittels. 1960 *ff.*

Atommädchen *n* **1.** überaus nettes, reizvolles, umgängliches Mädchen. 1950 *ff.*

2. weibliche Berufstätige in einem Kernforschungszentrum. 1965 *ff.*

Atom-Muffel *m* Atombombengegner; Kernkraftgegner. ↗Muffel. 1965 *ff.*

Atompilze *pl* sehr üppig entwickelter Busen. Hergenommen von der pilzförmig aufsteigenden Explosionswolke einer Atombombe. 1950 *ff, jug.*

Atompullover *m* Pullover, der einen üppig entwickelten Busen erkennen läßt. 1953 *ff, jug.*

Atomschalter *m* sehr rasch begreifende Person (auch *iron*). ↗schalten. 1950 *ff.*

Atomspritze *f* jm eine ~ geben = jn antreiben. Gemeint ist die starke Dosis eines Anregungsmittels. 1950 *ff.*

Atomtitten *pl* üppige Brüste. ↗Titte. 1950 *ff.*

Atomwetter *n* **1.** schlechtes Wetter; unverhofft starke und langanhaltende Niederschläge; nicht- jahreszeitgemäße Witterungslage. Seit etwa 1955 landläufige Bezeichnung für ungewöhnliche Witterungsunbilden. Man hält sie für Folgeerscheinungen von Atombomben-Versuchs-Explosionen.

2. Unfriede daheim oder an der Arbeitsstätte. 1955 *ff, jug* (Berlin).

Atomzertrümmerung *f* du hast wohl noch nichts von – gehört?: Drohfrage. Der derart Angesprochene soll sinngemäß „in seine atomaren Bestandteile zerlegt" werden. Atomzertrümmerung meint jedoch eigentlich nicht die Zerschlagung höherer Molekularverbindungen zu Atomen, sondern die Spaltung des Atomkerns. 1950 *ff.*

ätsch *interj* spöttischer Ausruf der Schadenfreude. Als Gebärde der Schadenfreude streicht man mit dem rechten Zeigefinger über den der linken Hand. Diese Bewegung ähnelt der des Schabens von Rüben. Das dabei entstehende Geräusch wird lautmalerisch mit „ätsch" wiedergegeben. Etwa seit 1700.

ätschen *intr* zum Zeichen der Schadenfreude den Zeigefinger der rechten Hand mehrmals über den der linken Hand hinstreichen. *Vgl* das Vorhergehende. 18. Jh.

atschö (att'schö) *interj* auf Wiedersehen! Aus *franz* „à dieu" entstellt. 19. Jh.

atschüß (atjüs, adschüß, adjüs) *interj* Ausruf beim Verabschieden (auf Wiedersehen!). Fußt auf „adies", dieses auf *span* „adios" im Sinne von *franz* „adieu" (in der ursprünglichen Bedeutung von „zu Gott" oder „geh' mit Gott"). 18. Jh.

Attentat *n* auf ein ~ vorhaben = mit jds Beteiligung eine Sache rechnen; jn zu besuchen beabsichtigen. Parallel zu ↗Anschlag 5. 19. Jh.

Attrappe *f* **1.** Versager; Mensch, der überall im Wege steht; Dummer. Eigentlich soviel wie Schaupackung: der Betreffende ist in geistiger Hinsicht leer. 1900 *ff.*

2. von der Ehefrau (Haushälterin) beherrschter Mann. 1900 *ff.*

3. zeugungsunfähiger Mann. 1930 *ff.*

Atz *m* Essen. Meint eigentlich das Futter der Vögel. 1500 *ff.*

atzeln *tr* **1.** etw entwenden. Atzel = Elster: Elstern gelten als diebisch, da sie glänzende Dinge wie goldene Ringe o. ä., wenn sie ihrer habhaft werden können, in ihr Nest tragen. 18. Jh.

2. vom Mitschüler, aus einer Übersetzung abschreiben. *Schül* 1900 *ff.*

atzen *tr* **1.** essen; jm zu essen geben. Bewirkungszeitwort zu „essen". 16. Jh.

2. etw entwenden. Eigentlich bezogen auf Raub von Speise und Trank. Neuerdings gleichgesetzt mit ↗atzeln 1. 19. Jh.

ätzen *impers* es ätzt = es gefällt, macht großen Eindruck. Analog zu ↗scharf 5 a. *Halbw* 1960 *ff.*

ätzend *adj* hervorragend, eindrucksvoll. *Vgl* das Vorhergehende. *Halbw* 1960 *ff.*

Atzung *f* **1.** Empfang der Verpflegung; Beköstigung. Eigentlich die Nahrung der Raubvögel, auch des Federviehs und der Fische. 1400 *ff.*

2. zur ~ schreiten = zu essen beginnen; sich in den Speisesaal begeben. Burschikos-gestelzte Redewendung. *Stud* 1950 *ff.*

au au sein (aua aua sein) *intr* geistesgestört, nicht recht bei Sinnen sein. „Au" ist eine Interjektion des Schmerzes: die Dummheit des einen tut dem andern weh. 1920 *ff* auch ↗Dummheit 11 und 12.

auch *konj* Sie (du) mich auch!: Erwiderung auf die Aufforderung „Sie können (du kannst) mich am Arsch lecken!" 1900 *ff.*

Audiesaß *m* kennst du die Geschichte von ~?: Drohfrage. Man droht so eine heftige Ohrfeige an; der Geohrfeigte wird sagen: „au, die saß!" (sitzen = heftig schmerzen). 1900 *ff, schül.*

Audimax *m* Auditorium Maximum. Hieraus verkürzt gegen 1925.

auf I *adv* „auf!" sprach der Fuchs zum Hasen! = steh' auf! Fußt auf der Gedichtzeile: „auf, sprach der Fuchs zum Hasen, hörst du nicht den Jäger blasen?". Spätestens seit 1900.

auf II *adj* geöffnet, offenstehend. (z. B.: aufe Tür). 19. Jh.

auf III *präp* auf etw sein = etw besorgen, herbeischaffen. Verkürzt aus „auf Suche nach etw ausgegangen sein". 1945 *ff*, Berlin.

aufangeln *tr* Unangenehmes bekommen. Hergenommen vom Angler, der statt eines Fisches einen unwillkommenen Fund aus dem Wasser zieht. 19. Jh.

aufbammeln *refl* sich erhängen. ↗bammeln. 19. Jh.

Aufbau *m* guter ~ = gute Körpergestalt; schöne Büste. Parallel zu ↗Karosserie. 1950 *ff.*

aufbauen *v* **1.** etw ~ = etw in eine bestimmte Ordnung bringen; etw anordnen, anlegen. Hergenommen vom Bauhandwerk. 1900 *ff.*

2. die Sache ~ = ein Verbrechen vorbereiten. 1920 *ff.*

3. jn (etw) ~ = jn (etw) wirkungsvoll dem Publikum vor Augen führen. Lehnübersetzung von *engl* „to build up". Nach 1945 aufgekommen.

4. jn ~ = jn trainieren. 1950 *ff.*

5. sich beruflich ~ = eine vorteilhafte

Berufswahl treffen; den beruflichen Werdegang festlegen. 1950 *ff.*

6. sich ~ = sich brüsten. Eigentlich soviel wie „sich selbstgefällig zur Geltung bringen". 1955 *ff, stud.*

7. sich vor jm ~ = vor jm straffe Haltung einnehmen. Sich aufbauen = sich aufstellen (wie der Fotograf eine Gruppe vor der Aufnahme in zusagender Anordnung aufbaut). *Sold* seit dem Ersten Weltkrieg.

8. *intr* = steif werden (auf den Penis bezogen). 1925 *ff.*

aufbaumen *intr* **1.** sich erbosen. Parallel zu ↗hochgehen. 1900 *ff.*

2. mit dem Auto gegen einen Baum rasen (so daß sich die Vorderachse des Wagens am Stamm emporschiebt). 1950 *ff.*

aufbehalten *tr* nicht vom Kopf nehmen (die Kopfbedeckung). Verkürzt aus „auf dem Kopf behalten". 19. Jh.

aufbekommen *tr* **1.** etw als Hausaufgabe erhalten. Verkürzt aus „auferlegt bekommen". *Schül* 19. Jh.

2. zu einer Strafarbeit verurteilt werden. *Schül* 19. Jh.

3. etw aufessen können. 19. Jh.

4. etw öffnen können. 19. Jh.

5. etw nur mit Mühe auf den Kopf setzen können. 19. Jh.

aufbereiten *tr* jds Zurückhaltung besiegen; jn für etw zugänglich machen. Meint eigentlich „die Verarbeitung beginnen" (z. B.: Erze von Beimengungen trennen). 1950 *ff.*

aufbinden *v* jm etw ~ **1.** jm Unwahres zu glauben geben; jn übertölpeln. Herkunft umstritten. Meint entweder „aufbinden = eine Warenprobe auf den Warenballen binden" (die Probe ist von bester Beschaffenheit, der Inhalt des Ballens um so weniger) oder ist Lehnübersetzung von *lat* „imponere = eine Lüge aufdrängen". 1600 *ff.*

2. jm etw einschärfen. Verkürzt aus „jm etw auf die ↗Seele binden". 19. Jh.

aufblasen *v* **1.** etw ~ = ein Foto vergrößern. Fernsehspr. 1960 *ff.*

2. etw ~ = etw aufbauschen, wirklichkeitswidrig als erheblicher darstellen. 1950 *ff.*

3. sich ~ = sich aufspielen; prahlerische Reden führen. ↗Frosch. 1800 *ff.*

aufbleiben *intr* **1.** geöffnet bleiben. Hieraus verkürzt. 18. Jh.

2. nicht zu Bett gehen. Verkürzt aus „auf den Beinen bleiben". 18. Jh.

3. nicht absetzen (der Hut bleibt auf). Verkürzt aus „auf dem Kopf bleiben". 1900 *ff.*

aufblonden *tr* dunkles Frauenhaar blond färben. 1930 *ff.*

aufbrennen *v* **1.** jm eins ~ = a) jm einen heftigen Schlag versetzen; auf jn schießen. Hergenommen vom Jäger; *vgl* ↗Pelz. Spätestens seit 1800. – b) jn denunzieren. 1900 *ff.* – c) sich an jm rächen. 1900 *ff.*

2. jm einen ~ = jm einen leidenschaftlichen Kuß geben; jn stürmisch liebkosen. 1900 *ff.*

aufbringen *tr* etw öffnen können. 18. Jh.

aufbrühen *tr* etw ständig wiederholen. Parallel zu ↗aufwärmen. 1920 *ff.*

2. einen literarischen (Film-)Stoff neu bearbeiten. 1950 *ff.*

aufbrummen *v* **1.** *intr* = auf etw geräuschvoll auffahren. ↗brummen. 1935 *ff.*

2. jm etw ~ = a) jm eine Strafe auferlegen; jm eine Zahlungsleistung aufzwingen. ↗brummen = Häftling sein. 19. Jh. – b) auf jn einen Schuß abfeuern. *Sold* 1939 *ff.* – c) jm eine Last, eine Aufgabe auferlegen. 1920 *ff.* – d) jn mit etw übertölpeln. 1950 *ff.*

aufbügeln *tr* **1.** einexerzieren, an Manneszucht gewöhnen; jm Kameradschaftlichkeit beibringen. Beruht auf der Grundvorstellung des Auffrischens, Verschönerns und Verbesserns durch straffe Zucht. *Sold* 1910 *ff.*
2. jn streng rügen. 1910 *ff.*
3. jn verprügeln, mißhandeln. 1910 *ff.*
4. jn neu beleben, aufmuntern; jm aus der Niedergeschlagenheit aufhelfen. 19. Jh.
5. etw ~ = einen literarischen Stoff neu bearbeiten, modernisieren. 1950 *ff.*
6. deflorieren, koitieren. ↗bügeln. 1930 *ff.*
7. sich ~ = sich erholen, sich entspannen. 1920 *ff.*

aufdonnern *refl* sich auffallend, geschmacklos, flatterhaft kleiden. Soll sich herleiten von jenem Donnerstag, an dem in vielen Gegenden Deutschlands ganztägig oder nachmittags schulfrei war und feiertägliche Kleidung angezogen wurde. Vielleicht beeinflußt von „Donna = Dame". Etwa seit 1820/30.

aufdrehen *v* **1.** *intr* = übertreiben; sich prahlerisch äußern; sich ereifern; übertrieben vornehm tun. Fußt wohl auf dem Vergleich des Mundes mit einem Mechanismus, der sich wieder abstellen läßt, oder mit dem Wasserhahn. Etwa seit 1850.
2. *intr* = sich noch heftiger anstrengen; noch schneller arbeiten. Herzuleiten vom Gasgriff bei Motorrädern. 1920 *ff.*
3. *intr* = schneller laufen; die Geschwindigkeit erhöhen. 1920 *ff.*
4. *intr* = das Spieltempo steigern. *Sportl* 1920 *ff.*
5. *intr* = sich wild gebärden; Streit suchen; in der Öffentlichkeit aufbegehren. 1950 *ff.*
6. *intr* = beim Geschlechtsverkehr sehr aktiv werden. 1920 *ff.*
7. etw bis zum Stehkragen ~ = das Rundfunkgerät auf volle Lautstärke bringen. Der Knopf zur Regulierung der Lautstärke wird bis zum Anschlag gedreht. 1950 *ff.*
8. jn ~ = jn munter machen, antreiben, einexerzieren. 1900 *ff.*
9. etw ~ = einen Vorgang beschleunigen. 1900 *ff.*
10. jm etw ~ = jm etw aufschwatzen. ↗andrehen. 1900 *ff.*

aufdröseln *tr* **1.** Verwirrtes ordnen; Gestricktes wieder aufziehen; eine Verschnürung aufknoten. Stammt aus der Seemannssprache: ein Tau in seine einzelnen Fäden zerlegen. 18. Jh.
2. eine Angelegenheit auseinandersetzen; etw zu ergründen, zu ermitteln suchen. 18. Jh.

aufen *adj* offen, geöffnet. *Vgl* ↗auf II. 19. Jh.

auferstehen *intr* erwachen. Meint eigentlich „vom Tode wieder erstehen". *BSD* 1965 *ff.*

Auferstehung *f* an diesem Tage nicht mehr an die ~ glauben = an diesem Tage wegen Volltrunkenheit nicht mehr aufstehen können. Fußt auf einem Theologenwitz. 1920 *ff.*

auffahren *v* **1.** *tr intr* = reichlich auftischen. *Vgl* ↗anfahren 2. 1850 *ff.*
2. *intr* = sehr wütend werden. Der Zornige fährt aus dem Sessel auf. 16. Jh.

Auffahrsünder *m* Kraftfahrer, der zu geringen Abstand hält und dadurch einen Auffahrunfall herbeiführen kann. ↗Sünder. 1960 *ff.*

auffallen *intr* durch unmilitärisches Verhalten Anlaß zu Rügen oder Schikanen geben. Der Betreffende erregt im unangenehmen Sinne Aufmerksamkeit. *Sold* 1910 *ff*, spätestens seit 1955 auch *ziv*, verkürzt aus „unangenehm auffallen".

auffallend *adv* stimmt ~!: Ausdruck der Bekräftigung. Gern mit ironischem Nebensinn, wodurch „auffallend" die Bedeutung von „ausnahmsweise" annimmt. Spätestens seit 1900.

auffixen *tr* etw äußerlich verschönern. Fußt auf *angloamerikan* „to fix up = herausputzen". 1950 *ff.*

auffliegen *v* **1.** *intr* = mißglücken; erfolglos bleiben; abwirtschaften. Hergenommen von den Vögeln, die das Nest verlassen und nicht zu ihm zurückkehren, oder von einer Explosion, bei der ein Gebäude in die Luft fliegt. 1900 *ff.*
2. *intr* = ertappt, verhaftet werden. 1870 *ff, rotw* und *schül*
3. *intr* = beseitigt, mit Gewalt aufgelöst werden; die Befehlsgewalt verlieren. 1900 *ff.*
4. etw ~ lassen = einen Plan vereiteln; ein Unternehmen wirtschaftlich zugrunderichten. 1900 *ff.*
5. jn ~ lassen = jn unschädlich machen; jds unlautere Machenschaften aufdecken. 1900 *ff.*

auffressen *tr* **1.** etw aufessen. ↗fressen 1. 1500 *ff.*
2. ich fresse Sie auf und scheiße Sie an die Wand!: Drohrede. *BSD* 1965 *ff.*
3. einander ~ = ineinander sehr verliebt sein. 19. Jh.
4. jn zum ~ gern haben = jn sehr gern haben. 19. Jh.
5. von jm aufgefressen werden = a) jm ausgenutzt, betrogen werden. Von Raubtieren übertragen auf den Menschen. Seit dem späten 19. Jh. – b) als kleinere, nicht mehr lebensfähige (nicht mehr konkurrenzfähige) Firma in einer größeren aufgehen. 1920 *ff.*
6. die Steuern fressen einen auf = der Bürger wird übermäßig besteuert. 1920 *ff.*
7. die Schule frißt einen auf = die Schüler werden übergebührlich beansprucht. 1960 *ff.*

auffrisieren *tr* etw verschönern, modernisieren. ↗frisieren. 1920 *ff.*

aufgabeln *tr* etw (jn) zufällig finden; jn treffen, jm begegnen. Hergenommen von der Gabel, mit der man einen unerwarteten Fund im Essen macht. 18. Jh. *Vgl engl* „to pick up".

aufgagen (aufgäggen) *v* **1.** *intr* = bei Pferden vor dem Verkauf verbotene Mittel (Arsen) anwenden. Fußt auf *engl* „gag = Täuschung". 1900 *ff.*
2. etw ~ = etw durch lustige Stegreifeinfälle (Ulk o. ä.) interessanter machen. *Engl* „gag = komische Improvisation". 1950 *ff.*
3. sich ~ = sich durch Puder und Schminke vorteilhaft herrichten. 1920 *ff.*

Aufgalopp *m* Eintreffen der Gäste bei großem Empfang oder feierlichem Essen. Stammt aus dem Pferderennsport: vor dem Rennen die Pferde im Galopp einmal auf der Geraden vor den Tribünen reiten, damit die Tiere in Aktion kommen und dem Publikum vorgeführt werden. 1900 *ff.*

aufgeblasen *adj* **1.** hochmütig, eingebildet. *Vgl* „sich aufblasen wie ein ↗Frosch". 16. Jh.
2. er ist so ~, daß er nicht mehr voll aussingen darf: Redewendung auf einen anmaßenden Sänger. Gemeint ist, daß er platzen würde, sänge er noch stimmgewaltiger. 1920 *ff*, theaterspr.

aufgebrannt kriegen *v* **1.** eins ~ = eine Schußverletzung erhalten. ↗Pelz. *Sold* in beiden Weltkriegen.
2. eins ~ = eine Niederlage erleiden. *Sold* 1939 *ff, sportl* 1950 *ff.*

aufgedonnert *adj präd* auffallend, geschmacklos gekleidet; mit hoher Frisur; eitel. ↗aufdonnern. 19. Jh.

aufgedreht sein munter, gesprächig, fröhlich sein. ↗aufdrehen 8. Hier ist vielleicht von der Spieluhr auszugehen. 1900 *ff.*

aufgefärbt *adj* mit chemischen Mitteln gebräunt. 1920 *ff.*

aufgehen *v* **1.** *intr* = an Gewicht zunehmen. Hergenommen vom Teig, der durch Gärung sein Volumen vergrößert. 19. Jh.
2. *intr* = zornig werden. Parallel zu ↗hochgehen. 19. Jh.
3. auf geht's (aufgehen tut's)!: Aufforderung zum Anfangen. Wohl verkürzt aus „auf ein Ziel zugehen". *Bayr* 1900 *ff.*
4. es geht auf = a) es beginnt. *Bayr* 1900 *ff.* – b) es herrscht Ausgelassenheit. *Bayr* 1900 *ff.*
5. einen ~ lassen = einen Darmwind lautlos entweichen lassen. Aufgehen = langsam vergehen. *Oberd* 19. Jh.

aufgeknöpft sein 1. zugänglich, gesprächig sein. Herzuleiten von der Anstandsregel: die Knöpfe der Jacke sind bei steifem Zeremoniell geschlossen zu halten, wohingegen man sie in gemütlicher Runde öffnen darf. 18. Jh.
2. dekolletiert sein. 1950 *ff.*

aufgekratzt sein 1. guter Laune, vergnügt, munter, gesprächig sein. Herzuleiten vom Aufkratzen wollener Gewebe mit der Kardendistel, damit man sie scheren kann. 18. Jh.
2. aufgeputzt sein. 18. Jh.

aufgeladen sein erholt, angeregt sein. Nach „sich aufladen wie ein ↗Akku". 1930 *ff.*

aufgelegt *adj* unternehmungslustig. Adjektiviert aus „zu etw aufgelegt sein = Lust zu etw haben". 1950 *ff.*

aufgenordet *adj* blondiert. ↗aufnorden 2. 1933 *ff.*

aufgepulvert *adj* unecht, übertrieben; künstlich herbeigeführt. Das Gemeinte ist mittels Anregungsdrogen erreicht worden. 1950 *ff.*

aufgepumpt *adj* schwanger. ↗aufpumpen 1. 1900 *ff.*

aufgeräumt *adj* gutgelaunt, munter, gesprächig. Stammt aus dem Wortschatz des Pietismus: „aufgeräumt" ist, wer aller unnützen, schweren Gedanken ledig ist. Sein Gemüt ist dann wie ein in Ordnung gebrachtes Zimmer. 17. Jh.

aufgeschissen *adj* übervorteilt, geprellt, betrogen. *Vgl* ↗anscheißen 1. Spätestens seit 1920.

aufgeschlossen *adj* **1.** dekolletiert. 1955 *ff.* **2.** beischlafwillig. Sonderbedeutung von „für etw aufgeschlossen sein = Sinn für etw haben". 1955 *ff, halbw.*

aufgeschmissen sein sich in bedrängter, auswegloser Lage befinden; verloren, dem Untergang nahe sein; ratlos sein. Leitet sich vom Stranden eines Schiffes her. 1850 *ff.*

aufgespritzt *adj* nachträglich hinzugefügt oder verändert. Leitet sich her aus der Küchenpraxis oder vom Konditor: die Torte wird erst zum Schluß dekoriert. 1955 *ff.*

aufgetragen *adj* dick ∼ = plump; sichtlich (spürbar) übertrieben. ↗auftragen 1. 19. Jh.

aufgewärmt *adj* **1.** nur flüchtig in Ordnung gebracht (bezogen auf die am Vortag kunstvoll hergerichtete Damenfrisur). Hergenommen von aufgewärmter Speise. 1950 *ff.* **2.** neu belebt; wiederaufgelebt; modernisiert; neu bearbeitet. 1920 *ff.*

Aufgewärmter *m* nach einer Unterbrechung (noch or völliger Ausnüchterung) durch neuerliches Trinken fortgesetzter Rausch. 1950 *ff.*

Aufgewärmtheit *f* Wiederholung von Ansichten, Meinungen, Erlebnissen, Erfahrungen usw. 19. Jh.

aufgezogen *part* **1.** wie ∼ reden = gut reden können. Hergenommen von der Spieluhr oder von einem Uhrwerk, das mechanisch abläuft. *Schül* 1900 *ff.* **2.** ∼ sein = gutgelaunt, gesprächig sein. 1900 *ff. Vgl* ↗aufgedreht sein.

Aufguß *m* **1.** matte Wiederholung (Fortsetzung). Der zweite Aufguß auf das bereits verwendete Kaffeemehl ist deutlich weniger gehaltvoll als der erste. 1910 *ff.* **2.** neuer ∼ = Neuvertonung eines alten Schlagers; Neuverfilmung eines bekannten Stoffes; o. ä. 1920 *ff.* **3.** zweiter ∼ = a) die vom zweiten Vorgesetzten wiederholte Rüge des ersten. 1910 *ff.* – b) vom Zuhörer wiederholter Inhalt einer Predigt. 1910 *ff.* - c) Erörterung des soeben beendeten Spiels. Kartenspielerspr. 1910 *ff.*

aufhaben *tr* **1.** offen haben; geöffnet sein. Verkürzt aus „aufgemacht haben". 18. Jh. **2.** etw aufgegessen haben. Hieraus verkürzt. 18. Jh. **3.** Schularbeiten daheim zu machen haben. Verkürzt aus „aufbekommen haben". 1800 *ff.* **4.** etw zur Buße beten müssen. 1900 *ff.* **5.** auf dem Kopf, auf der Nase haben. Hieraus verkürzt. 1500 *ff.* **6.** auf das Feuer gestellt haben. Hieraus verkürzt. 19. Jh. **7.** einen ∼ = betrunken sein. Wahrscheinlich verkürzt aus „einen auf die ↗Lampe gegossen haben". 19. Jh.

aufhalsen *tr* **1.** sich etw ∼ = sich mit etw Unangenehmem belasten. Meint eigentlich „sich eine Last um den Hals legen". 18. Jh. **2.** jm etw ∼ = jm eine Verantwortung aufbürden. 18. Jh.

aufhalten *tr intr* geöffnet lassen. Verkürzt aus „offenhalten". 19. Jh.

aufhängen *v* **1.** *intr* = das Telefongespräch beenden. Stammt aus der Zeit, als

man den Hörer noch an einen Haken hängen mußte. 1920 *ff.* **2.** sich ∼ = seine Überkleidung ablegen. Scherzhaft aufgefaßt, als wolle man sich erhängen; vor allem in der Befehlsform. Seit dem späten 19. Jh. **3.** sich jm ∼ = sich jm aufdrängen; jm lästig fallen. Verkürzt aus „sich jm auf den ↗Hals hängen". 19. Jh. **4.** jm etw ∼ = jm etw betrügerisch aufschwatzen; jn belügen. Lüge und Betrug sind eine Last, an der das Opfer schwer zu tragen hat. 1700 *ff.* **5.** jm eins ∼ = einen Tortreffer erzielen. Wird als ein Aufnötigen aufgefaßt. 1920 *ff, sportl.* **6.** jm einen Rausch (o. ä.) ∼ = jn betrunken machen. 1920 *ff.* **7.** eine Sache an etw ∼ = ein Manuskript o. ä. mit einer Aufsehen erregenden, neugierig machenden Nachricht einleiten; einen günstigen Anlaß wählen, um Aufmerksamkeit für das eigentliche Anliegen zu wecken. Hergenommen wohl von der Aufhängung eines Bildes als Blickfang. *Vgl* ↗Aufhänger 1 und 1 a. 1920 *ff, journ.* **8.** sich etw ∼ lassen = sich etw aufschwatzen lassen; sich mit etw übertölpeln lassen. ↗aufhängen 4. 1700 *ff.* **9.** er ist das ∼ nicht wert = er ist charakterlich und sittlich höchst minderwertig. Nicht einmal der entehrenden Strafe am Galgen ist er würdig. 1900 *ff.*

Aufhänger *m* **1.** günstiger Blickfang; guter Ansatzpunkt; gute Bezogenheit zur Aktualität; günstige Gelegenheit zu vorteilhaftem Verkauf. ↗aufhängen 7. 1920 *ff, journ.* **2.** Beweggrund einer Handlungsweise. 1970 *ff.* **3.** Ausrede, Ausflucht. ↗aufhängen 4. 1970 *ff.*

aufhauen *v* **1.** *tr* = etw durch Schlagen öffnen. ↗hauen 1. 16. Jh. **2.** *intr* = den Verkaufspreis erhöhen. Der Verkäufer nimmt einen Aufschlag. 1900 *ff.* **3.** jm etw ∼ = jn zu einer Strafe verurteilen. Parallel zu ↗aufknallen. 1900 *ff, südd.* **4.** *intr* = lustig, ausgelassen sein; über seine Verhältnisse leben. Rührt wohl von dem Umstand her, daß man aus lauter Übermut das Geld auf den Tisch haut. 1800 *ff,* vorwiegend *öster.* **5.** *intr* = prahlen (mit Geld oder Kleidung). 1800 *ff, öster.*

aufhören *v* da hört sich Verschiedenes auf (da hört sich denn doch alles auf)!: Ausruf des Unwillens, der Ungeduld o. ä. Gemeint ist, daß die Grenze der Erträglichkeit erreicht ist. 1830 *ff.*

aufhotten *refl* sich mit Alkohol munter machen. Fußt auf *engl* „hot" = heiß". Spätestens seit 1950, *jug.*

aufhübschen *tr* etw verschönern, reinigen. Gebildet nach dem Muster von „auffrischen = frisch machen", „aufbessern = besser machen" usw. 1920 *ff.*

Aufhüpferchen (Aufhupferl) *n* Koitus. Aufhüpfen = auf-, bespringen. *Oberd* 1910 *ff.*

aufkandart *adj* festlich gekleidet; aufgeputzt. Gehört zu „Kandare = Gebißstange an Pferdezügeln". 1900 *ff.*

aufkarten *intr* ein Kartenspiel beginnen; aufspielen. 1900 *ff.*

aufkellen *tr* Essen ausgeben. Hergenommen von der Schöpfkelle. Seit dem späten 19. Jh.

aufkeschern *tr* eine Sache antreiben, zum Fortgang bringen. Leitet sich her vom Krebsfang: man treibt mit einer Stange an. Kescher ist das Beutelnetz mit langem Stiel. 1850 *ff.*

aufklaren *v* **1.** *intr tr* = aufräumen; klar Deck machen. Leitet sich her aus der seemannsspr. Bedeutung „das Boot zur Ausfahrt fertig machen"; von da erweitert zu „in Ordnung bringen". *Marinespr* 19. Jh. **2.** *intr* = aus dem Rausch erwachen. *Marinespr* 1900 *ff.*

Aufklarer *m* Marinesoldat, der das Essen auf- und abträgt; Bursche eines Vorgesetzten (Marine). ↗aufklaren 1. 1900 *ff.*

aufklinken *intr* einbrechen; einen Geldschrank erbrechen. Beschönigung, als ginge es nur darum, die Tür aufzuklinken. 1920 *ff.*

aufknacken *tr* **1.** ein Behältnis in diebischer Absicht aufbrechen. ↗knacken. 1920 *ff.* **2.** die Deckung (Abwehr o. ä.) durchbrechen. *Sportl* 1950 *ff.* Aus dem Militärischen übernommen. **3.** jm etw ∼ = jm eine Strafe auferlegen. ↗verknacken. 1900 *ff.*

aufknallen *tr* **1.** = etw heftig aufwerfen, niederwerfen, niedersetzen. ↗knallen. 1900 *ff.* **2.** *tr* = etw geräuschvoll, gewaltsam öffnen. Das Gemeinte wird mit einem Knall geöffnet. 1930 *ff.* **3.** jm etw ∼ = jm etw (eine Strafe) auferlegen. Parallel zu ↗aufknacken 3. 1900 *ff.* **4.** *intr* heftig auffahren; einen Auffahrunfall herbeiführen. 1950 *ff.* **5.** *intr* = entdeckt werden; unangenehm auffallen. *Schül* 1930 *ff.* **6.** *intr* = höhere Verkaufspreise fordern. Der Kaufmann nimmt auf die bisherigen Preise einen Aufschlag. 1920 *ff.*

aufknien *v* jm ∼ = jm arg zusetzen. Leitet sich her von einem, der einem anderen auf der Brust kniet. 1945 *ff, jug.*

aufkommen *intr* in den Vordergrund rükken; besser spielen als bisher. Aufkommen = in die Höhe kommen; aufsteigen. *Sportl* 1950 *ff.*

aufkönnen *intr* aufstehen können. Hieraus verkürzt. 19. Jh.

aufkratzen *v* **1.** *tr* = jn in gute Stimmung versetzen; jn aufmuntern. ↗aufgekratzt 1. 18. Jh. **2.** sich ∼ = sich aufputzen, auffällig kleiden. ↗aufgekratzt sein 2. 18. Jh.

aufkrempeln *intr* laß mich nicht erst ∼!: Drohrede. Wer sich die Hemdsärmel aufkrempelt, schickt sich zu schwerer Arbeit oder zu handfester Prügelei an. 1900 *ff.*

aufkreuzen *intr* plötzlich kommen. Leitet sich her vom Sichtbarwerden des Mastkreuzes am Horizont auf See. 1900 *ff.*

aufkriegen *tr* **1.** etw öffnen können. Verkürzt aus „aufmachen können". 1700 *ff.* **2.** etw von der Erde aufnehmen. Singemäß verkürzt aus „hochheben können". 18. Jh. **3.** etw verzehren können. Verkürzt aus „aufessen können". 1700 *ff.* **4.** etw verbrauchen, verschwenden. 18. Jh.

5. zur Hausaufgabe erhalten. *Schül* 18. Jh *ff*.

6. etw nicht ~ = (den Hut) nicht aufsetzen können (weil er zu klein ist). 1800 *ff*.

aufladen *v* **1.** *intr* = sich bezechen. ↗ geladen haben. 1800 *ff*.

2. sich ~ = a) eine Mahlzeit einnehmen. Fußt auf dem Vergleich mit einem ↗ Akkumulator. 1900 *ff*. – b) seine Energie steigern. 1930 *ff*.

Auflage *f* zweite vermehrte und verwässerte = zweite vermehrte und verbesserte Auflage. Spottwort seit 1920 *ff*.

auflängen *tr* Haschisch mit Fremdstoffen versetzen. 1968 *ff*.

auflassen *tr* **1.** (den Hut) nicht abnehmen. Verkürzt aus „auf dem Kopf lassen". 19. Jh.

2. etw nicht schließen. Verkürzt aus „offenstehen lassen" oder „offen lassen". 19. Jh.

3. zulassen, daß ein Kind noch nicht zu Bett geht. 19. Jh.

auflaufen *v* jn ~ lassen = jm mutig entgegentreten. ↗ anlaufen 2. 1500 *ff*.

auflegen *v* **1.** zu stark ~ = übertreiben; eine Bühnenrolle übertreiben. Hergenommen vom Auflegen der Schminke oder des Puders. Theaterspr. 1930 *ff*.

2. jm eine ~ = jn ohrfeigen. Ironisch gemeint aus der Redewendung „jm die Hand auflegen". *Schül* 1930 *ff*, *österr*.

auflesen *tr* jn zufällig treffen (und mitnehmen). Hergenommen von der Ährenlese. 1900 *ff*, *stud*.

Aufmache *f* äußere Aufmachung. 1900 *ff*.

aufmachen *tr* **1.** etw (neu) herrichten. Hergenommen vom Aufarbeiten alter Möbel o. ä. 1900 *ff*.

2. deflorieren. 1950 *ff*, *halbw*.

Aufmacher *m* Blickfang in der Zeitung; Schlagzeile; Glanzstück. Meint den vorteilhaft (wirkungsvoll) aufgemachten Zeitungsbericht. 1950 *ff*.

aufmandeln (aufmanndeln) *refl* **1.** sich aufregen; hochmütig sein; sich aufspielen; herausfordernd auftreten. Meint soviel wie „sich zu einem Mann (Männchen, Manndeln) aufspielen". *Oberd* seit dem 19. Jh.

2. sich ~ wie ein alter Gockel = sich brüsten; seine Macht zeigen. Gockel = Hahn. 1900 *ff*.

aufmascherln *v* **1.** sich ~ = sich geschmacklos kleiden. Gehört wohl zu „Maschen = Schleifchen" und dürfte von „Maschkera = Maskerade" überlagert sein. *Österr* 1930 *ff*.

2. etw ~ = etw verschönern, ins Gefällige umgestalten; etw neu bearbeiten, modernisieren. *Österr* 1930 *ff*.

Aufmerksamkeit *f* **1.** kleine ~ = Strafarbeit. In ironischer Auffassung ein kleines Höflichkeitsgeschenk. *Schül* 1950 *ff*.

2. promillehaltige ~ = Einladung zu einem oder mehreren Glas Alkohol. 1955 *ff*.

Aufmische *f* energisches Einschreiten; Prügel. *Vgl* das Folgende. *Sold* 1939 *ff*; *prost* 1950 *ff*.

aufmischen *tr* **1.** jn erheitern, ermuntern, belustigen; energisch einschreiten; jn streng exerzieren; jn in Schwung bringen. Leitet sich her von einem Gemisch, das man tüchtig aufrührt, damit sich alle Bestandteile gleichmäßig verbinden. *Vgl engl* „to mix up" = verwirren". 1850 *ff*.

2. jn verprügeln. 1900 *ff*.

aufmöbeln *tr* **1.** etw aufbessern, verschö-

nern, gefälliger herrichten. Hergenommen vom Auffrischen alter Möbelstücke. 1800 *ff*.

2. etw betrügerisch im Wert steigern. 1950 *ff*.

3. jn aufmuntern, begeistern. 19. Jh.

4. jn einexerzieren. Von den Ausbildern als ein „Auffrischen" der körperlichen Verfassung verstanden. 1910 *ff*, *sold*.

5. jn anherrschen, rügen. 1800 *ff*.

6. jn mit kosmetischen Mitteln verschönern (waschen, rasieren, entlausen usw.). 1950 *ff*.

7. sich ~ = sich erfrischen. 1920 *ff*.

8. sich ~ lassen = sich verjüngen lassen; sich einer Kur im Sanatorium unterziehen. 1950 *ff*.

aufmopsig *adj* aufbegehrend; aufsässig. Gehört zu „mopsen = murren". 1965 *ff*.

aufmotzen *v* **1.** *tr* = etw verbessern, verschönern, hoch (überhöht) veranschlagen. Fußt wohl auf gleichbed *mhd* „aufmutzen". 1950 *ff*.

2. *intr* = sich auflehnen; sich beschweren. ↗ motzen 4. 1960 *ff*.

aufmuntern *tr* **1.** jn äußerlich verjüngen (auf ältere weibliche Personen bezogen). 1900 *ff*.

2. einen abgenutzten Gegenstand wiederherrichten. 1900 *ff*.

aufmüpfen *v* **1.** *intr* sich auflehnen; aufbegehren. Hergenommen vom Hund: der Hund mupft, wenn er murrt und knurrt. 1960 *ff*.

2. jn ~ = jn ermuntern. Der bellende Hund bringt auch die Hunde der Nachbarschaft zum Bellen. 1965 *ff*.

aufmüssen *intr* sich erheben müssen. Verkürzt aus „aufstehen müssen". 19. Jh.

aufmutzen *tr* etw ~ = jm etw tadelnd vorhalten. Fußt auf *mhd* „ufmutzen = putzen, schmücken". Hängt zusammen mit der volkstümlichen Gleichstellung von Tadeln und Verbessern. 15. Jh.

Aufnahme *f* die ~ schmeißen = die Film-und/ oder Tonaufnahme verderben. ↗ schmeißen. 1920 *ff*.

Aufnahmefähigkeit *f* Trinkvermögen. 1920 *ff*, *stud*.

aufnehmen *tr* es mit jm ~ = sich jm ebenbürtig, gewachsen fühlen. Leitet sich her vom zeremoniellen Aufheben der Waffen bei Beginn des Zweikampfes. 18. Jh.

aufnorden *tr* **1.** etw veredeln. Wortprägung von Rassenforscher Hans F. K. Günther (= einen reinrassigen Ariertyp heranzüchten). Schon vor 1933 sprach man von „aufnorden", wenn man beispielsweise Gerstenmalzkaffee mit ein paar echten Kaffeebohnen veredelte.

2. die Haare blond färben. 1933 *ff*.

aufpacken *v* **1.** *intr refl* = sich davonmachen. ↗ packen. 1800 *ff*.

2. jn (jm) ~ = jn ausschimpfen. An der Rüge trägt der Getadelte schwer wie an einer Last auf der Schulter. 19. Jh.

3. sich einen ~ = sich einen Rausch antrinken. ↗ packen. 1900 *ff*.

4. es sich aufgepackt haben = schwanger sein. Mit „es" ist verhüllend und neutralisierend die Schwangerschaft gemeint. 1930 *ff*.

aufpäppeln *tr* **1.** jn mit Brei ernähren, aufpäppeln. Papp = Brei. ↗ päppeln. 19. Jh.

2. jn fördern; jds Ansehen verbessern. 1950 *ff*.

aufpecken *intr* prahlen; sich brüsten. Stammt wohl aus dem Vogelleben: der eine Vogel pickt auf den anderen ein; er beweist seine Überlegenheit; er spielt sich auf. *Österr* 1920 *ff*.

aufpeitschen *tr* **1.** jn (sich) durch anregende Mittel aufmuntern. *Vgl* ↗ Peitsche = Weckamine. 1955 *ff*.

2. jn aufwiegeln. Eigentlich „mit Peitschenschlägen antreiben". 1955 *ff*.

aufpelzen *tr* **1.** jn aufbürden, auferlegen. Verkürzt aus „jm etw auf den ↗ Pelz geben". 1900 *ff*.

2. jn ein paar ~ = jn prügeln. ↗ Pelz. 1900 *ff*.

3. jm einen ~ = einen Tortreffer erzielen. *Sportl* 1920 *ff*.

aufpeppen *tr* etw lustiger, hübscher, schwungvoller gestalten. Fußt auf *engl* „to pep up" („Pepper = Pfeffer"). 1950 *ff*.

aufpflanzen *refl* sich hinstellen; vor jm militärische Haltung einnehmen. Wohl übertragen vom Aufpflanzen des Seitengewehrs oder beeinflußt von *franz* „se planter = sich hinstellen" 18. Jh.

aufpinkeln *intr* schwer zu Sturz kommen. Fußt auf „Pinkel, Binkel = Bündel"; der Gestürzte rollt sich zum einem formlosen Bündel zusammen. *Sportl* 1950 *ff*, *österr*.

aufplatzen *v* **1.** *intr* = entdeckt werden; auf frischer Tat ertappt werden; durchschaut werden. Hergenommen von der platzenden Seifenblase: der schöne Schein vergeht im Nu. 1800 *ff*.

2. *intr* = ungedeckt sein; nicht eingelöst werden (Scheck oder Wechsel). ↗ platzen. 1920 *ff*.

3. dämlich ~ = durch Ungeschicklichkeit unangenehm auffallen. ↗ dämlich 1. *Sold* 1910 *ff*.

4. jn ~ lassen = jn bloßstellen; einen Mitschuldigen verraten. 1900 *ff*.

aufplustern *refl* **1.** sich brüsten; anmaßend auftreten. Leitet sich her von den Vögeln: „plustern = die Federn sträuben". 19. Jh.

2. sich aufregen, entrüsten. 1900 *ff*.

3. sich auffällig putzen, modisch herrichten. 1900 *ff*.

aufpolieren *v* **1.** etw auffrischen (Ehre, Ruhm, Sprachkenntnisse o. ä.). Hergenommen vom Auffrischen alter Möbel. ↗ aufmöbeln 1. 1900 *ff*.

2. etw in betrügerischer Absicht (scheinbar) verbessern. 1950 *ff*.

3. jn zur Ordnung rufen; jm gutes Benehmen beibringen. 1910 *ff*, *sold* und *ziv*.

aufpolstern *tr* etw mit Schaumstoff ansehnlicher machen. 1955 *ff*.

Aufpolsterung *f* optische Vergrößerung des Busens mit Hilfe von Schaumstoff. 1955 *ff*.

aufprotzen *intr* **1.** sich zum Abmarsch fertig machen. Stammt aus der Artillerie: das Geschütz in den Protzennagel (= Anhängerkopplung der Zugmaschine) einhängen. *Sold* in beiden Weltkriegen.

2. die Notdurftverrichtung eilig abbrechen und die Kleider ordnen. *Sold* 1914 *ff*.

3. mit etw ~ = jm prahlerisch vorführen. ↗ protzen. Seit dem frühen 20. Jh.

aufpudeln *refl* **1.** anmaßend auftreten; sich anspruchsvoll benehmen. Hergenommen vom stolzierenden Verhalten des Pudelhundes. Spätestens seit 1900, *österr*.

2. sich überelegant, geschmacklos kleiden.

Wohl Anspielung auf den Anzug, in den alberne Hundeliebhaber ihren Pudel kleiden. 1920 ff.
3. sich aufregen, entrüsten. *Österr* 1930 ff.
4. sich widersetzen. *Österr* 1920 ff, schül und stud.

aufpulvern v **1.** tr = jn anfeuern, aufrütteln, ermutigen. Gemeint ist ursprünglich, daß man einen mittels Arzneien (Drogen) munter (gesund) macht. 19. Jh.
2. refl = sich durch künstliche Mittel (Kaffee, Medikamente o. ä.) aufmuntern. Spätestens seit 1900.
3. eine Handlung ~ = eine Film- oder Bühnenhandlung durch Zusätze (erregende Einschübe) in ihrer Publikumswirksamkeit steigern. 1920 ff.

aufpumpen v **1.** tr = schwängern. Anspielung auf den anschwellenden Leib der Schwangeren. 1910 ff.
2. refl = a) sich brüsten; sich gewichtig machen; hochmütig, unverschämt sein; sich überelegant kleiden. Parallele zu „sich aufblasen wie ein ↗ Frosch". 1850 ff. - b) tief Luft holen. 1920 ff. – c) sich aufregen; in Wut geraten. Der erregte Mensch atmet schneller. Spätestens seit 1900.

aufpusten refl **1.** prahlen; sich aufspielen. Parallel zu „sich aufblasen wie ein ↗ Frosch". 18. Jh.
2. sich aufregen, ereifern; zornig sprechen. 18. Jh.

aufputzen v **1.** tr = etw völlig verzehren. ↗ putzen. 1900 ff.
2. tr = jn überlegen besiegen. Weiterentwicklung von „verzehren" zu „erledigen". *Sportl* 1950 ff.
3. refl = mehr scheinen wollen, als man ist. Anspielung auf überelegante oder auffällige Kleidung. 1900 ff.

aufrappeln v **1.** refl = sich mühsam aufrichten; sich aufraffen; genesen. *Niederd* Entsprechung zu hd „aufraffen, aufraffeln". 18. Jh.
2. tr = jn aufmuntern. 1800 ff.
3. tr = jn streng einexerzieren. Der Soldat wird durch den Exerzierdienst munter gemacht. *Sold* seit dem frühen 20. Jh.

aufräumen intr **1.** ich räume Ihnen nicht auf!: Entgegnung des unerwarteten Besuchers auf die Äußerung der Hausfrau: „Kommen Sie herein; es ist aber nicht aufgeräumt". 1930 ff.
2. in einer Gefahr klärend eingreifen. *Sportl* 1950 ff.
3. mit jm ~ = jn überlegen besiegen. *Sportl* 1950 ff.

aufrebbeln v ↗ aufribbeln.

aufregend adj nicht ~ = mittelmäßig. Die Sache ist so unbedeutend, daß man sich ihretwegen nicht aufzuregen braucht. Seit dem späten 19. Jh.

Aufreiße f Lokal, in dem man Männer-, Frauenbekanntschaften anknüpfen kann. ↗ aufreißen 8. 1960 ff, halbw.

aufreißen v **1.** etw ~ = etw beschädigen, zertrümmern. Hergenommen vom gewaltsamen Öffnen oder Aufritzen. *Halbw* 1955 ff.
2. etw ~ = etw zur Sprache bringen; etw durch Erörterung zu klären versuchen. Etwa soviel wie „Verborgenes freilegen". 1930 ff.
3. etw ~ = etw in Erfahrung bringen. 1950 ff, rotw.
4. etw ~ = etw stehlen, hastig ergreifen. 19. Jh.

5. etw ~ = etw anschaffen, bestellen. *Oberd* 1920 ff.
6. jn ~ = jn zufällig treffen und mitnehmen; jn zufällig ausfindig machen und engagieren. Etwa „einen auftreiben und an sich reißen". 1900 ff.
7. etw ~ = eine Entscheidung erzwingen; die gegnerische Deckung auseinanderziehen. *Sold* 1939 ff; sportl 1950 ff.
8. jn ~ = jds Bekanntschaft machen. *Halbw* 1950 ff.
9. jn ~ = koitieren. *Halbw* 1955 ff.
10. fünf Jahre ~ = fünf Jahre Freiheitsstrafe verbüßen müssen. *Österr* 1950 ff.
11. Kontakte ~ = Bekanntschaften anknüpfen. 1960 ff.
12. das reißt bei mir nichts auf = das macht auf mich keinen Eindruck, ist mir gleichgültig. Dem Gemeinten öffnen sich nicht die Sinne. 1950 ff.

Aufreißer m **1.** Entdecker von Talenten; Förderer. ↗ aufreißen 6. 1950 ff.
2. Lebensgenießer; Mann auf der Suche nach Frauenbekanntschaften; Frauenheld; Besucher von Nachtlokalen. ↗ aufreißen 8. 1950 ff.
3. Kundenwerber, Werbefachmann. *Vgl* ↗ Anreißer. 1950 ff.
4. aufsehenerregender Leitartikel. 1950 ff.
5. Diebstahl. ↗ aufreißen 4. 1950 ff, rotw.
6. Spieler, der durch Auseinanderziehen der gegnerischen Deckung den Durchbruch seiner Mannschaft ermöglicht. ↗ aufreißen 7. *Sportl* 1950 ff.
7. Stimmungsmacher. 1970 ff.
8. Flirt. 1970 ff, schül.
9. Lokal mit Stimmungsbetrieb. 1970 ff, schül.
10. alkoholisches Getränk. 1970 ff.

Aufreizung f ~ zum Klassenhaß = neiderregender Umstand. ↗ Klassenhaß. Entstellt aus „Anreizung zum Klassenkampf" (§ 130 StGB). 1920 ff.

aufribbeln v **1.** etw ~ = Gehäkeltes oder Gestricktes wieder auflösen. ↗ ribbeln. 18. Jh.
2. sich ~ = sich sehr anstrengen. 1800 ff.

Aufriß m **1.** Streifschuß. Er reißt die Haut auf. *Sold* 1939 ff.
2. Bekanntschaftsanknüpfung; Flirt. ↗ aufreißen 8. *Österr* 1950 ff, halbw.
3. Begleiterin eines Mannes; Liebschaft. *Halbw* 1950 ff.
4. auf ~ (auf den ~) gehen = Mädchen nachstellen; auf Suche nach Bekanntschaft mit Frauen (Männern) gehen. *Österr* 1950 ff.
5. einen ~ tätigen = Umgang mit einem Mädchen beginnen. *Halbw* 1950 ff.

aufrollen tr **1.** in die gegnerische Mannschaft einbrechen und das Tor bedrängen. Stammt aus der Militärsprache: einen militärischen Einbruch erzielen und nach beiden Seiten möglichst weit ausdehnen. *Sportl* 1950 ff.
2. Leute ~ = eine Gruppe auseinandertreiben. 1950 ff.

aufrühren tr ↗ Dreck.

aufrüsten tr jn bestärken, in seinen Ansichten und/oder Absichten bestätigen. 1950 ff.

aufrutschen tr etw durch Rutschen abnutzen. 1900 ff.

Aufs m Fortschritt, Erfolg. Gegenwort „↗ Abs". 1940 ff.

aufsammeln tr jn zufällig treffen und mitnehmen. Parallel zu ↗ auflesen. Stammt

im engeren Sinne aus dem militärischen Bereich (Versprengte auffinden und zur Sammelstelle bringen). 1950 ff.

aufschaffen refl **1.** sich Mühe geben. Eigentlich soviel wie „seine Kräfte durch Tätigwerden aufbrauchen". 1935 ff.
2. sich schminken. Etwa soviel wie „sich vorteilhaft herrichten". *Halbw* 1955 ff.
3. sich aufspielen. Wohl analog zu „sich aufblasen wie ein ↗ Frosch". *Bayr* 1950 ff, halbw.

aufschaukeln tr etw steigern, zum Höhepunkt bringen. Fußt auf dem Bild von der Schaukel, die man immer kräftiger in Schwung bringt. 1950 ff.

aufschirren refl Schmuck anlegen. Hergenommen vom Pferd, dem man das Geschirr anlegt. *Halbw* 1955 ff.

Aufschlag m harter ~ = gewalttätig-freches Auftreten; herausforderndes Benehmen. Fußt entweder auf dem Aufschlag beim Tennis (= erster Schlag) oder auf dem Aufschlagen eines Körpers auf einer Wasserfläche. *Halbw* 1955 ff.

aufschmeißen tr **1.** etw aufwerfen; die Tür heftig öffnen u. ä. ↗ schmeißen 1. 16. Jh.
2. jn ~ = in einer Lüge überführen; jn bloßstellen; jm sein Unrecht unumwunden sagen. Danach ist der Betreffende „aufgeschmissen"; ↗ aufgeschmissen sein. *Österr* 1930 ff.
3. ↗ aufgeschmissen sein.

aufschnallen intr **1.** lügen; täuschen, betrügen. ↗ Schnalle = Lüge. *Rotw* seit 1862 ff.
2. koitieren. ↗ Schnalle = Vulva. *Rotw* 1862 ff.

aufschnappen tr = etw zufällig hören und behalten. Hergenommen von den Vögeln, die ihre Beute im Fluge mit dem Schnabel auffangen. Spätestens seit 1700.

aufschneiden tr **1.** übertreiben, prahlen; aufbauschend von einer Sache sprechen. Verkürzt aus „mit dem großen Messer aufschneiden" im Sinne von „große Stücke schneiden (und den Gästen vorlegen)". Bei großen Stücken kommt es auf Genauigkeit nicht an. 1600 ff.
2. ein Teilstück der Autobahn dem Verkehr übergeben. Hierbei wird die Sperrband zerschnitten, mit einem Zeremoniell, das den Nebensinn einer prahlerischen Handlung erfüllt. 1960 ff.

Aufschnitt m **1.** übertreibende Erzählung; Prahlerei, Lüge. Meint die in Scheiben geschnittene Wurst; hier zu „↗ aufschneiden" gehörend. 1600 ff.
2. kalter ~ = a) starke Übertreibung; lügnerisches Aufbauschen o. ä. 19. Jh. - b) längst bekannte Sache; immer wieder von neuem umlaufendes Gerücht. Analog zu „kalter ↗ Kaffee". *Sold* in beiden Weltkriegen.
3. schenkeldicker ~ = sehr starke Übertreibung; unverkennbare Prahlerei. „Schenkeldick" veranschaulicht in bildhafter Konkretisierung den Begriff „plump". 1933 ff.
4. ein Viertel ~, aber bitte recht dünn, – wir sind zwölf Personen!: scherzhafte Charakterisierung geiziger Gastgeber. 1920 ff.

aufschnulzen tr etw rührselig gestalten. ↗ Schnulze 1. 1950 ff.

aufschwänzeln refl sich aufputzen, elegant herrichten. Leitet sich wohl her vom Pferd, dessen Schwanz man in die Höhe bindet;

von hier übertragen auf den Menschen etwa im Sinne von „wie schweifwedelnd gehen". 18. Jh.

aufschwanzen (aufschwänzen) tr **1.** etw stattlich zurichten. *Vgl* das Vorhergehende. *Öster* 1900 *ff.*
2. jn antreiben, rücksichtslos einexerzieren. Leitet sich her vom Hochbinden des Schwanzes bei Pferd und Kuh, damit die Tiere mit ihm nicht schlagen können, wenn sie geputzt oder gemolken werden. 19. Jh.
3. jn rügen. 1900 *ff.*

aufschwingen v sich zu etw ~ = sich nach reiflicher Überlegung, nach langem Zögern endlich zu etw entschließen. Vergleicht sich in dichterischer Sprache mit dem Vogel, der sich in die Lüfte schwingt. Seit dem späten 19. Jh.

aufsein intr **1.** außer Bett sein. Verkürzt aus „aufgestanden sein". Seit *mhd* Zeit.
2. geöffnet sein. Verkürzt aus „aufgemacht sein". 1500 *ff.*
3. aufgebraucht, verzehrt sein. Verkürzt aus „aufgegessen sein". 1500 *ff.*
4. sich schnell verletzt fühlen. Der Gekränkte und Zornige braust auf. 1900 *ff.*
5. hochmütig sein. Verkürzt aus „auf dem hohen ↗Roß sein". 1900 *ff.*
6. menstruieren. Versteht sich nach „↗aufsein 2" mit der Nebenvorstellung des Auslaufens. 1920 *ff.*

aufsitzen intr **1.** keinen Ausweg wissen; nicht weiterkönnen. Hergenommen vom Schiff, das auf eine Sandbank aufgelaufen ist. 1900 *ff.*
2. koitieren. 1900 *ff.*
3. jm ~ = von jm übertölpelt werden. Leitet sich her vom Aufsitzen der Vögel auf der Leimrute des Vogelstellers. Vorwiegend *oberd* seit dem 17. Jh.
4. er sitzt mir auf = er kann mich nicht leiden. Fußt auf der abergläubischen Vorstellung vom Alp, der sich dem Schläfer auf die Brust setzt. *Öster* 1900 *ff.*
5. jn ~ lassen = jn täuschen, betrügen, im Stich lassen; eine Verabredung nicht einhalten. Erklärt sich wie ↗aufsitzen 3. 1800 *ff*, vorwiegend *oberd*.

aufstecken v **1.** etw ~ = eine Absicht nicht weiterverfolgen. Stammt entweder vom Aufstecken der Nähnadel ins Nadelkissen, wenn man die Arbeit beendet hat, oder vom Wandbrett mit Lederschlaufen, in die jeder Tischgenosse seinen Eßlöffel steckte. 1800 *ff.*
2. intr = zurücktreten; einer Weiterentwicklung sich versagen; von der Prüfung zurücktreten; 1920 *ff.*
3. mit etw nichts ~ = mit etw nichts erreichen, nichts verdienen. Fußt wohl auf der Redewendung „Geld aufstecken = Geld beiseite legen", analog zu „auf die hohe ↗Kante legen". 18. Jh.

aufstehen intr **1.** da mußt du früher (zeitiger) ~ = das ist längst bekannt; damit kommst du zu spät. Das Wort meint, Spätaufsteher seien den anderen unterlegen. 1800 *ff.*
2. du bist zu spät aufgestanden = du irrst dich. 19. Jh.
3. dagegen steht nichts auf = das ist unübertrefflich, konkurrenzlos. *Vgl* „gegen jn aufstehen = zum Kampf gegen jn antreten". 1950 *ff.*

Aufsteiger m erfolgreicher Mann. Stammt aus dem Sportlerdeutsch: in die Bundesliga

aufsteigen = in die höchste Fußball-Spielklasse gelangen. 1960 *ff.*

Aufstiegsspiel n Aufnahmeprüfung. Hergenommen vom Fußballspiel, mit dem man in die nächsthöhere Liga gelangt. *Schül* 1960 *ff.*

aufstocken tr etw verstärken, zugkräftiger machen. Fußt entweder auf dem Bau, den man um ein Stockwerk erweitert, oder auf der Geldeinlage, die man erhöht. 1950 *ff.*

aufstoßen v **1.** ihm stößt etw auf = er wird auf etw aufmerksam. Leitet sich wohl her vom Widerstand, auf den man z. B. beim Graben stößt. 1920 *ff.*
2. jm ~ = jm unvermutet begegnen. Seit *mhd* Zeit.
3. laßt uns aufstoßen und ins Horn brechen! = laßt uns in Horn stoßen und aufbrechen! Scherzhafte Wortumstellung. 1920 *ff*, *jug*.
4. das stößt ihm bitter (sauer, übel) auf = das erregt seinen Unmut. Hergenommen vom Aufstoßen aus dem Magen. Seit dem späten 19. Jh.

Aufstrich m **1.** Make-up. Vom Brotaufstrich übertragen auf das Aufstreichen der Schminke o. ä. *Halbw* 1955 *ff.*
2. der ~ blättert = das Make-up löst sich auf. Hergenommen von abblätternder Farbe. *Halbw* 1955 *ff.*
3. der ~ fließt = das Make-up zergeht. *Halbw* 1955 *ff.*
4. der ~ schmilzt = das Make-up löst sich auf. *Halbw* 1955 *ff.*

auftakeln refl **1.** sich geschmacklos und auffällig kleiden. Stammt aus der Seemannssprache: ein Schiff mit Takelage versehen. 18. Jh.
2. sich zum Ausgehen ankleiden. *Sold* 1900 *ff.*
3. sich auf jugendlich ~ = sich jünger kleiden als dem Lebensalter entsprechend. 1920 *ff.*

auftanken v **1.** jn ~ = jn mit Alkohol beköstigen. Meint eigentlich „Benzin nachfüllen". 1920 *ff.*
2. die Brieftasche ~ = die Brieftasche mit Geldscheinen auffüllen. 1935 *ff.*
3. sich ~ = sich erholen; eine Urlaubsreise unternehmen. 1940 *ff.*
4. intr = zechen. 1920 *ff.*
5. geistig wieder ~ = sich weiterbilden; Bildungslücken auffüllen. 1950 *ff.*

auftauen v **1.** jn ~ = nach längerem Schweigen gesprächig werden; sich langsam eingewöhnen; lebhaft werden. Hergenommen von Eis, das auftaut, nämlich seine Starre verliert. 1700 *ff.*
2. intr = langsam aufwachen. 1920 *ff.*
3. jn ~ = jn gesprächig machen; jn aufmuntern; einen Müden hetzen; jn auf dem Kasernenhof anfeuern. 1900 *ff.*
4. etw ~ = eine Sache erneut zur Sprache bringen. 1900 *ff.*

auftischen v jm etw ~ = jm Unwahrscheinliches erzählen; jn mit prahlerischen Reden behelligen; etw zur Sprache bringen. Eigentlich „jm etwas zum Essen vorsetzen", beeinflußt von ↗aufschneiden 1, wohl auch von der Vorstellung des Tischs im Beratungszimmer. Seit dem späten 19. Jh.

auftragen intr **1.** dick ~ = übertreiben; unverkennbar prahlen. Hergenommen vom Auftragen von Malerfarben oder Schminke. 18. Jh. *Vgl engl* „to spread on thick".

2. zu dick ~ = die Bühnenrolle übertreiben spielen. 1920 *ff.*
3. faustdick ~ = übertrieben erzählen o. ä. 1920 *ff.*
4. stark ~ = übertreiben. 1920 *ff.*

auftreiben v **1.** sich etw verschaffen; mit Mühe etw ausfindig machen. Stammt aus der Jägersprache: das Wild wird durch Treiber und Hunde aus seinem Versteck aufgescheucht, aufgetrieben. 1500 *ff.*
2. die Leute ~ = die Leute in ausgelassene Stimmung versetzen; für geräuschvolle Belustigung sorgen. 1950 *ff.*

auftreten intr energisch, fordernd, rügend handeln. Leitet sich wohl her vom forschen Auftreten eines Schauspielers. Im 18. Jh aufgekommen.

Auftritt m lebhafte Auseinandersetzung. ↗auftreten. 18. Jh.

auftrumpfen intr **1.** immer gewichtigere Gesichtspunkte vorbringen; seine Überlegenheit zur Geltung bringen. Stammt aus der Kartenspielersprache: wer Trumpfkarten aufspielt, kann alle anderen Karten, die entweder keine oder geringerwertige Trumpfkarten sind, stechen. Seit dem 16. Jh.
2. überlegen spielen. *Sportl* 1920 *ff.*
3. verschwenderisch leben. 1920 *ff.*

auftun tr **1.** etw finden, anschaffen, erhaschen, erreichen, auskundschaften o. ä. Stammt aus der Jägersprache und bezieht sich eigentlich auf das Wild, das man aus seinem Versteck aufscheucht. *Vgl* ↗auftreiben 1. 1700 *ff.*
2. etw (er)öffnen, gründen. 19. Jh.
3. etw auf den Kopf setzen. 19. Jh.
4. etw auf den Teller legen, auftischen. 1800 *ff.*
5. sich ~ = sich auffällig kleiden; prunken. Leitet sich her vom Radschlagen des Pfaus oder vom Auffrischen alter Möbelstücke. *Vgl* ↗aufmachen 1. 1800 *ff.*

aufwärmen tr **1.** etw erneut zur Sprache, in Erinnerung bringen. Übertragen von bereits gekochten Speisen, die kalt geworden sind und nochmals gewärmt werden. 1600 *ff.*
2. vor einer Rundfunk- oder Fernsehdirektsendung dem Gesprächs- oder Spielpartner die Befangenheit nehmen. 1955 *ff.*

Aufwärmung f Wiedererörterung. ↗aufwärmen. 1900 *ff.*

Aufwasch m **1.** gründliche Beseitigung von Mißständen; strenges Durchgreifen. Meint eigentlich die Geschirrspülung; von da weiterentwickelt zur Bedeutung „gründliche Reinigung". 1950 *ff.*
2. in 'einem ~ = gleichzeitig; in einem einzigen Arbeitsgang. 1900 *ff.*
3. das ist 'ein ~ = das läßt sich gleichzeitig bewerkstelligen. 1900 *ff.*

aufweichen v **1.** jn in seiner Überzeugung schwankend machen; jn umstimmen. Der Betreffende verliert seine weltanschauliche, parteiideologische oder geistige Starre. Hängt mutmaßlich mit chemischen Waschmitteln zusammen, die den festen, zähen Schmutz lösen. Wahrscheinlich schon 1914/18 aufgekommen; besonders geläufig seit 1945.
2. etw ~ = Vorschriften und Bestimmungen mildern. 1955 *ff.*
3. intr = nicht länger standhalten. *Sold* 1939 *ff.*

Aufweichler m Mensch, der strenge politische (parteiideologische) Grundsätze zu lockern sucht. ↗aufweichen 1. 1955/60 ff.

aufwerten v 1. jn ~ = jn in politischer (internationaler) Geltung höher bewerten. 1955/60 ff. ↗Aufwertung.
2. sich ~ = sich höher einschätzen als den Tatsachen entsprechend; sich höhere Geltung beizulegen suchen. 1955 ff.

Aufwertung f Hebung der internationalen Geltung. 1955 ff. Meint eigentlich die Werterhöhung einer Währung, auch einer entwerteten Geldschuld.

aufwichsen v 1. etw ~ = etw auftischen. Im 18. Jh von Studenten aufgebracht im Zusammenhang mit „‚Wichs = Festtracht der Verbindungsstudenten"; also ursprünglich auf eine festliche Speise- und Zechtafel der Studenten bezogen.
2. etw mit Glanz versehen, zur Augenlust herrichten (meist unter Verwendung fragwürdiger Mittel und in Richtung auf Kitsch). 1900 ff.
3. sich ~ = sich prächtig kleiden. Vgl ↗aufwichsen 1. Stud 18. Jh.

aufwollen intr aufstehen wollen. Hieraus verkürzt. 19. Jh.

aufziehen tr 1. jn necken, veralbern, verspotten. Durch Bedeutungsabschwächung entstanden aus der Sitte, den schuldig gewordenen Matrosen mit einem Seil unter den Armen unter die Rahe zu hissen; auch wurden im Mittelalter Verbrecher am Wippgalgen in die Höhe gezogen. 1600 ff.
2. etw veranstalten, gestalten, in Gang setzen. Wohl hergenommen von der Uhr (Spieluhr), die, einmal aufgezogen, mechanisch abläuft. 1920 ff.

Aufzug m 1. Kleidung (abf). Sie wird als Maskerade gewertet. Seit dem späten 19. Jh.
2. übertriebenes, unnatürliches Benehmen. 1900 ff.
3. Hochziehen des Nasenschleims in die Nase. Scherzhafte Wendung seit etwa 1930.
4. bessere Leute haben einen ~: Redewendung, wenn einer den Nasenschleim einzieht. 1940 ff.

Auge n 1. After. Halbwegs zutreffend für einen, der das Gesäß als „zweites ↗Gesicht" bezeichnet. BSD 1965 ff.
2. ~ der Führung = Aufklärungseinheiten der Luftwaffe. 1939 ff.
3. ~ des Gesetzes = Polizeibeamter. Fußt auf „Das Lied von der Glocke" von Schiller, 1800.
4. ~n, die man mit der Knopfgabel putzen kann = stark hervortretende Augen. 1910 ff.
5. mit bewaffnetem ~ = mit Brille. 19. Jh.
6. nicht um der blauen ~n willen = nicht um des ehrlichen Anscheins willen. 1930 ff.
7. ach du dickes ~!: Ausruf der Überraschung. Das dicke Auge rührt von einem Schlag aufs Auge her; der Anblick solch eines Auges ruft Erschrecken oder Überraschung hervor. 1950 ff.
8. drittes ~ = a) Fotoapparat. 1950 ff. – b) Fernsehgerät im Dienste der Verkehrsüberwachung, der medizinischen Wissenschaft, in Kaufhäusern. 1955 ff.
9. fliegendes ~ = (Aufklärungs-)Flugzeug mit automatischer Scharflinsen-Kamera. Sold 1939 ff.

10. scharfe ~n = a) schöne Augen. Versteht sich aus dem Gegenwort „stumpf = keine geistige Regung widerspiegelnd". 1960 ff. – b) Augen mit sinnlich-lüsternem Ausdruck. ↗scharf. 1960 ff.
11. um der schönen ~n willen = aus Liebenswürdigkeit, Galanterie o. ä. Geht möglicherweise zurück auf franz „pour les beaux yeux" in „Les précieuses ridicules" („Die lächerlichen Preziösen") von Molière. 1920 ff.
12. mit unbewaffnetem ~ = mit bloßem Auge. 19. Jh.
13. künstlich verlängerte ~n = Fernglas; Blick durch das Fernglas. Spätestens seit dem ausgehenden 19. Jh.
14. ~n zu, – Schwanz hoch! = nur Mut! nicht verzagt! Soll sich vom Geschlechtsverkehr mit einer häßlichen Frau herleiten. 1930 ff.
15. sie sieht einen mit keinem ~ an = es ist eine Wassersuppe. Ihr fehlt jegliches Fettauge. 1920 ff.
16. sie sieht einen nur mit einem ~ an = die Suppe (Tunke, Milch o. ä.) ist fettarm. 1920 ff.
17. die ~n gehen ihm auf = endlich durchschaut er die Sache. Hergenommen von blindgeborenen Tieren. 1500 ff.
18. die ~n aufknöpfen = scharf hinsehen; genau beobachten. Nachbildung zu „die ↗Ohren aufknöpfen". 19. Jh.
19. jm die ~n aufknöpfen = jm zu richtigem Verständnis verhelfen; jn aufklären. 19. Jh.
20. die ~n aufsperren = achtgeben; aufmerksam beobachten. Aufsperren = weit öffnen. 19. Jh.
21. jn mit den ~n aufspießen = jm sehr aufmerksam (mißtrauisch) zuhören. Man wirft ihm stechende Blicke zu. 1920 ff.
22. ihm fallen (fast) die ~n aus (dem Kopf) = er blickt angespannt, neugierig, lüstern. 19. Jh.
23. sich die ~n ausgucken (ausschauen) = langanhaltend, angestrengt Ausschau halten. 19. Jh.
24. sich die ~n auskegeln = spähend blicken. Gemeint ist, daß man mit Augen wie Kegelkugeln lebhaft rundum blickt. Vgl ↗Auge 27. Bayr 1920 ff.
25. ich könnte ihm die ~n auskratzen!: Ausdruck bitterer Enttäuschung über einen Menschen; Ausruf eines (einer) Eifersüchtigen. Man möchte den Betreffenden blind machen, damit er keinem mehr „schöne Augen" machen kann. 19. Jh.
26. jm die ~n auskratzen = jn überlegen besiegen. Bedeutungsabschwächung; eigentlich ist gemeint, daß man den Gegner durch Blenden kampfunfähig macht. Sportl 1950 ff.
27. sich nach jm die ~n auskugeln = angestrengt nach jm Ausschau halten. Vgl ↗Auge 24. Bayr 1920 ff.
28. die ~n ausruhen = schlafen. 1910 ff, sold und ziv.
29. jm die ~n auswischen = a) jn betrügen, täuschen, übervorteilen. Gemilderte Bedeutung von „jm die Augen ausdrücken (auswischen) = jm brutal die Augäpfel mittels der Daumen herauspressen". 1800 ff. – b) jn schröpfen, erheblich zahlen lassen. 19. Jh.
30. sich die ~n auswringen = heftig weinen. Wringen = windend drehen (wie

man der Wäsche das Wasser entzieht). 1939 ff.
30 a. jm mit den ~n ausziehen = jn (eine weibliche Person) lüstern betrachten. 1920 ff.
31. mit den ~n baden = dem Strandleben zusehen. 1960 ff.
31 a. seine ~n bewaffnen = eine Brille o. ä aufsetzen. 19. Jh.
32. da bleibt kein ~ trocken = a) vor Trauer oder Rührung weinen alle; man täuscht Rührung vor; man lacht unmäßig. Fußt auf der Redensart „Paul. Eine Handzeichnung" von Johann Daniel Falk (1799). Etwa um 1830 in obigen Bedeutungen aufgekommen. – b) Redensart zur Bezeichnung für ein Höchstmaß an Entbehrung, Strapazen, Drill usw. Sold 1914 ff.
33. da bleibt kein ~ trocken und keine Hose tränenleer = das berührt alle tief (iron). 1920 ff, stud.
34. mit einem blauen ~ davonkommen = aus einer Gefahr mit einem geringen Schaden hervorgehen. Leitet sich her von Prügeleien, bei denen man bloß einen blauen Fleck neben dem Auge davonträgt und das Augenlicht nicht einbüßt. 1700 ff.
34 a. die ~n dichtmachen = die Augen zum Einschlafen schließen. Sold 1939 ff.
35. ihm ins letzte Gewinde drehen = scharf beobachten. Wohl hergenommen von der Schraube (Mikroschraube). Marinespr 1939 ff.
36. jm ein ~ eindrücken = in der Autokarosserie eine Delle verursachen. Der Ausdruck spielt auf eine gewisse Formähnlichkeit an. 1950 ff.
37. die ~n auf unendlich einstellen = gedankenlos ins Leere blicken. Leitet sich her von der Kameraeinstellung. 1930 ff.
38. ihm fallen fast die ~n aus dem Kopf ↗Auge 22.
39. jm die ~n aus dem Kopf fallen lassen = jn durch geschlechtliche Bloßstellung aufreizen, lüstern machen. 1900 ff.
40. die ~n federn = geschlechtlich unruhig sein. Federn = die Lider schnell auf- und abbewegen; unruhig blinzeln. BSD 1965 ff.
41. mit den ~n ficken = lüsterne Blicke tauschen. ↗ficken. 19. Jh.
42. es geht ins ~ = es wird ein empfindlicher Mißerfolg. Das Auge als hochempfindliches Organ ist schnell verletzt, und die Beschädigung ist meist nicht zu beheben. 1900 ff.
43. das kann ins ~ gehen = das kann eine böse Entwicklung nehmen; das kann scheitern. 1900 ff.
44. dir ist wohl lange kein ~ über das Chemisett (das Oberhemd; die Weste) gerollt (gekullert) – (dir ist wohl noch nie ein ~ über die Weste gekleckert)?: Drohfrage. 1920 ff, Berlin.
45. von hinten durch das ~ in die Brust geschossen = hinterrücks; auf dem unsinnigsten Umweg. Sold 1914 bis heute.
46. sich einen in (auf) die ~n gießen = trinken. Die Augen als Lichter stehen in Analogie zu „Lampe"; vgl „einen auf die ↗Lampe gießen". 1900 ff.
47. sich die ~n aus dem Kopf glotzen = starr blicken; sehr neugierig (mit dummem Gesichtsausdruck) blicken. ↗glotzen. 19. Jh.

48. sich die ~n aus dem Kopf gucken ↗ Auge 23.

49. wieder klar aus den ~n gucken = nach Verrichtung der großen Notdurft sich erleichtert fühlen. In fröhlicher Meinung spiegelt sich Stuhlverhärtung im Augenausdruck wider. 1900 ff.

50. dicke ~n haben = Stuhldrang verspüren. *Vgl* das Vorhergehende. *BSD* 1960 ff.

51. drei ~n haben = fotografieren. ↗ Auge 8 a. 1950 ff.

52. wieder klare ~n haben = den Abort erfolgreich aufgesucht haben. *Vgl* ↗ Auge 49. 1900 ff.

53. einen kleinen (lütten) im ~ haben = leicht betrunken sein. Hinter „kleinen" ergänze „Nebel". 1920 ff.

54. zwei schöne ~n haben = einen üppigen Busen haben. Hehlausdruck, wahrscheinlich einem Witz entnommen: Auf das Postkartenbild einer Eingeborenen in Volkstracht schreibt der Absender: „Zwei schöne Augen, was?". 1930 ff.

55. ein verklemmtes ~ haben = ein Monokel tragen. Monokel = Klemmglas. 1900 ff.

56. daß du noch keine viereckigen ~n hast!: scherzhafte Äußerung der Verwunderung über einen leidenschaftlichen Fernsehzuschauer (dessen Augen sich eigentlich längst schon dem Bildschirmformat angeglichen haben sollten). 1965 ff.

57. die ~n in der Tasche haben = nicht aufpassen; sich übertölpeln lassen. *Vgl ndl* „de ogen in zijn zak hebben" und *franz* „avoir les yeux dans les poches". 18. Jh.

58. hinten habe ich keine ~n = ich kann nicht sehen, was hinter mir geschieht. 19. Jh.

59. ein paar ~ mehr im Spiel haben = der Überlegene sein. Stammt aus der Kartenspielersprache. 1920 ff.

60. mit den ~n heiraten = lüstern nach Frauen sehen. 1900 ff.

61. sich klare ~n holen = den Abort aufsuchen. *Vgl* ↗ Auge 49. 1900 ff.

62. mit den ~n klappern = kokettieren; Herren zwecks Bekanntschaftsanknüpfung zuzwinkern. Wohl hergenommen von den beweglichen Augendeckeln der Spielzeugpuppen oder von der Kasperlpuppe, die als einzige die Augen (mit leise klapperndem Geräusch) öffnen und schließen konnte. 19. Jh.

63. mit den ~n klimpern = kokettieren. ↗ klimpern. 19. Jh.

64. ~ am Stiel kriegen = angespannt blicken. *Vgl* ↗ Stielaugen. 1950 ff.

65. klare ~n kriegen = a) sich auf dem Abort erleichtern ↗ Auge 49. 1900 ff. – b) nüchtern werden. 19. Jh.

66. mit den ~n kullern = a) die Augen rollen. ↗ kullern 1. 1900 ff. – b) flirtende Blicke schicken. 1920 ff.

67. ~ auf Masse legen = schlafen. „Masse" ist vielleicht aus „Matratze" entstellt. Oder Anspielung auf die Schwere und Trägheit der physikalischen Masse. *BSD* 1965 ff.

68. sich die ~n aus dem Kopf lesen = a) den Text zu nahe an die Augen halten. 1900 ff. – b) lesehungrig sein. 1900 ff.

69. ein sauberes ~ linsen = eine gute Beobachtungsgabe besitzen. ↗ linsen. *Sold* in beiden Weltkriegen.

70. faule ~n machen = a) vor sich hin-

träumen. *Sold* 1935 ff. – b) schlafen. *Sold* 1935 ff.

71. große ~n machen = Stiche mit hoher Punktzahl einheimsen. Große Augen = hochwertige Punkte. Kartenspielerspr. 1900 ff.

72. lange ~n machen = gierig blicken; etw zu erspähen suchen. 1910 ff.

73. nackte ~n machen = lüstern blicken. 1920 ff.

74. viereckige ~n machen = fernsehen. Wegen des (quasi) viereckigen Bildschirms. ↗ Auge 56. 1965 ff.

75. jn (etw) mit klinischem ~ mustern = jn (etw) scharf (und ohne Gefühlsregung) beobachten. „Klinisch" bezieht sich auf den Oberarzt, vor allem auf den Stabsarzt o. ä. 1935 ff.

76. die ~n in die Hand nehmen = sich nicht übertölpeln lassen; scharf aufpassen. 18. Jh.

77. ein ~ (ein paar ~n) voll Schlaf nehmen = eine (kurze) Zeitlang schlafen. 19. Jh.

78. die ~n pflegen = ruhen, schlafen. ↗ Augenpflege. 1920 ff.

79. zwei ~n gucken rein, und keines sieht raus: Redewendung angesichts einer Wassersuppe. 1900 ff. *Vgl* ↗ Auge 15.

80. ein ~ riskieren = heimlich hinschauen; einen raschen Blick werfen. Eigentlich ist gemeint, daß einer Gefahr läuft, ein Auge zu verlieren. 1850 ff.

81. ein paar ~n voll Schlaf riskieren = ein kurzes Schläfchen machen (in der Hoffnung, nicht vom Vorgesetzten überrascht zu werden). 1910 ff, *sold* und *ziv*.

82. saufen bis zum Stillstand der ~n = sich betrinken. Anspielung auf den starren Blick des Bezechten. *BSD* 1960 ff.

83. sich die ~n aus dem Kopf schämen = sich sehr schämen; vor Scham bitterlich weinen. 1900 ff.

84. mit den ~n schlackern = verwundert sein. Schlackern (als Intensivum von „schlagen") bezieht sich wohl auf die Auf- und Abbewegung des Augenlids oder auf die Rechts- und Linksbewegung des Augapfels. 1930 ff.

85. mit offenen ~n schlafen = vor sich hinträumen; unaufmerksam sein. 19. Jh.

86. jm das ~ schließen = jm beim Boxkampf einen so heftigen Schlag auf das Auge (die Augenumgebung) versetzen, daß die Lidspalte zuschwillt. 1950 ff.

87. ~n schmeißen = stark flirten; verliebte Blicke werfen. Seit dem späten 19. Jh.

88. die ~n schonen = schlafen. 1900 ff. Wahrscheinlich unter Soldaten aufgekommen.

89. was sehen meine entzündeten ~n? = Was sehe ich? Die „entzündeten Augen" sind aus „entzückten Augen" burschikos entstellt. 1920 ff.

90. mit dem linken (rechten) ~ in die rechte (linke) Westentasche sehen = stark schielen. In Berlin in der ersten Hälfte des 19. Jhs aufgekommen.

91. kaum aus den ~n sehen können = a) ein feistes Gesicht haben; dicke Wangen haben. 1900 ff. – b) sehr erkältet sein; unter den Nachwehen eines Rausches heftig leiden. 1900 ff. – c) schlaftrunken, übermüdet sein. 1900 ff.

92. schlafen, daß ein ~ das andere nicht sieht = tief schlafen. 1910 ff.

93. ihre ~n waren voll Schlafs = beim Kartenspiel haben die Gegner eine günstige Gelegenheit verpaßt. Fußt auf Matthäus 26,43. 1900 ff.

94. die ~n sind größer als der Magen (Mund, Bauch) = man häuft mehr auf den Teller, als man verzehren kann. Eine in verschiedenen Sprachen geläufige Vorstellung. 1500 ff.

95. auf einem ~ war die Kuh scheel (blind) = beim Kartenspiel erreicht man nicht alle Stiche; die erforderliche Punktzahl ist bis auf einen erreicht. Seit dem späten 19. Jh.

95 a. auf diesem ~ bin ich blind = dafür habe ich kein Verständnis. 1920 ff.

96. auf dem linken (rechten) ~ blind sein = die kommunistische (rechtsradikale) Gefahr verkennen. 1960 ff.

97. auf den ~n sitzen = Offensichtliches nicht bemerken. Nachgebildet den Redensarten „auf den ↗ Händen sitzen" „auf den ↗ Ohren sitzen". *Österr* 1920 ff.

98. ~n spiegeln = in der ersten Reihe dem Lehrer (Dozenten) gegenübersitzen. Dessen Auge spiegelt sich im Auge des Schülers (Hörers) wider. *Stud* 1935 ff.

99. ~ spielen = beobachten; Beobachter, Späher sein. *Sold* 1939 ff.

100. das ~ spitzen = scharf beobachten. Nachgebildet der Redewendung „die ↗ Ohren spitzen". 1930 ff.

101. mit den ~n stehlen (o. ä.) = durch Zusehen lernen; unbefugt jm in einen Brief o. ä. blicken. Seit dem späten 19. Jh.

102. die ~n auf Null stellen (drehen) = schlafen. „Null" kennzeichnet den Stillstand der Maschine. *Sold* 1939 ff.

102 a. die ~n auf Null gestellt haben = im Sterben liegen; tot sein. 1940 ff, Gauner und Rauschgiftsüchtige.

103. die ~n auf Stop stellen = schlafen. Seemannsspr. Parallele zu ↗ Auge 102. 1914 ff.

104. die ~n auf unendlich stellen = schlafen. *Vgl* ↗ Auge 37. *Sold* 1939 ff.

105. mit den ~n telefonieren = sich mit Blicken verständigen. 1920 ff.

106. jn mit den ~n totschlagen = jm giftige Blicke zuwerfen. 19. Jh.

107. die ~n sollen ihm tränen = das gönne ich ihm (unfreundlicher Wunsch). Der Betreffende soll weinen vor Wut oder Schmerz. 1900 ff.

108. da tränen mir die ~n!: Ausruf der Verwunderung. Anspielung auf (geheuchelte) Rührung. *BSD* 1965 ff.

109. zahlen, daß einem die ~n tränen (übergehen) = übergebührlich viel zahlen müssen. 1920 ff.

110. mit den ~n trillern = a) durch Blicke anlocken; mit Blicken flirten. Trillern = vibrieren. 1900 ff. – b) nervös hin- und herschauen; infolge Trunkenheit nicht mehr in der Gewalt haben. 1900 ff. – c) mit den Lidern klappern und stieren (schielen). 1900 ff.

111. jm die ~n gehen ihm über = a) er ist völlig betrunken. In der Trunkenheit neigen manche Zecher zum Weinen. Fußt auf Johannes 11,35 und ist an geläufigsten aus Goethes „Faust I" (Der König in Thule). 1800 ff. – b) er ist äußerst verwundert. 1900 ff.

112. mit offenen ~n überlegen = im Unterricht vor sich hinträumen. *Schül* 1950 ff.

113. mit den ~n uneinig sein = schielen. 1900 *ff.*

114. jm die ~n verbinden = jn durch Geschenke bestechen. Man nimmt dem Betreffenden die klare Sicht. 1950 *ff.*

115. jn mit den ~n verschlingen = jn gierig, lüstern anblicken. 1900 *ff.*

116. ein ~ (ein paar ~n) vollnehmen = leichthin schlafen. *Vgl* ↗ Auge 77. 19. Jh.

117. die ~n wärmen = schlafen. Hergenommen vom wärmenden Zudecken der Augen mit den Lidern. Seit dem späten 19. Jh.

118. ein ~ zudrücken = milde urteilen; etw absichtlich nicht bemerken. Die personifizierte Gerechtigkeit verhüllt beide Augen mit der Binde, um gerecht und ohne Ansehen der Person zu urteilen; wer hingegen menschlich handelt, drückt nur das eine Auge zu. 1700 *ff.*

119. jm ein ~ zudrücken = jm so heftig aufs Auge schlagen, daß es augenblicklich zuschwillt. 1920 *ff.*

120. jm die ~n zudrücken = jn betrügen. 1950 *ff.*

121. beide (zwei) ~n zudrücken = überaus nachsichtig urteilen; angeblich nichts bemerkt haben. Seit dem ausgehenden 19. Jh.

122. drei ~n zudrücken = sehr milde urteilen. Die drei Augen sind die zwei Augen im Kopf und ein Brillenglas oder ein Hühnerauge. 1920 *ff.*

123. nicht nur die ~n, sondern auch die Hühneraugen zudrücken = eine Verfehlung überhaupt nicht zur Kenntnis nehmen. 1920 *ff.*

124. ihm sind die ~n zugewachsen = er hat ein sehr feistes Gesicht. 1950 *ff.*

Augenauswischerei *f* **1.** betrügerische Darstellung eines Sachverhalts; betrügerischer Augenblickserfolg. ↗ Auge 29 a. *Oberd* spätestens seit 1900.

2. ~ machen (treiben) = jm etw zu Gefallen tun. *Österr* 1950 *ff, jug.*

Augenbad *n* ein ~ nehmen = die ersten Reihen des Hörsaals besetzen, um dem später prüfenden Professor nicht unbekannt zu sein. *Stud* 1945 *ff.*

Augenbrauen *pl* **1.** auf den ~ gehen = völlig erschöpft sein; kein Geld mehr haben. Übertreibender Ausdruck für den Verlust des aufrechten Ganges. *Vgl* ↗ Augenwimpern 1. 1900 *ff.*

2. auf den ~ nach Hause gehen = schwerbezecht heimgehen. 1900 *ff.*

3. mit den ~ vögeln = lüsterne Blicke werfen. ↗ vögeln. *Vgl* ↗ Auge 41. 1920 *ff.*

Augendeckel *m* **1.** mit den ~n klappern (klimpern) = jm zuzwinkern. 19. Jh.

2. lange ~ machen = betrunken blicken. Die Augendeckel werden schwer und schließen die Augen bis auf einen schmalen Spalt. 1920 *ff.*

3. die ~ wärmen = schlafen. Fehlweiterung von ↗ Auge 117. 1900 *ff.*

Augengymnastik *f* ~ treiben = **1.** Ausschau halten nach Angehörigen des anderen Geschlechts. 1920 *ff.*

2. vom Mitschüler abschreiben. *Schül* 1950 *ff.*

3. schlafen. 1920 *ff, sold und stud.*

Augenmuskeltraining *n* das Absehen vom Mitschüler. *Schül* 1950 *ff.*

Augennummer *f* eine ~ machen (abzie-

hen) = lüsterne Blicke tauschen. Nummer = Koitus. *BSD* 1960 *ff.*

Augenpflege *f* ~ treiben (betreiben, durchführen) = schlafen. Steht im Zusammenhang mit der Werbung der kosmetischen Industrie sowie mit ärztlichen Vorsorgemaßnahmen. Etwa seit 1930.

Augenpulver *n* sehr klein und eng geschriebener (gedruckter) Text. Ironie; denn Augenpulver ist eigentlich ein Heilmittel für die Augen. 1700 *ff.*

Augenschondienst *m* ~ haben = **1.** schlafen. Wohl vor 1939 aufgekommen.

2. eine Arreststrafe verbüßen. *Schweiz* 1950 *ff, sold.*

Augenschotten *pl* die ~ dichtmachen = die Augen schließen; sich schlafen legen. ↗ Schott. 1950 *ff.*

Augenstern *m* Kosewort für eine weibliche Person. Meint soviel wie „Auge“ und „Augapfel“. Spätestens seit 1900. *Vgl* Schlager von 1912 „Puppchen, du bist mein Augenstern . . .“.

augenvögeln *intr* lüsterne Blicke tauschen; flirten. ↗ vögeln. *BSD* 1960 *ff.*

Augenwimpern *pl* **1.** auf den ~ kriechen = völlig erschöpft sein. *Vgl* ↗ Augenbrauen 1. 1920 *ff, sportl.*

2. mit den ~ Klavier spielen = jm lockend zublinzeln. Klavierspielen = klimpern, (die Tasten) auf- und abbewegen. 1950 *ff.*

Augenwisch *m* Vorspiegelung, Täuschung; Sache, mit der man die Aufmerksamkeit ablenkt; Äußerung, mit der man Hintergedanken eingibt. Fußt auf *engl* „eyewash“. *Vgl* ↗ Auge 29 a. 1900 *ff.*

Augsburg *On* **1.** ~ machen = sich erbrechen. Mit „Augsburg“ wird verhüllend der Schall des Erbrechens wiedergegeben. 19. Jh.

2. nach ~ reisen = sich erbrechen. 19. Jh.

3. an (nach) ~ schreiben = sich erbrechen. 19. Jh.

4. ~ studieren = sich erbrechen. 19. Jh.

augsburgern *intr* sich erbrechen. 19. Jh.

'August *m* **1.** wunderlicher Mann; Versager o. ä.; Mann *(abf)*. *Vgl* ↗ August 3. *Sold* in beiden Weltkriegen.

2. Gefangenenwagen, Gefängniswagen (vor allem: der grüne August). Grün war die Uniformfarbe der Polizeibeamten und die Anstrichfarbe des Gefängniswagens. August meint bei den Handwerksburschen den Polizeibeamten. Seit dem späten 19. Jh.

3. der dumme ~ = Zirkusclown, Spaßmacher. So nannten die Berliner 1858 (oder um 1880) den Clown Tom Belling aus dem Zirkus Renz (Hagenbeck?).

4. ach du lieber ~! = Ausdruck des Erstaunens. Umgewandelt aus „du lieber ↗ Augustin“ unter Einfluß von ↗ August 3. 1900 *ff.*

5. den dummen ~ spielen = sich unsinnig aufführen. 1920 *ff.*

'Augustin *m* ach (o) du lieber ~!: Ausruf des Erstaunens; Ausdruck heiterer Resignation. Fußt auf dem Volkslied (1679) von Max Augustin (Operette von Leo Fall, 1912). 18. Jh.

aus I *adj* erloschen, abgestellt. 19. Jh.

aus II *adv* **1.** aus dem Traum! = Schluß damit! erledigt! fort mit dem Hirngespinst! Der Betreffende wird gewissermaßen jäh aus seinen Träumen geweckt. 1900 *ff.*

2. aus! Dein treuer Vater! = aus! zu Ende! fertig! verloren! Einem Briefschluß nachgebildet. 1920 *ff.*

3. aus, dein treuer Vater; Onkel Otto = nenne mich nicht länger Vater; jetzt mußt du Onkel zu mir sagen. Anspielung auf eine sogenannte ↗ Onkelehe. 1945 *ff.*

Aus *n* **1.** Ausscheiden eines Spielers. *Sportl* 1960 *ff.*

2. Pensionierung. 1965 *ff.*

3. Rücktritt vom Posten; Niederlage in der beruflichen Laufbahn; Verfehlen der parlamentarischen 5-Prozent-Hürde. 1965 *ff.*

4. Verweisung von der Schule. 1965 *ff.*

5. sich ins ~ reden = durch unkluge, unvorsichtige Äußerungen seine Amtsenthebung herbeiführen. 1970 *ff.*

6. auf ~ schalten = absichtlich überhören. 1970 *ff.*

'aus'ätschen *tr* jn verspotten. ↗ ätsch. 18. Jh.

ausbaden *v* etw ~ müssen = die unangenehmen Folgen tragen müssen. Leitet sich vielleicht her von einer mittelalterlichen Badesitte: Von mehreren Personen, die nacheinander gebadet hatten, mußte die letzte die Wanne leeren und reinigen, was aber auch Aufgabe des Badeknechts sein konnte. Auch hieß „Ausbad“ der kostspielige Schlußschmaus derjenigen Hochzeitsgäste, die die junge Frau ins Bad begleitet hatten. 1500 *ff.*

ausbaldowern *tr* etw auskundschaften, ausspähen. Ein *rotw* Wort, entstanden aus *jidd* „baal“ = Mann“ und *jidd* „dowor = Sache, Wort“ im Sinne von Sachkundiger. *Rotw* 1800 *ff.*

ausballern *refl* sich austoben; zu Ende schimpfen. ↗ ballern. 1900 *ff.*

ausbaufähig sein kinderlos verheiratet sein. Hergenommen vom Haus, das sich durch Anbauten vergrößern läßt. *Vgl* ↗ Balkon = Leib der Schwangeren; ↗ bauen = ein Kind zeugen. *BSD* 1960 *ff.*

ausbehalten *tr* ein Kleidungsstück nicht wieder anziehen. Verkürzt aus „ausgezogen lassen“. 1900 *ff.*

ausbeißen *tr* jn verdrängen, überflügeln. Hergenommen von Stalltieren, die beim Fressen einander vom Trog zu drängen suchen. 16. Jh.

ausbekommen *tr* **1.** etw ausziehen können. 19. Jh.

2. etw verzehren, leeren können. 19. Jh.

3. etw zu Ende lesen können. 19. Jh.

ausbeuteln *tr* **1.** jn ausfragen. Beuteln = fein sieben. 19. Jh.

2. etw ausschütteln. *Österr* 19. Jh.

3. jn um sein Geld bringen. Gemeint ist „jm den Geldbeutel leeren“. 19. Jh.

4. koitieren (vom Mann gesagt). Beutel = Hodensack. 1900 *ff.*

ausbimsen *intr* davonlaufen, desertieren. Bimsen = glattmachen. Man läuft so schnell, daß die Schuhsohlen glatt werden. *Sold, stud* und *schül* 1900 *ff.*

ausblasen *tr* **1.** etw austrinken. ↗ blasen. 19. Jh.

2. jn erschießen, töten. Man bläst ihm das ↗ Lebenslicht aus. 1900 *ff.*

Ausbläser *m* **1.** nicht detonierte Granate. Sie bläst ab wie ein Schlauch, aus dem die Luft entweicht. 1840 *ff.*

2. geleerte Flasche. ↗ ausblasen 1. 1870 *ff, sold.*

3. Versager. Im Sinne von ↗ Ausbläser 1 soviel wie ↗ Blindgänger. 1914 *ff.*

ausblecken *tr* jn verhöhnen. Fußt auf der Hohngebärde der herausgestreckten Zunge. 1900 *ff.*

ausbleiben *intr* nicht eingeschaltet werden. Verkürzt aus „ausgeschaltet bleiben". 1900 *ff.*

ausblenden *v* 1. etw ~ = etw auskundschaften, genau untersuchen. Meint eigentlich ↗ausblinden. Der Verbrecher „macht einen Blinden", wenn er eine Diebstahlsgelegenheit ermittelt oder den Diebstahl lediglich probt, aber nicht ausführt. *Rotw* 19. Jh.
2. jn ~ = jds Zuverlässigkeit (Verschwiegenheit, Gesinnung) prüfen. 1900 *ff.*
3. sich ~ = weggehen; sich von einer Sache zurückziehen. Stammt aus der Fernsehtechnik: ein Bild wird ausgeblendet, wenn es aus einem zweiten herausgenommen wird. 1960 *ff, halbw.*

ausblinden *tr* etw vorher auskundschaften, beobachten. *Vgl* ↗ausblenden 1. *Rotw* 1735 *ff.*

ausblöken *tr* 1. jm die Zunge herausstrecken. Nebenform von ↗ausblecken. 1900 *ff.*
2. Dummes äußern. Rinder, Schafe blöken; beide gelten als dumm. 1900 *ff.*
3. Geheimzuhaltendes (aus Dummheit oder Nachlässigkeit) weitersagen. 1900 *ff.*

ausbooten *v* 1. jn ~ = verdrängen, aus einer Gemeinschaft ausschließen; einen Schüler von der Schule entfernen; jn bei einer Gesundheitsbesichtigung ausscheiden. Meint eigentlich „jn auf ein Boot ausschiffen, mit einem Boot an Land bringen". Bei der Meuterei werden der Kapitän und seine Anhänger in einem Boot auf offener See ausgesetzt. 1830 *ff.*
2. jn ~ = jds sportliche Leistung überbieten. 1950 *ff.*
3. *intr* = von einem gefährdeten Fahrzeug abspringen; den Panzerkampfwagen nach Abschuß verlassen. *Sold* 1939 *ff.*

ausboxen *tr* 1. jn verdrängen. Eigentlich „im Boxkampf besiegen". 1950 *ff.*
2. mit jm etw ~ = sich mit jm über etw verständigen. Man trägt es wie durch einen Boxkampf aus. 1955 *ff, jug.*

ausbrechen *intr* das Elternhaus verlassen und sich selbständig machen. Übernommen vom Häftling, dem die Flucht aus der Justizvollzugsanstalt gelingt. 1970 *ff.*

ausbrennen *intr* sich körperlich verausgaben. Hergenommen von der ausbrennenden Kerze oder Rakete. Das erlöschende Feuer versinnbildlicht die erlöschende Kampfkraft. *Sold* 1950 *ff.*

Ausbrenner *m* zur Neige gehende und daher preiswerter angebotene Ware. 1970 *ff.*

Ausbruch *m* ~ des Friedens = Kriegsende; ↗Friede 4. Friedensbeginn. 1918/19 *ff.*

ausbrüten *tr* einen (meist fragwürdigen, unlauteren) Plan ersinnen. Hergenommen von der brütenden Henne. 19. Jh.

ausbügeln *tr* eine verfahrene Sache wieder in Ordnung bringen; etw wiedergutmachen; Gegensätze ausgleichen. Hergenommen von der Beseitigung von Tuchfalten durch das Bügeleisen. 19. Jh. *Vgl engl* „to iron out".

ausbuhen *tr* jm mittels Buh-Rufen sein Mißfallen zeigen. ↗buhen. 1950 *ff.*

ausbullern *v* 1. jn ~ = jn anherrschen, ausschelten. ↗bullern. 18. Jh.
2. *intr* = mit Schimpfen aufhören. Sinn-

gemäß: „Der (Buller-)Ofen ist aus", das Feuer (der Erregung) erloschen. 1900 *ff.*

Ausbund *m* Taugenichts. Meint eigentlich das besonders gute Musterstück, das einer verpackten Ware außen aufgebunden wird. Ironisiert seit dem späten 17. Jh.

ausbürsten *v* 1. etw ~ = seinen Vorteil geschickt wahrzunehmen wissen; Reste von einer Verteilung sich widerrechtlich aneignen. Meint eigentlich „beim Bürsten von Kleidungsstücken den Tascheninhalt an sich nehmen". 1900 *ff.*
2. etw ~ = etw leertrinken. ↗bürsten. 1800 *ff.*
3. jn ~ = jm sein Geld abgewinnen; jm überhöhte Preise abfordern. Analog zu ↗abstauben 2. 1800 *ff.*
4. etw ~ = einen literarischen Stoff neu bearbeiten, modernisieren. 1920 *ff.*
5. *intr* = schnell weglaufen; fliehen. Vielleicht verkürzt aus „laufen wie ein ↗Bürstenbinder". *Sold* 1914 *ff.*

ausbuttern *tr* etw bis zur Neige auskosten, verbrauchen, abnutzen. Hergenommen von der Milch, die beim Buttermachen bis zum äußersten verwertet wird. Seit dem späten 19. Jh.

ausbüxen *intr* 1. koten. Eigentlich „die ↗Büxe ausziehen", „aus der ↗Büxe gehen". *Vgl* parallel „austreten = aus der Hose treten". *Niederd* 19. Jh.
2. sich davonmachen; wegmachen; fahnenflüchtig sein. Fußt auf *niederd* „bücksen = laufen, schnell laufen". *Vgl* „austreten = aus dem militärischen Glied, aus der Marschkolonne heraustreten". 1800 *ff.*

'aus'checken *tr* etw in Erfahrung bringen. ↗checken. 1945 *ff.*

ausdeutschen *tr* jm etw ~ = jm etw klarmachen, auseinandersetzen. ↗deutsch. *Oberd* 19. Jh.

ausdreschen *tr* 1. etw ~ = etw bis ins letzte verwerten. Hergenommen vom Dreschen des Getreides. 1920 *ff.*
2. den Ball ~ = im Fußball heftig über die Spielfeldgrenze hinaustreten. ↗dreschen. 1920 *ff, sportl.*

Ausdruck *m* entschuldigen Sie den harten ~ ...: Redewendung *(iron)*, wenn man ein derbes Wort verwendet hat (z. B. „Zum Kotzen ist die Lage. Entschuldigen Sie den harten Ausdruck ‚Lage'!"). 1920 *ff.*
2. das ist gar kein ~ dafür = das ist viel zu milde ausgedrückt. Hinter „kein" ergänze „angemessener". 1920 *ff.*

auseinanderdividieren *tr* 1. etw analysieren, genau erklären. Eigentlich soviel wie „jedem seinen Teil zumessen". 1900 *ff.*
2. etw ausklügeln. Herzuleiten vom genauen Berechnen aller Einzelheiten. 1900 *ff.*
3. sich ~ = sich entzweien; sich trennen; sich scheiden. Der gemeinsame Besitz wird aufgeteilt. 1950 *ff.*

auseinanderfallen *intr* 1. am Ende der Kräfte sein. Hergenommen vom Holzfaß, dessen Reifen bricht. 1900 *ff.*
2. im Zusammenspiel entscheidend nachlassen. *Sportl* 1950 *ff.*
3. bei scharfem Verhör endlich ein Geständnis ablegen. 1940 *ff.*
4. gebären. Gemeint ist etwa: „so aufbrechen, daß der Kern zum Vorschein kommt", wie bei einer Kastanie. 1920 *ff.*

auseinandergehen *intr* 1. dick werden. Wie Hefeteig sich aufbläht. 19. Jh.

2. schwanger sein. 1900 *ff.*
3. sich ungemein freuen, erheitern; heftig lachen. Man „platzt vor Lachen". 19. Jh.

auseinanderkennen *tr* etw unterscheiden können (z. B. Zwillinge auseinanderkennen). 1900 *ff.*

auseinanderklamüsern *tr* 1. eine schwerverständliche Sache begreiflich machen. ↗klamüsern. 1900 *ff.*
2. etw sortieren, an den rechten Platz bringen. 1920 *ff.*

auseinanderklamüstern *tr* Verwickeltes auseinandersetzen. „Klamüstern" ist Nebenform von ↗klamüsern. 1920 *ff.*

auseinanderklavieren *tr* etw genau auseinandersetzen, analysieren. ↗klavieren. 19. Jh.

auseinandernehmen *tr* 1. jn scharf zurechtweisen, besiegen, umbringen; jn rücksichtslos einexerzieren. Der Betreffende wird wie eine Maschine bis ins kleinste zerlegt. Seit dem späten 19. Jh.
2. jn gründlich ausfragen, streng vernehmen. 1939 *ff.*
3. jn heftig prügeln. Er wird sinngemäß in seine Bestandteile zerlegt. 1900 *ff.*
4. jn durch Veralberung oder Kritik vernichten. 1950 *ff.*
5. ihn möchte ich ~!: Drohrede. 1920 *ff.*
6. ein Lokal ~ = Streit im Wirtshaus anstiften; die Inneneinrichtung eines Lokals zertrümmern. 1955 *ff.*

auseinanderpusseln *tr* etw auseinandersetzen. ↗pusseln. 19. Jh.

auseinanderschreien *tr* etw bis zur Unkenntlichkeit erörtern; etw gründlich zerreden. Die Sache wird durch allzu lebhafte Erörterung zunichte gemacht, wobei einer den anderen überschreit. *Sold* 1935 *ff.*

auseinandersein *intr* 1. entzwei sein. Verkürzt aus „auseinandergegangen sein". 19. Jh.
2. getrennt leben; geschieden sein. 1900 *ff.*
3. verwirrt, nicht recht bei Verstand sein; die Fassung verloren haben. Man hat nicht alle Tasse beieinander. 19. Jh.

ausessen *v* 1. etw ~ = die Folgen eines Eigenverschuldens tragen. Mildere Form des üblicheren ↗ausfressen. 18. Jh.
2. *intr* = auswärts essen. *Vgl engl* „to dine out". 1900 *ff.*

ausfädeln *refl* von einem gemeinsamen Vorhaben zurückkommen. Gegenwort: „sich ↗einfädeln". *Sold* 1940 *ff.*

ausfahren *intr* in Diebstahlsabsicht ausgehen. ↗Fahrt. *Rotw* 1922 *ff.*

Ausfall *m* 1. Versager. Übertragen von der Bezeichnung für ein unbrauchbares Stück (Verluststück) in einer Produktionsserie. *Sportl* 1950 *ff.*
2. einen ~ machen = sich heimlich aus der Kaserne entfernen. Leitet sich her vom Ausbruch aus einer Festung. *Sold* 1900 *ff.*

ausfallen *intr* 1. geboren werden (sein). Stammt aus der Jägersprache, wo es, auf die Vögel bezogen, die Bedeutung „aus dem Ei schlüpfen" hat. 1900 *ff.*
2. dem Gedächtnis entschwinden; sich nicht mehr erinnern können. Gegenwort zu „einfallen = in den Sinn kommen". 16. Jh.

ausfassen *tr* eine weibliche Person intim betasten. 1950 *ff.*

ausfegen *v* 1. *tr* = Unabkömmliche in der Heimat, in der Etappe, bei rückwärtigen Diensten usw. auf Frontdiensttauglichkeit untersuchen. Parallel zu ↗ auskämmen. *Sold* und *ziv* 1942 *ff.*

2. das findet sich beim ~ = das hat keine Eile; das wird sich von selbst entwickeln. Eigentlich bezogen auf einen Gegenstand, den man beim Auskehren der Stube wiederfindet. 16. Jh.

ausfingern *tr* jn intim betasten. ↗ fingern. 1900 *ff.*

Ausflipp *m* **1.** Mensch, der sich der herrschenden Gesellschaftsordnung entzogen hat. Fußt auf *engl* „to flip out = auspendeln, ausschaukeln". 1968 *ff.*

2. Trunkenheit, Lebensüberdruß. 1970 *ff.*

ausflippen *v* **1.** *intr* = durch Rauschgift die normale Bewußtseinslage verlassen. 1968 *ff.*

2. *intr* = sich von der bürgerlichen Gesellschaftsordnung lösen. 1968 *ff.*

3. *intr* = sich dem Elternhaus entwinden. 1968 *ff.*

4. *intr* = die Mitarbeit einstellen; an der zugewiesenen Arbeit kein Interesse mehr haben. 1970 *ff.*

5. *intr* = die Fassung verlieren; ohnmächtig, verrückt werden. 1970 *ff.*

6. *intr* = sich ausleben. 1970 *ff.*

7. ich glaube, ich flippe aus!: Ausdruck des Erstaunens. *Jug* 1970 *ff.*

8. ich könnte ~!: Ausdruck freudiger Überraschung. 1970 *ff.*

9. da flippst du aus!: Ausdruck der Verwunderung. *Jug* 1970 *ff.*

10. *intr* = Urlaub machen. 1975 *ff.*

11. *tr* = jn verdrängen. 1968 *ff.*

12. *refl* = sich durch Rauschgift zugrunderichten. 1968 *ff.*

ausflöhen *tr* **1.** jn streng durchsuchen. Meint eigentlich die Untersuchung auf Ungeziefer; von da übertragen auf die Durchsuchung nach gefährlichen (verbotenen) Gegenständen. 1920 *ff.*

2. jm Geld abgewinnen; jn ausplündern, berauben; jn ausnutzen. ↗ Flöhe = Geld. 19. Jh.

Ausflug *m* **1.** Übergreifen eines Spielers in einen Spielfeldteil, den eigentlich andere Kameraden zu beherrschen haben. *Sportl* 1950 *ff.*

2. feuchter ~ = Motorradfahrt durch Schlamm und Dreck. 1930 *ff.*

3. rollender ~ = Ausflugsfahrt mit dem Kraftfahrzeug. Eine Art Wanderung auf Rädern. 1950 *ff.*

4. einen ~ ins Grüne machen = von der Rennbahn abkommen. 1920 *ff.*

Ausflügler *m* Ausbrecher. Euphemismus. 1950 *ff.*

ausfreaken (*engl* gesprochen) *intr* sich der herrschenden Gesellschaftsordnung entwinden. ↗ Freak. 1965 *ff.*

ausfressen *tr* **1.** etw zu Ende essen; den Teller o. ä. leeren. ↗ fressen 1. 1500 *ff.*

2. die Folgen eigenen Handelns tragen. Verkürzt aus „die ↗ Suppe aussessen, die man sich eingebrockt hat". 18. Jh.

3. ↗ ausgefressen haben.

ausführen *tr* **1.** etw entwenden. Euphemismus. 1600 *ff.*

2. ein neues Kleidungsstück in der Öffentlichkeit tragen. Gemeint war ursprünglich wohl der neue Pelzmantel, den man stolzgeschwellt zur Schau trug, als führe man ein rassiges Tier an der Leine. 1900 *ff.*

ausführlich *adv* sich ~ lieben = nach zehn, zwanzig und mehr Ehejahren ein-

ander wie zu Beginn herzen und küssen. 1920 *ff.*

ausfummeln *tr* etw ausdenken, ersinnen. ↗ fummeln. 1950 *ff.*

ausge . . . es hat sich ausgesommert (der Sommer ist zu Ende), ausgeschwiegersohnt (man ist nicht länger Schwiegersohn), ausgefräuleint (man ist nicht länger Jungfrau) usw. Eine im späten 19. Jh (wahrscheinlich in Berlin) aufgekommene Wortbildungsart, mit der das Ende eines Zustands angegeben wird.

ausgebacken *adj* **1.** gewitzigt, lebenserfahren. Eigentlich soviel wie „gargebacken"; von da übertragen auf charakterliche, sittliche Reife, vor allem auf reife Menschenkenntnis. 1950 *ff*, *halbw.*

2. nicht ganz ~ (nit utbackt) = körperlich (geistig) nicht voll entwickelt; charakterlich unreif; nicht zuverlässig. Eigentlich Backwerk, das vorzeitig dem Backofen entnommen wurde. 1700 *ff.*

ausgeben *v* **1.** sich ~ = seine Kräfte verausgaben. Soviel wie „etwas, was man besitzt, weggeben". 1900 *ff.*

2. einen ~ = jn zum Trunk einladen, freihalten. 19. Jh.

ausgebombt *adj* geschlechtlich nicht mehr anziehend. Hergenommen von einem durch Bomben zerstörten und ausgebrannten Gebäude; von da übertragen zur Bedeutung „unansehnlich, reizlos". *Sold* und *ziv* 1940 *ff.* Später in Zusammenhang gebracht mit der ↗ Sexbombe.

ausgebootet sein nicht mehr modisch sein. ↗ ausbooten 1. 1950 *ff.*

ausgebrannt sein 1. kein Geld mehr haben. ↗ abgebrannt sein 1. 1900 *ff.*

2. entkräftet, erschöpft sein. ↗ ausbrennen. 1900 *ff.*

3. am Ende der Leistungskraft sein; ein Versager sein. 1930 *ff.*

ausgebucht sein auf lange Zeit ein Engagement haben; wegen älterer künstlerischer Verpflichtungen keine neuen mehr eingehen können. Stammt aus der Börsen- oder aus der Reisebürosprache: die zur Verfügung stehenden Angebote (Reiseplätze) sind bei Anfrage bereits anderweitig vergeben. 1960 *ff*, Künstlerspr.

ausgebufft *adj* **1.** (vom Geschlechtsverkehr) erschöpft. ↗ puffen. 1900 *ff.*

2. vielerfahren; in allen Schlechtigkeiten und Tricks erfahren. *Vgl* ↗ ausgepufft. 1900 *ff.*

3. nicht mehr neuwertig. 1950 *ff.*

ausgefallen *adj* veraltet; wunderlich, seltsam. ↗ ausfallen 2. Spätestens seit 1900.

ausgefaßt *adj* defloriert. ↗ ausfassen. 1950 *ff.*

ausgefegt *adj* mittellos. Man hat ihm den Beutel gefegt = ihm die Barschaft abgenommen. ↗ fegen = stehlen. 1900 *ff.*

ausgeflippt *adj* **1.** dem Rauschgift verfallen; erfahren im Umgang mit Rauschgift; lebenserfahren. ↗ ausflippen 1. 1968 *ff.*

2. erschöpft, kraftlos, ratlos. Hergenommen vom „Flipper" (= Spielautomat): Die Kugel ist zwischen den beiden Flippern hindurchgelangt und nicht mehr aufs Spielfeld zurückzubringen. 1968 *ff.*

3. überspannt, verstiegen; gedankenverloren. ↗ Ausflipp. 1970 *ff.*

ausgefressen *adj präd* gutgenährt, beleibt. 19. Jh.

ausgefressen haben 1. etw ~ = straffällig geworden sein; etwas Schlechtes getan

haben. Leitet sich her von der naschenden Katze oder steht in Zusammenhang mit dem unter ↗ einbrocken Gesagten. 18. Jh.

2. bei jm ~ = sich jds Wohlwollen verscherzt haben. Bei seinem Gönner hat der Betreffende zum letzten Mal gegessen. 19. Jh.

ausgefuchst *adj* listig, pfiffig, lebenserfahren. Fußt auf der Gestalt des listigen, schlauen Fuchses in der Tierfabel. 1800 *ff.*

ausgegraben sein irgendwo ~ = hochbetagt sein. Fußt auf der Vorstellung von einer ↗ Mumie und hängt wohl mit den Ausgrabungen ägyptischer Pharaonengräber zusammen. 1920 *ff.*

Ausgehe *f* (zielloser) Spaziergang. 1940 *ff.*

ausgehen *intr* gehst du allein oder ganz allein aus? = hast du eine Verabredung mit einem Mädchen, oder gehst du (wirklich) ohne Begleitung aus? *Stud* 1950 *ff.*

ausgeknautscht *adj* **1.** mit allen Tricks und Listen vertraut. Hergenommen von der Zitrone, die bis auf den letzten Tropfen ausgepreßt ist. 1900 *ff.*

2. ~ und ausgelutscht = überaus erfahren. 1900 *ff.*

ausgekniffelt *adj* feinhandwerklich; mit viel Geduld ergründet. ↗ knifflig. 1900 *ff.*

ausgekocht *adj* **1.** gewitzt; erfahren, trickreich, verschlagen. Leitet sich her von der Kochkunst her oder von *jidd* „kochem = weise". 1800 *ff.*

2. noch nicht ~ = noch unentschieden; noch ungeklärt. Weiterentwicklung von „nicht gar" zu „nicht spruchreif". 1950 *ff.*

Ausgekochtheit *f* Gewitztheit, Verschlagenheit. ↗ ausgekocht 1. 1900 *ff.*

ausgekotzt *part* ~ und ausgeschissen sein (aussehen) = bleich aussehen. 1850 *ff.*

ausgelaugt *adj präd* **1.** völlig erschöpft, entkräftet. Heu oder Korn laugt aus, d. h. es verliert an Gehalt durch Liegen an der Luft. 1935 *ff.*

2. wirkungslos geworden. 1950 *ff.*

3. mittellos. *BSD* 1965 *ff.*

ausgeleiert *adj* **1.** nicht mehr fest in den Gelenkbändern; schlaff; entkräftet; verbraucht; alt. Meint eigentlich „durch Leiern (= Bewegen einer Kurbel o. ä.) schadhaft geworden"; man spricht von einem ausgeleierten Kugellager oder Türschloß. 1900 *ff.*

2. ohne (früher vorhanden gewesene) Form; ohne innere Bindung. Kann sich beispielsweise sowohl auf eine Bügelfalte als auch auf eine Ehe beziehen. 1930 *ff.*

3. nicht mehr gegenwartsnah; modernen Anforderungen nicht mehr entsprechend. 1950 *ff.*

ausgelitten haben das Spiel verloren haben. Seit dem späten 19. Jh.

ausgelutscht *adj* **1.** mit allen Tricks und Listen vertraut. *Vgl* ↗ ausgeknautscht. 1900 *ff.*

2. abgespannt, kraftlos, bleich, hager. Spielt wohl auf die Potenz des Mannes an. 1870 *ff.*

3. wie ~ aussehen = krank aussehen. 1870 *ff.*

ausgemacht *adj* sehr groß (im Sinne einer allgemeinen Verstärkung, z. B.: Der X. ist ein ausgemachter Idiot). Was ausgemacht ist, ist vereinbart und festgesetzt, mithin feststehend und unzweifelhaft. 1900 *ff.*

ausgemeckt *adj* pfiffig, vielerfahren. Fußt auf „Meck", dem Ruf des (Ziegen-)Bocks, und spielt auf reiche geschlechtliche Erfahrung an. 1850 *ff.*

ausgepicht *adj* **1.** trinkfest. Der Betreffende ist „dicht" wie ein Faß, das man ausgepicht (= mit Pech abgedichtet) hat. *Vgl* auch ↗picheln. 18. Jh.
2. erfahren, unempfindlich. 18. Jh.

ausgepufft *adj* verschlagen, listig, pfiffig. Bezieht sich entweder auf „Puff = Stoß" (also parallel zu „verschlagen") oder spielt an auf „puffen = koitieren" (also = im Geschlechtsverkehr erfahren). 1900 *ff.*

ausgepumpt *adj präd* **1.** erschöpft. ↗auspumpen. 1870 *ff.*
2. mittellos. Von körperlicher Entkräftung übertragen auf geldliche Erschöpfung. 1920 *ff.*

ausgerechnet *adv* **1.** seltsamerweise, paradoxerweise. Z. B.: Bei der Verlosung gewann ausgerechnet der Vegetarier ein Schwein. Etwa seit 1850.
2. ~ Bananen! = sonderbarerweise gerade dies! Anfang des *dt* Kehrreims eines amerikanischen Schlagers („Yes, we have no bananas"). Ein Mädchen schenkt einem jungen Mann Bananen; er faßt es als geschlechtliche Anspielung auf. 1920 *ff.*

ausgesäckelt *adj präd* mittellos und beischlafunfähig. „Sack" meint sowohl den Geldbeutel als auch den Hodensack. 1910 *ff.*

ausgeschamt *adj* unverschämt, schamlos, hemmungslos, roh. Hergenommen vom Zustand eines, der sich nicht mehr schämen kann. *Oberd* 18. Jh.

ausgeschissen haben **1.** dem Tode nahe sein; tot sein. Man hat zum letzten Mal seine Notdurft verrichtet. 1910 *ff.*
2. die Achtung bei den Leuten verloren haben; im Spiel der Verlierer sein. *Vgl* das Gegenwort ↗einscheißen. 1910 *ff.*
3. ~ bis zum letzten Kaisermanöver = sich das Wohlwollen verscherzt haben. *Stud* 1910 *ff.*
4. ~ bis zur nächsten Steinzeit = die Gunst gänzlich verloren haben. 1920 *ff.*

ausgespielt haben nichts mehr gelten; sein Ansehen verloren haben. Der Betreffende hat seine Rolle im gesellschaftlichen Leben zu Ende gespielt. 1900 *ff.*

ausgespitzt *adj* pfiffig, schlau, vielerfahren. ↗spitzen = spähen. 1930 *ff.*

ausgespuckt *part* aussehen wie ~ = bleich, kränklich, übernächtigt aussehen. 1900 *ff.*

ausgesuzelt *adj* mager, ausgehungert, unansehnlich. Suzeln = saugen. Spielt wohl auf die Potenz des Mannes an. 19. Jh.

ausgewachsen *adj* sehr groß (du ausgewachsenes Rindvieh! so ein ausgewachsener Unsinn!). Soviel wie „erwachsen", „groß und kräftig gewachsen". 1920 *ff.*

ausgewalzt *adj* allbekannt; bis zum Überdruß bekannt. Hergenommen von der Walze der Drehorgel. 1930 *ff.*

ausgewaschen *adj* erschöpft. ↗ausgelaugt 1. 1900 *ff, nordd.*

ausgewechselt *part* wie ~ sein = völlig verändert sein; nicht wiederzuerkennen sein. Fußt auf der abergläubischen Vorstellung vom Wechselbalg: Mißgeburten beruhen auf Vertauschen des normalen Kindes gegen ein mißgestaltetes durch Unholde. 19. Jh.

ausgewichst *adj* vielerfahren, schlau. Fußt auf „wichsen", entweder in der Bedeutung „schlagen" oder „koitieren". 1900 *ff.*

ausgewrungen *adj* entkräftet, matt. 1930 *ff.*

ausgezählt werden **1.** seine Geltung eingebüßt haben; völlig erledigt sein. Hergenommen vom Boxkampf, bei dem der Verlierer ausgezählt wird. 1955 *ff, jug.*
2. vor Schreck, Überraschung oder Verwunderung völlig seine klare Überlegung verlieren. 1955 *ff, jug.*

Ausgleichssport *m* Geschlechtsverkehr als Ergänzung der beruflichen Tätigkeit. Meint eigentlich den Sport als Gegengewicht zu berufsüblicher körperlicher Einseitigkeit. 1940 *ff.*

ausglitschen *intr* **1.** ausgleiten. ↗glitschen. 1500 *ff.*
2. gegen die Anstandsregeln verstoßen. Soviel wie „auf dem glatten Parkett ausrutschen". Seit dem späten 19. Jh.
3. sittlich sinken; sich auf unlautere Machenschaften einlassen. 1970 *ff.*

ausgraben *tr* **1.** mit jm neuerlich Beziehungen anknüpfen. Von der Ausgrabung eines Toten übertragen auf das Wiederfinden eines alten Bekannten. 1900 *ff.*
2. ein lange vergessenes Theaterstück wiederaufführen. 1920 *ff.*

ausgreifen *tr* **1.** jn einer Leibesvisitation unterziehen. *Oberd* 19. Jh.
2. jn intim betasten. 19. Jh.
3. jn ausfragen, verhören, zu ergründen suchen. *Sold* 1939 *ff.*

ausgustieren *intr* lange Zeit zum Farbengeben und Aussspielen benötigen. „Ausgustieren" (= ausrichten; genau einstellen) ist hier überlagert von „gustieren = kosten". *Österr* 1950 *ff,* Kartenspielerspr.

aushaben *tr* **1.** mit etw fertig sein (er hat die Lehre aus). 19. Jh.
2. etw ausgelesen, zu Ende gesungen haben. 18. Jh.
3. etw ausgetrunken haben. 18. Jh.
4. ein Kleidungsstück ausgezogen haben. 19. Jh.
5. *intr* = dienstfrei haben. Gekürzt aus „Ausgang haben". 19. Jh.

aushaken *intr* **1.** es hakt bei ihm aus = a) er verliert die Geduld; er wird einer Sache überdrüssig. Hergenommen vom Reißverschluß, bei dem ein Glied nicht mehr greift. Seit frühen 20. Jh. – b) es übersteigt sein Auffassungsvermögen; er hat dafür kein Verständnis; er vergißt etwas, ist begriffsstutzig. 1910 *ff.* – c) er verliert die Beherrschung. 1910 *ff.*
2. es hat ausgehakt = die Sache nimmt keinen Fortgang; es ist Schluß. 1910 *ff.*

aushängen *v* **1.** *intr* = als Heiratswillige öffentlich bekanntgemacht sein. Hergenommen von dem Aushängekasten, in dem der Standesbeamte die Aufgebote bekanntgibt. Seit dem späten 19. Jh.
2. *tr* = etw stehlen. Bezieht sich ursprünglich auf den Diebstahl von Hängendem oder Eingehängtem (Taschenuhr, Schaukasten usw.). 1900 *ff.*

aushauen *v* **1.** genügen, ausreichen. Leitet sich her vom Ausschlag des Pendelwaage. 19. Jh.
2. jn ~ = jn verprügeln. Leitet sich wohl vom Schlachten her: jedes Teil wird herausgetrennt, wenn man gründlich zu Werke geht. 1500 *ff.*

aushäusig *adj* außer Haus; gern an Vergnügungen außerhalb der Wohnung teilnehmend. 19. Jh.

ausheheln *tr* jn (etw) ~ = jn (etw) hinfäl-

lig machen; jds Scheitern herbeiführen. 1965 *ff.*

aushecken *tr* etw ersinnen. Hecken = brüten. 1650 *ff.*

Aushilfe *f* Gelegenheitsfreund(in). Man nimmt mit ihm (ihr) vorlieb, wenn der (die) „Feste" nicht anwesend ist. *Halbw* 1960 *ff.*

ausholen *tr* jn ausfragen, ausforschen, vernehmen. Verkürzt aus „jm ein Geheimnis, eine Äußerung, ein Geständnis entlocken". 14. Jh.

aushosen *v* **1.** jn ~ = jm die Hosen ausziehen. 1900 *ff.*
2. jn ~ = jn ausplündern, schröpfen. Meint entweder, daß man dem Betreffenden die Hosentaschen leert oder daß man ihm sogar die Hose raubt. 1900 *ff.*
3. jn ~ = bei jm alles pfändbare Hab und Gut beschlagnahmen. 1900 *ff.*
4. sich ~ = sich auskleiden. 1900 *ff.*
5. sich ~ = im Freien koten. 1900 *ff.*

aushunzen *tr* jn ausschimpfen. Eigentlich müßte „aushundsen" geschrieben werden; denn die Vokabel meint „jn einen Hund nennen", und „Hund" ist ein starkes Schimpfwort. 1700 *ff.*

aushusten *tr* **1.** einem Redner oder Sänger durch kräftiges Husten Mißfallen bekunden. 18. Jh.
2. ein Geständnis ablegen. Parallel zu ↗auskotzen, ↗ausscheißen usw. 1900 *ff, rotw.*

'aus'ixen *tr* **1.** auf der Schreibmaschine mittels der X-Taste durchstreichen. 1920 *ff.*
2. etw ungeschehen machen. 1950 *ff.*

auskacken *v* **1.** ausgekackt haben = erschöpft sein; nicht weiterkönnen; tot sein. 18. Jh.
2. sich ~ = a) gründlich seine Notdurft verrichten. 19. Jh. – b) sich aussprechen; lange und umständlich berichten. Weiterentwickelt von „sich vom Kot befreien" zu „alles von sich geben, was man weiß". 1900 *ff.*

auskämmen *tr* **1.** Zurückgestellte auf Militärtauglichkeit untersuchen und gegebenenfalls zum Wehrdienst einziehen. Soviel wie „kämmend reinigen; striegeln; hecheln". Parallel zu ↗sieben. 1918 *ff, sold* und *ziv. Gleichbed engl* „to comb out".
2. kampffähige Männer aussuchen, um einen Entlastungsort o. ä. zu unternehmen. *Sold* 1939 *ff.*
3. eine Kartei ~ = eine Kartei sichten, auf den neuesten Stand bringen. 1937 *ff.*

auskarten *v* **1.** *intr* = das Kartenspiel beginnen; ausspielen. 19. Jh.
2. etw ~ = etw heimlich (zum Schaden anderer) vereinbaren. Fußt auf Verabredungen unter Kartenspielern. 1930 *ff.*

auskeilen *v* **1.** *intr* = weglaufen. Hergenommen vom auskeilenden (ausschlagenden) Pferd. 19. Jh.
2. *intr* = ausgelassen, ausschweifend leben. Berührt sich mit „über die ↗Stränge schlagen". 1900 *ff.*
3. jn ~ = jn ausfragen, vernehmen; jm ein Geständnis zu entlocken suchen. Wahrscheinlich geht das ursprünglich vor unter Androhung (Verabreichung) von „↗Keile" (= Prügel). *Rotw* 1922 *ff.*

ausklabüsern *tr* etw ergründen, ermitteln. ↗klamüsern. 1900 *ff.*

ausklammern *tr* **1.** jn als verloren betrachten. Stammt aus der Sprache der Mathematiker. *Sold* 1939 *ff.*

2. jn von etw ausnehmen; jn nicht in Betracht ziehen. 1950 *ff.*

3. jn nicht anerkennen; jn verachten. 1950 *ff.*

4. bei der Erörterung eines Fragenkomplexes bestimmte Einzelgebiete absichtlich (vorerst) beiseite lassen. 1950 *ff.* Beliebte Politikervokabel.

ausklavieren *tr* etw zu ergründen suchen, klarlegen. ↗ klavieren. Meint soviel wie „an den Fingern ausrechnen" und daraus „genau erwägen". 1900 *ff.*

ausklingeln *tr* etw überall bekanntgeben, in aller Leute Mund bringen. Auf dem Lande klingelt (klingelte) der Gemeindediener die öffentlichen Bekanntmachungen aus. Etwa seit dem späten 19. Jh.

ausklinken *v* **1.** *intr tr* koten. Meint technisch „den Sperr-Riegel ausrasten" (Bomben werden zum Abwurf ausgeklinkt); von da übertragen auf den Schließmuskel des Afters. *BSD* 1960 *ff.*

2. *intr tr* Geld hergeben. *Halbw* 1975 *ff.*

3. es klinkt bei ihm aus (er klinkt aus) = er verliert die Beherrschung. 1975 *ff.*

4. *refl* = davongehen; sich von einer Person oder Gruppe trennen. 1970 *ff.*

ausklopfen *tr* **1.** jn verprügeln. Eigentlich klopft man ihm die ↗ Jacke aus. 19. Jh.

2. jn verhören. *Vgl* ↗ abklopfen 2. Auch hier dürfte auf angedrohte oder verabreichte Schläge angespielt sein. 1955 *ff*, *rotw.*

auskneifen *intr* **1.** heimlich davonlaufen; entspringen. Fußt auf „kneifen = zusammenpressen", etwa in dem Sinne, daß man sich dünn macht, um durch einen schmalen Spalt (z. B. in einem Zaun) hindurchzukommen. 1700 *ff.*

2. sich einer Frage nicht stellen; die Beantwortung umgehen. 1920 *ff.*

ausknobeln *tr* **1.** etw ermitteln, ergründen, herausfinden. ↗ knobeln. 19. Jh.

2. etw durch Auszählen an den Knöpfen oder durch Würfeln ermitteln; die Entscheidung dem Zufall überlassen. 1900 *ff.*

auskochen *tr* **1.** etw vorbereiten, heimlich verabreden; ein Gerücht erfinden. Stammt aus der Kochkunst. 1850 *ff.*

2. etw näher erörtern, spruchreif machen. 1950 *ff.*

auskotzen *v* **1.** etw ~ = etw aussagen; ein Geständnis ablegen. Eigentlich „den Mageninhalt von sich geben"; weiterentwickelt zu „alles sagen, was man weiß". 1900 *ff.*

2. jn ~ = niederkommen, gebären. 1800 *ff.*

3. jn ~ = sich jds entledigen. 1930 *ff.*

4. der Motor kotzt seinen letzten Atem aus = der Motor bleibt stehen. 1920 *ff.*

5. sich ~ = sich ausgiebig erbrechen. 19. Jh.

6. sich ~ (sein Innerstes ~) = seinem Groll Luft machen; sich aussprechen. *Vgl* ↗ auskotzen 1. Spätestens seit 1900.

7. sich ~ = eine hohe Karte nach der anderen ausspielen und Stich auf Stich machen. 1900 *ff*, Kartenspielerspr.

auskramen *tr* **1.** Neuigkeiten erzählen; Zurückliegendes berichten; seine Meinung rückhaltlos offenbaren. Hergenommen vom Hausierer, der seinen Warenvorrat ausbreitet; analog zu ↗ auspacken. 1700 *ff.*

2. jn zu einem Geständnis zwingen; ein volles Geständnis erzwingen. 1900 *ff.*

auskratzen *v* **1.** *intr* = davonlaufen, fliehen. ↗ abkratzen 1. Spätestens seit 1800.

2. jn ~ = jn verbotenerweise von der Leibesfrucht befreien. 19. Jh.

3. jn ~ = jm das Geld abgewinnen, rauben. Fußt (übertragen) auf dem Vorhergehenden. 1900 *ff.*

auskriegen *tr* **1.** etw (mühsam oder mit Erleichterung) ausziehen, entfernen, zu Ende lesen können. 19. Jh.

2. etw auslöschen können. 19. Jh.

3. etw leeren können. 19. Jh.

auskübeln *refl* sich aussprechen; seine Meinung äußern. Kübeln = sich erbrechen; daher analog zu ↗ auskotzen 6. 1950 *ff*, schül.

auskuppeln *intr* langsamer als bisher arbeiten; bei der Arbeit Pausen einlegen. Hergenommen vom Motor: man löst die Verbindung zwischen Motor und Getriebe. 1920 *ff.*

auslaatschen *tr* **1.** Schuhe durch schlurfenden Gang aus der Form geraten lassen. ↗ laatschen. 19. Jh.

2. etw durch oftmalige Wiederholung wirkungslos machen. 1920 *ff.*

ausladen *v* **1.** sich aussprechen. Parallel zu ↗ auspacken und zu ↗ auskramen 1. 1900 *ff.*

2. jn ~ = die an jn ergangene Einladung rückgängig machen. Scherzhaftes Gegenwort zu „einladen". Seit dem späten 19. Jh.

Auslage *f* schöne ~ = schöner (großer, weit dekolletierter) Frauenbusen. Meint eigentlich die im Schaufenster ausliegenden Waren. 19. Jh.

Auslagenbummel *m* gemächliches Besichtigen der Schaufensterauslagen. ↗ Bummel 1. 1900 *ff.*

ausländisch reden 1. Fremdsprachen beherrschen. 1900 *ff.*

2. unsinnig sich äußern. Ausländisches gilt als unverständlich, und Unverständliches gilt als unverständig. 1900 *ff.*

auslassen *tr* **1.** ein Kleidungsstück nicht anziehen. Gekürzt aus „ausgezogen lassen". 19. Jh.

2. einen Darmwind entweichen lassen. Auslassen = freilassen. 19. Jh.

3. wo haben sie dich ausgelassen? Frage an einen Zornigen. Man vermutet, der Betreffende sei aus einem Käfig für wilde Tiere oder aus einer Nervenheilanstalt freigelassen worden. 1930 *ff.*

4. nichts ~ = a) nicht freigebig sein. Soviel wie „nichts herauslassen" (aus dem Geldbeutel o. ä.). *Oberd.* 1900 *ff.* – b) jede sich bietende Gelegenheit (zum Geschlechtsverkehr) wahrnehmen; sich nicht beherrschen können. *Südd*, spätestens seit 1960.

5. laß mich aus! = laß mich in Ruhe! hör auf damit! ich mag davon nichts wissen! ich glaube dir kein Wort! *Oberd* 1900 *ff.*

auslasten *tr* jn mit Nutzen voll beschäftigen; jds Arbeitskraft restlos beanspruchen. Übertragen von dem möglichst gleichmäßigen Verteilen einer Wagenladung. 1950 *ff.*

Auslauf *m* ~ haben = sich ungehemmt ausleben, austoben. Kommt her vom Pferderenn- und Laufsport: Ist die Ziellinie überschritten, können Pferd oder Läufer den Schwung nicht sofort einhalten; vielmehr laufen beide noch eine Strecke aus,

ehe sie zum Stillstand kommen. Auch die Hühner haben einen Auslauf. 1930 *ff.*

auslaufen *intr* **1.** anhaltend weinen. Hergenommen vom auslaufenden Wasserbehälter. 19. Jh.

2. ausbluten; langsam sterben. *Sold* 1939 *ff.*

3. zu Ende gehen. Leitet sich her vom allmählichen Auslaufen des Motors. 1950 *ff.*

ausleben *refl* sterben, als Soldat fallen. Gemeint ist „sich zu Ende leben"; das Leben „geht aus = erlischt". 1939 *ff.*

ausleiern *intr* die Führung verlieren; nicht mehr festgreifen; sich abnutzen (Mechanismus). ↗ ausgeleiert 1. 1900 *ff.*

Ausleih-Oma *f* Familienhelferin. ↗ Leih-Oma. 1958 *ff.*

ausleuchten *tr* **1.** einen Bühnenkünstler so stark mit dem Scheinwerfer anstrahlen, daß er dem Publikum besonders auffällt. Theaterspr. 1910 *ff.*

2. jn in der Öffentlichkeit stark und nachdrücklich loben. 1920 *ff.*

3. die Lage ~ = die Lage zu klären, zu ergründen trachten. Leitet sich her vom Abschießen von Leuchtraketen, um das Gelände zu erhellen. 1900 *ff.*

auslitern *tr* jm nach und nach sein Geld abnötigen. Der Betreffende wird literweise „abgezapft". Kartenspielerspr. 1900 *ff.*

auslöffeln *tr* **1.** etw leeren, leertrinken. Eigentlich „mit dem Löffel leeren". 1900 *ff.*

2. die Folgen einer Sache tragen. Gehört zu „die ↗ Suppe aussessen, die man sich eingebrockt hat". 1900 *ff.*

auslöschen *tr* jn töten. Sein ↗ Lebenslicht wird ausgelöscht. 1500 *ff.*

ausloten *tr* jds Wesensart ergründen; jn ausforschen. Hergenommen vom Lot (= Senkblei), mit dem man die Wassertiefe mißt. 1930 *ff.*

auslüften *v* **1.** jn ~ = a) jds Vergangenheit nachprüfen. Man läßt frische Luft hineinwehen oder lüftet den Schleier von einem Geheimnis. 1910 *ff*, rotw, polizeispr. und *sold.* – b) jds Gesinnung (Charakter) zu ergründen suchen. 1910 *ff.* – c) jn aus dem Zimmer weisen. Der Betreffende wird „an die frische ↗ Luft gesetzt". 1950 *ff.* – d) jn ausplündern. 1950 *ff.*

2. sich ~ = einen längeren Spaziergang machen; in Urlaub fahren. Seit dem späten 19. Jh.

ausmachen *v* **1.** *tr* = jn derb ausschelten. Etwa soviel wie „jn aus dem Kreis der einwandfreien Leute drängen = jn sittlich erledigen". 16. Jh.

2. *tr* = jn verleumden. 1900 *ff.*

3. *tr* = jn nachahmen und dadurch verspotten. 17. Jh.

4. sich ~ = koten. Meint eigentlich „die Hosen ausziehen"; auch ist „machen" soviel wie „koten". 19. Jh.

ausmähren *v* **1.** *intr* = zu Ende sprechen. ↗ mähren. 19. Jh.

2. sich ~ = weitschweifig und eintönig sich äußern; sich aussprechen. 19. Jh, vorwiegend sächs.

3. mähr dich aus! = bring deine Arbeit endlich zu Ende! *Ostmitteld* 19. Jh.

ausmanövrieren *tr* jds Einfluß lähmen; jn verdrängen. Hergenommen vom manövrierenden Schiff. 1950 *ff.*

ausmelken *tr* **1.** jn ausplündern. ↗ auspacken

2. jn scharf verhören; jn ausfragen; jm Neuigkeiten entlocken. 1900 ff.

3. einen Gesprächsstoff nach allen Richtungen behandeln; eine Sache immer von neuem zur Sprache bringen. 1920 ff.

ausmetern tr ein Mädchen ~ = bei einem Mädchen vorfühlen, wie weit man gehen darf. Vom Messen mit dem Metermaß übertragen auf ein Feststellen. 1955 ff, halbw.

ausmiefen intr lüften. ↗ Mief. Marinespr 1910 ff.

ausmisten v **1.** etw ~ = das Wertlose, Unbrauchbare aussondern; eine vernachlässigte Sache in Ordnung bringen. Meint eigentlich „vom Mist reinigen" (den Stall ausmisten). 1700 ff.

2. die Räume reinigen (Revierreinigen). BSD 1960 ff.

3. jn ~ = jm das Geld durch Falschspiel abgewinnen; jn schröpfen, berauben. 1850 ff.

4. sich ~ = a) koten. 1800 ff. – b) sich aussprechen. 1920 ff.

ausmolschen intr ausschlafen; gründlich nichtstun. ↗ molschen. Ostpreuß 1900 ff.

ausmuffeln intr **1.** seine schlechte Laune abreagieren. ↗ muffeln. 1920 ff.

2. die Interesselosigkeit ablegen. Der Betreffende hört auf, ein ↗ Muffel zu sein. 1965 ff.

ausnehmen tr **1.** jn schröpfen, ausrauben; jm das Geld abgewinnen; jn durch überhöhte Preise betrügen. Hergenommen vom Ausweiden getöteter Tiere. 1500 ff.

2. jn beim Kartenspiel gründlich besiegen. Seit dem späten 19. Jh.

3. jn gründlich ausfragen, scharf verhören. Seit dem späten 19. Jh.

4. jn ausnutzen. 1900 ff.

5. eine ~ = ein Mädchen intim betasten. Hergenommen vom Abtasten eines Huhns nach Eiern oder vom „ausnehmen = zum Kauf aussuchen". 1920 ff.

6. ein Tier ~ = ein Tier kastrieren. Leitet sich her vom Ausnehmen eines Nestes. Seit 1870 ff.

7. jn ~ = a) jn kastrieren. 1933 ff. – b) an einer Frau eine Totaloperation (Entfernung von Gebärmutter und Eierstöcken) vornehmen. 1975 ff (wahrscheinlich älter).

auspacken v **1.** intr = rückhaltlos seine Meinung sagen; ein Geständnis ablegen; Geheimnisse enthüllen; einen oder die Täter beschuldigen. Hergenommen von der vor aller Augen ausgebreiteten Ware. 19. Jh.

2. intr = Vorwürfe vorbringen. 19. Jh.

3. intr = niederkommen. 19. Jh.

4. refl = Striptease vorführen. 1960 ff.

auspapierln tr etw aus dem Papier wickeln. Österr 1900 ff.

auspatschen tr Feuer (o. ä.) ausschlagen, durch Schlagen löschen. ↗ patschen. 1935 ff.

auspauken tr einen Redner mittels Blasinstrumenten zum Verstummen bringen. 1960 ff.

auspegeln v **1.** etw austrinken. ↗ pegeln. 18. Jh.

2. sich zu jm ~ = sich behutsam auf jds Eigenart einstellen. Hängt mit der Bestimmung der Wassertiefe zusammen. Seemannsspr. 1920 ff.

auspellen v **1.** tr refl = entkleiden. ↗ Pelle = Kleidung. Seit dem späten 19. Jh.

2. jn seelisch ~ = jm seine Verfehlungen

---

aufzählen. Der Betreffende wird bloßgestellt. 1900 ff, polizeispr. und sold.

auspicken intr ausbrechen, flüchten; heimlich weggehen. Hergenommen vom Vogeljungen, das durch Picken mit dem Schnabel (Eizahn) sich aus dem Ei befreit. 1900 ff.

auspissen v **1.** etw ~ = etw weitererzählen, ausplaudern. Man gibt die Worte von sich, wie man den Harn von sich gibt. 19. Jh.

2. refl = a) harnen. 1800 ff (wohl erheblich älter). – b) ein volles Geständnis ablegen. Vgl ↗ auspissen 1. 1830 ff.

ausposaunen tr etw prahlerisch bekanntgeben. Fußt auf Matthäus 6,2. 1700 ff.

auspowern tr **1.** jn arm machen, schröpfen, ausbeuten. Wird mundartlich vor allem vom Erdboden gesagt, der ausgemergelt oder unfruchtbar wird. ↗ power. 1900 ff.

2. etw völlig auswerten. 1900 ff.

auspredigen tr eine Karte bis zum äußersten ausreizen und dann passen. Anspielung auf die Predigt, die den Bibeltext bis ins letzte verwertet. Kartenspielerspr. 1900 ff.

Auspuff m **1.** After. Meint in der Technik eine Öffnung, durch die Gase entweichen. 1900 ff.

2. entweichender Darmwind. 1920 ff.

3. den ~ einziehen = sich ermannen. Etwa soviel wie „die Gesäßhälften zusammendrücken, den Schließmuskel an- und einziehen". Sold 1939 ff, sportl 1945 ff.

4. einen nervösen ~ haben = a) entweichende Darmwinde nicht unterdrücken können. 1920 ff. – b) Angst haben. Sold 1939 ff.

5. am ~ kleben (~ riechen) = dem vorausfahrenden Kraftfahrzeug zu dicht folgen. 1950 ff.

6. jn in den ~ sehen lassen = jm im Fahren überholen. 1930 ff, kraftfahrerspr.

7. jm den ~ zeigen = a) jm mit dem Auto überholen. 1930 ff. – b) jm durch Zukehren des Gesäßes seine Verachtung bekunden. 1930 ff.

Auspuffbestie f Kraftfahrer, dessen Wagen Gestank hinterläßt, dessen Motorrad (mit geöffnetem Auspuff) überlaut lärmt, usw. ↗ Bestie. 1920 ff.

Auspuffengel m Motorradmitfahrerin. Ein „Engel" (Kosewort für ein Mädchen), der über dem Auspuff sitzt. 1920 ff.

Auspuffhexe f Moped- oder Motorradmitfahrerin. Halbw 1955 ff.

Auspuffsünder m Autofahrer, dessen Wagen zuviel Auspuffgase verströmt. ↗ Sünder. 1960 ff.

Auspuffzahn m Moped-, Motorradmitfahrerin. ↗ Zahn 3. Halbw 1955 ff.

auspumpen tr **1.** jn ~ = jn gründlich ausfragen, aushorchen. Meint eigentlich „leerpumpen", dann übertragen auf das Verhör eines Verdächtigen, auf die Wissensprüfung eines Kandidaten o. ä. Seit dem späten 19. Jh.

2. jn ~ = jn entkräften; jds Schaffenskraft übergebührlich ausnutzen. 1870 ff.

3. etw ~ = etw von jm entleihen. ↗ pumpen. 1800 ff.

auspunkten tr **1.** jm eine militärische Niederlage bereiten; jn außer Gefecht setzen; jn überbieten, überflügeln. Hergenommen vom Boxsport: der Gegner wird zur Auf-

---

gabe gezwungen, wird nach Punkten besiegt. 1920 ff.

2. jn scharf zurechtweisen. Fußt entweder auf dem Vorhergehenden oder leitet sich im engeren Sinne von Strafpunkten her. 1939 ff, sold und stud.

3. etw ~ = etw durch Tests festzustellen suchen. Die Ergebnisse werden nach Punkten bewertet. 1950 ff.

ausputzen v **1.** intr = viel essen. ↗ wegputzen. 1900 ff.

2. intr = den Torraum verteidigen. Der Spieler hat ihn vom Gegner freizumachen oder freizuhalten. Sportl 1950 ff.

3. jn ~ = jn zurechtweisen. Ursprünglich soviel wie „jn mit Ruten abputzen = jn prügeln"; von da weiterentwickelt im Sinne der Gleichsetzung von „prügeln" und „tadeln". 1500 ff.

Ausputzer m **1.** Verweis. ↗ ausputzen 3. 17. Jh.

2. Fußballspieler, der den eigenen Torraum vom Gegner möglichst freizuhalten hat. 1950 ff.

3. Hilfskraft, Ersatzperson. 1970 ff.

4. wendiger Politiker; vermittelnde Partei. 1970 ff.

5. Klassensprecher. Schül 1970 ff.

6. Mensch, der sich freihalten läßt; Schmarotzer. Analog zu ↗ Abstauber 6. 1920 ff.

ausquetschen v **1.** jn ~ = jn ausfragen, verhören, streng prüfen. Übertragen vom Auspressen der Zitronen o. ä. 1900 ff, schül und polizeispr.

2. sich ~ = sich ausdrücken, aussprechen. 1800 ff.

ausradieren tr **1.** etw dem Erdboden gleichmachen. Wie mit einem Radiergummi in der Landkarte tilgen wollte Hitler die englische Stadt Coventry. 1940 ff.

2. jn verdrängen, unschädlich machen, umbringen. 1940 ff.

ausrangieren tr **1.** etw aussondern, da alt und nutzlos geworden; etw aus dem Gebrauch nehmen. Hergenommen von Postkutschen oder Eisenbahnwagen, die aus dem Verkehr gezogen werden. 1850 ff.

2. jn verdrängen, entlassen; jn nicht länger beschäftigen. 1850 ff.

ausrasen refl ausschweifend leben; sich austoben und -tollen. 1918 ff.

ausrasten intr **1.** fassungslos werden. Eigentlich „sich aus einer Halterung lösen". 1970 ff.

2. dem Zusammenhang mit der bisherigen Umwelt verloren gehen. 1970 ff.

ausräuchern tr **1.** jn vertreiben; jm das Verbleiben verleiden. 1850 ff.

2. die Insassen eines Unterstandes oder Stollens durch Flammenwerfer (oder Gas) kampfunfähig machen. Sold seit 1900.

3. eine Stellung durch einen Volltreffer zum Schweigen bringen. Sold 1939 ff.

4. eine Gruppe ~ = eine Gruppe unschädlich machen. 1920 ff.

ausräumen tr **1.** jm etw ~ = jm etw leerstehlen, ausrauben. Eigentlich auf das Ausrauben von Schränken, Schubladen u. ä. bezogen. 1900 ff.

2. jn ~ = die Leibesfrucht abtreiben. 1900 ff.

Ausrede f **1.** faule (lahme) ~ = nicht stichhaltige Ausrede; erlogene Ausrede. ↗ faul 1. 1500 ff.

2. windige ~ = nichtssagende Ausrede. ↗ windig. 19. Jh.

ausreißen v **1.** *intr* = a) davonlaufen. Hergenommen vom Wasser, das reißend, ungestüm durchbricht. Beeinflußt von „Reißaus nehmen". 1500 ff. – b) vor jm schnell einen Vorsprung gewinnen. Radsportlerspr. 1920 ff.
2. sich einen ~ = sich heftig anstrengen. Wohl gekürzt aus „sich ein ↗Bein ausreißen". 1920 ff.

Ausreißer m **1.** Flüchtender, Geflohener, Deserteur. ↗ausreißen 1. 1800 ff.
2. Minderjähriger, der Elternhaus, Schule oder Arbeitsstätte verläßt oder bereits (heimlich) verlassen hat. 1900 ff.
3. Radsportler, der einen Vorsprung erringt. 1920 ff.

ausreiten tr **1.** eine und dieselbe Farbe so lange spielen, bis alle Karten gefallen sind. Hergenommen vom Pferd, das man in schnellem Galopp sich auslaufen läßt. Kartenspielerspr. 1900 ff.
2. etw ~ = etw wirkungslos machen. Versteht sich nach dem Vorhergehenden. 1930 ff.

ausreizen v **1.** tr = etw voll ausnutzen. Stammt aus dem Wortschatz der Skatspieler; ↗reizen. 1950 ff.
2. refl = bis an die Grenze der körperlichen Leistungskraft gehen. Sportl 1970 ff.

ausrenken tr **1.** jm etw ~ = jm etw abgewöhnen. Meint eigentlich „einen Knochen aus der Gelenkpfanne herausdrehen". Dem Betreffenden soll die üble Angewohnheit gewaltsam ausgetrieben werden. 1900 ff
2. renk dir bloß nichts aus! = stell' dich nicht so ungeschickt an! Auch iron: „tu nicht so langsam!". 1900 ff.

ausrichten v **1.** tr = Leute unterschiedslos erziehen. Hergenommen vom militärischen Begriff „die Front ausrichten" und seit 1933 übertragen auf gleichmacherische Schulung jeglicher Art. In diesem Sinne auch nach 1945 geläufig, vorwiegend in Analogie zu „jn auf ↗Vordermann bringen".
2. tr = üble Nachrede führen. Stammt aus der Gerichtssprache in der Bedeutung „jn aburteilen". Oberd seit dem 16. Jh.

ausrücken intr fliehen, entspringen. Meint eigentlich den militärischen Begriff des Ausmarschierens (im Gegensatz zum Einrücken); hieraus weiterentwickelt zur Bedeutung des heimlichen Weggehens. Seit dem späten 18. Jh.

ausrutschen intr **1.** straffällig werden. Analog zu „zu Fall kommen". 1930 ff.
2. gegen Anstandsregeln verstoßen; sich unpassend verhalten. Der Betreffende gleitet auf der glatten Bahn des gesitteten Benehmens aus. 19. Jh.
3. ausgelassen feiern; den üblichen Lebenswandel durch feucht-fröhliche Feste unterbrechen. Der Betreffende gerät ins Straucheln. 1920 ff.
4. sich zum Geschlechtsverkehr verführen lassen. Stud 1920 ff.
5. ehebrechen. 1920 ff.
6. einen Mißerfolg erleiden; sich in seinen Hoffnungen getäuscht sehen; unerwartet unterliegen. Sportl 1930 ff.
7. eine schlechte Arbeit schreiben; das Klassenziel nicht erreichen. Schül 1950 ff.
8. entkommen. Analog zu „entschlüpfen". Österr 1900 ff.
9. es ist mir ausgerutscht = ich habe es unbedacht gesagt. Die Äußerung ist den

Lippen entschlüpft. Seit dem ausgehenden 19. Jh.

Ausrutscher m **1.** strafbare Handlung. ↗ausrutschen 1. 1930 ff.
2. Unschicklichkeit; Übergriff; schwerer Irrtum; Fehlbeurteilung u. ä. ↗ausrutschen 2. 1900 ff.
3. Nachtschwärmerei, Bordellbesuch u. ä. ↗ausrutschen 3. 1920 ff.
4. Flirt eines (einer) Verheirateten; Ehebruch. 1930 ff.
5. unerwartete sportliche Niederlage. Sportl 1930 ff.
6. schlechte Arbeit. Schül 1950 ff.

aussackeln (aussäckeln) v **1.** jn ~ = jm die Taschen leeren; jm Geld abgewinnen; jn plündern. Sack = Geldbeutel = Tasche. 19. Jh.
2. intr = die Geldbörse leeren. 19. Jh.
3. sich ~ = die geldlichen Verhältnisse offenbaren; sich als nicht mehr zahlungsfähig darstellen. Bayr 1930 ff.

aussauen tr jn ausschimpfen. ↗absauen 1. 1900 ff.

ausschaffen tr jm die Tür weisen; jm das Verbleiben verleiden. Dasselbe wie „hinausschaffen". 1500 ff.

ausschälen v **1.** sich ~ = die Oberkleidung ablegen; sich entkleiden. ↗Schale = Kleidung. 19. Jh.
2. jn ~ = jds Wesensart genau ergründen wollen. Der Betreffende wird seelisch entkleidet. 1910 ff.

ausscharren tr jm laut sein Mißfallen bekunden. Studenten scharren mit den Füßen, wenn sie dem Dozenten ihren Unmut zeigen wollen. Spätestens seit 1900.

ausschaukeln v **1.** etw ~ = etw ins Gleichgewicht bringen, wettmachen. ↗schaukeln. 1930 ff.
2. sich ~ = wieder ins seelische Gleichgewicht kommen. 1950 ff.

'aus'schecken v ↗aus'checken; ↗chekken.

ausscheißen v **1.** jn ~ = mit jm nichts mehr zu tun haben wollen. 1900 ff.
2. sich ~ = a) gründlich, ausdauernd die Notdurft verrichten. ↗scheißen 1. 19. Jh. – b) sich derb, rücksichtslos aussprechen. ↗auskacken 2 b. 1900 ff.

ausscheren intr **1.** die Beteiligung aufsagen; sich von einer Gruppe absondern und (fortan) Abstand wahren. Hergenommen vom Schiff, das mit anderen gemeinsam eingeschlagene Fahrtrichtung verläßt. 1900 ff.
2. sich Ruhe gönnen; Urlaub machen. 1920 ff.
3. ~ müssen = den Abort aufsuchen müssen. 1910 ff.

ausschiffen v **1.** jn ~ = jn verdrängen. Parallel entweder zu ↗ausbooten 1. oder zu ↗ausscheißen 1. Etwa seit 1900.
2. sich ~ = a) harnen. ↗schiffen. 1900 ff. – b) sich aussprechen; sein Herz erleichtern. Soviel wie „alles von sich geben, was man drückt". 1900 ff.
3. das schifft sich alles (mit) aus = das geht vorüber; das gibt sich mit der Zeit; das kommt zwangsläufig (wieder) in Ordnung. 1910 ff.

ausschlachten tr **1.** etw bis ins kleinste ausnutzen, verwerten. Hergenommen vom Schlachten, wobei alle Teile verwendet werden. Etwa seit 1870.
2. ein Auto ~ = a) alle verwertbaren Teile eines alten Autos abmontieren und

neu verwerten. 1930 ff. – b) Einzelstücke eines Autos stehlen. 1950 ff.
3. jn ~ = jn schröpfen, ausnutzen. 1920 ff.

ausschlagen intr Eiterpusteln und/oder andere Hautunreinigkeiten bekommen. Hier wird der Hautausschlag mit dem Sprießen der Pflanzen verglichen. 1500 ff.

ausschmeißen tr **1.** jn ~ = jn auswerfen; zum Schluß, als letzter (im Spiel) werfen. ↗schmeißen 1. 16. Jh.

ausschmieren tr **1.** jn prügeln. ↗schmieren. 1700 ff.
2. jn (auch mit unlauteren Mitteln) übertrumpfen, im Spiel um Geld besiegen. Fußt auf der Gleichsetzung Prügel = Niederlage. Im 18. Jh. von Studenten entwickelt; heute allgemein verbreitet.
3. jn verraten, anzeigen, in mißgünstiges Gerede bringen, anherrschen, ausschimpfen. Vgl ↗anscheißen 4. 1900 ff.
4. jn hinterrücks verdrängen. 1900 ff.
5. jn betrügen, überlisten, hintergehen; eine Verabredung nicht einhalten; ein Eheversprechen nicht einlösen. Versteht sich nach ↗ausschmieren 2., soll jedoch vom Geschlechtsverkehr abzuleiten sein, dessen Unterbrechung vereinbart, aber nicht eingehalten wurde. 19. Jh.
6. etw aus fremden Büchern o. ä. abschreiben. ↗schmieren. 18. Jh.
7. sich ~ = koitieren (vom Mann gesagt). Schmiere = Sperma. Rotw 1950 ff.
8. mich hat es mächtig ausgeschmiert = ich habe großen Schaden davongetragen. ↗ausschmieren 2. Seit dem späten 19. Jh.

ausschnackeln intr es hat bei mir ausgeschnackelt = meine Geduld ist erschöpft. ↗schnackeln. Oberd 1920 ff.

ausschnappen intr nicht länger gekränkt sein. Scherzhaftes Gegenwort zu ↗einschnappen. Bayr 1930 ff.

ausschnapsen tr etw aushandeln, beraten, bereinigen. Leitet sich von dem Kartenspiel „Schnapsen" her und steht in Analogie zu ↗auskarten 2. 1920 ff.

ausschneiden tr **1.** du bist wohl lange nicht ausgeschnitten worden?: Drohfrage. Ausschneiden = die Hoden leeren; kastrieren. 1960 ff.
2. dich schneide ich aus, wie du's haben willst!: Drohrede. 1960 ff.

Ausschnitt m **1.** ~ bis ins Bodenlose = sehr tiefes Dekolleté. 1960 ff.
2. wohlgefüllter ~ = Dekolleté, das einen üppigen Busen erkennen läßt. 1955 ff.
3. auf den ~ sitzen = ein tiefes Rückendekolleté tragen. 1940 ff.

Ausschreier m Verkäufer auf dem Jahrmarkt. 1920 ff.

ausschroten tr etw weitläufig behandeln, ganz ausnützen. Schrot ist das grobgemahlene Korn für Viehfutter. Ausschroten = stark ausmahlen. 1900 ff.

ausschütteln tr jn scharf verhören, zu einem Geständnis zwingen. Der Betreffende wird nachdrücklich aus den „↗Lumpen" geschüttelt. 1933 ff.

ausschütten tr etw schenken. Ausgeschüttet werden das Füllhorn, die Dividende usw. Halbw 1955 ff.

ausschwefeln tr **1.** jn aus seinem Schlupfwinkel vertreiben. Ungeziefer wird mittels Schwefeldämpfen vertrieben. Seit dem späten 19. Jh.
2. den Gegner mit Flammenwerfern bekämpfen. Sold 1915 ff.

Auße f Ausgangserlaubnis. Aus der Soldatensprache (1940) von den Halbwüchsigen seit 1955 übernommen.

aussehen intr **1.** so siehst du aus!: Ausdruck der Ablehnung. Entstanden etwa aus „so siehst du aus, als möchtest du das haben; aber daraus wird nichts!" Seit dem späten 19. Jh, wohl von Berlin ausgegangen. **2.** er sieht nicht aus = er sieht nicht gut aus, sieht kränklich aus. 1955 ff. **3.** nicht gut ~ = a) ein schlechtes Spiel liefern. Sportl 1950 ff. – b) im Nachteil sein; in seiner Stellung erschüttert sein. 1970 ff. **4.** jn schlecht ~ lassen = jm den Sieg erschweren. Sportl 1950 ff. **5.** nachher schaust (siehst) du lieb aus!: Drohrede. Wohl Anspielung auf das Aussehen eines, der geprügelt worden ist. 1930 ff, österr.

aussein intr **1.** fortgegangen sein. Gekürzt aus „ausgegangen sein". 18. Jh. **2.** erloschen sein. 18. Jh. **3.** nicht mehr vorhanden sein; ausverkauft sein. Die Ware ist aus den Regalen genommen, aus dem Haus getragen worden. Bayr 1930 ff. **4.** entkleidet sein. 19. Jh. **5.** aus ist und gar is (manchmal mit dem Zusatz: „und schad, daß's wahr is") = es ist vorbei. Bayr 1930 ff. **6.** auf etw ~ = etw zu bekommen suchen; nach etw streben. Verkürzt aus „auf etw ausgegangen sein" = ein Ziel verfolgen" (der Jäger geht auf das Wildschwein aus). 16. Jh.

Außenspringer m Ehebrecher. Bespringen = koitieren. 1930 ff.

außerhalbsch ajd zugereist, nicht einheimisch; nur kurze Zeit (als Urlaubsgast) am Ort. Der Zugereiste kommt von außerhalb. 19. Jh.

äußerln führen tr etw spazierenführen; den Hund auf die Straße führen. Österr 1900 ff.

äußerln gehen intr mit dem Hund auf die Straße gehen; spazieren gehen. Österr 1900 ff.

Aussicht f schlechte ~en haben = sich in abgedunkelter Arrestzelle befinden. Wortspielerei mit verschiedenen Bedeutungen desselben Wortes: Aussicht = a) Blick ins Freie; = b) Erwartung, Hoffnung o. ä. 1910 ff.

aussichtsreich adj tief und weit dekolletiert. 1920 ff.

aussingen tr auf jn ein Spottlied singen. Vgl ↗ansingen 2. Bayr 1930 ff.

ausspannen v **1.** etw ~ = etw entwenden; etw widerrechtlich an sich nehmen. Hergenommen vom Ausspannen der Pferde. 1500 ff. **2.** jn ~ = jm einen Menschen abspenstig machen. 19. Jh. **3.** intr = sich erholen (entspannen); für längere Zeit die Arbeit aussetzen. Man spannt die Pferde aus, wenn man eine längere Pause einlegen will. 18. Jh.

ausspielen tr jn besiegen. Der im Wettkampfspiel Unterlegene scheidet aus. 1950 ff, sportl.

Aussprache f **1.** ~ von Mann zu Mann = Nahkampf. Euphemismus. Sold 1939 ff. **2.** saftige ~ = mit Geifern verbundenes Sprechen. Anspielung auf den Speichelsaft. 1950 ff.

3. eine feuchte (nasse) ~ haben = beim Sprechen Speichel versprühen. 1900 ff.

ausspucken tr **1.** etw in großer Menge herstellen, auswerfen. Der Goldesel in Grimms Märchen „speit Goldstücke aus, hinten und vorn". Bei einem Treffer wirft der Automat Münzen aus. 1900 ff. **2.** Geld hergeben, ausgeben. 19. Jh. **3.** etw aussprechen, aussagen, melden; ein Geständnis ablegen. Man gibt es von sich wie den Speichel. 1900 ff. Vgl engl „to spit out". **4.** Geschosse ~ = feuern. ↗spucken. Sold 1939 ff. **5.** das Radio spuckt einen Schlager aus = im Rundfunk wird ein Schlagerlied gespielt. 1930 ff.

ausstaffieren v **1.** tr refl = ausstatten; sich geschmacklos kleiden. Fußt auf altfranz „estofer = ausschmücken". Die wertmindernde Bedeutung taucht im 18. Jh auf. **2.** refl = sich zum Dienst fertigmachen. BSD 1960 ff. **3.** gut ausstaffiert sein = a) einen stattlichen Penis besitzen. 1500 ff. – b) eine wohlproportionierte Figur haben; kräftig, wohlbeleibt sein. 1900 ff.

ausstehen intr die Arbeit niederlegen; sich nicht länger beteiligen. Gehört zu „Ausstand = Ausscheiden aus dem Beschäftigungsverhältnis; Streik". Österr 1800 ff.

aussteigen v **1.** intr = a) die Mitarbeit einstellen; von einem Vorhaben zurücktreten; den Umgang mit einem Menschen abbrechen; die Familie verlassen. Hergenommen vom Aussteigen aus einem Boot o. ä.: man verweigert die weitere Mitfahrt. Vgl das Gegenwort ↗einsteigen. 1910 ff. – b) aus einem Flugzeug mit dem Fallschirm abspringen. Sold 1935 ff. – c) im Beruf aufgeben. 1920 ff. – d) fliehen. 1930 ff. – e) das Studium vorzeitig beenden. 1920 ff. – f) sich des Rauschgifts entwöhnen. 1968 ff. **2.** jn ~ lassen = a) jn aus dem fahrenden Fahrzeug werfen. Ironie. 1920 ff. – b) jn umspielen, in einem Wettkampf besiegen, überrunden. Analog zu ↗ausbooten 2. 1950 ff.

Aussteiger m **1.** Mann, der sein Amt niederlegt. ↗aussteigen 1. 1950 ff. **2.** Mensch, der sich der herrschenden Gesellschaftsordnung entzieht, „alternativ" lebt. 1975 ff.

Aussterbeetat m **1.** auf den ~ kommen = bei Lebzeiten beruflich (gesundheitlich) nichts mehr gelten. Aussterbeetat = Planstelle im öffentlichen Haushalt, die mit dem Ausscheiden des Inhabers erlischt. 19. Jh. **2.** etw auf den ~ setzen = etw zum Weggeben, Wegwerfen oder Eingehen bestimmen. 19. Jh. **3.** auf dem ~ stehen = a) zur Enthebung vom Posten vorgesehen sein. 1900 ff. – b) keine Aussicht auf Beförderung (mehr) haben. 19. Jh.

Ausstieg m Kündigung der Beteiligung; Verweigerung der weiteren Mitarbeit; Loslösung vom Gesellschaftsform, vom Lebensstil. ↗aussteigen 1. 1970 ff.

ausstopfen v laß dich ~ (und ins Museum stellen)!: Ausdruck der Abweisung. Vom Ausstopfen toter Tiere hergenommen. 1850 ff.

ausstoßen v sich etw intern ~ = etw im

Kameradenkreis vereinbaren. Stammt aus der Sportlersprache: intern ausstoßen = unter Ausschluß der Öffentlichkeit boxen. Die Sache wird durch einen internen Faustkampf ausgetragen. 1935 ff, sold und ziv.

ausstrahlen tr dem Mitschüler vorsagen. Hergenommen von der Rundfunktechnik: eine Sendung wird ausgestrahlt. 1920 ff.

Ausstrahlung f Wirkung eines Menschen auf andere. Hergenommen von der Streuung der Lichtstrahlen o. ä. Nach 1945 aufgekommen.

aussuzzeln v **1.** etw ~ = etw leertrinken; etw langsam zu Ende rauchen. Meint eigentlich soviel wie „aussaugen"; ↗suzzeln. 1700 ff. **2.** sich ~ = sich aussprechen; langatmig reden. Halbw 1960 ff.

austauschen tr vom Mitschüler abschreiben. Beschönigung. Schül 1960 ff.

Austauschstudent m Student, der häufig sein Mädchen wechselt. Eigentlich ein Student, der durch den Deutschen Akademischen Austauschdienst einen Freiplatz an einer ausländischen Hochschule innehat. 1930 ff.

Auster f **1.** wortkarger Mensch. Die Auster ist stumm. 1930 ff. **2.** menschlicher Schleimklumpen aus Lunge oder Rachen. Der Vergleichspunkt ist die gallertartige Masse. 19. Jh. **3.** ~ des kleinen Mannes = Muschel. 1950 ff. **4.** betupfte ~ = geschröpfter Prostituiertenkunde. Vgl ↗betuppen. Prost 1945 ff. **5.** Niedergekommene ~ = Berliner Kongreßhalle nach dem Einsturz ihrer Dachkonstruktion (1980). Spiel mit der doppelten Bedeutung des Wortes „niederkommen = zu Boden stürzen" und „niederkommen = entbunden werden", hier bezogen auf das Nachstehende. Berlin 1980 ff. **5 a.** Schwangere ~ = Berliner Kongreßhalle von Hugh A. Stubbins (Beitrag der USA zur Interbau 1957). Wegen ihrer austernschalenähnlichen Dachkonstruktion mit plumpem Unterbau. 1957 ff. Vgl das Vorhergehende. **6.** schwangere ~: Schimpfwort auf einen langsamen Menschen. BSD 1965 ff. **7.** verschlossen wie eine ~ = unnahbar, schweigsam, wortkarg. ↗Auster 1. Etwa seit 1900.

austifteln v ↗austüfteln.

austragen v etw nicht ~ lassen = persönliche Angelegenheiten nicht preisgeben. Der Betreffende läßt nicht alles aus dem ↗Haus tragen und verteilen, wie beispielsweise Zeitungen ausgetragen werden. 1920 ff.

Austrägerin f geschwätzige weibliche Person. Seit dem frühen 20. Jh.

Austrecker m Spieler, der beim Spiel hoch gewinnt. Austrecken = ausziehen. Vgl ↗ausziehen. 18. Jh.

austricksen v **1.** tr = a) jn durch Tricks übertölpeln. ↗tricksen. Nach 1950 aufgekommen. – b) in der Schule täuschen. Schül 1960 ff. **2.** er hat ausgetrickst = mit seinen Betrügereien hat es ein Ende. 1950 ff.

austrocknen tr **1.** jn durch Entziehung der Geldhilfe zum Erliegen bringen. ↗trocken = mittellos. 1955 ff. **2.** jn den Rausch ausschlafen lassen. Anspielung auf „trockenlegen = vom Alkohol entwöhnen". 1955 *ff.*

austrommeln *tr* **1.** jn der Öffentlichkeit anpreisen. Meint eigentlich, daß eine Sache durch Trommelwirbel öffentlich bekanntgemacht wird. 18. Jh.
2. sich gegen einen Redner (o. ä.) mit Poltern empören. Im 16. Jh wurden Prostituierte „ausgetrommelt" (= aus der Stadt verwiesen). 18. Jh.
3. etw ~ = eine Nachricht weitererzählen, ausplaudern. 19. Jh.

austrudeln *v* **1.** etw auswürfeln; durch ein Fingerspiel den Gewinner bestimmen. ↗trudeln = würfeln. 1800 *ff.*
2. etw dem Zufall überlassen. *Sold* 1910 *ff.*
3. *intr* = zu Ende gehen; auslaufen. Meint „bis zum endlichen Stillstand rollen". 1950 *ff.*

austüfteln (austifteln) *tr* etw bis ins kleinste aussinnen, genau feststellen, geduldig und mühsam ergründen. ↗tüfteln. 18. Jh.

austun *tr* etw ausziehen; ein Kleidungsstück ablegen. 1800 *ff.*

Ausverkaufsrummel *m* Betriebsamkeit bei Ausverkäufen. ↗Rummel. 1920 *ff.*

ausverkauft sein kein Geld mehr haben. Bezieht sich in der Kaufmannssprache auf eine Ware, die nicht mehr auf Lager ist. *Schül* 1950 *ff.*

ausverschämt *adj* unverschämt, dreist. Bezeichnet das Verhalten eines, der sich nicht mehr schämen kann. *Vgl* ↗ausgeschamt. 1600 *ff*, nördlich der Mainlinie.

ausverschenken *tr* bei einer Veranstaltung alle (nicht verkauften) Plätze kostenlos vergeben, damit der Raum vollbesetzt ist. Theatersprachliche Variante zu „ausverkaufen" seit dem frühen 20. Jh.

auswachsen *v* es ist zum ~ = es ist unerträglich, zum Verzweifeln. Leitet sich her entweder von der wegen anhaltender Niederschläge mißratenen Ernte (Getreide „wächst aus", Gemüse „schießt") oder meint soviel wie „bucklig werden; aus der Haut fahren". 18. Jh.

auswaggonieren *tr* den Umgang mit jm aufgeben. *Österr* Variante zu „ausrangieren" (= einen Eisenbahnwagen aus dem Verkehr ziehen.) 1900 *ff.*

Auswahlwette *f* akademische ~ = Zulassungsbeschränkung an den Hochschulen (Numerus clausus). Hergenommen von der Lottowette „6 aus 39". *Stud* 1960 *ff.*

auswalzen *tr* etw weitschweifig behandeln. Hergenommen vom Auswalzen von Eisen und Edelmetallen; auch der Teig wird ausgewalzt. 1920 *ff.*

auswärts *adv* **1.** auf ~ = in einer Fremdsprache. 1920 *ff.*
2. ~ geht's noch: Antwort auf die Frage nach dem Befinden. Anspielung auf außereheliche Geschlechtsverkehr. 1960 *ff.*
3. perfekt ~ können (sprechen) = eine Fremdsprache beherrschen (meist *iron*). 1939 *ff.*
4. ~ quatschen (reden) = in einer Fremdsprache reden; sich unverständlich ausdrücken; Mundart sprechen. 1920 *ff.*

Auswärts *n* kein ~ verstehen = keine Fremdsprachenkenntnisse besitzen. 1950 *ff.*

ausweiden *tr* **1.** jn scharf verhören; jn zu einer Aussage zwingen. Meint eigentlich „dem erlegten Tier die Gedärme heraus-

nehmen." Stammt aus der Soldatensprache des Zweiten Weltkriegs, vor allem aus den Verhören von Kriegsgefangenen.
2. jm aus der Tasche alles Wertvolle entwenden; jn berauben. 19. Jh, *rotw.*
3. das Auto ~ = alle verwertbaren Teile des alten Autos zur Weiterverwendung ausbauen. 1930 *ff.*

auswerkeln *intr* abnutzen. ↗Werkelmann; analog zu ↗ausleiern. *Österr* 1900 *ff.*

auswischen *v* jm eins (eine; einen) ~ = **1.** jm einen Schlag, eine Ohrfeige versetzen; jn im Duell verwunden; sich an jm rächen; es jm vergelten. Abgeschwächt aus der alten rohen kriegerischen Sitte, dem Gegner mit dem Daumen ein Auge auszudrücken. 1600 *ff.*
2. jn rügen, moralisch erniedrigen, entwürdigend anherrschen. 1600 *ff.*

auszahlen *v* das zahlt sich nicht aus = das lohnt die Mühe nicht; das endet stets mit einem Mißerfolg (einer Verhaftung u. ä.). Auszahlen = die Arbeitsleistung durch Lohn vergelten. Im 19. Jh in Österreich aufgekommen und seitdem sehr häufig (Gerichtssachberichte, Kriminalromane und -filme; *sold, schül* u. a.) im ganzen *dt* Sprachraum.

auszählen *v* **1.** jn ~ = a) jn im sportlichen Wettkampf besiegen; jn zum Verlierer machen. Hergenommen vom Boxkampf, bei dem der Unterlegene ausgezählt wird. 1920 *ff.* – b) jn streng rügen. 1930 *ff.* – c) jm keine Lebenshoffnung mehr geben. 1950 *ff.*
2. sich ~ = völlig erschöpft sein. Der Betreffende erklärt sich selber für „knockout (k. o.)". *BSD* 1960 *ff.*

Ausziehdame *f* Striptease-Vorführerin; fast nackte weibliche Person. 1955 *ff.*

ausziehen *tr* **1.** jm das Geld abgewinnen; jn berauben. Meint eigentlich „jn entkleiden, nackt machen", auch „nackt" (bar) an Geld. 15. Jh.
2. jn zum Verlierer machen. 1920 *ff.*
3. über jn ein psychologisches Gutachten anfertigen. Die Psyche des Betreffenden wird bloßgelegt. 1950 *ff.*
4. ich will (lasse) mich doch nicht ~ = ich will noch kein Testament machen, will meine Habe nicht vor meinem Tod vergeben. („Man zieht sich nicht aus, bevor man schlafen geht.") 1800 *ff.*

Ausziehkünstlerin *f* Striptease-Vorführerin. 1955 *ff.*

Auszieh-Mädchen *n* **1.** Striptease-Vorführerin o. ä. 1955 *ff.*
2. Filmschauspielerin in Entkleidungsszenen. 1955 *ff.*

auszuckeln *tr* etw aussaugen, auslecken. ↗zuckeln 2. 1900 *ff.*

Auszügler *m* Mann, der aus seiner Stellung ausscheidet. Meint eigentlich den Altenteiler. *Österr* 1950 *ff.*

auszwitschern *tr* **1.** jn veralbern, bespötteln. Hergenommen vom Spatzengezwitscher, das man als Gezänk oder Verspottung deutet. 1910 *ff.*
2. etw leertrinken. ↗zwitschern. 1900 *ff.*

auteln (auten) *intr* autofahren. 1900 *ff.* Wirkt heute unecht-altertümlich.

Autler *m* Autofahrer. 1900 *ff.*

Autlerlatein *n* Kraftfahrersprache. 1900 *ff.* ↗Latein.

Auto *n* **1.** Fahrrad. Gilt dem Nichtautobesit-

zer soviel wie ein Auto. *Schül* 1950 *ff* (wohl älter).
2. Schützenpanzer. *BSD* 1960 *ff.*
3. ~ des kleinen Mannes = a) Fahrrad. 1900 *ff.* – b) Motorrad. 1930 *ff.* – c) Kinderwagen. *Österr* 1955 *ff.*
4. ~ mit 'Patina'ansatz = altes Auto. Hier ist der Rost zu Edelrost gesteigert. 1955 *ff*, *halbw.*
5. angejahrtes ~ = altes Auto. *Halbw* 1955 *ff.*
6. ausgewachsenes ~ = jedes Auto (außer Kleinwagen). 1960 *ff.*
7. dickes ~ = a) viermotoriges Bombenflugzeug. 1939 *ff.* – b) breitgebautes Luxusauto. 1955 *ff.*
8. edles ~ = schnittiger Sportwagen. 1960 *ff.*
9. einäugiges ~ = Auto, das nur mit einem Scheinwerfer fährt. 1960 *ff.*
9 a. krummes ~ = betrügerisch verkauftes Unfallauto. ↗krumm 2. 1970 *ff.*
10. schlaues ~ = Auto mit selbsttätigen (Automatik-)Vorrichtungen. 1955 *ff.*
11. schräges ~ = in Popfarben bemaltes Auto. ↗schräg. *BSD* 1965 *ff.*
12. jn auseinandernehmen wie ein altes ~ = jn psychologisch testen, ausforschen. ↗auseinandernehmen 2. 1960 *ff.*
13. ein ~ ausschlachten (ausweiden) ↗ausschlachten 2; ↗ausweiden 3.
14. da haben sie gerade ein großes Fest gefeiert, weil das erste ~ durchs Dorf fuhr = das ist eine wenig zivilisierte, eine sehr abgelegene Gegend. *BSD* 1960 *ff.*
15. gucken (blicken) wie ein ~ = a) vor Verwunderung die Augen weit aufreißen. Anspielung auf die aufgeblendeten Scheinwerfer. 1920 *ff.* – b) ungerührt dreinschauen. 1950 *ff.*
16. gucken wie ein ~ bei eintretender Dunkelheit = mit weit aufgerissenen Augen blicken. 1920 *ff.*
17. er guckt wie ein ~, bloß nicht so schnell = er hat einen müden, benommenen Blick. *Schül* 1950 *ff.*
18. wie ein umgekipptes ~ gucken = sehr erstaunt blicken. 1955 *ff.*
19. ein ~ knacken = ein Auto aufbrechen (und ausrauben). ↗knacken. 1955 *ff.*
20. ein ~ satteln = ein Auto startbereit machen. Vom Pferd übertragen auf das „Benzinpferd". 1930 *ff.*

Auto-Abitur *n* Fahrprüfung. 1960 *ff.*

Auto-Amazone *f* Autofahrerin; Automitfahrerin; Rennfahrerin. ↗Amazone. 1930 *ff.*

Autobaby *n* Anfänger(in) im Autofahren. ↗Baby. 1958 *ff.*

Autobahnengel *m* Angehöriger des Pannenhilfsdienstes. 1966 *ff.*

Autobahngeier *m* Abschlepper, der die Notlage eines verunglückten Autofahrers rücksichtslos ausnutzt. Wie der Greifvogel ist er auf der Suche nach Beute. 1969 *ff.*

Autobahngeschwür *n* Kleinauto auf der Autobahn. Wie die eitrige Hautanschwellung gilt es als ein Übel. 1960 *ff.*

Autobahnmädchen *n* Mädchen, das von Autobahnbenutzern mitgenommen werden möchte (Prostitutionsabsicht nicht ausgeschlossen). 1960 *ff.*

Autobahnsirene *f* Prostituierte, die an der Autobahn(-Auffahrt) ihre Kundschaft sucht. ↗Sirene. 1955 *ff.*

Autobahntarif *m* Bezahlung nach ~ = Geschlechtsverkehr, mit dem die Mitfahrerin das Mitgenommenwerden abgilt. 1960 ff.

Autobahnwanze f Person, die Autobahnbenutzer um Mitnahme bittet, aber sich nicht erkenntlich zeigt. Sie gilt als lästiges Ungeziefer. 1955 ff.

Autobahnwolf m Kraftfahrer, der weibliche Personen, die um Mitnahme bitten, nur zur Befriedigung geschlechtlicher Wünsche mitnimmt. Er ist reißend wie ein Wolf. 1960 ff.

Autobauch m Beleibtheit von Autofahrern; Beleibtheit infolge Bewegungsmangels. 1955 ff.

Autobeine pl Knöchelschwellungen, Venenentzündungen beim Kraftfahrer. 1930 ff.

'autoben intr sehr rasch fahren. Zusammengesetzt aus „Auto" und „toben"; anklingend an „austoben". 1910 ff. ·-

Autobiene f junge Straßenprostituierte, die sich Kraftfahrern anbietet. ↗ Biene 3. 1960 ff.

autobummeln intr langsam fahren. ↗ bummeln. 1963 ff.

Autobumser m Kraftfahrer, der durch plötzliches Bremsen Autounfälle absichtlich herbeiführt. ↗ bumsen 4 b. 1970 ff.

Auto-Erotik f Austausch von Zärtlichkeiten im Auto. Neue, scherzhafte Deutung des Fachbegriffs der „Autoerotik". 1960 ff.

Autofahrergruß m 1. Berührung der Stirn oder Schläfe mit dem Zeigefinger; Dummheitsgebärde gegenüber einem Verkehrsteilnehmer, der sich ordnungswidrig verhält. Man deutet damit an, daß hinter der Stirn des anderen offensichtlich Unordnung herrscht. 1955 ff. 2. deutscher (neudeutscher) ~ = dasselbe. Beeinflußt vom „Deutschen Gruß" der NS-Zeit. 1955 ff. 3. den deutschen ~ zelebrieren = mit dem Zeigefinger die Stirn oder Schläfe berühren. „Zelebrieren" deutet an, daß die Gebärde zum festen Zeremoniell des Autofahrens bzw. des Autoverkehrs gehört. 1955 ff.

Autofahrerlatein n prahlerische Angaben des Autobesitzers über die (angeblich) außerordentlichen Leistungen seines Wagens. ↗ Latein. 1930 ff.

Autofimmel m Sucht, ein Auto zu besitzen, zu fahren, an ihm zu basteln. ↗ Fimmel 1. 1905 ff.

Autofresser m Auto-Verschrottungsanlage; Presse, in der alte Autos zu mittelgroßen Paketen zusammengedrückt werden. 1963 ff.

Autofriedhof m Verschrottungsplatz für alte Autos. Gegen 1925 aufgekommen.

Autofriseur m Mann, der gestohlene Autos als Diebesgut unkenntlich macht. ↗ frisieren. 1960 ff.

Autoglotzer pl übermäßig große Scheinwerfer am Kraftwagen. ↗ Glotzer. 1955 ff.

Autogramm n 1. Unterschrift. Meint eigentlich die eigenhändige Schrift (Namenszug) einer bekannten Persönlichkeit. 1950 ff. 2. handfestes ~ = Schlag ins Gesicht. Der Abdruck bleibt eine Weile sichtbar. 1960 ff.

Autogrammhyäne f Mensch, der auf den Besitz von Autogrammen versessen ist. Bei jeder passenden (auch: unpassenden) Gelegenheit drängt er sich möglichen Autogrammgebern auf. 1950 ff.

Autogrammjäger m leidenschaftlicher Sammler von Autogrammen. 1950 ff.

Autogrammschlacht f leidenschaftliche Szenen bei der Erteilung von Autogrammen. 1950 ff.

Autogruß m 1. Berührung der Stirn oder Schläfe mit dem Zeigefinger in Richtung eines anderen Verkehrsteilnehmers. ↗ Autofahrergruß 1. 1955 ff. 2. deutscher ~ = dasselbe. 1955 ff.

Autohase m Kraftfahrer. Meint vor allem den erfahrenen; vgl ↗ Hase. 1930 ff.

autokillen tr jn (absichtlich oder unabsichtlich) mit dem Auto überfahren. ↗ killen. 1930 ff.

Autoklau m Autodieb(stahl). ↗ Klau. 1930 ff.

Autoknack (Autoknacken) m (n) Aufbrechen und Ausrauben von Autos. ↗ knacken. 1950 ff.

Autoknacker m Mann, der Autos aufbricht und ausraubt. 1950 ff.

Autokosmetik f Neulackierung eines (gestohlenen) Autos. 1960 ff.

Autokrach m Autozusammenstoß. 1910 ff.

Autokutscher m ~ mit Kniegelenkzündung = Radfahrer. 1925 ff.

Autolatein n 1. Kraftfahrersprache. ↗ Latein. 1930 ff. 2. selbstgefällig-prahlerische Berichte über (angebliche) außergewöhnliche Erlebnisse mit dem Auto, vor allem über die Leistungsfähigkeit des Motors. 1930 ff.

Autolehrling m Fahrschüler. 1950 ff.

Autoliebe f Prostitution im Auto. 1960 ff.

Auto-Lindwurm m lange Autokolonne. ↗ Lindwurm. 1965 ff.

Autolöwe m Stofflöwe (Maskottchen) am Rückfenster des Autos. 1955 ff.

Automat m 1. den ~en füttern = am Spielautomaten spielen. 1930 ff. 2. ~en knacken = Automaten aufbrechen und ausrauben. ↗ knacken. 1910 ff.

Automatenknacker m Mann, der Automaten aufbricht und ausraubt. 1910 ff.

Automatenschreck m mehrmaliger Gewinner an Spielautomaten. 1953 ff.

Automieze f Freundin für gemeinsame Autofahrten. ↗ Mieze. 1960 ff, halbw.

automobil adj präd gesund, frisch, munter, unternehmungslustig. Erweiterung von „mobil = gut aufgelegt". Seit dem frühen 20. Jh bis heute.

Automoppel (Automopperl) n unmodernes Auto. Zusammengesetzt aus „Automobil" und „Moppel" (= Mops = schwerfälliger, langsamer Hund). Seit dem frühen 20. Jh.

Autonutte f Prostituierte, die von ihrem Auto aus Männer anspricht oder zu ihrem „Freier" ins Auto steigt. ↗ Nutte. 1960 ff.

Autoprostitution f Prostitution, bei der sich die Frauen vom Auto aus ansprechen lassen oder im Auto auf Kundenfang ausgehen oder im Auto die Kunden bedienen. 1960 ff aufgekommen.

Autoquäke f Rundfunkgerät im Auto. ↗ quäken. 1935 ff.

Autoratte f weibliche Person, die vorüberfahrende Kraftfahrer anhält und um Mitnahme bittet. Wie die Ratte, gilt sie als lästiges, unsympathisches Lebewesen. 1930 ff.

Autoritätsduselei f wirklichkeitsfremde Verherrlichung (Verehrung) der Autorität. ↗ Duselei. 1950 ff.

Autorowdy m rücksichtsloser Kraftfahrer. ↗ Rowdy. 1930 ff.

Autorüpel m rücksichtsloser Kraftfahrer. ↗ Rüpel. 1930 ff.

Autosalat m 1. Autozusammenstoß mit erheblichen Beschädigungen. ↗ Salat. 1930 ff. 2. Gedränge von Autos. 1965 ff.

Autoschlachter m Autodieb, der von Autos wertvolle Teile abmontiert oder ausbaut und an Hehler verkauft. Schlachter = Metzger; vgl ↗ ausschlachten 2. 1930 ff.

Autoschlachthof m Verschrottungsplatz für ausgediente Autos. 1920 ff.

Autoschlange f lange Autokolonne. 1930 ff.

Autoschneider m Karosseriebauer, -gestalter. Karosserie = Kleid des Autos. 1955 ff.

Autosilo m Hochgarage, Parkhaus. 1955 ff.

Autostrich m 1. Prostitution in einem Auto oder mittels eines Autos. ↗ Strich. 1955 ff. 2. bestimmte Wegstrecke, an der Prostituierte sich zur Mitnahme im Auto anbieten oder im eigenen Wagen gemächlich entlangfahren. 1955 ff.

'Auto-Suggestion f immer erneut genährte Vorstellung, ohne Auto sei man den anderen gesellschaftlich unterlegen. Neue scherzhafte Bedeutung des medizinisch-psychologischen Begriffs der Autosuggestion. 1950 ff.

Autosünder m Autofahrer, der gegen die Straßenverkehrsordnung verstößt. ↗ Sünder. 1930 ff.

Autoveteran m 1. altes Auto aus der Frühzeit des Automobilismus. Dem Begriff „Kriegsveteran" nachgebildet. 1920 ff. 2. schrottreifes Auto. 1965 ff.

Autowrack n ausgedientes, schrottreifes Auto. Wrack ist das unbrauchbar gewordene Schiff. 1930 ff.

autsch interj Ausruf bei leichtem körperlichem Schmerz. Der Naturlaut „au" ist hier um eine Zischlautverbindung erweitert. 19. Jh.

A'weck (Avec) m 1. Reizvolles, Anreiz. Franz „avec = mit". In der Studentensprache besagt die Verdoppelung „mit Avec schlagen" soviel wie „mit Erfolg schlagen", und „Avec" ist der entscheidende Hieb, die entscheidende Wunde. Hieraus entwickelte sich – wahrscheinlich auf Berliner Boden – die Bedeutung „Schwung". 19. Jh. 2. Schnaps. Er vermittelt „Schwung" und feuert an. Sold in beiden Weltkriegen. 3. weiblicher Anhang. Stud 1900 ff. 4. mit ~ = mit Schwung; geschickt; elegant. 1840 ff. 5. mit allem ~ = mit allem Zubehör. Österr 1950 ff, jug. 6. cum ~ = in Begleitung eines Mädchens. Schüler und Studenten haben – etwa um 1920/30 – die dt Präposition „mit" in gleichbed lat „cum" verwandelt.

Axt f 1. ~, die den Zimmermann erspart = Erste Hilfe jeglicher Art. Fußt auf der Textzeile „Die Axt im Haus erspart den Zimmermann" aus Schillers „Wilhelm Tell" (1804). 1950 ff. 2. ~ im Walde = a) völlige Ungesittetheit; rohe Menschenart; Verwilderung. Die Axt als Werkzeug zum Verheeren dient im Wald auch zu Raubbau. 1920 ff. – b) plumper, roher, streitlüsterner Mann. 1950 ff.

3. Benehmen wie die ∼ im Walde = sehr schlechtes, ungestümes Benehmen. 1920 *ff.*

4. Benimm wie eine ∼ = grobe, plumpe Lebensart. 1920 *ff.*

5. fett wie eine ∼ = betrunken. ↗ fett = betrunken. „Wie eine Axt" ist aus einschlägigen Vergleichen übernommen im Sinne einer Verstärkung. *BSD* 1960 *ff.*

6. scharf wie eine ∼ = sehr geil. ↗ scharf. 1914 *ff.*

7. voll wie eine ∼ = schwerbezecht. ↗ Axt 5. 1900 *ff*, vorwiegend *stud.*

8. mit der ∼ modelliert = a) sehr grob ausgedrückt. Mit der Axt behauen = roh behauen. 1920 *ff.* – b) nur in Umrissen angedeutet. 1910 *ff.* – c) nicht wahrheits-, nicht wirklichkeitsgetreu. 1920 *ff.*

9. mit der ∼ zugehauen = grobe Gesichtszüge aufweisend. 1930 *ff.*

10. sich benehmen wie die (eine) ∼ im Walde = sich sehr ungesittet, unflätig benehmen. 1920 *ff.*

11. jn mit der ∼ chloroformieren = jn zu Boden schlagen. 1920 *ff.*

12. die ∼ im Haus erspart die Ehescheidung = mit Gewaltandrohung entgeht man der Ehescheidung. Zur Sache *vgl* ↗ Axt 1. 1914 *ff.*

13. zur ∼ greifen = Gewalt anwenden; etw auf Biegen oder Brechen durchführen wollen. 1930 *ff.*

14. mit etw (oder: in einem Raum, an einem Ort) hausen wie die ∼ im Walde = ohne Sorgfalt, ohne Sachkenntnis zu Werke gehen; bedenkenlos zerstören. 1930 *ff.*

15. die ∼ nehmen = sich selbst helfen; zur Selbsthilfe greifen. *Vgl* ↗ Axt 1. 1930 *ff.*

16. du hast dich wohl mit der ∼ rasiert?: Frage an einen Schlechtrasierten oder bei der Rasur Verletzten. 1960 *ff.*

Azubi *m* Auszubildender. Hieraus verkürzt seit dem Berufsbildungsgesetz vom 1. September 1969.

Azubiene *f* weiblicher Lehrling. Zusammengesetzt aus dem Vorhergehenden und ↗ Biene 1. 1970 *ff.*

B

B 1. die drei B = a) Busen, Biester und Beten (↗Biest.) Gelten für die Interessenlage der heutigen Menschen angeblich als charakteristisch. 1964 ff. – b) Beach, Bar und Bett. (*Engl/angloamerikan* „beach = Strand".) Gelten als Haupturlaubsattraktionen. 1965 ff. – c) Busen, Beine und Bett. Angeblich wichtigste Gesichtspunkte für die Beurteilung von Frauen in den Augen von Männern (auf Lustobjektsuche, nicht auf Brautschau). 1960 ff.
2. die fünf B = Busen, Bomben, Babys, Biester und Blut. Zutaten eines Sex-und-Horror-Films, der weltweit gute Einspielergebnisse verspricht (und hält). 1960 ff.
b³ (b hoch drei) = dümmlich. Gemeint ist „bloß (ein) bißchen borniert". 1930 ff, *jug.*
B.g. Ausdruck der Ablehnung. Gemeint ist „Bedarf gedeckt". 1930 ff.
BGB besonders gute Beziehungen (zu einflußreichen Leuten). Eigentlich die Abkürzung von „Bürgerliches Gesetz-Buch". 1939 ff; aufgekommen mit dem Beginn der Lebensmittelbewirtschaftung.
BH 1. Büstenhalter. War anfangs eine Abkürzung aus alberner Sittsamkeit, heute geläufiger als das unabgekürzte Wort. 1920/30 ff.
2. Mieder für werdende Mütter. Meint „Bäuchlein-Halter". 1965 ff.
3. aufwärts gerutschtes Koppel. *BSD* 1960 ff.
b.H. dummer (eingebildeter) Kerl. Abgekürzt aus „blöder Hund". 1914 ff.
B.m.E. flachbusiges Mädchen. Abgekürzt aus „↗Brett mit Erbse" („Erbse = Brustwarze"). 1930 ff.
B.m.P. Gewaltverbrecher. Meint „Bettler mit Pistole" und ist beeinflußt von „MP = Maschinenpistole". *Rotw* nach 1945.
BMW 1. flachbusige weibliche Person. Abgekürzt aus „Brett mit Warzen", im Nebensinn angelehnt an die Abkürzung für „Bayerische Motoren-Werke". 1950 ff, *schül* und *stud.*
2. verwanztes Bett. Gemeint ist „Bett mit Wanzen". 1955 ff.
3. Boonekamp (Bier) mit Wacholderschnaps. 1950 ff.
BMW-Bauten *pl* Neubauten von Bäckern, Metzgern und Wirten. Diese drei Berufsgruppen besaßen nach dem Zweiten Weltkrieg jene (tauschbaren) Waren, ohne die man angesichts der Wertlosigkeit der Reichsmark keine Baumaterialien erwerben konnte. 1945 ff.
BMW-Verschnitt *m* BMW-Isetta. Isetta ist „Verschnitt" (= durch Mischung und/oder Verdünnung verfälschter/verschlechterter Branntwein) eines Personenkraftwagens der „Bayerische Motoren-Werke". 1954 ff.
B.V. 1. Verruf. Abgekürzt aus „↗Bierverschiß. 19. Jh.
2. Berufsverbrecher. 1933 in den Konzentrationslagern aufgekommene Abkürzung, die man den Opfern auf den Rücken der Häftlingskleidung malte.
B.v.K. uneinsichtiger, begriffsstutziger Mensch. Abgekürzt aus „↗Brett vorm Kopf". *BSD* 1965 ff.
ba (bah, bäh) *interj* **1.** pfui! Schallwort des Ekels. 1800 ff.

2. etw ~ finden = etw als abstoßend, ekelerregend ansehen. 1900 ff.
3. ~ machen = seine Notdurft verrichten. Kinderwort. 19. Jh.
4. etw ~ machen = etw verunreinigen, unsauber verrichten. 1900 ff.
5. sich ~ machen = sich schmutzig machen. 19. Jh.
6. ~ sein = schmutzig sein. 19. Jh.
Ba *m* Kot, Unrat. Substantivierte Interjektion seit dem 19. Jh.
Baas *m* **1.** (Handwerks-)Meister; Aufseher über die Arbeiter. Stammt aus *ndl* „baas = Meister". 1500 ff.
2. Anführer, Chef, Vereinsvorsitzender. 1600 ff.
3. Gastwirt, Herbergsvater. *Rotw* 1922 ff.
Baaz *m* breiige Masse; Dreck. Baazen = kleben, zusammenkleben (auf ein gleichbedeutendes Verb „backezen" zurückgehend). *Oberd* 1800 ff.
baazen *tr* jn (etw) drücken, werfen. *Oberd* 1800 ff.
baazweich *adj* breiig-weich. 19. Jh.
'Baba *f* **1.** Wiege (Bett). Ein kindersprachliches Lallwort, fußend auf ↗babbeln. 1700 ff.
2. Großmutter; alte Frau. Zurückzuführen auf *poln* (u. a.) „baba = altes Weib"; andere Quellen lassen die Vokabel lautmalend aus „↗babbeln" hervorgehen. Seit *mhd* Zeit.
'baba ~ machen = schlafen. ↗'Baba 1. 1900 ff.
ba'ba *interj* (auch: 'bä'bä) **1.** Ausruf des Ekels. Kindersprachliche Verdoppelung von ↗ba. 1800 ff.
2. ~ machen = koten, bekoten. 19. Jh.
'Babachen *n* abendlicher Einschlaf-Lesestoff. ↗'Baba 1. 1960 ff.
Ba'baditz *n* Kleinkind; sich beschmutzendes Kind. ↗Ditz. *Westd* 19. Jh.
Ba'bakind (Bakind) *n* schmutziges, unanständiges Kind. ↗ba'ba 1. 19. Jh.
Babbel *m* Mund; geschwätziger Mund; Schwätzer. ↗babbeln 1. 14. Jh.
Babbelarsch *m* Schwätzer. ↗babbeln 1. 19. Jh.
Babbelfotze *f* Schwätzerin. ↗Fotze. 19. Jh.
Babbelgosche (Pappelgosche) *f* Schwätzerin. ↗Gosche. 19. Jh.
babbelig *adj* geschwätzig, redselig. 18. Jh.
Babbelmaschine (Pappelmaschine) *f* Schwätzer(in); geschwätziger Mund. 19. Jh.
Babbelmaul *n* Schwätzer; geschwätziger Mund. 18. Jh.
Babbelmeier *m* Schwätzer. Meier = Mann (fußend auf dem weitverbreiteten Familiennamen). 1800 ff.
babbeln *intr* **1.** schwätzen; kindlich reden; töricht reden. Schallnachahmung für das Lallen der Kinder. 14. Jh.
2. sich erbrechen. Wegen der unartikulierten Begleitlaute. 1900 ff.
Babbelschnute *f* Schwätzer(in); geschwätziger Mund. ↗Schnute. 1700 ff.
Babbelwasser *n* **1.** Schnaps; Alkohol jeglicher Art. Er löst die Zunge, macht redselig. 19. Jh.
2. ~ getrunken haben = redselig sein. Seit dem späten 19. Jh.
Ba'buschen *pl* bequeme Hausschuhe; Tuchhausschuhe; Filzpantoffeln. Fußt auf *franz* „babouche = türkischer Schuh;

Schlappenschuh", das auf *türk* „pabutschi" zurückgeht. 18. Jh.
Baby *n* **1.** Koseanrede an ein kleines Kind, an ein junges Mädchen, an die Geliebte usw. Aus *engl* „baby = Säugling". 1950 ff.
2. Kosewort für einen Mann. 1950 ff.
3. Anfänger ohne Berufspraxis. 1930 ff.
4. Schulanfänger; Schüler einer unteren Klasse, der Unterstufe. 1950 ff.
5. ~ aus der Retorte = durch künstliche Befruchtung entstandenes Kind. 1960 ff.
6. ~ aus der Tiefkühltruhe = aus künstlicher Befruchtung (Samenbank) hervorgegangener Säugling. 1960 ff.
7. ~ aus dem Treibhaus = aus künstlicher Befruchtung entstandenes Kind. 1960 ff.
8. hot ~ a) Jugendliche, die für temperamentvolle Tanzmusik schwärmt. Fußt auf *engl* „hot music = moderne Tanzmusik mit ‚heißen' Rhythmen". *Jug* 1955 ff. – b) Kofferradio. 1955 ff, *jug.*
9. ziemlich kaputtes ~ = unsympathisches Mädchen. Kaputt = mit etlichen Unschönheiten und Defekten behaftet. *Halbw* 1955 ff.
10. ein ~ entwerfen = a) koitieren. 1910 ff. – b) schwängern. 1910 ff.
Baby-Barren *pl* Feingoldstücke von 10 Gramm Gewicht u. ä. 1959 ff.
Baby-Brumme *f* Motorroller, Moped. ↗Brumme. *Halbw* 1955 ff.
Baby-Doll-Kleid *n* Kleid in Kinderhemdschnitt. *Engl* „Babydoll = Babypuppe". Caroll Baker trug solch ein Kleid in dem Film „Baby Doll", 1956. In Deutschland seit 1957/58 geläufig.
Babyflasche *f* Kleinflasche. 1960 ff.
babygerecht *adj* alkoholfrei. *Halbw* 1955 ff.
Babygesicht *n* **1.** rundes, wenig ausdrucksvolles Gesicht. 1920 ff.
2. ein ~ machen = unschuldig, erstaunt-naiv tun. 1960 ff.
Babyhang *m* Übungshang für Skianfänger. ↗Baby 1 und 3. 1960 ff.
Baby-Hopse *f* schaukelähnliche Vorrichtung, mit deren Hilfe Kleinkinder hüpfen und gehen lernen. 1959 ff.
Baby-Jump *m* Party. *Engl* „to jump = springen, hüpfen". *Halbw* 1955 ff.
Babyklasse *f* die Schulanfänger. 1930 ff.
Babykneipe *f* Frauenbusen. 1930 ff, *stud.* ↗Kneipe 1.
Babykutsche *f* Kinderwagen. 1930 ff.
Babylatein *n* Stammelsprache der Kleinkinder. ↗Latein. 1950 ff.
Baby-Lkw *m* Kinderwagen, in dessen Unterteil Waren Platz haben. 1965 ff.
Baby-Ion *n* Universitätskindergarten. Hat mit der Stadt Babylon nur wortspielerisch zu tun und fußt auf „Baby = Säugling". Bochum 1969 ff.
Babymischung *f* alkoholfreies Mischgetränk. *Halbw* 1960 ff.
Baby-Mond *m* Erdsatellit. Er gilt als kleiner Mond. 1957 ff.
Baby-Omnibus *m* Klein-Omnibus. 1959 ff.
Baby-Parkplatz *m* Abstellplatz für Kinderwagen. 1965 ff.
Baby-Pause *f* Arbeitsunterbrechung wegen der Niederkunft. 1965 ff.
Baby-Pille *f* empfängnisverhütende Pille. 1960 ff. Fälschlich für die „Anti-Baby-Pille".

Baby-Roller *m* Motorroller. Bei jungen Mädchen beliebt. 1950 *ff.*
Babyspeck *m* **1.** Beleibtheit des Säuglings, des Kleinkindes. 1900 *ff.* **2.** vorübergehende Beleibtheit im Backfischalter. 1920 *ff.*
Baby-Strich *m* **1.** üblicher Spazierweg junger Mädchen. ↗Strich 1. *Österr.* 1960 *ff.* **2.** Straßenprostitution Jugendlicher. Berlin 1975 *ff.*
Bach *m* **1.** Atlantischer Ozean; jedes Meer. Ironische Wertminderung eines Prahlers. Seit dem späten 19. Jh. **2.** in den ~ fallen = über dem Meer abstürzen; auf See notwassern. Fliegerspr. 1939 *ff.* **3.** jn aus dem ~ fischen = einen notwassernden Flieger retten. Fliegerspr. 1939 *ff.* **4.** in den ~ gehen = a) kentern. 1910 *ff.* – b) scheitern. 1920 *ff.* **5.** in den ~ kippen = in den Fluß (Binnensee) stürzen. 1920 *ff.* **6.** am ~ kleben = im Tiefstflug über der See fliegen. Fliegerspr. 1939 *ff.* **7.** einen ~ machen = harnen. Bach = kleiner Wasserlauf. 1800 *ff.* **8.** den (auch: die) ~ runtergehen = dem Untergang entgegengehen. Abwärtsgehen = absinken, scheitern. 1870 *ff.* **9.** mit dem Geschäft geht's (das Geschäft geht) den ~ runter = der Geschäftsumsatz geht unaufhaltsam zurück. 1870 *ff.* **10.** das Geschäft ist den ~ runter = der Umsatz ist zurückgegangen; das Geschäft lohnt nicht mehr. 1900 *ff.* **11.** es ist den ~ runter = es ist unwiederbringlich verloren, ist gänzlich vorbei. 1870 *ff.*
Back *f* Tisch; Eß- und Arbeitsgemeinschaft an Bord. Fußt auf *spätlat* „bacca = Wasserfaß"; von da übertragen zur Bedeutung „hölzerne Eßschüssel", „Eßtisch", „Eßraum" usw. Seit dem 17. Jh.
Backbirne *f* vermurkelt wie eine ~ = faltig, runzlig. Eigentlich Bezeichnung der gedörrten Birne. 19. Jh.
Backe *f* **1.** ~ mit Mehl = bleich gepuderte Wange der Frau. Eigentlich imperativisch gemeint nach dem Muster von Werbesprüchen („Koche mit Gas!"). Seit dem späten 19. Jh. **2.** meine ~! Ausruf des Erstaunens. Bei einer erstaunlichen oder erschreckenden Mitteilung fährt die Hand impulsiv an die Wange. 19. Jh, in Berlin aufgekommen. **3.** au ~! Ausruf bei unangenehmer Überraschung. Verkürzt aus dem Folgenden, weil man bei heftigen Zahnschmerzen die Wange hält. Etwa seit 1850. **4.** au ~, mein Zahn! Ausruf bei unangenehmer, schmerzender Überraschung. *Vgl* das Vorhergehende. „Mein Zahn" soll zu „au Backe" nachträglich hinzugefügt worden sein, als man „au Backe" nicht mehr verstand; es soll dies nämlich mit *niederd* „backen" zusammenhängen, das als grobe Abweisung verwendet wird. Mit Veralten der *niederd* Bedeutung in Berlin aufgegriffen und veranschaulichend erweitert. 19. Jh. **5.** wie die ~n, so die Hacken = wie man genährt wird, so läuft (arbeitet) man. Hagere und Hohlwangige gelten als schlechte Arbeiter. 19. Jh. **6.** nichts in den ~n, dann nichts in den Hacken = bekommen wir keine ordentli-

che Verpflegung, können wir nichts leisten. *Sold* in beiden Weltkriegen, Berlin. **7.** die Freiheitsstrafe auf einer ~ abrutschen = den Gefängnisaufenthalt als nicht sehr belastend ansehen. Der Betreffende will sagen, daß er sich wegen einer solchen Strafe gar nicht erst auf beiden Gesäßbacken niederläßt: der Freiheitsentzug ist bald vorbei. 1920 *ff.* **8.** die Strafe auf einer ~ absitzen = die Bestrafung nicht beherzigen, ohne Reue verbüßen. 1920 *ff.* **9.** etw auf einer ~ absitzen (abmachen) = etw mühelos bewerkstelligen; sich über etw gefühllos hinwegsetzen. 1920 *ff.* **10.** die ~n aufreißen (aufblasen) = sich aufspielen. Analog zu „das ↗Maul aufreißen" und zu „sich aufblasen wie ein ↗Frosch". Seit dem späten 19. Jh. **11.** mit heilen ~n davonkommen = einer heiklen Lage glücklich entrinnen. Man trägt keinen körperlichen Schaden davon. *Sold* und *ziv* seit 1914. **12.** über alle vier ~n grinsen = über das ganze Gesicht grinsen. Zur Verdeutlichung des Glücksgefühls werden die beiden Gesäßbacken hinzugenommen. Etwa sei der Mitte des 19. Jhs. **13.** ~n zum Durchpusten haben = hohlwangig sein. *Vgl* ↗Vaterunser 1. 1900 *ff.* **14.** halt die ~n! = halt' den Mund! verstumme! 1900 *ff.* **15.** das kratz' dir von der ~! = gib es auf! trenne dich von diesem törichten Gedanken! Leitet sich wohl her von der Maskierung: man soll den angeklebten Bart mitsamt der Schminke u. ä. entfernen, also sich nicht länger verstellen. Vielleicht ist auch an das Abwischen des Rasierschaums zu denken oder an das Abrasieren der Koteletten. *Sold* 1939 *ff.* **16.** jm die ~n massieren = a) jn auf das Gesäß prügeln. 1900 *ff.* – b) jm ein paar Ohrfeigen versetzen. 1900 *ff.* **17.** ihm platzen gleich die ~n = er ist ein großer Prahler. Er bläst die Backen auf wie der ↗Frosch. 1900 *ff.* **18.** ihm kann man durch die ~n pusten (blasen) = er hat hohle Wangen. *Vgl* ↗Backe 13. 1900 *ff.* **19.** mit einer ~ auf zwei Hochzeiten (o. ä.) sein, zu zwei Hochzeiten (o. ä.) gehen = zweierlei gleichzeitig betreiben. ↗Hochzeit. 1900 *ff.* **20.** auf einer ~ doof (dumm) sein = nicht recht bei Verstande sein; Augenfälliges nicht wahrnehmen. 1900 *ff.* **21.** auf einer ~ faul sein = dumm sein. Die eine Gesäßhälfte ist bereits in Verwesung übergegangen, ohne daß der Betreffende es merkt. 1900 *ff.* **22.** mit einer ~ im Gefängnis (Zuchthaus) sitzen = unlautere Geschäfte machen und mit einer Freiheitsstrafe rechnen müssen. Analog zu „mit einem ↗Fuß im Grabe stehen". 1920 *ff.* **23.** über beide ~n strahlen = überglücklich lächeln. 19. Jh. **24.** über sämtliche ~n strahlen = über das ganze Gesicht strahlen. *Vgl* ↗Backe 12. 1900 *ff.* **25.** die ~n vollnehmen = a) prahlen. Variante zu „sich aufblasen wie ein ↗Frosch". 19. Jh. – b) pathetisch reden. 19. Jh. **26.** an ~ wohnen = Nachbarn sein. 1920 *ff.*

27. die ~n zusammenkneifen = sich heftig anstrengen. ↗Arschbacke 6. 1900 *ff.*
backen *v* **1.** *intr* = kleben, festkleben. Hergenommen vom Hartwerden des Teigs beim Backen. 16. Jh. **2.** *intr* = unter erheblicher Qualmentwicklung rauchen. Leitet sich her von armen Leuten, deren Backofen wegen schlechter Feuerung besonders stark raucht. 19. Jh. **3.** jm eine ↗kleben = jn ohrfeigen. Analog zu „jm eine ↗kleben". Spätestens seit 1870. **4.** laß dir eine (einen) ~! Rat an eine wählerische Person, die keine Ehepartnerin (keinen Ehepartner) findet. Anspielung auf Teigfiguren. 19. Jh. **5.** ~ und banken = eine Mahlzeit einnehmen; Essen fassen. Backen = Tische aufstellen (↗Back); banken = Bänke aufstellen. *Marinespr* 1864 *ff.*
Backenbremse *f* die ~ ziehen = beim Skilaufen auf das Gesäß zu fallen kommen. Man versucht, mit den Gesäßbacken das weitere Abgleiten zu verlangsamen. 1950 *ff.*
Backenzahn *m* ↗Backzahn.
Bäcker *m* **1.** diese Frikadellen sind wohl vom ~?: Frage angesichts von Frikadellen, die mehr Brot als Fleisch enthalten. 1900 *ff.* **2.** den ~ wegen Anstiftung zur Körperverletzung verklagen = dem Bäcker harte Brötchen abkaufen, mit denen jm ein Loch in den Kopf schlagen könnte. 1960 *ff.*
Bäcker-Abitur *n* Mittlere Reife (an einer Frauenoberschule). Anspielung auf die hauswirtschaftliche Ausbildung. 1960 *ff.*
Bäckerbiene *f* junge Verkäuferin in einer Bäckerei. ↗Biene. *Sold* seit dem späten 19. Jh.
Bäckerbraten *m* Hackbraten; „falscher Hase". Enthält angeblich mehr Weißbrot als Fleisch (oder sogar überhaupt kein Fleisch). *Sold* 1914 *ff.* Vgl engl „meat loaf".
Bäckerbuch *n* Quittungsbuch über den wöchentlichen Besuch der Prostituierten beim Amtsarzt. Meint eigentlich das kleine Buch, in dem der Kunden die Bezahlung der in der voraufgegangenen Woche gelieferten Brötchen quittiert wird. 1920 *ff.*
Bäckerdutzend *n* **1.** das dreizehnte Stück als Zugabe beim Kauf von zwölf Stück. Diese Zugabe seitens der Bäcker war früher allgemein üblich. Seit dem späten 19. Jh. *Vgl engl* „a baker's dozen". **2.** reichlich Bemessenes; allzu reichlich Bemessenes von geringer Beschaffenheit. 1930 *ff.*
Bäckerfleisch *n* Fleischklops (Hackbraten) mit viel Semmelbeimengung. 1920 *ff.*
Bäckerpaß *m* Prostituierten-Gewerbeschein. 1950 *ff*, Hamburg. *Vgl* ↗Bäckerbuch.
Bäckerschicht *f* Frühschicht. Bäcker sind aus beruflichen Gründen Frühaufsteher. 1950 *ff.*
Backfisch *m* auf ~ machen = sich jugendlicher kleiden als dem Lebensalter entsprechend. 1900 *ff.*
Backfischaquarium *n* **1.** Mädchengymnasium, -pensionat. Mit Backfisch bezeichnet man (trotz „Teenager" auch heute noch!) das Mädchen in den Entwicklungsjahren (es ist eigentlich der Fisch, den man nicht kochen, sondern nur backen kann).

Zur Vorstellung „Fisch" ist „Aquarium" die sachgerechte Ergänzung. 1900 ff.
2. Wohnheim für ledige Mädchens. 1950 ff.
Backfischschnute f Schmollmund des jungen Mädchens. ↗Schnute. 1950 ff.
Backhendlfriedhof m Bauch, Magen. Begräbnisstätte für Brat-, Backhähnchen. Oberd 1920 ff.
Backhendl-Gottsacker m feister Bauch. Vgl das Vorhergehende. Oberd 1920 ff.
Backmolle f Schlauchboot. Formähnlich mit der Mulde, in der der Teig geknetet wird. 1930 ff.
Backobst n **1.** danke für ~!: Ausdruck der Ablehnung. Leitet sich wahrscheinlich her von der sold Bezeichnung „Lazarettpflaume" (= Dörrobst), die bis 1918 in der preußischen Armee bekannt war. Seit 1830/40.
2. das ~ dicke haben = einer Sache überdrüssig sein. ↗dicke haben. Sold in beiden Weltkriegen.
Backofen m **1.** klimatisch heiße Gegend. 1900 ff.
2. strategisch stark umkämpfter Frontabschnitt. Da geht es „heiß" her. Sold in beiden Weltkriegen.
3. Panzerkampfwagen. Seine Innentemperatur stieg bis zu 70 Grad. Sold 1939 ff.
4. prahlerischer Mann; Schwätzer. Der Backofen ist bekannt für seine starke Rauchentwicklung; ähnlich viel ↗Qualm produziert der Schwätzer. 1900 ff.
5. Schläfer, von dem eine große Körperwärme ausgeht. 1920 ff.
6. Fiebernder. 1920 ff.
7. Einfälle haben wie ein alter ~ = wunderliche Einfälle haben. Der alte Backofen ist vom Einsturz bedroht. „Einfall" hat hier doppelte Bedeutung: a) Einsturz; b) Gedanke, Plan. 1900 ff.
8. das ist ein hölzerner ~ = das ist völlig unmöglich, völlig unglaubwürdig. Nordd 1920 ff.
9. gegen einen heißen ~ atmen (gähnen, hauchen, spucken) = unsinnig handeln; aussichtslosen Widerstand leisten; zwecklos aufbegehren. Seit mhd Zeit.
Backpfeife f **1.** Ohrfeige. Soll aus „Backfeige" (= Ohrfeige) umgedeutet sein; kann aber auch auf das pfeifende Geräusch anspielen, das man nach einem heftigen Schlag in den Ohren vernimmt. 1800 ff.
2. eine ~ erhalten = von einer Bö erfaßt werden. Fliegerspr. 1939 ff.
backpfeifen tr jn ohrfeigen. 19. Jh.
Backpfeifengesicht n feistes Gesicht mit dümmlichem Ausdruck. Es reizt instinktiv zum Hineinschlagen. 19. Jh.
Backpulver n **1.** Kokain. Es ist weiß wie Backpulver. 1918 ff.
2. dir haben es wohl zuviel ~ ins Essen getan?: Frage an einen Großwüchsigen. 1930 ff.
Backs m **1.** Ohrfeige, Hieb. ↗backsen. 18. Jh.
2. elektrischer Schlag. 1950 ff.
Backschaft f Eßgemeinschaft an Bord. Verkürzt aus Backsmannschaft. ↗Back. Seit dem späten 19. Jh.
Backschafter m **1.** Essenholer; Kellner im Offiziersraum; Geschirrspüler. Marinespr seit 1900.
2. Hausangestellte; Hausfrau. 1930 ff, nordd.

backsen tr **1.** etw kleben. Intensivum von ↗backen 1. Nordd 1800 ff.
2. jn ohrfeigen, prügeln. Dasselbe wie „jm eine ↗kleben". 1800 ff.
Backzahn (Backenzahn) m **1.** Infanterist, Infanterieoffizier. Soll auf den Ausspruch Friedrichs des Großen zurückgehen: „die Infanterie ist dazu berufen, den Feind zu zermalmen". Seit 1830 ff.
2. langjährige intime Freundin. ↗Zahn 3. Halbw 1955 ff.
3. das bleibt nicht im hohlen ~ = das geht einem seelisch nahe und nach. 1939 ff.
4. ich haue dir in die Fresse, daß dir die Backzähne zum Arsch rausfliegen!: Drohrede. 1920 ff.
5. jm lange Backzähne machen = jn neidisch machen; jds Hungergefühl steigern, während man selber speist. Vgl „jm lange ↗Zähne machen". 1920 ff.
6. das reicht nicht für einen hohlen ~ = das ist ein sehr spärliches Essen. 1950 ff.
7. du wirst wohl lange keine Backzähne geschluckt?!: Drohrede. 1900 ff.
Bad n **1.** Absturz über See; Notwasserung. Fliegerspr. 1939 ff.
2. türkisches ~ = sehr heiße Örtlichkeit; Inneres eines Panzerkampfwagens. Meint eigentlich das Dampfbad bei 60 Grad. Sold 1939 ff.
3. das ~ aussaufen = die Folgen tragen. Vergröberung von „das Bad ausgießen = den Badezuber leeren"; vgl ↗ausbaden. 18. Jh.
4. ein ~ in der Menge nehmen = vor zustimmender Menge sprechen; unmittelbar mit der Bevölkerung in Berührung kommen (die Berührung suchen). Gern von Politikern gesagt. ↗baden 1. 1970 ff.
5. ins ~ reisen = eine Haftstrafe antreten. Euphemismus. 19. Jh.
Badeanzug m **1.** frecher ~ = gewagter Badeanzug. Frech = kühn; nicht prüde. 1960 ff.
2. heißer ~ = oberteilloser Damenbadeanzug. Heiß = begehrlich machend. 1964 ff.
3. textilfreier ~ = Nacktheit. ↗textilfrei. 1958 ff.
Badebiene f junges Mädchen am Badestrand. ↗Biene 3. Halbw 1955 ff.
Badeengel m **1.** badendes Kind; frisch gebadetes Kind; weibliche Badende. „Engel" wird gern auf kleine Kinder bezogen, zumal in der bildenden Kunst die Engel (Putten) gern unbekleidet dargestellt werden. Seit dem späten 19. Jh.
2. am Stand anmutig posierendes, nur mit einem Bademantel bekleidetes (mit einem Badetuch bedecktes) Mädchen, das offenbar männlichen Anschluß sucht. 1920 ff.
Badefrosch m badendes Kind. Kleine Kinder hüpfen gern (insbesondere am weichem Sandstrand) „auf allen Vieren" und ahmen so die Fortbewegungsart des Frosches nach. 1930 ff.
Badegast m **1.** an Bord kommandierter Nicht-Seemann; Zivilist an Bord; Zivilpassagier. „Gast" ist bei der Marine die Bezeichnung für einen, der eine bestimmte Funktion hat. Die Badegäste (-gasten) waren anfangs Besucher von Seebädern, die bei Gelegenheit gern auch Schiffe besichtigten. Etwa seit 1850.
2. Soldat, der bei einer Flußüberquerung

am Drahtseil ins Wasser stürzt. Er nimmt ein Bad. BSD 1965 ff.
3. dummer (dümmer) als ein ~ = überaus dumm. Badegästen entlockt man auf mannigfaltige Weise mehr Geld, als sie eigentlich ausgeben wollten und sollten; viele nehmen das kritiklos hin und beweisen damit ihre Unerfahrenheit. 1930 ff.
Badehose f **1.** Benehmen wie eine nasse ~ = ungebührliches Benehmen (gegenüber weiblichen Personen). Wohl Anspielung auf die Genitalien, die sich in der nassen Badehose überdeutlich abzeichnen. 1940 ff.
2. runter mit der ~! = die Spielkarten (bei „Null ouvert") aufgeworfen! Bei „Null ouvert" offenbart man seine Karten uneingeschränkt. Skatspielerspr. 1920 ff.
3. mir kracht die ~ aus den Nähten = ich verliere die Geduld, ich brause auf. Analog zu „mir platzt der ↗Kragen" oder Weiterführung von „die ↗Wut im Bauch haben". Halbw 1955 ff.
4. etw in der ~ haben = a) geprügelt werden. 1900 ff. – b) derb abgefertigt werden; einen Fehlschlag erleiden. 1900 ff.
5. sechzig auf die ~ kriegen = sechzig Minuspunkte einheimsen. Kartenspielerspr. 1900 ff.
6. stramm in der ~ sein = ein kräftig entwickeltes Geschlechtsteil haben. 1910 ff.
Badekleidung f ~ nur aus Haut = Nacktbaden. 1955 ff.
Badekur f eine ~ machen = mit dem Flugzeug notwassern. Fliegerspr. 1939 ff.
Badeliebe f Flirt am Strand. 1900 ff.
Bademaus f jugendliche Badende am Strand. ↗Maus. 1950 ff.
baden intr **1.** in etw ~ können = in etw reichlich Vorhandenem schwelgen können. 1900 ff.
2. in Sekt ~ = ein Sektgelage veranstalten. 1900 ff.
badengehen intr **1.** mit dem Flugzeug im Meer stürzen; ins Wasser fallen; abstürzen; dem sicheren Verderben entgegengehen. Anfangs vom abstürzenden Flieger gesagt (↗Badekur); später verallgemeinert. 1914 ff.
2. Mißerfolg erleiden; Aussichtsloses beginnen; das Ziel nicht erreichen; im Wettbewerb unterliegen; verloren gehen; Bankrott machen. Etwa seit 1920 aus dem Vorhergehenden weiterentwickelt. Vgl engl „to take a bath = Bankrott machen". 1930 ff.
3. in der Prüfung versagen. 1945 ff.
4. im Kartenspiel verlieren. 1920 ff.
5. verhaftet werden. Vgl ↗Bad 5. 1890 ff.
6. geh baden!: Ausdruck der Ablehnung. Im späten 19. Jh aufgekommen.
Badenixe f Badende. ↗Nixe. 1920 ff.
Badereise f **1.** Auslandsreise. Meint eigentlich die Reise ins Seebad. Marinespr 1900 ff.
2. Notwasserung. ↗Badekur. Fliegerspr. 1939 ff.
Baderwaschel (Baderwaschl) m Herrenfriseur. Ursprünglich einer, der ein öffentliches Bad unterhielt, Blutegel setzte, barbierte usw. ↗Waschel. Bayr 1870 ff.
Badeschmucke f badendes Mädchen. ↗Schmucke. Berlin 1955 ff, halbw.
Badewanne f **1.** Schwimmbecken, -bad. Ersatz für die Badewanne daheim. Schül 1955 ff.

2. Teich, Tümpel mit Badegelegenheit. 1930 ff.
3. großes, längliches Geländeloch; großer Granattrichter. Füllt sich allmählich mit Regen- und Grundwasser. Sold in beiden Weltkriegen.
4. Kontrabaß in der Jazzkapelle; große Baßgeige; Schlagbaß. Wegen einer gewissen Formähnlichkeit. Halbw 1955 ff.
5. Motorradbeiwagen zur Personenbeförderung. Seit dem zweiten Jahrzehnt des 20. Jhs. Vgl engl „bath-tub".
6. älterer, oben offener Spähwagen; kleiner Panzerspähwagen; Kübelwagen. Sold 1935 ff.
7. Rennwagen. 1950 ff.
8. großes, langgezogenes Luxusauto. 1950 ff.
9. Kahn, Boot (abf). 1950 ff.
10. Sturz beim Skilaufen. (auch „Badwandl" genannt). Der Gestürzte liegt der Länge nach im hohen Schnee wie in einer Badewanne. Oberd 1950 ff (wenn nicht viel älter).
11. große Eßschüssel; großes Trinkgefäß. 1950 ff.
12. geweitete Vagina; ältliche Prostituierte. 1900 ff.
13. es ist mir eine ~ (eine innere ~) = es freut mich sehr, ist mir eine große Genugtuung. 1920 ff.
14. es ist mir eine ganze ~ voll Speiseeis = es ist mir ein besonderes Vergnügen. Stud 1920 ff.
15. das ist ein Ding wie eine ~ = das ist eine hervorragende Sache, ein unvergeßliches Erlebnis. 1910 ff.
16. ~ spielen = sich langsam betrinken. Die Badewanne läuft langsam voll. 1930 ff, stud; BSD 1965 ff.
17. System ~ trinken, langsam vollaufen lassen = sich in aller Ruhe (ganz gemächlich) einen Rausch antrinken. Stud 1930 ff.
'Badewannen'acker ('Badwandl'acker) m Ski- Hang, an dem viele Anfänger stürzen. ↗ Badewanne 10. 1950 ff.
Badewannenbetrieb m Kleinbetrieb mit einfachem Herstellungsverfahren; pharmazeutische Kleinfirma. Man denkt sich, die Ware werde in der Badewanne gereinigt und gemischt. 1930 ff.
Badewasser n mit dem ~ durchrutschen können = überaus schlank sein. Solch eine Person muß aufpassen, daß sie nicht mit dem Badewasser in den Abfluß gerät. 1920 ff.
Bafel m **1.** schlechte Ware; Schund; Unsinn, Geschwätz. Fußt nach den einen auf talmudisch „bafel = minderwertige Ware", was von anderen bestritten wird; sie gehen von dt „Baumwolle" aus, das mundartlich bis zu „Bafel" geschrumpft sei. 1800 ff, vor allem südd und frankfurterisch.
2. Gesindel. Hier kann Einfluß von „Pöbel" angenommen werden. 19. Jh.
baff ↗ paff.
Bagage (franz ausgesprochen) f **1.** Gesindel; unsympathische Leute. Meint eigentlich das Heeresgepäck; da sich beim Troß auch Marketender, Prostituierte usw. befanden, nahm das Wort einen verächtlichen Sinn an; etwa seit den Tagen des Dreißigjährigen Krieges (1618–1648).
2. ~ mit Beinen = zusammengepferchte Fahrgäste in einem öffentlichen Verkehrs-

mittel. Sie galten im Zweiten Weltkrieg – im Zusammenhang mit der Evakuierung der Zivilbevölkerung – sinngemäß als „gefähiges Gepäck".
Bagger m **1.** Flakpanzer, Panzerflak. Wegen der Raupenketten. BSD 1965 ff.
2. Freund. Halbw 1955 ff. Fußt vielleicht auf engl „to bag = einstecken, fangen" mit Anwendung auf das Geschlechtliche.
baggern intr **1.** essen. Nach Art des Baggers wird die Speise vom Teller in den Mund geschoben, und zwar in ziemlich gleichbleibendem Rhythmus. BSD 1960 ff.
2. trinken. Marinespr 1914 ff.
3. ein Mädchen ansprechen und beischlafwillig machen. Bezieht sich wohl auf einen vielliebenden Mann, der die Mädchen eimerweise zu Tage fördert. 1960 ff.
bäh interj Ausruf der Schadenfreude. Es wird der Blöklaut der Schafe nachgeahmt. Das Schaf gilt als dumm. 19. Jh.
Bählamm n **1.** Lamm. Kindersprachliches Wort nach dem Blöklaut der Schafe. 18. Jh.
2. dummer Mensch. Das Schaf hält man für dumm. 1800 ff.
Bahn f **1.** Eisenbahn; Eisenbahnzug; Bahnkörper. Hieraus verkürzt. 19. Jh.
2. Straßenbahn. 19. Jh.
3. die ~ (aus-)messen = auf der Eisfläche zu Fall kommen. Meist in spöttisch-fragender Form. 1920 ff.
4. etw auf die ~ bringen = a) etw zur Sprache bringen. „Bahn" meint entweder den Kampfplatz oder den freien, öffentlichen Weg. 14. Jh. – b) etw Neues einführen; etw in Gang setzen. 15. Jh.
5. etw über die ~ bringen = etw durchsetzen; einer Sache zum Sieg verhelfen. Leitet sich vom Pferdesport her. 1960 ff.
6. geh mir aus der ~! = geh mir aus dem Weg! störe mich nicht länger! Bahn = Schlitten-, Eis-, Spielbahn. 1920 ff.
7. es geht glatt über die ~ = es geht reibungslos vonstatten. 1950 ff.
8. auf die schiefe ~ geraten = sittlich absinken; in schlechte Gesellschaft geraten; zu gesetzwidrigen Handlungen neigen. Die „schiefe Bahn" engt die (physikalisch-mathematisch) „schiefe Ebene" auf einen Streifen ein, auf dem man nur noch abwärts rutschen kann. 1900 ff. Vgl ↗ Balance.
9. sich an die ~ hängen = nach Eisenbahn- oder Autobahnstrecken (bei Bodensicht) fliegen. Sich anhängen = sich anheften und nicht mehr loslassen. Fliegerspr. 1939 ff.
10. reine ~ machen = a) Ordnung schaffen. Hergenommen vom Kampfplatz, der vor dem Turnier aufgeräumt wird. 19. Jh. – b) alles aufessen. 1900 ff.
Bahndamm m ~ dritter Hieb (dritte Mahd; dritter Schnitt; Marke ~ auf der Schattenseite; letzter Schnitt von ~; ~ Sonnenseite; ~ Südseite u. a.) = minderwertiger Tabak; übelriechender Tabak. Man hat ihn am Bahndamm geerntet, wo wildwachsendes Unkraut steht. 1939 aufgekommen bei Soldaten und Zivilisten; seitdem stets dann wieder aufgelebt, wenn die Raucherwaren bewirtschaftet wurden und man zu wunderlichstem Behelfsstoff griff.
Bahnhof m **1.** Gesicht, Kopf. Wegen der Gesichts„züge". 1900 ff.
2. Gesäß, Sitzfläche. Spielt an entweder auf die Geltung des Gesäßes als „zweites

Gesicht" oder auf seinen Gebrauch als „Bahnhof" für den Penis des Homosexuellen. Vgl „Bauernbahnhof = stark entwickelte Hüften". 1900 ff.
3. Bordell. Entweder Anspielung auf den starken Geschlechts-„Verkehr" oder auf „Puff" (= Schallnachahmung des ausgeblasenen Lokomotivdampfes und = Bordell). BSD 1965 ff.
4. ~ von Athen = Haus der Deutschen Kunst in München, erbaut 1933–1937.
5. ~ Hindemith (Hindemithbahnhof) = Konzertsaal der Hochschule für Musik in Berlin, Hardenbergstraße. Ein schmuckloser Zweckbau wie ein Bahnhofsgebäude. Benannt nach dem Komponisten Paul Hindemith (1895–1963). 1954 ff.
6. ~ zum Mond = Cape Kennedy (Cape Canaveral) in Florida. 1960 ff.
7. mir ~! = ich weiß von nichts! Mit dem Ein- und Ausfahren der Züge veranschaulicht man die Wahrnehmungen, die „zum einen Ohr hinein- und zum anderen hinausgehen", ohne den Umweg über das Gedächtnis einzuschlagen. 1930 ff.
8. Gesicht wie ein ~ = a) regelmäßige Gesichtszüge; ebenmäßiges Gesicht. 1930 ff. – b) Gesicht mit unregelmäßigen Zügen. Gedacht wird an das Schienengewirr eines Bahnhofs. 1930 ff.
9. großen ~ haben (mit großem ~ empfangen werden) = beim Eintreffen des Zuges lebhaft umjubelt werden; mit allen diplomatischen (militärischen, gesellschaftlichen) Ehrungen am Bahnhof, am Flughafen o. ä. empfangen werden. In der NS-Zeit aufgekommen und bis heute sehr volkstümlich geblieben.
10. keinen ~ kennen (mehr kennen) = keine Hemmung gelten lassen; nicht Maß noch Ziel kennen; die Beherrschung verloren haben; allzu großzügig wirtschaften. Wer sich nicht halten läßt (sich nicht Einhalt gebieten läßt), gleicht dem Eisenbahnzug, der an keinem Bahnhof anhält. 1930 ff.
11. du kriegst ein paar vor den ~, daß sämtliche Züge entgleisen!: Drohrede. Fußt auf der Gleichsetzung von Gesichtszügen und Eisenbahnzügen. 1930 ff.
12. du kriegst eine vor den ~, daß du denkst, der Zug fährt ab!: Drohrede. 1925 ff.
13. jetzt mach aber einen ~! = nun verstumme endlich! nun unterbrich endlich deinen Redefluß! Österr 1930 ff, jug.
14. wenn er „~" sagt, versteh' ich Kofferklauen!: Redewendung, wenn man eine Sache nur in einer bestimmten Richtung versteht. 1950 ff, schül.
15. auf den falschen ~ stehen = homosexuell sein. Verwertet das Bild eines, der sich im „Verkehr" (doppelsinnig!) irrt. 1940 ff.
16. ich verstehe immer (nur) ~!: Redewendung, wenn man eine unangenehme oder unwillkommene Mitteilung ablehnt. Hergenommen vom Erlebnis des Fronturlaubers, der keinen Sinn mehr für Dienstliches hat und nur noch an seine Heimfahrt und somit an den Bahnhof denkt. Um 1920 in Berlin aufgekommen.
17. Bescheid am ~ wissen = sich zu helfen wissen. Nur erfahrene Leute finden sich in der vielschichtig verwickelten Organisation eines Bahnhofs zurecht. 1930 ff.
Bahnsteig m **1.** auf ~ Null ankommen =

in eine Stellung ohne Aufstiegsmöglichkeiten gelangen. Bahnsteig Null = Bahnsteig an einem toten Gleis. 1920 *ff.*
2. vom andern ~ sein = a) sich zu einer anderen Religion bekennen. 1950 *ff, stud.* – b) homosexuell sein. 1940 *ff.*
3. auf dem falschen ~ sein (stehen) = a) sich irren. 1920 *ff.* – b) homosexuell sein. 1940 *ff.*
Bahnsteigknutsch *m* **1.** zärtliches Abschiednehmen vom Partner auf dem Bahnsteig. ↗knutschen. 1920 *ff.*
2. geheucheltes Abschiednehmen kußfreudiger Liebespaare auf dem Bahnsteig (einem Ort, an dem auch in prüderen Zeiten Zärtlichkeiten in der Öffentlichkeit geduldet wurden). 1920 *ff.*
Bahnwärterin *f* prüde, unnahbare, unduldsame weibliche Person. Sie weist vorzugsweise männliche Personen in ihre Schranken zurück. 1950 *ff.*
Bahnwärterziege *f* ausgemolkene ~ = unansehnliche Frau ohne angenehme Körperrundungen. Bahnwärter leben (angeblich) kärglich und können sich nur eine Ziege leisten, die sie bis zum letzten Tropfen melken. Ziege = hagere weibliche Person. 1920 *ff.*
Ba'höll *m* Lärm, Geschrei, Tumult. *Österr* Vokabel seit dem 19. Jh, fußend auf ungarisch „paholni = prügeln" oder auf *jidd* „beholo = Schrecken, Lärm, Bestürzung".
Bähschaf *n* **1.** Schaf. Kindervokabel, fußend auf dem Blöklaut des Tieres. 1920 *ff.*
2. dummer Mensch. ↗Schaf. 1800 *ff.*
Baias (Peias) *m* Spaßmacher. Leitet sich her vom Bajazzo (= Spaßmacher) bei italienischen Akrobaten und Seiltänzern. 1800 *ff.*
Bakschisch *n* **1.** Bedienungsgeld. Entsprechend der orientalischen Bedeutung „Trinkgeld, Handgeld". 1920 *ff.*
2. Bestechungsgeld. Im Orient gleichlautend auch in diesem (verschleierten) Sinn gebraucht. 1950 *ff.*
3. Tropenzulage für deutsche Afrikakämpfer. Man betrachtete sie als ein Trinkgeld. 1941 *ff, sold.*
Bakschischer *m* Kellner. ↗Bakschisch 1. 1920 *ff.*
bakterienfrei *adj* frei von jeglicher Anstößigkeit. 1935 *ff.*
Bakteriologe (Backteriologe) *m* Bäcker. Wortspielerei. 1914 *ff.*
Balalaika *f* **1.** Vulva, Vagina. Eigentlich ein Zupfinstrument von charakteristischer Dreiecksform. *Rotw* 1950 *ff, österr.*
2. die ~ zupfen = eine weibliche Person intim betasten. *Österr* 1950 *ff.*
Balance *f* aus der ~ kippen = den moralischen Halt verlieren. 1930 *ff.* *Vgl* ↗Bahn 8.
balbieren *tr* jn übervorteilen, betrügen. Verkürzt aus „über den ↗Löffel balbieren". 18. Jh.
Balbutz (Babutz, Barbutz) *m* Herrenfriseur. Zusammengewachsen aus „Barbier" und „Putzer" oder geschrumpft aus „Bartputzer". 1800 *ff.*
bald *adv* wird's bald? = dauert es noch lange, bis du meiner Weisung nachkommst? willst du wohl endlich antworten? 18. Jh.
Baldower (Baldowerer) *m* **1.** Auskundschafter; Anführer bei einem Diebesunternehmen. ↗ausbaldowern. 1735 *ff, rotw.*
2. Bettler, Strolch u. ä. 1900 *ff.*
Balg *m* **1.** ungezogenes Kind; Kind *(abf).*

Wahrscheinlich verkürzt aus Wechselbalg = untergeschobenes Kind. Früher ein Schimpfwort auf Prostituierte und Kupplerinnen. 1500 *ff.*
2. Rekrut. Er hat noch Unarten von Kindern an sich. *Sold* 1935 *ff.*
3. Leib des Menschen. Eigentlich die Tierhaut. 14. Jh *ff.*
4. einen dicken ~ haben = unempfindlich sein. Analog zu „dickes ↗Fell". *Österr* 1930 *ff, schül.*
5. eins an den ~ kriegen = a) einen heftigen Stoß oder Schlag wider die Rippen bekommen. 1920 *ff.* – b) (durch Bauchschuß) verwundet werden. *Sold* 1939 *ff.*
6. einen ~ Wachs kriegen = verprügelt werden. ↗Wachs. 1900 *ff, westd.*
7. sich den ~ vollärgern = sich sehr ärgern. 1900 *ff.*
8. sich den ~ vollschlagen = sich gründlich sattessen. 19. Jh.
balgen *intr refl* raufen. Fußt entweder auf *mhd* „belgen = anschwellen" (auf die Zornesader bezogen) oder ist gekürzt aus „katzbalgen" oder meint „in einen Balg schimpfen". 1500 *ff.*
Balken *m* **1.** Gewehr, Karabiner. Eigentlich das liegende Langholz. Etwa seit 1870 *ff.*
2. Dienstgradlitze (des Gefreiten u. ä.). 1935 bis heute.
3. Gefreiter. Wegen der schrägen Litze auf dem Oberärmel. *BSD* 1965 *ff.*
4. lügen, daß sich die ~ biegen = dreist lügen. In volkstümlicher Vorstellung ist die Lüge eine schwere Last. 1500 *ff.*
5. die ~ biegen sich = es lügt einer. 1800 *ff.*
6. und wenn sich die ~ biegen = unter allen Umständen. Wohl hergenommen von einem baufälligen Haus. 1900 *ff.*
7. auf den ~ gehen = die Latrine aufsuchen. ↗Donnerbalken. *BSD* 1960 *ff.*
8. Sie hängen mir gleich als ~ unter der Nase!: Drohrede eines Kraftmenschen. Kasernenhofsprache: der Kraftmensch wird die Luft so heftig einatmen, daß der andere rettungslos dem Sog ausgeliefert ist. *Sold* 1939 *ff.*
9. es friert, daß die ~ krachen = es friert sehr stark. 1900 *ff.*
10. einem dicken ~ sägen = heftig schnarchen. ↗sägen. 1920 *ff.*
Balkenbrecher *m* Lügner; Verbreiter von Schwindelnachrichten. Bei ihm biegen sich die Balken nicht nur, sondern sie brechen. 1933 *ff.*
Balkon *m* **1.** üppiger Busen. Im Sinne von „Vorbau" an einem Haus. 1900 *ff.*
2. Nase. Parallel zu ↗Gesichtserker. 1920 *ff.*
3. Stirnglatze. 1950 *ff, schül.*
4. Höcker, Buckel. Als Anbau aufgefaßt. 1900 *ff.*
5. ausgeprägtes, ausladendes Gesäß. 1900 *ff.*
6. dicker Leib. 1900 *ff.*
7. Leib der Schwangeren. 1900 *ff.*
8. Platz (Ablage) zwischen Rücksitz und Rückblickscheibe im Auto. Gewissermaßen ein Vorbau nach hinten. 1955 *ff.*
9. ~ überm Pißhaus (Pißbude, Pissoir) = Schwangerschaft. Pißbude u. ä. = Harnblase, Harnorgan. 1910 *ff.*
10. jm eine an den ~ geben, daß die Blumentöpfe wackeln = jn heftig an den Kopf schlagen. Balkon = Nase. 1910 *ff.*
11. nicht alle auf dem ~ haben = nicht

recht bei Verstand sein. Hinter „alle" ergänze „Blumen". Parallel zu „nicht alle ↗Tassen im Schrank haben. *Westd* 1930 *ff.*
12. auf den ~ reisen = seinen Urlaub daheim verbringen. 1955 *ff.*
'Balkona'grarier *m* Wohnungsinhaber, der auf dem Balkon Gemüse in Blumenkästen zieht. 1915 *ff.*
Balkonbauer *m* **1.** Schwängerer; kinderreicher Vater. ↗Balkon 7. 1900 *ff.*
2. Schönheitsoperateur; Mann, der mit künstlichen Mitteln zu einem gefälligen Busen verhilft oder die Form der Nase korrigiert. ↗Balkon 1. und 2. 1940 *ff.*
Balkonese *m* Hausbewohner, der seinen Balkon mit Blumen verschönt. Dem Wort „Balkanese" nachgebildet. 1960 *ff.*
Balkonfahrer *m* **1.** Einsteigdieb. Nach dem Muster von „Ballonfahrer". Rotw 1830 *ff.*
2. Prostituierter. ↗Balkon 5. 1920 *ff.*
Balkonfahrt *f* Einbruch über den Balkon. ↗Fahrt. *Rotw* 19. Jh.
Balkonfarmer *m* Hausbewohner, der in Blumenkästen auf dem Balkon Gemüse zieht. Berlin 1890 *ff.*
Balkonferien *pl* daheim verbrachter Urlaub. 1950 *ff.*
Balkonfresse *f* vorstehender Unterkiefer. Er ragt vor wie ein Balkon. 1900 *ff.*
Balkonien *n (Ln)* **1.** daheim verbrachter Urlaub; blumengeschmückter Balkon. 1930 *ff,* wahrscheinlich von Berlin ausgegangen. Nach dem Muster von Makedonien u. ä.
2. nach ~ verreisen = den Urlaub auf dem Balkon daheim verbringen. 1930 *ff.*
Balkonkäse *m* stark riechender Käse. Um der Mitmenschen willen kann man ihn nur auf dem Balkon essen. 1960 *ff.*
Balkonschwein *n* auf dem Balkon gehaltenes Kaninchen. *Iron* Euphemismus: man begnügt sich mit einem Stallhasen, da man mangels Grundbesitz zu ebener Erde kein Schwein halten kann. 1916 *ff.*
Balkonurlaub *m* daheim verbrachter Urlaub. 1955 *ff.*
Balkonzigarre *f* minderwertige Zigarre. Sie ist nur auf dem Balkon zu rauchen. 1880 *ff.*
Ball *m* **1.** Trick. Meint die Artistenkugel, die auf der Stock- oder Fingerspitze balanciert wird. 1920 *ff.*
2. den ~ abgeben = dem anderen das Wort erteilen. Hergenommen vom Ballspiel. 1920 *ff.*
3. den ~ auffangen (aufgreifen) = auf eine Äußerung eingehen; einen Vorschlag aufgreifen; einen Wink befolgen. 1920 *ff.*
4. am ~ bleiben = eine Sache beharrlich verfolgen, nicht aus den Augen lassen. Vom Fußballspiel hergenommen. 1950 *ff.*
5. hart am ~ bleiben = als Fußballspieler größte Leistungskraft entfalten. 1950 *ff.*
6. den ~ dreschen = a) den Fußball heftig treten. ↗dreschen. 1950 *ff.* – b) beim Tennisspiel heftig schlagen. 1950 *ff.*
7 a. den ~ im Spiel halten = die Erörterung fortsetzen; sich vom eigentlichen Anliegen ablenken oder gar abbringen lassen. 1950 *ff.*
7 b. den ~ ins Netz hämmern = den Fußball unhaltbar ins Tor treten. 1950 *ff.*
8. den ~ von der Linie kratzen = den Ball kurz vor der Torlinie abwehren. *Sportl* 1950 *ff.*
9. den ~ aus der Luft pflücken = als

Torwart den durch die Luft fliegenden Ball halten. 1950 *ff.*

10. einen ~ schieben = einen Trick anwenden. ↗Ball 1. 1920 *ff.*

11. einen gesunden ~ schieben = bequemen Dienst haben; sorglos und sicher leben. Analog zu „eine gesunde ↗Kugel schieben"; von da übertragen auf das Fußball- oder Billardspiel. *Sold* 1939 *ff.*

12. einen guten ~ schieben = sich völlig richtig verhalten. 1930 *ff.*

13. einen ruhigen ~ schieben = bequemen Dienst haben. ↗Ball 11. 1920 *ff.*

14. den verkehrten ~ schieben = a) erfolglos, umsonst oder fehlerhaft arbeiten. Geht wohl vom Billardspiel aus. *Rotw* 1920 *ff.* – b) homosexuell sein. Seit dem frühen 20. Jh, Berlin.

15. den ~ schneiden = den Ball von der Seite berühren. Stammt aus der Mathematik: zwei Linien schneiden sich. 1900 *ff.*

16. am ~ sein = a) das Wort haben; Einfluß gewonnen haben. Am Ball ist der Fußball-, Handballspieler, wenn er mit ihm die Linien des Gegners durchbricht. 1920 *ff. Vgl engl* „to be on the ball = auf ‚Draht' sein". – b) auf dem Laufenden sein. 1950 *ff.* – c) voll im Berufsleben stehen; abrufbereit, arbeitsbereit sein. 1950 *ff.*

17. jm den ~ (o. ä.) servieren = dem Mitspieler den Ball (o. ä.) genau zuspielen. Vom Kellner hergenommen, der dem Gast die Speisen vorlegt. 1950 *ff.*

18. der ~ steht nicht = der Trick bleibt erfolglos. ↗Ball 1. 1920 *ff.*

19. jn vom ~ trennen = jn um das Erreichte bringen. Hergenommen vom Fuß-, Handballspiel, bei dem der Spieler dem Gegner den Ball abgewinnt. 1950 *ff.*

20. ohne ~ treten = jm wehtun. Führt beim Fußballspiel zu Strafball oder Platzverweis. 1950 *ff.*

21. einen ~ verschluckt haben = schwanger sein. 1900 *ff.*

22. den ~ wegfegen = den Ball heftig wegstoßen. *Sportl* 1950 *ff.* ↗fegen.

23. den ~ an jn weiterspielen = jn zu einer Stellungnahme auffordern; die Verantwortung abgeben (weiterreichen). ↗Ball 2. 1950 *ff.*

24. den ~ zirkeln = den Ball genau ins Ziel treten. *Sportl* 1950 *ff.*

25. einander die Bälle zuschieben (zuspielen, zuwerfen) = einander zu Vorteilen (Antworten) verhelfen. 1920 *ff.*

26. jm den ~ zuwerfen = jm einen Wink geben. 1800 *ff.*

'Balla'balla *m* Kamerad ~ = dummer Kamerad. „Balla" nennen Kinder den Spielball. Also ist „Kamerad Ballaballa' einer, den man wie ein Kind behandeln muß. *Sold* 1939 *ff.*

'balla'balla *adv* **1.** Vater doof, Mutter doof, Kind ~ = sehr dummer Mensch. *Vgl* das Vorhergehende. 1955 *ff.*

2. ~ sein = a) nicht recht bei Verstande sein; geistesgetrübt sein. 1925 *ff.* – b) betrunken sein. 1930 *ff.*

Ballabtausch *m* Rede und Gegenrede; Wortwechsel. Stammt aus dem Ballspielerdeutsch. 1960 *ff.*

Ballakrobat *m* tüchtiger Fuß-, Handballspieler. 1950 *ff.*

Ballartist *m* hervorragender Fußballspieler. Vom Jongleur übertragen. 1950 *ff.*

Ballathlet *m* tüchtiger, kraftvoller Fuß-, Handballspieler. 1950 *ff.*

Ballawatsch *m* Durcheinander; Notlage. ↗Pallawatsch. *Österr* 1900 *ff.*

Ballerbuxe *f* **1.** von innen beschmutzte Hose. ↗Buxe. Ballern = einen lauten Ton erzeugen. Beim Entweichen eines Darmwinds kann Kot mit abgehen. 1900 *ff.*

2. überängstlicher Mann. 1910 *ff.*

Ballerei *f* **1.** heftiger Beschuß; Schußwechsel; starkes Geschütz- oder Gewehrfeuer. ↗ballern 1. 1914 *ff.*

2. wüster Lärm. 1920 *ff.*

Ballerkopp *m* Choleriker. Er braust häufig auf und schimpft dann unbeherrscht; ↗ballern 3. 1950 *ff.*

Ballermann *m* **1.** schießwütiger Mann. ↗ballern 1. 1930 *ff.*

2. Schlagfaust des Boxers. 1930 *ff.*

3. Fußballspieler mit sehr kräftigem Tritt. 1950 *ff.*

4. Maschinengewehr. *Sold* 1960 *ff.*

5. Pistole, Colt. 1950 *ff*, vor allem in Kriminalromanen und -filmen.

6. *pl* = Artillerie. *Sold* 1960 *ff.*

ballern *v* **1.** *intr* = laut werfen; lärmend schlagen; schießen; mit viel Lärm kegeln. Ein schallnachahmendes Wort. 1700 *ff.*

2. *intr* = den Fußball kraftvoll und/oder ungezielt treten. 1930 *ff.*

3. *intr* = schimpfen, zetern. 18. Jh.

4. *intr* = Darmwinde laut entweichen lassen. 1950 *ff.*

5. einen ~ = Alkohol trinken; ein Zechgelage veranstalten; eine Runde auswerfen. Analog zu ↗schmettern. 1910 *ff.*

6. jm eine ~ = jn heftig ins Gesicht schlagen. Seit dem frühen 20. Jh.

ball'estern *intr* Fußball spielen. Aus „Palästra" (= Ringerschule im alten Griechenland) umgestaltet durch „Ball". *Österr* 1930 *ff.*

Balletthase *m* alter ~ = vielerfahrener Ballett- Tänzer. ↗Hase. 1950 *ff.*

Ballettkalb *n* junge Ballett-Tänzerin. ↗Kalb. 1900 *ff.*

Ballett-Löwe *m* Liebhaber von Ballett-Vorführungen. Dem „↗Salonlöwen" nachgebildet. 1960 *ff.*

Ballettonkel *m* Ballettmeister. 1900 *ff.* ↗Onkel.

Ballettratte *f* Ballett-Tänzerin. Übersetzt aus *gleichbed franz* „rat de ballet", etwa seit dem späten 19. Jh.

Ballkätzchen *n* jugendliche Ballbesucherin. ↗Kätzchen. 1960 *ff.*

Ballkelle *f* breite Hand. Eigentlich das Schlagholz beim Ballspiel. ↗Kelle. 1900 *ff.*

Ballkicker *m* Fußballspieler ohne besonderen Rang. ↗Kicker. 1920 *ff.*

Ballkünstler *m* hervorragender Fußballspieler. ↗Ballartist. 1950 *ff.*

Ballnacht *f* rauschende ~ = spannendes Fußballspiel. Übertragen aus dem Filmtitel „Es war eine rauschende Ballnacht" (1939). 1960 *ff, sportl.*

Ballon *m* **1.** Kopf, vor allem der rundliche. 1870 *ff.*

2. dicker Leib. 1870 *ff.*

3. Leib einer Hochschwangeren. 1870 *ff.*

4. üppiger Busen. 1920 *ff.*

5. Beule. 1900 *ff.*

6. Präservativ. Formähnlich mit dem nicht aufgeblasenen Kinderballon oder mit dem länglichen Luftballon. 1900 *ff.*

7. Rausch. Wohl Anspielung auf das gerötete, gedunsen wirkende Gesicht sowie auf

das Gefühl, einen „dicken Kopf" zu haben. 1920 *ff*, vor allem *südd.*

8. *pl* = wundgelaufene Füße. Wegen der Ähnlichkeit mit der Oberfläche der Ballonreifen. *Sold* 1935 bis heute.

9. durchlöcherter ~ = Geistesarmut; schwächlicher Verstand. Hergenommen von dem von Schüssen getroffenen Fessel-, Beobachtungsballon: er war erledigt, sobald sein Gas (= Gehirn) entwich. *Sold* 1914 bis heute.

10. ich lasse dich wie einen ~ aufgehen!: Drohrede. Man will den Betreffenden aufblasen, bis er platzt. 1900 *ff.*

11. einen ~ (roten ~) kriegen = hochrot im Gesicht werden. 1900 *ff.*

12. einen an den ~ kriegen = a) auf den Kopf geschlagen werden. ↗Ballon 1. 1870 *ff.* – b) am Kopf verwundet werden. *Sold* 1914 *ff.*

13. eins vor den ~ kriegen = einen Schlag gegen den Kopf erhalten; am Kopf (Bauch) verwundet werden. *Sold* 1914 *ff.*

14. aufgefüllten ~s laufen = wundgelaufene Füße haben. Anspielung auf die wassergefüllten Blasen. *Sold* 1960 *ff.*

15. im ~ kaputt sein = nicht recht bei Verstand sein. ↗Ballon 1. und 9. 1950 *ff.*

16. einen ~ verschluckt haben = schwanger sein. 1870 *ff.*

Ballonärmel *pl* weite Ärmel („Puffärmel") an Blusen. Sie ähneln aufgeblasenen Luftballons. 1890 *ff.*

Ballonbeine *pl* kurze, gedrungene Beine. 1960 *ff.*

ballonbereift *adj* wundgelaufen (auf Füße bezogen). ↗Ballon 8. *Sold* 1935 *ff.*

Ballonbusen *m* üppiger Busen. 1920/30 *ff.*

Ballöner *m* Ballonfahrer. 1900 *ff.*

Ballonmütze *f* Mütze mit großem, hohem Kopfteil; hohe schwarze Mütze. Um 1850 übliche Kopfbedeckung der Arbeiter und später Sinnbild für alles Sozialdemokratische.

Ballonrock *m* gebauschter Rock. 1958 *ff.*

Ballrackerer *m* zäher, verbissener Fußballspieler. ↗rackern. *Sportl* 1950 *ff.*

Ballschlepper *m* Spieler, der den Ball am Fuß in den eigenen Angriff spielt. *Sportl* 1950 *ff.*

Balltreter *m* Fußballspieler. 1920 *ff.*

ballverliebt sein den Ball zu Kunststückchen benutzen und ihn ungern abspielen. *Sportl* 1950 *ff.*

Ballvirtuose *m* hervorragender (Fuß-)Ballspieler. *Sportl* 1950 *ff.*

Ballzauberer *m* sehr geschickter, trickreicher Fußballspieler. *Sportl* 1950 *ff.*

Balz *f* Flirt usw. Stammt aus der Jägersprache und bezeichnet dort Liebeswerben und Paarung größerer Vogelarten. 1900 *ff.*

Balz-Arie *f* zärtliches Flüstern. Eigentlich der Liebesgesang des Auerhahns. 1900 *ff.*

balzen *intr* kosen, flirten; sehr verliebt sein. ↗Balz. Spätestens um 1900.

Balzgerät *n* Auto. Es ist für Liebesleute sehr geeignet. Da es Mehrgeltung verschafft, kann man mit ihm (auch: in ihm) das Mädchen für sich gewinnen. 1950 *ff.*

Bamberl *m* unbedeutender Mensch; Mensch, den man leicht ernstnehmen kann. Fußt auf *ital* „bambola = Puppe" und meint soviel wie „klein" und „unbedeutend". *Bayr* 1800 *ff.*

Bamberlbetrieb *m* kleiner Geschäftsbetrieb. *Bayr* 1900 *ff.*

Bamberletsch (Bamperletsch) *m* **1.**

Säugling; uneheliches Kind. Geht zurück auf *ital* „bamboleggio = Kindchen". *Österr* 19. Jh.
2. Unbeholfener. *Österr* 1900 *ff.*
Bamberlgeschäft *n* kleiner Geschäftsbetrieb. *Südd* 1900 *ff.*
Bamberlhotel *n* kleines, wenig angesehenes Hotel. *Bayr* 1900 *ff.*
Bamberlladen *m* kleines, wenig geachtetes Geschäft. *Bayr* 1900 *ff.*
Bamberlmusik *f* minderwertige Musik. *Bayr* 1900 *ff.*
Bamberlwirtschaft *f* **1.** oberflächliche, nachlässige Handhabung oder Verwaltung. ↗Wirtschaft. *Bayr* 1970 *ff.*
2. Hilfsschule. *Bayr* 1960 *ff, schül.*
Bambi *n* kleines Mädchen (Kosewort). Fußt auf dem Namen des Rehs in der gleichnamigen Erzählung von Felix Salten (1923), verfilmt von Walt Disney (1941/42). 1950 *ff.*
Bam'bule *f* **1.** Aufruhr. Nebenform von *jidd* „bilbul = Verwirrung; verworrener, bedenklicher Prozeß". Um 1960 bekannt geworden als Vokabel der Umstürzler.
2. ~ machen = sich aufspielen. 1960 *ff.*
Bambusvorhang *m* Abgrenzung kommunistischer Länder des Fernen Ostens gegen ihre nichtkommunistischen Nachbarn. Gegenstück zum Eisernen Vorhang. Nach 1945 aufgekommen.
Bammel *m* **1.** Angst, Befürchtung, Bedenken; Respekt. Gehört zu „bammeln = hin- und herschwanken" und meint die Unruhe vor einem entscheidenden Ereignis. Verhaltenspsychologisch wird vom Äußeren auf das Innere geschlossen. Bammelndes (= schlaff niederhängendes) Segel ist bei Seeleuten gefürchtet, weil bei Windstille oder lauem Wind das Schiff nicht von der Stelle kommt. 1850 *ff.* Vgl ↗bammeln 1.
2. Penis. 1900 *ff.*
3. Hin- und Herpendeln des Fallschirmspringers in der Luft. Fliegerspr. 1939 *ff.*
4. *pl* = Ohrringe; Schmuck am Kleid. 1920 *ff.*
Bammelage *f* (*franz* ausgesprochen) **1.** Herabhängendes; Anhängsel. ↗bammeln 1. 18. Jh.
2. Penis und Hodensack. Seit dem frühen 20. Jh.
bammeln *intr* **1.** hin- und herpendeln; herabhängen; schlenkern; baumeln. „Bam" ahmt den Glockenton nach; von da übertragen auf die Bewegung des Glockenklöppels. 1500 *ff.*
2. gehenkt sein. 1933 *ff.*
Bammelohren *pl* Hängeohren. 19. Jh.
Bammeltitte *f* **1.** Hängebrust. ↗Titte. 1840 *ff.*
2. nachlässig gekleidete weibliche Person. 1900 *ff.*
bammlig *adj* **1.** schlecht sitzend. Auf Kleider bezogen: sie hängen am Körper wie an einem Kleiderständer, entsprechend dem Bild von schlaff an den Rahen hängenden Segeln. Vgl ↗Bammel 1. 1900 *ff.*
2. ängstlich. ↗Bammel 1. 1900 *ff.*
Bams *m* **1.** Kind, Säugling. Eigentlich dasselbe wie „Bauch", also „dicker Bauch", dann wohl bezogen auf den Inhalt des Leibs der Schwangeren. 1800 *ff, oberd.*
2. einer einen ~ andrehen = schwängern. *Bayr* 1900 *ff.* ↗andrehen 3.
bamsen *v* **1.** *intr* = viel essen; mit beiden Backen kauen. Hängt zusammen mit

„Bams, Pams = dicker Brei" und „bampfen = stopfen". 19. Jh.
2. jn ~ = jn im Dienst überstreng behandeln. Meint eigentlich „prügeln". 1933 *ff, sold.*
bamstig *adj* **1.** dicklich, weichlich, saftlos. Fußt auf „Bams = Brei". *Südd* 19. Jh.
2. dünkelhaft. Wer sich brüstet, bläst sich auf wie ein ↗Frosch. *Österr* 1900 *ff.*
Banane *f* **1.** auffallend große (gebogene) Nase. 1920 *ff.*
2. großer Penis; erigierter Penis. 1900 *ff.*
3. Stielhandgranate. *Sold* in beiden Weltkriegen.
3 a. Stab des Stabhochspringers. 1975 *ff.*
4. *pl* = gebogene Beine. 1900 *ff.*
5. ~ mit Sommersprossen = braungefleckte Banane. 1950 *ff.*
6. bayerische ~ = Weißwurst. 1925 *ff.*
7. (fliegende) ~ = Hubschrauber mit zwei Rotoren (Typ Vertol H 21); Transporthubschrauber. 1950 *ff; BSD.*
8. Bananen laß dir nicht mit der ~ aus dem Urwald gelockt‹: Frage an einen Dummen. Anspielung auf den Affen, der gern Bananen frißt. 1920 *ff,* Berlin.
Bananenflanke *f* Fußballstoß, bei dem der Ball eine leicht gekrümmte Flugbahn hat. *Sportl* 1982.
Bananengradebieger *m* erfundene Berufsbezeichnung für einen Unfähigen. *Schül* 1955 *ff.*
Bananenreise *f* erste Überseereise eines jungen Kaufmanns. Er soll in Übersee „ausreifen". Kaufmannsspr. 1958 *ff.*
Banause *m* Bildungsverächter; Bildungsuninteressierter; Ungebildeter („Kulturbanause"); Mensch ohne Fachkenntnisse. Fußt auf *griech* „banausos = Handwerker" und meint in der Schulgelehrsamkeit den Nichtkünstler. 1800 *ff.*
banausig (banausisch) *adj* bildungsverächtlich, bildungsuninteressiert. Seit dem frühen 19. Jh.
Band I *m* **1.** das spricht Bände = das ist eine sehr vielsagende Tatsache. Eine treffende Bemerkung kann wertvoller und aufschlußreicher sein als der Inhalt vieler Bücher. Seit dem ausgehenden 19. Jh. Vgl *engl* „that speakes volumes".
2. von etw Bände erzählen können = von etw sehr viel berichten können. 1900 *ff.*
Band II *n* **1.** intime Freundin. Sie ist der Gegenstand des ↗Anbändelns. Im *Oberd* des 19. Jhs ist „Band" die abfällige Bezeichnung für eine weibliche Person. 1930 *ff.*
2. am fließenden (laufenden) ~ = ohne Aufhören; pausenlos. Kurz nach dem Ersten Weltkrieg aufgekommen mit der Einführung der Fließbandarbeit.
3. romantische ~e = Liebesbeziehungen. ↗romantisch. 1960 *ff.*
4. das Rote ~ des Ostens = Erinnerungsmedaille für die Teilnahme am Winterfeldzug 1941/42. Sie wird an einem roten Ordensband getragen. Nachgebildet dem „Blauen Band des Ozeans". *Sold* 1942 *ff.*
5. jn am ~ haben = jn in seiner Gewalt haben. Hergenommen vom Band, an dem man kleine Kinder führt. 1900 *ff.*
Bandagen *pl* **1.** mit ~ = abgemildert. Stammt aus dem Boxsport: mit Bandagen werden die Boxhiebe gemildert. 1920 *ff.*
2. ohne ~ = ohne Vorkehrungen; harmlos, arglos. 1920 *ff.*

3. mit harten ~ = rücksichtslos, unnachsichtig, schonungslos, zäh, verbissen. Harte Bandagen sind harte Binden, mit denen der Boxer seine Hände umwickelt (aus Sicherheitsgründen verboten). 1920 *ff.*
4. jn mit harten ~ erziehen = jm durch Züchtigung Anstand und Sitte beibringen; jn unnachsichtig einexerzieren. 1925 *ff.*
5. mit harten ~ kämpfen = unter harten Lebensbedingungen sich behaupten. 1950 *ff.*
6. das sind harte ~ = das sind Grobheiten. 1940 *ff, öster.*
Bandbreite *f* Betätigungsspielraum; Bedeutungsspielraum; Reichweite; vielseitige Könnerschaft; Stimmumfang. Der Rundfunk-, Fernseh-, Film- und Tonbandtechnik entlehnt. Politiker- und Journalistenspr. 1970 *ff.*
Bande *f* **1.** Gruppe von Leuten (*abf*). Meint ursprünglich die unter einer Fahne versammelte Kriegerschar, dann eine Gruppe von Komödianten und schließlich die Diebes- und Räuberbande. Die heutige Bedeutung kam im 18. Jh. auf.
2. Stammtruppenteil. *Sold* 1870 *ff.*
3. schwule ~ = Homosexuelle; männliche Prostituierte; Lesbierinnen. ↗schwul. Seit dem frühen 19. Jh, *prost.*
Bändel *n* jn am ~ haben **1.** jn in seiner Gewalt haben. Bändel (Bandel) ist das Band, das man kleinen Kindern unter den Armen durchführt, wenn sie gehen lernen sollen. Auch meint man so das Leitband (die Leine) der Haustiere. Spätestens seit dem 18. Jh.
2. einen Verehrer haben. 1800 *ff.*
3. jn verabern, belügen. Hat man einen am Bändel, kann man nach Gutdünken mit ihm verfahren. *Österr* 1900 *ff.*
bandeln *intr* flirten. ↗anbandeln. *Österr* 19. Jh.
Bandit *m* einarmiger ~ = Groschen-Spielautomat. Übersetzt aus *angloamerikan* „onearmed bandit". 1950 *ff.*
Bandkonserve *f* Bandaufnahme. Konserve ist das unverderblich lagerfähig gemachte Nahrungsmittel. 1930 *ff.*
Bandkrämer *m* unbedeutender Kaufmann; Mann, der auf dem Markt unmoderne Textilien billig anbietet. Band = Litze, Zierband u. ä. 19. Jh.
Bandl *n* Tonband, Tonbandgerät. *Oberd* 1920 *ff.*
Bandlkramer *m* Händler mit Tragebrett oder Bauchladen; Hausierer. Vgl ↗Bandkrämer. *Österr* 1900 *ff.*
Bandnudel *f* Fließband. Eigentlich die flache und breite Nudelart. 1920 *ff.*
Bandoneon *n* das spielt kein ~ = das ist unerheblich. Umgestaltet aus „das spielt keine Rolle". Vom Theater auf das Musikinstrument übertragen. 1930 *ff.*
Bandoneonhose *f* faltenreiche Hose; Hose mit Querfalten. Das Bandoneon ist eine Art Ziehharmonika. Hier Anspielung auf den in Falten gelegten Blasebalg. *Sold* 1939 *ff.*
Bandsalat *m* Durcheinander von Tonbändern. ↗Salat. 1950 *ff.*
Bandscheibe *f* die ~ klingelt = heftige Kreuzschmerzen machen sich bemerkbar. Hergenommen von der klingelnden Weckeruhr. 1950 *ff.*
Bandscheibenverwöhner *m* Stuhl, der so gearbeitet ist, daß man beim Schreiben sich anlehnen kann. 1966 *ff.*

ban'dusen *intr* toben, schimpfen. Leitet sich vielleicht her von *poln* „bandos = gemieteter Schnitter". Ruhrgebiet 1930 *ff.*

Bandwurm *m* **1.** Schlange auf den Schulterstücken des Militärarztes. Spott auf die Äskulapschlange. 1910 *ff.*
2. *pl* = Bandnudeln. Wegen der Formähnlichkeit mit den Bandwürmern. Etwa seit 1900.
3. ~ mit Klistierspritze = Äskulapstab auf den Schulterstücken der Militärärzte o. ä. 1910 *ff.*
4. sein ~ bellt = er hat Aufstoßen. 1950 *ff.*
5. dein ~ hat wohl lange nicht mehr kehrtgemacht?: Frage an einen, den man zum Fortgehen bestimmen möchte. Seemannsspr. 1950 *ff.*
6. du kriegst einen (eine) vor den Bauch, daß deinem ~ das Trommelfell platzt!: Drohrede. 1920 *ff*, Berlin.
7. der ~ schielt = er hat Hämorrhoiden. Nach scherzhafter Soldatenmeinung sollte bei der Untersuchung auf Hämorrhoiden festgestellt werden, ob der Bandwurm schielt. *Sold* 1939 *ff.*

Bandwurmsatz *m* langer Satz mit vielen Nebensätzen. 1900 *ff.*

Bandwurmsendung *f* zu lang dauernde Fernsehsendung; Fernsehspielfolge in zu vielen Fortsetzungen. 1960 *ff.*

Bandwurmtitel *m* aus vielen Silben oder Wörtern bestehender Titel einer Amtsperson, eines Buches o. ä. 1930 *ff.*

Bandwurmwort *n* überlanges Wort („konstantinopolitanische Dudelsackspfeifenmachergesellenherberge"). 1920 *ff*, *schül.*

Bangbüxe (-buxe, -butz) *f* ängstlicher Mensch. Buxe = Hose (sie ist wohl von innen beschmutzt, weil vor Angst der Schließmuskel versagt hat). „Butz" ist nicht nur eine Nebenform zu „Buxe", sondern bezeichnet auch die Vogelscheuche und den vermummten Menschen; vor ihm hat die „Bangbutz" Angst. 18. Jh.

bangbüxig *adj* ängstlich. 19. Jh.

Bange *f* Angst, Befürchtung. Substantiv zu „bange". *Nordd* 1800 *ff.*

bange *adj* **1.** ~ machen gilt nicht = Einschüchterungsversuche sind unzulässig; Redewendung, wenn einer die Gefährlichkeit eines Vorhabens übergebührlich betont. 1800 *ff.*
2. sich für etw nicht ~ machen = sich vor etw nicht fürchten. 1900 *ff.*
3. ~ machen is nich = ich lasse mir keine Angst einjagen. Berlin, 19. Jh.

Bank *f* **1.** ~ des kleinen Mannes = Versatz-, Pfandamt, Pfandleihanstalt. 1920 *ff.*
2. durch die ~ = alle ohne Ausnahme; alle ohne Unterschied; durchweg. Die auf der Bank sitzenden Gäste werden der Reihe nach und ohne Bevorzugung bedient. 1400 *ff.*
3. ~ arbeiten = im Freien, auf einer Bank nächtigen. 1850 *ff*, Berlin.
4. von der ~ fallen = unehelich geboren werden. Meint eigentlich „die niedere Gesindebank mit der Magd teilen". 18. Jh.
5. durch die ~ gehen = mit mehreren Männern nacheinander koitieren. ↗ Bank 2. *Österr* 1900 *ff*, *prost.*
6. es gerät auf die lange ~ = es wird vorerst unentschieden gelassen. Die lange Bank war in der mittelalterlichen Rechtspraxis die Bank, auf der die Schöffen saßen; neben ihnen lagen die Akten. Die

unwichtigen Akten wurden auf den weniger benutzten Teil der Bank gelegt und jeweils weitergeschoben. 1900 *ff.*
7. jn zur ~ hauen = a) jn heftig schlagen. Bank = Fleischbank. 1600 *ff.* – b) jn rügen. 1700 *ff.* – c) jn im Wortwechsel mundtot machen. 1920 *ff.*
8. eine ~ knacken = eine Bank ausrauben. ↗ knacken. 1920 *ff.*
9. jn über die ~ legen = einen Schüler verprügeln. Hergenommen aus der veralteten Schulpraxis, bei der der Schüler sich tatsächlich über die Schulbank legen mußte, wenn der Lehrer ihn auf das Gesäß schlagen wollte. 1600 *ff.*
10. etw auf die lange ~ schieben = eine Entscheidung aufschieben. *Vgl* ↗ Bank 6. Spätestens seit 1600.
11. auf der ~ der Spötter sitzen = ein arger Spötter sein. Fußt auf Psalm 1,1. 1920 *ff.*
12. jn unter die ~ trinken = mehr trinken können als der andere. Dieser ist bereits betrunken von der Bank gefallen, während der Herausforderer noch wacker weiterzecht. Parallelbildung zu „jn unter den ↗ Tisch trinken". 19. Jh, *stud.*
13. jn durch die ~ ziehen = jm übel nachreden; über jn lästern; jn dem Spott preisgeben. Mit der Bank ist hier die Hechelbank gemeint; ↗ durchhecheln. 1600 *ff.*

Bankaktie *f* ~ an der Wand = wertvolles Gemälde (als Kapitalanlage). 1960 *ff.*

Bankarbeit *f* ~ machen = auf einer Bank schlafen; sich auf einer Bank ausruhen; faulenzen. ↗ Bank 3. 1850 *ff*, Kundensprache.

Bankbombe *f* Geldbehälter eines Kreditinstituts. Formähnlich mit einer kleinen Bombe. 1920 *ff.*

Bankdrücker *m* **1.** Schulkind. Es drückt die ↗ Schulbank. 1900 *ff.*
2. Angeklagter, Gewohnheitsverbrecher. Er drückt die Anklagebank. 1920 *ff.*

Bankenhai *m* Bankenbetrüger. ↗ Hai. 1970 *ff.*

Banker (Bänker) *m* Bankfachmann, -direktor o. ä. Aus dem *Engl* bzw. *Anglo-amerikan* übernommen. 1950 *ff.*

Bankert *m* freches, ungezogenes Kind; Schimpfwort. Meint eigentlich und schon in *mhd* Zeit das uneheliche Kind, das nicht im Ehebett, sondern auf der Gesindebank gezeugt wurde. Bis heute ein geläufiges Schimpfwort geblieben.

Bankfleisch *n* ältliche Prostituierte. Wegen Unansehnlichkeit muß sie sich billig verkaufen wie Fleisch von der Freibank. 1920 *ff.*

Bankfleischstrich *m* Großstadtbezirk, in dem ältliche Straßenprostituierte auf Männerfang ausgehen. ↗ Strich. 1960 *ff.*

Bankgebet *n* Niederländisches ~ = Stoß-Hymne, von konkursreifen Geschäftsleuten anzustimmen, wenn die Bank noch einmal Kredit oder Zahlungsaufschub gewährt hat. Scherzhaft dem „Niederländischen Dankgebet" nachgebildet. 1920 *ff.*

Bankkonto *n* **1.** dickes ~ = wohlgefülltes Bankkonto. 1920 *ff.*
2. wohlbeleibtes ~ = Bankkonto mit sehr ansehnlichem Guthaben. 1920 *ff.*

Bankkrach *m* Bankrott eines Geldinstituts. ↗ Krach. 1900 *ff.*

Bankpolster *n* hohes Bankguthaben. 1950 *ff.* ↗ Polster.

bankrott *adj präd* hinfällig, müde, überdrüssig. Von Zahlungsunfähigkeit übertragen auf körperliche und seelische Kraftlosigkeit. Wohl während der Gründerjahre (kurz nach 1871) aufgekommen im Zusammenhang mit den vielen Zahlungseinstellungen.

Bankverkehr *m* Liebelei im Park auf einer Bank (oft mit Koitus). 1950 *ff.*

Bann *m* der ~ ist gebrochen = das Schlimmste ist abgewehrt; es geht aufwärts. Hergenommen vom Zauberbann. 19. Jh.

bannig *adj adv* **1.** *adj* = sehr groß; gewaltig; sehr stark. Meint eigentlich „im Bann befindlich"; von da weiterentwickelt zur Bedeutung „verflucht" und zur Geltung allgemeiner Verstärkung. Beeinflußt von „bandig, bändig = gewaltig, außerordentlich" (*vgl* „unbändig"). 18. Jh, *nordd.*
2. *adv* = sehr. 18. Jh, *nordd.*

Bantscherl *n* ↗ Pantscherl.

Banzen *m* Faß. Fußt auf *mhd* „panze"; etymologisch verwandt mit „Panzer". *Bayr* 1200 *ff.*

Bar *f* eigenes Zimmer. Wohl weil man dort mit alkoholischen Getränken wohlversehen ist. *Halbw* 1955 *ff.*

bar *adv* **1.** ~ legen = zahlen, bezahlen. Meint „das Geld in bar auf den Tisch legen". 1925 *ff.*
2. gegen ~ lieben = Prostituierte sein. Sie „schenkt Liebe" nur gegen Barzahlung. 1960 *ff.*

Bär *m* **1.** Soldat. Meint mal den großen, kräftigen Mann, mal den unerzogenen Menschen (ungeleckter ↗ Bär 10.), mal den, der fremdem Willen unterworfen ist (Tanzbär). *Sold* 1960 *ff.*
2. kleinere Geldschuld; Zechschuld. Mißverstanden aus „bere, bäre = Abgabe". *Stud* 19. Jh.
3. Ramme, Rammklotz. Hergenommen von der enormen Kraft des Bären. 1600 *ff.*
4. Kosewort für einen Mann. Hängt zusammen mit dem Stoff-, Plüschbären, einem beliebten Kinderspielzeug. (Dessen Inbegriff „Teddybär" ist freilich keinem Bären im zoologischen Sinn, sondern dem australischen Beuteltier Koala nachgebildet.) 1920 *ff.*
5. weibliche Schamhaare; Vulva. Vom Bärenpelz hergenommen oder von der dichtbehaarten Bärenraupe. 1500 *ff.*
6. Freundin eines jungen Mannes; Kosewort für eine weibliche Person. 1920 *ff.*
7. ~ auf Socken = plumper Mensch. Unterschiedet sich vom echten Bären mit seinem schwerfälligen Gang nur durch die „Socken" (= Schuhwerk). 1900 *ff*, *westd.*
8. ein ~ von einem Menschen = großer, kräftiger Mensch. Steht wohl im Zusammenhang mit der Vorführung von Tanzbären. 1800 *ff.*
9. großer ~ = Vagina, Vulva. ↗ Bär 5. *BSD* 1960 *ff.*
10. ungeleckter ~ = unerzogener, plumper Mensch. Fußt auf dem alten Volksglauben, daß der Bär seine Jungen durch Belecken vervollkommnt. Im 18. Jh. aufgekommen.
11. einen ~en anbinden = Schulden machen; Geld aufnehmen. ↗ Bär 2. 1700 *ff.*
12. jm einen ~en aufbinden = jm Unwahres vorgaukeln; jn belügen. Im Mittelalter führte man den Bären vor dem Schlachten aufgeputzt durchs Dorf; als

man am Festumzug auch ohne Bären festhielt, führte man einen vermummten Mann (mit ihm aufgebundenem Bärenfell) als „Bär" herum: dies nannte man „einen Bären aufbinden". 1700 ff.

13. aussehen wie ein ~ um die Eier = ein bleiches Aussehen haben. Anspielung auf die Pelzfarbe des Bären um die Hodengegend. 1960 ff, sold.

14. einen ~ bauen = salutieren; militärisch grüßen. Hängt mit dem abgerichteten Tanzbären zusammen. 1965 ff, sold.

15. er ist auf den ~ zu binden = er ist zornig, unausstehlich, streitsüchtig. Man sollte ihn auf einen Bären binden und in den Wald jagen. 19. Jh.

16. der ~ ist auf die Nase gefallen = die Frau menstruiert. ↗ Bär 5. (Der Bär blutet . . .) 1930 ff.

17. gehen wie ein ~ auf Socken = schwerfällig gehen. ↗ Bär 7. 1900 ff, westd.

18. den ~en haben = sehr schlechter Laune sein; streitsüchtig sein. Bären brummen, und „brummen = murren" 1920 ff.

19. Hunger wie ein ~ haben = großen Hunger haben. Der Bär ist gefräßig und nahezu ein Allesfresser. 1900 ff.

20. einen ~en hängen haben = Geldschulden haben. ↗ Bär 2. Stud 19. Jh.

21. ab hier werden wir ~ en von rechts: Redewendung angesichts einer einsamen, unbekannten Gegend. Sold 1965 ff.

22. leck einen ~en!: derbe Abweisung. 1930 ff.

23. einen ~en losbinden = Schulden bezahlen. ↗ Bär 2. Stud 19. Jh.

24. der ~ ist los = man ist hochgradig wütend. 1900 ff.

25. den ~en machen = die Gäste unterhalten; alles herbeibringen; den Lustigmacher abgeben. Hergenommen vom Tanzbären, der vom Willen des Schaustellers abhängig ist. 1900 ff.

26. hast du schon mal mit einem ~en gerungen?: Drohfrage. 1930 ff.

27. schlafen wie ein ~ = fest, lange schlafen. Leitet sich vom Winterschlaf des Bären her. Seit dem späten 19. Jh.

28. hast du schon mal mit einem ~en geschmust?: Drohfrage. ↗ schmusen. Jug 1930 ff.

29. schnarchen wie ein ~ = stark und tief schnarchen. Hängt zusammen mit dem Brummlaut des Bären. 18. Jh.

30. schwitzen wie ein ~ = stark schwitzen. Wegen seines dichten und dicken Fells nimmt man an, der Bär müsse entsprechend schwitzen. 1850 ff.

31. das Fell des ~en teilen, bevor er erlegt ist = einen Gewinn im voraus teilen. Stammt aus einer Fabel des Jean de La Fontaine (1668). 18. Jh.

Bar'aber m Schwerarbeiter, Erdarbeiter. Fußt auf slow „paraba = ungeschulter Arbeiter". Südd 1900 ff.

ba'rabern intr Schwerarbeit leisten. Österr 1900 ff.

Ba'rack m (n) **1.** Lebensbereich der ärmlichen Leute. Anspielung auf Barackensiedlungen; angelehnt an „Barock". 1950 ff.

2. Barackenbaustil. Gegen Ende des Zweiten Weltkriegs aufgekommen im Zusammenhang mit der Zerstörung der deutschen Städte.

3. deutsches ~ = primitive Bauweise

nach 1945 (klein, eingeschossig, unverputzt). 1945 ff.

barbarisch adj adv **1.** adj = heftig, stark, wild, laut. Der Barbar ist ein kräftiger, wilder und roher Gesell' ohne Gesittung. Spätestens seit 1900.

2. adv = sehr. 1900 ff.

Bärbeißer m streitlüsterner Mensch; mürrischer, nörglerischer Mann. Leitet sich her von der Angriffslust und Bissigkeit des Bären oder von den zur Bärenhatz abgerichteten Jagdhunden. 18. Jh.

bärbeißig adj angriffslustig; mit Worten verletzend. 18. Jh.

Barbesitzer m Geldmann. Er besitzt Bargeld. 1970 ff.

Barbetrieb m Wirtschaft, in der der Gast nicht auf Borg trinken kann. Wortspielerei. 1920 ff.

barbieren tr jn täuschen, übertölpeln, betrügen. Verkürzt aus „über den ↗ Löffel barbieren". 1800 ff.

Barbiertolle f aufwärts gebürstetes Haar. ↗ Tolle. Seit dem späten 19. Jh.

barbrüstig adj busenfrei (auf die Kleidung bezogen). Nach dem Vorbild von „barfuß", „barhäuptig" usw. gebildet im Aufkommen der „Oben-ohne"-Mode; 1964 ff.

Barbummel m Besuch mehrerer Nachtlokale. ↗ Bummel. 1920 ff.

barbusig adj mit unbedecktem Busen. ↗ barbrüstig. 1964 ff.

Barbutz m Herrenfriseur. ↗ Balbutz.

Barcelona On jede Menge ~ = unbegrenzte Menge. Hängt wohl zusammen mit dem Schlager „Zwei rote Lippen und ein süßer Tarragona, das ist das Schönste in Barcelona". Um 1935 aufgekommen, vor allem unter Schülern verbreitet.

'Bären'appe'tit m großer, gesegneter Appetit. ↗ Bär 19. Etwa seit 1900.

Bärendienst m unzweckmäßige Hilfeleistung. Fußt wahrscheinlich auf der Fabel „L'ours et l'amateur des jardins" von La Fontaine. 1600 ff.

'Bären'durst m heftiger Durst. 1900 ff.

Bärenführer m **1.** Fremdenführer. Die Fremden betrachten ihn drein wie den Tanzbär hinter seinem Herrn. 1840 ff.

2. Handelsvertreter, der seinen Arbeitgeber bei der Kundschaft herumführt. Kaufmannsspr. 1900 ff.

3. Begleiter eines hohen Besuchs. 1900 ff.

Bärengang m Rundgang der Häftlinge im Gefängnishof. Erinnert an die Vorführung von Tanzbären unter Aufsicht ihres Bärenführers. Rotw 1894 ff.

Bärenhang m Überquerung einer Schlucht im Hanglauf, wobei Hände und Kniekehlen am lockeren Hanfseil festgekrallt sind. Der Einzelkämpfer schlägt die „Krallen" um das Seil wie ein Bär. Sold 1965 ff.

Bärenhaut f **1.** sich auf die ~ legen = sich schlafen legen; sich dem Müßiggang hingeben. Vgl das Folgende. 1600 ff.

2. auf der ~ liegen = müßiggehen; faul sein. Von den Humanisten erfundene freie Ausmalung des Treibens der alten Germanen auf der Grundlage von Tacitus, „Germania", Kap. 15, – ein trotz Textkritik und Geschichtsforschung unausrottbares Vorurteil, aufrechterhalten durch Studentenlieder. 1600 ff.

Bärenhäuter m unverbesserlich arbeitsträger Mann. 16. Jh ff.

'Bären'hitze f große Hitze. Zusammenhän-

gend mit „schwitzen wie ein ↗ Bär". 1900 ff.

'Bären'hunger m heftiger Hunger. ↗ Bär 19. 1900 ff.

'bären'kalt adj bitterkalt. Vom Eisbären nimmt man an, daß er frieren müsse. 1850 ff.

'Bären'kälte f sehr große Kälte. 1850 ff.

'Bären'kerl m großer, kräftiger Mann. ↗ Bär 8. 1800 ff.

'Bären'lackel m kräftiger, plump auftretender Mann. ↗ Lackel. Südd 1920 ff.

'Bären'mädchen n kräftiges Mädchen. 1900 ff.

bärenmäßig adj adv gewaltig, groß, kräftig; schwer; sehr. 19. Jh.

Bärennatur f widerstandsfähige körperliche und seelische Veranlagung. 1900 ff.

'Bären'nerven pl sehr widerstandsfähige Nerven. 1950 ff.

'Bären'ruhe f seelische Unerschütterlichkeit. 1900 ff.

Bärenschinken m breiter Oberschenkel; breite Gesäßhälfte. 1920 ff.

'Bären'schlaf m tiefer, fester, langer Schlaf. ↗ Bär 27. 1900 ff.

'bären'stark adj sehr stark. 19. Jh.

'Bären'stärke f große Stärke. 19. Jh.

Bärentanz m **1.** Rundgang der Häftlinge im Gefängnishof. ↗ Bärengang. Seit dem späten 19. Jh.

2. Wachwechsel. Wegen der eingedrillten Schritte. Früher soviel wie der traditionelle Marsch, nach dem die Truppe den Parademarsch ausführt. BSD 1965 ff.

Bärentreiber m **1.** Zuhälter, Kuppler. Entweder weil er die Kunden zum „Bären" (↗ Bär 5) treibt oder weil er die Prostituierten wie ein Bärenführer vorführt. 1500 ff.

2. Rekrutenausbilder. 1914 ff.

3. Postenmantel. BSD 1965 ff.

barfuß adv **1.** ohne Geld; mittellos. „Barfußgehen" gilt als Zeichen von Armut. 1920 ff.

2. ohne Präservativ. Vgl ↗ Strumpf = Präservativ. 1940 ff.

3. unbelegt (auf eine Scheibe Brot bezogen). Eine solche Schnitte gilt als nackt. Sold 1939 ff.

4. ~ bis unter die Achseln = völlig unbekleidet. Scherzhaft verhüllend für völlige Nacktheit. 1900 ff.

5. ~ bis unter die Arme = völlig nackt. 19. Jh.

6. ~ bis an den (bis zum) Hals = völlig nackt. 19. Jh.

7. ~ am ganzen Körper = nackt. 1965 ff.

8. ~ bis an die Schultern = nackt. 19. Jh.

9. ~ vom Kopf bis zu den Zehen = unbekleidet. 1945 ff.

10. ~ nach Hause gehen = eine schwere Niederlage erlitten haben. Die Gegner haben ihr Opfer „ausgezogen" und ihm sogar die Stiefel abgenommen. Vgl ↗ barfuß 1. Sold und kartenspielerspr. 1900 ff.

11. ~ mit dem Kopf gehen = ohne Kopfbedeckung gehen. 1900 ff.

12. ~ auf dem Kopf sein = kahlköpfig sein. 1920 ff.

Bargeld n **1.** ~ lacht = hier wird weder geborgt noch gestundet. Nur bei Barzahlung gibt es hier freundliche Mienen. 1600 ff.

2. er (das) ist so gut wie ~ = er verliert jedes Spiel. Der ständige Verlierer ist für den Gewinner eine ständig sprudelnde

Geldquelle. Kartenspielerspr. Seit dem späten 19. Jh.

bargeldlos adj adv **1.** mittellos. Eigentlich nur der, der kein Bargeld besitzt. 1950 ff. **2.** sich etw ~ anschaffen (o. ä.) = etw entwenden (meist auf Ladendiebstahl bezogen). 1950 ff.

bärig adj **1.** grob, ungebührlich; zum Widerspruch geneigt. ↗Bär 1. 1870 ff. **2.** ungestüm, unbändig, wild; liebesgierig. Meint eigentlich „brünstig". 1870 ff. **3.** ausgezeichnet. Fußt wohl auf der Geltung von „Bär-" als Steigerungsmetapher. 1900 ff, bayr. **4.** lustig, vergnüglich. Bayr 1930 ff. **5.** angenehm, günstig, verlockend. Oberd 1930 ff, jug.

Barlöwe m Barbesucher. Ein Nachfahre des ↗Salonlöwen. 1950 f.

Barmaid f **1.** Bardame. ↗Maid. 1920 ff. **2.** weibliche Barbesucherin auf der Suche nach Männerbekanntschaften. 1920 ff.

Bärme f **1.** ~ (reine ~)l: Ausdruck der Ablehnung, des Mißfallens. Meint eigentlich die Hefe, dann auch jedweden grobstofflichen Rückstand von Bier (oder Wein) am Flaschenboden. Bei einem ordnungsgemäß gebrauten Bier darf keine Hefe mehr in Flasche oder Glas gelangen. 1900 ff. **2.** ihm haben sie ~ unter die Beine gelegt: Redewendung auf einen großwüchsigen Menschen. Hefe soll sein Wachstum derart gefördert (beschleunigt) haben. 1920 ff, Berlin.

barmen intr jammern; inständig bitten. Gehört zu dem geläufigeren „erbarmen = Mitleid erregen". Vgl mittelniederd „barmen = Mitleid haben". Spätestens seit 1800.

Barmieze f Bardame; Barbesucherin. ↗Mieze. 1920 ff.

Barnard Pn was ~ braucht = Herz (als Spielfarbe). Anspielung auf die von Professor Christiaan N. Barnard seit 1967 in Südafrika (Groote-Schuur-Hospital, Kapstadt) vorgenommenen Herzverpflanzungen. Kartenspielerspr. 1969 ff.

Barock n Fettpolster an Hüfte und Gesäß. Anspielung auf die kräftigen, schwellenden Körper in der bildenden Kunst des Barock. 1950 ff.

barock adj **1.** dicklich, üppig entwickelt. Vgl das Vorhergehende. 1950 ff. **2.** wunderlich; umständlich; schwerverständlich. Die Stilbezeichnung wurde zu „absonderlich" und „lächerlich" schon im französischen Klassizismus abgewertet. Nach 1850 neu aufgelebt.

Barockform f Formenüppigkeit des Frauenkörpers. 1950 ff.

Barocksirene f durch üppige, freigebig dekolletierte Formen verführerisch wirkende weibliche Person. ↗Sirene. 1950 ff.

Barometer n **1.** das ~ ist in den Keller gefallen = der Luftdruck ist stark gesunken. Verstärkung von „das Barometer ist gefallen". 1960 ff. **2.** das ~ steht auf Tief = es herrscht Verärgerung, Mißstimmung. Parallel zu „dicke Luft = Unfrieden, Mißmut". 1935 ff, sold, später auch ziv bis heute.

Baron m **1.** Nichtstuer, Arbeitsloser. In der Volksmeinung ist ein Baron dermaßen reich, daß er nicht von seiner Hände Arbeit zu leben braucht. 19. Jh. **2.** ~ von Habenichts = Mittelloser mit

vornehmem Auftreten. „Habenichts" ist ein Satzname (ich habe nichts). 19. Jh. **3.** er tut, als wenn er einem ~ aus dem Arsch gefallen wäre = er benimmt sich übertrieben vornehm. 1920 ff.

baronisieren intr untätig sein; müßiggehen. ↗Baron 1. 19. Jh.

Barras m **1.** Kommißbrot. Das zu Beginn des 19. Jh bei fränkischen Bauern auftauchende Wort ist hinsichtlich seiner Herleitung völlig unsicher. Vielleicht geht es zurück auf jidd „baras = Fladenbrot". **2.** Wehrdienst, Heer u. ä. Da nicht vor 1871 bezeugt, fußt das Wort wahrscheinlich auf franz „baraques", wie man die niedrigen Holzbauten nannte, die zur Unterbringung der deutschen Besatzungssoldaten in Frankreich dienten.

Barrasbrot n Kommißbrot. Sold 1939 ff.

Barrasbulle m Rindfleisch in Dosen. Sold 1934 ff.

Barras-Einmaleins n Heeresdienstvorschrift. Sold 1914 ff.

Barrashengst m aktiver Unteroffizier; Berufssoldat. ↗Hengst. Sold 1914 bis heute.

Barra'sit m **1.** Soldat (besonders der in der Heimat stationierte). Angelehnt an „Parasit": er gilt als Schmarotzer. 1939 ff. **2.** Militarist. 1957 ff.

Barraskiepe f Stahlhelm. Kiepe ist der Rückentragkorb, auch der Frauenhut, formähnlich mit dem „Topfhut". 1935 ff, sold.

Barrikaden pl **1.** jn auf die ~ bringen (treiben) = jn aufstacheln, aufregen. Die Barrikade ist die Straßenschanze für Straßenschlachten aufrührerischer Bürger; etwa seit 1848 ein volkstümlicher Begriff. 1863 ff. **2.** für etw auf die ~ gehen (klettern, steigen o. ä.) = mutig für etw eintreten; heftig Einspruch erheben. 19. Jh. **3.** auf die ~ steigen = sich ereifern. 1950 ff. **4.** es treibt ihn auf die ~ = es erbost ihn, stachelt ihn an. 1950 ff.

Barrikadenkletterer m Choleriker. 1930 ff.

Barsirene f verführerische Bardame oder Barbesucherin. ↗Sirene. 1920 ff.

Bart m **1.** bärtiger Mann. 1900 ff. **2.** Schamhaare der Frau. Rotw 1950 ff, österr. **3.** blasenförmig aufsteigende Warmluft. Aus dem Wortschatz der Segelflieger. 1930 ff. **4.** ~ mit Dauerwellen = völlig veraltete Ansicht. Halbw 1950 ff, (obwohl der Bart wieder in Mode gekommen ist und also nicht eigentlich als Sinnbild veralteter Denk- und Handlungsweisen gelten kann). **5.** beim ~(e) des Propheten!: scherzhafter Beteuerungsausdruck. Beim Schwur den Bart zu berühren, ist eine (vor-)islamische Sitte, bekannt aus vielen orientalischen Erzählungen. Der Prophet ist allerdings nicht Mohammed, sondern Moses. 18. Jh. **6.** langer ~ = altbekannte Sache. Das Gemeinte hat einen langen Bart, besteht also seit langer Zeit. 1930 ff. **7.** müder ~ = schwache Andeutung eines Schnurrbarts. Dieser Bart ist zu müde zum Wachsen. 1950 ff. **8.** so ein ~! = das ist längst bekannt, ist völlig veraltet! (Dabei streicht man mi-

misch mit der Hand kinnabwärts, als trage man einen Bart.) 1930 ff, jug. **9.** das Ende des ~es ist im Keller zu besichtigen = die Sache ist völlig veraltet, längst bekannt. 1930 ff, jug. **10.** jm den ~ abmachen = jn entlarven, zurechtweisen. Stammt wohl aus der Theatersprache und bezieht sich auf das Ablegen der Maske. 1900 ff. **11.** der ~ ist ab = a) die Sache ist erledigt, überstanden, gescheitert; die Sache (= der Lauf der Dinge) ist nun unabänderlich. Im ausgehenden 19. Jh aufgekommen, vielleicht mit Bezug auf die drei Kaiser Wilhelm I., Friedrich III. und Wilhelm II, von denen die beiden erstgenannten einen Vollbart bzw. einen Backen- und Schnurrbart trugen, während Wilhelm II. nur den Schnurrbart stehenließ; nach anderer Deutung hängt die Redensart mit dem abgebrochenen Schlüsselbart zusammen: das Reststück ist zu nichts mehr nütze. – b) das Dienstzeitende ist gekommen; man wird aus der Bundeswehr entlassen. Sold 1965 ff. **12.** ab der ~! = fertig! Schluß! erledigt! Etwa seit 1920. **13.** sich einen ~ anbändigen = sich einen gepflegten Bart stehen lassen. Der Wildwuchs wird gezähmt wie ein wildes Tier. 19. Jh. **14.** der ~ ist an = der bisher Bartlose trägt jetzt einen Bart; aus dem Jüngling ist ein Mann geworden. 1960 ff. **15.** etw in den ~ brummen (murmeln) = undeutlich vor sich hinreden. 18. Jh. **16.** jm in den ~ fahren = jm energisch widersprechen. Meint eigentlich das Handgreiflichwerden, wobei man in den Bart faßt. 1910 ff. – b) jn grob zur Rede stellen, tadeln. 1910 ff. **17.** der ~ will flattern, mach's Fenster auf!: Zuruf, wenn jemand einen längst bekannten Witz erzählt. Der Witz hat einen Bart, wenn er nicht neu ist. 1920 ff. **18.** jm an den ~ gehen = jn (handgreiflich) bedrängen. 1950 ff. **19.** jm um den ~ gehen = jm schmeicheln. Man streichelt mit der Hand das Kinn. 1400 ff. **20.** einen ~ haben = a) unrasiert sein. 1900 ff. – b) böse dreinschauen; wütend sein. 1900 ff. – c) veraltet, längst bekannt sein. ↗Bart 8. 1920 ff. **21.** einen ~ mit Dauerwellen haben = völlig veraltet sein. Vgl ↗Bart 4. 1950 ff. **22.** einen ~ am Kinn haben = a) charakterfest sein. Hier ist der Bart das Zeichen des Alters und der Würde. 1935 ff. – b) eigenwillig sein. Alte Leute können eigenwillig, uneinsichtig, unmodern sein. 1935 ff. Um 1960 auch Charakteristikum der jungen Leute. **23.** innerlich einen ~ haben = abständig, gealtert sein. 1950 ff. **24.** ich hüpfe dir in den ~! : Drohrede. Jug 1930 ff. **25.** einen ~ schleifen = lange schmollen. Der Bart verlängert das lange Gesicht. Österr 1950 ff. **26.** jm in den ~ schmieren = jn anschmeicheln. Verkürzt aus „jm ↗Honig um den Bart schmieren". 1900 ff. **27.** das ist ein starker ~! = das ist eine Zumutung, eine Unverschämtheit! Wohl aus „starker ↗Tabak" umgewandelt. 1955 ff, halbw.

28. den ~ vom Dienst verpassen = die Aufwinde verfehlen. *Vgl* ↗ Bart 3. Segelfliegerspr. 1920 *ff*.

29. der ~ wächst schon in den Keller = der Bart ist sehr lang. 1900 *ff*.

30. das soll wohl mal ein ~ werden?: Frage an einen Unrasierten. 1950 *ff*.

'Bart'affe *m* **1.** junger Mann mit Vollbart. Die gleichnamige Affengattung besitzt einen mächtigen grauen Bartkragen. Der Affe ist das Sinnbildtier der Eitelkeit und der Narretei. *Stud*, nach 1945 aufgekommen.

2. Schimpfwort auf einen älteren Mann (auch wenn er keinen Bart trägt). Nach 1945 aufgekommen, kurz vor dem Wiederaufleben der Barttracht.

Barthel *Vn* **1.** wissen, wo ~ den Most holt = sich zu helfen wissen. Herkunft unsicher. Nach den einen herzuleiten vom Kalenderheiligen Bartholomäus, dessen Tag am 24. August gefeiert wird; derselbe Tag gilt als wichtig für den Ausfall der Weinernte. Andere führen zurück auf *rotw* „barsel = Brecheisen" und „Moos = Geld", also „wissen, wie man mit dem Brecheisen an Geld kommt". 1600 *ff*.

2. jm zeigen, wo ~ den Most holt = jm energisch entgegentreten; jn in seine Grenzen verweisen, zurückweisen; sich selbst als der Bessere erweisen. 18. Jh.

3. jm zeigen, wo ~ die Wurst holt = jn zurechtweisen. Verdeutlichende Umwandlung des Vorhergehenden. *Oberd* 1950 *ff*.

bärtig *adj* veraltet. ↗ Bart 20 c. 1920 *ff*.

Bartkratzer *m* Herrenfriseur. Spätestens seit 1800.

Bartwickelmaschine *f* **1.** die ~ läuft (surrt) = die Sache ist völlig veraltet, allgemein längst bekannt. Die Sache hat einen dermaßen langen Bart, daß man ihn aufwickeln muß, um ihn überhaupt tragbar zu machen. 1920/30 *ff*.

2. bei ihm surrt die ~ = er ist nicht recht bei Verstand; er bringt altbekannte Weisheiten vor. *Schül* 1920/30 *ff*.

3. 'Oi, 'Oll Die ~ im Keller hat sich heißgelaufen!: Ausruf, wenn einer eine altbekannte Sache erzählt. 1930 *ff*, *stud*.

Bartwitz *m* altbekannter Witz. 1930 *ff*.

Barzahlung *f* Gewährung von Geschlechtsverkehr als Entgelt für die Mitnahme im Auto. 1960 *ff*.

Barziege *f* Bardame in vorgerückten Jahren; Barbesucherin auf der Suche nach Männerbekanntschaften. ↗ Ziege. 1950 *ff*.

'Basele'manes *m* Umstände, Umschweife. Über *ndl* Vermittlung aus dem *span* „besa las manos = küß' die Hand" um 1500 nach Deutschland gelangt; anfangs in der Bedeutung „Herumscharwenzelei". Der Handkuß war dem Deutschen fremd und wurde als abgeschmacktes Kompliment aufgefaßt.

Baß *m* **1.** schwarzer ~ = sehr tiefe Stimme. Man spricht von einer „dunklen" Stimme. 1950 *ff*.

2. einen großen ~ machen = gut Baß spielen. Baß = Baßgeige, Kontrabaß; im Jazz auch Schlagbaß, Baßgitarre. *Halbw* 1955 *ff*.

Baß-Amsel *f* Sängerin mit tiefer Stimme; Altistin. Die Amsel ist ein Singvogel. 1920 *ff*.

Bas'sena-Geschichten *pl* **(-tratsch, -streit** *m*) kleinliche Streitereien, kleinliche Nachrede o. ä. „Bassena" fußt auf *ital* „bacino", *franz* „bassin" (= Becken) und meint in jedem Stockwerk eines Hauses die Wasserleitung (das Wasserbecken) bzw. die Zapfstelle, wo die Mieter das Wasser holen mußten. An diesem Treffpunkt kam es leicht zu Streit, Meinungsverschiedenheiten und handfester Auseinandersetzung um Kleinigkeiten. *Österr* 1900 *ff*.

Bassermannsche Gestalten *pl* Gesindel. Friedrich Daniel Bassermann (1811–1855), Reichskommissar in Berlin, schilderte im Frankfurter Parlament 1848 seine Berlin-Eindrücke; Reaktion habe er nicht bemerkt, aber „ich sah hier Gestalten, die Straßen bevölkern, die ich nicht schildern will". 1848 *ff*.

Baßknoten *m* den ~ blähen = **1.** (laut) singen. Baßknoten = Adamsapfel; beim Singen tritt er hervor. 1940 *ziv* und *sold*.

2. schimpfen. 1940 *ff*, *ziv* und *sold*.

Bast *m* **1.** Haut des Menschen. Eigentlich die Baumrinde, auch die behaarte Haut am wachsenden Geweih. 1400 *ff*.

2. sich den ~ abschaben = Hautabschürfungen davontragen. 1930 *ff*, *schül* und *sportl*.

3. jm an den ~ kommen = auf jn eindringen. 1900 *ff*.

4. jm den ~ lockern = a) jn verprügeln. Schlagen = weich machen. 1900 *ff*. – b) jn rücksichtslos einexerzieren. 1910 *ff*, *sold*.

5. jm auf den ~ rücken (kommen) = sich jm in unfreundlicher Absicht nähern; den Feind angreifen. 1900 *ff*.

6. sich den ~ runterreißen = eine Hautverletzung davontragen. 1930 *ff*.

basta *interj* Schluß! erledigt! es genügt! Fußt auf *ital* „bastare = genügen" und kam nach dem Dreißigjährigen Krieg in Deutschland auf.

Bastelhansel *m* Kunsterzieher. ↗ basteln 1. Mainz 1970 *ff*, *schül*.

basteln *tr* **1.** als Dilettant kleinere, kunstreiche Arbeiten mit großer Geduld und Hingabe verfertigen. Verwandt mit *mhd* „besten = schnüren, binden" und beeinflußt von *gleichbed* ↗ bosseln. 16. Jh.

2. jm eine ~ = jn ohrfeigen; jm einen Schlag versetzen. Parallel zu ↗ verpassen. 1900 *ff*.

3. koitieren. Doppelsinnig als „Liebhaberarbeit verrichten" aufzufassen. 1800 *ff*.

basti bastorum Schluß! erledigt! es genügt! Verstärktes „↗ basta" nach dem Muster von *kirchenlat* „saecula saeculorum". 1970 *ff*.

Batschel *m* Schwätzer. 19. Jh. ↗ batscheln.

batscheln *intr* schwätzen. Gehört zu „batschen = Speise breiig kauen"; weitererweitelt zu „unmanierlich sprechen" und zu „als Kind erste Sprechlaute artikulieren". Verwandt mit „patschen = einen klatschenden Laut erzeugen". 19. Jh.

Batschelwasser *n* Schnaps. Weil er redselig macht. *Westd* 1920 *ff*.

batschen *intr* schwätzen; unmanierlich reden; ausplaudern. *Vgl* ↗ batscheln. 1900 *ff*.

Batschmaul *n* Denunziant, Schwätzer. ↗ batschen. 1900 *ff*.

batten *impers* nützen; förderlich sein; ausreichen. Geht zurück auf *mittelniederd* „bat = besser". 1400 *ff*.

Batterie *f* **1.** Zahnreihen. Eigentlich Bezeichnung für die Zusammenstellung und/oder Zusammenschaltung gleichartiger Geräte-Einheiten bei der Artillerie (Geschützbatterie) sowie in Physik und Technik. 1900 *ff*.

2. Mund, Gesicht, Kopf. In scherzhafter Auffassung ist der Mund eine Geschützbatterie, nämlich ein lärmendes Gerät. 1900 *ff*.

3. Gesäß, After, Mastdarm. Macht mit den entweichenden Darmwinden den Geschützbatterien Konkurrenz. 1900 *ff*.

4. eine ~ Flaschen o. ä. = eine große Anzahl von Flaschen (hinter- und nebeneinander aufgestellt). 1900 *ff*.

5. die ~ aufladen = sich erholen. Batterie = Kraftspeicher; *vgl* ↗ Akkumulator. 1920 *ff*.

6. ihm geht die ~ aus = ihm vergehen die Kräfte; er versagt. Hergenommen von der Batterie im Auto, in der Taschenlampe o. ä. 1950 *ff*.

7. mehr nicht in der ~ haben = mehr nicht leisten können. 1950 *ff*.

8. jm in die ~ hauen = jn ins Gesicht schlagen. ↗ Batterie 2. 1900 *ff*.

9. ich haue dir eins in die ~, daß deine Zähne sektionsweise (schwadronsweise) zum Arsch rausmarschieren!: Drohrede. 1910 *ff*, Berlin.

10. ich haue dir in die ~, daß deine Zähne im Arsch Klavier spielen!: Drohrede. 1930 *ff*.

11. einen vor (in) die ~ kriegen = ins Gesicht geschlagen werden; geprügelt werden. 1900 *ff*.

12. seine ~ ist leer = er hat sich an Kraft und Schwung vollkommen verausgabt. *Sold* 1939 *ff*; *sportl* 1950 *ff*.

Batzen *m* **1.** Orden. *Oberd* = Münze von geringem Geldwert. *Sold* in beiden Weltkriegen.

2. schlechte Zensur. „Batzen" ist auch ein Klumpen weicher Masse und im übertragenen Sinne soviel wie „großer Dreck". 1920 *ff*, *schül*.

batzig (batzert) *adj* **1.** übermütig; dünkelhaft; frech, schnippisch. Zusammenhängend mit „Batzen = dickes Stück": der Hochfahrende macht sich ↗ dick und bläst sich auf wie ein ↗ Frosch. 1500 *ff*.

2. sich ~ machen = prahlen; sich aufspielen; sich vordrängen, um einen vorteilhaften Eindruck zu machen. 1500 *ff*.

Bau *m* **1.** Arrest, Arrestlokal, Gefängnisgebäude. Entweder dem Bau der Tiere nachgebildet oder Anspielung auf die frühere Verurteilung zu schwerer Festungshaft, zum Festungsbau. Seit dem frühen 18. Jh.

2. Arrest-, Freiheitsstrafe. 19. Jh.

3. Wohnung, Wohnraum. Scherzhaft als Tierwohnung aufgefaßt. 19. Jh.

4. Schulgebäude. Die Schüler fühlen sich wie im Gefängnis. 1945 *ff*.

5. Heimschule. *Österr* 1950 *ff*.

6. Kaserne. 1965 *ff*, *sold*.

7. Kasernenstube. ↗ Bau 3. 1965 *ff*, BSD.

8. Dienstzeit bei der Bundeswehr. Als Freiheitsstrafe aufgefaßt. 1960 *ff*, *sold*.

9. ~ der Betten = vorschriftsmäßige Herrichtung der Kasernenbetten. ↗ Bettenbau. Aufgekommen 1870 mit der Einführung der allgemeinen Wehrpflicht.

10. dicker ~ = geschärfter Arrest; Verbüßung einer langjährigen Freiheitsstrafe in einem Festungsgefängnis. Dick = umfangreich, hart, schwer. Seit dem frühen 18. Jh.

11. eigener ~ = Klassenzimmer. Ist die Schule der Bau schlechthin, ist das Klassenzimmer der eigene Bau. *Schül* 1945 ff.
12. freitragende Bauten = üppiger Busen. Die Brüste ragen ohne Stütze vor. 1950 ff.
13. schwerer ~ = Zuchthaus. Die (frühere) Haftanstalt für Schwerverbrecher. 1933 ff.
14. auf dem ~ arbeiten = eine Arreststrafe verbüßen. 1900 ff.
15. auf den ~ gehen = in Arrest gehen. 1900 ff.
16. nicht aus dem ~ kommen = daheim bleiben; daheim bleiben müssen. ↗Bau 3. 1900 ff.
17. jn nicht aus dem ~ kriegen = jn nicht zum Verlassen seiner Wohnung bewegen können. ↗Bau 3. 1900 ff.
18. vom ~ sein = Fachmann sein; ein Kollege sein. Mit „der ganze Bau" bezeichnet man alle an einem Bau tätigen Handwerker. „Einer vom Bau" wird durch Louis Angely („Das Fest der Handwerker", erstaufgeführt am 4. Januar 1818 zu Berlin) zur Bezeichnung eines Schauspielers für seinen Kollegen. Seitdem über das Theatersprachliche hinaus zur beliebten Bezeichnung für den Kollegen und den Fachmann geworden.
Bauart *f* Körperbau, Wuchs. Meint eigentlich den Architekturstil, auch die Bauweise eines Autos o. ä. 1955 ff.
Baubude *f* Bretterhaus der Bauarbeiter. ↗Bude. 1900 ff.
Baubühne *f* Tischlerei einer Fernsehanstalt. ↗Bühne. 1960 ff.
Bauch *m* **1.** unterer Teil des Schiffs. 1675 ff.
2. Flugzeugunterseite. Fliegerspr. 1914 ff.
3. Unterseite des Autos. 1939 ff.
4. Mauerausbuchtung. 1920 ff.
5. fähiger ~ = anstelliger Mensch. 1900 ff.
6. fauler ~ = träger Mensch. 1850 ff.
7. frommer ~ = Geistlicher. 1900 ff.
8. der ganze ~ eine Falte: Redewendung, wenn einer unbändig lacht. 1850 ff, Berlin.
9. gekälkter ~ = weiße Weste. 1900 ff.
10. kluger ~ = (vermeintlich) kluger Mensch. 1900 ff.
11. lauter ~ = Magenknurren. 1900 ff, ziv und *sold.*
12. sich einen ~ anessen (anfressen) = beleibt werden. 19. Jh.
13. sich einen ~ anmästen = sehr viel essen. 19. Jh.
14. sich einen ~ ansaufen = durch Trinken an Leibesumfang zunehmen. 19. Jh.
15. mit dem ~ arbeiten = a) zum Geschlechtsverkehr verführen; die Wollust anstacheln. 1900 ff. – b) Prostituierte sein. 1900 ff.
16. beiß ihn in den ~!: Anfeuerungsruf beim Fußballspiel. 1960 ff, *sold.*
17. man möchte sich vor Wut in den ~ beißen (und heißen Käse reinpusten)!: Redewendung eines Zornigen. Vor lauter Wut ist man zu Unsinnigkeiten fähig. 1910 ff, *schül, stud* und *sportl.*
18. mit etw auf den ~ fallen = mit etw scheitern; großen Mißerfolg ernten; in eine arge Lage geraten. Hergenommen vom fast waagerechten Aufprallen des Turmspringers auf der Wasseroberfläche oder von der „Bauchlandung" des Flugzeugs. 1920 ff.
19. sich am ~ gepinselt fühlen (seinen ~ gepinselt fühlen) = sich geschmeichelt

fühlen. ↗bauchpinseln. Seit dem frühen 20. Jh.
20. einen lauten ~ haben = starkes Hungergefühl haben. 1900 ff.
21. einen schlauen ~ haben = schlau, gewitzt sein; altklug reden. Spätestens seit 1900.
22. einen schlauen ~ haben und dumme Eingeweide = sehr dumm sein. 1910 ff.
23. er hat einen schlauen ~, nur schade, daß er rinnt = er ist zuweilen nicht recht bei Verstande. 1920 ff.
24. den ganzen ~ voll Hunger haben = sehr hungrig sein. 1900 ff.
25. den ~ voll Wut (Zorn) haben = sehr wütend sein. 1910 ff.
26. sich vor den ~ geklatscht fühlen = sich geschmeichelt fühlen. Von einer Liebkosung hergenommen. 1920 ff.
27. etw nicht aus dem hohlen ~ können = a) etw ohne leibliche Stärkung nicht bewerkstelligen können. 1910 ff. – b) eine Aufgabe nicht ohne gründliche Sachkenntnisse meistern können. 1910 ff.
28. vom ~ in den Mund leben = Prostituierte sein. Abgewandelt aus „von der Hand in den Mund leben". 1920 ff.
29. ein Flugzeug auf den ~ legen = beim Landen das Fahrgestell nicht ausfahren (können). Bauch = Rumpf. Fliegerspr. 1939 ff.
30. auf dem ~ liegen = mittellos sein. Versteht sich nach ↗Bauch 18. 1920 ff.
31. vor jm auf dem ~ liegen = vor jm unterwürfig sein; sich völlig nach jm richten. Hergenommen von der Demutsgebärde. 1900 ff.
32. jm einen dicken ~ machen = schwängern. 1800 ff.
33. solang' der ~ noch in die Weste paßt, wird keine Arbeit angefaßt: Wahlspruch eines Trägen. 1900.
34. etw aus dem hohlen ~ probieren = etw intuitiv und spontan versuchen. *Vgl* ↗Bauch 27 b. 1910 ff.
35. aus dem ~ quatschen (reden) = Unsinn schwätzen; leere Worte äußern. Vom Bauchredner hergenommen (?). 1900 ff.
36. aus dem hohlen ~ reden = ohne Vorbereitung reden; unüberlegt reden. ↗Bauch 27 b. 1900 ff.
37. jm etw in den ~ reden = jm etw einreden. Verkürzt aus „jm ein ↗Kind in den Bauch reden". 1920 ff.
38. vor jm auf dem ~ rutschen = sich vor jm erniedrigen; jm kriecherisch schmeicheln. *Vgl* ↗Bauch 31. Vor 1900.
39. und schlägt der ~ auch Falten, wir bleiben doch die alten!: Ausdruck der Beteuerung unverbrüchlicher Kameradschaft. Bauchfalten entwickeln sich mit dem Alter. ↗Arsch 197. *Sold* 1939 ff.
40. sich etw in den ~ schlagen = etw essen, trinken. „Schlagen" spielt auf das hastige Hineinstopfen des gehäuften Löffels in den Mund an. 19. Jh.
41. aus dem ~ schreiben = ohne Unterlagen schreiben. „Aus dem Bauch" improvisiert. *Öster* 1900 ff, Journalisten.
42. der ~ ist sein Gott = er lebt nur für Essen, Trinken und Geschlechtsverkehr. 1900 ff.
43. nur ~ sein = nur Essen und Trinken anstreben. 1870 ff.
44. sich einen ~ stehen lassen = beleibt

werden. Scherzhaft nach „sich einen Bart stehen lassen". 19. Jh.
45. jn vor den ~ treten = jn schwer beleidigen; jn abstrafen. 19. Jh.
46. sich den ~ verrenken = sich den Magen verderben. ↗Magen. 1900 ff.
47. den ~ vollhaben = a) vollauf gesättigt sein. 19. Jh. – b) schwanger sein. 19. Jh.
48. sich den ~ vollhauen = gierig essen. *Vgl* ↗Bauch 40. 19. Jh.
49. den ~ nicht vollkriegen = ein starker Esser sein. 1900 ff.
50. sich den ~ voll lachen (voll anlachen) = tüchtig lachen; schadenfroh sein. Analog zu „sich den Bauch vollstopfen". Seit dem späten 19. Jh.
51. sich den ~ vollplempern = Getränke in Mengen zu sich nehmen (vor allem Limonade, Bier, Wein u. ä.). ↗plempern. 1900 ff.
52. sich den ~ vollschlagen = beim Essen heftig zulangen; viel essen. ↗Bauch 40. 19. Jh.
53. der ~ tut ihm weh, daß ... = es tut ihm in der Seele weh, daß ... Seelisches äußert sich im Körperlichen. 1600 ff.
54. jm den ~ wegmassieren = jn streng einexerzieren, über den Kasernenhof hetzen o. ä. *Sold* 1935 ff.
55. er deckt sich mit dem ~ zu = er ist arm; er schläft ohne Bettdecke. 19. Jh.
56. er kann sich mit dem ~ zudecken = er ist sehr beleibt. Er benutzt den Bauch scherzhaft als Oberbett. 1900 ff.
57. er legt sich einen ~ zu = er nimmt an Leibesumfang zu. Sich etw zulegen = sich etw anschaffen. Spätestens seit 1900.
Bauchbinde *f* **1.** papierner Etikettstreifen um die Zigarre. Meint eigentlich die warme Binde um den Leib, die Nabelbinde. Seit dem späten 19. Jh.
2. Reklamestreifen um ein Buch. 1920 ff.
3. Koppel. *Sold* 1939 ff und *BSD.*
Bauchdiener *m* Mensch, der nur auf sein leibliches Wohl bedacht ist. 16. Jh.
Bauchfellgymnastik *f* heftiges Lachen. 1950 ff.
Bauchgymnastik *f* ~ treiben = **1.** überhöflich liebedienern. Seit dem späten 19. Jh.
2. auf die Ellenbogen gestützt vorwärtskriechen. 1900 ff, *sold.*
Bauchklatscher *m* Aufprall mit dem Bauch auf dem Wasser. 1920 ff.
Bauchkrämer *m* Händler mit Tragebrett. 1900 ff.
Bauchladen *m* **1.** Tragebrett (Tragkasten) des ambulanten Kleinwarenhändlers. 1900 ff.
2. Medikamententablett der Krankenschwester. 1939 ff.
Bauchladenhändler *m* Händler mit Tragebrett; Hausierer. ↗Bauchladen 1. 1900 ff.
Bauchlandung *f* **1.** Landung des Flugzeugs ohne herausgeklapptes Fahrgestell. Bauch = Flugzeugunterseite. Fliegerspr. seit dem Ersten Weltkrieg.
2. Sturz in voller Länge. 1920 ff.
3. mißglücktes Unternehmen; schwerwiegender Mißerfolg. 1920 ff.
4. ~ mit stehender Latte = Koitus (vom Mann her gesehen). Stehende Latte = stillstehende Luftschraube = erigierter Penis. 1940 ff, fliegerspr.
5. ~ machen = koitieren. *Sold* 1939 ff.

Bauchnabel *m* **1.** den ~ als Brosche benutzen = tief dekolletiert sein. 1920 *ff,* Berlin.
2. den ~ bronzieren = sich besonders festlich kleiden. *Schül* seit dem ausgehenden 19. Jh, Berlin.
3. jm einen zweiten ~ machen = jm in den Leib stechen. Rockerspr. 1968 *ff,* Hamburg.
4. ich haue dir auf den Kopf, daß du zum ~ rausguckst: Drohrede. Seemannsspr. 1920 *ff.*
5. laß dir deinen ~ verchromen!: Ausdruck der Abweisung. Mit dem Rat zu einer unsinnigen, nutzlosen Handlung wird der Betreffende abgefertigt. 1930 *ff.*
Bauchnabelsausen *n* chronisches ~ = erfundene Krankheit. *Westd* 1950 *ff.*
bauchpinseln *tr* jn umschmeicheln, betörend beschwatzen. Pinseln = streichen, streichen. Anspielung auf eine dem Leib (insbesondere wohl der Schamgegend) geltende Liebkosung. 1900 *ff,* vor allem *schül* und *stud.*
Bauchplatscher (-plätscher) *m* verunglückter Kopfsprung, bei dem man mit dem Bauch auf das Wasser auftrifft. ↗ platschen. 1920 *ff.*
bauchplätschern *intr* sich im Wasser bewegen, ohne zu schwimmen. 1965 *ff.*
Bauchrutscher *m* **1.** unterwürfiger Mensch. ↗ Bauch 38. Seit dem späten 19. Jh.
2. Rodelfahrt, bei der man auf dem Schlitten liegt. 1950 *ff.*
3. Geschlechtsverkehr. 1920 *ff.*
Bauchschwester *f* für die leibliche Schwester ausgegebene Geliebte. 1900 *ff.*
Bauchsputnik *m* Hula-Hoop-Reifen. ↗ Sputnik. 1958 *ff.*
Bauchwarenhändler *m* Händler mit Tragebrett o. ä. 1900 *ff.*
Bauchweh *n* **1.** Angst. Angst schlägt auf den Magen. ↗ Bauch 3. 1960 *ff.*
2. Folgen mangelnder Pflege der Unterseite des Autos. ↗ Bauch 3. 1960 *ff.*
3. ~ am kleinen (großen) Zeh = eingebildete Krankheit. 1900 *ff.*
4. etw leiden können wie ~ = etw durchaus nicht ausstehen können. 19. Jh.
5. das ist mir so lieb wie ~ = das ist mir sehr widerwärtig. 19. Jh.
bauen *tr* **1.** etw herstellen, bewerkstelligen, machen. Hergenommen von der Errichtung eines Gebäudes, Stein um Stein, Stock um Stock. 19. Jh, vor allem *stud, schül* und *sportl.*
2. ein Kind zeugen. 19. Jh (wenn nicht sehr viel älter).
Bauer *m* **1.** unhöflicher, grober Mann. Bauern gelten von altersher immer noch als ungesittet, plump im Handeln, begriffsstutzig u. ä. 1700 *ff.*
2. Opfer des Betrügers. Der ↗ Bauernfänger hat ihn gefangen. *Rotw* 1846 *ff.*
3. Architekt *(abf).* 1900 *ff.*
4. Koitus. ↗ bauen 2. 19. Jh.
5. Sperma. ↗ bauen 2. 19. Jh.
6. der beste ~ = Kreuzbube. Höchste Karte im Skatspiel. 19. Jh.
7. dicker ~ = wohlhabender Bauer. „Dick" (im Sinne von „reichlich") ist zu einem allgemein verstärkenden Beiwort geworden. 19. Jh.
8. doppelter ~ = sehr tüchtiger Bauer. 1900 *ff.*
9. kalter ~ = a) unabsichtlicher Spermaerguß; Pollution; Spermaerguß bei vorzeitig abgebrochenem Geschlechtsverkehr; Onanie o. ä. Übertragen vom kalten (nicht zündenden) Blitzschlag. 19. Jh. – b) Skat-Bube, der von einem höheren übertrumpft wird. Er verfehlt seinen eigentlichen Zweck gleich dem Vorhergehenden. Seit dem späten 19. Jh.
10. ja, ~, das ist etwas ganz anderes = wenn zwei das gleiche tun, ist es nicht dasselbe. Fußt auf dem Gedicht von Karl Wilhelm Ramler „Der Junker und der Bauer" (1783–90) und bezieht sich auf den Hochmut des Adeligen gegenüber dem Bauern. 19. Jh.
11. so fragt man die ~n aus!: Ausdruck zur Verweigerung einer Antwort. Gemeint ist, daß man solche Fragen nur an einfältige Bauern stellen kann, weil man von ihnen eine Antwort zu erwarten ist. 1700 *ff.*
12. jn zum ~n halten = jn verdummen. 1900 *ff.*
Bäuerchen *n* Aufstoßen. Hat nichts mit dem Bauern zu tun, sondern mit dem Schallwort „bau" beim Aufstoßen. 1900 *ff.*
Bäuerinnen-Look (Grundwort *engl* gesprochen) *m* Kopftuchmode. 1970 *ff.*
Bauerarbeit *f* ein Bube muß geopfert werden, damit man diesen Stich einheimsen kann. Bauer = Bube. Skatspielerspr. seit dem späten 19. Jh.
Bauernblitz *m* der ~ hat (ist) eingeschlagen = das Gehöft ist in Flammen aufgegangen. Tarnwort für Versicherungsbetrug: der Bauer selber hat den Brand gelegt. (Im südlichen Schwarzwald ist es der „Hotzenblitz".) 1900 *ff.*
Bauerndada *m* schwerfälliger, geistesbeschränkter Mann vom Lande. ↗ Dada. 19. Jh, *bayr.*
Bauernfang *m* betrügerische Beeinflussung harmloser, dümmlicher Menschen. *Vgl* das Folgende.
Bauernfänger *m* Mensch, der die Unerfahrenheit anderer in betrügerischer Absicht ausnutzt. Stammt aus der Berliner Diebessprache um 1850: die vom Lande nach Berlin gekommenen Bauern waren leicht zu übertölpeln.
Bauernfünfer *m* Mann vom Lande; Ungesitteter; Dummer. Hängt zusammen mit dem Schrannengericht, bei dem auf dem Lande fünf Bauern als geschworene Rechtsprecher walten. *Oberd* 19. Jh.
Bauernfußball *m* schlechtes Fußballspiel mit mehr Kraftaufwand als technischem Können. 1950 *ff.*
Bauerngans *f* dummes Mädchen vom Lande. ↗ Gans. 19. Jh.
Bauernhof *m* **1.** Schullandheim. 1960 *ff, schül.*
2. aus jedem ~ ein Hund = sehr gemischte Karte. Kartenspielerspr. seit dem späten 19. Jh.
Bauernmesse *f* haben wir heute ~?: Frage an einen, der sich taktlos benimmt. Gemeint ist eine Ausstellung, zu der die Bauern in die Stadt kommen. 1900 *ff.*
Bauernrammel *m* **1.** Schimpfwort auf einen Bauern. ↗ Rammel 1900 *ff.*
2. ungesitteter Mann. 1900 *ff.*
Bauernsau *f* **1.** grobes Schimpfwort. *Bayr* 1900 *ff.*
2. du ~, du geschrubbte (gselchte)!: grobes Schimpfwort. Schrubben = scheuern; selchen = räuchern. *Bayr* 1900 *ff.*
3. du verreckte ~!: Schimpfwort. *Bayr* 1900 *ff.*
Bauernschläue *f* Bauernpfiffigkeit. 1900 *ff.*
Bauernspiel *n* leicht zu gewinnendes Kartenspiel. Dieses Spiel könnte auch ein „dummer Bauer" gewinnen. Kartenspielerspr. seit dem späten 19. Jh.
Bauernspitz *m* mit der Schuhspitze ausgeführter Ballstoß. *Sportl* 1950 *ff.*
Bauerntor *n* durch plumpe List erzielter Tortreffer. *Sportl* 1950 *ff.*
Bauerntour *f* einfaches, primitives Falschspiel. ↗ Tour. 1920 *ff.*
Bauerntrampel *n* plumpe weibliche Person. ↗ Trampel. 1800 *ff.*
Bauerntrick *m* plumpe List. *Sportl* 1950 *ff.*
Bauerntrina (-trine) *f* Mädchen vom Lande. ↗ Trina. 1800 *ff.*
Bauerntrottel *m* Schimpfwort. ↗ Trottel. 1920 *ff.*
Bauernuniversität *f* landwirtschaftliche Fach-, Hochschule; Landwirtschaftsschule. 1910 *ff.*
baufällig *adj* hinfällig. Eigentlich auf den Zustand von Gebäuden bezogen. Übertragen auf den Menschen seit dem 14. Jh.
Bau-Hai *m* wucherischer Vermieter. ↗ Hai. 1965 *ff.*
Bauhyäne *f* rücksichtsloser, wucherischer Ausnutzer von Wohnungsuchenden. Wie ein Raubtier stürzt er sich auf seine Opfer. 1960 *ff.*
Baujahr *n* Geburtsjahrgang. Eigentlich das Jahr der Fertigstellung eines Hauses oder einer Maschine. Bauen = koitieren. 1930 *ff.*
Baukasten *m* aus dem ~ = aus vorgefertigten Einzelteilen leicht zusammensetzbar. Hergenommen von Kinderspielkasten mit kleinen Bausteinen zum Zusammensetzen. Nach 1950 aufgekommen.
Bauklötze (Bauklötzer) *pl* da staunst du ~ (manchmal mit dem Zusatz: „mit Gummiecken")!: Ausdruck des Verwunderns. „Klötze (Klötzer)" ist wahrscheinlich aus „Glotzer = große Augen" entstellt. Um 1900 in Berlin aufgekommen.
Baulöwe *m* **1.** Bauherr, -unternehmer. Der Löwe ist in der Fabel der König der Tiere, der Mächtigste. Seit dem späten 19. Jh.
2. wucherischer Vermieter. 1960 *ff.*
Baum *m* **1.** ein ~ von einem Kerl (ein Kerl wie ein ~; ein Kerl groß wie ein ~) = tüchtiger, kräftiger, unerschütterlicher Mann. Der Baum ist als Bild der Festigkeit, der Größe und Kraft. 19. Jh.
2. Sache wie ein ~ = a) eine völlig sichere Sache. Sie steht fest wie ein Baum. Berlin 19. Jh. – b) großartige Sache. Der hochgewachsene Baum ist eindrucksvoll. 1900 *ff.*
3. auf die Bäume, ihr Affen (der Wald wird gefegt)!: Befehl zu klettern; Befehl zur Beeilung. *Sold* 1939 *ff.*
4. den ~ anmachen (anstecken) = die Kerzen am Weihnachtsbaum anzünden. 19. Jh.
5. Bäume ansägen = schnarchen. ↗ sägen. 1900 *ff.*
6. einen ~ aufstellen = sich widersetzen; sich empören. *Österr* Variante zu „sich aufbäumen", etwa seit 1930.
7. Bäume ausreißen können = sehr viel Kraft haben. Fußt wohl auf Märchen oder Sagen von Riesen. 1500 *ff.*

8. keine Bäume mehr ausreißen (können) = an Leistungsvermögen nachlassen. 1900 *ff*.

9. vor dem falschen ~ bellen (am verkehrten ~ raufbellen) = sich in der Wahl eines Menschen irren; den Falschen verdächtigen, kritisieren. Hergenommen vom übereifrigen Hund. 1950 *ff*.

10. das bleibt nicht im hohlen ~ (das geht nicht in einen hohlen ~) = das bedrückt einen innerlich; das greift die Gesundheit an. Zusammenhängend mit dem Volksglauben, man könne Krankheiten o. ä. in hohle Bäume bannen. 1700 *ff*.

11. das bringt ihn auf die Bäume (auf den nächsten ~) = das erbost ihn. Aufbrausen = ↗hochgehen. 1920 *ff*. *Vgl franz* „faire monter quelqu'un à l'arbre".

12. was hängt am ~ und riecht?: Frage an einen Dummen oder Unfähigen. Umschreibend ist „Pflaume = Versager" gemeint. 1950 *ff, jug*.

13. den ~ hochgehen = aufbrausen. ↗Baum 11. 1910 *ff*.

14. es ist, um auf die Bäume zu klettern (zum Auf- die-Bäume-Klettern)! = es ist zum Verzweifeln, unerträglich. *Vgl das* Vorhergehende. 1850 *ff*.

15. Bäume sägen = schnarchen. ↗sägen. 1900 *ff*.

16. schlafen wie ein ~ = fest schlafen. Der Baum als Sinnbild der Festigkeit. 1900 *ff*.

17. ich schlafe schließlich nicht auf Bäumen! = ich bin ja nicht dumm, bin geistig nicht zurückgeblieben! Anspielung auf die Affen, die auf Bäumen schlafen. 1960 *ff*.

18. auf dem ~ sein = sehr wütend sein. ↗Baum 13. 1910 *ff*.

19. zwischen ~ und Borke sitzen = keine Bewegungsfreiheit haben; sich in peinlicher Lage befinden; ratlos sein. Zwischen Holz und Rinde ist kein Spielraum. 1800 *ff*. *Vgl franz* „se trouver entre l'arbre et l'écorce".

20. einen alten ~ versetzen = einen bejahrten Menschen zum Verlassen seiner Wohnung zwingen. Der Baum ist hier das Sinnbild des festen Eingewurzeltseins. Alte Bäume soll man nicht versetzen, weil sie sonst eingehen. 1900 *ff*.

21. das Auto um den ~ wickeln = durch Auffahren auf einen Baum den Totalschaden des Autos herbeiführen. 1930 *ff*.

22. dicke Bäume zersägen = heftig schnarchen. ↗sägen. 1900 *ff*.

Bäumchen-Wechsel-Spiel *n* Gelegenheitstausch der Geschlechtspartner zwischen befreundeten (Ehe-)Paaren. 1920 *ff*.

Baumeister *m* Soldat, der viele Arreststrafen verbüßt hat. ↗Bau 1. 1965 *ff, sold*.

Bäumeklettern *n* es ist zum ~ = es ist zum Verzweifeln. ↗Baum 14. 1900 *ff*.

baumeln *intr* ins ~ kommen = sich die Gunst des Vorgesetzten verscherzen. Der Betreffende steht nicht mehr auf festem Boden, sondern „hängt" zwischen Himmel und Erde. 1900 *ff*.

Baumgrenze *f* gedachte Querlinie am Unterleib der Frau. Bis hierhin reichen die Schamhaare. Meint eigentlich die Höhengrenze normalen Baumwuchses. 1910 *ff*.

baumig *adj* großartig. ↗Baum 2 b. *Österr* 1900 *ff, jug*.

bäumig *adj* unübertrefflich. *Schweiz* 1910 *ff, halbw*.

'baum'lang *adj* sehr großwüchsig; sehr groß. 1500 *ff*.

Baumprobe *f* die ~ machen = mit dem Auto gegen einen stämmigen Baum prallen. Scherzhaft ausgedrückt, erprobt man, ob das Auto oder der Baum stärker ist. 1930 *ff*.

Baumsäge *f* Maschinengewehr. ↗Säge. 1965 *ff, BSD*.

Baumschule *f* **1.** Grund-, Volksschule. Eigentlich die Anlage zur Anzucht von Bäumen. Gilt als Schule für Unbegabte. 1900 *ff*.

2. Hilfsschule. 1900 *ff*.

3. in der ~ aufgezogen worden sein = dumm sein. 1950 *ff*.

4. die ~ besucht haben = dumm, lebensunerfahren sein. 1900 *ff*.

5. etw auf der ~ gelernt (gehört) haben = Unsinniges äußern. 1950 *ff*.

Baumschüler *m* dummer Schüler; dummer Mann. 1900 *ff*.

Baumstamm *m* ein Kerl wie ein ~ = kräftiger, stämmiger Mann. ↗Baum 1. 1900 *ff*.

'baum'stark *adj* sehr stark, kräftig. Entweder „kräftig wie ein Baum" oder „so kräftig, daß er einen Baum ausreißen kann". 1500 *ff*.

Baupfusch *m* höchst unsorgfältige Bauweise. ↗Pfusch. 1965 *ff*.

Bauplatz *m* **1.** Glatze. Beide sind unbebaut. 19. Jh.

2. Vulva. Anspielung auf „bauen = koitieren". Auch kann die Schamgegend haarlos (rasiert) sein wie eine Glatze. 1900 *ff*.

Baupolizei *f* **1.** Jugendamt. Eigentlich die Bauaufsichtsbehörde; hier die Institution, die darüber zu wachen hat, daß Mädchen unter 16 Jahren ein ↗Kind gebaut wird. 1920 *ff*.

2. Staatsanwaltschaft für Jugendstrafsachen. 1920 *ff*.

Bausch *m* in ~ und Bogen = unterschiedslos; alles in allem; völlig. Soll aus der Papierverarbeitung stammen: Bausch nennt man die zum Auspressen zusammengelegten Papierbogen. 17. Jh.

Baustelle *f* **1.** Glatze. ↗Bauplatz 1. 1870 *ff*, Berlin.

2. Frau über 40. Wohl Anspielung auf „bauen = koitieren". Es handelt sich wohl nicht mehr um einen völlig neu zu erschließenden ↗Bauplatz 2, aber um Weiterbau auf bereits gelegten Fundamenten erscheint reizvoll. 1965 *ff, BSD*.

3. ein Fuß wie eine ~ = größer, breiter Fuß. Wo er hintritt, entsteht eine Baustelle. 1920 *ff*, Berlin.

Bauweise *f* solide ~ = vollschlanker (weiblicher) oder kräftiger (männlicher) Körperbau. 1960 *ff*.

Bauxerl *n* kleines, dickliches Kind; Kind, das noch kaum gehen kann. „Bauzel" meint eine knollige Teigform oder Nudelförmiges. Auch der im Wachstum zurückgebliebene Mensch wird so genannt. *Oberd* 1800 *ff*.

Bauz *m* Granateinschlag; Bombentreffer. Substantiviert aus der Interjektion „bauz", mit der man ein plötzliches Fallen begleitet. 1939 *ff, sold* und *ziv*.

bauze Irrtum! Ausdruck der Ablehnung. Hängt wohl ebenfalls mit der Interjektion „bauz" zusammen und meint etwa soviel wie „du bist reingefallen". 1930 *ff*, Berlin.

Bavaria *f* große, kräftige, üppig entwickelte, stämmige Frau. Hergenommen von dem 1850 von Ludwig v. Schwanthaler geschaffenen Standbild der Bavaria auf der Theresienhöhe in München. 1950 *ff*.

Bavariatitte *f* üppiger Busen; Frau mit üppigem Busen. *Vgl das* Vorhergehende. ↗Titte. 1950 *ff*.

Bayerisches Meer *n* Chiemsee. Er ist der größte See Bayerns. Der Bezeichnung „Schwäbisches Meer" für den Bodensee nachgebildet. Unbestimmbaren Alters.

Bayerisches Venedig *On* Passau. Von Wasser umgeben. Etwa seit 1900 (?).

'Bazi *m* **1.** dummer, ungeschickter Mann; Schimpfwort. Vielleicht gekürzt aus ↗Lumpazi; oder zusammenhängend mit „baazig = weichlich". *Oberd* 19. Jh.

2. unzuverlässiger, liederlicher Mann; Betrüger. *Oberd* 19. Jh.

3. schmutziger Mann. 19. Jh.

4. Freund, Genosse. *Rotw* 1900 (?).

5. kleiner Junge (Kosewort). *Bayr* 1900 *ff*.

6. Rufname des Hundes. *Bayr* 1900 *ff*.

Bazille *f* **1.** *pl* = Läuse, Ungeziefer. *Sold* 1914 *ff*.

2. *sg* = Mädchen, das einen jungen Mann verliebt macht und dann abweist. Ein solches Mädchen wird als Krankheitserreger gebrandmarkt. *Halbw* 1950 *ff*.

3. linke ~ = Mensch, dem nicht zu trauen ist; unkameradschaftlicher Soldat. ↗link. *Halbw* und *BSD* 1965 *ff*.

4. das ist die richtige ~ für mich = das ist das richtige Mädchen für mich. *Halbw* 1955 *ff*.

Bazillenschleuder *f* Taschentuch. Schleudernd gehandhabt, verbreitet es Krankheitskeime in der Luft. 1965 *ff, BSD*.

Bazillensieb *n* Mikrofon. Wegen des siebartigen Schutzmantels. 1960 *ff*.

be'aasen *tr* **1.** etw (jn) mit Dreck bewerfen, beschmutzen. Aas = Tierkadaver. *Nordd* 1900 *ff*.

2. jn beschießen. Die Granaten wühlen das Erdreich auf und beschmutzen die Gegner. Andererseits ist „aasen = vergeuden"; also könnte gemeint sein, daß mit (über)reichlichem Munitionsverbrauch der Gegner beschossen wird. *Sold* in beiden Weltkriegen.

Beamtenaal *m* Salzhering. Hängt zusammen mit der gehaltlichen Schlechterstellung der früheren Beamten, vor allem mit den Gehaltskürzungen in den zwanziger Jahren. 1920 *ff*.

Beamtenaquarium *n* Verwaltungsgebäude. „Aquarium" spielt auf die modernen Fensterfronten an. 1950 *ff*.

Beamtenbagger *m* Fahrstuhl (Paternosteraufzug) in Amtsgebäuden. Wie mit einem Becherwerk werden die Beamten auf- und abgeschaufelt. 1957 *ff*.

Beamtenburg *f* Verwaltungsgebäude. Hier verschanzen sich die Beamten gegen den Ansturm der verwalteten Bürger. 1950 *ff*.

Beamtenbutter *f* **1.** Margarine. Was den besser gestellten Leuten die Butter, ist (war) den Beamten die Margarine. 1920/30 *ff*.

2. Marmelade. 1920 *ff*.

3. Senf. 1914 *ff*.

Beamteneier *pl* Pellkartoffeln. 1920 *ff*.

Beamtenfeuer *n* bescheidene Zimmerwärme. 1920 *ff*.

Beamtenforelle *f* **1.** Hering; billiger Weißfisch; Plötze. 1900 *ff*.

2. Knackwurst. *Österr* 1930 *ff.*

Beamtenfriedhof *m* Amtsgebäude. Dort „ruhen" viele Beamte. 1925 *ff.*

Beamtenfrühstück *n* Frühstück, bestehend aus einer Tasse Kaffee und einer Zigarette. 1920 *ff.*

Beamtenhähnchen (-hendl) *n* Steckerlfisch. *Bayr* 1948 *ff.*

Beamtenkarpfen *m* Hering. 1920 *ff.*

Beamtenkuh *f* Ziege. Für den Beamten hatte die Ziege den Nutzwert einer Kuh. 1910 *ff.*

Beamtenlachs *m* Hering. 1920 *ff.*

Beamtenlaufbahn *f* **1.** verbindender Überweg zwischen zwei Gebäudeteilen. Meint eigentlich den beruflichen Werdegang eines Beamten; hier den Gang, auf dem die Beamten die Dienstzimmer erreichen. 1920 *ff.*
2. Mittagsspaziergang der Beamten. 1955 *ff.*
3. höhere ~ = Korridor, der zu den Arbeitsräumen der höheren Dienstränge (der leitenden Angestellten) führt. 1950 *ff.*

Beamtenpalme *f* anspruchslose Blattpflanze; Zimmerlinde o. ä. Sie ziert die Zimmer der Beamten und ist Ersatz für die Palme. 1920/30 *ff.*

Beamtenparlament *n* Parlament, dem sehr viele Beamten angehören. 1965 *ff.*

Beamtenrippchen (-ripperl) *n* Leberkäse. *Bayr* 1930 *ff.*

Beamtenschinken *m* Leberkäse. *Bayr* 1930 *ff.*

Beamtenschnitte *f* dünne Brotscheibe. 1920/ 30 *ff.*

Beamtensekt *m* Mineralwasser, Limonade, Fruchtsaftgetränk o. ä. 1920 *ff.*

Beamtenspeck *m* **1.** Hering. 1920 *ff.*
2. Romadur-Käse. 1920 *ff.*

Beamtentempel *m* Behördengebäude. Ein Heiligtum, wo die „Götter" thronen. 1950 *ff.*

Beamtentour *f* auf die ~ gehen = berufliche Sicherheit anstreben. 1930 *ff.*

Beamtenwein *m* billiger Wein. 1960 *ff.*

Beamtenwurst *f* **1.** Wurst, die sich sehr dünn streichen läßt; billigste Wurstsorte. 1920 *ff;* 1945 *ff.*
2. Salzgurke. 1930 *ff.*

Beamter *m* **1.** Schauspieler, der seinen Schwung verloren hat. *Vgl* ↗Darstellungsbeamter. Theaterspr. um 1900.
2. eiserner ~ = telefonischer Kundendienst einer Behörde. 1960 *ff.*
3. vierbeiniger ~ = Dienst-, Polizeihund. 1930 *ff.*
4. stur wie ein ~ = eigensinnig; starren Weisungen hörig; unfähig zur Selbstentscheidung. ↗stur 1. 1920/30 *ff.*

be'appeln *tr* du kannst dich damit ~ lassen!: Ausdruck der Abweisung. Beappeln = mit Äpfeln bewerfen; vor allem mit faulen oder gar mit Pferdekot. ↗veräppeln. Seit dem späten 19. Jh.

bearbeiten *tr* **1.** auf jn einreden. Man möchte den Betreffenden mit Worten formen wie ein Werkstück. 1900 *ff.*
2. jn prügeln, mißhandeln o. ä. Man bearbeitet ihn mit dem Prügelstock, mit der Handfläche o. ä. 1900 *ff.*
3. eine Frau ~ = koitieren. 1950 *ff.*

Beat *m* (*engl* ausgesprochen) Trommelfeuer. Hergenommen aus „beat = Motorik der Rhythmusgruppe". 1965 *ff, sold.*

Beatbiene *f* (Bestimmungswort *engl* ausge-

sprochen) für Beat begeistertes Mädchen. ↗Biene. 1965 *ff.*

beaten (*engl* ausgesprochen) *intr* tanzen. *Schül* 1965 *ff.*

Beatgarage *f* Musiksaal. *Schül* 1965 *ff.*

Beatkeller *m* Musikzimmer in der Schule. *Schül* 1965 *ff.*

Beat-Klub *m* Musikraum in der Schule. *Schül* 1965 *ff.*

Beatle-Mähne *f* (eigentlich, nach dem Muster der „Beatles", allseits) lang herabfallendes Haar. 1965 *ff.*

Beatmaus *f* Mädchen, das für Beat schwärmt. ↗Maus. 1965 *ff.*

Beatschuppen *m* **1.** Tanzlokal; Party-Keller. ↗Schuppen. 1965 *ff.*
2. Musikzimmer. *Schül* 1965 *ff.*

be'atzeln *tr* jn bestehlen. ↗atzeln 1. 1850 *ff.*

beaugapfeln *tr* etw in Augenschein nehmen, mustern. 1900 *ff.*

beäugeln *tr* etw untersuchen, betrachten, wiederholt anblicken. Wiederholungsform von „beäugen". 18. Jh.

beballern *tr* **1.** jn mit schwerem Geschütz beschießen. ↗ballern 1. *Sold* 1914 *ff.*
2. jm nachdrücklich zusetzen. *Sold* 1914 *ff.*
3. sich ~ = sich betrinken. ↗ballern 5. 1939 *ff.*

bebartet *adj* altbekannt. ↗Bart 20 c. 1950 *ff.*

bebauchpinseln *tr* jn beschwatzen, umschmeicheln. ↗bauchpinseln. 1920 *ff.*

be'baum'ölen *v* **1.** sich ~ = sich beharnen; ängstlich sein. Baumöl ist schlechtes Öl; wegen der Farbähnlichkeit kommt es zur Bedeutung „Harn". 1800 *ff.*
2. sich ~ = sich aufspielen. Vor lauter Betriebsamkeit kommt es zu Harnabgang. 1930 *ff.*
3. jn ~ = jn nachgiebig stimmen; jn beschwatzen, irreführen, betrügen o. ä. In der Umgangssprache gehen fast alle Ausdrücke für Übertölpelung von der Vorstellung eines Beharnens oder Bekotens aus. 14. Jh.
4. jn ~ = jn prügeln. 1800 *ff.*
5. es ist zum ~ = es ist zum Verzweifeln. 19. Jh.

bebust *adj* üppig ~ = einen üppig entwickelten Busen besitzend. 1930 *ff.*

Becher *m* den ~ leeren müssen = sich geschlagen geben müssen. Hergenommen vom Giftbecher, bekannt durch den Tod des Sokrates. Kartenspielerspr. seit dem späten 19. Jh.

bechern *tr* **1.** würfeln. Zusammenhängend mit dem Würfelbecher. 19. Jh.
2. zechen. 19. Jh.

Becken *n* gebärfreudiges (geburtenfreudiges) ~ = breites, ausladendes Becken; breithüftige weibliche Person. 1920/30 *ff.*

Beckmann *Fn* mein Gott, (Frau) ~!: Ausruf des Staunens oder des Unwillens. Frau Beckmann (Beekmann) soll um 1850 als weise Frau im Westfälischen gelebt und als wandelndes Orakel aller eine beinahe legendären Rufs erfreut haben. Die Redensart dürfte wenig später aufgekommen sein.

bedämmeln *tr* **1.** jn durch einen Schlag auf den Kopf besinnungslos machen. ↗dämmeln. 1900 *ff.*
2. jn übertölpeln, täuschen. 1900 *ff.*

bedammelt *adj* benommen. ↗dämmeln. 1900 *ff.*

Bedankemichbrief *m* Dankesbrief. 1900 *ff.*

Bedankemichrede *f* Dankrede. 1920 *ff.*

bedanken *refl* sich für etw ~ = etw ablehnen. Ironie. 1700 *ff.*

bedappeln *tr* **1.** etw begreifen. Fußt auf *niederd* „dabeln = würfeln". „Dapp" als Interjektion bezeichnet auch etwas Klappendes, etwa soviel wie „toppl" (man klappt mit der einen Hand auf die andere zum Zeichen des Begreifens oder des Einverständnisses). 19. Jh.
2. überlegen, ausklügeln. Parallel zu ↗ausknobeln. 19. Jh.
3. jn täuschen, überreden, übertölpeln. 1920 *ff.*

Bedarf *m* mein ~ ist gedeckt: Ausdruck der Ablehnung. Stammt aus der Kaufmannssprache und bezieht sich auf den Warenbedarf. 1900 *ff.*

bedasselt *adj* benommen; nicht zurechnungsfähig. ↗Dassel. Der Betreffende hat einen Schlag auf den Kopf bekommen und ist seitdem geistesverwirrt. 1930 *ff.*

bedeckt *part* bleiben Sie ~ = seien Sie nicht so übertrieben höflich! regen Sie sich nicht unnötig auf! Gemeint ist, daß der andere die Kopfbedeckung nicht zu lüften braucht. In volkstümlicher Auffassung sind die Anstandsregeln übertrieben und unaufrichtig. 1900 *ff.*

bedeppert *adj* enttäuscht, ratlos, betrübt. Fußt auf „betöbern = betäuben". 19. Jh.

bedeutend *adv* ganz ~: Ausdruck der Verstärkung (ich bin ganz bedeutend traurig; er hat heute ganz bedeutend schlechte Laune). 1950 *ff.*

Bediene *f* **1.** Kellnerin. Neuwort zu „bedienen". Berlin 1950 *ff, jug.*
2. großartige, sehr zusagende Sache. Mit ihr ist man zu größter Zufriedenheit bedient. *Halbw* 1955 *ff;* in Musikerkreisen angeblich schon vor 1930 bekannt.

bedienen *tr* **1.** jn übervorteilen, betrügen, bestehlen. Tarnausdruck für „mit Betrug bedienen", „einen Kunden betrügerisch abfertigen". 1910 *ff, jug* und *rotw.*
2. jn schlecht behandeln; jm eine Abfuhr erteilen. 1920 *ff.*
3. jn geschlechtlich befriedigen. 1900 *ff, prost.*
4. jm den Fußball genau zuspielen. ↗Ball 17. 1950 *ff, sportl.*
5. sich selbst ~ = Diebstahl (Ladendiebstahl) begehen. Um 1950 aufgekommen mit der Einrichtung der Selbstbedienungsläden.

bedient *adj* **1.** tüchtig, erfahren, vollwertig. Gemeint ist „erwartungsgemäß bedient". *Halbw* 1955 *ff.*
2. komisch. Parallel zu „gelungen" = a) geglückt; – b) sonderbar, eigenartig. *Halbw* 1955 *ff.*

bedient sein 1. ich bin ~ = mir reicht es; ich bin der Sache überdrüssig. Hergenommen von der Redewendung an den Kellner, wenn man keine weitere Bestellung zu machen wünscht. Im Zweiten Weltkrieg bei den Soldaten aufgekommen.
2. er ist ~ = er ist übervorteilt, geschädigt, hat das Nachsehen, hat eine Abfuhr erhalten. In *iron* Auffassung hat er erhalten, was er gewünscht hat. ↗bedienen 1. 1910 *ff.*
3. ~ = nach einem Mißerfolg niedergeschlagen sein. *Halbw* 1955 *ff.*
4. (ganz) schön bedient sein = schlecht

beraten, irregeleitet sein. Aus der Kaufmannssprache. Seit dem späten 19. Jh.

5. ich bin schön bedient (mich haben sie schön bedient) = ich habe stark zugezahlt. 1950 *ff, jug.*

6. das ist ~ = das ist höchst widerwärtig. *Halbw* 1955 *ff.*

7. ich bin ~ = ich bin bereits geschlechtlich befriedigt. ↗ bedienen 3. 1900 *ff.*

8. ich bin ~ in allen Preislagen = ich bin dieser Sache sehr überdrüssig. 1930 *ff.*

9. ihm ist nichts ~ = a) ihm ist nichts gut genug. Man kann ihn bedienen, wie man will, − stets ist er unzufrieden. 1900 *ff.* − b) ihm kann man nichts anvertrauen. 1900 *ff.*

bedotzt *adj* **1.** nicht recht bei Verstand. Dotz = Schlag vor die Stirn. 1900 *ff.*

2. betrunken. 1900 *ff.*

bedrämmeln *tr* jn nötigen; jm zusetzen. ↗ drämmeln. 1900 *ff.*

bedreißen *tr* **1.** jn mit Kot beschmutzen. ↗ dreißen. 14. Jh, *westd.*

2. jn übertölpeln, betrügen. 14. Jh, *westd.*

bedrippt (bedripst) *adj* betrübt, kleinlaut, verlegen. Man ist betröpfelt, nämlich vom Regen naß geworden oder ins Wasser gefallen. 19. Jh.

Bedriß *m* Betrug, Übertölpelung. ↗ bedreißen 2. *West* 19. Jh.

bedröhnen *tr* jn mit einem Schlafmittel oder einer Droge in Tiefschlaf versetzen. ↗ dröhnen. 1960 *ff.*

bedröppelt (bedröppt, bedrüppelt) *adj* betrübt, verlegen, schuldbewußt. *Vgl* ↗ bedrippt. 19. Jh.

bedudeln *v* **1.** *tr* = fellieren. Hergenommen vom Dudelsackblasen. ↗ blasen. 1920 *ff.*

2. *refl* = sich betrinken. ↗ dudeln. 1700 *ff.*

Bedürfnis *n* **1.** um einem besonderen ~ abzuhelfen = aus unbekannten, unerforschlichen Gründen. Rhetorische Phrase. 1920 *ff.*

2. ein ~ haben = den Stich trumpfen müssen, um am Spiel zu bleiben. Der Stich lohnt sich kaum; aber um des Sieges willen hat man den unwiderstehlichen Drang. Kartenspielerspr. 1900 *ff.*

beduseln *v* **1.** jn ~ = jn betrunken machen, betäuben, betrügerisch beschwatzen. ↗ Dusel. 1600 *ff.*

2. sich ~ = sich betrinken. 1700 *ff.*

Beefsteak *n* (*engl* ausgesprochen) es schmeckt wie ~ und Kaviar = es schmeckt ganz außergewöhnlich. 1969 *ff.*

beeiern *tr* jn mit Handgranaten bewerfen; jn beschießen. Ei = Eierhandgranate. *Sold* 1939 *ff.*

2. etw belachen. Berlin 1965 *ff, schül.*

Beeilung *f* Beeilung, Beeilung! = beeil' dich! schneller, noch schneller! *Sold* 1910 *ff.*

beerdigen *tr* **1.** etw erden. ↗ Antenne 6. 1925 *ff.*

2. eine Sache als abgeschlossen betrachten. 1950 *ff.*

3. ihn hat man wohl vergessen zu ~ = er ist wohl nicht recht bei Verstand. Der Betreffende äußert veraltete Ansichten, wie man sie von denen gewohnt war, die jetzt im Grab liegen. 1840 *ff.*

Beerdigung *f* **1.** Abschlußprüfung. Sie vollzieht sich unter feierlich gekleideten Personen; sie setzt einen Schlußpunkt. *Schül* 1930 *ff.*

2. Ansprache in der Aula. 1930 *ff, schül.*

3. ernste Musik. Wird von vielen als Trauermusik aufgefaßt. *Vgl* „da wird ein ↗ Pferd begraben". 1950 *ff.*

4. Stillegung einer Fabrik. 1960 *ff.*

5. auf der falschen ~ sein = sich gröblich irren; etw von Grund auf mißverstehen. 1900 *ff.*

6. er wird bei seiner ~ das erste Mal nüchtern sein: Redewendung auf einen Trunkenbold. 1920 *ff.*

Beerdigungskomiker *m* **1.** Schauspieler des komischen Fachs ohne Sinn für wirksame Anbringung von Pointen. Ob diese Bedeutung die ursprüngliche ist oder die folgende, ist ungewiß.

2. Geistlicher bei Beerdigungen; langweiliger Soldatenpfarrer. *Sold* 1939 *ff.*

Beerdigungspreis *m* sehr niedriger Verkaufspreis. Er führt den Kaufmann an den Rand des Grabes. Kaufmannsspr. 1911 *ff.*

Beerdigungsunternehmer *m* Langsamfahrer. Der Leichenwagen bei der Beerdigung fährt langsam. 1955 *ff*, Kraftfahrerspr.

Beere *f* **1.** kesse ~ = a) freches, vorlautes, schnippisches Mädchen. Hergenommen von der beerentragenden Pflanze und in Verkürzung analog zu ↗ Pflanze, Pflänzchen. ↗ keß. 1930 *ff.* − b) lebenslustiges Mädchen. *Jug* 1950 *ff*, Berlin.

2. in die ~n gehen = seine Notdurft im Freien verrichten. Anspielung auf das Beerensammeln. 1900 *ff.*

be'essen *refl* gierig essen. Eigentlich soviel wie „sich mit Essen versehen". Vornehmer als das *gleichbed* „sich ↗ befressen". 19. Jh.

befatzt *adj* **1.** nicht recht bei Verstand. Fatz = Darmwind. Der Betreffende hat einen ↗ Furz im Kopf. 1930 *ff.*

2. hochmütig, aber dümmlich. 1930 *ff.*

Befehlsausgabe *f* Parteiversammlung. Den Parteimitgliedern wird „befohlen", wie sie zu denken und zu handeln haben. 1950 *ff.*

Befehlsschiß *m* Furcht vor der Verantwortung, vor einer heiklen, aber allein vernünftigen Anordnung. ↗ Schiß. *Sold* 1939 *ff.*

befetzen *tr* **1.** jn gröblich beleidigen, beschimpfen. Man schimpft die Betreffenden einen ↗ Fetzen. *Oberd* 1900 *ff.*

2. jn beschießen. ↗ fetzen = verwunden. *Sold* in beiden Weltkriegen.

befeuchten *refl* **1.** sich waschen. Ironie auf oberflächliches Waschen. 1965 *ff, BSD.*

2. zechen. 1600 *ff.*

befeuern *tr* jm Feuer geben (für eine Zigarre o. ä.). Meint hier wörtlich „jn mit Feuer versehen". *Halbw* 1960 *ff.*

beficken *tr* etw gut erledigen, meistern. ↗ ficken. 1915 *ff.*

befingern *v* **1.** *tr* = etw zur Erledigung in die Hand nehmen; etw untersuchen. ↗ fingern 1. 19. Jh.

2. *refl* = sich selbstbefriedigen; masturbieren. 1920 *ff.*

befisselt *adj* leicht betrunken. Fisseln = regnen. Daher etwa soviel wie „vom Alkohol leicht beregnet". 1850 *ff.*

beflicken *tr* für jn Flickarbeiten ausführen. 1700 *ff.*

Beförderungsmittel *n* du willst wohl mit meinem ~ Bekanntschaft machen?: Drohfrage. Mit dem Beförderungsmittel ist der

Fuß gemeint; folglich ist ein Fußtritt zu erwarten. *Sold* 1935 *ff*; *halbw* 1960 *ff.*

beforsten *refl* sich einen Bart wachsen lassen. Meint eigentlich „eine kahle Fläche mit Bäumen bepflanzen". 1950 *ff, jug.*

befotzt *adj* **1.** nicht recht bei Verstand. Möglicherweise Nebenform von ↗ befatzt" oder verwandt mit „fatzen = Possen treiben". Da Verstandesmängel sich jedoch vornehmlich durch den Mund kundtun, gilt auch „Fotze = Schamlippen = Mund" in *abf* oder *iron* Deutung; *vgl* ↗ Fotze 8. (21., 24., 25. u. a.). 1910 *ff.*

2. hochmütig, aber dümmlich. 1910 *ff.*

befreien *tr* ein besiegtes Volk ausplündern. 1944 aufgekommen im Zusammenhang mit der Befreiung Deutschlands vom Nationalsozialismus; später spöttisch aufgefaßt im Sinne von „ausrauben" und „verarmen".

Befreiungskrieg *m* Ehescheidungsprozeß. Eigentlich Bezeichnung für die Kriege Preußens und seiner Verbündeten gegen Napoleon in den Jahren 1813–1815. 1925 *ff.*

befressen *v* **1.** jn ~ = einen Gastgeber bei einem ausgiebigen Mahl durch reichliches Zulangen schädigen; jn beim Essen übervorteilen. Eigentlich „durch Fressen beschädigen". 1920 *ff.*

2. sich ~ = gierig essen. 19. Jh.

Befriediger *m* fester Freund einer Halbwüchsigen. 1950 *ff.*

befriedricht sein befriedigt sein. Ein sprachlicher Spaß mit dem vor allem in Preußen häufigen Namen Friedrich. 1870 *ff.* Eine Vorform ist „befriedrichen = mit Friedrichsd'or (Goldmünzen) bezahlen" (1750).

Befruchtungsschuppen *m* Lokal mit Mädchenbetrieb; Bordell. 1965 *ff, BSD.*

Befruchtungsurlaub *m* Familienurlaub. 1965 *ff, BSD.*

befummeln *tr* **1.** etw geschickt bewerkstelligen, in Ordnung bringen. ↗ fummeln. 1800 *ff.*

2. etw untersuchen. 19. Jh.

3. jn betrügen. Leitet sich wohl her von betrügerischem Kleiderhandel; ↗ Fummel = getragene Kleidung. 19. Jh.

4. jn intim betasten. 19. Jh.

5. etw heimlich tun. 1900 *ff.*

6. *refl* = onanieren. 1930 *ff.*

befzen (beffzen) *intr* schimpfen. Befze = Lippe. 19. Jh.

begabt *adj* grob ~ = dumm, einfältig. 1900 *ff, schül.*

Begabung *f* grobe ~ = große Dummheit. *Schül* 1900 *ff.*

begammeln *tr* jn betrügen. Leitet sich wohl her aus einem Handel, bei dem Altes als neuwertig verkauft wird. ↗ gammelig. 1960 *ff.*

begammelt *adj* langweilig, lustlos. ↗ gammeln. 1955 *ff.*

be'gäng *adv* üblich, geläufig. Fußt auf der Bedeutung „viel begangen" und entwickelt sich weiter zu „gangbar", „landesüblich". 14. Jh *ff.*

begängeln *tr* jn bemuttern. Der Betreffende wird wie ein kleines Kind am Gängelband geführt. 1960 *ff, BSD.*

Begatterich *m* Ehemann. Verdeutlichung von ↗ Gatterich. 1900 *ff.*

Begattungswurzel *f* Penis. ↗ Wurzel. 1960 *ff, BSD.*

begaunern *tr* jn übervorteilen. ↗Gauner. 1700 ff.

begäuschen *tr* ↗begöschen.

begeben *refl* sich ins Unvermeidliche fügen; auf etw verzichten; sich beruhigen; entsagen. 17. Jh, *nordd.*

be'geilen *tr* jn intim betasten. *Rotw* 1950 ff.

begeistern *refl* sich betrinken; zechen. Der Betreffende gibt sich mit Weingeist ab. 1700 ff.

Begeisterung *f* 1. ohne übertriebene ~ = ohne jegliche Begeisterung; lust-, schwunglos. Spöttische, wortreiche Umschreibung. 1950 ff.
2. ~ fassen (tanken) = an feierlichen militärischen Aufmärschen o. ä. teilnehmen. ↗fassen (↗tanken) *Sold* 1939 ff.

Begeisterungskulisse *f* das Spalierstehen in Erwartung eines hochgestellten Gastes. 1933 ff.

begeuschen *tr* ↗begöschen.

begießen *tr* 1. eine Sache (ein Ereignis) ~ = etw mit Trinken feiern. Hervorgegangen aus einem alten Fruchtbarkeitszauber (durch Wassergießen fruchtbar machen); seit dem 16. Jh nur noch auf alkoholische Einweihung o. ä. bezogen.
2. jn ~ = jn alkoholisch feiern. 1600 ff.
3. jn ~ = jds Grab pflegen. 1850 ff.
4. jn ~ = koitieren (vom Mann gesagt). 1930 ff, *prost.*
5. sich ~ = sich betrinken. 19. Jh.
6. die Gegend ~ = im Gelände harnen. 1900 ff.

Begleiter *m* ständiger ~ = a) Mann, der stets an der Seite derselben weiblichen Person gesehen wird. 1920 ff. – b) Angehöriger des Abschirmdienstes bei der Überwachung eines Spionageverdächtigen. 1960 ff.

Begleiterin *f* ständige ~ = weibliche Person, die stets mit demselben Mann gesehen wird, (mit dem sie nicht amtlich verbunden = verheiratet ist). 1950 ff, Illustriertendeutsch.

Begleitmusik *f* Begleitumstände. Eigentlich die Klavierbegleitung zum Gesang. 1950 ff.

Begleitschutz *m* dem Partner geleistete Hilfe, indem man die eigene Karte dem Gegner anbietet, damit sich dieser in Trumpf verausgabt. Meint militärisch einen Jagdflieger, der ein schwerfälliges Bombenflugzeug vor feindlichen Angriffen schützt. 1914 ff.

Begleitwurzen *f* Begleiter. ↗Wurzen. *Österr* 1920 ff.

beglitten *part* begleitet. Scherzhaft gebildet nach dem Muster von „leiden - litt - gelitten". 19. Jh.

begnarren *tr* jn verleumden, verlästern, bekritteln, beneiden. Gnarren = knurren (wie Hunde vor dem Beißen). ↗gnattern. 1300 ff.

begossen *adj* kleinlaut, niedergeschlagen. ↗bedrippt. *Vgl* den „begossenen ↗Pudel". 1870 ff.

begrabbeln *tr* 1. etw betasten. ↗grabbeln. 1700 ff.
2. jn liebkosend, intim betasten. *Nordd* 1900 ff.

begraben *tr* 1. laß dich ~!: Ausdruck der Ablehnung. Scherzhaft gemünzt auf einen, der so dumm und weltfremd redet, daß man vermutet, er gehöre zu denen, die längst im Grab liegen. 1800 ff.
2. ihn hat man vergessen zu ~ = a) er sieht so elend aus. 1800 ff. – b) er ist abständig, hat keinen Sinn für die Gegenwart. 1800 ff.
3. den Ball ~ = als Torwart den Ball unter seinem Körper bergen. 1920 ff.
4. da möchte ich nicht (nicht lebendig) ~ sein = da möchte ich nicht leben müssen. Hängt zusammen mit der Vorstellung vom Toten, der im Grab keine Ruhe findet oder sein lebendiges Menschsein im Grab fortsetzt. 1840 ff.
5. ~ sein = zu einer langen Freiheitsstrafe verurteilt und damit aus der Welt der (frei) Lebenden verbannt sein. *Rotw* 1847 ff.

Begräbnis *n* 1. entscheidende Niederlage einer Fußballmannschaft. 1950 ff.
2. Ansprache in der Aula. Die Anwesenden sind feierlich gekleidet, und die Rede ist weihevoll wie am offenen Grabe. *Vgl* ↗Beerdigung. 1950 ff, *schül.*
3. großes Ereignis. *Halbw* 1955 ff.
4. ~ erster Klasse = Amtsenthebung; großer Mißerfolg. Eigentlich die prunkvolle Beisetzung mit Musik, Fahnenabordnungen, Ansprachen und Kranzniederlegungen. Seit dem späten 19. Jh.
5. ~ erster Klasse mit Klavier und Geige = großer Mißerfolg einer Theateraufführung. ↗Klavier 8. 1920 ff.

Begriff *m* 1. verrenkter ~ = irrige Ansicht. Verrenken = aus der richtigen Lage durch Drehen herausspringen lassen, dann soviel wie „falsch handhaben" und „fehldenken". Seit dem späten 19. Jh.
2. von etw keinen ~ haben = sich etw nicht vorstellen können; etw nicht begreifen können. Begriff = Vorstellung, Verständnis. 1700 ff.
3. sich von etw keinen ~ machen können = sich von etw keine (zutreffende) Vorstellung machen können. 19. Jh.
4. ist dir der Herr Molbergen ein ~? = kennst du Herrn Molbergen? 1920 ff.
5. schwer von ~ (~en) sein = begriffsstutzig sein. Begriff meint hier die Fähigkeit des Begreifens. 19. Jh.
6. im ~ des Begreifens sein = a) etw zu begreifen beginnen. „Im Begriff sein = sich anschicken". 1935 ff. – b) etw zu tun gerade beabsichtigen. 1935 ff.
7. im ~ des Begreifens begriffen sein = sich anschicken. 1935 ff.

begrunzen *v* 1. jn ~ = jn freudig begrüßen, rundum bewillkommnen. Beim Betreten eines Schweinestalls wird man vom ersten Schwein begrunzt; ihm folgen die anderen. 1850 ff.
2. sich ~ = sich näher kennenlernen suchen. 19. Jh.

Begrüßaugust *m* Hotelportier, Empfangschef. „August" läßt an den „dummen August" im Zirkus denken. 1900 ff.

Begrüßungsrummel *m* üblicher Zeremoniell bei Begrüßung hochgestellter Persönlichkeiten des öffentlichen Lebens *(abf)*. ↗Rummel. 1920 ff.

beguckäugeln *tr* etw besehen. 1955 ff, *jug.*

begucken *v* bei ihr kannst du dir nichts ~ = bei dieser Frau hast du keinerlei Aus-

sichten. Anspielung auf Betrachtung des nackten Körpers o. ä. 1930 ff.

'Be'ha *m* Büstenhalter. Hieraus gekürzt im Sinne einer Tarnung, die viel zu albern ist, als daß sie nicht Allgemeingut wäre. ↗B. H. 1920/30 ff.

behacken *tr* 1. Artilleriefeuer geben; Bomben abwerfen. Hacken = mit einer Hacke schlagen und zerkleinern. *Sold* in beiden Weltkriegen.
2. jm heftig zusetzen. ↗hacken. 1950 ff.
3. jn übervorteilen. Verstärkt aus „übers ↗Ohr hauen". 1920 ff.

behämmern *tr* 1. jn unter Beschuß nehmen, bombardieren. Die Einschläge klingen, als wäre ein schwerer Hammer am Werke. *Sold* seit dem Ersten Weltkrieg.
2. eindringlich, wiederholt auf jn einreden; jn zu überreden trachten. 1960 ff.
3. koitieren. 1955 ff.

behämmert *adj* dumm, geistesgestört. Analog zu ↗bekloppt. 1930 ff. *Vgl franz* „avoir un coup de marteau".

behängen *v* 1. sich mit jm ~ = sich mit jm belasten. 16. Jh.
2. sich mit etw ~ = sich putzen; sich geschmacklos kleiden. 19. Jh.
3. jn ~ = jn belügen, verulken. ↗aufhängen 4. 1900 ff.

beharken *tr* 1. jn beschießen. Hergenommen von der Ackerbearbeitung mit der Harke, dem Karst; von da zur Bedeutung „umpflügen" weiterentwickelt. *Sold* in beiden Weltkriegen.
2. jn mit vielen Schlägen oder Boxhieben eindecken. 1920 ff.
3. jm heftig zusetzen; etw nachdrücklich bearbeiten. 1920/30 ff.
4. heftige Fußballstöße ausführen. 1950 ff.

behaupten *refl* eine Kopfbedeckung aufsetzen. Wortspielerei. Seit dem frühen 20. Jh.

Behauptung *f* 1. Kopfbedeckung. Seit dem späten 19. Jh.
2. ~ ohne innere Überzeugung = Filzhut ohne Futter. „Innere Überzeugung" steht für „innerer Überzug" (= Innenfutter). Seit dem späten 19. Jh.
3. falsche ~ = Perücke. 1870 ff.
4. mangelnde ~ = Glatze. 1900 ff.

beherrschen *refl* jn kann mich ~!: Ausdruck der Ablehnung. Wer Herr seiner Gefühle ist, hält sich zurück. 1900 ff.

beheuert sein nicht ganz bei Verstand sein. Stammt aus der Bergmannssprache: behäuert = angeschlagen. 1950 ff, Ruhrgebiet.

behexen *v* 1. jn ~ = jm die klare Überlegung rauben. Fußt auf dem Volksglauben, daß Hexen den Menschen so verzaubern können, daß er nicht mehr Herr seiner selbst ist. Spätestens seit 1700.
2. wie behext sein = geistig verwirrt sein. 1700 ff.
3. es ist wie behext = es mißlingt trotz aller Bemühung. 1900 ff.

Behörde *f* meine vorgesetzte ~ = 1. meine Eltern. An die Stelle des Verwandtschaftsverhältnisses tritt ein Dienstverhältnis: man wird nicht geliebt, sondern verwaltet. 1960 ff, *halbw.*
2. meine Ehefrau. 1960 ff.

Behördengalopp *m* 1. langwierige Bearbeitung einer Akte. Ironie; denn Galopp ist die schnellste Gangart des Pferdes (auf das der ↗Amtsschimmel eigentlich anspricht). 1920 ff.
2. langsamstes Tempo. *Sold* 1920 ff.

Behördenkram *m* Verwaltungswesen (*abf*). ↗Kram. 1930 *ff.*

Behördenmuffel *m* Feind der Bürokratie; Amtsverdrossener. ↗Muffel. 1965 *ff.*

Behördenmühle *f* schleppender Geschäftsgang; Verzögerung der Entscheidung. Der Vorgang wird auf dem Amtsweg durch sämtliche Abteilungen kleingemahlen. 1920 *ff.*

Behördenschlaf *m* unaufmerksame, langsame Aktenerledigung. Anspielung auf die Schwerfälligkeit der Verwaltung und auf die angebliche Schläfrigkeit der Bearbeiter. 1920 *ff.*

behumpsen (behummsen, behumsen) *tr* jn betrügen. Kann auf *jidd* „behemo = Vieh" zurückgehen oder auf „Humse = Vulva"; in beiden Fällen ist ein Täuschen gemeint, entweder beim Viehhandel oder beim Geschlechtsverkehr. 18. Jh.

behüpfen *tr* koitieren. Analog zu ↗bespringen. 1900 *ff.*

behüten *tr* 1. jn mit einem Hut versehen; jm einen Hut schenken. Sprachlicher Spaß. 1900 *ff.* 2. den Kopf (sich) ~ = einen Hut aufsetzen. Seit dem späten 19. Jh.

beibiegen *v* 1. jm etw ~ = a) jm etw geschickt zu verstehen geben; jm ein einleuchtend erklären, beibringen. Spielt an entweder auf den Prügelstock, der bei heftigem Zuschlagen sich biegt, oder auf die formgerechte, enge Anpassung, die der Gärtner beim Anbinden einer Pflanze bezweckt. 19. Jh. – b) jm eine drastische Lehre erteilen. 1900 *ff, schül* und *sold.* – c) jn prügeln. 1800 *ff.* 2. sich etw ~ = sich etw aneignen, verschaffen, entwenden. Berührt sich mit der Wendung „krumme ↗Finger machen". 1900 *ff.* 3. eine Sache ~ = etw ausgleichen, in Ordnung bringen. Analog zu ↗gradebiegen. 1920 *ff.* 4. sich jn (eine) ~ = ein intimes Verhältnis eingehen. 1900 *ff.* 5. einer einen ~ = schwängern; koitieren. 1900 *ff.*

beibleiben *intr* fortfahren, weitermachen. Gekürzt aus „bei der Arbeit o. ä. bleiben". Seit dem späten 19. Jh.

Beichte *f* jn in die ~ nehmen = 1. jn aushorchen, ausfragen. Vom Katholizismus übernommen. 19. Jh. 2. jn zu einem Geständnis bringen (zwingen). 1933 *ff.*

beichten *intr* 1. ein Geständnis ablegen. 19. Jh. 2. den Gegner durch entsprechenden Kartenabwurf zwingen, seine Kartenzusammenstellung zu offenbaren. Kartenspielerspr. seit dem späten 19. Jh.

Beichtvater *m* 1. höherer Kriminalbeamter; Untersuchungsrichter. Er nimmt den Verhörten die „Beichte" ab. 1920 *ff.* 2. Wehrbeauftragter des Deutschen Bundestags. Bei ihm bringen die Soldaten ihre Beschwerden vor. 1964 *ff.*

beidrehen *intr* 1. besonnen (oder ängstlich) zögern; Ausflüchte suchen. Stammt aus der Schiffahrt: das Schiff wird zum Stillstand gebracht; die Fahrt wird verlangsamt, und man steuert seitwärts. 18. Jh. 2. sich bescheiden; die Ansprüche mildern; etw aufgeben. 1900 *ff.* 3. einkehren; eine Gaststätte (Kantine) aufsuchen. Seit dem späten 19. Jh.

beieinanderhaben *v* nicht alle ~ = nicht recht bei Verstande sein. Hinter „alle" ergänze „Sinne". 1900 *ff.*

beieinandersein *v* 1. gut ~ = a) rüstig, munter, lebhaft, gesund sein. Der Betreffende verfügt über alle geistigen und körperlichen Kräfte. Spätestens seit 1900. – b) von angenehmer Körpergestalt sein. Es ist alles beieinander, und nichts fehlt. 1900 *ff.* 2. nicht richtig ~ = a) krank, abgespannt sein; kränkeln. 1900 *ff.* - b) dumm, von Sinnen sein. Etwa seit 1900. 3. sauber ~ = nett gekleidet sein. 1950 *ff.*

beiern *intr* läuten. Im 14. Jh übernommen aus dem *Ndl* in der Bedeutung „feststehende Glocken mit dem Klöppel anschlagen".

Beifahrerin *f* ~ der Liebe = Prostituierte, die sich von einem Autofahrer mitnehmen läßt. 1960 *ff.*

Beifall *m* 1. ~ aus der Retorte = Tonband mit Beifallsäußerungen. 1960 *ff.* 2. dünner ~ = spärlicher Beifall. ↗dünn. 1920 *ff.*

beifallen *intr* abmagern; an Körpergewicht verlieren. Hergenommen vom Kuchenteig, der zusammenfällt, nachdem er gut aufgegangen war. 1700 *ff.*

beigeben *tr* geringwertige Karten abwerfen. Kartenspielerspr. 1900 *ff.*

beigehen *intr* abmagern; dünner werden. Analog zu ↗beifallen. 19. Jh.

Beigeschmack *m* metallischer ~ = hoher Preis. 1900 *ff, nordd.*

beihaben *tr* 1. jn erreicht, eingeholt haben. Gekürzt aus „beigeholt haben". 19. Jh. 2. etw ~ = etw bei sich haben (hast du Streichhölzer bei?). 1900 *ff.*

Beilage *f* preußische ~ = Kartoffeln. Kartoffeln gelten als beliebtestes Nahrungsmittel der „Preußen", womit – in bayerischer Meinung – die Norddeutschen gemeint sind. München 1960 *ff.*

Beilchen *n* jm ein ~ hauen = einen Fußballspieler durch grobes Foul zu Fall bringen. Der Betreffende wird so heftig getreten, daß er stürzt, als habe man ihm ein Bein abgehackt. 1950 *ff.*

beimachen *v* 1. etw ~ = eine Tür mehr als halb schließen, anlehnen. Bei = nahe, dicht. 1900 *ff.* 2. sich ~ = nicht zurückbleiben; mit den anderen Schritt halten. 1900 *ff.*

Bein *n* 1. Prostituierte. Entweder Analogie zur Schimpfwortgeltung von „Knochen" oder fußend auf *zigeun* „p'ēn = Schwester". *Prost* 1900 *ff.* 2. *pl* = Fahrgestell des Flugzeugs. Anthropomorphisierung der Maschine. Fliegerspr. 1939 *ff.* 3. *pl* = Autoreifen. Zusammenhängend mit einer Werbeanzeige der Reifenfirma Veith-Pirelli: auf ihr waren neben den Autoreifen auch die Beine der Frau des Werbefachmanns Kairies zu sehen. 1965 *ff.* 4. bewaldete ~e = behaarte Beine. 1950 *ff.* 5. blonde ~e = hell bestrumpfte Beine. 1920 *ff.* 6. drittes ~ = a) erigierter Penis. 1800 *ff.* – b) Krücke, Spazierstock. Angelehnt an das Rätsel der Sphinx in der *griech* Mythologie. 1870 *ff.* – c) Gewehr (bei Fuß). 1870 *ff.* 7. goldene ~e = Beine eines hervorragenden Fußballspielers. Mit ihnen spielt er sich und seinem Verein viel Geld ein. 1960 *ff.* 8. gotische ~e = nach innen gebogene Beine. Anspielung auf die Spitzbogenform der Schenkel. 1955 *ff.* 9. heiliges ~l: Ausruf der Verwunderung. Meint eigentlich das Kreuzbein, den kreuzförmigen Knochen, der die Beckenschaufeln zusammenhält; er befindet sich in unmittelbarer Nähe der Geschlechtsteile, die als heilig (= unverletzlich) gelten. Analog zu „O du mein Arsch!". 18. Jh. 10. kein ~ = a) niemand. Bein = Lebewesen (pars pro toto). 1900 *ff.* – b) Ausdruck der Verneinung; durchaus nicht! Seit dem späten 19. Jh. 11. kein ~ auf die Erde!: Ausdruck der Ablehnung. Metapher für „kein Erfolg", „keine Standfestigkeit", „kein fester Boden unter den Füßen". 1900 *ff.* 12. kurzes ~ = Penis. 1900 *ff.* 13. lachende ~e = wackliger Gang. Bei herzhaftem Lachen wird der ganze Körper einschließlich der Beine geschüttelt. 1900 *ff.* 14. linke ~e = die Prostituierten. ↗Bein 1; ↗link. 1900 *ff.* 15. nahtlose ~e = Beine in nahtlosen Strümpfen; nackte Beine. 1960 *ff.* 16. närrisches ~ = hochempfindliche Stelle am Ellenbogen. Sie treibt ein närrisches Spiel. *Österr* 1930 *ff.* 17. tragische ~e = einwärts gebogene Beine. Die Tragik besteht darin, daß die Beine einmal zusammenkommen, sich dann aber wieder trennen müssen. Spätestens seit 1900. 18. verliebte ~e = auswärts gekrümmte (O-)Beine. Erst haben sie sich, dann gehen sie auseinander, und am Schluß kommen sie für immer zusammen. Vgl ↗Courths-Mahler-Beine; ↗Romanbeine. 1900 *ff.* 19. waffenscheinpflichtige ~e = nach hinten durchgebogene Beine; krumme Beine. Die Form ähnelt dem Säbel, weswegen man einen Waffenschein benötigt; vgl ↗Säbelbeine. 1955 *ff.* 19 a. zweites ~ = zweite Verdienstmöglichkeit. 1965 *ff.* 20. nicht mehr auf zwei ~en!: Antwort auf die Frage nach dem Wohlbefinden. 1900 *ff.* 21. sich ein ~ abfreuen = sich sehr freuen. Vielleicht von einem leidenschaftlichen und stürmischen Tänzer herzuleiten. 1900 *ff.* 22. sich die ~e ablaufen = viele Wege machen. Dadurch werden die Beine abgenutzt. 1700 *ff.* 23. etw mit einem (betont!) ~ abmachen = etw mühelos bewerkstelligen. Wer beim Warten sich auf ein einziges Bein stellt, rechnet mit sehr kurzer Wartezeit. 1950 *ff.* 24. sich ein ~ abwundern = sich sehr wundern. ↗Bein 27. 1950 *ff.* 25. es zieht die ~e an = es wird knapp. Wie man es bei zu kurzer Bettdecke tut. 1900 *ff.* 26. mit dem falschen (linken) ~ zuerst aufgestanden sein = mißgestimmt sein. „Links" bedeutet laut der Aberglaubensregel die Seite, von der das Unheil kommt. 18. Jh. *Vgl engl* „to get up on the wrong side of the bed". 27. sich ein ~ ausfreuen = sich sehr freuen. Fußt auf dem Folgenden. 19. Jh.

28. sich für etw ein ~ ausreißen = sich sehr anstrengen, um etw zu erreichen. Gemeint ist wohl ein solch angestrengtes Laufen, daß man dabei ein Bein verliert. 1800 ff. *Vgl franz* „travailler d'arrache-pied".

29. jm die ~e bis zu den Ellenbogen ausreißen = jn körperlich und moralisch schlimm zurichten. *Sold* 1939 ff.

30. ein ~ aus-, umtauschen = im Krieg ein Bein verlieren; eine Beinprothese erhalten. *Sold* 1914 ff.

31. sich selbst ins ~ beißen = sich selber schaden. 1920 ff.

32. laß dich nicht ins ~ beißen = laß dich nicht übertölpeln; sei vorsichtig. Warnung vor dem Hunde (doppelsinnig). 1920 ff.

33. jm etw ans ~ binden = a) jn stark behindern. Hergenommen vom Weidevieh, dem man auf nicht eingefriedeten großen Weideflächen die Vorderbeine zusammenbindet und durch ein dickes Rundholz beschwert. 1850 ff. – b) jm unverkäufliche Ware verkaufen. Sie beeinträchtigt den Käufer, als habe man ihm einen Klotz ans Bein gebunden. 1900 ff. – c) jn bezichtigen. Die Bezichtigung ist eine schwere Behinderung. 1910 ff.

34. etw ans ~ binden = a) Schulden machen und sie nicht tilgen können. 1700 ff. – b) etw leichthin verschmerzen, einbüßen. Was man ans Bein bindet, achtet man gering. 14. Jh. – c) etw leichtsinnig vergeuden. 19. Jh.

35. sich etw ans ~ binden = sich einer Sache annehmen, der man nicht gewachsen ist; ↗ Bein 33 a. 1900 ff.

36. mit beiden ~en auf der Erde bleiben = besonnen bleiben; sich nicht von Hirngespinsten leiten lassen. Der Betreffende schwebt nicht in „höheren Regionen". 1900 ff.

37. sich bei etw ein ~ brechen = bei einem scheiternden Unternehmen seinen Einfluß einbüßen. Man zieht sich einen nachwirkenden Schaden zu. 1950 ff.

38. die ~e breitmachen = beischlafwillig sein (auf die Frau bezogen). Spätestens seit 1900.

39. Leute auf die ~e bringen = Leute aufbieten, mobilisieren. Ursprünglich auf das Heer bezogen, zu dem man die Soldaten aufbietet. 19. Jh.

40. etw auf die ~e bringen = etw fertigbringen; mit etw Erfolg haben. 1800 ff.

41. jn auf die ~ bringen = jn gesund machen; jn mit allen Mitteln unterstützen. 14. Jh.

42. das bringt auf die ~e = das muntert auf, macht lebhaft. 1930 ff.

43. er hat die ~ zu weit durchgestoßen (durchgestreckt) = er trägt zu kurze Hosen. Scherzhafte Verkehrung von Ursache und Wirkung. 1910 ff.

44. ihm haben sie die ~e zu kurz (zu weit) in den Arsch gedreht (geschraubt) = er ist groß (klein) gewachsen. 1920 ff.

45. die ~ verkehrt eingehängt haben = ungelenke Beine haben. 1920 ff.

46. die ~ sind verkehrt eingeschraubt = die Beine sind einwärts gekrümmt. 1910 ff.

47. ihm haben sie zwei linke ~e eingeschraubt = er ist krummbeinig. 1920 ff.

48. wieder auf die ~e fallen = gesundheitlich (wirtschaftlich) genesen. Der Kat-

zenart nachempfunden. 1920 f. *Vgl franz* „retomber sur ses pieds".

49. seine ~e nicht fühlen = infolge großer Marschanstrengung o. ä. sehr müde sein. 19. Jh.

50. der Weg geht in die ~e = der abschüssige, harte Weg verursacht Schmerzen in den Beinen. 1900 ff.

51. diese Musik geht in die ~e = diese Musik regt zum Tanzen an. 1920 ff.

52. er ist falsch ans ~ gepinkelt = er irrt sich. *Sold* 1939 ff.

53. er ist durch die ~e durch die Hose gewachsen = er trägt zu kurze Hosen. ↗ Bein 43. 1910 ff.

54. es in den ~en haben = ein guter Fußballspieler sein. 1950 ff.

55. etw am ~ haben = a) mit etw belastet sein; Schulden haben. Versteht sich nach ↗ Bein 33 a. 19. Jh. – b) vorbestraft sein. 1900 ff.

56. jn am ~ haben = a) jn in seiner Gewalt haben. Man hat ihn entweder am Bein ergriffen oder ihm einen Klotz ans Bein gebunden. 19. Jh. – b) ein außereheliches Liebesverhältnis unterhalten. 19. Jh.

57. alles, was ~e hat = alle. 19. Jh.

58. hinein, was ~e hat: Aufforderung an den Kartenspieler, in den Stich eine Karte zu werfen, die viele Augen zählt. Kartenspielerspr. seit dem späten 19. Jh.

59. frohe ~e haben = wegen Harndrangs vom einen Fuß auf den anderen treten. Es sieht wie Tanzen aus. 1900 ff.

60. gute ~e haben = weglaufen, fliehen. *Sold* in beiden Weltkriegen.

61. das hat noch lange ~e = das hat noch lange Zeit. Das Gemeinte hat sich noch nicht auf den Weg gemacht. 19. Jh.

62. zwei linke ~e haben = krummbeinig sein; leicht ins Stolpern geraten. 1920 ff.

63. ein linkes ~ haben = den Fußball nur mit dem linken Bein treten können. *Sportl* 1920/30 ff.

64. vergnügte ~e haben = torkeln. 1800 ff.

65. ein ~ mehr haben als der Gegner = ein besserer Fußballspieler sein als der Gegner. *Sportl* 1950 ff.

66. 'was zwischen den ~en haben = geschlechtlich voller Temperament sein. 1900 ff.

67. 'was Rechtes zwischen den ~en haben = koitieren. 1900 ff.

68. ~e bis auf die Erde haben = sich zu helfen wissen; hilfsbereit sein. Der Betreffende ist ein Wirklichkeitsmensch: er steht mit beiden Beinen auf der Erde. 1920 ff.

69. ein schweres rechtes ~ haben = mit dem Auto schnell fahren. Das rechte Bein ist so schwer, daß es ständig das Gaspedal niederdrückt. Kraftfahrerspr. 1955 ff.

70. jn auf den ~en halten = jn vor dem Bankrott bewahren. Man sorgt dafür, daß er nicht zu Fall kommt. 1920 ff.

71. jn ums ~ hauen = jn übervorteilen. Dem Betreffenden schlägt man die Peitschenschnur ums Bein und bringt ihn zu Fall. 1900 ff, österr.

72. jm auf die ~e helfen = a) jm in der Not helfen. Geht zurück auf die Fechtersprache: der Sekundant hilft dem, der zu Fall gekommen ist. Seit *mhd* Zeit. – b) jn aus dem Bett treiben. *Sold* 1910–1945. – c) koitieren, schwängern. 1920 ff.

73. jn von den ~en holen = jn im Boxkampf zu Boden zwingen. 1920 ff.

74. einen zwischen die ~e jubeln = koitieren. 1950 ff.

75. auf die ~e kommen = a) wirtschaftlich vorwärtskommen. 1900 ff. – b) mobilgemacht werden. ↗ Bein 39. 1900 ff.

76. wieder auf die ~e kommen = a) genesen. 14. Jh. – b) als ehemaliger Häftling wieder zum geordneten bürgerlichen Leben zurückfinden. 1900 ff.

77. ~e kriegen = weglaufen. 1900 ff.

78. es hat ~e gekriegt = a) die Sache macht Fortschritte. 1900 ff. – b) es ist verschwunden, gestohlen. In *iron* Meinung ist es davongelaufen. 19. Jh.

79. kein ~ an (auf) die Erde kriegen = a) sich vergeblich bemühen; sich kein Gehör verschaffen können; wirtschaftlich nicht emporkommen; keinen festen Halt gewinnen. Seit den späten 19. Jh. – b) keinen Stich bekommen. Kartenspielersp. 1900 ff.

80. ein ~ aufs Pflaster kriegen = eine Erwerbsmöglichkeit finden. 1920 ff.

81. jn wieder auf die ~e kriegen = jn wieder gesund machen. 1900 ff.

82. Leute auf die ~e kriegen = Leute aufbieten, mobilmachen. ↗ Bein 39. 19. Jh.

83. kein ~ krumm kriegen = nicht zum Sitzen, zum Ausruhen kommen. 1900 ff.

84. weiche ~e kriegen = eine Erschütterung erleben; ängstlich werden. 1900 ff.

85. ihm lachen die ~e = er geht torkelnd, wankend. ↗ Bein 13. 1900 ff.

86. die ~e langmachen = sich ausstrecken, ausruhen. 1900 ff.

87. jm die ~e langmachen = jn zur Eile antreiben; jn hetzen. 1910 ff, sold.

88. dem werde ich die ~e langziehen!: Drohrede. ↗ Hammelbeine. 1910 ff.

89. sich die ~e aus dem Arsch laufen = sich heftig bemühen; wegen einer Sache viele Wege machen. ↗ Bein 22. 1939 ff, sold.

90. sich die ~e aus der Hose laufen = sich um etw eifrig, aber erfolglos bemühen. Der Betreffende läuft so schnell, daß die Hose nicht mithalten kann. 1955 ff, jug.

91. sich die ~e aus dem Leib laufen = sehr schnell laufen. 1920 ff.

92. sich die ~e aus dem Po laufen (o. ä.) = überaus dienstfertig sein. 1939 ff.

93. jm ~e machen = a) jn zur Eile antreiben; jn anfeuern, wegjagen. Gemeint ist, daß man den Betreffenden aus dem Sitzen oder Liegen aufscheucht. 1500 ff. – b) eine Tanzplatte auflegen; zum Tanz aufspielen. 1920 ff.

94. mach ~l = geh weg! 1900 ff.

95. sich auf die ~e machen = aufbrechen; flüchten. 1700 ff.

96. ein langes ~ machen = a) jm ein Bein stellen. *Sportl* 1950 ff. – b) durch Strecken des Beins einen Tortreffer erzielen. *Sportl* 1950 ff.

97. lange ~e machen = stark und schnell ausschreiten; flüchten. 1800 ff.

98. die ~e unter den Arm (die Arme) nehmen = schnell laufen. Fußt auf der Vorstellung, man flöge und gebrauche nicht die Beine. 19. Jh.

99. die ~e in die Hand nehmen = schleunigst fortlaufen; die Gangart beschleunigen. 19. Jh.

100. seine ~ nehmen kein Ende = er ist langbeinig. 1920 ff.

101. die ~e auf den Buckel packen = weglaufen. ↗ Bein 98. 1955 ff, jug.

102. jm ans ~ pinkeln = jn übervorteilen, betrügen. Beharnung und Bekotung stehen in volkstümlicher Vorstellung für Betrug. 1930 ff.

103. da guckt ein ~ raus. = da stimmt was nicht; das ist unwahr. Zusammenhängend mit dem ↗ Pferdefuß. 1900 ff.

104. ein ~ reinstecken = koitieren (vom Mann gesagt). ↗ Bein 6. 1900 ff.

105. sich die ~e aus dem Leib reißen = sich heftig bemühen. ↗ Bein 28. 1900 ff.

106. jm auf den ~en rumtrampeln = a) jn im Dienst streng behandeln. Wohl hergenommen vom Treten auf die Schuhspitze oder gegen die Schuhferse beim Ausrichten der in Reihen angetretenen Soldaten. 1900 ff. – b) jn heftig zurechtweisen. 1900 ff.

107. jn von den ~en säbeln = den Spieler der gegnerischen Mannschaft durch unfaires Treten zu Fall bringen. Säbeln = schneiden = beim Sensenschwung treffen. Sportl 1950 ff.

108. mit den ~en schielen = betrunken schwanken. Die Beinstellung des Torkelnden ähnelt der Augenstellung des Schielenden. 1945 ff.

109. mit den ~en schlenkern = ängstlich sein; vor Furcht zittern. Schlenkern = schlottern. 1914 ff.

110. mit dem dritten ~ schlenkern = koitieren. ↗ Bein 6. 1900 ff.

111. etw ans ~ schmieren = etw verloren geben. ↗ Bein 34 b. 19. Jh.

112. auf dem verkehrten (falschen) ~ Hurra schreien = a) sich gröblich irren; sich für etw verkehrterweise ereifern. Beim Hochrecken des rechten Arms ist das linke Bein das Standbein (oder umgekehrt). 1910 ff. – b) etw ungeschickt bewerkstelligen. 1930 ff.

113. auf den ~en sein = aus dem Bett sein; unterwegs sein; tätig sein. 1700 ff. Vgl engl „he is always on the feet".

114. wieder auf den ~en sein = wieder gesund sein. 1700 ff.

115. geh auf deinen eigenen ~en spazieren!: Redewendung, wenn einem auf die Füße getreten wird. 1900 ff, Berlin.

116. mit 'einem ~ spielen = als Fußballspieler eine schlechte Leistung zeigen. 1930 ff.

117. mit beiden ~en auf der Erde stehen = keinen Phantastereien Raum geben; ein Wirklichkeitsmensch sein. 1900 ff. Vgl franz „avoir les pieds sur terre".

118. auf dem falschen ~ stehen = den in einer anderen Richtung erwarteten Ball verfehlen. Sportl 1950 ff.

119. auf keinem ~ stehen = keine Möglichkeit haben, das Kartenspiel zu seinen Gunsten zu entscheiden. 1900 ff.

120. auf kein ~ zu stehen kommen = nicht ans Spiel kommen; zu keinem Stich kommen. Kartenspielerspr. 1900 ff.

121. auf keinem ~ mehr stehen können = volltrunken sein. 1700 ff.

122. auf einem ~ nicht gut stehen können = das zweite Glas Alkohol nicht verweigern. 1700 ff.

123. jn auf einem ~ stehen lassen = jm keinen zweiten Schnaps eingießen. 1900 ff.

124. sich die ~e in den Leib (Bauch, Arsch) stehen = lange stehen und warten; Posten stehen. 1800 ff.

125. mit einem ~ im Bankrott stehen = dem Bankrott nahe sein. 1900 ff.

126. mit einem ~ im Gefängnis (Zuchthaus; hinter Gittern) stehen = eine strafbare Handlung begangen haben, aber (noch) nicht als Täter erkannt sein. 1900 ff.

127. mit einem ~ im Grabe stehen = dem Tode sehr nahe sein. 17. Jh. Vgl franz „avoir un pied dans la tombe".

128. sich die ~e ins Gehirn stehen = ungeduldig wartend stehen. Berlin 1950 ff.

129. jm ein ~ (Beinchen) stellen = a) jm ein Hindernis in den Weg legen, an dem er straucheln muß; jn zu Fall bringen. 1600 ff. – b) jm eine Fangfrage stellen. 1920 ff, stud.

130. jm ein langes ~ stellen = jds Vorgehen schwer behindern. 1950 ff.

131. etw auf die ~e stellen = etw bewerkstelligen; etw aufbauen. ↗ Bein 40. 19. Jh.

132. sich auf eigene ~e stellen = sich selbständig machen; die Obhut der Eltern verlassen. 1900 ff.

133. mit den ~en stottern = a) hinken. 19. Jh. – b) torkeln. 1900 ff.

134. die ~e unter jds Tisch strecken = von jm geldlich abhängig sein. 18. Jh.

135. etw ans ~ streichen = etw verloren geben . ↗ Bein 111. 19. Jh.

136. mit den ~en stricken = beim Gehen nach innen übertreten. Es ähnelt dem Kreuzen der Stricknadeln. Österr 1950 ff.

137. sich die ~e in den Leib treten = lange wartend stehen. ↗ Bein 124. 1900 ff.

138. jn (jm) auf die ~e treten = jn schlecht behandeln, kränken. Analog zu „jm auf den ↗ Fuß treten"; vgl ↗ Bein 106. 1800 ff.

139. alle ~e voll zu tun haben = eilen; sich rasch zurückziehen. Der Redewendung „alle ↗ Hände voll zu tun haben" nachgebildet. Sold 1939 ff.

140. die ~ vertreten = nach langem Sitzen sich Bewegung verschaffen. 1900 ff.

141. die ~e nicht mehr voneinanderkriegen = müde sein. Sie streifen einander beim Gehen. Rhein 1930 ff.

142. ein ~ vorstrecken = beim Kartenspiel vorfühlen. Hergenommen von Tieren (Katzen), die vorsichtig ein Bein vorstrecken, ehe sie zum Sprung ansetzen. Seit den späten 19. Jh, Kartenspielerspr.

143. ihm knicken die ~e weg = er ist fassungslos. Der Betreffende wird vor Überraschung oder Schreck weich in den Knien. 1900 ff.

144. jm die ~e wegsäbeln = jn durch ein Foul zu Fall bringen. ↗ Bein 107. Sportl 1950 ff.

145. jm die ~e unterm Hintern wegziehen = jds Stellung erschüttern. Meint eigentlich „jn brutal zu Fall bringen". Drastischer als „jm den ↗ Stuhl unterm Hintern wegziehen". 1950 ff.

146. jm die ~e wegziehen = jn besiegen. 1950 ff.

147. viel ~ zeigen = einen sehr kurzen Rock tragen. 1965 ff.

148. das zieht in die ~e = das lähmt allmählich, wirkt sich hemmend aus. Vom Rheumatismus hergenommen. Seit dem frühen 20. Jh.

Beinbruch m **1.** schwerwiegender Nachteil. 1700 ff.
2. das ist kein ~ = das ist nicht schlimm; es gibt Schlimmeres. 1700 ff, Berlin.

Beinfutteral n **1.** Hose. 1900 ff. ↗ Futteral.
2. Damenunterhose. 1920 ff.
3. Vulva, Vagina. 1920 ff.
4. einfältige ~e = Hose mit tadelloser Bügelfalte. Einfältig = eine einzige Falte habend. Theaterspr. 1920 ff.

beinhart adj **1.** unerbittlich, unbarmherzig. „Knochenhart" entwickelt sich zur Bedeutung „nicht nachgiebig". Oberd 1950 ff.
2. rücksichtslos. 1950 ff, österr.
3. reich an Gewalttaten, Schußwechseln u. ä. 1700 ff, österr.

beisammenhaben tr er hat nicht alle beisammen = er ist wirr im Kopf, ist nicht ganz gescheit. Hinter „alle" ergänze „Sinne". 19. Jh.

beisammensein intr **1.** gut ~ = wohlgenährt, gesund, drall, reich sein. Hergenommen von den körperlichen Kräften und materiellen Gütern, in deren Vollbesitz man sich befindet. 19. Jh, oberd.
2. schlecht ~ = nicht bei Kräften, nicht volleistungsfähig sein. 19. Jh, oberd.

Beischlaf m **1.** den ~ legalisieren = heiraten. 1900 ff, halbw.
2. auf die Dauer kann man ihr den ~ nicht verweigern: Redewendung auf eine anziehende weibliche Person. Sold 1939 ff.

Beischläfer m **1.** Bei-, Mitfahrer; Ersatzmann für den Fahrer. Seine Haupttätigkeit besteht im Schlafen. Um 1930 aufgekommen. Gleichbed engl „sleeper".
2. Beisitzer bei Prüfungen, Verhandlungen u. ä. Da er nur eine geringe Funktion ausübt, ist er unaufmerksam und wirkt schläfrig. 19. Jh.
3. Wärmflasche. 1900 ff.
4. Schlafgenosse im Doppelschlafzimmer. 1950 ff.
5. Ungeziefer. Es sind ungebetene Bettgenossen. 1935 ff.

beischmeißen tr intr zu anderen Karten hinzuwerfen. Kartenspielerspr. 1900 ff.

beisein intr **1.** angelehnt sein (das Fenster ist bei). Bei = nahe, dicht. Westd 19. Jh.
2. die Leistung anderer, den Vorsprung anderer eingeholt haben. Westd 19. Jh. Gekürzt aus „beigekommen sein".

Beisel (Beisl) n kleine Gastwirtschaft; verrufenes Lokal. Geht zurück auf jidd „bajis = Haus"; in ähnlichen Formen schon im 15. Jh geläufig. 1800 ff.

Beiß m **1.** Raum, der gerade gemeint ist; Haus. Fußt auf jidd „bajis, bes = Haus". Rotw seit 1753.
2. verabredeter Treffpunkt. Rotw 1950 ff.

beißen v **1.** tr = essen. 15. Jh.
2. nichts zu ~ (zu ~ und brechen) haben = nichts zu essen haben. 1500 ff.
3. intr = ausfallend werden; grob sein. Hergenommen vom bissigen Hund. 1700 ff.
4. ich beiße nicht = du kannst getrost näherkommen. Seit mhd Zeit.
5. sich mit jm ~ = sich mit jm streiten. 1800 ff.
6. es beißt sich mit etw = es widerstreitet anderen Absichten. Übertragen von Farben, die „sich beißen" (= nicht miteinander harmonieren), auf unvereinbare Pläne. 1960 ff.
7. um sich ~ = sich mit heftigen Worten wehren. Übertragen vom Hund. 19. Jh.

8. dich hat wohl jemand gebissen? (dich haben sie wohl gebissen?) = du bist wohl nicht recht bei Verstand? Wunderliches Wesen oder Geistesgestörtheit gilt hier als durch den Biß eines Tieres hervorgerufen; man auch vom ↗ Affen gebissen sein oder auch vom tollen ↗ Hund. 1900 ff.

9. beißen sie?: Frage an einen, der sich auf dem Kopf kratzt. Anspielung auf Läuse. 1900 ff.

10. was beißt mich da?: Ausdruck der Verwunderung. Vom Ungezieferbiß hergenommen, etwa seit 1850.

11. – oder was beißt mich da?: Nachsatzformel, wenn man sich nicht treffend genug ausgedrückt zu haben meint (ich meine die Blume da, die Tulpe, oder was beißt mich da?). 1920 ff.

12. was beißt mich!: Ausdruck der Ablehnung. Sinngemäß „was beißt mich das!" für „das beißt mich nicht!". Oberd seit dem späten 19. Jh. Vgl das Folgende.

13. was beißt dich? = was bewegt, erregt dich? Oberd 1900 ff, Vgl engl „what is biting you?"

14. es beißt mich nicht = es geht mich nichts an. Analog zu „es ↗ kratzt mich nicht" oder „es ↗ juckt mich nicht". 1900 ff.

Beißer m **1.** Hund. Kundenspr. seit dem späten 19. Jh.

2. Mann, der gern und leicht dreinschlägt. Oberd 19. Jh.

3. Angreifer; frecher, verwegener Mann. 1900 ff.

4. griesgrämiger Mensch. Er ist leicht reizbar und angriffslüstern. Oberd 1920 ff.

5. Gauner, Landstreicher. Österr 1930 ff.

6. Dirnenbeschützer, Zuhälter. Rotw 1933 ff.

Beißerchen n **1.** pl = Kinderzähne; Zähne. Ammensprachlicher Ausdruck, etwa seit 1700.

2. sg = Mädchen. Analog zu ↗ Zahn 3. Halbw 1965 ff.

3. pl = Ungeziefer. 1900 ff.

4. in die ~ ausknacken = jm die Zähne einschlagen. 1920 ff.

Beißzange f **1.** unverträgliche, zänkische Ehefrau (Haushälterin). Bezeichnung für eine Zange, zwischen deren Backen man Draht durchzwicken kann. ↗ Zange. 1700 ff. (Abraham a Santa Clara).

2. etw (jn) nicht mit der ~ anfassen (anrühren) mögen = etw unter keinen Umständen anfassen mögen. Selbst die Berührung mittels eines Werkzeugs ist einem zuwider. Bayr 1900 ff.

3. erzähl das einem, der die Hose mit der ~ anzieht (zumacht) ↗ Hose 19.

Beistrich m **1.** kleinwüchsiger Mensch. Rotw 1966, österr.

2. Schnaps zum Bier. Bei der Bestellung sagt man „eins Komma eins". 1960 ff, österr.

Beiwaage f gerichtliche Zusatzstrafe. Hergenommen von der Knochenbeilage zur Fleischbestellung: die Menge ist etwas größer als gewünscht. Rotw 1920 ff (?).

Beiwagen m **1.** Studienreferendar, Probekandidat. Er folgt dem Ausbilder wie der Beiwagen dem Motorrad. Schül 1930 ff, österr.

2. Tanzstundendame. Sie gehorcht den Tanzbewegungen des Herrn. Jug 1950 ff, bayr.

3. Geliebte, Ehefrau. 1930 ff.

4. guter ~ = guter Kamerad. Sold 1939 ff.

5. ~ fahren = ein Liebesverhältnis aufrechterhalten. 1950 ff, jug.

Beize I f (bayr = Boazn) kleine Gastwirtschaft. Nebenform zu ↗ Beisel. 19. Jh.

Beize II f **1.** unnötiger Drill; Kasernenhofschikane. Fußt auf der bayr Bedeutung „Jagd, Hetze, Hatz". 1900 ff.

2. die alte ~ = das übliche Vorgehen; das übliche Lockmittel. Hergenommen von der Jagd mit Greifvögeln. 1920 ff.

3. jn in die ~ legen = jn scharf rügen und eine Zeitlang in Ungnade halten. Beize ist die scharfe Marinade zum Haltbarmachen von Lebensmitteln. 1950 ff.

4. jn in die ~ nehmen = a) jn hart behandeln, scharf verhören, in die Enge treiben. ↗ Beize 1. 19. Jh. – b) jn rücksichtslos einexerzieren. Sold 1935 ff.

bekacken v **1.** tr refl = mit Kot beschmutzen. ↗ kacken. 1500 ff.

2. refl = sehr furchtsam sein. 19. Jh.

3. bekack dich bloß nicht! = rege dich nicht so übertrieben auf! ereifere dich nicht grundlos! ziere dich nicht! Vor lauter Unnatürlichkeit ist zu befürchten, daß der Betreffende seine Unterwäsche verunreinigt. 19. Jh.

4. es ist zum ~ = a) es taugt nichts, ist wertlos. 1800 ff. – b) es ist sehr gefährlich. 1800 ff. – c) Ausdruck der Überraschung, des Unwillens. 1900 ff.

bekackt adj präd **1.** wunderlich; nicht recht bei Sinnen. Es hat ihm jemand „ins ↗ Gehirn geschissen". 1900 ff.

2. schlecht, minderwertig. BSD 1960 ff. Analog zu ↗ beschissen.

bekäfern tr jm eine (unpassende) Tischdame geben. ↗ Käfer = Mädchen. 1960 ff, halbw, Berlin.

bekaspern tr **1.** jn beschwatzen, übertölpeln. ↗ kaspern. Rotw 1832 ff.

2. etw mit jm ~ = etw mit jm verabreden. 1939 ff, sold.

bekaufen refl einen schlechten Kauf tun; sich Minderwertiges aufdrängen lassen. Nordd „sich bekaufen = einkaufen". Seit dem späten 19. Jh.

bekaut adj listig, schlau. Nebenform zu ↗ bekovert. Geht zurück auf jidd „chochom = klug, weise, gelehrt". 1925 ff.

bekennen intr Karten der angespielten Farbe aufwerfen. Gekürzt aus „Farbe bekennen = sich zur selben Farbe bekennen". Seit dem späten 19. Jh.

Bekenntnisknoten m Haarknoten der Pfarrersfrauen o. ä. Er gilt als typische Haartracht der Frauen evangelischer Geistlicher. 1950 ff.

bekifft sein unter dem Einfluß von Haschisch stehen. ↗ kiffen. 1963 ff.

bekindert adj kinderreich. 1920 ff. Soll ursprünglich ein juristischer Fachausdruck gewesen sein.

beklackern tr etw beschmutzen. ↗ klekkern. Nordd 1700 ff.

beklappen tr jn auf frischer Tat ertappen; jn betasten. ↗ klappen. Seit dem späten 19. Jh.

beklauen tr **1.** jn bestehlen. ↗ klauen. 1700 ff.

2. jn intim betasten. Klaue = Hand. 1800 ff.

beklecken v **1.** etw ~ = etw beschmutzen. ↗ klecken. Seit mhd Zeit (beklecken).

2. beklecke dich nicht! = tu nicht so

übertrieben vornehm! Je zimperlicher einer tut, um so leichter beschmutzt er sich beim Essen. 1900 ff.

3. sich ~ = a) durch Prahlerei sich selber schaden. 19. Jh, stud. – b) sich betrinken. Der Betrunkene geifert oder erbricht sich. 19. Jh, nordd.

4. sich mit Ruhm ~ = ↗ Ruhm.

bekleckert adj **1.** nicht vertrauenswürdig. Der Betreffende hat keine weiße ↗ Weste. 1900 ff.

2. vorbestraft. 1930 ff.

3. betrunken. ↗ bekleckern 3 b. 19. Jh, nordd.

4. ~ von oben bis unten = peinlich bloßgestellt. Stud 19. Jh.

bekleckst adj **1.** anrüchig. ↗ bekleckert 1. 1900 ff.

2. defloriert. Das Mädchen ist nicht mehr unbefleckt. 1900 ff.

3. kleinmütig. Wer vom Straßenschmutz verunreinigt ist, gibt sich kleinlaut. 1900 ff.

Bekleidungsstrand m Strand für Nicht-Nacktbadende. Analog zu ↗ Textilstrand. 1955 ff.

bekleistern refl sich beschmutzen. Wie es im Umgang mit Kleister leicht geschehen kann. 19. Jh.

bekleistert adj betrunken. Der Zecher besudelt sich beim Trinken, verschüttet Getränk, geifert oder erbricht sich. Wohl auch beeinflußt von ↗ begeistert. 1900 ff, nordd.

bekleistert sein begeistert sein. Sprachlicher Spaß von Schülern seit 1930.

beklopfen tr von einem günstigen Umstand nachteilige Einwirkungen fernzuhalten suchen. Zusammenhängend mit der abergläubischen Regel, daß man durch Klopfen (auf Holz) die schadenstiftenden Dämonen vertreiben kann. 19. Jh.

bekloppt adj (österr bekloppt) **1.** dumm, dümmlich, geistesgetrübt. Der Betreffende hat einen Schlag auf den Kopf erhalten und leidet unter den Folgen der Gehirnerschütterung. 1920 ff.

2. selig sind die ~en, denn sie brauchen keinen Hammer (mehr): Redewendung angesichts eines dümmlichen Menschen. Die Zahl der biblischen Seligkeiten (Seligpreisungen) ist hier um eine neue erweitert. 1930 ff, vorwiegend westd.

bekluntern v **1.** jn ~ = über jn abfällig, bösartig reden. Niederd „Klunter = Kotklümpchen". Man bewirft den Betreffenden mit moralischem Unrat. 1900 ff.

2. sich ~ = a) sich beschmutzen. 1850 ff. – b) sich in anrüchige Angelegenheiten einlassen. 1900 ff.

beknackt adj dumm, einfältig. Der Betreffende leidet an einem ↗ Knacks. 1910 ff.

beknallt adj verrückt. Man hat einen ↗ Knall. 1950 ff.

beknatscht sein nicht recht bei Verstand sein. Knatschen = den Klang „knatsch" (oder „patsch") hervorrufen, wie wenn ein gefaultes Obst zur Erde (auf harten Boden) fällt. In ähnlicher Weise (geistig) entartet ist der, der eine „weiche ↗ Birne" hat. 1930 ff.

beknattert adj **1.** verrückt. Knattern = knallen; vgl ↗ beknallt. 1900 ff.

2. betrunken. ↗ knatter. 1930 ff.

beknautschen tr etw sehr gründlich durchsprechen. Knautschen = drücken; langsam kauen; langsam sprechen; die Stirn in Falten legen. 1910 ff.

bekneten *tr* jn bedrängen; jm ein Geständnis zu entlocken suchen. Berührt sich mit dem Begriff der ↗Seelenmassage. 1950 ff.

beknien *tr* jm nachdrücklich zusetzen; jn bedrängen; auf jn einreden. Man kniet jm auf der Brust, wie es bei Ringern vorkommt; auch kann man ihm „auf der ↗Seele knien". 1910 ff.

bekniffen *adj* niedergeschlagen, mutlos, eingeschüchtert, beschämt. Leitet sich wohl von der verkniffenen Miene her. 1870 ff.

beknirscht *adj* 1. kleinmütig, verzagt. *Vgl* „zerknirscht = schuldbewußt, reuig". 1900 ff.
2. verdächtig. 1914 ff.

bekobern *v* 1. sich ~ = wieder zu Kräften kommen; sich geschäftlich wieder verbessern. ↗erkobern. 14. Jh.
2. etw mit jm ~ = etw mit jm besprechen, vereinbaren. Gehört vielleicht zu *jidd* „kowo = Schlafkammer, Bordell" und bezieht sich auf die Preisabsprache zwischen der Prostituierten und dem Kunden. *Vgl* auch: „unter einer ↗Decke stekken". 1900 ff.

bekochen *tr* für jn kochen. 19. Jh.

beköppen *tr* etw begreifen. Gekürzt aus „etw in den Kopf bekommen". 19. Jh.

bekotzt *adj* 1. widerlich; ekelerregend. 1920 ff.
2. ~ tun = eingebildet sein. Die Miene des dünkelhaften Menschen drückt Abscheu, Ekel (wie angesichts von Erbrochenem) aus. 1920 ff.

Bekotzter *m* 1. Eingebildeter; Geck. *Vgl* das Vorhergehende.
2. den Bekotzten machen (spielen) = beleidigt tun; aus Überempfindlichkeit etw falsch auffassen. 1910 ff.

bekovert (bekowet) sein 1. erfahren, gewandt, sachverständig sein. Fußt auf *jidd* „chochom = klug". 1900 ff.
2. gesundheitlich wohlauf sein. Nebenform von ↗bekobern 1. 1900 ff.

bekrabbeln *v* 1. etw ~ = etw begreifen, verstehen. Krabbeln = greifen. 1950 ff.
2. jn ~ = jn intim betasten. ↗begrabbeln 2. 1900 ff.
3. sich ~ = wieder zu sich kommen; sich von einer Krankheit erholen; sich ermuntern. Meint ursprünglich soviel wie „sich aus dem Kriechen erheben". 19. Jh.

bekriegen *refl* die Fassung wiedergewinnen; wieder zu sich kommen. ↗erkriegen. 19. Jh.

bekuren *tr* 1. jn umwerben, umschmeicheln. Hergenommen von „jm die Cour (= den Hof) machen". 1900 ff.
2. jn freundlich umsorgen. 1900 ff.

belabbern *tr* sich küssen. Gehört zu „Labbe = Mund". 1900 ff.

belabern *tr* jn beschwatzen, übertölpeln. ↗labern. 1900 ff.

belackmeiern *tr* jn übervorteilen. ↗lackmeiern. 1900 ff.

belagern *tr* das Tor ~ = das gegnerische Tor anhaltend bedrängen. *Sportl* 1930 ff.

Bel-Ami-Orden *m* Kriegsverdienstkreuz. Nach dem Schlagertext aus dem Film „Bel Ami" (1939) ist sein Träger „kein Held, doch ein Mann, der gefällt". 1939 ff.

belämmern *v* ↗belemmern.

beläppert *adj* 1. wertlos, aussichtslos, trübselig. Gehört zu „Lappen = Lumpen; wertlose Sache"; *vgl* ↗Läpperei. 1920 ff.
2. unangenehm. 1950 ff, *rhein.*

belapsen *tr* jn bei etw ~ = jn auf frischer Tat ertappen. Stammt aus der Jägersprache: durch aufgehängte Lappen ein Tier abschrecken oder in dem von Lappen gekennzeichneten Bereich fangen. 1700 ff.

belaufen *v* 1. etw ~ = viele Besorgungen erledigen; etw an vielen Stellen erledigen. 1800 ff.
2. sich ~ = koitieren. Wird mit Bezug auf Tiere gesagt und meint dasselbe wie „↗bespringen", „belegen". 19. Jh.

belauschen *tr* aus Sicherheitsgründen jds Telefongespräche abhören. ↗Lauschangriff. 1965 ff.

belecken *refl* einander küssen *(abf)*. Seit dem späten 19. Jh.

belegt sein schwach ~ = nicht bei Geld sein. Übertragen vom schwach belegten Butterbrot: geringer Belag läßt auf geringe Geldmittel schließen. 1965 ff, *sold.*

beleimen *tr* jn betrügen, belügen. Gehört zu „jn auf den ↗Leim führen". *Rotw* 1840 ff.

belemmern *v* 1. jn ~ = jn betrügen. Gehört zu „Lammel = Kot" und zu der volkstümlichen Vorstellung, daß Betrug mit Bekotung gleichzusetzen sei. 1800 ff.
2. jn ~ = jn belästigen, behindern, in Verlegenheit bringen. Fußt auf *mittelniederd* und *ndl* „belemmern = verhindern" als Frequentativum von „belemmen = lähmen". 1500 ff.
3. jn ~ = jn veralbern. 1900 ff.
4. jn ~ = jn langweilen, enttäuschen. 1920 ff.
5. sich ~ = sich brüsten; sich zieren. Hergenommen von einem, der sich sogar bei der Notdurftverrichtung so vornehm und ungeschickt benimmt, daß er sich zu guter Letzt verunreinigt. Von Berlin ausgegangen, etwa seit 1930/40.

belemmert *adj* 1. kleinlaut, eingeschüchtert, schwach, übel. ↗belemmern 2. 1700 ff.
2. wertlos, verdorben; unbrauchbar. 19. Jh.
3. verrückt. ↗belemmern 5. 1920 ff.

Beleuchtungskörper *m* Schimpfwort. Tarnwort für „↗Armleuchter. 1930 ff.

belfern *intr* 1. laut schimpfen, zanken. Schallnachahmend für das Hundebellen. 1500 ff.
2. husten. Beruht auf der Metapher vom „bellenden" Husten. 1900 ff.
3. schießen. Man spricht von „bellenden" Geschützen. *Sold* in beiden Weltkriegen.

belgen *intr* körperliche Arbeit verrichten; schwer arbeiten. Meint eigentlich „das Fell (den Balg) abziehen"; von da weiterentwickelt zur Bedeutung „sich abschinden". *Nordd* 1900 ff.

Belgrad *On* der steht vor ~!: Ausruf des Kartenspielers beim Ausspielen einer Karte, die der Gegner weder überstechen noch überspielen kann. Bezug auf Prinz Eugen von Savoyen, der 1717 mit seinen Truppen vor Belgrad stand und die Stadt zur Übergabe zwang. 1850 ff.

belitten *part* beleidigt. *Vgl* ↗beglitten. 1900 ff.

Bellblase *f* die ~ nicht halten können = andauernd bellen. Die „Bellblase" ist nach dem Muster der Harnblase „erfunden". 1958 ff.

Belle *m* ↗Belli.

Belle *f* Husten. ↗bellen 2. *Österr* 1914 ff, *sold.*

bellen *intr* 1. laut schimpfen. 19. Jh.

2. husten. Man spricht von „bellendem" Husten. 1900 ff.
3. gegen etw ~ = aufbegehren. 1900 ff.

Beller *m* 1. Hund. 1500 ff.
2. schreiender Vorgesetzter. 19. Jh.

bellerig *adj* zum Schreien und Schimpfen neigend. 1900 ff.

Belli (Belle) *m* Kopf. Wohl Nebenform von „Bollen = kugelförmiger Körper". *Bayr* 1939 ff.

Bello I *m* (größerer) Hund. Von „bellen" abgeleitet, vielleicht beeinflußt von *ital* „bello = schön". 19. Jh.

Bello II *m* Abort(becken). Zusammengewachsen aus „Bellen = Gesäßbacken" und der ersten Silbe von „Lokus". 1965 ff, Rocker, Häftlinge und *BSD.*

belobhudeln *tr* jn überschwenglich loben. ↗lobhudeln. 1960 ff.

beluchsen *tr* 1. jn scharf beobachten. ↗luchsen. 18. Jh.
2. jn betrügen; jm übel mitspielen. 1700 ff.
3. jn bestehlen. 1700 ff.

Belustigungswasser *n* 1. Limonade o. ä. ↗Kinderbelustigungswasser. 1920 ff.
2. Schnaps. 1960 ff, *BSD.*

belutschen *tr* jn abküssen, herzen o. ä. 1955 ff, *jug.*

bemachen *v* 1. *tr refl* = verunreinigen, beharnen, bekoten. Analog zu ↗vollmachen. 14. Jh.
2. jn ~ = jn übertölpeln. Parallel zu ↗bescheißen. 1900 ff, *sold* und *ziv.*
3. sich ~ = a) ängstlich sein. Beim Furchtsamen kann der Schließmuskel versagen. 1900 ff. – b) sich übertrieben aufführen. Vor lauter Übereifer kann Harn oder Kot abgehen. 1900 ff.

'bemakeln *intr* Böhmisch (Tschechisch) sprechen; fehlerhaftes Deutsch mit tschechischer Betonung sprechen. ↗böhmakeln. Wien 1850 ff.

bemänteln *tr* jn mit einem Mantel bekleiden; jm den Mantel helfen. 1700 ff.

bematschen *refl* sich steif ~ = sich betrinken. Bematschen = beschmutzen. Analog zu ↗vollmachen: a) = beschmutzen; b) = sich betrinken. 1950 ff.

bematscht *adj* leicht verrückt. ↗Matschbirne. 1930 ff; *halbw* 1955 ff.

Bembel *m* bauchiger Steinkrug für den Apfelwein. Gehört zu „Bampel, Bompel, Bumpel = rundliches, bauchiges Gefäß"; *vgl* ↗pummelig. 19. Jh, Frankfurt am Main.

bemeineiden (bemeineidigen) *tr* etw beschwören, mit Sicherheit sagen. Fußt auf „etw auf meinen Eid nehmen" und hat mit „Meineid" nichts zu tun. 1890 ff.

bemengeln *v* sich mit etw ~ = sich mit etw beschäftigen; sich in etw einmischen. Mengeln = mischen. 14. Jh.

Bemerkung *f* dreckige ~ = unanständige Anzüglichkeit; gehässige Äußerung. ↗dreckig. 1900 ff.

bemiegen *tr* 1. etw mit Harn verunreinigen. ↗miegen. 14. Jh.
2. jn betrügen. Analog zu ↗bescheißen. 19. Jh.

bemisten *tr* etw (jn) schlecht machen. Üble Nachrede ist wie eine Beschmutzung. 1920 ff.

bemitleidigen *tr* jm die Anteilnahme ausdrücken. 1930 ff.

Bemme *f* 1. geschmierte Brotschnitte. Fußt auf wendisch „pomazka = Butterschnitte". 1600 ff.

2. *pl* = Brüste. Formähnlich mit dem Rundbrötchen. 1935 *ff.*

3. eine ~ machen = mürrisch, unzufrieden blicken. Der Griesgrämige macht ein „langes Gesicht", das an eine Brotschnitte oder ein gekerbtes Brötchen (*sächs* = Bemme) erinnert. 1900 *ff.*

bemogeln *tr* jn betrügen. ↗ mogeln. 1800 *ff.*

bemoost *adj* **1.** sehr alt, ehrwürdig. Hergenommen vom bemoosten Karpfen. 18. Jh. **2.** wohlhabend; über Barmittel verfügend. ↗ Moos = Geld. 1900 *ff.*

Bemooster *m* Altgedienter; Veteran. *Sold* 1914 bis heute. ↗ bemoost 1.

bemorgenländern *refl* sich erkundigen, vergewissern. Scherzhafte Verdeutlichung von „sich orientieren" seit dem späten 19. Jh.

bemorken *part* bemerkt. Gebildet nach dem Muster von „werben – warb – geworben" o. ä. 19. Jh.

bemsen *intr* schlafen. Gehört zu „Bams = Säugling" (man denke an Morgensterns: „selig lächelnd wie ein satter Säugling") oder zu „Bems = Dickwanst". 1930 *ff.*

bemuhen *tr* jn grob anherrschen, laut beschimpfen. Der Ochse muht, wenn er mißgestimmt ist. *Sold* 1935 *ff.*

bemuttern *tr* schwängern. 1910 *ff.*

benähen *tr* für jn nähen. 1600 *ff.*

benaut *adj* ängstlich, schüchtern, bedrückt. Fußt auf *mittelniederd* „benouwen = in die Enge treiben"; im 17. Jh entlehnt.

Benautheit *f* Herzbeklemmung, Ohnmacht o. ä.; Niedergeschlagenheit. *Niederd* 1700 *ff.*

benebeln *v* **1.** jn ~ = jn beschwatzen; jm die klare Überlegung rauben. Durch Erzeugung von Nebel nimmt man die klare Sicht; von da übertragen zur Bedeutung „die Sinne trüben". 1900 *ff.* **2.** sich ~ = sich betrinken. 18. Jh.

Benehme *f* **1.** das Benehmen. Scherzhaftes Substantiv zu „sich benehmen". 1920 *ff.* **2.** Jugendhof, Erziehungsanstalt. 1920 *ff.*

Benehmen ~ ist Glückssache: Redewendung von Leuten, die die Anstandsregeln nicht beherrschen. Auch als *iron* Rüge gebraucht. 1920 *ff.*

Benehmigung *f* **1.** Wohlverhalten. Seit dem späten 19. Jh. **2.** schlechtes Benehmen; Ungezogenheit. 1920 *ff.*

Benehmität *f* Anstandsregeln; gesellschaftliche Gesittung. Die französierende Endung will wertsteigernd wirken. 1900 *ff.*

beneppen *tr* jn übervorteilen. ↗ neppen. Kundenspr. seit 1823.

Bengel *m* **1.** Knüppel; derber Prügel. Fußt auf „bangen = schlagen". Seit *mhd* Zeit. **2.** grobschlächtiges, großes Stück. 19. Jh. **3.** Penis. 1900 *ff.* **4.** ungezogener Junge. Vom primitiven Werkzeug über die Vorstellung „roher Knüppel" auf den Menschen übertragen. 16. Jh.

bengeln *tr* jn verprügeln. ↗ Bengel 1. Seit *mhd* Zeit.

Bengelschaft *f* Bande Halbwüchsiger. 19. Jh.

beniesen *tr* die Wahrheit bekräftigen. Beim Niesen bewegt man den Kopf nickend vorwärts wie bei der eifrigen Bejahens. Aus der Antike übernommen, wahrscheinlich spätestens im 18. Jh.

Benimm I *m* **1.** gutes Benehmen; Anstand. Substantivierung des Imperativs. 19. Jh. **2.** breitbeiniger ~ = überhebliches, prahlerisches Auftreten. 1910 *ff.* **3.** lappiger ~ = schlechtes, ungesittetes Betragen. ↗ lappig. 1960 *ff.* **4.** viereckiger ~ = ungesittetes Benehmen. Viereckig = nicht abgeschliffen. 1920 *ff.*

Benimm II *n* gutes Benehmen. 1900 *ff.*

Benimmfibel *f* Anstandslehrbuch. Fibel = Lesebuch für Schulanfänger. 1950 *ff.*

Benimm-Muffel *m* um gutes Benehmen unbekümmerter Mensch. ↗ Muffel. 1965 *ff.*

Benimmschule *f* Tanz-, Anstandsschule. 1955 *ff.*

Benimmse *f* gesittetes Betragen. Berlin 1950 *ff.*

benschen *v* **1.** *intr* = segnen, beten. Stammt aus *lat* „benedicere = lobpreisen, segnen". 1700 *ff*, vorwiegend in *rotw* Quellen belegt. **2.** jn ~ = jn umbringen. Ironisch aus der Bedeutung „segnen" entwickelt. *Vgl* Feuersegen = Feuerüberfall. *Rotw* seit 1840.

benuscheln (benusseln) *refl* sich betrinken. Eigentlich soviel wie „sich beschmutzen"; *vgl* ↗ bekleckern 3 b. Doch gibt es in Norddeutschland auch „Nössel" als Flüssigkeitsmaß. 1700 *ff*, *nordd.*

benzen (benzeln) *intr* **1.** autofahren. Hat mit dem Namen Carl Benz ursprünglich nichts zu tun, sondern fußt auf „Benzin"; später wirkte der Personenname auf die Wortbedeutung ein. 1920 *ff.* **2.** tanken. 1939 *ff*, sold und kraftfahrerspr. **3.** aufdringlich bitten; nörgeln o. ä. Fußt auf *lat* „benedicere = lobpreisen, segnen". Der Segensspruch hat sich in einen Fluch verwandelt. Seit *mhd* Zeit.

Benzin *n* **1.** Morphium. Tarnwort. Für den Morphinisten ist das Mittel Treibstoff. 1945 *ff.* **2.** alkoholisches Getränk; Schnaps. ↗ Sprit. 1910 *ff.* **3.** schwarzes ~ = ohne Bezugsschein erworbenes Benzin. ↗ schwarz. 1940 *ff.* **4.** ~ im Blut haben = gut autofahren. Was man im Blut hat, beherrscht man von Natur aus (*vgl* „Musik im Blut haben"). 1960 *ff.* **5.** ~ lutschen = den Tank leeren. Kraftfahrerspr. 1955 *ff.* **6.** ~ reden = Kraftfahrerfahrungen austauschen; sich über Automodelle, -preise usw. unterhalten. Nach dem Muster von „Politik reden". 1950 *ff.* **7.** ~ saufen = viel Benzin benötigen (Wieviel Benzin säuft Ihr Wagen?). 1955 *ff.* **8.** ~ verdirbt den Charakter = Autobesitzer dünken sich mehr als andere und nehmen sich Freiheiten heraus. Nachgeahmt dem Sprichwort „Geld verdirbt den Charakter". 1939 *ff.*

Benzinakrobat *m* **1.** Auto-Rennfahrer. 1925 *ff.* **2.** Kraftfahrer im Großstadtverkehr. 1950 *ff.*

Benzinaristokrat *m* rücksichtsvoller Autofahrer. Der Adlige gilt als Beherrscher aller Anstandsregeln. 1960 *ff.*

Benzinbaby *n* **1.** Anfänger im Autofahren. 1950 *ff.* **2.** Halbwüchsige(r) am Steuer. 1960 *ff.*

Benzinbraut *f* Motorradmitfahrerin. 1925 *ff.*

Benzinbulle *m* Lastwagenfahrer. ↗ Bulle 1. 1965 *ff.*

Benzincharakter *m* Rücksichtslosigkeit, Überheblichkeit; unterdurchschnittliche mitmenschliche Gesinnung. ↗ Benzin 8. 1960 *ff.*

Benzinchinesisch *n* Kraftfahrersprache. ↗ Chinesisch. Für den Nichteingeweihten ist sie unverständlich. 1940 *ff.*

Benzindampfer *m* breitgebautes Auto. ↗ Dampfer. 1955 *ff.*

Benzinesel *m* **1.** Auto. Zur Unterscheidung vom ↗ Drahtesel (= Fahrrad). 1920 *ff.* **2.** Motorrad, Moped o. ä. 1920 *ff.*

Benzinfatzke *m* Kraftfahrer. Er gilt den Nichtfahrern als eitel und dünkelhaft. ↗ Fatzke. *Sold* 1939 *ff.*

Benzinferkel *n* Motorrad(-fahrer). Es bzw. sein Fahrer bespritzt bei schnellem Fahren über nasse oder schmutzige Straßen die Fußgänger, und bei Geländefahrten sieht (es) er aus „wie ein ↗ Ferkel". 1939 *ff.*

Benzinfresser *m* Auto mit großem Benzinverbrauch. 1920/30 *ff.*

Benzinfuhre *f* Auto *(abf)*. Der „Pferdefuhre" nachgebildet. 1930 *ff.*

Benzingast *m* Fahrtteilnehmer, der sich an den Benzinkosten beteiligt. 1955 *ff*, polizeispr.

Benzingaststätte *f* Tankstelle. 1950 *ff.* Manche sind mit Kiosk- oder Raststättenbetrieb verbunden.

Benzingespräch *n* **1.** Unterhaltung über Autos, Autopreise und sonstige Erfahrungen. 1950 *ff.* ↗ Benzin 6. **2.** neudeutsches ~ = Schimpferei zwischen zwei unwirschen Kraftfahrern, von denen jeder sich im Recht wähnt. 1950 *ff.*

Benzinhäschen *n* **1.** Kraftfahrerin. ↗ Häschen. **2.** Begleiterin eines Kraftfahrers zwecks Geschlechtsverkehrs. 1930 *ff.* **3.** nette, junge Tankwartin. 1960 *ff.*

Benzinhengst *m* **1.** Motorrad-, Autofahrer. ↗ Hengst. 1939 *ff.* **2.** Mopedfahrer. 1958 *ff*, *jug.*

Benzinhotel *n* Auto einer Prostituierten. 1960 *ff*, *österr.*

Benzinhunne *m* rücksichtsloser, überschnell fahrender Kraftfahrer. ↗ Hunne. 1953 *ff.*

Benzinkasten *m* Auto. Wegen des kastenförmigen Aufbaus. 1960 *ff.*

Benzinkiste *f* Auto. ↗ Kiste. 1930 *ff.*

Benzinklau *m* **1.** Person, die weniger Benzin liefert, als es der Tankmesser anzeigt. 1950 *ff.* **2.** Mann, der Benzin aus Tanks stiehlt. 1975 *ff.*

Benzinknäuel *n* **1.** Gewimmel der Kraftfahrzeuge. 1953 *ff.* **2.** Straßenverstopfung durch Kraftfahrzeuge. 1953 *ff.*

Benzinkocher *m* Auto. 1910 *ff.*

Benzinkopf *m* Kraftfahrer. Er hat nur Sinn für Auto und Kraftfahrt. *Vgl* ↗ Kommißkopf. *Sold* 1939 *ff.*

Benzinkuli *m* **1.** Kraftfahrer. ↗ Kuli. 1920/30 *ff.* **2.** Tankwart. 1930 *ff.*

Benzinkutsche *f* Auto. Nach dem Muster von „Pferdekutsche" gebildet. 1890 *ff.*

Benzin-Latein *n* Kraftfahrersprache. ↗ Latein. 1930/40 *ff.*

Benzinlümmel *m* rücksichtsloser Kraftfahrer. ↗Lümmel. *BSD* 1960 *ff.*

Benzinmäuschen *n* Motorradmitfahrerin. ↗Mäuschen. 1930 *ff.*

Benzinnutte *f* Prostituierte mit eigenem Wagen, in dem sie ihr Gewerbe ausübt. 1960 *ff.* ↗Nutte.

Benzinonkel *m* Kraftfahrer. Zunächst (1914/15) Bezeichnung für ein Mitglied des Freiwilligen Automobilkorps; später verallgemeinert (1920/30 *ff*).

Benzinpansche *f* Kraftstofflager. Panschen = in (mit) Wasser arbeiten; Wasser beimischen. 1960 *ff, BSD.*

Benzinpferd *n* 1. Schlepper, Trecker. Löste in der Landwirtschaft das Pferd als Zugtier ab. 1918 *ff.* 2. Auto, Motorrad. 1914 *ff, sold;* später *ziv.*

Benzinprolet *m* Kraftfahrer *(abf).* 1960 *ff.*

Benzinratte *f* rücksichtsloser Kraftfahrer. Die Ratte als lästiges, schädliches Nagetier. 1960 *ff.*

Benzinritter *m* Kraftfahrer (anfangs der Herrenfahrer). „Ritter" analog zu „Kavalier". 1914 *ff.*

Benzinsäufer *m* 1. Auto mit großem Benzinverbrauch. 1935 *ff.* 2. Kraftfahrer. *Sold* 1939 *ff.*

Benzinsäugling *m* Fahrschüler. 1950 *ff.* ↗Säugling.

Benzinschaukel *f* Auto. ↗Schaukel. 1920 *ff.*

Benzinschleuder *f* Auto. ↗Schleuder. *Halbw* 1955 *ff.*

Benzinschlitten *m* Auto. ↗Schlitten. 1920/30 *ff.*

Benzinschnecke *f* langsames Auto; Kraftfahrzeug aus der Frühzeit des Autos. 1930 *ff.*

Benzinseele *f* Denkweise eines Kraftfahrzeugbesitzers. 1963 *ff.*

Benzinspritzer *m* Tankwart. 1960 *ff.*

Benzinstratege *m* Kraftfahrer. Er ist der Feldherr auf den Verkehrswegen. 1930 *ff.*

Benzintaufe *f* erste Fahrpraxis mit dem neuerworbenen Führerschein. 1969 *ff.* Nach dem Muster von „Feuertaufe" o. ä. gebildet.

Benzintempel *m* Tankstelle. 1960 *ff.*

Benzintiger *m* Kraftfahrer. ↗tigern. *Österr* 1960 *ff.*

Benzinvogel *m* Flugzeug. *Sold* 1917 *ff.* Auf das lenkbare Luftschiff bezogen seit 1910.

Benzinziege *f* Kraftfahrerin. ↗Ziege. 1950 *ff.*

Benzolring *m* unechter Trauring. Der *dt* Chemiker Kekulé von Stradonitz (1829–1896) entdeckte die ringförmige Anordnung der Atome im Benzol-Molekül. 1910 *ff.*

beölen *refl* die Beherrschung verlieren; sich ausgelassen amüsieren; unbeherrscht lachen; Schadenfreude zeigen. Ölen = harnen. Der Betreffende beharnt sich vor lauter Ausgelassenheit. 1955 *ff, halbw.*

beömmeln *refl* sich unmäßig freuen; heftig lachen. Herkunft unbekannt. Gehört vielleicht zu ↗eumeln 1. *Halbw* 1955 *ff.*

bepflastern *tr* 1. jn beschießen, mit Bomben belegen. ↗pflastern. 1900 *ff.* 2. jn heftig prügeln. ↗pflastern. 1910 *ff.* 3. jm heftige Boxhiebe versetzen. 1920 *ff.* 4. jn beschimpfen. 1930 *ff.* 5. einen Verwundeten ärztlich versorgen. Hergenommen vom Wundpflaster. 1914 *ff.*

6. etw reichlich bedecken (die Wand mit Bildern, den Fußboden mit Zeitungen bepflastern). 1930 *ff.*

bepflastert *adj* ~ mit ... = (über-)reich geschmückt mit ...; gespickt voll von ... 1920 *ff.*

bepinkeln *tr* 1. etw besprechen. Entweder bespricht man es im Stehabort, oder jeder steuert seine unmaßgebliche Meinung bei. *Vgl* ↗Seich = Harn = Geschwätz. 1920 *ff.* 2. jn übertölpeln. Analog zu ↗bescheißen. 1920 *ff.*

bepissen *v* 1. etw ~ = etw mit Harn verunreinigen. ↗pissen. 14. Jh. 2. jn ~ = schlecht von jm reden; jm Unsittlichkeiten nachsagen. Die Besudelung eines Menschen mit Harn ist eine Sinnbildhandlung der Verachtung. 1900 *ff.* 2 a. jn ~ = jn betrügen. Analog zu ↗bescheißen. 19. Jh. 3. jn ~ = jn unschön, unsanft behandeln. *Schül* 1955 *ff.* 4. eine Sache ~ = eine Sache besprechen. ↗bepinkeln 1. 1920 *ff.* 5. sich ~ = sich bloßstellen; übel ankommen; beleidigt tun. 18. Jh. 6. sich ~ = sich geziert benehmen; etw übertrieben ernst auffassen. Analog zu ↗bemachen 3. 19. Jh. 7. alles, was die Wand bepißt = die Gesamtheit der Männer. Auf den Stehabort bezüglich. 1800 *ff.*

bepißt *adj* 1. dumm, einfältig, unsinnig o. ä. Analog zu ↗beschissen. 1930 *ff.* 2. betrunken. Analog zu „sich ↗vollmachen" = sich verunreinigen = sich bezechen. Fliegerspr. 1939 *ff.*

beprotzen *tr* jm Werbegeschenke überreichen. ↗protzen. 1960 *ff.*

bequasseln *tr* 1. jn beschwatzen. ↗quasseln. 1900 *ff.* 2. etw besprechen. 1900 *ff.*

bequatschen *tr* 1. jn beschwatzen. ↗quatschen. 19. Jh. 2. etw bereden. 19. Jh.

Bequemlichkeit *f* Abort. Übersetzung von *gleichbed franz* „commodité". 19. Jh.

beraffen *v* 1. jn ~ = jn intim betasten. Beraffen = gierig an sich nehmen. *Halbw* 1955 *ff.* 2. sich ~ = sich betrinken; von etw reichlich nehmen. 1930 *ff.*

beramschen *tr* 1. jn betrügen (beim Spiel; beim Teilen der Beute). ↗ramschen. Seit dem späten 19. Jh. 2. jn beim Kauf übervorteilen. 1900 *ff.*

berappen *tr* 1. etw bezahlen, zahlen. Fußt auf dem Rappen, einer in Freiburg (Breisgau) geprägten Münze, deren Adlerkopf vom Volk als Rappe (= Rabe) gedeutet oder verspottet wurde. 1800 *ff.* 2. jn um (für) etw ~ = jn für etw zur Bezahlung heranziehen; jn zu einer Geldstrafe verurteilen. 1950 *ff.* 3. sich ~ = für ein Geldopfer bringen. Wohl gekreuzt aus „berappen" und „sich berauben". 1950 *ff.*

Berappungsarie (Berappigungsarie) *f* die ~ singen = die Rechnung begleichen; den Verzehr bezahlen; den Kellner zur Begleichung der Zeche herbeirufen. Seit dem späten 19. Jh. Für 1898 als „Modewort" gebucht.

berauschend *adj* 1. ausgezeichnet. Etwa im Sinne von „übermäßig begeisternd". 1900 *ff, jug.*

2. nicht ~ = a) wenig Anklang findend; mittelmäßig; unergiebig. 1900 *ff, jug.* – b) geschlechtlich abweisend. Fußt auf „rauschen = zum Eber drängen". 1960 *ff.*

Berber *m* 1. alter Mann. Eigentlich Stammesangehöriger der nichtsemitischen Urbevölkerung West-Nordafrikas; Berber sind vielfach Bartträger, und ihre Gesichter sind von Sonne und Witterung stark zerfurcht. *Halbw* 1955 *ff.* 2. Nichtseßhafter. Hergenommen vom Nomadenleben der Berberstämme. 1976 *ff.* 3. gewalttätiger Angehöriger der gesellschaftlichen Unterwelt; Schläger, der einen Fußgänger in eine tätliche Auseinandersetzung verwickelt und ihn von Taschendieben ausrauben läßt. ↗berbern. 1960 *ff.*

berbern *intr* müßiggehen; Untätigkeit bevorzugen. Beruht auf dem wahrscheinlich auf einem doppelten Mißverständnis: Die Berber (↗Berber 1) halten aus klimabedingten Gründen eine lange Mittagsruhe. Nach *dt* Selbstverständnis ist Untätigkeit am hellichten Tag *gleichbed* mit Arbeitsscheu, und diese wird als „asozial = kriminell" empfunden (↗Berber 3). Das paßt wiederum zum kriegerischen Erscheinungsbild der Berberstämme (erwachsen aus der Selbstbehauptung gegen *arab* Vorherrschaft seit dem 7. Jh.). 1960 *ff, halbw.*

Berg *m* 1. ~ mit dem rötlich strahlenden Gipfel = Mann mit Trinkernase. Stammt aus „Der Spaziergang" von Friedrich Schiller. Seit dem späten 19. Jh. 2. jn über den ~ bringen = jm zur Genesung verhelfen. Die Schwierigkeit erscheint als ein Berg, der mühsam erstiegen werden muß. 1920 *ff.* 3. jn über den ~ haben = jm über eine Krankheitskrise hinweggeholfen haben. 1920 *ff.* 4. mit etw hinterm ~ halten = mit etw zurückhalten; etw verborgen halten, verheimlichen. Herzuleiten vom Geschütz, das man samt Mannschaft hinter einem Berg in Deckung hält. 1500 *ff.* 5. jm über den ~ helfen = jm über die größten Schwierigkeiten hinweghelfen. 1500 *ff.* 6. über den ~ kommen = die Schwierigkeit überwinden; genesen. 1500 *ff.* 7. mit etw um den ~ rumkommen = langwierig reden, ehe man auf den eigentlichen Gesprächsgegenstand zu sprechen kommt. 1850 *ff.* 8. über den ~ sein = a) das Schwerste (Schlimmste) überstanden haben. 1500 *ff.* b) eine Frau zum Geschlechtsverkehr verführt haben. 1930 *ff.* „Berg" kann hier auch den Schamhügel (Mons Veneris) meinen. 9. über den ~ ist es weiter als zu Fuß: unsinnige Redensart, die man scheinbar absichtslos in die Unterhaltung wirft. 1965 *ff, BSD.* 10. über alle ~e sein = weg, verschwunden, geflohen sein. Wohl hergenommen von den Vögeln, die über alle Berge fliegen. 1500 *ff.* 11. jm goldene ~e versprechen = jm unhaltbare Versprechungen machen; jm das Schönste und Beste versprechen. Stammt aus der Antike und meint wohl „Berge Goldes", wobei „Berg" die große Menge bezeichnet. 1500 *ff.*

Bergamt *n* 1. Frühstückspause. Mit „Amt"

ist hier der Gottesdienst gemeint. Die Vorstellung von Andacht läßt an genießerisches Verzehren denken. *Sold* und bergmannsspr. seit dem frühen 20. Jh.
2. Rettung aus Ruinen, brennenden oder zerbombten Häusern; Enttrümmerung. Eigentlich Name der Bergbaubehörde; hier „bergen = ans Tageslicht bringen". *1939 ff.*

Bergfest *n* ~ feiern = die Hälfte des Ausbildungsabschnitts, der Wehrpflichtzeit absolviert haben. Der Gipfel ist erklommen; von nun an geht's (zeitlich) bergab. *1940 ff; BSD 1960 ff.*

Bergfex *m* begeisterter Bergsteiger. ⁊ Fex. Mit dem Alpinismus nach 1870 aufgekommen.

Bergkraxler *m* Bergsteiger, Alpinist. ⁊ kraxeln. 19. Jh.

Bergmann *m* **1.** sorgfältiger Arbeiter. Der Betreffende geht „in die Tiefe". *Westf 1955 ff.*
2. ein Kreuz haben wie ein ~, – nicht so breit, aber so dreckig = einen unsauberen Rücken haben. *1965 ff, BSD.*
3. den (einen) ~ machen = mit dem Finger in der Nase bohren. Nase = Bergwerk. *1900 ff.*

Bergmannskuh *f* Ziege. Fußt auf den Lohnverhältnissen im Bergbau des ausgehenden 19. Jhs, als dem Bergmann eine Kuh unerschwinglich war. Die Vokabel gilt noch heute, allerdings scherzhaft.

Berg'mulis *pl* Gebirgsjäger. ⁊ Muli. *1965 ff, sold.*

Bergpredigt *f* Manöverkritik. Eigentlich Bezeichnung der auf einem Berg gehaltenen Predigt Christi (Matth. 5–7). Hier Anspielung auf den Feldherrnhügel als Standort des Höchstkommandierenden. *Sold 1910 bis heute.*

bergsteigen *intr* mit dem Finger in der Nase bohren. *Jug 1900 ff.*

Berg-und-Talbahn *f* Mädchen mit ausgeprägten Körperformen. *Jug 1960 ff.*

Bergwerk *n* im ~ graben (arbeiten) = in der Nase bohren. *1900 ff, jug.*

Bergziege *f* **1.** Sennerin; Viehmagd auf der Alm. ⁊ Ziege. *1920 ff.*
2. in den Bergen urlaubende Städterin in Älplertracht. *1935 ff.*
3. *pl* = Gebirgsjäger. *BSD 1965 ff.*

Bergzigarre *f* minderwertige Zigarre. Um der Mitmenschen willen kann sie nur auf Bergeshöhen geraucht werden, wo der Wind den Gestank verweht. *1915 ff.*

beriechen *tr* **1.** einander (sich) ~ = durch vorsichtige Unterhaltung ergründen wollen, wes Geistes Kind der andere ist. Dem Verhalten der Hunde abgesehen. *1600 ff.*
2. etw ~ = etw genauer in Augenschein nehmen. *1920 ff.*
3. jn ~ = einen Kraftfahrer auf Alkoholdunst prüfen. *1959 ff.*

berieseln *v* **1.** *tr* = jn (viele Zuhörer) durch Reden zu beeinflussen suchen. Übertragen von der langanhaltenden künstlichen Beregnung der Felder oder vom sanft (fast unmerklich) rieselnden Regen. Mit der politischen Agitation und Propaganda um 1930 aufgekommen.
2. jn mit etw ~ = auf jn ausdauernd mit etw unmerklich einwirken. *1930 ff.*
3. sich ~ lassen = eine Rede anhören; eine Rundfunksendung über sich ergehen lassen. *1930 ff.*

Berieselung *f* **1.** anhaltende, fast unmerkliche Beeinflussung. *1930 ff.*
2. akustische ~ = Rundfunkmusik. *1948 ff.*

Berieselungsanlage *f* **1.** Rundfunk, Fernsehen u. a. *1945 ff.*
2. Lautsprecheranlage bei Montagebändern zur Förderung des Arbeitseifers. *1965 ff.*

Berieselungsbildung *f* Bildungserwerb über Rundfunk oder Fernsehen. *1955 ff.*

Berieselungsgerät *n* Rundfunkgerät. *1955 ff.*

Berieselungskino *n* Fernsehen. *1960 ff.*

Berieselungsmusik *f* leichte Unterhaltungsmusik. *1955 ff.*

Beritt *m* **1.** Bereich einer Straßenprostituierten; Gesamtheit der Bordellprostituierten. Meint eigentlich den Bezirk, den der Förster oder Wegewart zu bereiten hat; dann auch Bezeichnung für einen Trupp Berittener. *1910 ff.*
2. Gesamtheit der unter dem Schutz eines gemeinsamen Zuhälters tätigen Prostituierten. *1910 ff.*
3. Kasernenbereich. *1965 ff, BSD.*

berlichingen *tr* an jn unziemliches Ansinnen stellen. ⁊ Götz. *1920 ff.*

Berliner *m* Mädchenbusen. Formähnlich mit dem Berliner Ballen (Pfannkuchen; Krapfen). *Halbw 1955 ff.*

Berliner Tinke *f* Opium-Tinktur. *1960 ff.*

Bermuda-Shorts *pl* **1.** kurze Unterhosen. Meint eigentlich die halbkurzen (Oberschenkel-)Hosen der englischen Kolonialoffiziere auf den Bermuda-Inseln. *BSD 1965 ff.*
2. Turnhose. *1965 ff, sold*
3. Badehose. *1965 ff, BSD.*

Bermudas *pl* Badehose, Unterhose u. ä. Verkürzt aus dem Vorhergehenden. *1965 ff, BSD.*

Bernhardiner *m* **1.** verhinderter ~ = Pinscher. *Berlin 1950 ff.*
2. anhänglich wie ein ~ = sehr anhänglich. *1930 ff.*
3. treu wie ein ~ = sehr treu. *1930 ff.*
4. wie ein ~ schlafen (schnarchen) = fest, tief schlafen und schnarchen. *1930 ff.*

Bernhardinertrick *m* List, mit der einer Frau Treue und Zuverlässigkeit vorgegaukelt wird, um sie zu erobern. *1935 ff.*

Berserker *m* **1.** wie ein ~ = sehr angestrengt; heftig; unbändig. Stammt aus dem Altnordischen und bezeichnete dort einen in Bärenfell gekleideten Krieger. Man glaubte, mit dem Tierfell zugleich die Kräfte des Tieres übernehmen zu können. *1800 ff.*
2. wie ein ~ arbeiten = sehr angestrengt arbeiten. *1900 ff.*
3. toben (wüten) wie ein ~ = seine Wut heftig äußern; rücksichtslos handeln. 19. Jh.

Berserkerfreude *f* unbändige Freude. *1920 ff.*

Berserkerwut *f* unbändige Wut. *1800 ff.*

berückend *adj* nicht ~ = nicht überzeugend; unkünstlerisch; mittelmäßig. Das Gemeinte ist nicht hinreißend, nicht bezaubernd. *1900 ff, jug.*

Beruf *m* **1.** von ~ müde (faul, dämlich o. ä.) = stets müde (o. ä.) *1870 ff.*
2. einen ambulanten ~ haben = Straßenprostituierte sein. ⁊ Ambulante. *1930 ff.*

Berufsamüsiererin *f* Prostituierte, Callgirl, „Masseuse" o. ä. *1960 ff.*

Berufsbulle *m* Berufssoldat. ⁊ Bulle. *Sold 1955 ff.*

Berufscasanova *m* Heiratsschwindler. Benannt nach dem Frauenhelden Giacomo Girolamo Casanova (1725–1798). *1960 ff.*

Berufscharme *m* eiskalter ~ = Liebenswürdigkeit gegenüber dem Kunden, doch ohne jegliche Gefühlsregung; Liebreiz, der nur dem Geschäftsinteresse dient. *1962 ff.*

Berufsehe *f* berufliche Zusammenarbeit eines Mannes und einer Frau. *1950 ff.*

Berufseuropäer *m* Angestellter beim Europarat in Straßburg. *1949 ff.*

Berufsflittchen *n* gewerbsmäßige Prostituierte. ⁊ Flittchen. *1960 ff.*

Berufsflüchtling *m* Flüchtlingsfunktionär. *1960 ff.*

Berufsgammler *m* Nichtstuer, Arbeitsscheuer. ⁊ Gammler. *1960 ff.*

Berufsgeburtstag *m* erster Tag der Lehrzeit. *1963 ff.*

Berufsgesicht *n* Gesichtsausdruck des Berufstätigen. *1955 ff, halbw.*

Berufsjugendlicher *m* **1.** Funktionär in der Jugendarbeit. *1960 ff.*
2. Mann, der sich in jedem Lebensalter zur Jugend rechnet. *1965 ff.*

Berufskatholik *m* Mann, der seinen katholischen Glauben beruflich nutzt. *1960 ff.*

Berufskrankheit *f* **1.** Geschlechtsleiden, das sich eine Prostituierte zugezogen hat. Meint eigentlich die berufsübliche Erkrankung (z. B.: Staublunge bei Bergleuten). *1910 ff.*
2. Obdachlosigkeit, Vollrausch, ruhestörender Lärm, Landstreicherei o. ä. einer Prostituierten. *1962 ff.*

Berufskurve *f* Mädchen, das seine wohlgestalteten Körperformen beruflich nutzt. ⁊ Kurven. *1960 ff.*

Berufsküsserin *f* weibliche Person, die gegen Entgelt den siegreichen Rennfahrer o. ä. küßt. *1960 ff.*

Berufsmäßige *f* Prostituierte. *1920 ff.*

Berufsnörgler *m* Mensch, der an allem und jedem zu tadeln findet. *1960 ff.*

Berufspenne *f* Berufsschule. ⁊ Penne 2. *Schül 1965 ff.*

Berufspessimist *m* Staatsanwalt. Jeden Menschen hält er für schlecht, solange man ihn nicht vom Gegenteil überzeugt hat. *1920 ff.*

Berufsschnorrer *m* Berufsbettler; Schmarotzer. ⁊ Schnorrer. *1920 ff.*

Berufs-Seelenfledderer *m* Militärgeistlicher. Fledderer = Berauber. Er stiehlt dem Teufel die Seelen bußfertiger Sünder. *Sold 1939 ff.*

Berufs-Sirene *f* Schauspielerin in der Rolle der Verführerin. *1971 ff.* ⁊ Sirene.

Berufsverkehr *m* gewerbsmäßige Prostitution. Meint eigentlich den massierten Straßenverkehr der Berufstätigen vor Arbeitsbeginn und nach Feierabend; hier bezogen auf den Geschlechtsverkehr. *1930 ff.*

Berufsvertriebener *m* Vertriebenenfunktionär. *1960 ff.*

Berufszigeuner *m* Mann, der beruflich viel unterwegs ist. *1955 ff.*

Beruhigungsbonbon *n* vorübergehende Milderung der Notlage, des Zwangs. ⁊ Bonbon. *1957 ff.*

Beruhigungspflästerchen *n* Zuwendung

oder Maßnahme zur Beruhigung aufgeregter Gemüter. ⌐ Pflaster. 1950 *ff.*

Beruhigungspille *f* **1.** Maßnahme oder Äußerung zur Beruhigung aufgebrachter Leute. ⌐ Pille. 1920 *ff.*
2. Eierhandgranate. Mit ihr kann man den Gegner zur Ruhe bringen. 1965 *ff,* sold.

Beruhigungsspritze *f* **1.** Maßnahme gegen Äußerungen des Unwillens. Der medizinischen Praxis entnommen. 1955 *ff.*
2. Gummiknüppel des Wachtmeisters in einer Haftanstalt. 1960 *ff* (1930?).

berühmt *adj* nicht ~ = mittelmäßig; nicht besonders gut. Das Gemeinte ist nicht im geringsten rühmenswert. Seit dem späten 19. Jh.

berupfen *tr* jn betrügen; jm Geld abgewinnen. ⌐ rupfen. 1800 *ff.*

besäbeln *tr* **1.** jn überlisten. Nebenform von ⌐ besabbeln 2; *vgl* auch ⌐ beseibeln. 1930 *ff.*
2. etw unzweckmäßig, plump beschneiden. ⌐ säbeln. 1900 *ff.*

besacken *tr* jn ausschimpfen. Man schimpft „du blöder (lahmer, fauler) ⌐ Sack!". 1900 *ff, ostpreuß.*

besaften *tr* das Rundfunk- oder Fernsehgerät mit Strom versorgen. ⌐ Saft = elektrischer Strom. 1930 *ff,* technikerspr.

besalzen *tr* jm etw vergelten. ⌐ salzen. 1700 *ff.*

besamen *refl* sich schadlos halten; bei einer Verteilung sich als ersten bedenken. Stammt aus der Pflanzenzucht und meint soviel wie „sich befruchten, vermehren". 1900 *ff.*

Besatzer *m* **1.** Besatzungssoldat. 1944 als Verkürzung aufgekommen.
2. *pl* = Wohnungsuchende, die aus Not und widerrechtlich ein leerstehendes Haus beziehen. Sie besetzen das Haus, wie man eine Festung besetzt. 1971 *ff.*

besauen *tr* **1.** etw ~ = etw verunreinigen. ⌐ sauen. 1800 *ff.*
2. jn ~ = jm sehr Schlechtes nachsagen; jn eines unsittlichen Lebenswandels bezichtigen. Der sittliche Makel ist mit einem Schmutzfleck gleichgesetzt. 1900 *ff.*

Besäufnis *n* (*f*) Trinkgelage; unmäßiges Trinken; Bezechtheit. 1900 *ff.*

Besäuftheit *f* Bezechtheit, Rausch. 19. Jh.

besäuselt *adj* betrunken; leicht bezecht. ⌐ angesäuselt. 19. Jh.

beschaffen *tr* Benötigtes an sich nehmen. *Vgl* ⌐ besorgen 1; ⌐ organisieren. 1939 *ff,* sold.

Beschaffer *m* **1.** Mann, der alles beschafft, was gewünscht wird; übler Geschäftemacher. 1939 *ff.*
2. *pl* = Bundesamt für Wehrtechnik und Beschaffung. BSD 1960 *ff.*

Beschäftigung *f* **1.** ~ der Unbegabten = Arbeit. Etwa so zu verstehen, daß zum Nichtstun Talent erforderlich ist. Nach 1945 aufgekommen.
2. ausgeartete ~ = Arbeit. *Vgl* das Folgende. 1914 *ff.*
3. ~ ist ganz schön; aber sie darf nicht in Arbeit ausarten: Redewendung arbeitsträger Leute. Beschäftigung meint hier das bequeme, körperlich nicht anstrengende Tätigsein zur eigenen Freude. Hingegen ist Arbeit hier soviel wie die anstrengende, sich über längere Zeit hinziehende, meist unfreiwillige Ausübung einer im Grunde unbefriedigenden Tätigkeit. 1914 *ff.*

Beschäftigungstheorie *f* **1.** sinnlose Tätigkeit; Überbrückung einer unfreiwilligen Wartezeit mit irgendwelchen Arbeiten. Aus dem medizinischen Begriff der Beschäftigungstherapie zerredet. 1930 *ff,* sold, später auch *ziv.*
2. Putz- und Flickstunde. 1965 *ff, BSD.*

Beschäftigungstherapie *f* Putz- und Flickstunde. Meint eigentlich die Beschäftigung von Kranken als Gegenmittel gegen Abgeschlossenheit, gegen das Hadern mit dem Schicksal und als Anregung des Leistungswillens. 1965 *ff,* sold.

beschallen *tr* jn mittels Lautsprechers anreden; für jn durch den Lautsprecher Propaganda machen. Meint „auf (für) jn mit Schall einwirken". 1933 *ff.*

beschallert sein geistesbeschränkt sein. Schallern = ohrfeigen. Die heftige Ohrfeige hat das Gehirn in Mitleidenschaft gezogen. 1950 *ff, jug.*

beschatten *tr* **1.** jn überwachen. Man folgt jm wie ein Schatten. Fußt wahrscheinlich auf *engl* „shadow". 1930 *ff.*
2. einem Mädchen nachlaufen. 1930 *ff.*
3. einen Spieler der gegnerischen Mannschaft am Eingreifen zu hindern trachten. *Sportl* 1950 *ff.*
4. koitieren (vom Mann gesagt). Anspielung auf die Neue Testament, demgemäß Maria vom Heiligen Geist beschattet worden ist. 1900 *ff* (wenn nicht sehr viel früher).

Beschatter *m* **1.** Überwacher; Angehöriger des Polizeischutzes; Kriminalbeamter. ⌐ beschatten 1. 1930 *ff.*
2. Angehöriger der militärischen Abwehr. 1939 *ff.*
3. Privatdetektiv, der den Ehepartner seines Auftraggebers überwacht. 1930 *ff.*
4. Zuhälter. 1930 *ff.*

Beschattung *f* **1.** heimliche Beobachtung eines Verdächtigen. ⌐ beschatten 1. 1930 *ff.*
2. Abschirmung durch den gegnerischen Fußballspieler. 1950 *ff.*

beschäumen *tr* etw bezahlen. Gegenwort zu „abschäumen" = den Rahm abschöpfen" in der übertragenen Bedeutung „den Gewinn einstreichen". *Rotw* 1964 *ff.*

Bescheid *m* **1.** jm ~ geigen = jn heftig zurechtweisen. Fußt auf der Gleichsetzung von Geigenbogen und Prügelstock. 1950 *ff.*
2. jm gründlich (gehörig) ~ sagen = jn heftig rügen. Gemeint ist eine drastische Belehrung über das, was einer zu tun und zu lassen hat. 1600 *ff.*
3. jm ~ stechen (stecken) = jn nachdrücklich auf etw hinweisen; jn tadeln. *Vgl* „jm etw ⌐ stecken". Seit dem späten 19. Jh.
4. jm ~ stoßen = jn barsch zurechtweisen. Der Betreffende wird hin- und hergerüttelt, wohl auch mit Rippenstößen bedacht. 1800 *ff.*

bescheiden *adj adv* **1.** äußerst minderwertig; überaus schlecht. Euphemistisch für ⌐ beschissen. 1800 *ff.*
2. ~ ist (wäre) geprahlt = überaus schlecht. Würde man das Gemeinte als bescheiden (oder beschissen) bezeichnen, wäre das noch beschönigend. 1918 aufgekommen.

beschelßen *v* **1.** *tr refl* = mit Kot verunreinigen, beschmieren. ⌐ scheißen 1. 1400 *ff.*
2. jn ~ = jn betrügen, übervorteilen. Kot

als Abfallprodukt gilt als minderwertig. Wer mit Kot beschmutzt wird, erhält minderwertige Ware und wird auf gemeine Weise betrogen. 14. Jh.
3. in der Schule täuschen. Der Betrogene ist hier der Lehrer. 19. Jh.
4. wer bescheißt mir das Hemd?: ironische Frage an den angeblich Schuldlosen. Nur der Träger kann sein Hemd mit Kot beschmutzen; wer dies leugnet, verdreht die Tatsachen. 1920 *ff.*
5. er soll sich nur nicht ~! = er soll sich nicht so aufspielen, so maßlos aufregen, so übertrieben diensteifrig gebärden! ⌐ bekacken 3. 1800 *ff.*

Bescherung *f* **1.** Löhnungsempfang. Gilt als eine Art Weihnachtsbescherung. 1960 *ff, BSD.*
2. ~ (schöne ~) = unangenehme Überraschung; peinliches Mißgeschick. Ironisch gemeint. 18. Jh.
3. die ganze ~ = das alles (die ganze Bescherung liegt am Boden = das gesamte Porzellan ist auf den Boden gefallen). 1800 *ff.*
4. da haben wir die ~! = das Unangenehme ist wie erwartet eingetroffen! 1800 *ff.*

bescheuert sein dumm, nicht recht bei Verstand sein. Scheuern = gründlich reiben; weiterentwickelt zur Bedeutung „schlagen". Der Dumme leidet unter den Folgen einer Gehirnerschütterung, hervorgerufen durch einen Schlag an den Kopf. 1900 *ff.*

beschickert *adj* betrunken; leicht bezecht. ⌐ schicker. Um 1850 wohl bei Handwerksburschen entstanden.

beschießen *tr* **1.** jn mit Worten, in Veröffentlichungen scharf angreifen. Man richtet die Waffe der Worte auf den Gegner. 1950 *ff.*
2. das Tor ~ = Tortreffer zu erzielen trachten. *Sportl* 1920 *ff.* ⌐ schießen.
3. jn ~ = die Kamera auf jn richten. ⌐ schießen. 1950 *ff.*
4. jn mit etw ~ = jm fortgesetzt auf dieselbe Weise zusetzen. Analog zu ⌐ bombardieren. 1950 *ff.*

beschieten *v nordd* Form von ⌐ bescheißen.

beschirmen *tr* jm einen Schirm schenken. Analog zu ⌐ behüten. Ein sprachlicher Spaß. 1900 *ff.*

Beschiß *m* Betrug, Übertölpelung. ⌐ bescheißen 2. 14. Jh.

beschissen *adj adv* **1.** schlecht, minderwertig, unangenehm, ärgerlich, kärglich o. ä. Was mit Kot beschmiert ist, ist widerwärtig. 1800 *ff.*
2. langweilig, uninteressant. *Jug* 1965 *ff.*
3. unsympathisch, unkameradschaftlich, unzuverlässig. 1965 *ff, jug.*
4. ~ schade = sehr schade. Fliegerspr. 1939 *ff.*
5. ~ ist noch geschmeichelt = es ist überaus minderwertig. *Vgl* ⌐ bescheiden 2. Diesen Zustand „beschissen" zu nennen, wäre noch eine Schmeichelei. 1920 *ff.*
6. ~ wäre geprahlt! = äußerst schlecht! ⌐ bescheiden 2. 1918 *ff.*

beschlafen *tr* eine Sache ~ = vor der Entscheidung in einer Sache eine Nacht vergehen lassen. Beschlafen = beischlafen; von da auf Sachen übertragen in der

Bedeutung „mit einer unerledigten Sache zu Bett gehen". 15. Jh.

beschlagen *adj* schwanger. Stammt aus der Jägersprache: beschlagen = das Weibchen begatten (Rot- und Rehwild). 1930 *ff.*

beschlagen sein 1. kundig, erfahren sein; in einer Sache sich gut auskennen. Hergenommen vom Hufschmied, der den Huf mit einem Eisen beschlägt, damit das Tier einen sichereren Gang bekommt. 17. Jh.
2. gut ~ = geschlechtlich stark veranlagt sein. 19. Jh.

beschlauchen *refl* sich betrinken. ↗ schlauchen. Seit dem späten 19. Jh.

beschlummern *tr* koitieren. Analog zu „beschlafen". 1920 *ff.*

beschmaddern *tr* etw beschmutzen. ↗ Schmadder. *Nordd* 1800 *ff.*

beschmeißen *tr* etw bewerfen. ↗ schmeißen 1. 14. Jh.

beschmettern *refl* **1.** die Hose von innen beschmutzen (vor Übereifer, Angst o. ä.). ↗ schmettern. 1900 *ff.*
2. sich betrinken. ↗ schmettern. 1900 *ff.*

beschmettert *adj* **1.** dünkelhaft, geziert. Vor lauter unnatürlichem Gehabe man die Hose von innen beschmutzt oder trägt eine Miene, die sich von der des Ekels kaum unterscheidet. 1900 *ff.*
2. betrunken. ↗ beschmettern 2. 1900 *ff.*
3. verrückt. Gehört wohl zu ↗ schmettern = schlagen (als Ursache einer Gehirnerschütterung). 1900 *ff.*

beschmieren *tr* **1.** jn übervorteilen, bestehlen. ↗ anschmieren 1. *Rotw* 1922 *ff.*
2. jn durch unrichtige Beteuerungen zu etw veranlassen. Parallel zu ↗ bescheißen 2. *Sold* 1939 *ff.*
3. einen Verdächtigen beobachten, überwachen. ↗ Schmiere = Beobachter. *Rotw* 1922 *ff.*

beschmiert *adj präd* dumm. Wohl soviel wie ↗ beschissen 1. 1965 *ff*, *BSD.*

Beschmiß *m* im ~ sein = in starkem Beschuß liegen; mit Fliegerbomben überschüttet werden. Substantivum zu ↗ beschmeißen. *Sold* und *ziv* 1939 *ff.*

beschmoren *refl* sich bezechen. ↗ schmoren. 1800 *ff.*

beschmort *adj* betrunken. ↗ schmoren. 1800 *ff.*

Beschmortheit *f* Trunkenheit. 19. Jh.

beschmuddelt sein betrunken sein. Eigentlich „sich beim Trinken beschmutzt haben". 1900 *ff.*

beschmusen *tr* jn beschwatzen, umschmeicheln. ↗ schmusen. 19. Jh.

beschnapst *adj* **1.** schnapstrunken, betrunken. 1800 *ff.*
2. unsinnige Einfälle verfolgend. 1920 *ff.*

beschnarchen *v* **1.** etw ~ = etw sorgsam überdenken; eine Entscheidung auf den nächsten Tag verschieben. Analog zu ↗ beschlafen. 19. Jh.
2. einander (sich) ~ = die Denkweise (Absichten) des anderen zu ergründen suchen. Parallel zu ↗ begrunzen 2. 19. Jh.
3. koitieren. Analog zu „beschlafen". 1900 *ff.*

beschnasseln *refl* sich betrinken. ↗ schnasseln. 1900 *ff.*

beschnattern *tr* **1.** etw besprechen. ↗ schnattern. 1900 *ff.*
2. über jn bösartig reden. 1900 *ff.*

beschnüffeln *tr* **1.** etw genau besehen. ↗ schnüffeln. 1900 *ff.*
2. einander (sich) ~ = vorsichtig einander kennenzulernen suchen. Den Hunden abgesehen. 19. Jh.
3. jn bespitzeln. ↗ schnüffeln. 1900 *ff.*

beschnulzen *tr* über ein Thema einen anspruchslos-rührseligen Text verfassen. ↗ schnulzen. 1955 *ff.*

beschnuppern *tr* **1.** vorsichtig zu ergründen suchen, wes Geistes Kind einer ist. ↗ beriechen 1. 1800 *ff.*
2. etw zu ermitteln suchen. 1800 *ff.*

beschnurgeln *refl* sich betrinken. Gehört zu „Schnurgel = Gurgel". 19. Jh., *nordd.*

Beschores *m* unredlicher Gewinn; Hehlergewinn. Fußt auf *jidd* „pschoro = Vergleich", wohl im Sinne einer heimlichen Vereinbarung über ein Geschäft. Etwa seit 1700.

beschossen *adj* **1.** schlagfertig. Beschießen = einschießen; weiterentwickelt zu „sich auf das Schießen einüben". 19. Jh, *südwestd.*
2. sehr widerwärtig. Wohl entstellt aus ↗ beschissen 1. 1920 *ff.*
3. ~ bescheuert sein = ganz und gar nicht bei Verstand sein. ↗ bescheuert sein. 1963 *ff.*

beschreien *tr* durch unbedachte Erwähnung eines glücklichen Umstands Schaden herbeiführen. Fußt auf der Aberglaubensregel, daß man glückliche Lebensumstände nicht laut verkünden darf, wenn man nicht die bösen Geister auf eine Gelegenheit zum Schadenstiften aufmerksam machen will. Spätestens seit 1700.

Beschrieb *m* Beschreibung. Im 19. Jh im Anschluß an ↗ „Schrieb" aufgekommen.

Beschub (Beschupp) *m* Betrug, Täuschung o. ä. ↗ beschuppen. 1900 *ff.*

beschummeln *tr* **1.** jn betrügen, hintergehen, überlisten. Fußt wahrscheinlich auf „Schund = Kot" und meint also dasselbe wie ↗ bescheißen 2. 1700 *ff.*
2. jn im Spiel betrügen; falschspielen. 19. Jh.

beschuppen *tr* **1.** jn betrügen. Schuppen, schupfen = narren, übertölpeln. Etwa seit 1700.
2. jn beim Spiel betrügen; falschspielen. 19. Jh.
3. etw bezahlen. Hängt vielleicht mit der Sitte zusammen, Schuppen von dem zu Weihnachten oder Silvester gegessenen Karpfen in die Geldbörse zu tun, weil das nach einer Aberglaubensregel Glück und Geld bringt. 1920 *ff*, *prost.*

beschupsen *tr* **1.** jn betrügen, überlisten. Jüngere s-Erweiterung von ↗ beschuppen 1. 18. Jh.
2. jn im Spiel betrügen; falschspielen. 19. Jh.

Beschuß *m* **1.** scharfe Kritik. ↗ beschießen 1. 1950 *ff.*
2. unter ~ kommen = von vielen Seiten gerügt werden. 1950 *ff.*
3. unter jds ~ liegen = jds scharfer Kritik ausgesetzt sein. 1950 *ff.*
4. jn unter ~ nehmen = a) jn unnachsichtig kritisieren. 1950 *ff*. – b) jn oft fotografieren; die Kamera auf jn richten. ↗ schießen. 1950 *ff.*
5. das Tor unter ~ nehmen = beim Ballspiel das gegnerische Tor stark bedrängen. 1950 *ff.*
6. unter ~ stehen = a) scharfer Kritik ausgesetzt sein. 1950 *ff*. – b) heftig von Torbällen bedrängt werden. 1920 *ff.*

beschwabbeln *v* **1.** jn ~ = jn beschwatzen, überreden. ↗ schwabbeln. 1840 *ff.*
2. sich ~ = sich betrinken. ↗ schwabbeln. 19. Jh.

beschwafeln *tr* jn beschwatzen. ↗ schwafeln. 19. Jh.

beschwappen *refl* sich betrinken. Meint wohl soviel wie „so lange trinken, bis die Flüssigkeit überschwappt (= überfließt)". Doch *vgl* auch „schwabben = betrunken torkeln". 19. Jh.

beschweifwedeln *tr* einem Mädchen den Hof machen. Hergenommen vom schweifwedelnden Hund; aber wohl auch nicht frei von der Gleichung „Schweif = Penis". *Stud* 1950 *ff.*

beschweinen *tr* jn unflätig beschimpfen. Man tituliert ihn „Schwein" o. ä. 1915 *ff.*

beschweinigeln *refl* sich betrinken. Schweinigeln = schmutzen. Auch benimmt sich mancher im Rausch wie ein ↗ Schweinigel. 19. Jh.

Beschwerde *f* eine ~ bauen = eine schriftliche Beschwerde aufsetzen. ↗ bauen 1. 1920 *ff.*

Beschwichtigungsapostel *m* Mann, der gefährliche Entwicklungen verharmlost. 1960 *ff.*

Beschwichtigungshofrat *m* höhergestellte Persönlichkeit, die die aufgeregten Leute beruhigen soll. *Öster* 1970 *ff.*

beschwiemeln *v* **1.** *intr* = ohnmächtig werden. Schwiemel = Schwindelgefühl. 14. Jh, *niederd.*
2. sich ~ = sich betrinken. ↗ schwiemeln. 1800 *ff.*

beschwiemelt sein 1. einen Schwindelanfall haben. 19. Jh.
2. betrunken sein. 1800 *ff.*

beschwipst *adj* **1.** lustig durch Alkoholeinwirkung; leicht bezecht. ↗ Schwips. 19. Jh.
2. mit Alkoholfüllung. 1972 Werbetext der Firma Suchard, auf Pralinen bezogen.

beschwitzen *tr* angestrengt über etw nachdenken. 1920 *ff.*

Beschwörung *f* ~ des Heiligen Geistes = Ohrfeigenausteilung an unruhige Häftlinge. ↗ Heiliger Geist. 1967 *ff*, Köln.

beschwulen *tr* jn betrügen, überlisten. Leitet sich wohl her vom Umgang mit einem Homosexuellen, ohne daß der eine homosexuell ist. Seit dem frühen 19. Jh.

besehen *tr* **1.** Prügel (Hiebe, Haue o. ä.) ~ = geprügelt werden. (Man sieht die flache Hand, die Faust auf sich zusausen; man duckt sich schon, wenn man den Prügel sieht (gezeigt bekommt). 1830/40 *ff.*
2. sich etw ~ können = Unangenehmes zu gewärtigen haben. 19. Jh.
3. jn (etw) nicht ~ können = jn (etw) nicht leiden können, verachten, hassen. Man würdigt ihn (es) keines Blickes. 19. Jh.
4. von jm nichts ~ können = a) bei jm in Ungunst stehen. 19. Jh. – b) von jm nichts erhalten; bei einer Verteilung leer ausgehen. 1900 *ff.*
5. nur besehen!: Ausruf, mit dem man Zudringlichkeit abwehrt. Meist bezogen auf die Handgreiflichkeit eines Mannes bei einer Frau; doch gab es auch Ladenschilder mit der Aufschrift „nur besehen, nicht anfassen!". 1900 *ff*, Berlin.

beseibeln *tr* **1.** etw mit Kot verunreinigen. Fußt auf *jidd* „sewel = Mist, Kot". 1700 *ff.*

2. jn beschwatzen, betrügerisch überreden. Analog zu ↗bescheißen 2. Seit dem frühen 19. Jh.

3. sich ~ = beim Geständnis zuviel aussagen. Sich mit Kot beschmutzen = sich selber schaden. *Rotw* 1900 *ff.*

beseichen *tr* **1.** etw mit Harn verunreinigen. ↗seichen. 14. Jh.

2. jn betrügen. ↗bescheißen 2. *Rotw* seit dem frühen 19. Jh.

beseicht *adj* schlecht, widerlich. Meist auf Speisen bezogen. Man meint wohl, es habe einer ins Essen gehamt. 1935 *ff.*

Besen *m* **1.** Hausangestellte (Dienstmädchen, -magd). Meint anfangs das Mädchen aus niederen Kreisen. Benannt nach dem berufstypischen Handwerkszeug. Seit dem späten 18. Jh, wahrscheinlich unter Studenten aufgekommen.

2. Mädchen, Schülerin. 1800 *ff.*

3. minderwertiges Mädchen; zänkische, unsympathische Frau. Nach 1830 vorgedrungen, vielleicht unter Einfluß der Vorstellung von einer Hexe, die auf dem Besen reitet.

4. Kosewort; auch gutmütiges Scheltwort. Weiterentwickelt im 19. Jh aus dem Begriff „Dienstmagd". *Vgl* auch das Vorhergehende („Hexchen" ist gleichfalls eher ein Kose- als ein Scheltwort).

5. Blumenstrauß. Meint wohl den unschönen. Verkürzt aus ↗Riechbesen. *Halbw* 1950 *ff.*

6. Penis; Schamhaare. Gekürzt aus „Reiserbesen", der aus Ruten (dünnen Zweigen) hergestellt wird; „Rute" ist in der Jägersprache der Schwanz, und „Schwanz" meint den Penis. 19. Jh, *sold.*

7. kräftiger, selbstbewußter Mensch; herrische Person. Wohl übertragen vom Auftreten einer entsprechenden Hausangestellten. 1930 *ff.*

8. Zigarre, die am glimmenden Ende aufplatzt. Sie ähnelt einem Quast. 1910 *ff.*

9. scharfer ~ = überstrenger Vorgesetzter. ↗Besen 7; ↗scharf. Volksweisheit besagt, neue Besen kehren gut (kehren scharf), d. h. neue Herren richten streng. *Sold* 1939 *ff.*

10. einen geladenen ~ abschießen = unbemerkt ein ganzes Spiel Karten auswechseln. „Besen" bezeichnet (1906) das zum Falschspiel hergerichtete (gezinkte) Spiel Karten und soll auf *jidd* „be es = mit Glück" zurückgehen. 1964 *ff.*

11. ich fresse einen ~!: Ausdruck der Verwunderung. Der Anlaß des Staunens ist so ungewöhnlich, daß man selber Ungewöhnliches tun möchte. In Berlin im ausgehenden 19. Jh aufgekommen und meist verbunden mit Zusätzen wie den folgenden:

12. ich fresse einen ~, aber weichgekocht; ich fresse einen ~, der 14 Tage (vier Wochen, 7 Jahre) in der Scheiße (Scheune) gestanden hat; ich fresse einen ~ mit der Scheuerfrau (mit Putzfrau); ich fresse einen ~ mit Stiel (in jedem Zustand); ich fresse zehn ~!: Ausdruck der Verwunderung (zuweilen auch der Beteuerung). 1900 *ff.*

13. eher fresse ich einen ~, als daß ich ... = lieber tue ich dies, als daß ich auf eine solche Zumutung eingehe. 1900 *ff.*

14. mit eisernem ~ kehren = gründlich und rücksichtslos Ordnung schaffen. 1800 *ff.*

15. jn auf den ~ laden = jn veralbern. Um 1900 aufgekommen, wahrscheinlich zusammenhängend mit einem Spiel, bei dem der Verlierer sich auf einen Besenstiel setzen mußte und so umhergetragen wurde, wobei er meist herabfiel.

16. leck mich am ~!: derbe Abweisung. Besen = Schamhaare. 19. Jh.

17. jn durch (auf, über) den ~ pissen lassen = jn von seiner schlechten Laune abbringen. Diese Praxis galt in abergläubischer Denkweise der Feststellung, ob die betreffende Person eine Hexe (ein Hexer, Hexenmeister) sei oder nicht. 1900 *ff.*

18. wenn Gott will, (manchmal) schießt ein ~ = manchmal ist auch das unmöglich Scheinende möglich. Unter Kartenspielern verbreitete Redensart; etwa seit 1930.

19. ich schlucke einen ~: Ausdruck der Beteuerung, auch der Verwunderung. ↗Besen 11. 1950 *ff.*

20. jn über den ~ springen lassen = jn streng behandeln, ausschelten. Tiere ließ man früher über einen Besen springen, um sie ans Haus zu binden; dabei ging es nicht sanft zu. Einfluß von sogen. Hexenproben (Hexenprüfungen) der Inquisition wahrscheinlich. 1500 *ff.*

21. er hat einen ~ verschluckt = er steht steif, förmlich, kann sich nicht verneigen. ↗Besenstiel 8. 1900 *ff.*

Besenartistin *f* Putzfrau. Das Besenschwingen erinnert an Artistik und Gymnastik. Um 1955 aufgekommen, als Putzfrauen immer seltener wurden und man für sie eine werbewirksamere Bezeichnung suchte.

Besenbinder *m* **1.** Schimpfwort. Besenbinder gelten als niedere Gesellen. *Bayr* 1900 *ff.*

2. Falschspieler, der durch raffiniertes Mischen sich selber die besten Karten gibt. Besen = für das Falschspiel hergerichtetes (gezinktes) Spiel Karten (1906). 1950 *ff.*

3. laufen (rennen) wie ein ~ = eilen. Die Besenbinder erfreuten sich keines guten Rufs und mußten oft vor der Polizei Reißaus nehmen. 19. Jh.

4. saufen wie ein ~ = wacker zechen können. Wohl übertragen vom ↗Bürstenbinder. 19. Jh.

besenftigen *tr* **1.** jn mit Senf versorgen; jm Senf reichen. Wortspiel mit „Senf" und „sanft". Im späten 19. Jh aufgekommen.

2. jn betrügen. Meint dasselbe wie ↗bescheißen 2; denn „Senf" steht für „Kot". 1920 *ff.*

besengt *adj* **1.** listig, vielerfahren. Besengen = verprügeln. Daher analog zu „verschlagen". Mag jedoch auch zusammenhängen mit „besengt = angesengt = vom Feuer berührt = Zustand nach der (bestandenen) Feuerprobe". 19. Jh.

2. geistesbeschränkt, blöde, verrückt. Sengen = ohrfeigen (die Ohrfeige schmerzt sengend). Die Ohrfeige hat Gehirnerschütterung zur Folge. Oder der Betreffende ist von einem Insekt gestochen worden; *vgl* ↗Grillen im Kopf haben. 1500 *ff*; um 1900 erneut aufgelebt.

Besenjuwel *n* hervorragende Hausgehilfin. Steigerung zu ↗Perle. 1955 *ff.*

Besenstiel *m* **1.** schlankwüchsiger, hagerer Mensch. 1900 *ff.*

2. am vorderen Ende auseinanderblätternde Zigarre. ↗Besen 8. 1910 *ff.*

3. den ~ abstützen = beim Reinschiff-machen ausruhen. In der Ruhestellung stützt man sich auf den Besenstiel. *Marinespr* 1910 *ff.*

4. ich fresse einen ~!: Ausdruck der Verwunderung, auch der Beteuerung. ↗Besen 11. 1900 *ff.*

5. wie ein ~ auf Rollen gehen = hochaufgerichtet, gerade, sehr leise gehen. 1920 *ff.*

6. einen ~ im Hintern (Arsch o. ä.) haben = ungelenk sein. 1900 *ff.*

7. mit dem ~ kalkulieren = hohe Preise fordern. Mit dem Besenstiel läßt sich nur plump schreiben (↗Besenstiel 9.). Hieraus weiterentwickelt zur Bedeutung „grob berechnen". 1970 *ff.*

8. einen ~ verschluckt haben (im Rücken haben) = steif, ungelenk sein; sich nicht verbeugen. 1700 *ff.*

9. mit einem ~ schreiben = breite, ungelenke Schriftzüge haben. 19. Jh.

Beserl *n* Prostituierte. Verkleinerungsform von ↗Besen 3. unter Einfluß von ↗Besen 4. *Österr* 1900 *ff.*

besetzt sein einen Freund haben, verlobt sein; ein Liebespaar sein. 1920 *ff.*

besext *adj* mit wohlgefälligen Körperformen ausgestattet. ↗Sex. 1955 *ff.*

Besichtigungstiger *m* Mensch, der von Sehenswürdigkeit zu Sehenswürdigkeit eilt. ↗tigern. 1969 *ff.*

besinnen *v* **1.** sich ~ = eine Strafstunde verbüßen. Spottwort. *Schül* 1950 *ff.*

2. sich auf sich selbst ~ = einschlafen. 1910 *ff.*

3. die besinnt sich noch = vielleicht fällt der wackelnde Kegel noch. Keglerspr. 1900 *ff.*

besitzen *tr* etw ~ = auf etw sitzen. 1920 *ff.*

Besitzer *m* es hat den ~ gewechselt = es ist entwendet worden. Stammt aus der Sprache der Heeres- und Wehrmachtsberichte. 1920 *ff.*

besoffen *adj adv* **1.** betrunken. ↗besaufen. 1600 *ff.*

2. sich an etw ~ machen = sich an einer Sache (Eigenheit) berauschen. 1900 *ff.*

3. jn mit Redensarten (Worten) ~ machen = jn mit prahlerischen Reden betäuben. 1800 *ff.*

4. jn ~ quatschen = jn eindringlich beschwatzen. ↗quatschen. 1920 *ff.*

5. jn ~ reden = auf jn nachdrücklich einreden und ihn nicht zu Worte kommen lassen. 1920 *ff.*

6. halb ~ ist weggeworfenes Geld: Redewendung an einen, der sich von einer Zecherei zurückhalten will. 1950 *ff.*

Besoffenheit *f* Trunkenheit. 1800 *ff.*

Besoffsky *m* Betrunkener, Trunksüchtiger. Zusammengesetzt aus „besoffen" und der russischen Endung, vielleicht mit Anspielung auf die sprichwörtliche Trinkfestigkeit der Russen. 1920 *ff.*

besorgen *tr* **1.** etw ~ = etw entwenden. Euphemismus; eigentlich (sich) „etw verschaffen". 1914 *ff.*

2. es jm ~ = jm etw heimzahlen; jm zu seiner Bestrafung verhelfen; jn unschädlich machen. Man sorgt dafür, daß die Gerechtigkeit wiederhergestellt wird. 1850 *ff.*

3. eine (es einer) ~ = koitieren, schwängern. Spätestens seit 1900.

4. es ihm ~ = in der Schule täuschen.

Gemeint ist „es dem Lehrer besorgen". 1920 ff, schül.

5. es sich ~ = sich betrinken. Soviel wie „sich einen Rausch beschaffen". 1960 ff, BSD.

bespicken tr jn bestechen. ↗ spicken. 1900 ff.

bespitzt adj leicht bezecht. ↗ Spitz. 1800 ff.

bespringen tr koitieren. Stammt aus der Viehzucht. 1900 ff.

besser adv **1.** wenn's ~ ginge, wär's nicht auszuhalten: iron Äußerung des Wohlbefindens. 1920 ff.
2. mach's ~l: Erwiderung auf den Abschiedswunsch „mach's gut!". 1920 ff.

Besserer m Angehöriger der materiell bessergestellten Gesellschaftsschicht. Spottwort der Arbeiter u. ä. 1920 ff.

Besseres n **1.** 'was ~ sein = den Begüterten, dem gehobenen Mittelstand angehören. Abfällige Bezeichnung im Munde von Arbeitern usw. 1920 ff.
2. 'was ~ vorhaben = unentschuldigt in der Schule fehlen. Schül 1930 ff.

bessern refl bessere dich! = gute Besserung! Vorwiegend im moralischen Sinne geläufig (Untugenden ablegen); hier wortspielerisch auf die Besserung des Gesundheitszustands bezogen. 1900 ff.

Besserungsmedizin f Prügel. Als Heilmittel gegen schlechtes Verhalten aufgefaßt. 1920 ff.

Besserungsverfahren n Schulstrafe. Schül 1960 ff.

Besserwisser m **1.** Vater; Mutter. Jug 1950 ff.
2. Lehrer. Schül 1950 ff.

best adj **1.** etw zum besten geben = einen geistigen oder materiellen Beitrag zur allgemeinen Unterhaltung beisteuern. Das Beste ist der Preis, um den ein Wettbewerb ausgetragen wird. 1600 ff.
2. jn zum besten haben (halten) = jn necken. Ironische Auffassung der eigentlichen Bedeutung „jn als den Besten behandeln". 1700 ff.
3. nicht, wer am besten kann!: Zuruf an den Mitspieler, der irrtümlich ausspielt, ohne an der Reihe zu sein. Seit dem späten 19. Jh.

Bestattung f Ehrung eines aus dem aktiven Bühnenleben ausscheidenden Künstlers. Theaterspr. 1920 ff (?).

bestausgezogen adj äußerst gewagt gekleidet. Gegenwort zu „bestangezogen". 1955 ff.

bestechen tr eine Frau ~ = koitieren. Eigentlich „durch Bestechung willfährig machen"; hier bezogen auf „↗ stechen = koitieren". 1900 ff.

Besteck n **1.** Schelt-, Schimpfwort. Wohl übertragen von der gleichbed Bezeichnung für die Geschlechtsorgane bei Mann und Frau. 1800 ff.
2. Schreibzeug. Dem Eß- oder Arztbesteck nachgebildet. Schül 1960 ff.
3. Schwerter zum Ritterkreuz mit Eichenlaub. Sold 1939 ff.
4. ~ des Lebens = Schanzzeug. Dem mit dem Schanzzeug gegrabenen Deckungsloch verdanken viele Soldaten ihr Überleben. 1960 ff, BSD.
5. langes ~ = großwüchsiger Mensch. 1850 ff.

Bestell m n Bestellung, Auftrag. Substantiviert aus „bestellen". 1800 ff.

bestellen v **1.** sich etwas bestellt haben =

schwanger sein. Man bestellt sich das Kind beim Klapperstorch, auch beim Christkindchen o. ä. 19. Jh.
2. etw zu ~ haben = a) geistig rege sein. Bestellen = im Auftrag geben; anordnen. 1900 ff. - b) ein schwieriger Mensch sein; unbeachtet bleiben. Bezieht sich wohl auf einen, der mal dies, mal das anordnet und dem zu guter Letzt niemand es rechtmachen kann. 1900 ff.
3. nichts zu ~ haben = a) nichts anzuordnen haben; einflußlos sein. 1900 ff. - b) nichts ausrichten; nichts erreichen; Mißerfolg erleiden. 1900 ff. - c) geistesbeschränkt sein. 1900 ff.
4. nicht viel ~ können = nicht viel leisten können. 1900 ff.
5. wie bestellt = sehr gelegen kommend; im richtigen Augenblick. Als habe man es so und gerade für diesen Zeitpunkt bestellt. 1900 ff.
6. aussehen wie bestellt und nicht abgeholt = ratlos, enttäuscht, traurig dreinblicken. Hergenommen von einem Stelldichein, bei dem einer die Verabredung nicht eingehalten hat. 1900 ff.

Bestemm (Bstemm) m n aus ~ = zum Trotz; absichtlich. Gehört zu „stemmen = hemmen, hindern". Österr 1920 ff.

Bestform f höchstes Leistungsvermögen. ↗ Form. Sportl 1920 ff.

bestgehaßt adj am meisten verhaßt. Nach dem Muster von „bestbeleumdet" gebildet. Fußt auf der Äußerung des deutschen Reichskanzlers Otto von Bismarck (16. Januar 1874) im Zusammenhang mit dem Kulturkampf, er sei „die am besten gehaßte Persönlichkeit".

Bestie f **1.** wüster Kerl. Meint eigentlich das wilde (Raub-)Tier. 19. Jh.
2. arabische ~n = Arabesken. Scherzhafte Verquatschung. Berlin 1850 ff.
3. blonde ~ = Mensch (Volk) voller Ressentiments, Vorurteile (und gegebenenfalls Grausamkeit im Denken und Handeln) gegen fremde Völker. Stammt aus der „Genealogie der Moral" von Friedrich Nietzsche (1887). Darin bezeichnet der Philosoph so „das Raubtier im (blonden, germanischen) Menschen".

bestopfen tr jds Strümpfe stopfen. Nach dem Muster von „beköstigen", „beherbergen" u. ä. 1920 ff.

bestrahlen tr jn übervorteilen, betrügen. Strahlen = harnen. Übertölpelung wird unter dem Bilde eines Beschmutzens mit Kot dargestellt. 1900 ff.

bestrampeln tr jn so lange zusetzen, bis er einwilligt. Analog zu ↗ treten. 1920 ff.

bestrampelt adj leicht verrückt. Den Betreffenden hat der ↗ Hahn bestrampelt. 1840 ff.

bestricken tr für jn Kleidungsstücke stricken. Vgl ↗ bestopfen. Nordd 1900 ff.

bestrullt adj verwässert; mit Wasser vermischt. ↗ strullen. 1920 ff.

bestrunzen tr jds Prahlen überbieten; jn bewundernd loben. ↗ strunzen. Westd 1900 ff.

bestückt adj **1.** wohlhabend; bei Geld. Der Betreffende ist entweder mit Geldstücken reichlich versehen oder aber mit Kanonen; er ist also im Besitz von „Pulver" (= Geld). 1918 ff.
2. mit üppigem Busen versehen. 1918 ff.

bestußt adj dumm, verrückt. ↗ Stuß. 19. Jh.

Besuch m **1.** Ungeziefer. Ironie. Sold in beiden Weltkriegen, auch ziv.
2. dünner ~ einer Aufführung = geringe Zuschauerschar. ↗ dünn. 1920 ff.
3. ~ bekommen = intim betastet werden; beigeschlafen werden. 1900 ff.
4. ~ haben = menstruieren. Schamhafte Umschreibung seit dem späten 19. Jh. Vgl amerikan „to have a visitor".
5. ~ schieben = Besuch machen, abstatten. „Schieben" spielt wohl auf gezwungen feierliches Schreiten oder auf lästige Dienstpflicht (analog zu „Wache schieben") an. 1920 ff, stud.
6. jn mit seinem ~ überfallen = zu jm überraschend zu Besuch kommen. Überfallen = ohne Ankündigung überrumpeln. 1900 ff.

Besuchskante f vordere Stuhlsitzkante. Der Besucher setzt sich aus Schüchternheit nur auf die vordere Kante, nimmt nicht voll Platz. Nordd 1920 ff.

Besuchsritze (Besucherritze) f Spalt zwischen zwei Betten. ↗ Ritze. Seit Anfang des 20. Jhs.

Besuchswelle f vorübergehende Häufigkeit von Besuchen. ↗ Welle. 1883 (Theodor Storm).

bet adv **1.** jn ~ haben = jn im Spiel besiegt haben. Stammt aus franz „bête = Strafeinsatz im Kartenspiel". 19. Jh.
2. jn ~ kriegen = jn zum Verlierer machen. 19. Jh.
3. ~ machen = ein Spiel verlieren. 19. Jh.
4. jn ~ machen = jn im Spiel besiegen. 19. Jh.
5. ~ sein = a) im Kartenspiel der Unterlegene sein. 19. Jh. - b) erschöpft, müde sein. Vom Spielverlust auf den Verlust der geistigen und körperlichen Frische übertragen. 19. Jh.
6. ~ werden = das Kartenspiel verlieren. 19. Jh.

betakeln v **1.** jn ~ = jn betrügen, überlisten. Gehört wohl zu ↗ Dackel. Österr 1800 ff.
2. sich ~ = sich ankleiden. ↗ auftakeln 1. 19. Jh.

betanken refl sich betrinken. ↗ tanken. 1960 ff.

betanzen tr mit jm den Pflichttanz tanzen; regelmäßig mit jm tanzen. Seit dem späten 19. Jh.

betapst adj leicht verrückt. ↗ Taps. 1950 ff, jug.

betasten tr jds Gesinnung prüfen; jn ausfragen, verhören. Der Betreffende wird seelisch mal hier, mal da berührt. 1900 ff.

betatschen tr jn (etw) befühlen, mit den Fingern anfassen. Gehört zu „Tatsche = Tatze"; vgl auch „Tatsch = leichter Schlag". 19. Jh.

betäuben tr **1.** jn bewußtlos schlagen. Rotw 1920 ff.
2. jn betrügen. Man raubt ihm die klare Überlegung. Analog zu „chloroformieren". 1950 ff, schül

Betäubungsmittel n Gerät, mit dem man einem der Besinnung raubt (Schlagstock, Gummiknüppel o. ä.). 1920 ff.

Betbruder m Frömmler. Gegenstück zur ↗ Betschwester. 18. Jh.

Bet'büachl n Spielkarten. ↗ Gebetbuch. Österr 19. Jh.

beteichen tr jn mit einem Schlafmittel betäuben und ausrauben. Wohl eigentlich soviel wie „jn in einen Teich tauchen"; *vgl* die Analogie zu ↗betimpeln. 1967 *ff.*

beten *intr* **1.** dienstliches ~ = Kirchgang. 1960 *ff, BSD.*
2. bete und arbeite! = begehre nicht auf und schufte! Aus dem geläufigeren „bete und arbeite" (nach *lat* „ora et labora") umgewandelt. Um 1900 in der deutschen Sozialdemokratie aufgekommen.

Bethlehem *On* nach ~ gehen = zu Bett gehen. Scherzhaft wegen des Anklangs an „Bett". 1500 *ff.*

betimpeln *v* **1.** jn ~ = jn betören, überlisten o. ä. Gehört wahrscheinlich zu „Tümpel = kleines Wasserloch"; „dümpeln = ein-, untertauchen". Dem Betreffenden wird der Kopf unter Wasser gedrückt, bis sein Widerstand erlahmt. 1800 *ff.*
2. *refl* sich betrinken. 1870 *ff.*

betimpelt *adj* betrunken. 1870 *ff.* Vgl das Vorhergehende.

betippt (betippelt, betippert) *adj* leicht bezecht. Tippen = leicht berühren; weiterentwickelt zur Bedeutung „leicht schlagen" und dadurch analog zu ↗angeschlagen 2. 1900 *ff.*

betitscht *adj* **1.** niedergeschlagen, benommen. „Titschen" ist Nebenform von „tatschen = leicht schlagen": der Benommene ist wie vor den Kopf geschlagen. 1900 *ff.*
2. geistesbeschränkt. 1900 *ff.*

Beton *m* **1.** Quark. Wohl Anspielung auf trocken gewordenen Quark oder (weißen) Käse, der „wie ein ↗Stein im Magen liegt". 1960 *ff, BSD.*
2. es steht wie ~ = es ist unbedingt wahr, verläßlich. Umschreibung von „feststehend". 1940 *ff.*

Betonabwehr *f* Abwehr, die sich nicht durchbrechen läßt. *Sportl* 1950 *ff.*

Betonbuletten *pl* Frikadellen aus Bratlingspulver. Sie geraten sehr hart und spröde. *Sold* 1939 *ff.*

Betonbunker *m* Wohnhochhaus aus Beton. 1960 *ff.*

Betonburg *f* Hotel-, Wohnhochhaus aus Beton. 1960 *ff.*

Betonbutter *f* Kunsthonig. Anspielung auf die Härte. *Sold* und *ziv* seit 1914 bis in unsere Tage.

Betonfelsen *m* Wohnhochhaus aus Beton. 1965 *ff.*

Betonfliege *f* vorgeformte (fertige, unterm Kragen einschiebbare) Querschleife. „Beton" spielt darauf an, daß die Krawatte (quergebundene „Fliege") nicht die Form verliert. ↗Fliege. 1905 *ff.*

Betonfrisur *f* lange haltbare Frisur. 1955 *ff.*

Betonfußball *m* auf vielköpfige Abwehr eingestellte Spielweise einer Fußballmannschaft. ↗Betonabwehr. 1950 *ff, sportl.*

Betongehirn *n* zuverlässige Intelligenz. 1940 *ff.*

betonieren *intr* sich auf Abwehr verlegen und jeden Durchbruchsversuch des Gegners vereiteln. *Sportl* 1950 *ff.*

betoniert *adj* stark ~ = gefestigt, unerschütterlich (bezogen auf Leumund, Ansehen, Wissen, Können usw.). 1950 *ff.*

Betonkasten *m* Wohnhochhaus (Amtsgebäude) aus Beton. ↗Kasten. 1955 *ff.*

Betonklotz *m* **1.** plumper, ungesitteter, ungefüger Mensch. ↗Klotz. 1940 *ff.*
2. unförmiges, architektonisch sehr dürftiges Gebäude aus Beton. 1955 *ff.*

Betonkrawatte *f* (-binder, -schlips *m*)

vorgeformte Krawatte. Sie behält lange ihre Form. *Vgl* ↗Betonfliege. 1900 *ff.*

Betonkuchen *m* hartes Brot. *Österr* 1955 *ff, jug.*

Betonlächeln *n* erstarrtes, gefühlloses Lächeln. 1960 *ff.*

Betonprinzipien *pl* unerschütterliche Grundsätze. 1938 im Zusammenhang mit dem Bau des Westwalls aufgekommen.

Betonriese *m* Hochhaus. 1955 *ff.*

Betonschiß *m* Stuhlverhärtung. ↗Schiß. 1960 *ff, BSD.*

Betonschlips *m* ↗Betonkrawatte; ↗Betonfliege.

Betonsilo *m* Wohnhochhaus aus Beton. 1960 *ff.*

Betonstampfer *pl* **1.** dicke Beine; Beine mit stämmigen Waden. Sie ähneln dem mit einem kräftigen Stiel versehenen Gerät zum Ein- oder Feststampfen des Betons. 1900 *ff.*
2. breite Schuhe. 1920 *ff.*

Betonsystem *n* **1.** undurchdringliche Abwehr. *Sportl* 1950 *ff.*
2. unerschütterliches Verharren auf dem politischen Standpunkt; unbeirrte Beibehaltung der einmal festgelegten Parteigrundsätze. 1960 *ff.*

Betontaktik *f* Einsatz von vielen Fußballspielern in der Verteidigung und beim Angriff. *Sportl* 1950 *ff.*

Betonwüste *f* Großstadt. „Wüste" weckt die Vorstellung der Unabsehbarkeit und der Weite, des Mangels an Grünbewuchs und der verminderten Lebensfähigkeit. Spätestens seit 1960 *ff.*

betöppert *adj* eingeschüchtert. Gehört zu „betöben = betäuben". *Nordd* 1900 *ff.*

betrampeln *tr* **1.** jn betrügen (bei der Verteilung von Gewinn oder Beute). Fußt wohl auf „jm auf der ↗Nase rumtrampeln" im Sinne von „sich gegenüber einem gutmütigen Menschen ungestraft Frechheiten erlauben". *Rotw* seit dem frühen 19. Jh.
2. jn beschwatzen, zu etw drängen. ↗treten. 1900 *ff.*

Betrieb *m* **1.** lebhaftes Treiben; Geschäftigkeit. Meint sowohl die Arbeitsstätte als auch die Ausübung einer Tätigkeit. Von da weiterentwickelt zu den Begriffen „lebhaftes Tun" und „lebhafte Vergnügung". 1840 *ff.*
2. ein ~ wie siebzig = große Betriebsamkeit. Hergenommen von der Mobilmachung 1870. Etwa seit 1920 *ff.*
3. ~ in die Bude bringen = in einer Gesellschaft ausgelassene, muntere Stimmung verbreiten. Analog zu „↗Leben in die Bude bringen". Seit dem späten 19. Jh.
4. außer ~ gesetzt sein = volltrunken sein. Hergenommen von der stillstehenden Maschine. 1962 *ff.*

Betriebsausflug *m* **1.** Manöver. Meint eigentlich die Erholungsfahrt einer Betriebsgemeinschaft. *Sold* 1935 *ff* und *BSD.*
2. Übungsflug. 1900 *ff, BSD.*
3. ~ des Altersheims = völlig unzulängliche Felddienstübung. *Sold* 1935 *ff.*

Betriebsblindheit *f* ausschließliches Festgelegtsein auf ein Arbeitsschema (oder: die gewohnte Lebensführung), so daß auch letztlich nötige Neuerungen zunächst nicht wahrgenommen und möglichst (aus dem Bewußtsein) verdrängt werden; man ist blind für von außen Einwirkendes, beschränkt im eigenen Ge-

sichtsfeld. ~ bedeutet auch: Naivität, Weltfremdheit o. ä. 1950 *ff.*

Betriebsbremse *f* langsam tätiger, umständlicher Mitarbeiter; Mensch, der seine Kenntnisse nicht erweitert, seine (Hand-)Fertigkeiten nicht trainiert. Er bremst das Vorwärtskommen (vor allem im Akkordbetrieb). 1955 *ff.*

Betriebsekel *n* unbeliebter Betriebsleiter. ↗Ekel. 1950 *ff.*

Betriebskanone *f* Stimmungsmacher; Unterhalter. Er macht ↗Betrieb und ist in dieser Hinsicht eine ↗Kanone. 1930 *ff.*

Betriebskapital *n* Taschengeld. Es ist die geldliche Grundlage für fröhliches Treiben. 1960 *ff.*

Betriebskurven *pl* dunkle Ringe unter den Augen. Anspielung auf geschlechtliche Geschäftigkeit. 1900 *ff.*

Betriebsnudel *f* **1.** Penis. ↗Nudel. 1900 *ff.*
2. betriebsamer Mensch; Stimmungsmacher bei Geselligkeiten; lustige, stets zu Scherzen aufgelegte Betriebsangehörige. ↗Betrieb; ↗Nudel. 1920 *ff.*

Betriebspanne *f* Versagen im normalen Arbeitsablauf; unvorhergesehenes Mißgeschick. ↗Panne. 1950 *ff.*

Betriebsperle *f* sehr gewissenhafte, überaus geschätzte Arbeitnehmerin. ↗Perle. 1960 *ff.*

Betriebsrübe *f* **1.** Stimmungsmacher, Spaßmacher o. ä. ↗Rübe. 1910 *ff.*
2. Penis. ↗Rübe. 1900 *ff.*

Betriebsschlosser *m* Militärarzt. Sein „Betrieb" ist die Kaserne oder das Militärkrankenhaus, und als „Schlosser" ist er ein Reparaturhandwerker. 1965 *ff, BSD.*

Betriebsstoff *m* **1.** Geld. Es ist Kraftstoff für den Motor. *Sold* in beiden Weltkriegen.
2. alkoholisches Getränk. Seit 1914 *ff.*

Betriebssünder *m* Mensch, der gegen die Betriebsordnung verstößt. ↗Sünder. 1950 *ff.*

Betriebsunfall *m* **1.** unerwartete Beeinträchtigung; Verhaftung wider Erwarten o. ä. Meint eigentlich den Unfall bei der Arbeit. 1920 *ff.*
2. Verwundung. *Sold* 1939 *ff.*
3. Geschlechtskrankheit. *Sold* 1939 *ff* und *BSD.*
4. Kind einer Ledigen; unbeabsichtigte Schwängerung. 1945 *ff.*

betrinke-mich spielen eine Zecherei veranstalten. *Stud* 1925 *ff.*

betrommeln *tr* auf jn ständig mit Reklame einwirken. ↗Trommler 1. 1965 *ff.*

betrudelt *adj* dumm. Trudeln = rollen, wälzen; ähnlich der Vorstellung „drehen" (der Betreffende ist ↗verdreht). Auch macht man mit dem Zeigefinger eine bohrende (drehende) Bewegung an der Stirn oder Schläfe zur Andeutung der Geistesverwirrung. 1920 *ff.*

Betrunk *m* Trinkgelage. *Halbw* 1960 *ff.*

Betschwester *f* **1.** Frömmlerin, Frömmler. Meinte ursprünglich die Nonne. 1700 *ff.*
2. sprödes Mädchen. Es gilt als spröde, weil es keine „Bettschwester" sein will. 1960 *ff, sold.*

'Betsilo *m* Kirchengebäude. „Silo" spielt auf die moderne Architektur mit ihrer Zweckbaukunst, mit den schmucklosen Außenwänden usw. an. 1965 *ff, BSD.*

Bett *n* **1.** französisches ~ = Doppelbett mit durchgehender Matratze. 1950 *ff.*

2. katholisches ~ = Doppelbett mit zwei getrennten Matratzen. 1960 *ff.*
3. das grüne ~ = Nachtlager unter freiem Himmel. Stammt aus dem Wanderburschenwortschatz des 19. Jhs.
4. zweispännige ~en = Ehebetten. 1920 *ff.*
5. eine Laune wie ein Bett am Morgen = Mürrischkeit; wie das Bett ist man noch nicht „↗aufgeräumt". 1940 *ff.*
6. das ~ bauen = das Bett vorschriftsmäßig herrichten. Es wird gewissermaßen architektonisch einwandfrei gebaut. *Sold* 1870 *ff.*
7. ich glaube, mein ~ brennt!: Ausdruck des Erstaunens. Rocker und *BSD* 1970 *ff.*
8. jn zu ~ bringen = a) jm zu verstehen geben, daß seine Anwesenheit unerwünscht ist; jn ausschalten, hinausweisen. Wie man kleine Kinder zu Bett bringt, wenn die Erwachsenen unter sich sein wollen. 1900 *ff.* – b) jn zurechtweisen. Man tadelt den Betreffenden abseits von den anderen. 1920 *ff.*
9. aus dem ~ fallen = durch Beischlafgewährung eine Filmschauspielerin werden. Umgewandelt aus „vom Himmel fallen" wie ein „Stern". 1930 *ff.*
10. zu ~ gehen = nachgeben müssen. Der Müde und Kraftlose zieht sich zurück. 1900 *ff.*
11. mit jm ins ~ gehen = koitieren. Undatierbar.
12. er hat ein zu kurzes ~ gehabt (bei ihm ist das ~ zu kurz gewesen) = er hat eine Glatze. Der Kopf hat sich am Kopfende des Betts gerieben. 1870 *ff.*
13. und sowas hat ein ~ zum Schlafen!: Ausdruck höchster Verwunderung über einen Dummschwätzer. 1950 *ff.*
14. in ein gemachtes ~ kommen (sich in ein gemachtes ~ legen) = gesunde wirtschaftliche Verhältnisse übernehmen. Das gemachte Bett ist hier das Sinnbild der Vorsorge. 19. Jh.
15. dafür kann ich nicht zu ~ gehen (liegen) = dafür kann ich nicht haften. Hergenommen vom Wochenbett. 1900 *ff.*
16. lang liegt sie im ~e: Redewendung unter Kartenspielern, wenn einer viele Karten gleicher Farbe in der Hand hat und eine nach der anderen ausspielt. Fußt auf einem um 1900 bekannten Schlagertext: „Lang liegt sie im Bette, spät macht sie Toilette" (wobei „lang" die lange Zeitdauer meint). 1900 *ff.*
17. jm sein ~ machen = a) jm angenehme Verhältnisse bereiten. *Vgl* ↗Bett 14. 19. Jh. – b) für jn eine Sache in Ordnung bringen; für jn etw ausfechten. 19. Jh.
18. ins ~ steigen = zu Bett gehen. Leitet sich her von den früheren Kastenbetten. 19. Jh.
19. mit jm ins ~ steigen = koitieren. Undatierbar.
20. das ~ vergolden = das Bett beschmutzen. Anspielung auf die gelbliche Farbe von Harn oder Kot, hier als golden aufgefaßt. 18. Jh.
Bettaugen *pl* sinnlich-lüsterner Augenausdruck. 1920 *ff.*
Bettbluffer *m* Mann, der heftige erotische Absichten vortäuscht und im entscheidenden Augenblick versagt. ↗bluffen. 1960 *ff, prost.*
Bettblümchen *n* leicht beischlafwilliges

Mädchen. Analog zu ↗Pflänzchen. Es blüht und koitiert im Bett vollends auf. 1960 *ff.*
Bettchen machen sich im Freien niederlassen und koitieren. *Jug* 1959 *ff.*
bettchenfaul *adj* zum Beischlaf zu müde. 1920 *ff.*
Bettel *m* **1.** wertlose Sache. Meint eigentlich die erbettelte Sache. Die heutige Bedeutung kam 17. Jh auf.
2. den ~ hinschmeißen = die Arbeit niederlegen; seine Beteiligung aufkündigen. 19. Jh.
3. jm den ~ vor die Füße schmeißen = die Arbeit niederlegen. 19. Jh.
betteln gehen *intr* einen Raubüberfall ausführen. Der Räuber bettelt mit Revolver. Nach 1945 aufgekommen.
Bettelstudent *m* Student, der während der Semesterferien handwerkliche Arbeit leistet. Wortspielerei mit dem Titel der gleichnamigen Operette von Karl Millöcker (1882), deren Held allerdings keine Arbeit verrichtet, sondern auf Kosten der Leute vergnüglich lebt. 1955 *ff.*
betteltutti *präd* völlig verarmt. Aus *dt* „betteln" und *ital* „tutto = ganz". *Österr* 19. Jh.
Bettelvogt *m* Mensch, der mit anhaltenden Bitten lästig fällt. Eigentlich der Polizeibeamte, der unbefugtes Betteln zu unterbinden hat. 19. Jh.
betten *refl* sich gut ~ = eine reiche Heirat machen. 1700 *ff.*
Bettenbau *m* **1.** kasernengerechte Herrichtung des Schlafplatzes. ↗Bett 6. Um 1870 aufgekommen mit der allgemeinen Einführung der Kasernierung.
2. der ~ ist große Scheiße = das ist sehr schlecht ausgeführt. Von der Herrichtung des Betts übertragen auf jegliche Dienstverrichtung. 1870 *ff.*
Bettenbauertauglichkeit *f* Wehrdiensttauglichkeit. 1960 *ff, sold.*
Bettenburg *f* Großhotel. 1965 *ff.*
Bettenhausen *On* nach ~ gehen = zu Bett gehen. Wortspiel mit Bett und dem Ortsnamen Bettenhausen (Stadtteil von Kassel; Dorf in den Kreisen Gießen und Horb; Dorf im Kanton Bern). Seit dem späten 19. Jh.
Bettenheini *m* Soldat (Unteroffizier), der besonderen Wert auf die vorschriftsmäßige Herrichtung der Betten legt. ↗Heini. *Sold* 1939 *ff.*
Bettenmachen *n* beim ~ gefunden sein = geistesbeschränkt sein. *Schül* 1950 *ff.*
Bettenreißer *m* publikumswirksamer Film mit Intimszenen. ↗Reißer. 1960 *ff.*
Bettensilo *m* Hotelhochhaus. 1965 *ff.*
Bettensprung *m* **1.** Zapfenstreich. Zeitpunkt des Beginns der Nachtruhe. 1960 *ff, BSD.*
2. Bettensprünge = häufig wechselnder Geschlechtsverkehr. 1965 *ff.*
Bett'ente (Bett-Ente) *f* Urinflasche. ↗Ente. 1960 *ff, sold.*
Bettflasche (mit Augen; mit Ohren) *f* Bettgenossin. Sie wärmt den Schläfer. 1700 *ff.*
bettfleißig *adj* gern beischlafbereit. 1920 *ff.*
Bettfloh *m* intime Freundin; Braut; heiratsfähiges Mädchen. 1920 *ff.*
Bettflüchter *m* Funkamateur. Er funkt meistens nachts (liebt daher das Bett. Dem „Nestflüchter" (= flügge gewordener Jungvogel) nachgeahmt, wohl mit dem Nebensinn, daß Vögel und Funker

sich im Äther tummeln. Technikerspr. 1950 *ff.*
Bettfräßchen (Bettfreßchen) *n* kleiner Imbiß vor dem Schlafengehen. ↗Fraß. 1950 *ff.*
Bettfrau *f* **1.** Quartiergeberin. *Rotw* 19. Jh.
2. bei der grünen ~ schlafen = im Freien nächtigen. *Rotw* 19. Jh.
bettfreudig *adj* beischlafwillig. 1920 *ff* (?).
Bettgeflüster *n* Bericht von intimen Vorgängen. 1955 *ff.*
Bettgenosse *m* guter Kamerad. Man schläft mit ihm Bett an Bett. *Sold* 1935 *ff.*
Bettgerangel *n* Liebesspiele; Geschlechtsverkehr. ↗Gerangel. 1960 *ff.*
Bettgeschichten *pl* intime geschlechtliche Vorgänge. 1950 *ff.*
Bettgespielin *f* Bettgenossin. Wohl aufgekommen mit dem Eindringen der *engl* Vokabeln „Playboy" und „Playgirl". 1955 *ff.*
Bettgestell *n* sleep you very well in your (little) ~ = schlafen Sie gut! Scherzhafte Fremdsprachelei, im ausgehenden 19. Jh in Schülerkreisen aufgekommen und während der Besatzungszeit nach dem Ersten und Zweiten Weltkrieg erneut aufgelebt.
Bettgymnastik *f* ~ treiben = koitieren. 1930 *ff.*
Betthase (-häschen) *m (n)* **1.** angenehme Beischläferin; williges Mädchen. Hängt zusammen mit dem mollig-weichen Fell des Hasen. 1870 *ff.*
2. junger Prostituierter. 1950 *ff.*
Betthupfer *m* **1.** Floh, Wanze. Seit dem späten 19. Jh.
2. beischlafwillige weibliche Person; Geliebte(r). 1900 *ff.*
3. Beischlaf. 1900 *ff.*
4. vor dem Schlafengehen genommenes Naschwerk. Seit dem späten 19. Jh.
5. letzte Zigarette vor dem Zubettgehen. 1920 *ff.*
Betthupferl (Betthupferle) *n* **1.** kleine Süßigkeit für Kinder vor dem Schlafengehen; letzter Imbiß vor der Nachtruhe; letzter Trunk, letzte Zigarette vor dem Einschlafen. Im Vertrauen auf Süßigkeiten, die man ihnen nach dem Zubettgehen gewährt, hüpfen Kinder schnell ins Bett. Seit dem ausgehenden 19. Jh.
2. abendlicher Einschlaf-Lesestoff. 1950 *ff.*
3. letzte Rundfunk-, Fernsehdarbietung am Abend. 1960 *ff.*
4. Musik zum Einschlafen. 1960 *ff.*
5. Zapfenstreich. 1960 *ff, BSD.*
6. Film, in dessen Mittelpunkt das Ehebett steht. 1960 *ff.*
7. beischlafwillige weibliche Person. 1900 *ff.*
8. kurzer Geschlechtsverkehr. 1900 *ff.*
Bettkäfer *m* nettes, beischlafwilliges Mädchen; nette Bettgenossin. ↗Käfer. 1900 *ff, stud.*
Bettkante *f* sie ist nicht von der ~ zu weisen = sie ist ein anziehendes Mädchen. *Stud* 1950 *ff.*
Bettknüller *m* **1.** Durchreisender im Gasthof; Mensch, der nur zu kurzem Besuch kommt. Er zerknüllt die Bettwäsche, so daß das Bett frisch überzogen werden muß. 1870 *ff.*
2. Mensch, der gern lange schläft. 1900 *ff.*
3. intimer Freund; Bettgenosse. 1930 *ff.*
Bettkusine *f* vorgebliche Verwandte als Bettgenossin. 1900 *ff.*

Bettler *m* **1.** (verhärteter) Nasenschleim. Fußt auf dem Rätsel: „Was ist das –: der Bettler wirft es weg, der Herr steckt es ein?" 1900 *ff*. **2.** Klassenschlechtester. Er bettelt seine Kameraden um Hilfe an. *Schül* 1960 *ff*. **3.** ~ mit Pistole (Revolver) = Gewaltverbrecher. ↗B.m.P. Nach 1945 aufgekommen.

Bettmaid *f* Prostituierte. Die Bezeichnung soll kurz nach 1933 als Witz aufgekommen sein: im Zuge der Gleichschaltung und Umbenennungen wünschen die Prostituierten von Dr. Goebbels eine neue Berufsbezeichnung; der Minister schlägt „Bettmaid" vor.

Bettmäuschen *n* intime Freundin. ↗Mäuschen. Seit dem späten 19. Jh.

Bettmieze *f* junge Bettgenossin. ↗Mieze. 1910 *ff*.

Bettmümpfeli *n* Naschwerk vor dem Schlafengehen. ↗mumpfeln. *Schweiz* 1920 *ff*.

Bettpisser *m* **1.** Bettnässer. ↗pissen. 1700 *ff*. **2.** Schimpfwort. 1800 *ff*. **3.** dastehen wie ein ~ = a) ratlos sein. Das Schamgefühl prägt den Gesichtsausdruck des Bettnässers. 1800 *ff*.– b) ein schlechtes Gewissen haben. 1800 *ff*.

Bettrosine *f* Wanze. Sie ist formähnlich mit der Rosine. Seit dem späten 19. Jh.

Bettruhe *f* Flirt. *Halbw* 1960 *ff*.

Bettschatz *m* Bettgenossin. 18. Jh. Bekannt als Äußerung von Frau Rath Goethe über Christiane Vulpius.

Bettschönheit *f* Frau, die im Bett besonders schön wirkt. 1900 *ff*.

Bettschwere *f* **1.** sich ~ antrinken = durch Trinken in angenehme Müdigkeit geraten. Bei solch einem Trinker steht nicht zu befürchten, daß er aus dem Bett fällt; vielmehr fällt er ins Bett und bleibt regungslos liegen. 1800 *ff*. **2.** (die nötige) ~ haben = genug getrunken haben, um gut schlafen zu können; zum Schlafen müde genug sein. 1800 *ff*. **3.** die nötige ~ kriegen = beim Trinken zusehends müde und müder werden. 19. Jh.

Bettschwester *f* **1.** Bettgenossin. 1700 *ff*. **2.** Krankenpflegerin, die Intimitäten sich nicht versagt. 1850 *ff*. **3.** junge ~n, alte Betschwestern = Konkubinen werden im Alter oft frömmlerisch. 1800 *ff*.

Bettspiele *pl* Liebesspiele; Arten des Geschlechtsverkehrs. Wohl dem Begriff „Brettspiel" nachgeahmt. 1955 *ff*.

Bettsportler *m* Koitierender. 1955 *ff*.

Bettsteigerl *n* Naschwerk zum Schlafengehen. ↗Bett 18. *Österr* 1950 *ff*.

Bettstück *n* nette Bettgenossin. ↗Stück. 1950 *ff, halbw*.

Bettvase *f* Urinflasche. ↗Vase 1. *Sold* 1914 bis heute.

Bettvorleger *m* **1.** langer Männerbart; Vollbart; stark behaarte Männerbrust. Er könnte eine weiche Fußunterlage abgeben. 1900 *ff*. **2.** langhaariger Hund. 1910 *ff*. **3.** Erdoberfläche, aus großer Höhe betrachtet. Sie wirkt wie ein gemusterter Teppich. *Sold* 1939 *ff*. **4.** Journalist, der Schlafzimmergeheimnisse verbreitet. 1950 *ff*.

5. Versager, Nichtskönner. Im Bett ist er untauglich. 1950 *ff, jug*. **6.** ~ mit Beinen = langhaariger Kleinhund. 1920 *ff*.

Bettwanze *f* **1.** Floh. 1900 *ff*. **2.** Beischläferin. ↗Bettfloh. 1900 *ff*.

Bettwärmer (mit Ohren) *m* Bettgenosse, -genossin. 1700 *ff*.

Bettzipfel *m* **1.** der ~ hat ihn nicht ausgelassen = er ist zu spät aufgestanden. Bettzipfel ist der Zipfel des Bettuchs, des Kissens, und steht stellvertretend für „Bett". *Südd* 19. Jh. **2.** am ~ hängen = Langschläfer sein. *Südd* 19. Jh. **3.** am ~ lutschen (nach dem ~ schnappen; nach dem ~ schielen; sich nach dem ~ sehnen) = müde sein; gähnen. 19. Jh. **4.** der ~ ruft = man möchte zu Bett gehen. 1900 *ff*. **5.** nach dem ~ schreien (verlangen) = müde sein. 1900 *ff*. **6.** der ~ winkt = man ist müde, möchte schlafengehen. 1900 *ff*. **7.** der ~ zieht = man verlangt nach dem Bett. Das Bett übt eine unwiderstehliche Anziehungskraft aus. 1900 *ff*.

betucht *adj* **1.** vertrauenswürdig, zuverlässig. Fußt auf *gleichbed jidd* „betuach". *Rotw* seit dem frühen 19. Jh. **2.** schlau. Wohl vom zuverlässigen Verstand herzuleiten. *Rotw* 1920 *ff*. **3.** still, schweigsam, kleinlaut, ängstlich. Macht sich auf der jiddischen Grundlage die Volksweisheit zunutze, daß stille Wasser tief gründen: der Stille gilt als vertrauenswürdig. 14. Jh; *rotw* seit Mitte des 18. Jhs. **4.** wohlhabend; vermögend. Kann sowohl auf der jiddischen Vokabel fußen als auch auf der Vorstellung vom einträglichen Tuchhandel. 19. Jh. **5.** betrunken. Herkunft unbekannt. 1900 *ff*. **6.** gut ~ = gut, preiswert gekleidet. Nach 1950 aufgekommen als Werbeausdruck des Textilhandels.

betüddeln (betüddern) *tr* für jn sorgen; jn verwöhnen. ↗betütern. *Nordd* 1900 *ff*.

betümpeln *v* ↗betimpeln.

betümpelt *adj* ↗betimpelt.

betun *v* **1.** jn ~ = jn verwöhnen, umsorgen, übertrieben bedauern. Dasselbe wie „für jn tätig sein", „um (für) jn handeln". 1800 *ff*. **2.** sich ~ = sich mit Kot beschmutzen. Analog zu ↗bemachen 1. 14. Jh. **3.** sich ~ = allzu dienstbeflissen tun; sich aufspielen, vordrängen. Vor Übereifer verliert man die Kontrolle über den Schließmuskel des Afters. 19. Jh. **4.** sich ~ = sich zieren; sich sträuben. 19. Jh.

betuntelt *adj* geziert-vornehm. ↗tuntelig. 1700 *ff, nordd*.

betuppen *tr* jn betrügen, übertölpeln. „Tupfen" bezeichnet ein leichtes Berühren mit dem Finger. *Iron* ist „auf den Kopf tupfen" soviel wie „auf den Kopf schlagen"; dadurch wird das Opfer betäubt und ist um so bequemer zu überworteln. *Vgl* auch ↗betimpeln 1. Vielleicht ist auch von *franz* „duper = täuschen" auszugehen. 1800 *ff*.

betütelt *adj* leicht bezecht. Gehört zu *niederd* „Tütel = Narr". Doch *vgl* auch ↗antüdeln 1. 19. Jh.

betütern *v* **1.** sich ~ = sich betrinken. ↗antüdeln 1. Doch *vgl* auch das Vorhergehende. *Nordd* 1900 *ff*. **2.** etw ~ = sich um etw kümmern. Gehört zu „↗tüdeln = sich mit unbedeutenden Dingen beschäftigen; sich in kleinlicher Weise mit etw abgeben". *Nordd* 1900 *ff*.

betütert *adj* **1.** verwirrt, dümmlich, verrückt. *Niederd* „Tütel = Narr". 19. Jh. **2.** bezecht; leicht betrunken. *Nordd* 1900 *ff*.

Beule *f* **1.** Leib der Schwangeren. Er schwillt langsam an. *BSD* 1960 *ff*. **2.** au ~! Warnruf. Ist wohl als Warnung vor dem hochgeschwungenen Stock und der zu erwartenden Beule aufzufassen. 1955 *ff, jug*. **3.** eine ~ am Kopf haben = verrückt sein. Die Beule rührt von einem heftigen Schlag her, der Gehirnerschütterung verursacht hat. *Jug* 1960 *ff*. **4.** jm eins vor die ~ hauen = jm die Besinnung rauben; jn zum Verstummen bringen. „Beule" meint hier den wie angeschwollen aussehenden Kopf. Nach 1945 aufgekommen. **5.** ~ machen = sich betrinken. Man läßt sich anschwellen. 1960 *ff, sold*. **6.** jm ~n an den Kopf schwatzen = auf jn betrügerisch einreden. *Schweiz* 1950 *ff*.

beurgrunzen *tr* **1.** etw näher untersuchen. Hängt zusammen mit „Urgrund" und meint „nach dem Urgrund forschen". Wegen gleicher Aussprache an „grunzen" angelehnt. Seit dem späten 19. Jh. **2.** jn ~ = jn freudig begrüßen. ↗begrunzen 1. 1870 *ff*.

Beuschel (Beuschl) *n* Lunge, Leber, Milz, Herz. Geht zurück auf ein Grundwort in der Bedeutung „schwellen" (Bausch, Bauch). *Österr* 19. Jh.

Beuschelreißer *m* sehr starke Zigarette. *Österr* 1920 *ff*.

Beutegermanen *pl* **1.** Sudetendeutsche; Österreicher; Volksdeutsche; Hilfswillige; ins Deutsche Reich zurückgeführte fremdländische Staatsangehörige deutscher Abstammung. 1938 wurden sie „erbeutet" im Sinne der Parole „heim ins Reich!" oder umgesiedelt auf Grund der Vereinbarungen zwischen Hitler und Stalin; viele wurden auch erst im Verlauf des Rußlandfeldzugs umgesiedelt. **2.** Ostflüchtlinge, Heimatvertriebene. Nach 1945 aufgekommen. **3.** zugezogene Einwohner. 1945 *ff*. **4.** ins Ausland geholte, hochgestellte deutsche Naturwissenschaftler und Ingenieure. Nach 1945.

Beutel *m* **1.** Hodensack. 1800 *ff*. **2.** Mann *(abf)*; lästiger, einfältiger Mann. Vom Hodensack auf den Besitzer übertragen. 1900 *ff, oberd*. **3.** alter ~ = alter Mann. 19. Jh.

Beutelhasen *pl* Filzläuse. Sie tummeln sich im Haargewirr wie Hasen im hohen Gras. *Österr* 1940 *ff*.

Beutelläuse *pl* Filzläuse. *Österr* 1940 *ff*.

beuteln *v* **1.** jn ~ = jn ohrfeigen, schlagen, an den Ohren schütteln. Der Betreffende wird hin- und hergerüttelt wie ein Sack. 1800 *ff*. **2.** jn zur Verantwortung ziehen; jn rügen. 1900 *ff*. **3.** jn ~ = jn einexerzieren, im Dienst überstreng behandeln. 19. Jh.

4. koitieren. Anspielung auf die Hin- und Herbewegung. 1965 *ff, BSD.*

5. es beutelt mich = es überläuft mich ein Schauer; es setzt mir arg zu. *Bayr* 1800 *ff.*

Beutelrattler *m* Beamter des Sittendezernats auf Jagd nach männlichen Prostituierten. „Rattler" ist ein scharfer Hund, der besonders auf Rattenfang dressiert ist. 1950 *ff.*

Beutelschneider *m* **1.** Dieb. Er schneidet seinen Opfern den Geldbeutel ab. 16. Jh.

2. schlauer Betrüger; Mann, der einem anderen mit List und Tücke Geld abgewinnt. 16./17. Jh.

3. Kaufmann, der überhöhte Preise fordert. 1800 *ff.*

Beuteltier *n* **1.** Mann. Anspielung auf den Hodensack. 1800 *ff.*

2. großer, schwerfälliger Mann. *Oberd* 19. Jh.

3. Filzlaus. Sie treibt ihr Unwesen am Hodensack. 1960 *ff, BSD.*

Beutler *m* Schütteln an den Haaren. ↗ beuteln 1. *Oberd* 1800 *ff.*

Beutlerei *f* Gerüttel. *Oberd* 19. Jh.

bevölkert sein von Ungeziefer befallen sein. Auf Lebewesen und tote Gegenstände gleichermaßen bezogen. *Sold* 1939 *ff.*

Bevölkerung *f* sich um die ~ bemühen = viel Nachwuchs zeugen. 1870 *ff.*

Bevölkerungsflöte *f* Penis. ↗ Flöte. Aufgekommen im Gefolge der bevölkerungspolitischen Maßnahmen in der NS-Zeit.

Bevölkerungsmultiplikator *m* Penis. 1933 *ff.*

Bevölkerungspolitik *f* ~ treiben = Nachwuchs zeugen; schwanger sein. 1933 *ff.*

bevölkerungspolitisch *adv* ~ positiv sein = verheiratete Mutter sein. 1965 *ff, BSD.*

Bevölkerungsrat *m* **1.** Ehemann. 1933 *ff.*

2. Geheimer ~ = Junggeselle. Man nimmt an, daß er immerhin uneheliche Kinder zeugt. 1933 *ff.*

3. Wirklicher geheimer ~ = „Hausfreund" einer verheirateten Frau. 1933 *ff.*

Bevölkerungsverhinderer *m* Präservativ; Kondom. 1933 *ff.*

Bevölkerungswurzel *f* Penis. ↗ Wurzel. 1933 *ff.*

Bewacher *m* einen Gegenspieler eng deckender Spieler. *Sportl* 1950 *ff.*

bewaffnen *v* sich mit etw ~ = sich mit etw versehen; etw zu sich nehmen, zur Hand nehmen. Hergenommen von der Waffe, die man zur Hand nimmt, und übertragen auf irgendein Werkzeug, das man ergreift (man bewaffnet sich mit der Brille, mit dem Kugelschreiber usw.). 19. Jh.

Bewährungsreformation *f* Währungsreform des Jahres 1948. Versteht sich vor dem Hintergrund der Umerziehung des deutschen Volkes von der Diktatur zur Demokratie. Das Wort war freilich schon den Landsern des Zweiten Weltkriegs geläufig und bezeichnete teils spottend, teils verächtlich die Bewährungsformation (Strafbataillon 999; Division Dirlewanger).

bewaschen *tr* jds Wäsche besorgen. 18. Jh.

Bewegung *f* jede ~ schwächt!: Äußerung der Arbeitsablehnung, der Hilfeverweigerung. 1935 *ff.*

Bewegungsgroschen *pl* das zum Lebensunterhalt erforderliche Geld. Man braucht ein Mindestmaß an Bewegungsfreiheit,

um leben zu können; oder auch (in neuerer Deutung): der Automat bewegt sich nicht, wenn man ihn nicht mit Groschen füttert. 1920 *ff.*

beweihräuchern *tr* jn übergebührlich loben. Leitet sich her von der Weihrauchverwendung in der katholischen Kirche. 1870 *ff.*

beweinen *tr* **1.** jn ~ = a) mit Wein auf jds Wohl trinken. 1800 *ff.* – b) an einem Leichenschmaus teilnehmen; jds Abschied mit Wein feiern. 1800 *ff.*

2. sich ~ = a) sich mit Wein versehen. 1500 *ff.* – b) sich an Wein betrinken. 1500 *ff.*

Beweis *m* **1.** klopffester ~ = unwiderlegbarer Beweis. Klopffest ist der Kraftstoff, der ohne „Klopfen" im Motor verbrennt. Sinngemäß spielen hier aber wohl ältere Vorstellungen mit, wie z. B. „↗ anklopfen", „auf den ↗ Busch klopfen" u. ä. Der Beweis muß also buchstäblich „handfester" Nachprüfung standhalten. 1965 *ff.*

2. schlagende ~e = Prügel, Ohrfeigen, Faustschläge. Meint eigentlich die einleuchtenden, unwiderleglichen Beweise (Beweise, die jede Einrede schlagen); hier wortspielerisch übertragen auf Prügel, mit denen sich der Stärkere als solcher beweist. 19. Jh.

Bewerbchen *n* **1.** Vorwand; günstige Gelegenheit. Meint eigentlich die Vorbereitung und Zurüstung einer Sache. 1800 *ff.*

2. ~ machen = sich anbiedern, um etw zu erreichen. 1800 *ff.*

Bewerber *m* ~ um den goldenen Lenker = Liebediener. ↗ Lenker. 1960 *ff, BSD.*

bewichteln *tr* jm etw schenken; jm eine Aufmerksamkeit erweisen. Dem Autor für 1956 aus einer Berliner Ausbildungsstätte für Diakonissen gemeldet. Bei bestimmter Gelegenheit (Advent, Weihnachten o. ä.) zog jede Schwesternschülerin wie in einer Lotterie den Namen einer Mitschülerin und hatte daraufhin die Betreffende mit einem kleinen Geschenk oder sonstigen Aufmerksamkeit zu erfreuen. Gehört wohl zu den Märchengestalten der hilfreichen Wichtelmännchen. Wichtel = kleiner Kobold.

Bewohner *pl* Ungeziefer. Es sind ungebetene Mitbewohner. 1900 *ff.*

bezahlen *v* **1.** sich selbst ~ = sich seinen geldlichen Anteil sichern; sich für einem legal Zustehendes (aber Verweigertes o. ä.) auf illegale Weise schadlos halten. 1930 *ff.*

2. als ob er es bezahlt kriegte = tüchtig, heftig. Für Bezahlung vollbringt man besonders große Anstrengungen (er läuft, als ob er es bezahlt kriegte). Seit dem späten 19. Jh.

3. das macht sich nicht bezahlt (das kriegst du nicht bezahlt) = das lohnt die Mühe nicht. ↗ auszahlen. Wohl hergenommen von freiwillig übernommener, unbezahlter Mehrarbeit. 1920 *ff. Vgl engl* „that does not pay".

Bezahlung *f* ~ in Naturalien = Koitusgegenwährung statt Geldleistung. Hängt wohl mit der Geldentwertung nach beiden Weltkriegen zusammen: Naturalien waren kostbarer als Bargeld. 1925 *ff.*

bezähmen *v* sich einen ~ = ein Glas Alkohol zu sich nehmen. 1900 *ff.*

bezechen *tr* **1.** die Zeche bezahlen. Hieraus verkürzt. 1930 *ff.*

2. die bitteren Folgen tragen. 1930 *ff.*

beziehen *tr* Ohrfeigen (Prügel o. ä.) ~ = Ohrfeigen o. ä. bekommen. ↗ überziehen 1. 1900 *ff.*

Beziehungen *pl* **1.** dicke ~ = sehr gute, aussichtsreiche Beziehungen zu einflußreichen Leuten. Dick = umfangreich; verläßlich. 1920 *ff.*

2. zwischenmenschliche ~ = a) Geschlechtsverkehr. 1950 *ff.* – b) Prostitution. 1950 *ff.*

3. ~ einfrieren lassen = Beziehungen erkalten (abebben, ruhen) lassen. ↗ einfrieren. 1950 *ff.*

Beziehungskiste *f* eheähnliches Zusammenleben. 1980 *ff.*

bezirzen *tr* jn betören, für sich einnehmen. Hängt zusammen mit der Zauberin Zirze (Circe, Kirke) aus Homers „Odyssee": sie verführte Männer zur Liebe – eine verwandelte sie dann in Schweine. 1920/30 unter Studenten aufgekommen.

bezwitschern *tr* **1.** jn beschuldigen, verraten. ↗ zwitschern = reden. 1900 *ff.*

2. über einen Abwesenden mißgünstig sprechen. 1900 *ff.*

3. sich mit jm freundlich unterhalten. 1950 *ff.*

bi *adj präd* bisexuell. Hieraus verkürzt zwecks Unkenntlichmachung für Nichteingeweihte. 1950 *ff.*

bibbeln *intr* trinken. Stammt wohl aus gleichbed *lat* „bibere". *Schül* und *stud, öster* 19. Jh.

Bibber *m* **1.** Zittern, Beben. ↗ bibbern. 19. Jh.

2. Angst. 1900 *ff, ziv* und *sold.*

3. Gelée, Pudding. Die Speise besteht aus unfester, leicht ins Zittern (Vibrieren) geratender Masse. 1900 *ff.*

bibberbusig *adj* mit wogendem Busen. ↗ bibbern. 1840 *ff.*

Bibberbuxe *f* **1.** ängstlicher Mann. 1850 *ff.* ↗ bibbern; ↗ Buxe.

2. ~n haben = ängstlich sein. 1900 *ff.*

bibbern *intr* **1.** zittern vor Kälte oder Angst; frieren; mit der Stimme vibrieren. *Nordd* Nebenform zu „beben". 1700 *ff.*

2. sich auf den Weg machen. Seit dem späten 19. Jh, Berlin und *sold.*

Bibbertitte *f* hin- und herwogende Frauenbrust. ↗ Titte. 1840 *ff.*

Bibber-Unterricht *m* Unterrichtserteilung in ungeheizten Räumen. Berlin 1969 *ff.*

Bibbi *f* Bibliothek. Hieraus verkürzt. *Stud* 1900 *ff, oberd.*

Bibel *f* **1.** ~ (~ mit den 32 Blättern) = Spielkarten. Hierbei haben wegen der häufigen Benutzung durch Kartenspieler den Rang der Bibel. 1900 *ff.*

2. Dienstvorschrift. Was für den Christen die Bibel, ist für den Soldaten die Dienstvorschrift. *Sold* 1900 *ff,* bis heute.

3. Bimsstein zum Oberdeck-Schrubben. Der Stein hat die Form einer handlichen Bibelausgabe. *Marinespr* 1965 *ff.*

4. Wehrpaß. 1965 *ff, BSD.*

5. fremdsprachliche Übersetzung. Der Schüler hält sich eng an den Übersetzungstext und betrachtet das Buch als die Quelle alles Wahren, Weisen und gewiß gute Zensuren Bringenden. 1950 *ff, schül.*

6. braune ~ = Hitlers Buch „Mein Kampf". ↗ braun. Die Bezeichnung wurde vor 1945 nicht gehört.

7. falsche ~ = Kartenspiel. 1900 *ff.*

8. davon steht nichts in der ~ (das haben wir nicht in der ~)!: Ausdruck der Abweisung. Was nicht in der Bibel steht, ist unwahr. 1900 *ff.*

Bibelbunker *m* Kirchengebäude. Anspielung auf die moderne Betonarchitektur. 1960 *ff, BSD.*

Bibeleskäs *m* Quark. Bibelche = Küken. Quark wurde früher den Küken und Junghühnern als Futter gegeben. *Oberd* 19. Jh.

Bibelhengst *m* Geistlicher. ↗Hengst. 1900 *ff.*

Bibelhusar *m* 1. Geistlicher, der sich in Bibelsprüchen ergeht; eifriger, eifernder Prediger; Frömmler. ↗Husar. Seit dem späten 18. Jh.
2. Militärpfarrer, Feldgeistlicher. *Sold* in beiden Weltkriegen.
3. Theologiestudent; Theologe. Seit dem ausgehenden 18. Jh.

Bibelschinken *m* künstlerisch wenig wertvoller Großfilm über einen biblischen Stoff. ↗Schinken. 1950 *ff.*

Biber *m* 1. Vollbart; Vollbartträger; sich abwärts verlängernder Backenbart. Der Biber ist ein Nagetier mit seidenweichem, dichtem Fell. Zuweilen wird so auch die Robbe genannt. 19. Jh.
2. langes Nackenhaar. *Österr* 1940 *ff, stud* und *schül.*
3. Bartstoppeln; unrasiertes Gesicht. *Österr* 1950 *ff.*
4. alter Witz. Dieser Witz hat einen „Biber" (↗Bart 20 c). 1920/30 *ff.*
5. *pl* = Pioniere. Biber sind geschickt im Dammbau, im Holzfällen usw. *BSD* 1965 *ff.*
6. du stinkender ~: Schimpfwort. Biber verströmen einen sehr strengen Geruch. *Marinespr* 1939 *ff.*
7. arbeiten wie ein ~ = angestrengt arbeiten. 1930 *ff.*

Biberl *n* 1. Küken. Fußt auf dem Lockruf „bibi". *Oberd* 19. Jh.
2. kleines (bedauernswertes) Kind. *Oberd* 19. Jh.

biberln *intr* genüßlich trinken. Soll auf *lat* „bibere = trinken" zurückgehen. *Österr* 19. Jh.

bibern *intr* 1. trinken. Fußt auf *lat* „bibere = trinken". 1900 *ff.*
2. schwer arbeiten. *Sold* 1939 *ff.* ↗Biber 5.

Bibi I *m* 1. Zylinderhut; steifer Hut; kleiner Hut; Kopfbedeckung. Entstellt aus Biber, dessen Pelz zu Hüten verarbeitet wird. Etwa seit 1830.
2. Baskenmütze; Mütze. Nach 1945 aufgekommen.
3. Stahlhelm. 1965 *ff, BSD.*
4. junger Mann, der mit einem älteren ein Dauer- Liebesverhältnis unterhält. Vielleicht aus „Bübchen" entstanden. Berlin 1960 *ff, prost.*

Bibi II *n* 1. Küken. ↗Biberl 1. *Oberd* 19. Jh.
2. intime Freundin. 1900 *ff.* Hängt entweder mit dem Vorhergehenden zusammen oder geht zurück auf die *franz* Redewendung „mon bibi = mein Liebchen". 1900 *ff.*

bibieren *intr* trinken. Zusammengesetzt aus *lat* „bibere = trinken" und *dt* „Bier". 1950 *ff, stud.*

'bickbeeren'blau *adj* völlig bezecht. Bickbeere = Blaubeere. 1900 *ff.*

bicken *v* koitieren. Bicken = mit dem Schnabel hacken. ↗hacken. 1500 *ff.*

Bicker *m* Penis. *Vgl* das Vorhergehende. 1900 *ff;* wohl älter.

Biege *f* 1. eine ~ drehen = a) einen ziellosen Spaziergang unternehmen; einen Rundgang durch Wirtshäuser machen. Biege = Straßenkurve. *Sold* 1939 *ff.* – b) eine Runde fahren. *Halbw* 1955 *ff.*
2. eine ~ fahren (fliegen) = eine Kurve fliegen. Fliegerspr. 1939 *ff.*
3. eine kurze ~ fahren = eine Straßenbiegung sehr scharf nehmen. 1950 *ff.*
4. eine scharfe ~ fahren = eine Kurve äußerst gewagt nehmen. 1950 *ff.*
5. eine ~ rumpeln = schnell autofahren. *Halbw* 1955 *ff.*

biegen *v* auf ~ und (oder) Brechen = entweder Nachgiebigkeit oder Entzweiung (sinngemäß: um jeden Preis!). Hergenommen von Bäumen und Pflanzen im allgemeinen, die sich biegen lassen, bis sie (infolge allzustarker Dehn-Spannung) brechen. Wer jenes Motto wählt, nimmt beides in Kauf, um sein Ziel zu erreichen. 17. Jh.

Bienchen *n* 1. weibliche Person (Kosewort). ↗Biene 1. 1920 *ff.*
2. fleißiges ~ = Jugendliche mit häufig wechselndem (bezahltem) Geschlechtsverkehr. 1960 *ff.*

Biene *f* 1. kleines Mädchen (Kosewort). Versteht sich nach Biene 3. 1920 *ff.*
2. Frau (Kosewort). 1920 *ff.*
3. nettes Mädchen; Tanzpartnerin; intime Freundin. Geht wohl zurück auf „Summ', summ', summ', Bienchen, summ' herum!" 1900 *ff.*
4. Prostituierte. Die Biene fliegt von Blüte zu Blüte. Andererseits ist „Biene" auch die Laus, so daß sich die Vorstellung des schmarotzenden Ungeziefers einstellt. 1870 *ff.*
5. Mann, der sich von einer Heiratsschwindlerin willig betören läßt. Er fliegt gewissermaßen auf den süßen Honig. 1960 *ff.*
6. *pl* = Läuse, Filzläuse. Läuse treten gleich den Bienen in Schwärmen auf und verteilen sich auf alle erreichbaren Personen; obendrein stechen sie. Seit dem frühen 19. Jh, anfangs *rotw* und *sold.*
7. *pl* = Gewehrgeschosse. Wegen des summenden Klangs. *Sold* 1939 *ff.*
8. *sg* = Zahnarzt. Anspielung auf den Surrton des Bohrers. 1939 *ff.*
9. *sg* = Flugzeug; Kampfflugzeug; Sturzkampfbomber. Vom Fliegen und vom brummenden Motorengeräusch hergeleitet. *Sold* 1939 *ff.*
10. *sg* = Leichthubschrauber. 1960 *ff, BSD.*
11. *sg* = Motorrad. 1930 *ff.*
12. eifriger Mensch; überaus arbeitsamer Mensch. Der Fleiß der Bienen ist sprichwörtlich. 1900 *ff.*
13. dufte ~ = nettes, hübsches Mädchen. ↗Biene 3; ↗dufte 1. Um 1950 verbreitet.
14. flinke ~ = Motorrad mit hoher Motorleistung. ↗Biene 11. 1960 *ff.*
15. flotte ~ = a) hübsches, umgängliches Mädchen. ↗flott. 1955 *ff.* - b) schnelles Kleinmotorrad. 1960 *ff.*
16. kesse ~ = reizendes, nicht schüchternes, schnippisches Mädchen. ↗keß. 1955 *ff.*
17. kleine ~ = Go-Kart. 1960 *ff.*
18. scharfe ~ = gewagt gekleidetes, geschlechtlich anspruchsvolles, beischlafwilliges Mädchen. ↗scharf. 1955 *ff.*

19. schaue ~ = modisch gekleidetes junges Mädchen. ↗schau. 1955 *ff.*
20. schräge ~ = sympathisches Mädchen ohne schwere Lebensart und von geschlechtlichem Entgegenkommen. ↗schräg. 1955 *ff, halbw.*
21. ständige ~ = feste intime Freundin. 1955 *ff.*
22. tofte ~ = nettes, umgängliches, modisch gekleidetes Mädchen. ↗toft. 1955 *ff, halbw.*
23. tolle ~ = sehr nettes, schwungvolles, unternehmungslustiges Mädchen. ↗toll. 1955 *ff, halbw.*
24. eine dufte ~ abstauben = mit einem netten Mädchen flirten. ↗abstauben 11. 1955 *ff, halbw.*
25. eine ~ aufreißen = eine Prostituierte engagieren. ↗Biene 4; ↗aufreißen 6. 1970 *ff.* (Zuhälterjargon).
26. eine ~ drehen = davongehen. Soviel wie wegfliegen. *Jug* 1935 *ff.*
27. laufen wie eine ~ = rüstig zu Fuß sein; leicht und schnell fahren. 1925 *ff.*
27a. eine ~ laufen haben = Zuhälter sein. ↗Biene 4. 1900 *ff.*
28. ~ machen (eine ~ machen) = unbemerkt davongehen; wegeilen; einen bestimmten Ort meiden. 1955 *ff.*
29. ich bin die ~ = ich gehe davon; ich will ausgehen. *Jug* 1955 *ff, österr.*
30. stechen wie eine ~ = mit einer höheren Karte überbieten. Kartenspielerspr. 1900 *ff.*
31. hinten stechen die ~n = beim Kartenspiel erreicht der Spieler nicht alle Stiche, er ist „gestochen" worden. Seit dem späten 19. Jh.

bienen *tr refl* entwesen, entlausen, auf Ungeziefer untersuchen. ↗Biene 6. Seit dem frühen 19. Jh.

Bienenfang *m* 1. Läusefang. ↗Biene 6. *Rotw* 1900 *ff.*
2. Razzia auf unkontrollierte Prostituierte. ↗Biene 4. Polizeispr. 1920 *ff.*
3. (Wunsch nach) Bekanntschaftsanknüpfung mit einem Mädchen. 1950 *ff.*

Bienenkönig *m* Mann im Kreis junger Mädchen. ↗Biene 3. 1960 *ff.*

Bienenkönigin *f* Lesbierin mit vielen Geliebten. ↗Biene 3. 1960 *ff.*

Bienenkorb *m* 1. wüster Haarbewuchs des Gesichts samt Vollbart. Anspielung auf ↗Bienen = Läuse. 1910 *ff.*
2. von Ungeziefer befallene Behausung. 1914 *ff.*
3. Mädchenschule. ↗Biene 3. 1955 *ff.*
4. Klassenzimmer einer Mädchenschule. Auch Anspielung auf den summenden Klang der vielstimmigen Gespräche. 1955 *ff, schül.*
5. Bordell. ↗Biene 4. 1955 *ff.*

Bienenschwarm *m* 1. Kradschützen. ↗Biene 11. *Sold* 1935 *ff.*
2. Jagdbomberverband. ↗Biene 9. 1960 *ff, BSD.*
3. Gruppe von Mädchen. ↗Biene 3. *Jug* 1955 *ff.*

Bienenstock *m* 1. Ansammlung von Trumpfkarten in einer Hand. ↗Biene 30. Jede Karte wird „gestochen". 1900 *ff.*
2. Stockwerk mit einer Junggesellenwohnung. Der Bewohner erhält Besuch von „Bienen = Mädchen". 1920 *ff.*

bienig *adj* lebenslustig, unternehmungslustig, temperamentvoll, schwungvoll. *Jug* 1960 *ff.*

Bier n 1. ~ ohne Angst = alkoholarmes Bier. Anspielung auf Angst vor Trunkenheit am Steuer. 1965 ff.
2. ~ mit Beschiß = Dünnbier. ↗Beschiß. Der Trinker fühlt sich betrogen, weil er normales Bier oder Starkbier erwartete. Sold 1939 ff.
3. ~ vom Grill = temperiertes Bier. Schweiz 1950 ff.
4. ~ für werdende Mütter = Malzbier. Wegen des hohen Nährwerts. 1950 ff.
5. fettes ~ = Bier mit viel Schaum. Hergenommen vom Begriff „fetter Speck": der Schaum auf dem Bier ist wie Speck. 1930 ff.
6. etw anbieten (ausbieten, feilbieten) wie saures ~ = Wertloses wortreich (eindringlich) anbieten. Saures, abgestandenes Bier schätzt kein Kenner. 1600 ff.
7. ~ macht den Durst erst schön = Bier macht den Durst zu einem Vergnügen. Nachgeahmt dem Lied „Eine Frau wird erst schön durch die Liebe", gesungen von Zarah Leander in dem Film „Es war eine rauschende Ballnacht" (1939). Wenig später aufgekommen.
8. das ~ trocken runterwürgen = Bier ohne Schnaps trinken. Eigentlich auf Speisen bezogen, zu denen nichts getrunken wird. 1950 ff.
9. das ist mein ~ = das ist meine Angelegenheit (nicht deine). Einen Fremden läßt man nicht aus dem eigenen Glas trinken. Sold 1939 ff.
10. das ist nicht mein ~ = das geht mich nichts an; dafür bin ich nicht zuständig; Ausdruck der Ablehnung. Ob Verwechslung mit mundartlichem „das sind deine Birnen nicht" vorliegt, ist zweifelhaft; vgl auch engl „this is not my tea". Kurz nach 1950 aufgekommen.
11. für ihn ist das fremdes ~ = das paßt nicht zu ihm. 1950 ff.
12. sich nicht ins ~ spucken lassen = eine Kränkung nicht widerspruchslos hinnehmen. 1930 ff.
13. ~ nach München tragen = Überflüssiges tun. Der gleichbed sprichwörtlichen Wendung „Eulen nach Athen tragen" nachgebildet. 1930 ff. Vgl franz „amener de la bière à Munich".
14. stoß kein ~ um! = übertreibe nicht! 1950 ff.
15. ~ verdünnen = Schnaps zum Bier trinken. 1950 ff.
16. ~ wegbringen = den Abort aufsuchen; harnen. BSD 1960 ff.
17. das ~ wird ihm sauer = die Sache ist ihm unerträglich. Von der physischen Ungenießbarkeit übertragen auf die psychische. 1950 ff.
Bierarsch m (breites) Gesäß. Bier macht dicklich, angeblich vor allem an der Sitzfläche. Vielleicht ist auch das Hinterteil der (stämmigen) Pferde vor dem Bierwagen gemeint. Seit dem ausgehenden 19. Jh.
Bierbank-Politik f am Wirtshaustisch erörterte Politik; politische Unterhaltung unter Nichtpolitikern. 1920 ff.
Bierbank-Stratege m Besserwisser auf militärischem Gebiet. Spätestens 1914 aufgekommen.
Bierbaß m 1. tiefe Stimme; rauhe Stimme (eines Trinkers, eines Bezechten). Die tiefe Stimmlage soll durch häufiges Biertrinken verursacht sein. 1700 ff.

2. tiefe Frauensingstimme; Altistin. 1900 ff.
Bierbeize f Bierlokal. ↗Beize I. 19. Jh. Vorwiegend südd.
Bierbruder m Stammgast im Wirtshaus; Biertrinker. „Bruder" war früher (wie gelegentlich noch heute) Anrede unter Genossen (am Biertisch, auf der Kegelbahn, beim Skatspiel, auf der Wanderschaft usw.). 1400 ff.
Bierbums m 1. Branntweinausschank. ↗Bums. 1800 ff.
2. bürgerliches Bierrestaurant. 1945 ff, Berlin.
Bierchen (Bierle) n wohlschmeckendes Bier. Verkleinerungssilbe kosewörtlichen Charakters. 19. Jh.
Bierdimpfel (Bierdümpfel) m 1. Biertrinker. ↗Dimpfel. Bayr 18. Jh.
2. dummer, einfältiger Mann. 19. Jh.
Bierdusche f Abkühlung durch Biertrinken. 1960 ff.
bierduselig adj leicht biertrunken. ↗duselig. 19. Jh.
bierehrlich adj 1. studentisch nicht in Verruf stehend; ist, wer an der Kneiptafel vollberechtigt sitzt. Stud 1800 ff.
2. bieder, redlich. 1900 ff.
Biereifer m großer Eifer. Wohl Anspielung auf den Eifer, mit dem die Studenten früher mehr dem Bier als dem Studium sich widmeten. 1850 ff.
bieren intr Bier trinken. 19. Jh.
Bierenkelin f Tochter des Leibfuchses. ↗Bierverhältnis. Stud 1900 ff.
bierernst adj sehr ernst; gedanklich nüchtern; sachlich-trocken. Bier macht angeblich schwerfällig und gedankenschwer, während Wein beschwingt. 1900 ff.
Bierfamilie f Gruppe der durch das „Bierverhältnis" miteinander „verwandten" Verbindungsstudenten. ↗Bierverhältnis. 1900 ff.
Bierfaß n beleibter Biertrinker; beleibter Mann. ↗Faß. 1800 ff.
bierfest adj viel Bier trinken könnend, ohne betrunken zu werden. Spezialisiert aus dem Adjektiv „trinkfest". 1900 ff.
Bierflaschenkind n Biertrinker, der aus der Flasche trinkt. ↗Flaschenkind. 1900 ff.
Biergeld n Betrag, den man vom Verdienst zum Vertrinken einbehält. Eigentlich das Geld, das man den Dienstboten früher an Stelle des Biers gab. 1500 ff.
biergemütlich adj leutselig. Biertrinker gelten im allgemeinen als verträglich und nicht dünkelhaft. 1920 ff.
Biergermane m Verbindungsstudent. Zusammenhängend mit der ungeschichtlichen Studentenliedwahrheit, daß die alten Germanen auf Bärenfellen gelegen und immer noch eins getrunken haben; ↗Bärenhaut 2. 1960 ff.
Biergesicht n feistes, schwammiges, gedunsenes Gesicht. 1870 ff.
Biergroßvater m Leibbursch des Leibburschen. ↗Bierverhältnis. 1900 ff, stud.
Bierhansel (Bierhansl) m Bierrest; abgestandenes Bier (aus der Tropftasse, dem Tropfglas). ↗Hansel. Österr 19. Jh.
Bierherz n 1. ihm bricht das ~ = a) ihn packt die Säufermelancholie. Spätestens seit 1900. – b) er erbricht sich heftig. 1900 ff. – c) er ist volltrunken. 1900 ff.
2. ihm ist das ~ gebrochen = er hat sich zu Tode getrunken. 1900 ff.
Bierhöhle f Wirtshaus. 1900 ff.

Bierhuhn n Biertrinker. Wohl ein auf den Konsum von Bier spezialisierter Verwandter des ↗Sumpfhuhns. 1900 ff.
Bieridee f unsinniger Einfall. Ein Gedanke, wie er einem Biertrinker plötzlich kommt. Vgl ↗Schnapsidee. 1870 ff.
Bierjunge m Aufforderung zum gleichzeitigen Austrinken eines vollen Bierglases. 19. Jh, stud.
Bierkirche f 1. studentisches Verbindungshaus. Anspielung auf seinen häufigen Besuch oder die Geltung als Konkurrenz zum Gotteshaus. 19. Jh.
2. großes Bierrestaurant. Das so benannte Ausflugslokal Gronau zwischen Bonn und Godesberg hatte Ähnlichkeit mit einem Kirchengebäude. Seit dem späten 19. Jh.
Bierknoten m Adamsapfel. Er bewegt sich bei jedem Schluck Bier. 18. Jh.
Bierkomment m (Endung franz ausgesprochen) Gesamtheit der studentischen Trinksitten. 19. Jh.
Bierkrieger m Mann, der am Stammtisch Gespräche über die Kriegslage führt. 1940/50 ff.
Bierkutscher m 1. fluchen wie ein ~ = grob fluchen. Bierkutscher gelten als rauhe Gesellen. Spätestens seit 1900.
2. Hände haben wie ein ~ = breite, plumpe Hände haben. 1900 ff.
3. schimpfen wie ein ~ = grobe Schimpfwörter verwenden. 1900 ff.
Bierlage f Freibier für die Tischrunde. ↗Lage. 1900 ff.
Bierlänge f Zeitraum, in dem man ein Glas Bier leert. 1900 ff, stud.
Bierlaune f drolliger Einfall eines Biertrinkers; Beschwingtheit eines Biertrinkers. 1920 ff.
Bierleiche f volltrunkener Biertrinker. ↗Leiche. 19. Jh.
Biermetropole f München; Dortmund. Wegen der vielen Brauereien. 1950 ff.
Biermimik f theatralische Aufführung unter Zechern; lustiger Vortrag an der studentischen Kneiptafel. 1900 ff.
Bierminute f Zeit, in der man ein Glas Bier trinkt. 19. Jh. Scherzhafte Berechnungsgrundlage z. B.: „5 Bierminuten = 3 Zeitminuten".
Biermusik f Unterhaltungsmusik in Bierzelten u. ä.; Klavierspiel bei studentischen Bierabenden. 1900 ff.
Biermusikant m in Gaststätten aufspielender Musiker. 1900 ff.
Biernutte f Prostituierte billigster Art. Für ein paar Glas Bier verzichtet sie auf das Beischlafentgelt. 1960 ff.
Bierologe m Brauereiwissenschaftler; Biertrinker. Vgl das Folgende. 1900 ff.
Bierologie f 1. das Zechen. Gilt nach dem Muster von „Biologie" als wettbewerbsfähige Wissenschaft. Stud spätestens seit 1900.
2. ~ studieren = Bier trinken; viele Wirtshäuser aufsuchen. 1900 ff.
Bierorganist m Klavierspieler auf studentischen Bierabenden. Er bedient die ↗Bierorgel. 1900 ff.
Bierorgel f Klavier beim Bierabend. Stud 1900 ff.
Bierpanscher m 1. Gastwirt, der das Bier verwässert; Bierfälscher. ↗panschen. 17. Jh.
2. Bierbrauer, Gastwirt (ohne den Verdacht der Verwässerung). 17. Jh.

Bierphilister *m* besserwisserischer Stammtischbesucher. ↗Philister. 1870 *ff.*

Bierranzen *m* dicker Bauch. ↗Ranzen. *BSD* 1960 *ff.*

Bierrede *f* humoristische Rede bei einem Kommers; Ulkrede. *Stud* 19. Jh.

Bierredner *m* 1. Student, der an der Kneiptafel eine lustige Rede hält. 19. Jh.
2. Parteiredner auf Versammlungen in Bierlokalsälen. 1920 *ff.*

Bierreise *f* Rundgang durch viele Wirtshäuser. *Stud* 1800 *ff.*

Bierreisender *m* Mann, der mehrere Gastwirtschaften nacheinander aufsucht, um Bier zu trinken. 1800 *ff.*

Bierruhe *f* Geduld, Unerschütterlichkeit. Biertrinker gelten im allgemeinen als geduldig, gemütlich, auch als schwerfällig. 1900 *ff.*

Biersaufen *n* rhythmisches ~ = Biertrinken nach studentischer Trinksitte. Man trinkt auf Kommando im Sitzen oder Stehen, auch im allgemeinen Stehen auf den Stühlen usw. 1955 *ff.*

Bierschiß *m* heftig riechender Darmwind eines Biertrinkers. ↗Schiß. 1920 *ff.*

Bierschwefel *m* 1. humoristische Rede am Biertisch (Kneiptafel). ↗Schwefel. *Österr* 19. Jh, *stud.*
2. unsinniges, geistloses, leeres Geschwätz. *Österr* 1900 *ff.*

bierselig *adj* biertrunken. ↗selig. 1700 *ff.*

Biersport *m* Biertrinken. 1960 *ff.*

Bierspritze *f* 1. Kellnerin, Schankmädchen. ↗Spritze. 19. Jh.
2. Ausflug zum Zweck des Biertrinkens. ↗Spritze. 19. Jh.

Bierstall *m* Soldatenkneipe. *BSD* 1960 *ff.* Die *ziv* Bezeichnung für ein Bierrestaurant ist wesentlich älter.

Bierstimme *f* tiefe Stimme. *Vgl* ↗Bierbaß 1. *Stud* 19. Jh.

Bierstrafe *f* beim Kommers verhängte Strafe des Biertrinkens. *Stud* 19. Jh.

Bierstratege *m* Zivilist, der am Biertisch die Kriegslage erörtert und seine Ansicht für unfehlbar hält. 1914 *ff.*

Bierstudiker *m* Verbindungsstudent. ↗Studiker; *vgl* die Bemerkung zu ↗Biereifer. 1950 *ff.*

Biertempel *m* Bierrestaurant. *Vgl* ↗Bierkirche 2. 1900 *ff.*

Biertippler *m* Trinker von Bierresten; Biertrinker. Gehört zu ↗Tippler = Bettler. *Österr* 1920 *ff.*

Biertischpolitik *f* Politikbeurteilung durch Laien und Besserwisser. 1920 *ff.*

Biertischschwätzer *m* Mann, der am Biertisch über alles und jedes seine Meinung äußert. 1920 *ff.*

Biertischsieger *m* besserwisserischer Zivilist in Fragen der Kriegsführung. Mit seiner vermeintlichen Feldherrnkunst kann er nur am Stammtisch siegen. 1870 *ff.*

Biertischstratege *m* Mann, der am Biertisch die Kriegsführung kritisiert und sich einbildet, er könne es besser. 1914 *ff.*

Biertour *f* Besuch von mehreren Bierlokalen. Tour = Ausflug, Reise. *Sold* 1960 *ff.* *Vgl* auch ↗Bierreise.

Biertripper *m* 1. Katarrh der Harnröhrenschleimhaut mit Ausfluß. Tritt gelegentlich auf nach dem Genuß eiskalten Bieres o. ä. 1910 *ff.*
2. Gonorrhoe. Tarnwort und Ausrede. 1910 *ff.*
3. schmerzhaftes Wasserlassen. 1910 *ff.*

Bierulk *m* Ulk, der in Zecherlaune vollführt wird. 1870 *ff, stud.*

Biervater *m* Leibbursche. *Vgl* das Folgende. *Stud* 1870 *ff.*

Bierverhältnis *n* Grad freundschaftlicher „Verwandtschaft" unter Verbindungsstudenten. Der Leibfuchs als „Sohn", der Leibbursche als „Vater", der Leibbursche des Leibburschen als „Großvater" usw. *Stud* 1870 *ff.*

Bierverschiß *m* Verlust der Bierehre, der Bierrechte. ↗Verschiß. 1800 *ff.* ↗B.V.

Bierwärmer *m* Schnaps zum Bier. Eigentlich das mit heißem Wasser gefüllte zylindrische Gefäß, das man in das Bierglas gibt. 1960 *ff.*

Bierwelt *f* trinkfreudiger Personenkreis. 19. Jh.

Bierwetter *n* heiße Witterung. 1960 *ff.*

Bierzähler *m* Adamsapfel. Er bewegt sich bei jedem Schluck, als messe er (nach Art eines Kilometerzählers o. ä.) die Menge des getrunkenen Bieres. *Stud* 1950 *ff.*

Bierzahn *m* 1. Mädchen, das gern Bier trinkt. ↗Zahn 3. 1950 *ff, halbw.*
2. Kellnerin. 1950 *ff, halbw.*

Biest *n* 1. Tier *(abfl)*. Fußt auf *lat* „bestia = (wildes) Tier". Meint bei uns sowohl die lästige Fliege als auch den Löwen. 14. Jh. Gern in der *niederd* Form „Beest" gebraucht.
2. Mensch; niederträchtiger, heimtückischer Mensch. 1700 *ff.*
3. überstrenger Vorgesetzter. 1900 *ff.*
4. unförmiger Gegenstand; (großes) Stück. Vom großen Tier auf den großen Gegenstand übertragen, etwa: „Das Klavier ist ein schweres Biest; das ist ja ein Biest von Aschenbecher". 1800 *ff.*
5. dickes ~ = Lastkraftwagen für Ferntransporte. 1960 *ff.*
6. eiskaltes ~ = gefühlloser Mensch. 1900 *ff.*
7. flottes ~ = lebenslustiges, leichtlebiges junges Mädchen. *Halbw* 1955 *ff.* ↗flott.
8. freches ~ = freches, dreistes, schnippisches Mädchen. 1900 *ff.*
9. großes ~ = berühmter Mann; Fachgröße. *Vgl* „großes ↗Tier". 1870 *ff.*
10. herrliches ~ = eindrucksvolle, aber charakterlose weibliche Person. 1900 *ff.*
11. kaltes ~ = gefühlskalte, berechnende weibliche Person. 1900 *ff.*
12. kleines ~ = verführerische, listige, hinterlistige Jugendliche. 1900 *ff.*
13. laszives ~ = unzüchtige weibliche Person. 1960 *ff.*
14. leckeres ~ = nettes Mädchen; Kosewort für Frau und Mann. Lecker = appetitlich, man möchte den Betreffenden am liebsten aufessen. 1900 *ff.*
15. nasses ~ = Beischlafdiebin. ↗naß. 1930 *ff.*
16. süßes ~ = nettes, liebevolles Mädchen; verführerische Frau. ↗süß. 1920 *ff.*
17. ulkiges ~ = Stimmungsmacher; zu Späßen aufgelegter Mensch. 1920 *ff.*
18. das ~ abgeben = sich ungesittet aufführen; schlüpfrige Dinge erzählen. „Biest" steht hier verallgemeinernd für „Sau" oder „Schwein". 1800 *ff.*

Biesterei *f* Unsauberkeit; Unsittlichkeit; Unannehmlichkeit; Niedertracht. 1800 *ff.*

biesterig *adj* verwirrt, verworren. ↗verbiestern. 1800 *ff, nordd.*

biestern (beestern) *intr* 1. sich unanständig benehmen; Zoten erzählen. 1900 *ff.*

2. angestrengt arbeiten. Man arbeitet wie ein ↗Pferd, wie ein ↗Biber, wie eine Biene usw. 1900 *ff.*

biestig *adj* 1. unwirsch, abweisend, unfreundlich, ausfallend. Hergenommen vom angriffslüsternen Hund o. ä. 1900 *ff.*
2. niederträchtig, hinterhältig; unangenehm, schmutzig. 1800 *ff.*
3. unförmig, stark. 1700 *ff.*
4. *adv* = sehr. Man kann sich „biestig" freuen, kann „biestig" lachen u. ä. 19. Jh.

big *adj* 1. unübertrefflich, außerordentlich. Aus *engl* „big = groß". *Jug* 1960 *ff.*
2. sympathisch, kameradschaftlich. *Schül* 1960 *ff.*

Bikinesin *f* weibliche Person im zweiteiligen Badeanzug. *Vgl* das Folgende. 1955 *ff.* Auf die Wortbildung haben wohl „Chinesin" und „Pekinese" eingewirkt.

Bikini *m* 1. zweiteiliger Damenbadeanzug. Benannt nach dem Atoll in der Südsee, das 1946 durch Atombombenexperimente bekannt wurde. Eine ähnlich explosive Wirkung (auf das andere Geschlecht) übte der Badeanzug aus. Nach anderen Quellen ist gemeint, es sei fast nichts mehr (an Textilresten) da – wie nach der Explosion; oder die beiden Teile des Badeanzugs lägen weit auseinander wie die Inseln der Bikini-Gruppe (eigentlich die Ralik-Inseln des Marshall-Archipels). 1950 *ff.*
2. ~ bis auf die Knie = völlig unbekleidet. 1950 *ff.*
3. falscher ~ = zweiteiliger Badeanzug, bei dem Ober- und Unterteil durch einen schmalen Steg verbunden sind. 1965 *ff.*
4. frecher ~ = gewagter Bikini. 1965 *ff.*
5. gefüllter ~ = weibliche Person im zweiteiligen Badeanzug, der ihre Umrisse angenehm veranschaulicht. 1957 *ff, jug.*
6. halber ~ = Damenbadeanzug ohne Oberteil. 1964 *ff.*
7. keuscher ~ = einteiliger, langer Damenbadeanzug. 1958 *ff.*
8. scharfer ~ = höchst gewagter zweiteiliger Badeanzug. 1958 *ff.* ↗scharf.

Bikini-Bilanz *f* Bilanz, die äußerlich einwandfrei, aber in den wichtigsten Teilen verfälscht ist. Sie legt vieles offen, aber verhüllt das Entscheidende. 1950 *ff.*

bikini *adj* zweiteilig (auf den Damenbadeanzug bezogen). 1955 *ff.*

Bikini-Kleid *n* zweiteiliges Kleid, das einen Teil des Leibes unbedeckt läßt. 1955 *ff.*

Bikinimum *n* sehr stoffarmer zweiteiliger Damenbadeanzug. 1960 *ff.* Beeinflußt von „Minimum".

Bikini-Rede *f* wortreiche Rede, bei der das Wesentliche ungesagt bleibt. ↗Bikini-Bilanz. 1960 *ff.*

Bikinissimi *m* zweiteiliger Badeanzug sparsamsten Ausmaßes. 1956 *ff.*

Bikini-Weide *f* Strandbad. 1950 *ff.*

Bikini-Zeit *f* Sommer. 1960 *ff.*

bikinös *adj* mit einem zweiteiligen Badeanzug bekleidet. 1960 *ff.*

Biko *m* klarer Kornschnaps. Abgekürzt aus „billiger Korn". 1960 *ff.*

Bilanz *f* 1. Schulzeugnis. Es legt die guten und die schlechten Leistungen offen. 1960 *ff, schül.*
2. die verschleierte ~ von Mosais = allegorische Figur in der Berliner Börse (an der Stirnwand der Hamburger Börse). Die dargestellte Frau gilt in *iron* Deutung als Beschützerin der Fälscher des Geschäftsabschlusses. Nachgeahmt dem Balladenti-

tel „Das verschleierte Bild zu Sais" von Schiller mit Anspielung auf Moses, den Gesetzgeber der Juden. 1930 ff.

3. aussehen wie eine ~ = von unergründbarer Wesensart sein; undurchsichtig, rätselvoll erscheinen. Der (die) Betreffende ist wie eine Bilanz „verschleiert". 1920 ff.

4. die ~ frisieren = die Bilanz zu Gunsten des Bilanzpflichtigen fälschen. ↗ frisieren. 1920 ff.

Bild n **1.** Gesäß. Entstellt aus gleichbed „bille", „bell". Rotw 1755 ff.

2. ein ~ für (die) Götter = ein herrlicher Anblick (oft iron gemeint). „Bild" meint hier das Musterbildnis, das Beste und Schönste. Wohl nachgebildet der Redewendung vom ↗ Schauspiel für Götter. 1920 ff.

3. durchs ~ laatschen = a) beim Film einige gar nur einen einzigen Auftritt haben. ↗ laatschen. 1957 ff. – b) unbeabsichtigt mitfotografiert werden; bei einer Filmaufnahme störend dazwischentreten. 1950 ff.

4. mach dir ein ~! = stell' dir das mal vor! man sollte es nicht für möglich halten! Spätestens seit 1900.

5. jn aus dem ~ nehmen = jn nicht länger im Fernsehen auftreten lassen. 1959 ff.

6. ~er rausstecken = vorteilhaft zu reden suchen. Leitet sich her entweder von den Bilderbogen der Moritatensänger oder von den Auslagen der Bilderhändler an den Straßen. Seit dem späten 19. Jh.

7. damit kannst du keine ~er rausstecken = damit machst du keinen (vorteilhaften) Eindruck; damit kannst du dich nicht brüsten. 1870 ff, Berlin.

8. ein ~ schießen = eine Fotoaufnahme machen. Weiterentwickelt aus „Schnappschuß" und aus der Vorstellung, daß man mit der Kamera Jagd auf lohnende Objekte macht. 1930 ff.

9. ~er an die Wand schmeißen = Lichtbilder vorführen. Das Gerät heißt „Bildwerfer". 1920 ff.

Bilderbuch n **1.** Dokumentation im Fernsehen. 1960 ff, BSD.

2. wie aus einem ~ (wie aus dem ~) = überaus schön; lieblich; idealisiert. Bilderbücher zeigen eine verschönerte Welt und ein auf Erhebung stilisiertes Geschehen. Es ist alles zu schön, um wahr zu sein. 1930 ff.

3. wie im ~ = sehr schön; sehr gut; mustergültig. 1930 ff.

4. ganze Bilderbücher erzählen (vollerzählen) = ausführlich, unglaubwürdig berichten. 1930 ff.

Bilderbuchangriff m hervorragend eingeleiteter Sturm auf das gegnerische Tor. Sportl 1960 ff.

Bilderbuch-Elfmeter m sehr geglückter Tortreffer aus der Elfmeter-Position. Sportl 1960 ff.

Bilderbuchergebnis n sehr gutes Ergebnis. 1960 ff.

Bilderbuchfamilie f mustergültige Familie. 1965 ff.

Bilderbuchfigur f sehr schöner Körperbau. 1965 ff.

Bilderbuchgesicht n schönes, liebliches Gesicht ohne große Ausdruckskraft. 1960 ff.

Bilderbuchglaube m naive Gläubigkeit. 1960 ff.

Bilderbuchglück n überaus günstiger Glücksfall, den man nicht für möglich halten sollte. 1960 ff.

bilderbuchhaft adj mustergültig. 1960 ff.

Bilderbuch-Herbst m klarer, sonniger Herbst. 1960 ff.

bilderbuchhübsch adj übermäßig hübsch; unnatürlich hübsch; lieblich bis zur Seelenlosigkeit. 1960 ff.

Bilderbuch-Karriere f sehr erfolgreiche berufliche Laufbahn. 1960 ff.

Bilderbuchlandung f punktgenaue, tadellose Landung eines Flugkörpers (Raumfahrerkapsel u. a.). 1969 ff.

Bilderbuch-Laufbahn f berufliche Laufbahn, wie sie höchst selten ist. 1960 ff.

Bilderbuchmädchen n hübsches Mädchen mit ausdruckslosem, als „hohl" empfundenem Blick. 1960 ff.

bilderbuchmäßig adj vorbildlich. 1960 ff.

Bilderbuch-Paar n schönes Liebes-, glückliches Ehepaar; ideales Paar. 1960 ff.

bilderbuchschön adj überaus schön; unecht schön. 1960 ff.

Bilderbuch-Sommer m überaus sonniger Sommer. 1955 ff.

Bilderbuch-Tag m freundlich-warmer Tag. 1950 ff.

Bilderbuch-Tor n leicht erzielter (besonders wirkungsvoller) Tortreffer. 1950 ff, sportl.

Bilderbuch-Weihnachten n Weihnachten ganz so, wie man es sich erträumt. 1960 ff.

Bilderbuch-Wohnung f Wohnung, die die höchsten Erwartungen erfüllt. 1960 ff.

Bilderbuch-Zeugnis n mustergültiges Zeugnis. 1960 ff.

Bildergalerie f Verbrecheralbum. Nach Art einer Gemäldesammlung enthält es die Fotos von Verbrechern. 1900 ff.

Bilderladen m **1.** Gesicht. Spielt an auf die vielfältigen Ausdrucksmöglichkeiten der Mimik; das Gesicht ist nicht ein Bild, sondern eine ganze Bildergalerie. Seit dem späten 19. Jh.

2. stark geschminktes Gesicht. 1920 ff.

'bild'fesch adj sehr hübsch. ↗ fesch. Österr 1900 ff.

Bildfläche f **1.** auf der ~ erscheinen = herbeikommen. „Bildfläche" ist eigentlich die Fläche des Guckkasten-Bildes, später der Sucher des Fotoapparats; hier der Ort des Geschehens. 1840/50 ff.

2. jn von der ~ fegen = jn hinausweisen, fristlos entlassen. 1960 ff.

3. von der ~ verschwinden = sich entfernen; nicht mehr in der Öffentlichkeit auftreten; sich ins Privatleben zurückziehen. 1840/50 ff.

Bildhauer m **1.** Lehrer. Vgl ↗ Bild 1. Kundenspr. 1755 ff.

2. Mensch, der aus Erbitterung, Zerstörungswut oder krankhafter Veranlagung Denkmäler (Bilder führender Persönlichkeiten) beschädigt. Seit dem ausgehenden 19. Jh.

Bildkiste f Fernsehgerät. 1960 ff.

Bildkonserve f Bildaufzeichnung auf Magnetband. ↗ Konserve. 1955 ff.

Bildmaschine f Kamera. Das Fotografieren geht mechanisch vor sich. 1960 ff.

Bild-Nassauer m Mann, der bei Bekannten fernsieht. ↗ Nassauer. 1959 ff.

'bild'sauber adj überaus appetitlich; ausgezeichnet. Oberd 19. Jh.

Bildschirm m **1.** über den ~ flimmern = im Fernsehen gesendet werden; im Fernsehen auftreten. 1960 ff.

2. den ~ sprengen = im Fernsehen einen üppigen Busen zeigen. 1959 ff.

3. den ~ zudrehen = eine geplante Sendung vom Programm absetzen. Wie man einen Gas- oder Wasserhahn zudreht. 1965 ff.

Bildschirmdame f Fernsehansagerin. 1960 ff.

Bildschirmgesicht n für telegene Wirkung zurechtgemachtes Gesicht. 1960 ff.

Bildschirmgrüßerin f Fernsehansagerin. Sie begrüßt die Fernsehzuschauer nach Art eines „Begrüßaugust" oder Empfangschefs. 1959 ff.

Bildschirmhase m Mensch mit praktischer Fernseherfahrung. ↗ Hase. 1960 ff.

Bildschirmheld m **1.** Fernsehkünstler o. ä. 1960 ff. Entsprechend dem „Leinwandhelden".

2. Sieger im Fernseh-Quiz. 1959 ff.

Bildschirmkino n Filmvorführung im Fernsehen. 1960 ff.

Bildschirmleiche f Künstler, der zum Auftreten im Fernsehen nicht mehr zugelassen wird. 1968 ff.

Bildschirmmagnet m beliebter Mitwirkender im Fernsehen. 1965 ff.

Bildschirmnixe f Fernsehschauspielerin in einer Badeszene. ↗ Nixe. 1966 ff.

Bildschirm-Normalverbraucher m Fernsehzuschauer mit geistig durchschnittlichen Ansprüchen; Fernsehzuschauer als Massenmensch. ↗ Normalverbraucher. 1963 ff.

Bildschirmpauker m Erteiler von wissenschaftlichem Unterricht durch Fernseh-Übermittlung. ↗ Pauker 1. 1958 ff.

bildschön adj adv **1.** es jm ~ besorgen = a) etw für jn gut erledigen, beschaffen. Seit dem späten 19. Jh. – b) jn in die Abneigung deutlich fühlen lassen. ↗ besorgen 2. 1870 ff. – c) dafür sorgen, daß jds wahrer Charakter bekannt wird; jn entlarven. 1870 ff.

2. ~ ist Dreck dagegen = es ist überaus schön. Man will sagen, daß die Bezeichnung „bildschön" stark untertrieben wäre. 1920 ff, schül.

Bildstörung f **1.** Schiefgesichtigkeit. Vom Zerrbild im Fernsehen übernommen. 1959 ff.

2. plötzliches Erwachen aus dem Traum. 1975 ff.

Bildung f **1.** die ~ aus dem Hals fallen lassen = unverschämt, grob werden. Was man aus dem Hals fallen läßt, ist das Erbrochene; daher Analogie zu ↗ auskotzen. Südwestd 1930 ff.

2. ~ melken = Gymnasiast sein; studieren. Höhere Schule und Hochschule als Milchkühe, die sich geduldig abzapfen lassen, was Bildungshunger und Wissensdurst stillt. Vielleicht auch Anspielung auf „die Milch der frommen Denkart" (Schiller, „Wilhelm Tell", 1804). 1960 ff.

Bildungsbauch m Beleibtheit der Studierenden, der sitzend Tätigen. 1950 ff.

Bildungsfex m Mann, der nach mehr Bildung strebt (abf). ↗ Fex. Das Bildungsinteresse wird als Narretei abgetan. 1950 ff.

Bildungsgerät n Fernsehgerät (abf). Spöttische Anspielung auf den meinungsbildenden Einfluß des Fernsehens. 1965 ff.

Bildungshamster m Mensch auf Bildungs-, Urlaubsreise. Der Hamster legt sich einen Vorrat an Lebensmitteln an: ähnlich hamstert der Reisende „Bildungseindrücke". 1967 ff.

Bildungsidiot m Mann, der über den dritten Bildungsweg studiert. Sehr harte und ungerechte Bezeichnung, aufgekommen im Gefolge von ↗ Fachidiot. 1968 ff.

Bildungsladen m Schule, Lehranstalt. Sie ist ein Geschäft, in dem mit Bildung gehandelt wird wie mit einer Ware. 1910 ff.

Bildungsmuffel m Bildungsuninteressierter. Dem ↗ Krawattenmuffel nachgebildet. 1965 ff.

Bildungsproletariat n diplomierte Akademiker oder Leute mit entsprechender Ausbildung, die sich ihren Lebensunterhalt kümmerlich verdienen. Dem „Arbeiterproletariat" nachgebildet. Im späten 19. Jh. aufgekommen.

Bildungsprotz m Mensch, der sich mit angelesenem Wissen brüstet. ↗ Protz. 1900 ff.

Bildungsschuster m Lehrer, Dozent; schlechter Lehrer. Schuster ist im übertragenen Sinne einer, der eine Sache mehr schlecht als recht bewerkstelligt. 1900 ff.

Bildungssilo m Gymnasium. Lagerspeicher für Bildungsgut. Schül 1960 ff.

Bildungsspritze f Fortbildungslehrgang; Ausbildungskredit. Der medizinischen „Aufbauspritze" nachgebildet. 1965 ff.

Bildungstempel m Schule, Hochschule. Im Rang eines Gotteshauses ist sie eine Stätte der Ehrfurcht. 1960 ff.

Bildungstrieb m Geschlechtstrieb. Bildung = Erzeugung. 1930 ff.

Bildungswarenhaus n Volkshochschule. Alle Bildungswerte sind dort zu billigem Preis und in billiger Aufmachung zu erwerben. 1920 ff.

Billard n ~ spielen = die Hände in der Hosentasche haben. ↗ Taschenbillard. 1900 ff.

Billardkugel f 1. Kahlkopf. Er ist so glatt und kugelförmig. 1900 ff.
2. pl = Augen, vor allem die stark hervortretenden. 1910 ff.

billig adj adv 1. unvollkommen; geistig wertlos; ungeschickt ausgedacht. 1930 ff.
2. ~ mit Millich = unschwer beschaffbar oder ausführbar. Es verursacht keinerlei Kosten. Etwa seit 1900. Dazu der Spruch: „Billich mit Millich still' ich mein Kind!". Die Redewendung ist bei Kartenspielern geläufig, wenn sie ein leicht zu gewinnendes Spiel in der Hand haben.
3. ~ aussehen = einen gemeinen, vulgären Eindruck machen. 1920 ff.
4. ~ einkaufen (kaufen) = listig beschaffen; entwenden; Ladendiebstahl begehen. Tarn- und Scherzausdruck. Seit den frühen 20. Jh.
5. ~ schauen = dumm dreinblicken. Dazu das Sprichwort: „Schau' nicht so billig, sonst kaufe ich dich!". Bayr 1900 ff.
6. etw ~ schießen = etw geschickt entwenden, an sich bringen. ↗ schießen. Leitet sich wohl her von der Schießbude, in der man gegen geringe Gebühr einen Gegenstand durch einen Treffer erwerben kann. Sold in beiden Weltkriegen.
7. das ist zu ~!: Ausdruck mißfälligen Staunens. Ein Witz ist billig, wenn seine

Pointe einfallsarm ist; eine Bemerkung ist billig, wenn man sie nach ungenügendem Nachdenken äußert. Schül 1950 ff.

Billigmacher m Im Skat gefundener (hoher) Bube. Da dieser Bube so zählt, als habe der Spieler ihn von Anfang an im Spiel gehabt, wird das Spiel in der Berechnung „billiger", nämlich niedriger. Seit dem späten 19. Jh, Kartenspielerspr.

Bimbam I n Geläute. Ein Wort der Kindersprache. „Bim" gibt den hellen Klang wieder, vor allem den Ton der kleinsten Kirchenglocke; „bam" ahmt den tieferen Klang nach. 18. Jh.

Bimbam II f 1. Klingel. 1800 ff.
2. Hode(n). Wegen des glockenförmigen Hodensacks. 1800 ff.
3. Penis. 1800 ff.

Bimbam III m Heiliger ~!: Ausruf der Verwunderung, des Unwillens o. ä. Ein fiktiver Heiliger der katholischen Kirche wird angerufen, dessen Namen man dem Kirchengeläut nachgebildet hat. Einfluß von ↗ Bimbam II 2 und 3 ist sehr wohl möglich. Etwa seit 1850.

Bim'bim f Straßenbahn. Nachahmung des hellen Glockenklangs. 1900 ff, Kinderspr.

Bimmel I f Schelle, Klingel. Schallnachmung des hellen Tons und des dünnen Klangs. ↗ bimmeln. 17. Jh.

Bimmel II m 1. Hodensack; Penis. Wegen der Glockenform des Hodensacks. Vgl auch ↗ Pimmel. 19. Jh.
2. Windrichtungsanzeiger auf Flugplätzen. ↗ Pimmel 3.

Bimmelbahn f Kleinbahnzug; elektrische Straßenbahn. Wegen des oftmaligen Läutens vor unbeschrankten Bahnübergängen bzw. wegen der hellen Glocke, die beim Anfahren der Straßenbahn erklingt. 1850 ff.

bimmeln v 1. intr = läuten, schellen, klingeln. ↗ Bimmel I. 17. Jh.
2. koitieren. ↗ Bimmel II. 1900 ff.
3. es hat gebimmelt = die Geduld ist zu Ende. Analog zu ↗ schellen. Seit dem späten 19. Jh.
4. bei dir hat es wohl gebimmelt? = du bist wohl nicht bei Sinnen? Vgl ↗ schellen. 1900 ff.

Bimmelsack m Klingelbeutel. An ihm befindet sich ein Glöckchen, um die Aufmerksamkeit der Opfernden zu erregen. 1930 ff.

Bims I n Brot, Kommißbrot. Ist entweder eine Nebenform zu rotw „Pimmer = Brot" oder geht unmittelbar auf lat „panis = Brot" zurück. Denkbar ist aber auch der Vergleich von hartem (trockenem) Brot mit dem ähnlich porigen Bimsstein. Rotw seit dem späten 19. Jh.

Bims II m 1. Geld. Fußt vielleicht auf dem Schallwort „bim", dem Ton beim Aufzählen von Münzen. Kundenspr., sold und stud seit 1870.
2. schlechte Note. Hängt vielleicht zusammen mit „Bimmes = derber Knüttel": der Schüler muß wegen der schlechten Noten mit Prügeln rechnen. 1950 ff, schül.
3. Wehrdienst. ↗ bimsen 3. 1870 ff.
4. der ganze ~ = das Ganze (abf). 1920 ff.

Bimse pl Prügel. ↗ bimsen 2. Seit dem späten 19. Jh.

bimsen v 1. tr = putzen, reinigen. Hergenommen vom Bimsstein, mit dem man

Lederzeug, Eisenteile und Holzflächen scheuert. Sold und marinespr 19. Jh.
2. tr = jn prügeln. Fortführung aus dem Vorhergehenden: „mit Bimsstein reiben" ergibt die Parallele zu ↗ abreiben 1. 19. Jh.
3. tr = jn einexerzieren, drillen; jm militärische Art beibringen. Wie das Lederzeug mit dem Bimsstein glattgerieben wird, so soll durch das Exerzieren auch der Soldat „geschliffen" werden: die zivilistischen „Ecken" werden geglättet. Etwa seit 1870.
4. koitieren. Beruht wie ähnliche Ausdrücke auf der Vorstellung des Hin- und Herreibens. 1870 ff.
5. tr = lernen; Wissensstoff sich einprägen. Eine andere Form von Bild. 1870 ff.
6. tr = jm etw mühsam einlernen. Vgl das Vorhergehende. Doch ist auch die Bedeutung „prügeln" heranzuziehen: wie „pauken" meint auch „bimsen" das Einlernen mittels angedrohter oder vollzogener Prügel. 1900 ff.
7. tr intr = bezahlen. ↗ Bims II 1. Seit dem späten 19. Jh.

Bimsquetsche f Mund. Gehört zu „↗ Bims I = Brot". Jug 1950 ff, öster.

Binde f 1. einen hinter die ~ brausen (gießen, schütten, hauen, kippen o. ä.) = einen Schnaps o. ä. trinken. Binde = Halsbinde. Aufgekommen um 1800, als Halsbinden üblich und Kragen unbekannt waren.
2. eins hinter der ~ haben = ein Glas Alkohol getrunken haben; betrunken sein. Aus dem Vorhergehenden gekürzt. 19. Jh.
3. sich jn vor die ~ nehmen (jn bei der ~ nehmen) = jn streng zur Rede stellen, scharf verhören. Man ergreift ihn an der Halsbinde. Seit dem frühen 20. Jh.

Bindestrich-Land n zu mehreren eigenständigen Landschaften auf dem Verwaltungsweg (durch Befehl) geschaffenes Bundesland. 1955 ff.

Bindfaden m 1. pl = dünne Nudeln; Spaghetti. Wegen der Formähnlichkeit. 19. Jh.
2. ~ mit Beinen = hagerer Mensch. 1900 ff.
3. gemästeter ~ = sehr schlankwüchsiger Mensch. 1900 ff.
4. vollgefressener ~ = Mensch von dünner bis dürrer Statur. 1900 ff.
5. es regnet Bindfäden = es regnet sehr stark. Der Regen erweckt den Eindruck von Wasserschnüren. Vgl ↗ Schnürlregen. 1800 ff.

Bindfadenregen m heftiger Regen. ↗ Bindfaden 5. 19. Jh.

Binkel m Schimpfwort auf einen groben Burschen. Eigentlich soviel wie „Bündel" und daher parallel zu „↗ Pack". Öster 19. Jh.

Binnenbrief m dringliche schriftliche Mahnung. Fußt auf dem üblichen Text: „falls Sie nicht binnen ... Tagen zahlen ...". 1930 ff.

Binnenfinger m Zeigefinger. Hängt zusammen mit der Drohgebärde dieses Fingers und der Begleitworten: „wenn Sie nicht binnen ...". Öster 1930 ff.

Binsen pl in die ~ gehen = 1. entzweigehen; verloren gehen. Leitet sich her von Wildenten und anderen Wasservögeln: sie flüchten in die Binsen am Ufer, machen sich so für den Jäger unsichtbar und unerreichbar; selbst angeschossene Beute kann er da nicht mehr erlangen. 19. Jh.

2. sterben. 1900 *ff.*

Binsenwahrheit *f* unumstößliche Wahrheit; mühelos zu begreifende Wahrheit. Geht wahrscheinlich auf die antike Midas-Sage zurück: Apollo ließ dem König Midas zur Strafe Eselsohren wachsen; die Schande unter einer Krone zu verstecken, mißlang; der Haarkräusler entdeckte das Geheimnis, wagte aber nicht, es auszuplaudern; so grub er ein Loch in den Boden und flüsterte sein Wissen in die Erde hinein. Dort wuchsen Binsen empor und raunten nun die Kunde von den Eselsohren weiter. 18. Jh (Christoph Martin Wieland).

Birne *f* **1.** Kopf. Fußt auf der Ähnlichkeit der Birnenfrucht mit dem Langschädel. Birnenförmig war der Kopf des „Bürgerkönigs" Louis-Philippe etwa in Karikaturen von Honoré Daumier, weswegen der König noch im ausgehenden 19. Jh als „le roi-poire" bekannt war. 1870/80 *ff.*

2. dicke Nase. 1900 *ff.*

3. Glühbirne. Hieraus verkürzt. 1910 *ff.*

4. Helm. *Sold* seit dem Ersten Weltkrieg.

5. Tunichtgut, Taugenichts. Ironisiert aus „gute Birne". *Oberd* 1900 *ff.*

6. seine sieben gebackenen ∼n = seine Habe. Analog zu „seine sieben ↗Zwetschgen". 19. Jh.

7. matsche ∼ = Dummheit. ↗Matschbirne. 1920 *ff.*

8. mulsche ∼ = Geistesbeschränktheit; schlechtes Auffassungsvermögen. Mulsch = verrottet, überreif. 1910 *ff.*

9. weiche ∼ = geistige Unzurechnungsfähigkeit; Dummheit; Begriffsstutzigkeit. „Weich" spielt auf Gehirnerweichung an. 1910 *ff.* Von Berlin ausgegangen.

10. es geht ihm nicht in die ∼ = er begreift es nicht. *Rocker* 1970 *ff.*

10 a. einen an (in) der ∼ haben = nicht bei Sinnen, betrunken sein. *Schül* 1965 *ff.*

10 b. viel in der ∼ haben = klug, gebildet sein. *Halbw* 1970 *ff.*

11. eine dicke ∼ haben = völlig ratlos, beklommen sein. Dicker Kopf = Begriffsstutzigkeit. 1910 *ff.*

11 a. sich einen in die ∼ klopfen = Alkohol zu sich nehmen. *Jug* 1975 *ff.*

12. sich gefechtsmäßig einen in die ∼ knallen = sich betrinken. „Gefechtsmäßig" meint soviel wie „im Kreis der Kameraden" und setzt auf kameradschaftliche Trinksitten an. 1960 *ff*, *sold.*

13. ihm kocht wohl die ∼? = er ist wohl nicht recht bei Verstande? Die Denkmaschine des Betreffenden ist heißgelaufen; es kommt nur Dampf heraus. 1910 *ff.*

14. du kriegst auf die ∼, bis du lachst!: Drohrede. *Rocker* 1968 *ff*, Hamburg.

15. mit der ∼ schlackern = völlig überrascht sein; sich nicht zu helfen wissen. Schlackern = hin- und herbewegen. Man schüttelt den Kopf vor Fassungslosigkeit. 1900 *ff.*

16. bei ∼ sein = scharf aufpassen; seine Gedanken konzentrieren; auf seinen Vorteil genau achten. Berlin 1920 *ff.*

16 a. ∼n mit Äpfeln verwechseln = einen unlogischen Vergleich anstellen. 1960 *ff.*

17. die ∼ wackelt = die Hinrichtung droht. Berlin 1920 *ff.*

18. sich die ∼ zerquetschen = angestrengt nachdenken. Derbere Form von „sich den ↗Kopf zerbrechen". 1930 *ff.*

birnen 1. *intr* = nachdenken, überlegen. ↗Birne 1. 1935 *ff.*

2. *intr* = leicht verrückt sein. ↗Birne 9. 1935 *ff.*

3. jn ∼ = jn an den Kopf schlagen, prügeln. 1920 *ff.*

'Birnenpo'po *m* hübsch gerundetes Gesäß. ↗Popo. 1955 *ff.*

bis zum 'Geht-nicht-mehr = bis zum äußersten; bis zur Verzweiflung. So weit, bis es nicht mehr weitergeht, oder bis es unerträglich wird. 1920 *ff.*

Biß *m* **1.** dickes Stück Brot (Fleisch, Wurst o. ä.). *Bayr* 1950 *ff.*

2. Kampfgeist; volle Einsatzbereitschaft. Hergenommen vom Biß des ungeduldigen Rennpferdes auf die Gebißstange der Kandare, o. ä. *Sportl* 1950 *ff.*

3. mutige Anprangerung; satirischer Treffer. 1960 *ff.*

4. volles Ausfahren des Motors bis zu seiner Höchstleistung. Kraftfahrerspr. 1960 *ff.*

5. jm den ∼ zermanschen = a) jm das Essen verleiden. ↗manschen. 1940 *ff.* – b) jm die Zähne einschlagen. 1940 *ff.*

Bißchen *n* **1.** anderes ∼ = sehr jugendlicher Prostituierter. „Bißchen" spielt auf die Jugend oder geringe Körpergröße an; „anders" steht für „homosexuell". 1948 *ff.*

2. ach du liebes ∼!: Ausruf des Erstaunens oder Entsetzens. Bißchen = kleines Kind. Seit dem späten 19. Jh.

bißchen *num* ein bißchen 'was sein = sich zur vornehmen Gesellschaft zählen; zu den gehobenen Kreisen gehören. 1850 *ff.*

Bissen *m* **1.** fetter ∼ = a) willkommener Vorfall. Vom Essen hergenommen. 1920 *ff.* – b) sehr lohnendes Angriffsziel. *Marinespr* 1939 *ff.*

2. an einem ∼ kauen = etw nicht verwinden. An einem harten Bissen hat man lange zu kauen, ehe er in die Speiseröhre gelangt und schließlich im Magen verdaut werden kann. 1940 *ff.*

3. jm die ∼ in den Mund zählen = jm die Kost mißgönnen. 19. Jh.

Bißgurn (Bischgurn, Bißgurre, Bischgurre, Pischkure) *f* zänkisches Weib. Gurre = Stute, schlechte Stute. Von da übertragen zur Bezeichnung für eine weibliche Person. „Biß-" versteht sich aus „bissig". *Oberd* 1800 *ff.*

bissig *adj* mit voller Kraft angriffsbereit. ↗Biß 2. *Sportl* 1950 *ff.*

Bissigkeit *f* gesteigerter Angriffswille. *Sportl* 1950 *ff.*

Bitte *f* **1.** einer von der siebten ∼ = schlechter, unsympathischer Mensch. Hergenommen von der siebten Bitte des Vaterunsers: „erlöse uns von dem Übel!". 1700 *ff.*

2. gekochte ∼!: Antwort auf „heißen Dank!". 1930 *ff.*

bitte-bitte machen = die Fingerspitzen gegeneinander schlagen. Gebärde des Betens, Bittens und Bettelns. Kinderspr. 1900 *ff.*

bitten *tr* nun bitte ich dich bloß um alles in der Welt, warum . . .: vorwurfsvolle Frage. 1900 *ff.*

bitter *adj* **1.** das schmeckt ∼ = das ist schmerzlich, bedauerlich, macht keine Freude. Bitter = scharf, herb (auf den Geschmack bezogen). Seit dem späten 19. Jh.

2. das ist ∼ = das ist bedauerlich, bekla-

genswert. Oft burschikos-ironisch gemeint im Sinne von „das ist unangenehm". 1870 *ff.*

3. ich werde ∼ = das ist für mich sehr unangenehm. Fußt auf Schiller, „Don Carlos" (I,2): „Hier fühl' ich, daß ich bitter werde". 1850 *ff.*

bitzeln *v* **1.** *intr* = prickeln. Geht zurück auf *mhd* „bizen = beißen". 1500 *ff.*

2. *tr* = jn necken, ärgern. *Österr* 1800 *ff.*

3. es bitzelt mich = es ärgert mich. *Österr* 1800 *ff.*

Bitzelwasser *n* **1.** Sekt, Schaumwein. Die Kohlensäurebläschen prickeln. 1935 *ff.*

2. Mineralwasser. Frankfurt am Main und Umgebung, 1935 *ff.*

Bla'bla (Bla-Bla) *n* leeres Geschwätz. Stammt aus *franz* „faire du bla-bla" (= schwätzen), wohl beeinflußt von *dt* „blabbern = plappern" und der Interjektion „papperlapapp". 1920 *ff.*

Black *f* *(m, n)* *(engl* ausgesprochen) **1.** Tinte. Meint eigentlich „Schwärze". *Vgl engl* „black = schwarz". *Niederd* 14. Jh.

2. er hat ∼ gesoffen = er ist nicht bei Verstand. Analog zu „er hat ↗Tinte gesoffen". 1800 *ff.*

Blackscheißer (-schieter) *m* Schreiber, Schriftsteller, Studierter, Gelehrter. Analog zu ↗Tintenscheißer. 14. Jh, vorwiegend *niederd.*

blad *adj* dick. Eigentlich soviel wie „gebläht". *Oberd* 1900 *ff.*

bladern (blädern) *intr* dümmlich reden; sich aufspielen. Man bläht sich auf wie ein ↗Frosch. *Oberd* 1900 *ff.*

Bladschari *m* ↗Platschari.

blaffen *intr* **1.** schießen; Schüsse hören. Schallnachahmend für den kurzen Bell-Laut des Hundes. *Sold* in beiden Weltkriegen.

2. schimpfen; schreiend äußern. Schon im frühen 15. Jh belegt; wiederaufgelebt um 1800.

Blag *n* **1.** unartiges Kind. Verkürzt aus „Wechselbalg" mit Buchstabenumstellung, wohl beeinflußt von „plagen". 1700 *ff.*

2. uneheliches Kind. 19. Jh.

Blage *f* **1.** kleines Mädchen; ungezogenes Mädchen. *Vgl* ↗Blag 1. 19. Jh.

2. daß mir keine ∼ ins kommen!: Abschiedswarnung der Eltern vor dem Ausflug der Tochter mit ihrem Freund. 1930 *ff.*

blähen *refl* sich brüsten; eingebildet sein. Gehört zu „sich aufblasen wie ein ↗Frosch". 15. Jh.

Blak *m* ∼ reden = Unsinn reden. Blak = Ruß; rußiger Qualm. Analog zu „↗Qualm = Unsinn". *Nordd* 1800 *ff.*

Bläke *f* Zunge. ↗bläken. 19. Jh.

bläken *intr* die Zunge herausstrecken. ↗blecken. 19. Jh.

Blamage *f* (Endung *franz* ausgesprochen) peinliche Bloßstellung; Schande. Nach 1750 in Studentenkreisen entstanden und zwar frei nach ähnlichen *franz* Wörtern. Erweitert aus *franz* „le blâme = Schmähung".

blamieren *v* **1.** *tr* = jn bloßstellen, lächerlich machen. Fußt auf *franz* „blâmer = tadeln". Man tadelt das, worin sich der andere bloßgestellt hat. Nach 1750 aufgekommen.

2. jeder blamiert sich, so gut er kann: Redensart auf anstandswidriges Verhalten oder auf eine törichte Äußerung. 1850 *ff.*

blamoren *part* bloßgestellt. Scherzhaft aus „blamieren" abgewandelt seit dem frühen 19. Jh.

blank *adj* **1.** nackt. Eigentlich soviel wie „weiß, glänzend, blinkend". 1600 *ff.* **2.** ohne Präservativ. 1950 *ff, prost.* **3.** ~ gehen = ohne Überrock gehen. *Österr* 19. Jh. **4.** jn ~ putzen = jm alles Bargeld abgewinnen. 1900 *ff.* **5.** ~ sein = mittellos sein; kein Geld mehr haben. Man ist von Geld „entblößt". 1700 *ff.* **6.** ~ sein = sein Arbeitspensum erledigt haben. Man hat die Arbeitsstätte aufgeräumt. 1900 *ff.* **7.** ~ sein = dem Lehrer die Antwort schuldig bleiben. Der Schüler ist mit seinem geistigen Kapital am Ende. *Schül* 1950 *ff.* **8.** in einer Farbe ~ sein = von einer Farbe keine Karte haben. Kartenspielerspr. 1900 *ff.* **9.** ~ spielen = keinen Stich machen. Kartenspielerspr. 1900 *ff.*

Blanker *m* **1.** nacktes Gesäß. ↗ blank 1. 1600 *ff.* **2.** nicht besetzte Einzelkarte einer Farbe. Kartenspielerspr. 1900 *ff.* **3.** jm den Blanken zeigen = jm das entblößte Gesäß zeigen und ihn dadurch verhöhnen. 1600 *ff.*

blanko *adv* **1.** nackt. Vermeintliche Italianisierung; zusammengesetzt aus *ital* „bianco = weiß" und *franz* „blanc = weiß". 19. Jh. **2.** ~ Arschio = a) mit bloßem Gesäß; nackt. Italianisierung von „Arsch". 1900 *ff.* – b) völlig ausgeplündert. *Sold* in beiden Weltkriegen. **3.** ~ sein = mittellos sein. 1800 *ff.*

blankziehen *intr* **1.** die Hose herunterziehen. Stammt aus der Fechtersprache: beim Beginn des Fechtgangs wird die Waffe aus der Scheide gezogen. 19. Jh. **2.** den Penis aus der Hose nehmen; sich zum Beischlaf anschicken. 1830/40. **3.** die Geldbörse zum Bezahlen hervorziehen. 19. Jh.

Blaschke *Pn* **1.** Frau ~ = leichtgläubige, schwatzhafte weibliche Person. Soll auf *tschech* „blažka" zurückgehen (das zu „blaha = Einfältiger" gehört). *Österr* 19. Jh. **2.** das kannst du Frau ~ erzählen!: Ausdruck der Abweisung einer unglaubwürdigen Mitteilung. *Österr* 19. Jh.

Blase *f* **1.** nichtschlagende Studentenverbindung; nichtfarbentragende Studentenverbindung. Meint entweder einen Zusammenschluß von Hohlköpfen (denn die Blase ist hohl) oder die Harnblase mit Anspielung auf die Verwendung des Penis lediglich zum Harnen. *Stud* etwa seit der Mitte des 19. Jhs. **2.** zusammengewürfelte Gesellschaft; Horde; mißliebige Gruppe; Verbrecherbande. Hier ist von der Haut- oder Eiterblase auszugehen mit ihren vielen ungesunden Bestandteilen. Nach 1850 aufgekommen. **3.** Zusammenschluß von Halbwüchsigen; Jünglingsklub; Schülergruppe. 1920 *ff.* **4.** kleine militärische Gruppe. 1960 *ff, BSD.* **5.** lange Farbe im Kartenspiel. ↗ Blase 7. Kartenspielerspr. 1900 *ff.*

6. Kleinauto. Verkürzt aus ↗ Asphaltblase. 1965 *ff, halbw.* **7.** die ganze ~ = die gesamte Verwandtschaft; die ganze Gesellschaft. 1900 *ff.* **8.** die ~ aufstechen = die Kombination der Gegner im Kartenspiel vereiteln. Kartenspielerspr. 1900 *ff.* **9.** die ~ betrügen = weinen. Blase = Harnblase. 1945 *ff.* **10.** die ~ ist geplatzt = a) das Befürchtete ist eingetreten. Mit der Blase ist hier wohl das Sammelbecken des Destillats bei der Schnapsbrennerei gemeint. 1870 *ff.* – b) die Verbrecherbande ist unschädlich gemacht worden. ↗ Blase 2. 1900 *ff.* – c) die feindliche Stellung wurde erobert, die Besatzung wurde gefangengenommen oder niedergemacht. *Sold* in beiden Weltkriegen. **11.** etw in der ~ haben = etw ahnen. Blase = Harnblase. *Vgl* ↗ Urin. 1930 *ff.* **12.** eine hohle ~ haben = Hunger haben; gefräßig sein. Der leere Magen erscheint hier als luftgefüllter Hohlraum. 1900 *ff.* **13.** sich ~n laufen = viele Wege machen; sich vergeblich bemühen. Blase = Wasserblase. 1930 *ff.* **14.** die ~ ist auf Urlaub = es wird schief gemauert. Anspielung auf die Luftblase in der Wasserwaage. 1920 *ff.* **15.** ~n werfen = Folgerungen auslösen. Hergenommen vom Lackanstrich. 1920 *ff.* **16.** es zieht ~n = es hat Folgen, es gibt Anlaß zu Verbitterung, zu bösen Bemerkungen usw. Blase = Brandblase. 1900 *ff.*

blasen *v* **1.** *intr* = wecken. Das Wecksignal wurde früher mit dem Horn gegeben. 1960 *ff, sold.* **2.** jm etw ~ = a) jm etw ablehnen. Man macht mit dem Munde „pöh" oder „püh" zum Zeichen verächtlicher Ablehnung. 1700 *ff.* – b) dem Mitschüler vorsagen. ↗ einblasen. *Schül* 1930 *ff.* – c) jm nachdrücklich Vorhaltungen machen. Man stößt den Atem heftig aus und bläst [= faucht wie eine Katze]. 19. Jh. – d) jm etw einflüstern, gerüchtweise anvertrauen; jm einen Fingerzeig geben. 1900 *ff.* **4.** blas du was!: Ausdruck der Ablehnung. 19. Jh. **5.** *intr* = Darmwinde entweichen lassen. 19. Jh. **6.** einen ~ = ein Glas Alkohol zu sich nehmen. Wer die Flasche an den Mund setzt, ähnelt dem Horn- oder Trompetenbläser. Auch gibt es hornförmige Trinkgefäße. Spätestens seit 1800. *Vgl* auch ↗ pfeifen 10. **7.** einen ~ = fellieren. Der Penis als ↗ Flöte. 1900 *ff.* **8.** blas mir!: Ausdruck derber Ablehnung. Gemeint ist wohl „blas' mir in den Hintern!". 1900 *ff.* **9.** sich ~ = hochmütig, stolz tun. Man bläst sich auf wie ein ↗ Frosch. 14. Jh. **10.** sich einen ~ = anmaßend auftreten; sich aufspielen. Man bläst sich auf und gibt die Atemluft wieder geräuschvoll von sich. *Österr* 1900 *ff.* **11.** es ist nicht zu ~!: es ist unvorstellbar, unglaublich, unerträglich! Leitet sich davon her, daß bestimmte Klangfiguren nicht auf Blasinstrumenten wiedergegeben werden können. 1850 *ff.*

Blasengeschichte *f* Bildergeschichte mit

(blasenartig eingerahmtem) Sprechtext, Comic-strip. 1955 *ff.*

Blasenkopf *m* **1.** törichter, dummer Mensch. Er ist ein Hohlkopf und bleibt wirkungslos wie die an der Oberfläche des siedenden Wassers verpuffenden Blasen. 19. Jh. **2.** Prahler. Sein Kopf enthält Luftblasen, ist ein einziger Hohlraum. 1900 *ff.* **3.** Stich ohne Augenzahl. Er ist substanzlos wie eine Luftblase. Kartenspielerspr. 1900 *ff.*

Blasenleiden *n* Blasen an den Füßen. Eigentlich Name der Harnblasenerkrankung. *Sold* 1914 bis heute.

Blasentext *m* Text zu Bildergeschichten nach Art der Comic-strips. 1955 *ff.*

Bläser *m* **1.** Zecher. ↗ blasen 6. 1800 *ff.* **2.** Rausch. 1900 *ff.* **3.** entweichender Darmwind. ↗ blasen 5. 19. Jh. **4.** Fellierender. 1900 *ff.* **5.** Spitzel. Er bläst seinen Auftraggebern Nachrichten ein. ↗ blasen 2 d. Kriegsgefangenenspr. 1942 *ff.*

Bläserlippen *pl* breite Lippen. Sie können durch Spielen von Blasinstrumenten verursacht sein. 1930 *ff.*

Blasi *m* Strolch, Geck, Gauner o. ä. Verkürzt aus dem Namen Blasius, eines Heiligen, der bei Halsschmerzen angerufen wird; dazu vermengt mit der Bedeutung „Angehöriger einer Blase" (↗ Blase 2). 1930 *ff.*

Blaskonzert *n* heftiges Schneuzen ins Taschentuch. Kann an Trompetenklang erinnern. 1920 *ff.*

Blasrohr *n* **1.** Gewehr. Meint eigentlich ein Rohr, durch das man mittels Pustens Kugeln oder Pfeile schießt. *Vgl* ↗ Pusterohr. 1920 *ff.* **2.** Klarinette, Flöte. *Halbw* 1955 *ff.* **3.** After, Gesäß. 1920 *ff.* **4.** Penis. ↗ blasen 7. 1955 *ff, halbw.*

blaß *adj* **1.** ~ bleiben = eine minderwertige Leistung vollführen. Der blasse Eindruck ist nicht tiefgehend; die blasse Leistung ist farb-, temperament- und schwunglos. *Sportl* und Kritikerspr. 1920 *ff.* **2.** ~ im Rücken sein = ängstlich, erschrocken sein; ungesund aussehen. Scherzhafte Vorstellung. 1910 *ff.* **3.** ich werde ~!: Ausdruck des Erstaunens. Man wird im Gesicht weiß, ist einer Ohnmacht nahe und kann leicht zusammensinken. Der Gegenstand des Erstaunens ist „umwerfend". 1900 *ff.*

Blatt *n* **1.** Zeitung (auch in der Verkleinerungsform). Verkürzt aus dem „Intelligenzblatt" des 18. Jhs. 1750 *ff.* **2.** die Anzahl Spielkarten, die ein Spieler in der Hand hält. Verkürzt aus „Kartenblatt". 14. Jh. **3.** *pl* = Geldscheine, Geld. 1930 *ff.* **4.** beschriebenes ~ = Vorbestrafter. ↗ Blatt 11. 1920 *ff.* **5.** fliegende Blätter = Buchseiten, die sich aus der Bindung gelöst haben. 1900 *ff.* **6.** gut ~!: Wunsch an einen Skatspieler. ↗ Blatt 2. Kartenspielerspr. 1920 *ff.* **7.** kurzes ~ (auch *dim*) = Kartenspiel zu 32 Blatt. 1900 *ff.* **8.** langes ~ (auch *dim*) = Kartenspiel zu 52 Blatt. 1900 *ff.* **9.** schwarzes ~ = schlechtes Zeugnis. Schwarz = unheilvoll. *Schül* 1950 *ff.* **10.** unbemaltes ~ = unbekannter, charakterlich (beruflich) unfertiger Mensch. *Vgl* das Folgende. 1965 *ff.*

11. unbeschriebenes ~ = unbekannter Mensch, von dem man weder Gutes noch Schlechtes weiß. Leitet sich wohl her von dem unbeschriebenen Blatt in Polizei- und Gerichtsakten. 19. Jh. *Vgl franz* „être une page blanche".

12. unbeschriebenes ~ = Vorbestrafter; Mensch, der nicht mehr unbescholten ist. 1900 *ff.*

13. jm ins ~ ficken = beim Kartenspiel eine Farbe aufspielen, die für den Partner ungünstig, für den Gegner (meist) günstig ist. In etw ficken = sich unbefugt in etw mischen (eigentlich auf den Geschlechtsverkehr bezogen). 1900 *ff.*

14. das ~ (Blättchen) hat sich gedreht (gewandt) = die Lage hat sich völlig geändert. Kann sich auf die Erfahrungstatsache gründen, daß ein Kartenspieler, der lange Zeit gute Karten bekommen hat, plötzlich schlechte erhält. Soll nach anderen Quellen mit der Pappel in Zusammenhang stehen, deren Blätter um den Johannistag (24. Juni) ihre Stellung ändern, so daß der Baum danach keinen Schutz mehr vor Regen bietet. 1500 *ff.*

15. ein ~ machen = Skat spielen. 1900 *ff.*

16. kein ~ vor den Mund (vor das Maul) nehmen = freimütig miteinander sprechen; offen seine Meinung sagen. Leitet sich her entweder vom Feigenblatt im Paradies als dem Sinnbild der Verstellung oder steht im Zusammenhang mit dem Blatten des Jägers. Seit *mhd* Zeit.

17. etw vom ~ singen = etw mühelos meistern. Hergenommen vom Sänger, der vom Notenblatt singt, ohne vorher geübt zu haben. 1850 *ff.*

18. das steht auf einem anderen ~ (das ist ein anderes ~) = davon reden wir jetzt nicht; das lassen wir vorerst unerörtert; das ist eine völlig andere Sache, die mit unserer nichts zu tun hat. Mit „Blatt" ist hier die Buchseite gemeint. 19. Jh.

19. es steht im ~ = darauf kannst du dich verlassen. „Blatt" meint entweder die Zeitung oder das Verordnungsblatt, die Dienstvorschrift o. ä. 1900 *ff.*

blatten *intr* ein Mädchen anlocken; mit einem Mädchen schöntun. Hergenommen vom Jäger, der durch Blasen auf einem Laubblatt oder einem Instrument (Blatter) das Rehwild anlockt. 1900 *ff.*

blättern *v* **1.** koitieren. Fußt auf der Bedeutung „mit den Flügeln schlagen" und steht wohl in Analogie zu ↗ vögeln. 19. Jh.

2. Geld auf den Tisch ~ = Geld aufzählen. ↗ Blatt 3. 1920 *ff.*

Blätterteigbomber *m* Vorkriegs-DKW mit Sperrholzkarosserie; Kleinauto. Sperrholz besteht wie Blätterteig aus mehreren Schichten. 1955 *ff*, Kraftfahrerspr.

Blätterwald *m* **1.** Gesamtheit der Zeitungspresse u. ä. ↗ Wald. Wohl seit dem späten 19. Jh.

2. es rauscht im ~ (der ~ rauscht) = die Presse nimmt sich einer Sache an. 1900 *ff.*

3. es wandert durch den ~ = es wird in der Presse erörtert. 1920 *ff.*

Blattscheißer *m* Schriftsteller, Journalist. ↗ Scheißer = übler Hersteller. 1700 *ff.*

Blattschuß *m* **1.** Schwängerung. Stammt aus der Jägersprache: der Todesschuß sitzt

genau im Schulterblatt, durchschlägt es und trifft das Herz. 1850 *ff.*

2. Volltreffer. *Sold* in beiden Weltkriegen und *BSD.*

3. treffsicherer Anklagepunkt; unumstößliche Behauptung. 1930 *ff.*

4. erzwungener Rücktritt. ↗ Abschuß 1. 1970 *ff.*

blau *adj* **1.** adlig. ↗ blaublütig 1. 1900 *ff.*

2. rothaarig. Scherzbezeichnung. 1900 *ff.*

3. protestantisch. Wohl verkürzt aus der Farbbezeichnung „Preußisch Blau" mit Anspielung auf das Vorherrschen des Protestantismus in Preußen. 19. Jh.

4. alkoholgegnerisch. Leitet sich her von „Blaues Kreuz", Name und Abzeichen des 1877 gegründeten christlichen Vereins zur Bekämpfung des Alkoholismus. Seit dem späten 19. Jh.

5. betrunken. Soll auf dem Umstand beruhen, daß bei zunehmender Trunkenheit Sehstörungen eintreten; man glaubt dann, einen blauen Schleier vor den Augen zu haben. Andere erblicken darin eine Anspielung auf die Farbe der Trinkernase. 19. Jh.

6. ~, blond, blöd: Spottkennzeichen für die Ludendorff-Bewegung. Nach 1918 aufgekommen.

7. strahlend ~ = betrunken bis zum Erbrechen. Strahlendes Blau ist ein leuchtendes Blau; andererseits strahlt man den Alkohol durch den Mund wieder aus. 1930 *ff.*

8. jn ~ anlaufen lassen = a) jn würgen, bis er sich im Gesicht dunkel verfärbt. 19. Jh. – b) jn geschäftlich zugrunderichten. Seit dem frühen 20. Jh. – c) jn betrunken machen. 1910 *ff.* – d) jm Lügenhaftes als wahr darstellen. Man macht ihm blauen ↗ Dunst vor. 19. Jh.

9. ~ angelaufen sein = a) nicht recht bei Verstand sein. 1900 *ff.* – b) bezecht sein. 19. Jh.

10. sich ~ ärgern = sich sehr ärgern. Man läuft blau an wegen Kälte oder infolge von Prügeln. Hieraus ist „blau" als Steigerungswort hervorgegangen. 1900 *ff.*

11. blaues Blut haben ↗ Blut.

blauäugig *adj* naiv, arg-, harmlos; blindlings zuversichtlich. In Anlehnung an „blaublütig 1" aufgekommen um 1850 (Neue Rheinische Zeitung vom Januar 1850) zur Kennzeichnung einer gegenwartsfernen Standesgesinnung.

Blauäugigkeit *f* Naivität. 1960 *ff.*

Blauäugleinpoesie *f* auf Rührung (Rührseligkeit) zielendes Filmschaffen (Heimat-, Försterfilm). Die blauen Augen eines Mädchens werden von Dichtern oft „besungen", vor allem in Rheinliedern. 1958 *ff*, *jug.*

blaublütig *adj* **1.** adlig. Die Bezeichnung geht auf die maurische Zeit Spaniens zurück. Die vielen Vertreter der eingewanderten germanischen Stämme fielen den Mauren auf wegen des blonden Haars und der weißen Haut, durch die blauen Adern schimmerten. Daraus schlossen sie, in den Adern der Blonden müsse blaues Blut fließen. Da diese germanischen Volksteile vorwiegend der beherrschenden und adligen Klasse angehörten, setzte man „blaublütig" mit „adlig" gleich. 1800 *ff.*

2. dem Alkohol zuneigend; betrunken. 1950 *ff.*

Bläue *f* Bezechtheit. ↗ blau 5. 1900 *ff.*

blauen (bläuen) *intr* nicht arbeiten; der Arbeit willkürlich fernbleiben; eine Schicht ohne Not versäumen; dem Schulunterricht unentschuldigt fernbleiben. Junge Wortbildung aus ↗ blaumachen. 1920 *ff.*

Blauer *m* **1.** Polizeibeamter. Wegen der blauen Uniformfarbe in Berlin. Seit dem späten 19. Jh bis heute (auch wenn die Uniformfarbe nicht Blau ist).

2. Zehnmarkschein (zum Unterschied vom Folgenden auch „kleiner Blauer" genannt). Wegen der blauen Grundfarbe. 1960 *ff.*

3. Hundertmarkschein. Seit dem späten 19. Jh. bis heute.

4. Tausendschillingnote. *Österr* 1950 *ff.*

5. Luftwaffenangehöriger. Wegen der blauen Uniform. 1965 *ff*, *BSD.*

6. Angehöriger der Technischen Truppe. Die Kragenspiegel sind blau. 1965 *ff*, *sold.*

7. Tag, an dem man der Arbeit willkürlich fernbleibt. ↗ blauen. 1850 *ff.*

8. einen Blauen reinhauen = sich in der Woche einen arbeitsfreien Tag nehmen. Lehrlingsspr. 1960 *ff.*

Blaues *n* **1.** ins Blaue hinein = ohne festes Ziel; auf gut Glück; unüberlegt. Hergenommen vom Schuß, den man nicht auf ein bestimmtes Ziel abfeuert, sondern in den blauen Himmel. 1700 *ff.*

2. für in das Blaue vom Himmel holen = für jn alles tun mögen; jm jeden Wunsch erfüllen wollen. 1900 *ff.*

3. das Blaue vom Himmel runterlügen (runterschwindeln) = dreist lügen. Man begnügt sich nicht mehr mit irdischen Lügenanlässen, sondern greift auch in den Himmel über. 19. Jh.

4. das Blaue vom Himmel runterreden (-schwätzen) = von allem und jedem reden; jn mit einem Wortschwall überschütten. Der Schwätzer macht auch noch das Blau des Himmels zum Gesprächsgegenstand. 19. Jh.

5. ins Blaue schießen = das Ziel der Kritik verfehlen; vergeblich Kritik üben. ↗ Blaues 1. 1900 *ff.*

Blaukopf (-kopp) *m* **1.** Protestant. ↗ blau 3. 19. Jh.

2. Polizeibeamter. „Kopf" oder „Kopp" soll aus „Kappe" abgewandelt sein, und „blau" bezieht sich auf die Uniformfarbe. 1900 *ff.*

3. Penis; Eichel des Penis. Wegen der Färbung. 19. Jh.

bläulich *adj* **1.** leicht bezecht. ↗ blau 5. 1900 *ff.*

2. angehaucht = angetrunken. 1900 *ff.*

blaumachen *intr* **1.** der Arbeitsstätte willkürlich fernbleiben. Zur Herleitung *vgl* „blauer ↗ Montag". 19. Jh.

2. dem Schulunterricht unentschuldigt fernbleiben. 1900 *ff.*

Blaumacher *m* **1.** Nichtarbeiter (mangels Beschäftigungsmöglichkeit oder wegen Arbeitsträgheit). 19. Jh.

2. alkoholisches Getränk. ↗ blau 5. 1960 *ff.* Hängt konkurrierend mit der Waschmittelwerbung zusammen, die das Wort „Weißmacher" einführte.

3. ein ~ (Schnaps mit einem ~) = 32prozentiger Schnaps. 1965 *ff.*

4. zwei ~ (Schnaps mit zwei ~n) = 38prozentiger Schnaps. 1965 *ff.*

Blaumann *m* **1.** blauer Arbeitsanzug; Monteuranzug; Arbeitsanzug (Overall) für den technischen Dienst; Kleidung des Strafgefangenen. 1930 *ff*; 1960 *ff*, *BSD.*

2. Postbeamter. Wegen der blauen Uniform. *BSD* 1965 *ff.*

3. *pl* = Technische Truppe. Sie hat blaue Kragenspiegel. 1965 *ff, sold.*

Blaustrumpf *m* **1.** emanzipierte Frau; unweiblich wirkende Frau; Schriftstellerin. Um 1720 aufgebracht von dem englischen Dichter Alexander Pope mit Bezug auf die Lady Montagu, die auch schriftstellerisch tätig war und mit Vorliebe himmelblaue Strümpfe trug. Nach anderen Quellen wurden die blauen Kniestrümpfe von einem Gelehrten namens Stillingfleet getragen, der ebenfalls in diesem Kreis verkehrte. In Deutschland seit 1820 geläufig.

2. ledige Lehrerin; Studienrätin. *Schül* 1959 *ff.*

3. Bundes-, Landtagsabgeordnete. 1959 *ff.*

Blauveilchen *n* **1.** Mann mit rötlich-blauem Gesicht. 1960 *ff.*

2. Angetrunkener. 1960 *ff, Vgl* „blau wie ein ↗Veilchen".

'Bleamles'träger *pl* Gebirgsjäger. Bleamles = Blümchen. ↗Blümchensoldaten. 1965 *ff, BSD.*

Blech *n* **1.** dummes Gerede; Geschwätz; Unsinn. Blech gilt als wertloses Metall im Verhältnis etwa zu Gold und Silber. Wohl von Soldaten aufgebracht. 1813/14 *ff.*

2. Geld. Meint eigentlich die dünnen Münzen. *Rotw* 1510 *ff.*

3. Erkennungsmarke des Soldaten. Aus „Blechtäfelchen" (1870) verkürzt. *Sold* in beiden Weltkriegen.

4. Orden und Ehrenzeichen. Verächtlich für das zur Herstellung verwendete Material. Seit 1914.

5. Schmuck. *Jug* 1960 *ff.*

6. blecherner Kaffeebehälter des Bergmanns; Gefäß aus Blech. 19. Jh.

7. ~ des Anstoßes = Autonummernschild; Kotflügel. Beide.sind hochempfindlich für leiseste Anstöße. 1935 *ff.*

8. blühendes ~ = größter Unsinn. Abwandlung von „blühender ↗Blödsinn". 1900 *ff.*

9. höheres ~ = Unsinn. 1850 *ff.*

10. uraltes ~ = altbekannter Unsinn. 1900 *ff.*

11. zersetztes ~ = völlig zertrümmertes Kraftfahrzeug. 1955 *ff.*

12. sich mit ~ ausstaffieren = a) sich feldmarschmäßig rüsten; alles anlegen, was man am Leibe mitzuschleppen hat. Bezieht sich vor allem auf die metallische Ausrüstung. *Sold* 1914 *ff.* – b) sich zum Angriff rüsten. *Sold* 1914 *ff.* – c) sämtliche Orden und Ehrenzeichen anlegen. *Sold* 1939 *ff.*

13. aufs ~ hauen = a) übermütig sein; sich einer ausgelassenen Lebensweise hingeben. Blech = Hartgeld: man schlägt auf die Geldbörse, um sein geldliches Leistungsvermögen zu bekräftigen. 1950 *ff.* – b) übertreiben; sich aufspielen. *Schül* 1960 *ff.*

14. ~ quatschen = Unsinn reden. ↗quatschen. 19. Jh.

15. ~ sammeln = nach Orden und Ehrenzeichen gierig sein. Seit 1914.

16. ~ schmieden = Plattheiten, leeres Gerede äußern, schreiben oder für das Theater verfassen. 1920 *ff.*

Blechbahn *f* Straßenbahn. Zum Unterschied von der „Eisenbahn". 1955 *ff.*

Blechbraut *f* Auto. 1970 *ff.*

Blechbuckel *m* Klempner. Er trägt zuwei-

len Blech auf der Schulter. Zum Unterschied vom ↗Speisbuckel (= Maurer). Hessen 1920 *ff.*

Blechbumser *m* Autozusammenstoß, bei dem nur Blechschaden entstanden ist. ↗bumsen 1. 1965 *ff.*

Blechchaos *n* Verkehrschaos in den Städten und auf den Autobahnen; Massenkarambolage von Autos. 1960 *ff.*

Blechdeckel *m* **1.** Mütze von blankem Wachstuch. Es schimmert wie Blech. 1950 *ff.*

2. Stahlhelm. ↗Deckel. Sold in beiden Weltkriegen und *BSD.*

Blechdose *f* **1.** Panzerkampfwagen. ↗Blechbüchse 3. *Sold* 1939 *ff* bis heute.

2. Auto. 1970 *ff.*

Blechelefant *m* geräumiger Wohnwagen. Er wirkt massig wie ein Elefant. 1955 *ff.*

blechen *intr* bezahlen. Blech = dünne Münzen (13. Jh). Etwa seit 1500.

Blecher *m* **1.** Unsinnschwätzer. ↗Blech 1. 1920 *ff.*

2. Orden; Eisernes Kreuz. 1940 *ff.*

Blecherne *f* die große ~ am Hosenträger, nachts beleuchtet: Phantasieorden für ordenssüchtige Leute. *Stud* 1950 *ff, österr.*

Blechfalte *f* sich eine ~ einhandeln = bei einem Zusammenstoß eine Beule in der Auto-Karosserie erhalten. 1935 *ff.*

Blechflut *f* Automassen. 1965 *ff.*

blechfrei *adj* ohne Autos; für Autos gesperrt. 1972 *ff.*

Blechfurzen *n* Blasmusik. Sie nimmt sich aus wie das Entweichen lauter Darmwinde aus Blechblasinstrumenten. *Österr* 1914 *ff.*

Blechgardine *f* **1.** eiserner Vorhang im Theater *(abfl).* 1900 *ff,* theaterspr.

2. Demarkationslinie zwischen ideologisch unversöhnlichen Staaten. 1955 *ff.* Die Vokabel wirkt verharmlosend.

Blechgaul *m* Auto. Konkurrenzwort in der Nachfolge von ↗Dampfroß. 1968 *ff.*

Blechgehirn *n* Computer. 1965 *ff.*

Blechgeklirr *n* großer Empfang; Gala-Essen. Es klirren die Orden, es klirren die Gabeln und Messer, und in den Reden klirrt das ↗Blech. Wohl beeinflußt von dem „Schwertgeklirr" aus dem Gedicht „Es braust ein Ruf wie Donnerhall" von Max Schneckenburger (1840). Bonn 1955 *ff.*

Blechgeschmack *m* hoher Preis für ein Genußmittel. *Vgl* auch ↗Beigeschmack. 1925 *ff.* „Blech-" spielt auf das Geld an.

Blechhalde *f* eng besetzter Parkplatz. 1972 *ff.*

Blechhaufen *m* **1.** Militärmusikkapelle; Spielleute. ↗Haufen. *Sold* 1914 bis heute.

2. Schriftleitung einer Zeitung. ↗Blech 1. 1972 *ff.*

Blechhengst *m* Militärmusiker. ↗Hengst. *Sold* seit 1900.

Blechhut (Blechhütl) *m (n)* Stahlhelm. *Sold* 1914 bis heute.

Blechkabine *f* Auto. 1965 *ff.*

Blechkäfer *m* Auto (Volkswagen). 1960 *ff.*

Blechkäfig *m* Auto. 1965 *ff.*

Blech-Kalesche *f* Luxusauto. Kalesche = leichter Reisewagen mit Lehnsessel und Faltverdeck. 1972 *ff.*

Blechkarawane *f* lange Folge von Kraftfahrzeugen. 1965 *ff.*

Blechkarosse *f* Auto. 1950 *ff.* Eigentlich soviel wie ein blechverkleideter Prunkwagen.

Blechkiste *f* **1.** Kraftfahrzeug. ↗Kiste. 1920 *ff.*

2. Schützenpanzer. *BSD* 1965 *ff.*

3. Geldschrank. ↗Blech 2. 1960 *ff.*

4. Fernsehgerät. Wortprägung der Fernsehgegner; denn „Blech" meint hier den Unsinn. 1955 *ff.*

Blechklimbim *m* Ordensschnalle. ↗Klimbim. 1945 *ff.*

Blechklopper *m* Schlagzeuger. *Schül* 1965 *ff.*

Blechknäuel *n* Zusammenstoß vieler Kraftfahrzeuge. Zusammen bilden sie ein ineinanderverknäultes Blech. 1955 *ff.*

Blechkopp (-kopf) *m* **1.** sehr dummer Mensch. Er läßt sich zu törichten Handlungen (= Blech 1) überreden oder redet „Blech". Seit dem frühen 19. Jh.

2. Polizeibeamter mit Pickelhaube oder Tschako im Straßendienst. „Blech" bezieht sich ursprünglich auf das Metall der Pickelhaube, und „Kopp" ist wohl aus „Kappe" entstellt, doch nicht ohne Beeinflussung durch die vorhergehende Bedeutung. Seit dem späten 19. Jh.

Blechkrawatte *f* **1.** Ritterkreuz zum Eisernen Kreuz; Halsorden. Die Auszeichnung ist dort zu tragen, wo der Schlips getragen wird. *Sold* 1939 *ff.*

2. Großes Verdienstkreuz der Bundesrepublik Deutschland. 1970 *ff.*

Blechkreuzer *m* Auto. Meint vor allem das breitgebaute, das sich wie ein „Kreuzer" (= Kriegsschiff, Panzerkreuzer) durch die Straßen bewegt. 1950 *ff.*

Blechkuh *m* Büchsenmilch. 1920 *ff, Vgl* engl „canned cow".

Blechkutsche *f* Auto. 1960 *ff.*

Blechladen *m* Orden und Ehrenzeichen. *Sold* 1914 bis heute.

Blechlawine *f* Autofahrerstrom. 1965 *ff.*

Blechle *n* Heiligs ~!: **1.** Ausruf des Erstaunens. „Blech" steht euphemistisch für „Blitz". *Schwäb* seit dem späten 19. Jh.

2. Personenkraftwagen. Anspielung auf die Hochschätzung des eigenen Autos. 1970 *ff.*

Blechliese *f* schrottreifes, zertrümmertes Auto. „Liese" ist ein beliebter Pferdename. 1950 *ff.*

Blechlindwurm *m* lange Autokolonne. ↗Lindwurm. 1960 *ff.*

Blechmännchen *n* Eßgefäß zum Mitnehmen. Es besteht aus emailliertem Blech. 1920 *ff.*

Blechmarke *f* **1.** Orden, Ehrenzeichen. Der Hunde- oder Biermarke nachgebildet. 1940 *ff.*

2. Erkennungsmarke des Soldaten. 1940 *ff* bis heute.

Blechmelone *f* Stahlhelm. Melone ist der steife Hut oder Halbzylinder. *BSD* 1960 *ff.*

Blechmilbe *f* Kleinauto, Moped. Die Milbe als spinnenartiges Kerbtier ist ein Schmarotzer und Schädling. 1955 *ff.*

Blechmusik *f* **1.** schlechte Musik. Eigentlich Bezeichnung für die Musik von Blechblasinstrumenten (Hornmusik). „Blech" ist hier mit „Blech = Wertlosigkeit, Unsinn" von „Blech = Wertlosigkeit, Unsinn" verflußt. 1900 *ff.*

2. Geld. Anspielung auf das Klingen der Münzen. *Sold* in beiden Weltkriegen.

3. Essen. Es wird aus blechernem Napf genossen. *Sold* 1939 *ff.*

Blechmütze *f* Stahlhelm. *Sold* 1939 *ff,* vor allem *BSD.*

Blechnapf *m* Kochgeschirr. Meint eigentlich die blecherne Eßschüssel des Häftlings. *BSD* 1960 *ff.*

Blechnapffresser *m* Gefängnisinsasse. Macht sich den Titel des Romans von Hans Fallada (1934) zunutze: „Wer einmal aus dem Blechnapf frißt". 1960 *ff.*

Blechorden *m* Erkennungsmarke des Soldaten. Wertsteigernd zum Rang eines Ordens erhoben (der einzige „Orden", den jeder Soldat erhält). *BSD* 1960 *ff.*

Blechpuster *m* Trompeter, Militärmusiker. ↗Blechspucker. 1840 *ff.*

Blechsalat *m* Totalschaden beim Autozusammenstoß; unentwirrbares Durcheinander von Blechteilen; Gedränge von Autos. ↗Salat. 1930 *ff.*

Blechsarg *m* 1. Unterseeboot. 1939 *ff* bis heute.
2. Panzerkampfwagen. 1939 *ff* bis heute.

Blechschachtel *f* Auto; Geländewagen. Wegen der Formähnlichkeit und Enge. 1950 *ff.*

Blechschild *n* Erkennungsmarke des Soldaten. *BSD* 1960 *ff.*

Blechschlange *f* Autokolonne. ↗Autoschlange. 1960 *ff.*

Blechschleuder *f* Auto. ↗Schleuder. 1960 *ff.*

Blechschmied *m* Unsinnschwätzer. ↗Blech 1. Eigentlich Berufsbezeichnung des Klempners oder Spenglers. 1920 *ff.*

Blechschnauze *f* Unsinnschwätzer. 1900 *ff.*

Blechschneider *m* 1. Karosseriebauer. Er gehört zur „Haute Couture". 1955 *ff.*
2. Hersteller von Kleidern aus Blechplättchen. 1968 *ff.*

Blechschule *f* Maschinenbau-, Ingenieurschule. 1930 *ff.*

Blechschüler *m* Student der Ingenieurschule. 1930 *ff.*

Blechschuster *m* 1. Klempner, Spengler. ↗Schuster. Seit dem späten 19. Jh.
2. Schlosser. 1880 *ff.*
3. Schwätzer. ↗Blech 1. Seit dem späten 19. Jh.

Blechschwätzer *m* Dummschwätzer. 1900 *ff.* ↗Blech 1.

Blechsoldat *m* Angehöriger des Heeresmusikkorps. Anspielung auf die Blechblasinstrumente. 1960 *ff.*

Blechspinat *m* völliger Unsinn. Meint eigentlich eine Konserve mit angeblich geringem Nährwert. Verstärkt durch ↗Blech 1. *Sold* 1939 *ff, ziv* 1945 *ff.*

Blechspucker *m* Blasmusiker. Seit dem späten 19. Jh.

Blechsünder *m* Autofahrer, der einem anderen die Karosserie einbeult. ↗Sünder. 1962 *ff.*

Blechtüte *f* Stahlhelm. ↗Tüte. *Sold* 1939 *ff; BSD* 1960 *ff.*

Blechveteran *m* altes Auto. ↗Autoveteran. 1950 *ff.*

Blech-Währung *f* Geltungseinstufung nach Orden und Ehrenzeichen. 1965 *ff.*

Blechwalze *f* kilometerlange Autokolonne zur Urlaubszeit. 1965 *ff.*

Blechwurm *m* lange Autokolonne. Analog zu ↗Blechlindwurm, ↗Blechschlange. 1960 *ff.*

Blechzeug *n* Schmuck. *Halbw* 1955 *ff.*

blecken *v* 1. *intr* = weinen. Nebenform von ↗blöken. *Südd* 19. Jh.
2. jn ~ = verulken, verhöhnen. Das Herausstrecken der Zunge gilt als Zeichen der Verspottung. 1900 *ff.*

bleffen *tr* jn zu schrecken suchen; jn irremachen. Gehört zu „blaffen = bellen". *Rotw* 1847 *ff. Vgl* auch ↗bluffen.

Blei I *m (n)* Bleistift. Hieraus verkürzt. 1800 *ff.*

Blei II *n* 1. etw ins ~ bringen = etw in Ordnung bringen. Blei = Senkblei, Lot. 19. Jh.
2. jm ~ einpumpen = jn erschießen. Übernommen aus dem *engl* „to pump lead". Nach 1945 aufgekommen.
3. ~ im Arsch (im Füdle) haben = keine Anstalten zum Weggehen machen; Langschläfer sein; nicht aus dem Sessel aufstehen. Blei ist das sinnbildliche Material der Schwere. 1900 *ff.*
4. ~ in den Beinen haben = langsam radeln. 1920 *ff.*
5. ~ in den Füßen haben = a) gehmüde sein; schwerfällig gehen. 1900 *ff.* – b) stillsitzen und nicht aufstehen. 1920 *ff.* – c) schwerfällig Fußball spielen. 1920 *ff.*
6. ~ im Gasfuß haben = das Gaspedal dauernd niederdrücken. ↗Gasfuß. 1955 *ff.*
7. er hat ~ in den Gliedern (es liegt ihm wie ~ in den Gliedern) = er hat müde Glieder, ist matt. 18. Jh.
8. einen Zentner ~ am Hintern haben = schwerfällig aufstehen. 1900 *ff.*
9. ~ im Hosenumschlag haben = einen Besuch übergebührlich ausdehnen. 1955 *ff, jug.*
10. ~ in den Knochen haben = sich schwerfällig bewegen; ermattet sein. *Vgl* ↗Blei II 7. 1900 *ff.*
11. ~ im Leib haben = Geschoßsplitter im Körper haben. 1939 *ff.*
12. jn voll ~ pumpen (jm den Leib voll ~ pumpen) = auf jn viele Schüsse abgeben. ↗Blei II 2. Kurz nach 1945 aufgekommen, wohl durch Kriminalromane aus dem Englischen.
13. im ~ sein = in der gehörigen Ordnung sein. Blei = Richtblei. 19. Jh.
14. jn ins ~ stellen = jn heftig zurechtweisen. Blei = Richtblei, Lot. 1900 *ff.*
15. jn mit ~ vollpumpen = mehrmals auf jn schießen. ↗Blei II 2. Kurz nach 1945 aufgekommen, wie ↗Blei II 12.
16. jn mit ~ vollrotzen = auf jn viele Schüsse abgeben. ↗rotzen. 1950 *ff.*

Bleibe *f* 1. Obdach, Unterkunft, Schlafstelle, Aufenthaltsort. Von Berlin im späten 19. Jh. ausgegangen.
2. garnierte ~ = möbliertes Zimmer. 1910 *ff, stud.*

Bleiben *n* mit ~ fahren = mit Vollgas fahren. Man setzt einen bleischweren Fuß auf das Gaspedal. *Sold* 1939 *ff.*

bleiben *v* 1. stranden, ertrinken. Verkürzt aus „auf See bleiben" (= nicht heimkehren). Seemannsspr. 1600 *ff.*
2. sterben, als Soldat fallen. 1400 *ff.*
3. bleib unten oder ich eß dich nochmal!: Redewendung, wenn einer Aufstoßen hat. 1920 *ff.*
4. du kannst so ~: Redewendung auf einen ungesitteten Menschen (*iron*). 1870 *ff.*
5. etw ~ lassen = etw unterlassen. Man soll das Gemeinte so bleiben lassen, wie es ist. 1800 *ff.*

bleich *adj* 1. ~ und übelriechend = a) übernächtigt aussehend; in unvorteilhafter Kleidung o. ä. „Übelriechend" läßt an Erbrechen denken, auch an Alkoholdunst

aus dem Mund oder an unsaubere Kleidung. 1900 *ff, stud.* – b) ängstlich. Der Betreffende hat seine Hose von innen beschmutzt. *Sold* 1900 *ff.*
2. das geht ~ und übelriechend aus = das mißglückt. Analog zu „es geht in die ↗Hose". 1910 *ff.*
3. sich ~ und übelriechend benehmen = sich ungesittet, beleidigend verhalten. 1910 *ff.*

Blei-Einspritzung *f* jm eine ~ machen = auf jn einen Schuß abfeuern; jn erschießen. Wortreicher Euphemismus, der Arztpraxis entlehnt. 1914 *ff* bis heute.

Bleifuß *m* mit dem ~ auf dem Gas stehen (mit ~ fahren) = das Gaspedal bis zum Anschlag niedergedrückt halten. ↗Bleibein. 1939 *ff.*

Bleihammernarkose *f* kräftiger Faustschlag. Schweiz 1950 *ff.*

Bleihummel *f* Geschoß. ↗Hummel. *BSD* 1960 *ff.*

Blei-Injektion *f* jm eine ~ machen = jn erschießen. ↗Bleieinspritzung. 1914 *ff* bis heute.

Bleiklotz *m* mit ~ fahren = gefühllos auf das Gaspedal treten. Der Fuß wird hier zu einem plumpen Stück Holz. 1955 *ff,* kraftfahrerspr.

Bleikotzer *m* Pistole; Gewehr, Handfeuerwaffe. Kotzen = in Abständen feuern. *Sold* 1940 *ff, rotw* 1945 *ff.*

Bleischleuder *f* leichtes Maschinengewehr; Gewehr. Beide schleudern Bleigeschosse. *Sold, schweiz; BSD* 1960 *ff.*

Bleisohle *f* 1. vermuteter Teil der Fußbekleidung eines sehr schnellen Autofahrers. Wegen der bleiernen Sohle kann der Fahrer den Fuß nicht vom Gaspedal lösen. 1939 *ff.*
2. mit ~ fahren = mit Vollgas fahren. 1939 *ff;* kraftfahrerspr. 1950 *ff.*

Bleispritze *f* 1. Gewehr. ↗Spritze. *BSD* 1960 *ff.*
2. Pistole, Maschinenpistole. *BSD* 1960 *ff.*
3. Maschinengewehr. *BSD* 1960 *ff.*

Bleistift *m* 1. (kleinwüchsiger) schlanker Mann. 1920 *ff.*
2. Penis. ↗Stift. 1950 *ff.*
3. Fliegender ~ = a) Flugzeug, Typ Dornier (Do 17); Messerschmittjäger. Wegen der schlanken Form. 1939 *ff.* – b) Starfighter. *BSD* 1965 *ff.*
4. Beispiel. Sprachlicher Spaß von Schülern seit dem späten 19. Jh.
5. zum ~ = zum Beispiel. 1870 *ff.*
6. mit spitzem ~ rechnen = äußerst scharf kalkulieren. 1955 *ff.*
7. eine Rechnung mit spitzem ~ schreiben = eine hohe Rechnung ausstellen. Der Aussteller rechnet spitz aus, nämlich sehr genau, bis in die kleinste Einzelheit. 1955 *ff.*
8. mit gutem ~ vorangehen = mit gutem Beispiel vorangehen. ↗Bleistift 4 u. 5. 1900 *ff, schül.*

Bleistiftabsatz *m* hoher, dünner Absatz am Damenschuh. 1950 *ff.*

bleistiftdürr *adj* flachbusig; von knabenhaftem Wuchs. 1960 *ff.*

bleistifteng *adj* sehr enganliegend (auf Mädchenhosen bezogen). Der Stoff dieser Hose umschließt das Bein ebenso fest wie die Holzhülle des Bleistifts die Mine. 1955 *ff.*

Bleistifthacken *m* 1. sehr dünner, hoher Schuhabsatz. 1955 *ff.*

2. sehr elegant gekleidete weibliche Person. 1955 ff.

Bleistifthose f Hose mit sehr engen Beinen. 1950 ff.

Bleistiftrock m sehr enger Frauenrock. 1955 ff.

Bleistiftschuh m Schuh mit sehr schlankem Absatz. 1955 ff.

Bleistiftstelze f Mädchen auf Schuhen mit überhohem, schmalem Absatz. Stelze = langbeiniger Vogel. Halbw 1950 ff.

bleistiftweise adv beispielsweise. ↗ Bleistift 4. Seit dem späten 19. Jh.

blendax adv ~ lächeln = vor Freude beide Zahnreihen entblößen. Hergenommen von der Zahnpasta-Reklame der Blendax-Werke, Mainz. 1961 ff.

blendend adj adv ausgezeichnet; sehr gut. Analog zu ↗ glänzend. 1900 ff.

bleuen tr jn schlagen, prügeln. Fußt auf mhd „bliuwen = schlagen" 1500 ff.

Blick m **1.** ~, der einen Kühlschrank zum Kochen bringt = vernichtender Blick voller Wut. 1958 ff.

1 a. ~ über den Tellerrand = Rücksichtnahme auf den Mitmenschen; Erwägung der Folgen einer Handlungsweise oder Maßnahme. ↗ Tellerrand. Nach 1970 aufgekommen.

2. deutscher ~ = vorsichtiges Umherblicken nach Belauschern o. ä. in der NS-Zeit. 1933 ff.

3. eingefrorener ~ = herrischer, unnahbarer Blick. Die Augen haben einen eisigstarren Ausdruck. 1950 ff.

4. falscher ~ = Schieläugigkeit. 19. Jh.

5. genierter ~ = leichtes Schielen. Man nimmt heuchlerisch-mitleidig an, der Betreffende sei zu schüchtern, um einen geradeheraus anzusehen. 1870 ff, Berlin.

6. katholischer ~ = unfreier, befangener Blick. Geht zurück auf die Zeiten des Kulturkampfes; damals meinten die Protestanten, die Katholiken seien Frömmler und Heuchler, was auch in ihrem Blick zum Ausdruck komme. 1872 ff.

7. schmucker ~ = Schieläugigkeit. Ironie. 1920 ff.

8. schwüler ~ = sinnlich-lüsterner Blick. In ihm drückt sich die lastende Gewitterstimmung der geschlechtlichen Leidenschaftlichkeit aus. 1960 ff.

9. tiefer ~ ins Glas = Trinklust. Vgl „zu tief ins ↗ Glas geguckt haben". 1930 ff.

10. treuer ~ = schielender Blick; töricht wirkender Blick. „Treu" nimmt in der Umgangssprache oft die Bedeutung von „einfältig" oder „dümmlich-brav" an. 1930 ff.

11. mir bricht der ~l: Ausruf der Überraschung, des Unwillens o. ä. Wird eigentlich von Sterbenden gesagt. BSD 1960 ff.

12. einen kalten ~ am Leibe haben = gefühllos blicken. 1920 ff.

13. auf etw einen ~ kleben = starr auf etw blicken. Kleben = fest haften. 1960 ff.

14. wenn ~e töten könntenl: Redewendung auf einen, der haßerfüllte Blicke wirft. 1920 ff. Vgl engl „if looks could kill you would be dead".

15. einen informativen ~ tun = vom Mitschüler absehen. 1965 ff, schül.

blicken v **1.** das läßt tief ~ = das ist sehr aufschlußreich; besagt sehr viel. Bekannt geworden durch den Ausspruch von Adolf Sabor im Deutschen Reichstag am 17. Dezember 1884; aber schon vorher geläufig. 1870 ff.

2. das Kleid läßt tief ~ = das Kleid ist tief dekolletiert. 1950 ff.

3. jn tief ~ lassen = ein großzügiges Dekolleté tragen. 1950 ff.

blickvögeln intr lüsterne Blicke werfen (tauschen). ↗ vögeln. 1850 ff.

Bliemchenkaffee m ↗ Blümchenkaffee.

blind adj **1.** dumm, einfältig, uneinsichtig. Der Betreffende ist geistig blind. BSD und halbw 1955 ff.

2. unselbständig, unbeholfen. BSD 1955 ff.

3. ~ und blutarm = unselbständig. BSD 1955 ff.

4. er ist nicht nur ~, sondern sieht auch schlecht = er ist überaus dumm. BSD 1955 ff.

5. ich werde ~: Ausruf, wenn man einen Nackten zu Gesicht bekommt. Fußt auf der altgriechischen Sage: Athene schlug ihren Bewunderer Tiresias mit Blindheit, als er sie nackt im Bad erblickt hatte. 1800 ff.

Blinddarm m **1.** Sackgasse. Ähnlich dem Blinddarm ohne Ausgang. 1930 ff.

2. Zipfel der Baskenmütze. Ein Zweck des Zipfels ist nicht erkennbar. 1930 ff.

3. schnell gereizter Mensch. Hergenommen von der plötzlich auftretenden Blinddarmreizung. 1940 ff.

4. lästiger Mensch; Versager. Er ist überflüssig wie der Blinddarm. 1940 ff.

5. pl = Röhrennudeln. Warum sie hohl sind, bleibt den meisten ein Rätsel. Sold 1935 ff.

6. ~ mit Füßen = abgetriebener Embryo. Krankenhausjargon 1970 ff.

7. kaputter ~ = Loch im Schlauch. Kraftfahrerspr. 1950 ff.

8. überflüssig (unnötig) wie ein ~ = gänzlich überflüssig. 1900 ff.

Blinder m **1.** Kundschafter, der die Örtlichkeit eines geplanten Verbrechens genau untersucht. Rotw 1735 ff.

2. Zuschauer beim Kartenspiel. Da er den Spielern nichts verraten darf, zählt er als einer, der nichts sieht. 1900 ff.

3. Freiwilliger, Längerdienender. Er gilt als dumm; ↗ blind 1. BSD 1955 ff.

4. das fühlt ein ~ mit dem Fuß = das merkt man mühelos; das leuchtet leicht ein. Der Fuß des Blinden nimmt jede Unebenheit oder Stufe wahr. 1950 ff.

5. das fühlt ein ~ mit dem Krückstock (Stock) = das merkt jedermann. 1840 ff.

6. das greift ein ~ mit dem Stecken = das ist ganz offenkundig. Stecken = Stock. Österr 1900 ff.

7. das merkt ein ~ = das ist völlig einleuchtend, bedarf keiner Erläuterung. 1870 ff.

8. das merkt ein ~ mit den Fingerspitzen = das ist leicht einzusehen. 1950 ff.

9. das merkt ein ~ mit dem Holzbein = das ist ohne weiteres zu durchschauen. 1962 ff.

10. das sieht (sogar) ein ~ = das ist sehr leicht einzusehen. Übertreibende Redewendung, fußend auf antiker Vorlage; seit 1500 ff.

11. das sieht ein ~ mit dem Krückstock = das ist jedermann sofort klar. Scherzhafte Umgestaltung von ↗ Blinder 5. 1920 ff.

12. das sieht ein ~ ohne Sonnenbrille = das ist völlig einleuchtend. 1960 ff.

13. das spürt ein ~ mit dem Krückstock = das merkt jedermann. ↗ Blinder 5. 19. Jh.

14. urteilen wie der Blinde von der Farbe = trotz Unfähigkeit urteilen; blindlings urteilen. 18. Jh.

Blindgänger m **1.** schlechter Arbeiter; Versager, Fehlleistung; Fehlschlag. Blindgänger nennt man ein Geschoß, dessen Sprengladung nicht explodiert, wann und wo es vorgesehen ist. Hieraus entwickelt sich die sinnbildliche Vorstellung vom Versager schlechthin. 1900 ff.

2. unbeliebter militärischer Vorgesetzter. Er heißt so, weil er nicht „krepiert". Sold in beiden Weltkriegen.

3. Wehrdienstverweigerer; Mann, der sich seiner Pflicht zu entziehen sucht. 1914 ff; BSD 1960 ff.

4. Soldat, der im Krieg nur Garnisonsdienst in der Heimat tut; Soldat mit ungefährlichem Posten hinter der Front. Sold 1914 ff.

5. leere, geleerte Bier-, Weinflasche o. ä. Sold 1914–1945.

6. entweichender Darmwind statt des erwarteten Kots. 1910 ff.

7. Großsprecher. Sold in beiden Weltkriegen.

8. vermeintlicher Besserwisser. 1914 ff.

9. Einzelgänger; Junggeselle; Junge ohne Freundin. Halbw 1955 ff.

10. unfreiwilliger Spermaerguß. 1910 ff.

11. Spermaerguß ohne Schwängerung; Versager beim Geschlechtsverkehr. 1910 ff.

12. kinderlos Verheiratete(r). BSD 1960 ff.

13. zeugungsunfähiger Mann. 1950 ff.

14. Ehebrecher. Er „explodiert" nicht am vorgesehenen Ort. 1920 ff.

15. Vorsicht, ~: Warnung vor einem Kothaufen am Wege. 1920 ff.

16. bevölkerungspolitischer ~ = Junggeselle; Ehemann ohne Nachkommen. 1933 aufgekommen im Zusammenhang mit den bevölkerungspolitischen Bestrebungen der NS-Zeit.

17. fernsehtechnischer ~ = Mensch, der kein Fernsehgerät besitzt. 1957 ff.

18. geistiger ~ = Dummer. BSD 1960 ff.

19. pädagogischer ~ = untauglicher Lehrer. Schül 1955 ff.

20. sozialpolitischer ~ = Junggeselle.

Blindschleiche f **1.** Blinder; Bettler, der Blindheit vortäuscht. Das gleichnamige schlangenähnliche Kriechtier ist keineswegs blind; seine Bezeichnung geht vielmehr zurück auf „Blende", ein bleiglanzendes Schwefelmineral, dessen Lasur der Färbung der Blindschleiche gleicht. Rotw 1900 ff.

2. sehr kurzsichtiger Mensch. Seit dem späten 19. Jh. (Bezeichnung Bismarcks für Friedrich v. Holstein).

3. heimtückischer Mensch; Mensch, der wegen seiner allzu spürbaren Freundlichkeit un so gefährlicher ist. 19. Jh.

4. Mensch, der durch Unaufmerksamkeit (auf der Straße) sich und andere in Gefahr bringt. 1910 ff.

5. nicht krepierendes Explosivgeschoß. Es schleicht sich an den Gegner heran, ohne ihm zu schaden. Sold in beiden Weltkriegen.

6. träge arbeitender Mensch. 19. Jh.

7. Versager. Die Analogie zu „↗ Blind-

gänger 1" ergibt sich aus „↗Blindschlei-
che 5". 1914–1945, *sold.*
8. leise entweichender Darmwind. Er
schleicht geräuschlos dahin. 1870 *ff.*
Blitz *m* **1.** Bestrafung. Fußt möglicherweise
auf der Vorstellung vom Blitzstrahl der
Ungnade oder auf *engl* „blitz = Anschiß".
BSD 1960 *ff.*
2. körperliche Reaktion nach Einspritzung
von Rauschmitteln. Übersetzt aus *engl*
„flash = Blitz". 1968 *ff.*
3. wie der ~ = überaus schnell. Hergenommen von der Lichtgeschwindigkeit
des Blitzes. 1500 *ff.*
4. wie ein ~ aus heiterem Himmel =
völlig unerwartet; urplötzlich. 1800 *ff.*
5. wie ein geölter ~ = sehr schnell. Eine
sogenannte „Kasernenhofblüte": der Ausbilder meint, der schnelle Blitz werde noch
schneller, wenn er geölt sei. Etwa seit dem
zweiten Drittel des 19. Jhs. *Vgl engl* „like
greased lightning".
6. Sie hat wohl der ~ beim letzten Schiß
erwischt? = Sie sind wohl nicht recht bei
Verstand? *BSD* 1960 *ff.*
7. ~ schießen = Blitzlichtaufnahmen
machen. ↗schießen. 1910 *ff.*
8. ihn soll der ~ beim Scheißen (Kacken)
treffen!: Verwünschung. 1939 *ff, sold.*
Blitzableiter *m* **1.** intime Freundin. Sie tritt
in Tätigkeit, wenn das Gewitter der geschlechtlichen Leidenschaft aufzieht.
Halbw 1955 *ff.*
2. Bügelfalte. Sie verläuft senkrecht wie
der Blitzableiter. 1920/30 *ff.*
3. Zipfel der Baskenmütze. 1930 *ff.*
4. Fahrzeugantenne. *Sold* 1935 *ff.*
5. Großwüchsiger. Weil der Blitz angeblich immer die höchstgelegenen Stellen
trifft. *BSD* 1960 *ff.*
6. Person oder Sache, die man vorschiebt,
damit sich die Erregung an ihr auslasse
und der eigentliche Verantwortliche ungeschoren bleibt; Leiter der Beschwerdestelle.
19. Jh.
7. Chefsekretär(in). 1900 *ff.*
8. Eid, bei dem man die linke Hand abwärts richtet. *Vgl* „den ↗Eid ableiten".
1900 *ff.*
9. dein Kopf auf einem ~, und das Gewitter macht einen Umweg (wenn er seinen
Kopf an einen ~ lehnt, macht das Gewitter einen Umweg): Redewendung angesichts eines unschönen Kopfes. *Schül*
1920 *ff.*
10. wie ein ~ wirken = auf der Bühne
Mißerfolg erleiden. Der Betreffende
„schlägt nicht ein". Theaterspr. 1920 *ff.*
'blitz'blank *adj* sehr blank. Blitzen = glänzen. 19. Jh.
'blitz'blau *adj* **1.** grellblau; leuchtend blau.
Der Blitz als eine faszinierende Erscheinung nimmt die Geltung einer Verstärkung an. 1500 *ff.* Oder ist vom schwefeli-
gen Blitzstrahl auszugehen?
2. blau vor Kälte. 19. Jh.
3. bezecht. Verstärkung von ↗blau 5.
19. Jh.
blitzen *v* **1.** es blitzt = durch einen Schlitz
im Frauenrock wird ein Stück des Unter-
kleids sichtbar; der Unterrock ist länger als
der Rock. Blitzen = plötzlich sichtbar
werden. 1840 *ff.*
2. *intr* = eilen; schnell fahren. Man entwickelt Blitzgeschwindigkeit. 1400 *ff.*
2 a. *intr* = unbekleidet plötzlich auf der

Straße auftauchen und wieder verschwinden. 1974 *ff.*
3. jn ~ = jn übertölpeln, irreführen.
„Blitzen" fußt hier auf der Bedeutung
„blenden". Spätestens seit 1900, vorwiegend *oberd.*
4. (den Lehrer) ~ = in der Schule täuschen. 1920 *ff.*
5. jn ~ = jn erpressen. Dem Opfer raubt
man die klare Überlegung, oder man läßt
ihm keine Zeit zu klarer Überlegung, *Rotw*
1922 *ff.*
6. jn ~ = jn abweisen. ↗abblitzen 2.
1900 *ff.*
7. einen ~ = ein Gläschen Alkohol trinken. Wohl wegen der Blitzesschnelle des
Austrinkens. 19. Jh.
8. *tr intr* = die Zeche prellen; sich der
Zahlungsverpflichtung entziehen. Der Betreffende geht blitzartig weg. 19. Jh, *öster.*
9. koitieren. Entweder wegen der Schnelligkeit des Vorgangs oder wegen des Vergleichs der Ejakulation mit dem Blitzschlag. 1900 *ff, öster.*
10. sonst blitzt esl = sonst gibt es Ärgerl
Entweder ist gemeint, daß man dreinschlagen will, oder „blitzen" besagt hier
soviel wie „funkelnd anblicken". 1900 *ff,*
bayr.
11. bei ihm hat es geblitzt = er hat
endlich begriffen. Ihm ist ein sehr helles
↗Licht aufgegangen. *Öster* 1920 *ff.*
12. es hat geblitzt = Liebe hat sich eingestellt. Der Funke ist übergesprungen. *Vgl*
↗funken. *BSD* 1960 *ff.*
13. sich ~ lassen = sich übertölpeln lassen. ↗Blitz 3. 1900 *ff.*
Blitzer *m* **1.** Polizeifahrzeug, das mit (blit-
zendem) Blaulicht und Sirene fährt.
1950 *ff.*
2. Fotograf, der Blitzlichtaufnahmen
macht. 1910 *ff.*
3. selbstgefertigtes Täuschungsmittel.
↗blitzen 3. *Schül* 1920 *ff.*
4. Schmuckstein. Er blitzt und glitzert.
1950 *ff.*
5. Blitzlicht. 1960 *ff.*
6. plötzlich auftauchender und ebenso
plötzlich verschwindender nackter
Mensch. ↗blitzen 2 a. 1974 *ff.*
blitzig *adj* zornig; aufbrausend. Man blitzt
mit den Augen und sieht sein Gegenüber
zornfunkelnd an. 19. Jh.
Blitzjunge *m* gewandter, anstelliger Junge.
Wohl Anspielung auf seine Schnelligkeit.
18. Jh.
Blitzkerl *m* munterer, aufgeweckter, rasch
handelnder Mann. ↗Blitzjunge. 1700 *ff.*
Blitzmädchen (-mädel) *n* **1.** munteres,
aufgewecktes Mädchen. Anspielung auf
die geistige Gewandtheit. 1700 *ff.*
2. Nachrichtenhelferin. Sie trug ein gelbes
Blitzabzeichen auf Schlips und linkem Ärmel. 1939 *ff.* In der Bedeutung „Telefonistin" etwa seit 1900 gebräuchlich.
3. Fotografin. 1950 *ff.*
Blitzmanöver *n* Verwendung eines Täuschungszettels. ↗blitzen 4. 1920 *ff, schül.*
'blitz'sauber *adj* **1.** sehr sauber. ↗blitz-
blank. 1800 *ff.*
2. sehr hübsch. *Bayr* 19. Jh.
3. unredlich. *Iron* verwendet. *Bayr* 1900 *ff.*
Blitzschalter *m* sehr schnell begreifender
Mensch. 1920 *ff.*
Blitzscheidung *f* rasch vollzogene Ehescheidung. 1920 *ff.*
Blitzstart *m* plötzliches Bekanntwerden ei-

nes Künstlers. Stammt aus dem Wort-
schatz der Schallplattenwerbung. 1960 *ff.*
Blitztor *n* sehr schnell erzielter Tortreffer.
Sportl 1920 *ff.*
Blitztour *f* sehr kurze Reise. ↗Tour.
1920 *ff.*
Blitztrauung *f* schnell vollzogene Trauung.
1920 *ff.*
Blitztreffer *m* schnell erzielter Tortreffer.
Sportl 1920 *ff.*
Blitzzettel *m* selbstverfertigter Täuschungszettel. ↗blitzen 4. *Schül* 1920 *ff.*
Blitzzündung *f* Liebe auf den ersten Blick.
↗blitzen 12. 1957 *ff.*
Block *m* einen ~ am Bein haben = **1.**
unfrei sein. Hergenommen vom Block, an
den der Gefangene angeschlossen wird.
1700 *ff.*
2. verheiratet sein. 1700 *ff.*
blocken *v* **1.** die Zustimmung verweigern.
↗abblocken. 1920 *ff.*
2. *tr intr* = bohren. 1900 *ff.*
3. *tr* = etw herrichten, säubern, waschen.
Weiterentwicklung aus dem Vorhergehenden. *BSD* 1960 *ff.*
4. *tr* = den Gegenspieler bei der Ballan-
nahme oder -abgabe behindern. ↗ab-
blocken. *Sportl* 1920 *ff.*
Blockflötologie *f* Musikunterricht. Man
beginnt mit der Blockflöte. *Jug* 1960 *ff.*
Blocksberg *m* jn auf den ~ wünschen =
jn in weite Ferne wünschen; jn verwünschen. Der Blocksberg wird meist mit dem
Brocken im Harz identifiziert; doch gibt es
in ganz Deutschland Blocks- und Bocks-
berge, an die sich Sagen von Hexenver-
sammlungen knüpfen, – wohl in Erinnerung an heidnische Opferbräuche und
Frühlingsfeuer. 1600 *ff.*
blöde *adj* **1.** unangenehm, lästig, sinnlos.
Meinte ursprünglich das Dumme und
Schwache (mein blöder Magen = mein
kranker Magen); hieraus weiterentwickelt
zur Bedeutung „lästig" und „belästigend".
1500 *ff.*
2. jn ~ machen = jm etw vortäuschen.
Analog zu „verdummen". 1900 *ff.*
3. jn für ~ verkaufen = jn für dumm
halten. Wollte man den Betreffenden verkaufen, müßte man ihn wie eine Ware
mit „blöde" auszeichnen, um die Käufer
nicht zu betrügen. 1900 *ff.*
4. jn für ~ verschleißen = jn für dumm
halten. Verschleißen = abnutzen (*öster*
= verkaufen). 1900 *ff.*
Blödel (Blödl) *m* **1.** Dummer; Versager.
Oberd 1900 *ff.*
2. Klassenschlechtester; Klassenwiederholer. *Schül* 1940 *ff, oberd.*
Blödelbarde *m* Sänger, der lustigen Unsinn
gestaltet. ↗blödeln. 1960 *ff.*
Blödelei *f* lustiger Unsinn. ↗blödeln.
1900 *ff.*
Blödeler *m* Dümmling. *Bayr* 1900 *ff.*
Blödelkünstler *m* humoristischer Kabarettist. ↗blödeln. 1950 *ff.*
blödeln *intr* Unsinn schwatzen. *Oberd*
1900 *ff.*
Blödhammel *m* dummer Mann. Zusam-
mengezogen aus „blöder Hammel".
↗Hammel. 1920 *ff.*
Blödheini *m* dummer Mann. ↗Heini.
1930 *ff.*
Blödheit *f* Dummheit, Geistesbeschränkt-
heit. 19. Jh.
Blödian *m* dummer Mensch. Zusammenge-

wachsen aus „blöde" und „Jan" (= Johann, Hans). 1910 ff.

Blödkopf (-kopp) m dümmlicher Mensch. 1920 ff.

Blödling m dumme, einfältige Person. 1800 ff.

Blödmann m **1.** dummer Mann. 1920/30 ff.
2. eiserner ~ = Computer. 1965 ff.

Blödrian m dummer Kerl. Zusammengewachsen aus „blöder Jan". 1900 ff.

Blödsinn m **1.** ~ im Quadrat = völliger Unsinn; surrealistischer Witz. 19. Jh.
2. blühender ~ = großer Unsinn. Entstellt aus „blühender Unsinn", dem Titel eines Gedichts von Joh. Georg Friedr. Messerschmidt, 1833. „Unsinn" wurde in „Blödsinn" verändert wegen der Alliteration zu „blühend". 1920 ff.
3. echter ~ = großer Unsinn; drollige Bemerkungen; Spötteleien. 19. Jh.
4. erhabener ~ = Blödsinn in feierlicher Form. Schül 1960 ff.
5. erlesener ~ = mustergültiger Unsinn. 1955 ff.
6. höherer ~ = a) sehr großer Unsinn; überaus törichtes Geschwätz. Kurz vor der Mitte des 19. Jhs aufgekommen, wohl in Schriftstellerkreisen. – b) zum Ulk gesteigerter Humor. Nach 1850 entstanden.
7. ~ machen = Unsinn treiben; eine Torheit begehen. 1800 ff.

blödsinnig adv sehr; in außerordentlicher Weise (er ist blödsinnig reich). Seit dem späten 19. Jh.

blöken intr schreien; laut weinen; jammern; schimpfen. Schallnachahmend für den Laut des Schafs. 19. Jh.

blond adj **1.** ~ und eng = Whisky „Black and White". Sprachlicher Spaß von Kellnern. 1960 ff.
2. ~ mit Gewalt = blondgefärbt. 1920/30 ff.
3. auf ~ gequält = blondgefärbt. 1920/30 ff.

Blonde f **1.** Zigarette aus hellem Tabak. 1940 ff.
2. die kühle ~ = a) kühles Glas helles Bier; Weißbier. Im frühen 19. Jh aufgekommen, wahrscheinlich in Berlin und vielleicht in Nachahmung von franz „une bière blonde". – b) Blondine zurückhaltenden Wesens; dem Geschlechtsverkehr abgeneigte Blondine. Kühl = temperamentlos, leidenschaftslos. Seit dem späten 19. Jh.
3. synthetische ~ = Frau mit blondgefärbtem Haar. 1950 ff.

blondeln tr Frauenhaar blond färben. 1920 ff.

Blondes n kühles ~ = kühles Glas helles Bier. 19. Jh. ↗ Blonde 2.

Blondine f **1.** kühle ~ = temperamentlose Blondine. ↗ Blonde 2 b. 1920 ff.
2. künstliche ~ = weibliche Person mit blondgefärbtem Haar. 1930 ff.

Blöö m einfältiger Kerl. Geht mit Einfluß von „blöde" zurück auf rumän „pleot = albern, tölpelhaft" und ist über österreichische Vermittlung um 1939 in den deutschen Wortschatz gelangt.

Bloßer m nacktes Gesäß. 1800 ff.

Blubberblase f blasenförmig eingerahmter Text in Bildergeschichten (Comic-strips). ↗ blubbern 3. 1960 ff.

Blubberkasten m Hubschrauber. Wegen

des „blubbernden" Geräuschs. BSD 1960 ff.

Blubberkopf (-kopp) m **1.** leicht erregbarer, aufbrausender Mensch. ↗ blubbern 3. 1830/40 ff.
2. Großsprecher. Er hat nichts als (Schaum-)Blasen im Gehirn, die im Bruchteil einer Sekunde vergehen. BSD 1960 ff.

blubbern intr **1.** Blasen bilden; glucksen. Schallnachahmend hergenommen vom brodelnden Wasser, von platzenden Blasen usw. 1800 ff.
2. harnen. 1900 ff.
3. hastig und unüberlegt sprechen; nörgeln; aufbegehren, aufbrausen; aufgeregt äußern. Die Worte sprudeln hervor, kommen stoßweise und sind von Speichel begleitet. 1700 ff.
4. (geräuschvoll) trinken. 1900 ff.
5. unregelmäßig funktionieren; ein tuckerndes Geräusch hervorrufen. Sold 1939 ff.

Blubberwasser n **1.** dunkles Bier. Es erzeugt Darmwinde. BSD 1960 ff.
2. Mineralwasser. Wegen der zerplatzenden Kohlensäurebläschen, auch wegen der Ursache von Aufstoßen. Seit dem späten 19. Jh.
3. Sekt. Entweder wegen der Kohlensäurebläschen oder wegen der Redseligkeit, in die der Trinkende gerät. 1900 ff.
4. schlechter, dünner Kaffee. 1900 ff.
5. ~ reden = unsinnig reden. 1900 ff.
6. du hast wohl ~ getrunken?: Frage an einen Redseligen. 1900 ff.

Blücher Pn **1.** ran (drauf, druff) wie ~! = mutig vorwärts! unerschrocken zugegriffen! Bezieht sich auf Feldmarschall Fürst Blücher von Wahlstatt (1742–1819), den volkstümlichsten Heerführer der Befreiungskriege; er war mutig, unerschrocken und draufgängerisch. Etwa seit 1830.
2. auf etw losgehen wie ~ = unerschrocken ein Ziel verfolgen. 1900 ff.
3. rangehen wie ~ = unerschrocken handeln; beherzt wagen. 19. Jh.
4. er steht wie ~ vor Roßbach = diese Spielkarte kann niemand übertrumpfen. Blücher stand nie vor Roßbach; die Schlacht von Roßbach (1757) entschied Friedrich II. von Preußen gegen die französischen Truppen unter Soubise. Seit dem späten 19. Jh, kartenspielerspr.

Blue-Jeans-Röhren pl enganliegende Hosen. Meint eigentlich die blauen Anzüge der Seeleute aus Genua. Der Name der Stadt lautet im Französischen „Gênes", das die Amerikaner wie „Jeans" aussprechen. 1950 ff.

Bluff m **1.** Täuschungsmittel; Einschüchterung; Behauptung auf gut Glück. Fußt auf „verblüffen = bestürzt machen"; ist aus dem Niederdeutschen in die Umgangssprache übergegangen. 18. Jh.
2. aussehen wie Jack ~, der Zwiebelfarmer: Redewendung auf einen, dessen Aussehen Anlaß zum Lästern gibt. Das Originelle liegt in der Zusammenstellung der Wörter, vor allem in dem absichtlich unsinnigen Zusatz. Stammt wohl aus dem Jargon der Ausbilder. BSD 1960 ff.

bluffen tr **1.** jn täuschen; etw kühn behaupten, ohne Genaueres zu wissen; jm Furcht einjagen. ↗ Bluff 1. 18. Jh.
2. in der Schule täuschen. Schül 1920 ff.

blühen v **1.** ihm blüht etwas = ihm steht Nachteiliges bevor; er hat Prügel (Anher-

schung o. ä.) zu erwarten. Blühen = wachsen; größer und größer werden. „Es blüht" sagt man, wenn sich ein Gewitter zusammenzieht. 19. Jh.
2. intr = menstruieren. Geht zurück auf die volkstümliche Vorstellung vom Baum, der Früchte trägt, also so fruchtbar ist wie die Frau bis zum Klimakterium. 1800 ff.

Blümchen n **1.** schlechter, dünner Kaffee. ↗ Blümchenkaffee. 19. Jh.
2. blutige Schramme; zerschundene Gesichtszüge; Ohrfeige u. ä. Beschönigend für all das, was einem „geblüht" hat; ↗ blühen 1. 1900 ff.
3. Kosewort auf ein Mädchen o. ä. Fußt auf der Metapher „Blume = das Beste". 1900 ff.
4. Jungfräulichkeit. ↗ Blume 4. 1500 ff.
5. da ist das ~ ab (weg) = bei diesem Mädchen ist der erste Schmelz der Jugend, die Unschuld dahin. Vgl das Vorhergehende. 18. Jh.
6. die ~ von unten betrachten = im Grab liegen. 1950 ff. Vgl ↗ Radieschen.

Blümchenkaffee m sehr dünner Kaffeeaufguß. Er ist so dünn, daß man die auf dem Grunde der Tasse gemalten Blumen (vor allem die des Meißner Porzellans) erkennen kann. 1700 ff.

Blume f **1.** Bukett des Weines; Feingeruch. Fußt auf lat „flos = Blume"; auch in der Antike stand „Blume" für „das Beste". 19. Jh.
2. Bierschaum. 19. Jh.
3. erster Schluck aus dem Glas Bier. 19. Jh.
4. Vulva; Jungfernhäutchen. Bezeichnung für das Beste. 1500 ff.
5. pl = Rauschgift (Lysergsäurediäthylamid). Tarnwort. Halbw 1960 ff.
6. keine ~n, keine Blätter = nur sehr schlechte Karten in der Hand. Umgemodelt aus der Textzeile des Gedichts „Mit einem gemalten Band" (1771) von Goethe: „Kleine Blumen, kleine Blätter . . .". Kartenspielerspr. 1900 ff.
7. in schwerer ~ = betrunken. Der Betreffende hat zuviele „Blumen" (↗ Blume 3) abgetrunken. 1900 ff.
8. du stinkende ~ des Orients!: Schimpfwort. Schül 1950 ff.
9. danke für die ~n (vielen Dank für die ~n)! = danke für das Kompliment, für die anzügliche Bemerkung! Ausdruck der Ablehnung. Blume = Redefloskel. 1920/30 ff.
10. in gießen (begießen) = harnen. Umschreibung und Ausrede. BSD 1965 ff.
11. die ~ hat reichlich Wasser = der Wein ist gefälscht. ↗ Blume 1. 1920 ff.
12. jm ~ mitbringen = jm Ausbruchswerkzeuge in die Zelle schmuggeln. Mit den Blumen ist das „Veilchen" gemeint, das in der Aussprache nicht von „Feilchen" zu unterscheiden ist. 1950 ff, rotw.
13. etw hinten um die ~ rum sagen = etw nicht unumwunden sagen. ↗ Blume 16. 1900 ff.
14. meine Name ist ~, ich verdufte: Redewendung des Davongehenden. Umschreibung von „verduften". Schül 1955 ff.
15. jn in die ~n setzen = jn nur von seinen Vorzügen her bewerten. 1930 ff.
16. durch die ~ sprechen = verhüllt, nicht offen in Umschreibungen reden. Fußt auf dem Begriff „Redeblume" (= Floskel; Zierat der Rede). 18. Jh.

17. ~n verteilen = Anerkennung ausdrücken. Blumen als Höflichkeits- und Dankesgabe. 1930 ff.

Blumenbrett n **1.** obere Galerie im Theater oder an ähnlicher Schaustätte. Hergenommen vom hoch angebrachten Brett für Blumen, damit niemand sie stört und jedermann sie sieht. 1910 ff. **2.** Oberdeck im Autobus. 1910 ff. Das Wort bezeichnete um 1870 das Oberdeck der Pferdebahn. **3.** waagerechte obere Metallverkleidung der Raupenketten beim Panzerkampfwagen. Sie diente ffden Infanteristen als Sitzplatz während des Vorrückens zur Ausgangsstellung. Sold 1939 ff.

Blumendraht m **1.** ~l: Ausruf der Ungeduld; Verwünschung. Herleitung unbekannt. Bayr 1960 ff. **2.** ~ und Stachelbeerkompott!: Ausruf der Verwunderung oder des Unwillens. Bayr 1960 ff.

Blumenfreund m Biertrinker. ↗ Blume 3. 1965 ff.

Blumenkohl m **1.** blumige Redeweise voller Unsinn; schiefer Vergleich im Ausdruck (Katachrese). Blume = Redeblume; ↗ Kohl = Unsinn. Vorform ist die Wortprägung „blumiger Kohl" von Günther Saalfeld. 1910 ff. **2.** Ekzem. Formähnlichkeit zwischen Blumenkohl und Wucherung. BSD 1965 ff. **3.** Geschlechtskrankheit (Tripper). 1900 ff (wenn nicht sehr viel älter). **4.** Eichenlaub zum Eisernen Kreuz. Wegen der Ähnlichkeit im Aussehen. Sold in beiden Weltkriegen. **5.** Rohrkrepierer. Das Ergebnis sieht wie ein Blumenkohl aus. BSD 1960 ff. **6.** Goldbestickung an den Mützen der Offiziere der Bundesmarine. Es ähnelt dem Eichenlaub; vgl ↗ Blumenkohl 4. BSD 1955 ff. **7.** Lord ~ = Stutzer; modisch gekleideter Mann. 1966 ff.

Blumenkohlohr n (durch Boxhiebe) entstellte Ohrmuschel. Sie ähnelt dem Blumenkohl. 1920 ff. Vgl engl „cauliflower ear".

Blumenkorb m durch freundliche Worte gemilderte Ablehnung. ↗ Korb. 1900 ff.

Blumenkübel m garnierter ~ = Damenhut in Topfform mit botanischem Schmuckwerk. 1960 ff.

Blumenladen m wie ein ~ riechen = stark parfümiert sein. Berlin 1920 ff.

Blumenolympiade f Bundesgartenschau. 1975 ff.

Blumentopf m **1.** Geschoß von schwerem Kaliber; Fliegerbombe. Ironisierung. Sold in beiden Weltkriegen. **2.** Ausbläser (Sprengkörper, der ausbrennt, ohne zu platzen). Er stinkt stark. Sold 1939 ff. **3.** mit Blättern und Blüten geschmückter Damenhut in Topfform. 1920 ff. **4.** damit ist kein ~ zu gewinnen (erben, verdienen) = damit ist kein Erfolg zu erzielen. Fußt einerseits auf Ovationen im Theater, andererseits auf Jahrmarktverlosungen mit Blumentopf-Gewinnen. Seit dem späten 19. Jh. **5.** einen ~ setzen = einen Darmwind abgehen lassen. Vgl das Folgende. 1910 ff. **6.** einen ~ umkippen (umwerfen) = einen Darmwind entwickeln lassen. Dem

umgekippten Blumentopf entströmt fauliger Geruch. 1910 ff.

blüme'rant adj adv **1.** schwach. Fußt auf franz „bleu-mourant = mattblau" und ist durch „Blume" oder „verblümt" u. ä. entstellt. Aus der Bedeutung „bleichblau" ergibt sich „kränkelnd". 1800 ff. **2.** ihm ist ~ zu Mute = ihm ist nicht wohl; er hat böse Befürchtungen. 1800 ff. **3.** ~ um die Rosette sein = ängstlich sein. ↗ Rosette. Sold 1939 ff.

blumig adv ~ reden = unverständlich, umständlich reden. Eine mit Redeblumen gespickte Äußerung kann nicht jedermann verstehen. 1900 ff.

blumm adv präd einfältig, dümmlich. Zusammengesetzt aus „blöde" und „dumm" durch junge Schweizer. 1960 ff.

Blunze (Blunzen) f **1.** Blutwurst. Vermutlich slawischen Ursprungs: poln „pluca = Lunge; eßbare Eingeweide". Oberd 1600 ff. **2.** behäbige, plumpe weibliche Person. Sie wirkt wie eine dicke Wurst auf Beinen. 18. Jh, oberd. **3.** großer Penis. 1900 ff, österr. **4.** das ist mir ~ = das ist mir gleichgültig. Analog zu „das ist mir ↗ Wurst". Österr 19. Jh.

blunzen intr Fußball spielen ohne Einhaltung der Regeln. Die Spielweise ist durcheinander wie der Inhalt der Blutwurst, oder die Regeln sind den Spielern gleichgültig. Bayr 1950 ff.

Bluse f **1.** junges Mädchen. Von der Bekleidung auf die Trägerin übertragen. Halbw 1955 ff. **2.** mit Oberlicht = Bluse mit Tülleinsatz. 1900 ff. **3.** gefüllte ~ = üppiger Busen. Halbw 1955 ff. **4.** halbe ~ = Mädchen, das sich älter kleidet als dem Lebensalter entsprechend. Der Busen ist wohl spärlicher entwickelt, als es zu erkennen gibt. Halbw 1955 ff. **5.** heiße ~ = temperamentvolles, anziehendes, sinnliches Mädchen. ↗ heiß. Halbw 1955 ff. **6.** mitteilsame ~ = tiefdekolletierte Bluse. 1950 ff. **7.** scharfe ~ = dünne Bluse mit weitem Ausschnitt. ↗ scharf. 1920 ff. **8.** steile ~ = schickes junges Mädchen. ↗ steil. Halbw 1955 ff. **9.** wohlgefüllte ~ = Bluse über üppigem Busen; üppiger Busen. Halbw 1955 ff. **10.** einer unter die ~ gehen = eine weibliche Person intim betasten. 1900 ff. **11.** viel (viel) in (unter) der ~ haben = einen üppigen Busen haben. 1930 ff. **12.** sich jm an die ~ schmeißen = einer weiblichen Person eine Liebeserklärung machen. Entpoetisiert aus „an die Brust sinken". 1955 ff, halbw.

Blut n **1.** blaues ~ = adlige Abkunft; Adliger. ↗ blaublütig 1. 1800 ff. **2.** junges ~ = junger Mensch. „Blut" versinnbildlicht das von den Eltern Überkommene; von da weiterentwickelt zur neutralen Bedeutung „Mensch". 14. Jh. **3.** weißes ~ = Sperma. 1600 ff. **4.** lutsch ihm das ~ aus!: Anfeuerungsruf beim Fußballspiel. Man wünscht, daß der Spieler wie ein blutsaugendes Tier handle: er soll den Gegner völlig entkräften. 1950 ff. **5.** ich salze dich in deinem eigenen ~ ein!: Drohrede. Halbw 1955 ff.

6. das ~ schießt ihm ein = er errötet, wird rot im Gesicht. 19. Jh. **7.** ~ geleckt haben = auf weiteren Genuß nicht verzichten wollen. Soll sich vom Wolf herleiten, der, wenn er einmal Menschenblut geleckt hat, weiter nach Menschenblut und -fleisch giert. Spätestens seit 1900. **8.** ~ im Alkohol haben = betrunken sein. Scherzhafte Vertauschung. 1950 ff. **9.** einen Tropfen ~ im Alkohol haben = nicht volltrunken sein. 1950 ff. **10.** noch zwanzig Prozent ~ im Alkohol haben = schwer bezecht sein. 1950 ff. **11.** blaues ~ haben = a) dem Uradel angehören. ↗ blaublütig 1. 1800 ff. – b) bezecht sein. Wortspielerei; ↗ blau 5. 1950 ff. **12.** schottisches ~ in den Adern haben = geizig sein. Die Schotten gelten in Witzen stereotyp als geizig. 1910 ff. **13.** zuviel (zu wenig) ~ im Alkohol-Kreislauf haben = bezecht, angetrunken sein. Scherzhafte Vertauschung. 1950 ff. **14.** zu wenig ~ im Alkohol haben = schwer bezecht sein. 1950 ff. **15.** saures ~ haben = zeugungsunfähig sein. 1933 ff. **16.** böses ~ machen = die Leute erbittern, verstimmen. Böses Blut ist dasjenige Blut, das durch Einfließen der Galle verdorben ist. 1500 ff. Vgl engl „bad blood" und franz „faire du mauvais sang". **17.** ~ schwitzen = stark schwitzen; sich sehr anstrengen; sich sehr ängstigen. Eine übertreibende Redensart seit 1500. **18.** ~ und Wasser schwitzen = Ängste ausstehen. 19. Jh. Vgl franz „suer sang et eau". **19.** das setzt böses ~ = das verursacht Aufregung, Erbitterung. ↗ Blut 16. 19. Jh. **20.** böses ~ vermeiden = den Leuten Erbitterung ersparen. ↗ Blut 16. 1900 ff. **21.** mir wird das ~ sauer! = a) Ausruf der Überraschung, der Bestürzung o. ä. Ihm gerinnt das Blut in den Adern. Jug 1955 ff. – b) jetzt ist meine Geduld erschöpft. Jug 1955 ff.

Blutacker m **1.** Truppenübungsplatz, Exerzierplatz. Eigentlich Bezeichnung für das Schlachtfeld. Sold 1935 ff; BSD 1960 ff. **2.** Turnhalle. Schül 1960 ff.

'blut'arm adj sehr arm. „Blut-" als allgemeine Verstärkung wie bei entweder von „bis aufs Blut" oder fußt auf „blutt = nackt, ungefiedert". 14. Jh bis heute.

Blutdruck m **1.** keinen ~ mehr haben = keine geschlechtlichen Wünsche mehr haben. Blut = Sperma. 1920 ff. **2.** der ~ ist im Keller = man hat sehr niedrigen Blutdruck. 1930 ff.

Blüte f **1.** gefälschter Geldschein. Ursprünglich nannte man so die Glückwunschkarten, Reklamezettel oder Geschäftsanzeigen, die dem Papiergeld ähnelten oder ihm nachgemacht waren. Einfältigen Leuten schob man sie als echte Geldscheine unter. Das Wort ist eine Nebenform von rotw „Platten" (die zum Ausprägen bestimmten runden Metallbleche). Seit dem späten 19. Jh. Seit dem 17. Jh nannte man „Blüte" auch das gefälschte Hartgeld. **2.** gefälschte Eintrittskarte. 1955 ff. **3.** schlimmer, verkommener, pfiffiger Mensch. Analog zu ↗ Pflänzchen. 1935 ff. **4.** leichtes Mädchen. Verkürzt aus ↗ Sumpfblüte. 1950 ff.

5. Menstruation. ↗blühen 2. 19. Jh.
6. dolle ~ = zugkräftige Stimmungsmacherin. 1900 ff.
7. seltene ~ = a) Sonderling. 1930 ff. – b) Verbrecher o. ä. 1930 ff.
8. ulkige ~ = Sonderling; wunderlicher Mensch. 1920 ff.
9. jm eine ~ stechen = jn rügen. Blüte = kleine gerötete Geschwulst. Wie man eine Blase aufsticht, damit der Eiter austreten kann. 19. Jh.
10. in voller ~ stehen = menstruieren. ↗blühen 2. 19. Jh.
bluten intr **1.** schwere Opfer bringen; viel Geld zahlen müssen. Bluten = Blut vergießen; geschwächt werden. Oft mit dem Nebensinn der gerechten Vergeltung für eine Schuld. Seit dem 16./17. Jh.
2. beim (hastigen) Trinken Bier vergießen. Daß Blut „ein ganz besonderer Saft" ist, sagt Mephistopheles in Goethes „Faust I". Diesen Ausdruck haben Studenten parodistisch auf das Bier übertragen, das ja auch „↗Gerstensaft" genannt wird. 1850 ff.
blütenfrisch adj nicht mehr ganz ~ = alternd; gealtert. 1950 ff.
Blütenzauber m Falschmünzerei. 1950 ff.
Bluter m **1.** Verlierer beim Karten-, Glücksspiel. ↗bluten 1. Etwa seit 1870.
2. Mann, der die Zeche für die Tischrunde bezahlt. 1870 ff.
'blut'ernst adj bitterernst. ↗blutarm. 1900 ff.
'Blut'finsternis ('Bluats'finsternis) f völlige Dunkelheit. Bayr 1900 ff.
Blutgerinnsel n Rote Grütze. 1920 ff.
Blutgeschwür n Mischgetränk, bestehend aus Eierlikör, einem Schuß Kirschlikör und feingemahlenem Bohnenkaffee um den Rand. Spätestens seit 1900.
Blutgruppe f **1.** Gruppe Gleichgesinnter. 1930 ff.
2. Waffengattung. Sold 1939 ff.
3. nicht jds ~ haben (nicht von jds ~ sein) = anderer Denkart sein; jm nicht sympathisch sein. 1939 ff.
4. eine andere ~ haben = anders eingestellt sein. 1930 ff.
5. dieselbe ~ haben = a) derselben Partei (Glaubensgemeinschaft o. ä.) angehören. 1930 ff. – b) dieselbe Lebensauffassung vertreten. 1930 ff.
6. nicht die richtige ~ haben = eine unerwünschte Person sein. 1950 ff.
7. das ist meine ~ = das sagt mir zu, ist mein Geschmack, paßt mir hervorragend. 1930 ff.
'Blut'hitze ('Bluats'hitzn) f sengende Hitze. Bayr 1900 ff.
Bluthund m **1.** tyrannischer Mensch; Wucherer; rücksichtsloser Geldeintreiber. Fußt auf 2. Samuel 16,7. Meint eigentlich den Jagdhund, dann den blutdürstigen Menschen. 14. Jh ff.
2. niederträchtiger Mann. Schimpfwort. 19. Jh.
3. Truppenführer, der seine Soldaten rücksichtslos opfert. Er ist blutdürstig. 1870 ff.
4. überstrenger Vorgesetzter. Spätestens seit 1900.
5. strenger Staatsanwalt. 1900 ff.
6. pl = Feldjäger. In Fällen unvorschriftsmäßigen Verhaltens sind sie unerbittlich streng. BSD 1965 ff.
blutig adj adv **1.** völlig (ein blutiger Anfänger). Geht zurück auf oberd „blutt" und

niederd „blott", beide in der Bedeutung „bloß". 19. Jh. Vgl engl „bloody".
2. adv = sehr, überaus; mit großer Mühe. 19. Jh.
'blut'jung adj sehr jung. Vgl auch ↗Blut 2. 1700 ff.
'blut'nackt adj völlig unbekleidet. 1700 ff.
'blut'nötig adj unbedingt erforderlich. 1900 ff.
Blutpumpe f Herz. ↗Pumpe. 1920 ff.
Blutrührer m Zivildienstleistender. Anspielung auf seine Tätigkeit im Krankenhaus. BSD 1965 ff.
'Blut'sakra interj Verwünschung. Bayr 19. Jh.
'Bluts'arbeit f sehr schwere körperliche Arbeit. Bayr 1900 ff.
'Blut'sau ('Bluat'sau) f sehr niederträchtiger, gemeiner Mensch; Verwünschung. 1600 ff.
'blut'sauer adj **1.** sehr unangenehm; sehr beschwerlich. ↗sauer. 16. Jh.
2. ~ sein = sehr unwirsch, verärgert, gekränkt sein; sich ablehnend verhalten. 1960 ff.
'Blutsaue'rei ('Bluatssaue'rei) f **1.** Gemeinheit, Niedertracht. ↗Sauerei. Bayr 1900 ff.
2. sehr mißliche Lage. 1900 ff.
3. Verwünschung. Bayr 1900 ff.
'Bluts'chande f sehr große Schande. Hat mit dem Begriff „Blutschande" nichts zu tun, sondern verwendet „Bluts-" als allgemeine Verstärkung. Bayr 1930 ff.
'Blutsschinde'rei f sehr mühselige Arbeit. ↗Schinderei. Bayr. 1900 ff.
'Bluts'schwindel ('Bluats'schwindl) m großer, plumper, niederträchtiger Schwindel. Bayr 1930 ff.
Blut- und Busenfilm m Film voller Verbrechen und Sex. Steht wortbildnerisch in der Nachfolge der Blut- und Boden-Ideologie der NS-Zeit. 1955 ff.
'blut'wenig adj adv sehr wenig. 1700 ff.
Blutwurst f **1.** beleibte, wenig gebildete, häusliche Frau. Analog zu ↗Blunze 2. 1700 ff.
2. aus jm ~ machen = jn niederschießen. 1920 ff.
3. aus dir mache ich ~!: scherzhafte Drohrede. 1920 ff.
4. das ist zu schlecht, um ~ draus zu machen = das ist höchst minderwertig. Wurst aus Blut und Speckstücken gilt manchen als ein mindergeachtetes Essen. 1930 ff.
5. dich verarbeite ich zu ~!: Drohrede. 1920 ff.
blutwurstdurstig adj rachsüchtig. Zusammengesetzt aus „blutdurstig" und der Redewendung „Rache ist Blutwurst". ↗Blutwurst 2. 1930 ff.
blutzen intr stark, qualmend rauchen. ↗plotzen. 1900 ff.
Blutzer m **1.** Kopf. Meint eigentlich den bauchigen Mostkrug, auch den Kürbis. ↗Kürbis = Kopf. 1900 ff, österr.
2. dümmlicher Mensch. Sein Kopf wird einem Wasserkopf gleichgesetzt. Österr 1920 ff.
Bobby m **1.** Verkehrspolizist; Polizeibeamter im Straßendienst. Meint eigentlich den Londoner Polizeibeamten. „Bobby" = Koseform vom englischen Vornamen des englischen Innenministers Sir Robert Peel, der 1829 die englische Polizei begründete.

Bei uns gegen 1930 aufgekommen, verstärkt nach 1945.
2. Hundename. 1930 ff.
Bobschlitten m freischwebende Loge. Sie ähnelt dem Bobschlitten. 1957 ff.
Bocher m **1.** junger Jude. Fußt auf jidd „bochur = Jüngling". 18. Jh.
2. Student. Im Jiddischen eigentlich der Talmudbeflissene; der Schüler des Rabbi. 1800 ff.
3. erfahrener Polizeibeamter; Kenner der Gaunersprache. Weiterentwicklung aus dem Vorhergehenden. Rotw 1862 ff.
4. mieser ~ = schlechter Käufer. ↗mies. 1900 ff, kaufmannsspr.
Bock m **1.** Mann. Übertragen vom Schaf- oder Ziegenbock. 1800 ff.
2. Penis. Gilt als Horn des „Bocks". Die Volksweisheit behauptet, alte Böcke hätten steife Hörner, und je älter der Bock, um so steifer sei sein Horn. Seit dem frühen 19. Jh.
3. Flakgeschütz. Die Schüsse klingen wie das Lautgeben des Rehbocks. BSD 1965 ff.
4. Bett. Verkürzt aus „Sägebock"; denn „sägen = schnarchen". BSD 1965 ff.
5. Fahrrad. Lenkstange und Radgabel ähneln dem Bocksgehörn. 1920 ff.
6. Roller, Moped, Motorrad. 1939 ff.
6 a. Fahrersitz im Auto; Motorradsattel. 1970 ff.
7. minderwertiges Kraftfahrzeug; Fehlkonstruktion. Das Fahrzeug ist störrisch, der Motor „bockt". 1930 ff.
8. Auto; Lastkraftwagen. 1939 ff; BSD 1965 ff.
9. Panzerkampfwagen. Er wirkt als Rammbock = Mauerbrecher. BSD 1965 ff.
10. Flugzeug. Bock = flaches Schiff. Sold in beiden Weltkriegen.
11. Hubschrauber. Auch Bezeichnung für eine Maschine, die Lasten hochwindet. BSD 1965 ff.
12. Karte, die nicht gestochen werden kann. Der Bock in der Viehzucht „sticht" (= deckt), wird aber nicht „gestochen" (= gedeckt). Kartenspielerspr. 19. Jh.
13. Schulleiter. Anspielung auf den „Leithammel". Schül 1930 ff.
14. Fehlschuß. Leitet sich wahrscheinlich davon her, daß früher der Bock der Trostpreis für den schlechtesten Schützen war. 16. Jh.
15. Fehler, Versehen; Regelverstoß. Weiterentwickelt aus dem Vorhergehenden. 1700 ff.
16. Halsstarrigkeit, Widersetzlichkeit; störrischer Mensch. Böcke sind störrisch. 1700 ff.
17. Drang, Trieb, Lust. Fußt auf zigeun „bokh = Hunger", weiterentwickelt zur Bedeutung „Gier" o. ä. 1910 ff; Rocker 1968 ff, Hamburg.
18. laut entweichender Darmwind. Er klingt wie der Laut des Rehbocks. 19. Jh.
19. hervorragende Sache; beachtlicher Vorgang; sehr eindrucksvolles Ereignis o. ä. Fußt auf dem jägersprachlichen Begriff „kapitaler (Reh-)Bock". 1960 ff.
20. ~ mit Hörnern = grobes Versehen beim Kartenspiel. „Mit Hörnern" verstärkt die Bedeutung „Fehler". 1900 ff.
21. ~ und Zibbe = Ehepaar. Zibbe = Ziege. 1900 ff.
22. alter ~ = a) alter, verliebter, beischlafgieriger Mann. ↗Bock 2. 17. Jh. –

b) alter Mann (ohne geschlechtlichen Bezug). 1900 ff. – c) altes Flugzeug. ↗ Bock 10. 1920 ff. – d) kriegsgedienter Offizier. BSD 1960 ff.

23. dicker ~ = Tankkesselwagen. BSD 1970 ff.

24. geiler ~ = liebesgieriger Draufgänger. 19. Jh.

25. lascher ~ = a) langweiliger, energieloser junger Mann; verweichlichter, unselbständiger Junge. ↗ lasch. Halbw 1955 ff. – b) fades Getränk. Wohl gekürzt aus „Bockbier". 1955 ff, halbw.

26. steifer ~ = ungewandter Mann. Hergenommen vom Schafbock. 19. Jh.

27. sturer ~ = ungewandter, unbelehrbarer, halsstarriger Mensch. ↗ stur. 1914 ff.

28. steif wie ein ~ = ungelenk, alterssteif. ↗ Bock 26. 19. Jh.

29. stur wie ein ~ = störrisch, unzugänglich; schwer zu leiten. ↗ stur. 1914 ff.

30. den ~ aufsitzen lassen = den Kameraden den Vortritt lassen. Bock = störrischer Mann. „Aufsitzen lassen" gehört zur Vorstellung vom Vogelsteller, der den Vogel auf der Leimrute fängt. BSD 1965 ff.

31. vom ~ gestoßen sein = halsstarrig sein. Der Bock ist stößig. 19. Jh.

32. einen ~ haben = widersetzlich sein. ↗ Bock 16. 19. Jh.

33. auf jn einen ~ haben = a) jn begehren. ↗ Bock 17. 1968 ff. – b) Angriffslust gegen jn verspüren. Rocker 1968 ff.

34. auf etw ~ haben = auf etw Appetit haben. Geht zurück auf zigeun „bokh = Hunger". ↗ Bock 17. 1910 ff.

35. einen ~ auf etw haben = etw gut finden, bevorzugen, schätzen. 1920 ff. ↗ Bock 17.

36. keinen ~ haben = keine Lust haben. ↗ Bock 17. 1920 ff.

37. einen ~ miteinander haben = Streit miteinander haben; mit jm eine Auseinandersetzung haben. Hergenommen von zwei Jägern, denen ein Bock zum Abschuß freigegeben ist und die sich nicht einigen können, wer ihn schießen soll. 1960 ff.

38. es kommt ihm wie dem ~ die Milch = das ist ihm ausgeschlossen; das begreift er nie oder nur sehr langsam. 1800 ff.

39. den ~ zwischen die Hörner küssen können = sehr hager, mager sein. 1800 ff.

40. wenn die Böcke lammen = nie. 1800 ff.

41. jn beim ~ lassen = jn streng behandeln lassen. 1960 ff.

42. leben wie ~ und Zibbe = unverheiratet zusammenleben. ↗ Bock 21. 1900 ff.

43. den ~ machen = sich starrköpfig benehmen. 1900 ff.

44. den ~ zum Gärtner machen = einen Untauglichen mit einer wichtigen Aufgabe betrauen. Der Bock liebt Grünfutter; einen Garten hätte er schnell zerstört. 15. Jh.

45. seinen ~ melken = harnen (vom Mann gesagt). ↗ Bock 2. 1870 ff.

46. einen ~ melken = Sinnloses tun; sehr beschäftigt tun. Leicht verständliche, sprichwörtähnliche Redewendung, schon in der Antike geläufig. 1600 ff.

47. zum ~ müssen = nach Geschlechtsverkehr verlangen. Sold 1939 ff.

48. den ~ satteln = das Auto startbereit machen. Das Bild stammt vom Reiten. Sold 1939 ff.

49. einen ~ schießen (machen) = einen Fehler begehen. ↗ Bock 15. 1700 ff.

50. willst du einen alten ~ stinken lehren?: Frage an einen, der überflüssige Ratschläge erteilt. Anspielung auf den strengen Bocksgeruch. 19. Jh.

51. ihn stößt der ~ = a) er schluchzt (lacht) heftig. Der Oberkörper zuckt ruckweise, als werde man heftig in den Rükken gestoßen. 19. Jh. – b) er hat den Schluckauf. 19. Jh. – c) er wird aufsässig, ausfallend, benimmt sich übermütig. 1800 ff.

52. jn zum ~ tun; jn verabern, übertölpeln. Gemeint ist, daß ein männliches Tier zum Bock gegeben wird: für die Aufzucht erreicht man dadurch nichts, und man weckt bloß falsche Hoffnungen. 1910 ff.

53. den ~ umkippen (umstoßen) = eine Unglücksfolge beenden; ein besseres Ergebnis als vorher zu erzielen suchen. Bock = störrisches Hindernis. 1930 ff.

bockbeinig adj eigensinnig. Hergenommen von der breitbeinigen Stellung des Ziegenbocks. Etwa seit 1800.

bocken intr 1. widerspenstig sein; trotzen. Der Bock stößt den Angreifer mit den Hörnern. 1700 ff.

2. das Auto (der Motor) bockt = der Motor läuft unregelmäßig. 1900 ff.

3. koitieren. In der Viehzucht soviel wie „nach dem Bock verlangen". 1500 ff.

4. aufs ~ folgt das Lammen = wer das Angenehme genießt, muß auch das Unerwünschte hinnehmen. Anspielung auf den Kindersegen nach erfolgreichem Beischlaf. 1800 ff.

bockfreudig adj liebebedürftig. Aus der Viehwirtschaft übernommen. Prost 1950 ff.

bockig adj 1. störrisch, widerspenstig, unnachgiebig. Eigentlich „stößig wie ein Bock". 1500 ff.

2. böig. Von den Bockstößen auf Windstöße übertragen. Fliegerspr. 1930 ff.

Bockkarte f Kontrollkarte der Prostituierten. ↗ bocken 3. 1960 ff, prost.

bocklos sein etw nicht schätzen. ↗ Bock 17. 1920 ff.

Bockmist m 1. großer Unsinn; völlige Fehlleistung. „Bockmist" als Kot des Bocks verstärkt den Begriff „Mist = Wertlosigkeit". Die Ausscheidungen des Ziegenbocks riechen besonders streng. Seit dem letzten Drittel des 19. Jhs.

2. völliger Unsinn; Höchstfalsches. 1900 ff.

Bockrunde f Kartenspielrunde, bei der Verlust und Gewinn doppelt zählen, wenn einer eine Contra anmeldet oder der Verlierer einen Punkt zu wenig erhält. Spielmacher und Spieler überbieten einander mit „contra – re – sub – Bock – Hirsch". 1900 ff.

Bocksbeutel m 1. Frankenweinflasche. Wegen der Formähnlichkeit mit dem Hodensack des Ziegenbocks; in solchen Hodensäcken sollen früher Flüssigkeiten aufbewahrt worden sein. 1500 ff.

2. einen ~ leeren = koitieren (vom Mann gesagt). 1900 ff.

Bocksbeutelei f veraltetes Herkommen; törichtes Unternehmen; Dümmlichkeit. „Bocksbüdel" ist die hd Form von niederd „Boksbüdel": dies ist ein Beutel, in dem Frauen früher das Gesangbuch trugen,

wenn sie zur Kirche gingen. Hieraus entwickelt zum Sinnbild überkommener Gewohnheit. 1800 ff.

Bockschein m polizeiliche Genehmigung zur Ausübung der Prostitution. ↗ bocken 3. 1960 ff. Meint eigentlich den Körschein, die amtliche Zulassung von landwirtschaftlichen Zuchttieren zum Decken.

Bockshorn n jn ins ~ jagen = jn einschüchtern. Soll hergenommen sein von der Bezeichnung für das Gestell, in das man Pferde zum Hufbeschlag oder zum Kastrieren einzwängte, oder auch vom Namen des Strafwinkels für Kinder. Nach anderen Quellen ist das Wort entstellt aus „bockes hamo" (= Bocksfell): in solch ein Fell zwängte man die Missetäter, der sich gegen die Volkssitte vergangen hatte. Seit dem ausgehenden 15. Jh.

'bock'steif adj 1. ungelenk, unbelehrbar, halsstarrig. ↗ Bock 26. 19. Jh.

2. steif an den Gliedern vor Kälte; hartgefroren. 19. Jh.

3. unbiegbar, unbeweglich. 1900 ff.

4. in Förmlichkeit verharrend; äußerst zeremoniell. 19. Jh.

Boden m 1. ihm brennt der ~ unter den Füßen (ihm wird der ~ unter den Füßen zu heiß) = in der augenblicklichen Lage hält er es nicht länger aus; seine Lage ist ihm zu gefährlich; er muß mit Verhaftung rechnen. Hergenommen von mittelalterlichen Folterpraktiken. 1700 ff.

2. hier kann man vom ~ essen = hier ist der Fußboden peinlich sauber. 1900 ff.

3. zu ~ gehen = a) zugrundegehen; untergehen; verloren gehen. Hergenommen von Ringern. 1400 ff. – b) unterliegen, nachgeben. Wohl der Boxersprache entlehnt. 1920 ff.

4. bis hundert zu ~ gehen = a) völlig erledigt sein. Übertreibend vom Boxsport übernommen: knockout = 10 Sekunden lang kampfunfähig. 1955 ff, jug. – b) vor Schreck, Überraschung oder Verwunderung die klare Überlegung verlieren. Anspielung auf Ohnmacht. 1955 ff, jug.

5. jn zu ~ gehen lassen = jn überflügeln, besiegen. 1950 ff.

6. ~ gewinnen = festen Fuß fassen; sich das Wohlwollen des anderen erringen. Hergenommen von der Geländeeroberung. Sold 1920 ff.

7. nach hinten (rückwärts) ~ gewinnen = die Stellung räumen; flüchten. Sold in beiden Weltkriegen.

8. nach der Heimat zu ~ gewinnen = fliehen; sich eigenmächtig von der Truppe entfernen. Sold 1939 ff.

9. mach, daß du ~ gewinnst! = entferne dich schleunigst. Schül 1950 ff.

10. keinen ~ haben = a) unersättlich sein. Man ähnelt dem Danaidenfaß der griechischen Sage. 19. Jh. – b) sich in großer Verlegenheit befinden; arge Schwierigkeiten haben. Der Betreffende hat keinen festen Boden unter den Füßen: er schwebt in Not. 19. Jh. – c) mittellos sein. 1900 ff.

11. nicht alle auf dem ~ haben = nicht ganz bei Verstand sein. Boden = Speicher = ↗ Oberstübchen. Schül 1950 ff.

12. den ~ kultivieren = durch Artilleriebeschuß, Bomben o. ä. das Erdreich gründlich aufwühlen. Ironisierung eines Begriffs des Ackerbaus. Sold in beiden Weltkriegen.

13. den ~ küssen = mit dem Gesicht auf

den Boden fallen. Scherzhafte Verharmlosung. 1700 ff.

14. willst du den ~ messen?: Frage an einen, der zu Fall gekommen ist. ↗abmessen 1. Seit dem späten 19. Jh.

15. sich in den ~ hinein schämen = sich sehr schämen. Man möchte auf der Stelle in den Erdboden versinken. 19. Jh.

16. am ~ sein = a) ermüdet, entkräftet sein. Wegen körperlicher Schwäche bricht man zusammen. 1900 ff. – b) erschrocken, verwundert sein. Vor Erstaunen verliert man das Gleichgewicht und stürzt. 1920 ff. – c) wirtschaftlich oder juristisch erledigt sein; keine Erfolgsaussichten mehr haben. 1920 ff.

17. es senkt sich der ~ vor ihm = er hat einen argen Mißerfolg erlitten. Der Betreffende droht in den Erdboden zu sinken. 1950 ff, schül.

18. bei ihm senkt sich der ~ = er denkt langsam. Seine geistige Schwerfälligkeit drückt wie ein Gewicht nach unten. Schül 1950 ff.

19. etw aus dem ~ stampfen = etw unter Aufbietung aller Kräfte bewerkstelligen. Fußt auf Schillers „Die Jungfrau von Orleans" (1801): „Kann ich Armeen aus der Erde stampfen?". 1900 ff.

20. den ~ unter den Füßen verlieren = sittlich (beruflich) haltlos werden. Vgl ↗Boden 10 b und 18. 1900 ff.

21. jm den ~ unter den Füßen wegziehen = jn in die Enge treiben; jm den geistigen (wirtschaftlichen o. ä.) Halt rauben. 1900 ff. Vgl engl „to cut the ground under someone's feet".

22. etw am ~ zerstören (vernichten) = a) etw völlig zerstören, zunichte machen. Hergenommen von den Wehrmachtberichten des Zweiten Weltkriegs (Kampfflugzeuge wurden zerstört, bevor sie starten konnten). 1939 ff. – b) Läuse knicken. Sold 1939 ff. – c) ein Glas, eine Flasche leertrinken. 1950 ff.

23. jn am ~ zerstören = a) jn sehr schroff rügen, entwürdigend anherrschen. Sold 1939 ff. – b) jn überlegen im Sport besiegen. 1950 ff, sportl. – c) jn töten. 1950 ff. – d) jn heftig prügeln. Schül 1950 ff.

24. am ~ zerstört sein = a) entkräftet, niedergeschlagen sein; lebhaft unter den Folgen alkoholischer Ausschweifung leiden. 1939 ff. – b) sehr erstaunt, erschrocken sein, fassungslos sein. 1939 ff. – c) betrunken am Boden liegen. 1950 ff.

Bodenkosmetikerin f Putzfrau. Scherzhaft um 1955 gebildet im Sinne einer Rangverbesserung: die Putzfrauenarbeit wurde als eine dem Fußboden geltende Schönheitspflege entdeckt.

bodenlos adj adv **1.** unvorstellbar groß; unerhört (eine bodenlose Frechheit). Gehört zu der Redewendung „das schlägt dem ↗Faß den Boden aus". 16. Jh.

2. sehr niederträchtig, schlecht. 19. Jh.

3. unübertrefflich. Schül und stud 1960 ff.

4. adv = überaus, sehr. 1800 ff.

Boden-Luft-Verbindungsoffizier m Militärgeistlicher. Entstanden nach dem Muster von „Boden-Luft-Rakete = vom Erdboden aus in die Luft (auf ein fliegendes Ziel) abgefeuerte Rakete". Der Geistliche stellt die Verbindung zwischen Erde und Himmel her. BSD 1965 ff.

Bodenmasseuse f Putzfrau. Hier wird die

Putzfrau zu einer Vertreterin eines Heilberufs ranglich erhoben. 1955 ff.

Bodennebel m bei starkem ~ über die Zukunft meditieren = infolge eines Mißerfolgs sehr niedergeschlagen sein. Starker Bodennebel verhindert den Flugzeugstart; ähnlich wollen sich unter dem Druck des Mißerfolgs keine erhebenden Gedanken einstellen. Schül 1950 ff.

Bodensachbearbeiterin f Putzfrau. Eine Anleihe bei der Behördensprache. 1950 ff.

Bodensee m **1.** Geldmangel. Ein Kalauer: man kann den Boden des Geldbeutels sehen. BSD 1960 ff.

2. ~! = austrinken! Sold 1939 ff.

Bodenturner m geistiger ~ = Geistesbeschränkter. Das Bodenturnen scheint man irrigerweise für weniger wertvoll gehalten zu werden als das Geräteturnen. 1948 ff.

bofeln (bofen) intr ↗poofen.

Bogen m **1.** Harnstrahl einer männlichen Person. 1900 ff.

2. das gibt ihm den ~ = das macht ihn vollends widerstandslos; das macht ihn bankrott. Stammt aus der Boxersprache. „Bogen" nennt man den Sturz des Ohnmächtigen. 1920 ff.

3. es geht mit 'nem ~ = das nimmt einen unehrlichen Verlauf; der Ausgang der Sache ist im geheimen betrügerisch vorbereitet. „Bogen" steht hier im Gegensatz zum geradeaus führenden Weg und kennzeichnet das Vorgehen als „↗krumm". 1900 ff.

4. einen ~ knicken = jn anzeigen. Gemeint ist wohl, daß man dem Flüchtenden den Weg abschneidet. Polizeispr. 1970 ff.

5. um etw einen ~ machen = eine Sache umgehen; sich einer Sache entziehen. Stammt aus der Jägersprache. 19. Jh.

6. jm den ~ putzen = jn ausschimpfen, zurechtweisen. „Bogen" spielt auf das gekrümmte Rückgrat an. 19. Jh.

7. in großem (hohem) ~ rausfliegen = a) heftig, barsch hinausgewiesen werden; auf der Stelle und schimpflich entlassen werden. Der Betreffende wird mit aller Kraft geschleudert. ↗fliegen. 1920 ff. – b) eine sehr empfindliche Niederlage erleiden; seines Einflusses völlig verlustig gehen. 1950 ff.

8. den ~ raushaben = wissen, wie man eine Sache handhaben muß; eine Sache überlegen meistern. Hergenommen entweder von der Flugbahn eines Geschosses oder vom Sensenschlag des Mähers oder von der Ausführung eines Mauerbogens oder auch von der Flugbahn des Hammers oder Speers oder der Kugel im Sport. 1900 ff.

9. den ~ rauskriegen = ergründen, wie man eine Sache bewältigen kann. 1900 ff.

10. den ~ spitzhaben = wissen, wie man eine Sache am erfolgversprechendsten handhaben muß. Hergenommen von der ballistischen Kurve. 1900 ff.

11. große ~ spucken = dünkelhaft, großsprecherisch auftreten; sich aufspielen. Hängt zusammen mit dem unter Kindern verbreiteten Wettstreit, wer im größten Bogen am weitesten spucken kann. Spätestens seit 1900.

12. den ~ überspannen = über das Maß hinausgehen. Leitet sich von der Waffe her. 1800 ff.

13. den ~ verstehen = wissen, wie man

es machen muß, um Erfolg zu haben. 1900 ff. ↗Bogen 8.

'böhmakeln intr **1.** tschechisch-deutsch radebrechen. Zusammengesetzt aus „böhmisch" und der slaw Endung „-ak". Einen „Böhmak" nennt man den Deutsch sprechenden Tschechen. 1900 ff, österr.

2. die deutsche Sprache verderben. Nach 1950 aufgekommen.

böhmisch adj adv **1.** ~er Zirkel ↗Zirkel.

2. ~ schlau = listig, hinterhältig. 1900 ff.

3. ~ einkaufen = Ladendiebstahl begehen; stehlen. Österr 1900 ff.

4. das sind für mich ~e Dörfer = das sind mir unbekannte Dinge; davon verstehe ich nichts. Bezieht sich anfangs auf die fremdartigen slawischen Dorfnamen, dann auch auf die unverständliche Sprache der böhmischen Händler. Seit dem ausgehenden 16. Jh.

5. das kommt mir ~ vor = das mutet mich unbegreiflich an. Unter Einfluß des Vorhergehenden entstellt aus „das kommt mir ↗spanisch vor". 19. Jh.

Bohne f **1.** Geschoßkugel. Verkürzt aus „blaue Bohne". 1800 ff.

2. Schaf-, Ziegenkot o. ä. Wegen der Formähnlichkeit. 1800 ff.

3. ~ mit Antenne = Schwerhörigengerät. Es hat die Form einer dicken Bohne. 1966 ff, schül.

4. blaue ~ = Geschoß einer Handfeuerwaffe. „Blau" spielt auf das bläulich schimmernde Blei an. Etwa seit 1650.

5. flotte ~ = nettes, schwungvolles Mädchen. „Bohne" meint wohl die angenehmen Rundungen des Körpers. 1955 ff, jug.

6. keine ~ = nichts. ↗Bohne 9. 1900 ff.

7. süße ~ = Kosewort auf ein kleines (junges) Mädchen. ↗süß. 1920 ff.

8. tönende ~n = im Darm rumorende Bohnen. 1910 ff.

9. nicht die ~ = durchaus nicht; nichts. Das zahlreiche Vorkommen der Bohne und ihre kleine Form lassen die Bedeutung „geringwertig" aufkommen. Schon in mhd Zeit.

10. du hast wohl ~n gefressen?: Frage an einen Schwerhörigen oder an einen, der absichtlich nicht hört. Es ist wohl so zu verstehen, daß der Betreffende vor lauter Rumpeln im Leib kein Wort versteht. 1700 ff.

11. ~n gefrühstückt haben = nicht recht bei Verstand sein. Bohnen sind, da schwerverdaulich, ein ungeeignetes Frühstück. 1900 ff.

12. ~n in den Ohren haben = nichts hören; nichts hören wollen. Die Bohnen haben die Form des Ohreingangs. 18. Jh.

13. ~n aufs Brett nageln und Wasser drüberlaufen lassen = Spottrezept zur Herstellung eines dünnen Kaffeeaufgusses. 1900 ff.

14. nimm die ~n aus dem Ohr! = hör aufmerksam zu! ↗Bohne 12. 1930 ff.

15. in den ~n sein = geistesabwesend, zerstreut sein. Der Betreffende befindet sich wohl zwischen hochwachsenden Sau- und Stangenbohnen, die ihm die Sicht benehmen. 19. Jh, westd.

16. das ist nicht die ~ wert = das ist nichts wert. ↗Bohne 9. 1500 ff.

17. ~n stecken (auspflanzen) = ein Gelände mit Minen versuchen. Sold 1939 ff.

Bohnenlied n **1.** das geht übers ~ = das geht über das erträgliche Maß hinaus, ist

unerhört. Das Bohnenlied schilderte allerlei Verkehrtheiten und Albernheiten; es endete mit dem Kehrreim „nu gang mir aus den Bohnen". 15. Jh.
2. jn übers ~ loben = jn übermäßig loben. 1900 *ff.*
Bohnenstange *f* **1.** großwüchsiger, hagerer Mensch. 1800 *ff. Vgl engl* „bean pole".
2. dünn wie eine ~ = überaus hager. 19. Jh. *Vgl franz* „mince comme un échalas".
3. dürr wie eine ~ = sehr hager; flachbusig und flachgesäßig. 1900 *ff.*
4. lang wie eine ~ = großwüchsig. 19. Jh.
Bohnenstroh *n* **1.** dumm wie ~ = sehr dumm. Bohnenstroh meint den daumendicken Stengel der Sau-, Schweins- oder Pferdebohne; solche Stengel trocknen nur schwer und werden, wenn nicht luftig gelagert, sehr leicht dumpf. „Dumpf" meint „muffig" und wird von Luther mit „dumm" übersetzt. 19. Jh.
2. grob wie ~ = sehr unhöflich; ungezogen; sehr derb. 1500 *ff.*
Bohnermusik *f* leichte Unterhaltungsmusik (in den Vormittagsstunden). Sie begleitet die Bohnerarbeit der Frauen. 1920 *ff.*
Böhnhase (Bönhase) *m* **1.** unzünftiger Handwerker. Meint eigentlich die Katze, die sich auf dem Boden oder Speicher (= Böhn) aufhält. Ähnlich heimlich üben auch die unzünftigen Handwerker (vor allem die Schneider) ihr Gewerbe aus. 1500 *ff.*
2. Winkelmakler. 1920 *ff.*
bohren *intr* **1.** zudringlich betteln; jn für etw zu gewinnen suchen; nachdrücklich bitten. Wie mit einem Bohrer sucht man in den Betreffenden einzudringen und seinen Widerstand zu überwinden. 1800 *ff.*
2. über etw nachgrübeln; etw zu ergründen suchen. 19. Jh.
3. hart, langsam, ungeschickt arbeiten. 19. Jh.
4. lernen. Etwa soviel wie „sich in etw vertiefen". 1900 *ff.*
5. eine Klassenarbeit schreiben. Hängt wohl zusammen mit der Redewendung „ein hartes Brett bohren = eine schwere Arbeit vollbringen". 1900 *ff.*
6. vom Mitschüler absehen, abschreiben. ↗abbohren. 1900 *ff.*
7. deflorieren; koitieren. Anspielung auf die Durchstoßung des Jungfernhäutchens. 1850 *ff.*
Bohrer *m* **1.** unermüdlicher Fragesteller; Mensch, der auf einen anderen unermüdlich einredet; grüblerisch veranlagter Mensch. ↗bohren 1. u. 2. 19. Jh.
2. zudringlicher Bettler. ↗bohren 1 u. 2. 1900 *ff.*
3. Penis. ↗bohren 7. 1850 *ff.*
4. Mann; Kindesvater u. ä. 1900 *ff.* ↗bohren 7.
5. den ~ ansetzen = eine weibliche Person intim betasten; Petting machen. 1920 *ff.*
Bohrerwechsel *m* Aufforderung, beim Bohren in der Nase den anderen Finger zu benutzen. *Jug* 1960 *ff.*
Bohrwurm *m* **1.** unablässiger Fragesteller; Querulant. ↗bohren 1. 1900 *ff.*
2. Schüler, der vom Klassenkameraden abschreibt. ↗bohren 6. 1900 *ff.*
3. Penis. ↗bohren 7. 1900 *ff.*
4. Zahnarzt. 1920 *ff.*

5. ~ in der Seele = peinigender, aufstachelnder Gedanke; heftiger Trieb. 1960 *ff.*
bölken *intr* **1.** laut schreien; zetern; laut rufen. Schallnachahmend für den Laut von Tieren, vor allem von Rindern. 1700 *ff.*
2. sich erbrechen; den Schluckauf haben. Ebenfalls klangmalerisch. 18. Jh.
Bolle *f* **1.** Zwiebel; Zwiebelknolle. Fußt auf *gleichbed lat* „cibolla" und *ital* „cipolla". 1500 *ff.*
2. rundliches Exkrement. Es ist zwiebelrund und knollenartig. 19. Jh.
3. Schmutzklumpen am Fell, am Kleid o. ä. 1500 *ff.*
4. Loch im Strumpf. Im schwarzen Strumpf, wie er früher üblich war, nahm sich das Zehenloch hell wie eine Zwiebel aus. 19. Jh.
5. Taschenuhr. Analog zu ↗Zwiebel.
6. Fußball. 1920 *ff.*
7. Kopf. Wegen der Kugelform. 1900 *ff.*
8. Nase. Ursprünglich Bezeichnung für die plumpe Nase, die analog „↗Knollennase" heißt. 1900 *ff.*
9. humoriger, lebenslustiger Mann. Leitet sich vielleicht von der Bedeutung 18 her. Berlin 1900 *ff.*
10. weibliche Person *(abfl)*. Vermutlich ist eine plumpe oder schmutzige Person gemeint; *vgl* ↗Bolle 3. *Oberd* 1800 *ff.*
11. Mädchen. Meint eigentlich wohl das dralle, gesund-dickliche Mädchen. 1870 *ff.*
12. *pl* = Hoden. Wegen der Kugelform. 1900 *ff.*
13. *pl* = Angst, Kummer. Spielt an entweder auf das Tränen der Augen beim Zwiebelschneiden oder auf „Bollen = kugelige Exkremente", die in Analogie zu ↗Schiß gestellt werden können. 19. Jh, vor allem *bayr.*
14. brutale ~ = Weckeruhr. „Brutal" wegen des Lärms, mit dem sie den Schläfer aus dem Schlaf reißt. 1900 *ff.*
15. freche ~ = schlagfertiges Mädchen. Berlin 1900 *ff.*
16. kesse ~ = nettes, aufgewecktes, lebenslustiges Mädchen. ↗keß. 1900 *ff*, Berlin.
17. rüdige ~ = lustig-freches Kind. Rüdig = nach Hundeart; nach Jungenart. Berlin seit dem letzten Drittel des 19. Jhs.
18. sich wie ~ amüsieren = lustig unter Lustigen sein. Fußt auf dem Berliner Lied mit dem Kehrreim „Aber dennoch hat sich Bolle ganz köstlich amüsiert". Etwa seit 1870.
19. sich wie ~ auf dem Milchwagen freuen (amüsieren) = sich sehr freuen; an Ausgelassenheit Freude haben. Leitet sich her von den Kutschern oder Milchträgern der Berliner Meierei Bolle, die wegen ihrer fröhlichen Natur rasch volkstümlich wurden. Seit dem späten 19. Jh.
20. mit dem ~ knödeln = Fußball spielen. ↗knödeln. Berlin seit dem frühen 20. Jh.
21. kann mir die ~ lecken!: Ausdruck der Abweisung. ↗Bolle 12. Berlin 1920 *ff.*
22. du kannst mir mal die ~n sortieren!: Ausdruck der Abweisung. Meint eigentlich nur die verkürzte Wendung „du kannst mir mal" (↗können); alles andere ist tarnender Zusatz. 1910 *ff.*
Bollen *m* **1.** Verlustpunkt beim Kartenspiel. *Gleichbed* mit „Klumpen, Knollen", also mit einem rundlichen, plumpen Gegen-

stand. Hieraus ergibt sich die Bedeutung „ungefüge, schwerwiegende Sache". Mehr im Hintergrund steht auch die Bedeutung „Exkrement" und also „Scheiße". *Bayr* 1900 *ff.*
2. sehr schlechte Leistung; Leistungsnote „Ungenügend" o. ä. *Südd* 1900 *ff, schül.*
3. großes Loch im Strumpf. *Vgl* ↗Bolle 4. 19. Jh.
4. einen ~ schieben = eine sehr schlechte Arbeit schreiben. ↗Bollen 2. 1900 *ff.*
Böller *m* **1.** Sekt. Wegen des Knalls, mit dem der Korken aus der Flasche fliegt. 19. Jh.
2. schwarzer steifer Herrenhut. Böller = Kugel. Anspielung auf die Halbkugelform. Spätestens seit 1900.
3. Tadel. Er wirkt wie ein Böllerschuß: viel Lärm, wenig nachhaltende Wirkung. *Schül* 1950 *ff.*
Bollerhose *f* weite Hose ohne Bügelfalte. Bollern = rollen, wälzen. Die Hose ähnelt dem Rollholz. 1965 *ff.*
Böllersekt *m* **1.** minderwertiger Schaumwein; Fruchtschaumwein. ↗Böller 1. 1900 *ff.*
2. Mineralwasser, Brauselimonade. 1900 *ff.*
Bolly *m* Engländer. Hängt wohl zusammen mit „John Bull", dem Spitznamen des Engländers, zuerst bezogen auf den britischen Staatsmann Lord Bolingbroke (1678–1751). Vielleicht auch beeinflußt von *engl* „bull = Bulle" und „bulldog = Bullenbeißer". *Sold* 1939 *ff.*
Boltchen (Boltje) *n* Bonbon. Entstanden aus „Bolle" (= Kugelförmiges) und der *nordd* Verkleinerungssilbe „-tje". 18. Jh.
Bolte *Pn* es machen wie die Witwe ~ = nach Gutdünken handeln. Die Gestalt der Witwe Bolte stammt aus „Max und Moritz" von Wilhelm Busch (1865). Daß sie nach Gutdünken handelte, rührt nicht von Wilhelm Busch her, sondern von einem unbekannten Reimer, der von ihr behauptete: „sie macht es, wie sie wollte"; dies geschah nur um des Reimes willen, der auch auf ↗Pfarrer Nolte angewandt wurde. 1900 *ff.*
Bolzen *m* **1.** dicke gerötete Nase. Sie ähnelt dem glühenden Bolzen in alten Bügeleisen und steht in Analogie zu „↗Lötkolben". 1900 *ff.*
2. Zigarre. Sie ist walzenförmig. 1870 *ff.*
3. erigierter Penis. 1600 *ff.*
4. Ulk, Streich, List. „Bolzen" ist ein dickes Ding, und „dickes Ding" meint die aufsehenerregende (Straf-)Tat. Fliegerspr. und *marinespr* 1939 *ff.*
5. strafbare Handlung; Übertretung. *Vgl* das Vorhergehende. 1914 *ff.*
6. derbes Mädchen vom Lande; dralles Mädchen. Es ist walzenförmig. 1900 *ff.*
7. leichtes Mädchen; Prostituierte. Hängt mit dem Vorhergehenden zusammen: Mädchen vom Lande gerieten in der Stadt leicht in schlechte Gesellschaft. Wahrscheinlich schon um 1700 gebräuchlich und erst nach 1950 erneut aufgelebt.
8. Polizeibeamter. Vermutlich aus der Mehrzahl „Polizisten" entstellt. *Österr* 1950 *ff.*
8 a. dicker ~ = große Sache; böse Zumutung; schwere Beleidigung. 1950 *ff.*
9. kahler ~ = Brotschnitte ohne Aufstrich und Belag. Spielt auf Dicke und Rundlichkeit an. Seit dem späten 19. Jh.

10. einen ~ drehen = a) Unerlaubtes tun; eine strafbare Handlung begehen; einen folgenschweren Irrtum begehen. *Vgl* ↗Bolzen 5. 18. Jh. – b) eine schlechte Arbeit schreiben. *Bayr* 1950 *ff, schül.*
11. sich am ~ reißen = onanieren. ↗Bolzen 3. 1935 *ff.*
12. einen ~ schießen = einen Fehler begehen. „Bolzen" meint auch den Purzelbaum. Hier soviel wie „kopfüber zu Fall kommen". 1950 *ff.*

bolzen *intr* **1.** gewalttätig sein. Leitet sich her von „einen Bolzen kräftig einschlagen". 1800 *ff.*
2. mit Kanonen schießen. *Vgl* das Vorhergehende. Wohl auch beeinflußt von Lautmalerei. *Sold* in beiden Weltkriegen.
3. prügeln. Vom Pflock oder Bolzen, auf den man einschlägt, übertragen auf den Menschen, auf den man mit dem Stock eindringt. 19. Jh.
4. fleißig lernen. „Bolzen" wie „pauken" leitet sich her von der Vorstellung, daß man unter Androhung oder Verabreichung von Prügeln lernt. 1920 *ff, schül.*
5. lärmen; polternd zu jm reden. 1900 *ff.*
6. unsportlich Fußball spielen; mit beliebigem Gegenstand Fußball spielen; den Fußball ohne Ziel ins Spielfeld treten. Das Spiel ist mehr gewalttätig und roh als fair. 1920 *ff.*
7. regelwidrig fechten; mehr kräftig als elegant fechten. *Stud* 1920 *ff.*
8. in der Schule unentschuldigt fehlen. ↗Bolzen 10. 1920 *ff.*
9. müßiggehen. „Bolzen" ist auch der Daumen, und Daumendrehen ist die Sinnbildgebärde des Nichtstuns. *Bayr* 1920 *ff.*
10. koitieren. ↗Bolzen 3. Spätestens seit 1900.

Bolzplatz *m* öffentlicher Spielplatz für Kinder. 1960 *ff.*

Bombardement *n* **1.** anhaltende, nachdrückliche Beeinflussung; Überschüttung mit Vorwürfen, Briefen usw. ↗bombardieren 1. 1900 *ff;* wohl älter.
2. anhaltende Bestürmung des gegnerischen Tores. *Sportl* 1920 *ff.*

bombardieren *tr* **1.** jn mit etw ~ = jn immer von neuem zu überreden suchen; jn unausgesetzt bearbeiten; jm mit Bitten (Anträgen, Briefen o. ä.) überschütten. Übernommen vom Beschuß mit Bomben seit dem 17. Jh.
2. das gegnerische Tor bestürmen. *Sportl* 1920 *ff.*

bom'bastisch *adj* außerordentlich, eindrucksvoll o. ä. Meint eigentlich „schwülstig"; hier unter Einfluß von „Bombe" in der Bedeutung verändert. *Schül* 1948 *ff.*

bombe *adj präd* hervorragend. Verselbständigt aus der steigernden Wertigkeit von „↗Bomben-". *Halbw* 1960 *ff.*

Bombe *f* **1.** hervorragender Könner; sehr eindrucksvoller Mensch; Künstler(in) von sehr hohem Rang. Man schlägt wie eine Bombe ein: man macht gewaltigen Eindruck und ist kaum zu übertreffen. Im Zweiten Weltkrieg aufgekommen und gegen 1950/55 von den Halbwüchsigen aufgegriffen.
2. Klassenbester. 1960 *ff, schül.*
3. Frau mit üppig entwickeltem Busen. 1930 *ff.*
4. laut entweichender Darmwind. Das Geschoß detoniert laut. 1914 *ff.*
5. sehr großer Erfolg; aufsehenerregendes

Ereignis; große freudige Überraschung. Hergenommen von einer einschlagenden Bombe. 1914/18 *sold;* nach dem Zweiten Weltkrieg in Halbwüchsigenkreisen sehr stark verbreitet.
6. publikumswirksame Buchveröffentlichung, Fernsehsendung o. ä. 1920 *ff.*
7. gut verkäufliche Ware. 1920 *ff.*
8. Schulzeugnis. Die Vokabel kann sowohl das gute als auch das schlechte Zeugnis meinen. 1920 *ff, schül.*
9. heftiger Fußballstoß; hervorragender Ballwurf o. ä. Wurf und Stoß beseitigen jeglichen Widerstand kraft ihrer Wucht. 1900 *ff.*
9 a. Flasche Bier. 1960 *ff.*
10. heftiger Boxhieb. 1920 *ff.*
11. sehr eindrucksvolles Auto. 1960 *ff.*
12. schlechteste Zeugnisnote. 1920 *ff.*
13. unförmig dicker Mensch. 1920 *ff.*
14. großer Kothaufen. 1900 *ff.*
15. kleine Geldkassette. Sie ähnelt einer kleinen Bombe. 1920 *ff.*
16. Leib der Schwangeren. Er hat die Wölbung einer Bombe. 1920 *ff.*
17. steifer runder Herrenhut. Wohl Anspielung auf die Kugelform. Etwa seit 1910.
18. Kahlkopf; Kopf; Vollglatze. 1900 *ff.*
19. Kugelschreiber, Füllhalter. 1960 *ff, schül.*
20. Verkehrszeichen „Vorfahrt an der nächsten Kreuzung oder Einmündung". Formähnlich mit einer Bombe. 1971 *ff.*
20 a. Glas Pulverkaffee; ein Pfund Kaffee. Wegen der Formähnlichkeit. *Häftlingsspr.* 1970 *ff.*
21. blonde ~ = anziehende blonde Filmschauspielerin. ↗Bombe 3. 1950 *ff.*
22. entschärfte ~ = Filmschauspielerin, die nicht mehr in gewagten Szenen, Posituren oder Kleidern auftritt. Scharf = geschlechtlich aufreizend. Dem Unschädlichmachen einer Bombe angeglichen. 1960 *ff.*
23. kahle ~ = Glatzkopf. Das Hinterteil der Bombe ähnelt der menschlichen Kopfform. 1920 *ff, jug.*
24. rote ~ = roter Kopf. 1900 *ff.*
25. ~n und Granaten!: Fluch. Wohl verkürzt aus dem Wunsch „Bomben und Granaten mögen dreinschlagen!". 1800 *ff.*
26. ~n Element!: Fluch. Nicht nur die Bomben, auch die Elemente werden um Eingreifen angefleht. 1920 *ff.*
27. ~n Kreuz Element!: Fluch. Wie man zum Kreuz Christi betet, so kann man zu ihm auch fluchen. 19. Jh.
28. eine ~ abseilen = koten. ↗Bombe 14; ↗abseilen 3. *BSD* 1965 *ff.*
29. eine ~ ausklinken = koten. ↗Bombe 14; ↗ausklinken. *BSD* 1965 *ff.*
30. da soll eine ~ dreinschlagen!: Ausdruck der Verzweiflung. 19. Jh.
31. mit ~n und Granaten durchfallen = in der Prüfung völlig versagen; keinen Beifall finden. Mit „Bomben und Granaten!" flucht man; hier ist der „verheerende" Ausmaß des Mißerfolgs oder den ohrenbetäubenden Lärm. 1920 *ff.*
32. wie eine ~ einfallen (einschlagen) = als unliebsame Überraschung eintreten; Überraschung, Bestürzung o. ä. hervorrufen. Etwa seit 1870.
33. eine ~ entschärfen = a) eine drohende Gefahr abwenden. Man bannt die Explosionsgefahr. 1950 *ff.* – b) eine starke Konkurrenz ausschalten. 1950 *ff.* – c) ei-

nen heftigen Torball abwehren. *Sportl* 1950 *ff.* – e) die sinnlich erregende Wirkung einer Schauspielerin o. ä. mildern. Man macht ihr Auftreten explosionssicher. 1955 *ff.*
34. eine ~ entsexen = einer Filmschauspielerin die geschlechtlich aufreizende Wirkung nehmen. Man befreit sie vom ↗Sex. 1955 *ff.*
35. die ~ fallen lassen = mit einer Enthüllung Aufsehen erregen. 1960 *ff.*
36. wer heute lebt, hat selber schuld, es sind genug ~n gefallen: Redewendung an einen, der mit den derzeitigen Lebensumständen unzufrieden ist. 1943 aufgekommen im Zusammenhang mit der Bombardierung deutscher Städte.
37. da muß eine ganz schöne ~ gefallen sein, daß die Lumpen bis hierher geflogen sind = das ist eine berüchtigte Gegend. Lumpen = Gesindel. *BSD* 1965 *ff.*
37 a. ~n in der Tasche haben = über schwerwiegendes Belastungsmaterial verfügen. 1965 *ff.*
38. eine ~ hochgehen lassen = eine schwerwiegende Enthüllung machen. 1960 *ff.*
39. ~n knacken = Blindgänger entschärfen. ↗knacken. *Sold* 1939 *ff.*
40. ~n kutschen = einen Bombenangriff fliegen; mit Bombenlast fliegen. Wahrscheinlich schon im Ersten Weltkrieg geläufig.
41. mit der ~ leben = sich an die Atom- oder Wasserstoffbombe notgedrungen gewöhnen; sich auf die Selbstausrottung des Menschengeschlechts einstellen. Aufgekommen nach dem Abwurf der Atombomben durch die USA auf Hiroshima (6. August 1945) und Nagasaki (9. August 1945) sowie angesichts der weiteren Atombombenexperimente der Atommächte. 1958 *ff.*
41 a. eine ~ legen = eine aufstachelnde Mitteilung machen. 1965 *ff.*
42. da muß doch gleich eine (die) ~ platzen!: Ausdruck der Verzweiflung oder des Unwillens. 19. Jh.
43. die ~ ist geplatzt = a) das gefürchtete Ereignis ist eingetreten; die erregte Aussprache hat wie erwartet stattgefunden; die angesammelte Spannung hat sich entladen. 19. Jh. – b) die Frau ist niedergekommen. ↗Bombe 16. 1920 *ff.*
44. eine ~ platzt = eine bedenkliche Sache wird offenkundig. 1930 *ff.*
45. die ~ platzen lassen = eine unerwartete, schwerwiegende Äußerung tun. 1930 *ff.*
46. eine ~ schreiben = eine schlechte Arbeit schreiben. ↗Bombe 12. Sie ähnelt einem Volltreffer, der alles zerschlägt. *Schül* 1920 *ff.*
47. die ~ tickt = eine böse Entwicklung steht bevor. Hergenommen vom Ticken des Uhrwerks in der Höllenmaschine. 1965 *ff.*
48. eine ~ zünden = eine wichtige Sache ins Werk setzen. 1930 *ff.*

bomben *tr intr* heftig stoßen; heftige Torbälle treten. ↗Bombe 9. *Sportl* 1920 *ff.*

Bomben- als erster Teil einer doppelt betonten Zusammensetzung kennzeichnet das Grundwort als hervorragend, unübertrefflich, großartig, höchst eindrucksvoll o. ä. Scheint im 19. Jh in der Theatersprache aufgekommen zu sein und durch die Kriege an Eindruckskraft erheblich zugenommen zu haben.

'Bomben'abschluß *m* 1. Abschluß einer sehr lohnenden geschäftlichen Vereinbarung. 1920 *ff.*
2. nach geschickter Vorbereitung wuchtig erzielter Tortreffer. *Sportl* 1950 *ff.*

'Bombenappe'tit *m* sehr große Eßlust. 1900 *ff.*

'Bombenap'plaus *m* begeisterter, langanhaltender Beifall. Theaterspr. 19. Jh.

'Bomben'arie *f* Opernlied, bei dem der Sänger sein ganzes Können voll entfalten kann. 1900 *ff.*

'Bomben'aufgabe *f* sehr wirkungsvolle Bühnenrolle. 1900 *ff.*

'Bomben'aufschlag *m* sehr kräftiger Aufschlag. *Sportl* 1920 *ff.*

'Bomben'auftrag *m* sehr gewinnbringender Lieferungsauftrag. 1900 *ff.*

'Bombenbe'setzung *f* hervorragende Besetzung eines Theaterstücks o. ä. 1920 *ff*, theaterspr.

'Bomben'blatt *n* ausgezeichnete Spielkartenverteilung. ↗ Blatt 2. Kartenspielerspr. 1900 *ff.*

'Bomben'durst *m* sehr großer Durst. 19. Jh.

'Bomben'dusel *m* unverhofft großes Glück. 19. Jh. ↗ Dusel.

'Bomben'einfall *m* großartiger Einfall. 1920 *ff.*

'Bomben'erbschaft *f* große Erbschaft. 19. Jh.

'Bombener'folg *m* sehr großer Erfolg. 19. Jh, vorwiegend theaterspr.

'bomben'fest *adj adv* ganz fest; ganz sicher; unerschütterlich. Ursprünglich soviel wie „sicher vor Bomben" und weiterentwickelt zur unsinnlichen Bedeutung „völlig sicher". Anscheinend kurz nach dem Krieg 1870/71 aufgekommen.

'Bomben'fetzen *m* schwerer Rausch. ↗ Fetzen. *Österr* 1900 *ff.*

'Bomben'fez *m* großartige Vergnügung; heiterste Ausgelassenheit. ↗ Fez. 1920 *ff.*

'Bombenfi'gur *f* 1. äußerst wirkungsvolle Bühnenrolle. 1920 *ff*, theaterspr.
2. eindrucksvolle, massige Gestalt. 1920 *ff.*
3. wohlproportionierter Frauenkörper. 1920 *ff.*

'Bomben'flugzeug *n* staunenerregendes Flugzeug. 1925 *ff.*

'Bomben'form *f* hervorragende Leistungs-, Schaffenskraft. ↗ Form. 1920 *ff.*

Bombenfrischler *m* wegen Bombardierung der Großstädte evakuierter Bürger. Dem Begriff „Sommerfrischler" nachgebildet. 1942 *ff.*

'Bomben'gaudi *f* hervorragender Spaß o. ä. ↗ Gaudi. 1900 *ff.*

'Bombenge'dächtnis *n* ausgezeichnetes Erinnerungsvermögen. 19. Jh.

'Bombenge'fühl *f* ausgezeichnete Laune; sehr frohes Gestimmtsein. 1925 *ff.*

Bombengefühl *n* Ahnung drohenden Bombenangriffs; Ahnung kommenden Unheils. *Sold* und *ziv* 1939 *ff.*

'Bombenge'halt *m* sehr ansehnliches Gehalt. 1920 *ff.*

'Bomben'geld *n* sehr große Geldsumme. 19. Jh.

'Bombenge'schäft *n* sehr einträgliches Geschäft. 19. Jh.

'Bombenge'winn *m* sehr großer Gewinn. 1920 *ff.*

'Bomben'glück *n* ausgezeichneter, überaus seltener Glücksfall. 1900 *ff.*

'Bomben-'Hit *m* beliebter, sehr erfolgreicher Schlager. *Engl* „hit = Schlag, Treffer". 1960 *ff.*

'Bombenhono'rar *n* sehr hohes Honorar. Theaterspr. 1900 *ff.*

'Bomben'hunger *m* heftiger Hunger. 1920 *ff.*

'Bombeni'dee *f* vorzüglicher Einfall. 1920 *ff.*

'Bomben'jahr *n* Jahr mit sehr hohen Produktionsergebnissen. 1960 *ff.*

'Bomben'job *m* angenehme, einträgliche Beschäftigung. ↗ Job. 1960 *ff.*

Bombenkaffee *m* Bohnenkaffeezuteilung nach einem Bombenangriff. *Ziv* 1941 *ff.*

'Bomben'kälte *f* sehr große, klirrende Kälte. 19. Jh.

'Bomben'kerl *m* 1. zuverlässiger Mann; sehr anstelliger Mann. 19. Jh.
2. großwüchsiger, kräftiger Mann. 19. Jh.

Bombenknacker *m* Entschärfer von Blindgängern. ↗ knacken. 1940 *ff.*

'Bomben'knüller *m* hervorragende, überaus eindrucksvolle Sache o. ä. ↗ Knüller. 1955 *ff.*

iBomben'krach *m* sehr erregte Auseinandersetzung. ↗ Krach. 1920 *ff.*

'Bomben'laune *f* hervorragende Stimmung. 1920 *ff.*

'Bomben'leistung *f* hervorragende, außergewöhnliche Leistung. 1920 *ff.*

'Bomben'lohn *m* hohes Arbeitsentgelt. 1960 *ff.*

Bombenlotterie *f* Hoffnung, daß von den an verschiedenen Plätzen ausgelagerten Werten einige von den Bomben verschont werden. Ob diese Hoffnung in Erfüllung ging, war ebenso ungewiß wie das Spiel in der Lotterie. Dazu die Redewendungen: in der ~ spielen; etw aus der ~ retten. *Ziv* 1941 *ff.*

'Bomben'lustspiel *n* hervorragendes Lustspiel. Theaterspr. und kritikerspr. 1900 *ff.*

'Bombenmädchen *n* Bombenlegerin. 1965 *ff.*

'Bomben'mädchen *n* sehr anstelliges, umgängliches Mädchen, wie man es sich nicht besser wünschen kann. 1900 *ff.*

'Bombenma'schine *f* sehr leistungsfähige Maschine (Motorrad). 1930 *ff.*

bombenmäßig *adj adv* hervorragend; überaus, sehr. Meint eigentlich „nach dem Maßstab der sehr eindrücklichen Bombe und ihrer Wirkung". 19. Jh.

'Bombenmo'ral *f* hervorragender Kampfgeist einer Sportmannschaft. 1970 *ff.*

'Bomben'nachricht *f* sehr erfreuliche, folgenschwere Mitteilung. 1920 *ff.*

'Bomben'nummer *f* sehr hohe Wertschätzung; charakterlich ausgezeichneter Mensch. ↗ Nummer 1. 1920 *ff.*

'Bomben'preis *m* 1. sehr verlockender Kaufpreis. 1950 *ff.*
2. weit überhöhter Preis. 1950 *ff.*

'Bomben'presse *f* sehr gute Zeitungskritik. 1920 *ff.*

'Bombenpro'zeß *m* eindrucksvolle Gerichtsverhandlung. 1920 *ff.*

'Bomben'rausch *m* Volltrunkenheit. 19. Jh.

'Bomben'reinfall *m* sehr schwere Übertölpelung. ↗ Reinfall. 1920 *ff.*

'Bomben'rolle *f* sehr wirkungsvolle Bühnenrolle, bei der der Schauspieler sein Können am besten zeigen kann. 19. Jh, theaterspr.

'Bomben'ruhe *f* erstaunliche Unerschütterlichkeit. 1920 *ff.*

'Bomben'sache *f* großes Ereignis; sehr eindrucksvolle, aussichtsreiche Angelegenheit. 1900 *ff.*

'Bombensai'son *f* überaus starker Andrang von Urlaubern in den Ferienorten u. ä. 1965 *ff.*

'bomben'satt *adj* völlig gesättigt. 1900 *ff.*

'Bomben'schlager *m* sehr erfolgreicher Schlager. 1920 *ff.*

'Bomben'schreck *m* sehr großes Erschrekken. 19. Jh.

'Bomben'schuß *m* heftiger Fußballstoß. ↗ Schuß. *Sportl* 1920 *ff.*

'Bombenschuß'tor *n* unhaltbarer Tortreffer. *Sportl* 1920 *ff.*

'Bombensensa'tion *f* Vorfall, der viel Aufsehen erregt. 1920 *ff.*

'Bomben'sex *m* große geschlechtlich erregende Wirkung. ↗ Sex. 1950 *ff.*

'bomben'sicher *adj adv* 1. ganz sicher; ganz bestimmt; völlig zutreffend; unwiderleglich. 19. Jh.
2. unverlierbar (auf das Kartenspiel bezogen, auch auf einen sportlichen Wettkampf, auf Geldanlage o. ä.). 1870 *ff.*

'Bomben'sicherheit *f* mit ~ = unbezweifelbar. 1960 *ff.*

'Bombenskan'dal *m* gesellschaftliches (politisches) Ärgernis mit sehr unliebsamen Folgen. 1900 *ff.*

'Bomben'sommer *m* sehr schöner, warmer Sommer. 1920 *ff.*

'Bomben'spaß *m* sehr hübsches Vergnügen; heiterste Ausgelassenheit. 1920 *ff.*

'Bomben'spiel *n* 1. sehr günstige Spielkartenverteilung. Spätestens seit 1900.
2. ausgezeichnetes Fuß-, Handballspiel o. ä. *Sportl* 1920 *ff.*

'Bomben'start *m* großartiger, erfolgversprechender Beginn. *Sportl* 1950 *ff.*

'Bomben'stellung *f* sehr einflußreicher Dienstposten. 1920 *ff.*

'Bomben'stimme *f* ausgezeichnete Gesangsstimme. 1900 *ff.*

'Bomben'stimmung *f* sehr ausgelassene, mitreißende Stimmung. 1950 *ff.*

'Bomben'stoff *m* spannender literarischer Stoff. 1950 *ff.*

'Bomben'stück *n* publikumswirksames Theaterstück. 1950 *ff.*

'Bomben'sturm *m* hervorragende Stürmerreihe. *Sportl* 1950 *ff.*

'Bomben'tage *pl* Ausverkaufstage. 1955 *ff.*

Bombenteppich *m* viele, von mehreren Flugzeugen in geringem Abstand abgeworfene Bomben. *Sold* und *ziv* 1939 *ff.*

'Bomben'treffer *m* hervorragende Leistung. 1950 *ff.*

Bombenurlaub *m* Urlaub wegen Ausbombung daheim. *Sold* und *ziv* 1939 *ff.*

'Bomben'urlaub *m* Urlaub unter den günstigsten Bedingungen. 1950 *ff.*

'Bombenver'trag *m* außerordentlich günstiger Vertrag. 1950 *ff.*

'bomben'voll *adj adv* 1. dicht gedrängt; vollbesetzt. 1900 *ff.*
2. schwer bezecht. ↗ voll. 19. Jh.

'Bomben'wetter *n* sehr schönes Wetter. 1900 *ff.*

'Bomben'wirkung *f* hervorragende Wirkung. 1920 *ff.*

'Bomben'zeit *f* Rekordzeit. 1950 *ff.*

Bomber *m* 1. Artillerist. Zusammenhängend mit dem Klangwort „bumm" zur Bezeichnung eines dumpfen Geräuschs. *Sold* 1914 bis heute.
2. schlagkräftiger Boxer. Der Schlag wirkt

wie eine einschlagende Bombe. 1920/30 ff. („Der braune Bomber" = Joe Louis, am 19. Juni 1936 von Max Schmeling besiegt.)
3. Bombenflugzeug. 1935 ff.
4. sehr kurzer Herrenhaarschnitt. ↗Bombe 18. 1900 ff.
5. angenehm auffallender junger Mann. Männliches Gegenstück zur ↗Bombe 3. 1950 ff halbw.
6. draufgängerischer Soldat. Fußt auf ↗Bomber 2. BSD 1965 ff.
7. breitschultriger Mann. Er hat sogenannte Boxerschultern. BSD 1965 ff.
8. vollschlanke weibliche Person. 1950 ff.
9. Klassenschlechtester. ↗Bombe 12. 1950 ff, schül.
10. schlechteste Leistungsnote. ↗Bombe 12. 1950 ff.
11. Fußballspieler, der unhaltbare Tortreffer erzielt; hervorragender Schütze. 1920/30 ff, sportl.
12. Gewalttäter, Raufbold. ↗Bombe 10. 1920/30 ff.
13. brauner ~ = Wanze. Sie ist braun und läßt sich von der Zimmerdecke fallen, weswegen sie an ein Bombenflugzeug (Sturzkampfbomber) erinnert. Sold 1939 ff.
14. dicker ~ = beleibter Mensch. 1950 ff, schül.
bomber adj präd hervorragend. Vgl ↗bombe. Halbw 1960 ff.
bombig adj **1.** sehr eindrucksvoll; hervorragend; groß, stark, tüchtig; elegant gekleidet. Von der Wirkung einer einschlagenden Bombe übertragen. 1900 ff, sold und jug
2. mit großer Kraft erzielt. Sportl 1950 ff.
3. ~ einschlagen = eine großartige Wirkung erzielen. 1950 ff.
Bonanza f Munitionslager. Meint im Englischen die Goldgrube und Glücksquelle. Bekannt geworden durch eine amerik Westernreihe im Zweiten Deutschen Fernsehen bis zum 31. August 1969. BSD 1965 ff.
Bonbon n (m) **1.** reizvolle Kostbarkeit; Anreiz; Hauptattraktion; Anerkennungspreis. Eigentlich eine kleine Leckerei, wie man sie Kindern zur Anerkennung gibt. 1920 ff.
2. Mine, Artilleriegeschoß. Ironie. Sold 1914 bis heute.
3. Fliegerbombe. Sold in beiden Weltkriegen.
4. Offiziersstern. Vgl ↗Lolli. BSD 1965 ff.
5. Ritterkreuz am Eisernen Kreuz; Kriegsorden; Dienstauszeichnung. Eine Art Anerkennungspreis. Sold 1939 ff; BSD 1965 ff.
6. Ukw-Kleinstsender. Wegen der geringen Größe. 1964 ff.
7. Parteiabzeichen. Formähnlich und bunt wie ein Zuckerplätzchen. 1933 ff; 1955 ff, DDR.
8. pl = Rauschgift. Halbw 1965 ff.
9. pl = Diebesgut (Diamanten). 1960 ff. Hehlwort.
9 a. pl = hübsche Mädchenbeine. Halbw 1965 ff.
10. gefüllte ~s = versteckte oder eingegrabene Explosivladungen; Kasten-, Tretminen. Ironie. Sold 1939 ff.
11. halbsaurer ~ = in milde Worte gekleidete Bosheit. 1950 ff.
12. jm ein ~ ans Hemd kleben = a) jn veralbern. Soll auf einem kurz nach 1920

aufgekommenen Schlagertext beruhen. – b) ein Mädchen verführen, schwängern. 1935 ff.
13. sich ein ~ ans Hemd kleben = sich widerrechtlich ein Verdienst zusprechen. 1930 ff, sächs.
14. du kannst doch einem nackten Mann kein ~ ans Hemd kleben!: Ausdruck der Ablehnung. 1927 ff. Soll auf den Zuruf an einen Schnellreimer zurückgehen.
15. einem Schiff ein ~ ans Hemd kleben = am Schiffsrumpf einen Sprengsatz befestigen. BSD 1970 ff.
bonboncomfortionös adj vornehm, verschwenderisch. Zusammengesetzt aus „↗bonfortionös" und „Komfort". 1910 ff, stud.
Bonbonfarben pl **1.** Mischfarben von Rot. Rosa, Lila u. a. gelten als „süßlich". 1950 ff.
2. etw in ~ malen = etw im Hinblick auf angenehme Wirkung darstellen; etw schönfärben. 1950 ff.
Bonbonhut m steifer Hut. Analog zu ↗Praliné. 1920 ff.
Bonbonnière f **1.** Vagina. Sie ist eine „↗Schachtel" voller Süßigkeiten. 1920 ff.
2. Kosewort für die Geliebte. 1920 ff.
Bonbonpfennig m Zahlung von restlichen Pfennigen in Bonbons. 1950 ff.
Bonbonstange f großwüchsige, hagere Person. ↗Stange. Schül 1920 ff.
bonbonsüß adj unecht lieblich. 1950 ff.
Bonbontext m anspruchslos-rührseliger Text. 1950 ff.
Bonbonwagen m rosarot lackiertes Auto. 1958 ff.
Bonbonwährung f Pfennigersatz in Form von Bonbons infolge Kleingeldmangels. 1950 ff.
Bonbonwasser n Limonade. Sie hat Bonbongeschmack. 1950 ff.
bonfortionös (bongfortzionös; bonforzionös) adj großartig. Wortspielerei mit franz „bon = gut" und franz „fort = stark" sowie der franz Endung, wohl auch beeinflußt von franz „bonne force" und franz „confort = Behaglichkeit". Manche spielen auch „Forz (oder Fortz) = Darmwind" hinein. 1900 ff.
bongen tr **1.** mittels der Registrierkasse buchen. Kellnerspr.: „Bon" ist der Kassenbeleg. 1920 ff.
2. jm Strafdienst auferlegen. Der Betreffende wird im Anschreibbuch des Ausbilders zwecks Bestrafung eingetragen, „gebucht". BSD 1965 ff.
Bönhase m ↗Böhnhase.
Bonnbon n (erfundene) Äußerung Bonner Politiker; Anekdote aus der Bundeshauptstadt. Mit Anspielung auf den Stadtnamen erweitert aus „Bonbon = Bonmot" (so schon bei Fritz Reuter). Nach 1950 aufgekommen.
Bonn-dit n nach einem ~ = nach einem in Bonn umlaufenden Gerücht. Umgewandelt aus franz „on dit = man sagt", 1955 ff.
Bonner Feldherrenhügel m Hardthöhe in Bonn (Sitz des Bundesministeriums der Verteidigung). 1964 ff.
Bonner Hof m Feste der Bundesregierung. Nach 1960 aufgekommen.
Bonner Hosenträger pl Koppeltragegestell. BSD 1965 ff.
bonnfromm adj der Bundesregierung nahe-

stehend. Dem Wort „↗lammfromm" nachgeahmt. 1960 ff.
Bonn-mot n Anekdote aus den Kreisen der Bundesregierung. Dem franz „bonmot = treffendes Witzwort" nachgeahmt. 1955 ff.
Bonnze m zugewanderter Einwohner von Bonn; Angehöriger der Bonner Ministerialbürokratie. Zusammengeschmolzen aus „Bonn" und „↗Bonze". 1950 ff.
Bonus m Vergünstigung; Wettbewerbsvorteil. Aus dem Bankendeutsch gegen 1970 verallgemeinert (Amts-, Alters-, Kanzler-, Vertrauensbonus u. ä.).
Bonze m Würdenträger, Funktionär o. ä. (abf). Stammt aus Japan, wo so der buddhistische Priester bezeichnet wird; bei uns etwa seit 1750 ein Spottwort auf frömmelnde, enggeistige Geistliche; hundert Jahre später ein allgemeines Spottwort auf Würdenträger aller Art, vor allem auf Parteifunktionäre in einer Stellung, für die ihre Vorbildung nicht ausreicht.
Bonzenbrause f Sekt. Er gilt als bevorzugtes Getränk politischer Funktionäre u. ä. 1970 ff.
Bonzenheber m Fahrstuhl für leitende Personen. 1920 ff.
Bonzenkutsche f Luxusauto. 1955 ff.
Bonzenschaukel f Luxusauto. ↗Schaukel. Schül 1920 ff.
Bonzenschrank m Prunkschrank, Vitrine. 1960 ff.
Bonzenschule f **1.** Gymnasium. Schül 1970 ff.
2. Handelsschule. Berufsschülerspr. 1970 ff.
3. Heimschule. Schül 1970 ff.
Bonzenschwein n Partei-, Gewerkschaftsfunktionär (sehr abf). ↗Schwein 1 u. 2. 1920 ff.
Bonzenspeck m Beleibtheit politischer Funktionäre. 1933 ff.
Bonzenwirtschaft f Bevorzugung von fachlich ungebildeten Funktionären in leitenden Stellungen. 1933 ff.
Bonzokratie f Machtausübung herrschsüchtiger Würdenträger; Vorherrschaft der politischen Funktionäre. Aufgekommen 1919 als Spottwort der Gegner auf das damalige Regime und seitdem bis heute geläufig gegen die jeweilige Regierung.
boofeln (boofen) intr ↗poofen.
Boofke m **1.** Straßenjunge; grober Kerl. Fußt auf niederd „buff = flegelhaft" und bezeichnet in der Seemannssprache den Schifferknecht (Danzig 1830), dann auch den Hafenarbeiter in Kiel und anderen norddeutschen Hafenstädten.
2. Arbeitskamerad. 1900 ff.
3. Prolet. 19. Jh.
4. ungehobelter Kerl. Nordd 19. Jh.
5. Neureicher. 1920 ff.
Boos m ↗Bost.
Boosten f ↗Bosten.
Boot n im selben ~ sitzen (hocken) = dasselbe Schicksal teilen; dem gemeinsamen Los nicht entgehen können. Übernommen nach 1945 aus dem engl „to be in the same boat".
Bootssalat m Zusammenstoß von Booten. ↗Salat. 1920 ff.
bopmäßig adj ausgezeichnet. Herzuleiten vom gut getanzten Be-Bop. Halbw nach 1950.
Bord n **1.** an ~ = in einem Landfahrzeug. Meint eigentlich „auf einem Wasserfahrzeug"; aber seit 1935 auch auf das Auto

übertragen, da man das Auto mit einem Schiff (Dampfer, Kreuzer o. ä.) gleichsetzt.
2. jn über ~ bringen = jn verdrängen, aus einer Gesellschaft hinausweisen. Man sorgt dafür, daß der Betreffende aussteigt. 19. Jh.
3. viel über ~ bringen = verschwenderisch leben. Leitet sich her von den (unverwertbaren) Resten von Nahrungsmitteln, die man über Bord wirft. 1900 ff.
4. von ~ gehen = den Abschied nehmen; in Ungnade entlassen werden. Aufgekommen spätestens im März 1890 im Zusammenhang mit der „Kladderadatsch"-Karikatur von Bismarcks Entlassung.
5. über ~ gehen = a) aus dem Amt scheiden; eine Gemeinschaft unfreiwillig verlassen; aus der führenden Stellung in der Gesellschaft verschwinden. Eigentlich soviel wie „vom Schiff ins Wasser fallen". 19. Jh. – b) verlorengehen. 1900 ff.
6. an ~ sein = anwesend sein. 1920 ff.
7. etw über ~ werfen = a) sich von etw trennen. 1800 ff. – b) sich erbrechen. 1900 ff.
8. jn über ~ werfen = jn aus seinem Amt verdrängen. 19. Jh.
Bordkanone f Penis. Anspielung auf das herausragende Rohr. Fliegerspr 1939 ff.
Bordkoller m Gruppennervosität an Bord. ↗ Koller. Marinespr 1939 ff.
Bordkuh f Dosenmilch für Marineangehörige. BSD 1965 ff.
Bordluke f Mund. Marinespr seit dem frühen 20. Jh.
Bordmixer m Bordmechaniker bei der Luftwaffe; Bordschütze. ↗ Mixer. Fliegerspr. 1939 ff.
Bordputzer m Matrose. BSD 1965 ff.
Bordschwalbe f Straßenprostituierte. Sie steht am Straßenbord und wartet auf Interessenten unter den vorbeifahrenden Autofahrern. 1960 ff.
Bordsteinbiene f Straßenprostituierte. ↗ Biene 4. 1960 ff.
Bordstein-Casanova m am Bordstein parkender Autobesitzer auf der Suche nach Mädchenbekanntschaften. 1959 ff.
Bordsteinschleifer m Prostituierte in den Straßen auf Männerfang. Schleifen = schlendern. 1920 ff.
Bordsteinschwalbe f Prostituierte am Straßenrand auf Kundenfang. Wahrscheinlich beeinflußt von amerikan „kerbmarket" (= Bordsteinmarkt = inoffizielle Börse). 1960 ff.
borgen tr **1.** etw entwenden. Euphemismus. Sold 1939 ff.
2. in der Schule täuschen; vom Mitschüler abschreiben. Man borgt es auf Gegenseitigkeit. 1940 ff.
Borke f **1.** Haut des Menschen. Eigentlich die äußere Baumrinde. 1900 ff.
2. Kleidung, Uniform. Sold in beiden Weltkriegen.
3. ohne ~ = nackt. Sold 1914–1945.
Borkenkäfer m **1.** Waldarbeiter. Eigentlich Bezeichnung für einen Baumschädling. Seit dem späten 19. Jh.
2. Holzsammler; Sammler von Holzabfällen auf Holzplätzen usw. 1880 ff.
3. den (einen) ~ haben = nicht recht bei Verstand sein. Der Baumschädling nistet sich unter der Baumrinde ein. Ein ähnlicher Schädling – so nimmt man an –

treibt unter der Schädeldecke des Dummen sein Unwesen. 1950 ff.
Borneo m **1.** dummer Mensch. Zur Tarnung entstellt aus „Borniertes" und angeglichen an den Namen der Insel im Malaiischen Archipel. 1850 ff.
2. aus ~ sein = geistesbeschränkt sein. 1880 ff.
Börsengeier m Aktienspekulant. 1910 ff.
Börsenhai m Börsenmakler. ↗ Hai. 1960 ff.
Börsenhase m erfahrener Börsenfachmann; Börsenspekulant. ↗ Hase. 1920 ff.
Börsenheini m Börsenfachmann. ↗ Heini. 1960 ff.
Börsenhelm m steifer, schwarzer Herrenhut. Bevorzugt von Börsenmaklern getragen nach englischem Vorbild. 1930 ff.
Börsenkrach m **1.** allgemeiner Kurssturz. ↗ Krach. 1880 ff.
2. eheliche Auseinandersetzung um das Wirtschaftsgeld. 1900 ff.
Börsenritter m Börsenspekulant; gewissenloser Finanzgeschäftemacher. Nach dem Vorbild von Glücksritter o. ä. gebildet. 1876 ff.
Börsenspekulant m Taschendieb. Er spekuliert auf die Geldbörse. 1876 ff.
Börsianer m Börsenfachmann. Nach dem Muster von Goetheaner, Wagnerianer u. ä. gebildet. 1876 ff.
Borste f **1.** unverträgliche weibliche Person. ↗ borstig. 19. Jh.
2. pl = struppige Haare; erste Barthaare. Borsten haben das Schwein und die Bürste. 1700 ff.
3. die ~n striegeln = sich kämmen. Jug 1950 ff.
borstig adj widersetzlich, mürrisch, grob, unverträglich. Beim erzürnten Tier richten sich die Haare auf. 1700 ff.
Borte f Schaum auf dem Bier im Glas. Er ähnelt dem Besatzband an einem Kleidungsstück. 1800 ff.
bosen refl sich ärgern; schmollen. Gehört zu „böse". 1700 ff.
Bösewicht m ~ vom Dienst = Filmschauspieler in der stereotypen Rolle des Bösewichts. „Vom Dienst" entstammt der Militärsprache und meint „diensttuend". 1960 ff.
Bosheit f **1.** mit konstanter ~ = immer von neuem; unentwegt; jedes Mal (mit konstanter Bosheit trinkt er meinen Schnaps aus, gerät ins Stolpern o. ä.). Abgeschwächt aus der eigentlichen Bedeutung „mit gleichbleibender Niedertracht". Seit dem späten 19. Jh.
2. da kommt die ~ raus: Redewendung angesichts einer kleinen eiternden Wunde oder eines harmlosen Ausschlags. 1920 ff.
Boß m **1.** Leiter, Vorsitzender, Kommandeur, Hauptmann, Vorgesetzter; Anführer einer Gaunerbande. Aus dem Angloamerikan um 1920 übernommen; kaufmannsspr. sportl, sold u. ä.
2. Lehrer. 1950 ff, schül.
3. Schulleiter. 1950 ff, schül.
4. Klassensprecher. 1950 ff, schül.
5. Vater; Familienoberhaupt. Jug 1950 ff.
6. = vertrauliche Anrede an einen Erwachsenen. 1960 ff.
bosseln intr tr still, zum Zeitvertreib vor sich hinwerken; handwerkliche Kleinarbeit verrichten. Geht zurück auf spätmhd „bozeln = klöpfeln". 1500 ff.
Bost (Boos) m Kneipen-, Bordellwirt. Geht

zurück auf jidd „baal bois = Hausherr", aber beeinflußt von ↗ Baas 1. 19. Jh.
Bosten (Boosten) f Kuppelmutter. Verkürzt aus jidd „baal boiste = Hausfrau". 1920 ff.
Botanik f **1.** Truppenübungsplatz. BSD 1965 ff.
2. durch die ~ gehen (in der ~ rumfahren) = durch den Wald gehen o. ä. Sold 1939 ff.
Botanisiertrommel f **1.** Gasmaskenbehälter; Tragetasche für die ABC-Schutzmaske. Wegen einer gewissen Formähnlichkeit mit dem Sammelbehälter für Pflanzen; wird von Schülern u. ä. auch zur Mitnahme von Butterbroten verwendet. Sold 1914 bis heute.
2. Kochgeschirr. Sold 1939 ff.
3. Magen, Leib. Er ist ein Behälter für die Früchte von Wald und Feld. 1920 ff.
4. altes, klapperndes Auto. 1930 ff.
Boto'kude m rückständiger, ungebildeter Mensch; Schimpfwort. Eigentlich der Angehörige eines brasilianischen Indianerstamms, der auf sehr niedriger Kulturstufe steht; die ersten Botokuden gab es in Deutschland um 1830 zu sehen; wegen der Lippenpflöcke erregten sie großes Aufsehen. 1850 ff.
bott adj grob, unfreundlich, ungebildet, frech, ausfallend. Geht zurück auf ndl „bot = stumpf, plump". 1600 ff.
Bottel f Flasche. Fußt auf gleichbed engl „bottle". 1950 ff.
Botten pl derbe Schuhe; Stiefel. Übernommen aus franz „botte = Stiefel", seit dem frühen 19. Jh über berlinische Vermittlung.
Bottich m **1.** Versager. Vergrößerung von gleichbed „↗ Flasche". Sold 1939 ff.
2. Eßgeschirr. BSD 1965 ff.
3. Abort. Schül 1950 ff; BSD 1960 ff.
4. in den ~ jubeln = koten. BSD 1960 ff.
Bouillon f (gesprochen „Bulljong") **1.** es ist klar wie ~ = es ist völlig einleuchtend. 1900 ff, Berlin.
2. da fehlt die ~ = das ist kraftlos, schwächlich. Bouillon = Kraftbrühe. Seit dem späten 19. Jh.
3. du mußt ihr mehr ~ geben = du mußt die Kegelkugel kräftiger werfen. Keglerspr. 1900 ff.
4. ~ in den Knochen haben = kräftig sein. Wohl um 1870 aufgekommen.
5. sie hat keine ~ im Leibe = die Kegelkugel ist zu schwach geworfen und wirft daher nur wenige Kegel um. Seit dem späten 19. Jh.
6. ohne ~ sein = kraftlos sein; keinen Schwung haben. Keglerspr. und Billardspielerspr. seit 1870 ff.
Bouillonkeller (Bulljongkeller) m **1.** kleines Speiselokal, das nachts geöffnet ist oder sehr früh morgens öffnet. Etwa seit 1820, Berlin.
2. Verbrecherkneipe. Berlin 1900 ff.
Boulevard-Schickse f Straßenprostituierte, die auf Promenierstraßen ihre Kunden sucht. ↗ Schickse. 1920 ff.
Bourgeois (franz ausgesprochen) m kleingeistiger Mensch mit dem Sinn für Reformen, Evolution und Revolution. Ein sozialrevolutionärer Kampfbegriff in der kapitalistischen Gesellschaftsordnung (Bourgeois gegen Proletarier). 19. Jh; heute wiederaufgelebt im Wortschatz der Halbwüchsigen.
bourgeois (franz ausgesprochen) adj eng-

geistig- konservativ. Meist *gleichbed* mit „spießbürgerlich" und „philiströs". 19. Jh. *Halbw* 1960 *ff.*

Bourgeoisie (*franz* ausgesprochen) *f* enggeistige führende Gesellschaftsschicht ohne Sinn für gesellschaftspolitische Reformen. 19. Jh. *Halbw* 1960 *ff.*

Boutique (*franz* ausgesprochen) *f* Kleiderkammer, Bekleidungskammer. Meint eigentlich ein Modegeschäft. *BSD* 1965 *ff.*

Bowel *m* Gesindel. ↗Pofel.

bowlen *intr* Bowle trinken. 1920 *ff.*

Box-As *n* hervorragender Boxer. ↗As 1. 1920 *ff.*

boxen *v* **1.** jn in (zu) etw ~ = jm zur Erreichung eines Zieles tatkräftig helfen. Die Sache wird wie mit Faustschlägen vorangetrieben. 1950 *ff.* **2.** sich zu (in) etw ~ = sich durchkämpfen; etw erzwingen. 1950 *ff.*

Boxerkinn *n* kräftig geformtes Kinn. 1920/30 *ff.*

Boxernase *f* plattgedrückte Nase. 1920 *ff.*

Boxerohr *n* durch Boxschläge entstellte Ohrmuschel. 1920 *ff.*

Boxerschultern *pl* breite Schultern. 1920 *ff.*

Boxfan (Grundwort *engl* ausgesprochen) *m* leidenschaftlicher Freund des Boxsports. ↗Fan. 1950 *ff.*

Boxkanone *f* hervorragender Boxer. ↗Kanone. 1920/30 *ff.*

Boy (*engl* ausgesprochen) *m* **1.** kleiner Junge (Kosewort). Nach 1945 aufgekommen. **2.** fester Freund einer Halbwüchsigen. *Halbw* 1955 *ff.* **3.** cooler ~ (*engl* gesprochen) = sympathischer Junge. *Engl* „cool = frisch, gelassen, kaltblütig". *Halbw* 1960 *ff.*

Boyfriend (*engl* ausgesprochen) *m* Freund einer Halbwüchsigen. Aus England übernommen. 1950 *ff.*

braaschen *intr* viel und laut reden; laut rufen; durcheinandersprechen; prahlen. Wohl schallnachahmender Herkunft für einen breiten, langgezogenen, halbtiefen Ton. 14. Jh.

braatschen *intr* **1.** laut weinen. Schallnachahmend für den Klang von geschleuderter dünnflüssiger Materie, auch für den Schmatz- und Schluchzlaut. 19. Jh. **2.** schwerfällig, weitschweifig reden. 19. Jh. **3.** prahlen. 19. Jh.

Braatscher *m* Prahler. 19. Jh.

Braatschgesicht *n* breites Gesicht. ↗braatschen. 19. Jh.

braatschig *adj* prahlerisch, anmaßend. 19. Jh.

Braatschliese *f* laut weinende, leicht weinende, weinerliche weibliche Person. 19. Jh.

Bra'banterschenkel *pl* breite Schenkel eines Menschen. Meint eigentlich die kräftig gebauten Schenkel eines Brabanter Pferdes. 1920 *ff.*

Brabbel *m* Mund; Geschwätzigkeit; Redestrom. ↗brabbeln. 1800 *ff.*

Brabbelei *f* unsinniges, undeutliches Geschwätz. 19. Jh.

Brabbeler *m* Schwätzer. 1800 *ff.*

brabbelig *adj* undeutlich gesprochen. 19. Jh.

brabbeln *intr* undeutlich sprechen; schwatzen; lallen; ärgerlich vor sich hinreden. Schallnachahmend, wohl aus dem Niederdeutschen im 14. Jh übernommen.

Brabbelwasser *n* **1.** Schnaps. Er macht redselig. 1900 *ff.* **2.** du hast wohl ~ getrunken?: Frage an einen Schwätzer. 1900 *ff.*

brachliegend *adj* ohne Geschlechtsverkehr. 1955 *ff.*

Brack *m* Ausschußware. Fußt auf *niederd* „brack = minderwertig, schlecht" (gehört zu „brecken = brechen"). Kaufmannsspr. seit dem 14. Jh.

brack *adv* ~ werden = beim Kartenspiel verlieren. *Vgl* das Vorhergehende. 1900 *ff*, *nordd.*

Brägen *m* ↗Bregen.

bramsen *intr* **1.** unverständlich sprechen; nörgeln, schelten. Fußt auf *nordd* „brammen = lärmen, prahlen". 19. Jh. **2.** überheblich reden; sich überheblich benehmen. 1900 *ff.*

Brand *m* **1.** Durstgefühl, brennender Durst; Nachdurst. Der brennende Durst und das brennende Haus haben gemeinsam, daß man sie mit Wasser (o. ä.) bekämpft. 1800 *ff.* **2.** Rausch. 1800 *ff.* **3.** Geldnot. Zusammenhängend mit ↗abgebrannt sein 1. 1800 *ff.* **4.** ich habe einen ~, ich könnte ein ganzes Graubrot fressen, so müde bin ich: Redewendung nach einer ausgiebigen Zecherei. *BSD* 1965 *ff.* **5.** im ~ sein = kein Geld haben. 1800 *ff.*

'brandaktu'ell *adj* das neueste Tagesgeschehen betreffend. Die Aktualität brennt auf den ↗Nägeln. Von hier nimmt „brand-" den Wert einer allgemeinen Verstärkung an. 1930 *ff.*

Brandbrief *m* eilige schriftliche Aufforderung; Drohbrief. Meint eigentlich die amtliche Bescheinigung über erlittenen Brandschaden, dann auch den Mahn- oder Bettelbrief wegen eines Brandschadens, sogar den Brief mit Brandandrohung. Die heutige Bedeutung setzte um 1750 bei Studenten ein.

'brand'eilig *adj* sehr eilig. 1930 *ff.*

brandeln *intr* **1.** nach Verbranntem riechen. 19. Jh. *Oberd.* **2.** es brandelt = es wird heikel, gefährlich. *Oberd* 1900 *ff.* **3.** (viel, ungern) zahlen. ↗brennen 3. *Österr* 1900 *ff.* **4.** durchs Fenster dem Mädchen einen Besuch abstatten. Man steigt durchs Fenster ein wie bei einer Feuersbrunst. *Österr* 1900 *ff.*

Brandfleppe *f* Erpresserbrief. ↗Fleppen. Erpresser drohten früher gern eine Feuersbrunst an. *Rotw* 1862 *ff.*

'brand'frisch *adj* ganz neu; ungebraucht. Es ist frisch gebrannt wie Kaffee o. ä. 1950 *ff.*

Brandfuchs *m* Verbindungsstudent im zweiten Semester. Ihm wurden früher einige Haare hinter dem Ohr mit einem Fidibus angebrannt, damit er gegen die Philister kämpfe wie Simson, der Füchse mit einem Brand an den Schwänzen gegen die Felder der Philister aussandte. 18. Jh.

'brandge'fährlich *adj* überaus gefahrdrohend. *Sportl* und polizeispr. 1930 *ff.*

'brand'heiß *adj* **1.** sehr heiß. 1900 *ff.* **2.** zu raschem Absatz vorgesehen. 1950 *ff.* **3.** hochmodern, überaus spannend; hochaktuell. Etwa seit 1950 *ff.*

'brand'nah *adv* aus allernächster Nähe. 1955 *ff.*

'brand'neu *adj* ganz neu; zum ersten Mal getragen; vorher gänzlich unbekannt. Stammt aus *engl* „brandnew = ungetragen (auf Schuhe bezogen)", „noch den Fabrikstempel tragend", „frisch aus dem Ofen". 1920 *ff.*

'brand'nötig *adj* dringend erforderlich; vordringlich nötig. 1920 *ff.*

Brandopfer *n* **1.** Tripper. Eigentlich das einer Gottheit dargebrachte Tieropfer; hier Anspielung auf das Brennen als Begleiterscheinung der Krankheit. 1910 *ff.* **2.** Tripperkranker. 1910 *ff.* **3.** Zigarette o. ä. Man bringt sie dem (fingierten) Gott der Raucher dar. *Halbw* 1960 *ff.* ↗Rauchopfer.

'Brand'rausch *m* schwere Bezechtheit. *Bayr* 1900 *ff.*

Brandrede *f* aufrüttelnde, zur Aktivität aufrufende Rede. 1910 *ff.*

Brandschaden *m* totaler ~ = völlige Mittellosigkeit. Gehört zu ↗abgebrannt sein. 1920 *ff.*

Brandsohle *f* ich haue dir ins Maul, daß die ~ rauchtl: Drohrede. *Jug* 1930 *ff.*

Brandstifter *m* hochprozentiger Schnaps. Er stiftet „Brand = Durst". 1870 *ff.*

Brand-Telegramm *n* Blitztelegramm. Nach dem Muster von „Brandbrief". 1965 *ff.*

'brand'teuer *adj* sehr teuer. 1900 *ff.*

Brass *m* **1.** Lärm, Gepränge, Gewühl o. ä. Gehört zu „prassen" und bezeichnet im engeren Sinne das Gelage oder großen Aufwand. *Mittelniederd* „bras = Lärm". 14. Jh. **2.** Menge, Haufen, Plunder; Minderwertigkeit; schwierige Sache. Fußt auf *ndl* „bras = wertlose Sache"; etwa seit 1600. **3.** Wut. Fußt wohl auf der Bedeutung 1 und ist wahrscheinlich beeinflußt von *engl* „brash = leicht erregt". *Nordd* 19. Jh. **4.** das bringt ihn in ~ = das erregt ihn, macht ihn wütend. *Nordd* 1900 *ff.* **5.** auf jn einen ~ haben = auf jn wütend sein. 1900 *ff.* **6.** in ~ kommen = zornig werden. 1900 *ff*, *nordd.* **7.** in ~ sein = a) wütend sein. 1900 *ff.* ↗Brass 3. - b) in Verlegenheit sein. Gehört wohl zu ↗Brass 1. 1900 *ff.* - c) es eilig haben. ↗Brass 1. 19. Jh. - d) tief in der Arbeit stecken; eine lästige (schwere) Arbeit zu erledigen haben. 1900 *ff.*

Brassel *m* **1.** Mühe, Kleinarbeit, Haufen, Durcheinander, Umstände. ↗brasseln. 18. Jh. **2.** arge Bedrängnis; Andrang von Schwierigkeiten u. ä. *Sold* 1939 *ff.* **3.** der ganze ~ = das alles *(abf)*. 19. Jh. **4.** in einen ~ kommen = in eine schwierige Lage geraten. 1939 *ff.* **5.** im ~ sein = sich in bedrängter Lage befinden. 1939 *ff.*

brasseln *tr intr* geschäftig werken; mechanische Feinarbeit verrichten; arbeiten. Verbal entwickelt aus ↗Brass 2. Vorwiegend *westd*, 19. Jh.

Brasselskram *m* umständliche Arbeit. *Westd* 19. Jh.

Brast *m* **1.** Menge; großes Stück. Gehört zu „Bras, Pras = Schmaus"; aus dem Vielerlei der Gerichte beim Prassen entwickelt sich losgelöst die Bedeutung „Menge". 1700 *ff.*

2. überflüssiger Kram. 1700 *ff.*
3. Zorn, Aufregung. 19. Jh.
4. dicker ~ = große Menge Abfall. 1900 *ff.*
5. das bringt ihn in ~ = das regt ihn auf. 19. Jh.
6. im ~ sein = wütend sein. 19. Jh.
Braten *m* **1.** Begehrenswertes; reicher Gewinn. Der Braten gilt seit langem als eine Besonderheit, als eine Seltenheit und gar als Sehnsuchtsziel armer Leute. Seit *mhd* Zeit.
2. lohnendes Angriffsziel. Fliegerspr. 1939 *ff.*
3. ~ armer Leute = Geschlechtsverkehr; Kinderzeugen. 1800 *ff.*
4. dicker ~ = dickleibiger Mensch. 1900 *ff.*
5. fetter ~ = a) reicher Gewinn; einträgliche Erbschaft. 19. Jh. – b) Einbruch (Betrug), der sich gelohnt hat. 1900 *ff.*
6. müder ~ = sportlich Ungeübter; schnell Ermüdender; schwungloser Soldat. 1939 *ff*, *sold.*
7. zäher ~ = tapferer, unverwüstlicher Mensch. Zäh = schwer zu zerkleinern; weiterentwickelt zu „ausdauernd", „nicht kleinzukriegen". *Sold* 1939 *ff.*
8. da hast du den ~!: = das Unangenehme ist wie erwartet eingetroffen. 1900 *ff.*
9. den ~ auf dem Tisch haben = eine gesicherte Einnahme haben. 1950 *ff.*
10. jm auf den ~ kommen = jds Heimlichkeiten (Ränke) aufdecken. Hier ist wohl der Braten eines durch Wilderei erworbenen Stücks Wild gemeint: durch den Geruch des Bratens verrät sich der Dieb. 1920 *ff.*
11. den ~ riechen (schmecken, merken) = Ungünstiges oder Betrügerisches ahnen. Der Geruch dieses Bratens schreckt ab. 1500 *ff.*
12. dem ~ nicht trauen = zu verlockenden Anpreisungen kein Zutrauen haben. Der angepriesene Hasenbraten stammt vielleicht von einer Katze, und der Hirschbraten ist in Wirklichkeit ein Hammelbraten. 1900 *ff.*
13. einen ~ verlieren = abmagern. 19. Jh.
14. jm den ~ versalzen = jds Vorhaben vereiteln; jm eine Hoffnung zunichte machen. 1900 *ff.*
braten *tr* **1.** jn im Ungewissen lassen. ↗schmoren. 1920 *ff.*
2. jm etw ~ = jm etw ablehnen; jm nicht zu Willen sein. Ironie. 1700 *ff.*
3. sich etw ~ = sich selber schaden. Wohl hergenommen von Nichtbeherrschung der Kochkunst: man handelt unzweckmäßig. 1900 *ff.*
4. hier brät etwas im Ofen = hier bereitet sich eine Untat vor. *Vgl* ↗auskochen 1. 1920 *ff.*
5. ~ (sich ~ lassen) = sonnenbaden. ↗Sonne 4 und 5. 19. Jh.
Bratenriecher *m* **1.** Staatsanwalt. ↗Braten 11. Etwa seit 1933.
2. Kriminalbeamter. 1958 *ff.*
Bratenrock *m* **1.** (Gehrock), Sonntagsrock. 1700 *ff.*
2. Paraderock zur Uniform; Ausgehrock. *Sold* 1939 bis heute.
Bratenuhr *f* ungenau gehende Uhr. ↗Brater. *Österr* 1900 *ff.*
Brater *m* ungenau gehende Uhr. Reicht zurück in jene Zeit, als man die ersten Kirch-

turmuhren dem Bratenwender mit seinem Zahnradwerk nachbildete. 1900 *ff.*
Bratfest *n* Fußballspiel in sengender Hitze. Die Zuschauer und Spieler werden von der Sonne gebraten. 1960 *ff*, *sportl.*
Brathühnchen *n* nettes, reizendes Mädchen. Es ist ↗knusprig und zart. 1920 *ff.*
Bratkartoffel *f* **1.** randgenähte ~n = nur am Rand gebräunte Bratkartoffeln. 1920 *ff.*
2. daher der Name ~l: Ausdruck verwunderten Verstehens. Das Gemeinte ist so bekannt, daß eine ausführliche Erklärung überflüssig ist; man weiß ja auch, warum Bratkartoffeln so und nicht anders heißen. 1950 *ff.*
3. dastehen wie kaltgewordene ~n = ratlos, benachteiligt sein. Kalte Bratkartoffeln läßt jedermann stehen. 1920 *ff.*
4. und schon wieder ist es gelungen, aus Scheiße ~n zu machen!: Ausruf nach Erzielung eines Erfolgs. *BSD* 1965 *ff.*
5. das sagt man immer, wenn die ~n angebrannt sind = das ist eine einfältige Ausrede für eine böse Überraschung. 1950 *ff.*
Bratkartoffelbraut *f* Soldatenliebschaft. Sie verwöhnt ihn mit Bratkartoffeln, die der Soldat sonst selten zu sehen bekommt. *Sold* 1939 *ff.*
Bratkartoffelsoldat *m* Soldat als Liebschaft einer Hausgehilfin. *Sold* 1939 *ff*; auch *ziv.*
Bratkartoffelverhältnis *n* Liebesverhältnis mit der Tochter des Quartiergebers o. ä. *Sold* 1939 *ff.* Vorläufer ist ↗Stullenverhältnis.
Bratpfanne *f* **1.** Kommandoscheibe des Fahrdienstleiters. Wegen der Formähnlichkeit. 1920 *ff.*
2. breite Hand. *BSD* 1965 *ff.*
3. Mandoline. Wegen einer gewissen Formverwandtschaft. *Österr* 1955 *ff.*
4. Tennisschläger. 1970 *ff.*
5. sehr sonniger Platz für Sonnenbadende; Badestrand. Dort wird man von der Sonne gebraten. 1910 *ff.*
6. Sahara; libysche Wüste. *Sold* im Zweiten Weltkrieg.
7. in die ~ hauen = jn moralisch vernichten, entwürdigend anherrschen. ↗Pfanne. 1950 *ff.*
8. mit der ~ rasiert sein = geistesbeschränkt sein. Gehäufter Unsinn zur Kennzeichnung des Ausmaßes der Dummheit: der Dumme würde auch solchen Unsinn für wahr halten. 1920 *ff.*
9. ihn haben sie wohl mit der ~ über den Ozean geschaukelt?: Redewendung über einen Dummen. *BSD* 1965 *ff.*
Bratwurst *f* **1.** Schimpfwort. Auch Bezeichnung für die Schlinge am Henkerstrick; daher analog zu ↗Galgenstrick. *Schül* 1950 *ff.*
2. mit etw keine ~ mehr vom Teller ziehen = mit etw keinen Anreiz mehr ausüben. Filmspr. 1950 *ff.*
Bräuche *pl* so streng sind dort die ~: Redewendung angesichts eines ungewöhnlichen Herkommens, das in dieser Lage sinnlos wirkt. Anspielung auf die Verschiedenheit der Sitten und Bräuche in anderen Ländern. Aus einer studentischen Ulkrede? 1900 *ff.*
brauen *tr* **1.** ein Getränk zubereiten (z. B. eine Bowle). Vom Bier ausgedehnt auf sonstige Getränke, die jeder auf seine Wei-

se (wohl gar nach geheimgehaltenen Rezepten) herzustellen pflegt. 16. Jh.
2. etw verwässern. 1800 *ff.*
3. einen Brief o. ä. aufsetzen. 1920 *ff.*
Brauerei *f* **1.** Chemiesaal in der Schule. Brauen = mischen. *Schül* 1960 *ff.*
2. Küche. ↗brauen 1. *BSD* 1965 *ff.*
3. kleinste ~ = Fußballverein mit sehr schlechten Leistungen. Die elf Spieler sind elf ↗Flaschen. 1960 *ff.*
Brauereigeschwür *n* Beleibtheit des Biertrinkers. 1955 *ff.*
Brauereipferd (-roß) *n* **1.** Hintern (Arsch) wie ein ~ = sehr breites Gesäß. Brauereipferde (Bräurösser) sind kräftig entwickelt. 1920 *ff.*
2. einen Strahl haben wie ein ~ = sehr geräuschvoll harnen. Strahl = Harnstrahl. 1920 *ff.*
3. keine sechs ~e kriegen mich dazu = dazu kann mich niemand zwingen, auch wenn er noch soviel Mühe aufwendet. ↗Pferd. 1920 *ff.*
Brauereitumor *m* Dickbäuchigkeit der Biertrinker. 1955 *ff*, *stud.*
brauges *adj präd* zornig. Fußt auf *jidd* „broges = zornig". *Rotw* 1822 *ff.*
braun *adj* **1.** nationalsozialistisch. Wegen der braunen Farbe der Uniformhemden. 1930 *ff.*
2. anmaßend, prahlerisch. „Braun" steht mundartlich für „bunt": der Prahler treibt es zu ↗bunt. 1900 *ff.*
3. ~ gegrillt = sonnengebräunt. 1960 *ff.*
4. ~, satt, faul: Urlaubsparole von Leuten, die von sinnvollem Urlaub wenig verstehen. 1960 *ff.*
5. jn ~ färben = jn zum Nationalsozialismus überreden. ↗braun 1. 1933 *ff.*
6. jn ~ und blau hauen = jn heftig prügeln. Anspielung auf die Färbung der Haut. 1500 *ff.*
7. etw zu ~ machen = etw übertreiben; es zu arg treiben. Braun = bunt (↗braun 2). 1700 *ff.*
8. ganz schön ~ sein, aber nicht von der Sonne = nicht recht bei Verstande sein. Fußt wohl auf ↗braun 2, das wahrscheinlich mit ↗braun 1 verquickt wurde im Sinne von „irrsinnige Weltanschauung des Nationalsozialismus". 1940 *ff.*
9. ~ sein = gewitzt sein. Der Betreffende ist wohl braun und blau gehauen worden, so daß er „verschlagen" ist. *BSD* 1960 *ff.*
10. das ist mir zu ~ = das ist mir unerträglich; das geht mir zu weit. ↗braun 2. 1700 *ff.*
Braunbier *n* aussehen wie ~ und Spucke (Speichel) = ein bleiches Aussehen haben. Braunbier ist das im bäuerlichen Haushalt zubereitete Schwachbier. „Spucke" meint den Bierschaum. 1800 *ff.*
Bräune *f* **1.** ~ aus der Flasche = Hautbräunung mit chemischen Mitteln. 1955 *ff.*
2. ~ tanken = sonnenbaden. ↗tanken. 1920/ 30 *ff.*
Brauner *m* **1.** Fünfzigmarkschein. Wegen der braunen Färbung. 1950 *ff.*
2. Kaffee mit Milch; mittelheller Kaffee. *Österr* 19. Jh.
3. Gesäß, After. 1920 *ff.*
Brause *f* **1.** Benehmen wie eine offene ~ = ungebührliches Benehmen. Hergenommen von der Flasche Brauselimonade, die beim Öffnen knallt und zischt. 1930 *ff.*

2. angeben wie eine offene ~ ↗ angeben 16.

3. bitte eine ~, wir wollen lustig sein!: Spottrede auf Alkoholgegner. 1930 ff, Berlin.

4. eine ~ kriegen = eine Enttäuschung erleben; eine unerwartete Niederlage erleiden. Brause = (kalte) Dusche. 1925 ff, auch *sportl.*

Brausegesicht *n* Jugendlicher, der trotz seines Erwachsentums noch als Heranwachsender zu erkennen ist. Wohl Anspielung auf die inneren Sekretionen, die brausen und ihren Ausweg in Geschwüren o. ä. suchen. 1960 ff.

Brausejahre *pl* Pubertätszeit. 1920 ff.

Brausekopf *m* Heranwachsender. Brausen = gären. 1700 ff.

Brauselimonade *f* temperamentlose Frau. Das Getränk ist substanzschwach. Wohl beeinflußt von „Die Limonade ist matt wie deine Seele" aus Schillers „Kabale und Liebe" (1784). 1900 ff.

brausen *intr* schnell fahren. Hergenommen vom brausenden Wasser oder Wind. 1920 ff.

Brausepulver *n* **1.** leicht aufbrausender Mensch; unruhiger, aufsässiger Mensch. Eigentlich das Kohlensäurepulver, das im Wasser aufbraust. 1900 ff.

2. ~ eingenommen haben = nervös, ungeduldig, unruhig sein; leicht aufbrausen. 1900 ff.

Braut *f* **1.** ~ (~ des Soldaten) = Gewehr, Karabiner. Soll damit zusammenhängen, daß man vor dem Abrücken zur Front das Gewehr in der Garnison ins Bett mitnahm, damit es am anderen Morgen nicht vertauscht werden konnte. 1866 ff, sold.

1 a. Freundin eines Halbwüchsigen. 1960 ff.

2. ewige ~ = langjährig Verlobte. 19. Jh.

3. feste ~ = Verlobte. Seemannsspr. 1900 ff. Die anderen Bekanntschaften sind „unfest".

4. klamme ~ = unsympathisches Mädchen. Klamm = gefühlskalt, frigid. „Braut" ist jedes Mädchen, auch das unverlobte. *Halbw* 1955 ff.

5. offene ~ = weibliche Person, die hochschwanger heiratet oder ein Kind in die Ehe mitbringt. Nach alter Sitte hat das nicht mehr unberührte Mädchen den Brautkranz hinten offen zu tragen. 1900 ff.

6. verkaufte ~ = vom Bräutigam verlassenes Mädchen. Der Ausdruck berührt sich nur im Wort mit dem Titel der Oper von Smetana. 1950 ff.

7. zerlegbare ~ = Gewehr. ↗ Braut 1. Spätestens in der Bundeswehr aufgekommen.

Bräuterich *m* Bräutigam. Dem Enterich, Gänserich u. ä. nachgebildet. 1920 ff.

Bräutigam *m* **1.** Zuhälter. Rotw 1922 ff.

2. jn zum ~ machen = einen Rekruten ausbilden. Man macht ihn vertraut mit der „↗ Braut 1". Sold 1935 ff.

3. für sie muß der ~ noch gebacken werden: Redewendung auf ein wählerisches Mädchen, das an jedem Ehekandidaten etw auszusetzen hat. Hergenommen von figürlichem Backwerk. ↗ backen 4. 19. Jh.

Bräutigmann *m* Bräutigam. Scherzhafte moderne Verdeutlichung, wohl mit Anspielung auf vorehelichen Geschlechtsverkehr. 1910 ff.

Brautkleid *n* ein kurzes ~ haben = hoch-

schwanger vor den Traualtar treten. 1910 ff.

Brautnacht *f* es ist mir eine ~ (eine halbe ~; eine ~ auf der Kirchturmspitze; eine ~ mit Spitzenhöschen und Zigeunermusik) = es freut mich sehr. 1900 ff.

Brautomobil *n* Motorrad mit einem Mädchen auf dem Rücksitz. Zusammengesetzt aus „Braut" und „Automobil", etwa seit 1920, wohl von Berlin ausgegangen.

Brautpaar *n* frisch aufgebügeltes ~ = geschiedene Eheleute, die einander erneut heiraten. Sie sind frisch aufgebügelt wie ein Kleidungsstück. 1920 ff.

brav *adj* **1.** noch unberührt (auf Mädchen bezogen). Meint soviel wie „den Anstandsregeln entsprechend; artig, rechtschaffen". 1900 ff.

2. alkoholfrei. *Jug* 1960 ff.

bravo *interj* aber bravo!: Redensart, wenn man nicht aufmerksam zugehört hat. Man spendet für alle Fälle Beifall, auch wenn man nicht weiß, wovon die Rede ist. Seit dem späten 19. Jh.

brechen *v* **1.** *intr* = einbrechen. 1910 ff, Verbrecherspr.

2. auf, laßt uns ~! = laßt uns aufbrechen! (auch in den Formen: „auf laßt uns stoßen und ins Horn brechen"; „lasset uns aufstoßen und ins Horn brechen"). Von Jugendlichen um 1900 verdreht aus „laßt uns ins Horn stoßen und aufbrechen!"

3. zum ~ schön = scheußlich. Brechen = sich erbrechen. 1955 ff, jug.

4. zum ~ sein = a) unerträglich sein. Vornehmer als „zum ↗ Kotzen sein". 1900 ff. – b) überfüllt sein. So stark besetzt, daß der Boden einzubrechen droht. 1900 ff.

5. zum ~ voll = überfüllt. 1900 ff.

'brechend'voll *adj* überfüllt. ↗ brechen 4 b. 1900 ff.

Brechmittel *n* **1.** Werkzeug zum Aufbrechen von Geldschränken. ↗ brechen 1. Verbrecherspr. 1880 ff.

2. lästiger, widerlicher Mensch. Er ist wie ein Mittel, das Erbrechen verursacht. Um 1800 auf einen höchst widerlichen Gegenstand bezogen; etwa seit 1850 auf den Menschen übertragen.

3. das ist für mich ~ Nummer Eins = das ist mir völlig unerträglich. *Schül* und *stud* 1950 ff.

4. jm ~ verabreichen = den Gegner beim Kartenspiel zum Stechen reizen, indem man ihm verlockende Karten vorspielt. Geht der Gegner darauf ein, muß er sich auskotzen (↗ auskotzen 7) und verliert dadurch die Möglichkeit des Überspielens. 1900 ff, Kartenspielerspr.

Brechpulver *n* **1.** ekelerregende Sache. 1700 ff.

2. widerwärtiger Mensch. 1800 ff.

Brechstange *f* mit der ~ = gewaltsam; mit aller körperlichen Kraft. Verbrecherspr. 1930 ff, sportl 1950 ff.

Bredouille (Bredullje) *f* Verlegenheit, mißliche Lage; Notlage; Bedrängnis. Fußt auf *franz* „bredouille = kein Stich im Spiel". 18. Jh.

Bregen (Brägen) *m* Stirn, Gehirn, Hirnschale, Kopf, Verstand. Fußt auf einem *indogerm* Wurzelwort mit der Bedeutung „Vorderhaupt, Gehirn". 14. Jh, vorwiegend *niederd.* Vgl *engl* „brain".

bregenklöterig (-klüterig) *adj* benommen, dumm, verrückt. Klötern = klap-

pern, rasseln. Beim Dummen rappelt es im Kopf, oder es ist ein Rad los. Vgl auch „klaterig = verwirrt". 1800 ff.

Bregenpanne *f* Geistesbeschränktheit. ↗ Panne. Halbw 1955 ff.

Brei *m* **1.** heißer ~ = heikle Sache, bei der man sich schaden kann. Hergenommen von der ↗ Katze, die laut Sprichwort um den heißen Brei zu gehen pflegt. 1920 ff.

2. den ~ anrühren = eine üble Sache beginnen. 19. Jh.

3. ~ im Maul haben = undeutlich sprechen. 1500 ff.

4. um den heißen ~ rumgehen = einer unangenehmen Sache aus dem Wege gehen; ein heikles Thema meiden; Umschweife machen. ↗ Katze. 1700 ff.

5. um den (heißen) ~ rumreden = das Eigentliche nicht erörtern. 19. Jh.

6. um den ~ rumschleichen = offen sich nicht äußern. 19. Jh.

7. etw satthaben wie kalten ~ = einer Sache sehr überdrüssig sein. Kalter Brei ist wenig beliebt. Westd 19. Jh.

8. jn zu ~ schlagen (hauen) = jn heftig prügeln. 19. Jh.

9. jm ~ um den Mund schmieren (streichen) = jm eine Sache verlockend darstellen; um jn schmeicheln. Wohl hergenommen vom Füttern der Kleinkinder mit Brei. 1500 ff.

10. jn zu ~ verarbeiten = jn moralisch erledigen; jn scharf kritisieren. Knochen und Fleisch bilden hinterher eine einzige, ununterscheidbare Masse. 1850 ff.

11. jm den ~ verderben = jm etw verderben, verleiden. 1900 ff.

12. jm den ~ versalzen = jm die Freude verderben. Man hat süßen Brei erwartet und erhält nun versalzenen. 19. Jh.

13. jn zu ~ zerdrücken = jn herzhaft an sich pressen. 1920 ff.

14. jn zu ~ zusammenhauen = jn wüst prügeln. ↗ Brei 8. 1900 ff.

Breimaul *n* **1.** Mensch, der nur leichte, leckere Sachen zu essen gewohnt ist, bei denen man kaum zu kauen braucht. 19. Jh.

2. Prahler, Dummschwätzer. Feinschmecker und Prahler, Schlemmer und Großsprecher werden umgangssprachlich fast immer gleichgesetzt. 1900 ff.

3. Mensch mit breiter, undeutlicher Aussprache. ↗ Brei 3. 1700 ff.

breit *adj* **1.** betrunken. Der Torkelnde benötigt eine breite Straße. Der Bezechte macht sich breit (= spielt sich auf). *BSD* 1960 ff, schül.

2. unter Drogeneinwirkung stehend. 1970 ff.

3. das ist so ~ wie lang = das kommt auf dasselbe heraus. 1850 ff.

4. ich bin ~!: Ausdruck der Überraschung. Analog zu „ich bin ↗ platt". 1925 ff.

Breitarsch *m* **1.** sehr dicker Mensch. 1900 ff.

2. überheblicher, anmaßender Mensch. Er macht sich breit (= spielt sich auf). 1900 ff.

breitbeinig *adv* **1.** sich ~ benehmen = überheblich sein. Der Betreffende beansprucht viel Platz. 1850 ff.

2. ~ quatschen = a) umständlich, weitschweifig reden. 1940 ff. – b) prahlen. 1940 ff.

Breite *f* in die ~ gehen = an Körperumfang zunehmen. 1900 ff.

Breiter *m* den Breiten machen = sich aufspielen. Er macht sich ↗ breit. 1900 *ff.*

breitklopfen *tr* jn überreden. Analog zu ↗ breitschlagen. 1900 *ff.*

breitkriegen *tr* jn überreden, beschwatzen. Verkürzt aus „breitklopfen können". 1900 *ff.*

breitmachen *refl* sich vordrängen; sich rücksichtslos einnisten; sich brüsten; anmaßend sein. Breit macht sich, wer sich mit gespreizten Beinen und aufgelegten Armen setzt. 1600 *ff.*

Breitmacher *m* Rauschgift. ↗ breit 2. 1970 *ff.*

Breitmaul *n* Mensch mit breitem Mund; Prahler, Zänker. 1800 *ff.*

breitmaulen *intr* aufbegehren; schmollen. 1800 *ff.*

breitmaulig (-mäulig) *adj* 1. prahlerisch; zänkisch. 19. Jh.
2. propagandistisch beredt. 19. Jh.

breitquetschen *tr* etw weitläufig besprechen. Kräftiger als ↗ breittreten. 1940 *ff.*

Breitschlage *f* auf die ~ = mit eindringlicher Überredung. *Vgl* das Folgende. 1920 *ff,* Berlin.

breitschlagen *tr* jn beschwatzen. Hergenommen vom Metall, das um so leichter gebogen werden kann, je breiter es geschlagen worden ist. 1700 *ff.*

Breitseite *f* 1. schwerer Angriff mit Worten. Von Breitseite spricht man, wenn die Schiffsgeschütze einer Bordseite gleichzeitig feuern. 1950 *ff.*
2. eine ~ abschießen = Darmwinde schallend entweichen lassen. *Marinespr* seit dem ausgehenden 19. Jh.
3. gegen jn heftig ~ abschießen (feuern) = jn heftig mit Worten angreifen; jn sehr schwerwiegend kritisieren. 1950 *ff.*
4. jm eine ~ verabreichen = jn heftig angreifen, kritisieren. 1950 *ff.*

breitspurig *adj* 1. weitschweifig im Reden. Übertragen von der breiten Wagenspur. 19. Jh.
2. selbstbewußt, prahlerisch. 1900 *ff.*

breittrampeln *tr* viel Aufhebens von etw machen. ↗ breittreten 1. 1900 *ff.*

breittreten *tr* 1. etw weitschweifig behandeln; etw in aller Leute Mund bringen; viel Aufhebens von etw machen. Hergenommen von einem schmalen Pfad (Trampelpfad), der durch vieles Begehen im Laufe der Zeit immer breiter wird. 1800 *ff.*
2. jm etw ~ = jm etw umständlich erklären. 1920 *ff.*

breitwalzen *tr* über eine und dieselbe Sache immer wieder reden. 1920 *ff.*

Breitwandformat *n* Üppigkeit der Körperformen. 1955 *ff.*

Breitwandfresse *f* 1. breiter Mund. 1950 *ff.*
2. Prahler; beredter Mann. 1950 *ff.*

Bremer *m* ich bin kein ~ = ich lasse mich nicht übertölpeln; ich lasse mir nichts Unwahres einreden; ich lasse mir meine Arbeit nicht wegnehmen. Herleitung unbekannt. 1700 *ff.*

Bremsbacken *pl* 1. Knäckebrot. Hergenommen von dem Leder- oder Metallastbestgewebe, womit man die Bremsbacken belegt. *BSD* 1950 *ff.*
2. Gesäß des Skiläufers. Beim Sturz werden die Gesäßbacken zu Bremsbacken. 1950 *ff.*

Bremsbein *n* linkes Bein. Aus der Autofahrpraxis übertragen. 1950 *ff.*

Bremse *f* 1. Ohrfeige. Die Bremse ist ein stechendes Insekt (Tabanide). Der stechende Schmerz als Folge des Bremsenstiches und der Schmerz der Ohrfeige ähneln einander sehr. 1800 *ff.*
2. große Hitze. Bei großer Wärme macht sich die Bremsen-Fliege besonders unangenehm bemerkbar. 1800 *ff.*
3. hohe Spielkarte, die nicht überspielt werden kann. Sie „sticht" selber wie die Bremse. Seit dem späten 19. Jh.
4. auf-, zudringliche weibliche Person. Sie ist lästig wie eine Stechfliege. 1800 *ff.* (Goethe über Bettina v. Arnim).
5. zieh die ~ an! = übertreibe nicht! 1920 *ff.*
6. eine ~ fahren = auf dem Überholstreifen der Autobahn in entgegengesetzter Richtung fahren. Polizeispr. 1965 *ff.*
7. auf die ~ gehen = scharf bremsen. Kraftfahrerspr. 1920 *ff.*
8. an etw mit der ~ gehen = etw nachdrücklich, gewaltsam betreiben. „Bremse" ist hier die Nasenklammer, die der Tierarzt oder auch der Schmied dem Pferd aufs Maul setzt. 1930 *ff.*
9. auf (in) die ~ laatschen = scharf bremsen. ↗ laatschen. Kraftfahrerspr. 1950 *ff.*
10. ohne ~ reden = unaufhaltsam reden. 1920 *ff.*
11. jm eine ~ setzen = jn in Erregung versetzen. Meint entweder die Stechfliege oder die Nasenklemme (↗ Bremse 8). 1900 *ff.*
12. jm eine ~ stechen (stecken) = jn ohrfeigen. ↗ Bremse 1. 1850 *ff.*
13. in (auf) die ~ steigen = scharf bremsen. Kraftfahrerspr. 1920 *ff.*
14. auf die ~ treten = a) Einhalt gebieten; mit der Leistungskraft sorgsam umgehen. 1960 *ff.* – b) im Galopprennen das Pferd zurückfallen lassen. Turfsprache. 1960 *ff.*
15. die ~ ziehen = Einhalt gebieten. 1920 *ff.*

bremsen *v* 1. jm eine ~ = jn ohrfeigen, prügeln. ↗ Bremse 1. 1800 *ff.*
2. *tr intr* = einen Schuß abfeuern. Der Schuß sticht wie eine Stechfliege. 1914 *ff.*
3. jn ~ = jm Einhalt gebieten. 19. Jh.
4. *intr* = sich schlafen legen; (geräuschvoll) schlafen. Entweder hergenommen vom surrenden Geräusch der Stechfliege oder vom Geräusch, das entsteht, wenn man die Bremse betätigt. 1900 *ff, sold* und *schül.*
5. *intr* = in der Schule nicht versetzt werden. Bremsen = summen = brummen = sich unwillig äußern; ↗ brummen 5. *Schül* 1920 *ff.*
6. *intr* = warten. Etwa soviel wie „durch Betätigung der Bremsvorrichtung zum Stillstand kommen". *Österr* 1940 *ff.*
7. *intr* = eilen; weglaufen. Man schwirrt ab wie eine Stechfliege. 1910 *ff.*
8. *intr* = Nachhilfeunterricht erteilen; Repetitor sein. ↗ Bremser 2. 1900 *ff.*
9. *intr tr* = koitieren. Analog zu ↗ stechen. 1920 *ff.*
10. ich kann mich ~ = ich weiß mich zurückzuhalten; Ausdruck der Ablehnung. Spätestens seit 1900.
11. sich nicht ~ lassen = sich nicht zurückhalten lassen. 1900 *ff.*

Bremser *m* 1. Klassenschlechtester. Er

bremst den Eifer der begabteren Schüler. 1920 *ff.*
2. Nachhilfelehrer für Studenten; Erteiler von Nachhilfeunterricht an Schüler. Parallel zu ↗ Pauker; denn „pauken" wie „bremsen" meint „ohrfeigen, prügeln" und will besagen, daß das Wissen mit Androhung oder Verabreichung von Prügeln beigebracht wird. 1900 *ff.*
3. Hilfslehrer. Hergenommen vom Bremser, der in Güterzügen vom Bremserhäuschen aus die Bremse des einzelnen Wagens betätigt und auf die Bremse der Lokomotive keinen Einfluß ausübt; er ist weitgehend unselbständig. 19. Jh.
4. Studienreferendar. Versteht sich nach dem Vorhergehenden. 1950 *ff.*
5. Hochschulassistent. ↗ Bremser 3. 1950 *ff.*
6. Gefreiter. Auch seine Tätigkeit ist untergeordneter Art. *Sold* in beiden Weltkriegen und *BSD.*
7. ranghoher Offizier, der Befehle des Oberkommandos der Wehrmacht (auch Hitlers) nicht ausführt, weil er sie aus eigener Beurteilung an der Front nicht verantworten kann. *Sold* 1939 *ff.*
8. Taschendiebsgehilfe, der einem aus dem angeblich falschen Wagen abgedrängten Fahrgast entgegentritt und im künstlich verursachten Gedränge Brieftasche, Uhr o. ä. entwendet. Verbrecherspr. 1970 *ff.*
9. Beischlaf. ↗ bremsen 9. 1920 *ff.*

Bremsmittel *n* Chemikalie, die den Alkoholrausch angeblich verhindert. 1955 *ff.*

Bremspille *f* Präparat zur angeblichen Verminderung der männlichen Geschlechtshormontätigkeit. 1970 *ff.*

Brenn'abi (Brenn'obi) *m* hochprozentiger Schnaps. Beim Weg durch den Schlund abwärts brennt er. Eigentlich ein Imperativname „Brenn abwärts!". *Österr* 19. Jh.

Brennabor *m (f)* Schnapsflasche. Wohl aus dem Vorhergehenden entstellt. *Nordd* 1900 *ff, rotw.*

Brenne *f* 1. Heißluftofen zur Desinfizierung von Kleidungsstücken. Kundenspr. 1894 *ff.*
2. in die ~ gehen (laufen o. ä.) = nicht den Mut zu unmittelbarer, sofortiger Fühlungnahme haben; Umschweife machen. Brenne = Gefährlichkeit (da, wo es brennt). 19. Jh.
3. jm aus der ~ helfen = einem Ratlosen beistehen. 1900 *ff.*
4. in der ~ sein = in Not sein. 1900 *ff.*

brennen *v* 1. *intr* = begeistert sein; Kampfgeist entwickeln. Hergenommen von Metaphern wie „brennender Ehrgeiz", „brennende Leidenschaft" u. ä. *Sportl* 1950 *ff.*
2. *intr* = zechen; Branntwein trinken. Ein scharfer Trunk brennt, und Schnaps heißt auch „Feuerwasser". 1910 *ff.*
3. *tr intr* = (die Zeche) zahlen. Geht vielleicht zurück auf *jidd* „peroon = Bezahlung". *Österr* 19. Jh.
4. auf (nach) etw ~ = auf etw begierig sein. ↗ brennen 1. 19. Jh.
5. jn ~ = jn erpressen, ausrauben, betrügen; jm einen Schaden zufügen; jm zuvorkommen. Geht vielleicht zurück auf alte Folterverfahren. 1700 *ff.*
6. jn ~ = jn durch Zwangsmittel zu einem Geständnis zwingen. Dem Leugnenden wurde eine brennende Zigarette

auf Brust oder Wange ausgedrückt. Wortschatz der Geheimen Staatspolizei 1939 *ff.*

7. wo brennt es❓ = warum so eilig❓ was ist geschehen? Eigentlich Frage nach der Stätte der Feuersbrunst. Etwa seit 1870. *Vgl engl* „where is the fire?".

8. es brennt = a) man ist in Not, ist ratlos und bedarf dringend der Hilfe. 1900 *ff.* – b) es ist zweifelhaft, ungewiß, strittig, ungültig. Es ist heiß umstritten, ob man es so oder anders auszulegen hat. 1900 *ff. Vgl* ↗brennen 12.

9. es brennt nicht = es eilt nicht. 1900 *ff.*

10. es brennt mich nicht = es geht mich nichts an. Vgl das Sprichwort: „Was mich nicht brennt, das blas' ich nicht". 1500 *ff.*

11. es brennt in der Hose = man muß dringend den Abort aufsuchen. 1900 *ff.*

12. er brennt = der Würfel liegt verkantet (nicht auf seiner Grundfläche). Hergenommen von den unregelmäßig liegenden Holzscheiten im Ofen. 1900 *ff.*

13. sich ~ = sich gröblich irren; mit argem Schaden davonkommen. Eigentlich „sich eine Brandwunde zuziehen". 1600 *ff.*

14. sich ~ = geschlechtskrank werden. Es ist mit Hitzeentwicklung verbunden. 1900 *ff.*

brennend gern *adv* sehr gern. Brennend = leidenschaftlich (brennender Eifer; brennende Erwartung; glühende Liebe o. ä.). 1900 *ff.*

Brenner *m* **1.** Freier. ↗brennen 4. 1950 *ff.*

2. geiler Mann. 1950 *ff.*

3. leidenschaftlicher Kuß. Verkürzt aus „↗Dauerbrenner" oder aus „↗Fünfminutenbrenner". 1910 *ff.*

4. ~ mit Anlauf = stürmische Umarmung mit langanhaltendem Kuß. Anlauf ist der Spurt zur Absprungstelle. 1955 *ff, jug.*

5. ~ mit Auslauf = sehr langer Kuß. „Auslauf" stammt entweder aus dem Reitsport und bezieht sich auf das wilde Rennen von einem bestimmten Punkt an oder hängt mit dem langsam auslaufenden Motor zusammen. *Jug* 1955 *ff.*

Brennessel *f* **1.** veredelte ~n = Spinat. 1950 *ff.*

2. sich in die ~n setzen = durch eigene Schuld in eine Unannehmlichkeit geraten. Hergenommen von einem, der sich zum Koten im Grünen niederläßt und zu spät merkt, daß er Brennesseln gewählt hat. 19. Jh.

3. in den ~n sitzen = sich in schlimmer Lage befinden. 19. Jh.

4. man könnte vor Wut den Hintern in ~n tauchen!: Ausdruck der Erregung, der Verwünschung. 1900 *ff.*

Brennsuppe *f* nicht der ~ dahergeschwommen sein = von guter Abstammung sein; vermögend, begabt sein. Einbrenne ist in Fett eingebranntes Mehl, Mehlschwitze. Brennsuppe (Einbrennsuppe) ist als Suppe ärmerer Leute das Sinnbild für einfache Ernährungsweise. *Bayr* 1920 *ff.*

brenzlig (brenzelich, brenzelig) *adj* gefährlich, heikel, unangenehm. Es riecht nach Brand. 1850 *ff.*

Brett *n* **1.** Lagerstätte, Bett, Liege. Meint eigentlich die harte Unterlage, vor allem die Pritsche. 1955 *ff, halbw.*

2. gestärktes Vorhemd. Seit dem späten 19. Jh in Mode.

3. flachbusige weibliche Person. 19. Jh.

4. ~ mit Astloch = hageres Mädchen. Astloch = Nabel. *BSD* 1960 *ff.*

5. ~ mit Erbse = flachbusige weibliche Person. Erbse = Brustwarze. 1900 *ff.*

6. ~ mit Nägeln = flachbusige Frau. 1900 *ff.*

6 a. ~ mit Warzen = schwach entwickelter Busen. ↗BMW 1. 1950 *ff.*

7. kahles ~ = Frühstücksbrot. Es ist hart wie ein Brett und hat keinen Belag. 1930 *ff.*

8. vorne ein ~, hinten eine Latte: Redewendung angesichts einer hageren weiblichen Person. *Österr* 1920 *ff.*

9. glatt wie ein ~ = flachbusig, -gesäßig. 1900 *ff.*

10. platt wie ein ~ = flachbusig. 1900 *ff.*

11. steif wie ein ~ = ungelenk, ungewandt; unnahbar-förmlich. 19. Jh.

12. ~er, die Welt bedeuten = Bühne. Stammt aus Schillers Gedicht „An die Freunde" (1803).

13. nicht gern dicke ~er bohren = leichteste Arbeit suchen; arbeitsträge sein. 1500 *ff.*

14. dünne ~er bohren (das ~ bohren, wo es am dünnsten ist) = sich die leichteste Arbeit aussuchen; sich die Entscheidung leicht machen. 1700 *ff.*

15. keine harten ~er bohren = schwere Arbeit meiden; faul sein. 1800 *ff.*

16. auf die ~er gehen = a) niedergeboxt werden. Die Bretter sind der Boden des Boxrings. 1920 *ff.* – b) verwundet stürzen. *Sold* 1939 *ff.* – c) unterliegen. Kartenspielerspr. *sportl* u. a. 1930 *ff.*

17. nicht alle auf dem ~ haben = nicht recht bei Verstand sein. Wohl hergenommen von den Steinen auf dem Schachbrett, auf dem Mühlebrett oder einem sonstigen Brettspiel. 1940 *ff.*

18. ein ~ vor dem Kopf haben = dumm, geistesbeschränkt sein; etw nicht verstehen können. Zugochsen befestigt man an den Hörnern ein Brett zum Ziehen schwerer Lasten. Dadurch ist ihr Blickfeld eingeengt. 1800 *ff.*

19. bei ihm hört man das ~ klappern = er ist sehr dumm. Bezieht sich auf das Vorhergehende. 1900 *ff.*

20. ans ~ kommen = an die Reihe kommen. Brett ist hier der Tisch des Kaufmanns. 1500 *ff.*

21. hoch ans ~ kommen = sich Geltung verschaffen; an die Macht kommen. „Brett" meint hier die feierliche Tafel beim Festmahl, auch den Versammlungs- oder Regierungstisch. 14. Jh.

22. vors ~ kommen = zur Rechenschaft gezogen werden; vor Gericht kommen. Brett = Gerichtsschranke. 19. Jh.

23. zu ~ kommen = zur Sprache kommen; etw zur Sprache bringen. Brett = Versammlungstisch. 19. Jh.

24. eins vor das ~ kriegen = im Krieg fallen. Der Kopfschuß ist ein Schuß in das Brett vor dem Kopf. *Sold* 1939 *ff.*

25. jn auf die ~er legen = jn besiegen, überwältigen. Bretter = Boden des Boxrings. 1930 *ff.*

26. wie ein ~ auf der Straße liegen = eine sichere Straßenlage haben. Kraftfahrerspr. 1900 *ff.*

27. ans ~ müssen = sich rechtfertigen müssen. ↗Brett 22. 1800 *ff.*

28. ~er polieren = sich auf einer Bank

niederlassen; auf einer Holzbank sitzen. 1930 *ff.*

29. man hört das ~ vor seinem Kopf scheppern = er ist sehr dumm. ↗Brett 19. 1900 *ff.*

30. jn auf die ~er schicken = jn niederschießen, töten, wirtschaftlich erledigen. ↗Brett 25. 1930 *ff.*

31. ~er schneiden = schnarchen. Übernommen vom Geräusch der Brettsäge. 1600 *ff.*

32. er sieht durch drei ~er = er dünkt sich sehr klug. 1900 *ff.*

33. er sieht durch drei ~er (durch ein Eichenbrett), wenn ein Loch drin ist = er hält sich für besonders klug. 1900 *ff.*

34. am ~ sein = zur Stelle, an der Reihe sein; beteiligt sein. ↗Brett 20. 1500 *ff.*

35. oben (hoch) am ~ sein = in hohem Ansehen stehen. ↗Brett 21. 14. Jh.

36. von den ~ern sein = sehr verwundert, sprachlos sein. „Brett" spielt auf die Holzsohle der Sandalen an. Der Erstaunte hat den Halt auf den Sohlen verloren und ist gestürzt. 1939 *ff.*

37. das steht auf einem anderen ~ = davon wollen wir jetzt nicht sprechen; das ist eine völlig andere Frage. „Brett" bezieht sich hier auf die Anschlagtafel oder auf das Regalfach. 19. Jh.

38. etw auf die ~er stellen = etw aufführen, veranstalten, dem Publikum darbieten. ↗Brett 12. 1950 *ff.*

'brett'eben *adj* völlig flach; ohne die geringste Erhebung. *Sold* 1939 *ff.*

Brettel *n* (*pl* = Bretter; Brettli; Brettle; Brettln) **1.** Ski. 1880 *ff.*

2. ~ fahren = Ski fahren (skifahren). *Bayr, bad* und *österr* 1880 *ff.*

Brettergymnasium *n* **1.** Hilfsschule. Meint (mit ↗Brett 18) das Brett vor dem Kopf als Sinnbild der Dummheit. Auch dürfte die Erinnerung daran zum Ausdruck kommen, daß man Hilfsschulen in Baracken unterbrachte. 1930 *ff.*

2. Volks-, Grundschule. 1965 *ff.*

Bretterkunst *f* Skilaufen. 1960 *ff.* ↗Brettel 1.

Bretternapoleon *m* Heldendarsteller *(abf)*, Schauspieler. ↗Brett 12. 1920 *ff.*

Brettertribun *m* Schauspieler. Tribun nannte man im alten Rom den hochgestellten Anwalt des Volks. ↗Brett 12. 1900 *ff.*

Brett-Figur *f* flachbusige Frauengestalt. 1950 *ff.*

Brettl I *n* Kleinkunstbühne, Kabarett. Ursprünglich auf Brettern aufgerichtet nach Art der Bühne umherziehender Schauspielertruppen. 1900 *ff.*

Brettl II *n* (einzelner) Ski. ↗Brettel.

Brettl-Akrobat *m* gewandter Skiläufer. 1965 *ff.*

Brettl-Artist *m* gewandter Skiläufer. 1965 *ff.*

Brettl-As *n* überlegener Skiläufer. ↗As 1. 1960 *ff.*

Brettl-Aspirant *m* Skineuling. 1965 *ff.*

brettlbreit *adv* breit, ausführlich. *Bayr* 1900 *ff.*

Brettle *pl* **1.** Skier. ↗Brettl 1.

2. ~ bohren = einer Sache auf den Grund gehen. Veranschaulichung von „sich in etw vertiefen". *Schwäb* 19. Jh.

'brettl'eben (brettl-eben) *adj* flachbusig. *Österr* 1950 *ff.*

brettlen (brettln; brettteln) *intr* skilaufen. ⁊Brettel 1. 1920 *ff.*

Brettlfan *m* (Endung *engl* ausgesprochen) Skiläufer. ⁊Fan. 1950 *ff.*

Brettlfee *f* 1. Kabarettistin. ⁊Brettl I. 1900 *ff.*
2. hübsche Skiläuferin. ⁊Brettel 1. 1910 *ff.*

Brettlhatscher *m* Skiläufer. ⁊hatschen. 1920 *ff.*

Brettlhupfer (Brettlehupfer) *m* 1. Skiläufer, -springer; Angehöriger einer Schneeschuhtruppe. ⁊Brettel. 1880 *ff.*
2. kleiner Kinderschlitten; kleines Fahrzeug. *Österr* 19. Jh.
3. Turmspringer. Brett = Sprungbrett. *Bayr* 1950 *ff.*

Brettl-Muffel *m* Mensch ohne Sinn für den Skisport. ⁊Muffel 2. 1970 *ff.*

Brettln *pl* 1. Skier. ⁊Brettel 1.
2. Füße, Schuhe. *Österr* 1920 *ff.*

Brettlrutschen *n* Skilaufen. 1920 *ff.*

Brettlsalat *m* zerbrochene Skier. ⁊Salat. 1920 *ff.*

Brettlschorschi (Brettleschorschi) *m* Skiläufer. „Schorschi" ist Koseform von Georg. Der Heilige Georg gilt als Patron der Pfadfinder. 1900 *ff.*

Brettlurlaub *m* Skiurlaub. 1955 *ff.*

Brettlvirtuose *m* tüchtiger Skiläufer. 1965 *ff.*

Brettsäger *m* anhaltend Schnarchender. ⁊Brett 31. 19. Jh.

Bretzen (Bretzn) *f* 1. Sturz beim Radfahren, beim Skilaufen u. ä. Die zu einer 8 verbogene Felge ähnelt einer Brezel. *Bayr* und *österr* 1900 *ff.*
2. eine ~ aufreißen = stürzen. ⁊aufreißen 1. 1955 *ff.*
3. eine ~ reißen (schieben, ansagen) = als Radfahrer oder Skiläufer zu Sturz kommen. *Österr* 1900 *ff.*
4. eine ~ schießen = einen Sturz erleiden. *Österr* 1900 *ff*, *jug* und *sportl*.
5. eine ~ schlagen = im Krieg fallen. *Sold* 1914 *ff*, österr.

Brezel *f* 1. etwas völlig Unverständliches. Es ist verschlungen wie eine Brezel. 1800 *ff*, Berlin.
2. Handfessel. *Rotw* seit dem frühen 19. Jh.
3. intimer Freund einer Halbwüchsigen. Man schlingt die Arme um den Partner. *Halbw* 1955 *ff.*
4. prüdes, sich zierendes Mädchen. Es windet sich. *Westd* 19. Jh.
5. knusprige ~ = anziehendes Mädchen. ⁊knusprig. 1900 *ff.*
6. eine ~ im Rad haben = eine zur 8 verbogene Felge haben. 1920 *ff.*

brezeln *v* 1. jm eine ~ = jn ohrfeigen. Seit dem späten 19. Jh.
2. sich ~ = sich zieren. ⁊Brezel 4. *Westd* 19. Jh.
3. sich vor Lachen ~ = kräftig lachen. Bei heftigem Lachen krümmt man sich wie eine Brezel. 1900 *ff.*

Brief *m* 1. einzelne Spielkarte. *Rotw* 1510 *ff.*
2. ~ mit sieben Siegeln = schwerverständliches Fachgebiet. Nach dem Muster von „⁊Buch mit sieben Siegeln" gebildet. 1968 *ff.*
3. blauer Brief = a) Kündigungsschreiben; Versetzung in den Ruhestand; schriftliche Mahnung. Zusammenhängend mit dem blauen Umschlag, in dem die Kabinettsschreiben bezüglich der Entlassung

verschickt wurden. Um 1870 in Offizierskreisen aufgekommen; danach *schül* u. ä.
– b) Einberufungsbefehl. *BSD* 1965 *ff.* – c) schriftlicher Tadel. *Schül* 1960 *ff.*
4. heißer ~ = Brief gefährlichen Inhalts. ⁊heiß. 1960 *ff.*
5. mündlicher ~ = Tonband mit persönlichen Mitteilungen an entfernt wohnende Verwandte o. ä. 1955 *ff.*

Briefkasten *m* 1. weiter Busenausschnitt des Kleids. Seit dem späten 19. Jh.
2. Buckel. *Rhein* 19. Jh.
3. breiter Mund. 1900 *ff.*
4. Stelle, an der Spione (Agenten) ihre Botschaften verstecken. 1950 *ff.*
5. After des Spions oder Saboteurs. Er dient als Versteck für wichtige Nachrichten. 1939 *ff.*
6. Mensch, der andere aushorcht und das Gehörte entstellt weitererzählt. 1920 *ff.*
7. Mensch, der Geheimnachrichten empfängt oder weitergibt. 1950 *ff.*
8. Prostituierte. Briefkastenschlitz = Vagina. *Sold* 1940 *ff.*
9. lebender ~ = Verbindungsmann zwecks Nachrichtenübermittlung zwischen Geheimdienst und Agent. 1950 *ff.*
10. toter ~ = Versteck von Geheimdienstagenten zur Hinterlegung von Nachrichten auf Friedhöfen o. ä. 1950 *ff.*
11. wildgewordener ~ = Kleinauto. Dieser briefkastenförmige Gegenstand ist motorisiert. *Jug* 1930 *ff.*
12. fall nicht in den ~l: Abschiedsgruß. 1900 *ff.*
13. einen Kopf haben wie ein ~ = a) einen großen, kantigen Kopf haben. 1950 *ff.* – b) benommen sein (infolge heftiger Erkältung oder nach einer durchzechten Nacht). 1950 *ff.*
14. einen Mund haben wie ein ~ = einen breiten Mund haben. 1900 *ff.*

Briefkastenfirma *f* getarnte Zweigfirma, die nur postalisch besteht. 1950 *ff.*

Briefkastenonkel *m* 1. Schriftleitungsmitglied, das Briefe bekümmerter Leser beantwortet. 1910 *ff.*
2. Wehrbeauftragter des Bundestags. Er geht auf Beschwerden von Soldaten ein. 1965 *ff*, *BSD*.

Briefkastentante *f* weibliches Schriftleitungsmitglied, das Leseranfragen beantwortet. 1910 *ff.*

Briefmarke *f* 1. kleiner Unter-, Oberlippenbart. Er ist wenig größer als eine Briefmarke. 1900 *ff.*
2. sehr kleines Foto. 1950 *ff.*
3. betrachten Sie mich als ~l: derbe Abweisung. Briefmarken werden auf der Rückseite geleckt. 1930 *ff.*
4. sich platt wie eine ~ machen = sich eng an den Boden schmiegen; volle Deckung nehmen. *Sold* in beiden Weltkriegen.
5. platt wie eine ~ sein = a) sehr erstaunt, sprachlos sein. Veranschaulichung von „⁊platt sein". 1900 *ff.* – b) flachbusig sein. Nach 1965 aufgekommen.

Briefmarken-Bikini *m* sehr schmaler, zweiteiliger Damenbadeanzug. ⁊Bikini 1. 1960 *ff.*

Briefmarkengewicht *n* leichtes Körpergewicht. 1960 *ff.*

Briefmarkenkino *n* Fernsehgerät. Im Verhältnis zur Kinoleinwand ist der Bildschirm briefmarkengroß. 1960 *ff.*

Briefmarkensammlung *f* das fehlt mir

noch in meiner ~ = das ist mir ein willkommener Fund (auch *iron*). 1920 *ff.*

Briefschmierer *m* anonymer Briefschreiber. ⁊schmieren. 1900 *ff.*

Brieftasche *f* 1. aufgetankte ~ = mit Geld aufgefüllte Brieftasche. ⁊auftanken 2. 1935 *ff.*
2. beleibte ~ = Wohlhabenheit. 1950 *ff.*
3. dicke ~ = Reichtum (an Bargeld). 1920 *ff.*
4. dünne ~ = geldliche Beengtheit. 1920 *ff.*
5. nüchterne ~ = Mittellosigkeit, Armut. Nüchtern = nicht betrunken = nicht „voll" = nicht gefüllt. 1900 *ff.*
6. schlanke ~ = geringes Vermögen; Geldmangel. 1950 *ff.*
7. wandelnde ~ = schwerreicher Mann. 1930 *ff.*
8. eine schwangere ~ haben = reichlich Geld bei sich tragen. 1910 *ff.*
9. eine hochschwangere ~ haben = sehr reich sein. 1910 *ff.*
10. jn an der ~ kitzeln = jm Geld abnötigen; jn erpressen. Kitzeln = reizen. 1920 *ff.*

Briefträger *m* 1. Überbringer von Befehlen. 1950 *ff.*
2. unbedeutender, einflußloser Botschafter o. ä. 1950 *ff.*
3. *pl* = Panzeraufklärer. Anspielung auf die gelbe Waffenfarbe (Post-Gelb). *BSD* 1960 *ff.*

Briefträgereinheit *f* Verbindungsstaffel. Sie versieht Kurierdienste. *BSD* 1965 *ff.*

Brietz *On* ~ an der Knatter = abgelegener Ort ohne zivilisatorische Errungenschaften. Entstellt aus „⁊Kyritz an der Knatter". 1964 *ff.*

Brietze (Brieze) *f* 1. älterer Bruder; listiger, verschlagener Junge. Stammt vielleicht aus *zigeun* „Prietzel = feiner Bruder" oder aus dem Wendischen. Berlin, etwa seit 1850.
2. Freundin eines Halbwüchsigen; Mädchen. *Halbw* 1955 *ff.*

Brietzkeule *f* älterer Bruder. ⁊Brietze 1. „Keule" spielt entweder auf den Hodensack an, vielleicht auch auf die Schlagkraft, oder ist entstellt aus „Kerle". Seit dem dritten Drittel des 19. Jhs, Berlin.

Brikett *n* 1. Neger. Wegen der Hautfarbe. 1945 *ff.*
1 a. Schild des Autotaxis. Wegen der Formähnlichkeit. 1975 *ff.*
1 b. Mikrofon. Wegen der Form- und Farbähnlichkeit. Musikerspr. 1965 *ff.*
2. *pl* = Geld. Analog zu ⁊Kohlen, zu ⁊Koks. *BSD* 1965 *ff.*
3. *pl* = Soldatenstiefel; Halbschuhe. Schwarze Halbschuhe ähneln Briketts. 1910 *ff.*
4. *pl* = Füße; schmutzige Füße. 1910 *ff.*
5. ein ~ ins Auge kriegen = während der Eisenbahnfahrt ein Kohlestückchen ins Auge bekommen. 1920 *ff.*
6. ~s schaukeln = Hände schütteln. Dabei gehen die Hände hin und her wie eine Schaukel. *Halbw* 1955 *ff.*
7. ~s schieben = Hände schütteln. Hergenommen vom Abheben der Briketts vom Fließband und vom anschließenden Weitergeben an den Handlanger. *Halbw* 1955 *ff.*

Brillaffe *m* ⁊Brillenaffe.

Brillanten *pl* die ~ durchs Klosett jagen = seine Juwelen für Lebensmittel veräußern.

Zwischen 1945 und 1948 aufgekommen, als die Ernährungslage immer schlechter wurde.

Brille *f* **1.** Abortöffnung; Sitzbrett eines Aborts. Die einen gehen von zwei nebeneinanderliegenden Abortöffnungen aus; die anderen sagen, die Hose werde an den beiden Gesäßhälften zuerst durchgescheuert, und die auf diese Weise entstehenden Löcher würden von den Altkleiderhändlern „Brille" genannt. 1550 *ff.*
2. ~ mit AOK-Schick = Brille mit sehr einfachem Gestell. Die AOK (= Allgemeine Ortskrankenkasse) zahlt für Brillengestelle nur die niedrigsten Sätze. 1955 *ff.*
3. halbe ~ = Monokel. 1900 *ff.*
4. rosarote ~ = verschönernde, nachteilmindernde Entstellung von Tatsachen; tendenziöser Optimismus. Die gefärbte Brille färbt dem Blick alles einheitlich. 1920/30 *ff.*
5. rote ~ = sozialistische Betrachtungsweise. 1920 *ff.*
6. jm eine ~ aufsetzen (verkaufen) = a) jn täuschen, betrügen. Durch die (falsche) Brille sieht man alles verzerrt, nicht in der wirklichen Gestalt. 17. Jh. – b) jn aufklären. Hier wird angenommen, daß die Brille ein genaueres Sehen ermöglicht. 1500 *ff.*
7. eine schwarze ~ aufsetzen = pessimistisch urteilen. ↗schwarzsehen. 19. Jh.
8. dazu brauche ich keine ~ = das merke ich unschwer selbst; dazu brauche ich keine Nachhilfe. 1850 *ff.*
9. etw ohne ~ machen = etw leicht bewerkstelligen. 19. Jh.
10. die scharfe ~ nehmen = durch Ausspielen bestimmter Karten die Kartenzusammensetzung des Gegners zu ermitteln suchen. Kartenspielerspr. seit dem späten 19. Jh.
11. auf die ~ pinkeln = keinen Erfolg haben. Man trifft das Sitzbrett des Aborts statt des Trichters. 19. Jh.
12. neben die ~ pissen = ehebrechen o. ä. *Vgl* das Vorhergehende. 1950 *ff.*
13. einen in die ~ schrauben = koten. *BSD* 1960 *ff.*
14. durch die dunkle (schwarze) ~ sehen = pessimistisch urteilen. ↗schwarzsehen. 19. Jh.
15. durch die rosa (rosarote) ~ sehen = die Wirklichkeit in freundlicher Entstellung erkennen wollen. ↗Brille 4. 1920/30 *ff.*
16. das sieht man ohne ~ = das ist leicht einzusehen. 19. Jh.
17. das ist eine ~! = das ist eine großartige Sache; Ausruf des Erstaunens. Hergenommen von der guten Brille mit der richtigen Dioptrie. *BSD* 1960 *ff.*
18. ich verstehe auch ohne ~ = das zu verstehen, braucht mir keiner zu helfen. 19. Jh.
brillen *intr* eine Brille tragen; durch eine Brille sehen. 1900 *ff.*
Brillenaffe (Brillaffe) *m* Brillenträger (der sich ein vergeistigtes Aussehen geben will). Affe = eitler Mensch. 1900 *ff.*
Brillenaugust *m* Abortwärter. ↗Brille 1. 1900 *ff.*
Brillenexpertin *f* Abortwärterin. Berufsaufbesserung durch ein modisch gewordenes Fremdwort. 1963 *ff.*
Brillenfalter *m* Brillenträgerin. ↗Schmetterling. *Halbw* 1955 *ff.*
Brillengarage *f* Brillenfutteral. 1972 als

Warenbezeichnung im Schaufenster gesehen.
Brillenhengst *m* Brillenträger (aus Eitelkeit). ↗Hengst. 1900 *ff.*
Brillenputzer *m* Abortwärter. ↗Brille 1. 19. Jh.
Brillenschlange *f* Brillenträger(in). Übernommen vom volkstümlichen Namen der Kobra seit dem 19. Jh.
Brim'borium *n* Umschweife, Umstände; überflüssiges Zeremoniell. Fußt auf *franz* „brimborion = Kleinigkeit", das aus *lat* „breviarium = Glossensammlung" entstanden sein soll. 16. Jh.
Bringe *f* **1.** schwungvolle Darbietung. „Etw bringen = etw gekonnt vortragen". *Halbw* 1955 *ff.*
2. mit jm die große ~ bringen = sich mit jm ausgezeichnet amüsieren. *Halbw* 1955 *ff.*
bringen *tr* **1.** ausspielen. Kartenspielerspr. 19. Jh.
2. etw schwungvoll vorführen. Verkürzt aus „zum Vortrag bringen". 1900 *ff.*
2 a. etw fertigbringen, leisten. 1950 *ff.*
3. es jm ~ = jm zutrinken. Eigentlich soviel wie „das Glas, aus dem man selber trinkt, zureichen und zum Trinken einladen". 1800 *ff.*
4. wie er es bringt! Ausruf der Bewunderung für eine geglückte schauspielerische (o. ä.) Leistung. ↗bringen 2. Theaterspr. 1900 *ff.*
5. das bringt! Redensart der Zufriedenheit. Zu vervollständigen mit „das bringt Geld" (Erfolg; Treffer auf der Zielscheibe o. ä.). 1960 *ff.*
6. das bringt 'was = das erwärmt, wirkt anfeuernd, hat Sinn, tut gute Wirkung. 1950 *ff.*
7. das bringt's! = das ist hervorragend. *Jug* 1950 *ff.*
8. das bringt nichts = das ist zwecklos, minderwertig. 1950 *ff.*
9. das bringt tödlich! Redensart der Zufriedenheit. „Tödlich" meint wohl „todsicher". *BSD* 1960 *ff.*
10. das bringt viel = das ist vorteilhaft. 1950 *ff.*
11. das (er) bringt's voll = das (er) ist unübertrefflich. *Jug* 1960 *ff.*
12. einen ~ = koitieren. Wohl durch „Schuß" oder „Treffer" zu ergänzen. 1960 *ff. halbw.*
13. das kann man nicht ~ = das kann (darf) man nicht tun. ↗bringen 2 a. *Jug* 1970 *ff.*
Broches *m* Zorn. ↗brauges. 19. Jh.
broches *adj* verfeindet, erzürnt. ↗brauges. 19. Jh.
Bröckchen *pl* **1.** ~ husten = sich erbrechen. Anspielung auf das stoßweise Auswerfen der unverdauten Speisereste aus dem Magen. 1910 *ff.*
2. saure ~ lachen = sich erbrechen. 1910 *ff.*
3. ~ niesen *n* = sich erbrechen. 1910 *ff.*
Brocken *m* **1.** schwerer, schwerfälliger, kräftiger, stämmiger Mensch. Meint eigentlich das große abgebrochene Stück. 19. Jh.
2. Geschütz schweren Kalibers. *Sold* 1935 *ff.*
3. *pl* = wertlose Sachen; Habe; Kleider; Uniformstücke; Ausrüstungsgegenstände; Möbel o. ä. Wohl hergenommen von den

zum Füttern der Tiere verwendeten Abfallstücken. 1800 *ff.*
4. alter ~ = alter Mann. 1900 *ff.*
5. dicker ~ = a) beleibter Mensch. 1900 *ff.* – b) ansehnlicher Geschäftsanteil; hoher Bilanzposten. 1900 *ff.* – c) Schwerverbrecher. 1920 *ff.* – d) sportlicher Gegner von Gewicht; für Siege bekannte Mannschaft. Er ist schwer zu bewältigen wie ein dicker Bissen. 1920 *ff.* – e) Schwerwiegender Fall. An ihm hat man stark zu ↗kauen. 1920 *ff.* – f) sehr lohnendes Angriffsziel; Bombenflugzeug; Kreuzer u. ä. Es ist ein dicker Bissen in einem (gefundenen) ↗Fressen. *Sold* 1939 *ff.*
6. dicke ~ = Sprengstücke von schweren Geschossen; schwere Granaten. *Sold* 1914 *ff.*
7. feister ~ = sehr dicker Mensch. Seit dem frühen 20. Jh.
8. fetter ~ = a) lohnendes Angriffsobjekt. *Sold* 1939 *ff.* ↗Brocken 5 f. – b) sehr einträgliche Bestellung, ansehnliches Verkaufsobjekt. 1930 *ff.* – c) wichtiges Ereignis; wichtige Feststellung. 1930 *ff.* – d) umfangreiche Diebesbeute. 1930 *ff.*
9. gesunder ~ = gesunder, gut aussehender Mensch. Er ist meist drall, untersetzt und stämmig. 19. Jh.
10. großer ~ = großes Schiff. *Sold* 1939 *ff.*
11. die guten ~ = Festtagskleidung. ↗Brocken 3. 1920 *ff.*
12. harter ~ = a) strenger, rücksichtsloser Vorgesetzter. Er ist ein harter Bissen, an dem man schwer zu ↗kauen hat. 1910 *ff.* – b) große Schwierigkeit. 1930 *ff.* – c) Mensch, der sich durch Drohungen, Anspielungen usw. nicht einschüchtern läßt. 1930 *ff.* – d) schwer zu besiegender Gegner. *Sold* und *sportl* 1930 *ff.* – e) schwerwiegender Vorwurf; harte Erwiderung. 1930 *ff.* – f) schwerwiegende strafbare Handlung. 1930 *ff.*
13. ein paar ~ = unzusammenhängende Worte; einige wenige Vokabeln. Soviel wie „ein paar Bissen". 1700 *ff.*
14. schwerer ~ = a) massiger, stämmiger Mensch. 19. Jh. – b) schwer durchschaubarer Verbrecher. 1930 *ff.* – c) Oper, die an den Dirigenten, die Sänger und Zuhörer besondere Anforderungen stellt. 1930 *ff,* theaterspr. – d) heftiger Boxschlag. 1920 *ff.* – e) schweres Motorrad. 1930 *ff.* – f) beladener Lastkraftwagen. 1930 *ff.* – g) schwerer Panzerkampfwagen. *Sold* 1939 *ff.* – h) feindlicher Dampfer als Angriffsobjekt des Unterseeboots. *Marinespr* 1939 *ff.* – i) schwerwiegende Feststellung; schwerwiegender Anklagepunkt. 1930 *ff.*
15. schwere ~ = schwere Geschosse. *Sold* in beiden Weltkriegen.
16. tüchtiger ~ = kräftiges Mädchen. 19. Jh.
17. zäher ~ = zäher, widerstandsfähiger Mensch. 19. Jh.
18. ~ fallen lassen = Bomben werfen. *Sold* 1939 *ff.*
19. die ~ kommen geflogen = wuchtige Boxschläge werden versetzt. 1920 *ff.*
20. die ~ hinschmeißen (hinwerfen) = eine Sache leid sein mitmachen; das Arbeitsverhältnis kündigen. Brocken = Uniform, Handwerkszeug o. ä. 1900 *ff.*
21. die ~ pfeifen ihm um die Ohren = er

ist heftigen Angriffen (Kritiken) ausgesetzt. Brocken = Geschosse. 1935 ff.

22. einen dicken ~ schlucken = einer Schwierigkeit Herr werden müssen. 1930 ff.

23. jm dicke ~ an den Kopf schmeißen = jn entwürdigend anherrschen; jm sehr schwere Vorhaltungen machen. 1900 ff.

24. die ~ zusammenpacken = als Entlassener sich zum Aufbruch rüsten. 1900 ff.

25. die ~ zusammenschmeißen = heiraten. ↗Brocken 3. 1900 ff.

brocken v **1.** intr = dem Mitspieler eine hohe Augenzahl in den Stich werfen. Hergenommen von den Brotbrocken, die man in die Suppe wirft, um das Essen zu längen. 19. Jh.

2. etw ~ = Blumen pflücken. Gehört zu „brechen, abbrechen". Oberd 1600 ff.

3. jn ~ = jn übertölpeln. Im Zusammenhang mit dem Vorhergehenden analog zu ↗rupfen. 1900 ff, österr.

Brockenfresser m Katholik, Lateinschüler. „Brocken" bezeichnet hier die Hostie. 1800 ff, schwäb.

Brockhaus m das steht nicht in meinem ~l: Ausdruck der Ablehnung. Gemeint ist das enzyklopädische Handbuch des Verlags F. A. Brockhaus. Unbedingter Glaube an die Vollständigkeit dieses Lexikons: was in ihm nicht steht, ist nicht etwa vergessen, sondern existiert überhaupt nicht. 1920 ff.

Brodelküche f Chemiesaal in der Schule. Brodeln = aufwallen, Blasen bilden. Schül 1960 ff.

brodeln intr langsam, umständlich zu Werke gehen; Zeit verschwenden. Wohl Nebenform von ↗prudeln. Oberd 1800 ff.

broges adj zornig, verdrossen. Seit dem frühen 19. Jh, anfangs rotw.

Brombeere f **1.** ~ mit Beinen = Mistkäfer. Soll auf einem Kinderwitz beruhen: „Haben Brombeeren Beine?", fragt das Kind, und als man verneint, sagt es: „dann habe ich gerade einen Mistkäfer gegessen". 1900 ff.

2. ~n pflücken = im Freien koitieren. Tarnwort und Ausrede. 1900 ff.

Bromfiets n Moped. Stammt aus dem Ndl „brom = brumm" und „fiets = Fahrrad". Halbw 1955 ff.

Bronchien pl **1.** die ~ jodeln = man hustet. 1960 ff.

2. eins unter die ~ jubeln = eine Zigarette rauchen. Jubeln = etw mit großem Genuß tun. Sold 1939 ff.

3. die ~ klirren = es ist bitterkalt. Fußt auf der Metapher von der klirrenden Kälte und auf der Vorstellung vom gefrorenen Atem. 1929 ff.

4. die ~ schleifen am Boden = man hustet heftig. Groteske Physiologie, übernommen von den am Boden schleifenden Füßen des Übermüdeten. BSD 1965 ff.

Brosche f **1.** Nabel. Er ist ein naturgegebenes Schmuckstück. 1920 ff.

2. wo die ~ ist, ist vorn: Redewendung angesichts einer flachbusigen weiblichen Person. 1900 ff.

Brösel m **1.** Tabak; Rolle Kautabak. Eigentlich „Krümel", „Bröckchen". Bröseln = bröckeln. 1800 ff.

2. Tabakspfeife. 1800 ff, vorwiegend nordd.

Brot n **1.** Geld, Einkommen. Vgl Brotgeber = Arbeitgeber. 1500 ff.

2. ~ der Armen = Geschlechtsverkehr. Fußt auf dem Roman „Liebe, Brot der Armen" von Thyde Monnier, geschrieben 1938, übersetzt 1939 von Ernst Sander. Weitverbreitet durch die Taschenbuchausgabe um 1950.

3. ~ mit Bemme = Brotschnitte ohne Aufstrich und Belag. ↗Bemme 1. Sächs 1900 ff.

4. ~ mit Fleischgeschmack = Frikadelle, Hackbraten o. ä. Anspielung auf zuviel Weißbrotbeimengung. BSD 1965 ff.

5. ~ für soviel Schmalz!: Ausruf beim Anhören eines sehr rührseligen Textes. Gemeint ist, man solle viel Brot herbeibringen, damit man das viele „↗Schmalz" darauf streichen könne. Wien 1950 ff.

6. ~ für die Welt = Reis. Seit 1959 Leitwort einer Hilfsaktion des Rats der Evangelischen Kirche Deutschlands und evangelischer Freikirchen zur Linderung von Not und Elend in der Welt. Reis bildet das Hauptnahrungsmittel vieler überbevölkerter, aber technisch unterentwickelter Länder. BSD 1965 ff.

7. flüssiges ~ = Bier. Im frühen 19. Jh aufgekommen.

8. hartes ~ = schwere Anstrengung; mühsam erarbeiteter Lohn. 1900 ff.

9. illustriertes ~ = Brotschnitten mit mehrschichtigem Belag verschiedener Art. Illustriert = mit Bildern versehen = bunt. 1900 ff.

10. kleines ~ = geringes Einkommen. 1800 ff.

11. saures ~ = schwere, wenig einträgliche Arbeit. Sauer = beschwerlich. 1920 f.

12. schönes ~ = hübsches Mädchengesäß. Wohl hergenommen vom senkrecht eingeschnittenen Brötchen („↗Arschbrötchen"). 1940 ff.

13. ~, belegt mit Daumen und Zeigefinger = trockene Brotschnitte ohne Belag. Sold 1939 ff.

14. dünn wie ein ~, aber ganz nahl: unsinnige Redewendung. BSD 1965 ff.

15. da wird das ~ in der Toilette eingeweicht = da lebt man sehr ärmlich. Man nutzt sogar das im Abortbecken stehende Wasser aus. BSD 1965 ff. Ostfriesenwitz?

16. selber trocken ~ essen, aber anderen Leuten ein Stück Fleisch in den Bauch schieben!: Redewendung für einen Schlanken. Mit dem Stück Fleisch ist der Penis gemeint. BSD 1965 ff.

17. etw täglich auf dem ~ essen (fressen) müssen = an Unerquickliches täglich erinnert werden. 1500 ff.

18. mehr können als ~ essen = Verstand haben; klug sein. Seit dem späten 17. Jh.

19. jm etw aufs ~ zu essen geben = jm etw zum Vorwurf machen. 19. Jh.

20. das frißt kein ~ = das kann man ruhig liegen lassen. Der Gegenstand ist kein Lebewesen, das sich zu ernähren sucht. 1920 ff.

21. das ~ ist auf die Butterseite gefallen = man hat Mißerfolg geerntet. 1920 ff.

22. etw immer wieder aufs ~ kriegen = immer wieder denselben Vorwürfen ausgesetzt sein. 18. Jh.

23. jm das ~ aus dem Mund nehmen =

jn erwerbslos machen; jm den Verdienst nehmen. 1500 ff.

24. jm etw immer wieder frisch (o. ä.) aufs ~ schmieren = jm etw immer wieder vorhalten. 18. Jh.

25. etw alle Tage (o. ä.) aufs ~ geschmiert kriegen = täglich dieselben Vorhaltungen anhören müssen. 18. Jh.

26. dumm wie ~ sein (aber nicht so nahrhaft) = besonders dumm sein. Berliner Modewort seit 1957.

27. jm etw alle Tage (o. ä.) aufs ~ streichen = jm etw stets von neuem vorhalten. 18. Jh.

28. auf ~ studieren = Bäckerlehrling sein. 1900 ff.

29. sich sein ~ mit dem Arsch verdienen = a) sich gegen Entgelt homosexuell betätigen. 1920 ff. – b) Beamter sein. Anspielung auf die sitzende Lebensweise. Sold und ziv 1930 ff.

30. es geht weg wie geschnittenes ~ = es ist sehr leicht zu verkaufen. 1900 ff.

Brötchen n **1.** Verdienst, Einkünfte, Lohn. Verkleinerungsform von ↗Brot 1. 1900 ff.

2. Busen. Formähnlich mit dem Rundbrötchen. 1910 ff.

3. Vagina. Hergenommen vom längs aufgeschlitzten Brötchen. 1900 ff.

4. Kleinauto. Formähnlich mit dem Längsbrötchen. 1930 ff.

5. Kindergesäß; Gesäß. ↗Arschbrötchen 1900 ff.

6. Frikadelle. Formähnlich mit dem Rundbrötchen; auch enthalten Frikadellen oft mehr Weißbrot als Fleisch. BSD 1965 ff.

7. ~ vom Dienst = alte Brötchen, die dem Gast immer wieder auf den Tisch gestellt, aber selten oder nie verzehrt werden. „Vom Dienst" = diensttuend". 1965 ff.

8. ~ mit Fleischgeschmack = Frikadelle. ↗Brot 4. BSD 1965 ff.

9. ~ im Kostüm = Frikadelle. „Kostüm" spielt auf die krosse Außenschicht an. BSD 1965 ff.

10. ~ im Morgenmantel = Frikadelle. BSD 1965 ff.

11. ~ im Tarnanzug = Frikadelle. BSD 1965 ff.

12. altbackene ~ = Nachrichten ohne Neuigkeitswert. Journalistenspr 1950 ff. Altbacken = vor längerer Zeit gebacken.

13. belegtes ~ = Freundin eines Halbwüchsigen. Belegt = nicht mehr frei. 1970 ff.

14. fleischiges (gebratenes) ~ = Frikadelle. BSD 1960 ff.

15. getarntes ~ = Frikadelle. BSD 1965 ff.

16. illustriertes ~ = belegtes Brötchen. ↗Brot 9. 1850 ff.

17. maskiertes ~ = Frikadelle. 1969 ff.

18. schickes ~ = kunstvoll, appetitlich belegtes Brötchen. 1960 ff. ↗schick.

19. unbelegtes ~ = Jungfrau. In der Viehzucht ist „belegen" soviel wie „decken". 1920 ff, prost.

20. verzaubertes ~ = Frikadelle. Der Koch als Zaubermeister: er verwandelt ein Brötchen in Fleisch. 1950 ff.

21. ~, wie hast du dich verändert = Frikadelle. 1950 ff.

22. es geht ab wie frische (warme) ~ = es verkauft sich mühelos. 1700 ff. Vgl ↗Semmel.

23. etw wie frische ~ anbieten = etw verlockend anbieten. 1900 *ff.*
24. ~ backen = Geld verdienen; seiner Arbeit nachgehen. ↗ Brötchen 1. 1900 *ff.*
25. große ~ backen = sehr viel verdienen. 1900 *ff.*
26. keine ~ backen = keine kleinen Geschäfte unternehmen. 1950 *ff.*
27. kleine ~ backen = geringen Verdienst haben; sich mit kleinen Erfolgen begnügen; bescheiden auftreten; nachgeben. 1900 *ff.*
28. sein ~ gebacken haben = der Zukunft ohne Geldsorgen entgegensehen können. 1950 *ff.*
29. auf ~ gehen = auf Arbeit gehen. 1950 *ff.*
30. sonst kannst du morgen früh dein ~ aus der Schnabeltasse lutschen!: Drohrede. Man droht, man werde dem Betreffenden die Zähne einschlagen. *Halbw* 1965 *ff.*
31. im ~ sein = a) die Achtung verloren haben. ↗ Arschbrötchen, hier eingesetzt als Tarnwort für „im ↗ Arsch sein". *Sold* 1939 *ff.* – b) entzwei sein. *Westd* 1950 *ff.*
32. für die täglichen ~ sorgen = den Lebensunterhalt verdienen. 1950 *ff.*
33. seine ~ verdienen = seinen Lebensunterhalt verdienen. Während „Brot" in manchen Fällen die Dauerbeschäftigung meint, kennzeichnet man mit „Brötchen" zuweilen die Neben- und Gelegenheitsbeschäftigung. 1900 *ff.*
Brötchengeber *m* **1.** Arbeitgeber, Vorgesetzter, Intendant u. ä. Wohl scherzhafte Verniedlichung von „Brotgeber". Vielleicht auch Anspielung auf niedrige Entlohnung. 1920 *ff.*
2. Zahlmeister. *BSD* 1960 *ff.*
3. Bäcker. 1960 *ff.*
4. Vater. Er gibt dem Kind Taschengeld. *Schül* 1960 *ff.*
5. *pl* = Eltern. *Schül* 1960 *ff.*
Brotdieb *m* **1.** Speise, zu der viel Brot verzehrt wird. *Nordd* 19. Jh.
2. Mensch, der einem anderen die Arbeit abjagt. *Nordd* 18. Jh.
3. Arbeiter, der neben seiner festen Beschäftigung noch heimlich andere Arbeiten ausführt. Er stiehlt anderen den Broterwerb. 1950 *ff.*
Brotfliege *f* Fliege, die sich den Winter über in der Wohnung hält. Nach einer Aberglaubensregel darf man ihr nicht nach dem Leben trachten, weil sonst das Brot im Haus ausgeht. 19. Jh.
Brotfresser *m* Professor. Scherzhafte Eindeutschung seit dem 19. Jh. *Vgl* „Brodfression = Profession" (Grimmelshausen).
Brotherr *m* Arbeitgeber. 14. Jh.
Brotkorb *m* **1.** Nachschubzentrum, Lebensmittellager. *Sold* 1939 *ff.*
2. der ~ hängt hoch = man lebt ärmlich. 19. Jh.
3. jm den ~ höher hängen = jn durch schmale Kost gefügig machen; jm eine fühlbare Einschränkung auferlegen. Der Brotkorb hing früher in der Küche von der Decke herab und nahm die übriggebliebenen Brotstücke auf; wer zwischen den Mahlzeiten Hunger verspürte, brauchte bloß hineinzulangen. Hängte man den Korb höher, so war es eine empfindliche Strafe für die Kinder. 1500 *ff.*
4. den ~ höher hängen = sich einer Abmagerungskur unterziehen. 1950 *ff.*

'brot'nötig *adj* unerläßlich; dringend erforderlich. Es ist so nötig wie das tägliche Brot. 1900 *ff.*
Brotschani *m* Kellner, der das Brot aufträgt; Brotverkäufer; Bäcker. ↗ Schani. *Österr* 19. Jh.
Brotschlange *f* Anstehen vieler Menschen hintereinander um Brot. ↗ Schlange. 1914 *ff, ziv* und *sold.*
Brotschrank *m* **1.** Magen. 1900 *ff.*
2. Beleibtheit. 1900 *ff.*
3. Leib der Hochschwangeren. 1900 *ff.*
4. krank am (vor dem) ~ sein = a) aus Trägheit Krankheit heucheln und guten Appetit haben. 1700 *ff.* - b) sehr hungrig sein. 19. Jh.
Brotstelle *f* Arbeitsstelle. 1950 *ff.*
Brotzeit *f* **1.** Frühstücksbrot; Frühstücksmahlzeit. *Bayr* 1800 *ff.*
2. ~ machen = eine Zwischenmahlzeit einlegen. *Bayr* 1800 *ff.*
brotzeln *intr* nörgeln, murren, schimpfen o. ä. Intensivum zu „brodeln"; verwandt mit „brutzeln = in der Pfanne braten". Vom zischenden und knallenden Geräusch beim Brutzeln übertragen auf die Lautäußerung des Menschen. *Südd* 1800 *ff.*
Brr-Brr *n* Pferdefleisch. Hergenommen vom Halteruf „brr" an die Pferde. Seit dem späten 19. Jh.
brubbeln *intr* **1.** undeutlich sprechen. Ablautende Nebenform von ↗ brabbeln. 1900 *ff.*
2. murren, nörgeln. *Nordd* 1900 *ff.*
bruch *adj* schlecht, minderwertig. Aus dem Folgenden adjektiviert. *Österr* 1950 *ff.*
Bruch *m* **1.** Minderwertiges, Untaugliches. Verkürzt aus „zu Bruch Gegangenes"; ↗ Bruch 9. Spätestens seit 1900.
2. Mißerfolg, Aussichtslosigkeit; schlimme Lage; Not. Seit den frühen 20. Jh, kundenspr., *sold* u. a.
3. Einbruch. Verbrechenspr. und polizeispr. seit 1910. *Vgl* auch ↗ brechen 1.
4. ~ und Klau = Einbruch und Diebstahl. ↗ Klau. 1950 *ff.*
5. ~ und Kompanie (Firma Bruch und Co.) = Mittellosigkeit; Bankrott; große Minderwertigkeit; Schund. 1900 *ff.*
6. kalter ~ = Geldschrankeinbruch ohne Schweißbrenner. 1950 *ff.*
7. einen Wagen zu ~ fahren = ein Auto entzweifahren. 1950 *ff.*
8. in die Brüche gehen = entzweigehen; sich nicht verwirklichen lassen; fehlschlagen. Herzuleiten entweder von „Bruch = Sumpf, Moor", wo alles versinkt und die Spur des Wilds nicht weiter zu verfolgen ist, oder von „Bruch = Bruchzahl" (es geht nicht glatt auf). 1700 *ff.*
9. zu ~ gehen = entzweigehen; scheitern. 1900 *ff.*
10. jn auf ~ gehen lassen = jn in eine heikle Lage bringen. 1920 *ff.*
11. ~ hinlegen = das Flugzeug durch Absturz zertrümmern. Fliegerspr. seit dem Ersten Weltkrieg.
12. in die Brüche kommen = in arge Not geraten. ↗ Bruch 8. 19. Jh.
13. sich einen ~ lachen = unmäßig lachen. Bruch = Leistenbruch. 1800 *ff.*
14. ~ machen = a) einen Einbruch verüben. ↗ Bruch 3. 1910 *ff.* - b) mit dem Flugzeug abstürzen. Fliegerspr. in beiden Weltkriegen.
15. ~ reden = Unsinn schwätzen. ↗ Bruch 1. 1910 *ff.*

16. sich einen ~ reden = zuviel reden; seinem Redestrom nicht Einhalt gebieten. Bruch = Leistenbruch. 19. Jh.
17. sich zwei Brüche schleppen = schwer tragen; sich zu sehr anstrengen. 1920 *ff.*
18. in die Brüche sein = entzwei sein; dem Bankrott nahe sein. Verkürzt aus „in die Brüche gegangen sein"; ↗ Bruch 8. 19. Jh.
Bruchband *n* **1.** Papierring um die Zigarre. Eigentlich das Band, mit dem man einen Leistenbruch zurückhält. 19. Jh.
2. Leibriemen; Koppel des Soldaten. 1900 *ff* bis heute.
3. Leibbinde. *BSD* 1965 *ff.*
4. ihm ist das ~ gerissen = er hat einen Darmwind entweichen lassen. 1910 *ff.*
5. ihm einen unter das ~ jubeln (schieben) = schwängern, koitieren. *Sold* 1939 *ff.*
6. das ~ schwitzt = es herrscht ausgelassene Stimmung. 1910 *ff.*
Bruchbiene *f* Prostituierte; Mädchen übelster Sorte. ↗ Biene. Seit dem späten 19. Jh, *sold* und *stud.*
Bruchbude *f* **1.** ärmliche Behausung; abbruchreifer Bau; ärmliche Werkstatt; minderwertiges Geschäft, Laden, Haus o. ä. 1900 *ff.*
2. Schulgebäude. 1960 *ff, schül.*
Bruchbudenparagraph *m* (-gesetz) *n* Mietrechtsbestimmung, wonach Mieterhöhungen ausgeschlossen sind, wenn die Benutzbarkeit des Wohnraums erheblich beeinträchtigt ist. 1955 *ff.*
Bruchfirma *f* bankrottnaher Geschäftsbetrieb; Winkelfirma. 1920/30 *ff.*
Bruchkandidat *m* scheiternder (gescheiterter) Prüfling. 1977 *ff.*
Bruchkiste *f* altes Auto. ↗ Kiste. 1920/30 *ff.*
Bruchkuh *f* einfältige, ungeschickte Frau. ↗ Kuh. 1900 *ff.*
Bruchkulisse *f* Umstände des Einbruchs. ↗ Kulisse. ↗ Bruch 3. 1950 *ff.*
Bruchladen *m* **1.** minderwertiges Geschäft. 1900 *ff.*
2. untaugliche militärische Einheit. ↗ Laden. *Sold* 1939 *ff.*
Bruchlandung *f* **1.** (Not-)Landung, bei der das Flugzeug beschädigt (zertrümmert) wird. 1939 *ff.*
2. Bankrott. 1960 *ff.*
3. ~ machen = scheitern. 1960 *ff.*
Bruchmaschine *f* flugunfähig gewordenes Flugzeug. Fliegerspr. 1939 *ff.*
Bruchpilot *m* **1.** Flugzeugführer, der beim Landen das Flugzeug zertrümmert; schlechter Flugzeugführer; notlandender Pilot. Seit dem Ersten Weltkrieg; volkstümlich vor allem durch den Film „Quax, der Bruchpilot" (1941).
2. gescheiterter Mensch. 1950 *ff.*
3. von der Schule verwiesener Schüler. 1965 *ff.*
4. gestürzter Skiläufer. 1965 *ff.*
5. *pl* = Heeresflieger. *BSD* 1960 *ff.*
Bruchschütze *m* schlechter Schütze. Seit dem späten 19. Jh, *sold* und *ziv.*
Bruchunternehmen *n* bankrottierende Firma. 1900 *ff.*
Brückchen *n* Brustteil zwischen den Brüsten der Frau. 1900 *ff.*
Brücke *f* **1.** Beleuchter beim Film; Theaterassistenten oberhalb der Bühne. Sie befinden sich auf einer brückenähnlichen Konstruktion. 1950 *ff,* theaterspr.

2. die ~n abbrechen = alle Beziehungen abbrechen. 19. Jh.

3. jm goldene ~n bauen = jm die Erringung eines Vorteils (die Versöhnung) leicht machen. Verkürzt aus der alten Kriegsregel „dem Feind goldene Brücken bauen", etwa im Sinne von „ihm den Rückzug erleichtern". 1500 ff. Vgl franz „faire un pont d'or à qn".

4. über eine ~ gefahren sein = verwässert, gefälscht sein (auf Wein und Bier bezogen). Euphemismus für „mit Flußwasser getauft sein". 19. Jh.

5. auf diese ~ gehe ich nicht (wenn das Wort eine ~ ist, gehe ich nicht drüber) = dieser Behauptung traue ich nicht. Fußt auf einer Fabel, die 1548 Burkard Waldis und 1746 Christian Fürchtegott Gellert erzählen: Der Sohn will in der Fremde einen Hund von der Größe eines Pferdes gesehen haben; der Vater warnt, man komme gleich an eine Brücke, auf der jeder Lügner ein Bein bräche. Bevor beide die Brücke erreichen, gibt der Sohn zu, der Hund sei nicht größer als alle anderen Hunde gewesen. 1750 ff.

6. sich mit der ~ zudecken = unter einer Brücke nächtigen. Wien 1920 ff.

Brückenwein m verwässerter Wein. ↗Brücke 4. 19. Jh.

Bruddel m **1.** Zorn, Wut, Zwist. Fußt auf „brodeln = sieden, aufbrausen". Vokalkürzung und Diphthongierung. 1800 ff.

2. Nähfehler, Irrtum. ↗Prudel.

bruddeln intr schwätzen; unverständlich reden. Vom Brodeln übertragen auf nervöses Sprechen. 19. Jh.

Brudel m ↗Prudel.

Bruder m **1.** Penis. Aus „kleiner ↗Bruder" gekürzt. 1862 ff.

2. pl = Leute (abf). Fußt vielleicht auf 2. Kor. 11,26 („falsche Brüder"). „Bruder" in Verbindungen wie „Sauf-, Duz-, Amts-, Kegel-" bezeichnet den Genossen. 1800 ff.

3. pl = Mittäter des Verbrechers. 19. Jh.

4. fester Freund einer Halbwüchsigen. Gegenwort ↗Schwester. Halbw 1955 ff.

5. unter Brüdern = ehrlich; ohne Übervorteilung. Brüder sollen einander nicht betrügen; „Brüder im Herrn" nennt man auch die Mitchristen. 19. Jh.

6. ~ Innerlich = Magen, Bauch. 1900 ff.

7. Brüder der Landstraße = die Nichtseßhaften. 1960 ff.

8. Brüder von der Schmiere = Kriminalpolizeibeamte. ↗Schmiere. 1960 ff.

9. falscher ~ = unzuverlässiger Mann. ↗falsch. 1900 ff.

10. feuchter ~ = Zechgenosse. 1500 ff.

11. gefährlicher ~ = verschlagener, unzuverlässiger Mensch. 1900 ff.

12. kalter ~ = a) gefühlloser Mann. Er ist gefühlskalt. 1920 ff. – b) Nichthomosexueller. 1920 ff (?).

13. kesser ~ = a) Homosexueller; Junge, der sich gegen Entgelt homosexuell betätigt. ↗keß. 1900 ff. – b) frecher, schnippischer junger Mann. 1900 ff.

14. kleiner ~ = Penis. 1800 ff. Vgl franz „mon petit frère".

15. lauer ~ = Bisexueller. Er gilt als weder kalt noch warm. 1910 ff.

16. lauwarmer ~ = Bisexueller. Vgl das Vorhergehende. 1910 ff.

17. linker ~ = a) unzuverlässiger Mann; Verräter; unlauterer Charakter. ↗link. 1930 ff. – b) Sozialist. 1910 ff.

18. nasser ~ = a) Trunksüchtiger. ↗naß. 1600 ff.– b) Mensch, der nicht vertrauenswürdig ist; halbehrlicher Betrüger. ↗naß. 1920 ff.

19. schwuler ~ = Homosexueller. ↗schwul. 1900 ff.

20. stabile Brüder = a) trinkfeste Männer. 19. Jh. – b) Athleten, Ringer usw. 1920 ff. – c) Möbelträger. 1920 ff.

21. staubiger ~ = a) verschlagener Mensch, dem nicht zu trauen ist. Meint eigentlich den Landstreicher, der vom Staub der Landstraße bedeckt ist. 1900 ff. – b) guter Kamerad. 1920 ff. – c) Handelsvertreter; Staubsaugervertreter. 1940 ff. – d) Trunkenbold. Er bekämpft den Staub mit Alkohol. 1940 ff. – e) Rekrut. Der Staub des Kasernenhofs setzt sich in der Uniform fest. Sold 1939 ff.

22. süßer ~ = Homosexueller. ↗Süßer. 1900 ff.

23. warmer ~ = Homosexueller. Er ist nicht heiß, nicht kalt. Seit dem späten 18. Jh.

24. windiger ~ = a) Mensch, dem nicht zu trauen ist. ↗windig. 19. Jh. – b) in Kleidung und Charakter gesunkener, strafgesetzlich bescholtener Mann. 19. Jh. – c) junger Mann, der nur dumme Streiche im Kopf hat. 19. Jh.

25. seinem ~ (seinem kleinen ~) die Hand geben = harnen (vom Mann gesagt). ↗Bruder 1. 19. Jh.

26. der kleine ~ hat Kopfschmerzen = man ist tripperkrank. Erkrankung am Kopf des Penis. 1930 ff.

27. du bist der beste ~ auch nicht = dir ist nicht zu trauen. Übernommen aus dem Text eines alten Schelmenlieds. 1700 ff.

28. und willst du nicht mein ~ sein, so schlag ich dir den Schädel ein!: Drohrede. Hängt vielleicht zusammen mit Solidaritätsbestrebungen in der Arbeiterschaft. Wohl seit dem späten 19. Jh.

29. Innerlich sprechen = mit sich selber sprechen; an Magenknurren leiden. 1900 ff.

30. für den kleinen ~ Arbeit suchen = ein beischlafwilliges Mädchen suchen. ↗Bruder 14. 1955 ff.

Bruderherz n **1.** Kamerad. Vereinsmitglieder nennen sich „Brüder", auch Skat- und Kegelspieler, Zechgenossen usw. 1700 ff.

2. Bruder. Neu aufgelebt unter Jugendlichen nach 1950.

brüderlich adj ~e Liebe. ↗Liebe.

Brüderschaft trinken mit jm unter Einhenkelung des rechten Arms sein Glas leeren und mit nachfolgendem Händedruck die Duzbrüderschaft bekräftigen. 1500 ff.

Brühe f **1.** dünnes, minderwertiges Getränk; abgestandenes Bier. Wird gleichgesetzt mit Schmutzbrühe oder gar Jauche. 19. Jh.

2. Harn. Seit dem späten 19. Jh, vor allem sold (Lazarettsprache).

3. Bodennebel. Er ist undurchsichtig wie Schmutzbrühe. Fliegerspr. 1939 ff.

4. unangenehme Sache. Von „Schmutzbrühe" ausgehend, ergibt sich Analogie zu „Jauche" und weiter zu „↗Mist" und „↗Scheiße". Kann sich auch herleiten von der dünnen Brühe oder Tunke, die übrigbleibt, nachdem der andere die Fleischstücke gegessen hat. 1600 ff.

5. fades Geschwätz. Es ist dünn wie eine gelängte Tunke. 19. Jh.

6. Teich, See, Gewässer. Meist auf den trüben Teich o. ä. bezogen. 1900 ff.

7. (Wasser im beheizten) Schwimmbad. 1960 ff, schül.

8. Schweiß. 1800 ff.

9. alte ~ = lang zurückliegender Vorgang. Er ist wie eine alte, nicht frisch zubereitete Tunke. 1900 ff.

10. große ~ = Ozean. 1900 ff.

11. miese ~ = Versager. ↗mies. Etwa analog zu „trübe ↗Tasse". Jug 1955 ff.

12. in die ~ fallen = über dem Meer abstürzen und notwassern. Fliegerspr. 1939 ff.

13. um (über) etw eine lange ~ (viel ~) machen = über etw unnütze Worte machen. „Lange Brühe" meint „viel Flüssigkeit bei fester Speise", auch die schlechte, dünne Suppe oder gar das Viehfutter (Kartoffelschalen mit Spülwasser abgebrüht). 1800 ff.

14. die ~ zu lang machen = weitschweifig sein. Vgl das Vorhergehende. 19. Jh.

15. in die ~ sitzen (stecken) = in großer Verlegenheit sein. ↗Brühe 4. 1500 ff.

Brühsaufer m Protestant. Brühe = Wein im Kelch. 1800 ff, schwäb.

'brüh'warm adj **1.** aktuell; allerneuest. Es ist heiß wie kochendes Wasser, das man zum Brühen verwendet. Vgl ↗brandaktuell. 1800 ff.

2. jm etw ~ (brühheiß) erzählen (berichten o. ä.) = etwas Gehörtes sofort weitererzählen. Man läßt es nicht erst zum Abkühlen oder Erkalten kommen. 1750 ff.

3. es fällt ihm ~ ein = mit Erschrecken erinnert er sich an Vergessenes. 1920 ff.

Brüllaffe m **1.** Schreier; Schimpfender; Vorgesetzter, der zu schreien pflegt; tobender Ehemann; laut weinendes Kind. Der in Südamerika lebende Brüllaffe hat eine sehr starke, weithin hörbare Stimme. 1900 ff.

2. Zeitungsausrufer. 1920 ff.

3. Lautsprecher. 1933 ff.

4. Beifallschreier. 1920 ff.

5. Rock and Roll-Sänger. 1950 ff.

brüllen intr **1.** laut weinen. Meint eigentlich das Geschrei der Rinder; danach auf den Menschen übertragen. 18. Jh.

2. leise ~ = seine Stimme dämpfen; sich beherrscht äußern. 19. Jh.

3. in ein Lokal ~ = ein Lokal betreten, häufig aufsuchen. Wohl weil man mit lautem Hallo eintritt und begrüßt wird. Halbw 1960 ff, öster.

4. es brüllt: sagt man, wenn einer einen Gegenstand sucht, der sich unmittelbar in seiner Reichweite befindet. „Brüllen = schreien" entwickelt sich weiter zur Bedeutung „plump ins Auge fallen, nicht zu übersehen sein" (brüllender Schmuck = protziger Schmuck). 1900 ff.

5. die Pflicht brüllt = die Pflicht ruft nachdrücklich; ich muß schnell wieder an meinen Arbeitsplatz zurückgehen o. ä. 1920 ff.

6. hast du dich schon lange nicht mehr ~ hören?: Drohfrage. 1920 ff.

7. es ist zum ~ = es ist sehr komisch, sehr erheiternd. Brüllen = lauthals lachen. 1900 ff.

8. zum ~ komisch sein = sehr belustigend sein. 1900 ff.

9. gut gebrüllt, Löwe! = das hast du treffend gesagt! Fußt auf Shakespeares

„Ein Sommernachtstraum", V 1. Seit dem späten 19. Jh.

brüllend *adj adv* **1.** ins Auge fallend; nicht zu übersehen; unfein und gewöhnlich. Ein brüllendes Kleid ist neumodisch, aber unfein. Brüllend = laut, aufdringlich. 1900 *ff.*
2. *adv* = sehr. 1900 *ff.*

Brüller *m* **1.** schreiender Säugling; oft weinendes Kind. ↗ brüllen 1. 19. Jh.
2. Edelstein, Brillant. ↗ brüllend 1. Beeinflußt von „Brillant". *Österr* 1960 *ff.*
3. Klassensprecher. *Schül* 1970 *ff.*
4. Schlagersänger. *Halbw* 1965 *ff.*
5. großer Lotteriegewinn. 1950 *ff.*
6. einen ~ machen = brüllen. Wien 1950 *ff.*

'Brüll'hitze *f* unerträgliche Hitze. 1900 *ff.*

Brüllochse *m* **1.** Polterer; laut weinendes Kind; laut Rufender. Eigentlich der Stier, der noch nicht gekört worden ist. 1800 *ff.*
2. vorzugsweise laut schimpfender Vorgesetzter. 19. Jh.

Brüllplakat *n* plump gestaltetes Werbeplakat. Es ist eine „schreiende Reklame". 1920 *ff.*

Brum *n* Penis. Die gleichnamige Knospe des Rebstocks fußt auf der Grundbedeutung „Hervorstechendes". Vielleicht auch aus *lat* „membrum = Glied" verkürzt. *Stud* 1930 *ff.*

Brumm *m* schlechte Laune; Griesgram. ↗ brummen. 1920 *ff.*

Brummbär *m* mürrischer Mensch. Das Brummen des Bären wird als Unmutslaut gedeutet. 18. Jh.

Brummbaß *m* **1.** tiefer Baß; Baßgeige. 19. Jh.
2. alte mürrische Person. Brummen = murren. 1700 *ff.*

Brumme *f* **1.** Haftanstalt; Arrest. ↗ brummen 4. 19. Jh.
2. Mädchen, Tanzpartnerin, Freundin, Braut. „Brumme" ist berlinische Analogie zu „↗ Biene". 1900 *ff.*
3. Motorrad. Wegen des brummenden Geräuschs. 1955 *ff.*
4. alte ~ = alte Frau. Brummen = murren. 1900 *ff.*
5. dumme ~ = dumme Frau. 1900 *ff.*
6. unerhörte ~ = höchst anziehendes Mädchen. ↗ Brumme 2. Berlin 1950 *ff.*
7. jn in die ~ bringen = a) jn anzeigen. ↗ Brumme 1. 1900 *ff.* – b) jn zu einer Freiheitsstrafe verurteilen. 1900 *ff.* – c) jn in arge Verlegenheit, in eine unangenehme Lage bringen. 1900 *ff.*

brummelig *adj* zänkisch, nörglerisch, mißmutig. ↗ brummeln 2. 19. Jh.

brummeln *intr* **1.** koten. Wohl schallnachahmender Natur. 1920 *ff.*
2. mürrisch vor sich hinreden. Iterativum von „↗ brummen 3". 1500 *ff.*

brummen *intr* **1.** mit einem Kraftfahrzeug fahren. 1950 *ff.*
2. auf jn ~ = mit einem Kraftfahrzeug zusammenstoßen. 1950 *ff.*
3. grollen, schmollen. Eigentlich soviel wie „dumpf tönen", „undeutlich sprechen", „undeutlich vor sich hinreden". 14. Jh.
4. eine Freiheitsstrafe verbüßen; sich in Untersuchungshaft befinden. Der Gefangene murrt und schimpft. 1800 *ff.*
5. eine Strafstunde verbüßen; in der Schule nicht versetzt werden. 1800 *ff*, *schül* und *stud.*

6. daß es nur so brummt = tüchtig, heftig. Durch heftiges Schlagen einen tiefen, dumpfen Ton hervorrufen. 1950 *ff.*
7. es brummt ihr = sie ist geschlechtlich erregt, ist mannstoll. Irgendein Insekt treibt sein Unwesen in ihrem Kopf. 1920 *ff.*
8. ich glaube, es brummt!: Ausdruck der Verwunderung. Hängt wohl mit den Vorhergehenden zusammen. *BSD* 1965 *ff.*
9. den Ball in den Kasten ~ = einen unhaltbaren Tortreffer erzielen. 1950 *ff*, *sportl.*
10. jn ~ lassen = jn zu einer Freiheitsstrafe verurteilen. 1900 *ff.*

brummenbleiben *intr* in der Schule nicht versetzt werden. ↗ brummen 5. 1900 *ff.*

Brummer *m* **1.** Brumm-, Schmeißfliege; Hummel. 1800 *ff.*
2. unzufriedener Mensch; Nörgler. ↗ brummen 3. 19. Jh.
3. Strafgefangener, Arrestant. ↗ brummen 4. 1900 *ff.*
4. nichtversetzter Schüler. ↗ brummen 5. 1900 *ff.*
5. mit einer Strafstunde bestrafter Schüler. 1900 *ff.*
6. Eintragung ins Klassenbuch; Tadel. *Schül* 1950 *ff.*
7. breitschultriger Mann. Aus „↗ Brummochse" verkürzt. 1920 *ff.*
8. unmusikalischer Sänger. Sein Gesang ist eher ein Brummen in dumpfen, tiefen Tönen. 1900 *ff.*
9. Nachwehen einer durchzechten Nacht. *Vgl* ↗ Brummkopf. 1950 *ff.*
10. nettes, sehr anziehendes Mädchen. Parallel zu ↗ Käfer. 1930 *ff.*
11. Querbinder. Analog zu ↗ Fliege. 1960 *ff*, auch *BSD.*
12. Auto; breitgebautes Luxusauto. Hergeleitet vom brummenden Motorgeräusch. *Halbw* 1955 *ff.*
13. Lastwagen. *Halbw* 1955 *ff.*
14. Motorrad. *Halbw* 1955 *ff.*
15. großes Flugzeug; Transportflugzeug. Etwa seit 1910.
16. großes Schiff. Anspielung auf das dumpfe Maschinengeräusch. *Marinespr* 1939 *ff.*
17. Hubschrauber. 1950 *ff*, *ziv.*
18. Kampfpanzer. *BSD* 1965 *ff.*
19. eindrucksvoller Gegenstand; kostbarer Schmuck. „Brummer" steht hier in Analogie zu „↗ Knaller" und „↗ Knüller". *Halbw* 1955 *ff.*
20. erfolgreiches Kunstwerk. Parallel zu „↗ Knüller". 1950 *ff.*
21. alter ~ = Klassenwiederholer. ↗ Brummer 4. 1900 *ff.*
22. dicker ~ = a) Lastkraftwagen mit Anhänger; Lastzug. ↗ Brummer 13. 1955 *ff.* – b) Transportflugzeug. ↗ Brummer 15. *BSD* 1960 *ff.* – c) hochleistungsfähiges Motorrad. ↗ Brummer 14. 1955 *ff.* – d) breitgebautes Luxusauto. ↗ Brummer 12. 1955 *ff.* – e) Mähdrescher. 1960 *ff.*
23. flotter ~ = (geschlechtlich) leistungsfähiger Mann. ↗ flott. 1960 *ff.*
24. großer ~ = a) großes Flugzeug. 1939 *ff.* – b) Lastkraftwagen. 1955 *ff.*
25. schnieker ~ = gutgekleidetes, hübsches Mädchen. ↗ schnieke. 1930 *ff.*
26. schwerer ~ = a) schweres Geschütz. *Sold* in beiden Weltkriegen. – b) schweres Motorrad. 1960 *ff.*

27. wilder ~ = geschlechtlich draufgängerischer Mann. 1960 *ff.*

Brummer-Kapitän *m* Fernfahrer. ↗ Brummer 13; ↗ Kapitän 5. 1955 *ff.*

Brummfiets *n* **1.** Moped. ↗ Bromfiets. 1955 *ff*, *halbw.*
2. Kraftrad. *BSD* 1960 *ff.*

Brummi *m* Fernfahrer. Übernommen vom Namen der Sinnbildfigur des Güterfernverkehrsgewerbes. 1970 *ff.*

brummig *adj* mürrisch. ↗ brummen 3. 1800 *ff.*

Brummkäfer *m* unzugängliches, rasch gekränktes Mädchen. ↗ Käfer. Brummen = schmollen. 1955 *ff*, *halbw.*

Brummkasten *m* Schulgebäude. Die Schüler „brummen" (sie fassen die Schulzeit als Freiheitsstrafe auf). 1960 *ff.*

Brummkater *m* **1.** mürrischer Mann. ↗ brummen 3. 17. Jh.
2. Nachwehen des Rausches. ↗ Kater. 19. Jh.

Brummkiste *f* Baßgeige. 1920 *ff.*

Brummkoben *m* Arrestlokal. Koben = Verschlag, Bretterstall. ↗ brummen 4. 1965 *ff.*

Brummkopf *m* mürrischer Mensch. ↗ brummen 3. 19. Jh.

Brummkreisel *m* **1.** munterer, aufgeweckter, leichtbeweglicher Mensch. Er dreht sich wie ein Kreisel, der einen brummenden Ton hervorbringt. 1900 *ff.*
2. aufgedreht sein wie ein ~ = sehr lebhaft sein. 1900 *ff.*

Brummler *m* Mißmutiger. ↗ brummeln 2. 1500 *ff.*

Brummochse *m* **1.** dummer, eigensinniger, mürrischer Mann. Eigentlich der Stier. 1800 *ff.*
2. starker, kräftiger Mann. 19. Jh.

Brummschädel *m* Kopfschmerz; Nachwehen des Rausches. ↗ Schädelbrummen. 19. Jh.

Brummschippe *f* Schmollmund. ↗ brummen 3; ↗ Schippe 2. 19. Jh.

Brummstall *m* Gefängnis, Arrestlokal. ↗ brummen 4. „Stall" deutet auf primitive Herstellung nach Art eines Bretterverschlags hin. 18. Jh.

Brummtriesel *m* **1.** mißgestimmter Mensch. Triesel = Kreisel; *vgl* ↗ Brummkreisel 1. ↗ brummen 3. 19. Jh.
2. rumflitzen wie ein ~ = sich schnell bewegen; lebhaft sein. Berlin 1900 *ff.*

Brünhildenpietz *f* Deutsches Kreuz in Gold. Brünhilde ist seit Richard Wagners „Der Ring des Nibelungen" die vollbusige weibliche Person. ↗ Pietz, Pietze = Brustwarze, Frauenbrust. Anspielung auf das große Format der Auszeichnung. 1939 *ff.*

Brunnen *m* es ist in den ~ gefallen = es ist gescheitert. 1500 *ff.*

Brunnenheimer *m* Trinkwasser. Es wird (wurde) aus dem Brunnen geschöpft und in Nachahmung von Weinbezeichnungen wertverbessert. 1900 *ff.*

Brunnenwitzer *m* Trinkwasser. Es kommt aus dem Brunnen; Grundwort nach dem Muster von den Städtenamen wie Gleiwitz, Zinnowitz u. a. 1930 *ff.*

'Brunst'rute *f* erigierter Penis. Eigentlich das männliche Glied beim Schalenwild (auch „Brunftrute" genannt). 1910 *ff.*

Brunz *m* Harn. ↗ brunzen 1. Vorwiegend *oberd.* Seit *mhd* Zeit.

Brunzelianum *n* öffentliche Bedürfnisan-

stalt. Auf der Grundlage von „brunzen"
nachgebildet dem Basler „Bernoullianum".
Basel 1960, *stud.*

brunzen *v* **1.** *intr* = harnen. Intensivum
zu „brunnen = hervorquellen". *Mhd* bis
heute, vorwiegend *oberd.*
2. jm etw ~ = jm etw ablehnen. Analog
zu „jm etw ↗ scheißen". *Österr* 1900 *ff.*
Brunzer *m* **1.** Penis. Undatierbar.
2. Mann *(abfl). Oberd* 19. Jh.
Brunzerl *n* **1.** Penis. 19. Jh (aber wohl erheblich älter).
2. Vulva. 19. Jh.
3. Harn. 1500 *ff* (?).
4. schlechtes Getränk. 19. Jh.
Brunzkachel *f* **1.** Nachtgeschirr. Kachel =
Topf. ↗ brunzen 1. 1400 *ff, oberd.*
2. Schimpfwort auf einen, der oft harnt.
19. Jh.
Brunzscherbe (-scherbn) *f* Nachtgeschirr.
↗ Scherbe. *Oberd* 1500 *ff.*
Brunzwasser *n* **1.** Harn. ↗ brunzen 1.
1500 *ff, oberd.*
2. dünnes, schales Bier. 1800 *ff.*
Brunzwinkel *m* **1.** Bedürfnisanstalt, Abort.
Oberd 1800 *ff.*
2. verrufenes, verkommenes Lokal. *Österr*
1900 *ff.*
3. Vulva. 1900 *ff, oberd.*
4. Prostituierte. *Österr* 1900 *ff, rotw.*
Brust *f* **1.** garnierte ~ = mit Orden und
Ehrenzeichen reichlich geschmückte Brust.
Garniert = mit Verzierungen versehen.
1850 *ff.*
2. mit hohler ~ = mittellos. Es fehlt die
wohlgefüllte Brieftasche, die die Brust
bauscht. 1930 *ff.*
3. kniefreie ~ = a) geöffnete Hemdbrust.
Nach dem Muster von „kniefreier Rock"
gebildet. 1930 *ff.* – b) gewagtes Dekolleté.
1930 *ff.*
4. nackte ~ = Brust ohne Orden.
↗ nackt. 1939 *ff, sold.*
5. von hinten durch die ~ ins Auge =
hinterrücks; auf Umwegen; heimtückisch.
Beschreibt scherzhaft den unmöglichen
Weg einer Geschoßkugel. *Sold* in beiden
Weltkriegen und später auch *ziv.*
6. sich die ~ auskugeln = den Busen zu
tief entblößen. Übernommen vom Gelenk,
das sich auskugelt. 1950 *ff.*
7. eine ~, wie wenn eine Maus die Faust
ballt = flache, kleine Brust. *BSD* 1965 *ff.*
8. jm die ~ eindrücken = a) jds Tatendrang hemmen. Der Tüchtige geht mit
geschwellter Brust an die Arbeit; will man
ihm Einhalt gebieten, muß man diese
Brust eindrücken. 1910 *ff.* – b) einen Prahler in seine Schranken weisen. 1910 *ff.*
9. sich die ~ einreiben, bis sie glänzt =
sich betrinken. Bei Atem- und Herzbeschwerden reibt man die Brust äußerlich
ein; der Zecher reibt sich innerlich ein.
BSD 1965 *ff.*
10. es auf der ~ haben = a) brustkrank
sein; an Husten (Erkältung, Tuberkulose)
leiden. „Es" steht neutralisierend und euphemistisch für „Krankheit", gelegentlich
auch für „Tod". 18. Jh. – b) eine wohlgefüllte Brieftasche besitzen; bei Geld sein.
19. Jh.
11. eine geschwollene ~ haben = eine
gefüllte Brieftasche bei sich tragen; reich
sein. 1900 *ff.*
12. zu wenig ~ haben = zu nachgiebig
sein; bescheiden sein. Die kräftig entwik-

kelte Brust deutet auf Mannhaftigkeit hin.
Seit dem frühen 20. Jh.
13. einen an die (zur) ~ nehmen (heben)
= ein Glas Alkohol trinken. Ein Kind
wird zur Brust genommen, wenn es gestillt wird. Die Trinkregel bei Studenten
und Offizieren schreibt vor, daß beim Zutrinken das Glas bis zur Höhe des zweiten
Rockknopfes gehoben wird. 1800 *ff.*
14. jm zur ~ nehmen = a) mit jm tanzen.
1930 *ff.* – b) jn bedrängen, heftig anreden,
hart behandeln, prügeln o. ä. Man ergreift
sein Gegenüber am Brustlatz und zieht ihn
an sich heran, daß er einem nicht auskommen kann. Vielleicht auch von den
Ringern übernommen. 1930 *ff.* – c) jn verhaften. 1930 *ff.*
15. etw zur ~ nehmen = sich mit einer
Sache näher befassen. 1930 *ff.*
16. sich einen auf die ~ packen (wälzen)
= ein Glas Alkohol zu sich nehmen.
Wohl hergenommen vom warmen Umschlag, den man sich hier innerlich verordnet. 1930 *ff.*
17. sich einen durch die ~ schießen =
ein alkoholisches Getränk trinken. *BSD*
1960 *ff.*
18. sich von hinten durch die ~ ins Auge
schießen = etw sehr unzweckmäßig und
umständlich handhaben. ↗ Brust 5.
1940 *ff.*
19. etw zur ~ schlagen = etw verzehren.
1800 *ff.*
20. sich in die ~ schmeißen = sich anmaßend benehmen; prahlen. Umschreibung von „sich brüsten". 1700 *ff.*
21. sich in die ~ schmeißen wie das
Schwein in die Scheiße (in den Dreck) =
sich brüsten. 1900 *ff.*
22. sich in die ~ schmeißen wie ein Spatz
in den Müllabfall = sich brüsten. 1950 *ff,
schül.*
23. schwach auf der ~ sein = a) nicht
vermögend sein; über wenig Bargeld verfügen. Eigentlich Bezeichnung für Atembeschwerden u. ä.; hier ist der dünne
Brustbeutel gemeint. 1900 *ff.* – b) wenig
Selbstvertrauen haben; nur in geringem
Umfang der Überlegene sein. ↗ Brust 12.
1900 *ff.* – c) keinen üppigen Busen besitzen. 1950 *ff.* – d) nicht recht bei Verstand
sein (meist in der Frageform). 1900 *ff.* – e)
in der Trumpffarbe schwach besetzt sein.
Kartenspielerspr. 1900 *ff.* – f) unzureichend funktionieren; keinen überzeugenden Inhalt haben. 1900 *ff.*
24. jm vor die ~ springen = aufs Ganze
gehen. Kartenspielerspr. 1900 *ff.*
25. einen in die ~ stippen = ein Glas
Alkohol trinken. ↗ stippen. 1900 *ff, nordd.*
Brustbeutelschwindsucht *f* Geldnot. Seit
dem späten 19. Jh. (als man noch Brustbeutel trug).
brüsten *refl* **1.** den Busen übertrieben zur
Geltung bringen. 1950 *ff.*
2. ein oberteilloses Bekleidungsstück tragen. 1964 *ff.*
Brustfell *n* **1.** Büstenhalter mit angeschnittenem Mieder. Meint eigentlich das Rip-
penfell. 19. Jh, Berlin.
2. warmes ~ = hochprozentiger
Schnaps. Er wärmt die Brust von innen
wie die warme Umschlag von außen.
1900 *ff.*
Brustgeschirr *n* **1.** Büste. 1900 *ff.*
2. Büstenhalter. 1950 *ff, jug.* Eigentlich das

Leder-, Riemenwerk bei Pferden vor der
Brust.
brustkrank sein 1. nicht recht bei Verstande sein. Wohl Anspielung auf Selbstgefälligkeit, Prahlerei o. ä.: Der Betreffende
wirft sich in die Brust, ohne Anlaß zu
haben. 1800 *ff.*
2. ohne Orden und Ehrenzeichen sein.
↗ Brustschmerzen. *Sold* 1939 *ff.*
Brustlatz *m* einen hinter den ~ zischen =
ein Glas Alkohol zu sich nehmen. Brustlatz = Männervorhemd = Weste.
1930 *ff.*
Brustpolster *n* wohlgefüllte Brieftasche.
1900 *ff.*
Brustschmerzen *pl* Verlangen nach Orden
und Ehrenzeichen. Die Schmerzen machen sich auf der Ordensbrust bemerkbar.
Sold in beiden Weltkriegen und *BSD.*
brustschwach *adj* ~ im Kopf sein = nicht
recht bei Verstand sein. 1920 *ff.*
Brustseuche *f* **1.** Zurschaustellung des Busens. Sie hat die Wirkung einer anstecken-
den Epidemie. 1955 *ff.*
2. männliches Begehren nach Betasten des
Frauenbusens. 1955 *ff.*
Brusttee *m* einen Armvoll ~ = Frau, Geliebte. Umschreibung für „die zu Umar-
mende". Seit dem späten 19. Jh.
Brustverschönerungsorden *m* **1.** Kriegsverdienstkreuz. 1939 *ff.*
2. Bundesverdienstkreuz. 1957 *ff.*
Brustwarze *f* auf der ~ angekrochen kommen (o. ä.) = völlig erschöpft nahen; her-
beikriechen; in unterwürfiger Haltung her-
ankommen; sehr bescheiden um etw bitten. 1930 *ff, sold* und *ziv.*
Brustwerk *n* üppiger Busen. Nach dem
Muster von „Fahrwerk" u. ä. gebildet.
1920 *ff.*
Brutalität *f* Brütfreudigkeit der Hühner.
Sprachlicher Spaß. 1933 *ff.*
Brutanstalt *f* Entbindungsheim. 1950 *ff.*
brüten *v* sich zum ~ setzen = sich ins
Wochenbett legen. Aus dem Vogelleben
übernommen. Seit dem frühen 20. Jh.
Brüter *m* schneller ~ = **1.** schnell zu Amt
und Würden gelangter Wissenschaftler,
Politiker o. ä. Meint entweder den Vogel
mit geringer Brutzeit oder den Kernreak-
tor, der die Spaltung vorwiegend durch
schnelle Neutronen vollzieht. 1960 *ff.*
2. Solarium. 1977 *ff.*
Brutkäfig *m* Wöchnerinnenheim, Kreißsaal.
1920 *ff.*
Brutkasten *m* **1.** Schulgebäude. Wohl Anspielung auf die Wärme in den Klassen-
zimmern. 1930 *ff.*
2. Schwimmbad. 1930 *ff.*
3. Kampfanzug, Felduniform. Wegen der
großen Hitze- und Schweißentwicklung.
BSD 1960 *ff.*
Brutkastenprodukt *n* kleinwüchsiger
Mensch. Er ist im Brutkasten zu voller
Lebensfähigkeit entwickelt worden. *BSD*
1965 *ff.*
Brutsch (Brutsche) *f* Mund, Schmollmund. Prutschen = hervorstürzen;
schmollen. *Westd* und *südwestd* 1700 *ff.*
Brutschlappen *m* Mensch mit herunter-
hängender Lippe. 19. Jh.
bruttelig (brüttelig) *adj* mürrisch. *Vgl*
das Folgende. 18. Jh.
brutteln *intr* **1.** nörgeln. Schallnachahmend
für ein undeutliches Sprechen. 18. Jh.
2. murmeln. 18. Jh.
Bruttler *m* Nörgler. 18. Jh.

Bscheid (B'scheid) *n m* Mitbringsel. „Bescheid tun" heißt, das vom Gastgeber gereichte Glas annehmen und leeren. Bscheidessen ist ein Essen, von dem Gäste einen Teil für die Ihrigen daheim mitnehmen dürfen. 1900 *ff, bayr.*

B'suff *m* Trinker. *Österr* 1800 *ff.*

Bua *m* Penis. Auch Bezeichnung für den „Dietrich", der ebenfalls den Penis meint. 1900 *ff.*

Bubbel *m* geschwätziger Mund; Geschwätz. ↗bubbeln. 1800 *ff.*

bubbeln *intr* geschwätzig sein; endlos reden. Eigentlich soviel wie „Wasserblasen verursachen": solche Blasen sind substanzlos und schnellvergänglich. Auch kann das Speichelversprühen ein Sprechen gemeint sein. *Vgl* auch „↗blubbern 3" und „↗babbeln 1". 1800 *ff. Vgl engl* „to bubble".

Bubbelwasser *n* **1.** Schnaps, Wein o. ä. Er macht redselig. 19. Jh.
2. ~ getrunken haben = sehr gesprächig sein; endlos reden. 19. Jh, *westd.*

Bubbu *m* Pudding. Kinderspr. seit 1900 üblich; wohl zusammengewachsen aus „bubbern = zittern" und „Plumpudding".

Bube *m* **1.** nasser ~ = dummer, vorlauter, unerfahrener Junge. Er ist „noch nicht trocken hinter den ↗Ohren". 1900 *ff.*
2. die bösen ~n locken = dem Spieler eines Grands hohe Karten vorsetzen, um ihn zum Stechen mit einem Buben zu veranlassen. Seit dem späten 19. Jh, kartenspielerspr.
3. ich haue dich, daß du nicht mehr weißt, ob du ein ~ oder ein Mädchen bist!: Drohrede. Der Betreffende soll bewußtlos geschlagen werden. 1900 *ff.*
4. nicht mehr wissen, ob man ~ oder Mädchen ist = volltrunken sein. 1900 *ff.*
5. wer einen ~n sticht, ist ein Warmer: Redewendung des Kartenspielers, wenn er es verschmäht, einen punktschwachen Stich mit einem der vier Buben einzuheimsen. Wortspiel mit „einen Buben stechen = homosexuell verkehren". 1950 *ff.*
6. einen bösen ~n verhaften = einen niedrigen Buben mit einem höheren übertrumpfen. Kartenspielerspr., spätestens seit dem ausgehenden 19. Jh.

Bubenstück *n* Grand mit vier Buben. Kartenspielerspr. seit dem späten 19. Jh, wahrscheinlich unter Einwirkung von Psalm 41,9. Meint eigentlich die Schurkerei und Niedertracht.

Bubi *m* **1.** Kosewort für einen kleinen Jungen. 19. Jh.
2. Kosewort für einen Mann. 1900 *ff.*
3. unerfahrener, von der Mutter abhängiger Junge. 1950 *ff.*
4. unreifer Halbwüchsiger. 1945 *ff.*
5. gut aussehender Jugendlicher. *Schül* 1950 *ff.*
6. Penis. 1900 *ff.*
7. Prostituierter; Junge, der sich gegen Entgelt homosexuell betätigt. 1900 *ff.*
8. Prostituiertenkunde (kosewörtlich). 1900 *ff.*
9. Kurzschnitt des Frauenhaars. Verkürzt aus ↗Bubikopf. Nach 1918 aufgekommen.

Bubikopf *m* **1.** ~ mit Beiwagen = Damenfrisur „Olympiarolle". Zur Zeit der Olympischen Spiele in Berlin (1936) in Mode gekommen. Dem „Motorrad mit Beiwagen" nachgebildet. 1936 *ff.*

2. ~ mit Krause = Glatze in Kopfmitte. 1930 *ff.*
3. ~ mit Parketteinlage = Glatze in Kopfmitte. Dem Tanzparkett in der Mitte des Tanzsaals nachgeahmt. 1930 *ff.*
4. ~ mit Pause = Teilglatze. 1928 *ff.*
5. ~ mit Planschbecken = Glatze in Kopfmitte. ↗Planschbecken. 1930 *ff, jug.*
6. ~ auf Rand genäht = Glatze in Kopfmitte; Tonsur (der Franziskaner). Übernommen vom Schuhmacherhandwerk. 1927/28 *ff.*
7. ~ mit Spielwiese = Männerkopf mit Glatze. Etwa seit 1925.
8. ~ mit Tennisplatz = Glatze mit Haarrand. 1925 *ff.*
9. entrümpelter ~ = Vollglatze. Entrümpeln = von Überflüssigem freimachen (Kennwort einer Speicher- und Kellerräumaktion zu Kriegsbeginn). 1939 *ff.*
10. langer ~ = lang herabfallendes Männerhaar. 1964 aufgekommen mit der Mode der Langhaarigkeit.

Buch *n* **1.** ~ der Bücher = Scheckbuch. Meint eigentlich die Bibel. Irdischen Zwecken steht das Scheckbuch näher. 1955 *ff.*
2. ~ der Könige = Kartenspiel. Bezeichnet eigentlich einen Teil des Alten Testaments. Hier bezogen auf die vier Könige des Kartenspiels. 16. Jh.
3. ~ der Lieder = langes Vorstrafenregister. Der Gedichtsammlung von Heinrich Heine unterlegt mit Einfluß der Redewendung „davon kann man ein ↗Lied singen". 1960 *ff.*
4. ~ mit sieben Siegeln = schwerverständliche, unergründliche Sache. Fußt auf der Offenbarung Johannes 5,1–5. Frühester Beleg bei Goethe, 1808.
5. gestempeltes ~ = fremdsprachliches Buch mit der Übersetzung zwischen den Zeilen. Wie ein Bibliotheksbuch trägt es die Schriftzeichen seines Eigentümers. 1900 *ff, schül, österr.*
6. kluges ~ = a) Notizbuch. Es ist klüger als sein vergeßlicher Besitzer. 1960 *ff.* – b) Sachbuch. Es belehrt, aber unterhält nicht. 1960 *ff.*
7. schlaues ~ = wissenschaftliches Buch; Nachschlagewerk. 1960 *ff.*
8. schwarzes ~ = a) Schuldnerverzeichnis. Entweder ist es schwarz eingebunden, oder „schwarz" deutet den Makel an. 1400 *ff.* – b) Strafregister. 1900 *ff.* – c) Klassenbuch. 1900 *ff, schül.* – d) Lehrernotizbuch mit der Leistungsbeurteilung. 1900 *ff, schül.*
9. das ~ der Könige aufschlagen (beten, studieren) (im ~ der Könige lesen) = kartenspielen. ↗Buch 2. 16. Jh.
10. mit dem ~ (Büchel) gehen = kontrollierte Prostituierte sein. Gemeint ist das Meldebuch für Eintragungen des Polizeiarztes. *Österr* 1900 *ff.*
11. ein gutes ~ haben = viel gelten; beliebt sein. Ein gutes Buch hat, wer nicht im Buch steht (= nicht schuldig ist; keine Schulden hat). 1900 *ff.*
12. einen Mund haben wie ein ~ = beredt sein. 19. Jh.
13. das ~ (Büchel) nehmen = Prostituierte sein (werden). ↗Buch 10. *Österr* 1900 *ff.*
14. wie ein ~ reden (sprechen o. ä.) = fließend, pausenlos, gelehrt sprechen. Der Betreffende redet, als ob er aus einem

Buch vorläse oder als ob er selber ein gelehrtes Buch sei. 1700 *ff.*
15. gut im ~ sein (stehen) = sich großer Beliebtheit erfreuen; viel gelten. Mit dem Buch ist hier das Geschäftsbuch des Kaufmanns gemeint. 1900 *ff.*
16. wie er (es) im ~ steht (wie er im Büchel steht) = mustergültig; ideal. Leitet sich her von dem Buch der Chronika, einem Teil des Alten Testaments; das Buch enthält religiöse Vorschriften, Glaubensgrundsätze und sonstige Satzungen. Außerdem gilt für den einfachen Menschen das Gedruckte oft als eine unbedingte Autorität. 1840 *ff.*
17. bei jm im schwarzen ~ stehen = jds Schuldner sein. ↗Buch 8 a. 1400 *ff.*

Bücherhase *m* Bücherliebhaber o. ä. ↗Hase. 1850 *ff.*

Bücherhengst *m* Bücherliebhaber. ↗Hengst. 1920 *ff.*

Bücherklau *m* Bücherdieb. ↗Klau. 1940 *ff.*

Büchermuffel *m* an Büchern uninteressierter Mensch. Ein Nachfolger des ↗Krawattenmuffels; *vgl* ↗Muffel. 1970 *ff.*

Bücherratte *f* leidenschaftlicher Bücherleser. Der ↗Spielratte nachgebildet. 1900 *ff.*

Bücherschlachter *m* Händler, der Bücher (wie der Metzger das Fleisch) nach dem Gewicht verkauft. Soll nach 1950 aus den USA übernommen worden sein.

Büchersilo *m* Bibliotheksgebäude. 1954 *ff.*

Bücherwurm *m* Bücherliebhaber, Vielleser, Gelehrter. Eigentlich eine Käferlarve. Etwa seit 1650.

Buchfabrik *f* Großverlag. 1950 *ff.*

Buchholtzen *Pn* da kennen Sie ~ schlecht!: Ausdruck der Ablehnung. Fußt auf einer Redensart von Friedrich II. im Zusammenhang mit Johann August Buchholtz, dem Hof-Etats-Rentmeister und Königlichen Trésorier, der für sparsame Wirtschaften bekannt war und Geldforderungen seines Königs oft zurückwies. 1800 *ff.*

Büchl *n* polizeilicher Lichtbildausweis für Prostituierte. *Österr* 1900 *ff.*

Buchpirat *m* Verleger, der Bücher anderer Verlage unberechtigt nachdruckt. Er betreibt Seeräuberei auf dem Buchmarkt. 1950 *ff.*

Büchse *f* **1.** Auto, Kleinauto. Es ist metallverkleidet, eng und formähnlich. *Jug* 1955 *ff, schweiz.*
2. Kleidung. Sie ist eine enganliegende Hülle. *Halbw* 1945 *ff, schweiz.*
3. Vagina. Sie ist das Behältnis zur Aufnahme des Penis. Seit *mhd* Zeit.
4. weibliche Person; versteht sich nach dem Vorhergehenden. 1800 *ff.*
5. eine ~ aufreißen = koitieren. ↗aufreißen 9. 1955 *ff.*
6. die ~ aufstellen = sich zum Beischlaf anschicken. *Vgl* ↗Büchse 3. 1920 *ff.*
7. die ~ ausleeren = harnen (von weiblichen Personen gesagt). ↗Büchse 3. 1900 *ff.*
8. laß die ~ zu! = prahle nicht! Wortspiel mit „aufschneiden": a) = mit dem Büchsenöffner aufschneiden; – b) = prahlen. 1930 *ff.*

Büchsenbeschau *f* amtliche Gesundheitsbesichtigung der Prostituierten. ↗Büchse 3. 1930 *ff.*

Büchsendeckel *m* **1.** Hymen; Schamlippen. ↗Büchse 3. 1930 *ff.*

2. Damenunterhose. 1930 *ff.*
3. Monatsbinde. 1930 *ff.*
Büchsenflickerei *f* Krankenhausabteilung für weibliche Geschlechtskranke. ↗ Büchse 3. 1935 *ff, sold.*
Büchsengeld *n* Bordellentgelt; Prostituiertenlohn. ↗ Büchse 3. 1900 *ff.*
Büchsenlicht *n* Sichtbarwerden der Damenschlüpfer unter leichten Sommerkleidern im Gegenlicht. Eigentlich die bei der Jagd zu sicherem Schuß ausreichende Helligkeit in der Morgen- oder Abenddämmerung; hier vermischt mit „Büchse, Büxe = Hose". *Stud* 1925 *ff.*
Büchsenmacher *m* **1.** töchterreicher Vater. Meint eigentlich den (Jagd-)Gewehrbauer. Hier bezogen auf „Büchse = Vagina". 19. Jh.
2. Frauenarzt. 1930 *ff.*
Büchsenöffner *m* **1.** Seitengewehr. Kann auch zum Öffnen von Konservendosen dienen. *Sold* in beiden Weltkriegen.
2. Panzerabwehrkanone. Sie öffnet die „↗ Konservenbüchse = Panzerkampfwagen". 1939 *ff, sold* bis heute.
3. Panzerjäger. *BSD* 1965 *ff.*
4. Prahler. ↗ Büchse 8. 1930 *ff.*
5. Penis. ↗ Büchse 3. 1930 *ff.*
6. Mädchenverführer. 1930 *ff.*
7. starkes alkoholisches Getränk; schwerer Wein; Süßwein. Mit seiner Hilfe kann man den Widerstand weiblicher Personen überwinden. 1930 *ff.*
8. US-Schokolade. Sie diente nach Kriegsende demselben Zweck wie das im Vorhergehenden Erwähnte. 1945 *ff, österr* und *dt.*
9. den ~ wetzen = onanieren. Wetzen = hin- und herbewegen; anschärfen. 1930 *ff.*
Büchsenreißer *m* Penis. ↗ Büchse 5. 1955 *ff.*
Büchsenschmied *m* töchterreicher Vater. ↗ Büchsenmacher 1. 19. Jh.
Büchsenschuster *m* Frauenarzt. ↗ Büchse 3. 1930 *ff.*
Büchsenspanner *m* **1.** Mann, der auf Liebesabenteuer ausgeht. ↗ spannen = belauschen. 1910 *ff.*
2. Amtlicher Kontrollarzt der Prostituierten. Spannen = beobachten. 1950 *ff.*
Büchsenspritzer *m* Geschlechtsverkehr. ↗ Büchse 3. *Österr* 1950 *ff.*
Büchsle *n* Mädchen. Verkleinerungsform von „↗ Büchse 4". *Oberd* 1955 *ff.*
Büchslmadam *f* Frau, die ihr Geld am Monatsanfang auf einzelne Blechdosen verteilt, um besser auszukommen. *Bayr* 1920 *ff.*
Buchstaben *pl* **1.** die fünf ~ = Gesäß. Nämlich die fünf Buchstaben des Wortes „Arsch". 19. Jh.
2. die vier ~ = Gesäß. Hier ist entweder „Popo" oder „Mors" gemeint. 19. Jh.
3. kack (scheiß) ~! = antworte oder laß deine Ansicht auf andere Weise erkennen! 1900 *ff.*
4. setz dich auf deine vier (fünf) ~! = setz dich nieder! 19. Jh.
Buchstabensalat *m* **1.** durch falsche Buchstaben unleserliches Wort. ↗ Salat. 1950 *ff.*
2. zwecks Geheimhaltung entstellte Buchstabenfolge. 1950 *ff.*
Bucht *f* **1.** Bett. Meint eigentlich den Schweinekoben oder den Verschlag; dann

auch die Bettstelle aus Holz und überhaupt den Schlafwinkel. 17. Jh.
2. kleine Stube. 1700 *ff.*
3. Koje; Zelle; Wahlzelle. 19. Jh.
4. Unterstand, Bunker. *Sold* 1914 *ff.*
5. Vulva, Vagina. Als Stall für den Penis aufzufassen. *Sold* 1939 *ff.*
6. liederliche Gesellschaft; Gesindel. Sie benimmt sich wie in einem ↗ Schweinestall. 1900 *ff.*
Buckel *m* **1.** Rücken. Meint eigentlich den Höcker. 18. Jh.
2. ~ am Hals = Kropf. 19. Jh.
3. das letzte Stück am ~ = Gesäß. 1920 *ff.*
4. etw auf dem ~ eines anderen austragen = für eine Neuerung einen anderen schädigen. Eigentlich Anspielung auf Prügel. 1960 *ff.*
5. jm den ~ blaufärben (blaumachen, blauschlagen) = jn verprügeln. 19. Jh.
6. sich den ~ krumm fahren = Lastwagenfahrer sein. Er sitzt gebückt über dem Lenkrad. 19. Jh.
7. jm den ~ fegen = jn prügeln. Fußt auf der volkstümlichen Gleichsetzung von Prügel und Reinigung. 1800 *ff.*
8. sich den ~ freihalten = sich die Bewegungsfreiheit für einen eventuellen Rückzug sichern. 1920 *ff.*
9. jm den ~ gerben = jn prügeln. ↗ gerben. 19. Jh.
10. einen breiten ~ haben = Widerwärtigkeiten ertragen können. Der breite Rücken hält viele Prügel aus. Breitschultrigkeit ist ein Zeichen von Körperkraft. 19. Jh.
11. jn auf dem ~ haben = für jn sorgen müssen. Hergenommen vom kleinen Kind, das man huckepack trägt. 1900 *ff.*
12. etw auf dem ~ haben = für etw die Verantwortung tragen. Die Verantwortung ist eine Bürde. 1900 *ff.*
13. den ~ nicht rein haben = schuldig sein. Man ist mit dem Rücken an die Wand gekommen und hat sich dabei eine Unsauberkeit auf dem Rücken zugezogen; man selber sieht sie nicht, wohl aber die anderen. 19. Jh.
14. den ~ voll Erfahrungen haben = ein vielerfahrener Mensch sein. Die Erfahrungen trägt man mit sich wie eine Last. 1930 *ff.*
15. den ~ voll Schulden haben = tiefverschuldet sein. 19. Jh.
16. siebzig auf dem ~ haben = siebzig Jahre alt sein. Auch Anspielung auf gebückte Körperhaltung. 1800 *ff.*
17. es hat hunderttausend auf dem ~ = das Auto ist hunderttausend Kilometer gefahren. Vom Menschen auf die Maschine übertragen, etwa seit 1920/30.
18. den ~ rein (sauber) halten = makellos zu bleiben suchen; Anrüchigkeiten aus dem Wege gehen. ↗ Buckel 13. 19. Jh.
19. den ~ herhalten (hinhalten) = der Verantwortliche sein; für etw die Verantwortung übernehmen; für Irrtümer o. ä. einstehen. Man hält den Rücken hin, um die verdienten Prügel entgegenzunehmen. 19. Jh.
20. dir juckt wohl der ~? = du willst wohl geprügelt werden? „Jucken" gilt als Vorahnung, als Vorzeichen, hier von Prügeln. Wohl aus der Antike übernommen (*lat* „totus dorsus prurit = der ganze Rücken juckt nach Schlägen"). 1500 *ff.*

21. jm auf den ~ kommen = jn prügeln. 1800 *ff.*
22. kratz mir den ~!: Ausdruck der Abweisung. Tarnrede für „Leck mich am Buckell". 1950 *ff.*
23. vorn einen ~ kriegen = schwanger werden. 1900 *ff.*
24. sich den ~ krummlachen = heftig lachen. Man biegt, krümmt sich vor Lachen. 19. Jh.
25. sich einen ~ lachen = kräftig lachen. *Vgl* das Vorhergehende. 1600 *ff.*
26. leck mich am ~!: Ausdruck der Abweisung. Entstellt aus „Leck mich am Arsch!". 1950 *ff.*
27. den ~ machen = sich verneigen. 19. Jh.
28. einen ~ machen = sich fürchten. Übernommen von der Katze. *Österr* 1950 *ff, rotw.*
29. einen krummen ~ machen = würdelos liebedienern. ↗ katzbuckeln. 19. Jh.
30. etw auf seinen ~ nehmen = die Verantwortung für etw übernehmen. ↗ Buckel 12. 1900 *ff.*
31. er kann mir den ~ runterrutschen (rauflaufen, raufsteigen o. ä.)!: derber Ausdruck der Abweisung. Gemeint ist: „Er kann mir am Arsch lecken!". 1800 *ff.*
32. rutsch mir den ~ runter, und wenn du unten bist, klingelst du!: Ausdruck der Geringschätzung. *Schül* 1950 *ff.*
33. er kann mir den ~ runterrutschen und mit der Zunge bremsen!: Ausdruck der Abweisung. ↗ Buckel 31. 1930 *ff.*
34. jm den ~ schmieren = jn prügeln. ↗ schmieren. 1700 *ff.*
35. den Letzten seinen ~ sehen = als Letzter ein Fest oder das Wirtshaus verlassen. 1900 *ff.*
36. jm auf den ~ steigen = jn prügeln. 1900 *ff.*
37. sich den ~ vollachen = herzhaft lachen. ↗ Buckel 24. 19. Jh.
38. jm den ~ vollhauen = jn prügeln. 19. Jh.
39. den ~ vollkriegen = Schläge (auf den Rücken) erhalten. 1800 *ff.*
40. jm den ~ vollschwindeln = jn dreist belügen. 19. Jh.
41. sich einen ~ vorgeschnallt haben = hochschwanger sein. Bekannt als Trick von Bettlerinnen. 1900 *ff.*
Buckelblau *n* Prügel. Gehört zu einem alten Scherzauftrag: „Lauf rasch zur Apotheke und hol' für einen Groschen Buckelblau!". 1850 *ff, nordd.* ↗ Buckel 5.
buckelfünferln *tr* **1.** jn ärgern, verärbeln. Fünferln = mit fünf Fingern schlagen. Hier wohl herzuleiten von der Pritsche, mit der man zum Scherz jm auf den Rücken schlägt. *Österr* 1920 *ff.*
2. du kannst mich ~!: Ausdruck der Abweisung. *Österr* 1920 *ff.*
buckeln *v* **1.** etw ~ = etw auf die Schulter nehmen; etw auf der Schulter tragen. ↗ Buckel 1. 18. Jh.
2. jn ~ = jm den Rücken waschen. Ruhrgebiet 1900, bergmannsspr.
3. *intr* = schwer arbeiten. 1900 *ff.*
4. *intr* = unterwürfig sein. Die Verbeugung als Untertänigkeitsgebärde. 1900 *ff.*
Bucke'lomini *m* buckliger Mensch. Durch „Buckel" umgeformt aus „↗ Pickelomini". 1850 *ff.*
Bucker *m* **1.** große, bunte, gläserne Kugel als Kinderspielzeug. Schallnachahmung:

wenn zwei solcher Kugeln zusammenstoßen, macht es „buck". 1950 *ff.*
2. Perle, Diamant o. ä. 1950 *ff.*
3. einen ruhigen ~ schieben = ohne Hast arbeiten; eine bequeme Arbeit haben. Analog zu „eine ruhige ↗ Kugel schieben" 1950 *ff.*
buckerln *intr* Verbeugungen machen. *Österr* 19. Jh.
Bücking *m* steifer ~ = Mensch mit steifem Rückgrat. Bück(l)ing ist der geräucherte Hering. Analog zu ↗ Stockfisch. 1900 *ff.*
bucklig *adj* **1.** unangenehm, widerwärtig (auf Menschen bezogen). Bucklige gelten als heimtückisch. 1800 *ff.*
2. sich ~ lachen = herzhaft lachen. ↗ Buckel 24. Etwa seit 1650.
3. sich ~ schaffen = schwer arbeiten. Von schwerer Arbeit kann man einen Buckel bekommen. 19. Jh.
Bückling *m* **1.** tiefe Verbeugung. 1600 *ff.*
2. jn ausnehmen wie einen ~ = jn rücksichtslos ausnutzen. Bückling = geräucherter Hering. 1920 *ff.*
Bucks *pl* (*dt* oder *engl* ausgesprochen) keine ~ haben = ohne Geld sein. Im US-Slang meint „buck" den Dollar. *BSD* 1965 *ff.*
Bückware *f* knappe Ware, unter dem Ladentisch hervorgeholt. Der Verkäufer muß sich nach ihr bücken, und dem Kunden ist sie obendrein eine Verbeugung wert. 1917 *ff.*
Buddel *f* **1.** Flasche, Schnapsflasche. Fußt auf *franz* „bouteille" und *ital* „bottiglia", beides = Flasche. 17. Jh, vorwiegend *nordd.*
2. Versager. Parallel zu ↗ Flasche. 1950 *ff, nordd.*
Buddelei *f* **1.** Tiefbauarbeiten; Grabung; Schanzarbeiten. ↗ buddeln 1. 1900 *ff.*
2. Begräbnis. 1900 *ff.*
3. Zechgelage. Gehört zu ↗ Buddel 1. 1914 *ff.*
4. Glasschrank, hinter dessen Scheiben Flaschen, Zierat u. ä. stehen. ↗ Buddel 1. *Nordd* 1960 *ff.*
5. Stöbern im Angebot des Modeladens, der Schlußverkäufe. 1960 *ff.*
Buddelkasten *m* Sandkasten. ↗ buddeln 1. 1900 *ff.*
Buddelkastenjargon *m* Sprache der vier- bis achtjährigen Kinder, voll drastischer Wendungen usw. 1925 *ff,* Berlin.
buddeln *intr* **1.** graben, wühlen. Ein *niederd* Wort, durch Berlin verbreitet; *vgl engl* „to puddle". 1700 *ff.*
2. Schanzarbeit verrichten. *BSD* 1965 *ff.*
3. archäologische Ausgrabungen vornehmen. 1900 *ff.*
4. zechen (mit kreisender Schnapsflasche). ↗ Buddel 1. 18. Jh, *nordd.*
Buddelplatz *m* Kinderspielplatz. ↗ buddeln 1. Berlin, 1900 *ff.*
Buddelprunk *m* überladene Verzierung einer Flasche. ↗ Buddel 1. 1960 *ff.*
Buddelschiff *n* Schiff in der Flasche. 1700 *ff.*
Bude *f* **1.** Zimmer; kleines Zimmer; eigenes Zimmer; Studentenzimmer; kleines Haus. Wohl übertragen von den Jahrmarkts- oder Messebuden, in denen Waren feilgehalten werden. 18. Jh.
2. Arbeitsstätte; Fabrik; Geschäftsbetrieb, Unternehmen o. ä. *(abf).* Seit dem späten 18. Jh.
3. Kaserne *(abf).* 1900 *ff.*

4. Kasernenstube. Seit dem späten 19. Jh.
5. Schulgebäude. 1900 *ff, schül.*
6. Klassenzimmer. 1900 *ff, schül.*
6 a. Klublokal, Party-Keller o. ä. *Schül* um 1970.
7. Fußballtor. Sein mit Drahtgitter überzogenes Balkengestell erinnert an die Jahrmarktsstände. 1950 *ff.*
8. Kabine. 1900 *ff.*
9. dufte ~ = a) behagliches Zimmer. ↗ dufte. 1920 *ff.* – b) Zimmer, in dem ein Mädchen Männer empfangen kann, ohne von den Vermietern gestört zu werden. *Rotw* 1922 *ff.*
10. garnierte ~ = möbliertes Zimmer. Teilübersetzung von *franz* „chambre garnie". 1900 *ff.*
11. kesse ~ = Gastwirtschaft (Vergnügungslokal) zweifelhaften Charakters (Verkehrslokal von Lesbierinnen u. ä.). ↗ keß. 1920 *ff.*
12. sturmfreie ~ ↗ sturmfrei.
13. suff-freie ~ = Lokal, in dem keine alkoholischen Getränke ausgeschenkt werden. ↗ Suff. 1939 *ff.*
14. süße ~ = Verkaufsstand für Süßigkeiten. 1920 *ff.*
15. ~ zu, Affe tot (krank)!: Ausdruck der Ablehnung. Leitet sich her von einer Jahrmarktsbude, deren Besitzer schließen muß, weil sein Affe krank oder tot ist. 1800 *ff,* Berlin.
16. jm die ~ über dem Kopf anzünden = jds Haus in Brand stecken. 1920 *ff.*
17. die ~ dichtmachen = das Lokal wegen Überfüllung (infolge polizeilichen Einschreitens) schließen. 1920 *ff.*
18. jm die ~ einlaufen (einrennen) = jn oft besuchen und ihm lästig fallen. 1900 *ff.*
19. mir fällt die ~ auf den Kopf = ich kann es in meiner Wohnung nicht länger aushalten, ich muß ins Freie. 1900 *ff.*
20. jm die ~ gradestellen = jn heftig zurechtweisen. Man schafft Ordnung im Zimmer, indem man alle Gegenstände an ihren Platz rückt. Zurechtrücken = zurechtweisen. 1920 *ff.*
21. es hagelt ihm in die ~ = ihn trifft ein arges Mißgeschick. Das Dach ist beschädigt. 19. Jh.
22. es regnet ihm in die ~ = a) ihm ergeht es schlecht; eine Sache hat für ihn unangenehme Folgen. 1750 *ff.* – b) er wird empfindlich zurechtgewiesen. 1900 *ff.*
23. es in die ~ regnen lassen = einem Familienzwist, einer heftigen Auseinandersetzung nicht ausweichen. 1900 *ff.*
24. jm auf die ~ rücken = jn aufsuchen (um einen Geldbetrag einzutreiben, eine studentische Forderung zu überbringen, eine Unterredung unter vier Augen zu führen o. ä.). 19. Jh.
25. ihm schneit es in die ~ = er sieht sich Widerwärtigkeiten gegenüber. 18. Jh.
26. die ~ steht Kopf = im Zimmer herrscht völlige Unordnung. 1920 *ff.*
27. jm auf die ~ steigen = a) jn zwecks Geldeintreibung u. ä. aufsuchen. 19. Jh. – b) jn besuchen (nur um des Besuchens willen). 19. Jh.
28. die ~ auf den Kopf stellen = a) das Zimmer umräumen. Man kehrt das Unterste zuoberst, läßt keinen Gegenstand auf seinem alten Platz. 1900 *ff.* – b) im Zimmer (Haus) ausgelassen toben. 1900 *ff.*
29. jm die ~ vollrotzen = jds Stellung

unter Beschuß nehmen. ↗ rotzen. *Sold* 1939 *ff.*
30. die ~ zumachen = den Geschäftsbetrieb einstellen. ↗ Bude 2. 19. Jh.
Budel (Budl) *f m* Verkaufstisch, Theke. Verkürzt aus „Budentisch" oder aus „Budentafel". *Bayr* und *österr* 1800 *ff.*
Budelhupfer (Budlhupfer) *m* Verkäufer hinter dem Ladentisch. Er hüpft hin und her, um die gewünschte Ware zu holen. *Österr* seit dem späten 19. Jh.
Budenangst *f* Angst vor häuslichem Alleinsein, vor Aufenthalt in geschlossenen Räumen. ↗ Bude 1. 1900 *ff, stud.*
Budenknochen *m* Mitstudent, der mit einem anderen das Zimmer teilt. ↗ Knochen. *Österr* 1950 *ff, stud.*
Budenkonzern *m* Studentenwohnheim. *Stud* 1961 *ff.*
Budennot *f* Mangel an Mietzimmern für Studenten. 1900 *ff.*
Buden-Tête-à-tête (Grundwort *franz* ausgesprochen) *n* gemütliches Beisammensein im Zimmer eines Studenten. 1960 *ff.*
Budenwirtin *f* Zimmervermieterin. 1900 *ff, stud.*
Budenzauber *m* **1.** Umstellung einer Zimmereinrichtung aus Ulk. *Stud* seit dem späten 19. Jh.
2. ausgelassene Gesellligkeit im eigenen Zimmer. 1920 *ff.*
3. Großangriff auf eine befestigte Stellung; Trommelfeuer. *Sold* 1939 *ff.*
4. Vorgehen der militärischen Vorgesetzten, der aus Schikane in der Soldatenstube das Unterste zuoberst kehrt. *Sold* 1939 *ff.*
5. Jahrmarktstreiben. Wegen der vielen Verkaufs- und Schießbuden. 1950 *ff.*
6. Aufscheuchung aus dem Schlaf mittels Lärms, Knallfröschen usw.; Ausgelassenheit in Schlafsälen. 1900 *ff, schül.*
7. interne Auseinandersetzung. *Sportl* 1970 *ff.*
Bu'dike (Bu'tike) *f* Geschäft, Gastwirtschaft, kleine Werkstatt. Fußt auf *franz* „boutique = Laden" und hat durch Einfluß von „Bude" das t in ein d verwandelt. 1840/50 *ff.*
Budiker *m* **1.** Kleinkaufmann. ↗ Budike. 1850 *ff.*
2. Gastwirt. 1850 *ff.*
3. Kantinenpächter. Seit dem späten 19. Jh.
Büffel *m* **1.** gewalttätiger Mann. Der Büffel ist ein kräftiges, massiges Horntier. 19. Jh.
2. kräftiger Mann ohne entsprechende geistige Gaben; grober Mann. 1700 *ff.*
3. sehr strenger, rücksichtsloser Vorgesetzter. Wie ein Büffel will er überall seinen Kopf durchsetzen; auch gegenüber Gleichgestellten ist er angriffslüstern. 1933 *ff.*
4. Sturmgeschütz. Wegen des schweren, tonnenförmigen Rumpfes. *Sold* 1939 *ff.*
5. wie ein ~ vorgehen = unbeirrbar, gewalttätig vorgehen. 19. Jh.
Büffelfleisch *n* Büchsenfleisch. Es stammt vermeintlich von einem Büffel, wahrscheinlich zäher Art. *Sold* 1939 *ff.*
büffeln *intr* mühsam Wissen sich aneignen; geistlos auswendiglernen; unter Mühen und mit wenig Verstand lernen. Hergenommen von der schweren Arbeit des Büffels als Zugtier; wohl auch beeinflußt von „buffen, puffen = schlagen" (mit Prügelandrohung oder -nachhilfe lernen). 15. Jh, vor allem *schül* und *stud.*

buffen v ↗puffen.

Büf'fet-Hyäne f Mensch, der sich bei feierlichen Empfängen auf die kostenlosen Delikatessen des Büffets stürzt. 1960 ff.

Büffler m lerneifriger Schüler, nicht ganz frei von geistlosem Auswendiglernen. ↗büffeln. 19. Jh.

Bügel m **1.** Penis. Gemeint ist vielleicht der Griff am Mann oder auch der Steigbügel zum „Besteigen". Vgl auch ↗bügeln = koitieren. 1900 ff. **2.** falschspielerisches Abheben der Karten (leichtes Einknicken der Karten, damit der betrügerische Mitspieler an der entsprechenden Stelle leicht abheben kann). 1962 ff. **3.** pack mich am ~!: Ausdruck der Abweisung. ↗Bügel 1. BSD 1965 ff.

Bügelanstalt f Kosmetiksalon. Wo die Gesichtsfalten geglättet werden. 1955 ff.

Bügelbrett n **1.** flachbusige weibliche Person. Das Bügelbrett ist ohne Unebenheiten. 1900 ff. **2.** Landungsboot. Die Bugklappe ähnelt dem Bügelbrett, das zum Gebrauch heruntergeklappt wird. BSD 1965 ff. **3.** Segelbrett, Surfbrett. Wegen der Formähnlichkeit. 1970 ff. **4.** ~ mit Warzen = flachbusige weibliche Person. 1940 ff. Vgl auch ↗BMW 1. **5.** ~ mit Zöpfen = flachbusiges Mädchen. 1910 ff. **6.** flach (platt) wie ein ~ = flachbusig. 1900 ff. **7.** Figur wie ein ~ = Frauengestalt ohne plastische Rundungen. 1900 ff. **8.** wie ein ~ sitzen o. ä. = steif, unzugänglich sitzen. 1950 ff.

Bügeleisen n **1.** Leichtgeschütz auf Schützenpanzer HS 30. Es schießt auch Zerlegermunition; ihre Sprengstärke kann Bäume zum Einsturz bringen; mit dem Geschütz kann man die Stämme der Bäume hart an der Wurzel durchschießen und also ein Waldstück flachbügeln. BSD 1965 ff. **2.** erigierter Penis. ↗bügeln = koitieren. 1910 ff. **3.** das ~ schwingen = in einer Sache ausgleichen. Wie man die Wäsche glattbügelt, so gleicht man auch Gegensätze aus. 1950 ff.

Bügeleisenseele f Mann in elegantem Anzug mit Bügelfalten. Er ist heutigen Halbwüchsigen unsympathisch, da er zu förmlich und in veralteten Bräuchen befangen ist. Halbw 1960 ff.

Bügelfreier m Stahlhelm. Fußt auf dem nach 1950 aufgekommenen Begriff der Textilindustrie als Übersetzung von engl „no iron". BSD 1965 ff.

bügeln tr **1.** trinken, zechen. Mittels alkoholischen Getränks glättet man die Sorgenfalten der Stirn. 1800 ff. **2.** jn prügeln. Mit Prügeln will man die charakterlichen Unebenheiten beseitigen. 19. Jh. **3.** jn überlegen besiegen. Niederlage = Prügel. Sportl 1950 ff. **4.** jn übel behandeln. 19. Jh. **5.** jn streng zurechtweisen. Fußt auf der Gleichsetzung von „Prügeln" und „Rügen". 1910 ff. **6.** jn einexerzieren. „Bügeln" steht in naher Verwandtschaft mit „↗schleifen". Sold 1939 ff. **7.** etw planieren, festtreten. 1900 ff.

8. koitieren. Von der Hin- und Herbewegung des Bügeleisens übertragen. 1900 ff.

Bugschuß m ernste Warnung. ↗Schuß 16. 1900 ff.

bugsieren tr jn durch eine Menge, an Hindernissen vorbei führen; jn irgendwohin bringen. Stammt aus der Schiffersprache und meint eigentlich „ins Schlepptau nehmen". 1800 ff.

buh interj Ausruf des Mißfallens. Eigentlich ein Scheuchruf. 1700 ff. Vgl engl „boo".

Buh n m Mißfallenskundgebung. 1950 ff.

Büha m Büstenhalter. Hieraus verkürzt. 1920/30 ff.

Bu'hei (Bo'hei) m Lärm, Durcheinander, Umstände, Aufsehen. Zusammengewachsen aus den Interjektionen (Scheuchrufen) „buh" und „hei" (oder „he"). 1700 ff. Vgl ndl „boehai = Lärm".

buhen intr sein Mißfallen äußern. ↗buh. 1900 ff.

Buh-Frau f **1.** weibliche Schreckgestalt. Weibliches Gegenstück zu ↗Buhmann 1. 1965 ff. **2.** von Frauenfeinden verunglimpfte Feministin. 1970 ff.

Buh-Konzert n vielstimmige Mißfallenskundgebung. 1950 ff.

Buhkuh f Kuh. Fußt kindersprachlich auf „buh", dem Laut der Kuh. 1700 ff.

Buhmann m **1.** Schreckgespenst, Kinderschreck. ↗buh. 1700 ff. **2.** schreckeinflößender Mann; verachteter Verantwortlicher. 1900 ff. **3.** Mann, der beim Publikum keinen Anklang findet. Man empfängt ihn mit „Buh-Rufen". 1950 ff. **4.** Mann, der öffentlich und laut seine Mißbilligung äußert. 1950 ff. **5.** den bösen ~ markieren (spielen) = Verrücktsein heucheln. ↗Buhmann 1. 1900 ff.

Bühne f **1.** Tischlerei der Fernsehanstalt. Bühne = Dekoration (theaterspr.). 1960 ff. **2.** etw über die ~ bringen = etw bewerkstelligen. Die Ausführung ist gleichgesetzt mit der Aufführung eines Theaterstücks. 1950 ff. **3.** es geht über die ~ = es wird verwirklicht, findet statt, verläuft nach Plan. 1900 ff. **4.** etw über die ~ kriegen = etw geschickt bewerkstelligen, durchsetzen. 1950 ff.

Bühnengewaltiger m Theaterdirektor. ↗Gewaltiger. 1900 ff, theaterspr.

Bühnenkiste (-kistl) f (n) Kiste als behelfsmäßiges Podest. Fernsehspr. 1900 ff.

Bühnenknüller m Bühnenstück, das sich lange in der Gunst des Publikums hält. ↗Knüller. 1950 ff.

Bühnenkrach m Schauspielerzwist auf der Bühne. ↗Krach. 1950 ff.

Bühnenlatein n Theatersprache. ↗Latein. 1920 ff.

bühnenreif adj jn (etw) ~ machen = jn (etw) gut vorbereiten; jn nachdrücklich einexerzieren. Es (er) wird so einstudiert, daß es (er) der Öffentlichkeit vorgeführt werden kann. Sold 1935 ff.

Buh-Rufe pl Mißfallensäußerungen in Versammlungen, Theatern o. ä. ↗buh. 1900 ff.

Buk m **1.** Kulturbeutel. Zusammengesetzt aus den Anfangsbuchstaben von Beischlaf-Utensilien- Koffer. 1930 ff. **2.** Sturmbeutel. BSD 1965 ff.

Buko m Kulturbeutel; (Wochenend-)Koffer. Zusammengesetzt aus Beischlaf-Utensilien-Koffer, auch als Bordfunker-Utensilien-Koffer. 1930 ff, schül, stud, sold u. a.

Büldung f Bildung. Klingt in den Ohren von Vornehmtuern besonders wertsteigernd. 1870 ff.

Bulette f **1.** kalte Frikadelle. Übernommen aus franz „boulette = Fleischklößchen" (eigentlich „Kügelchen"). Im frühen 19. Jh bei der Besetzung Berlins durch die Franzosen aufgekommen. **2.** pl = Frauenbrust. Wegen der Formähnlichkeit. 1950 ff. **3.** ~ mit Lenkstange = Rollmops. Die Lenkstange ist das Stäbchen, mit dem der Fisch zusammengehalten wird. Berlin 1930 ff. **4.** ausgebuffte ~ = in allen heiklen Dingen bewanderte, mit allen Tricks vertraute, auf ihren Vorteil bedachte weibliche Person. ↗ausgepufft. 1900 ff. **5.** ordentlich was auf den ~n haben = sehr stark, sehr schlagkräftig sein. Bulette nennt man auch den kräftigen Oberarmmuskel. 1960 ff. **6.** laß dem Kind die ~! = laß es ihm, wenn es ihm Vergnügen macht! laß ihm den Willen! nimm es ohne Widerrede hin! Berlin 1910 ff.

Buletten-Germane m Berliner; Preuße. Bayerisches Spottwort mit Anspielung auf die Berliner Spezialität der Buletten. 1955 ff.

Bulettenheini m Koch. ↗Heini. BSD 1965 ff.

Bulettenhengst m Küchenunteroffizier o. ä. ↗Hengst. Sold 1939 ff.

Buletteningenieur m Angestellter, der Kunden zum Essen führt. 1920 ff.

Bulettenkommode f Glasvitrine in Gastwirtschaften mit Eßwaren. 1930 ff, Berlin.

Bullauge n **1.** pl = große hervorstehende Augen. 1900 ff. **2.** After. Das „Auge" für den Penis des Homosexuellen. 1900 ff. **3.** forschender Blick des Kriminalpolizeibeamten. ↗Bulle 7. 1950 ff. **4.** die ~ lüften = einen Darmwind entweichen lassen. 1900 ff.

Bulle m **1.** Mann. Eigentlich das männliche Zuchtrind. Übertragen auf den kräftigen, breitschultrigen Mann, auch auf den ungeschlachten, plumpen sowie den gewalttätigen, eigensinnigen und leicht erregbaren Mann mit grimmigem Gesichtsausdruck. 15. Jh. **2.** kraftstrotzender Mann mit breitem Körperbau; beleibter Mann. 19. Jh. **3.** Schulhausmeister, Pedell. 1800 ff, stud und schül. **4.** Lehrer. 1950 ff. **5.** älterer, tonangebender Junge. Halbw 1920 ff. **6.** geschlechtlich sehr aktiver Mann. 1900 ff. **7.** Polizeibeamter, Kriminalpolizeibeamter; Leibwächter; Aufpasser. Wohl Anspielung auf den kräftigen Körperbau und beeinflußt vom lautähnlichen Wort „Polizei". Die Verwendung des Ausdrucks wurde 1965 in Bonn als Beleidigung aufgefaßt und mit 50 DM Geldstrafe geahndet; in Nürnberg entschied 1970 ein Amtsrichter, daß das Wort keine Beleidigung darstelle. Zum entgegengesetzten Urteil kam 1980 das Landgericht Essen. Im späten 19. Jh aufgekommen.

8. Beamter des Sittendezernats. 1920 *ff*, *prost*.

9. Feldjäger. *Sold* 1939 *ff* und *BSD*.

10. Kompanie-Feldwebel o. ä. *Sold* in beiden Weltkriegen und *BSD*.

11. schikanöser Ausbilder. *BSD* 1965 *ff*.

12. aufdringlicher, unabweisbarer Bittsteller. 1920 *ff*.

13. Penis. In der Viehzucht Bezeichnung für den Penis des Stiers. 1900 *ff*.

14. Lastkraftwagen. 1960 *ff*.

15. Transporthubschrauber. *BSD* 1965 *ff*.

16. ein ~ von Kerl = Mann mit plumpem Körperbau; ungeschlachter Tölpel. 19. Jh.

17. alter ~ = a) Draufgänger; tapferer Mann. 1935 *ff*. – b) altgedienter Soldat. 1935 *ff*.

18. dicker ~ = Zuhälter. 1900 *ff*.

19. dumpfer ~ = mürrischer Mann. Dumpf = moderig, muffig. 1960 *ff*, *schül*.

20. politischer ~ = Geheimdienstagent. 1950 *ff*.

21. schneller ~ = hochleistungsfähiges Motorrad. *Halbw* 1960 *ff*.

22. sich einen ~n aufladen = einen schweren Fehler (Irrtum) begehen; sein Unglück selbst verschulden. 1935 *ff*, *sold* und *ziv*.

23. vom ~n gebissen (gestoßen) sein = dumm sein. 1900 *ff*.

24. den ~n lecken = fellieren. ↗ Bulle 13. 1900 *ff*.

25. da leckst du den ~n!: Ausdruck der Überraschung. *Jug* 1950 *ff*.

26. einen großen ~n loslassen = ein rauschendes Fest veranstalten. 1850 *ff*.

26 a. einen ~n machen = sich aufspielen. Berlin, 1965 *ff*, *schül*.

27. gehen, wie der ~ pißt = ohne Richtung gehen; einem geschlängelten Weg folgen; torkeln. Harnt der Bulle beim Schreiten, entsteht eine nasse Zickzacklinie. 1900 *ff*.

28. scheißen wie ein ~ = umfangreich koten. *Sold* 1939 *ff*.

29. schnarchen wie ein ~ = heftig schnarchen. 1950 *ff*.

30. einen ~n schreiben = eine schlechte Arbeit schreiben. ↗ Bulle 22. *Schül* 1960 *ff*.

31. schwitzen wie ein ~ = stark schwitzen. *Sold* 1939 *ff*.

32. der ~ ist los = a) der Hosenschlitz steht offen. ↗ Bulle 13. 1900 *ff*. – b) der Penis ist erigiert. 1900 *ff*.

33. der große ~ ist los = man feiert ein rauschendes Fest. ↗ Bulle 26. 1900 *ff*, Berlin.

Bullenbeißer *m* **1.** kräftiger, derber Mann; scharf vorgehender Mann. Eigentlich ein Hund, der gegen Stiere gehetzt wird und sie beißt. 18. Jh.

2. Engländer; englischer Soldat. Fußt auf John Bull, dem figürlichen Sinnbild des englischen Volkes; in Karikaturen dargestellt als stämmiger, vierschrötiger Kerl. *Sold* 1939 *ff*.

Bullenbeißergesicht *n* grimmige Miene. 18. Jh.

Bullenburg *f* Junggesellenheim. ↗ Bulle 1. 1955 *ff*.

Bullenei (Bullen-Ei) *n* Fleischkloß, Bulette. Eigentlich der Hoden des Stiers. 1900 *ff*.

Bullenelevator *m* Aufzug im Bundeskri-

minalamt in Wiesbaden, im Landespolizeiamt Berlin. 1955 *ff*.

Bullenfunk *m* Polizeifunk. ↗ Bulle 7. 1960 *ff*.

Bullengesicht *n* vierschrötiges Gesicht. 1900 *ff*.

'Bullen'hitze *f* sehr große Hitze. 19. Jh.

'Bullen'kälte *f* große, übermäßige Kälte. 1900 *ff*.

Bullenkerl *m* kräftiger, starker, knochiger Mann. ↗ Bulle 16. 1900 *ff*.

Bullenkloster *n* **1.** Junggesellenwohnheim. Weibliche Personen haben keinen Zutritt: in dieser Hinsicht lebt man dort in klösterlicher Abgeschiedenheit. 1910 *ff*.

2. Kaserne, Soldatenheim. *BSD* 1965 *ff*.

3. Offizierslager, -kasino; Schulunterkunft für Offiziere. 1965 *ff*, *sold*.

Bullenmiege *f* hochprozentiges alkoholisches Getränk. Miege = Harn. 1960 *ff*.

Bullenpack *n* Polizeibeamte *(abf)*. ↗ Bulle 7; ↗ Pack. 1920 *ff*.

Bullenschau *f* **1.** militärärztliche Untersuchung auf Wehrtauglichkeit; Musterung. Meint in der Viehzucht die Vorführung der Bullen zwecks Prüfung der Körfähigkeit. 1930 *ff*.

2. militärärztliche Untersuchung auf Geschlechtskrankheiten. Bulle = Penis. 1930 *ff*.

Bullenschwanz *m* sehr großer (langer) Penis. 1910 *ff*. ↗ Schwanz.

Bullenseiche *f* Kaffeeaufguß. Seiche = Harn. Gemeint ist ein widerliches, unschmackhaftes Getränk. *Sold* 1939 *ff*.

bullensicher *adj* sicher vor Entdecktwerden durch die Polizei. ↗ Bulle 7. 1965 *ff*.

Bullenstaat *m* Polizeistaat. ↗ Bulle 7. 1950 *ff*.

Bullenstall *m* **1.** Polizeigefängnis; Haftanstalt; Arrestlokal. ↗ Bulle 7. Meint eigentlich den Stall für den Stier: Verbrecher wurden früher in solche Ställe gesperrt. 1600 *ff*.

2. Gebäude der Kriminalpolizei. 1920 *ff*.

3. Vernehmungszimmer der Kriminalpolizei. 1920 *ff*.

4. Hosenschlitz des Mannes. ↗ Bulle 13. 1900 *ff*.

Bullenviertel *n* Stadtteil, der von Prostituierten als Lauf- oder Wohngegend bevorzugt wird. Mit „Bulle" kann der Prostituiertenkunde gemeint sein, auch der Zuhälter und schließlich auch der Polizeibeamte auf Streife durch das Viertel. 1900 *ff*.

Bullenwinkel *m* Bedürfnisanstalt für Männer. Bulle = Mann. *Vgl* auch „↗ pullen = harnen". Seit dem späten 19. Jh.

Bullenzwinger *m* Studentenwohnheim. 1960 *ff*, *stud*.

Buller *m* Penis. Meint eigentlich den Penis des Stiers. *Vgl* auch „↗ pullen = harnen". *Nordd* 1930 *ff*.

Bullerballa (Bullerballer) *m* polternder, lauter Mann. „Bullern" wie „ballern" meint „poltern". 1900 *ff*.

Bullerbüchse *f* gefährlicher Fußballstürmer. Früher Bezeichnung für ein schweres Geschütz („Donnerbüchse"). 1950 *ff*.

Bullerloge *f* obere Sitzreihe im Theater, auf der Tribüne eines Sportpalasts o. ä. Bullern = poltern, trampeln. Anspielung auf die Claqueure. Spätestens seit 1900.

bullern *intr* **1.** heftig klopfen, schlagen, pochen; lärmen, poltern. Im 15. Jh im Niederdeutschen aufgekommen als Entspre-

chung zu „poltern"; verwandt mit „bellen".

2. schimpfen. 1700 *ff*.

3. schießen. Schallnachahmend für ein dumpfes ↗ ballern. 1914 *ff*.

Bullerofen *m* Ofen mit dumpf dröhnendem Feuer. 1900 *ff*.

Bulli *m* **1.** Polizeibeamter. Freundliche Bezeichnung. 1965 *ff*.

2. Schulleiter. 1970 *ff*, *schül*.

3. Catcher. ↗ bullig 1. 1970 *ff*.

bullig *adj* **1.** schwerfällig; breit gebaut; grob; grimmig blickend; wütend. ↗ Bulle 1. 19. Jh.

2. gewichtig. *Schül* 1950 *ff*.

3. ~ warm = drückend warm. ↗ bullenheiß. 1920 *ff*. *Vgl* engl „bully = sehr".

Bulljong- ↗ Bouillon-.

Bumbum *n* Gewehr. „Bum" ist Tonwort für den dumpfen Klang. 1960 *ff*, *sold*.

Bumfiedel (Bummfiedel) *f* große Baßgeige; große Trommel. „Bum" gibt den tiefen Ton wieder. 1900 *ff*, *nordd*.

bumfiedeln *intr* **1.** koitieren. Analog zu ↗ geigen. 1900 *ff*, *nordd*.

2. Tanzveranstaltungen besuchen; ausschweifend leben. 1900 *ff*, *nordd*.

Bummel *m* **1.** langsamer Spaziergang; Schlendern; repräsentativer Vormittagsspaziergang der Verbindungsstudenten (auch der Gymnasiasten) auf der Promenierstraße. ↗ bummeln 1. 19. Jh.

2. üblicher Spazierweg. 19. Jh.

3. reichlicher Wirtshausbesuch. ↗ bummeln 3. 1900 *ff*.

4. Penis. Ablautende Nebenform von ↗ Bammel 2. Seit dem frühen 20. Jh.

5. auf den ~ gehen = a) mehrere Lokale aufsuchen. 1900 *ff*. – b) auf den Straßen auf Männerfang ausgehen. 1900 *ff*, *prost*.

Bummelaktion *f* Dienst nach Vorschrift; Dienstausübung ohne besondere Schnelligkeit und ohne Übereifer. ↗ bummeln 4. 1960 *ff*.

Bumme'lant *m* **1.** langsam tätiger Mensch. Entstanden aus Anfügung der *lat* Endung „-ant" an „bummeln". Seit dem ausgehenden 19. Jh.

2. verspätet eintreffender Arbeitnehmer; Arbeitnehmer, der häufig seiner Arbeitsstelle fernbleibt; Arbeitsscheuer; Müßiggänger. Seit dem späten 19. Jh.

3. Nachtschwärmer, Vergnügungssüchtiger. 1900 *ff*.

4. saumseliger Schüler. 1900 *ff*.

5. Student, der den Abschlußprüfungstermin von Mal zu Mal verstreichen läßt. 1920 *ff*.

6. Langsamfahrer. 1930 *ff*.

Bummelbahn *f* Nebenbahn. 1900 *ff*.

Bummelboulevard *m* Promenierstraße. 1960 *ff*.

Bummeldienst *m* langsame und peinlich genaue Dienstausübung. ↗ bummeln 4. 1960 *ff*.

Bummelei *f* **1.** Saumseligkeit, Langsamkeit, Unpünktlichkeit, Unordnung. ↗ bummeln 1. 19. Jh.

2. Nichtstun. 19. Jh.

3. unentschuldigtes Fernbleiben von der Arbeitsstelle. 1900 *ff*.

4. übertrieben genaue Dienstausübung zwecks Erzielung besserer Arbeitsbedingungen. 1960 *ff*.

bummelig *adj* **1.** langsam, saumselig. ↗ bummeln 1. 19. Jh.

2. arbeitsscheu. 19. Jh.

3. nachlässig, vernachlässigt. 1900 *ff.*

Bummelkleid *n* bequemes Tageskleid. 1970 *ff.*

Bummelkorso *m* Promenierstraße. 1960 *ff.*

bummeln *intr* 1. langsam gehen oder tun; schlendern; müßiggehen; langsam arbeiten. „Bummeln" meint ursprünglich soviel wie „sich schwerfällig hin- und herbewegen", etwa wie eine Glocke, deren tiefen Ton „bum" nachahmt. Aus dem Begriff des Schwankens entwickelt sich die Bedeutung „schlendern". Etwa seit der Mitte des 18. Jhs.
2. als Arbeitsloser untätig umhergehen. 1920 *ff.*
3. Lokal nach Lokal besuchen; ausschweifend leben. 19. Jh.
4. „Dienst nach Vorschrift" versehen; langsam, peinlich genau arbeiten und keinerlei Übereifer entwickeln; nur soviel arbeiten, daß man ausreichend beschäftigt ist; bei unbedeutender Unpäßlichkeit dem Dienst fernbleiben usw. Eine Art passiven Widerstands zum Zweck der Erzielung verbesserter Arbeits- und Gehaltsbedingungen. 1960 *ff.*

Bummelpiste *f* Piste für Skianfänger. 1960 *ff.*

Bummelpromenade *f* Fußgängerbereich in Großstädten. 1965 *ff.*

Bummelreise *f* reichlicher Lokalbesuch. 1900 *ff.*

Bummelschicht *f* langsam abgeleistete Arbeitsschicht. 1960 *ff.*

Bummelstrecke *f* Verkehrsstrecke, die keine Schnellverbindung ermöglicht. 1965 *ff.*

Bummelstreik *m* langsame, peinlich genaue Dienstausübung; Dienst nach Vorschrift. ↗ bummeln 4. 1960 *ff.*

Bummelstudent *m* Student, der nachlässig studiert und den Zeitpunkt seiner Meldung zum Abschlußexamen immer erneut hinauszögert. 1920/30 *ff.*

Bummelweg *m* meistbegangener Spazier-, Promenierweg in einer Stadt. 1960 *ff.*

Bummelzone *f* Fußgängerbereich. 1965 *ff.*

Bummelzug *m* Nahverkehrszug der Eisenbahn (hält an jedem Bahnhof). Seit dem letzten Drittel des 19. Jhs.

Bummerl I *m* 1. Stier. Gehört zu „Pummel = draller, untersetzter Mensch". *Bayr* 1800 *ff.*
2. sehr dicker Mensch. Fußt entweder auf dem Vorhergehenden oder auf „Bombe". *BSD* 1965 *ff, bayr.*
3. unnachgiebiger Mann. Er ist starrsinnig wie ein Stier. *Bayr* 1900 *ff.*

Bummerl II *n* 1. Mädchen vom Lande. ↗ Pummel. *Bayr* 1900 *ff.*
2. Verlustpunkt beim Kartenspiel. Er trifft den Verlierer schwer wie eine kleine Bombe. *Österr* 1900 *ff.*
3. Tortreffer. *Sportl* 1920 *ff, österr.*
4. Person, die schuldlos für andere leiden muß. *Österr* 19. Jh.
5. Beischlaf. *Österr* 1920 *ff.*

Bummfiedel *f* ↗ Bumfiedel.

Bummler *m* 1. arbeitsscheuer, an politischen Ausschreitungen teilnehmender Mann. ↗ bummeln 1. Mit den Unruhen des Jahres 1848 aufgekommen.
2. Müßiggänger; Mann in sehr abgenutzter Kleidung. Etwa seit dem 2. Drittel des 19. Jhs.
3. Mann, der nacheinander mehrere Gastwirtschaften aufsucht und zecht. 1900 *ff.*
4. saumseliger Schüler. 1900 *ff, schül.*

5. Student mit hoher Semesterzahl und ohne Abschlußexamen. 1900 *ff.*
6. Langsamfahrer. 1930 *ff.*

'bumm'voll *adv* völlig besetzt. ↗ bumsvoll. 19. Jh.

Bums *m* 1. kurzes dumpfes Geräusch; schallender Stoß; Zusammenprall. Ein Lautwort. 18. Jh.
2. laut entweichender Darmwind. 19. Jh.
3. schwerer Schlag; wuchtiger Hieb. Seit dem späten 19. Jh, auch boxerspr.
4. *pl* = Prügel. 1800 *ff.*
5. billigster Theaterplatz. Verwandt mit „↗ Trampellogge": um Beifall oder Mißfallen auszudrücken, stampft man mit den Füßen. 19. Jh.
6. öffentliches Tanzvergnügen; minderwertiges Lokal; kleine Gastwirtschaft. Hergenommen von der Musikkapelle mit „bumsender" Pauke o. ä. Kurz vor der Mitte des 19. Jhs aufgekommen.
7. Bordell. Bums = Stoß = „↗ Puff". 1800 *ff.*
8. Beischlaf. ↗ bumsen 11. 1920 *ff.*
9. Kraft, Energie, Durchschlagskraft; Stoßkraft im Fuß. Bumsen = stoßen, schlagen, hämmern. 1900 *ff, sportl.*
10. Arreststrafe, -lokal, -zelle. Die Zelle ist eine andere Art von verrufenem „Lokal". *Vgl* aber „Bulles = Gefängnis" (*rhein*); stammt aus *franz* „la police"). *Sold* seit dem späten 19. Jh.
11. vollautomatischer ~ = Gaststätte minderster Art. Automatisch wird man übervorteilt, automatisch setzt sich ein leichtes Mädchen an den Tisch, automatisch wird man betrunken gemacht, und automatisch wird man hinausgeworfen (wenn man kein Geld mehr hat). Nach 1945 aufgekommen (Berlin).
12. auf jeden ~ = unter allen Umständen. Bums ist das Geräusch, das bei einem Fall entsteht; von hier aus wird „Bums" mit „Fall" gleichgesetzt. Seit dem späten 19. Jh.
13. auf keinen ~ = unter gar keinen Umständen; nie. *Vgl* das Vorhergehende. 1880 *ff.*
14. den ~ im Bein haben = ein hervorragender Fußballspieler sein. ↗ Bums 9. 1920/30 *ff.*
15. einen ~ hinter der Platte haben = dumm sein. Mit „Platte" ist hier wohl die Stirn gemeint, und der „Bums" ist eine Gehirnerschütterung hervorgerufen. 1900 *ff.*

Bumsbar *f* Gaststätte mit williger Damenbedienung und traulichen Nischen. ↗ Bums 6. 1910 *ff,* Berlin.

Bumsbeat (*„-beat" engl* ausgesprochen) *m* Tanzkapelle. Zusammenhängend mit der Beatmusik. 1960 *ff, halbw.*

Bumsbetrieb *m* Vergnügungslokal. ↗ Bums 6. 1900 *ff.*

Bumsbude *f* 1. kleines, baufälliges Haus. 1920 *ff.*
2. Hotel. ↗ bumsen 11. 1960 *ff.*
3. ruchiges Lokal. ↗ Bums 6. 1960 *ff.*

Bumscafé *n* minderwertiges Café, in dem Prostituierte u. a. verkehren. ↗ Bums 6. 19. Jh.

bumsen *intr* 1. ein dumpfes Geräusch hervorbringen; dröhnend aufschlagen. Mit dem Ausruf „bums!" begleitet man ein Fallen. 18. Jh.
2. Granaten abfeuern. *Sold* in beiden Weltkriegen.

3. den Ball wuchtig treten. *Sportl* 1920 *ff.*
4. es hat gebumst = a) eine Bombe ist detoniert. 1939 *ff.* – b) zwei Fahrzeuge sind aufeinandergeprallt. 1930 *ff,* kraftfahrerspr.
5. dann hat's gebumst = dann ist die Geduld zu Ende; dann wird strenger verfahren. Meint wohl das Einschlagen einer „Bombe" (im übertragenen Sinne). Seit dem späten 19. Jh.
6. einen Darmwind laut entweichen lassen. 19. Jh.
7. es bumst = man zankt heftig. Man tritt laut auf, stampft vor Wut mit den Füßen usw. 1930 *ff.*
8. jn ~ in auf frischer Tat ertappen; jn verhaften. ↗ Bums 10. Verbrecherspr. und polizeispr. seit dem letzten Drittel des 19. Jhs.
9. jn ~ = jn zu einer Freiheitsstrafe verurteilen. ↗ Bums 10. 1900 *ff.*
10. jn ~ = jn betrügen. Man wird wohl mit Prügeln oder mit Prügelandrohung betäubt. 1940 *ff.*
11. *intr tr* = koitieren. Bumsen = stoßen; ↗ stoßen = koitieren. Spätestens seit 1900. Geläufig geworden erst nach 1950.
12. *intr tr* = homosexuell verkehren. 1950 *ff.*

Bumser *m* 1. dumpfes Geräusch eines fallenden Gegenstandes; Sturz; Knall; Zusammenstoß; Paukenschlag o. ä. ↗ bumsen 1. 1900 *ff.*
2. Artillerist. Wegen des dumpfen Klangs des Abfeuerns. Spätestens seit 1900.
3. Sprengstoffattentäter (in Südtirol); Bombenwerfer; Terrorist. Vielleicht schon seit 1848.
4. Leibwächter eines Gangsters. Er ist ein Schläger. 1920/30 *ff.*
5. Kraftfahrer, der zwecks Versicherungsbetrugs einen Auffahrunfall herbeiführt. 1930 *ff.*
6. Koitierender. ↗ bumsen 11. 1950 *ff.*
7. einen ~ machen = ein Auto anfahren. Kraftfahrerspr. 1930 *ff.*

Bumserei *f* 1. Schießerei. ↗ bumsen 2. 1914 *ff, sold.*
2. Geschlechtsverkehr. ↗ bumsen 11. 1950 *ff.*

'bums'fest *adv* unerschütterlich, unveränderbar. Es ist wie mit wuchtigen Hieben (↗ Bums 3) festgemacht oder auch durch solche nicht zu lockern. Seit dem späten 19. Jh.

'Bumsfest *n* ausgelassenes Fest; Gelage mit Geschlechtsverkehr. ↗ bumsen 11. 1935 *ff.*

'bumsfi'del *adj* sehr vergnüglich. ↗ Bums 6. 19. Jh.

Bumsgasse *f* Bordellstraße. ↗ Bums 7. 19. Jh.

Bumsgruppe *f* Tanzkapelle. ↗ bumsen 1. 1950 *ff.*

Bumshotel *n* Hotel, in dem man für wenige Stunden ein Zimmer mieten kann. ↗ bumsen 11. 1960 *ff.*

bumsig *adj* 1. stark, dick, aufgedunsen. Kann sich von einer Anhäufung von Blähungen herleiten oder gehört zu „↗ Bams = Bauch". Berlin 1870 *ff.*
2. ungeschickt, tölpelhaft. ↗ Bums 15. 1870 *ff.*
3. unnahbar, widerwillig, grob, abweisend. Der Betreffende scheint zu Prügeln ausholen zu wollen. 1900 *ff.*

4. minderwertig, anrüchig. ↗Bums 6. 1960 ff, halbw.

Bumskapelle f Tanzkapelle o. ä. ↗bumsen 1. 19. Jh.

Bumskavalier m Mann, der mit Vorliebe in minderwertigen Vergnügungsstätten verkehrt und sich entsprechend benimmt. ↗Bums 6. 1900 ff.

Bumskeller m **1.** kleines Vorstadtlokal im Keller; berüchtigte Gastwirtschaft. ↗Bums 6. 1835 ff. **2.** unbedeutendes Lebensmittelgeschäft im Keller. 1840 ff.

Bumskino n kleines Vorstadtkino. Fußt auf ↗Bums 6. 1920 ff.

Bumsklo n Abort ohne Wasserspülung. Der Kot trifft mit einem „Bums-"klang auf. 1920 ff.

Bumskneipe f **1.** Gastwirtschaft, in der auch leichte Mädchen u. a. verkehren. ↗Bums 6; ↗Kneipe. Seit dem späten 19. Jh. **2.** Klublokal der Halbwüchsigen. 1960 ff, halbw.

Bumsladen m **1.** anrüchiges Lokal. ↗Bums 6. 1950 ff. **2.** Chemiesaal. Schül 1965 ff.

Bumslandung f Landung mit hartem Aufsetzen. Das Flugzeug prallt heftig auf dem Boden auf. 1930 ff.

Bumslokal n minderwertiges Lokal mit Tanzbetrieb, mit weiblicher Bedienung, mit Tänzerinnen usw. ↗Bums 6. Etwa seit 1870.

Bumsmädchen n Prostituierte. ↗bumsen 11. 1950 ff.

Bumsmusik f Musik auf öffentlichen Bällen; Militärmusik; schlechte Blechmusik. „Bums" meint den Klang von Trommel und Pauke. Seit dem späten 19. Jh.

'bums'satt adj präd völlig gesättigt. „Bumsen" kann hier die Bedeutung von „schlagend stopfen; mästen" haben, aber auch das Aufstoßen meinen. 1900 ff.

Bumsschuppen m Party-Keller, Diskothek o. ä. ↗Bums 6. Halbw. 1965 ff.

'bums'still adj adv sehr still; plötzlich still. „Bums" entwickelt im Niederd auch die Bedeutung „augenblicklich". 1700 ff. Vgl ↗bumsen 1.

Bumstheater n kleine Vorstadtbühne; zweitrangiges Theater. ↗Bums 5. 1900 ff, Berlin.

bumstig interj Ausruf angesichts eines Gegenstands, der laut fällt. Erweitert von „bums". Westd 1900 ff.

Bumsvallera n **1.** lautes vergnügliches Leben und Treiben; Lärm als Begleiterscheinung der Belustigung. „Vallera" ist ein Ausruf der Heiterkeit. 1900 ff. **2.** Geschlechtsverkehr. ↗bumsen 11. 1950 ff.

'bums'voll adj präd völlig besetzt; überfüllt; völlig gesättigt. So dicht besetzt, als habe man die Leute mit Stockschlägen hineingetrieben. 1850 ff.

Bund m **1.** Bundeswehr. Eigentlich die Bundesrepublik Deutschland, vertreten durch die Bundesregierung (mitsamt den Ministerien) und den Bundespräsidenten. 1955 ff. **2.** mit dem ~ verheiratet sein = Bundeswehrsoldat sein. BSD 1955 ff.

Bündel n **1.** ungezogenes Kind. Eigentlich das Wickelkind. 18. Jh. **2.** ~ Elend = jammernder Mensch. Vgl ↗Haufen Elend. 1900 ff.

3. sein ~ schnüren = sich zur Reise, zum Weggang o. ä. fertigmachen; weggehen. Bezieht sich ursprünglich auf das Handwerksbündel des wandernden Gesellen. 1800 ff. Vgl franz „plier bagage" und „faire sa valise".

Bundesaufklärerin f Ruth Gassmann (durch den im Auftrag des Bundesgesundheitsministeriums gedrehten Aufklärungsfilm „Helga" bekannt geworden). 1970 ff.

Bundesberieselungskasten m Fernsehgerät. ↗berieseln 1. 1962 ff.

Bundesbuchhalter m Bundesfinanzminister. 1955 ff.

Bundesdoofi m allerdümmster Kerl. ↗Doofi. 1955 ff.

Bundesdorf n einstweilige Bundeshauptstadt Bonn (abf). 1949 aufgekommen, als Bonn zum provisorischen Sitz der Bundesregierung gewählt wurde.

Bundeseigentum n ~ nicht beschädigt = Fehlschuß; Zielscheibe nicht getroffen. Bis 1918 wurde in Preußen „Königliches Eigentum" nicht beschädigt; ab 1935 hieß es „Wehrmachteigentum nicht beschädigt". BSD 1960 ff.

Bundesgartenzwerg m Politiker, der in Bonn eine große Rolle spielen möchte. ↗Gartenzwerg. 1958 ff.

Bundesgeier m Bundesadler (Hoheitszeichen). Der „Adler" ist zum „Geier" gemindert worden, teils wegen der Stilisierung, teils wegen vermeintlicher Annäherung an den Begriff „Pleitegeier". BSD 1965 ff.

Bundesglotze f Fernsehgerät. ↗Glotze 1. 1960 ff.

Bundesgockel m Bundesadler. Ironische Geltungsminderung des Wappentiers: der König der Vögel ist zum Herrn des Hühnerhofs degradiert. 1950 ff.

Bundesheini m Bundesdeutscher. ↗Heini. 1955 ff.

Bundesjungfrau f Lorelei. Wohl weil die „Germania" nicht mehr in Kurs ist. 1955 ff.

Bundeskalfaktor m Bundesarbeitsminister. Kalfaktor ist eigentlich der Schulhausmeister sowie ein Mann, der in Gefängnissen zu Hilfsdiensten herangezogen wird. 1960 ff.

Bundeskicker pl bundesdeutsche Fußballmannschaft. ↗Kicker. 1960 ff.

Bundeskrawatte f Henkerseil. Euphemismus. Der Henker als „Krawattenmacher" ist schon 1916 bekannt. Österr 1930 ff.

Bundeslade f eisenbeschlagene Kiste zur Aufbewahrung wichtiger Papiere, die von einer Truppe ins Feld mitgenommen werden. Übernommen vom Kasten zum Aufbewahren der Gesetzestafeln usw. bei den Hebräern. Sold in beiden Weltkriegen.

Bundesliga f er ist auch nicht mehr in der ~ = er gehört nicht mehr zu den jüngeren Leuten. Die Spieler der Fußball-Bundesliga sind durchschnittlich 20 bis 30 Jahre alt. 1972 ff.

Bundespiaster m Ein-Schilling-Münze. Eigentlich Bezeichnung für die Währungseinheit in der Türkei u. a. Österr 1950 ff.

Bundespostillon m Bundespostminister. 1960 ff.

Bundesprovinzler m Bewohner einer Stadt der Bundesrepublik (ohne Hauptstadtrang). 1957 ff.

Bundesseefahrer m Angehöriger der Bundesmarine. 1960 ff.

Bundessenatorium n Abgeordnetenhaus

in Bonn. Zusammengesetzt aus „Bundessenator" und „Sanatorium", letzteres anspielend auf die vermeintlich erholsame Tätigkeit der Abgeordneten. 1970 ff.

Bundessepp m Sepp Herberger, der Trainer der bundesdeutschen Fußballmannschaft. Herberger war von 1936 bis 1964 Reichs- und Bundestrainer des Deutschen Fußball-Bundes. 1958 ff.

Bundestrainer m Parteivorsitzender. Eigentlich der Trainer der bundesdeutschen Nationalmannschaft. 1970 ff.

Bundestunke f die immer und überall gleiche Tunke, unterschiedslos serviert zu den verschiedensten Gerichten. Der untergegangenen „Reichseinheitstunke" nachgebildet. Das Fleisch darf wechseln, aber die Tunke bleibt unverändert. 1955 ff.

Bundesverblödungskiste f ~ (mit Idiotenröhre) = Fernsehgerät. Wortschöpfung von voreingenommenen Gegnern des Fernsehens; sie sprechen den Fernsehzuschauern jegliche kritische Stellungnahme ab. 1963 ff.

Bundesverdummungskasten m Fernsehgerät. 1964 ff.

Bundesvogel m Hoheitsadler der Bundesrepublik Deutschland. 1952 ff.

Bundeswehr-Camping n Felddienstübung. BSD 1965 ff.

Bundeswehreigentum n ~ nicht beschädigt = Fehlschuß. ↗Bundeseigentum. BSD 1965 ff.

Bundeswehrparasit m Zivilangestellter der Bundeswehr. Er gilt als übler Schmarotzer. 1965 ff, sold.

Bundeswehr-Wanderpreis m Soldatenliebchen. Wanderpreis ist eine sportliche Siegestrophäe, die vom besiegten Sieger auf den neuen übergeht. 1955 ff, sold.

Bundeswirtschaftswunderlichkeit f durch das „Wirtschaftswunder" der Bundesrepublik Deutschland aufgekommene Gesinnung der Begünstigten. 1965 ff.

Bundi (Bundy) m Bürger der Bundesrepublik Deutschland. Gemeldet als Jugendausdruck aus der Deutschen Demokratischen Republik, 1977.

Bunke m ungeschlachter Mann; übler Bursche. Geht zurück auf ndl „bonk = Lümmel". 1800 ff.

Bunker m **1.** Gefängnis, Arrestanstalt o. ä. Meint den Schutzbunker und seit dem Ersten Weltkrieg auch den betonierten Schutzraum. 1914 ff. **2.** Anzug-, Hosentasche. Sie ist ein Versteck für allerlei Habseligkeiten. Marinespr 1900 ff. **2a.** Person, die an unkontrollierbarer Körperstelle Rauschgift über die Grenze schmuggelt. 1970 ff. **3.** Kaserne. Soldaten empfinden sie als Arrestanstalt. 1960 ff, BSD. **4.** Schulgebäude. Schüler stufen sich als Gefängnisinsassen ein. 1960 ff. **5.** Klassenzimmer. 1960 ff. **6.** Chemiesaal. 1960 ff, schül. **7.** Garage. Halbw 1955 ff. **8.** Banktresor. 1960 ff. **9.** Party-Keller. Halbw 1960 ff. **10.** Bett. Eine andere Form von Schutzraum. 1920 ff. **11.** Versteck für Verfolgte. Man faßt es auf als uneinnehmbare Festung. 1940 ff. **12.** dufter ~ = modern eingerichtete Wohnung. ↗dufte. 1960 ff.

13. ~ bauen = das Kasernenbett vorschriftsmäßig herrichten. 1960 ff, sold.

14. einen ~ knacken = einen Bunker zerstören. ↗knacken. Sold 1939 ff.

Bunkerfest (-fete) n (f) Keller-Party o. ä. ↗Bunker 9. 1965 ff.

Bunkerheld m Prahler, Besserwisser. Mit seinen Ruhmestaten und seinem Wissen prahlt er von sicherer Stelle aus; aber er versagt, wenn es Ernst wird. Sold 1939 ff.

bunkern tr **1.** Alkohol trinken; sich betrinken. Stammt aus der Seemannssprache, wo es „Treibstoff übernehmen" bedeutet. Jug 1955 ff.

2. essen. 1920 ff.

3. etw verstecken. ↗Bunker 2. 1950 ff.

4. einen Entführten verstecken. 1977 ff.

Bunny (engl ausgesprochen) n kleines Kind; Kosewort unter Heranwachsenden. Bedeutet im Engl „Kaninchen" und steht also in Analogie zu ↗Häschen. Halbw 1960 ff.

bunt adv **1.** da geht es ~ zu (her) = da geht es ausgelassen, ungeordnet her. Bunt = mannigfach, abwechslungsreich. 17. Jh.

2. es wird ihm zu ~ = es wird ihm unerträglich. Aus „vielfarbig" entwickelt sich die Bedeutung „wirr". 1700 ff.

3. ihm wird es ~ vor den Augen = er fällt in Ohnmacht; ihm verwirren sich die Sinne. Wer ohnmächtig wird, hat bisweilen seltsam bunte Farbeneindrücke. 1700 ff.

4. es zu ~ machen (treiben) = im Verhalten über das erträgliche Maß hinausgehen. 1500 ff.

Buntguckkasten m Farbfernsehgerät. 1966 ff.

Buntkarierte pl Bett. Hergenommen vom karierten Bettzeug, wie es früher im ländlichen Haushalt üblich war. 1920 ff.

buntscheckig adv ~ reden = unverständig, unverständlich reden. Analog zu ↗kariert. 1910 ff.

Burg f **1.** eigenes Zimmer; eigene Wohnung. Wohl beeinflußt von engl „my home is my castle". Halbw 1955 ff; aber im frühen 20. Jh kundenspr.

2. Party-Keller. Halbw 1955 ff.

Bürger m ~ in Uniform = Angehöriger der Bundeswehr. Vom Zivilisten soll sich der Soldat nur durch das Tragen der Uniform unterscheiden. 1955 ff.

Bürgerablage f Badeplatz, an dem die Badenden sich gelagert haben. Nach dem Vorbild der Kleiderablage gebildet. Berlin 1960 ff.

Bürgerbrief m **1.** Gefängnisentlassungsschein. Eigentlich die Urkunde über die Verleihung des Bürgerrechts. 1900 ff, verbrecherspr.

2. die dem Soldaten bei seiner Entlassung ausgestellten Papiere. Sold 1939 ff.

Bürgerkrieg m **1.** Kampf des Staatsbürgers mit den Behörden. 1920 ff.

2. stiller ~ = Straßenverkehrschaos. 1960 ff.

Bürgerschreck m **1.** Finanzbeamter, der die Einkommensteuer festsetzt. 1920 ff.

2. amtlicher Bücherrevisor. 1920 ff.

3. Jugendlicher, der Bürger schockiert; „Systemüberwinder". 1966 ff.

Bürgerspeck m ~ ansetzen = nach sozialistischer Vergangenheit zu bürgerlichen Ansichten und Lebensgewohnheiten übergehen. 1958 ff.

Bürgersteig m **1.** den ~ befühlen = auf dem Bürgersteig zu Fall kommen. 1960 ff.

2. da werden abends die ~e hochgeklappt = das ist eine langweilige Stadt, in der abends keine Leute auf den Straßen zu finden sind. Mutet wie ein Ostfriesenwitz an. 1968 ff.

Bürgersteig-Kurtisane f Straßenprostituierte. 1959 ff.

Burgundernase f Trinkernase. Sie ist blaurot gefärbt, erinnert an Burgunderrot und rührt angeblich von vielem Rotweingenuß her. Seit den frühen 20. Jh.

Büro n **1.** Abort. Auch dort verrichtet man seine „Arbeit" im Sitzen. 1900 ff.

2. Stammlokal. Soll auf der Ausrede des Ehemanns beruhen, „ich habe noch im Büro zu tun", während er in Wirklichkeit im Wirtshaus sitzt. 1960 ff.

Bürobiene f nette junge Büroangestellte. ↗Biene. 1955 ff, halbw.

Büro-Bleiche f Stubenfarbe der Haut. 1971 ff.

Bürobombe f nette Büroangestellte. ↗Bombe 1. 1970 ff.

Bürobücherwurm m Buchhalter. ↗Bücherwurm. Er „frißt" sich durch die Geschäftsbücher. 1960 ff.

Büroburg f Bürohaus. Es ist eine Festung, die es zu verteidigen gilt. 1960 ff.

Bürodamenschule f Handelsschule. Schül 1960 ff.

Bürodatteln pl Hämorrhoiden. Man erwirbt sie durch sitzende Bürotätigkeit. 1910 ff, Berlin.

Büroehe f berufliches Zusammenarbeiten eines männlichen und einer weiblichen Büroangestellten. 1930 ff.

Büroflause f Vorwand des Geschäftsmanns für seine Frau, um vergnügliche Privatunternehmen zu verdecken. 1935 ff.

Bürohahn m Büroangestellter, Abteilungsleiter. Er herrscht wie der Hahn auf dem Hühnerhof. 1920 ff.

Büro-Kapitän m Kapitän im Verwaltungsdienst. 1960 ff.

Bürokasten m Bürohaus als nüchtern-sachlicher Zweckbau. ↗Kasten. 1960 ff.

Bürokirschen pl Hämorrhoiden. 1920 ff.

Büroklammer f weibliche Person im (Behörden-)Geschäftszimmer (abf). Sie wirkt nüchtern und sachlich wie eine Büroklammer und klammert sich an die Bürotätigkeit. 1930 ff.

Büroklatsch m mißgünstiges Gerede über Büromitarbeiter(innen). ↗Klatsch. 1930 ff.

Büroklavier n Schreibmaschine. 1950 ff.

Bürokram m Büroarbeit (abf). ↗Kram. 1930 ff.

Bürokratensilo m Verwaltungshochhaus. Da sind die Bürokraten auf Vorrat eingelagert. 1955 ff.

Bürokratieverdrossenheit f Bürgerunmut über zunehmende Verwaltungsmacht. 1975 ff.

Bürokratius m **1.** Sankt ~ = Verwaltungsbürokratie. Ein von Otto Ernst in „Flachsmann als Erzieher" 1901 erfundener Heiliger nach dem Vorbild von Bonifazius, Pankratius usw.

2. Heiliger ~! = a) scherzhafte Anrufung gelegentlich einer Unbegreiflichkeit der Verwaltung. 1901. b) engherziges Beamtenwesen; Schwerfälligkeit und schematisches Vorgehen der Behörden. Seit dem frühen 20. Jh.

3. den Heiligen ~ verehren = Büroarbeiten verrichten. 1950 ff.

Bürokratur f selbstherrliche Übermacht der Verwaltung. Zusammengesetzt aus „Bürokratie" und „Diktatur". 1955 ff.

Bürolandschaft f Großraumbüro. 1977 ff.

Büromaschine f langjährige, ältliche Sekretärin. Sie verrichtet ihre Arbeit seelenlos wie eine Maschine. 1920 ff.

Büromaus f junge Büroangestellte. ↗Maus. 1960 ff.

Büro-Mieze f nette junge Büroangestellte, Schreibdame. ↗Mieze. 1960 ff.

Büropalme f **1.** Pflanze im Büro. 1920 ff.

2. ältliche Stenotypistin. Pflanzen in Büros vererben sich meistens fort und sind also oft recht alt. 1920/30 ff.

Büroratte f Büroangestellte(r) (abf). Man schätzt ihn (sie) ebensowenig wie eine Ratte. 1960 ff.

Büroschaffe f zentrale ~ = im Büro getrunkener Kaffee. Er ist ein allgemeines Büroereignis und eine Leistung, an der alle im Büro beteiligt sind. ↗Zentralschaffe. 1965 ff.

Büroschlaf m Unaufmerksamkeit von Büroangestellten; saumselige Bearbeitung von Akten; mehr oder minder langer Schlaf in den Arbeitspausen und auch während der Arbeitszeit. Eine Lebensweisheit behauptet, der Büroschlaf sei der gesündeste. 1920/30 ff.

Büroschwung m Büroangestellter. ↗Schwung. 19. Jh.

Bürostift m Bürolehrling, -angestellter. ↗Stift. Seit dem frühen 20. Jh.

Bürotier n unpersönlicher Büroangestellter. Er ist ein im Büro tätiges ↗Arbeitstier. 1930 ff.

Bürotrine f ältliche Büroangestellte unangenehmen Charakters. ↗Trina. 1955 ff.

Bürotrottel m Büroangestellter, der nur für einfache Arbeiten taugt. ↗Trottel. Stehende Figur im Mainzer Karneval. 1966 ff.

Bürozahn m nette junge Büroangestellte. ↗Zahn 3. 1960 ff.

Bursche m **1.** bemooster ~ = Student mit hoher Semesterzahl. ↗bemoost 1. 18. Jh.

2. dicker ~ = schwerer Panzerkampfwagen. „Bursche" ist zur Sinnbildfigur von unverbrauchter Kraft geworden und dann auch auf Gegenstände bezogen. Sold 1939 ff.

3. geiler ~ = gut aussehender junger Mann. „Geil" meint hier soviel wie „sympathisch auf Mädchen wirkend", etwa im Sinne von „sexy". Schül 1960 ff.

4. hartnäckiger ~ = Zahn, der nur operativ entfernt werden kann. 1920 ff.

5. schwerer ~ = Schwerverbrecher; mehrmals Vorbestrafter. Seine Straftaten wiegen schwer. 1920 ff.

6. trockener ~ = a) Mann mit Mutterwitz. Trockener Witz, schlägt keine großen Wellen, ist nicht spritzig; er kommt auch ohne Alkohol zustande. 1900 ff. – b) Phlegmatiker. Er ist phantasielos und schwunglos. 1900 ff.

7. ein ~ von einem Baum (o. ä.) = ein starker, stämmiger Baum. ↗Bursche 2. 1900 ff.

Burschenkomment (Endung franz ausgesprochen) m Gesamtheit der studentischen Bräuche. 1700 ff.

Bürste f **1.** gleichmäßig kurzgeschnittenes Haar. Die Haare haben die gleiche Länge wie die einer Bürste, auch stehen sie eben-

so steil empor. Etwa seit der Mitte des 19. Jhs. *Vgl gleichbed franz* „la brosse".
2. kurzgeschnittener, stacheliger Oberlippenbart. Seit dem späten 19. Jh.
3. Schamhaare. 1900 *ff.*
4. Vulva, Vagina. 1900 *ff.*
5. freches, widersetzliches Mädchen. Es ist widerborstig. 1900 *ff.*
6. dreckige ~ = Prostituierte gemeinster Art. ↗ bürsten 3. 1920 *ff.*
7. flotte ~ = lebenslustiges junges Mädchen. ↗ flott. *Halbw* 1955 *ff.*
8. scharfe ~ = Mädchen, das intime Liebesbeziehungen unterhält. ↗ scharf. *Halbw* 1955 *ff.*
9. ihm steht die ~ = er ist wütend. Hergenommen vom Hund, dem sich die Nackenhaare sträuben. 1910 *ff.*
bürsten *tr* **1.** jn prügeln. Der Betreffende wird mit der Borstenbürste gescheuert; analog zu ↗ abreiben 1. Gehört zu der volkstümlichen Gleichsetzung von Reinigen, Prügeln und Rügen. 1500 *ff.*
2. jn tadeln, zurechtweisen. *Vgl* das Vorhergehende. 1700 *ff.*
3. koitieren. Anspielung auf die Hin- und Herbewegung (der Bürste). 1700 *ff.*
4. *intr* = eilen. Verkürzt aus „laufen wie ein ↗ Bürstenbinder". 19. Jh.
5. *intr tr* = trinken. Gehört entweder zu „Bursa" (*vgl* saufen wie ein ↗ Bürstenbinder") oder ist verkürzt aus „die Kehle bürsten". 16. Jh.
Bürstenbinder *m* **1.** Trinker. ↗ Bürstenbinder 6. 1900 *ff.*
2. fluchen wie ein ~ = heftig, unflätig fluchen. Die Bürstenbinder waren rauhe Gesellen und nicht überall beliebt. 1870 *ff.*
3. fressen wie ein ~ = viel essen. 19. Jh.
4. laufen (rennen) wie ein ~ = eilen; viel unterwegs sein. Bürstenbinder übten ihr Gewerbe im Umherziehen aus; sie waren flinke Gesellen. 19. Jh.
5. lügen wie ein ~ = dreist lügen. 1900 *ff.*
6. saufen (trinken) wie ein ~ = wacker zechen. Fußt auf dem mittelalterlichen Studentenleben: die Studenten wohnten gemeinsam in besonderen Häusern, die man nach dem Säckel (= bursa) „Burse" nannte. Die Gemeinschaft der Studenten war die „Burse"; ihre Hauptbeschäftigung beim Zusammensein war das „Bürschen" (= Trinken). Dies wurde von den Nichtstudenten mit „bürsten" verwechselt und schließlich für eine besondere Eigenschaft der Bürstenbinder gehalten. 1500 *ff.*
Bürstenfrisur (-haarschnitt) *f* (*m*) auf gleiche Länge kurzgeschnittenes Haar. 1900 *ff.*
Bürstentolle *f* Kurzhaarschnitt. ↗ Tolle. 1900 *ff.*
Busch *m* **1.** Truppenübungsplatz. Aus der Farmer- und Kolonisatorensprache übernommen im Sinne von „Dickicht, Urwald". *BSD* 1965 *ff.*
2. bei jm auf den ~ klopfen = bei jm vorfühlen; durch geschicktes Ausfragen etw zu ermitteln suchen. Stammt aus dem Jägerleben: durch Klopfen auf die Büsche treibt man das Wild (auch Vögel) aus dem Lager oder Versteck auf. 1200 *ff.*
3. jn aus dem ~ klopfen = jn bedrängen, zur Verantwortung ziehen. 1930 *ff.*
4. sich in die Büsche schlagen = sich entfernen. *Vgl* das Folgende. 1850 *ff.*
5. sich seitwärts in die Büsche schlagen

= a) sich heimlich entfernen. Stammt aus dem Gedicht „Der Wilde" von Johann Gottfried Seume (1801). Gegen 1830/40 geläufig geworden. – b) im Buschwerk die Notdurft verrichten. 1900 *ff.*
6. es ist etwas im ~ = es bereitet sich etwas vor; man steht vor einer Ent-, Aufdeckung. Versteht sich nach ↗ Busch 2. 1900 *ff.*
7. es ist keiner im ~ = es ist niemand mehr anwesend. 1920 *ff.*
8. jn in die Büsche zurücktreiben = jn zu primitiver Lebensform oder Darstellungsweise anhalten. Anspielung auf die Lebensgewohnheiten der Urmenschen, auch der Affen. 1920 *ff.*
9. sich in die Büsche zurückziehen = die Notdurft im Freien verrichten. 1920 *ff.*
buschen *intr* **1.** sich im Gebüsch verstecken. 19. Jh.
2. im Freien (hinter Büschen) harnen. 1910 *ff.*
3. im Freien nächtigen. 1910 *ff.*
4. im Grünen koitieren. 1910 *ff.*
Buschen *m* Blumenstrauß. *Oberd* 19. Jh.
Buschhemd *n* über der Hose getragenes Hemd. Es bildete zunächst einen Teil der Ausrüstung für die Tropen und wurde um 1935 allgemeine Sportmode.
Buschklepper *m* **1.** Waldhüter, Feldwächter. Meint eigentlich den Wegelagerer, der mit seinem Pferd hinter dem Busch den Reisenden auflauert. 1900 *ff.*
2. Parkwächter. 1959 *ff.*
3. alter liebeslüsterner Mann. 1930 *ff.*
Buschkrieg *m* Manöver. Eigentlich der Krieg in Urwaldgebieten, wie er vor allem durch den Vietnam-Krieg in die allgemeine Vorstellung gerückt ist. *BSD* 1967 *ff.*
Buschpanne *f* Ausnutzung eines vorgeblichen Motor- oder Reifenschadens zu einem zärtlichen Zusammensein im Grünen. ↗ Panne. 1930 *ff, halbw.*
Buschtrommel *f* Nachrichtenübermittlung von Mund zu Mund. 1950 *ff, jug.*
buschwärts *adv* sich ~ in die Seite schlagen = **1.** seitwärts davongehen. Umgestellt aus „sich seitwärts in die ↗ Büsche schlagen". Seit dem späten 19. Jh.
2. austreten gehen. 1955 *ff, halbw.*
buseln *intr* **1.** gedankenlos arbeiten; mit der Arbeit nicht vorankommen. ↗ bosseln. 1500 *ff.*
2. gemächlich spazierengehen. 19. Jh.
Busen *m* **1.** intime Freundin eines Halbwüchsigen. Verkürzt aus ↗ Busenfreundin. *Halbw* 1955 *ff.*
2. ~ der Natur = Frauenbrust. 1960 *ff.*
3. am ~ der Natur = im Grünen, in freier Landschaft. 1900 *ff.*
3a. abendfüllender ~ = üppiger Busen. ↗ abendfüllend 1. 1960 *ff.*
4. hübscher ~ mit Kopf und Beinen dran = weibliche Person, deren üppig entwickelter Busen am stärksten auffällt. 1960 *ff.*
5. am ~ der Natur hocken = seine Notdurft im Freien verrichten. *Sold* 1939 *ff.*
Busenarchitekt *m* Schönheitschirurg, Spezialist für künstliche Erzeugung von Vollbusigkeit. 1940 *ff.*
Busenbändiger *m* Büstenhalter. 1930 *ff.*
Busenberg *m* Frau mit üppigem Busen. 1955 *ff.*
Busendiva *f* Filmschauspielerin, deren üppiger Busen eindrücklicher wirkt als ihr Spiel. 1960 *ff.*

Busenfeind *m* unbelehrbarer Gegner. *Vgl* das Gegenwort ↗ Busenfreund. 1850 *ff.*
Busenfeindin *f* entschiedene Gegnerin. 1900 *ff.*
busenfrei *adj* oberteilos (auf Badeanzug und Kleid bezogen). 1964 *ff.*
busenfreudig *adj* auf wirkungsvolle Hervorhebung des Busens bedacht. 1955 *ff.*
Busenfreund *m* **1.** naher Freund; enger Vertrauter. Man drückt ihn an den Busen, und der Busen gilt als Sitz der (herzlichen) Gefühle. 1700 *ff.*
2. Liebhaber eines Mädchens mit üppigem Busen. 1955 *ff.*
3. Mann, der die Zurschaustellung des Frauenbusens liebt. 1955 *ff.*
4. künstlicher Busen (als Teil der Bühnengarderobe). Theaterspr. 1920 (?).
Busenfreundin *f* **1.** enge Vertraute; bevorzugte Freundin. 1800 *ff.* ↗ Busenfreund 1.
2. Frau, die ihre Vollbusigkeit wirkungsvoll zur Schau stellt. 1955 *ff.*
busenfreundlich *adj* den Busen geschickt betonend (auf Kleider bezogen). 1955 *ff.*
Busenfreundschaft *f* enge Freundschaft. ↗ Busenfreund 1. 19. Jh.
Busengeld *n* **1.** Entgelt des Bordellbesuchers. Früher schob man es in den Busen. 1900 *ff.*
2. Geldgeschenk des Mannes an seine Geliebte. 1900 *ff.*
3. Eintrittspreis für sehr freizügige Vorstellungen. 1960 *ff.*
Busengröße *f* Filmschauspielerin mit üppig entwickeltem Busen. Hinsichtlich des Busens ist sie eine Fachgröße, nicht wegen ihrer schauspielerischen Fähigkeiten. 1960 *ff.*
Busenheuler *m* die Kauflust steigerndes Titelbild einer Illustrierten mit einem vollbusigen Mädchen. „Heuler" ist Übersetzung von *engl* „howler = Schlager, ‚Knüller' o. ä.". 1966 *ff.*
Busenknall *m* **1.** übermäßige Zurschaustellung des Busens durch enge Kleidung o. ä. ↗ Knall 1. = Verrücktheit. 1958 *ff.*
2. Vorliebe der Männer für die Frauenbrust. 1958 *ff.*
Busenkultur *f* weitverbreitete Wertschätzung und entsprechende Hervorhebung des üppigen Busens. 1955 *ff.*
Busenliga *f* Frauenfußballverein. 1970 *ff.*
Busenmadam *f* vollbusige Kellnerin. *Bayr* 1900 *ff.*
Busenpose *f* Körperhaltung, bei der die Brust wirkungsvoll zur Geltung kommt. 1962 *ff.*
Busenrolle *f* Bühnenrolle, bei der der üppige Busen wichtig ist. 1955 *ff.*
Busenschau *f* Schönheitskonkurrenz; Zurschaustellung üppiger Busenformen. 1955 *ff.*
Busenschlange *f* Frau, die mit ihrem üppig entwickelten Busen auf Männer zu wirken sucht. Die Schlange als Sinnbildtier der geschlechtlichen Verführung seit der biblischen Geschichte vom Paradies. 1935 *ff.*
Busentanz *m* Tanz mit unbekleidetem Busen. 1965 *ff.*
Busentierchen *n* Mädchen mit üppig entwickeltem Busen, aber geringer Intelligenz. 1960 *ff.*
Bu'sento *m* **1.** Busen. Leitet sich her von dem Gedicht „Das Grab im Busento" (1820) von August von Platen; es gehörte früher zum üblichen Lehrstoff des Gym-

nasien und wurde von Kabarettisten weidlich parodiert. Etwa seit 1900.

2. nächtlich am ~ lispeln = einer Frau nachts an die Brust sinken. Anfangsworte des im Vorhergehenden erwähnten Gedichts. 1920 ff.

Buserant m Homosexueller im Verkehr mit Knaben. Geht zurück auf *ital* „buzzerone = Buhlknabe". *Ital* „buggerare = der Knabenliebe frönen". *Österr* 19. Jh.

buserieren *intr tr* **1.** Päderastie treiben. ↗Buserant. 16. Jh.

2. zu-, aufdringlich sein. Wohl übernommen von Anbiederungsversuchen Homosexueller. *Österr* 1900 ff.

Buserin f Lesbierin. *Österr* 19. Jh.

Busfahrer m Führer eines großen Transportflugzeugs. Aufgekommen 1948 während der Berlin-Blockade und zunächst bezogen auf den Kapitän eines Kohlentransportflugzeugs.

Businale f n Filmfestspiele. Durch „Busen" umgestaltete „Biennale". 1960 ff.

Bus-Piesel m Omnibusschaffner, -führer, ↗Piesel. Berlin 1950 ff.

Bussel m n Kuß. *Südd* 1600 ff.

busseln *intr tr* küssen. Fußt auf dem Kinderwort „Buß = Kuß". Vorwiegend *südd;* 1600 ff.

Busser m Omnibusfahrer. 1960 ff.

Busserl n Kuß. ↗busseln. *Südd* 1600 ff.

busserln *intr tr* küssen. ↗busseln. *Südd* 1600 ff.

Bussi n Küßchen. ↗Bussel. *Südd* 19. Jh.

bussi-bussi machen küssen. ↗busseln *Südd* 19. Jh.

Buttarine f Margarine. Zusammengesetzt aus „Butter" und „Margarine", wodurch die Margarine veredelt wird. 1910 ff.

Buttcher m ↗Buttjer.

Büttel m **1.** Polizeibeamter. Eigentlich der Gerichtsbote, auch der Henkersknecht. 1900 ff.

2. Angehöriger der Wehrmachtstreife. *Sold* 1939 ff.

3. Rekrut. *BSD* 1965 ff.

4. Gemeindevorsteher. 1930 ff.

Bütten-As m erfolgreicher karnevalistischer Redner. Bütte ist das Faß, der Waschzuber; von da übertragen auf die büttenförmige Kanzel für Redner. 1900 ff.

Büttenkanone f hervorragender Karnevalsredner. ↗Kanone. 1950 ff.

Büttenrede f karnevalistische Rede. ↗Bütten-As. 1900 ff.

Butter I m Butter. Geschlechtsumkehrung. *Oberd* 1600 ff.

Butter II n Butterbrot (*pl* = Butters). Eine gängige Verkürzung in Norddeutschland und Westfalen. 1900 ff.

Butter III f **1.** ~ aufs Brot = Zusatzverdienst; Hauptanreiz. „Brot" ist der Arbeitsverdienst; die Butter ist das Zusätzliche. *Südd* 1850 ff.

2. ~ bei die Fische! = a) erst bezahlen und dann Ware! „Butter" meint hier das Entgelt. *Westd* 1850 ff. – b) das muß gut bezahlt werden! *Westd* 1850 ff.

3. wie ~ = a) spielend leicht; reibungslos. Hergenommen von der leichten Streichfähigkeit der Butter. 19. Jh. – b) feinfühlig, sehr empfindsam. Ein Herz „wie Butter" ist ein „weiches" Herz. 1800 ff. – c) energielos; nachgiebig; milden Sinnes. 1900 ff.

4. das geht ab wie ~ = das verkauft sich schnell. 1920 ff.

5. die ~ anstechen = nahrhafte Beziehungen anknüpfen; Liebesbeziehungen eingehen, die mit Familienanschluß und Einladungen zu den Mahlzeiten verbunden sind. Meint eigentlich „die Butter in einem Faß auf ihre Beschaffenheit prüfen". 1914 ff.

6. die ~ auf dem Brot behalten = sich nicht übertölpeln lassen. Man läßt sich das Beste nicht wegnehmen. 19. Jh.

7. ihm fällt die ~ vom Brot = a) er erschrickt, wird mutlos, ist sehr überrascht. 17. Jh. – b) ihm vergeht die Lust. 19. Jh.

8. mit der ~ nach oben fallen = Glück im Unglück haben. Beim Fall kommt das Butterbrot nicht auf die Butterseite zu liegen. 1900 ff.

9. ~ bei die Fische geben = zu einer Sache Wesentliches hinzufügen; Rede und Antwort stehen. *Westd* 1850 ff.

10. es geht wie ~ = es geht reibungslos vonstatten. ↗Butter III 3 a. 19. Jh.

11. jm nicht die ~ aufs Brot gönnen = mißgünstig sein. 1900 ff.

12. kaum die ~ auf dem Brot haben = geringes Einkommen haben. ↗Butter III 1. 1950 ff.

13. ~ in den Knien haben = vor Angst oder Schreck schwach werden. Die Beine versagen den Dienst, die Gelenke sind butterweich geworden. *Sold* 1939 ff.

14. ~ auf (an) dem Kopf haben = a) ein schlechtes Gewissen haben; nicht unbescholten sein; Reue zeigen. Hängt zusammen mit dem auf dem Kopf getragenen Korb, mit dem die landwirtschaftlichen Erzeugnisse zum Markt bringt. Hieraus entwickelt sich die mahnende Rede: „Wer Butter auf dem Kopf hat, soll nicht in die Sonne gehen". 19. Jh. – b) nicht recht bei Verstand sein. Hier wird wohl auf Gehirnerweichung angespielt. 1920 ff.

15. es kommt in ~ = es kommt in Ordnung. ↗Butter III 27. 1920 ff.

15a. es kommt ~ zum Fisch = man zieht die notwendige Folgerung. ↗Butter 9. 19. Jh.

16. jm zeigen, was die ~ kostet = jn in seine Schranken weisen. Dem Betreffenden wird der tatsächliche Wert der Butter klargemacht, damit er sie zu schätzen weiß und sie nicht verschmäht. 1920 ff.

17. da liegt die ~ neben dem Kamm = da herrscht große Unordnung. Spätestens seit 1870 geläufig.

18. jm die ~ vom Brot nehmen = jn übertölpeln; jm überlegen sein. 19. Jh.

19. sich die ~ nicht vom Brot nehmen lassen = sich nicht übertölpeln lassen. 1800 ff.

20. die ~ quälen = die Butter sehr dünn aufstreichen. 1900 ff.

21. rumrutschen wie ein Stück ~ auf der heißen Kartoffel = nicht stillsitzen. 19. Jh.

21a. es geht runter wie (warme) ~ = das leuchtet ein, wird ohne Widerspruch vernommen. 1970 ff.

22. merken, wo die Stulle nach ~ schmeckt = merken, wo man seinen Vorteil hat. Gemeint ist, daß sich herausstellt, bei welchen Leuten man die Brotschnitte bestrichen zu essen bekommt. 1960 ff.

23. schmelzen wie ~ im Hochofen = schnell hingerissen sein. 1966 ff.

24. du kannst nicht mal ~ schneiden, die vierzehn Tage in der Sonne gestanden hat = du bist sehr dumm. 1900 ff.

25. es ist nicht die ~ aufs Brot = es reicht kaum zum Lebensunterhalt. 1950 ff.

26. nicht aus ~ sein = harte Geschäftsmanieren haben. 1960 ff.

27. es ist alles in ~ = es verläuft alles reibungslos; alles befindet sich in der gewohnten Ordnung. Fußt auf der Beteuerung, daß alles mit Butter zubereitet werde und keinesfalls mit billigerem Fett. Hängt zusammen mit den Versuchen, eine billigere „Volksbutter" herzustellen, wie es Kaiser Napoleon III. befohlen hatte. Seit dem späten 19. Jh.

28. alles in ~, Herr Luther! = alles in Ordnung! „Luther" ist um des Reimes willen hinzugetreten. 1960 ff.

29. alles in bester (schönster) ~ = alles in bester Ordnung. 1920 ff.

30. es ist alles in ~, bloß die Füße sind im Käse = es ist alles in Ordnung. Die „Füße im Käse" sind Schweißfüße. 1955 ff.

31. sich in die ~ setzen = sich arg versehen; einen Mißerfolg verschulden. 1900 ff.

31 a. es spricht sich wie ~ = der Text spricht sich bequem und flüssig. Theaterspr. 19. Jh.

32. ~ stehen = Aufpasserdienste leisten. Fußt möglicherweise auf *zigeun* „budara = Tür; Wache vor der Tür"; doch kann mit „Butter" auch „Schmiere" als Brotaufstrich gemeint sein, und „Schmiere" bezeichnet auch den Aufpasser. Verbrecherspr. 1851 ff.

33. wie ~ an der Sonne stehen (bestehen) = bloßgestellt sein; sich schämen müssen; nicht Stich halten. 1500 ff.

34. ~ aufs Brötchen (Brot) verdienen = seinen Lebensunterhalt ausreichend verdienen. ↗Butter III 1. 1850 ff.

35. ihm wird die ~ ranzig = sein Vorhaben mißglückt; seine Absicht wird vereitelt. 1920 ff.

Butterberg m Überangebot von Butter; übergroßer Buttervorrat. 1960 aufgekommen, nachdem der „↗Schweineberg" vorausgegangen war.

Butterblume f steifer, ovaler Herrenstrohhut mit flachem Kopf und gerader Krempe. Wegen der Form- und Farbähnlichkeit. Seit dem späten 19. Jh mit der Mode aufgekommen.

Butterbrief m Unbedenklichkeitsbescheinigung. Meint ursprünglich den von einem katholischen Geistlichen ausgestellten Erlaubnisschein, in der Fastenzeit Butter zu essen. Beeinflußt von „es ist alles in Butter" (↗Butter III 27). 1950 ff.

Butterbrot n **1.** für (um) ein ~ = für geringes Entgelt; um eine Kleinigkeit; gegen eine geringwertige Gegenleistung. In geordneten Zeiten ist ein Butterbrot keine große Gabe. 1700 ff. *Vgl franz* „pour un morceau de pain".

2. es immer wieder aufs ~ kriegen = immer wieder dieselben Vorhaltungen zu hören bekommen. 18. Jh.

3. das ist kein ~ = das ist keine Kleinigkeit, nichts Erfreuliches. 19. Jh.

4. jm etw aufs ~ schmieren (geben) = jm etw vorhalten; es jm gedenken. 18. Jh.

5. sich ein ~ verdienen = sich mit kleinen Diensten bei jm einschmeicheln. 1700 ff.

6. sein ~ verdienen = seinen Lebensunterhalt verdienen. ↗Butter III 12. 19. Jh.

7. ~e werfen = mit Steinen über die Wasseroberfläche werfen. Vgl ↗buttern 7. 1700 ff.

Bütterchen *n* lecker belegtes Brot. Die Verkleinerungssilbe bewirkt hier eine kosewortähnliche Bedeutung. 1900 ff.

Butterfahrt *f* Fahrt in der Nord- oder Ostsee mit einem Passagierdampfer zu zoll- und steuerbegünstigtem Einkauf. ↗Butterkreuzer. 1970 ff.

Butterfront *f* **1.** nahrhafte Gegend außerhalb der deutschen Landesgrenzen und von deutschen Truppen besetzt. Dort herrschte Überfluß an Butter (die in Deutschland seit 1939 rationiert war). 1939 ff, sold.
2. deutsch-dänische Grenze. Anspielung auf den niedrigen Butterpreis in Dänemark. 1959 ff.

butterig *adj* weichlich von Charakter; leicht beeinflußbar. ↗Butter III 3c. 1900 ff.

Butterkremtaille *f* Beleibtheit. 1960 ff.

Butterkreuzer *m* Freihandelsschiff. Wegen des zoll- und steuerfreien Bord-Einkaufs. 1970 ff.

Butterlandung *f* glatte Flugzeuglandung. „Weich wie Butter = reibungslos". Fliegerspr. in beiden Weltkriegen.

Buttermilch *f* **1.** klar wie ~ = völlig einleuchtend. Ironie. 19. Jh.
2. aussehen wie ~ und Spucke (Käse) = elend aussehen. 19. Jh.
3. mit ~ schießen = milde vorgehen (auf die Polizei bezogen). 1925 ff.
4. und weinte ~ = und weinte bitterlich. Hieraus entstellt. Die Wendung geht zurück auf Matthäus 26, 75. Kartenspielerspr. 1900 ff.

buttern *v* **1.** *tr* = etw mit Butter bestreichen. 1920 ff.
2. *intr* = Butterbrote essen; frühstücken. Westd und westf seit 1920.
3. es buttert = es verschafft reichlichen Gewinn; es bringt viel ein; es gedeiht vortrefflich. Hergenommen vom Buttermachen, wenn sich die ersten Butterkügelchen zeigen. 1700 ff.
4. *intr* = eitern; Eiterschleim ansetzen. Es bildet sich eine gelb-weißliche Masse. 1900 ff.
5. *intr* = bettnässen. Österr 1920 ff.
6. *intr* = nachlässig arbeiten. Leitet sich her von nachgemäßem Vorgehen beim Buttern. 1800 ff.
7. *intr* = den Ball wuchtig stoßen. Im Sinne von „↗buttern 7" ist ursprünglich wohl der Flachstoß gemeint. 1920 ff.

12. Geld in etw ~ = Geld auf eine Sache verwenden; Geld zusetzen. ↗zubuttern. 1900 ff.

Butterpause *f* Frühstückspause. ↗buttern 2. Westd und westf 1920 ff.

Butterseele *f* gefühlvolle, leicht zum Weinen neigende weibliche Person; leicht beeinflußbarer Mensch. ↗Butter III 3b. 1800 ff.

Butterseite *f* **1.** vorteilhafte, gute Seite. Es ist die mit Butter bestrichene Seite der Brotschnitte. 1900 ff.
2. Vorderseite eines Gemäldes. 1900 ff. Soll von Max Liebermann geprägt worden sein.
3. vorteilhaftes Benehmen eines Menschen; Liebenswürdigkeit. 1920 ff. Vgl engl „to know on which side one's bread is buttered".
4. Schallplattenseite mit dem beliebten Musikstück. 1960 ff.
5. immer auf die ~ fallen = stets Glück haben. ↗Butter III 8. 1900 ff.

Butterstulle *f* **1.** mit Butter bestrichene Scheibe Brot. ↗Stulle. 1800 ff.
2. jn einwickeln wie eine ~ = jn völlig betören, beschwatzen. 1960 ff.
3. ihm ist schon als Kind die ~ gesegnet worden = ihm schlägt alles zum Glück aus. 1920 ff.
4. ~n schmeißen = flache Steinchen über die Wasseroberfläche werfen. ↗buttern 7. 19. Jh.

butterweich *adj* **1.** energielos, kraftlos, nachgiebig; entgegenkommend; leicht zu übertölpeln. 1800 ff.
2. rührselig, gefühlsweich; feinempfindsam. 19. Jh.

Butterzeit *f* Frühstückszeit. ↗buttern 2. 1920 ff, westd und westf.

Buttjer (Buttcher, Buttje) *m* Straßenjunge; kleiner Junge; Gelegenheitsarbeiter; Müßiggänger; Landstreicher. Verkleinerungsform von „Butt = kleinwüchsiger, gedrungener Mensch"; dadurch analog zu „↗Knirps". 1800 ff, nordd.

Butz *m* **1.** Polizeibeamter. Meint den Poltergeist und den Schreckgespenst, die ebenfalls „Butz" (Butzemann) heißen. Seit dem frühen 19. Jh.
2. Wachmann. 1900 ff.
3. aufsichtführender Lehrer. 1955 ff, schül.
4. Schulhausmeister. 1945 ff.
5. Kuß. ↗bützen. Westd 19. Jh.

Butze *f* **1.** Kasernenstube. Meint eigentlich den Verschlag, dann auch die Abteilung des Stalls für das Pferd sowie den Verschlag im Stall, in dem die Betten für die Knechte standen. Nordd 1960 ff, BSD.
2. Fußballtor. Nordd 1920 ff.

Butzemann *m* **1.** verhärteter Nasenschleim. ↗Butzen. 19. Jh.
2. Glaser. Er setzt die Butzenscheiben ein. 1880 ff.
3. kleiner Junge. Meint vor allem den gedrungenen. Gern als Kosewort verwendet. 1900 ff.
4. Kosewort für einen Mann. 1900 ff.

Butzen *m* **1.** dicker, runder Gegenstand; Klumpen. Die Grundbedeutung ist „abgeschnittenes Stück". 15. Jh.

2. verhärteter Nasenschleim. 1800 ff.

bützen *intr tr* küssen. Gehört zu *mhd* „butzen = stoßen", in der Sache verwandt mit „pussieren". Westd 19. Jh.

Butzerei *f* Polizei. ↗Butz 1. 1900 ff.

Bützerei *f* Küsserei. ↗bützen. Westd 19. Jh.

Butzerl *n* kleines Kind. ↗Butzen 1. Südd 19. Jh.

Buxe (Büx, Büxe, Bücks, Buchse, Botz u. ä.) *f* **1.** Hose. Zusammengewachsen aus „buckhose" (= Hose aus Bocksleder). 14. Jh.
2. runter mit der ~!: Aufforderung, die Karten aufzudecken. Der Kartenspieler soll sich entblößen. Kartenspielerspr. 1900 ff.
3. die ~ anhaben = im Hause herrschen. ↗Hose 14. 1600 ff.
4. jm die Büxen ausziehen = jm beim Kartenspiel das Geld abgewinnen. 1900 ff.
5. nun halt' die ~ fest!: Warnrede, wenn einer aufs Ganze geht. Kartenspielerspr. 1900 ff.
6. ohne ~ kommen = eine Dame, aber keinen König haben. Kartenspielerspr. um 1850.
7. ihm platzen die ~n = er läßt einen Darmwind entweichen. 1700 ff.
8. die ~n schonen = dem Unterricht unentschuldigt fernbleiben. Schül 1900 ff.
9. jm die ~n vollsohlen = jn verprügeln. ↗sohlen. 19. Jh.
10. laß die ~ zu! = betrüge uns nicht! hintergehe uns nicht! Wer die Hose nicht öffnet, kann den anderen auch nicht „↗bescheißen". Sold 1939 ff.

buxen *tr* etw heimlich entwenden. Gemeint ist wohl, daß man den gestohlenen Gegenstand in die Hosentasche steckt. Nordd 1700 ff.

büxen *intr* schnell laufen. ↗ausbüxen. 1800 ff.

Buxenbrummer *m* **1.** laut entweichender Darmwind. ↗Buxe 1. Nordd 1900 ff.
2. kleiner Junge. Analog zu „↗Hosenscheißer". 1900 ff, nordd.

Buxtehude On **1.** in ~ = in weiter Ferne; irgendwo. Die Stadt Buxtehude im Kreis Stade ist Schauplatz des Märchens vom Wettlauf zwischen dem Hasen und dem Igel. Wohl wegen der Leichtgläubigkeit des Hasen in der Buxtehuder Heide nahm man an, der Vorfall müsse sich in sehr weiter Ferne abgespielt haben. 19. Jh.
2. jn nach ~ wünschen = jn verwünschen. 19. Jh.

Buzzi *m n* **1.** intime Freundin; Geliebte. Hängt wohl mit „butzig = klein, niedlich, nett" zusammen oder mit „butzen = stoßen = koitieren". 1900 ff.
2. Junge, der sich gegen Entgelt homosexuell mißbrauchen läßt. ↗Butzemann 3 und 4. 1920 ff.

C

Café *n* 1. ~ Achteck = öffentliche Bedürfnisanstalt. Sie ist eine achteckige Rotunde. Berlin 1910 *ff*.
2. ~ Bückdich = sehr kleines, primitives Lokal. 1925 *ff*.
3. ~ Duckdich = sehr kleines, enges, einfaches Lokal. 1930 *ff*.
4. ~ Eichmann = ABC-Übungsraum. ↗ Eichmann. *BSD* 1965 *ff*.
5. ~ Gitterblick = Arrestanstalt. Anspielung auf die vergitterten Fenster. *BSD* 1965 *ff*.
6. ~ Größenwahn = Café Stefanie in München. Es war der Treffpunkt der Künstler und Literaten. 1900 *ff*.
7. ~ Hemdhoch = kleines anrüchiges Lokal. *Sold* 1939 *ff*.
8. ~ Knutsch = Café mit traulichen Ekken für Liebespärchen. ↗ knutschen. 1900 *ff*.
9. ~ Küss-mich = kleines Café, in dem sich Liebespärchen wohlfühlen. 1955 *ff*.
10. ~ Moll = Café mit stillen Ecken für Verliebte. ↗ mollen. 1900 *ff*.
11. ~ Ohneklinke = Arrestanstalt. Die Türen haben keine Klinken, sondern Riegel. *BSD* 1965 *ff*.
12. ~ Senkrecht = Mokka-Stube (Espresso-Bar) ohne Stühle. Man trinkt den Kaffee im Stehen. 1960 *ff*.
13. ~ Torschluß = Treffpunkt alleinstehender und anschlußsuchender Personen. ↗ Torschlußpanik. 1960 *ff*.
14. ~ Vaterland = Arrestanstalt. Hängt zusammen mit „Lieb Vaterland, magst ruhig sein", dem Kehrreimanfang des Lieds „Die Wacht am Rhein" von Max Schnekkenburger. *BSD* 1965 *ff*.
15. ~ Viereck = a) Polizeigewahrsam. Der Insasse geht im Viereck auf und ab. 1935 *ff*. – b) Arrestlokal. *Sold* 1939 *ff* bis heute.
16. ~ Wellblech = a) öffentliche Bedürfnisanstalt. Die Wände und das Dach sind mit Wellblech verkleidet. Seit dem frühen 20. Jh. – b) kleiner, aus Holz und Blech roh zusammengebauter Ausschank mit zwei oder drei Tischchen (auf Märkten, größeren Baustellen usw.). 1920 *ff*.
17. ~ Wuppdich = kleines Lokal von zweifelhaftem Ruf. „Wuppdich" spielt an auf schnelles Schließen einer Bekanntschaft mit willigen Mädchen. 1920 *ff*.
Callboy (*engl* ausgesprochen) *m* homosexueller Jüngling; junger Mann, der auf Anruf sich homosexuellem Verkehr zur Verfügung stellt; junger Mann, der auf Anruf zu Frauen zwecks Geschlechtsverkehrs kommt. Das Gegenstück zum „Callgirl". 1960 *ff*.
Campingbeutel *m* Kleid ohne Taille. Es umschließt den Körper wie ein Schlafsack. 1957 *ff*.
Campingbiene *f* leichtes Mädchen, das bedenkenlos mit einem jungen Mann im selben Zelt übernachtet. ↗ Biene. 1960 *ff*.
Campingkluft *f* Shorts und Baumwollpulli. ↗ Kluft. 1965 *ff*.
Canossa *On* nach ~ gehen = sich einer unangenehmen Verpflichtung entledigen in der Hoffnung auf günstige Nachwirkung. Fußt auf dem Bußgang Hein-

richs IV. im Januar 1077 zu Papst Gregor VII.
Capé *n* ↗ Kapee.
ca'pito? verstanden? Fußt auf *ital* „capire = verstehen". 1920 *ff*.
'Capo *m* ↗ Kapo.
Captain (*engl* ausgesprochen) *m* Hauptmann. 1965 *ff*, *BSD*.
Ca'racho *m* (*n*) 1. im vollen ~ (mit ~) = in rascher Fahrt; im Galopp; eiligst. Geht zurück auf *span* „carajo = Penis" (in Spanien flucht man mit „carajo") und ist beeinflußt von *dt* „Krach" mit angehängter O-Endung (wie „Tempo"). *Sold* in beiden Weltkriegen.
2. im hellsten ~ = sehr eilig. 1930 *ff*.
Ca'ramba *interj* Ausruf der Verwunderung, auch der Bewunderung. Fußt auf dem gleichlautenden *span* Verwünschungswort „Donnerwetter!". Seit dem späten 19. Jh bekannt, aber erst in und nach dem Ersten Weltkrieg geläufig geworden.
carte *f* 1. leben à la ~ = sich nicht ehelich binden; die Geschlechtspartnerin oftmals wechseln. Man wählt nicht das übliche Menü, sondern Einzelgerichte nach der Speisekarte. 1920 *ff*.
2. à la ~ reisen = nach eigener Art reisen. Man stellt sich die Reisestrecke nach eigenem Geschmack zusammen. 1970 *ff*.
Casanova *mot*. *m* Frauenheld, der vom Auto aus weibliche Personen anspricht und zur Mitfahrt einlädt. Namensgeber ist der *ital* Abenteurer Giacomo Girolamo Casanova (1730–1798). 1950 *ff*.
casanovern *intr* auf Liebesabenteuer ausgehen; ein intimes Verhältnis unterhalten. 1930 *ff*.
Cäsar *m* Rufname eines großen Hundes. 1920 *ff*.
Cäsarenfrisur *f* kurzgeschnittenes, nach vorn gebürstetes Haar. Nach dem Vorbild von Gajus Julius Cäsar (100–44 v. Chr.). Kurz nach 1945 aufgekommen.
Cascade-Schuppen *m* Beichtstuhl. Hängt zusammen mit dem Waschmittel „Cascade" und der Werbespruch „zwingt Grau raus, zwingt Weiß rein!". 1966, *jug*.
Cassius *m* 1. Großsprecher. Gemeint ist Muhammad Ali (Cassius Clay), Boxweltmeister im Halbschwer- und Schwergewicht; er gilt vielen als „Maulheld". 1965 *ff*, *BSD*.
2. der Größte, Stärkste (*abf*). 1965 *ff*.
Castro *m* Backenbart, Vollbart. Benannt nach dem vollbärtigen kubanischen Staatsoberhaupt Fidel Castro. 1957 *ff*, *halbw*.
casus *m* 1. ~ knacktus (knacksus) = entscheidender Beweisgrund. Mit ihm wird der Fall „geknackt". *Stud* 1950 *ff*.
2. ~ knusus = Hauptanliegen, Hauptschwierigkeit. „Knusus" ist aus ↗ knüsseln latinisiert. 19. Jh, vorwiegend *nordd*.
Caterer *m* Raupenschlepper. Verkürzt aus *engl* „caterpillar". *Schül* 1960 *ff*, *öster*.
Cellophan *n* noch in ~ verpackt = völlig neu; ungebraucht. *Halbw* 1960 *ff*.
Cerberus *m* Schulhausmeister. Benannt nach dem Höllenhund der griechischen Mythologie: ihm konnte keiner entrinnen. *Schül* 1870 *ff*.
Chacun (*franz* ausgesprochen) *m* jeder nach seinem ~ = jeder nach seinem Geschmack. Entstellt aus „chacun à son goût". 19. Jh. Von Berlin ausgegangen.

Chaise *f* ↗ Schäse.
Chamäleon *n* 1. charakterloser Mensch; unbeständiger Mensch; Opportunist. Er ähnelt der Echse, die ihre Hautfarbe der Umgebung anpassen kann. 1800 *ff*.
2. Transvestit. Er trägt mal Damen-, mal Herrenkleidung. 19. Jh.
Chammer *m* Dummer. Geht zurück auf *jidd* „chamor = Esel": der Esel gilt als dumm. 18. Jh.
Champagnerrede *f* schwülstige, aber geistarme Rede. Ein Witzwort: die Rede ist nicht spritzig, sondern mit viel Schaum und trocken. 1933 *ff*.
Chance *f* (*franz* ausgesprochen; auch wie „Schanxe") 1. *pl* = Erfolgsaussichten (bei Bewerbung um eine Stelle, beim anderen Geschlecht usw.). Aus *franz* „chance = Glücksfall". 19. Jh.
2. dicke ~ = große Erfolgsaussicht. 1920 *ff*.
3. faustdicke ~ = sehr gute Erfolgsaussicht. 1920 *ff*.
4. ~n töten = Erfolgsaussichten vereiteln. *Sportl* 1930 *ff*.
Chansonetten-Titten *pl* Frikadellen; Gebäck in Halbkugelform. ↗ Titte. 1910 *ff*.
Chappi *n* 1. Essen. Fußt auf dem Warennamen einer Hundefutter-Konserve; verbreitet durch das Werbefernsehen, vor allem mit dem Slogan „ein Prachtkerl dank Chappi". 1965 *ff*, *BSD*.
2. Fleischkonserven; Büchsenfleisch. *BSD* 1965 *ff*.
3. Gulasch. *BSD* 1965 *ff*.
4. Hackbraten. *BSD* 1965 *ff*.
5. Knödel. *BSD* 1965 *ff*.
6. Knäckebrot. Wegen Ähnlichkeit mit dem Hundekuchen (hart; reich an Nähr- und Aufbaustoffen). *BSD* 1965 *ff*.
7. Reissuppe. *BSD* 1965 *ff*.
Charakter *m* 1. ~ von der Stange = Durchschnittscharakter. Er ist einheitlich wie Fertigkleidung, die man von der Kleiderstange nimmt. 1950 *ff*.
2. den ~ in der Garderobe abgeben (abliefern) = die Gesinnung aus Nützlichkeitserwägungen ändern. Der Charakter ist wenig mehr als Überkleidung. 1930 *ff*.
3. sich den ~ abgewöhnen = gewissenlos denken und handeln. Der Charakter ist nichts, der materielle Vorteil alles. 1950 *ff*.
4. jm den ~ auffrischen = jn derb zurechtweisen; jn heftig prügeln. Durch Hiebe oder Tadel wird der bisherige Charakter aufpoliert wie ein altes Möbelstück. 1870 *ff*.
5. jm den ~ aufpolieren = jn derb rügen; jn prügeln. *Vgl* das Vorhergehende. 1920 *ff*.
6. jds ~ auftrennen = sich über jn unfreundlich äußern; jds schlechte Eigenschaften hervorheben. Man trennt ihn auf wie ein Kleidungsstück, das man ändern will. Beeinflußt von „jn ↗ links drehen". 1920 *ff*.
7. jm den ~ aus dem Gesicht bügeln = aus jds Gesicht alle individuellen Züge tilgen. Dies läßt sich mit kosmetischen Mitteln erreichen. 1960 *ff*.
8. jm den ~ eindrecksen (einsauen) = jds Gesinnung schlecht beeinflussen. Mit der Zeit bekommt der Betreffende einen „schmutzigen" Charakter. 1930 *ff*.
9. jm den ~ einstauben = jn heftig zurechtweisen. „Rügen" ist in volkstümlicher Auffassung ein Säubern. 1930 *ff*.

10. sich den ~ erkälten (verkühlen) = a) sich zu einem niederträchtigen Menschen entwickeln. „Erkälten" spielt auf Gefühlskälte und Roheit an. 1920 *ff*. – b) sich erkälten, sich eine Erkältung zuziehen. 1920 *ff*.

11. deinen ~ möchte ich nicht geschenkt haben!: Redewendung auf einen charakterlosen, niederträchtigen Menschen. 1930 *ff*.

Charakterakrobat m geschmeidiger Gesinnungswechsler. 1933 *ff*.

Charakterchemie f Gesamtheit der Psychopharmaka. Sie beeinflussen das seelische Verhalten. 1960 *ff*.

Charakterkrüppel m Mensch mit minderwertigen Charaktereigenschaften. In charakterlicher Hinsicht ist der Betreffende verstümmelt und gebrechlich. 1910 *ff*.

Charakterlump m Mensch, der aus politischen oder sonstigen Gründen gewissenlos genug ist, seine Gesinnung zu wechseln. ↗Lump. 1930/ 40 *ff*.

Charaktermacher m Charakterschauspieler. Machen = darstellen. Theaterspr. 1900 *ff*.

Charaktersau f selbstsüchtig-niederträchtiger Mensch. ↗Sau. Sold 1939 *ff*.

Charlottenburger m Naseschneuzen mit den Fingern. Soll auf die vor dem Brandenburger Tor in Berlin haltenden Fuhrleute zurückgehen, die nach Charlottenburg fuhren; sie sollen sehr rohe Gesellen gewesen sein. 1800 *ff*.

Charme (*franz* ausgesprochen) m **1.** ~ von der Stange = seelenlose Liebenswürdigkeit; geheuchelte Freundlichkeit. Sie ist sowenig individuell wie Fertigkleidung. 1950 *ff*.

2. geschniegelter ~ = weltmännisches Gebaren ohne die geringste Echtheit; geziertes Wesen in werbender Absicht. ↗geschniegelt. Halbw 1955 *ff*.

3. gutsitzender ~ = echte Anmut. Sie paßt zum Träger wie ein gutsitzendes Kleid. 1950 *ff*.

4. hochprozentiger ~ = sehr gewinnender Charme. Vom Alkoholgehalt übertragen. 1950 *ff*.

5. ranziger ~ = unaufrichtige Liebenswürdigkeit. Sie ist minderwertig und abstoßend wie verdorbenes Fett. 1955 *ff*.

6. synthetischer ~ = geheuchelte Liebenswürdigkeit. Sie wirkt wie künstlich hergestellt. Halbw 1955 *ff*.

7. zuckriger ~ = allzu große Liebenswürdigkeit. Sie ist zu „süß", um wie echt wirken zu können. 1955 *ff*.

8. einen deftigen ~ haben = mehr handfest und plump sein als charmant. ↗deftig. 1960 *ff*.

Chassis (*franz* ausgesprochen) n **1.** Körper-, Knochenbau; Gestalt. Von der Bezeichnung für das Untergestell des Fahrzeugs übertragen auf den Menschen. 1920 *ff*.

2. Unterkörper; Beine; Schenkel. 1920 *ff*.

3. stinkendes ~ = Schweißfüße. Sold 1920 *ff*.

4. verborgenes ~ = Krummbeinigkeit. 1920 *ff*, stud.

Chauffeur (*franz* ausgesprochen) m **1.** ~ auf See = a) Kapitän. Er ist der Führer eines Wasserfahrzeugs. 1930 *ff*. – b) Lotse. 1930 *ff*.

2. komm nicht unter einen ~!: Warnrede. Anspielung auf die Geschlechtsverkehr. 1940 *ff*, prost.

Chauffeuse (*franz* ausgesprochen) f Kraftfahrerin. Ursprünglich Bezeichnung für die berufsmäßige Fahrerin. 1930 *ff*.

chaumeln intr koitieren. Im frühen 19. Jh in Prostituiertenkreisen entwickelt aus *jidd* „chomal = er hat sich erbarmt" und *jidd* „gomal = er hat einen Liebesdienst erwiesen".

Chausseebrötchen n Kleinauto. ↗Brötchen 4. 1930 *ff*.

Chaussee-Casanova m Autofahrer, der Mädchen zum Mitfahren einlädt. ↗Casanova mot.1955 *ff*.

Chausseefloh m **1.** Radfahrer, Fahrrad. Wegen der Kleinheit im Verhältnis zu anderen Fahrzeugen, denen er/es ohnehin lästig wie ein Floh ist. 1900 *ff*.

2. Motorrad; Motorradfahrer. 1914 *ff*.

3. Kleinauto. 1920 *ff*.

Chausseegrabentapezierer m **1.** Mann, der im Straßengraben liegt. Rotw seit dem frühen 20. Jh.

2. fingierte Berufsbezeichnung. Wohl als „Müßiggänger" zu deuten. 1930 *ff*.

Chausseehase m unerfahrener Handwerksbursche auf der Landstraße. Er ist noch kein „alter ↗Hase". 1900 *ff*.

Chausseehopser m Kleinauto. Sie hüpfend bewegt es sich und ähnelt darin dem „↗Chausseefloh 3". 1934 *ff*, jug.

Chausseeschwein n Kraftfahrer, der auf Fußgänger keinerlei Rücksicht nimmt. Er beschmutzt die Fußgänger und ist in seiner Rücksichtslosigkeit ein „↗Schwein". 1930 *ff*.

Chausseetapezierer m Versager, Nichtskönner. Ursprünglich der Handwerksbursche, der sich an der Chausseeböschung sonnt. ↗Chausseegrabentapezierer. 1920 *ff*.

Chausseewalze f **1.** sehr beleibter Mensch. Er bewegt sich schwerfällig wie eine Straßenwalze. 1900 *ff*.

2. schwerer Panzerkampfwagen. Sold in beiden Weltkriegen.

Chausseewanze f **1.** Motorrad. Er ist kleiner als andere Fahrzeuge und wird als lästig empfunden wie eine Wanze. 1914 *ff*.

2. Kleinauto. 1920 *ff*.

3. Kabinenroller. 1958 *ff*.

Chauvi (*franz* gesprochen) m Gegner der Frauenbewegung. Aus „Chauvinist" gekürzt seit etwa 1972. Vgl das Nachfolgende.

Chauvinismus m Überbewertung der Rolle des Mannes. Eigentlich übersteigerter Nationalstolz, benannt nach dem Rekruten Chauvin in der Komödie „La cocarde tricolore" (1831) der Brüder Cogniard. 1972 *ff*.

Check (*engl* ausgesprochen) n **1.** Prüfung, Überprüfung. Nach 1945 aus dem *Anglo-amerikan* übernommen.

checken tr etw prüfen, ergründen, herausfinden. Vgl das Vorhergehende. 1945 *ff*.

Chef m **1.** Hauptmann, Batterieführer; Vorgesetzter einer Einheit. Sold spätestens seit dem Ersten Weltkrieg, doch schon im 17. Jh gelegentlich in ähnlicher Bedeutung geläufig.

2. Schulleiter. 1900 *ff*.

3. Lehrer. 1920 *ff*.

4. Klassensprecher. 1950 *ff*, schül.

5. Anrede von Händlern und Bettlern an ihren Kunden. 1920 *ff*.

6. ~ im Laden = Vorgesetzter, Kommandeur. Sold 1939 *ff*.

7. ~ im Ring = Klassenbester. Eigentlich der siegreiche Boxer. 1950 *ff*, schül.

8. mein ~ = a) mein Vater. Er ist der Vorgesetzte. Jug 1950 *ff*. – b) mein Gatte. 1920 *ff*.

9. den ~ machen = sich aufspielen. 1950 *ff*.

Chefe'rei f die Eltern, Verwandten usw. Halbw 1950 *ff*.

Chefeuse (Endung *franz* ausgesprochen) f Frau des Chefs. 1900 *ff*, kaufmannsspr.

Chefin f **1.** Mutter. Vgl ↗Chef 8 a. 1950 *ff*, jug.

2. Schulleiterin. Schül 1950 *ff*.

Chemie-Keule f Tränengasstab des Polizeibeamten. 1966 *ff*.

Chemische f Rauschgiftzigarette. 1960 *ff*.

Chemisett n **1.** jm einen vors ~ brausen = jn vor die Brust schlagen; jn unerwartet angreifen. Die „Chemisette" ist die gestärkte Hemdbrust an Frack- und Smokinghemden. 1930 *ff*.

2. einen hinter (unter) das ~ brausen (jubeln, plätschern. trudeln o. ä.) = ein Gläschen Alkohol trinken. Seit dem späten 19. Jh.

Cherry-Knolly m Kartoffel-, Rübenschnaps. „Knolly" meint die Kartoffeloder Rübenknolle, und „Cherry" deutet auf einen Zusatz von Kirschenaroma hin. 1945 *ff* (als man derlei Getränk heimlich braute).

Chief (*engl* ausgesprochen) m Schulleiter. 1950 *ff*.

Chilfener m Wechselgeldschwindler; Mann, der beim Geldwechseln Geld stiehlt. Fußt auf *jidd* „chalphener = Wechsler". Seit dem frühen 20. Jh.

China Ln sowas lebt in ~!: Ausruf der Verwunderung. Pfadfinderspr. 1962 *ff*.

Chinapest f Gelbsucht. Wegen der „gelben" Hautfarbe der Chinesen. BSD 1965 *ff*.

Chinese m **1.** mit den ~n Bruderschaft getrunken haben = an Gelbsucht leiden. ↗Chinapest. 1965 *ff*, sold.

2. ~ spielen = Gelbsucht haben. BSD 1965 *ff*.

Chinesisch n unverständliche Fachsprache. Die chinesische Sprache und Schrift ist den meisten Nichtchinesen unverständlich. Anscheinend mit dem Wort „Parteichinesisch" 1933 in Mode gekommen.

chinesisch adj **1.** unverständlich; ungewohnt; der bisherigen Art fremd. Vgl das Vorhergehende und *franz* „c'est du chinois pour moi". 1900 *ff*.

2. ~ beten = Liegestütz mit Händeklatschen machen. Chinesen (besser: Buddhisten) falten die Hände, sobald sie sich aus dem Niederwerfen vor dem Heiligtum aufrichten. Sold 1939 *ff*.

Chippendaler m Mensch mit auswärtsgebogenen Beinen. Vom Möbelstil übernommen. 1930 *ff*.

Chlorodontgebiß n sehr weiße, wohlgebildete Zahnreihen. Geht zurück auf die bebilderte Reklame für die Zahnpasta „Chlorodont". 1950 *ff*.

Chlorodontlachen n Lachen, das blendendweiße Zahnreihen entblößt. 1950 *ff*. Vgl das Vorhergehende.

chloroformieren tr **1.** jds Willen beherrschen; jn beschwatzen. 1914 *ff*.

2. jn bewußtlos schlagen. 1920 *ff*.

3. jn betrunken machen. 1920 *ff*.

chloroformiert adj betrunken. 1920 *ff*.

Chlortante *f* 1. Waschfrau. Sie verwendet chlorhaltige Waschmittel. 1910 *ff*.
2. Abortwärterin. 1920 *ff*.
Chlotz *m* Geld. ↗ Klotz. *Schweiz* 1950 *ff*.
Chlütter *n* Geld. ↗ Klütter. *Schweiz* 1950 *ff*.
Chonte *f* 1. (jüdische) Prostituierte. Fußt auf der *gleichbed* und gleichlautenden *jidd* Vokabel. 1840 *ff*.
2. Mädchen, Geliebte. 1844 *rotw*.
Chor *n (m)* 1. Gesindel. Meint eigentlich die Sängerschar, dann auch jegliche Gruppe. Die heutige Bedeutung ist durch „Korps" beeinflußt, wohl auch die Veränderung des Geschlechts. Seit dem späten 19. Jh.
2. ~ der Rache = Gesangverein *(abf)*. ↗ Korps. 1900 *ff*.
Chose *f* ↗ Schose.
Christbaum *m* 1. Angriffsmarkierung; Leuchtzeichen der feindlichen Flieger vor dem Angriff. Wegen der Ähnlichkeit mit dem Lichterbaum. *Sold* und *ziv* 1939 *ff*.
2. reichdekorierter Uniformträger; Offizier. Anspielung auf ↗ Lametta. *BSD* 1960 *ff*; *halbw* 1960 *ff*. Auch *ndl*. Wohl älter.
3. ~ aus der Retorte = Kunststoffweihnachtsbaum. Die Retorte als Sinnbild der künstlichen Herstellung. 1960 *ff*.
4. aufgemotzt wie ein ~ = mit Straß besetzt. ↗ aufmotzen. 1950 *ff*.
5. den ~ abledern = am Christbaum den Schmuck, vor allem den eßbaren, entfernen. Abledern = das Fell abziehen. 1900 *ff*.
6. jn abräumen wie einen ~ = jn ausrauben. *Österr* 1950 *ff*.
7. den ~ anmachen = die Lichter am Christbaum anzünden. 19. Jh.
8. ihm geht ein ~ auf = er beginnt endlich zu begreifen. Verdeutlichend aus „ihm geht ein ↗ Licht auf". 1930 *ff*.
9. der ~ brennt = ein nächtlicher Fliegerangriff steht unmittelbar bevor. ↗ Christbaum 1. *Sold* und *ziv* 1939 *ff*.
10. nicht alle auf dem ~ haben = nicht recht bei Verstand sein. Hinter „alle" ergänze „Kerzen". 1914 *ff*.
11. haben Sie schon einen ~?: ablenkende Zwischenfrage. 1920 *ff*.
Christbaumbeleuchtung *f* Auto mit vielen Lichtern. 1948 *ff*, kraftfahrerspr.
Christbaumkerzen *pl* Markierung für den Luftangriff. ↗ Christbaum 1. *Sold* 1939 *ff*.
Christbaumkugel *f* Leuchtkugel. *Sold* 1939 *ff*.
Christbaumständer *m* übermäßig mit Schmuck behangene weibliche Person. 1960 *ff*.
Christel (Christl) *f* ~ von der Post = Briefträgerin. Übernommen aus der Operette „Der Vogelhändler" von Carl Zeller. 1900 *ff*.
Christenpflicht *f* Drübergehen ist ~ = in Mittelhand soll man die ausgespielte Karte nach Möglichkeit übertrumpfen oder überspielen. Anspielung auf das Gebot der Nächstenliebe. Seit dem späten 19. Jh.
Christenverfolger *m* 1. plötzlich auftauchender Vorgesetzter. Meint eigentlich den Bekämpfer und Vernichter der frühen Christen, hier den Bekämpfer der vermeintlichen oder tatsächlichen Nichtstuer. *Sold* 1914 *ff*.
2. 3-to-Ford-Lastkraftwagen. Man traut ihm scherzhaft zu, daß er harmlose Menschen vernichten will. *BSD* 1965 *ff*.

3. Panzerkampfwagen, Typ „Hotchkiss". *BSD* 1965 *ff*.
4. Moped; Mopedfahrer. 1950 *ff*.
Christenverfolgung *f* 1. Untersuchung auf militärische Tauglichkeit. *Sold* in beiden Weltkriegen.
2. hartes Einexerzieren; Formalausbildung. *Sold* 1939 bis heute.
3. Heranziehung der Wehrdienstverweigerer zum Zivildienst. 1965 *ff*.
4. moderne ~ = Finanzgesetzgebung; Finanzamt. 1960 *ff*.
5. ~ betreiben = einen Befähigungsbericht abgeben. Beamtenspr. 1950 *ff*.
Christkindchen *n* 1. einfältiger, verträumter, leichtgläubiger Mensch. Er ist hilflos und arglos wie das Christkind in der Krippe oder glaubt noch an das Christkind. 19. Jh.
2. Weihnachtsgeschenk, Weihnachtsgratifikation. 1700 *ff*.
3. in der Weihnachtszeit geborenes Kind. 1920 *ff*.
4. angenehmes ~ = fröhliche Weihnachten! Übernommen vom „angenehmen ↗ Flohbeißen". *Rhein* 1920 *ff*.
5. ach du liebes ~!: Ausdruck der Überraschung. Wie man ja auch ausruft: „ach du lieber Gott!". 1920 *ff*.
6. noch ans ~ glauben = ein harmloses Gemüt sein; nicht recht bei Verstand sein. Der Betreffende ist über die Stufe des Kinderglaubens nicht hinausgekommen. 1920 *ff*.
7. nicht mehr ans ~ glauben = nicht mehr unbescholten sein. 1920 *ff*.
8. ~ jagen = nach Weihnachtsgeschenken unterwegs sein. 1900 *ff*.
Christkindl *n* 1. gschlampats ~ = unordentliche weibliche Person. ↗ schlampig. *Bayr* 1920 *ff*.
2. patschertes ~ = ungeschickter Mensch. ↗ patschert. *Österr* 1920 *ff*.
christlich *adj* 1. verdünnt, verwässert. Das Getränk ist mit Wasser „getauft". 1920 *ff*.
2. etw ~ teilen = etw genau unter allen Beteiligten teilen. 1920 *ff*.
Chrombusen *m* chromglitzerndes Vorderteil des Autos. 1950 *ff*.
Chromdampfer *m* Luxusauto. ↗ Dampfer. 1955 *ff*.
Chromflitzer *m* chromüberladenes, schnell fahrendes Auto. ↗ Flitzer. 1955 *ff*.
Chromfresse *f* verchromtes Vorderteil des Autos. 1948 *ff*.
Chromkreuzer *m* breitgebautes Luxusauto mit vielen verchromten Teilen. ↗ Kreuzer. 1955 *ff*.
Chromobil *n* chromüberladenes Auto. 1950 *ff*.
Chromroß *n* stark verchromtes Motorrad. 1955 *ff*.
Chromsarg *m* stark verchromtes Luxusauto. 1960 *ff*.
Chromschläfen *pl* leicht (mittel) ergrautes Schläfenhaar beim Mann. 1947 *ff*.
Chromschnauze *f* verchromter Kühler. 1948 *ff*.
Chromvogel *m* Luxusauto mit vielen verchromten Teilen. 1945 *ff*.
Chuzpe *f* Frechheit, Unverschämtheit. Fußt auf dem *gleichbed jidd* Wort „chuzpo". Im 19. Jh aufgekommen, gern im Munde von Kunstkritikern.
Cisla'weng (Zisla'weng) *m* mit einem ~ = mit Schwung; mit einem Kunstgriff. Herleitung unsicher. Beruht vielleicht auf

franz „ainsi cela vint" („so ging das vor sich") als Redewendung irgend eines Geschwindigkeitskünstlers, der irgend etwas aus der Luft gegriffen oder dort hatte verschwinden lassen und sein Kunststück nun einem mißtrauischen Berliner wiederholte. Auch kennt man im *Franz* „zest le vent = husch, der Wind!". Scheint im ausgehenden 19. Jh in Berlin aufgekommen zu sein.
clean (*engl* ausgesprochen) *adj* vom Rauschgift entwöhnt. Meint eigentlich rein, „sauber". Nach 1970 aus dem Englischen entlehnt.
clear (*engl* ausgesprochen) *adj* sympathisch. Meint eigentlich „klar". *Jug* 1965 *ff*.
clever *adj* schlau, gewitzt. Stammt aus dem *Angloamerikan* und ist besonders durch die Sportsprache verbreitet worden. Der clevere Mensch geht taktisch klug vor und ist sehr geschäftstüchtig. *Sold* 1939 *ff*; sehr beliebt im *BSD*.
Clinch *m* (*engl* ausgesprochen) 1. Nahkampf. Aus der englischen Boxsportsprache übernommen. *BSD* 1960 *ff*.
2. heftige Auseinandersetzung; Rede und Gegenrede. 1960 *ff*.
3. mit jm in den ~ gehen = a) mit jm Streit anfangen. 1960 *ff*. – b) flirten. *Halbw* 1960 *ff*.
4. mit jm in ~ liegen = mit jm heftig streiten; um eine Einigung ringen. 1960 *ff*.
5. ... ja, und dann kam Tom ~, der Zwiebelfarmer aus Kentucky!: Redewendung, wenn einer in seiner Erzählung nicht weiter weiß. *Vgl* ↗ Bluff 2. *BSD* 1965 *ff*.
clinchen *intr* (*engl* ausgesprochen) Petting machen; koitieren. ↗ Clinch 3 b. 1950 *ff*.
Clique *f* 1. Gruppe, Jugendklub. Im 18. Jh aus dem Französischen in der Bedeutung „Rotte" übernommen. Verbreitet seit 1900.
2. Schüler unter sich. 1950 *ff*, *schül*.
3. schicke ~ = Modevorführer(innen). 1958 *ff*, *jug*.
Cliquer *m* (*dt* ausgesprochen) Angehöriger eines Jugendklubs. 1950 *ff*, Berlin.
Clou *m* 1. der ~ (vom Ganzen, vons Janze) = der Höhepunkt; das Ziel des Ganzen. Stammt aus *franz* „clou = Glanznagel; zugkräftige Sache oder Person". 1900 *ff*.
2. ~ der Schose = Hauptstück; Wichtigstes. ↗ Chose. 1920 *ff*.
3. ~ der Geschichte = das Interessanteste an dem Vorfall. 1920 *ff*.
Club *m* Gruppe. Dem Englischen entlehnt im Sinne von „Verein; geschlossene Gesellschaft". *BSD* 1960 *ff*.
Clublöwe *m* eifriges Clubmitglied. ↗ Salonlöwe. 1965 *ff*.
Clubmuffel *m* Mensch, der sich dem Lebensstil eines Clubs nicht anpaßt; Einzelgänger. ↗ Muffel 2. 1970 *ff*.
Coca *n* (*f*) 1. Pause, Unterbrechung. Fußt auf dem Werbespruch: „Mach mal Pause, trink Coca Cola!". *Halbw* 1955 *ff*.
2. ~ Cola machen = eine Pause einlegen. *Halbw* 1955 *ff*.
Coci *f* ~ mit Gemüse = Coca Cola mit Orangen- und Zitronenschnitz. *Schweiz* 1960 *ff*, *halbw*.
Cocktailpute *f* anspruchsvolle „Lebedame". ↗ Pute. 1955 *ff*.
Cocktail-Schwenkerin *f* Bardame, -keeperin. 1960 *ff*.
Cocktail-Stil *m* geltungssüchtig-schlechte

Nachahmung gesellschaftlicher Vornehmheit und Eleganz. 1960 *ff.*

Code *m* einen ~ knacken = einen Geheimschlüssel entschlüsseln. ↗knacken. 1960 *ff.*

Code-Schlüssel *m* Schlüssel zur Aborttür. Meint eigentlich die Auflösung der Verschlüsselung; hier verständlich durch den Anklang an „Kot". 1900 *ff.*

Coeurchen-Malheurchen *n* (Grundwörter *franz,* Endungen *dt* gesprochen) Ausruf des Kartenspielers, wenn er „Herz" spielt oder eine Herz-Karte abgetrumpft oder überstochen wird. Spätestens seit der Mitte des 19. Jh.

Cognac-Ersatz *m* Weinbrand. Die Bezeichnung „Cognac" für gleichwertige deutsche Erzeugnisse ist durch den Vertrag von Versailles verboten. *Sold* 1939 *ff.*

Cola-Limo-Ball *m* alkoholfreies Tanzvergnügen Jugendlicher. 1955 *ff, halbw.*

Collok *n* Colloquium. *Stud* 1960 *ff, österr.*

Colt *m* Pistole, Maschinenpistole. Stammt aus dem *Amerik;* benannt nach dem Ingenieur Samuel Colt (1814–1862), dem Erfinder eines Revolvers. *BSD* 1960 *ff.* Durch *amerik* Kriminalromane und -filme seit 1950 weithin bekannt.

comfortionös *adj* verschwenderisch. ↗bonforzionös. *Stud* 1947 *ff.*

comme-ci, comme-ça machen (*franz/dt* gesprochen) diebisch sein; stehlen; heimlich zu Werke gehen. Die Redensart ist meistens begleitet von einer Handbewegung, mit der man etwas in die Tasche steckt. Meint im *Franz* soviel wie „einigermaßen, mittelmäßig"; verquickt mit *dt* „komm", „komm her". *Sold* in beiden Weltkriegen; später auch *ziv.*

Computer *m* (*engl* ausgesprochen) **1.** Täuschungszettel des Schülers. Dem Schüler ist er ein Helfer bei schwierigen mathematischen Aufgaben. 1960 *ff.* **2.** Klassenbester. Anspielung auf den Wissensumfang. 1970 *ff, schül.*

Computerarbeit *f* Schulaufsatz (-arbeit), wobei Hilfsmittel nicht verwendet werden dürfen. *Schül* 1970 *ff.*

Container (*engl* ausgesprochen) *m* **1.** Handtasche mit doppeltem Boden. Eigentlich der genormte Behälter für Stückgutbeförderung. Agentenjargon 1970 *ff.* **2.** moderner Zweckbau. Er ist würfelförmig und unschön. 1970 *ff.* **3.** größeres Geschenkpaket. Häftlingsspr. 1970 *ff.*

Conter'gan *m* Schwächling. ↗Contergan-Kind. Rocker 1968 *ff.*

Conter'ganbrücke *f* mißgestaltete Brücke. 1968 *ff.*

Conter'gankind *n* Kind mit angeborenen Mißbildungen. Umgangssprachliche Verallgemeinerung. Mißbildungen traten als Folge der Einnahme von Contergan (Thalidomid) durch schwangere Frauen auf. 1961 *ff.*

Conter'ganspatz *m* halbes Brathähnchen.

Es gilt als verstümmeltes Ganzes. *BSD* 1965 *ff.*

Conti-Busen *m* künstlicher Busen aus Gummi oder Schaumgummi. Conti = Continental Kautschuk und Guttapercha-Companie, Hannover. 1910 *ff.*

Conti-Test *m* (möglichst heimlich vorzunehmender) Nadelstich in den Büstenhalter eines Mädchens, von dem man vermutet, die Büste bestehe vorwiegend aus Schaumgummi. Gibt die Gestochene keinen Schmerzenslaut von sich, ist der Conti-Test positiv: die Büste ist mit künstlichen Mitteln erreicht. *Halbw* 1960 *ff.*

Contro'letti *Pn* Johnny ~ = a) Unteroffizier, Ausbilder. Stammt aus einem Song des deutschen Rocksängers und -komponisten Udo Lindenberg. 1976 *ff, BSD.* – b) Lehrer. *Schül* 1976 *ff.* – c) Kontrolleur in öffentlichem Verkehrsmittel. Frankfurt am Main 1976 *ff.* – d) Kontrolleur der krankgemeldeten Krankenkassenmitglieder. 1980.

cool (*engl* ausgesprochen) *adj* **1.** modern, jugendlich. Meint im Englischen soviel wie „kühl, frisch, kaltblütig, leidenschaftslos". *Halbw* 1965 *ff.* **2.** unübertrefflich, schwungvoll. *Halbw* 1965 *ff.* **3.** gelassen, selbstsicher; freud-, energielos. Wer sich nicht aus der Ruhe bringen läßt, gilt den jungen Leuten als langweilig, schwunglos und unsympathisch. *Halbw* 1965 *ff.*

Coproduktion *f* Nachwuchszeugung, Schwängerung. Meint im Filmwesen eine internationale Gemeinschaftsherstellung. 1955 *ff.*

Co'rona *f* studentische Trinkgemeinschaft; fröhliche Gesellschaft. *Lat* „corona = Kranz". ↗Kränzchen. 19. Jh.

Costa Brava *f* an die ~ fahren = eine Freiheitsstrafe antreten. Die spanische Mittelmeerküste ist seit den sechziger Jahren als Ziel vieler Reisegesellschaften, Charterflüge usw. bekannt geworden. Tarnausdruck. 1964 *ff.*

Costa Germanica *f* deutsche Nord-, Ostseeküste. Der Costa Brava nachgebildet. 1977 *ff.*

Cou'leur *f* (*franz* ausgesprochen) **1.** Art, Gesellschaft; Seinesgleichen. Kurz nach den antinapoleonischen Freiheitskriegen aufgekommen im Sinne einer durch eine Farbe unterscheidbaren Gruppe. **2.** Waffengattung. *Sold* in beiden Weltkriegen. **3.** ~ de Nuschel = hochgradiger Schmutz. Französiert aus „Nusch = Sau". 1850 *ff.* **4.** die ganze ~ = die ganze Bande; alle Beteiligten. 19. Jh. **5.** dieselbe ~ in Grün (bloß einen Schein dunkler) = die gleiche Art; dieselbe Sache. 1850 *ff.* Berlin. **6.** ~ knacken = an einem nicht couleurfreien Tag ohne Couleur ausgehen. „Knak-

ken" bezieht sich hier auf den Bruch eines Gebots. *Stud* 19. Jh. **7.** in die ~ spielen = in die Farbe spielen. Kartenspielerspr. 18. Jh. **8.** durch die ~ stechen = stechen, wenn man Farbe bekennen kann. 19. Jh, kartenspielerspr.

Couleurbauch *m* Sammlung von studentischen Bierzipfeln am Hosenbund. 1900 *ff.*

Couleurdeutsch *n* Studentensprache *(abf).* 1900 *ff.*

Coup (*franz* ausgesprochen) *m* **1.** einen ~ landen = einen Erfolg anbahnen; Unerwartetes vollbringen; einen lohnenden Diebstahl ausführen. *Franz* „coup = Schlag", weiterentwickelt zur Bedeutung „erfolgreicher Streich". Der Ausdruck selber scheint über die Boxersprache verbreitet worden zu sein. 1920 *ff.* **2.** einen großen ~ landen = plötzlich reich werden. Meist bezogen auf Glücksspiel, Lotteriespiel o. ä. 1920 *ff.*

Courage (*franz* ausgesprochen) *f* **1.** Mut. Ende des 16. Jhs aus dem *Franz* übernommen, wobei das Geschlecht weiblich wurde wie bei allen deutschen Entlehnungen auf „-age". **2.** jm die ~ abkaufen = jn entmutigen, einschüchtern. 19. Jh. **3.** ~ im Arsch haben = sehr kräftig sein. 1900 *ff.* **4.** ~ in der Hose haben = a) einen großen Penis besitzen. 1850 *ff.* – b) nach Geschlechtsverkehr verlangen. 1900 *ff.*

Couragewasser *n* Branntwein. 1700 *ff.*

Courths-Mahler-Augen *pl* unschuldvoll blickende Augen. Hedwig Courths-Mahler (1867–1950), Verfasserin von mehr als zweihundert Trivial-Romanen. 1960 *ff.* Wohl älter.

Courths-Mahler-Beine *pl* auswärts gebogene Beine. Witzelnd bezogen auf die stereotypen Liebenden und ihr Liebesschicksal: erst haben sie sich, dann gehen sie auseinander, und dann haben sie sich wieder. Diese Schicksalskurve beschreiben auch die auswärtsgekrümmten Beine. 1900 *ff.*

Courths-Malör (Courths-Malheur) *n* Hedwig Courthsmahler. Für die Leute mit höheren literarischen Ansprüchen war die Schriftstellerin ein Malheur. 1920 *ff.*

Creme *f* ~ der Gesellschaft = **1.** die oberen Zehntausend. Nach 1820 bei uns eingedrungen aus dem *franz* „la crème de la (bonne) société". **2.** Gesindel, Pöbel. Die Bedeutungsentwicklung ist um 1918 aufgekommen, wohl im Zusammenhang mit revolutionären Errungenschaften.

Crew (*engl* ausgesprochen) *f* Gruppe; Panzer-, Schiffs-, U-Boot-Besatzung; Geschützbedienungsmannschaft u. ä. Um 1900 aus dem Englischen übernommen.

Crux *f* leidige Schwierigkeit. *Lat* „crux = Kreuz". ↗Kreuz. 19. Jh.

D

D fünf D. = Kennzeichnung des eigentlichen Militärdienstes. Gemeint sind Dienst, Druck, Dreck, Deckung und Dauerlauf. *BSD* 1965 *ff.*

d.b.d. d.h.k.P. 1. Abkürzung von „doof bleibt doof, da helfen keine Pillen". Gegen 1920 aufgekommen zur Bezeichnung unheilbarer Dümmlichkeit.

2. d.b.d. d.h.k.P. u.k.K. = doof bleibt doof, da helfen keine Pillen und kein Krankenhaus. 1920 *ff.*

3. d.b.d. d.h.k.P. s.A.n. = doof bleibt doof, da helfen keine Pillen, selbst Aspirin nicht. 1939 *ff.*

4. d.b.d. d.h.k.P. s.A.v. = doof bleibt doof, da helfen keine Pillen, selbst Aspirin versagt. 1939 *ff, sold.*

5. d.b.d. d.h.k.P.u.k.K.U. a.L.s.h. = doof bleibt doof, da helfen keine Pillen und keine kalten Umschläge, aber Lebertran soll helfen. 1920 *ff.*

d.g. übertrieben (ausschließlich) diensteifrig. Abgekürzt aus „dienstgeil". 1960 *ff, BSD.*

d.H. große Frechheit; große (heikle) Sache. Abgekürzt aus „dicker ⬈ Hund". 1955 *ff, schül.*

d.u. 1. dauernd unterwegs. Meint eigentlich die militäramtliche Abkürzung „dienstuntauglich". 1914 *ff.*

2. menstruierend. Hier ist „dienstuntauglich für den Geschlechtsverkehr" gemeint. 1925 *ff.*

3. das macht den stärksten Mann d.u. = das ist unerträglich. 1914 *ff.*

da *adv* Zusammensetzungen von „da" mit Präpositionen werden in der volkstümlichen Rede meist getrennt, z. B.: da habe ich meinen Spaß dran (daran habe ich meinen Spaß); da schreibe ich mit (damit schreibe ich); da steckt etwas hinter (dahinter steckt etwas); da ist kein Geld drin (darin ist kein Geld); da kannst du dich drauf verlassen (darauf kannst du dich verlassen); da kann ich nichts für (dafür kann ich nichts); da hat er nichts gegen (dagegen hat er nichts) usw. Diese Fügungen, im Mittelalter üblich, kommen heute fast nur noch in Mundarten vor, neuerdings auch in der Umgangssprache und zwar vor allem in der gesprochenen Rede.

dabbeln (dabbern) *intr* sich beeilen; trippeln, wandern. Nebenform von ⬈ tippeln. 1900 *ff.*

dabbern *intr* schwätzen. Nebenform von ⬈ dibbern. 19. Jh.

Dabbes *m* unaufmerksamer, energieloser, ungeschickter Mensch. Vorwiegend in westdeutschen Mundarten; fußend auf ⬈ Taps. 1800 *ff.*

dabeihaben *tr* **1.** in einer Handlungsweise Unschickliches finden; die Sache für unerlaubt halten. Man hat „was" dabei, aber sagt nicht, was man für unschicklich hält. 18. Jh.

2. Hintergedanken haben. 19. Jh.

dabeimachen *refl* sich hinzugesellen; sich vordrängen. Dabei = bei den anderen Leuten. *Nordd* 19. Jh.

dabeisein *intr* **1.** kein Spielverderber sein. 19. Jh.

2. da ist etwas bei = die Sache hat ihre verborgene Schwierigkeit. 19. Jh.

3. da ist nichts bei (da ist nichts dabei) =

die Sache ist unbedenklich, durchaus erlaubt. Hinter „nichts" ergänze „Unschickliches" o. ä. 19. Jh.

4. gut d. = gesund sein; dicklich sein. Verkürzt aus „gut bei Fleisch sein". 19. Jh, *westd.*

Dach *n* **1.** Kopf. Gekürzt aus „Schädeldach". Seit *mhd* Zeit.

2. Regenschirm. Gekürzt aus „Regendach". 1800 *ff.*

3. Hut, Kopfbedeckung. Eine andere Form von Regendach. 1900 *ff.*

4. unterm ∼, juchhee = in einer Mansardenwohnung. „Juchhe" ist ein Ausruf, hier von einem Winken aus dem Mansardenfenster begleitet. 1900 *ff.*

5. etw unter ∼ und Fach bringen = etw in seine gehörige Ordnung bringen; eine Sache durchsetzen. Stammt aus der Landwirtschaft: Dach ist das Obdach, und Fach die Abteilung einer Räumlichkeit; das Ganze bezogen auf die Scheune und also zusammenhängend mit dem Einbringen der Ernte. Kann auch auf die Fertigstellung eines Fachwerkbaus zurückgehen. 1800 *ff.*

6. kein ∼ finden = im feindlichen Feuer ohne Deckung liegen. Dach = schützendes Dach. *Sold* in beiden Weltkriegen.

7. jm eine (eins) aufs ∼ geben = a) jn auf den Kopf schlagen. Seit *mhd* Zeit. - b) jn derb zurechtweisen. In volkstümlicher Auffassung ist Rügen eine andere Form von Prügeln, wohl weil beides meist gleichzeitig erfolgt. 19. Jh.

8. nicht alle unter dem ∼ haben = nicht recht bei Verstand sein. 1900 *ff.*

9. einen im (unter dem) ∼ haben = bezecht sein. Der Alkohol steigt zu Kopf. 1700 *ff.*

10. es halten können wie der auf dem ∼ = etw nach Belieben behandeln können. Mit „der" ist der ⬈ Dachdecker gemeint. 1900 *ff.*

11. jm das ∼ über dem Kopf hochblasen = jds Unterkunft sprengen. *Sold* 1939 *ff.*

12. jm aufs ∼ steigen = a) jm auf den Kopf schlagen. 1700 *ff.* - b) jn ausschimpfen. 19. Jh.

13. unter das ∼ kommen = einen Ehemann finden. Vorstellung von der Ehe als einem schützenden Obdach. 19. Jh.

14. unter ∼ und Fach kommen = in die gehörige Ordnung kommen. ⬈ Dach 5. 19. Jh.

15. eins aufs ∼ kriegen = a) einen Schlag auf den Kopf bekommen. 1800 *ff.* - b) getadelt werden. 1800 *ff.* - c) eine Niederlage erleiden. Fußt auf der volkstümlichen Gleichsetzung von Niederlage und Prügel. *Sportl* 1920 *ff.*

16. etw aufs ∼ kriegen = vom Regen naß werden. 19. Jh.

17. jm regnet es aufs ∼ = ihm wird die Schuld gegeben; ihn macht man verantwortlich für einen Schaden oder ein Versehen. Seit dem späten 19. Jh.

18. jm regnet es durchs ∼ = er ist nicht ganz bei Verstand. Der Betreffende hat einen „⬈ Dachschaden". 1900 *ff.*

19. jm einen aufs ∼ schicken = jn durch einen anderen zurechtweisen lassen; jn durch einen anderen für etw zur Rechenschaft ziehen. ⬈ Dach 22. 19. Jh.

20. nicht richtig unterm ∼ sein = nicht ganz bei Sinnen sein. 1920 *ff.*

21. es ist unter ∼ und Fach = es ist

bindend vereinbart; der Vertrag ist unterzeichnet. ⬈ Dach 5. 1900 *ff.*

22. jm aufs ∼ steigen = jn zurechtweisen; jm ernste Vorhaltungen machen. Wird auf einen alten Rechtsbrauch zurückgeführt: dem Ehemann, der seiner scheltenden Frau unterlegen war, wurde zum Schimpf das Dach abgedeckt. Sinnbildlich war der Mann das Dach des Hauses. 1700 *ff.*

23. den Leuten aufs ∼ steigen = Dachdecker sein. Etwa seit 1900.

Dachdecker *m* **1.** das kannst du halten wie der ∼ = damit kannst du nach Belieben verfahren. Über die Herleitung dieser seit dem späten 19. Jh geläufigen Redensart veranstaltete die Zeitschrift „Hör zu" 1967 eine Umfrage; hierbei ergab sich folgendes: Laien und Fachleute stimmen darin überein, daß dem Dachdecker hoch oben auf dem Dach keiner so leicht auf die Finger sehen kann. Keiner macht ihm Vorschriften, keiner redet ihm in die Arbeit. Während die anderen Bauhandwerker Gemeinschaftsarbeit verrichten, ist der Dachdecker vorwiegend ganz auf sich selbst gestellt. Er kann entscheiden, ob er mit seiner Arbeit auf der linken oder auf der rechten Dachhälfte beginnt. Daß es im Belieben des Dachdeckers steht, auf welcher Seite des Daches er herunterfällt oder ob er an der Dachrinne Halt sucht oder abstürzt, ist ein nachträglicher Deutungsversuch. Die vom Autor als Quelle vermutete Posse ist bisher nicht aufgespürt worden.

2. das kannst du halten wie ein ∼, nämlich mit der Hand (bei den Händen); das kannst du halten wie ein ∼, er kann auf beiden Seiten runterpissen = das kannst du nach Belieben entscheiden. 1900 *ff.*

3. das kannst du halten wie der ∼, nur nicht so hoch = das entscheide nach freiem Ermessen! 1900 *ff.*

4. das kannst du halten wie der ∼ seinen Schwanz = das kannst du nach Belieben behandeln. 1945 *ff.*

5. das kannst du halten wie der ∼ seine Stulle = mach es, wie du willst! 1900 *ff.*

6. nehmen wie ein ∼ = möglichst viel haben wollen; hohe Preise verlangen. 1949 *ff.*

Dächelchen *n* Accent ∼ (Accent Dachl) = Accent circonflexe. Er hat die Form eines Daches. 19. Jh, *schül.*

Dachhase *m* **1.** Katze. Soll mit der Belagerung Wiens durch die Türken 1683 zusammenhängen, als die ärmere Bevölkerung sich von Katzen ernährten.

2. (ungelernter oder unzünftiger) Zimmermann. *Österr* 1800 *ff.*

3. Schornsteinfeger. 1900 *ff.*

4. Dachdecker. 1900 *ff.*

Dachkammer-Fußball *m* Fußballspiel, bei dem die Bälle steil aufwärts getreten werden statt aufs Tor. 1950 *ff sportl.*

Dachlukengespenst *n* **1.** Dachdecker. Seit dem späten 19. Jh.

2. häßliche weibliche Person mit abstoßenden Umgangsformen. Berlin 1870 *ff.*

3. dreimal um den Kirchturm (das Treppengeländer) gewickeltes ∼!: Schimpfwort. Bezieht sich wohl auf einen überaus hageren Menschen von schreckerregendem Aussehen oder auf einen ohne „Rückgrat". 1930 *ff, schül.*

Dachorgel *f* Luftwarnsirene. Mit ihrem

auf- und abschwellenden Ton erinnert sie an eine Orgel. 1939 *ff, sold* und *ziv.*

Dachrinne *f* 1. Hutkrempe. Sie fängt den Regen auf. 1920 *ff.*
2. Umschlag am unteren Rand der Lederhose. 1940 *ff.*
3. er hat zu lange unter der ~ gestanden = er ist rothaarig. Während des Stehens sind seine Haare rostig geworden. 1930 *ff, jug.*
4. aus der ~ saufen können = großwüchsig sein. Seit dem späten 19. Jh.
5. im Knien aus der ~ saufen können = überaus großwüchsig sein. 1900 *ff.*
6. wenn er so lang wäre wie faul (dumm), könnte er aus der ~ der Kirche saufen: Redewendung auf einen Trägen oder Dummen. 1900 *ff.*

Dachs *m* 1. Tornister, Rucksack. Bei der Jägertruppe war er mit silbergrauem Dachsfell bezogen und auf dem Deckel mit einem Dachskopf geziert. *Sold* seit dem späten 19. Jh.
2. frecher ~ = dreister, unverschämter junger Mensch. ↗ Frechdachs. 19. Jh.
3. junger ~ = a) junger Mann; vorlauter Halbwüchsiger. Dachsjunge sind vorwitzig und haben nur wenig Instinkt für die Gefahr. 1800 *ff.* Vgl *engl sold* „badgy = junger Soldat". - b) Studienreferendar. *Schül* 1920 *ff.*
4. schlafen wie ein ~ = sehr fest schlafen. Hergenommen vom langen Winterschlaf des Dachses. 1600 *ff.*

Dachschaden *m* 1. Verrücktheit, Geistestrübung. Dach = Schädeldecke, Hirnschale. 1920 *ff.*
2. Kopfschuß, Kopfverletzung. *Sold* in beiden Weltkriegen.

dachsen *intr* 1. fest schlafen; schlafen ↗ Dachs 4. 1800 *ff.*
2. schnarchen. Der Dachs gibt im tiefen Schlaf häufig Schnarchtöne von sich. 1900 *ff.*

Dachstand *m* einen ~ machen = sich mit dem Auto überschlagen, so daß die Räder oben zu liegen kommen. Dem „Kopfstand" nachgebildet. 1920 *ff.*

Dachstein *m* 1. hoch vom ~: Redewendung unter Kartenspielern, wenn die Karten in der Reihenfolge vom As an heruntergespielt werden. Der Dachstein ist eine Berggruppe in den Nördlichen Kalkalpen. „Hoch vom Dachstein, wo der Aar noch haust" ist die Eingangszeile eines Gedichts von Jakob Dirnböck, 1844 von Ludwig Carl Seydler vertont. Kartenspielerspr. 1900 *ff.* Wohl älter.
2. brich dir keinen ~ ab! = rede nicht so geziert! Dachstein ist der Dachziegel; er wird mit dem Stein (↗ Zacken) in der Krone verglichen. 1920 *ff.*
3. Kopf weg, ~ kommt!: Vorsicht! Seit dem ausgehenden 19. Jh.

Dachstübchen *n* 1. Gehirn, Verstand. Analog zu ↗ Oberstübchen. 19. Jh.
2. in seinem ~ ist's nicht richtig = er ist nicht recht bei Verstand. 19. Jh.

Dachstubenverhau *m* wirres Kopfhaar. Verhau ist die Wirrnis gefällter Bäume, auch das Waldstück nach einem Windbruch. *Halbw* 1960 *ff.*

Dachtel *f* 1. Ohrfeige, Schlag an den Kopf. „Dachtel" entspricht dem *lat* „dactylus = Finger" und bezeichnet die Dattel. Mit dem Namen von Früchten benennt man

gern den Schlag an den Kopf. Seit *frühnhd* Zeit.
2. jm eine ~ stechen = jn ohrfeigen. 1850 *ff.*

dachteln *tr* jn ohrfeigen. ↗ Dachtel 1. 1800 *ff.*

Dackel *m* 1. dümmlicher, schwachsinniger, alberner, unbeholfener Mensch. Herleitung unsicher. Im Elsaß ist „dackeln = taumeln", und in Tirol kennt man „taggelen = läppisch tun". 1700 *ff, südd.*
2. kurzbeiniger, krummbeiniger Mensch. Vom Dackelhund übertragen. 19. Jh.
3. längliches, flachgestrecktes Rundfunkgerät. In der Form ähnelt es dem Dackelhund. 1960 *ff.*
4. umgearbeiteter ~ = kurzbeiniger Mensch. 1950 *ff.*
5. wie ein alter ~ aussehen = die Stirn in Falten legen wie ein Dackel. 1930 *ff.*
6. wie ein bepißter ~ = niedergeschlagen. ↗ Pudel. 1920 *ff.*
7. eine Nase wie ein ~ haben = treffsicher ahnen. Dackel haben ein gutes Witterungsvermögen. 1920 *ff.*
7 a. ich glaube, mein ~ jodelt! Entgegnung auf eine unglaubwürdige Behauptung. ↗ Hamster. 1970 *ff.*
8. den ~ machen = sich alles aufbürden lassen. ↗ Dackel 1. *Südd* 1900 *ff.*
9. sich von jm nicht zum ~ machen lassen = sich von jm nicht übertölpeln lassen. ↗ Dackel 1. *Südd* 1900 *ff.*
10. der ~ sein = der Benachteiligte sein. 1900 *ff.*

Dackelbeine *pl* kurze und krumme Beine. 19. Jh.

Dackelblick *m* treuherziger Blick. 1920 *ff.*

Dackelfalten *pl* Stirnfalten. ↗ Dackel 5. 1930 *ff.*

Dackelgarage *f* Ein-, Zwei-Mann-Zelt. Es ähnelt einer engen Hundehütte. 1960 *ff, sold.*

Dackelgewissen *n* Schuldbewußtsein. Der „schuldbewußte", Hiebe witternde Dackel verkriecht sich. 1930 *ff.*

Dackelhotel *n* Ein-, Zwei-Mann-Zelt. ↗ Dackelgarage. *BSD* 1960 *ff.*

Dackellinie *f* niedrige, langgestreckte Gehäuseform von Rundfunkgeräten. ↗ Dackel 3. 1960 *ff.*

Dacken *f* 1. jn auf der ~ haben = jn bezwungen haben. Dacken = Decke = Ringermatte. 1920 *ff, österr.*
2. auf der ~ liegen = krank sein. *Österr* 1920 *ff.*
3. auf der ~ liegen = wirtschaftlich, in der Kleidung heruntergekommen sein. „Dakken" meint hier die Strohmatte im Gefängnis. *Österr* 1920 *ff.*

Dad (*engl* ausgesprochen) *m* 1. Vater, Mann (kosewörtlich). Fußt auf *engl* „dad = Väterchen". Nach 1945 aufgekommen.
2. beliebter Vorgesetzter. *BSD* 1960 *ff.*

Dada *m* Vater. Ein kindliches Lallwort; Nebenform von ↗ Tata. 1800 *ff.*

dada gehen *intr* spazieren gehen. ↗ ada 1. 19. Jh.

daddeln *intr* 1. würfeln, kartenspielen. Fußt auf untergegangenem „doppeln = Würfel spielen". *Nordd* 1900 *ff.*
2. den Spielautomaten betätigen. 1975 *ff.*

Daddi (Daddim) *m* (*f*) Frauenbusen. Nebenform von ↗ Titte. 1950 *ff.*

Daddy (*engl* ausgesprochen) *m* 1. Vater. Aus dem *Engl* übernommen nach 1945.
2. beliebter Vorgesetzter. *BSD* 1960 *ff.*

3. Ehemann (Kosewort). 1945 *ff.*
4. Klassenlehrer. 1950 *ff, schül.*
5. alter Mann; Mann über 40. *BSD* 1960 *ff.*

'dadern *intr* schwätzen. Nebenform zu ↗ tattern (= zittern = stammeln = plappern). 1500 *ff, südd.*

da'ditten *intr* morsen. Im Morsealphabet wird mit „da" der Strich, mit „dit" der Punkt wiedergegeben. So auch im *Engl* (Funker = dit-da-artist). *Sold* 1939 *ff.*

Dädl *m* energieloser, einfältiger Mensch. Verkürzt aus ↗ Thaddädl. *Südd* 1900 *ff.*

dadurchgehen *v* das wird ihm ~ = das wird er vergessen. Dadurchgehen = entweichen, entwischen. 1900 *ff, westd.*

dadurchmachen *refl* sich heimlich entfernen. Gemeint ist, daß einer durch eine Menge hindurchflieht. *Westd* 1900 *ff.*

Daffke aus ~ = aus Übermut, Trotz, Mutwillen; nun erst recht! Fußt auf *jidd* „dawko = gewiß, durchaus". Die Präposition „aus" ist aus „aus Trotz" übernommen worden. 1840 *ff.*

dafür *präp* 1. ~ können = die Schuld an etw haben. „Dafür" (= für etwas) stammt aus Redewendungen wie „für etw die Verantwortung tragen" oder „für etw einstehen" oder „für etw den Kopf hinhalten müssen". 1700 *ff.*
2. du kannst wohl nicht(s) ~? = du bist wohl nicht bei Verstand? Seit dem späten 19. Jh, Berlin.
3. das ist ~ = das ist seine Strafe. Z. B.: das ist dafür, daß du gelogen hast. 19. Jh.
4. ich bin ~, daß wir dagegen sind (ich bin dagegen, daß wir ~ sind): Umschreibung einer Ablehnung. 1900 *ff.*
5. das steht nicht ~ = das lohnt sich nicht. Gemeint ist, daß die Sache in keinem gesunden Verhältnis zum Aufwand an Mühe (o. ä.) steht. *Österr* 1900 *ff.*

Dagegner *m* Jugendlicher, der die bestehende Ordnung ablehnt. Zusammengesetzt aus „dagegen" und „Gegner". 1958 *ff.*

daheim *adv* 1. in etw ~ sein = sich in einer Sache auskennen. *Oberd* 19. Jh.
2. da ist etwas ~ = die weibliche Person besitzt üppige Körperformen. Daheim = im Besitz; zu eigen. 1920 *ff.*
3. er ist nicht recht ~ = er ist nicht recht bei Verstand. 19. Jh.
4. bei ihm ist nichts ~ = a) er ist dumm. 1900 *ff.* - b) er besitzt keine Kraft. 1900 *ff.*
5. da ist etwas ~ = man ist wohlhabend. 1900 *ff.*

daher *adv* etw bis ~ haben = von etw angewidert sein. Bei „daher" zeigt man an den Hals. 1900 *ff.*

da'hermachen *tr* etw vorspiegeln; gediegene Kenntnisse vortäuschen. „Daher" bezeichnet eine allgemeine Erstreckung über einen Raum und kommt dadurch zu der Bedeutung „ungenau, unüberprüfbar, unglaubwürdig". 1900 *ff.*

da'herreden *tr* etw unbedacht, unverbindlich äußern. 1900 *ff.*

'dahinaus *adv* bis ~ = unvorstellbar; sehr; überaus. Man zeigt die Himmelsrichtung, gibt aber keine Entfernung an. 1900 *ff.*

da'hinschmelzen *intr* vor Rührung ~ = sehr gerührt sein; „vor Rührung vergehen". *Österr* 1950 *ff, jug.*

da'hinterkommen *intr* ergründen, ermitteln. Etwa soviel wie „hinter das Verdeckende gelangen und Kenntnis von Verborgenem erwerben". 1500 *ff.*

da'hintermachen *refl* tatkräftig handeln. Etwa = sich hinter eine Sache begeben und sie vorantreiben. 1900 *ff.*

da'hintersein *intr* 1. antreiben, ermuntern. Eine Sache oder Person dicht verfolgen. 19. Jh.
2. er will ~, daß ... = er will durchzusetzen suchen, daß ... 19. Jh.

da'hinterstecken *v* 1. es steckt etwas dahinter = dahinter verbirgt sich etwas Ungünstiges; es geschieht nicht ohne einen besonderen Grund. Fußt auf 2. Petr. 2,18 in der Übersetzung Martin Luthers. 1500 *ff.*
2. es steckt nichts dahinter = die Sache ist vollauf zuverlässig und gediegen; man kann sich darauf fest verlassen. 1500 *ff.*

dahlen *intr* 1. kindisch reden; kindisch handeln. Herleitung unsicher. 16. Jh.
2. langsam sprechen; schwätzen; plaudern. 1800 *ff.*
3. langsam arbeiten. *Jug* 1955 *ff.*

dalbern *intr* sich albern benehmen; kindisch sprechen; scherzen. Durch „albern" verändertes Verbum „↗dahlen". 1600 *ff*, vorwiegend *nordd.*

dalfern (dalfen, dälfen) *intr* betteln. Fußt auf *jidd* „dalfen = arm". *Rotw* seit dem frühen 19. Jh.

Dalk (Dalken) *m (f)* einfältiger, dummer Mensch. Fußt auf „Dalken", einer Mehlspeise böhmischer Herkunft, und bezeichnet einen, der in teigiger Masse arbeitet; hieraus weiterentwickelt zur Bezeichnung eines Menschen, der bei der Verrichtung einer Sache ungeschickt ist. Vielleicht beeinflußt von „talpen = schwerfällig gehen". *Oberd* 17. Jh.

dalken *intr* 1. einfältig reden; albern sein. Verwandt mit *engl* „to talk = plaudern" (the talk = Geschwätz). *Vgl* auch „Tal, Taal = Sprache, Rede". „Taalke" ist im *Niederd* die Dohle wegen ihres schwatzhaften Geschreis. 17. Jh.
2. lallend sprechen; mit der Zunge anstoßen. 18. Jh, *oberd.*

dalkert (dalket) *adj* dumm, ungeschickt; widrig, unangenehm; verwünscht. ↗Dalk. 1600 *ff.*

Dalles *m* 1. Geldmangel, Mittellosigkeit; Not; Unglück. Geht zurück auf *jidd* „dallus = Armut". Seit dem 19. Jh.
2. Unwohlsein, Erkältung o. ä. Bedeutungsverengung von „Unglück". 1900 *ff.*
3. Anfall von Geistesverwirrung. 1870 *ff.*
4. kleiner Rausch. 1900 *ff.*
5. ~ und Kompanie = Geldmangel, Verschuldung. 1900 *ff.*
6. das hat den ~ = das ist entzwei. 1900 *ff.*
7. den ~ kriegen = in Not geraten; zugrunde gehen. 1800 *ff.*
8. krieg den ~! = Verwünschung. 1800 *ff.*

dalli *adv* vorwärts; flink. Soll auf *poln* „dalej = vorwärts" zurückgehen. Spätestens seit der Mitte des 19. Jhs.

Dämchen *n* modisch aufgeputztes junges Mädchen; leichtfertige weibliche Person; Prostituierte. 17. Jh.

Dame *f* 1. Halbweltdame; Prostituierte. Im Geiste setzt man das Wort in Anführungszeichen. 1600 *ff.*
2. ~ auf Abruf = Callgirl. 1958 *ff.*
3. ~ ohne Unterleib = Frau im vierten Lebensjahrzehnt o. ä. 1973 aufgetaucht im Wortschatz der Miederindustrie.

4. ~ vom Dienst = Prostituierte. Sie ist immer „diensttuend". 1960 *ff.*
5. ~ des öffentlichen Dienstes = Prostituierte. Der öffentliche Dienst ist eigentlich der Staatsdienst; hier Anspielung auf den Umstand, daß die Prostituierte allen Kunden zur Verfügung steht. 1950 *ff.*
6. ~ fürs Geld = Prostituierte. *Vgl* „↗Mädchen fürs Geld". 1900 *ff.*
7. ~ des ältesten Gewerbes (der Welt) = Prostituierte. 1950 *ff.*
8. ~ vom ambulanten Gewerbe = Straßenprostituierte. Ambulantes Gewerbe ist das Wandergewerbe: die Prostituierte geht beim Männerfang auf und ab. 1950 *ff.*
9. ~ des leichten Gewerbes = Prostituierte. 1950 *ff.*
10. ~ minderen Gewichts = Prostituierte. „Minderen Gewichts" umschreibt das Adjektiv „leicht". 1969 *ff.*
11. ~n der Halle = Marktfrauen. Um 1880 aus *franz* „les dames de la halle" übersetzt.
12. ~ der Lüfte = Flugzeug-Stewardeß. 1965 *ff.*
13. ~ der zehnten Muse = Prostituierte. Die Zahl der neun Musen ist hier um eine vermehrt. *Vgl* „zehnte ↗Muse". 1950 *ff*, *stud.*
14. ~ mit den unaussprechlichen Namen = Prostituierte. 1950 *ff.*
15. ~ in Schwarz = Schiedsrichterin. 1965 *ff.* Wegen der schwarzen Farbe des Trikots.
16. ~ von der Stange = modischer Körpertypus der Frau; weibliche Person, der jegliche Individualität abzugehen scheint. Sie ist gewissermaßen vorfabriziert wie ein Fertigkleid. ↗Stange. 1950 *ff.*
17. ~ vom Strich = Straßenprostituierte. ↗Strich. 1920 *ff.*
18. ~ ohne Unterleib = Fernsehansagerin. Eigentlich eine Jahrmarktattraktion; hier Anspielung auf die Tatsache, daß die Ansagerin nur als Brustbild auf dem Bildschirm zu sehen ist. 1960 *ff.*
19. ~ der ältesten Zunft der Welt = Prostituierte. 1960 *ff.*
20. ~ von der flotten Zunft = Prostituierte. Flott = leichtlebig. 1960 *ff.*
21. ~ von der leichten Zunft = Prostituierte. 1960 *ff.*
22. meine alte ~ = meine Mutter. Stammt aus der Studentensprache spätestens seit 1900. *Vgl amerikan* „my old lady".
23. fliegende ~ = Flugzeug-Stewardeß. 1960 *ff.*
23 a. grüne ~ = Helferin der Evangelischen Krankenhaus-Hilfe. Wegen der Tracht des grünen Kittels. 1975 *ff.*
24. horizontale ~ = Prostituierte. 1900 *ff.*
25. junge ~ = Schülerin der Oberstufe. Oft ein Spottausdruck unter Lehrern und älteren Gymnasiasten. 1950 *ff.*
26. käufliche ~ = Prostituierte. 1900 *ff.*
27. leichte ~ = Prostituierte. 1900 *ff.*
28. möblierte ~ = Mieterin eines möblierten Zimmers. „Möbliert" bezieht sich eigentlich nur auf die Ausstattung des Zimmers mit Möbeln (Gegensatz: Leerzimmer). Im 19. Jh. auch auf den Zimmerbewohner übertragen.
29. öffentliche ~ = Prostituierte. 1900 *ff.*
30. professionelle ~ = Prostituierte. 1920 *ff.*
31. lauter schöne ~n = Tarnwort für

LSD (Lysergsäurediäthylamid). *Halbw* 1960 *ff.*
32. schräge ~ = Prostituierte; leichtlebige weibliche Person ohne moralische Hemmungen. ↗schräg. 1950 *ff.*
33. schwarze ~ = Schiedsrichterin. ↗Dame 15. 1965 *ff.*
34. späte ~ = ältliche Ledige. *Vgl* „spätes ↗Mädchen". 1960 *ff.*
35. synthetische ~ = Transvestit. Es ist keine echte Frau, sondern eine künstlich hergestellte. 1920 *ff.*
36. tippelnde ~ = Straßenprostituierte. 1950 *ff.*
37. vorübergehende ~ = Prostituierte auf Kundenfang in den Straßen. 1900 *ff.*
38. weiße ~ = Schwiegermutter. Eigentlich Bezeichnung für das Schreckgespenst in Schlössern und Burgen. 1920 *ff.*
39. wohlausgezogene ~ = Frau im zweiteiligen Badeanzug. Das Gegenstück der wohlangezogenen Dame. 1960 *ff.*
40. eindeutig zweideutige ~ = weibliche Person mit lockerem Lebenswandel; Prostituierte. 1950 *ff.*
41. zu den ~n müssen = die Damentoilette aufsuchen müssen. 1920 *ff.*
42. ~ spielen = als Transvestit fungieren. 1920 *ff.*

Dämel *m* 1. dummer, einfältiger, schwungloser Mensch. ↗dämeln. 18. Jh.
2. sich von jm zum ~ machen lassen = nicht ernst genommen werden; übertölpelt werden. 1900 *ff.*

Dämelack (Dämlack) *m* dümmlicher, dummer Mensch. Mischbildung aus *dt* „dämeln" und der *slaw* Endung „-ack". 19. Jh.

dämeln (dameln) *intr* 1. vor sich hinträumen; nicht recht bei Verstand sein. Fußt auf einem germanischen Wurzelwort mit der Bedeutung „ermatten; außer Atem kommen", verwandt mit „Dämmer". 18. Jh.
2. ziellos umhergehen. 1700 *ff.*
3. wanken, torkeln. 1800 *ff.*

Damenbart *m* Schamhaar. 1930 *ff.*

Damenbaß *m* tiefe Altstimme einer Sängerin. 1940 *ff.*

Damenbinde *f* Bandage, mit der männliche Prostituierte den Penis rückwärtig befestigen, um den Eindruck weiblicher Genitalien zu erwecken. 1920 *ff.*

Damenbranche *f* in der ~ arbeiten = 1. Mädchenhandel treiben. Eigentlich „in der Damenbekleidungsindustrie arbeiten". 1920 *ff.*
2. Zuhälter sein. 1920 *ff.*

Damenflor *m* Gesamtheit der weiblichen Personen bei einer Gesellschaft. „Flor" fußt auf *lat* „flos = Blume, Blüte" und bezeichnet auch in der Antike das Beste. *Stud* 19. Jh.

Damenlandung *f* 1. schadensfreie, sanfte Landung. Fliegerspr. 1939 *ff.*
2. ~ machen = das Flugzeug bei der Landung sich überschlagen lassen. Fliegerspr. seit dem Ersten Weltkrieg.

Damen-Layout *n* Make-up. *Engl* „layout = Entwurf, Aufmachung". 1970 *ff.*

Damenmuffel *m* 1. Frauenfeind. ↗Muffel. 1965 *ff.*
2. Mann mit (nur) einer Frau. Scherzhaft dem „Krawattenmuffel" nachgebildet. 1965 *ff.*

Damenpauke *f* Rede auf die Damen. ↗Pauke. *Stud* seit dem späten 19. Jh.

Damenschauspieler *m* Schauspieler, der weniger durch sein Spiel und mehr durch sein Äußeres Eindruck auf die Zuschauerinnen macht. Theaterspr., spätestens seit 1900.

Damensitzung *f* Gerichtsverhandlung über leichte Mädchen. 1961 *ff.*

Damenspende *f* Geschlechtskrankheit. 1900 *ff.* ↗Dame 1.

Damensport *m* ~ treiben = koitieren. 1950 *ff.*

Damenstandplatz *m* üblicher Standplatz der Straßenprostituierten. Dem „Taxistandplatz" nachgebildet. 1960 *ff.*

Damentransportgriff *m* tatkräftiges Zupacken bei Verhaftung einer widersetzlichen Frau (Auskugelung des Schultergelenks, Verrenkung der Arme). 1900 *ff,* polizeispr.

Damenverkoster *m* Frauenheld. Verkosten = abschmecken. *Österr* 1950 *ff.*

Damenverleih *m* Callgirl-Ring. 1960 *ff.*

Damenverschleiß *m* ~ haben = viele flüchtige Liebesabenteuer haben. 1920 *ff.*

Damenverzehrer *m* Frauenheld. ↗vernaschen. 1960 *ff.*

Damenwein *m* lieblicher, eleganter Wein. 19. Jh.

Damenwinker *m* 1. Ziertaschentuch in der linken oberen äußeren Jackentasche. 1920 *ff.*
2. Querbinder. 1920 *ff.*

Damerl *m n* unbeholfener Mann. ↗Dämel 1. *Österr* 19. Jh.

damisch *adj adv* **1.** närrisch, betäubt, verwirrt, albern. Ablautform von „dumm". *Oberd* 1600 *ff.*
2. ~ schön = überaus schön. *Oberd* 1900 *ff.*

dämisch *adj* dumm, einfältig, albern. Gehört ablautend zu „dumm" und „dümmlich". 1600 *ff.*

Dämlack *m* ↗Dämelack.

dämlich *adj* **1.** dumm, einfältig, ungeschickt. ↗dämeln 1. 1700 *ff.*
2. weiblich. Scherzbildung zu „Dame" wie „herrlich" zu „Herr". Seit dem frühen 19. Jh.
3. jn ~ kommen = mit geheuchelter Dummheit jm entgegentreten; jn einfältig ansprechen. Spätestens seit 1900.
4. jn dumm und ~ quatschen (o. ä.) = jn mit Geschwätz belästigen. 19. Jh.
5. so ~ kann einer allein nicht sein: Redewendung angesichts besonders großer Dümmlichkeit. Meist ist gemeint, daß der Betreffende noch einen ebenso dummen Bruder oder Ratgeber hat. 1930 *ff.*
6. sich an etw (dumm und) ~ verdienen = an etw sehr viel verdienen. 1930 *ff.*

Dämlichkeit *f* Dümmlichkeit, Albernheit. 1800 *ff.*

Dämlichkeiten *pl* die Damen. ↗dämlich 2. 19. Jh.

Damm *m* **1.** auf dem ~ bleiben = gesund bleiben. Damm ist als erhöhte, gepflasterte Straße das Sinnbild der Sicherheit, der Beständigkeit und des ungehinderten Fortschreitens. Berlin 19. Jh.
2. er bricht die Dämme = a) er macht sich von Hemmungen frei. 19. Jh. – b) er verliert die Fassung, gerät in panikartige Stimmung. *Sold* 1939 *ff.*
3. jn auf den ~ bringen = a) jm weiterhelfen; jn ermuntern. 19. Jh. – b) jn fortjagen. 1920 *ff.*

4. jn wieder auf den ~ bringen = jn wieder gesund machen. 19. Jh.
5. auf den ~ gehen = Straßenprostituierte sein. 1900 *ff.*
6. jm auf den ~ helfen = jm aufhelfen. 19. Jh.
7. etw auf den ~ kitzeln = etw durch sachgemäßes Eingreifen verbessern, erfolgreich durchführen. Kitzeln = reizen. 19. Jh.
8. jn auf den ~ kitzeln = jds Krankheit erfolgreich behandeln. Etwa soviel wie „die Lebensgeister anregen". 1900 *ff.*
9. auf den ~ kommen = genesen. ↗Damm 1. 19. Jh.
10. jn auf den ~ schicken = jn zur Straßenprostitution anhalten. 1900 *ff.*
11. auf dem ~ sein = a) munter, gesund sein. 1800 *ff.* – b) sich zu helfen wissen; auf seinen Vorteil bedacht sein; aufpassen; pfiffig sein. Analog zu „auf der ↗Höhe sein". 19. Jh. – c) auf dem Laufenden sein; tüchtig sein. 19. Jh.
12. wieder auf dem ~ sein = wieder gesund sein. 19. Jh.

dammelig *adj* **1.** träge, langsam, einfältig, gedankenlos. Nebenform von ↗dämlich 1. 18. Jh.
2. albern. ↗dammeln. 19. Jh.

dammeln *intr* trödeln; unachtsam zu Werke gehen; sich irren; albern. Gehört zu ↗dämeln 1. 1700 *ff.*

Dämmer *m* **1.** einen ~ haben = a) ahnen. ↗dämmern. 1900 *ff.* – b) bezecht sein. Das Denken ist getrübt. 1900 *ff.*
2. keinen blassen ~ haben = nichts wissen; nichts ahnen. 1900 *ff.*

Dämmerbummel *m* zielloser Spaziergang in der Abenddämmerung. ↗Bummel 1. 1900 *ff.*

dämmerig *adj* benommen, betrunken. ↗Dämmer 1 b. 1900 *ff.*

dämmern *intr* **1.** es dämmert ihm = er beginnt zu begreifen. Es wird Licht in ihm. 18. Jh.
2. Darmwinde entweichen lassen. Dämmern = poltern, lärmen, schallen. 1920 *ff.*
3. jm einen ~ = jm einen heftigen Schlag versetzen. 1900 *ff.*

Dämmerzustand *m* gerichtlich genehmigter ~ = gerichtsmedizinisch bescheinigte Geistesschwäche und somit Straflosigkeit. 1900 *ff.*

Dampf *m* **1.** Hunger, Hungergefühl. Verkürzt aus ↗Kohldampf. Seit dem frühen 20. Jh, *sold* und *rotw.*
2. Rausch. Anspielung auf den Alkoholdunst, die ↗Fahne 1. 1700 *ff.*
2 a. Alkoholgehalt. *Halbw* 1965 *ff.*
3. Darmwind. Man läßt ihn ab wie die Lokomotive den Dampf. 1900 *ff.*
4. Atem. Atem entströmt dem Mund sichtbar als Dampf bei kaltem Winterwetter. 1800 *ff.*
4 a. Tabakwaren. *Halbw* 1965 *ff.*
5. Bedrängnis, Beklemmung, Angst. Leitet sich her vom Zustand des Asthmatikers nach heftiger Anstrengung. 14. Jh.
6. harter Dienst; Drill; Strafdienst; Bestrafung. Man macht dem Soldaten „Dampf"; ↗Dampf 38. *Sold* 1939 bis heute.
7. Motorleistung; Elektrizität. Hergenommen vom Dampfdruck der Dampfmaschine. 1960 *ff,* technikerspr.
8. Geld. Es ist gewissermaßen die Antriebskraft der menschlichen Leistungsmaschine. 1960 *ff.*

9. ~ auf allen Röhren = heftiger Hunger. Röhre = Speiseröhre. ↗Dampf 1. *Sold* 1939 *ff.*
10. mit ~ = nachdrücklich; mit aller Kraft; energisch. Übernommen von der Dampfmaschine. Seit dem späten 19. Jh.
11. unter halbem ~ = mittels Kurzarbeit; mittels Stillegung einer Betriebsabteilung. 1960 *ff.*
12. mit letztem ~ = unter Aufbietung aller Kräfte. 1910 *ff, sold* und *sportl.*
13. voller ~ = uneindämmbarer Redefluß. 1950 *ff.*
13 a. mit vollem ~ = lautstark, lauthals. 1900 *ff.*
14. mehr ~! = die Geschwindigkeit steigern! die Sache schneller erledigen! mehr Energie! Seit dem späten 19. Jh.
15. ~ ablassen = a) Wut, Ärger o. ä. ungehemmt äußern; sich beruhigen; zur Sachlichkeit zurückkehren. Vom Dampfablassen der Lokomotive übernommen. 1900 *ff.* – b) einen Darmwind abgehen lassen. 1900 *ff.* – c) koitieren. Dampfüberdruck = Libido. 1920 *ff.*
16. das hat ihm den ~ angetan = das hat ihm schwer geschadet, hat ihm Unglück gebracht. ↗Dampf 5. 1800 *ff.*
17. jm einen ~ antun = a) jn ärgern, kränken, in Bedrängnis bringen. ↗Dampf 5. 1500 *ff.* – b) jm den letzten Stoß geben. 1700 *ff.*
18. mit ~ arbeiten = angestrengt arbeiten. ↗Dampf 10. 1850 *ff.*
19. ~ aufmachen = etw nachdrücklich betreiben. Wie man Dampf auf die Kolben leitet. 1900 *ff.*
20. ~ aufsetzen = die Fahrt beschleunigen. 1900 *ff.*
21. viel ~ aufgesetzt haben = stark bezecht sein. Der Kolben, gegen den man den Dampf strömen läßt, ist hier die ↗Kognakpumpe. 1930 *ff.*
22. der ~ geht aus = der Zorn verebbt allmählich. Technisierung von „der Zorn verraucht". 1930 *ff.*
23. ~ draufhaben = a) schnell fahren. Dampf = Gas. 1930 *ff.* – b) Harndrang verspüren. Dampf = Druck auf die Blase. *BSD* 1960 *ff.* – c) leistungsfähig sein. 1950 *ff.*
24. zuviel ~ draufhaben = frech, aufsässig sein. 1950 *ff.*
25. ~ draufmachen = sich anstrengen; eine Arbeit vorantreiben. 1900 *ff.*
26. ~ geben = a) Gas geben. 1930 *ff.* – b) sich beeilen; davonlaufen. 1900 *ff, rotw* und *sold.*
27. ~ hinter etw geben = etw beschleunigen. 1900 *ff.*
28. ~ in (hinter) der Bluse haben = einen üppigen Busen haben. Dampf = Kraftfülle. 1950 *ff.*
29. ~ in der Faust haben = ein schlagkräftiger Boxer sein. 1920 *ff.*
30. ~ auf dem Hammer haben = sehr stark, sehr schlagkräftig sein. Vom Dampfhammer in der Schmiede übertragen. 1920 *ff.*
31. viel ~ unter der Haube haben = einen leistungsfähigen Motor haben. 1960 *ff.*
32. ~ im Hirn haben = klug sein. 1950 *ff.*
33. ~ im Kessel haben = unternehmungslustig, tatkräftig sein. 1940 *ff.*

34. vor jm ~ haben = vor jm Respekt haben. ↗Dampf 5. 1920 *ff.*

35. jn unter ~ haben = jn verdächtigen, verfolgen. Man setzt ihn unter (Dampf-)Druck. 1960 *ff.*

36. es kommt ~ auf die Maschine = es entwickelt sich eine hastige, anstrengende Tätigkeit. *Sold* 1939 *ff.*

37. ~ machen = Unruhe, Aufregung hervorrufen. 1930 *ff.*

38. jm ~ machen = a) jn anfeuern. 1930 *ff.* – b) jm energisch zusetzen; jm Unannehmlichkeiten machen; jn bedrohen. 1930 *ff.*

39. jm ~ unter dem Arsch (den Hintern, die Hose) machen = jn anfeuern, antreiben, aus seinem Müßiggang aufscheuchen. 1930 *ff, sold* und *ziv.*

40. großen ~ machen = übertreiben, prahlen. Analog zu „großen ↗Qualm machen". 1930 *ff.*

41. mehr ~ machen = energischer vorgehen. Seit dem späten 19. Jh.

42. ~ hinter etw machen (setzen) = zur Eile antreiben. Hergenommen vom Wasserdampf als technischer Triebkraft. 19. Jh. *Vgl engl* „to put on steam".

42 a. der ~ ist raus = die Angriffskraft ist geschwunden; die Siegesaussicht ist vertan; das Interesse ist erloschen. ↗Dampf 7. *Sportl* 1970 *ff.*

43. sich den ~ von der Seele reden (o. ä.) = sich aussprechen. Dampf = Druck auf dem Herzen. 1900 *ff.*

44. ~ schieben = hungrig sein; Hunger leiden. ↗Kohldampf schieben. Seit dem frühen 20. Jh.

45. es ist ~ dahinter = es ist viel Kraft dahinter. *Sportl* 1920/30 *ff.*

46. in ~ sein = böse, verärgert, wütend sein. ↗Dampf 15 a. 1910 *ff.*

47. im ~ sein = betrunken sein. ↗Dampf 2. 1700 *ff.*

48. ~ hinter etw setzen = eine Sache beschleunigen. ↗Dampf 42. 1900 *ff.*

48 a. jn unter ~ setzen = jn anfeuern, erschrecken. 1950 *ff.*

49. sich unter ~ setzen = sich betrinken. ↗Dampf 2. 1900 *ff.*

50. mit halbem ~ spielen = sich bei einem sportlichen Wettkampf nicht voll anstrengen. 1920 *ff, sportl.*

51. unter ~ stehen = a) sehr zugkräftig sein; energiegeladen, unternehmungslustig sein. Hergenommen von der unter Dampf stehenden Lokomotive. 1900 *ff.* – b) viel Alkohol getrunken haben. ↗Dampf 2. 19. Jh.

52. mehr ~ vorlegen = schneller, fleißiger arbeiten. ↗vorlegen. 1920 *ff.*

53. ~ wegnehmen = in der Mühegabe absichtlich nachlassen. 1920 *ff.*

dampfen *v* 1. *intr* = autofahren. Eigentlich „mit einem dampfbetriebenen Verkehrsmittel fahren". 1930 *ff.*

2. *intr* = Zigaretten o. ä. rauchen. Analog zu ↗qualmen. 1700 *ff.*

3. einen ~ = einen Darmwind entweichen lassen. ↗Dampf 3. 1920 *ff.*

4. daß es nur so dampft = gründlich, wacker. Fußt auf dem Bild vor Anstrengung buchstäblich dampfender Pferde. 1900 *ff.*

Dampfer *m* 1. doppelstöckiger Omnibus; Omnibus. Wegen der Größe und der starken Entwicklung von Auspuffgasen. 1940 *ff.*

2. Lastkraftwagen, Lastzug. *Sold* 1939 *ff.*

3. Kampfflugzeug; Flugzeug. Analog zu den Flugzeugbezeichnungen „↗Schiff", „↗Kahn" u. ä. *Sold* 1939 *ff;* auch *ziv.*

4. breitgebautes Auto. Nach 1945 aufgekommen.

5. Hubschrauber des Such- und Rettungsdienstes der Marine. *BSD* 1965 *ff.*

6. Jazz-, Tanzkapelle; Podium für die Kapelle. Die Geräusche des Schlagzeugs, auch das Taktschlagen der Musiker mit den Füßen ähneln dem stampfenden Geräusch des Dampfers. *Halbw* 1955 *ff.*

7. Tabakspfeife. Weil sie Rauch = „Dampf" entwickelt. 1965 *ff.*

8. Ehefrau; hausbackenes Mädchen. Verkürzt aus ↗Dampfnudel. 1900 *ff.*

9. Getränk ($1/2$ Bier als Schornstein, 2 Klare als Anker- und Hecklicht, 1 Escorial grün und 1 roter Korn als Steuer- und Backbordlicht). 1970 *ff, marinespr.*

10. alter ~ = altes, verbrauchtes Fahrzeug. *Sold* 1939 *ff.*

11. dicker ~ = a) großes Kriegsschiff. *Marinespr* 1914 *ff.* – b) beleibter Mensch. Auf der Straße nimmt er viel Platz ein, ähnlich den breitgebauten Autos (↗Dampfer 4). *Schül* 1950 *ff.*

12. fetter ~ = beleibte Person. *Halbw* 1960 *ff.*

13. flotter ~ = nettes, lebenslustiges Mädchen. ↗flott. 1950 *ff, halbw.*

14. großer ~ = Rennwagen. 1930 *ff.*

15. offener ~ = leicht zugängliches Mädchen. *BSD* 1965 *ff.*

16. schneller ~ = nettes, anziehendes Mädchen. ↗schnell. 1960 *ff.*

17. schnittiger ~ = anziehendes Mädchen. Schnittig = scharf umrissen; formschön. *Halbw* 1955 *ff.*

18. schräger ~ = leichtes Mädchen. ↗schräg. 1955 *ff.*

19. einen ~ abtakeln = ein Schiff versenken. Abtakeln = vom Takelwerk freimachen = außer Dienst stellen. *Marinespr* 1939 *ff.*

20. auf dem falschen ~ eingestiegen sein = seinen Beruf verfehlt haben. 1930 *ff.*

21. einen ~ fischen = ein Schiff versenken. Fischen = in seine Gewalt bekommen. *Marinespr* 1939 *ff.*

22. einen ~ knacken = ein Schiff versenken. ↗knacken. *Marinespr* 1939 *ff.*

23. qualmen wie ein alter ~ = dicke Tabakswolken ausstoßen; viel rauchen. 1920 *ff.*

24. gut auf dem ~ sein = wohlauf sein. *Vgl* „auf ↗Deck sein". 1900 *ff.*

25. auf dem falschen ~ sein (sitzen) = sich gröblich irren (und im Irrtum beharren); fehl am Platz sein. 1930 *ff.*

26. auf dem richtigen ~ sein = a) sein Ziel auf richtigem Wege erreichen. 1930 *ff.* – b) zeitgemäß sein; gegenüber Neuerungen aufgeschlossen sein. 1965 *ff.*

27. wieder auf dem ~ sein = genesen sein. ↗Dampfer 24. 1900 *ff.*

28. auf den falschen ~ springen = sich der Gegenseite anschließen und dadurch verkehrt handeln. 1960 *ff.*

29. einen ~ wegstecken = ein Schiff versenken. Aufgekommen 1917 mit dem uneingeschränkten Unterseebootkrieg.

Dämpfer *m* jm einen ~ geben (aufsetzen) = jn in seine Schranken weisen; jn zurechtweisen. Stammt aus der Musik: mit dem Dämpfer schwächt man den Klang eines Instruments ab und verändert ihn. 1830 *ff. Vgl engl* „to put a damper upon one" und *franz* „mettre une sordine à quelqu'un".

dämpfig (dampfig) *adj* 1. kurzatmig, engbrüstig; nach Luft ringend. ↗Dampf 5. 15. Jh.

2. beklommen; angsterfüllt. 19. Jh.

3. ausgezeichnet. Fußt auf „Dampf draufhaben = schnell fahren". Hohe Geschwindigkeit erhält heute die Note „ausgezeichnet". *Jug* 1950 *ff.*

Dampfmaschine *f* beleibte Person. Dickleibige schnaufen schwer. 1900 *ff.*

Dampfnudel *f* 1. dickes, dralles Mädchen; beleibter Mensch. Der (die) Betreffende ist gequollen wie die Dampfnudel (Hefegebäck). 1800 *ff.*

2. Zigarre. Sie ist nudelförmig und „dampft". 1920 *ff.*

3. Zigarette. 1940 *ff.*

4. überhebliche weibliche Person. Vor Dünkelhaftigkeit und Prahlsucht bläht sie sich auf. 1850 *ff.*

5. aufgehen wie eine ~ = a) beleibt werden. 19. Jh. – b) aufbrausen. Analog zu ↗hochgehen. 1900 *ff.*

6. sie hat ~jn gegessen = sie ist schwanger. Spätestens seit 1900.

Dampfplauderer *m* Schwätzer. Seine Rede ist so substanzlos wie die in der Luft aufsteigende Dampf. 1914 *ff, österr.*

Dampfradio *n* Rundfunkgerät. Im Verhältnis zum Fernsehgerät ist das Rundfunkgerät ebenso veraltet wie die Dampflokomotive im Verhältnis zur elektrisch betriebenen Lokomotive. Gegen 1960 aufgekommen.

Dampfredner *m* Vielschwätzer; pausenlos Redender. ↗Dampfplauderer. Wien 1900 *ff.*

Dampfröhre *f* Vagina. Sie gilt als Röhre, durch die man „Dampf" (= Geschlechtskraft; geschlechtlicher Überdruck) abläßt. *Halbw* 1960 *ff.*

Dampfroß *n* Dampflokomotive. Sie ist ein mit Dampf betriebenes Zugpferd. 1860 *ff.*

Dampftelefon *n* altes, übliches Fernsprechgerät ohne moderne Zusatzgeräte. Nach dem Muster von „↗Dampfradio" um 1974 aufgekommen.

Dampfwalze *f* 1. beleibter Mensch. Er bewegt sich schwerfällig und nimmt viel Platz ein. Um 1870/80 in Berlin aufgekommen.

2. große, unüberwindliche Heeresmasse. Die Anwendung auf die russische Armee stammt vom militärischen Mitarbeiter der „Times" vom 18. August 1914 („Russian steamroller"). Seitdem als politisch-militärisches Schlagwort sehr geläufig.

3. Achtung, ~: = a) Warnruf angesichts einer herankommenden beleibten Person. 1900 *ff.* – b) Warnruf, wenn einer mit einem Tablett voller Geschirr herankommt. 1950 *ff.*

danach *adv* 1. nach dem Geschlechtsverkehr. 1930 *ff.*

2. das ist auch ~ = das ist entsprechend schlecht. „Danach" meint „entsprechend dem vorher Gesagten". Spätestens seit 1800.

danebenbenehmen *refl* gegen den guten Ton verstoßen. Diese und die entsprechenden folgenden Vokabeln gehen zurück auf „danebenschießen" = das Ziel, die Zielscheibe verfehlen". Seit dem späten 19. Jh.

danebendenken *intr* falsche Überlegungen anstellen; sich irren. 1930 *ff.*

danebenfeiern *tr* einen Festtag irrtümlich zu früh (spät) begehen. 1825 Goethe.

danebengehen *intr* **1.** es geht daneben = es mißlingt, wirkt sich nachteilig aus. Spätestens seit 1900. **2.** ehebrechen. 1900 *ff.*

danebengelingen *impers* mißlingen. Seit dem späten 19. Jh.

danebengeraten *intr* mißraten; aus der Art schlagen. 1900 *ff.*

danebenglücken *impers* mißglücken. 1900 *ff.*

danebengreifen *intr* sich gröblich irren; ungehörige Worte verwenden; gegen die Anstandsregeln verstoßen; sich in Wort oder Ton vergreifen. 1930 *ff.*

danebenhauen *v* **1.** *intr* = einen Fehler begehen; einen Mißgriff tun; sich irren; eine schlechte Klassenarbeit schreiben. Hauen = schlagen = (laut) feuern. Seit dem späten 19. Jh. **2.** *impers* = nicht zutreffen; nicht stimmen. 1900 *ff.*

danebenknallen *intr* **1.** fehlschießen. ↗knallen. *Sold,* jägerspr., schützenvereinsspr. u. a. 1900 *ff.* **2.** mit einem heftig getretenen Ball das Tor verfehlen. *Sportl* 1920 *ff.* **3.** sich ungesittet benehmen; gegen den Anstand handeln. 1920 *ff.* **4.** die Pointe eines Witzes gründlich verderben. 1950 *ff.*

danebenliegen *intr* falschen, unzweckmäßigen Ansichten huldigen; sich jds Wohlwollen nicht erfreuen; sich irren. Der Schuß liegt neben dem Ziel. *Vgl* das danebenschießen. 1920 *ff.*

danebenpfeifen *intr* **1.** den Abortdeckel beschmutzen. ↗pfeifen. 1900 *ff.* **2.** als Schiedsrichter irrtümlich pfeifen. *Sportl* 1920 *ff.*

danebenraten *intr* falsch raten. 1900 *ff.*

danebenschätzen *v* **1.** *intr* = sich verschätzen. 1920 *ff.* **2.** *tr* = etw ablehnen; etw nicht mögen. 1930 *ff.*

danebenschießen *intr* sich irren. 19. Jh.

danebensein *intr* verwirrt sein; aus dem üblichen Gleichmaß sein; verrückt sein; sich unwohl fühlen. Man befindet sich nicht im gewohnten körperlichen oder seelischen Gleichgewicht. 19. Jh.

danebensetzen *refl* sich irren; Mißerfolg ernten. Man setzt sich versehentlich neben den Stuhl und stürzt zu Boden. 19. Jh, vorwiegend *schül, stud* und *sold.*

danebentappen *intr* Mißerfolg erleiden. 19. Jh.

danebentippen *intr* **1.** die falsche Schreibmaschinentaste niederdrücken. ↗tippen. 1900 *ff.* **2.** falsch wetten; falsch raten. 1900 *ff.*

danebentreffen *intr* **1.** nicht ins Ziel treffen. 19. Jh. **2.** sich nicht treffend äußern; nicht das Richtige treffen. 1900 *ff.*

danebentreten *intr* **1.** eine unsinnige (falsche) Anordnung treffen; sich irren. Stammt wohl aus dem Sportleben: wer über eine Spiellinie tritt, erhält keinen Punkt oder einen Minuspunkt. 1920 *ff.* **2.** gegen die Anstandsregeln verstoßen; sich jds Wohlwollen verscherzen. 1900 *ff.*

danebenurteilen *intr* sich bei der Beurteilung irren. 1950 *ff.*

Dänemark *Ln* **1.** es ist etwas faul im Staate ~ = es ist etwas nicht so, wie es sein soll. Fußt auf Shakespeares „Hamlet" in der Übersetzung von Schlegel. 19. Jh. **2.** nichts Neues im Staate ~ = nichts Neues ist zu berichten. Zusammengesetzt aus dem Vorhergehenden und aus „nichts Neues vor Paris" (Podbielski 1870). 1920 *ff.*

Dank *m* **1.** heißer (glühend heißer; kochend heißer) ~ = inniger Dank. Scherzhafte Wendung nach dem Muster von „heiße Liebe", „heißer Wunsch" o. ä. 1900 *ff.* **2.** kuhwarmen ~! = vielen Dank! Burschikos gebildet aus „wärmstens danken". 1900 *ff.* **3.** mein ~ wird Ihnen ewig nachschleichen = danke! Um 1950 in Studentenkreisen aufgekommen auf der Grundlage des Folgenden. **4.** der ~ des Vaterlandes wird dich umschleichen, aber nicht erreichen = nichts Undankbareres als das Vaterland! Alte Erfahrungsweisheit enttäuschter Soldaten; 1900 *ff.*

danke 1. danke, Kollege! Erwiderung, wenn einen jemand „Esel" oder „Affe" o. ä. tituliert. 1950 *ff.* **2.** danke, Kommal: ironische Erwiderung auf eine beleidigende, anzügliche Bemerkung o. ä. Seit dem späten 19. Jh, Berlin. **3.** mir gehts danke = mir geht's einigermaßen gut. Auf die Frage nach dem Wohlbefinden antwortet man „danke", ohne nähere Einzelheiten mitzuteilen; hieraus verselbständigt sich „danke" im Sinne von „mittelmäßig". 1920 *ff.*

Dantscherl *n* niedliches, anschmiegsames Mädchen. *Vgl* das Folgende. *Bayr* 19. Jh.

dantschig *adj* **1.** niedlich, anschmiegsam, nett (auf Mädchen und kleine Kinder bezogen). Beruht auf *ital* „donzella = vornehmes Fräulein". *Bayr* 1800 *ff.* **2.** urwüchsig. Weiterentwickelt aus dem Nebensinn „geistig anspruchslos" von „dantschig = nett". 19. Jh.

Dapperl *n* einfältiger Mensch. Gehört zu ↗tappig. *Bayr* 1900 *ff.*

dappert *adj* ungeschickt. ↗tappig. *Bayr* 1900 *ff.*

dappig *adj* einfältig, unbeholfen. ↗tappig. *Oberd* 19. Jh.

dappy (*engl* ausgesprochen) *adj* im gesellschaftlichen Umgang ungeschickt. Es ist keine *engl* Vokabel, wird aber *engl* ausgesprochen. Entwickelt aus „↗dappig". 1955 *ff, jug.*

daran ↗dran.

darauf ↗drauf.

darin ↗drin.

Darm *m* **1.** langer, schmaler Raum. 1800 *ff.* **2.** magerer, großwüchsiger Mensch. 1800 *ff.* **3.** jm den ~ auslassen = jn streng, mittels Handgreiflichkeiten verhören. Gemildert aus der Bedeutung „jm den Leib aufschlitzen". 1900 *ff.* **4.** den ~ bewegen = a) koten. 1910 *ff.* – b) einen Darmwind abgehen lassen. 1910 *ff.* – c) ein Saiteninstrument spielen. *Halbw* 1950 *ff.* **5.** einen duften ~ geigen = ausgezeichnet Violine spielen. ↗dufte. 1955 *ff, halbw.* **6.** kurze Därme haben = a) an Durchfall leiden. Beruht auf der volkstümlichen Vorstellung, daß in kurzen Därmen die Verdauung schneller vor sich geht. 19. Jh. –

b) wenig zu essen haben. Die wenig nahrhafte Speise verläßt schnell den Darm. 19. Jh. **7.** einen langen ~ haben = stets großen Appetit haben. 1900 *ff.* **8.** den ~ kitzeln = ein Saiteninstrument spielen. Darm = Darmsaite. 1920 *ff.* **9.** einen wilden ~ kratzen = gut Baß spielen. Musikerspr. 1950 *ff.* **10.** blaue Därme kriegen = viel Wasser trinken. 1910 *ff.* **11.** bei jm die Därme sehen wollen = jn scharf verhören. *Vgl* ↗Darm 3. 1910 *ff.* **12.** in den ~ stechen = einen Darmwind entweichen lassen. Der Stich in den Darm kommt bei getöteten Schlachttieren vor. 1900 *ff.* **13.** etw in (durch) den ~ stoßen = etw essen. 1900 *ff.* **14.** einen kessen ~ streichen = gut Violine spielen. ↗keß. *Halbw* 1950 *ff,* Berlin. **15.** die Därme verrenken = tanzen. 1920 *ff.* **16.** einen duften ~ zupfen = gut Schlagbaß spielen; schöne Zupf-, Streichmusik machen. *Halbw* 1955 *ff.*

Darmalarm *m* Durchfall. *Sold* in beiden Weltkriegen.

Darmbremse *f* Schokolade. Sie verursacht Verstopfung. 1925 *ff.*

Darmdiesel *m* Durchfall. Das Rizinusöl, das Stuhlverhärtung behebt, erscheint hier als „Dieselöl". 1955 *ff, stud.*

Darmdoktor *m* Rizinusöl. *Sold* 1914 *ff.*

Darmgespräch *n* laut abgehender Darmwind. 1920 *ff.*

Darmgetöse *n* lautes Entweichenlassen von Darmwinden. 1920 *ff.*

Darmhupe *f* After. *Sold* 1939 *ff.*

Darmkitzler *m* Homosexueller. 1920 *ff.*

Darmleier *f* After, dem Darmwinde entweichen. Die Leier ist ein Saiteninstrument zur Erzeugung wohlklingender Töne. 1900 *ff.*

Dar'molmännchen *n* Mann im Nachthemd. Übernommen von der Reklamefigur der Darmol-Werke. 1960 *ff.*

Darmpfeife *f* **1.** After. *Sold* 1939 *ff.* **2.** Klistierspritze. *Sold* 1939 *ff.* **3.** Penis des Homosexuellen. ↗Pfeife. *Sold* 1939 *ff.*

Darmputsch *m* Durchfall, Ruhr o. ä. *Sold* 1939 *ff.*

Darmputzer *m* Homosexueller. 1920 *ff.*

Darmquetscher *m* rührselig spielender Geigen-, Cellospieler o. ä. Darm = Darmsaite. 1925 *ff.*

Darmreiniger *m* **1.** Homosexueller. 1920 *ff.* **2.** Magenbitter. 1960 *ff, BSD.* **3.** *pl* = Hülsenfrüchte. Sie fördern die Verdauung. *BSD* 1960 *ff.*

Darmrevolte *f* **1.** Durchfall o. ä. *Sold* 1939 *ff.* **2.** Hunger. *Sold* 1939 *ff.* Das Knurren in den Därmen wird als Äußerung des Unmuts und Aufruhrs aufgefaßt.

Darmrutscher *m* Homosexueller; homosexueller Geschlechtsverkehr. 1920 *ff.*

Darmsprache *f* laut abgehende Darmwinde. 1970 *ff.*

Darmverkehr *m* homosexuelle Betätigung. 1920 *ff.*

Darmverschlingung *f* **1.** Verdauungsbeschwerden. *Sold* 1914 *ff.* **2.** die Seele hat ~ = man ist seelisch unfrei, verklemmt, „frustriert". Bei Darmverschlingung ist das Darmrohr abgeklemmt und die Darmdurchgängigkeit aufgehoben. 1950 *ff.*

darstellen *v* etw ~ können = sich geldlich etw leisten können. Darstellen = schauspielerisch vorführen. 1900 *ff.*

Darstellungsbeamter *m* zuverlässiger Schauspieler ohne besondere künstlerische Individualität. Wie mancher Beamter vertritt er eine bürgerlich sichere Existenz ohne inneren Schwung: er spielt seine Rollen ohne innere Beteiligung. Theaterspr. 1900 *ff.*

darümque *adv* deswegen. Von Lateinschülern stammt die angehängte Endung „-que", von Französischschülern oder Vornehmtuern das „ü". 1950 *ff.*

Dasein *n* sein ~ abspulen = mehr schlecht als recht leben. Man spult es ab wie den Faden von der Garnrolle: monoton, ständig abnehmend. 1960 *ff.*

dasein *intr* 1. ich bin nicht mehr da = ich bin sehr erstaunt, kann es nicht fassen. Vor Überraschung ist man geistesabwesend und ohnmächtig. 1920 *ff.*
2. er ist nicht mehr da = er ist bereits eingeschlafen. 1900 *ff.*
3. bei ihm ist nicht viel da = er leistet wenig. Im Kopf oder in den Armen ist nicht viel Kraft vorhanden. 1950 *ff, jug.*
4. er ist nicht ganz da = er ist geistesabwesend, geistesverwirrt. 1920 *ff.*
5. voll ~ = seine volle Leistungskraft entfalten. *Sportl* 1950 *ff.*
6. ich bin schon da beim ~ = ich bin schon da. 1950 *ff.*
7. wieder ~ = aus der Ohnmacht aufgewacht sein. 1920 *ff.*
8. so etwas ist noch nicht dagewesen!: Ausdruck der Verwunderung oder des Unwillens. Den völlig neuen Vorfall findet man ungeheuerlich und unerhört. 1920 *ff.*

daselig *adj* gedankenlos, unklug, albern. Geht zurück auf *mhd* „daesic = still, in sich gekehrt; dumm, albern" und berührt sich mit „↗dösig" und „↗dusselig". 1800 *ff.*

daseln *intr* benommen umhergehen; sich albern benehmen. *Vgl* das Vorhergehende. 1800 *ff.*

dasig (däsig) *adj* benommen, schüchtern, energielos, langweilig, kleinlaut. Nebenform von „↗dösig". Seit *mhd* Zeit.

dasitzen *intr* sich in Not befinden. Man sitzt in der „Patsche" oder in der „↗Tinte". 19. Jh.

Dassel *m* 1. Kopf. Verwandt mit „↗dösen", vielleicht auch mit „↗Deez". *Nordd* 1900 *ff.*
2. dummer Mensch. 1900 *ff.*

dastehen *v* 1. wie stehe ich nun da? = a) bin ich nicht tüchtig? habe ich nicht gut gehabt? Man steht entweder kraftvoll oder gerechtfertigt da. 19. Jh. – b) was soll man von mir denken? 1955 *ff.*
2. dann stehst du da = dann bist du ratlos. 1900 *ff.*

Daten *pl* Leistungsnoten. Hergenommen von elektronischen Anlagen, in denen „Daten" (= Informationen) verarbeitet werden. 1960 *ff, schül.*

Datenspeichern *n* Geschichtsunterricht. Man speichert Geschichtszahlen im Gehirn wie in einem Computer. 1960 *ff, schül.*

Datsch (Dätsch) *m* Unausgebackensein. „Datsch" (oder „dätsch") ahmt den Laut nach, der entsteht, wenn mit flacher Hand oder mit flachem Gerät auf einen weichen Gegenstand (Teig) geschlagen wird; verwandt mit „↗tätscheln". 1700 *ff.*

datsch (dätsch) *adj* verrückt, unverständig. Aus der im Vorhergehenden entwickelten Bedeutung „geschlagen" ergibt sich im Zusammenhang mit dem Schlag an den Kopf, der Gehirnerschütterung hervorgerufen hat. 1900 *ff.*

Datsch-, datsch- ↗Tatsch.

datschen (dätschen) *tr* treten, drücken. ↗Datsch. 1700 *ff.*

Datschi *m* großer, breiter Damenhut. Meint eigentlich den großen flachen Kuchen. 1900 *ff.*

datschig *adj* nicht ausgebacken. ↗Datsch. 1700 *ff.*

Dattelzähler *m* arabischer Student. *Österr* 1950 *ff.*

datterig *adj* zittrig. ↗tatterig.

dattern *intr* zittern. ↗tattern.

Datum *n* das ~ pumpen = soundsoviele Liegestütze ausführen. Ihre Zahl bestimmt sich durch das Tagesdatum. ↗pumpen. *BSD* 1960 *ff.*

Dätz *m* ↗Deez.

Dauerabonnent *m* Klassenwiederholer. Eigentlich der Dauerplatzinhaber im Theater oder Konzertsaal. 1945 *ff, schül.*

Dauerbeschuß *m* 1. ständiges Zielen auf das gegnerische Tor. ↗schießen. *Sportl* 1920 *ff.*
2. unaufhörliche Kritik. 1950 *ff.* ↗Beschuß 1.

Dauerblondine *f* Frau mit naturblondem Haar. 1960 *ff.* Wohl älter.

Dauerbrenner *m* 1. zugkräftiges Theater-, Filmstück oder Schlagerlied, das die Zeiten überdauert. Hergenommen von der in der Dunkelheit ununterbrochen brennenden Treppenhausbeleuchtung in Miethäusern oder auch vom ununterbrochen brennenden Ofen. 1920 *ff.*
2. Künstler, der viele Jahrzehnte hindurch beliebt ist. 1950 *ff.*
3. Fernsehserie mit sehr vielen Fortsetzungen. 1965 *ff.*
4. lange modisch bleibendes Kleidungsstück. 1950 *ff.*
5. seit langem nicht bereinigtes, aktuell bleibendes Vorkommnis (Problem). 1970 *ff.*
5 a. unentwegt kampfbereiter Fußballspieler; in mehreren Wettkämpfen siegreicher Sportler. *Sportl* 1960 *ff.*
6. fester Freund einer weiblichen Person. 1910 *ff.*
7. langer Kuß. 1910 *ff.*
8. treue Liebe. 1960 *ff.*
9. lange entweichender Darmwind. 1940 *ff.*
10. große Tabakspfeife. 1939 *ff.*
11. strahlen wie ein ~ = bester Laune sein. Wie der Dauerofen Wärme ausstrahlt, so strahlt das Gesicht gute Stimmung aus. 1920 *ff.*

Dauerfeuer *n* 1. langanhaltende große Angst. Man hat „Feuer" in der Hose. *Sold* 1939 *ff.*
2. ununterbrochene Folge von Vorwürfen. Mit Vorhaltungen wird man unter Beschuß genommen. 1960 *ff.*
3. anhaltendes Bedrängen des gegnerischen Tors. *Sportl* 1950 *ff.*

dauergelockt *adj* Naturlocken besitzend. 1920 *ff.*

Dauerglotzer *m* unermüdlicher Fernsehzuschauer. ↗glotzen. 1965 *ff.*

Dauerheuler *m* 1. Tonbandgerät. ↗Heuler. *Halbw* 1960 *ff.*
2. oft auftretender Schlagersänger. 1970 *ff.*

Dauerhocker *m* Mensch, der den schicklichen Zeitpunkt des Aufbruchs versäumt. 1970 *ff.*

Dauerjobber *m* Student, der neben seinem Studium ständig auf Gelderwerb angewiesen ist. ↗jobben. 1960 *ff, stud.*

Dauerjungfrau *f* ältliche Ledige unfrohen Wesens. 1920 *ff.*

Dauerknüller *m* erfolgreiches, lange Zeit hindurch beliebtes Buch, Theaterstück u. ä. ↗Knüller. 1965 *ff.*

Dauerlauf *m* eiliges Aufsuchen des Aborts. *Sold* in beiden Weltkriegen.

Dauerläufer *m* 1. Film, der viele Monate hindurch vorgeführt wird; beliebte Fernsehserie. Aus dem Sport übernommen. 1960 *ff.*
2. lange modisch bleibendes Kleidungsstück. 1965 *ff.*
3. Person, die zur bürgerlichen Ordnung nicht zurückfindet und Obdachlosigkeit vorzieht. Behördenspr. 1950 *ff.*

Dauerlaut *m* ~ von sich geben = unentwegt schimpfen. Hergenommen vom Summerton des Feldtelefons: er zeigt an, daß eine Meldung für alle angeschlossenen Apparate durchgegeben werden soll. *Sold* 1914 *ff.*

Dauerleiche *f* Mumie. Nach dem Muster von länger haltbaren Lebensmitteln (Dauerwurst). Seit dem späten 19. Jh.

Dauerlutscher *m* 1. Bonbon am Stiel; Zuckerstange. ↗lutschen. Eigentlich der Schnuller für kleine Kinder. 1930 *ff.*
2. feste Freundin eines Halbwüchsigen. ↗lutschen = küssen u. ä. *Halbw* 1960 *ff.*
3. lange beliebt bleibender Schlager. 1965 *ff.*
4. Zigarre, an der einer lange raucht und kaut. Zigarre = „↗Schnuller". 1965 *ff.*
5. Fernsehserie. 1970 *ff.*
6. langwierige Untersuchung (Verhandlung o. ä.). 1970 *ff.*
7. immer von neuem vorgetragener Vorschlag. 1970 *ff.*

Dauermarsch *m* Ruhr; heftiger Durchfall. *Sold* in beiden Weltkriegen. Man mußte dauernd zur Latrine marschieren.

Dauerrenner *m* lange erfolgreich laufender Film. ↗Renner. 1965 *ff.*

Dauerschatten *m* Person, die ständig an der Seite eines anderen gesehen wird. Sie folgt ihr untrennbar wie der Schatten. 1955 *ff.*

Dauerschinken *m* erfolgreiche Fernsehserie geringer Qualität. *Vgl* ↗Schinken. 1965 *ff.*

Dauerschnauze *f* Redseligkeit ohne Unterbrechung und Ende. ↗Schnauze. 1960 *ff.*

Dauerschraube *f* 1. Ehefrau. ↗Schraube. 1960 *ff.*
2. intime Freundin. 1960 *ff.*

Dauersitzung *f* 1. Sitzung, die kein Ende zu nehmen scheint. 1900 *ff.*
2. ~ halten = sehr lange auf dem Abort bleiben. ↗Sitzung. 1920 *ff.*

Dauersuff *m* Trunksucht. ↗Suff. 1900 *ff.*

Dauertwen *m* Mann, der auch nach Überschreiten des dritten Lebensjahrzehnts wie ein ↗Twen, d. h. nicht älter als 29 Jahre alt wirkt. 1970 *ff.*

dauerverlobt *adj* mit jm ~ sein = mit jm viele Jahre lang verlobt sein. 1960 *ff.*

Dauerwalze *f* intime Freundin. „Sich wälzen" spielt auf den Geschlechtsverkehr an. *Halbw* 1960 *ff.*

Dauerwelle *f* 1. *pl* = Chaussee mit vielen Unebenheiten, Schlaglöchern und Hökkern. Von der Frisierkunst übertragen. 1930 *ff.* 2. musikalische ~ = Schallplatte, vor allem die Langspielplatte. 1950 *ff.*

Dauerwurst *f* 1. unsterbliches Bühnenstück. Es hält sich lange. 1950 *ff.* 2. Fernseh-Kriminalstück in mehreren Fortsetzungen. 1964 *ff.*

Däumchen *n* ~ drehen = untätig sein. 19. Jh.

daumeln *intr* ratlos sein. Bezieht sich entweder auf das Saugen am Daumen oder das „↗Däumchendrehen" als Gebärde der Untätigkeit oder auf das willkürliche Greifen mit dem Daumen zwischen die Seiten der Bibel, wodurch man auf einen Bibelspruch stößt, den man als Orakelspruch gelten läßt. *Sold* 1939 *ff.*

Daumen *m* 1. über den ~ = ungefähr gerechnet; geschätzt. ↗Daumen 31. 1900 *ff.* 2. auf den ~ achten = auf den leisesten Wink hin tätig werden. Man gibt mit dem Daumen ein Zeichen. *Sold* 1939 *ff.* 3. etw vor dem ~ bringen = Ersparnisse machen. ↗Daumen 23. 19. Jh, *nordd.* 4. da hat der liebe Gott (das Schicksal) den ~ zwischengehabt (zwischengehalten) = ein kleiner lebensrettender Umstand stellte sich ein. Der Daumen als der kräftigste Finger gilt als besonders zauberkräftig; wieviel mehr Gottes Daumen! Anscheinend bei den Soldaten des Zweiten Weltkriegs aufgekommen. 5. auf jm den ~ draufhaben = jds Willen beherrschen; jm wenig Freiheit lassen. Der Daumen als Machtsinnbild. 1900 *ff.* 6. bei den Mädchen den ~ draufhaben = bei den Mädchen streng auf moralisch einwandfreie Führung achten. *Sold* 1939 *ff.* 7. den ~ draufhalten = sparsam sein. Mit dem Daumen hält man den Geldbeutel oder die Anzugtasche zu. 1900 *ff.* 8. ~ drehen = sich langweilen; müßiggehen. 19. Jh. 9. jn um (über) den ~ drehen = jn betrügen. Analog zu „jn um den ↗Finger wickeln". *Oberd* 19. Jh. 10. jm den ~ drücken = jm zu einem bevorstehenden wichtigen Ereignis Glück wünschen. ↗Daumen 25. 1700 *ff.* 11. jm den ~ aufs Auge drücken = jn streng behandeln. ↗Daumen 36. 17. Jh. 12. zwischen ~ und Zeigefinger empfindlich sein = geldgierig sein; auf geldliche Einbußen empfindlich reagieren. Versteht sich nach ↗Daumen 3. 1950 *ff.* 13. etw über den ~ erledigen = etw nicht sorgfältig erledigen. ↗Daumen 31. 1930 *ff.* 14. über den ~ essen (frühstücken) = Stücke von der Brotschnitte abschneiden und neben Speck, Wurst u. ä. essen. 1900 *ff.* 15. einen grünen ~ haben = Sinn für Pflege von Topfpflanzen haben; erfolgreich im Garten tätig sein. Übernommen aus dem *angloamerikan* „to have a green thumb". 1950 *ff.*

16. einen kranken ~ haben = sehr geizig leben; kein Geld haben. Als hätte man eine Krankheit am Daumen, kann man kein Geld aufzählen. 19. Jh. 17. lauter ~ haben = handungeschickt sein. 1900 *ff.* 18. zwei linke ~ haben = handwerklich ungeschickt sein. 1900 *ff.* 19. einen steifen ~ haben = kein Geld hergeben. ↗Daumen 16. 19. Jh. 20. einen trockenen ~ haben = mittellos sein. Hängt zusammen mit dem Anfeuchten des Daumens beim Zählen von Geldscheinen. 1950 *ff.* 21. zehn ~ haben = kein Handgeschick haben. 1900 *ff.* 22. jn unter dem ~ haben (halten) = jn in seiner Gewalt haben; jn beherrschen. ↗Daumen 5. 1900 *ff.* Eine alte Regel sagt, Herr im Hause werde, wer bei der Trauung den Daumen oben habe. 23. etw vor dem ~ haben = vermögend sein. Beim Aufzählen schiebt man die Münzen vor dem Daumen aus der Hand. 1700 *ff, nordd.* 24. etw zwischen ~ und Zeigefinger haben = Geld haben. 19. Jh. 25. jm den ~ halten (einschlagen, kneifen) = jm zu einer entscheidenden Angelegenheit Erfolg wünschen. Der in die Handfläche eingeschlagene, von den vier anderen Fingern umschlossene Daumen ist im Aberglauben eine unheilbannende Zaubergebärde. 1600 *ff.* 26. auf etw den ~ halten = etw in der Gewalt behalten; nicht freigebig sein. 19. Jh. 27. jn unter den ~ halten = jn beherrschen. ↗Daumen 22. 1900 *ff.* 28. etw über den ~ kalkulieren = etw ungefähr veranschlagen. ↗Daumen 31. 1930 *ff.* 29. jn unter den ~ kriegen = Herrschaft über jn erlangen. ↗Daumen 22. 1900 *ff.* 30. am ~ lutschen = a) Mangel leiden; hungern. „Lutsch am Daumen!" sagt man, wenn einer außerhalb der Tischzeiten Hunger hat. – b) bei einer Verteilung nicht berücksichtigt werden. 1900 *ff.* – c) ratlos sein. ↗daumeln. 19 Jh. 31. etw über den ~ peilen = eine Entfernung grob schätzen; etw grob abschätzen; ohne genaue Kursberechnung das Ziel anfliegen. Zur Standortbestimmung nimmt man als ausgestreckten Arm die Breite des Daumens als Hilfsmaß beim Entfernungsschätzen. Seit dem späten 19. Jh, anfangs *marinespr.* 32. per ~ reisen = Autos anhalten und den Fahrer um Mitnahme bitten. ↗Daumenmädchen. 1960 *ff.* 33. am ~ saugen = ratlos, müßig sein. ↗Daumen 30. 19. Jh. 34. etw aus dem ~ saugen = etw ersinnen, erlügen. Analog zu „aus den ↗Fingern saugen", 19. Jh. 35. der ~ ist zu kurz = man hat zu wenig Geld. Wegen der Kürze des Daumens kann man kein Geld aufzählen. 1950 *ff, österr.* 36. jm den ~ aufs Auge setzen = jn durch Gewaltanwendung zwingen. Dem Gefangenen drohte man im Altertum und im Mittelalter, mit dem Daumen ein Auge auszudrücken, um von ihm Geständnisse zu erpressen. 1700 *ff.* 37. jm den ~ setzen = a) jn kampfunfä-

hig machen. *Vgl* das Vorhergehende. 18./19. Jh. – b) jn im Sport besiegen. *Sportl* 1950 *ff.* – c) jm übel mitspielen. 19. Jh. – d) jn in Unehren verabschieden. 1900 *ff.* 38. über den ~ trinken = aus der Flasche trinken. 1900 *ff.* 39. jn um den ~ wickeln = jn mühelos beherrschen; bei jm alles erreichen. ↗Finger 80. *Österr* 19. Jh.

Daumenbewegung *f* die bewußte ~ machen = Geld hergeben. Den Daumen wie beim Geldzählen bewegen, nämlich indem man mit dem Daumen über das obere Glied des Zeigefingers hin- und herreibt. 1900 *ff.*

Daumenfrühstück *n* unbestrichene Brotschnitte, in Streifen geschnitten, dazu Speck oder Wurst. ↗Daumen 14. 1900 *ff.*

Daumenlutscher *m* 1. Nichtstuer; Arbeitsscheuer. 1900 *ff.* 2. Beamter. 1933 *ff.*

Daumenmädchen *n* Mädchen, das vorüberfahrende Kraftfahrer anhält und um Mitnahme bittet. Es zeigt mit dem Daumen in die Fahrtrichtung. 1950 *ff.*

Daumenschnitte *f* dicke Brotschnitte. 1900 *ff.*

Daumenschrauben *pl* 1. jm ~ anlegen (ansetzen) = jn mittels Gewaltanwendung zu etw zwingen. Hergenommen vom mittelalterlichen Folterungsverfahren. 19. Jh. 2. die ~ anziehen = strenger vorgehen; härtere Forderungen stellen. 1900 *ff.*

Daumenweltreisender *m* Urlaubsreisender mittels angehaltener Autos. 1965 *ff.* ↗Daumenmädchen.

Däumling *m* Präservativ. Eigentlich der Schutzverband für den Daumen; Lederhandschuhfinger. Analog zu ↗Überzieher. 1900 *ff.*

Daus *m n* 1. As; höchster Trumpf. Fußt auf *altfranz* „dous = zwei" (nämlich zwei Augen im Würfelspiel). Seit *mhd* Zeit. 1 a. ei, der Daus!: Ausdruck der Überraschung, der Anerkennung. Aus der Kartenspielersprache verallgemeinert. Spätestens seit 1900. 2. Däuser (Deuser) *pl* = Geldstücke, -mittel. Beim Spiel um Geld sind Asse soviel wie bares Geld. 19. Jh. 3. Däuser lassen Häuser = Stiche mit mehreren Assen lassen die zum Gewinnen erforderliche Punktzahl schnell erreichen. 1850 *ff*, kartenspielerspr.

David *m* 1. kleinwüchsiger Mann. Nach 1. Samuel 17,4 war David kleinwüchsig genüber dem Riesen Goliath. 1900 *ff.* 2. Penis. Man nennt ihn ja auch den „kleinen Bruder". 1900 *ff.* 3. Eierhandgranatenwerfer. Die Bibel berichtet, David habe den Riesen Goliath mit einer Steinschleuder besiegt. *Sold* 1939 *ff.* 4. davon singt ~ nicht!: Ausdruck der Ablehnung. Anspielung auf König David als angeblichem Verfasser der meisten Psalmen. 1910 *ff.*

davon ab davon abgesehen. Hieraus verkürzt. 1900 *ff.*

davonbrausen *intr* rasch und geräuschvoll abfahren. ↗brausen. 1920 *ff.*

davonhaschen *refl* mittels Haschischs der augenblicklichen gesellschaftlichen Wirklichkeit entfliehen. ↗haschen. 1970 *ff.*

davonhauen *tr* jn seines Amtes entheben.

Etwa soviel wie „jn wegjagen", nämlich „mit Prügeln davontreiben". 1960 ff.

davonlaufen v 1. es läuft ihm nichts davon = es entgeht ihm nichts; er erleidet keinen Schaden. 1900 ff.
2. es ist zum ~!: Ausdruck der Unerträglichkeit, der Verzweiflung. 1800 ff.

davonrauschen intr 1. wütend weggehen. Man bewegt sich mit der Schnelligkeit des rauschenden Windes. 1900 ff.
2. geräuschvoll starten. 1920 ff.

davonstöckeln intr in hochhackigen Schuhen weggehen. ↗Stöckelschuh. 1950 ff.

davontrampen intr schwerfällig davongehen. ↗trampen. 1920 ff.

da'voseln intr ein Sonnenbad nehmen. Abgeleitet von dem Wintersport- und Kurort Davos in der Schweiz (Kanton Graubünden). 1955 ff.

da'vosverdächtig adj lungenkrank. Leitet sich her von den Lungenheilstätten in Davos (vgl das Vorhergehende). 1955, wenn nicht älter.

dazubuttern intr tr einen geldlichen Zuschuß geben (mit dessen Rückgabe man kaum rechnen kann). ↗buttern 10. 1900 ff.

dazugeben v es gibt mir niemand 'was dazu: Ausdruck der Ablehnung an einen, der sich einmischt, ohne helfen zu können. 18. Jh.

dazuhalten refl sich mit der Arbeit beeilen; angestrengt arbeiten. Sich zur Arbeit halten = das Arbeiten nicht einstellen. 19. Jh.

dazukönnen v nicht (nichts) ~ = an etw nicht schuld sein. ↗dafür 1. 18. Jh.

dazulegen refl sich dick legen: Redewendung, wenn einer etwas hat zu Boden fallen lassen. 1950 ff.

dazwischenfahren intr energisch einschreiten; sich in etw einmischen. Ordnung schaffen. Gemeint ist etwa, daß einer mit erhobenem Stock, mit lauten Worten o. ä. auf eine Gruppe eindringt. 19. Jh.

dazwischenfunken intr 1. störend eingreifen; zwischenrufen; hintertreiben; vereiteln. Man funkt dazwischen, wenn man ein Ferngespräch stört, ein Funkkabel anzapft oder wenn ein Störsender auf derselben Welle sendet. Im Ersten Weltkrieg aufgekommen.
2. dazwischenschießen. ↗funken. Sold 1939 ff.

Dazwischengequassele (-gequatsche) n störende Einmischung in eine Unterhaltung. 1900 ff.

dazwischenhaben tr jn zwischen die Beine einzwängen und prügeln. 1900 ff.

dazwischenhauen v 1. intr = energisch einschreiten. 1920 ff.
2. sich ~ = sich zwischen anderen niederlassen. Halbw 1950 ff.

dazwischennehmen tr jn heftig zurechtweisen. Versteht sich nach ↗dazwischenhaben. 19. Jh.

dazwischenscheißen intr sich einmischen. ↗scheißen = sich äußern. Sold in beiden Weltkriegen; auch ziv.

dazwischenspritzen intr eine ungünstige Entwicklung eilig unterbinden. ↗spritzen. Sportl 1950 ff.

dazwischentratschen intr eine Rede durch Zwischenrufe unterbrechen; Einwände erheben. ↗tratschen. 1900 ff.

Dealer (engl ausgesprochen) m Rauschgift-

händler (mit Mengen bis zu 1 Kilo). 1968 aus den USA übernommen.

Deck n 1. an ~ bleiben = seinen Posten beibehalten. Stammt aus der Seemannssprache. 1900 ff.
2. Leute an ~ bringen = Leute aufbieten, stellen. 1920 ff.
3. unter ~ gehen = sterben. Sold 1914 ff.
4. komm aufs ~! = spiel' aus! Kartenspielerspr. 1900 ff.
5. klar ~ machen = aufräumen, bereinigen. 19. Jh.
6. alle Mann an ~ pfeifen = alle Mann zur Hilfe holen. 1920 ff.
7. ein Schiff unter ~ schieben = ein Schiff versenken. Marinespr 1939 ff.
8. an ~ sein = anwesend, einsatzbereit sein. 1900 ff.
9. auf ~ sein = a) munter, gesund, vergnügt sein; sich in guter Verfassung befinden. 19. Jh, nordd. – b) aufmerksam, schlagfertig, gewitzt sein. Seit dem späten 19. Jh.
10. schwer auf ~ sein = schlau sein. 1900 ff.
11. wieder auf ~ sein = wieder gesund sein. Seit dem späten 19. Jh.

Decke f 1. Felduniform, Kampfanzug. Verkürzt aus ↗Pferdedecke. BSD 1960 ff.
2. bis an (unter) die ~ = überaus; sehr; vorzüglich. Hergenommen aus „vor Freude an die Decke springen". 1950 ff.
2 a. etw unter der ~ behandeln = geheime Abmachungen treffen. ↗Decke 9. 1950 ff.
2 b. jn an die ~ bringen = jn erzürnen. ↗Hochbringen 2. 1920 ff.
3. die ~ fällt mir auf den Kopf = ich halte es in meinem Zimmer nicht mehr aus. Decke = Zimmerdecke. 1920 ff.
4. jm eine ~ geben = jn prügeln. Dem Opfer wurde früher eine Decke übergeworfen, um es wehrlos zu machen. Seit dem späten 19. Jh.
5. an die ~ gehen = sehr zornig werden; sich sehr aufregen. Analog zu ↗hochgehen. 1800 ff.
6. senkrecht an die ~ gehen = sehr aufgeregt sein. Wohl beeinflußt vom technischen Begriff „Senkrechtstarter". 1965 ff.
6 a. etw unter der ~ halten = ein heikles Thema nicht berühren. ↗Decke 9. 1950 ff.
7. auf der ~ liegen = a) schlafen. 1920 ff. – b) gestorben sein. 1920 ff.
8. an die ~ springen = sich sehr freuen. 19. Jh.
9. mit jm unter einer ~ stecken (spielen; liegen) = mit jm in geheimem Einverständnis stehen. Hergenommen von dem unter derselben Decke schlafenden Ehepaar. 14. Jh.
10. sich nach der ~ strecken = den Verhältnissen entsprechend bescheiden leben. Wer eine kurze Bettdecke hat, friert leicht. 1500 ff.
11. jm die ~ wegziehen = jm den Broterwerb nehmen; jn fristlos entlassen. 1925 ff.

Deckel m 1. Kopfbedeckung; Hut, Mütze. Sie entspricht dem Deckel auf dem Kochtopf. 1600 ff.
2. Kopf. 1900 ff.
3. Tadel. Aus dem Schlag an (auf) den Kopf ist der Verweis geworden. 1900 ff.

4. schlechteste Zeugnisnote. Sie ist dem Tadel gleichgestellt. Österr 1900 ff.
5. Polizeibeamter. Wohl verkürzt aus „Blechdeckel = Helm"; vgl auch ↗Tekkel. 1850 ff.
6. intimer Freund; Geliebter. Die geschlechtliche Vereinigung wird hier unter dem Bild von Topf und Deckel gesehen. 1920 ff.
7. jm eins auf den ~ geben = jn zurechtweisen. ↗Deckel 3. 1900 ff.
8. einen auf den ~ haben = nicht recht bei Verstand sein. Man hat einen Schlag auf den Kopf erhalten und ist davon betäubt. 1900 ff.
9. jm eins auf den ~ hauen = jn übervorteilen. Gemeint ist, daß man das Opfer durch einen Schlag auf den Kopf betäubt und sich seine Geistestrübung zunutze macht. 1955 ff.
10. einen (eins) auf den ~ kriegen = a) auf den Kopf (Hut) geschlagen werden. 1900 ff. – b) gerügt werden; empfindlich bestraft werden. ↗Deckel 3. 1900 ff.
11. den ~ auf die Nase kriegen = sterben; eingesargt, beigesetzt werden. Deckel = Sargdeckel. 1900 ff.
12. auf den ~ machen = im Skatspiel 60 Punkte erreichen. Man hat den Aborttrichter verfehlt und den Deckel verunreinigt. 19. Jh.
13. neben den ~ machen = im Skatspiel 59 Punkte erzielen. Man hat nicht nur den Aborttrichter, sondern auch den Deckel verfehlt. Kartenspielerspr 19. Jh.
14. nur so paßt der ~ auf die Kiste = nur so nimmt die Sache den gewünschten Verlauf. 1950 ff.
15. es paßt wie der ~ auf den Pott (Topf) = es paßt ausgezeichnet. 19. Jh.
16. ein Topf und ein ~ sein = ein Herz und eine Seele sein. Topf und Deckel als Sinnbild der Zusammengehörigkeit. 1900 ff.
17. du bist der ~ zu meiner Urne = du bereitest mir schweren Kummer; du wirst an meinem frühen Tod schuld sein. 19. Jh.
18. auf dem ~ sein = wohlauf sein; Bescheid wissen; auf seinen Vorteil sehen. Wohl mißverstanden aus „auf Deck sein". 1920 ff.
19. zusammenpassen wie der ~ auf den Topf = ein ideales Ehepaar sein. ↗Deckel 6 und 16. 1920 ff.

deckeln v 1. jn ~ = jn verprügeln. Eigentlich trifft der Schlag den Kopf oder die Kopfbedeckung. 1700 ff.
2. jn ~ = jn zurechtweisen; jm schlagfertig antworten. 1850 ff.
3. intr = den Hut (die Mütze) zum Gruß ziehen, lüften. ↗Deckel 1. Kurz nach 1800 aufgekommen, vermutlich im Zusammenhang mit der Aktivität der Studentenverbindungen.

decken v koitieren, schwängern. Aus der Viehzucht übertragen. 1800 ff.

Decker m 1. Beischlaf. ↗decken. 1900 ff.
2. Geliebter. 1900 ff.
3. Boxschlag. Von den wuchtigen Boxhieben, mit denen der Gegner eingedeckt wird, ist der „Decker" wohl der, den der Bedarf des Gegners deckt. 1920 ff.
4. schlechteste Leistungsnote. Sie wirkt wie der entscheidende Boxhieb: man geht zu Boden. Österr 1950 ff.

Deckgebühr f Entgelt für den Bordellbesuch. Stammt aus der Viehzucht: der Eigentümer des Stiers erhält für dessen Bespringen der Kuh eine Deckgebühr. *Sold* in beiden Weltkriegen.

Deckmantel *m* Umstandsmantel, -kleid. Die Trägerin ist „gedeckt" worden, und das Kleidungsstück verdeckt die Folgen. *1900 ff.*

Decknaht *f* längs ~ gehen = schlafen gehen. Stammt aus der Seemannssprache; die Kojen liegen schiffslängs. *Marinespr 1939 ff.*

Deckoffizier *m* Frauenheld; Geliebter. ↗decken. Bei der früheren Marine bezeichnete das Wort einen Berufsunteroffizier (ranglich zwischen Oberfeldwebel und Offizier). *1900 ff.*

Deckprämie *f* Kinderzulage. *1920 ff.*

Deckschein *m* Urlaubsschein. Aufgefaßt als schriftliche Erlaubnis zum Geschlechtsverkehr; ↗decken. *1965 ff, BSD.*

Deckstation *f* Bordell. Eigentlich der landwirtschaftliche Betrieb, auf dem ein Zuchtbulle gehalten wird. *BSD 1960 ff.*

Deckung *f* 1. in ~ gehen = a) schlafen gehen. Man sucht Sicherheit vor dem Vorgesetzten. Auch beeinflußt von „Bettdecke". *Sold* in beiden Weltkriegen. – b) heiraten. Anspielung auf die Bettdecke. *BSD 1965 ff.* – c) einer unliebsamen Begegnung ausweichen. *1910 ff.* 2. volle ~ nehmen = a) zu Bett gehen. *Sold 1914 bis 1945.* – b) sich verstecken. *Sold 1939 ff.* – c) möglichst unentdeckt bleiben wollen, um einer unangenehmen Dienstverrichtung zu entgehen. *Sold 1939 ff.* – d) sterben. Der größtmögliche „Schutz" vor einer Schußverletzung ist das Totsein. *Sold 1939 ff.*

Deckurlaub *m* Heiratsurlaub. ↗decken. *Sold 1939 ff.*

Deez (Dätz, Däz, Deetz, Dez, Dötz) *m* Kopf. Fußt auf *franz* „tête = Kopf". *1700 ff.*

deftig *adj* derb; bürgerlich-kräftig; plump; bieder; gediegen. Stammt aus dem *ndl* und *fries* „deftig = belangreich" und wurde hinsichtlich der Bedeutung durch „kräftig" beeinflußt. 16. Jh.

Degen *m* Penis. Degen und Scheide ergeben das Sinnbild der Zusammengehörigkeit. *1700 ff.*

Dehnenkönig *m* ~ mit Szenenzerrung = Schauspieler, der seinen Text sehr breit ausspielt. Weil er an geistiger „Sehnenzerrung" leidet, spricht er „Dehnenkönig" statt „Dänenkönig" (Hamlet). Er spricht gedehnt und sehnend. Theaterspr. *1930 ff* (?).

Deibel *m* 1. Teufel. Um 1810 aufgekommene Nebenform. ↗Deifel. 2. pfui ~!: = a) Ausdruck der Verachtung, des Ekels, des Mißfallens o. ä. 19. Jh. – b) Ausruf der Anerkennung, des Beifalls (!). 19. Jh. 3. auf ~ komm raus = unter allen Umständen; sehr angestrengt; aus Leibeskräften; unerschrocken. Das Gemeinte geschehe auch dann, wenn der Teufel zum Vorschein käme. 19. Jh. 4. beim ~ sein = für immer verloren sein; für immer verloren haben. Wen der Teufel hat, den gibt er nicht mehr frei. *1815 ff.*

deibeln *intr* fluchen, zetern. ↗teufeln. 19. Jh.

Deichsel *f* 1. Penis. Übertragen vom

Deichselbaum am zweispännigen Gefährt. 19. Jh. 2. sie ist gegen eine ~ gerannt = sie ist schwanger. 19. Jh.

Deichselgeld *n* Bordellentgelt. Im 18. Jh soviel wie eine Übernachtungsgebühr in Ausspannungen oder eine von Jahrmarktbesuchern erhobene Abgabe. ↗Deichsel 1. *1900 ff.*

Deichselhirsch *m* Pferd, Pferdefleisch. Aufgekommen im frühen 20. Jh zum Unterschied vom Fahrrad, das man wegen der geweihähnlichen Gabelform der Lenkstange „Hirsch" nannte.

deichseln *tr* 1. etw geschickt ausführen, bewerkstelligen. Den Wagen an der Deichsel zu lenken, setzt lange Übung voraus, zumal bei schmalen Toren und Wegen. 19. Jh. 2. etw verschulden. *1900 ff.*

Deifel *m* Teufel. ↗Deibel 19. Jh.

Deiker *m* Teufel. Nebenform von ↗Deuker. *1700 ff.*

deiner *pron* halt' deinen raus! = a) misch' dich nicht ein, das ist mein Mädchen! Leitet sich wohl von unerwünschtem Geschlechtsverkehr des einen mit dem Mädchen des anderen her. Hinter „deinen" ergänze: „Penis". Rocker *1968 ff*, Hamburg. – b) kümmere dich nicht ungebeten um anderer Leute Angelegenheiten! *Halbw 1970 ff.*

Deiwel *m* Teufel. Ablautform. ↗Deibel. *1700 ff.*

Deixel *m* Teufel. Ein im 17. Jh aufgekommener Ersatzname; denn man soll den Namen des Teufels nicht nennen, weil sonst der Teufel leibhaftig erscheint.

Dekolleté *n* 1. abendfüllendes ~ = weiter Brustausschnitt des Kleides. ↗abendfüllend 1. *1960 ff.* 2. voll eingeschenktes ~ = Dekolleté, das einen üppigen Busen erkennen läßt. Voll eingeschenkt ist das Glas Bier, das bis zum Rand gefüllt ist. *1960 ff.* 3. einladendes ~ = tiefes Dekolleté. Es lädt vermeintlich (den Mann) zum Betrachten o. ä. ein. *1960 ff.* 4. supertiefes ~ = sehr tiefer Busenausschnitt. *1960 ff.* 5. tiefgründiges ~ = sehr tiefes Dekolleté. *1960 ff.* 6. totales ~ = Oberteillosigkeit des Damenkleids. *1964 ff.* 7. weitherziges ~ = tiefes Dekolleté. *1960 ff.* 8. wohlgenährtes ~ = Dekolleté über üppig entwickelten Brüsten. *1960 ff.* 9. ein ~ entschärfen = ein Dekolleté durch Einfügen eines Latzes mildern. Dadurch macht man diese Form von „Munition" unschädlich. *1960 ff.* 10. das ~ tiefer rücken = Männer geschlechtlich herausfordern. *1955 ff.*

Dekoration *f* Schminken; Auftragen von Lidschatten usw. Es gilt als Ausschmückung und Verzierung. *1950 ff.*

Dekorationsschnee *m* leichter Schneefall. *1972* gehört; aber wohl älter.

Delirium Clemens *n* Säuferwahnsinn. Umgeformt aus „Delirium tremens". ↗Destillirium. *1920 ff.*

Demagogentolle *f* lang nach hinten gestrichenes, wirres männliches Kopfhaar. ↗Tolle. Gilt als Zeichen freiheitlicher Gesinnung wie die Voll- und Schnurrbart,

der, nach 1814 aufgekommen, „Demagogenbart" genannt wurde. *1950 ff.*

demagogerln *intr* Aufruhr leichterer Art stiften. *Öster 1950 ff.*

demmen *intr* ~ und schlemmen = üppig leben. Demmen = schmatzend essen; schlürfend trinken. Fußt auf *mittelniederd* „domen = dampfen". *1500 ff.*

demnächst *adv* ~ in diesem Theater = später; nicht jetzt. Bekannt als Textstück der Spielplanvorschau im Kino. *1930 ff.*

Demo *f* Demonstration. Hieraus seit 1974 verkürzt.

Demokratur *f* Demokratie mit diktatorischem Einschlag. Ein aus „Demokratie" und „Diktatur" zusammengesetztes Wort, das erstmals 1919 auftaucht im Zusammenhang mit dem Einsatz von Regierungstruppen unter dem Oberbefehl von Minister Noske; nach 1948/49 erneut aufgelebt.

demokrätzig *adj* demokratisch *(abf)*. Entstellt durch die Vorstellung, die Gesinnung habe die Krätze. *1850 ff.*

demsig *adj* drückend schwül. Nebenform von „dampfig", „dumpf". *Ostmitteld* 18. Jh.

Denglisch *n* vom Englischen überwuchertes Deutsch. Nach 1955 aufgekommene Zusammensetzung aus „Deutsch" und „Englisch". ↗Deuglisch.

Denkakrobatik *f* angestrengtes Denken; kühne Schlußfolgerung. *1900 ff.*

Denkanstoß *m* 1. Vorbringen eines neuen Gedankens, der zu neuen Einsichten und Entwicklungen führen kann. Hergenommen vom Ballanstoß beim Fußballspiel. Gegen 1967 aufgekommen. 2. Strafarbeit, Schulaufsatz. *1975 ff.*

Denkapparat *m* Gehirn, Kopf, Schädel; Verstand. Technisierung des Gehirns zu einer Maschine. *1900 ff.*

Denkathlet *m* hervorragender Schachspieler. *1960 ff.*

Denke *f* Denkvermögen, Intelligenz. Ein Halbwüchsigen-Neuwort zu „denken". *1965 ff.*

-denken *n* als Grundwort einer substantivischen Zusammensetzung im Sinne von „bewußte Einstellung; starke Interessiertheit". Nach 1945 aufgekommen als Schwammwort (Urlaubs-, Renten-, Auto-, Mode-, Feinkost-, Partei- usw.), bis zur Lächerlichkeit ausgepreßt im Ausdruck „nationales Käsedenken" (4. April 1963 anläßlich der Deutschen Käseschau).

denken *v* 1. haste dir gedacht! = Irrtum! Gemeint ist: „Das hast du dir gedacht; aber es ist in Wirklichkeit völlig anders!". *1920 ff.* 2. für jn ~ = jm die eigene Willensbestimmung nehmen. *1900 ff, sold,* verbrecherspr. und *schül.* 3. nicht denke nich dran!: Ausdruck der Ablehnung. Soviel wie „ich habe nicht die Absicht, das zu tun, was du mir zumutest!". 19. Jh. 4. jm ~ helfen = jn zu gegebener Zeit an etw erinnern. 19. Jh. 5. jm das ~ abnehmen = jn der Mühe entheben, eine eigene Meinung zu haben. Götzendienst der Autorität und des Absolutismus. *1900 ff.*

Denkerstirn *f* Vorderhauptglatze. *1920 ff.*

denklahm *adj* schwerfällig im Denken. *1960 ff.*

Denkmal *n* 1. ~ des unbekannten Arbei-

ters = Ruhestellung des sich auf sein Arbeitsgerät stützenden Arbeiters. ↗Arbeiterdenkmal 1. 1900 ff.
2. ein ~ hinterlassen = einen Kothaufen ablegen. 1948 ff, schül.
3. ~ machen = sich untätig auf das Arbeitsgerät stützen; bei vorgetäuschtem Arbeitseifer faulenzen. ↗Arbeiterdenkmal 1. 1930 ff.
4. ein ~ setzen = koten. 1940 ff.
5. wie ein ~ stehen = unbeweglich stehen. Sold 1935 ff.
Denkmaschine f Gehirn, Verstand. ↗Denkapparat. 1900 ff.
Denkpause f **1.** kurzes Schläfchen. 1900 ff.
2. Verhandlungsunterbrechung, Beratungspause. Meint eigentlich die Pause, die ein Schachspieler einlegt, wenn er sich seinen nächsten Zug ausdenkt. Gegen 1935 aufgekommen, geläufig vor allem seit 1970 im Zusammenhang mit den Verhandlungen des Staatssekretärs Egon Bahr mit der Sowjetischen Regierung.
Denksalat m Wirrsal von Gedanken. ↗Salat. 1950 ff.
Denksport m **1.** Schach-, Kartenspielen, Scharfsinnsproben u. a. 1920 ff.
2. Klassenarbeit, -aufsatz. Schül 1960 ff.
denkste 1. ~ ! = du irrst dich sehr! ↗denken 1. Abgeschliffen aus „denkst du". 1930 ff. Vgl franz „penses-tu!".
2. klarer (typischer) Fall von ~ = Irrtum. 1930 ff.
3. ~! auch bei den Würmern gibt es Hengste! = du bist sehr im Irrtum! Berlin 1950 ff.
Denkste m n **1.** Verstand. 1930 ff.
2. klares ~ = Irrtum. 1935 ff.
Denkübung f Überlegung. 1975 ff.
Denkzettel m fühlbare Erinnerung; Ohrfeige, Züchtigung. Früher war es ein Notizzettel, in Sonderfällen ein Zettel mit dem Vermerk der Missetat, und die Aushändigung an den Schüler war in den Jesuitenschulen mit körperlicher Züchtigung verbunden. Heute nur noch in bildlichem Sinne geläufig. 16. Jh.
Denunziatur f Kriminalpolizeiamt; politisches Polizei-Dezernat; Reichssicherheitshauptamt der NS-Zeit. Durch Einfluß von „denunzieren" umgemodelt aus „Nunziatur". 1933 ff. Auch nach 1945 noch aktuell.
Depp (Tepp) m **1.** dummer, einfältiger Mensch. Gehört zu „dappen, tappen = unsicher, ungeschickt auftreten". Oberd 1800 ff.
2. blutiger ~ = sehr dummer Mensch. ↗blutig 1. Bayr 1900 ff.
3. den ~ machen = für andere alles und jedes besorgen; gegenüber jm (allzu) gutmütig sein. Bayr 19. Jh.
depp adj dumm, dümmlich. Oberd 19. Jh.
deppen tr **1.** jn auf den Kopf schlagen. Gehört zu „Tappe = Pfote, Hand". Nordd 19. Jh.
2. jn demütigen, zur Ordnung rufen, entwürdigend anherrschen. Eigentlich „jn einen ↗Depp nennen". 19. Jh.
Depperl n dummer Mensch (kosewörtlich). Oberd 1800 ff.
deppert (teppert) adj dumm, einfältig, naiv. ↗Depp 1. Oberd 1700 ff.
der'baazen tr etw zu Brei zerdrücken. ↗Baaz. Bayr 1800 ff.
'derbe adv **1.** sehr. „Derb" ist eigentlich ein

Festigkeitsbegriff und daher analog zu „↗feste". 1700 ff.
2. ~ etw kommen lassen = eine Runde Bier ausgeben. 1930 ff.
der'bembern intr in der Prüfung versagen. „Bembern = mit lautem Geräusch fallen" ist ursprünglich schallnachahmend. Bayr 1900 ff.
der'blecken tr jn veralbern, verspotten. Blecken = die Zunge herausstrecken (Gebärde der Verhöhnung). Bayr 19. Jh.
der'bröseln v **1.** tr = etw zerpflücken, zerreißen. Bröseln = bröckeln. Bayr 1900 ff.
2. intr = zugrunde gehen. Bayr 1900 ff.
der'bröselt adj erschöpft. Bayr 1900 ff.
der'fangen refl **1.** Atem holen. „Erfangen = erhaschen, erreichen". Bayr 19. Jh.
2. = a) sich erholen; wieder zu sich kommen; sich knapp vor dem Hinfallen bewahren. Südd 19. Jh. – b) wirtschaftlich gesunden. 1900 ff.
3. jn nicht sich ~ lassen = jm keine Ruhe lassen; jn unablässig verfolgen. 1900 ff, südd.
'Dergel m **1.** kleines Boot. Eigentlich Bezeichnung für ein großes Schnapsglas. Gefäßbezeichnungen dienen häufig zu Schiffsbezeichnungen. 1960 ff BSD.
2. Penis. Fußt vielleicht auf „Derk, Derg = Theodor, Dietrich", und „Dietrich" ist auch der Penis. Nordd 1960 ff, halbw.
3. Kind, kleiner Mensch (abf). Schwäb 1930 ff; wahrscheinlich älter.
'dergeln intr koitieren. ↗Dergel 2. Nordd 1960 ff.
der'gurgeln tr jn erwürgen. Bayr 19. Jh.
der'hauen v ihn hat's derhaut = er ist im Kriege gefallen. Derhauen = zerschlagen. Bayr 1914/18 ff, sold.
der'hutzen refl **1.** sich abhetzen, übereilen. „Hutzen" (= rennen, laufen) ist eine Ablautform von „hetzen". Bayr 1900 ff.
2. einen (tödlichen) Autounfall erleiden oder verursachen. Bayr 1900 ff.
'derjenige pron ~ welcher sein = der Verantwortliche, Gesuchte, Entscheidende, Schuldige sein. Gekürzt aus „derjenige sein, welcher gesucht wird oder dies zu verantworten hat". Vielleicht übersetzt aus lat „talis qualis". Berlin 1815 ff.
der'kennen tr erkennen, anerkennen. Oberd 15. Jh.
der'machen tr etw bewältigen. Oberd 1800 ff.
der'matscht adj erschöpft, matt. ↗matsch = im Spiel besiegt. Bayr 1900 ff.
der'packen v **1.** tr = etw bewältigen. ↗packen. Südd 19. Jh.
2. ihn hat's derpackt = es hat ihn ergriffen, übermannt; er ist verliebt. Bayr 1900 ff.
der'rappeln refl sich erholen. ↗aufrappeln. Bayr 19. Jh.
der'schaffen tr etw leisten. Soviel wie „erschaffen, durch Schaffen vollbringen". Oberd 19. Jh.
der'spechten tr etw erspähen. ↗spechten. Bayr 1900 ff.
der'stoßen v **1.** sich ~ = sich überanstrengen. Wörtlich soviel wie „sich totstoßen". Südd 1900 ff.
2. er hat sich dabei derstoßen = er hat in der Prüfung versagt. Stud 1930 ff, Wien.
der'warten tr abwarten, erwarten. Oberd 19. Jh.
Derwisch m heulender ~ = Schlagersän-

---

ger. Die Derwische, Mitglieder eines islamischen Ordens, begleiten ihren Tanz mit heulähnlichen Lauten. Aus dem Amerikanischen 1955 übernommen.
der'wischen tr jn (etw) erwischen. Oberd 19. Jh.
der'würgen tr jm an die Kehle fassen; jn erwürgen. 15. Jh, oberd.
der'wutzeln refl sich überanstrengen, aufreiben. ↗wutzeln. Bayr 19. Jh.
desinfizieren v **1.** refl = sich waschen. 1965 ff, BSD.
2. jn ~ = aus einem Zivilisten einen Soldaten machen. Der Zivilismus wird als Krankheit oder Seuche bekämpft; man treibt den Zivilisten die „↗Motten" oder „↗Mucken" aus. 1910 ff.
desinfiziert adj von Anstößigkeiten befreit. 1900 ff.
Destille f **1.** Branntweinausschank, Kneipe. Destillieren = abdampfen; Branntwein brennen. Im späten 19. Jh als Verkürzung von „Destillation" in Berlin aufgekommen.
2. Kraftstofflager. Kraftstoff = Sprit = Schnaps. 1960 ff, BSD.
Destillirium (Destillirium clemens) n = starke Trunkenheit; Säuferwahnsinn. Zusammengesetzt aus „Destille" und „Delirium". Seit dem späten 19. Jh, Berlin. Vgl auch ↗Delirium Clemens.
destilliert adj dreimal ~ = sehr lebenserfahren; in allen Listen bewandert. 19. Jh.
Detektiv m **1.** ~ mit dem Spaten = Archäologe. 1964 ff.
2. vierbeiniger ~ = Polizeihund. 1960 ff.
Detlev m Homosexueller. Etwa wie „Deedleew" auszusprechen, wie es der übertrieben (unecht) weichen Aussprache der Homosexuellen entsprechen soll. 1965 ff, BSD.
detsch adj geistesbeschränkt. ↗datsch. 1900 ff.
detschen tr etw nehmen, greifen. Gehört zu „tatschen = mit der Hand fassen". Bayr 1950 ff.
Detz m ↗Deez.
Deubel m **1.** Teufel. Niederd Nebenform. 1800 ff.
2. ~ nochmal! Ausdruck der Bekräftigung. 19. Jh.
Deuglisch n mit vielen englischen Wörtern durchsetztes Deutsch. Zusammengesetzt aus „Deutsch" und „Englisch". 1968 ff. Vgl ↗Denglisch.
Deuh m **1.** Stoß, Anstoß, Schub. ↗deuhen. Westd 1700 ff.
2. sich einen ~ antun = sich aufspielen. Westd 1900 ff.
3. jm einen ~ geben = jm den Anstoß zu einem Entschluß geben. Westd 1900 ff.
4. sich einen ~ geben = zu einem Entschluß aufraffen. 1900 ff.
deuhen tr drücken, stoßen, schieben, rükken. Fußt auf ahd „duhen", mhd „diuhen", mittelniederd „douen, duwen". 1700 ff.
Deuker m Teufel. Hehlform aus dem Ndl, im 17. Jh übernommen.
Deut m **1.** kein ~ = nichts. Um 1700 aus ndl „duit = kleinste (holländische) Münze" übernommen und weiterentwickelt zur Bedeutung „Geringstes".
2. sich einen ~ um etw kümmern = sich um etw überhaupt nicht kümmern. 1900 ff.
Deuter m Hinweis, Wink. Deuten = zeigen, hinweisen. Oberd 1800 ff.
deutlich adv jm ~ kommen = jn heftig

zurechtweisen. Man rügt ihn in aller Unmißverständlichkeit. 19. Jh.

Deutsch *n* auf gut ~ = ohne Umschweife; ungehemmt; ohne Rücksicht zu nehmen. „Deutsch" als Volkssprache im Gegensatz zur lateinischen Sprache der gebildeten Kreise entwickelte sich zur Bedeutung „ehrlich, unverstellt, offen". 15. Jh.

deutsch *adj* mit jm ~ reden = mit jm offen und ehrlich reden; jm rücksichtslos sagen, was man denkt. 15. Jh.

Deutscher *m* 1. deutsche Übersetzung eines fremdsprachlichen Textes. *Schül* 1900 *ff.*
2. häßlicher ~ = widerwärtiger, unsympathischer, gehaßter Deutscher. Dem Buchtitel „The ugly American" von Burdick und Lederer (1958) nachgeahmt. 1975 *ff.*

Deutschmeister *m* 1. Korrektor. Er ist Meister des fehlerfreien Deutsch. 1950 *ff.*
2. *pl* = blaue (dunkle) Ringe unter den Augen nach durchlebter Nacht. Benannt nach den blauen Uniformen des Deutschmeister-Regiments, dessen Angehörige im Ruf von Frauenhelden standen. *Österr* 19. Jh.

Deuxel (Teuxel) *m* Teufel. Entstellte Form; denn man soll den Teufel nicht beim Namen nennen, weil er sonst leibhaftig erscheint. 1800 *ff.*

Dex *m* Oberstudiendirektor. Verkürzt aus „Direx". 1930 *ff.*

Dexpo *m* Gesäß. Silbenumstellung aus „Podex". *Stud* seit dem späten 19. Jh.

Dez *m* ↗ Deez.

Dezernat *n* unzüchtiges ~ = Sittendezernat der Kriminalpolizei. 1913 *ff, prost.*

diagonal *adv* ~ lesen (in der Diagonale lesen) = flüchtig lesen. 1900 *ff.*

Diamant *m* 1. Rekrut, der einexerziert werden muß. ↗ Diamantenschleifer. *Sold* 1939 *ff.*
2. schwarze ~en = Kohlen. 1900 *ff.*

Diamantenschleifer *m* strenger Rekrutenausbilder. Verstärkung von ↗ Schleifer. *Sold* 1939 *ff.*

Diamanthochzeit *f* Wiederkehr des Hochzeitstages nach 60 (65, 75) Jahren. 1870 *ff.*

diät *adv* ~ leben = geschlechtlich enthaltsam leben; freundschaftlichen Umgang mit einem Mädchen unterhalten, ohne geschlechtlich mit ihm zu verkehren. Der Betreffende lebt auf Schonkost. *Halbw* 1955 *ff.*

Diäteneinstreicher *m* Abgeordneter. Diäten = Tagegelder für Abgeordnete. 1960 *ff.*

Diätenfresser *m* Abgeordneter. 1862 *ff.*

Diätling *m* Diätesser. 1965 *ff.*

dibberig (dibberisch) *adj* übergeschäftig; nervös. Leitet sich her von der emsigen Geschäftigkeit und Beredtheit der jüdischen Händler. *Vgl* das Folgende. 1900 *ff.*

dibbern *intr* 1. schwätzen; reden; heimlich reden; tuscheln. Geht zurück auf *gleichbed jidd* „dibbern". Seit dem frühen 19. Jh.
2. jds Aufmerksamkeit durch Unterhaltung abzulenken suchen, um zu stehlen. 1900 *ff.*

dicht *adj* 1. nicht ~ sein = a) einen zweifelhaften Ruf haben; nicht vertrauenswürdig sein. Versteht sich aus dem Folgenden. 1700 *ff.* – b) nicht verschwiegen sein. ↗ dichthalten. 1700 *ff.* – c) Bettnässer sein; sein Wasser nicht halten können. 1900 *ff.* – d) einen Darmwind entweichen

lassen. 1900 *ff.* – e) nicht recht bei Verstand sein. „Nicht dicht = nicht vollwertig" (eigentlich von Münzen gesagt, die nicht gediegen sind). Auch kann der Betreffende ein undichtes Dach, einen „↗ Dachschaden" haben. 1900 *ff.* – f) krank sein; kränkeln. 1950 *ff.*
2. ~ sein = sich beischlafunwillig zeigen (auf eine Frau bezogen). 1920 *ff.*

dichten *intr* 1. einen Bericht verfassen. Anspielung auf ausgedachte Unwahrheiten. ↗ Dichter 2. *Sold* 1939 *ff.*
2. einen Liebesbrief schreiben. Er kann zum Gedicht geraten. *Sold* 1939 *ff.*
3. etw ~ = etw (eine Speise) mit Liebe zubereiten. 19. Jh.
4. sein ~ und Trachten ist böse: Redewendung, wenn ein Kartenspieler mit List jedes Spiel gewinnt. Fußt auf 1. Moses 6,5. Seit dem späten 19. Jh, kartenspielerspr.

Dichter *m* 1. Klempner, Spengler. Er dichtet schadhafte Wasserrohre ab. 1870 *ff.*
2. Lügner. 1933 *ff.*
3. Redetextverfasser für einen anderen. 1960 *ff.*

Dichtersproß *m* Klempnerlehrling. ↗ Dichter 1. 1870 *ff.*

dichtgesät *adj* reichlich vorhanden; häufig. Wie reichliche Aussaat übers Feld. *Vgl* auch ↗ dünngesät. 1900 *ff.*

dichthalten *intr* 1. sein Wasser halten können; stubenrein sein; Darmwinde nicht abgehen lassen. 1700 *ff.*
2. verschwiegen sein. Den Mund geschlossen halten. 18. Jh.

dichtmachen *intr* 1. den Betrieb einstellen. Eigentlich die Türen und Fenster schließen. 1900 *ff.*
2. den Einschließungsring schließen. *Sold* 1939 *ff.*
3. die Abwehr unüberwindlich machen. *Sportl* 1950 *ff.*

Dichtung *f* Lüge. 1933 *ff.*

Dick *n* 1. durch ~ und Dünn = in Freud und Leid. „Dick" meinte ursprünglich den Kot und „Dünn" das Wasser. 1600 *ff.*
2. mit jm durch ~ und Dünn gehen (laufen) = Freud und Leid mit jm teilen; in Glück und Not treu zu jm stehen; sich durch Hindernisse nicht entmutigen lassen. 1600 *ff. Vgl engl* „to go through thick and thin".

dick *adj* 1. ~, dumm, faul und gefräßig: Attribute eines Menschen, der infolge von Geistesbeschränktheit Bequemlichkeit und gutes Essen über alles schätzt. So lautete gewöhnlich scherzweise die schlechteste Zensur des preußischen Kadetten, auch in der Form „dick, dumm, gefräßig, faul, frech und frivol" oder auch „dumm, faul und gefräßig" oder „frech, faul, fromm und gefräßig". Etwa seit 1830.
2. groß, ungeheuer, sensationell, unübertrefflich. Hergenommen von massigen Tieren, Bauten oder Maschinen. Seit dem frühen 20. Jh; heute vorwiegend *halbw.*
3. schwanger. 1700 *ff.*
4. betrunken. Vom Begriff „umfangreich, reichlich" weiterentwickelt zur Bedeutung „satt". 1600 *ff.*
5. wolkig; neblig, unsichtig. 1700 *ff,* seemannsspr. „Dicker Nebel = dichter Nebel" ist schon im 16. Jh geläufig.
6. *adv* = viel. 1700 *ff.*
7. *adv* = oft, häufig. Von der Umgangssprache aus der Mundart (z. B. Hessen)

übernommen. Geht zurück auf das *mhd Adv* „dicke = oft, häufig".
8. ~ und duhn = völlig betrunken. ↗ duhn. 1700 *ff.*
9. mit jm ~ befreundet sein = mit jm eng befreundet sein. Dick = reichlich, gründlich. 18. Jh.
10. ~ dasein = wohlhabend sein. „Dick" bezieht sich auf die wohlgefüllte Brieftasche. 1900 *ff.*
11. ~ dransein = sinnlich veranlagt sein. Dick = oft (Anspielung auf häufigen Geschlechtsverkehr). 1960 *ff.*
12. bei jm ~ drinliegen = bei jm viel gelten. 1900 *ff.*
13. ~ drinsitzen = a) wohlhabend sein. Meint „breit im Wohlleben sitzen". 1900 *ff.* – b) maßgeblich an etw beteiligt sein. Man sitzt mit gewichtiger Stimme in einem Gremium. 1950 *ff.*
14. ihm geht es ~ ein = er ist mit Arbeit überhäuft. Dick = gehäuft. 1950 *ff.*
15. nicht ~ gesät sein = nicht sehr zahlreich sein. Dick = reichlich. 1960 *ff.*
16. etw ~ haben = einer Sache überdrüssig sein. Dick = reichlich satt. 18. Jh.
17. jn ~ haben = jn nicht leiden können; jn nicht länger sehen mögen. Dick = satt. *Vgl* auch ↗ gefressen haben. 1800 *ff.*
18. ~ haben = viel Geld haben. 1900 *ff.*
19. es ~ haben müssen = es nachdrücklich, plump erfahren müssen. Dick = reichlich. 1900 *ff.*
20. es kommt ~ = es wird lebensgefährlich; man gerät in heftigen Beschuß. Fliegerspr. 1939 *ff.*
21. es kommt ganz ~ = arge Not stellt sich ein. 19. Jh.
22. es kommt ihm zu ~ = es wird ihm zu arg, zuviel. 1800 *ff.*
23. es kommt noch ~er = a) eine noch schlimmere Entwicklung steht zu erwarten. 1870 *ff.* – b) man geht zu Zoten über. 1900 *ff.*
24. etw ~ kriegen = einer Sache überdrüssig werden. Dick = satt. 1800 *ff.*
25. jn ~ kriegen = jn nicht länger ertragen können. 1800 *ff.*
26. eine ~ machen = schwängern. 1800 *ff.*
27. sich ~ machen = reich werden. 1900 *ff.*
28. sich mit etw ~ machen (tun) = sich mit etw brüsten. Man bläst sich auf wie ein ↗ Frosch. 18. Jh.
29. ~ sein = reich sein. 1960 *ff, BSD.*
30. mit jm ~ sein = mit jm gut stehen. ↗ dick 9. 1900 *ff.*
31. im ~ Geschäft sein = entscheidend mitzubestimmen haben; nicht übergangen werden können. 1920 *ff.*
32. es ~ sein = einer Sache überdrüssig sein. 1900 *ff.*
33. das ist ihm zu ~ = das faßt er als Beleidigung auf. 1955 *ff.*
34. sich ~ nicht so ~ sitzen haben = eingeschränkt leben müssen. 1900 *ff.*
35. sich ~ und duhn trinken = sich betrinken. ↗ duhn. 1700 *ff.*
36. ~ verdienen = reichlich verdienen. 1900 *ff.*
37. ~ werden = zu Wohlstand gelangen. 1900 *ff.*

Dickbrettbohrer *m* fleißiger, unerschrockener Mensch; Mensch, der mehr durch Fleiß als aus Begabung die Prüfung be-

steht; Mensch, der harter Arbeit nicht ausweicht. ↗Brett 13. 1900 *ff.*
Dicke *f* 1. weibliche Person (Kosewort).
19. Jh.
2. nur fort in dieser ∼! = fahr' fort in
dieser Weise, auch wenn's noch so unsinnig ist! Soll von der Wurstherstellung herkommen. Wien 1920 *ff.*
dicke *adv* 1. reichlich, sehr. 14. Jh.
2. einverstanden! sehr gern! 18. Jh.
3. ∼ gewonnen!: Ausruf eines Kartenspielers, wenn er knapp gewonnen hat. Seit
dem späten 19. Jh.
4. ∼ raus!: Redewendung des Skatspielers,
der genau 31 Punkte gewonnen hat. Er ist
„dicke" aus dem „Schneider". Seit dem
späten 19. Jh.
5. ∼ durchsein = etw gut überstanden
haben; großen Erfolg erzielt haben.
„Durchsein" ist gekürzt aus „durch die
Schwierigkeiten hindurchgelangt sein".
1800 *ff.*
6. es ∼ haben = viel Geld haben; vermögend sein. 1800 *ff.*
7. es reicht mir ∼ = mir genügt es
vollauf. 1900 *ff.*
8. ∼ drinsein = im Lotto oder Toto hoch
gewonnen haben. 1955 *ff.*
Dicker *m* 1. erigierter Penis. 1900 *ff.*
2. Lastzugfahrer. 1950 *ff.*
3. kleiner Junge (Kosewort). 19. Jh.
4. Mann (Kosewort). Das Wort wird auch
auf Magere angewandt. 19. Jh.
5. schwerer Arrest. ↗Bau 10. 1900 *ff.*
6. Stuhlverhärtung. 1960 *ff, BSD.*
6 a. sehr ansehnlicher Lotteriegewinn.
1965 *ff.*
7. alles um den Dicken = alle Kegel um
den König sind gefallen. Keglerspr.
1900 *ff.*
8. einen Dicken bohren = die schlechteste Note bekommen. ↗dick 1. 1920 *ff,
schül.*
9. einen Dicken kaschen = eine Belobi-
gung erhalten; großen Beifall finden. „Dik-
ker" ist gekürzt aus „dicker Beifall".
1910 *ff, schül.*
10. drei Dicke kriegen = drei Tage ge-
schärften Arrest erhalten. ↗Dicker 5.
1910 *ff.*
11. den Dicken machen = sich aufspielen. ↗dick 28. 1900 *ff.*
**Dickerchen (Dickerle, Dickerl, Dicker-
lein)** *n* Mann oder Frau (Koseanrede).
1700 *ff.*
Dickes *n* gib ihm ∼! = spiel' ihm hochwertige Karten zu! Kartenspielerspr.
1900 *ff.*
dicketun *intr* sich aufspielen, brüsten.
↗dick 28. 18. Jh.
Dickfell *n* gegen Vorhaltungen unempfind-
licher Mensch. Durch das dicke Fell geht
nichts hindurch. 1900 *ff.*
dickfellig *adj* unempfindlich, gefühllos,
phlegmatisch. 1700 *ff. Vgl engl* „thick-
skinned".
Dickfelligkeit *f* Unempfindlichkeit.
1800 *ff.*
Dickhäutercharme *m* plumper Charme.
1930 *ff.*
dickhäutig *adj* unempfindlich gegen Vorhaltungen; eigensinnig; begriffsstutzig.
19. Jh.
Dickkopf *m* 1. rechthaberischer, eigensinniger Mensch; Trotzkopf. Der Mensch
wird charakterisiert nach der äußeren Beschaffenheit seines Kopfes. 14. Jh.

2. Reicher; Mensch, der mit seiner Wohlhabenheit prahlt. ↗dick 28. 19. Jh.
3. seinen ∼ aufsetzen = trotzköpfig sein.
19. Jh.
Dickmadam *f* behäbige Frau. ↗Madam.
19. Jh.
Dickmaul *n* Prahler. Er bläst sich auf wie
ein ↗Frosch. 19. Jh.
dicknäsig *adj* hochmütig, überheblich. Er/
sie bläht die Nasenlöcher. 1800 *ff.*
Dicknischel *m* 1. dicker, breiter Kopf.
↗Nischel. *Sächs* 19. Jh.
2. störrischer, eigensinniger Mensch; hartnäckiger Mensch. *Sächs* 19. Jh.
dickpamsig *adj* hochmütig, anmaßend.
Pams = Bauch. 19. Jh.
Dicksack *m* 1. beleibter Mensch. „Sack"
meint den Magensack (oder auch den Hodensack). 17. Jh.
2. eingebildeter Mensch; Prahler. Seit dem
frühen 20. Jh.
'dick'satt *adj adv* völlig gesättigt. 19. Jh.
Dickschädel *m* 1. rechthaberischer, eigensinniger, unnachgiebiger Mensch. Analog
zu ↗Dickkopf. 1800 *ff.*
2. sich etw in den ∼ setzen = beharrlich
auf etw bestehen. Nach altem Volksglauben setzt man sich Grillen in den Kopf.
1900 *ff.*
Dickschiff *n* schweres Kriegsschiff; Groß-
kampfschiff. „Dick" spielt auf Bestückung
und Panzerung an, auch auf eine gewisse
Behäbigkeit. *Marinespr* 1914 bis heute.
Dickschnauze *f* Prahler, Wichtigtuer. Parallel zu ↗Dickmaul. 19. Jh.
Dickster *m* den Dicksten haben = den
ersten, größten Anspruch haben. Fußt
wohl auf dem Wettstreit: wer den dicksten
Penis hat, kommt beim Geschlechtsverkehr als erster an die Reihe. 19. Jh.
dicktittig *adj* überheblich. „Titte = Brust".
Der Anmaßende wirft sich in die Brust.
1935 *ff.*
Dicktuender *m* Prahler. ↗dicketun.
18. Jh.
Dicktuer *m* Prahler; eingebildeter Mensch.
18. Jh.
dicktun *intr* sich brüsten; hochmütig sein.
↗dick 28. 18. Jh.
Dickus *m* 1. untersetzter Mann. Latinisierung von „dick". 19. Jh.
2. Herr, Freund (Anredeform). Angeblich
Anspielung auf ↗Dicker 1. Seit dem späten 19. Jh.
'dick'voll *adj adv* 1. übervoll, gehäuft.
1800 *ff.*
2. vollbesetzt. 19. Jh.
Dickwanst *m* dicker Mensch. ↗Wanst =
Bauch. 1800 *ff.*
Di-da-dit-Heinis *pl* Fernmeldetruppe.
↗daditten. Sold 1939 *ff.*
Dieb *m* 1. sanfter ∼ = Bettler mit Waffe.
Er wendet keine Gewalt an, sondern hält
dem Opfer lediglich die Pistole vor und
sagt: „Geld oder Leben?". 1920 *ff.*
2. haltet den ∼!: Ausruf, wenn einer, der
den Verdacht von sich abzulenken sucht,
gerade dadurch den Verdacht erregt.
1920 *ff.*
diebisch *adv* 1. sich ∼ amüsieren = sich
vorzüglich amüsieren; schadenfroh sein.
Diebisch = verstohlen. Weiterentwickelt
zur Bedeutung „boshaft". 19. Jh.
2. sich ∼ freuen = sich insgeheim sehr
freuen. 19. Jh.
3. ∼ ficken (vögeln) = ehebrechen.
1910 *ff.*

Diebswetter *n* Dunkelheit; starker Nebel;
Witterung, die keine weite Sicht erlaubt.
Sie ist für Diebe günstig. 19. Jh.
Diedel *m* Penis. Ablautform von ↗Dödel.
Hamburg 1900 *ff.*
Diele *f* die ∼ knarrt = hier herrscht ausge-
lassene Stimmung. Diele = Tanzdiele (ursprünglich der Bretterboden). 1955 *ff, jug.*
Dielenschinder *m* ausgelassener Tänzer.
1955 *ff, jug.*
Dienerin *f* 1. ∼ des horizontalen Gewerbes
= Prostituierte. 1960 *ff.*
2. ∼ der Liebe = Prostituierte. 1960 *ff.*
3. ∼ der käuflichen Liebe = Prostituierte.
1960 *ff.*
Dienst *m* 1. ∼ rund um die Uhr = zwölf
Stunden Dienst ohne Pause. Stammt aus
engl „around the clock". 1960 *ff, BSD.*
2. innerer ∼ = Verdauung. Selbst Verdauung ist Dienst. 1965 *ff, BSD.*
3. öffentlicher ∼ = gewerbsmäßige Unzucht. ↗Dame 5. 1950 *ff.*
4. seinen ∼ aufgeben = nicht länger
funktionieren. Analog zu ↗streiken.
1925 *ff.*
5. ∼ brummen = Dienst tun. Man tut es
brummend, nämlich unmutig. 1965 *ff,
BSD.*
6. sich vom ∼ drücken = sich dem
(Exerzier-) Dienst zu entziehen suchen.
↗drücken. Sold in beiden Weltkriegen.
6 a. den ∼ einstellen = nicht länger
funktionieren. Meint eigentlich „die Arbeit
niederlegen". 1920 *ff.*
7. ∼ kloppen = den Wehrdienst stumpf
ableisten. Übertragen von „ ↗Griffe kloppen". Sold seit dem späten 19. Jh.
8. über den ∼ nachdenken (meditieren)
= während der Arbeitszeit schlafen. Euphemismus. 1900 *ff.*
9. seinen ∼ runterreißen = seinen Dienst
vorschriftsmäßig, aber ohne innere Anteilnahme und ohne besondere Sorgfalt versehen. ↗runterreißen. Sold 1900 *ff.*
10. ∼ schieben = Dienst tun. ↗schie-
ben. Sold 1939 bis heute; auch *ziv.*
11. den ∼ schinden = sich den Dienst so
bequem wie möglich machen. ↗schin-
den. Sold 1920 *ff.*
12. ∼ ist ∼, und Schnaps ist Schnaps =
dienstliches und außerdienstliches Tun
muß man auseinanderhalten; alles zu seiner Zeit; nicht den Ernst mit dem Spaß
verwechseln. Wahrscheinlich hervorgegangen aus der Redewendung eines Unteroffiziers vom Dienst, der während des
Dienstes einen schnapstrinkenden Untergebenen ertappt. 1900 bis heute.
Dienstag *m* allgemein arbeitsfreier Tag, an
dem einer (Bereitschafts-)Dienst hat. Gemeint ist „Dienst-Tag". Daher: ich habe
am Sonntag Dienstag. 1930 *ff.*
Dienstanzug *m* kleiner ∼ = Kleid ohne
Unterwäsche. Aus der Soldatensprache in
das Prostituiertendeutsch übernommen.
1940 *ff.*
Dienstbesen *m* Hausangestellte. ↗Besen.
Stammt noch aus der Zeit, als man die
Hausangestellte „Dienstmädchen" nannte.
1900 *ff.*
Dienstbolzen *m* Hausangestellte, Köchin.
Meint eigentlich die gedrungene, pralle
und dralle äußere Gestalt, wie sie den vom
Lande kommenden Mädchen eigen war.
Kurz nach der Mitte des 19. Jhs aufge-
kommen.

Dienstdeutsch *n* Behördendeutsch; geschraubter Amtsstil. 1915 *ff.*

Diensteid *m* einen auf den ~ nehmen = ein Gläschen Alkohol trinken. Diensteid ist die eidliche Verpflichtung eines Beamten; hier soviel wie die mit der Dienstauffassung vereinbare Grenze von Alkoholgenuß. 1840 *ff.*

diensteln *intr* nachlässig Dienst tun. Verkleinerungsform von „diensten = Dienst tun". *BSD* 1960 *ff.*

Dienstfleck *m* Hausgehilfin. Fleck = Lappen, Stück Tuch. Dem „Putzfleck = Offiziersbursche" nachgebildet. *Österr* 1920 *ff.*

Dienstfrau *f* Ehefrau, die sich ausschließlich dem Haushalt und der Küche widmet und für ihre Familie keine Zeit hat. 1968 *ff.*

Dienstfutteral *n* täglicher Dienstanzug des Soldaten. ↗ Futteral. *Sold* 1939 *ff.*

dienstgeil *adj* unangenehm diensteifrig; von Tatendrang beseelt. Er ist „↗ scharf" auf den Dienst. *Sold* 1939 bis heute.

Dienstgesicht *n* ernste, förmliche Amtsmiene. 1700 *ff.*

Dienstgrad *m* **1.** ~ gesehen, ganzes Wochenende versaut!: Redewendung des Wehrpflichtigen am Wochenende. *BSD* 1965 *ff.*
2. ich schmeiße meinen ~ weg!: Ausdruck der Überraschung, des Unwillens o. ä. *BSD* 1965 *ff.*

dienstgradmäßig *adv* das steht mir ~ zu = darauf habe ich einen Anspruch; das will ich haben. Der Dienstgrad bestimmt Sondervergütungen und -vorteile, amtlich festgesetzte Ansprüche usw. 1934 *ff, sold.*

Diensthengst *m* Vorgesetzter, der nur dienstlich zu denken versteht. ↗ Hengst. 1965 *ff, sold.*

Dienstjubiläum *n* silberne Hochzeit. Die Ehe als Dienst aufgefaßt, wohl nicht als „Minnedienst". 1955 *ff.*

Dienstkiste *f* dralle Hausgehilfin. ↗ Kiste. 1914 *ff.*

Dienstklater *m* Hausgehilfin. ↗ Klater. 1900 *ff.*

Dienstklamotten *pl* Uniform, Dienstkleidung. 1950 *ff, sold* und *ziv.*

Dienstlächeln *n* Lächeln als Teil der Berufsausübung. 1960 *ff.*

Dienstleistungsdame *f* Prostituierte. Sie verrichtet ihren Dienst am Menschen. 1960 *ff.*

Dienstleistungsgewerbe *n* liegendes ~ = Prostitution. 1960 *ff.*

dienstlich werden grob werden unter Aufgabe aller persönlichen Rücksichten. Trennung des Persönlichen vom Dienstlichen, des Menschen von der Dienstaufgabe. 1930 *ff.*

Dienstmädchen *n* Marke ~ = minderwertige Zigarre. Das Dienstmädchen geht gern aus (= geht gern aus dem Haus), und die Zigarre geht gern aus (= erlischt leicht). 1900 *ff.*

Dienst-Mädchen *n* Prostituierte. Es steht den Kunden zu Diensten. 1960 *ff.*

Dienstmann *m* eiserner ~ = Kofferkuli. 1970 *ff.*

Dienstpolter *m* Hausgehilfin. Gehört zu „poltern = lärmen" und steht in Sachverwandtschaft mit „↗ Trampel". 1900 *ff.*

Dienstscheißer *m* **1.** übereifriger Soldat. Bezogen auf Leute, die auch außer Dienst den Dienst nicht verleugnen. Selbst die Verrichtung der Notdurft ist ihnen eine

dienstliche Handlung. *Sold* in beiden Weltkriegen.
2. Soldat, der stets „dienstlich" wird und jede außerdienstliche Unterhaltung als Mißachtung seiner militärischen Würde empfindet (vom Gefreiten an aufwärts bis zum Marschall). *Sold* 1939 *ff.*

Dienstschreck *m* unbeliebter Beamter. 1960 *ff.*

Dienstzeit *f* aktive ~ = Flitterwochen; erstes Ehejahr. Anspielung auf die Hauptzeit der geschlechtlichen Aktivität des Mannes. 1910 *ff.*

Diesel *m* **1.** alkoholfreies Getränk. Diesel ist kein Benzin, also auch kein ↗ Sprit. *Halbw* 1900 *ff.*
2. wie ein ~ anspringen = leicht aufbrausen; sich rasch aufregen. Der Dieselmotor macht beim Anspringen mehr Lärm als der Benzinmotor. 1948 *ff.*

Dieselpferd *n* Dieselauto ↗ Benzinpferd 2. 1955 *ff.*

Dieselroß *n* **1.** Traktor. Er leistet Zugdienste wie ein Zugpferd. 1955 *ff.*
2. Diesel-Lokomotive. Nach dem Muster von „Dampfroß" gebildet. 1960 *ff.*

dieser *pron* **1.** ~ = Penis. Übersetzt aus *lat* „iste = dieser" (so auch in Goethes Tagebuch). *BSD* 1960 *ff.*
2. oder jener = Teufel. Lieber sagt man „irgendeiner", damit nicht der Teufel sich angesprochen fühlt und herbeieilt. 17. Jh.
3. hol' mich ~ oder jener!: Ausdruck der Verwünschung, auch der Beteuerung. 17. Jh. *Vgl* das Vorhergehende.
4. diesen machen (einen auf diesen machen) = trinken. Hinter „diesen" ergänze „Griff" o. ä. Man macht dabei die Handbewegung des Trinkens. *BSD* 1960 *ff.*

dieserhalb *adv* ~ und außerdem (teils dieserhalb, teils außerdem) = aus diesem und jenem Grunde. Stammt aus „Die fromme Helene" von Wilhelm Busch, 1872. 1900 *ff.*

diesig *adj* ↗ Vorschlag.

Dimpfel (Dimpfi) *m* einfältiger Mann; Versager. Meint eigentlich die Blutwurst, danach den dicken Menschen. Gehört zu *mhd* „dumpfen = dampfen, dämpfen". *Schwäb* und *bayr* 18. Jh.

Ding I *m* Schimpfwort auf einen Mann, meist in Verbindung mit Adjektiven. Wahrscheinlich wegen „Ding = Penis". 1800 *ff, bayr.*

Ding II *n* **1.** Kind; kleines Mädchen. Gewissermaßen eine kleine lebende Sache, ein Gegenstand voller Leben. 1800 *ff.*
2. Mädchen. 1700 *ff.*
3. Geschlechtsglied. Versachlichtes Tarnwort. 13. Jh.
4. Pistolenkugel. 1930 *ff.*
5. ein ~ mit einem Bogen = anrüchige Sache; Unlauterkeit geringeren Ausmaßes. Sie kommt vom geraden Weg ab und steht in Analogie zu „↗ krumm". 1900 *ff.*
6. abgefaßtes ~ = Verbrechen, bei dessen Verübung der Täter verhaftet wurde. Seit dem frühen 19. Jh, *rotw.*
7. armes ~ = bedauernswertes Mädchen. 18. Jh.
8. dickes ~ = a) schwerwiegende Angelegenheit; schwierige Sache; schwere Enttäuschung; arge Zumutung. Dick = umfangreich, durch Umfang eindrucksvoll. 1920 *ff.* - b) schwere Granate. *Sold* in beiden Weltkriegen. - c) große Straftat. Sie wiegt schwer. 1920 *ff.*

9. dolles ~ = aufsehenerregendes Ereignis. 1900 *ff.*
10. dummes ~ = dummes Kind; dummes Mädchen. 1800 *ff.*
11. grünes ~ = unerfahrenes Mädchen. ↗ grün. 1900 *ff.*
12. gutes ~ = ausgeklügelte Sache; erfolgversprechendes Unternehmen. 1900 *ff,* kaufmannsspr. und verbrecherspr.
13. hartes ~ = a) harter sportlicher Wettkampf. 1950 *ff.* - b) schwere Aufgabe. Man hat schwer daran zu beißen. 1950 *ff.*
14. heißes ~ = a) gefährliche Sache; strafbare Handlung. *Vgl* „heißes ↗ Eisen". 1925 *ff.* - b) Penis eines Homosexuellen. ↗ warm. 1925 *ff.* - c) liebesgieriges Mädchen. ↗ heiß. 1925 *ff.* - d) Lesbierin. 1925 *ff.*
15. junges ~ = junges Mädchen. 1700 *ff.*
16. knallhartes ~ = harter Schlag; sehr schwerer sportlicher Ausscheidungskampf. 1950 *ff.* ↗ knallhart.
17. krummes ~ = Vergehen, Verbrechen. ↗ krumm. 1920 *ff.*
18. leckeres ~ = nettes Mädchen. ↗ lecker. 1900 *ff.*
19. linkes ~ = a) Betrug, Übervorteilung; Straftat. ↗ link. 1950 *ff.* - b) böswillige, falsche Behauptung; unredliche Handlungsweise. 1950 *ff.*
20. rundes ~ mit Ecken = mißglückte Straftat. 1950 *ff.*
21. saftiges ~ = derber Schlag. ↗ saftig. 1920 *ff.*
22. scharfes ~ = liebeshungriges, geiles Mädchen. ↗ scharf. 1930 *ff.*
23. tolles ~ = aufregende, aufsehenerregende Sache; sensationelles Verbrechen. 1900 *ff.*
23 a. wüstes ~ = ungebärdiges Mädchen. 19. Jh.
24. vor allen ~en = auf keinen Fall; Ausdruck des Unglaubens. Ironisierung des Ausdrucks der Vorrangigkeit. *BSD* 1965 *ff.*
25. sich ein ~ abkneifen = sich eine Leistung abringen; etw bewerkstelligen. Man gibt das ungern her, muß sich dazu zwingen. ↗ abkneifen 4. 1900 *ff.*
26. ein ~ abkriegen = eine schwere Schußverletzung davontragen. ↗ abkriegen 2. *Sold* 1939 *ff.*
27. ein ~ abschießen = eine Straftat begehen nach vorheriger Auskundschaftung. Hergenommen vom Jäger, der nach genauer Beobachtung ein Stück Wild erlegt. 1910 *ff.*
28. ein ~ abstoßen = eine strafbare Handlung begehen. Gegensatz zu „anstoßen = beginnen". 1930 *ff.*
29. ein ~ abziehen = a) eine Bühnenrolle gestalten. ↗ abziehen 1. 1930 *ff.* - b) eine gute Leistung vollbringen. *Sportl* 1950 *ff.*
30. jm ein ~ andrehen = ein disziplinarverfahren in Aussicht stellen. Gehört zu dem Begriff „anhängig = bei Gericht angebracht (aber noch nicht entschieden)". *Sold* 1939 *ff.*
31. jm ein ~ vor die Nase ballern = jm eine Zumutung bieten. So wie man jm die geballte Faust vor das Gesicht hält. ↗ ballern. 1950 *ff.*
32. das ~ deichseln = eine Sache gut erledigen. ↗ deichseln 1. 1900 *ff.*
33. ein ~ drehen = a) eine Straftat begehen. „Drehen" gehört zu dem Substantiv „Dreh" im Sinne von „Kunststück, List,

Trick". Seit dem ausgehenden 19. Jh. – b) eine törichte, verletzende Bemerkung machen. Die Kränkung wird der Straftat gleichgesetzt. 1950 ff. – c) einen Film drehen. 1960 ff.
34. das ~ drehen = eine Sache meistern. ↗ Ding II 33 a. 1900 ff.
35. ein dickes ~ drehen = eine schwere Straftat begehen. ↗ Ding II 8. 1920 ff.
36. ein krummes ~ drehen = kriminell handeln. ↗ krumm. 1920 ff.
37. ein ~ einfangen = einen wuchtigen Schlag erhalten. Einfangen = erhaschen. Sportl 1950 ff.
38. ein ~ erwischt haben = eine Verwundung erlitten haben. Sold in beiden Weltkriegen.
39. ein krummes ~ fingern = unredlich handeln. ↗ fingern. 1920 ff.
40. das gibt (wird) ein ~ = das wird übel ausgehen. „Ding" meint hier das üble, schlimme Ding. Sold 1939 ff.
41. ~e gibt's, die gibt's gar nicht!: Redewendung angesichts eines ungewöhnlichen Vorfalls, den man normalerweise nicht für möglich halten möchte. 1900 ff.
42. ein ~ geplättet kriegen = einen Schuß abbekommen. ↗ plätten. Sold 1939 ff.
43. ein ~ gewischt kriegen = von einem Geschoß getroffen werden. Wischen = streifen; plötzlich heranzischen. Sold 1939 ff.
44. ein ~ an der Bimmel haben = benommen sein; nicht bei klaren Sinnen sein. Bimmel = helltönende Schelle, vor allem die Glocke der Weckeruhr. Von hier ergibt sich eine Parallelität zu „nicht alle auf dem ↗ Wecker haben". 1930 ff, Berlin
45. ein hübsches ~ unter dem Hut haben = schwer bezecht sein. 1930 ff.
46. ein ~ an der Murmel haben = nicht recht bei Verstand sein. ↗ Murmel = Kopf. Berlin 1960 ff.
47. ein ~ hinlegen = eine hervorragende Leistung vollbringen. ↗ hinlegen. 1920 ff.
48. jm ein ~ über den Bregen knallen = jm heftig auf den Kopf schlagen. ↗ Bregen. 1920 ff.
49. ein großes ~ landen = einen bedeutenden Sieg erringen. ↗ landen. Sportl 1950 ff.
50. ein krummes ~ ist gelaufen = eine Straftat ist begangen worden. ↗ krumm; ↗ laufen. 1959 ff.
51. mach keine ~e! = begehe keine Dummheiten! Seit dem späten 19. Jh.
52. ein ~ platzt = eine Straftat wird aufgedeckt. ↗ platzen. Seit dem frühen 20. Jh.
52 a. ein ~ reinhauen = einen unhaltbaren Tortreffer erzielen. Sportl 1950 ff.
53. ein ~ schaukeln = eine Straftat begehen. ↗ schaukeln. 1920 ff.
54. wir werden das ~ schon schaukeln = wir werden die Sache meistern. Entstellt aus „wir werden das ↗ Kind schon schaukeln". 1910 ff.
55. wir werden das ~ schon schmeißen = wir werden die Sache meistern. ↗ schmeißen. 1910 ff.
56. das ist ein ~ = das ist eine ausgezeichnete Sache; Ausruf des Erstaunens. Hinter „ein" ergänze „hervorragendes, verwunderliches". 1910 ff.
57. ein ~ stoßen = einbrechen. Rotw

„stoßen = stehlen" und „Stoß = Diebesbeute" (1835 ff). Verbrecherspr. 1950 ff.
58. ein dickes ~ übergebraten kriegen = schwer bestraft werden. ↗ überbraten. 1950 ff.
59. jm ein ~ verpassen = a) jn zu einer Freiheitsstrafe verurteilen. ↗ verpassen. 1920 ff. – b) heftig auf jn einschlagen; jm eine heftige Ohrfeige geben. 1910 ff. – c) jn verwunden. Sold in beiden Weltkriegen. – d) jm ein Gerücht, eine unverbürgte Nachricht glaubhaft machen. Sold 1914 – 1945. – e) jm einen Streich spielen. 1910 ff.
60. einer weiblichen Person ein sauberes ~ verpassen = koitieren. Sold 1914 ff.
61. ein ~ verpaßt kriegen = verwundet werden. Sold in beiden Weltkriegen.
62. ein ~ weghaben = a) eine Schußverletzung davongetragen haben. ↗ weghaben. Sold in beiden Weltkriegen. – b) eine Ohrfeige erhalten haben. 1900 ff. – c) geistesbeschränkt sein. ↗ weghaben. 19. Jh.
63. jm ein ~ über den Kopf ziehen = jm einen heftigen Schlag auf den Kopf versetzen. 1920 ff.
64. es geht nicht mit rechten ~en zu = es kommt auf ungewöhnliche Weise zustande. Was nicht mit rechten Dingen geschieht, läßt Zauberei und Hexerei, Schwindel und Betrug vermuten. 1600 ff.
65. ein böses ~ zusammenbrauen = eine Missetat vereinbaren. ↗ zusammenbrauen. 1920 ff.
Dinger pl **1.** Sachen. Dem Muster der Mehrzahlbildung „Kinder" zu „Kind" nachgeahmt; 16. Jh.
2. Mädchen. Mehrzahl von ↗ Ding II. 1600 ff.
3. Frauenbrüste. 1950 ff.
4. Stundenkilometer. Geschwindigkeit des Autos, Motorrads o. ä. Analog zu ↗ Sachen. 1920/30 ff.
5. krumme ~ = Straftaten. ↗ krumm. 1920 ff.
6. linke ~ = Unlauterkeiten. ↗ link. 1950 ff.
7. muntere achtzig ~ unter der Haube = 80 Stundenkilometer Höchstgeschwindigkeit oder 80 PS des Autos. 1930 ff.
8. scharfe ~ = scharfe Munition. Sold 1939 ff.
9. faule ~ drehen = Straftaten begehen; unlautere Machenschaften treiben. 1920 ff.
10. krumme ~ fabrizieren = straffällig werden. ↗ krumm. 1920 ff.
11. ~ gibt's, die gibt's gar nicht = gelegentlich geschieht etwas, was man nicht für möglich halten sollte. 1900 ff.
12. dumme ~ im Kopf haben = zu Scherzen aufgelegt sein; Streiche planen. 1900 ff.
13. ~ machen = Unfug treiben; Straftaten ausführen. 1900 ff.
14. mach keine ~! = tu nichts Unerlaubtes! unternimm kein Wagnis! 1850 ff.
15. krumme ~ machen = strafbare Handlungen begehen. ↗ krumm. 1920 ff.
16. das sind keine ~ = das ist ungehörig. Gekürzt aus „keine erlaubten Dinger". 1900 ff.
Dings I m Mann, dessen Name einem entfallen ist („Herr Dings . . ."). 1500 ff.
Dings II f weibliche Person, deren Name einem entfallen ist oder deren Name man nicht nennen will („die Dings . . ."). 1500 ff.

Dings III n **1.** irgendein Gegenstand, dessen Bezeichnung einem gerade nicht geläufig ist; irgendein Ort oder Berg oder Fluß. 1500 ff.
2. Sache. Eigentlich ein Genitiv. 18. Jh.
3. Penis. 1500 ff.
4. Vulva. 1500 ff.
5. mir brennt mein ~ = ich habe Verlangen nach Beischlaf. 1500 ff.
6. ein heißes ~ haben = geil sein. 1500 ff.
Dingsbums I m **1.** Mann, dessen Name einem entfallen ist. „Bums" als Klanglaut für den tiefen Ton ist hier ein sprachlicher Schnörkel. Seit dem späten 19. Jh.
2. Penis. Hehlwort. 1900 ff.
3. Ort (Berg, Fluß o. ä.), dessen Name einem entfallen ist. 1900 ff.
4. Gegenstand, an dessen Bezeichnung man sich gerade nicht erinnern kann. 1900 ff.
Dingsbums II f **1.** weibliche Person, deren Name einem entfallen ist. 1900 ff.
2. Gegenstand, dessen Bezeichnung einem nicht einfallen will. 1900 ff.
Dingsbums III n **1.** Kind, dessen Name einem entfallen ist. 1900 ff.
2. Gegenstand (Vorgang), für den man gerade nicht die treffende Bezeichnung findet. 1900 ff.
Dingsda I m irgend jemand. 19. Jh. Vgl franz „Monsieur Chose".
Dingsda II f irgendeine weibliche Person. 19. Jh.
Dingsda III n **1.** irgendein Gegenstand. 19. Jh.
2. Kind, dessen Name einem entfallen ist. 19. Jh.
3. Ort, an dessen Namen man sich nicht erinnern kann. 19. Jh.
4. Penis. Hehlwort. 19. Jh.
Dingskirchen On Fn irgendein Ort oder Mensch, dessen Name einem gerade nicht geläufig ist. Um die Endung „-kirchen" vieler deutscher Ortsnamen verlängertes „Dings". 19. Jh.
Dingslamdei n m Gegenstand oder Mensch, dessen Name einem entfallen ist. „-lamdei" ist eine gesprochene Tonfolge, ähnlich wie „dideldumdei", „tireli", „lititi" u. ä. Ostpreuß 19. Jh.
Dingsperlings On Ort, dessen Name einem entfallen ist. Zusammengesetzt aus „Dings", „Berg" und „-lings" (die Endung „-lingen" von Ortsnamen ist wegen des Reims auf „Dings" abgewandelt worden). 1900 ff.
Diplomatenhelm m Homburg-Hut. Nach engl Muster Mode geworden.
Diplomatenrennbahn f **1.** Straßenverbindung zwischen Bad Godesberg und Bonn; Adenauer-Allee in Bonn. So benannt, weil sie von Diplomatenwagen stark befahren ist. 1955 ff.
2. Auto-Schnellstraße Köln–Bonn. 1963 ff.
Diplomatensprudel m Sekt. Aus dem Durchschnittsbürger Sprudel, ist den Diplomaten Sekt. 1966 ff.
Diplomierte f amtlich kontrollierte Prostituierte. 1920 ff.
Dippel (Tippel) m **1.** Beule, Einbeulung, Geschwulst. Geht zurück auf mhd „tübel = Pflock, Zapfen", vielleicht gekreuzt mit „Tüpfel = Punkt". 1600 ff, bayr und österr.
2. Geld. Fußt entweder auf franz „double

= Doppelheller" oder auf *span* „doblón = Dublone". 19. Jh.

dippeln *intr* **1.** zahlen. ↗ Dippel **2.** 1800 *ff*. **2.** Mädchenbekanntschaft suchen. Gehört entweder zu „tippeln = umhergehen" oder zu „tippen = berühren; leicht stoßen"; „↗ stoßen = pussieren = koitieren". *Österr* 19. Jh. **3.** zechen. Tippeln = wiederholt anstoßen (die Gläser aneinanderstoßen). *Österr* 19. Jh. **4.** kartenspielen. Geht wohl auf das Glücksspiel zurück; „tippeln = beim Glücksspiel bieten". *Österr* 19. Jh.

Dippler *m* Karten-, Glücksspieler. ↗ dippeln **4.** 19. Jh.

direkte'mang *adv* geradenwegs; augenblicklich. Fußt auf *franz* „directement". 19. Jh.

Direktorenbrause *f* Sekt. Hamburger Lehrlingsausdruck. 1965 *ff*.

Direktschuß *m* ohne Mitwirkung eines anderen Spielers ausgeführter Torball. ↗ Schuß. *Sportl* 1920 *ff*.

Direx *m* **1.** Schulleiter, Oberstudiendirektor. Aus „Direktor" verkürzt. Seit dem späten 19. Jh, *schül*. **2.** Firmenleiter. 1960 *ff*.

'Diri'dari *m n* Geld. Meist begleitet von der reibenden Bewegung des Daumens auf dem oberen Glied des Zeigefingers. Vielleicht stammt „diri-" aus „dieser" (dirre, dirr). *Bayr* 19. Jh.

Dirigent *m* Verkehrspolizeibeamter an Straßenkreuzungen. Er dirigiert den Verkehr wie ein Orchester. 1935 *ff*.

Disco *f* **1.** Musikzimmer in der Schule. *Schül* 1970 *ff*. **2.** Schallplattenvorführerin. 1975 *ff*. **3.** ~ in der Hosentasche = Sprechfunkgerät. 1980 *ff*.

Disco-Deutsch *n* wortarme Sprechweise von Diskothekenbesuchern. 1980 *ff*.

Disco-Fee *f* in der Diskothek auftretende Künstlerin. 1980 *ff*.

Disco-Fieber *n* Besessenheit von der Atmosphäre der Diskotheken. 1976 *ff*.

Disco-Glitzer *m* paillettenbesetzte Kleidung der Diskothekenbesucher(innen). 1975 *ff*.

Disco-Kätzchen *n* junge Diskothekenbesucherin. 1975 *ff*.

Disco-Look *m* Kleiderstil der Diskothekenbesucher. 1975 *ff*.

Disco-Mentalität *f* Lebensstil und Denkweise der Diskothekenbesucher. 1977 *ff*.

Disco-Mieze *f* Diskothekenbesucherin. 1975 *ff*.

Disco-Muffel *m* Mensch, der Diskotheken meidet. ↗ Muffel **1.** 1975 *ff*.

Discothekar *m* Schallplattenvorführer. Dem „Bibliothekar" nachgebildet. 1970 *ff*.

Disco-Torte *f* gezierte Diskothekenbesucherin. ↗ Torte. 1970 *ff*.

Disco-Typ *m* aufgeputzter Diskothekenbesucher. 1977 *ff*.

Disco-Zahn *m* Mädchen in einer Diskothek. ↗ Zahn **3.** 1977 *ff*.

Diskus *m* Schallplatte. Aus *lat* „discus = Scheibe, Wurfscheibe" übernommen. 1965 *ff*, *schül*.

disseln (diessen) *intr* leise reden. Schallnachahmend. *Oberd* 1900 *ff*.

'Diszi *f* Disziplinarstrafe. Hieraus verkürzt. *BSD* 1960 *ff*.

'diszi'geil *adj* strafwütig; auf Disziplinarstrafen erpicht. *BSD* 1960 *ff*.

Diszihengst *m* strenger Vorgesetzter. *BSD* 1960 *ff*.

Diszihirsch *m* mit Arrest bestrafter Soldat. ↗ Hirsch. *BSD* 1960 *ff*.

Diszi-Jockei *m* strafwütiger Vorgesetzter. Dem „Disc-Jockey" nachgebildet: er reitet auf der Disziplin herum. *BSD* 1960 *ff*.

Disziplin *f* ~ in den Knochen haben = Selbstzucht üben. 1850 *ff*.

Disziplinarblick *m* strenger Blick des Vorgesetzten. 1900 *ff*.

Dittchen *n* Geld-, Groschenstück; Geld. Soll zurückgehen auf *poln* „dudek = Wiedehopf": spöttische Bezeichnung für das Adlerbild einer polnischen Dreigroschenmünze. Seit dem ausgehenden 16. Jh; von Ostdeutschland ausgegangen.

Dittchenrentner *m* Kleinrentner. *Ostd* 1900 *ff*.

Dittel *m* Penis. Ablautform von ↗ Dödel. 1900 *ff*, *nordd*.

Ditz (Ditzchen) *n* kleines Kind; Wickelkind. Nebenform von ↗ Titi. 1800 *ff*.

Dividendenjauche *f* minderwertiges Bier. Um die Brauerei-Aktien um 1870 an der Börse unterzubringen, warf man überhöhte Dividenden aus, was bei gleichem Preis zur Herstellung eines „Aktienbieres" minderer Güte führte.

dividiert *part* ~ durch zehn!: Zuruf an einen, der mit angeblichen Heldentaten prahlt. Nur der zehnte Teil kann als glaubwürdig gelten. 1914 *ff*.

Divisionstrottel *m* dümmster Soldat einer Division. ↗ Trottel. *Sold* 1939 *ff*.

'diwanen *intr* koitieren. Herzuleiten vom Diwan im Bordell. *Sold* 1939 *ff*.

'Diwan'pupperl *n* Gelegenheitsfreundin. Pupperl = Püppchen. *Österr* 1920 *ff*.

Django spielen schikanös einexerzieren. Django ist der Held einer *ital* Western-Reihe voller Mord, Folterungen usw.; der von Franco Nero dargestellte Held ist erbarmungslos. *BSD* 1967 *ff*.

dobsche *adv* **1.** gut, ausgezeichnet. Fußt auf *slaw* „dobrze". Zur Zeit der preußischen Verwaltung Polens um 1800 westwärts gewandert. **2.** ~ tralla = gutmütig verrückt. Eigentlich ein Ausruf der Mägde und Burschen beim Erntetanz, während die Musik kurz aussetzt. ↗ tralla. 1910 *ff*, *ziv* und *sold*.

Doc (Dok) *m* (Militär-)Arzt. Im Zweiten Weltkrieg aus England und den USA übernommen und heute bei der Bundeswehr sehr geläufig, auch in Kriminalromanen und -filmen.

Docht *m* **1.** Penis. Bezeichnet eigentlich das Geschlechtsteil des Bullen. 19. Jh. **2.** Zigarette. Sie verbrennt wie der Docht einer Kerze. 1960 *ff*. **3.** es geht mir auf den ~ = ich bin geschlechtlich erregt. *BSD* 1960 *ff*. **4.** ich habe einen unruhigen ~ = ich bin geschlechtlich unbefriedigt. *BSD* 1960 *ff*.

Docke *f* **1.** Spielpuppe des Kindes. Fußt auf einem Wurzelwort mit der Bedeutung „Bündel, Büschel", vor allem „Garn-, Strohbündel". Anspielung auf das Material, aus dem die Puppen früher hergestellt wurden. 1100 *ff*. **2.** Mädchen. Seit *mhd* Zeit. **3.** putzsüchtige weibliche Person. 1600 *ff*.

Dodel (Dodl) *m* einfältiger Mensch; Schwachsinnige. Nebenform zu ↗ Dödel 5". *Oberd* 1800 *ff*.

Dödel *m* **1.** Penis. Formähnlich mit dem

Zapfen, der das Spundloch des Fasses verschließt. 1900 *ff*, *nordd*. **2.** dicker Brocken. *Nordd* 1900 *ff*. **3.** Raketenwaffe (V 1). In der Form dem Penis ähnlich. 1940 *ff*. **4.** Ritterkreuz zum Eisernen Kreuz. Anspielung auf die große Form. *Sold* 1939 *ff*. **5.** dummer Mensch. Aus der Bedeutung „Pflock, Zapfen, Keil" weiterentwickelt zu „Klotz", der in übertragenem Sinne auch den groben, dümmlichen Mann bezeichnet. *Halbw* 1965 *ff*.

Dohle *f* **1.** steifer schwarzer Herrenhut; schwarzer Halbzylinder; Kappe (Frauenhut). Fußt auf „Dole = unterirdischer Abzugsgraben; Röhre; kreisrunder Zuber". Im späten 19. Jh wahrscheinlich in Sachsen aufgekommen. **2.** abgetragener, unmoderner Hut. Seit dem späten 19. Jh. **3.** jegliche Kopfbedeckung. *Halbw* 1955 *ff*. **4.** Straßenprostituierte; verkommene weibliche Person. Fußt auf „Dohle = schwarzgrauer Rabenvogel". Analog zu ↗ Krähe. 1600 *ff*. **5.** alte ~ = Schimpfwort auf eine (alte) weibliche Person. 19. Jh. **6.** von der ~ gepiekt sein = nicht recht bei Verstande sein. 1959 *ff*. **7.** stehlen wie eine ~ = sehr diebisch sein. Dohlen stehlen angeblich glänzende Gegenstände. 1900 *ff*.

do-it-selfen (*engl* ausgesprochen) *tr* etw ohne fremde Hilfe zustandebringen. Fußt auf *engl* „do it yourself = mach es selber". Um 1960 aufgekommen mit der Heimwerkerbewegung.

doktern *intr* **1.** Arzt sein. 19. Jh. **2.** als Laie Kranke behandeln. 19. Jh. **3.** Arznei einnehmen; den Arzt zu Rate ziehen; allerlei versuchen, um gesund zu werden oder gesund zu machen; in ärztlicher Behandlung sein. 19. Jh. **4.** an etw ~ = über etw nachdenken. Leitet sich her entweder von mühevoller Arbeit an der Bekämpfung einer Krankheit oder von der Abfassung der Dissertation. 19. Jh.

Doktor *m* **1.** Arzt. In der Volksmeinung ist nur der Arzt ein Doktor; Doktoren anderer Fakultäten gelten nicht als vollwertig. 1700 *ff*. **2.** Reparaturhandwerker. Doktor ist in der Volkssprache der praktische Arzt; er stellt den Kranken wieder her wie ein Handwerker, der Instandsetzungsarbeiten ausführt (Schuster, Schlosser, Klempner usw.). Die Bezeichnung für den Gegenstand der handwerklichen Tätigkeit in Verbindung mit „-doktor" drückt berufliche Höherwertung aus. 19. Jh. **3.** Onkel ~ = Arzt, Hausarzt. Kinderwort. 19. Jh. **4.** vierbeiniger ~ = Tierarzt. *Sold* 1914 *ff*. **5.** den ~ bauen = promovieren. ↗ bauen. 19. Jh, *stud*. **6.** geh zum ~, vielleicht ist dir noch zu helfen: Rat an einen, der wunderliche Gedanken äußert. Gemeint ist der „Irrenarzt". 1920 *ff*. **7.** den ~ machen = promovieren. 19. Jh, *stud*. **8.** und was sagt dein ~ dazu?: *iron* Frage an eine Person mit seltsamen Einfällen. 1920 *ff*. **9.** warst du damit schon mal beim ~?: ironische Frage an einen, der unsinnige

Ansichten äußert. Gemeint ist ein Arzt für Psychopathen. 1920 ff.

10. wie ein ~ schreiben = unleserlich schreiben. Ärzte haben meist eine schwerlesbare Handschrift. 19. Jh.

11. das ist genau das, was mir der ~ verschrieben (verordnet) hat = das ist das Zutreffende, das Fehlende, das Willkommene. Die Redensart kann sich beziehen auf ein Mädchen, auf einen Schnaps, auf eine leckere Mahlzeit o. ä. 1920 ff.

12. du mußt den ~ wechseln = du hast wunderliche Ansichten und bist anscheinend mit dem richtigen Arzt in Behandlung. 1945 ff.

Doktorarbeit f mühsame schriftliche Verwaltungsangelegenheit; schwieriges Unterfangen. 1920 ff.

Doktorklaue f unleserliche Handschrift eines Arztes. ↗Klaue. 1900 ff.

Doktorpfote f schwer lesbare Handschrift. ↗Pfote. 1900 ff.

Doktorschrift f unleserliche Handschrift. 1900 ff.

Dolch m **1.** Penis. Dolch und Scheide als Sinnbild der Zusammengehörigkeit. 1500 ff.
2. fliegender ~ = Starfighter. Anspielung auf die Bugspitze. BSD 1965 ff.
3. den ~ in die Scheide stecken = koitieren. ↗Dolch 1. 1500 ff.

Dolchstoß m ~ von hinten = Unwahrheit, Übertreibung. Zusammenhängend mit der nach 1918 aufgekommenen „Dolchstoßlegende": Deutschnationale behaupteten, daß der Ausgang des Weltkriegs durch innerdeutsche linksgerichtete Sabotageakte (Munitionsarbeiterstreik u. ä.) verursacht wurde und nicht durch militärisches Versagen. Sold 1939 ff.

doll adj **1.** ausgezeichnet, hervorragend. „Toll = irrsinnig" entwickelt auch die Bedeutung „unbändig" und bezeichnet alles, was über das gewohnte Maß hinausgeht. 1500 ff. Neuerdings Modewort der Halbwüchsigen.
2. ausgeleiert (auf eine Schraube bezogen). ↗Dollbohrer. 19. Jh.
3. wie ~ = sehr; in großem Umfang. 1920 ff.
4. jn ~ und doof machen = jn verwirren. ↗doof. 1900 ff.
5. auf (nach) etw ~ sein = etw leidenschaftlich wünschen oder betreiben. 1900 ff.

Dollbohrer m dummer, ungeschickter Mensch. Soll aus dem Böttcherhandwerk stammen; „Dolle" ist der hölzerne Nagel; im ersten Lehrjahr hatten die Lehrlinge vorwiegend „Dollen zu bohren", wobei sie sich anfangs wenig geschickt anstellen. ↗doll 2. Wohl auch von „Tölpel" beeinflußt. Westd 19. Jh.

dollen intr geistig unzurechnungsfähig sein; Geistestrübung heucheln. 1900 ff.

döller adj toller; ausgelassener. 19. Jh, nordd.

Dollerei f närrische Ausgelassenheit; Toben; Torheit; Streich, Späßchen. Doll = toll = närrisch. 1900 ff.

Dollerschuck Vier Mark. Zusammengesetzt aus „Doller = Dollar" und jidd „schuck = Mark". Kundenspr. 1963. Zu dieser Zeit entsprach der US-Dollar einem Wert von etwa vier Mark.

Dollheit f Narretei. 19. Jh.

Dollmann m **1.** Narr; geistig unzurechnungsfähiger Mann. ↗dollen. 19. Jh.
2. Raufbold. ↗Dollerei 1900 ff.
3. Vorgesetzter, der für hemmungsloses Toben bekannt ist. Sold 1914 ff.

Döllmer m dummer Mensch. Umgestellt aus „dormen = schlafen" und beeinflußt von „doll" und „Tölpel". 19. Jh, nordd.

Dollpunkt m **1.** Sache, um die sich die Leute übergebührlich ereifern. Dollpunkt = Angelpunkt, um den sich etwas dreht wie die Tür um die Angel. Dolle ist der Ruderpflock, in dem Ruder oder Riemen ihren Drehpunkt haben. Beeinflußt von „toll = unsinnig". 1870 ff.
2. unsinniger, unhaltbarer Zustand. 1900 ff.
3. Lieblingsgesprächsstoff; Besonderheit, auf die der Vorgesetzte streng achtet und die man berücksichtigen muß, wenn man es mit ihm nicht verderben will. 1870 ff.
4. Gesprächsstoff, der in Gegenwart einer bestimmten Person nicht behandelt werden darf, sofern man Ärger vermeiden will. 1900 ff.

Dollstes n das Dollste, was je gelaufen ist = das Eindrucksvollste und Eindrucksvollen. „Laufen" kann sich auf vielerlei beziehen, beispielsweise auf einen Film, eine Schallplatte, ein Auto, ein Fußballspiel o. ä. Halbw 1955 ff.

Dollwasser n hochprozentiger Schnaps. Er macht närrisch oder verleitet zum Toben. ↗Dollerei. 1920 ff.

Dom m es ist aus im ~ = es ist Schluß. Mit dem Wort „Dom" kann sowohl die Kathedrale als auch der Dommarkt (Hamburger Volksfest) gemeint sein. Die Redensart scheint gegen 1850 von Hamburg ausgegangen und ins Rheinische gewandert zu sein.

Domherr m saufen wie ein ~ = viel, genüßlich trinken. 1500 ff.

'Domino m **1.** Spion. Von der Tarnmaske herzuleiten. 1935 ff.
2. ~ spielen = sich nicht zu erkennen geben; spionieren. 1935 ff.

Dompfaff m **1.** Geistlicher. Eigentlich Bezeichnung für ein Mitglied des Domkapitels. 1900 ff.
2. vom ~ im Walde getraut sein = vor der Heirat im Grünen koitiert haben. Fußt auf dem Duett „Wer uns getraut?" aus „Der Zigeunerbaron" von Johann Strauß, uraufgeführt 1885. 1920 ff.

Donald Duck m Mann mit Senkfüßen. Benannt nach dem Enterich-Karikatur in Walt Disneys Micky-Maus-Heften und -Filmen. BSD 1965 ff.

Don Camillo m Militärpfarrer. Benannt nach einer der beiden Hauptfiguren in den Filmen nach Giovanni Guareschis satirischen Erzählungen von „Don Camillo und Peppone" (dt 1950). Der streitbare Priester Don Camillo wurde vom französischen Filmschauspieler Fernandel (1903 bis 1971) dargestellt. 1960 ff. BSD.

Donna f (auch „Donnja" ausgesprochen) **1.** Hausgehilfin; Geliebte; aufgeputzte Frau; Prostituierte. Fußt auf ital „donna" und span „doña", beides = Frau. Anfangs Bezeichnung für jede höherstehende weibliche Person; dann ins Spöttische gezogen und minderbewertet. 1800 ff.
2. Ehefrau. 1900 ff.

Donner m **1.** ~ und Doria!: Fluch. Volkstümlich geworden aus Schillers „Ver-

schwörung des Fiesko zu Genua", 1783. Aber wahrscheinlich viel älter, wenn auch nicht als Fluch. Aus dem Jahr 1724 sind „Donner" und „Doria" dem Autor als Rufnamen zweier Pferde nachgewiesen worden, wobei „Donner" auf Donar und „Doria" auf die genuesische Familie dieses Namens zurückgehen mögen.
2. ~ und kein Ende!: Fluch. 1900 ff. Der Donner ist eine nicht alltägliche Erscheinung, die vor allem auf ängstliche Gemüter ihren Eindruck nicht verfehlt. Der außergewöhnlich starke Lärm entwickelt sich in allgemeiner Vorstellung zu einem Superlativ von Lautstärke und eignete sich zu verstärkender Geltung in Flüchen.
3. ~, Bomben und Hagel!: Fluch. 1920 ff.
4. ~ und Granaten und Schockschwerenot!: Fluch. ↗Schockschwerenot. 1960 ff.
5. ~ und Hagel!: Fluch. 1600 ff.
6. ach du dicker ~!: Ausruf der Überraschung. 1965 ff.
7. wie vom ~ gerührt = unbeweglich. Richtiger ist „wie vom Blitz gerührt", nämlich vom Blitz erschlagen. 1700 ff. Vgl engl „to be thunderstruck".
8. da schlag' doch der ~ drein!: Verwünschung. ↗Donnerwetter. 1800 ff.

Donnerbalken m Sitzstange der Latrine. 1914 ff, sold und pfadfinderspr. bis heute.

Donnerbesen m schlecht frisierte Frau. Bezeichnung für wirres, buschiges Schmarotzergewächs. Halbw 1955 ff.

Donnerbüchse f **1.** Gewehr, Karabiner. Früher soviel wie Muskete und Bombarde. Daher auch heute noch Bezeichnung für eine Feuerwaffe alten Modells. 1900 ff.
2. Motorrad. Wegen des donnerähnlichen Lärms. 1939 ff.
3. schnelles Auto. 1960 ff.

Donnerbusen m üppiger Busen. Er wirkt auf den Betrachter so gewaltig wie ein Donnerschlag. Schül 1955 ff.

Donnergemüse n gedünstetes Zwiebelgemüse; Bohnengemüse o. ä. Es verursacht Blähungen. 1914 bis heute, sold.

'Donner'hagel m ~ nochmal!: Verwünschung; Ausruf des Erschreckens oder Erstaunens. 19. Jh.

Donnerhäuschen n Latrine. BSD 1960 ff.

Donnerkiel (Donnerkeil) m ~!: Ausruf des Staunens und der Verwünschung. Bezeichnet eigentlich die Versteinerung des Belemnit. Man glaubte früher, dieser Stein werde beim Gewitter durch einen niederfahrenden Blitz erzeugt. Hieraus entwickelte sich eine Donnerbeschwörung und weiter ein Droh- und Fluchwort. 1800 ff.

donnerkielen intr schimpfen. 1900 ff. Wohl älter.

Donnerklappe f halt' deine ~!: verstumme endlich! „Donner-" hat hier eine verstärkende Funktion. Schül 1950 ff.

Donnerknispel interj Fluch. Knispel = knistern (auf den Blitz bezogen). Spätestens seit 1900.

Donnerlittchen (-litzchen, -litsch) n **1.** Ausruf des Staunens; Fluchwort. „-Littchen" ist Nebenform von „Lüchting = Blitz". 19. Jh.
2. Schimpfwort. 1900 ff.

donnern intr **1.** laut reden. 19. Jh.
2. laut schimpfen. Der Betreffende verwendet Fluchworte mit dem Bestandteil „Donner-". 1600 ff.
3. heftig pochen. 19. Jh.

4. Darmwinde laut entweichen lassen. 1900 ff.

5. heftig auftreffen lassen (der Ballspieler donnert ins Tor). *Sportl* 1930 ff.

6. koitieren. Analog zu ↗bumsen 11. 1955 ff.

7. jm ein paar ~ = heftig auf jn einschlagen. 1930 ff.

Donnerschlag m **1.** *interj* = Ausruf des Staunens und der Verwünschung. Meint in bildlichem Sinne ein plötzliches, erschreckendes Geschehnis. 19. Jh.

2. laut entweichender Darmwind. 1900 ff. Doch gilt auch, „daß ein Furz kein Donnerschlag ist" (es gibt also Schlimmeres).

Donnerschock *interj* Verwünschung. 19. Jh.

Donnerstag m **1.** ~ und Freitag!: Fluch. Mit „Donnerstag" tarnt man den „Donnerschlag", und den „Freitag" nimmt man hinzu, um den Fluch zu längen. 18. Jh.

2. fetter ~ = Donnerstag vor Fastnacht. An diesem Tag aß man früher sehr fett. Vielleicht dem *gleichbed franz* „mardi gras" nachgebildet. 19. Jh.

3. schmutziger ~ = Donnerstag vor Fastnacht. Fußt entweder auf der Berechtigung, jeden Begegnenden an diesem Tag mit Ruß zu schwärzen, oder versteht sich aus „schmotzig = fettig". 18. Jh.

4. schwerer ~ = Donnerstag vor Fastnacht. Weil man an diesem Tage schweres Essen zu sich nahm. 19. Jh.

5. unsinniger ~ = Donnerstag vor dem Faschingssonntag; Weiberfastnacht. Dieser Tag ist der eigentliche Beginn der Fastnachts-Narretei. 19. Jh.

Donnerstuhl m **1.** Abort auf dem Unterseeboot. *Marinespr* 1939 ff.

2. Kraftrad. Wegen des donnerähnlichen Getöses. *BSD* 1960 ff.

Donnervogel m **1.** Kraftfahrzeug, das ohne Auspuffrohr gefahren wird; Rennwagen. Geht möglicherweise auf die US-Sportwagen-Marke „Thunderbird" (= „Donnervogel") zurück. 1967 ff.

2. Moped. *Jug* 1965 ff.

3. Düsenjäger. 1960 ff. Übersetzt die *engl* Vokabel „thunderbird".

Donnerwagen m roter ~ = Feuerwehrauto. 1960 ff.

Donnerwetter n **1.** ~!: Ausruf des Staunens, auch der Verwünschung. Meint das Gewitter mit Blitz und Donner. 1800 ff.

2. laute Auseinandersetzung; Zank; heftige Zurechtweisung. 1600 ff.

3. lautes, barsches Befehlswort. 1800 ff.

4. geräuschvolle Notdurftverrichtung. 18. Jh.

5. ~ im Darm = heftiger Durchfall; Ruhr. 1920 ff.

6. ~ und Hagel!: Verwünschung. 1960 ff.

7. ~ Parapluie!: Ausruf des Staunens. „Parapluie" ist mißverstanden oder absichtlich entstellt aus dem *franz* „parbleu", das seinerseits aus „par dieu" umgemodelt ist. Der Ausdruck steht im Textbuch von Pius Alexander Wolff zur Oper „Preciosa" von Carl Maria von Weber (1821).; aber volkstümlich geworden ist er erst durch „Der Zigeunerbaron" von Johann Strauß (1885), Lied des Schweinefürsten.

8. wie das (leibhaftige) ~ = sehr schnell; aus Leibeskräften. 18. Jh.

9. zum ~! (zum = nochmal!) : Ausruf des Unwillens; Fluch. 1800 ff.

10. da soll doch das ~ dreinschlagen (zwi-

schenfahren)!: Ausdruck der Verwünschung. 18. Jh.

Donnerwetterbluse f Bluse, die einen üppigen Busen erkennen läßt. Dazu sagt man verwundert „Donnerwetter!", etwa im Sinne von „alle Achtung!". 1960 ff.

donnerwettern *intr* f schimpfen. ↗Donnerwetter 2. 18. Jh.

doof (dow, doow) *adj* **1.** geistesbeschränkt; einfältig; dumm. Das *niederd* Wort für „taub" entwickelt sich über „gehörlos" zu „empfindungslos" weiter und reicht auch an den Begriff „stumpfsinnig, dumm" heran. Verwandt ist es mit *schott* und *ir* „dowf = schwerfällig, dumm". 14. Jh.

2. langweilig, schwunglos. *Halbw* 1950 ff.

3. ~, aber glücklich: Redewendung für größere Zufriedenheit bei geringer Begabung. 1900 ff.

4. ~, Dover, Calais = sehr dumm. Versuch einer scherzhaften Steigerung von „doof". Der Komparativ „doofer" ist klangähnlich mit dem Namen der *engl* Stadt Dover, deren (Fähr-)Verbindung mit Calais allgemein geläufig ist. Scheint im Ersten Weltkrieg bei den Soldaten aufgekommen zu sein.

5. ~ bleibt ~, da helfen keine Pillen = Dümmlichkeit ist nicht heilbar. 1920 ff.

6. ~ bleibt ~, da helfen keine Pillen und keine kalten Umschläge = Dümmlichkeit ist eine unabänderliche Anlage. 1925 ff.

7. ~ fickt gut = Dumme sind angeblich sehr beischlaftüchtig. ↗ficken. Seit dem letzten Drittel des 19. Jh.

8. auf ~ gehen = sich dumm und unwissend stellen. 1925 ff.

9. jm ~ kommen = jm zu nahe treten. Man hat die kränkende Absicht, aber tut so, als könne man sich das Gekränktsein des Opfers nicht erklären. Rocker 1967 ff.

10. jn ~ und dusselig reden = jn beschwatzen, bis seine Konzentration nachläßt. 1910 ff.

11. das schmeckt gar nicht ~ = das mundet ausgezeichnet. ↗doof 2. *Halbw* 1955 ff.

12. ~ auf beiden Backen sein = sehr dumm sein. 1910 ff.

13. ~ am (um den) ganzen Kopf sein = sehr dumm sein. 1920 ff.

14. du hast es gut, du bist ~!: Redewendung eines Neidischen auf einen Dümmlichen. 1940 ff, Berlin.

15. zu ~ zum Kacken sein = überaus dumm sein. ↗kacken. 1910 ff.

16. ~ ist besser als bucklig, man sieht's nicht so. Redensart zur *iron* Verharmlosung der Dümmlichkeit. Berlin 1950 ff.

17. ~ ist niedlich; aber zu niedlich ist auch nichts: Redewendung auf einen dümmlichen Menschen. Mit einer gewissen Dümmlichkeit nähme man vorlieb; aber dieser Mensch übertreibt es gar zu sehr. 1950 ff.

18. so ~ möchte ich auch mal sein: Ausruf eines begabten Neiders auf einen Dümmlichen. 1940 ff.

19. ~ tun = Begriffstutzigkeit heucheln. 1900 ff.

20. jn für ~ verkaufen = jn (in beleidigender Weise) unterschätzen. Nur der wirklich Doofe läßt sich als doof „verkaufen" (= vorstellen, bekannt machen). 1900 ff.

doofblond *adj* fahlblond. Diese Farbe faßt man als langweilig auf. ↗doof 2. 1920 ff.

Doofe f auf die ~ = Dümmlichkeit heuchelnd. Gekürzt aus „auf die doofe Tour"; ↗Tour. 1920 ff.

Doofheit f **1.** Geistesbeschränktheit. 1870 ff.

2. vor ~ nicht aus den Augen gucken können = überaus dumm sein. Berlin 1920 ff.

Doofheitsgardine f über die Stirn gekämmtes Löckchen; Pagenfrisur. 1880 ff.

Doofi m n **1.** Klassenschlechtester. Nimmt sich kosewörtlich aus und ist also eine tröstende Bezeichnung. 1950 ff, *schül.*

2. weibliche Person (Kosewort). 1900 ff.

3. ~ mit Plüschohren = kleines Mädchen (Kosewort). Hergenommen von den bei Kindern beliebten Plüschtieren. Etwa seit 1900.

doofitzen v **1.** jn ~ = jm Unsinniges einreden; jn verdummen. 1935 ff.

2. sich ~ = unwissend tun. 1935 ff.

Doofitzen *Fn* ~s Älteste = törichtes Mädchen. Berlin 1935 ff.

Doofke m kleiner Junge (Kosewort). 1920 ff.

Doofmacherbrille f Brille mit dicken Gläsern. Sie verleiht dem Gesicht einen unintelligenten Ausdruck. 1950 ff.

Doofnick m Nichtskönner. Zusammengesetzt aus „doof" und verkürztem „↗Nikkel". 1950 ff.

Doof-Zeichen n Berühren der Stirn oder der Schläfe mit dem Zeigefinger. ↗Autofahrergruß 1. 1960 ff.

Doppel n Gemischtes ~ = vorübergehender Partnertausch unter Ehepaaren. Leitet sich vom Fachausdruck der Tennisspieler her. 1968 ff.

Doppeladler m **1.** Schlafstellung zweier Personen, die Rücken an Rücken liegen. Sie ähneln dem Doppeladlerbild auf Wappen. 1900 ff.

2. Bisexueller. 1900 ff.

Doppelarsch m übergroßes Gesäß. Aus dem Material ließen sich zwei Gesäße herstellen. 1920 ff.

doppelblond *adj* rothaarig. 1930 ff.

Doppelbock m schlechteste Leistungsnote. ↗Bock = Fehler. *Schül* 1950 ff.

doppelbödig *adj* zwielichtig, unaufrichtig, hintergründig; zwei Deutungen zulassend. Zauberkünstler arbeiten mit doppelbödigem Gerät (Koffer, Zylinderhut usw.). 1936 ff.

Doppeldecker m **1.** Doppelschnitte. Stammt aus der Zeit, da man Flugzeuge mit zwei Tragflächen baute. 1900 ff.

2. doppelt belegtes Butterbrot. 1930 ff.

3. doppelstöckiger Eisenbahnwagen. 1910 ff.

4. Doppelstockomnibus. 1920 ff.

5. doppelter Schnaps. *Sold* 1914 ff.

6. untreuer Ehemann; Mann mit zwei intimen Freundinnen; Bigamist. Versteht sich nach „↗decken = koitieren". 1919 ff.

7. Oberfeldwebel. Wegen der beiden Tressen am Unterärmel bzw. den beiden Winkeln auf der Schulterklappe. *Sold* 1939 ff.

8. Obergefreiter. Er trägt zwei Schräglitzen auf dem Ärmel. *BSD* 1960 ff.

9. doppelt Berufstätiger. 1959 ff.

10. vom Gegner und vom Partner überspielte Karte des Spielmachers. Kartenspielerspr. 1910 ff.

11. Latrine mit zwei Sitzplätzen. *BSD* 1960 *ff.*
12. Bisexueller. 1920 *ff.*
13. sehr vorsichtiger Mensch. Er deckt sich nach zwei Seiten. 1933 *ff.*
14. zwei vollgestellte Tabletts übereinander. Kellnerspr. Berlin 1970 *ff.*
15. Programmüberschneidung im Fernsehen. 1975 *ff.*
Doppelflinte *f* Bisexueller. Flinte = Penis. 1910 *ff.*
Doppelfraß *m* Mahlzeit an Festtagen. Es gibt doppelt soviel zu essen wie an gewöhnlichen Tagen (es gibt zwei Gänge). ↗ Fraß. *Schül* 1900 *ff.*
Doppelgänger *m* **1.** Mann, der gleichzeitig mit zwei weiblichen Personen Umgang hat. Er „geht" mit zweien; ↗ gehen. 1960 *ff.*
2. Klassenwiederholer. Er geht zweimal in dieselbe Klasse. 1955 *ff, schül.*
Doppelgleiser *m* unaufrichtiger Mensch. Außer dem einen Gleis steht ihm noch ein zweites zur Verfügung. 1920 *ff.*
Doppelhose *f* streng herrschende Ehefrau. Sie hat nicht nur eine ↗ Hose an, sondern zwei. 1920 *ff.*
Doppel-Ische *f* äußerst reizvolles Mädchen, das bei Männern allen Geschlechtsgenossinnen überlegen ist. ↗ Ische. *Halbw* 1955 *ff.*
Doppelkuhbauer *m* Kleinlandwirt. Er hat zwei Kühe im Stall. *Vgl* ↗ Kuhbauer. 1920 *ff.*
Doppelleben *n* ein ~ führen = bisexuell veranlagt sein. 1900 *ff.*
Doppelmoppel *m (n)* **1.** sehr dickes Kind. ↗ Moppel. 1935 *ff.*
2. Klassenwiederholer. 1960 *ff.*
3. Pleonasmus. 1950 *ff.*
doppeln *tr* **1.** etw ausbessern, besohlen. Hergenommen vom Schuhmacher und herzuleiten von der Doppelsohle. *Oberd* 1700 *ff.*
2. jn prügeln. ↗ versohlen. 19. Jh.
3. koitieren. Versteht sich vom Begriff „Doppelsohle" her. *Österr* 1920 *ff.*
4. würfeln. *Rotw* 1862 *ff.*
Doppelnase *f* Anherrschung vom höheren Vorgesetzten, danach vom rangniederen. ↗ Nase. 1900 *ff.*
Doppelsitzer *m* zweigeschlechtiger ~ = Motorrad mit Fahrer und Freundin. 1950 *ff.*
doppelsohlig *adj* unaufrichtig. 1840 *ff.*
Doppelstarker *m* jugendlicher Prahler. Hängt mit „ ↗ Halbstarker" zusammen. 1950 *ff.*
Doppelstecker *m* Mädchen mit zwei intimen Freunden. Dem Begriff der Elektroindustrie entstammt neue Bedeutung. ↗ stecken = koitieren. 1950 *ff.*
Doppelstenz *m* Zuhälter, der zugleich Prostituierter ist. ↗ Stenz. 1920 *ff.*
doppelstöckig *adj* doppelt (auf die Alkoholmenge bezogen). Übertragen vom zweistöckigen Gebäude auf die Füllhöhe des Glases. 1920 *ff.*
Doppelstöckiger *m* doppelter Schnaps o. ä. 1920 *ff.*
doppelt *adj adv* **1.** ~ heimkommen = als Ledige schwanger sein. 19. Jh.
2. ~ reißt nicht: Aufforderung, dem ersten Glas Schnaps ein zweites folgen zu lassen. Hergenommen vom zwiefältigen Naht: „doppelt genäht hält besser". 1900 *ff.*
3. ~ schreiben = den Preis erhöhen. *Vgl*

„mit doppelter ↗ Kreide schreiben = sich etw übermäßig bezahlen lassen". 1920 *ff.*
4. ~ sehen = a) schielen. 19. Jh. – b) betrunken sein. 1800 *ff.*
5. das ist ~ gemoppelt = das ist dasselbe zweimal getan. Wortdopplung aus Freude an Scherzreimen. *Vgl* das Sprichwort „doppelt genäht hält besser". Seit dem späten 19. Jh.
Doppelverdiener *m* **1.** männlicher Prostituierter, der sich mit Männern oder Frauen einläßt. Er hat zwei Einnahmequellen. 1920 *ff.*
2. Mensch, der einen anderen bis zum äußersten reizt. Er verdient rechts und links eine Ohrfeige. 1935 *ff.*
Doppler *m* **1.** neue Schuhbesohlung. ↗ doppeln 1. *Österr* 1930 *ff.*
2. Beischlaf. ↗ doppeln 3. *Österr* 1920 *ff.*
3. Dummer; Versager. ↗ doppeln 2: man hat ihn auf den Kopf geschlagen, wovon er eine Gehirnerschütterung bekommen hat. *Österr* 1950 *ff.*
dopsche *adv* tüchtig, gut; einverstanden. ↗ dobsche. 19. Jh.
Dorf *n* **1.** Stadt, Großstadt *(abf).* Meist bezogen auf das Fehlen zivilisatorischer Errungenschaften, auf Enggeistigkeit usw. Wahrscheinlich aus dem Folgenden verallgemeinert. 19. Jh.
2. großes ~ = Berlin. In der Biedermeierzeit aufgekommen, als in Berlin teilweise noch sehr dörfliche Verhältnisse herrschten.
3. auf die Dörfer gehen = a) Dumme suchen, die man übertölpeln kann. Anspielung auf die geistige Überlegenheit des Städters. 1910 *ff.* – b) auf Tournee gehen (vom einzelnen Schauspieler gesagt und auch vom Ensemble). Die Künstler reichen für den Geschmack der Städter nicht mehr aus. 1900 *ff.* – c) mit hohen Karten nur kleinwertige einheimsen. Hergenommen vom Hausierer, der seine Ware nicht mehr in der Stadt absetzen kann und deswegen auf die Dörfer geht. Etwa seit 1850.
4. aus (in) jedem ~ einen Hund haben = a) beim Skatspielen Karten jeder Farbe haben. 19. Jh. – b) eine bunt zusammengewürfelte Zimmereinrichtung besitzen. 1950 *ff.*
5. aus jedem ~ einen Köter haben = die Spielkarten sind so verteilt, daß keiner eine „geschlossene" Karte hat. 19. Jh.
6. auf den Dörfern lebt man wohl = Redewendung, wenn man mit kleinwertiger Trumpfkarte einen Stich mit vielen Augen macht. 1920 *ff.*
7. nach ~ riechen = unbeholfen, stadtungewohnt wirken. 1900 *ff.*
8. hier riecht's nach ~ = wir haben einen oder mehrere Dümmlinge unter uns. Dorfbewohner gelten als dumm. *Sold* 1914 *ff.*
Dorfbesen *m* schwatzhafte Dorfbewohnerin. ↗ Besen 1. 19. Jh.
Dorfbulle *m* **1.** ungeschlachter Dorf-, Kleinstadtbewohner. ↗ Bulle 1. 1950 *ff.*
2. Frauenheld (mit mehr Kraft als Charme). ↗ Bulle 6. 1900 *ff.*
3. Gemeindevorsteher, Ortsbürgermeister. ↗ Bulle 7. 1850 *ff.*
4. pl = reifere männliche Jugend eines Dorfes. ↗ Bulle 6. 1900 *ff.*
5. sich benehmen wie ein ~ = a) sich sehr ungesittet benehmen. 1910 *ff.* – b)

von heftigem geschlechtlichem Tatendrang beseelt sein. 1919 *ff.*
Dorf-Casanova *m* Frauenheld in einem Dorf. 1955 *ff.*
Dorfchronik *f* Mensch, der über alle alles zu wissen glaubt und es weitererzählt. 1900 *ff.*
Dorf-Führerschein *m* im nichtstädtischen Verkehr erworbener Führerschein. 1965 *ff.*
Dorfspritzer *m* Angehöriger der Dorffeuerwehr. Er bedient die Feuerspritze. 1960 *ff.*
Dorfteufel *m* **1.** hinterlistiger Mensch. 1900 *ff.*
2. von der Partei eingesetzter Gemeindevorsteher. 1933 *ff*; 1947 *ff*, DDR.
Dorftrottel *m* **1.** der dümmste Dorfbewohner; der Allerdümmste. ↗ Trottel. 1900 *ff.*
2. Stellvertreter vom ~ = Zweitdümmster. Wien 1950 *ff, stud.*
Dorfzeitung *f* geschwätzige Dorfbewohnerin. Wie die Zeitung weiß sie über die nebensächlichsten Vorgänge zu berichten. 19. Jh.
Dormel *m* **1.** einfältiger Mensch; schwächliche Person. ↗ dormen. 19. Jh.
2. Taumel, Betäubung; Halbschlummer. 19. Jh.
dormelig *adj* schwächlich, schwindlig, schläfrig, berauscht. ↗ dormen. 1800 *ff.*
dormeln (durmeln) *intr* kraftlos sein; taumeln. Seit *mhd* Zeit.
dormen *intr* schlafen. Geht zurück auf das *gleichbed franz* „dormir" oder auf *ital* „dormire". *Rotw* 1812 *ff.*
Dorn *m* **1.** Penis. Übertragen vom Stift in der Mitte einer Scheibe. 1920 *ff.*
2. am ~ zupfen = onanieren. 1920 *ff.*
Dornapfel *m* Hode. ↗ Dorn 1. 1920 *ff.*
Dörrgemüse-Ersatz *m* frisches Gemüse. Frischgemüse war in den letzten Jahren des Ersten Weltkriegs und in der ersten Zeit nach 1945 so selten und Dörrgemüse (o. ä.) so üblich, daß das Übliche für normal und das Seltene für Ersatz genommen wurde.
dorthinaus *adv* bis ~ = unvorstellbar weit; im höchsten Grad. ↗ dahinaus. 1900 *ff.*
Dösbattel (Dösbartel, Dösbart) *m* unaufmerksamer, langweiliger Mann. Zusammengezogen aus „dösender Bartholomäus". *Nordd* 1800 *ff.*
Dose *f* **1.** Vagina. Aufgefaßt als Behältnis für den Penis. 19. Jh.
2. intime Freundin. *Halbw* 1955 *ff.*
3. Panzerkampfwagen. Verkürzt aus ↗ Sardinendose. *BSD* 1960 *ff.*
3 a. Party-Keller; Diskothek o. ä. Anspielung auf Gedränge oder Verkürzung von „Spieldose". *Halbw* 1965 *ff.*
4. nasse ~ = geile weibliche Person. ↗ naß. 1960 *ff.*
5. einem Mädchen die ~ öffnen = deflorieren. 1900 *ff.*
Dösel *m* dummer, verträumter Mensch. ↗ dösen. 19. Jh.
Döselack *m* sehr dummer Mensch. Zusammengewachsen aus „dösen" und der *slaw* Endung „-ak". 1900 *ff, nordd.*
döseln *intr* langsam arbeiten. 19. Jh.
dösen *intr* benommen sein; vor sich hinträumen; wachend träumen. Stammt aus dem *Niederd* in der Bedeutung „still, betäubt, verwirrt sein; schlummern". 14. Jh.
Dosenhummer *m* im Ruhestand lebender Diplomat, der gelegentlich noch mit Sonderaufgaben betraut wird. Auf ihn greift

man nur mangels „frischen Hummers" zurück. 1960 *ff*, diplomatenspr.

Dosenmusik *f* Schallplatten-, Tonbandmusik. ↗ Konservenmusik. 1950 *ff*.

Dosenöffner *m* **1.** Prahler. Das Gerät dient zum „↗ Aufschneiden" von Büchsen. 1935 *ff*. **2.** Panzergrenadier. Er öffnet die ↗ Sardinendose. *BSD* 1960 *ff*. **3.** Panzerbekämpfungswaffe, -abwehr. *BSD* 1960 *ff*. **4.** süßes alkoholisches Getränk; berauschender Sekt, Rotwein o. ä. Dergleichen kann weibliche Personen beischlafwillig machen. *Vgl* ↗ Büchsenöffner 7. 1930 *ff*. **5.** gefühlvolle Musik. Versteht sich wie das Vorhergehende. 1955 *ff*, *BSD*.

Dosenverkäuferin *f* Prostituierte. ↗ Dose 1. 1930 *ff*.

Dosenverschluß *m* Jungfernhäutchen. ↗ Dose 1. 1900 *ff*.

Döserei *f* Benommenheit, Unaufmerksamkeit. ↗ dösen. 1700 *ff*.

dösig *adj* **1.** benommen, betäubt, schläfrig, unlustig. ↗ dösen. 14. Jh. **2.** langweilig. *Jug* 1955 *ff*. **3.** jn ~ machen = jn betäuben, betören. 1920 *ff*.

Dosis *f* Strafmaß. Meint eigentlich die abgemessene Arzneimenge. Wie die Arznei helfen soll, soll auch die Strafe helfen. 1950 *ff*.

Dösknochen *m* unaufmerksamer Mann. ↗ Knochen. ↗ dösen. 1900 *ff*.

dostig *adj* aufgedunsen, schweratmig. Gehört zu „dunsen = schwellen, aufschwemmen". *Österr* 1800 *ff*.

Dotsch I (Totsch, Totsche, Dotschen) *m* *(f)* gutmütiger Mensch; beleibter, bequemer, ungeschickter Mensch. Gehört zu „dotscheln = langsam, schlotterig gehen". *Oberd* 1500 *ff*.

Dotsch II *f* Vulva. *Rotw* 1510 *ff*.

dotschert (dotschig) *adj* ungeschickt, unbeholfen. ↗ Dotsch I. 1500 *ff*.

Dotter *m* *(n)* Sperma. 1945 *ff*, *stud*.

Dotterhaut *f* Hymen. 1955 *ff*, *halbw*.

Dotz *m* **1.** Geschwür, Beule. Meint eigentlich das durch Stoß Entstandene (dutzen, dotzen = stoßen), auch den Auswuchs an Bäumen. *Westd* 1700 *ff*. **2.** kleines Kind (gern in der Verkleinerungsform „Dötzchen"). Meint vor allem den kleinen, untersetzten, gedrungenen Menschen, den man für ein großes Geschwür ansieht. 1700 *ff*, *westd*. **3.** Kothaufen. 1900 *ff*. **4.** Klicker, Murmel (auch „Dötz"). „Dotz" bezeichnet auch den runden Gegenstand. *Westd* 1900 *ff*. **5.** einen ~ am Bein haben = ein uneheliches Kind haben. *Westd* 1900 *ff*.

Dötz *m* ↗ Deez.

dotzen (dötzen) *intr* mit Klickern spielen. ↗ Dotz 4. 1900 *ff*.

Douglashemd *n* altes, abgetragenes Hemd. Fußt auf der Eingangszeile „Ich hab es getragen sieben Jahr" des Gedichts „Archibald Douglas" von Theodor Fontane, 1857. Das Gedicht gehörte früher zum Unterrichtsstoff der Deutschstunde. Seit dem späten 19. Jh.

down sein (Adj *engl* ausgesprochen) **1.** niedergeschlagen sein. Aus *engl* „down = unten, nieder"; wahrscheinlich über die Boxersprache volkstümlich geworden. 1900 *ff*.

2. erschöpft sein. 1910 *ff*. **3.** mittellos sein. 1920 *ff*. **4.** betrunken sein. Entweder liegt der Betreffende bezeichn. unter dem Tisch oder ergeht sich in Äußerungen der Niedergeschlagenheit. *BSD* 1960 *ff*. **5.** niedrigstehend, sehr minderwertig sein. *Schül* 1960 *ff*.

Draasch *m* **1.** heftiger Regenschauer. Substantiv zu „draaschen = strömend regnen" (wohl schallnachahmend). 19. Jh. **2.** Eile; Ruhelosigkeit; übereilte Arbeit. *Ostmitteld* 19. Jh.

draaschen *intr* **1.** eilen; übereilt handeln. *Ostmitteld* 19. Jh. **2.** viel zu tun haben; eifrig sein. *Jug* 1955 *ff*. **3.** lärmen; sich laut benehmen. *Jug* 1955 *ff*.

Drabbel *m* **1.** Lärm, Geschrei. Gehört zu „trappeln = schallend auftreten". *Vgl engl* „trouble = Unruhe, Aufruhr", verwandt mit *dt* „Trubel". 1900 *ff*, *nordd*. **2.** übertriebenes Aufheben(s). 1900 *ff*.

Drache *m* **1.** unverträgliche alte (häßliche) Frau. Der Drache ist ein Fabeltier von furchterregender Art, etwa im Sinne von „Untier"; sein Name ging auch auf den Teufel über, dessen Verwandschaft man bösartigen Frauen nachsagt. 1500 *ff*. *Vgl franz* „cette femme est un vrai dragon". **2.** Aufpasserin, Zimmervermieterin. 1900 *ff*. **3.** herrische, handfeste Hausgehilfin. 1870 *ff*. **4.** seinen ~n steigen lassen = mit seiner Frau spazieren gehen. Meint eigentlich „den Papierdrachen im Herbst aufsteigen lassen". 1850 *ff*. **5.** den ~n steigen lassen = die Lehrerin (Ehefrau, Schwiegermutter) ärgern. Man bewirkt, daß die Betreffende „hochgeht" (= aufbraust). 1950 *ff*.

Drachenburg *f* **1.** Platz der Ballmütter und der älteren Damen. Weil sie auf das Wohl ihrer Töchter achten, gelten sie bei den Tänzern scherzhaft als ungesellig: wie Drachen hüten sie ihre „Schätze". *Stud* seit dem späten 19. Jh. **2.** Damenstift; Junggesellinnenheim. 1920 *ff*.

Drachenfels *m* **1.** Platz der Ballmütter. ↗ Drachenburg. Seit dem späten 19. Jh. **2.** Fenstertritt für die Hausfrau, die die Straßenvorgänge beobachten will. 1870 *ff*.

Drachenfutter *n* Süßigkeit(en) als vorsorglich mitgenommenes Mitbringsel für die Ehefrau, Schwiegermutter o. ä. ↗ Drache. 1900 *ff*.

Drachenwetter *n* günstige Witterung für das Aufsteigenlassen von Papierdrachen. 1950 *ff*.

Drachenzahn *m* **1.** garstiges Mädchen. ↗ Zahn 3. *Halbw* 1955 *ff*. **2.** *pl* = Hindernisse aus Beton, Eisen usw. zur Panzerabwehr; Panzersperre. Ihre Anordnung erinnert an versetzt hintereinanderliegende Zahnreihen. *Sold* 1938 *ff*. *Vgl engl* „dragon's teeth". **3.** die Drachenzähne zeigen = a) sich energisch zur Wehr setzen. Verschärfung von „die ↗ Zähne zeigen". 1914 *ff*. – b) nach vorheriger Verstellen die wahre Gesinnung offenbaren. 1914 *ff*.

Dragoner *m* **1.** Berufstätiger (nur in Verbindung mit einem Bestimmungswort). Die Dragoner nahmen eine Mittelstellung

zwischen der Reiterei und der Infanterie ein; sie galten als rauhe Truppen, waren gute Esser und fluchten gern; sie waren wilde Draufgänger. Im allgemeinen bezeichnet man mit „Dragoner" den handfesten Menschen. 19. Jh. **2.** kräftige, energische, herrschsüchtige weibliche Person. 1700 *ff*.

'Drahdi'waberl *n* **1.** unbeholfener Mensch. Meint eigentlich das Kinderspielzeug der sich um ihre Achse drehenden Puppe („Drehdichweibchen"). *Österr* 19. Jh. **2.** Durcheinander, üble Umtriebe; unangenehme Sache. Wien 1930 *ff*.

drahen (drahn) *v* **1.** *intr* = ausgelassen leben; die Nacht durchschwärmen. Drahn = die Tageszeiten umdrehen; die Nacht zum Tage machen; tanzen. *Österr* 19. Jh. **2.** *refl* = davongehen. Man dreht sich um. *Österr* 1900 *ff*.

Draht *m* **1.** Geld; Geldmünze; Löhnung. Draht ist ein Werkstoff der Metallarbeiter, Bürstenbinder und Schuster; wer keinen Draht mehr hat, muß die Arbeit einstellen. 19. Jh, anfangs kundenspr. **2.** blanker ~ = Gold- und Silbermünzen. 1900 *ff*. **3.** heißer ~ = a) unmittelbare Fernsprechverbindung zwischen den Regierungen in Washington und Moskau. Übernommen aus dem *gleichbed engl* Vokabeln „hot-line" und „hot-wire". 1963 *ff*. – b) Konferenzschaltung zwischen den Zentralbanken der führenden Industrieländer. 1971 *ff*. – c) Alarmsystem für den Kriegsfall. 1971 *ff*. **4.** durch kurzgeschlossenen ~ = in Direktverbindung (außerhalb des amtlichen Umwegs über die Zentrale). Der Elektrizitätslehre entnommen. 1962 *ff*. **5.** jn auf ~ bringen = jn anfeuern; jn zum richtigen Verhalten erziehen; jn einexerzieren. Hergenommen vom Marionettentheater: die am Draht geführte Puppe vollbringt jede vom Spieler gewünschte Bewegung. 1930 *ff*. **6.** etw auf ~ bringen = etw in Ordnung bringen, wie Perlen o. ä., die man auf einen Draht auffädelt. 1950 *ff*. **7.** ~ erben = Geld erbeuten. ↗ Draht 1. 1900 *ff*, *rotw*. **8.** sich auf ~ fühlen = guter Stimmung sein; sich leistungsfähig fühlen. Wohl vom Seiltänzer übernommen. 1930 *ff*. **9.** auf ~ gehen = a) in gezierter, steifer Haltung gehen. Wie eine Marionettenfigur. 19. Jh. – b) seinen Dienst vorbildlich versehen; vorbildlich gehorchen. ↗ Draht 5. 1900 *ff*. **10.** auf ~ gezogen = unnatürlich; künstlich; von steifer Gangart. 1700 *ff*. **11.** der ~ glüht = man telefoniert unausgesetzt. Anspielung darauf, daß starker Stromdurchfluß schwachen Draht erhitzt (Glühdraht der Glühlampe). 1950 *ff*. **12.** zu jm einen (einen guten; einen direkten) ~ haben = zu jm in unmittelbaren guten Beziehungen stehen; zu einer einflußreichen Person gute Verbindung haben. Draht = Telefondraht. 1930 *ff*. **13.** eine Rolle ~ im Kopf haben = nicht recht bei Verstand sein. Beruht auf der Vorstellung von der „langen ↗ Leitung". *BSD* 1960 *ff*. **14.** noch ~ auf der Rolle haben = bei Geld sein. Rolle = Geldrolle. 1960 *ff*, *sold*. **15.** am ~ hängen = ausdauernd telefonieren. Stammt noch aus der Zeit, als man den Hörer nicht auflegte, sondern aufhängte. 1920 ff.

16. auf ~ kommen = in gute Stimmung kommen; zu begreifen anfangen. ↗Draht 5. und 8. 1930 ff.

17. die Drähte rauchen = man telefoniert lebhaft. ↗Draht 11. 1930 ff.

18. am ~ sein = an entscheidender Stellung stehen; die Oberleitung haben. Vom Marionettentheater hergenommen. 1900 ff.

19. auf ~ sein = a) sich jeder Lage anzupassen verstehen; sehr lebenserfahren, gewitzt sein; die günstige Gelegenheit wahrzunehmen wissen. 19. Jh. – b) in guter Stimmung sein. 1900 ff. – c) körperlich leistungsfähig sein. 1910 ff. – d) immer zur Stelle, gefällig sein. 1900 ff. – e) telefonieren. 1959 ff.

20. da geht (kommt, springt) einem der ~ aus der Mütze = das ist unerträglich; Ausdruck der Überraschung. Weiterführung von „da platzt einem der ↗Kragen" im Sinne von „die Zornesadern schwellen". BSD 1965 ff.

21. den ~ glühend telefonieren (telefonieren bis die Drähte glühen) = leidenschaftlich und mit Ausdauer telefonieren. ↗Draht 11. 1930 ff. Vgl engl „he keeps the wires hot".

22. der ~ verrostet = die Beziehungen verschlechtern sich, bleiben ungenutzt. ↗Draht 12. 1960 ff.

23. die Drähte werden heiß = es wird ununterbrochen telefoniert. Vgl ↗Draht 11. 1930 ff.

24. ~ ziehen = a) betteln. Draht = Geld. „Ziehen" meint „an Geld, an sich nehmen". Vgl ↗Miete ziehen. 1800 ff. – b) sich entfernen. Herzuleiten von der Verlegung von Telefon- oder Stacheldraht: die Rolle mit dem Draht spult langsam ab, und ebenso langsam entfernt man sich vom Ausgangspunkt. Kann ebenso gut auch von den Drahtziehern herkommen. 19. Jh.

25. zu jm einen ~ ziehen = mit jm eine Verbindung anknüpfen. Draht = Telefonleitung. 1930 ff.

26. an den Drähten ziehen = mitbestimmen; heimlich vorbereiten. Geht auf das Marionettentheater zurück. 1900 ff.

Drahtesel m Fahrrad. Mit „Draht" sind die Drahtspeichen gemeint, und der Esel ist ein geduldiges Lasttier. Etwa seit 1900.

Drahtfabrik f Notenbank, -druckerei. ↗Draht 1. 1912 ff.

Drahtfahrrad n Nickelbrille. ↗Nasenfahrrad. 1950 ff.

Drahtflebbe (-fleppe) f Banknote. ↗Draht 1; ↗Fleppen. 1900 ff, rotw.

Drahtfürst m Bankier, Bankdirektor. 1930 ff.

Drahtgehirn n Elektronenrechner. Er birgt in seinem Innern eine Unzahl von Drähten. 1960 ff.

Drahtgeige f Gitarre, Klampfe. Halbw 1955 ff.

Drahtgelddraht n in größter Verlegenheit rechtzeitig eingetroffenes Geld. Draht = Geld; Drahtgeld = telegraphisch überwiesenes Geld. Stud 1920 ff.

Drahthose f Maschendrahthülle an Obstbäumen gegen Wildverbiß. Rhein 1920 ff.

drahtig adj **1.** vorbildlich im Dienst; im

Dienst bewandert. ↗Draht 19. Sold 1914 ff.

2. gewandt; zäh; straff; sehr sportlich. 1914 ff.

Drahtkasten m Klavier. Wegen der Kastenform und der Drahtsaiten. Halbw 1955 ff.

Drahtkommode f **1.** Klavier. Seit dem späten 19. Jh.

2. Doppeldecker aus der Frühzeit des Flugwesens. Anspielung auf die Drahtverschnürung zwischen den beiden Decks. 1909 ff.

3. Sparbüchse, Brieftasche o. ä. Draht = Geld. 1910 ff.

Drahtkopf m dummer Mensch. Er hat viel Draht im Kopf; vgl „lange ↗Leitung". 1955 ff, schül.

drahtlos adv mittellos. Draht = Geld. 1920 ff.

Drahtnerven pl widerstandsfähige Nerven. 1930 ff.

Drahtpuppe f geziert schreitender, sich unnatürlich benehmender Mensch. Er bewegt sich wie eine Marionette. 19. Jh.

Drahtroß n Fahrrad. Es ist verwandt mit dem „Dampfroß" (= Lokomotive) und dem „Benzinroß" (= Motorrad). 1940 ff.

Drahtseilnerven pl sehr widerstandsfähige Nerven; unerschütterliche Seelenruhe. 1930 ff.

Drahtverhau m **1.** Dörrgemüsesuppe; Trockengemüse; gedörrte grüne Bohnen; Kohlsuppe; Krautsuppe. Der Drahtverhau soll als letztes Mittel den Feind kurz vor den eigenen Stellungen aufhalten und seinen Einbruch verhindern. Ähnlich letztes Rettungsmittel war für hungrige Soldaten die aus Trockengemüse hergestellte Suppe. Sold seit 1916/17 („Kohlrübenwinter").

2. italienischer Salat; Endiviensalat. Sold 1939 ff.

3. Flieger-Suchgerät SN 2; Radar. In ihm blieben die gesuchten Flugzeuge „hängen". Sold 1939 ff.

4. Vollbart; Stoppelbart. Stachlig wie der Drahtverhau. Sold 1914 ff.

5. den ~ abhobeln = sich rasieren. Sold 1914 ff.

6. den ~ niederlegen = den Stoppelbart abrasieren. Sold 1914 ff; ziv 1920 ff.

7. jn durch den ~ ziehen = jn verulken, bespötteln. Modernisierung von „jn durch die ↗Hechel ziehen". 1914 ff.

Drahtzieher m **1.** Elektriker. Weil er Leitungsdrähte zieht. 1900 ff.

2. Bettler. ↗Draht 24 a. 1800 ff.

3. Taschendieb. Er zieht seinem Opfer Geld aus der Tasche. 1920 ff.

3 a. Zuhälter. Weil er von seinen Prostituierten „Draht" (↗Draht 1) zieht (= bezieht). 1970 ff (wohl älter).

4. Schuhmacher. Er zieht den Pechdraht. 1900 ff.

5. im Verborgenen und zu seinem Vorteil tätiger Lenker willenloser Menschen; geheimer Lenker; Hintermann, der sich verborgen hält. Vom Puppenspieler hergenommen. Seit dem ausgehenden 18. Jh.

Drall m **1.** starker Drang zu etw; sonderbare Vorliebe für etw. Gehört zu „drillen = drehen", gleichbedeutend mit „spinnen" und von da aus analog zu „närrisch sein". 1920 ff.

2. Ulk, Verspottung; lärmender Spaß. 1920 ff.

3. Kunstgriff, Trick. Analog zu ↗Dreh. 1950 ff.

4. ~ haben = betrunken schwanken. Drall ist auch die Schrägführung der Züge in Gewehrläufen und Geschützrohren gegen die Achse; dadurch dreht sich das Projektil. Es gibt (auch für den Bezechten) einen Linksdrall und einen Rechtsdrall. 1920 ff.

5. ~ draufmachen = anziehend zur Geltung bringen. ↗Drall 3. 1950 ff.

Drama n **1.** verwickelte, aufregende Sache; heftige Auseinandersetzung; Unfriede. Hergenommen von der Bühnendichtung mit einer sich steigernden Handlung. 1900 ff.

2. mach kein ~! = heuchle nicht! Das Geschehen auf der Bühne ist in der Volksmeinung Verstellung und Unwahrheit. 1900 ff.

Drämel m ungeschickter, langsamer Mensch. ↗drämeln. 1700 ff.

drämelig adj langsam, schläfrig, taumelig. ↗drämeln. 1700 ff.

drämeln intr langsam, schläfrig, schwunglos sein. Ablautform von ↗drömeln. 1700 ff.

drämmeln intr zudringlich zureden; drängen, antreiben. Fußt auf „dremeln = den Dremel (= Prügel) verwenden". Nordd 1900 ff.

dranbleiben intr **1.** beharrlich sein; die Arbeit nicht aus der Hand legen. 19. Jh.

2. den Gegner verfolgen. Fliegerspr. 1939 ff.

drandenken intr nicht zum ~! = ausgeschlossen! unmöglich! 1900 ff.

Drang m **1.** dicken ~ haben = sich sehr fürchten. Dicker Drang = Stuhldrang. Sold 1939 ff.

2. ~ am Zapfen haben = Harndrang verspüren. ↗Zapfen. BSD 1950 ff.

3. einen ~ spüren (verspüren) = einen Darmwind auslassen wollen. 1900 ff.

Drängelberger m qualende Darmblähung. Der Wind drängelt ins Freie. 1900 ff.

2. Mensch, der von Darmwinden gequält wird, die nicht entweichen wollen. 19. Jh.

drängeln tr intr drängen, um vorwärtszukommen; antreiben; beschleunigen. Frequentativum zu „drängen". Nordd 18. Jh ff.

Drängler m **1.** Taschendiebgehilfe, der beim Diebstahl mit seinem Körper deckt oder ein Gedränge verursacht. Rotw 1847 ff.

2. Autofahrer, der aus der Kolonne der Fahrzeuge auszubrechen sucht. Etwa seit 1960.

dranhaben v einen ~ = betrunken sein. Verkürzt aus „einen Schlag an den Kopf bekommen haben": der Betäubte wie der Bezechte ist erschüttert in seinen Gehirnfunktionen. 1920 ff.

dranhalten refl **1.** es hält sich an (mit) etw dran = etwas hört nicht mehr auf (es hält sich dran am Regnen). Sich am Tun halten = unaufhörlich tun. 19. Jh.

2. stark essen. Der Betreffende hält sich ans Essen und läßt nicht davon ab. 1870 ff.

drankriegen tr **1.** jn übervorteilen. Soviel wie „jn zu etw bewegen", beispielsweise zu einem schlechten Kauf o. ä. 1700 ff.

2. ein Mädchen verführen. 19. Jh.

3. jn zu unerwünschter Tätigkeit heranziehen. Man bewerkstelligt es, daß er sich an die Arbeit macht. 1900 ff.

4. jn hart behandeln. 1935 ff.

5. jn gründlich ausfragen. Man nimmt den Betreffenden an die Reihe. *Schül* 1930 ff.

dranlangen *intr* intim betasten. 19. Jh.

dranmachen *v* **1.** mach 'was dran! = ändere du es! Meist im Sinne der Resignation: auch du kannst daran nichts ändern; man muß es hinnehmen, wie es ist! 1900 ff.

2. *refl* = eine Arbeit beginnen. 1900 ff.

drannehmen *tr* jn an die Reihe nehmen; jn befragen. *Schül* 1900 ff.

dransein *intr* **1.** da ist 'was dran = a) das trifft zu; der Verdacht ist begründet. „Was" ist Ellipse für „etwas Wahres". 1500 ff. – b) der Gegenstand weist eine Beschädigung auf; die Speise schmeckt leicht verdorben. „Was" meint hier „etwas Fremdes". 1900 ff. – c) die Sache ist brauchbar; der Vorschlag ist gut. „Was" steht hier für „etwas Wertvolles" o. ä. 1700 ff.

2. da ist alles dran = das ist vorzüglich; nichts Erwartetes fehlt. 1900 ff.

3. da ist alles dran und nichts vergessen = das ist ganz ausgezeichnet, unübertrefflich. 1900 ff.

4. da ist alles dran und nichts vergessen, fehlt bloß der Griff zum Wegschmeißen (o. ä.) = das ist höchst minderwertig. 1914 ff.

5. da ist alles dran, Klavier und Geige = daran fehlt nichts. Wohl herzuleiten von einem gemütlichen Beisammensein in größerem Kreis, wobei auch für musikalische Unterhaltung gesorgt ist. *Sold* 1939 ff.

6. da ist nichts dran = das ist schlecht. Gekürzt aus „nichts, was einen Anreiz ausübt". *Sold* 1939 ff.

7. es ist alles dran, nur keine Bremse = es ist vollständig bis auf ein wichtiges Stück. 1950 ff.

8. = an der Reihe sein. 19. Jh.

9. verhaftet werden. 19. Jh, *sold* und verbrecherspr.

10. scharf verhört werden. 19. Jh.

11. sterben, fallen. *Sold* 1914 ff.

12. zur Aburteilung kommen; hart bestraft werden; haftbar gemacht werden; benörgelt werden. 1900 ff.

13. dann bist du dran = dann geht es dir schlecht. 1930 ff.

14. gut ~ = sich wohl befinden; in angenehmer Lage sein. Meint „gut am Leben sein". 1500 ff.

15. schlimm ~ = sich in übler Lage befinden. 1500 ff.

16. wie bin ich mit ihm dran? = wie habe ich mich ihm gegenüber zu verhalten? was habe ich von ihm zu erwarten? 1600 ff.

17. bei einer ~ = eine weibliche Person intim betasten. 1900 ff.

18. mit jm ~ = koitieren. 1900 ff.

19. an ihr ist alles dran = sie ist eine Frau von idealer Figur. Sie besitzt alle Vorzüge, die der Frauenkörper zu bieten vermag. 1950 ff.

dransten **1.** einer der ~ = einer, der mit am ersten an der Reihe ist. Scherzhafter Superlativ von „dran" im Sinne von „unmittelbar an der Reihe", „schon längst an der Reihe" o. ä. Im späten 19. Jh aufgekommen, wahrscheinlich in Berlin.

2. am ~ sein = a) schon längst an der Reihe sein. 1870 ff. – b) beim Kartenspiel an der Reihe des Mischens, des Ausspielens sein. 1900 ff.

Drasch I *m* **1.** Prügelei. Substantiv zu ↗dreschen. Seit dem späten 19. Jh.

2. Angriff, Nahkampf. *Sold* 1914 ff.

Drasch II *n* Geschwätz. Fußt auf „↗Phrasen dreschen". *Bayr* 19. Jh.

dräseln *intr* ↗dröseln.

draufbrennen *v* jm eins ~ = auf jn einen Schuß abgeben. Verkürzt aus „jm eins auf den ↗Pelz brennen". 1900 ff, sold und jägerspr.

draufdrücken *intr* **1.** Gas geben; die Fahrgeschwindigkeit erhöhen. Darauf = auf das Gaspedal. 1930 ff.

2. drängen. Hier ist wohl vom Fahrradpedal auszugehen. 1900 ff.

draufgeben *v* jm ~ = jm schlagfertig entgegnen. Gekürzt aus „jm einen Schlag auf den Mund geben = jn mundtot machen". 1920 ff.

draufgehen *intr* **1.** aufgewendet, benötigt, verbraucht werden. Gehört zu der Redewendung „Geld auf etw gehen lassen". 1500 ff.

2. sterben, umkommen, zugrunde gehen. Man wird verbraucht wie irgendein Gegenstand. 1500 ff.

3. angreifen. Man geht auf den Gegner zu. 1600 ff.

4. er läßt viel ~ = er läßt es sich viel kosten; er gibt viel Geld aus. 1500 ff.

draufhaben *tr* **1.** viel (allerhand) ~ = a) sehr klug, sehr geschickt sein; viel leisten können. Drauf = auf dem „↗Verstandskasten" oder „auf dem Bizeps". 1910 ff. – b) betrunken sein. ↗aufhaben 7. 1900 ff. – c) eine hohe Fahrgeschwindigkeit erzielen. Drauf = auf dem Geschwindigkeitsmesser. 1920 ff.

2. nichts ~ = a) nur geringe Kräfte besitzen; energielos sein. Drauf = auf dem Bizeps. 1925 ff. – b) sich in Geldverlegenheit befinden; an etw keinen Verdienst haben. Drauf = Aufstrich auf dem Brot; Guthaben auf dem Konto. 1800 ff.

3. mehr ~ = der Überlegene sein. 1910 ff.

4. etw ~ = etw planen, beabsichtigen. Drauf = auf ein Ziel hin. 1950 ff.

5. nicht alle ~ = nicht recht bei Verstande sein. Verkürzt aus „nicht alle auf dem ↗Kasten haben". 1920 ff.

6. 70 000 ~ = 70 000 km gefahren sein. Drauf = auf dem Kilometerzähler. Doch *vgl* auch ↗Buckel 17. 1930 ff.

7. *intr* = schwanger sein. Drauf = auf dem Leib. 19. Jh.

draufhalten *intr* **1.** ein erkanntes Ziel mit Artilleriefeuer bekämpfen. Verdeutschung von „anvisieren". *Sold* in beiden Weltkriegen.

2. zielstrebig handeln. 1920 ff.

draufhauen *v* **1.** etw ~ = etw vergeuden, abnutzen, zu Geld machen. Man haut das Geldstück auf den Tisch; auch haut man auf die ↗Pauke. 1920 ff.

2. jm eine Strafe ~ = jn zu einer Freiheitsstrafe verurteilen. Draufhauen = als Last auf den Rücken laden. 1969 ff.

3. *intr* = schneller handeln. Hergenommen vom Schlagen auf die Pferde, damit sie schneller laufen. 1960 ff.

draufknallen *v* **1.** *intr* = überhöhte Preise

verlangen. Derbere Variante von „aufschlagen = verteuern". 1900 ff.

2. *tr* = etw schöner (besser, aussichtsreicher, harmloser) darstellen, als es in Wirklichkeit ist. Aufschlagen = übertreiben. 1900 ff.

3. *intr* = jm unerwartet begegnen. Man prallt auf den Entgegenkommenden. 1910 ff.

4. jm eins ~ = auf jn einen Schuß abgeben. ↗knallen. 1900 ff.

5. das Geld ~ = das Geld verschwenden. Analog zu ↗draufhauen 1. 1900 ff.

draufkommen *intr* **1.** entdecken, ergründen, aufdecken. Drauf = auf eine Fährte. 1900 ff.

2. jm ~ = jn bei einem Fehltritt überraschen; jm Vorhaltungen machen. 1900 ff.

drauflegen *intr* die Geschwindigkeit steigern. Verkürzt aus „einen ↗Zahn drauflegen". 1920 ff.

drauflos *adv* ohne Hemmung; ohne Überlegung; verschwenderisch; auf gut Glück. Drauflos = auf ein Ziel zu; geradeaus ohne Rücksicht auf Hindernisse. 17. Jh.

draufmachen *tr* **1.** Geld vergeuden; ein Trinkgelage veranstalten; ausgelassen feiern. Darauf = auf den Tisch. Seit dem späten 19. Jh.

2. einen ~ = ein flottes Musikstück spielen. 1920 ff.

draufsatteln *tr* etw aufbürden, belasten. Von der Turfsprache übernommen. Politikervokabel, 1970 ff.

draufschlagen *intr* die Preise erhöhen. ↗draufknallen 1. 1900 ff.

draufsein *intr* **1.** koitieren. 1900 ff.

2. voll ~ = Sofortwirkung des Rauschmittels verspüren. Drauf = auf der Reise (in das Land der Phantasie). 1970 ff.

draufsetzen *tr* **1.** jn vergeblich warten lassen; eine Verabredung nicht einhalten. ↗aufsitzen 3. 1700 ff.

2. ich muß einen ~ = ich muß hinterher einen Schnaps trinken. Drauf = auf das gute, fette Essen o. ä. 1900 ff.

draufsteigen *intr* Bälle hart schlagen. Übertragen vom Kraftfahrer, der durch „Steigen" auf das Gaspedal die Fahrgeschwindigkeit erhöht. *Sportl* 1950 ff (Tischtennis).

drauftreten *intr* Gas geben. Drauf = auf das Gaspedal. 1920 ff.

drauf- und dransein *intr* im Begriff sein, etw zu tun. Drauf = auf ein Ziel zu. Dran = an der Arbeit; im Begriffe. 1800 ff.

drausbringen *tr* jn verwirren. Verkürzt aus „jn aus dem Konzept bringen". Spätestens seit 1900.

drauskommen *intr* den Faden der Rede verlieren. Verkürzt aus „aus dem Konzept kommen". Spätestens seit 1900.

draussein *intr* verwirrt sein; die Beherrschung verloren haben. Verkürzt aus „aus dem Zusammenhang gekommen sein". 1900 ff.

drebbeln *intr tr* hasten; zur Eile anhalten. Nebenform von „treiben". 1967 ff, nordd.

drechseln *v* **1.** jm etw ~ = jm etw ablehnen. Statt des Abgelehnten will man dem Betreffenden einen Kothaufen drechseln. Analogie zu „jm etwas ↗scheißen". Wien 1920 ff.

2. einer ein Kind ~ = schwängern. *Bayr* 1800 ff.

Dreck *m* **1.** wertlose Sache; nichts. Meint eigentlich das Exkrement. Schmutziges und Ekelerregendes ist wertlos und widerwärtig. 15. Jh.

2. ~ Nebel; Wolkenschleier; Wolkenfetzen; tief-liegende Wolken. Dreckig = sichtbehindernd. Fliegerspr. 1930 *ff.*

3. du ~! = Schimpfwort. *Sold* 1939 *ff.*

4. ~ auf der Pfote = schlechte Handkarten. ↗Pfote. Kartenspielerspr. 19. Jh.

5. ~ mit Sauce = a) undefinierbares Essen. 1900 *ff.* – b) gefährliche Lage; gefährliches Unternehmen. *Sold* 1914 *ff.*

6. allerletzter ~ = größte Minderwertigkeit. 1920 *ff.*

7. alter ~ = nichts. 1800 *ff.*

8. besserer ~ = minderwertige Ware. 1900 *ff.*

9. einen ~! = nichts; Ausdruck der Ablehnung. 14. Jh.

10. höherer ~ = minderwertige Ware. 1900 *ff.*

11. klassischer ~ = minderwertiges Bühnen-, Filmstück o. ä. Klassisch = mustergültig. 1920 *ff.*

12. der letzte ~ = höchst widerliche Sache oder Person; Auswurf der menschlichen Gesellschaft. Wohl seit 1900.

13. nasser ~ = große Wertlosigkeit. 1930 *ff.*

14. in ~ und Speck = in großem Schmutz. „Speck" meint dem Lehm wegen der halbweichen Beschaffenheit. Spätestens seit 1850.

15. nicht einen ~ = gar nichts; Ausdruck der Ablehnung. 14. Jh.

16. frech wie ~ = sehr unverschämt, dreist. „Dreck" ist insofern „frech", als angespritzter Straßendreck an der Kleidung haftet. 19. Jh.

17. klar wie ~ = selbstverständlich; völlig einleuchtend. Ironie. 1900 *ff.*

18. den ~ abladen = ejakulieren. *Prost* 1965 *ff.*

19. das geht ihn einen ~ an = das geht ihn überhaupt nichts an. ↗Dreck 1. 1800 *ff.*

20. das geht ihn einen feuchten ~ an = das geht ihn nichts an. 1930 *ff.*

21. das geht ihn einen großen ~ an = das ist nicht seine Angelegenheit. 1950 *ff.*

22. sich über jeden ~ ärgern = sich über jede Kleinigkeit ärgern. 19. Jh.

23. den alten ~ wieder aufführen = eine weit zurückliegende (anrüchige oder wertlose) Sache wieder zur Sprache bringen. Gemeint ist, daß vom Grund eines Gewässers der Bodensatz an die Oberfläche befördert wird. 1500 *ff.*

24. jn wie ~ (wie ~ am Schuh) behandeln = jn entwürdigend behandeln. 1900 *ff.*

25. jn wie ein Stück ~ behandeln = jn als einen minderwertigen Menschen behandeln. 1930 *ff.*

26. jn wie den letzten ~ (wie das letzte Stück ~) behandeln = jm größte Verachtung bezeigen. ↗Dreck 12. 1900 *ff.*

27. jn mit fremdem ~ bekübeln = jn verleumden wegen der Taten anderer. Bekübeln = kübelweise übergießen. 1930 *ff.*

28. sich wie ~ benehmen = unverschämt auftreten. 1920 *ff.*

29. sich wie das letzte Stückchen ~ benehmen = sich äußerst schlecht benehmen. 1920 *ff.*

30. jn mit Dreck bewerfen = jn verleumden. 1900 *ff. Vgl engl* „to throw mud at someone".

31. das fällt in den ~ = das läßt sich nicht verwirklichen; der Plan scheitert. 1900 *ff.*

32. einen ~ nach etw fragen = sich um etw überhaupt nicht kümmern; auf etw gar keine Rücksicht nehmen. 19. Jh.

33. den eigenen ~ fressen = überaus geizig sein. 1800 *ff.*

33 a. sich wie der letzte ~ fühlen = sich sehr minderwertig vorkommen; sich ausgestoßen fühlen. 1950 *ff.*

34. dem ~ eine Watschen (Ohrfeige) geben = Unnötiges tun; kein Geschick zur Arbeit haben. 1900 *ff.*

35. einen ~ gelten = nichts gelten. 1900 *ff.*

36. das ist in den ~ geschmissen = das ist nutzlos ausgegeben, nutzlos angelegt. 1900 *ff.*

37. Geld wie ~ haben = sehr reich sein. Dreck ist stets reichlich vorhanden. 1700 *ff.*

38. von etw einen ~ haben = von etw nichts, keinen Vorteil haben. 1900 *ff.*

39. da hast du nun deinen ~! = da erlebst du nun die üblen Folgen deiner Tat! *Österr* 1900 *ff.*

40. ~ am Arsch haben = ein schlechtes Gewissen haben; sich schuldig fühlen. Kotreste am Gesäß verursachen Befangenheit, Unbehaglichkeit u. ä. 1900 *ff.*

41. ~ am Ärmel haben = nicht unbescholten sein. Hängt mit der Angewohnheit von Leuten zusammen, den Nasenschleim am Ärmel abzuwischen. 1800 *ff.*

42. du hast wohl ~ in den Augen? = du kannst wohl nicht sehen (lesen)? 19. Jh.

43. ~ in den Fingern (Händen) haben = Zerbrechliches zu Boden fallen lassen. Zusammenhängend mit schlüpfrigem Dreck, der kein festes Zupacken zuläßt. 1920 *ff.*

44. ~ im Hirn haben = geistesbeschränkt sein. *Südd* 1900 *ff.*

45. du hast wohl ~ in den Ohren?: Frage an einen, der nicht hört oder nicht hören will. 1800 *ff.*

46. den (einen) ~ im Schachterl haben = statt der Erhofften Unangenehmes ernten; sich in seinen Hoffnungen getäuscht sehen; das Nachsehen haben. Leitet sich her von einer reizvoll aufgemachten Schachtel, in der sich gleichwohl Minderwertiges oder Widerliches befindet. *Bayr* 1950 *ff.*

47. ~ an den Schuhen haben = nicht unbescholten sein. Der Schmutz an den Schuhen verrät, welche schmutzigen Wege einer gegangen ist. 1900 *ff.*

48. ~ am Stecken haben = nicht unbescholten sein; Schuld auf sich geladen haben. Der Stecken oder Wanderstab, mit dem einer durch den Dreck gegangen ist, bewahrt die Schmutzspuren lange auf. Auch gilt: „Stecken = Penis". 19. Jh.

49. du hältst dir auch jeden ~! Redewendung auf einen Spieler mit schlechten Karten. Kartenspielerspr. 19. Jh.

50. von jm einen feuchten ~ halten = von jm nichts halten. 1920 *ff.*

51. jm aus dem ~ helfen = jn aus einer Notlage befreien. 19. Jh.

52. stell' ab, es kommt ~! = rede nicht weiter! Etwa wie man das Rundfunkgerät abstellt. 1955 *ff.*

53. du kriegst einen ~, und eine Photographie! Ausdruck der Ablehnung. *Bayr* 1950 *ff.*

54. ~ an den Stecken kriegen = straffällig werden. ↗Dreck 48. 1930 *ff.*

55. sich um etw einen ~ kümmern (scheren) = sich um etw überhaupt nicht kümmern. 1800 *ff.*

56. sich um jeden ~ kümmern = sich um jede Kleinigkeit kümmern. 1800 *ff.*

57. sich um etw keinen ~ kümmern = sich um etw überhaupt nicht kümmern. 1920 *ff.*

58. kümmer' dich um deinen ~! = kümmere dich um deine eigenen Angelegenheiten und laß andere in Frieden! Analogie zu „vor der eigenen ↗Tür kehren". 1900 *ff.*

59. es kümmert ihn einen ~ = es bekümmert ihn überhaupt nicht. 19. Jh.

60. jn in den ~ kutschieren = jn absichtlich in eine Verlegenheit oder in eine schlimme Lage bringen. Dreck = Morast. 1900 *ff.*

61. daran liegt ihm ein ~ (daran ist ihm ein ~ gelegen) = darum kümmert er sich nicht. 1700 *ff.*

62. aus ~ Geld machen = mit Wertlosem (Abfällen) einträgliche Geschäfte machen. 1900 *ff.*

63. sich einen ~ aus etw machen = etw überhaupt nicht beachten. 1920 *ff.*

64. sich einen ~ aus jm machen = jn für nichtswürdig halten; jn gründlich verachten. 1920 *ff.*

65. mach' deinen ~ allein! = erledige deine Angelegenheit selbständig und ohne mich! 1900 *ff.* König Friedrich August von Sachsen am Tage seiner Thronentsagung (10. November 1918): „Macht euren Dreck alleene!".

66. aus dem ~ rauskommen = die Notlage überwinden. 19. Jh.

66 a. red' keinen ~! = rede keinen Unsinn! 1920 *ff.*

67. es regnet ~ = allerlei Unliebsamkeiten kommen ans Tageslicht. 1543 (Luther) *ff.*

68. in den ~ reinlangen = a) einen argen Mißgriff tun. 1900 *ff.* – b) auf frischer Tat ertappt werden. 1900 *ff.*

69. in den ~ reiten = verkommen. 19. Jh.

70. er riecht den ~ im Finstern = er dünkt sich klug. Dreck = Kothaufen (Katzendreck o. ä.). 19. Jh.

71. die Maschine in den ~ rotzen = das Flugzeug beim Landen hart aufsetzen und dadurch erheblich beschädigen oder zertrümmern. Fliegerspr. in beiden Weltkriegen. ↗hinrotzen.

72. ~ schaben = nach langem Frontaufenthalt sich wieder gründlich waschen. Die Schmutzkruste muß erst abgeschabt werden, ehe man an die Haut gelangt. *Sold* in beiden Weltkriegen.

73. er hat den letzten ~ geschissen = er ist gestorben. *Sold* 1914–1945.

74. jn den ~ in die Schuhe schieben = jn verantwortlich machen (auch wenn er nicht der Schuldige ist). *Vgl* „jm etw in die ↗Schuhe schieben". 1960 *ff.*

75. ~ auf jn schmeißen = jn verleumden. 1900 *ff.*

76. aus dem dicksten (gröbsten) ~ sein = das Ärgste überwunden haben; die schwierigen Anfänge der wirtschaftlichen Aufwärtsentwicklung überstanden haben. 1920 *ff.*

77. für jn ein ~ sein = von jm nicht respektiert werden. 1900 *ff.*

78. das ist dagegen ein ~ = im Vergleich

damit ist dies völlig wertlos oder minderwertig. 19. Jh.

79. der letzte ~ sein = zu den Geschundenen gehören. *Sold* in beiden Weltkriegen. ↗Dreck 12.

80. keinen feuchten ~ wert sein = nichts wert sein. 1900 *ff.*

81. dümmer als ~ sein = sehr dumm sein. 1900 *ff.*

82. da ist ~ Trumpf = man hat sich verrechnet, ist gescheitert. *Bayr* 1900 *ff.*

83. sich in den ~ setzen = seine Notlage selbst verschulden. 1900 *ff.*

84. jn im ~ sitzen lassen = jm in der Not nicht helfen. 19. Jh.

85. jm ~ an die Weste spritzen = über jn abfällig, bösartig reden. Man beschmutzt ihm die weiße ↗Weste der Untadeligkeit. 1920 *ff.*

86. im ~ stecken (sitzen) = sich in schlimmer Lage befinden; viele Schulden haben. 1700 *ff.*

87. vor ~ stehen = von dicker Schmutzkruste überzogen sein, von Schmutz starren (auf Kleidungsstücke bezogen). 19. Jh.

88. es steht ~ im Kalender = Schlimmes steht zu erwarten. 1800 *ff.*

89. etw (jn) in den ~ treten = etw (jn) herabwürdigen, schlechtmachen, schlecht behandeln; über etw (jn) zu kraß urteilen. 1500 *ff.*

90. einen (nassen) ~ werde ich tun!: Ausdruck der Ablehnung einer Zumutung. 1930 *ff.*

91. ~ verspritzen = schimpfen. Dreck = derb- grobe Rede. *Sold* 1939 *ff.*

92. von etw einen ~ verstehen = von etw nichts verstehen. 1800 *ff.*

93. den ~ gleichmäßig verteilen = oberflächlich fegen, reinigen (ohne den Kehricht zu entfernen). 1920 *ff.*

93 a. seinen ~ weghaben = in Mitleidenschaft gezogen sein; nicht unbescholten sein. ↗weghaben 1. 1920 *ff.*

94. einen ~ werde ich!: Ausdruck der Ablehnung. Verkürzt aus „einen Dreck werde ich tun" = nichts (dergleichen) werde ich tun". 1930 *ff.*

95. einen ~ wissen = nichts wissen. 19. Jh.

96. jn (etw) in den ~ ziehen = jn (etw) verächtlich machen, herabwürdigen. 19. Jh.

97. das Schiff wird nur noch durch den ~ zusammengehalten = das Schiff ist schon alt und nicht mehr hochseesicher. Seemannsspr. 1920 *ff.*

Dreck- (Drecks-) als erster Teil einer substantivischen Zusammensetzung charakterisiert das Grundwort als minderwertig, widerwärtig und niederträchtig, natürlich auch als schmutzig. Viele Zusammensetzungen werden sowohl mit „Dreck-" als auch mit „Drecks-" gebildet. Aus Zweckmäßigkeitsgründen wird hier die Form mit „Drecks-" nicht gesondert aufgeführt.

Dreckadresse *f* Wohnungsangabe einer Prostituierten oder eines Bordells. Der „Deckadresse" nachgeahmt. 1920 *ff.*

Dreckarbeit *f* schmutzige, untergeordnete Arbeit. 1900 *ff.*

Dreckarsch *m* niederträchtiger Mensch. 1900 *ff.*

Dreckbande *f* üble Gesellschaft; Gesindel. ↗Bande 1. 1900 *ff.*

Dreckbauer *m* Landwirt *(abf).* Meinte verschiedentlich auch den mit der Müllabfuhr

der Stadt beschäftigten Bauern, dann einen, der sich mit Mühe und Not durchbringt. Spätestens seit 1900.

'Dreck'ding ('Drecks'ding) *n* **1.** wertloser Gegenstand; verwünschte Sache. 1800 *ff.*

2. unsauberes Kind. ↗Ding II 1. 19. Jh.

3. Mädchen (sehr *abf).* 1900 *ff.*

Dreckeimer *m* strahlen wie ein frischlackierter (frischpolierter; übergelaufener) ~ = über das ganze Gesicht strahlen. Dreckeimer ist der blecherne Mülleimer. 1900 *ff*, *schül.*

dreckeln *intr* **1.** schmutzige Arbeit verrichten. *Südd* 19. Jh.

2. umständlich, langsam arbeiten; trödeln. Meint soviel wie „im Dreck spielen" und weiter „Nutzloses tun". *Südd* 19. Jh.

3. zotige Reden führen. *Südd* 19. Jh.

Dreckerei *f* **1.** Unsauberkeit, Unrat. 1800 *ff.*

2. Verleumdung, Beschimpfung. 1920 *ff.*

Dreckfehler *m* Druckfehler. Ein sprachlicher Spaß. 1900 *ff.*

'dreck'fein *adj* **1.** vortrefflich; gut mundend. *Iron* Wertminderung. 1935 *ff.*

2. sehr elegant. 1935 *ff.*

3. aristokratisch in Denken und Handeln. 1935 *ff.*

Dreckfresser *m* **1.** geiziger Mensch. Er „frißt" den eigenen Dreck, um die Mahlzeit zu sparen. 1800 *ff.*

2. ärmlich lebender Mensch. 1900 *ff.*

dreckfresserig *adj* **1.** geizig. 19. Jh.

2. eßgierig. Alles irgendwie Eßbare wird kritiklos verschlungen. 1920 *ff.*

Dreckfuhler *m* Druckfehler. Scherzhafte Vokalumstellung. 1900 *ff.*

Dreckgeschäft *n* unredliches, heikles Geschäft; „unehrlicher" Beruf. 1900 *ff.*

Dreckhaferl *n* Schimpfwort. Haferl = Topf. *Bayr* 1950 *ff.*

Dreckhammel *m* **1.** unreinlicher Mensch; Mensch, der alles schmutzig macht. Meint eigentlich den mit Köteln behafteten Hammel (im Liegen nimmt das Schaf die Exkremente mit der Wolle auf). 1800 *ff.*

2. niederträchtiger Mensch. 19. Jh.

dreckig *adj* **1.** niederträchtig, charakterlos, unanständig, grob, frech u. ä. 1700 *ff.*

2. geizig. Man spricht vom „schmutzigen Geiz". 19. Jh.

3. *adv* = schlecht, übel, wertlos (ihm geht's dreckig = ihm geht's schlecht). 18. Jh.

4. ~ und speckig = sehr unsauber. ↗Dreck 14. 19. Jh.

5. jm ~ kommen = jm frech entgegentreten; jn beleidigen. 1900 *ff.*

6. ~ lächeln (grinsen) = ironisch lächeln. 1900 *ff.*

7. ~ lachen = ironisch lachen. Parallelbildung nach *mhd* „smutzelachen = schmunzeln; schmutzig lachen". 19. Jh.

Dreckkäfer *m* unreinlicher Mensch. Analog zu „Mistkäfer". 1900 *ff.*

'Dreck'kram (Dreckskram) *m* **1.** widerwärtige Angelegenheit; wertlose Gegenstände. 1900 *ff.*

2. Pornographie. 1968 *ff.*

'Dreck'krieg (Dreckskrieg) *m* verfluchter Krieg. Vermutlich spätestens seit dem Ersten Weltkrieg.

Dreckkübel *m* über jm einen ~ ausleeren = jn schändlich verunglimpfen. 1918 *ff.*

Drecklappen *m* unsauberer Mensch; unordentliches Mädchen; Mädchen für Schmutzarbeiten. 19. Jh.

Drecklawine *f* uneindämmbare Flut von Beschimpfungen u. ä. 1945 *ff.*

'Dreck'leben (Drecksleben) *n* unschönes, verfluchtes Leben. 1920 *ff.*

Drecklinie *f* **1.** Hauptkampflinie, Front. *Sold* 1914 *ff.*

2. in die ~ geraten = peinlicher Kritik ausgesetzt werden. 1950 *ff.*

3. in der ~ stehen = mißgünstiger Kritik öffentlich ausgesetzt sein. 1950 *ff.*

4. sich aus der ~ zurückziehen = sich von einem kritisierten Vorhaben lossagen. 1950 *ff.*

Dreckmaul *n* **1.** Mund eines Verleumders, eines Zotenerzählers u. a. 1800 *ff.*

2. Mensch, der schmutzige Reden führt; Verleumder. 1800 *ff.*

Dreckpanzer *m* Schmutzschicht auf dem Menschenkörper (als Ersatz für warme Kleidung). Nach dem Motto „Dreck hält warm". 1925 *ff*; *sold* vor allem seit 1941/42 (Ostfront).

Dreckrachen *m* Müllschlucker in modernen Mehrfamilienhäusern. 1960 *ff.*

'Dreck'rolle (Drecksrolle) *f* unbeliebte, unbedeutende schauspielerische Rolle. Theaterspr. 1920 *ff.*

Dreckschaufel *f* schmutziger Fingernagel; breite, plumpe Hand. ↗Schaufel. *Sold* in beiden Weltkriegen.

Dreckschleuder *f* **1.** Lästermaul; unflätiger Mund. Hergenommen von Belagerungsmaschinen, die die Erde und Schlamm auf die Belagerer schleuderten. 1800 *ff.*

2. zänkische, schmähsüchtige, ausfällige Person. 19. Jh.

3. Verleumdung. 1950 *ff.*

4. Putzfrau. *Schül* 1950 *ff.*

5. Motorrad. Je nach der Beschaffenheit der Wege wühlt es Schlamm auf. *BSD* 1960 *ff.*

6. After. 1914 *ff*, sold.

7. ihm geht das Maul wie eine (einer) ~ = er spricht unflätig. 1800 *ff.*

8. ein Maul haben wie eine ~ = verleumderisch reden; viel und laut reden. 1800 *ff.*

9. jn mit der ~ treffen = jn böse verunglimpfen. 1900 *ff.*

Dreckschwalbe *f* **1.** Maurer. Anspielung auf die Schwalben, die die Mauern unter ihren Nistplätzen mit weißlichem Kot beflecken, sowie auf die Tatsache, daß die Maurer früher im Frühjahr in der Stadt erschienen und im Herbst in ihren Heimatort zurückkehrten: sie waren Wandervögel wie die Schwalben. 1600 *ff.*

2. Maler. 19. Jh.

3. unreinliche, unordentliche Person. 19. Jh.

Dreckseele *f* niederträchtiger, charakterloser Mensch. 1500 *ff.*

Dreckstall *m* Mißwirtschaft. ↗Saustall 1. 1920 *ff.*

Dreckstipper *m* Frack, Cut; bis zu den Knien reichende Jacke. (Um 1850 langer Gehrock). ↗stippen. 1955 *ff.*

Dreckteich *m* Schlamm-, Moorbad. Um 1850 auf das schlesische Bad Kudowa bezogen; später verallgemeinert.

Dreckverteiler *m* Straßenkehrer. 1900 *ff.*

Dreckwelt (Dreckswelt) *f* Welt, in der es sich nicht zu leben lohnt; widerwärtige Menschenwelt. 1900 *ff.*

Dreckwisch *m* anrüchiges, unflätiges Schreiben. ↗Wisch. 1920 *ff.*

Dreckzeug (Dreckszeug) n minderwertige Ware. 19. Jh.

Dreh m 1. List; betrügerische Handlungsweise; Täuschungsverfahren; übliches Verhalten. Übersetzung von franz „tour = List, Finte". 19. Jh.
2. alter ~ = oft wiederholter Täuschungsversuch; immer dasselbe. 1900 ff.
3. dufter ~ = hervorragende Sache. ↗dufte. Halbw 1960 ff.
4. heißer ~ = stürmischer Tanz. Heiß = leidenschaftlich. 1965 ff.
5. in dem ~ = in dieser Gegend. ↗Drehe. 1900 ff.
6. den ~ begreifen = wissen, wie man etwas machen muß; etw beherrschen. 1920 ff.
7. einen ~ entdecken (finden, kriegen) = eine günstige Gelegenheit finden; einen passenden Zeitpunkt ausfindig machen. 1900 ff.
8. mir fehlt der ~ = ich weiß nicht, wie ich es machen soll. 1920 ff.
9. den ~ nicht nach Hause finden = sich nicht zum Heimgehen aufraffen können. Dreh = Wendepunkt. 1920 ff.
9 a. auf den ~ kommen = herausfinden, wie man es machen muß. 1920 ff.
10. jm auf den ~ kommen = jds Machenschaften erkennen. 1900 ff.
11. den ~ kriegen = davongehen; den schicklichen Zeitpunkt zum Weggehen finden. Dreh = Wendepunkt. 1920 ff.
12. in seinem ~ leben = im Einerlei des Alltags, abwechslungslos leben. Die Wiederkehr des Gleichen wird hier im Bilde eines Kreises gesehen. 1900 ff.
13. den ~ raushaben = wissen, wie man es machen muß; die feinen Kunstgriffe kennen. 1900 ff.
14. den ~ rauskriegen (wegkriegen) = ergründen, wie man eine Sache am geschicktesten bewältigt. 1900 ff.
15. im ~ sein = mitten in der Arbeit sein. 1920 ff.

Drehe f 1. in der ~ (um die ~ rum) = in dieser Gegend; da ungefähr; ungefähr zu diesem Zeitpunkt (er wohnt in Hamburg oder in der Drehe; das Wort kommt im 19. Jahrhundert vor oder in der Drehe). „Drehe" ist der Wende- oder der Mittelpunkt, jener Punkt, um den man einen Kreis schlägt. 19. Jh.
2. die ~ kriegen = zurechtkommen. Drehe = Wegebiegung; also wohl vom Fuhrwerk hergenommen. 19. Jh.

drehen v 1. intr = tanzen; die Nacht zum Tage machen. ↗drahen. Oberd 19. Jh.
2. intr = koten. Anspielung auf das „Drehen" des Kots in Wurstform. 1900 ff.
3. intr = onanieren. Analog zu ↗fingern. 1870 ff.
4. intr = als Prostituierte tätig sein. Bezieht sich entweder auf „drehen = fingern = ↗fummeln" oder auf das Auf- und Abgehen im Straßenbezirk. Prost 1960 ff.
5. eine Sache ~ = eine Sache entstellt, lügnerisch berichten. Man dreht es gewissermaßen so, daß das Licht nicht die Nachteile trifft. 1500 ff.
6. an etw ~ = einer Sache nachhelfen; an einer Sache beteiligt sein. Drehen = fingern: man hat seine Hand im Spiel. 1920 ff.
7. da hat doch einer dran gedreht?! = das hat doch einer verändert?! das hat doch

einer verdorben!? Fußt wohl auf einem Schlager: „Was ist denn da kaputt?/wer hat daran gedreht?/Da war doch wieder einer bei,/der nichts davon versteht." Tucholsky zitiert als „Berliner Lied" folgende Zeilen: „Ich gucke einmal, ich gucke zweimal, – ich denk: nanu? da hat doch einer dran gedreht ..." Kurz nach 1920 aufgekommen.

dreherig adv ihm ist ~ zumute = in seinen Gedanken herrscht Verwirrung, Benommenheit. Vgl ↗Drehwurm 1. Seit dem späten 19. Jh.

Drehkoller m 1. geistige Umnachtung. Meint eigentlich die Drehkrankheit der Schafe; vgl ↗Drehwurm 1. 1900 ff.
2. Tanzwut; Vergnügungssucht. 1918 ff. ↗drehen 1.

Drehkopf (-kopp) m launischer, nörglerischer, unzurechnungsfähiger Mensch. Er hat einen ↗Drehwurm im Kopf. 19. Jh.

Drehkreuz n Wendepunkt. Meint eigentlich das um senkrechter Achse drehbare Holz- oder Metallkreuz zur Wegesperrung. 1942 ff, sold und ziv.

Drehorgel f 1. Hubschrauber. Die Drehflügel kreisen um die Achse wie der Schwengel des Leierkastens, und der Motor „orgelt". 1950 ff.
2. Rundfunkgerät. Wie der Leierkasten ist es ein Gerät zur Wiedergabe von Musik. Die Silbe „Dreh-" bezieht sich wohl auf die Bedienung der Knöpfe. 1965 ff, jug.
3. Plattenspieler. Schül 1960 ff.

drehorgeln intr tr etw ausdruckslos vortragen. Drehorgelmusik ist gleichförmig. Schül 1960 ff.

Drehscheibe f 1. Spezialabteilung der Abwehr. Sie bemüht sich, den ertappten Spion den eigenen Zwecken dienstbar zu machen. Wie bei der Drehscheibe für Lokomotiven wird der Spion in die andere Richtung gedreht. 1914–1945.
2. Schallplatte. ↗Scheibe. 1955 ff, halbw.
3. Nervenheilanstalt. Die Insassen haben den ↗Drehwurm; sie sind ↗verdreht. Kundenspr. seit dem frühen 19. Jh.
4. Arbeitshaus. Die Insassen werden an mühlsteinähnlichen Scheiben beschäftigt. Rotw seit 1900.
5. für Tauschgeschäfte günstige Örtlichkeit. Häftlingsspr. 1977; wohl älter.

Drehschuß m Torball aus der Drehung heraus; Ball mit Drall. ↗Schuß. Sportl 1950 ff.

Drehtür f die ~ zuschlagen wollen = Unmögliches versuchen. 1930 ff.

Drehwinde f Arbeitshaus; Jugenderziehungsheim; Nervenheilanstalt. ↗Drehscheibe 3; ↗Winde. Rotw seit dem späten 19. Jh.

Drehwurm m 1. den ~ haben = a) schwindelig sein. Der Drehwurm ist ein Schmarotzerwurm, der vor allem Wiederkäuer befällt: er wird mit der Nahrung aufgenommen und gelangt ins Gehirn, wo er Lähmungen verschiedener Art und Zwangsschrittbewegungen verursacht. Seit dem späten 19. Jh. – b) nicht recht bei Verstande sein. Vor 1900. – c) lange an den Knöpfen des Rundfunkgerätes drehen. 1950 ff.
2. den ~ kriegen = schwindelig werden. 1870/80 ff.

drei num 1. ~ mit Schwänzchen = Leistungsnote Drei minus. Schwanz = Hinterdreinkommendes. Schül 1920 ff.

2. ~ hoch eins = an den Baum harnender Hund. Drei Beine bleiben auf dem Boden, eins wird gehoben. 1950 ff.
3. für ~ essen = viel essen. 1900 ff. Vgl franz „manger comme quatre".
4. mir geht es ~ bis vier = mir geht es gerade noch erträglich. Fußt auf den ehemaligen Leistungsnoten: die Drei war Genügend, die Vier war Mangelhaft. Sold 1939 ff.
5. aus ihm kann man ~ machen = er ist sehr großwüchsig. 1920 ff.
6. ~ mal ~ ist Donnerstag, und Freitag gibt's Geld: Redewendung zu einer allgemeinbekannten Alltagswahrheit. Berlin 1950 ff.
7. nicht bis ~ zählen können = sehr dumm sein. Hier ist durch Zahlenminderung die ältere Redensart „nicht bis ↗fünf zählen können" verstärkt. 17. Jh.
8. aussehen, als könne man nicht bis ~ zählen = dumm aussehen. 1800 ff.
9. so tun, als könne man nicht bis ~ zählen = Dummheit, Begriffsstutzigkeit heucheln. 17. Jh.

dreibastig adj anmaßend, dreist, frech, fordernd. Was drei Baumrinden oder drei Häute hat oder aus drei Bastfäden besteht, ist stark und tüchtig. Im 19. Jh von Ostpreußen ausgegangen.

Dreibein n Dreiradfahrzeug. Eigentlich Bezeichnung für den Melk- oder Schusterstuhl. Kraftfahrerspr. 1958 ff.

Dreieck n 1. da hüpft du im ~l: Ausdruck der Verwunderung. Geht zurück auf ein Kinderspiel auf der Straße, auch „Schafskopf" oder „Himmel und Hölle" genannt. Halbw 1960 ff.
2. im ~ springen = unbeherrscht, sehr aufgeregt sein. BSD 1960 ff.

Dreiecksaffäre f Liebesverhältnis zu dritt. 19. Jh.

Dreieckehe f Ehe zu dritt (zwei Männer und eine Frau oder umgekehrt). 1955 ff.

Dreiecksverhältnis n Ehe zu dritt; Liebesverhältnis zwischen drei Personen. ↗Verhältnis 5. 19. Jh.

Dreier m 1. drei Jahre Freiheitsstrafe. 1950 ff, österr.
2. Straftat zu dritt. 1950 ff.
3. Geschlechtsverkehr zu dritt (unter Homo- oder Bisexuellen). 1950 ff.
4. Bewertungsnote 3. Schül, bayr 1900 ff.

Dreifuß-Affäre f Harnen des Hundes. Vgl ↗drei 2. Hängt wortspielerisch zusammen mit der militärgerichtlichen Verfahren gegen den französischen Hauptmann A. Dreyfus im Dezember 1894. Etwa seit 1900.

Dreihundertfünfundneunziger m reicher Homosexueller. Er fährt einen 220er Mercedes und ist ein ↗Hundertfünfundsiebziger. 1950 ff.

dreikantig adv jn ~ rausschmeißen (rauswerfen) = jn nachdrücklich aus dem Hause weisen. „Dreikantig" meint hier wohl soviel wie „Hals über Kopf". 19. Jh, nordd.

Dreikäsehoch m kleiner Junge. Der Käse als witziges Größenmaß. 1700 ff.

Dreilochmann m Facharzt für Hals-, Nasen- und Ohrenkrankheiten. Genauer ist ↗Fünflöchermann. Wien 1920 ff.

dreimal adv mehr als ~ gebe ich nicht: Redensart des Kartenspielers, dem die Karten erneut zum Mischen und Austeilen hingeschoben werden. Kartenspielerspr. seit dem späten 19. Jh.

Dreimännerwein *m* schlechter, saurer Wein. Zwei halten den Dritten, der trinken muß, oder einer soll trinken, der zweite hält den abwehrenden fest, und der dritte gießt ihm den Wein in den Hals. Nach anderer Version gehören drei kräftige Männer dazu, um von diesem Wein ein einziges Glas gemeinsam zu trinken; denn spätestens beim zweiten Schluck ist ihnen von der Säure die Kehle zugeschnürt, so daß der nächste weitertrinken muß. 1800 *ff.*

Dreimännerwitz *m* blasser, wirkungsloser Witz, über den man nicht einmal lächeln kann. Zwei Männer kitzeln den dritten, bis er endlich lacht. 1920 *ff.*

Dreimännerzigarre *f* minderwertige Zigarre. Entweder einer raucht, zwei helfen ziehen, alle drei fallen um, oder einer raucht, und die beiden anderen halten ihn. Etwa seit 1850.

dreinfahren *intr* energisch einschreiten. Der Wind fährt ins Laub und wirbelt es auf. 1800 *ff.*

dreinfunken *intr* sich einmischen; störend eingreifen. Funken bezieht sich entweder auf Störungen im Funkverkehr oder auf Beschießen. 1920 *ff.*

dreinhauen *intr* 1. dazwischenschlagen. Man schlägt auf eine Gruppe ein, um sie aufzulösen. 1900 *ff.* 2. beim Essen stark zulangen. ↗ einhauen. 1700 *ff.*

dreinlegen *refl* 1. etw angelegentlichst betreiben. Verkürzt aus „sich in die ↗ Riemen legen". 1900 *ff.* 2. koitieren (vom Mann gesagt). 1900 *ff.*

Dreiquartelprivatier *m* in bescheidenen Verhältnissen lebender Rentner. Er läßt sich nur $^3/_4$ Liter Bier holen in der Hoffnung, eine ganze Maß zu bekommen. *Bayr* 1920 *ff.*

dreispännig fahren als Zuhälter drei Prostituierte haben. Prostituierte im Dienste eines Zuhälters gelten als ↗ Pferdchen. 1964 *ff, prost.*

Dreiß (Driß, Dreß) *m* 1. Kot. ↗ dreißen. *Westd* 1600 *ff.* 2. Wertlosigkeit, Kleinigkeit. *Westd* 19. Jh.

dreißen *intr* koten. Gehört zu *mittelniederd* „drosem = Bodensatz, Schmutz"; *engl* „dross = Unrat". *Vgl hd* „Drusen = Hefe". 1600 *ff, westd.*

dreist *adv* 1. getrost; bedenkenlos; ohne weiteres. Meint eigentlich „nicht schüchtern"; dann weiterentwickelt zur Bedeutung „beherzt" und „keine Hindernisse kennend". 19. Jh. 2. ~ und gottesfürchtig = dummschlau; frech; naiv, vorlaut. Meint „voller Selbstvertrauen" und „des göttlichen Beistands sicher". 19. Jh.

Drei-Sterne-Flasche *f* Hauptmann. Drei Sterne sind auf der Weinbrandflasche, drei Sterne befinden sich auf den Schulterstükken. Je nach der Person auch beeinflußt von „↗ Flasche = Versager." *BSD* 1960 *ff.*

Drei-Sterne-Lokal *n* sehr vornehmes Schlemmerlokal. Der Kennzeichnung (ein Stern) in Baedekers Reisehandbüchern nachgebildet unter Einfluß der drei Sterne auf dem Weinbrandetikett. 1965 *ff.*

Drei-Sterne-Mädchen *n* sehr hübsches Mädchen. 1965 *ff.*

dreistöckig *adj* 1. großwüchsig und mager. Im Vergleich mit den Durchschnittsgrößen der Menschen ist der Betreffende drei Stockwerke hoch. 19. Jh. 2. von drei Geistlichen gelesen (auf das katholische Hochamt bezogen). 1900 *ff,* Köln.

Dreistöckiger *m* dreifacher Schnaps. 19. Jh.

Dreitakter *m* unzuverlässiges Feuerzeug. Es funktioniert meist erst beim dritten Versuch. 1920 *ff, stud.*

Dreiviertelbuxe *f* Knabenhose auf Zuwachs. Die Beine sind länger geschnitten, weil zu erwarten steht, daß der Junge im Lauf der Zeit soviel wächst, daß die Hosenbeine die richtige Länge haben. ↗ Buxe. 1900 *ff.*

Dreiviertelhose *f* zu kurze Hose. Für eine lange Hose ist sie um ein Viertel zu kurz. 1900 *ff.*

Dreiviertelstarker *m* Halbwüchsiger auf der Schwelle zum Erwachsensein. Das Wort ist im Gefolge von „↗ Halbstarker" aufgekommen; 1955 *ff.*

dreiviertelwüchsig *adj* heranwachsend. Man ist bereits über das Stadium der Halbwüchsigkeit hinausgelangt. 1958 *ff.*

dreizehn *num* 1. ~ schießen = fehlschießen. Die Schießscheibe hat zwölf Ringe. 1948 *ff.* 2. es hat ~ geschlagen = es ist schon sehr spät; die Zeit ist längst überschritten. 1850 *ff.* 3. jetzt schlägt es ~ (da schlägt es ~)! = jetzt ist die Geduld zu Ende; jetzt ist's genug! Da die Uhr nur zwölfmal schlägt, will man sagen, jetzt sei das Maß übervoll. Seit dem späten 19. Jh.

Dresche *f pl* 1. Prügel. ↗ dreschen 1. 19. Jh. 2. strenge Kritik; scharfe Rüge. 1920 *ff.* 3. ~ kriegen = zurück-, abgeschlagen werden; in Beschuß geraten. Prügel = Niederlage. *Sold* 1939 *ff.*

dreschen *v* 1. *tr* = schlagen, prügeln. Hergenommen vom kräftigen Schlagen mit Dreschflegeln auf das Getreide. 1500 *ff.* 2. einen ~ = kartenspielen. Dabei werden die Karten kräftig auf die Tischplatte geschlagen. 19. Jh. 3. den Ball ~ = den Ball heftig stoßen. *Sportl* 1920 *ff.* 4. *intr* = die Untergebenen schikanieren, übermäßig streng einexerzieren u. ä. 1900 *ff, sold.*

Drescher *m* 1. übermäßig strenger militärischer Vorgesetzter. 1900 *ff.* 2. Erziehungsberechtigter (Lehrer), der zum Prügelstock greift. Seit dem frühen 20. Jh. 3. unfair spielender Fußballspieler. 1920 *ff.* 4. essen (fressen) wie ein ~ = viel essen. Drescharbeiter, die mit Dreschflegeln hantieren, verrichten Schwerarbeit und haben entsprechenden Appetit. 1800 *ff.*

Dreschflegel *m* 1. schlagwütiger Mann; roher, grober Mensch. Er ist ein Flegel, der „drischt" (= prügelt). 1900 *ff.* 2. *pl* = lange Arme. Sie ähneln dem Handgerät zum Dreschen (langer Stiel mit kürzerem, beweglichem Schlagholz). 1950 *ff.*

Dreschmaschine *f* 1. prügelnder Lehrer, Vater o. ä. 1920 *ff.*

2. rücksichtsloser Schläger; wüster Draufgänger. 1960 *ff.*
3. Erziehungsverfahren, das die Prügelstrafe für angemessen hält. Seit dem späten 19. Jh.
4. Flugzeug mit einem hart und verhältnismäßig langsam laufenden Motor. Wegen der Geräuschähnlichkeit. *Sold* in beiden Weltkriegen.
5. Panzerkampfwagen. Wegen der äußeren Form und des Motorengeräuschs. *Sold* 1939 *ff.*
6. umgearbeitete ~ = altes Fahrrad. Es klappert lautähnlich. 1930 *ff.*

dreseln *intr* ↗ dröseln.

Dreß *m* 1. Kleidung. Kurz vor 1800 aus England herübergewandert, vor allem im Sinne von Sportkleidung. 1910 *ff.* 2. in vollem ~ sein = gut gekleidet sein. *Engl* „full dress = voller Staat". 1920 *ff, jug* und *sportl.* 3. ~ = ↗ Dreiß.

Dressur *f* militärische Ausbildung; Formalausbildung. *Sold* 1900 bis heute.

Dressurakt *m* militärische Parade o. ä. Spätestens seit 1900.

Dressuranstalt *f* Schule. 19. Jh.

Dressurplatz *m* Kasernenhof. *BSD* 1955 *ff.*

Dribbel *m* Aufsehen, Umstände. ↗ dribbeln. 1900 *ff.*

dribbeln *intr* 1. mit kurzen Stößen den Fußball vor sich hertreiben. Fußt auf *gleichbed engl* „to dribble". 1920 *ff.* 2. drängen. 1950 *ff.* 3. Umschweife machen. *Schül* 1920 *ff.*

Driespalt *m* Schwanken zwischen drei Möglichkeiten. Dem „Zwiespalt" nachgebildet. 1950 *ff.*

Drillboden *m* Exerzierplatz. Drillen = militärische Wendungen einüben (1606). *BSD* 1960 *ff.*

Drillgelände *n* Truppenübungsplatz o. ä. *BSD* 1960 *ff.*

Drillhalle *f* Turnhalle. *Schül* 1965 *ff.*

Drillkurs *m* Nachhilfeunterricht. 1965 *ff.*

drin *adv* nicht drin! = ausgeschlossen! Verkürzt aus „das ist nicht drin" von „es ist nicht in der Kasse, in der Lostrommel o. ä.". Spätestens seit 1900.

Dring *m* sehr eilige Angelegenheit. Fußt auf „dring drahtet" = „drahtet dringend", dem um 1920 aufgekommenen Telegrammstil. *Halbw* 1960 *ff.*

drinhaben *v* 1. etw ~ = viel wissen; belesen, klug sein. Drin = im Kopf. 1920 *ff.* 2. einen ~ = bezecht sein. 1920 *ff.* 3. ihn (einen) ~ = koitieren. Drin = in der Scheide. 1870 *ff.*

drinhängen *intr* 1. mit etw ~ = Schulden haben. *Vgl* „an ~ hängen". 19. Jh. 2. mit ~ = ebenfalls beteiligt sein; mitschuldig sein. Man hängt in einer Sache, wenn man in sie verwickelt ist und sich ihr nicht entwinden kann. 1900 *ff.*

drinliegen *v* 1. das liegt bei ihm nicht drin = das entspricht nicht seiner Wesensart, seiner Absicht, seiner Stimmung o. ä. ↗ drinsein. 1920 *ff.* 2. das liegt nicht drin = das ist noch nicht gesagt. Drin = in der Äußerung. 1900 *ff.*

drinsein *intr* 1. sich in unangenehmer, gefährlicher Lage befinden. Drin = in der „↗ Patsche", ↗ Tinte" o. ä. 1900 *ff.* 2. Häftling sein. Drin = im Gefängnis. 1900 *ff.*

3. das ist nicht drin (davon ist nix drin; davon ist nischt drinne) = a) das kannst du nicht erwarten; das gibt es hier nicht. Drin = in der Kasse, in der Lostrommel, im Skat o. ä. Seit dem späten 19. Jh. – b) das ist nicht vorgesehen; das kann ich nicht finanzieren. 1950 *ff.*
4. da ist alles drin = das ist ausgezeichnet, hervorragend. 1920 *ff.*
5. da war alles drin = der Wettkampf bot sehr viele spannende Augenblicke; es war ein sehr eindrucksvoller Vorgang. 1920 *ff.*
6. es ist noch alles drin = die Sache ist noch unentschieden. *Sportl* 1950 *ff.*
7. ist so 'was drin! = man sollte derlei nicht für möglich halten! *Halbw* 1955 *ff.*
8. das ist bei mir nicht drin!: Ausdruck der Ablehnung. Seit dem späten 19. Jh. *Vgl* ↗ drinsein 3.
9. mehr ist nicht drin = mehr ist nicht zu erreichen. *Sportl* 1920 *ff.*
10. das ist dabei drin = damit muß (kann) man rechnen. Es ist gewissermaßen im Preis inbegriffen. 1950 *ff.*
11. da ist alles drin, es fehlt kein Schräubchen = das ist genau so, wie es sein muß. Hergenommen vom Metallbaukasten. 1930 *ff.*

drinsitzen *intr* **1.** dick ~ = schwerbelastet sein. Drin = in der „↗ Patsche" o. ä. 1900 *ff.*
2. gut ~ = a) einen guten Posten innehaben. 1900 *ff.* – b) wohlhabend sein. Drin = im Geld. 1900 *ff.*
3. schön ~ = in arger Verlegenheit sein. 1900 *ff.*

drinstehen *v* davon steht nichts drin = davon kann man keine Rede sein; das kann ich mir nicht leisten. Drin = im Vertrag, im Kalender, in der Zeitung o. ä. 1950 *ff.*

drippeln *impers* regnen. Nebenform von „tröpfeln". 19. Jh.

Driß *m* **1.** Kot. ↗ Dreiß 1.
2. der ganze ~ = das alles *(abf.) Westd* 19. Jh.

dritt *num* zu ~ heimkehren = geschwängert heimkehren. Eine Schwangerschaft hat insgesamt drei Beteiligte. 1900 *ff.*

Drive *(engl ausgesprochen) m* **1.** treibendes Element im Jazzrhythmus. Fußt auf *engl* „to drive = treiben". *Halbw* 1950 *ff.*
2. Ausflug; Ausflugsfahrt. *Gleichbed* im *Engl. Halbw* 1960 *ff.*

drög *adj* gleichgültig, energielos, langweilig. *Nordd* = trocken. 1800 *ff.*

Droge *f* **1.** Zigarette. Meint eigentlich die Rauschgiftzigarette. *BSD* 1960 *ff.*
2. harte ~ = stark wirkendes Rauschgift. 1969 *ff.*

Drogenkind *n* rauschgiftsüchtiger Jugendlicher. 1970 *ff.*

Drogenszene *f* Betätigungsbereich der Rauschgifthändler und -süchtige. Übernommen aus *engl* „drug scene". 1968 *ff.*

Dröhn *m* Benommenheit; vorübergehende Geistesabwesenheit. Es dröhnt einem im Kopf, nicht nur wenn man einem dröhnenden Geräusch ausgesetzt ist, sondern auch bei starkem Blutandrang zum Gehirn, bei Föhn usw. 1900 *ff.*

Dröhne *f* Mädchen. Wohl Verstärkung von ↗ Brumme 2. *Halbw* 1960 *ff.*

dröhnen *intr* **1.** eintönig über belanglose Dinge sprechen; langsam sprechen. Fußt auf einer *indogerm* Schallwurzel mit der Bedeutung „murren, brummen". 18. Jh.

2. trinken; sich betrinken. ↗ Dröhn. *BSD* 1960 *ff.*
3. jm ein Betäubungsmittel in das Getränk geben; Rauschgift nehmen. Man kann beispielsweise Fische dröhnen, indem man sie durch einen heftigen Schlag aufs Eis betäubt. 1965 *ff.*

dröhnig *adj* schwunglos, benommen, umständlich. ↗ dröhnen 1. 1800 *ff.*

Dröhnschuppen *m* Diskothek. Wegen der dröhnenden Musik ↗ Schuppen 1. 1970 *ff.*

Dröhnung *f* Rauschgiftmenge, die für einen vielstündigen Rausch ausreicht; Noludar-Tropfen. ↗ dröhnen 3. 1965 *ff.*

drollig *adj* **1.** jm ~ kommen = jm unverschämt entgegentreten; jn grob abfertigen. Drollig = spaßig = sonderbar, ungewohnt. 1900 *ff.*
2. werde bloß nicht ~! = benimm dich nur ja anständig! Seit dem frühen 20. Jh.

Dromedar *n* Buckliger. Das Dromedar hat einen Höcker. 1900 *ff.*

drömeln (drömmeln) *intr* langsam, gedankenlos arbeiten; schwunglos handeln. Gehört zu *niederd* „drömen = träumen" und meint soviel wie „sich wie im Traum bewegen". 18. Jh.

Drop *m* **1.** saurer ~ = a) mürrischer Mensch. Eigentlich das Fruchtbonbon. ↗ sauer. 1900 *ff.* – b) Splitter-, Brandbombe. Wo diese Bomben fallen, riecht es sauer. *Sold* 1939 *ff.*
2. ulkiger ~ = Sonderling. Beeinflußt von „Tropf = einfältiger Mensch". 1900 *ff.*

Dröppelminna *f* tröpfelnde Kanne; Kaffeekanne. „Minna" war früher der neutrale Bezeichnung für ein Dienstmädchen. *Niederd* „dröppeln = hd tröpfeln". Im späten 19. Jh von Elberfeld und Barmen ausgegangen.

Droschkenkutscher *m* **1.** Taxifahrer. Droschke = pferdebespannter Mietwagen. Um 1905 aufgekommen mit der Einführung der Benzindroschken.
2. „Molle" mit Korn. Ein beliebtes Fuhrmannsgetränk. Berlin 1920 *ff.*
3. fluchen wie ein ~ = unflätig fluchen. Droschkenkutscher galten als ungebildet und wenig beherrscht. 1920 *ff.*
4. schimpfen wie ein ~ = wüst schimpfen. 1920 *ff.*

drösen (dräseln, dreseln) *intr* unaufmerksam, saumselig sein. Ablautform von ↗ druseln. *Nordd* 19. Jh.

Drossel *f* **1.** trinkfreudige Person. Wohl aus der zoologischen Bezeichnung „Wacholderdrossel" übernommen mit Anspielung auf die Wacholderschnaps. Andererseits bezeichnen die Jäger die Gurgel als „Drossel". 19. Jh.
2. voll sein wie eine ~ = betrunken sein. 1900 *ff. Vgl franz* „ivre comme une grive".

drüben *adv* **1.** in Amerika. Gemeint ist „auf der anderen Seite des Ozeans". 19. Jh.
2. in der Deutschen Demokratischen Republik. 1948 *ff.*
3. ~ sein = tot sein. Das Totenreich liegt in der altgriechischen Mythologie jenseits eines Flusses. ↗ hinübersein. *Sold* in beiden Weltkriegen.

drübergehen *intr* koitieren. 1950 *ff.*

drüberlassen *tr* einen Mann zum Beischlaf annehmen. 1950 *ff.*

drüberziehen *v* jm einen ~ = jn überle-

gen besiegen. ↗ überziehen. *Sportl* 1950 *ff.*

drübig *adj* **1.** auf Nordamerika bezogen. 19. Jh.
2. auf die Deutsche Demokratische Republik bezogen. 1948 *ff.*

Druck *m* **1.** leichter Dienst. ↗ drücken 10. *Sold* seit 1914.
2. große Anstrengung; schwerer Dienst. Druck = Bedrängnis. *Sold* 1935 *ff.*
3. Bestrafung; Strafdienst; Rüge; strenge Behandlung. Unter Druck stehen = sich fügen müssen; unfrei sein. *Sold* 1910 *ff.*
4. Not, Bedrängnis; gedrückte Stimmung; Gefahr; Zwangslage; Antreibung zu größerer Schnelligkeit. Herzuleiten von der Vorstellung „drängende Kraft". 1900 *ff.*
4 a. Rauschgifteinspritzung. 1970 *ff.*
5. ~ und Dosenbrot = Drill. Nachgeahmt dem Begriff „Peitsche und Zuckerbrot" als Sinnbild für abwechselnd strenge und milde Behandlung. „Dosenbrot" wird hier zum Sinnbild des stets Gleichbleibenden bis zum Überdruß (hierin dem Formaldienst ähnlich). *BSD* 1960 *ff.*
6. ~ auf die Tränendrüse = Hervorrufen rührseliger Stimmung. 1900 *ff.*
7. mehr ~! = Zuruf zur Aufmunterung. Geschwindigkeitssteigerung durch Druck auf den Gashebel. 1920 *ff, sold.*
8. ~ abholen = sich beim Kompaniechef melden zur Entgegennahme einer Rüge. *BSD* 1960 *ff.*
9. ~ ablassen = harnen. Druck = Druck auf die Harnblase. *Sold* 1939 *ff* bis heute.
10. ~ empfangen (fassen) = zu Strafdienst verurteilt werden. *BSD* 1960 *ff.*
11. ~ im Arsch haben = Stuhldrang haben. *BSD* 1965 *ff.*
12. ~ auf den Augen haben = dem Weinen nahe sein. 1920 *ff.*
13. ~ auf der Blater haben = Harndrang verspüren. Blater = Harnblase *(schwäb). BSD* 1965 *ff.*
14. ~ auf dem Boiler haben = Harndrang verspüren. *Engl* „boiler = Wasserspeicher". *BSD* 1960 *ff.*
15. ~ auf der Flöte haben = Harndrang haben. ↗ Flöte. *BSD* 1960 *ff.*
16. ~ im Kanister haben = Harndrang verspüren. *BSD* 1960 *ff.*
17. ~ auf der Kanne haben = Harndrang verspüren. Kanne = Gießkanne = Penis. *BSD* 1960 *ff.*
18. ~ auf der Leitung haben = Stuhl- oder Harndrang haben. Leitung = Darm oder Harnleiter. *BSD* 1960 *ff.*
19. ~ am Mastdarm haben = Stuhldrang haben. *BSD* 1960 *ff.*
20. ~ auf der Nille haben = Harndrang haben. ↗ Nille. *BSD* 1960 *ff.*
21. ~ auf der Pelle haben = Harndrang haben. Pelle = Vorhaut. *BSD* 1960 *ff.*
22. ~ auf der Pfanne haben = Stuhldrang verspüren. *Vgl* „einen auf der ↗ Pfanne haben". *BSD* 1960 *ff.*
23. ~ auf der Pfeife haben = Harndrang verspüren. ↗ Pfeife. *BSD* 1960 *ff.*
23 a. ~ auf der Pipeline haben = Harndrang verspüren. *Schül* 1965 *ff.*
24. ~ auf der Pupille haben = Harndrang verspüren. Daß einer Harndrang hat, will der andere ihm an den Augen ansehen. *BSD* 1960 *ff.*
25. ~ auf der Rosette haben = Stuhldrang haben. ↗ Rosette = After. *BSD* 1960 *ff.*

26. ~ auf der Tüte haben = Harndrang verspüren. Tüte = Ausguß, Röhre. *BSD* 1960 *ff.*

27. in ~ kommen = in Bedrängnis geraten. ↗ Druck 4. 1900 *ff.*

28. ~ kriegen = schikaniert werden. ↗ Druck 3. 1910 *ff.*

29. im (in) ~ sein = a) in Not, in gedrückter Stimmung sein. 1900 *ff.* – b) Angst haben. 1920 *ff.* – c) soviel zu arbeiten (zu erledigen) haben, daß man in Schwierigkeiten gerät. 1920 *ff.*

30. jn unter ~ setzen = jm hart zusetzen; jn zur Erfüllung von Forderungen zwingen. 1920 *ff.*

31. unter ~ stehen = sich fügen müssen; abhängig sein. 1900 *ff.*

32. ~ verpassen = streng ausbilden. *BSD* 1960 *ff.*

33. ~ verteilen = a) Rügen aussprechen. 1914 *ff.* – b) schikanös ausbilden. *BSD* 1960 *ff.*

Drückeberger *m* **1.** Mensch, der sich einer Anforderung oder Verantwortung entzieht; Feigling; Arbeitsträger o. ä. Er stammt aus dem fiktiven Ort „Drückeberg". Etwa seit 1850.

2. Unabkömmlicher. *Sold* 1939 *ff.*

3. Wehrdienstverweigerer. Die Geltendmachung von Gewissensgründen gilt vielen als Lug und Trug. *Sold* 1965 *ff.*

4. Wehrpflichtiger, der den Antritt des Wehrdienstes hinauszuschieben versteht oder es zum mindesten versucht. *BSD* 1965 *ff.*

5. Spieler, der hohe Punktkarten in den Skat legt; vorsichtiger Kartenspieler. 1900 *ff.*

6. *pl* = drückendes Schuhzeug. Berlin 1870 *ff.*

7. ~ mit Genehmigung = Wehrdienstverweigerer. *BSD* 1965 *ff.*

drückebergern *intr* sich einer Sache entziehen und sie anderen zur Ausführung überlassen. 1920 *ff.*

drücken *v* **1.** *intr* = niedergehen; an Höhe verlieren. Der Pilot drückt den Steuerknüppel von sich fort. Fliegerspr in beiden Weltkriegen.

2. jm eine ~ = jm einen kräftigen Stoß oder Schlag versetzen; jm hart zusetzen; jn bedrohen. Das Ziel des Stoßes oder Schlages ist das Gesicht oder das Auge. *Vgl* ↗ Auge 29. Etwa seit dem 17. Jh.

3. *intr tr* = koitieren. 1900 *ff.*

4. *intr tr* = Karten in den Skat ablegen. 19. Jh, kartenspielerspr.

5. *intr* = Rauschmittel einspritzen. 1968 *ff.*

6. *tr* = etw entwenden; Taschendiebstahl begehen. Entweder verkürzt aus „beiseite drücken" oder entstellt aus „trecken = ziehen". 19. Jh.

7. jn ~ = einen Kunden zum Kauf überreden. Man gibt seinen Worten einen bestimmten Druck. 1950 *ff*, handelsvertreterspr.

8. *intr* = beim Fußballspiel den Angriff steigern. *Sportl* 1950 *ff.*

9. ~ müssen = den Abort aufsuchen müssen. 19. Jh.

10. sich ~ = sich still und unbemerkt entfernen; sich einer Verpflichtung (Anforderung; Wehrdienstpflicht; dem Dienst zu entziehen suchen. Man macht sich schmal, um durch eine enge Öffnung hindurchzukommen, oder hält sich hart an

der Mauer, damit man im Schatten der Häuser nicht gesehen wird, oder macht es dem Hasen nach, der sich drückt, wenn er sich duckend verbirgt. 16. Jh.

11. mit ~ und Quetschen gewinnen = ein Kartenspiel mit Ablegen hoher Punktkarten in den Skat gewinnen. 1900 *ff.*

Drücker *m* **1.** Feigling. ↗ drücken 10. *Sold* 1914 *ff.*

2. Deserteur. *Sold* in beiden Weltkriegen.

3. Mann, der sich dem Wehrdienst zu entziehen sucht. *Sold* 1914 bis heute.

4. ausdrucksteigernde Stelle in einem Bühnenstück o. ä.; künstlerische Effekthascherei. Diese Stelle belegt der Künstler mit mehr Gewicht, er macht sie gewichtiger. Theaterspr. 1920 *ff.*

5. Dieb, Taschendieb. ↗ drücken 6. Verbrecherspr. 19. Jh.

6. Schaufenster-, Schaukastendieb. Er drückt die Scheibe ein. 19. Jh.

7. rücksichtsloser militärischer Vorgesetzter. ↗ Druck 3. 1910 *ff.*

8. aufdringlicher Handelsvertreter. ↗ drücken 7. 1950 *ff.*

9. sentimentaler ~ = Film voller Rührseligkeit. Er drückt auf die Tränendrüsen. 1950 *ff.*

10. auf den letzten ~ = im letzten Augenblick; noch gerade rechtzeitig. Drücker = Abzug am Gewehr; letzter Drücker = letzte Munition. 1920 *ff.*

11. bis zum letzten ~ = bis zum letzten Augenblick. *Vgl* das Vorhergehende. 1920 *ff.*

12. einen ~ aufsetzen = Einhalt gebieten. *Vgl* „einen ↗ Daumen draufsetzen". 1900 *ff.*

13. am ~ bleiben = a) eine Sache nicht aus den Augen verlieren; sich um weiteren Erfolg bemühen. „Drücker" ist hier entweder der Abzug am Gewehr oder die Türklinke bzw. der mechanische Türöffner. 1920 *ff.* – b) den einflußreichen Posten innebehalten. 1920 *ff.*

14. geistig am ~ der Zeit bleiben = mit der Moderne Schritt halten. 1955 *ff.*

15. jn an den ~ bringen = jm zu einer einflußreichen Stellung verhelfen. ↗ Drücker 13 a. 1920 *ff.*

16. jn vor den ~ fallen (gehen) = jn nervös machen; jn lästig fallen. ↗ Wekker. 1920 *ff.*

17. die Hand am ~ haben = Vorsprung haben; einflußreich sein. ↗ Drücker 13 a. 1920 *ff.*

18. an den ~ kommen = eine einflußreiche Stellung erreichen; Erfolgsaussichten haben; einen entscheidenden Schritt tun können. 1920 *ff.*

19. das kommt nicht auf den ~ = das kommt nicht in Betracht. Drücker = Abzugshahn am Gewehr oder Auslöser beim Fotoapparat. *Sold* 1939 *ff.*

20. nicht an den ~ können = nicht wetteifern können; erfolglos bleiben müssen. 1920 *ff.*

21. den ~ an die Hand kriegen = Oberhand gewinnen. 1920 *ff.*

22. jn an den ~ lassen = jn an der Verantwortung beteiligen. ↗ Drücker 13 a. 1920 *ff.*

23. jn an den ~ legen = jn in eine einflußreiche Stellung bringen. ↗ Drücker 13 a. 1920 *ff.*

24. einen ~ machen = koten. ↗ drücken 9. 1950 *ff.*

25. jn auf den ~ nehmen = jn kritisieren. Drücker = Abzugbügel am Gewehr. 1950 *ff.*

26. am ~ sein = a) an der Reihe sein; großen Einfluß haben; erfolgreich sein. ↗ Drücker 13 a. 1920 *ff*; auch *sportl.* – b) seinen Vorteil wahrnehmen; Verdienst anstreben. 1920 *ff.* – c) den fotografischen Auslöser betätigen. 1950 *ff.*

27. groß am ~ sein = gut verdienen. 1920 *ff.*

28. jn an den ~ setzen = jn an eine einflußreiche, verantwortliche Stelle setzen. 1950 *ff.*

29. am ~ sitzen = eine einflußreiche, entscheidende Stellung bekleiden; der Überlegene sein. ↗ Drücker 13. 1950 *ff.*

Drückpapa *m* ~ machen = **1.** die Vaterschaft abstreiten. ↗ drücken 10. 1935 *ff.*

2. die Alimentenzahlung schuldig bleiben. 1935 *ff.*

Druckposten *m* Dienststellung mit wenig Pflichten und ohne Gefahr. Aus „↗ Druckpunkt" weiterentwickelt durch Einfluß von „↗ drücken 10". *Vgl* auch ↗ Druck 1. 1914 *ff* bis heute.

Druckpunkt *m* **1.** leichter Dienst. Der Betreffende hat jenen Punkt erreicht, wo er „sich drücken" kann. *Sold* 1914 *ff.*

2. leichter ~ = Durchfall. ↗ drücken 9. Seit dem späten 19. Jh, *sold.*

3. ~ nehmen = a) sich einen ruhigen, ungefährlichen Posten verschaffen. „Druckpunkt" ist ein Begriff der Schießlehre: hat der Schütze mit dem geladenen und entsicherten Gewehr gezielt, so krümmt er den Finger am Abzugbügel so weit durch, bis er einen Widerstand spürt. Aus der Ruhestellung des Zeigefingers entwickelt sich der Begriff „ungefährlicher Posten", aber mit Einfluß von ↗ drücken 10. Seit dem späten 19. Jh. – b) sich einer lästigen Verpflichtung durch Weggehen entziehen. 1880 *ff.* – c) Schnaps trinken (vor dem Schießen). Seit dem späten 19. Jh, *sold.* – d) es jm gedenken; jn scharf beobachten. Es wird auf ihn gezielt, man krümmt den Finger am Abzugbügel. *Sold* 1939 *ff.* – e) zum Koten ansetzen. *Sold* 1939 *ff.*

druckreif *adj adv* **1.** noch nicht ~ = noch nicht geschlechtsreif. Eigentlich ein Text, der noch nicht gedruckt werden kann, weil er noch nicht den Ansprüchen genügt. Hier ist „↗ drücken 3" gemeint. 1950 *ff.*

2. ~ quatschen = sich gewählt ausdrücken; geziert reden. 1900 *ff.*

Drucksache *f* Kuß. Weil man den Kuß aufdrückt. Soldaten sagen: „Erst kommen die Drucksachen, und dann wird das Paket ausgepackt". 1900 *ff.* Neuerdings *halbw.*

drucksen *intr* **1.** zögernd sprechen; kein Geständnis ablegen wollen. Frequentativum zu „drücken = pressen, einzwängen". 18. Jh.

2. unwillig, lustlos, stockend arbeiten. 19. Jh.

Drucktastenorgel *f* Rundfunkgerät mit besonders vielen Bereichs- und Klangregistertasten. Technikerspr. 1955 *ff.*

Druckverteiler *m* schikanöser Ausbilder. ↗ Druck 3. *BSD* 1960 *ff.*

Druckwüste *f* Truppenübungsplatz. ↗ Druck 3. *BSD* 1960 *ff.*

Drum *n* ~ und Dran = die Äußerlichkeiten; die Begleitumstände; das unwesentliche Beiwerk. Verkürzt aus „was um eine Sache und an einer Sache ist", also das unmittelbar und mittelbar Dazugehörige. 1900 ff.

Drumhe'rum n Umschweife, Beiwerk, Begleiterscheinungen. 1900 ff.

Drummel (Drümmel) m **1.** Kot. Gehört als *niederd* Form zu „Trumm = kurzes dickes Endstück; Stück Wurst". 18. Jh. **2.** kleinwüchsiger, dicklicher Mensch. 16. Jh.

Drummer (*engl* ausgesprochen) m **1.** Schlagzeuger. Aus dem Englischen um 1950 eingewandert. **2.** Lehrer. Weil er zu Prügeln greift. *Schül* 1955 ff.

Drum'rumgerede n Ausflüchte, Umschweife. 1900 ff.

drum'rumkommen intr nicht ~ = nicht verhindern können; sich einer Sache unterziehen müssen; etw umgehen können. 1900 ff.

drum'rumsein v um etw (jn) ~ = um etw (jn) liebedienerisch bemüht sein. 1800 ff.

drunter adv **1.** ~ ohne = hemdlos; ohne Unterwäsche. 1964 ff. **2.** es geht ~ und drüber = es geht durcheinander; in voller Unordnung. Gemeint ist, daß nach oben zu liegen kommt, was unten ist, und umgekehrt. 17. Jh.

drunter'durch sein nicht mehr geachtet sein; sich die Achtung der anderen verscherzt haben. ⁊ untendurch sein. 19. Jh.

Drusch m **1.** große Arbeitslast. Eigentlich das Dreschen und die Menge dessen, was gedroschen werden muß. 1900 ff. **2.** Prügel, Prügelei. ⁊ dreschen 1. 1900 ff. **3.** unfruchtbares Gerede. Hier soviel wie der Abfall beim Dreschen. 1900 ff. **4.** ~ (des) leeren Strohs = substanzloses Gespräch. ⁊ Stroh 4. 1960 ff.

druseln (drusseln, drusen, drussen) intr im Halbschlaf liegen. Geht zurück auf ein germanisches Wort in der Bedeutung „herabfallen", bezogen auf das Niedersinken des Kopfes des Schläfers. Sachverwandt mit „⁊ einnicken". *Nordd* 1700 ff.

drüsen intr **1.** schlafen. Nebenform des Vorhergehenden. Seit dem frühen 20. Jh. **2.** nicht aufpassen. 1900 ff.

Drüsenheber m Büstenhalter. Drüse = Milchdrüse. 1910 ff.

Drüsenschau f **1.** rührseliges Unterhaltungsstück. Es ist eine Schau für die Tränendrüsen. *Halbw* 1955 ff. **2.** Dekolleté; leicht bekleidete oder tiefdekolletierte weibliche Person. Anspielung auf die Milchdrüsen. *Halbw* 1955 ff.

drusig adj schläfrig. ⁊ druseln. *Nordd* 18. Jh.

Dschum m Trunkenheit. ⁊ Jumm. Seit dem späten 19. Jh.

Dschunke f großes Auto. Meint eigentlich das breitgebaute chinesische Segelschiff. 1950 ff, österr.

du pron ~ mich auch!: Ausdruck der Abweisung. Entgegnung auf die Aufforderung „leck mich am Arsch!". 1900 ff.

Dubbas (Dubas) m **1.** wuchtiger, schwerer Gegenstand; beliebiger Gegenstand. Herleitung unbekannt. Vorwiegend ostpreußisch und nordwestdeutsch; 19. Jh. **2.** Penis. 1900 ff.

Dubbel I m **1.** dummer Mensch. Meint eigentlich die Drehkrankheit der Schafe. *Südwestd* 1700 ff. **2.** Rekrut. 1900 ff.

3. einflußloser Mensch. 1900 ff. **4.** Harmloser, Naiver, Vertrauensseliger. 1945 ff. **5.** unkameradschaftlicher Mitschüler. Unkameradschaftlichkeit gilt den Schülern als Dummheit. 1950 ff.

Dubbel II m f n Doppelschnitte. *Westf* 1920 ff, bergmannsspr.

dubbel adj leicht geistesgestört. ⁊ Dubbel I 1. 1920 ff.

dubbeln intr frühstücken. Eigentlich „Doppelschnitten essen". Bergmannsspr. 1920 ff, westf.

Dubbelpause f Frühstückspause. ⁊ Dubbel II. *Westf* 1920 ff, bergmannsspr.

Dübel m Beule. ⁊ Dippel. *Bayr* und *österr* 1600 ff.

Dubs (Dups) m Gesäß. Fußt auf *poln* „dupa = Gesäß". *Ostpreuß* 19. Jh.

duchsen intr verlegen, kleinlaut gehen. Gehört zu ⁊ ducken. 19. Jh.

duchsig adj verlegen, kleinlaut. ⁊ duchsen. 19. Jh.

Ducht f Bett. Meint eigentlich die Bank in einem Boot, dann auch das kleine Verdeck am Bug, unter dem die Eßwaren und Kleidungsstücke und im Notfall auch Menschen Schutz vor dem Regen fanden. *Marinespr* 1960 ff.

duchten intr schlafen. Vgl das Vorhergehende. *Marinespr* 1960 ff.

Duckdich machen 1. sich zu Boden werfen. ⁊ ducken 1. *Sold* 1914 ff. **2.** sich im Gelände verbergen (im feindlichen Feuer und vor dem Vorgesetzten). *Sold* 1914 ff. **3.** sich einer Verpflichtung zu entziehen suchen. *Sold* 1914 ff.

duckeln intr sich schmiegen. Frequentativum von „ducken = tauchen", wohl auch beeinflußt von „⁊ Docke = Puppe". *Westd* 19. Jh.

ducken v **1.** jn ~ = jn demütigen, fügsam machen, zurechtweisen. Über mhd „tuchen = tauchen; sich schnell neigen". Hieraus zum Bewirkungszeitwort entwickelt. 1500 ff. **2.** sich ~ = unterwürfig, nachgiebig sein. 1500 ff.

Duckmäuser m Schleicher; hinterlistiger Mensch; Heuchler. „Duck-" gehört zu mhd „tuchen = tauchen", und „-mäuser" hängt zusammen mit „mausen = schleichen" (wie die Katze beim Mäusefang). „Tücke" dürfte eingewirkt haben. 1500 ff.

ducknackig adj heimtückisch, eigensinnig. Gehört zu der Vorstellung, daß einer den Kopf niederbeugt und sein Gegenüber nicht frei und offen anblickt. 1700 ff, nordd.

Ducks m **1.** Streich, Ulk o. ä. ⁊ Tuck. 19. Jh. **2.** Draufgänger; leichtlebiger Mensch; Vergeuder. Vielleicht Nebenform von „Duks = Teufel". 19. Jh. **3.** Höcker. Gehört zu „ducken = beugen". *Nordd* 1950 ff.

Dudel m f n **1.** Blasinstrument. ⁊ dudeln. *Südd* 19. Jh. **2.** Schallplatte. *Halbw* 1965 ff.

Dudeldei n Wertlosigkeit, Kleinigkeit. Eigentlich eine gesprochene Tonfolge. 19. Jh.

dudeldick adj **1.** schwer bezecht. ⁊ dudeln 2; ⁊ dick 4. 19. Jh. **2.** übersatt. 19. Jh.

Dudelei f **1.** mißtönendes Musizieren. ⁊ dudeln 1. 1700 ff.

2. unsinniges Gerede; stetes Zurückkommen auf denselben Unsinn. 1900 ff.

Dudelkasten m **1.** Drehorgel. ⁊ dudeln 1. 1900 ff. **2.** Rundfunkgerät. 1955 ff, halbw. **3.** Fernsehgerät. 1970 ff. **4.** Plattenspieler o. ä. 1930 ff. **5.** Musikautomat. 1955 ff.

dudeln intr **1.** auf einem Blasinstrument schlecht musizieren; dürftige Musik machen. Hergenommen vom Blasen auf dem Dudelsack. 1700 ff. **2.** kräftig und gemütlich trinken. Vielleicht weil im Rausch mancher vor sich hinsingt, oder wegen Verwandtschaft mit „Tuttel = Brustwarze der Frau" (an der Mutterbrust trinken). Vgl auch ⁊ Dudelsack 4. 1800 ff.

Dudelsack m **1.** Musikzimmer in der Schule. 1960 ff. **2.** pl = Musikinstrumente aller Art. *Schül* 1960 ff. **3.** pl = Musikkapelle. *Schül* 1965 ff. **4.** voll (dick) wie ein ~ = betrunken. 1750 ff. **5.** männliche Geschlechtsorgane (Penis mit Hodensack). Prost 1900 ff.

Dudelverein m Musikkapelle. 1965 ff, halbw.

Dudelzeug (-werkzeug) n Musikinstrumente. *Halbw* 1965 ff.

Duden m **1.** keinen ~ im Blut haben = in der Rechtschreibung unsicher sein. Bezieht sich auf das „Vollständige orthographische Wörterbuch der deutschen Sprache" von Konrad Duden (1880). 1955 ff, jug. **2.** vom ~ und Blasen keine (wenig) Ahnung haben = keine (wenig) Rechtschreibkenntnisse besitzen. Scherzhaft nachgeahmt der Redewendung „von ⁊ Tuten und Blasen keine Ahnung haben". 1950 ff. **3.** vom ~ und Blasen keine blasse Ahnung haben = in der deutschen Rechtschreibung keine sicheren Kenntnisse besitzen. 1950 ff. **4.** perfekt ~ sprechen = gebildet sein. 1930 ff.

Dudler m **1.** schlechter Bläser. ⁊ dudeln 1. 19. Jh. **2.** Plattenspieler o. ä. 1955 ff, halbw. **3.** Rausch. ⁊ dudeln 2. 1900 ff. **4.** Trinker, Bezechter. 19. Jh. **5.** Trinkgelage. 1900 ff.

Duett n **1.** Liebesverhältnis. 1900 ff. **2.** Diebespaar. 1920 ff. **3.** von zweien begangene Straftat. 1950 ff. **4.** ~ singen = koitieren. 1950 ff.

Duft m **1.** Schnaps minderer Qualität. Er strömt einen scharfen, durchdringenden Geruch aus. Seit dem 19. Jh. **2.** ~ der großen weiten Welt = a) Weltmenschentum; Internationalismus; Erlebniswelt der Begüterten; betörendes Parfüm; exotische Zimmereinrichtung u. v. a. m. Der Ausdruck stammt vom Schweizer Graphiker und Werbepsychologen Fritz Bühler und wurde 1959 für die Zigarettenmarke „Peter Stuyvesant" geprägt. Ein durch die Fernsehwerbung volkstümlich gewordener Begriff. – b) Fliegerei. 1965 ff. **3.** ~ der großen weiten Halbwelt = sittliche Anrüchigkeit. 1972 ff. **4.** im ~ sein = bezecht sein. Duft = Nebel. Vgl „benebeln 1". 1900 ff.

dufte adj adv **1.** außerordentlich, tadellos;

sympathisch; nett. Fußt auf *jidd* „tow = gut". Der Anklang an „duftig" dürfte die Eindeutschung begünstigt haben. Seit dem frühen 19. Jh, anfangs *rotw*, später allgemein; heute vorwiegend *jug*.
2. lebenslustig, zu Streichen aufgelegt; dreist; schlau; dem Geschlechtsverkehr nicht abgeneigt. 1900 *ff.*
3. ~ liegt schief = der erwartete Erfolg bleibt aus; Unangenehmes ist eingetreten oder bahnt sich an. Gemeint ist, daß „schief liegt = sich irrt", wer die Sache für „dufte" gehalten hat. 1930 *ff.*
4. ~ ist zweimal so schnafte wie knorke: Berlinische Wertskala von „dufte", „knorke" und „schnafte". Auch in der Form: „knorke ist dreimal so dufte wie schnafte". 1900 *ff.*
Duftfabrikant *m* **1.** Gärtner, Blumenzüchter. Anspielung auf Jauche-Düngung. 1870 *ff.*
2. Mensch, der Darmwinde entweichen läßt. 1910 *ff.*
Duftgemüse *n* Blumen; Blumenstrauß für die Dame. 1935 *ff.*
Duftkoch *m* Fachmann für die Zusammenstellung von Wohlgerüchen; Parfümhersteller. 1920 *ff.*
Duftköchin *f* Arbeiterin in einer Parfümfabrik. 1920 *ff.*
Duftküche *f* Parfümfabrik. 1920 *ff.*
Duftmarkierung *f* entweichender Darmwind. Ein von den Tieren übernommenes Anwesenheitssignal. 1939 *ff.*
Duhn *m* Bezechtheit. *Vgl* das Folgende. 1900 *ff.*
duhn *adj präd* **1.** volltrunken. Meint eigentlich „aufgeschwollen" (auf den Leib von Weidevieh bezogen, wenn es nasses Heu gefressen hat); gehört zu „dehnen" und „dunsen". Seit dem 14. Jh, *niederd*.
2. ~ vor Angst = vor Angst von Sinnen. 1965 *ff.*
duhnen *tr* jn betrunken machen. 1900 *ff.*
Duhnität *f* Trunkenheit. Aus „↗duhn 1" gebildet nach dem Muster von „Bonität, Rarität" o. ä. 19. Jh.
Duhnsaufen spielen (Duhnsupen speelen) sich betrinken. Hamburg 1920 *ff.*
Dukaten *pl* ~ kacken = viel Geld verdienen oder für jn aufwenden. Dukaten nannte man frühere Goldmünzen. 1900 *ff.*
Dukatenesel *m* Musikautomat. Für den Besitzer hat er dieselbe Funktion wie der Goldesel aus dem Märchen der Brüder Grimm. 1960 *ff.*
Düker *m* Teufel. Nebenform von ↗Deuker. 1700 *ff*, *nordd*.
Duli-duli *n* Geld. Aus *gleichbed engl* „douli-douli" übernommen; wohl mit „Dollar" und „Taler" zusammenhängend. *Sold* 1939 *ff.*
Dulle *f* Prostituierte. Ablautform von ↗Tille. 1920 *ff.*
dulli *adv präd* ↗tulli.
dulli'äh *adj präd* berauscht, ausgelassen. Eigentlich ein Freudenausruf beim Jodeln. *Österr* 19. Jh.
Dulli'öh *m* **1.** leichter Rausch. *Vgl* das Vorhergehende. *Österr* 19. Jh.
2. gute Laune. *Österr* 1900 *ff.*
dulli'öh *adj präd* **1.** *interj* = Freudenausruf. 19. Jh, *österr*.
2. berauscht. 19. Jh, *österr*.
Dulli'öhstimmung *f* lustige, ausgelassene Stimmung. ↗dulliäh. *Österr* 19. Jh.

Dult *f* Jahrmarkt o. ä. Fußt auf *ahd* „tuldan", *mhd* „dulten = feiern". *Oberd* 1300 *ff.*
Dulzinea (Dulcinea) *f* Braut, Geliebte, Schülerin o. ä. Name der Auserkorenen des Don Quijote aus dem Roman von Cervantes. Der Text war früher ein beliebter, vorgeschriebener Lesestoff in den Schulen. 1700 *ff.*
dumm *adj* **1.** unangenehm, widerwärtig, schlimm, schade (daß ich dies versäumt habe, ist zu dumm; es ist dumm, daß der Teller zerbrochen ist). „Dumm" hatte ursprünglich die Bedeutung von „stumpf, unempfindlich"; hieraus entwickelte sich in persönlicher Verwendung die Bedeutung „betäubt, taumelig" und in sächlicher die Bedeutung „matt". Für die Umgangssprache ist „dumm" alles, was selbst mit Schlauheit sich nicht bewältigen läßt. 1700 *ff.*
2. ~, dreist, frech und arrogant: Attribute zur Kennzeichnung eines überheblichen Ungebildeten. *Stud* 1927 *ff.*
3. ~ geboren = dumm geblieben, nichts dazu gelernt (~ geboren, nichts dazugelernt und die Hälfte vergessen; ~ geboren, ~ geblieben, nichts dazugelernt und das wieder vergessen; ~ geboren, nichts dazugelernt, und das noch unvollständig): Redensarten zur Bezeichnung unheilbarer Dummheit. 19. Jh.
4. ~ und dämlich = sehr, völlig. 1900 *ff.*
5. ~ und dusselig = geistlos; bis zur Gedankenlosigkeit. 1900 *ff.*
6. ~, aber stark (~ und stark) = Pioniere. *BSD* 1965 *ff.*
7. ~, stark und wasserdicht (wasserfest) = Pioniere. *BSD* 1965 *ff.*
8. mal so ~ anfragen = scheinbar harmlos, wie zufällig anfragen (vor allem, wenn man einen Fachmann um Rat fragt). 19. Jh.
9. da kannst du bei mir ~ ankommen!: Ausdruck der Ablehnung. Man wird den Betreffenden als dumm behandeln. 1920 *ff.*
10. jn ~ anquatschen = jn gespielt-einfältig (dummdreist) ansprechen. 1900 *ff.*
11. jn ~ anreden = jn unhöflich, grob ansprechen. 1900 *ff.*
12. es ist nichts so ~, daß es nicht befohlen würde: Redewendung angesichts eines unsinnigen Befehls. *Sold* in beiden Weltkriegen und nachher.
13. je dümmer, desto brüllt er: Urteil über einen Unteroffizier. Nach „desto" ergänze „lauter". *Sold* 1960 *ff.*
14. ~ daherreden = unüberlegt schwätzen. 1920 *ff.*
14 a. ~ an etw ~ und dämlich essen = etw oft, gern und mit großem Appetit essen. 1920 *ff.*
15. wenn ich mal so ~ fragen darf (wenn man mal so ~ fragen darf) = wenn ich bescheiden (scheinbar bescheiden) fragen darf. 1920 *ff.*
16. jn ~ halten = jn nicht einweihen. 1900 *ff.*
17. jm ~ kommen = a) sich einfältig (harmlos) stellen (aber in Wirklichkeit sehr schlau sein); jn unhöflich behandeln. 19. Jh. – b) sich mit einem höhergestellten Menschen auf die gleiche Stufe stellen wollen; plump vertraulich werden. 19. Jh.
18. jm ~ und dämlich kommen = jm zu nahe treten. 1920 *ff.*

19. jn ~ machen = jn durch Vorspiegelungen täuschen; jn beschwatzen, mit Redensarten übertölpeln; gegenüber jm seine geistige Überlegenheit ausnutzen. 19. Jh.
20. sich ~ und dämlich niesen = heftig, anhaltend niesen. 1900 *ff.*
21. sich ~ und dämlich quatschen = vergebens auf jn einreden. 1900 *ff*, Berlin.
22. jn ~ reden = jn beschwatzen. 1920 *ff.*
23. jn ~ und dusselig reden = auf jn anhaltend einreden. 1950 *ff*, *schül.*
23 a. sich ~ und dämlich saufen = sich sinnlos betrinken. 1920 *ff.*
23 b. sich ~ und dämlich schuften = übermäßig viel arbeiten. 1920 *ff.*
24. er ist nicht so ~, wie er aussieht: spöttische Erwiderung auf eine kluge Äußerung. 19. Jh.
25. wäre er so lang (groß), wie er ~ ist, dann hätte er ewigen Schnee auf dem Haupt (o. ä.): Redewendung auf einen sehr dummen Menschen. *Schül* 1925 *ff.*
26. er ist so ~, wie er lang ist = er ist sehr dumm. 19. Jh.
27. er ist so ~, daß ihn die Gänse beißen = er ist überaus dumm. 19. Jh.
28. er ist so ~, daß er brummt = er ist sehr dumm. Hergenommen von Ochsen und Rindern, die brummen und für dumm gelten. Auch den Tanzbären bezeichnet man als dumm. 19. Jh.
29. wenn du so lang wärst, wie du ~ bist, müßtest du dich bücken, um den Mond einen Kuß zu geben: Redewendung zu einem Dummen. 1900 *ff.*
30. er ist nicht nur ~, er stinkt auch noch nach Masse = er ist überaus dumm. *BSD* 1960 *ff.*
31. er ist nicht ~, er weiß bloß wenig = er ist überaus dumm. *BSD* 1960 *ff.*
32. wenn Sie glauben, ich bin ~, sind Sie bei mir gerade richtig!: Redewendung unter Kameraden zur Verulkung eines Vorgesetzten. *Sold* 1939 *ff.*
33. er ist noch dümmer als Jan Wohlers: der konnte wenigstens noch radfahren = er ist überaus dumm. *BSD* 1960 *ff.*
34. sich an etw ~ verdienen = an etw sehr viel verdienen. 1920 *ff.*
35. sich ~ und dämlich verdienen = mit Leichtigkeit viel Geld verdienen. 1920 *ff.*
36. jn für ~ verkaufen = jn für dumm halten; jn veralbern, übertölpeln. Gemeint ist, daß man jn für das verkauft, was er wert ist. 1800 *ff.*
37. jn für ~ verschleißen = jn für dumm halten und ihn entsprechend behandeln. 1700 *ff.*
38. sich ~ und dämlich zahlen = Zahlungen über Zahlungen leisten. 1920 *ff.*
Dummbach *m* **1.** Dummer. Eine Lustspielfigur aus Ernst Elias Niebergalls „Datterich" (1841). Seit dem 19. Jh, *westd.*
2. aus ~ sein = dumm sein. Wer bei Ringreiten das Ringen verfehlte, erhielt einen Schlag mit dem Mehl- oder Kreidebeutel auf den Rücken. 1900 *ff.*
Dummbeutel (-büdel) *m* **1.** Dummer. Wohl aus dem Folgenden entwickelt. 1900 *ff.*
2. mit dem ~ gekloppt (geprügelt, geschlagen) sein = dumm sein. Wer beim Ringreiten den Ring verfehlte, erhielt einen Schlag mit dem Mehl- oder Kreidebeutel auf den Rücken. *19. Jh.* „Dummbach" ist hier ein erfundener Ortsname. 19. Jh.
Dummenverteilung *f* Arbeitsverteilung. Man sucht nach Dummen, die die Arbeit

verrichten: die Schlauen entziehen sich ihr. *Marinespr* 1930 *ff.*
Dummer *m* **1.** das muß einem Dummen gesagt werden = das kann ich nicht ahnen. 19. Jh.
2. den Dummen markieren = sich dumm stellen. 19. Jh.
3. der Dumme sein = der Betrogene sein; geprellt sein; der Benachteiligte sein. 19. Jh.
Dummerle *n* **1.** Dummer. 1900 *ff.*
2. Kosewort. 1900 *ff.*
dummerweise *adv* leider. 19. Jh.
Dummheit *f* **1.** brummende ~ = sehr große Dummheit. ↗dumm 28. 1958 *ff.*
2. polizeiwidrige ~ = Dummheit von besonderem Umfang. ↗polizeiwidrig. 19. Jh.
3. ~ frißt, Genie säuft: Redewendung zur Beschönigung der Trinklust. 1950 *ff* (?).
4. wenn ~ Gas gäbe, müßte man berghoch bremsen: Redewendung angesichts eines dummen Menschen. *BSD* 1960 *ff.*
5. die ~ mit Löffeln gegessen haben = sehr dumm sein. ↗Löffel. 19. Jh.
6. mit ~ geschlagen (gestraft) sein = dumm sein. Nachgebildet dem biblischen Ausdruck „mit Blindheit geschlagen". 19. Jh.
7. eine ~ machen = eine Straftat begehen; ehrenrührig handeln. 19. Jh.
8. ~en machen = intim werden; koitieren. Die Dummheit bezieht sich hier auf die möglichen Folgen. 1900 *ff.*
8 a. wenn ~ klein machen würde, könntest du unterm Teppich Rollschuh laufen: Redewendung an einen Dummen. *Schül*, Düsseldorf 1972 *ff.*
9. er schreit vor ~ = er ist sehr dumm. Idioten stoßen unartikulierte Schreie aus. 19. Jh.
10. vor ~ stinken = sehr dumm sein. Dem Ausdruck „vor ↗Faulheit stinken" nachgeahmt. 1920 *ff.*
11. wenn ~ wehtäte, würde er den ganzen Tag schreien (o. ä.): Redewendung auf einen sehr dummen Menschen. 1800 *ff.*
12. wenn ~ wehtäte, würden durch das Brüllen Häuser einstürzen: Redewendung bei Anhören einer sehr törichten Äußerung. 1900 *ff.*
13. ~ ist eine gute Gabe Gottes (aber man darf sie nicht mißbrauchen): Redewendung zur Beschützung eines Dummen. Seit dem späten 19. Jh, wahrscheinlich in Berlin aufgekommen.
Dummkoller *m* geistige Umnachtung; Dummheit. *Vgl* ↗Drehkolla 1. 1900 *ff.*
Dummkopf *m* **1.** dummer Mensch. 1700 *ff.*
2. genialer ~ = Computer. 1965 *ff.*
dummköpfig *adj* dümmlich. 18. Jh.
Dummschnute *f* dummer Mensch. ↗Schnute. Bezieht sich entweder auf die dümmliche Miene oder auf das Dummschwätzen. 1700 *ff, nordd.*
Dummsdorf *On* aus ~ sein = dumm sein (meist in reinender Form). Dummsdorf ist ein Ortsname in Sachsen; er ist wohl weithin unbekannt oder wird als erfunden aufgefaßt. 19. Jh.
dümpeln *intr* **1.** auf den Meereswogen hin- und herschaukeln. Eigentlich soviel wie „unter-, eintauchen". *Nordd* 1800 *ff.*
2. betrunken schwanken. *Nordd* 1800 *ff.*
3. jn ~ = jn gefügig zu machen suchen. Man macht ihn entweder betrunken oder

taucht ihn im Wasser unter. 1800 *ff, nordd.*
Dünenmonarchen *pl* Dünenpflanzer. ↗Monarchen. 1920 *ff,* Sylt.
dunkel *adj* **1.** zwischen ~ und Siehstmich-nicht = in der Dunkelheit. 1900 *ff.*
2. ~ ist der Rede Sinn = ich verstehe deine Worte nicht. Stammt aus Schillers Ballade „Der Gang zum Eisenhammer" (1798). Seit dem späten 19. Jh (die Ballade gehörte zum vorgeschriebenen Lesestoff der Gymnasiasten).
dunkelbläulich *adj* ziemlich stark bezecht. ↗bläulich 1. 1920 *ff.*
dunkelgetönt *adj* **1.** mittel bis stark angeschmutzt. Der Friseursprache um 1960 entlehnt.
2. charakterlos, heimtückisch, unzuverlässig. Variante der Metapher vom „dreckigen (schmutzigen) Charakter". 1960 *ff.*
Dunkelkammer *f* **1.** Arrestlokal, Gefängnis, Dunkelhaft. Eigentlich der dunkle Raum für das Entwickeln von Lichtbildern. 1900 *ff.*
2. Physiksaal. Wird bei Lichtversuchen verdunkelt. 1960 *ff, schül.*
3. eigenes Zimmer. Eine Art freiwilliges Gefängnis. *Halbw* 1955 *ff.*
4. Party-Keller. Wo man Schummerbeleuchtung bevorzugt. *Halbw* 1955 *ff.*
Dunkelmann *m* **1.** Mensch, der aus dem Hinterhalt hetzt; Verbreiter (Erfinder) von Gerüchten. Geht zurück auf die „Epistulae obscurorum virorum" (1515–1518), in denen (damals) unbekannte Verfasser für die Reformation und gegen ihre Widersacher satirisch stritten. Die heutige Bedeutung kam gegen 1800 auf.
2. im Verborgenen tätiger Agentenwerber. 1960 *ff.*
3. Photolaborant (beim Entwickeln von Fotos). Er arbeitet in der Dunkelkammer. *Sold* 1939 *ff.*
4. Kassierer des Elektrizitätswerks. Bei Nichtbezahlung der Rechnung ist er zum Stromabschalten berechtigt. 1960 *ff.*
5. Kraftfahrer mit Abblendlicht, ohne Nebelscheinwerfer u. ä. am Auto. 1960 *ff.*
dunkelrot *adj* kommunistisch; überzeugt sozialistisch. ↗rot. 1950 *ff.*
dunkelweiß (dunkelweißlich) *adj* schmutzig, angeschmutzt. Vorausgegangen ist „schmutzig weiß" oder „trübweiß". Scherzwort; denn Schwarz und Weiß können nicht modifiziert werden. 1914 *ff.*
dünn *adj* **1.** spärlich, unbedeutend, unterdurchschnittlich, minderwertig. Vom mangelnden Umfang übertragen auf mangelnden Gehalt. 1900 *ff.*
2. es sieht ~ aus = um etw ist es schlecht bestellt; das Gewünschte ist nicht vorhanden. 1914 *ff.*
3. jn ~ behandeln = jm mit Nichtachtung begegnen. 1960 *ff.*
4. es geht ihm ~ durch den Darm = a) er lebt kärglich. Bezieht sich eigentlich auf den Durchfall. 1900 *ff.* – b) er hat Angst, Bedenken. 1900 *ff.*
5. sie ist zu ~ geraten = sie ist überaus schlankwüchsig. 1950 *ff.*
6. ~ werden = weggehen. Meist in der Befehlsform. ↗dünnmachen. 1900 *ff.*
Dünnbier *n* **1.** schlechte Aussichten; Erfolglosigkeit; schlimmer Ausgang. Für den durchschnittlichen Biertrinker ist Dünnbier ein widerliches Getränk und also ein Sinnbild der Widerwärtigkeit. 1700 *ff.*

2. aussehen wie ~ mit Spucke = sehr blaß aussehen. „Spucke" meint hier den spärlichen Bierschaum. 1950 *ff.*
Dünnbrettbohrer *m* Dummer, Träger. Zum Bohren dicker Bretter ist er entweder zu dumm oder zu faul. ↗Brett 14 und 15. 1900 *ff.*
Dunnerlichting *interj* Verwünschung; Ausdruck der Verwunderung. „Lichting" meint den Blitz, das Wetterleuchten. *Nordd* 1800 *ff.*
'Dunner'schock *interj* Ausruf höchster Verwunderung. 1800 *ff.*
dünngesät *adj präd* spärlich, selten, wenig. Von der Saat hergenommen, die in großen Abständen gesät ist. 1600 *ff.*
dünnhäutig *adj* seelisch hochempfindlich; leichtverletzlich. *Vgl* das Gegenwort ↗dickhäutig. 1920 *ff.*
dünnmachen *v* **1.** *intr* = Durchfall haben. 19. Jh.
2. sich ~ = a) koten. 1900 *ff.* – b) sich unauffällig entfernen; fliehen. Man macht sich schmal, um leicht entwischen zu können (durch eine nur wenig geöffnete Tür, hinter dem Rücken anderer o. ä.). 18. Jh. – c) abmagern; sich einer Abmagerungskur unterziehen. 1965 *ff.* – d) sich unscheinbar machen. 1950 *ff.*
3. sich ~ = etw heimlich wegnehmen, entwenden. Berlin 1920 *ff.*
Dünnpfiff *m* **1.** Durchfall. Euphemistisch aus „↗Dünnschiß" entstellt. 1800 *ff.*
2. Angst. Sold 1914 *ff.*
3. geistiger ~ = völlig unhaltbare Meinung; gedankliche Fehlleistung. 1960 *ff.*
dünnscheißen *intr* Durchfall haben. 1900 *ff.*
Dünnscheißer (-schisser) *m* **1.** ängstlicher Mann; Feigling. 1900 *ff.*
2. Versager. *Sold* 1939 *ff.*
Dünnschiß *m* **1.** Durchfall. 1600 *ff.* Das „Goldene ABC" reimt: „Der Dachs in dumpfer Höhle haust; der Dünnschiß durch das Arschloch saust".
2. Angst. *Sold* und *ziv* 1914 *ff. Vgl gleichbed franz* „avoir la foire".
3. geistiger ~ = labern = sinnlos, auf gut Glück schwätzen; großsprecherisch sein. 1960 *ff.*
Dünnschisser *m* ↗Dünnscheißer.
Dunsel *f* eingebildete weibliche Person. Fußt auf *ital* „donzella = Fräulein". 19. Jh.
Dunst *m* **1.** Beschuß. Gekürzt aus „Pulverdunst". *Sold* in beiden Weltkriegen.
2. Antreibung; anstrengender Dienst. Parallel zu ↗Dampf 6. *Sold* 1939 *ff.*
3. blauer ~ = Trug, Lüge, Illusion; Nichtiges; Ungewisses. Wohl hergenommen von den Dämpfen, die die Zauberkünstler erzeugen, um den Zuschauern zu verbergen, wie die Zauberei vor sich geht. 1300 *ff.* – b) Tabakswolken; Raucherwaren; das Rauchen. 1800 *ff.*
4. auf blauen ~ = auf bloße Vermutung hin; aufs Geratewohl. 1700 *ff.*
5. dicker ~ = schwerer Beschuß. ↗Dunst 1. *Sold* 1939 *ff.*
6. ~ abblasen = Darmwinde entweichen lassen. 1940 *ff.*
7. ~ geben = schießen. ↗Dunst 1. *Sold* in beiden Weltkriegen.
8. jm ~ geben (machen) = a) jn antreiben, hetzen. Man schlägt ihm auf den Rücken der Jacke, so daß Dunst (= Staub) aufwallt. Seit dem späten 19. Jh. – b) jn

anherrschen, ausschimpfen; jm Widerworte geben. 1920 ff.

9. es gibt ~ = es gibt Zank; man wird zornig; es wird geschimpft. Parallel zu ↗Qualm. 1920 ff.

10. von etw keinen ~ haben = von etw nicht(s) wissen; etw nicht erraten können. „Kein Dunst = kein Hauch"; weiterentwickelt zu einer verneinenden Verstärkung. 19. Jh.

11. keinen ~ von einer Ahnung haben = nicht das mindeste wissen. 1900 ff.

12. von etw keinen blassen ~ haben = von etw überhaupt nichts wissen; nicht die geringste Ahnung haben. Seit dem ausgehenden 19. Jh.

13. keinen blauen ~ von einer Ahnung haben = vergeblich nachdenken. 1900 ff.

14. von etw keinen blauen ~ haben = von etw nichts ahnen. 1850 ff.

15. bläulichen ~ haben = nach Alkohol riechen. ↗bläulich 1. Seit dem frühen 20. Jh.

16. ~ kriegen = a) beschossen werden. Sold 1914 bis 1945. – b) angeherrscht werden. ↗Dunst 8. 1900 ff.

17. im ~ sein = a) bezecht sein. Dunst = Alkoholdunst. 1800 ff. – b) verrückt sein. Der Geist ist in Dunst gehüllt. 1900 ff.

18. jm blauen ~ vormachen = jm etw vorspiegeln; jn belügen. ↗Dunst 3. 14. Jh.

19. sich blauen ~ vormachen = rauchen; sich in Tabakswolken hüllen. 1800 ff.

Dunstglocke f **1.** Dunstschicht über Großstädten und Industriegebieten. Nach 1955 aufgekommen.

2. Stahlhelm. Unter ihm entwickelt sich feuchte Wärme. BSD 1960 ff.

3. pl = Socken, Strümpfe. BSD 1960 ff.

Dünstler m blauer ~ = **1.** Lügner, Prahler. ↗Dunst 3 a. 1933 ff.

2. lügnerischer politischer Propagandist. 1900 ff.

Dunstmacher m **1.** Verbreiter oder Erfinder von Gerüchten; politischer Hetzer; Schwindler. ↗Dunst 3 a. 17. Jh.

2. Tabakanpflanzer o. ä. ↗Dunst 3 b. 1950 ff.

Dupel m schlechteste Leistungsnote. Gehört vielleicht zu ↗Dubbel I 1. Österr 1900 ff.

Duphilis f Syphilis im fortgeschrittenen Stadium. Die Syphilis wird nicht mehr gesiezt: man steht mit ihr auf du und du. Sold 1939 bis heute.

Dups m Gesäß. ↗Dubs.

dupsen intr koitieren. Gehört zu ↗tupfen. BSD 1960 ff.

Durch n ein durchgezapftes Pils (ohne sieben Minuten Wartezeit). Gaststättenspr. 1950 ff.

durch adj präd durchgebraten, durchgeweicht. Kellnerspr. 1920 ff.

durchackern v **1.** etw ~ = a) etw mühsam durcharbeiten, geistig verarbeiten. ↗ackern 1. 1700 ff. – b) etw eifrig betreiben, genau prüfen. 1920 ff.

2. sich ~ = unter Mühen einen Erfolg erzielen. 1900 ff.

3. sich durch etw ~ = etw unter Anstrengung zu Ende lesen. 1920 ff.

durcharbeiten v **1.** intr = ohne Unterbrechung arbeiten. 1900 ff.

2. intr = schlafen. Euphemistisches Tarnwort. BSD 1960 ff.

3. sich ~ = sich mühsam einen Weg bahnen; sich hindurchdrängen. 1900 ff.

durchbeißen v **1.** einen Schnaps ~ = einen Schnaps nicht in einem Zug leeren. ↗abbeißen 3. 1920 ff.

2. sich ~ = a) Schwierigkeiten überwinden; sich durchsetzen. Hergenommen vom verfolgten oder eingekreisten Hund, der durch Beißen sich zu befreien sucht. 1600 ff. – b) durch Überstrenge sich Autorität zu verschaffen suchen. 1935 ff, sold.

durchbekommen tr einen Vorschlag verwirklichen; eine Genehmigung erwirken. ↗durchkriegen 2. 19. Jh.

durchbenschen tr etw beschleunigen, anfeuern, rasch erledigen. Gehört zu niederd „benschen = treiben, jagen". Nordd 1920 ff.

durchbetteln refl eine Prüfung infolge Nachsicht der Prüfenden bestehen. 1850 ff.

durchbeuteln tr **1.** jn schütteln, hin- und herzerren. ↗beuteln 1. 1900 ff.

2. jn schlagen. 1900 ff.

Durchblick m **1.** Gewitztheit; Reichtum an praktischen Lebenserfahrungen; ungetrübtes Erkenntnisvermögen. Der Betreffende durchschaut die Dinge, erkennt die Menschen mit all ihren Vorzügen und Nachteilen und weiß daher, wie er sich zu verhalten hat, um seinen Vorteil zu wahren. BSD 1960 ff; schül 1970 ff.

2. Null ~ haben = dumm sein. BSD 1960 ff; schül 1970 ff.

3. keinen ~ schieben = verständnislos sein. BSD 1960 ff; schül 1970 ff.

durchblicken intr **1.** gewitzt sein; wissen, wie man sich zu verhalten hat; sich dem Dienst zu entziehen wissen. BSD 1960 ff; schül 1970 ff.

2. voll ~ = das Wichtige erkennen. BSD 1965 ff.

Durchblicker m **1.** gewitzter Mann. BSD 1960 ff.

2. Wehrdienstverweigerer. Man unterstellt, daß Gewissensgründe nicht entscheidend sind, sondern ausschließlich Nützlichkeitserwägungen. BSD 1960 ff.

Durchblickerlehrgang m **1.** fiktiver Lehrgang, der Schlauheit vermittelt. BSD 1960 ff.

2. ~ I und II absolviert haben = sehr gewitzt sein. BSD 1960 ff.

3. keinen ~ mitgemacht haben = unfähig sein. BSD 1960 ff.

durchboxen v **1.** jn ~ = sich für jn erfolgreich einsetzen. ↗boxen 1. 1950 ff.

2. etw ~ = eine Angelegenheit nachdrücklich durchsetzen; unter Zeitdruck bewerkstelligen. 1950 ff.

3. sich ~ = unter Mühen erfolgreich werden. Man bahnt sich mit Boxhieben den Weg. Spätestens seit 1950.

durchbrennen intr fliehen; heimlich weggehen (unter Hinterlassung von Schulden oder mit gestohlenen Sachen). Gehört zu „ihm brennt der Boden unter den Füßen" (↗Boden 1). Etwa seit 1820, anfangs stud.

Durchbruch m **1.** plötzliche Bekanntwerden eines bisher unbekannten oder verkannten Künstlers. Meint eigentlich die gewaltsame Überwindung von Hindernisses, vor allem den Vormarsch durch die gegnerischen Linien. Seit dem späten 19. Jh.

2. Besserung der wirtschaftlichen Lage. 1965 ff.

3. Einigung der Tarifpartner. 1970 ff.

4. Durchsetzung eines Reformvorhabens. 1970 ff.

5. Beginn internationaler Verständigung o. ä. 1970 ff.

6. Erwerb neuer wissenschaftlicher Erkenntnisse. 1965 ff.

durchbrummen intr **1.** in der Prüfung versagen. Hängt zusammen entweder mit heftigen Äußerungen des Unwillens oder mit einem tiefen, lauten Geräusch, mit dem man in der Umgangssprache den Grad eines Sturzes wiedergibt. 1900 ff.

2. eine Ortschaft ohne Halt durchfahren. Man fährt mit einem Brummton. 1950 ff.

durch'büffelt adj mit angestrengtem Lernen verbracht. 1920 ff.

'durchbummeln intr **1.** die Nacht hindurch zechen, ausschweifend leben. ↗bummeln 3. 19. Jh.

2. müßiggehen. 1900 ff.

durchdrehen intr **1.** die Fassung verlieren; nervös, närrisch werden; geistesverwirrt sein. ↗durchgedreht sein. Spätestens seit 1900.

2. übertrieben Dienst tun. Dienstlicher Übereifer ist ein Anzeichen von Geistestrübung. BSD 1960 ff.

durchdrücken tr etw allen Widerständen zum Trotz erwirken; etw nachdrücklich durchsetzen. Man drückt das Wild durch die Büsche, und man trägt den Angriff durch die gegnerischen Reihen hindurch vor. 1850 ff.

durcheinanderkegeln v **1.** intr = kreuz und quer fallen (bei einem Granateinschlag o. ä.). Hergenommen vom Fallen der Kegel. Sold 1914 ff.

2. Leute ~ = Leute verwirren. 1914 ff.

durcheinandermachen tr jn verwirren. 1900 ff.

durcheinanderschmeißen tr etw verwechseln. Man wirft Zahlen, Namen, Begriffe o. ä. durcheinander. 1900 ff.

durcheinandersein intr verwirrt sein. Von der Geistesverwirrung hergenommen. 19. Jh.

durchessen refl auf Kosten anderer essen. 1900 ff.

durchexerzieren tr etw bis ins einzelne ausprobieren, üben, einstudieren. 1900 ff.

Durchfall m **1.** Nichtbestehen der Prüfung, im Wettbewerb. ↗durchfallen 1. Seit dem ausgehenden 18. Jh, stud.

2. Mißerfolg auf der Bühne; Scheitern einer Theateraufführung. 1800 ff, theaterspr.

3. Mißerfolg bei der Wahl o. ä. 1700 ff.

4. ~ mit Pauken und Trompeten = völliges Versagen. ↗Pauke. 19. Jh.

5. schwerer ~ = großer Mißerfolg eines Bühnenstücks o. ä. 1900 ff.

Durchfallbremse f Schokolade. Sie verursacht Verstopfung. Sold 1940 ff.

durchfallen intr **1.** in der Prüfung scheitern. Daß die mittelalterliche Geschichte von dem Liebhaber, der in einem Korb zum Gemach der Geliebten emporgezogen wird und durch den schadhaften Korbboden fällt, zur Deutung der Vokabel herangezogen werden darf, scheint zweifelhaft. Analoge Vokabeln leiten sich her vom landwirtschaftlichen Vorgang des Siebens von Korn: der Bauer verwendete früher zum Aussorten große Siebe aus Weidengeflecht; die kleinen Körner fielen durch, die großen blieben im Sieb. 16. Jh.

2. auf der Bühne keinen Erfolg haben; vor

der Kritik nicht bestehen; Mißfallen erregen. 1800 *ff,* theaterspr.
3. bei einer Wahl zurückgesetzt werden. 1700 *ff.*
4. im Rechtsstreit unterliegen. 19. Jh.
Durchfaller *m* **1.** Mißerfolg. 1939 *ff.*
2. Examensversager. *Schül* 1950 *ff.*
3. erfolgloses Bühnen-, Film-, Musikstück o. ä. 1950 *ff.*
durchfeiern *intr* mehrere Tage lang, ohne Unterbrechung feiern. 1900 *ff.*
durchfettet *adj* mit obszönen Zusätzen oder Redewendungen versehen. Hergenommen von durchfettetem Papier: der Fettfleck ist das Sinnbild eines langsam, aber unaufhaltsam sich ausbreitenden Makels. 1920 *ff.*
durchfieseln *tr* etw gründlich durchsehen, durchsuchen, durcharbeiten. ⁊ fieseln. 1950 *ff.*
durchfilzen *tr* **1.** jn durchsuchen, einer Leibesvisitation unterziehen. ⁊ filzen. *Sold* in beiden Weltkriegen.
2. etw durchsuchen, durchstöbern. 1914 *ff.*
durchfingern *tr* etw durchsuchen. ⁊ fingern. 1950 *ff.*
durch'fliegen *tr* etw flüchtig, eilig durchlesen. Fliegen = eilig gehen. 1900 *ff.*
'durchfliegen *intr* die Prüfung nicht bestehen; in der Schule nicht versetzt werden. Fliegen = sich schnell bewegen; also scheitert man in der Prüfung schon recht bald. Seit dem späten 19. Jh.
durchflitschen *intr* durchschlüpfen. ⁊ flitschen. 1900 *ff.*
durchflöhen *tr* jn nach verbotenen (begehrten) Gegenständen durchsuchen. ⁊ flöhen. *Sold* 1939 *ff.*
durchflutschen *intr* gerade noch, mit knapper Not vorbeikommen; gerade noch durch-, eingelassen werden. ⁊ flutschen. 19. Jh.
durchforsten *tr* etw durchsuchen; nach etw fahnden. Fußt auf der Forstwirtschaft: durchforsten = schlechtgeformte oder kranke Baumstämme fällen. 1930 *ff.*
durchfranzen *v* **1.** jn ~ = einen Fahrer durch eine Ortschaft geleiten. ⁊ franzen. 1935 *ff.*
2. sich ~ = sich hier und dort nach dem Weg erkundigen. *Sold* 1939 *ff.*
durchfressen *v* **1.** etw bis zum bitteren Ende durchessen. Beruht auf der Vorstellung von der Suppe, die man auslöffeln muß. Seit dem späten 19. Jh.
2. sich ~ = auf Kosten anderer sein Leben fristen. Man ißt mal hier, mal da, bis man die Runde durchlaufen hat und beim Ausgangspunkt erneut beginnt. 19. Jh.
3. sich ~ = sich unter Mühen durchsetzen; sich durch eine schwierige Sache hindurcharbeiten. Geht vielleicht zurück auf das Märchen vom Schlaraffenland oder beruht ebenfalls auf der Metapher von der auszulöffelnden Suppe. 1600 *ff.*
durchfretten *refl* sich kümmerlich forthelfen; sich durchwinden. ⁊ fretten. Vorwiegend *oberd,* 19. Jh.
durchfrickeln *refl* sich schlecht und recht durcharbeiten. ⁊ frickeln. 1800 *ff.*
durchfuttern *v* **1.** jn ~ = jn mitbeköstigen. ⁊ futtern. 1900 *ff.*
2. sich ~ = sich mühsam ernähren; abwechselnd bei anderen Leuten essen. 1900 *ff.*

3. sich ~ = sich mühsam durch eine Schwierigkeit hindurchwinden. *Vgl* ⁊ durchfressen 3. 1900 *ff.*
Durchgang *m* auf ~ schalten = Anzüglichkeiten oder Anspielungen absichtlich überhören. Hergenommen von der Ohne-Halt-Fahrt eines Eisenbahnzuges oder Variante von „zum einen ⁊ Ohr hinein-, zum anderen hinausgehen". 1930 *ff.*
Durchgänger *m* **1.** Mensch, der die Nacht zum Tage macht; leichtsinniger Mann. Eigentlich das wilde, unbändige Pferd. *Nordd* 1800 *ff.*
2. haltloser Mensch; untreuer Ehemann o. ä. 19. Jh.
3. Soldat, der seinen Urlaub überschritten hat. *Sold* in beiden Weltkriegen.
4. Entsprungener; Flüchtender; Überläufer. 19. Jh.
Durchgebrannter *m* **1.** Flüchtender, Entsprungener. ⁊ durchbrennen. 1920 *ff.*
2. hochprozentiger Schnaps. Er ist bis zum letzten gebrannt. Seit dem frühen 20. Jh.
durchgebraten *adj* listig ausgedacht; erfahren im Umgang mit den Mitmenschen. Analog zu ⁊ ausgekocht. Fliegerspr. 1939 *ff.*
durchgedreht sein durch geistige Arbeit überanstrengt sein; verwirrt sein. Übernommen von Maschinen und Geräten, in denen der Werkstoff seine Form verliert: er wird zermahlen, zerquetscht, zerkleinert o. ä. Man denke vor allem an den Fleischwolf des Metzgers. Seit dem späten 19. Jh.
durchgehen *impers* es geht einem durch und durch = es berührt einen seelisch sehr tief. *Vgl* „es geht einem durch ⁊ Mark und Bein". 1800 *ff.*
durchgepustet sein die Fenster und Türen bei einem Luftangriff eingebüßt haben. Da kann der Wind ungehindert durch die Wohnung blasen. 1941 *ff,* ziv.
durchgrammeln *refl* seine Zeit mit unnützen Dingen verbringen; seine Zeit durch Vorspiegelung von Fleiß verbringen. 1900 *ff.*
durchhaben *tr* etw ausgelesen haben; einen Nagel durchgeschlagen haben; etw zu Ende behandelt haben. 1700 *ff.*
durchhacken *tr* eine Sache vereinfachen. Wohl hergenommen vom Durchschlagen des Gordischen Knotens. 1930 *ff.*
durchhageln *intr* in der Prüfung versagen. Der Prüfling fällt wie Hagel nieder, er wird niedergeschmettert. 1900 *ff,* schül.
durchhängen *intr* **1.** (in der ersten Urlaubswoche) kraftlos sein. Hergenommen vom nicht straff gespannten Seil. 1950 *ff.*
2. sich seinem Rauschgiftrausch überlassen. 1970 *ff.*
3. lustlos sein. 1970 *ff.*
4. die Beherrschung verlieren. 1970 *ff,* schül.
5. betrunken sein. 1970 *ff,* halbw.
Durchhänger *m* **1.** Aufmerksamkeitsfehler des Schauspielers. Die Aufmerksamkeit ist nicht straff gespannt. 1950 *ff,* theatersprachlich.
2. Zeitspanne der Erfolg-, Mutlosigkeit o. ä.; Energieverlust. 1970 *ff.*
durchhauen *v* **1.** etw ~ = etw durchschlagen; durch etw schlagen; etw zerteilen. ⁊ hauen 1. Seit *mhd* Zeit.
2. jn ~ = jn verprügeln. 1600 *ff.*
3. *intr* = die feindlichen Linien durchbrechen (und weit ins Hinterland des Geg-

ners vordringen). *Sold* in beiden Weltkriegen.
4. *intr* = alle Stiche einheimsen. Kartenspielerspr. 1900 *ff.*
5. ohne Anhalten fahren; nicht zwischen Ausgangs- und Zielbahnhof halten. 1920 *ff.*
6. es haut durch = es hat Erfolg. Aus dem Militärischen (⁊ durchhauen 3) übertragen auf künstlerische oder kaufmännische Gegebenheiten. 1950 *ff.*
7. in der Schule nicht versetzt werden. Sachverwandt mit ⁊ durchfallen 1. 1900 *ff.*
8. sich ~ = Hindernisse überwinden. Derber für „sich durchschlagen" (durch eine entgegenstehende Gruppe o. ä.). 1900 *ff.*
9. sich ~ = kümmerlich leben. Man schlägt sich durch das Leben. 19. Jh.
durchhecheln *tr* jn bis ins einzelne tadeln; das Verhalten eines Menschen streng bekritteln; über einen in dessen Abwesenheit mißgünstig äußern. Hergenommen von der Hechel, durch die der Flachs zum Säubern gezogen wird. 17. Jh. *Vgl* engl „to heckle".
durchholzen *tr* jn verprügeln. Der Prügelstock heißt „Holz". 19. Jh.
durchixen *tr* einen Schreibmaschinentext durch die X-Taste ungültig machen. ⁊ ausixen. 1920 *ff.*
durchjagen *v* eine ~ = Kurzschluß verursachen. Hinter „eine" ergänze „Sicherung". 1920 *ff.*
durchjubeln *v* den Motor ~ lassen = im Stand den Motor auf Höchstleistung bringen. Der Klang wird immer heller. 1960 *ff.*
durchkauen *tr* etw ausführlich besprechen; etw mühsam studieren, geistig verarbeiten. Man zerkaut es gründlich wie einen Bissen. 1800 *ff.*
durchklopfen (-kloppen) *v* **1.** jn ~ = jn verprügeln. ⁊ klopfen. 1700 *ff.*
2. sich ~ = sich durchsetzen. Analog zu ⁊ durchhauen 8. *Schül* 1970 *ff.*
durchknallen *v* **1.** etw ~ = etw gewaltsam, nachdrücklich durchsetzen. Fußt auf der Vorstellung, daß einer mit knallenden Peitschenschlägen vorgeht. 1950 *ff.*
2. etw ~ = etw durchpausen. Ähnlich der Herstellung der Durchschrift mittels Schreibmaschine: die Tasten niederdrücken = schlagen. 1900 *ff.*
3. *intr* = die Nacht hindurch zechen. ⁊ knallen. 1900 *ff.*
4. *intr* = in der Prüfung versagen. Das starke Geräusch dient zur Angabe der Schwere des Scheiterns. 1900 *ff.*
durchknautschen *tr* etw gründlich, von allen Seiten besprechen. Man arbeitet es durch wie Brotteig. 1840 *ff.*
durchkneten *tr* **1.** jn ~ = jn gefügig machen. Man behandelt ihn wie Teig, dessen Bestandteile sich durch Kneten gleichmäßig verteilen. 1900 *ff.*
2. jn ~ = jn quälen, drillen, umherhetzen. Kann auch von der Massage übernommen sein. 1900 *ff,* sold.
durchkommen *intr* **1.** eine Gefahr bestehen; sich durchringen. Verkürzt aus „durch ein Hindernis hindurchgelangen". 19. Jh.
2. die Prüfung bestehen; in der Schule versetzt werden. 19. Jh.
3. den Fernsprechteilnehmer erreichen ohne Besetztzeichen. 1960 *ff.*

durchkrabbeln *refl* mühsam eine schwierige Lage überwinden; mühsam seinen Unterhalt verdienen. ↗ krabbeln. 19. Jh.

durchkrachen *intr* in der Schule nicht versetzt werden; in der Prüfung scheitern. ↗ durchknallen 4. 1900 *ff.*

durchkratzen *refl* in schlechten Vermögensverhältnissen leben; sich mühsam ernähren. ↗ kratzen. 1910 *ff.*

durchkriegen *tr* **1.** ein Buch zu Ende lesen können. 1900 *ff.*
2. einer Sache zum Erfolg verhelfen. Fußt auf der Vorstellung von der Überwindung eines Hindernisses. 19. Jh.
3. etw durchbringen, verprassen. Man bringt Geld durch die Finger. 1800 *ff.*
4. etw bis zum Ende durchstehen. 19. Jh.
5. einem Kranken zur Genesung verhelfen; jn aus einer Notlage befreien. 1800 *ff.*
6. den Nagel durchschlagen, das Brett durchbohren können. 1900 *ff.*

durchkurbeln *refl* durch Kurvenfliegen sich der Gefahr entziehen. ↗ kurbeln. Fliegerspr. 1939 *ff.*

durchläppern *refl* mit Mühe sein Auskommen finden; sich durch eine Schwierigkeit hindurcharbeiten. ↗ läppern. 1800 *ff.*

durchlassen *tr* **1.** jm etw ~ = jn wegen einer Sache nicht zur gebührenden Verantwortung ziehen. Verkürzt aus „durchgehen lassen". 1800 *ff.*
2. jn ~ = jn scharf kritisieren, tadeln. Übertragen vom Sieb, mit dem man Grobes vom Feinen sondert, oder analog zu „↗ durchhecheln". 19. Jh.
3. jn ~ = jn veralbern. 19. Jh.
4. jn ~ = jn gründlich prügeln, plagen. Ebenfalls vom „Durchhecheln" übertragen. 19. Jh.
5. jn ~ = jn die Prüfung mit knapper Not bestehen lassen. 1900 *ff.*

'durchleiern *tr* etw eintönig berichten. ↗ leiern. *Jug* 1950 *ff.*

durch'leuchten *tr* **1.** jds Wesensart zu ergründen suchen; jds Vergangenheit zu ermitteln suchen. Hergenommen von den Röntgenstrahlen. 1920 *ff.*
2. jn einer psychologischen Eignungsuntersuchung unterziehen. 1950 *ff.*
3. etw gründlich untersuchen, überprüfen. 1920 *ff.*

durch'löchern *tr* **1.** eine Stellung sturmreif schießen. Man schießt Breschen in die Festung. *Sold* 1914 *ff.*
2. die gegnerische Abwehr über-, ausspielen. *Sportl* 1950 *ff.*
3. jn durch eine Gewehrsalve töten. *Sold* 1939 *ff.*
4. jn anhaltend ausfragen. Die Fragen kommen wie Gewehrschüsse. *Sold* 1939 *ff.*
5. jn starr anblicken, mit abfälligen Blicken (Bemerkungen) bedenken. 1950 *ff.*
6. etw in seiner Wirkung schwächen. 1920 *ff.*

durchmachen *v* **1.** *intr tr* = die Nacht zum Tage machen; eine Nacht ausgelassen verleben. Durch = bis zum Ende; ohne Unterbrechung. 19. Jh.
2. *intr* = das ganze Jahr hindurch in Betrieb sein. 1950 *ff.*
3. *intr* = beim Kartenspiel alle Stiche machen. Durch = von Anfang bis Ende. 19. Jh.
4. Geld ~ = Geld durchbringen. 19. Jh.

5. sich ~ = fliehen. Verkürzt aus „sich durch die ↗ Lappen machen". 19. Jh.

Durchmacher *m* Ruhrkranker. Er verspürt nahezu ununterbrochenen Stuhldrang. 1914 *ff.*

Durchmarsch *m* **1.** Durchfall. Meint eigentlich den Durchzug durch einen Ort, ohne Halt zu machen; von da übertragen auf die Speise, die zwischen Magen und After nicht Halt macht. Etwa seit 1860.
2. Kartenspiel, bei dem die Mitspieler keinen Stich machen. 1900 *ff.*
3. stete Folge von Siegen. *Sportl* 1970 *ff.*

durchmausen *tr* etw durchstöbern. Man stöbert heimlich und lautlos wie eine Maus. 19. Jh.

durchmurmeln *tr* etw eingehend besprechen. 1950 *ff.*

'Durchnacht *f* Nacht in ihrer ganzen Dauer. Im bäuerlichen Lebensbereich früher bezogen auf das Spinnstubenfest vor Weihnachten und auf die mit Feiern ausgefüllte Silvesternacht. Heute bezogen auf das Nachtleben in den Großstädten.

durchnähen *tr* **1.** jn verprügeln. ↗ nähen. 18. Jh.
2. durch Näharbeiten für jds Lebensunterhalt sorgen. 1920 *ff.*

durchnehmen *tr* über einen Abwesenden mißgünstig sprechen. Analog zu ↗ durchhecheln. 1700 *ff.*

durchnuddeln *refl* ein Spiel mit knapper Not gewinnen. ↗ nuddeln. Kartenspielersspr. 1900 *ff.*

durchnumerieren *tr* hast du alles durchnumeriert?: Drohfrage. Versteht sich nach ↗ Knochen 53. *Schül* 1960 *ff.*

durchpampeln *refl* viel Glück im Leben haben. ↗ pampeln. 1955 *ff, halbw.*

durchpäppeln *v* **1.** *tr* = jn mühsam beköstigen. ↗ päppeln. 1920 *ff.*
2. *refl* = sein Dasein fristen. 1920 *ff.*

durchpauken *v* **1.** *tr* = jn prügeln. ↗ pauken. 1800 *ff.*
2. einen Unterrichtsstoff gründlich, wiederholt vortragen. 19. Jh.
3. die Zeit mit geistlosem Lernen verbringen. 1910 *ff.*
4. eine Sache durchsetzen, verfechten. Hergenommen vom studentischen Fechten. 1900 *ff.*
5. sich ~ = sich durchsetzen. 1900 *ff.*

durchpeitschen *tr* etw mit Nachdruck, überschnell betreiben; einen Rechtsstreit durchsetzen; ein Gesetz mit Energie zur Abstimmung bringen. Übernommen von *engl* „to whip up = die Pferde mit der Peitsche antreiben". 1850 *ff.*

durchpelzen *tr* jn gründlich prügeln. ↗ pelzen. 1900 *ff.*

durchpieken *tr intr* durchstechen. ↗ pieken. 1900 *ff.*

durchplumpsen *intr* das Examen nicht bestehen. Mit einem Plumps fällt man durch. Das dumpfe Geräusch verrät die Tiefe des Fallens. Seit dem späten 19. Jh, *schül.*

durchprasseln *intr* in der Prüfung scheitern; in der Schule nicht versetzt werden. Prasseln = krachen. *Vgl* auch ↗ durchhageln. 1900 *ff.*

durchpusten *v* **1.** es pustet durch = es herrscht ein gewaltiger Feuersturm; durch Brände entsteht ein gewaltiger Sog. 1942 *ff.*
2. etw ~ = etw durchsehen, überprüfen, instandsetzen. Von Uhrmachern behaup-

tet man scherzhaft, sie pusteten lediglich in die Uhr und betrachteten dies als Reparatur. *Halbw* 1955 *ff.*
3. jm etw ~ = jm etw fernmündlich mitteilen. Hergenommen von der Rohrpost und danach übertragen auf das Telefon. 1930 *ff.*
4. sich ~ lassen = sich dem Wind aussetzen. 1900 *ff.*

durchquetschen *tr* **1.** jm durch eine Prüfung helfen. Man preßt ihn mühsam, mit Nachhilfe durch die Schwierigkeit hindurch. 1930 *ff.*
2. jn gefügig machen; jn scharf einexerzieren. Analog zu „↗ durchkneten 2". 1930 *ff.*

durchrasseln *intr* **1.** in der Prüfung versagen. Übertragen vom Sieben des Hafers: das schlechte Korn rasselt durch die Löcher des Siebs. 1870 *ff, schül.*
2. vom Publikum abgelehnt werden. 1920 *ff.*

durchregnen *v* bei ihm regnet es durch = er ist unzurechnungsfähig, nicht recht bei Verstande. Der Betreffende hat einen ↗ Dachschaden. 1910 *ff.*

Durchreise *f* Einkaufsbesuch der Vertreter von Einzelhandel, Warenhäusern und Verbänden in Berlin; Vorführung der kommenden Mode in Berlin. Anfangs nannte man so die Reise der Einkäufer der Mantel- und Kleiderfabriken nach Sachsen und Thüringen mit Durchreise über Berlin. 1880 *ff,* kaufmannsspr.

durchreißen *refl* **1.** eine Krankheit überstehen. Man reißt seine Kräfte zusammen, um durch eine Schwierigkeit hindurchzugelangen. 1900 *ff.*
2. sich aufraffen; neuen Lebensmut schöpfen. 1900 *ff.*

Durchreißer *m* **1.** großer Könner; Wegbereiter; Helfer in der Not. Er reißt die gegnerischen Linien auf und stürmt hindurch; er wirkt mitreißend. 1950 *ff.*
2. Spieler, der die gegnerische Deckung durchbricht. *Sportl* 1950 *ff.*
3. Ware, die den Handel stark belebt. 1960 *ff.*

durchrotzen *v* **1.** *intr* = ohne Unterbrechung fahren. Fußt auf *jidd* „ruzen = laufen", beeinflußt von „rotzen = schnell schießen". *Sold* 1939 *ff.*
2. sich ~ = ein Kartenspiel mit Mühe gewinnen. Rotz = Spielkasse. Seit dem späten 19. Jh.

durchrufen *intr* telefonieren. So lange rufen, bis sich der Gewünschte meldet. 1950 *ff.*

durchrutschen *v* **1.** *tr* = ein Kleidungsstück durch oftmaliges Gleiten (vor allem am Hosenboden) abnutzen. 1900 *ff.*
2. *intr* = in der Schule mit knapper Not versetzt werden; die Prüfung mit knapper Not bestehen. Beruht auf der Vorstellung vom „Sieben = Aussondern". Seit dem späten 19. Jh.
3. *intr* = bei der Musterung für wehrdienstuntauglich erklärt werden. 1900 *ff.*
4. *intr* = bei einem Verstoß gegen Vorschriften nicht ertappt, nicht belangt werden. Man gleitet durch die Maschen des aus Ge- und Verboten geknüpften Netzes. 1900 *ff.*
5. es ist ihm durchgerutscht = es ist ihm unterlaufen, entschlüpft. Es ist zwischen den Lippen durchgeschlüpft. 1900 *ff.*

Durchsage *f* Ende der ~ = ich habe gesprochen; ich äußere mich nicht weiter; ich habe nichts hinzuzusetzen. Hergenommen von der durch Funk oder Fernsehen verbreiteten Kurzmitteilung. 1960 *ff*.

durchsaufen *v* **1.** *intr* = die Nacht hindurch zechen. 19. Jh. **2.** man säuft sich durch: Antwort auf die Frage nach dem Befinden. 1950 *ff*.

durchsausen *intr* die Prüfung nicht bestehen. Man scheitert mit der Geschwindigkeit des sausenden Windes oder der durch das Sieb fallenden Körner. Seit dem späten 19. Jh, *schül* und *stud*.

durchschaukeln *refl* sich bemühen; Hindernisse listig überwinden. ↗schaukeln. 1950 *ff*.

durchschießen *refl* durch viele Tortreffer in die Spitzenmannschaft gelangen. 1970 *ff*.

durchschlafen *refl* durch wechselnden Geschlechtsverkehr mit einflußreichen Leuten Karriere machen. 1950 *ff*.

durchschlagen *v* **1.** *tr* = etw unwiderruflich vereinbaren. Geben die Wettenden einander die Hände und schlägt ein Dritter mit seiner Hand durch, so ist die Abmachung unwiderruflich geschlossen. 1800 *ff*. **2.** es schlägt durch = es verursacht Durchfall. 1920 *ff*. **3.** sich ~ = mühsam seinen Lebensunterhalt erwerben. Man bahnt sich einen Weg durch die Schwierigkeiten, wie man sich mit dem Haumesser einen Pfad durch den Dschungel schlägt. 1800 *ff*.

durchschleifen *tr* jm mit großer Mühe weiterhelfen. Mit schleifenden Beinen bringt man ihn durch die Schwierigkeit hindurch. 1930 *ff*.

durchschleudern *tr* jn gehässig bekritteln. Fußt auf „↗durchhecheln" unter Einfluß des Schleudervorgangs in modernen Waschmaschinen. 1960 *ff*.

durchschleusen *tr* **1.** jn durch eine Kontrollstelle bringen; einer Überprüfung (Untersuchung) unterziehen. Hergenommen vom Durchschleusen der Schiffe durch Stauschleusen. *Sold* 1939 *ff*. **2.** jn vom Flughafen abholen, sein Gepäck befördern und ihn zu Veranstaltungen, Besichtigungen usw. fahren. 1965 *ff*.

durchschlitteln *intr* in der Prüfung scheitern. Meint eigentlich „mit der Geschwindigkeit des abwärtssausenden Schlittens versagen". *Schweiz* 1920 *ff*.

durchschmeißen *tr* **1.** jn schlecht beurteilen; jds Leistungen nicht anerkennen. ↗durchlassen 2. 1920 *ff*. **2.** jn die Prüfung nicht bestehen lassen; jn nicht in die nächsthöhere Klasse versetzen. 1920 *ff*.

'durchsehen *intr* klarsehen; überblicken. *Vgl* ↗durchblicken. 1900 *ff*.

durchsein *intr* **1.** in etw ~ = etw glücklich überstanden haben; sich erfolgreich durchgesetzt haben; etw sehr genau kennen. Man ist in der Prüfung gut durchgekommen; man hat den Stoff gründlich durchgearbeitet o. ä. 1900 *ff*. **2.** bei jm ~ = jds Achtung eingebüßt haben. ↗untendurch sein. 1900 *ff*. **3.** mit etw ~ = eine Krankheit überstanden haben. 1800 *ff*. **4.** sich wundgelaufen (wundgeritten) haben. Das unter der Haut liegende Gewebe kommt zum Vorschein. 1800 *ff*. **5.** durchlöchert, durchgewetzt, zerrissen, entzwei sein. 18. Jh.

6. der Käse ist durch = der Käse ist vollreif, völlig weich, durchgeweicht. 19. Jh. **7.** der Zug ist durch = der Eisenbahnzug ist vorbeigefahren, hat den Bahnhof verlassen. 19. Jh. **8.** der Nagel ist durch = der Nagel ist durchgeschlagen. 19. Jh. **9.** ich bin durch = ich habe die Schwierigkeit überwunden; ich habe die Prüfung bestanden. 1700 *ff*. **10.** ich bin durch = ich bin geflohen. Verkürzt aus „durchgegangen sein". 19. Jh. **11.** den Instanzenweg erfolgreich durchlaufen. 1920 *ff*. **12.** nach langer Mühe den Fernsprechteilnehmer erreichen, „zu ihm durchgedrungen sein". 1920 *ff*. **13.** ein Buch mit ~ = etw zu Ende gelesen haben; einen Unterrichtsstoff zu Ende behandelt haben. 1700 *ff*. **14.** dicke ~ = Erfolg gehabt haben; etw günstig beendet haben. ↗dicke 5.

durchsieben *tr* **1.** jds Wesensart und Vorleben genau prüfen. Im Sieb wird das Grobe vom Feinen gesondert. 1910 *ff*. **2.** auf jn eine Feuersalve abgeben. Nach 1945 aufgekommen im Gefolge der Kriminalromane und -filme. 19. Jh.

durchsitzen *v* **1.** *intr* = eine Schulklasse mehrmals durchlaufen. Man bleibt ohne Unterbrechung in derselben Klasse sitzen. Spätestens um 1900. **2.** sich ~ = a) sich wundsitzen. ↗durchsein 4. 19. Jh. – b) einen Besuch ungebührlich lange ausdehnen. 1910 *ff*.

durchspielen *tr* etw probeweise erörtern. Aus der Theatersprache übernommen. 1950 *ff*.

durchstarten *intr* **1.** Essen nachholen. Hergenommen vom Flugwesen: das zur Landung ansetzende Flugzeug wird nochmals hochgerissen und über die Landepiste weggeführt. Man nimmt nochmals den Anflug, wie man einen „↗Nachschlag" nimmt. *Sold* 1939 *ff*. **2.** in der freien Entwicklung nicht länger gehemmt werden; ungehindert vorankommen. Anstatt vollends zu Boden, geht es nun wieder aufwärts. 1950 *ff*, Politikersprache. **3.** voll ~ = die berufliche Laufbahn umsichtig und tatkräftig gestalten. 1950 *ff*.

durchsteigen *intr* begreifen, ergründen. Variante zu „durchdringen". Der Bergsteiger durchsteigt eine Felswand, einen Kamin, eine Grotte. 1920 *ff*.

'durch'stenzen *refl* ohne geregelte Arbeit sein Auskommen finden. Meint eigentlich „von Zuhältern leben" und also „von anderer Leute Arbeit leben". ↗Stenz. 1920 *ff*.

Durchstich *m* Defloration. 1910 *ff*.

durchtanken *refl* **1.** die gegnerische Verteidigung durchbrechen. Wie mit einem gepanzerten Fahrzeug (= Tank) bricht man die gegnerischen Linien auf. *Sportl* 1950 *ff*. **2.** sich mit Gewalt durchsetzen. 1950 *ff*.

durchtrieben *adj* **1.** verschlagen, lebenserfahren, schlau. Gehört zu „durch ein Sieb treiben" und also analog zu „↗abgefeimt". Seit *mhd* Zeit. **2.** abgesucht; genau ermittelt; gefahrlos; feindfrei. Stammt aus der Jägersprache: bei der Treibjagd wird der Wald durchzo-

gen und das Wild zusammengetrieben. *Sold* 1939 *ff*.

durchtun *tr* etw leichtfertig ausgeben. Analog zu ↗durchmachen 4. 19. Jh.

durchwachsen *adj adv* **1.** uneinheitlich, schnell wechselnd (von der Witterung gesagt). Hergenommen vom Fleisch mit fetten und mageren Schichten oder Durchwachsungen. Seit dem späten 19. Jh. **2.** vierzigjährig. Der Betreffende ist nicht mehr jung, aber auch noch nicht alt. 1960 *ff*. **3.** *adv* = gehörig, gründlich. Aus „gut durchwachsen" ergibt sich die Bedeutung „wie es sich gehört" und von da weiter zu „heftig, tüchtig". 1900 *ff*. **4.** gut ~ = mittelgroß, kräftig; üppige Formen besitzend. 1900 *ff*. **5.** ihm geht es ~ = ihm geht es nicht gut und nicht schlecht; ihm geht es erträglich. 1970 *ff*.

durchwärmen *tr* jn auf ein kommendes angenehmes Ereignis hinweisen; jn für etw geneigt machen. Analog zu ↗anheizen. 1920 *ff*.

durchwinken *tr* dem Kraftfahrer durch einen Wink die Fahrt freigeben. 1920 *ff*.

durchwitschen *intr* durchschlüpfen; mit knapper Not entkommen. ↗witschen. 1700 *ff*.

durchwürgen *refl* sich mühsam voranarbeiten. Fußt auf dem Märchen vom Schlaraffenland: wer das Schlaraffenland betreten wollte, mußte sich zunächst durch eine dicke Breischicht hindurchessen. 19. Jh.

durchwutschen *intr* entkommen, entwischen. Nebenform von „↗durchwitschen". 1800 *ff*.

durchziehen *tr* **1.** jn scharf kritisieren; üble Nachrede in führen. Analog zu ↗durchhecheln. 1500 *ff*. **2.** koitieren. Hergenommen vom Reinigen des Gewehrlaufs; hierbei wird ein Wergstreifen hin- und hergezogen. 19. Jh. **3.** einen ~ = schlafen; ununterbrochen schlafen. *BSD* 1960 *ff*. **4.** einen ~ = ein Glas Alkohol trinken. Man leert das Glas bis zum Ende oder hält mit den Kameraden bis zum Ende der Zecherei mit. *Halbw* 1955 *ff*. **5.** eine ~ = eine Zigarre (Zigarette) bis zum Ende rauchen. Den Zigarettenrauch zieht man durch die Lunge. *Sold* 1939 *ff* bis heute. **6.** einen ~ = Marihuana rauchen. *Halbw* 1970 *ff*.

Durchzieher *m* **1.** schwere Duellnarbe (vom Ohr bis zur Nase); Hieb. Dieser Fechthieb spaltet die Wange. 1800 *ff*, *stud*. **2.** Scheitel, der über den Wirbel hinausreicht. Er wird mit dem Kamm gezogen. Seit dem späten 19. Jh.

Durchzug *m* **1.** Mischen der Spielkarten. Man läßt frische Luft in sie hinein. 1950 *ff*, kartenspielerspr. **2.** ~ haben = an Blähungen leiden. *Westd* 1920 *ff*. **3.** ~ in den Ohren haben = eine Mahnung nicht beherzigen. Sie geht „zum einen ↗Ohr hinein, zum anderen hinaus". 1930 *ff*. **4.** ~ machen = viel schwatzen. Durch die Lippenbewegung entsteht Durchzug. 1950 *ff*.

dürfen *v* Sie ~ mich!: Ausdruck der Abweisung. Gekürzt aus „Sie dürfen mich am Arsch lecken!". Die derbe Aufforderung ist in eine freundliche Erlaubnis umgewandelt. 1950 ff.

durmelig adj ↗ dormelig.

durmeln intr ↗ dormeln.

Durst m **1.** den ~ beerdigen = zechen. 1930 ff. **2.** eins (einen) über den ~ getrunken haben = (leicht) betrunken sein. Beschönigende Redensart. 1500 ff. **3.** ich habe so ~, daß ich vor Hunger nicht weiß, wo ich über Nacht bleiben soll. Scherzhaft-unsinnige Redewendung eines Durstigen. Spätestens seit 1900. **4.** ~ ist schlimmer als Heimweh: Redensart eines erfahrenen Trinkers. 1935 ff (wohl viel früher). **5.** ~ wird erst schön durch Bier. ↗ Bier 7.

Durststille f kleine Gastwirtschaft. Scherzhaft verdeutscht aus „↗ Destille". Seit dem späten 19. Jh, Berlin.

Durststrecke f **1.** als bösartig empfundene Entfernung von einer Kneipe zur anderen oder von zuhause zur ersten Kneipe. Meint eigentlich eine Strecke, die durch ein Gebiet ohne Wasser(stelle) führt. Seit dem frühen 20. Jh. **2.** Zeitspanne zwischen zwei Erfolgen (Glücksfällen, spannenden Romanteilen); Zeit der Entbehrung; Geldknappheit zwischen zwei Zahltagen. Seit dem frühen 20. Jh. **3.** sehr niedriger Wasserstand eines Flusses. 1900 ff. **4.** Spielzeit ohne Tortreffer. Sportl 1976 ff.

Dusche f **1.** Entmutigung durch eine Niederlage. Meint das Tropf- oder Brausebad. 1920 ff, sportl. **2.** eine kalte ~ bekommen = plötzlich in seinen Erwartungen empfindlich enttäuscht werden; zwangsweise ernüchtert werden. 19. Jh.

duschen v **1.** jn ~ = einem Übermütigen Einhalt gebieten; jn in seinen angenehmen Erwartungen enttäuschen. 1900 ff. **2.** es duscht = es regnet stark. 1930 ff. **3.** jn kalt ~ = a) jm eine Abfuhr erteilen. 1910 ff. – b) jm eine sportliche Niederlage bereiten. Sportl 1920 ff. – c) jm einen Menschen abspenstig machen. 1950 ff, halbw.

Düse f **1.** Gaspedal, Drehgriff. Vom Düsentriebwerk hergenommen. Österr 1939 ff. **2.** After. Eigentlich das verengte Rohrende für den Auslaß von Gasen. 1939 ff. **3.** Düsenflugzeug. 1960 ff. **4.** Kraftfahrzeug. 1960 ff. **5.** Schimpfwort. Wohl soviel wie „du Stinker!" Vgl ↗ Düse 2. BSD 1960 ff. **6.** ihm geht die ~ = er hat Angst. ↗ Düse 2. Sold 1939 ff.

Dusel (gesprochen mit langem Vokal und weichem s) m **1.** Taumel; Dämmerzustand, Halbschlaf; Schwindelgefühl; Schwinden der Sinne; Trunkenheit. Fußt auf einem germanischen Adjektiv in der Bedeutung „töricht, schwindlig". 1500 ff. **2.** unverhofftes, unverdientes Glück. Aus dem Begriff „Schläfrigkeit" weiterentwik-

kelt zur Bedeutung „Glück"; denn laut Psalm 127, 2 „gibt es der Herr den Seinen im Schlaf". Etwa seit 1850.

Duselier (Endung franz ausgesprochen) m **1.** Bezechter. ↗ Dusel 1. 1870 ff. **2.** vom Glück Begünstigter. ↗ Dusel 2. 1870 ff.

duseln intr im Halbschlaf liegen. ↗ Dusel 1. 1800 ff.

düsen intr **1.** mit einem Düsenflugzeug fliegen. 1960 ff. **2.** rasch fahren; rasch laufen. 1960 ff. **3.** schlafen. Mit „↗ dösen" gekreuzt. BSD 1960 ff.

Düsenjäger m **1.** starker Wein o. ä. Die Wirkung stellt sich sehr schnell ein. Sold 1939 bis heute. **2.** wie ein ~ = sehr schnell. 1950 ff.

Düsenmieze f Flugzeugstewardeß. ↗ Mieze. 1960 ff.

Düsenmucke f Düsenjäger. Mucke = Fliege; ↗ Fliege = Flugzeug. 1955 ff, schül.

Düsenschluß m Verstopfung. ↗ Düse 2. Sold 1939 ff.

Düser m Motorrad, Moped. Düse = Auspuff. Halbw 1955 ff.

Dussel (gesprochen mit kurzem Vokal und weichem Doppel-s) m **1.** Benommenheit, Gedankenlosigkeit, Betäubung o. ä. Durch Vokalkürzung aus „↗ Dusel 1" entstanden. Nordd 1700 ff. **2.** schläfriger, einfältiger, dümmlicher Mensch. 1800 ff.

Dusselchen n dümmliches Mädchen. 1900 ff.

Dusselei f Schlaftrunkenheit, Gedankenlosigkeit o. ä. ↗ Dussel 1. Spätestens seit 1800.

dusselig (**dusslig, dusslich, duselig, duslig**) adj **1.** betäubt, schwindlig, unachtsam, verträumt, langweilig, dümmlich, unbeholfen o. ä. ↗ Dussel 1. 17./18. Jh. **2.** jn für ~ kaufen = jn als dumm behandeln. Berlin 1920 ff. **3.** jm ~ kommen = gegenüber jm Dummheit heucheln; sich gegenüber jm dumm benehmen; anzügliche Bemerkungen gegen jn äußern. 1900 ff. **4.** jn ~ quatschen = jn beschwatzen. 1900 ff.

dusseln intr gedankenlos leben; im Halbschlaf dahindämmern. ↗ Dussel 1. 1600 ff.

Dutt m **1.** Kopf, Schädel. Meint eigentlich den Haufen, die kleine Erderhebung. 19. Jh, nordd. **2.** Knäuel, Klumpen, Handvoll. 1800 ff, nordd. **3.** Haarknoten; hochgerollter Frauenzopf; kleiner Frauenhut. 1850 ff. **4.** falscher ~ = künstliche Unterlage einer Hochfrisur. 1950 ff. Wohl älter. **5.** jm eins auf den ~ geben = a) jm auf den Kopf schlagen. 1900 ff. – b) jn vernichten. 1900 ff. **6.** in den ~ gehen = entzweigehen. Analog zu „in den ↗ Klump gehen". 1900 ff.

7. etw (jn) in den ~ hauen = etw (jn) zusammenschlagen. Nordd 1920 ff. **8.** ihm platzt der ~ = er braust auf. ↗ Dutt 1. 1950 ff.

Dutte (Tutte; Dutteln) f **1.** Frauenbrust. Ablautform von ↗ Titte. Oberd 15. Jh. **2.** Saugflasche für Säuglinge. Oberd 19. Jh. **3.** üppig entwickeltes Frauengesäß. Fußt auf poln „dupa = Gesäß" und ist an „Dutte" angeglichen. Nordd und ostmitteld 1900 ff. **4.** vollschlanke weibliche Person. Nordd und ostmitteld 1900 ff.

Dutzend n **1.** im ~ billiger = Großeinkauf macht sich bezahlt. Fußt auf dem deutschen Titel des Romans von Frank Gilbreth und Ernestine Gilbreth-Carey (1951). 1960 ff. **2.** davon gehen zwölf aufs ~: Ausdruck mittelmäßiger Anerkennung. 1900 ff. **3.** einer vom ~ sein = geistesbeschränkt sein. Berlin 1955 ff, halbw.

Dutzendgesicht n Gesicht ohne individuellen Ausdruck. 1920 ff.

Duzbruder m Mann, den man mit „du" anredet, ohne mit ihm verwandt zu sein. 1600 ff.

Duzfreund m Engbefreundeter. 1900 ff.

Duzfuß m auf dem ~ stehen = einander duzen. 19. Jh.

Duznudel f Mädchen, das sich schnell das „Du" anbieten läßt. ↗ Nudel 4. 1960 ff.

Duz-Spezi m Freund. ↗ Spezi. 1920 ff.

dwars adj verkehrt, widersinnig. Eigentlich Genitiv zu mittelniederd „dwer"; verwandt mit „zwerch" und „quer". Seemannssprachlich steht „dwars" auch für „schräg". Nordd 1700 ff.

dwatsch adj albern, verrückt, verschroben. ↗ Quatsch. Nordd 17. Jh.

Dynamit n **1.** stark anregende Droge; Aufputschmittel. Wirkt sprengstoffartig. 1950 ff. **2.** sehr eindrucksvoller Mensch. Analog zu ↗ Bombe 1. 1950 ff. **3.** ~ im Tank = hohe Fahrgeschwindigkeit. 1950 ff. **4.** ~ im Fuß (in den Beinen) haben = ein sehr stoßkräftiger Fußballspieler sein. 1950 ff.

Dynamitladung f schnell wirkendes (verbotenes) Mittel zum Dopen. 1955 ff.

D-Zug m **1.** mit dem ~ durch die Kinderstube gefahren sein = keine guten Umgangsformen besitzen. 1920 ff. **2.** kein ~ sein = keine größere Geschwindigkeit erreichen; nicht schneller handeln können. Sold in beiden Weltkriegen.

D-Zug-Verkehr m absichtliches Nichtbeherzigen einer Mahnung. Man betreibt Durchgangsverkehr: es geht „zum einen ↗ Ohr hinein, zum anderen hinaus". 1955 ff.

E

Ebbe f **1.** Geldmangel. Vom Tiefstand des Meerwasserspiegels übertragen. 1700 ff.
2. ~ in der Kasse (im Portemonnaie, im Geldbeutel, im Hosensack) = Geldmangel. 18. Jh.
3. ich bin ~ = ich bin mittellos, habe kein Geld mehr. 1900 ff.
4. dann ist ~ = dann ist Schluß. Österr 1939 ff, jug.
5. totale ~ = Dummheit, Dummer. Schül 1960 ff.
eben adv nicht ~ = durchaus nicht; nicht sonderlich. Analog zu „nicht ↗grade" im Sinne einer Verneinungsmilderung oder eines abgeschwächten Superlativs. Verführt leicht zu grotesken Stilblüten: „ein nicht eben grade großer Flecken". 1700 ff.
Ebene f **1.** Bereich; gleichgeordnete Verwaltungseinheiten. Bei der Ebene gibt es keine Höhenunterschiede: auf derselben Ebene sind alle ranggleich und gleichrangig. Man spricht heute von Bundes-, Landes-, Minister-, Gewerkschafts- u. ä. Ebene. Das Wort, im selben Sinn vereinzelt schon im 19. Jh üblich, ist gegen 1933 erneut aufgelebt und um 1950 zum Modewort geworden.
2. auf die schiefe ~ geraten = moralisch verkommen; von den guten Sitten abkommen. Die geneigte Fläche ist das Sinnbild sittlichen Abgleitens. 1850 ff.
ebenso adv danke, ebensol: Antwort auf die Frage nach dem Befinden. Statt eine genaue Antwort zu geben, weicht man aus mit der Bemerkung, es gehe einem ebenso wie dem Fragesteller. 1930 ff.
Eber m **1.** stark entwickelter Penis. Von der Stärke des männlichen Schweins übertragen auf die Größe des Geschlechtsglieds. 1900 ff.
2. großer Glücksfall. Ist Steigerung von gleichbedeutendem „↗Schwein"; doch gilt es abergläubischen Menschen als gutes Vorzeichen, wenn ihnen ein Eber über den Weg läuft. 19. Jh.
3. wie ein angeschossener ~ = sehr schnell; heftig; erregt. Der angeschossene Eber läuft blindwütig um sein Leben. 19. Jh.
4. einen ~ kaschen = sehr viel Glück haben. ↗Eber 2. ↗kaschen. 1900 ff.
echt adj **1.** unübertrefflich. Bedeutungsentwicklung von „unverfälscht" zu „mustergültig". Halbw 1965 ff.
2. bezeichnend, typisch, charakteristisch. (Daß er wieder zu spät kommt, ist echt von ihm.) 1920 ff.
3. adv = wirklich; mit Fug und Recht (das ist zum Kauf echt nicht zu empfehlen). Die Bedeutungsentwicklung führt von „unverfälscht" über „rein" zu „wahr" und „rechtmäßig". Heute eines der modischsten Schwammwörter. 1960 ff.
4. ~ blöde = völlig blöde. Österr 1960 ff, jug.
5. ~ imitiert = unecht. 1930 ff.
6. er ist nicht ~ = er ist nicht aufrichtig, nicht vertrauenswürdig. ↗falsch. 1700 ff.
7. du bist wohl nicht ganz ~? = du bist wohl nicht recht bei Verstand? 1950 ff.
Echte f Zigarette ohne Filter. BSD 1960 ff.
Ecke f **1.** Wegstück, Endstück, Stück (das ist noch eine ganze Ecke = das ist noch ein

weiter Weg). Meint zunächst den von den zusammentreffenden Kanten gebildeten Raum, dann das Teilstück eines größeren Raumes und schließlich das Stück eines Ganzen. 1800 ff.
2. breitschultriger Mann. Er hat eckige Schultern. 1920 ff.
3. an allen ~n und Enden (Kanten) = überall. „Ecke" wie „Kante" meinen „Winkel". 1700 ff.
4. um drei ~n rum = auf verwickelte Weise; nicht unmittelbar. Fußt auf der Vorstellung vom Straßengewirr. 1900 ff.
5. feuchte ~ = Stammtisch. 1920 ff.
6. scharfe ~ = Straßenecke, an der sich Prostituierte aufhalten. Scharf = wollüstig. 1950 ff.
7. süße ~ = Eckgeschäft für Süßigkeiten. 1900 ff.
8. windige ~ = Gelände unter Beschuß; unsicherer, gefährlicher Platz. ↗windig. 1800 ff.
9. ihm haben sie eine ~ abgefahren = er hat eine schwere Verwundung erlitten. Übertragen von der Beschädigung einer Häuserecke oder eines entgegenkommenden Fahrzeugs. Sold 1939 ff.
10. dir haben sie wohl eine ~ abgefahren? = du bist wohl nicht recht bei Verstand? Berlin 1900 ff.
11. er ist ihm ist eine ~ ab (er hat eine ~ ab; ihm fehlt eine ~) = er ist eingebildet, närrisch, dumm. 1900 ff.
12. eine ~ auswischen = für jn Platz schaffen; einen Eckplatz freimachen. Versteht sich nach ↗Auge 29. Halbw 1950 ff.
13. jn um die ~ bringen = jn umbringen. Leitet sich her entweder von der Vorstellung, daß man jn um eine Häuserecke in einen dunklen Winkel treibt und dort tötet, oder meint mit „Ecke" die Schneide des Schwerts. 1800 ff.
14. etw um die ~ bringen = a) etw verderben, zertrümmern. 1920 ff. – b) etw einbehalten, beiseite bringen. 1920 ff.
15. sich um die ~ bringen = den eigenen Tod herbeiführen. 1920 ff.
16. um die ~ denken = nicht streng logisch denken; surrealist: dem Unsinn Ernsthaftigkeit abgewinnen. 1930 ff.
17. um drei (einige) ~n denken = angestrengt nachdenken; Anspielungen verstehen. 1950 ff.
18. um sieben ~n denken = nicht logisch denken. 1950 ff.
19. sich nicht in die ~ drücken lassen = sich nicht verdrängen, auf einen aussichtslosen Posten abschieben lassen; sich nicht mit der Rolle des Unterlegenen abfinden. Die Ecke wird hier zum Sinnbild der Ausweglosigkeit, der Unterlegenheit und der Erfolglosigkeit. 1930 ff.
20. etw um die ~n erfahren = etw über viele Mittelsmänner, auf Umwegen, gerüchteweise erfahren. 1920 ff.
21. um die ~ gehen = a) den Abschied erhalten; eine Ehren verabschiedet werden. Der Abschied wird mit dem Sterben gleichgesetzt. Offizierspr. seit dem späten 19. Jh. – b) zugrunde gehen; (eines gewaltsamen Todes) sterben. ↗Ecke 13. 1900 ff.
22. um die ~ gucken = schielen. 1900 ff.
23. etw über drei ~ hören = etw über Mittelsmänner in Erfahrung bringen. 1920 ff.

24. um die ~ linsen = schielen. ↗linsen. 1900 ff.
24 a. um die ~ reden = nicht offen, nicht geradezu reden. 1950 ff.
25. eine ~ schlafen = eine Weile schlafen. ↗Ecke 1. Sold und ziv 1914 ff.
26. um die ~ sein = a) tot sein. Verkürzt aus „um die Ecke gebracht sein". 19. Jh. – b) verloren, bankrott sein. 19. Jh.
27. jn in die ~ spielen = jn besiegen. Stammt aus dem Sportleben. 1930 ff.
28. ~ stehen = a) freiwillig oder unfreiwillig müßiggehen. 19. Jh. - b) als Prostituierte an der Straßenecke stehen und nach Kundschaft Ausschau halten. 1960 ff.
29. vor der ~ stehen bleiben = bei (vor) einem Hindernis versagen; vor kleinster Schwierigkeit zurückschrecken. Übertragen vom Verhalten von Ochsen und Pferden. 1910 ff.
30. jn in die ~ stellen = a) jn zur Untätigkeit verurteilen; jm zur Strafe eine weniger einflußreiche Stellung anweisen. Der Schüler wird zur Strafe in die Ecke gestellt. Was man in die Ecke stellt, wird vorerst nicht benutzt. 1920 ff. – b) sich von jm trennen. 1920 ff.
31. jn in die ~ treiben = jds Erfolgs-, Einflußmöglichkeiten entscheidend beschränken. 1930 ff.
32. um (über) ein paar ~n miteinander verwandt sein = weitläufig miteinander verwandt sein. ↗Ecke 4. 1900 ff.
Eckensteher m **1.** Tagedieb. Er steht müßig an den Straßenecken. 19. Jh.
2. Nichttänzer auf einem Ball. Er hält sich in den Ecken des Ballsaals auf. Seit dem späten 19. Jh.
3. Polizeibeamter im Straßendienst; Verkehrspolizeibeamter. 1940 ff.
Eckensteherin f Prostituierte, die an Straßenecken auf Männerfang ausgeht. 1950 ff.
eckig adj **1.** grob, anzüglich, beleidigend, ungewandt. Fußt auf der Vorstellung „schleifen = zu einwandfreiem Benehmen erziehen". Der Mensch gilt als kantiges und eckiges Rohprodukt, das der Bearbeitung bedarf. 1850 ff.
2. auf etw ~ sein = auf etw begierig sein. Analog zu „auf etw ↗scharf sein"; denn Ecken sind scharf. Ostmitteld 19. Jh.
Eckstein m **1.** Straßenprostituierte niederster Art. An den Eckstein harnt der Hund. 1920 ff.
2. an jeden ~ pißt der Hund = es wird ein Karo-Solo gespielt. Karo = Eckstein. Kartenspielerspr. seit dem späten 19. Jh.
Eckzahn m **1.** unansehnliches Mädchen ohne Freund. ↗Zahn = Mädchen. Es sitzt in der Ecke, wo es wenig beachtet wird. Halbw 1955 ff.
2. junge Straßenprostituierte, die an der Straßenecke nach Kundschaft Ausschau hält. 1960 ff, jug.
3. alleinstehendes Hochhaus. Dem Eckzahn (auch „Raffzahn" genannt) satirisch nachgebildet. 1960 ff.
4. abgebrochener ~ = Turmruine der Kaiser-Wilhelm-Gedächtniskirche zu Berlin. 1944 ff.
Ede m **1.** Spielpartner beim Skat; Freund, Genosse, Spießgeselle; Geschäftsteilhaber. Fußt auf franz „aide = Gehilfe, Handlanger". 18. Jh. ↗vorwiegend nordd.
2. Hautwolf. „Ede" heißt der Wolf in Walt Disneys „Micky Maus". BSD 1960 ff.

edel *adj* 1. ausgezeichnet, hochqualifiziert, kameradschaftlich. *Halbw* 1955 *ff.*
2. niederträchtig; sittlich minderwertig. *Iron* Bezeichnung. 1900 *ff.*

Edel- (edel-) als Bestimmungswort hat meistens den Sinn von „adelig", „der vornehmen Gesellschaft angehörend", „hochherzig", „edelmütig", auch „veredelt" und „hochwertig". Ist oft auch reine Ironie.

edelblaß *adj* vornehm bleich (bleich geschminkt). Galt (gilt) als Zeichen von Vornehmheit; sachverwandt mit „↗blaublütig". 1900 *ff.* Heute eine Prostituiertenvokabel.

Edeldirne *f* Prostituierte, die nur wenige und nur wohlhabende Kunden empfängt. 1900 *ff.*

'edel'dufte *adj* hervorragend. ↗dufte. *Halbw* 1955 *ff.*

Edel-Freßwelle *f* weitverbreitetes Verlangen nach Feinkost und Schlemmerwaren. 1958 *ff.*

Edelgammler *m* 1. Halbwüchsiger, der von Zeit zu Zeit müßiggeht und dann Gesinnungsgenossen sich anschließt. Er gilt als gehobener Vertreter der Nichtstuer. ↗Gammler. 1965 *ff.*
2. dem Müßiggang frönender Adliger. 1968 *ff.*

Edelgammlerin *f* berufsloses Mädchen (mit liederlichem Lebenswandel). 1965 *ff.*

Edelkäse *m* gut gespielter, mit ersten Kräften besetzter, inhaltlich anspruchsloser, rührseliger Film. ↗Käse = Wertlosigkeit. 1930 *ff.*

Edelkitsch *adj* künstlerische Geschmacklosigkeit mit dem Anspruch auf Großartigkeit und Hochwertigkeit. ↗Kitsch. 1850 *ff.*

'edel'knorke *adj adv* sehr gut; ausgezeichnet. ↗knorke. 1920 *ff.*

Edelkommunist *m* kommunistischer Intellektueller mit Idealen; Nichtproletarier, der sich gleichwohl zum Proletariat bekennt. 1920 *ff.*

Edelkrimi *m* Kriminalroman (-film) von hohem künstlerischem Wert. ↗Krimi. 1950 *ff.*

Edelmann *m* 1. ~ auf Zeit = Mann, der seinen Urlaub in Burgen und Schlössern verbringt. Er spielt vorübergehend einen Adligen. 1965 *ff.*
2. so genau fickt kein ~ = besser ist es nicht zu bewerkstelligen. 1930 *ff.*

Edelmarke *f* unzuverlässiger, charakterloser Mensch. ↗Marke. 1933 *ff.*

Edelmaurer *pl* Fußballmannschaft, die ihr Tor hervorragend verteidigt. ↗mauern. *Sportl* 1950 *ff.*

Edelmime *m* Statist, Komparse. Spottwort. Theaterspr. 1920 *ff.*

Edelnutte *f* zugkräftige unkontrollierte, junge Prostituierte, die einen kostspieligen Lebenswandel führt und vorwiegend die vornehmen Gesellschaftskreise sucht. Wohl während der Inflationszeit nach dem Ersten Weltkrieg aufgekommen, als gute Ware nur gegen Edelvaluten zu bekommen waren; anspruchsvolle Prostituierte hielten es nur mit Männern, die über Edelvaluten verfügten.

Edelprotestant *m* undoktrinärer Katholik. 1960 *ff, stud.*

Edelreservist *m* 1. Altgedienter. *BSD* 1960 *ff.*
2. namhafter Fußballspieler auf der Reservebank. 1950 *ff, sportl.*

Edelruine *f* dem Verfall ausgesetztes öffentliches Gebäude. 1970 *ff.*

Edelschaffe *f* 1. sehr gute Leistung. ↗Schaffe. *Halbw* 1955 *ff.*
2. hervorragender Mensch; sehr nettes, umgängliches Mädchen. *Halbw* 1955 *ff.*

Edelschinken *m* wertvoller Film mit langer Vorführdauer. ↗Schinken 6. 1950 *ff.*

Edelschmalz-Arie *f* rührseliges Gesangsstück. ↗Schmalz. 1920 *ff.*

Edelschmus *m* Geschwätz. ↗Schmus. 1930 *ff.*

'edel'schnafte *adv präd* ausgezeichnet. ↗schnafte. 1920 *ff,* Berlin.

Edelschnorrer *m* Mann, der auf Kosten anderer lebt, aber nach außen den feinen Mann spielt. ↗Schnorrer. 1920 *ff.*

Edelschnulze *f* kunstähnliches, stark rührseliges literarisches (filmisches, musikalisches) Erzeugnis. ↗Schnulze. 1950 *ff.*

Edelschnupfen *m* Tripper. ↗Schnupfen. 1940 *ff.*

Edelschuppen *m* gut geführtes Kellerlokal. ↗Schuppen. 1960 *ff.*

Edeltippse *f* 1. Vorzimmerdame, Chefsekretärin. ↗Tippse. 1910 *ff.*
2. eingebildete Schreibdame. Sie hält sich für vornehmen Gebltüs. 1920 *ff.*

Edelweißbuben (-buam) *pl* Gebirgstruppen; deutsches Alpenkorps. Sie trugen ein Edelweiß an der Mütze oder am Kragen. *Sold* in beiden Weltkriegen.

Edelweißgefreiter *m* Oberschütze. Benannt nach dem Stern auf dem Ärmel. *Sold* 1939 *ff.*

Edelweißkönig *m* Oberschütze. ↗Edelweißgefreiter. Beeinflußt vom Titel eines Romans von Ludwig Ganghofer (1886). *Sold* 1939 *ff.*

Edelweißpflücker *pl* Gebirgsjäger. *BSD* 1960 *ff.*

Edelweißschnulze *f* rührseliger Hochgebirgsfilm. ↗Schnulze. 1950 *ff.*

Edelwestern *m* Wild-West-Film von einigem künstlerischen Wert. 1955 *ff.*

Edelzahn *m* nettes junges Mädchen. ↗Zahn = Mädchen. *Halbw* 1955 *ff.*

eff-'eff *adj* ausgezeichnet. ↗f. f. 1920 *ff.*

Eff-'Eff *n* aus dem ~ = gründlich, fachkundig. ↗f. f. 1920 *ff.*

e'gal *adv* immer; ununterbrochen (es regnet egal weiter; er ist egal verliebt). Aus *franz* „égal = gleich" weiterentwickelt zur Bedeutung „gleichbleibend". 19. Jh.

egalowitsch *adv* gleichgültig. Entstanden durch Anhängung einer *slaw* Endung an „egal". Im Zweiten Weltkrieg aufgekommen.

e'gal'weg *adv* immer; unterschiedslos; ohne Abwechslung. „-weg" meint sinngemäß „fortlaufend, immerzu"; ↗egal. 19. Jh.

Ego *m* 1. Selbstsucht; Selbstbewußtsein; Selbstwertgefühl; Einzelgängertum aus Gesellschaftsverdrossenheit. Gegen 1970 geläufig geworden.
2. auf ~ machen = sich von den Mitmenschen absondern. 1970 *ff, halbw.*
3. seinen ~ machen = aus Menschenverachtung eigene Wege gehen. 1970 *ff, halbw.*

ego *adj adv* unkameradschaftlich. 1970 *ff, halbw.*

Egoistenschwein *n* Selbstsüchtiger *(abf).* 1970 *ff, halbw.*

Ego-Trip *m* Einzelgängertum (aus Menschenverachtung). *Engl* „trip = Reise". 1970 *ff.*

Ego-Tripper (Ego-Trippler) *m* Außenseiter, Einzelgänger. 1970 *ff.*

Ehe *f* 1. ~ auf Besuch = Ehe, in der der Mann aus beruflichen Gründen nur selten mit seiner Frau zusammenlebt. 1950 *ff.*
1 a. ~ auf Probe = Zusammenleben von Mann und Frau ohne standesamtliche Trauung. 1950 *ff.*
2. ~ auf Raten = Ehe, in der der Mann auswärts tätig ist und nur zum Wochenende nach Hause kommt. 1950 *ff.*
3. ~ auf Stottern = Eheschließung mit jahrelangem Schuldenabtragen. ↗stottern. 1950 *ff.*
3 a. ~ ohne Trauschein = eheähnliches Zusammenleben. 1970 *ff.*
4. gußeiserne ~ = unerschütterlich feste Ehe. 1960 *ff.*
5. kugelsichere ~ = Ehe, die nicht gefährdet werden kann. Übernommen von der kugelsicheren Weste oder Verglasung. 1960 *ff.*
6. moderne ~ = (zeitweiliger) Ehepartnertausch. 1965 *ff.*
7. polnische ~ = Konkubinat. Anspielung auf die ungeregelten Eheverhältnisse Polens vor der preußischen Besitzergreifung. 1820 *ff.*
8. vegetarische ~ = Versorgungsehe ohne geschlechtliche Betätigung. Es ist eine „fleischlose" Ehe. 1920 *ff.*
9. viereckige ~ = Ehe, in der jeder Partner einen Nebenpartner hat. 1920 *ff.*
10. wilde ~ = a) ungesetzliches Zusammenleben von Mann und Frau. Wild = außerhalb der üblichen Regeln des gesellschaftlichen Lebens. 1700 *ff.* – b) Ehe ohne katholische Trauung. 1950 *ff.*
11. ~, die nicht im Himmel geschlossen wurde = Eheschließung mit einer Schwangeren. 1900 *ff.*
12. etwas außerhalb der ~ = ehebrecherisch. Dem Schlagwort „etwas außerhalb der ↗Legalität" nachgebildet. 1966 *ff.*
13. die ~ biegen = den Ehebruch nahe sein. Die Ehe wird (noch) nicht gebrochen, aber gebogen. Um 1700.
14. in wilder ~ leben = der Ehefrau das Haushaltsgeld kürzen und in der Folge ihren Zornesausbrüchen ausgesetzt sein. 1950 *ff.*
15. die ~ liegt schief = in der Ehe herrscht Unfriede. ↗schief liegen. 1960 *ff.*
16. in der ~ stinkt es = die Ehepartner vertragen sich nicht. ↗stinken. 1950 *ff.*
17. die ~ umwerfen = sich scheiden lassen. 1960 *ff.*
18. es wackelt in der ~ = der Ehefriede ist gestört. 1930 *ff.*

Ehebarometer *n* das ~ steht auf Sturm = in der Ehe herrschen Zank und Streit. 1960 *ff.*

Ehebruch 1. instrumentaler ~ = künstliche Befruchtung. 1961 *ff.*
2. ~ treiben = gleichzeitig zwei Dinge tun, die nicht zueinanderpassen. *Stud* 19. Jh.

Ehe-Bruch *m* Ehescheidung. 1968 *ff.*

ehebrücheln *intr* außerehelich flirten. 1900 *ff.*

Eheflüchtling *m* Ehepartner, der Getrenntleben vorzieht. 1970 *ff.*

Ehefrau *f* 1. feste Freundin eines jungen Mannes. 1965 *ff, halbw.*
2. ~ auf Zeit = weibliche Person, die der Urlauber als seine Ehefrau ausgibt. 1960 *ff.*

Ehefräulein *n* geschlechtlich gefühllose Ehefrau. Als Ehefrau verbleibt sie im Stand der Unverheirateten. 1920 *ff.*
Ehegespann *n* Ehepaar. Ein Gespann, das den Ehekarren zieht. ↗Gespann. 19. Jh.
Ehegespenst *n* Ehefrau, -mann. Verdreht aus *lat* „sponsa = Gattin" mit dem Nebengedanken an „Gespenst". Seit dem späten 19. Jh.
Ehegespielin *f* Ehefrau. Vermutlich seit Aufkommen des „Playgirl". 1960 *ff.*
Ehegespons *m* Ehemann, -frau. Aus *lat* „sponsa = Gattin". 1700 *ff.*
Ehegesponsin *f* Ehefrau. 1900 *ff.*
Ehegesponst *n* Ehefrau. Zusammengesetzt aus „Gespons" und „Gespenst". *Vgl* ↗Ehegespenst. 1890 *ff.*
Ehegewitter *n* Zwist unter Eheleuten. 1900 *ff.*
Ehegymnastik *f* ehelicher Geschlechtsverkehr. 1910 *ff.*
Ehehafen *m* 1. den ~ ansteuern = Heiratsabsichten haben. Ruft das Bild vom Schiff auf hoher See hervor und läßt den Hafen als Sinnbild der Geborgenheit erscheinen. 1900 *ff.*
2. in den ~ einlaufen = heiraten. 1900 *ff.*
3. sich in den ~ stürzen = übereilt heiraten. Übertragen von einem, der sich ins Wasser stürzt. 1950 *ff.*
Ehehälfte *f* 1. Ehepartner(in). 1800 *ff.*
2. bessere ~ = Ehefrau. *Vgl* „bessere ↗Hälfte". 1900 *ff.*
Ehehyäne *f* weibliche Person, die einen verheirateten Mann seiner Frau abspenstig macht. Die Hyäne als Raubtier. 1920 *ff.*
Ehekarren *m* 1. Ehe; Ehebett. ↗Ehegespann. 1900 *ff.*
2. im ~ ziehen = verheiratet sein. 1900 *ff.*
Ehekarussell *n* Unbeständigkeit der ehelichen Verbindungen. 1955 *ff.*
Ehekitt *m* Mittel zur Festigung der Ehe. Kitt = Klebe-, Dichtungsmasse. 1920 *ff.* Die Volksmeinung weiß: „Kleinkinderschitt ist der beste Ehekitt."
Eheknacks *m* eheliche Zerrüttung. ↗Knacks 1. 1930 *ff.*
Eheknecht *m* von der Ehefrau beherrschter Mann. 1900 *ff.*
Eheknochen *m* Ehemann. „Knochen" meint entweder „Mann" oder „Penis". 1900 *ff.*
Ehekrach *m* Zwist unter Eheleuten. ↗Krach. 19. Jh.
Ehekreuz *n* Ehefrau. Sie ist das Kreuz auf den Schultern des Mannes. ↗Kreuz. 1800 *ff.*
Ehekrüppel *m* von der Ehefrau beherrschter Mann. Er ist durch die Frau gebrechlich geworden. 1400 *ff.*
Ehe'lei *f* ~ treiben = sich in einem Hotel o. ä. als Ehepaar ausgeben. Seit dem frühen 20. Jh.
Eheliebste *f* Ehefrau. 1600 *ff* bis heute.
Eheliebster *m* Ehemann. 1600 *ff* bis heute.
Ehemalige *f* vormalige Geliebte. 1900 *ff.*
Ehemaliger *m* einstiges Mitglied der NSDAP (bis zum Verbot der Partei). 1946 *ff.*
Ehemann *m* 1. intimer Freund einer Halbwüchsigen. *Halbw* 1955 *ff.*
2. ~ ohne behördliches Siegel = Mann in einer eheähnlichen Verbindung ohne standesamtliche Beurkundung. 1950 *ff.*
3. ~ auf Zeit = Mann, den eine weibliche

Person als ihren Ehemann ausgibt. 1950 *ff.*
4. abgerichteter ~ = langjähriger Ehemann. Er ist abgerichtet wie ein Zirkustier. 1920 *ff.*
Ehemann-Ersatz *m* Geschirrspülmaschine. 1965 *ff.*
Ehemolle *f* Ehebett. Molle = Mulde. 1910 *ff.*
Ehemuffel *m* wortkarger, ungalanter Ehemann; dem Geschlechtverkehr wenig zugeneigter Mann. Aufgekommen im Gefolge des ↗Krawattenmuffels. 1967 *ff.*
Ehepaar *n* 1. eisernes ~ = Ehepaar, das 65 Jahre verheiratet ist. *Vgl* „eiserne ↗Hochzeit". 1920 *ff.*
2. goldenes ~ = Ehepaar nach 50 Ehejahren. *Vgl* „goldene ↗Hochzeit". 1920 *ff.*
3. grünes ~ = jungvermähltes Paar. *Vgl* „grüne ↗Hochzeit". 1920 *ff.*
4. langgedientes ~ = langverheiratete Eheleute. 1920 *ff.*
5. silbernes ~ = Ehepaar nach 25 Ehejahren. *Vgl* „silberne ↗Hochzeit". 1920 *ff.*
6. unverheiratetes ~ = eheähnliche Gemeinschaft ohne standesamtliche oder kirchliche Trauung. 1950 *ff.*
7. wildes ~ = a) Mann und Frau, die ohne bürgerliche Trauung zusammenleben. ↗Ehe 10. 1700 *ff.* - b) Ehepaar ohne katholische Trauung. 1950 *ff.*
ehepaaren *intr* sich in Hotels o. ä. als verheiratet ausgeben. 1910 *ff.*
eher *adv* ~ wie nicht = mit größter Wahrscheinlichkeit. Beispiel: A fragt: „Kommst Du uns Sonntag besuchen?" B. antwortet: „Eher wie nicht" (nämlich: eher komme ich, als daß ich nicht komme; wahrscheinlicher ist, daß ich komme, als daß ich nicht komme). 1900 *ff.*
ehescheu *adj* homosexuell. Euphemismus. 1920 *ff.*
Eheschmiede *f* 1. Standesamt. Seit dem späten 19. Jh. Die Vorstellung von der Trauung als einem Schmiedevorgang ist wesentlich älter; *vgl* ↗zusammenschmieden. Heute meist verbunden mit dem Gedanken an die Traualtar in Form eines Ambosses, wie er in Gretna Green (und auch an anderen Orten in Schottland) verwendet wird.
2. Eheanbahnungsinstitut. 1920 *ff.*
Eheschnulze *f* rührselig-seichte Liebes-, Ehegeschichte. ↗Schnulze. 1960 *ff.*
Ehesegen *m* der ~ hängt schief = in der Ehe herrscht Unfriede. ↗Haussegen. 1950 *ff.*
Ehestandsauto *n* Kinderwagen. Wien 1920 *ff.*
Ehestandsbewegungen *pl* Liegestützübungen. Anspielung auf Bewegungen beim Geschlechtsverkehr. 1930 *ff.*
Ehestandsgymnastik *f* Geschlechtsverkehr. 1910 *ff.*
Ehestandskar'rete *f* Kinderwagen. „Karrete" bezeichnet einen schlechten Wagen. 19. Jh.
Ehestandskrüppel *m* von der Ehefrau beherrschter Mann; älterer Ehemann. ↗Ehekrüppel. 1900 *ff.*
Ehestandskutsche *f* Kinderwagen.
Ehestandslokomotive *f* Kinderwagen. Seit dem späten 19. Jh.
Ehestandswinkel *pl* Zurückweichen der Schläfenhaare; kahle Stellen in der Verlängerung der Stirn, seitlich. Solche Winkel

gelten als Zeichen langjähriger Ehe. *Österr* 1920 *ff.*
Ehetrott *m* Ehealltag. ↗Trott. 19. Jh.
Ehetrottel *m* einfältiger, energieloser Ehemann. ↗Trottel. 1920 *ff.*
Eheunfall *m* Ehebruch. Verharmlosung. 1960 *ff.*
Ehewäsche *f* heftige Auseinandersetzung zwischen Eheleuten. Man wäscht einander die schmutzige ↗Wäsche. 1935 *ff.*
Ehezerstörer *m* Fernsehgerät. Vokabel im Munde von Fernsehgegnern. 1960 *ff.*
Ehre *f* 1. jm die letzte ~ erweisen = am Abschiedstrunk für einen versetzten (verabschiedeten) unangenehmen Vorgesetzten teilnehmen. Bezieht sich eigentlich auf die Teilnahme an einer Trauerfeier. 1914 *ff.*
2. habe die ~! = a) Grußformel bei Begrüßung und Verabschiedung. *Bayr* und *österr* 19. Jh. - b) Ausdruck der Überraschung. *Österr* 1920 *ff.* - c) Ausdruck des Widerwillens, des Unmuts o. ä., etwa im Sinne von „mir langt's!". 1900 *ff*, *schülD* und *österr* 1900 *ff.* - e) er ist habe die ~ = er ist weggegangen, hat sich entfernt. *Bayr* und *österr* 1900 *ff.*
3. ~ im Bauch (Leib) haben = Ehrgefühl haben. 18. Jh.
Ehrenaufgabe *f* Strafarbeit des Schülers. *Iron* Bezeichnung. 1965 *ff.*
Ehrendame *f* gesetzte weibliche Person, die die Bordellgäste empfängt. Meint eigentlich eine Dame, die bei allerhöchsten Herrschaften zum Hofstaat gehört. 1910 *ff.*
Ehrenfotze *f* Ehrenjungfrau beim Empfang einer hochgestellten Persönlichkeit. ↗Fotze. Seit den späten 19. Jh.
Ehrenfriedhof *m* nach dem Zusammenbruch 1945 von ehemaligen NS-Funktionären, Offizieren usw. angelegter Gemüsegarten. 1945 *ff.*
Ehrengemüse *n* 1. Ehrenzeichen; Eichenlaub aus den hohen Klassen mancher Orden. ↗Gemüse. *Sold* 1939 *ff.*
2. Lorbeerkränze für Sieger in sportlichen Wettbewerben, auch für Künstler. 1950 *ff.*
Ehrenkleid *n* ~ der Nation = Uniform, Ausgehanzug. Meint eigentlich die Kleidung, die zu tragen als Ehre angesehen wird, auch das Konfirmations-, Braut- und Hochzeitskleid. „Ehrenkleid" nannte man im frühen 18. Jh den Soldatenrock. *BSD* 1960 *ff.*
Ehrenkugel *f* dem Kegler zugestandener Wurf, wenn seine Kugel dreimal hintereinander aus der Bahn gesprungen ist. 1900 *ff.*
Ehrenmann *m* träger Schüler. Spottwort. 1950 *ff*, *schülD*
Ehrenpodex *m* Jubilar, Gefeierter. Der Gefeierte bleibt sitzen, während die Anwesenden sich zu seinen Ehren erheben. So gebietet es der bürgerliche Ehrenkodex. ↗Podex. 1900 *ff.*
Ehrenrunde *f* 1. eine ~ drehen (machen) = a) als Strafe einmal den Kasernenhof umlaufen. Eine Ehrenrunde dreht der Radsportler, indem er nach seinem Sieg das Rund der Halle noch einmal durchfährt; ähnlich beim Reitturnier, beim Eiskunstlaufen, beim Pokalsieg im Fußballsport usw. 1936 *ff.* - b) die Schulklasse wiederholen. *Schül* 1955 *ff.* - c) für eine weitere Amtsperiode im Amt bleiben. 1977 *ff.*

2. für jn eine ~ fahren = sich für jn (für jds Schuldlosigkeit) verbürgen. 1920 *ff.*

Ehrenrundendreher (-fahrer, -macher) *m* Klassenwiederholer. 1955 *ff, schül.*

Ehrensäbel *m* ~!: Ausruf der Bekräftigung, der nachdrücklichen Bestätigung; das ist Ehrensache! Die Verleihung von Ehrensäbeln für militärische Bestleistungen ist orientalischer Herkunft; Kaiser Wilhelm II. hat diese Sitte fortgeführt. Etwa seit dem späten 19. Jh.

Ehrenwort *n* **1.** faules ~ = feierliches Versprechen, das nicht gehalten wird. Faul = unzuverlässig. 1938 *ff.* **2.** großes ~ = feste Zusage; feierliche Versicherung. 1900 *ff, schül* und *stud.* **3.** kleines ~ = ziemlich zuverlässige Versicherung. Seit dem ausgehenden 19. Jh.

ehrgeizen *intr* angestrengt lernen. Es geschieht aus Ehrgeiz. Schül 1955 *ff.*

ehrlich *adj adv* **1.** ~!: Ausdruck der Beteuerung. Soviel wie „ungelogen". *Westd* 1910 *ff;* volkstümlich geworden um 1960 durch Jürgen von Manger. („ährlich!"). **2.** etw ~ klauen = etw Geringwertiges entwenden. 1950 *ff, westf.* **3.** das ging nochmal ~ zu: Redewendung des Kartenspielers, wenn alle Mitspieler bedient und nicht überstochen haben. Seit dem späten 19. Jh.

ehrpusslig *adj* sittenstreng, prüde; in Dingen der Ehre überempfindlich. Gehört zu „pusseln = langsam arbeiten; kleine, Feinarbeit geduldig verrichten"; hieraus adjektivisch entwickelt zur Bedeutung „sehr behutsam in Dingen der Ehre, vor allem der Frauenehre". *Nordd* seit dem späten 19. Jh.

Ei *n* **1.** Eierhandgranate. *Sold* 1914 bis heute. **2.** Fliegerbombe. Bis 1916 hatten die von deutschen Fliegern abgeworfenen Bomben Eiform. 1914 *ff* bis heute. **3.** Seemine. *Marinespr* in beiden Weltkriegen. **4.** Sache, Vorgang. Das Ei gilt wegen seiner gefälligen Form als schöne, runde Sache. 1910 *ff.* **5.** Rugbyball. *Sportl* 1950 *ff.* **6.** Fußball. *Sportl* 1950 *ff.* **7.** Eierlikör. Kellnerspr. 1955 *ff.* **8.** dummer, wunderlicher Mensch. Verkürzt aus ↗Eierkopf. 1920 *ff.* **9.** *pl* = Mark; Geldmittel; Wohlstand. Meint eigentlich nur die Geldmünzen und bewahrt die Erinnerung an den unmittelbaren Tauschverkehr. Für den Bauern sind Eier so gut wie bares Geld. 1900 *ff.* **10.** *pl* = Hoden. Wegen der Formähnlichkeit. 19. Jh. **11.** das ~ in der Bouillon = die Sache, auf die es ankommt; das Ausschlaggebende. Seit dem späten 19. Jh. **12.** ~ in der Tüte = Eipulver. 1920 *ff.* **13.** armes ~ = bedauernswerter Mann. ↗Ei 8. 1920 *ff.* **14.** ach du armes (dickes) ~!: Ausruf der Enttäuschung, des Erstaunens. Leitet sich her entweder vom erstaunlich dicken Hühnerei oder vom dicken Hoden. Das „arme Ei" ist entweder das zerbrochene Ei oder der beschädigte Hoden. 1920 *ff.* **15.** dickes ~ = a) Hodenschwellung infolge einer Geschlechtskrankheit. – b) Lufttorpedo. ↗Ei 2. Fliegerspr. 1939 *ff.* – c) sehr große Schwierigkeit; eine

wegen der Schwierigkeit beachtliche Leistung; sensationelle Nachricht; große Überraschung. Leitet sich wohl vom ungewöhnlich dicken Ei her, vielleicht gar vom Straußenei, das zu legen man als Leistung besonderer Art würdigt. 1910 *ff.* – d) enge Freundschaft. Geht zurück auf eineiige Zwillinge. 1850 *ff.* **16.** doofes ~ = dümmlicher Kerl. 1900 *ff.* **17.** dummes ~ = dummer Mensch. 1900 *ff.* **18.** faules ~ = a) anrüchige Sache; fragwürdiges Unternehmen; Sache, der man nicht trauen kann; Fehlleistung; Versagen. Das ungenießbar gewordene Ei stinkt. 19. Jh. – b) falsche Nachricht; Lügennachricht. 1910 *ff.* – c) unzuverlässiger Mensch. 1910 *ff.* – d) untergeschobenes Kind. 1910 *ff.* – e) Blindgänger. 1939 *ff, sold.* – f) Versager. 1939 *ff.* **19.** Großdeutsches ~ = Messerschmitt-Roller. Er ist eiförmig. 1953 *ff.* **20.** großes ~ = große Überraschung. 1960 *ff, jug.* **21.** hartes ~ = schwieriger Fall; ungelöstes Problem; starke Zumutung. Leitet sich her vom Gips- Ei. 1940 *ff.* **22.** hartgekochtes ~ = a) unerschütterlicher Mensch. ↗hartgesotten. *Ziv* und *sold* 1939 *ff.* – b) bewährter Frontsoldat. *Sold* 1939 *ff.* **23.** hohles ~ = a) unsympathischer Mensch. Der Betreffende ist innerlich leer, substanzlos. 1945 *ff, jug.* – b) Dummer; Klassenschlechtester. 1945 *ff.* **24.** kluges ~ = Besserwisser. ↗Ei 8. 1900 *ff.* Hängt zusammen mit dem Sprichwort „das Ei will klüger sein als die Henne". **25.** krummes ~ = Kot des Hahns oder des Menschen. 1900 *ff.* **26.** linkes ~ des Kolumbus = Lösung, die sich als schlecht erweist; Mißerfolg großen Ausmaßes. Link = schlecht, falsch. 1930 *ff.* **27.** rohes ~ = a) Sache, die man sehr vorsichtig betreiben muß. Ungekochte Eier sind hochempfindlich. 1700 *ff.* – b) empfindlicher Mensch. 1700 *ff.* **28.** taubes ~ = Versager; einflußloser Mensch ↗Ei 16. Das taube Ei ist eigentlich das unbefruchtete Ei. 1920 *ff.* **29.** tiefgerührtes ~ = Rührei. Ein sprachlicher Spaß: tiefgerührt sein = innerlich sehr bewegt sein. Kellnerspr. 1950 *ff.* **30.** ungelegte ~er = erst in der Planung befindliche, im Werden begriffene Dinge. Sinnbild des Nichtverwirklichten. 1500 *ff.* **31.** verfaultes ~ = Versager. ↗Ei 18. Schül 1950 *ff.* **32.** weiches ~ = willenloser, energieloser Mann; Mann ohne eigene Meinung. Weich = willensschwach. 1935 *ff.* **33.** weichgekochtes ~ = dummer, energieloser Mensch. Berlin 1920 *ff.* **34.** für ein ~ und ein Butterbrot = gegen geringe Gegenleistung; unter Preis. Analog zu ↗Apfel 6. 1700 *ff.* **35.** wie aus dem ~ = elegant, sauber gekleidet. Gekürzt aus „wie aus dem ↗Ei gepellt". ↗Ei 56. 1900 *ff.* **36.** die ~er abgießen (abschütten) = harnen. Hergenommen vom Abgießen des Wassers von den gekochten Eiern. 19. Jh. **37.** ~er abladen = Bomben werfen. ↗Ei 2. Fliegerspr. in beiden Weltkriegen.

38. etw mit einem ~ abrühren = eine Sache vielversprechend, vorteilhaft darstellen, um Anhänger für sie zu gewinnen. Die mit einem Ei abgerührte Suppe ist nahr- und schmackhafter. 1940 *ff.* **39.** jm die ~er abschleifen = jn rücksichtslos, entwürdigend behandeln. ↗Ei 87. Sold 1939 *ff.* **40.** jn mit einem ~ und Butterbrot abspeisen = jn schlecht entlohnen. ↗Ei 34. 1920 *ff.* **41.** antreten mit ~ und Glied = a) antreten zur militärischen Untersuchung auf Geschlechtskrankheiten. Scherzhaft nachgebildet der Aufforderung: „antreten in Reih und Glied!". 1940 *ff, sold.* – b) gemeinsam im Wehrmachtsbordell koitieren. 1940 *ff.* **42.** ein ~ ausbrüten = einen Plan entwickeln. ↗Ei 10. 19. Jh. **43.** ~er ausbrüten = lange im Bett bleiben; nicht aufstehen mögen. Scherzhaft meint man, der Betreffende sitze auf Eiern wie die Henne. 1700 *ff.* **44.** jm die ~er ausquetschen = jn nachdrücklich, streng verhören. Geht zurück auf ein Folterverfahren. 1933 *ff.* **45.** jn wie ein rohes ~ behandeln (mit jm umgehen wie mit einem rohen Ei) = jn sehr behutsam behandeln. ↗Ei 27. 1700 *ff.* **46.** man möchte sich vor Wut in die ~er beißen!: Ausruf heftigen Zorns. Vor Wut möchte man Unsinniges tun. ↗Ei 10. 1950 *ff.* **47.** du wärst besser in den ~ern deines Vaters geblieben!: Ausdruck der Abweisung. Meint dasselbe wie „du wärst besser nicht geboren!". *Sold* 1939 *ff.* **48.** das boxt einen in die ~er = das trifft empfindlich, ist äußerst widerwärtig. Schläge oder Tritte gegen den Hodensack sind äußerst schmerzhaft. 1940 *ff.* **49.** ein ~ fallen lassen = eine Fliegerbombe fallen lassen. ↗Ei 2. Sold in beiden Weltkriegen und *BSD.* **50.** mir fällt ein ~ aus dem Beutel!: Ausdruck der Überraschung. Beutel = Hodensack. *BSD* 1960 *ff.* **51.** mir fällt ein ~ aus der Hose!: Ausdruck der Überraschung. *BSD* 1960 *ff.* **52.** ein ~ finden = unerwartet Glück haben; eine freudige Überraschung erleben. Hergenommen vom zufälligen Fund eines von der Henne verlegten Eies. 1930 *ff.* **53.** du hast wohl ein hartes (faules) ~ gefrühstückt?: Frage an einen Begriffsstutzigen. Das „harte Ei" spielt auf den harten Kopf an. 1920 *ff.* **54.** auf ~ern gehen (wie auf Eiern gehen) = vorsichtig, behutsam gehen; einen trippelnden Gang haben. 1500 *ff.* Vgl *franz* „marcher sur des œufs". **55.** jm ein ~ geben = jn nervös machen. Die Hoden als hochempfindliches Organ. 1945 *ff.* **56.** wie aus dem ~ gepellt (geschält) = sehr sauber; sehr appetitlich; kleidsam gekleidet. Nach Entfernung der Schale kommt das blendend weiße (gekochte) Ei zum Vorschein. 1600 *ff.* **57.** es gleicht (ähnelt) wie ein ~ dem anderen = es ist zum Verwechseln ähnlich. Eier sind weitgehend formgleich. 1500 *ff.* **58.** gönn' dir erst mal ein ~!: Rat an einen

Dummen oder Müden. Eier kräftigen. 1930 ff, jug.

59. mit jm ein dickes ~ haben = sich mit jm gut verstehen. ↗Ei 15 d. 1920 ff.

60. das hat seine ~er = das hat seine Schwierigkeiten. Anspielung auf die lange Brutzeit, verbunden mit der Ungewißheit des Erfolgs. 1800 ff.

61. ein ~ am Wandern haben = dumm sein. Geht wohl von „Ei = Hode" aus und stellt sich den Vorgang vor wie bei der Wanderniere. Aus der physischen Anomalie wird eine geistige. BSD 1965 ff.

62. das haut einem die ~er aus dem Sack!: Ausdruck des Erstaunens, des Unmuts. 1935 ff.

63. jm die ~er hochbinden = jn dienstlich streng behandeln; jn streng einexerzieren. ↗Arsch 144. Sold 1939 ff.

64. ~er kegeln = die Hände in den Hosentaschen haben. Anspielung auf Betasten der Hoden. BSD 1965 ff.

65. ~er kippen = Eier gegeneinanderstoßen. Kippen = die Spitze ab-, einschlagen. Beliebtes Spiel beim Ostereieressen. 1800 ff.

66. sich die ~er klemmen = eine unangenehme Überraschung erleben (selbst verschulden). Eier = Hoden. 1910 ff.

67. in ihm klopfen die ~er = er begehrt Geschlechtsverkehr. Man denkt es sich so, als ob die Hoden sich im Hodensack bewegten wie der Klöppel in der Glocke. 1910 ff.

68. da klopfe ich mir ein ~ drüber!: Redensart der Gleichgültigkeit. Sollte die Speise nicht munden, kann man ein Ei darüberschlagen und dadurch den Geschmack verbessern. BSD 1965 ff.

69. die ~er läuten = die Hoden betasten. 1900 ff.

70. nicht wissen, wo man sein ~ hinlegen (legen) soll = ratlos sein; nichts zu sagen wissen. Hergenommen von der Henne, die emsig und wie hilflos nach einem Eiablageplatz sucht. 1900 ff.

71. ein ~ legen = a) koten. 15. Jh. Vgl franz „poser un œuf". - b) koitieren. 1930 ff. - c) einen guten Einfall haben; eine Erfindung machen; etw ausklügeln. Das Ei als sichtbare Wertleistung des Huhns. 1900 ff. - d) sich endlich zu einem Entschluß durchringen. Meist in der Befehlsform. 1950 ff.

72. leg endlich dein ~ und gackere! = sprich endlich! 1950 ff.

73. ~er legen = ein Geständnis ablegen. 1950 ff, polizeispr.

74. jm ein ~ legen = a) den Mitschüler abschreiben lassen. 1960 ff, schül. - b) jm Schwierigkeiten bereiten; jm einen bösen Streich spielen. 1950 ff.

75. solche ~er legen die Hühner in Kalabrien = diese hohe Karte kann keiner überstechen; mit dieser Karte heimse ich einen hochwertigen Stich ein. Wohl eine Kraftmenschenrede und ernsthafte Zusammenhänge. Kartenspielerspr. seit dem späten 19. Jh bis heute.

76. das Ei hat die Katze gelegt: Redewendung, wenn eine unerwartet hohe Karte ausgespielt wird. Gemeint ist, daß dies kein übliches (natürliches) Vorgehen ist. 1900 ff, kartenspielerspr.

76 a. ein faules ~ legen = eine anrüchige Nachricht absichtlich verbreiten. ↗Ei 18. 1950 ff.

77. es ist, um harte ~er zu legen = es ist hochsommerlich warm. Bei solcher Hitze (meint man scherzhaft) legen die Hühner die Eier gleich hartgekocht. 1930 ff.

78. jm ein ~ ins Nest legen = eine Ehefrau außerehelich schwängern. Fußt auf der Vorstellung vom Kuckucksei. 1500 ff.

79. das ~ neben das Nest legen = sich gröblich irren. 1920 ff.

80. ~er legen = a) Bomben abwerfen. ↗Ei 80 in beiden Weltkriegen. - b) ein Gelände verminen; Seeminen legen. Sold 1939 ff. Gleichbed engl „to lay eggs".

81. ein ~ pflanzen = koten. Kundenspr. 1900 ff.

82. ein faules ~ platzt = ein bedenkliches Vorhaben scheitert. ↗Ei 18. 1950 ff.

83. jm die ~er polieren = jn heftig prügeln, streng behandeln, nachdrücklich bestrafen. ↗Ei 87. 1937 ff.

84. jm die ~er quetschen = a) einen Prostituiertenkunden erpressen. 1920 ff. - b) einen Zahlungsunwilligen oder -säumigen verprügeln. 1920 ff. - c) jn überstreng behandeln. Sold 1935 ff.

85. ~er, rührt euch = Rühreier. Sprachlicher Spaß von Kellnern. 1950 ff.

86. das schlägt nur auf die Eier!: Ausdruck des Unmuts. BSD 1965 ff.

87. jm die ~er schleifen = jn drillen, im Dienst quälen. ↗Ei 10; ↗schleifen 1. 19. Jh.

88. jm die ~er schleifen bis aufs Gelbe = jn scharf einexerzieren. Seit dem späten 19. Jh, sold.

89. soll ich Ihnen die ~er vierkant schleifen?: Drohfrage des militärischen Ausbilders. ↗Ei 87. Sold 1939 ff.

90. das ist ein ~ = a) das ist hervorragend. ↗Ei 4. 1910 ff. - b) das ist eine unangenehme, bedenkliche Sache. Verkürzt aus „faules Ei". 1900 ff.

91. das ist eine Sache mit ~ und Zucker, das nährt: Ausdruck großer Anerkennung. Jug 1930 ff.

92. 'ein '~ sein = engbefreundet sein. ↗Ei 15 d. 1920 ff.

93. das ~ ist faul = das Vorhaben ist zum Scheitern verurteilt; die Angelegenheit erregt Bedenken. ↗Ei 18 a. 1900 ff.

94. ein ~ setzen = koten. Kundenspr. 1900 ff.

95. auf ~ern sitzen = nicht aufstehen mögen. ↗Ei 43. 1700 ff.

96. jm in die ~er stoßen = einen Mann antreiben. ↗Ei 10. Fußt wohl auf der entsprechenden Behandlung des Stiers. 1935 ff.

97. jm die ~er streicheln = einem Mann schmeicheln. ↗Ei 10. 1900 ff.

98. achteckige ~er suchen = sehr hohe, (fast) unerfüllbare Wünsche haben. 1920 ff.

99. jm auf die ~er trampeln = a) jn im Dienst quälen. 1900 ff. - b) jn durch fortwährende Behelligung nervös machen. 1900 ff.

100. ein weiches ~ werden = beim Verhör ein Geständnis ablegen. ↗Ei 32. 1935 ff.

101. goldene ~er verdienen = viel Geld verdienen. ↗Ei 9. 1960 ff.

Eia (Eija) f Wiege; Bett. ↗Heia. 1700 ff.

Eiche f **1.** erigierter Penis. 1900 ff.
2. o du dicke ~!: Ausruf des Erstaunens. Gemeint ist ein Baum, dessen Stamm sie-

ben oder zehn Leute mit ausgebreiteten Armen nicht umspannen können. 1960 ff.
3. Marke deutsche ~ = selbstangebauter Tabak. 1940 ff.
4. das fällt ~n = das ist erschütternd, höchst eindrucksvoll. Die Eiche ist der Sinnbildbaum der Standfestigkeit und Kraft. Halbw 1955 ff.
5. was kümmert es die ~, wenn sich an ihrem Stamm ein Borstenvieh wetzt!: Redewendung eines überheblichen Menschen gegenüber einem niedriggestellten. 1933 ff.
6. das ist eine große ~ = das ist eine große, beachtliche Sache. 1960 ff.

Eichenlaub n **1.** mit ~ und Schwertern = ganz besonders; vorzüglich. Höhere Ordensklassen weisen das Eichenlaub und die Schwerter als besondere Ordenssymbolik auf. 1880 ff.
2. Marke ~ und Schwerter = minderwertiger, selbstangebauter Tabak. Es riecht, als ob einer Eichenblätter als Pfeifentabak verwendete; die Stiele oder Adern der Eichenblätter sind die „Schwerter". 1940 ff.
3. hier riecht's nach ~ = hier hat sich einer selbst gelobt. „Eigenlob" klingt im Sächs wie „Eichenloob". 1900 ff.
4. ~ stinkt = Eigenlob ist widerwärtig. Vgl das Vorhergehende. Seit dem späten 19. Jh.

Eichhörnchen n **1.** Kosewort auf Mann oder Frau. 1900 ff.
2. gewandter Mensch; Mensch, der mit schwierigen Vorgesetzten geschickt umzugehen versteht. Eichhörnchen sind gewandte Kletterer und Springer. 1915 ff.
3. Aktion ~ = Diebstahl dringend benötigter Gegenstände. Eigentlich Name einer amtlichen „Aktion", mit der man private Haushalte zur Vorratswirtschaft anhalten wollte. Eichhörnchen sind Vorratssammler. 1964 ff.
4. wie ein ~ blicken, wenn's donnert = verdutzt blicken. 1950 ff.
5. aussehen wie ein frischgeficktes ~ = schlechtrasiert, schlechtgekämmt o. ä. aussehen. Der Haarpelz des Eichhörnchens ist in Unordnung. BSD 1965 ff.
6. ich glaube, mein ~ bohnert: Redewendung angesichts eines unglaubwürdigen Berichts. Gemeint ist, wenn man die unglaubwürdigen Worte des anderen für glaubwürdig halten wollte, müßte man auch glauben, daß ein Eichhörnchen bohnere. BSD 1965 ff.
7. mühsam nährt sich das ~ (mühsam sucht das ~ seine Nahrung; mühsam nährt sich das ~, hüpfend von Ast zu Ast; mühsam nährt sich das ~ von den Früchten des Waldes): Redewendung mit Bezug auf schwierigen Erwerb des Lebensunterhalts, überhaupt auf schwierige, langwierige Ausführung eines Vorhabens. Soll eine Textzeile aus dem späten 19. Jh gebräuchlichem Schulbuch sein. 1900 ff.

Eichstrich m **1.** bis zum ~ vollsein = stark betrunken sein. Vgl das Vorhergehende.
2. über den ~ tanken = sich betrinken. 1920 ff.
3. über den ~ trinken = sich bezechen. 1920 ff.

Eid m **1.** ~ mit Blitzableiter (mit Ableiter) = Falscheid. Man hält die Finger der linken Hand abwärts, während man mit

der rechten schwört. Dazu Ludwig Thoma: „Die ehrwürdige Tradition sagt, daß auf diese Weise der Schwur von oben nach unten durch den Körper hindurch in den Boden fährt und als ein kalter Eid keinen Schaden tun kann." Beruht auf der Vorstellung vom Blitzableiter. Spätestens seit 1900.
2. ~ mit Nebenluft = Falscheid. 1900 *ff.*
3. flotter ~ = leichtfertig, aus Gefälligkeit geleisteter Schwur. 1920 *ff.*
4. kalter ~ = Falscheid, an den man sich nicht gebunden fühlt. ↗ Eid 1. 1900 *ff, Bayr.*
5. papierner ~ = eidesstattliche Versicherung. 1950 *ff.*
6. den ~ abblitzen = bei der Eidesleistung die linke Hand abwärts führen. ↗ Eid 1. *Bayr* 1900 *ff.*
7. den ~ ableiten = die Finger der linken Hand abwärts halten, während man mit der rechten schwört. ↗ Eid 1. *Bayr* 1900 *ff.*
Eidgenosse *m* **1.** Mensch, der ohne Gewissensbisse einen mehr oder minder fragwürdigen Eid leistet. Selbständiges Scheltwort ohne Herleitung von „Eidgenosse = Schweizer". 1900 *ff.*
2. *pl* = Ungeziefer, Läuse. Sie halten zusammen wie Verschworene. 1920 *ff.*
ei-'ei machen (ei'eien; ei'eilen; 'eijeln) *intr* jn streicheln, liebkosen. Das kinderspr. „ei" ist ein Ausruf der Freude und der Überraschung und bezeichnet auch das Wohltuende. 1700 *ff.*
'eien *tr intr* **1.** jn liebkosen; die Wange streicheln. Nebenform zum Vorhergehenden. 1700 *ff.*
2. die Geschworenen ~ = die Herzen der Geschworenen rühren, um ein mildes Urteil zu erlangen. 1930 *ff.*
Eierberg *m* Bordell. Hier kommen die „Eier = Hoden" zuhauf. 1955 *ff.*
Eierbus *m* Airbus. Scherzhafte Eindeutschung. Lufthansa 1971 *ff.*
Eierdieb *m* **1.** Schuldiger in Bagatellsachen; Mensch, der nur Dinge von geringem Wert stiehlt (Mundraub begeht). Eier sind reichlich vorhanden und billig. Der Diebstahl eines einzigen fällt nicht ins Gewicht. 1920 *ff.*
2. Gelddieb. ↗ Ei 9. 1920 *ff.*
Eierfabrik *f* Geflügel-Großfarm. 1960 *ff.*
Eiergriff *m* **1.** Griff an die Hoden. ↗ Ei 10. *Sold* 1939 *ff.*
2. große Unannehmlichkeit. *Sold* 1939 *ff.*
3. Griff in die Brieftasche. ↗ Ei 9. 1930 *ff.*
Eierhandgranaten *pl* **1.** Pellkartoffeln. Wegen der Formähnlichkeit. *Sold* 1914 *ff.*
2. Knödel. *BSD* 1960 *ff.*
Eierhäuschen *n* **1.** Hodensack. ↗ Ei 10. 19. Jh.
2. Stützbinde. Wohl bei Kradmeldern aufgekommen, bei denen das Tragen eines Suspensoriums Pflicht war. *Sold* 1935 *ff.*
Eierkicker *m* Mensch, der sehr vorsichtig zu Werke geht. „Eier kicken" nennt man es, wenn zwei Personen mit der Eispitze auf die des anderen einschlagen; verloren hat, wessen Ei entzweigeht. *Schül* 1955 *ff.*
Eierkiste *f* **1.** Bett. Meint ursprünglich das Junggesellenbett. Eier = Hoden. Aber es ist auch ein vierkantiges ↗ Nest. 19. Jh.
2. Hodensack. *Sold* in beiden Weltkriegen.
3. altes Auto; altes, schadhaftes Flugzeug. Anspielung auf die kistenähnliche Form

sowie auf das „Eiern" (↗ eiern 4) der Räder. Seit dem frühen 20. Jh.
4. Wohnwagen. 1955 *ff.*
5. Wohnhochhaus. Berlin 1955 *ff.*
6. altes Rundfunkgerät. Technikerspr. 1950 *ff.*
Eierkocher *m* **1.** flacher Herrenhut mit gleichmäßig eingedrückter Kopffläche. Die Delle im Hutkopf ähnelt der Vertiefung im Küchengerät, in dem Eier gekocht werden. Außerdem gilt „Ei = Kopf". 1900 *ff.*
2. steifer schwarzer runder Herrenhut; harter Filzhut. 1920 *ff.*
3. Pfeife mit großem Kopf. 1920 *ff.*
Eierkopf *m* **1.** Schimpfwort auf einen Dummen. Sein eiförmiger Schädel ist formähnlich mit einer Birne; die „weiche ↗ Birne" spielt auf Gehirnerweichung an. 1910 *ff.*
2. wissenschaftlich gebildeter Intellektueller; weltfremder Intellektueller. Fußt auf *angloamerikan* „egghead". Etwa seit 1959/60.
3. Besserwisser. *BSD* 1965 *ff.*
4. Glatzkopf. 1960 *ff.*
Eierkuchen *m* **1.** Hodenverletzung, -zertrümmerung. Erinnert an den Eierpfannkuchen. 1935 *ff.*
2. mir kann man auf den ~ scheißen, ich knabbere den Rand ab: Redewendung eines Menschen, der sich durch nichts den Appetit verderben läßt. Berlin 1950 *ff.*
Eierlandung *f* behutsame, weiche Zweipunktlandung des Flugzeugs. *Vgl* ↗ Ei 54. Fliegerspr. in beiden Weltkriegen.
Eierlegen *n* es ist zum ~ = es ist sehr erheiternd. Hergenommen vom Verstecken der Ostereier oder vom Gackern der Henne nach dem Eierlegen. 1920 *ff.*
eiern *v* **1.** *tr* = jds Hodensack berühren, kneifen. ↗ Ei 10; beeinflußt von ↗ eien 1. 1939 *ff.*
2. *tr* = etw ausklügeln, auskundschaften, ersinnen. Analog zu ↗ Ei 42. 1900 *ff.*
3. koitieren. 1955 *ff.*
4. das Rad eiert = das Rad hält nicht genau die Spur; die Radfelge ist verbogen. 1910 *ff.*
Eierpunsch *m* **1.** Sperma. ↗ Ei 10. 1920 *ff, prost.*
2. ~ bereiten = masturbieren. 1920 *ff, prost.*
3. ~ trinken = fellieren. 1920 *ff, prost.*
Eierschalen *pl* **1.** die ~ abgestreift haben = ein Erwachsener geworden sein. Küken tragen oft noch Eierschalenreste am Schwanz. 1900 *ff.*
2. ihm kleben noch die ~ an (am Hintern, am Buckel) = er ist noch nicht erwachsen. 19. Jh.
3. da sind die ~ noch dran = die Sache ist noch nicht ausgereift. 1900 *ff.*
4. die ~ noch hinter den Ohren (o. ä.) haben = noch unerfahren, unreif, jung sein. 19. Jh.
5. die ~ noch am Steiß haben = noch nicht erwachsen sein. 19. Jh.
6. seine ~ verlieren = Illusionen aufgeben; geistig reifen; selbständig werden. 1950 *ff.*
Eierschaukel *f* Motorrad. Die Hoden werden im Sattel geschaukelt; ↗ Ei 10. 1935 *ff.*
Eierschleifmaschine *f* **1.** rücksichtsloser Soldatenausbilder. „Maschine" meint den seelenlos tätigen Menschen. ↗ Ei 87. *Sold* 1939 *ff.*

2. Kraftrad. ↗ Eierschaukel. *BSD* 1960 *ff.*
3. aus dem Keller (im Hintergrund) hört man das monotone Geräusch der ~: Redewendung, mit der man die Folgen eines gescheiterten Vorhabens kennzeichnet. Fußt auf einer sexuellen Gruselgeschichte oder einem studentischen Bierulkvortrag: Ein Bursche hört ein Mädchen verführt, und der Vater befiehlt: „Man schleife ihm die Eier bis aufs Gelbe!". ↗ Ei 88. Nach einer Kunstpause folgt der Schlußsatz: „Hinter den Kulissen hört man das monotone Geräusch einer Eierschleifmaschine, während im Vordergrund ein Einjähriger sein Jahr abdient." Spätestens seit 1900, *stud.*
Eierschwemme *f* Überangebot von Eiern. „Schwemme" ist in dieser Bedeutung neu. Es ist entstanden aus „in etw schwimmen können, weil es (zu-)viel davon gibt". 1963 *ff.*
Eiersieder *m* **1.** steifer, runder Herrenhut. ↗ Eierkocher. 1900 *ff.*
2. Stahlhelm. *Sold* 1939 *ff.*
Eierstab *m* Penis. Der scheinbar aus den Hoden (↗ Ei 10) hervorragende Stab. Meint in der Architektur eine Ornamentleiste an Säulen-Kapiteln o. ä. 1900 *ff.*
Eiertanz *m* **1.** gewundene, unaufrichtige Stellungnahme zu einem persönlich ärgerlichen oder nachteiligen Tatbestand; geschickte Flucht vor der Entscheidung. Bezeichnet eigentlich den Geschicklichkeitstanz zwischen Eiern auf dem Boden (oder Tisch). 19. Jh, politikerspr.
2. Probeaufnahme von (angehenden) Filmschauspielern. 1920 *ff,* filmspr.
3. einen ~ aufführen = sich einer Unvermeidlichkeit vorsichtig zu entziehen suchen; Ausweichmöglichkeiten praktizieren. 19. Jh.
4. mach nicht so einen ~! = mach nicht soviel Aufhebens! mach nicht soviele Schwierigkeiten! 1900 *ff.*
Eierwecklpflaster *n* Kopfsteinpflaster. Eierweckl = eingeschnittene runde Brötchen. *Bayr* 1930 *ff.*
Eifer *m* **1.** im ~ des Gefechts = im Eifer; unter Zeitdruck; bei der Bewältigung eines Vielerleis vor Aufgaben. Der Militärschriftstellerei entnommen, etwa im späten 19. Jh.
2. vor ~ zerreißen = sehr eifrig sein. ↗ zerreißen. *Sportl* 1920 *ff.*
Eigenbau *m* **1.** leiblicher Nachwuchs (nicht das Adoptivkind, auch das aus einer früheren Ehe des Ehepartners). Wohl von Schrebergärtnern aufgebracht, die sich ihr Gemüse ziehen. 1920 *ff.*
2. selbstangebauter Tabak. 1940 *ff.*
3. selbstgeschneiderte Kleidung. 1950 *ff.*
Eigenbleibe *f* eigenes Zimmer. ↗ Bleibe 1. *Halbw* 1960 *ff.*
Eigengewächs *n* Eigentor. Man hat es selbst hervorgebracht. *Sportl* 1950 *ff.*
Eigenheim *n* **1.** ~ von der Stange = Fertighaus. ↗ Stange. Nach 1950 aufgekommen.
2. rollendes ~ = Wohnwagen. 1955 *ff.*
Eigenlob *n* Marke ~ = minderwertige Zigarre. Nach dem Sprichwort „Eigenlob stinkt". Seit dem späten 19. Jh.
Eigentor *n* **1.** Selbstverschulden eines schweren Schadens. Dem Ballsport entlehnt. 1955 *ff.*
2. ein ~ schießen = einen Schaden selbst verursachen. 1955 *ff.*

Eigentumsteppich *m* starke Brustbehaarung. 1955 *ff.*

Eigentumsüberträger(in) *m f* Dieb(in). Ironie: der Dieb überträgt den Gegenstand vom Besitzer auf sich selbst. 1960 *ff.*

Eigentumsverlagerung *f* Diebstahl. Beschönigung. *BSD* 1965 *ff.*

'ei'jei'jei *interj* Ausruf der Überraschung. „Ei" (= Ausruf der Freude) dreimal gesetzt. 1920 *ff.*

eijeln *intr* ↗ ei-ei machen.

Eilbote *m* Diktat, Klassenarbeit. Auf die säumigen Schüler kann keine Rücksicht genommen werden; es muß schneller geschrieben werden, als wenn man ohne Antrieb schreibt. *Schül* 1955 *ff.*

eilig *adj* nichts ist so ~, daß es sich nicht durch längeres Liegen von selbst erledigt: *iron* Bürokratenbemerkung zu Eilsachen. 1900 *ff.*

Eilschrift *f* Ohrfeige. Sie wird eilig ausgeteilt, und der Abdruck der Hand bleibt lange auf der Wange sichtbar. *Schül* 1955 *ff.*

Eimer *m* **1.** senkrecht über den Kopf gestülpter Filzhut o. ä. Er erinnert an einen Eimer. 1950 *ff.* — **2.** Stiefel. Zustandegekommen entweder durch die Gleichsetzung „Eimer = Schiff = Kahn = Schuh" oder durch die Gleichsetzung „Stiefel = Trinkgefäß = Eimer". *BSD* 1965 *ff.* — **3.** Maßkrug; Pokal; $1/2$-Liter-Glas. Übertreibende Vokabel. „Eimer" war früher ein Faßmaß. *Sold* 1914 bis heute. — **4.** Schiff, Dampfer, Frachter, Unterseeboot. Bezeichnungen für „Schiff" gehen international vom Begriff „Gefäß" aus. ↗ Pott. *Marinespr* 1900 *ff.* — **4 a.** Abort(trichter). 1900 *ff* (wohl älter). — **5.** Schimpfwort auf einen Sonderling oder einen Dummen. Gekürzt aus Müll- oder Aborteimer: der Betreffende ist nur zur Aufnahme von Abfall zu verwenden und ist selber nicht viel mehr. 1930 *ff.* — **6.** häßliches Mädchen. Die Gestalt ähnelt einem alten Eimer: es fehlen die ausgeprägten Körperformen. 1920 *ff*; heute *halbw.* — **7.** Mißerfolg; mißfallende Sache. Verkürzt aus „reif für den Eimer", nämlich für den Abfalleimer. *Halbw* 1955 *ff.* — **8.** alter ~ = abgetane, veraltete Sache; Wertlosigkeit. Bezeichnet ähnlich wie „alter ↗ Hut" einen abgenutzten, unbrauchbar gewordenen Gegenstand. 1950 *ff.* — **9.** dicker ~ = großes Schiff. ↗ Eimer 4. *Marinespr* 1910 *ff.* — **10.** Gesicht wie ein eingedrückter ~ = schiefes, entstelltes Gesicht. 1920 *ff.* — **11.** großer ~ = a) mißglücktes Unternehmen. ↗ Eimer 7. *Sold* 1943 *ff.* — b) großes Schiff. ↗ Eimer 4. *Marinespr* 1920 *ff.* — **12.** Gesicht wie ein kaputter ~ = grobes Gesicht. 1950 *ff.* — **13.** leerer ~ = dummer Mensch; gedankenlos dahinlebender Mensch. *Jug* 1950 *ff.* — **14.** trüber ~ = schmutziger, nachlässiger, dummer Mann. Vergröbert aus „trübe ↗ Tasse". 1950 *ff.* — **15.** voll wie ein ~ = volltrunken. 1920 *ff.* — **16.** er ist zu dumm, einen ~ Wasser anzuzünden = er ist überaus dumm. *BSD* 1965 *ff.* — **17.** er ist zu dumm, einen leeren ~ Wasser auszuschütten = er ist überaus

dumm, nicht zu den einfachsten Dingen zu gebrauchen. *BSD* 1965 *ff.* — **18.** vom ~ fallen = überrascht, entsetzt sein. Bei Anhören der Nachricht fällt der Betreffende vom Aborteimer: die Nachricht ist „umwerfend". 1920 *ff.* — **19.** es ist in den ~ gefallen = es ist nicht verwirklicht worden. 1900 *ff.* — **20.** ein Flugzeug in den ~ fliegen = mit dem Flugzeug abstürzen. Das Flugzeug hat nur noch Abfall-, Schrottwert. *BSD* 1965 *ff.* — **21.** in den ~ gehen = Mißerfolg erleiden; scheitern. Eimer = Müll-, Abfall-, Aborteimer. 1900 *ff.* — **22.** es gießt wie ~n = es regnet in Strömen. 19. Jh. — **23.** Einfälle wie ein alter ~ haben = wunderliche Gedanken haben. Wortspiel mit zwei Bedeutungen von „Einfall": 1) plötzlich aufkommender Gedanke; 2) Einsturz. „Alter Eimer" für „Aborteimer" ist Modernisierung; früher hieß es mundartlich „Einfälle haben wie ein alter Abtritt", „wie ein Bauernabtritt", „wie ein altes Scheißhaus" usw. 1920 *ff.* — **24.** mich haut's vom ~!: Ausdruck der Überraschung. ↗ Eimer 18. 1920 *ff.* — **25.** auf den ~ kommen (geraten) = keinen Erfolg haben; in Ungelegenheiten geraten; zugrundegehen. Eimer = Abfalleimer. 1800 *ff.* — **26.** mit etw nicht auf den ~ kommen = eine Sache nicht bewerkstelligen können; mit etw nicht zu einem guten Ende kommen. Analog zu „mit etw nicht zu ↗ Stuhl kommen". 1920 *ff.* — **27.** du mußt wohl mal auf den ~? = du bist wohl nicht recht bei Verstand? Der klare Verstand kehrt zurück, wenn man seine Notdurft gründlich verrichtet hat. 1960 *ff, prost.* — **28.** es klingt, wie wenn der Ochse (o. ä.) in den ~ scheißt = es klingt widerwärtig, völlig unmusikalisch. 19. Jh. — **29.** in den ~ sehen (gucken o. ä.) = der Geschädigte, der Benachteiligte sein. Eimer = Abfalleimer. 19. Jh. — **30.** im ~ sein = a) verdorben, entzwei, verloren, verhaftet sein; schwer verdächtigt sein; überrascht worden sein. Eimer = Abfall- oder Aborteimer. 1910 *ff.* – b) dumm sein. *BSD* 1965 *ff.* — **31.** reif für den ~ sein = a) wertlos, wegwerfenswert sein. 19. Jh. – b) eine Zuchthausstrafe verdient haben. Was man dem Mülleimer übergibt, wird nicht wieder hervorgeholt. 1900 *ff.* — **32.** das ist für den ~ = das taugt nichts, ist völlig wertlos. 19. Jh. — **33.** vom ~ sein = überrascht sein. ↗ Eimer 18. 1920 *ff.* — **34.** jn in den ~ setzen = jn übertölpeln. 1950 *ff.* — **35.** auf dem ~ sitzen (sein) = in Verlegenheit sein. Eimer = Abort. 19. Jh. — **36.** einen ~ Wasser nicht umkippen (umwerfen; er ist zu doof, um einen ~ Wasser umzukippen) = er ist sehr dumm. 1955 *ff, jug.* — **37.** einen ~ voll vertragen = viel trinken können. 1920 *ff.*

einärmeln *v* ↗ eingeärmelt gehen.

Einarmige *pl* beifallsträges Publikum. Einarmige können nicht in die Hände klatschen. *Theaterspr.* 1920 *ff.*

einatmen *tr* **1.** ich atme dich gleich ein!:

Drohrede. Redewendung eines kraftvollen Menschen gegenüber einem schmächtigen. 1920 *ff.* — **2.** Leute wie Sie atme ich ein und huste sie ganz kurz wieder aus!: Drohrede. 1939 *ff.* — **3.** jn ~ = jn völlig mit Beschlag belegen. 1950 *ff.* — **4.** jn ~ = jn entwürdigend anherrschen. 1939 *ff, sold.*

einäugig *adv* ~ fahren = mit nur einem Scheinwerfer fahren (weil der zweite ausgefallen ist). 1940 *ff.*

Einäugiger *m* **1.** Fahrrad, Motorrad. Beide haben nur einen einzigen Scheinwerfer. 1960 *ff.* — **2.** Kraftwagen, bei dem nur einer der beiden Scheinwerfer leuchtet. 1940 *ff.*

Einbahnhirn *n* sehr große Engstirnigkeit. Der Betreffende kann nicht zugleich auffassen und äußern; er kann nur in einer Richtung denken. 1950 *ff.*

einbalsamieren *v* **1.** jn ~ = jn übertölpeln, beschwatzen. Analog zu ↗ einschmieren. 1920 *ff, kaufmannsspr.* — **2.** sich ~ = sich stark parfümieren. Balsam = wohlriechende Flüssigkeit. 1950 *ff.* — **3.** laß dich ~!: Rat an einen Dummen oder Versager. „Freundliche" Aufforderung zu sterben, damit man den Betreffenden einbalsamieren und bestatten kann. 1900 *ff.*

Einberufung *f* ~ der Soldaten = Ablage von zwei Karten in den Skat. ↗ Soldat. 1900 *ff, kartenspielerspr.*

einbilden *v* sich etw ~ = etw haben wollen. Man prägt es sich ein, um es nicht zu vergessen. *Bayr* 1800 *ff.*

Einbilder *m* Soldatenausbilder. Er bildet keine Soldaten aus, sondern bildet sich ein, es zu können: er dünkelhaft. *Sold* 1939 *ff* bis heute.

Einbildung *f* ~ ist auch eine Bildung: Spottrede auf einen Überheblichen. 1900 *ff.*

einbinden *tr* jds persönliche Verantwortung durch die Verantwortung der Partei ablösen. Politikerspr. 1965 *ff.*

einblasen *tr* jm etw ~ = **1.** jm etw vorsagen, vorsprechen, soufflieren. Übersetzt aus *lat* „inspirare = einhauchen" und in den weltlichen Bereich überführt. 18. Jh, theaterspr. und *schül.* — **2.** jm etw immer von neuem nachdrücklich einprägen, einhämmern. 19. Jh.

einblenden *refl* sich einmischen. Stammt aus der Film-, Funk- und Fernsehsprache. 1950 *ff.*

einbleuen *v* jm etw ~ = jm etw durch Prügel beibringen; jm etw nachdrücklich einsagen. ↗ bleuen. 1500 *ff.*

Einblick *m* **1.** ~ ins Seelenleben = Blick ins Brustdekolleté. — **2.** tiefe ~e (in die Anatomie) gewähren (o. ä.) = tief dekolletiert sein. 1920 *ff.* — **3.** einen ~ nehmen (tätigen) = vom Mitschüler absehen. 1950 *ff.*

einblitzen *tr* einen Text sekundenlang in eine Fernsehsendung einfügen. 1958 *ff, technikerspr.*

einbomben *tr* den Ball unhaltbar ins Tor stoßen. ↗ bomben. *Sportl* 1920 *ff.*

einbrechen *v* **1.** koitieren. 1920 *ff.* — **2.** bei ihm haben sie eingebrochen = er ist von Sinnen. Die Einbrecher haben das Gehirn gestohlen. Spätestens seit 1900.

3. bei ihm haben sie eingebrochen und vergessen zu klauen = er ist sehr dumm. Die diebische Absicht hat man vergessen, weil man sich einer Leere gegenübersah. 1950 *ff, schül.*
4. *intr* scheitern; einen Mißerfolg ernten. Übertragen vom Einbrechen auf dem Eis. 1960 *ff.*

Einbrecher-Visitenkarte *f* Kothaufen, den der Einbrecher am Tatort zurückläßt. Die alte Sitte der Verbrecher fußt auf der Aberglaubensregel, daß der Kothaufen als Sitz des Lebensstoffes die Widersacher fernhält – meist nur so lange, wie der Haufen warm ist. 1920 *ff.*

einbringen *refl* sich einer Gruppe anschließen, anpassen. Personifizierung von „einbringen = eine Sache beisteuern". 1980 *ff.*

einbrocken *v* **1.** sich etw ~ = sich in eine unangenehme Lage bringen. Gehört zu der sprichwörtlichen Redensart: „was man eingebrockt hat, muß man ausessen". Gemeint ist, daß man die Suppe, die man sich durch Brotbrocken gelängt hat, auslöffeln muß, auch „wenn die Augen größer waren als der Magen". 1500 *ff.*
2. jm etw ~ = jn in eine Ungelegenheit bringen. 19. Jh.
3. etw ~ = viele Augen in den Stich des Mitspielers geben. Kartenspielerspr. 19. Jh.
4. nichts einzubrocken haben = nicht wohlhabend sein; keine Mitgift beisteuern können. 1800 *ff.*

Einbruch *m* **1.** Mißerfolg; zerstörte Hoffnungen; mißfallende Sache. Man geht aufs Eis und bricht ein. *Halbw.* 1955 *ff.*
2. einen motorisierten ~ verüben = mit dem Auto die Wand eines Hauses einstoßen. Kraftfahrerspr. 1920 *ff.*

Einbruchsversuch *m* mißglückte Defloration. 1920 *ff.*

einbrummen *tr* jm eine Freiheitsstrafe auferlegen. ↗brummen 4. 1920 *ff.*

einbuchten *v* **1.** jn ~ = jn mit Arrest bestrafen; jn zu einer Freiheitsstrafe verurteilen. ↗buchten 2. Spätestens seit 1900.
2. sich ~ = koitieren (auf den Mann bezogen). Frauenschoß = (Meeres-)Bucht. 1950 *ff.*

einbuddeln *v* **1.** etw ~ = etw eingraben. ↗buddeln 1. 19. Jh.
2. jn ~ = jn beerdigen. 1900 *ff.*
3. etw ~ = etw auf Flaschen füllen. ↗Buddel 1. 1900 *ff.*
4. sich ~ = sich ein Deckungsloch graben. 1914 *ff.*

einbunkern *tr* **1.** jn ~ = jn verhaften, einsperren. ↗Bunker 1. *Sold* 1914 *ff.*
2. etw ~ = etw auf Vorrat legen. 1940 *ff.*

einbuttern *v* **1.** etw ~ = angelegtes Geld einbüßen. ↗zubuttern. 1900 *ff.*
2. sich ~ = in Schulden geraten. 1900 *ff.*

Eindecker *m* Junggeselle, Einzelgänger. 1930 *ff.*

eindeutig *adj* ~-zweideutig = der gewerblichen Unzucht nachgehend; unzüchtig. 1950 *ff.*

eindonnern *tr* **1.** etw einschlagen. ↗donnern. 1900 *ff.*
2. den Fußball heftig ins Tor treten. *Sportl* 1960 *ff.*

eindösen *intr* einschlafen; in Halbschlaf geraten. ↗dösen. 1800 *ff.*

eindrehen *tr* jn verhaften, einsperren. Soviel wie „einpacken". *Österr* 1930 *ff.*

eindreschen *v* **1.** auf jn ~ = a) heftig auf

jn einschlagen. ↗dreschen. 1900 *ff.* – b) jm schwerwiegende Vorhaltungen machen; jn streng behandeln. 1950 *ff.* – c) jn unablässig der Propaganda aussetzen. 1933 *ff.*
2. jm die Schnauze (o. ä.) ~ = jm heftig ins Gesicht schlagen. 1920 *ff.*
3. eine Stellung ~ = eine militärische Stellung mit Granaten belegen. *Sold* 1914 *ff.*
4. den Ball ~ = den Fußball heftig ins Tor treten. 1960 *ff.*

Eindruck *m* **1.** bleibender ~ = von schwerer Verwundung herrührende Narbe. *Sold* 1939 *ff.*
2. einen vertrockneten ~ machen = durstig aussehen. Berlin 1950 *ff.*
3. ~ schinden = einen vorteilhaften Eindruck zu erwecken suchen. ↗schinden. In Studentenkreisen im ausgehenden 19. Jh aufgekommen.

eine *f* **1.** Flasche. 19. Jh.
2. Ohrfeige. 19. Jh.
3. Geschlechtsverkehr. Gemeint ist „↗Nummer". 19. Jh.
4. so eine = Hure; leichtlebige weibliche Person. 19. Jh.
5. du bist mir eine! = du bist ein wunderlicher Mensch! Gekürzt aus „sonderbare Person". 1900 *ff.*

einen *akk* **1.** Branntwein, Schnaps o. ä. 19. Jh.
2. Geschlechtsverkehr. Gemeint ist „↗Fick". 19. Jh.
3. Darmwind. 19. Jh.

einer *m* **1.** so ~ = unzuverlässiger, charakterloser Mensch. 19. Jh.
2. du bist mir ~! = du bist ein wunderlicher Mensch! 19. Jh.

einfach *adj* **1.** ~, aber geschmacklos = einfach, aber geschmackvoll. In Scherzabsicht vertauscht. Seit dem späten 19. Jh.
2. ~, elegant, geschmacklos und ohne Prunk = höchst unschön. Seit dem späten 19. Jh.
3. ~, nett und geschmacklos = höchst unschön. 1950 *ff.*
4. ~ und geschmacklos und sieht doch nach nichts aus = höchst geschmacklos; farbenunfroh. 1930 *ff.*
5. warum ~, wenn es auch kompliziert (umständlich) geht?!: sagt man, wenn man nach verwickeltem Lösungsversuch ein sehr einfaches Verfahren erkennt. 1920 *ff.*

einfädeln *v* **1.** etw ~ = etw geschickt, ausgeklügelt in die Wege leiten. Für das Einführen des Nähfadens in das Nadelöhr benötigt man eine ruhige Hand und ein gutes Auge. 1700 *ff.*
2. sich ~ = a) sich in eine Unterhaltung einmischen. Beruht auf der Vorstellung vom Gedankenfaden. 1940 *ff.* – b) sich in den Fahrzeugstrom einfügen. Übertragen vom militärischen Begriff „sich in eine marschierende Truppe eingliedern". 1955 *ff.*

einfahren *intr* **1.** essen. Eigentlich vom Erntewagen gesagt. Daher *gleichbed* „Heu einfahren". 19. Jh.
2. viel erwerben. 1900 *ff.*
3. vom Mitschüler abschreiben. 1960 *ff.*
4. hineinschlüpfen; sich einschleichen. *Rotw* seit dem frühen 18. Jh.
5. eine Haft antreten. Aus der Jägersprache: ein Tier (Fuchs, Marder o. ä.) fährt in den ↗Bau (= seine Höhle) ein. 1920 *ff.*

Einfall *m* **1.** Befehl. Aufgefaßt als plötzlicher Gedanke. *BSD* 1965 *ff.*
2. ein ausgefallener ~ = ein wunderlicher Einfall; ein Einfall, der sich nicht verwirklichen läßt. Ausgefallen = ungewöhnlich. 1950 *ff.*
2 a. glorreicher ~ = hervorragender Vorschlag (auch *iron*). 1950 *ff.*
3. Einfälle haben wie ein alter Eimer ↗Eimer 23.
4. Einfälle wie ein altes Haus haben ↗Haus 39.

einfallen *v* **1.** *intr* = a) überraschend und störend zu Besuch kommen. Hergenommen von einem Schwarm Vögel, der sich plötzlich niederläßt. 1950 *ff.* – b) verhaftet werden. 1950 *ff.* – c) einschlafen. Man fällt in den Schlaf. 1900 *ff.*
2. das fällt mir nicht ein = das tue ich unter keinen Umständen; Ausdruck der Ablehnung. Derlei kommt nicht in den Sinn. 17. Jh.
3. das fällt mir nicht im Traum ein! ↗Traum.
4. sich etw ~ lassen = über etw nachdenken; sich etw ausdenken; einen Ausweg suchen. 1930 *ff.*

Einfalt *f* **1.** ~ vom Lande = naiver Mensch. Landbewohner waren nach Meinung der Städter dümmlich. 19. Jh.
2. ach du heilige ~! = Ausruf der Verwunderung. Das gleichbedeutende „sancta simplicitas!" soll Johannes Hus 1415 auf dem Scheiterhaufen ausgerufen haben, als ein Bauer ein Stück Holz für das Feuer herbeitrug. 1900 *ff.*

Einfaltspinsel *m* einfältiger Mensch. Pinsel = Penis = Mann. 1700 *ff.*

einfangen *tr* **1.** einen ~ = a) einen närrischen Einfall haben. Hinter „einen" ergänze „Vogel". ↗Vogel = Verrücktheit. 1900 *ff.* – b) bestraft werden. Hinter „einen" ergänze „Verweis" oder „Dicken" oder „Druck" o. ä. *BSD* 1965 *ff.*
2. sich einen ~ = in eine unangenehme Lage geraten. *Vgl* „eine Krankheit fangen = sich eine Ansteckungskrankheit zuziehen". 1930 *ff.*
3. sich einen ~ = sich betrinken. Hinter „einen" ergänze „Rausch" oder „Affen" o. ä. *BSD* 1965 *ff.*
4. eine ~ = geohrfeigt werden. 1930 *ff.*

einfärben *tr* jn ideologisch, politisch-weltanschaulich beeinflussen. Bezieht sich auf die Parteifarben (Rot, Schwarz u. a.). 1950 *ff.*

einfeuern *intr* stark trinken. Man erwärmt sich von innen. 1900 *ff.*

einficken *v* **1.** jn ~ = jn einexerzieren. ↗ficken 2. 1940 *ff.*
2. sich ~ = eine Dauerliebschaft unterhalten. ↗ficken 1. 1940 *ff, sold* und *ziv.*

einfilzen *intr* einschlafen. ↗filzen. *Sold* 1939 *ff.*

Einfluß *m* **1.** Ejakulation. 1920 *ff.*
2. ~ um zehn Ecken = mittelbarer Einfluß. ↗Ecke 4. 1930 *ff.*
3. seinen ~ bei einer Frau geltend machen = koitieren (vom Mann gesagt). 1920 *ff, stud.*
4. einen guten ~ haben = wacker zechen können. 1900 *ff.*
5. viel ~ auf seine Frau gehabt haben = Vater vieler Kinder sein. ↗Einfluß 3. 1920/30 *ff.*

einflüstern *intr* 1. jm ~ = dem Mitschüler vorsagen. 1920 *ff*.
2. auf jn ~ = jn zu beeinflussen suchen. 1930 *ff*.
einfressen *refl* 1. sich einschmeicheln; einheiraten. 1920 *ff*.
2. eine Liebschaft unterhalten, die mit reichlicher Verpflegung verbunden ist. 1935 *ff, ziv* und *sold*.
einfrieren *tr* 1. die freie Verfügbarkeit von Guthaben o. ä. staatlich unterbinden. *Vgl* „auf ↗ Eis legen": man stellt eine Speise für spätere Verwendung zurück und sorgt dafür, daß sie in der Zwischenzeit haltbar bleibt. 1920 *ff*.
2. eine Entwicklung vorläufig innehalten; eine Sache nicht weiter erörtern. 1930 *ff*.
3. etw ~ lassen = eine Angelegenheit vorläufig nicht entscheiden. 1920 *ff*.
einfuchsen *v* 1. jn auf etw ~ = jn auf etw gründlich abrichten. Kam im 19. Jh auf, und zwar bei Verbindungsstudenten im Sinne von „den jungen Studenten mit seinen Pflichten und Rechten gründlich vertraut machen".
2. sich auf etw ~ = sich auf etw einüben. 1800 *ff*.
eingeärmelt gehen Arm in Arm gehen. „Arm" ist hier zu „Ärmel" zerspielt. 1920 *ff*.
eingebogen *adj präd* überheblich, unnahbar. Wer den Kopf „hoch trägt" und sich übermäßig „in die Brust wirft", zieht den Bauch ein (wölbt die Bauchdecke nach innen). 1930 *ff*.
eingeboren *adj* am Wohnort geboren; in der Vaterstadt lebend; einheimisch. 19. Jh.
eingefahren sein gut ~ = in seinem Fach tüchtig sein; sich gut eingearbeitet haben. Hergenommen von einem gut eingefahrenen Auto. 1960 *ff*.
eingefleischt *adj* unerschütterlich beharrend; unbelehrbar; anderer Ansicht unzugänglich. Meint eigentlich „fleischgeworden" (= *lat* „incarnatus"); hieraus weiterentwickelt zur Bedeutung „zur Form gelangt", „Körper geworden sein". 1700 *ff*.
eingefressen *adj* unausrottbar eingenistet. Vom Rost übertragen. 1960 *ff*.
eingefroren sein brachliegen; dem Zugriff entzogen sein. ↗ einfrieren 1. 1920 *ff*.
eingefuchst *adj* 1. altgewohnt, alterprobt. ↗ einfuchsen 1. 19. Jh.
2. auf etw ~ sein = auf etw gründlich vorbereitet sein; sich in etw hervorragend auskennen. 19. Jh.
eingegangen sein mager, abgefallen sein. Eingehen = sich zusammenziehen (von Textilien gesagt). 19. Jh.
eingehaut sein bei jm ~ = sich jds Wohlwollen erfreuen. *Vgl* ↗ einhauen. *Schül* 1920 *ff, österr*.
eingehen *intr* 1. im sportlichen Wettkampf besiegt werden. Eingehen = verdorren; an Lebenskraft verlieren. *Sportl* 1950 *ff*.
2. es geht mir nicht ein = es ist mir unbegreiflich. Es geht nicht in den Kopf hinein. 17. Jh.
3. ich gehe ein!: Ausruf des Erstaunens oder der Überraschung.
4. da gehst du glattweg zu Fuß ein!: Ausdruck der Überraschung. 1939 *ff, sold*.
5. da gehst du stehend freihändig ein!: Ausdruck der Überraschung. Bei „stehend freihändig" zielt der Schütze im Stehen, ohne die Flinte aufzulegen. *Halbw* 1955 *ff*.

6. mit etw ~ = mit etw übertölpelt werden. 17. Jh.
7. da kann man sauber (schön) ~ = da kann man sehr übertölpelt werden; da kann man ertappt werden. 19. Jh, *oberd*.
Eingemachtes *n* 1. Kot in der Unterwäsche. ↗ einmachen 1. 1900 *ff*, kadettensprachlich und *sold*.
2. strittige Angelegenheit, die vorerst keine Klärung zuläßt. Übertragen von der hauswirtschaftlichen Vorratshaltung: das Eingemachte greift die Hausfrau erst an, wenn es kein frisches Obst und Gemüse mehr gibt. 1965 *ff*.
3. Grundsätzliches; Grundbestand an Voraussetzungen; unverzichtbares Eigeninteresse. Politikerdeutsch seit 1975 *ff*.
4. vermögenswirksam angelegte Sparprämie; Rücklage. 1975 *ff*.
5. Wiederaufführung eines lange nicht mehr gespielten Bühnenstücks; Repertoire. 1980 *ff*.
6. ins Eingemachte gehen = eine Sache ausführlich, bis in die letzte Folgerung erörtern. 1965 *ff*.
7. vom Eingemachten leben = von den Ersparnissen leben. 1975 *ff*.
eingemopst *adj* verbittert, mürrisch. ↗ mopsen. Man zieht sich hinter seine mopsgesichtige Verdrießlichkeit zurück. 1950 *ff*.
eingepinkelt *part* wie ~ = sehr naß; stark durchfeuchtet (auf Bodenfeuchtigkeit o. ä. bezogen). ↗ pinkeln = harnen = regnen. *Sold* in beiden Weltkriegen; später zeltlerspr.
eingeplackt *adj* zugewandert; nicht einheimisch. Vorwiegend in Frankfurt am Main verbreitet, etwa seit 1800. Hängt zusammen mit „placken" in der Bedeutung „flikken" und „anklehen": der Zugewanderte ist „eingeflickt" oder „klebengeblieben".
eingerissen *adj* nicht mehr jungfräulich. Anspielung auf das Jungfernhäutchen. 1960 *ff*.
eingerostet *adj* veraltet, langweilig. 19. Jh.
eingesäuert *adj* mißmutig, unfreundlich geworden. Soviel wie „in Essig gelegt". 1950 *ff*.
eingesäumt sein gut ~ 1. wohlhabend sein. Meint entweder den breiten Saum als Sinnbild der Wohlhabenheit oder fußt auf „Saum", einem *schweiz* Gewicht. 1950 *ff*.
2. trinkfest, trinkfreudig sein. Saum = schweizerisches Flüssigkeitsmaß. 1950 *ff*.
eingeschäkelt gehen Arm in Arm gehen. Schakel, Schäkel = Ankerkettenglied. Seemannsspr. 1900 *ff*.
eingeschaltet haben zuhören, aufpassen; begriffen haben. Man hat den Verstandesapparat auf Empfang geschaltet. 1930 *ff*.
eingeschaukelt werden zum erstenmal mitfliegen. Das Flugzeug macht – unwillkürlich oder absichtlich – Schaukelbewegungen. *Sold* 1914 *ff*.
eingeschonken *part* eingeschenkt. ↗ geschonken. 19. Jh.
eingeschossen *part* 1. ihm ist etw ~ = er hat einen vernünftigen Einfall. Mit der Plötzlichkeit eines Schusses hat man eine Eingebung. 1900 *ff*.
2. auf (in) etw ~ sein = sich mit etw gründlich vertraut gemacht haben. Man hat das Schießen auf ein bestimmtes Ziel geübt. 19. Jh.
3. aufeinander ~ sein = sich aneinander gewöhnt haben. 1900 *ff*.

eingesegnet *part* aussehen wie gestern ~ = naiv, dümmlich aussehen. Man erweckt den Eindruck eines Konfirmanden. 1900 *ff*.
eingespannt sein viel zu tun haben. Hergenommen vom Gespann, in dem zwei Zugtiere gehen. 1920 *ff*.
eingestochen *part* eingesteckt. ↗ stechen. 19. Jh.
Eingeweide *pl* 1. günstige ~ = gute Aussichten; erfreuliche Vorzeichen. Geht zurück auf die Zukunftsdeutung aus den Eingeweiden geschlachteter Opfertiere. 1920 *ff*.
2. jm die ~ rausnehmen = a) jm alles an Geld und Geldeswert abnehmen. Der Betreffende wird bis ins Innerste völlig entblößt. 1910 *ff*. – b) jn scharf verhören. Polizeispr. und *sold* 1915 *ff*. – c) jn geschlechtlich überbeanspruchen. 1960 *ff*.
eingleisen *v* es gleist sich ein = es kommt in die gewünschte Ordnung. Vom Eisenbahnwesen übernommen: die Weichen sind richtig gestellt, der Zug nimmt das vorgeschriebene Gleis. 1950 *ff*.
eingleisig *adj adv* 1. langweilig, abwechslungslos, eintönig. Hergenommen von der eingleisigen Bahnstrecke, die immer eine Nebenstrecke ist. 1950 *ff*.
2. ~ denken = etw nicht nach allen Seiten durchdenken. Verwandt mit dem „↗ Einbahnhirn". 1955 *ff*.
einhaben *tr* jn erreicht haben. Gekürzt aus „eingeholt haben". 1920 *ff*.
einhacken *v* auf jn ~ = jn mit scharfen Worten angreifen, rügen und schikanieren. Fußt auf der Beobachtung der Vogelwelt: Vögel hacken aufeinander ein. 19. Jh.
einhäkeln (einhakeln) *tr* jn unterfassen. Verkleinerungsform des Folgenden. 19. Jh.
einhaken *v* 1. jn ~ = jn unterfassen. Armbeuge = Haken. 19. Jh.
2. *intr* = sich einmischen; sich einer Sache annehmen. Hergenommen von den Flößern, die mit der Hakenstange eingreifen. 19. Jh.
einhämmern *v* 1. jm etw ~ = jm etw nachdrücklich einlernen, wiederholt einprägen. Man bringt es ihm gewissermaßen mit Hammerschlägen bei. 19. Jh.
2. auf jn ~ = fortwährend bestürmen; jn unausgesetzt mit propagandistischen Mitteln bearbeiten. 1930 *ff*.
einhandeln *v* sich etw ~ = 1. sich etw Unangenehmes (Mehrarbeit o. ä.) zuziehen. Gemeint ist, daß man sich bei einem Handel als unerwünschte Beigabe hinzuerhält. 1900 *ff*.
2. sich eine Geschlechtskrankheit zuziehen. 1930 *ff*.
einhängen *refl* 1. seinen Arm in jds Armbeuge. 19. Jh.
2. sich einmischen. 1920 *ff*.
3. sich bemühen; wacker arbeiten. Hergenommen von den Zugtieren, die sich ins Geschirr hängen (legen). 1920 *ff*.
Einhaucher *m* tiefer Zug aus der Zigarette. 1939 *ff*.
einhauen *v* 1. *tr* = a) etw einschlagen. ↗ hauen. 1700 *ff*. – b) eine Arbeit ins Reine schreiben. Hauen = mit groben Schriftzügen, oberflächlich schreiben. 1900 *ff, schül*.
2. *intr* = a) beim Essen stark zulangen. Hergenommen vom kraftvollen Zubeißen (Einschlagen des Gebisses) oder vom Einschlagen des Löffels in die Speise. 1700 *ff*.

– b) aufhören; Schluß machen. Leitet sich her vom Einschlagen der Axt in den Baumstumpf oder vom Einhauen des Steinmetzzeichens. 19. Jh.
3. es haut ein = es entspricht den Erwartungen. Bezieht sich auf den Treffer in der Zielscheibe. 1900 *ff*, wandervogelspr.
4. sich ~ = sich einschmeicheln. Meint soviel wie „sich auf der Bank zwischen zweien einzwängen". *Österr* 1900 *ff*.

einheimsen *tr* **1.** jn nach Hause holen. Eigentlich „ins Heim schaffen; einernten". 1600 *ff*.
2. etw nicht rechtmäßig erwerben. Seit dem späten 17. Jh.

Einheitstrott *m* ~ 08/15 = **1.** übliche Art des Marschierens der Infanterie beim Zurücklegen großer Entfernungen, wenn Waffen, Geräte usw. mitgeschleppt werden mußten; gemäßigtes Marschtempo (jeder geht, wie es ihm am bequemsten ist). *Sold* 1935 *ff*.
2. schleppender Behördengang; langwieriger Instanzenweg. ↗ Trott. 1935 *ff*.

einheizen *intr* **1.** schüren, hetzen, antreiben, aufhetzen. Feuer im Ofen legen = die Leidenschaft entfachen. 19. Jh.
2. essen. Verdauen = „Verbrennen" der Nahrung. 1900 *ff*.
3. trinken. ↗ anfeuern. 1900 *ff*.
4. jm ~ = a) jm hart zusetzen; jn nachdrücklich zurechtweisen. Berührt sich mit „jm die ↗ Hölle heiß machen". 1700 *ff*. *Vgl engl* „I will make it hot for him". – b) jn beschießen. *Sold* in beiden Weltkriegen.
– c) jn geschlechtlich erregen. 1920 *ff*.

Einheizer *m* **1.** Mann, der vor dem Auftreten des Stars das Publikum in Stimmung bringt. 1965 *ff*.
2. *pl* = Tanzkapelle. 1970 *ff*.

einhüten *intr* eine Wohnung in Abwesenheit ihrer Inhaber betreuen. Der Hüter befindet sich hier innerhalb des zu behütenden Objekts. 1910 *ff*.

einige *pron.* ~ vierzig Jahre alt = zwischen 40 und 50 Jahren alt. 1920 *ff*.

'ein'igeln *refl* **1.** sich in einer Feldstellung nach allen Seiten sichern durch Aufstellung leichter und schwerer Waffen im äußeren Ring. Hergenommen vom Igel, der die Stacheln rundum stellt. *Sold* 1935 *ff*.
2. sich von der Umwelt abschließen; sich gegen mögliche Angriffe und Kritiken sichern; sich hinter Worten decken. 1950 *ff*.
3. sich in Unwissenheit flüchten; sich vor jm ins Schweigen zurückziehen. 1950 *ff*.
4. sich in seine Decke ~ = sich in seine Bettdecke eindrehen. Man rollt sich zusammen wie der Igel. *Sold* 1939 *ff*.

'Eini'g'hocker *m* Ortsfremder, der sich am Ort auf Dauer niederläßt. Er hockt (= setzt) sich herein. *Bayr* 1920 *ff*.

'Eini'g'schmeckter *m* in einem Ort vorübergehend lebender Mensch. In etw reinschmecken = etw nur kurz kennenlernen. *Bayr* 1920 *ff*.

Einjähriges *n* einjährige Freiheitsstrafe. 1960 *ff*.

einkacheln *v* **1.** *intr* = stark heizen. Meint eigentlich „Brenngut in den Kachelofen legen". 18. Jh.
2. *intr* = viel essen. Analog zu ↗ einheizen 2. 1800 *ff*.
3. ~ = ein Glas Alkohol trinken. ↗ einheizen 3; ↗ anfeuern. 1800 *ff*.
4. jm ~ = jm heftig zusetzen; jn hart

behandeln. Analog zu ↗ einheizen 4. 19. Jh.
5. jm (jn) ~ = schwängern. 19. Jh.
6. jn ~ = jn zu einer Freiheitsstrafe verurteilen; jn verhaften. Wird aufgefaßt als eine andere Form von Einmauern. 1880 *ff*.

einkanonieren *tr* den Fußball heftig ins Tor treten. ↗ Kanonier 1. 1950 *ff*.

einkassieren *tr* **1.** etw beschlagnahmen, einbehalten, an sich nehmen. Man zieht es ein wie Geld. 1900 *ff*.
2. jn verhaften, gefangennehmen. *Sold* in beiden Weltkriegen.

Einkauf *m* **1.** Anwerbung eines Fußballspielers mittels eines persönlichen Handgelds sowie mittels einer Ablösesumme für den abgebenden Verein. 1960 *ff*.
2. (Laden-)Diebstahl. Ironie. 1950 *ff*.
3. ~ zum Nulltarif = Ladendiebstahl. Nulltarif ist Bezeichnung für die kostenlose Beförderung in öffentlichen Verkehrsmitteln. 1968 *ff*.
4. bargeldloser (billiger, kostenloser, unentgeltlicher) ~ = Ladendiebstahl. 1955 *ff*.

Einkaufbummeln *n* Verbindung von Spazierengehen mit Einkaufen. ↗ bummeln 1. 1965 *ff*.

einkaufen *v* **1.** jn ~ = jn durch einen Vertrag (gegen hohe Gage) geschäftlich an sich binden. 1950 *ff*.
2. ~ = Ladendiebstahl begehen. Ironie. 1935 *ff*.
3. ~ = vom Mitschüler abschreiben. Man bekommt es kostenlos, stiehlt es mit den Augen. 1960 *ff*, *schül*.
4. bargeldlos (ohne Geld; kostenlos; umsonst) ~ = Ladendiebstahl begehen. 1950 *ff*.

Einkaufsbummel *m* gemächlicher Spaziergang, verbunden mit Besichtigung der Schaufensterauslagen und mit Einkäufen. ↗ Bummel 1. 1920 *ff*.

einkaufsbummeln *intr Vgl* das Vorhergehende. 1965 *ff*.

Einkaufsfest *n* Winter-, Sommerschlußverkauf. 1950 *ff*.

Einkaufspreise *pl* ich empfehle mich zu ~n: scherzhafte Redewendung bei der Verabschiedung. Meint aus der Kaufmannssprache etwa soviel wie „so billig wie möglich" und ist eine Untertänigkeitsbeteuerung. 1920 *ff*.

Einkaufsrummel *m* Betriebsamkeit der Verkäufer und Käufer während der Hauptgeschäftszeit des Einzelhandels. ↗ Rummel. 1920 *ff*.

Einkaufstag *m* heißer ~ = verkaufsoffener Samstag im Weihnachtsmonat. Anspielung auf den Andrang der Käuferscharen: es geht heiß her. 1965 *ff*.

Einkehrtag *m* Tag, an dem man sich betrinkt. Eigentlich ein Tag, an dem man „in sich geht"; hier der Tag, an dem man in Wirtschaften einkehrt. 1950 *ff*.

einkicken *tr* den Fußball ins Tor treten. ↗ kicken. 1920 *ff*.

einkieken *intr* zu kurzem Besuch kommen. ↗ kieken. Man sieht bei jm kurz herein. 1900 *ff*, *nordd*.

einklammern *refl* koitieren. 1955 *ff*, *westd*.

einklatern *v* **1.** sich ~ = sich beschmutzen. ↗ Klater = Schmutz. *Nordd* 19. Jh.
2. etw ~ = eine Sache bis zur Unkenntlichkeit verwirren. 1900 *ff*.

einkleistern *tr* **1.** die Schuld oder Verant-

wortung auf jn abwälzen. Analog zu ↗ anschmieren 1. 1920 *ff*.
2. jn übertölpeln. 1920 *ff*.

einklinken *intr* unterfassen; Arm in Arm gehen. 1900 *ff*.

einkluften *refl* neue Kleidung kaufen; bessere Kleidung anziehen. ↗ Kluft. *Rotw* 1847 *ff*.

einknallen *v* **1.** *intr* = den Ofen stark heizen. Man wirft das Holz knallend in den Ofen oder heizt so stark, daß das Holz im Ofen kracht, oder daß die Eisenteile des Ofens rotglühend werden (= knallig glänzen). 19. Jh.
2. mit hartem Stoß einen Tortreffer erzielen. *Sportl* 1920 *ff*.
3. sich ~ das Mieder fest zuschnüren. Dadurch treten die Körperformen „knallig" in Erscheinung. 1900 *ff*.

einknicken *intr* **1.** (widerwillig) nachgeben. Eigentlich soviel wie „sich verbeugen". 1900 *ff*.
2. Feigheit vor dem Feind begehen. Man knickt in den Knien ein, bekommt weiche Knie und wird mutlos. *Sold* 1939 *ff* (wohl älter).

einkochen *tr* **1.** jn ~ = jn veralbern, necken. ↗ kochen 3. *Österr* 1920 *ff*.
2. jn ~ = jn gefügig machen, bestechen, überreden. Erhitzen = aufstacheln. *Österr* 1920 *ff*.

Einkommensteuer *f* einen Schlund haben wie die ~ = trunksüchtig sein. Die Einkommensteuer ist ein unersättlicher Rachen. Seit dem späten 19. Jh bis heute.

einkratzen *v* **1.** jn ~ = jn zur Strafe ins Klassenbuch eintragen. Anspielung auf die kratzende Feder sowie auf das Einritzen des Namenszugs in die Baumrinde. 1930 *ff*, *schül*.
2. sich ~ = sich beliebt zu machen suchen. ↗ Ankratz. 1900 *ff*, *schül*; neuaufgelebt 1955 in der Halbwüchsigensprache.

einkriegen *v* **1.** etw ~ = etw hineinstopfen, einfüllen. 19. Jh.
2. jn ~ = jn einholen. 19. Jh.
3. sich ~ = seine Fassung wiederfinden. Man ist sich los geraten und holt sich nun wieder herein. 1900 *ff*.
4. sich nicht ~ vor Lachen = langanhaltend lachen; einen Lachkrampf haben. 1900 *ff*.

Einkriegezeck spielen Fangen, Nachlaufen spielen. ↗ Zeck. 1900 *ff*, Berlin.

einkuhlen *tr* jn ins Grabe tragen, beerdigen. ↗ Kuhle. *Nordd* 19. Jh.

einladen *v* **1.** unmäßig essen. Hergenommen vom Einfahren des beladenen Erntewagens in die Scheune. 19. Jh.
2. jn ~ = jn übertölpeln, täuschen. Gehört zu „Lader = Seifenwasser, -schaum" und ist Analogie zu ↗ einseifen". *Österr* 1950 *ff*.

Einladung *f* **1.** ~ zum Chefdiner = Rapport beim Kommandanten. Tarnausdruck. *Marinespr* seit dem frühen 20. Jh.
2. ~ zur Kirchweih = derbe Abweisung. ↗ Kirchweih. 1900 *ff*, *bayr*.

Einladungskarte (-schreiben) *f* (*n*) Aufforderung zum Antritt der Freiheitsstrafe. 1925 *ff*.

einlagern *v* koitieren. 1955 *ff*, *westd*.

Einlasse *f* **1.** Koitus. 1930 *ff*.
2. beischlafwilliges Mädchen. 1930 *ff*.

einlassen *tr* jn übertölpeln. Man läßt ihn in eine Falle tappen (in eine Fallgrube laufen). *Österr* 1950 *ff*.

Einlaufstelle f Geburtsort. Eigentlich die Posteingangsstelle einer Behörde. 1900 ff.

einlegen tr intr stark essen. Stammt aus der Viehhaltung: eine Sau einlegen = zur Mast halten. 1900 ff.

einleiern v es hat sich so eingeleiert = es ist zur Gewohnheit geworden. Einleiern = einspielen. 1920 ff.

einlochen v 1. jn ~ = jn verhaften, gefangennehmen, in den Karzer werfen, zu einer Strafstunde verurteilen. ↗Loch = Gefängnis. Stud, schül, rotw und sold 1830 ff. 2. sich ~ = koitieren (vom Mann gesagt). ↗Loch = Vulva, Vagina. Seit dem späten 19. Jh.

Einlochung f Koitus. 1880 ff.

einmachen v 1. tr = die Wäsche mit Kot oder Harn beschmutzen. 19. Jh. 2. tr = jn übertölpeln. In der Umgangssprache wird Übertölpelung vielfach durch Einharnung oder Einkotung ausgedrückt; vgl ↗anschmieren, ↗anscheißen usw. Vgl aber auch „einmachen" = ↗einkochen. 1950 ff. 3. tr = jn unterdrücken, zur Unfreiheit erziehen. ↗einkochen 2. Halbw 1970 ff. 4. sich mit jm ~ = jn verwöhnen und bevorteilen, aber sich selber dabei schaden. 1950 ff. 5. laß dich ~!: Redewendung an einen Dummen oder an einen Versager. Der Betreffende sollte sich in Spiritus setzen lassen, damit noch die Nachwelt ihn (als warnendes Beispiel der Unfähigkeit) betrachten kann. Analogie zu ↗einbalsamieren 3. 1900 ff. 6. das kannst du dir ~!: Ausdruck der Ablehnung. 1920 ff.

einmal adv 1. nur ~ = fortwährend, ununterbrochen (er ist am Tage nur einmal müde, nämlich vom Aufwachen bis zum Schlafengehen). 19. Jh. 2. ~ hintereinander gespielt werden = nach der Erstaufführung vom Spielplan abgesetzt werden. Theaterspr. 1920 ff.

Einmannauto n ~ mit Tretgetriebe = Fahrrad. 1955 ff.

Einmanndampfer m kleines Boot für einen einzigen Wassersportler; Paddelboot-Einer. 1920 ff, Berlin.

'einmanschen tr etw einschmutzen. ↗manschen. 19. Jh.

einmauern tr 1. als Strafgefangener einen Gegenstand in einem Seifenstück verbergen. 1960 ff. 2. jn so in die Enge treiben, daß er ein Geständnis ablegt. 1933 ff. 3. jn zu einer Freiheitsstrafe verurteilen. 1933 ff. 4. jds Handlungsfreiheit einengen. 1950 ff. 5. sich ~ = Verteidigung vor Angriff wählen. Fußballerspr 1950 ff.

einmogeln refl sich vorschriftswidrig in den Verkehrsstrom einordnen. ↗mogeln. 1955 ff.

einmotten v 1. etw ~ = etw aus dem Gebrauch nehmen und zur gelegentlichen Wiederverwendung vorsehen; etw vorerst außer Dienst stellen; von Zwecklosem Abstand nehmen. Meint eigentlich das mottensichere Verpacken und Lagern der Winter- oder Sommerkleider. Nach 1945 aufgekommen. Vgl engl gleichbed „to mothball". 2. laß dich ~!: Zuruf an einen Dummen.

Solche Dummheit sollte mottensicher aufbewahrt werden. Seit dem späten 19. Jh.

einmuckeln refl sich warm anziehen; sich (in Decken o. ä.) eindrehen, behaglich einschmiegen. Muckelig = drall, rundlich; weich, behaglich. 19. Jh.

einmullen refl sich in eine Decke einwickeln, um zu schlafen; sich warm einhüllen. Mullen = die Erde auflockern. Weiterentwickelt zur persönlichen reflexiven Bedeutung „sich in Weichem drehen". 1800 ff, nordd.

einnähen tr jn zu einer Freiheitsstrafe verurteilen; jn verhaften, gefangensetzen, einsperren. Entwickelt aus „nähen" im Sinne von „festmachen". Die Verbüßung der Freiheitsstrafe kann auch als eine Art Totsein aufgefaßt werden; hier wäre „einnähen" soviel wie „den Toten mit seinem Leichenhemd bekleiden". 19. Jh.

einnebeln v 1. jn ~ = jn in Darmwinde einhüllen. Übertragen vom Abfeuern der Nebelgranaten. Sold 1914 ff. 2. jn ~ = jn narkotisieren. Anspielung auf ↗Äthernebel. Sold 1939 ff. 3. jn ~ = jm etw vorspiegeln; jm die klare Überlegung rauben; jn propagandistisch beschwatzen. 1933 ff. 4. sich ~ = a) sich betrinken. ↗benebeln. 1920 ff. – b) sich offener Aussprache entziehen und den Plan insgeheim weiterverfolgen. 1950 ff. – c) sich hinter Ausflüchte zurückziehen. 1950 ff.

Einnehme f 1. Kellnerin, Kassiererin. Sie nimmt Geld ein. Berlin 1920 ff. 2. nettes Mädchen. Es nimmt einen für sich ein; man ist von ihm eingenommen. 1935 ff, sold.

einnehmen tr etw verstehen, erfassen. Verdeutscht das lat „capere = nehmen, ergreifen, fassen"; vgl ↗kapieren. Schül 1920 ff.

einnehmend adj ~es Wesen ↗Wesen.

einnicken v 1. intr = im Sitzen einschlafen. Der Kopf senkt sich langsam nach unten, was wie eine Ja-Gebärde aussieht. 1700 ff. 2. den Ball ~ = den Fußball ins Tor köpfen. Sportl 1920 ff.

einochsen tr etw unter Mühen lernen. ↗ochsen. Schül und stud seit dem späten 19. Jh.

einordnen tr einen unkameradschaftlichen Soldaten zur Rechenschaft ziehen; jn verprügeln. Auf diese Weise will man ihn in die Ordnung einfügen. BSD 1965 ff.

einpacken v 1. intr gründlich und viel essen. Vgl einladen 1. 19. Jh. 2. intr alt und faltig werden; die Reize von einst einbüßen; an Kräften abnehmen. Die Reize einpacken = die Reize ablegen. 19. Jh. 3. ~ können (müssen) = a) abgetan sein; es mit jm verdorben haben; verstummen müssen; als Versager entlarvt sein; sich wegscheren müssen; sein Geschäft schließen müssen. Hergenommen vom Hausierer, der seine Ware unverhinderterdinge wieder einpacken muß, oder vom Arbeitsgerät, das man einpackt, wenn man die Arbeit einstellt. 1700 ff. - b) die Stellung aufgeben; zurückweichen. Sold in beiden Weltkriegen. - c) eine Niederlage hinnehmen müssen. Sportl 1920 ff. 4. jn ~ = a) jm eine schwere Niederlage beibringen. Sportl 1920 ff. - b) jn beim Kartenspiel besiegen. 1920 ff.

5. 3 Jahre ~ = zu einer dreijährigen Freiheitsstrafe verurteilt werden. 1900 ff. 6. sich ~ = a) sich anziehen, umhüllen. 1900 ff. - b) davongehen. ↗packen. 1900 ff. 7. sich ~ lassen = eine Niederlage hinnehmen. Sportl 1920 ff.

einpauken v 1. jn ~ = a) jm Fechtunterricht erteilen. ↗pauken. 19. Jh. - b) jn auf eine Prüfung vorbereiten; jn auf etw abrichten; jn anlernen. ↗pauken. 19. Jh. 2. etw ~ = etw unter Mühen, nachdrücklich erteilen. 18. Jh. 3. auf jn ~ = auf jn einreden. ↗pauken. 1900 ff. 4. sich ~ = durch Trinken Gastrecht in einem geselligen Kreis erwerben. Es ist eine Art alkoholischer Mensur. 1800 ff.

Einpauker m 1. Repetitor. Eigentlich ein geübter Fechter, der dem Anfänger das Schlagen der einzelnen Fechthiebe erklärt. 19. Jh, vor allem stud. 2. (prügelnder) Lehrer. ↗Pauker. 19. Jh. 3. Lehrer an einem Gymnasium, in dem möglichst viele Schüler das Abitur erreichen (bestehen) sollen. 1900 ff. 4. Rekrutenausbilder. 1940 ff, sold.

einpegeln v 1. sich auf etw ~ = sich auf etw einstellen; sich zur Richtschnur nehmen. Hergenommen vom „Pegel = Wasserstandsanzeiger": die Küsten- und Binnenschiffahrt richtet sich nach dem Pegelstand. 1950 ff. 2. es pegelt sich ein = es kommt in die gewünschte Ordnung. 1950 ff.

einpeitschen tr 1. etw mit Nachdruck einlernen. Man droht Peitschenhiebe an oder verabreicht sie. In der Jägersprache ist es soviel wie „die Meute abrichten". 19. Jh. 2. etw rücksichtslos, plump propagieren. 1900 ff.

Einpeitscher m 1. Nachhilfelehrer; Repetitor o. ä. Seit dem späten 19. Jh. 2. Propagandist; Hetzredner, Parteiredner. Vgl engl „whip". 1900 ff. 3. Mann, der einem Schauspieler den Rollentext einlernt. Theaterspr. 1900 ff. 4. Mann, der im Fernsehstudio das Zeichen zum Beifallspenden gibt. 1960 ff.

einpendeln v 1. es pendelt sich ein = es gewinnt sein Gleichgewicht, kommt in die gewünschte Ordnung. Hergenommen vom Senkblei oder von der Waage. 1950 ff. 2. sich in (auf) etw ~ = sich nachdrücklich mit etw befassen, bis man es beherrscht. Theaterspr. 1920 ff.

Einpenne f 1. militärische Instruktionsstunde; langweiliger Vortrag. Verleitet zum Einschlafen. 1910 ff. 2. Schlafmittel. 1950 ff. 3. heftiger Schlag, durch den der Überfallene betäubt wird; Stock, mit dem ein Opfer besinnungslos geschlagen wird. 1946/47 ff.

einpladdern v sich einen ~ = hastig trinken. Pladdern = Wasser herabfallen lassen. Sprachverwandt mit „plätschern". 1920 ff, Berlin.

einplärren tr intr ein Lokal betreten; eindringen, eintreten. ↗plärren. Man tritt mit lautem Geschrei ein. Jug 1950 ff, österr.

einplumpen tr einen ~ = ein Glas Alkohol trinken. Eigentlich soviel wie „einfüllen". 1920 ff.

einpökeln tr 1. jn ~ = jn in Haft nehmen.

Der Betreffende wird gewissermaßen in Salzlake haltbar eingemacht. 19. Jh.

2. jn ~ = jn erledigen; jm hart zusetzen. 1900 ff.

3. jn ~ = jn zu eingepferchtem Stehen oder Sitzen zwingen; jn in gedrängter Fülle befördern. Hergenommen vom dichten Einlegen der Heringe in Salzlake. 19. Jh.

4. jn ~ = jn übervorteilen, belasten. 1900 ff.

5. jn ~ = jn einsegnen, konfirmieren. Dadurch macht man den Konfirmanden im Glauben haltbar. Seit dem frühen 19. Jh.

6. jn dienstlich ~ = jn verabschieden, gegen den Willen des Betroffenen pensionieren. Sachverwandt mit „↗kaltstellen". 1880 ff.

7. er pökelt sich seine Töchter ein = er bindet seine Töchter eng ans Haus. 1900 ff.

8. das kannst du dir ~ = das kannst du für dich behalten; das ist für mich nutzlos. 1950 ff.

9. laß dich ~!: Redewendung an einen Dummen oder Versager. Vorgänger von „↗einmachen 4". 1850 ff.

10. sich ~ = immer zu Hause sitzen. 1900 ff.

Ein-PS-ler m Pferd. ↗PS. 1920 ff.

einpumpen tr **1.** etw trinken. 19. Jh.

2. jn einladen. Bezieht sich vor allem auf eine Einladung zu einer Zecherei. Seit dem späten 19. Jh.

3. schwängern. Fußt auf dem Bilde des in der Pumpe sich bewegenden Kolbens. 1900 ff.

einpuppen v **1.** tr refl = einkleiden; die Uniform anpassen. Hergenommen von der Spielpuppe, die das Kind täglich mehrmals an- und auszieht. Rotw seit dem frühen 19. Jh; auch sold.

2. refl = eine Mädchenbekanntschaft machen. Bekleidung wird hier zur Begleitung; ↗Puppe. Halbw 1965 ff.

einquartiert werden verhaftet werden. Zur vorübergehenden Unterkunft wird die Gefängniszelle angewiesen. 1930 ff.

Einquartierung f **1.** Läuse. Vorübergehende Belegung von Wohnraum. 1700 ff.

2. Kind im Mutterleib. 1900 ff.

3. Menstruation. 1900 ff.

4. russische ~ = Ungezieferplage. Sold seit 1813 bis 1945.

einrahmen v **1.** eine weibliche Person ~ = einer weiblichen Person den Sitzplatz zwischen zwei Herren anweisen. 1920 ff.

2. laß dich ~! = du bist dumm! Bilde dir nichts ein! Solche Dummheit sollte man füglich einrahmen und im Museum ausstellen, damit alle sich ein Bild von ihm machen können. 1920 ff.

einrammeln tr etw durcheinanderwerfen, zerwühlen, zum Einsturz bringen, in Unordnung bringen. ↗rammeln. 19. Jh.

einramschen tr **1.** etw ~ = eine größere Warenmenge billig einkaufen. ↗Ramsch. 1900 ff.

2. etw ~ = beim Kartenspiel einen großen Gewinn erzielen. ↗ramschen. Spätestens seit 1900.

einrasten intr **1.** koitieren. Eigentlich soviel wie „den Hebel in den Verschluß legen" (Gewehr-, Türschloß). 1955 ff.

2. (hörbar) ~ = sich gekränkt fühlen; sein Gekränktsein zu erkennen geben. Wenn das Gewehrschloß fest einrastet,

entsteht ein klickendes Geräusch. Analogie zu ↗einschnappen. 1930 ff, sold und ziv.

einraunzen v sich bei jm ~ = dem Nörgler (Kritiker) beipflichten, um sich bei ihm einzuschmeicheln. ↗raunzen. Österr 1950 ff, schül.

einreiben v **1.** jm etw ~ = jm etw nachdrücklich zu verstehen geben. Man läßt es durch Reiben in die Haut eindringen, damit es „unter die ↗Haut geht". 19. Jh. Vgl engl „to rub in".

2. jm eine ~ = jn ins Gesicht schlagen; jm einen Schlag versetzen. 19. Jh.

einreißen v **1.** es reißt ein = es nimmt überhand, wird unwiderstehlich herrschend (Seuche, Unsitte usw.). Es dringt reißend ein wie der Wolf in die Schafherde, wie der Marder in den Hühnerstall o. ä. 1500 ff.

2. etw ~ lassen = eine Unart sich ausbreiten lassen. 1800 ff.

einreiten tr jn mit Geschlechtsverkehrspraktiken vertraut machen. Übertragen von der Gewöhnung des Pferdes an Sattel und Reiter. ↗reiten 3. 19. Jh.

einrosten intr in der körperlichen (geistigen) Beweglichkeit nachlassen; altern. Man setzt Rost an wie Metall. Vgl ↗verrostet. 19. Jh.

einrücken intr eine Freiheitsstrafe antreten. Eigentlich Dienstantritt in der Kaserne. 1920 ff.

einrühren v **1.** etw ~ = etw schuldhaft verursachen. Herzuleiten von der Suppe, die man durch Einrühren eines Eies längt. Parallel zu ↗einbrocken. 19. Jh.

2. jm etw (ein Ding) ~ = jm etw hinterlistig zu bemerken geben; jn verleumden. Scheinbar harmlos gibt man es der Speise bei (vielleicht gar Gift). 1900 ff.

eins num **1.** Sache, Ding, etwas (eins schlafen; eins tanzen; eins singen). Ähnlich schon in mhd Zeit. Heute konstruiert man vorwiegend „sich eins schlafen; sich eins tanzen" usw.

2. eins 'a = hervorragend, ausgezeichnet. Gemeint ist das gleichbed „↗prima", das nach ital Vorbild „Ia" geschrieben wird. Ursprünglich nur Gütebezeichnung für Waren. Etwa seit dem späten 19. Jh.

3. eins, fix, drei = schnellstens. Zerspielt aus ↗eins 5. 1900 ff.

4. eins, zwei, dalli = schnellstens. Vgl das Folgende; ↗dalli. 1900 ff.

5. eins, zwei, drei = sehr schnell; augenblicklich. Man zählt bis drei, um dem anderen Gelegenheit zu verschwinden, das Entwendete zurückzugeben, eine Weisung zu befolgen usw. Auch Zauberkünstler haben die Angewohnheit, bis drei zu zählen und danach den fertigen Zauber vorzuzeigen. 1700 ff.

6. eins, zwei, fix = sehr schnell. ↗eins 3. 1900 ff.

7. ~ rauf = Beförderung. Hergenommen von der Schule, in der man bei guter Leistung einen Platz aufrückt; auch gelangt man auf der beruflichen Stufenleiter eine Sprosse aufwärts. 1920 ff.

8. ~ rauf mit Mappel: Ausdruck des Lobes. Mappe = Schulmappe. 1920 ff.

9. eins-null für dich (eins zu null für dich) = ich gebe mich geschlagen, bin dir unterlegen. Stammt aus der Sportsprache, vor allem aus der Fußballsprache. 1900 ff.

Eins f **1.** Fachgröße. Übertragen von der besten Bewertungsnote. 1920 ff.

2. gut aussehendes Mädchen. Schül 1960 ff.

3. Nase. Wegen einer gewissen Formähnlichkeit. 1925 ff.

4. ~ mit Balken = Leistungsnote 4. Deutung des Bildes der Ziffer. 1930 ff, schül.

5. ~ mit Dach = Bewertungsnote 5 (V). 1930 ff, schül.

6. ~ mit Gewehr (Eins Gewehr über) = Leistungsnote 4. 1910 ff, schül.

6 a. ~ von hinten = schlechteste Leistungsnote. 1960 ff (wohl älter).

6 b. ~ des kleinen Mannes = Leistungsnote 2. 1960 ff.

7. ~ mit Stern = sehr gute Note. Der Stern als Gütenote stammt aus Baedekers Reisehandbüchern. (Seit 1829). 1960 ff.

8. wie eine ~ = a) hervorragend. Übernommen von der mustergültig straffen Körperhaltung des Soldaten. 1935 ff.– b) schnurgerade; haarscharf; unveränderbar. 1950 ff.

9. wie eine ~ fahren = völlig einwandfrei fahren. 1950 ff.

10. das steht fest wie eine ~ = das ist eine unabänderliche Tatsache. 1950 ff.

11. wie eine ~ fliegen = ausgezeichnet fliegen. 1950 ff.

12. wie eine ~ gehen = hochaufgerichtet gehen. ↗8 a. 1935 ff.

12 a. es klappt wie eine ~ = es geht hervorragend vonstatten. 1935 ff.

13. etw wie eine ~ können = etw fehlerlos beherrschen. 1950 ff.

14. die Kiste läuft wie eine ~ = das Kraftfahrzeug fährt großartig. 1950 ff.

15. wie eine ~ marschieren = in tadelloser Haltung marschieren. ↗8 a. Sold 1935 ff bis heute.

16. wie eine ~ stehen = a) unbeweglich stehen. ↗8 a. Sold 1935 ff. – b) eine Aufgabe hervorragend meistern. Schül und sportl 1950 ff. – c) charaktervoll, unbedingt zuverlässig sein. 1950 ff.

17. auf jn stehen wie eine ~ = jn besonders schätzen. ↗stehen. Halbw 1955 ff.

18. zu jm stehen wie eine ~ = fest zu jm halten. 1955 ff.

einsacken tr **1.** Geld einnehmen; etw einheimsen, an sich nehmen. Man steckt es in einen Sack, in den Geldbeutel, in die Rock- oder Hosentasche. 15. Jh.

2. etw räubern, plündern. 15. Jh.

3. etw entwenden. 19. Jh.

4. ein Lob (eine Rüge) hinnehmen. 1935 ff.

5. stark essen. Sack = Magensack (bildhaft). 1900 ff.

6. Gebietsteile erobern, annektieren. 1850 ff.

einsagen v jm ~ = **1.** etw bekanntmachen. Eigentlich „jm etw ins Ohr sagen". 19. Jh.

2. dem Mitschüler vorsagen. 19. Jh, vorwiegend oberd.

3. soufflieren. 1900 ff.

einsalzen tr **1.** es jm ~ (jn ~) = Vergeltung nehmen. Mit Salz bestreuen = scharf behandeln. 19. Jh.

2. laß dich ~!: Redewendung auf einen Versager oder Dummen. Analog zu ↗einpökeln 9. 1900 ff.

3. das kannst du dir ~!: Redewendung der Ablehnung; Redensart eines, der nicht bekommt, was er sich wünscht. ↗einpökeln 8. 1900 ff.

4. er kann sich seine Tochter ~ = er mag

seine Tochter behalten; ich verzichte auf sie. Durch das Einsalzen wird sie sich konservieren und eine alte Jungfer werden. *Vgl* ↗einpökeln 7. 1900 *ff*.
5. Geld ~ = Geld zinsbringend anlegen. 1930 *ff*.
einsam *adj* **1.** unübertrefflich, unerreichbar. Der, die oder das Gemeinte ist einzig in seiner (ihrer) Art. *Halbw* 1955 *ff*.
2. ~ auf weiter Flur = allein. Entstellt aus „↗allein auf weiter Flur". 1950 *ff*.
3. ~e Klasse ↗Klasse.
4. Sie sind wohl ~? = Sie sind wohl nicht recht bei Verstand? Einsam = verlassen, nämlich „von allen guten ↗Geistern verlassen". Kasernenhofspr. 1939 *ff*.
einsauen *tr* **1.** etw verschmutzen. ↗sauen. 1800 *ff*.
2. jn grob anherrschen. Man belegt ihn mit Schimpfwörtern aus dem zoologischen (oder Fäkal-)Bereich. 1900 *ff*.
einsaufen *refl* **1.** sich das Trinken angewöhnen. *Stud* 19. Jh.
2. durch einen Trunk in einem geselligen Kreis aufgenommen werden. 1900 *ff*.
einschalten *v* seinen Verstand ~ = denken, überlegen. Das Licht im Kopf wird „angeknipst". 1930 *ff*.
einschauen *intr* **1.** vom Mitschüler absehen. *Österr* 1900 *ff*.
2. benachteiligt werden. Versteht sich nach „in die ↗Röhre gucken". *Österr* 1900 *ff*.
3. sterben. Man beschaut „die Radieschen von unten". Auch glaubt man, daß das Sterben höhere Einsicht mit sich bringt. *Österr* 1900 *ff*.
einschaukeln *v* **1.** etw ~ = etw geschickt in Ordnung bringen. Leitet sich her vom kleinen Kind, das man in der Wiege schaukelt. 1910 *ff*.
2. sich bei jm ~ = a) sich bei jm einschmeicheln. 1910 *ff*. – b) sich an den Geschlechtspartner gewöhnen. 1910 *ff*.
3. nun schaukeln Sie sich mal langsam ein! = nun beeilen Sie sich endlich! *Sold* 1910 *ff*.
4. sich ~ = sich auf einen neuen Flugzeugtyp einfliegen. Bei unsicherer Handhabung des Steuers schaukelt das Flugzeug. Fliegerspr. 1935 *ff*.
einscheißen *refl* **1.** sich mit Kot verunreinigen. 19. Jh.
2. sich beliebt zu machen suchen. Liebedienerei gilt als Zeichen ↗schmutziger Gesinnung. Der Liebediener besudelt sich im Übereifer mit seinen eigenen Exkrementen. Auch gibt es Leute, die sich mit Kraftausdrücken anbiedern. Spätestens seit 1900.
Einschicht *f* Einsamkeit, Verlassenheit. *Vgl* das Folgende. *Oberd* 19. Jh.
einschichtig *adj* **1.** allein; einzelnstehend. Schicht = zusammenhängende Arbeitszeit einer Gruppe. „Einschichtig" ist alles, was nicht zu einer Gemeinschaftlichkeit gehört. Der Wagen, der nur auf einer Seite mit einem Zugtier bespannt ist, ist einschichtig. 19. Jh, vorwiegend *oberd*.
2. ledig, alleinstehend. 19. Jh.
einschieben *v* **1.** *intr* = a) gierig essen. Hergenommen von der Vorstellung des Mästens oder des Broteinschiebens in den Ofen. 1900 *ff*. – b) zu Bett gehen. Wie man Wache „schiebt", so „schiebt" man Schlaf. *Sold* in beiden Weltkriegen. – c) koitieren. *Sold* 1914–1945.

2. Geld ~ = Geld verdienen; Geld einstecken. Man schiebt es in die Tasche. 19. Jh.
einschießen *v* **1.** den Ball ~ = einen Tortreffer erzielen. ↗schießen. *Sportl* 1920 *ff*.
2. sich auf jn ~ = jn zur Zielscheibe seiner Kritik machen; jn zu verdrängen suchen. 1950 *ff*.
3. sich auf etw (jn) ~ = sich auf etw spezialisieren; sich auf jn einstellen. 1950 *ff*.
Einschlafe *f* **1.** Betäubungsmittel. Polizeispr. und verbrecherspr. 1950 *ff*.
2. sehr langweiliges Mädchen. *Halbw* 1955 *ff*.
einschlafen *v* **1.** das Bein ist mir eingeschlafen = das Bein ist gefühllos geworden. 19. Jh.
2. etw ~ lassen = eine Sache nicht weiterverfolgen; etw in Vergessenheit geraten lassen. 19. Jh.
einschläfern *tr* jn bewußtlos schlagen. 1920 *ff*.
Einschläferungsmittel *n* langweilige Instruktionsstunde o. ä. *Sold* 1935 *ff*.
einschläfrig *adj* **1.** unverheiratet. Man liegt in einem einschläfrigen (= nur für einen Schläfer bemessenen) Bett. 19. Jh.
2. onanierend. Schlafen = der Geschlechtslust frönen. 1830 *ff*.
3. langweilig. Es ist einschläfernd. 1830 *ff*.
einschlagen *intr* **1.** eine großartige Wirkung erzielen; zündend wirken; viel Beifall finden. Übertragen von einschlagenden Blitzen oder Bomben. 1700 *ff*.
2. prügeln, ohrfeigen. 19. Jh.
3. sehr heftig rügen. 19. Jh.
4. es hat bei ihm eingeschlagen = a) endlich hat er begriffen. Der Blitz hat ihm gezündet. 1950 *ff*. – b) er hat sich heftig verliebt. Der Liebesfunke hat gezündet. 1950 *ff*.
5. es hat eingeschlagen = die Frau ist schwanger geworden. Es ist zu einem Volltreffer gekommen, nicht zu einem Blindgänger. Verallgemeinerte Feuerwerkersprache. 1920 *ff*.
6. jetzt hat's eingeschlagen! = jetzt ist das Ereignis wie erwartet eingetreten! jetzt ist es mit der Ruhe (vor dem Sturm) zu Ende! 1920 *ff*.
einschleusen *v* **1.** etw ~ = etw einschmuggeln. ↗durchschleusen. 1945 *ff*.
2. jn ~ = a) jn in Arrest nehmen. Schleusenkammer = Arrestzelle. *Marinespr* seit dem frühen 20. Jh. – b) jn durch eine Kontrollstelle bringen; jn „einsickern" lassen. 1950 *ff*.
3. sich ~ = sich dem Verkehrsstrom einordnen. 1950 *ff*.
einschmeißen *tr* **1.** etw einwerfen. ↗schmeißen. 1600 *ff*.
2. jn verhaften, zu einer Freiheitsstrafe verurteilen. Man „wirft" ihn ins Gefängnis. 19. Jh.
3. Rauschmittel nehmen. 1970 *ff*.
einschmieren *v* **1.** jn ~ = a) jn übervorteilen. ↗anschmieren 1. 1900 *ff*. – b) jm schmeicheln, um ihn günstig zu stimmen. 1900 *ff*.
2. sich ~ = sich beliebt zu machen suchen. Liebedienerei gilt als Zeichen ↗schmieriger Gesinnung. Der Liebediener besudelt sich selber. 19. Jh.
einschmutzen *tr* jm die Stimmung ~ = jm die gute Stimmung verderben. 1950 *ff*.

einschnappen *intr* gekränkt sein; sich beleidigt fühlen. Hergenommen vom Türschloß, wenn die Sperrvorrichtung in die Halterung greift. Spätestens seit 1900.
einschrauben *v* sich bei jm ~ = sich bei jm eindrängen, anbiedern. Man dringt langsam bei jm ein wie eine Schraube, die sich in ein Loch bohrt. 1500 *ff*.
Einschüchterungssessel *m* Sessel, in dem man bei der Vorstellung im Zimmer des Chefs Platz nimmt. Man sinkt darin ein, „wird ganz klein". 1965 *ff*.
Einschuß *m* Tortreffer. ↗einschießen 1. *Sportl* 1920 *ff*.
einschustern *v* **1.** jm etw ~ = unter Mühen beibringen; jn einarbeiten. Eigentlich soviel wie „einflicken", „einen Lederflicken einarbeiten". 18. Jh.
2. etw ~ = etw einbüßen, verlieren. Wohl übernommen vom falschen Lederzuschneiden durch den Schuster. 1700 *ff*.
3. sich ~ = sich einschmeicheln, anbiedern. Von „einflicken" weiterentwickelt zur Bedeutung „sich in eine Gemeinschaft einfügen". 1700 *ff*.
einschwingen *intr* zu Besuch kommen. Jäger sprechen von „einschwingen", wenn ein Wildvogel sich auf einem Baum niederläßt. 1930 *ff*.
einsegnen *tr* **1.** etw billigen, sanktionieren. Aus dem liturgischen Bereich. Meint eigentlich „segnend weihen", dann soviel wie „durch eine Segensgebärde bekräftigen". ↗Segen. 1960 *ff*.
2. jn grob rügen, ausschimpfen. Leitet sich her von der Konfirmation oder Firmung: die Konfirmanden oder Firmlinge werden erneut auf die kirchliche Lehre hingewiesen, die Firmlinge erhalten dazu einen gelinden Backenstreich. 1900 *ff*.
Einsegnung *f* Verprügelung des Rekruten durch ältere Kameraden in der Nacht nach seinem Dienstantritt. Dieser Aufnahmeritus unter Stubengenossen ist seit dem frühen 19. Jh. bekannt.
Einsegnungskaffee *m* ihm kommt der ~ hoch = es wird ihm sehr an. 1900 *ff*.
einseifen *tr* **1.** jn betrügerisch beschwatzen, für sich gewinnen; jn prellen. „Einseifen" beruht wie „anscheißen", „anschmieren" usw. auf der Gleichsetzung von Beschmutzen und Übertölpeln. Hängt im engeren Sinne wohl mit dem Friseur zusammen, bei dem Redefertigkeit berufsüblich ist. 19. Jh. *Vgl gleichbed engl* „to soap".
2. jn betrunken machen. Gehört zur Grundvorstellung „↗fett = betrunken". 19. Jh.
3. jn verprügeln. Analog zu „↗schmieren". 19. Jh.
4. jn im Kartenspiel besiegen; jm viel Geld abgewinnen. Entwickelt als Sonderbedeutung aus „↗einseifen 1". 19. Jh.
5. jn vernichtend schlagen. *Sportl* 1950 *ff*.
6. jn ausschimpfen. 19. Jh.
7. jm Schnee ins Gesicht reiben. Vom Seifenschaum des Friseurs hergenommen. 19. Jh.
8. sich nicht ~ lassen = sich nicht beschwatzen lassen. ↗einseifen 1. 19. Jh.
Einser *m* **1.** Leistungsnote „sehr gut". 1925 *ff*.
2. ~ mit einem Rucksack (Rucksackl) = Bewertungsnote 5. Beschönigende Deutung des Ziffernbildes. 1935 *ff*, *schül*.
3. ~ mit (auf) einem Sessel (Sesserl) = Note 4. *Schül* 1935 *ff*.

einsetzen *tr* jn verhaften. Einsitzen = Häftling sein. 1700 *ff.*

Einsicht *f* Dekolleté. 1950 *ff.*

einsichtsvoll *adj* tief dekolletiert. 1950 *ff.*

einspannen *v* 1. *tr* = jn zu einer Arbeit hinzuziehen; jm eine schwierige Arbeit überantworten. Man wird ihn wie ein Zugtier (be)nutzen. 1900 *ff.*
2. sich für etw ~ lassen = eine Verpflichtung auf sich nehmen. 1900 *ff.*

Einspänner *m* 1. mit einem einzigen Pferd bespannter Wagen. 18. Jh.
2. ungeselliger Mann. Er zieht seinen Lebenskarren ohne fremde Hilfe. 1850 *ff.*
3. Junggeselle. Spätestens seit 1870.
4. Einzelsäugling; einziges Kind einer Familie. 1900 *ff.*
5. einzelnes Frankfurter Würstchen. Seit dem späten 19. Jh, *österr.*
6. im Glas servierter Mokka mit etwas Schlagsahne. Herkunft unbekannt. 1950 *ff.*
7. Onanist. 1910 *ff.*

Einspännerin *f* unter Kontrolle stehende Prostituierte außerhalb eines Bordells. Sie ist Einzelgängerin. Seit dem späten 18. Jh.

einspännig *adj* unverheiratet. 1870 *ff.*

einspinnen *tr* jn mit Arrest bestrafen; jn zu einer Freiheitsstrafe verurteilen. Die Spinne spinnt ihre Beute ein; doch *vgl* ↗ spinnen. 19. Jh.

Einspritzung *f* 1. ideologische Beeinflussung. 1933 *ff.*
2. eine ~ kriegen = Alkohol trinken. *Sold* 1914 *ff.*
3. eine ~ machen = koitieren. 1920 *ff.*

einspunden *tr* jn verhaften, einsperren. Man verschließt das Faß mit einem Spund. 1800 *ff.*

einspuren *v* sich aufeinander ~ = sich in der Zusammenarbeit aufeinander eingewöhnen. Fußt auf dem Bild von der Wagen- oder Schlittenspur; *vgl* ↗ eingleisen. 1950 *ff.*

einspurig *adj* einseitig, weltfremd. Vom Eisenbahnwesen übernommen: einspurig sind die Nebenstrecken. *Vgl* ↗ eingleisig. 1950 *ff.*

einstecken *tr* 1. jn verhaften, zu einer Freiheitsstrafe verurteilen. Man steckt ihn ins Gefängnis. 1700 *ff.*
2. etw ~ = eine Rüge unwidersprochen hinnehmen; sich etw gefallen lassen. Man steckt es in die Tasche wie ein Schreiben, das man nicht beantworten wird. Oder man steckt den Degen in die Scheide zum Zeichen, daß man seine Ehre nicht mit der Waffe (= um jeden Preis) verteidigen will. 1700 *ff.*

einsteigen *intr* 1. ein Amt antreten. Man geht an Bord; man beginnt die gemeinsame Fahrt. 1900 *ff.*
2. die Arreststrafe antreten. 1915 *ff.*
3. mitmachen; sich beteiligen; mitspielen. Kartenspielerspr. 1900 *ff.*
3 a. auf jn ~ = sich mit jm geschlechtlich einlassen. 1920 *ff.*
4. auf (in) etw ~ = auf etw eingehen; sich mit etw befassen; etw organisieren, durchsetzen. 1900 *ff.*
5. in einen Beruf ~ = einen Beruf ergreifen. 1900 *ff.*
6. in ein Kleid ~ = ein Kleid von unten nach oben anziehen (nicht über den Kopf streifen). 1950 *ff.*
7. in eine Sache ~ = sich an etw beteiligen; sich nicht ausschließen. 1900 *ff.*

8. mit jm ~ = sich mit jm einlassen. 1700 *ff.*
9. hart ~ = dem Gegner schwer zusetzen. *Sportl* 1930 *ff.*
10. härter ~ = zu Brutalitäten übergehen. 1950 *ff.*
11. voll ~ = sehr energisch werden; vor Gewaltanwendung nicht zurückschrecken. 1965 *ff.*

Einstein *Pn* sehr hoher Grad von Verstandeskraft. Anspielung auf Albert Einstein (1879 bis 1955), den Begründer der Relativitätstheorie. *BSD* 1965 *ff.*

Einstieg *m* Laufbahnbeginn; Anbahnung von Beziehungen; Übergang zu einer Neuerung. Gegen 1955 aufgekommen; sehr verbreitet seit der Gewerkschaftsforderung nach „~ in die 35-Stunden-Woche".

einstielig *adj* langweilig, ereignislos, abwechslungslos. Zusammengesetzt aus „eintönig" und „↗ langstielig". 1939 *ff.*

einstöckig *adj* von einem Einzelpriester zelebriert (auf die katholische Messe bezogen). 1920 *ff.*

Einstöckiger *m* Schnapsglas normaler Größe bzw. dessen Füllung. 1900 *ff.*

einstreicheln *tr* sich für jn verwenden. 1935 *ff.*

einstreichen *v* es jm ~ = es jm entgelten, gedenken. Fußt wohl auf der (erzieherisch gemeinten) Übung, den Hund mit der Nase durch die Harnpfütze zu ziehen 19. Jh.

einstreiten *v* jm etw ~ = jn nachdrücklich (im Meinungsstreit) zu überzeugen suchen. 1920 *ff.*

Eintagsfliege *f* 1. nur vorübergehend erfolgreicher Mensch. 19. Jh.
2. nur kurze Zeit haltbarer Gegenstand; nur kurze Zeit hochmodischer Artikel der Bekleidungsindustrie. 1900 *ff.*
3. Flugzeugtyp, der zu vielen Abstürzen führt; Flugzeug, das bei den ersten Flügen zugrunde geht. *Sold* 1914 bis heute.
4. Mädchen, das in einen kurzfristigen Flirt einwilligt. 1920 *ff.*

Eintagszahn *m* kurzfristige Freundin. ↗ Zahn = Mädchen. *Halbw* 1955 *ff.*

eintanzen *refl* sich eingewöhnen; sich mit etw vertraut machen. 1900 *ff.*

eintauchen *tr* 1. jn übertölpeln. Man taucht ihn ins Wasser und hält ihn so lange unter Wasser, bis ihm die Sinne schwinden. 1800 *ff.*
2. jn belasten, verleumden; zu jds Ungunsten aussagen. *Südd* 1850 *ff.*

eintegeln *refl* sich einschmeicheln. Tegel = Lehm. Eintegeln = sich mit Lehm beschmutzen; analog zu ↗ einschmieren 2. *Österr* 1800 *ff.*

Eintippel *m* 1. Ort, wo Verbrecher die Beute teilen oder sonstwie zusammenkommen. ↗ tippeln. *Rotw* 1840 *ff.*
2. Gasthaus, in das man einkehrt. Kundenspr und *sold* 1900 *ff.*
3. Soldatenunterkunft, Bürgerquartier. 1900 *ff.*

Eintippler *m* Einbrecher. *Rotw* 1922 *ff.*

Eintopf *m* ~ kochen = Verschiedenartiges (Unzusammengehöriges) als gleichartig behandeln. 1950 *ff.*

Eintopfstratege *m* dienstältester Offizier ohne selbständige Ansichten. Er ist ein Durchschnitts-, Einheitsmensch, vergleichbar mit dem Einheitsessen am Eintopfsonntag. *Sold* 1939 *ff.*

eintöppern *tr* etw einschlagen, einwerfen. ↗ zertöppern. 19. Jh.

eintränken *v* es jm ~ = es jm gedenken. Anspielung auf ein schädliches Getränk, vor allem auf den Gifttrank und später auf den gewaltsam eingeflößten Jauchetrunk der Schweden. 1200 *ff.*

eintreiben *tr* jn zum Falschspiel verlocken; jn Falschspielern zuführen. *Rotw* 18. Jh.

Eintreiber *m* 1. betrügerischer Beschwätzer harmloser Leute zu einem Glücks-, Kartenspiel. *Oberd* 18. Jh, *rotw.*
2. Gerichtsvollzieher; Vollzugsbeamter des Finanzamts. Er treibt Geldforderungen ein. 1950 *ff.*

eintrichtern *v* 1. jm etw ~ = jm etw wiederholt beibringen; jm etw mühsam einlernen; Jahreszahlen, Vokabeln o. ä. immer von neuem abfragen. Leitet sich her von dem 1647 in Nürnberg erschienenen „poetischen Trichter" des Georg Philipp Harsdörffer, „die Teutsche Dicht- und Reimkunst ohne behuf der lateinischen Sprache in sechs Stunden einzugießen" (= „Nürnberger Trichter"). 18. Jh.
2. einen ~ = ein Glas Alkohol trinken. 1900 *ff.*

eintrinken *refl* sich langsam an ein neues Getränk gewöhnen. 1930 *ff.*

eintrommeln *tr* jm etw ~ = jm etw wiederholt und nachdrücklich mitteilen. Früher wurde mittels Trommeln zum Appell gerufen. *Sold* 1939 *ff.*

eintropfen *v* jm etw ~ = jm etw nach und nach beibringen. Man flößt es ihm tropfenweise ein wie Arznei. 1910 *ff.*

eintrudeln *intr* sich gemächlich einfinden. Fußt auf „trudeln = regellos und ohne Ordnung gehen" und ist verwandt mit „↗ trödeln". 1900 *ff.*

eintun *v* sich etw ~ = sich etw beschaffen, zulegen. Analog zu „einheimsen". 1900 *ff.*

eintunken *v* 1. es jm ~ = jm etw vorhalten; jn zur Rechenschaft ziehen; jn streng behandeln. Analog zu ↗ eintränken 1. 1800 *ff.*
2. jn ~ = a) jn in eine unangenehme Lage bringen; jn schädigen; jn als Mittäter belasten. ↗ eintauchen. 19. Jh. – b) jn zu einer Freiheitsstrafe verurteilen. *Bayr* 1950 *ff.* – c) jn übervorteilen. ↗ eintauchen 1. 19. Jh. – d) jn verulken. 19. Jh. – e) jn veralbern. 19. Jh. – f) jn betrunken machen. 19. Jh.

Einundfünfziger *m* den ~ haben = geistig nicht zurechnungsfähig sein. Bezieht sich auf § 51 des deutschen Strafgesetzbuches (Unzurechnungsfähigkeit; verminderte Zurechnungsfähigkeit). 1900 *ff.*

Einwaage *f* gerichtliche Zusatzstrafe. Eigentlich die Ware, die der Verkäufer hinzuwiegt (etwa Knochen beim Fleischeinkauf). 1950 *ff, österr.*

einwecken *v* 1. jn ins Gefängnis bringen. Meint eigentlich „steril einmachen für spätere Verwendung", benannt nach dem Fabrikanten Weck, dem Erfinder eines Frischhalteverfahrens. Berlin 1930 *ff.*
2. jn fotografieren. Gehört zu der Vorstellung von der ↗ Konserve (= Schallplatten-, Tonbandaufzeichnung). 1920 *ff.*
3. weck' es ein! = spar dir deine Worte! behalt' es für dich! *Vgl* ↗ einmachen 6. 1920 *ff.*
4. eine Sendung ~ = eine Bild-, Tonaufnahme vorerst nicht ausstrahlen. 1959 *ff.*

5. laß dich ~!: Rat an einen Dummen oder Unfähigen. ↗einmachen 5. 1925 ff.

Einwegflasche f Freund (Freundin) für eine kurzfristige Gelegenheitsliebschaft. 1965 ff, halbw.

einweichen tr **1.** jn bestechen. Man will durch Bestechung „weich" (= nachgiebig) machen. 1850 ff. **2.** jn zu einem Geständnis zwingen. Seit dem späten 19. Jh. **3.** einen Rekruten zum Empfang verprügeln. Ein Akt der Reinigung, damit der zivile Dreck gelöst wird. Sold 1900 ff. **4.** jn im Dienst scharf drillen. 1900 ff, sold. **5.** eine Stellung sturmreif schießen. Sold in beiden Weltkriegen. **6.** jn betrügen. Gemeint ist wohl, daß man zunächst die „weichen" Stellen seines Opfers erkundet. 19. Jh. **7.** jn betrunken machen; jn mit einem Einstand ins neue Amt begleiten. 1600 ff.

einwickeln tr **1.** jn ~ = jn beschwatzen, betrügerisch für etw zu gewinnen suchen. Die Spinne spinnt ihre Beute ein, ehe sie sie aussaugt; der Kaufmann wickelt die Ware schnell ein, ehe dem Käufer Bedenken kommen. 1850 ff. Vgl engl „to rope in". **2.** jn ~ = jn betrunken machen. 16. Jh. **3.** sich ~ lassen = sich beschwatzen lassen. 19. Jh. **4.** damit kannst du dich ~ lassen!: Ausdruck der Ablehnung. Die Sache ist nicht mehr wert als Einwickelpapier. 1900 ff.

Einwickelpapier n Zwischenspiel im Werbefernsehen. Es dient nur als Verpackung. 1970 ff.

einwintern tr jn vergeblich warten lassen. Eigentlich „für den Winter auf Vorrat nehmen"; hier beeinflußt von „kalte ↗Füße kriegen". 1941/42 aufgekommen im Rußlandfeldzug bei der ungewohnt strengen Kälte, als die Soldaten vergeblich auf warme Kleidung warteten.

Einwohner pl Ungeziefer, Läuse. Sie bewohnen die behaarten Körperstellen und die Wäsche. 1920 ff.

einwurzeln refl über Gebühr lange verweilen. Man schlägt Wurzeln. 1900 ff.

einzapfen v koitieren. Zapfen = Penis. 1900 ff.

Einzelbrötler m Einzelgänger. Zusammengewachsen aus „Einzelgänger" und „Eigenbrötler". Jug 1960 ff.

Einzelmännchen n Junggeselle. 1962 ff, Berlin.

einziehen v **1.** jn ~ = jn verhaften, ins Gefängnis werfen. Dort ergeht es ihm ähnlich wie einem Wehrpflichtigen. 1600 ff. **2.** intr = eine Freiheitsstrafe antreten. Man hält seinen Einzug in die Haftanstalt. 1950 ff.

einzig adj präd unübertrefflich. Halbw 1955 ff.

einzigst adj einzig. Logisch unmögliche Wortbildung; denn Einmaligkeit verträgt keinen Superlativ, weil sie bereits einer ist. Sehr weit verbreitete sprachliche Untugend. Spätestens seit 1800.

Eis I (Eiss, Eisse) m (pl) Blasen; wunde Füße. Geht zurück auf mhd „eiz = Geschwür, Eiterbeule". 13. Jh.

Eis II n **1.** eisernes ~ = a) schwer zu überwindender Gegner. Eisern = widerstandsfähig. Sold in beiden Weltkriegen. –

b) feindliche Stellung, die nur unter großen Eigenverlusten zu nehmen ist. Sold 1914–1945. **2.** das ~ auftauen = jm über seine Befangenheit hinweghelfen. Vgl das Folgende. 19. Jh. **3.** das ~ brechen = die Zurückhaltung (Verstimmung) eines anderen überwinden; jn die geschlechtliche Unnahbarkeit verlieren lassen. Meint allgemein „Stockungen freimachen". 1500 ff. Vgl engl „to break the ice" und franz „rompre la glace". **4.** jn aufs ~ führen = jn irreführen, täuschen. Auf Eis kommt man leicht zu Fall. 1200 ff. **5.** aufs ~ gehen = sich täuschen lassen. 19. Jh. **6.** er ist mit dem Fahrrad weg, ~ holen: Antwort auf die Frage, wo jemand ist. BSD 1965 ff. **7.** sich ~ laufen = sich Blasen am Fuß zuziehen. ↗Eis I. Sold 1914 ff. **8.** etw auf ~ legen = etw vorläufig zurückstellen; eine Geldsumme nicht anbrechen. Der Küchenpraxis entlehnt. 1900 ff. **9.** jn auf ~ legen = jn vorläufig zurücksetzen; sich jn für spätere Verwendung vormerken. 1920 ff. **10.** auf ~ liegen = a) in der Handlungsfreiheit vorerst beschränkt sein. 1920 ff. – b) unverheiratet, verwitwet sein. 1920 ff. **11.** jn auf ~ liegen haben = jn für spätere Verwendung vorgesehen haben. 1920 ff. **12.** etw vom ~ nehmen = eine zurückgestellte Sache erneut zur Sprache bringen. 1960 ff.

Eis-Athlet m Eishockeyspieler. 1966 ff.

'Eis'augen pl gefühlloser, strenger Blick. 1920 ff.

Eisbahn f Glatze. Schül 1950 ff.

Eisbär m **1.** gefühlloser, unnahbarer Mensch; unzufriedener Mann. 19. Jh. **2.** gesetzter Herr mit weißem Vollbart. 19. Jh. **3.** Schnee-Tarnanzug; Postenmantel aus Schafwolle. Beides war außen weiß. Sold 1939 ff. **4.** weißer Pelzmantel 1950 ff. **5.** 5-Mark-Stück; Silbergeld. Wegen des silbergrauen Eisbärfells. 1920 ff, kundenspr.

Eisbeine pl **1.** Beinerfrierungen. Gemeint sind die eiskalten Beine. Sold 1941 ff. **2.** jm die ~ knicken = a) jn niederschlagen. Man trifft in die Kniekehlen. 1850 ff. – b) einen Energielosen antreiben. 1900 ff. **3.** ~ kriegen = a) kalte Füße bekommen. Seit dem späten 19. Jh. – b) vom Spiel zurücktreten, nachdem man genug gewonnen hat. Eisbeine = kalte Füße = Bedenken (ob das Spielerglück anhält). 1900 ff. – c) fliehen müssen. Sold in beiden Weltkriegen.

Eisberg m **1.** unnahbarer, abweisender, gefühlskalter, steif-förmlicher Mensch. 1920 ff. **2.** kühl wie ein ~ = streng sachlich denkend ohne jegliche Gefühlsregung. 1920 ff. **3.** ein ~ taut auf = ein gemeinhin leidenschaftslos erscheinender Mensch wird lebhaft. 1950 ff. **4.** Gemüt haben wie ein ~ = a) durch nichts aus dem seelischen Gleichgewicht zu bringen sein. 1940 ff. – b) unerbittlichen Charakters sein. 1940 ff.

Eisbrecher m **1.** Mann, der eine unnahbare Frau für sich gewinnt. 1900 ff. **2.** alkoholisches Getränk (roter Sekt). Er beseitigt Hemmungen und macht zugänglich. 1920 ff. **3.** Grog; Glühwein mit viel Rum. 1900 ff. **4.** Karnevalist (Kabarettist), der zu Beginn der Veranstaltung auftritt; Stimmungsmacher. 1950 ff.

eisch adj **1.** häßlich, schlecht, schlimm. Fußt auf mittelniederd „eislik = grauenerregend". Vgl ags „egislic = schrecklich". 14. Jh. **2.** ungezogen, garstig. 14. Jh. **3.** gut, flott gekleidet; höchst eindrucksvoll. Herleitung unbekannt. Hamburg 1920 ff.

Eisen n **1.** Geldmünzen; Geld; Sold. 1939 ff, sold. **2.** Bombe, Bombenlast. Fliegerspr. 1935 ff. **3.** Schußwaffe, Pistole. Gekürzt aus „↗Schießeisen". 1950 ff. **4.** Schützenpanzer. 1965 ff, BSD. **5.** Auto. 1955 ff, jug, österr. **6.** Handfessel. 1950 ff. **7.** Mädchen (abf). Vermutlich ein unnahbares Mädchen mit „eisernen" (= unerschütterlichen) Grundsätzen. 1960 ff, halbw. **8.** altes ~ = a) ältliche Ledige; alte Frau. Sie gilt als unbrauchbares Alteisen, als Schrott. 19. Jh. – b) Veraltetes, Unmodernes. 19. Jh. – c) kriegsgediente Offiziere. BSD 1965 ff. **9.** heißes ~ = gefährliche, bedenkliche Sache, mit der man sich selber schaden kann. Vom Schmiedehandwerk übernommen. 1700 ff. **10.** zu heißes ~ = heikle Sache, über die man nicht spricht (von der man „die ↗Finger lassen" soll). 1960 ff. **11.** weißglühendes ~ = sehr gefährliche Sache. 1960 ff. **12.** ein ~ abhaben (verloren haben o. ä.) = ein uneheliches Kind haben. Das Pferd mit nur drei Hufeisen gilt als Bild der Bescholtenheit. Das locker sitzende Hufeisen wird vom Pferd bei einem Fehltritt leicht verloren. 1500 ff. **13.** ein heißes ~ anfassen (anpacken) = sich einer bedenklichen Sache annehmen; ein heikles Thema aufwerfen; sehr viel wagen. 1700 ff. **14.** zum alten ~ gehören = als veraltet, gealtert gelten. ↗Eisen 8. 1600 ff. **15.** ins alte ~ geraten (kommen) = veralten; altern. 18. Jh. **15 a.** sich nicht zum alten ~ legen lassen = nicht für alt gelten wollen. 1900 ff. **16.** zwei (mehrere) ~ im Feuer haben = Verschiedenes gleichzeitig betreiben; mehrere Erfolgsaussichten haben. Dem Hufschmiedehandwerk entlehnt. 1800 ff. Vgl engl „to have many irons in the fire". **17.** ein ~ ins Kreuz kriegen = a) schwer verwundet werden. Eisen = Geschoß, Geschoßsplitter. Oft wortspielerisch: „Ein Eisernes Kreuz kriegst du, mein Lieber, ein Eisen ins Kreuz". Sold 1914 ff. – b) den Soldatentod erleiden. 1914 ff. **18.** die ~ schwingen = sich beeilen; schneller gehen. Hergenommen vom schnellen Ritt oder von den eisenbeschlagenen Schuhsohlen. Sold 1939 ff. **19.** beim alten ~ sein = der älteren Generation zugerechnet werden; veraltet sein. 19. Jh.

20. ~ sein = a) unumstößlich sein. Es steht fest oder ist widerstandsfähig wie Eisen. *Österr* 19. Jh. – b) ausgezeichnet, in bester Ordnung sein. *Österr* 19. Jh.
21. zum alten ~ werfen = als abgenutzt und veraltet beiseitetun. 1600 *ff.*
22. die ~ zeigen = wegeilen; der schnellere Reiter sein. Eisen = Hufeisen; eisenbeschlagene Marschstiefel. *Sold* 1900 *ff.*

Eisenbahn *f* **1.** höchste ~ haben = sehr eilig sein; hohe Fahrgeschwindigkeit entwickeln. *Vgl* das Folgende. *Sold* 1939 *ff.*
2. es ist höchste ~ = es ist höchste Zeit. Fußt auf der Berliner Posse „Ein Heiratsantrag in der Niederwallstraße" von Adolf Glaßbrenner, 1847. Darin sagt der Übernervöse: „Es ist die allerhöchste Eisenbahn, die Zeit ist schon vor drei Stunden angekommen."
3. es ist allerhöchste ~ = es ist allerhöchste Zeit. *Vgl* das Vorhergehende. 1847 *ff.*
4. ich bin doch keine ~! = ich kann es nicht schneller bewerkstelligen! du brauchst mich nicht anzutreiben! Vorform von „alter ↗ Mann ist kein D-Zug". Seit dem späten 19. Jh.
Eisenbeißer *m* kraftvoller Mann; Mann, der sich seiner Körperkraft rühmt; Prahler. Hervorgegangen aus einem Scheltwort auf den Landsknecht. 16. Jh.
Eisenbeton *n* **1.** Hartbrot. *Sold* 1939 *ff.*
2. stur wie ~ = hartnäckig, unbeugsam, eigenwillig. ↗ stur. *Sold* 1939 *ff.*
Eisenbolzen *m* hartes Stück Brot; Brotkanten. Bolzen = hartes, plumpes Stück. 1910 *ff.*
Eisendreher *m* pfiffiger Mann, der stets eine unwiderlegliche Ausrede oder Begründung findet. Er findet einen „↗ Dreh", der „↗ eisern" steht. 1940 *ff.*
Eisenfresser *m* **1.** Militarist; draufgängerischer Soldat. Er behauptet, Eisen fressen zu können oder gefressen zu haben. ↗ Eisenbeißer. 1700 *ff.*
2. Prahler. 1700 *ff.*
3. kein ~ sein = nicht sehr kräftig und gesund sein. 1900 *ff.*
Eisenfuß *m* trittstarker Fußballer. 1975 *ff.*
eisenhaltig *adj* **1.** von umherfliegenden Geschossen erfüllt. *Sold* in beiden Weltkriegen.
2. ~ sein = Geschoßsplitter im Körper haben. 1940 *ff*, *sold.*
'eisen'hart *adj* herzlos; sehr energisch. 1950 *ff.*
Eisenhower-Jacke *f* kurze Dienstjacke, Uniformbluse. Eine solche Jacke trug General Dwight D. Eisenhower; in dieser Jacke ist er den Deutschen um 1944 allgemein bekanntgeworden. *BSD* 1960 *ff.*
Eisenhut *m* Stahlhelm. Eigentlich der aus Eisen bestehende Helm; der Stahlhelm wurde erst 1917 eingeführt. *Sold* 1917 bis heute.
Eisenpepi *m* Stahlhelm. ↗ Pepi. *Österr* 1917 *ff*, *sold.*
Eisenzahn *m* unnahbares Mädchen. ↗ Zahn = Mädchen. Es bewahrt seine „eisernen" Grundsätze. 1955 *ff*, *halbw.*
eisern *adj* **1.** dauerhaft; lange haltbar; widerstandsfähig. 1700 *ff.*
2. unablässig; unbeirrbar. 19. Jh.
3. ausgezeichnet. ↗ Eisen 20. *Jug* 1930 *ff.*
4. *adv* = selbstverständlich; Ausdruck der Bestätigung (A.: „Gehst du mit zum Ball?". B.: „Aber eisern!"). 1900 *ff.*

Eiserner *m* **1.** polizeiliche Notrufsäule. Gekürzt aus „eiserner Polizist". 1955 *ff.*
2. standhafter Leugner. ↗ eisern 2. 1920 *ff.*
Eisfee *f* Eiskunstläuferin. 1960 *ff.*
eisfein *adj* vornehmtuend; steif-förmlich. Eis als Sinnbild der Unnahbarkeit und Förmlichkeit; hier gekreuzt mit „↗ scheißfein". 1920 *ff.*
Eisflitzer *m* Eiskunstläufer, Eisschnelläufer. ↗ flitzen. 1960 *ff.*
Eisfloh *m* Eiskunstläufer(in). Er (sie) ist beweglich und springlebendig wie ein Floh. 1960 *ff.*
Eisfüchse *pl* in arktischen (polaren) Breitengraden kampferprobte Soldaten. Meint eigentlich die Hunderasse der Polarfüchse. *Sold* in beiden Weltkriegen.
eisgrau *adj* ergraut; alt; altgedient. Die Farbe liegt zwischen grau- und weißhaarig (mit bläulichem Schimmer). 1500 *ff.*
Eishäschen *n* Eiskunstläuferin. ↗ Häschen. In den zwanziger Jahren war „Häseken" der Berliner Kosename für Sonja Henie. 1925 *ff.*
Eisjungfrau *f* **1.** unnahbares Mädchen. 1925 *ff.*
2. junge Eisverkäuferin. 1925 *ff.*
3. junge Schlittschuhläuferin. 1925 *ff.*
eiskalt *adj* **1.** gefühllos berechnend; ungerührt; ohne Rücksicht auf Gefühle. 19. Jh.
2. kaltblütig, mutig, verwegen. 1939 *ff.*
Eiskeller *m* sehr kalte Wohnung. 1900 *ff.*
Eisklotz *m* unnahbarer Mensch. 19. Jh.
Eislaufkanone *f* hervorragender Eiskunstläufer, Eisschnelläufer, Schlittschuhläufer. 1960 *ff.* ↗ Kanone 1.
Eislaufmutter *f* Mutter eines Eiskunstläufers, einer Eiskunstläuferin; Trainerin. 1960 *ff.*
Eislaufprinz *m* beliebter Eiskunstläufer. 1960 *ff.*
Eislaufprinzessin *f* beliebte Eiskunstläuferin. 1960 *ff.*
Eislaufstar *m* beliebte(r) Eiskunstläufer(in). 1960 *ff.*
Eislaufstern *m* beliebter Eiskunstläufer. 1960 *ff.*
Eislaufsternchen *n* junge Eiskunstläuferin. 1960 *ff.*
Eismann *m* **1.** Eisverkäufer. 1920 *ff.*
2. Partner im Eiskunst-Paarlauf. 1970 *ff.*
3. *pl* = die Eisheiligen (12.–15. Mai). 19. Jh.
Eismutter *f* Mutter einer Eiskunstläuferin; Trainerin. 1960 *ff.*
Eispalast *m* kalte Wohnung. 1920 *ff.*
Eisprinz *m* beliebter Eiskunstläufer. 1960 *ff.*
Eisprinzessin *f* beliebte Eiskunstläuferin. 1960 *ff* (1925 *f*?).
Eiß *m* ↗ Eis I.
Eisscholle *f* **1.** weibliche Person *(abf)*. Verdreht aus „Scheißbolle". 1900 *ff.*
2. Abortwärterin. 1920 *ff.*
3. unnahbare ältere Frau. Eis = Gefühlskälte. 1900 *ff.*
Eisschrank *m* **1.** Lappland, Nordrußland, Nordfinnland, Eismeerküste. *Sold* und *ziv* 1939 *ff.*
2. abweisende Frau. 1950 *ff.*
3. breitschultriger Mann. Analog zu ↗ Kleiderschrank. *Sold* 1939 *ff.*
4. glühender ~ = zurückhaltende weibliche Person voller Temperament. Nach 1950 aufgekommen.
5. kühl wie ein ~ = gefühlskalt; streng

sachlich; steif-förmlich; abweisend. 1940 *ff.*
6. das geht dich einen ~ an = das geht dich nichts an. Das hat dich „↗ kalt zu lassen". Nach anderer Deutung ist „Eisschrank" umgestellt und verhüllend entstellt aus „↗ Scheißdreck". 1930 *ff.*
Eis-Stern *m* Eiskunstläufer(in). 1960 *ff.*
Eiszapfen *m* **1.** gefühlskalte, unnahbare (weibliche) Person; Mensch von frostiger Wesensart. 19. Jh.
2. heraushängender Nasenschleim bei Kindern. 19. Jh.
3. geschmolzener ~ = gemeinhin abweisende weibliche Person, die gelegentlich „auftaut". 1900 *ff.*
Eiszeit *f* **1.** Winter. 1960 *ff.*
2. warme Jahreszeit. Wegen des reichlichen Verzehrs von Speiseeis. 1960 *ff.*
3. Zeitläufte, in denen große Nachfrage nach Tiefkühltruhen und Tiefkühlkost herrscht. 1960 *ff.*
4. steif-förmliche Höflichkeit ohne Herzenswärme. 1950 *ff.*
5. Zeitspanne, in die die Völkerverständigung in der Weltpolitik vernachlässigt wird. 1945 *ff.*
6. bei der nächsten ~ = vorerst nicht (Abweisung eines Lästigen). 1910 *ff.*
7. bis zur nächsten ~ bleiben = die Einsatzstellung bis zum äußersten halten. Wohl Nachahmung eines übertriebenen Befehls. *BSD* 1965 *ff.*
8. bei jm untendurch sein bis zur ~ = sich jds Wohlwollen völlig verscherzt haben. 1939 *ff.*
9. verschissen haben bis zur nächsten ~ = jds Achtung gänzlich verloren haben. Die klimatische Entwicklung der Erde geht angeblich einer neuen Eiszeit entgegen. *Sold* 1939 *ff.*
Eiterbeule *f* **1.** Gebäck mit gelber Cremefüllung. 1900 *ff.*
2. Glas Eierlikör mit etwas Angostura. 1920 *ff.*
3. eine ~ aufstechen = geheimgehaltene unsittliche (verbrecherische, betrügerische) Zustände öffentlich anprangern. Das Geschwür voller Eiter versinnbildlicht einen Gefahren- oder Unruheherd. 1900 *ff.*
Eizes (Aizes) *pl* Ratschläge; Tricks; Hinweis auf Erfolgsaussichten. Fußt auf *jidd* „ezo = Rat". Etwa seit 1850.
Ekel I *m* widerlicher Mensch. 19. Jh. Der Betreffende erregt Abscheu.
Ekel II *n* **1.** widerwärtiger Mensch. Das grammatische Geschlecht wurde wohl übernommen von „das Scheusal", „das Schwein" o. ä. 18. Jh.
2. ausgewachsenes ~ = überaus unsympathischer Mensch. Dieses Ekel ist zur vollen Körpergröße erwachsen. 1920 *ff.*
Ekelkörper *m* Prostituierte. Wohl von Nichtkunden geprägter Ausdruck. 1914 *ff*, *sold und ziv.*
Ekelmensch *m* widerwärtiger Mensch. 1920 *ff.*
ekeln *tr* jm das Verbleiben verleiden. 19. Jh.
Ekeltier *n* widerliches Tier. 1920 *ff.*
eklig *adj adv* **1.** widerwärtig, unangenehm, unwirsch, herzlos. Soviel wie „abstoßend". 1500 *ff.*
2. *adv* = unwohl, übel, zum Erbrechen schlecht. 1800 *ff.*
3. *adv* = sehr. Aus „ekelerregend" weiterentwickelt zur Bedeutung „ungehörig". 19. Jh.

4. jn ~ gern haben = jn überaus schätzen. 19. Jh., Berlin.
5. jn ~ kennenlernen = jn von sehr unfreundlicher Seite kennenlernen. 19. Jh.
6. auf Geld ~ sein = nicht freigebig sein; geizen. 1900 *ff.*
7. ~ werden = zornig, unwirsch, streitsüchtig werden. 1800 *ff.*
elastisch *adj* schwungvoll. Halbwüchsigenvokabel seit 1960 im Sinne von „nicht starr", also „formbar" (nach eigenen Wünschen).
Elb-Florenz *n* Dresden. Nach dem Muster von „↗Spree-Athen" entstanden im Anschluß an Herders „Deutsches Florenz" (1801) mit Anspielung auf die Kunstschätze.
Elbkähne *pl* große Schuhe; breite Halbschuhe; plumpe Füße. ↗Kähne. Seit dem späten 19. Jh.
Elbwasser *n* mit ~ getauft = in Hamburg geboren. Dem „↗Spreewasser" nachgeahmt, etwa um 1900.
Elch *m* **1.** betrogener Ehemann. Man hat ihm „↗Hörner aufgesetzt." Er ist nicht bloß ein ↗Hirsch, sondern ein Elch: die Größe der Elchschaufeln läßt oftmalige Untreue der Ehefrau vermuten. 1900 *ff, nordd.*
2. ich glaube, mich knutscht ein ~l: Erwiderung auf eine unglaubwürdige Behauptung. ↗Hamster. 1970 *ff.*
Elefant *m* **1.** 500-Schilling-Note. Wegen des hohen Betrags ist sie eindrucksvollgewichtig. Wien 1950 *ff.*
2. Schwermotorrad. 1955 *ff.*
2 a. Schubverband in der Binnenschiffahrt. 1960 *ff.*
3. *pl* = Stäubchen im Gewehrlauf. Übertreibende Feststellung des Unteroffiziers beim Gewehrreinigen. *BSD* 1965 *ff.*
4. ~ der Luft = Flugzeug mit annähernd 500 Passagierplätzen. 1965 *ff.*
5. fliegender ~ = Düsenflugzeug für rund 500 Fluggäste (Boeing 747). 1965 *ff.* Übernommen aus *engl* „jumbo-jet".
6. wie ein ~ im Porzellanladen = ungeschickt, plump. 1900 *ff.*
7. ein Gedächtnis haben wie ein ~ (das Gedächtnis eines ~en haben) = ein gutes Gedächtnis haben. Die ältere Physiologie lehrte, daß die Größe des Gehirns mit der Kraft des Denkens zusammenhänge. 1950 *ff.*
8. ein Gemüt haben wie ein ~ = unempfindlich sein; auf Gefühle keine Rücksicht nehmen. Analog zu ↗dickhäutig. 1950 *ff.*
9. aus einem ~en eine Mücke machen = etw verharmlosen. Umgedreht aus „aus einer ↗Mücke einen Elefanten machen". 1950 *ff.*
10. das ist der Moment, wo der ~ sein Wasser läßt; Damen und Herren, die nicht schwimmen können, wollen auf die Kisten (o. ä.) steigen = das ist der entscheidende, der wichtige Augenblick. Einem Ausrufer auf dem Jahrmarkt in den Mund gelegte Redensart. 1900 *ff.*
11. das ist der Moment, wo der ~ Wasser läßt = a) das ist der rechte Augenblick, um mit einer bisher zurückgehaltenen hohen Karte einen einträglichen Stich zu machen. Kartenspielerspr. Seit dem späten 19. Jh. – b) dieser Stich entscheidet das Spiel. Kartenspielerspr. Seit dem späten 19. Jh.
12. das ist der Moment, wo der ~ ins

Wasser springt (rennt) = das ist der wichtige Augenblick. 1900 *ff.*
13. jm einen ~en verehren = jm etwas völlig Unbrauchbares schenken. 1925 *ff.*
elefan'tastisch (elephan'tastisch) *adj* ausgezeichnet. Zusammengesetzt aus „Elefant" und „phantastisch". 1900 *ff, stud* und *schül.*
Elefantenbaby *n* körperlich stark entwickeltes Mädchen; plumper, schwerfälliger Mensch. Seit dem ausgehenden 19. Jh.
Elefantencharme *m* Charme eines breitgebauten Mannes mit plump aufgedunsenem Gesicht. 1960 *ff.*
Elefantenfurz *m* tiefer Hornton, mit dem zur Ruhe gemahnt oder das Ende der Aufnahme angekündigt wird. Filmspr. 1920 *ff.*
Elefantengeburt *f* sehr schwieriges Unternehmen. 1900 *ff. Vgl* ↗Geburt.
Elefantenhaut *f* **1.** Unempfindlichkeit gegenüber allen Wechselfällen des Lebens; Gefühlshärte; unverwüstliche Geduld mit den Mitmenschen. 1920 *ff.*
2. Posten-, Wachmantel. Er ist dick gefüttert. *BSD* 1965 *ff.*
Elefantenhochzeit *f* Vereinigung von zwei Großunternehmen. 1970 *ff.*
Elefantenkalb *n* dickliches, plump wirkendes, ungeschicktes Mädchen. Seit dem ausgehenden 19. Jh.
Elefantenküken *n* plumper, schwerfällig gehender junger Mensch. „Küken" ist das Hühnerjunge, lautverwandt auch „Küken", nämlich das Junge der Kuh (in *niederd* Sprache). 1890 *ff.*
Elefantenrollschuh *m* BMW-Isetta. Kraftfahrerspr. 1966 *ff.*
Elefantenschwarte *f* sehr große Unempfindlichkeit. 1950 *ff.*
Elefantentreffen *n* Zusammenkunft von Fahrern schwerer Motorräder. ↗Elefant 2. 1956 *ff.*
Elefan'tiasis *f* übermäßige Körperfülle. Eigentlich eine unförmige Hautverdickung. 1920 *ff.*
elefan'tös *adj* großartig. Der Elefant als Sinnbildtier des außerordentlich und unübersehbar Eindrucksvollen. 1910 *ff, jug.*
Elegans *f* elegant gekleidetes, aber dummes Mädchen. Von „↗Gans" überlagertes „elegant". 1967 *ff.*
elegant *adv* ~ daneben = das Ziel um ein winziges verfehlend (meist spöttisch gemeint). 1930 *ff.*
Elegan'tiasis *f* übermäßige, geschmacklose Eleganz. Der „Elefantiasis" nachgeahmt. 1920 *ff.*
Elektrische *f* elektrische Straßenbahn. Kurzform. 1900 *ff.*
Elektrisierknöchelchen (-knochen) *n (m)* empfindliche Stelle am Ellenbogen. Beim Stoß an dieser Stelle zuckt man wie elektrisiert zusammen. 1900 *ff, westd* und *schwäb.*
elektrisiert sein aufgebracht, peinlich erregt sein. Man ist wie von einem elektrischen Stromstoß getroffen. 1920 *ff.*
Elektrizitätswerk *n* ihm geht ein ganzes ~ auf = endlich begreift er. Verstärkung von „ihm geht ein ↗Licht auf". 1900 *ff.*
Elektrorasierer *m* ~ für Grünflächen = Rasenmäher. 1960 *ff.*
Element *n* **1.** Mädchen. Wohl verkürzt aus „das ist sein Element = das ist sein Lieblingsgebiet)". *Sold* 1939 *ff.*
2. fünftes ~ = Bier. Die Zahl der vier

klassischen Elemente um eines erweitert. 18. Jh.
3. das ist sein ~ = das ist sein Fach-, Lieblingsgebiet. Hergenommen vom Wasser als dem Lebensbereich der Fische. 1700 *ff.*
4. in seinem ~ sein = seiner Lieblingstätigkeit nachgehen; sich in seinem Fachgebiet bewegen. 1700 *ff. Vgl franz* „être dans son élément".
5. ~e zahlen = Alimente zahlen. Hieraus scherzhaft entstellt. 1920 *ff.*
elementar *adj* großartig, unübertrefflich. Hergenommen vom Begriff „Elementarereignis" im Sinne von Naturkatastrophe. *Schül* 1950 *ff.*
Elend *n* **1.** Arbeitshaus. Verkürzt aus „graues Elend"; ↗Elend 5. 19. Jh.
2. ach du ~l: Ausruf des Erschreckens, der Überraschung o. ä. Geburt. Hergenommen von der Klage auf die Armseligkeit und Hinfälligkeit alles Irdischen, wie sie frommen, enttäuschten oder weltflüchtigen Menschen eigen ist. Im späten 19. Jh. aufgekommen.
3. besoffenes ~ = a) Rausch, in dem der Bezechte all sein Unglück vervielfacht empfindet. 1800 *ff.* – b) Betrunkener. 1900 *ff.*
4. glänzendes ~ = prunkvolles Auftreten in der Öffentlichkeit bei dürftigen Privatverhältnissen; Lebensweise, die zuungunsten der wirtschaftlichen Verhältnisse einen großen Aufwand erfordert. Aus der christlichen Auffassung von der Nichtigkeit der irdischen Güter gegen das Ende des 18. Jhs weiterentwickelt zur heutigen Bedeutung, die Goethe 1774 noch als „innere Hohlheit" begreift.
5. graues ~ = a) Selbstvorwürfe des Zechers; seelische Beklemmung; Hoffnungslosigkeit des Strebens o. ä. Man sieht alles „grau in grau", und grau ist auch die Asche, die als Sinnbild der Reue gilt. 1500 *ff.* – b) Arbeitshaus. Anspielung auf die graue Außenfront. *Rotw* seit dem frühen 19. Jh.
6. heiliges ~l: Ausruf der Überraschung, des Erschreckens o. ä. 1900 *ff.*
7. heulendes ~ = Weinen aus Niedergeschlagenheit und Hilflosigkeit; Weinkrampf; Gestimmtheit zu Selbstvorwürfen oder Selbstbemitleidung. 1890 *ff.*
8. langes ~ = großwüchsiger Mensch. Entweder ist es ein „Elend", daß der Betreffende so groß ist, oder „langes Elend" ist aus *gleichbed* „langes Element" hervorgegangen. 1900 *ff.*
9. trunkenes ~ = mit Selbstvorwürfen erfüllter Zustand der Trunkenheit. 1500 *ff.*
10. übermaltes ~ = dicke Schminkauflage auf sehr faltigem Gesicht. 1955 *ff.*
11. weinendes ~ = im Zustand der Trunkenheit vorgebrachte Selbstvorwürfe; Selbstbemitleidung. 1900 *ff.*
12. aussehen wie ein wandelndes ~ = bleich aussehen. 1900 *ff.*
13. es ist ein ~ mit ihm = es ist nicht leicht mit ihm; er macht einem das Leben schwer; der Sorgen um ihn wird man nicht Herr. 19. Jh.
elend *adv* **1.** sehr. Aus „bejammernswert" ergibt sich die Bedeutung „jämmerlich", und „jämmerlich" gilt als steigerndes Adverb. 1750 *ff.*
2. ~ prima ↗prima.

3. jn ~ verhauen = jn heftig prügeln. 19. Jh.

elenden *tr* jn langweilen; jm lästig fallen. 1870 *ff.*

elf (Elf) *num* **1.** ~ = Narrenzahl. Fußt wahrscheinlich auf dem elften Titel von Band I des Code Civil („Code Napoleón", 1804; *franz* Zivilrecht), worin § 489 bestimmt: „Der Großjährige, der sich gewöhnlich in einem Zustande von Blödsinn, Wahnsinn oder Raserei befindet, muß indiciert werden, selbst wenn in diesem Zustande lichte Zwischenräume eintreten." 19. Jh, *westd.* **2.** § 11 = es wird weitergetrunken (weitergesoffen). Soll entstanden sein aus der an Kinder gerichteten Frage nach dem elften Gebot. 1850 *ff.* **3.** das hält (reicht) von ~ bis Mittag = das hält (reicht) nur kurze Zeit. Hängt zusammen mit dem Elfuhrläuten auf dem Lande, das bis 1893 (Einführung der mitteleuropäischen Zeit) Sitte war. 1700 *ff.*

Elfenbeinturm *m* **1.** Abkehr von der Alltagswirklichkeit; Wirklichkeitsferne von Dichtern und Gelehrten. Bezeichnet im Sinne des Hohen Lieds (7,5) die erlesene Schönheit und Vornehmheit und weiter das unerreichbare Schönheitsideal; vom Kult des außerirdischen Schönen weiterentwickelt zur abfälligen Bezeichnung für die Absonderung von der Welt. Etwa seit dem ausgehenden 19. Jh. **2.** im ~ leben = sich von der Alltagswirklichkeit abkapseln. 1900 *ff.*

Elfer *m* **1.** Elfmeterstoß im Fußballspiel. *Sportl* 1950 *ff.* **2.** *pl* = lange Beine. Sie stehen vergleichsweise nebeneinander wie die zwei langen Senkrechtstriche und die beiden kürzeren Schrägstriche der Ziffer 11. *Österr* 19. Jh.

Elfmeter *m* **1.** Strafmaßnahme. Aus der Sportsprache gegen 1960 in die Sprache der Bundeswehr übergegangen. **2.** einen ~ abschießen = auf jn einschlagen. Rocker 1968 *ff,* Hamburg.

E'lias *m* **1.** Kraft-, Panzerfahrer. Laut biblischer Erzählung soll Elias mit einem feurigen Wagen himmelwärts gefahren sein. 1930 *ff.* **2.** feuriger ~ = a) Lokomotive. 1880 *ff.* – b) Kleinbahnzug. 1900 *ff.* – c) benzolgetriebener Autobus. Wegen des oft „feuerspeienden" Auspuffs. 1920 *ff.* – d) Tigerpanzer. Wegen der langen Feuerstrahlen, die aus den Auspuffrohren schossen. *Sold* 1939 *ff.* – e) Raketenwaffe (V 1 und V 2). *Sold* und *ziv* 1941 *ff.* – f) schwerer russischer Raketenwerfer. *Sold* 1939 *ff.* – g) Nebelwerfer. *Sold* 1939 *ff.*

ellbogenstark *adj* rücksichtslos selbstsüchtig. 1900 *ff.*

Elle *f* **1.** Brecheisen, -stange. Euphemismus. *Rotw* seit dem frühen 19. Jh. **2.** jn mit der ~ messen = jn prügeln. Beschönigende Redewendung. 1700 *ff.* **3.** ihn kann man mit der ~ verkaufen = er ist großwüchsig. Die Elle als natürliches Längenmaß vom Ellbogen bis zur Mittelfingerspitze wurde 1868 durch das Meter gesetzlich ersetzt. 1920 *ff.* Wohl älter. **4.** eine ~ verschluckt haben (im Kreuz haben) = steif, ungewandt sein; sich übermäßig geradehalten; sich eckig verbeugen. 19. Jh.

'ellen'lang *adj* sehr lang; sehr ausführlich. 1500 *ff.*

Elli *f* Gewehr, Karabiner. Da das Gewehr die „Braut des Soldaten" ist, ist für das Gewehr auch ein Mädchenname angebracht. *BSD* 1965 *ff.*

Elster *f* **1.** Schwätzer, Prahler. Die Stimme der Elster ist häufig zu hören, wird als aufdringlich empfunden. 1900 *ff.* **2.** Neugieriger. 1900 *ff.* **3.** diebischer Mensch. Elstern gelten als diebisch, weil sie Hühnereier, auch Küken und vor allem glänzende Gegenstände stehlen. 18. Jh. **4.** diebische ~ = diebischer Mensch. *Vgl* das Vorhergehende. 19. Jh. **5.** neugierig wie eine ~ = sehr neugierig. 1900 *ff.* **6.** zänkisch wie eine ~ = sehr unverträglich, zanksüchtig. In ihrem Revier duldet die Elster andere Vögel nur unter Protestgeschrei. 1900 *ff.* **7.** schwätzen (o. ä.) wie eine ~ = anhaltend schwätzen. 1900 *ff.* **8.** stehlen wie eine ~ = sehr diebisch sein. ↗ Elster 3. 18. Jh. *Vgl engl* „he steals like a mag-pie", *franz* „il est larron comme une pie" und *ital* „è ladro come una gazza".

Eltern *pl* **1.** meine ärmlich, aber sauber gekleideten ~ = meine Eltern. Scherzhaft ist gemeint, über Ärmlichkeit gebe es verschiedene Ansichten, aber hinsichtlich der Sauberkeit gebe es keinen Unterschied zu den Vornehmen und Begüterten. 1955 *ff, jug.* **2.** saure ~ = Eltern, die mit den Lebensgewohnheiten ihres Kindes, vor allem mit Umgang und Verlobung nicht einverstanden sind. ↗ sauer. *Halbw* 1950 *ff.* **3.** nicht von schlechten ~ = von guter Herkunft; stark; tüchtig (Ohrfeige, die nicht von schlechten Eltern ist). 1600 *ff.* **4.** die ~ abstreifen = sich von den Eltern lösen; selbständig werden. Man streift sie ab wie das Küken die Eierschalen, wie die Lurche die Haut usw. 1920 *ff, halbw.* **5.** er hat sich seine ~ vorsichtig ausgesucht (er ist in der Wahl seiner ~ vorsichtig gewesen) = er hat glücklicherweise vermögende (und gute) Eltern. Die passive Rolle wird hier scherzhaft in eine aktive verwandelt. 1850 *ff.* **6.** denk' an deine gramzerbeulten (gramzerfurchten, gramzerfetzten) ~!: Mahnrede an einen leichtsinnigen jungen Menschen. 1900 *ff.* **7.** Glück mit den ~ gehabt haben = zum Glück wohlhabende Eltern haben. 1900 *ff.* **8.** bei der Wahl der ~ ist Vorsicht nötig!: scherzhafte Lebensweisheit. 19. Jh.

Elternhaus *n* in der Wahl des ~es vorsichtig gewesen sein = zum Glück einem vermögenden Elternhaus entstammen. ↗ Eltern 5. 1900 *ff.*

Elternmuckis *pl* Taschengeld. „Mucki" steht für „↗ Mücke". *Jug* 1955 *ff,* Berlin.

Elternmund *m* Gemeinplätze der Eltern; naive Äußerungen der Eltern; sachlich verfehlte Mahnreden usw. Dem „Kindermund" nachgeredet. *Jug* 1900 *ff.* Gegen 1960 wiederaufgelebt.

Em *f* Mark. Gesprochener Buchstabe M. 1900 *ff.*

Emaille (Email) *f (n)* **1.** dick aufgetragenes Make-up. Eigentlich der Schmelzüberzug. 1920 *ff.* Neuerdings 1955 *ff, halbw.*

2. die ~ splittert ab = das Make-up gerät in Unordnung. *Halbw* 1955 *ff.* **3.** die ~ springt ab = der schöne Anschein verflüchtigt sich. 1950 *ff.* **4.** jm die ~ vom Hemd kratzen = jn heftig prügeln. 1910 *ff.* **5.** dir haben sie wohl lange nicht die ~ vom Hemd gekratzt?: Drohfrage. Emaille meint hier wohl die Blutspuren (Hautteile usw.), die man aus der Wäsche entfernt. 1915 *ff.*

Emanze *f* emanzipierte Frau; Frauenrechtlerin. Nach 1970 aufgekommen.

Emigration *f* in die innere ~ gehen = sich beleidigt zurückziehen. Hergenommen von den Deutschen, die nach 1933 in Deutschland verblieben, aber sich von den Nationalsozialisten fernhielten. 1955 *ff.*

Emilia Galoppi *f* Läuferin. Scherzhaft umbenannt aus dem Namen der Emilia Galotti, der Heldin des gleichnamigen Trauerspiels von Lessing. 1936 bei den Olympischen Spielen in Berlin aufgekommen und seitdem immer erneut verbreitet.

Eminenz *f* graue ~ = einflußreicher, aber kaum in Erscheinung tretender Politiker; einflußreicher Mitgesellschafter. Kardinal Richelieu hatte zum Berater den Kapuziner Père Joseph (1557 bis 1638); dieser entschied, was der Kardinal zu entscheiden hatte. Wiewohl Père Joseph nicht Kardinal war, gaben Eingeweihte ihm insgeheim den Titel „Eminenz". Als „graue Eminenz" ins Deutsche übertragen, bekam den Spitznamen der Diplomat Friedrich v. Holstein (1837–1909), der vor allem den Reichskanzler v. Bülow (1849–1929) stark beeinflußte. Seit dem späten 19. Jh.

Emir *m* **1.** da sprach der Scheich zum ~: „Jetzt gehn wir!" = Abschiedsfloskel. Wohl nur um des Reimes willen erfunden. *Stud* 1920 *ff.* **2.** da sprach der Scheich zum ~: „Jetzt zahlen wir, dann gehn wir!" Auf diese Abschiedsfloskel folgt meist die Erwiderung: Da sprach der Emir zum Scheich: „Ei, gehn wir doch gleich!" *Stud* 1920 *ff.*

Emma *f* **1.** Hausgehilfin. Emma war früher ein sehr beliebter weiblicher Vorname. 1900 *ff.* **2.** Geschirrspülmaschine und sonstige elektrische Küchengeräte. 1960 *ff.* **3.** Möve. Fußt auf der Gedichtzeile „Die Möven sehen alle aus, als ob sie Emma hießen" von Christian Morgenstern, 1913. 1950 *ff.* **4.** Gewehr. *Vgl* ↗ Elli. *BSD* 1965 *ff.* **5.** jn zur ~ machen = jn streng maßregeln, moralisch erledigen. ↗ Minna. 1920 *ff.*

Emmchen *pl* Geldmünzen, Mark. ↗ Em. Aufgekommen kurz nach Einführung des Reichs-Münzgesetzes von 1872, wahrscheinlich im Berlin.

Emmentalerstrümpfe *pl* durchbrochene Strümpfe. 1955 *ff.*

emmes *adv* wahrhaftig, richtig, gut; ja. Geht zurück auf *gleichbed jidd* „emmes". *Rotw* 1510 *ff.*

Emmes *m* **1.** Wahrheit; Geständnis. Herkunft wie das Vorhergehende. *Rotw* 1735 *ff.* **2.** Spießgeselle, Freund, Geliebter o. ä. Fußt auf *jidd* „emez = jemand". 1950 *ff.* **3.** Penis. *Halbw* 1960 *ff.* **4.** fauler ~ = Lüge; unwahres Geständnis. ↗ faul. *Rotw* 1847 *ff.*

5. linker ~ = falsches Geständnis. ↗link. *Rotw* 1900 *ff.*

6. ~ pfeifen = ein Geständnis ablegen. ↗pfeifen. *Rotw* 1862 *ff.*

7. ~ putzen = ein Geständnis widerrufen oder zu seinem Vorteil verändern. Putzen = reinigen, schön herrichten. *Rotw* 1847 *ff.*

Empfänger *m* den ~ abstellen = absichtlich nicht hören. Aus der Rundfunktechnik übertragen. 1955 *ff.*

Empfangschef *m* Geburtshelfer; Leiter der Wöchnerinnenstation. Eigentlich der Gästebegrüßer in Restaurants; hier der Arzt, der die neuen Erdenbürger in Empfang nimmt. 1959 *ff.*

Empfangsdame *f* **1.** Hebamme. Eigentlich die weibliche Person, die in vornehmen Hotels o. ä. die Gäste in Empfang nimmt. 1920 *ff.* **2.** Frau in gesetzten Jahren, die in vornehmen Bordells die Kunden empfängt. 1915 *ff.* **3.** private Prostituierte. 1970 *ff.*

Empfangsrummel *m* Übergeschäftigkeit bei der Begrüßung einer bekannten Persönlichkeit. ↗Rummel. 1920 *ff.*

Empfangsstörung *f* Menstruation. Vom Funkverkehr auf den Geschlechtsverkehr übertragen. 1920 *ff.*

empfehlen *refl* davongehen, flüchten. Eigentlich soviel wie „sich verabschieden". 19. Jh.

empordienen *refl* durch Fleiß und beharrliches Streben eine höhere Stellung erreichen. 1920 *ff.*

emporjubeln *tr* etw mit stürmischem Lob bedenken; etw durch geschickte Manipulation beliebt machen. 1960 *ff.*

emporloben *tr* jn überschwenglich loben und ihm zu einer höherrangigen Stellung in der Gesellschaft verhelfen. ↗hochloben. 1900 *ff.*

emporschaukeln *tr* einander ~ = einander zu einer einflußreichen Stellung verhelfen. Hergenommen vom Bild der Schiffsschaukel. 1920 *ff.*

Endchen *n* **1.** ein ~ Militär = noch unfertiger Soldat. „Endchen" meint das kleine Stück. 1920 *ff.* Um 1870/80 in Berlin soviel wie „Kadett". *Vgl* franz „un bout d'homme". **2.** ein ~ Schluck = Schnapsrest in der Flasche. 1920 *ff.*

Enddreißigerin *f* reife Dame unbestimmten Alters. 1920 *ff.*

Ende *n* **1.** Strecke, Weg-, Teilstück. Beispielsweise: das ist ein ganzes Ende = das ist ein ziemlich weiter Weg; ein Ende Wurst = ein Stück Wurst (nicht das Endstück). Vom Schlußstück weiterentwickelt zum allgemeinen Begriff „Stück". 14. Jh. **2.** das ~ vom Lied = die unausbleibliche Folge; der übliche Ausgang einer Sache. Meint das Ende vom Volkslied, wo die Begebenheit meistens einen traurigen Abschluß findet. 1500 *ff.* **3.** am ~ der Welt = am äußersten Ende der Stadt, des Landes o. ä. Nach dem Volksglauben hat die Welt ein räumliches Ende, nämlich da, „wo die Welt mit Brettern vernagelt ist". 1800 *ff.* **4.** an allen ~n = überall. 1900 *ff.* **5.** ~ der Fahnenstange: Ausruf, wenn im Vorhaben undurchführbar ist o. ä. Schlußstück eines sogenannten Idiotenwitzes: Ein Idiot kletterte die Fahnenstange hinauf

und befestigte an der Spitze ein Schild mit der Aufschrift: „Ende der Fahnenstange!". 1950 *ff.* **6.** ~ der Sendung! = Schluß! aus! Dem Wortschatz der Rundfunk- und Fernsehansager entnommen. 1960 *ff.* **7.** ~ der Stange! = bis hierher und nicht weiter! Verkürzt aus ↗Ende 5. 1955 *ff*, *jug.* **8.** breites ~ = dickes Gesäß. 1945 *ff.* **9.** dickes ~ = a) Knüppel; Tau-Ende zum Züchtigen. 1900 *ff.* – b) Hauptschwierigkeit; schlimmer Ausgang einer Sache. Hergenommen entweder von der Rute, deren Griff dicker ist als die Spitze, oder von der angedrehten Peitsche, mit der der Kutscher den störrischen oder faulen Gaul schlägt. 1500 *ff.* – c) Schulzeugnis. 1900 *ff.* – d) Gesäß. 1945 *ff.* **10.** dreckiges ~ = After. *Sold* 1939 *ff.* **11.** dürres ~ = sehr magere Person. 1900 *ff.* **12.** hinteres ~ = Gesäß. 1920 *ff.* **13.** langes ~ = a) großwüchsiger Mensch. 19. Jh. – b) erigierter Penis. 1910 *ff.* **14.** rückwärtiges ~ = Gesäß. 1920 *ff.* **15.** schmerzliches ~ = Tau-Ende (mit dem geprügelt wird). Seemannsspr. 1900 *ff.* **16.** davon hat einer das ~ abgeschnitten = das hört nicht mehr auf. Humorvolle Vorstellung: wenn das Ende abgeschnitten ist, ist die Sache ohne Ende. 1850 *ff.* **17.** das lange ~ einhängen (reinhängen) = koitieren. ↗Ende 13 b. 1910 *ff.* **18.** nimm doch mal das dicke ~! = Rat an einen Billardspieler nach mehreren Fehlstößen. 1900 *ff.* **19.** da ist das ~ von weg (von ab; von fort; verloren) = das ist ohne Ende, ist über alles Maß hinaus. ↗Ende 16. 1850 *ff.*

Endspurt *m* **1.** Monate erhöhter Mühegabe vor der Versetzung. Leitet sich her von der Tempobeschleunigung des Sportlers, vor allem des Jockeis, kurz vor dem Ziel. *Schül* 1940 *ff.* **2.** Generalprobe. 1950 *ff.* **3.** letzte Bemühung. 1950 *ff.*

Endstation *f* **1.** ~ Baum = Kraftfahrzeug-Totalschaden infolge Kollision mit einem Baum o. ä. 1957 *ff.* Für diese und die meisten folgenden Vokabeln ist zum Begriff „Endstation Sehnsucht" (↗ ~ 6) auszugehen. 1957 *ff.* **2.** ~ Erkennungsmarke = Tod auf dem Schlachtfeld. Nach 1945 aufgekommen. **3.** ~ Kaffeetasse = Abschluß einer Veranstaltung bei Kaffee und Kuchen. 1960 *ff.* **4.** ~ Polizeiwache = Verhaftung. 1958 *ff.* **5.** ~ Rauchfahne = Leichenverbrennung im Konzentrationslager. Zwischen 1938 und 1945 aufgekommen; angeblich ein von den Bewachungsmannschaften erfundenes „Witzwort". **6.** ~ Sehnsucht = a) Schulferien. Fußt auf dem deutschen Titel des amerikanischen Films „A Streetcar Named Desire" (1952) nach dem gleichnamigen Drama von Tennessee Williams. *Schül* 1958 *ff.* – b) Schulabschlußprüfung; Sehnsucht nach dem Ende des Schulzwangs. 1960 *ff*, *schül.* **7.** ~ Selbstmord = Tod von eigener Hand. 1958 *ff.* **8.** ~ Waisenhaus = Aufnahme des el-

ternlos gewordenen Kindes im Waisenhaus. 1958 *ff.* **9.** ~ Zuchthaus = Verurteilung zu lebenslänglicher Zuchthausstrafe. 1960 *ff.*

'ends'trumm *adj adv* sehr groß; sehr. ↗Trumm. *Österr* 19. Jh.

'End'twen *m* Neunundzwanzigjährige(r). ↗Twen 1. *Halbw* 1955 *ff.*

e'negerisch *adj* energisch. Hieraus scherzhaft abgewandelt mit Vokalverlagerung. 1920 *ff*, *schül.*

Energiebolzen *m* kraftvoller Mensch. 1960 *ff.*

Energiebrocken *m* energischer Mensch; Mann von unverwüstlicher Tatkraft. ↗Brocken. 1960 *ff.*

Energiebündel *n* tatkräftiger Mensch. 1900 *ff.*

Energiefresser *m* Gerät mit großem Energieverbrauch. 1976 *ff.*

Energieklau *m* unnötig hoher Energieverbrauch. 1976 *ff.*

Energieknüller *m* lautstark angepriesene Maßnahme zur Wärmedämmung. ↗Knüller. 1977 *ff.*

Energieprotz *m* Mann, der sich mit seiner Tatkraft brüstet. ↗Protz. 1930 *ff.*

Energiesparer *m* er ist ~ geworden = ihm ist der Führerschein entzogen worden. 1981.

Energiesünder *m* Bürger, der zuviel Elektrizität oder Kohle verbraucht. 1944 *ff.*

energisch *adj* wie werde ich ~?: sagt man, wenn sich einer zu tatkräftigem Handeln aufrafft. Klingt nach dem Titel einer volkstümlichen Belehrungsschrift. Spätestens seit 1920.

eng *adv* ~ tanzen = sich an den Tanzpartner schmiegen. 1955 *ff.*

Engel I Englischunterricht. Eigentlich die gesprochene Abkürzung „Engl.". *Schül* 1960 *ff.*

Engel II *m* **1.** weibliche Person (Kosewort). Der geflügelte Bote Gottes gilt als Sinnbild der Reinheit, als hehre Verkörperung aller Tugenden, aller Schönheit und aller himmlischen (= unkörperlichen) Liebe. Seit mhd Zeit. **2.** Mann (Kosewort). 18. Jh. **3.** ~, der die Flügel im Futteral hat = Buckliger. 1920 *ff.* **4.** ~ der Autobahn = Angehöriger des Pannenhilfsdienstes. 1960 *ff.* **5.** ~ der Landstraße = Angehöriger der ADAC-Straßenwacht. 1960 *ff.* **6.** ~ der Luft = Hubschrauber (Sikorsky H 34; Boeing Vertol H 21). Er leistet Hilfe bei Katastrophen, Seenot, Erdbeben usw. *BSD* 1970 *ff.* **7.** ~ der Lüfte = a) Mitglied des Flugrettungsdienstes. *Österr* 1960 *ff.* – b) Flugzeug-Stewardeß o. ä. 1960 *ff.* **8.** ahnungsloser ~ = a) Person, die als einzige nicht merkt, was die anderen längst wissen. Nachgeahmt den Worten „du ahnungsvoller Engel" in Goethes „Faust I." Seit dem späten 19. Jh. – b) leicht törichtes Mädchen; geschlechtlich noch nicht reifes Mädchen. 1920 *ff.* **9.** blauer ~ = a) betrunkenes Mädchen. 1930 aufgekommen im Zusammenhang mit dem am 1. April 1930 in Berlin uraufgeführten Film „Der blaue Engel" (mit Marlene Dietrich und Emil Jannings) nach dem Roman „Professor Unrat" von Heinrich Mann (1905). ↗blau = betrunken. – b) Flugzeug-Stewardeß. Wegen der blauen

Tuchfarbe. 1960 *ff.* – c) weiblicher Angehöriger des innerstädtischen Lotsendienstes in Hamburg. Sie ist hellblau gekleidet. 1971 *ff.* – d) Politesse. 1970 *ff.* – e) blaue ~ *(pl)* = aa) Felicitas-Dienst. Angehörige einer Firmenvereinigung, die Neuvermählten eine Gratisgabe zukommen läßt. Die Damen sind in Blau gekleidet. 1964 *ff.* – bb) Beamte der Wasserschutzpolizei. Wegen des blauen Uniformtuchs. 1950 *ff.*

10. blonder ~ = Eierlikör (Bluna mit Eierlikör). 1965 Mainz (auf einer Getränkekarte).

11. fliegender ~ = Flugzeug-Stewardeß. Schweiz 1935 *ff.*

12. gefallener ~ = a) ledige Mutter. Als gefallener Engel gilt in der Bibel der Teufel (Luzifer). 19. Jh. – b) junge Prostituierte. 19. Jh.

13. gelbe ~ = Pannenhilfsdienst eines Automobilklubs (ADAC, ÖATMC). Die Autos sind gelb lackiert. 1960 *ff.*

14. gelber ~ der Luft = Hubschrauber des ADAC. 1970 *ff.*

15. grüner ~ = Fallschirmjäger. Er trägt eine grüne Kombination und schwebt wie ein Engel vom Himmel herab. BSD 1965 *ff.*

16. luftiger ~ = Flugzeug-Stewardeß. 1960 *ff.*

17. schwarze ~ = Rocker. Wegen der schwarzen Lederkleidung. Hamburg 1968 *ff.*

18. unschuldsvoller ~ = unberührtes, naives Mädchen. 1900 *ff.*

19. wilder ~ = a) motorisierter Fernsehkurier. 1970 *ff.* – b) *pl* = Rocker; Motorradbanden. 1968 *ff.*

20. ein ~ mit einem B davor = frecher Junge. Gemeint ist „Bengel". Seit dem späten 19. Jh.

21. ~ in F-Dur = frecher Junge. Die F-Dur-Tonleiter weist die Note b auf. 1900 *ff.*

22. vornehm wie ein gestorbener ~ = unnahbar; kühl abweisend. Hergenommen von Engelsgestalten auf Grabdenkmälern. 1910 *ff.*

23. ein ~ fliegt (geht, schwebt) durchs Zimmer = Redensart, wenn inmitten lebhafter Unterhaltung plötzlich Stille eintritt. Fußt auf der alten Anschauung, daß in Gegenwart eines überirdischen Wesens Stillschweigen angemessen ist. Spätestens seit 1800.

24. mit den ~n geigen = tot sein. Berührt sich mit der volkstümlichen Vorstellung, daß die Engel im Himmel zur Ehre Gottes musizieren. Sold 1939 *ff.* Vgl engl „to play the harp".

25. ich kann nicht mehr, und käme mir ein gebackener (gebratener) ~ daher: Redewendung eines Gesättigten. Der gebackene oder gebratene Engel ist wohl als eine leicht eingängliche Leckerei zu verstehen. 1900 *ff.*

26. die ~ kegeln = es donnert. Vermenschlichung des Himmlischen. 1800 *ff.*

27. ein Kind zu einem ~ machen = ein anvertrautes Kind unehelicher Geburt absichtlich umkommen lassen. Ein grimmiger Scherz beschönigenden Charakters: Kinder, die früh sterben, denkt man sich als Engel im Himmel. 1800 *ff.*

28. aus jm einen ~ machen = jn unsanft hinauswiesen, plötzlich entlassen. Variante

zu „↗︎fliegen = entlassen werden". 1900 *ff.*

29. die ~ pinkeln = es regnet fein. 1920 *ff.*

30. es schmeckt, wie wenn einem ein ~ auf die Zunge (aufs Herz) pinkelt = es mundet hervorragend. Frommer Sinn glaubt, daß die Engel dem Menschen nur Gutes und Liebliches bescheren. Im Badischen bezeichnet man mit „Engelbrunz" den hochfeinen Wein. 1900 *ff.*

31. mit den ~n pussieren = tot sein. ↗︎pussieren. Sold 1939 *ff.*

32. wenn ~ reisen, lacht der Himmel: Redewendung, wenn einer bei Sonnenschein verreist. „Engel" meint hier den guten Menschen. 1900 *ff.*

33. wenn ~ reisen, weint der Himmel: Redewendung, wenn einer bei Regenwetter auf Reisen geht. Hier meint man dem „Engel" das im zarten Alter gestorbene Kind. 1900 *ff.*

34. kein ~ sein = nicht schuldlos, sittlich nicht einwandfrei sein; (im selbstbezogenen Gebrauch:) ein ganz normaler Mensch sein. 19. Jh.

35. die ~ im Himmel singen (pfeifen) hören = a) verzückt, begeistert, hingerissen sein. Die alte Vorstellung von der Harmonie der Sphären drückt sich in volkstümlich-christlichem Glauben aus in der Meinung, die Engel musizierten im Himmel. 1700 *ff.* – b) bezecht sein. Der heitere Zecher ist mit sich und der Welt einig und fühlt sich „im siebten ↗︎Himmel" schweben. 1700 *ff.* – c) heftigen Schmerz empfinden. Iron Variante von a. Seit dem späten 17. Jh.

36. bis man ~ wird = a) lebenslang, lebenslänglich. Verbrecherspr. 1930 *ff.* – b) bis zum Tod auf dem Schlachtfeld. Sold 1939 *ff.*

Engelabstauber *m* Beichtvater für Ordensschwestern. Er hat nur Engel abzustauben, d. h. er hat nur leichte Sünden zu vergeben. 1960 *ff,* theologenspr.

Engelmacherin *f* **1.** Pflegemutter, die das Kind verbrecherisch beseitigt. Vgl ↗︎Engel II 27. Seit dem frühen 19. Jh.
2. Frau, die gewerbsmäßig Abtreibungen vornimmt. 1920 *ff.*

engeln *tr* ein Kind ~ = auf den verschlungenen Händen oder Armen zweier nebeneinanderliegender Menschen ein Kind tragen. Es ergibt das Bild eines schwebenden Engels. 19. Jh.

Engelsgewand (-hemd) *n* langes, reinweißes Nachthemd. Von den Engelsdarstellungen in der bildenden Kunst übertragen. 1900 *ff.*

enger *adv* es wird schon ~ = es wird heikel, gefährlich, verzweifelt. Man „gerät in die ↗︎Klemme" oder wird „in die ↗︎Zange genommen". Caesar nennt das in seinem „Bellum Gallicum": „res est in angusto" (wörtlich = „die Sache ist im Engen"). Sold 1939 *ff.*

Engerl *n* ~ tragen = auf den Händen nebeneinandergehender Menschen ein Kind tragen. ↗︎engeln. Bayr 19. Jh.

englisch *adj* **1.** nicht die feine ~e Art = Grobheit, Plumpheit, Unschicklichkeit; Fahrerflucht usw. Die „feine englische Art" ist gekennzeichnet durch Höflichkeit, Rücksichtnahme und Gemessenheit. Die Engländer gelten als Meister des gesellschaftlichen Takts. 1960 *ff.*

2. ~ einkaufen (kaufen) = diebisch sein; betrügerisch handeln. Gehört in das arge Kapitel von der Abneigung vieler Deutscher gegen „die Engländer". Die Antipathie kam um die Jahrhundertwende (zur Zeit der Burenkriege, 1899–1902) erneut auf und entfachte sich an der Kolonialpolitik Englands: man warf England vor, es habe seine Kolonien „englisch gekauft", nämlich annektiert (Transvaal, Oranje-Freistaat usw.). Auch 1945 gab es Anlaß, die Redewendung erneut aufzubringen. 1900 *ff.*

3. sich ~ (auf ~) empfehlen = heimlich davongehen, ohne sich zu verabschieden. Soll sich aus dem Schlußwort von Schillers „Maria Stuart" entwickelt haben. 19. Jh. Vgl franz „filer (se sauver) à l'anglaise".

4. ~ schrauben = eine Schraube mit dem Hammer einschlagen. Zusammenhang unbekannt. 1900 *ff.*

5. von der ~en Rasse sein, vorne glatt und hinten mager: Redewendung auf eine hagere weibliche Person. 1920 *ff.*

Engpaß *m* Verknappung; geldliche Notlage. Eigentlich der schmale Paß in sonst schwerzugänglichem Gelände. In den dreißiger Jahren des 20. Jhs aufgekommen als bagatellisierender Euphemismus für das Fehlen von Versorgungsgütern. 1900 *ff.*

Enrico *m* „fliegender" Teppich-, Stoffhändler. Vielleicht hergenommen aus dem Vornamen des italienischen Tenors Enrico Caruso, dessen Name, Leistung und Wesen vielen Deutschen als „typisch italienisch" galten. In den fünfziger Jahren dieses Jhs aufgekommen.

ent ent oder weder = entscheide dich so oder sol Entstellt aus „entweder – oder". Seit dem späten 19. Jh.

entbehren *v* können Sie noch einen ~? = Bitte, noch ein Glas Bier! Die Frage an den Kellner ist als Bitte gemeint; scherzhaft mit völliger Verdrehung des Sachverhalts. 1910 *ff.*

entbienen *tr* entlausen. ↗︎Biene 6. Kundenspr. 1900 *ff.*

entblättern *v* **1.** sich ~ = a) sich entkleiden. Nach Art des Laubfalls im Spätherbst. Vielleicht hergenommen von der Szene in den „Abenteuern eines Junggesellen" von Wilhelm Busch (1875), wo der nächtliche Abortbesucher seine Blöße zusätzlich mit einer Zeitung verhüllt, an der Türschwelle stürzt und sich „entblättert". 1900. – b) Striptease vorführen. 1955 *ff.* – c) ein Geständnis ablegen; sich jm anvertrauen. Er entblößt sich moralisch. 1920 *ff.*
2. jn. ~ = a) jn degradieren. Man nimmt ihm die Dienstgradabzeichen. BSD 1965 *ff.* – b) jds Verschulden aufdecken. 1960 *ff.*
3. entblättere mich, ich bin der Herbst: angebliche Redewendung einer liebeshungrigen älteren weiblichen Person. 1920 *ff.*

entblondet sein das blonde Haar gefärbt haben. Gegenwort: ↗︎erblondet. 1955 *ff.*

entbräunen *tr* jn entnazifizieren. ↗︎braun 1. 1945 *ff.*

Entbräunung *f* Entnazifizierung. 1945 *ff.*

Entdecktiv *m* Detektiv. Von „entdecken" überlagertes „Detektiv". Österr 1950 *ff.*

Ente *f* **1.** lügenhafte Nachricht; falsche Pressemeldung. Herkunft ungewiß. Geht vielleicht zurück auf *gleichbd franz* „canard". Doch bezeichnete in *frühnhd* Zeit „blaue Ente" ebenfalls die Lüge, – wohl fußend auf dem Bericht eines Lügners, der blaue Enten gesehen haben wollte. Um 1850 bei uns aufgekommen.

2. erfundene Anschrift. 1920 *ff.*

3. Urinflasche für bettlägerige Männer. Formähnlich mit der langhalsigen Ente. Etwa seit 1870.

4. Senk-, Breitfüßiger. *BSD* 1965 *ff.*

5. Segelflugzeug. Wohl wegen der schwebenden Fortbewegung in gemäßigtem Tempo. 1920 *ff.*

6. Citroën 2 CV 4. 1965 *ff.*

7. Mädchen. Wohl hergenommen von der Ente in den ersten vier bis sechs Wochen ihres Lebens. 1950 *ff,* halbw.

8. alte ~ = altes Auto. *Halbw* 1960 *ff.*

9. bleierne ~ = schlechter Schwimmer. Bleiern = lastend, schwerfällig. Spätestens seit 1900.

9 a. dicke ~ = schwerwiegende Falschmeldung in der Presse. 1950 *ff.*

10. kalte ~ = a) Getränk, bestehend aus Wein, Zitrone, Zucker usw. Soll mit dem General von Pape zusammenhängen: zum Abschluß eines großen Diners unter Kaiser Wilhelm I. bevorzugte er nicht den üblichen Mokka, sondern „das kalte Ende". 1870 *ff.* – b) Blindgänger. Der Blindgänger stößt mit dem Kopf in den Grund wie eine gründelnde Ente; er zerspringt nicht in heiße Fetzen. Nach anderen ist auf „kaltes Ende" zurückzuziehen: am „kalten Ende" (dem kaltgebliebenen Zünder) wird der Blindgänger unschädlich gemacht. *Sold* in beiden Weltkriegen.

11. lahme ~ = a) langsames Fahrzeug; Flugzeug mit beschädigtem Motor. Soll auf *engl* „lame duck" (= beschädigtes Geleitschiff) zurückgehen und über seemannssprachliche Vermittlung auf Kraftfahrzeug und Flugzeug übergegangen sein. 1914 bis heute. – b) schwerbeweglicher, langweiliger Mensch; Langsamfahrer; fauler Schüler. 1900 *ff.* – c) temperamentlose, geschlechtlich zurückhaltende weibliche Person. 1920 *ff.* – d) hinkender Mensch. 1920 *ff.* – e) Einzelgänger. Er gilt als geistig lahm. *Schül* 1960 *ff.* – f) langweilige Jugendlichenveranstaltung. *Halbw* 1960 *ff.* – g) alkoholfreies Getränk. *Halbw* 1960 *ff.*

12. scharfe ~ = stark pomadisierter Haarschopf am Hinterkopf. Die Frisur ähnelt dem Entensterz. 1950 *ff,* halbw.

13. wacklige ~ = Straßenprostituierte, die sich in den Hüften wiegt. 1930 *ff.*

14. voll wie eine ~ = betrunken. Leitet sich her entweder von vielem Saufen der Enten oder von ihrem Watschelgang, der dem Torkelgang des Bezechten ähnelt. *BSD* 1965 *ff.*

15. etw abschütteln wie die ~ das Wasser = etw sich nicht zu Herzen gehen lassen. 1900 *ff.*

16. ~ bauen = mit dem Unterseeboot tauchen. Hergenommen von der gründelnden Ente. *Marinespr* 1939 *ff.*

17. er hat mit einer ~ gehurt = er hat viel blindes Glück. Fußt auf dem Märchenmotiv von der goldenen Ente auf goldenen Eiern. 1800 *ff.*

18. laufen wie eine bleierne ~ = langsam gehen. 19. Jh.

19. schwimmen wie eine bleierne ~ = schlecht schwimmen; nicht schwimmen können. 1800 *ff.*

20. dich sollen die ~n treten!: Drohrede. 1900 *ff.*

21. du bist wohl von der ~ getreten? = du bist wohl nicht recht bei Verstand? 1920 *ff.*

22. einer ~ den Hals umdrehen = eine falsche Pressemeldung berichtigen. 1920 *ff.*

Entenarsch *m* **1.** redseliger Mensch. Der Mund ist ständig in Tätigkeit wie der After der Ente. 19. Jh.

2. ihm geht das Maul wie ein ~ = er schwätzt ununterbrochen. 19. Jh.

Entenarschloch *n* unversieglicher Redefluß; redseliger Mensch. 1900 *ff.*

Entenfatzke *m* junger Mann mit einer ↗ Entenfrisur. 1955 *ff.* ↗ Fatzke.

Entenfrisur *f* von rechts und links nach hinten zu einer Art Kamm frisiertes Haar. ↗ Ente 12. 1955 *ff.*

Entengang *m* **1.** Watschelgang. 1900 *ff.*

2. im ~ marschieren = strafexerzieren. Dies erklärt ein Kriegsteilnehmer folgendermaßen: „Das Gewehr wurde mit beiden ausgestreckten Armen an Lauf und Kolben festgehalten; sodann begab sich die Gruppe in die Hocke. Dann wurde in dieser Stellung marschiert, meistens sogar mit Gesang." *Sold* 1939 *ff.*

Entenklemmer *m* Geiziger; Pedant. Bevor er die Enten aus dem Stall läßt, kneift er sie in den Hintern; spürt er dabei, daß eine Ente ein Ei trägt, behält er sie im Stall. 1800 *ff.*

Entenscheißerei *f* heftiger Durchfall; Ruhr. *Sold* in beiden Weltkriegen.

Entenschnabel *m* **1.** breiter Mund. 19. Jh.

2. geschwätziger Mund; Schwätzer. Die Ente bewegt ihren Schnabel rasch und schnatternd. 19. Jh.

Entenschnitt *m* Haartracht, bei der die Seitenhaare nach rückwärts und die Nackenhaare aufwärts gebürstet werden. ↗ Ente 12. 1955 *ff.*

Entenschwanz *m* sein Maul geht wie ein ~ = er redet unaufhörlich. ↗ Entenarsch. 19. Jh.

Ententeich *m* **1.** Meer; Atlantischer Ozean. Scherzhafte Verkleinerung. *Marinespr* seit dem späten 19. Jh.; später auch fliegerspr.

2. Schwimmbad. *Schül* 1960 *ff.*

3. breitrandiger Herrenhut mit rundlich eingedrückter Kuppe. In der Kuppe entsteht eine runde Vertiefung, die in scherzhafter Auffassung für kleine Enten geeignet ist. 1910 *ff.*

Ententolle *f* ↗ Entenschnitt. 1955 *ff.* ↗ Tolle.

Entenwein *m* Trinkwasser. Gaststättenspr. 1920 *ff.*

Enterei *f* mündliche Verbreitung unverbürgter Gerüchte. 1939 *ff.*

entern *tr* **1.** jn mitnehmen; jn verhaften. Eigentlich „ein feindliches Schiff gewaltsam besteigen". 1900 *ff.*

2. einen hilflos Betrunkenen heimbegleiten (und dabei bestehlen). 1910 *ff.*

3. jds Herz erobern. 19. Jh.

enteseln *tr* aus einem Rekruten einen guten Soldaten machen. Der Rekrut gilt als dumm; ihm muß man die Eselhaftigkeit austreiben. *Sold* 1910 *ff.*

entfalten *tr* jn durchs Gelände jagen. Bezieht sich eigentlich auf eine militärische Einheit, die sich beim Vorrücken aus der Massierung auflöst. *Sold* 1935 *ff.*

entfärben *v* **1.** sich ~ = sich abschminken; kosmetische Hilfsmittel aus dem Gesicht entfernen. 1900 *ff,* theaterspr.

2. jn ~ = jn entnazifizieren. Analog zu ↗ entbräunen. 1945 *ff.*

entfernt *adj* es sieht von weitem sehr ~ aus: ausweichende Antwort auf die Frage nach der Güte eines künstlerischen Gegenstandes, ausdrücklich eines Kleides. Scherzhaft will man ausdrücken, man müsse es aus größerer Nähe besehen, um ein Urteil abgeben zu können. Wohl aufgekommen mit dem Impressionismus, dessen Schöpfungen die Museumsbesucher aus größerer Entfernung betrachten sollten.

entfetten *tr* etw von überflüssigem Beiwerk befreien. Nach Art einer Abmagerungskur. 1920 *ff.*

entfettet *adj* frei von Zoten o. ä. 1920 *ff.*

Entfettungskur *f* **1.** Haft. Dort ist die Abmagerung unfreiwillig. 1900 *ff.*

2. Aufenthalt im Konzentrationslager, in der Kriegsgefangenschaft u. ä. 1935 *ff.*

entflechten *tr* jn heftig prügeln. Meist als Drohrede üblich. Hergenommen von der auf Kontrollratsbefehl vorgenommenen Konzern-Entflechtung. Dieses Schlagwort beschönigte die Tatsache der „Konzern-Zerschlagung". 1945 *ff.*

entflöhen *tr* jm das Geld abgewinnen oder unter Gewaltandrohung abnehmen. Geld ist – in der Auffassung der Verbrecher – für den Besitzenden ebenso über Überfluß vorhanden wie Flöhe. ↗ Floh. 1950 *ff.*

entflutschen *intr* entgleiten, entlaufen. ↗ flutschen. 1900 *ff.*

entfremden *tr* etw entwenden. Man macht es dem Besitzer fremd. 1400 *ff.*

entführen *tr* etw wegnehmen. Eigentlich „wegführen" wie Vieh o. ä. 19. Jh.

entgammelt *adj* sauber frisiert; ohne Kinn- und Backenbart. ↗ Gammler. 1968 *ff.*

entgleisen *intr* **1.** sich unschicklich benehmen; Unschickliches sagen. Aus dem Eisenbahnbetrieb übernommen oder aus dem Fuhrwesen (Gleis = Karrenspur). Gegen 1870 aufgekommen.

2. beruflichen Mißerfolg haben; die begonnene Laufbahn abbrechen; an der Erfüllung des Berufswunsches gehindert werden. Seit dem späten 19. Jh.

3. ehebrechen. 1900 *ff.*

3. sich gleichgeschlechtlich betätigen. 1920 *ff.*

entgleist *adj* beruflich aus der Bahn geworfen; die Herkunft verleugnend. 1870 *ff.*

Entgleisung *f* unschickliche Äußerung; Verstoß gegen die Anstandsregeln. Seit dem späten 19. Jh.

entheiraten *v* **1.** sich ~ = eine Geschäftsverbindung lösen. Die Geschäftsverbindung unter dem Blickpunkt der geschäftlichen Ehe. 1920 *ff.*

2. jn ~ = jds Ehe scheiden. 1960 *ff.*

enthemden *tr* jn scharf verhören; jn zu einem Geständnis zwingen. Das Hemd vom Leibe ziehen = jn entblößen; von da weiterentwickelt zur Bedeutung des innerlichen Entblößens. 1920 *ff.*

enthemdet *adj* nackt. 1920 *ff.*

enthemmen *refl* mittels Alkohol sich freimütig äußern. Dem Psychologenwortschatz entlehnt. 1920 *ff.*

entjungfern *v* hopsa, er entjungfert sich = ein Spieler macht einen Stich, der besser „Jungfer" bliebe. Wortspiel mit zwei Bedeutungen von „stechen": a) eine Karte mit einer höheren nehmen; – b) koitieren. Skatspielerspr. 1900 *ff.*

entkatern *tr* jn ausnüchtern. ↗ Kater. 1920 *ff.*

entkeimen *tr* jn kastrieren. 1937 *ff*, Konzentrationslagerspr.

Entkleidungsstück *n* **1.** zweiteiliger Damenbadeanzug. Er ist ein Bekleidungsstück mit Entkleidungseffekt. 1960 *ff.* **2.** schickes ~ = äußerst gering bemessener zweiteiliger Damenbadeanzug. 1960 *ff.*

Entladegebühr *f* Bordellentgelt. Übernommen vom Frachtgüterverkehr der Eisenbahn. 1910 *ff.*

entladen *v* **1.** *intr* = gebären. 1400 *ff.* **2.** sich ~ = seinen Unmut äußern. Man lädt die Last des Zorns ab oder entlädt sich wie das Gewitter. 1900 *ff.* **3.** sich ~ = koitieren. 1900 *ff.*

Entladungspulver *n* Abführmittel. Es entlädt den Darm. 1910 *ff.*

entlausen *tr intr* Minenfelder räumen. Die Minen als Ungeziefer. *Sold* 1939 *ff.*

Entlausungsfrisur *f* **1.** Kahlrasur des Schädels. Zur Entlausung werden die Kopfhaare sehr kurz geschnitten. *Sold* 1941 *ff.* **2.** auf gleiche Länge kurzgeschnittenes Haar. 1945 *ff.*

Entlehnstuhl *m* sich in den ~ setzen = von jm abschreiben. „Lehnstuhl" ist nach Art eines Kalauers zum „Entlehnstuhl" entwickelt. 1900 *ff.*

entleihen *tr intr* vom Mitschüler abschreiben. Man entleiht es bloß und vergilt es dadurch, daß man bei nächster Gelegenheit den Kameraden abschreiben läßt. 1930 *ff, schül.*

Entlein *n* häßliches ~ = **1.** häßliches Mädchen. Fußt auf dem Titel des Märchens von H. C. Andersen „Das häßliche junge Entlein". 1920 *ff.* **2.** Kleinauto. Es schaukelt stark wie eine watschelnde Ente. 1960 *ff.* **3.** Citroën 2 CV. Er schaukelt stark, und seine Karosserie ist rückwärts hochgebaut. 1965 *ff.*

entmilitarisieren *tr* die Uniform ~ = militärische Bekleidungsstücke in Zivilsachen umarbeiten. Nach 1918 und nach 1945 geläufig.

entmotten *tr* **1.** einen mehr oder minder vergessenen Schauspieler nach vielen Jahren erneut engagieren. Man holt ihn gewissermaßen aus der Mottenkiste wie ein Kleidungsstück, das man vorübergehend mit Mottenpulver eingestreut hat. 1950 *ff.* **2.** eine vorerst zurückgestellte (verbotene) Sache wieder zulassen. 1950 *ff.* **3.** etw modernisieren. 1950 *ff.*

entmufft *adj* von Veraltetem befreit; modernisiert. ↗ Muff 4. 1970 *ff.*

entnazifiziert *adj* ohne Hakenkreuz und Hoheitsadler. Bezogen auf Orden und Ehrenzeichen nach 1945, die in der NS-Zeit verliehen wurden. 1958 *ff.*

Entnebelungskammer *f* Ausnüchterungszelle im Polizeirevier. ↗ benebelt. 1950 *ff.*

entnüchtert *adj präd* leicht bezecht. Beschönigendes Wort. 1930 *ff.*

entprickelt *adj* **1.** fade. Hergenommen von einem abgestandenen kohlensäurehaltigen Getränk. 1930 *ff.* **2.** nicht aufregend; ruhig verlaufend. 1930 *ff.* **3.** reizlos (auf weibliche Personen bezogen). 1930 *ff.*

entpuppen *tr* **1.** jn entkleiden, entblößen.

Nach der Art, wie Kinder ihre Spielpuppe entkleiden. 1910 *ff.* **2.** deflorieren. 1910 *ff.*

entrisch *adj* **1.** jenseitig, übersinnlich, geisterhaft. Gehört zu „ander = nicht dem Gewohnten ähnlich". *Südd* 19. Jh. **2.** gruselig, unheimlich, melancholisch, flau. *Südd* 19. Jh.

entrümpeln *v* **1.** jn ~ = jn überfallen und ihm alles Mitnehmenswerte rauben. Diebstahl halten Verbrecher spöttisch für Befreiung von Überflüssigem. 1950 *ff.* **2.** sich ~ = sich von veralteten Ansichten freimachen. Hergenommen vom Aussondern leicht brennbarer Gegenstände vom Speicher, wie es 1938 vorgeschrieben wurde. 1938 *ff.*

entrüstet *adj* waffenlos. Scherzhaft für „abgerüstet" (mit dem Hintersinn der innerlichen Empörung). 1956 *ff.*

entsamen *refl* koitieren (vom Mann gesagt). 1950 *ff.*

entschärfen *tr* eine Sache mildern; eine Gefahr (Gefährdung) beseitigen. Übernommen vom Entschärfen der Bomben und Minen. 1950 *ff.*

entschärft *adj* **1.** von Obszönitäten befreit. 1950 *ff.* **2.** ohne Überbetonung der Rundungen des Frauenkörpers. 1955 *ff.* **3.** an der Spitze abgerundet (auf Damenschuhe bezogen). 1963 *ff.*

Entschärfung *f* Milderung, Versöhnung, Ausgleichung. 1950 *ff.*

entschlacken *refl* koitieren. Leitet sich her von der Entfernung der Koksrückstände aus dem Ofen. Anspielung auf lange geschlechtliche Enthaltsamkeit. *Sold* 1939 *ff.*

entschlackt *adj* von allem Anstößigen befreit. 1925 *ff.*

entschleimen *refl* koitieren (vom Mann gesagt). 1939 *ff.*

entschludrigen *v* ~ Sie = entschuldigen Sie! Umgestaltet unter Einfluß von „schludern = unsorgfältig zu Werke gehen". Eine Art Fehlleistung nach dem Freud'schen Begriff. 1920 *ff, schül.*

entschmalzen *tr* übertrieben gefühlvolle Textstellen o. ä. tilgen. ↗ Schmalz. 1920 *ff.*

entschnapsen *refl* **1.** sich einer Alkoholentziehungskur unterziehen. 1930 *ff.* **2.** nach überreichlichem Alkoholgenuß sich erbrechen. 1930 *ff.*

entschnulzen *tr* einen Text von anspruchslos rührseligen Zutaten befreien. ↗ Schnulze. 1955 *ff.*

entschuldigen *v* ~ Sie, daß ich geboren bin (es soll nicht wieder vorkommen): scherzhafte Unterwürfigkeitsbezeugung. Taucht zum ersten Mal 1845 in Berlin auf.

entschweben *intr* weggehen; sich fortscheren. Gehört ursprünglich der gehobenen, dichterischen Sprache an. Entpoetisiert seit der Mitte des 19. Jhs.

entsetzlich *adv* sehr. Aus dem Begriff „Entsetzen erregend" weiterentwickelt zu einer allgemeinen Verstärkung. 1700 *ff.*

entseuchen *refl* sich waschen. *BSD* 1965 *ff.*

entsiegeln *tr* deflorieren. Bei Mädchen unter 16 Jahren hat der ↗ Staatsanwalt noch sein Siegel drauf. Seit dem ausgehenden 19. Jh.

entspannen *v* **1.** voll ~ = schlafen. *BSD* 1960 *ff.* **2.** sich ~ = koitieren. 1955 *ff, prost.*

Entspannungsmasche *f* der Erholung dienendes Steckenpferd. ↗ Masche 1. 1950 *ff.*

entsprungen *adj* verrückt. Der Betreffende ist aus der Heil- und Pflegeanstalt entflohen. 1900 *ff.*

entstauben *v* **1.** jn ~ = jn scharf einexerzieren. Der Rekrut wird erst durch Entfernung des zivilistischen Staubs zum richtigen Soldaten. 1900 *ff.* **2.** etw ~ = etw modernisieren. 1900 *ff.* **3.** sich ~ = a) sich eilig entfernen. Man macht sich aus dem ↗ Staub. 1914 *ff.* – b) von längerer Enthaltsamkeit koitieren. 1914 *ff.*

Entstehungsursache *f* Geschlechtsverkehr, Schwängerung. 1914 *ff.*

entsteinen *tr* jn kastrieren; jm die Hoden entfernen. Hergenommen vom Entsteinen des Kernobstes. 1933 *ff.*

entsteißen *v* **1.** jm etw ~ = jm etw listig abgewinnen, abschwatzen, entwenden. Herzuleiten vom Hahn, dem man die Steißfedern raubt, oder vom Huhn, dem man das Ei aus dem Steiß nimmt. Nicht einmal die widerlichste Stelle läßt man aus, um sich zu bereichern. Spätestens seit 1900. **2.** sich etw ~ = sich eine Leistung mühsam abringen. 1900 *ff.*

entvatern *tr* einen von der Kindesmutter als Erzeuger bezeichneten Mann durch Blutgruppenuntersuchung von der Vaterschaft ausschließen. Mit Einführung der Blutgruppenuntersuchung in den dreißiger Jahren des 20. Jhs aufgekommen.

Entwarnungsfrisur *f* hochgekämmte Frisur. 1940 aufgekommen, als man wegen der Luftangriffe den Luftschutzkeller aufsuchte; bei Beendigung des Alarms hieß es: „alles noch oben!". Ebenso rundum „nach oben" gekämmt war die Frisur.

Entwässerung *f* das Harnen. 1900 *ff.*

Entwässerungskanal *m* **1.** Harnröhre. 1900 *ff.* **2.** verstopfter ~ = tripperbehaftete Harnröhre. 1900 *ff.*

entwetzen *intr* eiligst davongehen; flüchten; sich einem Zwang entziehen. ↗ wetzen. Seit dem späten 19. Jh.

Entwicklungshilfe *f* **1.** Studienförderung. Eigentlich (politisch) Hilfe für wirtschaftlich unterentwickelte Länder. 1967 *ff.* **2.** Vorsagen durch den Mitschüler. 1968 *ff.* **3.** Unterrichtsfächer. *Schül* 1970 *ff.* **4.** Büstenhalter für einen schlaffen Busen. 1965 *ff.* **5.** Mittel, das einen spärlichen Busen angeblich verbessert. 1960 *ff.* **6.** ~ brauchen = für etw unbegabt sein. 1970 *ff.*

Entwicklungskurven *pl* Busen des jungen Mädchens. ↗ Kurve. 1955 *ff.*

entwischen *intr* unbemerkt entkommen. Wischen = leicht über etw hinstreichen; flattern. 1900 *ff.*

entwitschen *intr* heimlich davongehen; weglaufen; aus der Einschließung entkommen. ↗ witschen. 19. Jh., *nordd.*

entwohnen *tr* dem Mieter kündigen. Seit dem späten 19. Jh.

entzaubern *tr* einen überschätzten Gegner besiegen. *Sportl* 1950 *ff.*

Entziehungskur *f* Verbüßung einer Freiheitsstrafe. Meint eigentlich die Entziehung von Genußmitteln. 1915 bis heute.

Entzug *m* auf ~ gehen = sich einer

Rauschgift- Entziehungskur unterziehen. 1970 *ff.*

entzwei *adv* **1.** was ist ~? = was ist geschehen? was geht hier vor? Analog zu „was ist ↗kaputt?". 1900 *ff.*
2. von etw ~ sein = von etw seelisch tief angegriffen sein. 1900 *ff.*

'Eo 'Ipso *m* zu Eo Ipsos Zeiten = vor undenklicher Zeit. Eigennamenbildung aus *lat* „eo ipso = von selbst; selbstverständlich". 1900 *ff.*

'eo 'piso *adv* von selbst; selbstverständlich. Aus *lat* „eo ipso" scherzhaft umgestaltet, wohl wegen des Bezugs zu „pissen". 1900 *ff.*

'Eo 'Piso *m* Zu Eo Pisos Zeiten = vor undenklicher Zeit. *Vgl* ↗Eo Ipso. 1900 *ff.*

'eo 'sipo *adv* selbstverständlich. Um 1920 aufgekommen mit der Sicherheitspolizei, die man „Sipo" abkürzte.

Epileptische *f* Straßenbahn. Scherzhaft umgestaltet aus „Elektrische". 1900 *ff.*

Epistel *f* **1.** eine ~ kriegen = gerügt werden. *Vgl* das Folgende. 19. Jh.
2. jm die ~ lesen = jn zurechtweisen. Analog zu „jm die ↗Leviten lesen". 19. Jh.

erbärmlich *adj adv* **1.** sehr groß (er hat erbärmlichen Hunger). Eigentlich soviel wie „mitleiderregend". 1900 *ff.*
2. *adv* = sehr. 1900 *ff.*

erbaut sein von etw nicht ~ = über etw heftiges Mißfallen empfinden. Bezeichnet eigentlich etwas, was das Gemüt in religiöser Hinsicht erhebt und begeistert. Die Verneinung hat hier beschönigend die Geltung einer starken Ablehnung. 1800 *ff.*

Erbbegräbnis *n* **1.** Geschäft, das seit langem nicht mehr blüht. In ihm macht jeder Inhaber Bankrott. 1850 *ff.*
2. kleine Stube; Portierslogle. 1900 *ff.*
3. kleiner, mit Eisengitter eingefriedigter Vorgarten (der nicht unmittelbar bis ans Haus reicht). Er ähnelt einem umgitterten Grabstätte. 1850 *ff.*

erben *tr* **1.** gewinnen, verdienen; als Geschenk erhalten. Eigentlich „durch Erbschaft erhalten". 19. Jh.
2. sich etw auf unredliche Weise aneignen; stehlen. 1900 *ff.*
3. vom Mitschüler abschreiben. 1960 *ff, schül.*
4. bei ihm ist nichts zu ~ = er hat kein Vermögen; bei ihm lohnt sich kein Diebstahl. 1900 *ff.*
5. nichts zu ~! = die Sache ist unergiebig, aussichtslos. 1900 *ff.*
6. groß ~ = sich viel aneignen. 1900 *ff.*

Erbfaktoren *pl* reiche Blutsverwandte als Voraussetzung für eine reiche Hinterlassenschaft. Eigentlich die Träger des Erbguts in den Chromosomen des Zellkerns. Alltagspraktikable Vererbungslehre. 1920 *ff.*

Erbhof *m* **1.** langjähriges Mandat in einem Wahlkreis. Eigentlich der unteilbare Bauernhof im Alleineigentum eines Bauern. Nach 1950 aufgekommen; politikerspr.
2. politischer ~ = leitender politischer Posten, der sehr lange in der Hand ein und derselben Person verbleibt. 1950 *ff.*

erblondet sein 1. blondgefärbtes Haar tragen. Scherzhaft nachgeahmt den Begriffen „ergraut sein" oder „erblindet sein", wobei es sich um einen natürlichen Vorgang handelt und nicht um ein Tätigwerden des Menschen. In den zwanziger Jahren des

20. Jhs aufgekommen und nach 1933 im Sinne des Germanenkults der NS-Zeit stark verbreitet.
2. in Ehren ~ = blondgefärbt sein. Nachgebildet der Redewendung „in Ehren ergraut sein". 1920 *ff.*

Erbrechen *n* **1.** bis zum ~ = bis zum Überdruß. 1900 *ff.*
2. bis (dreimaliges) ~ eintritt (erfolgt) = bis zum Überdruß. 1900 *ff,* Berlin.

Erbschleiche *f* Erbschleicherin. Der „Blindschleiche" nachgeahmt. 1959 *ff.*

Erbschleicher *m* **1.** Mensch, der den Vorgesetzten durch unlautere Mittel aus der Stellung zu verdrängen sucht. Um 1880/90 aufgekommen.
2. Knabe, der in einer bis dahin nur mit Töchtern gesegneten Familie in großem Altersabstand von diesen geboren wird und dadurch alle bisher getroffenen Erbschaftspläne vereitelt. Gilt vor allem in bezug auf bäuerliche Anwesen. Etwa seit 1900.

Erbse *f* **1.** Kopf. Wegen der Kugelform. 1900 *ff.*
2. Geschoßkugel. 1914 *ff* bis heute.
3. Fußball. *Schül* 1950 *ff.*
4. kleinwüchsiges Mädchen. Vielleicht aus „Kichererbse" für ein kicherndes Kind gekürzt. 1920 *ff.*
5. dummer Mensch. Fußt auf „Kichererbse" und kennzeichnet Kichern als Albernheit. 1920 *ff.*
6. steifer runder Herrenhut. Wegen der Kugelform. 1920 *ff.*
7. *pl* = Hoden. *sold* 1910 *ff.*
8. ~ am (auf dem) Brett = sehr kleine Brüste. Die Brust ist flach wie ein Brett; die Brustwarzen erheben sich wie Erbsen. ↗Brett 5. 1900 *ff.*
9. grüne ~ = unberührtes junges Mädchen. Grün = unerfahren in geschlechtlichen Dingen. 1955 *ff, jug.*
10. kleine ~ = kleines Kind (Kosewort). 1920 *ff.*
11. alte ~n aufwärmen = eine erledigte Sache vorbringen. ↗Kohl. 1900 *ff.*
12. es in (an) der ~ haben = nicht bei Verstand sein. ↗Erbse 1. 1900 *ff.*
13. eine im Kopf haben = sehr dumm sein. Im leeren Schädel kullert nur die Erbse hin und her. 1910 *ff.*
14. eine ~ am Wandern haben = geistesgestört sein. 1950 *ff.*
15. ihm sind die ~n verhagelt = er hat Mißerfolg erlitten. 1900 *ff.*

Erbsenmatratze *f* sehr weiche Matratze. Versteht sich nach der „↗Prinzessin auf der Erbse". 1950 *ff.*

Erbsensuppe *f* dichter Nebel. Der sogenannte „englische" Nebel hat gelbliche Färbung. Im 19. Jh aus *engl* „pea-soup fog" übersetzt.

Erbsenzähler *m* **1.** kleinlicher, geiziger Mensch. Schelte auf den Kaufmann: er verkauft die Erbsen nicht nach Gewicht, sondern nach der Anzahl. 1900 *ff.*
2. Zahlmeister, Intendanturbeamter. 1900 *ff.*

Erbswurst *f* Schimpf-, Scheltwort. „Erbse" meint den Dummen (*vgl* ↗Erbse 5), und mit „Würstchen" bezeichnet man einen harmlosen, einfältigen Menschen. *Jug* 1950 *ff.*

er'büffeln *v* sich etw ~ = etw durch Fleiß lernen. ↗büffeln. 1900 *ff.*

Erdachse *f* da wird die ~ geschmiert =

das ist eine weit abgelegene Gegend. Wohl Anspielung auf das Vorkommen von Bohrtürmen in entlegener Landschaft. Daß man dort nicht etwa nach Öl bohrt, sondern die Erdachse ölt, ist eine ältere Scherzmeinung. *BSD* 1965 *ff.*

Erdachsenschmierer *m* dummer Mensch. Eigentlich eine erfundene Berufsbezeichnung. 1955 *ff, schül.*

Erdapfel *m* Taschenuhr. Parallel zu ↗Kartoffel. 1900 *ff, österr.*

Erdbeerzinken *m* Trinkernase. ↗Zinken. 1950 *ff,* Berlin.

Erde *f* **1.** Erdkunde. Hieraus gekürzt. *Schül* 1955 *ff.*
2. heiße ~ = Schulgelände. Fußt auf dem deutschen Titel des Films „Island in the sun" (1957). *Schül* 1959 *ff.*
3. da kann man von der ~ essen = da herrscht größte Sauberkeit. 1900 *ff.*
4. die ~ (Mutter ~) küssen = a) in voller Länge stürzen. 1900 *ff.* Die Bezeichnung „Mutter Erde" geht zurück auf „die Erde ist unser aller Mutter" nach Jesus Sirach 40,1. – b) volle Deckung nehmen. 1910 *ff, sold.* – c) mit dem Flugzeug eine Bruchlandung machen. *Sold* in beiden Weltkriegen.
5. die ~ massieren = auf dem Bauch kriechen. 1900 *ff.*
6. wieder auf ~n sein = aus der Justizvollzugsanstalt entlassen sein. 1965 *ff.*

Erdfloh *m* Infanterist; Angehöriger einer Fußtruppe. *Sold* in beiden Weltkriegen und *BSD.*

erdin'ern *tr* (betont wie *franz* „dîner") etw durch gesellschaftliche Beziehungen (Teilnahme an Essen) erreichen. 1900 *ff.*

erdi'nieren *tr* etw (eine Auszeichnung) durch gesellschaftliche Beziehungen erreichen. Dinieren = zu Mittag speisen. 1900 *ff.*

Erdkäs (Erdkas; Erdkaas) *m* Erdkunde. Entwickelt aus der Abkürzung „Erdk." mit Einfluß von „Käse" = Unsinn = langweiliges Unterrichtsfach". *Schül* 1950 *ff.*

Erdkitsch *m* Erdkundeunterricht. Erweiterung der Abkürzung „Erdk." *Schül* 1950 *ff.*

Erdkunde *f* ~ studieren (treiben, üben) = über den Erdboden kriechen; Aufstehen und Hinlegen üben; sich auf den Erdboden werfen. Auf diese Weise lernt man den Erdboden kennen. *Sold* in beiden Weltkriegen.

Erdmecki *m* Heeresangehöriger. Die „Mecki"-Figur (Igel) wurde von der Firma Gebrüder Diehl, Grünwald bei München, für den Märchenfilm „Der Wettlauf des Hasen mit dem Swinegel" (1935 oder 1936) geschaffen; seit 1949 ist „Mecki" der „Redaktionsigel" der Zeitschrift „Hör zu". *BSD* 1965 *ff.*

Erdölbohrer *m* zu Sturz gekommener Skiläufer. Den Kopf im Schnee und die Beine zum Himmel gestreckt, ergibt er das Bild eines Bohrturms. *Schül* 1950 *ff.*

Erdratte *f* **1.** sich eingrabender Soldat. Ratten leben unterirdisch. *Sold* 1939 *ff.* (Im ersten Weltkrieg soviel wie „Pionier" und „Armierungssoldat".)
2. Tunnelbauer, -bohrer. 1950 *ff.*

Erdverbundenheit *f* Geländedienst; Anschleichen im Kriechen. Den Schlagwörtern der NS-Zeit „Heimat-, Natur-, Volksverbundenheit" nachgeahmt. 1935 *ff.*

ereignen *v* er ereignet sich = er gibt sich

einen wirkungsvollen Auftritt. Er macht aus sich selber ein eindrucksvolles Geschehnis. Theaterspr. 1965 *ff.*

Ereignis *n* **1.** ~, das Hand und Fuß hat = Geburt; Säugling. 1920 *ff.*

2. aufwühlendes ~ = Einschlagen eines Artillerie-Volltreffers; Beschuß, bei dem das Unterste zu oberst gekehrt wird. Eigentlich ein Vorfall, der einen innerlich stark bewegt. *Sold* 1939 *ff.*

3. grünes ~ = freudige Überraschung. Grün = noch sehr jung. 1950 *ff.*

4. sattes ~ = aufsehenerregende, überaus spannende Begebenheit. ↗ satt. *Halbw* 1960 *ff.*

ereseln *v* sich etw ~ = etw unter großen Mühen erreichen; etw sich mit angestrengtem Lernen einprägen. Esel = Lasttier = angestrengt Arbeitender. *Stud* 1930 *ff.*

Erfahrungsbericht *m* Mitteilung der Kameraden über die Eigenheiten des Vorgesetzten u. ä. 1935 *ff.*

erficken *v* sich etw ~ = eine reiche Heirat machen; durch eine Heirat reich werden. ↗ ficken. Seit dem ausgehenden 19. Jh.

Erfinder *m* das ist nicht im Sinne des ~s = so ist es nicht gemeintl dies ist keineswegs vorgesehen. 1900 *ff.*

Erfolg *m* **1.** durchschlagender ~ = nachhaltige Wirkung des Abführmittels; Durchfall. 1930 *ff.*

2. gepreßter ~ = erfolgreiche Schallplatte. 1960 *ff.*

3. packender ~ = Festnahme. 1960 *ff.*

4. runder ~ = sehr zufriedenstellender Erfolg. Rund ist das Sinnbild des Vollkommenen. 1930 *ff.*

5. einen ~ landen = erfolgreich sein. ↗ landen. 1920 *ff.*

Erfolgskurs *m* auf ~ steuern (sein) = gute Erfolgsaussichten haben; siegeszuversichtlich sein. 1970 *ff.*

Erfolgsmasche *f* die ~ weiterstricken = das erfolgreiche Vorgehen fortsetzen. ↗ Masche. 1950 *ff.*

Erfolgspflaster *n* Reihe erfolgreicher Fußballspiele. Dieses „Pflaster" bildet eine starke Grundlage für weitere Erfolge. *Sportl* 1950 *ff.*

Erfolgsrahm *m* den ~ abschöpfen = vom Erfolg vieler den größten Teil für sich selber beanspruchen. ↗ Rahm. *Sportl* 1950 *ff.*

Erfolgssträhne *f* ununterbrochene Folge von Erfolgen. ↗ Pechsträhne; ↗ Glückssträhne. 1920 *ff.*

Erfrischung *f* psychologische ~ von oben = Durchhalteparole. Erfrischung von oben = erfrischender Regen. *Sold* und *ziv* 1941 *ff;* nach 1949 DDR.

erfroren *part* ~ ist schon mancher, erstunken noch keiner. ↗ erstunken.

ergattern *tr* etw erhaschen, unter Mühen bekommen. Hergenommen vom Greifen durch ein Gatter oder Gitter. 1500 *ff.*

ergeiern *v* sich etw ~ = sich etw (durch Diebstahl) beschaffen, an sich raffen. Hergenommen vom Greifvogel Geier. *Halbw* 1970 *ff.*

ergießen *v* sich über etw ~ = über etw eine ausführliche Rede halten; etw mehr als eingehend besprechen. Der Redner verbreitet sich über ein Thema, wie etwa Milch sich über den Tisch ergießt. *Stud* 1900 *ff.*

erheben *refl* erhebe dich, mein schwacher

Geist (und stell dich auf die Beine; und stell dich auf die Hinterbeine)l: Selbstaufforderung zum Aufstehen. Geht in Entstellung zurück auf die erste Zeile eines Weihnachtsliedes von Johann Rist (1607–1667): „Ermuntre dich, mein schwacher Geist, und trage groß Verlangen, ein Kind, das Ewig-Vater heißt, mit Freuden zu empfangen." Um 1900 aufgekommen.

erheblich *adj* das ist ~ = das ist wichtig, bedeutsam, bedeutend. Verdeutschung von „relevant" aus der Kanzleisprache; meint eigentlich „wieder hebend", nämlich die gesunkene Waagschale. 1700 *ff.* Politiker und Journalisten kehren seit 1950 zu „relevant" und „irrelevant" zurück, weil sie die Ausländerei bevorzugen und sich über die deutsche Sprache zu wenig Gedanken machen.

Erhebung *f* **1.** ~en anstellen = auf Diebstahl ausgehen; Diebstahlsmöglichkeiten auskundschaften. Man zieht Erkundigungen ein. 1914 *ff* bis heute.

2. die nationale ~ haben = schwanger sein. Parodie auf das Parteischlagwort von der nationalen Erhebung des Jahres 1933. Um 1934 geläufig geworden.

Erholung *f* **1.** Arrest, Freiheitsstrafe. Sie bedeutet Erholung vom Dienst und von der Arbeit und wird als Urlaub betrachtet. Verbrecherspr. 1910 *ff; BSD* 1960 *ff.*

2. ~ auf Mallorca = Arrest. Mallorca, die größte der Baleareninseln, ist ein sehr beliebtes Ziel deutscher Urlaubsreisender. *BSD* 1965 *ff.*

3. ~ tanken = eine Urlaubsreise unternehmen. ↗ tanken. 1950 *ff.*

Erholungspause *f* Verbüßung einer Freiheitsstrafe. 1870 *ff.*

Erholungsstrecke *f* ohne Kurven verlaufende Bundesstraße. 1963 *ff.*

Erholungsurlaub *m* Arrest; Verbüßung einer Freiheitsstrafe. *Sold* seit dem späten 19. Jh bis heute.

erholzen *tr* den Sieg im Fußballspiel durch rauhe Spielweise erzielen. ↗ holzen. *Sportl* 1950 *ff.*

Erkältung *f* seelische ~ = Rohheit, Gefühllosigkeit u. ä. Fußt auf den Begriffen der Gefühls- oder Herzenskälte. 1950 *ff.*

erkicken *v* etw durch Fußballspielen erwerben. ↗ kicken. *Sportl* 1950 *ff.* Vor allem im Zusammenhang mit dem „Ankauf" von Spielern anderer Vereine verbreitet.

er'kobern (er'kubern, er'kuwern) *refl* genesen; wieder zu Kräften kommen. Geht wohl zurück auf *gleichbed engl* „to recover" und *franz* „recouvrir", die auf *lat* „recuperare = wiedererlangen" beruhen. 14. Jh.

erkriegen *refl* sich erholen. Soviel wie „sich mühsam aus der Krankheit emporarbeiten". *Nordd* 19. Jh.

erlauben *v* ~ Sie mall = wie kommen Sie darauf? was fällt Ihnen ein? Hinter „mal" ist „die Frage" zu ergänzen. 19. Jh.

erleben *tr* **1.** etwas ~ = sich auf Unannehmlichkeiten gefaßt machen; einen fühlbaren Nachteil erleiden. Hinter „etwas" ist „Unangenehmes" oder „Nachteiliges" zu ergänzen. 19. Jh.

2. sonst kannst du 'was ~!: Drohrede. 19. Jh.

erledigen *tr* **1.** jn bewußtlos schlagen; jn vernichten, umbringen. Erledigen = bewerkstelligen, meistern; von da persönlich

---

weiterentwickelt zur Bedeutung „unschädlich machen". 1600 *ff.*

2. jn mit Geringschätzung abtun; jn entwürdigend behandeln; jn aus der allgemeinen Wertschätzung verdrängen. 1920 *ff.*

3. jn besiegen. *Sportl* 1920 *ff.*

erledigt sein 1. erschöpft, sehr müde sein. 1900 *ff.*

2. alle Achtung bei den Mitmenschen verloren haben; sich in seinem Posten nicht länger halten können. 1900 *ff.*

erleichtern *v* **1.** *tr* jn um etw ~ = jm Geld im Spiel abgewinnen; jm Geld abnötigen; jn bestehlen. Man macht ihm den Geldbeutel leichter. Seit dem späten 19. Jh. *Vgl engl* „to relieve".

2. sich ~ = a) seine Notdurft verrichten. 1700 *ff.* – b) den Finger in den Hals stekken (um Brechreiz zu verursachen). 1900 *ff, stud.* – c) koitieren. 1910 *ff.* – d) onanieren. 1910 *ff.* – e) die Wut an jm auslassen; seinen Unmut ungehemmt äußern. 1910 *ff.*

Erlkönig *m* **1.** minderwertiger Tabak. Bezieht sich auf Goethes Ballade „Der Erlkönig", und zwar auf die Stelle: „. . . erreicht den Hof mit Müh und Not" (wobei in volkstümlicher Verwendung „Hof" den Abort meint). Spätestens seit 1900.

2. Klassenschlechtester. Fußt ebenfalls auf Goethes Ballade, hier auf der Zeile: „Mein Sohn, was birgst du so bang dein Gesicht?". *Schül* 1960 *ff.*

3. Auto-Versuchsmodell, dessen Neuerungen in aller Heimlichkeit geprüft werden. Die Versuchsfahrten finden vorwiegend bei „Nacht und Wind" statt, und wer dem Modell begegnet, fragt mit Goethe: „Wer reitet so spät durch Nacht und Wind?". 1960 *ff.*

4. neutrales Polizeifahrzeug. Versteht sich nach dem Vorhergehenden. 1969 *ff.*

ermauern *tr* ein Spielergebnis ~ = das Spielergebnis durch bloße Verteidigung aufrechterhalten. ↗ mauern 6. 1960 *ff.*

ermogeln *tr* etw betrügerisch erschleichen; etw durch Schwindel bekommen. ↗ mogeln. 1920 *ff.*

ermuntern *v* ermuntre dich, du schwacher Geistl: Zuruf an den Zögernden. ↗ erheben. Kartenspielerspr., spätestens seit 1900.

ermurksen *tr* jn erwürgen, umbringen. ↗ abmurksen 1. 1900 *ff.*

Ernährung *f* intravenöse ~ = Vorsagen in der Schule. Stammt aus der Medizinersprache und meint die künstliche Ernährung durch die Venen. Hier Anspielung auf geistige Ernährung. *Schül* 1960 *ff.*

Ernährungsfahrplan *m* Speise-, Diätplan für einen längeren Zeitraum. ↗ Magenfahrplan. 1960 *ff.*

ernassauern *tr* etw unentgeltlich zu bekommen suchen. ↗ nassauern. 1920 *ff.*

Ernst *m* **1.** blutiger ~ = wirklicher (nicht vorgetäuschter), heiliger Ernst. ↗ blutig. 19. Jh.

2. tierischer ~ = übergenaue Ernsthaftigkeit. Weil Tiere nicht lachen können. Soll im frühen 20. Jh von Karl Kraus geprägt worden sein.

ernst *adj* **1.** tierischer ~ = überaus ernst. *Vgl* das Vorhergehende. 1900 *ff.*

2. ~, aber hoffnungslos = unrettbar. Fußt auf der Redewendung „ernst, aber nicht hoffnungslos" und bezieht sich auf die militärische Lage. 1960 *ff.*

Ernstfall *m* Krieg, Kriegsfall. Spätestens 1935 aufgekommen.

Ernst-Reuter-Gedächtnismütze *f* Baskenmütze. Der Berliner Regierende Bürgermeister Ernst Reuter trug gern die Baskenmütze. 1948 *ff.*

Ernte *f* die ~ einholen = Schnaps trinken. ↗ Korn einfahren. *BSD* 1965 *ff.*

Erntedankfest *n* **1.** Feier nach gewonnenem Kampf (Schlacht, Feldzug, Rechtsstreit, Fußballspiel usw.). Eigentlich das Dankfest nach eingebrachter Ernte. 1940 *ff.*
2. Schlußfeier der Abiturienten. 1950 *ff, schül.*

Erntekrone *f* Damenhut mit botanischen Erzeugnissen. Übernommen von den Erntebräuchen. 1920 *ff.*

ernten *tr* etw listig beschaffen. Beschönigender Ausdruck. 1914 *ff.*

Eros-Center *n* **1.** Wohnhaus für Prostituierte. Dem *engl* „centre = Geschäftszentrum" nachgebildet. 1965 *ff.*
2. Abendgymnasium. Nach Meinung von Nichtkennern soll dort mehr die Geschlechtlichkeit und weniger das Bildungsinteresse vorherrschen. *Schül* 1970 *ff.*
3. rollendes ~ = für Prostitutionszwecke verwendeter Wohnwagen o. ä. 1969 *ff.*

Erotik *f* ~ auf Rädern = Geschlechtsverkehr im Auto. 1955 *ff, jug.*

Erotikbombe *f* erotisch sehr anziehende weibliche Person. ↗ Bombe 3. 1975 *ff.*

Er'ozie *f* liebesgierige weibliche Person. Verkürzt aus „erotische ↗ Ziege". 1935 *ff.*

erpeln *intr* **1.** mit einem Mädchen schöntun. Der Enterich ist ein sehr wilder Liebhaber. 1900 *ff.*
2. koitieren. 1900 *ff.*
3. erben. Hieraus zerredet. Berlin 1900 *ff.*

erpicht sein auf etw ~ = auf etw begierig sein. Gehört zu „Pech" und meint „wie mit Pech an etw kleben", wie es der Vogel auf der leimbestrichenen Rute tatsächlich tut: er ist festgeleimt, versessen. 16./17. Jh.

Erpressungsbogen *m* Sammelliste für wohltätige und andere Zwecke. Die Liste wird zunächst einem vorgelegt, von dem man eine an der oberen Durchschnittsgrenze liegende Spende erwartet; die Nächstzeichnenden können schlecht anders, als sich dieser Höhe anzupassen. 1900 *ff.*

er'quizen *tr* etw durch Teilnahme an einem Quiz gewinnen. 1960 *ff.*

erregend *adj* aufregend; nachhaltig mitreißend; innere Anteilnahme erweckend. Nach 1945 aufgekommenes Modewort, fußend auf „erregen = in Bewegung setzen; geistig beunruhigen".

erreichen *v* **1.** nicht mehr zu ~ sein = unübertrefflich sein; der Überlegene sein. Hergenommen von einer unüberbietbaren sportlichen Leistung. *Halbw* 1955 *ff.*
2. es ist erreicht = a) nun ist der Schnurrbart steil aufgerichtet. Für einen solchen Schnurrbart empfahl der Berliner Hoffriseur Haby 1894 seine Bartwichse und Bartbinde mit dem Werbespruch „es ist erreicht". Der Modellträger war Kaiser Wilhelm II. Von Berlin aus kurz vor 1900 verbreitet. – b) das Ungünstige ist wie erwartet eingetreten; so mußte es ja kommen! 1910 *ff.*

erriechen *tr* jn nicht ~ können = jn nicht

leiden können. ↗ riechen. *Ostmitteld* 19. Jh.

Ersatzbumsen *n* intimes Abtasten. ↗ bumsen 11. *Halbw* 1965 *ff.*

Ersatzempfänger *m* Nebenfrau eines Ehemannes. Stammt aus dem Postrecht: Ersatzempfänger ist eine Person, die zum Adressaten oder dessen Bevollmächtigten in engeren Beziehungen steht. 1920 *ff.*

Ersatzkrieg *m* **1.** Spiel um die Fußball-Weltmeisterschaft; Fußballspiel. Als Ersatz für einen militärischen Krieg kämpfen zwei Mannschaften um den Sieg und das mit ihm verbundene Geld; der Kampf nimmt an Unfairneß zu durch sehr harte Spielweise, durch Verrohung der Zuschauermassen, durch Verprügelung des Schiedsrichters usw. Die Bezeichnung soll 1966 von der britischen Zeitschrift „New Statesman" geprägt worden sein; sofort auch bei uns verbreitet.
2. Olympische Spiele. 1970 *ff.*

Ersatzmucke *m* Bohnenkaffee. Er ersetzt den ↗ Muckefuck, der vor dem „Wirtschaftswunder" üblich war. 1950 *ff.*

Ersatzmutti *f* fremde Frau, die in Notfällen die Kinder einer schwerkranken Frau betreut. 1970 *ff.*

Ersatzreserve *f* Wahl eines Beischlafpartners, den man nicht wünscht, aber mangels Besserem wählt. Meint eigentlich die Gesamtheit der nicht zum aktiven Dienst einberufenen Wehrpflichtigen. 1890 *ff.*

Ersatzteil *n* **1.** Gelegenheitsfreund(in). *Halbw* 1955 *ff.*
2. *pl* = Körperteile, Prothesen. 1965 *ff, sold*

ersaufen *intr* **1.** ertrinken. ↗ saufen. 1500 *ff.*
2. zuviel Benzin ansaugen. 1920 *ff.*

ersäufen *tr* ertränken. 19. Jh.

erschachern *tr* etw durch einen Trick sich aneignen. Schacher ist der gewinnsüchtige Handel, das Feilschen um den Preis. 1935 *ff.*

erschlafen *v* sich ein Vermögen ~ = mit zahlungskräftigen Männern gegen Entgelt koitieren. 1960 *ff.*

erschlagen *tr* **1.** jn übertönen. Der Betreffende wird mit der kräftigeren Stimme besiegt. 1950 *ff.*
2. und wenn du mich erschlägst!: Ausdruck der Beteuerung. Selbst auf die Lebensgefahr hin verfügt man nicht über das Gewußte. 1935 *ff.*

erschlagen sein völlig überrascht sein. Man steht dem Vorfall so verwundert gegenüber, wie wenn man niedergeschlagen worden wäre. 1900 *ff.*

erschmollen *tr* etw durch gespieltes Gekränktsein erreichen. 1900 *ff.*

erschnappen *tr* etw zufällig wahrnehmen, hören. ↗ aufschnappen. 1900 *ff.*

erschossen sein 1. erschöpft, abgearbeitet, übermüdet sein. Der Übermüdete schleppt sich mühsam und umständlich dahin wie einer, den die Kugel getroffen hat. 1900 *ff.*
2. äußerst überrascht, sehr erschrocken sein. Parallel zu „↗ erschlagen sein" und zu „↗ paff sein". 1900 *ff.*
3. geschlechtskrank sein. Der geschlechtskranke Soldat kam in ein Speziallazarett, wurde anschließend mit Arrest bestraft und hatte während dieser ganzen Zeit nicht mehr Geltung als der zu Tode gekommene Soldat. 1914–1945.

4. betrunken sein. Der Bezechte ist außer Gefecht gesetzt. 1935 *ff.*
5. Verlierer sein. Kartenspielerspr. Seit dem späten 19. Jh.
6. der Wertschätzung verlustig sein; nichts mehr gelten. Analog zu „er ist für mich erledigt" und „er ist für mich tot". 1850 *ff.*
7. ich bin erschossen wie Robert Blum = ich bin völlig erschöpft. Robert Blum aus Köln beteiligte sich 1848 als Abgesandter der deutschen Nationalversammlung an der Wiener Revolution und wurde am 9. November 1848 in Wien erschossen. Lange vor 1900 aufgekommen.

erschröcklich *adj* erschreckend, schrecklich. Im 17./18. Jh. galt „schröcken" soviel wie „machen, daß einer erschrickt" (worauf die Form „erschrocken" zurückgeht). Der Austausch des e gegen ein ö steht in Parallele zu den nebeneinander bestehenden Verben „ergetzen" und „ergötzen". Wiederaufgelebt um 1900.

erschütternd *adj* nicht ~ = nicht eindrucksvoll. Es geht einem seelisch nicht nahe, ist nicht „umwerfend". 1920 *ff.*

erschwitzen *tr* etw unter Mühen erreichen, bewerkstelligen. 1925 *ff.*

ersilbern *intr* auf künstlichem Wege weißhaarig werden. Sachverwandt mit „↗ erblondet sein". 1955 *ff.*

Erstbesteigung *f* Defloration. 1930 *ff.*

erstens *adv* ~ kommt es anders, und zweitens als man denkt: Redewendung angesichts eines Mißerfolgs. Seit dem späten 19. Jh.

Erster *m* **1.** ~ von hinten = Klassenschlechtester. 1900 *ff.*
2. ist morgen dein Erste = dann ist morgen dein letzter Arbeitstag. Bezieht sich auf die Kündigung nur zum Monatsletzten. 1920 *ff.*
3. dann ist der Erste für Sie der Letzte = dann ist der Monatserste für Sie der letzte Arbeitstag in meinem Betrieb. 1920 *ff.*
4. am fünfzehnten ist der Erste = in der Monatsmitte kündige ich zum Monatsersten. 1920 *ff.*

erstinken *v* sich etw ~ = Unwahres gegen vorbringen. Fußt auf der Metapher von der stinkenden Lüge und dem stinkenden Verleumdung. 1900 *ff.*

erstunken *part* erfroren ist schon mancher, erstunken noch keiner: Redensart, wenn einer in der kalten Jahreszeit das Fenster öffnen will. 1941/42 im Rußlandfeldzug während des strengen Winters aufgekommen.
2. das ist ~ und erlogen = das ist eine niederträchtige Lüge. ↗ erstinken. 1500 *ff.*

ertippen *tr* einen Lotteriegewinn erzielen. ↗ tippen. 1920 *ff.*

ertrunken *part* verhungert sein; durch als schlecht verhungert: Ausdruck des Pessimismus, der Resignation o. ä. 1910 *ff.*

erwärmen *v* sich für jn (etw) ~ = an jm (etw) Gefallen finden; sich für jn (etw) begeistern. Man empfindet „warme" (herzliche) Gefühle. 1900 *ff.*

erweichen *tr* jn mit rührseligen Worten beschwatzen; jn durch eine eindrucksvolle Rede umstimmen. ↗ weichmachen. 1930 *ff.*

Erwerbshöhle *f* Arbeitsstätte. Sie ist nicht wohnlicher als eine Höhle. 1950 *ff.*

erwerbslos werden verhaftet werden. Beschönigender Ausdruck. 1960 *ff.*

Erwerbstätige *f* horizontal ~ = Prostituierte. ↗horizontal. 1958 *ff.*

erwischen *v* 1. jn ~ = jm eine Schußverletzung zufügen. Erwischen = treffen. *Sold* in beiden Weltkriegen.
2. jn ~ = eine Mannschaft besiegen. *Sportl* 1950 *ff.*
3. es erwischt ihn = er gerät in eine bedrängte Lage, in ein Getümmel. *Sold* 1939 *ff.*
4. es hat ihn erwischt = a) ihn hat ein Schuß getroffen; er ist verloren, tot. 19. Jh. – b) er ist für wehrdiensttauglich befunden worden. *Sold* 1914 *ff.* – c) er hat sich verliebt. Der Pfeil des Liebesgottes hat ihn getroffen. 1920 *ff.* – d) er ist im sportlichen Wettkampf besiegt worden. 1950 *ff.* – e) er hat sich eine Krankheit zugezogen. 1920 *ff.* – f) er fängt an, sich für einen Gedanken oder Plan zu begeistern. Der Funken der Begeisterung ist auf ihn übergesprungen. 1920 *ff.* – g) er wird nicht in die nächsthöhere Klasse versetzt. *Schül* 1950 *ff.* – h) er ist verrückt geworden. 1920 *ff.* – i) er ist betrunken. 1920 *ff.*
5. sie hat's erwischt = sie ist schwanger. *Halbw* 1955 *ff.*

erzählen *tr* 1. wem erzählst du das?: Frage an einen, der zu vergessen scheint, daß der Fragende besser Bescheid weiß. 1920 *ff.*
2. das kannst du mir nicht ~ = das kannst du mir nicht weismachen; übertölpeln lasse ich mich nicht. 1920 *ff.*
3. ich werde dir was anderes ~!: Drohrede. 1920 *ff.*

Erzähler *m* Schwätzer. Meint den weitschweifigen Redner, der wie ein Romanschreiber weit ausmalt. Seit dem letzten Drittel des 19. Jhs.

'Erzba'nause *m* völlig ungebildeter, bildungsunfähiger Mensch. ↗Banause. „Erz-" als Vorsilbe ist dem Griechischen nachgebildet und über das Kirchenlatein des späten Mittelalters üblich geworden. 1920 *ff.*

'erzen *intr* Mitschuldige benennen. Man redet sie nicht mit Sie, nicht mit Du an, sondern mit dem neutralen Er. Seit dem späten 19. Jh.

Er'zeuger *m* 1. Vater. Dem Behördendeutsch entlehnt zur Betonung des rein sachlichen Verhältnisses zwischen Kind und Vater; auch burschikos- prahlerisch. 1870 *ff, stud.*
2. der alte Herr ~ = der Vater. *Halbw* 1955 *ff.*

'erz'faul *adj* 1. sehr träge. 18. Jh.
2. sehr unglaubwürdig; sehr unredlich; durch und durch verlogen. ↗faul. 1929 *ff.*

'Erz'gauner *m* großer Betrüger; auch: gutmütiges Schimpfwort. ↗Gauner. 18. Jh.

Erziehungsfläche *f* Gesäß. Es ist die Straffläche, auf der man zu erziehen sucht, wenn alle anderen Mittel versagen. Wohl schon im späten 19. Jh geläufig.

'Erz'lügner *m* gewissenloser Lügner. 1933 *ff.*

'Erzsaue'rei *f* sehr große Unannehmlichkeit. ↗Sauerei. 1920 *ff.*

'Erz'viech *n* sehr unflätiger Mann; plumper, grober Mensch. ↗Viech. 1900 *ff.*

Es *m* Schilling. Gesprochene wie geschriebene Abkürzung „S" für Schilling. *Österr* 1900 *ff.*

E-Saite *f* Gelegenheitsfreundin, mit der man mangels der gewohnten vorliebnimmt. Für den Halbwüchsigen bedeutet sie soviel

wie die Ersatzsaite für den Geiger. *Halbw* 1955 *ff.*

Esak *m* evangelischer Militärpfarrer. *Sold* in beiden Weltkriegen und *BSD.* Die Deutung ist verschieden: Die Soldaten von 1914 und 1939 erblickten darin eine Abkürzung von „Evangelische-Sünden-Abwehr-Kanone"; die Bundeswehrsoldaten halten die Vokabel für eine Abkürzung von „evangelischer Seelen-Aufkäufer".

E-Sau *m* evangelischer Militärpfarrer. Abgekürzt aus „evangelischer Seelenaufkäufer". Auch bekannt in der Abkürzung „E-Sauf". *BSD* 1965 *ff.*

Esau *m* haariger (rauher) ~ = stark behaarte männliche Person. Fußt auf dem Bericht in Genesis 25, 25. Spätestens um 1900.

Esel *m* 1. dummer, einfältiger Mensch; Schimpfwort. Der Esel gilt als störrisch, dumm und faul. Seit der *mhd* Zeit. Die Verwendung des Schimpfworts wurde in einem Rechtsstreit 1969 mit 3000 DM Schmerzensgeld geahndet.
2. Strafanstalt, Arrest. Übernommen vom Strafesel der mittelalterlichen Klosterschulen: auf ihn mußten sich Schüler zur Strafe setzen. 1900 *ff.*
3. Klassenschlechtester. *Schül* 1930 *ff.*
4. Fahrrad. Verkürzt aus ↗Drahtesel oder aus ↗Treteesel. 1920 *ff.*
5. Motorrad, Moped. *Schül* 1955 *ff.*
6. alter ~ = Erwachsener, der noch Jugendstreiche vollführt. 1900 *ff.*
7. ausgewachsener ~ = sehr dummer Mensch. Ausgewachsen = voll erwachsen; von da weiterentwickelt zur Bedeutung „unübertrefflich". 1920 *ff.*
8. leichter ~ = Kleinmotorrad. Moped. 1939 *ff.*
9. schwerer ~ = Raupenfahrzeug. 1939 *ff.*
10. trojanischer ~ = weltfremder Politiker; politisch dummer Mensch. Aus dem „trojanischen Pferd" entwickelt, weil man das Pferd im allgemeinen nicht für dumm hält. 1962 *ff.*
11. stur wie ein ~ = unzugänglich, unbeugsam. Esel sind störrisch. *BSD* 1965 *ff.*
12. der ~ bricht durch (fährt, guckt raus) = die Haare werden grau. Kann auf die Grauhaarigkeit des Esels anspielen, aber auch auf die Geltung als dumm: im vorgerückten Alter lassen die Geisteskräfte nach oder man bildet sich eine verhältnismäßige Jugendlichkeit ein. 19. Jh.
13. ihn hat der ~ aus der Wand gefurzt = er ist von zweifelhafter Herkunft. 1900 *ff.*
14. ihn hat der ~ aus der Wand geschlagen = er ist mißraten, von wenig guter Abkunft. 1900 *ff.*
15. den ~ zu Grabe läuten = die Beine baumeln lassen. Erschlagene Verbrecher wurden früher ohne Feierlichkeit verscharrt wie verendete Tiere. Das bei solchem „Eselsbegräbnis" fehlende Glockengeläut holten im Volkswitz die Kinder mit ihren baumelnden Beinen nach. 19. Jh.
16. jm den ~ machen = sich von jm nach Belieben gebrauchen lassen; jm zu jeglichem Dienst bereit sein müssen. Den Esel hält man für geduldig und ergeben. 19. Jh.
17. wie die ~ zum Lautenschlagen passen = schöngeistige Dingen verständnislos gegenüberstehen; durchaus nicht zueinander passen. In dieser oder verwandter

Form schon in der Antike geläufig. Spätestens um 1400 bei uns verbreitet.
18. ihn hat der ~ im Galopp (Trab) verloren = a) er nimmt sich recht mißraten aus; auch Antwort auf die Frage von Kindern nach ihrer Herkunft. Der Betreffende scheint keine menschlichen Eltern zu haben. 19. Jh. – b) er ist dumm. 19. Jh.
19. ihn hat der ~ beim Scheißen verloren = er ist dumm. *Bayr* 19. Jh..

Eselei *f* Torheit, Dummheit. 1500 *ff.*

eselig *adj* töricht, dumm. 15. Jh.

eseln *intr* Lasten schleppen; schwer arbeiten; plan-, gedankenlos arbeiten. 19. Jh.

Eselsarbeit *f* schwere Arbeit. 1600 *ff.*

Eselsbank *f* Sitzbank für die schlechtesten Schüler. 17. Jh.

Eselsbrücke *f* 1. Übersetzung eines fremdsprachlichen Textes für lernträge oder unbegabte Schüler; unerlaubtes Hilfsmittel für Träge zur Überwindung von Schwierigkeiten. Ursprünglich ist *lat* „pons asinorum" eine Figur, mit der man logische Verhältnisse veranschaulichte, dann auch soviel wie „elender Behelf für Unwissende". 18. Jh. *Vgl franz* „pont aux ânes" und „guide-âne".
2. Wink zur Beantwortung einer Frage; Äußerung, um dem Gegenüber den Entschluß zu erleichtern; Gedächtnisstütze. *Schül* seit dem ausgehenden 19. Jh.
3. Gegenstand, den man offen hinlegt, damit man ihn nicht vergißt oder damit er an ein Vorhaben erinnert. 1920 *ff.*

Eselsfurz *m* Schimpfwort. ↗Esel 13. 1930 *ff.*

Eselskopf *m* Dummer. 1500 *ff.*

'esels'lang *adj* weit, lang (auf eine Wegstrecke bezogen). Es ist ein Wegstück, wie es ein Esel zurücklegen kann. 1920 *ff.*

Eselsohr *n* 1. umgebogene Ecke eines Blattes, einer Seite o. ä. Die Ohren des Esels hängen nicht immer lang herunter, sondern sind (wie beim Hund) oft umgeklappt. 1600 *ff.*
2. *pl* = Luftschlitze am Heck des Autos. 1970 *ff.*
3. jm ~en deuten = jm zeigen, daß man ihn für dumm hält. Man hält die Hände in der Verlängerung der Ohren, um die langen Ohren des Esels anzudeuten. 18. Jh.

'Esels'rausch *m* starker Rausch. 19. Jh.

Eselsserenade *f* Gebirgsjäger mit den hinterdreinkommenden Maultieren. Benannt nach einem durch Rundfunk und Schallplatte verbreiteten Musikstück „Donkey-Serenade". *Sold* 1939 *ff.*

Eseltreiber (**Eseltreiber**) *pl* Gebirgsjäger. 1914 bis heute.

Eselstritt *m* Verunglimpfung durch einen Feigling. Fußt auf einer Fabel des Seneca: der Esel versetzt dem sterbenden Löwen einen Huftritt in die Stirn. 1900 *ff.*

Eselswiese (**Eselwiese**) *f* 1. Teil „Vermischtes" der Anzeigenseite. Da gibt sich die Torheit mancher Leute ein Stelldichein. 1870 *ff.*
2. Übungshang für Skianfänger. Die Anfänger benehmen sich recht eselig. 1910 *ff.*

'Eskimo *m* 1. Soldat, der nördlich der Polarzone eingesetzt ist. Eigentlich der Bewohner Grönlands. *Sold* und *ziv* 1939 *ff.*
2. das haut (schlägt) den stärksten ~ vom Schlitten = a) Ausdruck höchster Überraschung. Das staunenswerte Vorfall ist umwerfend. 1930 *ff.* – b) das ist ein hochprozentiges alkoholisches Getränk. 1960 *ff.*

'Eski'möse *f* gefühlskalte, unnahbare Frau. Zusammengesetzt aus „Eskimo" und „↗Möse". 1935 *ff.*

Espresso-Gammler *m* „Gammler" als Stammgast in Espresso-Stuben. 1968 *ff.*

Essa'bilien *pl* Nahrungsmittel. Latinisierung nach dem Muster von ↗Fressabilien. 1945 *ff.*

Eßbesteckgeschwader *n* Heer. Das Schanzzeug gehört zu den feldmarschmäßigen Ausrüstungsgegenständen des Heeresangehörigen; außerdem nehmen sich die beiden gekreuzten Klingen als Mützenemblem wie ein Eßbesteck aus. *BSD* 1965 *ff.*

Eßbremse *f* auf die ~ treten = weniger essen. Hervorgegangen aus dem Werbetext der Pharmawerk Schmiden GmbH; sehr volkstümlich geworden. 1970 *ff.*

essen *v* 1. nie gegessen! = völlig unbekannt! Hergenommen von einer unbekannten Speise. Berlin 1900 *ff.*

2. hat das schon jemand gegessen?: Frage angesichts eines widerlichen Essens. Man vermutet, ein anderer habe dieses Essen erbrochen. 1950 *ff.*

3. das wirkt wie schon einmal gegessen = das wirkt scheußlich. 1950 *ff.*

4. da kann man gar nicht soviel ~, wie man brechen möchte! = Ausdruck des Ekels, des höchsten Widerwillens o. ä. Vornehmere Variante des derberen Originalausspruchs von Max Liebermann; *vgl* ↗kotzen 12. 1933 *ff.*

5. damit ist alles gegessen = das reicht vollauf; mehr braucht man nicht zu wissen. 1950 *ff.*

Essen *n* 1. ein ~ für Götter = ein ausgezeichnetes Essen. Nachbildung von „↗Schauspiel für Götter". 1920 *ff.*

2. adliges ~ = Essen von gestern (vorgestern). Der Adlige setzt vor den Familiennamen ein „von". 1900 *ff.*

3. da wurde erst letztes Jahr das ~ mit Messer und Gabel eingeführt = das ist eine sehr rückständige Gegend. Bezogen auf eine Landschaft, die von der nächsten Ortschaft viele Kilometer entfernt ist. *BSD* 1965 *ff.*

4. jm ins ~ fallen = a) jn bei der Mahlzeit stören. 1914 *ff.* – b) jm sehr ungelegen kommen. 1914 *ff.*

5. das ~ fällt ihm aus dem Gesicht (aus dem Kopf) = er erbricht sich. Etwa seit 1920/30. Vielleicht bei der Marine, bei den Studenten oder Schülern aufgekommen.

6. sich das ~ aus dem Kopf fallen lassen = sich erbrechen. *Marinespr* 1930 *ff.*

7. sich das ~ nochmal durch den Kopf gehen lassen = sich erbrechen. 1950 *ff.*

8. beim ~ schwitzen und bei der Arbeit frieren = viel essen, aber die Arbeit nur träge verrichten. 1900 *ff.*

9. sich sein ~ verdienen = erfolgreich tätig sein. 1950 *ff.*

10. er kann sein ~ in der Dachrinne warm machen = er ist sehr großwüchsig. 1900 *ff.*

Essenblöcke *pl* noch sechs ~ = noch sechs Monate Wehrdienst. Ein Essenblock enthält Essenmarken für einen vollen Monat. *BSD* 1965 *ff.*

Essensschlange *f* zum Essenempfang anstehende Leute. 1900 *ff.*

Essenz *f* damit ist es ~ = das läßt sich nicht verwirklichen. Analog zu „damit ist

es ↗Essig"; nur ist Essigessenz noch schärfer als Essig. *Österr* 1960 *ff.*

Eßgeschirr-Reparatör *m* Zahnarzt. 1914 bis heute.

Essig *m* 1. Unglück, Mißerfolg. ↗Essig 9. 1900 *ff.*

2. doppelkohlensaurer ~ = völliger Mißerfolg. Übernommen aus dem Begriff „doppelkohlensaures Natron". 1900 *ff.*

3. jm ~ einträufeln = jm eine Freude vergällen. Statt Wein gibt man ihm Essig zu trinken. 1900 *ff.*

4. mit ~ gurgeln = mißmutig, mürrisch sein. So blickt drein, wer mit Essig gurgeln wollte. 1935 *ff.*

5. dann haben wir eben mit ~ gehandelt = dann haben wir uns eben umsonst bemüht. 1945 *ff.*

6. leg ihn dir in ~ und Öl: Ausdruck der Ablehnung. Der Betreffende soll das Gemeinte behalten und für sich selber haltbar machen. 1930 *ff.*

7. in ~ und Öl machen = Einzelhändler sein. 1900 *ff.*

8. sich in ~ und Öl malen lassen = sich in Öl malen lassen. ↗Gemälde. *Stud* und *schül* 19. Jh.

9. damit ist es ~ (das ist ~) = das ist mißglückt. Hergenommen vom Wein, der zu Essig versäuert ist. Seit dem frühen 19. Jh.

10. damit ist es ~ und Öl = das ist völlig gescheitert. 1920 *ff.*

11. mit ihm ist es ~ = er wird bald sterben. 19. Jh.

12. im ~ sitzen = Mißerfolg erlitten haben; in Not sein. 1800 *ff.*

13. er macht ein Gesicht, als hätte er ~ getrunken = er blickt mißmutig drein. 19. Jh.

14. zu ~ werden = mißlingen. ↗Essig 9. 19. Jh.

Essigkruke *f* mürrische, unfrohe Person. Eigentlich eine mit Essig gefüllte Steingutflasche. 1700 *ff, nordd.*

'essig'sauer *adj* unwirsch, mißmutig. Verstärkung von ↗sauer. 1800 *ff.*

Essigwasser *n* saurer Wein. 19. Jh.

Eß-Schlamper *m* Mensch, der wahllos ißt. ↗Schlamper. 1960 *ff.*

Eßzimmer (Eßzimmereinrichtung) *n (f)* Gebiß, Mundhöhle o. ä. Wortspielerei. 1920 *ff.*

Eßzimmerteppich *m* Zunge. 1930 *ff.*

Establishment (*engl* ausgesprochen) *n* die Eltern. Aus dem Englischen nach 1960 übernommen im polemischen Sinne der die herrschenden gesellschafterhaltenden Kräfte.

Etage *f* 1. eine ~ zu tief = niedrigstehend; ziemlich wertlos. 1950 *ff.*

2. jn eine ~ tiefer einstufen = jn geringer bewerten. 1950 *ff.*

3. den Ball in die zweite ~ schießen = den Ball hoch über das Tor treten. *Sportl* 1950 *ff.*

Etagenindianer *m* Handelsvertreter. Indianer ist er insofern, als er auf dem Kriegspfad ist (nach Kunden). 1950 *ff.*

E'tagen'tiger *m* Hund in einer Stockwerkswohnung. 1950 *ff.*

Etappengockel *m* Soldat, der der kämpfenden Truppe nicht angehört. Gockel = Hahn: der Betreffende bewegt sich wie ein stolzer Hahn. *Sold* 1939 *ff.*

Etappenhase *m* Kaninchen, Katze. *Sold* in beiden Weltkriegen. Volkstümlich durch

das gleichnamige Bühnen- und Filmstück von Karl Bunje und den Roman von F. B. Cortan.

Etappenhengst *m* Soldat, der der kämpfenden Truppe nicht angehört oder ihr nicht angehört hat. ↗Hengst 1. *Sold* 1914–1945.

Etappenschläfer *m* Mann, der mit Unterbrechungen schläft. 1900 *ff.*

Etappenschreck *m* Frontoffizier, der die in Etappendienststellen tätigen Soldaten an Zucht und Ordnung gewöhnt; Zahlmeister, Kriegsverwaltungsrat o. ä., der im besetzten Gebiet Untergebene schikaniert, sich nach Möglichkeit bereichert usw. 1939 *ff.*

Etappenschwein *n* Soldat, der der kämpfenden Truppe nicht angehört oder ihr nicht angehört hat. Kräftiges Schimpfwort der Frontsoldaten. Anspielung auf Völlerei und Hurerei. *Sold* seit 1870/71 bis 1945.

et cetera p. p. *konj* und so weiter, und so weiter. „P. p." ist Abkürzung des *lat* „perge, perge" im Sinne von „fahr fort; ergänze es dir selber". 1900 *ff.*

et 'cetera po'po *konj* und so weiter, und so weiter. „p. p." als Abkürzung von „Popo" aufgefaßt. 1950 *ff.*

'ete *adj* geziert, zimperlich, spröde. Fußt auf *niederd* „öde = überfein". *Vgl* das Folgende. 18. Jh.

'etepe'tete *präd adv* 1. zimperlich, prüde; peinlich ordentlich. Humorvolle Wortkünstelei durch Verdoppelung des Vorhergehenden. 18. Jh.

2. *adv* = langsam. 1950 *ff.*

'Etepe'tetigkeit *f* Zimperlichkeit, Sittenstrenge. 1900 *ff.*

'Ete'pinkel *m* übergenauer Mann; Vornehmtuer. ↗Pinkel. *Jug* 1955 *ff.*

'etig *adj* zimperlich, mäklig. ↗ete. Berlin 1900 bis heute.

Etikettenschwindel *m* falsche Benennung zwecks Irreführung. Hergenommen von der Etikettierung der Weinflaschen. Winzer sagen: „Im Wein liegt Wahrheit; der Schwindel liegt im Etikett". 1960 *ff,* (wohl älter).

Etsch *n* Heroin. Fußt auf der englischen Aussprache des Buchstabens H. 1920/30 *ff.* ↗Aitsch.

Etui *n* 1. (schmales) Bett. Ein dem menschlichen Körper angepaßtes Behältnis. Seit dem späten 19. Jh.

2. Motorrad-Beiwagen. 1930 *ff.*

3. Kleinwohnung in einem Wohnhochhaus. 1959 *ff.*

4. Vagina. 1900 *ff.*

5. keusches ~ = a) Bett (in dem man ohne Partner liegt). Seit dem späten 19. Jh. Auch *ndl.* – b) Jungfrau; unnahbares Mädchen. 1914 *ff.*

6. verschlossenes ~ = Jungfrau; geschlechtlich unnahbare weibliche Person. 1920 *ff.*

etwas *pron* 1. nach ~ aussehen = einen gediegenen Eindruck erwecken. Hinter „etwas" ergänze „Ordentliches" o. ä. 1920 *ff.*

2. das 'ist ~ = das ist eindrucksvoll o. ä. 1900 *ff.*

3. ~ sein = eine angesehene Stellung innehaben. 1900 *ff.*

4. das soll auch ~ sein = das ist nicht schwer. 1900 *ff.*

5. ~ sein wollen = sich aufspielen. 1900 *ff.*

Eule *f* **1.** Kurzsichtiger. Die Eule sieht aus wie eine Brillenträgerin. 1910 *ff.*
2. Kopfschützer. Er hat Augenschlitze, die an eine Eule erinnern. *BSD* 1965 *ff.*
3. unfrisierte, häßliche weibliche Person. Das nach allen Seiten herabhängende Haar verleiht ihr Ähnlichkeit mit der Eule. 1600 *ff.*
4. junges Mädchen. Anspielung auf die Eule als Nachtvogel. Außerdem ist *nordd* „eulen = lustig sein". *Halbw* 1955 *ff.*
5. Polizeibeamter, Nachtwächter, Parkwächter. Anspielung auf nächtliche Polizeistreifen. Seit dem frühen 19. Jh.
6. Feldgendarm, Fluraufseher. 1900 *ff.*
7. Nachtschwester. Anspielung auf den Nachtvogel und auf die Flatterhaube. 1910 *ff.*
8. verkommene Prostituierte. *Vgl* Eule 3. 1920 *ff.*
9. Verräter. Vielleicht vom verräterischen Eulen- oder Käuzchenruf hergenommen. 1920 *ff.*
10. Schimpf-, Scheltwort. Die Eule gilt volkstümlich als Kinderschreck. 18. Jh.
11. Haarbesen, Handfeger. Er ähnelt dem Eulenkopf. *Nordd* 19. Jh.
12. fett (voll) wie eine ~ = betrunken. Hier ist „Eule" entstellt aus „Aule = Steinkrug". 1800 *ff.*
13. alte ~ = verdrießliche, häßliche Person. 1600 *ff.* ⁊Eule 3.
14. altmodische ~ = altmodische weibliche Person. 1969 *ff.*
15. eine ~ fangen = ein Mittagsschläfchen halten. Die Eule hockt tagsüber still im Winkel und schließt die Augen. Seit dem ausgehenden 19. Jh.
16. jn zur ~ machen = jn entwürdigend anherrschen; jn erniedrigen, sehr streng behandeln. Hängt zusammen mit der volkstümlichen Mindergeltung der Eule. 1910 *ff.*
eulen *v* **1.** *intr* = scharf beobachten; spähen. Die Eule ist ein gutsichtiges Nachttier. 1900 *ff.*
2. *intr* = Possen treiben; sich albern benehmen. Hat anscheinend nichts mit der Eule zu tun, wohl aber mit dem antreibenden Ruf der Kinder: „eu, eu!". Kann auch mit Eulenspiegel zusammenhängen. 1900 *ff.*
Eulenscheiße *f* **1.** sehr große Mißlichkeit; höchst Verächtliches. Eulen verschlingen von ihrer Beute auch Haare, Federn und alle Knochen und würgen sie wieder aus in Form von Gewöllen. 1910 *ff.*
2. jn in warmer ~ ersticken = jn zum Verstummen bringen; auch Drohrede. 1935 *ff.*
Eumel *m* **1.** jegliche Sache oder Person. ⁊eumeln. 1950 *ff.*
2. kameradschaftlicher Mensch; Freund. 1950 *ff*, *halbw.*
3. unsympathischer Mensch; Dummer; Schimpfwort. 1900 *ff.*
4. Penis. *Nordd* 1950 *ff.*
eumelig *adj* öde, langweilig, blöde o. ä. *Vgl* das Folgende. *Jug* 1970 *ff.*
eumeln *v* **1.** *intr* = tanzen, feiern, spielen; etw tun, was nicht zum Dienstbetrieb gehört. In der Seglersprache meint „eumeln" soviel wie „ohne Ziel, zum Vergnügen, unsportlich segeln; sich bei Flaute dem Augenblick überlassen müssen; wartend im Boot sitzen und sich die Zeit vertreiben". Hängt wohl zusammen mit *engl* „on

the oil = auf dem Bummel". Etwa seit 1950, *nordwestd.*
2. *intr* = küssen, kosen; Petting machen. 1950 *ff*, *halbw.*
3. *intr* = koitieren. *Halbw* 1950 *ff.*
4. etw ~ = etw tun, anfertigen, bewerkstelligen. Seglerspr. 1950 *ff.*
Eunuche *m* **1.** unbeliebter Vorgesetzter. Die eigentliche Bedeutung (entmannter Haremswächter) paßt auf ihn insofern, als er alles besser weiß, es aber nicht kann. *BSD* 1965 *ff.*
2. alter ~ = Versager. *Sold* 1939 *ff.*
Euter *m n* **1.** Busen. 1800 *ff.*
2. betrübter ~ = eingefallener oder unterentwickelter Busen. 1800 *ff.*
3. voller ~ = a) Hodensack bei langanhaltender geschlechtlicher Enthaltung; geschwellte Samendrüsen. 1910 *ff.* – b) reichgefüllter Geldbeutel. 1910 *ff.*
Euterbowle *f* alkoholfreie ~ = Trinkmilch. *Schül* 1970 *ff.*
Eva-Äpfel *pl* Frauenbrüste. ⁊Apfel 1. 1955 *ff.*
Evakostüm *n* im ~ = nackt. 1800 *ff.*
Eva'line *f* Anhängerin der Freikörperkultur. Gemeint ist die Eva, bevor sie das Feigenblatt anlegte. Sylt 1950 *ff.*
Evan'gelen *pl* Protestanten. 1900 *ff.*
Evangelium *n* **1.** jm das ~ durch die Backen lesen können = hohlwangig sein. 19. Jh.
2. das ist ihm ~ = das ist für ihn eine feststehende Tatsache; das hält er für unbedingt zuverlässig. Das Evangelium als oberste Glaubensnorm. 18. Jh.
ewig *adj adv* **1.** langdauernd; oftmalig, immerzu wiederholt; stereotyp. Aus „immerwährend" entwickelte sich die Bedeutung „langwährend", die schließlich sich nur noch auf eine lange Folge von Wiederholungen bezog. 1500 *ff.*
2. kameradschaftlich. Fußt wohl auf leidenschaftlichen Beteuerungen wie „ewig dein Karl" o. ä. Man gelobt einander ewige Treue. *Halbw* 1955 *ff.*
3. *adv* = sehr. Etwa in der Form: „seine Rede war ewig aufschlußreich" (sie war „unendlich" aufschlußreich). 1950 *ff.*
4. *adv* = immer. 18. Jh.
5. ~ und drei Jahre = langdauernd. Früher war die Fristfestsetzung immer mit einer kurzen Verlängerung verbunden, damit die Frist auch tatsächlich eingehalten werden konnte. 19. Jh.
6. ~ und drei Tage = immer; langwährend. *Vgl* das Vorhergehende. 1800 *ff.*
7. es ist ~ schade = es ist sehr schade. 1800 *ff.* Volkstümlich durch die Zeile aus Lenaus Gedicht „Lieblich war die Maiennacht" (1834)
Ewiger *m* **1.** Student mit hoher Semesterzahl ohne Abschlußexamen. *Oberd* 1920 *ff.*
2. Altgedienter. *BSD* 1965 *ff.*
3. fester Freund eines Mädchens. ⁊ewig 2. *Halbw* 1955 *ff.*
Ewigkeit *f* **1.** lange Zeit; lange Dauer in der Zeit. ⁊ewig 1. 1500 *ff.*
2. eine ~ und drei Tage = sehr lange Zeit. ⁊ewig 5. 19. Jh.
2 a. seit ~en = seit undenklicher (langer) Zeit. 1900 *ff.*
3. das dauert eine halbe (eine kleine) ~ = das dauert ziemlich lange. 1800 *ff.*
Ewigkeitszigarette *f* Zuban-Zigarette. Wegen des Werbespruchs „morgen so gut wie

gestern und heute". *Stud* und *schül* 1950 *ff.*
ex *präp* **1.** ex! = austrinken! *Lat* „ex = aus". *Stud* 19. Jh.
2. auf ex trinken = das Glas in einem Zug leeren. *Stud* 1900 *ff.*
Ex I *n* **1.** Stegreifarbeit; nicht angekündigte Klassenarbeit. Verkürzt aus „Extemporale". Seit dem späten 19. Jh.
2. Exportbier. Hieraus verkürzt. Kellnerspr. 1950 *ff.*
Ex II *f* ehemalige Geliebte. Verkürzt aus „Ex- Braut". 1920 *ff.*
Ex III *m* ehemaliger Ehemann. 1920 *ff.*
Examen *n* **1.** das ~ bauen = die Prüfung ablegen. ⁊bauen 1. Seit dem späten 19. Jh.
2. ins ~ steigen = sich zum Examen melden. Seit dem späten 19. Jh. Steigen = feierlich aufwärtsschreiten.
Exempel *n* **1.** ~ von Bleistiften = Musterbeispiele. ⁊Bleistift 4. Berlin 1880 *ff.*
2. ~ von Beispielen = Musterbeispiele. 19. Jh.
exen *v* **1.** *intr* = jm die Freundschaft aufsagen. Es ist „ex" (= aus). 1900 *ff.*
2. *intr* = dem Unterricht absichtlich fernbleiben. Verkürzt aus „exgehen = außerhalb des Schulgebäudes gehen". 1920 *ff.*
ex faustibus aus der Hand (ohne Messer und Gabel zu benutzen). Latinisierung von „aus der ⁊Faust". 1850 *ff.*
Exfrau *f* ehemalige Ehefrau. 1920 *ff.*
Ex-Freund *m* ehemaliger Freund. 1920 *ff.*
exgehen *intr* **1.** nach draußen gehen; spazierengehen. 1900 *ff.*
2. eine außereheliche Liebschaft haben. Verkürzt aus älterem „extra gehen". 1920 *ff.*
exgreifen *tr* eine weibliche Person intim betasten. Vorform von „⁊ausgreifen 2". 1850 *ff.*
E'xil *n* ins ~ gehen = heiraten. Exil meint hier die freiwillige Verbannung. *BSD* 1965 *ff.*
Exis *pl* **1.** Existentialisten; Hamburger Jugendgruppe. 1960 *ff.*
2. Jugendliche mit gepflegtem Äußeren; Nicht- Rocker; unerwünschte Leute, die mehr Geld haben. 1960 *ff.*
3. Klassenarbeiten. Verkürzt aus „Extemporalia". *Schül* 1900 *ff.*
Existenz *f* **1.** traurige ~ = jämmerliche Person; Versager. 1920 *ff.*
2. verkrachte ~ = im Leben gescheiterter Mensch; Student ohne Abschlußexamen. ⁊verkracht. 1900 *ff.*
Existenzialistenwolle *f* erster Bartwuchs Halbwüchsiger. 1955 *ff.*
Exitus *m* Abschlußprüfung. Meint (aus dem *Lat*) den Ausgang, das Hinaustreten in die Freiheit. Für die Prüfungsversager nähert sich das Wort dem medizinischen Begriff „Tod". 1950 *ff*, *schül.*
exmachen *tr* austrinken. 19. Jh.
Exmann *m* ehemaliger Ehemann. 1920 *ff.*
exotisch *adj* völlig ungewohnt. Meint eigentlich soviel wie „ausländisch, fremdartig". In der neuen Bedeutung erstmalig 1973 gehört und gelesen; wahrscheinlich börsenspr.
Expertenchinesisch *n* Wortschatz eines begrenzten Fachgebiets. ⁊Chinesisch. „Experte" bei vielen Politikern und Reportern seit 1900 ein vornehmeres oder gebildeteres Wort für „Fachmann".

Ex-Platz *m* Exerzierplatz, Kasernenhof. Verkürzung. *Sold* 1939 bis heute.

explodieren *intr* **1.** plötzlich aufbrausen; seiner Wut freien Lauf lassen. Man platzt vor innerer Spannung. 1850 *ff.* **2.** seinen Angriffswillen unwiderstehlich steigern. *Sportl* 1965 *ff.*

Explosion *f* Zornesausbruch. ↗ explodieren. Um 1800.

Explosionsbirne *f* leichtverrückter Mensch. ↗ Birne 1. 1935 *ff.*

Expo *f* Klassenarbeit. Verkürzt entweder aus „Extemporale" oder aus „Exposé". *Schül* 1950 *ff.*

Exportdeutscher *m* 1945 ins Ausland geholter deutscher Wissenschaftler. 1950 *ff.*

ex'pree (ex'preß) *adv* absichtlich; aus Trotz; ausdrücklich. Geht zurück auf *franz* „exprès = ausdrücklich" und *gleichbed lat* „expresse". 1700 *ff.*

'extern *tr* **1.** jn plagen, hetzen, drillen; sich mit jm viel Mühe geben. Fußt auf *franz* „exciter = aufscheuchen, anregen, anfeuern". 1700 *ff.* **2.** jn verulken. 1700 *ff.*

'Extra *n* Sondereigenheit; kaufmännische Zugabe; Sonderzuwendung; aufwendiges Beiwerk o. ä. 1925 *ff.*

'extra *adj adv* **1.** *adj* = besonders, vorzüglich (flektiert: ein extraer Brief; ein extraes Geschenk). Extra, vervollständigt zu „extra ordinem", meint das Außerordentliche und Besondere. 18. Jh. **2.** *adv* = besonders, gesondert. 18. Jh. **3.** *adv präd* = wählerisch, anspruchsvoll. 19. Jh. **4.** *adv* = absichtlich; eigens; mit Vorbedacht (das hat er extra getan). 1800 *ff.* **5.** nicht ~ = nicht besonders gut; unwohl (der Wein ist nicht extra; mir ist heute nicht extra). 19. Jh.

Extrabonbon *m n* besonders reizvolle Sache. ↗ Bonbon 1. 1920 *ff.*

'extra'fein *adj* besonders fein. Aus der Kaufmannssprache. 1700 *ff.*

Extragroschen *m* Nebenverdienst. 1900 *ff.*

Extraklasse *f* Klassenbester; Hauptkönner ↗ Klasse. *Schül* und *sportl* 1920 *ff.*

Extraknüller *m* verlockendes Sonderangebot. ↗ Knüller 1. Kaufmannsspr. 1970 *ff.*

Extrakumpel *m* Einzelgänger. ↗ Kumpel. *Schül* 1960 *ff.*

'Extra'muros *f* minderwertige Zigarre. *Lat* „extra muros = außerhalb der Zimmerwände": aus Menschenliebe muß man sie im Freien rauchen. 19. Jh.

'extra'prima *adv* vorzüglich, unüberbietbar. ↗ prima. 1920 *ff.*

Extratour *f* **1.** Sondervorgehen; Eigenwilligkeit. ↗ Tour. „Extratour" ist auch der Gesellschaftstanz außerhalb der Tanzkarte. 1930 *ff.* **2.** sich eine ~ leisten = eigenwillig handeln. 1930 *ff.* **3.** eine ~ reiten (tanzen) = anders als die anderen handeln. 1930 *ff.*

Extrawurschtler *m* Einzelgänger. ↗ wursteln. *Schül* 1950 *ff.*

Extrawurst *f* **1.** Sonderbehandlung, Bevorzugung. Bezieht sich auf die Wurstbratküchen, in denen nur die orts- und landesübliche Bratwurst gehandelt wird; eine besondere Wurstsorte gebraten zu erhalten, gilt als besondere Zuvorkommenheit. 19. Jh. **2.** Einzelgänger. *Schül* 1960 *ff.* **3.** eine ~ gebraten kriegen = anders als die anderen behandelt werden. 19. Jh. **4.** jm eine ~ braten = jn bevorzugen. 19. Jh. **5.** eine ~ verlangen (haben wollen) = Sonderbehandlung erwarten. 1800 *ff.*

'extrich ('extrig) *adj* eigen, besonders. Adjektiv zum Adverb „extra". *Südd* 1800 *ff.*

extrinken *tr* austrinken; das Glas in einem Zug leeren. *Stud* seit 19. Jh.

'Ex'twen *m* weibliche (männliche) Person von dreißig und mehr Jahren. ↗ Twen. 1960 *ff.*

Ex und Hopp 1. Wegwerfpackung. 1967 aufgekommen bei einer Werbeagentur als Werbespruch für Einwegflaschen. **2.** Gelegenheitsfreund(in). Nach kurzfristiger Liebschaft trennt man sich. 1970 *ff.*

ex-und-hopp-gehen *intr* an Rauschgift sterben. 1970 *ff.*

Ex-und-Hopp-Mann *m* Liebhaber für eine Nacht. 1970 *ff.*

Ezes *m* Ratschlag. ↗ Eizes. *Südd* 1850 *ff.*

F

F 1. die zwei ~ = Verpflegung und Geschlechtsverkehr. Gemeint ist „fressen" und „ficken". *Sold* 1939 *ff.*
2. die drei großen ~ = Fernsehen, Filzpantoffeln und Flaschenbier (Feierabend, Filzlaatschen, Fernsehen). 1955 *ff.*
3. die vier großen ~ = a) Film, Funk, Fernsehen und Fremdenverkehr. 1958 *ff.* – b) Feierabend, Fernsehen, Filzpantoffeln und Flaschenbier. 1960 *ff.*
f.d.H. Rat an Fettleibige. Abgekürzt aus „friß (futtere) die Hälfte". Soll vor 1914 in Offizierskreisen aufgekommen sein.
f.f. viel Vergnügen! Scherzhafte Abkürzung auf phonetische statt orthographischer Grundlage. Seit dem späten 19. Jh.
ff. 1. Petting. Abgekürzt aus „ ~ Fotzenfummeln". *Halbw* 1960 *ff.*
2. es geht aus dem ~ = es verläuft vorzüglich, schnell o. ä. *Vgl* das Folgende. 19. Jh.
3. etw aus dem ~ kennen (können, verstehen) = etw gründlich kennen, ausgezeichnet beherrschen. Herkunft unsicher. Stammt entweder aus der kaufmannssprachlichen Abkürzung für „fein fein" (17. Jh) oder aus der musikalischen Abkürzung für „fortissimo", oder es steht im Zusammenhang mit dem griechischen Buchstaben pi (π), der bei Hinausgehen der senkrechten Striche über den Querstrich ein zweifaches f ergab und für die mittelalterlichen Glossatoren das Zitat aus den Pandekten (Sammlung altrömischen Privatrechts) bezeichnete. 18. Jh.
4. aus dem ~ sein = vorzüglich sein. 1800 *ff.*
5. ~ sein = ausgezeichnet, hervorragend sein. 1900 *ff.*
F.G. beischlafwillige weibliche Person. Abgekürzt aus „fickbarer Gegenstand". 1930 *ff.*
F.h.z. Weisung, bei Tisch nicht zu kräftig zuzulangen. Abgekürzt aus „Familie hält zurück", nämlich weil für die vielen Gäste zu wenig Speisen vorhanden sind. 1930 *ff. Vgl engl* „family hold back!".
F.h.z., – i.K.m. wie das Vorhergehende. Abgekürzt aus „Familie hält zurück, in Küche mehr". 1945 *ff.*
f.K. 1. ausgezeichneter, schöner, zuverlässiger Mann. Abgekürzt aus „feiner Kerl"; stammt aus der Jungmädchensprache seit dem späten 19. Jh., Berlin.
2. träger, unzuverlässiger Mann. Abgekürzt aus „fauler ↗ Kopp". 1900 *ff*, Berlin.
fab *adj adv* großartig. Verkürzt entweder aus *dt* „fabelhaft" oder aus *engl* „fabulous". *Halbw* 1960 *ff.*
fabelhaft *adj adv* außerordentlich, wunderschön; sehr. Eigentlich so unwirklich, wie es die Welt der Fabel ist. Wohl durch Studenten- und Leutnantskreise verbreitet; 1840 *ff.*
fabeln *intr* Unglaubwürdiges erzählen; Sinnloses äußern; prahlen; lügen; im Fieber faseln. Fabeln gelten als Wahrheitsentstellung und Lüge. 1800 *ff.*
Fabrikbiene *f* Fabrikarbeiterin. ↗ Biene 1. Kann neutral die weibliche Person meinen oder aber anspielen auf Bienenfleiß oder auf Leichtlebigkeit. 1900 *ff.*
Fabriker *m* Fabrikarbeiter. 19. Jh.

Fabrikkatze *f* Fabrikarbeiterin. 19. Jh.
Fa'brik'klater *f* Industriearbeiterin. ↗ Klater. 1900 *ff.*
Fabrikler *m* Fabrikarbeiter. 19. Jh.
Fabriklerin *f* Fabrikarbeiterin. 19. Jh.
Fabrikmensch *m* Fabrikarbeiter. 19. Jh.
Fabrikmensch *n* Fabrikarbeiterin. ↗ Mensch II. 19. Jh.
fabrikneu *adj* **1.** noch nicht defloriert. Bezieht sich eigentlich auf eine soeben vom Herstellerwerk gelieferte, noch unbenutzte Ware. 1950 *ff, halbw.*
2. ohne Erfahrung für eine Tätigkeit. 1960 *ff.*
Fach *n* **1.** mit etw gut zu ~ kommen = eine Sache meistern. „Fach" bezieht sich hier auf den abgeteilten Raum eines Neubaus, an dem noch diese und jene Innenarbeit zu tun ist. 19. Jh.
2. mit jm zu ~ kommen = koitieren. 1900 *ff.*
Facharzt *m* **1.** ~ für Haut und Liebe = Facharzt für Haut- und Geschlechtskrankheiten. 1937/38 *ff.*
2. Facharzt für Hoch- und Tiefbau = Frauenarzt. Hochbau = Schwangerschaft; Tiefbau = Frauenleiden. 1940 *ff.*
Fachfaller *m* Schauspieler-Konkurrent, der im selben Rollenfach auftritt. Er fällt ins gleiche Rollenfach. Theaterspr. 1920 *ff.*
Fachgeschäft *n* Handelsschule. *Schül* 1960 *ff.*
Fachgesimpel *n* Fachgespräch. ↗ fachsimpeln. 1920 *ff.*
Fachidiot *m* **1.** Fachmann, der nur sein engbegrenztes Fachgebiet beherrscht. Die Bezeichnung soll von Karl Marx stammen. Heute geläufig im Zusammenhang mit protestierenden Studenten in Berlin 1963/64.
2. Fachlehrer. *Schül* 1968 *ff.*
3. Fachoffizier. *BSD* 1970 *ff.*
Fachidiotie *f* Vertretung einer Einzelwissenschaft ohne Wahrung des Zusammenhangs mit anderen Wissenschaften. In polemischer Auffassung eine Erscheinungsform von Ausschweifung bzw. Verschrobenheit. 1964 *ff.*
Fachmann *m* da staunt der ~, und der Laie wundert sich: ↗ staunen.
Fachschule *f* ~ der Nation = Bundeswehr. Zusammenhängend mit der lebhaften Erörterung des 1969 von Bundeskanzler Kiesinger wieder aufgebrachten Wortes von der Bundeswehr als „Schule der Nation". Die Verengung des Begriffs auf die beruflichen Ausbildungs- und Weiterbildungsmöglichkeiten für längerdienende Soldaten – angeblich von Bundesverteidigungsminister Helmut Schmidt geprägt – hat mehr propagandistische als sachliche Gültigkeit. 1971 *ff.*
fachsimpeln *intr* **1.** Fachgespräche führen. Fußt auf *franz* „simple = einfältig"; hieraus entwickelten sich „Simpel = Dummer" und das Verb „simpeln = Unsinn reden". In den Augen der Nichtfachleute sind Fachgespräche einfältig, albern und unangebracht. Um 1860 in Studentenkreisen aufgekommen.
2. sich während der Unterrichtsstunde unterhalten. *Schül* 1950 *ff.*
fachwerken *intr* einen Plan ausarbeiten. Dabei muß alles „unter ↗ Dach und Fach gebracht werden". 1910 *ff.*
Fackel *f* **1.** Taschenfeuerzeug. Es brennt lange wie eine Fackel oder hat eine große Flamme. 1935 *ff.*

2. Rausch; Atem des Alkoholikers. Wohl vom Feueratem des Feuerschluckers übertragen. 1960 *ff.*
fackeln *intr* **1.** zögern; Umstände machen. Meist verneint: „nicht fackeln; nicht lange fackeln". Leitet sich her von der unruhigen Hin- und Herbewegung der Flamme einer Fackel. Kann sich auch auf einen nächtlichen Fußgänger beziehen, der, auf ein verdächtiges Geräusch aufmerksam geworden, nicht lange mit Fackeln leuchten läßt, sondern sogleich den Degen zieht. 1500 *ff.*
2. Unwahres reden; die Wahrheit verheimlichen. Gemeint ist, daß einer hin und herredet und zögert, ehe er die Wahrheit notgedrungen preisgibt. 18. Jh.
3. nicht mit sich ~ lassen = sich nicht belügen, verulken lassen. 1900 *ff.*
Fackelzug *m* **1.** ihm geht ein ganzer ~ auf = endlich begreift er in vollem Umfang. Verstärkung von „ihm geht ein ↗ Licht auf". 1935 *ff, jug.*
2. es ist mir ein ~ (ein innerer ~) = es freut mich sehr. Fußt auf dem studentischen Brauch, beliebten Professoren an ihrem Ehrentag einen Fackelzug zu veranstalten. 1930 *ff.*
facken *v* **1.** *intr* = schnell arbeiten. Verwandt mit ↗ fegen, mit ↗ ficken. 1920 *ff.*
2. etw ~ = etw geschickt herrichten. 1920 *ff.*
3. *tr intr* = werfen, ballspielen. 19. Jh.
fack-fack *adv* schnell. Befehlsform von ↗ facken 1. 1920 *ff.*
fad *adj* mir ist ~ = ich langweile mich. Fad, fade = schal, reizlos (im 18. Jh aus Frankreich entlehnt). 1920 *ff.*
Faden *m* **1.** Kleidung. Vom Webfaden hergenommen. *Rotw* 1950 *ff*, *österr.*
2. *pl* = Zigaretten. Leitet sich her vom fadenähnlichen Schnitt des Tabaks. 1960 *ff, halbw, schweiz.*
3. nasser ~ = Pollution. Faden = Samenfaden. 1910 *ff.*
4. da beißt keiner einen ~ ab = das ist unabänderlich. Zu vervollständigen nach „da beißt keine ↗ Maus einen Faden ab". 1965 *ff.*
5. jm den ~ abklemmen = jm ins Wort fallen. Faden = Gesprächsfaden. 1920 *ff.*
6. den ~ aufspulen = etw zurückverfolgen; eine Straftat aufklären. 1920 *ff.*
7. ohne einen ~ baden = nacktbaden. 1950 *ff.*
8. der ~ fädelt sich nicht ein = es kommt nicht zustande; es funktioniert nicht. Hergenommen vom Einführen des Nähfadens in das Nadelöhr. 1935 *ff.*
9. der ~ ist gerissen = a) der innere Zusammenhang ist verlorengegangen. Faden = Aufeinanderfolge von Zusammengehörigem. 1920 *ff.* – b) die Überlegung hat ausgesetzt; eine Bewußtseinsstörung ist eingetreten; ein Mißerfolg hat sich unausweichlich angebahnt. 1920 *ff.* – c) er hat die Beherrschung verloren; die Geduld ist zu Ende. 1920 *ff.*
10. keinen ~ haben = nichts anzuziehen haben. 1950 *ff.*
11. keinen trockenen ~ mehr am Leibe haben = durchnäßt sein. 1500 *ff. Vgl franz* „n'avoir plus un poil de sec".
12. jn am ~ halten = jn hinhalten, vertrösten. Leitet sich vom Marionettenspieler her. *Österr* 1930 *ff.*
13. sein Leben hängt nur noch an einem ~ = es besteht nur noch wenig Hoff

nung, daß er wieder gesund wird. Der Faden ist hier der von den Parzen und Nornen gesponnene Lebens- oder Schicksalsfaden, und „hängen" beruht auf dem an einem Roßhaar hängenden Damoklesschwert. 18. Jh.

14. an jm keinen guten ~ lassen = jm jegliche Vorzüge absprechen. Berührt sich mit der Redewendung „jm am ↗ Zeug flicken". 19. Jh.

15. keinen guten ~ miteinander spinnen = sich nicht vertragen. Spinnen und Weben waren früher eine Hauptaufgabe der Frauen und Mädchen daheim. 1900 *ff.*

16. einen langen ~ spinnen = weitschweifig erzählen. Faden = Gesprächsfaden. 19. Jh. *Vgl engl* „to spin a long yarn".

17. den ~ verlieren = sich beim Sprechen verwirren; aus dem gedanklichen Zusammenhang geraten. Der Faden als Sinnbild des Zusammenhängenden geht über den Begriff des „Leitfaden" vielleicht auf den Ariadnefaden der griechischen Mythologie zurück. 18. Jh. *Vgl franz* „perdre le fil du discours".

18. ihm ist der ~ weg = er hat den Gedankenzusammenhang verloren. 1900 *ff.*

19. es zieht sich wie ein roter ~ hindurch = es kommt immer wieder zum Vorschein. Die englische Kriegsmarine ließ in die Taue ihrer Segelschiffe einen roten Faden eindrehen, damit das Tauwerk (da gegebenenfalls leicht als Diebesgut erkennbar) nicht gestohlen werden konnte. Diese Herleitung stammt von Goethe („Wahlverwandtschaften"). 18. Jh.

Fadenkreuz *n* **1.** ins ~ geraten = scharfer Kritik ausgesetzt sein. Bei Zielfernrohren dient das Fadenkreuz zum äußerst scharfen Erfassen des Ziels. 1920 *ff.*

2. jn im ~ haben = a) jn scharf beobachten, nicht aus den Augen lassen. Seit dem frühen 20. Jh. – b) jn nicht leiden können; jm etw gedenken. *Sold* 1935 *ff.*

3. jn ins ~ nehmen = jn beobachten. 1910 *ff.*

4. im ~ sein = Zielpunkt der Kritik sein. 1920 *ff.*

'Fadi'an *m* langweiliger, schwungloser Mensch. Gehört zu „fade = schal, reizlos". *Österr* 19. Jh.

fadi'sieren *refl* sich langweilen. *Österr* 1900 *ff.*

fähig *adj adv* **1.** ausgezeichnet, unübertrefflich; sehr beliebt. Bedeutungsverstärkung von „fähig = tüchtig". *Halbw* 1950 *ff,* *bayr* und *österr.*

2. das schmeckt ~ = das schmeckt hervorragend. *Jug* 1950 *ff.*

3. zu allem ~ sein = vor keiner Niedertracht zurückschrecken *(iron).* Seit dem späten 19. Jh.

Fähnchen (Fahnerl, Fahnderl) *n* **1.** dünnes, leichtes Sommerkleid; einfaches, geschmackloses Kleid; abgenutztes Kleid. Fahnen werden aus einfachem Stoff hergestellt. 18. Jh.

2. Fähnrich, Fahnenjunker. 1920 bis heute.

Fahne *f* **1.** Rausch; Atem des Alkoholikers. Nach dem Muster von Rauchfahne im 19. Jh gebildet.

2. Taschentuch. Im ursprünglichen Sinne ein Stück Tuch; dann bezogen auf das Winken mit dem Taschentuch. 19. Jh.

3. flotte ~ = starker Alkoholgeruch aus dem Mund. 1920 *ff.*

4. die rote ~ aufgezogen haben = menstruieren. Der weißen Fahne der Kapitulation nachgebildet. 1900 *ff.*

5. die ~ nach dem Wind drehen (hängen) = um des Vorteils willen wankelmütig sein. ↗ Windfahne. 19. Jh.

6. zu den ~n geeilt werden = zum Wehrdienst einberufen werden. Passivische Konstruktion zur Betonung der Unfreiwilligkeit. *Sold* 1939 *ff* bis heute.

7. von der ~ gehen = a) Fahnenflucht begehen; sich der Dienstpflicht entziehen. *Sold* 1939 bis heute. – b) die politische Richtung, die Parteizugehörigkeit ändern. 1960 *ff.* – c) während der Vollzugslockerung flüchten. *Häftlingspr.* 1970 *ff.*

8. jm nicht von der ~ gehen = sich jm aufdrängen; jn belästigen. Berlin 1960 *ff.*

9. geh mir von der ~! = laß mich in Ruhe! komm mir nicht zu nahe! Berlin 1960 *ff.*

10. die rote ~ raushängen = menstruieren. ↗ Fahne 4. 1900 *ff.*

11. ihm flattert eine ~ voran = seinem Mund entströmt Alkoholdunst. Macht sich 1933 spöttisch die Textzeile aus dem Lied der Hitler-Jugend „Unsere Fahne flattert uns voran" von Baldur v. Schirach zunutze.

Fahnenmast *m* **1.** erigierter Penis. 1920 *ff.*

2. dein Gesicht auf einen ~, und wir hätten den Krieg gewonnen: Redewendung angesichts eines unfrohen Gesichtsausdrucks. Vor dieser Miene wären die Gegner geflohen. *Schül* 1950 *ff.*

Fahnenmesser *m* Teströhrchen für alkoholhaltigen Atem. ↗ Fahne 1. 1960 *ff.*

Fahrdoktor *m* sehr angesehener Arzt. Er besucht seine Patienten mit dem Wagen und erwirbt dadurch Mehrgeltung. 1850 *ff.*

Fahrdozent *m* Fahrlehrer. Er doziert über die Kunst des unfallfreien Fahrens. Geltungssteigerung. 1965 *ff.*

Fahrebund *m* **1.** Landstreicher. Dem „Vagabund" nachgebildet. 1900 *ff.* ↗ fahren 1.

2. Mann, der ohne Fahrschein ein öffentliches Verkehrsmittel benutzt; Fahrgeldhinterzieher. 1950 *ff.*

3. Mann, der unentgeltlich oder gegen geringes Entgelt im Auto mitgenommen werden möchte. 1950 *ff.*

fahren *intr* **1.** wanderbetteln. Geht zurück auf die Vorstellung vom fahrenden Schüler. 1900 *ff.*

2. fliegen. Fliegerspr. 1939 *ff.*

3. in jn ~ = koitieren (vom Mann gesagt). 1900 *ff.*

4. was ist in dich gefahren? = warum bist du so verändert? was hat dich dermaßen verändert? Hergenommen von der Vorstellung, daß der Teufel in den Menschen fährt. Seit dem späten 19. Jh.

5. was nicht geht, wird gefahren: Erwiderung auf die Äußerung: „es geht nicht" (im Sinne von „es ist unmöglich"). 1900 *ff.*

6. einen Angriff ~ = einen Angriffsflug unternehmen; zum Feindflug starten. Fliegerspr. 1939 *ff.*

7. eine Sendung ~ = eine Funk-, Fernsehsendung aufnehmen; bei einer Sendung Regie führen. 1950 *ff.*

8. jn ~ lassen = den Umgang mit jm abbrechen. Dahinfahren lassen = abreisen lassen. 1600 *ff.*

9. einen ~lassen = einen Darmwind entweichen lassen. 1500 *ff.*

10. sich ~lassen = sich ungesittet benehmen. Im Zeitalter des Verkehrs umgebildet aus „sich gehenlassen". 1930 *ff.*

11. besser schlecht gefahren als gut gelaufen: Redewendung angesichts eines alten Autos. Kraftfahrerspr. 1950 *ff.*

Fahrergruß *m* Dummheitsgebärde gegen den Kraftfahrer. ↗ Autofahrergruß 1. 1955 *ff.*

Fahrgast *m* Bordellbesucher. ↗ fahren 3. 1920 *ff.*

Fahrgeld *n* ~ schinden = ohne Fahrgeldentrichtung ein öffentliches Verkehrsmittel benutzen. 1920 *ff.* ↗ schinden.

Fahrgestell *n* **1.** Körperbau; Unterkörper und Beine. Meint eigentlich den Unterbau eines Wagens, Autos oder Flugzeugs. Seit dem frühen 20. Jh; *sold* 1914 bis heute; *schül* u. a.

2. hohes ~ = Langbeinigkeit. 1920 *ff.*

3. verbogenes ~ = Krummbeinigkeit. Fliegerspr. 1936 *ff.*

4. ein krummes ~ haben = a) alt und nicht mehr wehrdiensttauglich sein. 1914 *ff.* – b) dem Volkssturm angehören. *Sold* 1943 *ff.*

fahrig *adj* hastig, flüchtig, unüberlegt. Ursprünglich auf unruhige Bewegungen bezogen (mit den Händen hin- und herfahren). 18. Jh.

Fahrkarte *f* **1.** Fehlschuß. Hergenommen von der Anzeigetafel „Fehler" (senkrecht weiß/rot gestreift); sie ähnelt der Militärfahrkarte, die weiß mit einem breiten roten Mittelstreifen war. Sold 1900 bis heute, auch bei Jägern und Schützenvereinsmitgliedern üblich.

1 a. verfehlter Torball. *Sportl* 1965 *ff.*

2. um den Hals zu tragendes Schild für den Transport eines Verwundeten. *Sold* 1939 *ff.*

3. Rauschgift. Es ist die Fahrkarte für die Reise ins Traumland. Übersetzt aus *engl* „ticket". 1969 *ff.*

4. sich die ~ nach X erkämpfen (erlaufen, erschießen, erschwimmen usw.) = bei einer sportlichen Ausscheidung siegen und dadurch zur nächsthöheren Ausscheidung in X zugelassen werden. *Sportl* 1935 *ff,*

5. eine ~ geben = jn aus dem Amt verdrängen; jn umbringen. Man gibt ihm die Fahrkarte ins Jenseits. 1950 *ff.*

6. eine ~ lösen = a) sich beim Fliegen nach den Schienensträngen richten. Schienenstränge sind bei ganz schwachem Mondschein und Dämmerlicht gut aus der Luft zu erkennen, weil sie durch Schimmern deutlich von der Umgebung abheben. Wohl schon im Ersten Weltkrieg aufgekommen. *Vgl engl* „flying the iron beam". – b) im Tiefflug den Namen des Bahnhofs festzustellen suchen. *Sold* 1939 *ff.*

7. eine ~ schießen = a) das gegnerische Tor verfehlen. *Sportl* 1930 *ff.* - b) mit etw scheitern. 1945 *ff.*

Fahrplan *m* **1.** Speiseplan, Speisekarte. ↗ Magenfahrplan. Hieraus verkürzt. 1950 *ff.*

2. Theaterspielplan. Schauspielerspr. 1930 *ff.*

3. Richtlinie; Programm eines Unternehmens. 1925 *ff.*

4. Befehl (Ausführungsbestimmungen) für

ein militärisches Unternehmen. *Sold* 1939 *ff.*

5. Schulzeugnis. Durch es regelt sich die Versetzung oder die Nichtversetzung, auch die Schulverweisung. 1968 *ff.*

6. den ~ einhalten = ein Unternehmen programmgemäß durchführen. 1925 aufgekommen mit dem Wiedereintritt geregelter Verkehrsverhältnisse.

7. jm den ~ verderben = jds Absichten durchkreuzen. Wahrscheinlich 1940 aufgekommen anläßlich des deutschen Narvik-Unternehmens, als die deutschen Kriegsschiffe den britischen nur um wenige Stunden voraus waren; der Ausdruck stammt möglicherweise von Hitler. Vorform ist „jm die ↗ Fahrt verderben".

Fahrrad *n* **1.** Brille, Kneifer. Verkürzt aus ↗ Nasenfahrrad. 1930 *ff.*

2. Prostituierte. Sie läßt sich von jedem Mann „besteigen". 1960 *ff.*

3. ~ auf der Nase = Brille, Kneifer. ↗ Fahrrad 1. 1930 *ff.*

4. er hat ein Gesicht wie ein ~, - stundenlang zum Reintreten = er zeigt eine häßliche, mürrische Miene. „Reintreten" meint sowohl „auf die Pedale treten" als auch „hineintreten". *Jug* 1955 *ff.*

5. aufgeregtes ~ = Moped. 1955 *ff.*

6. nervöses ~ = Moped. 1955 *ff.*

7. scharfgemachtes ~ = Moped. 1955 *ff.*

8. wildgemachtes ~ = Fahrrad mit Hilfsmotor. 1920 *ff.*

9. wildgewordenes ~ = a) Rennmaschine. 1920 *ff.* - b) Moped. 1955 *ff.*

10. da fahren sie abends mit dem ~ auf dem (um den) Tisch, damit sie Licht haben = das ist eine sehr ärmliche Gegend. 1970 aus einem Ostfriesenwitz übernommen, *BSD.*

Fahrschein *m* **1.** Abortpapier. Begleitpapier der Exkremente auf ihrer „Fahrt" durch die Kanalrohre. 1900 *ff.*

2. ist noch jemand ohne ~? = wünscht noch jemand Getränke o. ä.? Aus der Straßenbahnsprache gegen 1920 übernommen.

Fahrstuhl *m* **1.** leicht aufbrausender und rasch sich beruhigender Mann. Die Zorneswallung steigt und fällt wie ein Fahrstuhl. 1935 *ff.*

2. Hubschrauber. Er kann senkrecht starten und landen. *BSD* 1968 *ff.*

3. Mine. Wer auf sie tritt, geht hoch wie ein Fahrstuhl. *BSD* 1970 *ff.*

4. ~ nach unten = Abstieg in der Rangliste. *Sportl* 1920 *ff.*

5. einen ~ in der Nase haben = den Nasenschleim einziehen. Stammt aus einer alten Berliner Posse des 19. Jhs.

Fahrt *f* **1.** gemeinsame Wanderung. Wandervogelsprache des frühen 20. Jhs., fußend auf dem Begriff „Pilgerfahrt" und dem jägersprachlichen Begriff „Fahrt = Jagdgang".

2. Flug. Fliegerspr. 1939 *ff.* ↗ fahren 2.

3. Bettelgang; Diebstahlsunternehmen. ↗ fahren 1. 1700 *ff.*

4. ~ ins Blaue = Fahrt mit unbekanntem (ungenanntem) Ziel. ↗ Blaues 1. 1925 *ff.*

5. ~ ins Unbekannte = Mathematikunterricht. Wegen der mit „x" gekennzeichneten unbekannten Größe. 1955 *ff*, *schül.*

6. freie ~ nach . . . = nach langer Wartezeit erhaltene Handlungsfreiheit. Dem Verkehrswesen entlehnt. 1955 *ff.*

7. schwarze ~ = Fahrt ohne Fahrpreis-

entrichtung. Seit dem frühen 20. Jh. ↗ schwarz 5.

8. jn in ~ bringen = jn in Aufregung versetzen; jn aufsässig machen. Ursprünglich ein seemännischer Ausdruck: Fahrt ist die Geschwindigkeit des Schiffes. Seit dem späten 19. Jh.

9. die Kiste auf ~ drücken = das Flugzeug auf höhere Geschwindigkeit bringen. Fliegerspr. 1936 *ff.*

10. auf ~ gehen = a) eine (Jugend-)Wanderung unternehmen. ↗ Fahrt 1. Seit dem frühen 20. Jh. - b) zum Betteln oder Stehlen ausgehen. 1700 *ff.*

11. ~ haben = gut im Schwung, sehr schnell sein. *Sportl* 1935 *ff.*

12. in ~ kommen = in gute, mitreißende Stimmung geraten; in Schwung kommen; wütend werden. ↗ Fahrt 8. Seit dem späten 19. Jh.

13. jm in die ~ kommen = einen Befehl durch einen Gegenbefehl aufheben. Fahrt = Fahrwasser. 1915 *ff.*

14. ~en machen = mutwillige Streiche verüben. Meint eigentlich die Späße auf einer Fahrt. 1800 *ff.*

15. auf ~ sein = auf Liebesabenteuer ausgehen. Fahrt = Pirschgang (des Jägers). 1920 *ff.*

16. in ~ sein = a) in guter Stimmung sein; unternehmungslustig sein; keine Hemmungen spüren. ↗ Fahrt 8. Spätestens seit 1800. - b) wütend sein. 19. Jh.

17. ganz groß in ~ sein = in Schwung sein; sich in seiner Fröhlichkeit nicht stören lassen. 1920 *ff.*

18. in großer ~ sein = vom Zechen beschwingt sein; sich nicht eindämmen lassen. 1920 *ff.*

19. zu großer ~ starten = sich auf eine Zechtour begeben. 1950 *ff.*

20. jm die ~ verderben = nahezu gleichzeitig mit jm dieselben Leute aufsuchen und anbetteln. ↗ Fahrt 3. 1800 *ff.*

Fahrwerk *n* Beine. Meint eigentlich die Räder und die Halterungen usw. des Flugzeugs. 1935 *ff.*

Fahrzeugschlange *f* lange Autokolonne. 1950 *ff.*

Faible *n* für etw ein ~ (gesprochen „Fäbel") haben = für etw eine Schwäche haben. Aus *franz* „faible = Schwäche" im 17./18. Jh übernommen.

fair *adj* kameradschaftlich. Fußt auf *engl* „gerecht, ehrlich, anständig" und meint im Sportleben soviel wie „die Regeln einhaltend" und von da übertragen auf die Einhaltung der ungeschriebenen Regeln des gesellschaftlichen Zusammenlebens. *Schül* 1950 *ff.*

Faktum *n* **1.** Straftat, Tat, Streich. Aus *lat* „factum = Gemachtes". Seit dem späten 19. Jh.

2. Schwierigkeit, Widerstand. Meint wohl einen Tatbestand, der sich nicht beseitigen läßt. *Österr* 1950 *ff.*

3. Diebesgut. ↗ machen = stehlen. *Rotw* 1847 *ff.*

Fakultät *f* **1.** Religionszugehörigkeit. Eigentlich die Hochschulabteilung. 19. Jh.

2. Truppengattung. Seit dem späten 19. Jh.

3. militärischer Gegner. 1914 *ff.*

4. Spielfarbe. Kartenspielerspr. 1920 *ff.*

5. Sportart. 1920 *ff*, *sportl.*

6. Berufszweig. 1920 *ff.*

7. Staatsangehörigkeit. 1950 *ff.*

8. Parteizugehörigkeit. 1950 *ff.*

9. von der anderen ~ sein = homosexuell sein. 1900 *ff.*

Fall *m* **1.** dicker ~ = Schwerverbrechen. 1920 *ff.*

2. großer ~ = aufsehenerregendes Ereignis. 1925 *ff.*

3. hoffnungsloser ~ = unverbesserlicher Mensch. Er läßt keinerlei Hoffnung auf Besserung zum Guten. Stammt aus dem Wortschatz der Mediziner. 1910 *ff.*

4. klarer ~ = sehr einleuchtender Vorfall; Selbstverständlichkeit. Wohl übertragen von den kriminalpolizeilich eindeutig geklärten Straftat. 1930 *ff.*

5. für den ~ der Fälle = für alle Fälle; für den Notfall. 1930 *ff.*

6. im ~ des (eines) Falles = nötigenfalls. 1930 *ff.*

7. ihm sind die Fälle fortgeschwommen = a) er spricht ein schlechtes Deutsch, verwechselt die Kasus. Hier ist die Redensart „ihm sind die Fälle weggeschwommen" wortspielerisch gekoppelt mit „Fälle = grammatische Kasus". 1900 *ff.* - b) er ist sprachlos. Etwa seit 1910.

8. schon (damit) hat sich der ~ = damit ist die Sache erledigt. 1940 *ff.*

9. das ist sein ~ = das macht ihm Freude, paßt ihm. „Fall" im Sinne vom Fallen der Würfel meint hier das günstige Geschehnis. 19. Jh.

Falle *f* **1.** Schule. Die Schüler betrachten sie als Ratten- oder Mausefalle. Spätestens seit 1900.

2. Bordell. Hergenommen von der Fanggrube des Jägers. 19. Jh.

3. verfängliche Frage. Mit der Antwort kann man leicht „↗ reinfallen". 1900 *ff.*

4. Bett. Ist entweder verkürzt aus „Wanzenfalle" oder bezieht sich auf die Schrankbetten, in denen man wie in einer Falle lag. Seit dem letzten Drittel des 19. Jh.

5. böse ~ = a) schwere Enttäuschung. Man ist in eine Fanggrube hineingeraten. 1950 *ff, halbw.* - b) schwierige schriftliche Schularbeit. 1950 *ff, schül.*

6. ~ bauen = sein Bett morgens vorschriftsmäßig herrichten. *Sold* 1900 *ff.*

7. sich in die ~ hauen = zu Bett gehen. Sich hauen = sich niederwerfen. Seit dem späten 19. Jh.

8. ~ machen = zum Falschspiel verführen; beim Spiel dem Betrüger zureden, damit er auf das für ihn scheinbar schlechte Spiel eingeht. Falle = Fanggrube. 1850 *ff.*

9. eine ~ reißen = vorspiegeln, lügen, betrügen. *Rotw* seit dem frühen 20. Jh.

10. aus der ~ rollen = sich unpassend benehmen. Verdreht aus „aus der ↗ Rolle fallen". 1900 *ff.*

11. ~ schieben = jm durch gespieltes Wohlwollen ein Geständnis entlocken. ↗ schieben. *Rotw* 1922 *ff.*

fallen *intr* **1.** verhaftet werden. Gemeint ist, daß man in eine Falle gerät. Verbrecherspr. Seit dem späten 19. Jh.

2. eine Prüfung nicht bestehen. ↗ durchfallen. 1900 *ff.*

3. durch die Prüfung gefallen werden = in der Prüfung scheitern. Passivische Konstruktion zur Verstärkung der Unfreiwilligkeit und Ohnmacht. 1950 *ff.*

4. ich könnte über ihn ~ = ich würde ihn nicht wiedererkennen. 1900 *ff.*

Fallhut *m* Schutzhelm der Kraftfahrer und Flieger. Meinte im 16. Jh den Kopfschutz aus gepolstertem Leder für kleine Kinder. 1935 *ff*.

fällig sein strafwürdig sein. Der Betreffende ist der Strafe verfallen. 1300 *ff*.

Fallmacher *m* Mann, der biedere Leute zu einem Spiel verleitet und sie dabei betrügt. ↗Falle 8. 1900 *ff*.

Fallmasche *f* mißglückter Trick. Eigentlich die fallende Masche im Damenstrumpf; hier verquickt mit „Masche = Kunstgriff". 1950 *ff*.

Fallschirm *m* 1. ~ im Auto = Sicherheitsgurt des Autofahrers. 1966 *ff*.
2. am ~ hängen = in schwieriger, aber nicht hoffnungsloser Lage sein. Rundfunkspr. 1954 *ff*.

falsch *adj* 1. richtig ~ = so falsch wie nur möglich. Richtig = echt, unverfälscht; weiterentwickelt zur Bedeutung „gehörig". Seit dem späten 19. Jh.
2. ~ gewickelt sein = sich in seinen Erwartungen täuschen; verkehrten Ansichten anhängen. ↗schief gewickelt sein. 1900 *ff*.
3. ~ husten = sich unüberlegt äußern; mit einer Äußerung Unwillen erregen. „Husten" wie „spucken" oder „rotzen" meinen gleicherweise „sich äußern". 1960 *ff*.
4. ~ liegen = a) sich irren; einer falschen Verfahrensweise anhängen; in Verdacht stehen. Stammt aus der Börsensprache, wo es „falsch spekulieren" meint. 1920 *ff*. – b) sich homosexuell betätigen. 1900 *ff*.
5. jn ~ machen = jn erzürnen. *Vgl* das Folgende. 18. Jh.
6. ~ sein = zornig sein. „Falsch" entwickelt über die Bedeutung „fehlerhaft" die charakterliche Bezeichnung „tückisch" und weiter „wütend". 18. Jh.
7. ~ verbunden! = du irrst dich! Stammt aus dem amtlichen Telefonistinnendeutsch. 1920 *ff*.
8. Sie sind ~ verbunden = Sie wenden sich an die verkehrte Stelle. 1920 *ff*.
9. ~ werden = ungehalten, zornig werden. ↗falsch 6. 18. Jh.
10. richtig ~ werden = in höchste Wut geraten. *Vgl* ↗falsch 1. Seit dem späten 19. Jh.

Falscher *m* 1. junger Mann, der aus Erwerbsgründen homosexuellen Umgang hat, ohne homosexuell veranlagt zu sein. 1920 *ff*.
2. bei mir kommst du an den Falschen = du irrst dich in mir. 1920 *ff*.

Fälscher *m* Heiratsschwindler. 1920 *ff*.

Falstaffbauch *m* sehr dicker Bauch. Hergenommen von Sir John Falstaff, einer Gestalt aus den Shakespeare-Dramen „Heinrich IV." und „Die lustigen Weiber von Windsor", am bekanntesten aus der Oper „Die lustigen Weiber von Windsor" von Otto Nicolai (1849). 19. Jh.

Falte *f* 1. Vulva. Wegen der Formähnlichkeit. 1900 *ff*.
2. jm nicht von der ~ gehen = jn nicht aus den Augen lassen. Falte = Rockfalte; analog zu ↗Rockzipfel. *Österr* 1900 *ff*.
3. jm auf der ~ sitzen = jn beherrschen. *Österr* 19. Jh.

Falter *m* leichtes Mädchen. Es fliegt von Blüte zu Blüte wie ein Schmetterling und betätigt sich vor allem als ↗Nachtfalter. *Halbw* 1955 *ff*.

Faltgarage *f* wasserdichte Plane zum Eindecken des Autos bei längerem Verweilen im Freien, vor allem nachts. 1940 *ff*.

Familie *f* 1. Vereinigung aller Bilder derselben Farbe in der Hand eines Spielers. 1900 *ff*.
2. geflickte ~ = eheähnliche Verbindung mit beiderseits vorhandenen und gemeinsam dazu erzeugten Kindern. 1950 *ff*.
3. große ~ = Ehe, bei der beide Partner Kinder mitbringen und weitere zeugen. 1950 *ff*.
4. etwas außerhalb der eigenen ~ = ehebrecherisch. Nachgebildet dem Schlagwort „etwas außerhalb der ↗Legalität". 1965 *ff*.
5. es bleibt in der ~ = es bleibt unter uns; wir sprechen darüber nicht mit anderen. Anspielung auf den Korpsgeist der Familienmitglieder. 19. Jh.
6. er kann eine ~ arm fressen = er ist ein Vielesser. 19. Jh.
7. in ~ machen = a) den Familienzusammenhalt pflegen; nur innerhalb der eigenen Familie sein. ↗„machen in . . .". 1920 *ff*. – b) keinen Angehörigen einer fremden Truppeneinheit zulassen. 1935 *ff*. – c) eine Schulfeier veranstalten. Schüler, Lehrer und Eltern empfinden sich als Schulfamilie. 1965 *ff*.
8. aus anständiger, wenn auch reicher ~ stammen = reich geworden, aber manierlich geblieben sein. Fußt auf der volkstümlichen Meinung, daß Geld den Charakter verdirbt. 1960 *ff*.
9. ~ verursachen = Nachwuchs zeugen. 1950 *ff*.
10. das kommt in den besten ~n vor = derlei kann leicht geschehen; das ist nicht sonderlich schlimm. Gemeint ist, wenn es in den besten Familien vorkomme, könne es auch unsereinem ungestraft geschehen. Seit dem späten 19. Jh, wahrscheinlich entlehnt aus dem Textbuch zu „Gasparone" von Carl Millöcker (1884). *Vgl franz* „ce sont des choses qui arrivent dans les meilleures familles".

Familienflüchtling *m* Mann, der seine Familie verläßt. 1970 *ff*.

Familiengewitter *n* laute Auseinandersetzung in der Familie. ↗Gewitter. 1920 *ff*.

Familienglück *n* Penis. Er beglückt die Familie mit Nachwuchs. 1960 *ff*.

Familienkino *n* Fernsehen daheim. 1950 *ff*.

Familienklamotte *f* anspruchsloses Schauspiel aus dem Familienleben. ↗Klamotte. 1965 *ff*.

Familienklan *m* Familiengemeinschaft. *Ir-schott* „clan = Stammesverband, Sippe". 1960 *ff*.

Familienklüngel *m* Versipptheit; berufliche Begünstigung der Familienangehörigen. ↗Klüngel. 1900 *ff*.

Familienkrüppel *m* neurotischer Ehepartner. ↗Krüppel. 1950 *ff*.

Familienkutsche *f* 1. großes (altes) Auto, in dem viele Personen Platz haben. Kutsche = Gala-Wagen für Spazierfahrten. 1920 *ff*.
2. Kinderwagen. Kutsche = Personenwagen mit Verdeck und Federung. 1920 *ff*.

Familienleben *n* das ~ ändern = sich scheiden lassen. 1950 *ff*.

Familienminister *m* Ehemann, Vater. Aufgekommen 1953 mit Einführung des Bundesfamilienministeriums.

Familienquetsche *f* kleiner Gewerbebe-

trieb, in dem die Familienangehörigen mitarbeiten. ↗Quetsche. Seit dem späten 19. Jh.

Familienrat *m* Beratschlagung im Schoß der Familie. 1920 *ff*.

Familienröhre *f* Bildschirm daheim. 1960 *ff*.

Familienschaf *n* schwarzes ~ = Familienmitglied, das gegen die Familientradition verstößt. ↗Schaf. 1900 *ff*.

Familienschäse *f* 1. Kleinauto für Sonntagsausflüge der Familie. ↗Schäse. *Jug* 1955 *ff*.
2. Kinderwagen. *Jug* 1950 *ff*.

Familiensegen *m* 1. der ~ hängt schief = in der Familie herrscht Zerwürfnis. *Vgl* ↗Haussegen. Spätestens seit 1900.
2. der ~ hängt wieder grade = in der Familie ist die Eintracht wiederhergestellt. 1920 *ff*.

Familiensimpel *m* Mensch, dessen Sinnen und Trachten nur seiner Familie gilt. ↗Simpel. Seit dem späten 19. Jh.

familiensimpeln *intr* auf die Pflege der familiären Beziehungen sehr großes Gewicht legen; widerwillig und gelangweilt sich der Familie widmen müssen (während man lieber anderes täte). Dem „↗fachsimpeln" nachgeahmt. Seit dem späten 19. Jh.

Familienstandsabzeichen *n* Ehering. Berlin 1950 *ff*.

Familienszene *f* Erlebnis-, Betätigungsspielraum einer Familie. ↗Szene. 1965 *ff*.

Familientäuscher *m* vermögender Junggeselle, der jungen Mädchen samt Anhang Ehehoffnungen macht, ohne sie zu verwirklichen. Seit dem späten 19. Jh; anscheinend in Offizierskreisen aufgekommen.

Familientier *n* Mensch mit viel Sinn für das Familienleben. Dem „↗Gesellschaftstier" nachgeahmt. 1960 *ff*.

Familienvater *m* 1. junger Mann mit mehreren Freundinnen gleichzeitig. *Halbw* 1950 *ff*.
2. vielköpfiger ~ = Vater einer vielköpfigen Familie. Witzige Umstellung der zusammengehörigen Begriffe. 19. Jh.
3. zahlreicher ~ = a) Vater einer vielköpfigen Familie. 19. Jh. – b) wohlhabender, vor allem mit vielen Töchtern gesegneter und als Schwiegervater begehrter Vater. 1900 *ff*.

Familienzauber *m* Gemeinsamkeitspflege in der Familie. ↗Zauber. 1960 *ff*.

Familienzerrüttung *f* gepflegte ~ = Familienzwist, der nach außen nicht in Erscheinung tritt. 1920 *ff*.

famos *adj* prächtig, großartig. *Stud* Modewort, um 1830 aufgekommen. Fußt auf *lat* „famosus = wohlbeleumdet" und ist beeinflußt von *franz* „fameux = berühmt, ausgezeichnet".

Fan (*engl* ausgesprochen) *m* leidenschaftlicher Liebhaber (Jazzfan, Fußballfan, Totofan usw.). 1945 mit den amerikanischen Besatzungstruppen eingewandert. Fußt auf *angloamerikan* „fan = Fanatiker, Schwärmer".

Fangeisen *n* 1. Ehering. Meint eigentlich die eiserne Falle (Tellereisen, „Schwanenhals"). 1900 *ff*.
2. Sammelstelle für versprengte Soldaten. *Sold* in beiden Weltkriegen.

fangen *v* 1. *tr* = stehlen; Taschendiebstahl

begehen. Fußt auf der Vorstellung vom Fischfang. 1900 *ff.*

2. *tr* = jn zum Wehrdienst einziehen. 1935 *ff.*

3. eine ~ = eine Ohrfeige erhalten. Fangen = erhaschen. 19. Jh.

4. es fängt nicht = trotz vieler Versuche stellt sich keine Schwängerung ein. Aus der Mechanik übernommen: der Hebel greift (verfängt) = der Hebel paßt in die Raste ein (oder er „fängt" sie nicht). 1930 *ff.*

5. sich einen ~ = nicht bei klarem Verstand sein; eine närrische Schwäche für etw haben. Was man fängt, ist der ↗Vogel. 1900 *ff.*

6. sich wieder ~ = zum gewohnten Zustand zurückkehren; seine Beherrschung wiedererlangen; aus der Ohnmacht erwachen. 1920 *ff.*

Fanggebiß *n* Gruppe unnahbarer junger Mädchen. Gebiß = Vielzahl von Mädchen; ↗Fangzahn. *Halbw* 1955 *ff.*

Fangzahn *m* **1.** Mädchen, das intimen Verkehr mit Jungen sucht. Ein „Zahn" (= Mädchen), das zu fangen sucht. *Halbw* 1955 *ff.*

2. unnahbares, überhebliches Mädchen. Eigentlich der Eckzahn des Haarraubwilds und des Hundes; *vgl* ↗Eckzahn 3. *Halbw* 1955 *ff.*

3. junge Prostituierte. ↗Fangzahn 1. 1955 *ff.*

Fant *m* **1.** unreifer Mann; frecher Junge. Geht zurück auf *ital* „fante = Knabe, Diener". 17. Jh.

2. seichter ~ = dummer, oberflächlicher, eingebildeter, geschwätziger Mensch. Seicht = niedrig, flach. 1900 *ff.*

fäntern *intr* **1.** überflüssige und sinnlose Spielerei betreiben, anstatt Sinnvolles zu lernen. Fußt auf ↗Fant 1. 19. Jh.

2. umherstrolchen. 19. Jh.

Farbe *f* **1.** Konfession, Partei, Stand. Die Farbe (im Sinn von Flaggen- oder Wappenfarbe) ist Sinnbild der Zugehörigkeit zu einer Gruppe. 19. Jh.

2. müde ~ = ruhiger Farbton (keine Schockfarbe). 1960 *ff.*

3. raus mit der ~! = sag die Wahrheit! Bekenne! Vom Kartenspiel übernommen. 19. Jh.

4. die ~ geht ab = der wahre Charakter kommt zum Vorschein. Der Anstrich bröckelt ab. 1900 *ff.*

5. ihm rinnt die ~ ab = er erbleicht. 1950 *ff.*

6. ihm schießt alle ~ ab = er wird blaß. 1950 *ff.*

7. ~ bekennen = seine wahre Gesinnung zu erkennen geben; seine Meinung aufrichtig sagen. Farbe ist beim Kartenspiel eine der vier Gruppen. Man bekennt Farbe, wenn man dieselbe Farbe spielt, die der andere angespielt hat. 19. Jh.

8. fall mir nicht in die ~! Redewendung, wenn einer der Gegenspieler in Vorderhand seinem Mitspieler in Mittelhand derart einspielt, daß die Gegenspieler in Nachteil geraten. 1900 *ff.*

9. sich in ~ fassen lassen = sich malen lassen. Dem Wortschatz der Juweliere entlehnt. 1960 *ff.*

10. keine ~ halten = unzuverlässig sein; die Gesinnung beliebig wechseln. 19. Jh.

11. mit der ~ rausrücken = seine wahre Meinung offenbaren; ein Geständnis able-

gen; beichten. Dem Kartenspielerdeutsch entnommen. 19. Jh.

12. die ~n schlagen sich = die Farben passen nicht zueinander. *Österr* 1900 *ff.*

13. etw in rosaroten ~n sehen = etw in irreführender Verschönung erkennen. 1930 *ff.*

14. die richtige ~ spielen = der herrschenden Partei angehören. 1960 *ff.*

färbeln *intr* glücksspielen. Bezieht sich auf ein Kartenspiel, bei dem nur die Farben und keine Trümpfe gelten. *Österr* 19. Jh.

färben *v* **1.** etw ~ = etw beschönigen, verharmlosen. Man schildert es in bunten Farben, treibt es „zu ↗bunt". 1300 *ff.*

2. *intr* = lügen. Rotw 1400 *ff.*

farbenblind *adj* ~ auf der Zunge sein = wahllos essen, was vorgesetzt wird. Soll auf einem Werbespruch um 1930 beruhen: „Wer Weba-Eis nicht lecker find't, ist auf der Zunge farbenblind".

Farbenkasten *m* ↗Farbkasten.

Farbensalat *m* Durcheinander von Farben. ↗Salat. 1950 *ff.*

Farbentopf *m* ↗Farbtopf.

Farbenwechsel *m* Änderung der politischen Meinung; Übertritt zu einer anderen Partei; Verrat der eigenen (oder früher geheuchelten) Überzeugung. 1933 *ff.*

Färber *m* Lügner. ↗färben 2. 19. Jh.

Farbkasten *m* **1.** große breite Ordensschnalle. Wegen der verschiedenen Farben der Ordensbänder. 1900 *ff.*

2. Schminkdose. 1920/30 *ff.*

3. stark geschminkte weibliche Person. 1930 *ff.*

4. in einen ~ gefallen sein = ohne Geschmack geschminkt sein. 1930 *ff.*

Farbstoffe *pl* ~ tragen = (übertrieben) geschminkt sein. *Halbw* 1950 *ff.*

Farbtopf *m* **1.** ausgegossener ~ = Gemälde ohne künstlerischen Wert. Seit dem späten 19. Jh.

2. in den ~ gefallen sein = auffällig, geschmacklos geschminkt sein. 1930 *ff.*

faschieren *v* jm eine ~ = jn ohrfeigen. Vom Feinhacken des Fleisches übertragen auf das Schlagen ins Gesicht. *Österr* 1950 *ff.*

Faschingsbummel *m* Schlendern durch das Faschingstreiben. ↗Bummel 1. 1900 *ff.*

Faschingsfrisur *f* Beatle-Frisur. 1964 *ff.*

Faschingsjünger *m* Faschingsnarr. 1920 *ff.*

Faschingskanone *f* tüchtiger, mitreißender Karnevalist. ↗Kanone 1. 1920 *ff.*

Faschingsmuffel *m* Faschingsgegner. ↗Muffel. 1964 *ff.*

Faschingswein *m* saurer Wein. Vor lauter Säure zieht man das Gesicht unwiederkennbar zusammen und bedarf keiner Maske mehr. 19. Jh.

Faselhans *m* Dummschwätzer. ↗faseln 1. 18. Jh.

faselig *adj* verworren, zerstreut, töricht. 18. Jh.

Faselmeier *m* törichter Schwätzer. 19. Jh.

faseln *intr* **1.** töricht schwätzen; irre, wirr reden. Herkunft ungeklärt. Seit dem späten 17. Jh.

2. lügen. 19. Jh.

Faser *f* **1.** *pl* = Kleidung. Faser = dünner Faden; analog zu ↗Faden 1. *Halbw* 1965 *ff.*

2. mit keiner ~ an etw (jn) denken = an etw (jn) überhaupt nicht denken. „Faser"

versteht sich hier wohl in der Bedeutung „Ader, Vene". 1920 *ff.*

Faß *n* **1.** schweres Kriegsschiff. Analog zu ↗Pott. *Marinespr* 1939 *ff.*

2. Abort. Meint den Abortkübel. *BSD* 1965 *ff.*

3. Pokal. Scherzhafte Übertreibung. *BSD* 1965 *ff.*

4. dicker Mensch. 19. Jh.

5. geselliges Zusammensein von Jungen und Mädchen. Fußt vielleicht auf *engl* „kit", das sowohl das Faß als auch die Sippschaft bezeichnet. *Vgl* auch das *amerikan* Slangwort „to fuss = flirten". *Halbw* 1955 *ff.*

6. Könner in einem Fachgebiet. Vergrößerung von „Kanone = Fachgröße"; ähnliche nennt man auch den großen Bierkrug mit einem Fassungsvermögen von zwei oder drei Litern. *Halbw* 1955 *ff.*

7. beliebter Vorgesetzter. Versteht sich nach dem Vorhergehenden. *BSD* 1965 *ff.*

8. kameradschaftlicher Mensch. *Schül* 1955 *ff.*

9. sympathischer Älterer. *Halbw* 1955 *ff.*

10. begehrenswerter Ehepartner. 1960 *ff.*

11. Angelegenheit. *Vgl* ↗Faß 6. *Halbw* 1955 *ff.*

12. ~ ohne Boden = unersättlicher Trinker. 1900 *ff.*

13. hohes ~ = a) großer Könner. ↗Faß 6. *Halbw* 1955 *ff.* – b) große Leistung. *Halbw* 1955 *ff.*

14. das höchste ~ = a) der Beste unter vielen; Hauptkönner. *Halbw* 1955 *ff.* – b) weit überragende Angelegenheit. *Halbw* 1955 *ff.*

15. schaues ~ = nette, schwungvolle Party. ↗schau. *Halbw* 1955 *ff.*

16. volles ~ = Schwangerschaft in den letzten Monaten. 1500 *ff.*

17. frisch vom ~ = ohne Verfilmung (vorherige Aufzeichnung) ferngesendet. Vom Faßbier hergenommen zum Unterschied vom Flaschenbier. 1960 *ff.*

18. voll wie ein ~ = volltrunken. 19. Jh. *Vgl franz* „ivre comme une futaille".

19. das ~ anstechen = deflorieren. 1500 *ff.*

20. ein anderes ~ anstechen = die Farbe wechseln. Kartenspielerspr. 1900 *ff.*

21. ein ~ aufmachen = a) von etw viel Aufhebens machen; prahlen. Hergenommen vom festlich begangenen Anstich des Oktober- oder Märzenbieres (oder vom Öffnen eines Butter- oder Margarinefasses, das in fettarmen Zeitläufen willkommener war als das Faß Bier). 1910 *ff.* – b) in einer Gesellschaft kräftig zechen; eine Sache ausgiebig feiern. 1960 *ff.* – c) eine nette Party veranstalten, für Stimmung sorgen; sich hervorragend amüsieren. *Halbw* 1955 *ff.* – d) ein hohes Kartenspiel spielen. ↗Faß 11. 1955 *ff.* – e) Streit anfangen; zu schimpfen beginnen. *Schül* 1955 *ff.* – f) straffällig werden. 1955 *ff.*

22. mit jm ein ~ aufmachen = jn zur Rechenschaft ziehen. 1955 *ff.*

23. mit etw kein ~ mehr aufmachen = mit etw keinen Eindruck mehr erwecken. 1955 *ff.*

24. im ~ ist auf = es herrscht ausgelassene Stimmung. ↗Faß 5. 1960 *ff.*

25. das setzt dem ~ die Krone auf = das ist unerhört, unerträglich. Zusammengesetzt aus „das setzt allem die ↗Krone auf" und dem Folgenden. 1920 *ff.*

26. das schlägt dem ~ den Boden aus = das übersteigt alle Geduld; das ist nicht länger zu ertragen. Hergenommen vom Böttcherhandwerk: das Faß verliert den Boden, wenn die Reifen gesprengt sind, und dies kann leicht geschehen, wenn der Böttcher die Reifen zu kräftig zur Mitte der Faßwölbung schlägt. 1500 ff.

27. schlag dem ~ nicht den Boden aus! = übertreibe nicht! bleibe sachlich! 1920 ff.

28. das schlägt dem ~ das Ei aus = das ist unerhört. Zerspielt aus ↗ Faß 26. 1920 ff.

29. das schlägt dem ~ die Krone aus!: Ausruf des Unwillens. Spielerisch zusammengesetzt aus ↗ Faß 25 und ↗ Faß 26. 1920 ff.

30. dem ~ den Boden ausstoßen = deflorieren. 1900 ff.

31. das ~ zum Überlaufen bringen = eine Entwicklung bis zur Unerträglichkeit steigern; etw zum äußersten treiben. 19. Jh.

32. das schlägt das ~ durch!: Ausruf der Unerträglichkeit. 1900 ff.

33. er ist über das ~ gebügelt = er hat auswärtsgekrümmte Beine. Krummbeinigkeit ist hiernach nicht naturgegeben, sondern Folge unzweckmäßigen Hosenbügelns. 1920 ff, schül.

34. auf einem ~ geritten sein = auswärtsgekrümmte Beine haben. 1920 ff.

35. irgendwo hat das ~ ein Loch = die Aussagen der Verdächtigen stimmen nicht überein. Gemeint ist, daß ein verborgener Schaden sichtbar oder spürbar wird. 1950 ff.

36. das haut dem ~ die Krone ins Gesicht = das ist der Gipfel der Frechheit; jetzt ist die Geduld zu Ende. Verspielt durch Kürzung der übereinandergelagerten Redensarten „das schlägt dem ↗ Faß den Boden aus", „das schlägt einer Sache ins Gesicht", „das ist die Krone von . . ." und „das setzt allem die ↗ Krone auf". Stud 1920 ff.

37. da geht dem ~ die Krone hoch = das ist unerhört. 1950 ff.

38. das schlägt dem ~ den Boden mitten ins Gesicht!: Ausdruck der Unerträglichkeit. 1945 ff.

39. das schmeckt nach altem ~ = das läßt Unangenehmes erwarten; das sieht böse aus. Bezieht sich eigentlich auf den Wein, der einen muffig- hölzernen Geruch und Geschmack angenommen hat. 1935 ff.

40. im ~ sein = unübertrefflich sein. Schweiz 1960 ff, halbw.

41. aus einem hohlen ~ sprechen (reden o. ä.) = laut, aber unsinnig reden. Es dröhnt, ist aber substanzlos. 1900 ff.

42. das treibt das ~ auf die Spitze = das ist unerträglich. Erweitert aus der Grundvorstellung „↗ Faß 26" unter Einfluß von „etw auf die Spitze treiben". 1930 ff.

43. das treibt dem ~ die Krone auf die Spitze!: Ausdruck des Unmuts. 1950 ff.

Faßabziehe f Sprudel vom Faß. Halbw 1955 ff.

Fassade f 1. Gesicht. Übernommen im späten 19. Jh. von der französischen Bezeichnung für die Vorderseite des Hauses.

2. Körperbau; äußere Erscheinung des Menschen.

3. emaillierte ~ = überreichlich geschminktes Gesicht. ↗ Emaille. 1925 ff.

4. gekalkte ~ = bleich geschminktes Gesicht. 1950 ff.

5. geliftete ~ = schönheitschirurgische Gesichtsverbesserung. Engl „to lift = hochheben". 1965 ff.

6. kesse ~ = reizvolles Äußeres. ↗ keß. 1950 ff.

7. keusche ~ = hochgeschlossenes Vorderteil eines Frauenkleides. Keusch = züchtig. 1950 ff.

8. jm die ~ dekorieren (putzen) = jm ins Gesicht schlagen. „Dekorieren" spielt auf bunte Flecken an. Seit dem frühen 19. Jh.

9. jm die ~ einhauen = jm ins Gesicht schlagen. 1910 ff.

10. ich haue dir in die ~, daß die Verzierung abbricht: Drohrede. 1910 ff.

11. einen hinter die ~ kippen = ein Glas Alkohol trinken. ↗ kippen. 1950 ff.

12. jm einen vor (in) die ~ knallen = jm kräftig ins Gesicht schlagen. ↗ knallen. 1920 ff.

13. jm die ~ lackieren = jn ohrfeigen. ↗ lackieren. 1920 ff.

14. die ~ liften = eine gesichtskosmetische Operation vornehmen. ↗ Fassade 5. 1965 ff.

15. jm die ~ polieren = jm ins Gesicht schlagen. 1910 ff.

16. die ~ putzen = rasieren. 1900 ff.

17. jm die ~ renovieren = jn ohrfeigen. 1950 ff.

18. jm die ~ verbeulen = jn heftig prügeln. Man wird Beulen davontragen. 1920 ff.

19. jm die ~ verbiegen = jn heftig ins Gesicht schlagen. Der Geschlagene bekommt ein schiefes Gesicht. 1935 ff.

20. die ~ wahren = den vorteilhaften äußeren Anschein wahren. Variante zu „das Gesicht wahren". 1950 ff.

Fassadenanstrich (-erneuerung, -malerei) m (f) Make-up. 1960 ff.

Fassadenmaurer m 1. Schönheitsoperateur. Er verdeckt die Runzeln mit „Zement". 1925 ff.

2. Kosmetiker. 1925 ff.

Fassadenpicasso m Anstreicher. Scherzhaft benannt nach dem spanischen Maler Pablo Picasso (1881–1973). Halbw 1955 ff.

Fassadenraffael m Anstreicher. Aufgekommen im späten 19. Jh. mit der bunten Bemalung der Häuserfronten.

Fassadentüncher m Maskenbildner. 1925 ff, theaterspr.

Fäßchen n auf dem ~ laufen gelernt haben = auswärtskrümme Beine haben. Die krummen Beine sind durch eine unzweckmäßige Gewohnheit entstanden. 1920 ff.

Fasse f 1. Hand. Begriffsverengung auf die Vorstellung des Greifens. Jug 1950 ff.

2. Polizeibeamter; Polizei. 1955 ff.

fassen tr 1. etw bekommen, entgegennehmen, einnehmen. Meint „mit der Hand ergreifen und halten". Sold seit dem 19. Jh. bis heute.

2. eine ~ = eine Ohrfeige erhalten. Fassen = erhaschen. Analog zu ↗ fangen 3. 19. Jh.

3. ich kann mich ~ = die Leistung ist mittelmäßig. Man verliert eher nicht die Beherrschung, es ist also nichts Aufregendes. Jug 1955 ff.

4. faß ihn! = a) Aufforderung an den Partner, die Karte des Gegners zu übertrumpfen. Eigentlich der Hetzruf an den Hund. 1900 ff. – b) Aufforderung an den

Kameraden, sich etw nicht gefallen zu lassen. 1900 ff.

Fasson (franz ausgesprochen) n f 1. aus der (dem) ~ geraten (gehen) = dicklich, rundlich werden. Meint den Zuschnitt der Kleidung, danach auch die äußere Gestalt. 1900 ff.

2. nach seiner eigenen ~ selig werden = auf eigene Weise handeln. Geht zurück auf eine Randbemerkung Friedrichs II. („Hier muß ein jeder nach seiner Fasson selig werden.") in bezug auf die Duldung beider christlichen Bekenntnisse in Berlin (1740). 19. Jh.

fast adv 1. das macht ~ gar nichts = Erwiderung auf eine Entschuldigung wegen eines Stoßes in die Seite, eines Tritts auf den Fuß o. ä. 1900 ff.

2. etw ~ beinahe merken = sehr begriffsstutzig sein. „Fast beinahe" umschreibt scherzhaft die Verneinung „überhaupt nicht". 1920 ff.

Fastnachtsjeck m farbentragender Verbindungsstudent. Ausdruck im Munde von Gegnern des Farbentragens an den Universitäten. 1950 ff.

Fastnachtskanone f beliebter Karnevalist. ↗ Kanone 4. 1960 ff.

Fastnachtsmuffel m Mensch ohne Sinn für Fastnacht. Dem ↗ Krawattenmuffel nachgebildet. 1970 ff.

Fatz m kein ~ = niemand; nichts. Fatz = Furz = Darmwind. 1900 ff.

Fatzke m 1. dünkelhafter Mann; hochmütiger Stutzer. Setzt sich zusammen aus der Verkleinerungsendung „-ke" und dem Verb „fatzen = possenhaft handeln". Gegen Ende des 18. Jh. in Berlin aufgekommen.

2. dummer Mensch; Energieloser; Junge, der sich alles gefallen läßt. 19. Jh.

faul adj 1. schlimm, aussichtslos; unredlich; verdächtig. „Die Sache ist faul = die Sache ist a) schlecht, b) verdächtig". „Faul" im Sinne von „verfault, morsch" entwickelt sich zur Bedeutung „unbrauchbar" sowohl in bezug auf Sachen als auch auf Menschen. 1500 ff.

2. nicht verschwiegen; feige; unzuverlässig. Verbrecherspr. seit dem 19. Jh.

3. nicht ~ = ohne zu zögern; ohne lange zu überlegen 16. Jh.

4. ~ bis auf die Knochen = in keiner Weise vertrauenswürdig. ↗ Knochen 10. 19. Jh.

5. es riecht ~ = die Sache ist bedenklich, heikel, gefährlich. 1900 ff.

6. es ist etwas ~ in . . . = mit etw ist es nicht so, wie es sein sollte. Fußt auf „es ist etwas faul im Staate ↗ Dänemark". 1920 ff.

7. die Sache steht ~ = die Sache ist wenig aussichtsreich. 1500 ff.

Faularsch m träger Mensch. 19. Jh.

Faulbank f vordere Sitzbank für die Klassenschlechtesten. Meint die bequeme Ofenbank u. ä. 19. Jh.

fauldreist adj dreist und träge und stets darauf bedacht, anderen die Arbeit aufzubürden. 1900 ff. Dazu der Wandspruch im alten Berliner Rathaus (um 1700): „Die Faulen und die Dreisten/schrei'n am allermeisten".

Faulenzer m 1. Übersetzung eines fremdländischen Textes. Schül 1900 ff.

2. Linienblatt; Schreibhilfe jeglicher Art. Seit dem späten 19. Jh.

3. Verdopplungsstrich über den Buchstaben m und n. 1920 *ff.*

4. Rechenschieber; Buch mit Hilfstabellen; Holzrechner. 19. Jh.

5. Aufsteigschraube am Hinterrad des Fahrrads. 1920 *ff.*

6. bequemer Sessel; Liege-, Lehnstuhl; Couch. 19. Jh.

Faulenzerstuhl *m* bequemer Stuhl; Lehnsessel. 19. Jh.

Fau'lenzia (Fau'lenza) *f* **1.** geheuchelte Schülerkrankheit. Ursprünglich die Krankheitsbezeichnung „Influenza". Seit dem späten 19. Jh.

2. Arbeits-, Lernträgheit. 1920 *ff.*

Fauleritis *f* ~ haben = dem Schulunterricht eigenmächtig fernbleiben. Eine „Krankheit" nach Art der Diphtheritis. 1950 *ff, schül.*

Faulfieber *n* geheuchelte Krankheit fauler Schüler und Arbeitsscheuer. Eigentlich ein Fieber, das sich nach dem Genuß von verfaulten Speisen und Getränken einstellt. Seit dem späten 18. Jh; vielleicht erstmalig von Jean Paul 1796 umgedeutet.

Faulheit *f* vor ~ stinken = sehr arbeitsunwillig sein. Wortwitzelndes Spiel mit zwei Bedeutungen desselben Wortes „faul": 1) = verfault; 2) = träge. Spätestens seit 1900.

Faulitis *f* Faulheit. *Österr* 1950 *ff.*

faulkrank *adj* arbeitsunfähig wegen eines angeblichen (vorgetäuschten) Leidens. 1900 *ff.*

Faulpelz *m* träger, arbeitsscheuer Mensch. „Fauler Pelz" nennt man die Schimmelschicht, wie sie sich auf Dingen bildet, die längere Zeit ruhen. Danach weiterentwickelt wie ⁊faul 1. 18. Jh.

Faultier *n* arbeitsträger Mensch. Name des in Mittel- und Südamerika beheimateten Säugetiers (Aï, Unau), das durch träge Bewegungen auffällt. 1800 *ff.*

Faust I *m* Junge. Wohl hergenommen von Goethes Faust im Verhältnis zu Gretchen. *Halbw* 1960 *ff.*

Faust II *f* **1.** die ~ im Nacken = a) kurze Zeitspanne vor der Klassenarbeit; Klassenarbeit. Fußt auf dem deutschen Titel des amerikanischen Films „On The Waterfront" (1954) mit Marlon Brando. Die Vorstellung „Faust im Nacken" ist unausweichliche Bedrohung" ist etwa 60 Jahre älter. *Schül* 1955 *ff.* – b) zwei sehr schlechte Noten im Zeugnis. *Schül* 1955 *ff.* – c) diensthabender Offizier. *Vgl* ⁊Faust II b. *Sold* 1960 *ff, österr.*

2. auf eigene ~ = auf eigene Verantwortung; durch eigene Tatkraft; selbständig. Die Faust ist das Sinnbild der Macht und der Verantwortlichkeit, auch der Gewalt. 18. Jh.

3. aus freier ~ = aus eigenem Antrieb; aus freier Hand; ohne Hilfsmittel, ohne Vorbereitung; ohne Gabel und Messer. 1700 *ff.*

4. mit ungewaschener ~ = derb, drastisch, rücksichtslos. Vom „ungewaschenen" ⁊Maul" übertragen. 1935 *ff.*

5. jn mit der ~ anpumpen = jm Geld rauben. ⁊anpumpen. 1960 *ff.*

6. die ~ ist ihm ausgerutscht = er hat mit der Faust dreingeschlagen. Beschönigende Redensart. 19. Jh.

7. aus der ~ essen = ohne Teller, ohne Gabel und Messer. ⁊Faust II 3. 1600 *ff.*

8. in die ~ ficken = onanieren. ⁊ficken. 1935 *ff.*

9. jn an die ~ gewöhnen = jn zähmen, abrichten. Hergenommen von Reitsport und Pferdedressur. 1933 *ff.*

10. die ~ im Nacken haben = a) ständig bedroht sein; sich unfrei fühlen. ⁊Faust II 1 a. 1900 *ff.* – b) hart einexerziert werden. 1910 *ff.*

11. jm die ~ unter die Nase halten = jn bedrohen; jm kräftig zusetzen. 19. Jh.

12. mit der ~ kassieren = jm gewaltsam Geld abnehmen; jn ausrauben. 1960 *ff.*

13. ich bin ihm in die ~ gelaufen = mein blaues Auge rührt nicht von einem Faustschlag her, sondern von einem Unglücksfall. Beschönigung. 1910 *ff.*

14. die ~ in der Tasche (im Sack) machen (ballen) = heimlich drohen; seinen Zorn verbergen. 18. Jh.

15. jn mit der ~ massieren = auf jn anhaltend einschlagen. 1950 *ff.*

16. etw in die ~ nehmen = etw ohne Gabel und Messer essen. 1600 *ff.*

17. es paßt wie die ~ aufs Auge = es paßt schlecht (durchaus nicht) zusammen. Die kraftvolle Faust und das hochempfindliche Auge sind äußerste Gegensätze. 1500 *ff.*

18. mit der ~ auf den Tisch schlagen = grob, energisch auftreten. 19. Jh.

19. mit der eigenen ~ verheiratet sein = onanieren. *Vgl* ⁊Faust II 8. 1940 *ff.*

20. eine ganze ~ vollhaben = nur Trümpfe und andere gute Karten in der Hand halten. Kartenspielerspr. Seit dem späten 19. Jh.

Faust III *Pn* **1.** mit Frau ~ gehen = onanieren. Anspielung auf Goethes Dr. Faust. *Schül* 1935 *ff.*

2. das geht wie ~ auf Gretchen = das paßt ausgezeichnet. *Schül* und *stud* 1900 *ff.*

3. hinter etw hersein wie ~ hinter Gretchen = eine Sache hartnäckig verfolgen. 1920 *ff.*

4. mit ~s Gretchen verkehren = onanieren. Wortspielend zwischen „⁊Faust II 8" und Goethes Dr. Faust. 1930 *ff.*

5. mit Fräulein ~ verkehren (arbeiten, gehen) = onanieren. *Vgl* das Vorhergehende. 1930 *ff.*

Fäustchen *n* sich ins ~ lachen = schadenfroh lachen. Meint eigentlich die vorgehaltene Hand, hinter der man lacht. Ursprünglich hieß es „sich in die Faust lachen". 16. Jh.

'faust'dick *adj adv* sehr plump; völlig unverkennbar. Die Faust ist hier Sinnbild der Grobheit und Gewichtigkeit. Aus der Bedeutung „gewichtig" entwickelt sich die Geltung eines allgemeinen Steigerungswerts. 18. Jh.

Fausto Coppi *m* Liebediener. Vom Namen des italienischen Radrennfahrers übernommen, weil „⁊Radfahrer" den unterwürfigen Schmeichler meint. *BSD* 1970 *ff.*

Fax *m* **1.** Hausmeister eines Studentenheims; Couleurdiener. Geht zurück auf „Kalfaktor = Heizer, Schuldiener", beinflußt von lateinischen Wörtern mit der Endung „-fax". 19. Jh.

2. Schulhausmeister. *Schül* 1950 *ff.*

3. halbwüchsiger Kellner. 19. Jh.

4. Filmregisseur. 19. Jh.

Faxen *pl* Possen, Albernheiten; Umstände; Ausflüchte. Im 18. Jh aus „fickfacken"

entstanden (= sich hin- und herbewegen; mit der Rute schlagen).

Fechtbruder *m* Bettler; bettelnder Handwerksbursche. *Vgl* das Folgende. 1800 *ff.*

fechten (fechten gehen) *intr* betteln. Ursprünglich auf die Fechtspiele der Handwerker bezüglich, dann auf den Wanderbettel, auch auf die Fechtkünste entlassener Landsknechte und Söldner, die marodierend umherzogen. 1600 *ff.*

Feder *f* **1.** Penis. Aus der Jägersprache: Feder = Schwanz des Hasen, des Rotwilds. *Österr* 1920 *ff.*

2. *pl* = Bett. Wegen der Federfüllung der Kissen. 1500 *ff.*

3. bunte ~n = Uniform. Herzuleiten vom Gefieder des Pfaus, des Hahns, des Papageis. 1960 *ff.*

4. ~n haben = Angst haben. Hängt zusammen mit „viel ⁊Federlesens machen": der Schmeichler entwickelt eine geheuchelte Geschäftigkeit wie einer, der vor Angst dies und das, aber nichts Zweckmäßiges tut. *Österr* 1920 *ff.*

5. etw aus der ~ kauen = eine Schreibarbeit mühsam zustandebringen. Der Schreibende kaut am Federhalter. 1800 *ff.*

6. er ist nicht aus den ~n zu kriegen = er schläft gern lange. ⁊Feder 2. 1800 *ff.*

7. ~n lassen = nicht straflos davonkommen; mit Verlust spielen. Federn läßt das Wildgeflügel, wenn es sich aus der Schlinge oder Falle befreien will; auch bei Kämpfen untereinander fliegen die Federn. 19. Jh.

8. jm die ~n rupfen = jn degradieren. „Federn" als buntes Gefieder meinen hier die Dienstgradabzeichen. *Sold* 1935 *ff.*

9. von den ~n aufs Stroh rutschen (kommen) = unter seinen Stand gelangen; gesellschaftlich sinken. Man gerät von weichen Federbett auf den dürftigen Strohsack. 1900 *ff.*

10. sich etw aus den ~n saugen = als Journalist Nachrichten erlügen. Scherzhaft umgestaltet aus „etw aus den ⁊Fingern saugen". 1950 *ff.*

11. sich mit falschen ~n schmücken = sich betrügerisch einen vorteilhaften Anschein geben. *Vgl* das Folgende. 1920 *ff.*

12. sich mit fremden ~n schmücken = a) Fremdes prahlerisch als Eigenes ausgeben. Geht über Lafontaine zurück auf eine Fabel des Phädrus, „Die stolze Krähe und der Pfau": die Krähe schmückt sich mit den vom Pfau verlorenen Federn und wird von den Pfauen gerupft und davongejagt. 1700 *ff. Vgl franz* „se parer des plumes du paon". – b) einen Hut mit Vogelfedern tragen. 1900 *ff.*

13. mit der ~ verheiratet sein = nicht gern Schreibarbeiten verrichten. 1920 *ff.*

14. sich fremde ~n an den Hut stecken = sich unberechtigt ein Verdienst zuschreiben. ⁊Feder 12 a. 1960 *ff.*

Federallee *f* in die ~ gehen = zu Bett gehen. „Allee" bezieht sich auf das Nebeneinander der Betten in Kasernen, Heimschulen u. ä. 19. Jh.

Federball *m* **1.** Geschlechtsverkehr. Weiterentwickelt aus dem Folgenden. 1900 *ff.*

2. auf den (zum) ~ gehen = zu Bett gehen. Ursprünglich war der Federball ein Schmaus mit Tanzbelustigung nach Beendigung des Federschleißens. 19. Jh.

Federfuchser *m* **1.** Schreiber, Schriftsteller

(abf). Gehört zu „fucken = unruhig hin- und herfahren", weiterentwickelt zu „fuchsen = plagen, quälen". 18. Jh.
2. Schreibstubendienstgrad. Seit dem späten 19. Jh.
3. pedantischer, vorschriftenhöriger Beamter o. ä. 1900 *ff.*
Federhalterakrobat *m* Bürokrat. Mit seinem Federhalter vollführt er Geschicklichkeitskunststückchen. Ironie. 1900 *ff.*
Federhalterstemmer *m* Büroangestellter. Übertreibend vom Gewichtheber übernommen. 1930 *ff.*
Federlesen *n* **1.** ohne ~ = ohne sonderliche Rücksichtnahme. *Vgl* das Folgende. 1600 *ff.*
2. nicht viel ~s machen = nicht viele Umstände machen; keine große Rücksicht nehmen. Leitet sich her vom Raubvogel, der das geschlagene Huhn verzehrt, ohne nach Menschenart die Federn umständlich zu rupfen, oder überhaupt vom Rupfen des geschlachteten Federviehs, wobei man die Federn nicht nach ihrer Qualität ordnet (verliest). 1577 *ff.*
Federvieh *n* **1.** Schriftsteller, Journalisten. Scherzhaft oder spöttisch ist gemeint, daß sie mit der Schreibfeder arbeiten. 1800 *ff.*
2. Soldaten in der Schreibstube. Seit dem späten 19. Jh.
3. federführender Referent bei einer Dienststelle. Bonn 1950 *ff.*
4. Spielleute *(milit)*. Die Vokabel wird auf verschiedene Weise verstanden. Nach den einen ähneln die Abzeichen der Spielleute kleinen Kükenflügeln; andere sagen, die Spielleute müßten morgens als erste aufstehen, und ein dritter meint, sie würden halbtags in den Schreibstuben der Kompanien beschäftigt, weil sie nicht ganztags spielen könnten. Seit den späten 19. Jh.
feenhaft *adj* eindrucksvoll, großartig. Bezieht sich anfangs auf Feenmärchen und Feenland, wie man sie auf der Bühne vorführte. Seit dem späten 19. Jh.
Feez *m* ↗ Fez.
fegen *v* **1.** *intr* = eilen; wild tanzen. Bezieht sich auf eine Bewegung, die Staub aufwirbelt wie der daherfegende Wind; die Tänzerin fegt mit ihrem langen Kleid den Tanzsaal. 1500 *ff.*
2. *intr* = zanken. Dabei geht es wild zu wie beim Tanzen. 18. Jh, *bayr.*
3. *intr* = koitieren. Anspielung auf die Hin- und Herbewegung. 19. Jh.
4. *intr* = auf Streifendienst sein. Der Polizeibeamte säubert die Straßen von lichtscheuem Gesindel. 1960 *ff.*
5. *intr tr* = leeren, ausräumen, plündern, betteln, stehlen. Geht zurück auf „die Taschen fegen = die Taschen leeren". Analog zu ↗ abstauben. 1600 *ff.*
6. *tr* = zechen. Mit Getränken fegt man den Hals wie der Schornsteinfeger den Schornstein. 1800 *ff.*
7. *tr* = jn prügeln. Gehört zu der volkstümlichen Vorstellung, daß Züchtigen ein Reinigen ist. 19. Jh.
8. *tr* = jn überlegen besiegen. Prügel = Niederlage. *Sportl* 1920 *ff.*
9. *tr* = jn anherrschen, rügen. Auch Tadeln gilt volkstümlich als Reinigungsvorgang. 1700 *ff.*
10. *tr* = jn fortjagen. Man bewirkt, daß er eilt; ↗ fegen 1. 19. Jh.
11. *tr* = den Ball kräftig treten. *Sportl* 1930 *ff.*

Feger *m* **1.** tüchtiger Mann; Draufgänger. Wohl aus dem Landsknechtsdeutsch übernommen; *vgl* ↗ fegen 5. 1700 *ff.*
2. Frauenheld. ↗ fegen 3. 1900 *ff.*
3. unternehmungslustige, draufgängerische, wild tanzende, energische Frau; Mannstolle. ↗ fegen 1 und 3. Spätestens seit 1800.
4. leichtes Mädchen. ↗ fegen 3. 19. Jh.
5. Penis. ↗ fegen 3. 19. Jh.
6. Geschlechtsverkehr. ↗ fegen 3. 1900 *ff.*
7. flotter ~ = Frauenheld. ↗ flott. 1920 *ff.*
8. strammer ~ = geschlechtlich anspruchsvolle weibliche Person. ↗ Feger 4; ↗ stramm. 1920 *ff.*
Fehlanzeige *f* **1.** völliger Versager. Er versagt so sehr, als ob er nicht vorhanden wäre. 1900 *ff.*
2. minderwertige Leistung. Hergenommen vom Schützenanzeiger des Schießstands. 1930 *ff.*
3. ~! (bei mir ~!): Ausdruck der Verneinung; du irrst dich! 1910 *ff.*
fehlen *v* **1.** das hat gerade noch gefehlt! (das fehlte noch!) = das macht die Sache vollends unerträglich; Ausdruck der Ablehnung. *Iron* gemeint; denn als fehlend hat man es keineswegs bedauert; vielmehr kommt es höchst unerwünscht hinzu. 17. Jh. *Vgl engl* „that's all we needed".
2. ihm fehlt einer = er ist geistesbeschränkt. Ihm fehlt ein Sinn. 1800 *ff.*
3. ihm fehlt etwas = er fühlt sich krank. 19. Jh.
4. es geht gefehlt = es mißglückt, geht verloren. Herzuleiten vom Schuß, der sein Ziel verfehlt. *Österr* 1920 *ff.*
Fehler *m* falscher ~ = Irrtum, Versehen. Scherzhafter Unsinn nach dem Muster von „weißer Schimmel". 1920 *ff.*
Fehlgeburt *f* mißglücktes Unternehmen. 1900 *ff.*
Fehlkonstruktion *f* **1.** Homosexueller. In der Sprache der Technik etwas, das infolge fehlerhafter Konstruktion nicht oder nur bedingt zweckdienlich zu gebrauchen ist. 1910 *ff.*
2. Zwitter. 1920 *ff.*
3. Versager. 1940 *ff.*
4. ~ der Natur = natürliche Mißbildung. 1900 *ff.*
5. absolute ~ == völliger Versager; Mensch, der zu nichts zu gebrauchen ist. 1914 *ff.*
Fehlpaß *m* schwerwiegender Mißgriff. Aus der Ballsportsprache übernommen. 1965 *ff.*
fehlstarten *intr* eine Frühgeburt haben. Stammt aus der Sportler- oder Fliegersprache: man startet zu früh. 1920 *ff.*
Fehlzünder *m* Versager. Hergenommen von der Fehlzündung bei Geschossen mit einstelligem Zünder. 1935 *ff.*
Fehlzündung *f* **1.** Mißerfolg, Wirkungslosigkeit; unbeabsichtigte Wirkung; übelgenommener Scherz. *Vgl* das Vorhergehende. 1935 *ff.*
2. vor-, außerehelicher Beischlaf mit Folgen. 1935 *ff.*
3. falsch = falsch verstanden. 1935 *ff.*
Feierabend *m* **1.** ~ kriegen = seine Stellung verlieren; aus der Arbeitsstelle entlassen werden. Stammt aus der Handwerkersprache. 19. Jh.
2. ~ machen = a) sterben. 1600 *ff.* – b) die Waffen strecken. *Sold* 1939 *ff.*

3. damit ist es ~ = das ist verbraucht, nicht mehr zu gebrauchen, zu Ende. 1930 *ff.*
4. mit ihm ist (es) ~ = mit ihm geht es zu Ende; er liegt im Sterben; er ist nicht mehr arbeitsfähig. 19. Jh.
5. dann ist ~ = dann ist Schluß; dann steht das Ende, der Tod bevor. 19. Jh.
6. jetzt ist aber ~! = jetzt ist die Geduld zu Ende! jetzt wird energisch durchgegriffen! 1930 *ff.*
Feierabendbauer *m* Nebenerwerbslandwirt. Er widmet sich seiner kleinen Landwirtschaft nur am Feierabend. 1950 *ff.*
Feierabend-Kapitän *m* Besitzer von selbstgebastelten Spielzeugschiffen. Vielleicht angeregt durch das Schlagerlied von Peter Igelhoff „In meiner Badewanne bin ich Kapitän". 1960 *ff.*
feierlich *adj* **1.** das ist ja recht ~ = das ist sehr unangenehm, höchst unerfreulich. Ironie. In Berlin in der zweiten Hälfte des 19. Jhs aufgekommen.
2. es war nicht mehr ~ = es war nicht mehr erträglich; es war durchaus nicht mehr schön. 1850 *ff.*
feiern *intr* untätig sein; müßiggehen; keine Arbeit haben; die Arbeit niederlegen. Meint eigentlich „einen Festtag feierlich begehen"; dann wegen der Festtagskleidung und des Arbeitsverbots soviel wie „nichts arbeiten", „von der Arbeit ruhen". Schon in *mhd* Zeit.
Feiertag *m* **1.** halber ~ = kirchlicher, aber nicht gesetzlicher Feiertag. An ihm kann man vormittags die religiösen Pflichten (Kirchgang) nachkommen und anschließend seinen Beruf ausüben. 1920 *ff.*
2. stiller ~ = Feiertag, an dem Tanz- und ähnliche Veranstaltungen in Gaststätten gesetzlich untersagt sind. 1920 *ff.*
Feiertagsmedizin *f* eine besonders gute Flasche Wein o. ä. 1900 *ff.*
feige *adj* **1.** unkameradschaftlich. Aus der Bedeutung „ängstlich, verzagt" bezogen auf einen, der sich von einem gemeinsamen Vorhaben ausschließt oder zurückzieht. *Schül* 1900 *ff.*
2. unfair; gegen einen Wehrlosen vorgehend. 1900 *ff.*
3. lieber fünf Minuten ~ als das ganze Leben (für immer) tot: Lebensweisheit von Soldaten. *Sold* in beiden Weltkriegen.
Feige *f* **1.** Bett, Ruhelager. Beruht auf dem Formvergleich mit der feigenähnlichen Ohrmuschel. 1914 *ff.*
2. Vulva. Beruht auf dem Formvergleich mit der Frucht; ein schon der Antike geläufiger Vergleich. Seit *mhd* Zeit.
3. eine ~ machen (zeigen) = den Daumen zwischen Zeige- und Mittelfinger durchstecken. Diese schon im Mittelalter gleichlautend umschriebene Gebärde ahmt die beiderseitigen Geschlechtsteile beim Koitus nach.
Feigheit *f* **1.** Unkameradschaftlichkeit. ↗ feige 1. *Schül* 1900 *ff.*
2. Mangel an Fairneß. ↗ feige 2. 1900 *ff.*
Feigling *m* **1.** Spielverderber; Mensch, der sich der Mitverantwortung entzieht. ↗ feige 1. *Schül* 1900 *ff.*
2. unfair handelnder Mensch. ↗ feige 2. 1900 *ff.*
3. Versager. Aus Schüchternheit bleibt er dem Lehrer die Antwort schuldig. *Schül* 1950 *ff.*
feilen *intr* **1.** in der Schule ein Täuschungsmittel verwenden. Hängt vermutlich zu-

sammen mit *rotw* „Fiole machen = den Taschendieb abdecken und die Aufmerksamkeit von ihm ablenken". Nicht viel anders handeln die Schüler, indem der Vordermann „einen breiten Rücken macht", hinter dem das Täuschungsmittel ziemlich gefahrlos zu Rate gezogen wird. *Bayr* 1950 *ff.*
2. koitieren. Wegen der Hin- und Herbewegung der Feile. Seit dem späten 18. Jh.

fein *adj* **1.** schlau, listig, heimtückisch, verschlagen. Vom Begriff „vorzüglich" weiterentwickelt zu „scharfsinnig". 18. Jh.
2. niederträchtig, charakterlos, anrüchig. Reine Ironie. 1500 *ff.*
3. ~ mit Ei = sehr fein. Leitet sich her von einer Speise, die durch ein Ei (noch mehr) verfeinert wird, oder ist scherzhafte Buchstabierung; heute nur als Verstärkung empfunden. Seit dem späten 19. Jh.
4. etw ~ kriegen = etw begreifen. Analog zu „↗schlau kriegen". 1800 *ff.*
5. sich ~ machen = sich gut, festlich, stattlich kleiden. 1700 *ff.*
6. auf ~ machen = sich vornehm geben (ohne es zu sein); Vornehmheit heucheln. 1960 *ff.*
7. auf ~ sein = elegant gekleidet sein. 1960 *ff.*
8. sich für etw zu ~ sein = aus ranglichen Gründen etw verschmähen; etw für unter seiner Würde halten. 1900 *ff.*

Feind *m* **1.** mein bester ~ = mein größter Feind. Dem „besten Freund" nachgeahmt. 1920 *ff.*
2. dickster ~ = größter Feind. Dick = schwerwiegend. Nach dem Muster der „dicken Freunde" gebildet. 1910 *ff.*
3. innerer ~ = a) Ungeziefer. Im Gegensatz zum „äußeren Feind". *Sold* in beiden Weltkriegen. – b) unbeliebter Vorgesetzter. *Sold* 1914 *ff*, auch *ziv.*
4. intimer ~ = unversöhnlicher Gegner. Übersetzt aus *franz* „ennemi intime". Nach 1945 aufgekommen.
5. hart am ~ bleiben = etw hartnäckig verfolgen; jn nicht zur Ruhe kommen lassen. Seit 1939 geläufig aus der Sprache der Wehrmachtberichte.

Feindberührung *f* ~ haben = **1.** mit einem Vorgesetzten unliebsam aneinandergeraten. Man trifft auf seinen Gegner. *Sold* 1939 *ff.*
2. beim „Organisieren" ertappt werden. *Sold* 1939 *ff.*
3. ein anderes Kraftfahrzeug streifen; auf ein anderes Kraftfahrzeug auffahren. Kraftfahrerspr. 1955 *ff.*

Feindeinwirkung *f* es ist durch ~ zerstört = es ist verloren gegangen; es ist vergessen worden. Der militärischen Fachsprache entlehnt. *Sold* 1939 *ff.*

Feindfahrt *f* **1.** vom ~ zurück = vom Spaziergang, von einem dienstlichen (geschäftlichen) Gang zurückgekehrt. Stammt aus dem Deutsch der Wehrmachtberichte zur Seekriegslage. 1939 *ff.*
2. mehrere ~en haben = verrückt sein. Die Redensart besagt, daß mehrere Feindfahrten dem geistig-seelischen Leistungsvermögen arg zusetzen oder daß – nach Meinung der U-Boot-Mannschaften – nur die Doofen Glück haben. *Sold* 1939 *ff.*

Feindin *f* intime ~ = unversöhnliche Gegnerin. ↗Feind 4. 1950 *ff.*

Feinkost *f* vielbegehrtes (begehrenswertes)

junges Mädchen. Anspielung auf „↗vernaschen". 1920 *ff.*

Feinkostfritze *m* Feinkosthändler. Entstanden in der zweiten Hälfte des Jahres 1914, als man im Zuge der übertriebenen Fremdwortausmerzung das Wort „Delikatesse" durch „Feinkost" ersetzte.

feinstreifig *adj* anspruchsvoll, vornehmtuerisch. Leitet sich her vom feinen Streifen im Anzugtuch, in der Krawatte o. ä. 1900 *ff.*

Feist *f* gut in der ~ sein = wohlbeleibt sein. Stammt aus der Jägersprache: in der Zeit vor der Brunft ist der Hirsch sehr gut bei Leibe. *Stud* 1960 *ff.*

feit da feit si nix (es falt si nicks): Ausdruck der Zustimmung, der Bekräftigung; es ist, wie sich's gehört. „Feit" ist *bayr*-mundartliche Zusammenziehung von „fehlt". 1800 *ff.*

Feitel *n m* Taschenmesser mit einer einzigen Klinge. Herkunft unbekannt. *Oberd* 1800 *ff.*

feixen *intr* höhnisch lachen; lautlos lachen; grinsen. Fußt auf *nordd* „Feix = Dümmling", vielleicht gekreuzt mit „↗Faxen". 1800 *ff.*

Feld I *m* Feldwebel. Hieraus verkürzt. *Sold* 1939 *ff* bis heute.

Feld II *n* **1.** das ist ein weites ~ = das ist eine schwierige Frage; das ist nicht einfach zu beantworten. Fußt auf dem Bild vom unübersehbar weiten Ackerland. 1700 *ff.*
2. das liegt (ist; steht) noch im weiten Feld = das ist noch völlig ungewiß; das ist noch lange nicht entschieden. 17. Jh.
3. jn vom ~ stellen = jn verdrängen; einen kürzer wegen Befangenheit ablehnen. Übernommen vom Fußball-Spielfeld. 1950 *ff.*
4. jm das ~ überlassen = vor jm weichen. Feld = Schlachtfeld. 1950 *ff.*

Felddienstordnung *f* Gesamtheit der Regeln eines Kartenspiels. Meint eigentlich alle Bestimmungen über die gesamte Tätigkeit der Truppen im Krieg. Seit dem späten 19. Jh, Kartenspielerspr.

Feldflaschengericht *n* dünnes Essen. Es ist so dünnflüssig, daß man es in die Feldflasche füllen könnte. *Sold* 1939 *ff.*

Feldflegel *m* Feldwebel. Wortspielerei. 1914 bis heute.

feldgrau *adj* **1.** sehr fronterfahren. Feldgrau ist die graufarbige Uniform der Feldtruppe. *Sold* in beiden Weltkriegen.
2. sich zu ~ benehmen = soldatischen Ton und Brauch im zivilen Leben beibehalten. Nach 1918; nach 1945.

Feldmatratze *f* umherstreifende Prostituierte; Prostituierte, die auch in der freien Natur ihr Gewerbe ausübt. ↗Matratze. Seit dem späten 19. Jh.

Feldmaus *f* **1.** Heeresangehöriger. Die Feldmaus gehört zur Familie der Wühlmäuse; auch Anspielung auf die graue Farbe der Uniform. *Sold* 1914 bis heute.
2. Flurwächter. 1930 *ff.*
3. *pl* = Wehrmachtstreife; Feldjäger. *Sold* 1939 bis heute.

Feldpostnummer *f* **1.** die andere ~ = a) die andere Konfession. 1947 *ff.* – b) die politische Gegenseite. 1957 *ff.*
2. Bursche von der anderen ~ = militärischer Gegner. *Sold* 1939 *ff.*
3. Kamerad von der anderen ~ = a) militärischer Gegner. *Sold* 1939 *ff.* – b)

Fachkollege auf der gegnerischen Seite. 1950 *ff.*
4. Kameraden von der anderen ~ = Nationale Volksarmee der DDR. *BSD* 1965 *ff.*
5. von der anderen ~ sein = homosexuell sein. 1950 *ff.*

Feld-, Wald- und Wiesenangelei *f* unsportliches Fischen. „Feld-, Wald- und Wiesen-" als erster Bestandteil einer substantivischen Zusammensetzung kennzeichnet das Grundwort als durchschnittlich, nichtspezialisiert, allgemeinüblich o. ä. Eigentlich sind wohl Pflanzen gemeint, die sowohl auf dem Acker als auch im Wald und auf Wiesen gedeihen. 1930 *ff.*

Feld-, Wald- und Wiesenarzt *m* praktischer Arzt; kein Facharzt. Arzt für Allgemeinmedizin. Seit dem späten 19. Jh.

Feld-, Wald- und Wiesendoktor *m* praktischer Arzt; Arzt für Allgemeinmedizin (kein Facharzt). ↗Doktor. Seit dem späten 19. Jh.

Feld-, Wald- und Wiesenmaler *m* Maler der Pflanzenwelt; Landschaftsmaler ohne künstlerischen Rang. 1920 *ff.*

Feldwebel *m* **1.** (übermäßig hoher) Schaum auf dem Glas Bier. Hergenommen von der Kragenlitze an der Uniform des Feldwebels. 1870 *ff.*
2. energische, herrschsüchtige Ehefrau (Haushälterin). Scherzhafte Anspielung auf die Machtfülle des etatmäßigen Feldwebels zu Zeiten der Monarchie. Man sagt, der verheiratete Soldat habe einen Feldwebel an der Front und einen daheim. 1870 aufgekommen.

Feldzugsplan *m* Plan, wie man vorgehen will. ↗Schlachtplan. Seit dem ausgehenden 19. Jh.

Felgen *pl* **1.** auf den ~ fahren = a) Mißerfolg ernten. Hergenommen vom Fahrrad- oder Autoschlauch, dem die Luft entwichen ist. 1950 *ff.* – b) in der Liebe ungeschickt sein. 1950 *ff.* – c) ohne Geschlechtspartner im Bett liegen. 1950 *ff.*
2. auf den ~ kommen = niedergeschlagen, müde sein. *Schül* 1950 *ff.*
3. mit den ~ beißen = ohne Gebiß sein. 1950 *ff.*

Fell *n* **1.** Menschenhaut. Im Mittelalter bezeichnete „Fell" sowohl die tierische als auch die menschliche Haut, im *nhd* Sprachgebrauch eigentlich nur mehr die tierische, dicht behaarte.
2. Kopfhaar. 1900 *ff.*
3. Pelzmantel. 1900 *ff.*
4. Mädchen, Geliebte. Meint hier das Fell als „kuschelige" Unterlage. 1700 *ff.*
5. altes ~ = ältliche Frau; Hure. 1800 *ff.*
6. blankes ~ = Nacktheit, Entblößung. ↗Fell 1; ↗blank 1. 1920 *ff.*
7. dickes ~ = gute, widerstandsfähige Nerven; Unempfindlichkeit. 18. Jh.
8. lädiertes ~ = Teilglatze. ↗Fell 2. 1900 *ff.*
9. nur sein eigenes ~ anhaben = nackt sein. ↗Fell1. 1910 *ff.*
10. jm das ~ auflockern = a) jn verprügeln. Durch Klopfen lockert man den Pelz auf. 1850 *ff.* – b) jn scharf drillen. 1950 *ff.*
11. das ~ begießen = an einem Beerdigungsschmaus ausgiebig teilnehmen. ↗Fell 31. ↗begießen. 1870 *ff.*
12. jm eins (einen) aufs ~ brennen = auf jn einen Schuß abgeben. Hergenommen von der Wildschweinjagd. 1900 *ff.*

13. jm das ~ durchgerben = jn prügeln. ↗ gerben. 1800 *ff.*

14. das ~ kommt durch = die Haut schimmert durch den Dreck. Gemeint ist natürlich das Umgekehrte: die Schmutzschicht ist so dick, daß kaum noch Haut erkennbar ist. *Sold* in beiden Weltkriegen und später.

15. jm das ~ durchlöchern = jn erschießen. Die Haut wird perforiert. Beschönigung. 1900 *ff.*

16. jm nicht vom ~ gehen = zudringlich sein; jm lästig fallen. 19. Jh.

17. jm das ~ gerben = jn prügeln. ↗ gerben. 1500 *ff.*

18. ein dickes ~ haben = unempfindlich sein. ↗ Fell 7. 18. Jh.

19. ihm juckt das ~ = er verspürt Lust; es reizt ihn. 1900 *ff.*

20. dir juckt wohl das ~? = du willst wohl geprügelt werden? Drohfrage. 18. Jh.

21. ein schönes (o. ä.) ~ klopfen = ein guter Schlagzeuger sein. 1965 *ff.*

22. jm aufs ~ kommen (jm zu ~ kommen) = jn prügeln. ↗ Fell 13 und 17. 1700 *ff.*

23. ein dickes ~ kriegen = unempfindlich werden. ↗ Fell 7. 1900 *ff.*

24. jm das ~ losmachen = jn prügeln; streng mit jm verfahren. *Vgl* ↗ Fell 10. 19. Jh.

25. aus dem ~ platzen = die Beherrschung verlieren. Das „Fell" wird dem Zornigen zu eng: es platzt wie der „↗ Kragen" oder die Schwarte eines Igels, der buchstäblich „zuviel in sich hineingefressen" hat. 1930 *ff.*

26. aus etw mit heilem ~ (he)rauskommen = sich einer Notlage unversehrt entwinden. Fußt auf dem Bild vom Kampf zweier Tiere, von denen das eine „Haare lassen" muß. ↗ Fell. 1930 *ff.*

27. sein ~ retten = sich in Sicherheit bringen. *Sold* und *ziv* 1939 *ff.*

27 a. das ~ riskieren = sich einer Lebensgefahr aussetzen. 1900 *ff.*

27 b. jm aufs ~ rücken = jn bedrängen, heimsuchen. ↗ Pelz 16. 19. Jh.

28. nur noch ~ und Knochen sein = sehr abgemagert sein. Analog zu ↗ Haut 61. 19. Jh.

29. im ~ sein = nackt sein. ↗ Fell 9. *Jug* 1955 *ff.*

30. sein ~ zu Markte tragen = die Verantwortung mitsamt den bösen Folgen auf sich nehmen. ↗ Haut 68. 19. Jh.

31. das ~ versaufen = an einem Beerdigungsschmaus teilnehmen. Hier vereinigen sich zwei alte Sitten: Zu Ehren des Toten veranstaltet man einen Leichenschmaus, und die Viehknechte erhalten von den Händlern oder Schlachtern den Erlös vom Fell als Trinkgeld. 16. Jh.

32. jm das ~ versohlen = jn heftig prügeln. ↗ versohlen. 19. Jh.

33. jm das ~ volldreschen = jn prügeln. ↗ dreschen 1. 19. Jh.

34. jm das ~ vollhauen (vollklopfen, vollkloppen) = jn verprügeln. ↗ Fell. 19. Jh.

35. sich in ~ wickeln = einen Pelz tragen. 1920 *ff.*

36. ihm schwimmen die ~e weg = die Hoffnungen schwinden ihm dahin. Zum Reinigen und Enthaaren muß man die Felle einweichen; zu diesem Zweck hängt der Lohgerber sie in fließendes Wasser; befestigt er sie nicht sorgfältig, kann sie

Strömung die Felle entführen. Seit dem 19. Jh.

37. jm das ~ vom Hintern ziehen = jn im Dienst überstreng behandeln. Seit dem späten 19. Jh.

38. jm das ~ über die Ohren ziehen = jn übervorteilen, betrügen. Vom Metzgerhandwerk übernommen: beim Hammel, beim Hasen u. a. wird das Fell, an Bauch und Beinen aufgeschnitten, nach vorn über Kopf und Ohren abgezogen. 1600 *ff.*

39. sich ein dickes ~ zulegen = unempfindlich werden. 1900 *ff.*

Felsen *m* **1.** reizendes junges Mädchen. Analog zu „steiler ↗ Zahn", der irrtümlich als steilaufragender Fels aufgefaßt ist. *Halbw* 1950 *ff.*

2. hartgewordenes Stück Brot; Brotkanten. 1900 *ff.*

3. ~ inhalieren = trockenes Brot essen; auf schmale Kost gesetzt sein. *Sold* in beiden Weltkriegen.

'felsen'fest *adj adv* unumstößlich; unbedingt zuverlässig. ↗ Fels 1. 1900 *ff.*

Fenster *n* **1.** Bildschirm. Reklametüchtig als „Fenster zur Welt" (Eduard Rhein sagt 1952 „Fenster in die Welt") ausgegeben, als Fenster, durch das die Welt ins Zimmer scheint. *BSD* 1965 *ff.*

2. *pl* = Augen. Technisierung des Menschlichen und Vermenschlichung der Technik. Früher waren augenförmige Fenster beliebt. 1600 *ff.*

3. ~ zum Hof = Schulabort. „Das Fenster zum Hof" ist der deutsche Titel des amerikanischen Films „Rear Window" (1954) mit Grace Kelly sowie der Titel eines 1960 gesendeten Fernsehstücks mit Carl Raddatz und Inge Meisel. *Schül* 1958 *ff.*

4. ~ in der Hose = aufgesetzte Hosenflicken. 19. Jh.

5. blaue ~ = Ringe um die Augen. 1900 *ff.*

6. einander durch die ~ angucken = zu zweit Brillenträger sein. 1950 *ff.*

6 a. am ~ bleiben = nicht aus den Augen der Öffentlichkeit verschwinden. Vgl Fenster 18. 1960 *ff.*

7. aus hohen Fenstern blicken = überheblich sein. 1700 *ff.*

8. einer weiblichen Person das ~ einschlagen (eintreten) = deflorieren. 1910 *ff.*

9. das wirft keine ~ ein = das richtet keinen Schaden an. 19. Jh.

10. das geht ins ~ = das mißlingt. Von einem Wurf herzuleiten, der ungewollt die Fensterscheibe trifft. 1920 *ff.*

11. guck mal aus dem ~, wenn du keinen Kopf hast! = Äußerung zum Eingeständnis eines Nichtkönnens. 1910 *ff.*

11 a. sich zu weit aus dem ~ hängen (lehnen) = sich zu weit vorwagen. 1970 *ff, journ.*

12. ich haue dich kreuzweise durchs ~!: Drohrede. Rocker 1968 *ff,* Hamburg.

13. die ~ putzen = die Brillengläser reinigen. 1920 *ff.*

14. zum ~ rausreden (eine Rede zum ~ raushalten) = sich an die Wählerschaft wenden; als Parlamentarier zur Öffentlichkeit sprechen. Im späten 19. Jh. als Modewort aufgekommen.

15. am offenen ~ reden = in kleinem Kreis für die Ohren der Öffentlichkeit reden. 1920 *ff.*

16. drei Stunden aus dem ~ sehen und

sich nichts dabei denken = Hauptgefreiter sein. Beißender Spott. *BSD* 1965 *ff.*

17. am ~ sein = modern, modisch sein; Geltung besitzen. Mit dem Gemeinten kann man sich sehen lassen. 1970 *ff.*

18. vom ~ wegsein (weg vom ~ sein) = a) tot sein. Leitet sich her von alten Leuten, die gern und ausdauernd zum Fenster hinaussehen und sich dann eines Tages nicht mehr blicken lassen. Soll eine Redensart aus dem Ruhrgebiet sein. Um 1960 aufgekommen. – b) keine Siegesaussichten mehr haben; seinen Einfluß verloren haben; ausgeschieden sein; als Künstler nicht mehr engagiert werden. 1960 *ff.* – c) Häftling sein. 1960 *ff.* – d) so vorteilhaft würfeln, daß man keine Runde ausgeben hat. 1962 *ff.* – e) aus der Bundeswehr entlassen sein. *BSD* 1965 *ff.* – f) einer Sache glücklich entronnen sein. *BSD* 1965 *ff.* – g) von der Schule verwiesen sein. 1965 *ff.*

Fensterbummel *m* zielloses Schlendern an den Schaufenstern entlang. ↗ Bummel 1. 1920 *ff.*

Fensterdirne *f* Prostituierte, die ihre Kunden vom Fenster aus anlockt. Seit dem frühen 19. Jh, Berlin.

Fensterhenne *f* **1.** am Fenster sitzende und die Männer anlockende Prostituierte. Seit dem späten 19. Jh, Berlin.

2. Frau, die tagsüber „im Fenster liegt", beobachtet und schwätzt. 1900 *ff.*

Fensterladen *m* **1.** *pl* = Augenlider. Meint eigentlich den Klappladen vor den Fenstern. 1800 *ff.*

2. *pl* = Brille. 1900 *ff.*

3. *sg* = Roulade. Wortspiel mit „Rolladen". 1920 *ff.*

4. bunter (blauer) ~ = durch einen Schlag getroffenes Auge samt verfärbter Umgebung. 19. Jh.

5. die Fensterläden blau anstreichen = jm aufs Auge schlagen. *Vgl* das Vorhergehende. Seit dem 19. Jh.

6. einen ~ aufhaben = ein Auge geschlossen haben. 1900 *ff.*

7. jm die Fensterläden frisch lackieren = jn heftig auf die Augen schlagen. *Vgl* ↗ Fensterladen 5. Seit dem 19. Jh.

8. die Fensterläden runterlassen (schließen) = die Augen schließen; ein Schlafmittel einnehmen. 1900 *ff.*

fensterln *intr* bei seinem Mädchen durch das Fenster einsteigen; ein Mädchen abends oder nachts besuchen. Ein alter Brauch, wörtlich seit dem 16. Jh belegt, aber nicht auf Bayern beschränkt. 1970 wurde „Fensterln" als Ordnungswidrigkeit eingestuft und mit einer gebührenpflichtigen Verwarnung geahndet.

fenstern *v* **1.** *intr* = durch das offene Fenster einbrechen. Seit dem frühen 19. Jh.

2. jn ~ = a) jn aus dem Zimmer weisen. „Fenster" meint hier wohl das Oberteil der zweiteiligen Bauernhaustür. Das Wort kann auch aus „fäustern = mit Hilfe der Fäuste hinausjagen" entstellt sein. 18. Jh. – b) jn prügeln, strafen, ausschimpfen. 18. Jh.

Fensterpromenade *f* Auf- und Abgehen vor dem Haus der Geliebten. Spätestens seit 1900.

Fensterrahmen *m* **1.** Brille mit breiter dunkler Umrandung; Fensterglasbrille eines, der sich aufspielt. 1920 *ff.*

2. *pl* = Augenverschattung als Folge ausschweifenden Lebenswandels. 1920 *ff.*
3. *pl* = angemalte Augenschatten. 1962 *ff.*
Fensterrede *f* für die breite Öffentlichkeit bestimmte Rede im Parlament; Parlamentsrede vor nahezu leeren Bänken. ↗Fenster 14. 1950 *ff.*
Fensterredner *m* Parlamentarier, der zu den Abgeordneten spricht, aber als Zuhörer die breite Öffentlichkeit (über Rundfunk und/oder Fernsehen) voraussetzt. 1950 *ff.*
fenzeln (fienzeln) *tr intr* grinsen, höhnen, auslachen, veralbern. Iterativum von *mhd* „vienen = übel handeln; anführen, betrügen". *Südd* 1800 *ff.*
Ferdinand *m* Verstand. Sprachlicher Spaß. Um die Mitte des 19. Jhs von Berlin ausgegangen.
Ferien *pl* 1. ~ haben = eine Freiheitsstrafe verbüßen. Getarnt als Arbeitsurlaub. 1900 *ff.*
2. ~ vom Du machen = Urlaub ohne den (die) Ehepartner(in) machen. 1920 *ff.* Fußt konkurrierend auf dem Roman „Ferien vom Ich" von Paul Keller (1915).
3. ~ von der Ehe machen = ohne den Ehepartner in Urlaub fahren. 1950 *ff.*
Ferienauto *n* Kraftwagen mit sehr viel Gepäckraum. 1960 *ff.*
Ferienbonbon *n* Gewährung unentgeltlichen Ferienaufenthalts gegen Übernahme bestimmter Verpflichtungen. ↗Bonbon. 1960 *ff.*
Ferienbraut *f* Freundin für die Urlaubsdauer; Urlaubsbegleiterin. 1965 *ff.*
Ferienehe *f* eheähnliches Zusammenleben im Urlaub. 1930 *ff.*
Feriengespielin *f* intime Urlaubsbegleiterin. „Gespielin" verdeutscht *engl* „play girl". 1960 *ff.*
Ferienknast *m* Schullandheim. ↗Knast. Die Schüler fühlen sich auch dort als Gefangene. *Schül* 1960 *ff.*
Ferienkreuzer *m* Familien-Kajütboot. 1960 *ff.*
Ferienmuffel *m* Mensch, dem Schulferien und Arbeitsurlaub eine Last sind. ↗Muffel. Dem „Krawattenmuffel" nachgeahmt. 1971 *ff.*
Ferienreise *f* eine ~ machen = eine Freiheitsstrafe verbüßen. Beschönigende Ausrede. 1900 *ff.*
Ferkel *n* 1. schmutziger Mensch; unsittlicher Mensch; Zotenfreund. Anspielung auf die wörtliche und übertragene Bedeutung von „im Dreck wühlen". 18. Jh.
2. charakterloser Mensch. 1900 *ff.*
3. das ~ abgeben = unmäßig und grob sein. 1900 *ff.*
4. ein ~ schlachten = einen charakterlich mißliebigen Menschen gemeinsam verprügeln. 1900 *ff.*
ferkeln *intr* 1. Schmutz verursachen. ↗Ferkel 1. 18. Jh.
2. Zoten erzählen; unsittlich handeln. 1900 *ff.*
Fernaufklärer *m* ~ der Nation = Oswalt Kolle, Spezialist in Fragen der sexuellen Aufklärung. Die Bezeichnung für das Aufklärungsflugzeug ist auf Kolle übergegangen wegen seiner volkstümlichen Aufklärungsbücher und -filme. 1969 *ff.*
Ferndrang *m* deutscher ~ = Verlangen Deutscher nach Auslandsreisen. 1920/30 *ff.*

Ferne *f* hinaus in die ~!: Begleitruf bei Ablassen eines Darmwinds. Fußt auf dem volkstümlichen Lied „Hinaus in die Ferne mit lautem Hörnerklang!" von Albert Methfessel (1813). 1900 *ff.*
ferner *adv* ~ liefen ↗laufen.
Fernfahrerkursus *m* einen ~ machen = eine Freiheitsstrafe verbüßen. Beschönigende Ausrede. 1950 *ff.*
ferngelenkt *adj* im politischen Auftrag eines anderen handelnd. Hergenommen von der über einen Leitungsdraht oder drahtlos durch Funksignale gesteuerten Bewegung eines fahrenden oder fliegenden Objekts. 1950 *ff.*
Ferngespräch *n* ein ~ führen (haben) = lange auf dem Abort bleiben. ↗telefonieren. 1945 *ff.*
ferngesteuert *adj* im politischen Auftrag eines anderen handelnd; parteipolitisch unselbständig. ↗ferngelenkt. 1950 *ff.*
Fernlaster *m* 1. Lastkraftwagen für Fernfahrten. Kurzwort. Kurz nach 1945 aufgekommen.
2. Fernfahrer. Verkürzt aus „Fernlastzugfahrer". 1945 *ff.*
Fernrohr *n* Feldflasche. Das Fernrohr wird ähnlich vor die Augen gehalten wie die Feldflasche an den Mund. *Sold* in beiden Weltkriegen.
Fernschrieb *m* Fernschreiben. ↗Schrieb. 1940 *ff.*
Fernschuß *m* 1. Aufnahme mit der Teleobjektivkamera. ↗schießen = fotografieren. 1955 *ff.*
2. aus großer Entfernung gezielter Torball. ↗Schuß. *Sportl* 1950 *ff.*
Fernsehanzug *m* Hosenanzug für Frauen. Gilt als bequem für alle Sitz-, Liege- und Halbliegearten. 1958 *ff.*
Fernsehapparat *m* Opernglas. 1957 *ff.*
Fernseharm *m* Armbeschwerden, dadurch entstanden, daß beim Fernsehen der Kopf ständig auf den angewinkelten Arm gestützt wird. 1964 *ff.*
Fernsehbauch *m* Beleibtheit (infolge Bewegungsarmut) des Fernsehzuschauers. 1970 *ff.*
Fernsehbazillus *m* der körperlichen und geistigen Gesundheit abträgliches Fernsehen. 1965 *ff.*
Fernsehbeine *pl* muskelschwache Beine von Fernsehzuschauern; Knöchelschwellung. Übersetzt aus *engl* „T. V. legs". 1957 *ff.*
Fernsehbluse *f* durchsichtige Bluse. 1964 *ff.*
Fernsehbrille *f* Brillengestell ohne Gläser. 1964 *ff.*
fernsehbummeln *intr* wegen einer Fernsehsendung (meist Fernsehübertragung eines Fußballspiels) von der Arbeitsstätte fernbleiben. ↗bummeln 1. 1961 *ff.*
Fernsehdemokratie *f* Demokratie, deren Repräsentanten die Massenwirkung des Fernsehens für ihre Zwecke zu nutzen verstehen. Gegen 1960 aufgekommen.
Fernsehdoktor *m* Fernsehtechniker. Der Arzt als Wiederinstandsetzer. 1960 *ff.*
Fernsehen *n* 1. ~ für Blinde = Rundfunk. *BSD* 1965 *ff.*
2. ~ der armen Leute = Traum. 1950 *ff.*
3. ~ im Schlaf = unsittlicher Traum. *Vgl* „↗Kino im Schlaf". Soll auf einen Kinderwitz zurückgehen. 1955 *ff.*
4. ~ schnorren = ohne Gebührenentrich-

tung fernsehen; bei Fernsehteilnehmern mitsehen. ↗schnorren. 1958 *ff.*
fernsehen *intr* vom Mitschüler absehen. 1960 *ff.*
Fernseher *m* Fernsehgerät. Kurzwort. 1955 *ff.*
Fernsehgabel *f* dreizinkige Gabel mit Schneide; Kuchengabel. Sie erinnert an eine Fernsehantenne. 1960 *ff.*
Fernsehgerät *n* Brille für Kurzsichtige. 1957 *ff.*
Fernsehhals *m* eine Art „Hexenschuß" im Bereich der Halswirbelsäule. Soll auf die steife Kopfhaltung bei langem Fernsehen zurückzuführen sein. 1960 *ff.*
Fernsehhocker *m* leidenschaftlicher Fernsehzuschauer. Hocken = sitzen. 1959 *ff.*
Fernsehkanone *f* 1. Fernsehkamera. Sieht aus wie eine Kanone und „schießt" Bilder. 1959 *ff.*
2. beliebter Fernsehkünstler o. ä. ↗Kanone 1. 1956 *ff.*
Fernsehkasten *m* Fernsehgerät. 1955 *ff.*
Fernseh-Kiebitz *m* Zuschauer einer Fernsehsendung (etwa bei einem Nachbarn), ohne Entgelt zu zahlen. ↗Kiebitz. 1956 *ff.*
Fernsehknochen *m* Nackenkissen für Fernsehteilnehmer. Es ist förmähnlich mit einem großen Tierknochen. 1959 (Reklamewort).
Fernsehkonserve *f* Fernsehaufzeichnung; Kassettenfernsehen. ↗Konserve. 1957 *ff.*
Fernsehkonsument *m* Fernsehzuschauer. Er verbraucht die Ware „Fernsehen" wie jede andere Ware. 1955 *ff.*
fernsehkrank *adj* durch vieles Fernsehen augenleidend (so wird angenommen). 1960 *ff.*
Fernsehkrüppel *m* Kind, das täglich viele Stunden fernsieht. Nachteilige Folgen für seine körperliche und geistig-seelische Entwicklung sind unausbleiblich. Verkrüppelung = Mißgestaltung. 1971 *ff.*
Fernsehlächeln *n* unpersönliches Lächeln einer weiblichen Person. Vom Lächeln der Fernseh-Ansagerinnen übernommen. 1955 *ff.*
Fernsehmaschine *f* Fernsehgerät. 1960 *ff.*
Fernsehmieze *f* Fernsehansagerin. Etwa seit 1958 auf Hilde Nocker, die Ansagerin des Hessischen Rundfunks, bezogen; später auch auf andere Ansagerinnen übertragen. ↗Mieze.
Fernsehmuffel *m* 1. unzufriedener Fernsehteilnehmer. ↗Muffel. 1967 *ff.*
2. Gegner des Fernsehens. 1967 *ff.*
Fernsehnassauer *m* 1. Besitzer eines Fernsehgeräts, ohne Gebühren zu entrichten. ↗Nassauer. 1955 *ff.*
2. Fernsehzuschauer als Gast. 1955 *ff.*
Fernsehpantoffeln *pl* von Fernsehzuschauern getragene Pantoffeln. 1960 *ff.*
Fernsehpullover *m* tief dekolletierter Pullover. Er ermöglicht schon aus einiger Entfernung tiefe Einblicke. 1958 *ff.*
Fernsehpuppe *f* Fernsehansagerin. Manch eine wirkt unpersönlich-steif; sie ist in der Körperhaltung, hinsichtlich der Kleidung, des Schmucks, der Haartracht usw. an Weisungen gebunden. ↗Puppe. 1965 *ff.*
Fernsehsäugling *m* Mensch, der erst seit kurzer Zeit ein Fernsehgerät besitzt. 1958 *ff.*
Fernsehschaffe *f* Fernsehdarbietung. ↗Schaffe. *Halbw* 1960 *ff.*
Fernsehschlange *f* Fernsehschauspielerin

in der Rolle der Verführerin. ↗Schlange. 1960 ff.

Fernsehschnüffler m Bundespostbeamter, der nichtangemeldete Fernsehgeräte ortet. 1958 ff. ↗Schnüffler.

Fernsehspeck m durch Essen (Naschen) während der Fernsehzeit aufkommende Beleibtheit. 1965 ff.

fernsehsteif adj überheblich. Der Kopf wird so steif gehalten, als habe man zu lange auf den Bildschirm geblickt. 1958 ff.

Fernsehsteife f 1. Genicksteife als Folge reichlichen Fernsehens. 1954 ff. 2. Hochmut, Überheblichkeit. Vgl die Erklärung zu „↗fernsehsteif". Die Bezeichnung kann auch auf den Dünkel eines Fernsehgerätebesitzers gegenüber einem Nichtbesitzenden zurückgehen 1958 ff.

Fernsehsuff m Gewohnheit, vor dem Bildschirm Alkohol zu trinken. ↗Suff. 1960 ff.

Fernsehverdrossenheit f Unmut über das Fernsehprogramm. 1975 ff.

Fernsehwitwe f Frau des Fernseh-Nachrichtensprechers. Sie muß ihren Mann oft vermissen, ähnlich der „↗Fußballwitwe", der „politischen ↗Witwe" usw. 1960 ff.

Fernsicht f die ~ genießen = fernsehen. 1955 ff.

Fernsprecher m Mensch mit übermäßig lauter Stimme; schreiender Vorgesetzter. Seine Stimme ist im fernsten Winkel zu hören. 1935 ff.

ferntasten intr morsen, funken. Sold 1939 ff.

Ferse f 1. eins in die ~ kriegen = an der schwachen Stelle getroffen werden. Anspielung auf die Achillesferse. 1925 ff. 2. mit jm ~ an ~ liegen = koitieren. 1960 ff.

fersen intr eilen. Verkürzt aus „↗Fersengeld geben". 1950 ff.

Fersengeld n 1. Botenlohn. 1955 ff. 2. ~ geben = fliehen, entspringen. „Die Ferse zeigen" ist eine alte Umschreibung für „fliehen", vor allem für das Weglaufen unter Hinterlassung von Schulden. Statt des Geldes bekam der Gläubiger die Fersen zu sehen. Seit mhd Zeit. 3. ~ kriegen = anstatt ordnungsgemäß Wehrsold zu erhalten, dem ungeordneten Rückzug überantwortet werden. Sold 1939 ff.

fertigbringen tr das bringst du fertig = dazu bist du imstande (oft iron). 19. Jh.

fertigkriegen tr das kriegst du fertig = dazu bist du imstande; dazu bist du dreist genug; das traue ich dir zu (oft iron gebraucht). Eigentlich soviel wie „zustandebringen". 19. Jh.

Fertigmache f Verunglimpfung, Ansehensvernichtung, Zermürbung. Vgl das Folgende. 1975 ff.

fertigmachen tr 1. jn erschöpfen, zermürben, einschüchtern, mundtot machen; jn nervlich stark belasten; jn streng rügen; jm die Geschlechtskraft rauben. Man bringt ihn ans Ende der körperlichen und seelischen Kräfte. Seit dem späten 19. Jh. 2. jn niederschlagen, zu Tode quälen, umbringen. 1870 ff. 3. jn sittlich, charakterlich, seelisch erledigen. 1870 ff. 4. koitieren; schwängern. Geht aus vom Begriff des körperlichen Schwächens. 1920 ff. 5. jds Bankrott herbeiführen. 1930 ff.

6. einen Zögernden zur Entscheidung treiben. 1900 ff.

7. jn betrunken machen. 1900 ff.

8. mach mich fertig, ich bin der Neubau!: Aufforderung zum Geschlechtsverkehr. 1950 ff.

9. jn stückweise ~ = jn so drillen, daß jeder Körperteil einzeln an die Reihe kommt; jn Stück für Stück verprügeln. 1920 ff, sold.

10. jn ~, daß ihm die Scheiße im Hintern kocht = jn schikanös drillen. ↗Arsch 154. Sold 1939 ff.

11. sich ~ = a) sich durch übermäßige Anstrengung ruinieren. 1870 ff. – b) geschäftlich oder sittlich seinen Untergang herbeiführen. 1900 ff. – c) onanieren. 1950 ff.

fertig sein 1. erschöpft, abgearbeitet sein; abgenutzt, nicht mehr brauchbar sein. „Fertig" gehört zu „Fahrt" und meint eigentlich „zum Aufbruch bereit"; von da gekürzt zu „bereit" und weiterentwickelt zu „beendet". 17. Jh. 2. bankrott, zahlungsunfähig sein. 17. Jh. 3. betrunken sein. 18. Jh. 4. tot sein. 17. Jh. 5. im Spiel besiegt sein. 19. Jh. 6. ich bin fertig!: Ausdruck der Verwunderung, des Entsetzens. 1930 ff. 7. mit jm ~ sein = sich mit jm entzweit haben; an jm alles Interesse verloren haben. Die Beziehungen sind an ihrem Ende angelangt. 18. Jh.

fertig werden 1. zugrundegehen. 19. Jh. 2. mit jm ~ = jm gewachsen sein. 19. Jh.

fesch adj modern-elegant und sauber gekleidet; von frischem, anziehendem Wesen. Gekürzt aus engl „fashionable". Kurz nach 1830 über Wien in den deutschen Sprachgebrauch eingegangen.

Feschaak (Feschak) m schöner Mann. Aus dem Tschechischen übernommen. 1900 ff.

Fesselballon m sich aufblasen wie ein ~ = sich aufspielen; prahlen. Ins Militärische abgewandelte Redensart „sich aufblasen wie ein ↗Frosch". 1910 ff.

Fest n 1. der Feste = Kampf um die Fußballweltmeisterschaft. Früher nur bekannt als Umschreibung für das Weihnachtsfest. 1970 ff. 2. frohes ~!: iron Ausruf im Hinblick auf ein zu erwartendes unfrohes Ereignis. 1900 ff. 3. rosarotes ~ = Gelage mit Unsittlichkeiten. „Rosarot" spielt auf die Beleuchtung an. 1960 ff. 4. ein ~ aufziehen = ein Fest veranstalten. ↗aufziehen 2. 1920 ff. 5. die ~e feiern, wie sie fallen = keine Gelegenheit zum Vergnügen auslassen. Geht zurück auf die Berliner Lokalposse „Graupenmüller" von Hermann Salingré (1870). Seit 1888 gebucht. 6. ein ~ schmeißen = ein Fest veranstalten. „Schmeißen" gehört der Künstlersprache an und meint den künstlerischen „Wurf". 1900 ff. Vgl engl „to throw a party". 7. es ist mir ein ~ = es freut mich sehr. Fest = Hochgenuß. Seit dem späten 18. Jh.

fest adj 1. auf jn nicht sehr ~ sein = jn nicht für unbedingt zuverlässig halten. Der

Betreffende bietet keine Gewähr für Standfestigkeit und Treue. Wien 1950 ff. 2. mit jm ~ sein = mit jm in einem Liebesverhältnis stehen. 1950 ff, halbw.

Festbonze m Mensch, der keine Gelegenheit zum Mitfeiern sich entgehen läßt. ↗Bonze. 1900 ff.

feste adv 1. ordentlich, tüchtig, stark; oft; vielfach („hast du dich auch feste amüsiert?"; „er ist feste am Arbeiten"). „Fest" meinte früher „stark", vor allem in Verbindungen wie „fest essen" oder „fest lachen", wofür wir heute „stark essen" und „stark lachen" sagen. 19. Jh. 2. immer ~ druff (nichts wie ~ druff)! = tüchtig dreingeschlagen! mutig angegriffen! Seit dem späten 19. Jh. 3. immer ~ auf die Weste!: Anfeuerung zu tatkräftigem Dreinschlagen o. ä. 1813 von Berliner Soldaten aufgebracht im Kampf gegen Napoleon. 4. wer Feste feiern will, muß ~ arbeiten = um ein Fest feiern will, muß zuvor das Geld dazu verdienen. Berlin 1850 ff.

Feste f intime Freundin eines jungen Mannes. Beide stehen zueinander in einem festen Verhältnis. Berlin 1890 ff.

Fester m intimer Freund eines jungen Mädchens. Jug 1890 ff.

Festessen n 1. es ist mir ein ~ = es freut mich sehr, ehrt mich sehr (iron). Vgl ↗Festbankett. Seit dem späten 19. Jh. 2. sie ist ein ~ = sie ist außergewöhnlich anziehend. Sie ist „zum ↗Fressen". 1950 ff.

festgefahren sein keinen Ausweg mehr wissen. Soviel wie „gestrandet sein". 1900 ff. Vgl engl „to be aground".

festgenagelt sein ratlos, sprachlos sein. Man ist vor Staunen unbeweglich. 1950 ff.

festgeschraubt sein an einen Platz gebunden sein und aushalten müssen. ↗festschrauben. Sold 1939 ff.

festhalten v 1. sich ~ = sich nicht erschüttern lassen; sich in Acht nehmen. Herzuleiten von einer Gebirgswanderung. Seit dem späten 19. Jh. 2. halt dich fest!: Ausruf bei Erschrecken oder Erstaunen. 1880 ff. 3. sich an etw ~ = sich mit etw übergebührlich lange aufhalten; eine Arbeit überaus langsam verrichten. Man läßt sie nicht aus der Hand. 1900 ff. 4. sich an einem Glas (o. ä.) ~ = ausdauernd bei geringem Verzehr in einem Lokal sitzen o. ä. 1930 ff. 5. sie hat zum ~ = sie besitzt üppige Körperformen. Die Rundungen als Felsvorsprünge aufgefaßt, an denen der Bergsteiger Halt findet. 1920 ff.

Festivität f Festlichkeit. Fußt auf lat „festivitas"; ist heute vorwiegend spöttisch und burschikos gemeint. 1800 ff.

festklopfen tr etw unverbrüchlich festlegen. Als würde man es mit Hammer und Meißel in Stein hauen. Politikerspr. 1970 ff.

Festknabe m 1. hervorragender junger Mann. Ursprünglich der homosexuell tätige Knabe. 1900 ff. 2. junger Mann, der für Feste und Vergnügungen Sinn hat, nicht aber für Pflichterfüllung jeglicher Art. 1900 ff.

festkneipen refl im Gasthaus sitzenbleiben und weitertrinken. 1900 ff.

Festlandkapitän m Lenker eines ferngesteuerten Modellschiffs. 1960 ff.

festnageln v 1. jn auf etw ~ = a) jn einer Tat sicher überführen; jn mit vollem Grund verdächtigen. Hergenommen von der Sitte, Bälge von Raubvögeln, die dem Geflügel nachstellen, an Scheunentore zu nageln. 1830 ff. Vgl engl „to pin someone down to something". – b) jn beim Wort nehmen. 1850 ff. 2. jn ~ = a) jn festnehmen. 1900 ff. – b) jm durch Beschuß, Einsperren o. ä. die Flucht unmöglich machen. 1900 ff. – c) jn zur Übernahme einer Verpflichtung bestimmen. 1900 ff. – d) jn ausschließlich für sich mit Beschlag belegen. 19. Jh. – e) jn immer wieder für denselben Rollentyp engagieren. Theaterspr. 1920 ff. 3. sich ~ = eine Verpflichtung eingehen; ein Versprechen geben. 1920 ff.

festproppen refl sich niedersetzen und vorerst nicht wieder aufstehen. Analog zu ↗ festschrauben. 19. Jh.

festreden refl beim Reden kein Ende finden. 19. Jh.

Festredner m Mensch, der über dem Reden das Weggehen vergißt oder bei einer Rede kein Ende findet. Scherzhafte Bezeichnung; er „redet sich fest". 1920 ff.

Festrübe f 1. Zigarre für festliche Gelegenheiten. Geht von der Form der Rübe aus und meint die besonders dicke Zigarre. Seit dem späten 19. Jh. 2. leidenschaftlicher Teilnehmer an Geselligkeiten; guter Unterhalter, Stimmungsmacher. 1900 ff. 3. erigierter Penis. ↗ Rübe. Sold 1939 ff.

festsaufen refl sich zum Trinken niedersetzen und des Trinkens kein Ende finden. 1900 ff.

festschrauben refl sich niedersetzen und auf längeres Verweilen einrichten (als schraube man sich in die Holzbank ein, von der man nicht wieder hoch kommt). Stud seit dem späten 19. Jh.

festschreiben tr etw für unverrückbar ausgeben. Man legt es vertraglich fest und bekräftigt es durch die Unterschrift. Politikerspr. 1960 ff.

festsetzen refl sich zu ausgiebigem Zechen niederlassen. 1900 ff.

festsitzen intr 1. nicht weiterkönnen; in Bedrängnis sein. Hergenommen vom gestrandeten Schiff oder vom festgefahrenen Wagen. 1920 ff. 2. in der Schule nicht versetzt werden. Schül 1950 ff.

Festsitzung f Aufenthalt in einer Haftanstalt o. ä. Wortspiel mit „feierliche Zusammenkunft" und „festsitzen = inhaftiert sein". 1910 ff.

Feststellung ('Fest-'Stellung) f ruhiger, sicherer Arbeitsplatz; bequeme militärische Stellung; durch nichts zu erschütternde Position. Ziv und sold 1939 ff.

Festtagsbraten m besonders erfreuliches Ereignis. Vgl ↗ Festessen 1. 1955 ff.

Festtagsnudel f Zigarre für festliche Anlässe. ↗ Nudel. 1910 ff.

festtreten das tritt sich fest = a) tröstende Redensart, wenn ein Gegenstand zerbrochen am Boden liegt oder vom Tisch fällt und einer ihn aufheben will. Die Redewendung setzt als Fußboden den Erdboden voraus. 1930 ff. – b) das gibt sich mit der Zeit. 1935 ff.

Fete f 1. Tanzveranstaltung, Party. Von franz fête = Fest, Feier" übernommen. Stud und schül 1920 ff.

2. Schulfeier. Schül 1950 ff. 3. ~ in der Unterwelt = Keller-Party. Halbw 1965 ff. 4. big ~ = Schulfeier. Schül 1965 ff. 5. big ~ machen = sich im Party-Keller amüsieren. Schül 1965 ff. 6. dicke ~ = Schulfeier. 1970 ff.

Fetenmontur f Party-Kleidung der Halbwüchsigen. 1960 ff.

Fetensaal (-salon) m Party-Keller. Schül 1970 ff.

fett adj 1. betrunken. Fett = dick, aufgeschwemmt; von da weiterentwickelt zu „mit Alkohol gemästet". Seit dem späten 18. Jh. 2. reich; mit Geld versehen. Fett leben = wohlhabend sein. Rotw 1862; später verallgemeinert. 3. schwanger. 1900 ff. 4. aufdringlich; plump vertraulich. Analog zu ↗ ölig, auch zu ↗ schmierig. 1920 ff. 5. so ~ eß' (mag) ich nicht = a) das kann ich nicht leiden; das widerstrebt mir. Übertragen von der Abneigung gegen allzu fette Speisen. 1910 ff. – b) das glaube ich nicht; das halte ich für übertrieben. 1920 ff. 6. es war nicht so ~ wie bei den Juden (wie in jüdischen Häusern): scherzhaftes Lob nach der Mahlzeit. Geht ironisch zurück auf das Speiseverbot der Juden, Schweinefleisch betreffend. Wohl schon seit dem späten 19. Jh. 7. ~ sein = satt sein. Man ist gewissermaßen schlachtreif. BSD 1965 ff. 8. so ~ hat mir der Doktor verboten: Ausruf beim Anblick beleibter weiblicher Personen. 1955 ff.

Fett n 1. Geld; Sold. ↗ fett 2. 1900 ff. 2. Strafdienst. Vgl „sein ↗ Fett kriegen". BSD 1965 ff. 3. sich ~ anfressen = beleibt werden; Fettpolster ansetzen. 1960 ff. 4. sich ~ ansitzen = durch sitzende Lebensweise beleibt werden. 1960 ff. 5. jm das ~ auslassen = jn körperlich sehr anstrengen; jn drillen. Stammt aus der Küchenpraxis: das Fett läßt man durch Erhitzen aus. Sold 1900 ff. 6. jn in seinem eigenen ~ braten = jn langsam nachgiebig machen; jn im Ungewissen lassen. ↗ Saft. 19. Jh. 7. im ~ ersticken = sehr vermögend sein. ↗ Fett 1. 1900 ff. 8. jm sein ~ geben = jn rügen. Meint eigentlich den zustehenden Anteil beim Hausschlachten und in übertragener Bedeutung den zustehenden, verdienten Teil der Prügel. 1850 ff. 9. sein ~ haben = sein Teil haben; seinen Anteil bekommen haben. 19. Jh. 10. sein ~ haben (wegbekommen haben; weghaben) = a) seine Bestrafung erhalten haben; gescholten worden sein. ↗ Fett 8. Seit dem frühen 19. Jh. – b) Prügel bekommen haben. 19. Jh. 11. ~ auf der Pupille haben = etw nicht sehen, übersehen. Der Blick ist durch Fett getrübt. 1920 ff. 12. sein ~ kriegen = a) getadelt werden; seine Strafe erhalten; mit Anzüglichkeiten bedacht werden. Vom Hausschlachten hergenommen und ins Ironische gewendet. 1800 ff. – b) Prügel erhalten. 19. Jh. 13. da leckst du ~! : Ausdruck des Erstaunens. Über „leck mich fett!" entstellt aus

„leck mich am Arsch!". 1900 ff. Vgl das Folgende. 14. du kannst mir ~ leckenl: Ausdruck der Ablehnung. Verkürzt aus „leck' mir Fett vom Arsch!" 1800 ff. 15. das ~ unschädlich machen = nach der Mahlzeit zum Schnapstrinken übergehen. 1900 ff. 16. jm das ~ aus den Rippen pressen = jn drangsalieren; jn schikanös einexerzieren. Durch Überanstrengung läßt man ihn abmagern. Sold 1939 ff. 17. jn in seinem ~ schmoren lassen = jn aus der selbstverschuldeten Notlage nicht befreien. ↗ Saft. 1850 ff. 18. das ~ von der Suppe schöpfen = seinen Vorteil vorwegnehmen. Analog zu „den ↗ Rahm abschöpfen". 19. Jh. 19. in seinem ~ sein = sich wohlfühlen; auf sein Lieblingsthema zu sprechen kommen. Man „glänzt". 19. Jh. 20. im ~ sitzen (schwimmen) = in guten Verhältnissen leben; Überfluß an allem haben. Man hat reichlich und fett essen. Vgl ↗ Fett 1. 19. Jh. 21. sein ~ weghaben ↗ Fett 10. 22. sein ~ wegkriegen = gescholten werden; der Bestrafung entgegengehen. ↗ Fett 12. Wegkriegen = abbekommen. 1800 ff.

Fettauge n 1. sehr dicker Mensch. 1850 ff. 2. aus der Menge durchschnittlicher Leistungen herausragende große Leistung. Sie ist das Fettauge auf der Suppe: es schwimmt auf einer sehr viel größeren Menge Wasser. 1950 ff. 3. ~n schauen dich an = a) Redewendung angesichts einer sehr fetthaltigen Suppe. Dem Buchtitel „Tiere sehen dich an" (von Paul Eipper, 1928) nachgebildet. 1930 ff. – b) Redewendung auf einen sehr beleibten Menschen. 1935 ff. 4. da gucken mehr ~n rein als raus = das ist eine Wassersuppe. Westd 1920 ff. 5. es ist mir ein ~ auf der Suppe meines Lebens = es freut mich sehr. Stud 1920 ff.

Fettdruck m unter ~ stehen = Übergewicht haben. 1960 ff.

Fetter m 1. Hundertmarkschein. ↗ fett 2. Nach der Inflation der zwanziger Jahre aufgekommen, anfangs bei Gaunern und Prostituierten. 2. wohlhabender, freigebiger Prostituiertenkunde. 1910 ff. 3. seinen Fetten weghaben = bezecht sein. ↗ fett 1. 1950 ff.

Fettfleck m 1. kleinwüchsige dickliche Person. 1900 ff. 2. ~ auf der Weste = a) Charakterfehler. 1910 ff. – b) Vorstrafe; Bescholtenheit; Schuldgefühl. 1850 ff. 3. Achtung, ~l = a) Ruf des Kellners, der mit Speisen sich durch das Gedränge windet. Seit dem späten 19. Jh. – b) Ruf bei Annäherung einer sehr beleibten Person. 1900 ff.

Fetthappen m sich einen ~ entgehen lassen = ein gewinnbringendes Geschäft außerachtlassen. Analog zu „fetter ↗ Bissen". 1920 ff.

fettig adj 1. schwülstig. Analog zu ↗ schmalzig. 1920 ff. 2. ~ grinsen = hämisch, schadenfroh lachen. 1900 ff.

Fettigkeiten pl Fette; Fleischwaren; nahrhafte Lebensmittel. Seit dem späten 19. Jh kundenspr., danach *sold* und wandervo-gelspr.

Fettlebe *f* 1. Wohlleben. Wo man fett lebt und „fett" (= reich) ist. Seit dem späten 19. Jh.
2. daumendicke ~ = üppigstes leibliches Wohl. Man streicht die Butter daumendick auf. *1940 ff.*
3. ~ haben (machen) = gut, sorglos le-ben; reichlich essen; sich nach längerem Darben gütlich tun. *1870 ff.*
4. bei jm ~ machen = jn umschmei-cheln. *1910 ff.*

fettleben *intr* gut, genießerisch leben; wohlhabend sein. *Rotw 1862 ff.*

Fettleber *m* Genießer, Schlemmer; Wohl-habender, der sich alles leisten kann. *1900 ff.*

fettmachen *v* 1. *tr* = schwängern. *1900 ff.*
2. sich ~ = prahlen. Man bläst sich auf, daß man wie aufgedunsen aussieht. *1900 ff.*

Fettnäpfchen *n* bei jm ins ~ treten (sich ins ~ setzen) = es durch Ungeschicklich-keit bei jm verderben. Zwischen Ofen und Tür des Bauernhauses stand früher an der Wand ein Fettnäpfchen, aus dem die Leute bei der Heimkehr ihre nassen Stiefel so-gleich schmierten. Wer versehentlich hin-eintrat, erregte Unwillen. 19. Jh.

Fettöpfchen *n* 1. ins ~ gefallen sein = stark pomadisiertes Kopfhaar tragen. *1930 ff.*
2. sich ins ~ setzen = ein sorgenloses Dasein begründen. *1930 ff.*

Fettpolster *n* geldliche Sicherheit; Rückla-gen für wirtschaftliche Krisenzeiten; Re-servekapital. Vom Fettvorrat des Körpers übertragen auf den Geldvorrat; denn „Fett = Geld". *1955 ff.*

Fettquetscher *m* Hüfthalter. *1970 ff.*

Fettspektakel *n* überaus beleibter Mensch. Spektakel = Sehenswürdigkeit; sehens-werte Vorführung. *Westd 1900 ff.*

Fetz *m* ↗ Fez.

Fetze *f* Prostituierte. Weibliche Form von „↗ Fetzen 12". *1920 ff.*

Fetzen *m* 1. Kleid *(abf)*. Eigentlich das zer-rissene, verschlissene Stück Stoff. Schon in *mhd* Zeit.
2. Uniform. *BSD 1965 ff.*
3. Schürze. *1800 ff.*
4. Rausch. Verkürzt aus ↗ Fetzenrausch. *Österr* 19. Jh.
5. schlechteste Leistungsnote. Gehört zur Vorstellung „↗ Verriß". *Österr 1950 ff.*
6. Schulzeugnis. Ein Fetzen Papier. *Bayr 1950 ff.*
7. Schulbuch. *1950 ff.*
8. mutwilliger, böser Mensch. Analog zu ↗ Stück. 19. Jh.
9. Dummer; Versager. Ein Fetzen ist wert-los und unbrauchbar. *1925 ff, jug.*
10. Theatervorhang. Verkürzt aus ↗ Jam-merfetzen. Theaterspr. *1900 ff.*
11. hohe Fahrgeschwindigkeit. ↗ fetzen = eilen. Theaterspr. *1900 ff.*
12. niederträchtige Person; liederliche, leichtfertige weibliche Person. Von nachlässiger, zerfetzter Kleidung übertra-gen auf das Charakterliche. *1800 ff.*
13. ein ~: Verstärkung im Zusammen-hang mit einem Substantiv (ein Fetzen Geschrei; ein Fetzen Freude usw.). Vom Stück Stoff übertragen auf die Geltung „großes Stück". *1800 ff oberd.*

14. ~ Dreck = Schimpfwort. Analog zu „Stück Dreck". *1900 ff.*
15. gemeiner ~ = niederträchtiger Mensch. ↗ Fetzen 12. *1900 ff.*
16. schlimmer ~ = Mensch niederer Gesinnung. *1900 ff.*
17. trauriger ~ = energieloser Mensch. *1900 ff.*
18. sich in ~ arbeiten = sich überaus anstrengen. Man zerreißt sich; *vgl* ↗ zer-reißen. *1900 ff.*
19. du gehörst mit einem nassen ~ er-schlagen!: Drohrede. Theaterspr. seit dem späten 19. Jh.
20. die ~ fliegen = man wirft mit Ge-genständen; man tobt, übt schonungslose Kritik, o. ä. Fetzen = Stück, Brocken o. ä. *1920 ff.*
21. daß die ~ fliegen = heftig; hemm-ungslos. Herzuleiten von „zuschlagen, daß die Fetzen fliegen = so zuschlagen, daß der Gegenstand in Trümmer geht". *1920 ff.*
22. arbeiten, daß die ~ fliegen = eifrig, eilig arbeiten. *1920 ff.*
23. brüllen, daß die ~ fliegen = seinem Zorn sehr heftig Ausdruck verleihen. *1900 ff.*
24. exerzieren (o. ä.), bis die ~ fliegen = bis zur Erschöpfung exerzieren. *Sold 1935 ff.*
25. hauen, daß die ~ fliegen = kräftig zuschlagen. 19. Jh.
26. lügen, daß die ~ fliegen = dreist lü-gen; sehr grobe Unwahrheiten vorbrin-gen. *1900 ff.*
27. streiten, daß die ~ fliegen = heftig miteinander streiten. *1900 ff.*
28. jn in ~ hauen = jn prügeln. *1900 ff.*

fetzen *v* 1. *tr* = etw schneiden, ungestüm reißen. So wie man Stoff reißt. 15. Jh.
2. *tr* = jn durch einen Schuß oder Schlag verwunden. Gemeint ist, daß die Haut oder Fleischteile des Getroffenen in Fetzen gehen, seit dem frühen 19. Jh.
3. *tr* = jn anzüglich bekritteln. Analog zu ↗ verreißen. *Österr 1900 ff.*
4. *intr* = schießen. Hergenommen von der Klangähnlichkeit schneller Schußfol-gen mit dem Zerreißen von Stoff. *Sold 1914 ff.*
5. *intr* = eilen, sausen. „Fetzen = schla-gen"; von daher analog zu „↗ abhauen". *Südd 1939 ff.*
6. schwer arbeiten; sich hart abmühen; eilig tätig sein. *1950 ff.*
7. in der Schule abschreiben. ↗ abfet-zen 2. *Schül 1920 ff.*
8. etw ~ es reißt mit, ist temperament-voll, aggressiv. *1950 ff.*

Fetzenlaberl *n m* Ball aus Stoffresten; (im-provisierter) Fußball. Laberl = Fleisch-klößchen. *Österr 1930 ff.*

'Fetzen'rausch *m* schwere Bezechtheit. ↗ Fetzen 13. *1800 ff.*

'Fetzen'wurf *m* schwerer Sturz beim Ski-laufen. *Südd 1920 ff.*

Fetzer *m* 1. Schallplatte. ↗ fetzen 8. Paral-lel zu ↗ Reißer. *1950 ff.*
2. großartige Sache. *1950 ff.*
3. netter junger Mann. *1950 ff, jug, österr.*

fetzig *adj* 1. kameradschaftlich. Verselb-ständigt aus ↗ Fetzen 13. *Österr 1950 ff.*
2. unübertrefflich. ↗ fetzen 8. *1950 ff, jug.*

feucht *adj* 1. sinnlich veranlagt (auf weibli-che Personen bezogen). Wegen des Schei-

denausflusses bei geschlechtlicher Erre-gung. *1900 ff.*
2. frühstücken ~ = am frühen Morgen Alkohol trinken. *1920 ff.*
3. ~ werden = sich dem Trunk ergeben; sich bezechen. 18. Jh.
4. ~ wohnen = a) der Marine angehö-ren; zur Marine eingezogen sein. Anspie-lung auf das „feuchte Element". *1870 ff.* – b) (auch: in einer feuchten Wohnung woh-nen) = rothaarig sein. Von der Feuchtig-keit „rosten" die Haare. *1930 ff, jug.*

'feucht'fröhlich *adj* lustig unter Einwir-kung alkoholischer Getränke. 19. Jh.

feudal *adj* 1. unübertrefflich. Aus dem Be-griff der Lehnsherrschaft entwickelt sich die Bedeutung „adlig" und „vornehm" und weiter „höchststehend, höchstgestellt". *Halbw 1965 ff.*
2. ausgesucht fein; erlesen; kostspielig. *Halbw 1965 ff.*

Feudalnutte (-schnalle) *f* Prostituierte (o. ä.) in wohlhabenden Kreisen. ↗ Nut-te 1; ↗ Schnalle 3. *1970 ff.*

Feudel *m* 1. Scheuer-, Putztuch; Aufneh-mer. *Franz* „faille" = grober Seidenstoff" entwickelte sich im Niederländischen und Ostfriesischen zur Bedeutung „feil = Scheuertuch". 18. Jh.
2. Seeflagge. *Marinespr 1965 ff.*
3. Uniform. Analog zu „↗ Fetzen" und „↗ Lappen". *BSD 1965 ff.*
4. dummer, energieloser Mensch. Analo-gie zu ↗ Waschlappen. *Schül 1950 ff, nordd.*

Feuer *n* 1. in 'einem ~ = ohne Unterbre-chung und in härtester Anstrengung. Aus der Vorstellung „Feuereifer" entwickelt. Rudererspr. *1960 ff.*
2. freil = Raucherlaubnis; jetzt darf geraucht werden. Übertragen vom gleich-lautenden *milit* Feuerbefehl. *Sold 1939 ff.*
3. ~ in Gelee = Meduse, Qualle. Die Hautberührung mit gewissen Quallenarten verursacht heftiges Brennen. *1941 ff.*
3 a. das ~ einstellen = weitere Kritik unterlassen. Übertragen von der Beendi-gung des militärischen Beschusses. *1960 ff.*
4. ~ fangen = sich plötzlich heftig verlie-ben. Das Herz gerät in Brand; vgl auch einen das Feuer der Begeisterung und die Flamme der Leidenschaft. *1800 ff.*
5. für jn durchs ~ gehen = treu für jn eintreten; für jn etwas Gefahrvolles tun. Hergenommen vom rettenden Eingreifen beim Brand eines Hauses. *1500 ff. Vgl franz* „passer par le feu pour quelqu'un".
6. ~ am Arsch haben = erregen. Man ist „angefeuert". 19. Jh.
7. ~ im Arsch haben = a) mutig, an-griffslüstern sein. *1800 ff.* – b) tempera-mentvoll sein. *1900 ff.*
8. ~ aufs Dach haben = a) sehr verliebt sein. Der Kopf steht in Flammen; man hat brennendheiße Liebesgedanken. *1600 ff.* – b) sehr zornig sein. 15. Jh. – c) (braun-)ro-tes Haar haben. Die Haare erinnern an Glut und Flammen. *1920 ff.*
9. ~ unter der Haube haben = in Wut sein. Haube = Kopfbedeckung der Frau-en. *1960 ff.*
10. ~ unter dem Hemd haben = leiden-schaftlich, schwungvoll musizieren. *1950 ff, halbw.*
11. ~ unterm Hintern haben = tempera-mentvoll sein. *1900 ff.*

12. ~ in der Hose haben = liebesgierig sein. 1920 *ff.*

13. ~ im Schwanz haben = nicht stillsitzen können. 1700 *ff.*

14. auf zwei ~n kochen = es mit mehreren (entgegengesetzten) Möglichkeiten halten. 1950 *ff.*

15. zwischen zwei ~ kommen = sich zwei Unannehmlichkeiten ausgesetzt sehen; von zwei (entgegengesetzten) Seiten aus angegriffen, kritisiert werden. Von *milit* Späh- oder Stoßtruppunternehmen übertragen: man gerät zwischen die Fronten, wird von zwei Seiten beschossen. 18. Jh. *Vgl franz* „être pris entre deux feux".

16. ~ hinter etw machen (~ untermachen) = eine Sache beschleunigen. Seit dem späten 19. Jh.

17. ~ hinter jn machen = jn antreiben. 1910 *ff.*

18. jm ~ unterm Arsch machen = jn zur höchsten Eile antreiben; jn in die Flucht schlagen. Derbe Variante zu „anfeuern". 17. Jh.

19. jm ~ unterm Frack machen = jn zur Eile anhalten. 1900 *ff.*

20. jm ~ unter den Hintern machen = jn antreiben. 19. Jh. *Vgl franz* „courir comme si on avait le feu au derrière".

21. jm ~ unter die Hose machen = jn antreiben. 19. Jh.

22. jm ~ unter den Schwanz machen (legen) = jn zur Eile antreiben. 19. Jh.

23. jm ~ unter dem Stuhl machen = jn anspornen, aus seiner Lethargie aufrütteln. 1930 *ff.*

24. jn (etw) unter ~ nehmen = jn aus seinem Posten zu verdrängen suchen; etw heftig kritisieren. Hergenommen vom *milit* Beschuß. 1930 *ff.*

25. ihm schlägt das ~ aus den Nasenlöchern = er hat zu scharf gewürzte Speisen gegessen. Ihm brennt es im Schlund, und die Nase dient als Kamin. 1950 *ff.*

26. ~ schinden = von jm Feuer für eine Zigarre oder Zigarette erbitten. ↗ schinden. *Stud* seit dem späten 19. Jh.

27. bei ihm ist ~ im Dach = er ist wütend. Zorn denkt man sich metaphorisch als im Feuer. 1500 *ff.*

28. da ist ~ unterm Dach = da herrscht gereizte Stimmung, große Erregung; in der Familie herrscht Zerwürfnis. Dach = Hausdach. *ff.*

29. ~ und Fett sein = sich für etw begeistern; heftig nach etw verlangen. Gibt man Fett (Öl) ins Feuer, dann zischt es hochauf. 1920 *ff.*

30. für etw (jn) ~ und Flamme sein = für (von) etw (jn/jm) begeistert sein; sich für etw rasch begeistern. Fußt auf der Metapher vom Feuer der Begeisterung, von der lodernden Begeisterung. 1600 *ff.*

31. zwischen zwei ~n sitzen (stehen) = zwei Unannehmlichkeiten ausgesetzt sein. ↗ Feuer 15. 18. Jh.

32. mit dem ~ spielen = sich auf eine gefährliche Sache einlassen; Gefährliches tun. 17. Jh.

feuerbereit *adj* jn ~ machen = jn zum Geschlechtsverkehr verführen. Feuer = Leidenschaft; feuern = ejakulieren. *Sold* 1939 *ff.*

Feuerbombe *f* anziehendes Mädchen mit rotem/ rötlichem Haar. ↗ Bombe 1. *Halbw* 1955 *ff.*

feuerfest *adj* **1.** dem Ehepartner unverbrüchlich treu. Man ist gegen das Feuer außerehelicher Liebesleidenschaft gefeit. 19. Jh.

2. charakterfest, bestbewährt. 1900 *ff.*

Feuerfurz *m* Moped. Anspielung auf den Verbrennungsmotor und das Auspuffgeräusch. 1955 *ff, jug.*

feuergefährlich *adj* leicht aufbrausend. Anspielung auf das Feuer des Zorns. 1900 *ff.*

Feuerlinie *f* **1.** sich aus der ~ bringen = sich den Kritikern entziehen. Aus der Militärsprache: Feuerlinie ist die Linie der vordersten Schützen. 1950 *ff.*

2. in die ~ geraten (kommen) = Gegenstand heftiger Kritik werden. 1950 *ff.*

3. jn aus der ~ nehmen = einen der Kritik ausgesetzten Politiker aus parteitaktischen Gründen durch einen anderen ersetzen. 1950 *ff.*

4. in der ~ sein = sehr strenger Kritik ausgesetzt sein. 1950 *ff.*

Feuerlöscher *m* **1.** alkoholisches Getränk. Es löscht den „↗ Brand". *Halbw* 1960 *ff.*

2. wenig reizvolles, langweiliges Mädchen. Bei den jungen Männern bringt es das Feuer der Begeisterung rasch zum Erlöschen. *Halbw* 1955 *ff.*

Feuermann *m* Staatsanwalt. Weil er Feuer- oder Brandreden hält. 1900 *ff, rotw.*

Feuermelder *m* rötliches Haar; Mensch mit rötlichem Haar. Feuermelder sind durch die „Alarmfarbe" Rot gekennzeichnet. 1900 *ff.*

Feuermeldergesicht *n* widerliches Gesicht; Gesicht mit aufreizend dummem oder dünkelhaftem Ausdruck. Man möchte hineinschlagen wie beim Feuermelder in die Glasscheibe. 1930 *ff.*

feuern *tr* **a.** etw heftig werfen. Herzuleiten vom Werfen der Holzscheite oder Kohlen in den Ofen. 19. Jh.

2. jn hinausweisen; jn seiner Stellung entheben, fristlos entlassen, in Unehren entlassen, aus der Schule weisen. 1900 *ff.* *Gleichbed engl* „to fire".

3. jm eine = a) jn ohrfeigen. Der Schlag „brennt" auf der Wange und hinterläßt ein „feuerrotes" Mal. 19. Jh. – b) jm Feuer geben für die Zigarette. Scherzwort. *Halbw* 1960 *ff.*

Feuerpatsche *f* **1.** Gerät zum Ausschlagen des Feuers; Feuerlöschgerät. ↗ patschen. 1800 *ff.* Im Zusammenhang mit dem Luftschutz 1935 *ff* eine der häufigsten Vokabeln.

2. Ohrfeige, von einer weiblichen Person einem Mann versetzt. Sie erstickt das Liebesfeuer beim Aufdringlichen. 1935 *ff.*

Feuerpause *f* **1.** Redepause zwecks Anzündung einer Zigarette; Zigarettenpause. Meint eigentlich die Pause im *milit* Feuerwechsel. 1939 *ff, sold* und *ziv.*

2. Unterbrechung eines Streitgesprächs, eines Wortwechsels; Unterbrechung im Austausch von Vorwürfen. 1950 *ff.*

Feuerschutz *m* **1.** ~ bekommen = Rückendeckung, Unterstützung erhalten. Der vorrückende Soldat erhält von den anderen dadurch Feuerschutz, daß sie den Gegner unter Beschuß halten. 1960 *ff.*

2. jm ~ geben = a) einem Angegriffenen, Kritisierten zu Hilfe kommen. 1960 *ff.* – b) dem Mitschüler vorsagen. 1960 *ff.*

Feuerstuhl *m* **1.** Motorrad, Moped. Es ist

ein Stuhl mit Verbrennungsmotor. *Halbw* 1950 *ff.*

2. Auto. *Halbw* 1950 *ff.*

3. heißer ~ = Motorrad für Querfeldeinfahrten. 1960 *ff.*

Feuertaufe *f* erster Geschlechtsverkehr. Meint im Militärischen die Teilnahme am ersten Gefecht. 1900 *ff.*

Feuerteufel *m* **1.** Motorrad. *Jug* 1950 *ff.*

2. Brandstifter. 1950 *ff.*

Feuerwehr *f* **1.** militärische Einheit, die an gefährdeten Stellen der Front eingesetzt wird; Eingreifverband. Die ~ greift ein, wann und wo „es brennt" (= Gefahr im Verzug). *Sold* 1939 *ff.*

2. Politiker, der in kritischen Lagen Auswege zu finden weiß. 1960 *ff.*

3. Mensch, der bei schädlicher Entwicklung eingreift. 1960 *ff.*

4. Kameradengericht mit Verprügelung. Man will dadurch die Ausbreitung des „Brandes" (= Unkameradschaftlichkeit) verhüten. *BSD* 1965 *ff.*

5. militärische Einheit ohne Zucht und Angriffsgeist, ohne ausreichende Kampfkraft. Hergenommen von der Lässigkeit der früheren Dorffeuerwehren (beliebtes Witzthema). *Sold* in beiden Weltkriegen.

6. graue ~ = zur Erhaltung von Ruhe, Ordnung, Weltfrieden usw. eingesetzte Truppen der NATO (North Atlantic Treaty Organization). Anspielung auf die Uniformfarbe. 1955 *ff.*

7. seelische ~ = a) Begleiter(in) junger Leute zu gesellschaftlichen Veranstaltungen. Er (sie) soll verhindern, daß das Feuer der Liebesleidenschaft Schaden anrichtet. 1920 *ff.* – b) Tröster einsamer Frauen. 1920 *ff.*

8. wie die ~ = eiligst. Spätestens seit 1900.

9. ab wie die ~ = eiligst davon. 1900 *ff.*

10. pünktlich wie die ~ = sehr pünktlich. 1900 *ff.*

11. abfahren wie die ~ = schnell starten. 1900 *ff.*

12. abgehen wie die ~ = davoneilen; eiligst starten. 1900 *ff.*

13. ab geht's wie die ~ = schnellstens wird gestartet. 1900 *ff.*

14. die ~ alarmieren = in äußerster Not den letzten Helfer herbeirufen. 1930 *ff.*

Feuerwehrmann *m* **1.** Reporter, der zu besonderen Ereignissen entsandt wird. 1960 *ff.*

2. in Gefahr tatkräftig eingreifender Fußballspieler. *Sportl* 1950 *ff.*

3. in schwierigen Lagen eingesetzter Sonderbotschafter. 1970 *ff.*

Feuerwehrmutti *f* Hausfrau (Familienmutter), die kinderreichen Familien hilft, wenn diese durch Erkrankung der Mutter in Not geraten sind. 1971 *ff.*

Feuerzange *f* **1.** temperamentvoller, leicht aufbrausender Mensch. In seiner Wut ist er nur mit der Feuerzange zu behandeln. 1920 *ff.*

2. alte ~ = alte, unverträgliche Frau. ↗ Zange. 1920 *ff.*

3. etw (jn) nicht mit der ~ anfassen mögen = etw (jn) für höchst widerwärtig ansehen. 19. Jh.

Feuerzauber *m* **1.** zusammengefaßtes Feuer; Trommelfeuer. Fußt auf dem Kunstfeuern des 18. Jhs, verbunden mit Zaubersprüchen und Urmilit; durch Richard

Wagners „Die Walküre" wiederaufgelebt. *Sold* in beiden Weltkriegen.

2. Scheinwerfertätigkeit. *Sold* 1939 *ff.*

3. Fußballspiel mit hohem Torergebnis. Man „feuert" ins gegnerische Tor. *Sportl* 1950 *ff.*

feun *adj* fein. *Iron* Nachahmung der Sprechweise von Leuten, die vor lauter Vornehmtuerei die Lippen spitzen. ↗foin. 1920 *ff.*

Fex *m* Narr; Dummer; unternehmungslustiger junger Mann. Gehört zu „↗Faxen" und zu „↗feixen". Vorwiegend *südd* seit dem 18. Jh.

Fez (Feez, Fetz) *m* Festlichkeit voll bunten Treibens; Belustigung, Spaß, Unsinn. Fußt auf *franz* „fête = Fest, Feier". Seit dem späten 19. Jh; in Berlin aufgekommen.

fezen *intr* feiern. ↗Fez. *Halbw* 1950 *ff.*

Fiaker *m* **1.** ein Paar Würstchen. Meint eigentlich die zweispännige Kutsche in Wien. 1920 *ff.*

2. in einem Glas servierter schwarzer Kaffee mit einer Zugabe von Kirschwasser o. ä. Soll von Wiener Droschkenkutschern bevorzugt worden sein. 1920 *ff.*

Fiaker-Prinzip *n* Grundsatz, daß wenige, aber reiche Gäste willkommen sind; Abforderung überhöhter Preise. Die wenigen in Wien noch verkehrenden Fiaker verlangen ein hohes Fahrgeld, weil sie im Winter nichts verdienen und im Sommer nur an schönen Tagen mit Fahrgästen rechnen können. 1950 *ff.*

Fiasko *n* mißglückte Aufführung von Schillers „Die Verschwörung des Fiesko zu Genua". Theaterspr. 1950 *ff.*

fic-fic *tr intr* **1.** koitieren. Aus „ficken" französiert nach dem Muster von „tric-trac". 1914 *ff.*

2. du kannst mich ~!: derber Ausdruck der Abweisung. 1914 *ff.*

Fichten *pl* **1.** jn hinter (um) die ~ führen = jn täuschen, hintergehen, prellen. Fichten sind in der Förstersprache „finstere Hölzer". In ihrem Dunkel hat der Betrüger leichtes Spiel. 1500 *ff.*

2. in die ~ gehen = a) (nachts) stehlen gehen. Kundenspr. 1753 *ff.* – b) abhanden kommen; verloren gehen. 19. Jh. – c) sich gröblich irren. 19. Jh. – d) hinter Bäumen, in freier Natur seine Notdurft verrichten. *Sold* 1914 *ff.*

Fick *m* **1.** Geschlechtsverkehr. ↗ficken 1. 1800 *ff.*

2. Drill. ↗ficken 2. *BSD* 1965 *ff.*

Fickanstalt *f* Bordell. 1965 *ff.*

fickbar *adj* geschlafwillig. 1920 *ff.*

Fickbeutel (-büdel) *m* Präservativ. 1935 *ff.*

Fickding *n* intime Freundin. ↗Ding II. 1920 *ff.*

Ficke *f* **1.** Kleider-, Hosentasche. Stammt aus dem Mittelniederdeutschen und ist verwandt mit „Fach". 14. Jh.

2. Vagina. Analog zu ↗Tasche. 19. Jh.

ficken *tr intr* **1.** koitieren. Intensivum zu „fegen" im Sinne einer Hin- und Herbewegung. 1500 *ff.*

2. schikanös ausbilden. Kann zusammenhängen mit „Ficke = Rute, Peitsche" oder ist über „fegen = reiben" Analogie zu „↗bimsen 3". *Vgl* aber auch „↗vögeln 2". *BSD* 1965 *ff.*

3. etw ~ = etw besorgen, stehlen. Meint „in die Ficke (= Tasche) stecken". 1930 *ff.*

4. von hinten ~ = in Hinterhand ab-

trumpfen, überspielen. Kartenspielerspr. 19. Jh.

Fickerei *f* **1.** längerer oder wiederholter Geschlechtsverkehr. 19. Jh.

2. unerlaubt harter, rücksichtsloser Drill. ↗ficken 2. *BSD* 1965 *ff.*

fickern *intr* nach Geschlechtsverkehr verlangen. 1900 *ff.*

Fickessen *n* Hochzeitsschmaus. Das Essen vor der Hochzeitsnacht. 1910 *ff.*

Fickfack *n m* **1.** Geschwätz. ↗fickfacken. 19. Jh.

2. rücksichtsloser Drill. *Vgl* ↗ficken 2. *BSD* 1965 *ff.*

fickfacken *intr* Unsinn treiben; Kindereien aufführen; unnötige Umstände machen. Erweitert aus „ficken = mit der Rute schlagen"; ahmt wohl den Klang der durch die Luft streichenden und auftreffenden Rute nach. Man macht „Wind", treibt Mutwillen. 18. Jh.

Fick-fick *m* Geschlechtsverkehr. ↗ficken 1; ↗fic- fic 1. 1914 *ff.*

Fickhengst *m* geschlechtlich sehr aktiver Mann. ↗Hengst. 1920 *ff.*

Fickhöhle *f* Zimmer, in dem man geschlechtlich verkehrt. 1950 *ff.*

Fickhütchen *n* Präservativ, Kondom. 1920 *ff.*

ficki-ficki machen koitieren. ↗fic-fic. 1960 *ff.*

fickig *adj* **1.** liebesgierig. ↗ficken 1. 1910 *ff.*

2. aufgeregt. ↗fickrig 1. *Sold* 1914 *ff.*

Fickliebste *f* Mädchen, mit dem man nur geschlechtlich verkehrt; Sexualfreundin. 1920 *ff.*

Fickmühle *f* jn in die ~ nehmen = jm heftig zusetzen. Hergenommen von der Zwickmühle im Mühlespiel; ↗ficken 2. 1930 *ff.*

fickrig *adj* **1.** hastig, nervös, aufgeregt, unsicher. Gehört zu „ficken = kurze, rasche Bewegungen machen" und bezieht sich anfangs auf einen unruhigen Wollüstigen. 1910 *ff*, vorwiegend *sold.*

2. übertrieben dienststeifrig; dienstlich übergenau. ↗ficken 2. *Sold* 1939 *ff.*

3. ängstlich, feige. *Sold* 1939 *ff.*

Fickschaft *f* Liebesverhältnis. Zusammengesetzt aus „ficken" und „Liebschaft". 1914 *ff.*

Ficksilo *m* Bordell; Prostituiertenwohnheim. Ein Lagerhaus im doppelten Wortsinn. *BSD* 1965 *ff.*

Fickstrumpf *m* Präservativ. ↗Strumpf. 1950 *ff.*

fi'del *adj* lustig, heiter, munter, guter Dinge. Fußt auf *lat* „fidelis = treu" und ist um die Mitte des 18. Jhs in Studentenkreisen umgewandelt worden durch das „Krambambuli-Lied" des Crescentius Koromandel, wo es in der vierten Strophe heißt: „Wär' ich zum großen Herrn geboren / wie Kaiser Maximilian, / wär' mir ein Orden auserkoren, / ich hängte die Devise dran: / Toujours fidèle et sans souci, / c'est l'ordre du Krambambuli.

Fidulität *f* ungezwungener Schlußteil einer studentischen Kommerstafel; Gesamtheit von Schelmenstreichen. Fußt auf „↗fidel" und ist beeinflußt von „↗Schwulität". 19. Jh.

Fi'duz *n* zu etw (jm) kein ~ haben = zu einer Sache oder Person kein rechtes Vertrauen haben. In den späten 18. Jh durch Stu-

denten umgestaltet aus *lat* „fiducia = Vertrauen".

Fieber *n* **1.** leichte Bezechtheit. Dem Zecher wird es warm. 1900 *ff.*

2. faules ~ = geheuchelte Krankheit. ↗Faulfieber. 19. Jh, *sold* und *sold.*

3. du leidest wohl an hohem ~? = du bist wohl nicht recht bei Verstand? Anspielung auf Fieberphantasien. 1920 *ff.*

4. da verließ ihn das ~: Redewendung, wenn einer alle geringwertigen Karten abgeworfen hat. Kartenspielerspr. seit dem späten 19. Jh.

fieberfrei sein beim Kartenspiel keine nichtzählende Karte in der Hand haben. Kartenspielerspr. seit dem späten 19. Jh.

Fiedelbogen *m* **1.** *pl* = krumme Beine. Die Krümmung ist ähnlich wie beim Fiedelbogen. 19. Jh.

2. gespannt sein wie ein ~ = in gespannter Erwartung sein. Spiel mit den beiden Bedeutungen desselben Wortes: Gespannt = a) straff gezogen; = b) erwartungsvoll. 1900 *ff.*

fienzeln *tr* ↗fenzeln.

Fierant *m* Jahrmarktsverkäufer, Wanderhändler. Von *ital* „fiera = Messe". *Oberd* 19. Jh.

fies *adj adv* **1.** häßlich, scheußlich; unangenehm; ekelerregend; ekelempfindend; zimperlich. Adjektivisch entstanden aus der Interjektion „fi" (= pfui). Im 16. Jh aus dem *Ndl* in das *Westd* und *Nordd* gelangt; heute gemeindeutsch.

1 a. unkameradschaftlich, unaufrichtig, unsympathisch. Gemeindeutsche Schülervokabel seit 1960.

2. langweilig. Es erfüllt mit Widerwillen und Unlust. *Halbw* 1955 *ff.*

3. *adv* = sehr. *Westd* 19. Jh.

4. vor etw ~ sein = sich vor etw ekeln. 18. Jh, *westd* und *nordd.*

Fiesel *m* **1.** Penis. Geht zurück auf *mhd* „visel = Rute = Penis". 1700 *ff.*

2. Bursche, Kerl. Vom Geschlechtsmerkmal auf das Individuum übertragen. *Rotw* 1800 *ff.*

3. Zuhälter; Prostituierter. *Rotw* 19. Jh.

4. unsympathischer Mann. Beeinflußt von ↗fies 1. *Bayr* und *schwäb* 19. Jh.

5. Verräter, Anzeigender. Gehört zu *nordd* „fieseln = flüstern". 1900 *ff.*

6. Geiziger. Gehört zu ↗fies 1; denn Geiz ist in volkstümlicher Auffassung eine widerliche Untugend. Andererseits ist „fieseln" soviel wie „nagen": der Geizige nagt den Knochen ab, ehe er ihn dem Hunde gibt. 1800 *ff.*

7. Umhertreiber. 19. Jh.

fieseln *tr intr* **1.** nagen. Meint allgemein „kleine Bewegungen machen", sowohl mit den Fingern als auch mit den Zähnen. Seit *mhd* Zeit, *südd.*

2. betasten; kratzen; mit den Fingern graben. 1700 *ff.*

3. schlecht schreiben. Meint eigentlich „kratzend schreiben", etwa wie Hühner scharren. *Bayr* 1800.

fiesen *v* **1.** *impers* = ekeln. ↗fies 1. *Westd* 1960 *ff.*

2. *intr* = nörgeln, mäkeln. *Schül* 1960 *ff.*

Fieserei *f* Zurechtweisung. ↗fiesen 2. *Schül* 1960 *ff.*

Fiesling *m* widerwärtiger Mann. 1950 *ff.*

Fiest *m* **1.** leise entweichender Darmwind. ↗Fist. 1700 *ff*, *nordd.*

2. Lehrling. Herrschsüchtigen Meistern

galt er nicht mehr als ein Darmwind: er war wert- und substanzlos. 1900 ff.

Fiets (Fietz) *n* Fahrrad. Übernommen aus *gleichbed ndl* „fiets". *Sold* 1939 ff.

Fiez (Fitz) *m* älterer Bruder. Entwickelt aus „Vize" für den Stellvertreter von Vater und/oder Mutter. *Halbw* 1950 ff.

Fieze (Fitze) *f* ältere Schwester. Versteht sich nach dem Vorhergehenden. *Halbw* 1950 ff.

Fiffi I *m* Rufname des Hundes. Gehört wohl zu „pfeifen" und „pfiffig". 19. Jh.

Fiffi II *n f* leichtes Mädchen. Übertragen von der „läufigen" Hündin. *Österr* 1940 ff.

fifty-fifty machen halbpart machen; ehrlich teilen. Aus dem *Angloamerikan* (= 50:50) übernommen um 1930.

Figaro *m* Friseur. Fußt auf der Titelfigur der Oper „Der Barbier von Sevilla" von Rossini. Im späten 19. Jh aufgekommen.

Fight (*engl* ausgesprochen) *m* **1.** verbissener Wettkampf. Aus dem *Engl* nach 1945 übernommen. *SportL*
2. Luftkampf, -gefecht. *BSD* 1960 ff.

fighten (*engl* ausgesprochen) *intr* kämpfen. *Sportl* 1950 ff; *BSD*.

Fighter (*engl* ausgesprochen) *m* verbissener Wettkämpfer. *Sportl* 1950 ff.

Figine *f* **1.** Übertölpelung. Fußt auf *ital* „ficchino" = zudringlicher, indiskreter Mensch". 1950 ff.
2. ~ machen = übertölpeln. 1950 ff.

Figur *f* **1.** Mensch *(abfl)*. Meint eigentlich die Gestalt und Form; hieraus weiterentwickelt zur Bedeutung „Abbild" und dies führt zur Geltung „nachgemachter Mensch". Anscheinend von Österreich ausgegangen; 19. Jh.
2. unbedeutender Mensch; Mensch ohne eigenen Willen. Den Ausbildern gelten die Rekruten als Gefechtsscheibenfiguren, auch „Pappkameraden" genannt. *Sold* in beiden Weltkriegen.
3. *pl* = Persönlichkeiten des öffentlichen Lebens. Sie erscheinen standbildartig, versteinert. 1930 ff.
4. *pl* = Fahrgäste des Taxichauffeurs. Sie sind wie Marionettenfiguren: sie machen alle Bewegungen des Fahrzeugs willenlos mit. 1920 ff.
5. *pl* = Zuschauer bei Sportveranstaltungen. 1930 ff.
6. *pl* = Mitreisende im Flugzeug. 1935 ff.
7. absolute ~ = ideale Körpergestalt. Dem Begriff „absolutes Gehör" nachgeahmt. 1960 ff.
8. schräge ~ = unzuverlässiger Mensch. ↗ schräg. 1945 ff.
9. tolle ~ = eindrucksvoller, geschlechtlich sehr anziehender Frauenkörper. 1920 ff.
10. eine erbärmliche (schlechte, traurige, unglückliche) ~ abgeben = kläglich dastehen. 1800 ff.
11. einem Mädchen eine kleine ~ einspritzen = schwängern. *Sold* 1939 ff.
12. die kleine ~ entfernen lassen = eine Abtreibung vornehmen lassen. *Vgl* das Vorhergehende. 1939 ff.
13. einen in die ~ hauen (gießen, schütten o. ä.) = ein Glas Alkohol trinken. Die Form bekommt Füllung. 1920 ff.
14. jm an der ~ knabbern = jn liebkosen; koitieren. Figur = (weiblicher) Körper. 1960 ff.
15. gute ~ machen = flirten. *Schül* 1965 ff.

15 a. keine gute ~ machen = beim Fußballspiel versagen. *Vgl* ↗ aussehen 3. 1950 ff.
16. eine sehr schnelle ~ machen = gut, anziehend aussehen. ↗ schnell. *Halbw* 1960 ff.
17. eine kleine ~ in den Bauch machen = schwängern. ↗ Figur 11. 1939 ff, *sold*.
18. etw in die ~ schleudern (schmeißen) = etw essen. 1950 ff.
19. die ~ schonen = a) jegliche Arbeit und Mühe scheuen. 1920 ff. – b) Deckung suchen; sich nahe am Erdboden bewegen. *Sold* 1939 ff.
20. das Berühren der Figuren mit den Pfoten ist verboten!: nichts anfassen! Pfoten = Hände. Scherzspruch seit dem frühen 20. Jh.

Figura *f* wie ~ zeigt = wie sich aus dem Gesagten ergibt. Übernommen vom Sprachgebrauch der alten Mathematik- und Geometriebücher. 1900 ff.

Film *m* **1.** Gang, Ablauf von Ereignissen; Art und Weise. Der belichtete Film versinnbildlicht einen genau festgelegten Ablauf, einen logischen Zusammenhang. 1910 ff.
2. ein anderer ~ = eine andere Gelegenheit; eine andere Geliebte. 1920 ff.
3. geladener ~ = spannungsreicher Film. Hergenommen von der mit elektrischer Spannung aufgeladenen Batterie und beeinflußt von mit Munition geladenen Schußwaffen. 1950 ff.
4. gelaufener ~ = erledigte Sache. *Halbw* 1960 ff.
5. heißer ~ = Film mit Nackt-, Halbnacktszenen. Heiß = geschlechtlich erregend. 1960 ff.
6. diesen ~ nicht bei mir!: Ausdruck der Abweisung. Gefilmte Vorgänge gelten volkstümlich als gestellte, wahrheitswidrige Vorgänge. 1910 ff.
7. einen ~ abdrehen = die Filmaufnahmen beenden. Stammt noch aus der Zeit, als die Kurbel der Aufnahmekamera von Hand bedient wurde. 1920 ff.
8. dreh mir keinen ~ ab! = mach keine Streiche, keine Seitensprünge! *Vgl* ↗ Film 6. 1950 ff.
9. dieser ~ ist abgelaufen = dies weckt kein Interesse mehr. 1910 ff, *jug*.
10. mein ~ ist noch nicht abgelaufen = meine aufregenden Erlebnisse sind noch nicht zu Ende. 1920 ff.
10 a. der ~ reißt ab = das Erinnerungsvermögen setzt aus. Auf der Leinwand erscheint (vorübergehend) der konturenlose „Blackout". 1920 ff.
11. der ~ läuft ab = der Vorgang nimmt seinen verabredeten, seine vorhersehbaren Verlauf. 1930 ff.
12. einen ~ abrollen lassen = ein Unternehmen in Gang setzen. 1930 ff.
13. einen ~ nochmals abrollen lassen = eine längst erledigte Sache neuerlich aufgreifen und besprechen. 1930 ff.
14. der ~ läuft an = der Film wird jetzt in den Kinos vorgeführt. Anlaufen = zum ersten Mal laufen. Die Maschinen laufen an, sobald man sie in Betrieb gesetzt hat. 1930 ff.
15. sich einen neuen ~ beschaffen = es mit einem neuen Trick versuchen. 1930 ff.
16. dreh keinen ~! = werde nicht weitschweifig! verstumme! Anspielung auf

Filme mit überlanger Vorführdauer oder spannungsarmer Handlung. *Jug* 1950 ff.
17. einen ~ entschärfen = anstößige Filmszenen tilgen. Man entschärft das Lichtspiel, wie man Munition unschädlich macht. 1965 ff.
18. mir fehlt ein Ende ~ = ich habe eine Gedächtnislücke. ↗ Film 1 und 10a. 1930 ff.
19. der ~ ist gerissen = der logische Zusammenhang ist verloren; man hat Erinnerungslücken. ↗ Film 1 und 10a. 1920 ff.
20. Kenntnis vom ~ haben = Fachkenner sein; sich gründlich auskennen in dem „was läuft". 1955 ff.
21. dieser ~ ist gelaufen = diese Sache ist erledigt. 1955 ff.
21 a. einen ~ laufen haben = sich (jm) etw vortäuschen; Illusionen hegen. *Vgl* ↗ Film 6. 1970 ff.
22. mach keinen ~! = lüge nicht! ↗ Film 6. 1940 ff.
23. mach nicht solch einen ~! = reg dich nicht auf! übertreibe nicht! bleibe sachlich! Wie im „↗ Theater" faßt man das Verhalten der Filmschauspieler(innen) auf der Leinwand als unnatürlich auf. 1940 ff.
24. aus etw einen ~ machen = eine Sache aufbauschen. 1940 ff.
25. quatsch' keinen ~! = rede keinen Unsinn! faß dich kurz! *Vgl* ↗ Film 16. 1925 ff.
26. bei ihm reißt der ~ = er verliert die Beherrschung; er redet, als geriete er von Sinnen; er hat Erinnerungslücken. *Vgl* ↗ Film 10a. 1920 ff.
27. im ~ sein = richtig begreifen; Bescheid wissen. Der Wendung „im Bilde sein" nachgeahmt. 1920 ff.
28. das ist nicht mein ~ = das gefällt mir nicht; daran beteilige ich mich nicht. 1910 ff.

Filmbombe *f* **1.** hervorragende Filmschauspielerin (oft nur wegen ihrer wohlgefälligen Körperformen). ↗ Bombe 1. 1953 ff.
2. aufsehenerregender Film. 1960 ff.

Filmbusennachwuchs *m* Nachwuchs an Filmschauspielerinnen mit üppigem Busen. 1959 ff.

Filmbusenstar *m* Filmschauspielerin, die üppige Körperformen, aber kaum schauspielerisches Talent vorweist. 1960 ff.

Filmdiwan *m f* **1.** Filmschauspielerin. Aus „Filmdiva" zerredet und ohne den Nebensinn des Folgenden. 1920 ff.
2. Filmschauspielerin, die durch Geschlechtsverkehr mit Produzenten o. ä. Karriere zu machen sucht. 1950 ff.

filmen *v* **1.** jn ~ = jn übertölpeln, überlisten, täuschen. Den Film als Aneinanderreihung von fotografischen Tricks u. ä. 1955 ff.
2. *intr tr* = vom Mitschüler abschreiben; ein Täuschungsmittel verwenden. Der Lehrer wird – im Sinn des Vorhergehenden – „gefilmt". *Schül* 1955 ff.
3. *tr* = überstreng einexerzieren. Der Filmschauspieler führt nur die vom Regisseur bestimmten Bewegungen aus. *BSD* 1965 ff.
4. film' nicht! = mach dich nicht lächerlich! benimm dich natürlich! Anspielung auf das unnatürliche (künstlerisch gekünstelte oder kunstreich gefälschte) Benehmen der Filmdarsteller(innen) vor der Ka-

mera. Das Gemimte wirkt im Alltag lächerlich. *Halbw* 1955 *ff.*

5. jn ~ = jn lächerlich machen. Wer ohne sein Wissen fotografiert wird, zeigt sich im Bild nicht immer von seiner vorteilhaftesten Seite. *Halbw* 1955 *ff.*

6. sich ~ = prahlen. Man wirft sich in Positur, mimt einen Star, der man nicht ist. *Halbw* 1955 *ff.*

Filmgöttin *f* überaus beliebte Filmschauspielerin. Eingedeutscht aus „Diva". 1920/30 *ff.*

Filmhäschen *n* Nachwuchs-Filmschauspielerin. ↗ Häschen. 1930 *ff.*

Filmkanone *f* hervorragender Filmschauspieler. ↗ Kanone 1. 1930 *ff.*

Filmkonserve *f* alter Film. ↗ Konserve. 1955 *ff.*

Filmnutte *f* Mädchen, das zum Beischlaf bereit ist, sofern es eine Filmrolle erhält. ↗ Nutte. 1920 *ff.*

Filmpapier *n* Abortpapier. Es wird von der „↗ Filmrolle" abgespult. *BSD* 1965 (vielleicht schon 1930).

Filmpuppe *f* jugendliche Filmschauspielerin. ↗ Puppe. 1920 *ff.*

Filmquetsche *f* kleines Kino, in dem die Pärchen gern eng aneinanderrücken. 1920 *ff.*

Filmriß *m* ~ haben = Erinnerungslücken haben. ↗ Film 19. 1920 *ff.*

Filmrolle *f* Abortpapierrolle. 1930 *ff;* 1960 *ff,* sold.

Filmschinken *m* künstlerisch wertloser Film. ↗ Schinken. 1955 *ff.*

Filmschnulze *f* rührseliger Unterhaltungsfilm nach Durchschnittsgeschmack. ↗ Schnulze. 1955 *ff.*

Filmschnuppe *f* Filmkomparsin; junge Filmschauspielerin. Sie ist kein „↗ Stern", auch (noch) kein „↗ Sternchen", sondern (vorerst nur) eine Sternschnuppe. 1950 *ff.*

Filmstreifen *m* **1.** Film. 1920 *ff.*
2. Abortpapierrolle. ↗ Filmrolle. 1965 *ff,* sold.

Filmzähne *pl* blendend weiße, makellose Zähne; Jacketkronen. 1950 *ff.*

filtern *tr* jn (etw) nach Erwünschtheit zulassen oder abweisen; jn charakterlich, weltanschaulich oder politisch einer strengen Untersuchung unterziehen. Durch Seihen und Sieben werden bestimmte Stoffe ausgesondert. 1950 *ff.*

filtrieren *tr* **1.** einen Abwesenden gehässig kritisieren. ↗ filtern. Sachverwandt mit ↗ durchhecheln. 1935 *ff.*
2. jds Wesensart zu ergründen suchen; jn einer sorgfältigen Prüfung unterziehen. 1935 *ff.*

Filz *m* **1.** Geiz; geiziger Mensch. Bauern galten als geizig; Bauern trugen Lodenkleidung. Die Loden wurden zum Sinnbild des Bauern und des Geizes. 15. Jh.
2. bäuerischer, ungesitteter Mensch. 19. Jh.
3. Hut. Aus dem Filz- oder Lodenhut verkürzt. 1900 *ff.*
4. behördliche Wohnungsdurchsuchung. ↗ filzen 1. 19. Jh.
5. Filzschreiber. *Schül* 1960 *ff.*
6. Günstlingswirtschaft. Meint eigentlich das regellose Ineinander von Tierhaaren oder Wolle. Ähnlich verfilzt sind Gönner und Günstlinge. 1950 *ff.*

Filzdeckel *m* Filzhut. ↗ Deckel 1. 19. Jh.

Filze *f* **1.** Bett. ↗ filzen 11. *BSD* 1965 *ff.*

2. Durchsuchung. ↗ filzen 1. 1965 *ff,* sold.

filzen *tr* **1.** etw (jn) nach verbotenen Gegenständen o. ä. durchsuchen. Filz ist ein dicker Stoff aus einem Gewirr von Wolle und Haaren. Aus der Vorstellung „Verfilztes zu entwirren suchen" ergibt sich die Bedeutung „durchsuchen". 1500 *ff.*
2. Kleidung auf Ungeziefer (auf Reinlichkeit) untersuchen; Kleidungsstücke chemisch entlausen; Seit dem späten 19. Jh.
3. abtasten, ob einer fett ist. Viehhändlerausdruck, *österr* 19. Jh.
4. jn intim betasten. *Österr* 19. Jh.
5. jn streng kontrollieren, vor allem beim Appell mit Uniformwechsel (und mit der Absicht, Anlaß zur Beanstandung zu finden). *Sold* 1940 *ff.*
6. jn prüfen. 1950 *ff.*
7. jn bestehlen. Meist bezogen auf Diebstahl bei der Leibesvisitation. 1930 *ff,* sold und *rotw.*
8. Kriegsgefangene ausplündern. *Sold* 1944 *ff.*
9. jn betrügen. 1945 *ff,* sold.
10. jn ~ (von jm ~) = vom Mitschüler absehen, abschreiben. 1960 *ff.*
11. *intr* = schlafen; lange und tief schlafen. Anspielung auf die Filzdecke, mit der man sich zudeckt. *Sold* 1935 *ff.*
12. *intr* = den Hut zum Zeichen des Grußes abnehmen. ↗ Filz 3. 1900 *ff.*

Filzer *m* **1.** diebischer Mensch. ↗ filzen 7. 1950 *ff.*
2. Filzschreiber. *Schül* 1960 *ff.*

Filzlaatschenkino *n* Fernsehen daheim. Analog zu ↗ Pantoffelkino.

Filzliebchen *n* Ehefrau, die die Taschen ihres Mannes durchstöbert und/oder plündert. ↗ filzen 1. 1960 *ff.*

Filzlocken *pl* wirres Haar. *Schül* 1960 *ff.*

Filzokratie *f* Vermischung öffentlicher und privater Interessen; Ämterhäufung; Bevorzugung von Parteimitgliedern. ↗ Filz 6. Wortbildung nach dem Muster von „Bürokratie", „Demokratie" usw. 1955 *ff.*

Filzpantoffelkino *n* Fernsehen daheim. 1960 *ff.*

Filzpariser *pl* bequeme Hausschuhe; Filzpantoffeln. Meint die Fußüberzieher (im Gegensatz zu den Präservativs). Seit dem späten 19. Jh.

Filzpatschen (-potschen) *pl* Filzpantoffeln. ↗ Patschen. *Südd* 19. Jh.

Filzung *f* Kleider-, Lagerdurchsuchung; Leibesvisitation. ↗ filzen 1. Kriegsgefangenenspr. 1944 *ff.*

Fimmel *m* **1.** Hochmut; Wahnidee; Größenwahnsinn. Fimmel = Eisenkeil = schwerer Hammer. Der Betreffende hat wohl einen Schlag mit dem Hammer auf den Kopf bekommen oder ist dadurch geistesverwirrt, oder er hat sich den Kopf „↗ verkeilt". Seit dem späten 19. Jh.
2. Verrücktheit (harmloser Art). 1880 *ff.*
3. leidenschaftliche Schwäche (Bücher-, Arbeits-, Musik-Fimmel u. ä.). 1880 *ff.*
4. Film. Geht zurück auf *westd* „fimmeln = flimmern". 1955 *ff.*
5. ~ mit Freilauf und Rücktritt (und ohne Rücktritt) = besonders verrückter Einfall. Vom Fahrrad hergenommen. 1920 *ff.*

Fimmelei *f* **1.** Dünkel. ↗ Fimmel 1. 1900 *ff.*
2. unstetes Wesen; flatterndes Gestikulieren mit den Händen. ↗ fimmeln. 19. Jh.
3. Koitus. ↗ fimmeln 1. 1900 *ff.*

fimmeln *v* **1.** etw hin- und herbewegen. Nebenform von ↗ fummeln. *Nordd* 1700 *ff.*
2. nicht recht bei Sinnen sein. ↗ Fimmel 1. 1900 *ff.*

Finale *n* **1.** Abschlußprüfung. Meint in der Sportlersprache das Endspiel. *Schül* 1950 *ff.*
2. Lebensabend. 1975 *ff.*
3. ins ~ kommen = unter den Besten sein; zur mündlichen Prüfung zugelassen werden. 1950 *ff.*
4. das kommt nicht ins ~ = das kommt nicht in Betracht; Ausdruck der Ablehnung. *Schül* 1950 *ff.*

Finanzamt *n* Eltern. Sie finanzieren die Lebensbedürfnisse ihrer Kinder. *Iron* Verkehrung der Begriffsbestimmung. *Jug* 1960 *ff.*

Finanzbulle *m* Finanzbeamter. ↗ Bulle 1. 1955 *ff.*

Fi'nanz'ebbe *f* Geldmangel. ↗ Ebbe 1. 1955 *ff.*

Finanzen *pl* Geld, Geldmittel. 1900 *ff.*

finanzen *intr* auf unredliche Weise sich Einnahmen verschaffen. Geht aufs 16. Jh zurück und bezog sich in der Landsknechtszeit auf betrügerische Soldforderungen (man gab mehr Soldaten an als tatsächlich vorhanden); später ging die Vokabel über auf bezahlte Privatdienste, die man heimlich während der amtlichen Dienstzeit leistete.

Finanzhai *m* **1.** gewissenloser, wucherischer Geldgeber. Er ist räuberisch wie der Hai. 1960 *ff.*
2. Steuerhinterzieher. 1960 *ff.*

Finanzklemme *f* Geldmangel. ↗ Klemme. 1850 *ff.*

Finanzpolster *n* geldliche Deckung; geldliche Rücklagen. 1955 *ff.*

Finanzspritze *f* geldliche Unterstützung; Geldzuweisung. 1955 *ff.*

finden *tr* **1.** etw entwenden, widerrechtlich sich aneignen. Hehlwort. Diebesspr. seit dem frühen 19. Jh.
2. etw billig kaufen; etw als Geschenk erhalten. 19. Jh.
3. hast du etwas gefunden?: Scherzfrage an einen, der zu Boden gestürzt ist. 1850 *ff.*
4. wenn du wieder einen findest, dann schenkst du mir ihn: Redewendung an einen, der einen Gegenstand fallen läßt und sich nach ihm bückt. 1900 *ff.*
5. in allem etwas ~ = in allem Ungehöriges vermuten; an allem etwas auszusetzen haben. Hinter „etwas" ergänze „Unlauteres" oder „Verbotenes". 1900 *ff.*

Findex *m* Inhaltsverzeichnis. Zusammengesetzt aus „finden" und „Index". 1930 *ff.*

Finger *m* **1.** Penis. 1500 *ff.*
2. dicker ~ = Penis. 1900 *ff.*
3. elfter ~ = Penis. 1900 *ff.*
4. steifer ~ = erigierter Penis. 19. Jh.
5. ~ von den Bildern! = gib dich mit dieser Sache nicht ab! Soviel wie „nicht anfassen!". 1900 *ff.*
6. ~ von der Butter! = misch' dich nicht rein! Hat mit Butter nichts zu tun, sondern fußt auf „Butte = Gefäß für die Weinlese". Daher eigentlich ein Zuruf an traubennaschende Kinder. 19. Jh.
7. ~ von die Dinger!: nicht berühren! *Westd* 1930 *ff.*
8. ja, mit dem ~ auf der Landkarte: Ant-

wort auf die Frage, ob einer schon in New York (o. ä.) gewesen sei. 1920 ff.

9. sich lieber den kleinen ~ abbeißen (abbeißen lassen) als … = etw strikt ablehnen. 1900 ff.

10. brich dir nicht den ~ abl: Rat an einen, der in der Nase bohrt. 1920 ff.

11. sich die ~ abbrechen = Beifall mit den Fingern andeuten. Ironie. 1960 ff.

12. den ~ im Arsch abbrechen = vom Unglück verfolgt sein. Vgl ⁊ Finger 18. 19. Jh.

13. sich etw an den ~n abzählen (ausrechnen) können = etw mühelos, ohne weiteres begreifen können. Kinder lernen an den Fingern das Zählen und Rechnen mit kleinen Zahlen. 16. Jh.

14. sich etw an den ~n abklavieren können = etw ohne weiteres begreifen können. ⁊ abklavieren. 19. Jh.

15. nach jm (etw) alle zehn ~ ausstrecken = jn (etw) zu besitzen wünschen, begehren. 1900 ff.

16. die ~ nicht bei sich behalten können = a) diebisch sein. 19. Jh. – b) intim betasten. 19. Jh.

17. jm den ~ in den Arsch bohren = jn aufmuntern, antreiben. 1900 ff.

18. sich den ~ im Arsch brechen = trotz aller Mühe nichts ausrichten können; Mißerfolg erleiden. Vgl ⁊ Finger 12. 19. Jh.

19. sich den ~ beim Nasenbohren brechen = bei harmlosesten Verrichtungen unerwartet Mißerfolg erleiden. 1900 ff.

20. da kann man mit dem ~ dran fühlen = das ist offensichtlich, klar, unbestreitbar. Es ist gegenständlich greifbar. 1900 ff.

21. er ist so voll, daß man es mit den ~n im Hals fühlen kann = er ist volltrunken. Es ~ Pegelstand der Alkoholmenge. 1700 ff.

22. jm durch die ~ gehen = jm (jds Einfluß) entwinden; jm entfliehen. 19. Jh.

23. es geht ihm von den ~n = die Arbeit fällt ihm leicht. Bleibt nicht an den Fingern kleben. 1920 ff.

24. auf jn den ~ haben = jn beherrschen; jds Selbständigkeit eingrenzen. Analog zu ⁊ Daumen 5. 1900 ff.

25. etw im kleinen ~ haben = etw beherrschen, gründlich kennen. ⁊ Finger 65. 19. Jh.

26. seine ~ in etw haben = an etw beteiligt sein. 1900 ff.

27. den ~ am Drücker haben = die maßgebende Person sein. ⁊ Drücker 13. 1920 ff.

28. den ~ auf (in) dem richtigen Loch haben = richtig vermuten; vernünftig handeln; das Richtige getroffen haben. Hergenommen vom Flöten- oder Klarinettenspiel. 1920 ff.

29. die ~ in der Pastete haben = an etw maßgeblich beteiligt sein. ⁊ Pastete. 1920 ff.

29 a. den ~ an jds Puls haben = jds Stimmung genau kennen. 1920 ff.

30. die ~ im Spiel haben = an etw beteiligt sein. 18. Jh.

31. einen ~ im Teig haben = an etw beteiligt sein. 1900 ff.

32. grüne ~ haben = sich auf gärtnerische Arbeiten verstehen. ⁊ Daumen 15. 1950 ff.

33. klebrige (krumme) ~ haben = diebisch sein. Die Finger wirken wie Leimru-

ten (oder Haken): es bleibt immer etwas daran hängen. 15. Jh.

34. lange ~ haben = diebisch sein. Man streckt die Finger aus, um einen Gegenstand zu erhaschen. 19. Jh.

35. einen schlimmen ~ haben = geschlechtskrank sein. ⁊ Finger 1. Meint eigentlich „am Finger den Umlauf (ärztl Panaritium) haben". 1900 ff.

36. vergoldete ~ haben = in allem (was man anfaßt) Glück haben. 1900 ff.

36 a. an jedem ~ zehn haben können = gute Erfolgsaussichten beim anderen Geschlecht haben. 1900 ff.

37. sich die ~ sauber halten = untadelig bleiben; sich nicht mit heiklen Dingen abgeben. 1900 ff.

38. es ist ihm an den ~n hängen geblieben = er hat es gestohlen. ⁊ Finger 33. 17. Jh.

39. ihm jucken die ~ (es juckt ihn in den ~n) = a) er möchte eine Sache gern besitzen. Jucken = reizen. 19. Jh. – b) er möchte gern Ohrfeigen austeilen. 19. Jh. – c) er möchte kartenspielen. 19. Jh.

40. jn kennen wie den kleinen ~ = jn sehr genau kennen. ⁊ Finger 65. 19. Jh.

41. ihm bleibt alles an den ~n kleben = er ist diebisch. ⁊ Finger 33. 19. Jh.

42. jm auf die ~ klopfen = jn warnen, bestrafen, rügen. Im wörtlichen Sinne ein altes Erziehungsmittel. 1600 ff.

43. jn in die ~ kriegen = jn hart behandeln; jn zurechtweisen. 19. Jh.

44. seine ~ nicht bei sich lassen = diebisch sein. ⁊ Finger 16. 19. Jh.

45. die ~ von etw lassen = sich in eine Sache nicht einlassen. 1700 ff.

46. (sich) die ~ nach etw lecken = auf etw begierig sein; etw sehr schmackhaft finden. „Nach" ist hier zeitlich gemeint: man leckt sich die Finger, nachdem man etwas Wohlschmeckendes genossen hat (Essen ohne Gabel). 1500 ff.

47. den ~ auf die Wunde legen = einen Mißstand unverhüllt aufzeigen. Das ist schmerzhaft für den Betroffenen. 1900 ff. Vgl franz „mettre le doigt sur la plaie".

48. sich nicht die ~ dreckig machen wollen = sich mit einer heiklen Sache nicht befassen wollen. Gehört zu dem Sprichwort: „Wer Dreck anfaßt, besudelt sich." 1900 ff.

49. den ~ krumm machen = a) den Abzugbügel einer Handfeuerwaffe betätigen. 19. Jh. – b) einen Krieg anfangen; zu schießen beginnen. 1914 ff.

50. keinen ~ krumm machen = nichts arbeiten; arbeitsscheu sein. 19. Jh.

51. für etw (jn) keinen ~ krumm machen = sich für etw (jn) nicht bemühen. 19. Jh.

52. für etw (jn) nicht einmal den kleinen ~ krumm machen = sich für etw (jn) überhaupt nicht bemühen. 1930 ff.

53. ~ lang machen = in respektvoller (soldatischer) Haltung dem Vorgesetzten lauschen. Der Soldat legt die Finger an die Hosennaht. 1950 ff.

54. interessierte ~ machen = eine weibliche Person intim betasten. 1930 ff.

55. krumme ~ machen = diebisch sein. Man krümmt die Finger zum Ergreifen eines Gegenstandes. ⁊ Finger 33. 1500 ff.

56. lange ~ machen = diebisch sein. ⁊ Finger 34. 1700 ff. – b) beim Kartenspiel in Hinterhand übertrumpfen oder

überspielen. Kartenspielerspr. seit dem späten 19. Jh.

57. sich die ~ schmutzig machen = sich einer heiklen Sache annehmen. ⁊ Finger 48. 1900 ff.

58. wenn man ihm die Hand gibt, muß man hinterher die ~ nachzählen = er ist diebisch. 1900 ff.

59. aus einer Sache seine ~ nehmen = sich an etw nicht länger beteiligen. 1900 ff.

60. nimm den ~ aus der Dame (aus meiner Frau)! = halte dich zurück! kümmere dich um deine eigenen Angelegenheiten! Anspielung auf intimes Betasten. 1910 ff.

61. mit dem ~ in den Popo pieken = in Hinterhand stechen. Kartenspielerspr. 19. Jh.

62. an etw mit spitzen ~n rangehen = sich einer Sache vorsichtig, widerstrebend annehmen. 1920 ff.

63. für etw (jn) keinen ~ rühren = sich für etw (jn) nicht bemühen. 19. Jh.

64. die ~ rundgehen lassen = angestrengt arbeiten. Rundgehen = ⁊ rotieren 1. 1950 ff.

65. mein kleiner ~ sagt mir das = ich habe eine untrügliche Ahnung. Der kleine Finger gilt im Volksglauben als der allerklügste, weil er am tiefsten ins Ohr hineinreichen und dort die geheimsten Dinge erfahren kann. 1700 ff. Vgl franz „mon petit doigt me l'a dit".

66. sich etw aus den ~n saugen = eine Unwahrheit ersinnen. Nach alter Volksmeinung kann man Wissen und Weisheit aus den Fingern saugen; mit dem Schwinden dieses Glaubens wurde die Wahrheitsquelle zur Lügenquelle. 1500 ff.

67. sich etw nicht aus den ~n saugen können = etw unmöglich wissen können. 19. Jh.

68. sich in den ~ schneiden = sich selbst schaden; sich zu seinem eigenen Schaden täuschen. 18. Jh.

69. sich die ~ krumm (wund) schreiben = viele Briefe schreiben; wegen einer Sache viel schreiben. 19. Jh.

70. jm auf die ~ sehen = jn genau beobachten. Bezieht sich eigentlich auf die Fingerbewegungen eines als diebisch oder falschspielerisch verdächtigen Menschen. 1700 ff.

71. durch die ~ sehen (gucken o. ä.) = a) Nachsicht walten lassen. Die Redensart dürfte auf der Gebärde beruhen: man sieht, aber nicht mit vollem Blick. Analog zu „ein ⁊ Auge zudrücken". 15. Jh. – b) das Nachsehen haben; der Benachteiligte sein. 1900 ff.

72. den ~ in den Arsch stecken = ratlos sein. Vor Hilflosigkeit tut man Unsinniges. 19. Jh.

73. steck' den ~ in den Arsch und sing' die Wacht am Rhein!: nimm es hin, da du es doch nicht ändern kannst! „Die Wacht am Rhein" meint das Lied von Max Schneckenburger (1840; vertont von K. Wilhelm). Sold in beiden Weltkriegen.

74. die ~ strapazieren = schreiben. BSD 1965 ff.

75. sich an (bei) etw die ~ verbrennen = bei etw zu Schaden kommen. 1600 ff.

76. sich die ~ verbrühen = unangenehme Erfahrungen machen. 19. Jh.

77. sich die ~ vergolden = sich bereichern. 1900 ff.

78. laß dir die ~ vergolden! = a) gib mir bessere Karten! Kartenspielerspr. 1900 *ff.* – b) Rat an einen, der ungeschickt zu Werke gegangen ist. 1900 *ff.*
79. sich bei etw die ~ versengen = sich bei etw schaden. 19. Jh.
80. jn um den ~ wickeln (winden) können = jn völlig in seiner Gewalt haben; über jn ohne Mühe bestimmen können. Der Willen- oder Energielose ist wie ein Faden oder Stoffstreifen, den man mühelos um den Finger wickeln kann. 1600 *ff.* *Vgl engl* „to twist round one's little finger".
81. sich um den ~ (um den kleinen ~) wickeln lassen = völlig nachgiebig sein; sich alles gefallen lassen. 1800 *ff.*
82. sich etw aus den ~n zutzeln = etw erdichten, erlügen. *Vgl* ↗ *Finger 66. Österr* 19. Jh.
Fingerhakeln *n* angestrengtes Bemühen um den Vorrang; Streit zwischen Gleichberechtigten. Hergenommen von einer Kraftprobe, bei der man mit eingehaktem Mittelfinger den Gegner über den Tisch zu ziehen oder seinen Arm flach auf die Tischplatte zu zwingen sucht. 1950 *ff.*
fingerhakeln *intr* mit jm ~ = etw mit jm aushandeln. *Vgl* das Vorhergehende. 1950 *ff.*
Fingerkloppe *pl* **1.** Schläge auf die Finger. ↗ *Finger 42.* 1900 *ff.*
2. Mißerfolg, Rückschlag. *Sold* in beiden Weltkriegen.
Fingerling *m* Präservativ. Eigentlich die Schutzhülle für den kranken Finger. 18. Jh.
fingerln *tr* **1.** etw auf leichte Art stehlen. 19. Jh, *oberd.*
2. jn intim betasten. 19. Jh.
fingern *tr* **1.** eine Sache ~ = etw geschickt ausführen. Hergenommen vom Einfädeln des Fadens in das Nadelöhr oder von der Fingerfertigkeit der Taschenspieler. 1850 *ff.*
2. etw mit den Fingern hervorsuchen; an (in) etw sich mit den Fingern zu schaffen machen. 1900 *ff.*
3. etw stehlen, Taschendiebstahl begehen. Seit dem späten 19. Jh.
4. eine weibliche Person intim betasten. 1900 *ff.* *Vgl ndl* „vingeren", *engl* „to finger".
Fingersport *m* Klavierspiel. *Schül* 1960 *ff.*
Fingersprache *f* intimes Betasten. Eigentlich die Zeichensprache. 1900 *ff.*
Fingerübung *f* **1.** intimes Betasten. Vom Klavierspiel übertragen. 1900 *ff.*
2. Strafarbeit. *Schül* 1955 *ff.*
Finish *n* **1.** Abschlußklasse, -prüfung. Aus der englischen Sportsprache übernommen: Finish = Endspiel. *Schül* 1950 *ff.*
2. ins ~ kommen = Erfolgsaussichten haben. 1950 *ff.*
Fink *m* **1.** Mann mit lockerem Lebenswandel. Er ist das männliche Gegenstück zur „↗ *Schnepfe".* 1700 *ff.*
2. Penis. 1700 *ff.*
3. Nichtverbindungsstudent. Verallgemeinernd hielten ihn die Korporierten für sittenlos und ungeregelt lebend. 1740 *ff.*
Finkenschaft *f* lose Organisation der Nichtverbindungsstudenten. ↗ *Fink 3. Stud* 1880 *ff.*
Finkenstrich *m* Männerfang durch Straßenprostitution. Gegenstück zum ↗ *Schnepfenstrich.* 1920 *ff.*
finster *adj* **1.** übelbeleumdet; charakterlos;

von schlechter Beschaffenheit. Finster = dunkel, trübe = unbekannt = minderwertig (nach der Volksweisheit: was der Bauer nicht kennt, das ißt er nicht). *Stud* seit dem späten 19. Jh.
2. gefährlich, gefahrdrohend. *Sold* 1939 *ff.*
3. zu etw ~ entschlossen sein = zu etw fest entschlossen sein, koste es, was es wolle. 1920 *ff.*
Finsterling *m* **1.** unsympathischer Mensch; Unreligiöser; Gegner der Aufklärung. Im späten 18. Jh aufgekommen im Sinne des Nichtwissens und Nichtglaubens lebt.
2. Geistlicher. Aus dem Vorhergehenden übergegangen in das *Rotw* gegen Ende des 19. Jhs.
3. Mann mit mürrischer Miene. 1900 *ff*, wenn nicht älter.
Finte *f* **1.** Täuschung, Vorwand, Täuschungsmittel. Stammt aus der Sprache der Fechter und meint den Trugstoß (*ital* finta = *franz* feinte = List, Trugstoß). 17. Jh.
2. ~n schlagen = täuschen. 19. Jh.
finzeln *intr* anstrengende Kleinarbeit verrichten; die Augen stark anstrengen. Gehört zu „Finzel = Stückchen". 19. Jh.
fippern *intr* **1.** sich schnell hin- und herbewegen. Gehört zu „fippen = hüpfen". 19. Jh.
2. koitieren. 19. Jh.
3. nach etw ~ = nach etw verlangen. 19. Jh. Verwandt mit „fiepen = zur Brunftzeit Lockrufe ausstoßen".
fippig *adj* aufreizend gekleidet; flatterhaft. Fippen = hüpfen, tänzelnd gehen. 1900 *ff.*
Fips *m* **1.** kleinwüchsiger Mensch. Fippen = hüpfen, kleine Schritte machen. 19. Jh.
2. leichtfertiger Mensch; Geck; Frauenheld. 19. Jh.
fipsen *intr* **1.** schnell zugreifen; heimlich wegnehmen. Nebenform von „fitzen, fitzeln = schneiden", weiterentwickelt zur Vorstellung des heimlichen Abschneidens eines Stücks von einem Ganzen. 1800 *ff, nordd.*
2. koitieren. ↗ fippen. 19. Jh.
3. stutzerhaft gehen. ↗ Fips 1. 19. Jh.
Firlefanz *m* **1.** Albernheit, überflüssige Umstände; Ungediegenes. Zusammengewachsen aus *mhd* „virlei = Tanzlied" und „vanz = Narr". 16. Jh.
2. Possenreißer, geckenhafter Mann; Taugenichts. Im 16. Jh = Tanzlehrer. 19. Jh.
Firma *f* **1.** Einheit, Waffengattung o. ä. Meint eigentlich den Namen, unter dem ein Handelsgewerbe ausgeübt wird. *Sold* in beiden Weltkriegen.
2. ~ Klau = Diebe. ↗ klauen. 1950 *ff.*
3. ~ Öle und Fette = Technische Truppe. *BSD* 1965 *ff.*
4. die ~ dankt, der Chef bezahlt: Redewendung, mit der man sich einer Dankespflicht zu entziehen sucht. 1950 *ff.*
5. bei der ~ sein = Soldat sein. 1914–1945.
6. bei der großen ~ sein = Wehrdienst leisten. 1920 *ff.*
7. nicht zu jds ~ sein = einem anderen (oder überhaupt keinem) religiösen Bekenntnis angehören. 1950 *ff.*
Firmament *n* ~, Gesäß und Faden!: Fluch. Scherzhaft-vornehme Form von „Himmel, Arsch und Zwirn!". 1960 *ff, sold.*
firmen *tr* jn ohrfeigen, prügeln. Der Firm-

ling erhält einen leichten Backenstreich. 1900 *ff.*
Firmenehe *f* unmittelbare Zusammenarbeit zwischen Firmen. 1960 *ff.*
Firmenwitwe *f* Frau eines Mannes, der seine meiste Zeit der Firma widmet. 1955 *ff.*
firnissen *refl* **1.** sich schminken. Man versieht sich mit einem Schutzanstrich. 1920 *ff.*
2. sich oberflächlich waschen. 1914 *ff.*
Fisch *m* **1.** Korkrest in der Flasche, im Glas o. ä. 19. Jh.
2. Jugendlicher, mit dem man ein Liebesverhältnis unterhält. Man hat ihn sich geangelt. *Halbw* 1960 *ff.*
3. dicker ~ = a) Schwerverbrecher; wichtiger Spion. Seine Verfolgung wird unter dem Bilde des Angelns nach einem Fisch gesehen. 1920 *ff.* – b) Kapitalverbrechen; sehr lohnender Einbruch. *Vgl* ↗ Fischzug. 1920 *ff.* – c) aussichtsreiche Tätigkeit; vorteilhafter Erwerb; günstiger Gelegenheitskauf; hervorragende Sache. 1950 *ff.* – d) schwieriges Problem; interessante Aufgabe. 1950 *ff.* – e) Wohlhabender. 1950 *ff.*
4. faule ~e = a) verdächtige Handlungen; unglaubwürdige Ausreden; Lügen. Der in Fäulnis übergehende Fisch reizt niemanden zum Kauf, trotz aller gegenteiligen, werbenden Beteuerungen. 1500 *ff.* – b) Verlustgeschäft. 1950 *ff.*
5. fetter ~ = a) großer Könner. 1950 *ff.* – b) Schwerverbrecher. ↗ Fisch 3 a. 1920 *ff.*
6. fliegender ~ = a) Torpedo-Flugzeug. Die Fliegenden Fische warmer Meere haben tragflügelähnliche Brust- und Bauchflossen und können mehrere Meter hoch und bis zu 200 Meter weit gleitfliegen. *Sold* 1939 *ff.* – b) Mädchen, das den Freund oft wechselt. 1960 *ff.*
7. fliegende ~e = Marineflieger, Marinejagdbomber. *BSD* 1970 *ff.*
8. großer ~ = a) erfolgreiches Unternehmen; aussichtsreicher Posten. 1950 *ff.* – b) wichtiger Mann, den man für sich zu gewinnen (= an Land zu ziehen) sucht; Prominenter. 1950 *ff.* – c) Schwerverbrecher. ↗ Fisch 3 a. 1920 *ff.*
9. kleiner ~ = a) Normalverbraucher; unbedeutender Mensch. 1950 *ff.* – b) Helfer des Taschendiebs; Mensch, der eine geringfügige Straftat begeht. 1920 *ff.* – c) verhältnismäßig unbedeutende Straftat; geringfügige Gesetzesübertretung; unwichtige Angelegenheit. 1920 *ff.* – d) kleiner Geldbetrag. 1950 *ff.*
10. kleine Fische = a) Kleinigkeiten, Belanglosigkeiten. Spätestens seit 1930. – b) Prüfungen in der Schule. 1960 *ff.*
11. nasser ~ = Angelegenheit, deren Bearbeitung immer wieder hinausgeschoben wird; ungeklärter Kriminalfall. „Naß" im Sinne von „charakterlich entwickelt sich hier zu der Bedeutung „noch nicht be-/verhandlungsreif". 1910 *ff,* polizeispr.
12. toller ~ = a) außerordentlicher Glücksumstand; sehr großer Gewinn; gewagte Spekulation von großem Erfolg. ↗ toll. 1920 *ff.* – b) großer Könner. 1920 *ff.*
13. toter ~ = aussichtslose Sache. 1930 *ff.*
14. trockener ~ = phantasiearmer, schwungloser, von fremden Weisungen

abhängiger Mensch. Sein Geist ist dürr. 1930 *ff.*

15. gesund wie ein ~ im Wasser = gesund und munter. Der im Wasser sich tummelnde Fisch ist ein anschauliches Bild frischen, gesunden, unbeschwerten Lebens. Seit *mhd* Zeit.

16. kalt wie ein ~ = a) geschlechtlich unnahbar. Fische laichen, aber begatten nicht. 19. Jh. – b) gefühllos, ungerührt. 1900 *ff.*

17. munter wie ein ~ = unbeschwert, lebhaft, lebenslustig. ↗ Fisch 15. 19. Jh.

18. stumm wie ein ~ = lautlos, wortkarg, verschwiegen. Ein in vielen Sprachen gebräuchlicher Vergleich. 16. Jh.

19. der ~ beißt an = der Liebhaber macht einen Heiratsantrag. 19. Jh. *Vgl* ↗ angeln 2. 19. Jh.

20. einen dicken ~ fangen = a) einen Schwerverbrecher verhaften. ↗ Fisch 3 a. 1920 *ff.* – b) einen beliebten Künstler engagieren. *Vgl* ↗ Fisch 8 b. 1960 *ff.*

21. die ~e füttern = auf See sich (über die Reling) erbrechen. 19. Jh. *Vgl engl* „to feed the fishes".

22. von einem größeren ~ gefressen werden = als kleine Firma nicht länger bestehen können und in einer größeren aufgehen. 1920 *ff.*

23. du hast wohl ~ gegessen?: Frage an einen Unrasierten. Beruht auf der grotesken Vorstellung, daß beim Fischessen Gräten durch Kinn und Wangen gedrungen sind. 1850 *ff.*

24. vor die ~e gehen = a) ertrinken. *Sold* in beiden Weltkriegen. – b) untergehen, verkommen, umkommen. 1940 *ff.*

25. ein dicker (großer) ~ ist der Polizei ins Netz gegangen = ein Schwerverbrecher wurde dingfest gemacht. ↗ Fisch 3 a. 1920 *ff.*

26. ihm geht ein großer ~ vom Haken = ihm geht ein einträgliches Geschäft verloren. Hergenommen vom Fisch, der sich vom Angelhaken freimacht. 1950 *ff.*

27. einen dicken ~ an der Angel haben = einen Schwerverbrecher verhaftet haben. ↗ Fisch 3 a. 1920 *ff.*

28. den ~ ködern = einem Mann nachstellen, den man gern zum Ehemann hätte. 19. Jh.

29. jn zu den ~en schicken = ein Schiff versenken. *Marinespr* 1914 *ff.*

30. ~ will schwimmen = zum Fischessen gehört ein Trunk. Eine schon der Antike geläufige Redewendung. 19. Jh.

31. den ~ schwimmen lassen = zum Fischgericht Alkohol trinken. 19. Jh.

32. ein ~ sein = geschlechtlich gefühlskalt sein; unerotisch sein. ↗ Fisch 16. 1900 *ff.*

33. weder ~ noch Fleisch sein = a) keinen Anspruch auf Gediegenheit erheben können. Daß Fisch und Fleisch als Gegensätze gelten, hängt mit der Vorschrift der katholischen Kirche zusammen, wonach am Freitag der Fleischgenuß untersagt ist, wohingegen Fisch genossen werden darf. Nach anderer Deutung bezieht sich die Redensart auf diejenigen Bürger, die sich im 16. Jh nicht zum Katholizismus noch zum Protestantismus bekennen mochten und also die Bestimmungen hinsichtlich des Fisch- oder Fleischgenusses ablehnten. 1500 *ff.* - b) noch nicht erwachsen sein. Meint metaphorisch den

Übergang vom (vermeintlich) „kaltblütigen" zum „heißblütigen = geschlechtsaktiven" Zustand. ↗ Fisch 16; Fleisch stammt von Warmblütern. 1900 *ff.*

34. stinken wie ein toter ~ = sich das Wohlwollen verscherzt haben. 1920 *ff.*

35. der ~ beginnt zu stinken = plötzlich tauchen Schwierigkeiten auf, mit denen man nicht gerechnet hat; man bekommt Bedenken. 1920 *ff.*

36. der ~ stinkt am Kopf = mit der Obrigkeit ist etwas nicht in Ordnung; ein Hochgestellter hat sich schuldig gemacht; die Sache erregt größte Bedenken. 1920 *ff.*

37. ~e und Verwandte stinken nach drei Tagen = Besuch empfindet man am dritten Tag als lästig. 1920 *ff.*

38. wenn du mit solch einem Gesicht in den Fluß (Ozean o. ä.) guckst, krepieren die ~e: Redewendung angesichts einer mürrischen Miene. 19. Jh.

39. wenn du im See badest, verrecken die ~e: Schimpfrede auf einen schmutzigen oder bösartigen Menschen. Bösartig = ↗ giftig. 1920 *ff.*

40. wegsein wie ein toter ~ = in der Narkose liegen. 1920 *ff.*

Fischauge *n* **1.** Super-Weitwinkel-Objektiv der Kamera. Übersetzung von *engl* „fisheye". 1960 *ff.*

2. *pl* = seelenlose Augen. *Vgl* ↗ Fisch 16 b. 19. Jh.

3. kalte ~n = gefühlloser Blick. 19. Jh.

Fischbrühe *f* klar wie ~ = einleuchtend *(iron)*. Fischbrühe ist trübe. 1950 *ff.*

Fischchen *n* Junge, dem man kleine Unredlichkeiten zutraut oder nachsagt. *Vgl* ↗ Fisch 3 u. 4. *Halbw* 1955 *ff.*

fischen *tr* **1.** jn auf frischer Tat ertappen; jn aus einem Fahrzeug heraus verhaften. *Vgl* ↗ Fisch 3 a. 1920 *ff.*

2. etw bei günstiger Gelegenheit listig an sich bringen. 1600 *ff.*

3. den Ball geschickt an sich bringen. *Sportl* 1920 *ff.*

4. vom Mitschüler abschreiben. *Schül* 1950 *ff.*

Fischerknabe *m* pfiffiger Junge, der zum Auskundschaften von Diebstahlsgelegenheiten ausgeschickt wird. *Vgl* ↗ Fischchen; ↗ Fischlein 2. 1945 *ff, rotw.*

Fischerlatein *n* übertreibende Erzählungen über Erlebnisse beim Angeln. ↗ Latein. 19. Jh.

Fischzug *m* **1.** Beutezug, Diebesfahrt; lohnendes, nicht ganz einwandfreies Unternehmen. 19. Jh.

2. Razzia. 1900 *ff.*

3. aussichtsreiches Geldgeschäft. 1920 *ff.*

4. Borgversuch. 1920 *ff.*

5. Versuch, durch Glücksspiel viel Geld zu gewinnen. 1920 *ff.*

6. einen ~ machen = eine Unreinheit aus einem gefüllten Glas fischen. Kellnerspr. 1950 *ff.*

Fisima'tenten *pl* Ausflüchte, leere Redensarten; Umständlichkeiten. Herleitung weiterhin unsicher. Vielleicht zusammengewachsen aus „visae patentes = ordnungsgemäß verdientes Patent" und „visament = Zierat"; letzteres meint vor allem den unverständlichen Zierat bei Wappen. Scheint im 15. Jh vom Rheinland ausgegangen zu sein.

Fisima'tentenmacher *m* **1.** Spaßmacher. *Vgl* das Vorhergehende. 1900 *ff.*

2. Staatsanwalt, Strafverteidiger. 1959 *ff.*

Fisima'tenterich *m* Mann ohne Ernsthaftigkeit. *Vgl* ↗ Fisimatentenmacher 1; Wortspaß mit „Enterich"(?). 1920 *ff.*

fispeln *tr* etw hastig tun. Wohl schallnachahmender Natur; *vgl* „fispern, wispern = blasen, hauchen, wehen" und „fisten = einen Darmwind leise abgehen lassen". 19. Jh.

Fissel *f n* Fädchen, Faser, Franse; Abschnitzel. Verkleinerungsform von „Faser" (= Fussel). 1400 *ff.*

'fisselig *adj* **1.** fein, dünn (vom Regen gesagt). ↗ fisseln. 19. Jh.

2. leicht bezecht. Wie von Alkohol beträufelt. 19. Jh.

fisseln *impers* leicht, leise und stetig regnen (schneien). Eigentlich soviel wie „die Fäden eines Gewebes auszuziehn"; von da übertragen auf die Ähnlichkeit des Regens mit herabkommenden feinen Fäden (= Fusseln). 18. Jh.

Fisselregen *m* feiner, dünner Sprüh-, Fadenregen. ↗ fisseln. 19. Jh.

Fist *m* **1.** abgehender Darmwind. ↗ fisten. Seit *mhd* Zeit.

2. pfeifendes Geräusch einer vorbeifliegenden Kugel. *Sold* und jägerspr. 19. Jh.

3. Gymnasiast. Er gilt als leer und nichtig wie der Abgang einer Blähung mit „viel Wind". 1900 *ff.*

fisten *intr* Darmwinde leise abgehen lassen. Schallnachahmend für einen dünnen, langgezogenen Ton. 14. Jh.

fit adj **1.** fertig, leistungsfähig, ausgelernt, tadellos. Stammt aus *engl* „fit = gut geeignet; in guter Form" und wurde im späten 19. Jh über die Sportlersprache allgemeindeutsch.

2. passend, tauglich. *Schül* 1950 *ff.*

3. jn ~ machen = jn eintrainieren, einexerzieren. 1900 *ff.*

'fit-'fit machen jn verhöhnen. Klangnachahmend für „↗ Rübchen schaben". 1800 *ff.*

Fitness-Bude, -Halle (-Bunker, -Center, -Raum) *f (m)* Turnhalle. Bestimmungswort aus dem Englischen um 1965/70 übernommen. *schül.*

'Fittiche *pl* jn unter seine ~ nehmen (kriegen) = jn unter seinen Schutz nehmen; jn beschützen. Fittich = Vogelflügel: die Vogelmutter breitet ihre Flügel über die Jungen im Nest. 1800 *ff.*

Fitz *m* **1.** Verwirrung, Durcheinander, Verworrenes. ↗ fitzen 1. 19. Jh, vorwiegend *sächs.*

2. Hast, nervöse Eile; Übereifer; Aufgeregtheit. *Sächs* 19. Jh.

3. ↗ Fiez.

Fitzchen *n* kleine Menge; Stückchen. Fitzen, fitzeln = schnitzeln; kleine Stücke abschneiden. 19. Jh.

Fitze *f* = Fieze.

Fitzelchen *n* Stückchen. *Vgl* ↗ Fitzchen. 19. Jh.

fitzen *v* **1.** *intr* = nervös eilen; aufgeregt, fassungslos sein. Fitz ist das Gebinde Garn. Daraus „fitzen = Garn verwirren" und „beim Auseinanderwirren verfitzten Fäden die Geduld verlieren". 19. Jh, *sächs.*

2. *intr* = nörgeln. Aus „fitzen = schneiden, ritzen" ergibt sich Analogie zu „↗ verreißen". 19. Jh.

Fix *m* Rauschgifteinspritzung. ↗ fixen 2. Gleichbedeutend und gleichlautend aus den USA übernommen, gegen 1960.

fix adj **1.** geschwind, rasch, gewandt. Aus

lat „fixus = fest, festgelegt, bestimmt" entwickelt zur Bedeutung „fertiggestellt, gut eingeübt". Von da vielleicht durch Studenten weitergebildet zur heutigen Bedeutung (der geübte Tänzer ist auch ein gewandter Tänzer). 18. Jh.
2. hervorragend. *Schül* 1950 *ff.*
3. außen ∼, innen nix (oben ∼, unten nix) = außen schön, innen wertlos. Bezogen auf eine schöne, aber geistesarme Frau oder auf die schöne Aufmachung einer wertlosen Sache. 19. Jh.
4. unten ∼, oben nix = oberteillos (auf die Frauenkleidung bezogen). 1964 *ff.*
5. ∼ und fertig *adv* = gänzlich fertiggestellt; einwandfrei erledigt; einsatzbereit. 18. Jh.
6. jn ∼ und fertig machen = a) jn entwürdigend anherrschen. *Sold* seit dem späten 19. Jh. – b) jn überwältigen, körperlich völlig erledigen, zermürben, moralisch vernichten. 1870 *ff.*
7. ∼ und fertig sein = abgearbeitet, erschöpft sein; die Beherrschung verloren haben. 19. Jh.
Fix Alleluja! *interj* Ausruf des Unwillens. *Vgl* ↗Fixlaudon. *Bayr* 1900 *ff.*
fixen *v* **1.** *tr* = etw meistern, geschickt bewerkstelligen. Stammt über die Börsensprache (= Termingeschäfte abschließen) aus *engl* „to fix = festsetzen, beschließen". 1910 *ff.*
2. jn (sich) ∼ = jm (sich) Rauschgift spritzen. Fußt auf dem *angloamerikan* Slang. 1960 *ff.*
Fixfax *m* **1.** unsorgfältig Arbeitender. Lautspielerei unter Einfluß von „↗fix 1" und „↗Faxen". 1900 *ff.*
2. Schwindler. 1900 *ff.*
3. Täuschung. *Rotw* 1900 *ff.*
Fixköter *m* nicht rasachreiner Hund. ↗Köter. „Fix" meint wohl soviel wie „eilig hergestellt", „unordentlich gearbeitet". 19. Jh, *nordd.*
Fixlaudon *interj* Fluch. „Fix" ist verkürzt aus „Kruzifix". Laudon war ein österreichischer Feldmarschall (1717–1790), Gegner Friedrichs des Großen und Eroberer von Belgrad (1789) im Türkenkrieg. *Österr* 19. Jh.
fix und foxi machen *tr* jn zermürben, entkräften. Nach dem Muster von „↗fix 6" umgeformt aus dem Titel der beliebten Bildgeschichten- und Zeichentrickfilmserie „Fix und Foxi". 1975 *ff.*
fix und foxi sein = am Ende seiner Kräfte sein. Versteht sich wie das Vorhergehende, unter Zugrundelegung von „↗fix 7". 1975 *ff.*
Flaatschen *m* großes Stück; Fetzen; großer Fleck. ↗Flatschen. *Nordd* 18. Jh.
flaatschen *v* jm eine ∼ = jn ohrfeigen. ↗flatschen. 1900 *ff.*
flaatschig *adj* groß und unförmig. 19. Jh.
Flabbe *f* Gesicht; verdrießliche Miene. Meint im *Mitteld* und *Niederd* eigentlich die herabhängende Unterlippe. *Vgl engl* „to flap = lose herunterhängen". 1500 *ff.*
Flabbs *m* ↗Flaps.
flabelhaft *adj* ausgezeichnet. Soll auf einen Kölner Witz zurückgehen: Tünnes erzählt, er habe jetzt eine Wohnung mit Flickzimmer, worauf Schäl erwidert: „Das ist ja flabelhaft". 1900 *ff.*
flach *adj* **1.** flachbusig. 1900 *ff.*
2. minderwertig, schlecht. Flach ist, was

nicht herausragt (nicht „hervorragend" ist). *Schweiz* 1960 *ff,* *halbw.*
3. ∼ bügeln = die Stämme der Bäume hart an der Wurzel durchschießen, um ein sichtbehinderndes Waldstück zu beseitigen. *BSD* 1965 *ff.*
4. das fällt ∼ = das mißlingt, findet nicht statt. Leitet sich vielleicht her vom Messerwurfspiel, bei dem das Messer mit der Klinge im Boden stecken muß, wenn der Wurf zählen soll. Auch Analogie zu „auf die ↗Nase fallen" ist möglich. Etwa seit 1900.
5. jn ∼ kennen = jn oberflächlich kennen; jn falsch einschätzen. 1920 *ff.*
6. es läuft ∼ = es hat keinen Erfolg. ↗flach 4. 1939 *ff.*
7. jn ∼legen = jn niederschlagen. 1900 *ff.*
8. eine Frau ∼ legen = eine Frau vergewaltigen, zum Beischlaf verführen. 1920 *ff.*
9. sich ∼ legen = zu Bett gehen. 1930 *ff.*
10. ∼ liegen = a) liegend schlafen; bettlägerig sein. 1930 *ff.* – b) am Boden liegen; niedergeschlagen worden sein. 1900 *ff.* – c) nichts mehr haben; am Ende sein. 1920 *ff.*
11. sich ∼ machen = sich schlafen legen. 1930 *ff.*
12. machen Sie ∼! = hinlegen! volle Deckung nehmen! *Sold* 1939 *ff.*
13. ∼ werden = umfallen; zu Boden geschlagen werden. 1900 *ff.*
Flachbahn *f* Exerzierplatz. Eigentlich die flache Rennbahn ohne Hindernis. *Sold* seit 1939.
Flächenbrand *m* uneingedämmtes Verderbnis; unbehobener, sich ausbreitender Mißstand. 1970 *ff.*
Flachkopf *m* Dummer. Anspielung auf seichte Denkweise und Plattheiten. 19. Jh.
Flachlandtiroler *m* **1.** stutzerhafter Städter in Älplertracht; Flachlandbewohner. Spätestens seit 1910.
2. *pl* = Gebirgsjäger (in Mittelgebirgen). *BSD* 1965 *ff.*
flachlegen *tr* ↗flach 7.
Flachmann *m* **1.** flache Taschenflasche. Vielleicht beeinflußt von *franz* „flacon = Fläschchen". 1930 *ff;* wohl älter.
2. Kommando „hinlegen". Der Mann soll „sich flach machen", sich an den Erdboden schmiegen. *Sold* 1939 *ff.*
3. energieloser Mann. 1920 *ff.*
4. einen ∼ bauen = niederstürzen. 1970 *ff.*
Flachs *m* **1.** Haar. Von der Flachsfaser auf das einzelne Kopfhaar übertragen. Kundenspr. 1687 *ff.*
2. anzügliche Bemerkung; Anulkung. 1900 *ff.*
3. der ∼ blüht = a) man neckt einander. 1900 *ff.* – b) das Geschäft gedeiht. Dem Muster „der ↗Weizen blüht" nachgeahmt. 1950 *ff.*
4. den ∼ blühen lassen = jn anscherzen, veralbern. 1900 *ff.*
5. du bist wohl auch her, wo der ∼ blüht? = du bist wohl auch ein spaßiger Mensch? Berlin 1950 *ff.*
6. ∼ machen = scherzen. 1900 *ff.*
Flachschuß *m* flach ausgeführter Fußballstoß. ↗Schuß. *Sportl* 1920 *ff.*
flachsen *v* **1.** *tr* = jn betrügen, durch falsche Versprechungen anlocken. Hergenommen von „Flachs = Haar": wer sich

die Haare schneiden, sich frisieren, sich rasieren (↗balbieren) läßt, kann leicht übertölpelt werden. *Rotw* seit dem frühen 19. Jh.
2. *intr* = necken, spotten, veralbern. Meint eigentlich „den Flachs mit scharfen Rechen hecheln" und ist analog zu „↗durchhecheln". 1900 *ff.*
3. *intr* = flirten. *BSD* 1965 *ff.*
4. *intr* = jn prügeln. Flachs wurde früher durch Klopfen bearbeitet. 19. Jh.
flacken *intr* liegen; nachlässig, faul liegen. Flack = flach. 1700 *ff,* *oberd.*
flackern *intr* schwanken; nicht fest auf den Beinen stehen. Von der Bewegung der Kerzenflamme übertragen. 1900 *ff.*
fladern *intr tr* stehlen; Taschendiebstahl begehen. ↗fleddern. *Österr* 1850 *ff.*
Flagge *f* **1.** dein Kopf an der ∼, und die Feinde ziehen ab: Redewendung angesichts eines häßlichen Kopfes, wirrer Haare, einer mürrischen Miene u. ä. Solch ein Anblick wirkt abschreckend. 1950 *ff,* *schül.*
2. die ∼ streichen = a) nachgeben; sich ergeben. Man holt auf See die Flagge ein zum Zeichen, daß man zur Übergabe bereit ist. 1600 *ff.* – b) weggehen. 1914 *ff.*
3. ∼ zeigen = seine Absicht (Grundsätze) klar zu erkennen geben. Übernommen aus *engl* „to show the flag = sich zeigen". Um 1970 aufgekommen.
Flaggenparade *f* es ist mir eine innere ∼ = es freut mich sehr. 1950 *ff.*
Flaggschiff *n* **1.** Spitzenmarke; umsatzträchtigste Ware; auflagenstärkste Veröffentlichung. Stammt aus der Kriegsmarine: Das Flaggschiff trägt die Admiralsflagge zum Zeichen, daß der Verband von diesem Schiff aus durch den Admiral kommandiert wird. 1965 *ff.*
2. Spitzenkönner. 1965 *ff.*
3. feste Freundin. *Halbw* 1965 *ff.*
4. aufgetakelt wie ein ∼ = auffällig gekleidet. 1965 *ff.*
Flak *f* **1.** Pistole. Verkürzt aus ↗Taschenflak. 1950 *ff.*
2. ist keine Truppe (keine Waffe), sondern eine Weltanschauung: Redewendung auf die Flugabwehrtruppe. Anspielung auf die kümmerlichen Ergebnisse der Flugabwehr: eine unwissenschaftliche, mehr erlebnishafte Weltanschauung ist ebensowenig greifbar wie die militärischen Erfolge der deutschen Flak (eigentlich Abkürzung für „Flug-Abwehr-Kanone") in den Weltkriegen. *Sold* 1939 *ff.*
flaken *intr* untätig liegen; sich flegeln. ↗flacken. *Bayr* und *schwäb* 18. Jh.
flämisch *adj* **1.** plump, fleischig, unschön. Spielt an auf den Malstil der flämischen Schule. 19. Jh.
2. grob, barsch, aufsässig. 19. Jh.
Flamme *f* **1.** Geliebte; angebetetes Mädchen. Steht im Zusammenhang mit der Vorstellung von der Flamme der Begeisterung, der Liebe; man ist „entflammt" oder für jn „entbrannt". *Schül* 1830 *ff.*
2. ∼ beziehen = geprügelt werden. ↗flammen 2. 19. Jh.
3. jn auf kleiner ∼ garkochen = jn langsam, aber sicher gefügig machen. Man behandelt ihn wie eine Speise, die man langsam gar werden läßt. 1930 *ff.*
4. auf halber ∼ kochen = behutsamer vorgehen. 1960 *ff.*
5. auf kleinerer (kleiner) ∼ kochen = sich

noch mehr einschränken; sich nicht voll entfalten. 1960 ff.

6. darf ich Ihre ~ küssen? = darf ich mir an Ihrem Streichholz (an Ihrer Zigarette) meine Zigarette anzünden? Witzig, wenn der, der gebeten wird, eine Begleiterin bei sich hat. 1920 ff, stud.

7. in ~n stehen = sehr heftiger Kritik ausgesetzt sein. Man wird von vielen Seiten „unter Beschuß genommen". 1950 ff.

flammen v **1.** intr = schnell laufen. Übertragen vom schnellen Feuern (milit). Seit dem späten 19. Jh.

2. jm eine ~ = jn ohrfeigen. Anspielung auf die bunte Hautfärbung infolge von Schlägen, dem flammenähnlichen Muster aus mehrfarbigen Geweben gleichend. 19. Jh.

Flammenwerfer m Feuerzeug mit großer Flamme. Eigentlich das Gerät, mit dem brennender Kampfstoff mittels Preßluft abgeblasen wird. Sold in beiden Weltkriegen und BSD.

Flanellwache f ~ stehen = vor dem Hause auf sein Mädchen warten. Abgewandelt aus der rotw Bedeutung „in den Flitterwochen nicht auf Diebstahl ausgehen" (Flanellanzug statt „Räuberzivil" tragen) unter Einwirkung von „flanieren = schlendern". 1850 ff.

Flaniermädchen n Straßenprostituierte. 1965 ff.

Flanke f rede (quassle, quatsche o. ä.) mich nicht von der ~ an! = belästige mich nicht mit deinem Geschwätz! Der Betreffende spricht einen nicht von vorn an und blickt einem nicht offen ins Gesicht. Sold in beiden Weltkriegen.

Flankenschuß m von der Seite gezielter Torball. ⊅Schuß Sportl 1920 ff.

Flankenschutz m jm ~ geben = jm beipflichten; jn gegen seine Kritiker in Schutz nehmen. Eigentlich im milit Sprachgebrauch die Sicherung der ungeschützten Seite einer vorrückenden Truppe durch Geschützfeuer o. ä. 1960 ff.

Flansch m **1.** Penis. Meint in der Technikersprache den Ansatz zur Verbindung von Rohren, Röhren und anderen Hohlkörpern. BSD 1965 ff.

2. Vagina. BSD 1965 ff.

3. feste Freundin. Jug 1965 ff.

Flapp m leichte Ohrfeige. ⊅flappen. 19. Jh.

Flappe f **1.** ⊅Flabbe.

2. gefälschtes Ausweispapier o. ä. ⊅Fleppe. 1950 ff.

3. pl = Banknoten. ⊅Fleppe. 2. 1950 ff.

flappen v jm eine ~ = jm eine Ohrfeige geben. Ein niederd Wort; vgl engl „to flap = schlagen". 19. Jh.

Flappenzieher m **1.** Schauspieler. Er verzieht seine „⊅Flabbe". Theaterspr. 1920 ff.

2. saurer Wein. Er verzieht einem die Gesichtszüge. ⊅Flabbe. 1930 ff.

Flappier (Endung franz ausgesprochen) m energieloser Mann; Schwächling. Gehört zu „⊅Flabbe" und einem germ Wurzelwort mit der Bedeutung „lose herunterhängen; schlaff sein". 1920 ff.

Flappkerl m weichlicher Mann. Vgl das Vorhergehende. Westd 1960 ff. Vgl ndl „flapkerel".

Flaps (Flabbs, Flabes) m energieloser Mann; grober, plumper Mann ohne Gefühl für Anstand. Gehört zu „⊅Flabbe". 18. Jh.

flapsen v **1.** intr = sich unbeholfen, plump, ungesittet benehmen. Vgl das Vorhergehende. 1900 ff.

2. jn ~ = jn ohrfeigen. ⊅flappen. 1920 ff.

flapsig adj **1.** grob, plump, nachlässig. Ist von „⊅Flabbe" herzuleiten. 19. Jh.

2. frech, vorlaut. 19. Jh.

Flarre (Flärre) f (zum Weinen verzogener) Mund. Vgl das Folgende. Oberd 19. Jh.

flarren (flärren) intr weinen; den Mund weinerlich verziehen. Verwandt mit ⊅plärren. Oberd 1500 ff.

Flasche f **1.** Versager. Vielleicht verkürzt aus „leere Flasche" oder aus „Windflasche = Prahler". Eine Flasche an sich ist allemal ein hohles Gefäß, ein Körper ohne Inhalt. 1900 ff.

2. Ohrfeige. ⊅flaschen. Oberd 1500 ff.

3. ~ mit Korken = Klassenwiederholer. Schül 1960 ff.

4. ~ mit drei Sternen = Hauptmann. Das Weinbrandetikett weist drei Sterne auf; der Hauptmann hat drei Sterne auf den Schulterstücken. BSD 1965 ff.

5. dämliche ~ = dummer Kerl. ⊅Flasche 1. 1935 ff.

6. harte ~ = Flasche Weinbrand o. ä. Hart = hochprozentig. 1965 ff.

7. krumme ~ = Soldat in unmilitärischer Haltung. ⊅Krumm 1. Sold 1935 ff.

8. lahme ~ = schwungloser Mann. Halbw 1955 ff.

9. müde ~ = a) eine einzige, im Lokal bestellte Flasche, an der man lange trinkt. 1960 ff. – b) energieloser Mensch. 1960 ff.

10. schäbige ~ = übler, niederträchtiger Mensch. ⊅schäbig. 1960 ff.

11. trübe ~ = geistesbeschränkter Mensch; Versager. Trüb = undurchsichtig = geistig unklar. Sold 1960 ff.

12. einer ~ den Hals brechen = eine Flasche öffnen. Scherzhafte Redewendung seit dem frühen 19. Jh.

13. sich an einer ~ festhalten = a) im Lokal nur eine einzige Flasche bestellen und lange an ihr trinken. 1930 ff. – b) eine Flasche Schnaps nicht eher aus den Händen lassen, bis sie geleert ist. 1930 ff.

14. ich habe nichts gegen Beine; aber gute ~n gehören in den Keller: Redewendung angesichts von „Flaschenbeinen". Halbw 1940 ff.

15. sich eine ~ in Hals stecken (schieben) = aus der Flasche trinken. 1930 ff.

16. als das Auto noch aus der ~ trank = vor langer Zeit. Herzuleiten aus der Anfangszeit des Automobilismus, als die Autofahrer mangels Tankstellen das Benzin flaschenweise in der Apotheke oder Drogerie kaufen mußte; beeinflußt von der Vorstellung des Kindes, das noch aus der Milchflasche trinkt. Berlin 1958 ff, jug.

flaschen (flaschln, flaschnen) tr jn prügeln, ohrfeigen. Schallnachahmend wie „klatschen", „watschen" o. ä. Bayr und österr 19. Jh.

Flaschenkampf m sportlicher Wettkampf, bei dem über den Sieg vorher Verabredungen getroffen werden oder die Teilnehmer matt operieren. ⊅Flasche 1. Um 1900 sportl aufgekommen.

Flaschenkind n **1.** Mensch, der das Trinkglas verschmäht und lieber die Flasche an den Mund setzt; Trinker von Flaschenbier. Eigentlich das mit der Flasche ernährte Kind. 1900 ff.

2. Versager. Jug 1950 ff.

Flaschenmilch f alkoholisches Getränk. Humorvolle Umschreibung unter Zechern; auch Tarnwort in knappen Zeiten bei Kaufleuten, „Schwarzhändlern" und Schmugglern. Seit dem ausgehenden 19. Jh.

Flaschensitzung f Zechgelage. 1950 ff.

Flaschenspieler m schlechter Fußballspieler. Vgl ⊅Flaschenkampf. 1933 ff.

Flaschenwährung f Flaschenpfand. 1960 ff.

Flaschenwetter n für Flüge ungeeignetes Wetter. Der Flieger sitzt daheim bei der Flasche. 1914 ff, fliegerspr.

Flaschenzug m **1.** Schluck aus der Branntweinflasche. Eigentlich eine kraftsparende Hebevorrichtung. 1930 ff.

2. untauglicher Truppenteil. Dieser Zug besteht aus lauter „⊅Flaschen 1". Sold 1939 bis heute.

Flaschn f ⊅Flasche 2.

Flatsch m **1.** klatschender Schlag; Schlag ins Wasser. 19. Jh.

2. Regenguß. 19. Jh.

Flatsche f **1.** verschüttete Flüssigkeit; Lache. ⊅flatschen. 19. Jh.

2. große, plumpe Hand. 19. Jh.

3. großwüchsiger, unbeholfener Mensch; nachlässige, träge Person. 19. Jh.

flatschen v **1.** tr = jm mit der flachen Hand ins Gesicht schlagen. Schallnachahmend, etwa soviel wie „klatschend sich über eine Fläche verbreiten". 19. Jh, nordd.

2. intr = in Wasser treten. Schallnachahmend, analog zu „⊅platschen". 1600 ff.

3. impers = es regnet heftig. 19. Jh.

Flatter f **1.** leichtes Mädchen. Analog zu ⊅Schmetterling. BSD 1965 ff.

2. mach die ~! = geh (schleunigst) weg! Flattern = mit den Flügeln schlagen; wegfliegen. Halbw 1955 ff.

Flatterbacke f Tanzpartnerin. Wohl eine, die beim Tanzen ihr Gesäß rasch hin- und herschwingt. Halbw 1960 ff.

Flatterfahrer m **1.** Einsteigdieb, Wäschebodendieb. ⊅Flatterfahrt. 19. Jh.

2. Autodieb. Flattern = weggehen. (⊅Flatter 2). 1920 ff.

Flatterfahrt f Wäschebodendiebstahl. Gehört zur Kundenspr. „Flader = Wäsche". ⊅Fahrt 3. 19. Jh.

Flatterheini m feiger, ängstlicher Mann. Ihm flattert die „⊅Muffe", oder er „macht die „⊅Flatter". 1965 ff, sold.

Flatter-Jeans pl weite Hosen mit schlecht haltender Bügelfalte; Tuchhose, Arbeitshose. Zu „Jeans" vgl „⊅Blue-Jeans-Röhren". 1960 ff, sold.

Flatter-Look (Grundwort engl gespr.) m Mode der weitgeschnittenen Kleider. 1970 ff. Die Bezeichnung ist jünger als die Mode (1920 ff).

Flattermann m **1.** Brathähnchen. Ein flatterndes männliches Tier. Schül, halbw, BSD 1955 ff.

2. Schmetterling. 1960 ff.

3. Adler-Emblem der Bundesrepublik Deutschland. 1970 ff.

4. nervös gestikulierender Mann; nervöser Mensch. 1970 ff.

5. Durchfall. Der After kommt nicht zur Ruhe. BSD 1965 ff.

6. Angst. 1965 ff.

7. Sport-, Arbeitsanzug. Er ist sehr weit geschneidert. BSD 1965 ff.

8. Mann, der in kurzen Abständen die

Arbeitsstelle wechselt. Flattern = unbeständig sein. 1960 ff.
9. Androhung der Schulverweisung. 1965 ff.
10. den ~ haben = Händezittern, Liderzucken o. ä. haben. 1965 ff.
11. einen ~ machen = a) wegeilen. Rokker 1968 ff, Hamburg. – b) von der Schule verwiesen werden. 1965 ff. – c) aus der Justizvollzugsanstalt ausbrechen. Häftlingsspr. 1970 ff.
12. einen ~ querziehen = ein Brathähnchen verzehren. ↗ Flattermann 1. 1970 ff.
flattern intr **1.** sich schnell bewegen. Vom Flügelschlagen hergenommen. 19. Jh.
2. mit dem Flugzeug reisen. 1950 ff.
3. davongehen. 19. Jh.
4. entlassen, gekündigt werden. 19. Jh.
5. einen sehr leichten Lebenswandel führen. Man flattert von Liebschaft zu Liebschaft. 1925 ff.
6. unruhig, nervös sein. 1920 ff.
7. schnarchen. Gehört zu bayr „fludern = aus dem Munde spritzen; sprudeln" und erweitert zu „Gurgeltöne hervorbringen". Auch „flattert" beim Schnarchen das Gaumensegel. BSD 1965 ff.
8. das Herz flattert = das Herz klopft unruhig; eine Herzneurose macht sich bemerkbar. 1920 ff.
9. ein Brief flattert ins Haus = ein Brief gelangt ins Haus. Es ist wohl an die Brieftaube gedacht. 1920 ff.
10. einen Geldschein ~ lassen = einen Geldschein aus der Hand geben. 1960 ff.
flattrig adj ängstlich. Fußt auf „die ↗ Muffe flattert". 1965 ff, sold.
flau adj matt, kraftlos, schlecht. Im 18. Jh aus ndl „flauw = lau, matt" übernommen.
Flausen pl **1.** törichte Gedanken; närrische Einfälle; Dummheiten; Ausflüchte, Ränke u. ä. Stammt aus dem Weberhandwerk: die umherfliegenden Wollflocken und Fasern (= Flusen) werden zum Sinnbild für unzuverlässiges Reden und Handeln. 1500 ff.
2. Übertreibungen, Vorbehalte. 19. Jh.
2 a. jm die ~ austreiben = jm die übertriebenen Erwartungen ausreden; jds Torheiten entgegentreten. 19. Jh.
3. ~ im Kopf haben = törichte Gedanken hegen. 18. Jh.
4. ~ machen = Umstände, Ausflüchte machen; töricht reden. 1700 ff.
5. jm in den Kopf setzen = jm törichte Gedanken einreden. 19. Jh.
Flax m ↗ Flachs 2.
flaxen adj ↗ flachsen 2.
Fläz m ungesitteter, grober Mensch. ↗ fläzen. 16. Jh.
fläzen (flätzen, fleezen, fleetzen) refl intr sich flegelhaft benehmen. Fußt auf mhd „vletzen = ausbreiten; breit liegen". 16. Jh.
Flebben pl ↗ Fleppe.
Fleck m **1.** Volltreffer. Meint entweder den Mittelpunkt der Zielscheibe oder das Herz des Hirsches. 1965 ff, sold.
2. Geld; Tausend-Schilling-Note. „Fleck" als Stück Tuch steht in Analogie zu „↗ Lappen". Österr 1900 ff.
3. schlechteste Leistungsnote. Gekürzt aus „Schandfleck". Schül 1900 ff, österr.
4. Hieb, Ohrfeige. Vom Schlag bilden sich Flecke auf der Haut. Österr 1900 ff.

5. auf dem ~ = sofort, augenblicklich. Analog zu „auf der Stelle". 1900 ff.
6. dunkler ~ auf der Weste = Makel, Vorstrafe. 1900 ff.
7. einen ~ auf der Weste haben = nicht mehr unbescholten sein. 1900 ff.
8. einen ~ auf der weißen Weste haben = nicht schuldlos sein; kein gutes Gewissen haben. 1900 ff.
9. braune ~en auf der Weste haben = Nationalsozialist gewesen sein. ↗ braun 1. 1945 ff.
10. blaue ~e kriegen = a) geprügelt werden. 19. Jh. – b) derb angeherrscht werden. 1900 ff. – c) Mißerfolg erleiden. Prügel = Niederlage. 1900 ff.
11. einen blinden ~ haben = einseitig urteilen. Hergenommen von einer Sehstörung. 1960 ff.
12. einen trockenen ~ im Hals haben = durstig sein. Marinespr 1930 ff.
13. mach dir keinen ~! = a) ziere dich nicht! laße dir nichts ein! Gemeint ist der Schmutzfleck auf der Kleidung: er kommt um so leichter zustande, je unnatürlicher man zu Werke geht. 19. Jh. – b) du irrst dich sehr! 19. Jh.
14. mach dir keinen ~ ins Hemd! = reg' dich nicht auf! gib dich nicht so geziert! Aus dem Vorhergehenden erweitert mit Anspielung auf den unfreiwilligen Samenerguß des sexuell erregten Mannes. Seit dem späten 19. Jh.
15. mach dir keinen ~ auf den Schlips! = reg' dich nicht auf! Wer keift (= schimpft), der geifert (= verliert Speichel). 1900 ff.
16. am (auf dem) ~ treten = keinen Fortschritt erzielen. Analog zu „auf der ↗ Stelle treten". 1920 ff.
flecken impers vonstatten gehen; förderlich sein. Entstanden aus „vom Fleck gehen = von der Stelle kommen". 1800 ff.
Fleckerlteppich m **1.** Teppich aus Stoffresten (Patchwork). Südd 1920 ff.
2. Gesetz mit vielen Klauseln, Einschränkungen usw. 1950 ff.
3. Fernsehprogramm aus mehreren Kurzbeiträgen. 1960 ff.
4. ausgebesserter Geh-, Fahrweg. 1960 ff.
5. nur in Teilabschnitten fertiggestellte Autobahn (Wasserversorgung usw.). 1960 ff.
Fledderei f Nutznießung fremden Unglücks; Beraubung Wehrloser. ↗ fleddern. 1900 ff.
fleddern tr **1.** jn berauben, plündern, bestehlen; jm etw abnötigen; Schlafende oder Tote ausrauben. Nebenform von „flattern"; dies führt auf rotw „fladern" = waschen" zurück. Meint ursprünglich wohl das diebische Leichenwäscher. Früheste Buchung für 1873.
2. Brauchbares demontieren. 1950 ff.
3. jds geistige Leistung plagiatorisch nutzen. 1920 ff.
Fledermausärmel pl Ärmel mit flügelartigem Schnitt, einem tief ausgeschnittenen Armloch nicht unähnlich eingesetzt. 1920 ff.
Fledermaushose f Reithose. 1930 ff.
Fledermausohren pl abstehende Ohren. 1900 ff, wohl älter.
Fledermaussessel m Ohrensessel. Die Sessel-„Ohren" erinnern an die langen Ohren der Fledermaus. 1950 ff.
fleezen refl intr ↗ fläzen.

Fleisch n **1.** ~ vom Bäcker = Frikadelle. ↗ Bäckerfleisch. 1920 ff.
2. ~ mit Handgriff = Kotelett; Schweinerippchen; Karbonade. Der Knochen wird zum Anfasser umgedeutet. 1910 ff.
3. ~ ohne Marken = Würmer im Essen. 1939 ff, sold.
4. ~ nach Maß = Fleisch von Schlachttieren, deren Fettansatz man künstlich vermindert hat. 1955 ff.
5. ~ am Stiel = Kotelett. Dem „Eis am Stiel" nachgeahmt. Sold 1939 ff.
6. ~ des Waldes = Pilze. 1950 ff.
7. frisches ~ = unberührtes Mädchen. 19. Jh.
8. heißes ~ = Mädchen als Ware im Mädchenhandel. 1965 ff.
9. junges ~ = junge Mädchen. Meint eigentlich das Fleisch von Jungtieren (Kalb, Lamm oder Ferkel). 1920 ff.
10. markenfreies ~ = Fliege in der Suppe. Stammt aus der Zeit der Lebensmittelbewirtschaftung. Sold 1939 ff.
11. nacktes ~ = großzügiges Dekolleté; völlige Nacktheit. 1955 ff.
12. viel ~ = tiefgeschnittenes Dekolleté. Es läßt viel Fleisch sehen. 1925 ff.
13. das ~ mit Lumpen abdecken = sich anziehen. 1900 ff.
14. vom ~ abkommen = abmagern. Nordd 1800 ff.
15. mit ~ fahren = mit Mädchen gehen. ↗ fahren 1. Rotw 1900 ff.
16. vom ~ fallen = abmagern. ↗ abfallen 1. 19. Jh.
17. da hat der Koch das ~ mit dem Revolver durch das warme Wasser geschossen = das ist eine dünne Suppe. Marinespr 1915 ff.
18. sein ~ in die Auslage hängen = ein tiefes Brustdekolleté tragen. Seit dem ausgehenden 19. Jh.
19. ~ herstellen = koitieren, schwängern. 1935 ff.
20. vom ~ kommen = abmagern. 1800 ff.
21. ~ machen = koitieren, schwängern. 1935 ff.
22. es schneidet ihm ins ~ = es geht ihm sehr nahe; es tut ihm in der Seele weh. 1900 ff.
23. sich ins eigene ~ schneiden = sich schaden; sich irren. 19. Jh. Vgl franz „il taille dans sa propre chair".
24. ~ servieren = Nacktszenen vorführen. 1955 ff.
25. ein Stück ~ in sich spüren müssen = liebesgierig sein (von Frauen gesagt). 1920 ff.
26. ich trage kein faules ~: ablehnende Redewendung an einen, der sich träge an den Sprechenden lehnt. 1880 ff.
27. es ist in ~ und Blut übergegangen = es hat sich eingebürgert, ist zur Gewohnheit geworden. Die Metapher „Fleisch und Blut" meint „den lebendigen Menschen in seiner vollständigen Natur". 19. Jh.
28. ~ verstecken = koitieren Vgl ↗ Fleisch 25. 1900 ff.
29. ~ wiegen = koitieren. Übertragen von der Hin- und Herbewegung der Wiege. Wohl schon seit 1500.
Fleischangler m Angler, der ohne Rücksicht auf festgelegte Mindestmaße und Schonzeiten jeden Fisch an Land zieht. Vgl ↗ Fleischjäger. 1950 ff.

Fleischbeilage *f* Geschlechtspartnerin des Mannes. 1950 *ff.*

Fleischbeschau *f* **1.** Gesundheitsbesichtigung bei der Musterung o. ä. Eigentlich die tierärztliche Begutachtung des Fleisches von Schlachttieren. *Sold* 1900 bis heute. **2.** Gesundheitsuntersuchung in der Kriegsgefangenschaft. 1943 *ff, sold.* **3.** Modenschau; Schönheitskonkurrenz; Nacktrevue; Revue. 1920 *ff.* **4.** körperliche Bloßstellung im Freiluftbad; Freikörperkultur. 1920 *ff.* **5.** Schwimmbad. 1920 *ff.* **6.** körperliche Bloßstellung der Prostituierten. 1920 *ff.* **7.** Dekolletierung; dekolletierte weibliche Person. 1920 *ff.* **8.** ~ halten = im Freibad umhergehen. 1920 *ff.*

Fleischbeschauer *m* **1.** Musterungsarzt; auf Geschlechtskrankheiten untersuchender Militärarzt. ↗ Fleischbeschau 1. 1900 *ff.* **2.** Zuschauer bei einer Modenvorführung, bei einer Schönheitskonkurrenz o. ä.; Beobachter des Strandlebens, des Maskentreibens auf Bällen usw. 1910 *ff.* **3.** Mann, der einer weiblichen Person lüstern ins Dekolleté blickt. 1920 *ff.* **4.** Amtsarzt bei der Untersuchung der zugelassenen Prostituierten. 1900 *ff.* **5.** Arzt für Haut- und Geschlechtskrankheiten. 1900 *ff.* **6.** Aktmaler; lüsterner Künstler. 1900 *ff.*

Fleischbrühe *f* klar wie ~ = völlig einleuchtend. Ironie. 1920 *ff.*

Fleischer *m* liebesgieriger Mann, der gegenüber einer weiblichen Person handgreiflich wird. 1930 *ff.*

Fleischerblume *f* Blattpflanze im Schaufenster von Metzgereien. 1910 *ff.*

Fleischerbrötchen *n* Frikadelle. In *iron* Deutung ein Brötchen mit Fleischbeimengung. 1965 *ff, BSD.*

Fleischergang *m* erfolglose Bemühung. *Gleichbed* ↗ Metzgergang. Metzger mußten früher bei den Bauern manchen vergeblichen Gang tun, um Schlachtvieh aufzukaufen. Gelegentlich auch bezogen auf stellungslose wandernde Metzgergesellen. 18. Jh, *ostmitteld.*

Fleischerpalme *f* Gummibaum oder andere Blattpflanze im Schaufenster von Metzgereien. 1910 *ff.*

Fleischfahrer *m* Mädchenhändler. ↗ Fleisch 15. *Rotw* 1920 *ff.*

Fleischfresse *f* Große ~ = Eßlokal mit eigener Hausschlachterei. Es ist bekannt für reichliche Fleischportionen. 1955 *ff.*

Fleischjäger *m* gewinnsüchtiger Wilderer; unweidmännischer Jäger. Ihm geht es ausschließlich um die Fleischausbeute. 1950 *ff.*

Fleisch'laberl *n* Frikadelle. „Laberl = kleines Rundbrot"; daher Analogie zu „↗ Fleischerbrötchen". *Österr* 1930 *ff.*

Fleischmacher *m* **1.** nicht weidgerechter Jäger. ↗ Fleischjäger. 1950 *ff.* **2.** unweidmännischer Angler. ↗ Fleischangler. 1950 *ff.* **3.** wüster ~ = Wilderer. 1950 *ff.*

Fleischmarkt *m* **1.** Strandleben; Schönheitswettbewerb; dekolletierte weibliche Personen auf Künstlerfesten; Freikörperkultur. 1920 *ff.* **2.** Anzeigenseite in der Zeitung mit ver-

hüllter Suche nach Liebschaften, nach aktiver und passiver Prostitution usw. 1920 *ff.* **3.** Zeitschrift, Zeitschriftenseiten mit Nacktfotos. 1960 *ff.*

Fleischpaket *n* strotzende Körperfülle. 1930 *ff.*

Fleischpflanzl *n* Frikadelle. Eigentlich ein Gewächs mit fleischigen Blättern. Wegen der rundlichen Form und der Substanzarmut. *Bayr* 1870 *ff.*

Fleischportion *f* garnierte ~ = weibliche Person in spärlicher Bekleidung und mit ordinärem Benehmen. 1955 *ff, halbw.*

Fleischpreis *m* Prostituiertenentgelt. 1935 *ff.*

Fleischrevue *f* Revue mit leichtbekleideten (unbekleideten) Tänzerinnen. 1920 *ff.*

Fleischstecher *m* Impfarzt. 1940 *ff.*

Fleischsuchgerät *n* das ~ ausfahren = nach Fleisch im Essen stöbern. Übertragen vom Ausfahren des Teleskops o. ä. *Sold* 1939 *ff.*

Fleischtöpfe *pl* **1.** zu den heimischen ~n heimkehren = zum Gewohnten und Beliebten zurückkehren. *Vgl* das Folgende. 1900 *ff.* **2.** sich nach den ~n Ägyptens zurücksehnen = sich nach reichlicherer Ernährung zurücksehnen. Geht zurück auf 2. Moses 16,3. 1600 *ff.*

Fleischwiese *f* überfülltes Freibad o. ä. 1950 *ff.*

fleischwogend *adj* üppig in den Körperformen. Anspielung auf Meereswellen. 1955 *ff.*

Fleischwolf *m* jn durch den ~ drehen = jn ausforschen, ausfragen; jm nachdrücklich ein Geständnis entreißen. Fleischwolf = Fleischhackmaschine des Metzgers. ↗ Wolf. 1900 *ff.*

Fleiß *m* **1.** befohlener ~ = Strafarbeit. *Schül* 1950 *ff.* **2.** geölter ~ = sehr großer Fleiß. Die Arbeit geht „wie geölt" von der Hand. 1920 *ff.* **3.** mit (zu) ~ = absichtlich. Erweitert aus der Vorstellung vom Eifer, der sich auf ein bestimmtes Ziel richtet. Seit *mhd* Zeit.

Fleißelefant *m* bei Schwerarbeit unermüdlich fleißiger Mensch. 1960 *ff.*

fleißig *adj* ~ zusehen = überaus arbeitsscheu sein. Der Fleiß beschränkt sich auf das Zusehen, wie andere arbeiten. 1920 *ff.*

Fleißprämie *f* reichlicher Familiennachwuchs. Eigentlich die Prämie für lerneifrige Schulkinder. 1920 *ff.*

Flenne *f* **1.** Verziehen des Gesichts zum Weinen. ↗ flennen 1. 1900 *ff.* **2.** die ~ haben = einer Sache überdrüssig sein. *BSD* 1970 *ff.*

flennen *intr* **1.** weinen. Geht zurück auf *ahd* „flannen = das Gesicht verziehen"; sprachverwandt mit „einen ↗ Flunsch ziehen". 1200 *ff.* **2.** ~, daß die Tränen an den Strümpfen runterlaufen = herzzerreißend schluchzen. Berlin 1955 *ff.*

Fleppe *f* **1.** *pl* = Ausweis-, Arbeits-, Entlassungspapiere. Herkunft ungesichert. Möglich erscheinen Herleitungen aus „↗ Flabbe = Gesicht = Siegel- oder Münzbild" sowie von „Fladen = Lappen = Fetzen"; *vgl* ↗ Lappen. Etwa seit 1700, vorwiegend *rotw.* **2.** *pl* = Löhnung. Gemeint sind Geldscheine. ↗ Lappen 1. *BSD* 1965 *ff.*

3. *sg* = Wehrpaß. 1965 *ff, sold.* **4.** *sg* = Schulzeugnis. 1960 *ff.* **5.** *sg* = Führerschein. 1965 *ff.* **6.** blinde ~n = falsche Ausweispapiere. 1920 *ff.* **7.** linke ~n = gefälschte Ausweispapiere. ↗ link. 18. Jh.

fleppen *tr* jds Ausweispapiere prüfen. ↗ Fleppe 1. *Rotw* seit dem späten 19. Jh.

Fletsche *f* junges Mädchen. Entweder Nebenform von „↗ Flittchen" oder aus *engl* „fledged = flügge, erwachsen" entwickelt. *BSD* 1965 *ff.*

Fleurop-Division *f* Gebirgsjäger. Anspielung auf das Edelweißabzeichen an der Mütze. „Fleurop" (aus „Flores Europae") ist die international tätige Organisation für Vermittlung von Blumengeschenken. *BSD* 1965 *ff.*

Flez *m* ↗ Fläz.

Flicke *f* jn in die ~ nehmen = jm Wohlverhalten beibringen. Flicke ist die Ausbesserung. 1900 *ff.*

flicken *tr* **1.** in ärztlich behandeln. Der Arzt, der Wunden vernäht, wird schon um 1500 umgangssprachlich in die Nähe des Flickschneiders angesiedelt. 19. Jh. **2.** die Mensurwunden vernähen. 19. Jh. **3.** jn anherrschen. Die Rüge als eine Form von Aus-, Verbesserung. 1700 *ff.* **4.** jn verprügeln. Prügel wie Rügen sollen Besserung bewirken. *Oberd* 19. Jh. **5.** die Freundschaft (Ehe o. ä.) wieder ~ = eine scheiternde (gescheiterte) Freundschaft o. ä. wieder festigen. 1870 *ff.*

Flickenteppich *m* Straße mit ausgebessertem Belag. ↗ Fleckerlteppich 4. 1960 *ff.*

Flickschusterei *f* unzulängliche Reform. Sie ist nur Flickwerk. 1960 *ff.*

Flieder *m* Geld, Papiergeld, Brieftasche, Kasse o. ä. Soll beruhen auf der Wurzel „Fließ-" in *dt* „Fließpapier". Geflitter = Urkunde; Fliederpapier = amtliches Schreiben. *Österr* 1930 *ff.*

fliederfarben *adj* **1.** leichtbezecht. Analog zu ↗ blau 5. 1910 *ff.* **2.** gespielt-unschuldvoll. Hergenommen vom weißen Flieder und von Weiß als der Farbe der Unschuld. 1910 *ff.*

Fliege *f* **1.** kurzer Unterlippenbart; Kinnbärtchen. Wegen der geringen Größe und der dunklen Färbung. Seit dem späten 19. Jh. **2.** kleiner Oberlippenbart. 1870 *ff.* **3.** Querbinder; Schlips in Querschleifenform. Förmlich einem Insekt mit ausgebreiteten Flügeln. 1900 *ff.* **4.** leichtes Mädchen; Prostituierte. Sie fliegt von Mann zu Mann. 19. Jh. **5.** Flieger, Flugzeug. *Sold* in beiden Weltkriegen und *BSD.* **6.** *pl* = Schwingen-Emblem am Kragenspiegel der Luftwaffenangehörigen. 1935 *ff.* **7.** *pl* = Infanteriegeschosse. Wegen des summenden Geräuschs. *Sold* in beiden Weltkriegen. **8.** *pl* = im Gelände umherstreunende Soldaten versprengter Truppenteile. *Sold* 1939 *ff.* **9.** *pl* = Luftlande-Division; Fallschirmjäger. *BSD* 1960 *ff.* **10.** eiserne ~ = vorgeformter Querbinder. Eisern = beständig. 1920 *ff.* **11.** kesse ~ = nettes Mädchen. „Fliege" steht in Analogie zu „↗ Biene", „↗ Käfer", „↗Schmetterling" u. ä. *Halbw* 1955 *ff.*

12. lahme ~ = energieloser, langsamer Mensch. 1920 *ff.*

13. kranke ~n = Läuse; kriechendes Ungeziefer. Beschönigung; denn sie können nicht fliegen. 1830 *ff.*

14. leichte ~ = leichtes Mädchen. ↗Fliege 4. 19. Jh.

15. lose ~ = leichtlebiges Mädchen. „Los" charakterisiert den Lebenswandel als „locker". 19. Jh.

16. seltsame (sonderbare, wunderliche o. ä.) ~ = Mensch mit wunderlichen Eigenheiten und/oder Ansichten. 1935 *ff.*

17. schlapp wie eine ~ = ermattet, erschöpft. 1920 *ff.*

18. besser eine ~ in der Suppe als gar kein Fleisch = lieber eine Kleinigkeit als garnichts. *Sold* 1914 *ff.*

19. eine ~ ansagen = fliehen; sich zur Flucht anschicken. Die „Fliege" meint das Wegfliegen. *Vgl* ↗Flatter 2. *Sold* 1939 *ff.*

20. eine ~ ansetzen = sich von der Truppe entfernen; fliehen. *Sold* 1944 *ff.*

21. sich über die ~ an der Wand ärgern = sich über die kleinste Kleinigkeit aufregen. 1600 *ff.*

22. er ist von ~n beschissen = er hat Sommersprossen. 19. Jh.

23. ~n fangen = unnützer Beschäftigung nachgehen; müßiggehen; arbeitsscheu sein. Im selben seit römischer Zeit in vielen Sprachen geläufig. 19. Jh.

24. von der wilden ~ gestochen sein = dienstlich übereifrig sein. Die „wilde Fliege" ist die ↗Tarantel. 1940 *ff.*

25. die ~n husten hören = sich für sehr klug halten. 16. Jh.

26. keiner ~ ein Bein knicken können = sehr harmlosen Gemüts sein. 19. Jh.

27. da lachen ja die ~n!: Erwiderung auf eine unglaubwürdige, unsinnige Behauptung. Die Äußerung ist so unsinnig wie die Vorstellung, daß Fliegen lachen. 1900 *ff.*

28. ~n legen = jn zum (Glücks-)Spiel verleiten. Hergenommen von der Fliege als Köder der Angler. 1910 *ff.*

29. ~ machen (eine, die ~ machen) = a) eiligst flüchten; vor dem Feind sich zurückziehen. ↗Fliege 19. *Sold* 1939 bis heute; *halbw* 1955 *ff.* – b) sich der Dienstpflicht entziehen; einer Befehlsausführung zu entgehen suchen. *BSD* 1965 *ff.*

30. eine elegante ~ machen = unbemerkt davongehen. 1940 *ff.*

31. eine ~ zum Elefanten machen (aus einer ~ einen Elefanten machen) = eine Sache übergebührlich aufbauschen. Geht in Varianten auf das alte Rom zurück. 1500 *ff.* International weit verbreitet; *vgl franz* „faire d'une mouche un éléfant", *engl* „to change a fly into an elephant", *ital* „fare d'una mosca un elefante".

32. zwei ~n mit einer Klappe schlagen = zweierlei mit einem einzigen Mittel erreichen; durch ein Vorgehen zwei Vorteile einheimsen. Beruht auf Alltagserfahrung in wortwörtlichem Sinn. 1700 *ff. Vgl engl* „to kill two flies with one flap" und *franz* „abattre deux mouches d'un coup de savate".

33. tote ~ spielen = tun, als sehe und höre man nichts. 1920 *ff.*

34. wie die ~n (umfallen, fallen o. ä.) = in Menge sterben. Kann zurückgehen auf das Sterben der Eintagsfliegen

oder auf das Massensterben der Fliegen bei Kälteeinbruch. 1700 *ff.*

35. keiner ~ (keiner toten ~) etwas zuleide tun = völlig harmlos sein. 19. Jh. *Vgl franz* „être incapable de faire du mal à une mouche".

fliegen *intr* **1.** unerwartet, fristlos entlassen werden; aus einer Stellung (von der Schule) verwiesen werden. Hergenommen vom flügge gewordenen Vogel, der unsanft aus dem Nest gedrängt wird. 1870 *ff.*

2. in der Prüfung scheitern; nicht in die nächsthöhere Klasse versetzt werden. 1900 *ff.*

3. verhaftet werden. Der Verhaftete „fliegt ins ↗Loch". *Vgl* ↗auffliegen. 1900 *ff.*

4. (eilends) gehen. 1870 *ff.*

5. auf jn (etw) ~ = sich von jm (einer Sache) angezogen fühlen; jn leidenschaftlich schätzen. Hergenommen von Bienen, die auf Zuckerseim o. ä. fliegen. Seit dem späten 18. Jh.

6. in den Graben (o. ä.) ~ = unsanft fallen. Man kommt bei schneller Bewegung zu Fall. 19. Jh.

7. ins Klassenbuch ~ = zur Strafe ins Klassenbuch eingetragen werden. Dort haftet der Name wie die Fliege auf dem Leim. 1900 *ff, schül.*

8. Fliegen ist die langsamste Gangart des Soldaten!: Redewendung zum Anfeuern eines zu langsam marschierenden oder laufenden Soldaten. *BSD* 1965 *ff.*

9. einen ~ lassen = einen Darmwind entweichen lassen. 19. Jh.

Fliegenbeinwimpern *pl* künstliche Wimpern. 1920 *ff.*

Fliegenbeinzählen *n* Statistik, Meinungsbefragung, Marktforschung. In scherzhafter Übertreibung meint man, als werde heutzutage alles und jedes statistisch erfaßt, bis hin zu den lächerlichsten Belanglosigkeiten. 1960 *ff.*

Fliegenfänger *m* **1.** Beamter. Zum Spott sagt man, er habe nichts anderes zu tun, als Fliegen zu fangen (vor lauter Langeweile). 19. Jh.

2. Häftling in einer Einzelzelle. Er vertreibt sich die Zeit mit Fliegenfangen. 1910 *ff.*

3. Mann, der Neulinge zum Karten-, Glücksspiel zu verleiten sucht. ↗Fliege 28. 1910 *ff.*

Fliegenhirn *n* höchstgradige Denkunfähigkeit; Idiote. Je kleiner der Kopf, um so schwächer das Denkvermögen: eine volkstümliche scherzhafte Auffassung. 1920 *ff.*

Fliegengewicht *n* **1.** kleinwüchsiger, hagerer Mensch. Amtliche Gewichtsklasse im Kraftsport (Boxsport, Judo, Rudern usw.); sie reicht bis zu 51 kg. 1920 *ff.*

2. Mensch ohne große Lebens-, Berufserfahrung. 1920 *ff.*

3. geistiges ~ = Dummer. 1950 *ff.*

Fliegenleim *m* Anlockungsmittel. ↗Leim. 1920 *ff.*

Fliegenscheiße *f* **1.** da haben sie ~ statt Tapeten (an den Wänden) = da herrscht große Armut. 1910 *ff.*

2. ihn stört (er ärgert sich über) die ~ an der Wand = er ist überaus nervös. Verstärkung von ↗Fliege 21. 1930 *ff.*

Fliegenschiß *m* **1.** Fliegenkot. ↗Schiß 1. 19. Jh.

2. große Belanglosigkeit; winzige Kleinigkeit. 1920 *ff.*

3. aus einem ~ einen Elefanten machen = Unbedeutendes stark aufbauschen. Verstärkt aus ↗Fliege 31. 1971 *ff.*

Fliegentüte *f* einfältiger, weltunerfahrener Mensch. Er kriecht auf den Leim wie die Fliege bei der Fliegentüte und ist nur zum Fliegenfangen tauglich. 1930 *ff.*

Fliegenwedel *m* mit Federn besetzter Damenhut. Seit 1910 als „Helmbusch" bekannt. Berlin 1950 *ff.*

Flieger *m* **1.** Schüler, der nicht versetzt, oder der von der Schule verwiesen wird. ↗fliegen 1. 2. *Schül* 1950 *ff.*

2. etw auf den ~ geben = etw am Flugplatz zum Transport mit Luftpost oder Luftfracht aufgeben. 1960 *ff.*

3. nach den ~n sehen = die Flasche (das Glas) an den Mund setzen. Ähnelt der Handhaltung beim Blick durch das Fernrohr. *Sold* 1914 *ff.*

Fliegerabwehrgeschoß *n* Knödel. Der Graphiker Helmut Winter aus München-Pasing protestierte durch Beschuß mit Pfanni-Knödeln im Februar 1967 gegen die geringe Flughöhe (50 bis 150 Meter), in der Maschinen der Bundesluftwaffe und der US Air Force über Pasing flogen; seitdem halten die Maschinen 500 Meter Mindesthöhe über München ein.

Fliegerbewegung *f* Trinken, vor allem aus der Flasche. ↗Flieger 3. Fliegerspr. 1939 *ff.*

Fliegerdenkmal *n* Kopfstand eines Flugzeugs. 1970 *ff.*

Fliegerehe *f* Zusammenarbeit zwischen Flugzeugführer und Beobachter. Fliegerspr. 1936 *ff.*

Fliegerfrühstück *n* Weinbrand mit darübergestreutem Bohnenkaffeepulver. Beliebt bei den Fliegern als Bestandteil des Frühstücks. Fliegerspr. 1939 *ff.*

fliegergeschädigt sein daheim bleiben, während der Mann am Wochenende auf dem Modell- oder Segelflugplatz seinem Steckenpferd nachgeht. 1970 *ff.*

Fliegerspiegel *m* Glatze. Flieger oberhalb des Kahlköpfigen können sich in seiner Glatze spiegeln. *Schül* 1950 *ff.*

Fliegerwetter *n* **1.** nebliges Wetter; Schlechtwetter. Bei solcher Witterungslage müssen Flieger meist nicht aufsteigen. Fliegerspr. in beiden Weltkriegen.

2. Vollmondnacht. Soldaten und Zivilisten befürchteten dann den Anflug feindlicher Flugzeuge. In beiden Weltkriegen.

Fließband *n* am ~ = in ununterbrochener Folge. 1920 *ff.*

Fließbandarbeit *f* in ~ = pausenlos. Nach 1920 aufgekommen.

Fließbandqualität *f* gleichbleibende Gestaltung ohne Individualität. 1960 *ff.*

Flietsche *f* leichtes Mädchen. ↗Flitsche. 19. Jh.

Flietscherl *n* leichtes Mädchen. ↗Flitsche. 19. Jh.

Flight (*engl* ausgesprochen) *m* **1.** Flug. Aus dem *Engl* (= weltweit verbindliche Sprache des zivilen Luftverkehrs) übernommen. 1960 *ff, sold.*

2. Schulverweisung. ↗fliegen 1. *Schül* 1970 *ff.*

Flimmer *m* Schmuck. Er flimmert, glitzert und blitzt. *Halbw* 1955 *ff.*

Flimmer- als erster Bestandteil von Zusammensetzungen, die sich auf Film und Kino beziehen, kommt im frühen 20. Jh auf und spielt an auf das Flimmern der Bilder auf der Leinwand. Einige Vokabeln sind auch auf das Fernsehen übergegangen.

Flimmeraquarium *n* **1.** Kino. 1950 *ff, halbw.* **2.** Fernsehgerät. Es hat Ähnlichkeit mit dem beleuchteten Zimmeraquarium. 1950 *ff.*

Flimmerbahnhof *m* großer ~ = feierlicher Empfang von Filmprominenz. ↗Bahnhof 9. 1958 *ff.*

Flimmerburg *f* großes Filmtheater. 1930 *ff.*

Flimmerdiesel *m* Fernsehgerät. „Diesel" steht allgemein für Apparat und Gerät. *BSD* 1965 *ff.*

Flimmerfimmel *m* Kinoleidenschaft; Vergötterung von Filmschauspielern und -schauspielerinnen. ↗Fimmel 2. 1955 *ff.*

Flimmerhaus *n* Kino. *Jug* 1960 *ff.*

Flimmerheini *m* **1.** Filmproduzent o. ä. ↗Heini. 1950 *ff.* **2.** Leuchtpistolenschütze. Er erzielt eine Farbfilmwirkung. 1965 *ff, sold.*

flimmerig *adj* benommen, verstört, verwirrt. Es flimmert vor den Augen. 1910 *ff.*

Flimmerkasten *m* **1.** Filmkamera, Fernsehkamera. 1955 *ff.* **2.** Fernsehgerät. 1955 *ff.*

Flimmerkiste *f* **1.** Filmtheater, Filmgerät, Filmwesen. Vom Vorhergehenden abgeleitet. Seit den frühen 20. Jh. **2.** Fernsehgerät. ↗Flimmertruhe. 1958 *ff.*

Flimmerkultur *f* Film-, Fernsehkultur. 1960 *ff.*

Flimmerkunst *f* Filmkunst. Seit dem frühen 20. Jh.

Flimmermädchen *n* Fernsehansagerin. 1960 *ff.*

Flimmermaid *f* Fernsehansagerin. ↗Maid. 1960 *ff.*

Flimmermesse *f* Funk- und Fernsehausstellung. 1967 *ff.*

Flimmermieze *f* Filmschauspielerin. ↗Mieze. 1920 *ff.*

flimmern *v* **1.** jm eine ~ = jn ohrfeigen. Nebenform von „↗flammen", verbunden mit der Vorstellung, daß es dem heftig Geschlagenen vor den Augen flimmert. 1920 *ff.* **2.** etw ~ = blanke Teile an Ausrüstung oder Waffen putzen. Man poliert sie, bis sie blinken und schimmern. *Sold* in beiden Weltkriegen. **3.** *intr* = a) als Filmschauspieler(in) tätig sein. 1950 *ff.* – b) im Fernsehen auftreten. 1960 *ff.* **4.** *impers* = im Fernsehen gezeigt werden. 1970 *ff.*

Flimmerquatsch *m* für wertlos erachtete Fernsehsendung. ↗Quatsch. 1967 *ff.*

Flimmerröhre *f* Bildröhre, -schirm. 1960 *ff.*

Flimmersalat *m* Fernsehprogramm. ↗Salat. Anspielung auf das Hintereinander verschiedenster Einzelbeiträge, deren einzige Gemeinsamkeit die Art der Übermittlung ist. 1965 *ff.*

Flimmerscheibe *f* Bildschirm. 1957 *ff.*

Flimmerschirm *m* Bildschirm. 1960 *ff.*

Flimmerstreifen *m* Filmstreifen. 1950 *ff.*

Flimmertheater *n* Filmtheater. 1920 *ff.*

Flimmerwerk *n* Film; Fernsehsendung. 1960 *ff.*

Flins *m* Geldstück. Geht zurück auf „flinzen = glänzen, gleißen". 19. Jh, *bayr* und *österr.*

Flinserl *n* **1.** Kleingeld. *Vgl* das Vorhergehende. *Österr* 19. Jh. **2.** Ohrring. *Österr* 19. Jh.

Flinte *f* **1.** Gewehr, Karabiner. Meint heute das Jagdgewehr für Schrotschuß; seit dem 17. Jh Bezeichnung für eine langläufige Schußwaffe. *Sold* 1914 bis heute. **2.** Geschütz. Scherzhafte Verkleinerung. *Sold* 1939 *ff.* **3.** Penis. Schießen = ejakulieren. 19. Jh. **4.** Prostituierte; liederliche weibliche Person. Man kann sie „sich zur Brust nehmen" wie ein Gewehr (= die „Braut des Soldaten"), und man kann sie „laden" (= schwängern o. ä.). 19. Jh. **5.** geladene ~ = erigierter Penis. 19. Jh. **6.** Himmel, hast du keine ~?!: Ausruf der Ratlosigkeit, des Unmuts. Stammt aus einem Alt-Berliner Couplet: „Himmel, haste keene Flinte? / Schieß mir dausend Daler vor!". Seit dem späten 19. Jh. **7.** jm vor die ~ kommen = jm (den man eigentlich nicht treffen möchte) zufällig begegnen; in jds Reichweite gelangen. Übertragen vom Wild, das dem Jäger vor die Flinte kommt. 1900 *ff.* **8.** etw vor die ~ kriegen = etw zufällig bekommen können. 19. Jh. **9.** jm vor die ~ laufen = jm unverhofft begegnen. 1900 *ff.* **10.** die ~ ins Korn werfen (schmeißen) = aus Mutlosigkeit oder Enttäuschung von einer Sache Abstand nehmen. Das weggeworfene Gewehr ist das Sinnbild des „feigen", des seine Sache verloren gebenden Soldaten; im Kornfeld ist die Waffe schwer wiederzufinden. Vorausgegangen ist „das Gewehr in den Sand werfen = sich gefangen geben". 19. Jh.

Flintenkosmetik *f* Gewehrreinigen. Wertsteigernd bis zur Schönheitspflege. 1965 *ff, sold.*

flippen *intr* **1.** rauschgiftsüchtig sein. ↗ausflippen. 1960 *ff.* **2.** aus etw ~ = sich einer Sache entziehen; aus einer Gruppe ausbrechen. 1960 *ff.*

Flipper *m* **1.** Spielautomat. Fußt auf *engl* „flipper = Hand". Sachverwandt mit „einarmiger Bandit". 1955 *ff.* **2.** Penis. Berührt sich mit „einarmiger Bandit". 1965 *ff.* **3.** Haschischraucher. ↗ausflippen. 1969 *ff.*

flippern *intr* am Spielautomat spielen. ↗Flipper 1. 1960 *ff.*

Flirt (*engl* gesprochen) *m* **1.** ~ mit dem Selbstmord = freiwillige Meldung zur Teilnahme an einem lebensgefährlichen Unternehmen. *Sold* 1940 *ff.* **2.** dicker ~ = ausdauernde, leidenschaftliche Liebesbeziehung. Dick = schwerwiegend, gehaltvoll. 1920 *ff.* **3.** heißer ~ = leidenschaftlicher Flirt. ↗heiß. 1920 *ff.* **4.** loser ~ = harmlose Liebelei. Lose = nicht festgefügt. 1920 *ff.*

Flitsch I (Flitsche) *m (f)* Gewehr. Verkürzt aus „Flitschbogen = Bogen für leichte Pfeile; Armbrust". „Flitsch" nennt man auch ein Wurfspielzeug der Kinder. 19. Jh, *schwäb.*

Flitsch II (Flitsche) *m (f)* dünnes, ärmliches Kleidchen. Gehört zu „Flitter = Tand". 19. Jh.

Flitsche (Flietscherl, Flitscherl, Flittchen) *f (n)* leichtes Mädchen; Liebchen. Gehört zu „flittern = liebkosen", beeinflußt vom Folgenden. Seit dem späten 18. Jh.

flitschen *intr* **1.** schnellen; schnell entgleiten. Nebenform von ↗flitzen. 19. Jh. **2.** koitieren. 19. Jh.

Flitscherl *n* ↗Flitsche.

Flitscherl-Etui *n* Motorrad-Beiwagen. Er dient als Behältnis zur Beförderung des Liebchens (↗Flitsche). Kraftfahrerspr. 1955 *ff, bayr.*

Flittchen *n* **1.** Tand; dünnes, billiges Kleidchen. ↗Flitsch II. 19. Jh. **2.** flatterhaftes, leichtfertiges Mädchen; Liebchen. ↗Flitsche. 19. Jh.

Flittenfahne *f* billiges, dünnes Kleid; Prostituiertenkleid. ↗Fähnchen. 1960 *ff.*

Flitterchen *n* leichtes, williges Mädchen. Es ist putzsüchtig, trägt billigen Schmuck. *Vgl* ↗Flittchen. 1800 *ff.*

flittern *intr* **1.** jungverheiratet sein; die Flitterwochen verbringen. Geht zurück auf *mhd* „flitern = flüstern, kichern, liebkosen". 1900, wohl älter. **2.** mit jm ~ = mit jm ein kurzfristiges Liebesabenteuer erleben. 1920 *ff.*

Flitterprämie *f* vom Staat gewährtes Ehestandsdarlehen. 1965 *ff* (1933 *ff*?).

Flitterreise *f* Hochzeitsreise. 1920 *ff.*

Flitterwochengemüse *n* Sellerie. Ist angeblich ein Aphrodisiakum. 1920 *ff.*

Flitterwöchner *m* **1.** jungverheirateter Mann. Er ist in den Flitterwochen wie die Mutter in den Kindbettwochen. 1809 von Jean Paul geprägt („Feldprediger Schmelzl"). **2.** *pl* = jungverheiratetes Paar. 1920 *ff.*

flitterwöchnern *intr* die Flitterwochen verbringen. 1920 *ff.*

Flitzbrett *n* Skateboard. 1978 *ff.*

Flitze *f* **1.** Straßenprostituierte. Flitzen = die Straßen auf- und abgehen. 1700 *ff.* **2.** rasches Fliehen. ↗flitzen 1. Polizeispr. 1950 *ff.* **3.** eine ~ bauen (machen) = wegeilen, entfliehen. 1965 *ff, sold.* **4.** auf die ~ gehen = flüchten. Polizeispr. 1950 *ff.*

Flitzebogen *m* **1.** gespannt wie ein ~ = sehr erwartungsvoll. Flitzebogen = Bogen für leichte Pfeile. Wortspielerische Vermischung zweier Wortbedeutungen: gespannt ist sowohl der Bogen als auch der neugierige Mensch. 1870 *ff.* **2.** krumm wie ein ~ sitzen (stehen) = gekrümmt sitzen (stehen); einen krummen Rücken machen. 1900 *ff.*

flitzen *intr* **1.** sich schnell bewegen; rennen; flüchten; davoneilen. Fußt über *franz* „flèche = Pfeil" auf einem *germ* Urwort, das im *Frühnhd* zurückwandert mit der Bedeutung „sich pfeilschnell bewegen". 1500 *ff.* Wiederaufgekommen im 19. Jh. **2.** fahnenflüchtig sein. 1914 *ff.* **3.** ausgehen. *Sold* 1939 *ff.* **4.** kurzfristige Liebesabenteuer erleben; flirten. Man ist schnell beweglich zwischen verschiedenen Liebhabern oder Liebchen; auch läuft man die Straßen auf und ab auf der Suche nach neuen Bekanntschaften. 1920 *ff.*

flitzengehen *intr* **1.** fliehen. ↗flitzen 1. 1950 *ff.* **2.** sich der Ableistung der Wehrpflicht entziehen. ↗flitzen 2. *BSD* 1960 *ff.*

Flitze'ped *n* Fahrrad. Eingedeutscht aus „Velociped" unter Anlehnung an „↗flitzen 1" sowie an *niederd* „pedden = treten". Im ausgehenden 19. Jh in Berlin aufgekommen.

Flitzer *m* **1.** schnellfahrendes Auto; Rennauto; Motorrad, -roller. ↗ flitzen 1. 1920 *ff.*
2. Wagen des Überfallkommandos. 1920 *ff.*
3. Spähwagen. *Sold* 1939 *ff.*
4. Kübelwagen. *Sold* 1939 *ff.*
5. Boot der Wasserschutzpolizei; schnelle Yacht. 1920 *ff.*
6. Schnell-, Torpedoboot. *BSD* 1965 *ff.*
7. schnelles Flugzeug. Fliegerspr. 1936 *ff.*
8. Fahrrad. *Schül* 1920 *ff.*
9. Soldat, der jede Ausgehmöglichkeit bis zuletzt ausnutzt. ↗ flitzen 3. *Sold* 1939 *ff.*
10. schneller Läufer; wendiger Spieler. *Sportl* 1930 *ff.*
11. Mädchen, das häufig den intimen Freund wechselt; Straßenprostituierte. ↗ flitzen 4. 1910 *ff.*
12. nettes, umgängliches Mädchen. 1920 *ff.*
13. Durchfall. 1910 *ff.*
13 a. bloßer (nackter) ~ = plötzlich auftauchender und ebenso plötzlich wieder verschwindender Nackter. Vgl auch ↗ Blitzer 6. 1974 *ff.*
14. gelber ~ = motorisierter Telegrammbote. Das Kraftfahrzeug hat gelben Anstrich. 1955 *ff.*
15. kalter ~ = Eiskunst-, Eisschnelläufer. 1963 *ff.*
16. kleiner ~ = a) schnelles Kleinauto. 1960 *ff.* – b) Seifenkiste; Go-Kart. 1960 *ff.*
17. schneller ~ = Rennwagen. 1920 *ff.*
Flitzlülle *f* liebesgieriger Mann. Zusammengesetzt aus „↗ flitzen 4" und „↗ Lulle, Lülle = Penis". 1930 *ff.*
Flitznülle *f* sehr geiler Mann. ↗ flitzen 4; ↗ Nille. 1930 *ff.*
F-Loch *n* Prostituierte. Eigentlich an Blasinstrumenten das Schall-Loch für den Ton F; hier verkürzt aus „Fick-Loch"; ↗ ficken 1; ↗ Loch. 1900 *ff.*
Flocke *f* Mädchen. Verkürzt aus „Wollflokke" oder „Schnee-" als Anspielung auf Zierlichkeit o. ä. 1965 *ff*, sold.
Flocken *pl* Geld. Entweder verkürzt aus „Schneeflocken", wobei „Schnee" das Silbergeld meint, oder über „rotw ↗ Floren = Tuch, Leinwand" analog zu „↗ Lappen = Geldscheine". 1930 arbeiterspr. und kundenspr. in Bayern und Österreich; 1960 *ff*, *BSD*.
Floh *m* **1.** Rekrut. Er hat sich stets im Laufschritt zu bewegen (zu springen wie ein Floh). 1900 *ff.*
2. vorlauter, dreister, frecher Mensch, der einem Vorgesetzten ungehörige Antworten gibt. Flöhe gelten als dreist, weil sie sich den Menschen ungebeten aufdrängen. 1915 *ff.*
3. Kleinauto. Spottwort der Fahrer größerer Wagen. 1925 *ff.*
3 a. Elektro-Auto auf Jahrmärkten (Scooter). 1958 *ff.*
4. *pl* = Kümmel. Wegen einer gewissen Form- und Farbähnlichkeit oder wegen reichlicher Verwendung. *Sold* in beiden Weltkriegen.
5. *pl* = Geld. Kann aus dem sogenannten „Flohspiel" stammen (die flachen runden Plättchen sehen wie Münzen aus) oder ist Abkürzung von „Florins = Gulden". 18. Jh.
6. *pl* = Habe. Wien 1950 *ff.*
7. krummer ~ = Schimpfwort, vermut-

lich auf einen, der in krummer Haltung steht. *Sold* 1939 *ff.*
8. dich beißen wohl die Flöhe?: Frage an einen, der nicht bei Sinnen zu sein scheint. 1920 *ff.*
9. Flöhe im Gehirn haben· = nicht bei klarem Verstand sein. Das *iron* Bild: mutmaßlich durch die Ohren (vgl ↗ Floh 11) ins Schädelinnere gelangte Flöhe hüpfen nun dort herum und stören die Gedankenbahnen, verwirren die Gedankenfäden (↗ Faden). Seit dem ausgehenden 19. Jh.
10. Flöhe im Hintern haben = unruhig sitzen. 1920 *ff.*
11. einen ~ im Ohr haben = nicht recht bei Verstande sein; dünkelhaft sein. Der Floh im Ohr verleitet den Betroffenen zu wunderlichen Grimassen und Verrenkungen. 1920 *ff.*
12. die Flöhe husten hören = a) sich sehr klug dünken. 1500 *ff.* – b) überall seine Verbindungen haben; Nachrichten aus vielen Quellen erfahren. 1910 *ff.*
13. lieber Flöhe hüten als ... = lieber eine unangenehme, fast unmögliche Aufgabe übernehmen als ... 1500 *ff.*
14. jd ist schwieriger zu hüten als ein Sack (voll) Flöhe = es ist überaus schwierig, auf ihn/sie aufzupassen (bezogen auf ein unbändiges Kind, auf eine heiratsfähige Tochter, auf einen Trunksüchtigen usw.). 1500 *ff.*
15. eine Tüte Flöhe gehütet haben = sehr erschöpft sein. 1965 *ff.*
16. aus einem ~ einen Elefanten machen = eine Sache aufbauschen. Analog zu ↗ Fliege 31. 19. Jh.
17. die Flöhe niesen hören = sich überklug dünken. Vgl ↗ Floh 12. 19. Jh.
18. sich einen ~ ins Hemd setzen = etw selber verschulden. 19. Jh.
19. jm einen ~ in den Kopf setzen = jn zu etw aufstacheln. Vgl das Folgende. 19. Jh.
20. jm einen ~ ins Ohr setzen = jm eine aufstachelnde Mitteilung machen; jn mißtrauisch machen. Der im Ohr sitzende Floh versinnbildlicht die beunruhigende Nachricht. Vielleicht entlehnt aus *franz* „mettre à quelqu'un une pouce à l'oreille". 1600 *ff. Vgl engl* „to put a bug in one's ear", *ital* „mettere a qd una pulce nell' orecchio", *span* „echar la pulga detrás de la oreja".
21. jm einen ~ in den Pelz setzen = jm etw unterschieben. ↗ Laus 19. 1960 *ff.*
Flohbeißen *n* angenehmes ~!: scherzhafter Wunsch beim Zubettgehen. 1900 *ff.*
Flohbeutel *m* **1.** verflohter Mensch oder Hund. Frauen trugen früher unter dem Rock einen kleinen, mit Lockduftstoffen behandelten Beutel zur Aufnahme von Flöhen. 18. Jh.
2. Versager; tückischer Mensch; unbedeutender Verbrecher. 18. Jh.
3. Windsack auf dem Flugplatz. 1935 *ff.*
Flohboden *m* oberste Plätze im Theater. Von minderbemittelten Leuten bevorzugt, von denen man vereinzelnerweise annahm, für den Geldmangel entschädige sie der Flohreichtum. 1920 *ff.*
Flohdackerln *pl* Stoffgamaschen, die nur die Knöchel schützen; Wickelgamaschen. Den Flöhen sind sie eine willkommene Decke. 1920 *ff.*
Flohdeckchen *pl* Stoffgamaschen. Vgl das Vorhergehende. 1920 *ff.*

flohen *tr* **1.** jn belästigen, quälen, ausnutzen. Die Flöhe beißen, und man kann auch jn beim Absuchen von Flöhen drangsalieren. Andererseits ist in der Meinung der Unterschicht Besitz soviel wie Ungeziefer. Vgl ↗ flöhen. 1900 *ff.*
2. etw ~ = etw erbetteln. Man bettelt um „Flöhe" (↗ Floh 5). 19. Jh.
flöhen *tr* **1.** jn einer Leibesvisitation unterziehen; jn auf Ausweispapiere und Tascheninhalt untersuchen. Meint eigentlich das Untersuchen nach Flöhen und ist also analog zu „↗ filzen 1 und 2". 1900 *ff.*
2. jn ausplündern, schröpfen. ↗ flohen 1. 1850 *ff.*
Flohhändler *m* **1.** Altwarenhändler. Trödel ist oft mit Flöhen behaftet. 1900 *ff.*
2. vorlauter Mensch. ↗ Floh 2. 1915 *ff.*
3. der Liegende ~ = Der Fliegende Holländer (Oper von Richard Wagner). Wortspielerei. Seit dem späten 19. Jh.
Flohjagd *f* Pedanterie. 1920 *ff.*
Flohkino *n* Kleinkino, Vorstadtkino. Einesteils weil man dort angeblich Flöhe fängt, andernteils kennzeichnet „Floh-" als Bestimmungswort das Grundwort als klein (↗ Flohzirkus). 1914 *ff.*
Flohknackerei *f* Pedanterie. 1920 *ff.*
Flohkutsche *f* Hund. Ein Beförderungsmittel für Flöhe. 1920 *ff.*
Flohleiter *f* Laufmasche im Strumpf. 1900 *ff.*
Flohmarkt *m* **1.** Trödelmarkt. 19. Jh. Vgl *engl* „flea-market".
2. Gesamtheit der kleinen privaten An- und Verkaufsanzeigen in einer Zeitung. 1960 *ff;* wohl älter.
Flohpeter *m* **1.** Mensch mit Ungezieferbefall. 19. Jh.
2. feiger, energieloser Mann. Der unter Flohbefall Leidende kratzt sich, und dies ist zugleich sinnbildhafter Ausdruck des Sich-nicht-Trauens. 1800 *ff.*
3. vermeintlich überkluger Mann. ↗ Floh 12 und 17. 1900 *ff.*
Flohsucher *m* kleinlicher Mensch. 1920 *ff.*
Flohtaxi *n* Hund. ↗ Flohkutsche. 1920 *ff.*
Flohtheater *n* Vorstadtkino, kleines Kino. ↗ Flohkino. 1914 *ff.*
Flohzirkus *m* **1.** kleines Kino. ↗ Flohkino. 1920 *ff.*
2. Wandertheater. 1930 *ff.*
3. große Betriebsamkeit bei kleinen Aufgaben; Durcheinander. 1920 *ff.*
Flööz *m* ↗ Flotz.
floppen *intr* **1.** mit kurzem dumpfem Geräusch abgefeuert werden. Ahmt den Schall der Werferabschüsse nach. *Sold* 1939 *ff.*
2. koitieren. Analog zu ↗ schießen. 1920 *ff.*
Florenz *On* deutsches ~ = Dresden. ↗ Elb-Florenz. 1801 von Johann Gottfried von Herder geprägt.
Floriansjünger *pl* Feuerwehrmänner. Sankt Florian ist der Schutzpatron gegen Feuersgefahr. 1900 *ff.*
Flosse *f* **1.** Hand. Von der Fischflosse übertragen. Seit dem späten 19. Jh.
2. *pl* = Beine, Füße. 1900 *ff.*
3. *pl* = Schuhwerk. 1920 *ff.*
4. reich' mir die ~, Genosse!: Aufforderung zum Handschlag. Reimfroher Ausdruck sozialistischen Einschlags. 1920 *ff.*

flossen *intr* harnen. Kundenspr. Nebenform zu „fließen". 1841 *ff*.

Flossengymnastik *f* Salutieren. ↗ Flosse 1. *BSD* 1965 *ff*.

Flossenspiel *n* Tauchsport. 1960 *ff*.

flossern *intr* **1.** weinen. Nebenform zu „fließen". Kundenspr. 19. Jh.
2. *impers* = regnen. 1920 *ff*.

Flöte *f* **1.** Penis. Wegen einer gewissen Formähnlichkeit und wegen des Fellierens. 1900 *ff*.
2. Vulva. Sie ist das „Mundstück" beim Cunnilingus. 1900 *ff*.
3. After. Wegen der laut entweichenden Darmwinde. 1900 *ff*.
4. intime Freundin. 1920 *ff*.
5. Prostituierte. 1920 *ff*.
6. Zigarette. Verkürzt aus ↗ Nikotinflöte. 1914 *ff*.
7. mehrere aufeinanderfolgende Spielkarten derselben Farbe. Wie man die Tonleiter auf der Flöte abwärts spielt, so spielt man die Spielkarten von der höchsten bis zur unteren auf. 19. Jh.
8. langweiliger Mensch; Versager. Verkürzt aus „alte Flöte" im Sinne von Unbrauchbarkeit. Seit den frühen 19. Jh; vorwiegend *sold* in beiden Weltkriegen.
9. ~ von oben runter = alle hohen Karten von einer Farbe der Reihe nach. ↗ Flöte 7. 19. Jh, kartenspielerspr.
10. eine ~ anlegen = einen Verbrecher durch freundliche Behandlung zum Geständnis bringen. Gehört zu „↗ flöten = gewinnend sprechen". Verbrecherspr. seit dem späten 19. Jh.
11. die ~ blasen = a) fellieren. 1900 *ff*. - b) ein Geständnis ablegen. Sachverwandt mit ↗ singen. 1955 *ff*.
12. jetzt sollt ihr mal eine ~ jubeln hören!: Redewendung eines Kartenspielers, der aufeinanderfolgende Karten derselben Farbe aufspielt. ↗ Flöte 7. Kartenspielerspr. 1950 *ff*.
13. ~ spielen = a) fellieren. 1900 *ff*. - b) einen Fronteinbruch durch Abzug von Einheiten von einem anderen Frontabschnitt abriegeln. Wie beim Flötespielen wird ein Loch auf- und das andere zugemacht. *Sold* 1944 *ff*.
14. nach jds ~ tanzen = sich jm unterordnen. Analog zu „nach jds ↗ Pfeife tanzen". 1950 *ff*.

flöten *v* **1.** *intr* = schmeichlerisch, affektiert, unnatürlich sprechen. Man formt den Mund so, als wolle man flöten. 19. Jh.
2. *intr* = harnen. ↗ Flöte 1. 1960 *ff*.
3. *intr* = Darmwinde laut entweichen lassen. ↗ Flöte 3. 1900 *ff*.
4. *intr* = ein Geständnis ablegen. Analog zu ↗ singen. 1955 *ff*.
5. einen ~ = koitieren. ↗ Flöte 1. *Halbw* 1960 *ff*.
6. jm etw ~ = jm etw ablehnen. Statt zu antworten, bläst man den Atem kräftig aus dem Mund, was als geringschätzige Gebärde gilt. 1700 *ff*.
7. auf etw ~ = etw abweisen, ablehnen, geringschätzig abtun. ↗ flöten 2. Analogie zu „auf etw ↗ pissen" oder „scheißen". 19. Jh.
8. er kann sich was ~ lassen!: Ausdruck der Ablehnung. 19. Jh.

Flöten-Etui *n* Motorrad-Seitenwagen. Gehört zu ↗ Flöte 4. 1930 *ff*.

flötengehen *intr* **1.** verlorengehen; vertan

werden. Beruht wahrscheinlich auf *niederd* „fleeten = fließen; harnen". 1578 *ff*.
2. weggehen. 1650 *ff*.
3. sterben; den Soldatentod erleiden. 1870 *ff*.
4. mir geht einer flöten!: Ausdruck des Unmuts. Einer = ein Samenerguß (Pollution). *BSD* 1965 *ff*.

flöten sein *intr* **1.** verloren sein; etw eingebüßt haben. Verkürzt aus „flötengegangen sein". 18. Jh.
2. bankrott sein. 19. Jh.

Flötentöne *pl* **1.** jm die ~ austreiben = jm den Hochmut austreiben; übertriebene Ansprüche zurückweisen. Versteht sich aus dem Folgenden. 1920 *ff*.
2. jm die ~ beibringen = a) jm Gesittung, Höflichkeit, rücksichtsvolles Benehmen beibringen. Bezieht sich wörtlich auf Unterweisung in der Kunst des Flötenspiels und ist wohl beeinflußt von „flöten = gewinnend sprechen". 19. Jh. - b) beim Gegner das Ausspielen einer Kartenfolge durch Einstechen unterbrechen oder wirkungslos machen. Kartenspielerspr. etwa seit 1900.
3. jm die höheren ~ beibringen = jn zu gesittetem, gesellschaftlich einwandfreiem Verhalten erziehen. 19. Jh.

Flötepfeifen (Flötepiepen) *n* ja ~!: Ausdruck der Ablehnung, der Verneinung o. ä. Versteht sich nach ↗ flöten 6 und 7. 19. Jh.

flott *adj* **1.** nett, munter, lebensfrisch, lebenslustig u. ä. Gern auf Mädchen bezogen. „Flott" im Sinne von „auf dem Wasser frei schwimmend" entwickelt sich zur Bedeutung „ungebunden" und „leicht" und „von umgänglichem Wesen". 17. Jh, anfangs *stud*.
2. ausgezeichnet. Analog zu ↗ schnell. 1700 *ff*.
3. elegant, vornehm. 1900 *ff*.
4. da geht es ~ her = da amüsiert man sich hervorragend. 19. Jh.

Flotter *m* **1.** Durchfall. Flott = flink abgehend. 1900 *ff*.
2. einen Flotten machen = einen flotten Tanz tanzen. 1950 *ff*.

flottkriegen *tr* jn zu etw aufmuntern, antreiben. Hergenommen vom gestrandeten (aufgefahrenen) Schiff, das man wieder zum freien Schwimmen bringt. 1700 *ff*.

flottmachen *v* **1.** *tr* = jm aus geldlicher Notlage aufhelfen. Das aufgelaufene Schiff macht man wieder flott. 19. Jh, *stud*.
2. einen ~ = sich ausgelassen amüsieren. *Vgl* ↗ flott 1 und 4. 1900 *ff*.
3. etw ~ = etw einsatzbereit machen; etw startklar machen. 1950 *ff*.
4. mit jm ~ = flirten, koitieren o. ä. *Vgl* ↗ flott 1 und 4. 1950 *ff*.

Flottmacher *m* **1.** Abführmittel. Flott = flink abgehend. 1950 *ff*.
2. Förderer, Antreiber. *Vgl* ↗ flottkriegen. 1960 *ff*.

Flotz (Flööz, Flötz) *m* frecher, unverschämter, grober Mensch. Verwandt mit „↗ Fläz". *Nordd* 1700 *ff*.

flözen *intr* sich faul dehnen und strecken. Nebenform von ↗ fläzen. 19. Jh.

Flucht *f* **1.** ~ in die Öffentlichkeit = Hinwendung an die Öffentlichkeit, nachdem alle anderen Versuche gescheitert sind. 1896 *ff* (Büchmann, Geflügelte Worte).
2. ~ nach vorn = überfortschrittliche

Forderung, um die bereits erlittene Niederlage wettzumachen. 1955 *ff*.
3. nasse ~ = Flüchten durch Schwimmen oder Waten. Seit Errichtung der Fluchthindernisse an der Grenze der Deutschen Demokratischen Republik zur Bundesrepublik Deutschland. 1961 *ff*.

Fluchtburg *f* Öffentliche Bedürfnisanstalt. Der Benutzer hat es eilig. 1920 *ff*.

Fluchthelfer *m* Deutscher, der einem Bürger der Deutschen Demokratischen Republik zur Flucht in die Bundesrepublik Deutschland verhilft. Ende der fünfziger Jahre des 20. Jhs in West-Berlin aufgekommen, seit Errichtung der Mauer 1961 immer häufiger gebrauchter Ausdruck.

Flüchtlings-Mercedes *m* Lloydwagen; Opel Rekord o. ä. Nach 1945 aufgekommen, als Flüchtlinge sich mit kleineren Autos begnügten.

Flüchtlings-Porsche *m* Kleinauto. *Vgl* das Vorhergehende. 1945 *ff*.

Flüchtlings-Zigarette *f* Zigarette der Marke HB. „HB", Abkürzung von „Haus Bergmann", meint in diesem Zusammenhang: „hier ich bin, hier bleibe ich, hier baue ich". 1960 *ff*.

Flugbahnhof *m* großer ~ = festlicher Empfang auf dem Flughafen. ↗ Bahnhof 9. 1955 *ff*.

Flügel *m* **1.** *pl* = Arme. *Sold* 1910 bis heute.
2. *pl* = große, abstehende Ohren. 1920 *ff*.
3. *pl* = weibliche Schamlippen. 1950 *ff*.
4. Fräulein ~ = Straßenprostituierte. Sie flattert auf dem „↗ Schnepfenstrich" hin und her. 1920 *ff*.
5. linker ~ = Klassenschlechtester. Stammt aus dem Militärischen: beim Antreten haben die zur Bestrafung vorgesehenen Soldaten zur linken Seite herauszutreten. *Schül* 1960 *ff*.
6. die ~ ausbreiten = die Beine zum Koitus spreizen (auf Frauen bezogen). ↗ Flügel 3. 1900 *ff*.
7. ihr fehlen die ~ = a) sie ist keineswegs unschuldig, harmlos, hilfsbereit und edel. Sie ist kein vollkommener Engel. 1900 *ff*. - b) sie ist nicht so dumm (so töricht) wie erwartet. Zu einer „↗ Gans" fehlen ihr die Flügel. 1900 *ff*.
8. ~ um den Hals haben = im Fenster liegen und schwatzen. Mit den Flügeln sind die Fensterflügel gemeint. 1920 *ff*.
9. jn auf die ~ nehmen = jn ertappen und in Strafe nehmen. Man hat ihn an den Flügeln ergriffen wie Geflügel, das nun nicht mehr wegfliegen kann. 1950 *ff*.
10. die ~ hängen lassen = mutlos, verzagt, kleinlaut sein. Man läßt die Arme (↗ Flügel 1) schlaff niederhängen. 1700 *ff*.
11. am linken ~ stehen = bestraft werden. ↗ Flügel 5. *Sold* 1939 *ff*.
12. jm die ~ stutzen (beschneiden) = a) jds Freiheit beschränken; jn in seine Schranken weisen. 1500 *ff*. - b) jn mit Urlaubs- oder Ausgangsentzug bestrafen. *Sold* 1900 *ff*.
13. jn ~ wachsen lassen = jn hinausweisen, entlassen. ↗ fliegen 1. 1930 *ff*.

Flügelflitzer *m* schneller Fußballspieler auf dem linken oder rechten Flügel. ↗ flitzen 1. *Sportl* 1950 *ff*.

Flügelmann *m* **1.** Klavierspieler in Vergnügungsstätten; Barpianist; Klavierbegleiter

einer Sängerin. Flügel = Konzertpiano. Seit dem ausgehenden 19. Jh.
2. Angehöriger der Luftwaffe. Wegen der Schwingen auf den Kragenspiegeln. *Sold* 1935 *ff.*
Flugerl *n* auf jn ein ~ haben = jn sehr gernhaben. ↗fliegen 5. *Österr* 1900 *ff.*
flügge *adj* ~ werden = **1.** das heiratsfähige Alter erreichen (auf Mädchen bezogen). Hergenommen von Jungvögeln, die das Fliegen lernen (gelernt haben). 19. Jh.
2. in die Gesellschaft eingeführt werden. 1900 *ff.*
Flugplatz *m* **1.** ~ mit Stoppeln = Glatze. *Schül* 1950 *ff.*
2. großen ~ kriegen (haben) = auf dem Flughafen festlich empfangen werden. ↗Bahnhof 9. 1955 *ff.*
Flugstunden *pl* tausend ~ (Flattermann mit tausend ~) = zähes Hähnchen o. ä. 1965 *ff, sold.*
Flugtag *m* **1.** bei mir ~, die Füllung des Ballons kann beginnen: Redensart unter Zechern. 1930 *ff.*
2. System ~ trinken = zu zechen beginnen. 1930 *ff.*
Flugtier *n* Geflügel. *BSD* 1965 *ff.*
Flugwelle *f* zunehmende Flugzeugbenutzung im Ferienreiseverkehr. ↗Welle. 1965 *ff.*
Flugzeug *n* ledernes ~ = zähes Geflügel. 1965 *ff, sold.*
Flugzeuganklopfkanone *f* 2-cm-Flak. Flak = Flugzeugabwehrkanone. In *iron* Deutung klopfen ihre Geschosse nur an, dringen aber nicht ein. *Sold* 1939 *ff.*
Flugzeugklau *m* Flugzeugentführung. „Dem „Kohlenklau" u. ä. nachgebildet"; ↗klauen. 1968 *ff.*
Flugzeugknacker *m* Mann, der ein Flugzeug raubt oder ausraubt. ↗knacken. 1955 *ff.*
Flugzeugmutterschiff *n* dicke Laus. Im Vergleich mit anderen Läusen nimmt sie sich aus wie der Flugzeugträger zum einzelnen Flugzeug an Bord. *Sold* 1941 *ff.*
Flum (Flüm) *m* entweichender Darmwind. Eigentlich der Hauch. Schallnachahmung des Blasens. 1700, *nordd.*
flumen (flümen) *intr* einen Darmwind entweichen lassen. *Vgl* das Vorhergehende. 1700 *ff.*
flummen *tr intr* schlagen, prügeln. Schallnachahmend vom dumpfen Schlag hergenommen. Nebenform von „flammen". *Westd* 19. Jh.
Flunder *f* **1.** breites, flaches Ruderboot; Motorboot; breiter Kahn. Wegen der Formähnlichkeit mit dem Flachfisch. Seit dem späten 19. Jh.
2. platt wie eine ~ = körperlich unentwickelt (auf weibliche Personen bezogen). 1900 *ff.*
3. bei mir ~, platt vor Staunen = ich staune. „Platt" meint sowohl „flach" als auch „verwundert". 1930 *ff,* Berlin.
4. platt wie eine ~ sein = a) sehr überrascht sein. *Vgl* das Vorhergehende. 1900 *ff.* – b) überflügelt, besiegt sein. Der Besiegte liegt flach am Boden. 1920 *ff.*
5. die ~n wundern sich (da werden sich die ~n wundern) = die Leute wundern sich (werden sich wundern). Gemeint ist, daß die Leute in übertragener Bedeutung „platt" sein werden, wie es Flundern tatsächlich sind. Berlin seit dem ausgehenden 19. Jh.

Flunkerbrief *m* Täuschungszettel des Schülers. *Schül* 1960 *ff.*
Flunkerer *m* Lügner, Schwindler. 19. Jh.
Flunkerkies *n* Falschgeld. ↗Kies. Seit dem frühen 19. Jh.
Flunkerkram *m* Lüge, Täuschungsmittel. *Vgl* das Folgende; ↗Kram. 1920 *ff.*
flunkern *intr* lügen, prahlen, vorspiegeln. Verwandt mit „flink = schimmernd, blendend"; also soviel wie „Schein erregen". Da „Flunk" auch den Flügel bezeichnet, ist wohl auch das farbenprächtige Schimmern und Flimmern der Federn des radschlagenden Pfaus heranzuziehen. 1700 *ff.*
Flunsch *m* mürrische Miene; Schmollmund; verzerrtes Maul" und ist verwandt mit „↗flennen". 19. Jh.
flunschen *intr* ärgerlich, mißgestimmt sein; griesgrämig blicken. 1900 *ff.*
flunsen *intr* flirten. Gehört zu „flunksen = tändeln". *Sold* 1965 *ff.*
Flunze (Fluns) *f* Mädchen. Herumflunzen = sich nachlässig herumtreiben. *Vgl* das Vorhergehende. 1965 *ff, sold.*
Flüpo *m* Kleinauto. Gekürzt aus ↗Flüchtlings-Porsche. 1955 *ff.*
Fluppe *f* **1.** Zigarette oder sonstige Raucherware. ↗fluppen 1. Vorwiegend *westd* seit 1900.
2. ~n haben = zahlungskräftig sein. Schallnachahmend hergenommen vom Geräusch, das beim schnellen Anfeuchten des Fingers am Mund (beim Geldzählen) entsteht. *BSD* 1965 *ff.*
fluppen *v* **1.** *intr tr* = rauchen. Nachahmung des Lauts, wenn man die Lippen mittels Atemluftdruck kurz öffnet und sofort wieder schließt (aufeinanderfallen läßt). *Westd* 1900 *ff.*
2. es fluppt = es glückt, läßt sich leicht, reibungslos bewerkstelligen. Versteht sich nach dem Vorhergehenden als Analogie zu „↗klappen 1". 19. Jh.
3. *intr* = koitieren. 1960 *ff.*
Flurschaden *m* **1.** Schwängerung eines Bauernmädchens während des Manövers. Meint eigentlich den Schaden auf land- und forstwirtschaftlichem Gelände. 1930 *ff.*
2. Trockengemüse. *Sold* 1939 *ff.*
3. ~ anrichten = einen Schaden anrichten, der auf lange Sicht nicht wiedergutgemacht werden kann. 1930 *ff.*
Flurschadenbretter *pl* **1.** breites Schuhwerk; Stiefel. Sie treten alles platt. *Sold* 1914 bis heute.
2. plumpe, breite Füße. *Sold* 1914 bis heute.
flusig *adj* flüchtig, zerstreut. Gehört zu ↗Flausen. *Nordd* seit dem 19. Jh.
Fluskopp *m* zerfahrener, gedankenloser Mensch. Flusen = ↗Flausen; Kopp = Kopf. 1900 *ff.*
Flußbummel *m* zielose, gemächliche Paddelfahrt. ↗Bummel 1. 1920 *ff.*
flüssig *adj* **1.** ~er als ~ = überflüssig. Gern spottend bezogen auf die Schwiegermutter. 1900 *ff.*
2. Geld ~ machen = Geld vertrinken. Eigentlich soviel wie „Geld vom Bankguthaben abheben; Wertpapiere verkaufen". 1920 *ff.*
3. ~ sein = bei Geld sein. Übersetzung von „liquide". Seit dem späten 19. Jh.

4. ~ sprechen = beim Sprechen Speichel versprühen. 1920 *ff.*
Flüssiges *n* Bargeld. 1900 *ff.*
Flüsterallee *f* dunkler Weg für Liebespaare. 1920 *ff.*
Flüstergeist *m* Souffleur. Theaterspr. 1900 *ff.*
Flüsterholz *n* Behelfsbeichtstuhl. 1900 *ff, westd.*
Flüsterkampagne *f* Verbreitung geheimer Nachrichten von Mund zu Mund. 1950 *ff.*
Flüsterkasten *m* Souffleurkasten. Theaterspr. 1900 *ff.*
Flüsterkneipe *f* Gaststätte, in der man verbotenen Gaumenfreuden frönt oder diese Waren für daheim kaufen kann. 1918 *ff. Vgl* angloamerikan „speak-easy".
Flüsterkuchen *m* Kuchen mit sehr vielen Rosinen. Die Rosinen liegen so dicht beieinander, daß sie sich im Flüstern unterhalten könnte; anders geht es zu beim „↗Schreikuchen". 1930 *ff.*
Flüstermaid *f* **1.** Souffleuse. ↗Maid. Theaterspr. 1900 *ff.*
2. Nachrichtenhelferin. *Sold* 1939 *ff.*
Flüstermotor *m* sehr leise laufender Automotor. 1965 *ff.*
Flüstermotorrad *n* Motorrad mit Schalldämpfung. 1953 *ff.*
flüstern *intr* **1.** telefonieren. 1914 *ff.*
2. jm etw ~ = a) jm etw unter vier Augen sagen; jm rücksichtslos die Meinung sagen. 1920 *ff.* – b) dem Mitschüler vorsagen. *Schül* 1930 *ff.* – c) jm etw versichern, beteuern (das kann ich dir flüstern = darauf kannst du dich fest verlassen; das ist unbedingt wahr). 1900 *ff.*
Flüsterparole *f* Gerücht; unverbürgte Mitteilung von Mund zu Mund. 1935 *ff.*
Flüsterpropaganda *f* **1.** geheime Neuigkeitenverbreitung. 1933 *ff.*
2. Vorsagen durch den Mitschüler. *Schül* 1950 *ff.*
Flüstersender *m* Geheimsender in Diktaturen. 1935 *ff.*
Flüstertip *m* zugeflüsterter Hinweis. ↗Tip. 1939 *ff.*
Flüstertüte (-tute) *f* **1.** Megaphon, Sprachrohr. Wegen der Tütenform des Schalltrichters. 1900 *ff.*
2. Kinkopfmikrophon. 1900 *ff.*
Flüsterware *f* auf nicht vorschriftsmäßigem Wege beschaffte und gehandelte Ware. *Vgl* Seit Beginn der Lebensmittelbewirtschaftung 1939 *ff.*
Flüsterwein *m* erlesener Wein für Bevorzugte. 1950 *ff.*
Flüsterwitz *m* politischer Witz, den man in Diktaturen nur flüsternd erzählen kann. 1933 *ff.*
Flutlicht *n* mehr ~! = das muß scharf untersucht werden! Hergenommen von der Fluchtlichtbeleuchtung bei abendlichen Sportveranstaltungen. Modernisierung von Goethes Worten „mehr Licht!". 1955 *ff.*
flutschen *intr* **1.** eilen. Verwandt mit ↗flitzen 1. 1900 *ff.*
2. es flutscht = es geht reibungslos vonstatten. Nebenform von „flitschen = schnell laufen; sich schnell hin- und herbewegen", ähnlich auch „↗flitzen 1". Kann auch Kreuzung von „flitzen" und „rutschen" sein. 19. Jh, *niederd* und *ostmitteld.*
3. koitieren. 1900 *ff.*
Flutscher *m* Zeugnis mit zur Versetzung knapp ausreichenden Noten. Man ist da-

mit soeben noch „durchgerutscht"; ↗ flutschen 2. 1900 ff.

Fockäffchen n Anfängerin im Segelsport. Sie bedient als erstes das kleine Focksegel (vorderes dreieckiges Segel). „Äffchen" nimmt nachsichtig Bezug auf schwankendes Gehen und Stehen an Bord sowie auf lebhaftes Greifen nach den Tauen. 1930 ff.

Fohlen n 1. Rekrut; sehr junger Soldat. Eigentlich das Junge einer Stute. 1900 ff.
2. Nachwuchsspieler. Sportl 1950 ff.

Fohlenbraten m junges Mädchen. Umschreibung für „zartes Fleisch". 1910 ff.

Föhn m 1. einen ~ am Brausen haben = nicht recht bei Verstand sein. Unter der Einwirkung des Föhns zeigen sich bei föhnempfindlichen Menschen Abweichungen vom üblichen geistig-seelischen und körperlichen Verhalten. 1950 ff.
2. hol' den ~, dann brauchst du dich nicht zu rasieren: Redewendung auf einen jungen Mann, dem der erste Flaum sprießt. Föhn = Haartrockner. 1950 ff, schül.
3. den ~ spüren = nicht klar denken können. 1950 ff.

foin adj fein. Vokabel im Munde von Leuten, die gezierte Sprechweise für vornehm halten. ↗ feun. 1920 ff.

Folgen pl schreiende ~ = Kind einer vor- oder außerehelichen Liebschaft. 1920 ff.

Folter f 1. Klassenarbeit, Strafarbeit, -stunde. Schül 1950 ff.
2. jn auf die ~ spannen = jn im Ungewissen lassen; jds Neugierde (Wißbegierde o. ä.) hinhalten. Hergenommen von der körperlichen und seelischen Mißhandlung von Gefangenen, um sie zu einem „Geständnis" zu zwingen. 18. Jh.

Folterkammer f 1. Operationssaal; mediko-mechanische Lazarettabteilung. Sold 1914 bis heute.
2. Schule. 1950 ff.
3. Klassenzimmer. 1950 ff.
4. Turnhalle. 1950 ff.
5. Chemiesaal. 1950 ff.
6. Musikzimmer in der Schule. 1950 ff.
7. Unterdruckkammer. Fliegerspr. 1950 ff.
8. ABC-Übungsraum. 1965 ff, sold.
9. Übungsraum für Krafttraining. 1968 ff.

Folterqualen pl Klassenarbeiten. Schül 1960 ff.

Foltersaal m Chemiesaal; Klassenzimmer; Turnhalle. Schül 1950 ff.

Folterstuhl m Behandlungsstuhl des Zahnarztes. 1920 ff.

Folterstunde f unbeliebte Unterrichtsstunde; Unterrichtsstunde, für die sich der Schüler nicht vorbereitet hat. 1950 ff.

Folterung f Abschlußprüfung in der Schule. 1960 ff.

foppen tr jn necken. Ein rotw Wort, seit 1343 gebucht. „Fopperin" war die betrügerische Bettlerin, „Fopper" der Bettler, der sich verrückt stellt. Hieraus entwickelte sich im 17. Jh die Bedeutung „necken, veralbern".

Popper m 1. Simulant. Vgl das Vorhergehende. 15. Jh.
2. Veralberer, Neckender. 17. Jh.

Fopperei f Verulkung, Neckerei. ↗ foppen. 17. Jh.

fordern v jn (sich selbst) ~ = von jm (von sich selbst) eine geistige oder körperliche Anstrengung verlangen; jds Können herausfordern. 1960 ff.
2. gefordert sein = sich bewähren müssen; sein Können beweisen müssen. 1960 ff.

Form f 1. Leistungsfähigkeit; sportliches Können. Von der menschlichen Gestalt übertragen auf den äußerlich sichtbaren Ausdruck des Tuns, des Handelns. Um 1900 aus gleichbed engl „form" entlehnt.
2. ~ seines Lebens = in seinem bisherigen Leben jemals erreichte höchste Leistungsfähigkeit. Sportl 1950 ff.
3. zu großer (besserer) ~ anlaufen (auflaufen) = sich zu immer besser geratenden Leistungen steigern. Sportl 1920 ff.
4. zu hoher ~ auflaufen = sehr leistungsfähig werden; sein Können steigern. 1920 ff.
5. in ~ bleiben = bei Kräften, leistungsfähig bleiben. 1920 ff.
6. jn in ~ bringen = jn leistungsfähig machen. 1920 ff.
7. sich in ~ bringen = sich leistungsfähig machen. 1920 ff.
8. sich in ~ fühlen = sich kräftig, gesund fühlen; sich eine körperliche Leistung zutrauen. 1920 ff.
9. aus der ~ gehen (geraten) = beleibt werden. Form = Körperform. 1950 ff.
10. abgerundete ~en haben = hochschwanger sein; üppige Körperformen besitzen. 1955 ff.
11. in ~ halten = den Leistungsstand beibehalten. 1920 ff.
12. in ~ kommen = einen guten Leistungsstand erreichen. 1910 ff.
12 a. seiner ~ nachlaufen (hinter seiner ~ herlaufen) = sein früheres Leistungsvermögen wiederzuerlangen suchen. 1965 ff.
13. in ~ sein = a) bei frischen Kräften sein; leistungsfähig sein; gutgelaunt sein. 1900 ff. Vgl engl „to be in good form" und „to be in shape": franz „être en pleine forme". – b) zahlungskräftig sein. Man ist geldlich leistungsfähig. 1900 ff, prost.
14. außer ~ sein = das gewohnte Leistungsvermögen nicht (mehr) entfalten. 1920 ff.
14 a. in der ~ seines Lebens sein. = seine höchste Leistungskraft entfalten. ↗ Form 2. 1965 ff.
15. dufte in ~ sein = sich zu guten Leistungen befähigt fühlen. ↗ dufte. 1950 ff.
16. groß in ~ sein = sehr leistungsfähig sein; sich im Vollbesitz der geistigen und körperlichen Kräfte fühlen; bester Laune sein. 1920 ff.
17. gut in ~ sein = viel leisten können. 1920 ff.
18. hoch in ~ sein = frisch bei Kräften sein. 1920 ff.
19. schwer in ~ sein = sehr leistungsfähig sein; „sein Bestes geben". ↗ schwer. 1920 ff.
20. in bester ~ sein = sehr leistungsfähig, munter sein; sehr aufgeweckt, rüstig sein. 1920 ff.
21. in großer ~ sein = seine Fähigkeiten voll entfalten. 1920 ff.
22. in guter ~ sein = sich frisch, gesund, bei Kräften fühlen. 1920 ff.
23. in höchster ~ sein = sich Höchstleistungen zutrauen. 1920 ff.
24. wieder in besserer ~ sein = seine Unpäßlichkeit überwunden haben; wieder mehr bei Kräften sein. 1910 ff.
25. in schlechter ~ sein = körperlich (auch: nervlich) geschwächt sein; hohen

Anforderungen nicht gewachsen sein. 1910 ff. Vgl engl „to be in bad shape".
26. unter ~ spielen = seine gewohnte Leistungsfähigkeit nicht erreichen. 1930 ff.

Formabfall m verminderte Leistungskraft. ↗ Form 1. Sportl 1965 ff.

Formanstieg m Leistungssteigerung. ↗ Form 1. Sportl 1950 ff.

formenträchtig adj üppig entwickelt (auf die weiblichen Körperformen bezogen). 1950 ff.

Formhoch n höchstes Leistungsvermögen. ↗ Form 1; ↗ Formtief. 1960 ff, sportl.

Formkrise f Zeitspanne, in der man nicht voll leistungsfähig ist. ↗ Form 1. Sportl 1950 ff.

Formrückgang m Nachlassen des Leistungsvermögens. ↗ Form 1. Sportl 1950 ff.

formschwach adj leistungsschwach. Sportl 1960 ff.

Formschwankung f Unstetigkeit des Könnens. ↗ Form 1. Sportl 1960 ff.

Formsteigerung f Leistungssteigerung. 1960 ff.

Formtief n in einem ~ sein = vorübergehend nicht das volle Leistungsvermögen erreichen. ↗ Form 1. „Tief" stammt aus dem Wortschatz der Meteorologen und bezieht sich auf das (wetterwendige) Tiefdruckgebiet. Sportl 1950 ff.

forsch adj kräftig, mutig, entschlossen. Adjektivbildung zum Folgenden. Spätestens seit 1800.

Forsche f Stärke, Tatkraft, Entschlossenheit. Fußt auf franz „force = Kraft". 18. Jh.

Förster m wie ein ~ gehen = das Gewehr nicht vorschriftsmäßig halten oder tragen. Förster tragen die Büchse nach eigenem Belieben. Sold 1914 ff.

Försterchristel f 1. vollbusige weibliche Person. Wegen der Dirndltracht. Titel einer Operette von Georg Jarno (1907) und eines Films mit Johanna Matz (1952). Möglicherweise im Anschluß an den Film aufgekommen.
2. Kräuterschnaps, Marke „Jägermeister". Kellnerspr. 1960 ff.

Fortbewegungsaggregate pl Beine. Scherzwort im Zuge der allgemeinen Technisierung. Aggregat = mehrgliedrige Einheit. 1950 ff.

fortbringen v sich ~ lassen = vom Geld eines anderen leben. Fortbringen = durchs Leben bringen; Unterhalt gewähren. Bayr 1950 ff.

fortfrickeln refl 1. sich im Dienst durchschlängeln, ohne unangenehm aufzufallen. ↗ frickeln. 1900 ff.
2. sich einer dienstlichen Verpflichtung, der Übernahme einer Verantwortung zu entziehen suchen. 1900 ff.

fortgegangen werden unsanft hinausgewiesen werden; aus einer Gemeinschaft ausgeschlossen werden. Die Passivform macht die Unfreiwilligkeit deutlich. 19. Jh.

fortgraulen tr jm das weitere Verbleiben verleiden. Graulen = unbehaglich machen. 19. Jh.

Fortkommen n sein ~ suchen = fliehen, davoneilen. Wortspielerei: „Fortkommen" meint allgemein den Lebensunterhalt, das weitere Gedeihen, hier „Wegkommen = Flucht". Sold in beiden Weltkriegen.

fortloben tr eine unbeliebte Person übergebührlich loben, damit ein anderer sie gern übernimmt (einstellt). 1900 ff.

fortlügen *tr* jn durch falsche Auskunft (falsches Zeugnis) zum Weggehen veranlassen. 1957 *ff.*

fortmachen *intr refl* **1.** sich entfernen; verschwinden; abreisen. Stammt aus der Kaufmannssprache: machen = sich begeben. 18. Jh. **2.** sterben. 19. Jh.

fortpissen *refl* heimlich weggehen. Analog zu ↗verpissen. 19. Jh.

fortschreiben *tr* etw weiterentwickeln, erweitern. Stammt aus dem Wortschatz der Statistiker: man errechnet für einen bestimmten Zeitpunkt eine Gegebenheit, indem man die entsprechende Gegebenheit des vorhergehenden Zeitraums zugrundelegt und die inzwischen eingetretenen Veränderungen fortlaufend in der Niederschrift berücksichtigt. Politikerspr. 1960 *ff.*

fortwischen *intr* unbemerkt davongehen. Analog zu „entwischen". 18. Jh.

fortwursteln *intr* ein Unternehmen mühsam und notdürftig fortsetzen; mehr schlecht als recht weiterarbeiten. Hergenommen vom Wurstmachen im Sinne der ständigen Wiederholung desselben Vorgangs; beeinflußt von „↗wurst" (= gleichgültig). Im späten 19. Jh Kraftwort zur Verunglimpfung ziel- und planloser Politik oder zur Verhöhnung behördlicher Maßnahmen.

Forz *m* ↗Furz.

Fose *f* **1.** Vagina. Ein *slaw* Wort, das im Mittelalter „phose = Gürteltasche, Beutel" ergibt. Spätestens seit 1900. **2.** Prostituierte (die für den Lebensunterhalt des Zuhälters sorgt). Fußt vielleicht auf „Fotz = Zotte, Fetzen" (= billige Kleidung); dazu „fausen, fosen = sich auffallend kleiden". 18. Jh. **3.** Fehlblatt im Kartenspiel; kleine Beikarte. Verkürzt übernommen aus *franz* „carte fausse = geringwertige Karte". 19. Jh, kartenspielerspr. **4.** mit ~n soll man nicht kosen = in Mittelhand soll man nicht mit einem kleinen Trumpf einstechen. Kartenspielerspr. 19. Jh. **5.** noch sind die Tage der ~n: Redewendung der Kartenspieler, wenn in den ersten Stichen nur kleine Beikarten gespielt werden. Geht zurück auf „noch sind die Tage der Rosen" aus „Waldmeisters Brautfahrt" von Otto Roquette (1851, vertont 1892 von H. J. Mbacher). Kartenspielerspr. 1900 *ff.*

fosen *intr* **1.** mit Prostituierten koitieren. ↗Fose 1 und 2. 1900 *ff.* **2.** eine Liebelei unterhalten, ohne Heiratsabsichten. 1900 *ff.*

Fosengift *n* minderwertiges Parfüm. Dem „Bienengift" nachgeahmt. Vgl ↗Fose 2; ↗Biene 4. 1920 *ff.*

Foserich *m* Prostituiertenkunde; Freund einer Prostituierten. Nach dem Muster „Enterich, Gänserich" gebildet. ↗Fose 2. 1930 *ff.*

Foto I *m* Fotoapparat. Hieraus gekürzt. 1950 *ff.*

Foto II *n* scharfes ~ = Aktfoto, Nacktfoto. 1920 *ff.*

Fotobude *f* Automaten-Zelle, in der man Paßbilder machen kann. 1925 *ff.*

Foto-Ente *f* wahrheitswidriges Foto (Fotomontage). ↗Ente 1. 1960 *ff.*

fotografieren *v* **1.** dort möchte ich nicht fotografiert hängen = dort möchte ich

nicht (nicht immer) leben müssen. Variante zu ↗abmalen 2. Seit dem späten 19. Jh. **2.** laß dich ~!: Ausdruck der Abweisung. Es soll im Foto festgehalten werden, was für einer der Betreffende war. *Österr* 1940 *ff, jug.*

Fotoknipsmaschine *f* vollautomatische Kamera. 1960 *ff.*

Fotomodell *n* jugendliche Prostituierte, die in den Kreisen der Wohlhabenden tätig wird. Tarnwort. 1963 *ff.*

Foto-Safari *f* **1.** Afrikareise zum Fotografieren. Safari = Karawanenreise. Aufgekommen mit der Wohlhabenheit und der Sucht nach exotischen Erlebnissen. 1960 *ff.* **2.** Suche nach lohnenden Fotoobjekten (ohne Afrikareise). 1964 *ff.*

Fott *m f* **1.** Vulva. ↗Futt. Seit *mhd* Zeit. **2.** Gesäß. *Westd* 19. Jh. **3.** leck mich in der ~: Ausdruck grober Abweisung. *Westd* 19. Jh.

fotten *intr* koitieren. ↗Fott 1. *Westd* 1920 *ff.*

Fotz *m* Mund, Gesicht, Grimasse. ↗Fotze 1 und 8. *Bayr* und *österr* 1800 *ff.*

Fotze *f* **1.** Vulva, Vagina. Zusammenhängend mit „Futter = Scheide, Futteral", auch mit „↗Futt = Vulva". 17. Jh. Die sprachliche Herkunft ist nicht eindeutig gesichert. Es kann sich auch eine über die Mund- bzw. Schamlippen vermittelte Symbolik handeln: nach *lat* „vox, voces = Stimme, (von Lippen geformter) Laut"; *vgl span* „voz = Stimme". Vgl ↗Fotze 8, 19 und 24. Folgerichtig wäre „Fotze" eigentlich „Votze" zu schreiben. **2.** liederliche weibliche Person. Pars pro toto. 17. Jh. **3.** weibliche Person. 1700 *ff.* **4.** nachlässige weibliche Person. 1800 *ff.* **5.** Feldmütze des Soldaten. Wegen der Formähnlichkeit mit der Vulva. *Sold* 1939 *ff.* **6.** Maat. Wegen der Kopfbedeckung („Schiffchen"). *Sold* 1939 *ff.* **7.** Kegelwurf, der nur die drei Mittelkegel umwirft. Keglerspr. 1900 *ff.* **8.** Mund; verdrießliche Miene. Von den Schamlippen übertragen auf die Lippen des Mundes. 19. Jh. **9.** Ohrfeige; Schlag ins Gesicht. ↗fotzen 2. 19. Jh, *bayr* und *österr.* **10.** betrübte ~ = Weißfluß. 1940 *ff.* **11.** falsche ~ = After. Anspielung auf homosexuelle Betätigung. 1900 *ff.* **12.** kalte ~ mit Schneegestöber!: Ausdruck der Gleichgültigkeit. *Vgl* ↗Arsch 33. *Sold* 1940 *ff.* **13.** männliche ~ = a) Homosexueller. 1960 *ff.* – b) junger Mann, der sich gegen Entgelt für homosexuelle Zwecke zur Verfügung stellt. 1960 *ff.* – c) Knaben-, Jünglingsafter. 1960 *ff.* **14.** taube ~ = unfruchtbare Frau. Taub = ohne Kern. 1930 *ff.* **15.** trockene ~ = geschlechtlich unnahbare Frau. Versteht sich nach „↗feucht 1". 1900 *ff.* **16.** verdrehte ~ = a) Schönheitstänzerin, die Rumpf und Gliedmaßen auf die wunderlichste Art verrenkt. 1920 *ff.* – b) weibliche Person mit auffallend seltsamem Benehmen. ↗verdreht. 1920 *ff.* **17.** verklemmte ~ = sprödes Mädchen.

Verklemmt = moralisch und psychisch unfrei. *BSD* 1965 *ff.* **18.** die ~ voll Rausch haben = betrunken sein. *Bayr* 1950 *ff.* **19.** die ~ halten = nichts äußern; verstummen. ↗Fotze 8. *Bayr* 19. Jh. **20.** vor ihrer ~ hockt noch der Staatsanwalt = sie ist noch keine 16 Jahre alt, darf also noch keine Ehe eingehen. Versteht sich nach § 182 StGB („Verführung"). 1900 *ff.* **21.** dann mache ich Sie zur ~! = dann werde ich strengstens mit Ihnen verfahren. Drohrede. Angedroht wird die Entmannung. *Sold* 1939 *ff.* **22.** da lacht die ~ = a) die weibliche Person hat aussichtsreiche Herrenbekanntschaft geschlossen. 1900 *ff.* – b) man freut sich wegen eines Erfolgs. 1900 *ff.* **23.** eine lange ~ machen = verdrießlich, enttäuscht blicken. ↗Fotze 8. *Bayr* 19. Jh. **24.** sich die ~ verbrennen = unbedacht eine Sache ausplaudern. Analog zu „sich das ↗Maul verbrennen". 19. Jh, *bayr.* **25.** jm die ~ vollhauen = jm ins Gesicht schlagen. ↗Fotze 8. 19. Jh.

fotzen *tr* **1.** koitieren. ↗Fotze 1. 1900 *ff.* **2.** jn ins Gesicht (auf den Mund) schlagen, verprügeln. Gehört zu ↗Fotze 8, 9 u. a. Hier wohl schallnachahmend beeinflußt vom Laut eines auftreffenden Schlages; sachverwandt mit ↗klatschen, ↗patschen, ↗matschen. *Oberd* 19. Jh.

Fotzendepot *n* Bordell; Prostituiertenstand eines Zuhälters. Es sind viele Dirnen „auf Lager". 1915 *ff.*

Fotzenfeldwebel *m* Verwaltungsbeamter in der Frauenhaftanstalt. 1920 *ff.*

Fotzenfernrohr *n* Scheidenspiegel des Polizeiarztes. 1920 *ff, prost.*

Fotzenfummeln *n* Petting. ↗Fotze 1; ↗fummeln. *Halbw* 1960 *ff.*

Fotzengestüt *n* Bordell. Prostituierte als ↗Pferdchen. 1900 *ff.*

Fotzengucker *m* Polizeiarzt bei der Untersuchung der zugelassenen Prostituierten. 1920 *ff.*

Fotzenjockei *m* hurender Mann. Er „reitet" auf Huren. 1940 *ff.*

Fotzenkatalog *m* **1.** Verzeichnis der polizeilich kontrollierten Prostituierten. 1900 *ff.* **2.** Verzeichnis der Callgirls. 1955 *ff.*

Fotzenlecker *m* **1.** Liebediener. 1700 *ff.* **2.** widerlich schmeichelnder Frauenliebhaber; als pervers empfundener Erotiker. 19. Jh. **3.** Schoßhund. 19. Jh.

Fotzennassauer *m* Mann, der mit einer Prostituierten unentgeltlich koitieren möchte. ↗Nassauer. 1900 *ff, prost.*

Fotzenneid *m* Eifersucht unter Frauen. Dem Futterneid nachgebildet. 1900 *ff.*

Fotzenparade *f* **1.** militärärztliche Gesundheitsbesichtigung im Bordell. *Sold* 1939 *ff.* **2.** Striptease-Vorführung. 1960 *ff.*

Fotzenputzer *m* Friseur. Vgl ↗Fotze 1, 8, 9 u. a. *Österr* 1900 *ff.*

Fotzenschlecker *m* weibstoller Mann. ↗Fotzenlecker. 19. Jh.

Fotzenspitzel *m* Kriminalbeamter, der die Prostituierten auf der Straße kontrolliert. 1920 *ff.*

Fotzenträger *m* Maat. ↗Fotze 6. 1939 *ff* bis heute.

Fotzhobel *m* Mundharmonika. Das Hin- und Herführen der Harmonika vor der

„Fotze" (↗Fotze 1 und 8) ähnelt der Hin- und Herbewegung des Hobels. 19. Jh, vorwiegend *bayr* und *österr.*

fotzig *adj* niederträchtig, unkameradschaftlich (auch in den Formen „fotzert" und „fotzet" geläufig). Verkürzt aus ↗hinterfotzig. *Bayr* 1920 *ff.*

Fotzmaul *n* verdrießliches Gesicht; Mund *(abf).* ↗Fotze 8. 19. Jh, *bayr* und *österr.*

Foul (Foulspiel) (*engl* ausgesprochen) *n* unredlicher Kompromiß; Politik der Ränke; Übergriff gegen die Parteifreunde o. ä. Aus der *engl* Ballsprache übernommen. 1960 *ff.*

Frachtbrummer *m* Transportflugzeug. ↗Brummer 15. 1948 *ff.*

Frachtpott *m* Frachtdampfer. ↗Pott. 1900 *ff.*

Frack *m* **1.** Kleid, Anzug. Eigentlich der schwarze Gesellschaftsanzug mit Schößen. In der Auffassung der Halbwüchsigen ist der Frack ein altmodisches Kleidungsstück, weswegen die Vokabel auch auf einen abgetragenen oder ausgewachsenen Anzug angewandt wird. Wien 1950 *ff, jug.* **2.** Uniform (Ausgeh-Uniform). *Sold* seit 1939. **3.** zieh den ∼ aus, du gehst baden: Redewendung an den wahrscheinlichen Verlierer. Skatspielerspr. 1930 *ff.* **4.** einen hinter den ∼ brausen = Alkohol trinken. Brausen = spritzen. *Sold* 1935 *ff.* **5.** ihm geht der ∼ = er hat Angst. Anspielung auf die fliegenden Frackschöße dessen, der zum Abort eilt. Seit dem späten 19. Jh. **6.** sich einen ∼ lachen = heftig lachen. Der vordere Ausschnitt des Fracks gilt als Loch in der Kleidung. Bei heftigem Lachen kann die Jacke aufspringen, so daß es aussieht, als trage man eine Frackjacke. 1910 *ff.* **7.** mach dir nicht auf den ∼! = hege keine unsinnigen Erwartungen! Bei stürmischem Temperament kann man beim Essen leicht den Frack beschmutzen. 1930 *ff.* **8.** sich am ∼ reißen = sich ermannen. Gemeint ist, daß man den Frack ruckartig auf den gehörigen Sitz zieht und also sich wie vorgeschrieben benimmt. *Sold* 1939 *ff.* **9.** ihm saust der ∼ = a) er ist (wird) ängstlich. ↗Frack 5. Seit dem späten 19. Jh. – b) er ist aufgeregt. Hier ist wohl vom vielbeschäftigten Kellner auszugehen. 1880 *ff.* **10.** ihm saust der ∼ in alter Frische = er ist noch rüstig wie zuvor. Vielleicht Anspielung auf den befrackten „↗Schürzenjäger". 1930 *ff.* **11.** sich in den ∼ scheißen = a) übertrieben dienstbeflissen und unterwürfig sein. Dem Übereifrigen gehorcht der Schließmuskel des Afters nicht. 1900 *ff.* – b) sich aufregen; vor Aufregung falsch handeln. 1920 *ff.* **12.** sich auf den ∼ treten = sich hochmütig benehmen. Meint in grotesker Vorstellung, man könne sich auf die Frackschöße treten, wenn man sie recht tief niederhängen läßt. 1910 *ff.* **13.** tritt dir nicht auf den ∼! = reg' dich nicht auf! bleibe sachlich und natürlich! *Vgl* das Vorhergehende. 1910 *ff.* **14.** jm den ∼ vollhauen = a) jn gründlich durchprügeln. Seit dem ausgehenden

19. Jh. – b) den Feind vernichtend schlagen. *Sold* in beiden Weltkriegen. **15.** den ∼ vollkriegen = Prügel beziehen. 1900 *ff.* **16.** sich in den ∼ werfen = den Frack anziehen. 19. Jh.

Frackpropeller *m* Frackschleife. ↗Propeller. *Sold* 1965 *ff.*

Fracksausen *n* **1.** Übelkeit, Brechreiz. Man „saust" mit fliegenden Frackschößen zum Abort; d. h. bei solcher Notdurft kann man auch im Frack nicht mehr „Haltung bewahren". 1914 *ff.* **2.** Angst. ↗Frack 5. Seit dem späten 19. Jh, vorwiegend *sold.* **3.** Lampenfieber. 1920 *ff.*

fragen *v* **1.** da frag' ich einen!: Ausruf des Erstaunens. Der Betreffende ist ratlos, weiß nicht, wie er sich eine Sache zu erklären hat, oder wie dergleichen überhaupt möglich ist. Berlin seit dem späten 19. Jh. **2.** nun frag' ich einen Menschen!: Ausdruck der Überraschung. *Vgl* das Vorhergehende. Berlin seit dem späten 19. Jh. **3.** frag' doch mal!: Redewendung, mit der man überaus neugierige Menschen abweist. Berlin 1850 *ff.* **4.** nach niemand zu ∼ haben = sich nach niemandem zu richten haben; unabhängig sein. Man braucht niemandes Meinung oder Erlaubnis einzuholen. 19. Jh. **5.** immer wer fragt!: Antwort des Kartenspielers auf die Frage eines Mitspielers: „wer gibt?". Seit dem späten 19. Jh. **6.** wer viel fragt, kriegt viel Antwort: wohlgemeinter Rat, Entscheidungen in eigener Verantwortung zu treffen und nicht die Meinung anderer Leute einzuholen. 1900 *ff.* **7.** nicht gefragt sein = keinen Freier finden. Stammt aus der Kaufmannssprache und bezieht sich auf unverkäufliche Ware. 1700 *ff.* **8.** gefragt sein = Gegenstand von Käuferinteresse sein; von Kunden begehrt sein. 18. Jh.

Fragezeichen *n* **1.** Mensch mit gekrümmter Körperhaltung. Er ahmt die Form eines Fragezeichens nach. 1910 *ff.* **2.** geschissenes (hingeschissenes, krummgeschissenes) ∼ = Mensch mit sehr schlechter Körperhaltung. Klingt nach Kasernenhofjargon der Ausbilder. ↗Fragezeichen 7 u. 8. 1910 *ff.* **3.** verbogenes ∼ = Mensch in sehr schlechter Körperhaltung. 1935 *ff.* **4.** wandelndes ∼ = häßliche (untüchtige) Person, die nicht in ihre Umgebung paßt oder die sich nicht eingruppieren läßt. Man fragt sich, was sie an dem betreffenden Ort oder in diesen Gesellschaftskreisen will. 1935 *ff.* **5.** windschiefes ∼ = gekrümmt Stehender; Soldat in unmilitärischer Haltung. *Ziv* und *sold* 1910 *ff.* **6.** wie ein ∼ dastehen (gehen o. ä.) = in schlechter Körperhaltung stehen (gehen o. ä.). 1910 *ff.* **7.** wie ein ausgeschissenes ∼ dastehen = in schlechter militärischer Haltung stehen. *Sold* 1910 *ff.* **8.** wie ein in die Luft geschissenes ∼ dastehen = gekrümmt stehen. *Sold* 1910 bis heute. **9.** ein ∼ in der Stimme haben = fragend sprechen. 1960 *ff.*

10. wie ein lebendiges ∼ liegen = gekrümmt im Bett liegen. 1910 *ff.*

Fragner *m* ↗Pfragner.

Fraktur *f* ∼ schreiben (sprechen, reden) = derb, grob sich äußern; Gewalttaten androhen. Hergenommen von den Fraktur-Lettern, die beispielsweise für Jean Paul (eigentlich Johann Paul Friedrich Richter; 1763–1825) die Metapher für Grobes und Gewaltsames waren. Fraktur ist die für das Deutsche typische Schrift. Daher meint „mit jm ↗deutsch reden" im Grunde dasselbe. Um 1600 aufgekommen; gegen 1840 wiederaufgelebt als politisches Schlagwort der Sozialdemokraten, (was Hitler nicht hinderte, es zu verwenden).

Franglais *n* (*franz* ausgesprochen) Französisch mit starkem englischen Einschlag. Zusammengesetzt aus „Français" und „Anglais". Nach 1960 aufgekommen.

Frankenstein *m* **1.** Kälteschutzanzug. Stammt aus einem Frankenstein-Gruselfilm, in dem das aus Leichenteilen zusammengesetzte Ungeheuer einen ähnlichen Anzug trägt. 1970 *ff, sold.* **2.** ∼s Gesellenstück = häßliches Mädchen. Geht über verschiedene Filme zurück auf den Schauerroman „Frankenstein" von Mary Shelley (1818). Manche Personen in den Frankenstein-Filmen sind ein Ausbund von Häßlichkeit. 1965 *ff, BSD.*

Fransen *pl* **1.** strähnig herabhängendes Haar. Es erinnert an die herabhängenden Fäden zerrissener Kleider. 19. Jh. **2.** Bart. *Schül* 1960 *ff.* **3.** Komplimente, Zeremonien, Ziereien. Aus der Bedeutung „Kleiderbesatz" über „künstliche Zutat" weiterentwickelt zum Begriff „Zierat". 1800 *ff.* **4.** anrüchige, betrügerische, lügnerische Werbemethoden. Mit Schwulst machen sie gewisse Dinge unkenntlich. 1960 *ff.* **5.** es gibt in ∼ = es geht entzwei. Eigentlich auf Gewebe bezogen. 19. Jh. **6.** sich ∼ an den Mund reden (o. ä.) = viel schwatzen; eindringlich auf jn einreden. Wer von vielem Reden müßten die Lippen ausfransen. 19. Jh. **7.** mit ∼ sprechen = gekünstelt, schwülstig reden. ↗Fransen 3 und 4. 1960 *ff.* **8.** tritt dir nicht auf ∼! = bilde dir nicht zuviel ein! spiele dich nicht auf! Gemeint ist vielleicht, daß der Betreffende sich ein gewichtiges Aussehen zu geben versucht, aber dabei übersieht, daß seine Hosenbeine ausfransen. *Vgl* auch ↗Frack 13. 1920 *ff.*

Fransenportiere *f* tief ins Gesicht gekämmte Haare. Portiere = Türvorhang. 1960 *ff.*

Franz I Französisch als Unterrichtsfach. *Schül* 1900 *ff.*

Franz II *m* Beobachter im Flugzeug. Angeblich beim Kaisermanöver 1912 aufgekommene Verlegenheits-Namensgebung des Flugzeugführers gegenüber Kaiser Wilhelm II., der den Namen des Flugzeugbeobachters erfahren wollte. Schon vorher war Franz als Rufname für männliche Dienstboten geläufig.

franzen *v* **1.** sich vom Flugzeug aus orientieren. ↗Franz II. Fliegerspr. in beiden Weltkriegen. **2.** in ∼ = ein Flugzeug einweisen; jn geleiten; jm den Weg zeigen. Fliegerspr. 1914 bis heute.

Franzmann *m* Franzose; französischer Soldat. Seit dem 16. Jh; *vgl ndl* „fransman".
Franzosenfresser *m* Franzosenfeind. ↗ Fresser. In der Literatur um 1830 aufgekommen.
Franzosenhut *m* Baskenmütze. Bei den Franzosen beliebte Kopfbedeckung. 1965 *ff, sold.*
französisch *adj* 1. ~ einkaufen = Ladendiebstahl begehen. Gedankenlos dem „↗englisch einkaufen" nachgebildet. 1968 *ff.*
2. jm ~ kommen = dummdreist auftreten. 1920 *ff.*
3. es ~ machen (~ verkehren) = die Geschlechtsorgane wechselseitig mit Lippen und Zunge erregen. Dazu die Redewendung: „Französisch kann ich perfekt; nur mit der Sprache hapert es noch." 1900 (?) *ff.*
4. sich ~ verabschieden (sich ~ empfehlen; ~ Abschied nehmen) = heimlich davongehen. Ob von der Schlußzeile in Schillers „Maria Stuart" auszugehen ist, bleibt ungewiß. 1850 *ff. Vgl engl* „to take French leave".
Fräse *f* 1. Maschinengewehr. Es „fräst" (= dünnt) die Reihen der Angreifer. 1965 *ff, sold.*
2. Seemannsbart, Vollbart. Er nimmt sich aus wie eine (bereits um „Fräskopf" formähnliche) Halskrause. 1900 *ff.*
Fraß *m* 1. minderwertiges, widerliches Essen. Bezieht sich eigentlich auf die Tiernahrung. Seit *ahd* Zeit.
2. Essen (nicht *abf*). 19. Jh, vorwiegend *sold* bis heute.
3. gefickter ~ = Reste-Essen; schnell hergerichtetes Verlegenheitsgericht. „Gefickt" ist hier vom rasch vollzogenen Geschlechtsverkehr übertragen auf eilige Zubereitung. 1914 *ff.*
4. giftiger ~ = Blattgemüse als Mittagessen. Anspielung auf „giftige Pflanzen" und „Giftgrün". *Sold* in beiden Weltkriegen.
5. schneller ~ = aus Konserven bereitete Mahlzeit. *Sold* 1941 *ff,* ziv 1945 *ff.*
6. jn einem zum ~ vorwerfen = jn vor eine unlösbare Aufgabe stellen und dadurch seine Entlassung herbeiführen; jm eine Person bedingungslos ausliefern; jn dem Staatsanwalt überantworten. Hergenommen von der grausamen Sitte, wilden Tieren Menschen zum Fraß vorzuwerfen. 1900 *ff.*
7. jn vielen zum ~ vorwerfen = jn heftiger Kritik vieler schutzlos preisgeben. 1920 *ff.*
fratscheln (frätscheln) *intr* schwatzen; Fragen über Fragen stellen. Iterativform von ↗ praatschen. *Vgl auch mhd* „vreischen = erfragen, vernehmen". *Österr* 19. Jh.
Fratz *m* 1. freches, vorlautes, ungezogenes Kind; Kind (Kosewort). Übertragung von „Fratze = Zerrgestalt, Grimasse" auf den Träger. 1500 *ff.*
2. eitler, dünkelhafter, widerlicher Mensch. Er verleiht seinem Gesicht einen hochmütigen Ausdruck. *Vgl auch frühnhd* „fraz = Albernheit". 1400 *ff.*
3. süßer ~ = nettes Mädchen. ↗ süß. Seit dem späten 19. Jh.
Fratze *f* 1. unschönes Gesicht; Gesicht. In grober Verwendung verallgemeinert aus der Bedeutung „verzogenes Gesicht". 18. Jh.

2. ~n machen = eine ablehnende Miene aufsetzen; Widerworte geben. 1920 *ff.*
3. dem möchte ich mal die ~ ummöblieren!: Drohrede. Man möchte ihm „eine andere Nase verpassen" o. ä. 1910 *ff.*
4. jm die ~ polieren (wienern) = jm heftig ins Gesicht schlagen. ↗ polieren; ↗ wienern. 1900 *ff.*
Frau *f* 1. Tanzstundendame. *Halbw* seit dem späten 19. Jh.
2. Geliebte. 19. Jh.
3. (intime) Freundin des Halbwüchsigen. 1900 *ff;* nach 1950 sehr häufig in Halbwüchsigenkreisen.
4. Gewehr. ↗ Braut 1. 1965 *ff, sold.*
5. ~ auf Abruf = Ehefrau, deren Mann nur an Wochenende daheim ist. 1950 *ff.*
6. ~ ohne Alter = Frau, deren Figur und Haltung keinen Schluß auf ihr Lebensalter zulassen. 1973 aufgekommen in der Bekleidungsindustrie.
7. ~ zwischen zwei Altern = vierzigjährige Frau; Frau, die 30 Jahre (und darüber) alt ist. Fußt auf dem *franz* „femme entre deux âges" und geht zurück auf Honoré de Balzac. 19. Jh.
8. ~ an der Ecke = Straßenprostituierte. 1960 *ff.*
9. ~ von Format = Frau mit vielen inneren und äußeren Vorzügen. „Format" im Sinne von „Gestalt, Größe" entwickelt auch die Nebenbedeutung von innerer Größe. Etwa seit 1900. Auch Titel einer Operette von Michael Krauß, 1927 uraufgeführt in Berlin im Theater des Westens.
9 a. ~ zum 'Herzeigen = ansehnliche, Frau. 1965 *ff.*
10. ~ aus dem Leben, aber nicht aus dem frommen = leichte Dame. 1970 *ff.*
11. ~ in den besten Mannesjahren = Frau zwischen dem vierten und fünften Lebensjahrzehnt. 1960 *ff.*
12. ~ nach Maß = weibliche Idealgestalt mit vielen körperlichen (und geistigen) Vorzügen. Benannt nach dem Titel eines 1940 unter der Regie von Helmut Käutner entstandenen Films. *Halbw* 1950 *ff.*
13. ~ im goldenen Mittelalter = Frau, die knapp über 40 Jahre alt ist. ↗ Mittelalter. 1950 *ff.*
14. ~ mit Stiel = Mann. Wohl eine Homosexuellenauffassung. 1960 *ff.*
15. ~ auf Zeit = a) einstweilige Geliebte. 1955 *ff.* – b) Prostituierte. 1955 *ff.*
16. allerletzte ~ = weibliche Person, mit der sich kein Halbwüchsiger einlassen mag. 1950 *ff, halbw.*
17. alte ~ Ju = Junkers-Flugzeug Ju 52. ↗Tante Ju. *Sold* 1939 *ff.*
18. dufte ~ = nettes, anziehendes Mädchen. ↗ dufte 1. *BSD* 1965 *ff.*
19. gestandene ~ = zuverlässige Frau gesetzten Alters. ↗ gestanden. 19. Jh.
20. heiße ~ = gut aussehendes Mädchen. Vom Aussehen her ist es „geschlechtlich erregend". ↗ heiß". *Halbw* 1960 *ff.*
21. hinterletzte ~ = unsympathisches Mädchen. „Hinterletzt" ist, was noch hinter dem „Allerletzten" kommt. ↗Frau 16. *Halbw* 1955 *ff.*
22. letzte ~ = sehr unansehnliche, unbeliebte weibliche Person. 1960 *ff.*
23. marschierende ~ = Straßenprostituierte. 1960 *ff.*
24. spannende ~ = ungewöhnliche, sehr

eindrucksvolle weibliche Person. *Halbw* 1955 *ff.*
25. tolle ~ = nettes Mädchen. ↗toll. *Halbw* 1930 *ff.*
26. weise ~ = Frau, die Abtreibungen vornimmt. Eigentlich Bezeichnung für die Hebamme. Weise = verständig. 1960 *ff.*
27. zweigleisige ~ = Frau mit einem Liebhaber neben dem Ehemann. ↗ zweigleisig. 1920 *ff.*
28. das fühlt (sieht) auch eine blinde ~ mit dem Krückstock = das sieht jedermann ein. *Vgl* ↗Blinder. 1800 *ff.*
29. das riecht wie eine alte ~ unterm Arm = das riecht widerlich. 1950 *ff.*
30. wie alte ~ unterm Arm schmecken = widerlich schmecken. *Halbw* 1950 *ff.*
31. die ~ schonen = außerehelich koitieren. 1930 *ff.*
32. ~ genug sein = als Frau selbständig, durchsetzungsfähig, kräftig sein. Gebildet nach „Manns genug sein". Dem Wortschatz der Emanzipation entlehnt. 1920 *ff.*
Frauchen (Fraule) *n* 1. Besitzerin eines Hundes; Hundeherrin. 1900 *ff.*
2. Damenabort. Wegen des Bildzeichens an der Tür. 1960 *ff.*
Frauengeschichten *pl* geschlechtliche Erlebnisse mit Frauen. 19. Jh.
Frauenvernascher *m* Frauenheld. ↗ vernaschen. Nach 1945 aufgekommen.
'Fraukules *f* 1. Frau des Herkules. Unter Kennern der griechischen Mythologie im 19. Jh verbreitet (heute allgemein geläufiger) Wortscherz, wobei man „Herkules" = „Herr Kules" voraussetzt und nach dessen Gattin fragt.
2. kraftvolle Frau; stämmige weibliche Person. Weibliches Abbild des göttlichen Athleten der *griech* Mythologie (Herakles = Herkules). 1960 *ff.*
Fraulein *f n* Ansprache an und Bezeichnung von „Mädchen, junge Frau u. ä.". *Angloamerikan* Behelfsaussprache von „Fräulein", aufgekommen und verbreitet in der Besatzungszeit ab 1944. In den fünfziger Jahren volkstümlich als Titel eines von Chris Howland gesungenen Schlagers. Heute noch gelegentlich gebraucht im Sinn von „↗ Fräulein 2".
Fräulein *n* 1. Verkürzt aus „Fräulein Lehrerin". Oft auch mit natürlichem Geschlecht („die Fräulein"). Seit dem späten 19. Jh.
2. (auch: die Fraulein) = leichtes Mädchen; Prostituierte. Den amerikanischen Besatzungssoldaten 1944 *ff* nachgesprochen. Die Vokabel war gelegentlich schon im Mittelalter gebräuchlich, ging aber vor 1500 unter.
3. Fräulein Meier = der Homosexuelle Meier. Er spielt die weibliche Rolle. 1960 *ff, stud.*
4. ~ Mutter = a) uneheliche Mutter. Seit dem späten 19. Jh. – b) die jugendlich aussehende Mutter. Kavaliersprache 1920 *ff.*
5. ~ Nummer = Ansagerin einer Revue o. ä. Sie trägt ein Schild mit der Nummer der Programmfolge über die Bühne. 1930 *ff.*
6. lebenslängliches ~ = alte Jungfer. 1920 *ff.*
7. möbliertes ~ = weibliche Person, die ein möbliertes Zimmer bewohnt. ↗Dame 28. 1920 *ff.*
Fräuleinwunder *n* 1. Wandlung der deut-

schen Mädchen von (in NS-Uniform gedrungen wirkenden) „BDM-Mädels" zu langbeinigen, hochgewachsenen Geschöpfen. Im Juni 1964 in der Zeitschrift „Time" so genannt; seitdem ein im Ausland und in deutschen Illustrierten verbreitetes Wort, dessen Allgemeingültigkeit vom ersten Tage an Rechtens bestritten wurde. Es bewegt sich als Schlagwort im Gefolge der Vokabel „↗Wirtschaftswunder". **2.** großwüchsiges und dabei schlankes Mädchen. 1964 ff.

Fraumensch n liederliche weibliche Person (sehr abf). ↗Mensch II. Vorwiegend westd und nordd, 16. Jh.

Freak (engl gespr.) m Sonderling, Außenseiter; Jugendlicher, der sich dem Elternhaus entzieht; Rauschgiftsüchtiger. Aus den USA gegen 1970 übernommen.

frech adj **1.** liebesgierig. Meint auf Pflanzen bezogen soviel wie „üppig treibend", „geil". 1800 ff. **2.** gewagt (auf die Bekleidung bezogen). Meint hier über die Bedeutung „dreist" und „unverschämt" die Nichtbeachtung der Anstandsregeln. 1920 ff. **3.** aus dem Rahmen des Üblichen fallend; so gestaltet, daß es nicht übersehen werden kann. Werbetexterdeutsch. 1975 ff. **4.** adv = sehr eindrucksvoll; heftig, tüchtig. Von „keck" weiterentwickelt zur Bedeutung „draufgängerisch" und „wagemutig" und von da zu adverbieller Steigerung. Jug 1930 ff. **5.** ~ ausgezogen = sehr gewagt gekleidet. Satirische Umkehrung von „angezogen". 1960 ff. **6.** jm ~ kommen = jm anstandswidrig, ungebührlich entgegentreten; jn provozieren. 1920 ff.

Frechdachs m freche Person (auch Kosewort). Der Dachs ist insofern „frech", als er sich die vom Fuchs gegrabene Höhle zueigen macht und diesen Bau dann (auch gegen den Fuchs) in steter Kampfbereitschaft verteidigt. Seit dem späten 19. Jh.

Frechheit f ~ siegt = dreistes Auftreten ist erfolgversprechender als bescheidenes. 1920 ff.

Freckling m unausstehlicher Mann. Zusammengezogen aus „↗Verreckling". 1900 ff.

Fregatte f **1.** stattliche, würdige ältere Frau. Eigentlich das als Vollschiff getakelte Kriegsschiff früherer Zeiten. Im ausgehenden 19. Jh auf die junonische Bürgersfrau übertragen. **2.** abgetakelte ~ = verblühte, verlebt aussehende, ältere weibliche Person. ↗abtakeln 1. Seit dem späten 19. Jh. **3.** alte ~ = alte, häßliche, unsympathische weibliche Person. 1880 ff. **4.** aufgetakelte ~ = jugendlich gekleidete, bejahrte Frau. ↗auftakeln. 1880 ff.

Fregger m **1.** unliebsames Lebewesen (Mensch, Tier). Zusammengezogen aus „↗Verrecker". 1900 ff, bayr. **2.** schadhafte Maschine. 1930 ff, bayr.

frei adj **1.** ~ haben = keinen Schulunterricht haben. 19. Jh. **2.** und sowas läuft ~ rum!: Ausruf der Unerträglichkeit bezüglich eines Menschen, den man lieber im Gefängnis oder in einer Nervenheilanstalt untergebracht wüßte. 1910 ff. **3.** noch immer ~ rumlaufen = noch immer in Freiheit sein. 1910 ff.

4. ich bin so ~: Höflichkeitsfloskel, wenn man von der dargebotenen Speise (o. ä.) nimmt. In diesem Zusammenhang meint „frei" eigentlich soviel wie „unbehindert durch Anstandsregeln"; aber in der Redewendung werden die Anstandsregeln durchaus beachtet, da man ja nicht ungebeten zulangt. Eine trotz Sinnlosigkeit unausrottbare Redensart seit dem 19. Jh. **5.** ich bin so ~ und eß' für zwei: Redewendung, wenn man einem dargebotenen Gericht wacker zuspricht. 1950 ff.

Freiberger m Schmarotzer; Inhaber von Freikarten. Er stammt aus dem fiktiven Ort Freiberg, wo man alles unentgeltlich bekommt. 1850 ff.

Freiberufliche f Prostituierte ohne Abhängigkeit von Bordell und/oder Zuhälter. Eigentlich die Berufstätige ohne Arbeitnehmereigenschaft. 1960 ff.

Freibier n von einem Zechpreller getrunkenes Bier. Scherzwort. 1960 ff.

freiboxen v **1.** jn ~ = jn aus dem Kreis der Umstehenden befreien. Wie durch Boxschläge macht man ihm den Weg frei. 1950 ff. **2.** jn ~ = jn mit Anstrengung vor einer Verurteilung bewahren. 1960 ff. **3.** sich den Weg ~ (sich ~) = durch rücksichtslose Fahrweise sich freie Fahrt verschaffen. 1960 ff.

Freier m **1.** Stutzer. Meint eigentlich den Brautwerber. Er kleidet sich elegant, um auf weibliche Personen vorteilhaft zu wirken. 1945 ff, schül. **2.** Prostituiertenkunde. Im eigentlichen Sinn der Mann, der um ein Mädchen wirbt, um es zu heiraten. Seit dem frühen 19. Jh. **3.** Kunde eines Prostituierten. 1968 ff. **4.** Betrogener im Falschspiel; Mann, der bestohlen oder betrogen werden soll. „Freier" nannte man früher auch den Bauern, und Bauern hielt man für dumm. Rotw 1520 ff. **5.** Gast, der eine große Zeche macht. Kellnerspr. 1960 ff. **6.** flacher ~ = a) schlecht (nicht) zahlender Kunde einer (eines) Prostituierten. Die Bezahlung „fällt flach". 1930 ff. – b) Heiratsschwindler. Die Heirat „fällt flach". 1930 ff. **7.** gestopfter ~ = wohlhabender Prostituiertenkunde. Der Geldbeutel ist „gestopft voll". 1960 ff, prost. **8.** linker ~ = a) schlechter, unzuverlässiger Genosse; Prostituiertenpreller. ↗link. Seit dem frühen 19. Jh., rotw – b) geschlechtlich abartig Veranlagter. 1820 ff, rotw.

Freies n **1.** im Freien stehen (sitzen) = a) unbekleidet, entblößt, tiefdekolletiert sein. 1900 ff. – b) bloßgestellt, enttäuscht sein; vom wirtschaftlichen Rückgang stark in Mitleidenschaft gezogen sein; sich nicht mehr geschützt vorkommen. 1965 ff. **2.** dann stehst du im Freien = dann platzt dein Kleid (aus allen Nähten). 1920 ff.

Freiexemplar n Prostituierte ohne Bordellabhängigkeit. Schweiz 1950 ff.

Freifahrt f Geschlechtsverkehr während der empfängnisfreien Tage der Frau. 1935 ff.

Freifick m Geschlechtsverkehr im Freien. ↗Fick. 1910 ff.

Freifrau f Prostituierte, die keinem Bordell

oder Zuhälter angehört. Eigentlich die Freiin oder Baronin. Prost 1950 ff.

Freigänger m vorübergehend außerhalb der Anstaltsmauern arbeitender Strafgefangener. 1960 ff.

freigeben v jm ~ = jm Urlaub gewähren. 19. Jh.

freigebig adj **1.** Geschlechtspartnerwechsel bevorzugend. 1960 ff. **2.** tiefdekolletiert; spärlich bekleidet; einen sehr kurzen Rock tragend. 1955 ff.

freihändig adj **1.** aus eigener Machtvollkommenheit. Leitet sich her vom Musizieren ohne Noten oder vom Schießen ohne Gewehrauflage. 1900 ff. **2.** adv = unvorbereitet; ohne Nachdenken. 1900 ff. **3.** adv = anrüchig, diebisch. 1900 ff. **4.** etw ~ kaufen = Ladendiebstahl begehen. 1900 ff.

Freiheitsdusel m leidenschaftlicher Freiheitsrausch. ↗Dusel 1. 19. Jh.

Freiheitsduselei f leidenschaftliches Eintreten für politische Freiheiten, als nicht ernstzunehmendes Unterfangen gedeutet; Vgl das Vorhergehende. 19. Jh.

freikämpfen v sich seelisch ~ = zügellos schimpfen. Eingeschlossene oder abgeschnittene Truppenteile, die von außen keine Hilfe bekommen können, kämpfen sich frei, indem sie die feindliche Umzingelung aufbrechen; hier bezogen auf die Sprengung der Umklammerung von innen. Sold 1939 ff.

Freikörperkultur f **1.** Dekolletierung. 1925 ff. **2.** ~ machen = sich bei sommerlicher Hitze leicht bis spärlich kleiden. 1925 ff.

Freilader m Mensch, der alle Dinge entgegennimmt, die es unentgeltlich gibt. Fußt auf engl „freeloader = Beförderer einer Ware ohne Frachtentrichtung". 1960 ff.

Freilauf m **1.** uneingeschränkte Rede-, Handlungsfreiheit. Hergenommen von der Kupplungsvorrichtung beim Fahrrad oder Kraftwagen. 1960 ff. **2.** ~ radeln = a) auswendig hersagen. Schül 1900 ff. – b) sich vom Mitschüler vorsagen lassen. Schül 1900 ff.

Freilaufschnauze f geschwätziger Mund; geschwätziger Mensch; Geschwätzigkeit. 1920 ff.

Freiluftkäse m stark riechender Käse. Man sollte ihn um der Menschenfreundlichkeit willen im Freien essen. 1950 ff.

freimachen refl die Hose herunterlassen und das nackte Gesäß zeigen. Von der ärztlichen Untersuchung hergenommen. 1900 ff.

Freimädchen (-madl) n Prostituierte ohne Abhängigkeit von einem Bordell oder Zuhälter. 1900 ff.

Freimarke f behandle mich von hinten wie eine ~!: derbe Abweisung. Die Freimarke wird auf der Rückseite geleckt. 1920 ff.

Freimensch (-menscherl) n nichtregistrierte Prostituierte. ↗Mensch II. 1900 ff, österr.

freipauken tr **1.** jn aus einer Schwierigkeit befreien. ↗pauken = schlagen. 1950 ff. **2.** jds Freispruch vor Gericht nachdrücklich betreiben. 1950 ff.

Freiquartier n Gefängnis, Arrest. Meint die unentgeltliche Unterkunft. 1850 ff.

freiquasseln v sich die Brust ~ = sich aussprechen. ↗quasseln. 1930 ff.

freiquatschen *refl* sich aussprechen. ↗quatschen. 1930 ff.

Freiraum *m* staatlich geschützter Betätigungsspielraum; Freiheit, die Partner einander gewähren. 1970 ff.

Freischaffende *f* Prostituierte, die ihrem Gewerbe selbständig nachgeht. ↗Freiberufliche; hier beeinflußt von „↗anschaffen". 1960 ff.

freischießen *v* für jn einen Posten (o. ä.) ~ = jm zu einem Posten verhelfen, indem man den bisherigen Amtsinhaber verdrängt. ↗freikämpfen. 1950 ff.

Freischützarie *f* die ~ singen können = schwanger sein. Gemeint ist die Arie „Einsam bin ich nicht alleine", umgemodelt durch Einfügung eines Kommas zu „einsam bin ich, nicht alleine". Diese Arie stammt nicht aus Carl Maria von Webers „Der Freischütz", sondern aus Webers „Preciosa". 1940 ff.

freischwimmen *refl* **1.** sich der Bevormundung entziehen; sich von Hemmungen freimachen; sich bewähren; seine Schulden bezahlen. Dem Schwimmsport entnommen. 1910 ff.
2. zum ersten Mal koitieren. 1940 ff.
3. seine Geschlechtskälte verlieren. 1940 ff.

Freischwimmer *m* **1.** Arbeitnehmer, der keiner Berufsorganisation oder Gewerkschaft angehört. 1950 ff.
2. Mensch, der sich auf Kosten anderer einen guten Tag macht. 1950 ff.
3. Mann, der ohne Präservativ koitiert. 1970 ff.

Freispruch *m* **1.** Schulabschlußprüfung. Lehrlinge werden nach Bestehen der Lehrabschlußprüfung freigesprochen. *Schül* 1960 ff.
2. ~ erster Klasse = Freispruch wegen erwiesener Unschuld. Den Ordensklassen nachgebildet. 1950 ff.
3. ~ zweiter Klasse = Freispruch aus Mangel an Beweisen; Freispruch ohne Haftentschädigung. 1950 ff.
4. ~ dritter Klasse = Freispruch mangels Beweises und mit Entschädigungsanspruch. 1950 ff.
5. ~ vierter Klasse = Straffreiheit wegen parlamentarischer Immunität. 1975 ff.

freistoßen *v* sich von etw ~ = sich von etw freimachen. Stammt aus dem Kaufmannsdeutsch: der Kaufmann stößt eine schlechtverkäufliche Ware ab. 1920 ff.

freistrampeln *v* **1.** sich von jm ~ = sich aus der Bevormundung lösen; selbständig werden. Hergenommen vom Radfahren oder Schwimmen ohne fremde Hilfe, möglicherweise auch vom Verhalten des Säuglings. 1950 ff.
2. sich ~ = sich aus einer Schwierigkeit befreien; seine Schulden bezahlen. 1950 ff.

Freitag *m* **1.** schul-, arbeitsfreier Tag. Zusammengezogen aus „freier Tag". 19. Jh.
2. blauer ~ = Lohnzahltag mit reichlichem Alkoholgenuß. Dem „↗Montag" nachgebildet mit Bezug auf „blau = betrunken". 1950 ff.
3. lieber Gott, laß es ~ werden, – wenn's geht, am Montag!: Stoßseufzer der Arbeitsunlustigen. Aufgekommen mit der Fünftagewoche. 1964 ff.

Freiübungen *pl* ~ machen = **1.** sich ducken, wenn ein Geschoß mit pfeifendem Ton vorbeisaust. Freiübungen sind

körperliche Übungen ohne Geräte. *Sold* 1939 ff.
2. sich übermäßig oft verneigen; übertriebene Liebedienerei betreiben. 1939 ff.
3. den Arm zum „Deutschen Gruß" vorstoßen. *Sold* 1939 ff.
4. flirten, koitieren. 1935 ff.

Freizeit *f* ~ von der Stange = nichtindividuelle Freizeitbeschäftigung. ↗Stange. 1955 ff.

Freizeitbeschäftigung *f* **1.** Arbeit; Dienst. 1965 ff.
2. häusliche Schularbeiten. 1965 ff, *schül.*
3. Strafarbeit. *Schül* 1965 ff.
4. Nachexerzieren. *BSD* 1965 ff.
5. Flirt, Geschlechtsverkehr. 1965 ff.

Freizeitbewegung *f* Arbeitsaufnahme in der Freizeit oder im Urlaub zugunsten eines fremden Betriebs. 1960 ff.

Freizeit-Club *m* bordellartiger Betrieb. 1970 ff.

freizeiten *intr* seine Freizeit verbringen. 1970 ff.

Freizeitfresser *m* **1.** Fernsehen. 1979, geprägt von Reginald Kahl vom Zweiten Deutschen Fernsehen.
2. *pl* = häusliche Schularbeiten. 1965 ff.

Freizeitgestaltung *f* **1.** Nichtstun. *Sold* 1939 ff.
2. strafweise verhängte Dienstverrichtung während des Stadturlaubs der Kameraden. *Sold* 1936 ff.
3. „↗Schwarzarbeit" am arbeitsfreien Sonnabend. 1955 ff.
4. häusliche Schularbeiten. 1965 ff.
5. gemeinsame ~ = Liebesbeziehungen. 1955 ff, *halbw.*

Freizeitgirl *n* Prostituierte in wohlhabenden Kreisen. 1960 ff.

Freizeithelferin *f* intime Freundin o. ä. 1960 ff.

Freizeit-Kavallerie *f* Amateur-Reiter; Reiterverein. 1960 ff.

Freizeitkicker *pl* nicht eingetragener Fußballklub. 1970 ff.

Freizeitmaschine *f* Ferienzentrum. 1970 ff.

Freizeitmuffel *m* Mensch, der sich in der Freizeit langweilt; Mensch ohne Sinn für vernünftige Freizeitgestaltung. 1960 ff.

Freizeitnomade *m* Campingfreund. 1965 ff.

Freizeitrummel *m* Geschäftigkeit um die Freizeitgestaltung. ↗Rummel 1. 1968 ff.

Freizeitschick *m* kleidsame Mode für die Freizeit. Werbedeutsch. 1970 ff.

Freizeitspaß *m* Flirt. *Jug* 1965 ff.

Freizeitstreß *m* anstrengende Freizeitgestaltung. 1975 ff.

Freizeitterror *m* übersteigerte Einflußnahme auf die individuelle Freizeitgestaltung. 1975 ff.

Freizeitverbraucher *m* Bürger im Verhältnis zur Freizeit, zum arbeitsfreien Samstag. 1959 ff.

Freizeitwert *m* Unterhaltungs-, Bildungsangebot einer Stadt für die arbeitsfreien Tage. 1975 ff.

freizügig *adj* tiefdekolletiert. Zusammengesetzt aus „großzügig" und „freigebig". 1960 ff.

Freizügigkeit *f* vorher nicht festgelegte Äußerung. 1972 ff.

fremd *adj* **1.** jn ~ ertappen = jn beim Ehebruch ertappen. ↗fremdgehen. 1964 ff.

2. ~ gehen ↗fremdgehen.
3. ~ kaufen = nicht im Stammgeschäft kaufen; Laufkunde sein. 1950 ff.
4. ~ kochen = nach dem Kochbuch kochen. 1960 ff.
5. sich ~ machen = verschwinden, davongehen. Fußt auf dem Handwerksburschendeutsch: fremd = außerhalb des Dorfes; auf Wanderschaft befindlich; auf Stellenwechsel bezüglich. Seit dem späten 19. Jh.
6. auf ~ machen = sich einem anderen Geschlechtspartner zuwenden. 1950 ff.
7. ~ sitzen = an einem anderem Tisch sitzen als die Kameraden. *Schwäb* 1977; wohl älter.

Fremdarbeiterin *f* weibliche Person, die in ihrem Urlaub oder in ihrer Freizeit eine bezahlte Arbeit in einem anderen Betrieb leistet. 1960 ff.

Fremdchen *n* fremdes Mädchen im Hause. 1950 ff.

fremdeln (fremden) *intr* menschenscheu sein; zurückhaltend, schüchtern sein; noch nicht gut miteinander bekannt sein. Man benimmt sich wie fremd. 1800 ff, vorwiegend *südd;* langsam nordwärts dringend.

Fremdenfresser *m* wütiger, unerbittlicher Ausländergegner. ↗Fresser. 19. Jh.

Fremdenführer *m* Modell ~ = tiefdekolletiertes Kleid. Der Fremdenführer macht auf alle Sehenswürdigkeiten aufmerksam. 1955 ff.

Fremdenrummel *m* Betriebsamkeit für (durch) Urlaubsreisende. ↗Rummel. 1950 ff.

Fremder *m* reicher ~ = ältere Person, die jüngere zum Trunk einlädt; freigebiger Kurgast. Fremd = dem Kreis der jungen Leute nur als Gast zugehörig. *Stud* 1925 ff.

Fremdgang *m* Ehebruch. ↗fremdgehen. 1950 ff.

Fremdgänger *m* **1.** Ehebrecher; unbeständiger Freund. 1950 ff.
2. Parteiwechsler, Mandatsüberträger. 1965 ff.

Fremdgängerei *f* Ehebruch. 1950 ff.

fremdgehen *intr* **1.** Ehebruch begehen; die Braut (den Bräutigam) mit einer (einem) anderen betrügen. „Fremd" entwickelt sich über „auswärtig" und „außerhalb der gewohnten Umgebung" zur Bedeutung „außerhalb der Ehe" und „unehelich". Seit dem späten 19. Jh.
2. er geht nicht fremd, er geht nur zu Bekannten = er betrügt seine Frau innerhalb des engsten Bekanntenkreises. 1950 ff.
3. im Urlaub oder in der Freizeit eine bezahlte Arbeit in einem anderen Betrieb wahrnehmen. 1960 ff.
4. den erlernten Beruf aufgeben. 1960 ff.
5. auf einer fremden Bühne auftreten. 1960 ff.
6. es mit einer anderen politischen Partei halten. 1960 ff.
7. den langjährigen Urlaubsort wechseln. Man wird ihm untreu. 1965 ff.
8. im Ausland Kredit aufnehmen. 1972 ff.
9. nicht die gewohnten Geschäftsverbindungen aufrechterhalten. 1970 ff.
10. beim Kauf eines neuen Autos zu einer anderen Marke übergehen. 1970 ff.
11. einem ausländischen Sportverein beitreten. 1970 ff.
12. ausländische Sender hören. 1972 ff.

13. zum Essen ~ = nicht daheim essen. 1970 ff.

Fremdgeher m Ehebrecher. 1950 ff.

Fremdwort n **1.** das ist für ihn ein ~ = dafür hat er kein Verständnis, kein Empfinden (Anstand ist für ihn ein Fremdwort). 1950 ff. **2.** Fremdwörter sind Glückssache: scherzhafter Trostspruch, wenn einer Fremdwörter falsch anwendet oder falsch ausspricht. 1920 ff.

Frequenz f auf derselben ~ ticken = jds Interesse teilen; mit jm übereinstimmen. 1955 ff.

Fressa f **1.** Bundesfachschau für das Hotel- und Gaststättengewerbe mit Konditorei- und Nahrungsmittelausstellung; Gastwirtsmesse; ANUGA. Anspielung auf die vielen Kostproben, an denen man sich gründlich sattessen kann. Wohl dem Namen „Pressa", der Presseausstellung Köln in den zwanziger Jahren, nachgebildet. 1936 ff. **2.** Mensa. Anspielung auf das unschmackhafte Essen. 1950 ff, stud. **3.** Grüne ~ = „Grüne Woche" in Berlin (Landwirtschaftsausstellung). 1965 ff.

Fressabilien pl Eßwaren; alles Eßbare. Scherzhaft latinisiert aus „fressen" mit Erfindung des Adjektivs „fressabilis = eßbar, genießbar". 19. Jh.

Fressage f (franz ausgesprochen) **1.** Gesicht, Mund. Zusammengewachsen aus „Fresse" und „Visage". 1850 ff. **2.** Essen; Eßwaren; Beköstigung. Scherzhafte französierende Hauptwortbildung zu „fressen". 1900 ff. **3.** Lebensmittelvorrat. Ostmitteld 1920 ff.

Fressalien pl Eßwaren. Aus „fressen" latinisiert nach dem Vorbild von „Naturalien, Viktualien" u. ä. 1850 ff.

Fressarium n Mensa. Wörtern wie „Aquarium, Planetarium" u. ä. gegen 1950 in Berlin nachgebildet.

freßbar adj eßbar. 1914 ff.

Freßchen n gutes ~ = gutes Essen. Die Verkleinerungssilbe hat hier kosewörtlichen Sinn. 1960 ff.

Freßdur von Schißmoll = unmusikalisches Singen. Umgestaltet aus „Es-Dur" und „cis-Moll". 1920 ff.

Fresse f **1.** Mund, Gesicht. Aus den vielen Funktionen des Mundes wird für die das Essens eine derbe Sonderbezeichnung gewählt. Etwa seit dem 17. Jh. **2.** Flugzeugkanzel. Analog zu ↗ Schnauze. Fliegerspr. 1936 ff. **3.** Fressel = schweige, verstumme! Verkürzt aus „halt' die Fresse!". 1900 ff. **4.** (du) 'meine ~!: Ausruf der Verwunderung. Etwa soviel wie „ich halte meine Fresse" für „ich bin sprachlos". 1900 ff. **5.** meine zerschlagene ~!: Ausruf der Überraschung oder Enttäuschung. Spielt an auf einen von einem Boxhieb getroffenen Mund. 1910 ff. **6.** verbotene ~ = häßliches Gesicht. Ein solches Gesicht müßte verboten werden. Seit dem späten 19. Jh, Berlin. **7.** verknautschte ~ = zerschlagener Mund. ↗ knautschen. 1920 ff. **8.** die ~ aufreißen = prahlen. 1850 ff. **9.** die ~ bis an die Ohren aufreißen = a) beim Gähnen den Mund weit aufsperren. 1850 ff. – b) prahlerisch reden. 1850 ff. **10.** jm die ~ demolieren (einschlagen) =

jn heftig ins Gesicht schlagen. Wohl vom Boxsport hergenommen. 1920 ff. **11.** dem werde ich die ~ entwurzeln!: Drohrede. Man will so heftig zuschlagen, daß die Zähne aus den Wurzeln gehen. 1920 ff. **12.** auf die ~ fallen = a) auf das Gesicht fallen. 1900 ff. – b) mit dem Flugzeug abstürzen. Fresse = Flugzeugkanzel. Fliegerspr. 1936 ff. – c) Mißerfolg erleiden. 1900 ff. **13.** sich die ~ firnissen = sich die Lippen schminken. ↗ firnissen 1. 1920 ff. **14.** jm eine(n) an (in) die ~ geben = jn ins Gesicht schlagen, ohrfeigen. 1700 ff. **15.** bei ihm geht die ~ aus dem Leim = vor Staunen oder Erschrecken bleibt ihm der Mund offenstehen. ↗ Leim. 1900 ff. **16.** eine frisierte ~ haben (ziehen) = scheinheilig, unaufrichtig sein. Frisieren = zum Schönen (Gefälligen) abändern. 1920 ff. **17.** die (eine) große ~ haben = sich brüsten; laut reden. 1920 ff. **18.** halt' die ~! = verstumme! schweige! 19. Jh. **19.** für jn die ~ in den Dreck halten = für jn Gefahren auf sich nehmen. Bei Gefahr wirft sich der Soldat in den Schmutz, wenn er keine andere Deckung findet. Sold 1939 ff. **20.** die ~ hängen lassen = mißmutig blicken. 1910 ff. **21.** jm in die ~ hauen (schlagen) = jm ins Gesicht schlagen. 1700 ff. **22.** ich haue dir in die ~, daß du deine verdammte Seele auskotzt!: Drohrede. Sold 1939 ff. **23.** hau' dir selber in die ~, ich habe keine Zeit dazu!: Redewendung eines, der nicht die Muße hat (oder sich nehmen will), um den anderen zu züchtigen. Im ausgehenden 19. Jh in Berlin aufgekommen. **24.** für jn in die ~ = sich für jn einsetzen. Vergröberung von „für jn den ↗ Kopf hinhalten". 1914 ff. **24 a.** ich schlage dir die ~ kaputt!: Drohrede. 1930 ff. **25.** jm eins in die ~ knacken = jm ins Gesicht schlagen. Man schlägt so heftig zu, daß im Ohr ein Knacken zu hören ist. 1910 ff. **26.** auf die ~ knallen = mit dem Flugzeug abstürzen. ↗ Fresse 12 b. Fliegerspr. 1936 ff. **27.** eine (einen) in die ~ kriegen = einen Schlag ins Gesicht bekommen. 1850 ff. **28.** jm die ~ lackieren = jm ins Gesicht schlagen. Dem Betreffenden wird das Gesicht mittels Schlägen bunt gefärbt. 1920 ff. **29.** von anderer Leute ~ leben = Zahnarzt sein. Fresse = Gebiß. Seit dem frühen 20. Jh. **30.** jm die ~ marmorieren = jm kräftig ins Gesicht schlagen. Die Schläge lassen ein Muster entstehen wie im Marmor. 1900 ff. **31.** jm die ~ massieren = jn ohrfeigen. 1930 ff. **32.** jm die ~ polieren = a) jn rasieren. Man glättet die Gesichtshaut. 1914 ff. – b) jm ins Gesicht schlagen. 1930 ff. **33.** sich eine in die ~ rammen (rammeln) = eine Zigarre in den Mund stecken. Man treibt sie wie mit einem Rammbock tief in den Mund hinein. 1900 ff.

34. eine große ~ riskieren = großsprecherisch sein; sich aufspielen; jm frech entgegentreten. 1930 ff. **35.** ihm könnte ich stundenlang mit wachsender Begeisterung in die ~ schlagen: Redewendung angesichts eines feisten, widerlichen Gesichts. ↗ stundenlang. 1910 ff. **36.** eine zerknüllte ~ schneiden = a) traurig, niedergeschlagen dreinblicken. ↗ knüllen. 1910 ff. – b) wütend, ärgerlich blicken. 1910 ff. **37.** jm in die ~ spucken = jm eine handfeste Grobheit sagen. Durch Spucken bezeigt man einem die Verachtung. Jug 1955 ff. **38.** ich spucke dir in die ~, da schwimmst du drei Tage gegen den Strom!: Drohrede eines, der sich seiner Körperkraft rühmt. Schül 1930 ff. **38 a.** jm die ~ stopfen = jn mundtot machen. ↗ Maul 77. 1900 ff. **39.** jm die ~ vollhauen = jm heftig ins Gesicht schlagen. 1900 ff. **40.** die ~ vollkriegen = ins Gesicht geschlagen werden. 1900 ff. **41.** sich über etw die ~ zerreißen = einen Vorfall eingehend besprechen; sich über eine Sache aufhalten. Analog zu „sich das ↗ Maul zerreißen". 19. Jh. **42.** eine ~ ziehen = mißmutig, beleidigt, angewidert dreinschauen. 19. Jh. **43.** eine komplette ~ ziehen = niedergeschlagen, enttäuscht dreinblicken. 1900 ff. **44.** die ~ zuhalten = schweigen. 1700 ff. **45.** jm die ~ zuklappen = dem Schwätzer auf den Mund schlagen. 1930 ff. **46.** die ~ zumachen = sich still verhalten; verstummen. 1900 ff.

Fressen n **1.** Essen. Grober, aber nicht abfälliger Ausdruck. 18. Jh. **2.** schlechtes Essen. 19. Jh. **3.** leises ~ = Versager; energieloser Mensch. Anscheinend gilt nur der geräuschvoll Essende als kraftvoll, wohingegen der leise Esser als nicht vollwertig gilt. Sold 1939 ff. **4.** stures ~ = Mensch, der seinen Willen durchsetzt. ↗ stur. 1939 ff, sold. **5.** das ist ein gefundenes ~ für ihn = das kommt ihm gerade zupaß, zeitlich gelegen. „Fressen" meint hier die willkommene Sache, derer man zufällig habhaft wird, wie eine Mahlzeit, zu der man unvorhergesehen (aber hungrig) eingeladen wird. 1600 ff.

fressen v **1.** tr intr = essen; viel essen; gierig essen; ungesittet essen. Vom Futtern der Tiere auf den Menschen übertragen. 15. Jh. **2.** mehr zu ~ haben, als man verscheißen kann = sehr viel zu essen haben. 1939 ff. **2 a.** friß, bis du platzt!: Aufforderung, beim Essen tüchtig zuzulangen. 1920 ff. **3.** er frißt dich nicht = er ist ein zugänglicher, verträglicher Mensch. 1700 ff. **4.** friß mich nur nicht gleich!: Redewendung angesichts eines zornigen Menschen. 1700 ff. Vgl engl „don't eat me!". **5.** ich fresse dich roh!: Drohrede. 1920 ff. **6.** ich lasse mich ~, wenn . . .: Beteuerungsformel. 1920 ff. **7.** jn ~ = jn vernichten. Anspielung auf Kannibalismus. 19. Jh. **8.** jn ~ = jn im sportlichen Wettkampf besiegen. Sportl 1950 ff. **9.** jn ~ = jn im Fahren überholen. Gilt als eine Art Überwindung des Unterlegenen. 1930 ff.

10. jn/etw ~ = zum Unterhalt, zur Aufrechterhaltung benötigen (das Auto frißt Steuern, Versicherungsprämien, Benzin, Öl usw.). 1920 ff.

11. jn ~ = jn übertönen (das Orchester frißt die Stimmen; der Saal frißt die Töne). 1920 ff.

12. etw ~ = etw völlig in sich aufnehmen; sich etw geistig aneignen; etw gründlich kennen; etw verstehen. Man verleibt es sich ein wie eine Speise. 1600 ff.

13. etw ~ wollen = etw leidenschaftlich kennenlernen wollen; gierig nach etw verlangen. 1900 ff.

14. sich durch etw ~ = eine mühevolle Sache bis zum Ende durchstehen. Beruht wohl auf dem Märchen vom Schlaraffenland: dieses ist von allen Seiten von einem riesigen Breiberg umgeben, durch den man sich hindurchessen muß. 1900 ff. Vgl engl „to eat through something".

15. etw in sich ~ = gegen etw nicht aufbegehren; etw innerlich zu verwinden suchen. Man schluckt den Tadel, die Kränkung o. ä. herunter wie einen Bissen und bricht ihn nicht wieder aus. Geht zurück auf den Psalm 39, 3. 15. Jh ff.

16. jn gefressen haben ↗ gefressen haben.

17. zum ~ sein = eine sehr angenehme, willkommene Sache (oder Person) sein; appetitlich, liebreizend sein. 1700 ff.

18. jn zum ~ gernhaben (lieben) = jn sehr lieben. Daß man aus Liebe jn aufessen möchte, war schon im Mittelalter eine geläufige Vorstellung; heute meint „zum Fressen" eine mehr oder minder deutlich empfundene Verstärkung. 1800 ff.

19. zum ~ zu dämlich sein = überaus dumm sein. 1920 ff.

20. zum ~ schön sein = sehr schön sein. 1800 ff.

21. zum ~ süß = allerliebst. ↗ süß 1. 1900 ff.

Fresser m **1.** Esser; Vielesser; eßgieriger Mensch. 15. Jh. ff.

2. unversöhnlicher Gegner. Meist in Verbindung mit Nationalitäts-, Berufs-, Partei-, Glaubensbezeichnungen o. ä. Der Betreffende ist angriffslüstern wie ein hungriges Raubtier. Zusammenhängend mit „jn ↗ gefressen haben". 1800 ff.

Fresserei f **1.** Versorgung mit Lebensmitteln; die Nahrungsmittel. 1900 ff.

2. Gelage; maßloses, unmäßiges Essen. 1400 ff.

Freßferien pl bei guter Küche verbrachter Urlaub. 1920 ff.

Freß-Fete f festliche Veranstaltung in Verbindung mit einem feierlichen Essen. ↗ Fete. 1960 ff.

freßfröhlich adj eßlustig. Der Vokabel „↗ feuchtfröhlich" nachgebildet. 1955 ff.

Freßgeschäft n Feinkostgeschäft. 1920 ff.

Freßglocke f Gong, der anzeigt, daß aufgetischt wird (ist); Mittagsstunde. Eigentlich die Glocke, mit der man freilebende Tiere zur Fütterung ruft. 1600 ff, anfangs seemannsspr.

Freßkatalog m Speisezettel. BSD 1965 ff.

Freßkater m Unwohlsein nach übermäßigem Speisengenuß. ↗ Kater. Angeblich von befreiten Konzentrationslagerhäftlingen geprägt, deren hungergewohnte Mä-

---

gen die fettreichen Speisen nicht vertrugen. 1945 ff.

Freßkneipe f Speiselokal minderer Güte. ↗ Kneipe. 1900 ff.

Freßkober m Eßpaket; Speisekorb; tragbarer Behälter mit Lebensmitteln. Ostmitteld „Kober = Handtasche, Korb". 19. Jh.

Freßkorb m Frühstückskorb; Korb mit Eßwaren. Seit dem späten 19. Jh.

Freßlade f Mund, Kiefer. Umgebildet aus „Kinnlade". 19. Jh.

Freßladen m Lebensmittel-, Feinkostgeschäft. 1900 ff.

Freßlokal n **1.** Schlemmerlokal. 1920 ff.

2. Restaurant mit reichlichen Portionen zu geringem Preis. 1920 ff.

Freßmaschine f **1.** Mund; gefräßiger Mund. Spätestens seit 1830.

2. Zahnprothese. Medizinerspr. 1955 ff.

3. beleibter Mensch. 1965 ff, jug.

4. die ~ anstellen = in der Arbeitspause essen. 1955 ff.

Freßpaket n Paket mit Lebensmitteln; Marschverpflegung. 1914 ff.

Freßpause f Arbeitspause zwecks Nahrungsaufnahme. 1920 ff.

Freßplan m Speiseplan. BSD 1965 ff.

Freßpyramide f kaltes Büffet. Es ist pyramidenartig aufgebaut. 1960 ff, halbw.

Freßritze f Mund. Der „Stimmritze" nachgebildet. 1900 ff.

Freßsack m **1.** gefräßiger Mensch. ↗ Sack = Mensch. 1700 ff.

2. Brotbeutel. Eigentlich der Sack, in den man die Wegekost steckt. Bei der Kavallerie wird dem Pferd der mit Hafer und Häcksel gefüllte Freßsack umgehängt, wenn keine Futterkrippe vorhanden ist. Sold 1870 bis heute.

Freßschaff (-schapp) n Spind. „Schaff", auf „schaffen = schnitzen" beruhend, entwickelt die Bedeutung „Faß" und „Schrank". Nordd 19. Jh.

Freßschlauch m Speiseröhre, Darm. 1940 ff.

Freßschulden pl Schulden beim Lebensmittelhändler. 1950 ff.

Freßstelle f mit reichlicher Verpflegung verbundene Arbeitsstelle. 1950 ff.

Freßtag m **1.** Tag, an dem man außergewöhnlichen Appetit entwickelt. 19. Jh.

2. Festtag, an dem man üppiger lebt als sonst. 19. Jh.

Freßtaurant n Schlemmerlokal. Zusammengesetzt aus „fressen" und „Restaurant". 1954 ff.

Freßteil m n **1.** große Pause zwischen künstlerischen Darbietungen; Unterrichtspause. Sie wird meist mit einem Imbiß ausgefüllt. Theaterspr. seit dem ausgehenden 19. Jh.

2. Theaterrestaurant; Kantine, Eßraum. 1890 ff; sold 1914 ff.

Freßtour f Besuch guter Speiserestaurants. Der „↗ Sauftour" nachgebildet. 1950 ff.

Freßwerkzeug n **1.** Eßbesteck. Eine Art Handwerkszeug. Sold 1965 ff.

2. Gebiß. Aus dem Wortschatz der Zoologen übernommen im 19. Jh; ein beliebtes Soldatenwort.

Frettchen n **1.** Verbrecher, der vor keiner Bluttat zurückschreckt. Hergenommen von der (Albino-) Zuchtform des Iltis. 1900 ff.

2. rücksichtsloser, selbstsüchtiger Mensch. 1900 ff.

3. unkontrollierte Prostituierte. 1920 ff.

---

4. Diebin. 1920 ff.

fretten intr refl sich abmühen, plagen; sich mit wenig zu behelfen wissen; trotz Bemühung erfolglos bleiben. Die Grundbedeutung ist „reiben, wundreiben"; von da weiterentwickelt zu „plagen, schinden". Oberd 13. Jh.

Fretter m **1.** Mensch, der sich abmüht und trotzdem keinen sonderlichen Erfolg erzielt. Vgl das Vorhergehende. 1600 ff.

2. Hungerleider; armseliger Mensch. 1600 ff.

3. Geiziger. Oberd 19. Jh.

Freud f geh aus, mein Herz, und suche ~: Zuruf an den Kartenspieler, der mit dem Ausspielen zögert. Fußt auf dem Eingang des Kirchenliedes von Paul Gerhardt: „Geh aus, mein Herz, und suche Freud in dieser lieben Sommerzeit an deines Gottes Gaben." Kartenspielerspr. seit dem späten 19. Jh.

Freude f **1.** eine ~ für Götter = große Freude (auch iron). Nachgebildet dem „↗ Schauspiel für Götter". 1920 ff.

2. diebische ~ = boshafte Freude; Schadenfreude. ↗ diebisch 1. 1900 ff.

3. grüne ~ = Rauschgiftzigarette. Übernommen aus amerikan „green stuff". Nach 1960.

4. habt ~ an der Arbeit!: iron Äußerung der Schüler, wenn sie nach ihrer Meinung zuviel Schularbeiten zu machen haben. Die Wendung ist dem Film „Die Brücke am Kwai" (1957) entnommen, ist aber als solche erheblich älter. Schül 1959 ff.

5. du machst mir ~! = du enttäuschst mich sehr! Iron Redewendung, wahrscheinlich gegen 1945 unter Jugendlichen aufgekommen.

6. ~ tanken = sich Freuden verschaffen. ↗ tanken. 1955 ff.

Freudenfeuerzeug n Feuerzeug. Es funktioniert nur selten, aber dann ist's eine rechte Freude. Sein Versagen löst bei den Zuschauern Schadenfreude aus. Sold 1939 ff.

Freudenfrack m Schlafanzug. 1970 ff.

Freudenfrau f Prostituierte. 1960 ff.

Freudenfräulein n deutsche Geliebte eines (nordamerikanischen) Besatzungssoldaten. ↗ Fräulein 2. 1945 ff.

Freudengeld n Prostituiertenentgelt. 1960 ff.

Freudenhaus n **1.** vier Damen im Kartenspiel in einer Hand. Eigentlich das Bordell. Kartenspielerspr. 1950 ff.

2. Schullandheim. Absichtlicher Spaß. Schül 1955 ff.

3. Klassenzimmer. 1955 ff.

Freudenhausärmel m Puffärmel. Sprachlicher Spaß: Freudenhaus = Bordell = „↗ Puff". 1920 ff.

Freudenmädchen n Prostituierte. Übersetzt aus franz „fille de joie". Seit dem späten 18. Jh.

Freudenmännchen n Homosexueller. Dem Vorhergehenden nachgeahmt. 1920 ff.

Freudenrappel m Verzückung; übertriebener Freudenausbruch. ↗ Rappel. 1850 ff.

Freudistik f Frohsinn. Studentische Nachahmung von „Heuristik, Statistik" o. ä. Münster 1959 ff.

freuen v frei einen denn ja aber auch: blasierter Ausdruck der Mitfreude. Die Aneinanderreihung von „denn", „ja", „aber" und „auch" schwächt das Freuen dermaßen ab, daß schließlich kaum mehr als eine schwache Freudenempfindung übrigbleibt. Scherzhafte Gefühlsscheu. 1900 *ff*, wahrscheinlich unter Schülern oder Studenten aufgekommen.

Freund *m* **1.** unerlaubte Präparation; verbotene Übersetzung. Sie wird ohne Namensnennung „von einem Schulfreund" herausgegeben. 1910 *ff*.
2. Messer. 1920 *ff*.
3. Penis. 1950 *ff*.
4. Prügel. Ironie. 1950 *ff*.
5. armer irrsinniger ~ = Junge, der einen unsinnigen Vorschlag macht; Dümmling. 1920 *ff* in der Jugendbewegung aufgekommen.
6. fester ~ = junger Mann, dessen Partnerin nur mit ihm enger (intim) befreundet ist. 1930 *ff*.
7. kleine weiße ~e = Zigaretten. *Halbw* 1970 *ff*.
8. mein lieber (alter) ~ und Kupferstecher: gemütliche Anrede, zuweilen auch warnenden oder drohenden Charakters. Herkunft unbekannt. Vielleicht Anspielung auf homosexuelle Beziehungen. Seit dem späten 19. Jh.
9. schmieriger ~ = a) Denunziant. ↗ schmierig. 1900 *ff*. - b) Homosexueller. Seit dem frühen 20. Jh. - c) Erpresser, der sich des bisher gezeigten Vertrauens unwürdig erweist. 1900 *ff*.
10. seinem ~ die Hand geben = harnen (auf Männer bezogen). 1950 *ff*.
11. seinem ~ mal die Hand schütteln und sehen, was er zu sagen hat = harnen (auf Männer bezogen). 1950 *ff*.
12. dicke ~e sein = eng befreundet sein. „Dick" meint sowohl „dicht, eng" als auch „stark". 1700 *ff*.
13. kein ~ von Traurigkeit sein = lebensfroh sein. 1950 *ff*.
Freundchen *n* ~l: gemütliche Anrede drohenden Charakters. 19. Jh.
Freunderlwirtschaft *f* Günstlingswirtschaft. *Österr* 1900 *ff*.
Freundin *f* **1.** ~ gegen bar = Prostituierte. 1960 *ff*.
2. ~ für Geld = Prostituierte. 1960 *ff*.
3. feste ~ = Mädchen, das mit einem jungen Mann in enger (intimer) Freundschaft lebt. ↗ Feste. 1930 *ff*.
4. männliche ~ = Homosexueller. 1960 *ff*.
5. dicke ~nen sein = eng befreundet sein. ↗ Freund 12. 19. Jh.
6. keine ~ von Traurigkeit sein = als weibliche Person heiter und unbeschwert zu leben trachten (zu leben wissen). 1950 *ff*.
7. er wechselt seine ~nen wie die Hemden = er hält es bei (mit) keiner weiblichen Person lange aus. Anspielung auf den üblichen Hemdenwechsel zum Sonntag. 1900 *ff*.
Freundliches *n* Glas Bier. Gekürzt aus „freundliches Helles". 1950 *ff*.
Freundschaft *f* **1.** ~l: gemütliche Anrede drohenden oder warnenden Charakters. 19. Jh.
2. aufgewärmte ~ = wiederaufgelebte Freundschaft. Man wärmt sie auf wie eine erkaltete Speise. 1920 *ff*.
3. dicke ~ = enge Freundschaft. ↗ Freund 12. 1800 *ff*.
4. die ~ hat ein Loch = die Freundschaft

ist zerrissen (zerreißt). Sie ist schadhaft wie ein abgetragenes Kleidungsstück, wie ein lecker Deich o. ä. 1920 *ff*.
5. jm die ~ kündigen = jds Freund nicht länger sein wollen; scherzhafte Drohung von Freund zu Freund. Seit dem 19. Jh.
Freundschaftsringe *pl* umschattete Augen bei einem Liebespaar. Anspielung auf geschlechtliche „Freundschaft". 1920 *ff*.
frickeln *tr intr* sich mit kleinen Dingen eifrig beschäftigen; eine schwierige, kleinliche Sache bewerkstelligen. Fußt auf *niederd* „wrickeln, wriggeln = hin- und herbewegen". 19. Jh.
Friede *m* **1.** ~, Freude, Eierkuchen = es ist alles in Ordnung. Vielleicht ist ursprünglich gemeint, daß es aus Freude über das Kriegsende einen Eierkuchen gibt (gegeben hat). 1930 (?) *ff*.
2. dann ~ unserer Asche! = dann ist alles vergeben. „Friede seiner Asche" ist der Abschiedsgruß am Grabe. 1950 *ff*.
3. fauler ~ = Friedenszeit, die kein Vertrauen einflößt. Faul = verdorben wie angestoßenes Obst. 19. Jh.
3 a. um des lieben ~ns willen = der Verträglichkeit halber; um Streit zu vermeiden. 1900 *ff*.
4. der ~ ist ausgebrochen = man hat Frieden geschlossen. Der Wendung „der Krieg ist ausgebrochen" nachgeahmt mit dem Nebensinn, daß man den Frieden nur als Scheinfrieden empfindet, als Fortsetzung des Krieges, aber ohne Waffen, doch in ähnlich unversöhnlichem Geist. In beiden Weltkriegen lange vor dem Kriegsende gebräuchlich bis heute.
5. er ruhe in ~n! = nach dem Weglegen und dem Ausspielen darf der Skat nicht nochmals angesehen werden. Übernommen aus der kirchlichen Liturgie (Requiescat in pace). Kartenspielerspr. seit dem späten 19. Jh.
6. der ~ hat schlappgemacht = der Krieg ist ausgebrochen. ↗ schlappmachen. 1939 *ff*.
7. dem ~n nicht trauen = zu dem ansprechenden äußeren Schein kein Vertrauen haben; eine Sache für bedenklich halten; den Friedensbeteuerungen keinen Glauben schenken. Beruht auf dem von den mittelalterlichen Kaisern erlassenen „Land- und Gottesfrieden", durch den die Zwistigkeiten eingeschränkt werden sollten; die Maßnahme war jedoch unwirksam, weil keine Macht die Ausführung des Gebots überwachte. 18. Jh.
Friedensgewinnler *m* Schieber, Wucherer nach 1918; Nutznießer des Wirtschaftswunders nach 1948. Dem „Kriegsgewinnler" nachgebildet. 1919 *ff*.
Friedenspfeife *f* mit jm die ~ rauchen = a) sich mit jm wieder vertragen. Fußt auf einem Indianerbrauch: der Häuptling raucht eine Pfeife an und reicht sie dem Abgesandten des feindlichen Stammes zum Zeichen, daß während der Verhandlungen oder für immer Frieden herrschen soll. Gegen Ende des 19. Jhs durch englischen Einfluß aufgekommen und im 19. Jh durch James Fenimore Coopers Indianerromane geläufig geworden. - b) jn zum Rauchen auffordern. Scherzhaft gemeint. 1900 *ff*.
Friedensvorschläge *pl* ~ machen = a) sich ergeben; sich für besiegt erklären. Im Krieg von 1870/ 71 aufgekommen im

Zusammenhang mit den französischen Friedensvorschlägen. - b) die Gegner ans Spiel lassen müssen, nachdem man sich mit seinen hohen Karten verausgabt hat. Kartenspielerspr. seit dem späten 19. Jh.
Friedhof *m* **1.** eine Schnauze haben wie ein ~ = ein schlechtes, lückenhaftes Gebiß haben. Die Zahnreste nehmen sich wie verwitterte Grabsteine aus. 1930 *ff*.
2. fünf Minuten vor dem ~ stehen = dem Tode nahe sein. 1959 *ff*.
3. wenn die am ~ vorbeigeht, binden sich die Würmer schon die Servietten um: Redewendung auf eine sehr alte Frau. 1969 *ff*.
Friedhofsadresse *f* Anschrift eines gefälschten Lieferungsauftrags; gefälschter Name eines Informanten. Der Name wurde von Grabsteinen abgeschrieben. 1950 *ff*.
Friedhofsgemüse *n* alte Menschen. Ein herzloser Ausdruck unter Jugendlichen seit 1933 bis heute.
Friedhofskomiker *m* Schauspieler des komischen Fachs ohne Sinn für wirksame Anbringung von Pointen. Er bringt die Zuschauer ebensowenig zum Lachen wie die Toten in Gräbern. Theaterspr. 1920 (?) *ff*.
Friedhofsspargel *m* **1.** schlechte Zigarre; starke Zigarre. Sie ähnelt dem Spargelstengel und gilt als gesundheitsschädlich. Seit dem späten 19. Jh.
2. Zigarette. 1900 *ff*.
Friedrich der Große 1. als ~ mit dem Stemmeisen auf die Jagd ging = vor langer Zeit. Die Redensart ist sachlich unrichtig; denn Friedrich der Große verabscheute die Jagd. Zutreffender müßte es heißen: „als Karl der Große mit dem Stemmeisen auf die Jagd ging"; denn Karl der Große war noch mit siebzig Jahren ein leidenschaftlicher Jäger. 1910 *ff*.
2. als ~ noch Gefreiter war = vor langer Zeit. 1920/30 *ff*. Die Redewendung steht wohl im Zusammenhang mit den Fridrikus-Filmen der zwanziger und dreißiger Jahre.
3. als ~ noch klein war = vor langer Zeit. 1920 *ff*.
4. als ~ noch mit der Spielzeugschippe Sand schaufelte = vor sehr langer Zeit. 1925 *ff*.
5. *vgl* auch ↗ Fritz.
Friedrich Wilhelm *m* seinen ~ druntersetzen (druntermachen, schreiben) = Unterschrift leisten. Friedrich Wilhelm ist eine landläufige Vornamenverbindung, beruhend auf dem in Preußen häufigen Königsnamen. 1900 *ff*.
frieren *intr* **1.** komm mit, du frierst: scherzhafte Aufforderung an einen begehrten Gegenstand. Verhüllend für „stehlen". 1939 *ff*.
2. der Ofen friert = im Ofen ist kein Feuer. 1950 *ff*.
Friesennerz *m* gelbe Öljacke (Segeltuchjacke, Regenumhang). ↗ Ostfriesennerz. 1975 *ff*.
Frikadelle *f* da ist alles drin wie in einer ~ = die Angelegenheit läßt noch viel erwarten. Der Frikadelle wird nachgesagt, sie enthalte die wunderlichsten Bestandteile. 1962 *ff*.
Frikassee *n* aus dir mache ich ~l: Drohrede. Frikassee = geschnittenes Kalb-, Hühnerfleisch. 1900 *ff*, *schül*.

frikassieren *tr* jn verprügeln, übel zurichten. 18. Jh.

frimmeln *tr* 1. etw auseinanderwirken; ein Durcheinander von Fäden auflösen; geduldig Kleinarbeit verrichten; aus vielen Einzelstücken etw zusammennähen. Gehört zu *niederd* „wribbeln = drehen, reiben", vor allem „einen Faden zu einer Spitze drehen"; Zigarrenblätter drehen" u. ä. *Westd* 19. Jh.
2. reiben. *Westd* 19. Jh.

fringsen *intr* in der Not zur Selbsthilfe greifen, auch bei offenem Verstoß gegen behördliche Anordnungen. Leitet sich her von der Silvesterrede 1946 des Kölner Kardinals Frings, der beispielsweise das Ausrauben der Auslandszüge mit deutscher Kohle durch Familien ohne ausreichenden Hausbrand als einen Akt berechtigter Notwehr bezeichnete. Ist der Anlaß auch längst vergessen, so ist die Vokabel doch bis heute geläufig.

frisch *adj* 1. ~, fromm, fröhlich, frei *adv* = unbekümmert; mutig; bedenkenlos. Eigentlich der durch „Turnvater" Jahn volkstümlich gewordene Turnerwahlspruch. 1920 *ff*.
2. sechzehn Lenze ~ = sechzehn Jahre alt. Bei jungen Leuten, vor allem bei jungen Mädchen zählt man nach Lenzen (dichterspr. „Lenz = Frühling"), bei Erwachsenen nach Jahren. 1950 *ff*.

Frische *f* 1. in alter ~ = in gewohnter Kraft; nach alter Gewohnheit; ungebrochen trotz des Alters; jugendlich wie einst. 1920 *ff*.
2. in an die ~ setzen = jm kündigen. „Frische" meint hier die frische Luft. 1960 *ff*.

frischgebacken *adj* kürzlich ernannt; jungvermählt. Analog zu ↗ neugebacken. 19. Jh.

Frischling *m* 1. junger Mann ohne Lebenserfahrung; Anfänger; Neuling; Rekrut; junger Soldat ohne Kriegserfahrung: junger Offizier. Eigentlich das junge Wildschwein. 1800 *ff*.
2. Schüler der Unterstufe. *Schül* 1950 *ff*.
3. junges, noch unreifes Mädchen. Wien 19. Jh.
4. Mann, der soeben aus dem Urlaub heimgekehrt ist. Sprachlicher Spaß, vom „Sommerfrischler" hergeleitet 1962 *ff*.

Frischzellentherapie *f* Auffrischung eines alten Autos. Meint eigentlich eine ärztliche Behandlungsweise zur Regenerierung. 1958 *ff*, *jug*.

Friseur *m* 1. Heuchler; Soldat, der Krankheit, Arbeitseifer o. ä. vorspiegelt. ↗ frisieren 2. 1914 *ff*.
2. Mann, der die Motorleistung bei Zweirädern verbotenerweise steigert. 1965 *ff*.
3. du solltest mal zum ~ gehen!: Rat an einen, der törichte Gedanken äußert. Gemeint ist, daß der Kopf nicht in Ordnung ist. Der Friseur ist nämlich ein „Kopfarbeiter"; er kann den „Kopf" wieder in Ordnung bringen. 1920 *ff*, *jug*.
4. hast du keine zwei (vier) Mark mehr für den ~?: Frage an einen üblen Schwätzer. Gemeint ist, daß der Friseur notgedrungen zuhören müßte, will er sich den Kunden erhalten. *BSD* 1965 *ff*.

friseurblond *adj* künstlich blond. 1950 *ff*.

Friseuse *f* Koloratursängerin. Durch ihren endlosen, tremolierenden Gesang erzeugt sie „Dauerwellen". Theaterspr. 1920 *ff*.

frisieren *tr* 1. etw schön zurechtmachen, ins Gefällige abändern, verfälschen, betrügerisch herrichten; Wein durch Zucker fälschen; ein Kraftfahrzeug leistungsstärker machen. Der Friseur, der das Haar schön herrichtet, fälscht in volkstümlicher Meinung die Natur. Spätestens seit 1900.
2. heucheln, vortäuschen o. ä. 1914 *ff*.

Friß-Moll *n* unmusikalischer Gesang. Verändert aus „fis-Moll". 1920 *ff*.

Frisur *f* 1. geglückte Vorspiegelung. ↗ frisieren 2. 1914 *ff*.
2. äußere Aufmachung eines Autos. 1955 *ff*.
3. ~ aus dem Schrank = Perücke. 1960 *ff*.

Fritten *pl* 1. Pommes frites. 1960 *ff*.
2. ~ mit Matsch = Pommes frites mit Mayonnaise, Ketchup o. ä. 1970 *ff*.

Frittenbude *f* Verkaufsstand für Pommes frites. *Halbw* 1960 *ff*.

Fritz *m* 1. der Deutsche; deutscher Soldat. Leitet sich her von dem häufigen Vorkommen des männlichen Vornamens Fritz (= Kurzform von Friedrich) bei den brandenburgisch-preußischen Herrschern. Vor allem das Ausland, allen voran England, bezeichnete mit dem Spitznamen „Fritz" die deutschen Kaiser, besonders den Vater des letzten deutschen Kaisers, übrigens auch den letzten deutschen Kronprinzen. Die Bezeichnung für den Deutschen schlechthin taucht um 1870 auf.
2. flotter ~ = Durchfall. 1930 *ff*.
3. wie der kleine ~ das sieht (denkt, sich vorstellt) = in einfältiger Auffassung. Der kleine Fritz ist irgendein kleiner Junge. 1930 *ff*.
4. als der Alte ~ sich die Hosen mit der Beißzange anzog = vor langer Zeit. Vgl ↗ Friedrich der Große. 1920 *ff*.
5. als der Alte ~ noch ohne Otto Gebühr behelfen mußte = vor langer Zeit. Otto Gebühr war der Darsteller des „Alten Fritz" (= Friedrich der Große) in vielen Friderikus-Filmen der Ufa. 1930 *ff*.
6. als der Alte ~ noch Fahnenjunker war = vor langer Zeit. 1900 *ff*.
7. als der Alte ~ noch Gefreiter war = vor langer Zeit. Vgl ↗ Friedrich der Große 2. 1920 *ff*.
8. das ist für den Alten ~ = das taugt nichts, ist vertane Mühe. Soll sich auf die hohen Abgaben in den Kriegs- und Nachkriegsjahren beziehen. Die Redensart hing ursprünglich mit König Friedrich Wilhelm I. von Preußen (1713–1740) zusammen, der die für ihn arbeitenden Untertanen nicht oder kärglich entlohnte. Später auf Friedrich II. übertragen, vielleicht von den Sachsen, die sich seinen Feinden anschlossen. 1820/30 *ff*.
9. etw für den Alten ~ tun = etw vergeblich tun. *Vgl* das Vorhergehende. 1820/30 *ff*. *Vgl franz* „travailler pour le roi de Prusse".

Fritze *m* 1. Verkäufer, Händler, Geschäftsreisender, Handwerker o. ä. Fußt auf dem beliebten Vornamen, hier versehen mit dem in Berlin häufigen Endungs-e. Seit dem frühen 19. Jh.
2. neugieriger ~ = neugieriger Mann. 1820 *ff*.
3. technischer ~ = Techniker o. ä. 1950 *ff*.

fröhlich *adj* vollkommen ~ sein = völlig

verrückt sein. Wohl hergenommen von Karnevals- und Faschingsnarren. 1955 *ff*.

Frohsinn *m* 1. ~ von der Stange = Betriebsausflug; Fremdenveranstaltung; Sommerfrischen u. ä. ↗ Stange. 1950 *ff*.
2. schwarzer ~ = Schadenfreude. Dem „schwarzen Humor" nachgebildet. 1963 *ff*.
3. steriler ~ = gekünstelte Fröhlichkeit; Stimmungsmacher-Humor; Ansager-Humor o. ä. 1950 *ff*.

Frohsinnsfunktionär *m* Karnevalist. 1960 *ff*.

Frohsinnsmuffel *m* unfroher Mensch; Karnevalsgegner. ↗ Muffel. 1965 *ff*.

Frollein *n f* 1. Fräulein. Lässige Aussprache, sehr verbreitet. 1900 (?) *ff*.
2. Kellnerin. 1900 (?) *ff*.
3. Lehrerin. 1900 (?) *ff*.

Fromms (Frommser) *m* Präservativ. Benannt nach dem Markenartikel „Fromms Akt". 1930 *ff*.

Front *f* grüne ~ = a) Landwirtschaft; Gesamtheit der Landwirte. Hier aufgefaßt als eine abgeschlossene Gruppe in Abwehrstellung gegen Industrie, Großhandel usw. 1920 *ff*. – b) Gesamtheit der Jugend in Abwehr und Kampf gegen die Erwachsenen. Grün = lebensunerfahren. Nach 1945 aufgekommen.

Frontbewährung *f* vom Gericht festgesetzte Frist, innerhalb derer der angerichtete Schaden wiedergutgemacht werden muß, andernfalls der Antritt der Freiheitsstrafe fällig ist. Eigentlich die Verbüßung einer verwirkten Strafe durch Tapferkeit im Fronteinsatz. 1950 *ff*.

Frontknochen *m* alter, erfahrener Frontsoldat (mit mehrjähriger Zugehörigkeit zu einer Feldformation). ↗ Knochen. *Sold* in beiden Weltkriegen.

Frontkoller *m* eine Art Tobsuchtsanfall bei Frontsoldaten infolge lang anhaltender nervlicher Überbeanspruchung; geistige Verwirrung nach schweren Frontkämpfen. ↗ Koller. *Sold* in beiden Weltkriegen.

Frontschiß *m* Angst vor der Front, vor Versetzung an die Front. ↗ Schiß. *Sold* 1939 *ff*.

Frontschwein *n* Soldat der kämpfenden Truppe angehört oder ihr angehört hat. Anspielung auf den Schmutz, in dem der Soldat in der vordersten Linie liegt wie ein Schwein. Etwa seit 1870/71.

Frosch *m* 1. weibliche Person (Kosewort). Wahrscheinlich weil der Frosch keinen Schwanz hat („Schwanz = Penis"). 1950 *ff*.
2. Vagina. 1950 *ff*.
3. Motor-Handstampfmaschine, Preßlufthammer. Übertragen vom Knallfrosch des Feuerwerkers. 1930 *ff*.
4. Zelluloidhalter für die Krawatte. Formähnlich mit dem ausgebreiteten Frosch. 1920 *ff*.
5. Gymnasiast, Schüler der Unterstufe, Internatsneuling. Wohl wegen der grünen Mützen. Oder er gilt – in der Sicht des Studenten – noch als „grün" (= unerfahren). Seit dem frühen 19. Jh.
6. Justizbeamter. Wohl übernommen vom Namen des Gefängnisdieners in der Operette „Die Fledermaus" von Johann Strauß (uraufgeführt am 5. April 1874 in Wien). *Halbw* 1955 *ff*.
7. unkameradschaftlicher Mitschüler; Spielverderber; Halbwüchsiger, der sich

ausschließt. Versteht sich nach „sei kein ↗Frosch!". 1950 ff, jug.

8. Zigarette. Vielleicht wegen grüner Verpackung. 1930 ff.

9. kleines Kind. Es hockt am Boden und hüpft. 1900 ff.

10. kleiner Junge (Kosewort). 1900 ff.

11. kleinwüchsiger Mensch. 1900 ff.

12. Oper „Frau ohne Schatten" von Richard Strauß. Zusammengesetzt aus den Anfangsbuchstaben des Operntitels. Theaterspr. 1920 ff.

13. mißglückter Ton beim Blasen eines Blechinstruments. Er läßt an das Quaken des Frosches denken. Seit dem späten 19. Jh.

14. pl = Bundesgrenzschutz. Wegen der grünen Uniform. BSD 1965 ff.

15. pl = Meteorologen. Verkürzt aus ↗Wetterfrosch. 1950 ff.

16. vier Frösche = vier Monate Gefängnis. Geht zurück auf jidd „parscho, parascha = Abschnitt". Rotw seit dem frühen 20. Jh.

17. kalt wie ein ∼ = gefühllos, geschlechtlich abweisend. Spielt an auf den Kaltblüter oder auf das Laichen. Spätestens seit 1900.

18. sich aufblasen wie ein ∼ = sich aufspielen; dünkelhaft sein. Geht zurück auf die Fabel des Phädrus (30 n. Chr.): Der Frosch beneidet den Ochsen um seine schöne Gestalt und fängt an, sich aufzublasen, um ihm zu gleichen; dabei platzt er. 1500 ff.

19. aufgeblasen wie ein ∼ = sehr eingebildet, hochmütig. Vgl das Vorhergehende. 1500 ff.

20. einen ∼ im Hals haben = heiser sein; mit heiserer Stimme singen; kein Wort hervorbringen. Stammt aus der Medizinersprache: die krankhafte Anschwellung im Mund unter der Zunge wird von den Medizinern „Ranula" (= Fröschchen) genannt. 19. Jh, theaterspr. Vgl angloamerikan „to have a frog in the throat".

21. Frösche im Bauch haben = an Blähungen leiden. Das Knurren in den Därmen erinnert an das Quaken der Frösche. 1900 ff.

22. wer sagt denn, daß der ∼ keine Haare hat?! = ich habe es von vornherein gesagt! ich habe trotzdem Recht behalten. Der Haarfrosch hat an den Hinterschenkeln haarähnliche Fransen. 1920 ff.

23. du kriegst Frösche in den Bauch: sagt man zu einem, der viel Wasser trinkt. ↗Frosch 21. 1900 ff.

24. ich glaube, mein ∼ kriegt Haare: Redewendung, wenn einer etwas Unglaubwürdiges behauptet. Gemeint ist, daß, wenn die Behauptung zutrifft, auch der Frosch Haare bekommt; da letzteres unmöglich ist, ist auch die Behauptung falsch. BSD 1965 ff.

25. liegen wie ein geprellter ∼ = fast ohnmächtig am Boden liegen; völlig ermattet sein. Hergenommen von grausamem Spiel mit gefangenen Fröschen. 1600 ff, vorwiegend bayr.

26. sei kein ∼! = sei mutig! ermanne dich! sei nicht so töricht (dies zu unterlassen)! Der Frosch gilt als wehrlos und feige (Kaltblüter gelten als temperamentlos); er hüpft ängstlich davon. 1850 ff.

27. sei kein ∼, hüpf' nicht davon! = lauf' nicht weg! ermanne dich! 1900 ff.

28. sei kein ∼ und quake nicht! = hör endlich auf mit deinem Jammern. 1850 ff.

29. der spannende Moment, wo der ∼ ins Wasser springt = wichtiger Augenblick. Iron entstellt aus „der spannende Moment, wo der ↗Affe ins Wasser springt". 1920 ff.

30. der Moment, wo der ∼ ins Wasser springt (und sich der Mensch vom Affen unterscheidet) = entscheidender, mit Spannung erwarteter Augenblick. 1920 ff.

31. der Moment, wo der ∼ ins Wasser springt und dabei sein Leben riskiert (und es doch nicht verliert) = der wichtige Augenblick. 1920 ff.

32. strampeln wie der ∼ in der Butter = sich abmühen. Hängt zusammen mit der Fabel von den beiden Fröschen, die in einen Milcheimer gefallen sind: der eine ergibt sich tatenlos in sein Schicksal, während der andere strampelt und strampelt, bis er schließlich auf einem Klumpen Butter sitzt. Schül 1960 ff.

Froschaugen pl **1.** hervorstehende Augen. 19. Jh.

2. dicke Graupen. 1900 ff.

3. Sago. 1900 ff.

Froschpfote f feuchtkalte Hand. Frösche fühlen sich feucht und kalt an. ↗Pfote. 1900 ff.

Froschverbindung f Schülerverbindung. ↗Frosch 5. 19. Jh.

Frost m **1.** Unbehagen. Bei Angstzuständen stellt sich leicht Frösteln ein. Rotw 1862 ff.

2. ∼ am Balken = Eis am Stiel. Hieraus umgemodelt zu einer Analogie. Nach 1945 aufgekommen.

3. ∼ im Magen = Hunger. Bei heftigem Hunger tritt ein Kältegefühl ein. Rotw 1862 ff.

4. vom letzten ∼ etwas abgekriegt haben (etwas weghaben) = geistesbeschränkt sein. Dem Pflanzenleben entlehnt. 1900 ff.

5. ∼ haben = Bedenken haben. ↗Frost 1. 19. Jh.

6. ∼ im Kopf haben = begriffsstutzig sein; nicht klar denken können. Das Gehirn ist an- oder eingefroren. Vgl ↗Frost 4. Spätestens seit 1900.

7. ∼ kriegen = Bedenken bekommen. ↗Frost 1. 19. Jh.

8. die Sache hat ∼ gekriegt = die Sache funktioniert nicht. 1900 ff.

9. mich packt der ∼ = ich habe Angst. ↗Frost 1. Schül 1950 ff.

10. einen ∼ schreiben = eine schlechte Klassenarbeit schreiben. In Vorahnung der schlechten Zensur überläuft es den Schüler kalt. 1950 ff.

Frostbeule f **1.** leichte Verwundung; Streifschuß. Es ist ein Schaden an der Hautoberfläche. Sold 1939 ff.

2. blau wie eine ∼ = volltrunken. 1945 ff.

3. Sie haben wohl ∼n auf der Pupille?: Frage, wenn man umgerannt, getreten oder angefahren wurde. 1900 ff.

frostfrei adj nackt. Hergenommen von frostfreien Verkehrswegen. 1960 ff.

frostig adj geschlechtlich abweisend; unnahbar. Fußt auf dem Begriff „Gefühlskälte". 1870 ff.

Frostkopf m Mensch mit sonderbaren Einfällen; Geistesgestörter. ↗Frost 6. 1910 ff.

Frostkötel m Mensch, der leicht friert. ↗Kötel 2. 1700 ff.

Frostpeter m fröstelnde männliche Person. 1900 ff.

Frostschutzmittel n hochprozentiges alkoholisches Getränk. Eigentlich ein Präparat, das bei kalter Witterung dem Kühlwasser des Motors zugesetzt wird, um Gefrieren zu verhindern. 1960 ff.

frotzeln (frozzeln) tr intr jn necken, veralbern; anzügliche Bemerkungen machen. Kann auf „Fratzen = Possen" beruhen oder auf „frotten, frottieren = sich an jm reiben; jn verspotten" zurückgehen; auch ist Einfluß von ital „frottola = Scherzlied; Flause; dummes Zeug" möglich. Bayr und österr 19. Jh.

Frucht f **1.** pl = Leistungsnoten. Es sind die Früchte des (Un-)Fleißes. Beeinflußt von der sprichwörtlichen Wendung „an ihren Früchten sollt ihr sie erkennen". Schül 1950 ff.

2. Früchte des Meeres = Fische. Ironisch-poetisierend aufgefaßt. 1950 ff. Vgl ital „frutti di mare".

3. ∼ mit Reißverschluß = Banane. Man öffnet die Schale wie einen Reißverschluß. 1950 ff.

fruchtbar adj seid ∼ und mehret euch!: Zuruf des Spielers nach dem ersten Stich an die vor ihm liegenden Karten. Geht zurück auf das Wort Gottes an die ersten Menschen laut 1. Moses 1, 28. Kartenspielerspr. seit dem späten 19. Jh.

Früchtchen (Früchtlein, Frichtl, Früchterl) n **1.** ungeratenes Kind; leichtfertiger junger Mensch. „Frucht" im Sinne von „Leibesfrucht" meint dasselbe wie „Ausgeburt". 1500 ff.

2. feines ∼ = Gauner; Übeltäter u. ä. Ironie. 19. Jh.

3. loses ∼ = junger Mann mit unsittlicher Lebensweise. ↗los. 1900 ff.

Früchtling m Heimatvertriebener, der sich mißliebig macht. Von „↗Früchtchen" beeinflußtes Wort „Flüchtling". 1950 ff.

Frühaufsteher m **1.** Frühgeburt. 1900 ff.

2. Mensch, der Dinge lange vor ihrer Fälligkeit regelt. 1950 ff.

Frühbirne f vorehelich Geschwängerte; vor der Eheschließung gezeugtes, aber später legitimiertes Kind. Eigentlich die im Juni reifende Birne. 19. Jh.

früher adv das war doch ∼ nicht!: Ausruf der Überraschung, des Erstaunens. Eigentlich Ausdruck der Verwunderung über Neuerungen. Seit dem späten 19. Jh.

Frühgeburt f **1.** Niederkunft kurz nach der Hochzeit. 1900 ff.

2. voreheliches Kind. 1900 ff.

Frühgeliebte f schwangere Braut. 1963 ff.

Frühheimkehrer m Mensch, der in den Morgenstunden angetrunken nach Hause kommt. Meint eigentlich den Kriegsgefangenen, der nach Kriegsende aus der Gefangenschaft entlassen wurde. Anders – auch auf den Zecher bezogen – steht es um den „↗Spätheimkehrer". Nach 1950 aufgekommen.

Frühling m **1.** zweiter ∼ = erneut auftretender Trieb zum anderen Geschlecht in vorgerückten Jahren. 1900 ff.

2. dritter ∼ = starke Geschlechtslust eines 70- bis 80jährigen oder noch älteren Mannes. 1900 ff.

Frühlingsabend m es ist wie ein ∼ mit Emma = es ist überaus erfreulich. 1964 ff.

Frühlingsgedicht n entzückender Frühjahrshut der Frauen. ↗Gedicht. 1900 ff.

Frühlingsgefühle pl erotische Gefühle. 19. Jh.

Frühlingsgesicht n Gesicht voller kleiner Eiterbläschen. Es sprießt überall wie im Frühling. 1900 ff.

Frühlingshühnchen n reizendes junges Mädchen. 1960 ff.

Frühlingsrauschen n zweites ~ = Geschlechtsgier bei Männern im vorgerückten Alter. Aus Wedekinds „Frühlingserwachen" entsprechend erweitert unter Einfluß des virtuosen Klavierstücks „Frühlingsrauschen" von Christian Sinding. 1910 ff.

Frühobst n Mädchen, das schon im Jungmädchenalter Geschlechtsverkehr pflegt. Es ist eine frühreife Frucht. 1920 ff.

Frührente f Studienförderung. Eigentlich die Rente für frühzeitig arbeitsunfähige Arbeitnehmer. Österr 1960 ff, stud.

Frühschöppler m Freund des sonntäglichen Frühschoppens. 1950 ff.

Frühstarter m **1.** rasch handelnder Mensch. 1960 ff.
2. Mann, der die nächsthöhere Rangstufe zu früh anstrebt. 1965 ff.

Frühstück n **1.** Blick ins tiefe Dekolleté. Es ist eine Nascherei und keine volle Mahlzeit. 1900 ff.
2. ihm fällt das ~ aus dem Gesicht = er erbricht sich. Vgl ↗Essen 5. 1930 ff.
3. es ist mir ein geistiges ~ = es freut mich sehr. 1940 ff, schül.
4. jn (etw) zum ~ verspeisen (fressen) = jn (etw) ohne sonderliche Anstrengung erledigen. 1920 ff.

frühstücken v **1.** so etwas habe ich noch nicht gefrühstückt = derlei hat man mir noch nie zugemutet. Vgl ↗essen 1. 1930 ff.
2. jm beim Lesen in die Zeitung blicken; jm in die Karten sehen; vom Mitschüler abschreiben. Man nascht, aber ißt sich nicht satt. 1900 ff.
3. einer weiblichen Person ins Dekolleté blicken. ↗Frühstück 1. 1900 ff.
4. eine weibliche Person mit den Augen ~ = eine weibliche Person lüstern anblicken. 1900 ff.
5. ihn möchte (könnte) ich kalt ~!: Drohrede. 1930 ff.
6. nach oben ~ = sich erbrechen. 1920 (?) ff.

Frühstücksdirektor m Repräsentationsperson ohne Weisungsbefugnis. Er (sie) sorgt lediglich für das leibliche Wohl der Firmengäste. 1930 ff.

Frühstückskaffee m mir kommt der ~ hoch = es widert mich an. 1920 ff.

Frühstücksmeister m **1.** ausgiebig frühstückender Handwerker. 1920 ff.
2. Handwerker, der seine Geldforderungen bei Gastwirten durch Trinken eintreibt. 1920 ff.

Frühstücksmuffel m Mensch, der auf ein reichhaltiges oder abwechslungsreiches Frühstück keinen Wert legt. ↗Muffel. In den späten sechziger Jahren des 20. Jhs aufgekommen.

Frühstücksnachrichten pl Morgenzeitung. Seit dem frühen 20. Jh.

Frühstücksorden m gelegentlich eines Fürstenbesuches o. ä.) verliehener Orden. Der Dekorierte hatte meist nur an vielen Galadiners teilgenommen. Seit dem späten 19. Jh. Aus der Zeit der Monarchie bis heute geläufig geblieben.

Frühstückszeitung f anspruchslose Zeitung. 1900 ff.

Frühübung f sozialistische ~ = Voneinander-Abschreiben in der Schule. 1970 ff, schül.

Frühzünder m **1.** Mensch, der in sehr jungen Jahren liebt; Schüler, der ein Liebesverhältnis unterhält. Hergenommen vom Verbrennungsmotor: er zündet beim ersten Druck auf den Anlasser. 1930 ff.
2. junger Soldat (Rekrut), der Vater geworden ist. Sold 1930 ff.
3. rasch Begreifender; frühzeitig Berufsreifer. 1920/30 ff.

Frühzündung f **1.** rasches Auffassungsvermögen. Versteht sich wie „↗Frühzünder 1". 1920/30 ff.
2. frühes Erwachen (und Betätigen) des Geschlechtstriebs. 1930 ff.

Fuchs m **1.** unerlaubte Übersetzung für faule Schüler. Leitet sich her entweder von dem listigen Fuchs der Tiersage oder in Verkürzung aus der namenlosen Veröffentlichungsart „von einem Schulfuchs". 1900 ff.
2. selbstgefertigtes Täuschungsmittel. 1900 ff.
3. angehender Student; Verbindungsstudent in den ersten Semestern. Ist entweder Analogie zu „Esel", „Kamel" und „Mulus", wie sie in der burschikosen Zoologie häufig vorkommen, oder hängt zusammen mit „fuchsen = plagen". Wohl von Wittenberg im 16. Jh ausgegangen.
4. Halbwüchsiger. Er überträgt die Tollwut. Hier aufgefaßt als Aufsässigkeit gegen das Bestehende. BSD 1965 ff.
5. Rothaariger. 1700 ff.
6. Goldstück. Leitet sich her von der Fuchsfarbe des Goldes. Rotw 1620 ff.
7. pl = Geldmünzen. 19. Jh.
8. Altgedienter; erfahrener Soldat. Wie der Fuchs in der Tiersage ist er listig und schlau. 1935 ff.
9. alter ~ = vielerfahrener, listiger Mensch; alterfahrener Fachmann. 1600 ff.
10. geprellter ~ = überlisteter Schlauer. Füchse wurden grausam geprellt, indem man sie auf einem straffen Netz so lange in die Höhe warf, bis sie verendeten. 19. Jh.
11. krasser ~ = Verbindungsstudent im ersten Semester. Entweder wird er „kraß" (= rücksichtslos) behandelt, oder die Farbe seiner Studentenmütze ist noch grell, d. h. nicht verwaschen. 1700 ff.
12. krummer ~ = junger Verbindungsstudent. „Krumm" spielt auf schlechte Körperhaltung an. 19. Jh.
13. schlauer ~ = schlauer Mensch. Der Tiersage entlehnt. 1500 ff.
14. bei den Füchsen = in entlegener Gegend. ↗Fuchs 20. 1970 ff.
15. einen ~ fangen = mit einem schlecht gespielten Billardball zufällig die beiden anderen treffen. 19. Jh.
16. die Füchse kochen (kochen Kaffee, Suppe o. ä.) = aus dem Wald steigt Nebel auf. 1920 ff.
17. da kommt der ~ aus dem Loch (zum Loch raus) = da offenbart sich die wahre Absicht. 1700 ff.
18. einen ~ machen = ein wenig aussichtsreiches militärisches Unternehmen glücklich bewerkstelligen. Versteht sich nach ↗Fuchs 15. Sold 1939 ff.
19. das hat der ~ gemessen (und seinen Schwanz dazugegeben) = das ist reichlich gemessen. Vom listigen Fuchs auf einen listigen Menschen übertragen, der, beim Messen einer Strecke falsche Maße angibt, um sich zu bereichern. 18. Jh.
20. wo sich die Füchse gute Nacht sagen (wo sich ~ und Hase gute Nacht sagen) = in entlegener Gegend; irgendwo in der Ferne. Meint eigentlich eine Gegend, in der nur Tiere und keine Menschen leben. 1600 ff.
21. wie ein nasser ~ stinken = sehr üblen Geruch verbreiten. Füchse verströmen einen strengen Geruch, und das um so mehr, wenn der Pelz naß ist. 1900 ff.
22. triefen wie ein nasser ~ = durchnäßt sein. 1960 ff.
23. da wird der ~ in der Pfanne verrückt!: Ausdruck starker Verwunderung. Variante zur Redensart „da wird der ↗Hund in der Pfanne verrückt". 1950 ff.

fuchs adj gewitzt, schlau, listig. BSD 1965 ff, bayr.

fuchsen (fuchsern) adj golden, goldfarben. ↗Fuchs 6. 18. Jh ff.

fuchsen v **1.** tr = etw unbemerkt stehlen. 19. Jh.
2. tr = jn ärgern, erbosen, streng behandeln. Fußt auf „fucken = unruhig hin- und herfahren"; nachträglich an den Fuchs angelehnt, weil man oft übel mitgespielt wird. 1800 ff.
3. koitieren. Iterativum zu „fucken"; dies eine Nebenform von „↗ficken". 1800 ff.
4. sich fuchsen = sich ärgern (auch: es fuchst mich = es ärgert mich). ↗fuchsen 2. 1800 ff.
5. mit etw ~ = geizig, sparsam sein. Der Geizige quält die Geldstücke oder windet sich, wenn man von ihm Geld verlangt. 19. Jh.

fuchsig adj **1.** verärgert, erbost. ↗fuchsen 2. 19. Jh.
2. geizig. ↗fuchsen 5. 19. Jh.
3. rothaarig. 1700 ff.
4. gewitzt, verschlagen, listig. Wie der Fuchs in der Fabel. 1900 ff.
5. golden, vergoldet. ↗Fuchs 6. Seit dem frühen 19. Jh.

Fuchsmajor m Ausbilder der jungen Verbindungsstudenten. ↗Fuchs 3. 19. Jh.

Fuchsschwanz m **1.** Schmeichler, Schmeichelei. ↗fuchsschwänzeln. 1600 ff.
2. mit dem ~ nehmen = ungenau messen. Gehört zu ↗Fuchs 19. 1970 ff.

fuchsschwänzeln (fuchsschwänzen) intr listig schmeicheln; in eigennütziger Absicht schmeichelnd und jn einreden. Schwänzeln = schweifwedeln (nach Hundeart). 1600 ff.

'fuchs'teufels'wild adj sehr zornig; sehr empört. Die Unbeherrschtheit des geprellten Teufels ist ein bekanntes Märchenmotiv. „Fuchs" ergibt sich als bloße Verstärkung aus dem Begriff „einen Fuchs prellen" (vgl ↗Fuchs 10). 18. Jh.

'fuchs'wild adj zornig, erregt. Vorform des Vorhergehenden; seit dem 19. Jh.

Fuchtel f **1.** Prostituierte. Führt über „fechten" zurück auf „↗fegen 3". 19. Jh.
2. mannstolle weibliche Person; Herumtreiberin. 19. Jh.
3. alte, böse Frau. ↗Fege 2. 19. Jh, vorwiegend oberd.

4. jn unter die ~ bringen = dafür sorgen, daß jd in strenge Zucht kommt. „Fuchtel" ist der Fechtdegen, dann auch der Strafdegen und daher das Sinnbild straffer Zucht. 1700 ff.

5. jn unter der ~ haben (halten) = jn in strenger Zucht haben. 1700 ff.

6. jm unter die ~ kommen = in jds Zucht kommen. 1700 ff.

7. jn unter die ~ nehmen = jn mit der Rute züchtigen; jn streng behandeln. 19. Jh.

8. unter jds ~ sein (stehen) = in jds Gewalt sein; von jm streng behandelt werden. 1700 ff.

9. jn unter die ~ stellen = eine Person jds Gewalt unterstellen. 1700 ff.

fuchteln *intr* mit den Händen (Armen, dem Stock) in der Luft hin- und herfahren. Meint eigentlich die Bewegung des Fechtdegens. 18. Jh.

fuchtig *adj* zornig, erregt. Vor Zorn gestikuliert man mit den Händen in der Luft. Wohl auch von „fauchen" beeinflußt. 1800 ff.

Fudel (Fuddel) *m* **1.** schmutziger Lappen. *Vgl* ↗fudeln 1. *Niederd* 1700 ff.

2. unsauberer Mensch. *Niederd* 19. Jh.

3. Betrug. ↗fudeln 2. Vorwiegend *westd*, 19. Jh.

fudelig (fuddelig) *adj* **1.** schmutzig. *Vgl* ↗fudeln 1. *Niederd* 1700 ff.

2. unordentlich, flüchtig arbeitend. ↗fudeln 1. Seit dem 19. Jh.

3. betrügerisch. ↗fudeln 2. *Westd.* Seit dem 19. Jh.

fudeln (fuddeln) *intr* **1.** flüchtig, unordentlich arbeiten. Ein *niederd* Wort; Herkunft unsicher. 1700 ff.

2. betrügen; falschspielen; in der Schule täuschen. Vom nachlässigen Arbeiten zum Täuschen ist es nur ein kurzer Weg. Spätestens seit 1800.

3. die Empfängnis verhüten. Seit dem 19. Jh.

fuffzehn *num* ↗fünfzehn.

Fuffziger *m* falscher ~ = a) gefälschter 50-Mark-Schein. Berliner Mundart, verwandt mit *niederd* „fofftig" (*engl* fifty). Steht im Zusammenhang mit einer um die Mitte des vorigen Jahrhunderts tätigen Bande, die preußische 50-Taler-Scheine fälschte und außerhalb von Preußen in großer Menge in den Verkehr brachte. 1840/50 ff. – b) unaufrichtiger Mensch; unzuverlässiger Mensch; Heuchler. Der Ausdruck wird auch scherzhaft gebraucht. 1850 ff.

fuggern *intr* Tauschgeschäfte machen; heimlich Handel treiben; feilschen. Benannt nach der Augsburger Kaufmannsfamilie Fugger. 1700 ff, vorwiegend *oberd*.

fühlen *refl* eitel sich überschätzen; sich überlegen dünken. Bezieht sich eigentlich auf die Wahrnehmung des gesundheitlichen Zustands („wie fühlst du dich heute?") und überhaupt des körperlichen Leistungsvermögens; von da erweitert zu übersteigerter Selbsteinschätzung. 18. Jh.

Führerschein *m* **1.** nasser ~ = Führerschein für Motorwassersportler. 1955 ff.

2. er hat seinen ~ in der Baumschule gemacht (im Lotto gewonnen; von Neckermann bekommen) = er ist ein schlechter Autofahrer. 1975 ff, *jug*.

Führerscheinbaby *n* Kraftfahrer, der den

Führerschein erst kurze Zeit besitzt. 1960 ff.

Führerwetter *n* prächtiges Wetter. Dem „↗Kaiserwetter" nachgebildet. 1933 ff.

Fuhrmann *m* **1.** doppelter Schnaps. Fuhrleute waren dereinst wackere Zecher. 1900 ff.

2. ~ ohne Eier (ohne Schwanz) = Frau auf dem Kutschbock. Eier = Hoden; Schwanz = Penis. 1900 ff.

3. alter ~ = alterfahrener Fachmann. Gehört zu der sprichwörtlichen Redensart: „einem alten Fuhrmann soll man nicht das Fahren beibringen". 1900 ff.

Fuhrmannsschnaps *m* billiger, hochprozentiger Schnaps. *Vgl* ↗Fuhrmann 1. 1900 ff.

Führring *f* Versammlungs-, Vorführraum der Bordellprostituierten. Eigentlich der Sattelplatz der Pferde vor Beginn des Rennens. 1930 ff.

fuhrwerken *intr* an etw hastig und ungestüm tätig sein; an etw zerren; etw wild handhaben. Hergenommen von der groben Lenkung eines Fuhrwerks. 19. Jh.

Fuhrwerker *m* alter ~ = alterfahrener Fachmann. ↗Fuhrmann 3. 1900 ff.

Fülle *f* brechende ~ = sehr große Besucherzahl. ↗brechen 4 b. 1900 ff.

Fullhand (*engl* ausgesprochen) *f* schlechteste Leistungsnote. Erklärt sich wie „↗full house". *Schül* 1960 ff.

full house (*engl* ausgesprochen) *n* **1.** Volltreffer. Übernommen aus der Pokersprache, wo es den Sinn von „besonders gutes Blatt" hat. *BSD* 1965 ff.

2. schlechteste Leistungsnote. Ironie. *Schül* 1965 ff.

full power (*engl* ausgesprochen) Volltreffer. Technischer Fachausdruck aus dem Englischen im Sinne von „volle Maschinen-/Turbinenkraft"; soviel wie „volle Leistungsfähigkeit". *BSD* 1960 ff.

Fummel I *m* **1.** altes, abgetragenes, unelegantes Kleid; leichtes Kleid aus dünnem Stoff; Kleidung (*abf*). *Vgl* ↗fummeln 1. 19. Jh.

2. intimes Betasten. *Halbw* 1955 ff.

3. Zigarette. *Schül* 1965 ff.

4. Radiergummi. Verkürzt aus „↗Ratzefummel". *Schül* 1950 ff.

5. guter ~ = gesellschaftsfähiges Kleid. ↗Fummel I **1.** 1970 ff.

6. heißer ~ = gewagtes Kleid. ↗heiß 1. 1965 ff.

Fummel II *f* **1.** Vagina, Vulva. ↗fummeln 2. 18. Jh.

2. weibliche Person (*abf*); nachlässige weibliche Person. 18. Jh.

Fummelarbeit *f* mühselige Kleinarbeit. ↗fummeln 1. 1900 ff.

Fummelbruder *m* dribbelnder Fußballspieler. ↗fummeln 4. 1950 ff.

Fummelchen *n* weibliche Person (Kosewort). Aufwertende Verniedlichung von „↗Fummel II 2". 1900 ff.

Fummelei *f* **1.** nachlässige Näharbeit. *Vgl* ↗Fummel I 1; ↗fummeln 3. 19. Jh.

2. langwierige, mühselige Kleinarbeit; mühselige Suche. ↗fummeln 1. 1900 ff.

3. Dribbeln. ↗fummeln 4. *Sportl* 1950 ff.

4. intimes Betasten. ↗fummeln 1 u. 2. 19. Jh.

5. Liebelei. *Halbw* 1950 ff.

fummelig *adj* **1.** unordentlich. ↗fummeln 1. 19. Jh.

2. nervös-hastig. 19. Jh.

---

3. homosexuell. 1920 ff.

Fummelkram *m* billiges Kleidchen. ↗Fummel I. 1920 ff.

fummeln *intr* **1.** mit den Händen an oder in etw hin- und herfahren; hantieren, tasten, betasten. Geht zurück auf „Fummel = Lederfeile" und meint „mit der Lederfeile reiben"; von da verkürzt zu „reiben" und im Sinn von „hin- und herbewegen". verallgemeinert. 18. Jh.

2. koitieren. 18. Jh.

3. unsorgfältig nähen, arbeiten. 19. Jh.

4. dribbeln. Aus der Bedeutung „sich unruhig hin- und herbewegen" weiterentwickelt zu „mit kurzen Stößen spielen", auch zu „unsicher spielen". *Sportl* 1950 ff.

5. *intr tr* = waschen. Weil man die Wäsche auf dem Waschbrett rieb. 19. Jh.

6. *tr* = putzen, reiben, polieren. 19. Jh.

7. *tr* = exerzieren. Analog zu ↗schleifen. *BSD* 1965 ff.

Fummeln *n* Petting. ↗fummeln 1. *Halbw* 1955 ff.

Fummelschuppen *m* Lokal mit Mädchenbetrieb. ↗Schuppen. 1965 ff.

Fummelstübchen *n* Chambre séparée. Bardamsprache. 1965 ff.

Fummelszene *f* Liebeszene. 1960 ff.

Fummler *m* **1.** Finger (beim intimen Betasten). ↗fummeln 1. 1930 ff.

2. intim Betastender. 1930 ff.

3. Frauenarzt. ↗Fummel II. 1930 ff.

4. Dribbler. ↗fummeln 4. *Sportl* 1950 ff.

5. Schimpfwort. 1930 ff.

Fundgrube *f* Nase. Anspielung auf das Fündigwerden beim Bohren in der Nase. 1900 ff.

fünf (*Fünfe*) *num* **1.** ~ in zehn dividieren = jm mit der Faust ins Gesicht schlagen. „Fünf" = fünf Finger; „Zehn = Zähne". 19. Jh.

2. ihm sind die ~ durchgegangen = a) er ist nicht recht bei Verstand. Die fünf Sinne verweigern ihm den Gehorsam wie Pferde, die sich nicht bändigen lassen. 1850 ff. – b) er ist volltrunken. 1850 ff.

3. nicht alle ~ (nicht seine ~) beisammen haben = von Sinnen sein. Hinter „fünf" ergänze „Sinne". 1700 ff.

4. kurze ~ machen = keine Umstände machen; Einreden nicht berücksichtigen. Leitet sich her von vorzeitigem Abbruch der Fünf-Minuten-Pause. 1900 ff.

5. ~ grade sein lassen = nachsichtig sein. Wer eine ungerade Zahl gerade sein läßt, nimmt es nicht genau und ist großzügig. 1500 ff.

6. nicht bis ~ zählen können = einfältig, geistesbeschränkt sein. Hergenommen vom Zählen an den Fingern. Vorgebildet bei Plautus (200 v. Chr.): „er weiß nicht, wieviele Finger er an der Hand hat". 1300 ff.

Fünfer *m* Fünfpfennigmünze; Fünfmarkstück; Wagen der Omnibuslinie 5; Leistungsnote 5; fünf richtige Zahlen im Lotto. 1920 ff; wohl älter.

Fünfer *f* Straßenbahnlinie 5. 1920 ff; wohl älter.

Fünferkonferenz *f* Versetzungskonferenz. Nach 1945 aufgekommen im Anschluß an den Begriff „Viererkonferenz" für die Zusammenkunft der Bevollmächtigten der vier Siegermächte. Schüler meinen damit die Zusammenkunft der Lehrer, die die Noten 5 verteilen. 1950 ff.

fünferln *tr* **1.** jn ~ = jn ausschimpfen,

schelten, veralbern. Gehört zu „↗Bauern-fünfer": ihre juristische Kenntnisse waren denkbar gering, wodurch sie den Ruf der Lächerlichkeit erwarben. 19. Jh, *oberd.*
2. du kannst mich ~!: Ausdruck der Abweisung. Hier bezogen auf die fünf Buchstaben des Wortes „Arsch". 19. Jh, *oberd.*
Fünfgroschenjunge *m* Spitzel; Vertrauensmann zwischen Verbrecherbande und Kriminalpolizei; käuflicher (falscher) Zeuge. Die Berliner Polizei versprach dem Spitzel fünf Groschen für eine Anzeige. ↗Achtgroschenjunge 1. 1850 *ff.*
Fünfminutenbrenner *m* **1.** leidenschaftlicher, langer Kuß. In Treppenhäusern brannte früher der Münzleuchter fünf Minuten lang. Seit dem späten 19. Jh; in Berlin aufgekommen.
2. kurzer Koitus. 1910 *ff.*
Fünftagerennen *n* Fünftagewoche. ↗Sechstagerennen. 1977 *ff.*
Fünf-Taler-Dieb *m* Dieb, der kleinere Diebstähle ausführt. Gemäß dem Allgemeinen Landrecht der Preußischen Staaten wurde die Höhe der Strafe für Diebstahl danach bemessen, ob der Wert der gestohlenen Sache unter oder über 5 Talern lag; bei Wert unter 5 Talern ließ das Gesetz Milde walten. 19. Jh bis heute.
Fünfundachtziger *m* Angehöriger des Heeres. Zu Zeiten Wilhelms II. war das III. Bataillon des Infanterie-Regiments 85 in Kiel stationiert; von dort ging die Bezeichnung durch Marineangehörige auf das gesamte Heer über. Seit dem späten 19. Jh.
fünfunddreißig *num* hoch in den ~ sein = vierzigjährig sein und älter. Scherzhaft höfliche Bezeichnung gegenüber Frauen. 1930 *ff.*
fünfzehn *num* **1.** ~! = hör auf! rede nicht weiter! Schluß! Achtung, aufgepaßt! *Vgl* das Folgende. 1900 *ff.*
2. ~ machen = a) mit Arbeiten aufhören; eine angefangene Arbeit nicht beenden; eine Pause einlegen; eine Marschpause einlegen. Verkürzt aus „fünfzehn Minuten Pause machen"; bei Beginn der Pause wird „fünfzehn! (fuffzehn!)" gerufen. Kann auch auf die Sprache der Rammer zurückgehen: beim Hochziehen der Ramme wird gezählt; bei 15 tritt eine Ruhepause ein. Bei den Pionieren mußte jeder 15 Schlag schlagen oder am Rammbock fünfzehnmal ziehen; danach wurde er abgelöst. Etwa seit 1850. – b) den Gehorsam verweigern. Mit dem Ruf „fünfzehn!" verlangten die Soldaten eine Marschpause. 1914 *ff.* – c) die Arbeit niederlegen; streiken. 1920 *ff.*
3. kurze ~ machen = mit etw rasch verfahren; sich mit Umständlichkeiten nicht aufhalten; Einreden nicht gelten lassen. Leitet sich entweder her aus der Bedeutung 2 oder bezieht sich auf die Viertelstundendauer der für die Notdurftverrichtung bemessenen Frist. 1850 *ff.*
Fünfziger *m* falscher ~ = unzuverlässiger, heimtückischer Mensch. ↗Fuffziger 2. 1900 *ff.*
Funke I *m* **1.** keinen ~n Verstand haben = dumm sein. Der Betreffende ist nicht einmal ein kleines „↗Licht", er äußert keine zündenden Gedanken und ist wie umnachtet. 19. Jh.
2. jm ~n leihen = jm Feuer geben. Wien 1930 *ff.*
3. die ~n stieben = allgemeine Entrü-

stung macht sich geltend. Hergenommen vom Schmiedefeuer oder vom Lauffeuer. 1950 *ff.*
4. der ~ hat gezündet = man ist auf das Thema eingegangen. Hergenommen vom Funkenschlagen für den Zunder. 1950 *ff.*
5. der ~ ist übergesprungen = Liebe hat sich eingestellt. *Vgl* ↗funken 3. 1950 *ff.*
Funke II *f* Handsprechfunkgerät für Amateurfunker. 1976 *ff.*
'funkel'nagel'neu *adj* völlig neu; ungebraucht. Zusammengesetzt aus „funkelneu = so neu, daß es funkelt" und „nagelneu = neu wie ein soeben geschmiedeter, noch heißer Nagel". 1700 *ff.*
funken *v* **1.** *intr* = schießen. „Funken = drahtlos telefonieren" stammt von O. Sarrazin, 1914. Im militärischen Bereich anfangs auf Streufeuer bezogen, weil in ähnlicher Weise die Funksprüche in alle Richtungen gehen; dann verallgemeinert. 1914 *ff.*
2. es funkt = es geht ordnungsgemäß vonstatten. Verkürzt aus „funktionieren". 1914 *ff.*
3. es funkt zwischen zweien = Liebe stellt sich ein; man koitiert zum ersten Mal. Hergenommen vom Liebesfunken der Dichter oder vom überspringenden Funken zwischen zwei elektrischen Polen. 1935 *ff.*
4. es funkt bei ihm = es treibt ihn, sich auszuleben. 1960 *ff.*
5. *intr* = dem Mitschüler vorsagen. Von der drahtlosen Telegraphie übertragen. 1930 *ff.*
6. ~ = sich durch Zeichen (Blicke) verständigen. 1930 *ff.*
7. es hat gefunkt = a) es hat eine erregte Auseinandersetzung gegeben. Man ist „blitzig" geworden. 1930 *ff.* – b) es hat endlich begriffen, (etw) gemerkt. Analog zu „es hat gezündet". 1930 *ff.* – c) es ist geglückt. 1930 *ff.* – d) die Frau ist schwanger geworden. ↗funken 2. 1920 *ff.*
8. daß es nur so funkt = gründlich; sehr heftig. Hergenommen von den sprühenden und stiebenden Funken eines Feuers. 1920 *ff.*
9. jm eine ins Gesicht ~ = jm ins Gesicht schlagen. Dem Geohrfeigten tanzen Funken vor den Augen. *Jug* 1930 *ff.*
Funkentelegraphie *f* gegenseitige Verständigung mit den Füßen unter dem Tisch. 1930 *ff.*
Funkmaus *f* berittener Polizeibeamter, der eine Funk-Sprechanlage bei sich hat. *Vgl* „weiße ↗Mäuse". 1963 *ff.*
Funkpirat *m* widerrechtlicher Benutzer fremder Wellenlängen. Eine moderne Abart von Seeräuberei. 1960 *ff.*
Funkstille *f* **1.** Aussetzen des Beschusses, des Bombenabwurfs o. ä. Eigentlich die Sendepause; hier umgewandelt durch „↗funken 1". 1940 *ff.*
2. Verstummen; Abbruch der Verständigung; schlechte Verständigung. *Halbw* 1955 *ff.*
3. Ereignislosigkeit; *sportl* Ausbleiben der Tortreffer, der Angriffe auf das Tor. 1965 *ff.*
4. Dienst-, Arbeitsende. 1970 *ff.*
5. Kamerad ~ = Funker. *Sold* 1939 *ff.*
6. ~ haben = sprachlos sein; verstummen; schmollend schweigen. Man gibt kein Funkzeichen. *Sold* 1935 *ff; halbw* 1955 *ff.*

fünsch *adj* zornig, unverträglich. Fußt wahrscheinlich auf „Fun, Fün = plötzliche Aufwallung; Eingebung". 18. Jh, *nordd.*
funseln (funzeln) *intr* falschspielen. Wohl Kreuzung der beiden gleichbedeutenden Wörter „↗fummeln" und „↗funzeln 2" (= an etw herumfingern). *Nordd* und *ostmitteld* 19. Jh.
Funze *f* **1.** Vulva. Im Sinne des Vorhergehenden vielleicht analog zu „↗Fummel II". 19. Jh.
2. liederliche weibliche Person. „Funzel", „Funsel" ist mit Nasalinfix dasselbe wie „Fussel = Faden, Fetzen". Hieraus weiterentwickelt zur Bedeutung „nachlässige Frau in zerlumpter Kleidung". 19. Jh.
Funzel *f* **1.** schlecht brennende Lampe; Lampe mit trübem Schein. Fußt auf „Funke", erweitert um die Endung „-sal", was 1632 die Form „vonksel = Zündstoff" ergibt. *Vgl* aber auch „↗Funze 2", weil „Funzel = Faden = Docht" auf anderem Sprachweg zur Bedeutung „Lampe" führen kann. 1700 *ff.*
2. unordentliche weibliche Person. ↗Funze 2. 19. Jh.
3. leichtfertige weibliche Person; liederliches Weib. 19. Jh.
4. langweiliges Mädchen. Verkürzt aus „↗Tranfunzel". Das Mädchen ist geistig trübe. *BSD* 1965 *ff.*
funzeln *v* **1.** schlechtes, schwaches Licht geben. 1920 *ff.*
2. an etw fingern; zeitraubende Kleinarbeit verrichten. Nebenform von ↗finzeln. 19. Jh.
3. ↗funseln.
Funzen (Funzn) *f* trübe Lampe. ↗Funzel 1. *Bayr* und *ostd* 19. Jh.
Funzionär *m* politischer Funktionär *(iron)*. Gehört dem Deutsch der ersten Jahre der Sowjetischen Besatzungszone an und wurde weitgehend volkstümlich durch Günter Neumanns „Insulaner" und die kabarettistischen Vorträge von Walter Groß. 1950 *ff.*
fuppern (fuppen) *v* koitieren. Soviel wie „springen, hüpfen"; Nebenform von „wippen". 1900 *ff.*
Furchenkacker *m* **1.** Bauer. ↗kacken. 1900 *ff.*
2. Heeresangehöriger. *BSD* 1965 *ff.*
Furchenkriecher *m* Panzergrenadier. *BSD* 1965 *ff.*
Furchenscheißer *m* **1.** Bauer, Großgrundbesitzer. 1900 *ff.*
2. Student der Hochschule für Bodenkultur. *Österr* 1900 *ff, stud.*
3. Landwirtschaftsingenieur, Diplomlandwirt. *Ostd* 1900 *ff.*
4. Infanterist. *Sold* 1940 *ff.*
furchtbar *adv* sehr. Von der Bedeutung „Furcht erweckend" weiterentwickelt zu „überwältigend" und von da zu einem allgemein steigernden Adverb. 1800 *ff.*
fürchterbar *adj* schrecklich (auch *iron*). Zusammengesetzt aus „fürchterlich" und „furchtbar". *Schül* und *stud* seit dem ausgehenden 19. Jh.
fürchterlich *adv* sehr. Bedeutungsentwicklung ähnlich wie bei „↗furchtbar". 1750 *ff.*
Furie *f* unverträgliche, zänkische weibliche Person. Um 1700 aufgekommen in Erinnerung an die römischen Rachegöttinnen,

die Übeltaten rächten, den Übeltäter plagten und ihm keine Ruhe gönnten.

fürnehm adj vornehm; übertrieben vornehm; sich vermeintlicher Vornehmheit befleißigend. Das „ü" ist mit vornehm gespitztem Mund zu sprechen. Geht auf die mhd Form zurück, ist aber heute spöttisch-altertümelnd gemeint. 1900 ff.

Furore n mit etw ~ machen = mit etw Aufsehen erregen. Im 18. Jh aus ital „far furore = Bewunderung erregen" entlehnt.

Fürst m 1. Bandenchef. Eigentlich der regierende Landesherr. Mit der Rangentstehung der Adligen abgesunken zum Obersten einer Verbrecher- oder Halbwüchsigenbande. 1925 ff.
2. geltungsbedürftiger Gast, der viel ausgibt. Er will wie einst ein Fürst behandelt werden. Kellnerspr. 1960 ff.
3. großer ~ = Wohlhabender. 1950 ff.
4. krummer ~ = Mensch, dem man nicht trauen kann. Er gilt als „krumm", weil er nicht dem geraden Weg der Redlichkeit folgt. „Fürst" spielt auf Hochstapelei an. 1925 ff.
5. milder ~ = wohlwollender, leutseliger hoher Vorgesetzter. 1925 ff.
6. schräger ~ = a) aus kleinen Verhältnissen aufgestiegener, nicht auf ehrliche Weise einflußreich gewordener Mensch (Parteibuchbeamter o. ä.). ↗ schräg. 1920 ff. – b) selbstsüchtiger, unkameradschaftlicher, nicht vertrauenswürdiger Mann. BSD 1965 ff. – c) übler Vorgesetzter. 1955 ff. – d) Brieftaschenräuber o. ä. 1955 ff.
7. gehe nicht zu deinem ~, wenn du nicht gerufen wirst: Rat an Untergebene, Arbeitnehmer o. ä. Der auf den Besuch nicht vorbereitete Vorgesetzte ist leicht verstimmt: er will bestimmen, aber nicht bestimmt werden. Anspielung auf Herrscherdünkel und Mangel an partnerschaftlicher Einstellung. Seit dem späten 19. Jh bis heute.
8. leben wie ein ~ = sorglos, verschwenderisch leben. Entstammt den Verhältnissen des 18. Jhs, als die Fürsten im Wohlstand lebten und die anderen Stände unterdrückten. 1800 ff.
9. das ist ja der letzte ~!: Ausdruck großer Anerkennung. Jug 1959 ff.

Fürstin f 1. kesse ~ = geldlich großzügig und elegant auftretende Freundin eines Verbrechers. „Fürstin" spielt auf den aristokratischen Zuschnitt ihres Benehmens an. ↗ keß 1. 1925 ff.
2. schräge Fürstin = leichtfertige weibliche Person in eleganter Aufmachung. ↗ schräg. 1925 ff.

fürstlich adj 1. kostspielig; sehr kostbar. 1900 ff.
2. jn ~ bewirten = jn sehr großzügig, mit erlesenen Speisen bewirten. 1910 ff.
3. jn ~ bezahlen = jm ein hohes Gehalt zahlen. 1950 ff.

Furz m 1. (laut entweichender) Darmwind. ↗ furzen. Seit ahd Zeit.
2. geballte Ladung. Wegen des Detonationsgeräusches. BSD 1965 ff.
3. Unsinn; Unwichtigkeit; Behauptung ohne Gehalt; törichte Handlung. Wegen der Substanzlosigkeit. 1900 ff.
4. kleinwüchsiger, unbedeutender Mensch. 1900 ff.
5. ~ mit Fransen = feucht entweichender Darmwind. 1900 ff.

6. wie ein ~ auf der Gardinenstange (Stange) = unruhig hin und her; sehr schnell; mit rasender Geschwindigkeit. Gemeint ist eigentlich „beim Reiten eine wunderliche Figur abgeben". Beim Reiten ohne Sattel hat der Reiter wenig Halt auf dem Pferderücken; mangels Steigbügeln sucht er die Stöße mit dem Gesäß aufzufangen; die Ausweichbewegungen des Gesäßes erwecken den Eindruck eines Darmwindes, der nicht weiß, ob er rechts oder links abgehen soll. Sold seit dem frühen 20. Jh.
7. ~ mit Krücken = sehr unsinniger Einfall. „Auf Krücken" umschreibt den Begriff „lahm". 1935 ff.
8. ~ in der Laterne = verglimmender Docht. 1850 ff.
9. wie ein ~ in der Laterne = unruhig, aufgeregt; ratlos. Vgl das Vorhergehende. 1850 ff.
10. wie ein ~ mit Preßluft = sehr schnell. 1935 ff.
11. wie ein ~ im Schneegestöber = völlig hilflos. 1914 ff.
12. ~ mit Spazierstock = dünkelhafter Mensch; Gerngroß. ↗ Furz 4. 1910 ff.
13. abendfüllender ~ = kräftig entweichender Darmwind mit entsprechender Gestankentwicklung. Aus „abendfüllend = von „beträchtlicher Dauer" entwickelt sich die Bedeutung „beachtlich". Sold 1939 ff.
14. feuchter ~ = Senf. Meint eigentlich den von Kotabsonderung begleiteten Darmwind. 1900 ff.
15. gelber ~ = feucht entweichender Darmwind. Anspielung auf die gelb-braunen Spuren. 1900 ff.
16. wie ein geölter ~ = überaus schnell. Dem „geölten ↗ Blitz" nachgeahmt. Sold 1910 ff.
17. kein ~ = nichts. Sold 1935 ff.
18. lächerlicher ~ = Mensch, der sich aufspielt. ↗ Furz 4. 1900 ff, Berlin.
19. mittlerer ~ = Detonation einer geballten Ladung; heftige Explosion. ↗ Furz 2. 1939 ff, sold und ziv.
20. nasser ~ = a) Entweichen eines Darmwinds, wobei Kot abgeht. Seit dem späten 19. Jh. – b) Senf. Wegen ähnlicher Färbung und Beschaffenheit. 1870 ff.
21. trockener ~ = unbedeutende Angelegenheit. Dieser Darmwind hinterläßt keinerlei Spuren und kennzeichnet also das Gemeinte als völlig substanzlos. 1940 ff.
22. zierlicher ~ = dünner, langgezogener, unüberhörbar entweichender Darmwind. 1500 ff.
23. alle ~ lang = jeden Augenblick; ständig; immer von neuem. 19. Jh.
24. das geht ihn einen ~ an = das geht ihn nichts an. 1930 ff.
25. auf etw keinen ~ geben = von etw nichts halten; etw geringschätzen. 1930 ff.
26. einen ~ gefrühstückt haben = dumm sein; nicht bei wachen Sinnen sein. Gehört zu der sprichwörtlichen Redewendung: „Der arme Teufel hat einen Furz zum Frühstück und einen Schiß zum Mittag". 1900 ff.
27. es geht ihm ein ~ durchs Gehirn = er hat einen wunderlichen Einfall. Derlei nennen die Mediziner „flatus in cerebro" (= Furz im Gehirn). 1900 ff.
28. ihm ist ein ~ in die Quere gegangen = er ist übler Laune, unausstehlich. Nicht

abgehende (= sinngemäß „querliegende") Darmwinde können einen arg plagen. 1900 ff.
29. einen ~ quer im Darm haben = Leibschmerzen haben. 1935 ff.
30. einen ~ im Kopf (Gehirn, Hirn) haben = a) nicht recht bei Verstand sein; törichte Gedanken nähren. ↗ Furz 27. 1850 ff. – b) eingebildet sein; sich hochmütig aufführen. 1850 ff.
31. es interessiert mich einen trockenen ~ = es interessiert mich überhaupt nicht. ↗ Furz 21. 1940 ff.
32. aus einem ~ einen Donnerschlag machen = eine unbedeutende Sache überaus aufbauschen. 1600 ff.
33. jeden ~ melden! = jede noch so geringfügige Beobachtung melden! Sold 1939 ff.
34. einen ~ quersitzen haben = mißgelaunt sein. ↗ Furz 28. 1900 ff.
35. der eigene ~ riecht jedem am besten = eigene Leistung gilt jedermann mehr als fremde Leistung. 1800 ff.
36. einen ~ im Dunkeln riechen = sich für überschlau halten. 1900 ff.
37. einen ~ über die Zunge rollen lassen = laut aufstoßen. 1900 ff.
38. gegen jn ein ~ sein = jm deutlich unterlegen sein. 1930 ff.
39. bei seinem Gesicht weiß der ~ nicht, ob er oben oder unten raus soll: Redewendung angesichts einer mürrischen Miene. 1965 ff.
40. wie ein ~ auf der Gardinenstange wirken = unbeholfen wirken; ein unpassendes Verhalten an den Tag legen. ↗ Furz 6. 1900 ff.
41. einen ~ würgen = einen Darmwind mit aller Behutsamkeit lautlos abgehen lassen. Würgen = mühsam bewerkstelligen. 1900 ff.

furzen intr einen Darmwind (laut) abgehen lassen. Ein indogerm Wort, ahd „ferzan", mhd „varzen".

Furzfänger m 1. zu weite Hose; Pluderhose. 1920 ff.
2. Paradejacke der Luftwaffenangehörigen. Die Vokabel bezeichnet die zu kurze Jacke (aus der man herausgewachsen ist). Sold 1930 ff.
3. zu kurzes Hemd. 1930 ff.
4. zu kurzes Kleid. 1930 ff.
5. Knickerbocker. 1920 ff.
6. Bedienter, der hinter der Herrschaft einhergeht. 19. Jh.
7. Biograph. Bei ihm erhält jede Belanglosigkeit (↗ Furz 3) besondere Bedeutsamkeit. 1900 ff.

Furzglocke f 1. weit abstehender Frauenrock in Glockenform; weiter, schlecht sitzender Frauenrock. 1850 ff.
2. Mensch, der oft Darmwinde abgehen läßt. 19. Jh.

Furzidee f törichter Einfall. ↗ Furz 30. 1920 ff.

Furzjacke f 1. kurze Jacke; Drillichrock. Vgl ↗ Furzverteiler. Sold 1870 ff.
2. kurzer Mantel. 1910 ff.

Furzjubel m ausgelassenes Vergnügen. Eigentlich eine derb-fröhliche Ausgelassenheit, bei der laut abgehende Darmwinde keinerlei Anstoß erregen. 19. Jh.

Furzkasten m 1. Gesäß. Sold seit dem späten 19. Jh.
2. Auto, Motorrad. Wegen des knatternden Auspuffs. 1925/30 ff.

Furzkiste f Bett. ↗Kiste. Seit dem frühen 20. Jh, *sold* bis heute.

Furzklappe f Bett. ↗Klappe. 1935 *ff*, *sächs*.

Furzklemmer m 1. feiger, ängstlicher Soldat. Er schnürt die Darmwinde ab durch Zusammenklemmen der Gesäßbacken beim Strammstehen o. ä. *BSD 1965 ff*. 2. geiziger Mensch. Nicht einmal Darmwinde gibt er her (oder er wartet, bis aus einem zwei werden). 1900 *ff*. 3. Büroangestellter; kleinlicher Beamter. 1950 *ff*.

Furzlänge f kurze Zeitdauer; Augenblick. 19. Jh.

Furzloch n 1. After. 1900 *ff*. 2. kleine Gaststätte minderer Güte. Dort herrschen derbe Sitten. 1900 *ff*, Berlin.

Furzmolle (-mulde) f Bett, Etagenbett, Hängematte. Man liegt im Bett wie in einer Mulde (= längliche Vertiefung; Backtrog o. ä.). Seit dem späten 19. Jh, *stud* und *sold* bis heute.

Furzriecher m 1. Abortwärter. 1900 *ff*. 2. Staatsanwalt. Er „riecht" Belanglosigkeiten und verleiht ihnen Bedeutung. 1933 *ff*.

Furzschnüffel m 1. Staatsanwalt. 1933 *ff*. *Vgl* das Vorhergehende. 2. Kriminalbeamter. 1933 *ff*.

furztrocken adj 1. völlig trocken. 1900 *ff*. 2. langweilig und nur sachlich redend. Aufgefaßt analog zu „↗Furz 21". 1920 *ff*.

Furzverteiler m knapp über dem Gesäß endende Jacke (Mantel); Frack. 1935 *ff*.

fuscheln *intr* 1. heimlich verabreden; flüstern. Gehört entweder zu „pfuschen = sich unredlicher Mittel bedienen" oder ist schallnachahmender Natur. Auch Einfluß von „↗fummeln" ist anzunehmen, vor allem in den Folgenden. 1900 *ff*. 2. heimlich stöbern. 1900 *ff*. 3. intim betasten; flirten u. ä. *Schül* 1950 *ff*.

Fusel m schlechter Branntwein; minderwertiger Schnaps. Hängt entweder zusammen mit *rotw* „fuseln = nach dem feuchten Faß riechen" oder mit „Fussel = Fädchen": ähnlich wie „Funzel" entwickelt sich aus „Fussel" die Bedeutung „unordentlich hergestellt". Seit dem frühen 18. Jh.

Fuselier m Schnapstrinker. Dem „Füsilier" nachgeahmt, unter Einfluß von „↗Fusel". 1840 *ff*.

fuselieren *tr* jn betrunken machen. *Vgl* das Vorhergehende. 1950 *ff*.

fuseln *intr* Branntwein trinken. ↗Fusel. 1700 *ff*.

Fusion f Eheschließung. Eigentlich die Zusammenlegung von Firmen o. ä. 1945 *ff*.

fusionieren *intr* sich verheiraten. *Vgl* das Vorhergehende. 1945 *ff*.

Fuß m 1. abgekochte Füße = wundgelaufene Füße. Die Haut löst sich beim Kochen das Fleisch von den Knochen. *BSD 1965 ff*. 2. amphibische Füße = Schweißfüße. Die Füße sind naßkalt wie von Amphibien. *BSD 1965 ff*. 3. blonde Füße = hellgelbe Schuhe. 1900 *ff*. 4. eingeschlafene Füße = Mineralwasser. Reststück eines Witzes: Mineralwasser schmeckt wie eingeschlafene Füße (Anspielung auf das Prickeln der Kohlensäurebläschen). 1900 *ff*.

5. falscher ~ = Fuß, der dem anderen an Stoßkraft unterlegen ist. Fußballerspr. 1920 *ff*. 6. ondulierte Füße = seitwärts gebogene Beine (Waden). Die Konturen der Beine ergeben eine Wellenlinie. 1930 *ff*. 7. runde Füße = wundgelaufene Füße. Bei wundgelaufenen Fersen und Zehen geht man auf der Fußmitte wie auf einer Kugel. *BSD 1965 ff*. 8. ein Stück Brot zu ~ = ein einzelnes Stück Brot, ohne Teller gereicht. Zu Fuß = ohne Hilfsmittel. 1950 *ff*. 9. sich die Füße ablaufen (abbrennen) = a) viele Wege machen. ↗Bein 22. 18. Jh. – b) als Prostituierte auf Männerfang unterwegs sein. 1900 *ff*. 10. mit den Füßen abstimmen = das Vaterland verlassen; auswandern. ↗Abstimmung. 1955 *ff*. 11. mit den linken (falschen) ~ zuerst aufgestanden sein = frühmorgens mürrisch sein. ↗Bein 26. 1700 *ff*. 12. etw zu ~ ausrechnen = etw ohne Zuhilfenahme des Rechenschiebers (Taschenrechners) ausrechnen. *Vgl* ↗Fuß 8. 1950 *ff*. 13. sich einen ~ ausreißen = sich angestrengt bemühen. ↗Bein 28. 1800 *ff*. 13 a. den ~ in der Tür behalten = die Möglichkeit zum Eingreifen (Verhandeln) nicht aufgeben. ↗Fuß 30. 1960 *ff*. 14. immer auf die Füße fallen = stets in vorteilhafte Lage zu kommen wissen. Hergenommen von der Katze, die stets mit den Füßen auf dem Boden aufkommt, wenn man sie wirft. 1500 *ff*. *Vgl engl* „to fall on one's feet (or legs)". 15. von den Füßen fallen = sehr müde sein. Man kann sich nicht länger auf den Beinen halten. 1900 *ff*. 16. die Füße falten = die Füße über Kreuz setzen. Geht wohl zurück auf: „Sie falten die kleinen Zehlein, die Rehlein" aus den „Galgenliedern" von Christian Morgenstern (1905). 1950 *ff*. 17. bei dem werde ich auch mal festen ~ fassen = dem werde ich mal fest ins Gesäß treten; Drohrede. „Festen Fuß fassen" meint eigentlich „sich niederlassen und eingewöhnen". 1933 *ff*. 18. jm etw unter den ~ geben = jn (heimlich) auf etw hinweisen. Leitet sich her von dem leichten Stoß mit der Fußspitze bei Verständigung unter dem Sichtschutz des Tisches. Oder man schiebt jm etwas unter (z. B. Geld), damit er festeren Stand bei Verhandlungen o. ä. gewinnt. 19. Jh. 19. jm nicht von den Füßen gehen = einen Ballspieler decken. *Sportl* 1950 *ff*. 20. über etw ~ gespannt sein = verfeindet sein. Hergenommen von der gespannten Fußstellung von Ringern, Fechtern o. ä. in Erwartung des gegnerischen Angriffs. 18. Jh. 21. eiskalte Füße haben = sehr starke Bedenken haben. ↗Fuß 41. 1900 *ff*. 22. kalte Füße haben = a) mittellos sein. Der Betreffende hat sich nicht nach der ↗Decke gestreckt, hat über seine Verhältnisse gelebt und hat daher jetzt kalte Füße. 1900 *ff*. – b) vor längerer Zeit gestorben sein. *Sold* 1939 *ff*. – c) Bedenken haben; einer Sache nicht länger trauen. ↗Fuß 41. 1900 *ff*. 23. krumme Füße haben = Treffer auf

das Fußballtor (bei günstiger Ausgangslage) verfehlen. Nicht Ungeschicklichkeit, sondern eine Verkrüppelung soll dafür verantwortlich sein. *Sportl* 1950 *ff*. 24. zwei linke Füße haben = a) ungeschickt sein; leicht stolpern; schlecht tanzen. Analog zu „zwei linke ↗Hände haben". 1910 *ff*. – b) eine schlechte Eisläuferin sein. 1950 *ff*. 25. einen linken ~ haben = im linken Fuß die größere Stoßkraft haben. *Sportl* 1920 *ff*. 26. die Füße naß haben (nasse Füße haben) = betrunken sein. Der Bezechte ist durch Gossen und Pfützen getorkelt. 1900 *ff*. 27. runde Füße haben = betrunken torkeln. Der Bezechte hat auf den Füßen keinen Halt, als wären sie kugelig. *Vgl* ↗Fuß 7. 1700 *ff*. 28. bei jm einen weißen ~ haben = bei jm viel gelten. Weiße Füße gelten als stattlich, vornehm und als Zeichen der Lauterkeit. 1700 *ff*. 29. etwas an den Füßen haben = vermögend sein. Schuhwerk am Fuß läßt auf Wohlstand schließen, Barfüßigkeit zeigt Armut an. 19. Jh. 30. den ~ in der Tür haben = seinen Einfluß beibehalten; sich Vorrechte verschafft haben; Verhandlungsmöglichkeiten im Auge behalten. Die zugeworfene Tür versinnbildlicht den Abbruch der Beziehungen; der Fuß zwischen Tür und Rahmen gibt zu erkennen, daß man die Lage nicht als gescheitert ansieht. 1960 *ff*. 31. er hat von seinen Füßen einen zum Schwimmen und einen zum Klettern = er hat ungeschickte, plumpe Füße. Auf ebener Erde kommt er damit nicht voran. *BSD 1965 ff*. 32. von seinen Füßen hat er einen zum Schwimmen und einen zum Waldbrände-Austreten = er hat ungeschickte, plumpe Füße. *Vgl* das Vorhergehende. *BSD 1965 ff*. 33. ein Tor (o. ä.) auf dem ~ haben = Gelegenheit zu einem Tortreffer haben. Fußballerspr. 1950 *ff*. 34. einer Person oder Sache auf die Füße helfen = jm (einer Person) aufhelfen; jn (eine Sache) fördern. ↗Bein 72. 1900 *ff*. 35. er muß zum Tischler, sich die Füße hobeln lassen = er torkelt betrunken. ↗Fuß 27. *BSD 1965 ff*. 36. sich kalte Füße holen = auf etw vergeblich warten; Mißerfolg erleiden. ↗Fuß 41. 1900 *ff*. 37. jn von den Füßen holen = jn niederwerfen. Stammt aus der Ringer- oder Boxersprache. 1920 *ff*. 38. die Füße jucken ihn (es juckt ihn in den Füßen) = er ist wanderlustig, möchte gern weggehen. ↗jucken 1. 1900 *ff*. 39. auf die Füße kommen = wirtschaftlich sich verbessern. Der zuvor Darniederliegende steht auf, bekommt „↗Boden unter die Füße". 1900 *ff*. 40. es hat Füße gekriegt = es ist gestohlen worden. In *iron* Auffassung ist es bloß davongelaufen. 19. Jh. 41. kalte Füße kriegen = a) böse Erfahrungen machen; die Lust verlieren; Bedenken bekommen. Leitet sich her von der zu kurzen Bettdecke oder vom ergebnislangen Warten beim Stelldichein. Auch sind kalte Füße nervösen Naturen eigen, vor allem angesichts unerfreulicher Lebenslagen. 19. Jh. *Vgl engl* „to get cold feet". – b) kein Geld mehr haben und deswegen nicht weiterspielen können. 19. Jh. – c) viel gewonnen haben und den Gewinn in Sicherheit bringen wollen. 19. Jh. – d) sterben; soeben gestorben sein. *Sold* 1939 *ff.* – e) sich schuldig fühlen; schuldbewußt werden. 1920 *ff.* – f) durch schlechten Geschäftsgang mißmutig werden. 1920 *ff.*

42. keinen ~ an die Erde kriegen = keinen Stich bekommen. Kartenspielerspr. 1900 *ff.*

42 a. einen ~ in die Tür kriegen = Einfluß gewinnen. *Vgl* ↗ Fuß 30. Politikerspr. 1960 *ff.*

43. nasse Füße kriegen = sich verschätzen; falsch spekulieren. *Vgl* ↗ Fuß 26. 1935 *ff.*

44. runde Füße kriegen = a) viele Wege machen. Durch vieles Gehen schleifen sich die Füße ab wie Steine im Gebirgsbach. *Vgl* aber auch ↗ Fuß 7. 1920 *ff.* – b) bezecht torkeln. ↗ Fuß 27. 1900 *ff.*

45. einen weißen ~ kriegen = in der Achtung steigen. ↗ Fuß 28. 1900 *ff.*

46. auf großem ~ leben = ein kostspieligen Lebenswandel führen. Leitet sich vielleicht von den großen Schnabelschuhen her, wie sie im Mittelalter die Vornehmen trugen; doch ist „Fuß" auch eine (im Deutschen veraltete) Maßeinheit. Etwa seit 1750. *Vgl franz* „vivre sur un grand pied". – b) große, breite Füße haben. Aus dem Vorhergehenden in wortwörtlicher Bedeutung scherzhaft entwickelt. 1900 *ff.*

47. mit jm auf gespanntem ~ leben (stehen) = mit jm verfeindet sein. ↗ Fuß 20. 18. Jh.

48. auf leichtem ~ leben = ein leichtfertiges Leben führen. Leicht = leichtbeweglich, behende. ↗ Leichtfuß. 1920 *ff.*

49. an kalten Füßen leiden = ständig in Angst sein; gefährlichen Lebenslagen sich zu entziehen suchen. ↗ Fuß 41. *Sold* 1939 *ff. Vgl engl* sold „to suffer from cold feet".

50. jm Füße machen = jn zur Eile antreiben; jn vertreiben. ↗ Bein 93. 1500 *ff.*

51. sich einen weißen ~ machen (brennen) = sich für untadelig auszugeben suchen; sich vom Verdacht reinigen; sich in Gunst setzen (zu setzen trachten). ↗ Fuß 28. 18. Jh.

52. mach dir die Füße nicht naß! = paß auf, daß man dich nicht übertölpelt! Der Betreffende soll wohl betrunken gemacht und dann betrogen werden. ↗ Fuß 26. 1920 *ff.*

53. den ~ von der Bremse nehmen = a) sich schneller bewegen. Gern in der Befehlsform gebraucht. Der Kraftfahrtpraxis entlehnt. *BSD* 1965 *ff.* – b) eine Sache nicht länger hemmen. 1965 *ff.*

54. mit kalten Füßen phantasieren = nicht ganz bei Verstand sein. *Vgl* ↗ Fuß 22. 1900 *ff.*

55. es reißt einem die Füße vom Teppich! = Ausdruck höchster Anerkennung. Fußt auf der Vorstellung, daß einer jm den Teppich unter den Füßen wegzieht und ihn dadurch zu Fall bringt. Erstaunen wird umgangssprachlich gern durch ein Niederstürzen ausgedrückt. 1964 *ff.*

56. sich die Füße wundschießen = viele

Torbälle treten. ↗ schießen. Fußballerspr. 1950 *ff.*

57. es schmeckt wie eingeschlafene Füße = a) es ist Mineralwasser. ↗ Fuß 4. 1900 *ff.* – b) es schmeckt fade, widerlich. Vom (warmen) Mineralwasser ohne Geschmack übertragen. 1910 *ff.*

58. seine eigenen Füße nicht sehen können = beleibt sein. Der Blick kann sich nicht über den Bauch wölben. *Schül* 1950 *ff.*

59. von den Füßen sein = sehr überrascht sein. ↗ Fuß 15. 1920 *ff.*

60. moralisch von den Füßen sein = fassungslos, ratlos sein. 1920 *ff.*

61. geh auf deinen eigenen Füßen spazieren! = Zuruf an einen, der einem auf die Füße tritt. 1900 *ff.*

62. mit jm auf gespanntem ~ stehen; ↗ Fuß 47.

63. sich die Füße in den Bauch stehen = lange stehen und warten; Posten stehen. 19. Jh.

64. mit einem ~ im Grabe stehen = seinem Ende nahe sein. 17. Jh. *Vgl franz* „avoir un pied dans la tombe"; *engl* „to have one foot in the grave".

65. seine Füße stehen den ganzen Tag im Schatten = er ist sehr beleibt. 1958 *ff.*

66. es steht auf tönernen Füßen = es ist unsicher, haltlos, ohne gediegene Grundlage. Geht zurück auf den Begriff „Koloß auf tönernen Füßen" nach Daniel 2, 31 *ff.* 19. Jh.

66 a. einander auf den Füßen stehen = dichtgedrängt stehen und auf Abfertigung warten. 1920 *ff.*

67. jm auf den Füßen stehen = a) den gegnerischen Spieler decken, um ihn vom Spiel möglichst auszuschalten. *Sportl* 1950 *ff.* – b) jn hartnäckig verfolgen; jn nicht aus den Augen lassen. Aus dem Sportlerdeutsch übernommen. *Halbw* 1965 *ff.*

68. jm auf die Füße steigen = jn nachdrücklich zu etw auffordern. *Vgl* ↗ treten = mahnen. 1950 *ff.*

69. die Füße unter eines anderen Tisch stellen (strecken) = geldlich von einem anderen abhängig sein; bei jm unentgeltlich in Kost sein. 1700 *ff.*

70. seine Füße unter den eigenen Tisch stellen = einen eigenen Haushalt führen; sein eigenes Geld verdienen. Spätestens seit 1800.

71. er braucht bloß die Füße unter den Tisch zu stellen (zu strecken) = er setzt sich an den gedeckten Tisch, ohne Haushaltsarbeit verrichten zu müssen. Redewendung emanzipatorisch-polemischen Charakters, vor allem im Munde berufstätiger Frauen und mit Bezug auf die männlichen Kollegen. 1950 *ff.*

72. sich auf eigene Füße stellen = sich selbständig machen. Man will nicht länger von Erwachsenen getragen werden wie ein kleines Kind. 1900 *ff.*

73. sich auf die hinteren Füße stellen = aufbegehren. ↗ Hinterbeine. 1900 *ff.*

74. mit den Füßen telegrafieren = sich unter dem Tisch mit den Füßen verständigen. *Vgl* ↗ telefonieren. 1910 *ff.*

75. jm auf den ~ (auf die Füße) treten = jn kränken. Veranschaulichende und vergröbernde Analogie zu „jm zu nahe treten". 1500 *ff.*

76. mit den Füßen trillern = moderne

Tänze tanzen. Hierbei wechseln die Tritte so schnell, wie die Tonhöhen beim Trillern. 1950 *ff*, *halbw.*

77. mit den Füßen voran das Haus verlassen = als Toter aus dem Haus getragen werden. Die heutige Sitte hat einen mystischen Hintergrund: In primitivem Glauben kann der Leichnam körperlich zu neuem Leben erwachen und zurückkommen, und seine Füße finden den Weg zum Haus dann leichter zurück, wenn sie dieses zuletzt verlassen und auch zuletzt am Grab ankommen. Um dies zu verhindern, dreht man die Leiche so, daß die Füße zuerst über die Schwelle getragen werden. 18. Jh.

78. sich die Füße vertreten = vor drohender Gefangennahme fliehen. Meint eigentlich „nach längerem Stillsitzen sich etwas Bewegung machen". *Sold* 1939 *ff.*

79. den besten ~ vorsetzen = eine hohe Karte aufspielen. ↗ Bein 142. Kartenspielerspr. seit dem späten 19. Jh.

80. mit dem Obst ist es wie mit den Füßen – zuviel Waschen verdirbt das Aroma: spöttische Redewendung auf einen, dessen Füße nicht gewaschen sind. 1950 *ff.*

Fußabstreifer *m* **1.** Mensch, an dem man seinen Ärger über Unerfreulichkeiten ausläßt. Meint eigentlich die Vorrichtung vor der Haustür zum Abstreifen der an den Schuhsohlen haftenden Erde. 1920 *ff.*

2. faltige Stirn. 1930 *ff.*

3. jn wie einen ~ behandeln = jn würdelos behandeln. 1920 *ff.*

Fußangel *f* **1.** Fangfrage. Eigentlich das Fußeisen, in dem Tiere und menschliche Eindringlinge gefangen werden. 1920 *ff.*

2. bei flüchtiger Durchsicht des Vertragstextes o. ä. nicht erkennbare, erschwerende Geschäftsbedingung; spitzfindige Klausel im „Kleingedruckten". 1950 *ff.*

Fußball I *m* **1.** einen ~ verschluckt haben = schwanger sein. 1920 *ff.*

2. sich aufpumpen wie ein ~ = sich ereifern. In der Erregung atmet man schneller und „pumpt" mehr Luft in die Lunge. 1950 *ff.*

Fußball II *n* Fußballspiel. Hieraus verkürzt. 1920/30 *ff.*

Fußball-Bazillus *m* übertriebene Fußballbegeisterung. Sie wirkt wie ein Ansteckungskeim. 1950 *ff.*

Fußballbeine *pl* in O-Form gekrümmte Beine; Beine mit nach außen gekehrten Knien. Sie sind angeblich typisch für Fußballspieler. 1930 *ff.*

Fußballbombe *f* hervorragender Fußballspieler. ↗ Bombe 1. 1950 *ff.*

Fußballbraut *f* **1.** Braut eines Fußballspielers; Ehefrau, deren Mann sonntags Fußballveranstaltungen besucht, während sie daheimbleibt. 1920 *ff.*

2. begeisterte Anhängerin eines Fußballvereins. 1973 *ff.*

Fußballdepp *m* leidenschaftlicher Anhänger des Fußballsports *(abf)*. ↗ Depp. 1950 *ff.*

Fußball-Derwisch *m* tobender Zuschauer beim Fußballspiel. ↗ Derwisch. 1955 *ff.*

Fußballer *m* Fußballspieler. Kurzwort, spätestens seit 1920.

Fußballfeuerwerk *n* Fußballspiel mit hervorragenden Angriffen, großartigen Tortreffern u. ä. 1950 *ff.*

Fußballkiebitz *m* Mensch, der über die

Platzmauer hinweg (oder auf andere, ebenso kostenlose Art) dem Fußballspiel zusieht. ↗Kiebitz. 1950 ff.

Fußballkrimi m spannendes Fußballspiel. ↗Krimi. 1965 ff.

Fußballkrone f Fußballpokal des Deutschen Meisters. In übertragenem Sinne und schwülstiger Redeweise „krönt" er die siegreiche Mannschaft. 1960 ff.

Fußball-Mekka n Fußballstadion des beliebten Vereins. Hergenommen von Mekka, dem Wallfahrtsort des Islam in Saudi-Arabien. 1970 ff.

Fußballmuffel m Mensch ohne Sinn für das Fußballspiel. ↗Muffel. 1965 ff.

Fußballplatz m Glatze in Kopfmitte. 1920 ff.

Fußballrecke m tüchtiger Fußballspieler. Recke ist der Krieger, Held und Riese. Paßt zur Heroisierung und Fast-Vergötterung der Fußballspieler. 1960 ff.

Fußballrüpel m rücksichtsloser Fußballspieler; „Foul-Spieler". ↗Rüpel. 1950 ff.

Fußballseele f die ~ kocht = alle Anhänger des Fußballsports ereifern sich. Der „↗Volksseele" nachgeahmt. 1960 ff.

Fußballstiefel f goldene ~ = Fußballstiefel eines gefeierten Sportlers. 1960 ff.

Fußballsünder m Fußballspieler, der gegen die Regeln verstößt. ↗Sünder. 1950 ff.

Fußballtiger m leidenschaftlicher Zuschauer bei Fußballspielen. Dem ↗„Premierentiger" nachgebildet. 1950 ff.

Fußballverstand m Sinn für die zutreffende Vorausbewertung des Spielausgangs. 1950 ff.

Fußball-Wechselfieber n Umstellung (Ergänzung) der Fußballmannschaft kurz vor Spielbeginn. Gemeint ist, daß die Aufstellung in fieberhafter Eile vorgenommen wird. 1960 ff.

Fußballwitwe f daheimbleibende Frau, während der Mann zum Fußballspiel geht. 1920/30 ff. Vgl engl „widow".

Fußballzirkus m Fußballspiel mit vielen guten und spannenden Leistungen. 1950 ff.

Fußboden m da kann man vom ~ essen = da herrscht peinliche Sauberkeit. 1900 ff.

Fußbodenkosmetik f Fußbodenpflege; Reinigen des Fußbodens. Nach 1955 als Teil der Schönheitspflege entdeckt.

Fußbodenkosmetikerin f Putzfrau. 1955 ff.

Fußbodenmasseuse (Grundwort franz ausgesprochen) f Putzfrau. Zur einem „pflegerischen" Beruf erhoben nach 1950.

Füßchen n sich bei jm ein weißes ~ machen = sich bei jm anbiedern. ↗Fuß 28. 1900 ff.

Fussel f m 1. Federchen, Härchen, Fädchen, Faser. ↗fusseln. 18. Jh, nordd.
2. einen ~ haben = von Sinnen sein; töricht reden. Versteht sich nach „sich das ↗Maul fusselig reden". Berlin 1900 ff.

fusselig adj 1. fransig; ausfasernd. 18. Jh.
2. leicht verrückt. ↗Fussel 2. 1900 ff.
3. sich ~ reden = (vergeblich) auf jn einreden. Man redet, bis einem die Lippen ausfransen. 19. Jh.
4. ~ werden = nervös werden; die Fassung verlieren. 1900 ff.

fusseln intr ausfasern, ausfransen. Ablautform zu ↗„Faser" mit Vokalkürzung. 18. Jh. Vgl engl „to fuzz = ausfasern".

fußeln (füßeln) intr 1. sich unter dem

Tisch mit den Füßen verständigen. Verkleinerungsform von „fußen", hier im Sinne von Zärtlichkeit. Spätestens seit 1800.
2. jm ein Bein stellen. Österr 1900 ff.
3. mit dem Flugzeug eine Notlandung versuchen. Man sucht Fuß zu fassen. Fliegerspr. 1939 ff.

Füßesprache f ~ unterm Tisch = heimliche Verständigung mit den Füßen. 1800 ff.

Fußfanterie f Infanterie. Zusammengesetzt aus „Fußvolk" und „Infanterie". Konkurrenzwort mit „Fußartillerie". Spätestens seit 1900.

fußfrei adj ~ bis an den Hals = völlig unbekleidet. Dem Ausdruck „↗barfuß bis an den Hals" nachgebildet. „Fußfrei" ist das lange Kleid, das die Füße nicht bedeckt. 1920 ff.

fußkrank adj wirtschaftlich notleidend. Fußkranke bleiben hinter den Marschierenden zurück. 1950 ff.

Fußkranker m rückständiger Mensch. Er ist zurückgeblieben, weil Gehbeschwerden ihn am Fortschritt hinderten. 1920 ff.

Fußlappen m 1. pl = Weißkraut; Essen mit großen Kohlstücken. Die statt eines Strumpfes um die Füße gewickelten Lappen ähneln in übertriebener Auffassung den Kohlblättern, vor allem dem sogenannten „Krautwickel" (= gefüllte Kohlroulade). Seit dem späten 19. Jh bis heute; anfangs kundenspr., dann sold.
2. sg = zähes Stück Fleisch. Sold 1939 ff.
3. ~ mit Flöhen = Weißkohl mit Kümmel; Sauerkraut. 1870 ff, sold.

Fußlappengeschwader n Infanterie, Grenadiere. Gemeint ist eigentlich einen milit Verband von Kriegsschiffen oder Flugzeugen. 1930 ff, sold bis heute.

Fußlappenkohl m Weißkohl. ↗Fußlappen 1. 1900 ff.

Fußlappenrouladen pl Kohlrouladen. ↗Fußlappen 1. 1900 ff.

Fußlappensuppe f Weißkohlsuppe. ↗Fußlappen 1. Sold 1939 bis heute.

Fußmatte f 1. langer Vollbart. Er ist so lang, daß man die Füße an ihm abstreifen kann. 1920 ff.
2. Mensch, der stets für die anderen herhalten muß. Jeder lädt bei ihm seinen ↗„Dreck" ab. Vgl auch ↗„Fußabstreifer" 1. 1920 ff.
3. das ist ~ = das ist völlig veraltet, längst allgemein bekannt. Weiterbildung von „so ein ↗Bart" gemäß „Fußmatte 1". 1930 ff.

Fußsack m 1. Vollbart; Umhängebart. Formähnlich mit dem Sack, in dem man die Füße wärmt. Seit dem späten 19. Jh.
2. abendfüllender ~ = Vollbart. ↗abendfüllend. Stud 1955 ff.

Fußtritt m plötzliche Amtsenthebung; Kränkung. 1900 ff.

Fußvolk n 1. Infanterie, Pioniere, Jäger (im Gegensatz zu Kavallerie und motorisierten Truppen). Sold in beiden Weltkriegen und BSD.
2. Mannschaften. Im Sinne von „breite Masse". BSD 1965 ff.
3. Gesamtheit der Statisten. Theaterspr. seit dem 19. Jh.
4. breite Wählermasse; Gesamtheit der Parteimitglieder ohne Funktionärsposten. 1955 ff.
5. Gesamtheit der Fußgänger. 1950 ff.
6. Gesamtheit der Straßenprostituierten. 1950 ff.

7. unters ~ geraten = in schlechte Gesellschaft geraten; verkommen. Die Kavallerie dünkte sich den Fußtruppen überlegen; von der Kavallerie zur Infanterie versetzt zu werden, galt als Abstieg. 19. Jh.

futern intr schimpfen. Fußt auf dem franz Fluchwort „foutre". 1800 ff.

futschgehen intr abhanden kommen. ↗futsch sein. 19. Jh.

futschikato perdutti (perdutto) adv weg, verloren, hin, entzwei. Scherzhafte Erweiterung von „↗futsch sein" im Anschluß an ital „fuggito, fuggiacchiato = davongelaufen". 19. Jh.

futsch sein 1. zunichte, verloren, verschwunden sein. Fußt auf „futschen = schnell bewegen", vor allem auf der Befehlsform „futsch = schnell weg". Ahmt auch (ähnlich „witschen, witsch") das Geräusch einer plötzlich auffliegenden Vogelschar nach. 18. Jh.
2. hingerissen sein. Analog zu ↗wegsein. 19. Jh.
3. heftig verliebt sein. 19. Jh.
4. tot sein. 1900 ff.

Futt f 1. Vulva, Vagina. Geht zurück auf gleichbed mhd „vut" und ist gewiß verwandt mit „Futter = Scheide" und „↗Fotze". Vgl auch ↗Futteral. 14. Jh ff.
2. in der Mitte gekniffte, schirmlose Feldmütze. Wegen der Formähnlichkeit. Sold 1939 ff.
3. weibliche Person. Pars pro toto. 1500 ff.
4. Prostituierte, Hure. 1700 ff.

Futter n 1. Speise (auch abf). Eigentlich die Tiernahrung. Seit mhd Zeit.
2. jn im ~ halten = jn ernähren. 1920 ff.
3. im (ins) ~ sein = im Essen stochern; mit dem Essen unzufrieden sein; ohne Appetit essen. 1900 ff.
4. gut im ~ sein = gute Verpflegung haben; gut genährt sein. 1920 ff.

Futteral n 1. Vagina. Dem Penis angepaßtes Etui. 1900 ff.
2. Büstenhalter. 1950 ff.
3. enganliegendes Kleid. 1910 ff.
4. Uniform. Sold 1939 ff.
5. (enge) Hose. Sold 1939 ff.

futte'raleng adj sehr eng anliegend. 1955 ff.

Futteralien pl Eßwaren. Den „↗Fressalien" nachgebildet. 1900 ff.

Futterkrippe f 1. Eßtisch; das auf dem Tisch stehende Mittagessen. Von der Landwirtschaft übernommen. 1900 ff.
2. Kantine o. ä. BSD 1965 ff.
3. Mensa. Stud 1960 ff.
4. der Staat als Verteiler aussichtsreicher und geldlich einträglicher Stellen, als Gegenstand der Ausbeutung bei „Vetternwirtschaft" u. ä. Ausspruch des deutschnationalen Abgeordneten Albrecht von Graefe im Deutschen Reichstag am 25. Juli 1919.
5. sichere Einnahmequelle. 1920 ff.

Futterluke f Mund. Eigentlich die Decken- oder Wandöffnung, durch die den Stalltieren das Futter hineingeworfen wird. Etwa seit 1800.

futtern intr essen; reichlich, mit Appetit essen. Von der Tierhaltung auf den Menschen übertragen: wer Essen bekommt, der ißt; wer Futter bekommt (wie die Tiere), der „futtert". 1500 ff.

füttern tr 1. reichlich bewirten. 19. Jh.
2. eine Handfeuerwaffe mit Patronen laden u. ä. 1920 ff.

3. jm immer erneut den Ball zuspielen. Fußballerspr. 1950 *ff.*

Futtersack *m* Brotbeutel. ↗ Freßsack 2. 1914 *ff* bis heute, *sold.*

Futterstall *m* Stammkneipe. 1925 *ff.*

Futtertaschen *pl* Pausbacken. Vom Hamster übernommen. 1920 *ff.*

Fütterung *f* **1.** Beköstigung. 19. Jh.

   2. ∼ der Raubtiere = Beköstigung, Mahlzeit. Vom Zoologischen Garten hergenommen. Spätestens seit 1900.

Futterverwerter *m* guter ∼ = Mensch, der jede Speise gut verdaut, der bei jeglicher Kost gut gedeiht. Eigentlich auf Haustiere bezogen. 1920 *ff.*

Futterwagen *m* fahrbarer Verkaufsstand auf dem Bahnsteig. 1965 *ff.*

Futtologie *f* Sammeln geschlechtlicher Erfahrungen; Sexualwissenschaft. Unter Zugrundelegung von „↗ Futt 1" dem Begriff „Futurologie" nachgeahmt. 1968 *ff.*

Fuzzy *m* Kleinwüchsiger. Übernommen vom Namen einer Wild-West-Witzfigur im amerikanischen Film. *BSD* 1965 *ff.*

G

G.m.b.H. Die Abkürzung von „Gesellschaft mit beschränkter Haftung" wird – etwa seit dem späten 19. Jh – gern unterschiedlich gedeutet, und zwar als **1.** Genosse muß Betriebsstoff haben. *Sold* 1939 *ff.* **2.** Gesellschaft mehrfach bestrafter Halunken. 1900 *ff.* **3.** Gesellschaft mit beschmutzten Händen. 1920 *ff.* **4.** Genossen mit bekannter Harmlosigkeit. 1906 *ff.* **5.** gehste mit, bekommste Haue. *Jug* 1930 *ff.* **6.** Gemeinschaft mit besseren Herren; Orchester. 1940 *ff.* **7.** Gesellschaft mit beschissenem Hintern. 1900 *ff.* **8.** Gesellschaft mit bösen Hintergedanken. Seit dem späten 19. Jh. **9.** Gesellschaft mit beschränkter Hoffnung. 1900 *ff.* **10.** Gesellschaft mit beschränktem Horizont. 1920 *ff.* **11.** Gesellschaft mit beschissener Hose; Feiglinge. 1900 *ff.* **12.** Gesellschaft mit beschwingten Hosen. 1925 *ff.* **13.** Gesellschaft mit beschränktem Humor; Schelte auf Behörden, in denen einem das Lachen im Hals steckenbleibt. 1920 *ff.* **14.** gehst mit, biste hin. ↗ hin 1900 *ff.* **15.** Gott möge bald helfen. 1900 *ff.* **16.** ganz molliger Betthase. 1949 *ff.*

G.V. Geschlechtsverkehr. 1950 *ff.*

Gabel *f* **1.** Schwurfinger *(pl);* Eid. Zum Schwören spreizt man gabelförmig den Zeige- und den Mittelfinger der rechten Hand. 1835 *ff.* **2.** Gottes ~ = Hand. Es ist die Gabel, wie sie jedermann von seinem Schöpfer erhält. 1900 *ff.* **3.** fünfzinkige ~ = Hand. 19. Jh. **4.** es kommt auf die ~ = es kommt zum Schwur vor Gericht. 1900 *ff.* **5.** die ~ machen = etw beschwören. 1960 *ff.* **6.** etw auf die ~ nehmen = etw beeiden. 19. Jh. **7.** jn auf die ~ nehmen = jn derb zurechtweisen, streng behandeln. Gabel = Knopfgabel: auf sie zieht man die Knöpfe an der Uniform auf, um sie putzen zu können. Die Wörter für „reinigen" bezeichnen umgangssprachlich auch das Tadeln. Seit dem späten 19. Jh. **8.** die Rechnung mit der ~ schreiben = eine überhöhte Rechnung ausstellen. Mit der zwei- oder dreizinkigen Gabel könnte man jede Ziffer zwei- oder dreimal schreiben. 1960 *ff.*

Gabelersatz *m* Hand. 1914 *ff, sold.*

Gabelfrühstück *n* **1.** Geschlechtsverkehr am frühen Morgen. Meint eigentlich das reichhaltige Frühstück, das bei festlichen Anlässen zwischen 11 und 13 Uhr eingenommen wird. 1950 *ff.* **2.** es ist mir ein inneres ~ = es freut mich sehr, ist mir ein Genuß. 1920 *ff.*

gabeln *v* **1.** *intr* = essen. Eigentlich „auf die Gabel nehmen". 1900 *ff.* **2.** *intr* = einen Eid leisten. 1750 *ff.*

3. *refl* = koitieren. 1950 *ff, jug.*

Gabiko *m* klarer Schnaps. Abgekürzt aus „ganz billiger Korn". *BSD* 1960 *ff.*

gackern *intr* **1.** schwatzen und kichern (auf junge Mädchen bezogen); dumm, albern reden. Schallnachahmung für den Laut von Hühnern. 19. Jh. **2.** ~, bevor das Ei gelegt ist = vorschnelle Mitteilungen machen. 1920 *ff.*

Gackerröhre *f* Fagott. Es kann gackernd klingen. 1920 *ff.*

Gaffe *f* neugieriges Starren. *Vgl* das Folgende. Neuwort 1960 *ff.*

gaffen *intr* neugierig, müßig zusehen; offenen Mundes blicken. Grundbedeutung „den Mund aufsperren". 1400 *ff.*

Gage *(franz* ausgesprochen*) f* **1.** Löhnung. Meint eigentlich die feste Künstlerbesoldung; danach *sold* verallgemeinert im 17. Jh für „Besoldung". Die Vokabel gilt ununterbrochen bis heute. **2.** dicke ~ = hohe Schauspielerbesoldung. Dick = umfangreich. 1900 *ff.*

'Gagg'ei *n* einfältiger Mensch. Meint in der *südd* Kindersprache das Ei, das Hühnerei; dann auch das „dumme ↗ Huhn". 1910 *ff.*

Gähn *m* Langeweile. Schülervokabel seit 1965.

Gähnehe *f* langweilige Ehe. 1964 *ff.*

Gähnen *n* **1.** kinnladenbrechendes ~ = heftiges Gähnen; weites Öffnen des Mundes beim Gähnen. 1940 *ff.* **2.** das große ~ kriegen = sehr gelangweilt werden. 1920 *ff.*

gähnial *adj* zum Gähnen langweilig. Scherzhaft aus dem Adjektiv „genial" nachgebildet. Von Curt Goetz geprägt (?). 1920 *ff.*

Gähnschleiche *f* Sängerin. Der „Blindschleiche" nachgebildet mit Anspielung auf den geöffneten Mund, den der Sänger mit dem Gähnenden gemeinsam hat. *Halbw* 1960 *ff.*

Gaksch *n m* **1.** Umstände; leere Höflichkeiten; Wortemacherei. Gehört zu „gaken = schreien (von den Gänsen gesagt)". *Sächs* 19. Jh. **2.** Belustigung, Ulk, Spaß. *Sächs* 19. Jh.

Gala *f* sich in ~ werden (schmeißen) = sich festlich kleiden; den Sonntagsanzug anziehen. „Gala" meint die festliche Kleiderpracht, die im 17. Jh aus dem Spanischen an den Wiener Hof gelangte. „Sich werfen" steht für „sich rasch ankleiden". Wohl *stud* Ursprungs, 19. Jh.

galaktisch *adj* ausgezeichnet, unübertrefflich. Meint eigentlich „zur Milchstraße gehörig". Hängt mit der Bewunderung für die Weltraumforschung zusammen, möglicherweise unter Einfluß von „↗ Gala". *Halbw* 1960 *ff.*

Galerie *f* **1.** das auf dem höchsten Rang sitzende Publikum. 1700 *ff.* **2.** beträchtliche Anzahl. Vom Nebeneinander von Bildern übertragen auf das Nebeneinander von Personen, dann auch von beliebigen Gegenständen. 1900 *ff.* **3.** Diebesbande; Großstadt-Unterwelt. Hervorgegangen aus „Galerie" im Sinne von „gedeckter Gang; unterirdischer Gang; Laufgang". *Rotw* seit dem frühen 20. Jh, *österr.* **4.** ~ schöner Männer = Verbrecheralbum. 1900 *ff.*

Galeriekomiker *m* Komiker, der Derbheiten nicht meidet. Er produziert sich im Stil der „↗ Galerie 1". Theaterspr. 1920 (?) *ff.*

Galeriewanze *f* bezahlter Claqueur. Er ist ein auf der Galerie tätiges Ungeziefer. Theaterspr. 1870 *ff.*

Galerist *m* **1.** Mitglied einer Diebesbande. ↗ Galerie 3. 1900 *ff.* **2.** Verbrecher, dessen Bild im Verbrecheralbum vorhanden ist. *Vgl* ↗ Galerie 4. *Österr* 1900 *ff.*

Galgen *m* **1.** Kleiderständer. 1925 *ff.* **2.** Mikrofonausleger. Film- und Fernsehsprache. 1920 *ff.* **3.** Richtungsschild quer über der Autobahn; Schilderbrücke. 1920 *ff.* **4.** aussehen wie vom ~ gefallen (gehopst) = liederlich, zerlumpt aussehen; leidend aussehen; ein Schurkengesicht haben. Der Betreffende hat offenbar lange am Galgen gehangen. 1830 *ff.*

Galgenfrist *f* kurze Frist vor einem wichtigen Ereignis, einer unausweichlichen Entscheidung. Meint eigentlich die Gnadenfrist, die dem bereits unter dem Galgen stehenden Verbrecher gewährt wurde, damit er ein Gebet sprechen und/oder die Zuschauerinnen gefragt werden konnten, ob eine von ihnen den Todgeweihten heiraten (und dadurch vom Galgen befreien) wolle. 1500 *ff.*

Galgenhochzeit *f* Eheschließung wegen fortgeschrittener Schwangerschaft. Der zum Tode durch den Strang Verurteilte konnte von einer unbescholtenen Jungfrau durch Heirat gerettet werden. 1900 *ff.*

Galgenholz *n* **1.** falsch wie ~ = heimtückisch. Mit dem Galgen kann das Kreuz Christi gemeint sein; mit angeblich echten Splittern vom diesem Kreuz wurde im Mittelalter viel Betrug verübt. Außerdem hat alles, was mit dem Galgen zusammenhängt, verächtliche Bedeutung. 1700 *ff.* **2.** faul wie ~ = sehr träge, arbeitsscheu. 1900 *ff.*

Galgenhumor *m* Humor aus Verzweiflung; Humor in einer sehr unangenehmen Lebenslage. Eigentlich der Humor des zum Galgen Verurteilten, des unter dem Galgen stehenden Verbrechers. Frühester *lit* Beleg für 1848.

Galgenschwengel *m* **1.** Taugenichts. Meint eigentlich einen Menschen, der für den Galgen „reif" ist: dort wird er baumeln wie der Klöppel in der Glocke. 1300 *ff.* **2.** Penis. ↗ Schwengel. 1900 *ff.*

Galgenstrick *m* **1.** böser, mutwilliger Junge; niederträchtiger Mann. Der Gegenstand, an dem der Verbrecher aufgehängt wird, ist hier auf den Verbrecher selber übertragen. 16. Jh. **2.** abgerissen wie ein ~ = zerlumpt; in zerschlissener Kleidung. ↗ abgerissen. 19. Jh.

Galgenvogel *m* **1.** Verbrecher. Meint eigentlich den leichenfressenden Vogel; dann auch euphemistisch den Gehängten. 1500 *ff.* **2.** niederträchtiger Mensch; Taugenichts; leichtfertige Person. Etwa seit dem späten 18. Jh.

Galgenwinkel *m* **1.** schlechte Wohngegend. Der Umkreis um den Galgen galt als unrein und unheimlich. 19. Jh. **2.** Verbrecherviertel. 19. Jh.

Gallach *m* Pfarrer. Fußt auf gleichlautendem *jidd* „Geschorener, Tonsurierter". *Rotw* 1510 bis heute.

Galle *f* **1.** Mißmut, Groll, Wut. Nach der antiken Medizinerlehre ist Gallensaft die Ursache des Zorns. 19. Jh.

2. dafür bürgt meine ~ = dafür stehe ich ein. Anspielung auf die Empfindlichkeit der Galle: sie wird sich bemerkbar machen, wenn man die Zusage bricht. 1935 *ff.*

3. ihn frißt die ~ = er ärgert sich sehr. 1900 *ff.*

4. es geht auf die ~ = es erregt Widerwillen. Die Galle als Sinnbild der Bitterkeit. 1920 *ff.*

5. keine ~ im Leib haben = gutmütig, harmlos sein; gegen Beleidigung, Mißhandlung o. ä. nicht aufbegehren; nichts übelnehmen. 19. Jh.

6. ihm geht die ~ hoch (ihm steigt die ~) = er braust auf. 19. Jh.

7. jm die ~ kitzeln = jn sehr ärgern. 1935 *ff.*

8. mir piept die ~ = die Gallensteine machen sich bei mir bemerkbar. 1920 *ff.*

9. ihm steigt die ~; ↗Galle 6.

10. ihm läuft die ~ über = er ist sehr verärgert, er ist wütend. 19. Jh.

Gallenpatron *m* unleidlicher, aufbrausender Mensch. Gallenleidende geraten leicht in Erregung. 1900 *ff.*

Gallensteine *pl* seine ~ klappern = er ist sehr verärgert; sein Zorn bricht aus. 1920 *ff.*

Gallensteins Lager *n* Lazarett-Abteilung für Leber- und Gallenleidende. Scherzhaft dem Dramentitel „Wallensteins Lager" von Schiller nachgebildet. *Sold* 1940 *ff.*

Gallupose *f* übertriebene Betreibung der Meinungsforschung. Zusammengesetzt aus dem Namen des amerikanischen Meinungsforschers G. H. Gallup und der Endung von „Neurose, Psychose". 1955 *ff.*

Galopp *m* im ~ = sehr schnell. Galopp ist die schnellste Gangart des Pferdes. 19. Jh.

Galopp-Abitur *n* in wenigen Halbjahren erzielte Reifeprüfung an einem Institut zur Erlangung der Hochschulreife. 1966 *ff.*

Galöpper *pl* Zankereien. Meint über „Galopp = Tanz" soviel wie „wildbewegte Auseinandersetzung". 19. Jh.

galoppieren *intr* schnell laufen (auf den Menschen bezogen). 19. Jh.

Galoppwechsler *m* Geldwechselgerät, von Schaffnern o. ä. an der Brust getragen. 1971 *ff.*

Galosche *f* 1. Schuh, Überschuh. Meint eigentlich den Holzschuh und die Schusterleisten. Von da weiterentwickelt zum Begriff „lederne Überschuhe", auch „Gummischuhe" und danach verallgemeinert. 1800 *ff.*

2. schnelle ~n haben = davoneilen. *Sold* 1939 *ff.*

Gamaschen *pl* 1. vor etw ~ haben = vor etw Respekt haben; vor etw Befürchtungen hegen. Gamaschen wurden im preußischen Heer unter König Friedrich Wilhelm I. eingeführt. Mit ihnen war im Volk der Gedanke an scharfen Drill verbunden, zumal Gamaschen recht unbequem sitzen. „Gamaschen" nannte man auch die Spanischen Stiefel, ein mittelalterliches Folterwerkzeug. 1850 *ff.*

2. ~ kriegen = Angst, Respekt bekommen. 19. Jh.

Gamaschendienst *m* übermäßiger militärischer Drill mit Beobachtung der Äußerlichkeiten; pedantischer militärischer

Dienst. *Vgl* ↗Gamaschen 1. Gegen 1800 aufgekommen.

gambeln *intr* trippeln; von einem Fuß auf den anderen treten; schlendern. Geht zurück auf *mhd* „gampeln = hüpfen, springen". 19. Jh.

Gamel *m* witscher ~ = junger, unerfahrener Soldat. „Gamel" meint im *Rotw* den Esel. ↗witsch. 1900 *ff.*

Gammel I *m* 1. Schund; Minderwertiges; wertlose Arbeit; Kram. Fußt auf einem *nordgerm* Wort mit der Bedeutung „alt"; *vgl dän* „gamle = alt". Etwa seit 1870; wohl bei der Marine aufgekommen.

2. schlechtes Essen. 1914 *ff.*

3. altes Pferd. Eigentlich soviel wie „altes, faules Fleisch". 1900 *ff.*

4. Gesamtheit der „↗Gammler". 1955 *ff.*

5. Denkweise der „↗Gammler". 1960 *ff.*

6. ungepflegtes, wasser- und arbeitsscheues Mädchen, das sich umhertreibt. 1960 *ff.*

7. derbe, grobe weibliche Person. 1900 *ff.*

8. technischer Dienst. Verkürzt aus ↗Gammeldienst. *BSD* 1965 *ff.*

9. Unbeschäftigtsein; Arbeitslosigkeit. 1965 *ff.*

10. Ordnungslosigkeit. 1965 *ff.*

Gammel II *f* 1. Zigarette. Wohl aus dem Namen der englischen Zigarette „Camel" (= Kamel) umgestaltet. *BSD* 1965 *ff.*

2. Prostituierte. Fußt auf *mhd* „gam(p)eln = hüpfen, bespringen". 1800 *ff.*

3. leichtlebiges Mädchen. 19. Jh.

4. großwüchsiges, hageres Mädchen; unruhiges Mädchen. 19. Jh.

Gammelbetrieb *m* sinnlose Zeitvergeudung durch Streckung der Arbeit. ↗gammeln 3. 1939 *ff.*

Gammeldienst *m* 1. Grundwehrdienst; Dienst, bei dem die immer dieselben Themen behandelt werden; technischer Dienst. ↗gammeln 1. *Sold* 1939 *ff*; *BSD* 1960 *ff.*

2. Bereitschaftsdienst. *BSD* 1965 *ff.*

Gammeldreß *m* 1. Drillichzeug; Monteuranzug. *BSD* 1960 *ff.*

2. typische Kleidung der „↗Gammler". 1960 *ff.*

Gammelei *f* 1. Kriegsdienst ohne Einsatzbefehl; nutzloses Beschäftigtwerden; eintönige Gewohnheit. ↗gammeln 1. *Sold* 1939 bis heute.

2. Arbeitsträgheit, -unlust; absichtliche Unzivilisiertheit; lässiges Benehmen. 1955 *ff.*

3. bequemer Dienst. *BSD* 1960 *ff.*

4. Leichtlebigkeit. *Vgl mhd* „gamel = Fröhlichkeit, Spiel". 1940 *ff.*

5. absichtlich ungepflegter Kleidungsstil. 1965 *ff.*

Gammelgirl (Grundwort *engl* ausgesprochen) *n* jugendliche Müßiggängerin in absichtlich lässiger Kleidung. ↗Gammel I 6; ↗gammeln 4; ↗Girl. 1960 *ff, halbw.*

Gammelhaufen *m* 1. militärische Einheit, die lange keinen Einsatzbefehl erhält. ↗gammeln 1; ↗Haufen 1. Fliegerspr. 1939 *ff.*

2. Mannschaften; Einheit mit sehr bequemem, leichtem Dienst. *BSD* 1960 *ff.*

3. Arbeitsgruppe ohne Zucht und Ordnung. 1950 *ff.*

gammelig *adj* 1. alt, abgestanden, schimmelig, verdorben; nicht mehr frisch. Fußt auf einem *nordgerm* Wurzelwort mit der Bedeutung „alt". 1700 *ff.*

2. arbeitsscheu; Kranksein vortäuschend

um nicht arbeiten zu müssen. ↗gammeln 5. 19. Jh.

3. launisch, mürrisch. 19. Jh.

4. verwahrlost, schmutzig. 1960 *ff.*

5. nachlässig. *Halbw* 1955 *ff.*

6. lustig, spaßhaft. *Mhd* „gamel = Fröhlichkeit". 13. Jh.

7. übermütig, ausgelassen. *Vgl* das Vorhergehende. 1500 *ff.*

8. liebesgierig. *Mhd* „gamel = Lust", verengt zum Begriff „Geschlechtslust". 1500 *ff.*

Gammelklamotten *pl* abgetragene, verwahrloste Kleidung. ↗Klamotten 7. 1955 *ff.*

Gammelknabe *m* junger Müßiggänger; gelangweilter Halbwüchsiger. ↗gammeln 5. 1955 *ff.*

Gammelknilch *m* unsympathischer halbwüchsiger Nichtstuer. ↗gammeln 5; ↗Knilch. 1955 *ff.*

Gammelladen *m* 1. Lokal ohne Stimmungsbetrieb. *Vgl* ↗gammeln 6. 1960 *ff.*

2. Schule. 1960 *ff.*

Gammelleben *n* Müßiggang; ungeregelte Lebensweise. ↗Vgl ↗Gammel I 9 u. 10. 1960 *ff.*

Gammellook (Grundwort *engl* ausgesprochen) *m* den „↗Gammlern" nachgebildeter Modestil. 1965 *ff.*

Gammelmann *m* „↗Gammler". 1965 *ff.*

gammeln *intr* 1. untätig vor Anker liegen; auf den militärischen Einsatzbefehl warten und warten. Fußt auf *mhd* „gammeln, gampen = springen, hüpfen, tänzeln", gekreuzt mit *mhd* „gamel = Spiel, Spaß, Fröhlichkeit". *Sold* 1939 *ff.*

2. bequemen Dienst haben; nachlässig Dienst tun; Posten stehen u. ä. *BSD* 1960 *ff.*

3. nutzlos beschäftigt werden; mit mehreren zu einer Arbeit befohlen werden, für die zwei Mann vollauf reichen. *BSD* 1960 *ff.*

4. liederlich leben; unzweckmäßig arbeiten. 1900 *ff.*

5. ziellos gehen; müßiggehen; arbeitsscheu sein. 1955 *ff, halbw.*

6. langsam tätig sein; arbeitsunlustig sein. *Halbw* 1955 *ff.*

7. betteln. 1900 *ff.*

8. Handelsvertreter von Haus zu Haus sein. 1945 *ff.*

9. seinen Gedanken nachhängen; außerhalb der üblichen Schlafenszeit schlafen; in den Tag hineinleben und sich zu keiner nützlichen Arbeit aufraffen können. *Halbw* 1955 *ff.*

10. einander intim betasten. ↗Gammel II 2. *Halbw* 1965 *ff.*

11. faulig werden. *Vgl* ↗gammelig 1. 1700 *ff.*

12. altern; geistig abständig werden. Vom Vorhergehenden übertragen aufs Geistige. 1900 *ff.*

Gammelpäckchen *n* 1. unsauberer Marineangehöriger. *Vgl* ↗Gammel I 1; ↗gammeln 4; ↗Päckchen. *Marinespr* 1939 bis heute.

2. Zusammenschluß von arbeitsscheuen, gelangweilten, ungepflegten Halbwüchsigen. „Päckchen" ist hier Verkleinerungsform von „↗Pack = Gesindel". Polizeispr. 1955 *ff.*

Gammelpulli *m* sehr weiter, bequemer Pullover. 1960 *ff.*

Gammelschick *m* nachlässige Kleidung der

„↗Gammler". Schick bezeichnet eigentlich die elegante Kleidung. Hier ist die Kleidertracht gemeint, die die „Gammler" für „schick" halten. 1960 *ff.*

Gammelstunde *f* **1.** Putz- und Flickstunde. ↗gammeln 2. *BSD* 1960 *ff.*
2. wegen Lehrermangels oder aus anderen Gründen ausfallende Unterrichtsstunde (in der die Schüler sich selber überlassen sind). 1960 *ff.*

Gammeltag *m* **1.** arbeitsfreier Nichtfeiertag. ↗Gammel I 9. 1600 *ff.*
2. schulfreier Tag wegen Lehrermangels. ↗gammeln 5. 1960 *ff.*

Gammeltimpe *f* Halbwüchsigenlokal. *Vgl* ↗Gammler; ↗gammelig. „Timpe" meint im *Niederd* die „Ecke"; die Grundbedeutung ist also „verschimmelte, langweilige Ecke; langweiliges Ecklokal". 1955 *ff, halbw.*

Gammeltour *f* Müßiggang. ↗Gammel I 9; ↗gammeln 5; ↗Tour. 1960 *ff.*

Gammeltype *f* in Kleidung und Verhalten typischer „Gammler". ↗Type. 1960 *ff.*

Gammelurlaub *m* **1.** Urlaubsreise ins Blaue; Urlaub auf dem Bauernhof; Urlaub ohne jeglichen „Snob-Appeal". 1965 *ff.*
2. Urlaub, in dem man keinerlei Beschäftigung hat. ↗gammeln 5. 1965 *ff.*

Gammelwelt *f* Lebensauffassung jugendlicher Müßiggänger. 1955 *ff.*

Gammelzahn *m* Mädchen mit ungeregelter Lebensweise; arbeitsscheues, absichtlich ungepflegtes Mädchen in lässiger Kleidung. ↗Gammel I 6; ↗Zahn 3. 1955 *ff.*

Gammler *m* **1.** arbeitsscheuer, von Herkommen, Pflichten und Tugenden gelangweilter Halbwüchsiger, der sich in Kleidung, Haartracht und Anstand absichtlich vernachlässigt. ↗gammeln 5. 1955 *ff.*
2. arbeitsscheuer Jugendlicher auf Suche nach Gelegenheiten, wo er etwas entwenden kann. 1960 *ff.*
3. Klassenschlechtester. Er pflegt seine Arbeitsunlust bis zum letzten Platz. 1960 *ff, schül.*
4. Soldat der Bundeswehr. *BSD* 1960 *ff.*
5. Langhaardackel. Mit den „Gammlern" hat er die langen Haare gemeinsam. 1965 *ff.*
6. verhinderter ~ = verheirateter Student. Am Nichtstun hindert ihn die Unterhaltspflicht für Frau und Kind. 1965 *ff, stud.*

Gammlerei *f* Lebens- und Denkweise der „↗Gammler". 1960 *ff.*

Gammlerin *f* halbwüchsige Müßiggängerin in sichtbarem Widerstand gegen herkömmliche Lebensgewohnheiten. Der weibliche „↗Gammler 1". 1955 *ff.*

gammlerisch *adj* halbwüchsigen Müßiggängern und ihren Lebensgewohnheiten und -anschauungen entsprechend. *Vgl* ↗gammelig. 1960 *ff.*

Gammlerjacke *f* Lederjacke. 1960 *ff.*

Gammler-Limonade *f* Rotwein. Angeblich trinken „Gammler" Rotwein von der billigsten Sorte. Wohl von den „↗Stadtstreichern" übertragen. 1960 *ff.*

Gammler-Look *m* Kleidung nach dem Geschmack der „↗Gammler"; den „Gammlern" nachgeahmter Modestil. Vgl auch ↗Gammel I 1. 1965 *ff.*

Gammlermahlzeit *f* Rauschgift u. ä. 1960 *ff, jug.*

Gammlertum *n* Widerstandsbewegung Halbwüchsiger gegen herkömmliche Lebensgewohnheiten, Anschauungen und Ideale. ↗Gammler 1. 1960 *ff.*

Gandhi *m* hagerer Mensch. Hergenommen von Indiens Mahatma Gandhi (1869–1948), der von sehr schmächtiger und hagerer Gestalt war. *Sportl* 1930 *ff.*

Ganeff *m* **1.** Gauner, Dieb. ↗Gannef. *Rotw* 1823 *ff.*
2. Frauenheld. Versteht sich als „Herzensdieb". 1920 *ff.*

ganfen (gamfen) *tr* stehlen. Fußt auf *gleichbed jidd* „ganven (gannefen)". 1500 *ff.*

Gang I *m* **1.** langer ~ = Durchfall. Anspielung auf langes Verweilen auf dem Abort. *BSD* 1960 *ff.*
2. ondulierter ~ = Torkelgang; schwankendes Schreiten. Man bewegt sich in Wellenlinien. 1930 *ff.*
3. jn auf den ~ bringen = jn zum richtigen Handeln zwingen; jn aus der Ruhe (aus dem Nichtstun) aufscheuchen. Von der Maschine hergenommen, die man in Betrieb setzt. 1910 *ff.*
4. den vierten ~ einlegen (einschalten) = sich sehr beeilen; hastig sich entfernen. Hergenommen von den Gängen des Verbrennungsmotors. 1925 *ff.*
5. da haben sie erst vor vier Wochen den aufrechten ~ eingeführt = das ist eine zivilisationsferne Gegend. Wahrscheinlich einem Ostfriesenwitz entlehnt. *BSD* 1969 *ff.*
6. den zweiten ~ einschalten = tatkräftig handeln; rasch tätig werden. *Vgl* ↗Gang I 4. 1925 *ff.*
7. an etw im dritten ~ gehen = eine Angelegenheit zu beschleunigen trachten. *Vgl* ↗Gang I 4. 1925 *ff.*
8. auf langsamen ~ kaufen = auf Raten kaufen. 1930 *ff.*
9. jm hinter seine Gänge kommen = jds Hinterlist aufdecken. Gang = Schleichweg, Schlich. 19. Jh.
9 a. die Gänge reindreschen = ungestüm schalten. Kraftfahrerspr. 1930 *ff.*
10. du kriegst den ~ nicht rein!: Ausruf der Verwunderung. Leitet sich her vom Kuppeln des Kraftfahrzeugmotors. 1950 *ff.*
11. auf kleinen ~ schalten = sich ausruhen; langsamer arbeiten. Aus der Kraftfahrersprache. 1930 *ff.*
12. sehr im ~ sein = noch rüstig sein. Gang = Bewegung einer Maschine. 1965 *ff.*
13. mit jm zu ~e sein = a) mit jm in Liebesbeziehungen stehen. Gang = Fechtgang; Abschnitt in einem Zweikampf. 1920 *ff.* – b) mit jm streiten. 19. Jh.
14. einen ~ zurückschalten (zurückstecken) = langsamer vorgehen. Der Kraftfahrersprache entlehnt. 1930 *ff.*

Gang II *(engl* ausgesprochen) *f* Gruppe. Meint im Englischen den Trupp, die Abteilung oder Rotte, auch die Bande. *BSD* 1965 *ff.*

Gangart *f* **1.** in der kleinsten (tiefsten) ~ = kriechend. 1935 *ff.*
2. eine flotte ~ haben = Durchfall haben. Anspielung auf das Eilen zum Abort. *Sold* 1939 *ff.*
3. das ist nicht die richtige ~ = dieses Vorgehen ist falsch. Offiziersspr. 1939 *ff.*
4. eine härtere ~ einlegen (einschlagen, zulegen) = strenger handeln; härter arbeiten. 1930 *ff.*

gangbar *adj* **1.** mittelmäßig. Eigentlich soviel wie „begehbar". Hier adjektiviert aus „es geht = es läßt sich verwirklichen; es ist nicht gut und nicht schlecht". *Jug* 1960 *ff.*
2. leicht zugänglich; nicht abweisend. Das so gekennzeichnete Mädchen ist „zum Begehen geeignet" oder ist „vielbegangen" wie ein Weg. *BSD* 1965 *ff.*

Gängelband *n* **1.** jn am ~ führen = jn bevormunden. Meint das Band, an dem das Kind gehen lernt. Etwa seit Anfang des 18. Jhs.
2. am ~ gehen = sich von fremdem Willen leiten lassen. 1800 *ff.*

gängeln *v* **1.** jn ~ = jds Willen beherrschen. ↗Gängelband 1. 19. Jh.
2. sich ~ lassen = sich bevormunden lassen; über sich bestimmen lassen. 19. Jh.

Gangster *(engl* ausgesprochen) *m* ~ mit dem (im) weißen Kragen = Wirtschaftsstraftäter. Fußt auf dem *angloamerikan* Begriff „white-collar-crime". *Vgl* ↗„Weiße-Kragen-Kriminalität". Nach 1960 bei uns aufgekommen.

Gangwerk *n* Beine; Gangart. Dem ↗Gehwerk nachgebildet. 19. Jh.

'Gankerl *n* Teufel. Ist über „Gaunkerl" mit Nasalverlust eine Verkleinerungsform von „Gauch = Kuckuck"; ↗Kuckuck. *Bayr* 1800 *ff.*

'Gannef *m* Dieb, Landstreicher. Fußt auf *jidd* „gannaw = Dieb". *Rotw* 1840 *ff.*

Ga'nove *m* **1.** Landstreicher, Verbrecher, Dieb usw. Vgl das Vorhergehende. *Rotw* 1812 *ff.*
2. alterfahrener Handelsvertreter. Selbstbezeichnung! 1920 *ff.*

Ganovenmaggi *m* billigster Wermutwein. Er ist farbähnlich der Maggi-Würze und wegen des niedrigen Preises beliebt bei Landstreichern u. ä. 1960 *ff.*

Gans (Gansl, Ganserl) *f (n)* **1.** Mädchen; Schülerin; dumme, eingebildete weibliche Person. Mit den Gänsen haben sie das „Schnattern" gemeinsam. Schon seit *mhd* Zeit.
2. blöde ~ = dumme weibliche Person. 19. Jh.
3. dämliche (doofe) ~ = dümmliche weibliche Person. ↗dämlich; ↗doof 1. 1900 *ff.*
4. dumme ~ = dummes, dummstolzes Mädchen. Die Dummheit der Gans ist unbeweisbar. 1700 *ff. Vgl franz* „bête comme une oie" und *engl* „a silly goose".
5. garnierte ~ = aufgeputztes junges Mädchen. 1920 *ff.*
5 a. goldene ~ = reiche, aber dumme weibliche Person. 19. Jh.
6. das läuft von ihm ab wie das Wasser von der ~ = das beeindruckt ihn nicht; das nimmt er sich nicht zu Herzen. Das Wasser perlt vom Gefieder ab, es bleibt nicht haften. 1900 *ff.*
7. jn ausnehmen wie eine gestopfte (tote) ~ = jn erpressen; jm das Geld abnötigen. ↗Weihnachtsgans. 1900 *ff.*
8. er ist so dumm, daß ihn die Gänse beißen = er ist sehr dumm. 19. Jh.
9. ein Gesicht machen wie die ~, wenn es donnert (blitzt) = überrascht, ratlos blicken. 1900 *ff.*
10. mach' die Gänse nicht scheu! = red' nicht solchen Unsinn! mute uns nicht derlei Unglaubwürdigkeiten zu! 19. Jh.

11. eine ~ schlachten, die goldene Eier legt = den sicheren Vorteil hinfällig machen; sich um den Erfolg bringen. ↗Huhn 36. 1950 ff; wohl älter. *Vgl engl* „he kills the goose that laid the golden eggs".

12. einer fetten ~ den Arsch schmieren = a) Wohlhabende noch wohlhabender machen. 1900 ff. – b) einen Reichen umschmeicheln. 1950 ff.

Gänsearsch *m* **1.** wie ein ~ = in rascher Aufeinanderfolge; fast pausenlos (auf Redseligkeit bezogen). Der Gänseafter ist fast ständig in Betrieb. 19. Jh.
2. einen ~ gefressen haben = pausenlos sprechen. 19. Jh.

Gänseblümchen *n* **1.** ein ~ entblättern = eine weibliche Person entkleiden. Das Gänseblümchen (Maßliebchen; Margeritenblume) dient als Liebesorakel, indem man Blättchen für Blättchen abzupft (mit der Bedeutung „ja – nein – ja – nein – ja . . ."). 1935 ff.
2. das ~ wird entblättert = a) Biologieunterricht. Hergenommen vom deutschen Titel des französischen Films „En effeuillant la marguerite" mit Brigitte Bardot, 1956. *Schül* 1958 ff. – b) eine neue Schülerin wird in der Klasse aufgenommen. Entblättern = entkleiden; in übertragenem Sinne soviel wie „auseinandernehmen, durch-, untersuchen". 1958 ff.
3. ~ pflücken = romantisch veranlagt sein; als altmodisch gelten. 1930 ff.

Gänsebraten *m* dem armen Mann sein ~ = Liebe; Geschlechtsverkehr. Armut erlaubt keinen Gänsebraten. Berlin 1920 ff.

Gänsebrust *f* Jungmädchenbrust. ↗Gans 1. 1900 ff.

Gänseflaum *m* **1.** Damenbart. 1920 ff.
2. Schamhaare der Frau. 1920 ff.

Gänsefüßchen *pl* **1.** Anführungszeichen. Wegen der Formähnlichkeit. Von Jean Paul 1795 geprägt.
2. Plattfüße. 19. Jh.

Gänsefüßchen-Dame *f* Prostituierte. Das Wort „Dame" ist in Anführungszeichen zu setzen, um anzudeuten, daß die Bezeichnung *iron* gemeint ist. 1950 ff.

Gänsegrill *m* Strandbad mit sonnenbadenden Mädchen. 1955 ff.

Gänsehaut *f* **1.** enganliegendes Kleid eines jungen Mädchens. ↗Gans 1. 1900 ff.
2. viel ~ = Gruselfilm, Schauerstück. „Gänsehaut" meint hier die beim Menschen durch Schrecken hervorgerufene Zusammenziehung der kleinen glatten Hautmuskeln. 1950 ff, jug.

Gänsehirt *m* Mädchenschuldirektor. ↗Gans 1. 1950 ff, schül.

Gänsehüpfen *n* Tanzerei unter sehr jungen Leuten. 1900 ff.

Gänseklein *n* Mädchenschulklasse. Eigentlich das kleingeschnittene, gekochte Fleisch der Gänseflügel und -beine usw. *Vgl* ↗Gans 1. 1900 ff.

Gänsekragen *m* langhalsiger Mensch. 18. Jh.

Gänseliesel *n* **1.** junges Mädchen. Übernommen vom Titel eines Romans der Nataly von Eschstruth (1886). Etwa seit 1900.
2. Mädchenschulleiterin. Eigentlich eine kindlich- jugendliche Gänsehüterin. Hier gilt die Hut einer Vielzahl von „↗Gans 1". 1950 ff, schül.

Gänsemarsch *m* **1.** Fahren in Kolonne.

Gänse gehen nicht nebeneinander. *Sold* 1939 ff.
2. im ~ = hintereinander her. 1830 ff.

Gänseprediger *m* Mädchenschullehrer. Den Gänsen predigen = vergeblich sprechen. Im 16. Jh bezogen auf einen Geistlichen, der eine erfolglose Bußpredigt hält.

Ganserl *n* dummes, unreifes Mädchen. Verkleinerungsform von ↗Gans 1. 19. Jh. *Österr.*

Ganserlschule *f* Mädchenschule. *Österr* 1920 ff.

Gänsestall *m* Mädchenpensionat, -schule. 1850 ff.

Gänsestietz *m* er hat einen ~ gegessen = er redet pausenlos und unsinnig. Stietz = Schwanz. Der Gänseschwanz ist fast ständig in Bewegung. *Vgl* ↗Gänsearsch. 18. Jh.

Gänsewein (Ganserlwein) *m* Trinkwasser. Scherzhafte Wertsteigerung seit dem 16. Jh.

Gänsezucht *f* Ehepaar mit zahlreichen Töchtern. ↗Gans 1. 1900 ff.

Gant *f* (Zwangs-)Versteigerung. Geht zurück auf *lat* „in quantum = wie hoch" (ergänze: wird geboten); hieraus entwickelt sich *mittellat* „inquantare = versteigern", auf dem *ital* „incanto" fußt. Seit dem ausgehenden 14. Jh. Vorwiegend *oberd.*

ganz *adj* Aus der Bedeutung „alle zugehörigen Teile enthaltend" hat sich „vollständig" entwickelt. Seit *ahd* Zeit.
2. für ~ = für immer (er bleibt für ganz da). 1900 ff.
3. ein ~es halbes Jahr = ein volles Halbjahr. 1600 ff.
4. eine ~e Zeit = eine ziemlich lange Zeit. 1800 ff.
5. ~e fünfzig Pfennig = nur 50 Pfennig. 19. Jh.
6. etw ~machen = etw wiederinstandsetzen. 19. Jh.
7. nicht ~ sein (nicht ~ bei sich sein) = nicht recht bei Verstand sein. Ganz = im Vollbesitz der Sinne, der geistigen Kräfte. 1900 ff.

Ganzer *m* jm einen Ganzen kommen = auf jds Wohl ein volles Glas Bier leeren. *Stud* 1600 ff.

Ganzes *n* **1.** aufs Ganze gehen = alles wagen. Bezieht sich eigentlich auf den gesamten Einsatz beim Glücksspiel. Spätestens seit 1900.
2. es geht ums Ganze = es geht um alles. 1900 ff.

Ganzmacher *m* Reparateur. 1900 ff. ↗ganz 6.

gar *adj* nicht ~ = **1.** geistesschwach, wunderlich. Gar = fertig gekocht; von da weiterentwickelt zur Bedeutung „gereift, normal, gehörig". 1900 ff.
2. charakterlich (biologisch) unreif. 1900 ff.

Garantie *f* **1.** unter ~l: Ausdruck der Beteuerung. Bezieht sich eigentlich auf eine Ware, für deren Güte, Haltbarkeit, fehlerfreies Funktionieren u.ä. der Verkäufer für eine befristete Zeitspanne Haftung übernimmt. 1900 ff.
2. darauf gebe ich dir meine ~ = dafür verbürge ich mich; darauf kannst du dich fest verlassen. 1900 ff.

Garantiezünder *m* langjährig beliebter Bühnenkünstler. Zünden = das Publikum begeistern. Theaterspr. 1950 ff.

Garbo-Brille *f* große Sonnenbrille. Benannt nach der schwedischen Filmschauspielerin Greta Garbo, die solche Brillen bevorzugte. 1950 ff.

Garbo-Glocke *f* weicher Filzhut für Damen. Benannt wie im Vorhergehenden. 1950 ff.

Gardenparty *(engl* ausgesprochen) *f* Nächtigung (Schlaf) im Freien. Schon früh im 19. Jh aus England übernommen; gegen Ende des Jhs anscheinend erneut entlehnt. *Sold* 1939 ff.

Garderobenschlacht (-kampf) *f (m)* allgemeines Hasten zur Mäntelablage (im Theaterfoyer o. ä.) nach dem Ende der Vorstellung. 1890 ff.

Garderobenständer *m* **1.** mageres Tier. Es ist so mager, daß man an den hervortretenden Rippen usw. Mantel und Hut aufhängen könnte. 1900 ff.
2. hagerer Mensch. 1970 ff.

Gardine *f* **1.** Theatervorhang. Eigentlich der Fenstervorhang. Theaterspr. 1900 ff. Ebenso im *Engl.*
2. Schaum auf dem Glas Bier. 1950 ff.
3. *pl* = (Fenster-)Gitter. Verkürzt aus „eiserne ↗Gardinen". 1900 ff, rotw.
4. *pl* = Gefängnis. 1900 ff.
5. ~n für die Augen = künstliche Wimpern. 1960 ff.
6. eiserne ~n = Gefängnis, Arrestlokal. 1840 ff.
7. eiserne ~ = eiserner Vorhang im Theater. Theaterspr. 1900 ff.
8. schwedische ~n = a) Gefängnis, Arrestanstalt. „Schwedisch" bezieht sich auf das hochwertige schwedische Eisen (Schwedenstahl). Diese Bezeichnung löst die „eisernen Gardinen" weitgehend ab. Seit dem späten 19. Jh. – b) Schule. Die Schüler fühlen sich dort wie im Gefängnis. 1960 ff.

Gardinenpredigt *f* **1.** Strafrede der Ehefrau gegenüber dem Ehemann. Anspielung auf die früher üblichen Bettgardinen. Die Strafrede als „Predigt" ist schon im 15. Jh geläufig. Im frühen 18. Jh aus *ndl* „gordijnpreek" entlehnt; *vgl* auch *engl* „curtain-lecture".
2. Strafrede des Ehemanns an die Frau. 1965 ff.
3. Tadel. 1960 ff, schül.

garkochen *tr* jn gefügig machen; auf jn derart einwirken, daß er sich dem Ansinnen nicht mehr widersetzt. Hergenommen von der Speise, die so lange gekocht wird, bis sie genießbar ist. 1940 ff.

Garn *n* **1.** Lüge, Prahlerei. ↗Garn 4. 19. Jh.
2. jn ins ~ gehen = sich von jm verlocken lassen. Hergenommen vom Netz des Fischers, des Jägers oder des Vogelstellers. 1500 ff. – b) von jm ertappt werden. Polizeispr. 1900 ff.
3. jn ins ~ kriegen (locken) = jn verlocken, verführen; jn für fremde Interessen gewinnen. 1700 ff.
4. ~ spinnen = prahlerisch erzählen. Steht im Zusammenhang mit dem Netzeflicken und den Täterarbeiten der Matrosen, die derlei Arbeiten in den Mußestunden verrichteten und sich bei diesem „Garnspinnen" Erlebtes und Hinzuerfundenes erzählten. Etwa gegen Mitte des 19. Jhs aufgekommen.

Garnitur *f* **1.** Leistungsvermögen des Menschen als Wertmaßstab; Güteklasse der Menschen; Rollenbesetzung; Einstufung

einer Sportmannschaft. Stammt aus der Theatersprache: An großen Theatern werden die einzelnen Stücke in Doppelbesetzung einstudiert; die in der Erstaufführung eingesetzten Darsteller sind die erste Garnitur, die zur Vertretung vorgesehenen Künstler machen die zweite Garnitur aus. Etwa seit 1900 theaterspr., 1950 *ff sportl.*
2. männliche Geschlechtsteile. Garnitur = Besteck = Geschlechtswerkzeug. 1900 *ff.*
3. Vulva, Vagina. 1900 *ff.*
4. Nebenstrafe. Sie „garniert" die Hauptstrafe. „Garnieren ~ mit schmückendem Beiwerk versehen"; aus der Kochkunst, Konditorei u. a. *Rotw* 1922 *ff.*
5. erste ~ = Fachgröße; hervorragender Könner. 1910 *ff.*
6. dritte ~ = a) untere Stufe des höheren Dienstes. 1920 *ff.* – b) die Klassenschlechtesten. 1960 *ff.* – c) Zahnersatz. Die ersten und zweiten Zähne sind natürlich, die dritten künstlich. 1920 *ff.*
7. sechste ~ = schlechteste Art, Sorte, Klasse o. ä. Meint eigentlich die sechste Uniform-Garnitur; sie ist zerschabt und geflickt, aber für Exerzierzwecke und bei Regenwetter noch brauchbar. 1910 *ff.*
8. siebte ~ = schlechteste Sorte. Hängt zusammen mit der siebten Bitte des Vaterunsers: „erlöse uns von dem Übel". 1910 *ff.*
9. große ~ = Gesamtheit der besten Könner. 1950 *ff.*
gartein (gärtein) *intr* sich im Garten beschäftigen; aus Liebhaberei Gartenarbeiten betreiben. 19. Jh, *oberd.*
Garten *m* **1.** Kübelbäume vor dem Wirtshaus. Berlin seit dem späten 19. Jh.
2. Truppenübungsplatz. *Iron* Bezeichnung. *BSD* 1965 *ff.*
3. hängende Gärten = schlaffe Brüste. Scherzhafte Bedeutungsabwandlung der „hängenden Gärten der Semiramis" (eines der sieben Bauwunder der Antike). 1900 *ff.*
4. kleinster ~ = Balkon; Blumenkasten. 1920 *ff.*
5. quer durch den ~; ↗quer.
Gartenmuffel *m* Mann ohne Interesse an Gartenarbeit. ↗Muffel. 1965 *ff.*
Gartenstuhl *m* umgebauter ~ = **1.** kleines, meist dreirädriges Kraftfahrzeug. 1960 *ff.*
2. Go-Kart; „Seifenkistl". 1960 *ff.*
Gartenzaun *m* Unterhaltung (Gespräch) über den ~ = zufällig sich ergebende Unterhaltung ohne bestimmten Zweck. 1900 *ff.*
Gartenzwerg *m* **1.** Anfänger. Gartenzwerge gab es schon im 19. Jh; ihre Beliebtheit stieg um 1950 stark an. 1930 *ff.*
2. kleinwüchsiger Mensch; unbedeutender Mensch; häßlicher Mensch. 1930 *ff.*
3. Schüler der Unterstufe. 1955 *ff.*
4. abgebrochener ~ = unsympathischer Mensch. Er ist so unbeliebt wie ein schadhaft gewordenes Zierstück. 1955 *ff.*
5. abgebröckelter ~ = a) alter Mann. 1955 *ff.* – b) bejahrter Herr mit geschlechtlichen Gelüsten gegenüber jungen Mädchen oder Burschen. 1955 *ff, halbw.*
6. du ausgestopfter ~! : Schimpfwort auf einen Versager. 1955 *ff.*
7. mickriger ~ = unsympathischer Mensch. ↗mickrig. 1955 *ff, jug.*

8. müder ~ = energieloser Mensch. 1955 *ff, BSD.*
9. unterernährter ~ = Dummer. Er ist geistig unterernährt. *Schül* 1955 *ff.*
10. maulen wie ein gereizter ~ = sich mißmutig äußern. 1950 *ff, jug.*
Gartler *m* Klein-, Amateurgärtner; Gartenbesitzer. ↗gartein. *Oberd* 19. Jh.
Gas I *m* **1.** Gashahn; Gaslampe; Gas. Das grammatische Geschlecht geht zurück auf *franz* „le gaz". 19. Jh.
2. Ableser des Gasverbrauchs. 1900, Berlin.
Gas II *f* Gaswerk; Gas. Verkürzt aus „Gasanstalt" oder „Gasfabrik". Spätestens seit 1900.
Gas III *n* **1.** entweichende Darmwinde. 1900 *ff.*
2. alkoholisches Getränk. Entweder Anspielung auf den Alkoholdunst oder auf die anfeuernde Wirkung (wie beim Auto). *Halbw* 1960 *ff.*
3. mehr ~! : Ermunterungsruf zwecks Beschleunigung; Aufforderung zu angestrengterer Tätigkeit. Der Kraftfahrersprache entlehnt. 1915 *ff.*
4. zuviel ~! = übertreibe nicht! prahle nicht! bleibe bei der Wahrheit! Aus der Kraftfahrersprache. 1910 *ff.*
5. jm das ~ abdrehen = a) jn würgen. 1914 *ff.* – b) jn erwürgen, umbringen, erschießen. *Sold* in beiden Weltkriegen. – c) jn wirtschaftlich zugrunde richten; jm die wirtschaftliche Lebensmöglichkeit nehmen. 1925 *ff.*
6. ihm haben sie das ~ abgedreht = er ist verrückt. 1920 *ff.*
7. ~ ablassen (abblasen) = einen Darmwind abgehen lassen. 1900 *ff.*
8. dem Radio das ~ abstellen = das Rundfunkgerät ausschalten. 1930 *ff.*
9. ~ aufdrehen = sich beeilen. Aus der Kraftfahrersprache. 1920 *ff.*
10. ~ geben = a) einen Darmwind abgehen lassen. 1900 *ff.* – b) sich beeilen; sich noch mehr beeilen; eine Sache beschleunigen. Aus dem Wortschatz der Kraftfahrer übernommen. 1920 *ff.* – c) flüchten. 1920/30 *ff.* – d) wirtschaftlichen Aufschwung bewirken. 1970 *ff.*
11. reichlich ~ geben = prahlen; sich aufspielen. 1910 *ff.*
12. gib nicht soviel ~! = übertreibe nicht! spiel dich nicht auf! bleibe natürlich! ↗Gas III 4. 1910 *ff.*
13. zuviel ~ geben = einer Sache zuviel Auftrieb geben. 1960 *ff.*
14. ~ geben = die Fahrgeschwindigkeit herabsetzen. 1920 *ff.*
15. ~ haben = bezecht sein. Gas = Alkoholdunst. Gehört zu der Vorstellung „↗benebelt". Seit dem späten 19. Jh; heute vorwiegend *halbw* und *BSD.*
16. kein ~ im Ballon haben = geistesbeschränkt sein. Ballon = Kopf. *Jug* 1950 *ff.*
17. vom ~ runtergehen = die Fahrgeschwindigkeit mindern. 1920 *ff.*
18. im ~ sein = bezecht sein. ↗Gas III 15. 1935 *ff.*
19. auf das ~ steigen = das Gaspedal weit niederdrücken. 1920 *ff.*
19 a vom ~ wegbleiben = Sparsamkeit üben. 1965 *ff.*
20. ~ wegnehmen = a) langsamer arbeiten. Der Kraftfahrersprache entlehnt. 1930 *ff.* – b) sich beruhigen. 1940 *ff.* – c) die Preise senken. 1960 *ff.*

Gasbein *n* ↗Gasfuß.
gasen *intr* **1.** einen Darmwind abgehen lassen. 1914 *ff.*
2. Gerüchte verbreiten. Fußt auf der Vorstellung von der „stinkenden" Lüge. 1914 *ff, sold.*
3. anrüchige Witze erzählen. 1914 *ff.*
4. prahlen; sich aufspielen. ↗Gas III 4. 1930 *ff.*
gasfrei *adj* alkoholfrei. ↗Gas III 2. *Halbw* 1960 *ff.*
Gasfuß *m* **1.** rechter Fuß. Mit ihm betätigt der Kraftfahrer das Gaspedal. 1950 *ff.*
2. Schmerzen im rechten Fuß. Scherzhaft oder *iron* wird angenommen, daß sie von der Bedienung des Gaspedals herrühren. 1960 *ff.*
3. auf großem ~ leben = viel Benzin verbrauchen. *Vgl* „auf großem ↗Fuß leben". 1965 *ff.*
Gashahn *m* jm den ~ abdrehen = **1.** jn würgen, erwürgen. *Vgl* ↗Gas III 5. 1914 *ff.*
2. jm weitere Geldmittel versagen; jn wirtschaftlich zugrunde richten. 1920 *ff.*
Gashebelbein *n* rechtes Bein des Autofahrers. *Vgl* ↗Gasfuß 1. 1950 *ff.*
Gashebelneurotik *f* Geschwindigkeitsbesessenheit. Das Gasgeben im Auto als zwanghafte Verhaltensweise gedeutet. 1939 *ff.*
Gaskocher *m* **1.** Verbrennungsmotor. Eigentlich ein kleines, mit Gas betriebenes Kochgerät als Herdersatz. Fliegerspr. 1939 *ff.*
2. mit Generatoren betriebenes Fahrzeug. Kraftfahrerspr. 1955 *ff.*
gaskrank *adj* volltrunken. Geht zurück auf die Anwendung von Giftgas im Ersten Weltkrieg. Giftgaskranke taumeln wie Bezechte. *Vgl* aber auch „↗Gas III 2 u. 15". 1914 *ff.*
Gaslaterne *f* ihm geht eine ~ auf = er beginnt zu begreifen. Gehört zu „ihm geht ein ↗Licht auf". 1940 *ff.*
Gasmann *m* **1.** Mann, der den Gasverbrauch feststellt. Spätestens seit 1900.
2. Prahler. ↗Gas III 11. 1930 *ff.*
3. *pl* = ABC-Abwehrtruppe. *BSD* 1965 *ff.*
4. du hast wohl einen ~ in der Tasche?: Frage an eine Person, von der übler Geruch ausgeht. Scherzhaft nimmt man an, der Ableser des Gasverbrauchs rieche nach Gas. *Schül* 1950 *ff.*
Gasmarie *f* Gasmaske; ABC-Schutzmaske; Gasmaskenbehälter (Bereitschaftsbüchse). ↗Marie. *Sold* 1939 bis heute.
Gas-Mary (Stammwort *engl* ausgesprochen) *f* ABC-Schutzmaske. Teil-Anglisierung der Vorhergehenden. *BSD* 1965 *ff.*
Gasometer *m* **1.** Gesäß, After. 1920 *ff.*
2. der ~ ist geplatzt (explodiert) = die Frau hat entbunden. Anspielung auf den aufgeblähten Leib der Schwangeren. 1915 *ff.*
Gaspedal *n* **1.** aufs ~ steigen = das Gaspedal bis zum Anschlag niedertreten. 1920 *ff.*
2. aufs ~ treten = schleunigst verschwinden. Eigentlich auf einen Kraftfahrer bezogen. 1920 *ff.*
3. kräftig aufs ~ treten = energisch zu Werke gehen. 1950 *ff.*
Gasrohr *n* Mastdarm. Gas = Darmwind. 1914 *ff.*
Gassendreck *m* frech wie ~ = sehr un-

verschämt; dreist; aufdringlich. ↗Dreck 16. Spätestens seit 1900.

Gassenengel *m* im Umgang mit der Außenwelt liebenswürdige, daheim unverträgliche weibliche Person. 19. Jh, vorwiegend *südwestd.*

Gassenfee *f* Straßenprostituierte. ↗Fee. 1930 *ff.*

Gassenfeger *m* sehr zugkräftiges Fernsehspiel; Regisseur eines solchen. Er fegt die Gassen leer, weil sich die Leute vor dem Bildschirm versammeln. 1963 *ff.*

Gassenfrau *f* Straßenprostituierte. 1900 *ff.*

Gassenkehrerin *f* Straßenprostituierte. Sie säubert die Straße von Kunden. 1900 *ff.*

Gassenmensch(erl) *n* Straßenprostituierte. ↗Mensch II. 1800 *ff.*

Gassenstrich *m* Straßenprostitution. ↗Strich. 19. Jh.

gassi 1. den Hund ~ führen = den Hund zur Notdurftverrichtung auf die Straße führen. „Gassi" ist verkürzt aus *stud* „gassatim gehen" = umherschwärmen" (dies ist umgewandelt aus „grassatum gehen", das wiederum zurückgeht auf *lat* „grassari = hierhin und dorthin schwärmen"). Spätestens seit 1900. **2.** ~ gehen = (mit dem Hund) spazierengehen. 1900 *ff.* **3.** es geht ~ = man flieht. Kriegsgefangenenspr. 1941 *ff.*

Gassigang *m* Ausgang des Hundes zwecks Notdurftverrichtung auf der Straße. 1900 *ff.*

Gast *m* 1. *pl* = Läuse. Es sind vorübergehende Mitbewohner. 19. Jh. **2.** ungebetene Gäste = Ungeziefer. 1900 *ff.* **3.** einen anderen ~, bitte!: sagt man scherzhaft zum Kellner, wenn einer der Gäste sich am Tisch unliebsam bemerkbar macht. 1900 *ff.* **4.** jn zu ~ bitten (laden) = jn derb abweisen. Man lädt ihn ein, „am ↗Arsch zu lecken". 19. Jh. **5.** am dritten Tag stinkt der ~ = am dritten Tag wird der Besucher lästig. *Vgl* ↗Fisch 37. 1920 *ff.*

Gas-Tante *f* Gasberaterin. ↗Tante. 1955 *ff.*

Gastarbeiterin *f* Prostituierte, die in Bordellen gelegentlich aushilft. Eigentlich die ausländische weibliche Arbeitskraft. 1960 *ff.*

Gästin *f* weiblicher Gast. Seit *ahd* Zeit.

Gastreise *f* Verlegung der Verbrechertätigkeit an andere Orte. Eigentlich die Gastspielreise eines Künstlers. Verbrecherspr. seit dem späten 19. Jh.

Gast'ritis *f* Geschwindigkeitsbesessenheit. Der medizinischen Krankheitsbezeichnung „Gastritis" (Magenschleimhautentzündung) untergeschoben in sprachspielerischer Verwertung der Lautähnlichkeit mit „auf das Gas(pedal) treten". 1920 *ff,* von Studenten aufgebracht.

'Gastrolle *f* eine ~ geben (spielen) = sich vorübergehend (selten) irgendwo betätigen. Der Theatersprache entlehnt. Gastrolle meint das gelegentliche Auftreten von Künstlern fremder Bühnen (auf fremden Bühnen). 1900 *ff.*

Gastronaut *m* Gastwirt. Unter dem Eindruck der Weltraumfahrt in den frühen sechziger Jahren zusammengesetzt aus „Gastronom" und „Astronaut".

Gastspiel *n* 1. vorübergehende Arbeitneh-

---

mertätigkeit. Der Theatersprache entlehnt. 1920 *ff.* **2.** Wettkampf auf dem Platz des Gegners. Fußballerspr. 1950 *ff.*

Gaswerk *n* 1. Schweißfüße. Gas = Geruch. *BSD* 1965 *ff.* **2.** ABC-Übungsraum. 1965 *ff, sold.* **3.** Sankt ~ = rundgebaute Kirche. Sie erinnert an einen Gasgroßbehälter (Gaskessel). 1930 *ff.*

Gaszehe *f* rechter Fuß des Autofahrers. ↗Gasfuß 1. 1950 *ff.*

Gatsch *m* 1. breiartige Masse; aufgeweichtes Erdreich; Straßendreck. Fußt auf *ital* „cacio = Käse". *Bayr* und *österr* 1700 *ff.* **2.** Durcheinandergemengtes. 19. Jh. **3.** hupf in den ~! = verschwinde eiligst! Sinngemäß: „sink' in den Sumpf". Wien 1900 *ff.*

gatschig *adj* schlammig; von Straßendreck beschmutzt. ↗Gatsch 1. *Österr* 19. Jh.

Gatt *n* 1. Gesäß; After. Geht zurück auf *westgerm* „gat = Tor, Öffnung, Loch". 14. Jh, *niederd.* **2.** Hinterteil des Schiffes. Seit dem späten 18. Jh, Seemannsspr. **3.** Gefängnis. Analog zu ↗Loch. 1900 *ff, nordd.* **4.** leck mich im ~! = derbe Abweisung. 1900 *ff.* **5.** lüft' das ~ (lüft an das ~)! = steh auf! *Marinespr* 1900 *ff.*

Gatterich *m* Ehemann. Nach dem Muster von „Enterich, Gänserich" u. ä. gebildet. Etwa seit dem ausgehenden 19. Jh.

Gattin *f* 1. meine ~ = meine Frau. Ein vermeintlich hochvornehmer Ausdruck. Den Kennern entlarvt sich der so Sprechende als ungebildet, als gesellschaftlicher Gernegroß. 1920 *ff.* **2.** meine Frau ~ = meine Frau (ungekonnt vornehmelnd oder willentlich *iron* gebraucht). 1920 *ff.*

Gaudi (Gaude) *f n* Belustigung, Lustbarkeit, Spaß, Freude. Geht zurück auf *lat* „gaudium = Freude". 19. Jh, vorwiegend *bayr* und *österr.*

Gaudibursch *m* Spaßmacher; Mann, der andere zu geräuschvoller Lustbarkeit animiert. Der „Bursche", der für „↗Gaudi" sorgt. 1950 *ff, bayr.*

Gaudihaserl *n* Mädchen im Faschingskostüm. ↗Häschen. 1950 *ff, bayr.*

Gaudimacher *m* Veranstalter von Volkslustigungen. ↗Gaudibursch. 1950 *ff, bayr.*

Gaudisaison *f* Faschingszeit. 1950 *ff, bayr.*

Gaudiwurm *m* Faschingszug. Fußt auf der Vorstellung vom „Heerwurm". *Südd* 1950 *ff.*

Gaul *m* 1. Fahrrad. Analog zu „↗Drahtroß" oder „↗Stahlroß". 1920 *ff.* **2.** fremdsprachliche Übersetzung. Sie ist ein Pferd, auf das lernträge Schüler reiten. 1960 *ff, österr.* **3.** Penis. Fußt auf der Vorstellung vom „↗Reiten". 1900 *ff.* **4.** sich einen ~ pfundweise anschaffen = Pferdefleisch essen. 1920 *ff.* **5.** ihm (mit ihm) geht der ~ durch = er verliert die Beherrschung. Vorstellung vom durchgehenden Pferd, das seinem Herrn nicht (mehr) gehorcht. 1900 *ff.* **6.** da muß ja ein ~ lachen = das ist überaus lächerlich. Das Wiehern des Pferdes ähnelt stark dem Lachen. 1920 *ff.* **7.** die Gäule scheu machen = die Leute

---

einschüchtern. 19. Jh, vorwiegend südlich der Mainlinie. **8.** das reißt dem ältesten ~ den Kopf rum = da ist jedermann verblüfft. 1920 *ff.* **9.** ich glaube, mein ~ schielt: Redewendung angesichts einer unglaubwürdigen Behauptung. Gemeint ist, die Behauptung sei ebenso unsinnig wie die Annahme, daß das Pferd schielt. *BSD* 1960 *ff.* **10.** mit jm sprechen wie mit einem lahmen ~ = auf jn geduldig und beschwörend (erfolglos) einreden. 1900 *ff.* **11.** mit jm Gäule stehlen können = jn zu allem brauchbar (be)finden. Pferdediebstahl ist ein anspruchsvolles Unterfangen. 1700 *ff.* **12.** das bringt einen ~ um!: Ausruf des Erstaunens oder Erschreckens. Der Vorfall ist dermaßen schwerwiegend, daß sogar das lastengewohnte starke Pferd darunter zusammenbricht. Seit dem späten 19. Jh. **13.** das wirft den stärksten ~ um = das ist eine arge Zumutung. 1900 *ff.* **14.** jm zureden wie einem lahmen (alten, kranken) ~ = jm eindringlich, anhaltend zureden. Das hinkende Pferd ist nur durch geduldiges Zureden zum Weitergehen zu bewegen. *Vgl* ↗Gaul 10. 1850 *ff.*

Gaularsch *m* Gulasch. Aus dem Ungarischen eingedeutscht, zugleich mit der Anspielung auf Pferdefleisch, aus dem – vermeintlich oder tatsächlich – das/der Gulasch zubereitet wird. 1920 *ff.*

Gaulsarbeit *f* schwere Arbeit. 1600 *ff.*

Gaulskur *f* anstrengender Heilversuch; harte Bewährung. ↗Pferdekur. 1600 *ff.*

Gaulsnatur *f* widerstandsfähige Gesundheit. 18. Jh.

Gauner *m* 1. Dieb, Betrüger u. ä. Abgeleitet aus *jidd* „jowen = Grieche"; eigentlich der Jonier. Die Griechen als Herren der Handelsbeziehungen im Orient besaßen bei anderen Völkern einen schlechten Ruf; die ältesten Belege entlarven sie als betrügerische Kartenspieler. Seit dem späten 17. Jh. **2.** du ~!: gemütliche Schelte. 1900 *ff.* **3.** Rufname des Hundes. 1900 *ff.* **4.** ~ im Frack = Wirtschafts-, Finanzbetrüger. 1965 *ff.* Der Ausdruck selbst ist älter und bezeichnete um 1955 die Automarke „Isabella" der Borgward-Werke (die gefällige Karosserie verbarg Mängel des Motors und der Inneneinrichtung). **5.** ~ mit Stehkragen (mit der weißen Weste) = Wirtschaftsverbrecher. *Vgl* ↗Weiße-Kragen-Kriminalität. 1965 *ff.*

gaunern *intr* 1. betrügerisch handeln. ↗Gauner 1. 19. Jh. **2.** um den Preis feilschen; kleinlich sein. 19. Jh.

gebacken *adj* nicht ganz ~ = geistig unreif; leicht verrückt. Analog zu „nicht ↗gar": es ist vorzeitig aus dem Backofen genommen. 1900 *ff.*

Gebalge *n* fortwährendes Umhertollen und Streiten. ↗balgen. 19. Jh.

Gebälk *n* 1. Pfosten und Querlatte des Fußballtores. *Sportl* 1950 *ff.* **2.** es knistert im ~ = es droht ein Unglück; Meinungsverschiedenheiten künden sich an. Knistern und Krachen der Balken läßt entweder tatsächlich auf baldiges Einstürzen schließen oder ist lediglich als abergläubisches Orakel zu werten. 1900 *ff.*

geballert sein wie vor den Schädel ~ = benommen sein. ↗ballern 1. 1920 *ff*.

Gebalz *n* Liebelei, Flirt; Liebesszene. ↗balzen. 1900 *ff*.

Gebammel *n* **1.** die männlichen Geschlechtsteile. ↗bammeln 1. 1900 *ff*. **2.** Schmuckketten; Uhrkette o. ä. *Rotw* 1847 *ff*; halbw 1955 *ff*.

Gebärmaschine *f* Frau, deren einzige Lebensberechtigung es sein soll, Kinder in die Welt zu setzen; Mutter sehr vieler Kinder. 1930 *ff*.

gebauchkitzelt *part* sich ~ fühlen = sich geschmeichelt fühlen. Vielleicht den Kindern abgesehen, die sich über den Leib streichen, wenn die Speise gut geschmeckt hat, oder die man zu ihrem Wohlbehagen am Bauch krault. Seit dem späten 19. Jh.

gebauchklatscht *part* sich ~ fühlen = sich geehrt fühlen. Ein flacher Handschlag vor den Bauch ist eine vertraulich-kameradschaftliche Geste. *Nordd* 1900 *ff*.

gebauchpinselt *part* sich ~ fühlen = sich geschmeichelt fühlen. ↗bauchpinseln. 1900 *ff*, vorwiegend *stud* und *schül*.

gebauchstriegelt *part* sich ~ fühlen = sich geschmeichelt fühlen. Von der Pferdepflege übertragen. *Vgl* ↗gebauchkitzelt. 1920 *ff*.

Gebäude *n* ~ von Mann = kräftiger, breitschultriger, stämmiger Mann. 1920 *ff*.

gebaut sein 1. zu leicht ~ = für etw ungeeignet sein. Hergenommen von einem Gegenstand (Behausung, Kahn o. ä.), der der geplanten Belastung nicht standhalten kann. 1900 *ff*. **2.** wie wir gebaut sind = angesichts unserer Kräfte; angesichts meiner Bedeutung. „Bauen" bezieht sich hier auf den Körperbau, auf Körpergröße und -kraft, dann auch auf geistiges Leistungsvermögen. Sinngemäße Aussage: „Wir haben alle Voraussetzungen, um etw zu bewerkstelligen!" Seit dem späten 19. Jh.

Gebe *f* eine ~ machen = dem geselligen Kreis eine Runde Freibier spenden. „Gebe" ist neues Hauptwort zu „geben". *Halbw* 1950 *ff*.

'gebe'doof *adj* hilfsfreudig; kritiklos mildtätig. ↗doof 1. 1955 *ff*.

Ge'beier (Ge'beire) *n* Geschwätz; Umständlichkeiten. Hergenommen vom anhaltenden, eintönigen Glockenläuten; ↗beiern. 1900 *ff*.

geben *v* **1.** ich werde es euch ~, Kirschen zu stehlen! = ich werde euch strafen, wenn ihr Kirschen stehlt! „Es" steht für Prügel oder Ohrfeigen. 1900 *ff*. **2.** gib ihm! = schlag ihn! drauf! drauflos! Was ihm gegeben werden soll, sind Hiebe, auch Granaten o. ä. 1900 *ff*. **3.** gleich gibt's was! = gleich gibt es Prügel, Regen o. ä. Seit dem späten 19. Jh. **4.** sich ~ = sich bereinigen. Man ergibt sich in das Unabänderliche. 1910 *ff*. **5.** das gibt sich wieder = das beruhigt sich wieder, kommt wieder in Ordnung. 1910 *ff*. **6.** wo gibt's denn sowas?! = Ausdruck der Verneinung. Hinter „sowas" ergänze „Unglaubwürdiges" oder „Unmögliches". 1900 *ff*. **7.** es gibt nichts, was sich nicht durch längeres Liegenlassen von selbst erledigt: fatalistische Redewendung von der Zwecklosigkeit menschlichen Tuns. Vor allem bezogen auf eine schwierige Akte, die

man ungern bearbeitet und von der man hofft, daß sich die Sache von selbst erledigt hat, ehe man sie ernstlich in Angriff nehmen müßte. 1930 *ff*. **8.** es gibt eben nichts, was es nicht gibt: Redewendung angesichts einer Unglaubwürdigkeit, die gleichwohl Tatsache ist. 1900 *ff*. **9.** da gibt's nichts = das steht unerschütterlich fest; da lasse ich mit mir nicht handeln. Hinter „nichts" ergänze „was mich umstimmen könnte" oder „was mich davon abhalten könnte". 1900 *ff*. **10.** es jm ~ = jm die gebührende Antwort nicht schuldig bleiben; jn streng behandeln, prügeln. Seit dem 19. Jh. **11.** ihm habe ich es gegeben! = ihm bin ich treffend entgegengetreten! ihm habe ich eine Abfuhr erteilt! Seit dem 19. Jh.

Gebet *n* **1.** ~ einer Jungfrau = a) Sperrballon. Anspielung auf die Penisform. Der Name ist dem Titel eines sehr beliebten Klavierstücks der heranwachsenden Jugend von einst entlehnt. 1914 *ff*. – b) Penis. 1920 *ff*. **2.** stilles ~ = unausgesprochene, unterdrückte Verwünschung. Eigentlich das lautlose Gebet (im Gottesdienst).1850 *ff*. **3.** jn ins ~ nehmen = a) jn scharf verhören; jm heftige Vorhaltungen machen; jn streng behandeln. Herzuleiten entweder vom Beichtvater, der dem Sünder ins Gewissen redet, oder von „Gebett = Gebiß", und zwar im Zusammenhang mit einem störrischen Pferd, das man „ins Gebiß" an die Kandare" nimmt. 18. Jh. – b) jm mit Beschuß belegen. *Sold* 1939 *ff*.

Gebetbuch *n* **1.** Dienstvorschrift. Aus dem Buch mit Gebetstexten ist ein Buch mit bindenden Vorschriften geworden. 1900 *ff*. **2.** Notizbuch des Hauptfeldwebels. Es ist schwarz gebunden; wer namentlich eingetragen ist, wird später „ins Gebet genommen", und der Hauptfeldwebel „schwört" auf dieses Buch. *Sold* 1939 *ff*. **3.** Bimsstein zum Oberdeckschrubben. Wegen der Formverwandtschaft. *BSD* 1965 *ff*. **4.** Konfession. 1900 *ff*. **5.** Spielkarten. 1800 *ff*. **6.** ~ mit Henkel = Maßkrug. Statt den Gottesdienst zu besuchen, geht man ins Wirtshaus. 19. Jh. **7.** das falsche ~ haben = a) nicht dem gewünschten Glaubensbekenntnis angehören; einen anderen Glauben haben. 1920 *ff*. – b) nicht der Regierungspartei angehören. 1950 *ff*.

Gebetsabschußrampe *f* Kirchengebäude. Es ist die Örtlichkeit, von der aus Gebete himmelwärts geschickt werden. *BSD* 1965 *ff*. Die Vokabel ist auch der Spitzname einer Kirche in Berlin, und zwar wegen der langgestreckten, flachen Form.

Gebetsmühle *f* **1.** redseliger Mund; gewandtes Sprachorgan. Der Mund steht so wenig still wie die orientalische Gebetsmühle. 1935 *ff*. **2.** Plattenspieler. *Halbw* 1960 *ff*. **3.** Neubau des Glockenturms der Kaiser-Wilhelm-Gedächtniskirche in Berlin. Der Turm ähnelt einer türkischen Kaffeemühle. Berlin 1957 *ff*. **4.** Latrine. Sie ist ständig in Benutzung. *BSD* 1965 *ff*.

Gebetsschuppen *m* Kirchengebäude. Der

Baustil erinnert an eine Lagerhalle. 1933 *ff*; *BSD* 1965 *ff*.

Gebetssilo *m* moderner Kirchenbau. Er ist ein Zweckbau wie ein Vorratsspeicher. 1960 *ff*.

Gebetswerke *pl* Städtische ~ = Kirche in moderner Bauweise. Dem Begriff „Städtische Gaswerke" nachgebildet. 1930 *ff*.

Gebettel *n* fortwährendes Bitten. Betteln = um milde Gaben bitten; weiterentwickelt zu „um einen Gegenstand bitten und bitten". 19. Jh.

Gebimmel *n* **1.** fortwährendes Schellen oder Läuten. ↗bimmeln. 19. Jh. **2.** Uhrkette samt Anhängsel(n). Nebenform von ↗Gebammel. *Rotw* 1922 *ff*. **3.** Orden und Ehrenzeichen. *BSD* 1965 *ff*.

Gebirgskluft *f* stutzerhafte Älplertracht eines Städters im Urlaub. ↗Kluft. 1900 *ff*.

Gebirgsmarine *f* reitende (berittene) ~ = **1.** fiktive militärische Formation, erfunden für ruhmsüchtige Soldaten, die mit ihren Kriegserlebnissen prahlen. Auch Bezeichnung für die „Feldartillerie-Batterie Kiautschau" (1897–1914); ihre Angehörigen trugen anfangs Marine-Uniform und waren beritten. Seit dem späten 19. Jh. **2.** deutsche Gebirgstruppen in Narvik (Norwegen). 1940 *ff*.

Gebiß *n* **1.** zänkische, unverträgliche Person. Sie beißt mit Worten. 19. Jh. **2.** viele Freundinnen gleichzeitig (von einem Halbwüchsigen gesagt); größere Anzahl von Mädchen, in einer Reihe stehend; Mädchengruppe. Jedes Mädchen ist in der Halbwüchsigensprache ein „Zahn" (↗Zahn 3); viele „Zähne" ergeben ein „Gebiß". *Halbw* 1955 *ff*. **3.** Tastensatz von Rundfunk- und Fernsehgeräten. Die Tasten liegen nebeneinander und sind (meistens) elfenbeinfarbig. Technikerspr. 1955 *ff*. **4.** drittes ~ = künstliches Gebiß. 1920 *ff*. **5.** du brauchst wohl ein neues ~?!: Drohfrage. Man will ihm die Zähne einschlagen. 1940 *ff*, *jug*. **6.** ein hartes ~ haben = geizig sein. Man öffnet den Mund nicht zum Ja oder beißt eher ein Stück von der Münze ab, als daß man den Betrag großzügig aufrundet. 1920 *ff*. **6 a.** da fällt einem das ~ raus!: Ausdruck der Verwunderung. 1960 *ff*. **6 b.** ich glaube, ich sitze auf meinem ~!: Ausdruck des Erstaunens, Erschreckens. Berlin 1970 *ff*. **7.** ihm ist das ~ verrutscht = a) stottert. 1920 *ff*. – b) er spricht anders, als er denkt. 1920 *ff*.

Gebißklempner *m* Zahnarzt. Ein mit Zangen hantierender Handwerker wie der Blechschmied. Seit dem späten 19. Jh.

Geblarr *n* Geschrei; lautes Weinen. ↗plärren. 1900 *ff*.

Geblödel *n* unsinniges Geschwätz; geistlose Unterhaltung. ↗blödeln. 1900 *ff*.

gebongt *part* **1.** gut, zuverlässig, einwandfrei. Hergenommen von Bon, den der Kellner bei der Bestellung ausschreibt oder in der Registrierkasse bucht. *BSD* 1965 *ff*. **2.** das ist ~ = einverstanden! *BSD* 1965 *ff*; *Rocker* 1967 *ff*.

Gebot *n* **1.** elftes ~ = a) laß dich nicht verblüffen! Die Zehn Gebote werden um eines erweitert, etwa im Sinne einer Alltagsweisheit. 1700 *ff*. – b) laß dich nicht erwischen (ertappen)! 19. Jh. – c) es wird

weiter gesoffen! *Vgl* ↗elf 2. 1920 *ff.* – d) nimm dich nicht so wichtig! 1920 *ff.*
2. die zehn ~e = Religionsunterricht in der Schule. Geht zurück auf den 1956 gedrehten Film „The Ten Commandments" von Cecil B. DeMille. *Schül* 1959 *ff.*
gebracht *adj* schön, aufregend, eindrucksvoll. *Vgl* ↗bringen 2. *Halbw* 1955 *ff.*
gebrannt sein lebenserfahren sein. Verkürzt aus „ein gebranntes ↗Kind sein". 1900 *ff.*
Gebrassel *n* nutzlose Tätigkeit; hastig-unordentliche Arbeit; Umstände u. ä. ↗brasseln. *Westd* 19. Jh.
gebraten sein von der Sonne gebräunt sein. 1925 *ff.*
Gebräu *n* Mischgetränk von minderer Qualität. ↗brauen 1. Seit dem 19. Jh.
Gebrauchsdichter *m* Mann, der über Alltagsgegebenheiten dichtet. 1965 *ff.*
Gebrauchsgraphiker *m* Geld-, Scheck-, Wechsel-, Briefmarken- oder Unterschriftenfälscher. Meint eigentlich einen, der für praktische Aufgaben angewandte Graphik künstlerischen Charakters herstellt. Der Fälscher gebraucht sein Zeichentalent für unlautere Zwecke. 1925 *ff.*
Gebrauchslyrik *f* Reimereien für Alltagszwecke. 1961 *ff.*
Gebremse *n* ~ von etw machen = etw aufbauschen. Gehört zu „bremsen = wollüstig schreien; lärmen; laut reden; prahlen". *Sold* in beiden Weltkriegen.
gebrüht werden 1. in den Schmutz fallen. Brühe = nasser Schmutz. 1940 *ff.*
2. in mißliche Lage geraten. 1940 *ff.*
Gebrüll *n* **1.** auf ihn mit ~!: Aufforderung, auf jn einzuschlagen, jn rauh, aber herzlich zu empfangen o. ä. Hergenommen von den unter angsterregendem Geschrei angreifenden Truppen gemäß Schilderungen in Indianerromanen u. ä. 1914 *ff.*
2. abgehen mit ~ = unter lautem Protest weggehen. 1900 *ff.*
Gebrummel *n* anhaltende dumpfe Äußerung. ↗brummeln 2. 1900 *ff.*
gebrungen *part* gebracht. Die Form war im *Ahd* geläufig; heute ist sie nur noch in Mundarten verbreitet und nimmt in städtischer Umwelt einen burschikos-scherzhaften Charakter an. 19. Jh.
gebuddelt *adj präd* betrunken. Gehört zu „↗Buddel = Flasche". 1900 *ff. nordd.*
gebügelt sein erstaunt sein. „Bügeln" (*südd* und *mitteld*) = „plätten" (*nordd*). Beides führt zurück zu „↗platt sein". 1940 *ff.*
gebildet *adj präd* gebildet. Geziert-vornehmtuerische Sprechweise von Leuten mit stark ausgeprägtem Mehrgeltungsstreben. 1900 *ff.*
Gebummel *n* Dienst nach Vorschrift; langsame Dienstausübung. ↗bummeln 4. Nach 1960 aufgekommen im Zusammenhang mit den „↗Bummelstreiks".
Geburt *f* **1.** schwere (schwierige) ~ = a) Sache, die bis zu ihrem Abschluß viel Mühe macht. Seit dem 18. Jh. – b) angestrengtes Bemühen, das Kartenspiel noch zu gewinnen. Kartenspielerspr. seit dem späten 19. Jh.
2. von chemischer ~ sein = aus künstlicher Befruchtung stammen. 1955 *ff.*
Geburtsdatum *n* Herstellungsdatum für Lebensmittel. 1960 *ff.*
Geburtstag *m* **1.** Entlassung aus der Bundeswehr mit Beendigung der Dienstzeit. Es beginnt ein neues Leben. *BSD* 1965 *ff.*
2. krummer ~ = Geburtstag, wenn die Zahl der Lebensjahre nicht durch 5 oder 10 teilbar ist. 1950 *ff.*
3. runder ~ = Geburtstag, an dem die Zahl der Lebensjahre durch 5 oder 10 teilbar ist. 1950 *ff.*
4. neunundzwanzigster ~ = von Frauen mehrere Jahre hindurch begangener Geburtstag. Angeblich scheuen Frauen das dreißigste Lebensjahr. 1950 *ff.*
5. ~ feiern = unversehrt (lebend) mit dem Flugzeug landen. Fliegerspr. 1960 *ff.*
6. es ist wie ~ und Weihnachten zugleich = es ist eine große freudige Überraschung. *Sold* 1939 *ff.*
Geburtstagskind *n* Mensch, der Geburtstag hat. Seit dem 19. Jh.
Geburtstagsmögen *pl* Wünsche für das neue Lebensjahr. Entstanden aus der Wunschfloskel „Möge das neue Lebensjahr . . . bringen!" Berlin 1920 *ff.*
Geburtswehen *pl* Mängel bei Erprobung einer technischen Erfindung. Vermenschlichung des Technischen. 1920 *ff.*
Geckerl *pl* **1.** Eitelkeiten, Albernheiten. Geck = närrisch, töricht. *Bayr* und *österr* seit dem 19. Jh.
2. ~ machen = a) brotlose Künste treiben. 19. Jh. – b) sich zieren. 19. Jh.
Gedächtnis *n* **1.** eisernes ~ = ausgezeichnetes Erinnerungsvermögen. Eisern = haltbar, unbeirrbar. 1920 *ff.*
2. jds ~ auffrischen = a) jn umherhetzen, drillen. Eigentlich soviel wie „jm auf den Kopf schlagen". *Sold* 1900 *ff.* – b) jn prügeln. 1900 *ff.*
3. ein bequemes ~ haben = sich an nichts erinnern können; sich unwissend stellen; Beschuldigungen be-, abstreiten. Polizeispr. 1960 *ff.*
4. ein ~ wie ein Sieb haben → Sieb.
5. jm aufs ~ hauen = jm auf den Kopf schlagen. 1900 *ff.*
6. er ist aus dem ~ gekommen = er hat die Besinnung verloren. *Jug* 1955 *ff.*
7. in die Ferien schicken = sich (absichtlich) nicht erinnern. 1950 *ff.*
8. jm aufs ~ tippen = a) jm mit den Fingerknöcheln an den Kopf schlagen. Berlin 1900 *ff.* – b) jn kräftig mahnen; jn ernstlich ermahnen. 1900 *ff.*
Gedächtnisakrobat *m* Mensch mit sehr gutem Gedächtnis. 1900 *ff.*
Gedächtnishilfe *f* selbstverfertigter Täuschungszettel. *Schül* 1930 *ff.*
Gedächtniskasten *m* Kopf. Nach dem Muster von „Brustkasten", „Verstandskasten" o. ä. gebildet als „Kasten für Erinnerungsstücke". 19. Jh.
Gedächtniskram *m* überflüssiges Wissen, das man sich für eine Prüfung einlernt und hinterher wieder vergißt. 1800 *ff.*
Gedächtnismangel *f* Prüfung. Da wird das Wissen durch die Mangel gedreht. *Schül* 1960 *ff.*
Gedächtnisölung *f* Prüfung. Für diesen Zweck ölt man das Gehirn wie eine Maschine. *Schül* 1960 *ff.*
Gedächtnisriese *m* Mensch mit ungewöhnlichem Erinnerungsvermögen; Meister der Gedächtniskunst. 1900 *ff.*
Gedächtnisstütze *f* **1.** Adjutant; Vorzimmersekretär(in); Privatsekretär. 1920 *ff.*
2. Täuschungszettel. Euphemismus. *Schül* 1920 *ff.*

3. Strafarbeit. Der Schüler schreibt z. B. hundertmal eine Verhaltensvorschrift. 1960 *ff.*
Gedächtniswärmer *m* Kopfbedeckung. 1955 *ff.*
gedämpft *adv* sprich nicht so ~, als hättest du eine heiße Kartoffel im Mund! = sprich lauter! Wortspiel mit der Doppeldeutung von „dämpfen": a) = unterdrükken, mäßigen; b) = Dampf einwirken lassen. *Schül* 1950 *ff.*
Gedanke *m* **1.** ein ~ = ein kleines Stück; eine Kleinigkeit; ein bißchen. Analog zu ↗Idee 1. Seit dem 19. Jh.
2. ein ~ von Schiller = ein guter Einfall (auch *iron*). Analog zu „↗Idee von Schiller". Seit dem späten 19. Jh.
3. dicke ~n = Selbstvorspiegelung vom Wohlleben vergangener oder kommender Tage. „Dick" meint hier soviel wie „sättigend". In, zwischen und nach beiden Weltkriegen geläufig.
4. ein glorreicher ~ = ein vortrefflicher Einfall (auch *iron*). Etwa seit 1900.
4 a. schräger ~ = Verdächtigung. ↗schräg 1. 1970 *ff.*
5. du hast deine ~n wohl im Hintern?: Frage an einen Unaufmerksamen. 1920 *ff.*
6. keinen ~n von einer Idee haben = nichts wissen; einfallslos sein. 19. Jh, *österr.*
7. auf dumme ~n kommen = Törichtes, Verwerfliches denken. Seit dem 19. Jh.
8. mach dir ~n! = mach du dir getrost unnütze Sorgen, aber mich verschone damit! 1900 *ff.*
9. da ist kein ~ dran = das ist ausgeschlossen; das lehne ich ab. *Vgl* ↗denken 3. Seit dem 18. Jh.
Gedankenakrobat *m* Denker. 1900 *ff.*
Gedankenaustausch *m* ~ treiben = voneinander abscheiden. *Schül* 1930 *ff.*
Gedankeneintopf *m* unaufhörliches Denken an dasselbe; fruchtloses Grübeln. Der Eintopf als Sinnbild des Einerlei (aus vielerlei). 1935 *ff.*
Gedankenleser *m* Gehirnspezialist; Psychiater. Eigentlich ein Mann, der (gewerbsmäßig) vorgibt, die Gedanken anderer „lesen" zu können. 1930 *ff.*
Gedankenmansarde *f* **1.** Kopf, Gehirn. Dem „↗Oberstübchen" angeglichen. 1935 *ff.*
2. bei ihm ist die ~ nicht aufgeräumt = er ist zerfahren, zerstreut. 1935 aufgekommen, wahrscheinlich im Zusammenhang mit der Luftschutzaktion zur Entrümpelung des Speichers usw.
Gedankenmühle *f* Gehirn, Denkvermögen. Dort werden die Gedanken kleingeschrotet und im Kreis bewegt. 1950 *ff.*
Gedankensack *m* Gedächtnis, Verstand, Gehirn. Analog zum Magensack, Hodensack, Tränensack usw. 1900 *ff.*
Gedankensalat *m* wirre Gedanken. ↗Salat. 1935 *ff.*
Gedankensauce (Grundwort *franz* ausgesprochen) *f* Geschwätz. Eine Art Einheitstunke, gleichmäßig über alle Gedanken ausgegossen. 1900 *ff.*
Gedankenschnitzer *m* Irrtum. ↗Schnitzer. 1920 *ff.*
Gedankensparkasse *f* Erinnerungsvermögen. Wissen wird angespart (= gespeichert), bei Bedarf abgerufen, und es trägt Zinsen. 1930 *ff.*

Gedankensteg *m* ~ des Mannes = Laufmasche im Damenstrumpf. *Österr* 1930 *ff.*

Gedankentatterich *m* wirre Rede. ⁊Tatterich. Berlin 1900 *ff.*

Gedankenverdünnung *f* 1. fortschreitende Verblödung. Die Gedanken werden gleichsam immer dünner (spärlicher) und verlieren somit an Substanz. 1959 *ff.* 2. galoppierende ~ = rasch zunehmende Verblödung. Nach dem Muster der „galoppierenden Schwindsucht" gebildet. 1959 *ff.*

Gedenkrede *f* lügen wie eine ~ = die Wahrheit entstellen. Gedenk-, Grabreden entfernen sich oft von der Wirklichkeit, wie sie der Verstorbene vorgelebt hat. 1920 *ff.*

Gedenkschaffe *f* Beisetzung, Totenehrung. ⁊Schaffe. *Halbw* 1960 *ff.*

Gedicht *n* ein ~ von Kleid (Speise, Getränk, Frau o. ä.) = hervorragend, ausgezeichnet, sehr schön. Das Gedicht gilt hier als schönste Dichtungsart. Modeausdruck der Modistinnen und Verkäuferinnen um 1900; später auch kellnerspr. und *jug;* sehr verbreitet in Werbetexten.

gediegen *adj* 1. eindrucksvoll; vertrauenerweckend; sonderbar. Eigentlich soviel wie „echt" und „festgegründet"; gern ins Ironische gewendet. Im späten 19. Jh. als Modewort aufgekommen. 2. heikel, gefährlich. Ironie. 1950 *ff.* 3. ~ sein = wunderliche Einfälle haben; nicht recht bei Verstand sein. 1900 *ff.*

Ge'döhns (Ge'döns) *n* überflüssiges, übertriebenes Tun; lästige Begleiterscheinung; Umständemacherei; Getue. Gehört zu *nie-derd* „doon, doen = tun". *Nordd* und *westd* seit dem 18. Jh.

Gedrämmeltes *n* 1. Reste-Essen; Deutsches Beefsteak; Gulasch; Hackbraten u. ä. Drämmel = Kothaufen. 1900 *ff.* 2. Zusammengekochtes; Eintopfgericht. 1900 *ff.*

geduckt *adj* 1. unterwürfig; befehls-, weisungsgemäß. ⁊ducken. Seit dem 19. Jh. 2. leise, heimlich; für andere unerkennbar. Geduckt = gedeckt = verdeckt. 1900 *ff.*

Gedudel *n* schlechte Musik; durcheinander tönende Musik auf dem Kirmesplatz o. ä. ⁊dudeln 1. 1700 *ff.*

Geduld *f* 1. mit ~ und Spucke = mit Geduld und Fleiß. Teilstück des berlinischen Reimspruchs: „Mit Jeduld un Spukke fängt man eene Mucke". 19. Jh. 2. ihm platzt die ~ = er braust auf, empört sich. Gebildet nach dem Muster von „ihm platzt der ⁊Kragen". 1965 *ff.* 3. ~ tanken = sich in Geduld fassen; die Nerven stärken. ⁊tanken. 1950 *ff.*

Geduldsfaden *m* 1. der ~ platzt = man verliert die Geduld. Der „Geduldsfaden" ist aus dem Begriff „Nervenstrang" hervorgegangen unter Einfluß von „Leitfaden", „Lebensfaden" u. ä. ⁊Geduld 2. 1953 *ff.* 2. der ~ reißt = die Geduld ist zu Ende; jetzt wird scharf durchgegriffen. Seit dem 18. Jh.

geeicht sein auf etw ~ = sich auf etw gut verstehen. Eichen = mit amtlichen Maßzeichen versehen. In der Umgangssprache anfangs auf das Trinken bezogen, später auch verallgemeinert. Seit dem 19. Jh.

Gefahr *f* 1. blonde ~ = Blondine. 1920/30 *ff.* 2. braune ~ = Flohplage. 1900 *ff.* 3. gelbe ~ = a) China; Chinesen; Chinesentum; Ostasiaten. „Gelb" spielt auf die Hautfarbe an, und „Gefahr" bezieht sich auf die Anwachsen der Bevölkerung, auf die wirtschaftliche Erstarkung und auf die militärische Macht Chinas. Im späten 19. Jh aufgekommen, wohl im Zusammenhang mit der Begründung des deutschen Flottenstützpunktes in Kiautschau und mit der fremdenfeindlichen Bewegung der Boxer. – b) wirtschaftliches Vordringen der Japaner. 1900 *ff.* – c) Bananenschale. Auf ihr kann man leicht ausgleiten. *Jug* 1930 *ff.* – d) Möhren. Bei den Soldaten wenig geschätztes Essen. 1939 *ff.* – e) Prügelstock des Lehrers. Gemeint ist eigentlich der Rohrstock. 1920 *ff.* – f) Maisgericht; mageres Polenta-Gericht. 1930 *ff.* – g) Gefährdung des Fußgänger durch Kraftfahrer, die noch (schon) bei Gelbicht der Verkehrsampel die Kreuzung befahren. 1965 *ff.* – h) Verwarnung des Fußballspielers durch den Schiedsrichter mittels der gelben Karte. 1973 *ff.* 4. grüne ~ = Heeresverwaltungsbeamte; Angehörige der Luftwaffenverwaltung. Sie trugen dunkelgrüne Kragenspiegel und waren wenig beliebt. *Sold* 1935 *ff.* 5. schwarze ~ = a) Geistlicher. Anspielung auf die schwarze Amtstracht. 1910 *ff.* – b) Panzertruppe. Wegen der schwarzen Uniform. *Sold* 1940 *ff.* – c) Neger. Bei uns aufgekommen mit der Unabhängigkeitsbewegung der schwarzafrikanischen Völker/Staaten nach dem Zweiten Weltkrieg; wahrscheinlich übernommen aus der nordamerikanischen Vokabel für das politische und wirtschaftliche Vordringen der amerikanischen Neger.

Gefahrenkünstler *m* Sensationsakrobat. 1958 *ff.*

gefährlich *adv* ~ leben = das Leben eines Verbrechers führen. Mit dem Ausdruck brandmarke man in der NS-Zeit revolutionär das individuelle, unpolitische Wohlleben im Sinne herkömmlicher Sicherheitsvorstellungen. Auf Verbrecher umgedeutet seit etwa 1955 *ff.*

Gefälle *n* ein gutes ~ haben = wacker zechen können. Übertragen vom Gefälle des Mühlbachs. 1820 *ff.*

gefallen *v* 1. er gefällt mir nicht = er sieht krank aus. Bedeutungsverengung aus „er erweckt nicht mein Wohlgefallen". 19. Jh. 2. du tätst mir ~! : Ausdruck der Abweisung. „Wohlgefallen" *iron* in „Mißfallen" umgekehrt. *Bayr* 1920 *ff.* 3. sich etw ~ lassen = etw sehr schätzen (die Gehaltsaufbesserung lasse ich mir gefallen). Soviel wie „etw (gern) über sich ergehen lassen". Seit dem 17. Jh. 4. das brauche ich mir nicht zu gefallen zu gelassen = das brauche ich mir nicht gefallen zu lassen. Scherzhafte Satzkonstruktion seit dem späten 19. Jh.

gefällig *adj* 1. der Verführung zugänglich; beischlafwillig. 1950 *ff.* 2. da ist 'was ~ = da herrscht Zank und Streit; da ist Interessantes (Pikantes) zu sehen. Gefällig = Wohlgefallen erweckend. 1850 *ff.*

Gefälligkeitsdemokratie *f* Kabinett, das sich durch seine Beschlüsse den Wählern gefällig zeigen will. Soll von Ludwig Erhard geprägt worden sein. 1954 *ff.*

Gefälligkeitsmedizin *f* Krankschreiben aus nichtigem Anlaß. 1975 *ff.*

gefangen werden gemustert werden. *BSD* 1960 *ff.*

Gefängnis *n* 1. Heimschule; Schulgebäude. 1900 *ff.* 2. Klassenzimmer. 1900 *ff.* 3. Kaserne. *BSD* 1960 *ff.* 4. ~ ohne Gitter = Schule. 1950 *ff.*

Gefängnisstrafe (Gefängnisstunde) *f* Strafstunde des Schülers. 1960 *ff.*

Gefängniswärter *m* Schulleiter; Lehrer. ⁊Gefängnis 1. 1955 *ff.*

Gefängniszelle *f* Klassenzimmer. *Schül* 1960 *ff.*

Gefängniszerberus *m* Haftanstaltswachtmeister o. ä. Die Bezeichnung beruht auf dem Namen des Hundes, der in der griechischen Mythologie den Eingang zur Unterwelt bewacht und jeden ein-, aber keinen mehr herausläßt. 1930 *ff.*

gefärbt *adj* beschönigend, verharmlosend. ⁊färben 1. 1500 *ff.*

Gefecht *n* 1. außer ~ sein = berufs-, arbeitsunfähig sein. Fußt auf der Vorstellung vom Berufsleben als einem Arbeitskampf. 1950 *ff.* 2. klar zum ~ sein = beischlafwillig sein. *Vgl* ⁊Nahkampf. *Sold* 1939 *ff.*

Gefechtslärm *m* 1. Schmatzen beim Essen; Schluckauf; geräuschvoll aufsteigender Magenwind; hörbar entweichender Darmwind usw. *Sold* 1939 *ff.* 2. Geräusch des Küssens o. ä.; Knarren des Betts beim Geschlechtsverkehr. *Vgl* ⁊Gefecht 2. *Sold* 1939 *ff.*

Gefechtspause *f* Unterbrechung einer Auseinandersetzung. 1930 *ff.*

Gefick *n* 1. Gesindel. Es ist das Ergebnis des „⁊Fickens". Seit 19. Jh. 2. krummes ~ = a) Mensch in krummer Haltung. 1900 *ff.* – b) Versager. 1900 *ff.*

Gefiedel *n* schlecht gespielte Musik. Eigentlich nur auf Geigenmusik bezogen. 1800 *ff.*

Gefieder *n* mein ~ sträubt sich = es behagt mir nicht. Scherzhaft entwickelt aus „mir sträuben sich die Haare". 1900 *ff.*

Gefiesel *n* umständliches, anstrengendes, entnervendes Tun. ⁊fieseln. 1900 *ff.*

Gefilde *pl* heimatliche ~ = Heimat; Wohnort. Burschikos poetisierender Ausdruck, im ausgehenden 19. Jh. wohl von Studenten erfunden.

Gefilme *n* unnatürliches, übertriebenes Benehmen. ⁊filmen 4. *Halbw* 1955 *ff.*

gefinkelt *adj* listig; lebenserfahren; mit allen Tricks vertraut. Analog zu „⁊ausgekocht"; denn *rotw* „finkeln = kochen". Vorwiegend *österr,* seit dem 19. Jh.

Gefitze *n* Widerrede; Quertreiberei; Vereitelung. ⁊fitzen 2. 1900 *ff.*

gefitzt *adj* gewandt, lebenserfahren, manierlich. Gehört zu „fitzen = mit der Rute schlagen" und ist also analog zu „verschlagen". 1930 *ff.*

geflaggt haben 1. er hat geflaggt = ihm hängt das Hemd aus der Hose heraus; durch ein Loch in der Kleidung wird die Unterwäsche sichtbar. 1920 *ff.* 2. menstruieren. ⁊Fahne 4. 1900 *ff.* 3. kurz ~ = kurze Hosen tragen. Die Hosen sind zu hoch gezogen, so daß es aussieht, als habe man „⁊halbmast" geflaggt. 1900 *ff.*

geflappt sein nicht recht bei Verstand sein; verrückt sein. Flappen = schlagen. Der Schlag gegen den Kopf hat eine Gehirnerschütterung bewirkt. 1700 *ff.*

Geflogener *m* Klassenwiederholer. ⁊fliegen 2. 1900 *ff, schül.*

geflogen werden fristlos entlassen werden. ↗ fliegen 1. Die Unfreiwilligkeit wird durch die Passivform verstärkt. 1920 ff.

geflötet *part* es kommt ihm wie ~ = es kommt ihm gerade im richtigen Augenblick. Es kommt mit der Pünktlichkeit, mit der die folgsame Hund auf das Flötensignal gehorcht. 1930 ff.

Geflügelfarm *f* Mädchenschule. Anspielung auf „dummes ↗ Huhn" und „↗ Gans 1". 1960 ff.

gefragt sein ↗ fragen 8.

Gefräß *n* 1. Mund, Kiefer. Kollektivbildung zu ↗ Fraß. Gemeint ist sowohl das, was man ißt, als auch das, womit man ißt. 1500 ff.
2. Eßbares. Seit dem 16. Jh.
3. schlechtes Essen. 1900 ff.
4. Tischgesellschaft; Festessen. 1500 ff.
5. jm das ~ in den Schlund rücken = jm heftig in die Zähne schlagen. Gefräß = Gebiß. 1920 ff.
6. jm das ~ verkleinern = jm mit der Faust einige Zähne ausschlagen. 1955 ff, *jug.*
7. jm das ~ veröden = jm Zähne ausschlagen. 1940 ff.

gefräßig *adj* 1. ~es Schweigen ↗ Schweigen.
2. ~e Stille ↗ Stille.

Gefreiter *m* 1. ~ Arsch = irgendein Soldat oder Gefreiter. ↗ Schütze Arsch. *Sold* 1939 ff.
2. ~ Arsch vom dritten Glied = irgendein rangloser Soldat. *Vgl* „↗ Schütze Arsch vom dritten Glied". *Sold* 1939 ff.
3. ~ mit Sprungbalken = Unteroffiziersanwärter. Er trägt auf dem Oberärmel eine schräge und eine waagerechte Tresse. *BSD* 1965 ff.
4. böhmischer ~ = Adolf Hitler. 1932 von Reichspräsident Hindenburg geprägt. Hindenburg unterlag dabei einem Irrtum: er verwechselte Hitlers Geburtsort Braunau am Inn mit dem Städtchen Braunau in Böhmen.

gefressen haben 1. jn ~ = jn nicht ausstehen können. Die Person liegt einem gewissermaßen im Magen wie eine unverdauliche Speise. 19. Jh.
2. etw ~ = von etw nichts halten; von etw angewidert sein. Seit dem 19. Jh.
3. etw an jm ~ = an jm eine Eigenheit besonders schätzen; jn gernhaben. Verkürzt aus „einen ↗ Narren an jm gefressen haben". 1910 ff.

Gefrett *n* ↗ Gfrett.

Gefrierfleischhosen *pl* Shorts; Seppl-Hosen. Man kann in ihnen jämmerlich frieren. 1935 ff.

Gefrierfleischorden *m* militärisches Ehrenzeichen für die Teilnahme am Feldzug gegen Rußland während des ersten Winters (1941/42). Das Ehrenzeichen ist wertverbessernd zum Orden erhoben. *Sold* 1942 ff.

Gefrierpunkt *m* die Stimmung gerät auf den ~ = man wird gegeneinander unzugänglich, abweisend, „frostig". 1920 ff.

Gefriß *n* ↗ Gfriß.

gefuchst *adj* 1. vielerfahren, listig. Hergenommen vom Fuchs (der Tierfabel) als Sinnbildtier der List. 1950 ff.
2. auf jn ~ sein = jds List und Heimtücke kennen. 1950 ff.

Gefühl *n* 1. ~ von der Stange = unechtes, anderen nachgeahmtes Gefühl. Es ist nicht Maßschneiderarbeit, sondern Konfektionsware. ↗ Stange. 1950 ff.
2. das höchste der ~e = das Äußerste; der erschwingliche Höchstbetrag. Meint eigentlich das Hochgefühl, die stärkste Empfindung von Lust. Geht zurück auf das Textbuch zu Mozarts „Zauberflöte". Etwa seit dem ausgehenden 19. Jh.
3. mit ~ und Hammerschlag = grob, oberflächlich, nach bestem Können. Der Widerspruch verdeutlicht, daß kein „Fingerspitzengefühl" o. ä. waltet. 1959 ff, Berlin.
4. ich habe ein ~ als ob = a) ich habe eine böse Ahnung. Hinter „Gefühl" ergänze „als ob es sich zum Schlimmeren entwickelte". 1910 ff. – b) ich habe eine zärtliche Anwandlung, ein Verlangen nach Geschlechtsverkehr. Hinter „Gefühl" vervollständige „als ob es mich zum anderen Geschlecht hindrängte". 1910 ff.
5. rosarotes ~ = anspruchslose Sentimentalität. ↗ rosarot. 1960 ff.
6. umgekipptes ~ = in Haß verwandelte Liebe. Das Gefühl ist gekentert wie ein Boot. 1950 ff.
7. mit ~ und Spucke = a) mit Ausdauer. Fußt auf dem unter „↗ Geduld 1" in einer Variante mitgeteilten Vers: „Mit Gefühl und Spucke / fängt man eine Mucke; mit Gefühl und Speie / fängt man auch wohl zweie". Berlin 19. Jh. – b) nach Gutdünken. 1900 ff.
8. seinen ~en kein Korsett antun = seine Gefühle rückhaltlos offenbaren. Veranschaulicht aus dem Folgenden. 1930 ff.
9. seinen ~en keinen Zwang antun = ungezwungen sich äußern; seine Meinung unumwunden erklären. Seit dem späten 19. Jh.
10. ein (komisches) ~ um die Rosette haben = Angst haben; böse Ahnungen haben. Meint eigentlich das Vorgefühl von Durchfall. ↗ Rosette. 1935 ff.
11. dreckige ~e haben = a) hinterhältig eine Unbill zu rächen trachten. Dreckig = in sittlicher Hinsicht schmutzig. 1914 ff. – b) böswillig, bösartig sein. Hängt sinngemäß zusammen mit „↗ anscheißen" und „↗ bescheißen". 1914 ff. – c) Stuhldrang verspüren. 1914 ff. – d) amoralische Absichten hegen. 1914 ff.
12. ein knuspriges ~ um die Rosette haben = heftigen Stuhldrang verspüren. Knusprig = prickelnd. *Sold* in beiden Weltkriegen.
13. für jn warme ~e hegen = für jn homosexuell empfinden. ↗ warm. 1900 ff.
14. nicht für seine ~e können = nicht Herr seiner (verbrecherischen) Triebe sein. 1920 ff.
15. seinen ~en freien Lauf lassen = a) rücksichtslos einen Darmwind entweichen lassen, unbekümmert um das körperliche Drang. 1900 ff. – b) ohne Hemmung seine Notdurft verrichten; harnen. 1900 ff.

Gefühlchenkitzler *m* ↗ Gefühlskitzler.

Gefühlsakrobat *m* 1. Rohling. *Iron* Bezeichnung. 1900 ff.
2. Utopist. 1960 ff.

Gefühlsantenne *f* Empfindungsvermögen. Technisierung des Seelischen. 1950 ff.

Gefühlsathlet *m* 1. empfindsamer Mensch. Er hat ein stark entwickeltes Gefühlsleben. 1870 ff.
2. Rohling. Er geht mit Gefühlen um wie ein Athlet mit Stemmgewichten o. ä. 1870 ff.

Gefühlsbarometer *n* Hundeschweif. Durch Schwanzwedeln bezeigt der Hund Freude; klemmt er den Schwanz ein, ist er ängstlich oder schuldbewußt. 1935 ff, Wien.

Gefühlsdrücker *m* künstlerische Einwirkung auf anspruchslose Gemüter. ↗ Drücker 4. Theaterspr. 1920 ff.

Gefühlsduselei *f* unangebrachte Rührseligkeit. ↗ Duselei. 1850 ff.

Gefühlskiste *f* rührselige Anwandlung; „Vorrat" an Liebesgefühlen. Ähnlich der Lappenkiste, in der Tuchreste aufbewahrt werden, bis man für sie Verwendung hat. 1900 ff.

Gefühlskitzler (Gefühlchenkitzler) *m* Schriftsteller, der sich in der Gestaltung seiner Werke nach der Rührseligkeit und Sensationslüsternheit der Leser richtet. 1955 ff.

Gefühlskrüppel *m* Mensch ohne Gefühl (Feingefühl). 1900 ff.

Gefühlsmangel *f* jn durch die ~ drehen = jn rührselig stimmen. ↗ Mangel II. 1955 ff.

Gefühlsmassage *f* Einwirkung auf das Gefühlsleben. 1955 ff.

Gefühlsmatsch *m* Unklarheit der Gefühle. ↗ Matsch. 1955 ff.

Gefühlsniete *f* gefühlsarmer Mensch. ↗ Niete. 1950 ff.

Gefühlsnudel *f* gefühlsselige weibliche Person. ↗ Nudel 4. 1955 ff.

Gefühlsorgel *f* auf der ~ spielen = mitleiderweckende Reden führen; jds Nachsicht (Mildtätigkeit) zu wecken trachten. Man beherrscht die Tastatur der Gefühle in allen Oktaven. 1950 ff.

Gefühlssüßbrahm *m* Rührseligkeit. Süße Sahne ist noch geschmeidiger als „↗ Schmalz". 1960 ff.

Gefühlstriefer *m* überschwenglich wehleidiges dichterisches Erzeugnis. Es trieft von „↗ Gefühlsschmalz" o. ä. 1930 ff.

Ge'fühls'tube *f* 1. Zuhilfenahme von Rührseligkeit; Gefühlskitsch. „Tube" ist die Tube Schminke. Hieraus hat sich unter Theaterleuten die „Gefühlstube" entwickelt, wobei die Vorstellung mitschwingt, daß man die Schminke zu dick auftragen und die Gefühligkeit auch dementsprechend übertrieben kann. 1930 ff.
2. auf die ~ drücken = durch Rührseligkeit Mitleid zu erwecken trachten. 1930 ff.

Gefühls-W.C. *n* Person, bei der die Untergebenen ihre wahren Ansichten und Gefühle (Auffassungen, Beanstandungen o. ä.) offen äußern können, ohne Nachteile befürchten zu müssen. Wo man sich wie auf dem Abort dessen entledigt, was einen drückt. 1961 aufgekommen als Äußerung des Wehrbeauftragten des Deutschen Bundestags, Admiral Helmuth Heye.

geführig *adj* lenkbar, nachgiebig, geschmeidig. Ein Fachwort der Jäger, bezogen auf den Hund, der leicht an der Leine zu führen ist. *Bayr* 1920 ff.

gefunden sein 1. gestohlen sein. Lügnerische Ausrede von Straftätern. 1900 ff.
2. außerordentlich billig sein. Es ist fast so unentgeltlich wie Gefundenes. 1900 ff.

gegangen haben jn ~ = jn entlassen haben. Gehen = kündigen. 1970 ff.

gegangen werden entlassen werden; die Kündigung erhalten. Die Passivform hebt die Unfreiwilligkeit hervor. Etwa seit der Mitte des 19. Jhs, vorwiegend *schül* und künstlerspr.

gegen *präp* **1.** etw ~ bekommen = begehrte Mangelware gegen Hergabe einer anderen Mangelware erhalten. Hehlbezeichnung seit Beginn des Zweiten Weltkriegs bis zur Währungsumstellung 1948. **2.** sich ~ jn verloben (verheiraten) = sich mit jm verloben (verheiraten). „Gegen" spielt scherzhaft auf den Kampf der Geschlechter an. Spätestens seit 1600.

Gegend *f* **1.** Gelände. *Sold* 1830 *ff.* **2.** nichts wie ~ (hier ist bloß ~) = weit und breit nur Landschaft ohne irgendwelche Vorkommnisse. Eine Berliner Wortprägung, hervorgegangen 1830 aus der Lokalposse „Ein Ständchen vor dem Potsdamer Tor" („weit und breit nischt wie Jejend, – nach allen Seiten Jejend, – Jejend überall, – Natur nach jeder Seite hin"). **3.** in der ~ um Ostern (Weihnachten u. ä.) = um Ostern (u. ä.). Die geographische Bezeichnung wird hier zur (ungefähren) Zeitangabe. 1900 *ff.* **4.** heiße ~ = gefährliche, von der Polizei kontrollierte Gegend. ↗heiß. *Rotw* 1920 *ff.* **5.** kalte ~ = ungefährliche, vor der Polizei sichere Gegend. *Rotw* 1920 *ff.* **6.** laute ~ = Frontgebiet mit ständigem Feuerwechsel. *Sold* in beiden Weltkriegen. **7.** in die ~ ballern = ein wildes Feuer eröffnen; ziellos umherschießen. ↗ballern. 1939 *ff.* **8.** benimm dich, wir kommen in eine bessere ~!: Verhaltensrüge. Die „bessere Gegend" ist der Wohnbereich vornehmer Leute. 1920 *ff.* **9.** in der ~ rumkommen = viel reisen. 1920 *ff.* **10.** etw in der ~ rumschreien = etw überall laut verkünden. 1920 *ff.* **11.** die Handtasche (o. ä.) durch die ~ schlenkern = die Handtasche hin- und herschlenkern. 1920 *ff.* **12.** ich mache keine ~ = das Gelände ist (landschaftlich) völlig reizlos. 1830 *ff.*

Gegenliebe *f* bei mir kannst du auf ~ rechnen = ich werde es dir beim Kartenspiel gedenken. *Iron* Redensart. Kartenspielerspr. 1900 *ff.*

Gegenofferte *f* sinngleiche Erwiderung auf ein obszönes Angebot. Sagt der eine „Du kannst mich am Arsch lecken!", erwidert der andere: „Du mich auch!". 1920 *ff.*

Gegenspritze *f* Maßnahme zur Vereitelung einer unerwünschten Entwicklung. Stammt aus der Medizinersprache. 1940 *ff.*

Gegenstand *m* **1.** das ist kein ~ = das ist nicht teuer, nicht der Rede wert (daß die Vase zerbrochen oder das Examen nicht bestanden ist, ist kein Gegenstand). Das Gemeinte ist keine Sache, mit der man sich eingehend und ausgiebig beschäftigen muß. Seit dem späten 19. Jh. **2.** mit spitzen Gegenständen schmeißen = anzügliche Bemerkungen machen. Spitz = verletzend = kränkend. Seit dem ausgehenden 19. Jh.

Gegenstück *n* ein ~ suchen = eine zusagende Geschlechtspartnerin suchen. Im Handwerk ist das „Gegenstück" z. B. die paßgerechte Nut zur Feder, die Mutter zur Schraube (oder umgekehrt). 1900 *ff.*

Gegenteil *n* **1.** Ehemann. Gemeint ist die

Gegenpartei, hier wohl nicht ohne Anspielung auf das Geschlechtsteil. 1800 *ff.* **2.** Gesäß. *Jug* 1958 *ff.* **3.** das gespuckte ~ = das genaue (treffende) Gegenteil. Wahrscheinlich aus *franz* „c'est en père tout craché" sinngemäß eingedeutscht. 19. Jh.

Gegentum *n* Gegenteil. Meist Erwiderung auf eine irrige Behauptung. Wohl zusammengesetzt aus „Gegenteil" und „Irrtum". 1900 *ff, stud.*

gegessen sein ↗essen 5.

Geglotze *n* neugieriges Starren; Flirten mit Blicken. ↗glotzen. 1900 *ff.*

Gehabe *n* übertriebenes Verhalten eines Menschen. Gehört zu „sich ↗haben". Seit dem 18. Jh.

gehabt *part* wie ~ = wie früher; wie schon einmal erlebt; in Wiederholung. Stammt aus dem Kaufmannsdeutsch und meint eigentlich „wie schon einmal angeliefert". 1930 *ff.*

Gehacke *n* **1.** Rauferei. Hacken = kräftig (kantig, spitz) zuschlagen. 1900 *ff.* **2.** heftiger Wortwechsel. 1960 *ff.* **3.** Nahkampf. Man schlägt aufeinander ein. *Sold* in beiden Weltkriegen.

Gehacktes *n* **1.** ich mache ~ aus ihm!: Drohrede. Der Betreffende soll kleingeschlagen werden. Gehacktes = Hackfleisch. 1914 *ff.* **2.** da kann ich ebenso gut ein Pfund ~ nehmen!: Redewendung angesichts einer abweisenden weiblichen Person. Ein Pfund Hackfleisch ist ebenso temperamentlos wie eine gefühlskalte Bettgenossin. 1935 *ff.*

Ge'hampel *n* **1.** lästiges Anhängsel; lästiges Beiwerk. Hampeln = sich unruhig hin- und herbewegen; baumeln. 1900 *ff.* **2.** hastige Bewegungen; unruhiges Hin- und Herlaufen. 1900 *ff.*

gehandicapt sein (*part engl* ausgesprochen) behindert, beeinträchtigt, beengt sein. Stammt aus der *engl* Sportsprache und meint das Vorgabe- oder Ausgleichsrennen; von da weiterentwickelt zur Bedeutung „Hindernis, Erschwerung". 1920 *ff.*

gehängt *adj* schlau. Entweder hat der Betreffende am Galgen gehangen und ist wieder freigekommen, oder er ist so lebenserfahren wie einer, der am Galgen endete. 1900 *ff,* kaufmannsspr.

geharnischt *adj* energisch, derb. Man geht rücksichtlos vor wie der Krieger in seiner Rüstung. Seit dem 19. Jh.

Gehauchter *m* lautlos entweichender Darmwind. Seit dem 19. Jh.

gehauen *part* **1.** das ist nicht ~ und nicht gestochen = das ist nur mittelmäßig; das ist nicht gekonnt, taugt nichts. Leitet sich vielleicht her von einem solchen Fechter, der weder Hieb- noch Stichwaffen richtig zu führen versteht, oder aus der Praxis des Baders, der früher auch „hauen" (= schröpfen, spitz) und „stechen" (= zur Ader lassen) können mußte. 1500 *ff.* **2.** das ist ~ wie gestochen = das läuft auf dasselbe hinaus. 19. Jh.

Gehäuse *n* **1.** Kleidung, Uniform. Eigentlich die Umkleidung eines Gegenstands, das Futteral oder Etui. 1900 *ff.* **2.** kleines, niedriges Zimmer; Kleinwohnung. 1920 *ff.* **3.** Versammlungsraum einer Jugendgrup-

pe. Ausdruck der Wandervogelbewegung im frühen 20. Jh. **4.** Fußballtor. Es ist ein kleines Gemach. 1920 *ff.* **5.** es klingelt im ~ = es wird ein Tortreffer erzielt. *Sportl* 1950 *ff.* **6.** bei ihm tickt es im ~ = er ist nicht recht bei Verstand. Der Schädel als Behältnis des Gehirns; *vgl* ↗ticken 5. 1920 *ff.*

gehaut *adj* vielerfahren, listig; lebenslustig. Eigentlich soviel wie „geprügelt": der Betreffende ist durch Prügel lebenserfahren geworden. Analog zu „verschlagen". Vorwiegend *bayr* und *österr* seit dem ausgehenden 19. Jh.

Gehe *f* **1.** Spaziergang. Berlin seit dem ausgehenden 19. Jh. **2.** Bein, Fuß. *Halbw* 1960 *ff.*

Gehege *n* jm ins ~ kommen = **1.** jds Pläne stören; jds Handlungen vereiteln, durchkreuzen; jds Rechte verletzen. Leitet sich her vom verbotenen Eindringen in ein umzäuntes Gebiet oder in ein Jagdrevier. 1500 *ff.* **2.** eine weibliche Person intim betasten. 1910 *ff.*

Geheimcode *m* Leistungsnoten. Den Schülern sind sie unverständlich wie eine chiffrierte Nachricht. 1960 *ff.*

Geheime *f* nicht kontrollierte Prostituierte. 1920 *ff.*

Geheimer *m* Geheimpolizist; Beamter der Kriminalpolizei; Polizeibeamter in Zivil. 1850 *ff.*

Geheimniskrämer *m* Mann, der Geheimnisse wahrt; Mann, der geheimnisvoll tut. Er ist ein „Krämer" (Kleinhändler), der Geheimnisse zu verkaufen hat oder gern in Geheimnissen kramt. Seit dem 18. Jh.

Geheimniskrämerei *f* geheimnisvolles Verhalten; auf Wirkung berechnetes Verstummen. *Vgl* das Vorhergehende. 1800 *ff.*

Geheimratsecken (-winkel) *pl* Zurückweichen der Haare an den Schläfen. Spätestens mit der Verleihung des Geheimratstitels stellte sich früher auch die Glatze ein. Seit dem späten 19. Jh.

Geheimratsscheibe *f* sehr dünne Scheibe Brot oder Braten oder Aufschnitt. Stammt aus dem späten 19. Jh und spielt an auf die karge Lebensweise der damaligen Beamten.

Geheimsender *m* **1.** Hörgerät für Schwerhörige. 1930 *ff.* **2.** dem Dritten nicht auffallende Verständigung mittels Blicken oder Gesten. 1930 *ff.* **3.** Soldat, der durch das Anzeigen von Kameraden sich beim Vorgesetzten einschmeichelt. Er „sendet" insgeheim abträgliche Bemerkungen an die Vorgesetzten. *BSD* 1965 *ff.*

Geheimsprache *f* unerlaubte fremdsprachliche Übersetzung. *Schül* 1960 *ff.*

Geheimtuer *m* Mensch, der sich um der Mehrgeltung willen hinter wirklichen oder vorgetäuschten Geheimnissen versteckt. 1800 *ff.*

Geheimwaffe *f* bis zum letzten Augenblick geheimgehaltene Person oder Sache, deren Bedeutung eine andere ausstechen soll. Aufgekommen im Zusammenhang mit „Wunderwaffen", über die Hitler im verlorenen Krieg angeblich noch verfügte. 1958 *ff.*

Geheimwissenschaft *f* mach daraus keine

~! = gib der Sache nicht den Anschein, als sei sie nur Eingeweihten verständlich! 1900 *ff.*

Geheizter (Ghazter) *m* Homosexueller. Analog zu ↗ warm. *Österr* 1950 *ff.*

gehen *v* **1.** es geht = es funktioniert; es ist möglich. Gehen = in Bewegung sein; weiterentwickelt zur Bedeutung „in Bewegung zu setzen sein" und „sich verwirklichen lassen". Seit dem 19. Jh.
2. da geht etwas = da ist etwas im Gange; da läßt sich etwas erreichen. *Bayr* 1900 *ff.*
3. nichts geht = das Vorhaben scheitert. 1900 *ff.*
3 a. nichts geht mehr = es läßt sich nichts mehr ändern; dies ist länger nicht mehr erlaubt; das Konkursverfahren ist eingeleitet. Übersetzt aus dem *franz* Spielkasinospr.: „rien ne va plus". 1950 *ff.*
4. bei ihr geht nichts = sie verweigert sich dem stürmischen Liebhaber. 1900 *ff.*
5. gestern ging's noch: Antwort auf die Frage nach dem Befinden. Anspielung auf Geschlechtsverkehr. 1910 *ff.*
6. ach geh (aber geh)!: Ausdruck des Zweifels. Der Betreffende soll weggehen und den anderen mit unglaubwürdigen Behauptungen verschonen. 19. Jh. *Vgl franz* „allons donc!".
7. die Ware geht = die Ware findet guten Absatz. 1900 *ff.*
8. es geht = es paßt; es ist mittelmäßig; es ist noch zulässig. Gemeint ist, daß eine Sache in Bewegung ist, wobei jedoch ungewiß bleibt, in welcher Richtung und ob in schneller oder langsamer Bewegung. Aus dieser Ungewißheit ergibt sich die Bedeutung der Mittelmäßigkeit und Durchschnittlichkeit. Seit dem 19. Jh.
9. es ginge wohl, aber es geht nicht = theoretisch wäre es möglich, aber praktisch ist es undurchführbar. 1840 *ff.*
10. ich höre dich ~ = ich erkenne deine Absicht. Leitet sich her von den fast lautlosen Schritten eines Einschleichdiebs. *Bayr* 1900 *ff.*
11. mir gangst (da wennst ma net gangst)!: Ausdruck der Ablehnung. „Gangst" ist zweite Person des Konjunktivs des Imperfekts von „gehen". ↗ gehen 6. *Bayr* 1900 *ff.*
12. an eine ~ = eine weibliche Person intim betasten. Man rückt ihr zuleibe. Seit dem 19. Jh.
13. auf etw ~ = sich für etw entscheiden; sich auf etw verlassen. Man geht auf eine Brücke oder Eisfläche und hofft, daß sie trägt. 19. Jh.
14. in sich ~ = sich schlafen legen. Eigentlich soviel wie „sein Gewissen erforschen", „sich zu bessern suchen". 1935 *ff.*
15. mit jm (miteinander) ~ = ein Liebespaar sein. Die Leute sehen sie miteinander gehen und schließen daraus auf ein Liebesverhältnis. 1800 *ff. Vgl engl* „to walk with".
16. alles unter sich ~ lassen = das Bett durch Harn oder Kot beschmutzen. Seit dem 19. Jh.
17. einen ~ lassen = einen Darmwind entweichen lassen. 1800 *ff.*
18. sich ~lassen = die Fassung verlieren; den Anstand preisgeben. Übertragen vom Pferd, dem man die Zügel lockert. 1800 *ff.*
19. laß ~! = beeile dich! Gehen = (die Füße) in Bewegung setzen. Auch auf

Fuhrwerke und Fahrzeuge bezogen. 1920 *ff.*
20. laß das Messer ~! = tu das Messer weg! Gehen lassen = sich entfernen lassen; gehenlassen = loslassen. *Bayr* und *österr* 1900 *ff.*

gehenkt *adj* vielerfahren, listig. Analog zu ↗ gehängt. 1900 *ff.*

Gehfehler *m* Frau mit ~ = kinderlos Verheiratete. Der Fehler besteht darin, daß es mit der Schwängerung nicht „geht". *BSD* 1965 *ff.*

Gehirn *n* **1.** hohles ~ = Dummer. 1900 *ff.*
2. bei ihm haben sie das ~ ausgeblasen = er ist sehr dumm. Beruht auf der Vorstellung vom Ausblasen eines Eies (Kopfform!) oder eines Lichts. 1930 *ff.*
3. jm das ~ ausblasen wie eine Kerze = jn begriffsstutzig machen. 1930 *ff.*
4. jm das ~ ausglühen = jn durch Gehorsamsübungen willenlos machen. 1958 *ff.*
5. dir ist wohl ein Happen ~ ausgelaufen? = du bist wohl nicht recht bei Verstand? *Vgl* ↗ Happen 1; ↗ dicht 1 e. 1900 *ff.*
6. jm das ~ ausschaben = jn schikanös drillen. *Sold* 1939 *ff.*
7. jm das ~ aus dem Kopf blasen = jn in den Kopf schießen. Kriminalromansprache. 1950 *ff.*
8. das ~ rostet ein = Gedächtnisleistung und geistige Beweglichkeit lassen altersbedingt nach. Fußt auf der Vorstellung vom Räderwerk der Denkmaschine. 1920 *ff.*
9. sein ~ funktioniert nicht mehr richtig = er ist nicht ganz bei Verstand. *Schül* 1950 *ff.*
10. ihm haben sie das ~ geklaut = er ist sehr dumm. Umschreibt scherzhaft die geistige Leere. Spätestens seit 1900.
11. ihm ist das ~ geschissen (und vergessen umzurühren) = er ist dumm. 1900 *ff.*
12. sein ~ käst = er weiß nicht, was er sagt. Käsen = gerinnen (sich in eine dichtere Masse zusammenziehen). *Vgl* auch „käsen = Unsinn schwätzen". *Schül* 1950 *ff.*
13. ihm klappert das ~ = er ist von Sinnen. Das Gehirn als Mechanismus. 1900 *ff.*
14. sein ~ läuft heiß = er denkt angestrengt nach. Eine stark beanspruchte Maschine läuft heiß. 1935 *ff.*
15. sein ~ läuft nicht auf allen Zylindern = sein Verstand ist nicht völlig klar. Der Kraftfahrersprache entlehnt. 1935 *ff.*
16. jm das ~ massieren = jn Vernunft beibringen. Man knetet das Gehirn wie einen Körper, dessen Muskulatur man bessere Durchblutung vermitteln will; die Behandlung wird mehrmals wiederholt. 1920 *ff.*
17. das ~ unter Druck nehmen (setzen) = scharf nachdenken. Man setzt die „Denkmaschine" unter Dampfdruck. 1920 *ff.*
18. ich haue dir das ~ raus!: Drohrede. Rocker 1967 *ff.*
19. ich spucke dir ins ~!: Drohrede. *Halbw* 1955 *ff.*
20. laß dir nicht ins ~ spucken! = laß dich nicht beschwatzen, übertölpeln! Fortsetzung von „jm auf den ↗ Kopf spucken". 1955 *ff.*
21. sein ~ treibt Blasen = er äußert wunderliche Einfälle. Mit „Blasen" sind

hier die Schaumblasen auf den Wellenkronen des Meeres gemeint, die im Bruchteil einer Sekunde vergehen. Geht zurück auf Schillers „Don Carlos" (1787). 1850 *ff.*
22. jm das ~ umkrempeln = jn gründlich ausfragen; jn einem Verhör unterziehen. Man dreht ihm das Gehirn gewissermaßen „nach links" wie einen Armel; man kehrt das Innere nach außen. 1935 *ff.*
23. ihm ist wohl das ~ vereist? = er wohl nicht bei klaren Sinnen? Zusammenhängend mit der Kälte-Anästhesie. *Vgl* auch ↗ Frost 6. 1935 *ff.*
24. sich das ~ verrenken = sich geistig sehr anstrengen. Übernommen von „sich den ↗ Magen verrenken". Seit dem 19. Jh.
25. ihm ist das ~ verrutscht = er weiß nicht, was er sagt. Verrutscht = verrückt. 1959 *ff.*
26. jm das ~ waschen = jm Geheimwissen entlocken; jn umerziehen; jn politisch (weltanschaulich) umschulen. ↗ Gehirnwäsche. Etwa seit 1954.
27. ihm haben sie das ~ zugedreht = er ist begriffsstutzig. Anspielung entweder auf die Blut- (und damit Sauerstoff-)Zuleitung oder auf die das Gehirn umgebenden Wasserkissen. *Schül* 1955 *ff.*

Gehirnakrobat *m* **1.** Gelehrter; Intellektueller; Mitglied der Philosophischen Fakultät; Klassenbester. *Stud* seit dem späten 19. Jh.
2. Generalstabsoffizier. Fußt auf *engl* „brain- storm-artist", bezogen auf führende englische Militärs, die um 1900 die englischen Mißerfolge in Südafrika, Ägypten und im Sudan in glänzende Siege umfälschten. Seit 1917 auf deutsche Generalstäbler übertragen, die allen Mißerfolgen zum Trotz (und vor allem im Zweiten Weltkrieg) endsiegverheißende Kriegspläne zu ersinnen hatten.

gehirnamputiert *adj* **1.** dumm. 1960 *ff.*
2. anmaßend, dünkelhaft. 1960 *ff*, *BSD.*

Gehirnathlet *m* **1.** Denker, Geistesgröße. Der Athlet ist Sinnbild des starken Mannes, dessen Körperkräfte hier auf mächtige Geistesgaben übertragen sind. 1900 *ff.*
2. Mensch mit wunderlichen Gedanken. 1900 *ff.*

Gehirndoktor *m* Lehrer. Er sorgt für Normalisierung des Denkens und sucht Denkschäden zu beheben. 1960 *ff*, *schül.*

Gehirndünger *m* Prügel, einem Faulenzer verabreicht. Sie befruchten angeblich den faulen Geist. 1905 *ff.*

Gehirndurchleuchtung *f* charakterlich-weltanschaulich-geistige Überprüfung eines Menschen. ↗ durchleuchten. 1920 *ff.*

Gehirnerschütterung *f* **1.** schwierige Überlegung. Für den Ungewohnten wirkt sie wie eine Erschütterung des Denkvermögens. 1930 *ff.*
2. ich haue dir eine, daß du ~ kriegst!: Drohrede. 1900 *ff.*

Gehirnfälschung *f* Verrücktheit. Entwickelt nach dem Muster von „Geld-, Bildfälschung" o. ä.: Schein und Sein stimmen nicht überein. 1955 *ff*, *schül.*

Gehirnfatzke *m* **1.** Denker (*iron* bis *abf*). ↗ Fatzke. 1900 *ff.*
2. Generalstabsoffizier o. ä. 1914 *ff.*

Gehirngymnastik *f* Denksport; Scharfsinnsproben; Schulung zu logischem Denken; angestrengtes Überlegen. 1950 *ff*, mutmaßlich älter.

Gehirnkasten *m* 1. Verstand, Kopf. Er ist das Gehäuse für das Gehirn; dem „Brutkasten" nachgebildet. Seit dem 19. Jh.
2. den ~ aufräumen = seine Gedanken ordnen; nachdenken; logisch denken. 1900 *ff*.

gehirnkastriert *adj* dumm, geistlos. Kastriert = entmannt = nicht fortpflanzungsfähig. Der Dumme kann kein Wissen weitergeben. 1920 *ff*.

Gehirnkrämpfe *pl* ~ haben = wunderliche Ansichten vertreten. *Vgl* ↗Krampf = Unsinn". *Jug* 1960 *ff*.

Gehirnmassage *f* 1. anhaltende Beeinflussung des Denkens; Erziehung zu folgerichtigem (wünschenswertem) Denken. ↗Gehirn 16. 1920 *ff*.
2. Klassenaufsatz. *Schül* 1955 *ff*.

Gehirnpips (-pieps) *m* leichte Verrücktheit. ↗Pips = Erkältung. Die Schreibung „-pieps" läßt an das Piepsen des „↗Vogels" denken, den der Verrückte angeblich im Kopf hat. 1955 *ff*.

Gehirnplombierung *f* staatlich gelenkte Volksverdummung. Aus der Zahnarztpraxis entlehnt. 1933 *ff*.

Gehirnprothese *f* Ersatz für selbständiges Denken; als Überzeugung verinnerlichte Parole, Ideo logie u. ä. 1950 *ff*.

Gehirnrevision *f* Instruktionsstunde; mündliche Prüfung. Es wird geprüft, ob sich alles in gehöriger Ordnung befindet. *Sold* seit dem späten 19. Jh.

Gehirnschmalz *n* geistige Aufnahmefähigkeit; Einsicht; Nachdenken. Es schmiert das Räderwerk der Denkapparatur. Offenbar im ausgehenden 19. Jh. aufgekommen.

Gehirnschweiß *m* das kostet viel ~ = das erfordert viel Überlegung. 1950 *ff*, *stud*.

Gehirnstauung *f* sehr schlechte Auffassungsgabe; mangelhaftes Gedächtnis. Das Gehirnwasser hat sich gestaut. 1930 *ff*.

Gehirntripper *m* 1. Schnupfen. Die Nase tröpfelt wie beim Tripper der Penis. 1914 *ff*.
2. du hast wohl einen ~? = du weißt wohl nicht, was du sagst? *Rocker* 1967 *ff*.

Gehirntrust (Grundwort engl ausgesprochen) *m* 1. Vereinigung erfahrener Arbeitgeber; Zusammenarbeit von Fachleuten. Übersetzt aus *angloamerikan* „brain trust". Nach 1950.
2. Generalstab. *BSD* 1965 *ff*.

Gehirnwäsche *f* 1. politisch-weltanschauliche Umschulung; seelisch-geistige Umstimmung eines Menschen mit psychologischen Mitteln. Fußt auf *angloamerikan* „brain-washing" und ist 1951 im kommunistischen China aufgekommen im Zusammenhang mit den Befragungs- und Foltermethoden an den Gefangenen des Korea-Krieges. 1954 *ff*.
2. schwere Klassenarbeit; Klassenaufsatz. 1965 *ff*.

Gehirn-Waschmaschine *f* Spionage-Abwehrdienst o. ä. 1958 *ff*.

gehirnweich *adj* weitgehend geistesgestört. Aus dem volkstümlichen Begriff der Gehirnerweichung entwickelt. 1920 *ff*.

Gehirnwindungen *pl* 1. ~ abwetzen = scharf nachdenken. Wien 1950 *ff*.
2. erw durch die ~ laufen lassen = etw sorgfältig bedenken. Wien 1950 *ff*.
3. jds ~ trüben = jn so beeinflussen, daß er nicht mehr klar denken kann. 1950 *ff*.

Gehölz *n* Takelage. Eigentlich ein kleiner Wald. *Marinespr* 1900 *ff*.

geholzt werden Prügel erhalten. ↗holzen. 19. Jh.

Gehopse *n* 1. fortwährendes Hopsen. ↗hopsen. Seit dem 19. Jh.
2. Ballettvorführung. 1920 *ff*.
3. langes ~ = großwüchsiger Mensch. ↗Hüpfer. 1920 *ff*.

Gehör *n* nach dem ~ parken = rücksichtslos und ohne Können (daher nicht ohne hörbare Rammstöße) den Parkplatz einnehmen. Übernommen von der Redewendung „nach dem Gehör singen (spielen)". 1959 *ff*.

Gehörgang *m* 1. dein Wort in Gottes ~ ↗Wort.
2. sein ~ ist verrußt = er will nicht hören, stellt sich taub. Der Gehörgang erscheint hier unter dem Bilde eines Ofenrohrs. 1935 *ff*.

gehörig *adj adv* heftig, stark; sehr (er kriegt eine gehörige Tracht Prügel; es regnet gehörig). Eigentlich soviel wie „wie es sich gehört", „in entsprechender Weise". 1700 *ff*.

Gehörnter *m* Altgedienter. Anspielung auf „↗Zwölfender" o. ä. 1965 *ff*, *sold*.

Geht-nicht-mehr ↗bis zum Geht-nicht-mehr.

Ge'hudel *n* 1. nachlässig ausgeführte Arbeit. ↗hudeln. 1800 *ff*.
2. Gesindel. 1800 *ff*.

gehüpft *part* das ist ~ (gehopst) wie gesprungen = das ist dasselbe; das zeitigt dasselbe Ergebnis. Leitet sich her von hüpfenden oder springenden Tanzbewegungen, wie sie vor allem im Volkstanz häufig sind. 1800 *ff*.

Gehwarzen *pl* Beine, Füße. Den „Brustwarzen" nachgebildet. Meint eigentlich wohl die Hühneraugen. 1930 *ff*, *sold*.

Gehwerk *n* Beine, Füße. Meint eigentlich das Getriebe der Uhr. Seit dem 19. Jh.

Gehzeuge *pl* Beine, Füße. Als Gegenwort zu „Fahrzeuge" aufgekommen im Zusammenhang mit dem Sonntagsfahrverbot am 25. November und 2. Dezember 1973.

Geier *m* 1. Hoheitsabzeichen. Verhöhnung des Adleremblems. *Sold* 1939 *ff*.
2. Brathähnchen o. ä. *BSD* 1965 *ff*.
3. langnasiger (höckernasiger) Mensch; Mensch mit schmalem, knochigem Gesicht. Wegen der Formähnlichkeit mit dem Kopf des Raubvogels. 1960 *ff*.
4. einen ~ auf etw haben = etw gierig verlangen. ↗geiern 4. *Halbw* 1970 *ff*.
5. hol dich der ~! Verwünschung. „Geier" ist Hüllwort für „Teufel". 1400 *ff*.
6. hol mich der ~! Beteuerungsformel. Zur Beteuerung ruft man den Teufel an, der einen holt, wenn man die Unwahrheit gesagt hat. 1400 *ff*.
7. weiß der ~, warum . . . ! Ausdruck des Nichtwissens. Geier = Teufel. 19. Jh.

geiern *intr* 1. über jn mißgünstig sprechen. Hergenommen vom Geier, der sich auf das Aas stürzt. 1920 *ff*.
2. vom Flugzeug aus nach Angriffszielen spähen; in der Luft kreisen. 1939 *ff*.
3. lachen. Schallnachahmend der Natur. *Halbw* 1950 *ff*.
4. sich ~ = begierig nach etw verlangen; gierig sich auf etw stürzen. 1900 *ff*.
5. nach etw ~ = etw an sich raffen; beobachtend warten, bis das andere freigebig wird. 1900 *ff*.

Geierwally *f* herbes Mädchen. Geht zurück auf den Titel des Romans „Die Geier-Wally. Geschichte aus den Tiroler Bergen" (2 Bde., 1875) von Wilhelmine von Hillern (1836–1916); der Roman wurde auch verfilmt (1940, mit Heidemarie Hatheyer). Wallys einziger Umgang ist der halbgezähmte Geier. 1941 *ff* bis heute.

Geige *f* 1. Vagina; Penis. ↗geigen 3. Seit dem 19. Jh.
2. liederliche weibliche Person; Prostituierte. ↗geigen 3. Seit dem frühen 19. Jh, *stud* und *rotw*.
3. beischlafwilliges Mädchen. 1950 *ff*, *jug*.
4. dumme, langweilige Person; Spielverderber. Der Form der Geige ähnelt das lange, traurige Gesicht. *Halbw* 1955 *ff*. *Vgl* *engl* „a face as long as a fiddle".
5. Maschinenpistole. Wird ähnlich gehalten wie die Geige (in Ruhestellung). *BSD* 1965 *ff*.
6. Zwanzigmarkschein. Wegen der Abbildung einer Geige auf der Rückseite. 1961 *ff*.
7. alte ~ = alte weibliche Person. Seit dem 19. Jh.
8. erste ~ = a) Hauptperson. Vom Orchester hergenommen: die erste Geige ist das führende Instrument. 19. Jh. – b) Ausgehanzug; Eigentumsuniform. *Marinespr* 1965 *ff*.
9. lange ~ = großwüchsiger Mensch. Aus ↗Heugeige" verkürzt. 19. Jh, *bayr*.
10. schwule ~ = Homosexueller weibischen Wesens. ↗schwul. 1920 *ff*.
11. auf der ~ geigen (spielen) = eine weibliche Person intim betasten; koitieren. ↗Geige 1. Spätestens seit 1900.
12. die erste ~ spielen = die Hauptperson sein; bestimmenden Einfluß ausüben. ↗Geige 8 a. Seit dem 19. Jh. *Vgl engl* „to play first fiddle".
13. die zweite ~ spielen = eine untergeordnete Stellung einnehmen. 1900 *ff*.
14. das spielt keine ~ = das spielt keine Rolle, ist unerheblich. Wohl verkürzt aus „das spielt keine erste Geige". 1920 *ff*.
15. nach jds ~ tanzen = jn zu Willen sein; sich völlig nach jds Willen richten. Vom Tanzboden hergenommen, auf dem man früher mit der Geige zum Tanz aufspielte. 1800 *ff*.

geigen *v* 1. *intr* = schwatzen. Das Geigenspiel ist im volkstümlichen Auffassung ein langdauerndes Musizieren. Von hier wurde der Begriff „anhaltend" auf das Reden übertragen. 1910 *ff*.
2. *intr* = in einer Spirallinie abstürzen (auf Flugzeuge bezogen). 1920 *ff*.
3. *intr* = koitieren. Hergenommen von der Hin- und Herbewegung des Geigenbogens. Seit dem 19. Jh.
4. *intr* = eine hohe Fahrgeschwindigkeit entwickeln; den Motor überbeanspruchen. Anspielung auf den immer höheren Ton. *Kraftfahrerspr* 1955 *ff*.
5. es jm ~ = jn zurechtweisen; es jm gedenken. Anspielung auf die Prügelstrafe: man läßt den Prügelstock wie einen Geigenbogen tanzen auf dem Rücken des Gepeinigten. Seit *mhd* Zeit.

Geigenspielerin *f* liederliches Mädchen; Prostituierte. ↗geigen 3. 1900 *ff*.

Geigenteel *n* im ~ = im Gegenteil. Sprachlicher Spaß durch Vertauschung der Vokale. 1900 *ff*.

geil *adj* 1. draufgängerisch, mutig. Man ist

voller Begier (nach Taten), kraftstrotzend. Schon in *mhd* Zeit; neuerdings *BSD* 1960 *ff.*

2. übertrieben, streng diensteifrig. Von geschlechtlicher Gier übertragen auf dienstliche Gier; wohl beeinflußt von „↗ geil 4, 5. 1960 *ff, sold.*

3. anstrengend (auf den Dienst bezogen). *BSD* 1960 *ff.*

4. titelsüchtig. *BSD* 1960 *ff.*

5. ordenslüstern. 1960 *ff, sold.*

6. hervorragend, sympathisch. *Jug* 1965 *ff.*

7. auf etw ~ sein = nach etw süchtig, auf etw begierig sein. 1900 *ff.*

Geilchen *n* junges Mädchen, das mit einem oder mehreren Jungen intime Beziehungen unterhält. 1960 *ff.*

Geile *f* geschlechtlicher Erregungszustand. Seit *ahd* Zeit.

geilen *intr* **1.** übertrieben Dienst tun. ↗ geil 2. *BSD* 1960 *ff.*

2. mit jm ~ = mit jm tändeln, koitieren; jn geschlechtlich erregen. 1500 *ff.*

Geilheitspulver *n* Rauschgift, Marihuana u. ä. *Halbw* 1960 *ff.*

geimpft sein nicht ~ = dumm sein. Dummheit als eine Krankheit gedeutet, gegen die nur der entsprechend Geimpfte gefeit ist. *Schül* 1960 *ff.*

Geiß *f* **1.** überschlankes großwüchsiges Mädchen. Übertragen vom Körperbau der Ziege. 1900 *ff.*

2. einfältige weibliche Person. Mit Menschenaugen gesehen, sind Ziegen dumm. 1960 *ff, oberd.*

3. neugierige ~ = neugieriger Mensch. 19. Jh.

Geißbart *m* **1.** Spitzbart. Er ähnelt dem Ziegenbart. *Oberd* seit dem 19. Jh.

2. weibliche Schamhaare. 1900 *ff.*

Geißhirn *n* dummer Mensch. *Vgl* ↗ Geiß 2. *Oberd* 1900 *ff.*

Geist *m* **1.** Alkohol. Aus „Weingeist" verkürzt. 1900 *ff.*

2. Benzin. ↗ Sprit. *Österr* 1920 *ff.*

3. dienstbare ~er = Hausangestellte, Zimmermädchen, Gepäckträger, Kellner usw. Geht zurück auf Luthers Bibelübersetzung (Hebr. 1,14): „Sind sie nicht allzumal dienstbare Geister, ausgesandt zum Dienst um derer willen, die erreben sollen die Seligkeit?" Aus „Diener Gottes" entwickelte sich – etwa um 1800 – die Bedeutung „zum Dienst verpflichtete Menschen".

4. feuchter ~ = Alkoholismus. Viktor v. Scheffel bezeichnete um 1850 mit „feuchter genius loci" das Heidelberger Studententum. 1900 *ff.*

5. heiliger ~ ↗ Heiliger Geist.

6. im ~l: Ausdruck der Ablehnung. Fußt auf den Textzeilen des „Horst-Wessel-Liedes" („Die Fahne hoch"): „Kam'raden, die Rotfront und Reaktion erschossen, marschier'n im Geist in unsern Reihen mit". *Sold* 1935 *ff.*

7. nasser (flüssiger) ~ = alkoholisches Getränk. ↗ Geist 1. Seit dem 19. Jh.

8. den ~ aufgeben = a) dem Alkohol entsagen; sich in einer Trinkerheilanstalt befinden. ↗ Geist 1. 1910 *ff.* – b) nicht länger funktionieren (die Maschine hat den Geist aufgegeben). Eigentlich soviel wie „sterben". 1920 *ff.* – c) einen argen Mißerfolg erleiden. *Schül* 1958 *ff.*

9. nicht viel ~ aufzugeben haben = gei-

stesbeschränkt sein. *Vgl* auch „er wird einen leichten ↗ Tod haben". 1920 *ff.*

10. die ~er platzen aufeinander = eine ausgespielte Karte wird mehrfach übertrumpft, weil jeder den Stich haben möchte. Meint eigentlich „die Vertreter der entgegengesetzten Meinungen geraten in Streit". Kartenspielerspr. seit dem späten 19. Jh.

11. seinen ~ aufmöbeln = seine Aufmerksamkeit wachhalten. ↗ aufmöbeln 3. 1900 *ff.*

12. den ~ auftanken = sich bilden; Bildungslücken zu schließen trachten. ↗ auftanken 5. 1950 *ff.*

13. über etw seinen ~ ausgießen = sich über etw eingehend äußern. Anspielung auf die Ausgießung des Heiligen Geistes zu Pfingsten. 1910 *ff.*

13 a. jm auf den ~ gehen = jn nervös machen, aufregen. Analog zu „jm auf die ↗ Nerven gehen". 1965 *ff.*

14. hier herrscht ein feuchter ~ = hier wird tüchtig gezecht. *Vgl* ↗ Geist 4. 1900 *ff.*

15. ~ klauen = vom Mitschüler abschreiben. 1960 *ff.*

16. einen ~ machen = fliehen (vor Justiz und Polizei). Man löst sich in Nichts auf wie ein Geist; „machen" meint hier „mimen". *Halbw* 1960 *ff.*

17. nur im ~ mitkämpfen = lustlos Fußball spielen. *Vgl* ↗ Geist 6. 1950 *ff.*

18. du bist ein ~, der's nie begreift!: Zuruf an einen Kartenspieler, der dauernd Fehler macht oder gegen die einfachsten Regeln verstößt. Entstellt aus Goethes „Faust": „Du gleichst dem Geist, den du begreifst". Kartenspielerspr. 19. Jh.

19. große ~er stört das nicht = hochgestellte Persönlichkeiten nehmen daran keinen Anstoß oder nehmen darauf keine Rücksicht; mich stört das nicht. Selbstironie. 1920 *ff.*

20. den ~ strapazieren = angestrengt nachdenken; sich mit einem geistigen Problem ernsthaft auseinandersetzen. 1930 *ff.*

21. etwas für den ~ tun = ein Glas Alkohol trinken. *Iron* Wortspiel mit „↗ Geist 1". 1910 *ff.*

22. von allen guten ~ern verlassen sein = nicht voll bei Verstand sein; sich zu einer törichten Handlung oder Äußerung hinreißen lassen. Die „guten Geister" sind wahrscheinlich die hilfreichen Hausgeister („Heinzelmännchen") in alten Volksmärchen. 1900 *ff.*

Geisteranruf *m* Telefonanruf eines Unbekannten, der sofort auflegt, sobald sich der Teilnehmer gemeldet hat. 1960 *ff.*

Geisterfahrer *m* **1.** Kraftfahrer auf der falschen Richtfahrbahn der Autobahn. Er „geistert" über die Strecke, wie Menschen aus Fleisch und Blut nicht fahren dürfen. 1977 *ff.*

2. politischer ~ = Politiker, der einen zum Mißerfolg führenden Kurs unbeirrt beibehält. 1978 *ff.*

Geistermannschaft *f* aus der Wertung ausgestoßene, aber weiterspielende Mannschaft. Aufgekommen mit den Bestechungsskandalen der Fußball-Bundesliga. 1972 *ff.*

Geisterschreiber *m* im Hintergrund verbleibender Ausarbeiter von Reden u. ä. für Politiker; namentlich ungenannt bleibender Verfasser von Lebenserinnerungen an-

derer (meist Prominenter aus der Welt des Sports u. ä.). Fußt auf *angloamerikan* „ghostwriter". 1933 *ff.*

Geisterschrift *f* **1.** Zeugnisnoten; Schulzeugnis. ↗ Geisterblatt. *Schül* 1960 *ff.*

2. ~ und Hexenstempel = Schulzeugnis. Scherzhafte Anspielung auf alte Zauberformeln, wohl um darzutun, daß man die Benotung für „faulen ↗ Zauber" hält. 1960 *ff.*

Geisterstimme *f* Synchronsprecher. 1960 *ff.*

Geisterzahlen *pl* Leistungsnoten. ↗ Geisterschrift. *Schül* 1960 *ff.*

Geisterzug *m* Eisen-, Straßenbahnzug ohne Fahrgäste. 1965 *ff.*

Geistesakrobat *m* Denker. Wie ein Kunstturner bewegt er sich in den Sphären des Geistigen. 1900 *ff.*

Geistesblüte *f* Einfall *(abf)*. *Vgl* ↗ Katnederblüte. 1900 *ff.*

Geistesfurz *m* Einfall, Geistesblitz. *Vgl* ↗ Furz 27. 1900 *ff.*

Geisteskonserve *f* **1.** literarisches Druckwerk. Es ist wie haltbar gemachter Geist. 1950 *ff.*

2. Nachschlagewerk. 1950 *ff.*

Geistesleuchte *f* keine ~ sein = geistig wenig begabt sein. ↗ Leuchte. 1920 *ff.*

Geisteslicht *n* kein ~ sein = kein sehr begabter Mensch sein. ↗ Licht. 1920 *ff.*

Geistesriese *m* **1.** Denker. 1930 *ff.*

2. kein ~ sein = dümmlich sein. 1930 *ff.*

Geisthammer *m* Rauschgift. Es schlägt aufs Bewußtsein, ähnlich einer „Holzhammernarkose". 1968 *ff.*

geistlich *adj* auf ~ studieren = Theologie studieren. Man will Geistlicher werden. Seit dem 19. Jh.

geistreich *adj* **1.** alkoholhaltig. ↗ Geist 1. 19. Jh.

2. ~ reden = in betrunkenem Zustand schwätzen; unverständlich lallen. 1910 *ff.*

geistreicheln *intr* scheinbar geistreich reden; Wortspielereien betreiben. 1920/30 *ff.*

geisttötend *adj* langweilig. Zusammengewachsen aus „den Geist tötend" (= die Aufmerksamkeit einschläfernd). *Stud* 1900 *ff. Vgl ndl* „geestdoodend".

Geizhammel *m* geiziger Mensch. Analog zu „↗ Neidhammel", „Streithammel" o. ä. 1800 *ff.*

Geizkragen *m* geiziger Mensch. Analog zu „Geizhals"; denn „Kragen" bezeichnet ursprünglich den Hals. Hier beeinflußt von der Vorstellung des gierigen Rachens, der sich nicht genug füllen kann. Seit dem 16. Jh.

Gejeier *n* jammernde, weinerliche Sprechweise; Gejammer. „Jei (jej)" ist die ostjüdische Aussprache von „je", und „je" (o je) ist eine Interjektion des Jammerns und Klagens. 1900 *ff,* vorwiegend *ostd.*

Ge-ka'dos Ausdruck der Ablehnung eines neugierigen Fragers. Hispanisierende Abkürzung der militärischen Fachsprache von „Geheime Kommandosache". *Sold* 1939 *ff.*

gekäst *part* sich ~ fühlen = sich freuen; sich geschmeichelt fühlen. Ironisch; denn „Käse = Geschwätz". *Schül* 1973 *ff.*

Gekeife *n* anhaltendes Zetern. Keifen = (geifernd) schimpfen. 1900 *ff.*

Geklapper *n* um etw ~ machen = etw übergebührlich loben oder anpreisen. Gehört zu dem Spruch: „Klappern gehört zum Handwerk". 1930 ff.

geklatscht sein enttäuscht, übervorteilt, geschädigt, vernichtet sein. Hergenommen von „mit etw auf den Bauch klatschen = scheitern" (vom Turmspringen der Schwimmer herzuleiten). Seit dem 19. Jh.

Geklemmte f Filterzigarette. „Klemmen = kastrieren" ist ein Ausdruck der Viehzucht. Analog zu ↗Kastrierte. BSD 1965 ff.

geklickt part es hat ~ = Liebe hat sich eingestellt. „Klicken" meint das Geräusch, das entsteht, wenn man den Lichtschalter betätigt. 1960 ff.

Geklimper n 1. schlechtes Klavierspiel. ↗klimpern. Seit dem 19. Jh.
2. Orden und Ehrenzeichen. Weil sie klirren. BSD 1965 ff.
3. Schmuck(ketten). Halbw 1960 ff.

geknickt adj 1. betrübt, mutlos. Fußt auf der Vorstellung des Gebeugtseins vom Alter; auch vermittelt uns die Pflanze, deren Stengel geknickt ist, das Gefühl der Traurigkeit. Seit dem 19. Jh.
2. ohnmächtig; gesundheitlich geschwächt. Etwa seit 1700.

gekniffen I adj mürrisch, unfreundlich. Leitet sich her von der verkniffenen Miene, vor allem vom schmallippig eingekniffenen Mund. 1900 ff.

gekniffen II part übervorteilt, übertölpelt. Gehört zu „kneifen = feilschen; vom Preis abhandeln". Berlin 1900 ff.

geknitscht sein gedrückt, niedergeschlagen sein. „Knitschen" gehört zu „kneten = pressen, drücken". 1900 ff.

Gekoche n Kochen (abf). Seit dem 19. Jh.

gekommen werden ohne eigenes Betreiben versetzt werden. Die Unfreiwilligkeit des Stellenwechsels wird durch die Passivform hervorgehoben. 1970 ff, schül.

gekonnt adj präd sachverständig gemeistert. Stammt aus dem Sportlerdeutsch. 1920 ff.

Gekrabbel n mit etw sein ~ haben = mit einer Sache viel Mühe haben. Krabbeln = kriechen; auch = mit den Fingern greifen. Bezieht sich vorwiegend auf eine mit viel Kleinarbeit verbundene Sache. Von da verallgemeinert. 1900 ff.

Gekurbelte f selbstgedrehte Zigarette. Kurbeln = drehend bewegen, rollen. 1940 ff; BSD 1965 ff.

gekurvt adj mit üppig entwickelten Körperformen versehen. ↗Kurve. 1955 ff.

Gelaber (Gelabber) n 1. fades Getränk. ↗labberig. Seit dem späten 19. Jh.
2. albernes Gerede; Geschwätz. ↗labbern. 1900 ff.

gelackmeiert sein (der Gelackmeierte sein) betrogen, übertölpelt sein; der Benachteiligte sein. Zusammengewachsen aus den gleichbed Verben „lackieren" und „meiern". Seit dem späten 19. Jh.

gelackt sein betrogen sein. „Lacken" und „lackieren" meinen mit Lack bestreichen und stehen in Analogie zu „↗anschmieren". 1900 ff.

geladen haben 1. betrunken sein. Hergenommen vom hochbeladenen Erntewagen. 1800 ff.
2. schief (krumm) ~ = viel getrunken haben. Unter der Last des Rausches gerät der Bezechte in torkelnde Gangart. Seit dem 18. Jh.

3. schwer ~ = volltrunken sein. Seit dem 19. Jh.

geladen sein 1. betrunken sein. Vgl das Vorhergehende. Seit dem 19. Jh.
2. auf jn ~ = auf jn zornig sein. Hergenommen von der geladenen Flinte; sachverwandt mit „jn aufs ↗Korn nehmen". Seit dem 19. Jh.

Gelände n 1. angeschwemmtes ~ = beleibter Mensch. Anspielung auf das schwammige Aussehen. Marinespr 1933 ff; halbw 1960 ff.
2. das ~ bespitzeln = a) auf Spähtrupp gehen. Wie ein Mensch wird das Gelände durch Spitzel überwacht und beobachtet. Sold 1939 ff. – b) Ausschau halten, ob die Gelegenheit zu einem Diebstahl günstig ist. 1939 ff, sold.
3. ~ gewinnen = sich schnell entfernen; flüchten. Meint im Wortschatz der Heeres-, Wehrmachtberichte das erfolgreiche Vorrücken im feindlichen Gelände. Dazu der Spruch: „Selig sind, die nach hinten Gelände gewinnen; denn sie werden die Heimat wiedersehen." Sold in beiden Weltkriegen.
4. jn durchs ~ scheuchen = jn über den Kasernenhof (o. ä.) hetzen. ↗scheuchen. Sold 1939 bis heute.

Gelände-Bier n alkoholarmes Bier. Solches wird beim Manöver ausgegeben, damit kein Übermut aufkommt. Sold 1914 bis heute.

geländegängig sein Schwierigkeiten zu meistern verstehen; sich jeder Lage anpassen können. Hergenommen vom geländetüchtigen Kraftfahrzeug mit Vierradantrieb usw. 1935 ff.

Geländenutte f Prostituierte auf Kundenfang in ihrem Bezirk. ↗Nutte. 1950 ff.

Geländerverein m Gruppe von Müßiggängern, von Rentnern u. a. Sie halten sich gern am Geländer, an Ufern usw. auf. Westd 1950 ff.

Geländerveteran m Rentner. Vgl das Vorhergehende. Westd 1950 ff.

Geländescheuchen n übermäßiger Drill beim Exerzieren und Felddienst in der Bewegung. ↗Gelände 4. Sold 1939 ff.

gelangt werden verhaftet werden. ↗langen. 1900 ff.

Geläpper n fades Machwerk; aus vielen kleinen Dingen Zusammengesetztes; kleine Gegenstände. ↗läppern. Seit dem 18. Jh.

Gelapsche n dummes, seichtes Geschwätz. Gehört zu „↗labern", „↗läppisch". Seit dem 19. Jh.

Gelatine f Mensch in ~ ↗Mensch.

Gelatinepudding m 1. zittern wie ein ~ = vor Angst heftig zittern. Sold 1939 ff.
2. zittern wie ein grüngelber ~ = vor Angst zittern und die Farbe wechseln. Sold 1939 ff.

gelb adj 1. ~e Gefahr ↗Gefahr 3.
2. sich ~ und grün ärgern = sich sehr ärgern. ↗grün. Seit dem 18. Jh.
3. ~ lachen = hämisch grinsen; höhnisch lachen. Anspielung auf Gelb als Farbe des Neides. 1800 ff.
4. ~ quatschen (schnacken o. ä.) = geziert reden (auf junge Damen bezogen). Gelb gilt weithin auch als Sinnbildfarbe der Falschheit und wird im Niederd auf die Sprache der Hochdeutschen (der Nicht-Plattdeutschsprecher) angewendet. 19. Jh.
5. auf ~ schalten = sich auf eine Wende

zum Besseren einstellen. Hergenommen vom Gelb der Verkehrsampel. 1960 ff.
6. ~ sehen = als Fußballspieler verwarnt werden. Anspielung auf die „gelbe Karte". 1974 ff.
7. es (die Ampel) steht auf (zeigt) ~ = die Entscheidung steht noch aus. 1970 ff.

Gelber m 1. Prügelstock. Herzuleiten von der Farbe des Rohrstocks. 19. Jh.
2. Mitglied des Hilfsdienstes bei Pannen, Trunkenheit usw. Die Autos des Pannenhilfsdienstes sind gelb lackiert. 1966 ff.

Gelbes n das ist nicht das Gelbe vom Ei = das ist unerwünscht, nicht schön. Das (der) Dotter schmeckt vom Ei am besten. Halbw 1965 ff.

Gelbfahrer m Kraftfahrer, der bei der gelben Verkehrsampelphase noch durchfährt oder schon startet. 1955 ff.

Gelbfieber n Bestreben, noch bei gelbem Ampellicht die Straßenkreuzung zu befahren. Dem Namen einer Viruskrankheit unterlegte neue Bedeutung. Beeinflußt von „fiebrig = ungeduldig" u. ä. 1955 ff.

Gelbschnabel m unreifer, unerfahrener Mensch. Meint eigentlich den jungen Vogel, der an den Seiten des Schnabels noch gelb ist. 1500 ff. Vgl franz „béjaune", ndl „geelbec".

Gelbsucht f 1. Bestreben des Kraftfahrers, noch (schon) bei Gelblicht die Kreuzung zu befahren. Neue Bedeutung der alten Krankheitsbezeichnung. 1955 ff.
2. Verwarnung des Fußballspielers durch den Schiedsrichter mittels der „gelben Karte". 1973 ff.
3. Kampf um das „gelbe Trikot" der Radrennfahrer. 1975 ff.
4. sich ~ an den Hals ärgern = sich sehr ärgern. Volkstümliche Verbindung zweier nicht ursächlich zusammenhängender medizinischer Erkenntnisse: Ärger (Erregtsein) beeinflußt Leber- und Gallentätigkeit; und Gelbsucht beruht auf Funktionsstörungen dieser Organe. 1900 ff.

gelbsüchtig adj 1. neidisch. Gelb als Sinnbildfarbe des Neids. 1900 ff.
2. geizig. Vom Neiden zum Geizen ist kein weiter Weg. 1900 ff.
3. noch (schon) bei Gelb der Verkehrsampel die Kreuzung befahrend. 1955 ff.

Gelbsünder m 1. Kraftfahrer, der startet oder durchfährt, obwohl die Verkehrsampel Gelb zeigt. 1955 ff.
2. verwarnter Fußballspieler. Der Schiedsrichter zeigt ihm die „gelbe Karte". 1973 ff.

Geld n 1. dickes ~ = viel Geld; ansehnliches Gehalt. o. ä. Dick = umfangreich, schwerwiegend, reichhaltig. 1900 ff.
2. festgefrorenes ~ = unverkäufliche Ware. Das für den Ankauf aufgewendete Geld ist eingefroren wie in ein Schiff, das im Eis feststeckt. 1960 ff.
3. großes ~ = hohes Honorar. 1950 ff.
4. heißes ~ = unredlich erworbenes Geld; Falschgeld. ↗heiß. 1900 ff.
5. irres ~ = unvorstellbar viel Geld. ↗irr. 1950 ff.
6. koscheres ~ = ehrlich verdientes Geld. ↗koscher. 1900 ff.
7. schmutziges ~ = a) Einnahmen aus Spielbank- Konzessionen. Es ist mit dem Makel der Unlauterkeit behaftet. 1960 ff. – b) Steuerabgabe der Prostituierten. 1965 ff.
8. schnelles ~ = Spekulationsgewinn. Es ist schnell verdient. 1965 ff.
9. schwarzes ~ = a) im Schleichhandel

erworbenes Geld. Schwarz = amtlich untersagt. 1945 ff. - b) unversteuerte Einnahme. 1950 ff.
10. trefes ~ = unehrlich erworbenes Geld. ⁊ trefe. 1919 ff; 1945 ff.
11. viereckiges ~ = Banknoten. 1838 ff.
12. nicht für (mit) ~ und gute(n) Worte(n) = um keinen Preis; auf keinen Fall; niemals. Gehört zu der sprichwörtlichen Redewendung „für Geld und gute Worte kann man alles haben". 1600 ff.
13. heiß wie falsches ~ = leidenschaftlich (auf Tanzmusik bezogen). Spiel mit zwei Wortbedeutungen: „heiß = gefährlich" und „heiß = leidenschaftlich, temperamentvoll". *Halbw* 1955 ff.
13 a. ~ bunkern = Geld verstecken. ⁊ bunkern 3. 1950 ff.
13 b. ~ dreschen = viel Geld verdienen. Dreschen = herausschlagen. 1970 ff.
14. ~er einfrieren = die freie Verfügbarkeit von Kapitalien unterbinden. ⁊ einfrieren 1. 1920 ff.
15. ~ zu fressen (zum Fressen) haben = wohlhabend sein. 1900 ff.
16. ich habe mein ~ nicht auf der Straße gefunden = ich habe mein Geld ehrlich (und mühevoll) verdient. 1920 ff.
17. mit ~ gepolstert sein = in geldlicher Hinsicht gut gesichert sein. 1950 ff.
18. ich habe mein ~ nicht gestohlen = solch hohe Preise zahle ich nicht; ich finanziere keinen Verschwender. 1900 ff.
19. kein ~ hat er immer = er hat nie Geld. 1920 ff.
20. ~ heiraten = die Frau (auch: den alten Mann) wegen des Geldes willen heiraten. Seit dem 19. Jh.
21. das ~ juckt ihm in der Tasche = er kann nicht sparsam leben. ⁊ jucken. 1830 ff.
22. er ißt, als wenn er ~ dafür kriegte (bekäme) = er ißt viel. Nach weitverbreiteter Meinung ist die Leistung um so besser, je höher die Entlohnung ist. Seit dem 19. Jh.
23. das läuft ins ~ = das kostet viel. 1700 ff.
24. ins ~ laufen = das siegreiche Rennpferd sein. 1920 ff.
25. ~ leiden können = nicht sparsam leben; Einnahmen rasch wieder ausgeben. 1830 ff.
26. er läßt das ~ in der Kanne liegen und läßt anschreiben = er ist überaus dumm. Fußt auf einem alten Witz: Nachdem der Gastwirt die Bierkanne gefüllt hat, sagt der kleine Junge, das Geld liege in der Kanne. *BSD* 1965 ff.
27. ~ machen = Geld verdienen. Seit dem 19. Jh.
28. das große ~ machen = viel Geld verdienen. Vgl ⁊ Geld 3. 1950 ff.
29. ein gutes ~ machen = gut verdienen. 1950 ff.
30. das ~ rausschmeißen = das Geld sinnlos ausgeben. Seit dem 19. Jh.
31. zum Fenster rausschmeißen (rauswerfen) = Geld vergeuden, nutzlos ausgeben. 1800 ff.
31 a. jm das ~ aus der Tasche reden = jn zur Geldhergabe (zu einer Bestellung) überreden. 1960 ff.
31 b. das reißt ins ~ ⁊ reißen 8.
32. nach ~ riechen = den Eindruck eines Wohlhabenden machen. Seit dem 19. Jh.
33. mit dem ~ rumschmeißen = mit

Geld verschwenderisch umgehen. Seit dem 19. Jh.
34. ~ schmeißen = viel Geld ausgeben. 19. Jh.
35. ~ schneiden = den Kunden überfordern. Meint eigentlich „Münzen beschneiden". 1800 ff.
36. im ~ schwimmen = wohlhabend sein. Schwimmen = sich im Überfluß bewegen. 19. Jh. *Vgl engl* „to be rolling in money"; *franz* „nager dans l'or".
37. er kann sich für ~ sehen lassen = er ist dumm, einfältig. Anspielung auf die öffentliche, entgeltliche Vorführung von Abnormitäten u. ä. Seit dem späten 19. Jh.
38. ~ in ein Geschäft stecken = Geld an ein Geschäft wenden; investieren. Seit dem späten 18. Jh, kaufmannsspr.
39. nach ~ stinken (~ haben, daß man/ es stinkt) = sehr reich sein. Der Redewendung „vor Faulheit stinken" nachgebildet. Seit dem 19. Jh.
40. nach ~ stinken wie die Sau nach Eau de Cologne = sehr arm sein. 1920 ff.
41. das erste ~ verdienen = in der Prüfung versagen; von der Prüfung zurücktreten. Bei Nichtablegung der Prüfung wird die Hälfte der Gebühren zurückgezahlt. 1925 ff.
41 a. ~ waschen = erpreßtes Lösegeld (in Scheinen, deren Nummern möglicherweise polizeilich registriert sind) in „saubere" Zahlungsmittel (fremde Währung) umtauschen. 1978 ff.
42. ich schmeiße mein ~ weg! Ausdruck des Erstaunens o. ä. Sein Geld wirft weg, wer nicht bei klaren Sinnen ist. *BSD* 1965 ff.
43. schon wieder ~, von dem die Frau nichts weiß: Ausruf, wenn der Mann Geld einnimmt (im Spiel gewinnt o. ä.), das er seiner Frau vorenthält. Seit dem 19. Jh.
44. mit dem ~ um sich werfen = Geld vergeuden. Seit dem 19. Jh.
45. sein ~ zusammenkratzen = sein ganzes Bargeld zusammensuchen; sparsam leben; Pfennig zu Pfennig legen. 1500 ff.
46. sein ~ zusammenschrappen = sein Geld zusammenhalten. Vgl ⁊ schrappen. Seit dem 16. Jh.
47. ~ zusammentrommeln = Geld aus verschiedenen Quellen aufbringen. ⁊ zusammentrommeln. 1950 ff.

Geldadel m Gesamtheit der Reichen, insbesondere der (neuerdings) reichgewordenen Emporkömmlinge. Nach 1918 und nach 1945 weitverbreitet. Eigentlich der käuflich erworbene Adelstitel.

Geldbombe f zur Abgabe bei der Bank bestimmter Geldbehälter. ⁊ Bombe 15. 1950 ff.

Geldfatzke m wohlhabender Prahler. ⁊ Fatzke. Seit dem 19. Jh.

Geldhahn m 1. den ~ aufdrehen = die Kreditsperre aufheben. 1960 ff.
2. jm den ~ zudrehen (abdrehen) = jm die Zuschüsse sperren. 1960 ff.
3. den ~ zuhalten = Zuschüsse weiterhin verweigern. 1960 ff.

Geldhai m Geldverleiher, der Wucherzinsen verlangt. Vgl ⁊ Hai. 1965 ff.

Geldhyäne f raffgieriger Reicher. Vgl ⁊ Hyäne. 1960 ff.

geldig adj präd reich, wohlhabend; bei Geld sein. Wortschöpfung in Anlehnung an „goldig". *Bayr* und *österr* seit dem 19. Jh.

Geldkatze f 1. Brieftasche, Geldbeutel. Meint eigentlich den um den Leib geschnallten, ledernen oder wollenen Geldbeutel. Mit Münzen gefüllt, ähnelt er einem Katzenkopf. 1700 ff.
2. Prostituierte, Hure. Mit katzenartigem Wesen lockt sie dem Mann das Geld aus der Tasche. 1870 ff.
3. Beischlafdiebin. 1870 ff.

Geldkran m 1. den ~ aufdrehen = Zuschüsse vergeben. Kran = Wasserhahn; vgl ⁊ Geldhahn. 1960 ff.
2. den ~ zudrehen = geldliche Zuwendungen einstellen. 1960 ff.

Geldmacher m Schlagersänger u. ä. Vgl ⁊ Geld 27/28. *Halbw* 1955 ff.

Geldsack m 1. Wohlhabender. Man hortete Münzen in Säcken; von solchem Besitz ging der Begriff auf den Besitzenden über. 1800 ff.
2. Rechnungsführer. *BSD* 1960 ff.
3. auf dem ~ sitzen = reich, aber geizig sein. 1900 ff.

Geldscheißer m 1. sagenhaftes Geldmännchen, das seinem Herrn und Gebieter Geld in Hülle und Fülle verschafft. Eine Art Kobold, der Geld ohne hervorbringt: Wunschvorstellung aller finanziell Un- oder Minderbemittelten. Seit dem 19. Jh.
2. ich habe keinen ~ = solch hohe Preise kann ich nicht bezahlen. 1900 ff.

Geldschluck m viel Geld gewinnender Spieler. ⁊ schlucken. Kartenspielerspr. 1920 ff.

Geldschneider m Wucherer. Eigentlich einer, der Münzen beschneidet. 1700 ff.

Geldschrank m 1. erotischer ~ = Vagina einer Prostituierten u. ä. 1956 ff.
2. galoppierender ~ = Rennpferd, das viele große Preise gewinnt. 1917 ff.
3. trabender ~ = hervorragendes Trabrennpferd, das schon viele Preise gewonnen hat. 1960 ff.
4. dein Kopf (Gesicht) auf einem ~, und man kann vor Lachen nicht einbrechen (und die Einbrecher vergessen das Klauen): Redewendung auf ein dümmliches Gesicht. Vielleicht zusammenhängend mit den regen Bankeinbrüchen der zwanziger Jahre. 1920 ff, jug.
5. ein Kreuz wie ein ~ haben = breitschultrig sein. 1956 ff.
6. einen ~ knacken = einen Geldschrank aufbrechen und ausrauben. ⁊ knacken. 1900 ff.

Geldschränker m Geldschrankeinbrecher. ⁊ Schränker. 1920 ff.

Geldschranktyp m breitschultriger Mann. 1956 ff.

geldschwer adj reich. 1920 ff.

Geldwäscher m Umtauscher erpreßten (geraubten) Geldes in nicht polizeilich registrierte (= „saubere") Zahlungsmittel. 1978 ff. Vgl ⁊ Geld 41a.

gelebt adj ~ aussehen = übernächtigt aussehen; nach geschlechtlicher Ausschweifung aussehen. Im Schriftdeutschen heißt es „verlebt aussehen", was einen Tadel beinhaltet; hingegen ist „gelebt aussehen" frei von moralischer Entrüstung. *Halbw* nach 1945.

geleckt part wie ~ = sehr sauber; überaus reinlich. Vielleicht vom Sauberkeitsdrang der Katzen übertragen. Seit dem 18. Jh.

Gelee m Mann in ⁊ Mann.

Geleerter m Gelehrter. Ein sprachlicher Spaß. Seit dem 19. Jh.

Gelege *n* Gesamtheit der Kinder in einem Elternhaus. Meint in der Jägersprache die Eier im Nest. 1900 *ff.*

Gelegenheit *f* die ~ beim Schopf ergreifen (fassen) = die günstige Gelegenheit nutzen. Geht zurück auf die griechische Mythologie: der Gott Kairos, die personifizierte günstige Gelegenheit, hat ein lockiges Vorderhaupt und einen kahlen Nacken. 1800 *ff.*

Gelegenheitsangler *m* Gelegenheitsdieb. Er angelt nach dem, was ihm gerade begegnet. ↗ Angler 2. 1920 *ff.*

Gelegenheitsstipper *m* Mann, der gelegentlich angelt. ↗ stippen. 1930 *ff.*

gelehrt *adj* ~, aber mit zwei e = dumm. ↗ Geleerter. Seit dem 19. Jh.

Gelehrter *m* 1. Schüler der Oberstufe. 1950 *ff.*
2. darüber sind sich die Gelehrten noch nicht einig = das steht noch nicht fest; das ist noch unentschieden. Soll zurückgehen auf Horaz, „Grammatici certant". 1920 *ff.*

Geleitzug *m* 1. langer Lastzug. Bezeichnet in eigentlicher Bedeutung einen Verband von Handelsschiffen im Schutz begleitender Kriegsschiffe. Vom Wasser auf die Straße übertragen, zumal die Lastwagenfahrer auch „Kapitän" genannt wird. 1950 *ff.*
2. Begleitpersonen. 1939 *ff.*
3. einen ~ knacken = einen Geleitzug vernichten. ↗ knacken. *Marinespr* 1939 *ff.*
4. den ~ sprengen = ein Mädchen von seiner Begleitung trennen. *Sold* 1939 *ff.*

Gelenk *n* 1. verrostetes ~ = Versager. In scherzhafter Auffassung bewirkt der Rost in den Gelenken Schwer- oder Unbeweglichkeit, weswegen der Mensch zu Handarbeit untauglich wird. *Schül* 1950 *ff.*
2. weiche ~e haben = leicht zu beeinflussen sein; energielos sein. Man läßt sich biegen, ohne zu brechen. 1915 *ff.*
3. jds ~e reizen = jn hochgradig nervös machen. Man reizt die Gelenke des anderen zum Zuschlagen. 1935 *ff.*

Gelernter *m* nicht vor Geburt Ortsansässiger; Zugezogener; in seiner Wahlheimat heimisch gewordener Mensch. Er hat es gelernt, sich in die Lebenswelt der Einheimischen einzupassen. Etwa seit 1920.

geliefert sein 1. entzwei, zerbrochen, verloren sein. Meint eigentlich „dem Henker ausgeliefert sein". 1700 *ff.*
2. betrunken sein. 1700 *ff.*

gelind *adj* 1. nicht gering; ziemlich heftig (eine gelinde Wut haben). *Iron* gewendet aus der Bedeutung „mild; nicht hart". 1900 *ff.*
2. gelinde gesagt = unumwunden ausgedrückt. Im ersten Jahrzehnt des 19. Jhs in Berlin aufgekommen im Zusammenhang mit der französischen Besetzung der Stadt. *Franz* „document = milde, nachsichtig".

Gelsenkirchener Barock *n* plumper Möbelstil. Aufgekommen nach 1933 mit der Einkommensverbesserung der Bergleute; die bisherige Einrichtung der Wohnküche wurde allmählich durch Schränke mit pompösem Aufbau ersetzt.

Geltungstriebwagen *m* kostspieliges, aufsehenerregendes Kraftfahrzeug. Zusammengesetzt aus „Geltungstrieb" und „Triebwagen" im Hinblick auf die Wertung des Autos als eines „Statussymbols". Kurz nach 1950 aufgekommen.

Geltungswelle *f* zunehmender Drang zur gesellschaftlichen Höherbewertung der eigenen Person durch Nachahmung des Lebensstils der begüterten Nachbarn, Kollegen, Freunde o. ä. ↗ Welle. 1955 *ff.*

Gelump (Gelumpe) *n* 1. minderwertiger, unbrauchbarer, nicht haltbarer Gegenstand; bewegliche Habe *(abf)*; militärische Ausrüstung, Uniform o. ä. Eine Sammelbezeichnung für „Lumpen" aller Art. 1800 *ff.*
2. männliche Geschlechtsteile. 1920 *ff.*

Gelumpt *n* ↗ Glumpert.

gelungen *adj* seltsam, eigentümlich; drollig; zum Lachen reizend. Was „gelungen" ist, ist „geschickt vollbracht" und findet daher Beifall. Von da weiterentwickelt zur Bedeutung „lustig, spaßig, heiter stimmend". Seit dem 19. Jh.

Gelust (Geluster) *m* ↗ Glust (Gluster).

Gemach *n* sich in seine Gemächer zurückziehen = für niemand zu sprechen sein. Burschikos-altertümelnder Ausdruck. 1900 *ff.*

Gemache *n* Ziererei; übertriebenes, gekünsteltes Auftreten; eitle Selbstdarstellung. Analog zu ↗ Getue. Seit dem 19. Jh.

gemacht *adj* 1. ~er Mann ↗ Mann.
2. gemacht! = einverstanden! Verkürzt aus „das wird gemacht!" oder „so wird's gemacht!" oder aus „abgemacht!". 1900 *ff.*
3. einen ~ kriegen = bestraft werden. Hinter „einen" ergänze „Tadel, Verweis, Anpfiff" o. ä. *BSD* 1965 *ff.*
4. ~ sein = Erfolg haben. In machen = jm zum Erfolg verhelfen. Der Erfolg stellt sich nicht im Gefolge der Leistung ein, sondern wird manipuliert. 1920 *ff.*

Gemächt *n* 1. Penis, Schamteile. Fußt auf „Macht = Zeugungskraft des Mannes"; übertragen auf den diese Macht tragenden Körperteil. Spätestens seit *mhd* Zeit.
2. im ~ bohren = solange Trumpf spielen, bis die höchsten Trümpfe gefallen sind. Dies gilt als empfindlichste Spielweise. Kartenspielerspr. seit dem 19. Jh.

Gemachter *m* 1. Betrogener, Bestohlener. ↗ machen. *Rotw* 1862 *ff.*
2. Verhafteter. Ihn hat man dingfest gemacht. 1900 *ff.*

Gemahlin *f* 1. meine Frau ~ = meine Frau. ↗ Gattin. 1920 *ff.*
2. meine gnädige Frau ~ = meine Frau. Oft *iron* gebraucht. 1920 *ff.*

Gemälde *n* 1. ~ in Essig und Öl = minderwertiges Ölgemälde. Der „Künstler" hat nicht nur Öl, sondern auch Essig verwendet; besha hätte er besser zur Salatbereitung verwenden sollen. Künstlerspr. 1850 *ff.*
2. im ~ sein = sich auskennen. Analog zu „im Bilde sein". 1950 *ff.*

Gemäldesammlung *f* Verbrecheralbum der Polizei. Es ist eine (Foto-)Porträtsammlung von Verbrechern. 1920 *ff.*

Gemäuer *n* es rieselt im ~ = es kündet sich eine bedrohliche Entwicklung an. Anspielung auf beginnende Baufälligkeit eines Hauses. 1900 *ff.*

gemein *adj* 1. unkameradschaftlich. Für die Gruppe ist Unkameradschaftlichkeit die schlimmste und unerträglichste Untugend. 1900 *ff.*
2. *adv* = sehr (es tut gemein weh). 1900 *ff.*

Gemeindebulle *m* 1. Gemeinde-, Dorfvor-

steher o. ä.; Landpolizeibeamter. ↗ Bulle 1. Seit dem ausgehenden 19. Jh.
2. Frauenheld. *Vgl* ↗ Dorfbulle 2. 1900 *ff.*

Gemeinder *m* Angehöriger der Verbrecherschaft. Gemeinde = Gesamtheit der Verbrecher. 1964 *ff.*

Gemeinderat *m* mein lieber Herr ~!: Ausruf der Verwunderung. Leitet sich wohl her von einem Gemeinderatsmitglied, das eine unsinnige Behauptung aufgestellt hat. 1950 *ff.*

Gemeine *f* auf die ~ = auf niederträchtige Art. Verkürzt aus „gemeine Tour". 1900 *ff.*

Gemeinheit *f* 1. bodenlose ~ = unerhörte Niedertracht. ↗ bodenlos 1. 1900 *ff.*
2. hundsgemeine ~ = sehr große Niedertracht. ↗ hundsgemein. 1900 *ff.*
3. den höchsten Grad (Rang) der ~ erreicht haben = Gefreiter sein. Als „Gemeiner" bezeichnete man früher den Soldaten ohne Rang. Der Gefreite war (bis Ende des Ersten Weltkriegs) der einzige Mannschaftsrang. Etwa seit 1900.

Gemeinschaftsbad *f* internationale ~ = Koitus. Scherzvokabel. 1920 *ff.*

Gemeinschaftsempfänger *m* Mädchen, das sich von jedermann beischlafen läßt, ohne Prostituierte zu sein. Meint eigentlich das Rundfunkgerät für eine Gruppe. „Empfangen" bezeichnet sowohl das Auffangen drahtloser Übertragungen als auch das Willkommenheißen und auch das Aufnehmen des Spermas. *Sold* 1939 *ff.*

Gemeinschaftsfraß *m* Mahlzeit, zu der jeder etwas beisteuert. Meint eigentlich dieselbe Mahlzeit für alle. *Jug* 1935 *ff.*

Gemeinschaftsmöbel *n* Mädchen, das gleichzeitig mehrere intime Verhältnisse unterhält. ↗ Möbel. 1935 *ff.*

Gemensche *n* (große) Ansammlung von Menschen *(abf).* 19. Jh.

Gemetzel *n* Prüfung mit vielen schlechten Noten. Es ist kein mannhafter Kampf, sondern ein gemeines Abschlachten. *Schül* 1920 *ff.*

gemischt *adj* 1. unvornehm, unmoralisch; der Halbwelt angehörend; gewöhnlich. Vermischung der gesellschaftlichen Rangunterschiede, der sittlichen Grundsätze usw. Was nicht dem oberen Rang entspricht, wird „gemischt" genannt, meint aber das Niedrigstehende. 1850 *ff.*
2. ~es Gemüse. ↗ Gemüse.
3. jetzt wird es ~ = jetzt kommt ein unfeines Gespräch auf; man erzählt Zoten; unfeine Ausgelassenheit breitet sich aus. Versteht sich nach „↗ gemischt 1". 1850 *ff.*

Gemischtwarenhandlung *f* Zusammenstellung von Karten jeglicher Farbe. Eigentlich das Einzelhandelsgeschäft mit Lebensmitteln, Kurzwaren usw. Kartenspielerspr. 1900 *ff.*

Gemischtwarensendung *f* Magazinsendung des Rundfunks. 1950 *ff.*

Gemixe *n* Mischgetränk. 1950 *ff.*

gemorken *part* gemerkt. Diese starke Form ist noch in einigen Mundarten verbreitet, wird aber von Nicht-Mundartsprechern als spaßig aufgefaßt. Seit dem 19. Jh.

Gemse *f* 1. leichtlebiges Mädchen; Prostituierte. Gemsen sind hervorragende Kletterer. *Vgl* ↗ klettern = koitieren". 1900 *ff.*
2. *pl* = Filzläuse. Sie klettern über den Schamberg. *Sold* 1935 *ff.*
3. laufen wie eine ~ = flinkfüßig sein. 1920 *ff.*

Gemseneier *pl* ~ suchen = Unsinniges tun. Gemsen sind Säugetiere, legen also keine Eier. Ein alter Witz, bis heute auf Ansichtskarten lebendig. 1900 *ff.*

Gemüse *n* 1. Durcheinander, Gemisch. Verallgemeinert vom aus verschiedenen Gemüsearten bestehenden Gericht. Seit dem 19. Jh.
2. Früchte in der Bowle, im Aperitif. 1920 *ff.*
3. Blumen, Blumenstrauß. 1900 *ff.*
4. Eichenlaubverzierung zum Ritterkreuz des Eisernen Kreuzes. Das Eichenblatt wird spöttisch als Gemüseblatt aufgefaßt. *Sold* 1939 *ff.*
5. Pflanzen für den Botanikunterricht. 1950 *ff*, *schül.*
6. Kinder. Sie wimmeln durcheinander. *Vgl* ↗Gemüse 1. Seit dem 19. Jh.
7. jüngere Geschwister. Seit dem 19. Jh.
8. Schüler der unteren Klassen. 1900 *ff*, *schül.*
9. ~ des Ruhmes ↗Ruhmesgemüse.
10. frisches ~ = junge Mädchen. Seit dem späten 19. Jh.
11. gemischtes ~ = a) Schulklasse mit Koedukation (= Gemeinschaftsunterricht beider Geschlechter). 1920 *ff.* – b) Halbwüchsige beiderlei Geschlechts. 1920 *ff.*
12. grünes ~ = a) Kinder, Jugendliche, Heranwachsende o. ä. ↗grün = unerfahren. 1900 *ff.* – b) Rekruten. *Sold* 1910 bis heute.
13. junges ~ = junge Mädchen; Jugendliche unter 18 Jahren. Seit dem frühen 19. Jh.
14. kaltes ~ = junge Mädchen ohne Sinn für Erotik. 1955 *ff*, *halbw.*
15. kleines ~ = Schüler der Unterstufe. 1900 *ff*, *schül.*
16. krummes ~ = Scheltwort gemütlicher Natur. Bezieht sich wohl auf eine Person in schlechter Haltung und geht auf Soldaten zurück. 1900 *ff.*
17. kümmerliches ~ = a) Mädchen mit körperlichen Gebrechen. 1933 *ff.* – b) ungesellige Mädchen; Mädchen, die jungen Männern gegenüber unnahbar bleiben. Kümmerlich = unfroh. 1933 *ff.*

Gemüse-Festival *n* Sommerfest der Kleingärtner. Berlin 1960 *ff.*

Gemüsehandel *m* da hört sich der ~ aufl = das ist unerhört! Wahrscheinlich zusammenhängend mit allzu niedrigen Preisangeboten der Zwischenhändler gegenüber den Gemüsebauern. Seit dem ausgehenden 19. Jh.

Gemüt *n* 1. sonniges ~ = Harmlosigkeit (auch *iron*). Von „sonnig = sonnenbeschienen, heiter" weiterentwickelt zu „fleckenlos, ohne Arg", etwa seit 1920.
2. jm etw zu ~e führen = jm etw in eindringlichen Worten vor Augen führen; jm etw zu reiflicher Überlegung anempfehlen. Etwa seit 1800 geläufig nach dem Muster von „sich etw zu Gemüte führen = etw beherzigen".
3. sich einen zu ~e führen = ein alkoholisches Getränk zu sich nehmen. Man macht es sich innerlich zueigen. Seit dem späten 18. Jh.
4. sich etw zu ~e führen = etw entwenden. Von innerlicher Aneignung auf gegenständliche Besitznahme übertragen. Seit dem 19. Jh.
5. ~ haben = arglos, naiv, geistesbeschränkt sein. Meint eigentlich „zuviel Ge-

müt haben und den Verstand zu wenig betätigen". 1920 *ff.*
6. mir trieft das ~ (es trieft mir übers ~) = es geht mir sehr zu Herzen. Triefen = in Tropfen fallen. Anspielung auf Tränenerguß. 1925 *ff.*
7. sich etw zu ~e ziehen = a) etw verzehren, trinken. 1840 *ff.* – b) sich etw (widerrechtlich) aneignen. 1840 *ff.* – c) schwermütig, geisteskrank werden. 19. Jh.

Gemütlichkeit *f* da hört (sich) die ~ aufl: Ausdruck des Unwillens. Die gemütliche Stimmung hat ein Ende. Geht vielleicht zurück auf den Ausspruch von David Hansemann am 8. Juni 1847 im ersten Vereinigten Landtag: „In Geldsachen hört die Gemütlichkeit auf."

Gemütsakrobat *m* 1. charakterloser Mann; Mann ohne feste Gesinnung, aber mit viel Selbstsucht. Ironie. *Sold* 1914 *ff.*
2. Mensch, der sich durch nichts aus der Ruhe bringen läßt. 1910 *ff.*

Gemütsathlet *m* 1. langmütiger, gleichbleibend seelenruhiger Mensch. 1910 *ff.*
2. unbekümmerter, herzloser Mensch; Rohling. *Iron* Bezeichnung. Beispiel: „Wenn einer von uns beiden stirbt, ziehe ich nach Berlin". Spätestens seit 1900.

Gemütsdrücker *m* stark auf das Gemüt der Zuschauer wirkende Bühnen-, Filmdarstellung. ↗Drücker 4. Theaterspr. 1920 *ff.*

Gemütserkältung *f* Roheit; niederträchtige Handlungsweise. Fußt auf dem Begriff „Gefühlskälte". 1920 *ff.*

Gemütsfetzen *m* rührseliges Textstück. Analog zu ↗Schmachtfetzen. 1930 *ff.*

Gemütskiste *f* 1. gemütvoller Mensch (auch *iron*). Eigentlich die Schatulle, in der man alte Erinnerungsstücke aufbewahrt. Seit dem 19. Jh.
2. unecht gefühlvolle (rührselige) Aufmachung. 1900 *ff.*
3. Appell an das menschliche Gefühl; rührselige Anwandlung; Rede oder Darstellung, die Mitleid erwecken soll. 1900 *ff.*
4. die ~ aufmachen = a) eine Bühnenrolle übertrieben gefühlvoll spielen; eine rührselige Anwandlung bekommen. Theaterspr. seit dem frühen 20. Jh. – b) der Wählerschaft zu Gefallen an das menschliche Gefühl appellieren; durch gefühlvolle Worte die Wähler zu gewinnen suchen. 1920 *ff.*

Gemütskrüppel *m* Verstandesmensch. Im Hinblick auf das Gemüt, das „Gefühlige", erscheint er mißgestaltet. 1933 *ff.*

Gemütsmassage *f* Einwirkung auf das Gemüt; Beeinflussung durch langwährende Rührseligkeit; eindringliche Mahnrede. Man knetet und reibt das Gemüt, um alle seine Kräfte zu reger Tätigkeit aufzumuntern. 1955 *ff.*

Gemütsmensch *m* 1. einfältiger, argloser Mensch; Phlegmatiker. Eigentlich der Mensch mit reichem Innenleben; dann tadelnd bezogen auf ein Zuviel an Gemüt. Gemütswerte werden in der Umgangssprache verspottet. 1900 *ff.*
2. krasser Egoist; Rohling. 1900 *ff.*

Gemütsonkel *m* älterer seelenvoller (gutmütiger, rührseliger) Mann. 1972 *ff.*

Gemütsverstauchung *f* seelisches Ungleichgewicht, Verstimmung. 1960 *ff.*

genäht *adj* wie ~ = genau abgezirkelt; akkurat. Hergenommen vom genauen Abstand der Stiche einer Naht. 1910 *ff.*

genau *adj adv* 1. ~! = stimmt! richtig! jawohl! Ausdruck der Zustimmung und Bestätigung. Gegen 1900 aufgekommenes Modewort, fußend auf „genau getroffen"; wahrscheinlich Übersetzung des *engl* „exactly".
2. es mit etw (jm) nicht ~ nehmen = großzügig, leichtfertig, leichtlebig eingestellt sein. 1900 *ff.*
3. das ist ~ so, bloß ganz anders = es scheint dasselbe zu sein, ist es aber nicht. 1900 *ff.*

Genaues *n* nichts ~ weiß man nicht: Ausdruck halber Bejahung, der Ratlosigkeit. Zusammengewachsen aus „nichts Genaues weiß man" und „Genaues weiß man nicht". Seit dem 19. Jh.

genehmigen *v* sich einen ~ = ein Glas Alkohol trinken. Eine scherzhafte Vorstellung: der Trinker beantragt bei sich selber ein Glas und gibt seinem Antrag statt. 1840 *ff.*

General *m* 1. Generalintendant. Kurzwort. Theaterspr. 1920 *ff.*
2. Generalstaatsanwalt. Kurzwort. 1920 *ff.*
2 a. Generaldirektor, Vorstandsvorsitzender. Kurzwort. 1920 *ff.*
2 b. Schulleiter. 1960 *ff.*
2 c. Generalsekretär einer Partei. 1955 *ff.*
3. ~ Frost = sehr strenger Frost. Er ist ein erfolgreicher Heerführer des Gegners. Erkenntnis aus Hitlers Krieg gegen Rußland. *Sold* 1941 *ff.*
4. ~ Schlamm = tiefer Morast als großes Hindernis der kämpfenden Truppe. *Sold* 1941 *ff.*
5. ~ Schlamperei = Unordnung, Unregelmäßigkeiten o. ä. als Ursachen einer militärischen Niederlage. Dem Vorhergehenden nachempfunden. ↗Schlamperei. 1971 *ff.*
6. ~ der ersten Stunde = General, der als einer der ersten in der Bundeswehr ernannt wurde. 1960 *ff.*
7. ~ der Unteroffiziere = Oberstabsfeldwebel. Er bekleidet den höchsten Rang der Unteroffiziere. *BSD* 1965 *ff.*
8. ~ Winter = eisige Kälte. *Sold* 1941 *ff.*
9. ~ Zufall = Kriegsglück. *Sold* 1939 *ff.*
10. kleiner ~ = Penis. 1940 *ff.*

Generaldampf *m* Rauchen aller in geselligem Kreise. ↗dampfen 2. *Stud* 1950 *ff.*

Gene'ral'rindvieh *n* überaus dummer Mensch; starkes Schimpfwort. Verstärkung von ↗Rindvieh. 1920 *ff.*

generalüberholen *v* sich ~ lassen = sich einer Kur unterziehen. Der Kraftfahrersprache entlehnt. 1952 *ff.*

Generalüberholung *f* ausgedehntes Heilverfahren. Der Mensch als reparaturbedürftige Maschine. 1952 *ff.*

Generationen *pl* zwischen den ~ = im Lebensalter zwischen dem zweiten und dritten Lebensjahrzehnt. 1960 *ff.*

Genick *n* 1. jm das ~ brechen = a) jn töten. Leitet sich her vom Tod durch Erhängen. Seit dem 16. Jh. – b) jn zugrunde richten; jm eine Schuld überführen. 1600 *ff*. *Vgl engl* „to break the neck of someone". – c) jn um Lohn und Brot bringen; jn aus Amt und Würden jagen. *Sold* seit dem letzten Drittel des 19. Jhs.
2. sich das ~ brechen = seine Stellung ernstlich gefährden. 1870 *ff.*
3. das bricht ihm das ~ = das raubt ihm die Stellung; damit wird man ihn überführen. 1870 *ff.*

4. ein steifes ~ haben = eine Bitte ablehnen; geizig sein. Der Steifnackige kann nicht mit dem Kopf nicken. Steifnackigkeit als Sinnbildhaltung der Unnahbarkeit, der Gefühlskälte, der Sturheit und der Strenge. 1900 ff.
5. leck mir am ~!: Ausdruck der Ablehnung. Basel 1920 ff.
6. sich jm ins ~ setzen = sich zur Verfolgung des vorausfliegenden Flugzeugs anschicken. Fliegerspr. in beiden Weltkriegen.
7. jm im ~ sitzen = jm dicht folgen. *Sportl* 1920 ff; fliegerspr. 1914–1945.
Genickfänger *m* Scharfrichter. Stammt aus der Jägersprache: das Jagdmesser, mit dem man angeschossene, aber noch lebende Tiere tötet, nennt man Genickfänger (auch: Hirschfänger). 1900 ff.
Genickkrankheit *f* vorsichtiges Umherspähen nach Lauschern. 1933 ff, *ziv;* 1942 ff, kriegsgefangenenspr.
Genickschuß *m* **1.** hochprozentiger Schnaps. Er bringt den Zecher zu Fall wie ein Genickschuß. *Sold* 1939 ff.
2. Hinterhauptpunktion. Medizinerspr. 1945 ff.
Genickschußbremse *f* in den Nacken hinabreichendes dichtes Haar; Nackenknoten. 1950 ff, *halbw.*
Genickschußladen *m* durch Prügeleien, Schießereien usw. verrufenes Lokal. 1950 ff.
Genickschußmethode *f* äußerste Beschränkung der Selbstentscheidung. Wer eine Pistolenmündung o. ä. im Nacken fühlt, wagt keine Äußerung des Eigenwillens mehr. 1950 ff.
Genie (*franz* ausgesprochen) *n* **1.** Veranlagung, Talent, Geschick (mein Junge hat Genie zum Beamten). Meint eigentlich die besondere schöpferische Begabung. Seit dem 19. Jh.
2. Schamgefühl. Aus „genieren" gebildet. 1900 ff.
3. verbummeltes ~ = Mensch, der sich für genial hält und zu nichts bringt; Mensch, der seine geistigen Fähigkeiten durch Müßiggang zugrunde richtet. ↗verbummeln. Seit dem 19. Jh.
4. verhindertes ~ = Dummer; Klassenschlechtester. Man hält ihm (scherzhaft) äußere Behinderung seiner inneren Anlagen zugute. 1920 ff.
5. verkanntes ~ = mittelmäßiger Schüler. 1920 ff.
Genierer *m* Schüchternheit. *Österr* 1900 ff.
geniert *adj präd* augenblicklich mittellos. Fußt auf der Grundbedeutung „behindert". 1900 ff.
genießbar *adj* annehmbar, zugänglich. Von Nahrungsmitteln übertragen auf den Menschen zur Bedeutung „im Umgang erträglich". 1800 ff.
Genosse *m* **1.** Mitschüler, Freund. Übernommen aus der Bezeichnung für das Mitglied einer (Partei-)Gemeinschaft. *Schül* 1930 ff.
2. ~ Filz = Parteigenossenverflechtung; ↗Vetternwirtschaft. ↗Filz 6. 1970 ff.
genossen *part* einen ~ haben = nicht mehr nüchtern sein. Genießen = trinken. 1900 ff.
Gent (*engl* ausgesprochen) *m* **1.** Geck; stutzerhafter Halbwüchsige. Meint in der familiären Sprache Englands den „feinen Herrn", *Österr* 1940 ff.

2. verläßlicher Kamerad. *Österr* 1940 ff, *schül.*
3. ~ Lehmann = Gentleman, der keiner ist. Beeinflußt von ↗Lehmann. 1900 ff.
gent (*engl* ausgesprochen) *adj* gut, fein, vornehm, vortrefflich. *Jug* 1900 ff.
Gent-Lehmann-leik *adv* gentlemanlike. Scherzhafte deutsche Aussprache. 1950 ff.
genudelt sein 1. satt sein; beleibt sein. „Nudeln" nennt man die aus Kleie mit Milch dick angerührte Masse, die zu Rollen geformt und den Mastgänsen in den Schnabel gestopft wird. Seit dem 19. Jh.
2. im Gedränge hin- und hergewirbelt werden. Die Bewegung ähnelt der, mit der Teig auf dem Nudelbrett gerollt wird. 1920 ff.
genügen *v* **1.** „das genügt", sagt der Staatsanwalt = das reicht zur Bestrafung. Fußt auf der Gerichtsszene von A. Hopf (1845). Seitdem vor allem in und aus Berlin verbreitet bis heute.
2. „das genügt mir", sagte der Staatsanwalt = ich weiß Bescheid; das ist endgültig erledigt. 1900 ff.
Genuß *m* ~ **1.** für die Pupille = schöner Anblick. 1900 ff.
2. ~ ohne Reue = ungetrübtes Vergnügen; gesundheitlich unschädlicher Genuß. Fußt auf dem 1951 aufgekommenen Werbespruch für die Zigarettenmarke „Gloria". 1900 ff.
Genußbremse *f* **1.** Monatsbinde. 1915 ff.
2. Anstandsbegleiterin eines jungen Mädchens. 1920 ff.
Genußdame *f* Prostituierte. 1960 ff.
Genußmittelspediteur *m* Kellner. Spediteur = Beförderer. 1965 ff.
genußreif *adj* ein Mädchen ~ machen = deflorieren. 1910 ff.
Genußschuppen *m* Bar. ↗Schuppen. 1955 ff.
Genußspecht *m* Genießer. Gleich dem Specht pickt er sich das seinen Gaumen Reizende heraus. *Österr* 1910 ff.
Genußwurzel *f* Penis. ↗Wurzel. 1935 ff.
Geographie *f* **1.** Gegend, Gelände; Erde; Welt; Umgebung. Entwickelt aus der militärischen Geländebeschreibung. *Sold* in beiden Weltkriegen.
2. Körpergestalt. Vor allem auf weibliche Personen bezogen. Anspielung auf Hügel und Täler, Ebenen und Einschnitte. 1955 ff.
3. Straße. 1960 ff, *halbw.*
4. die ~ bereichern (verschönen) = in freier Natur koten. *Sold* in beiden Weltkriegen.
5. die ~ beschädigen = das Ziel verfehlen (auf die Artillerie bezogen). 1914 ff.
6. ~ lernen = sich auf die Erde niederwerfen; am Geländeunterricht teilnehmen. *Sold* 1914 ff.
7. in der ~ rumlaufen = weit, viel reisen; marschieren. 1914 ff.
8. den Ball in die ~ schießen = den Fußball über die Spielfeldabgrenzung hinaustreten. 1920 ff, *sportl.* Vgl *schwed* „ut i geografien".
9. durch die ~ schlendern (wandern, laatschen o. ä.) = wandern. 1920 ff.
10. die ~ (an der Quelle) studieren = auf den Ellenbogen vorwärtskriechen. *Sold* 1910 bis 1945.
11. die ~ studieren = zu Boden gestürzt sein. 1940 ff.
12. die ~ unterwärts studieren = tot sein. Analogie zu „das Gras (die Radies-

chen o. ä.) von unten besehen". *Sold* 1939 ff.
Gepäck *n* **1.** Ehefrau, Familie. Es ist die Last, die man auf der Lebensreise mit sich führt. Beeinflußt von „↗Pack" und „↗Bagage". 1900 ff.
2. männliche Geschlechtsteile. 1900 ff.
3. ~ mit Beinen = zusammengepferchte Fahrgäste in einem öffentlichen Verkehrsmittel. 1942 ff, als die Zivilbevölkerung (auch in Gepäck-, Güterwagen) evakuiert wurde.
Gepanschtes *n* alkoholisches Mischgetränk. ↗panschen. *Stud* 1965 ff.
Gepappel *n* Geplapper, Geschwätz. ↗babbeln. Seit dem 19. Jh.
gepfeffert *adj* **1.** temperamentvoll. Pfeffer als scharfes Gewürz steht für ein Temperament voller Kraft und Spritzigkeit. *Vgl* ↗Pfeffer. 1950 ff.
2. mit der Absicht des Verletzens dargeboten. 1700 ff.
3. eindringlich, nachhaltig, wirksam o. ä. 1800 ff.
4. drastisch, zotig, obszön. Seit dem 19. Jh.
5. überteuert. Parallel zu ↗gesalzen. 1600 ff.
gepfiffen *part* **1.** ~!: Ausdruck der Ablehnung. Verkürzt aus „das ist den Mäusen gepfiffen = das ist umsonst" (Mäuse lassen sich durch Pfeifen nicht anlocken). Seit dem 19. Jh.
2. das kommt wie ~ = das kommt sehr gelegen, ist sehr willkommen. Leitet sich her vom folgsamen Hund. Seit dem 19. Jh.
3. es geht wie ~ = es geht mühelos, reibungslos. *Schweiz* 1900 ff.
gepflastert sein mit etw ~ = mit etw reichlich versehen sein. Hergenommen vom Straßenpflaster. Vgl „die ↗Straße pflastern können" und „der Weg zur ↗Hölle ist mit guten Vorsätzen gepflastert". 1900 ff.
gepflegt *adj* reichlich. Umgedeutet aus der Gastwirtswerbung „gepflegte Küche", „gepflegter Keller" u. ä. 1920 ff.
gepickt sein hat es im Verstand sein. Der „↗Vogel" im Kopf pickt. 1800 ff.
Gepiß *n* schiefes ~ = **1.** Straßenprostituierte. Gepiß = Harnorgan. „Schief" versteht sich aus der Metapher von der „schiefen Bahn". 1935 ff.
2. Frau, die nichts taugt; unehrliche weibliche Person. 1935 ff.
geplättet *part* **1.** aussehen wie frisch ~ = a) elegant, ohne häßliche Kleiderfalten gekleidet sein. Plätten = bügeln. 1920 ff. – b) übermäßig viel(e) Schönheitsmittel verwendet haben. 1920 ff.
2. einen (eins) ~ kriegen = von einer Kugel (einem Granatsplitter) getroffen werden. ↗plätten. *Sold* 1939 ff.
3. ~ sein = erstaunt sein; sprachlos sein. Weiterführung von „↗platt sein" durch Vorstellung des Bügelns. 1920 ff.
gepökelt werden im Gedränge hin- und hergestoßen werden. Zum Pökeln legt man Fleischstücke dicht aufeinander in Salzlake. 1920 ff.
gepolstert *part* **1.** gut ~ = wohlbeleibt; dicklich; vollschlank. Polster = weiche federnde Unter-, Zwischenlage. Seit dem 19. Jh.
2. ~ hören = schwerhörig sein. Man

hört die Geräusche wie hinter einer Polsterwand. *Halbw* 1955 *ff.*

Gepolter *m* falsch ~ = Homosexueller. Die Endklemmen bei Stromleitungen heißen Plus- und Minuspol. Werden sie falsch verbunden, ist falsch gepolt. *BSD* 1965 *ff.*

Gepräsch *n* Prahlerei, Übertreibung. ↗Prasch. 1900 *ff.*

Gepritschel *n* kleiner Flirt; Tändelei; leichte Unterhaltung. Gehört zu „pritschen = mit der Narrenklappe schlagen". 1900 *ff.*

Geprüfte *f* staatlich ~ = amtlich überwachte Prostituierte. Eigentlich eine Person, die eine Staatsprüfung abgelegt hat. 1950 *ff.*

geputzt *adj* **1.** unwahr; ins Schöne entstellt. Es ist von Unvorteilhaftigkeiten gesäubert. *Vgl* ↗aufputzen 3. 1939 *ff.*
2. mit Verwendung eines unerlaubten Hilfsmittels hergestellt. *Schül* 1960 *ff.*

geputzt sein mittelos sein. Analog zu ↗blank 5. 1970 *ff.*

Gequake *n* **1.** unschöner Gesang. Hergenommen vom Quaklaut der Frösche. 1900 *ff.*
2. Geschwätz. ↗quaken 1900 *ff.*

Gequetschte *pl* ein paar ~ = einbehaltenes Kleingeld. Quetschen = pressen, drücken. Bezieht sich eigentlich auf die in den Skat abgelegten Karten: ihre „Augen" sind dem Spieler sicher. 1970 *ff.*

gerade *adv* ↗grade.

gerädert *part* wie ~ sein (sich wie ~ fühlen) = Gliederschmerzen haben. Hergenommen von der alten Todesstrafe des Räderns. 1800 *ff. Vgl franz* „être roué de fatigue".

Geraffel *n* ↗Graffel.

gerammelt voll *adj* überfüllt; dicht gedrängt stehend. Rammeln = rütteln. Man rüttelt den Sack, damit sich der Inhalt gleichmäßig verteilt und möglichst viel hineingeht. Nach 1850 aufgekommen.

Gerangel *n* Rauferei; Wettstreit, Meinungsstreit. ↗rangeln. Sehr häufig nach 1950.

gerappelt voll *adj* überfüllt; dichtgedrängt. Rappeln = rütteln. Analog zu „↗gerammelt voll". Seit dem 19. Jh.

Gerät *n* **1.** Beatle-, Gammler-, Punker-Haartracht. Sie ist gewissermaßen das berufsübliche, erscheinungstypische Handwerkszeug. 1960 *ff.*
2. Penis. Ein „Apparat" zum Harnen und Koitieren. 1960 *ff.*
3. Flasche Bier. *Halbw* 1960 *ff.*
4. Motorrad. *Halbw* 1960 *ff.*
5. weibliche Person. Aufgefaßt als Geschlechtsverkehrsapparat. 1960 *ff.*
6. heißes ~ = leichtlebiges Mädchen. Heiß = leidenschaftlich, aufreizend, begehrlich. *BSD* 1965 *ff.*
7. sattes ~ = eindrucksvolles Mädchen. ↗satt. *Halbw* 1960 *ff.*

Geräuschabteilung *f* Rhythmusgruppe (Schlagzeug, Baß, gegebenenfalls auch Gitarre, Klavier u. a.). 1950 *ff,* musikerspr.

Geräuschberieselungsanlage *f* Rundfunk(gerät). ↗Berieselung. 1950 *ff.*

Geräuschdüse *f* **1.** After. ↗Düse. 1935 *ff.*
2. lautes Sprechorgan. 1959 *ff.*
3. Schwätzer. 1959 *ff.*

Geräuschkulisse *f* **1.** Begleitgeräusch eines Vorgangs; Lärmerzeugung. Meint eigentlich die Geräusche, die man zur Veranschaulichung einer Rundfunksendung

stellvertretend für das Bild hervorruft. Rundfunkspr. 1930 *ff.*
2. Tanzkapelle. *Halbw* 1950 *ff.*
3. Transistorgerät. Der anscheinend unentbehrliche Geräuschbegleiter der Halbwüchsigen in Stadt und Land, im Wald und am Strand. *Halbw* 1955 *ff.*
4. Fernsehen. 1960 *ff,* schül.
5. anfeuernde Zuschauermenge. *Sportl* 1950 *ff.*

gerben *v* **1.** *tr* = jn prügeln. Hergenommen von der Verarbeitung der Häute zu Leder. Man behandelt sie mit Gerbstoffen. Hieraus ergibt sich die Bedeutung „jn streng behandeln". 1600 *ff.*
2. *intr* = sich erbrechen; würgen. Fußt auf „Gerbe = Auswurf, Exkremente" (eigentlich die Abfälle bei der Häuteverarbeitung). Seit dem 18. Jh. vorwiegend *stud.*

Gerberhund *m* **1.** husten wie ein ~ = heftig, bellend husten. Aus dem Folgenden entwickelt. 1960 *ff.*
2. kotzen wie ein ~ = heftig sich erbrechen. Der Gerberhund nährt sich auch von den verdorbenen Fleischresten, die beim Schaben der Felle abfallen. 1600 *ff.*
3. speien wie ein ~ = sich heftig erbrechen. 1600 *ff.*

Gerbertöle *f* falsch wie eine ~ sein = **1.** hochgradig wütend sein. ↗Töle = Hund. 1900 *ff.*
2. nicht vertrauenswürdig sein. 1900 *ff.*
3. bösartig sein. 1900 *ff.*

Gereiße *n* Kampf um Einlaß; heftig ausgetragener Wettbewerb. ↗reißen 10. 1920 *ff.*

gerettet *part* gerettet. „Schon wieder eine Seele vom Alkohol gerettet" sagt man spöttisch in Nachahmung von Gesangstexten der Heilsarmee und ähnlicher Einrichtungen. 1920 *ff.*

Gerichtsferien *pl* **1.** Pause zwischen zwei Mahlzeiten. Eigentlich die Sommerferien der Gerichte. Hier Spiel mit den beiden Wortbedeutungen „Gericht = Justizbehörde" und „Gericht = angerichtete Tafel, Mahlzeit". Zwischen diesen Gerichten hat das Küchenpersonal „Ferien = Freizeit". 1940 *ff.*
2. Ausfall der Verpflegung wegen Nichteintreffens der Essenholer. *Sold* 1940 *ff.*

Gerichtshof *m* Herr ~: Anrede des Angeklagten an den Vorsitzenden der Gerichtsverhandlung. „Hoher Gerichtshof" ist eigentlich die Anrede an das Richterkollegium. 1830 *ff.*

Gerichtskosten *pl* Preise auf der Speisekarte. Gericht = Mahlzeit. Scherzhaft gekreuzt mit den Gebühren, die an die Gerichtskasse abzuführen sind. 1920 *ff.*

gerichtsmassig (gerichtsmäßig) *adj* dem Gericht verfallen; von Gerichts wegen. „Massig, mäßig" meint soviel wie „gemäß; nach Maßgabe von; nach Vorschrift". *Schwäb* und *bayr* 1700 *ff.*

Gerichtsmassige (Gerichtsmäßige) *n* Gerichtsverhandlung. *Vgl* das Vorhergehende. *Bayr* 1920 *ff* (?) *ff.*

Gerichtssaalhyäne *f* unangenehme Dauerbesucherin von Gerichtsverhandlungen. Hyänenartig stürzt sie sich auf die Verhandlungsgegenstände. 1965 *ff.*

Gerichtszeitung *f* Speisekarte. Gericht = Mahlzeit. Eigentlich die Zeitung mit Berichten aus dem Gerichtssaal. 1900 *ff,* Berlin.

gerieben *adj* verschlagen, listig, schlau.

Fußt entweder auf dem Geschlechtsverkehr („reiben = hin- und herbewegen") oder auf der *oberd* Bedeutung „reiben = drehen", woraus „gerieben = gedreht" und weiter „= gewandt" hervorgeht. Seit dem 15. Jh.

Gerippe *n* **1.** hagerer, abgemagerter Mensch. In übertriebener Auffassung erscheint er als Knochengerüst ohne Fleisch. 1600 *ff.*
2. langes ~ = großwüchsiger, magerer Mensch. Seit dem 19. Jh.
3. spilriges ~ = sehr großer, magerer Mensch; hagere Gestalt. ↗spillrig. Berlin 1920 *ff.*

Geriß (Griß) *n* heftige Bemühung; angestrengtes Liebeswerben; Andrang; Sympathie. Gehört zu „sich um etw ↗reißen". *Oberd* 1800 *ff.*

gerissen *adj* verschlagen, listig, schlau. Herzuleiten aus „reißen = (als Tier) ein Tier anfallen und verwunden", verwandt mit „mit allen ↗Hunden gehetzt sein". 1840 *ff.*

gerissen kriegen sie ~ = Prügel erhalten. Gehört zu „sich mit jm reißen = sich mit jm heftig streiten" nach Art bissiger Hunde. Seit dem 19. Jh.

geritzt *part* **1.** die Sache ist ~ = die Sache nimmt den gewünschten Verlauf, ist abgemacht. Leitet sich möglicherweise von der Einbruchsvorbereitung her: die Schaufensterscheibe wird mit dem Diamanten geritzt. Spätestens seit 1920.
2. ~! = abgemacht! 1920 *ff.*
3. ~, Puppel = einverstanden, mein Schatz! 1920 *ff.*

Germanen *pl* das ist ein Wein (o. ä.), von dem schon die alten ~ sagten: „o Wein (o. ä.)!" = das ist ein hervorragender Wein. Die alten Germanen sind den Schülern durch Tacitus geläufig als Kenner guter Hausmannskost. Auch Spottausdruck auf Lateinübersetzungen alten Stils. 1930 *ff.*

Germanengrill *m* bei Deutschen beliebter ausländischer Badestrand. ↗grillen 3. 1965 *ff.*

Germanenschwoof *m* Volkstanz. ↗Schwoof. „Germanen-" spielt auf „altdeutsch" an. *Halbw* 1955 *ff.*

German Hair Force (*engl* ausgesprochen) *f* Bundeswehr. Aus *engl* „Air Force" (Luftwaffe) umgestaltet mit Anspielung auf die Langhaartracht der Soldaten. Mit der Verfügung über „Haar- und Barttracht in der Bundeswehr" vom Frühjahr 1971 soll Bundesverteidigungsminister Helmut Schmidt Anlaß zu jener Wortprägung gegeben haben. *BSD* 1971 *ff.*

gern *adv* **1.** das habe ich ~! = das ist mir höchst unerwünscht, verhaßt. Ironie. 1900 *ff.*
2. er kann mich ~ haben! = Ausdruck der Ablehnung. Entweder *iron* aufgefaßt als „liebhaben" oder verkürzt aus „am Hintern gernhaben", was auf das Götz-Zitat hinausläuft. Seit dem 19. Jh, vorwiegend *oberd.*
3. ich habe es nicht ~ getan = ich habe es nicht mit Absicht (ohne böse Nebenabsichten) getan. Seit dem 19. Jh.

Gerödel *n* Koppeltragegestell; Sturmgepäck; gesamtes Lederzeug; Gesamtheit von Gegenständen. Gehört zu „rödeln = zusammenrollen" und zu „Reitel = Stock zum Zusammenschnüren der Ballen"; *vgl* auch

„reiteln = Stricke mit dem Reitel zusammenziehen". Pioniere „rödeln", indem sie den Belag einer Brücke durch Anschnüren befestigen. *BSD* 1965 *ff*.

Gerösteter *m* X. der Geröstete: erfundener Beiname eines Potentaten; Potentat, dessen Name einem entfallen ist. Fußt spöttisch auf Bezeichnungen wie „Pipin der Kurze", „Karl der Kahle" u. ä. *Stud* und *schül* 1920 *ff*.

Gerschtl *m* ↗ Gerstl.

Gerstensaft *m* Bier. Taucht im ausgehenden 18. Jh in Studentenliedern auf und war damals durchaus ernsthaft gemeint; heute empfindet man die Vokabel als gestelzt oder *iron*, als gehöre sie in den Wortschatz der Neureichen.

Gerstl (Gerschtl) *m* Geld. Die ärmliche Landbevölkerung schätzte Gerste besonders, so daß sie zum Vermögensmaßstab geworden ist und – vor allem in der Verkleinerungsform – das kleine Hab und Gut bezeichnet. *Oberd* seit dem 19. Jh.

Geruch *m* 1. ortsfremder ~ = Gasgefahr. *BSD* 1965 *ff*.
2. jn in üblen ~ bringen = jn in schlechten Ruf bringen. „Geruch" wird schon im 16. Jh mit „Gerücht" verwechselt. „Gerücht = Gerüft" (= Ruf) meint den Leumund, das Urteil der Öffentlichkeit. Wahrscheinlich auch zusammenhängend mit der biblischen Kunde vom gottwohlgefälligen Brandopfer. Seit dem 19. Jh.
3. in den ~ kommen = verdächtigt werden. Seit dem 19. Jh.
4. in guten ~ kommen = einen guten Leumund erwerben. Seit dem 19. Jh.
5. in gutem ~ stehen = beliebt sein. Seit dem 16. Jh.
6. in schlechtem (üblem; keinem guten) ~ stehen = übelbeleumdet sein. Seit dem 16. Jh.
7. im ~ der Heiligkeit stehen = für einen biederen Menschen gehalten werden. Seit dem 15. Jh.

Gerüchteküche *f* 1. Stätte, wo Gerüchte erfunden und verbreitet werden. Eine moderne Abart der Giftküche, in der die Hexen ihre argen Tränke zubereiten. 1960 *ff*.
2. die ~ dampft (brodelt, kocht, kocht über) = Gerüchte verschiedenster Art sind im Umlauf. 1960 *ff*.

Gerüchtelawine *f* anwachsendes Spekulieren über ein Gerücht. Lawinenartig zieht ein Gerücht Folgegerüchte nach und mit sich. 1950 *ff*.

gerüchten *impers* gerüchtweise verlauten. 1965 *ff*.

gerufen *part* es kommt ihm wie ~ = es kommt ihm gerade im richtigen Augenblick zu. Herzuleiten vom folgsamen Hund. 1900 *ff*.

gerührt *part* leicht ~ sein = tief beeindruckt sein; sehr erstaunt sein. „Leicht" drückt gespielte Affektminderung aus. *Stud* 1920 *ff*.

Gerüst *n* 1. magerer Mensch. Verkürzt aus „Knochengerüst". Seit dem 19. Jh.
2. altes ~ = alter Mensch. Seit dem 19. Jh.
3. baufälliges ~ = altersschwacher Mensch. ↗ baufällig. 1900 *ff*.
4. vom ~ fallen = a) einen Mißerfolg selbst verschulden. Der Bauhandwerker stürzt vom Gerüst in die Tiefe. 19. Jh. – b) das Kartenspiel knapp verlieren. Kartenspielerspr. seit dem späten 19. Jh.

5. fall nicht vom ~! = Abschiedsgruß. Geht zurück auf Louis Angely, „Das Fest der Handwerker" (Berlin 1830). Kurz nach 1830 geläufig geworden.
6. jn vom ~ schicken = jn entlassen. Hergenommen von der Kündigung eines Bauhandwerkers. 1920 *ff*.

gesägt werden nicht in die nächsthöhere Klasse aufsteigen; in der Prüfung scheitern. *Vgl* ↗ absägen. 1930 *ff*.

gesalzen *adj* 1. überteuert. Der Preis ist „scharf" wie etwas Gesalzenes. 1700 *ff*. *Vgl franz* „une addition salée".
2. hoch (auf das Strafmaß bezogen). 1920 *ff*.
3. sehr schmerzhaft; heftig (auf eine Ohrfeige o. ä. bezogen). 1900 *ff*.
4. ~ und gepfeffert = vielerfahren; in allen Schlechtigkeiten und Listen bewandert. 1920 *ff*.

Gesang *m* 1. Geständnis eines Verdächtigen. ↗ singen. 1920 *ff*.
2. lautes Zählen der Anzahl der Liegestütze. *Sold* 1939 *ff*.

Gesangbuch *n* 1. Zugehörigkeit zu einer Glaubensgemeinschaft. 1910 *ff*.
2. Parteibuch. 1948 *ff*.
3. (des Teufels) ~ = Spielkarten-Satz. Er steht in Konkurrenz zum Buch mit frommen Liedertexten. 1800 *ff*.
4. ~ mit 32 Blättern = Spielkarten-Satz. 1800 *ff*.
5. ~ mit Henkel = Bierkrug. ↗ Gebetbuch 6. Seit dem 19. Jh.
6. im ~ blättern = einander herzen und drücken; koitieren. Vom Liebespaar, das man im Zimmer alleinläßt (alleingelassen hat) sagt man, es werde wohl im Gesangbuch blättern (es werde wohl nicht im Gesangbuch geblättert haben). 1900 *ff*.
7. das falsche ~ haben = einer Religionsgemeinschaft (oder Partei) angehören, die im Proporzsystem von Nachteil ist. 1920 *ff*.
8. aus dem gleichen ~ singen = demselben religiösen Bekenntnis angehören. 1910 *ff*.
9. aus dem verkehrten ~ singen = einer politisch unzweckmäßigen Religionsgemeinschaft angehören. 1950 *ff*.
10. aus dem ~ mit 32 Blättern singen = Kartenspielen. ↗ Gesangbuch 4. 1800 *ff*.

Gesangverein *m* 1. Deutscher Reichstag in der NS-Zeit. Die Tätigkeit der Abgeordneten beschränkte sich auf das Absingen des Deutschland- und des Horst-Wessel-Liedes, von Beifallsäußerungen abgesehen. 1933 *ff*.
2. politische Versammlung von Leuten, die außer Beifall nichts zu äußern haben. 1950 *ff*.
3. mein lieber Herr ~! : Ausdruck der Verwunderung, auch überlegener Zurückweisung. Zu der Anrede „mein lieber Herr!" bildet „Gesangverein" wohl nur einen sinnlosen Schnörkel. 1900 *ff*.

Gesäß *n* 1. Sitzgelegenheit; Stuhl; Hocker o. ä. Im Mittelalter allgemein üblich; heute vereinzelt geläufig und als scherzhaft aufgefaßt.
1 a. ~ mit Ohren = feistes Gesicht. Feinere Form von ↗ Arsch 12 a. 1930 *ff*.
2. jm das ~ unter dem Arsch wegziehen = a) jn ohne lange Vorrede unsanft aus dem Hause weisen. Abwandlung gemäß „↗ Gesäß 1" von „jm den ↗ Stuhl unterm Hintern wegziehen". *Sold* in beiden Welt-

kriegen. – b) jm ein Vorhaben vereiteln, durchkreuzen. 1914 *ff*.

gesäßen *refl* sich niedersetzen. ↗ Gesäß 1. 1930 *ff*.

Gesäßinger *Pn* Aschinger. Scherzhafte Verfeinerung. „Asch" (mit langem Vokal gesprochen) ergibt ungefähr dieselbe Aussprache wie das Wort „Arsch". Berlin 1930 *ff*, *stud*.

Gesäßvioline *f* unkameradschaftlicher Soldat. Verfeinerung von ↗ Arschgeige. *Sold* 1939 *ff*.

gesattelt *part* ~ und geschirrt sein = Ausgehuniform tragen; alle Orden und Ehrenzeichen angelegt haben. Vom Reitpferd auf den Menschen übertragen. *Sold* 1939 *ff*.

Gesäugeschau *f* Schönheitswettbewerb; Beobachtung badender Frauen und Mädchen. ↗ Busenschau. 1920 *ff*.

Gesäusel *n* 1. Flirt. ↗ säuseln. 1870 *ff*.
2. seichtes Geschwätz. Es ist nur eine leichte Luftbewegung. 1950 *ff*.

geschafft *adj* 1. hervorragend; überlegen gekonnt. *Vgl* „sich ↗ schaffen". *Halbw* 1955 *ff*.
2. sehr wirkungsvoll vorgetragen. Musikerspr. 1955 *ff*.

geschafft sein 1. besiegt, überwunden sein. ↗ schaffen. *Sold* und *ziv* 1939 *ff*.
2. erschöpft sein. Man hat sich müde „geschafft = gearbeitet". *Halbw* 1955 *ff*.
3. verärgert sein. Sich schaffen = sich in etwas hineinsteigern. *Halbw* 1955 *ff*.
4. die Fassung verloren haben. 1950 *ff*.
5. einen Rausch haben. 1940 *ff*.

Geschäft *n* 1. Schamteile. Aus der Bedeutung „Geschaffenes" entwickelt sich „Beschaffenheit", verengt zum Begriff der geschlechtlichen Beschaffenheit. Ein Hüllwort. Seit dem 13. Jh.
2. ~ (Geschäftchen) = Notdurftverrichtung. Seit dem 18. Jh.
3. ~ (Geschäftchen) = Koitus. 1900 *ff*.
4. dickes ~ = anbringendes Geschäft. Dick = umfangreich. 1900 *ff*.
5. faules ~ = a) anrüchiges, betrügerisches, verbrecherisches ↗ faul 1. Seit dem 19. Jh. – b) Verlustgeschäft. 1900 *ff*.
6. heißes ~ = a) Spekulationsgeschäft. Heiß = gefährlich. 1950 *ff*. – b) Unternehmen mit leichtgeschürzten Mädchen. Heiß = geschlechtlich an-, aufreizend. 1950 *ff*.
7. krumme ~e = anrüchige Machenschaften. ↗ krumm. 1950 *ff*.
8. nacktes ~ = Produktion von obszönen Fotos, Nacktfilmen, visueller Pornographie. 1960 *ff*.
9. senkrechtes ~ = betrügerisches Unternehmen. Senkrecht = nicht waagerecht = nicht gerecht (gemessen mit der Waage der Justitia). *Iron* Bezeichnung. 1925 *ff*.
10. ein ~ aufmachen (mit dem Brecheisen) = in ein Ladenlokal einbrechen. Wortspiel mit zwei Bedeutungen von „aufmachen" (eröffnen; gewaltsam öffnen). 1920 *ff*.
11. ins ~ gehen = a) auf Diebstahl ausgehen. *Rotw* 1687 *ff*. – b) auf Männerfang gehen. 1687 *ff*, *prost*.
12. sein ~ (Geschäftchen) machen (erledigen, besorgen, verrichten) = seine Notdurft verrichten (besonders mit Bezug auf Kinder und kleine Haustiere). Seit dem 18. Jh.
13. sein großes ~ machen = koten. 19. Jh.

14. sein kleines ~ machen = harnen. 19. Jh.

15. müde ~e machen = schwunglos, wenig erfolgversprechend verhandeln. 1960 ff.

16. das ~ ist richtig!: Ausdruck der Befriedigung. Leitet sich her von einem günstigen geschäftlichen Vorschlag/Abschluß. Seit dem 19. Jh.

17. dick drin sein im ~ = eine aussichtsreiche Laufbahn eingeschlagen haben. 1950 ff.

Geschaftelhuber (Gschaftelhuber) m **1.** betriebsamer Mensch; Mensch, der sich in alles einzumischen sucht; Wichtigtuer; Besserwisser. Geschaft(el) = Geschäft(-chen). Huber ist ein in Süddeutschland sehr verbreiteter Familienname. 1800 ff, bayr und österr.

2. übereifriger Mensch; Mensch, der im Arbeiten völlig aufgeht. 1900 ff.

Geschäftsehe f enges Arbeitsverhältnis zwischen einem Mann und einer Frau. 1930 ff.

Geschäftskatholik m äußerlicher Katholik, der (vermeintliche) Frömmigkeit und Gewinnstreben verbindet. Seit dem späten 19. Jh.

Geschäftsmannshelm m runder schwarzer Herrenhut. Förmlich einem Helm und im Alltag vornehmlich von Geschäftsleuten getragen. Österr 1920 ff.

Geschäftsreise f **1.** Gang zum Abort. ↗Geschäft 2. Meint eigentlich die Reise eines Handelsvertreters o. ä.; hier gilt „Geschäft = Notdurftverrichtung". 1910 ff.

2. sich auf ~ befinden = eine Freiheitsstrafe verbüßen. Verhüllender Ausdruck. 1920 ff.

Geschäftsteil m n Unterkörper der Prostituierten. 1920 ff.

Geschäftszeit f kurze Rast auf dem Marsch. Meint hier die Zeit, in der man sein „Geschäft" erledigt; ↗Geschäft 2. Wandervogelspr. 1905 ff; sold in beiden Weltkriegen.

geschalt (geschalnt) part gesund ~ sein = gut gekleidet sein. ↗Schale. Österr 1955 ff, jug.

Geschamsterer (Gschamsterer) m fester Freund; Bräutigam, Geliebter. Zusammengezogen aus österr „Gehorsamster" (ergänze: „Diener"). 1930 ff.

Geschau (Gschau) n **1.** Schau; Betrachten; Betrachtetwerden. Oberd seit mhd Zeit („schouwe").

2. Gesicht. 1800 ff.

2 a. das ~ haben = unliebsam auffallen. Man erregt Aufsehen und/oder „hat (angeblich) den bösen Blick". Bayr 1950 ff.

3. ein ~ hinmachen = eine erstaunte (böse) Miene machen. Bayr 1900 ff.

4. das ~ kriegen = Aufsehen erregen. Bayr 1950 ff.

Gescheiß (Gscheiß) n Umstände, Wichtigtuerei; unangenehme Sache. ↗scheißen. Bayr 1920 ff.

gescheit adj **1.** ordentlich, brauchbar (z. B.: ein gescheites Fenster). Von der Bedeutung „verständig" weiterentwickelt zur persönlichen und sächlichen Bedeutung „tüchtig, sachgerecht, zweckdienlich". Seit dem 18. Jh.

2. adv = sehr. Oberd 1800 ff.

3. wie nicht ~ = unvernünftig rasch (= unbedacht); überaus schnell. 1900 ff.

4. bist du ~?!: Ausruf des Erstaunens.

Eigentlich Frage, ob einer bei Sinnen sei, da er etwas Erstaunliches berichtet. Österr 1900 ff.

5. nicht recht ~ sein = töricht handeln oder reden. 1900 ff.

Gescheitheit f die ~ mit Löffeln gefressen haben = klug (vermeintlich klug) sein. Seit dem 19. Jh.

geschenkt part **1.** ~!: Aufforderung zum Verstummen. Dem studentischen Kneipkomment entlehnt: „geschenkt" sagt, wer dem Konkneipanten das Leeren des Glases Bier erläßt. 1930 ff.

2. das ist (halb; fast; wie) ~ = das ist überaus billig. Der Preis ist dermaßen niedrig, daß man den Gegenstand als Geschenk auffassen kann. 1900 ff.

3. das ist ~ zu teuer = das ist völlig wertlos. Der Gegenstand ist so minderwertig, daß man ihn nicht einmal als Geschenk entgegennähme. 19. Jh.

4. das möchte ich nicht ~ nehmen wollen = ich verweigere die Entgegennahme. 1900 ff.

5. nicht ~!: Ausdruck der Ablehnung. ↗geschenkt 3. Seit dem 19. Jh.

geschert (gschert) adj **1.** ungebildet, ungeschickt, dumm, gewöhnlich. Hergenommen von der Sitte, Leibeigenen das Kopfhaar zu scheren. Geschorenes Haar war seit alters ein Zeichen der Unfreiheit und Schande. Das Wort wird im 19. Jh vor allem auf Bauern angewendet; von da verallgemeinert.

2. unkameradschaftlich. Schül 1935 ff.

Geschichte (Gschicht) f **1.** Sache, Gegenstand, Ereignis (Magengeschichte = Magenerkrankung; böse Geschichte = böser Vorfall). Zu der Bedeutung „Begebenheit" trat schon in mhd Zeit der Sinn von „Angelegenheit" und „Gegenstand".

2. Menstruation. Neutralisierung als „Sache". Seit dem 19. Jh.

3. Geschlechtsteile. Neutrale Bezeichnung. 19. Jh.

4. ~n aus der hohlen Hand = erfundene, lügenhafte Behauptungen. 1960 ff.

5. dumme ~ = unangenehme Sache. 1800 ff.

6. dumpfe ~ = anrüchige Sache; Straftat. Dumpf = moderig = stinkend. 1950 ff.

7. faule ~n = unredliche Geschäfte; heikle Ereignisse. ↗faul 1. 1800 ff.

8. die ganze ~ = das alles (die ganze Geschichte lag zerbrochen am Boden). Seit dem 18. Jh.

8 a. kaputte ~ = Sache ohne Vernunft, ohne Bestand. 1960 ff.

9. nette (schöne) ~ = unangenehmer Vorfall. Ironie. Seit dem 19. Jh.

10. mit jm ~n haben = mit jm Unannehmlichkeiten haben. Vor „Geschichten" ergänze „umständliche, langwierige, schwierige" o. ä. 1900 ff.

11. ~n machen = a) Umstände machen. Gekürzt aus „überflüssige Geschichten". 19. Jh. Vgl franz „faire des histoires". - b) töricht handeln. 19. Jh. – c) straffällig werden; unredlich handeln. 19. Jh.

12. mach nur keine ~n! = werde nur nicht krank. ↗Geschichte 1. Seit dem 19. Jh.

13. faule ~n machen = anrüchige Geschäfte betreiben; schlechte Streiche ausführen. ↗faul 1. 1800 ff.

14. aus etw eine große ~ machen = etw aufbauschen. 1900 ff.

15. das ist eine ~!: Ausruf des Erstaunens. Gemeint ist die staunenswerte Sache. 1920 ff, österr.

geschichtlich adj unübertrefflich. Entwickelt aus einem Vorfall, der „Geschichte macht". Halbw 1950 ff, österr.

Geschicklichkeits-Quiz n Schulabschlußprüfung. Übernommen aus Fernsehsendungen, bei denen nicht das Wissen und schon gar nicht das Denkvermögen, sondern lediglich die Handgeschicklichkeit o. ä. getestet wird. Schül 1960 ff.

Geschicklichkeitsspiel n Taschendiebstahl. 1900 ff.

Geschirr n **1.** Geschlechtsteile, -organe. Sie gelten als Arbeitsgerät. 1500 ff.

2. Gurtzeug um Bauch, Brust und Oberschenkel. Vom Leder- und Riemenwerk bei Pferden übertragen. Fallschirmjägerspr. 1939 ff.

3. Leibbinde; Büstenhalter. 1965 ff.

4. Armbanduhr. Sie gehört zum unentbehrlichen Handwerkszeug des Verbrechers. Rotw 1964 ff.

5. jn aus dem ~ bringen = jn aus der Fassung, in Verlegenheit bringen. Von den Zugtieren hergenommen. 1800 ff.

6. jn ins ~ bringen = jm aufhelfen; jn unterstützen. Seit dem 19. Jh.

7. ins ~ gehen = sich sehr anstrengen. 1800 ff.

8. brav im ~ gehen = gefügig sein. Wie ein Zugtier. 1920 ff.

9. scharf ins ~ gehen = rücksichtslos vorgehen. Seit dem 19. Jh.

10. für etw ins ~ gehen = sich für etw einsetzen. Analog zu „sich für etw ins ↗Zeug legen". 1900 ff.

11. jn im ~ haben = über jn verfügen; jn fest in der Hand haben. 1900 ff.

12. Sie haben wohl nicht alles ~ im Büfet? = Sie sind wohl nicht recht bei Verstand? Parallel zu „↗Tassen im Schrank". 1964 ff.

13. sich ins ~ legen = sich anstrengen; lebhaft tätig sein. Hergenommen vom Pferd, das mit voller Kraft den Wagen zieht. 1800 ff.

14. jn ins ~ nehmen = jn zügeln. 1900 ff.

15. ins ~ steigen = die Fallschirmgurte anlegen. ↗Geschirr 2. Fallschirmjägerspr. 1939 ff.

16. jm ins ~ treten = a) jm ins Gesäß (gegen den Hodensack) treten. ↗Geschirr 1. 1910 ff. - b) jn tätlich beleidigen. 1910 ff.

Geschiß (Gschiß) n **1.** Umstände; viele Worte um nichts. ↗scheißen. 1700 ff.

2. ~ um etw machen = etw aufbauschen; eine Sache übermäßig wichtig nehmen. Seit dem 18. Jh.

geschissen part **1.** ~ = sehr schlecht. Analog zu ↗beschissen 1. Österr 1920 ff.

2. ~ ist nicht gemalt: Redewendung, wenn man sich geirrt hat. Übersetzt aus lat „cacatum non est pictum". Seit dem 19. Jh.

3. ~ ist nicht geschifft: Redewendung, wenn man einem Irrtum unterlegen ist. Schiffen = harnen. 1900 ff.

4. ~, mein Herzchen! = du irrst dich! 1940 ff.

Geschisti-geschasti (Gschisti-gschasti) n **1.** Unsinn; wertloses Zeug. Fußt auf tschech „čisté šašký = lauter Unsinn". Österr 1900 ff.

2. ~ machen = Umstände machen; Ausreden vorbringen u. ä. *Österr* 1900 *ff.*

Geschlabbel *n* ungeschickte Langrockmode für junge Mädchen. ↗schlabberig. 1969 *ff.*

Geschlader (Gschlader) *n* minderwertiges Getränk; Zusammengegossenes; Minderwertiges allgemein. ↗Geschleuder. *Österr* seit dem 19. Jh.

Geschlamp (Geschlampe; Gschlamp) *n* **1.** wertloses Zeug. ↗schlampen. 1500 *ff.* **2.** Gesindel. *Oberd* seit dem 19. Jh. **3.** Zuchtlosigkeit; sittenwidriges Verhalten; Unordnung. 1900 *ff, oberd.* **4.** Menstruation. 1900 *ff.*

geschlampert (gschlampert, gschlampat) *adj* unordentlich; ungeordnet; sittenwidrig. ↗schlampig. *Oberd* seit dem 19. Jh.

Geschlamps (Gschlamps) *n* **1.** fades Getränk. ↗schlampen. 1900 *ff.* **2.** weite, wallende, füllige Kleidung. *Halbw* 1960 *ff.*

Geschlecht *n* **1.** das dritte ~ = die Homosexuellen. Um 1820 in der Literatur aufgekommen. **2.** das schöne ~ = die Frauen. 19. Jh. **3.** das schwache ~ = die Frauen. 19. Jh. **4.** das starke ~ = die Männer. 19. Jh. **5.** das starke ~ von heute = die Mädchen. *Halbw* 1960 *ff.*

Geschlechtsakt *m* es ist mir ein halber ~ = es freut mich sehr. 1935 *ff.*

Geschlechtsbestie *f* geschlechtlich hemmungsloser Mensch. Bestie = wildes Tier. 1920 *ff.*

Geschlechtsdepp *m* Schüler, der sich vor Mitschülerinnen zurückhält; scheuer, gehemmter Junge. *Vgl* ↗Depp. 1950 *ff.*

Geschlechtskatze *f* Prostituierte. Katzen sind anschmiegsam, listig und naschhaft. 1960 *ff.*

Geschlechtslärm *m* sinnliches Lachen. Dem „Gefechtslärm" nachgebildet. *Stud* 1950 *ff.*

Geschlechtsproviant *m* Reisebegleiterin eines Mannes. Zum „↗Vernaschen" nach Bedarf bestimmt. 1920 *ff.*

Geschlechtstiere *pl* arbeitslose ~ oder geschlechtslose Arbeitstiere = Kennzeichnung der beiden tatsächlichen oder erwünschten Typen der nichtberufstätigen und der berufstätigen Frau. Die Bezeichnung soll in den frühen zwanziger Jahren von einem Universitätsprofessor aufgebracht worden sein.

Geschlechtswurzel *f* Penis. ↗Wurzel. 1935 *ff.*

Geschleck (Gschleck) *n* **1.** gutes Essen; Leckerbissen; Süßigkeiten. ↗schlecken. 1500 *ff.* **2.** Flirt; Kosen o. ä. *Oberd* seit dem 19. Jh.

geschleckig (gschleckat) *adj* wählerisch; naschhaft; anspruchsvoll. ↗schlecken. *Oberd* 19. Jh.

Geschleim *n* **1.** schwülstige, unsinnige Redeweise. ↗schleimen. 1900 *ff.* **2.** widerliche Schmeichelrede. 1900 *ff.*

Geschlerf (Gschlerf) *n* **1.** schlurfender Gang. Gehört zu „schlarfen, schlärfen", einer Nebenform von „schlurfen". *Vgl* ↗Schlurf 1. *Bayr* seit dem 19. Jh. **2.** Gesindel. *Bayr* seit dem 19. Jh.

Geschleuder *n* **1.** Sachen *(adj);* das alles; militärische Ausrüstungsstücke o. ä. Schleudern = unter dem Wert verkaufen.

Also soviel wie „Schleuderware". Seit dem 19. Jh. **2.** männliche Geschlechtsteile. Anspielung auf das Hin- und Herschwingen; nach dem Muster der Schleuder, einer Art Schwungwaffe. *Sold* 1914 *ff.*

Geschlöns *n* Penis. Gehört zu „schlunzen = nachlässig hängen". 1935 *ff.*

geschmach (gschmach) *adj* angenehm, nett. Eigentlich soviel wie „schmackhaft". *Bayr* 1400 *ff.*

Geschmacherl (Gschmacherl) *n* liebes Mädchen (Kosewort). Es ist „appetitlich", „lecker". *Vgl* das Vorhergehende. *Bayr* seit dem 19. Jh.

Geschmack *m* **1.** ~ von der Stange = unpersönlicher Geschmack; übernommenes, von anderen manipuliertes Stilempfinden. Es ist ebensowenig individuell wie der Konfektionsanzug. 1955 *ff.* **2.** hast du ~ für so etwas? = hast du Verständnis für eine solche Sache? Geschmack = Wohlgefallen. Das Gemeinte ist so absonderlich, daß man einen ebenso absonderlichen Geschmackssinn benötigt. 1900 *ff.* **3.** einen ~ im Mund haben wie von alten Groschen = a) einen faden Geschmack im Mund verspüren. 1920 *ff.* – b) etw als sehr mißlich empfinden. 1920 *ff.* **4.** einen schlechten ~ auf der Zunge haben = sich angewidert fühlen. ↗schmecken. 1950 *ff.* **5.** auf den ~ kommen = an etw Gefallen finden. 1900 *ff.* **6.** einen sauren ~ kriegen = die Lust an (zu) etw verlieren. Es stößt sauer aus dem Magen auf. 1940 *ff.*

Geschmacksfäden *pl* ~ ziehen = den Speichel fließen lassen; Appetit bekommen. Anfangs auf Hunde bezogen. 1920 *ff.*

Geschmacksnerv *m* jm den letzten ~ rauben = jm jegliches Interesse rauben. ↗Nerv. 1920 *ff.*

Geschmackspapst *m* überheblicher Kritiker in künstlerischen Dingen. Anspielung auf das Dogma von der Unfehlbarkeit des Papstes. 1900 *ff.*

geschmalzen *adj* überteuert. Übertragen von gründlich (zu stark) geschmalzenen (gefetteten, geölten) Speisen. *Oberd* seit dem 19. Jh.

Geschmeiß *n* unangenehme Gesellschaft; Gesindel, Pöbel. Meint eigentlich die Brut, das Gezücht; ins weiterentwickelt zur Bedeutung „Schädling(e)". 1500 *ff.*

geschmiert I *adj* pfiffig. Entweder verkürzt aus „mit allen ↗Salben geschmiert" oder zusammenhängend mit „jdn ↗Buckel schmieren". *Österr* seit dem 19. Jh.

geschmiert II *part* **1.** es geht (läuft) wie ~ = es geht leicht, reibungslos, ganz nach Wunsch vonstatten. Herzuleiten vom (an der Achse) gut geschmierten Wagenrad. Seit dem 18. Jh. **2.** ~ sein = übertölpelt sein. *Vgl* ↗anschmieren. 1920 *ff.*

Geschmierter *m* **1.** Polizeibeamter. Gehört entweder zu „geschmiert = schlau" (↗geschmiert 1) oder zu „↗Schmiere = Polizei". *Österr* 1940 *ff.* **2.** Bestochener. ↗schmieren = bestechen. 1920 *ff.*

geschmissen *part* **1.** ~ sein = besiegt, unterlegen sein. Schmeißen = (zu Boden)

werfen; stammt wohl aus der Ringer- oder Boxersprache. 1950 *ff.* **2.** ~ werden = a) in der Prüfung scheitern. ↗schmeißen. *Österr* 1900 *ff.* – b) schimpflich aus der Stellung oder aus der Schule verwiesen werden. *Österr* 1900 *ff.*

Geschmusin *f* zärtliche Freundin. Wortbildung nach dem Muster von „Gespielin" o. ä. ↗schmusen. 1950 *ff.*

geschnallt *adj* irregeführt, getäuscht. Gehört zu „Schnaller = Schnippchen": man hat dem Betreffenden „ein Schnippchen geschlagen". *Jug* 1960 *ff.*

geschnappig (gschnappig) *adj* schnippisch, schimpfend, unverträglich. Schnappen = (den Mund) in rascher Folge auf- und zuklappen. *Oberd* seit dem 19. Jh.

Geschnas (Gschnas) *n* **1.** wertloses Zeug; Plunder, Tand; wertloses Kunsterzeugnis. Gehört wahrscheinlich zu „schnausen (*österr:* schnoase) = schmarotzen; auf Kosten anderer sich gütlich tun". *Vgl* auch *bayr* „Geschnattel = Abfälle". *Österr* seit dem 19. Jh. **2.** Haus-, Maskenball. Man trägt Kostüme aus Plunder (aus der „Mottenkiste"). *Österr* seit dem 19. Jh.

Geschnatter *n* angeregte Unterhaltung; Stimmengewirr; unentwegter Redefluß. Hergenommen vom Schnattern der Enten und Gänse. 1600 *ff.*

geschneckelt (gschneckelt) *adj* gekräuselt (auf das Haar bezogen). Gehört zu „Schneckel = Haarlocke, schneckenförmig gelegtes Haar". *Oberd* seit dem 19. Jh.

geschniegelt *adj* **1.** tadellos, elegant gekleidet. Schniegeln = die Haare putzen, kämmen. Ursprünglich auf das Pferd bezogen. Seit dem 19. Jh. **2.** ~ und gebügelt = tadellos gekleidet. Oft in der binnenreimenden Form „geschniegelt und gebiegelt". Seit dem 18. Jh. **3.** ~ und gestriegelt = elegant gekleidet. Striegel ist der Pferdekamm. 19. Jh.

Geschnösel *n* vorlaute junge Leute. ↗Schnösel. 1920 *ff.*

geschonken *part* **1.** geschenkt. Seit *nhd* Zeit aufgekommene Nebenform zu der heute vorherrschenden schwachen Verbform; heute vielfach als scherzhafte Neubildung aufgefaßt. 1800 *ff.* **2.** nicht ~!: Ausdruck der Ablehnung. Analog zu ↗geschenkt 5. 1900 *ff.* **3.** etw ~ gekrochen haben = etw als Geschenk erhalten haben. „Gekriegt" ist hier zu „gekrochen" verändert, da „kriegen" in manchen Landschaften wie „kriechen" ausgesprochen wird. 1920 *ff.*

Geschos (Gschosel, Geschoß) *n* Vulva, Vagina. Fußt auf *franz* „chose = Sache". *Bayr* und *österr* 1900 *ff.*

Geschoserl (Gschoserl) *n* Braut; Liebesverhältnis. *Bayr* und *österr* 1900 *ff.*

Geschoß (Gschoß) *n* **1.** weibliche Person; Partnerin des Mannes. *Bayr* 19. Jh. **2.** unsympathischer Mensch. Wohl einer, der Darmwinde laut abgehen läßt. *Vgl* ↗Bombe 5. 1900 *ff.* **3.** heftig getretener Fußball. Analog zu ↗Bombe 6. 1900 *ff, sportl.* **4.** gewaltiges (mächtiges, tolles) ~ = weibliche Person mit aufreizenden Körperformen. ↗Bombe 3. 1960 *ff.*

geschossen *part* **1.** ~ aussehen = geschmacklos gekleidet, übermäßig geschminkt sein. Schuß = Stoß, Schlag;

hier gemeint als Schlag gegen den Kopf, nämlich als Ursache der Verrücktheit. 1920 *ff.*

2. ~ kommen = herbeieilen. ↗ angeschossen kommen. 1900 *ff.*

3. eine ~ kriegen = einen Fausthieb oder eine heftige Ohrfeige erhalten. 1900 *ff.*

4. ~ sein = närrisch sein. ↗ geschossen 1. Seit dem späten 15. Jh.

Geschrei *n* **1.** viel ~ und wenig Wolle = wortreiche Anpreisung einer wertlosen Sache; Aufbauschung. „Geschrei" ist vielleicht aus „Geschere" verändert, weswegen gemeint sein könnte, daß bei der Schafschur das Tier zwar laut schreit, aber wenig Wolle gibt. Bekannt ist auch der Sagvers: „Viel Geschrei und wenig Wolle, sagte der Teufel, da schor er ein Schwein". Seit dem 15. Jh.

2. du hast wohl lange dein eigenes ~ nicht mehr gehört?: Drohfrage. 1900 *ff.*

Geschreibsel *n* Geschriebenes *(abf).* 1700 *ff.*

geschrems *adv* schräg, schief, seitwärts. Fußt auf *mhd* „schrämen = schräg machen". *Bayr* und *österr* 1800 *ff.*

geschupft (gschupft) *part* **1.** ~ gehen = sich in den Hüften wiegen. Fußt auf *mhd* „schupfen = in Schwingung sein". *Österr* 1950 *ff*, *halbw.*

2. ~ sein = nicht recht bei Verstand, überspannt sein. Aus „in Schwingung sein" weiterentwickelt über „aus dem Gleichgewicht geraten" zur Bedeutung „von Sinnen sein". *Oberd* 1700 *ff.*

Geschütz *n* **1.** grobes ~ = harte Maßnahme. Das grobe (große) Geschütz wird eingesetzt, wo andere Waffen nichts ausrichten. Seit dem 19. Jh.

2. ein schweres ~ abfeuern = mit einem hohen Trumpf einstechen. Kartenspielerspr. seit dem 19. Jh.

3. mit grobem ~ auffahren (grobes ~ auffahren) = einem Gegner mit groben Worten, energisch entgegentreten. Nach 1850 aufgekommen.

4. gröberes ~ auffahren = strenger vorgehen. 1900 *ff.*

5. schärfstes ~ auffahren = eine schwerwiegende Drohung äußern. 1920 *ff.*

6. mit schwerem ~ (schweres ~) auffahren = schwerwiegende Gegengründe tatkräftig vorbringen; energisch einschreiten. Seit dem 19. Jh.

7. ein schweres ~ auffahren = a) einen hohen Trumpf ausspielen. Kartenspielerspr. 1900 *ff.* – b) sehr angesehene Anwälte mit der Verteidigung beauftragen. 1920 *ff.*

8. mit größerem (schwererem) ~ auffahren = mit gewichtigerer Mitteilung einen Widerstand zu entkräften versuchen. 1920 *ff.*

9. sein schärfstes (schwerstes) ~ auffahren = mit strengster Erwiderung sich durchzusetzen suchen. 1900 *ff.*

10. stärkeres ~ auffahren = drohender sprechen; ernstere Maßnahmen in Aussicht stellen. 1920 *ff.*

11. ~ auffahren lassen = im Lokal eine Freirunde ausgeben. 1900 *ff.*

12. sein ~ in Stellung bringen = sich auf eine heftige Auseinandersetzung vorbereiten. 1900 *ff.*

Geschwärl *n* unruhige, lästige Schar. Gehört zu „Schwären = das Geschwür". ↗ Geschwerl. Seit dem 19. Jh.

Geschwärtel *n* Gesindel; minderwertige

Gesellschaft. Fußt auf „Schwarte = Flegel". 19. Jh.

geschweinigt *part* sich ~ fühlen = sich geschmeichelt fühlen. Geht wohl zurück auf „uns ist ganz kannibalisch wohl als wie fünfhundert Säuen" aus der Szene „Auerbachs Keller in Leipzig" in Goethes „Faust I". *Stud* 1900 *ff.*

Geschwerl (Gschwerl) *n* Gesindel; Schwarm Leute; Anhang; Begleitung. Entweder dasselbe wie „↗ Geschwärl" oder aus „Schwäher = Sippschaft" entwickelt. *Bayr* seit dem 19. Jh.

Geschwind (Gschwind) *f* Eile, Hast. *Bayr* 1900 *ff.*

Geschwindigkeitssünder *m* Kraftfahrer, der gesetzliche Geschwindigkeitsbegrenzungen überschreitet. ↗ Sünder. 1960 *ff.*

Geschwollbusen (Gschwollbusen) *m* üppiger (schwellender) Busen. 1950 *ff,* *südd.*

geschwollen *adj* **1.** dünkelhaft; auf den Reichtum (das Können) eingebildet. Zusammenhängend mit der von Fröschen abgeleiteten Vorstellung „↗ aufgeblasen sein". Seit dem 16. Jh.

2. pathetisch (vom Stil gesagt). Gehört zum Begriff „schwülstig". Seit dem 19. Jh, vorwiegend *oberd.* *Vgl engl* „turgid".

3. schwanger. *Rotw* seit dem frühen 19. Jh.

4. mit ausgeprägten Körperformen versehen (auf weibliche Personen bezogen). Die amerikanische Filmschauspielerin Diana Dors bekam den Spitznamen „die Geschwollene". 1956 *ff.*

Geschwollkopf (Gschwollkopf) *m* **1.** dicker Kopf. Er sieht wie geschwollen aus. *Vgl* ↗ Schwellkopf; ↗ Schwelles. 1500 *ff.*

2. dünkelhafter Mensch. ↗ geschwollen 1. *Bayr* und *südwestd* seit dem 19. Jh.

Geschwür *n* **1.** dicker Bauch. ↗ Brauereigeschwür. *BSD* 1965 *ff.*

2. unkameradschaftlicher Schüler. Er gilt als Eiterherd und gehört ausgedrückt. *Schül* 1960 *ff.*

3. ein ~ ausbrennen = einen Gefahren- oder Unruheherd unschädlich machen. 1933 *ff.*

gesegnet sein bezecht sein. Man spricht von „gesegnetem" Appetit, wenn einer großen Appetit entwickelt, und wenn er ihn gestillt hat, ist er „gesegnet". 1700 *ff.*

Geseier (Geseire; Geseires) *m* langanhaltendes Jammern und Klagen; Geschwätz. Fußt auf *jidd* „gesera = Bestimmung, Verordnung". 19. Jh.

geseift *part* es geht wie ~ = es geht mühelos. Analog zu ↗ geschmiert II. 1900 *ff.*

Geselchter (Gselchter) *m* hagerer Mensch. Selchen = trocknen, räuchern. *Österr* 1950 *ff, jug.*

Geselchtes (Gselchtes) *n* ich mach' aus dir ~!: Drohrede. *Vgl* das Vorhergehende. *Österr* 1940 *ff.*

Geselle *m* **1.** glatter ~ = guter Freund. Geselle ist der ausgelernte Handwerker, dann auch der Arbeitsgenosse und Kamerad. „Glatt" ist einer, mit dem man keine „Reibereien" hat, und der charakterlich ohne Unebenheiten ist. *Halbw* 1955 *ff.*

2. saurer ~ = a) mißgestimmter Mensch. ↗ sauer. 19. Jh. – b) schlechter Kamerad. Er ist sauer wie eine ungenießbar gewordene Speise. 19. Jh.

Gesellenprüfung *f* Schulabschlußprüfung. *Schül* 1960 *ff.*

Gesellschaft *f* **1.** feuchte ~ = Zecherrunde. 1920 *ff.*

2. geschlossene ~ = a) gefesselte Verbrecherbande; Strafgefangene. Meint eigentlich die private Geselligkeit in einem Nebenraum des Gasthofs. 1900 *ff.* – b) Strafanstalt. 1920 *ff.*

3. ~ haben = von Ungeziefer befallen sein. 1920 *ff.*

4. jn auf die ~ loslassen = jn in die geselligen Kreise einführen. Seit dem 19. Jh.

Gesellschaftsdame *f* Playgirl; Prostituierte o. ä. Sie leistet in geschlechtlicher Hinsicht Gesellschaft und findet in wohlhabenden Gesellschaftskreisen Eingang. 1960 *ff.*

Gesellschaftskavalier *m* Mann, der stets in Begleitung derselben weiblichen Person gesehen wird. 1960 *ff.*

Gesellschaftslöwe *m* Freund von Geselligkeiten. In der ersten Hälfte des 19. Jh aus *engl* „social lion" lehnübersetzt.

Gesellschaftslöwin *f* weibliche Person, die gern an Geselligkeiten teilnimmt; Partygirl o. ä. Sie ist ein weiblicher „↗ Gesellschaftslöwe". 1960 *ff.*

Gesellschaftsmuffel *m* Feind von Geselligkeiten o. ä. ↗ Muffel. 1965 *ff.*

Gesellschaftsreise *f* ~ von der Stange = vom Reisebüro in allen Einzelheiten vorbereitete, einheitliche Gesellschaftsreise. Man bedient sich ihrer wie einer Konfektionsware. ↗ Stange. 1955 *ff.*

Gesellschaftsspiel *n* **1.** Salutieren. Eigentlich ein Unterhaltungsspiel mit mehreren Teilnehmern. *BSD* 1960 *ff.*

2. *pl* = Gruppensex. 1965 *ff.*

3. intimes ~ = Petting. *Halbw* 1960 *ff.*

Gesellschafts'tick *m* Bestreben, in „höheren" Kreisen zu verkehren oder dafür gerechnet zu werden. Ein „↗ Tick", der in den Zeiten der Monarchie aufkam und durch alle Regierungs- und Gesellschaftssysteme hindurch bis heute erhalten blieb. Seit dem späten 19. Jh.

Gesellschaftstier *n* Mensch, der gern an Geselligkeiten teilnimmt. Fußt in abgeschwächter Bedeutung auf *griech* „zoon politikon = staatsbürgerliches Lebewesen". 1950 *ff.*

Gesellschaftstiger *m* (regelmäßiger) Teilnehmer an gesellschaftlichen Veranstaltungen. Tigern = kraftvoll be-/durchschreiten. Analogie zu ↗ Gesellschaftslöwe. 1920 *ff.*

gesenkt werden in der Prüfung scheitern; in der Schule nicht versetzt werden. Gegenwort „steigen". *Schül* und *stud* 1900 *ff.*

Ge'seres (G'seres) *n* Gejammer, Geschwätz. ↗ Geseier. 1820 *ff.*

gesetzesfromm *adj* gesetzestreu; im Einklang mit den Gesetzen. Ein verwelthlichter Begriff. 1950 *ff.*

Ge'setzlein (G'sätzla) *n* Abschnitt; kleines Teilstück; ein bißchen. Meint auch den Vers oder die Strophe, den Absatz in einer Schrift oder die Strophe von Psalmen o. ä. Geht zurück bis in die Zeit des Meistergesangs. 14./16. Jh.

gesetzlich *adv* ~ geschützt = in Haft. Bezieht sich eigentlich auf den Gesetzesschutz patentierter Waren u. ä. Hier ist Einfluß des Rechtsbegriffs „Schutzhaft" anzunehmen. 1950 *ff.*

Gesetzliche f Ehefrau. Die legale/legitime (Geschlechts-)Partnerin. 1950 ff.

Gesetzlicher m Ehemann. Der legale/legitime (Geschlechts-)Partner. 1950 ff.

Gesicht n **1.** Gesäß. Verkürzt aus „zweites ↗Gesicht". 1900 ff.

2. ~ von der Stange = Gesicht ohne individuelle Züge. Es ist verwechselbar wie Konfektionsware. ↗Stange. 1950 ff.

3. ~ mit entgleisten Zügen = enttäuschte, ratlose Miene; geohrfeigtes Gesicht. Wortspiel mit Eisenbahnzügen und Gesichtszügen: wenn die einen entgleisen können (denkt man scherzhaft in der Umgangssprache), können es auch die anderen. 1950 ff.

3 a. abgesehenes ~ = allgemeinbekanntes, zu oft gesehenes Gesicht. 1960 ff.

4. das andere ~ = nacktes Gesäß. ↗Gesicht 12. 1950 ff.

5. dreckiges ~ = hämische, überhebliche, dumm- freche Miene. ↗dreckig 6. 1900 ff.

6. farbenfreudiges ~ = übermäßig geschminktes Gesicht. 1950 ff.

7. hinteres ~ = Gesäß, Rücken. Man kann einen Menschen auch „mit dem ↗Rücken ansehen". 1900 ff.

8. hosenreifes ~ = widerlich feistes Gesicht. Es ähnelt so sehr dem Gesäß, daß es eigentlich in die Hose gehört. 1935 ff.

9. polizeiwidriges ~ = verdächtiges Gesicht; Verbrecherphysiognomie. ↗polizeiwidrig. 1840 ff.

10. schmalziges ~ = weiches, leicht feistes, energieloses Gesicht. 1950 ff.

11. verlängertes ~ = Glatze. 1900 ff.

12. zweites ~ = a) Gesäß; unbekleidetes Gesäß. Eine gewisse Formähnlichkeit der „Backen" ist unverkennbar. 1900 ff. – b) Gasmaske o. ä. Ein „Gesicht", das man über das eigentliche stülpt. Sold 1939 bis heute. – c) Make-up. 1960 ff.

13. nur auf sein schönes ~ hin = ohne irgendwelche materielle oder vertragliche Sicherheit (nur auf sein schönes Gesicht hin hat er ihm 20 Mark geliehen). Vgl ↗Auge 6. 1930 ff.

14. vors ~!: Warnruf. Umgestaltet aus „Vorsicht!". 1920 ff.

15. das ganze ~ eine Schnauze = Gesichtsausdruck des Demagogen bei seinen Reden. Schnauze = Großmäuligkeit. 1900 ff.

16. jm das ~ ablecken = jn küssen. 19. Jh.

17. jn mit dem hinteren ~ ansehen = jm den Rücken zuwenden. ↗Gesicht 7. 1900 ff.

18. jm eine ins ~ bewegen = jn ohrfeigen. Hinter „eine" ergänze „Hand". Seit dem 19. Jh.

19. wenn ich dein ~ hätte, täte ich eine Hose drüberziehn!: Redewendung an einen Feistgesichtigen, im Gesicht Aufgeschwemmten. ↗Gesicht 8. Wahrscheinlich seit 1914; sicher seit 1930.

20. die Brotschnitte ist auf das ~ gefallen = die Brotschnitte ist mit der bestrichenen (belegten) Seite auf den Boden gefallen. 1920 ff.

21. mit dem ~ in die Butter fallen = Glück haben; eine gefährliche Lage gut überstehen. 1900 ff.

22. ihm geht das ~ aus dem Leim = er strahlt über das ganze Gesicht. ↗Leim. 1920 ff.

23. ihm ist das ~ aus dem Leim gegangen = er hat die Fassung verloren. Er blickt ratlos, bestürzt; seine Gesichtszüge erscheinen verzerrt. 1920 ff.

24. dieses ~ gehört in die Hose = dieses Gesicht ist feist, schwammig, ausdruckslos. ↗Gesicht 8. 1900 ff.

25. sich einen ins ~ gießen = Alkohol trinken. Der Mund als Eingußöffnung des Gesichts. 1900 ff.

26. es hat ~ = es ist bedeutend, gewichtig, ordnungsgemäß. Veranschaulichung von „ansehnlich". 1900 ff.

27. mein Onkel hat auch so ein ~, aber er setzt sich drauf: Redewendung angesichts eines feisten, schwammigen Gesichts. 1920 ff.

28. das ~ voller Rausch haben = schwerbezecht, volltrunken sein. 1920 ff.

29. ein ~ zum Reinhauen haben = ein feistes Gesicht haben. Das sogenannte „Ohrfeigengesicht" reizt zum Dreinschlagen. 1930 ff, schül.

30. ein langes ~ haben = unzufrieden, enttäuscht aussehen. Läßt man den Unterkiefer herabhängen, nimmt das Gesicht eine längliche Form an. Seit dem 19. Jh.

31. sein ~ bleibt hängen = sein Gesicht prägt sich ein. Es haftet in der Erinnerung. Fernsehspr. 1960 ff.

32. ich muß mir ein Schnitzel (o. ä.) ins ~ hauen = ich muß etwas essen, habe Hunger. 1900 ff.

33. ein ~ kaputtmachen = ein Konterfei (Porträtfoto) zu oft an die Öffentlichkeit bringen. Es wird langweilig, verliert seine Reizwirkung. 1960 ff.

34. das ~ kriegt Junge = das Gesicht ist voller kleiner Eiterbläschen. Den Vorgang (vor allem in der Zeit der Pubertät) deutet man scherzhaft als Schwangerschaft des Gesichts. 1955 ff.

35. leih mir mal dein ~, ich will meinen Hund (die Kinder) bang(e)machen!: Redewendung auf einen mürrischen Gesichtsausdruck. Jug 1930 ff.

36. ein ~ machen = verdrießlich dreinschauen. Meint das durch seelische Verstimmung entstellte Gesicht. Seit dem 18. Jh.

37. ein langes ~ machen = enttäuscht blicken. Vgl ↗Gesicht 30. Seit dem 18. Jh.

38. ein ~ machen, mit dem man kleine Kinder ins Bett treiben kann = mürrisch blicken. Vgl ↗Gesicht 35. 1900 ff.

39. dieses ~ paßt ihm nicht mehr = diesen Menschen kann er nicht mehr leiden, er mag ihn nicht mehr sehen. 1920 ff.

40. jm das ~ polieren = jm ins Gesicht schlagen. Sprachlich feiner als „jm die ↗Fresse polieren". 1900 ff.

41. jm das ~ beiseiterücken = jm ein paar heftige Ohrfeigen versetzen. Das Gesicht nimmt schiefe Züge an. Aus der Boxersprache hervorgegangen. 1925 ff.

42. jm ins ~ schlagen = jn schwer beleidigen. Der Schlag ins Gesicht gilt als tätliche Beleidigung. 1900 ff.

43. da schlägt mir das ~ nach hinten!: Ausdruck des Erstaunens, der Enttäuschung oder der zornigen Überraschung. Vor Erregung fällt man auf den Rücken; oder man möchte dem Verursacher sein (anderes, hinteres, zweites) „↗Gesicht 12" in Anspielung auf „↗Götz von Berlichingen" nahebringen. 1940 ff.

44. jm mit einer Nachricht ins ~ springen = jn mit einer Nachricht überraschen. Was einem „in die Augen springt", tritt einem plötzlich entgegen. 1950 ff.

45. sich ins ~ spucken = sich sehr oberflächlich waschen. 1900 ff.

46. sich eine ins ~ stecken = eine Zigarre (Zigarette, Pfeife o. ä.) in den Mund stecken. 1840 ff.

47. steck dir eine ins ~, damit man weiß, wo vorn und hinten ist: Redewendung auf ein unsympathisches, feistes Gesicht. Vgl das Vorhergehende. 1900 ff.

48. sein ~ strahlt vom einen Ohr zum anderen = er macht eine zufriedene, glückliche Miene. 1920 ff.

49. etw aus dem ~ verlieren = sich erbrechen. 1920 ff.

50. viel ~ zu waschen haben = kahlköpfig sein. Vgl ↗Gesicht 11. 1920 ff.

51. sich ein zweites ~ zulegen = sich einer Schönheitsoperation im Gesicht unterziehen. 1920 ff.

52. sich das ~ zuwachsen lassen = sich nicht mehr rasieren. 1950 ff.

Gesichtsbad n **1.** Teilnahme an einer Vorlesung, nur um vom Dozenten gesehen zu werden. Der Sprache der Kosmetiker entlehnt. Stud 1930 ff.

2. gewollt freundliche Fotografiermiene. 1970 ff.

Gesichtserker m Nase. Ein aus der Fassade hervorragender Bauteil. Seit dem ausgehenden 18. Jh.

Gesichtsfarbe f Schminke. Eigentlich der Teint; hier der Anstrich. 1950 ff, jug.

Gesichtsgärtner m Herrenfrisör, Maskenbildner. Seit dem frühen 20. Jh.

Gesichtsglattmachkunst f Kosmetik. 1850 ff.

Gesichtskurs m Teilnahme an einer Vorlesung in den vorderen Sitzreihen, nur um vom Dozenten gesehen zu werden. Der Professor soll sich das Gesicht des Studenten einprägen, damit er ihn wenigstens vom Gesicht her bei der Prüfung wiedererkennt. Stud 1930 ff.

Gesichtsmäher m **1.** Herrenfrisör. Er mäht das Stoppelfeld an Kinn und Wangen. 1900 ff.

2. Rasierapparat. 1920 ff.

Gesichtsmassage f **1.** Schläge ins Gesicht. 1920 ff.

2. Bestreben, sich dem Dozenten durch bloße Anwesenheit bemerkbar zu machen, damit er sich das Gesicht des Studenten einprägt. Stud 1950 ff.

Gesichtsmatratze f Vollbart. Er ähnelt der Matratzenfüllung mit Roßhaar o. ä. Verschiedentlich auf Hermann Sudermann (1857–1928) bezogen. Spätestens seit 1900.

Gesichtspunkte pl Sommersprossen. Wortwitzelnd ist nicht der geistige Standpunkt, sondern der Punkt im Gesicht gemeint. Seit dem späten 19. Jh.

Gesichtsverlängerung f Nase. 1900 ff.

Gesichtsverzierung f Nase. 1920 ff.

Gesichtsvorsprung m (stark ausgeprägte) Nase. Seit dem ausgehenden 19. Jh.

Gesichtszüge pl ich haue dich (dir) in die Fresse (o. ä.), daß sämtliche ~ entgleisen!: Drohrede. Wenn Eisenbahnzüge entgleisen können, müssen in scherzhafter Auffassung auch die Gesichtszüge entgleisen können. In Berlin aufgekommen gegen 1900.

Gesinnung f **1.** jm die ~ entrümpeln =

jm heftig zusetzen; jn eindringlich eines Besseren belehren. *Vgl* ↗ entrümpeln 2. *Sold* 1939 *ff.*

2. die ~ wie das Hemd wechseln = unzuverlässig sein; sich nach dem richten, was im Augenblick günstig ist oder Erfolgsaussichten verspricht. 1920 *ff.*

Gesinnungsakrobat *m* geschmeidiger Gesinnungswechsler. 1920 *ff.*

Gesinnungsathlet *m* **1.** Opportunist. Er geht mit seiner Gesinnung um wie der Athlet mit seinem Sportgerät. 1900 *ff.*

2. Rohling. Er ist rücksichtslos gegenüber der Gesinnung seiner Mitmenschen. Athlet = Kraftmensch. 1900 *ff.*

Gesinnungsferkel *n* charakterloser, unkameradschaftlicher Mann. Ferkel = Jungschwein = schmutzender Mensch = charakterlich schmutziger Mensch. 1960 *ff, schül.*

Gesinnungslump *m* charakterloser, veränderten Verhältnissen gewissenlos sich anpassender Mann. ↗ Lump. 1920 *ff.*

Gesinnungsmassage *f* langanhaltende Einflußnahme auf die Gesinnung. 1930 *ff.*

Gesinnungsreißer *m* Film, in dem eine bestimmte Gesinnung propagiert wird. ↗ Reißer. 1960 *ff.*

Gesinnungsschnüffelei *f* Ergründung der ideologischen (parteipolitischen) Einstellung eines anderen. 1933 *ff.*

Gesinnungsspießer *m* engherziger Mensch ohne positive Beziehung zu modernen Ansichten. ↗ Spießer. 1960 *ff.*

Gesinnungsstümper *m* charakterloser Mensch. ↗ Stümper. 1933 *ff.*

Gesinnungs-TÜV *m* politische Überprüfung der Beamtenanwärter. ↗ TÜV. 1976 *ff.*

Gesinnungswäsche *f* weltanschaulich-politische Umerziehung. ↗ Gehirnwäsche. 1955 *ff.*

Gesocks (Gesox) *n* Gesindel; üble Gesellschaft; nichtswürdige Menschen. Wohl von „Socke" = Strumpf" und spielt wohl an auf Leute, die kein ledernes Schuhwerk tragen. Seit dem 19. Jh.

gesockt kommen herbeieilen. ↗ socken. 1920 *ff.*

Gesöff (Gesüff, Gsäuf) *n* schlechtes Getränk. Eigentlich soviel wie „Viehsaufe". 1600 *ff.*

gesotten I *adj* dreifach ~ = lebenserfahren. Sieden = kochen. Analog zu ↗ ausgekocht. 1950 *ff.*

Gespann *n* **1.** Partner, Mittäter, Geselle, Genosse o. ä. Hergenommen von den angespannten Zugtieren. 1500 *ff.*

2. Ehepaar; Freundespaar; zwei Leute nebeneinander. Gern scherzhaft gemeint. 1700 *ff.*

3. Glas Bier mit einem Glas Schnaps. Kellnerspr. 1960 *ff.*

4. eingespieltes ~ = Partner, die sich gut aneinander gewöhnt haben. 1920 *ff.*

gespannt *part* das Spiel steht ~ = das Spiel steht unentschieden. *Sportl* 1950 *ff.*

Gespaß (Gspaß) *m* Ulk, Scherz, Anekdote. *Oberd* seit dem 17. Jh.

Gespaß'etteln (Gspaß'ettln) *pl* ulkige Bemerkungen; kleine Späße. ↗ Spaßetteln. *Österr* 19. Jh.

gespaßig (gspaßig) *adj* komisch, erheiternd. *Bayr* und *österr* seit dem 19. Jh.

Gespeil (Gspeil) *m* kleiner Junge. Speil = Holzspan. Dasselbe wie „↗ Stift" im Sinne von „kleiner Penis". 1930 *ff, österr.*

Gespenst *n* **1.** bleich aussehende, hagere Person. So oder ähnlich denkt man sich die Gespenster. 1700 *ff.*

2. ~er sehen = sich unnötige Sorgen machen; irrigerweise böse Ahnungen haben. Seit dem 19. Jh.

Gespensterhemd *n* wadenlanges Hemd. 1960 *ff.*

gespickt *adj* **1.** wohlhabend. Anspielung auf die „gespickte" Brieftasche. Seit dem 19. Jh.

2. bestochen. ↗ spicken. Seit dem späten 19. Jh.

Gespielin *f* Partnerin im Bett. Verdeutschung von *engl* „playgirl". 1960 *ff.*

gespielt *part* ~ ist ~ = eine aufgeworfene Karte darf nicht zurückgenommen werden. Skatspielerspr. seit dem späten 19. Jh.

Gespons *m* Ehemann. ↗ Ehegespons. 1700 *ff.*

Gespräch *n* **1.** ~ unter zwei Augen = vertrauliches Gespräch zwischen zwei Personen, die einander nicht die volle Wahrheit sagen. Jeder kneift ein Auge zu, wie man es unter Eingeweihten und Spießgesellen tut. 1958 *ff,* Berlin.

2. willst du mir ein ~ aufzwingen?: Frage an einen üblen Schwätzer. *BSD* 1965 *ff.*

Gesprächsmuffel *m* Mensch, der keine Lust zu einem Gespräch hat und dies – mehr oder minder deutlich – zu erkennen gibt . ↗ Muffel. 1965 *ff.*

Gesprächstöter *m* Fernsehgerät, Fernsehen. 1960 *ff.*

Gespritzter *m* Wein mit Sodawasser. Anspielung auf die Spritzflasche. *Österr* und *schweiz,* 19. Jh.

gespritzt sein nicht recht bei Verstand sein; überspannt sein. Fußt auf „spritzen = sprossen"; weiterentwickelt zu „großwüchsig sein", auch zu „hochmütig schreiten". 1800 *ff, bayr* und *schwäb.*

gespuckt *part* **1.** wie ~ = unverkennbar der Natur genau nachgebildet; überaus ähnlich. Im 19. Jh wahrscheinlich aus dem *Franz* entlehnt („c'est son père tout craché").

2. das ist wie ~ für ihn = das paßt ausgezeichnet zu ihm. 1960 *ff.*

Gespusi (Gspusi, Gschpusi) *f n (m)* Liebschaft, Geliebte(r). Geht zurück über *ital* „sposa" auf *lat* „sponsa = Gattin, Verlobte". *Österr, bayr* und *schweiz* seit dem 19. Jh.

Gespusical (Gspusical) *n* anspruchslosgefühlsseliger Liebesfilm ohne künstlerischen Anspruch. Dem „Musical" nachgeahmt. 1960 *ff.*

gestanden *adj* zuverlässig, lebenserfahren, tatkräftig; erwachsen. Gestandene Milch ist saure, geronnene Milch; sie ist keine Frischmilch. Ähnlich „abgestanden" ist auch das „gestandene Mannsbild". Seit dem 16. Jh.

Gestank *m* **1.** Unfrieden, Streit; Prozeßsucht. ↗ Stank. 1900 *ff.*

2. ~ im Ohr = Lärm(-belästigung). ↗ stinken. *Stud* 1965 *ff.*

Gestanzel (Gstanzl) *n* lustiger Vierzeiler. Fußt auf *ital* „stanza = Strophe". *Bayr* und *österr,* 1800 *ff.*

gestanzt *adj* typisiert; eintönig. Anspielung auf Serienherstellung: es ist nach demselben Modell ausgeschnitten. *Halbw* 1960 *ff.*

gestattt (gstatzt) *adj* steif, geziert, affektiert, hochmütig. Geht mit Nasalinfix zurück auf „Stanze = Bein, Fuß" und spielt

also ursprünglich auf eine stolzierende Gangart an. *Österr* und *bayr* 1800 *ff.*

gesteckt voll *adj* dichtbesetzt; gedrängt voll. Der Wagen ist „vollgesteckt" mit Leuten. 1500 *ff.*

gesteigert *adj* erhöht, höher, größer, besonders (man legt gesteigerten Wert auf etwas; man hat an einer Sache gesteigertes Interesse). 1900 *ff.*

Gestell *n* **1.** großwüchsiger, hagerer (verwachsener) Mensch. Verkürzt aus „Knochengestell" im Sinne von „Stützgestell für die Gliedmaßen"; wohl von „Gestalt" beeinflußt. Seit dem 19. Jh.

2. Mensch. 1850 *ff.*

3. Unterkörper und Beine des Menschen; Körperbau. Hergenommen vom Untergestell des Wagens. 1800 *ff.*

4. abgenagtes ~ = magere, dürre weibliche Person. 1900 *ff.*

5. altes (älteres) ~ = Dame in vorgerücktem Lebensalter. Seit dem späten 19. Jh.

6. blödes ~ = Schimpfwort. 1900 *ff.*

7. dürres ~ = hagere Person. 1900 *ff.*

8. krummes ~ = Mensch in unmilitärischer Haltung. 1914 *ff.*

9. langes ~ = großwüchsiger Mensch. 1850 *ff.*

10. quatschiges ~ = unschöner, unfester Körperbau; schlechte Figur. ↗ quatschig. Seit dem späten 19. Jh.

11. schiefes ~ = verwachsene Person; Mensch mit schlechter Körperhaltung. 1900 *ff.*

12. verbogenes ~ = Krummbeinigkeit. 1900 *ff.*

13. verfettetes ~ = Dicklichkeit. 1920 *ff.*

14. weiches ~ = unschöner Körperbau. Seit dem späten 19. Jh.

15. ihm geht das ~ ein = a) er stürzt zu Boden. *Österr* 1900 *ff.* – b) er erleidet den Soldatentod. 1914 *ff, österr.*

16. jm das ~ herrichten = in verprügeln, mißhandeln. Schläge als Erziehungsmittel; denn „herrichten" meint eigentlich „in Ordnung bringen". Vielleicht ist von vornherein *iron* gemeint: „herrichten" für „übel zurichten" 1920 *ff, bayr.*

17. jm das ~ putzen = jn streng rügen. Gehört zu der umgangssprachlichen Gleichsetzung von Reinigen und Tadeln. *Österr* 1950 *ff.*

18. sich das ~ verbiegen = a) schwer verwundet werden; erkranken. *Sold* 1940 *ff.* – b) sich beim Sport ernstlich verletzen. *Sportl* 1950 *ff.*

19. es zerhaut mir mein ~ = es raubt mir die Fassung. *Bayr* 1940 *ff.*

gestellt *adj* **1.** von ausgeprägten Körperformen; wohlgestaltet (von weiblichen Personen gesagt). Bezieht sich auf „gutes (schönes) Gestell". „Gestellt" meint soviel wie „beschaffen, gestaltet". *Bayr* und *österr* seit *mhd* Zeit.

2. mit sicherem Auskommen. Dasselbe wie „gut situiert". *Bayr* 1900 *ff.*

gestern *adv* **1.** ~ ging's noch ↗ gehen 5.

2. von ~ sein = unerfahren, dumm, abständig sein. Meint eigentlich einen rückständigen, gealterten Menschen, der in überalterten („überholten") Anschauungen verharrt. Geht vielleicht zurück auf Hiob 8, 9: „Wir sind von gesternher und wissen nichts." 1700 *ff.*

3. von ~ übriggeblieben sein = die Nacht durchgezecht haben und am nächsten

Morgen weiterzechen (oder unter den Nachwehen leiden). 1900 *ff.*

gestiefelt *adj* **1.** ~ und gekatert = zum Ausgehen fertig gekleidet. Aus dem Folgenden umgestaltet unter Einfluß der Märchengestalt des gestiefelten Katers wahrscheinlich durch Studenten um 1900. **2.** ~ und gespornt = vollständig angekleidet; reisefertig. Gestiefelt = mit Stiefeln bekleidet; gespornt = mit Sporen versehen. Also soviel wie „vollständig gerüstet zum Ausritt". 1500 *ff.*

Gestoppel (Gstoppel) *n (m)* kleinwüchsiger Junge. Stoppeln = stupfen, stoßen. Etwa soviel wie „Gedrungenes". *Oberd* 1930 *ff.*

Gestöps *n* Unwichtiges. Eigentlich die dünnen Abfallzweige, die beim Baumfällen das Abfahren nicht lohnen. 1900 *ff.*

Gestöpsel (Gstöpsel) *m* kleiner Junge. ↗ Stöpsel. *Oberd* 1900 *ff.*

gestoßen *part* sich ~ haben = schwanger sein. Tarnausdruck: die Schwellung des Leibes rührt von einem Stoß her; aber „stoßen" meint auch „koitieren". Seit dem 19. Jh.

Gestreckter *m* Espressokaffee mit mehr Wasser als gewöhnlich. Wien 1950 (?) *ff.*

gestrichen sein für jn ~ = sich jds Wohlwollen (Freundschaft) verscherzt haben. Der Name wird in einer Liste ausgestrichen. 1920 *ff.*

gestrichen voll *adj präd* volltrunken. Eigentlich auf Gefäße bezogen; meint „bis zum Eichstrich gefüllt". Seit dem 16. Jh.

Gestritt *n* Streiterei. Gehört zu „streiten". *Bayr* 1930 *ff.*

Gestrüpp *n* wirrer Bart. Soviel wie struppiges Gesträuch. 1955 *ff.*

gestunken *part* das ist ~ und gelogen = das ist dreist gelogen. *Vgl* ↗ erstinken. 1500 *ff.*

Gestüt *n* **1.** Bordellprostituierte *(sg und pl)*. Meint eigentlich den Rennstall. Die Prostituierten werden als „Pferdchen" und als „Stuten" bezeichnet. 1920 *ff.* **2.** die Straßenprostituierten, die einen gemeinsamen Zuhälter haben. 1920 *ff.*

Gesudel *n* **1.** diesiges Wetter. Sudeln = beschmutzen. 1950 *ff.* **2.** flüchtige, schwerleserliche Handschrift. Nimmt wohl Bezug auf Tintenkleckse. Seit dem 19. Jh.

Gesund (Gsund) *m* Gesundheit. Seit *mhd* Zeit. Heute vorwiegend *bayr.*

gesund *adj* **1.** gut; sehr gut; schön; außerordentlich; sympathisch. Weiterentwicklung der Bedeutung „dem Körper zuträglich; heilsam". *Österr* 1950 *ff, jug.* **2.** materiell gesichert; über Geldmittel verfügend. Das Gegenteil ist der Geldmangel in Form von „Geldbeutelschwindsucht". Seit dem späten 19. Jh, *stud* und *BSD.* **3.** besser ~ und neureich als krank und arm: Lebensweisheit eines Materialisten. 1955 *ff.* **4.** ~ aussehen = ein rot-verschwollenes Gesicht haben; im Gesicht übel zugerichtet worden sein. *Iron* Redensart. Seit dem 19. Jh. **5.** etw für ~er (gesünder) halten = etw für besser, für richtiger, für redlicher halten. 1920 *ff.* **6.** ~ sein = geschäftlichen Gewinn gemacht haben. Man hat sich geschäftlich gesund gemacht. 1960 *ff.* **7.** sonst bist du ~?: Frage an einen Menschen mit wunderlichen Ansichten, mit Zumutungen u. ä. Spätestens seit 1900. *Vgl engl* „you're sure you're feeling all right?". **8.** das ist ihm ~ = das wird ihn eines Besseren belehren; dieses Mißgeschick hat er verdient. Von der körperlichen Gesundheit übertragen auf geistig-sittliche Ordnung, von der körperlichen auf die charakterliche Besserung. Seit dem 16. Jh. **9.** nicht ganz ~ sein = leicht verrückt sein; sich nicht genügend klarmachen, was man sagt. 1500 *ff.*

gesundbeten *tr* einer Sache tatkräftig zum Fortgang verhelfen. Beruht - wiewohl sehr verblaßt - auf der Vorstellung von der zwingenden Macht des Gebets. 1960 *ff.*

Gesundheit *f* **1.** Staatliches Gesundheitsamt. 1950 *ff, prost.* **2.** nochmal seine ~l: Redewendung, wenn man dieselbe Farbe nachzieht. Man wünscht der Karte „Gesundheit" auf den Weg. Kartenspielerspr. 1900 *ff.* **3.** mal kurz nach der ~ fragen = durch Vorspielen bestimmter Karten die Kartenzusammensetzung bei den Gegnern zu ermitteln suchen. Kartenspielerspr. 1900 *ff.* **4.** die ~ mit Löffeln gegessen haben = völlig gesund sein. ↗ Löffel. 1920 *ff.* **5.** ~ tanken = Urlaub in der freien Natur machen. ↗ tanken 2. Reiseprospektdeutsch 1965 *ff.*

Gesundheitsapostel *m* **1.** Mann, der in der Öffentlichkeit für gesunde Lebensweise eintritt. Man nennt ihn „Apostel", weil er die Leute zu seiner Lehre bekehren will. 1900 *ff.* **2.** auf seine Gesundheit sehr bedachter Mensch. 1970 *ff.*

Gesundheitsapotheke *f* **1.** Wirtshaus. Alkohol als Arznei. Seit dem späten 19. Jh. **2.** Soldatenkantine. 1900 *ff.*

Gesundheitsbauer *m* Landwirt, der weder chemische Dünger noch giftige Schädlings- und Unkrautvernichtungsmittel verwendet; Anhänger des biologisch-dynamischen Landbaus. 1970 *ff.*

Gesundheitslaatschen *pl* Halbschuhe. Meint eigentlich orthopädische Schuhe, Sandalen u. ä. *BSD* 1965 *ff.*

Gesundheitspause *f* eine ~ machen = nach langer Auto- oder Autobusfahrt eine Pause zur Notdurftverrichtung einlegen. 1959 *ff.*

Gesundheitstankstelle *f* Naturschutzgebiet; Badeort; Heilbad. 1955 *ff.*

Gesundheitszigarette *f* Filterzigarette. Sie ist angeblich weniger gesundheitsschädlich als die filterlose. 1950 *ff.*

gesundmachen *refl* sich an (bei) etw ~ = sich bereichern; wieder zahlungskräftig werden; durch etw in eine günstige wirtschaftliche Lage kommen. Häufig von Spekulanten und Schiebern gesagt. 1910 *ff.*

gesundschrumpfen *v* **1.** etw ~ = durch Einschränkung die Gewinnmöglichkeiten vergrößern. Gegen 1960 aufgekommen. **2.** sich ~ = a) durch Betriebsverkleinerung der Verschuldung entgegenwirken, die Leistungskraft erhöhen. Gegen 1960 aufgekommen. - b) durch strenge Diät abmagern. 1970 *ff.*

gesundstoßen *v* sich an (in) etw ~ = wirtschaftlich gesunden; zu Vermögen, zu achtbarer Stellung kommen. Man stößt

Aktien ab und ist nach dem Börsensturz wirtschaftlich gefestigter als der Aktieninhaber. Im Ersten Weltkrieg aufgekommen im Zusammenhang mit den anrüchigen Machenschaften der Schieber und Heereslieferanten.

Gesüßel *n* Schmeichelrede; Koserede o. ä. ↗ süß = schmeichlerisch. 1920 *ff.*

getakelt *adj* unschön, übertrieben elegant gekleidet. ↗ auftakeln. 1900 *ff.*

getönt sein leicht ~ = alkoholisch beschwingt sein. Man ist nach „↗ blau" hin getönt. Stammt aus der Friseursprache. 1950 *ff.*

Getränk *n* langes ~ = **1.** mit nichtalkoholischen Beimengungen „verlängertes = verdünntes" alkoholisches Getränk. Aus *engl* „long drink" übersetzt. 1950 *ff.* **2.** fades Getränk. An ihm trinkt man lange. 1920 *ff.*

Getreidemokka *m* Malzkaffee o. ä. Scherzhafte Wertsteigerung. 1940 *ff.*

getreten sein in den Ruhestand ~ = unfreiwillig in den Ruhestand versetzt sein. 1850 *ff.*

Getriebe *n* **1.** das ~ hakt aus = man verliert die Beherrschung. Der Technikersprache entlehnt. 1950 *ff.* **2.** es knirscht im ~ = es verläuft nicht reibungslos. Es ist „↗ Sand im Getriebe". 1950 *ff.*

Getriebebremse *f* **1.** Monatsbinde. Mit dem Getriebe bremst die Autofahrer durch Herunterschalten in einen niedrigeren Gang. Hier aber wohl Anspielung auf „Getriebe = (reger) Geschlechtsverkehr". *Sold* 1939 *ff.* **2.** Nachturlaubssentzug. 1939 *ff, sold.* **3.** Mittel, das angeblich den Geschlechtstrieb abschwächt. 1939 *ff.*

getrimmt sein auf etw ~ = im Denken, im Auftreten, in der Kleidung usw. ein bestimmtes Vorbild nachahmen. ↗ trimmen. 1955 *ff.*

Getue *n* **1.** Ziererei; Verstellung; übertriebene Geschäftigkeit; närrisches Betragen. Substantiv zu „tun", verkürzt aus „geschäftig, wichtig tun". 1750 *ff.* **2.** verklemmtes = unaufrichtige Liebenswürdigkeit. „Verklemmt" stammt aus der Psychologensprache und meint „seelisch unfrei". 1925 *ff.*

Gevatter *m* ~ Schneider und Handschuhmacher = biedere Handwerker; einfache Leute; niederes Volk. Stammt aus Schillers „Wallensteins Lager" (1798). „Gevatter" war früher eine beliebte Anrede, verbunden mit dem Familiennamen oder mit der (Handwerks-)Berufsbezeichnung. Seit dem frühen 19. Jh.

Gevatternschnack *m* lieblose Unterhaltung der Nachbarn über die nächsten Mitmenschen. ↗ Schnack. 1600 *ff.*

Gevögel *n* Gesamtheit der Prostituierten eines bestimmten Bezirks. Anspielung auf „leichte Vögel" und „↗ vögeln". 1920 *ff.*

Gewächs *n* **1.** Mensch. Analog zu ↗ Pflänzchen; ↗ Pflanze. 1920 *ff.* **2.** häßlicher Junge. Meint den „Auswuchs" im Sinne von „mißgestaltet (= verwachsen) oder „mißraten". 1920 *ff.* **3.** seltenes ~ = a) unzuverlässiger, charakterlich zwielichtiger Mensch. *Stud* 1920 *ff.* - b) dummer Mensch. 1920 *ff, stud.* **4.** spritziges ~ = a) geistreiche Frau;

weibliche Person, die sich gern auf Gesellschaften bewegt. Sie ist „spritzig = prikkelnd" wie Wein oder Sekt. 1920 ff. – b) leichtlebiges, lebenslustiges Mädchen. 1920 ff.

Gewächshaus n 1. Haftanstalt. In diesem „Treibhaus" werden die wunderlichsten Gewächse entwickelt. 1930 ff.
2. Flugzeugkanzel. Sie ist allseitig verglast wie das Treibhaus. 1935 ff.

Gewalt f 1. höhere ~ = Vater, Mutter, Lehrer o. ä. Es sind Naturgewalten, denen man sich beugen muß. Jug 1950 ff.
2. mit ~ = a) durchaus; unbedingt; rücksichtslos; gegen alle Hindernisse; allem zum Trotz (mit Gewalt hat er die mathematische Aufgabe lösen wollen). Von der Gewaltanwendung weiterentwickelt zur Unbekümmertheit um Schwierigkeiten und zur Unbedingtheit. Seit dem 17. Jh. – b) plötzlich; schnell und stark (draußen wird es jetzt mit Gewalt warm). Seit dem 19. Jh.
3. mit ~ betteln = Raub begehen. 1965 ff.
4. sich etw mit ~ schenken lassen = etw rauben. Iron Sinnverkehrung. 1940 ff.
gewaltblond adj künstlich blond. 1930 ff.
gewaltig adv sehr, überaus. Seit dem 19. Jh.
Gewaltiger m Leiter; Mann mit großer Entscheidungsbefugnis; Verantwortlicher; Intendant usw. Er ist der Inhaber der Herrschergewalt (gern im Sinne von „Diktator" gebraucht); dem Gewalthaber muß man sich fügen. 1900 ff.
Gewaltschuß m äußerst heftig getretener Torball. ⁊Schuß. Sportl 1950 ff.
gewappelt adj 1. reich. Gehört zu „wappeln = mit einem Wappen versehen" und spielt hier auf die Wappen auf Münzen und Banknoten an. Bayr seit dem späten 19. Jh.
2. pfiffig, lebenserfahren. Führt über „Wappen = Waffenzeichen, Kennzeichen" zur Analogie zu „Kainszeichen" und zu „⁊ geschert" als dem Kennzeichen der Unfreien. Bayr 1900 ff.
Gewasch (Gwasch) n Schwachbier; schales, wässeriges Getränk; mit Cola o. ä. gemischtes Getränk. Gewaschen = gewässert, verdünnt. Bayr und österr 1900 ff.
Gewäsch n Geschwätz. Leitet lautmalend sich her von der Mundtätigkeit der Frauen bei der Handtätigkeit des Waschens. ⁊waschen 1. Seit dem späten Mittelalter.
gewaschen haben das hat sich gewaschen = das ist vorzüglich. Was gewaschen ist, ist rein und fehlerfrei. 1600 ff.
Gewehr n 1. Penis. ⁊Flinte 3. 1900 ff.
2. alle ~e aufs Rathaus! = die Gegner machen keinen Stich mehr und können dem Spieler alle Karten abliefern. Geht wohl zurück auf die Revolutionszeit 1918, als die Bevölkerung aufgefordert wurde, die Gewehre in amtliche Obhut zu geben. Kartenspielerspr. 1920 ff.
3. haben ein ~!: Ausdruck des Nichtkönnens. Gemeint ist, daß man erst ein Gewehr haben muß, wenn man schießen soll. Stammt vielleicht aus dem Kinderlied: „Wer will unter die Soldaten, der muß haben ein Gewehr ..." Im späten 19. Jh. aufgekommen.
4. ~ pumpen = mit vorgestrecktem Gewehr Kniebeugen ausführen. ⁊pumpen. Sold seit dem ausgehenden 19. Jh.

5. das ~ ins Getreide schmeißen = vorschnell mutlos werden. Gewollt vornehmere Analogie zu „die ⁊ Flinte ins Korn werfen". 1930 ff.
Gewehrlage f 1. meine Herren, die ~!: Ausruf der Mißbilligung. Hergenommen von der Kritik an der Lagerung oder Haltung des Gewehrs beim Laufen, Liegen usw. Sold 1914 ff.
2. so stimmt die ~ = so ist's richtig; nur so muß es gemacht werden. 1900 ff.
Geweih n 1. Stirn. Eigentlich die Stelle, an der das Gehörn aus dem Kopf wächst. 1910 ff.
2. Fahrrad. Wegen Formähnlichkeit der Lenkstange mit dem Gehörn; vgl auch ⁊Hirsch. 1940 ff, schül.
3. Tarnnetz des Stahlhelms, mit Zweigen u. ä. besteckt. Es sieht aus wie der Kopfschmuck der Hirsche o. ä. Sold 1940 ff.
4. ein ~ aufhaben = betrogener Ehemann sein. ⁊ Horn 20. Seit dem 19. Jh.
5. jm ein ~ aufsetzen (~e ins Haus bringen) = den Ehemann mit einem anderen Mann betrügen. ⁊ Horn 6. Während „Horn" den einmaligen Ehebruch kennzeichnet, läßt „Geweih" auf Mehrmaligkeit schließen. Seit dem 19. Jh.
Gewerbe n 1. ältestes ~ der Welt = Prostitution. Undatierbar.
2. ambulantes ~ = Straßenprostitution. ⁊Ambulante. 1930 ff.
3. flaches ~ = Prostitution. Flach = ⁊horizontal. 1960 ff.
3 a. fliegendes ~ = Beruf der Flugzeugstewardeß. 1970 ff.
4. gelbes ~ = Prostitution. Mit „Gelb" kennzeichnete man früher Leute, die für „unehrlich" gehalten wurden. 1960 ff.
5. heißes ~ = Diamantenhandel. ⁊heiß = gefährlich. 1970 ff.
6. horizontales ~ = Prostitution. Im 19. Jh aufgekommen.
7. leichtes ~ = Prostitution. Leicht = leichtlebig; ohne gediegene sittliche Grundsätze. 1960 ff.
8. liegendes ~ = Prostitution. 1900 ff.
9. schräges ~ = Prostitution. ⁊schräg. 1950 ff.
10. uraltes ~ = Prostitution. Undatierbar.
11. zweitältestes ~ der Welt = a) Spionage. 1970 ff. – b) Dolmetscherwesen. 1977 ff.
12. dem horizontalen ~ nachgehen = Prostituierte sein. Seit dem 19. Jh.
Gewerkschaftsbrause f Sekt. Arbeitnehmer halten Sekt für das übliche Getränk ihrer Interessenvertreter. 1964 ff.
Gewerkschaftslimonade f Sekt. ⁊Gewerkschaftsbrause. 1964 ff.
Gewerkschaftsschnaps m Doornkaat. Kellnerspr. 1965 ff.
Gewerkschaftswasser n Sekt. ⁊Gewerkschaftsbrause. 1960 ff.
Gewese n Betriebsamkeit; übertriebenes Benehmen; Umstände; Aufbauschung. Sammelbegriff zu „Wesen = Art, Eigenschaft", hier verkürzt aus „unechtes Wesen". Seit dem 19. Jh.
gewichst adj schlau, pfiffig. Analog zu „verschlagen"; denn vgl „⁊ wichsen = schlagen". 1800 ff.
Gewicht n krummes ~ = Gewicht, das nicht mit 50, 100 Gramm, Viertelpfund o. ä. angegeben wird. Analog zu „krumme ⁊ Zahl". 1950 ff.
gewichten tr etw nach seiner Bedeutung

werten; Prioritäten setzen. Meint eigentlich „die Gewichte richtig verteilen". Politikerspr. 1970 ff.
gewichtig adj schwergewichtig, beleibt. Nicht „groß von Ansehen, von Bedeutung", sondern lediglich „schwer auf der Waage". 1920 ff.
gewickelt sein vgl ⁊falsch; ⁊schief.
gewieft adj schlau, listig, lebenserfahren. Gehört entweder zu mhd „wifen = schwingen" (wodurch sich Analogie zu „verschlagen" ergibt) oder stammt aus „gebift" als Nebenform von „ausgebufft = ausgeruht". Seit dem 19. Jh.
gewiegt adj lebenserfahren, gewitzt. „In etw gewiegt sein = in etw großgeworden sein" (hergenommen von der Säuglingswiege); weiterentwickelt zu „gewandt, tüchtig". Seit dem 19. Jh.
Gewimmer n minderwertige Streichmusik. Wimmern = winseln, stöhnen. Vgl ⁊Wimmerholz. 1920 ff.
Gewinde n ich drehe dir ein ~ in den Hals!: Drohrede. Umschreibung für „den Hals herumdrehen". Rocker 1967 ff.
Gewinn m 1. dicker ~ = großer Gewinn. 1920 ff.
2. fetter ~ = reichlicher Gewinn. 1920 ff.
3. erster ~ ist Katzengewinn = der erste Gewinn zählt nicht viel. Dem Gewinner einer Katze läuft diese bald wieder weg. Kartenspielerspr. 19. Jh.
gewinnen v du hast bei mir gewonnen = mein Wohlwollen hast du dir verscherzt. Ironie. 1920 ff.
Gewinnerstraße f auf der ~ sein = a) dem Sieg nahe sein. Sportl 1950 ff. – b) in politischer (wirtschaftlicher) Hinsicht erfolgreich taktieren. 1960 ff.
Gewissen n 1. ~ eines Fleischerhundes = Gefühlsroheit. 1930 ff.
2. ~ mit Gummizug = Gewissenlosigkeit; Bedenkenlosigkeit vor einem Gesinnungswechsel; Opportunismus. Gummizug ist das durch einen Saum gezogene Gummiband; es paßt sich dem jeweiligen Weite an. 1950 ff.
3. jm etw aufs ~ binden = jm etw dringlich auftragen, anmahnen. Vgl ⁊Seele. Seit dem 19. Jh.
4. das ~ chloroformieren = das Gewissen betäuben, willentlich „überhören". 1930 ff.
5. das ~ entrümpeln = sein Gewissen erleichtern; sich aussprechen. ⁊entrümpeln 2. 1939 ff.
6. das ~ zu Hause lassen = rücksichtslos vorgehen. 1939 ff.
7. das ~ zu Geld machen = sich an anrüchigen Geschäften beteiligen; ohne jegliche Rücksichtnahme Gewinnvermehrung anstreben. Um des materiellen Vorteils willen handelt man gewissenlos. 1917 ff bis heute.
8. einen aufs ~ nehmen = ein Glas Alkohol trinken. Man kann das (vor sich selbst) verantworten. 1910 ff.
9. jm ins ~ pinkeln = jn scharf zurechtweisen. Iron gemeint, als ließe der Tadler seine Mahnworte träufeln. „Pinkeln" ist hier sachverwandt mit „⁊anscheißen 2". 1900 ff.
10. jm ins ~ scheißen = jn derb rügen. Vgl das Vorhergehende. Sold 1939 ff.
11. das läßt das ~ sehen = sie hat ein tiefreichendes Dekolleté. Nach alten Über-

lieferungen hat das Gewissen seinen Sitz in der Brustmitte oder im Herzen. 1920 *ff.*

Gewissensakrobat *m* 1. Mensch, dessen Gewissen sich nach der jeweiligen Lage richtet; Opportunist. 1950 *ff.*
2. Wehrdienstverweigerer. Er muß seine Weigerung mit Gewissensgründen erhärten, und das erfordert akrobatische Wendigkeit vor dem Prüfungsausschuß. 1960 *ff.*

Gewissensathlet *m* Mensch mit stark ausgeprägtem Gewissen (auch *iron* gebraucht). 1950 *ff.*

Gewisses *n* 1. sein ~ haben = sein sicheres Einkommen haben. Verkürzt aus „sein gewisses (= sicheres) Brot haben". *Bayr* 1900 *ff.*
2. nichts ~ weiß man nicht = Genaueres ist nicht bekannt. Doppelte Verneinung soll hier – grammatikalisch widersinnig – die Verneinung verdoppeln. ↗ Genaues. Seit dem 19. Jh.

Gewitter *n* 1. laute Zurechtweisung. Man spricht mit Donnerstimme, man verwendet kräftige Wörter wie „Blitz", „Donner", „Donnerwetter" u. ä. *Vgl* auch ↗ wettern. 1800 *ff.*
2. unsympathischer Mensch. Wohl einer, der Unruhe und Zank verbreitet. „Liebes Gewitter!" ist eine Anrede euphemistischen Charakters. 1920 *ff.*
3. ~ im Anzug = mehrmaliges lautes Entweichen von Darmwinden. „Im Anzug" ist Wortspiel zwischen „in der Bekleidung" und „im Anrücken befindlich". 1935 *ff.*
4. ~ im Nachthemd = Erregung wegen Belanglosigkeiten. 1930 *ff.*
5. ~ im Nachtstuhl (Nachttopf) = viel Lärm um nichts. Scherzhafte Vergröberung von „Sturm im Wasserglas". Im späten 19. Jh aufgekommen.
6. heiliges ~!: Fluch. Seit dem 19. Jh.
7. heiliges ~ = derbe Zurechtweisung; seelische Reinigung. „Heilig" hat hier den Sinn von „heilsam" oder „heftig". 1900 *ff.*
8. ~ nochmal!: Fluch. 1900 *ff.*
9. da schlag' doch gleich ein ~ drein!: Ausdruck des Unmuts. Seit dem 19. Jh.
10. er ist zu dämlich, um ein ~ von einem (halbwegs anständigen) Furz zu unterscheiden = er ist hochgradig dumm, tölpelhaft. *Sold* 1939 *ff.*

Gewitterbacke *f* 1. Prahler, Wichtigtuer, Hochmütiger. Er bläst seine Wangen derart auf, daß man vor Staunen „ei, das Gewitter!" sagt. 1850 *ff.*
2. von Mensurnarben stark gezeichnete Wange; Mann mit Mensurnarben. *Stud* 1900 *ff.*
3. *pl* = Gesichtsausdruck, der auf Zornesausbruch, heftige Zurechtweisung o. ä. schließen läßt. 1900 *ff.*
4. *sg* = schimpfender Vorgesetzter. *Sold* 1914 *ff.*

Gewitterflinte *f* Regenschirm. Veteranen trugen ihn f zusammengerollter Form über der Schulter wie eine Flinte. 1880 *ff.*

Gewitterkiste *f* alter Kraftwagen. Er knattert, kracht und rumpelt wie ein Gewitter. Kraftfahrerspr. 1955 *ff.*

Gewittertulpe *f* 1. Stahlhelm, Helm. Wegen Formähnlichkeit mit der weit geöffneten Tulpenblüte. „Gewitter" spielt auf den Schlachtenlärm und das „Stahlgewitter" an. *Sold* in beiden Weltkriegen.
2. Regenschirm. 1930 *ff.*

Gewitterverteiler *m* 1. großer Schirm. Scherzhaft läßt man ihn hoch in die Wolken hinaufreichen und dort das Gewitter auseinandertreiben. 1930 *ff.*
2. breitrandiger, wagenrädähnlicher Hut; Strohhut; großer Hut. 1920 *ff.*

Gewitterwolke *f* unverträgliche, zänkische weibliche Person. Sie lastet drohend auf der Familie wie die dunkel dräuende Wolke, aus der ein Gewitter droht. 1920 *ff.*

Gewitterziege *f* wenig ansehnliche weibliche Person voller Ansprüche und anderer Unleidlichkeiten. ↗ Ziege. Seit dem späten 19. Jh.

gewogen bleiben er kann mir ~ = er soll mich in Ruhe lassen; Ausdruck der Abweisung. *Iron* aufgefaßt aus „er kann mir gnädig gesinnt (gesonnen) bleiben". Verwandt mit dem Götz-Zitat. Seit dem 19. Jh.

Gewohnheit *f* eiserne ~ = festeingewurzelte Angewohnheit. ↗ eisern 2. 1800 *ff.*

Gewohnheitsmacker *m* Mann, der sich von einer Frau aushalten läßt; Zuhälter. ↗ Macker. 1955 *ff.*

Gewohnheitstier *n* Mensch, der an seinen Gewohnheiten festhält. Oft in der Form: „der Mensch ist ein Gewohnheitstier". „Tier" meint das Animalische schlechthin ohne geistig-seelisches Vermögen: der Mensch wird durch Gewohnheiten zum Handeln bestimmt. Seit dem 18. Jh.

Gewölbe *n* 1. Unterleib, Gesäß einer weiblichen Person. 1920 *ff.*
2. grünes ~ = Vagina eines unberührten Mädchens. Grün = unerfahren; nicht defloriert. Beeinflußt von der Bezeichnung „Grünes Gewölbe" für die Kunstgewerbesammlung im ehemaligen Residenzschloß zu Dresden. 1935 *ff.*

Gewuhre *f* Kraft, Anstrengung, Betriebsamkeit. Fußt auf *jidd* „gewura = Stärke, Macht". 1900 *ff.*

gewunken *part* gewinkt. Starke Nebenform seit dem *Mhd* zu den heute schwachen Verbformen; vor allem in *oberd* und *ostmitteld* Mundarten heimisch; auch in Norddeutschland geläufig.

gewunschen *part* gewünscht. Nach dem Vorbild von „verwunschen" gebildet. 1700 *ff.*

gewürfelt *adj* lebenserfahren. Der Mensch ist hin- und hergeworfen worden wie die Würfel im Würfelbecher. 1800 *ff.*

Gewürge *n* 1. Mühsal, Unannehmlichkeit; harte Schwierigkeit. Hergenommen vom mühsamen Hinunterwürgen einer unguten Speise. 19. Jh.
2. Inneres ~ = Innere Führung (inneres Gefüge der Bundeswehr). *BSD* 1959 *ff.*

Gewürm *n* 1. kleine Kinder *(abf)*. Sammelbegriff; ↗ Wurm. 1800 *ff.*
2. Gesindel. 1800 *ff.*

Gewurschtel (Gewurstel) *n* planlose Arbeit; schlechte Arbeit; Durcheinander; Umständliches. ↗ wurschteln; ↗ wursteln. Seit dem 19. Jh.

Gewürz *n* ~ der Ehe = Eifersucht. 1930 *ff.*

gewürzt *adj* 1. zotig, obszön. Analog zu „pikant". 1900 *ff.*
2. alkoholhaltig. *Halbw* 1965 *ff.*

Gewuschel *n* wirr gelocktes Haare. ↗ wuschelig. 1900 *ff.*

gewußt *part* 1. ~ wie!: Redewendung an-

gesichts einer geglückten Leistung. Es kam dabei darauf an, zu wissen, wie man die Leistung am einfachsten und zweckmäßigsten vollbringen konnte. Nach 1950 übersetzt aus *engl* „know how".
2. ~ wo!: Redewendung angesichts einer (an sich geringfügigen) Leistung, bei der es vor allem zu wissen galt, wo man zweckmäßigerweise das Werkzeug ansetzt o. ä. 1950 *ff.*

Gezähe *n* 1. Eßbesteck. Eigentlich das Arbeitsgerät des Bergmanns. *Sold* 1939 bis heute.
2. Schanzzeug. *Sold* 1939 *ff.*

Gezibbel *n* unmusikalisches Klavierspielen; nervös machende Sache. „Zibbeln" ist Nebenform von „zupfen", beeinflußt von „Klavizimbel". 1920 *ff.*

Geziefer *n* alle eßbaren Tiere (geeignet für Suppentopf oder Bratpfanne). Im Gegensatz zu „Ungeziefer" sind auch alle kleinen nützlichen Haustiere gemeint. 1900 *ff.*

gezielt *adj* ausschließlich auf ein bestimmtes Ziel gerichtet (gezielte Werbung wendet sich an einen bestimmten Personenkreis; eine gezielte Frage ist absichtlich so und nicht anders gestellt). 1950 *ff.*

Gezirze *n* Umgarnung, Betörung, Verführung. ↗ bezirzen. 1960 *ff.*

gezogen werden von der Schule verwiesen werden. Ziehen = umziehen: der Schüler wird aus der Schule gewissermaßen exmittiert. 1955 *ff*, *schül*.

Gezwitscher *n* Stimmengewirr von Frauen. Der hohen Tonlagen wegen, die (in wohlwollender Übertreibung) an Vogelgezwitscher erinnern. 1900 *ff.*

Gfrast *n* Taugenichts; lästiger Mensch oder Gegenstand. Gehört zu „Fraß = Tierfutter" und meint über „Abfall" soviel wie „Zeug". Vielleicht beeinflußt von „Frais = Krampfanfall". *Österr* 1900 *ff.*

Gfrett *n* Mühsal, peinliche Verwicklung; Plage; Verdruß; Durcheinander. ↗ fretten. Spätestens seit dem 18. Jh, *oberd*.

Gfrïß (Gfries, Gfrïeß, Gefrïß) *n* 1. Gesicht, Mund; Schmollmund; mürrischer Gesichtsausdruck. *Oberd* Nebenform von „↗ Gefräß 1". 1700 *ff.*
2. blödes ~ = Schimpfwort. 1900 *ff.*

Gg-Mädchen *n* dummes, aber beischlafwilliges Mädchen. „Gg" ist Abkürzung von „geistlos, (aber) geil". 1955 *ff.*

Ghazter (Geheizter) *m* Homosexueller. Analog zu ↗ warm. *Österr* 1950 *ff*, *jug*.

Ghetto *n* ↗ Getto.

Ghörtsi (Ghörtsich, Ghertsi) *n* gutes Benehmen. Entstanden aus „es gehört sich". *Österr* 1900 *ff.*

gibbeln (gibbern, giffeln) *intr* kichern; mit hoher Stimme keifen. Schallnachahmender Natur. Seit dem 19. Jh.

Gibber *m* Appetit, Begierde, Lust. Entstanden durch Vokalkürzung aus „↗ Gieper". *Halbw* 1955 *ff.*

Gibus *m* weicher Hut. Stammt aus dem *Franz*: „gibus = Klapp(zylinder)hut", benannt nach dem Hutmacher Gibus. 1950 *ff.*

Gichthändchen *pl* ~ machen = die Hand zum Trinkgeldempfang hinhalten. Gicht krümmt die Finger. 1900 *ff.*

gichtig *adj* dumm. Vermutlich hat der Betreffende Gicht im Kopf. *BSD* 1965 *ff.*

Gichtstengel *m* Klarinette in der Jazzkapelle. Mit einer Halterung liegt die Klarinette auf dem rechten Daumen auf, wodurch im Lauf der Zeit eine Art Überbein entsteht. *Halbw* 1955 *ff.*

Gichtwiese *f* Campingplatz. Er beschert manchen Zeltlern die Gicht. 1955 *ff.*

gick *interj* weder ~ noch gack sagen = schweigen. ↗ gicks. 1500 *ff.*

Gickel *m* **1.** narrischer ~ = Narr. Gickel = Hahn. 1900 *ff.*
2. einen ~ haben = dünkelhaft sein. Hähne sind - mit menschlichen Augen gesehen - stolz. 1900 *ff.*

gicks *interj* weder ~ noch gacks wissen = ratlos sein; gänzlich unerfahren sein. „Gicks" malt den Schrei der Gans nach, „gacks" den Laut der Henne nach dem Eierlegen. 1500 *ff.*

gicksen *intr* aufkreischen; mit der Stimme überschnappen. Schallnachahmend. Seit dem 19. Jh.

Giebel *m* **1.** Kopf, Verstand. Gehört zu der Vorstellung vom Menschen als einem Haus. Seit *mhd* Zeit.
2. Nase; große, besonders vorragende Nase. Seit dem 19. Jh.
3. jm den ~ einbeulen = jm mit einem Boxhieb das Nasenbein zertrümmern. *Sportl* 1920 *ff.*

gieksen *tr intr* leicht stechen. Analog zu „pieken". Der Vokal „i" versinnbildlicht die feine Spitze. Seit dem 19. Jh.

Gieper *m* Begierde, Appetit, Begehren. *Vgl* das Folgende. Seit dem 19. Jh.

giepern *v* nach (auf) etw ~ (es giepert mir nach etw) = auf etw Lust haben; etw begehren. *Niederd* Nebenform von „gapen = den Mund aufsperren; mit offenem Mund etwas verlangen". 1700 *ff.*

Gieraffe *f (m)* **1.** Giraffe. Ein sprachlicher Spaß, beeinflußt von der Vorstellung des langen Giraffenhalses, den man für den Ausdruck einer neugierigen Veranlagung hält. Seit dem 19. Jh.
2. gieriger, neugieriger Mensch. 1900 *ff.*

Gierhals *m* gieriger Mensch; gieriger Esser. Er „bekommt den ↗ Hals nicht voll". Seit dem 19. Jh.

Gierschlund *m* gieriger Esser. Seit dem 19. Jh.

Gierschlung (Gierschlunk) *m* Nimmersatt. ↗ Schlung. 19. Jh, *nordd.*

Gießkanne *f* **1.** ~ (Gießkännchen *n*) = Penis. 1900 *ff.*
2. Kopf. Wegen einer gewissen Formähnlichkeit: die Nase als Ausguß. Berlin 1870 *ff.*
3. Maschinengewehr. Es verstreut Geschosse wie mit einer Brause. *Sold* in beiden Weltkriegen.
4. Maschinenpistole. Im Ersten Weltkrieg Bezeichnung für den englischen Armeerevolver. Kriminalromandeutsch nach 1945; *BSD* 1965 *ff.*
5. Subventionspolitik. Man teilt die Subventionen hier und dort gleichmäßig zu, ohne Vorrangigkeit (= besondere Bedürftigkeit) zu beachten. 1960 *ff.*
6. ~ auf Rädern = Sprengwagen. 1960 *ff.*
7. leckende ~ = vom Tripper befallener Penis. 1910 *ff.*
8. verbogene ~ = geschlechtskranker Penis. 1914 *ff.*
9. verrostete ~ = rauhe, krächzende Stimme. Sie klingt, als ob man eine Gießkanne als Sprachrohr benutzte. 1900 *ff.*
10. alte verrostete ~ = ältere Frau *(abf)*. 1950 *ff.*
11. man kommt dich dann mit der ~

besuchen: Trostwort an einen Sterbenden. 1950 *ff.*
12. eine Stimme haben wie eine (rostige) ~ = eine rauhe, erkältete Stimme haben. ↗ Gießkanne 9. Seit dem späten 19. Jh.
13. es regnet wie aus (mit) ~n = es regnet sehr stark. 1800 *ff.*
14. sich die ~ verbiegen = sich eine Geschlechtskrankheit zuziehen (auf Männer bezogen). ↗ Gießkanne 8. *Sold* 1914 bis heute; auch *stud.*
15. etw mit einer ~ verrieseln = eine große Summe unter viele aufteilen. ↗ Gießkanne 5. 1960 *ff.*

Gießkannen-Methode *f* gleichmäßige Verteilung staatlicher Hilfsgelder ohne Berücksichtigung des Grades der Bedürftigkeit. ↗ Gießkanne 5. 1960 *ff.*

Gießkannenmusik *f* Jazz; moderne Tanzmusik. Anspielung auf Mißklänge im Ohr des Nicht- Liebhabers. *Vgl* ↗ Gießkanne 9. *Jug* 1958 *ff.*

Gießkannenprinzip *n* **1.** gleichmäßige Verteilung öffentlicher Mittel an viele ohne Rücksicht auf Dringlichkeit. ↗ Gießkanne 5. 1960 *ff* (1944?).
2. Magazinsendung im Rundfunk. Sie bringt von allem und daher für jeden etwas. 1969 *ff.*

giffeln *intr* ↗ gibbeln.

Gift I *m* **1.** Zorn, Wut. Groll vergiftet die ausgeglichene Gemütslage. 1700 *ff.*
2. ~ auf jn haben = auf jn wütend sein. 18. Jh.
3. einen ~ kriegen = zornig werden. 18. Jh.

Gift II *n* **1.** junges Mädchen (halbscherzhaftes Scheltwort). Gift ist betörend, auch lebenzerstörend. Seit dem 19. Jh.
2. Branntwein. Seit dem 19. Jh.
3. ~ und Galle! = Ausdruck des Unmuts; Verwünschung. Formelhaft seit Luthers Bibelübersetzung. Sowohl Gift (= Scharfes) als auch Galle (= Bitteres) gelten als Kennzeichen des wütenden Menschen.
4. blondes ~ = betörende Blondine. 1920 *ff.*
5. weißes ~ = Rauschgift. Im Handel als weißes Pulver. 1920 *ff.*
6. scharf wie ~ = a) überaus scharf (auf Schneidwerkzeuge bezogen). Das scharf (schnell) wirkende Gift gelangt hier zum Ausdruck erhöhter Wirksamkeit. 1850 *ff.* - b) überaus liebesgierig. ↗ scharf. 1900 *ff.* - c) energisch; durchgreifend; sehr streng; unerbittlich. 1920 *ff.*
7. jn mit ~ bespritzen = jn verleumden. Als „Gift" gelten auch Bosheit, Haß, Feindseligkeit usw. *Vgl* ↗ Gift II 11. 1930 *ff.*
7 a. es klebt wie ~ = es haftet unlösbar an. *Vgl* ↗ Gift II 6. 1920 *ff.*
8. darauf kannst du ~ nehmen = darauf kannst du dich fest verlassen; das ist unbedingt wahr; das wird ganz sicher eintreffen o. ä. Macht sich die ärztliche Versicherung zunutze, daß die gifthaltige Arznei nicht schade, oder fußt auf Markus 16, 18. 1800 *ff.*
9. das Messer schneidet wie ~ = das Messer ist äußerst scharf. ↗ Gift II 6 a. 1850 *ff.*
10. das ist ~ für ihn = das ist schädlich für ihn, taugt nicht für ihn, verdirbt ihn. Seit dem 19. Jh.
11. ~ spritzen = Verleumdungen verbreiten; jn mit schwerwiegenden (beleidi-

genden) Worten angreifen. Hergenommen von den Giftschlangen. 1930 *ff.*
12. ~ und Galle spucken (speien; Gift und Galle sein) = überaus erzürnt sein; seinen Zorn heftig äußern. ↗ Gift II 3. 1500 *ff.*

Giftblase *f* Mensch, der mit Verleumdungen Unfrieden stiftet. Hergenommen von dem mit ungesunden Säften gefüllten Geschwür. 1930 *ff.*

giftblond *adj* unnatürlich blond. Dem ebenso künstlich wirkenden „Giftgrün" nachgeahmt. 1920 *ff.*

Giftbude *f* Apotheke. Wegen des Handels mit giftigen Arzneien. 1840 *ff.*
2. minderwertiges Wirtshaus. ↗ Gift II 2. 19. Jh.
3. Branntweinausschank. ↗ Gift II 2. 19. Jh.
4. Kantine. Dort nimmt man zu sich, was in der „↗ Giftküche" hergestellt wird. *Sold* 1914 *ff.*
5. Chemiesaal. 1950 *ff, schül.*

giften *v* **1.** *intr* = wütend äußern. ↗ Gift I. 19. Jh.
2. *intr* = verärgert, sehr wütend sein. 1800 *ff.*
3. sich ~ (auch: es giftet mich) = sich ärgern; erbost sein; aufbrausen. 1700 *ff.*

Gifterei *f* gehässiger Anwurf. ↗ giften 1. 1900 *ff.*

giftfrei *adj* **1.** alkoholfrei. *Vgl* ↗ Gift II 2. *Schül* 1960 *ff.*
2. nicht ~ = gehässig, anzüglich. ↗ Gift II 11. 1950 *ff.*

giftgeil *adj* rauschgiftsüchtig. ↗ geil 7. 1980 *ff.*

giftgeschwollen *adj* hochgradig erbost; gehässig kritisierend. *Vgl* ↗ Giftblase. 1900 *ff.*

Giftgurgel *f* unsympathischer, anzüglich-spöttischer Mensch. Seine Gurgel produziert nur gehässige Bemerkungen. *Vgl* ↗ Gift II 11. 1900 *ff.*

Gifthaferl *n* zorniges Kind; Mensch, der seine Wut an anderen ausläßt. Haferl = Töpfchen. Im Gifthaferl wird Gift bereitet. *Oberd* 1900 *ff.*

giftig *adj* **1.** zänkisch; ausfallend; wütend; gehässig. ↗ Gift I. 1500 *ff.*
2. treffsicher-heftig (auf den Boxhieb bezogen). *Vgl* ↗ Gift II 6 c.1920 *ff.*
3. verbissen. *Sportl* 1920 *ff.*
3 a. alkoholhaltig. *Vgl* ↗ Gift II 2. *Schül* 1960 *ff.*
4. jn ~ machen = jn erzürnen. Seit dem 18. Jh.
5. auf jn ~ sein = auf jn wütend sein. ↗ Gift I 2. Seit dem 18. Jh.
6. ~ werden = zornig werden. Seit dem 18. Jh.

Giftkäfer *m* betörend-reizvolles Mädchen. *Vgl* ↗ Gift II 1; ↗ Käfer. 1950 *ff.*

Giftkoch *m* **1.** Apotheker. Meinte im 16. Jh den Giftmischer. 1900 *ff.*
2. Anstifter von Unheil. 1933 *ff.*

Giftkröte *f* bösartige, zänkische weibliche Person; boshafte Person. Kröten sondern ein mehr oder minder giftiges Sekret ab. 1800 *ff.*

Giftküche *f* **1.** Stätte, an der Unheil vorbereitet wird; Ort, an dem Falschmeldungen und zersetzende Gerüchte erfunden werden. 1933 *ff* (anfangs auf das Propagandaministerium des Joseph Goebbels gemünzt).
2. Chemiesaal. *Schül* 1950 *ff.*

3. ABC-Abwehrschule. *BSD* 1965 *ff.*

Giftler *m* stichelnder, boshafter, bösartiger Mensch. ↗ gifteln. 1930 *ff, südwestd.*

Giftmädel *n* betörendes Mädchen. *Vgl* ↗ Gift II 1. *Oberd* 1950 *ff.*

Giftmichel *m* leicht reizbarer, rasch aufbrausender Mensch. ↗ Gift I. Seit dem 19. Jh, *südwestd* und *bayr.*

Giftmischer *m* **1.** Apotheker o. ä. Meint ursprünglich einen, der in verbrecherischer Absicht Gifte bereitet; seit dem späten 18. Jh auf den Apotheker übertragen.
1 a. Verleumder, Intrigant. *Vgl* ↗ Gift II 7. Seit dem 19. Jh.
2. Koch, Küchenpersonal. Ironie. 1900 *ff.*
3. Barmixer. 1920 *ff.*
4. Chemiker. 1920 *ff.*
5. Schnapsbrenner. ↗ Gift II 2. Seit dem 19. Jh.
6. Wirt eines Branntweinausschanks. ↗ Gift II 2. Seit dem 19. Jh.
7. Chemielehrer. 1920 *ff, schül.*
8. *pl* = ABC-Abwehrtruppe. *BSD* 1965 *ff.*

Giftnudel *f* **1.** unverträgliche, übellaunige, mit Worten angreifende weibliche Person; boshafter Mensch. ↗ Gift I. ↗ Nudel. Seit dem späten 19. Jh.
2. minderwertige Zigarre oder Zigarette; Zigarette *(abf).* Sie ist zylinderförmig und verursacht Brechreiz (übt eine gesundheitsschädliche Wirkung aus). 1870 *ff.*

Giftpfeil *m* verletzend anzügliche Bemerkung. *Vgl* ↗ Gift II 11. 1920 *ff.*

Giftpflanze *f* verkommene, anrüchige weibliche Person. Sie ist ungenießbar. Seit dem ausgehenden 19. Jh.

Giftsack *m* unverträglicher, zänkischer, boshafter Mann. ↗ Gift I. 1900 *ff.*

Giftscheißer (-schisser) *m* aufbrausender Mensch. 1900 *ff.*

Giftschlange *f* ungesellige, boshafte Frau. *Vgl* ↗ Gift II 11; ↗ Schlange 1. 1900 *ff.*

Giftschrank *m* Büchersammlung, deren anstößige Werke unter Verschluß gehalten werden. Eigentlich der Apothekerschrank für gifthaltige Präparate. Seit dem späten 19. Jh.

Giftspinne *f* streitsüchtige, bösartige weibliche Person. *Vgl* ↗ Gift II 11; ↗ Spinne 1. Spinnen gelten wie Schlangen (↗ Giftschlange) als widerwärtige und zugleich furchteinflößende „Ekeltiere". 1870 *ff.*

Giftspritze *f* **1.** unverträgliche Frau. Sie „verspritzt Gift" wie eine Schlange oder Kröte. *Vgl* ↗ Gift II 11. 1880 *ff.*
2. gehässige Äußerung. 1900 *ff.*
3. Doping; Aufputschmittel. 1950 *ff.*
4. Maschinenpistole. Gift = tödliche Geschosse. *BSD* 1965 *ff.*

Giftspritzer *m* Verleumder; Streitsüchtiger; Mann, der Mitmenschen schmäht. Das männliche Gegenstück zu „↗ Giftspritze 1". 1930 *ff.*

Giftstinkerei *f* Chemie(unterricht). *Schül* 1960 *ff.*

Giftsünder *m* Mann, der gifthaltige Chemikalien auf der allgemeinen Mülldeponie (o. ä.) abládt. ↗ Sünder. 1971 *ff.*

Giftzahn *m* **1.** bösartiger, unleidlicher, rasch aufbrausender Mensch; Zyniker. Vom Zahn der Giftschlange übertragen. 1880 *ff.*
2. unverträgliches Mädchen. *Vgl* ↗ Gift II 1; ↗ Zahn. *Halbw* 1955 *ff.*
3. zuerst die Giftzähne ausbrechen = als erstes den Gegnern diejenigen Karten abfordern, die durch Stechen oder Überspie-

len gefährlich werden könnten. Kartenspielerspr. seit dem 19. Jh.
4. jm die Giftzähne ausbrechen (ziehen) = den Verbreiter übler Nachrede energisch zum Schweigen bringen; jds gehässige Redeweise gründlich unterbinden. *Vgl* ↗ Gift II 11. 1870 *ff.*
5. einer Sache den ∼ ziehen = die Hauptschwierigkeit beheben; eine Sache mildern. 1920 *ff.*

Giftzange *f* unsympathische, boshafte weibliche Person. ↗ Zange; ↗ giftig 1. 1950 *ff.*

Giftzettel *m* **1.** schlechtes Schulzeugnis. ↗ Giftblatt 1. 1920 *ff.*
2. ∼ mit Geisterschrift = schlechtes Schulzeugnis. ↗ Giftblatt 2. 1950 *ff.*

Giftzeug *n* **1.** Lehrmittel der Schule. Die Schule wird als „giftig = unbekömmlich, schädlich", ja sogar als geisttötend aufgefaßt; „Zeug = Zubehör" zu solchem Zweck. 1950 *ff.*
2. Tabakware. *Vgl* ↗ Giftstengel. 1970 *ff.*
3. alkoholische Getränke. ↗ Gift II 2. 1960 *ff.*
4. weißes ∼ = Rauschgift. ↗ Gift II 5. 1970 *ff.*

Giftzunge *f* Redeweise eines Streitlüsternen. Wohl Anspielung auf die (doppel-)spitze Zunge der Giftschlange. *Vgl* ↗ Gift I. 1950 *ff.*

Giftzwerg *m* boshafter (kleinwüchsiger) Mensch. Geht wohl zurück auf die Märchengestalt des Rumpelstilzchens. 1920 *ff.*

Gigant *m* ∼ der Landstraße = a) Radrennfahrer. 1920/30 *ff.* – b) Lastzug. 1950 *ff.*

Gigerl *m* junger Stutzer; Modenarr. Eigentlich der Hahn (Gickel, Gockel). Seit 1886 durch Pötzl von Wien aus eingeführt.

Gilb *m* **1.** Einzelgänger. Von der Firma Henkel (Düsseldorf) für das Waschmittel „Dato" erfundener Wäschekobold, der das Gewebe zum Vergilben bringt. Schüler fassen den Einzelgänger als einen Schädling auf. 1968 *ff.*
2. niederträchtiger Mensch. 1968 *ff.*
3. Postbeamter; Angehöriger des Funkmeßdienstes der Bundespost; gelber Funkmeßwagen der Bundespost. 1970 *ff.*
4. Verwarnung des Fußballspielers durch den Schiedsrichter. Anspielung auf die gelbe Karte. 1974 *ff.*
5. den ∼ in der Hose haben = Kot-, Harnspuren in der Unterwäsche haben. *BSD* 1968 *ff.*

Gimpel *m* **1.** einfältiger Mensch. Hergenommen vom gleichnamigen Vogel („Dompfaff") wegen seiner ungeschickten Sprünge auf der Erde (gumpen = hüpfen), auch wegen seiner Vertrauensseligkeit (geringer Menschenscheu). 1500 *ff.*
2. Gymnasiast (auch „Gympel" geschrieben). Wortspiel. 1890 *ff.*
3. einen ∼ rupfen = einen Einfältigen um sein Geld bringen. ↗ rupfen. *Rotw* 1847 *ff.*

Gimpelfang *m* Übertölpelung einfältiger Leute; Suche nach arglosen Leuten. ↗ Gimpel 1 und 3. Seit dem 19. Jh.

Gipfel *m* das ist der ∼! = das ist eine Unverschämtheit! „Gipfel" meint hier das Höchste, das Unüberbietbare (ergänze: „an Zumutung, Dreistigkeit o. ä."). 1880 *ff, stud.*

Gipfelkleid *n* tiefdekolletiertes Kleid. Es zeigt ein unüberbietbares Dekolleté. 1955 *ff.*

Gips *m* **1.** rücksichtsloser Exerzierdienst. Wohl Anspielung auf das weiße Drillichzeug oder auf gipserne Standbilder, zu denen man die Rekruten zu drillen trachtet. 1900 *ff.*
2. Strafdienst. 1900 *ff.*
3. sehr Langweiliges. 1900 *ff.*
4. Geld. Entweder zusammengezogen aus „gib es!" oder verallgemeinert aus der Bezeichnung für die Falschmünze, weil von der echten Münze ein Gipsabdruck angefertigt wird. Seit dem 19. Jh.
5. Rauschgift. Weil es (auch) als weißes Pulver in den Handel kommt. 1920 *ff.*

Gipsknoten *m* vorgeformter Schlipsknoten. 1920 *ff.*

Gipskopf (-kopp) *m* dummer, eigenwilliger, uneinsichtiger Mensch. Übertragen von der Starrheit einer Gips-Porträtbüste oder -Totenmaske. 1870 *ff.*

Gipslaatschen *pl* weiße Strand-, Turn-, Tennisschuhe o. ä. 1880 *ff.*

Gipsscheißer *m* Ruhrkranker. Der Kot ist häufig farblos bis durchscheinend wie Alabaster (= Gips). 1939 *ff.*

Gipsverband *m* **1.** enganliegender Kragen; steifer Kragen; weißer Hemdkragen. Er umschließt den Hals wie ein Gipsverband. Seit dem späten 19. Jh.
2. du hast dich wohl noch nicht im ∼ durchs Glasauge beguckt?!: Drohfrage. 1939 *ff.*

Giraffe *f* **1.** großwüchsiger, hagerer Mensch. 19. Jh.
2. Mensch mit langem Hals. Seit dem 19. Jh.
3. hochgestellte Persönlichkeit. Verstärkung von „das große ↗ Tier". Sold in beiden Weltkriegen.

Giraffenkieken *pl* neugierige, gierige, lüsterne Blicke. Man reckt den Hals; ↗ kieken. 1920 *ff.*

Girlande *f* rede keine ∼n! = rede ohne Umschweife. Girlanden sind eigentlich Blumenketten oder mannigfach verschlungene Zierwülste aus Papier. 1970 *ff.*

gischten *intr* aufbrausen. Gischt ist die Schaumkrone auf den Meereswellen. Der Zornige schäumt vor Wut. 1935 *ff.*

Gispel (Gischpel, Gischpe, Gischpi) *m* **1.** Mensch, der nicht stillsitzen kann; ausgelassen-lustiger Mensch; Geck. Nebenform von „Gaspel = Unruhe, Aufregung". *Südwestd* und *bayr* 1700 *ff.*
2. dünkelhafter Mensch. Er macht viel Aufhebens von sich (und um soviel wie nichts). 1700 *ff.*

Gitarre *f* **1.** ∼ dreschen = musikalisch zweifelhaft (laienhaft) und laut Gitarre spielen. Dreschen = laut und kräftig schlagen. *Halbw* 1955 *ff.*
2. mit der ∼ ringen = Rock'n'Roll-Sänger sein. Die Gitarre macht die krampfartig-zuckenden Bewegungen des Körpers mit. 1955 *ff.*

Gitarrenheini *m* Gitarrenspieler. ↗ Heini. 1950 *ff.*

Gitsche *f* leichtes Mädchen; Mädchen *(abf).* Gehört wahrscheinlich zu „Kutte = Vulva", zu „Kütt = Brut" und ist das weibliche Gegenstück zu „↗ Köter". *Österr* seit dem 19. Jh.

Gitter *pl* durch die ∼ gucken = eine Freiheitsstrafe verbüßen; verhaftet sein. 1900 *ff.*

Gitz *m* Zorn, Wut. Fußt entweder auf *ital* „guizzo = unruhige Bewegung" oder ist verwandt mit „↗ gischten". *Österr* seit dem 19. Jh.

Glacé-Handschuhe *pl* jn mit ~n anfassen = jn behutsam behandeln. ↗ Handschuh. Spätestens seit 1850. *Vgl engl* „to handle somebody with kid gloves".

Gladbach *On* von ~ sein = flachbrüstig sein. ↗ Mönchen-Gladbach. Wortspielerei mit „glad-" und „glatt". 1900 *ff.*

glaffern *intr* **1.** unlautere Geschäfte betreiben. Herkunft ungesichert; vielleicht abzuleiten von *engl* „gloves = Handschuhe" (da Ganoven Handschuhe tragen, um keine Fingerabdrücke zu hinterlassen). Hiernach stünde „glaffern" in Analogie zu „↗ fingern". 1945 *ff.* **2.** sich unehrenhaft aufführen. 1945 *ff.*

Glanz *m* **1.** mit ~ = ausgezeichnet; tüchtig; mit Auszeichnung (*iron:* fristlos, nachdrücklich). Meint eigentlich das Festgepränge. 1800 *ff.* **2.** mit ~ und Gloria = mit Auszeichnung; mit Prunk; hervorragend. „Glanz und Gloria" ist eine stabreimende Formel für eindrucksvolle äußere Aufmachung. Man kann mit Glanz und Gloria ein Examen bestehen, aber auch mit Glanz und Gloria durchfallen. Seit dem 19. Jh. **3.** etw mit ~ bügeln = etw hervorragend zustandebringen. ↗ ausbügeln. 1900 *ff.* **4.** ohne ~ und Gloria durchfallen = ruhmlos scheitern. 1950 *ff.* **5.** mit ~ und Gloria heiraten = prunkvoll heiraten. 1900 *ff.* **6.** welcher ~ kommt da in meine Hütte?: Redewendung angesichts eines unerwarteten Besuchers. Fußt auf dem Prolog zu Schillers „Die Jungfrau von Orleans" (1802): „Wie kommt mir solcher Glanz in meine Hütte?" 1870 *ff.* **7.** sich in ~ werfen = sich festlich kleiden. 19. Jh.

Glanzarsch *m* Beamter. Die sitzende Lebensweise verleiht dem Hosenboden Glanz. 1910 *ff. Vgl engl* „shiny arse".

glänzend *adj adv* ausgezeichnet (mir geht es glänzend; er hat einen glänzenden Posten). Glänzend = prächtig = vortrefflich ausgeführt. Seit dem 18. Jh.

Glanzform *f* höchste Leistungsfähigkeit. ↗ Form 1. *Sportl* 1950 *ff.*

Glanzidee *f* hervorragender Einfall. Aus „glänzende Idee" zusammengewachsen. 1950 *ff.*

Glanzleistung *f* hervorragende Leistung. 1900 *ff.*

Glanznummer *f* von einem Künstler hervorragend beherrschte Darbietung. ↗ Glanz 1. 1870 *ff.*

Glanzparade *f* hervorragende Abwehr eines Torballs. Stammt aus der Fechtkunst und meint dort die Abwendung eines Stoßes. *Sportl* 1950 *ff.*

Glanzpartie *f* **1.** hervorragende(r), wohlhabende(r) Ehepartner(in). ↗ Partie. 1950 *ff.* **2.** ausgezeichnetes Fuß-, Handballspiel. *Sportl* 1950 *ff.*

Glas *n* **1.** sich ein Stück ~ ins Auge getreten haben = ein Monokel tragen. 1870 *ff.* **2.** zu tief ins ~ geguckt haben = betrunken sein. Euphemismus nach dem Muster von „einem Mädchen zu tief in die Augen gesehen haben". 17. Jh. **3.** ein ~ zuviel getrunken haben = betrunken sein. 1700 *ff.* **4.** die vollen Gläser nicht leiden (sehen)

können = gern trinken. Euphemismus. Seit dem 19. Jh. **5.** kein leeres ~ leiden (sehen) können = gern trinken. Beschönigung. Seit dem 19. Jh. **6.** das ~ innen naßmachen = das Glas füllen. 1920 *ff.* **7.** du meinst wohl, du wärst aus ~?: Frage an einen, der einem im Licht steht. Seit dem 19. Jh. **8.** Gläser spülen = zechen. 1920 *ff.* **9.** es staubt in den Gläsern = die Gläser sind geleert. 1930 *ff.*

Glasauge *n* **1.** *pl* = Brille. *Österr* 1920 *ff.* **2.** ~n haben = betrunken sein. Man hat glasige Augen. 1700 *ff.* **3.** ~n machen = in bezechtem Zustand ausdruckslos dreinblicken. 1920 *ff.* **4.** ich schlatze dir ein ~!: Drohrede. Schlatzen = spucken. *Schül* 1935 *ff,* Wien. **5.** ich spotze dir ein ~!: Drohrede. Spotzen = spucken. *Bayr* 1935 *ff.* **6.** ich spucke dir ein ~ mit Porzellanfassung!: Drohrede. *Österr* 1955 *ff, jug.*

glasen *intr* zechen. Eigentlich in der Seemannssprache die halbstündliche Zeitanzeige durch Anschlagen der Schiffsglocke, früher durch Umdrehen des Sanduhrglases. 1900 *ff.*

Glaser *m* dein Vater war wohl ~?: Frage, wenn der Betreffende einem im Licht steht. In scherzhafter Auffassung zeugt der ~ durchsichtige Kinder. 1850 *ff.*

'glas'hart *adj* **1.** unnachgiebig; unbestreitbar. 1950 *ff.* **2.** kraftvoll; mit Nachdruck. *Sportl* 1950 *ff.*

Glaspapier *n* Geldschein. Fußt auf *jidd* „klaph = Papier". 1900 *ff.*

Glasscherbe *f* **1.** Monokel. ↗ Scherbe. 1900 *ff.* **2.** er taugt zum Sänger wie eine ~ zum Gurgeln = er hat keinerlei Talent zum Sänger. 1959 *ff.*

glatt *adj adv* **1.** völlig; ganz und gar (das ist glatt gelogen; das war ein glatter Reinfall). Glatt = ohne Widerstand = ohne Rückstand = ohne Rest. Seit dem 16. Jh. **2.** gelungen, einwandfrei, zufriedenstellend; unübertrefflich. Glatt = eben, ebenmäßig = gut, fein u. ä. 1900 *ff.* **3.** vertrauenswürdig; umgänglich; in Ordnung. Der Betreffende ist ohne charakterliche Unebenheiten. 1900 *ff.* **4.** sommerlich heiß; schön (auf das Wetter bezogen). Glatt = ohne atmosphärische Störungen. 1920 *ff.* **5.** *adv* ohne weiteres; völlig; ohne Widerspruch; rundweg. Seit dem 18. Jh. **6.** es geht ihm ~ ein = das versteht er leicht; das hört er gern. Bezieht sich ursprünglich auf Speise und Trank, die man ohne Widerstreben zu sich nimmt. 1800 *ff.* **7.** es geht ~ = es geht reibungslos, ganz nach Wunsch. 1900 *ff.* **8.** es ist ~ gelogen = es ist dreist gelogen. 19. Jh. **9.** ~ sein = alle Schulden bezahlt haben. Glatt = ohne Rest. Seit dem 19. Jh. **10.** bei ihm ist alles ~ = er führt einen einwandfreien Lebenswandel. 1900 *ff.* **11.** mit jm ~ sein = einander nichts (mehr) schuldig sein; mit jm alle schwebenden Angelegenheiten bereinigt haben. Seit dem 19. Jh.

glattbügeln *tr* **1.** jn unterjochen, drillen.

Die zivilistischen Falten werden eingeebnet; analog zu „↗ schleifen". *Sold* 1900 *ff.* **2.** die Erregung ~ = die Gemüter beschwichtigen. Man glättet die Wogen der Erregung. 1930 *ff.* **3.** etw wieder ~ = ein peinliches Versehen wiedergutmachen; etw bereinigen, ausgleichen. ↗ ausbügeln. 1900 *ff.*

Glatteis *n* **1.** sich aufs ~ begeben (aufs ~ laufen) = unvorsichtig sein; eine heikle Sache in Angriff nehmen. Man kann dabei leicht ausrutschen und zu Fall kommen. Seit dem 19. Jh. **2.** jn aufs ~ führen (schicken) = jn übertölpeln, veralbern; jm eine Fangfrage stellen; jm etw vorspiegeln. Der Betreffende glaubt sich auf sicherem Boden und merkt zu spät, daß er sich auf Glatteis bewegt. 1700 *ff.*

glattmachen *v* **1.** ich mache dich glatt!: Drohrede. Der Betreffende soll zu Boden geschlagen werden, wo er dann „flachliegt". *Rocker* 1967 *ff.* **2.** etw ~ = eine Schuld begleichen; einen Handel abschließen. Rück- oder Widerstände werden beseitigt. *Vgl* ↗ glatt 11. Seit dem 19. Jh. **3.** sich ~ = sich herausputzen. Glatt = ohne Falten; weiterentwickelt zur Bedeutung „schön". Seit dem 19. Jh.

Glattschmuser *m* Verräter, Anzeigender. Er macht allzu glatte Worte und verdient daher kein Vertrauen. *Vgl* ↗ aalglatt; ↗ schmusen. *Rotw* 1900 *ff.*

glattweg *adv* ohne Schwierigkeit; rücksichtslos; völlig (das ist glattweg gelogen; das ist glattweg Unsinn). Aus „glatten Weges" zusammengewachsen. Seit dem 18. Jh.

Glatze *f* **1.** Schallplatte. Eigentlich eine Scherzbezeichnung; denn „Platte" nennt man die Glatze. *Halbw* 1955 *ff.* **2.** abgefahrener Autoreifen. Die Oberschicht ist kahl und glatt. 1900 *ff, österr.* **3.** ~ mit Balkon = hinten kurzgeschorenes, vorn etwas längeres Haar. 1920 *ff.* **4.** ~ mit Gartenzaun = Glatze mit einem Haarrand; Tonsur. 1920 *ff.* **5.** ~ mit Hintergarten = Vorderhauptglatze. 1950 *ff, jug.* **6.** ~ mit Sprungbrett = Hinterhauptglatze. 1920 *ff.* **7.** ~ mit Vorgarten = Hinterhauptglatze. 1920 *ff.* **8.** mathematische ~ = Vollglatze. Es ist eine „hundertprozentige" Glatze. 1950 *ff, jug.* **9.** schräge ~ = Schallplatte mit moderner Tanzmusik. ↗ Glatze 1; ↗ schräg. *Halbw* 1955 *ff.* **10.** besser eine ~ als gar keine Haare: scherzhaftes Trostwort an einen Glatzköpfigen. 1920 *ff.* **11.** die ~ mit Sardellen verzieren = die spärlichen Seiten- und Hinterkopfhaare über die Glatze kämmen. ↗ Sardellenbrötchen. Spätestens seit 1900.

glatzen *intr* die gleitende Arbeitszeit einführen, einhalten. Infinitiv zu dem aus den Buchstaben von „*gleitende Arbei tszeit*" gebildeten Initialwort. 1980 *ff,* Duisburg.

Glatzenbremse *f* Haarwasser. Es soll der Entstehung einer Glatze vorbeugen. 1960 *ff.*

Glatzenkamm *m* Schwamm. 1890 *ff.*

Glatzenkonzert *n* Schallplattenmusik. ↗ Glatze 1. *Halbw* 1955 *ff.*

Glatzenmühle *f* Plattenspieler. ↗Glatze 1. *Halbw* 1955 *ff.*

Glatzkopf *m* abgenutzter Autoreifen. ↗Glatze 2. Kraftfahrerspr. 1955 *ff.*

Glauben *m* vom ~ gefallen sein = betrunken sein. Der am Boden liegende Zecher glaubt an diesem Tage nicht mehr an die „Wiederauferstehung". *BSD* 1965 *ff.*

glauben *v* **1.** das glaubst du (dees glaabst)!: Ausdruck der Ablehnung. Gemeint ist: „daß ich das tue, glaubst nur du; aber ich glaube es nicht". *Bayr* 1900 *ff.*
2. ich glaube es dir bald! = das ist eine Zumutung! was fällt dir ein? das kannst du mir nicht einreden! Ausdruck der Abweisung. 19. Jh.
3. ~ Sie ja nicht, wen Sie vor sich haben!: Drohrede. Eigentlich eine verunglückte Drohrede, zusammengesetzt aus „glauben Sie ja nicht, Sie können hier tun, was Sie wollen" und „Sie wissen wohl nicht, wen Sie vor sich haben?". Wohl Parodie auf einen herrschsüchtigen, aber nervösen Vorgesetzten. *Sold* 1935 *ff.*
4. wer's glaubt, wird selig = ich glaube es nicht! Wohl frei gebildet aus Markus 16, 16: „Der Glaube macht selig", daß der Bibel kommt in den Himmel, wer glaubt, ohne zu zweifeln. Dazu der Spruch: „Wer glaubt, wird selig: wer Kartoffeln frißt, wird mehlig". 1870 *ff.*
5. dran ~ müssen = a) eine bittere Erfahrung machen; einen empfindlichen Nachteil erleiden; etw wehrlos über sich ergehen lassen müssen. Stammt verkürzt aus der Bibelsprache: „daran glauben müssen, daß es einen stärkeren Herrn gibt". 18. Jh, in religiösem Sinne wohl in Pietistenkreisen aufgekommen. – b) sterben; den Soldatentod erleiden. Seit dem 18. Jh.

Glaubensbekenntnis *n* **1.** Personalangaben und sonstige Angaben, die man lieber verschwiege. Man bekennt, „was für einer" man ist. 1938 *ff.*
2. laß dein ~!: Erwiderung auf die Redensart „ich glaube, daß . . . .". 1900 *ff.*

glaublich *adj* es ist fast überhaupt kaum ~: Redewendung, wenn man eine Äußerung stark anzweifelt. 1950 *ff.*

gleich *adv* **1.** muß das ~ sein?: *iron* Frage an einen, der ein unziemliches Ansinnen stellt (beispielsweise als Erwiderung auf die Götz-Einladung). 1830 *ff.*
2. warum nicht ~ so?: Redewendung, wenn eine Sache zunächst umständlich, dann einfach bewerkstelligt wird. 1920 *ff.*
3. das sieht dir ~ = das paßt zu deiner Art, ist dir zuzutrauen. Analog zu ↗ähnlich 1. Im 19. Jh aufgekommen.
4. auf ~ sein = bei jm keine Schulden mehr haben. Soll und Haben sind ausgeglichen. *Bayr* 1900 *ff.*

gleichschalten *tr* **1.** Verwaltungen usw. nach einheitlichen Gesichtspunkten koordinieren. Eigentlich ein Begriff aus der Elektrizitätslehre. 1933 aufgekommen mit der NS-Herrschaft („Gesetz über die Gleichschaltung der Länder mit dem Reich" vom 31. 3. 1933).
2. jn wie alle anderen behandeln, ohne auf seine Eigenart Rücksicht zu nehmen; jn in eine Norm bringen (zwingen); die Eigenständigkeit weitgehend aufheben. 1950 *ff.*

gleichschauen *intr* einen vorteilhaften Eindruck machen. „Schauen" meint hier nicht „blicken", sondern „aussehen"; ↗gleichsehen". *Bayr* und *österr* seit dem 19. Jh.

gleichsehen *v* **1.** etw ~ = gut aussehen; gefällig hergerichtet, wohlangezogen sein. In seiner äußeren Erscheinung gleicht man (es) höchst achtbaren Vorbildern (oder der allgemein für vorbildlich gehaltenen Norm). *Vgl* ↗gleichschauen. Spätestens seit 1800.
2. das sieht nichts gleich = das steht dir nicht; das sieht nicht gut aus; das paßt nicht zusammen. Seit dem 19 Jh.

gleichziehen *intr* dem Vorgehen eines anderen so folgen, daß man ihm gewachsen bleibt. Vom Schachspiel herzuleiten. 1920 *ff.*

Gleis *n* **1.** im ~ bleiben = nicht über seine Gewohnheiten hinausgehen. Gleis = Wagenspur. Seit dem 16. Jh.
2. jn aus dem ~ bringen = jn irreführen; jn zu einer Ausschweifung verleiten; jn den Zusammenhang (den „Faden") seiner Rede verlieren lassen. 1600 *ff.*
3. etw ins ~ bringen = etw in Ordnung bringen. Hergenommen vom Fuhrwerk, das aus der Spur geraten ist. 1600 *ff.*
4. etw ins alte ~ bringen = das frühere Verhältnis wiederherstellen. Seit dem 18. Jh.
5. jn wieder ins ~ bringen = einem Gestrauchelten oder Fassungslosen helfen. 1600 *ff.*
6. auf einem falschen ~ fahren = sich irren; unzweckmäßig vorgehen. Stammt aus dem Eisenbahnverkehr. 1920 *ff.*
7. was für schöne ~e; wie schön muß erst der Bahnhof sein!: Redewendung auf schöne Frauenbeine. 1940 *ff, jug.*
8. aus dem ~ kommen = a) aus der gewohnten Ordnung geraten. 1700 *ff.* – b) den Zusammenhang der Rede verlieren. Seit dem 19. Jh.
9. ins ~ kommen = in Ordnung kommen; sich mit jm verständigen; mit jm handelseinig werden. Seit dem 18. Jh.
10. auf totem ~ landen = auf einen einflußlosen Posten versetzt werden. ↗Abstellgleis. 1870 *ff.*
11. etw auf ein (das) falsche(s) ~ schieben = etw mißverstehen; etw unrichtig ausführen. Aus der Eisenbahnsprache übertragen. 1920 *ff.*
12. jn aufs tote ~ schieben = jn auf einen untergeordneten Posten versetzen. Das „tote Gleis" ist das abgeblockte Abstellgleis. 1870 *ff.*
13. aus dem ~ sein = fassungslos sein. Verkürzt aus „aus dem Gleis gekommen sein". 1700 *ff.*
14. im ~ sein = in der gewohnten Ordnung sein; gutgelaunt sein. Seit dem 19. Jh.
15. auf dem toten ~ sein = beruflich (ranglich) nicht aufsteigen können. ↗Gleis 12. 1920 *ff.*
16. aus dem ~ springen = die bisherige Berufslaufbahn aufgeben. 1950 *ff.*

gleiten *intr* die „gleitende Arbeitszeit" einführen, einhalten. 1975 *ff.*

Gleiter *m* Betriebsangehöriger, der von der „gleitenden Arbeitszeit" Gebrauch macht. 1975 *ff.*

Gletscheraugen *pl* gefühlskalter, mitleidloser Blick. Eisig wie ein Gletscher. 1930 *ff.*

Gletscherjungfrau *f* **1.** gefühlskalt wirkende weibliche Person. 1950 *ff.*
2. leidenschaftliche Eisesserin. 1950 *ff.*

Glibber *m* **1.** weiche, klebrige Masse; Morast. Gehört zu „glippen = unfest sein; gleiten". *Nordd* 1800 *ff.*
2. Pudding; Geleeartiges; Gallertartiges. *Nordd* 1800 *ff.*
3. Sperma. 1900 *ff.*

Glied *n* **1.** schnelle ~er kriegen = weglaufen, flüchten. *Sold* in beiden Weltkriegen.
2. jm die ~er ordnen = jn drillen. *Sold* 1935 *ff.*
3. etw steckt einem in den ~ern (etw hat man in den ~ern) = man fühlt sich krank. 1700 *ff.*
4. ins (zweite) ~ zurücktreten = sich von einer führenden Stellung freiwillig trennen. Hergenommen von der militärischen Mannschaftsaufstellung in drei Gliedern hintereinander. Nach 1950 aufgekommen.

Gliederpuppe *f* **1.** charakterloser Mensch; Befehlsempfänger ohne eigene Meinung. Dasselbe wie „Marionette". 1900 *ff.*
2. Modevorführerin. Sie bewegt sich wie eine Marionette. 1950 *ff.*

Glimmbolzen *Zigarre.* ↗Bolzen 2. 1920 *ff.*

Glimmer *m* **1.** leichte Bezechtheit. Glimmern = glühen; schwachen Glanz verbreiten. Die Trunkenheit ist noch keine lodernde Flamme, sondern nur ein Glimmen. 1870 *ff.*
2. Zigarette. Sie glüht, aber brennt nicht. 1935 *ff.*

Glimmstengel *m* Zigarre, Zigarette. 1802 von Joachim Heinrich Campe als ernsthaft gemeintes deutsches Ersatzwort vorgeschlagen, von Maßmann 1848 erneut befürwortet; etwa seit 1850 in scherzhafter Anwendung verbreitet.

Glimmzeug *n* Tabakwaren. 1960 *ff.*

Glitsch *m* **1.** schlüpfrige Beschaffenheit. ↗glitschen. 1900 *ff.*
2. aussehen wie Jimmy ~, der Mann, der nichts anhatte = ratlos dreinschauen; so „dastehen", daß die Kameraden Anlaß zum Lästern finden. Eine erfundene Figur, wohl zur Charakterisierung eines (peinlich entlarvten) „↗schleimigen" Menschen. *BSD* 1965 *ff.*

Glitsche *f* Schlitterbahn. *Nordd* 1800 *ff.*

glitschen *v* **1.** *intr* = gleiten, ausgleiten, schlittern. Intensivbildung zu „gleiten". Seit dem 15. Jh.
2. *tr* = Begehrtes auf nicht ganz einwandfreie Art beschaffen. Das Entwendete ist dem Beschaffer scheinbar zufällig in die Hand geglitten. 1914 *ff.*

Glitzer *m* **1.** mit Schmuck behangenes Mädchen. Glitzer = Funkelndes. *Halbw* 1955 *ff.*
2. eindrucksvolle, prachtvolle Aufmachung; Prunk. 1955 *ff.*

Glitzerfee *f* Eisrevuetänzerin, Revuegirl. 1960 *ff.*

Glitzerfummel *m* perlen- oder paillettenbesticktes Kleid. ↗Fummel 1. 1960 *ff.*

Glitzerhemd *n* Hemd aus glänzendem oder mit Pailletten besetztem Stoff. 1978 *ff.*

Glitzerkram *m* Schmuck. ↗Kram. *Halbw* 1955 *ff.*

Glitzerlook *m* (Grundwort *engl* ausgesprochen) Modestil mit glänzenden Stoffen, Pailletten u. ä. 1978 *ff.*

Globetrottel *m* **1.** Weltreisender, der sich die Reise von einem Reisebüro zusammenstellen läßt. Dem *engl* „globetrotter" nachgebildet unter Einfluß von „↗Trottel". 1958 ff.

2. Urlaubsreisender, der sich (sein Hab und Gut) während seiner Abwesenheit nicht gegen Diebe und Einbrecher sichert. Polizeispr. 1976 ff.

Globetrotter m **1.** Landstreicher. Iron Aufwertung zum „Weltreisenden" (engl „globetrotter"), beeinflußt von dt „trotten = traben = schwankend treten, gehen". 1920 ff.

2. Infanterist; Angehöriger einer Fußtruppe. Sold 1940 ff.

Glocke f **1.** Uhr. Vgl engl „clock". Rotw 1900 ff.

2. Gesicht, Kopf. Vgl „↗Zifferblatt = Gesichtszüge". Halbw 1960 ff.

3. steifer, runder Herrenhut. Wegen der Formähnlichkeit. 1920 ff.

4. auslaufender Nasenschleim. Er hängt glockenförmig herab. 1900 ff.

5. Marke ~ = minderwertige Zigarre. Fußt auf Schillers „Das Lied von der Glocke", und zwar auf vier Textzeilen: „Nehmet Holz vom Fichtenstamme", „Alles rennet, rettet, flüchtet", „Der Wahn ist kurz, die Reu' ist lang" und „Der Mann muß hinaus (ins feindliche Leben)". 1900 ff.

6. pl = schlaffe Frauenbrüste. 1920 ff.

7. wandelnde ~ = junges Mädchen, das einen Petticoat trägt. Es schwingt hin und her mit dem glockenähnlichen Rock. 1958 ff.

8. etw an die große ~ bringen (hängen) = etw in aller Leute Mund bringen; etw unnötigerweise überall weitererzählen. Früher wurden öffentliche Bekanntmachungen durch den Gemeindeboten ausgeschellt; bei wichtigen Anlässen, die über den Rahmen der Dorfgemeinschaft hinausgingen, wurden durch Glockengeläut die Bewohner aus Nah und Fern zusammengerufen. 1700 ff.

9. mächtig an die ~ hauen = übermäßig prahlen. Jug 1950 ff.

10. ich haue dir auf die ~, bis du Lust zum Sterben kriegst!: Drohrede. ↗Glocke 2. Rocker 1967 ff.

11. an die große ~ kommen = bekannt werden. ↗Glocke 8. Seit dem 19. Jh.

12. eins auf die ~ kriegen = auf den Kopf geschlagen werden. ↗Glocke 2. Rocker 1967 ff.

13. die ~n läuten = die Hoden betasten; koitieren. Hoden = Glocken (↗Glöckchen). Vagina = feststehende Glocke. 1900 ff.

14. mit allen ~n läuten = einen üppigen Busen haben. Er wogt hin und her. Berlin 1956 ff.

15. mach' dir ~n ans Bein! = mach' dich bemerkbar! komm' nicht unangemeldet! 1950 ff.

16. merken (hören, sehen), was die ~ geschlagen hat = merken, was man zu erwarten hat; erkennen, welches Verhalten ratsam ist. Glockenschlag = Stundenanzeiger. Seit dem 16. Jh.

17. sagen, was die ~ geschlagen hat = sagen, was jetzt unnötten ist, wie die Dinge jetzt stehen. 1800 ff.

18. wissen, was die ~ geschlagen hat = auf die Folgen gefaßt sein; wissen, was demnächst geschehen wird. Seit dem 16. Jh.

19. die Sache ist an der großen ~ = die Sache ist in aller Leute Mund; unnötig viele Leute wissen davon. ↗Glocke 8. 1900 ff.

20. wissen, wo die ~n hängen = die Ursache kennen. 1970 ff.

21. jm zeigen, wo die ~n hängen = jn über die Ursachen aufklären. 1970 ff.

Glockenhose f an den Waden glockenförmig sich weitende Hose (neuerdings auch „Hosenrock"). 1600 ff.

Glockenputzen n Drücken auf alle Klingelknöpfe eines Miethauses mit anschließendem Weglaufen. 1920 ff.

Glockenschuppen m Kirchengebäude. ↗Schuppen. BSD 1965 ff.

Glockenschwengel m Penis. Glocken = Hoden; ↗Schwengel. 1900 ff.

Glockenspiel n hin- und herwogender Busen. ↗Glocke 14. 1956 ff.

glorios adj ~e Idee ↗Idee.

glorreich adj ~er Gedanke. ↗Gedanke 4.

Glotzaugen pl hervortretende Augen. ↗glotzen. Seit dem 19. Jh.

Glotzbekanntschaft f Flirten mit Blicken. ↗glotzen 1. 1900 ff.

Glotze f **1.** Fernsehgerät. ↗glotzen. 1960 ff.

2. in die ~ kieken = fernsehen. ↗kieken. 1960 ff.

Glotzen pl große, starre Augen. Vgl das Folgende. Seit dem 18. Jh.

glotzen intr **1.** starr, neugierig, mit großen Augen blicken; sehen (abf). Fußt auf einem germ Zeitwort mit der Bedeutung „starren; hämisch blicken". Seit dem 14. Jh nachgewiesen.

2. fernsehen. 1960 ff.

Glotzer m **1.** neugieriger Zuschauer. Seit dem 19. Jh.

2. Fernsehgerät. Parallel zu ↗Glotze. 1960 ff.

3. pl = Augen. ↗glotzen. Seit dem 19. Jh.

Glotzkasten m Fernsehgerät. 1956 ff.

Glotzkiste f Fernsehgerät. 1959 ff.

Glotzkommode f Fernsehgerät. 1963 ff.

Glotzkopf m dumm und neugierig blickender Mensch. ↗Glotzer 1. Seit dem 18. Jh.

Glotzmaschine f **1.** Brille. Sie ist ein technisches Gerät zum „Glotzen = (angestrengt) sehen". 1900 ff.

2. Fernglas, Scheren-, Zielfernrohr. Sold in beiden Weltkriegen.

3. Fernsehgerät. 1960 ff.

Glotzophon n **1.** Brille. Scherhaft zusammengesetzt aus „↗glotzen" und „Telefon" (oder „Mikro-, Megafon"). Die Endsilbe „-phon" bezeichnet eigentlich nicht Sicht-, sondern Lautvermittler. 1930 ff.

2. Fernrohr. BSD 1960 ff.

3. Fernsehgerät. ↗Glotze. Phon = Einheit der Lautstärkemessung. Gegen 1960 aufgekommen.

glotzophonieren intr fernsehen. Vgl das Vorhergehende. Nach 1960.

Glotzröhre f **1.** Scherenfernrohr des Artillerie-Beobachters. Sold 1914 ff.

2. Fernsehgerät. 1962 ff.

Glubber m Pudding. Nebenform von ↗Glibber. 1900 ff.

glubsch adj ~ glupsch.

Glück n **1.** weißes ~ = Wintersport. 1961 ff.

2. das fehlt(e) mir noch zu meinem ~! = das möchte ich gern missen! Ironie. 1920 ff.

3. das ~ beim Schopf fassen (packen) = eine gute Gelegenheit zu nutzen wissen. ↗Gelegenheit. Seit dem 19. Jh.

4. mehr ~ als Verstand haben = einen Erfolg nicht der eigenen Tüchtigkeit, sondern dem Zufall verdanken. 1850 ff.

5. in ~ machen = völlige Zufriedenheit, Wunschlosigkeit o. ä. heucheln. Vgl „↗machen in . . .". 1960 ff.

6. ihm läuft das ~ nach = er hat in allem Glück. 1900 ff.

Glucke f **1.** überbesorgte Mutter; Mutter. Eigentlich die brütende oder Küken führende Henne, die „Gluck"-Laute von sich gibt. 1900 ff.

2. dumme ~ = dumme weibliche Person. 1900 ff.

3. du bist wohl von der ~ gebissen? = du bist wohl nicht bei Sinnen? 1900 ff.

4. dich hat wohl die ~ gehackt?: Frage an einen, der absonderlich ist oder redet. 1900 ff.

gluckeln (kluckeln) intr gern trinken; trinken. ↗gluckern. Südwestd. Seit dem 19. Jh.

glucken intr **1.** bemuttern; betulich trösten. ↗Glucke. Seit dem 19. Jh.

2. schwatzen. 1920 ff.

3. stumpfsinnig sitzen („vor sich hinbrüten"); sich zum Aufbruch nicht entschließen können. 1920 ff.

gluckern (kluckern) tr Alkoholhaltiges trinken. „Gluck" ist der Klang, der entsteht, wenn beim Leeren einer Flasche stoßweise Luft eindringt. Seit dem 19. Jh.

gluck-'gluck machen (kluck-'kluck machen) intr trinken. ↗gluckern. Seit dem 19. Jh.

glücklich adj **1.** ~ und dicke durch!: Redewendung, wenn der Kartenspieler die zum Gewinnen notwendige Punktzahl knapp erreicht hat. Kartenspielerspr. 1900 ff.

2. ~ und dicke durch sein = etw knapp überstanden haben. Man ist durch eine Schwierigkeit hindurchgelangt. 1900 ff.

Glücksbombe f Lotterie-Hauptgewinn. ↗Bombe 5. 1955 ff.

glucksen intr das Lachen zu unterdrücken suchen. Hierbei entsteht ein „Gluck"-Laut. 1500 ff.

Gluckser m Schluckauf. Ein Lautwort. 1500 ff.

Glücksfee f Fernsehansagerin für die Lotto- und Toto-Zahlen. Diese moderne Nachfahrin der gütigen Märchengestalt bringt einigen Glück, den meisten Enttäuschung. 1965 ff.

Glückspilz m **1.** Mensch, der unerwartet Glück hat. Pilze „schießen" oft buchstäblich über Nacht aus der Erde; ähnlich plötzlich stellt sich das ein, was wir Glück nennen. Seit dem 18. Jh.

2. Kothaufen an normalerweise unerwartetem Ort. Wer unbeabsichtigt hineintritt, wird Glück haben (sagt man). Sold in beiden Weltkriegen; rotw.

Glückssache f Denken ist ~: Redewendung, wenn einer sich schwerwiegend irrt. 1920 ff.

Glücksschuß m überraschender Tortreffer. ↗Schuß. Sportl 1920 ff.

Glückssträhne f kurze Zeitspanne des Erfolgs. Zur Erklärung vgl „↗Gelegenheit". 1900 ff. Vgl engl „a stroke of luck".

Glückstopf m in den ~ gegriffen haben = Glück gehabt haben. Glückstopf = Lostrommel. 1600 ff.

Glücksvogel m Mann, der überall Glück

hat. Dem „↗Pechvogel" nachgebildet. Seit dem späten 19. Jh.

gludern *intr* mißtrauisch blicken; vorsichtig spähen. Fußt auf *ndl* „gluuren = schielen; von der Seite blicken" und ist beeinflußt von „luren = lauern, lauschen". Seit dem 19. Jh.

Glühbirne *f* 1. rote (gerötete) Trinkernase. Seit dem frühen 20. Jh.
2. vor Aufregung (Zorn, Scham) roter Kopf. 1955 *ff*.
3. durchgebrannte ~ = Mädchen, das seinem Freund untreu geworden ist. „Durchbrennen" meint sowohl „durch langes Brennen (oder Überhitzung) entzwei gehen" als auch „fliehen". „Glühbirne" steht in Parallele zu „Flamme = Geliebte". 1959 *ff, jug*.
4. ihm geht eine ~ auf = er begreift endlich die Zusammenhänge. Analog zu „ihm geht ein ↗Licht auf". 1910 *ff*.

glühen *intr* wütend sein. Anspielung auf die Zornesröte. Seit dem 19. Jh.

Glühstrumpf *m* 1. erigierter Penis. Er färbt sich unter Blutandrang hochrot wie der Glühstrumpf in der Gaslaterne. 1900 *ff*.
2. Präservativ. Von dem im Vorhergehenden Erwähnten übernimmt er die Hitze. 1900 *ff*.
3. gerötete Nase. 1920 *ff*.

Glühwürmchen *n* 1. Platzanweiserin im Kino. Mit ihrer aufleuchtenden Taschenlampe erinnert sie an einen Leuchtkäfer. Etwa seit 1910.
2. elektrische Taschenlampe. 1914 *ff*.
3. Scheinwerfer; Angehöriger der Scheinwerferbedienung. *Sold* in beiden Weltkriegen.
4. Trinkernase. 1920 *ff*.
5. Zigarette. Im Dunkeln ist sie ein leuchtender Punkt. 1940 *ff*.

Glumpert *n* 1. Wertlosigkeit; minderwertige Habe. ↗Gelump. *Südd* seit dem 19. Jh.
2. Gesindel. *Südd* seit dem 19. Jh.

glupsch (glubsch) *adj* 1. von unten heraufblickend; heimtückisch. ↗glupschen. 14. Jh. *nordd*.
2. grob, ungeschlacht. *Nordd* seit dem 19. Jh.
3. gierig, gefräßig. *Nordd* seit dem 19. Jh.

Glupschaugen *pl* hervortretende Augen; gieriger Blick. ↗glupschen. 1700 *ff*.

Glupschen *pl* Augen. *Vgl* das Folgende. 1950 *ff*.

glupschen (glupen, gluppen) *intr* von unten vorsichtig heraufblicken; gierig, tükkisch blicken; einen raschen, spähenden Blick werfen. Ein *niederd* Wort, fußend auf *ostfries* „glup = Spalte; schmale Öffnung" und *ndl* „gluip = enge Öffnung". Seit dem 14. Jh.

gluren *intr* starr, erstaunt blicken. Geht zurück auf *gleichbed mhd* „glaren", beeinflußt von „luren = lauern". *Österr* und *bayr* seit dem 19. Jh.

Glust *m* Begierde. Aus „Gelüst" entstanden. Seit *mhd* Zeit. Heute vorwiegend *bayr*.

Gnack *m* Geiziger. ↗knacken = geizen. *Vgl* auch „G(e)nack = Genick", woraus sich Verbindung zu „↗Geizkragen" ergibt. *Bayr seit dem* 19. Jh.

Gnadenhochzeit *f* Feier der Eheschließung nach 70 (75) Ehejahren. Eine solch lange Ehe gilt als Zeichen einer besonderen Gnade Gottes. 1920 (?) *ff*.

Gnadenstoß *m* Rest in der Schnapsflasche; letztes Glas vor dem Heimgehen. Eigent-

lich der Stoß mit der Stichwaffe zur Beendigung der Todesqual eines Geräderten oder eines Tieres. Seit dem Ende des 19. Jhs.

Gnäfrau *f* gnädige Frau. Hieraus verkürzt. 19. Jh.

Gnatterbüdel *m* Nörgler. ↗gnattern. *Nordd* seit dem 19. Jh.

Gnatterbüx *f* Nörgler. ↗gnattern. „Büx (↗Buxe) = Hose", hier Sinnbild für „Mann". *Nordd* seit dem 19. Jh.

gnattern *intr* Mißmut äußern; nörgeln. Ablautende Nebenform von „↗knuttern", schallnachahmend für das Knurren des Hundes. *Nordd* 1700 *ff*.

gnatzen *intr* 1. knarren. Iterativum des Vorhergehenden.
2. mürrisch sein. 19. Jh.
3. weinerlich sein oder tun. 19. Jh.

gnautzen *intr* 1. aufbegehren, murren. Nebenform von ↗gnatzen. *Nordd* 19. Jh.
2. wehleidig sein; weinerlich klagen. *Vgl* ↗gnatzen 3. Seit dem 19. Jh.

gneddern *intr* weinen und wimmern; nörgeln. *Vgl* ↗gnattern. Berlin 1870 *ff*.

gneisen *v* 1. *intr* = äugen. Zusammengewachsen aus „geneissen = wahrnehmen". *Rotw* 1700 *ff*.
2. *tr* = etw in Erfahrung bringen, bemerken, ahnen, erraten. *Oberd* 1800 *ff*.

Gnietsch *m* Geiziger. ↗gnietschen. *Mitteld* und *ostd* seit dem 19. Jh.

gnietschen *intr* geizen. Gehört zu „kneten": der Geizige „knetet" (drückt) jeden Pfennig, ehe er ihn hergibt. *Mitteld* und *ostd* seit dem 19. Jh.

Gnom *m* Kleinwüchsiger, Buckliger. Im Volksglauben ein zwergengestaltiger Erdgeist. 1960 *ff, BSD*.

Gnu *n* dummer, einfältiger Mensch. Gnu = Horntier (siehe Gattung der Kuhantilopen). Als Schimpfwort analog zu „↗Hornvieh", „↗Rindvieh". 1950 *ff, halbw*.

göbeln *intr* sich erbrechen. Lautmalend. 19. Jh. *Vgl* franz „dégobiller".

Gockel *m* 1. Mann. Er ist der Hahn im Hühnerhof. 1600 *ff*.
2. dünkelhafter Mann. In menschlicher Auffassung trägt der Hahn Stolz zur Schau. 1600 *ff*.
3. das Unübertreffliche. Vom Meistgeschätzten übertragen auf die gleichwertige Sache. Basel 1954 *ff, jug*.
4. alter ~ = alter Mann, der jungen Mädchen den Hof macht. 1900 *ff*. *Vgl angloamerikan* „old cock".
5. guter ~ = geschlechtlich leistungsfähiger Mann. Dazu das Sprichwort: „Ein guter Gockel wird selten fett". 19. Jh.
6. verliebter ~ = verliebter Mann. 1900 *ff*.
7. sich wie ein ~ aufplustern = sich liebestoll benehmen; auf die Geliebte eindrucksvoll als Mann zu wirken suchen. 1900 *ff*.
8. balzen wie ein ~ = heftig flirten. ↗balzen. 1900 *ff*.
9. sich wie ein ~ benehmen = in aller Öffentlichkeit eine weibliche Person umwerben. 1900 *ff*.
10. rumsteigen wie der ~ am Mist (auf dem Misthaufen) = stolzieren. Seit dem 19. Jh.

Gockelei *f* Girren einer weiblichen Person um die Gunst des Mannes. ↗gockeln. Seit dem 19. Jh.

gockeln *intr* 1. um die männliche Gunst girren. Seit dem 19. Jh.
2. koitieren. Seit dem 19. Jh.

Goethe *Pn* 1. sowas lebt, und ~ mußte sterben: Redewendung angesichts eines dummen Menschen. Solch eine dumme Person ist leider unverwüstlich. Wohl umgemodelt aus Homer, Ilias XXI, 107: „Auch Patroklus ist gestorben und war mehr als du". 1920 *ff*.
2. ordinären ~ zitieren = das „Götz-Zitat" verwenden. 1920 *ff*.
3. populären ~ zitieren = das „Götz-Zitat" verwenden. 1920 *ff*.

gogeln *intr* tauschhandeln. ↗kokeln. 1918 *ff*.

Gogolori (Goggolori) *m* unentschlossener, hilfloser Mensch; Tölpel. Fußt auf *ahd* „goukalari = Zauberer, Taschenspieler, Gaukler". Hier wohl *iron* gemeint. *Südwestd* und *bayr* 1900 *ff*.

Göhre *f* ↗Göre.

Go-in (*engl* ausgesprochen) *n* Zusammenkunft. Wörtlich *engl* „go in = geh hinein". Nach 1965 aufgekommen für die rechtswidrige, vorübergehende Besetzung von Instituts- und Amtsräumen durch Bürger, die Reformen durchsetzen wollten. Hieraus verallgemeinert zum Begriff „Begegnung" o. ä. *Halbw* 1968 *ff*.

Goj *m* Nichtjude, Christ. Im 18. Jh aus *gleichbed jidd* „goi". 19. Jh.

gokeln *intr* mit Feuer spielen; unvorsichtig mit Feuer umgehen. ↗kokeln. *Ostmitteld* 19. Jh.

Gold *n* 1. beste Leistungsnote. Fußt auf der Verleihung der Goldmedaille bei den Olympischen Spielen. *Schül* 1956 *ff*.
2. braunes ~ = Rohkaffee. (Als „Gold" im übertragenen Sinn gilt dem Volksmund alles, was zu hohem Preis gehandelt wird.) 1960 *ff*.
3. flüssiges ~ = a) Benzin. 1960 *ff*. – b) Heiz-, Erdöl. 1960 *ff*.
4. grünes ~ = Hopfen. 1960 *ff*.
5. mein ~ = Kosewort für Mann oder Frau. Analog zu „Schatz". Seit dem 15. Jh.
6. nordisches ~ = Bernstein. 1960 *ff*.
7. schwarzes ~ = a) Kohle. Seit dem 19. Jh. – b) Erdöl. 1960 *ff*.
8. weißes ~ = a) Elfenbein. 1850 *ff*. – b) Porzellan. 1960 *ff*. – c) Salz. 1960 *ff*. – d) Ton für Keramikbetriebe. 1960 *ff*. – e) Schnee in Wintersportgebieten. 1960 *ff*.
9. treu wie ~ sein = sehr treu; unverbrüchlich treu. Das Edelmetall stellt metaphorisch die höchste Wertstufe dar, nicht zuletzt dank seiner physischen Beständigkeit. Seit dem 18. Jh. *Vgl engl* „as good as gold".
10. er ist nicht mit ~ aufzuwiegen = er ist überaus tüchtig. Seine Person ist mehr wert, als es sein Körpergewicht in Gold wäre. 1900 *ff*.
11. er ist nicht mit ~ zu bezahlen = es ist überaus kostbar. Seit dem 19. Jh.
12. ~ in den Hosen haben = die Hosen von innen beschmutzt haben. Wegen der Goldfarbe des Kots. 1930 *ff*.
13. ~ in der Kehle haben = eine gute Singstimme haben; durch Gesangsleistung wohlhabend werden. Seit dem 19. Jh, ursprünglich theaterspr.
14. ~ in der Kniekehle haben = ein hervorragender Läufer (Fußballspieler) sein. Dem Vorhergehenden nachgeahmt. 1950 *ff*.

15. ~ im Schuh (in den Waden) haben = ein überragender Fußballspieler sein. 1950 *ff, sportl.*
16. ~ kacken = Wertsachen gegen Lebensmittel eintauschen. Was man im Abort zurückläßt, war vordem Gold. 1945 *ff.*
17. das ist ~ dagegen = dieses ist weit wertvoller als das andere. Seit dem 19. Jh.
Goldamsel *f* **1.** vermögende weibliche Person. Neue Bedeutung eines Vogelnamens. 1960 *ff.*
2. beliebte Sängerin. Sie hat „Gold in der Kehle"; ↗Gold 13. Theaterspr. (-kritikerspr.) 1950 *ff.*
Goldbergwerk *n* Nase, Nasenloch. Der Finger wird fündig. 1910 *ff.*
'gold'echt *adj* unverfälscht, unverbildet. Gold als höchste Wertungsstufe. 1900 *ff.*
'gold'ehrlich *adj* völlig ehrlich, aufrichtig. 1900 *ff.*
Goldesel *m* **1.** sehr erfolgreiches Bühnenstück. Fußt auf dem aus dem Märchen bekannten Goldesel, der „vorn und hinten" Goldstücke von sich gibt. 1950 *ff.*
2. Mann, der nur als Geldgeber gewertet wird. 1965 *ff.*
'gold'falsch *adj* **1.** völlig falsch. Anspielung auf Talmigold; Umkehrung von „↗goldrichtig". 1930 *ff.*
2. niederträchtig, heimtückisch, charakterlos. ↗falsch 6. 1920 *ff.*
Goldfasan *m* **1.** reiches Mädchen. Dem Vogelnamen unterlegte neue Bedeutung. Seit dem 19. Jh.
2. Kosewort für eine weibliche Person. 19. Jh.
3. hoher Funktionär der NSDAP. Nach 1933 übliche Spottbezeichnung der „Hoheitsträger" in der bunten Aufmachung ihrer Uniformen mitsamt den bunten Unterscheidungsmerkmalen der Spiegel, Litzen usw. In ihrer Farbenpracht glichen sie für Spötter den Goldfasanen mit ihrem bunten Gefieder.
Goldfisch *m* **1.** reiches Mädchen; reiche Ehepartnerin. Der Goldfisch, Bewohner der Hausaquarien, wurde zur Bezeichnung der vermögenden weiblichen Person um so mehr, als Heiraten oft als ein Angeln und Fischen aufgefaßt wird. 1800 *ff.*
2. reicher Bräutigam; Wohlhabender. 19. Jh.
3. wohlhabender Prostituiertenkunde. 19. Jh.
4. General. *Sold* 1939 bis heute.
5. ich glaube, mein ~ hat die Tage: Ausdruck der Verwunderung. Gemeint ist etwa: Soll ich meine Behauptung glauben, so mußt du glauben, daß mein Goldfisch menstruiert. *BSD* 1965 *ff* und *schül.*
6. ich glaube, mein ~ humpelt (jodelt; pfeift Bonanza): Erwiderung auf eine unglaubwürdige Behauptung. Versteht sich nach dem Vorhergehenden. *BSD* 1965 *ff* und *schül.*
7. bei ihm humpelt ein ~ = er ist verrückt. *Halbw* 1965 *ff.*
Goldfüchse *pl* Goldstücke. ↗Fuchs 6. 19. Jh.
Goldgräber *m* **1.** Lumpensammler. Er gräbt in Unverwertbarem nach Geldbringendem. Aufgekommen im Zusammenhang mit dem aufsehenerregenden Goldfunden von Klondike (Kanada), 1896.
2. Heiratsschwindler. Er gräbt sich an das Vermögen seiner Opfer heran. 1900 *ff.*
Goldgräberin *f* Prostituierte, die ihrem

Kunden die Brieftasche stiehlt; Beischlafdiebin. 1920 *ff.*
Goldgrube *f* **1.** Abort-, Dunggrube. Sowohl wegen der goldfarbenen Exkremente als auch wegen des landwirtschaftlichen Nutzungsgewinns. 1840 *ff.*
2. Naseninneres. ↗Goldbergwerk. 1840 *ff.*
3. sehr einträgliches Geschäft (auf Dauer); günstig gelegenes Lokal. 1725 *ff.*
4. erfolgreicher Künstler mit hoher Gage; Mann mit hohem Einkommen. 1950 *ff.*
Goldidee *f* hervorragender Einfall. 1980 *ff.*
goldig *adj* sehr schön; entzückend; reizend; allerliebst. Goldig = goldglänzend = goldähnlich; von hier weiterentwickelt zu einem Superlativ, weil Gold das beliebteste Edelmetall ist. Um 1900 Jungmädchen- und Leutnantsdeutsch; aber zwei Jahrhunderte älter.
Goldjunge *m* **1.** lieber, netter Junge. 19. Jh.
2. verzogener, eingebildeter Jüngling; Nichtstuer. Ironie. 1900 *ff.*
3. erfolgreicher junger Mann. 1950 *ff.*
4. reicher Mann. 1950 *ff.*
5. Gewinner einer (mehrerer) Goldmedaille(n) bei den Olympischen Spielen. 1960 *ff.*
6. Filmschauspieler, der den „Goldenen Otto" („Oscar") erhalten hat. 1963 *ff.*
7. Besitzer der „Goldenen Schallplatte". 1965 *ff.*
Goldkehlchen *n* singender Kinderstar. Er hat „Gold in der Kehle". In Anlehnung an „↗Goldamsel" dem Vogelnamen „Rotkehlchen" nachgeahmt. 1967 *ff.*
Goldkörner *pl* ~ streuen (rollen lassen) = den Untergebenen mehr oder minder fragwürdige Weisheiten darbieten; immer von neuem denselben Unterrichtsgegenstand behandeln. Goldene Körner sind angeblich ein wertvolleres Vogelfutter. 1900 *ff,* offiziersspr., kadettenspr. und *sold.*
Goldmädchen *n* **1.** sympathisches Mädchen von liebem Wesen. 1850 *ff.*
2. Gewinnerin einer (mehrerer) Goldmedaille(n) bei den Olympischen Spielen. 1960 *ff.*
Goldmine *f* auf einer ~ sitzen = viel Geld verdienen. 1980 *ff.*
Goldrausch *m* Begeisterung über reichliche Erkämpfung von Goldmedaillen bei den Olympischen Spielen. Meint eigentlich die Gier nach Gold. 1964 *ff.*
'gold'recht haben völlig recht haben; durchaus im Recht sein; sich keineswegs irren. 1900 *ff.*
Goldregen *m* **1.** große Geldeinnahme; großer Lotteriegewinn. Es regnet „Sterntaler" wie im Märchen. Seit dem 19. Jh.
2. Verteilung vieler Goldmedaillen bei den Olympischen Spielen. 1936 *ff.*
3. Verleihung der „Goldenen Schallplatte". 1965 *ff.*
'gold'richtig *adj* sehr richtig; völlig treffend; sehr erwünscht; vortrefflich. *Vgl* ↗goldecht. 1920 *ff.*
Goldsamstag *m* Samstag in der Vorweihnachtszeit mit dem größten Verkaufserfolg. 1920 *ff.*
Goldschmied *m* ich denke wie ~s Jungel: Ausdruck der Abweisung. Meinte ursprünglich, daß man eine Unbill nicht mit einer Unbill erwiderte, sondern sich nur in Gedanken rächte. Balthasar Schupp erwähnt in „Eylfertiges Sendschreiben An den Kalenderschreiber zu Leipzig" (Hamburg 1656) einen Goldschmiedsjungen, der

von seinem Herrn ein paar Ohrfeigen erhielt und darauf die eigene Rechte in die Tasche steckte, um sie am Zurückschlagen zu hindern. Der Sinn dieser Geschichte verwandelte sich im Lauf der Jahrhunderte zu der heute üblichen Bedeutung „Leck mich am Arsch!". 19. Jh.
'gold'sicher *adj* unbedenklich, unzweifelhaft; völlig sicher. „Gold-" kennzeichnet das Unübertreffliche. 1850 *ff.*
Goldsohn (-söhnchen) *m (n)* verwöhnter Junge; Lieblingssohn. *Vgl* ↗Goldjunge. Seit dem 18. Jh.
Goldstück *n* **1.** verwöhntes Kind; Kosewort für eine weibliche oder männliche Person. 1900 *ff.*
2. (einzige) Tochter reicher Eltern. 1900 *ff.*
3. lieber, netter Mensch; charaktervoller Mensch. 1900 *ff.*
4. Versager. Ironie. 1910 *ff.*
'gold'treu *adj* unerschütterlich treu. ↗Gold 9. 1900 *ff.*
Goldwaage *f* **1.** die Worte auf die ~ legen = erst nach reiflicher Überlegung sprechen; die Worte des anderen sehr genau nehmen. Fußt auf Sirach 21, 17 und 28, 29. 1500 *ff.*
2. etw auf die ~ legen = etw sehr genau werten. 1950 *ff.*
Goldzahn *m* feste Freundin eines jungen Mannes. ↗Zahn 3; ↗goldtreu. *Halbw* 1955 *ff.*
Gollo *m n* Arrest. Fußt auf *jidd* „golo = gefangennehmen". 1920 *ff.*
Gondel *f* **1.** *pl* = derbe halbhohe Militärstiefel; Stiefel; breite Schuhe. Analog zu ↗Kahn 8. 1870 *ff.*
2. morsche ~ = Begriffsstutzigkeit. „Gondel" meint hier den Ballonkorb; *vgl* ↗Ballon 1. 1920 *ff.*
3. seine ~ ist morsch = er ist nicht recht bei Verstand. 1920 *ff.*
gondeln *intr* langsam fahren; hin- und herreisen; ohne festes Ziel fahren; langsam gehen; schlendern. Hergenommen von der gemächlichen Geschwindigkeit der venezianischen Gondel. 19. Jh.
Gong *m* Bestrafung. Meint im *Engl* die Medaille; Bestrafung und Tadel werden *iron* als „Auszeichnung" aufgefaßt. *Schül* und *sold* 1960 *ff.*
gönnen *v* **1.** sich einen ~ = a) ein Glas Alkohol trinken. Man läßt sich etwas Gutes zuteil werden. 19. Jh. – b) onanieren. Hinter „einen" ist sinngemäß „↗Abgang" o. ä. zu ergänzen. 1960 *ff, halbw.*
2. jm etw ~ = jm etwas Schlechtes wünschen. *Iron:* das gestattet ihm neidlos, daß ihm ein Übel widerfahre. 1840 *ff.*
3. das ist ihm gegönnt = das geschieht ihm recht! Ausdruck der Schadenfreude. 1840 *ff.*
4. das ist mir nicht gegönnt: Redewendung, wenn einem eine Leckerei von der Gabel fällt, oder wenn irgendein Gegenstand einem aus der Hand gleitet. Seit dem 19. Jh.
Goofy (*engl* ausgesprochen) *m* **1.** kleiner Junge (Kosewort). So heißt in Walt Disneys Zeichentrick-Welt der Hund als tölpelhafter, gutmütiger und hilfsbereiter Kamerad von „Micky" und seinen Freunden. 1960 *ff.*
2. Klassenbester. *Iron. Schül* 1960 *ff.*
3. einfältiger Soldat. Offiziersspr. 1965 *ff.*
Gör *n* Kind, Mädchen. *Vgl* das Folgende. 1700 *ff.*

Göre (Göhre) *f* **1.** Straßenkind; heranwachsendes Mädchen. Fußt auf „Gurre = Stute"; ursprünglich ein Schimpfausdruck auf Prostituierte. Verwandt mit *engl* „girl". Seit dem 16. Jh. **2.** kleines Mädchen (Kosewort). 1900 *ff*.

Gori (Gore) *f* Geld. Geht zurück auf *zigeun* „chairo, chairi = Kreuzer, Pfennig". *Rotw* seit dem 19. Jh; vorwiegend *oberd.*

Gorilla *m* **1.** kräftiger, muskulöser Mann; breitschultriger Mann; Schwergewichtsboxer. Er ist kräftig entwickelt wie der Gorilla. Boxerspr. 1920 *ff*. **2.** Gangster. 1950 *ff*. **3.** Leibwächter. 1955 *ff*.

Gorillatyp *m* sehr kräftig entwickelter Mann. 1920 *ff*.

Gosche (Goschen, Goschn) *f* **1.** Mund. Herkunft unsicher; vielleicht zusammenhängend mit *ital* „gorcia = Kehle". 1500 *ff*. **2.** schwatzhafter Mund; Vielschwätzer. 19. Jh. **3.** Ohrfeige. Seit dem 19. Jh. **4.** große ~ = prahlerische Redeweise. 1900 *ff*; vorwiegend *oberd.* **5.** jm eine ~ anhängen = sich mißmutig äußern; murren; jm eine freche Antwort geben. „Anhängen" meint „an den Rükken hängen" im Sinne von „nachsagen". Seit dem 19. Jh. **6.** eine dreckige ~ haben = schmutzige Reden führen; Zoten erzählen. Seit dem 19. Jh. **7.** eine wüste ~ haben = unflätig reden; derb schimpfen. Seit dem 19. Jh. **8.** seine ~ leeren = jn ausschimpfen. 1700 *ff*. **9.** die ~ reißen = großsprecherisch sein; sich aufspielen. *Südd* seit dem 16. Jh. **10.** die ~ wetzen = prahlen. *Bayr* und *österr* 1900 *ff*. **11.** die ~ an jm wetzen = jm mit Worten zu nahe treten. 1900 *ff*.

goschen *intr* schimpfen; viel, vorlaut, dreist, unflätig reden. 1800 *ff*, *oberd.*

Goschenhobel *m* Mundharmonika. Sie wird auf den Lippen selbst hin- und herbewegt. ↗ Gosche. *Südwestd* 1900 *ff*.

Goschenreißer *m* **1.** Marktschreier. ↗ Gosche 9. Seit dem 19. Jh. **2.** Abgeordneter. Man wirft ihm vor, er spiele sich nur auf, um seinem Mandat Bedeutung zu geben. 1920 *ff*.

Goschenschlosser *m* Zahnarzt. Er ist Reparaturhandwerker für Zähne. 1900 *ff*, *schwäb.*

Goscherl *n* **1.** Kuß. Analog zu „Mäulchen". *Südd* seit dem 19. Jh. **2.** Kosewort. *Österr* seit dem 19. Jh.

goscherln *tr* küssen. Wörtlich soviel wie „mündeln". *Südd* seit dem 19. Jh.

goschert *adj* redegewandt, prahlerisch. Sinngemäß soviel wie „mundfertig"; ↗ Gosche. 1900 *ff*, *österr.*

Gosse *f* nicht mit jm in der ~ gelegen haben = jm keinen Anlaß zu Vertraulichkeiten gegeben haben. Gosse = Ausguß, Rinnstein; im übertragenen Sinn Lebensbereich der vom Bürgertum Verachteten. Dort herrschen plumpe Umgangsformen. 1920 *ff*.

Gossenschwemme *f* Verkehrslokal der Prostituierten nebst Anhang sowie der Kriminellen. ↗ Gosse; Schwemme = Viehtränke. 1945 *ff*.

Gott *m* **1.** ~ und die (alle) Welt = viele; alle; alle möglichen Personen und Dinge. Geht auf die Bibelsprache zurück. Seit dem 19. Jh. **2.** *pl* = altgediente Soldaten. Sie genießen hohes Ansehen, gelten gelegentlich als allwissend und als stets hilfsbereit. *Sold* 1939 *ff*. **3.** *pl* = Schüler der Oberstufe. 1950 *ff*, *schül.* **4.** Götter in Weiß = Ärzte, Chefärzte. Manche von ihnen führen sich als unantastbare Autoritätspersonen auf. 1970 *ff*. **5.** allmächtiger ~!: Ausruf des Erschreckens. Von frommen Anrufungen verweltlicht. 1900 *ff*. **6.** großer ~!: Ausruf der Überraschung, des Entsetzens. 1900 *ff*. **7.** junger ~ = schöner junger Mann. Geht zurück auf die Götterschilderungen der griechischen Mythologie. Seit dem 19. Jh. **8.** der liebe ~ = a) Vier-Sterne-General. Er ist der Allerhöchste. *BSD* 1965 *ff*. – b) Schulleiter. 1920 *ff*. **9.** mein ~, Walther!: Ausruf der Verzweiflung, der Enttäuschung, der Unerträglichkeit, des Mitleids o. ä. Fußt auf dem gleichlautenden Kehrreim eines von Michael (Mike) Krüger aus Quickborn vorgetragenen Blödelliedes. 1975 *ff*. **9 a.** wie ein junger ~ = anmutig, gewandt. 19. Jh. **10.** der liebe ~ klopft an = das Gewissen schlägt; Reue kommt auf. 1950 *ff*. **11.** sich mit dem lieben ~ bekannt machen = im Sterben liegen. 1870 *ff*. **12.** wie (als) ~ den Schaden besieht = am Ende; bei richtiger Betrachtung; wie sich hinterher herausstellt. Fußt in verweltlichter Auffassung auf dem biblischen Bericht von Gott am sechsten Schöpfungstag (1. Moses 1, 31: „und Gott sah an alles, was er gemacht hatte; und siehe da, es war sehr gut"). Seit dem 19. Jh. **13.** man muß dem lieben ~ für alles dankbar sein: Begleitworte des Kartenspielers beim Einheimsen eines kleinen Stichs oder beim Gewinnen eines geringen Spiels. Kartenspielerspr. 1840 *ff*, Berlin. **14.** erhalte Sie, aber möglichst bald (und lassen Sie sich den Zugang quittieren; lassen Sie sich eine Empfangsbescheinigung ausstellen)!: Redewendung an einen unsympathischen Menschen. Wortspiel mit zwei Bedeutungen von „erhalten": „am Leben erhalten" und „bekommen". Berlin, spätestens seit 1900. **15.** vom lieben ~ erschossen sein = durch Blitzschlag getötet sein. Der Blitz als Gottes Feuerstrahl. 1800 *ff*. **16.** laß dich nicht vom lieben ~ erwischen!: Warnrede. Hängt mit der volkstümlichen Ansicht zusammen, daß Gott zwar alles sieht, aber nicht alles ahndet. 1900 *ff*. **17.** sich fühlen wie ~ in Frankreich = sich außerordentlich wohlfühlen. ↗ Gott 31. 1950 *ff*. **18.** ~ geb's: interjektioneller Glückwunsch, meist unsinnig verwendet (der Seiltänzer wird sich noch, Gott geb's, den Hals brechen). *Vgl* ↗ Gott 51. Seit dem 19. Jh. **19.** geh mit ~, aber geh!: Redewendung an den unliebsamen Besucher, der sich

endlich verabschiedet (auch scherzhaft gebraucht). Man wünscht ihm Gottes Schutz auf den Weg, wenn er nur nicht länger verweilt. 1920 *ff*. **20.** vom lieben ~ eine gelangt kriegen = einen Schlaganfall erleiden. Der Schlaganfall gilt als Ohrfeige Gottes. 1890 *ff*. **21.** von ~ im Zorn geschaffen (erfunden) sein = minderwertig, unleidlich sein. Volkstümliche, aus Berichten des Alten Testaments genährte, in der antiken Mythologie heimische Vorstellung vom zürnenden Gott: alles Schlechte und Untaugliche auf Erden entstammt einer Zornesaufwallung Gottes. 1800 *ff*. **22.** ~ sei gedankt, gepriesen (getrommelt) und gepfiffen! = Gott sei Dank! Zusammenhängend mit feierlich-prunkvollen, musikalischen Gottesdiensten sowie mit der Vorstellung von den Dank- und Lobgesängen der himmlischen Chöre. Etwa seit 1850. **23.** ~ sei's gelobt und gepfiffen (~ sei gelobt, gepriesen und gepfiffen)! = Gott sei Dank! 1900 *ff*. **24.** ~ sei's getrommelt und gepfiffen! = Gott sei Dank! 1850 *ff*. **25.** ~ sei's getrommelt, gepfiffen und gebaßgeigt! = glücklicherweise! 1900 *ff*. **26.** grüß' ~, wenn du ihn siehst!: Abschiedsgruß. Die Grußformel „grüß' Gott!" (= Gott segne dich!) ist vielen unverständlich, weswegen man sie ummodelt, bis sie ein erkennbarer Sinn ergibt. 1900 *ff*. **27.** zum lieben ~ kommen = sterben; im Krieg fallen. 1900 *ff*. **28.** laufen wie ein ~ = ausgezeichnet marschieren; ein hervorragender Eiskunstläufer sein; im Wettlauf allen voran sein. Sportreporterspr. 1950 *ff*. **29.** ~es Wasser über ~es Land laufen lassen = unbekümmert, sorglos, gleichgültig sein; alles gehen lassen, wie es geht; nicht aufbegehren. Vielleicht eine entfernte Nachwirkung der Geschichte von der Sintflut. Seit dem 19. Jh. **30.** leben wie ein ~ = ohne Not leben. Fußt auf der Vorstellung vom Leben der antiken Götter. Seit dem 18. Jh. **31.** leben wie ein ~ in Frankreich = ein Faulenzerleben führen; ohne Sorgen leben; im Überfluß leben. Aus dem Vorhergehenden gekreuzt mit der Redensart „leben wie ein Herr in Frankreich", gemünzt auf das Wohlleben der Aristokratie im 18. Jh bis zur Französischen Revolution. Seit dem späten 18. Jh. **32.** ~es Mühlen mahlen langsam: sagt der Kartenspieler, wenn er den Gegnern anfangs einige Stiche überläßt, um später mit den höheren Karten die restlichen einzuheimsen. Geht zurück auf das Gedicht „Göttliche Rache" von Friedrich von Logau (1654). Kartenspielerspr. 1840 *ff*. **33.** über ~ und die Welt reden = über sehr verschiedenartige Dinge reden. Seit dem 19. Jh. **33 a.** schlafen wie ein ~ = ausgezeichnet schlafen. 1800 *ff*. **34.** wie ~ ihn (sie) schuf = nackt. Seit dem 19. Jh. **35.** ~ sieht aufs Herz: Trostspruch an einen Verlierer beim Kartenspiel. Gemeint ist, daß Gott nur die inneren Werte des Menschen beurteilt, nicht seinen Erfolg im Leben. Kartenspielerspr. 1870 *ff*.

36. beim lieben ~ sein = verloren sein; das Spiel verloren haben. Kartenspielerspr. 1900 ff.
37. bin ich der liebe ~? = wie kann denn ich es wissen? bin ich allwissend? 1900 ff.
38. ~ einen guten (frommen) Mann sein lassen = unbekümmert leben. Fußt auf der Zuversichtlichkeit des Christen, daß Gott nichts Schlechtes zuzutrauen ist. Seit dem 18. Jh.
39. wir lassen ~ einen guten Mann sein und den Teufel ein Eichhörnchen = wir warten die Entwicklung der Dinge getrost ab. Gott ist kein furchterregender Rachegott und der Teufel ein harmloses Tier. 1930 ff.
39 a. singen wie ein ~ = ein begabter ("begnadeter") Sänger sein. 1920 ff.
40. der liebe ~ spielt Kegel = es donnert. Das Rollen des Donners klingt ähnlich dem Rollen der Kegelkugel. 1900 ff.
41. spielen wie ein (junger) ~ = hervorragend spielen. Theaterspr. 1920 ff.
42. ~ stärke deine Schönheit!: scherzhafter Wunsch beim Niesen. 1900 ff.
43. dem lieben ~ die Zeit stehlen = faulenzen; müßiggehen. "Zeit" meint die von Gott dem Menschen zugewiesene Lebenszeit, in der man im Schweiße seines Angesichts sein Brot erwerben, aber nicht müßig sein soll. 1700 ff.
44. wie ein junger ~ tanzen = vorbildlich tanzen. Vgl ↗Gott 7 und 9 a. Seit dem 19. Jh.
45. von ~ verlassen sein = a) abseits gelegen sein. Meint eine Gegend, die Gott wegen Unwirtlichkeit aufgegeben hat, oder in die das Wort Gottes bisher nicht gelangt ist. Vgl ↗gottverlassen. Seit dem 19. Jh. – b) nicht ganz bei Verstande sein. Fußt auf Psalm 8, 6. Seit dem 19. Jh.
46. von ~ und aller Welt verlassen sein = überaus dumm sein. Vgl das Vorhergehende. Seit dem 19. Jh.
47. Sie sind wohl von ~ und dem Führer verlassen? = Sie sind wohl von Sinnen? Modernisiert aus ↗Gott 45. 1939 ff, sold.
48. das weiß der liebe ~! = das weiß ich nicht! das kann ich mir nicht erklären! Seit dem 19. Jh.
49. das wissen die Götter = das weiß ich nicht; dafür habe ich keine Erklärung. Ausdruck der Bescheidenheit des Menschen angesichts der Allwissenheit der Götter; hängt wahrscheinlich mit der Redewendung "das liegt im Schoß der Götter" aus Homers "Ilias" zusammen. Seit dem 19. Jh.
50. lieber ~, laß (es) Abend werden, Morgen wird's von selber!: Stoßseufzer eines Arbeitsscheuen oder eines Müden. 1914 ff.
50 a. lieber ~, laß (es) Abend werden, – wenn's geht, noch vor dem Frühstück!: Stoßseufzer eines Arbeitsunlustigen. 1914 ff.
51. will's ~! = wenn Gott es so fügt; hoffentlich. Oft in unsinniger Verwendung (will's Gott, hat sie Brustkrebs). Vgl ↗Gott 18. Seit dem späten 18. Jh.
52. so ~ will und die bösen Menschen es zulassen = hoffentlich. Ausdruck der Resignation: was vermag Gottes Wille gegen das Nein der bösen Menschen?! Wien 1930 ff.
53. nahe bei ~ wohnen = im obersten Stockwerk wohnen. 1900 ff.

54. er hat keine Ahnung (er weiß nicht), wo ~ wohnt = er ist völlig unwissend. 1920 ff.
55. jm zeigen, wo ~ wohnt = jn zurechtweisen. Wien 1940 ff.
56. da hat der liebe ~ seinen Daumen zwischengehalten. ↗Daumen 4.
Göttergatte m Ehemann (scherzhaft). Wahrscheinlich eine Parodie auf "↗Götterweib". Spätestens seit 1900.
Göttergattin f Ehefrau (scherzhaft). Vgl das Vorhergehende. 1900 ff.
Götterweib n Frau mit allen Vorzügen, die sich ein Mann wünschen kann. Eigentlich ein "Weib für Götter", also würdig der Allerhöchsten. 19. Jh.
Gottesaquarium n Kirche in moderner Bauweise. Anspielung auf die Glaswände. 1955 ff.
Gotteswort n echter, guter Kornbranntwein; Kümmelschnaps u. ä. Er ist verläßlich und echt wie ein Wort Gottes. Seit dem 19. Jh.
Gottlieb Vn den ~ machen = das Weite suchen. Fußt auf dem Pseudonym Gottlieb Wendehals des Hamburger Liedermachers Werner Böhm. ↗Wendehals. 1981 ff.
gottlos adj adv frech im Reden, unflätig (er hat ein gottloses Maul). Seit dem 19. Jh.
'Gottsacker'ment interj Ausdruck des Unmuts; Verwünschung. ↗Sakrament. Seit dem 15. Jh.
'Gotts'donner interj Fluch; Ausdruck der Erregung. Seit dem 19. Jh.
'Gotts'donner'wetter interj Verwünschung. Seit dem 19. Jh.
'gottser'bärmlich adj adv sehr jämmerlich; überaus, heftig (er schreit gottserbärmlich; wir haben ihn gottserbärmlich verhauen). Eigentlich so schlecht, daß es Gott erbarmen müßte, oder euphemistisch entstellt aus „↗kotzerbärmlich". Seit dem 19. Jh.
'gotts'jämmerlich adj adv sehr elend, schlecht, herzzerreißend. Zur Erklärung vgl das Vorhergehende. 1500 ff.
'gottver'dammich interj Ausdruck des Unmuts; Ausruf der Bekräftigung. Seit dem 18. Jh.
'gottver'dammicht adj sehr verwünscht. 1900 ff.
'gottver'dammt adj **1.** sehr verwünscht; sehr unerwünscht. Seit dem 19. Jh.
2. interj = Ausdruck des Unmuts. Seit dem 19. Jh.
'gottver'deck interj Verwünschung. Entstellt aus „Gott, verdamm' mich!" („mich" wird mundartlich auch mit „meck" wiedergegeben). 19. Jh, westd.
'gottver'dimmich interj Verwünschung. Entstellt aus „Gott, verdamm' mich!" 1900 ff.
'gottver'dorri interj Verwünschung; Ausruf des Unmuts. ↗verdorri. Seit dem 19. Jh.
'gottver'flixt adj sehr verwünscht. ↗verflixt. 1900 ff.
'gottver'flucht adj überaus unerwünscht. Verstärkung von „↗verflucht". Seit dem 19. Jh.
gottverlassen adj einsam, abgelegen. ↗Gott 45. Seit dem 19. Jh. Vgl engl „a god-forsaken place".
gottvoll adj reizend, herrlich, prachtvoll, drollig. Oft iron gebraucht. Meint eigentlich „von Gott erfüllt", dann „überaus vortrefflich" im Sinne einer allgemeinen Ver-

stärkung. In der Jungmädchensprache beliebt geworden und beliebt geblieben, aber nicht dort entstanden. Seit dem frühen 19. Jh.
Götz Vn **1.** ~l: Ausdruck der Abweisung. Meint „Götz von Berlichingen" im Sinne von Goethes „Urgötz": „leck mich am ↗Arsch!". Der Hinweis auf Goethes Drama ist der bequemste und sehr volkstümliche Ausdruck der Abweisung. Dezenter und literarischer läßt sich die Derbheit nicht tarnen. Undatierbar.
2. ~ von Berlichingen! = leck mich am ↗Arsch! Seit dem 19. Jh.
götzen tr er kann mich ~l: Derber Ausdruck der Abweisung. ↗Götz 1. 1920/30 ff.
götzvonberlichingen intr eine grobe Abweisung aussprechen. ↗Götz 2. 1900 ff.
Grab n **1.** ~ der Jugend = Kaserne; Wehrdienst; Wehrdienstzeit. BSD 1965 ff.
2. schweigsam (stumm) wie ein ~ = sehr verschwiegen. Seit dem 19. Jh.
3. er dreht sich im ~ rum (er würde sich im ~ rumdrehen) = wenn der Verstorbene von dieser Sache erführe, würde er sein heftiges Mißfallen äußern. Gemeint ist, daß die hintere Körperhälfte nach oben gelangt und der Verstorbene so zu dem unter „↗Götz" Gesagten einlädt. Kann auch meinen, daß der Tote sich zur Seite dreht, damit niemand sieht, wie tief ihn die Nachricht ergreift, wie ja auch der Kranke oder Sterbende sich abwendet. 1700 ff.
4. er rotiert im ~ (er würde im ~ rotieren) = die Sache würde das stärkste Mißfallen des Verstorbenen hervorrufen. Vgl das Vorhergehende. 1930 ff.
5. sich sein ~ mit Messer und Gabel schaufeln = übermäßig essen (schlemmen) und daran zugrunde gehen. 1950 ff.
6. schweigen wie ein ~ = verschwiegen sein; kein Geständnis ablegen. ↗Grab 2. Seit dem 19. Jh.
7. gegen mich ist das ~ eine Klatsche = ich bin äußerst verschwiegen; ich werde nicht das mindeste verraten. Klatsche = geschwätziger Mensch. 1920 ff.
Grabbel m **1.** unordentlich weggepackte alte Habe. ↗grabbeln 1. Nordd seit dem 19. Jh.
2. in den ~ schmeißen = in die Menge (unters Volk) werfen. Viele Hände haschen nach den zugeworfenen Dingen (z. B. Bonbons); ↗grabbeln 1. Seit dem 19. Jh.
Grabbelbeutel m kleiner Sack mit allerlei gleichgroß eingepackten Gegenständen, von denen man gegen Zahlung eines bestimmten Betrags einen herausfischen darf. ↗grabbeln 1. 1900 ff.
Grabbelkarre f Bücherwagen, in dessen Schätzen der Kunde wühlen darf. ↗grabbeln 1. 1920 ff, Berlin.
Grabbelkiste f Kiste mit vielerlei Einzelstücken, mit Tuch- und Stoffresten u. ä. ↗Grabbel 1. 1920 ff.
Grabbelkorb m Korb, in dem Waren in ungeordnetem Durcheinander angeboten werden. ↗grabbeln 1. 1950 ff.
grabbeln intr **1.** haschen, greifen, tastend suchen. Iterativform zu „grappen, grapschen = greifen, packen". Nordd 1600 ff.
2. betasten; intim betasten. 1600 ff.
3. grabbel' mir nicht mang die Wellen! = laß mich in Ruhe! stör mich nicht weiter! rede mir nicht dazwischen! Hergenom-

men von der Suche nach Rundfunkwellen. *Marinespr* 1935 *ff.*

Grabbelpuppe *f* intime Freundin. ↗ grabbeln 2; ↗ Puppe. Seit dem 19. Jh.

Grabbelsack *m* Beutel mit allerlei eingewickelten Gegenständen, von denen man sich für einen bestimmten Betrag einen herauslangen darf. ↗ Grabbelbeutel. 1900 *ff.*

Grabben *pl* 1. ~ im Kopf haben = wunderliche Gedanken hegen. Grabben = Launen, Grillen (gehört zu „grabbeln" = kriechen; kriechend sich festhaken"). *Nordd* 1700 *ff.*
2. jm ~ in den Kopf setzen = jn eitel, dünkelhaft machen. *Nordd* seit dem 19. Jh.

Grabbologie *f* ~ studieren = eine weibliche Person intim betasten. An „↗ grabbeln 2" ist die Endung von Wissenschaftsbezeichnungen (Graphologie o. ä.) angehängt worden. 1930 *ff.*

Graben *m* 1. in den ~ fahren = bei der Landung das Flugzeug beschädigen. Meint eigentlich „mit dem Fahrzeug in den Straßengraben geraten und dabei umkippen". 1935 *ff*, fliegerspr.
2. jn in den ~ fahren = jm einen bösen Streich spielen; jn zu verdrängen suchen. Hergenommen vom rivalisierenden Straßenrennfahrer. 1963 *ff.*
3. in den ~ gehen = scheitern. 1970 *ff.*

Grabhügel *m* feister Bauch; Beleibtheit. *Vgl* ↗ Grab 5; sinngemäß auch ↗ Brathendlfriedhof. 1910 *ff.*

Grabkreuz *n* fast am Lebensende verliehener Orden für verdiente Bürger. 1960 *ff.*

Gräble *n* 1. Mitte der Frauenbrust. Gräble = kleiner Graben. *Südwestd* 1900 *ff.*
2. Spalt zwischen zwei nebeneinanderstehenden Betten. 1900 *ff, südwestd* und *bayr.*

Grabstein *m* 1. die ~e abschreiben = Bestellungen mit gefälschten Auftraggebernamen versehen. ↗ Friedhofsadresse. 1950 *ff.*
2. du hast wohl lange nicht mehr am ~ geschnüffelt?: Drohfrage. Wohl anfangs auf einen Hund bezogen. *Schül* 1950 *ff.*
3. einen ~ spielen = traurigen Reden geduldig zuhören. Wien 1950 *ff.*

Grabsteinkomiker *m* Schauspieler des komischen Fachs ohne Sinn für wirkungsvolle Anbringung von Pointen. Theaterspr. 1920 *ff.*

gra'dan *adv* offenherzig, unverblümt, derb. Aus „gerade an" entstanden; „gerade" im Sinne von „aufrichtig, unverstellt". *Bayr* 1900 *ff.*

grade *adv* 1. nicht ~ = nicht sonderlich; mittelmäßig; keineswegs (er ist nicht grade dumm; er hat mir nicht grade gefallen). Ein abgeschwächter Superlativ. Seit dem 19. Jh.
2. ~ eben = soeben. Tautologie. 1900 *ff.*
3. nun ~! = jetzt erst recht! Seit dem 19. Jh.

gradeaus *adv* 1. genau gerechnet. 1900 *ff.*
2. es geht alles ~ = es ist keine Unehrlichkeit dabei. Gegensatz „krumm", nämlich von der Geraden abweichend. 1920 *ff.*

gradebiegen *tr* etw in Ordnung bringen; eine Fehlhandlung wiedergutmachen. Etwa wie der Gärtner krumm wachsende Pflanzen richtet. 1920 *ff.*

gradebügeln *tr* etw in Ordnung bringen. ↗ ausbügeln. 1920 *ff.*

graderaus *adv* ohne Umschweife. Seit dem 19. Jh.

graderücken *tr* etw berichtigen. 1960 *ff.*

gradestehen *v* 1. für etw ~ = für etw einstehen, die Verantwortung übernehmen; für etw aufkommen; für etw die Verpflichtung anerkennen. Übernommen vom Stillstehen des Soldaten vor seinem Vorgesetzten. 1900 *ff.*
2. nicht mehr ~ können = betrunken sein. 1900 *ff.*

Graffel (Graffl, Geraffel) *n* 1. Gegenstände *(abfj);* Plunder; Zeug. Gehört zu „raffen = auf-, zusammengreifen". *Oberd* seit dem 19. Jh.
2. Gesamtheit der militärischen Ausrüstungsgegenstände des Soldaten. *Bayr* 1900 *ff.*
3. Menstruation. 1920 *ff.*

Gramel *f* miese ~ = unansehnliches Mädchen. Gehört zu „Gram" und „griesgrämisch". *Österr* 1925 *ff, schül.*

gramgebeugt *adj* bekümmert, kummervoll. Meist burschikos gemeint („meine gramgebeugten Eltern"). 1920 *ff, stud.*

grammeln *intr* 1. knirschen, knarren. Lautmalender Natur (?). *Bayr* und *österr* seit dem 19. Jh.
2. sich mit unnützen Dingen beschäftigen. Gehört zu „Kram = Plunder". 1900 *ff.*
3. Fleiß, Vielbeschäftigung vorspiegeln. 1900 *ff.*

Grammo *m n* Grammophon, Plattenspieler. Aus „Grammophon" verkürzt. *Halbw* 1950 *ff.*

Grammophon *n* 1. Viel-, Langredner. 1900 *ff.*
2. stell' das ~ ab! = rede nicht dauernd dasselbe! verstumme endlich! *Sold* 1939 *ff.*
3. das ~ angestellt haben = die Rede unversieglich fließen lassen; des Redens kein Ende finden. 1900 *ff.*
4. wie ein ~ quatschen = ununterbrochen reden. 1900 *ff.*
5. ~ spielen = seine Äußerung wiederholen. Analog zu „dieselbe ↗ Platte nochmal (immer wieder) auflegen". 1920 *ff.*

Grammophonnadel *f* mit der ~ geimpft sein = des Redens kein Ende finden. 1920 *ff.*

Grammophonstifte (-nadeln) *pl* 1. Bartstoppeln. Sie sind starr und spitz. 1910 *ff.*
2. kurzgeschnittenes Männerhaar. 1910 *ff.*

Grams *n* 1. Kleinzeug. Gehört zu „Kram = Zeug". 1900 *ff.*
2. Kind. 1900 *ff.*

gramschen *tr* stehlen. Entstanden aus „grapschen" mit Nasal-Infix. *Rotw* 1900 *ff.*

gramzerfetzt *adj* traurig, bekümmert. Scherzhaft- burschikoses Wort. 1900 *ff.*

gramzerfressen *adj* bekümmert. Spöttelnd gemeint. 1920 *ff.*

gramzerfurcht *adj* kummervoll. Ironie. *Vgl* das Folgende. 1920 *ff, jug.*

gramzerknittert *adj* bekümmert. *Iron* Anspielung auf Kummerfalten im Gesicht. 1920 *ff, jug.*

Granate *f* 1. plötzlich beliebt gewordenes Musikstück. Es schlägt ein wie eine „↗ Bombe". 1920 *ff.*
2. beliebter Schauspieler. Theaterspr. 1950 *ff.*
3. heftiger Fußballstoß. *Vgl* ↗ Bombe 9. 1950 *ff.*
4. aufbrandender Beifall. 1950 *ff.*
5. Falschspieler. 1920 *ff.*
6. eindrucksvolles Mädchen. ↗ Bombe 1. *Halbw* 1955 *ff.*
7. Pokal, Flasche. Wegen einer gewissen Formähnlichkeit. *BSD* 1965 *ff.*
8. *pl* = häßlich geformte Frauenbeine. Sie sind walzenförmig. 1950 *ff.*
9. voll wie eine ~ = betrunken. Meint eigentlich „mit Sprengstoff bis zum äußersten gefüllt"; danach übertragen wegen der Gleichsetzung von Alkohol mit Sprengstoff. 1900 *ff.*
10. ~n drehen = verhärteten Nasenschleim zwischen Daumen und Zeigefinger rollen. 1960 *ff.*
11. eine ~ schlägt ein = alle Kegel fallen. Keglerspr. 1920 *ff.*

gra'naten'dick *adj* volltrunken. „Granaten-" ist steigernder Bestandteil wie „Bomben-". ↗ dick 4. 1950 *ff.*

Gra'naten'säckel *m* Dummer. ↗ Säckel. *Schwäb* 1900 *ff.*

gra'naten'voll *adj* betrunken. ↗ Granate 9. 19. Jh.

Granatsplitter *m* du hast wohl bis über die Knie in ~n gestanden?: Spottfrage an einen mit seinen Kriegserlebnissen prahlenden Soldaten. *Sold* 1939 *ff.*

Grandi *m* Zivilist; Nicht-Seemann; Zivilarbeiter auf Schiffen. Soll auf „Grand" fußen in der Bedeutung „Sand" und pars pro toto für „Festland" sein. „Grandje" meint *nordd* auch den Landstreicher sowie den Erdarbeiter, der von Arbeitsstelle zu Arbeitsstelle unterwegs ist. *Marinespr* 1900 *ff.*

Grandoofi *m* sehr dummer Mensch. Zusammengezogen aus *franz/engl* „grand = groß; großartig" und „Doofi" = Koseform zu „doof". *Schül* 1955 *ff.*

Granit *m* bei jm auf ~ beißen (stoßen) = bei jm auf unbeugsamen Widerstand stoßen; sehr heftig abgewiesen werden. Granit ist ein sehr hartes Gestein. Spätestens seit 1900.

Grant *m* Unmut; schlechte Laune; mürrisches Wesen. ↗ grantig. Vorwiegend *oberd,* 1800 *ff.*

granteln *intr* mürrisch sein; seine schlechte Laune äußern; nörgeln. ↗ grantig. *Bayr,* spätestens seit 1900.

grantig *adj* gereizt; mürrisch; leicht reizbar; unfroh. Hängt möglicherweise zusammen mit „Granne = Stichelhaar" (an Getreideähren); hieraus entwickelt sich die Bedeutung „Widersetzlichkeit, Gereiztheit"; *vgl* auch „grannen = knurren, zanken". Seit *frühnhd* Zeit, vorwiegend *oberd.*

Grappen *pl* ↗ Grabben.

Graps (Grapps, Grapsch) *m* 1. hastiger Griff; Handvoll. ↗ grapschen. 18. Jh, *nordd* und *westd.*
2. Mutter ~ = Hebamme. 1700 *ff.*

Grapsche *f* 1. Hand. *Vgl* ↗ Greife. Seit dem 19. Jh.
2. Handvoll. ↗ Graps 1. Seit dem 19. Jh.
3. Hebamme. ↗ Graps 2. 1955 *ff.*

grapschen (grappschen, grapsen) *tr* 1. hastig nach etw greifen; etw stehlen. Urverwandt mit „greifen". Die Form „grapschen" ist *nordd* und *mitteld.* Seit 17./18. Jh. *Vgl engl* „to grap" und „to grasp".
2. intim betasten. 1900 *ff.*

Gras *n* 1. Salat. In Streifen geschnittener Endiviensalat (o. ä.) ist farb- und formähnlich mit Gras.
2. Rauschgift (Marihuana). Aus *engl* „grass" übersetzt. 1965 *ff, halbw.*

3. Tabak *(abf)*. Als „Heu" gewertet. *Halbw* 1955 *ff*.
4. gezähmtes ~ = Schnittlauch. 1930 *ff*.
5. getrocknetes ~ = übelriechender Tabak. ↗Gras 3. *BSD* 1965 *ff*.
6. ins ~ beißen = a) sterben. Bezog sich ursprünglich auf den tödlich Verwundeten, der sich vor Schmerzen am Erdboden krümmt und durch Beißen in Gras o. ä. „die Schmerzen zu verbeißen" sucht. Vielleicht auch eine humanistische Entlehnung aus „Ilias" 2, 412 und „Aeneis" 11, 418. Seit dem 19. Jh. *Vgl engl* „to bite the dust", *franz* „mordre la poussière". – b) Vegetarier sein. Spottausdruck. 1950 *ff*.
7. das ~ von unten besehen (betrachten) = im Grab liegen. *Sold* 1939 *ff* bis heute.
8. wo er hinhaut (hinschlägt, hinlangt), wächst kein ~ mehr = er schlägt überaus heftig zu. 1850 *ff*.
9. wo er hintritt, wächst kein ~ mehr = er tritt plump und schwer auf; er hat große Füße. Seit dem 19. Jh.
10. das ~ wachsen hören = überklug sein; sich sehr klug dünken; kommende Ereignisse ahnen. 1500 *ff*. *Vgl engl* „to hear the grass grow".
11. das ~ von unten wachsen hören = im Grab liegen. Zusammengezogen aus dem Vorhergehenden und „↗Gras 7". *Sold* 1939 *ff*.
12. über etw ~ wachsen lassen = eine Sache in Vergessenheit geraten lassen. Hergenommen von lange ungepflegten Grab. Eine Sache wird „begraben", und dann wächst im Lauf der Zeit Gras darüber. 1500 *ff*.
13. da ist ~ drüber gewachsen = die Sache ist in Vergessenheit geraten. *Vgl* den Spruch: „Wenn über eine dumme Sache endlich Gras gewachsen ist, kommt sicher ein Kamel gelaufen, das alles wieder runterfrißt." 1500 *ff*. *Vgl franz* „il a poussé de l'herbe là-dessus".
Grasaffe *m* junger, unerfahrener, vorwitziger Mensch. Auch als Kosewort gebraucht. Gras ist grün, und „grün" bedeutet „sittlich unerfahren"; Affen gelten als (auf possierliche Art unbeholfene) Nachahmer menschlicher Verhaltensweisen. Seit dem 18. Jh.
grasen *intr* Stich auf Stich machen und den Gegnern alle guten Karten abfordern. Kartenspielerspr. seit dem 19. Jh.
Grasesser *m* Vegetarier. Spottwort. Gras = Grüngemüse; ↗Gras 1. *Vgl* auch ↗Gras 6 b. 1920 *ff*.
'gras'grün *adj* völlig unerfahren; charakterlich unreif. Verstärkung von „↗grün". Seit dem 19. Jh.
Grashüpfer *m* **1.** nettes, frisches, munteres, lustiges Mädchen. In seiner Munterkeit erinnert es an die Heuschrecke. 1900 *ff*.
2. dem Geschlechtsverkehr nicht abgeneigtes Mädchen. 1920 *ff*.
3. Panzergrenadier. Schon vor 1914 und im Ersten Weltkrieg Bezeichnung für den Infanteristen und Jäger. *BSD* 1965 *ff*.
4. Rekrut. Man bringt ihm die schnelle Fortbewegung bei. *Vgl* „↗grün = unerfahren". *BSD* 1965 *ff*.
5. ~ = a) Pilot aus den Anfängen der Fliegerei; Segelflieger. Bei der Landung hüpft das Leichtflugzeug über die Grasnarbe. 1920 *ff*. – b) Heeresflieger. Die Hubschrauber fliegen meist in geringer Höhe. *BSD*

1960 *ff*. *Vgl engl* „grass-hopper = Erkundungs-, Beobachtungsflugzeug".
6. unerfahrener Mensch. Grün = unerfahren. 1900 *ff*.
7. Hoteldiener. Flink „hüpft" er hierhin und dorthin (und das in üblicherweise grüner Livree). 1950 *ff*.
gräsig *adj* **1.** gräßlich. Gehört zu „gräsen = grausen". *Nordd* 1900 *ff*.
2. ungehalten, mißgestimmt. *Nordd* 1900 *ff*.
Graskosmetik *f* Rasenpflege. Aufgekommen mit der Wertschätzung von Eigenheim und Eigengarten. 1955 *ff*.
Grasschlemmer *m* Vegetarier. ↗Grasesser. 1920 *ff*.
gräßlich *adv* **1.** sehr, überaus. Analog zu ↗furchtbar. Seit dem 19. Jh.
2. über etw ~ froh sein = über (angesichts von) etw besondere Schadenfreude empfinden. 1955 *ff*.
Graswurzeldemokraten *pl* Gegner des Baus von Kernkraftwerken; leidenschaftliche Verfechter des Umweltschutzes. Um 1970 eingedeutscht aus *anglo amerikan* „grass roots politicans".
Gräte *f* **1.** *pl* = menschliche Knochen, Gliedmaßen, Rippen o. ä. Eigentlich der knorpelige Knochen der Fische. Seit dem 17. Jh.
2. *sg* = magere weibliche Person. 1900 *ff*.
3. ich breche dir die ~n im Leib!: Drohrede. 1900 *ff*.
4. von den ~n fallen = abmagern. 1700 *ff*.
5. ihm sind die ~n durchs Kinn gewachsen = er ist unrasiert. *Vgl* ↗Fisch 23. 1850 *ff*.
6. ~n im Gesicht haben = unrasiert sein. 1850 *ff*.
7. wenig (keine) ~n haben = a) keine eigene (feste) Meinung haben. Die „Gräten" meinen hier das Rückgrat in übertragener Bedeutung die feste Gesinnung. 1935 *ff*. – b) energielos sein. 1935 *ff*.
8. nur noch in den ~ hängen = völlig abgearbeitet sein. Nur das Knochengerüst hält den Menschen noch aufrecht. 1900 *ff*. – b) sich in Geldnot befinden. 1900 *ff*.
9. jm die ~n zerschlagen = auf jn brutal einschlagen. 1920/30 *ff*.
grätig *adj* wütend, mißmutig. Der Zornige „stellt die Stacheln". *Vgl* auch die Herleitung von „↗grantig". 1700 *ff*.
Grätling *m* Fisch. Kundenspr. 1807 *ff*.
gratschen *intr* langsam, breitspurig gehen; langsam arbeiten. Nebenform zu „grätschen = die Beine spreizen; spreizbeinig gehen". *Oberd* und *ostmitteld* 1800 *ff*.
gratulieren *v* er kann sich ~ = er sieht einer argen Unannehmlichkeit entgegen; er wird seine verdiente Strafe bekommen. Ironie. 1800 *ff*.
grau *adj* **1.** sich ~ ärgern = sich sehr ärgern. Anspielung auf das Grauwerden der Haare infolge von Kummer und Sorgen. 1900 *ff*.
2. es wird ihm ~ = er verliert die Fassung, wird ohnmächtig; er bekommt Angst. Verkürzt aus „es wird ihm grau vor den Augen". 1900 *ff*.
Grauchen *n* **1.** Esel. Kosewörtlich: kleines Graues. Seit dem 19. Jh.
2. dummer Mensch. Analog zu ↗Esel 1. 1800 *ff*.
grauenhaft *adj* **1.** sehr schlecht. Es ist so

schlimm, daß man von Grauen ergriffen wird. 1800 *ff*.
2. alkoholfrei. Ironie. *Halbw* 1960 *ff*.
Graul *m* **1.** Angst. Verbalsubstantiv aus „sich graulen = sich fürchten". Berlin seit dem späten 19. Jh.
2. Wut, Zorn. Eine Gestimmtheit, vor der sich die anderen graulen. *Österr* 1920 *ff*.
3. sich vor dem ~ graulen = vor einer bedenklichen Sache bangen. 1900 *ff*.
4. Angst vor dem ~ haben = sich fürchten, ängstigen. 1900 *ff*.
5. ~ vor dem ~ haben = einer argen Entwicklung mit Bangen entgegensehen. 1900 *ff*.
Gräuling *m* Ware, die auf dem „grauen Markt" abgesetzt wird. ↗grauen 1965 *ff*.
grausam *adj* **1.** unschmackhaft. Eigentlich „schrecklich, gefühllos, roh". *Halbw* 1955 *ff*.
2. unsympathisch, widerwärtig. *Halbw* 1965 *ff*.
3. überaus langweilig. 1965 *ff*.
Grausbirnen *pl* ihm steigen die ~ auf = er wird nervös, besorgt; es wird ihm unheimlich. „Grausbirnen" nennt man den Hautschauder vor Angst. „Krausbeeren" sind auch die Stachelbeeren. Anspielung auf „Gänsehaut", bei der sich die Haare aufstellen (= sträuben) wie bei der Stachelbeere. *Bayr* und *österr* 1800 *ff*.
Grausen *n* kaltes ~ = beklemmendes Gefühl der Unheimlichkeit. Bei heftigem Erschrecken sinkt die Körpertemperatur; man „fröstelt". 1900 *ff*.
Grazien *pl* die ~ sind leider ausgeblieben = in meinem Kartenspiel, wenn die Damen die höchsten Trümpfe sind, hält man keine Dame in der Hand und muß („sich") also abwerfen. Fußt auf Goethes „Torquato Tasso" II 1 (1790). Kartenspielerspr. seit dem 19. Jh.
Greco *m* Grieche. Gleichlautend im *Span* und *Ital*. *Halbw* 1960 *ff*.
Greenager *(engl* ausgesprochen) *m* **1.** Kind unter zehn Jahren. Dem „↗Teenager" nachgebildet unter Einfluß von *engl* „green = grün"; ↗grün 1. 1965 *ff*.
2. *pl* = „Teenager" und „Twens". *Halbw* 1965 *ff*.
Greenhorn *(engl* ausgesprochen) *n* Dummer, Unerfahrener, Vorwitziger. Meint in der *engl* Jägersprache das Bastgehörn junger Rehböcke und Hirsche. *Vgl* „↗grün 1 u. 9" sowie die Wendung „sich die ↗Hörner abstoßen". Um 1900 aus England übernommen.
Greife *f* Hand. Eingegrenzt auf die Fertigkeit des Greifens. *Jug* 1950 *ff*.
greifen *v* **1.** Petting machen; intim betasten 1900 *ff*.
2. eine Maßnahme greift = eine Maßnahme wird wirksam; die Richtigkeit/ Wirksamkeit einer Maßnahme wird sichtbar und/oder spürbar. Hergenommen aus der Technikersprache: Bremsen greifen; Räder greifen. Politikerspr. und reporterspr. 1970 *ff*.
3. jn ~ = jn in der Musterung unterziehen. Analog zu „verhaften", „dingfest machen" u. ä. *Sold* 1700 bis heute.
4. sich jn ~ = jn rügen. Man greift ihn aus der Menge heraus oder ergreift ihn an der Kleidung, damit er sich der Rügerede nicht entziehen kann. *Sold* in beiden Weltkriegen.
5. sich etw ~ = sich etw aneignen;

stehlen; einen Vorteil wahrnehmen. Seit dem 19. Jh.

5 a. sich eine ~ = eine weibliche Person zu sich nehmen. 1975 *ff, halbw,* Berlin.

6. sich einen ~ = onanieren. *Halbw* 1965 *ff.*

7. hinter sich ~ müssen = a) einen Tortreffer hinnehmen müssen; einen Torball nicht abwehren können. Der Torhüter hat das Nachsehen – im Netz, das sich hinter ihm befindet. *Sportl* 1950 *ff.* – b) etw Unerfreuliches erleben. 1950 *ff.*

Greifer *m* **1.** Polizeibeamter; Feldjäger o. ä. Analog zu „Häscher". Er „greift = packt" den Gesuchten (Festzunehmenden) am Kragen, an der Hemdbrust o. ä. 1800 *ff.*

2. Lehrer. Er greift sich den unartigen Schüler. ↗ greifen 4. Wien 1930 *ff.*

3. Soldat, der die Gewehrgriffe beherrscht. 1930 *ff.*

4. *pl* = Finger. Als bloße Greifwerkzeuge gedeutet. 1935 *ff.*

5. *sg* = Dieb. ↗ greifen 5. Seit dem 19. Jh.

Greisenorden *m* Orden, der verdienten Bürgern gegen Ende ihres Lebens verliehen wird. 1965 *ff.*

Greisler *m* **1.** Kleinkaufmann, Gemischtwarenhändler. Fußt auf *mhd* „gruz = Sand-, Getreidekorn; Grieß". *Österr* seit dem 19. Jh.

2. engstirniger Mensch; Pedant. 1900 *ff.*

grell *adj* **1.** sehr anziehend; sehr schön. Es fällt stark in die Augen. *Halbw* 1960 *ff.*

2. echt ~ = hervorragend. *Halbw* 1972 *ff.*

3. das ist das Grellste = das ist unübertrefflich. *Halbw 1972 ff.*

Grenzbulle *m* Zollbeamter, Paßkontrolleur. ↗ Bulle 1. 1945 *ff.*

Grenze *f* **1.** blaue ~ = Seegrenze. Anspielung auf die blaue See. 1955 *ff.*

2. grüne ~ = durch Wald- und Wiesengelände (ohne Zaun o. ä.) verlaufende Staatsgrenze. 1920 *ff.*

3. nasse ~ = durch einen Fluß (See o. ä.) verlaufende Grenze. 1955 *ff.*

4. sündige ~ = deutsche Grenze bei Aachen nach Belgien und Holland. 1945 aufgekommen mit Anspielung auf den schwunghaften Schmuggel.

5. über die grüne ~ gehen = unter Umgehung der amtlichen Grenzübergangsstellen die Grenze durch Wald und Ödland hindurch überschreiten. ↗ Grenze 2. 1945 *ff.*

Grenzer *m* **1.** Zollbeamter. Im 15. Jh Bezeichnung für die Grenzsoldaten und Grenzwächter. 1800 *ff.*

2. Angehöriger des Bundesgrenzschutzes. 1951 *ff.*

3. grüner ~ = Angehöriger des Bundesgrenzschutzes. Wegen der grünen Uniform und der „grünen ↗ Grenze'" 1951 *ff.*

Grenzkosmetik *f* Grenzberichtigung, -bereinigung. 1969 *ff.*

Grenzler *pl* Bundesgrenzschutz. 1951 *ff.*

gresig *adj* schrecklich. ↗ gräsig. 1900 *ff.*

Gretchen *n* unschuldiges junges Mädchen. Aus Goethes „Faust I" übernommen. 1900 *ff.*

Gretchenfrage *f* peinliche, zwingende Gewissensfrage. Geht zurück auf die Frage Gretchens „Nun sag', wie hast du's mit der Religion?" aus Goethes „Faust I". 1920 (?) *ff.*

Gretchenfrisur *f* Frisur mit langen blon-

den Zöpfen o. ä. Übliche Frisur der Darstellerinnen des Gretchens in Goethes „Faust I". Seid dem 19. Jh.

Greuel *m* es ist ihm ein ~ = es ist ihm widerwärtig. Geht zurück auf Luthers Bibelübersetzung (5. Moses 18, 12).

Greuelmärchen *n* unwahre, tendenziös entstellte Nachricht. 1915 aufgekommen im Zusammenhang mit Meldungen der *engl* Nachrichten-Agentur Reuter über angebliche deutsche Greueltaten.

Greuelpropaganda *f* **1.** tendenziöse Nachrichtenverbreitung von angeblichen Greueltaten. 1933 *ff.*

2. ungünstige Beurteilung. 1950 *ff.*

Griff *m* **1.** Hand. *Rotw* 1922 *ff.*

2. ~ mit Arsch = Mütze des Reichsarbeitsdienstes. *Vgl* ↗ Arsch 9. *Sold* 1939 *ff.*

3. ~ zum Holzhammer = Aufstellung harter Forderungen. Man greift gewissermaßen schon zum Holzhammer, um anzudeuten, daß man vor Gewaltanwendung nicht zurückschreckt. 1960 *ff.*

4. ~ ins Wespennest = wagemutige (unbedachte) Aufwühlung eines allgemein gemiedenen Themas. ↗ Wespennest. Seit dem 19. Jh.

5. ~ in die Wundertüte = Übertölpelung; Enttäuschung. Die Wundertüte ist eine Tüte, in die man allerlei Überraschungen packt. 1900 *ff.*

6. ~e bimsen = Gewehrgriffe üben. ↗ bimsen 3. *Sold* 1900 *ff.*

7. es fehlt der ~ zum Wegschmeißen: Redewendung, wenn ein Gegenstand (Fahrzeug) unbrauchbar ist. *Sold* 1939 *ff,* später mit *ziv.*

8. etw im ~ haben = a) es gründlich beherrschen; etw überlegen meistern. Hergenommen von den Griffen des Musikers und dann auf Routinearbeit übertragen. 1500 *ff.* – b) etw auf nicht ganz redliche Weise erwerben. „Griff" meint hier das Zugreifen des Diebes; ↗ greifen 5. 1914 *ff.*

9. etw im ~ haben wie der Bettelmann die Laus = für etw eine geschickte Hand haben. 19. Jh.

10. ~e kloppen = a) Gewehrgriffe üben; mit dem Gewehr exerzieren. Kloppen = klopfen = anschlagen. *Sold* 1870 bis heute. – b) eine weibliche Person intim betasten. ↗ greifen 1. *Stud* 1925 *ff.*

11. etw in den ~ kriegen = sich einer Sache bemächtigen; etw lenken, zügeln. ↗ Griff 8. 19. Jh.

12. jn in den ~ kriegen = jds Willen völlig zwingen. Der Marionettenspieler hat seine Puppe völlig „im Griff". 1910 *ff.*

13. einen senkrechten ~ tun = einer weiblichen Person ins Dekolleté greifen; eine weibliche Person intim betasten. 1960 *ff.*

Griffe *f* Hand. ↗ Greife. 1950 *ff, jug.*

Griffelfresser *m* Schulanfänger. Er knabbert am Schreibgriffel, Bleistift usw. *Schül* 1950 *ff.*

Griffelspitzer *m* **1.** übersorgfältiger, kleinlicher Mensch. Nach jedem geschriebenen Wort oder Halbsatz spitzt er seinen „Griffel = Bleistift" nach. *Bayr* und *schwäb* 1900 *ff.*

2. Journalist. 1945 *ff.*

griffig *adj* leicht zugänglich (auf Mädchen bezogen). Eigentlich soviel wie „handlich = gut zu greifen". *BSD* 1920 *ff.*

Grille *f* **1.** Nachtjäger. Er macht sich im Dunkel der Nacht bemerkbar wie das

Heimchen. *Sold* 1939 *ff. Vgl engl* „crickets".

2. ~n fangen = grübeln; trübselig, mißvergnügt werden; unfruchtbaren Gedanken nachhängen. Abergläubisch nahm man früher an, Heuschrecken verursachten Gemütsleiden und Geisteskrankheiten. 1500 *ff.*

3. ~n im Kopf haben = wunderliche Gedanken hegen; unsinnige Sorgen haben. 1500 *ff. Vgl franz* „avoir des grillons dans la tête"; *ital* „avere de' grilli per il capo".

4. jm ~n in den Kopf setzen = jm Unsinniges einreden; jn sorgenvoll machen. Seit dem 18. Jh.

grillen *tr* **1.** jn auf dem „Elektrischen Stuhl" hinrichten. 1950 *ff.*

2. einen Leichnam im Krematorium einäschern. 1950 *ff.*

3. sich (den Körper) ~ = sonnenbaden. 1965 *ff.*

Grillenfänger *m* **1.** Sonderling; Grübler; Griesgram; Mensch mit wunderlichen Gedanken. ↗ Grille 2. 1600 *ff.*

2. Nervenarzt. Er fängt in den Köpfen seiner Patienten die Grillen. 1950 *ff.*

Grillparty *f* stark belebter Strand für Sonnenbadende. Man läßt sich von der Sonne „grillen = rösten". 1950 *ff.*

Grillplatz *m* Liegewiese. *Vgl* das Vorhergehende. 1950 *ff.*

Grind *m* Kopf. In der Jägersprache ist „Grind" der Kopf des Hirsches und des Rehbocks. Seit *mhd* Zeit.

Grinderhund *m* Hintergrund. Im späten 19. Jh aus lustiger Buchstabenvertauschung hervorgegangen. Das einschlägige „Gedicht" beginnt: „Im Grinderhunde einer Grappelpuppe" (= im Hintergrunde einer Pappelgruppe).

Grindkopf *m* leicht gereizter, bösartiger Mensch; Schimpfwort. Schorf auf dem Kopf juckt und macht nervös. Seid dem 19. Jh.

Grinse *f* grinsende Miene; das Grinsen. *Halbw* 1960 *ff.*

Grinsen *n* **1.** amerikanisches ~ = überbreite Kühlerfront moderner Autos. Sie ähnelt einem breit grinsenden Mund. 1950 *ff.*

2. öliges ~ = widerlich ausdrucksloses Grinsen. ↗ ölig. 1960 *ff.*

Grippe *f* **1.** diplomatische ~ = aus diplomatischen Gründen (von Diplomaten) vorgeschobene Erkrankung. 1920/30 *ff.*

2. eine ~ nehmen = wegen angeblicher Grippeerkrankung der Arbeit fernbleiben. Spöttelnd aufgekommen 1958, als sich die Grippe seuchenartig bei uns ausbreitete.

3. man trägt ~ = es ist zeitgemäß, grippekrank zu sein. „Man trägt" ist dem Wortschatz der Modemacher entlehnt. 1965 *ff.*

Grippefrühling *m* feuchtwarmer, verregneter Frühling. 1958 *ff.*

Grippel *m* **1.** Versager. Wohl dasselbe wie „↗ Krüppel". 1920 *ff.*

2. Unbeholfener. *Bayr* 1920 *ff.*

grippen *intr* **1.** grippekrank sein. Kurz nach 1918 aufgekommen.

2. nicht über die gewohnte körperliche Leistungsfähigkeit verfügen. Nach 1918.

Grippina *f* Sankt ~ = erfundene Schutzheilige der Ärzte und Apotheker. Anspielung auf den Einnahmenzuwachs bei Grippe-Epidemien. Dem römischen Na-

men „Agrippina" nachgeahmt. Zur Zeit des Ersten Weltkriegs aufgekommen.
Grips *m* **1.** Verstand. Zusammenhängend mit „greifen, begreifen". Seit dem 19. Jh. **2.** hastiger Griff. ↗Graps. Seid dem 19. Jh. **3.** momentaner ~ = Geistesblitz eines Dummen *(iron).* 1930 *ff.* **4.** den ~ zusammenreißen = scharf nachdenken; genau überlegen. Nachgeahmt der Redewendung „sich zusammenreißen = alle Energie aufbieten". 1920 *ff.*
Gripschen *pl* Hände. Nebenform von ↗Grapsche. *Bayr* 1900 *ff.*
Gripskasten *m* Verstand, Gehirn. Analog zu ↗Verstandskasten. 1900 *ff.*
Gripsmaschinerie *f* Verstand, Gehirn. Auffassung vom Denken als einem maschinellen Vorgang. ↗Grips 1. 1935 *ff.*
Gripsmassage *f* **1.** Dienstunterricht. Wie die Massage den Blutkreislauf anregt, so regt der Unterricht die Gehirnfunktionen an. 1930 *ff.* **2.** Denksport, Denkübung; angestrengtes Nachdenken. 1930 *ff.*
Gripspirat *m* **1.** Plagiator; Mensch, der gute Ideen anderer für eigene Zwecke mißbräuchlich verwendet. Er begeht Seeraub im Meer der Gedanken. 1920 *ff.* **2.** Wirtschaftsspion. 1930 *ff.* **3.** vom Kameraden abschreibender Schüler. 1950 *ff.*
Griß *n* ↗Geriß.
'gritze'grau ('gritz'grau) *adj* ganz grau. „Gritz" ist aus „gris" umgestaltet unter Einfluß von Zusammensetzungen mit „blitz-". 1700 *ff.*
'gritze'grün *adj* grellgrün. *Vgl* das Vorhergehende. Seid dem 19. Jh.
grob *adj* ~ wie Bohnenstroh ↗Bohnenstroh.
grobgestrickt *adj* plump; unfein, unhöflich, barsch, derb. Übertragen vom grobmaschig gestrickten Pullover o. ä. 1950 *ff.*
Grobian *m* grober, ungesitteter, unhöflicher Mensch. Zusammengesetzt aus „grob" und der lateinischen Endung „ian" (Cyprian, Damian). Seit dem späten 15. Jh.
grobklotzig *adj* plump, ungesittet. ↗Klotz. 1950 *ff.*
grobmaschig *adv* ~ gestrickt = künstlerisch unvollkommen gestaltet. *Vgl* ↗grobgestrickt. 1959 *ff.*
Grobsack *m* rauher, barscher Mann. Aus „grober Sack" zusammengezogen; „↗Sack = Mann". 1800 *ff.*
grobschnäuzig *adj* derb im Reden. 1930 *ff.*
grobsen *intr* grob reden; schimpfen. 1910 *ff.*
Grobzeug *n* **1.** die kleinen Kinder. Nebenform von ↗Kroppzeug. Seit dem 19. Jh. **2.** Radikale; aufständische junge Leute. 1965 *ff.*
Gröfaz *m* Hitler. Abkürzung von „größter Feldherr aller Zeiten". Benennung Hitlers durch Generalfeldmarschall Keitel am Tage der Kapitulation Frankreichs (17. Juni 1940), am 19. Juli 1940 von Göring wiederholt. Die Bezeichnung „größter Feldherr aller Zeiten" wurde vorher auf Hindenburg nach der Masurenschlacht (1914) angewendet. In der Vokabel „Gröfaz" klingt „Fatzke = eingebildeter Mensch" an.
Grog *m* nördlicher ~ = Grog mit sehr viel Rum und wenig Wasser; sehr starkes alkoholisches Mischgetränk. Nördlich = norddeutsch. Geht auf ein plattdeutsches

Seemannslied zurück: „Lütt betn heet Woder un recht veel Rum, denn twee Stück Zucker, un denn röhr um. So recht betn nöördlich, so recht betn stief: dat regt den Geist di an un warmt dat Lief." Seit dem späten 19. Jh.
groggi (groggy) *adj* benommen, betäubt, entkräftet; (leicht) betrunken. Stammt aus der englischen Boxersprache und kennzeichnet einen schwer benommenen Eindruck, der einen stark benommenen Eindruck macht. 1920 *ff.*
gröhlen (grölen) *intr* laut schreien; schlecht singen. Die für das 15. Jh gebuchte Form „gralen" steht in Verbindung mit dem Gral: das Zeremoniell der Gralsritter verunstaltete sich in einem bürgerlichen Turnierfest, bei dem es laut und wüst zuging. Seit dem 17. Jh.
Gröhlisäckel *m* mehr kreischender als singender Darbieter von Schlagerliedern. ↗gröhlen; ↗Säckel. *Halbw* 1955 *ff.*
Gröhlmeier *m* unharmonisch, aber laut Singender. Seit dem 19. Jh.
Gröhlofen *m* Kofferradio. Ein „gröhlender Kasten"; beeinflußt von „Ofen". 1960 *ff.*
grohnen *intr* schimpfen, murren. Nebenform von „greinen". *Oberd* 1800 *ff.*
Gromu *f* Großmutter (Kosewort). Hieraus verkürzt. 1950 *ff.*
groovy (engl ausgesprochen) *adj* schwungvoll, unübertrefflich; lebenslustig, aufgeweckt. Aus der *angloamerikan* Jazzsprache. 1960 *ff.*
Gröschelchen *pl* Groschen, Geld. Scherzhafte Verniedlichung kosewörtlicher Art. *Westd* 1900 *ff.*
Groschen *m* **1.** Mensch. Scheltwort, meist in Verbindung mit Adjektiven verschlechternder Bedeutung. Der Groschen ist eine kleine Scheidemünze und wird in hoher Auflage geprägt. Übertragen auf den Menschen ergibt sich die Bedeutung „geringwertiger Mensch". Seit dem späten 19. Jh. **2.** fieser ~ = unangenehmer Mensch. ↗fies 1. *Westd* seit dem 19. Jh. **3.** scheeler ~ = unzuverlässiger Mann. Weil der Schielende einem nicht gerade in die Augen sehen kann. 1900 *ff.* **4.** schlechter ~: gemütliche Schelte. Schlecht = gefällsal. 19. Jh, *westd.* **5.** nicht für einen ~ = kein, keine, keines; nichts; überhaupt nicht. 1900 *ff.* **6.** der ~ ist gefallen = a) er hat endlich begriffen. Hergenommen vom Automaten, dessen Mechanismus durch den Fall des Groschenstücks in Gang gesetzt wird. Etwa seit 1910/20. *Vgl engl* „the penny drops". – b) die Schwierigkeit ist beseitigt; das Mißgeschick hat ein Ende. 1950 *ff.* **7.** bei ihm fällt der ~ fix = er begreift rasch. 1920 *ff.* **8.** der ~ fällt langsam = man begreift langsam. 1920 *ff.* **9.** der ~ fällt pfennigweise (in Pfennigen) = man begreift sehr langsam, nur nach und nach. Der „Groschen" meint volkstümlich die Zehn-Pfennig-Münze. 1910 *ff.* **10.** der ~ fällt spät = man hat eine langsame Auffassungsgabe. 1920 *ff.* **11.** ihm fehlt ein ~ an der Mark = er ist nicht ganz bei Verstand. Er hat nicht alle Groschen (= alle Sinne) beisammen. 1930 *ff.* **12.** ~ haben = bei Geld sein; vermögend sein. 1800 *ff.*

13. du hast einen ~ mit Fallschirm = du begreifst sehr langsam. Das Verständnis stellt sich ein mit der Geschwindigkeit eines herabschwebenden Fallschirms. 1950 *ff, schül.* **14.** es interessiert nicht für einen ~ = es interessiert nicht im geringsten. 1900 *ff.* **15.** ihm jucken die ~ in der Tasche = er möchte gar zu gern Geld ausgeben. Jucken = reizen. 1900 *ff.* **16.** bei ihm klemmt der ~ = er ist begriffsstutzig. *Vgl* ↗Groschen 6. 1920 *ff.* **17.** sehr auf die ~ sein = geldgierig, geizig sein. Hinter „Groschen" ergänze „erpicht", „scharf", „versessen" o. ä. Seit dem 19. Jh. **18.** bei ~ sein = bei Kasse sein; Geld haben. Seit dem 19. Jh. **19.** nicht (nicht ganz) bei ~ sein = nicht recht bei Verstand sein. Variante zu „geistig minderbemittelt = geistig arm". ↗Groschen 11. 1930 *ff.* **20.** platt sein wie ein ~ = sprachlos sein. ↗platt. 1930 *ff.* **21.** der ~ ist kein Stuka = ich kann nicht schnell (nicht schneller) begreifen. Stuka = Sturzkampfflugzeug. 1939 *ff.* **22.** das war ein eckiger ~ = lange hat es gedauert, bis er begriffen hat. Eckiges gleitet schwerer als Rundes. *Vgl* ↗Groschen 6. 1960 *ff, halbw.* **23.** jeden ~ (zweimal, dreimal, paarmal) rumdrehen = sparsam, geizig sein. Seit dem 19. Jh. **24.** jm die ~ wechseln = jn streng zurechtweisen; jm die gebührende Antwort nicht schuldig bleiben. Hergenommen von der Herausgabe des Unterschiedsbetrags zu einem größeren Geldstück oder vom Kleinstückeln eines Münzbetrags. 1930 *ff.* **25.** sich die ~ aus der Tasche ziehen lassen = sich geldlich ausnutzen lassen. 1900 *ff.* **26.** die ~ zusammenhalten = sparsam sein; vernünftig wirtschaften. 1900 *ff.*
Groschengrab *n* **1.** unzweckmäßige Verwertung von Abfällen. Aus dem Grab bekommt man nichts zurück. 1935 *ff.* **2.** Sparbüchse. 1950 *ff.* **3.** Parkuhr. 1955 *ff.* **4.** Baugrube. 1960 *ff.* **5.** oftmaliger Gewinner an Spielautomaten. 1960 *ff.* **6.** Berufsbettler. 1948 *ff.* **7.** Spielautomat; Spielhalle; Musikautomat. 1948 *ff.* **8.** öffentlicher Fernsprechapparat; Telefonzelle. 1960 *ff.* **9.** Warenautomat. 1960 *ff.*
Groschenjäger *m* **1.** Automatenspieler. Er macht Jagd auf die Gewinngroschen. 1960 *ff.* **2.** amtlicher Entleerer (Kontrolleur) der Parkuhren. 1960 *ff.*
Groschenmacher *m* **1.** Ausbeuter kleiner Leute. Er bereichert sich an ihren geringen Geldmitteln. Seit dem 19. Jh. **2.** Wucherer; Geiziger. Seit dem 19. Jh. **3.** Betrüger, der sich mit kleinen Mengen begnügt. 1900 *ff.*
Groschenmusik *f* billige, schlechte Musik; Musik aus dem Automaten. 1910 *ff.*
Groschenschlucker *m* **1.** Spielautomat. ↗Groschengrab 7. 1948 *ff.* **2.** Parkuhr. ↗Groschengrab 3. 1955 *ff.*
groß I *adj* **1.** ~ (ganz ~) = bedeutend; wirkungsvoll; außerordentlich; leistungs-

fähig. „Groß" im Sinne von „wichtig, unüberbietbar". 1930 *ff, jug.*
2. schön, gut. *Halbw* 1955 *ff.*
3. nicht ~ = mittelmäßig, durchschnittlich. 1900 *ff.*
4. ~ und breit = ausführlich, deutlich. 1800 *ff.*
5. sich ~ anziehen = sich elegant kleiden. „Groß" bezieht sich auf „große Gala = vorschriftsmäßige Kleidung für eine festliche Gelegenheit". 1920 *ff.*
6. ~ ausgehen = in bester Kleidung ausgehen. 1920 *ff.*
7. ~ essen gehen = in Festtagskleidung ein vornehmes Speiserestaurant aufsuchen. 1920 *ff.*
8. es läuft ~ = es erzielt große Wirkung. Groß = in beachtlichem Umfang; eindrucksvoll. 1950 *ff.*
9. ~ machen = koten. Seit dem 19. Jh.
10. ~ müssen = Stuhldrang verspüren. Seit dem 19. Jh.
11. in etw ~ sein = in etw hervorragen; etw leidenschaftlich betreiben. ↗ groß 1. Seit dem späten 19. Jh.
12. ganz ~ dabei sein = sich außerordentlich wohlfühlen; jeden Spaß mitmachen. Dabei sein = bei Kräften sein. Berührt sich mit ↗ „dabeisein 4". 1935 *ff.*
groß II *adv* **1.** viel (was ist da schon groß bei? wer kümmert sich da groß drum?). 1500 *ff.*
2. ~ gewonnen haben = das Spiel mit der Mindestzahl der Punkte gewonnen haben. *Iron* Übertreibung. Kartenspielerspr. 1880 *ff.*
großarschig *adj* prahlerisch. Derber als „großmäulig". *Anklang an* ↗ Arsch 67"; *vgl auch* ↗ Arsch 127 a". 1940 *ff.*
Großbrand *m* sehr starker Durst. ↗ Brand. Eigentlich das Großfeuer. 1920 *ff.*
Größe *f* **1.** gestandene ~ = beliebter, hoch angesehener Künstler. ↗ gestanden. 1960 *ff.*
2. unbekannte ~ = unbekannter Mensch; Schulanfänger. Aus dem Wortschatz der Mathematiker übertragen. 1900 *ff.*
3. verhinderte ~ = Kleinauto. *Halbw* 1955 *ff.*
Großeinkauf *m* umfangreicher Ladendiebstahl. Ironie. 1950 *ff.*
größer *adv* ~ habe ich es nicht: Redewendung, wenn man einen großen Geldschein hergibt, um einen kleinen Betrag zu begleichen. 1920 *ff.*
großfotzig (großfotzet) *adj* prahlerisch. ↗ Fotze 8. *Bayr* 1900 *ff.*
Großfreß *m* Vielesser. 1900 *ff.*
Großfresse *f* beredter Mensch; Prahler. ↗ Fresse = Mund. 1914 *ff.*
großfressig *adj* **1.** eßgierig. Groß = viel. 1900 *ff.*
2. prahlerisch, überheblich. ↗ Großfresse. 1900 *ff.*
Großgosche (-gusche) *f* Prahler. ↗ Gosche. *Bayr* und *österr* 1900 *ff.*
Großhals *m* Prahler. Er „bläst sich auf wie ein ↗ Frosch". Seit dem 19. Jh.
Großhans *m* Wohlhabender; Prahler. 1600 *ff.*
Großi *f* *n* Großmutter (Kosewort). 1920 *ff.*
großkalibrig *adj* aufsehenerregend. „Kaliber" meint den (Innen-)Durchmesser von Geschützrohr, Gewehrlauf usw., hiernach das entsprechende Geschoßmaß; von da

übertragen zur allgemeinen Bedeutung „Format". 1950 *ff.*
Großkampftag *m* Tag mit einer Überlast von Arbeit. Eigentlich der Tag mit schweren militärischen Kampfhandlungen. 1920 *ff.*
großkariert *adj* großzügig; nicht enggeistig. Gegensatz zu ↗ kleinkariert. 1950 *ff.*
Großkissendorf *n* nach ~ gehen = zu Bett gehen. Großkissendorf ist ein Ort bei Günzburg in Bayern (Regierungsbezirk Schwaben). Hier Anspielung auf „Bettkissen". *Schwäb* 1950 *ff.*
'Großkla'monis *n* großer Dietrich; großes Brech-, Stemmeisen. Fußt auf *jidd* „k'le umanus = Handwerksgerät". 1800 *ff, rotw.*
Großklappe *f* großsprecherischer Mensch. ↗ Klappe = Mund. 1900 *ff.*
großklotzig *adj* groß und schwerfällig; wuchtig. ↗ Klotz. 1920 *ff.*
großkopfert (großkopfet) *adj* dünkelhaft, vornehm, vermögend. Vom großen Kopf nimmt man an, er habe auch einen bedeutenden Inhalt. Vielleicht beeinflußt von „Großkophta = großer (ägyptischer) Magier". *Oberd* 17. Jh.
Großkopfeter *m* **1.** überheblicher Mensch; Angehöriger der besitzenden Gesellschaftsschicht. *Vgl* das Vorhergehende. *Oberd* 17. Jh.
2. Leiter; Präsidiumsmitglied. 1900 *ff.*
Großkotz *m* Prahler; anmaßender Mann. Gehört zu „kotzen = dreist, überheblich reden". 1820 *ff.*
großmachen *v* **1.** *refl* = sich rühmen; sich aufspielen. Man streckt sich zu voller körperlicher Größe (aufs Geistige übertragen: man maßt sich geistige Größe an). Beeinflußt von „sich aufblasen wie ein ↗ Frosch". 1600 *ff.*
2. *tr* = berühmt machen; jn an die Öffentlichkeit bringen (früher = jn rühmen). 1920/30 *ff.*
großmächtig *adj* großartig, anspruchsvoll. 1900 *ff.*
Großmama *f* Großmutter. ↗ Mama. Seit dem 18. Jh.
großmaulig (großmäulig; großmaulert) *adj* prahlerisch, überheblich. Seit dem 18. Jh. *Vgl engl* „big-mouthed".
'Großmo'gul *m* **1.** selbstbewußter Mensch. Im 18. Jh übersetzt aus *franz* „grand mogol", zurückgehend auf *pers* „mugāl = Mongole = Gattungsname aller fremdstämmigen Moslems in Indien)". „Maha Mogul = Großmogul" war Herrschertitel der indischen 1526-1858 regierenden islamischen Dynastie mongolisch-türkischer Herkunft. Übertragene Bedeutung *dt* um 1800 *ff.*
2. Prahler. Seit dem 19. Jh.
3. Parteivorsitzender; oberster Befehlshaber; Leiter eines Industrieunternehmens. 1910 *ff.*
4. Bandenführer. 1920 *ff.*
großmotzig *adj* prahlerisch. ↗ Motz. *BSD* 1965 *ff.*
Großmutter *f* **1.** höchste Zahl im Lotto. Sie ist die Höchste in den Lebensjahren. 19. Jh, Berlin.
2. veraltete Maschine; Maschine aus der Frühzeit der technischen Entwicklung. 1920 *ff.*
3. große Laus. Sie ist die Ahnfrau der Läuse. *Sold* in beiden Weltkriegen.
4. schweres Geschütz. Die Ahnfrau klei

nerer Geschütze. *Sold* in beiden Weltkriegen.
5. Transportflugzeug Junkers 52. *Sold* 1939 *ff.*
6. ~ der Liebe = betagte Prostituierte. 1900 *ff.*
7. ~ blind = leicht zu spielendes Skatspiel. Dieses Spiel könnte sogar die Großmutter noch mit verbundenen Augen gewinnen. Verstärkung von ↗ Großmutter 15. Kartenspielerspr. 1900 *ff.*
8. ~ blind mit Fausthandschuhen = sehr leicht zu gewinnendes Skatspiel. *Vgl* das Vorhergehende. Kartenspielerspr. 1900 *ff.*
9. elektrische ~ = Fernsehgerät; Fernsehsendung für Kinder. Das Fernsehen ersetzt die Kinderbetreuerin und Märchenerzählerin. 1960 *ff.*
10. künstliche ~ = Märchenerzählerin für die Kinder im Rundfunk, Fernsehen oder auf der Schallplatte. 1960 *ff.*
11. das kannst du deiner ~ erzählen! = das glaube ich dir nicht! lüge nicht so dreist! Die Großmutter gilt als abständig, leichtgläubig, unkritisch. 1850 *ff.*
12. du kannst deine ~ grüßen!: derbe Abweisung. Berlin 1960 *ff.*
13. wenn deine ~ Räder hätte, wäre sie ein Omnibus: Entgegnung auf Wenn-Sätze. ↗ Rad.
14. Ruhe, ~ kriegt Zähn!: Redewendung auf die Einrede eines Dümmlichen. Von ihm nimmt man an, er werde es für wahr halten, daß die Großmutter Zähne bekommt. *Jug* 1930 *ff.*
15. das kann meine ~ auch spielen = das Spiel ist einfach zu spielen und sicher zu gewinnen. *Vgl* „↗ Großmutter 7" sowie das Folgende. Kartenspielerspr. 1900 *ff.*
16. das spielt meine ~ im Schlaf = das ist ein leichtes Kartenspiel. Verstärkung des Vorhergehenden. Kartenspielerspr. 1900 *ff.*
17. das ist ein Skat, den meine ~ noch nach dem ersten Schlaganfall spielen kann = das ist ein einfach zu spielender Skat. Verstärkung von ↗ Großmutter 15. Kartenspielerspr. 1960 *ff.*
Großmutter-Look (Grundwort *engl* ausgesprochen) *m* Mode der knöchellangen Kleider (wie zu Großmutters Zeiten); „↗ Look = Mode". 1969 *ff.*
großpampig *adj* dünkelhaft, dummstolz. ↗ pampig. 1900 *ff.*
Großpapa *m* Großvater. ↗ Papa. Seit dem 18. Jh.
großpäppeln *tr* jn mühsam großziehen. ↗ päppeln. 1900 *ff.*
großpraatschig *adj* anmaßend, prahlerisch. ↗ praatschen. 1870 *ff.*
großprotzig *adj* anmaßend; sich aufspielend. ↗ protzen. 1900 *ff.*
Groß-Purim *n* Stemmeisen. Stammt aus *jidd* „pur, porar = er hat zerbrochen". 1840 *ff, rotw.*
Großrösterei *f* belebter Strand für Sonnenbadende. Man läßt sich „↗ grillen". 1950 *ff.*
Großschiß *m* **1.** heftiger Durchfall; Ruhr. ↗ Schiß. *Sold* in beiden Weltkriegen.
2. sehr große Furcht. Angst öffnet den After. *Sold* und *ziv* 1914 bis heute.
Großschmuser *m* Schwätzer, Lügner; Prahler; Schmeichelredner. ↗ schmusen. 1900 *ff.*
großschnauzig (großschnäuzig) *adj*

großsprecherisch; dreist im Reden; dummstolz. Seit dem 19. Jh.

großschreiben *tr* einer Sache besondere Bedeutung beimessen (Geldverdienen wird bei ihm großgeschrieben; das Baden im Meer wurde ganz großgeschrieben). Vielleicht aufgekommen mit der Auseinandersetzung um Groß- und/oder Kleinschreibung im Deutschen. 1870 *ff.*

großspurig *adj* prahlerisch, verschwenderisch; den Lebensstil der vermögenden Leute nachahmend. Hergenommen von der Spurbreite (= Radabstand) der Kutschen und Fuhrwerke. Vielleicht zusammenhängend mit dem allgemeinen Auf- und Ausbau des Eisenbahnnetzes ab 1870; denn die Eisenbahn hatte eine größere Spurbreite als altbekannte Gruben- und auch oberirdische Pferdebahnen. 1870 *ff.*

Großstadtpflanze *f* Großstädter. ↗ Pflanze. 1880 *ff.*

Großstank *m* allseitiges Zerwürfnis. ↗ Stank. 1939 *ff.*

Größtes *n* ist das Größte = das ist die Hauptsensation, das Unübertreffliche, das Wichtigste, die dreisteste Zumutung o. ä. *Halbw* 1955 *ff.*

Großtuer *m* Prahler; Mann, der aus Eitelkeit sich selber rühmt. Er ist bemüht, sich größer darzustellen als er ist. Seit dem 18. Jh.

großtun *intr refl* prahlen; sich dünkelhaft benehmen; sich aufspielen; der vermögenden Gesellschaftsschicht nacheifern. *Vgl* ↗ Großtuer; ↗ großmachen. 1. Seit dem 18. Jh.

Großvater *m* 1. alte, längst überholte Nachricht. 1900 *ff.*
2. altbekannter Witz. Dazu die Berliner Redensart: „Wegen diesem Witz ist mein Großvater schon aus dem Lokal geschmissen worden." 1900 *ff.*
3. Klassenwiederholer. 1900 *ff.*

Groteske *f* schwarze ~ = Groteske, die mit Entsetzen Scherz treibt. ↗ Humor. 1960 *ff.*

Grottenbahn *f* aussehen wie der erste Waggon der ~ = furchterregend, häßlich aussehen. Den ersten Wagen der Grottenbahn im Wiener Prater zierte ein drachenähnliches Gebilde. Wien 1930 *ff.*

Grottenbahnmusik *f* falsch klingende Musik. In der Wiener Grottenbahn war für feine Ohren die Begleitmusik oft ein Graus. Wien 1930 *ff.*

Grova *m* Großvater (Kosewort). Hieraus verkürzt. 1950 *ff.*

Grübchen *n* akademisches ~ = Mensurnarbe. Eigentlich die natürliche Vertiefung in der Wange. 1965 *ff.*

Grube *f* 1. in die ~ fahren = a) sterben. Grube = Grab. 1700 *ff.* – b) mit dem Finger in der Nase bohren. „Grube" meint hier das Bergwerk. Seit dem 19. Jh.
2. in die ~ fallen *(impers)* = mißlingen, scheitern. Grube = Fallgrube. *Vgl* ↗ reinfallen. 1920 *ff.*

Grubenhund *m* 1. absichtlich unsinnige Leserzuschrift, die die Schriftleitung bedenkenlos abdruckt; von Zeitungen unfreiwillig gedruckte Unsinnigkeit. Der Ingenieur Arthur Schütz schickte 1911 anläßlich des Erdbebens im Mährisch-Ostrauer Kohlenrevier einen angeblichen „Augenzeugenbericht" an die Neue Freie Presse in Wien; in diesem Artikel, der mit für den Laien unverständlichen technischen Aus-

drücken gespickt war, kam auch ein „Grubenhund" vor, der „eine Stunde vor Beginn des Bebens Zeichen größter Unruhe von sich gab und zu heulen begann". „Grubenhund" ist die bergmännische Bezeichnung für den kleinen Förderwagen unter Tage.
2. Schachtarbeiter, Brunnenbauer. 1900 *ff.*

grübig (grüabig) *adj* gemütlich, ruhig, behaglich. Geht zurück auf *mhd* „ruowen = ruhen, ausruhen". *Bayr* seit dem 19. Jh.

Grübiger (Grüabiger) *m* 1. Behaglichkeit. *Bayr* 1900 *ff.*
2. seinen Grübigen haben = es sich gemütlich, behaglich machen; seine Ruhe genießen. *Bayr* 1900 *ff.*

grummeln *impers* dumpf donnern; grollen. Schallnachahmend. 1700 *ff.*

grün *adj* 1. unreif, unerfahren, unerwachsen, unverständig; jung. Hergenommen von der Farbe unreifer Früchte. Seit dem 17. Jh.
2. ~ angelaufen sein = a) wütend sein; hochgradig verärgert sein; einem Wutausbruch nahe sein. Anspielung auf die erregte Galle. 1900 *ff.* – b) bleich, übernächtigt aussehen. Man sieht aus, als habe man sich erbrochen. 1900 *ff.*
3. sich ~ ärgern = sich sehr ärgern. Anspielung auf den schwarzgrünen Gallensaft. Seit dem 18. Jh.
4. sich ~ und gelb (blau) ärgern = sich übermäßig ärgern. Übernommen von der Redewendung „in grün und blau schlagen". Gelb, grün und blau verfärbt sich die Haut nach einem heftigen Schlag. Seit dem 18. Jh.
5. wie ~ und gelb geschissen aussehen = geschmacklos bunt gekleidet sein. Seit dem 19. Jh.
6. mach' dich nicht ~! = rege dich nicht auf! Anspielung auf den grünen Gallensaft. 1920/30 *ff.*
7. ich sehe ~ = ich schöpfe neue Hoffnung; es besteht Aussicht auf Hilfe und Rettung. Wahrscheinlich hergenommen vom grünen Leuchtsignal beim Militär; es bedeutet „hier sind wir"; auch „verstanden; wir kommen; wir werden eingreifen und euch helfen". 1950 *ff.*
8. jm nicht ~ sein = jn nicht leiden können. Grün als Farbe des Lebens und der Freude wird auch zur Sinnbildfarbe des Günstigen. 1500 *ff.*
9. noch ~ hinter den Ohren sein = charakterlich, geistig noch unreif sein. Übereinandergeschoben aus „noch grün sein" und „noch naß hinter den Ohren sein". 1900 *ff.*
10. das ist dasselbe in ~ = das ist ungefähr dasselbe. Über die Herleitung sind die Meinungen geteilt. Die einen gehen zurück auf die Äußerung einer Verkäuferin, die zwei gleich geschneiderte Kleider vorlegt und meinen eines grün ist. Nach anderer Deutung leitet sich die Redensart von der grünen Farbe der Eisenbahnfahrkarte zweiter Klasse her: nachdem einer eine Fahrkarte dritter Klasse nach X. verlangt hat, bittet der nächste Kunde, der das gleiche Reiseziel hat, um „dasselbe in Grün". 1850 *ff.*
11. das ist dasselbe in ~, bloß einen Schein dunkler = das ist fast dasselbe. 1900 *ff.*
12. das ist alles ganz schön und ~ = das ist alles ganz schön und gut. Scherzhafte

Abfälschung wegen des Reimanklangs. 1935 *ff.*
13. jm ~ werden = jn liebgewinnen. ↗ grün 8. 1920 *ff.*
14. es wird ihm ~ und gelb vor den Augen = ihm wird übel; er wird ohnmächtig. 1600 *ff.*
15. ~ unter der Nase werden = a) einen Schnurrbart bekommen. Es grünt = es wächst. 1900 *ff.* – b) reif werden; erfahren werden. 1900 *ff.*

Grund *m* 1. grüner ~ = durchschaubarer Vorwand; törichte Ausrede. Grün = nicht ausgereift. 1935 *ff.*
2. aus einem kühlen ~e = aus einem sehr einfachen Grund. Dem Anfang des Volkslieds „In einem kühlen Grunde, da geht ein Mühlenrad" entnommen und verquickt mit „kühl = leidenschaftslos, rein sachlich, unverwickelt". Etwa seit 1900.
3. jn in den ~ bohren = jn zu Boden, knockout schlagen. Von der Marinesprache (= ein Schiff versenken) übergegangen in die Boxersprache; etwa seit 1920 *ff.*
4. jn (etw) in ~ und Boden kritisieren (o. ä.) = etw als völlig minderwertig beurteilen. „Grund und Boden" ist eine erstarrte Formel, hier etwa soviel wie „in die Erde hinein", „ins Grab". 1870 *ff.*
5. jn in ~ und Boden laufen = jn im Laufen überlegen besiegen. *Sportl* 1950 *ff.*
6. jn in ~ und Boden reden = jm im Reden überlegen sein; jn mit Worten schlagen. 1930 *ff.*
7. jn in ~ und Boden rudern = die gegnerische Rudermannschaft überlegen besiegen. *Sportl* 1950 *ff.*
8. jn in ~ und Boden spielen = jn im sportlichen Wettkampf überlegen besiegen. *Sportl* 1950 *ff.*
9. etw in ~ und Boden stampfen = etw völlig vernichten. 1950 *ff.*

Grundeis *n* ihm geht es mit ~ (ihm geht das ~) = er hat große Angst, sehr böse Befürchtungen; sein Widerstand läßt nach. ↗ Arsch 110. Seit dem 19. Jh.

grundeln *intr* 1. auf dem (im) Boden wühlen. *Österr* 1940 *ff.*
2. schlafen, schlummern. *Österr* 1940 *ff.*
3. mit sehr tiefer Stimme singen. *Österr* 1940 *ff, jug.*

gründeln *intr* die Ursachen aufzuspüren suchen. Meint eigentlich „am Grund eines Gewässers nach Nahrung suchen". Übertragen zur Bedeutung „einer Sache auf den Grund gehen". 1960 *ff.*

gründen *tr* jn zu Ruhm und Ansehen verhelfen. Man bereitet ihm die Grundlage, auf der er stehen kann. Meist *iron* gemeint, da er die Lorbeeren nicht verdient. Theaterspr. 1920 *ff.*

Grundgütiger *m* ach du ~! Ausruf der Überraschung. Eigentlich eine Anrufung Gottes. 1920 *ff.*

gründlich *adv* 1. ~ leben = sich austoben; ausschweifend leben; sich keinen Lebensgenuß versagen. 1920 *ff.*
2. ~ machen = Hausputz halten. 1920 *ff.*
3. ~ sein = in der Schule nicht versetzt werden. Der Gründliche wiederholt die Klasse. Ironie. 1920 *ff.*

Grundsatz *m* gußeiserner ~ = unerschütterlicher Grundsatz. ↗ eisern. 1920 *ff.*

Grundsteinlegung *f* Schwängerung. Man legt den Grundstein zu einem Kind. *Vgl* „ein Kind bauen" (↗ bauen 2). 1935 *ff.*

Grundstellung f ~ einnehmen = schlafen. Meint eigentlich das Verhalten beim Kommando: „Stillgestanden!" *Sold* 1939 ff.

Grundstückslöwe m bedeutender Grundstücksmakler. Dem „↗Baulöwen" nachgebildet. 1955 ff.

Grundsuppe f 1. Schlamm, Morast. Der gründlich aufgewühlte Erdboden bildet einen dicken Brei. Auch der Grund von (stehenden) Gewässern ist schlickig; Enten u. ä. „↗gründeln" in der „Grundsuppe". *Sold* 1914 ff.
2. üble Lage, Notlage. 1500 ff.

Grundwasserspiegel m Alkoholgehalt im Blut. Hergenommen von der Bezeichnung der oberen Grenze des unter der Erdoberfläche befindlichen Wassers. 1960 ff.

grundzipiell adv grundsätzlich. Scherzhaft zusammengesetzt aus „grundsätzlich" und „prinzipiell". 1950 ff.

grüner adj ~ wird's nicht!: Zuruf an einen Kraftfahrer, der beim Grünlicht der Verkehrsampel nicht gleich startet. Er wartet wohl auf noch grüneres Grün. 1960 ff.

Grüner m 1. Schnaps. Anspielung auf die grüne Kleidung der Jäger. Zur Jagd nimmt der Jäger Schnaps mit. 1900 ff.
2. Rekrut. ↗grün 1. 1900 ff, sold.
3. Mann, der nicht den Verbrecherkreisen angehört. Er gilt als nicht erfahren. 1870 ff.
4. Panzergrenadier. Wegen der Grundfarbe der Kragenspiegel. *BSD* 1965 ff.
5. Zwanzigmarkschein. Wegen der Papierfarbe. 1950 ff.
6. Förster, Forstbeamter. Wegen des grünen Jagdrocks. Seit dem 19. Jh.
7. Polizeibeamter. Polizeidiensthabende auf dem Lande waren früher grün uniformiert. Die volks- tümliche Bezeichnung wurde beibehalten auch für Polizeibeamte in blauer Uniform. Seit dem späten 18. Jh.
8. Zollbeamter. Wegen der grünen Uniform. 1900 ff.
9. Gefängniswachtmeister. Wegen der grünen Uniform. 1950 ff.

Grünfraß m Salat, Gemüse. 1900 ff.

Grünfutter n 1. Salat; Gemüse. 1900 ff, sold.
2. Blumenstrauß. Er ist Futter fürs Gemüt. 1900 ff.

Grünhunzer m Umwelt-, Waldverschmutzer. ↗verhunzen. 1972 ff.

Grünkram m 1. Gemüse; Gemüsehandel. ↗Kram. 1870 ff.
2. junge Mädchen. Analog zu „grünes ↗Gemüse". 1900 ff.

Grünkramladen m 1. Gemüsegeschäft. 1870 ff.
2. mit künstlichen Blättern und Blüten geschmückter Damenhut. Laden = Auslage. 1920 ff.

grünlich adj halb unwissend, halb erfahren. Abschwächung von ↗grün 1. 1910 ff.

Grünling m 1. Zollbeamter. Dem Vogelnamen unterlegt wegen der grünen Uniform oder der grünen Aufschläge an der Uniform. Vgl ↗Grüner 8. Seit dem 19. Jh.
2. Flurschütze, Feldhüter. Wegen der grünen Uniform. Kundenspr. 1900 ff.
3. unerfahrener Jugendlicher; Neuling; Unreifer. ↗grün 1. 1800 ff.
4. Anhänger der Partei der „Grünen". 1982 ff.

Grünnase f 1. vorlauter Besserwisser. Zu-

sammengesetzt aus „↗grün 1" und „Vorwitznase". 19. Jh.
2. Neuling ohne Kenntnis von militärischen Dingen. 1900 ff.

Grünrock m 1. Jäger, Förster. Vom typischen Kleidungsstück auf dessen Träger übertragen. 1800 ff.
2. Angehöriger des Bundesgrenzschutzes. 1955 ff.
3. Angehöriger der Grenzpolizei. Österr 1950 ff.
4. Polizeibeamter. ↗Grüner 7. 1950 ff.
5. Zollbeamter. ↗Grüner 8. 1900 ff.

Grünschnabel m unerfahrener, vorlauter Mensch. Dem „↗Gelbschnabel" nachgebildet unter Einfluß von „↗grün 1". 1700 ff.

grunsen intr refl sich ärgern. Grunsen, grünsen = brummen, murren. Verwandt mit „grunzen". 1900 ff.

Grünspecht m 1. Jäger, Förster. Dem Vogelnamen unterlegt wegen der Farbe der Uniform. 1870 ff.
2. grünuniformierter Polizeibeamter; Feldgendarm. 1930 ff.
3. halbwüchsiger, vorlauter Besserwisser. ↗grün 1. 1950 ff.

Grünstift m 1. Forstpraktikant; angehender Förster in Ausbildung. ↗grün 1; ↗Grüner 6; ↗Stift = Lehrling. 1870 ff.
2. dem ~ zum Opfer fallen = infolge neuer Umweltschutz-Bestimmungen gestrichen werden (auf industrielle Bauvorhaben u. ä. bezogen). Abwandlung von „dem Rotstift zum Opfer fallen = im Etat (o. ä.) gestrichen werden" nach Maßgabe von Grün als Farbe der Umweltschützer. 1980 ff, stud (Kaiserslautern).

grunzen intr 1. schlafen. 1900 ff.
2. schnarchen. Nachahmung des Schweinelauts. 1900 ff.
3. unzufrieden sein; murren. Vgl ↗grunsen. 1850 ff.

Grunzer m Schwein. Rotw 1800 ff.

Grünzeug n 1. unreife Heranwachsende. Analog zu ↗Gemüse 12. 1900 ff.
2. Schulanfänger. ↗grün 1. 1900 ff.
3. Blumenstrauß. Verächtlich (burschikos) als Gemüse aufgefaßt. 1930 ff, jug.
4. Arbeitsanzug. Wegen der Tuchfarbe. *BSD* 1965 ff.

Grunzmann m 1. Nörgler, Unzufriedener, Aufwiegler. ↗grunzen 3. 1850 ff.
2. Schläfer, Schnarcher. ↗grunzen 1 und 2. 1900 ff.

Gruppe f eine ~ bauen = eine Gruppe von Personen bildgerecht (fürs Fotografieren) anordnen. 1920 ff.

Gruppenkeile f gemeinschaftliche Verprügelung eines Kameraden wegen unkameradschaftlicher Verhaltens. ↗Keile. 1955 ff, halbw und sold.

Gruppensex m 1. Gesellschaftsspiele. *BSD* 1965 ff.
2. Kameradschaftlichkeit in einer Klasse mit Koedukation. Gewollt pikante Ironie. *Schül* 1965 ff.

Grusel-Krimi m gruseliger Kriminalfilm oder -roman. 1960 ff.

Gruselschinken m Schauerroman; Schauerfilm mit langer Vorführdauer. ↗Schinken. 1960 ff.

Gruselstreifen m Gruselfilm. ↗Streifen. 1955 ff.

Grusical n musikalischer Schauerfilm. Dem „Musical" nachgeahmt. 1955 ff.

Gruß m 1. ~ (letzte Grüße) aus Arosa =

hohler, rasselnder Husten. Anspielung auf die Lungenheilstätten in Arosa (schweiz Kanton Graubünden). 1920 ff.
2. ~ an Onkel Otto = Winken aus der Menschenmenge zur Fernsehkamera. Fernsehspr. 1958 ff.
3. ~ aus Solingen = a) Messerstich im menschlichen Körper. Anspielung auf die Solinger Schneidwaren. 1950 ff. – b) Dolch. *BSD* 1965 ff.
4. alldeutscher ~ = Zeigen mit dem Finger an die Stirn. Mit dieser Gebärde, vor allem unter Autofahrern verbreitet, will man seinem Gegenüber zu verstehen geben, daß man ihn für verrückt hält. Dem „Deutschen Gruß" der NS-Zeit nachgebildet. 1960 ff.
5. bayerischer ~ = „leck mich am Arsch!". Diese Art von „Gruß" gilt in mehreren Landschaften als üblich. 1914 ff.
6. deutscher ~ der Autofahrer = Berührung der Stirn mit dem Zeigefinger. ↗Gruß 4. 1950 ff.
7. deutscher ~ mot. = Berührung der Stirn mit dem Zeigefinger. ↗Gruß 4. „mot." ist Abkürzung für „motorisiert". 1955 ff.
8. neuer deutscher ~ = Berühren der Stirn mit dem Zeigefinger. ↗Gruß 4. 1955 ff.
9. kochendheißer ~ = inniger Gruß. Heiß = liebevoll, leidenschaftlich. 1920 ff.
10. letzte Grüße aus Davos = Husten eines Asthmatikers oder Schwindsüchtigen. In Davos (schweiz Kanton Graubünden) befinden sich viele Lungenheilstätten. 1920 ff.
11. schwäbischer ~ = „leck mich am Arsch!". ↗Gruß 5. 1850 ff.
12. ~ und Kuß, Dein Julius! = a) stereotyper Briefschluß. 1920 ff. – b) Redewendung, wenn man ein Gespräch (o. ä.) beenden will. 1920 ff.
13. seinen ~ bauen = militärisch grüßen; salutieren. ↗bauen 1. *Sold* 1939 ff.

Grußaugust (Grüßaugust) m 1. Empfangschef im Speiselokalen. Um 1900 aufgekommen, wohl im Zusammenhang mit dem „dummen August" des Zirkus. Man betrachtet die Tätigkeit des Empfangschefs als eine Art Clownerie.
2. Repräsentationsminister. 1968 ff.

grüßen v 1. Berge (Burgen o. ä.) ~: alberne Redewendung für Urlaubsprospekte von Verfassern der Reiseprospekte u. ä. 1800 ff.
2. ~ Sie München von mir!: alberne Redewendung an einen München-Reisenden. 1920 ff.
3. ~!: Kommando-Zuruf an die Anwesenden, wenn ein längst bekannter Witz erzählt wird. Eine Anstandsregel lehrt, einen Bekannten grüße man durch Lüften der Kopfbedeckung oder durch Handanlegen an die Mütze. 1900 ff.

Grußfuß m 1. auf dem ~ stehen = einander grüßen. Dem „Duzfuß" nachgebildet. 1850 ff.
2. jn auf den ~ setzen = den Umgang mit jm auf reine Förmlichkeit einschränken. 1920 ff.

Grußgottdirektor m Empfangschef eines Industriewerks o. ä. 1920 ff.

grüßgotteln intr als Wirt die Gäste begrüßen. Südd 1920 ff.

Grützbeutel m 1. menschlicher Kopf. Eigentlich die meist unter der Kopfhaut auftretende Balggeschwulst mit grützeähnlicher Masse. Hier beeinflußt von „↗Grütze 1". 1900 ff.

2. Dummer. ↗Grütze 4 und 5. 1900 ff.

Grütze f **1.** Verstand. Fußt auf älterem „Gritz, Kritz = Scharfsinn, Verstand", vielleicht beeinflußt von „Griebs = Kerngehäuse" (der Schädel als Gehäuse des Gehirns). Vgl auch ↗Grips 1. Seit dem 17. Jh.

2. rote ~ = a) Blut. Wegen der Farb- und (bei Blutgerinnsel) Formähnlichkeit mit „Rote Grütze = (gelierte) Süßspeise aus rotem Fruchtsaft". 1930 ff. – b) kommunistische Propagandarede. Rot = heraldische Farbe der Arbeiterbewegung. Grütze = Eßbares = (von der Zuhörerschaft) „zu Fressendes", auf „↗Grütze 1" bezogen. 1945 ff.

3. ~ im Kopf haben = einen scharfen Verstand haben; klug sein. ↗Grütze 1. Seit dem 17. Jh. Vgl engl „to have grit".

4. bei ihm ist die ~ übergelaufen = er ist nicht ganz bei Verstand. Schül 1950 ff.

5. dir haben sie wohl ~ ins Gehirn geschüttet und vergessen umzurühren?: Spottfrage an einen Dummen. 1900 ff.

gs- ↗ges-.

Gsäuf n ↗Gesöff.

Guck n Brille. ↗gucken. 1950 ff.

Guckäpfelchen pl Augen. Aus „gucken" und „Augapfel" zusammengewachsen. 1935 ff.

Guckäuglein n Voyeur. 1920 ff.

guck-coloren intr farbfernsehen. Anglo amerikan „color = Farbe". Möglicherweise beeinflußt von „↗Kokolores". 1970 ff.

Gucke f Blick, Auge, Gesichtsausdruck. ↗gucken. 1900 ff.

Guckeding n Brille, Monokel. Ein Ding zum „Gucken". 1960 ff.

gucken intr **1.** blicken, schauen. Wird vielfach auch „kucken" gesprochen. Herleitung ungewiß. Möglicherweise liegen tierische Laute wie „guckuruguu", „keckeck" oder der Kuckucksruf zugrunde, in menschlicher Deutung aufgefaßt entweder als Warnlaute im Sinn von „paß auf! sieh dich um! sieh dich vor!" oder als Werbelaute im Sinn von „sieh her! schau mich an!" Hiernach könnte „gucken" schallnachahmend entstanden sein. Gebräuchlich seit dem 15. Jh.

2. sieh mal einer guck (gucke-da)! = sieh mal einer an! Scherzhafte Wendung seit 1950.

Gucker m **1.** Belauscher von Liebespaaren; Voyeur. 1925 ff.

2. Fernglas, -rohr; Feldstecher; Brille. 1800 ff.

3. pl = Augen. Oberd seit dem 18. Jh.

Guckfenster pl Ausschnitte im Damenbadeanzug. 1960 ff.

Gucki m Guckloch, „Spion" in der Wohnungstür. 1970 ff.

Guckindiewelt m junger, unerfahrener Mensch. Ein Satzname; ↗gucken 1. Seit dem 18. Jh.

Guckkasten m Fernsehgerät. Ursprünglich eine Jahrmarktsattraktion: ein Kasten, in dem wechselnde Bilder zu sehen sind. Übertragen auf den kastenförmigen Apparat, der nicht mehr den Einblick durch enge Gucklöcher erfordert. 1955 ff.

Gucklöcher pl **1.** Augen. ↗gucken. 1900 ff.

2. Ausschnitte im Damenbadeanzug. ↗Guckfenster. 1960 ff.

Guckloch-Salon m Peep-Show. 1981 ff.

Guckloch-Sex m Peep-Show. 1981ff.

guckofonieren intr durch das Fenster verbotenerweise Nachrichten übermitteln. Entstanden aus „gucken" und „telefonieren". 1945 ff, Wortschatz der Gefängnisinsassen in der DDR.

Guggerschecken pl Sommersprossen. Gugger = Kuckuck. „Schecken" gehört zu „scheckig". Gemeint sind farbige Flecken auf hellem Grund wie im Federkleid des Kuckucks. Bayr und österr seit dem 19. Jh.

Guglhupf m **1.** Kuppelkirche. Formähnlich mit dem Rodonkuchen. Beim Backen hebt sich die Oberfläche wie eine „Gugel" (= Kapuze). Österr seit dem 19. Jh.

2. Heil- und Pflegeanstalt für Nervenleidende und Geisteskranke. Vielleicht wegen der Kuppelkirche auf ihrem Gelände. Seit dem 19. Jh, österr.

Gulasch n **1.** Durcheinander, Wirrwarr. 1920 ff.

2. türkisches ~ = Gulasch aus undefinierbarem Fleisch. Man nimmt an, es sei aus Hundefleisch zubereitet, und der Hund habe „Sultan" geheißen. 1930/40 ff, Wien.

3. aus dir mache ich ~!: Drohrede. Analog zu „jn kleinschlagen". 1900 ff.

4. jn zu ~ verarbeiten = jn heftig prügeln. 1900 ff.

5. das ~ wiehert = das Gulasch ist aus Pferdefleisch bereitet. Sold in beiden Weltkriegen.

Gulaschkanone f fahrbare Feldküche. Im Ersten Weltkrieg aufgekommen, einerseits bezogen auf Gulasch als vorherrschende Speise der Soldaten, andererseits auf den aufragenden Schornstein, der an das aufgerichtete Kanonenrohr erinnert. Sold und ziv 1914 bis heute.

Gülle f **1.** Jauche, Schmutzwasser. Ein urgermanisches Wort, in mhd Zeit vordringend, vor allem im südwestd Raum.

2. Dreck; Unannehmlichkeit. 1940 ff.

güllen intr Zoten erzählen. Eigentlich soviel wie „Jauche fahren; mit Jauche begießen". ↗Gülle 1. 1900 ff.

Gully m n im ~ sitzen = a) in Verlegenheit sein. Engl „gully = Schlammfang; Straßensenke". 1939 ff sold; 1945 ff ziv. – b) etw völlig falsch angefangen haben. 1939 ff.

Gummi m n **1.** Suppenfleisch. Es ist zäh wie Gummi. Seemannsspr. 1900 ff.

2. Präservativ. 1900 ff.

3. Drill. Anspielung auf die langgedehnte Formalausbildung. BSD 1965 ff.

4. gewundene, vieldeutbare Erklärung. Sie ist dehnbar wie Gummi. 1950 ff.

5. ~ geben = die Fahrgeschwindigkeit erhöhen. Kraftfahrerspr. 1935 ff.

6. auf ~ laufen = Blasen an den Füßen haben. ↗Ballon 8. Sold in beiden Weltkriegen.

6 a. jn ~ riechen lassen = den Motorradfahrer überholen. 1970 ff.

7. mein Name ist ~, ich verzeihe mich!: Ausruf des Davongehenden. Wortspielerei mit zwei Bedeutungen von „sich verziehen": einerseits soviel wie „sich entfernen", andererseits „seine Form ändern". Schül 1955 ff.

8. es darf nur noch nach ~ stinken!: Redewendung zur Anfeuerung eines zu langsam Marschierenden oder Laufenden. Anspielung auf die Gummisohlen: man soll so schnell laufen, daß sie heiß werden. BSD 1965 ff.

9. ~ treten = in Schlamm, Morast o. ä. marschieren. Sold 1939 ff.

10. werde ~!: = verschwinde! ↗Gummi 7. 1955 ff.

Gummiadler m **1.** Fahrrad. Die Lenkstange erinnert an die ausgebreiteten Schwingen des Adlers, und die Bereifung ist aus Gummi. 1945 ff.

2. zähes Brathähnchen o. ä. Scherzhafte Wertsteigerung des Vogels. Halbw 1955 ff; BSD, stud.

Gummi-Aussage f vor Gericht abgegebene Erklärung, die verschiedene Auslegungen zuläßt. Vgl ↗Gummi 4. 1950 ff.

Gummibahnhof m Omnibusbahnhof. 1955 ff.

Gummi-Begriff m mehr-, vieldeutiger Begriff. Er ist dehnbar. 1950 ff.

Gummibestimmung f ungenaue Bestimmung. Sie ist dehnbar wie Gummi. 1950 ff.

Gummibeutel m Präservativ. 1900 ff.

Gummibier n ~ trinken = lange an einem Glas Bier trinken. 1950 ff.

Gummidampfer m Schlauchboot. Scherzhafte Wertsteigerung. 1950 ff.

Gummidämpfer m Präservativ. 1900 ff.

Gummi-Esel m Fahrrad. Es ist ein gummibereifter „↗Drahtesel". 1920 ff.

Gummifabrik f anrüchiges Nachtlokal. Anspielung auf „↗Gummi = Präservativ". 1964 ff, sold, österr.

Gummifloskel f leere Redensart. 1950 ff.

Gummiformel f Formulierung, die verschiedene Auslegungen zuläßt. 1950 ff.

Gummiformulierung f mehrdeutige Formulierung. 1950 ff.

Gummigaloschen pl Gummischuhe. ↗Galoschen. 1900 ff.

Gummigeier m zähes Brathähnchen o. ä. Analog zu ↗Gummiadler 2. 1965 ff, BSD, stud u. a.

Gummigemüt n Mensch mit sehr anpassungsfähigem Charakter. Vgl ↗Gummigewissen. 1930 ff.

Gummigesetz n Gesetz, das verschiedene Auslegungen zuläßt. Vgl ↗Gummi 4. 1950 ff.

Gummigewissen n Gewissenlosigkeit, Bedenkenlosigkeit; Anpassungsfähigkeit ohne Gewissensbisse. 1917/18 ff.

Gummihaut f Präservativ. 1920 ff.

Gummihüften pl hin- und herschwingende Hüften. 1950 ff.

Gummihund m **1.** Bediener des Gummiseils bei den Segelfliegern. Sportfliegerspr. 1930 ff.

2. wendiger Mensch. „Hund" als Schimpfwort. 1933 ff.

Gummihütchen n Präservativ, Kondom. 1920 ff.

Gummikavalier m Wärmflasche aus Gummi; Gummipuppe für das Seebad. 1925 ff.

Gummiknüppelgarde f Polizei. 1960 ff.

Gummikragen m ihm platzt der ~ = er ist sehr zornig, braust auf. Anspielung auf das Anschwellen der Zornesader. 1939 ff.

Gummilaatschen pl Gummischuhe. ↗Laatschen. Seit dem 19. Jh.

Gummilinse f Fotoobjektiv mit veränderlicher Brennweite (Zoom). Technikerspr. 1958 ff.

Gummilöwe m angriffslustiger, aber bei

Widerstand sofort nachgiebiger Mensch. Beim ersten Eindruck wirkt er energisch und stark; aber alsbald zeigt er Schwächen. 1935 *ff.*

Gummimann *m* **1.** Präservativ. Mann = Penis. 1930 *ff.* **2.** energieloser Mann. Auf Druck gibt er nach wie Gummi. Seit dem 19. Jh. **3.** toben wie ein ~ = sich wild gebärden. Hergenommen von einer an einem Gummiband aufgehängten Puppe. 1920 *ff.*

Gummiparagraph *m* Paragraph, der mehrere Auslegungen zuläßt. ↗ Gummigesetz. 1950 *ff.*

Gummipatschen *pl* Gummischuhe. ↗ Patschen. *Österr* seit dem 19. Jh.

Gummipuffer *m* **1.** Präservativ. *Vgl* ↗ Gummidämpfer. 1900 *ff.* **2.** Frikadelle, Klops. Gummi ist zäh; Puffer = Knödel. *BSD* 1965 *ff.*

Gummipuppe *f* **1.** kleines dickliches Mädchen. 1900 *ff.* **2.** krummbeiniges Kind. 1920 *ff.*

Gummiquäler *m* Radfahrer, Motorradfahrer, Rennfahrer. Er quält die Bereifung. 1910 *ff.*

Gummisau *f* aufgeblasene ~ = Prahler o. ä. Gemeint ist das Jahrmarktsschweinchen: von außen sieht es eindrucksvoll aus; aber im Innern ist es substanzlos. 1950 *ff, jug.*

Gummischleicher *pl* Gummischuhe. ↗ Schleicher. Seit dem 19. Jh.

Gummischuh *m* Präservativ. Der Penis als „drittes Bein". 1910 *ff.*

Gummisohle *f* Autoreifen. Vom Schuh auf das Rad übertragen. 1960 *ff.*

Gummisoldat *m* US-Soldat. Gummi = Kaugummi. *Sold* 1944 *ff.*

Gummistiefel *m* Präservativ. ↗ Gummischuh. 1910 *ff.*

Gummistrumpf *m* Präservativ. ↗ Strumpf. 1935 *ff.*

Gummi-Thema *n* Thema, über das man lange sprechen kann. Es ist beliebig dehnbar. 1970 *ff.*

Gummitute *f* Präservativ. Tute = Tüte = Aufblasbares. 1920 *ff.*

Gummiwist *m* Hüpfen im Takt über ein immer höher gespanntes Gummiband. Twist = nach 1960 aus Amerika übernommener Tanz mit heftigen Körperwindungen. Ähnliche Windungen werden dem Körper auch beim „Gummiwist" abverlangt. 1968 *ff.*

Gummiwoche *f* die letzten Tage vor der Lohn-, Gehaltszahlung. In vielen Haushalten muß dann das Geld gedehnt werden. 1950 *ff.*

Gummiwort *n* Wort, das viele Deutungen zuläßt. Es ist ein „dehnbarer Begriff". 1950 *ff.*

Gummizelle *f* Klassenzimmer. Eigentlich die Zelle für tobende Häftlinge. *Schül* 1960 *ff.*

Gummizug *m* **1.** möglichst langes Ausdehnen einer nicht im Akkord ausgeführten Lohnarbeit. Man dehnt die Arbeit wie ein Gummiband, das durch einen Saum gezogen ist. 1925 *ff.* **2.** Gewissen mit ~. ↗ Gewissen 2.

Gump *m* Sprung. ↗ gumpen. *Südd* seit dem 19. Jh.

gumpen *intr* springen, hüpfen. *Hd* Nebenform zu ↗ jumpen. Seit *mhd* Zeit.

Gunks (Kunks) *m* Stoß. Gehört zu „Knuk-

kel = Knöchel" und meint den Stoß mit den Fingerknöcheln. *Sächs* 19. Jh.

gunksen (kunksen) *tr* stoßen. *Vgl* das Vorhergehende. *Sächs* 19. Jh.

Gunstgewerbe *f* Prostitution. Dem „Kunstgewerbe" nachgeahmt. 1925 *ff.*

Gunstgewerblerin *f* Prostituierte. Nach dem Muster von „Kunstgewerblerin" gebildet. Erster *lit* Beleg für 1929.

Günstig *m* alter Herr ~ = älterer Herr, der jüngere zum Trunk einlädt. Günstig = vorteilhaft. *Stud* 1925 *ff.*

gupf *adj* ausgezeichnet. *Vgl* das Folgende. *Österr* 1960 *ff, jug.*

Gupf *m* **1.** dummer Mensch. „Gupf" bezeichnet den obersten rundlichen Teil eines Gegenstands, die Kuppe, den Gipfel; hier ist metaphorisch der „Gipfel der Dummheit" gemeint. 1960 *ff, österr, jug.* **2.** Zugabe. Etwa soviel wie „das, was über die übliche Menge hinausgeht". 19. Jh, *österr.*

Gurgel *f* **1.** geläufige ~ = Stimme, die durch keinerlei Unpäßlichkeit beeinträchtigt ist; Redefähigkeit ohne Heiserkeit. 1955 *ff.* **2.** teure ~ = Alkoholiker. 1920 *ff.* **3.** verkehrte (falsche) ~ = Luftröhre. ↗ Hals. 1900 *ff.* **4.** jm die ~ abdrehen = jn geschäftlich (moralisch) zugrunde richten. Man würgt oder erwürgt ihn. 1920 *ff.* **5.** sich die ~ absaufen = Gewohnheitstrinker sein. 1700 *ff.* **6.** die ~ anfeuchten = trinken. Seit dem späten 19. Jh. **7.** die ~ ausspülen = ein Gläschen Alkohol trinken. Seit dem 19. Jh. **8.** sich die ~ bürsten = (scharfe Schnäpse) trinken. Übertragen vom Schornstein, der mit einer Drahtbürste gereinigt wird. *Vgl* auch ↗ bürsten 5. Seit dem 19. Jh. **9.** etw durch die ~ jagen = etw für Getränke ausgeben; etw vertrinken (er hat sein Haus durch die Gurgel gejagt). Seit dem 16. Jh. **10.** die ~ kriegt Durchmarsch = man zecht ausgiebig. Seit dem 19. Jh, *nordd* und *ostd.* **11.** es läuft durch die ~ = es wird vertrunken. Seit dem 16. Jh. **12.** sich die ~ ölen = zechen. 1900 *ff.* **13.** die ~ schmieren = trinken. 1500 *ff.* **14.** die ~ schwenken = zechen. Schwenken = im (mit) Wasser spülen. 1600 *ff.* **15.** die ~ spülen = zechen. Seit dem 19. Jh. *Vgl franz* „se rincer le goulot". **16.** jm die ~ umdrehen = a) jn würgen, erwürgen. 19. Jh. – b) jn erpressen. 19. Jh. **17.** die ~ waschen = zechen. 1700 *ff.*

Gurgelknopf *m* Adamsapfel, Kehlkopf. 1900 *ff, stud.*

gurgeln *v* **1.** *intr* = schnarchen. Wegen der gurgelähnlichen Geräusche. 1900 *ff.* **2.** intr = ein Gläschen Alkohol trinken. Man spült die Rachenhöhle aus. Seit dem 19. Jh.

Gurgelübung *f* das Zechen. Als Kehlkopf- oder Halsmuskeltraining aufgefaßt. 1920 *ff.*

Gurgelwärmer *m* Krawatte. Sie ist ein schmaler Schal. *BSD* 1965 *ff.*

Gurke *f* **1.** (große, breite) Nase. Wegen der Form- ähnlichkeit. Seit dem 19. Jh. **2.** Penis. 1900 *ff.* **3.** stromlinienförmiges Kraftfahrzeug. 1958 *ff.*

4. einfältiger Mensch; Mensch, der durch irgendeine Eigenheit komisch-merkwürdig erscheint. Hergenommen von den seltsamen Formen, in denen Gurken wachsen: es gibt gerade, gekrümmte, geringelte usw. 1920 *ff.* **5.** Versager. 1930 *ff.* **6.** unsympathisches Mädchen. Es kann einfältig sein oder keine schöne Figur haben. *BSD* 1965 *ff.* **7.** Fußball. Wohl ein Stoffball, der sich verformt. *Schül* 1950 *ff.* **8.** hohe Niederlage beim Ballspiel. Gehört vielleicht zu „↗ verkorksen". *Bay* 1950 *ff.* **9.** *pl* = ausgetretenes Schuhwerk; alte Stiefel (mit rundgelaufener Sohle); Reitstiefel. Entweder hergenommen von der Form der (halbierten und ausgenommenen) Gurke oder entstellt aus „Korken = Pantoffeln" (leichte Schuhe wurden aus Korkrinde gefertigt). Seit dem frühen 19. Jh. **10.** alte ~ = a) alter Gegenstand. 1900 *ff.* – b) altes Auto. 1914 *ff.* **11.** müde ~ = altersschwaches Auto. 1930 *ff.* **12.** putzige ~ = Sonderling, Dümmling. ↗ Gurke 4; ↗ putzig. 1930 *ff.* **13.** saure ~ = a) Schimpfwort, wohl auf einen, der „sauer = griesgrämig, erbost" ist. 1910 *ff.* – b) Strafarbeit. Die ruft Mißmut hervor. *Schül* 1960 *ff.* – c) unbeliebte, veraltete Fernsehsendung. 1975 *ff.* **14.** sauer wie eine ~ = mißgestimmt. ↗ Gurke 13 a. 1910 *ff.* **15.** aussehen wie eine saure ~ = unfroh dreinblicken. *Vgl* das Vorhergehende. 1910 *ff.* **16.** ich habe nichts gegen deine Nase; aber ~n gehören ins Glas: Redewendung auf einen Menschen mit plump geformter Nase. *Schül* 1950 *ff.* **17.** ~n gehören ins Faß = bei häßlich geformten Damenbeinen ist ein langer Rock angebracht. 1955 *ff.* **18.** eine saure ~ haben = mit einem Tripper behaftet sein. ↗ Gurke 2; sauer = schlecht (wie saure Milch). 1910 *ff.* **19.** ~n ist auch Kompott = man muß mit den Gebotenen vorliebnehmen. 19. Jh, Berlin. **20.** eine saure ~ quer verschluckt haben = sehr mißvergnügt dreinschauen. 1900 *ff.*

gurken *intr* **1.** fliegen. Gurken wachsen oft geschlängelt. Von hier übertragen auf eine in Schlangenlinien verlaufende Bewegung. Fliegerspr. 1935 *ff.* **2.** laufen; einem Ziel zustreben. ↗ Gurke 9. 1935 *ff.* **3.** im Auto umherfahren; sich mit dem Auto durchschlängeln. 1950 *ff.*

Gurkenhandel *m* da hört der ~ auf!: Ausruf des Unmuts. Steht wohl im Zusammenhang mit den in Berlin beliebten Spreewald-Gurken und mit der „↗ Saure-gurkenzeit". Etwa seit 1900.

Gurkenmacher *m* Gemüsegärtner. Kundenspr. 1900 *ff.*

Gurkensalat *m* **1.** völliges Durcheinander; große Unordnung; wüster Trümmerhaufen. Es handelt sich wohl um Krummgebogenes; ↗ Salat. 1925 *ff.* **2.** er ~ läßt grüßen!: Zuruf an einen, der Aufstoßen verursacht hat. Gurkensalat kann leicht Aufstoßen. Berlin 1870 *ff.*

3. ~ quatschen = Unsinn reden; alles verwechseln. 1870 *ff.*

Gurkenspiel *n* schlechtes Fußballspiel. ↗Gurke 8. 1974 *ff.*

Gurkentor *n* völlig unerwarteter, durch einen Trick oder nachgerade versehentlich erzielter Tortreffer. 1974 *ff.*

Gurre *f* **1.** altes Pferd. *Mhd* „gurre, gorre = Stute". Seit dem 15. Jh. **2.** alte, unordentliche, liederliche Frau; unverträgliche weibliche Person. *Oberd* 1700 *ff.*

Gürtel *m* den ~ enger schnallen = sich Einschränkungen auferlegen; Hunger leiden. Der Bauchumfang schrumpft. 1900 *ff.*

Gürtellinie *f* **1.** unterhalb der ~ = den Bereich der geschlechtlichen Betätigung betreffend. Der Ausdruck „Gürtellinie" ist wohl mit dem Boxsport aufgekommen, bei dem Stöße gegen den Unterleib untersagt sind. 1950 *ff.* **2.** es geht unter die ~ = es ist ein empfindlicher Angriff, ein schmerzhafter Schlag, ein schmerzlicher Verlust. *Vgl* ↗Tiefschlag. 1950 *ff.* **3.** das ist unterhalb der ~ = das ist vertragswidrig; das läuft einwandfreien Verhaltensweisen zuwider. 1950 *ff.* **4.** die ~ unterschreiten = obszön werden. 1950 *ff.* **5.** unter die ~ zielen (schlagen) = eine sehr schwere Beschuldigung vorbringen. 1950 *ff.*

Gurtmuffel *m* Kraftfahrer ohne Sicherheitsgurt. ↗Muffel 2. 1974 *ff.*

Gusche *f* **1.** Mund. Herkunft ungeklärt, *vgl* aber „↗Gosche". Seit dem 16. Jh. **2.** Redewendungen mit „Gusche" *vgl* unter „↗Fresse", „↗Maul", „↗Mund" u. ä.

guschen *intr* sein Gesicht verziehen; jammern; wehleidig sein. *Vgl* das Vorhergehende. *Ostmitteld* 1900 *ff.*

Gustav *m* **1.** eiserner ~ = a) russisches Nachtflugzeug; Aufklärungsflugzeug; gepanzertes russisches Bombenflugzeug; U-2-Doppeldecker. Beiname des Berliner Droschkenkutschers Gustav Hartmann, der 1928 mit seiner Kutsche nach Paris fuhr; Roman von Hans Fallada (1938), Film mit Heinz Rühmann (1958). *Sold* 1941 *ff.* – b) besonders geformter Magnet, der über eine elektrische Zähluhr gehängt wird, wodurch sie zum Stillstand kommt (Stromdiebstahl). *Rotw* 1960 *ff.* – c) automatische Verkehrsüberwachungsanlage mit Kamera. 1965 *ff.* **2.** eiserne ~e = trotz hoher Verluste unentwegt angreifende sowjetische Soldaten. 1941 *ff.* **3.** flotter (schneller) ~ = Durchfall. 1920 *ff.* **4.** nicht nach jds ~ sein = nicht nach jds Geschmack sein. „Gustav" ist scherzhaft aus *ital* „gusto = Geschmack" entstellt. 1920 *ff.* **5.** den stolzen ~ spielen = sich gekränkt fühlen. Berlin 1963 *ff.*

6. ~ statt Gasthof (Gasthaus) verstehen = zwei Begriffe miteinander verwechseln. Wird gelegentlich als Anekdote mit dem Arzt und Physiker Hermann Ludwig Ferdinand von Helmholtz (1821–1894) erzählt. Wien 1950 *ff*, *stud.*

Gusto *m* Gelüst, Geschmack. *Ital* „gusto = Geschmack". *Oberd* 1800 *ff.*

Gustokatz (-katzerl) *f* (*n*) Gelegenheitsfreundin. Sie wird nach „Geschmack = Belieben" gewechselt. *Bayr* 1900 *ff.*

Gustomenscherl *n* hübsches Mädchen. ↗Gusto; ↗Mensch II. *Österr* 1900 *ff.*

Gustostückerl *n* **1.** schönes, appetitliches Stück. ↗Gusto. *Österr* 1900 *ff.* **2.** hübsches Mädchen. Wien 1900 *ff.*

gut *adj adv* **1.** ~, billig und viel: Redewendung auf ein reichliches, preiswertes und bürgerlich zubereitetes Wirtshausessen. 1900 *ff.* **2.** ~ geben = reichlich auftischen. 1900 *ff.* **3.** dir geht's wohl nicht mehr ganz ~? (sonst geht's dir doch/noch ~?): Spottfrage an einen, der Unsinniges ernsthaft vorbringt. Man vermutet eine Geisteskrankheit. 1840 *ff.* **4.** laß mal ~ sein! = laß dies auf sich beruhen! unternimm nichts weiter! Soviel wie „laß es als gut (= erledigt) gelten!". 1910 *ff.* **5.** ~ liegen = geschäftlich erfolgreich sein; den richtigen Einfall haben. Vom Pferderennsport übernommen. 1918 *ff.* **6.** er hat ~ reden = er äußert sich zu einer Sache, die ihm nicht schadet oder sonstwie zusetzt. 1900 *ff.* **7.** er ist ~ = er hat sonderbare Ansichten (Ansprüche). *Iron* Redewendung. 1870 *ff.* **8.** er ist ~, er kann so bleiben = er taugt wenig (nichts). Ironie. 1870 *ff.* **9.** das ist für ~ = das ist für den Feiertag, für eine besondere Gelegenheit vorbehalten. Hergenommen vom Festtagskleid im Gegensatz zum Alltagskleid. 1920 *ff.* **10.** das ist garnicht mal so ~! : Antwort auf einen Vorschlag. *Iron* Gegenstück zu „das ist garnicht mal so schlecht". *Sold* 1939 *ff.* **11.** er sitzt mir ~ da = ich habe nichts dagegen, daß er anwesend ist. 1900 *ff.* **12.** er tut nicht ~ = er ist mißraten, unfolgsam. Seit dem 16. Jh.

Gut *n* **1.** unrecht ~ gedeihet nicht!: Zuruf der Kartenspieler, wenn einer nach mehrmaligem Gewinn ein Spiel so hoch verliert, daß nicht nur der bisherige Gewinn zunichte ist, sondern auch noch Geld zugeschossen werden muß. Kartenspielersp. seit dem 19. Jh. **2.** kein ~ tun = nicht taugen; nicht nützen. Gut = Gutes. *Vgl* ↗gut 12. 1500 *ff*, *oberd.*

Güte *f* **1.** erster (zweiter, dritter) ~ = erster (usw.) Wagenklasse, Ordensklasse u. ä. Güte = Qualitätsstufe, Güteklasse. 1870 *ff.*

2. erste (zweite) ~ = Schauspieler, der in der ersten (zweiten) Aufführung auftritt. ↗Garnitur 1. Theaterspr. 1900 *ff.* **3.** du liebe (du meine) ~! : Ausruf des Erstaunens, des (gespielten) Entsetzens. Wohl zerredet aus der Anrufung „du mein Gott!". Seit dem 16. Jh. *Vgl engl* „my goodness!". **4.** meine ~, soviel Bonbons in einer Tüte (ein Bonbon in einer Tüte)! : Ausdruck der Verwunderung. 1900 *ff.* **5.** sich eine ~ tun = es sich gut schmecken lassen; es sich wohlsein lassen; eine Erquickung zu sich nehmen. Man tut sich etwas zugute. 18. Jh.

Guter *m* **1.** einen Guten rauchen = vermögend sein. Hergenommen vom guten und teuren Tabak. Seit dem späten 19. Jh. **2.** keinen Guten rauchen = schlechtgelaunt, reizbar sein. Schlecht schmeckender Tabak macht den Raucher unleidlich. 1870 *ff.*

guterhalten *adj* rüstig, lebensfroh. Von Waren hergenommen, die gebraucht, aber getrost noch weiterhin verwendbar sind. 1920 *ff.*

Güterzug *m* Lastzug. Anspielung auf die Länge. 1960 *ff.*

Gutes *n* des Guten zuviel getan haben = betrunken sein. 1700 *ff.*

gutest *adj* best. Scherzhafter Superlativ ohne Berücksichtigung der unregelmäßigen Steigerung. Seit dem 19. Jh.

Gutester *m* mein ~ = mein Bester. Herzliche, auch *iron* Anrede. Seit dem 19. Jh, mutmaßlich *sächs* Ursprungs.

Gütinand *m* (Pn) ~ der Fertige = Ferdinand der Gütige. *Schül* Spaß, Wien 1950 *ff.*

Gutloch *n* Kugelwurf durch die Mittelgasse, ohne daß weitere Kegel umgeworfen werden. Keglerspr. seit dem späten 19. Jh.

Gutmütigkeit *f* ~ ist Dummheit: weitverbreitete Alltagsweisheit. Der Gutmütige wird ausgenutzt, übertölpelt, veralbert usw. *Sold* 1939 *ff.*

Gutsi *pl* Süßigkeiten, Leckereien, Feingebäck. Entstanden aus „Gutes" und der Verkleinerungsendung „-i". 19. Jh.

Gymnasiast *m* abgebrochener ~ = vorzeitiger Abgänger vom Gymnasium. 1900 *ff*, lehrerspr. und *schül.*

Gymnasium *n* **1.** Haftanstalt; Polizeigebäude. Gefängnis und Zuchthaus gelten seit dem frühen 19. Jh unter Verbrechern als die hohe Schule des Verbrechertums: was die Straftäter bisher nicht wußten, lernen sie dort von ihren Mithäftlingen. **2.** Kaserne. 1920 *ff.*

Gymnastik *f* Tanzen hochmoderner Tänze. *Halbw. Vgl* ↗Bettgymnastik. 1960 *ff.*

Gymnastikstunde *f* **1.** Geschlechtsverkehr. *Vgl* ↗Bettgymnastik. 1960 *ff.* **2.** Twist-Tanzunterricht. 1960 *ff.*

H

Ha Ha und Be (Ha und Be-Be): Glückwunsch zu einem bevorstehenden Ereignis. Abgekürzt aus „↗Hals- und Beinbruch". *Sold* in beiden Weltkriegen; *ziv* bis heute.

HB-Männchen *n* **1.** leicht erregbarer Vorgesetzter. Hergenommen von der Reklamefigur für die Zigarette HB (= Haus Bergmann) im Werbefernsehen und dem Werbespruch: „Halt, mein Freund, wer wird denn gleich in die Luft gehen?! Greife lieber zur HB, dann geht alles wie von selbst." *BSD* 1965 *ff.* **2.** in die Luft gehen wie das ~ = schnell aufbrausen. 1968 *ff.* **3.** zum ~ werden = in Zorn geraten. 1968 *ff.*

h.d.F. = schweige, verstumme! Abkürzung von „halt' die Fresse!". 1957 *ff.*

hwG-Frau *f* Prostituierte. „HwG" ist Abkürzung von „häufig wechselnder Geschlechtsverkehr". 1950 *ff,* polizeispr.

Haar *n* **1.** ~ im Streckhang = langes, strähniges, unfrisiertes Haar. Die Haare hängen nach unten wie der Turner an der Leiter. 1950 *ff.* **2.** leicht angerostete ~e = rötlich schimmernde Haare. 1925 *ff.* **3.** lieber keine ~e als eine Glatze: scherzhafte Trostrede an einen Kahlköpfigen. *Vgl* ↗Glatze 10. 1920 *ff.* **4.** krumme ~e = Locken; krause Haare. 1900 *ff.* **5.** lange ~e, kurzer Verstand: vermeintliche Lebensweisheit über die angebliche Dummheit der Frauen. 1800 *ff.* **6.** rostiges ~ = rötliches Haar. 1900 *ff.* **7.** sechs (drei) Haare in sieben Reihen = dünner Schnurrbart; erster bescheidener Bartwuchs. Soll man um 1871 mit Bezug auf Bismarck gesagt haben, als er in Frankfurt am Main abstieg, wo er als Preuße unbeliebt war. **8.** verrostetes ~ = rötliches Haar. 1900 *ff.* **9.** sich die ~e abgestoßen haben = glatzköpfig sein. Man hat sie abgestoßen am Oberteil der viel zu kurzen Bettstelle oder unter dem Helm. 1900 *ff.* **10.** die ~e abkaddeln = die Haare schneiden (ungeschickt und mit stumpfem Werkzeug). ↗kaddeln. 1900 *ff.* **11.** die ~e abmähen = die Haare schneiden. Vom Mähen mit der Sense hergenommen. 1920 *ff.* **12.** da möchte (könnte) man sich die ~e einzeln ausraufen (ausreißen)!: Ausdruck der Verzweiflung und der Ratlosigkeit. 1900 *ff.* **13.** an ihm bleibt kein gutes ~ = man bestreitet ihm jegliche Vorzüge; man kennzeichnet ihn als unzuverlässig, als nicht vertrauenswürdig u. ä.. „Kein gutes Haar" spielt auf Rothaarigkeit an, die vielfach blindlings als Zeichen bösartiger Gesinnung, von Treulosigkeit und Niedertracht ausgelegt wird. Seit dem 19. Jh. **14.** mir bluten die ~e = ich leide unter den Nachwehen einer durchzechten Nacht. *Vgl* ↗Haarspitzenkatarrh. 1957 *ff.* **15.** jm die ~e vom Kopf essen (fressen) = jm alles Eßbare wegessen; bei jm überaus großen Appetit entwickeln. Verstärkung von „jm die ↗Ohren vom Kopf essen". 1850 *ff.*

16. einander in die ~e fahren = zu streiten beginnen. Ursprünglich auf den tätlichen Kampf bezogen, später auch auf das Wortgefecht. Seit dem 17. Jh. **17.** ein ~ in der Suppe (in etw) finden = durch eine unangenehme Entdeckung von etw abgeschreckt werden. Das Haar in der Suppe steht sinnbildlich für einen abstoßenden Befund. Seit dem 17. Jh. *Vgl franz* „nous y avons trouvé un cheveu". **18.** einander in die ~e geraten = sich streiten. ↗Haar 16. 1600 *ff.* **19.** sich in die eigenen ~e geraten = auf sich selber wütend sein. 1925 *ff.* **20.** seine ~e noch nicht alle haben = kahlköpfig sein. Tröstlicher Euphemismus. 1920 *ff.* **21.** einen (zuviel) in den ~en haben = bezecht sein. 19. Jh. **22.** ~e auf der Brust haben = a) energisch sein; sich stets zu helfen wissen. Haare als Zeichen von Kraft und Energie. *Sold* 1939 *ff.* – b) ein guter Kamerad sein. Man tritt für den anderen tatkräftig ein. *Sold* 1939 *ff.* **23.** mehr Schulden als ~e auf dem Kopf haben = sehr verschuldet sein. Fußt auf Psalm 40, 13, wo von den Sünden gesagt wird: „ihrer ist mehr denn Haare auf meinem Haupt". 1500 *ff.* **24.** ~e auf den Zähnen haben = a) schlagfertig, unverträglich sein; aufbegehren; Widerworte geben. Leitet sich her entweder von den Haaren als Zeichen der Männlichkeit (noch verstärkt dadurch, daß sie auf den Zähnen wachsen) oder von Hund oder Katze, denen nach einem Kampf Haare des Opfers an den Zähnen kleben. Seit dem 17. Jh. – b) einen Schnurrbart tragen. Scherzhafte Wendung. 1940 *ff.* **25.** mehr ~e auf den Zähnen haben als auf dem Kopf = sehr zanklüstern sein. 1950 *ff.* **26.** ~e auf den Stiftzähnen haben = unverträglich, widerspenstig sein. 1950 *ff.* **27.** ~e auf der Zunge haben = sich zu wehren wissen; schlagfertig sein. Vorform von ↗Haar 24 a. 1500 *ff.* **28.** etw an den ~en herbeiziehen = unzusammenhängende Dinge oder Vorgänge miteinander in Verbindung bringen. Leitet sich wohl her von einem unwilligen Tatzeugen, den man bei den Haaren vor den Richtertisch bringt. Seit dem 15. Jh. **29.** die ~e knistern = der Schreck ist einem in alle Glieder gefahren. Wie von einem elektrischen Schlag knistern die Haare. 1955 *ff, jug.* **30.** die ~e kommen runter = die Haare werden geschnitten. 1900 *ff.* **31.** die ~e kriegen = miteinander Streit bekommen. ↗Haar 16. Seit dem 17. Jh. *Vgl franz* „se prendre aux cheveux". **32.** jm kein ~ krümmen = jm nichts zuleide tun; jm nicht das geringste Unrecht zufügen. Das Haar als Sinnbild kleinster Gegenständlichkeit. 1500 *ff.* **33.** ~e lassen = mit Schaden davonkommen. Hergenommen von einer Rauferei, bei der man Haare in der Hand des Siegers zurückläßt, oder aus der altdeutschen Rechtspraxis des entehrenden Scherens. Seit dem 15. Jh. **34.** an jm kein gutes ~ lassen = von jm nur Schlechtes sagen; jm jegliche Nieder-

tracht und Schändlichkeit zutrauen. ↗Haar 13. 1600 *ff.* **35.** an jm ein heiles ~ lassen = jds guten Ruf völlig zerstören. 1900 *ff.* **36.** an einer Sache ein wahres ~ lassen = eine Sache teilweise bestätigen. 1950 *ff.* **37.** ~e lassen müssen = das Kopfhaar kürzen und/oder auslichten lassen. 1920 *ff.* **38.** einander in den ~en liegen (sein) = sich streiten; in Unfrieden miteinander leben. ↗Haar 16. 1500 *ff.* In *frühnhd* Zeit war „zu Haar liegen" gebräuchlich. *Vgl engl* „they are always getting into each other's hair". **39.** sich die ~ locken lassen = glatzköpfig sein und Haarwuchsmittel anwenden. Wortspielerei mit zwei Bedeutungen von „locken", nämlich einerseits „in Locken legen", andererseits „hervorlocken, reizen". 1930 *ff.* **40.** jm das ~ (die ~e) machen = jn zurechtweisen; jm Benehmen beibringen. Tadeln ist in volkstümlicher Auffassung ein Verbessern und Verschönern. 1900 *ff.* **41.** jm alle ~e runtersäbeln = jn kahlscheren. Säbeln = grob, ungeschickt schneiden. *Sold* in beiden Weltkriegen. **42.** das kannst du dir in die ~e schmieren = mach damit, was du willst! verschone mich mit dieser Speise! Anspielung auf die große Auswahl an Haarwässern, -ölen, -seifen u. ä. 1945 *ff,* anfangs kriegsgefangenenspr., dann *halbw.* **43.** an ihm ist kein gutes ~ = er taugt überhaupt nicht(s). ↗Haar 13. 1600 *ff.* **44.** da ist ein ~ in der Suppe = ich ahne einen verborgenen Nachteil. *Vgl* ↗Haar 17. Etwa seit 1870 *ff.* **45.** das ~ in der Suppe sein = Ärgernis bieten. 1900 *ff.* **46.** die ~e stehen ihm zu Berge = er ist entsetzt. Geht zurück auf Hiob 4, 15. 1500 *ff. Vgl franz* „ses cheveux se dressent sur sa tête"; *engl* „his hair stands on end". **47.** die ~e stoßen ans Hemd = er verlangt nach Beischlaf. Sich aufrichtende Haare als Zeichen der Erregung. 1900 *ff.* **48.** nach ~en in der Suppe suchen = kleinliche Kritik üben; nach Anlässen zur Beanstandung suchen. ↗Haar 17. 1900 *ff.* **49.** das treibt ihm die ~e zu Berge = darüber ist er entsetzt. ↗Haar 46. 1900 *ff.* **50.** die ~e verlieren den Kontakt untereinander (miteinander). = es bildet sich eine Glatze. 1920 *ff.* **51.** sich um (über) etw keine grauen ~e wachsen lassen = sich um etw keine unnützen Sorgen machen. Ergrauen kann Kummer und Sorgen zur Ursache haben. 1500 *ff. Vgl franz* „ne nous ferons pas des cheveux blancs"; *engl* „don't let that give you any gray hair". **52.** sich die ~e wegamüsieren = glatzköpfig werden. Haarverlust wird in alter Volksmeinung auf geschlechtliche Exzesse zurückgeführt. 19. Jh.

Haarbeutel *m* Rausch. Bei der Haarbeutelmode wurden die Haare zu beiden Seiten des Kopfes in Locken geordnet und die Haupthaarfülle rückwärts in einem Beutel gefangen; dieser Beutel drückte auf den Kopf, ähnlich wie der Rausch. 1700 *ff.*

haarig *adj* **1.** schlimm, böse, gefährlich, heikel (wir sind in einer haarigen Lage; der Händler verlangt haarige Preise). Entweder verkürzt aus „haarsträubend" oder über die Bedeutung „borstig" weiterentwickelt zu „scharf" und „verletzend". 1830 *ff.*

2. übergebührlich, unverschämt, dreist. 1900 *ff.*

3. stark, kräftig. Das Haar als Sinnbild der Kraft und Männlichkeit. 1830 *ff.*

4. tüchtig, großartig. 1800 *ff.*

5. überaus komisch. 1930 *ff.*

6. *adv* = sehr. 1800 *ff.*

haarklein *adv* etw ~ erzählen (o. ä.) = etw überaus genau, mit allen Einzelheiten erzählen. 1600 *ff.*

Haarmatratze *f* Vollbart. In Dicke, Dichte und Form ähnelt er einer Matratze, oder er erinnert an deren kraus-verfilzte (Roßhaar-)Füllung. Theaterspr. 1920 *ff.*

haarschweinlich *adj* wahrscheinlich. Schülersprachlicher Spaß, etwa seit 1930.

Haarsieb *n* Vorzimmerdame, Chefsekretärin. Dieses sehr feine Sieb siebt und sichtet die Besucher gründlich. 1950 *ff.*

Haarspitzenkatarrh *m* Kopfschmerz nach durchzechter Nacht. In diesem Zustand kann bloße Haarberührung schon als schmerzhaft empfunden werden. 1920 *ff.* Vgl *franz* „avoir mal aux cheveux".

haarsträubend *adj* **1.** entsetzlich, fürchterlich; sehr groß (das ist eine haarsträubende Lüge, ein haarsträubender Preis). Wenn es einen ernstlich graust, richten sich die Haare auf; *vgl* ↗Gänsehaut. Seit dem 19. Jh.

2. das ist selbst für eine Glatze ~ = das ist ein überaus ungewöhnlicher Vorfall. 1920 *ff.*

Haarweh *n* Kopfschmerzen nach alkoholischer Ausschweifung. ↗Haarspitzenkatarrh. 19. Jh.

Haarwild *n* beischlafwillige weibliche Person. Jäger nennen so alle jagdbaren Säugetiere. 1920 *ff.*

Haarwurzelentzündung *f* Kopfschmerzen nach reichlichem Alkoholgenuß. 1900 *ff.*

Haarwurzelkatarrh *m* Kopfweh nach durchzechter Nacht. Vgl ↗Haarspitzenkatarrh. 1900 *ff.*

haben *v* **1.** wer hat, der hat!: Redewendung, mit der man den Besitz von Geldmitteln, von körperlichen Reizen u. ä. bestätigt. Vgl ↗Neid 3. 1900 *ff.*

2. was man hat, hat man: Redewendung der Befriedigung über einen Kartenstich mit nur wenigen Punkten. Skatspielerspr. seit dem späten 19. Jh.

2 a. man hat's oder man hat's nicht = Begabung ist nicht erlernbar. 1900 *ff.*

3. wer hat noch nicht, wer will noch mal?: Redewendung, wenn man in einer Gruppe etwas zum Verzehr anbietet. Wohl einem Jahrmarktsausrufer nachgesprochen. 1920 *ff.*

4. das habe ich bis hierhin (wobei die rechte Hand bis an den Hals erhoben wird) = es ist mir zum Ekel. Formulierte Gebärde des Abscheus. 1850 *ff.*

5. wer hat, kriegt = wer gute Karten in der Hand hält, kauft gleichwertige hinzu; wer viel gewonnen hat, gewinnt noch mehr dazu. Kartenspielerspr. 1870 *ff.*

6. das werden wir gleich ~ = das soll rasch gemeistert sein. Verkürzt aus „erledigt haben" oder „herausgefunden haben" (wo der Fehler steckt). Seit dem 19. Jh.

7. hast du was, bist du was (haste was, biste was) = Wohlhabenheit gibt Anse-

hen. Eine weitverbreitete Alltagsweisheit, deren Gültigkeit durch die Wohlstandsgesellschaft täglich bewiesen wird. 1920 *ff.*

8. das haben wir noch nicht gehabt = das ist im Unterricht noch nicht behandelt worden. *Schül* seit dem 19. Jh.

9. etwas ~ = Sorgen, Kummer haben. Hinter „etwas" ergänze „Bedrückendes" o. ä. Seit dem 19. Jh.

10. hast du mich (hast mi)? = hast du mich verstanden? *Bayr* 1900 *ff.*

11. ihn ~ wir nicht mehr lange = a) er wird bald sterben. 19. Jh. – b) er kommt bald in die Anstalt für Geisteskranke. 1935 *ff,* Wien.

12. noch zu ~ sein = ledig sein. Hergenommen von einer Ware, die noch im Handel ist. Seit dem 19. Jh. *Vgl engl* „to be still in the market".

12 a. nicht mehr zu ~ sein = verheiratet sein. 1900 *ff.*

13. wieder zu ~ sein = geschieden, verwitwet sein. 1920 *ff.*

14. es ~ = a) krank sein. „Es" steht neutral für „Übel". Man hat es im Hals, im Magen, an den Füßen o. ä. Seit dem 18. Jh. – b) die Mittel haben; vermögend sein. Verkürzt aus „das erforderliche Geld haben" o. ä. Seit dem 18. Jh.

15. da ~ wir es! = das erwartete Unangenehme ist eingetroffen! „Es" meint „wovon wir gesprochen haben". 1700 *ff.*

16. es hat = es gibt; es herrscht o. ä. (es hat heute viel Regen; es hat heute Fisch). 1500 *ff.* Vgl *franz* „il y a".

17. ich kann das nicht ~ = es mißfällt mir, ist mir unerträglich. Haben = gernhaben; ertragen. Seit dem 19. Jh.

18. wie ~ wir es denn?!: Ausdruck der Entrüstung. Die Frageform verstärkt die eigentlich gemeinte Feststellung „so haben wir es nicht (vereinbart o. ä.)!", analog zu der weiter verbreiteten Wendung „so haben wir nicht gewettet!" (↗wetten 4). *Bayr* 1950 *ff.*

18 a. wen ~ wir denn da?!: Ausruf der Verwunderung bei Begrüßung eines Bekannten (den man lange nicht mehr gesehen hat). 1920 *ff.*

19. wie ~ wir es nachher (wia hamma's nacha)?: Ausdruck des Erstaunens und Aufbegehrens. Etwa soviel wie „was sagst du nun, da das (erwartete) Ereignis eingetreten ist?". *Bayr* 1930 *ff.*

20. ihn hat's = a) er ist von einer Kugel (einem Splitter) getroffen; er ist tot. Verkürzt aus „ihn hat es erwischt". 1500 *ff.* – b) er hat sich verliebt. Die Liebe hat ihn ergriffen. Seit dem 19. Jh. – c) er ist nicht recht bei Verstand. Er ist vom Irrsinn ergriffen. Seit dem 19. Jh. – d) er ist betrunken. Seit dem 19. Jh.

21. was hast du, was gibst du (was haste, was gibste) = aus Leibeskräften; eiligst. Herkunft ungeschart. Vielleicht zusammenhängend mit „hasten". Seit dem 17. Jh bis heute.

22. was hast du, was kannst du = in größter Eile; so schnell wie möglich; er rannte was hast du, was kannst du zum Feuermelder). Meist in der gesprochenen Form „was haste was kannste". Abwandlung der Vorhergehenden. Seit dem 18. Jh.

23. hat sich was!: Ausdruck der Verneinung (hat sich was mit Urlaub!). Eine elliptische Bildung, deutlich an der Textstelle Schillers: „Rat, Majestät? Hat sich da was

zu raten!" (im Sinne von „da ist kein Raten möglich"). Seit dem 18. Jh.

24. sich ~ = sich zieren; sich übertrieben benehmen; sich ereifern. Meinte früher neutral „sich benehmen", dann verengt auf unnatürliches Gebaren. 1800 *ff.*

24 a. sie ~ sich = sie sind ein Braut-, ein Ehepaar geworden. Seit dem 19. Jh.

25. jn an sich ~ = jn an sich drücken und küssen. An sich = an seiner Brust. 1920 *ff.*

26. es auf jn ~ = jn sehr schätzen; jn leiden können. Verkürzt aus „es auf jn abgesehen haben" oder aus „es auf jn gut stehen haben" (etwa bezogen auf gute Noten im Notizbuch des Lehrers). 1700 *ff.*

27. etwas davon ~ = Nutzen von etw haben; bei einer Sache auf seine Kosten kommen. Hergenommen von einem Handel, der Vorteile bringt, oder von einer größeren Sache, von der man sich ein Stück (einen Anteil) erwartet. 1600 *ff.*

28. für etw zu ~ sein = sich für eine Sache gewinnen lassen; eine Sache unterstützen; etw gern mögen. 1900 *ff.*

29. etw gegen jn ~ = etw an jm auszusetzen haben; jn nicht gut leiden können. 1500 *ff.*

30. es in sich ~ = a) nicht dumm sein. Meint die innere (die geistige) Beschaffenheit. Seit dem 19. Jh. – b) vorzüglich sein. Seit dem 19. Jh. – c) schwer von Gewicht sein (dieses Möbel hat es in sich = dieses Möbel ist schwerer, als man vermuten sollte; äußerlich läßt sich davon nichts merken). Seit dem 19. Jh.

31. etw mit jm (miteinander) ~ = ein Liebespaar sein; miteinander in heimlicher Beziehung stehen. „Etwas" steht neutralisierend für „Geheimnis, Liebe, Geschlechtsverkehr". Seit dem 19. Jh.

32. es mit etw ~ = etw überbewerten, bevorzugen. 1900 *ff.*

33. etw mit jm ~ = mit jm Streit haben; jm etw gedenken. 1800 *ff.*

34. sich mit jm ~ = sich mit jm streiten. Elliptisch statt „sich in den ↗Haaren haben". Seit dem 19. Jh.

35. damit hat es sich = das ist alles; mehr gibt es nicht; mehr kann ich nicht; dann ist die Sache fertig. Verkürzt aus „damit hat es sich erledigt". 1870 *ff.*

36. keinen über sich ~ = unabhängig sein; selber über sich bestimmen können. 1700 *ff.*

Haberer *m* **1.** Liebhaber, Geschlechtspartner. Fußt auf *jidd* „chower = Kamerad", gekreuzt mit ↗habern = essen". *Bayr* und *österr* 1900 *ff.*

2. Kamerad, Mittäter. Haber = Hafer; zwei Zugpferde fressen aus demselben Hafertrog. 1900 *ff.*

3. Essen. 1930 *ff.*

habern *intr* **1.** essen; gierig essen. Gehört zu „Haber = Hafer". *Österr* und *bayr* 1900 *ff.*

2. weibliche Bekanntschaft suchen. ↗Haberer 1. *Österr* 1950 *ff.*

Habsburg *Pn* das ist der Dank vom Hause ~ (des Hauses ~) = das sind Enttäuschungen, wo man Dank und Anerkennung erwartet hatte. Fußt auf Schillers „Die Piccolomini" (II 6). 1900 *ff.*

hacheln *intr* in Streit liegen; zanken. Nebenform von „hecheln = durch die Hechel ziehen". 19. Jh.

Hacho *m* **1.** Rekrut. Geht zurück auf *zigeun*

„hacho = Bauer". Über die Mundarten in die Soldatensprache gelangt. *BSD* 1965 *ff.*
2. Versager, Dummer. Häftlingsspr. 1970 *ff.*
3. unleidlicher Justizvollzugsbeamter. Häftlingsspr. 1970 *ff.*
Hack I *n* Hackfleisch, Gehacktes. 1500 *ff.*
Hack II *m n* **1.** Durcheinander; allgemeine Unordnung. Vom Gehackten übertragen, zu dem verschiedene Fleischsorten unterschiedlicher Qualität verwendet werden. 1914 *ff.*
2. ~ und Mack = a) Leute verschiedenster Art; Gesindel. ↗Hackmack. *Nordd* 1800 *ff.* – b) Durcheinander; Gerümpel. *Nordd* 1800 *ff.*
Hackbraten *m* **1.** Prostituierte. „Hacken" und „verbraten" stehen für „koitieren". *BSD* 1968 *ff.*
2. aus dem mache ich ~!: Drohrede. Seit dem späten 17. Jh.
Hacke *f* **1.** Rausch; Kopfschmerzen nach alkoholischer Ausschweifung. Meint wohl das Gefühl, als wäre man heftig auf den Kopf geschlagen worden. 1950 *ff.*
2. Arbeitsstelle, „Job" (auch in der Form „Hackn", „Hockn"). Häftlingsspr. 1970 *ff.* „hogun = ehrbar, anständig". *Vgl* auch ↗Hacke 21. *Österr* 1900 *ff.*
3. eine gesunde ~ (a g'sunde Hockn) = eine gute, einträgliche, wenig anstrengende Arbeit. Wien 1900 *ff.*
4. zwei ~n, eine Staubwolke = sehr eiliges Davongehen. Geht auf den Kasernenhofjargon zurück: „ich will nur noch zwei Hacken und eine Staubwolke sehen". 1955 *ff, jug.*
5. sich die ~n ablaatschen = endlos marschieren. Hacke = Ferse = Schuhabsatz. ↗ablaatschen. *Sold* 1939 *ff.*
6. sich die ~n ablaufen (abrennen) = viele Wege machen; sich um eine Sache eifrig bemühen. Seit dem 18. Jh.
7. sich ~n und Zehen ablaufen = viele Wege machen. 1900 *ff.*
8. jm die ~n einhauen = aufsässig sein; jn schikanieren. „Hacken" sind hier die Stiefelabsätze mit Sporen, die der Reiter dem Pferd in die Flanken schlägt. *Österr* 1950 *ff, jug.*
9. jm nicht von den ~n gehen (weichen) = jn hartnäckig verfolgen, belästigen. Man bleibt ihm „auf den Fersen". 1930 *ff.*
10. einen (Kleinen) in den ~ (in den ~n) haben = a) betrunken sein. Erklärt sich entweder wie „↗Hacke 1" oder führt den Torkelgang des Bezechten auf einen Defekt am Schuhabsatz zurück. 1950 *ff.* – b) nicht recht bei Verstand sein. 1950 *ff.*
11. etw an den ~n haben = Geld haben. Analog zu „etw an den ↗Füßen haben". 1950 *ff.*
12. jn an den ~n haben = jn beherrschen. Hergenommen von dem am Fußgelenk angeketteten Häftling. 1950 *ff.*
13. keine ~n im Strumpf haben = a) sehr arm sein. Arme Leute trugen Fußlappen statt Strümpfen mit geformter „Ferse = Hacke". 1900 *ff.* – b) in der Kleidung unsorgfältig sein; nachlässig sein. 1900 *ff.*
14. du hast wohl kalte ~n?: Frage an einen Dummen. ↗Fuß 54. 1910 *ff.*
15. an jds ~n hängen = nicht von jm weichen; jn hartnäckig verfolgen. ↗Hacke 9. 1920 *ff.*
16. jm die ~ (das Hackerl) ins Kreuz hauen = jn hinterrücks angreifen; jm aus

dem Hinterhalt Schwierigkeiten machen. Gemeint ist wohl, daß man beim Nebeneinandergehen dem Nebenmann mit der Ferse in den Rücken tritt. Wien 1950 *ff.*
17. jm auf den ~n kleben = jn im Auto verfolgen. Kleben = dicht an jm haften. 1930 *ff.*
18. jn auf die ~n kriegen = es sich selber zuzuschreiben haben, daß man verfolgt wird. 1900 *ff.*
19. schiefe ~n kriegen = lange vergeblich warten. 1900 *ff.*
20. sich die ~n krumm laufen (schief laufen) = viele Wege machen. 1870 *ff.*
21. die ~ rausmachen = a) Pause, Feierabend machen; die Maschinen abstellen. „Hacke" meint hier ursprünglich die Hemm- oder Mitnehmerklinke grober Zahnradwerke (z. B. Seilwinden): Sie „hackt" in die Zahnlücken des Rades wie die Axt in die Kerbe; wird sie „rausgemacht = ausgeklinkt", leistet die Maschine keine Arbeit mehr. Bauhandwerkerspr. spätestens seit den Aufbaujahren nach dem Zweiten Weltkrieg. – b) den Umgang mit einem Mädchen abbrechen. „Hacke = Kupplung = Verbindung". *Vgl* auch ↗hacken 1. *Halbw* 1950 *ff.*
22. die ~n scharfmachen = flüchten, fliehen. *Sold* 1939 *ff.*
23. die ~n schmieren = sich beeilen. 1920 *ff.*
24. jm auf den ~n sein (sitzen) = jn verfolgen; jn nicht aus den Augen lassen. ↗Hacke 9. 1600 *ff.*
25. voll wie eine ~ sein = betrunken sein. Verkürzt aus „voll wie eine ↗Radehacke". *BSD* 1970 *ff.*
25 a. jm in die ~n treten = jn kritisieren; jm Vorwürfe machen. 1920 *ff.*
26. sich die ~n wundlaufen = viele Wege machen. 1900 *ff.*
27. jm die ~n zeigen = jn im Laufen überholen. Der Zurückbleibende sieht die Fersen des Davonlaufenden. *Sportl* 1936 *ff.*
27 a. die ~n zeigen = weggehen, flüchten. 1930 *ff.*
28. mit der ~ zugeschnitten sein = schlecht, unordentlich gekleidet sein. Als habe man ein Acker- und Gartengerät zum Schneiderhandwerk benutzt. 1870 *ff.*
29. die ~n zusammenhauen (-knallen, -reißen) = a) militärische Haltung annehmen. *Sold* 1914 *ff.* – b) widerspruchslos gehorchen. *Sold* 1935 *ff.*
hackeln *v* **1.** *intr* = arbeiten. ↗Hacke 2. *Österr* 1900 (?) *ff.*
2. *refl* = sich zanken. ↗hakeln. *Bayr* 1900 *ff.*
Hacken *f* ↗Hacke 2.
hacken *v* **1.** *intr tr* = koitieren. Hacken = schlagen = stoßen; parallel zu ↗stoßen. 1950 *ff.*
2. jn ~ = Schlechtes von jm erzählen; jn schlechtmachen. *Vgl* das Folgende. 1950 *ff, jug.*
3. auf jn ~ = an jm etw auszusetzen haben; über jn Mißgünstiges äußern. Hergenommen von der Hackordnung auf dem Hühnerhof. 1500 *ff.*
4. *intr* = Skat spielen. Man schlägt die Karten heftig auf den Tisch. *BSD* 1970 *ff.*
5. *intr* = festsitzen; sich nicht bewegen. Vokalgekürzte Nebenform von „↗haken". *Nordd* 1900 *ff.*
6. *intr* = die schickliche Zeit zum Weggehen versäumen. 1900 *ff.*

7. *intr* = unfair Fußball spielen. Man tritt hart zu. *Sportl* 1930/40 *ff.*
8. ich glaube, es hackt bei dir = du bist wohl nicht recht bei Verstand? Anspielung auf den „Vogel", der im Kopf hackt; *vgl* ↗Vogel 53 a. 1950 *ff, halbw* und *BSD.*
8 a. ~ = miteinander streiten. ↗hacken 3. 1500 *ff.*
9. bei jm ~ = bei jm Schulden haben. ↗hacken 5. 1870 *ff.*
hackenbleiben *intr* **1.** in der Schule nicht versetzt werden. ↗hacken 5. Berlin 1850 *ff.*
2. keinen Ehepartner finden. Parallel zu „sitzenbleiben". 1900 *ff.*
hackenstad *adj* arbeitslos. ↗Hacke 2; ↗stad. *Österr* 1940 *ff.*
Hacker *m* **1.** Draufgänger; rücksichtsloser Fußballspieler. ↗hacken 7. *Sportl* 1930/40 *ff.*
2. *pl* = Damenschuhe mit sehr hohem Absatz. Beim Auftreten entsteht der Laut „ack, ack", und hohe Absätze hacken Löcher in Teppichböden o. ä. 1960 *ff, halbw.*
Hackerei *f* unfaires Fußballspiel. ↗hacken 7. 1960 *ff.*
Hackfleisch *n* aus jm ~ machen (jn zu ~ machen, verarbeiten) = a) jn rücksichtslos behandeln; schikanieren; Drohrede. Analog zu ↗Gehacktes 1. Seit dem späten 19. Jh. – b) jn beim Boxen mit harten Schlägen eindecken. 1920 *ff.*
hackig *adj* beischlafwillig. ↗hacken 1. 1950 *ff.*
Hacklerei *f* **1.** Arbeit. ↗hackeln 1. *Österr* 1900 *ff.*
2. Streit, Wortwechsel. ↗hackeln 2. Wien 1900 *ff.*
Hacklschmeißer *m* unkameradschaftlicher Schüler. ↗Hacke 16. *Österr* 1960 *ff.*
Hacklschule *f* Berufsschule. ↗hackeln 1. *Österr* 1960 *ff.*
Hackmack *m n* **1.** Pöbel; schlechte Gesellschaft. Entweder stellt man die gemischte Gesellschaft wie „Gehacktes" vor, oder die Vokabel fußt auf *tschech* „hakmak = verworren". Seit dem 15. Jh.
2. Durcheinander; Plunder. Seit dem 18. Jh.
Hackordnung *f* militärische oder zivile Rangfolge. Der Nächsthöhere hackt auf den Nachgeordneten, ähnlich dem Verhalten des Geflügels. 1900 *ff.*
Hackpartie *f* eine ~ beantragen = ein Mädchen zum Geschlechtsverkehr ansprechen; einen Heiratsantrag o. ä. machen. ↗hacken 1. 1965 *ff.*
Häcksel *n* **1.** ~ im Kopf haben = dumm sein. Analog zu ↗Stroh. 1900 *ff.*
2. red' keinen ~! = rede keinen Unsinn! 1900 *ff.*
Häckselmotor *m* Pferd; abgehärmter Karrengaul. In der Frühzeit des Automobilismus dem „Benzinmotor" nachgeahmt. *Vgl* ↗Hafermotor.
Hader *f* **1.** Spielkarte. Hergenommen von „↗Hadern" als Grundstoff des Papiers. 1687 *ff, rotw.*
2. Geldschein. *Rotw* 1900 *ff.*
Haderlump *m* **1.** Schimpfwort auf einen Mann. „Hader = Lumpen" ergibt hier mit „↗Lump" Tautologie zwecks Verstärkung. Seit dem 16. Jh.
2. Lumpensammler, Althändler. 1700 *ff.*
Hadern *m* **1.** Lumpen, Lappen, Fetzen. Verwandt mit ↗hudeln. Seit *mhd* Zeit.
2. schlechtes Kleid. *Bayr* 18. Jh.

3. *pl* = Kleidung. *Bayr* und *österr* 1900 *ff.*
4. schlechter, niederträchtiger, unsittlicher Mensch. Analog zu ↗Lump. Seit dem 18. Jh.
5. hohe Fahrgeschwindigkeit. *Österr* 1950 *ff.*
6. abgegriffene Spielkarte. Wien 1900 *ff.*
7. kräftiger Fußballstoß. Wien 1930 *ff.*
8. schwerer Rausch. Wien 1900 *ff.*
9. einen tollen ~ fahren = sehr schnell fahren. *Vgl* ↗Hadern 5. 1950 *ff,* österr.
Hafen I (Häfen, Hafn, Häfn) *m* **1.** Topf. Geht zurück auf die *germ* Wurzel „haf = fassen". *Oberd* seit *mhd* Zeit.
2. Gefängnis. *Rotw* und polizeispr. seit 1900, *österr. Vgl engl* „the jug".
3. Schulgebäude. *Schül* 1950 *ff.*
4. Kraftfahrzeug. Topf = Zylinder des Motors. *Österr* 1930 *ff.*
5. weibliche Person *(abf).* Meint wohl den Hafen, wo jedermann einfahren kann, auch den Behälter für den Penis. *Bayr* 1900 *ff.*
Hafen II *m* **1.** den ~ der Ehe ansteuern = Heiratsabsichten haben. Der Hafen als Sinnbild der Geborgenheit. Seit dem 19. Jh.
2. in den ~ der Ehe einlaufen (einziehen) = heiraten. Seit dem 19. Jh.
3. den ~ der Ehe finden = heiraten. Seit dem 19. Jh.
4. im ~ der Ehe landen = heiraten. Seit dem 19. Jh.
Hafenarbeiter *m* ein Kreuz haben wie ein ~, nicht so breit, aber so dreckig = einen schmutzigen Hals (Oberkörper) haben. *BSD* 1965 *ff.*
Hafendame *f* Prostituierte, die in der Hafengegend tätig ist. 1900 *ff.*
Hafen-Hyäne *f* Taxifahrer, der beim Anlegen von Schiffen am Kai sich die lohnendsten Fahrten zu sichern trachtet (zu sichern versteht). Hamburg 1965 *ff.*
Hafenlöwe *m* **1.** Schauermann. Wie in der Fabel der Löwe der König der Tiere ist, so ist der Schauermann beim Löschen, Laden und Stauen der Schiffsfracht der wichtigste Mann im Hafen. 1900 *ff.*
2. Müßiggänger am Hafen; Nichtstuer. 1920 *ff.*
Hafer *m* **1.** es gibt langen ~ = es gibt Schläge. „Langer Hafer" meint eigentlich die Peitsche im Zusammenhang mit störrischen Pferden. 19. Jh.
2. jm langen ~ geben (füttern) = jn prügeln, im Dienst schikanieren. 19. Jh.
3. ihm prickelt der ~ im Arsch = er weiß sich vor Übermut nicht zu lassen. *Vgl* das Folgende. 19. Jh.
4. ihn sticht (juckt) der ~ (er ist vom ~ gestochen) = er wird übermütig. Bekommt ein Pferd mehr Hafer als nötig, scheidet es einen Teil des Futters unverdaut wieder aus und wird dabei (am empfindlichen Darmausgang) von den Spelzen des Hafers gestochen. Auf menschliches Verhalten übertragen seit dem 16. Jh.
Haferdroschke *f* Pferdedroschke. Gegenstück zur „Benzindroschke". Seit dem frühen 20. Jh.
Hafergatsch *m* Haferbrei. ↗Gatsch. Wien 19. Jh.
Häferl *n* **1.** Töpfchen; Tasse o. ä. ↗Hafen I 1. Seit dem 19. Jh.
2. kleines ~ = Mensch, der leicht in Zorn gerät. Sprichwörtlich heißt es: „kleine Häferl gehen leicht über". Vom überkochen-

den Topf übertragen. *Österr* und *bayr* seit dem 19. Jh.
3. das ~ geht (läuft, kocht) über = man verliert die Geduld; man braust auf. *Bayr* und *österr* seit dem 19. Jh.
Häferlgucker *m* überaus neugieriger Mensch. Es treibt ihn, in die Kochtöpfe zu sehen, noch ehe das Essen angerichtet wird. ↗Topfgucker. *Bayr* und *österr* seit dem 19. Jh.
Haferlokomotive *f* Pferd. Zum Unterschied von der Dampflokomotive wird diese „Zugmaschine" mit Hafer betrieben. 1920 *ff.*
Hafermotor *m* Pferd; Pferdedroschke. Im frühen 20. Jh. aufgekommen zum Unterschied vom „Benzinmotor". *Vgl* ↗Häckselmotor.
Hafermut *m* überschäumende Stimmung. Übernommen vom Pferd, das zuviel Hafer bekommt und keine entsprechende Arbeit leistet. *Vgl* auch ↗Hafer 4. 1900 *ff.*
Hafer-Taxi *n* Pferdedroschke. Um 1910 aufgekommen zum Unterschied von den Motordroschken.
Hafn (Häfn) *m* ↗Hafen I.
Haftel *f* jm die ~ einhauen = jn gefangennehmen, verhaften. Haftel = Handfessel. *Bayr* 1900 *ff.*
Haftelmacher *m* ↗Heftelmacher.
Haftladung *f* **1.** Schwängerung. Eigentlich eine Mine o. ä., die, mit einem starken Magneten versehen, an die Außenwand des feindlichen Panzers (Schiffes) „geklebt" wird. Hier meint „Ladung" das Sperma, und es bleibt von ihm etwas „haften". *Sold* und *ziv* 1935 *ff.*
2. Monatsbinde. 1935 *ff.*
Haftschale *f* **1.** enger Sessel. Eigentlich die dem Augapfel angepaßte Korrekturlinse. Hier der Sessel, der dem Gesäß wie angepaßt ist. 1955 *ff.*
2. *pl* Büstenhalter. *Sold* 1939 *ff.*
Hagel *m* alle ~!: Ausruf des Unmuts; Verwünschung. Gemeint ist, daß der Hagelschlag die Person oder Sache treffen möge. 1700 *ff.*
'hagel'dick *adj* **1.** sehr hoch (auf das Strafmaß bezogen). Je dicker die Hagelkörner, um so ärger der Schaden. 1950 *ff.*
2. bezecht. Verstärkung von ↗dick 4. 18. Jh.
'Hagel'donnerwetter *n* da soll ein ~ dreinschlagen (dreinfahren)!: Ausruf des Unmuts; Verwünschung. Verstärkung von ↗Donnerwetter. 1900 *ff.*
hageln *impers* **1.** es hagelt = es wird scharf durchgegriffen. Hergenommen vom dichten Hagelschlag. 1900 *ff.*
2. es hagelt = es wird reichlich zugebilligt (Orden, Auszeichnungen u. ä.); es tritt in großer Anzahl heftig auf. 1920 *ff.*
3. es hagelt = es wird in Mengen verschossen; man nimmt (oder steht, liegt) stark unter Beschuß. *Sold* 1914 *ff.*
4. gleich hagelt es = gleich gibt's Prügel. 1800 *ff.*
5. es hagelt in die Bude = es wird energisch Ordnung geschafft; die Mißstände werden tatkräftig beseitigt. 1900 *ff.*
'hagel'neu *adj* völlig neu; ungebraucht. So neu wie frisch gefallene Hagelkörner. 1800 *ff.*
'hagel'voll *adj* bezecht. Verstärkung von ↗voll. 1700 *ff.*
Hagseicher *m* Lehrer. Hag = Hecke =

junge Brut. „Seicher" ist Analogie zu „↗Schiffer = Lehrer". *Südwestd* 19. Jh.
Hahn *m* **1.** Ehemann, Liebhaber. 1900 *ff.*
2. Penis. 1900 *ff.*
3. Jugendlicher; unreifer Junge. Verkürzt aus „junger Hahn". *Halbw* 1955 *ff.*
4. ~ mit tausend Flugstunden = zähes Brathähnchen. *BSD* 1965 *ff.*
5. halber ~ = a) Versager. Der Betreffende ist nur ein halber Mann. 1950 *ff, halbw.* – b) alter Holländer Käse mit Brötchen. *Westd* Gastwirtssprache seit dem 19. Jh: Ein Kölner versprach in einem Gasthaus seinen Freunden einen lecker gebratenen halben Hahn und ließ ihnen dann ein „Röggelchen" (= Brötchen, Semmel) mit Käse vorsetzen.
6. halber ~ mit Kompott = „Röggelchen" (Brötchen) mit einer Scheibe Käse und Senf. Köln, seit dem 19. Jh.
7. der rote ~ = Brandstiftung, Feuersbrunst. Hergenommen von dem mit Rötel gezeichneten Hahn, einem Gaunerzinken, mit welchem dem Bedrohten die zu erwartende Brandstiftung angekündigt wurde. Seit dem 16. Jh.
8. scharfer ~ = Weiberheld. Scharf = liebesgierig. 1900 *ff.*
9. verliebter alter ~ = verliebter alter Mann. 1900 *ff.*
10. den ~ abdrehen (zudrehen) = einer Entwicklung Einhalt gebieten; Zufuhren sperren. Hergenommen vom Wasserkran oder vom Gashahn, der dem säumigen Zahler gesperrt wird. 1950 *ff. Vgl franz* „fermer le robinet".
11. seinen ~ aufdrehen = harnen (auf Männer bezogen). 1950 *ff.*
11 a. den ~ aufmachen = Gas geben. Kraftfahrerspr. 1930 *ff.*
12. vom ~ beschifft sein = nicht recht bei Verstand sein. Beschiffen = beharnen. 1950 *ff.*
13. du bist wohl vom ~ betrampelt? = du weißt wohl nicht, was du redest? Vom Hühnerhof übertragen. 1900 *ff.*
13 a. vollen ~ geben = Höchstgeschwindigkeit erreichen. *Vgl* ↗Hahn 11 a. Kraftfahrerspr. 1930 *ff.*
14. vom ~ (vom wilden ~) gebissen sein = nicht bei Sinnen sein. 1930 *ff.*
15. vom wilden ~ gepiekt (gestrampelt) sein = nicht klar bei Verstand sein. 1930 *ff.*
16. danach kräht kein ~ mehr = darum bekümmert sich niemand mehr, das vermißt keiner. „Danach" ist nicht zeitlich gemeint, sondern ursächlich im Sinne von „um dieses; deswegen". Auch geläufig in der Form „danach kräht nicht Huhn noch Hahn mehr" und „es kräht weder Huhn noch Hahn danach". 1500 *ff.*
17. einen ~ kriegen = wütend werden. Versteht sich nach der Redensart „ihm schwillt der ↗Kamm". 1960 *ff, stud.*
18. ~ im Korbe sein = a) der Meistgeschätzte sein. „Korb" meint den Hühnerkorb, den Hühnerhof: der Hahn wird höher geschätzt als die Hühner. 1500 *ff. Vgl franz* „être le coq du village". – b) in einem Kreis von weiblichen Personen der einzige Mann sein. 1870 *ff.*
19. jm den roten ~ aufs Dach setzen = jds Haus in Brand stecken. ↗Hahn 7. 1500 *ff.*
20. von einer Sache soviel verstehen wie

der ~ vom Eierlegen = in einer Sache gänzlich unwissend sein. 1920 *ff.*

Hahnenbalken *m* **1.** Speicher. Eigentlich der Balken, der im Hausgiebel die Dachsparren verbindet; auch der oberste Balken in der Scheune, bekannt als Schlafstelle der Hühner. 19. Jh. **2.** Galerie im Theater. 1900 *ff.*

Hahnenberger *m* Leitungswasser. Weinnamen nachgebildet unter Einfluß von „Wasserhahn". 1900 *ff.*

Hahnepampel (Hannebambel) *m* **1.** gutmütiger, einfältiger, wenig selbstbewußter Mensch; Schwächling; Tölpel. Eine Streckform zu „↗Hampelmann". Pampeln, bambeln = schlaff niederhängen. 1800 *ff.* **2.** ungeschickter Mensch. Seit dem 19. Jh.

Hai *m* **1.** Betrüger, Wucherer; Ausbeuter menschlichen Unglücks. Mit dem Fisch hat er dessen sprichwörtliche Raubgier gemeinsam. 1900 *ff.* **2.** Schwerverbrecher. Er ist kein „kleiner ↗Fisch". 1920 *ff.* **3.** Haschischhändler. 1968 *ff.* **4.** kleines Unterseeboot. *Marinespr* 1939 *ff.* **5.** Kampfschwimmer. 1965 *ff.* **6.** ~e und kleine Fische = Verhältnis Lehrer– Schüler. Geht zurück auf den gleichnamigen Film (1957) nach dem gleichnamigen Roman von Wolfgang Ott (1956). *Schül* 1959 *ff.* **7.** großer ~ = führender Gangster. 1920 *ff.* **8.** kleiner ~ = unbedeutender Gangster. 1920 *ff.*

Haifisch *m* **1.** gewinnsüchtiger Geschäftsmann; Wucherer. ↗Hai 1. 1910 *ff.* **2.** nicht vertrauenswürdiger Mensch; Ausbeuter; Preisüberforderer. 1910 *ff.* **3.** Spitzenstar in der Schallplattenbranche. Er „frißt" alle „kleinen Fische" am Markt (oder diesen weg). „Wie werde ich Haifisch?" ist der Titel eines Buches von Lale Andersen. 1960 *ff.* **4.** Forelle. Scherzhafte Kellnersprache. 1960 *ff.* **5.** Fahrzeug der Sperrmüllabfuhr. Im Magen von Haien wurden schon die unverdaulichsten Gegenstände gefunden. 1977 *ff.*

Haifischaugen *pl* heimtückischer Blick. Dem gefürchteten Haifisch angedichtet. 1920 *ff.*

Haifisch-Branche *f* Schallplattenindustrie. ↗Haifisch 3. 1960 *ff.*

Haifischflossen *pl* breite Auslage der Auto-Karosserie hinter den Hinterrädern. 1950 *ff.*

Haifischmaul *n* breite Kühlerfront (mit gebißähnlichem Gitter) moderner Luxusautos. 1955 *ff.*

Hakeleien *pl* Zwistigkeiten; Fouls beim Fußballspiel. *Vgl* ↗hakeln. 1800 *ff.*

hakeln *intr* mit jm um etw ~ = mit jm um eine Sache hart verhandeln; sich um eine Sache streiten. Hergenommen vom ↗Fingerhakeln. Seit dem 19. Jh.

häkeln *v* an etw ~ = sich etw angelegen sein lassen; sich mit einer Sache ausdauernd und geduldig beschäftigen; etw langsam zustandebringen. Von der Herstellung einer Häkelarbeit übertragen. 1960 *ff.*

Haken *m* **1.** stark ausgeprägte (gebogene, gekrümmte) Nase. 1900 *ff.* **2.** Schwierigkeit; Fehler; Sache, an der ein

Vorhaben scheitert. Vom Angelhaken (Widerhaken) hergenommen. 1800 *ff.* **3.** schwere Arbeit. ↗Hacke 2. *Österr* 1950 *ff.* **4.** ~ und Ösen = geschickte Umgehungsmöglichkeiten einer gesetzlichen Bestimmung. Leitet sich her vom „Haken" des Hasen (Zickzacklauf) und seinen „Ösen = Schlingen, Schleifen". 1950 *ff.* **5.** mit ~ und Ösen = mit vielerlei Tricks. *Sportl* 1950 *ff.* **6.** ohne ~ und Ösen = ohne Trug; ohne Hintergedanken. 1950 *ff.* **7.** gesunder ~ = angenehme Arbeit ohne Hast und Mühe. ↗Hacke 2. *Österr* 1950 *ff.* **8.** jn am ~ behalten = sich jds Treue oder Zuneigung zu erhalten wissen. Hergenommen vom Fisch am Angelhaken. 1950 *ff.* **9.** ein paar ~ einstecken = berechtigte Kritik ernten. Haken nennt man im Boxsport den aus dem abgewinkelten Arm geführten Schlag. 1950 *ff.* **10.** die Sache hat einen ~ (mit der Sache hat es einen ~) = die Sache hat eine verborgene Schwierigkeit. ↗Haken 2. Seit mhd Zeit. **11.** das ist der ~ = das ist die entscheidende Schwierigkeit, das Hindernis o. ä. ↗Haken 2. 1800 *ff.* **12.** bei jm einen ~ landen = jm einen empfindlichen Schlag versetzen. Dem Boxsport entlehnt. *Vgl* ↗Haken 9. 1920 *ff.* **13.** einen ~ reißen = davongehen, entspringen, flüchten. Hergenommen vom hakenschlagenden Hasen. 1920 *ff.* **14.** ~ schlagen = a) Ausflüchte machen; nur eine gewundene Erklärung abgeben. 1920 *ff.* - b) außer-, uneheliche Liebeserlebnisse haben. 1920 *ff.* **15.** einen ~ ziehen = davongehen, flüchten. ↗Haken 13. 1920 *ff.*

haken *v* **1.** es hakt (es hakt sich) = die Sache geht nicht vorwärts; irgendeine Schwierigkeit macht sich bemerkbar. *Vgl* ↗Haken 2. 1700 *ff.* **2.** sich mit jm ~ = mit jm streiten. ↗hakeln. 1900 *ff.* **3.** hinter etw ~ = einer Sache nachgehen; in eine schwebende Angelegenheit treibend eingreifen. Hergenommen vom Lastträger, der mittels des Kanthakens eine Last leichter vom Platz bewegt. 1900 *ff.*

hakenbleiben *intr* steckenbleiben; hängenbleiben. ↗haken 1. 19. Jh.

haklich (häklig) *adj* heikel. Eigentlich „heiklich" als ältere Nebenform von „heikel". 1800 *ff. bayr* und *österr.*

halb *adj* **1.** unerwachsen, geistig-charakterlich unreif. Verkürzt aus „halbstark", „halberwachsen", „halbreif". *Halbw* 1955 *ff.* **2.** ~ und ~ = a) Schnaps. Verkürzt aus „halb doppelter, halb einfacher". Seit dem 19. Jh. - b) Kornkaffee. Eigentlich „halb Sommer-, halb Wintergerste". 1945 *ff.* **3.** die Krawatte hängt auf ~ acht = die Krawatte hängt schief (wie die Uhrzeiger um halb 8). 1950 *ff.* **4.** ~ und ~ sein = a) nicht recht bei Verstand sein. 1935 *ff.* - b) bisexuell veranlagt sein. 1960 *ff.*

Halbakt *m* **1.** weibliche Person im zweiteiligen Badeanzug. 1955 *ff.*

2. weibliche Person im oberteillosen Badeanzug oder Kleid. 1964 *ff.*

Halbalphabet *m* Ungebildeter, Dummer. Er ist kein völliger Analphabet. 1900 *ff.*

Halbanalphabet *m* dummer Mensch. Eigentlich einer, der nur Druckschrift lesen kann, aber keinen handgeschriebenen Brief. 1914 *ff.*

halbbelichtet *adj* dümmlich. Analog zu ↗unterbelichtet. 1900 *ff.*

Halb-Bikini *m* unteres Teil des zweiteiligen Damenbadeanzugs; Damenbadehose ohne Oberteil. ↗Bikini 1. 1958 *ff.*

Halbbildung *f* abgeschlossene ~ = Mittelschul-, Obersekundarreife. 1920 *ff.*

halbe-halbe machen 1. mit jm gemeinschaftliche Sache machen; genau unter zweien teilen. 1910 *ff.* **2.** unentschieden spielen. *Sportl* 1950 *ff.*

Halbekel *n* ziemlich widerwärtiger Mensch. ↗Ekel II. 1950 *ff.*

Halber *m* 50-Mark-Schein. Ein halber Hunderter. Rocker 1967 *ff.*

Halberter *m* Versager. Er ist geistig nur halberwachsen. *Bayr* und *österr* 1920 *ff.*

Halbes *n* nichts ~ und nichts Ganzes = Unzureichendes; erfolglose Maßnahme; reformbedürftige Bestimmung o. ä. 1900 *ff.*

Halbgammler *m* Halbwüchsiger, der nur von Zeit zu Zeit müßiggeht und sich dann Gesinnungsgenossen anschließt. ↗Gammler 1. 1960 *ff.*

halbgar *adj* **1.** halbwüchsig; geistig unreif. Der so Bezeichnete ist in geistiger Hinsicht ebensowenig fertig wie ein nicht gargekochtes Essen. 1870 *ff.* **2.** ohne abgeschlossene Ausbildung. 1930 *ff.* **3.** nicht ganz bei Verstand. 1950 *ff, schül.* **4.** wenig wertvoll; mittelmäßig. *Halbw* 1955 *ff.*

Halbgarer *m* **1.** Un-, Halbgebildeter. 1930 *ff.* **2.** Heranwachsender. Sprachlicher Vorläufer des „Halbstarken". 1870 *ff.*

halbgebacken *adj* schwächlich; nicht recht bei Verstand; geistig unreif. ↗ausgebacken 2. 1750 *ff.*

halbgeschieden *adj* getrennt lebend. 1960 *ff.*

Halbgötter *pl* **1.** ~ unserer Tage = die Filmschauspieler(innen). 1960 *ff.* **2.** ~ in Weiß = Chefärzte; Ärzte. ↗Gott 4. 1970 *ff.* **3.** ~ in Schwarz = Schiedsrichter beim Fußballspiel. 1970 *ff.* **4.** ~ in der Grube = Kraftfahrzeugprüfer des Technischen Überwachungsvereins. 1970 *ff.*

halbherzig *adj* ziemlich feige. Das halbe Herz verbleibt in der Brust, während die andere Hälfte in die Hose rutscht. *Vgl* „ihm fällt das ↗Herz in die Hose". *Sold* in beiden Weltkriegen.

Halbhoher *m* Kleinwüchsiger. Übertragen von der Bezeichnung für den halbhohen Zylinderhut. 1935 *ff.*

Halbidiot *m* **1.** ziemlich dummer Mensch. 1900 *ff.* **2.** stillvergnügter ~ = dummer Mensch, der keinerlei Schaden anrichtet. Er ist sich seines geistigen Schadens nicht bewußt und lebt zufrieden mit sich und der Welt. 1920 *ff.*

Halbjungfrau *f* junges Mädchen, das anatomisch oder geistig keine Jungfrau mehr ist. Um 1900 bei uns aufgekommen im

Anschluß an den Roman „Demi-Vierges" von Marcel Prévost (1894).

Halbkracher *m* steifer, schwarzer (grauer) Herrenhut. ↗ Kracher. *Österr* 1920 *ff.*

halbblang *adv* mach' es ~ (mach' ~; nun mal ~)! = übertreibe nicht! bleibe sachlich! Anspielung auf die übertreibende Angabe einer Länge, eines Ausmaßes oder einer Entfernung. Seit dem späten 19. Jh.

Halbmann *m* Homosexueller. Er gilt als nicht vollwertiger Mann. 1925 *ff.*

halbmast *adv* **1.** auf ~ gesunken sein = tief heruntergeglitten sein (bezogen auf den Träger des Abendkleids). Hergenommen von der Fahne auf halbmast. 1958 *ff.* **2.** seine Gesichtszüge auf ~ setzen = traurig dreinblicken. 1958 *ff.* **3.** die Hosen auf ~ tragen = dreiviertellange Hosen tragen; die Hosen zu hoch ziehen. 1880 *ff.* **4.** die Krawatte auf ~ tragen = die Krawatte unterhalb des Kragenverschlusses tragen. 1930 *ff.*

Halbmast *f* jn auf ~ setzen = a) jm die Beköstigung kürzen. Halbmast = halbe Mast. 1900 *ff.* – b) jds Gehalt strafweise kürzen. 1960 *ff.*

Halbmasthosen *pl* **1.** zu klein gewordene, nur bis zur halben Wade reichende Hosen. ↗ halbmast 3. Seit dem ausgehenden 19. Jh. **2.** Gaucho-Hosen. 1960 *ff.*

Halbmond *m* Teilglatze. 1870 *ff.*

halbnackt *adv* **1.** ~ rumlaufen = keine Kopfbedeckung tragen. *Vgl* das Folgende. 1920 *ff.* **2.** ~ sein = einen Uniformknopf offenstehen haben. Gilt als angeblich typische Übertreibung seitens eines Soldatenausbilders (Kasernenhofblüte). Seit dem späten 19. Jh. *Vgl engl* „to be naked".

Halbpelzer *m* Halbgebildeter, Halbzivilisierter. Pelzen = veredeln; Pelzer = durch Pfropfung veredelter Obstbaum. Beim Halbpelzer ist die Veredelung mißlungen, weil der Wildling starke Triebe treibt. *Österr* 1940 *ff.*

halbschlau *adj* ziemlich lebens- und menschenerfahren. 1935 *ff.*

Halbschuhsoldat *m* Luftwaffenangehöriger. Anspielung auf die Halbschuhe. „Halb-" ist auch ein *pejorat* Präfix. 1935 *ff* bis heute.

Halbschuhtourist *m* Alpinist mit unzweckmäßigem Schuhwerk, mit ungenügender Ausrüstung und überhaupt ohne Bergerfahrung. 1920 *ff.*

halbschwach *adj* halbwüchsig (vorwiegend auf junge Männer bezogen). 1950 *ff.*

Halbschwache *f* die Halbwüchsige. Das weibliche Gegenstück zu „halbstark". Nach 1950 aufgekommen.

Halbschwacher *m* junger Gernegroß; jugendlicher Tunichtgut. In „halb-" drückt sich die *abf* Bewertung aus. 1950 *ff.*

Halbschwergewicht *n* Prostituierte. Eigentlich Begriff in der *sportl* Gewichtsklasseneinteilung: bei Männern 81 bis 93 kg, bei Jugendlichen 72 bis 85 kg. Auf die Prostituierte bezogen, ist gemeint, daß sie kein „leichtes" Mädchen mehr ist. 1965 *ff.*

Halbseide *f* **1.** Gruppe unzuverlässiger, charakterloser Menschen; Verderbtheit der sittlichen Grundsätze. Halbseide ist ein Gemisch von Seide und Baumwolle, also keine reine Seide; Halbseide ist bei manchen Webbindungen auf der Schauseite nicht

als solche zu erkennen. Hieraus übertragen zur Kennzeichnung einer mehr oder minder großen Anrüchigkeit und der Zugehörigkeit zu nichtvornehmen Gesellschaftskreisen. Im Ersten Weltkrieg aufgekommen. (Das Adjektiv ist älter.) **2.** leichtlebige Frauenwelt; Prostituiertentum. Nach 1950.

halbseiden *adj* **1.** halbgebildet mit Anspruch auf volle Geltung; vom Drang nach gesellschaftlicher Mehrgeltung erfaßt. Seit dem ausgehenden 19. Jh. **2.** sittlich minderwertig, anrüchig; prostituierend o. ä. *Vgl* ↗ Halbseide 1. Seit dem ausgehenden 19. Jh. **3.** der unteren gesellschaftlichen Schicht angehörend; intelligent-verbrecherisch. 1920 *ff.* **4.** homosexuell. 1914 *ff.* **5.** ~ = mittelmäßig; wenig wertvoll. Spätestens seit 1900.

Halbseidene *f* **1.** unkontrollierte Prostituierte; in vermögenden Kreisen tätige Prostituierte. 1900 *ff.* **2.** Prostituierte, die, ohne homosexuell zu sein, lesbisch verkehrt. 1900 *ff.*

Halbseidener *m* **1.** Stutzer, Modegeck. 1920 *ff.* **2.** Mensch, dem nicht zu trauen ist. 1920 *ff.* **3.** Homosexueller. 1914 *ff.*

halbstark *adj* **1.** halbwüchsig. ↗ Halbstarker 1. 1890 *ff.* **2.** krank; unter den Folgen einer Zecherei leidend. Man ist nicht im Vollbesitz seiner Kräfte. 1914 *ff.* **3.** mittelmäßig. *Vgl* „ ↗ stark = hervorragend, unübertrefflich". *Schül* 1965 *ff.* **4.** geistig ~ = geistig unreif. 1955 *ff.* **5.** hoffnungslos ~ = dem Halbwüchsigentum unrettbar erlegen. 1955 *ff.*

Halbstarke *f* die Halbwüchsige. Im Unterschied zu der „Halbschwachen" ist sie der Halbwüchsigengesinnung völlig ergeben. 1955 *ff.*

Halbstarkenfutteral *n* enganliegende Hosen des (der) Halbwüchsigen. ↗ Futteral. 1955 *ff.*

Halbstarkengesöff *n* Limonade. ↗ Gesöff. Gastwirtsspr. 1955 *ff.*

Halbstarkenmustang *m* Moped. Der Mustang ist das (wildlebende) Präriepferd Nordamerikas. Wien 1950 *ff.*

Halbstarkenrakete *f* Moped. Spöttische Wertsteigerung im Sinn von „ ↗ Rakete 2". 1970 *ff.*

Halbstarkentum *n* Halbwüchsigentum; Erlebnisgestaltung, Betätigungsbereich der Halbwüchsigen. 1955 *ff.*

Halbstarkenuniform *f* Blue Jeans o. ä. Anspielung auf die einheitliche Kleidung als Gruppenkennzeichen. 1955 *ff.*

Halbstarker *m* **1.** Halbwüchsiger. „Halb-" als *pejorat* Präfix. Im ausgehenden 19. Jh aufgekommen, vor allem in Hamburg im Sinne von „Angehöriger des Nachwuchses der Arbeiterjugend"; dann verallgemeinert zur Bedeutung „junger Bursche", meist mit *abf* Nebensinn. Nach 1950 wiederaufgelebt durch Presseberichte von Ausschreitungen Halbwüchsiger. 1956 Film „Die Halbstarken" mit Horst Buchholz (den „deutschen James Dean") und Karin Baal. **2.** Schüler der Mittelstufe. 1960 *ff.* **3.** Klein-Autobus. 1959 *ff.* **4.** geistig ~ = geistig unreifer Mensch. 1955 *ff.*

Halbstock *m* steifer schwarzer Hut. Übertragen von der auf halbstock (= halbmast) gesetzten Fahne. 1920 *ff.*

halbstock *adv* ~ geflaggt haben = zu kurze Hosen tragen. ↗ halbmast 3. 1920 *ff.*

Halbtrottel *m* verblödender Mensch. ↗ Trottel. 1870 *ff.*

halbverdaut *adj* falsch begriffen. ↗ verdauen. 1935 *ff.*

halbwege (halbwegs) *adv* **1.** mittelmäßig, einigermaßen. Zusammengezogen aus „auf halbem Wege". Seit dem 18. Jh. **2.** nun mach' aber ~! = nun übertreibe nicht; bleibe sachlich! *Vgl* ↗ halbblang. Seit dem späten 19. Jh.

Halbweltlerin *f* Prostituierte. Fußt auf „demi-monde", Schauspiel von Alexandre Dumas d. J., 1855. Etwa seit 1890 *ff.*

halbzart *adj* jungmädchenhaft. Gegenwort zu „halbstark". 1955 *ff.*

Halbzarter *m* homosexueller junger Mann. 1955 *ff.*

Halbzeit *f* **1.** Zeit vor Beginn der letzten Hälfte des Schuljahres. Meint in der Sportlersprache die Hälfte der Spieldauer; um 1900 übersetzt aus *engl* „halftime". *Schül* 1950 *ff.* **2.** nun mach' aber ~! = rede nicht weiter! mach mal Pause! In der Hälfte der Spieldauer wird eine Pause eingelegt. 1950 *ff.*

Hälfte *f* **1.** die bessere ~ = Ehefrau (spött.). Stammt aus *engl* „my better half" in Sir Philip Sidneys „Arcadia" (1590). Im späten 18. Jh aufgekommen. Früher auch „meine teure Hälfte" oder „meine schöne (schönste; liebe) Hälfte". *Vgl franz* „chère moitié". **2.** bösere ~ = Ehefrau. 1967 *ff.* **3.** eheliche ~ = Ehefrau. Seit dem 19. Jh. **4.** schlechtere ~ = a) Ehemann. 1920 *ff.* – b) untreue Ehefrau. 1962 *ff.* **5.** gib's zu, und du kriegst die ~! = Redewendung an einen, dessen Leugnen unglaubwürdig ist. Gemeint ist, daß bei umfassendem Geständnis die Hälfte der Strafe erlassen wird. 1950 *ff.* **6.** sagen wir die ~! = Redewendung, mit der eine offensichtliche Übertreibung zurückgewiesen wird. 1950 *ff.*

Halleluja-Armee *f* Heilsarmee. *Vgl* das Folgende. 1880 *ff.*

Hallelujabruder *m* Angehöriger der Heilsarmee. Spielt an auf die frommen Gesänge, in denen das „Halleluja" reichlich vorkommt. 1880 *ff.*

Hallelujabunker *m* Kirchengebäude. 1965 *ff.*

Halleluja-Destille *f* billiger Mittagstisch in einem christlichen Vereinshaus. ↗ Destille 1. *Stud* 1960 *ff.*

Halleluja-Gasometer *m* Kirche in Rundbauweise. 1925 *ff.*

Halleluja-Hut *m* Kopfbedeckung der weiblichen Angehörigen der Heilsarmee. 1900 *ff.*

Halleluja-Kiste *f* Harmonium. *Vgl* ↗ Kiste 17. *Schül* 1950 *ff.*

Halleluja-Kraftwerk *n* Harmonium. *Vgl* das Vorhergehende. 1960 *ff.*

Halleluja-Mädchen *n* weibliche Angehörige der Heilsarmee. Seit dem späten 19. Jh, Berlin.

Halleluja-Mann *m* Angehöriger der Heilsarmee. 1880 *ff.*

Halleluja-Offizier *m* Offizier der Heilsarmee. 1900 *ff.*

Halleluja-Palme _f_ Weihnachtsbaum. 1914 _ff._

Halleluja-Pinsel _m_ Weihwedel. 1910 _ff._

Halleluja-Schwester _f_ Angehörige der Heilsarmee. 1880 _ff._

Halleluja-Vergaser _m_ Orgel. Gas = Luft; Vergaser = Gebläse. _Jug_ 1960 _ff_, _schweiz._

Halleluja-Zwiebel _f_ in Zwiebelform hochgesteckter Zopf; Nackenknoten. Haartracht der weiblichen Heilsarmee-Angehörigen. 1930 _ff_; wenn nicht älter.

hallo (gern _engl_ ausgesprochen) _interj_ **1.** ~! = guten Tag! Geläufig als lauter Anruf. _Halbw_ 1950 _ff._ **2.** ~, Fan!: Ausdruck der Begrüßung unter jungen Leuten. ⁊ Fan. _Halbw_ 1955 _ff._

Hallo _n_ **1.** lautes Durcheinanderrufen; Stimmengewirr; Aufsehen; Aufheben(s); Streit; Wortwechsel. Aus „lauter Anruf" entwickelt sich die Bedeutung „Lärm". 1700 _ff._ **2.** großes ~ = laut begrüßte Annehmlichkeit; Familienfestlichkeit. 1800 _ff._

Hal'lodri (Hal'lotri) _m_ leichtfertiger, leichtlebiger, verschlagener Mann; listiger Halbwüchsiger. Geht zurück auf „⁊ Allotria", das hier volksetymologisch an „Hallo" angelehnt ist. _Bayr_ und _österr_ 1800 _ff._

Hal'lotria _n_ Ulk, Spaß, Unfug. Durch „Hallo" entstellt aus _gleichbed_ „⁊ Allotria". Seit dem 19. Jh.

Hals _m_ **1.** ~ und Bein!: Wunsch beim Abfliegen. Verkürzt aus „⁊ Hals- und Beinbruch". Fliegerspr. 1935 _ff._ **2.** feldgrauer ~ = ungewaschener Hals. 1950 _ff_, _halbw._ **3.** unrechter (falscher) ~ = Luftröhre. Als „richtig" gilt die Speiseröhre. 1700 _ff._ **4.** dem Radio den ~ abdrehen = das Rundfunkgerät ausschalten. Meint eigentlich „ab-, erwürgen". 1930 _ff._ **5.** sich den ~ abschreien = laut und ausdauernd schreien. 1920 _ff._ **6.** den ~ aufreißen = sich kräftig äußern; prahlen; schimpfen. 1800 _ff._ **7.** sich nach jm den ~ ausrenken = nach jm neugierig den Kopf wenden. 1900 _ff._ **8.** sich nach jm den ~ ausschreien = lange und laut nach jm rufen. 1920 _ff._ **9.** jm auf den ~ bleiben = fortwährend zur Last liegen. „Hals" meint hier und in den einschlägigen Redewendungen den Nacken als den Träger von Lasten, vor allem das Joch der Zugtiere. Seit dem 19. Jh. **10.** bleib mir damit vom ~! = verschone mich mit dieser unangenehmen Sache! Seit dem 18. Jh. **11.** das bricht ihm den ~ = das richtet ihn zugrunde; das ist sein Untergang. Anspielung auf die Hinrichtung durch den Strang; auch der Teufel hat (in der einschlägigen Literatur) die Angewohnheit, seinen Opfern den Hals zu brechen. Seit dem 18. Jh. **12.** jm den ~ brechen = jn wirtschaftlich (moralisch) vernichten. 1800 _ff._ **13.** jetzt stehst du da mit deinem gewaschenen ~ = jetzt hast du dich vergeblich angestrengt; jetzt bist du ratlos. Geht zurück auf einen Witz: Der Junge ist wasserscheu; sein Vater will mit ihm in den Zirkus gehen, sofern der Junge seinen Hals wäscht, worauf der Junge meint: „Und wenn du keine Eintrittskarten mehr bekommst, stehe ich da mit meinem gewaschenen Hals . . .!" Spätestens seit 1900.

14. ich drehe dir den ~ zum Korkenzieher!: Drohrede. 1950 _ff_, _halbw._ **15.** jm den ~ auf Sparflamme drehen = jn heftig würgen, umbringen. ⁊ Sparflamme. 1950 _ff._ **16.** jm den ~ zur Wendeltreppe drehen (jm eine Wendeltreppe in den ~ drehen) = jn würgen. 1950 _ff._ **17.** es geht ihm an den ~ = man zieht ihn zur Verantwortung. Anspielung auf die Hinrichtung. 1920 _ff._ **18.** etw in den ~ gießen = trinken. 1900 _ff._ **19.** etw (jn) auf dem ~ haben = mit etw (jm) beladen sein. ⁊ Hals 9. 1500 _ff._ **20.** einen ~ haben = streitlüstern, wütend sein. „Hals" meint hier die laute Stimme; wohl mit Anspielung auf die schwellende Zornesader. 1920 _ff._ **21.** einen dicken ~ haben = a) Stuhldrang verspüren. Groteskerweise nimmt man an, der Kot stehe bereits bis zum Hals. _BSD_ 1965 _ff._ – b) angewidert sein. 1960 _ff._ **22.** einen großen ~ haben = frech, vorlaut sein. Hals = laute Stimme. 1900 _ff._ **23.** jn (etw) vom ~ haben = sich von einer lästigen Person oder Sache befreit haben. ⁊ Hals 9. 1800 _ff._ **24.** viel am (auf dem) ~ haben = stark beschäftigt sein. Die Arbeitslast drückt als Bürde auf den Nacken. 1900 _ff._ **25.** es im ~ haben = Halsschmerzen haben. Seit dem 18. Jh. **26.** etw bis zum ~ haben = einer Sache gründlich überdrüssig sein. Hergenommen von einer Speise, die Brechreiz verursacht, oder vom Wasser, das einem bis zum Hals steht. 1800 _ff._ **27.** den ~ halten = verstummen, schweigen. Analog zu „die ⁊ Luft anhalten". 1900 _ff._ **28.** jm etw (einen) vom ~ halten = jm eine unangenehme Sache oder Person fernhalten. ⁊ Hals 10. 1800 _ff._ **29.** jm am ~ hängen = jn mit Bitten und Wünschen belästigen. Seit dem 19. Jh. **29 a.** jn am ~ (hängen) haben = für jn notgedrungen sorgen müssen. Seit dem 19. Jh. **30.** jm etw an den ~ hängen = a) jm die Schuld an etw geben. _Vgl_ ⁊ anhängen 1. Seit dem 19. Jh. – b) jm mit einer unangenehmen Aufgabe betrauen. Man bürdet ihm eine Last auf. 1920 _ff._ **31.** jm eine Klage (o. ä.) an den ~ hängen = Klage gegen jn einreichen. 1800 _ff._ **32.** jm einen auf den ~ hetzen = jm einen lästigen Besucher schicken; jn durch einen anderen belästigen lassen. Übertragen vom Hund, den man auf ein Stück Wild oder auf einen Menschen hetzt. 1800 _ff._ **33.** sich etw auf den ~ holen = sich einen Nachteil zuziehen. 1920 _ff._ **34.** ihm juckt der ~ = er hat Verlangen nach einem Halsorden. Jucken = reizen. 1939 _ff._ **35.** aus dem ~ knirschen = unmelodiös, kreischend singen. 1950 _ff._ **36.** jm auf den ~ kommen = a) jn überfallen. Seit dem 19. Jh. – b) jn belangen, zur Verantwortung ziehen. 1900 _ff._ **37.** jm über den ~ kommen = jn unerwünscht besuchen. 1500 _ff._ **38.** das wird ihn ~ nicht kosten = das ist nicht schlimm; davor braucht man

nicht bange zu sein. Ursprünglich auf Erhängen oder Enthaupten bezogen. 1700 _ff._ **39.** einen ~ kriegen = wütend werden. ⁊ Hals 20. 1920 _ff._ **40.** etw in den verkehrten (unrechten, falschen) ~ kriegen = a) sich verschlucken. ⁊ Hals 3. 1700 _ff._ – b) etw falsch auffassen. 1850 _ff._ **41.** ein Verfahren an den ~ kriegen = unter Anklage gestellt werden. ⁊ Hals 31. 1900 _ff._ **42.** jn auf den ~ kriegen = mit jm belästigt (belastet) werden. 1800 _ff._ **43.** etw vom ~ kriegen = eine unangenehme Sache erledigen; sich einer Unannehmlichkeit entledigen. _Vgl_ ⁊ Hals 10. 19. Jh. **44.** sich etw auf den ~ laden (ziehen) = sich eine lästige Sache zuziehen. 1500 _ff._ **45.** jm auf dem ~ liegen = jm zur Last fallen. 1600 _ff._ **46.** das lügst du dir in den ~! = da sagst du grob die Unwahrheit. Gemeint ist, daß die Folgen der Lüge auf den Lügner zurückfallen. 1500 _ff._ **47.** einen langen ~ machen = über den Vordermann hinwegblicken wollen; neugierig, begierig blicken. Seit dem 19. Jh. **48.** die Pfeife aus dem ~ nehmen = die Pfeife aus dem Mund nehmen. Möglicherweise gewollte Anspielung auf Bert Brechts derbe Textzeile „nimm doch die Pfeife aus dem Maul, du Hund!" (Song vom „Surabaya-Jonny", 1929) _Sold_ 1939 _ff._ **49.** den ~ ölen = zechen. Alkohol als Schmiermittel. 1900 _ff._ **50.** aus dem ~ quatschen = weitschweifig erzählen; beim Erzählen unsachlich werden. Leitet sich her von einem, der ohne Manuskript redet. 1920 _ff._ **51.** es hängt (kommt, wächst) ihm zum ~ raus = er ist der Sache sehr überdrüssig. Übertragen vom Vorgang des Erbrechens. Seit dem 18. Jh. **52.** sich selber zum ~ raushängen = seiner Sache überdrüssig sein. _Vgl_ das Vorhergehende. 1920 _ff._ **53.** es hängt ihm zum ~ raus = er trägt einen Halsorden. _Sold_ in beiden Weltkriegen, auch _ziv._ **54.** in etw bis an den ~ reinspringen = sich an einer Sache mit seinem gesamten Vermögen beteiligen. Übertragen vom Sprung ins tiefe Wasser. 1920 _ff._ **55.** jm auf den ~ rücken = jn bedrängen; jm zusetzen; jn zwecks Festnahme aufsuchen. 1920 _ff._ **55 a.** Geld durch den ~ runterjagen = Geld vertrinken. Seit dem 19. Jh. **56.** den ~ salben = zechen. _Vgl_ ⁊ Hals 49. 1900 _ff._ **57.** sich etw (jn) vom ~ schaffen = sich einer Sache oder Person entledigen; jm kündigen. Meint entweder den Hals sinnbildlich als Träger einer Bürde oder hängt zusammen mit der Hetzjagd, bei der man den Hund vom Hals des Wildes löst. 1700 _ff._ **58.** sich in den ~ hinein schämen = sich sehr schämen; heftige Reue empfinden. Verbildlichung des Schluchzens. Seit dem 19. Jh. **59.** einem jn auf den ~ schicken = zu jm einen lästigen Besucher schicken; jn verfolgen lassen. ⁊ Hals 32. 1800 _ff._ **60.** jm eine Zigarette in den ~ schieben

= jm eine Zigarette in den Mund stecken. 1930 ff.

61. sich jm an den ~ schmeißen = sich jm ungewünscht aufdrängen. ↗ Hals 75. 1700 ff.

62. den ~ schmieren = zechen. ↗ Hals 49. 1700 ff.

63. in etw bis zum (über den) ~ stecken = von etw stark bedrängt sein. Hergenommen vom Zustand des Ertrinkens. 1700 ff.

64. bis über den ~ in Schulden stecken = tief verschuldet sein. Seit dem 19. Jh.

65. sich 'was in den ~ stecken = etw essen, trinken. 1920 ff.

66. es steht ihm bis an den ~ = es ist ihm höchst widerwärtig. Eigentlich vom Essen gesagt. 1800 ff.

67. bis zum ~ im Freien stehen = auf nacktem Körper nur eine Halskette tragen. 1906 auf die Tänzerin Caroline Otéro geprägt.

68. jm den ~ umdrehen = jn wirtschaftlich zugrunde richten; jn töten. Hergenommen vom Töten des Geflügels oder vom Teufel, der seinen Opfern den Hals umdreht, so daß das Gesicht nach rückwärts blickt. 1600 ff.

69. von etw den ~ vollhaben = einer Sache überdrüssig sein. Ursprünglich bezogen auf Gefräßigkeit bzw. Überfütterung. 19. Jh.

70. den ~ vollhaben = betrunken sein. 1900 ff.

71. den ~ nicht vollkriegen (können) = gefräßig, geldgierig sein. 1800 ff.

72. den ~ vollnehmen = sich aufspielen; prahlen. Analog zu „das ↗ Maul vollnehmen". 1950 ff.

73. sich den ~ (von innen) waschen = trinken. 1930 ff.

74. jm etw an den ~ werfen = jm etw schenken, um ihn loszuwerden oder um etw von ihm zu erreichen. 1900 ff.

75. sich jm an den ~ werfen = sich jm aufdrängen; sich jm unverlangt anbieten. Hergenommen von der Umhalsung als Gebärde der Liebe, dann verengt zur Bedeutung unerwünschter, lästiger Anhänglichkeit. Seit dem 18. Jh. Vgl franz „se jeter à la tête de quelqu'un".

76. jm alles auf den ~ werfen = jn mit Arbeit überhäufen. Versteht sich nach ↗ Hals 9. Seit dem 19. Jh.

77. jm etw vom ~ wimmeln = jn einer Unannehmlichkeit entledigen. ↗ wimmeln. 1900 ff.

78. sich etw vom ~ wimmeln = sich etw fernhalten; eine leidige Sache abgeben. ↗ wimmeln. 1900 ff.

79. jm etw an den ~ wünschen = wünschen, daß jm eine Widerwärtigkeit, eine Unannehmlichkeit zustößt. Die Redewendung gehört zu der alten Vorstellung, man könne seinen Mitmenschen Krankheit usw. anwünschen. Vgl ↗ Pest 15. Seit dem 19. Jh.

80. sich etw an (auf) den ~ ziehen = etw selber verschulden; sich etw zuziehen. 1500 ff.

81. den ~ aus der Schlinge ziehen = sich mit knapper Not aus einer sehr gefährlichen Lage befreien. Vom gefangenen Wild hergenommen oder vom zum Tod am Galgen Verurteilten, der mit knapper Not (im letzten Augenblick) dem Strang entkommt. 1500 ff.

82. jm den ~ zudrücken = a) jn wegen einer Geldschuld energisch mahnen. Eigentlich soviel wie „würgen". Seit dem 19. Jh. – b) jm die Existenzmöglichkeit nehmen. 1900 ff.

Halsabschneider m 1. Wucherer; unredlicher Kaufmann; Ausbeuter menschlichen Unglücks; Geldgeber, der berufsmäßig Existenzen vernichtet. Vielleicht aus Cicero entlehnt: „sectores collorum et bonorum = Halsabschneider und Güteraufkäufer". 1800 ff.

2. Scharfrichter. 1935 ff.

Halskrause f 1. Ritterkreuz des Eisernen Kreuzes; Halsorden. Eigentlich die schmale krausgefältete Halsbekleidung. Sold 1939 ff.

2. Halstuch. BSD 1965 ff.

3. bis zur ~ beladen = überfüllt. 1935 ff.

4. bis zur ~ gefüllt = bis zum Rand gefüllt; dichtbesetzt. 1935 ff.

5. etw bis zur ~ haben = einer Sache überdrüssig sein. Eigentlich von einer Speise gesagt. Vgl ↗ Hals 66. 1914 ff.

6. einen hinter die ~ kippen = ein Glas Alkohol trinken. 1935 ff.

7. satt sein bis zur ~ = völlig gesättigt sein. 1935 ff.

8. bis zur ~ voll = vollbesetzt, vollbelegt. 1935 ff.

9. bis zur ~ vollgepackt = voll beladen. Fliegerspr. 1935 ff.

10. bis zur ~ voll sein = schwerbezecht sein. Marinespr 1939 ff.

11. bis zur ~ volltanken = den Benzintank bis obenhin füllen. 1939 ff.

Halsöl n Schnaps, Bier o. ä. ↗ Hals 49. 1900 ff.

Halsschmerzen (Halsleiden) pl ~ haben = nach einem Halsorden trachten. Seit dem späten 19. Jh. bis heute.

Halsweite f 1. die richtige ~ = das Zusagende. Vom Hemdkragen hergenommen, der nicht zu eng und nicht zu weit sein soll. ↗ Kragenweite. 1870 ff.

2. das ist meine ~ = das gefällt, paßt mir. 1870 ff, heute vorwiegend halbw.

haltbar adv ~ gebaut = körperlich kräftig; unverwüstlich an Gesundheit und Körperkraft. Aus der Technikersprache übernommen. 1950 ff.

Haltekelle f Stopscheibe des Polizeibeamten. ↗ Kelle. 1925 ff.

halten v 1. es läßt sich ~ = es ist mittelmäßig. Man kann es noch gerade bewahren und braucht es nicht wegzuwerfen. Seit dem 19. Jh.

2. sich ~ lassen = sich auf Zureden beruhigen. Man läßt sich von einer spontanen Regung zurückhalten. 1900 ff.

Haltung f das Essen durch stramme ~ ersetzen = trotz ausbleibender Verpflegung die Energie bewahren. Fußt auf genauer Beobachtung des Soldatenlebens. Spätestens seit Ende des 19. Jh.

Halunke m niederträchtiger Mensch. Im 16. Jh entlehnt aus tschech „holomek = nackter Bettler, verwildert aussehender Mensch".

Halunkenburg f 1. oberste Galerie im Theater. Fälschlicherweise nimmt man an, wegen der teuren Eintrittspreise hielten sich dort nur „Halunken" auf. Sächs 1877 ff.

2. oberste Sitzreihen im ansteigend gebauten Physiksaal. Schül 1900 ff.

3. Klassenzimmer. Schül 1920 ff.

Halunkenloge (Grundwort franz ausgesprochen) f vorderste Platzreihe im Kino; Galerieplatz im Theater; billigster Zuschauerplatz. Wertverbessernde Bezeichnung im Wettkampf mit den Theaterlogen. Seit dem späten 19. Jh.

Ha'lunkin f niederträchtige weibliche Person; Betrügerin. ↗ Halunke. 1920 ff.

Hamburger m n 1. Frankfurter Würstchen (Schnitte Fleisch), in eine halbaufgeschnittene Semmel gesteckt; Bulette zwischen Brötchenhälften. Vermutlich von deutschen Auswanderern aus Hamburg in die USA eingeschleppt und später zurückgewandert. Doch besteht auch eine Formähnlichkeit mit der gleichlautenden Bezeichnung für die Wachstuchrolle mit Reisegepäck. 1905 ff.

2. rasender ~ = Durchfall. Anspielung auf den „Fliegenden Hamburger", einen Dieseltriebwagenzug, der auf der Strecke Berlin–Hamburg verkehrte. 1938 erreichte er eine Spitzengeschwindigkeit von 215 km/h. Sold 1939 ff.

Häme f hämische Rede; Bosheit in Worten; Gehässigkeit. Um 1960 aufgekommenes Hauptwort zum Adjektiv „hämisch".

hämeln (hämen) intr heimtückisch, boshaft äußern. 1975 ff.

Hammel m 1. dummer Mensch; ungebildeter, roher Mensch; Betrogener. Meint eigentlich den verschnittenen Schafbock, dann auch den Hammel als Leittier einer Schafherde. Schaf = dummer Mensch. Spätestens seit dem 17. Jh.

2. Rekrut. In militärischen Dingen ist er so dumm wie ein Hammel. Etwa seit 1870.

3. Schmutzsaum an den Kleidern. Vom anhaftenden Schmutz am Hammelfell übertragen auf den Schmutzsaum des Frauenkleides. 1500 ff.

4. unreinlicher Mensch. 1500 ff.

5. alter ~ = kriegsgedienter Offizier. BSD 1965 ff.

6. blöder ~ = dummer Kerl. 1910 ff.

7. gescherter ~ = dummer, ungeschickter Mann. ↗ geschert. Bayr 1900 ff.

8. auf den ~ kommen = in den Lebensumständen absinken; in Not geraten. Der Hammel wird, da zu Zuchtzwecken unverwendbar, zum Sinnbildtier der Unfähigkeit und des Elends. 1900 ff.

9. vom ~ reden = zur Sache kommen. Gehört zum Folgenden. 1900 ff.

10. auf den besagten ~ zurückkommen = um auf den Ausgangspunkt unseres Gesprächs, auf die Hauptsache zurückzukommen. Übersetzt aus „revenons à nos moutons" aus der Farce „Maître Pierre Patelin" des 15. Jhs. Im Deutschen zuerst im August von Kotzebue, 1803.

Hammelbeine pl 1. Menschenbeine. Sold 1870 ff.

2. jm die ~ frikassieren = jn im Dienst schikanieren. „Frikassieren = in Stücke schneiden" entwickelt die übertragene Bedeutung „jn übel zurichten". Sold 1914 ff.

3. jn an den ~n haben = jn zur Verantwortung ziehen. 1870 ff.

4. jn an den ~n kriegen = jn ergreifen; von jm Rechenschaft fordern. 1870 ff.

5. jm die ~ langziehen = jn prügeln, dienstlich schikanieren, hart einexerzieren. Bezieht sich auf die Kastration des Schafbocks: um die Hoden erreichen zu können, zieht man dem Tier die Beine lang. 1870 ff, sold.

Hammelsprung *m* 1. Abstimmungsverfahren, bei dem die Abgeordneten einzeln durch die „Ja- Tür", die „Nein-Tür" oder die mit „Enthaltung" gekennzeichnete Tür den Sitzungssaal betreten. Hergenommen von der Art und Weise, wie der Schäfer seine Schafe zählt; klassische Vorform bei Homer in der Odyssee (Abenteuer mit Polyphem). Berlin 1870 *ff.*
2. erster selbständiger Ausgang der Rekruten. ↗ Hammel 2. 1920 *ff.*
Hammer *m* 1. schwere Granate; Luftmine. Sie schlägt wie ein schwerer Hammer ein. *Sold* 1939 *ff*; auch *ziv.*
2. Schreckensnachricht. 1960 *ff.*
3. Penis. Hammer und Amboß als Metapher der Zusammengehörigkeit. 1900 *ff.*
4. das Unüberbietbare, Eindrucksvollste; sehr hervorragende Sache; Erfolgsstück o. ä.; kräftig spürbare Wirkung. Der Hammer als Schlagwerkzeug steht in Analogie zu „Schlager" und zu „↗ Knüller". 1950 *ff, jug.*
5. schwere Bestrafung. *BSD* 1965 *ff.*
5 a. starke Behauptung; Spitze der Kritik; Unzumutbarkeit. 1960 *ff.*
5 b. schwere Schulaufgabe. *Schül* 1960 *ff.*
5 c. schlechte Note; schwerer Mißerfolg. *Schül* und *sportl* 1960 *ff.*
5 d. kräftiger Boxschlag. 1960 *ff.*
5 e. tüchtiger Boxer. 1960 *ff.*
6. kräftiger, unhaltbarer Fußballstoß; kräftiger Fuß des Fußballspielers. *Sportl* 1950 *ff.*
7. kräftige Ohrfeige. *Österr* 1950 *ff.*
8. Auto. Meint (nach „↗ Hammer 4") wohl das besonders eindrucksvolle Auto. *Halbw* 1955 *ff.*
9. dummer Mensch. Er hat mit dem Hammer einen Schlag auf den Kopf bekommen. *Vgl* ↗ behämmert. *Österr* 1940 *ff.*
10. *pl* = Geldstücke, -scheine. Entweder wegen des Prägehammers oder weil man sie auf den Tisch „hämmert". *Halbw* 1955 *ff.*
10 a. absoluter ~ = Unübertreffliches; die größte Sensation. 1960 *ff.*
10 b. dicker ~ = aa) Ungeheuerlichkeit. 1960 *ff.* – bb) fester Freund eines Mädchens. *Vgl* ↗ Hammer 24. *Halbw* 1960 *ff.*
10 c. ganz dicker ~ = sehr vorteilhaftes Kaufangebot (und dessen Wahrnehmung). 1970 *ff.*
10 d. dickster ~ = Erstaunlichstes. 1960 *ff.*
10 e. echter ~ = großartige Sache. 1960 *ff.*
11. großer ~ = a) Einsatz massierter Waffen. *BSD* 1965 *ff.* – b) massive Drohung. 1970 *ff.* – c) Sensation o. ä. 1970 *ff.*
11 a. irrer ~ = schwerwiegende Maßnahme; einschneidendes Ereignis. 1975 *ff.*
12. knallharter ~ = sehr erfolgreicher Schlager. *Vgl* ↗ Hammer 4. 1960 *ff.*
13. letzter ~ = ausgezeichnete Sache (auch *iron*). *Halbw* 1955 *ff.*
13 a. mittlerer ~ = ziemlich eindrucksvolle Sache. 1965 *ff.*
13 b. totaler ~ = völlige Verständnislosigkeit. 1970 *ff.*
14. das fällt mir auf den ~!: Ausdruck mißfälligen Staunens. In Anlehnung an „das fällt mir auf den ↗ Wecker" ist das mißliebige Anschlagen des Klöppels (Hammers) gemeint; doch ist „Hammer"

auch der Kopf. *Vgl* (anatomisch) Hammer und Amboß im Ohr. *Schül* 1955 *ff.*
15. jm den letzten ~ geben = jm den Garaus machen. Hammer = Hammerschlag. 1960 *ff.*
16. jm auf den ~ gehen = jn nervös machen. ↗ Hammer 14. 1955 *ff.*
16 a. zu einem ~ greifen = eine sehr schwerwiegende Äußerung machen. 1975 *ff.*
17. einen ~ haben = nicht ganz bei Verstand sein. ↗ Hammer 9. 1950 *ff, halbw.*
18. einen mittleren ~ haben = leicht verrückt sein. *Vgl* das Vorhergehende. 1950 *ff.*
19. einen ~ im Fuß haben = heftige, unhaltbare Fußballstöße treten. *Sportl* 1950 *ff.*
20. da hängt der ~ (wobei man mit dem Zeigefinger auf die Schläfe deutet) = ich weiß Bescheid. 1963 *ff.*
20 a. wissen, wo der ~ hängt = gründlich Bescheid wissen. 1965 *ff.*
21. jm zeigen, wo der ~ hängt = jn zurechtweisen; einem Ratlosen helfen. 1963 *ff.*
22. den großen ~ hervorholen. = tatkräftig aufbegehren. Man greift zum Vorschlaghammer. 1965 *ff.*
23. einen ~ kriegen = in eine schlimme Lage geraten; einen Rückschlag erleiden. 1955 *ff, halbw.*
24. in den ~ laufen = sich verlieben. Meint den leichten Schlag mit dem Hammer auf den Kopf (Verliebte sind ja von Sinnen) oder spielt derb auf „Hammer = Penis" an. 1955 *ff, halbw.*
25. nimm den ~ aus dem Mund!: Aufforderung an einen Stotterer. Anspielung auf die Pausen zwischen den Hammerschlägen. *BSD* 1965 *ff.*
25 a. den großen ~ schwingen = mit seinem Können prahlen; kraftvoll drohen. 1960 *ff.*
26. das ist der ~!: Ausdruck der Unerträglichkeit. *Halbw* 1960 *ff.*
27. das ist der letzte große ~!: Ausdruck der Anerkennung. *Halbw* 1955 *ff.*
28. das ist der volle ~ = das ist der ideale Zustand. *Halbw* 1971 *ff.*
29. ~ wegwerfen = Feierabend machen. 1940 *ff.*
hämmern *v* 1. *intr* = schießen (auf Maschinengewehrfeuer bezogen). *Sold* 1939 *ff.*
2. *intr tr* = den Fußball heftig treten. *Sportl* 1950 *ff.*
3. *intr* = koitieren. ↗ Hammer 3. 1900 *ff.*
4. *intr* = onanieren. ↗ Hammer 3. 1900 *ff.*
5. jn ~ = einen Kunden zum Kauf überreden. Man „klopft ihn ↗ weich". Man hämmert mit Worten auf ihn ein. Kaufmannsspr. 1950 *ff.*
6. über die Bahn ~ = mit sehr schnellen Beinbewegungen laufen. *Sportl* 1950 *ff.*
Hammertyp *m* sehr umgänglicher Partner. ↗ Hammer 4. *Halbw* 1950 *ff.*
Hämorrhoidenschaukel *f* 1. Fahrrad, Motorrad, Moped. Fußt auf der scherzhaften oder *iron* Vorstellung, daß man vom anhaltend starkem Schaukeln Hämorrhoiden bekommt. Oder die Hämorrhoiden machen sich bei den Schaukelbewegungen

des Fahrzeugs um so schmerzhafter bemerkbar. Spätestens seit 1914.
2. Auto; Kleinauto. 1939 *ff.*
3. Flugzeug. Fliegerspr. 1939 *ff.*
4. Bett, Pritsche o. ä. *Schül* 1920 *ff; sold* 1939 *ff.*
Hampelmann *m* 1. energieloser, willenloser Mensch; Mensch, der alles mit sich geschehen läßt. Im 16. Jh ein Scheltwort auf den schwachen Menschen (hampeln = sich hin- und herbewegen; charakterlich unfest sein); mit dem Aufkommen der Gliederpuppe im 17. Jh entwickelte sich die heutige Bedeutung.
2. Verkehrspolizist an Kreuzungen. Seine Bewegungen ähneln denen der Gliederpuppe. 1930 *ff.*
3. zappelig wie ein ~ = unruhig, nervös. 1920 *ff.*
4. Hampelmänner (Hampelmännchen) bauen = Freiübungen machen. *Sold* in beiden Weltkriegen; auch *schül* bis heute.
5. ich haue dich zum ~!: Drohrede. *Schül* 1950 *ff.*
6. da müssen schon Männer kommen und keine Hampelmänner!: Redewendung der Abweisung gegenüber einem Energielosen oder einem körperlich Schwächlichen. 1950 *ff, stud.*
7. ~machen = salutieren. Anspielung auf die eckigen Bewegungen. *BSD* 1965 *ff.*
hampeln *intr* exerzieren. Man bewegt sich hin und her nach fremdem Willen wie ein Hampelmann. *BSD* 1965 *ff.*
Hamster *m* ich glaube, mein ~ bohnert (humpelt, jodelt)!: Redewendung anläßlich einer unglaubwürdigen Behauptung. Was der andere sagt, erscheint ebenso unsinnig wie die Vorstellung, daß der Hamster bohnert (humpelt, jodelt). *BSD* 1965 *ff; halbw* und *schül* 1968 *ff.*
Hamsterbacken *pl* sehr dicke Wangen. Dem Hamster abgesehen, der seine Backentaschen gefüllt hat. Seit dem 19. Jh.
Hamsterer *m* Mensch, der Lebensmittel aufspeichert, um in Notzeiten bestehen zu können. ↗ hamstern 1. Ende 1914 aufgekommen und 1940 erneut aufgelebt, bis heute erhalten.
hamstern *tr intr* 1. Lebensmittel ansammeln; sich für Notzeiten mit Lebensmitteln eindecken. Man schafft Vorrat herbei wie der Hamster. Ende 1914 aufgekommen. Ohne Bezug auf Lebensmittel schon für 1826 belegt.
2. viel und hastig essen. 1900 *ff.*
3. vom Mitschüler, aus einer Übersetzung o. ä. abschreiben. *Schül* 1920 *ff.*
Hamstertasche *f* 1. *pl* = Pausbacken. ↗ Hamsterbacken 2.
2. *sg* = in den Kleidern eingenähte Tasche zur (verdeckten) Aufnahme der bei verschiedenen Leuten beschafften Lebensmittel. 1914 *ff.*
3. *sg* = Kropf. *Bayr* und *österr* 1950 *ff.*
Ha'mur *m* Humor. Zusammengesetzt aus *engl* „humour" und *franz* „amour". Im 18. Jh in Österreich aufgekommen und im späten 19. Jh von Bayern übernommen.
Ha'nake (Han'nake) *m* grober, plumper Mensch; niederträchtiger Mann. Eigentlich ein Angehöriger der in Mähren angesiedelten Slawonen, aus dem Gebiet der Drau stammend. Mindergeltung unter dem schwelenden Abwehrkampfes der deutschsprechenden Böhmen gegen die

Minderheiten der tschechischen Volksstämme. 1750 ff.

Hand f **1.** ~ vom Bein (vons Been)! = benimm dich anständig! Bezieht sich ursprünglich auf intimes Betasten. 1920 ff.

2. ~ von der Butten! = nicht anfassen! Butte ist das Sammelgefäß für Trauben; daher soviel wie ein warnender Zuruf an einen Traubennascher. 1700 ff.

3. ~ von der Butter! = gib dich mit dieser Sache nicht ab! Entstellt aus dem Vorhergehenden. 1800 ff.

4. ~ an der Deichsel = Hand in der Hosentasche. Man unterstellt der männlichen Person, daß sie dabei die „Deichsel = Penis" berührt. 1935 ff.

5. ~ von der Lenkstange! = nimm die Hand aus der Hosentasche! Lenkstange = Penis. 1935 ff.

6. ~ vom Loch! = a) Warnung vor intimer Berührung einer weiblichen Person. Loch = Vagina. 1920 ff. – b) laß dich darauf nicht ein! 1920 ff.

7. ~ vom Sack! = a) nicht anrühren! (Oft in der Form: „Hand vom Sack, es sind Nüsse drin" oder „. . . der Hafer ist verkauft". 1840 ff. – b) misch dich nicht in Dinge, die dich nichts angehen! 1840 ff. – c) nimm die Hand aus der Hosentasche! Sack = Hodensack. Seit dem 19. Jh. – d) werde nicht plump vertraulich! benimm dich anständig! Versteht sich wie „↗Hand 1". Seit dem 19. Jh.

8. ~ vom Tisch! = Zuruf an eine Person, die sich zur Verteilung vordrängt. Eigentlich eine mütterliche Ermahnung an ungebärdige Kinder. 1910 ff.

9. alle Hände voll Hochachtung = größte Bewunderung; stärkster Beifall. 1870 ff.

10. die beste ~ = die rechte Hand. Die handwerklich geschicktere Hand ist die bevorzugte Hand, auch in Anstandsdingen. 1900 ff.

10 a. ganze ~ = Leistungsnote 5. An den fünf Fingern abgezählt. *Schül* 1920 ff.

11. krumme ~ = Bestechlichkeit o. ä. Gemeint ist die hohle Hand, die Geld heischt und entgegennimmt. 1600 ff.

12. ruhige ~l: = keine Aufregung! *Halbw* 1955 ff.

13. schöne ~ (auch *dim*) = rechte Hand. Meist gesagt beim Händegeben kleiner Kinder gegenüber älteren Leuten. Seit dem 19. Jh.

14. vergnügte Hände = zitternde Hände. Sie zittern vor gespannter freudiger Erwartung. Seit dem 19. Jh.

15. volle ~ plus 1 = Note 6. Volle Hand = 5 Finger; *vgl* auch „volle Hand (full hand)" beim Kartenspiel Poker. *Schül* 1960 ff.

16. waffenscheinpflichtige Hände = plumpe, unförmige, sehr große Hände. Sie können geradezu als Hiebwaffe dienen und sind daher waffenscheinpflichtig. 1950 ff.

17. nicht in die ~l = Ausdruck der Ablehnung und Verneinung. Verkürzt aus „und wenn du es mir in die Hand gibst, ich nehme es nicht an!". Seit dem 19. Jh.

18. unter der ~ = a) im Verborgenen; heimlich. Hergenommen vom betrügerischen Kartenspieler, der unter seiner Hand die Karten vertauscht. 1600 ff. *Vgl franz* „sous main", *engl* „underhand". – b) inzwischen, gelegentlich. Eigentlich soviel wie „unbemerkt". Seit dem 19. Jh.

19. nicht in die ~l = Ausdruck der Ablehnung. Anspielung auf einen abgewehrten Bestechungsversuch. 1900 ff.

19 a. aus der hohlen ~ heraus = ohne Vorbereitung; aus dem Stand; sofort. 1970 ff.

20. mit der kalten ~ = roh, mitleidlos, gefühlskalt. Die kalte Hand gilt hier als äußeres Zeichen von Gefühlskälte. 1920 ff.

21. mit der linken ~ = mühelos; nicht mit voller Energie; unbeabsichtigt; nebenbei. Die linke Hand ist im allgemeinen weniger geschickt als die rechte; man muß mit der linken bewerkstelligt, setzt wenig Anstrengung voraus. 1870 ff.

22. von zarter ~ = von einer weiblichen Person herrührend. 1800 ff.

23. nicht von zarter ~ = rücksichtslos, ungestüm; sehr heftig. 1900 ff.

24. etw (jn) mit der linken ~ abtun = etw (jn) als nebensächlich abtun. *Vgl* ↗Hand 21. Seit dem späten 19. Jh.

25. in die hohle ~ arbeiten = einen praktisch durchführbaren Zweck verfolgen. Die Arbeit soll Geld einbringen. 1950 ff.

26. die ~ aufhalten = a) bestechlich sein. 1850 ff. – b) aufdringlich Trinkgeld verlangen. 1900 ff.

27. die ~ rutscht aus = man läßt sich zu einer Ohrfeige hinreißen. Ausrutschen = ausgleiten, aus der Spur geraten. 1840 ff.

28. da begrüßen sie sich noch mit der linken ~, weil sie in der rechten die Keule tragen = das ist eine unzivilisierte Gegend. Fußt auf der Vorstellung von der Lebensweise der frühesten Menschen. Vielleicht beeinflußt von der Fernsehserie „Familie Feuerstein". *BSD* 1965 ff.

29. alles mit der linken ~ erledigen = alles nebenbei, nach Eingebung erledigen; etw fast mühelos meistern. ↗Hand 21. 1870 ff.

30. etw hinter der hohlen ~ erzählen = etw verstohlen mitteilen. Man hält die Hand fast geschlossen vor den Mund. 1920 ff.

31. jm aus der ~ fressen = jm ergeben sein; jm gehorchen; jm zu Willen sein. Hergenommen von Haustieren. 1800 ff. *Vgl engl* „to eat out of someone's hand", *franz* „manger dans la main de quelqu'un".

32. ihm sind die Hände gebunden = er kann nicht frei entscheiden und handeln. Übertragen von gefesselten Händen. Seit dem 19. Jh.

33. jm etw in die ~ geben (häufiger: drücken) = jn mit einer minderwertigen Ware betrügen. 1880 ff.

33 a. sich selbst die ~ geben (drücken) = sich selbst zu einer Handlungsweise beglückwünschen. 1920 ff.

34. von ~ zu ~ (durch viele Hände) gehen = mit vielen Männern geschlechtlich verkehren; viele kurzfristige Liebesabenteuer haben. 1950 ff.

35. immer noch besser als in die ~ gespuckt (gehustet) = es hätte weit schlimmer kommen können. „In die Hand gespuckt (gehustet)" umschreibt den Begriff „nichts". 1900 ff.

36. immer noch besser als in die hohle ~ geschissen = Ausdruck der Befriedigung über den glimpflichen Ausgang einer Sache. 1900 ff.

37. besser in die ~ geschissen als gar kein

Blumenstrauß = besser etwas als gar nichts! „In die Hand geschissen" läßt im Zusammenhang mit „Blumenstrauß" an „Kaktus" denken, was sowohl die Pflanze als auch den Kothaufen meint. *Sold* 1939 ff.

38. eine große ~ haben = viel Einfluß haben. Die Hand als Sinnbild der Macht und der Gewalt. Analogie zu „einen langen ↗Arm haben". 1900 ff.

39. eine grüne ~ haben = viel von Blumenpflege verstehen. *Vgl* ↗Daumen 15. 1950 ff.

40. eine hohle ~ haben = bestechlich sein. *Vgl* ↗Hand 26. 1700 ff.

41. kalte Hände haben = geizig sein; kein Geld hergeben. Geizige gelten als gefühllos, „frostig". ↗Hand 20. 1900 ff.

42. klebrige Hände haben = diebisch sein. Das Diebesgut bleibt an den Händen kleben. 19. Jh.

43. lange Hände haben = sehr einflußreich sein. *Vgl* ↗Arm 10. Seit dem 15. Jh.

44. eine leichte ~ haben = rasch zu Schlägen (Ohrfeigen) ausholen. *Vgl* ↗Hand 47. 1900 ff.

45. zwei linke Hände haben = a) handwerklich ungeschickt sein. 1800 ff. – b) homosexuell sein. Umschreibung für „nicht normal sein". 1960 ff.

46. zwei linke Hände und an jeder ~ fünf Daumen haben = überaus ungeschickt sein. 1950 ff.

47. eine lose ~ haben = rasch zum Schlagen neigen. *Vgl* ↗Hand 44. 1900 ff.

48. eine schnelle ~ haben = rasch zu Ohrfeigen ausholen. 1900 ff.

49. eine schwere ~ haben = geizig sein; ungern Geld hergeben. Geiz ist hiernach kein Charakterfehler, sondern beruht auf der Beschwerlichkeit des Geldausgebens, des Aushändigens. *Jug* 1955 ff.

50. in etw eine stille ~ haben = in einem Unternehmen (bei einem Unterfangen) stiller Teilhaber sein. 1950 ff.

51. zweierlei (zwei verkehrte) Hände haben = handwerklich ungeschickt sein. 1800 ff.

52. jn in der ~ haben = jn in seiner Gewalt haben. Die Hand als Sinnbild der Herrschaft und des Eigentumsrechts. Seit dem 19. Jh.

53. das hat ~ und Fuß = das ist gediegen, tüchtig, brauchbar, in Ordnung. Nach altdeutschem Recht war „Hand" der rechte Arm, der das Schwert hält, und „Fuß" der linke Fuß (im Steigbügel) beim Aufsitzen des Reiters. Sehr empfindlich war gestraft, wer Hand und Fuß von Rechts wegen verlor. 1500 ff.

54. etw beginnen (leisten), was ~ und Fuß hat = Nachwuchs zeugen. 1900 ff.

55. seine ~ dabei (darin) haben = beteiligt sein; sich einmischen. Seit dem 19. Jh.

56. nicht die ~ dazwischen gehabt haben = unbeteiligt gewesen sein. Seit dem 19. Jh.

57. seine ~ im Spiel haben = a) an etw maßgeblich beteiligt sein; an einer Sache mitwirken. 1700 ff. – b) eine weibliche Person intim betasten. 1900 ff.

58. etw um die ~ haben = mit etw angelegentlich beschäftigt sein. 1900 ff.

59. die ~ in der Tasche halten = nicht freigebig sein. 1900 ff.

59 a. es ist ihm an den Händen hängengeblieben = er hat es gestohlen. *Vgl* ↗Hand 42. 1600 *ff.*

60. aus zweiter ~ heiraten = eine verwitwete oder geschiedene Person heiraten. 1910 *ff.*

61. mit linker ~ hingeworfen = oberflächlich, mühelos gestaltet. ↗Hand 21. 1920 *ff.*

62. die ~ (die hohle ~) hinhalten = a) bestechlich sein; Bestechungsgeld verlangen. ↗Hand 26. 1900 *ff.* – b) Bedienungsgeld verlangen. 1920 *ff.*

63. für etw die ~ hochheben = etw beeiden, beschwören. 1920 *ff.*

64. in die hohle ~ husten = bei einer Verteilung nichts erhalten. *Vgl* ↗Hand 35. 1900 *ff.*

65. es juckt ihm in den Händen = er ist auf etw sehr begierig. ↗jucken. 1900 *ff.*

66. ihm kleben die Hände = er ist diebisch. ↗Hand 42. 1500 *ff.*

67. mit der krummen ~ kommen = Geld, Geschenke, Bestechung anbieten. ↗Hand 11. Seit dem 19. Jh.

68. die linke ~ kommt vom (von) Herzen: Redewendung, wenn man zur Begrüßung die linke Hand reicht. 1900 *ff.*

69. aus der hohlen ~ konstruiert = unsachgemäß konstruiert. ↗Hand 19 a. 1950 *ff.*

70. die Sache kriegt ~ und Fuß = die Sache wird einwandfrei, gediegen, brauchbar. ↗Hand 53. Seit dem 19. Jh.

71. heiße Hände kriegen = sich aufregen. 1920 *ff.*

72. in die hohle ~ lachen = heimtückisch lachen. Man hält die hohle Hand vor den Mund, damit der Ausdruck der Schadenfreude verborgen bleibt. 1920 *ff.*

73. sich mit der ~ an den Arsch langen = etwas Sinnloses, Unwirksames tun. 1960 *ff.*

74. von der ~ in den Mund leben = a) keine Ersparnisse machen; die Einnahmen verbrauchen. Was man mit der Hände Arbeit einnimmt, gibt man für das Essen wieder aus. 1700 *ff. Vgl engl* „to live from hand to mouth". – b) Zahnarzt sein. Scherzhafte Redewendung. Seit dem späten 19. Jh.

75. für jn die ~ ins Feuer legen = sich für jn verbürgen. Herzuleiten vom mittelalterlichen Gottesurteil, bei dem der Beschuldigte die Hand ins Feuer legen mußte und als schuldlos galt, wenn sie unversehrt blieb. Seit dem 19. Jh.

76. die Hände in den Schoß legen = untätig sein. Gebärdehandlung der Untätigkeit, des Nichteingreifens. 1600 *ff.*

77. jm die Hände in den Schoß legen = eine weibliche Person intim betasten. 1920 *ff.*

78. ~ an sich legen = Schönheitspflege betreiben. Eigentlich „Selbstmord verüben". 1970 *ff.*

79. es liegt auf der flachen ~ = es ist offensichtlich, unzweifelhaft. 1900 *ff.*

80. sich die ~ nicht fettig machen = unbestechlich sein. Man läßt sich die Hände nicht „schmieren"; *vgl* ↗Hand 86. 1900 *ff.*

81. die ~ hohl machen = a) ein Trinkgeld erwarten oder zu entlocken wissen. *Vgl* ↗Hand 26. 19. Jh. – b) bestechlich sein. 1960 *ff.*

82. eine krumme ~ machen = sich bestechen lassen. ↗Hand 11. Seit dem 19. Jh.

83. lange ~ machen = Diebstahl begehen. ↗Finger 56. Seit dem 19. Jh.

83 a. sich die Hände nicht schmutzig machen = andere zur Straftat ermuntern, aber sich selber zurückhalten. 1900 *ff.*

84. jm die ~ quetschen = jm heftig die Hand drücken. 1900 *ff.*

85. sich einen in die ~ schlagen = onanieren. 1900 *ff.*

86. jm die Hände schmieren = jn bestechen. ↗schmieren 11. Seit dem 14. Jh.

87. vor Freude sich selber die ~ schütteln = vor Freude fassungslos sein. *Vgl* ↗Hand 33 a. 1920 *ff.*

88. er hat den meisten Menschen schon die ~ geschüttelt = er hat die Hälfte seines Lebens schon hinter sich. 1969 *ff.*

89. ihm sind die Hände bei der Arbeit im Wege = a) er ist ungeschickt im Arbeiten. 1900 *ff.* – b) er ist arbeitsscheu. 1900 *ff.*

90. mit der ~ schnell zur Stelle sein = rasch zu Ohrfeigen ausholen. ↗Hand 48. 1900 *ff.*

91. der Ort X. ist fest in deutscher ~ = der Ort X. ist von deutschen Erholungsreisenden überschwemmt. Dem Wortschatz der Wehrmachtberichte des Zweiten Weltkriegs entlehnt. Der Ausdruck bezieht sich stets auf einen Ort im Ausland. 1960 *ff.*

92. in festen Händen sein = einen Freund, Bräutigam, Ehemann haben. 1900 *ff.*

93. auf den Händen sitzen = keinen Beifall spenden. Theaterspr. 1870 *ff. Vgl engl* „they are sitting on their hands".

94. in die Hände spucken = eine Arbeit tatkräftig angreifen; Kraft anwenden. Der Speichel bewirkt, daß der Hammer- oder Schaufelstiel fester in der Hand liegt. Seit dem 19. Jh.

95. unter der ~ verschleudern = onanieren. Meint kaufmannsspr. soviel wie „eine Ware unter dem üblichen Preis weggeben". 1965 *ff.*

96. jm die Hände versilbern = jn bestechen. Man bedeckt ihm die Handflächen mit Silbermünzen. Vielleicht Anspielung auf die Silberlinge des biblischen Judas Ischariot. 1900 *ff.*

97. daran kannst du dir die Hände und Füße wärmen = die Sache ist gut; die Speise schmeckt ausgezeichnet. *Vgl* ↗Hand 53. 1900 *ff.*

98. seine Hände in Unschuld waschen = seine Unschuld beteuern (bezeugen); sich für schuldlos erklären. Hergenommen von der Pilatusszene aus Matthäus 27, 24: Händewaschung vor Gericht versinnbildlichte bei Juden und Römern die Unschuldsbeteuerung. Umgangssprachlich seit dem 18. Jh. *Vgl engl* „I wash my hands of it"; *franz* „je m'en lave les mains"; *ital* „me ne lavo le mani"?

99. sich in (bei) etw die Hände waschen = sich an einer Sache ungerechtfertigt bereichern. Gemeint ist, daß beim Waschen einiges an den Händen hängengeblieben ist. Seit dem 19. Jh.

100. sich mit Händen und Füßen wehren (sträuben) = sich energisch zur Wehr setzen; die Beteiligung weit von sich weisen. 1600 *ff.*

101. seine ~ um jn winkeln = jn umarmen. *Halbw* 1955 *ff.*

102. aus der linken ~ zahlen = mühelos zahlen; zahlen, ohne die Ausgabe von der Steuer abzusetzen. ↗Hand 21. 1950 *ff.*

103. die Hände über dem Kopf zusammenschlagen = sich außerordentlich verwundern; vor Entsetzen fassungslos sein. Eine formulierte Gebärde, in der bildenden Kunst um 1500 Ausdruck höchsten Erstaunens und Erschreckens. 1800 *ff.*

104. mit der linken ~ zusammenschmieren = unsorgfältig schriftstellern; bedenkenlos, unverantwortlich niederschreiben. ↗Hand 21; ↗schmieren. 1930 *ff.*

Handarbeit *f* **1.** Taschendiebstahl. 1900 *ff.*

2. Onanie; intimes Betasten. 1900 *ff.*

3. Schlagen mit der Hand; Ohrfeigenausteilung. 1960 *ff, halbw.*

Handartillerie *f* Pistole. Gegenwort „Fußartillerie". *Sold* 1939 *ff.*

Handballergebnis *n* Fußballspiel(-ergebnis) mit vielen Tortreffern. Beim Handballspiel werden gemeinhin mehr „Punkte" erzielt als beim Fußballspiel. *Sportl* 1950 *ff.*

Handbremse *f* **1.** kräftige Ohrfeige. ↗Bremse 1. *jug.*

2. mit gezogener ~ arbeiten = langsam, vorsichtig zu Werke gehen. 1960 *ff.*

3. die ~ ziehen = sich einschränken. 1950 *ff.*

Händchen *n* **1.** für jedes ~ eins = Aufforderung, noch ein zweites Stück Kleingebäck (Konfekt o. ä.) zu nehmen. 1920 *ff.*

2. ~ geben = jm die Hand reichen; jn begrüßen. Stammt aus der Kinderstubensprache. 1920 *ff.*

3. für etw ein ~ haben = in einer Sache sehr geschickt sein; etw richtig vermuten; eine Lage rechtzeitig erkennen und auszunutzen verstehen. Meint entweder die für Feinarbeit geschickte Hand oder leitet sich her vom Kartenspieler, der im Kartenspiel „eine glückliche Hand" hat und die Karten gut auszunutzen weiß. Seit dem 19. Jh.

4. ~halten = die noch nicht erklärte Geliebte an der Hand halten, ohne sonstige Liebkosungen zu wagen. 1870 *ff.*

Händedruck *m* **1.** Bedienungs-, Trinkgeld. Man drückt es unauffällig in die Hand. 1900 *ff.*

2. inhaltsreicher ~ = Übermittlung des Bestechungsgeldes beim Händedruck. 1920 *ff.*

3. kräftiger ~ = reichliches Bedienungsgeld. 1900 *ff.*

4. sanfter ~ = mäßiges Bedienungsgeld. 1900 *ff.*

handeln *tr* eine Person für künftige Verwendung unverbindlich vorschlagen oder vorsehen. Aus der Börsensprache übernommen. Politiker- und Journalistenspr. 1970 *ff.*

Handelsklasse *f* Handelsklasse C sein = mittelmäßig sein. Der Kaufmannssprache entlehnte Bezeichnung für die dritte Güteklasse. 1960 *ff.*

händeringend *adj adv* sehnsüchtig; erwartungsvoll hoffend; unter großen Mühen; dringend. 1920 *ff.*

Handfeger *m* **1.** unternehmungslustige, draufgängerische weibliche Person. ↗Feger 5. 1935 *ff.*

2. kleiner Hund. *Vgl* das Folgende. 1930 *ff.*

3. wildgewordener ~ = aufgeregter, wild sich gebärdender Mensch. Meint eigentlich den Hundeschwanz: vor Ausgelassenheit und Freude bewegt ihn der Hund ungestüm hin und her. 1930 *ff.*

4. wie ein wildgewordener ~ = sehr aufgeregt. 1930 ff.

Handgelenk n **1.** mit (aus) dem ~ = ohne Schwierigkeit; ohne reifliche Überlegung; unvorbereitet. Man bewerkstelligt das Gemeinte (scheinbar) mühelos wie ein Zauberkünstler o. ä. _Vgl_ sinngemäß ↗Hand 19 a und 21. Seit dem 19. Jh. **2.** ein loses ~ haben = rasch zum Schlagen ausholen. ↗Hand 47. Seit dem 19. Jh. **3.** etw aus dem ~ schütteln = etw mühelos bewerkstelligen; etw aus dem Stegreif tun. ↗Handgelenk 1. Seit dem 19. Jh.

handgeschmiedet adj selbstverfertigt. 1950 ff.

handgestrickt adj **1.** aus eigenem Schaffen entstanden; ohne Zuhilfenahme moderner technischer Möglichkeiten. 1950 ff. **2.** ungekünstelt, bieder, herzhaft. 1950 ff.

Handgurke f Hand-Sprechfunkgerät. 1976 ff.

Handharmonika f das spielt keine ~ = das ist unerheblich. Umgewandelt aus „das spielt keine Rolle", weil man „Spielen" nicht auf das Bühnenfach bezieht, sondern auf das Musizieren. 1920 ff.

Handkäse m **1.** ~ mit Musik = Käse mit Essig, Öl und Zwiebeln. Handkäse ist der in der Hand gepreßte Käse, und „Musik" spielt auf die Darmwinde an. 1870 ff. **2.** ~ mit Schneegestöber = Käse mit Essig, Öl und vielen Zwiebeln. 1950 ff. **3.** einen ~ in der Tasche haben = Geruchsbelästigung durch Darmwinde erzeugen. 1955 ff, schül.

Handkuß m **1.** Ohrfeige. Der Schlag mit der Hand ins Gesicht wird iron als Kuß mit der Hand gedeutet. 1900 ff, schül. **2.** mit ~ = sehr gern. 1920 ff.

Handpuste f Hand-Sprechfunkgerät. 1976 ff.

Handquatscher m Hand-Sprechfunkgerät. _Vgl_ „quatschen = (Unsinn) reden". 1976 ff.

handsam adj **1.** umgänglich; leicht zu behandeln. Ursprünglich bezogen auf Tiere, die leicht zu lenken sind. Oberd 1500 ff. **2.** angenehm (auf Wind und Wetter bezogen). Seemannsspr. seit dem 17. Jh.

Handschelle f Verlobungs-, Trauring. Eigentlich die Handfessel, an der der Verhaftete in Gewahrsam abgeführt wird. 1950 ff.

Handschrift f **1.** Ohrfeige; Schläge mit der Hand. Eigentlich soviel wie „Schriftzüge von Hand": ihre Spuren bleiben im Gesicht haften. 1900 ff. **2.** übliche Arbeitsweise eines Verbrechers. Sie ist unveränderlich und typisch wie die Handschrift. 1950 ff. **3.** deutliche ~ = sichtbar bleibende Ohrfeige. 1900 ff.

Handschuh m **1.** Präservativ. Über den „elften ↗Finger" gestülpter Handschuh. 1960 ff. **2.** eiserne ~e = Handfessels. 19. Jh. **3.** jn mit ~en anfassen = jn behutsam behandeln. 1820 ff. Vgl engl „to handle with gloves"; franz „prendre des gants". **4.** das möchte ich nicht mit ~en anfassen = das ist mir höchst widerwärtig; das verachte ich. 1920 ff. **5.** jm die ~e anmessen = jm Handschellen anlegen. ↗Handschuh 2. 1900 ff. **6.** die ~e ausziehen = handgreiflich werden; ein scharfes Verhör beginnen. 1935 ff.

Handschuhnummer f **1.** große (hohe) ~ = große Hände. 1914 ff. **2.** das ist meine ~ = das sagt mir zu, paßt mir, entspricht meinem Können o. ä. _Vgl gleichbed_ ↗Kragenweite. 1920 ff. **3.** kennst du diese ~?: Drohrede, bei der man seinem Gegenüber die Faust vor die Augen hält. 1920 ff.

Handtaschenmöbel pl aufblasbare Plastikmöbel. Im nicht aufgeblasenen Zustand haben sie Platz in einer größeren Handtasche. 1968 ff.

Handtuch n **1.** großwüchsiger schlanker Mensch. Er ist lang und schmal. 1900 ff. **2.** langgestreckt gebautes Kino. 1920 ff. **3.** Mädchen mit häufigem Partnerwechsel. Wie das Handtuch geht es von Hand zu Hand. 1920 ff. **4.** ewiges ~ = a) auf beweglicher Rolle laufendes, an den Schmalseiten zusammengenähtes Handtuch. 1920 ff. – b) Handtuch, das sehr lange nicht gewaschen worden ist. Sold in beiden Weltkriegen. **5.** wie ein nasses ~ = entkräftet, übermüdet, ohnmächtig. Das nasse Handtuch ist ein anschauliches Sinnbild des kraft- und willenlosen Menschen. 1920 ff. **6.** schmales ~ = a) schlankwüchsiger Mensch. Seit dem 19. Jh. – b) längliches schmales Zimmer. 1900 ff. – c) hohes schmales Haus; Hochhaus auf schmaler Grundfläche. 1900 ff. – d) schmales Grundstück. 1900 ff. **7.** sich benehmen wie ein nasses ~ = sich ungesittet benehmen; tölpelhaft, energielos handeln. 1920 ff. **8.** ich erschlage dich mit einem nassen ~!: Drohrede. BSD 1965 ff. **9.** einen Schlag mit einem nassen ~ haben (gekriegt haben) = dumm sein. Der Schlag hat den Geist verwirrt. 1910 ff. **10.** sich mit dem ~ polieren können = glatzköpfig sein. 1920 ff. Berlin. **11.** das ~ werfen = sich für überwunden erklären; die Waffen strecken; (nach langem Leugnen) ein Geständnis ablegen; Konkurs anmelden; den Beruf aufgeben; vom Amt zurücktreten. Aus dem Boxsport entlehnt: der Sekundant wirft das Handtuch, wenn sein Schützling dem Gegner den Sieg nicht länger streitig machen will, sein Kampf aussichtslos geworden ist. 1935 ff.

handverlesen adj sorgfältig ausgewählt. Hergenommen von der sorgfältigen Auswahl der besten Früchte. Politikerspr. 1970 ff.

Handwerk n **1.** ehrbares ~ = Prostitution. Ironie. 1960 ff. **2.** horizontales ~ = Prostitution. 1800 ff (1822/23 Heinrich Heine). **3.** weibliches ~ = Schminkkunst; Make-up. 1950 ff. **4.** jm das ~ legen = jn an der Fortführung seiner unerlaubten Machenschaften hindern; jds Handlungsweise unterbinden. Hergenommen von der alten Innungsordnung: Verstoß gegen die Satzung konnte mit ständiger oder vorübergehender Niederlegung der handwerklichen Tätigkeit geahndet werden. Dem Betreffenden wurde das Handwerkszeug zu Boden gelegt. Seit dem 17. Jh. **5.** jm ins ~ pfuschen = a) unberechtigt in jds Tätigkeit eingreifen; sich in jds Aufgabengebiet einmischen. „Pfuschen" meinte ursprünglich die Ausübung eines Handwerks durch ein Nichtzunftmitglied. Früher auch „jm ins Handwerk fallen (greifen, stehen)". Seit dem 17. Jh. – b) für den eigenen Bedarf handwerkliche Arbeiten ausführen (Do-it-yourself). Berlin, etwa seit 1965 (mit der allmählichen Einführung der Fünftagewoche).

Handwerkszeug n **1.** Eßbesteck. Gaststättenspr. 1950 ff. **2.** Schreibzeug des Schülers. 1920 ff.

handzahm adj gefügig; leicht zu behandeln. Stammt aus der Dompteursprache: (ursprünglich) wilde oder freilebende Tiere haben sich an den Menschen gewöhnt und fressen ihm aus der Hand. _Vgl_ ↗handsam. Sold 1935 ff.

hanebüchen adj adv derb, plump, grob, stämmig. Entstanden aus „hainbuchen = aus Hagebuchenholz". Das Holz der Hain-, Hage- oder Weißbuche ist sehr schwer und hart. 1700 ff.

Hanf m **1.** Brot, Kommißbrot. Leitet sich vielleicht her vom Hanfkuchen, dem Preßrückstand bei der Hanfölgewinnung; bekannt als Viehfutter. Seit dem frühen 19. Jh, rotw und sold. **2.** Geld. Namen für „Geld" sind im Rotwelsch und in der Soldatensprache oft dieselben wie für „Brot". Sold in beiden Weltkriegen. **3.** Rauschgift. Haschisch wird aus dem Harz des indischen Hanfs gewonnen. 1960 ff. **4.** trockenen ~ schieben = das Brot (↗Hanf 1) ohne Aufstrich essen. Spätestens seit 1900. **5.** im ~ sitzen = in angenehmen Verhältnissen leben. Hergenommen vom Dompfaff, der gern Hanfsamen frißt. 1900 ff. **6.** trockenen ~ spinnen = Brot (↗Hanf 1) ohne Aufstrich essen. Kundenspr. 1900 ff.

Hänfling m **1.** Halbwüchsiger. Der gleichnamige Singvogel ist an Gewicht einer der leichtesten bei unseren heimischen Vögeln. 1955 ff, halbw. **2.** schmächtiger Mann; Schwächling. 1939 ff, sold bis heute.

Hängematte f **1.** Büstenhalter. (Auch „doppelte Hängematte" genannt). 1910 ff. **2.** Monatsbinde. 1930 ff. **3.** Vollbart. 1920 ff. **4.** nicht straffgezogenes Koppel. BSD 1965 ff. **5.** soziale ~ = Gesamtheit der sozialstaatlichen Leistungen, in denen Leute ohne politisches Gewissen es sich wohlsein lassen. Das als Vorkehrung gegen Not gedachte „soziale Netz" wird zum bequemen Ruhelager sorgloser Nutznießer umgedeutet. 1977 ff.

hangen v **1.** mit ~ und Bangen = angstvoll. Fußt auf Clärchens Lied in Goethes Trauerspiel „Egmont". „... langen und bangen in schwebender Pein", meist zitiert in der Form „hangen und bangen in schwebender Pein". 1950 ff. **2.** mit ~ und Würgen = mit großer Mühe. „Hangen" bezieht sich auf die Hinrichtung durch den Strang, „Würgen" auf die Hinrichtung am Würgegalgen. 1840 ff.

hängen v **1.** intr = im Rollentext stocken.

Man bleibt im Text hängen. Theaterspr. 1920 ff.

2. *intr* = langsamer spielen als die übrigen Mitglieder einer Musikkapelle o. ä.; das vorgeschriebene Tempo nicht einhalten können. Musikerspr. 1950 ff.

3. *intr* = das Arbeitspensum nicht bewältigen; Lieferfristen nicht einhalten. Hängen = festhaken, zurückbleiben. 1955 ff.

4. *intr* = in schlaffer Haltung stehen. 1920 ff.

5. *intr* = nicht recht bei Verstand sein. Der Verstand hakt fest, steht still. *Schül* 1950 ff.

6. *intr* = eine Freundin haben. Die Freundin hält den jungen Mann am Angelhaken. *Halbw* 1960 ff.

7. ich hängel: Ausdruck der Überraschung. Versteht sich nach „↗hängen 5". *Jug* 1950 ff.

8. sich an jn ~ = sich jm fest anschließen; von jm nicht ablassen. Das Kind hängt sich an die Rockschöße der Mutter. 1600 ff.

9. aneinander ~ = a) immer zusammen sein. Gehört zu „aneinanderhängen wie die ↗Kletten". Seit dem 19. Jh. – b) mit jm in Streit leben. Man ist einander „in die ↗Haare gefahren" und läßt nicht los. Seit dem 19. Jh.

10. bei jm ~ = a) bei jm Schulden haben. Verkürzt aus der *gleichbed* Redensart „bei jm im Buch hängen", wobei „Buch" das Schuldnerverzeichnis meint. 1800 ff, *stud.* – b) jm unangenehm aufgefallen sein; sich jds Wohlwollen verscherzt haben. Im Sinne des Vorhergehenden von einem Schuldverhältnis herzuleiten: wer dem Gläubiger nicht zahlt, verliert dessen Achtung und Rücksichtnahme. 1900 ff.

11. hinter etw ~ = eine Flasche (o. ä.) vor sich stehen haben. *Jug* 1955 ff.

12. mit jm ~ = mit jm einen Ehrenhandel auszufechten haben. Der Ehrenhandel ist noch „anhängig". *Stud* 19. Jh.

13. *intr* = sich aufhalten; sich befinden (ich hänge gerade in Berlin). Hängen = festhängen = haften. Seit dem 19. Jh.

14. vor dem Fernsehgerät ~ = (ausdauernd) fernsehen. 1960 ff.

15. einen ~ haben = betrunken sein. Verkürzt aus „einen ↗Haarbeutel hängen haben". Seit dem 19. Jh.

16. etw ~ haben = verschuldet sein. ↗hängen 10. Seit dem 19. Jh.

17. wer lang hat, läßt lang ~ = der Begüterte bringt seine Wohlhabenheit zur Geltung. Leitet sich wohl her von den Handkrausen aus Spitzen, wie sie im 17. Jh modisch wurden. 1750 ff.

18. jn ~ lassen = a) einen Schüler nicht versetzen. Hängen = festhaken; nicht vorwärtskommen. – b) jn im Stich lassen; jn vernachlässigen, absichtlich nicht beachten. Seit dem 19. Jh.

19. etw ~ lassen = a) Schulden hinterlassen. ↗hängen 10. Seit dem 19. Jh. – b) die Untersuchung verzögern. 1920 ff.

20. sich ~ lassen = nicht energisch sein; mutlos sein; der *milit* Dienst nachlässig versehen. Anspielung auf schlechte Körperhaltung: man drückt die Brust nicht heraus, sondern krümmt den Rücken, als ob man eine schwere Bürde trüge. ↗hängen 4. Seit dem 19. Jh.

21. ich lasse mich ~, wenn . . .: Ausdruck der Beteuerung. Anspielung auf die Hinrichtung durch den Strang. 1800 ff.

22. jetzt ist ~ im Schacht = jetzt ist Schluß. Wird auf einer Zeche nicht gefördert, ruhen die Räder im Förderturm, und das Förderseil hängt ruhig im Schacht. Gegen 1955 aufgekommen mit der Stillegung vieler Bergwerksbetriebe an der Ruhr. *BSD* 1965 ff.

hängenbleiben *intr* **1.** einen zufälligen Aufenthaltsort nicht wieder aufgeben; nicht in die Heimat zurückkehren. Man bleibt haften wie der Vogel auf der Leimrute oder die Fliege am Fliegenfänger. 1700 ff.

2. den schicklichen Zeitpunkt zum Weggehen verstreichen lassen; im Wirtshaus verbleiben. Der ausdauernde Besucher hat in volkstümlicher Auffassung Pech an der Hose, oder der Stuhl klebt. 1700 ff.

3. sich verlieben. Man kommt von dem geliebten Menschen nicht mehr los: man bleibt am Angelhaken hängen. 1900 ff.

4. im Gedächtnis haften. Gehört zu der Vorstellung vom Gedächtnis als Sieb: was man vergißt, fällt durch das Sieb hindurch; was man behält, bleibt im Sieb hängen. 1800 ff.

5. im Rollentext stocken; beim Aufsagen eines Gedichts nicht weiterwissen. ↗hängen 1. Theaterspr. und *schül* 1920 ff.

6. in der Schule nicht versetzt werden; die Prüfung nicht bestehen. *Vgl* ↗hängen 18 u. 1870 ff.

6 a. mit dem Auto die steile Strecke nicht bewältigen. Kraftfahrerspr. 1920 ff.

7. der Angriff bleibt hängen = der Angriff der Fußballmannschaft wird vom Gegner vereitelt. *Sportl* 1950 ff.

8. an jm ~ = einen Verdächtigen weiterhin beobachten, verfolgen. Man hat sich „an seine Fersen geheftet" und bleibt weiter daran haften. 1920 ff.

9. es bleibt ihm hängen = aus dieser Sache geht er nicht makellos hervor. Der Makel bleibt an ihm haften. 1900 ff.

10. mit etw ~ = bei einer Sache etw einbüßen (beim Tausch ist er mit 1000 Mark hängengeblieben). 1920 ff.

11. bei einer Frage ~ = die Frage des Lehrers nicht beantworten können. Sinnverwandt mit ↗hängen 1. *Schül* 1920 ff.

Hängepartie *f* nicht abgeschlossene Verhandlung. Meint beim Schach das noch nicht entschiedene Spiel, bei der Mensur den noch nicht ausgetragenen Fechtgang. 1950 ff.

Hänger *m* **1.** nicht-erigierter Penis. 1900 ff.

2. Schimpfwort auf einen Energielosen. ↗hängen 20. *BSD* 1965 ff.

3. Stockung im Rollentext; Gedächtnislücke. ↗hängen 1. Theaterspr. 1920 ff.

4. Klassenwiederholer; Klassenschlechtester. *Vgl* ↗hängen 18 a. 1960 ff.

Hängoglobin *n* Soldatenkaffee. Entstanden in Anlehnung an „Hämoglobin". *Vgl* das Folgende. *Sold* 1939 ff.

Hängolin *n* **1.** Soldatenkaffee, -tee. Angeblich wurde im Kaffee oder Tee Soda beigegeben, das den Geschlechtstrieb abschwächen sollte. Dieses Mittel hieß „Henko" (von den Persilwerken Henkel in Düsseldorf). Aus „Henkolin" ergab sich „Hängolin" mit Anspielung auf den herabhängenden Penis. *Sold* 1935 ff bis heute.

2. Anti-Aphrodisiakum. 1935 ff.

Hanjökel *m* Spaßmacher. Jökeln = scher-

zen, spaßen, tändeln; Jökels = Scherz, Spaß, Ulk. Daraus „Jökelhans = Spaßmacher". Nach anderer Meinung ist zurückzugehen auf „Hahnjökel", nämlich auf den im Liebesspiel um die Henne tänzelnden Hahn. Hamburg 1900 (?) ff.

Hannake *m* ↗Hanake.

Hannemann *m* **1.** einfältiger Mensch. Fußt auf dem Schwank. „Von den sieben Schwaben" aus dem Anfang des 16. Jhs. Seit dem 19. Jh.

2. ~, geh du voran!: Aufforderung an eine Person, in unangenehmer Lage den ersten Schritt zu tun. Seit dem 19. Jh.

3. den ~ machen = anderen die Entscheidung vorwegnehmen. 19. Jh.

Hannepampel (Hannepampel) *m* ungeschickter, energieloser Mensch. Streckform zu ↗Hampelmann 1. Seit dem 19. Jh.

Hänneschen *n* **1.** das ~ machen = sich nach fremdem Willen richten; jn bedienen müssen. *Vgl* ↗Hänschen; ↗Hansel 4 u. 5. 1930 ff.

2. jn zum ~ machen = jn verulken, übertölpeln. *Vgl* ↗hänseln. 1930 ff.

Hans *m* **1.** ungeschickter Mann. Seit dem 19. Jh.

2. Luftbeobachter. Fußt wahrscheinlich auf dem „Hansguckindieluft" aus „Der Struwwelpeter" von Heinrich Hoffmann. (1845). *Sold* 1939 ff.

3. ~ in allen Gassen = unruhiger, schlauer, erfahrener Mann; leichtlebiger junger Mann. *Vgl* ↗Hansdampf 2. 1500 ff.

4. ~ in allen Kassen = Finanzminister, -beamter; Steuerfahnder. Scherzhafte Umgestaltung des Vorhergehenden. *Vgl* ↗Hansdampf 3. 1920 ff.

5. der blanke ~ = Nordsee; Meer. Herleitung unbekannt. Seemannsspr. 1862 ff.

Hänschen *n* **1.** Mann (Kosewort der Prostituierten). 1850 ff.

2. Penis. 1900 ff.

3. jn zum ~ haben (mit jm ~ machen) = jn verulbern. Man behandelt ihn wie einen kleinen Jungen. *Vgl* aber auch ↗hänseln. 1870 ff.

Hansdampf *m* **1.** unüberlegt handelnder, dummer Mann; Mensch, der sich lächerlich macht. Seit dem 18. Jh.

2. ~ in allen Gassen = Hauptkerl; Mensch, der sich in jeder Lebenslage zu helfen weiß. Soll auf eine anonyme satirische Flugschrift zurückgehen im Zusammenhang mit der Thüringer Dampfeisenbahn. ↗Hans 3. 1850 ff.

3. ~ in allen Kassen (Geldkassen) = reicher Finanzmann. ↗Hans 4. 1920 ff.

Hansel *m* **1.** Rest im Bierglas; abgestandenes Bier; Tropfbier. Herleitung unbekannt. *Österr* 19. Jh.

2. kleines Kopfkissen. *Bayr* 1920 ff.

3. Soldat ohne Rang. Wegen der Beliebtheit des Vornamens. *Bayr* 1914 ff.

4. Mann in untergeordneter Tätigkeit. 1920 ff.

5. ungeschickter, dummer Mann. 1920 ff, *österr.*

6. Untervertreter. 1950 ff.

7. *pl* = verhältnismäßig kleine Anzahl von Menschen. *Bayr* 1950 ff.

hänseln *tr* jn necken, verulken. Hergenommen von der Hanse: jn unter Einhaltung bestimmter Gebräuche in eine Genossenschaft aufnehmen; mit dieser Zermonie waren in gewissen Kreisen Ulk und Nekkerei verbunden. Seit dem 17. Jh.

Hanswurst *m* **1.** alberner Mann; energieloser Mann. Entweder ißt er gerne Wurst oder erinnert in seiner Gestalt an Wurst. Für Luther ist er der Tölpel oder der grobe Bauer. 1500 *ff.* **2.** Schüler der Unterstufe; Schulanfänger. 1920 *ff.*

hapern (happern) *impers* **1.** stocken, fehlen, nicht ausreichen. Geht zurück auf mittel-*ndl* „haperen = stocken, stottern". Seit dem 17. Jh. **2.** bei ihm hapert's oben = er ist geistesbeschränkt. 1900 *ff.*

Happen *m* **1.** Kleinigkeit; Stück; kurze Weite. Meint eigentlich den Bissen (wenn man die Lippen schnell schließt, entsteht der Laut „happ"). 1800 *ff.* **2.** ein ~ doof (hä, hem, hü, tü-tü) = dümmlich. 1850 *ff.* **3.** fetter ~ = gewinnbringende Gelegenheit. Soviel wie ein fetter Bissen. 1900 *ff.* **4.** nasser ~ = kräftiger Schluck Alkohol. 1910 *ff.* **5.** jm die ~ in den Mund zählen = aus Geiz oder voller Neid zusehen, wie es jm schmeckt. 1850 *ff.*

happen *tr* sich etw aneignen. Man schnappt es mit dem Mund und beißt ein Stück ab. *Sold* 1939 *ff.*

Happening (*engl* ausgesprochen) *n* **1.** Keller-Party o. ä. Fußt auf *engl* „happening = Ereignis" und meint vor allem die mit ungewöhnlichen Mitteln und Einfällen gestaltete Festlichkeit o. ä. *Halbw* 1960 *ff.* **2.** Schulfeier. 1960 *ff, schül.* **3.** bedeutendes Ereignis. *Halbw* 1960 *ff.* **4.** Flirt. 1960 *ff, halbw.*

Happenpappen *m* Bissen; schmackhafte Speise; Nahrung. Happen = Bissen; „Pappen" gehört zu „↗päppeln". Seit dem 19. Jh.

happig *adj* **1.** unbescheiden, gierig, stark. Eigentlich soviel wie „gierig zubeißend". 1700 *ff.* **2.** geschlechtlich anspruchsvoll. 1920 *ff.*

happy (*engl* ausgesprochen) *adj* **1.** lieblich anzusehen (auf ein junges Mädchen bezogen). *Engl* „happy = glücklich; vorteilhaft; angenehm". *Halbw* 1960 *ff.* **2.** froh, hocherfreut, überglücklich. 1950 *ff.* **3.** schwungvoll. *Halbw* 1955 *ff.* **4.** ~ sein = verliebt sein. Bundesmarinespr. 1960 *ff.*

Harfenjule *f* Harfenspielerin; Straßensängerin mit Harfe. ↗Jule. Berlin seit dem späten 19. Jh.

Harke *f* **1.** *pl* = lange dünne Finger. Sie wirken wie die Zinken eines Rechens. 1870 *ff.* **2.** wissen, was eine ~ ist = Bescheid wissen. Geht zurück auf ein mittelalterliches Schwankmotiv: Der aus der Fremde heimkehrende Bauernsohn kennt angeblich die Harke nicht mehr, bis er versehentlich auf ihre Zinken tritt und der Stiel ihm an den Kopf schlägt. 1500 *ff.* **3.** jm zeigen, was eine ~ ist = jn nachdrücklich tadeln. Herkunft ungeklärt. Vielleicht hervorgegangen aus der Drohung, man wolle seinem Gegenüber das Gesicht zerkratzen mit den „Rechenzinken" der Hand. 1500 *ff.* **4.** ich werde dir zeigen, was eine ~ istl: Drohrede. Seit dem 19. Jh.

Harmonika *f* **1.** Brieftasche, Geldbörse. Sie ist (in einer *trad* Machart) gefächert wie der in Falten sich legende Blasebalg der Ziehharmonika. Seit dem 19. Jh, *österr.* **2.** das spielt keine ~ = das ist unerheblich. *Vgl* ↗Handharmonika. 1920 *ff.*

Harmonikahose *f* zu lange Hose mit Querfalten. Sie erinnert an den Blasebalg der Ziehharmonika. 1900 *ff.*

Harnisch *m* **1.** jn in ~ bringen (jagen) = jn erzürnen. Der Ritter, der den Harnisch anlegte, rüstete sich zum Kampf. 1600 *ff.* **2.** in ~ geraten (kommen) = wütend werden. Seit dem 15. Jh. **3.** im (in) ~ sein = zornig sein. 1500 *ff.* *Vgl engl* „to be up in arms".

harpfen *intr* stapfen, klettern. Geht zurück auf „Harfe" und meint ein harfenähnliches Gerät, etwa das leiterartige Gestell zum Garbentrocknen. Hieraus weiterentwickelt zur Bedeutung „Stange, Stock, Wanderstab". *Bayr* und *schwäb* 19. Jh.

hart *adj* **1.** aufdringlich, frech, gewalttätig; wuchtig. Hergenommen von der auf Wind und Wetter bezogenen Bedeutung „stürmisch". *Halbw* 1955 *ff.* **2.** ~ ankommen *(impers)* = Mühe, Kummer bereiten. Hart = beschwerlich. 1800 *ff.* **3.** ~ einsteigen = a) rauh spielen. *Sportl* 1950 *ff.* – b) rücksichtslos, rücksichtslos vorgehen. Nach 1950 aufgekommen, gern in Bezug auf die Politiker im Wahlkampf gebraucht. **4.** es geht (kommt) ~ auf ~ = es geht um die Entscheidung; alle Rücksichten entfallen. Harte Gegenstände können nur mit harten Mitteln bewältigt werden. 1800 *ff.* **5.** ~ sein = begriffsstutzig sein. Man ist ↗hartköpfig. *Schül*, spätestens seit 1900. **6.** sich mit etw ~ tun = sich mit etw abmühen. Hart = beschwerlich. Seit dem 19. Jh.

Härte *f* das ist die ~! = das ist eine Zumutung, Dreistigkeit o. ä. 1960 *ff, halbw.*

Harter *m* **1.** steifer Hut. 1910 *ff.* **2.** Schnaps (im Unterschied zum Likör). 1900 *ff.* **3.** erigierter Penis. 1950 *ff.* **4.** Geldstück. 1900 *ff.*

Hartes *n* Geldmünzen. 1960 *ff, halbw.*

hartgekocht *adj* **1.** welt-, lebenserfahren. Analog zu ↗ausgekocht. Seit dem 19. Jh. *Vgl engl* „hard- boiled". **2.** voller Brutalität. Aus den USA übernommen. 1950 *ff.*

hartgesotten *adj* gefühllos, vielerfahren, unverbesserlich. Eigentlich „durch Sieden gehärtet"; sachverwandt mit „↗ausgekocht". Seit dem 18. Jh.

harthäutig *adj* zäh, unbekümmert, unbeirrbar. *Vgl* „dickes ↗Fell". 1950 *ff.*

hartköpfig *adj* eigensinnig, unbelehrbar; ungelehrig; begriffsstutzig. *Vgl* „einen harten ↗Kopf haben". Seit dem 16. Jh.

hartleibig *adj* **1.** geizig, unzugänglich, ablehnend. Bezieht sich eigentlich auf Stuhlverhärtung; beim Geizigen sind Herz und Geldbeutel verhärtet und verstopft. 1700 *ff.* **2.** begriffsstutzig. In geistiger Hinsicht leidet man an Verstopfung. 1900 *ff.*

Hartmann *m* **1.** runder steifer schwarzer Herrenhut. Im ausgehenden 19. Jh aufgekommene Bezeichnung zum Unterschied vom weichen Hut. **2.** erigierter Penis. 1900 *ff.*

Hartsäufer *m* Schnapstrinker; Trunksüchtiger. ↗Harter 2. 1920 *ff.*

Harz *m* **1.** über den ~ gehen = entzweigehen; verloren gehen; flüchten; sterben. Lokalisierung von „über alle ↗Berge sein". Wohl in Norddeutschland aufgekommen. 1900 *ff.* **2.** du kommst wohl vom ~, weil du so brockenweise sprichst: Redewendung an einen Stotternden. Wortspiel mit „Brocken = höchster Berg des Harzes" und „Brocken = Stück, Bissen". 1930 *ff.* **3.** jn über den ~ schicken = jn abweisen, wegjagen. 1920 *ff.* **4.** über den ~ sein = geflohen sein; fort sein. 1900 *ff.*

harzig *adj* zäh. Übernommen von der Klebrigkeit des Baumharzes. 1900 *ff.*

Hasch *n* Haschisch. Hieraus verkürzt nach *angloamerikan* „hash = Haschisch". 1965 *ff.*

haschen *v* **1.** *intr* = Haschisch rauchen. Verbal zu ↗Hasch. 1965 *ff.* **2.** ihn hat's gehascht = a) er ist von einer Kugel (einem Granatsplitter) getroffen, verwundet. Haschen = ergreifen, im Flug auffangen. 1914 *ff.* – b) man hat ihn ergriffen. *Sold* 1939 *ff, südd.* **3.** hasch' mich, ich bin der Frühling: angeblich ein Schlacht- und Lockruf von Damen auf Masken- und Kostümbällen. Heute vorwiegend bezogen auf kühne Versuche älterer Damen, durch jugendliche Kleidung jünger zu erscheinen. 1910 *ff.* **4.** hasch' mich, ich bin der Herbst (der Spätherbst), ich habe auch noch warme Tage: Redewendung angesichts einer bejahrten Frau in jugendlicher Aufmachung; Aufforderung einer älteren Frau zum Flirt. 1910 *ff.*

Häschen *n* **1.** kleines Mädchen (Kosewort); junges, nettes Mädchen (Kosewort). Der junge Hase mit seinem weichen Fell ist mollig anzufassen. Volkstümlich geworden durch den Osterhasen; die Vokabel ist unter Umständen nicht frei vom Sinngehalt des „Betthasen". Seit dem 19. Jh. **2.** weibliche Person (Kosewort). Seit dem 19. Jh. **3.** kleiner Junge (Kosewort). Seit dem 19. Jh. **4.** Mann, Ehemann (Kosewort). 1920 *ff.* **5.** in knappe Korsage gezwängte Serviererin mit Paphoren, Manschettenröllchen und Stummelschwänzchen. Die Bekleidung ist durch Hugh Hefner („Playboy"-Magazin) übernommen von der Bekleidung der Chicagoer Gangsterliebchen der zwanziger Jahre des 20. Jhs. „Häschen" übersetzt das *angloamerikan* „bunny = Kaninchen". 1965 *ff.* **6.** Rekrut; Kompaniejüngster. Er ist noch kein „alter ↗Hase". *Sold* 1939 *ff* bis heute. **7.** unerfahrener Flieger. Auch er ist noch kein „alter Hase". *Sold* in beiden Weltkriegen. **8.** unerfahrener Kartenspieler. 1900 *ff.* **9.** erfahrener Kartenspieler, dem ein großer Fehler unterläuft. Diesen Fehler würde man nur einem Anfänger nachsehen. 1900 *ff.* **10.** ~, reif für die Kleinvieh-Ausstellung = erfahrener Kartenspieler, der einen großen Fehler macht. *Vgl* das Vorhergehende. 1900 *ff.*

11. ~ hüpfen = aus der Hocke hüpfen. Wie es Hasen tun. *Sold* 1935 *ff.*

12. ~ machen = verhalten, um das Gelände zu sondieren; vorsichtig auskundschaften. Man richtet sich wie ein Hase auf. *Sold* und verbrecherspr. 1910 *ff.*

Häschengrube *f* Lokal, in dem leichtbekleidete Mädchen mit aufgesteckten Hasenohren bedienen. ↗Häschen 5. Anspielung auf das alte Kinderlied vom „Häschen in der Grube" darf angenommen werden. 1965 *ff.*

Hascher *m* **1.** bedauernswerter Mann. Gehört zu „heischen = betteln". *Österr* 19. Jh.

2. Haschschraucher. ↗Hasch. 1965 *ff.*

Hascherl *n* **1.** dummer, hilfloser Mensch. ↗Hascher 1. *Österr* und *bayr* 19. Jh.

2. armes ~ = bedauernswerter Mensch; hilfloses Geschöpf. *Bayr* und *österr* 19. Jh.

Haschhöhle *f* Kellerlokal als Treffpunkt Rauschgiftsüchtiger. Der „Opiumhöhle" nachgebildet. 1969 *ff.*

Haschisch *n* haschu H. in den Taschen, haschu imma waschu naschen: Werbespruch für Haschischsüchtige. 1966 *ff.*

Haschlokal *n* Lokal, in dem man Haschisch kaufen oder rauchen kann. ↗Hasch. 1968 *ff.*

Haschmich I *n* Haschisch. Tarnwort. 1967 *ff.*

Haschmich II *m* **1.** dummer Mensch. Versteht sich nach „↗haschen 3." 1920 *ff.*

2. einen ~ haben = nicht recht bei Verstand sein; närrisch sein. 1920 *ff.*

3. einen ~ kriegen = die klare Überlegung verlieren; verrückt werden. 1920 *ff.*

Hasch-Papi *m* Haschischraucher über 30 Jahre. ↗Papi. 1969 *ff.*

Haschparty *f* Party, bei der auch („leichte") Drogen (↗Hasch) geboten werden. 1968 *ff.*

Hase *m* **1.** kleiner Junge (Kosewort). ↗Häschen 3. Seit dem 19. Jh.

2. kleines Mädchen (Kosewort); junges Mädchen (Kosewort). ↗Häschen 1. Seit dem 19. Jh.

3. Kosewort für Frau und Mann. 1900 *ff.*

4. Läufer, nach dessen Tempo sich der Kamerad richtet. Von der Hasenjagd hergenommen. *Sportl* 1950 *ff.*

5. vor sich hinträumender Mensch. Hasen schlafen angeblich mit offenen Augen. 1920 *ff.*

6. Feigling. Was der Mensch dem Hasen als Feigheit auslegt, ist in Wahrheit Wachsamkeit infolge gesunden Selbsterhaltungstriebs. Das Vorurteil erscheint unausrottbar. Seit dem 19. Jh.

7. alter ~ = a) Fachmann mit reicher Erfahrung; erfahrener Kartenspieler; altgedienter Soldat. Der alte Hase weiß, wie man sich verhalten muß, um nicht von einer Kugel getroffen zu werden, oder den Verfolgern zu entgehen. Seit dem 19. Jh. – b) rückfälliger Straftäter. 1920 *ff.*

8. alter beschossener ~ (altbeschossener ~) = alterfahrener Soldat. *Sold* in beiden Weltkriegen.

8 a. armer ~ = bedauernswerter Mensch. 1920 *ff.*

9. erfahrener ~ = gründlicher Kenner der Verhältnisse. 1920 *ff.*

10. falscher ~ = a) Hackbraten. Man formt ihn dem Hasen nach. Seit dem 19. Jh. – b) als Braten oder Hackbraten

zubereitete Katze. *Vgl* ↗Dachhase. 1910 *ff.*

11. gehackter ~ = Frikadelle, Hackbraten. *BSD* 1965 *ff.*

12. kein heuriger ~ = vielerfahrener Mensch. Heurig = in diesem Jahr geboren. 1500 *ff.*

13. sauberer ~ = gut aussehendes und nicht prüdes Mädchen. ↗Hase 2. *Jug* 1950 *ff.*

14. scharfer ~ = geschlechtlich aufreizendes Mädchen. ↗Hase 2; ↗scharf. 1950 *ff.*

15. strammer ~ = gutgewachsene weibliche Person. Stramm = straff (ohne Hängebusen; ohne breites Gesäß). ↗Hase 3. 1935 *ff.*

16. unbeschossener ~ = Mensch ohne Lebenserfahrung. ↗Hase 8. 1914 *ff.*

17. wie ~n abknallen (abschießen) = Flüchtende in Menge erschießen. Übertragen von der Treibjagd auf Hasen. *Sold* in beiden Weltkriegen.

18. die ~n brauen = Nebel steigt aus dem Wald und über den Feldern auf. Als ob sämtliche Feldhasen und Wildkaninchen zu regem „Brauen = Sieden = Kochen" sich versammelt hätten. 1700 *ff.*

19. ein Herz haben wie ein ~ = feige sein. ↗Hase 6. Seit dem 16. Jh.

20. wie die ~n laufen (rennen) = ungeregelt flüchten; schnell laufen. 1900 *ff.*

21. wie läuft der ~? = wie entwickelt sich die Sache? 1700 *ff.*

22. merken, wie der ~ läuft = merken, welche Entwicklung die Sache nimmt. Seit dem 18. Jh.

23. sehen, wie der ~ läuft (wo der ~ langläuft) = die Entwicklung der Dinge abwarten. Der Hase ist bekannt für sein Hakenschlagen; der erfahrene Jäger läßt sich nicht von einem einzelnen Haken täuschen, sondern wartet ab, welche Hauptrichtung der Hase einschlägt. Seit dem 18. Jh.

24. warten, wie der ~ läuft = die Entwicklung abwarten. *Vgl* das Vorhergehende. 1900 *ff.*

25. wissen, wie der ~ läuft = den üblichen Verlauf einer Angelegenheit kennen; den wahren Sachverhalt kennen. Seit dem 18. Jh.

26. da liegt der ~ im Pfeffer = das ist bei alledem das Wichtigste; dies ist die Hauptschwierigkeit, der entscheidende Fehler. „Pfeffer" meint die stark gewürzte Sauce, auch das eingemachte Wildbret. Der Hase, der in diesem Pfeffer liegt, ist nicht mehr lebendig zu machen; oder man weiß nun, wo der verschwundene Hase geblieben ist. 1200 *ff.*

27. einen ~n machen = flüchten; weglaufen; die Stellung räumen. *Vgl* ↗Hase 6. Seit dem frühen 19. Jh.

28. die ~n rauchen = aus dem Wald steigt Nebel auf; die Holzfäller machen ein Feuer. ↗Hase 18. 1700 *ff.*

29. ~n schießen = Mädchenbekanntschaften schließen. ↗Hase 2. *Vgl* auch „schießen = ejakulieren". Wien 1920 *ff.*

30. jm die ~n in die Küche treiben = jm bequeme Erfolge verschaffen. 1950 *ff.*

31. wie ~ tun = sich dumm stellen. Gehört zu „mein ↗Name ist Hase". 1900 *ff.*

Haseken *n* Kosewort auf ein Mädchen, eine junge Frau. *Niederd* Form von „↗Häs-

chen". 19. Jh, Berlin. „Häseken" war etwa ab 1928 Berliner Kosename für die Eiskunstläuferin Sonja Henie.

Hasenbrot *n* nicht verzehrtes Butterbrot, das man wieder nach Hause mitbringt. Man sagt den Kindern, man habe es dem Hasen abgenommen, nachdem man ihnen Salz auf den Schwanz gestreut habe. Bei einem bereits angebissenen Butterbrot sagt man, die Hasen hätten daran genagt. Nach anderer Auffassung ist das „Hasenbrot" nicht mehr frisch und noch als Kaninchenfutter geeignet. Vermutlich ist der Hase nicht irgendeiner, sondern der Osterhase, von dem die Kinder das Schenken gewohnt sind. Seit dem 19. Jh.

Hasenfuß *m* furchtsamer, feiger Mensch. Er flieht bei Gefahr ebenso schnell wie der Hase. *Vgl* ↗Hase 6. Seit dem 18. Jh.

Hasenjagd *f* **1.** Suche nach Mädchenbekanntschaften. ↗Hase 29. 1950 *ff.*

2. die reinste ~ = große Eile; Hetze. Seit dem 19. Jh.

Hasennerz *m* Pelzimitation. 1970 *ff*, aber wohl älter.

Hasenpanier *n* das ~ ergreifen = davonlaufen. „Hasenpanier" meint in scherzend nachgeahmter Jägersprache den Hasenschwanz. Stellt der Hase den Schwanz auf, befindet er sich auf der Flucht. Daher früher „das Hasenpanier aufwerfen, aufstecken". „Ergreifen" ist herübergenommen aus „die Flucht ergreifen". 1500 *ff.*

hasenrein *adj* nicht ganz = nicht ganz einwandfrei; sittlich bedenklich; politisch nicht unverdächtig. Der hasenreine Hund läuft ohne Befehl keinem Hasen nach oder läßt sich sofort abrufen. Seit dem späten 19. Jh.

Hasensilvester *m* 15. Januar. An diesem Tag beginnt die Schonzeit des Hasen. 1900 (?) *ff.*

Hasenstall *m* **1.** viele Kinder oder Erwachsene (an räumlich abgegrenztem Ort). Anspielung auf die Fruchtbarkeit der Hasen bzw. auf die Enge im Hasenstall. 1950 *ff.*

2. Junggesellinnenwohnheim. ↗Häschen 1. 1960 *ff.*

3. Mädchenschule. 1960 *ff.*

Haserei *f* Liebelei, Flirt, Liebesspiel. 1945 *ff.*

Haserl *n* **1.** kleines Mädchen (Kosewort). ↗Häschen 1. Seit dem 19. Jh.

2. Opfer des Falschspielers. Wien, 20. Jh.

Häsin *f* **1.** elegantes, hübsches und reizendes Mädchen. 1950 *ff.*

2. alte ~ = lebenserfahrene Frau. Gegenstück zu „alter ↗Hase". 1950 *ff.*

haspeln *intr* hastig sein; hastig reden. Meint eigentlich „Garn auf die Spule abwinden", dann auch „schnell abwickeln". *Vgl* „sich ↗verhaspeln". Seit dem 19. Jh.

Haß *m* **1.** einen ~ haben = wütend sein. Von „Feindgesinnung" ist „Haß" weiterentwickelt zur Bedeutung „heftige Abneigung". *Oberd* seit dem späten 19. Jh.

2. auf jn einen ~ haben = jn nicht leiden können. *Oberd* 1870 *ff.*

3. einen (seinen) ~ schieben (schieben, schleifen) = sehr verärgert sein. *Oberd* 1870 *ff.*

Haßkanonade *f* langanhaltender Haßausbruch. 1930 *ff.*

Hatsche *f* liederliche weibliche Person; Prostituierte. Hatschen = (schleifend) gehen, klettern; *vgl* „↗klettern = koitieren". *Österr* und *schweiz* seit dem 19. Jh.

Hätschelei *f* zärtliche Fürsorge. ↗hätscheln. 1600 *ff.*

Hätschelkind *n* verwöhntes Kind. Seit dem 19. Jh.

hätscheln *tr* jn liebkosen, verzärteln, verziehen. Nebenform von „hatschen = schleifend gehen". Von der Bedeutung „gleitend über etw hingehen" weiterentwickelt zu „über etw hinstreichen" und „jn streicheln". 1600 *ff.*

hatschen *intr* 1. schlurfen; mühevoll, schleppend gehen; lahmen. Wohl schallnachahmender Herkunft. *Vgl* auch *mhd* „hatsche = Ente". Seit dem 16. Jh, vorwiegend *oberd* und *mitteld.* 2. klettern; skilaufen; wandern; marschieren. *Bayr* und *österr* 1800 *ff.*

Hatz *f* 1. Eile, Aufregung, Eifer. Gehört zu „hetzen" und meint eigentlich die Jagd, bei der die Hunde auf das Wild gehetzt werden. Vorwiegend *oberd,* seit dem 18. Jh. 2. die ganze ~ = die gesamte Besucherschar. 1850 *ff.*

hatzi *interj* ~ machen = niesen. Lautmalender Herkunft. Seit dem 19. Jh.

Hatziblümchen *n* Blume. Hält man eine Blume zu dicht an die Nase, kann Kitzeln Niesreiz bewirken. Kinderspr. 1900 *ff.*

Hau *m* 1. Hieb, Schlag. ↗hauen 1. 1500 *ff.* 2. ~ mit der Wichsbürste = Geistestrübung. Der Schlag mit der Schuhbürste auf den Kopf hat wohl Gehirnerschütterung bewirkt. 1900 *ff.* 3. einen ~ haben (weghaben) = geistesbeschränkt sein; nicht recht gescheit sein; eine absonderliche Angewohnheit haben. *Vgl* das Vorhergehende. Seit dem 19. Jh. 4. einen ~ mit der (Brat-)Pfanne haben = nicht recht bei Verstand sein. 1920 *ff.*

Haube *f* 1. Bierschaum. 1900 *ff.* 2. Präservativ. 1900 *ff.* 3. Krankenschwester. Wegen deren Kopfbedeckung, des auffälligsten Teils der Schwesterntracht. 1910 *ff.* 4. jn unter die ~ bringen = a) eine weibliche Person verheiraten. Die Haube war früher die Kopftracht der Frauen (Jungfrauen trugen den Kranz). 1700 *ff.* – b) einen Mann heiraten. Fußt auf Verkennung des eigentlichen Sachverhalts. 1870 *ff;* aber wohl älter. – c) jn unter die Frisierhaube setzen. Wortspielerei. 1950 *ff.* 5. viel unter der ~ haben = einen leistungsstarken Automotor besitzen. Haube = Kühlerhaube. 1955 *ff.* 6. jn unter der ~ haben = mit einem Mann verheiratet sein. *Vgl* ↗Haube 4 b. 1950 *ff.* 7. unter die ~ kommen = a) einen Mann heiraten. ↗Haube 4 a. 1700 *ff.* – b) eine Frau heiraten. *Vgl* ↗Haube 4 b. 1700 *ff.* – c) sich Dauerwellen legen lassen. Haube = Trockenhaube. 1950 *ff.* – d) lange Haare unter einer Badehaube verdecken. 1960 *ff.* – e) unter der Motorhaube eingebaut werden. Werbetexterspr. 1971 *ff.* 8. jn unter die ~ kriegen = einen Mann zur Heirat bewegen. *Vgl* ↗Haube 4 b. 1950 *ff.* 9. unter der ~ sein = a) verheiratet sein (auf die Frau bezogen). ↗Haube 4 a. Seit dem 19. Jh. – b) als Mädchen einen festen Freund haben. 1965 *ff.* – c) Krankenschwester sein. ↗Haube 3. 1920 *ff.* – d) unter der Trockenhaube sitzen. 1950 *ff.* – e) sich in fester Stellung befinden. Man ist

da ebenso „gebunden" wie in der Ehe. 1960 *ff.* 10. nicht ganz richtig unter der ~ sein = nicht recht bei Verstand sein. Unter der Haube ist der Kopf. 1935 *ff.* 11. unter die ~ wollen = Krankenpflegerin werden wollen. ↗Haube 3. 1960 *ff.*

Haubitze *f* 1. blau wie eine ~ = schwer bezecht; volltrunken. „Haubitze" meint militärtechnisch einen zwischen Flach- und Steilfeuergeschützen angesiedelten Geschütztypus; hier sprachlich gleichgesetzt mit „Kanone", jedoch nicht als Bezeichnung eines Geschützes, sondern eines großen Trinkgefäßes. *Vgl* ↗Kanone 10; ↗blau 5. *Sold* und *ziv* seit 1914. 2. voll wie eine ~ = volltrunken. *Sold* und *ziv* seit 1914. 3. sich vollaufen lassen wie eine ~ = sich sinnlos betrinken. 1950 *ff.*

hauchdünn *adj* 1. ~ siegen = a) nur eine knappe Mehrheit erringen (die Partei siegte nur hauchdünn). 1950 *ff.* – b) einen knappen Sieg davontragen (das Handballspiel entschied sich hauchdünn mit einem Punktestand von 16 : 15). *Sportl* 1950 *ff.* 2. zur ~en Schicht gehören = den „oberen Zehntausend" angehören. 1950 *ff.*

Haue *pl f* 1. Prügel, Hiebe. ↗hauen 1. Das Wort wird oft als Einzahl aufgefaßt. Seit dem 16. Jh. 2. militärische Niederlage. Man ist geschlagen = man hat Haue bekommen. 1918 *ff.*

hauen *v* 1. *tr* = schlagen. *Ahd* „hauwan"; *mhd* „houwen". Umgangssprachliche Flexion „hauen – haute – gehaut", schriftsprachlich „hauen – hieb – gehauen". 2. *intr* = mit dicken, energischen Strichen schreiben. 19. Jh, *stud* und *schül.* 3. es haut = es glückt. Hergenommen vom Schuß, der ins Ziel „haut". *Bayr* und *schwäb* 1700 *ff.* 4. das haut richtig = das kommt mir sehr gelegen, macht mir große Freude. Versteht sich nach dem Vorhergehenden. *Bayr* 1950 *ff.* 5. sich auf den Boden ~ = sich auf den Boden werfen. Hauen = kräftig werfen. *Sold* 1870 *ff.* 6. sich aufs Bett ~ = sich aufs Bett werfen. 1870 *ff.* 7. sich ins Bett ~ = sich zu Bett legen. 1870 *ff.* 8. ich denke, mich haut's vom Stuhl!: Ausdruck des Erstaunens. Die Mitteilung (das Ereignis) wirkt wie ein Schlag, der einen umwirft. 1930 *ff.* 9. eine Zigarette zwischen die Zähne ~ = eine Zigarette in den Mund stecken. 1914 *ff.* 10. ich haue dich, daß dir nichts mehr paßt!: Drohrede. Der Betreffende soll völlig verunstaltet werden. 1935 *ff.* 11. es geht auf ~ und Stechen = es geht aufs Äußerste; der Ausbruch offener Feindseligkeiten steht unmittelbar bevor. Hergenommen vom Kampf mit Hieb- und Stichwaffen. 1920 *ff.* 12. da gibt es ~ und Stechen = da findet eine heftige Auseinandersetzung statt; da herrscht Unfriede. 1920 *ff.* 13. ehe ich mich ~ lasse!: Redewendung, mit der man auf eine Nötigung zum Essen einwilligt. 1870 *ff.* ↗schlagen 2.

Hauer *m* 1. schweres Geschütz. Es ist ein schweres „Hauwerkzeug". *Sold* 1939 *ff.*

2. große Bombe; Luftmine. *Sold* 1939 *ff.* 3. *pl* = Zähne des Menschen. Eigentlich die unteren Eckzähne des Ebers. 1920 *ff.* 4. *pl* = Hiebe. *Österr* 1950(?) *ff.*

Hauf kommet zu ~l: Ausruf des Kartenspielers, der Stich auf Stich macht. Geht zurück auf das Kirchenlied „Lobet den Herren, den mächtigsten König der Ehren" von Joachim Neander (1665). Kartenspielerspr. seit dem 19. Jh.

Häufchen *n* ~ Elend (Unglück) = Mensch in erbärmlichem Zustand; unglücklicher Mensch. Meint einen, der regungslos auf einem Fleck sitzt und über sein Elend grübelt. Seit dem 19. Jh.

Haufen *m* 1. Kothaufen. Seit dem 19. Jh. 2. *milit* Einheit; Gruppe; Kompanie o. ä. Meint den Haufen Bewaffneter und geht auf das 16. Jh zurück mit den „Haufen" der Bauern im Bauernkrieg. *Sold* bis heute. 3. beliebige Gemeinschaft (Betriebsgemeinschaft, Verein, Innung usw.). 1900 *ff.* 4. Gesamtheit der Klubmitglieder, der Party-Gäste o. ä. *Halbw* 1955 *ff.* 4 a. ~ Dreck = schlechter, herzloser, niederträchtiger Mensch. 1920 *ff.* 5. alter ~ = Stammtruppenteil. *Sold* 1939 *ff.* 5 a. autoritärer ~ = die Erwachsenen. 1960 *ff, jug.* 6. disharmonischer ~ = schlecht aufeinander eingespielte Musikkapelle; Kurkapelle. 1960 *ff.* 7. dufter ~ = angenehme Gesellschaft. ↗dufte 1. 1955 *ff.* 8. der große ~ = a) Volksmenge; die Masse des Volks. Seit dem 18. Jh. – b) Gesamtheit der Truppen. 1939 *ff.* 9. harter ~ = Einheit, in der strenge militärische Zucht herrscht; Einheit, die schwere, gefährliche Aufgaben durchzuführen hat. *BSD* 1968 *ff.* 10. lahmer ~ = Truppe ohne Angriffsgeist; Gruppe ohne geistigen Schwung, ohne Initiative u. ä. *Sold* 1939 *ff; halbw* 1955 *ff.* 11. müder ~ = energielose Gruppe; Einheit ohne *milit* Geist. 1939 *ff.* 11 a. scharfer ~ = angriffslustige Gruppe. ↗scharf 3. 1980 *ff.* 12. in scheußlichen ~ = in großer Menge. Scheußlich = abscheuerweckend, schreckeneinflößend; weiterentwickelt zu „schrecklich" und „sehr groß". 1950 *ff.* 13. schlagender ~ = schlagende Studentenverbindung. Seit dem 19. Jh. 14. toller ~ = Truppe mit großer Einsatzbereitschaft. *Sold* 1939 *ff.* 15. vergammelter ~ = a) militärische Einheit *(abf).* ↗vergammelt. *Sold* 1939 *ff.* – b) Bundeswehr. Gilt als Ansicht von Weltkriegsteilnehmern. 1959 *ff.* 16. verrückter ~ = Truppe mit starkem Einsatzwillen. *Sold* 1939 *ff.* 17. in hellen ~ = in großer Zahl. „Hell" nimmt im 16. Jh verstärkenden Charakter an im Sinne von „stark, viel, groß". Anfangs auf die Heeresmasse bezogen, im 18. Jh auch allgemein auf die Menschenmasse. 18. beim ~ bleiben = sich nicht vom Stammtruppenteil entfernen. *Sold* in beiden Weltkriegen. 19. jn über den ~ fahren = jn überfahren. Er bleibt regungslos wie ein Haufen auf der Straße liegen. 1920 *ff.* 20. zum alten ~ fahren (gehen, kommen)

= sterben; den Soldatentod erleiden. Alter Haufen = Schar der Gefallenen; Totenschar. *Vgl* ↗Haufen 5. 1500 *ff.*
21. jn über den ~ knallen = jn erschießen. „Über den Haufen" meint „so daß er zu anderem Liegendem niederfällt". Seit dem 19. Jh.
22. das macht mir einen ~ Freude = das freut mich sehr (gern *iron* gebraucht). 1700 *ff.*
23. jn über den ~ mangeln = jn überfahren. *Vgl* ↗übermangeln. 1930 *ff.*
23 a. mit dem ~ mitlaufen = keine eigene Meinung haben; ein Durchschnittsbürger sein. Haufen = Herde. 1920 *ff.*
24. ~ pflanzen = koten (im Freien). 1880 *ff.*
25. jn über den ~ reden = jm im Reden überlegen sein. ↗Haufen 19. 1920 *ff.*
26. jn über den ~ rennen = jn umrennen. *Vgl* ↗Haufen 19. 1920 *ff.*
27. dicke (große) ~ scheißen = a) in guten wirtschaftlichen Verhältnissen leben. Reichlicher Verzehr erzeugt entsprechende Kotmengen. 1910 *ff.* – b) prahlerisch erzählen; sich aufspielen. Solch einer vollbringt wohl auch beim Koten mehr als die anderen. 1910 *ff.*
28. auf etw einen großen ~ scheißen = etw weit von sich weisen, ablehnen. 1930 *ff.*
29. was kannst du denn schon? einen großen ~ scheißen, dich dahinter verstekken und huhu schreien!: Redewendung auf einen Versager. *BSD* 1965 *ff.*
30. jn über den ~ schießen = jn erschießen. *Vgl* ↗Haufen 21. Seit dem 19. Jh.
31. etw über den ~ schmeißen = eine Anordnung rückgängig machen; einen Plan abändern. Zugrunde liegt dieselbe bildliche Vorstellung wie bei „↗Haufen 21". Seit dem 19. Jh.
32. beim ~ sein = Soldat sein. 1500 *ff.* ↗Haufen 2.
33. einen ~ zu tun haben = viel zu tun haben. 19. Jh.
34. etw über den ~ werfen = eine Entscheidung rückgängig machen. Sinngemäß wirft man den Plan o. ä. zu dem bereits aufgehäuften Abfall. ↗Haufen 31. 1600 *ff.*
35. einen ~ wissen = viel wissen. Seit dem 19. Jh.
Haumichblau *n* Prügel. Eigentlich ein Aprilscherzwort: Man schickt das Kind in die Apotheke, um für einen Groschen „Haumichblau" zu holen. Seit dem 19. Jh.
Haupt *n* **1.** bemoostes ~ = a) alter Student; Mensch in höherem Alter. ↗bemoost 1. Seit dem 18. Jh, *stud.* – b) alter Wein. 1920 *ff.* – c) Bankdirektor, Finanzmann. ↗Moos = Geld. 1920 *ff.*
2. sein müdes ~ hinlegen (niederlegen) = sich schlafen legen. Scherzhaft poetisierende Redewendung. 1900 *ff.*
3. sein graues (greises) ~ schütteln = den Kopf schütteln. Geht zurück auf Adelbert von Chamissos Ballade „Das Schloß Boncourt" (1827). Der Text gehörte früher zum Unterrichtsstoff an den Gymnasien. Seit dem 19. Jh.
Hauptaktion *f* ↗Haupt- und Staatsaktion.
Hauptfrau *f* feste Freundin eines jungen Mannes. 1955 *ff.*
Haupthahn *m* **1.** Frauenliebhaber, Frauenliebling. Hergenommen vom Herrscher auf dem Hühnerhof: einen anderen gleich-

berechtigten Hahn duldet er nicht neben sich. Seit dem 19. Jh.
2. Verantwortlicher; Leiter; Könner. Seit dem 19. Jh.
Hauptkampftag *m* Hauptarbeitstag; Tag mit besonderem Arbeitsanfall. Aus dem *milit* Sprachgebrauch übernommen. 1920 *ff.*
Hauptkerl *m* **1.** Anführer; tüchtiger Mann. 1800 *ff.*
2. in allen Listen erfahrener Mann. Seit dem 19. Jh.
Häuptling *m* **1.** Vorgesetzter, Hauptmann. Da die Chargenbezeichnung „Hauptmann" vor 1842 nicht üblich war, muß der Ausdruck zwischen 1842 und 1870 (früheste Buchung) aufgekommen sein, vermutlich im Zusammenhang mit den Indianererzählungen von James Fenimore Cooper.
2. Leiter einer Theatertruppe; Intendant. Theaterspr. seit dem ausgehenden 19. Jh.
3. Vater. *Jug* 1950 *ff.*
4. Schulleiter. 1920 *ff.*
5. Lehrer. 1950 *ff.*
6. Klassensprecher. 1950 *ff.*
7. Parteivorsitzender. 1965 *ff.*
8. Großer ~ Mann (Kosewort). 1900 *ff.*
Hauptmacher *m* Oberhaupt; verantwortlicher Leiter; sehr betriebsamer Mensch. ↗Macher. Meint in der Kaufmannssprache eigentlich den führenden Fabrikanten in einer Branche oder an einem Ort. 1900 *ff.*
Hauptmacker (-makker) *m* Anführer, Anstifter u. ä. ↗Macker. 1910 *ff.*
Haupt-Mann *m* Hauptverantwortlicher; Leiter. 1920 *ff.*
Hauptstadt *f* **1.** ~ auf Abruf = Berlin seit 1945. Um 1949 entstanden, als Bonn zur einstweiligen Bundeshauptstadt gewählt wurde.
2. ~ der Bewegung = Bett, Eheschlafzimmer. Nach 1933 aufgekommen, als München zur „Hauptstadt der (national-sozialistischen) Bewegung" erklärt wurde.
3. ~ der Körperbewegung = München als Stätte der Olympischen Spiele 1972. *Vgl* das Vorhergehende. Seit 1966.
4. ~ des Nepps = Frankfurt am Main. ↗Nepp. 1966 *ff.*
5. ~ des Vergnügens = München. Anspielung auf das Oktoberfest, auf Schwabing usw. 1966 *ff.*
6. ~ im Wartestand = Berlin seit 1945. *Vgl* ↗Hauptstadt 1. 1950 *ff.*
7. Deutschlands heimliche ~ (heimliche deutsche Hauptstadt) = München. Soll 1963/64 von Peter Brügge geprägt worden sein nach dem Vorbild von München als „Hauptstadt der Bewegung". München war in der NS-Zeit die einzige Großstadt, die (außer der Reichshauptstadt Berlin) den Rang einer Hauptstadt erhielt.
Haupt- und Staatsaktion *f* **1.** umständliche, übertriebene, überflüssige Aufbauschung einer unwichtigen Sache. Geht zurück auf wandernde Schauspielertruppen, die um 1700 die Texte ihrer Theaterzettel sehr marktschreierisch abfaßten. Seit dem späten 19. Jh.
2. von höchster Stelle angeordnete Maßnahme der Verbrechensbekämpfung. 1972 *ff.*
Hauptverkehrszeit *f* Wochenende. Anspielung auf den Geschlechtsverkehr. 1965 *ff.*

Hauptwitz *m* das Entscheidende; Sache, auf die es ankommt. ↗Witz. Seit dem 19. Jh.
Hau'ruck *m* **1.** *pl* = Straßenbauarbeiter, Vorarbeiter; Streckenarbeiter bei der Eisenbahn. „Hau- ruck" ist das Kommando des Vorarbeiters zum gemeinsamen Anheben von Schienen o. ä. 1910 *ff.*
2. *sg* = Stegreifhandlung; Unbedachtsamkeit. 1950 *ff.*
3. mit ~ = ohne Rücksichtnahme; nachdrücklich. 1950 *ff.*
Hau'ruckfahrer *m* Autofahrer, der auf die jeweilige Verkehrslage keine (kaum) Rücksicht nimmt. Er „haut" den Fuß auf das Gaspedal und startet mit einem „Ruck". 1966 *ff.*
Hau'ruckfußball *m* plumpes, mit wenig technischem Können ausgetragenes Fußballspiel. *Sportl* 1950 *ff.*
Haus *n* **1.** Fall = ~ Note 5. Mißverstanden aus „↗full house 2". *Schül* 1960 *ff.*
2. ~ der tausend Betten = Unterkunft, Kaserne o. ä. *BSD* 1965 *ff.*
3. ~ der Bewegung = Bordell. Eigentlich Name des „Braunen Hauses" der NSDAP in München. 1933 *ff.*
4. ~ der Freuden = Bordell. 1965 *ff.*
5. ~ am Haken = Wohnwagen. 1960 *ff.*
6. ~ der roten Laterne = Bordell. 1950 *ff.*
7. ~ der fünfhundert Schlafzimmer = Verwaltungshochhaus. Fußt auf der volkstümlichen Meinung, daß Verwaltungsbeamte ihre Dienstzeit vorwiegend mit Schlafen verbringen. 1960 *ff.*
8. ~ im Schlepp = Wohnwagen. 1960 *ff.*
9. ~ der barmherzigen Schwestern = Bordell. *Vgl* „barmherzige ↗Schwester". 1960 *ff.*
10. ~ von der Stange = Fertighaus. ↗Stange. Kurz nach 1950 aufgekommen.
11. ~ der sieben Sünden = Prostituierten-Wohnheim; Haus mit Bordell-Etagen u. ä. Die Bezeichnung fußt auf der katholischen Lehre von den sieben Hauptsünden (Wollust, Völlerei usw.). 1930 *ff.*
12. altes ~ = a) alter Freund; Student mit vielen Semestern. „Alt" meint „langjährig, treu", und „Haus" ist in der Bedeutung „Person" dem Begriff „Dynastie, Fürstenfamilie" entlehnt. *Stud* aus den späten 18. Jh; danach allgemein. – b) alter Mann. Seit dem 19. Jh. – c) Frau in vorgerückten Jahren. Seit dem 19. Jh.
13. du altes ~, neu verputzt = Versager. Der neue Verputz ändert nichts an der brüchigen Bausubstanz des alten Hauses. 1954 *ff, schül.*
14. begabtes ~ = begabter Mensch. 1900 *ff.*
15. bemoostes ~ = Student in höheren Semestern. ↗bemoost 1. 1800 *ff.*
16. fesches ~ = umgänglicher, hilfsbereiter, kameradschaftlicher Mann. ↗fesch. Wien 1900 *ff.*
17. fideles ~ = lebenslustiger, lebenshungriger Mensch. ↗fidel. 1800 *ff.*
18. frommes ~ = frommer Mensch. 1800 *ff.*
19. gelehrtes ~ = kluger Mensch mit großem Wissen. 1900 *ff.*
20. gemütliches ~ = geselliger, lustiger Mensch. 1900 *ff.*
21. gescheites ~ = kluger Mensch. 1900 *ff.*
21 a. gutes ~ = guter, verläßlicher Mensch. 1870 *ff.*

22. gutmütiges ~ = gutmütiger Mensch. 1920 ff.

23. kein ~ ohne Maus = keine noch so gute Karte ohne eine oder mehrere nichtzählende. Kartenspielerspr. seit dem 19. Jh.

24. kluges ~ = kluger Mensch. 1900 ff.

25. komisches ~ = wunderlicher Mensch. 1920 ff.

26. lustiges ~ = Spaßmacher; heiterer Unterhalter. Seit dem 19. Jh.

27. patentes ~ = sehr umgänglicher, zuverlässiger Mensch. ↗patent. 1900 ff.

28. rollendes ~ = Wohnwagen. 1960 ff.

29. tolles ~ = überspannter Mensch. 1900 ff.

29 a. verrücktes ~ = Stimmungsmacher; lustiger Mensch mit witzigen Einfällen. 1880 ff.

30. witziges ~ = Witzbold. 1920 ff.

31. zünftiges ~ = verläßlicher Mann; guter Kamerad. ↗zünftig. Bayr 1920 ff.

32. ein Rausch wie ein ~ = schwerer Rausch. „Haus" dient hier zur Veranschaulichung der Größe, des Ausmaßes. Österr seit dem 19. Jh.

33. auf jn Häuser bauen können = sich auf jn fest verlassen können. Der Betreffende ist so gediegen wie der Grund, auf dem man ein Haus errichten kann. Wohl der Bibelsprache entlehnt oder nachgebildet mit Bezug auf Petrus („auf diesen Felsen will ich meine Kirche bauen"). Seit dem 17. Jh.

34. damit kannst du zu ~e bleiben = verschone mich mit dieser Belanglosigkeit! Gemeint ist, daß man wegen solch einer Unerheblichkeit sein Haus nicht hätte zu verlassen brauchen. Seit dem 18. Jh.

35. einen nach ~e bringen = beim Kartenspiel einen Stich machen. Kartenspielerspr. 1900 ff.

36. jm das ~ einlaufen (einrennen) = jn oft besuchen und ihm zur Last fallen; jn mit Bitten bestürmen. Seit dem 19. Jh.

37. jm ins ~ fallen = jn unangemeldet, stürmisch besuchen. 1800 ff.

38. ihm flattert ein Brief ins ~ = ihm wird ein Brief zugeschickt, zugestellt. 1920 ff.

39. Einfälle wie ein altes ~ haben = sonderbare Einfälle haben. Hier treffen zwei Bedeutungen desselben Worts zusammen: „ein Haus fällt ein", und „einem Menschen fällt etwas ein". Früher hieß es auch „Einfälle wie ein altes Seitengebäude haben"; dies beruhte auf einer von König Friedrich Wilhelm I. von Preußen 1714 erlassenen Bestimmung, wonach jeder Berliner Grundbesitzer zu bauen habe, falls sein Grundstück nicht konfisziert werden solle; daher baute man die nicht zur Straße gelegenen Flügel nur schlecht, so daß sie Wind und Wetter nur kurze Zeit standhielten. Seit dem 17. Jh.

40. etw zu ~e lassen = etw nicht in Erscheinung treten lassen; sich etw abgewöhnen. Seit dem 19. Jh.

41. jm nach ~e leuchten = a) jn hinausweisen. ↗heimleuchten. Seit dem 19. Jh. – b) jm ernste Vorhaltungen machen; jm unumwunden sagen, was man von ihm hält. 1900 ff.

42. da werden nachts die Häuser (durchs Fenster) reingeholt = das ist eine unsichere Gegend. BSD 1965 ff.

43. nie zu ~e sein = allen Bitten ablehnend gegenüberstehen. Eigentlich die Reaktion auf das Anklopfen oder Klingeln an der Haustür. 1900 ff.

44. wenn er hinfällt (zweimal hinfällt), ist er zu ~: Redewendung auf einen sehr großwüchsigen Menschen. Berlin seit Ende des 19. Jhs.

45. in etw zu ~e sein = in etw gründlich Bescheid wissen; eine Sache gründlich beherrschen. Man ist darin heimisch wie im eigenen Haus. 1700 ff.

46. ihm steht etw ins ~ = er kann etw mit Sicherheit erwarten. Dem Wortschatz der Kartenlegerinnen entlehnt. 1950 ff.

47. es steht auf dem (übern) kurzen Weg ins ~ = es nähert sich bedrohlich. Vgl das Vorhergehende. 1950 ff.

48. das ~ auf den Kopf stellen = im Haus das Unterste zuoberst kehren; im Haus ein Durcheinander anrichten; eine Hausdurchsuchung vornehmen. Seit dem 18. Jh. Vgl engl „to turn the whole house upside down".

49. alles aus dem ~ tragen = familiäre Vorfälle ausplaudern. Seit dem 19. Jh.

50. das ~ verliert nichts = im Hause Verlorenes findet man im Hause wieder. Seit dem 19. Jh.

51. auf daß mein ~ voll werde = a) Redewendung des Kartenspielers, der Stich auf Stich einheimst oder beim Ramsch aufs Ganze geht. Geht zurück auf die Bibel (Lukas 14, 24). 1850 ff. – b) Redewendung, wenn viele Leute in den Raum treten und weitere nachkommen. 1900 ff.

52. um die Häuser ziehen (gehen) = Wirtshäuser aufsuchen, einkehren. Halbw 1975 ff.

Hausaltar m Fernsehgerät. Es ist ein „fromm" verehrter Gegenstand, vor dem sich die Familie in Andacht versammelt. BSD 1965 ff.

Häuschen (Häusl) n **1.** Abort. Bezieht sich auf den Umstand, daß früher der Abort vom Haupthaus getrennt, in einem kleinen, niedrigen Nebenhäuschen eingerichtet war. Seit dem 15./16. Jh.

2. ~ zum Fasse-dich-kurz = Telefonzelle. Wegen der Mahnung „fasse dich kurz". 1968 ff.

3. ~ mit Herz (Herzchen, Herzerl) = Abort. Bezieht sich auf den herzförmigen Ausschnitt in der Tür. Bayr 1900 ff.

4. jn aus dem ~ bringen = jn aufregen, aus der Fassung bringen. Weiterentwickelt aus dem Vergleich des Menschen mit einem Haus. Das ganze Haus ist der Mensch, das Dach der Kopf, die Fenster die Augen usw. Seit dem 19. Jh.

5. aus dem ~ fahren (gehen, geraten, kommen) = die Fassung verlieren; von Sinnen kommen; närrisch werden. Vgl das Vorhergehende. Seit dem 19. Jh.

6. aus dem ~ sein = außer sich sein. 1750 ff.

Hausdrache m **1.** unverträgliche Ehefrau; die Hausbewohner beherrschende Pförtnerin; herrschsüchtige Haushälterin. ↗Drache. Seit dem 18. Jh.

2. autoritärer Vater. Schül 1955 ff.

Hausehre f Hausfrau. Bezeichnete im Mittelalter das Hauswesen und dann die Hausfrau als dafür Verantwortliche. Schon damals scherzhaft gemeint, heute meist spöttisch. Seit dem 15. Jh.

Hausfrau f **1.** junges Mädchen, das von den Eltern streng gehalten wird. Es ist ans Haus gebunden und hat wenig oder keinen Ausgang. Halbw 1955 ff.

2. gestandene ~ = Hausfrau mit langjähriger Berufserfahrung. ↗gestanden. 1950 ff.

Hausfrauenstütze f Korsett. 1900 ff.

Hausgeist m Hausangestellte, Hausfrau. Eigentlich Bezeichnung für einen freundlichen Hauskobold. 1900 ff.

hausgemacht adj **1.** ohne besondere Ansprüche hergestellt. Übertragen von daheim gewebtem Leinen, von der Hausschlachtung o. ä. 1950 ff.

2. national; auf den Bereich eines Staates beschränkt. Zur Geldentwertung betonen die Politiker seit 1969/1970, daß sie nicht „hausgemacht", sondern eine internationale Erscheinung sei.

Hausgreuel pl künstlerisch wertlose Gegenstände der häuslichen Inneneinrichtung. Vielfach sind es Geschenke, deren Geber man nicht kränken möchte. 1910 ff.

Haushaltskram m Hauswirtschaft (abf.). 1950 ff.

Haushaltsmaschine f lebende ~ = Hausfrau. 1977 ff.

Haushaltsmuffel m Mann ohne Sinn für Arbeiten im Haushalt. ↗Muffel 2. 1970 ff.

Haushammel m Ehemann, der hausfrauliche Arbeiten verrichtet. ↗Hammel 1. Seit dem 19. Jh.

Hausherren pl Mannschaft auf eigenem Platz. Sportl 1950 ff.

haushoch adv **1.** bei weitem; mit Überlegenheit (z. B.: die Mannschaft war haushoch überlegen). Von der Kartenspielersprache hergenommen: „das ist eine Karte wie ein Haus hoch = das ist eine gute Spielkarte". Um 1920 in die Sportlersprache vorgedrungen.

2. ~ im Arsch: Redewendung, wenn der Kartenspieler vor einem einzigen Punkt verloren hat. 1870 ff.

3. es reicht ~ = es reicht bei weitem; es ist mehr als genug. 1920 ff.

hausieren (hausieren gehen) v mit etw ~ = etw überall anzubringen suchen; immer dasselbe vorbringen. Hergenommen vom Hausierer, der seine Waren von Haus zu Haus anbietet. Seit dem 19. Jh.

Hausierer m Mensch, der auf Kosten anderer lebt. Er geht regelmäßig und abwechselnd zu bekannten Familien und an vereinbarten Tagen beköstigt wird. Halbw 1960 ff.

Hauskatze f **1.** häuslicher Mensch; Mensch, den es nicht in die weite Welt zieht. Er verhält sich wie eine ans Haus gewöhnte Katze. 1600 ff.

2. unverträgliche Ehefrau. Katzen gelten als launisch; sie fauchen und kratzen. 1900 ff.

3. da wiehert ja meine ~!: Ausdruck der Verwunderung über eine unsinnige Meinung. 1920 ff.

Hausklingel f Brustwarze der Frau. Wegen der Ähnlichkeit mit dem Klingelknopf. Dazu Gereimtes: „Klingelzug und Mädchenbusen, beide sind sich nahverwandt: hält ihn einer in der Hand, wird wohl unten einer stehn, der begehrt hineinzugehen." Seit dem 19. Jh.

Hausknochen m **1.** Hausschlüssel. Der Abort lag früher nicht in der Wohnung, sondern im Hof oder Garten; an den Schlüssel dazu band man einen großen

Knochen o. ä., damit man ihn nicht in die Tasche steckte und vergaß. Seit dem 19. Jh.
2. Portier; Portiersfrau in Miethäusern; Hausknecht. ↗Knochen = Mann. Seit dem späten 19. Jh, *stud.*
Hausknüppel *m* **1.** Hausschlüssel. ↗Hausknochen 1. 1870 *ff.*
2. Hotelportier. *Vgl* ↗Hausknochen 2. 1905 *ff.*
Hauskram *m* Hausfrauenarbeit. ↗Kram. 1900 *ff.*
Hauskreuz *n* unverträgliche Ehefrau. Meint eigentlich das häusliche Leid, dann die durch die zänkische Frau herbeigeführten Unstimmigkeiten und schließlich die Urheberin selbst. Seit dem 17. Jh.
Hausl *m* Hausknecht, -meister. *Bayr* 19. Jh.
Häusl *n* ↗Häuschen.
häuslich *adv* sich bei jm ~ niederlassen = es sich bei jm bequem machen; sich bei jm für längere Zeit einrichten. „Sich häuslich niederlassen" meint eigentlich soviel wie „einen eigenen Hausstand gründen". 1900 *ff.*
Hausmann *m* Ehemann, der Hausfrauenarbeit verrichtet. Früher soviel wie der Vorsteher einer Haushaltung; der Portier. Hier als Gegenwort zu „Hausfrau" aufgefaßt. 1955 *ff.*
Hausmiete *f* die halbe ~ = ein Stich, der 31 Punkte zählt und damit die Hälfte der zum Gewinnen erforderlichen Punktezahl ausmacht. Kartenspielerspr. 1850 *ff.*
Hausmuffel *m* übertrieben häuslicher Mann. ↗Muffel. 1969 *ff.*
Hausnummer *f* **1.** Regimentsnummer. Seit dem späten 19. Jh.
2. Schuhgröße. 1890 *ff.*
3. Note für Klassenarbeiten. *Schül* 1950 *ff, österr.*
4. hohe ~ = a) hohes Würfelergebnis. 1870 *ff.* – b) mehr als 30 Punkte beim Skatspiel. 1900 *ff.*
5. höhere ~ = höherer Rang. 1960 *ff.*
6. hübsche (nette) ~ = beträchtlicher Umsatz. Kellnerspr. 1955 *ff.*
7. niedrigste ~ = niedrigste Zahl beim Würfeln. 1870 *ff.*
8. das ist meine ~ = das entspricht meinen Vorstellungen. ↗Hausnummer 2; *gleichbed* mit ↗Kragenweite 9. 1970 *ff.*
9. das ist eine ~ zu groß für ihn = das taugt nicht für ihn. ↗Hausnummer 2. *Vgl* das Vorhergehende.
Hauspostille *f* **1.** Aufwärterin, Haushälterin, Putzfrau. Wohl weil sie in einen geordneten Haushalt gehört wie früher das Andachtsbuch. 1700 *ff.*
2. Haus-, Parteizeitung. 1960 *ff.*
Hauspusselchen *n* Hausmütterchen. ↗Pusselchen. 1950 *ff.*
Hausputschen *pl* Pantoffeln. Nebenform von ↗Patschen. Thüringen 1900 *ff.*
Haussegen *m* **1.** zerbrochener ~ = geschiedene Ehe. Der Haussegen ist ein auf einer Tafel angebrachter Segensspruch, der an bevorzugter Stelle im Haus aufgehängt wird. Er versinnbildlicht den häuslichen Frieden. 1960 *ff.*
2. den ~ wieder ins Lot bringen = den häuslichen Frieden wiederherstellen. 1950 *ff.*
3. der ~ hängt wieder grade = im Haus ist wieder Eintracht eingetreten. 1950 *ff.*
4. der ~ hängt schief = a) in der Ehe (Familie) herrscht Unfrieden. Seit dem

späten 19. Jh. – b) eine Gruppe ist entzweit. 1950 *ff.*
5. den ~ schief hängen = dem Ehepartner grollen. 1950 *ff.*
6. es stört den ~ = es stört den häuslichen Frieden. 1950 *ff.*
7. der ~ wackelt = ein Ehestreit kündigt sich an. 1920 *ff.*
Hausteufel *m* **1.** unverträgliche Ehefrau, Haushälterin o. ä. 1500 *ff.*
2. Miethausportier oder seine Frau. 1920 *ff.*
Haustier *n* **1.** häuslicher Mensch. Er ist wie ein Tier, das im Haus gehalten wird, ans Haus gewöhnt ist. 1920 *ff.*
2. *pl* = Ungeziefer, Kakerlaken, Ratten usw. 1910 *ff.*
Haustiger *m* Katze. 1920 *ff.*
Haustrampel *m f n* **1.** Hausgehilfin. ↗Trampel. 1900 *ff.*
2. häusliche Ehefrau; Hausfrau ohne modische Eleganz. 1900 *ff.*
Haustür *f* vor der ~ abladen = den Koitus knapp vor der Ejakulation abbrechen (Coitus interruptus). Der Samenerguß erfolgt vor dem Scheideneingang. Spätestens seit 1900.
Haustyrann *m* unverträglicher, herrischer Hausbewohner. 1800 *ff.*
Hausvater *m* was tut ein kluger ~?: rhetorische Frage eines Kartenspielers, der in einer verwickelten Lage schwankt. „Kluger Hausvater" ist der Titel von Ratgeberbüchern über landwirtschaftliche, hauswirtschaftliche u. ä. Alltagsdinge. Kartenspielerspr. Berlin 1870 *ff.*
Haut *f* **1.** Mensch. In *mhd* Zeit ein Scheltwort, im 17./18. Jh in vertraulicher Rede gemildert zu einer anerkennenden Bezeichnung. Vorwiegend *oberd.*
2. Soldatenliebchen. *Rotw* 1862 *ff.*
3. junges Mädchen; weiblicher Teenager. *Halbw* 1955 *ff.*
4. Prostituierte. *Österr* 19. Jh.
5. ~ voll Flöh = die oberen Zehntausend; die Generalität. Scherzhaft eingedeutscht aus *franz* „haute volée = vornehme Leute". Seit dem späten 19. Jh, vorwiegend *oberd.*
6. anständige ~ = zuverlässiger, charaktervoller Mensch. 1930 *ff.*
7. arme ~ = bedauernswerter Mensch; Mensch, der hart arbeiten muß. Seit dem 17. Jh, *oberd.*
8. brave ~ = redlicher Mensch. Seit dem 19. Jh.
9. dufte ~ = nettes Mädchen. ↗Haut 3; ↗Haut 1. *Halbw* 1955 *ff.*
10. dünne ~ = Hochempfindlichkeit eines Menschen. Gegensatz: „dickes ↗Fell". 1920 *ff.*
11. ehrliche ~ = aufrichtiger, ehrlicher, redlicher Mensch; Mensch, der infolge seiner Redlichkeit leicht übertölpelt werden kann. Seit dem 17. Jh.
12. faule ~ = arbeitsträger Mensch. Seit dem 19. Jh.
13. gute ~ = gutmütiger, umgänglicher, hilfsbereiter Mensch. 1800 *ff.*
14. lustige ~ = lustiger Mensch; Spaßmacher. Seit dem 19. Jh.
15. schlechte ~ = unzuverlässiger, nicht vertrauenswürdiger, niederträchtiger Mensch. *Österr* 1900 *ff.*
16. spitze ~ = nettes junges Mädchen. ↗Haut 3. „Spitz" spielt vielleicht auf die spitze Form der Brüste an; von da erwei-

tert zur Charakterisierung der enganliegenden Kleidung. *Halbw* nach 1950.
17. steile ~ = reizendes, eindrucksvolles Mädchen. ↗Haut 3; ↗steil. *Halbw* nach 1950.
18. treue ~ = treuer, anhänglicher Mensch. Seit dem 19. Jh.
19. vertrocknete ~ = langweiliger Mensch. „Der Saft ist raus." 1900 *ff.*
20. viel ~ (eine Menge ~) = spärliche Bekleidung. 1950 *ff.*
21. zweite ~ = a) Büstenhalter, Mieder, Slip; weibliche Unterkleidung; Trikot; Badeanzug. 1960 *ff.* – b) enganliegender Anzug für Ski-Abfahrtsläufer. 1974 *ff.*
22. mit ~ und Haar = völlig; ohne Rest. Geht zurück auf Raubtiere, die ihre Beute mit Haut und Haar verschlingen; doch *vgl* die im 16. Jh geläufige Redensart „jn zu Haut und Haar strafen = jn auspeitschen und kahlscheren". Seit dem 17. Jh.
23. mit ~ und Haaren = nackt. 1960 *ff.*
24. in die ~ hinein = bis ins Innerste; durchaus (man schämt sich in die Haut hinein). Gemeint ist, daß nicht bloß die Oberfläche berührt wird. 1800 *ff.*
25. mit der ~ bekleidet = nackt. Scherzhaft gilt auch die Haut als Kleid. Spätestens seit 1900.
26. auf die ~ gearbeitet = a) enganliegend (von Kleidungsstücken gesagt). 1955 *ff.* – b) räumlich beengt; wenig Bewegungsfreiheit lassend. 1960 *ff.*
27. nur mit der ~ kostümiert = unbekleidet. ↗Haut 25. 1960 *ff.*
28. jn bis auf die ~ ausfragen = jn gründlich ausfragen. Man entblößt ihn mit den Fragen. 1930 *ff.*
29. es brennt ihm auf die ~ = es berührt ihn sehr. 1950 *ff.*
29 a. die ~ in Sicherheit bringen = das eigene Leben retten. Spätestens seit 1914.
30. jm die ~ demolieren = deflorieren. Haut = Jungfernhäutchen. 1900 *ff.*
31. das dringt unter die ~ = das bleibt nicht ohne nachhaltigen Eindruck; das wird sehr leicht verstanden. Es bleibt nicht auf der Oberfläche. *Vgl* ↗Haut 39. 1935 *ff.*
32. eine straffe ~ drummen („drammen" ausgesprochen) = am Schlagzeug (auf der Trommel) sein Bestes geben, im Könner sein. Haut = Trommelfell. „Drummen" geht zurück auf *engl* „to drum = trommeln, klopfen, pochen". *Halbw* nach 1950.
33. aus der ~ fahren = die Fassung verlieren; aufbrausen. Zusammenhängend mit dem Werwolfglauben, der Mensch könne seine Haut verlassen und in einen Wolfskörper schlüpfen. Heute meist als Vergröberung des singleichen Ausdrucks „außer sich geraten" aufgefaßt. *Vgl engl* „to jump out of one's skin".
34. es ist, um aus der ~ zu fahren und sich danebenzusetzen!: Ausdruck des Unmuts, der Verzweiflung. *Vgl* das Vorhergehende. 1870 *ff.*
35. aus ~ und Knochen fahren = sehr wütend sein. Verstärkung von ↗Haut 33. 1939 *ff.*
36. in die ~ fahren = sich nach einem Wutausbruch beruhigen. Scherzhafte Wendung. 1870 *ff.*
37. jn mit ~ und Haar fressen = jn rücksichtslos drillen. ↗Haut 22. *Sold* 1914 (?) *ff.*
38. etw mit ~ und Haar(en) fressen =

etw gründlich, unvergeßlich in sich aufnehmen, begreifen. ↗ Haut 22. 1920 ff.

39. es geht unter die ~ = es wird tief empfunden; es wirkt nachhaltig. *Vgl* ↗ Haut 31. Zusammenhängend mit subkutaner Einspritzung. *Vgl* die (ältere) *engl* Wendung „that gets under your skin". 1935 ff.

40. jm unter die ~ greifen = jds Schwächen bloßlegen; jn entlarven. 1950 ff.

41. eine dicke ~ haben = ohne Feinempfinden sein; viel Widerwärtiges aushalten können. Analog zu „ein dickes ↗ Fell haben". Seit dem 19. Jh.

42. eine dünne ~ haben = hochempfindlich sein; keine Kraftnatur sein. 1920 ff.

43. neun Häute haben = zäh, widerstandsfähig sein. Von der Katze sagt man, sie habe neun Leben. 1800 ff.

44. jm einen auf die ~ hetzen = a) jn durch einen anderen bedrängen (erpressen) lassen. Vom Jagdhund hergenommen, der auf das Wild gehetzt wird. 1850 ff. – b) jn durch einen Gedungenen verprügeln lassen. 1850 ff.

45. dir juckt wohl die ~? = du willst wohl Schläge haben? Jucken = reizen. ↗ Fell. Seit dem 19. Jh.

46. eine dicke ~ kriegen = unempfindlich werden; sich nicht alles zu Herzen nehmen. ↗ Haut 41. Seit dem 19. Jh.

47. sich auf die ~ legen = sich schlafen legen. 1935 ff.

48. sich auf die faule ~ legen = sich dem Müßiggang hingeben. Fußt auf der irrtümlichen Ansicht der Humanisten, daß die alten Germanen sich untätig auf Bärenhäuten räkelten. Seit dem 18. Jh.

49. auf der faulen ~ liegen = nichts tun; nichts leisten. *Vgl* das Vorhergehende. 1700 ff.

50. ihm platzt die ~ = er verliert die Beherrschung; er braust auf. Der Zornige atmet schneller, die Zornesader schwillt: man hat das Gefühl, die Haut werde einem zu eng. Man gerät „außer sich". 1940 ff.

51. nicht aus seiner ~ rauskönnen = seine Eigenart nicht verleugnen können; seinen Standpunkt beibehalten. Aus den älteren Redewendungen „die alte Haut ausziehen" und „aus der alten Haut kriechen" ergibt sich als entfernter Niederschlag die Verwandtschaft mit dem bibelsprachlichen Ausdruck „den alten Adam ausziehen" und „den neuen Adam anziehen". Seit dem 19. Jh.

52. jm etw unter die ~ reiben = jm ernste Vorhaltungen machen. ↗ Haut 31. 1971 ff.

53. seine ~ retten = sein Leben retten; sich in Sicherheit bringen. *Gleichbed* im 16. Jh „die Haut davonbringen". 1900 ff.

54. ~ und Knochen riskieren = sich dem Gedränge aussetzen. Man kann Hautabschürfungen und sogar Knochenbrüche davontragen. 1950 ff.

55. jm auf die ~ rücken = sich jm in geschlechtlicher Absicht nähern. 1935 ff.

56. es scheuert auf der ~ = es geht einem nahe, macht einem innerlich zu schaffen. Vom Wundreiben übertragen auf eine schmerzende seelische Wunde. 1935 ff.

57. in die ~ eines anderen schlüpfen = Schauspieler sein. 1920 ff.

58. sich etw nicht aus der ~ schneiden

können = etw unmöglich herbeischaffen können. 1900 ff.

59. die ~ schonen = a) arbeitsträge sein. 1910 ff. – b) sich der Gefahr (Verantwortung) entziehen. *Sold* 1914 ff.

60. ihm ist nicht wohl in seiner ~ (er fühlt sich in seiner ~ nicht wohl) = ihm ist seine Lage unbehaglich; er fühlt sich beklommen; er hat Gewissensbisse; er hat Bedenken. Seit dem späten 18. Jh.

61. nur noch ~ und Knochen (Bein) sein = abgemagert sein. Der Betreffende ist wenig mehr als ein Gerippe. 1600 ff. *Vgl gleichbed franz* „n'avoir que la peau et les os".

62. ihm ist die ~ zu kurz = er läßt Darmwinde entweichen. *Vgl* Joachim Ringelnatz: „Dem ist die Haut zu kurz. Wenn er die Augen schließt, öffnet sich sein Arschloch". 1900 ff.

62 a. es sitzt ihm unter der ~ = er steht noch völlig unter dem Eindruck des Erlebnisses, der Nachricht. *Vgl* ↗ Haut 31. 1950 ff.

63. einen Mann die ~ spüren lassen = mit einem Mann in Geschlechtsverkehr treten. ↗ Haut 55. 1935 ff.

64. in keiner guten ~ stecken = leicht kränkeln; sich unwohl fühlen. Seit dem 17. Jh.

65. in Ihrer ~ möchte ich mal stecken (und seien es auch nur ein paar Zentimeter): anzügliche Redewendung an eine anziehende weibliche Person. Anspielung auf den Koitus. 1930 ff.

66. nicht in jds ~ stecken mögen = nicht in jds Lage sein mögen. 1700 ff. *Vgl franz* „ne pas vouloir être dans la peau de quelqu'un".

67. ~ tragen = dekolletiert sein; unbekleidet sein; keine Strümpfe tragen. 1950 ff.

68. seine ~ zu Markte tragen = a) sich einer Gefahr aussetzen; die unangenehmen Folgen einer Sache tragen müssen. Meint eigentlich, daß einer die Häute geschlachteter Tiere als Bußgeld o. ä. abliefert; wer gar seine eigene Haut zu Markte trägt, muß damit rechnen, daß man sie ihm abzieht, daß man ihn schindet. Seit dem 17. Jh. *Vgl franz* „faire bon marché de sa peau". – b) Callgirl, Prostituierte sein; Striptease vorführen; spärlich bekleidet auftreten; sich nackt zur Schau stellen. Aus dem Vorhergehenden in wörtlichem Sinn gegen 1955/1960 aufgekommen.

69. die ~ in großen Stücken zu Markte tragen = tiefdekolletiert sein. 1955 ff.

69 a. die ~ teuer verkaufen (so teuer wie möglich verkaufen) = dem Gegner den Sieg nicht leicht machen. 1960 ff.

70. die ~ versaufen = nach der Beerdigung Gastwirtschaften aufsuchen; sich an einem Leichenschmaus beteiligen. Analog zu ↗ Fell 31. 1500 ff.

71. jm mit ~ und Haar verschlingen = jn moralisch (körperlich) erledigen. ↗ Haut 22. *Sold* 1935 ff.

72. sich ~ an ~ verstehen = ineinander verliebt sein; kosen; koitieren. *Vgl* ↗ Haut 55. 1964 ff.

73. die ~ vollkriegen = Prügel erhalten. 1900 ff.

74. jm die ~ vollschlagen = jn verprügeln. 1800 ff.

75. sich seiner ~ wehren = seine Handlungsweise tapfer vertreten; sich gegen

Übergriffe (ungerechtfertigte Vorhaltungen, Verleumdungen usw.) zur Wehr setzen. Eigentlich auf den Kampf bezogen, heute auf geistige Selbstbehauptung. 1600 ff.

76. viel ~ zeigen = spärlich bekleidet sein; stark dekolletiert sein. 1955 ff.

77. in die ~ zurückkommen = sich nach einer Aufregung beruhigen. Gegenausdruck „aus der ↗ Haut fahren". Scherzhafte Redensart; *vgl* ↗ Haut 36. 1870 ff.

hauteng *adv* **1.** sehr nahegehend; tief beeindruckend. Eigentlich von enganliegender Bekleidung gesagt. 1955 ff.

2. ~ tanzen = eng aneinandergeschmiegt tanzen. 1955 ff, *halbw*.

Haute Volaute (Haute Wolaute) *f* die oberen Zehntausend; die vornehmen Gesellschaftskreise. Geht zurück auf *franz* „haute volée" (= vornehme Leute; hoher Rang). Um des Binnenreims willen von Studenten im späten 19. Jh umgeformt.

hautnah *adj* **1.** aus nächster Nähe. 1950 ff.

2. dichtgedrängt. 1950 ff.

3. nackt. 1950 ff.

4. das Menschliche sehr nah berührend. 1950 ff.

5. ~ flirten = bei engem Nebeneinandersitzen, beim Tanzen flirten. 1950 ff.

Hawaii-Gitarre *f* Maschinenpistole. Die Hawaii- Gitarre wird ähnlich gehalten wie die Maschinenpistole. *BSD* 1965 ff.

Haxe (Haxn) *f (m)* **1.** Bein. Meint eigentlich den Kniebug des Hinterbeins bei Tieren. Auf den Menschen übertragen im 17. Jh, vorwiegend *oberd*.

2. sich ~n ablaufen = viele Wege machen. ↗ Bein 22. Seit dem 18. Jh.

3. sich eine ~ ausreißen = sich abplagen. ↗ Bein 28. *Oberd* seit dem 19. Jh.

4. ~n machen = sich beeilen. *Oberd* seit dem 19. Jh.

5. auf einer ~ steht man schlecht = ein zweites Glas Alkohol sollte man nicht ausschlagen. ↗ Bein 122. 1700 ff.

haxeln *intr* gehen. ↗ Haxe 1. *Österr* 19. Jh.

Haxenausreißen *n* es ist zum ~ = es ist zum Verzweifeln. *Bayr* 1900 ff.

Haxl *n* **1.** jm ein ~ geben = jn bei der Beuteteilung betrügen. Haxl = Hieb mit der Peitschenschnur. Analog zu „jn übers ↗ Ohr hauen". *Österr* 1920 ff, *rotw*.

2. jn ums ~ hauen = jn betrügen, übervorteilen. *Vgl* ↗ Bein 71. 1900 ff.

3. jm aufs ~ treten = jm zu nahe treten. Analog zu „jm auf den ↗ Fuß treten". 1900 ff.

Haxn *f (m)* ↗ Haxe.

he *interj* ein bißchen ~ sein = nicht ganz bei Verstand sein. „He" oder „hä" sagen alte, schwerhörige Leute, wenn sie nicht verstanden haben, was der andere gesagt hat. Seit dem 19. Jh.

heanzen *tr* ↗ hienzen.

Hebamme *f* **1.** Gerät, mit dem man einen in die Flasche gestoßenen Korken herauszieht. Der Vorgang ähnelt im Prinzip einer (Zangen-)Geburt; außerdem liegt Anspielung auf „↗ heben = trinken" vor. Kellnerspr. 1960 ff.

2. Flaschenöffner für Kronenverschluß. Kellnerspr. 1960 ff.

3. Korkenzieher. 1960 ff.

Hebel *m* **1.** Geld, Löhnung. Eigentlich das Werkzeug zum Heben; hier das Mittel, „einen ↗ heben" zu können. 1950 ff.

2. alle ~ in Bewegung setzen = alles zur Erreichung eines Ziels aufbieten. Hergenommen von einer schweren Last, die von vielen Händen mittels Hebeln zu bewegen ist. Seit dem 18. Jh.

3. am kürzeren ~ sitzen = weniger Macht haben als andere. *Vgl* das Folgende. 1930 *ff.*

4. am längeren ~ sitzen = den größeren Einfluß haben. Der Lehre von der Mechanik entnommen. 1930 *ff.*

heben *v* **1.** es hebt mich = ich verspüre Brechreiz. Anspielung auf das Gefühl des inneren Angehobenwerdens, z. B. bei rascher Fahrstuhlfahrt nach unten. Seit dem 19. Jh.

2. einen ~ = einen Schnaps, ein Glas Bier trinken. Man hebt das Glas, um es zu leeren, oder um jm zuzuprosten. Seit dem frühen 19. Jh, *stud.*

3. jn ~ = jn aus seiner Stellung verdrängen. Man hebt ihn gewissermaßen aus dem Amtssessel, „enthebt" ihn seines Postens. 1930 *ff, österr.*

4. etw ~ = eine Straftat verüben. Wohl auf Diebstahl bezogen: durch unauffälliges Anheben bringt man die Taschenuhr, den Geldbeutel, Waren im Geschäft an sich. *Rotw* 1844 *ff.*

5. das hebt = das steigert das Selbstgefühl. Verkürzter Ausdruck. *Vgl* sinngemäß „das ist erhebend = das macht erhaben". 1960 *ff.*

hebräisch *adj* etw lernt ~ = ein Gegenstand befindet sich im Pfandamt. Pfandleihen befanden sich auf Grund von Privilegien der preußischen Könige bis 1786 in jüdischem Besitz. Hierauf fußt die Stelle im „Buch Le Grand" von Heinrich Heine (1826), wo er erzählt, er habe seine Uhr zum Versatzamt getragen, und dort habe sie hebräische Grammatik getrieben. Seit dem 17. Jh.

Hechel *f* **1.** unverträgliche, verleumderische Person. *Vgl* das Folgende. Seit dem 15. Jh.

2. jn durch die ~ ziehen (zerren) = über einen Abwesenden mißgünstig reden; jn verleumden. Hergenommen von der Hechel, durch deren Zähne man den Flachs zieht. Seit dem 15. Jh.

hecheln *v* **1.** jn (über jn) ~ = jn schmähen, tadelnd verspotten. ↗ Hechel 2. 1600 *ff.*

2. koitieren. Hier ist auszugehen von „hecheln = rasch atmen" (gemeinhin auf Hunde bezogen). 1500 *ff.*

Hecht *m* **1.** tüchtiger Schüler; schlauer Kerl. Zu erklären durch Unterdrückung eines positiven Adjektivs. 1870 *ff.*

2. dummer Mensch. Der Hecht hat einen abgeflachten Kopf; von solchem Aussehen schließen Voreingenommene auf geringe Geistesgaben auch bei Menschen. 1935 *ff.*

3. charakterloser Mann; leichtlebiger Mann. *Vgl* ↗ Hecht 6. 1800 *ff.*

4. Halbwüchsiger. 1900 *ff.*

5. starker Tabaksrauch im Zimmer. Substantiviert aus dem *niederd* Adjektiv „hecht = dicht" oder fußend auf der Farbbezeichnung „hechtgrau". 1850 *ff.*

6. ~ im Karpfenteich = Mensch, der Unruhe verursacht; Mensch der Träge aufscheucht. Der Hecht ist ein Raubfisch; den Karpfenteich durchstöbert er nach dem von ihm besonders begehrten „Weißfischen". Seit dem späten 18. Jh.

7. alter ~ = vertrauliche Anrede an einen Erwachsenen. Seit dem 19. Jh.

8. bemooster ~ = Student mit hoher Semesterzahl. ↗ bemoost 1. 1900 *ff.*

9. blöder ~ = Einfältiger, Dummer. 1900 *ff.*

10. dünner (dürrer) ~ = hagerer Mann. Seit dem 19. Jh.

11. fauler ~ = träger Mensch. 1935 *ff.*

12. feiner ~ = schlauer Mensch. Wien 19. Jh.

13. flotter ~ = leichtlebiger Mann. 1900 *ff.*

14. junger ~ = junger Mann; Halbwüchsiger. 1920 *ff.*

15. sauberer ~ = diebischer Mann; Taugenichts. ↗ sauber. 18. Jh, *bayr.*

16. scharfer ~ = strenger Vorgesetzter. ↗ scharf. 1920 *ff.*

17. supersaurer ~ = unzugänglicher, mürrischer Mann. ↗ supersauer. 1955 *ff, halbw.*

18. toller ~ = lebenslustiger, lebhafter Mann; Draufgänger; Lebemann; Frauenheld. Hergenommen vom Hecht, der ausdauernd träge zwischen den Wasserpflanzen liegt, aber plötzlich auf seine Beute vorstößt. 1850 *ff.*

19. wüster ~ = tüchtiger, energischer Mann. 1900 *ff.*

20. einen ~ machen = flüchten. ↗ hechten. 1920 *ff.*

21. den ~ im Karpfenteich machen = einen niedrigen Trumpf ausspielen, um die hohen abzufordern. Kartenspielerspr. 19. Jh.

hechten *intr* **1.** sich schnell bewegen; eilen. Der ausdauernd träge Hecht schnellt plötzlich nach der Beute vor. 1900 *ff.*

2. nach dem Ball ~ = mit gestrecktem Körper nach dem Ball springen. *Sportl* 1920 *ff.*

Hechtsuppe *f* es zieht wie ~ = es herrscht Durchzug. Nach einer Lesart ist von der mit Meerrettich und Pfeffer bereiteten Hechtsuppe auszugehen, die „ziehen" muß, um wohlschmeckend zu werden; andere Quellen verweisen auf *jidd* „hech supha" = wie eine Windsbraut, wie ein Orkan". Etwa seit 1850.

Heckenschütze *m* **1.** Mann, der aus dem Hinterhalt fotografiert. Eigentlich der aus dem Hinterhalt Schießende. Fotografieren = schießen. 1950 *ff.*

2. Mann, der insgeheim die Amtsverdrängung anderer betreibt. 1960 *ff.*

3. *pl* = der Verkehrsüberwachung dienende Polizeistreife im Zivil; versteckter Radar-Posten zur Geschwindigkeitskontrolle. 1950 *ff.*

Heck'meck *m* **1.** Unsinn, Geschwätz; Umständlichkeiten. Nebenform von ↗ Hackmack. Vielleicht beeinflußt von „meck", dem Laut der Ziege (*vgl* ↗ meckern). 1700 *ff.*

2. unredliche Machenschaften. Sie sind so wenig durchschaubar wie kleingehacktes Fleisch. 1900 *ff.*

Heereseigentum *n* ~ nicht beschädigt! = Zielscheibe nicht getroffen! ↗ Bundeseigentum. 1920 *ff.*

Hefekloß *m* aufgehen wie ein ~ (Hefekuchen) = beleibt werden. Hefe als Treibmittel des Teigs. Seit dem 19. Jh.

Hefen (Hefn) *m* ↗ Hafen I.

Heft *n* **1.** armseliges Dorf. Entstanden aus „Gehöft". Seit dem 19. Jh.

2. Penis. Als Dolchgriff aufgefaßt. 1500 *ff.*

3. Vagina. Eigentlich die Öffnung, in die das Schneidinstrument eingeklemmt wird. 1500 *ff.*

4. ausgelassener Mensch; Sonderling, der dumme Streiche macht. Nebenform von ↗ Hecht. 19. Jh.

5. langes ~ = großwüchsiger Mensch. Heft = Handgriff eines Werkzeugs = Stiel = Stange. Analog zu ↗ Bohnenstange. 1900 *ff.*

6. tolles ~ = närrischer Mensch. Nebenform zu „toller ↗ Hecht". 1850 *ff.*

7. das ~ aus der Hand geben = seinen bestimmenden Einfluß, die Leitung aufgeben. Heft = Griff an Hieb- und Stichwaffen; wer ihn aus der Hand gibt, beendet den Kampf. 1700 *ff.*

8. das ~ in der Hand haben (halten) = bestimmen, leiten; überlegen sein. Seit dem 17. Jh.

8 a. das ~ in die Hand kriegen (bekommen) = die Oberhand gewinnen. Seit dem 17. Jh.

9. das ~ in die Hand nehmen = die Leitung übernehmen. Heft = Schwertgriff. Seit dem 19. Jh.

9 a. jm das ~ aus der Hand nehmen = jn seines Einflusses berauben; jn ausschalten, übergehen. Seit dem 19. Jh.

10. sich das ~ nicht aus der Hand nehmen lassen = sich nicht aus dem leitenden Posten verdrängen lassen. 1900 *ff.*

11. ein ~ reiten = Niedergeschriebenes ausdruckslos vorlesen. Heft = schriftliche Unterlage; Vorlesungs-, Redemanuskript. *Stud* 1870 *ff.*

12. in keinen guten ~en stecken = kränklich sein; von angegriffener Gesundheit sein. „Heft" als Handgriff entwickelt sich weiter zur Bedeutung „Türangel" und „Gelenk". Seit dem 19. Jh.

Heftelmacher *m* **1.** Mann, der kleine Dinge mühsam fertigt. Er stellt Spangen, Häkchen, Stecknadeln u. ä. her. Heftel = Häkchen zum Schließen der Kleidung. Seit dem 19. Jh.

2. aufpassen (spannen) wie ein ~ = scharf aufpassen. Die Arbeit des Heftelmachers erforderte damals, als er noch mit Hammer und Zange arbeitete, viel Mühe und Sorgfalt. Seit dem 19. Jh.

hei *interj* **1.** ~!: Begrüßungsausruf. Ein alter Ausruf der Freude. Sein Wiederaufleben nach 1950 in Halbwüchsigenkreisen geht zurück auf *engl* „hi" in derselben Bedeutung. Man begrüßt einander so oder macht in der Menge so auf sich aufmerksam.

2. ~, Fan!: Begrüßungsruf. ↗ Fan. *Halbw* 1955 *ff.*

Heia *f* **1.** Wiege, Bett. Erweiterung der Interjektion „ei", die in Wiegenliedern häufig vorkommt; sie ahmt auch die Schaukelbewegung der Wiege nach. Seit dem 18. Jh in den Formen „Heia", „eia", „Eija" und „Heija" verbreitet.

2. in die ~ gehen = bewußtlos werden. Euphemismus der Boxersprache. 1950 *ff.*

3. ~ machen (heia machen) = schlafen. Kinderspr. 1900 *ff.*

Heiakörbchen *n* **1.** Hundekörbchen. ↗ Körbchen. 1900 *ff.*

2. Bett. ↗ Heia 1. 1950 *ff.*

Heiawagen *m* Kinderwagen. ↗ Heia 1. 1950 *ff.*

Heide I *m* **1.** Zivilangestellter bei der Militärverwaltung. Er gilt als Angehöriger ei-

ner fremden Religion oder als Ungetaufter, weil er im Waffendienst unerfahren ist. 1920 ff.
2. fluchen wie ein ~ = kräftig fluchen. Die „Heiden" (nach christlichem Sprachgebrauch alle Nicht-Christen und Nicht-Juden) gelten nicht nur als Ungläubige, sondern auch als unzivilisiert und von grobem Benehmen. 1500 ff.

Heide II f daß die ~ wackelt = tüchtig; laut; sehr. Meist hergenommen vom lauten Absingen von Heideliedern durch die Soldaten. Andererseits ist in Norddeutschland „Heide" auch der Busch- und Mischwald, so daß vielleicht von einem Sturm auszugehen ist, der die Bäume schüttelt. 1840 ff.

Heiden- als verstärkendes Bestimmungswort. Steht vielleicht im Zusammenhang mit der katholischen Heidenauffassung im Mittelalter (wer sich nicht bekehren ließ, hatte nach dem Tod ein Höchstmaß von Verworfensein, Qual und Strafe zu gewärtigen). Bekehrungsversuche mittels Angsterzeugung waren z. B. den Missionaren Afrikas im 19. Jh nicht fremd. Andererseits werden auch die Zigeuner „Heiden" genannt; auch ihnen ist die Angst ein ständiger Begleiter, und bei ihren Zusammenkünften geht es sehr geräuschvoll zu. Spätestens seit dem frühen 19. Jh.

'Heiden'angst f große Angst. Seit dem 19. Jh.

'Heiden'arbeit f sehr schwierige, umfangreiche Arbeit. Seit dem 19. Jh.

'Heiden'dreck m viel Schmutz; große Unsauberkeit. Seit dem 19. Jh.

'Heiden'durst m großer Durst. 1900 ff.

'Heiden'kerl m tüchtiger, kraftvoller, im Guten wie im Schlechten auffallender Mann. 19. Jh.

'Heiden'krach m großer Lärm; sehr heftige Auseinandersetzung. Seit dem 19. Jh.

'Heidenkra'wall m großer Aufruhr; Getümmel, Streit u. ä. ↗Krawall. Seit dem 19. Jh.

'Heiden'lärm m großer Lärm. 1800 ff.

'heiden'mäßig adj adv sehr groß; sehr viel; sehr. Hier gilt nicht hd „mäßig = wenig, bescheiden bemessen", sondern „mäßig = gemäß, passend angemessen", nämlich „heidnischen" Ansprüchen gerecht werdend. 1800 ff.

'Heidenra'dau m sehr großer Lärm. ↗Radau. Seit dem 19. Jh.

'Heidenre'spekt m große Hochachtung; große Angst. Seit dem 19. Jh.

'Heiden'schiß m **1.** heftiger Durchfall; Ruhr. ↗Schiß 1. Sold in beiden Weltkriegen.
2. ausgedehntes Verweilen auf dem Abort (der Latrine). Sold 1914 bis 1945.
3. sehr große Furcht. ↗Schiß 10. Sold 1914 ff; auch ziv.

'Heiden'schreck m sehr großer Schreck. 1900 ff.

'Heidenskan'dal m aufsehenerregendes, ärgerniserregendes Ereignis; starker Lärm. Seit dem 19. Jh.

'Heiden'spaß m sehr großer Spaß; ganz besonderes Vergnügen. Seit dem 19. Jh.

'Heidenspek'takel n sehr großer Lärm. ↗Spektakel. Seit dem 19. Jh.

'Heidenver'mögen n sehr großes Vermögen. Seit dem 19. Jh.

'Heiden'wirtschaft f arge Unordnung;

sehr schlechte Haushaltsführung. ↗Wirtschaft. Seit dem 19. Jh.

hei'di interj **1.** im ~ (in einem ~) = sehr schnell. Eine Interjektion, die schnelle Bewegung ausdrückt, auch (vielfach in Volksliedtexten) Jubel und Ausgelassenheit. Vgl ↗hei 1. 1700 ff, nordd.
2. ~ gehen = a) verloren gehen; weggehen. 1700 ff. – b) zu Bett gehen. Vgl ↗Heia 1. Österr 19. Jh.
3. sich ~ machen = weggehen. Seit dem 19. Jh.
4. ~ sein = verloren sein; weggegangen sein. Vgl ↗heidi 2. 1700 ff.

heidi'pritsch adv **1.** verloren, fort. „Pritsch" fußt auf tschech „pryč = fort". 1700 ff.
2. sofort, schleunigst. ↗heidi. 1800 ff.

Heiermann m Fünfmarkstück. Fußt auf „Heuer": vor 1914 war das Fünfmarkstück das übliche „Handgeld", das der angeworbene Seemann erhielt; dadurch war der Dienstvertrag verbindlich geworden. Doch vgl auch jidd „heh = fünf". 1900 ff.

Heil n ~ und Sieg und fette (reiche) Beute!: aufmunternder Zuruf; Begrüßungsruf. Vgl ↗Siegheil. 1900 ff.

Heiland m **1.** ach du mein ~ (o du lieber ~)!: Ausruf des Erstaunens oder Entsetzens. Als Anrufung Gottes aus der katholischen Gebetssprache übernommen. Seit dem 19. Jh.
2. ~ von Mailand (~ Mailand)!: Ausruf des Zorns, der Ungeduld und der Verwunderung. Aus dem Reimreiz entstanden. 1900 ff.

'heil'froh ('heils'froh) adj präd sehr froh. Aus „unverletzt, ganz" entwickelte sich „heil" zu allgemein (im Bereich des für „gut" Befundenen) verstärkender Bedeutung. Seit dem 18. Jh.

heilig adv sich auf etw ~ verlassen können = sich unbedingt auf etw verlassen können. „Heilig" steht hier interjektionell als Ausdruck der Beteuerung. 1920 ff.

Heiligenhäuschen n **1.** Wirtshaus. Eigentlich eine zu Ehren eines/einer Heiligen errichtete Andachtstätte, häufig in der Gemarkung und an Pilgerstraßen. Hier scherzhaft bezogen auf das Gasthaus, in dem der durstige „Pilger" Einkehr hält. Rhein seit dem 19. Jh.
2. ~ absolvieren (besuchen) = in vielen Wirtshäusern einkehren. Rhein seit dem 19. Jh.

Heiliger m **1.** gediegener ~ = Sonderling. Heilige zeigen andere Verhaltensweisen als „Normalsterbliche". ↗gediegen 1. 1900 ff.
2. komischer ~ = sonderbarer Mensch; Mensch mit seltsamen (unsinnigen) Ansichten. Diese und die folgenden Wendungen sind Varianten von „wunderlicher Heiliger". Seit dem 19. Jh.
3. netter (schöner o. ä.) ~ = Tunichtgut. Ironie. 1900 ff.
4. seltsamer ~ = Sonderling. 1600 ff.
5. sonderbarer ~ = eigenartiger Mensch mit absonderlichen Angewohnheiten und Meinungen. 1800 ff.
6. spaßiger ~ = wunderlicher Mensch. 1900 ff.
7. wunderlicher ~ = Sonderling. Fußt auf Psalm 4, 4: „Erkennet doch, daß der Herr seine Heiligen wunderlich führet", wobei „wunderlich" soviel besagen soll wie „auf wunderbare Weise" oder „wun-

dertätig". Seit dem 17. Jh faßte man „wunderlich" auf als „sonderbar, absonderlich".
8. kein ~ sein = lebensfroh und lebenslustig sein; das Leben zu genießen wissen; nicht unbescholten sein. 1600 ff.

Heiliger Geist m **1.** Kameradengericht mit Verprügelung des unkameradschaftlichen Soldaten. Leitet entheiligend sich her von der „Beschattung Mariä durch den Heiligen Geist". Der „Heilige Geist" (die Prügelnden hüllen sich gelegentlich in Bettlaken u. ä.) gilt hier als Begründung für Schwellungen, Prellungen und Brüche, deren wahre Ursache man aus Scham oder Kameradschaftsgefühl nicht verrät. Sold seit dem späten 19. Jh bis heute.
2. vom Heiligen Geist beschattet werden = nächtlicherweise von Kameraden geprügelt werden. 1870 ff.
3. der Heilige Geist erscheint = man wird nachdrücklich zur Rechenschaft gezogen, fällt der Kameradenjustiz anheim. 1914 ff.
4. jm als ~ erscheinen = jn nächtlicherweise verprügeln. 1870 bis heute, sold.
5. jm den Heiligen Geist erscheinen lassen (bringen, schicken) = jn im Kameradenkreis gründlich verprügeln. 1870 bis heute.
6. zu ihm (über ihn) kommt der Heilige Geist = er wird verprügelt, zwangsweise zu Verstand gebracht. Sold 1870 bis heute; auch in Heimschulen geläufig.
7. zu ihm muß der Heilige Geist kommen = er muß zu Verstand gebracht werden. 1900 ff.
8. den Heiligen Geist kriegen = Prügel erhalten wegen unkameradschaftlichen Verhaltens. Sold 1870 ff; schül; pfadfinderspr.
9. der Heilige Geist hat ihn überschattet = er ist nachts von seinen Kameraden verprügelt worden. 1870 ff.
10. jm den Heiligen Geist verabreichen (verpassen) = den Kameraden strafweise verprügeln. 1914 ff.

heillos adj adv sehr groß; sehr (er hat heillose Angst; er ist heillos verliebt). Etwa soviel wie „unheilbar", „unverbesserlich". Gilt heute als bloße Verstärkung. Seit dem 19. Jh.

heilmachen tr etw wiederinstandsetzen. Heil = unverletzt, unbeschädigt; ganz. Seit dem 19. Jh.

Heimat f **1.** ~, deine Lieder = Musikunterricht in der Schule. Übernommen vom Titel des 1959 mit Rudolf Lenz gedrehten Films. Schül 1960 ff.
2. kalte ~ = Ostgebiete des Deutschen Reiches jenseits der Oder-Neiße-Linie. Bezog sich ursprünglich auf die Gebiete jenseits der Oder, die hinsichtlich Kultur und Zivilisation als weniger entwickelt galten. Wohl 1910 aufgekommen und seit 1945 allgemein verbreitet.
3. zweite ~ = a) Wirtshaus. Für viele ist dortige „Einkehr = Heimkehr" ins Vertraute. Seit dem 19. Jh. – b) Schule. Schül 1960 ff. – c) Kaserne. BSD 1965 ff.

Heimatklamotte f landschaftsgebundenes Volksstück künstlerisch anspruchsloser Machart. ↗Klamotte. 1955 ff.

Heimatland n o du mein ~!: Ausruf des Erstaunens oder Unwillens. Entstellt aus „du mein ↗Heiland" mit Einfluß der Volksliedzeile „nun ade, du mein lieb Heimatland". 1920 ff.

heimatlich *adj* ~e Gefilde. ↗Gefilde.

Heimatschnulze *f* 1. rührseliger Heimatfilm, -roman; anspruchslos gefühlvolles Heimatlied. ↗Schnulze 1. 1950 *ff.*
2. pathetisch-rührselige Äußerung des Heimatgefühls. 1955 *ff.*

Heimatwurst *f* zähe Wurst. Die Wurst ist „voller Sehnen". Wortspiel mit „die Sehne" und „das Sehnen". *BSD* 1965 *ff.*

Heimchen am Herd *n* häusliche Ehefrau; Ehefrau, die mit viel Geschick und Liebe ihren Haushalt versorgt. Fußt auf dem *dt* Titel der *engl* Weihnachtserzählung „Cricket on the Hearth" von Charles Dickens (1846). Das Heimchen (= die Hausgrille) gilt als glückbringender Hausgeist. Seit dem 19. Jh.

heimgegangen werden 1. ungeehrt aus Amt und Würden verabschiedet werden. Scherzhafte Passivkonstruktion zwecks Hervorhebung der Unfreiwilligkeit. Seit dem 19. Jh.
2. (als Besucher) barsch aus dem Haus gewiesen werden. 1900 *ff.*

heimgehen *intr* geh heiml: allgemeiner Ausdruck der Abweisung. 1900 *ff.*

heimgeigen *tr* 1. jn nach Hause begleiten. Nach Abschluß des Erntefestes wird den letzten Gästen, vor allem dem Gutsherrn, heimgegeigt: man bringt sie mit Musikbegleitung zum Herrenhaus. Ähnlich war es Sitte, das Hochzeitspaar mit Musikanten heimzugeleiten. Seit dem 17. Jh.
2. jn zum Haus hinausweisen; jn abweisen. 1800 *ff.*
3. jn ausschelten. Tarnausdruck. Seit dem 17. Jh.
4. jn verprügeln. Seit dem 19. Jh.
5. laß dich ~!: Ausdruck der Abweisung. Seit dem 17. Jh.

Heimkino *n* 1. Fernsehgerät, Fernsehen. 1955 *ff.*
2. ~ machen = schlafen. *Vgl* „↗Kino im Schlaf = Traum". *BSD* 1965 *ff.*

heimleuchten *v* jm ~ = a) jn barsch hinausweisen. Ursprünglich war gemeint, daß man seinen Gast beim Verlassen des Hauses in der Dunkelheit durch Dienstboten hinaus- und mit der Laterne heimbegleiten ließ; dann auch verengt auf die Bedeutung des schroffen Hinauswurfs, gelegentlich auch von Prügeln begleitet. 1700 *ff.* – b) 1900 *ff.* – c) es jm gedenken (Drohrede). 1920 *ff.*

heimlich *adv* ~, still und leise = völlig unbemerkt. Fußt auf „heimlich, still und leise kommt die Liebe" aus Paul Linckes Operette „Frau Luna" (1899). 1920 *ff.*

Heimlicher *m* 1. Geheimpolizist, Kriminalbeamter. 1850 *ff*, Berlin.
2. nicht farbentragender Verbindungsstudent. *Stud* 1960 *ff.*
3. Heuchler; Mensch, der kein Vertrauen verdient. Seit dem 19. Jh.

heimschleifen *tr* 1. jn nach Hause begleiten. ↗schleifen. *Schül* und *stud*, spätestens seit 1900.
2. einen ~ = mit einem Rausch heimkehren. 1900 *ff.*

Heimsitzer *m* häuslicher Mensch. 1960 *ff.*

Heimstattassistentin *f* Hausgehilfin. Rangerhöhung nach dem Muster der Medizinisch-Technischen Assistentin o. ä. 1960 *ff.*

Heimtück *m* hinterlistiger Mensch. Von „Heimtücke" abgeleitetes Neuwort. 1900 *ff.*

Heimweh-Killer *m* Alkohol, Schnaps. *Engl* „killer = Töter". 1960 *ff.*

heimzahlen *v* es jm ~ = jm Übles mit Üblem vergelten. Meint eigentlich „einen geliehenen Betrag zurückzahlen". Seit dem 19. Jh.

Hein *Vn* 1. ~ Gas = Gaswerk. „Hein" ist in Norddeutschland beliebte Kose- und auch eigenständige Kurzform des Vornamens Heinrich. Hamburg 1920 *ff.*
2. ~ Mück = deutscher Seemann. Soll auf Heinrich (Hein) Soltzien zurückgehen, der während des Ersten Weltkriegs als Matrose mit seiner Artillerie-Abteilung im Weserfort Brinkamahof lag und sowohl durch sein Spiel auf dem Schifferklavier als auch durch unbändige Eßlust auffiel: beim Essenfassen hielt er den Blechnapf (genannt „Mück") zweimal hin. Von daher übertragen auf alle Matrosen. Im Schlagerlied lebt „Hein Mück aus Bremerhaven" nur wegen seiner Liebeslust fort. 1950 (?) *ff.*
3. ~ Seemann = Matrose. 1870 *ff.*

Heini *m* 1. irgendein Mann; irgendein Händler; dummer, einfältiger Mann; ungeschickter Mann; Versager; Schimpfwort. Entweder wiederaufgelebt aus dem Koboldnamen in der Mythologie, mit dem man bezeichnete, was man nicht gern bei seinem eigentlichen Namen nannte, oder fußend auf der schon in der Landsknechtszeit üblichen Verspottung der Schweizer wegen ihres ungewandten Auftretens. Auch war „Heinie" in der *engl* Soldatensprache die Bezeichnung für den deutschen Landser des Ersten Weltkriegs. Das Wort hat den Beigeschmack des Ungeschickten und Minderwertigen. Anscheinend erst um 1930/35 aufgekommen.
2. intimer Freund einer weiblichen Person; Geliebter *(abf)*. 1950 *ff.*
3. ~ von oben = Regierungsbeamter; Angehöriger eines Ministeriums o. ä. *(abf)*. 1950 *ff.*
4. blöder ~ = dummer, untauglicher Kerl. 1939 *ff.*
5. doofer ~ = Dümmlicher. 1950 *ff.*
6. grüner ~ = unerfahrener Soldat. Grün = unreif. *Sold* 1939 *ff.* – b) junger Mann ohne intime Freundin, ohne geschlechtliche Erfahrung. *Halbw* 1955 *ff.*
7. komischer ~ = Sonderling. *Sold* 1939 *ff.*
8. lahmer ~ = energieloser Mann. *Sold* 1939 *ff.*
9. linker ~ = Mann, dem nicht zu trauen ist. ↗link. *BSD* 1955 *ff.*
10. schlapper ~ = unmilitärischer Soldat. *Sold* 1939 *ff.*
11. trauriger ~ = schwungloser, wenig tatkräftiger Mann. 1950 *ff.*
12. wildgewordener ~ = Mann, der die Beherrschung verliert; Jähzorniger. 1950 *ff.*
13. den müden ~ spielen = langsam arbeiten. 1939 *ff.*
14. den wilden ~ spielen = sich grob, unversöhnlich benehmen. *Sold* 1939 *ff.*

Heinrich *m* 1. blauer ~ = a) Armensuppe; dünne, wässerige Suppe. Stammt aus der Zeit des Königs Friedrich Wilhelm I. von Preußen (1713–1740). Der vom König eingesetzte Armendirektor hieß Heinrich. Die sehr dünne Suppe wurde in Blechschüsseln gereicht, wodurch der Inhalt bläulich schimmerte. – b) Grütze; Grützsuppe, mit

Milch (oder Milch und Wasser) gekocht. *Sold* und kundenspr. 1870 *ff.* – c) Magermilch. Die entrahmte Milch sieht bläulich aus. 1914 *ff.* – d) Milchreis, mit Magermilch zubereitet. 1950 *ff.* – e) Graupensuppe. 1914 *ff.* – f) Gerstenbrei, Gerstensuppe. 1914 *ff.* – g) Milchhändler. 1920 *ff.* – h) Arbeits-, Monteurkleidung. 1920 *ff.*
2. flotter ~ = Durchfall. Flott = dünn fließend. 1900 *ff.*
3. grüner ~ = a) Gefangenentransportwagen. Wegen des grünen Anstrichs. 1860 *ff.* – b) Prügelstock. „Frisch = grün" vom Baum geschnitten, enthält er noch Saft und ist demzufolge noch biegsam. 1920 *ff.*
4. sanfter ~ = a) gutmütiger, (zu seinem Schaden) geduldiger Mann. Als volkstümlicher Pflanzenname geläufig. Seit dem 19. Jh. – b) Rum mit Kirschlikör; Gemisch von Rum und Südwein. Seit dem frühen 19. Jh. – c) Pfefferminzschnaps. Seit dem 19. Jh. – d) leichter Rausch. 1900 *ff.* – e) Leichtbezecher. 1900 *ff.*
5. süßer ~ = Zuckerdose. 1920 *ff.*

Heinzelmännchen *n* 1. Student, der in seiner Freizeit bezahlte Tätigkeiten übernimmt. Eigentlich ein hilfreicher Kobold, bekannt durch das Gedicht „Die Heinzelmännchen zu Köln" von August Kopisch (1836). 1950 *ff.*
2. freiwillig hilfsbereiter Mensch im Dienst der Nächstenliebe. 1955 *ff.*
3. Schüler der Unterstufe. In ihrer Körpergröße und mit Anorak-Kapuze ähneln sie den Heinzelmännchen. *Schül* 1960 *ff.*

heiraten *v* 1. du kannst mich ~!: Ausdruck der Abweisung. Weiterführung von „du kannst mich ↗gern haben". Seit dem 19. Jh, *oberd*.
2. ich glaube, du gehst ~! = du bist wohl nicht bei Verstand?! Studentenausdruck seit 1975 im Zusammenhang mit Ehescheu als wirtschaftlichen Gründen.

Heiratsakrobat *m* oft verheirateter und oft geschiedener Mann. Der Akrobat muß seine Kunststücke oft üben. 1960 *ff.*

heiratslustig *adj* sie ist ~ = ihr Unterrock schaut unter dem Kleid hervor. Scherzhaft gedeutet als herausfordernder Anreiz. 1920 *ff.*

Heiratsmuffel *m* Ehefeind. ↗Muffel. 1966 *ff.*

Heiratsschmuser *m* Heiratsvermittler. ↗schmusen. *Bayr* 19. Jh.

heiß *adj* 1. leidenschaftlich, temperamentvoll. Vorgeformt in „heißgeliebt, heißblütig, heißer Wunsch" u. ä. *Halbw* 1955 *ff.*
2. geschlechtlich leicht erregbar; liebesgierig. Gegenwort „kalt (gefühlskalt)". 1900 *ff.*
3. heftig erregt; zornig. 1800 *ff.*
4. durch und durch homosexuell. Verstärkung von ↗warm. 1900 *ff.*
5. gefährlich, unsicher; von der Polizei überwacht. Kundenspr. seit dem späten 19. Jh.
5 a. einen strafbaren Tatbestand berührend. *Vgl* „heißes ↗Eisen". 1900 *ff.*
6. nach Ausschreitungen, Tumulten, Demonstrationen usw. 1920 *ff.*
7. hoch favorisiert. Übersetzt aus *gleichbed engl* „hot". 1950 *ff.*
8. hochleistungsfähig. 1950 *ff.*
8 a. sympathisch; mitreißend, schwungvoll, hervorragend. *Jug* 1960 *ff.*
9. ~ von der Pfanne = hochaktuell. So

wie die Speise aus der Bratpfanne kommt. 1960 ff.

10. ~ abfahren = Jazz spielen. Geht zurück auf engl „hot music = heftige, wilde Musik". 1955 ff, halbw.

11. etw ~ aufbrechen = etw mit dem Schweißgerät aufbrechen. Verbrecherspr. und polizeispr. 1950 ff.

12. jn ~ empfangen = dem militärischen Angreifer mit heftigem Beschuß entgegentreten. Sold 1939 ff.

13. jm etw ~ empfehlen = jm etw sehr nachdrücklich empfehlen. „Heiß" ist hier Verstärkung von „wärmstens". 1950 ff.

14. zu ~ gebadet haben (als Kind zu ~ gebadet worden sein) = verrückt, dumm sein. Scherzhaft meint man, durch ein zu heißes Bad habe man Gehirnerweichung davongetragen. Vgl den Schlagertext: „Du bist als Kind zu heiß gebadet worden, dabei ist dir bestimmt geschadet worden." Seit dem frühen 20. Jh. Vorher soviel wie „leicht aufbrausen".

15. ~ gehen = in Wut geraten. Gehen = werden. Zorn erhitzt. 1950 ff.

16. es mit etw ~ haben = mit etw sehr viel Mühe haben. Es wird einem dabei heiß, und man gerät ins Schwitzen. 1900 ff.

17. es geht ~ her = man ereifert sich. 1900 ff.

18. jm ~ machen = jm arg zusetzen; jm Angst einflößen. Vgl ↗ einheizen 4. Seit dem 19. Jh.

19. jn ~ machen = a) jn erzürnen. ↗ heiß 3. Seit dem 19. Jh. – b) jn aufstacheln. ↗ heiß 3. 1955 ff. – c) jds Geschlechtslust wecken. ↗ heiß 2. 1955 ff.

20. ein Auto ~ machen = durch technische Verbesserungen die Fahrleistung erhöhen. ↗ heiß 8. 1960 ff.

21. sich ~ reden = sich ereifern. 1920 ff.

22. bei ihm ist's ~ = er ist nicht ganz bei Verstand. Hergenommen von einem heißgelaufenen Motor. Der Denkvorgang unter dem Bild eines maschinellen Ablaufs begriffen. Schül 1950 ff.

23. dir ist wohl zu ~?: Frage an einen, der Unsinniges äußert. Vgl das Vorhergehende. 1950 ff, jug.

24. hier ist es ~ = hier kann man überrascht, ertappt, verhaftet werden. ↗ heiß 5. Kundenspr. seit dem späten 19. Jh.

25. auf etw (jn) ~ sein = auf etw (jn) begierig sein. ↗ heiß 2. 1900 ff.

heißen v **1.** das will etwas ~ = das ist bedeutend, besagt viel. Heißen = genannt werden = eine Bezeichnung verdienen. Seit dem 18. Jh.

2. det heißt nich „heeßt", sondern heeßt „heißt": Verspottung eines sprachlich Ungebildeten, der einem anderen einen Verstoß gegen die Sprachrichtigkeit vorhält. Berlin, 19. Jh bis heute.

heiter adj **1.** sehr unangenehm. Iron verwendetes Adjektiv. 1830 ff.

2. ~ bis wolkig = mittelmäßig. Dem Wetterbericht entlehnt. 1965 ff

3. das kann ja ~ werden! = das läßt eine böse Entwicklung erwarten. Ironie. Seit dem späten 19. Jh.

Heizbarer m X der Heizbare = Potentat, dessen Namen einst entfallen ist. Dem Muster einstiger Fürstenbenennungen nachgebildet: ... der Kurze, ... der Kahle, ... der Dicke usw. Schül 1920 ff.

Heizbatterie f gefüllte Schnapsflasche, Feldflasche o. ä. Sie ist ein hitzeerzeugendes Aggregat. 1930 ff.

Heize f Heizgerät, Ofen. Halbw 1955 ff.

heizen v **1.** tr = eine Feuerwaffe laden. Wie man Feuer im Ofen anlegt. Sold in beiden Weltkriegen.

2. intr = schnell fahren; eilen. Wohl beeinflußt von „hetzen". 1960 ff, österr, jug.

Heizer m **1.** Bordmechaniker und Bordschütze. Er verhält sich zum Piloten wie der Heizer zum Lokomotivführer. Fliegerspr. 1935 ff.

2. ~ auf der E-Lok = überflüssige Arbeitskraft. Die „E-Lok = Elektrolokomotive" braucht keinen Heizer. Arbeitgeberausdruck 1978 ff.

Heizkissen n ~ (~ mit Ohren) = intime Freundin. Sie ist eine technisierte „Wärmflasche". 1955 ff, halbw.

Heizung f **1.** ~ ohne Wasser = Versager. „Warmwasserheizung ohne Wasser" ist ein Widerspruch in sich. Schül 1950 ff.

2. innere ~ = Erwärmung des menschlichen Körpers durch alkoholische Getränke. Seit dem 19. Jh.

3. die ~ abdrehen (abstellen) = die Schnapsflasche, die alkoholgefüllte Feldflasche verschließen. Vgl ↗ Heizbatterie. Sold in beiden Weltkriegen; auch ziv.

Hektoliteratur f das Biertrinken. Von Studenten zusammengesetzt aus „Hektoliter" und „Literatur". 1959 ff.

Hektor m **1.** Rufname des Hundes. Vom Helden der „Ilias" übernommen. Seit dem 19. Jh.

2. ran wie ~ an die Buletten! = mutig drauflos! Bulette = Fleischklößchen, Frikadelle. Seit dem späten 19. Jh, Berlin.

3. rangehen wie ~ an die Buletten = schwungvoll beginnen; mutig sein. Berlin seit dem späten 19. Jh.

Held m **1.** Hauptperson, Hauptteilnehmer, Urheber, Vollbringer einer großen Tat; Sportgröße u. ä. Meint eigentlich den mutigen, tapferen Krieger; von da verallgemeinernd übertragen auf jeglichen Vollbringer einer Hochleistung. 1800 ff.

2. Taugenichts, Versager. Spöttische Bezeichnung. 1800 ff.

3. pl = die Schüler. Lehrerspr. (iron) 1920 ff.

4. ~en der Pedale = Radrennfahrer. Sportl 1950 ff.

5. ~ des Volants = Rennfahrer. Sportl 1950 ff.

6. ausrangierter ~ = Veteran, Invalide; Kriegervereinsmitglied. Seit dem frühen 20. Jh.

7. ~en auskämmen = Wehrpflichtige auf Frontdiensttauglichkeit untersuchen. ↗ auskämmen. Sold 1942 ff.

8. ~en greifen = a) Wehrpflichtige der Musterung unterziehen, bevorzugt kriegsdienstverwendungsfähig schreiben. Sold in beiden Weltkriegen. – b) dem Frontdienst sich entziehende Soldaten hinter der Front ermitteln und Frontformationen zuführen. „Greifen" erinnert hier an das Zupacken mit den Klauen von Greifvögeln. Sold in beiden Weltkriegen.

9. die ~en sind müde = Unterrichtspause. Geht zurück auf den deutschen Titel des franz Spielfilms „Les héros sont fatigués" (1955) mit Gert Fröbe. Schül 1958 ff.

10. die ~en sind unter sich = die Schüler

während der Unterrichtsstunde. ↗ Held 3. 1959 ff, schül.

11. auch ~en können weinen = a) Austeilung der Schulzeugnisse. Fußt auf dem deutschen Titel des 1956 gedrehten Films „The Proud and The Profane". Schül 1959 ff. – b) Disziplinarstrafe. BSD 1970 ff.

Heldenbrust f **1.** Männerbrust (iron). Seit dem 19. Jh.

2. garnierte ~ = ordengeschmückte Brust eines Kriegers. Seit dem frühen 19. Jh.

Heldenfleisch n Wattierung. Theaterspr. 1920 ff.

Heldenmutter f **1.** Frau mit üppigem Busen. 1940 ff.

2. Frau mit vielen Kindern. 1940 ff.

Heldenpauke f staatlich gelenkte Kriegsbegeisterung. ↗ Pauke. Dem Volk wird Siegesgewißheit „eingepaukt". 1939 ff.

Heldenschnulze f mit anspruchsloser Handlung ausgefüllter Kriegsfilm zur Verherrlichung des Soldatengeistes. ↗ Schnulze 1. 1955 ff.

Heldenvater m ältester Sportler eines Vereins. Eine patriarchalische Bezeichnung. Seit dem 19. Jh.

helfen intr **1.** ich kann mir nicht ~ = anders kann ich es mir nicht erklären. Man weiß sich keinen anderen Rat. 1900 ff.

2. ich werde dir ~!: iron Drohung (ich werde dir helfen, beim Nachbar Kirschen zu stehlen = ich werde dich daran hindern). 1700 ff.

hell adj präd **1.** klug (oft in der Form „helle"). Hell ist, wer klares Einsehen hat, klar erfaßt und klar denkt. Ursprünglich soviel wie „einleuchtend" (ist dir das helle?). Die früheste Buchung für Berlin betont ausdrücklich, es sei den Sachsen abgesprochen. Vgl dazu „Mensch, sei helle: bleibe Junggeselle!" Spätestens seit 1800.

2. ~ auf der Platte sein = klug, pfiffig sein. Gemeint ist wohl, daß der Glatzköpfige reiche Lebenserfahrung besitzt; denn nach volkstümlicher Meinung entsteht die Glatze entweder durch ausschweifendes Leben oder durch den Soldatenhelm. Bayr und österr 1900 ff.

'hell'blau adj leicht bezecht. ↗ blau 5. 1920 ff.

Heller m **1.** luckerter ~ = österreichischer Groschen. Luckert = gelocht. Die Münze hatte ein Loch in der Mitte. 19. Jh.

2. kein luckerter ~ = nichts. Österr 19. Jh.

3. keinen roten ~ wert sein = nichts wert sein. Der Heller zählt weniger als ein Pfennig; „rot" spielt auf die Kupferfarbe an. Seit 1632 gebucht in der Form „keinen Heller wert sein". Etwa seit 1800. Vgl franz „pas un rouge liard".

Helles n **1.** abgestandenes ~ = ledig gebliebene weibliche Person über 30 Jahre. Übertragen vom offenstehenden Bier, das schal wird und seinen Geschmack einbüßt. 1970 ff.

2. freundliches ~ = leckeres Glas hellen Bieres. 1970 ff.

3. kleines ~ = kleines Glas hellen Bieres. Seit dem 19. Jh.

Hellseher m **1.** Besserwisser, Überkluger. Eigentlich einer, der Unbekanntes oder Zukünftiges zu sehen vermag (oder vorgibt, das zu können). 1900 ff.

2. Begriffsstutziger. Ironie. 1900 ff.

Helmhalter m Kopf. Dem Soldaten des

Zweiten Weltkriegs eine einleuchtende Verwendungsmöglichkeit, zumal er das Denken befehlsgemäß seinen Vorgesetzten zu überlassen hatte.

He-lüggt *m* Fremdenführer bei der Hamburger Hafenrundfahrt. Man sagt ihm Lust an Übertreibungen und harmlos-unwahren Behauptungen nach. Hamburgisch „he lüggt = er lügt". 1920 *ff*.

Hemd *n* **1.** Schwächling; unreifer Heranwachsender; Dummer; Flachbrüstiger. Meint eigentlich das Kind im Hemd. *Vgl* ↗Hemdling. 1900 *ff*.

2. Schutzüberzug für Rundfunk- und Fernsehgehäuse. Technikerspr. 1950 *ff*.

3. Schallplattenhülle. 1965 *ff*.

4. altes ~ = Mann (Kosewort). 1950 *ff*.

5. halbes ~ = a) jugendlicher Gernegroß. Wohl wegen der Mode der kurzen Hemden, der Überfallhemden o. ä. *Halbw* 1955 *ff*. – b) Schwächling. *Marinespr* 1965 *ff*.

6. langes ~ = großwüchsiger Mensch. Er besitzt die „übliche" Gespenstergröße. 1935 *ff*.

7. müdes ~ = Energieloser; langweiliger Mensch. 1955 *ff*.

8. nervöses ~ = unruhiger, ruheloser Mann; liebesgieriger Mann. 1935 *ff*.

9. schmales ~ = flachbrüstiger Mensch. 1955 *ff*, *halbw*.

10. im ~: Erwiderung auf die Frage, wo sich einer befindet. 1950 *ff*.

11. jn bis aufs ~ abrüsten = a) jm fast das ganze Bargeld abgewinnen. Um 1920 aufgekommen mit den internationalen Abrüstungsverhandlungen. – b) jm unter Gewaltanwendung alles Mitnehmenswerte wegnehmen. 1950 *ff*.

12. ein langes ~ anhaben = langweilig, umständlich zu Werke gehen. Die umständliche Handlungsweise soll keine menschliche Eigenschaft, sondern durch die Hemdenlänge verursacht sein. 1950 *ff*.

13. das nervöse ~ anhaben = nervös, aufgeregt sein. ↗Hemd 8. 1939 *ff*.

14. ein schmales ~ anhaben = mißmutig sein. 1950 *ff*.

15. jn bis aufs ~ ausfragen = a) jn scharf verhören. Mit seinen Fragen entblößt man ihn fast völlig. 1900 *ff*. – b) jn bis auf Intimitäten ausfragen. 1960 *ff*.

16. jn bis aufs ~ ausziehen (jm das ~ ausziehen) = a) jn aller Geldmittel berauben; jn arm machen. Ursprünglich von Räubern gesagt, die ihren Opfern nur das Hemd auf dem Leibe ließen. 1600 *ff*. – b) jn einem sehr strengen Verhör unterwerfen. 1910 *ff*.

17. sich bis aufs ~ ausziehen = seine letzten Ersparnisse hergeben. 1900 *ff*.

18. das zieht einem das ~ aus!: Ausruf des Unmuts, der Verzweiflung. 1950 *ff*.

19. sich von jm das ~ ausziehen lassen = sich von jm übertölpeln, ausnutzen lassen. 1900 *ff*.

20. es zieht einem das ~ ein = die Speise ist sehr bitter, sehr sauer. 1900 *ff*.

21. ihm flattert das ~ (er hat das ~ am Flattern) = er zittert vor Furcht; er hat Angst. *Vgl* ↗Hemd 13 und ↗Fracksausen. 1939 *ff*.

22. das ~ vom Leibe geben = sein Letztes hergeben; übertrieben freigebig und gutmütig sein. Seit dem 19. Jh.

23. jm unter das ~ gucken = a) jds Wesensart zu ergründen suchen. Man ent-

wickelt Neugier nach Intimitäten. 1920 *ff*. – b) jds Vorleben ausforschen. 1933 *ff*.

24. kein ~ auf (vor) dem Arsch haben = sich nur ärmlich kleiden können; arm sein. 1840 *ff*.

25. mehr als zwanzig ~en in der Bütte haben = ein wohlhabendes Mädchen sein. 1920 *ff*.

26. kein ~ am Leib haben = arm sein. Seit dem 19. Jh.

27. kein ganzes ~ haben = a) sehr ärmlich sein. 1900 *ff*. – b) völlig verkommen sein. 1900 *ff*.

28. ein reines ~ haben = ein gutes Gewissen haben; sich keiner Schuld bewußt sein; schuldlos sein. Derber als „eine reine ↗Weste haben". 1900 *ff*.

29. jn aus dem ~ hauen = jn heftig prügeln. Verstärkung von „jn aus dem ↗Anzug boxen". *Sold* 1939 *ff*.

30. sein letztes ~ hergeben (weggeben) = das Letzte opfern; überaus gutmütig und hilfsbereit sein. ↗Hemd 22. Seit dem 19. Jh.

31. einen unters ~ jubeln = koitieren, schwängern. Jubeln = mit Freuden, mit Genuß tun. 1930 *ff*.

32. jn bis aufs ~ kennen = jn genau kennen. *Vgl* ↗Hemd 15 und 16 b. 1920 *ff*.

33. jm das ~ ans Flattern kriegen = jn antreiben. Vom Drill auf dem Kasernenhof o. ä. hergenommen. ↗Hemd 21. 1935 *ff*.

34. du bist wohl vom Vater durch das ~ gemacht worden?: Frage an einen, der Unsinniges äußert. Gemeint ist, daß ein Teil des Spermas vom Hemd aufgesogen wurde, so daß der Betreffende nur zum Teil ein normal begabter Mensch sei. Spätestens seit 1900.

35. sich ins ~ machen = ängstlich sein; sich übermäßig aufregen. Dem Ängstlichen und Aufgeregten versagt der Schließmuskel den Dienst. 1910 *ff*.

36. ihm saust das ~ = er ist voller Angst. ↗Hemd 21. 1939 *ff*.

37. einen hinter das ~ schicken = ein Glas Schnaps trinken. 1920 *ff*.

38. sich etw unter das ~ schieben lassen = sich übertölpeln lassen. Vielleicht von unfreiwilligem Geschlechtsverkehr hergenommen. 1930 *ff*.

39. jm unter das ~ sehen = jds wahre Absicht oder Gesinnung zu ergründen suchen. ↗Hemd 23. 1920 *ff*.

40. das ~ ist viel zu groß für dich = du übernimmst dich. Übertragen vom Hemd mit zu großer Kragenweite u. ä. 1965 *ff*.

41. das ~ ist zu kurz = a) die geldlichen Verhältnisse reichen nicht aus. 1920 *ff*. – b) es reicht nicht zu einem Erfolg. 1920 *ff*.

42. das ~ ist ihm näher als der Rock = er ist selbstsüchtig; Familieninteressen haben den Vorrang. Übersetzt aus dem „Trinummus" des Plautus (um 250–184 v. Chr.). 1800 *ff*.

43. sein ~ ist sauber = er ist unbescholten, schuldlos. ↗Hemd 28. 1900 *ff*.

44. ein Schlag, und du stehst im ~!: Drohrede. Soll auf einer Äußerung der gegen Ende des 19. Jhs in Berlin beliebten Schwerathletin Sandwina beruhen.

45. ein Schlag, und das ~ steht allein da!: Drohrede. Steigerung des Vorhergehenden. 1920 *ff*.

46. dastehen im kurzen ~ = a) einen Mißerfolg erlitten haben. 1940 *ff*. – b)

bloßgestellt sein; sich nicht zu helfen wissen. 1940 *ff*.

47. ein Stich mit dem Sacktuch, und du stehst im ~ da!: Drohrede oder Prahlrede eines Kraftmenschen. 1920 *ff*.

48. jm aufs ~ treten = jm zu nahe treten. 1930 *ff*.

48 a. verpiß dir nicht das ~ = sei nicht so dünkelhaft! Gemeint ist hier, daß einer bei menschlich- allzumenschlicher Verrichtung seine Überheblichkeit nicht aufgibt. 1970 *ff*.

49. das letzte ~ verscheuern = alles zu Geld machen. ↗verscheuern. 1920 *ff*.

50. bis aufs ~ verschuldet sein = tief in Schulden stecken. 1920 *ff*.

50 a. das letzte ~ verwetten = vom Eintreffen einer Entscheidung (im erwarteten, erwünschten Sinn) fest überzeugt sein. 1950 *ff*.

51. das ~ wechseln = die Gesinnung ändern; zu einer anderen Partei (Konfession o. ä.) übertreten. Manch einer tut das mit einer Leichtigkeit, als wechsle er lediglich das Taghemd mit dem Nachthemd. 1930 *ff*.

52. ihm wird das ~ zu kurz = er braust auf. Der Zornige wirft sich in die Brust und reckt sich zu voller Höhe. 1920 *ff*.

52 a. im ~ wohnen = ein weitgeschnittenes Hemd tragen. 1979 *ff*.

53. jm das ~ vom Leibe ziehen = jn der letzten Barschaft berauben. *Vgl* ↗Hemd 16. 1900 *ff*.

Hemdenmatz *m* Kind im Hemd; Mädchen im Hemd; Kind; junges Mädchen im „↗Hemdkleid". *Matz*. Seit dem 19. Jh.

Hemdkleid *n* taillenloses Kleid im Kinderhemdschnitt. Aus *franz* „chemise" um 1922 mit der Mode übernommen und 1957/58 wiederholt.

Hemdling *m* unerfahrener Mensch; Versager. Meint eigentlich das Kind im Hemd. *Vgl* ↗Hemd 1. 1939 *ff*.

Hemdsärmel *pl* die ~ hochkrempeln = herzhaft zugreifen; sich zu tatkräftiger Arbeit rüsten. Seit dem 19. Jh.

hemdsärmelig *adj* unfein, ungesittet, rücksichtslos; ohne Sinn für gesellschaftlich *trad* Anstand. 1920 *ff*.

Hemmungen *pl* geistige ~ haben = nicht ganz bei Verstand sein. *Jug* 1930 *ff*.

Hempels *pl* **1.** hier sieht's aus wie bei ~ (wie bei ~ unter der Küche) = hier herrscht große Unordnung. Geht nach Krüger-Lorenzen („Aus der Pistole geschossen") in der Form „hier sieht's aus wie bei H. unterm Wohnwagen" zurück auf einen Budenbesitzer namens Hempel, der um 1900 jeglichen Abfall unter seinen Wohnwagen kehrte. Heute im *BSD* verbreitet. **2.** hier sieht's aus wie bei ~ unterm Sofa = hier herrscht ein unbeschreibliches Durcheinander. *BSD* 1966 *ff*.

Hendlfriedhof *m* **1.** Bauch; vorgewölbter Bauch. Hendl = Hähnchen. Aufgekommen nach 1950 mit den Hähnchenbratereien.

2. Tiefkühltruhe für Geflügel. 1960 *ff*.

Hengst *m* **1.** jede männliche Person nach der Pubertät; kraftvoller Mann. Meint eigentlich das unverschämte männliche Pferd. Seit dem späten 19. Jh.

2. intimer Freund einer weiblichen Person. *Halbw* 1955 *ff*.

3. grobsinnlicher Mann; Frauenheld. Schon die Bibel schreibt den Hengsten

„unreine Triebe" zu (Ezechiel 23, 20). Seit dem 18. Jh.

4. gemütliche Schelte unter Männern. *1920 ff.*

5. Zuhälter. Dieser „Hengst" lebt mit und von den „↗Stuten". *1920 ff.*

6. alter ~ = altgedienter Soldat. *Sold 1939 ff.*

7. blöder ~ = Einfältiger, Dummer. *1920 ff.*

8. doller ~ = sehr eindrucksvoller Mann. *1900 ff.*

9. geiler ~ = a) liebesgieriger Mann. *1920 ff.* – b) titelsüchtiger Vorgesetzter. ↗geil 4. *BSD 1960 ff.*

10. schwuler ~ = Homosexueller. *1960 ff.*

Henkel *m* **1.** *pl* = Arme. In die Seite gestemmt, nehmen sie sich aus wie die Henkel an einer Vase o. ä. *1830 ff.*

2. ihm fehlt ein ~ an der Tasse = ihm schlägt alles fehl. *1930 ff.*

3. per ~ gehen = Arm in Arm gehen. *1900 ff.*

4. machen = ein Schwätzchen halten. Man stemmt die Hände in die Hüften. ↗Henkel 1. *1830 ff.*

Henkelmann *m* **1.** Emaildoppelbehälter zum Essentransport; Essentrage; Essentopf; Kochgeschirr. „Henkel" meint hier den Tragebügel. Etwa seit dem zweiten Drittel des 19. Jhs.

2. Maßkrug. *1970 ff.*

3. tragbare HiFi-Anlage. *1981 ff.*

Henker *m* **1.** Teufel. Der Henker wurde wegen seines abscheuerregenden Handwerks zur Schreckgestalt. *1500 ff.*

2. Lehrer. Er kann den Schüler „hängen" lassen. *Schül 1950 ff.*

3. zum ~!: Ausruf des Unmuts. Seit dem 17. Jh.

4. in ~s Namen!: Verwünschung. *1500 ff.*

5. wie der ~ = unvernünftig rasch; eiligst. Übernommen von „wie der ↗Teufel". ↗Henker 1. Seit dem 19. Jh.

6. der ~ soll das (ihn) holen!: Verwünschung. Seit dem 17. Jh.

7. er soll sich zum ~ scheren!: Ausdruck der Abweisung. Sich scheren = sich scharen. *1700 ff.*

8. sich um etw den ~ scheren = sich um etw überhaupt nicht kümmern. Seit dem 18. Jh.

Henkersmahlzeit *f* Abschiedsessen; letzte Mahlzeit vor der Abreise. Eigentlich die letzte Mahlzeit vor der Hinrichtung: der Henker hatte sie dem Tode Verurteilten nach dessen Wünschen zu beschaffen oder zu bereiten. Seit dem 18. Jh.

Henne *f* **1.** Ehefrau; weibliche Person. Anspielung auf Mütterlichkeit und Häuslichkeit. Seit dem 19. Jh.

2. blöde (dumme o. ä.) ~ = dumme weibliche Person. *1900 ff.*

3. morsche ~ = niedrigste Trumpfkarte im Kartenspiel. Bezieht sich auf die Karo-Dame, die in Spielen, in denen die Damen die höchsten Trümpfe sind, als niedrigste Trumpfkarte nichts gegen die drei anderen Damen vermag. Morsch = altersschwach. 19. Jh.

4. aussehen wie eine ~ unterm Schwanz = blaß aussehen. *Bayr 1900 ff.*

5. du bist wohl von einer wilden ~ beniest?: Frage an einen, der unsinnige Äußerungen von sich gibt. *1920 ff.*

6. du bist wohl von der ~ gepickt? = du

---

bist wohl nicht ganz bei Verstand? *1920 ff.*

7. eine ~ schlachten, die bisher goldene Eier gelegt hat = ein leistungsfähiges Werk stillegen. ↗Huhn 36. *1950 ff.*

Henry-Stutzen *m* Gewehr. „Stutzen" ist das kurze Gewehr mit gezogenem Lauf. Henry hieß ein Büchsenmacher in Edinburgh; das von ihm geschaffene Modell blieb dem Namen nach erhalten als Büchse des „Old Shatterhand" in den Romanen von Karl May. *BSD 1965 ff.*

her- in den Verbindungen „herab", „heraus", „herauf", „herunter" usw. – siehe hier unter „raus", „rauf", „runter" usw.

Herausforderer *m* **1.** Gegenkandidat. *1976 ff.*

2. *pl* = die Erwachsenen. *Jug seit 1965 ff.*

herbeitrommeln *v* Leute ~ = Leute herbeibringen, zusammenbringen, aufbieten. Meint eigentlich „Leute durch einen von Trommeln begleiteten Aufruf zusammenscharen". *1800 ff.*

Herbert *m* Homosexueller. In Nachahmung der Sprechgewohnheit Homosexueller ist das Wort ganz weich und lang gedehnt auszusprechen, etwa als „Heerbeert". *BSD 1965 ff.*

herbeten *tr* etw immer wiederholen, hersagen. Man spricht es wie ein geläufiges Gebet. *1800 ff.*

herbsten (herbschten) *intr* ernten. *Südd 1500 ff.*

Herdenfahrt *f* Gesellschaftsreise. ↗Fahrt 1. *1933 ff.*

hergeben *v* **1.** die Sache gibt was her = die Sache lohnt sich. Man sagt, das Stück Rindfleisch gebe „was her", nämlich eine kräftige Bouillon. *Kellnerspr. 1960 ff.*

2. der Motor gibt was her = der Motor ist sehr leistungsfähig. Er „produziert" Leistung. *Kraftfahrerspr. 1955 ff.*

hergehen *v* es geht über ihn her = man spricht mißgünstig über ihn. Gemeint ist, daß man über jn herfällt, jn überfällt, zu Boden reißt. Von der brutalen Behandlung übertragen auf üble Nachrede. *1800 ff.*

hergelaufen *adj* zugezogen; nicht einheimisch. Man ist hergelaufen wie ein herrenloser Hund. Seit dem 19. Jh.

herhalten *v* ~ müssen = a) etw widerspruchslos erdulden müssen; etw büßen müssen (auch wenn man schuldlos ist). Hergenommen vom Tod am Galgen: man muß den Kopf herhalten, wenn die Schlinge um den Hals gelegt wird. *1500 ff.* – b) den Beischlaf über sich ergehen lassen müssen. *1910 ff.*

herhocken *refl* sich niedersetzen (hock di her). *Bayr seit dem 19. Jh.*

Hering *m* **1.** Tadel, Verweis. Geht zurück auf *franz* „harangue = Mahnrede"; *franz* „haranguer = ausschimpfen". *Südd 19. Jh.*

2. Zeltpflock. Er ähnelt dem Fisch. Die ursprüngliche Scherzbezeichnung hat sich zu ernsthafter Sachbezeichnung entwickelt. *1850 ff.*

3. *pl* = Zeltgemeinschaft. Man ist eng beieinander wie die Heringe im Faß. *1940 ff.*

4. *sg* = Marineangehöriger. *Sold in beiden Weltkriegen und BSD.*

5. schmächtiger Mensch. Seit dem 19. Jh. *Vgl franz* „être maigre comme un hareng".

6. ~ ohne Wasser = Nichtskönner. *Schül 1950 ff.*

---

7. ausgenommener ~ = schwächlicher, magerer Mensch. Seit dem 19. Jh.

8. grüner ~ = sehr junger Matrose; Rekrut; Neuling. Eigentlich der frische Hering (zum Unterschied vom geräucherten o. ä.); hier beeinflußt von „↗grün = unerfahren". *1920 ff.*

9. lackierter ~ = Stutzer. Lackieren = schminken; sich eitel herrichten. *1950 ff.*

10. magerer ~ = a) hagerer Mensch. Seit dem 19. Jh. – b) untauglicher Mensch. *1910 ff, sold.*

11. marinierter ~ = a) über Bord gefallener Matrose. Er liegt (schwimmt) im Salzwasser. *Sold in beiden Weltkriegen. – b) mit dem Schiff untergegangener Matrose. Sold 1914 bis 1945. – c) notwassernder Flieger. Sold in beiden Weltkriegen.*

12. schmaler ~ = hagerer Mensch. Seit dem 19. Jh.

13. trockener ~ = großwüchsiger, schlanker (ungelenker) Junge. *1900 ff.*

14. wahnsinniger ~ = tobender Vorgesetzter. *1905 ff.*

15. wie die ~e (aufeinander; gepfercht wie die ~e) = dichtgedrängt. Übertragen von der Art der Verpackung in Fässern und Tonnen. *1700 ff.*

16. jn ausnehmen wie einen ~ = jm seine gesamte Barschaft abnötigen. Meint eigentlich die Entfernung der ungenießbaren Innereien des Herings. *1870 ff.*

17. aussehen wie ein abgeleckter (abgezogener) ~ = hager, bleich aussehen. *1900 ff.*

18. aussehen wie ein ausgenommener ~ = entkräftet aussehen. *1900 ff.*

19. ein Kreuz (Schultern) haben wie ein ~ zwischen den Augen = sehr hager sein. *BSD 1965 ff.*

Heringsbändiger *m* **1.** Lebensmittelhändler, Kleinkaufmann. Gutmütige Berufsschelte: nach Art eines Dompteurs bändigt er die wilden Heringe. *1870 ff.*

2. Straßenfischhändler. *1900 ff.*

Heringskrieg *m* Auseinandersetzung um die besten Hering-Fangplätze. ↗Kabeljaukrieg. *1958 ff.*

Heringsteich *m* Nordsee; Meer; Atlantischer Ozean. Großem, schwer zu Bewältigendem gibt man gern verniedlichende Namen. *1800 ff.*

Heringstonne *f* überbesetztes öffentliches Verkehrsmittel. ↗Hering 15. *1920 ff.*

herkriegen *tr* **1.** etw bewerkstelligen. Etwa soviel wie „mit einer Gewalt bekommen; beherrschen". *Oberd 1900 ff.*

2. sich jds bemächtigen. *Oberd 1900 ff.*

3. jn ergreifen, um ihn zu prügeln oder zu berauben. *1900 ff.*

4. sich an einer weiblichen Person vergreifen. *1900 ff.*

hermachen *v* **1.** über jn ~ = schlecht über jn reden. ↗hergehen; ↗herziehen. *1900 ff.*

2. etw ~ = einen vorteilhaften Eindruck erwecken. „Her" kennzeichnet die Erstreckung über einen nicht näher begrenzten Raum; dient hier zur Charakterisierung von „oberflächlich". Spätestens seit 1900.

3. sich ~ = sich übertrieben aufführen. Sinnverwandt mit „sich herausputzen". *1920 ff.*

4. von etw viel ~ = von etw viel Aufhebens machen; etw zu stark aufbauschen. *1900 ff.*

5. sich über jn ~ = jn überfallen, zu Boden reißen. Seit dem 19. Jh.
6. sich über etw ~ = eine Sache in Angriff nehmen. Seit dem 19. Jh.
7. sich über das Essen ~ = heißhungrig essen; sich auf das Essen stürzen. Seit dem 19. Jh.
Hermann-Löns-: Der Lüneburger-Heide-Dichter Hermann Löns (1866–1914) wurde durch seine Naturschilderungen („Mein grünes Buch", 1901) und seine volksliedhafte Lyrik („Grün ist die Heide, die Heide ist grün") zum namentlich vielzitierten Paten für fast alles Grüne, wie es die folgenden Vokabeln ausdrücken.
Hermann-Löns-Gedächtnisanzug *m* feldgrüner Kampfanzug. *BSD* 1965 *ff.*
Hermann-Löns-Gedächtnismantel *m* grüner Lodenmantel. Etwa seit 1925, *schül, stud* und försterspr.
Hermann-Löns-Gedächtnisrock *m* (feldgrüner) Waffenrock. *Sold* 1939 *ff.*
Hermann-Löns-Gedächtnissuppe *f* Gemüsesuppe. *Sold* 1939 *ff.*
Hermann-Löns-Gedächtnistee *m* Kräutertee. *Sold* 1939 *ff,* bis heute.
Hermann-Löns-Mantel *m* grüner Lodenmantel. Solch einen (Jäger-)Mantel trug Hermann Löns. 1925 *ff.*
hernehmen *v* 1. die Krankheit hat ihn sehr hergenommen = die Krankheit hat ihn stark in Mitleidenschaft gezogen. Hernehmen = zu sich herziehen und malträtieren. Analogie zu „↗mitnehmen". 1700 *ff.* 2. eine ~ = koitieren; notzüchtigen. Hinter „eine" ergänze „weibliche Person". Seit dem 15. Jh.
Heroinenruine *f* lorbeerumrankte ~ = altgewordene Schauspielerin. Theaterspr. 1920 *ff.*
Herr *m* 1. Schüler der Oberstufe. Er wird mit „Sie" und „Herr" angeredet. *Schül* 1960 *ff.*
2. ~ von Habenichts = vornehm auftretender Verarmter. ↗Baron 2. Spätestens seit 1800.
3. ~ der Hölle = Schulleiter. Bezeichnung für den Teufel. *Schül* 1960 *ff.*
4. ~ Je *interj* ↗herrje.
5. ~ Jemine *interj* ↗herrjemine.
5 a. ~ Karl = unpolitischer Bürger. Übernommen von der Wiener Kabarett-Figur „Der Herr Karl" von Helmut Qualtinger. 1959 *ff.*
6. ~ meines Lebens (~ du meines Lebens)!: Ausruf des Erstaunens. Säkularisiert aus einer Anrufung Gottes. Seit dem 19. Jh.
7. die ~en der Schöpfung = a) die Männerwelt. Spielt an auf den Vorrang des Mannes auf allen Gebieten des öffentlichen Lebens. Meist spöttisch oder selbstironisch gesagt. 1750 *ff.* – b) die Machthaber. Ausdruck des Aufbegehrens gegen den Machtanspruch des Absolutismus. 1820 *ff.*
8. ~ in Schwarz = Schiedsrichter. Wegen der schwarzen Kleidung. *Sportl* 1950 *ff.*
9. ~ und Verbieter = Ehemann, der seiner Frau wenig oder nichts gestattet. Umgemodelt aus „mein Herr und Gebieter". 1930 *ff.*
10. ~ von und zu = Vornehmtuer. Nachahmung des Adelstitels „Freiherr von (...) und zu (...)". *Österr* 1950 *ff.*
11. mein alter ~ = mein Vater. Studentenausdruck, im 19. Jh aufgekommen,

wohl in Anlehnung an die alte Sitte, den Vater mit „Herr Vater" anzureden.
12. alter ~ = a) Korporationsmitglied nach Bestehen der akademischen Abschlußprüfung. 19. Jh. – b) Schüler der Oberstufe. Studentischer Gepflogenheit nachgebildet. *Vgl* ↗Herr 1. 1950 *ff.* – c) Klassenwiederholer. 1930 *ff.*
13. fester ~ = angehender Bräutigam. Er hat sich durch das Eheversprechen oder durch andere unwiderrufliche Zusagen fest gebunden. 1900 *ff.*
14. kleiner ~ = Penis. 1965 *ff.*
15. mein 'lieber ~!: Ausruf der Verwunderung. Geht zurück auf eine Anrufung Gottes. 1900 *ff.*
16. 'meine ~en!: Ausruf der Verwunderung oder des Entsetzens. Da der Hauptton auf „meine" liegt, ist wahrscheinlich das Teilstück einer religiösen Anrufung durch Herübernahme der Anrede an eine Herrengesellschaft euphemistisch verdeckt worden. Seit dem 19. Jh.
17. möblierter ~ = Bewohner eines möblierten Zimmers. ↗Dame 28. Seit dem 19. Jh.
18. öffentlicher ~ = der Öffentlichkeit bekannter Mann. 1973 *ff.*
19. später ~ = alter Junggeselle. Analog zu „spätes ↗Mädchen". *Österr* seit dem 19. Jh.
20. wen der ~ liebhat, den straft er: schadenfrohe Redewendung unter Kartenspielern, wenn es geglückt ist, ein vermeintlich schon sicheres Spiel zu Fall zu bringen. Fußt auf den Sprüchen Salomonis 3, 12. Seit dem 19. Jh.
21. der ~ hat's genommen = der Bube macht einen hochzählenden Stich. Unter Kartenspielern im 19. Jh säkularisiert aus Hiob 1, 21.
22. er soll dein ~ sein: Redewendung des Kartenspielers, der eine Dame mit einem König sticht. Fußt auf die Weisung Gottes an Eva (1. Moses 3, 16); auch Liedtext in Karl Millöckers Operette „Gasparone" (1884). Seit dem 19. Jh.
23. der ~ sei mit dir, und du gehst mit mir: Redewendung, wenn einer einen Gegenstand entwendet. Säkularisierung der rituellen Formel „der Herr sei mit dir und dem Heiligen Geiste". Seit dem ausgehenden 19. Jh.
24. den großen ~n spielen = sich reich und vornehm geben; auf nicht ganz echte Weise freigebig (großzügig) sein. Der „große Herr" ist der Adlige, der Großgrundbesitzer, der Großindustrielle u. ä. Seit dem 19. Jh.
Herrchen (Herrle) *n* Besitzer eines Hundes. Seit dem 19. Jh.
Herrenwinker *m* seitlicher Haarschnörkel am Frauenkopf; Stirnlocke. Die reizvoll geschwungene Haarsträhne wird erotisierend als winkende Gebärde ausgelegt. In der Biedermeierzeit als käuflich erworbenes Löckchen aufgekommen, um 1900 bis heute aus den eigenen Haaren geformt.
Herrenwitz *m* zotiger, zweideutiger Witz. Seit dem späten 19. Jh.
Herrgott *m* 1. blutiger ~ (Bluatiga Hergood)!: Ausruf des Unmuts. *Bayr* und *schwäb* 19. Jh.
2. hölzerner ~ = ungelenker Mann. Geht zurück auf naive Holzplastiken des Gekreuzigten. Seit dem 19. Jh.
3. du lieber ~ von Bentheim!: Ausruf der

Verwunderung oder des Unwillens. Hergenommen von der steinernen Herrgottsdarstellung zu Bentheim (Niedersachsen), am Weg zum Burgfried des Schlosses (angeblich ist es die älteste Steinplastik Deutschlands). Spätestens seit 1800.
4. du lieber ~ von Biberach (du liebes Herrgöttle von Biberach)!: Ausruf des Erstaunens. Bezieht sich – mundartlich abgeschliffen – auf den Wallfahrtsort Biberbach im Bezirksamt Wertingen, nördlich von Augsburg. Seit dem 19. Jh.
5. du lieber ~ von Mannheim!: Ausruf der Verwunderung. „Mannheim" ist aus „Bentheim" entstellt. 1800 *ff.*
6. ~ nochmal!: Unmutsausruf. Seit dem 19. Jh.
7. wie ein junger ~ = vorzüglich. ↗Gott 7. Seit dem 19. Jh.
8. dem ~ die Zeit stehlen = seine Zeit vertrödeln. ↗Gott 43. 1700 *ff.*
'Herrgott'donnerwetter noch'mal!: Unmutsausruf. Seit dem 19. Jh.
'Herrgott'himmel'donnerwetter *interj* Unmutsausruf. 1900 *ff.*
'Herrgott'himmel'kruzi'türken'birnbaummilli'onensapper'menthund'donnerkeil: Verwünschung. 1955 *ff.*
'Herrgott'sakra *interj* Unmutsausruf. ↗Sakra. *Bayr* seit dem 19. Jh.
'Herrgottsakra'ment ('Herrgottsacker'ment) *interj* Unmutsausruf. ↗Sakrament; ↗sackerment. Seit dem 19. Jh.
'Herrgottsakra'menter (-sacker'menter) *pl* erboste Anrede an eine Gruppe o. ä. 1800 *ff.*
'Herrgottsapper'lot *interj* Unmutsausruf. ↗sapperlot. Seit dem 19. Jh.
'Herrgott'saxen *interj* Unmutsausruf. Aus „Herrgottsakra" entstellt. Seit dem 19. Jh, *bayr.*
Herrgottsessen *n* undefinierbares Essen. Nur Gott kennt die Bestandteile. 1940 *ff.*
herrichten *refl* sich wieder in Ordnung bringen; seine Kleider ordnen; das Make-up erneuern o. ä. Analogie „↗zurechtmachen". 1900 *ff.*
herr'je (Herr 'Je) *interj* Ausruf der Entsetzens, auch des Mitleids. Verkürzt aus „Herr Jesu". 1700 *ff.*
herr'jemine (Herr 'Jemine) *interj* Mitleidsausruf. Verkürzt aus „Herr Jesu domine". 1700 *ff.*
herrlich *adj* 1. männlich. Scherzhaft oder spöttisch wertsteigernd gemeinte Ableitung (wie „Mann – männlich" so „Herr – herrlich"). 1800 *ff.*
2. wir haben es ~ weit gebracht = wir sollten uns unserer Errungenschaften (Fehlleistungen) schämen! Geht zurück auf Goethes „Faust I": „Und wie wir's dann so herrlich weit gebracht". Seit dem 19. Jh.
3. ~ und in Freuden leben = sorglos leben. Fußt auf dem biblischen Gleichnis vom reichen Prasser (Lukas 16, 19). Seit dem 19. Jh.
Herrlichster *m* der Herrlichste von allen = Geliebter, Ehemann. Geht zurück auf das von Robert Schumann vertonte Gedicht aus dem Zyklus „Frauen-Liebe und -Leben" von Adelbert von Chamisso (1831). Seit dem späten 19. Jh.
Herrschaft *f* 1. ~en! = a) mahnende Anrede des Vorgesetzten an die Untergebenen; *iron* (halb scherzhafte) Höflichkeitsanrede. Herrschaften sind eigentlich die

Vornehmen, die hochgestellten Persönlichkeiten. Seit dem 19. Jh. – b) Ausdruck der Überraschung. 1920 ff.
2. ~ nochmal!: Ausruf des Unwillens oder Erschreckens. Entstellt aus „Herrgott nochmal" Seit dem 19. Jh.
3. die alten ~en = die Eltern; Elterngeneration. Summierung von „alter Herr" und „alte Dame", zugleich mit dem burschikos-spöttischen Ausdruck des Höflichkeitsabstands oder der Ehrfurcht. *Stud* seit dem späten 19. Jh.
4. die hohen ~en = die Eltern. Eigentlich Bezeichnung für die Kaiser- oder Königsfamilie. *Jug* 1955 ff.
'Herrschaft'sachsen ('Herrschaft'saxn) *interj* Unmutsausruf. „Herrschaft" ist verweltlichende Entstellung von „Herrgott", und „-sachsen" ist umgemodelt aus „/Sakra". *Bayr* seit dem 19. Jh.
'Herrschaft'sakra *interj* Verwünschung. *Vgl* das Vorhergehende; /Sakra. Seit dem 19. Jh.
'Herrschaftsakra'ment *interj* Ausruf des Unmuts, des Entsetzens. /Sakrament. *Bayr* seit dem 19. Jh.
'Herrschaft'seiten (-'zeiten) *interj* Verwünschung, Fluch. „Herrschaft" ist aus „Herrgott" entstellt, und „-seiten" oder „-zeiten" ist aus „sakra" und „Deifi" (= Teufel) zusammengewachsen. *Bayr* seit dem 19. Jh.
Herrscher *m* **1.** ~ ohne Krone = Schulleiter. Fußt auf dem Titel eines 1957 unter der Regie von Harald Braun gedrehten Films. *Schül* 1958 ff.
2. ~ (Allein-, Selbstherrscher) aller Reußen = a) Mensch mit (eingebildeter) Machtfülle; überheblicher Mann. Fußt auf dem amtlichen Titel der russischen Zaren: „Kaiser und Selbstherrscher aller Reußen". Seit dem 19. Jh. – b) Chef. 1935 ff. – c) Hauptfeldwebel. *BSD* 1965 ff.
herschaukeln *intr* herbeifliegen. /Schaukel. Fliegerspr. 1935 ff.
herschieben etw vor sich ~ = etw nicht entscheiden; eine Entscheidung aufschieben. Sachverwandt mit „auf die lange /Bank schieben". 1920 ff.
herschnurren *tr* Auswendiggelerntes schnell und ausdruckslos aufsagen. Hergenommen vom eintönigen Schnurren des Spinnrads o. ä. Seit dem 19. Jh.
Hersteller *m* Vater. Er ist der Erzeuger. 1920 ff.
herwachsen *v* etw ~ lassen = etw hergeben, anreichen. „Her" bezeichnet die Richtung auf den Sprechenden zu. „Wachsen" meint „größer, länger werden", so daß man es greifen kann. 1800 ff.
Herz *n* **1.** Kosewort. Das Herz als Sitz der innigen Gefühle. Spätestens seit dem 18. Jh.
2. Busenausschnitt, Busen. Seit dem 15. Jh.
3. das ~ aus dem Leibe = Kegelwurf durch die Mittelgasse. Keglerspr. 1900 ff.
4. ein ~ voll Musik = Musikunterricht in der Schule. Vom gleichlautenden Filmtitel des Jahres 1955 übernommen. *Schül* 1957 ff.
5. ~ mit Schnauze = gutmütige Grobheit; derbe Herzlichkeit. Gilt als Kennzeichen der Berliner. Seit dem 19. Jh.
6. ein ~ voller Sehnsucht = Schulausflug. Geht auf einen Filmtitel zurück. *Schül* 1958 ff.

7. offen getragenes ~ = tiefes Brustdekolleté. 1900 ff.
8. starkes ~ = leistungsstarker Motor. 1950 ff.
9. starkes (weites; viel) ~ = tiefes Dekolleté; üppiger Busen. /Herz 2. Seit dem 19. Jh.
10. zwei ~en im Dreivierteltakt = Leistungsstufe zwischen „Genügend" und „Mangelhaft". Dem gleichlautenden Titel eines 1930 unter der Regie von Willi Forst gedrehten Films entlehnt. *Schül* 1930 ff.
11. etwas fürs ~ = Mädchen; intime Freundin. /Herz 1. 1900 ff.
12. jm das ~ abdrücken = den Gegner in die Mittelhand nehmen und ihm anderweitig zusetzen, so daß er mit seinen guten Karten nichts ausrichten kann. Meint eigentlich „jm seelisch zusetzen". Kartenspielerspr. 1920 ff.
13. sein ~ an der Garderobe (Kasse) abgeben = mitleidlos sein; ohne Nächstenliebe handeln. Man gibt das Herz ab wie lästige Überkleidung. 1950 ff.
14. sich das ~ abkaufen lassen = sich entmutigen lassen; ängstlich sein. Das Herz gilt als Sitz des Mutes (= Beherztheit). 1900 ff.
15. jm das ~ abklemmen = jn entmutigen. *Sold* in beiden Weltkriegen.
16. das ~ aufknöpfen = ein Liebesgeständnis machen. Übertragen vom Aufknöpfen der Jacke, der Weste oder des Hemdkragens. 1960 ff.
17. jn auf ~ und Nieren ausquetschen = jn einem strengen Verhör unterziehen. Ausquetschen = gründlichst auspressen. 1933 ff.
18. sein ~ beanspruchen = sich heftig verlieben. Beanspruchen = Leistung abverlangen. 1930 ff.
19. ~, was begehrst du mehr?: Ausdruck der Befriedigung. „Was das Herz begehrt" meint soviel wie „wozu man Lust hat" oder „wonach einem der Sinn steht" Seit dem 18. Jh.
19 a. mir bricht das ~ = ich bin voller Mitleid *(iron)*. 1960 ff.
20. ein ~ entern = ein Liebesverhältnis einleiten. Dem Seekrieg entlehnt: man zieht ein feindliches Schiff mit dem Enterhaken heran und besteigt es. 1900 ff.
21. ihm fällt (rutscht, sinkt) das ~ in die Hose (Buxe) = er wird mutlos. Entmutigung erscheint schon in der Antike unter dem Bilde des sinkenden Muts. Die Hose als Richtungsangabe dieses Sinkens (von Hemdhöhe bis Hosentiefe) hängt auch zusammen mit der volkstümlichen Gleichsetzung von Mutlosigkeit und Durchfall. Seit 16./ 17. Jh. *Vgl franz* „il fit dans les culottes".
22. ihm ist das ~ in den Hosenboden gefallen (gerutscht) = er hat Angst, böse Befürchtungen. *Vgl* das Vorhergehende. 1900 ff.
23. ihm fällt (rutscht) das ~ in die Hosentasche = er verliert den Mut. /Herz 21. 1900 ff.
24. ihm fällt das ~ in die Kniekehle (-scheibe) = er wird mutlos. Es handelt sich um ein noch tieferes Durchfallen des Organs der Beherztheit als bei „/Herz 21". 1600 ff.
25. ihm fällt ihn in die Schuhe = mit seiner Beherztheit ist es vorbei. Das Herz in den Schuhen reicht nur noch zum Da-

vonlaufen. 1500 ff. *Vgl lat* „animus in pedes decidit", *engl* „his heart sank into his boots".
26. 'ein ~ hat jeder = das von mir ausgespielte Herz-As wird wohl jeder bedienen müssen. Kartenspielerspr. seit dem 19. Jh.
27. etwas fürs ~ haben = ein Liebesverhältnis unterhalten. 1900 ff.
28. ein elastisches ~ haben = für Liebe sehr empfänglich sein; den Liebespartner häufig wechseln. 1900 ff.
29. das ~ auf dem linken Fleck haben = a) unaufrichtig, hinterhältig sein. 1900 ff. – b) sozialistischer Überzeugung sein. Übernommen von der Sitzverteilung im Parlament. 1900 ff. – c) geizig sein. Wer „das Herz auf dem rechten (= richtigen) Fleck" hat, gilt als lebenstüchtig und menschenfreundlich. 1900 ff.
30. sein ~ in der Hose haben = ängstlich, feige sein. /Herz 21. Seit dem 19. Jh.
31. das ~ in der Hosentasche haben = verzagt sein. 1900 ff.
32. ein ~ kehrt ~ = a) Schluß des Schulunterrichts. Macht sich den gleichlautenden Titel des 1956 mit Maria Holst gedrehten Films zunutze. *Schül* 1968 ff. – b) Dienstende in der Kaserne. *BSD* 1965 ff.
33. ihm klopft das ~ in die Hose = vor Angst hat er sich ins Kot beschmutzt. Das Herz ist in die Hose gefallen (/Hose 21) und klopft nun dort weiter. 1940 ff.
34. ~en knacken = Herzen brechen. Seit dem 19. Jh.
35. sein ~ auf den Tisch legen = seine innersten Gefühle offenbaren. Wie man Spielkarten oder Geld offen auf den Tisch legt. 1920 ff.
36. jn auf ~ und Nieren löchern = jn eingehend ausfragen. Zusammengesetzt aus „auf Herz und Nieren prüfen" (/Herz 40) und „/löchern". 1930 ff.
37. seinem ~en Luft machen = einen Darmwind entweichen lassen. Eigentlich soviel wie „seiner Erregung freien Lauf lassen; sich unumwunden aussprechen; die Ursache des Zorns mitteilen". 1500 ff.
38. aus seinem ~en keine Mördergrube machen = seine wahre Meinung nicht verhehlen; sich nicht schlechter machen als der Wahrheit entsprechend. Frei entwickelt aus Matthäus 21, 13 („Mein Haus soll ein Bethaus sein; ihr habt daraus eine Mördergrube gemacht.") und Jeremias 7, 11 („Haltet ihr denn dieses Haus, das nach meinem Namen genannt ist, für eine Mördergrube?"). Die Insassen einer Mördergrube suchen ihre Absichten zu verbergen. 1700 ff.
39. etw ~ in beide Hände nehmen = besonnen und tapfer sein. Was man in beide Hände nimmt, wird sorglich und fest angefaßt, damit es weder fällt noch bricht. Seit dem 19. Jh.
40. etw (jn) auf ~ und Nieren prüfen = etw (jn) genau überprüfen, untersuchen. „Herz und Nieren" bezeichnen formelhaft das Innere des Menschen; volkstümlich geworden durch die Bibelsprache (Psalm 7, 10; Jeremias 11, 20). 1500 ff. *Vgl franz* „sonder les reins et le cœur de quelqu'un".
41. auf jds ~en rumtrampeln = auf jds Gefühle keine Rücksicht nehmen. Wie kleine Kinder auf den Schoß Erwachsener treten. 1950 ff.

42. das ~ schonen = einer Liebschaft abgeneigt sein; keine Prostituierte aufsuchen. 1900 *ff.*

43. jm ins ~ sehen = einer weiblichen Person ins Dekolleté oder weit unter den Rock blicken. 1950 *ff.*

44. einen Brief ins ~ stecken = einen Brief ins Dekolleté stecken. Seit dem 18. Jh.

45. ~ tragen = ein tiefes Brustdekolleté tragen. ↗Herz 2. 1950 *ff.*

46. das ~ auf der Zunge tragen (haben) = offenherzig sein; seine Gefühle nicht verhehlen; seine Ansichten freimütig (impulsiv) äußern. Seit dem 19. Jh.

47. ~, was verlangst du mehr?: Redewendung, wenn alles nach Wunsch verläuft oder vorhanden ist. ↗Herz 19. Etwa seit dem 19. Jh.

48. das ~ wächst: Redewendung, wenn einer den Schluckauf hat. Seit dem späten 19. Jh.

49. wirf dein ~ über die Hürde! = ermanne dich! sei beherzt! Der Turfsprache entlehnt. 1930 *ff.*

50. ~, was willst du mehr? = wie kann man unter diesen Umständen noch mehr erwarten? ↗Herz 19. Etwa seit dem 19. Jh.

51. sein ~ zersplittern = mehrere Liebschaften gleichzeitig unterhalten. Sich zersplittern = sich für vieles interessieren und keinen festen Mittelpunkt haben. 1910 *ff.*

Herz-As *n* das ~ ausspielen = das entscheidende Argument vorbringen. Der Kartenspielersprache entlehnt. 1950 *ff.*

Herzbinkerl (-binkl) *n* kleines Kind; Geliebte. Binkel = Beule = vorragender Teil = Brust. *Bayr* seit dem 1800 *ff.*

Herzdrücken *n* nicht an ~ sterben = unverhohlen seine Meinung sagen. Wer eine leidenschaftliche Äußerung unterdrückt, schafft sich Beklemmung, die das Herz in Mitleidenschaft ziehen kann. Seit dem 19. Jh.

Herzensbrecher *m* jugendlicher Liebhaber (als Bühnenrolle). Theaterspr. 1920 *ff.*

Herzenskind *n* kleiner Junge (Kosewort). Seit dem 19. Jh.

Herzensknacker *m* Herzensbrecher. ↗Herz 34; ↗knacken. 1950 *ff.*

Herzensschatz *m* Kosewort. Seit dem 19. Jh.

Herzentzündung *f* heftiges Liebesgefühl. 1900 *ff.*

Herzerweiterung *f* **1.** Vollbusigkeit. Eigentlich die krankhafte Vergrößerung des Herzens. *Vgl* ↗Herz 2. 1900 *ff.* **2.** starke Liebesgefühle für mehrere weibliche Personen gleichzeitig. 1900 *ff.*

Herzflattern *n* Herzneurose. 1950 *ff.*

herzhaft *adv* ~ in die Hosen (geschissen) = Herz als Spielansage. Derbe Erweiterung des Stichworts „Herz (spiele ich)". Kartenspielerspr. 1900 *ff.*

herziehen *v* über jn ~ = über jn schimpfen; jn heftig kritisieren. Analog zu ↗hergehen. Seit dem 19. Jh.

herzig *adj* **1.** nett, lieblich, allerliebst; im Wesen angenehm. Eigentlich „das Herz erquickend" und von da weiterentwickelt zur Bedeutung „liebenswert". 1700 *ff.* **2.** mit großzügigem Brustdekolleté. ↗Herz 2. 1950 *ff.*

Herzkäfer *m* Kosewort. ↗Käfer. 1920 *ff.*

Herzkammer *f* Abort. Eigentlich der Hohl-

raum im Herzen; hier Anspielung auf den herzförmigen Ausschnitt in der Tür. *Oberd* 1920 *ff.*

Herzklabastern *n* Herzklopfen. Klabastern = klettern. Anspielung auf erhöhten Blutdruck. 1900 *ff.*

Herzklaps *m* Herzanfall, Herzfehler. ↗Klaps. Vielleicht beeinflußt von „Kollaps". Seit dem späten 19. Jh.

Herzknacks *m* Herzleiden. ↗Knacks. 1900 *ff.*

herzlich *adj* **1.** *adv* = sehr. Aus der Bedeutung „innig" ergibt sich von vornherein der Steigerungswert. Schon in *mhd* Zeit. **2.** ~ lacht die Tante = Spielansage „Herz". *Vgl* ↗herzhaft. Kartenspielerspr. 1900 *ff.* **3.** ~ liebt die Lotte = Spielansage „Herz". *Vgl* ↗herzhaft. Kartenspielerspr. 1900 *ff.*

Herzpinkel *m* *n* Lieblingskind, Liebling. ↗Herzbinkerl. *Österr* seit dem 19. Jh.

Herzpuckern *n* heftiges Herzklopfen; große Angst. ↗puckern. 1840 *ff.*

Herzschwäche *f* Liebesgefühl; Übermanntwerden von Stimmungen. Eigentlich das Nachlassen der Herztätigkeit; hier soviel wie „schwach werden" (*vgl* ↗schwach 13 d). 1920 *ff.*

Herztropfen *pl* Schnaps. Eigentlich Tropfen zur Linderung von Herzbeschwerden oder zur Herzstärkung; hier dienen sie zur Anfeuerung der Beherztheit. *BSD* 1965 *ff.*

Herz- und Nierenprüfung *f* strenge akademische Abschlußprüfung. ↗Herz 40. *Stud* 1960 *ff.*

Hesse *m* blinder ~ = a) geistesbeschränkter Mensch. Leitet sich möglicherweise von „blinder Hundehesse = blindgeborener Hund" her. Die auf das Land Hessen bezüglichen Deutungsversuche aus der Geschichte wirken wenig überzeugend. 1500 *ff.* – b) Schwachsinniger. Seit dem 19. Jh.

Hetz (Hetze) *f* **1.** aufregende, ermüdende, dringende Arbeit; laute Lustigkeit. Gehört zu „hetzen = antreiben". *Vgl* auch den Begriff „Tierhetze". *Oberd* 1800 *ff.* **2.** mit jm eine ~ machen = jn vernarrn. Seit dem 19. Jh. **3.** jede ~ mitmachen = sich an allem unbedenklich beteiligen. *Oberd* 1939 *ff.*

Hetze *f* **1.** anstrengende, vordringliche Arbeit. ↗Hetz 1. 1800 *ff.* **2.** eine ganze ~ = eine größere Anzahl; viele. Meint eigentlich die bei der Hetzjagd eingesetzte Hundemeute. Seit dem 18. Jh.

Hetzjagd *f* ermüdendes Hasten; aufreibende Tätigkeit. Meint eigentlich die Verfolgungsjagd mit Hunden. *Oberd* seit dem 19. Jh.

Heu *n* **1.** Geld. Reiche Heuernte bedeutet für den Bauern Geldreichtum. *Rotw* 1700 *ff.* **2.** Tabak. Eigentlich einer, der nach Heu schmeckt. *Rotw* 1900 *ff; halbw* 1960 *ff.* **3.** Haschisch, Marihuana o. ä. Übersetzt aus *gleichbed angloamerikan* „hay". 1969 *ff.* **4.** Geld wie ~ = sehr viel Geld. ↗Heu 1. 1700 *ff.* **5.** Schulden wie ~ = sehr viele Schulden. 1920 *ff.* **6.** das ~ einfahren = Geld für die berufliche Zukunft verdienen; sich die Zukunft sichern. 1920 *ff.* **7.** ins ~ gehen = koitieren. Hergenom-

men von Geschlechtsverkehrsgewohnheiten des Hofgesindes. 1900 *ff.*

Heuboden *m* Theatergalerie; Galerie im Sportpalast; Stehplätze im Stadion o. ä. Eigentlich der obere Speicherraum für die Einlagerung von Heu. 1840 *ff.*

Heuer *f* Sold; Geld. Eigentlich die Löhnung des Matrosen. Bundesmarinespr. 1965 *ff.*

heuern *tr* jn heiraten. Eigentlich soviel wie „zu Schiffsdiensten anwerben und verdingen". Seit dem späten 19. Jh.

Heugeige *f* großwüchsige, hagere Person. Meint die lange Stange, die auf dem Wagen das Heu festhält, oder auch das Gestell zum Grastrocknen: beide erinnern an „Lyra = Leier = Urform der Geige". *Oberd* 1600 *ff.*

Heul-Arie *f* **1.** lautes und/oder ausdauerndes Weinen. ↗heulen 1. 1920 *ff.* **2.** Tränenerguß, mit dem eine Frau sich beim Mann durchzusetzen sucht oder ihm einen Vorteil abzugewinnen sucht, dramatisch wie auf der Opernbühne. Spiel mit zwei Bedeutungen des Wortes: „heulen = weinen" und „heulen = schrill (in hohen Tönen) singen". 1920 *ff.*

Heulboje *f* **1.** schon bei geringstem Anlaß und/oder anhaltend weinende Person; ins Rührselige verfallender Redner. Eigentlich die in der Seefahrt die strandnahe Boje mit automatisch tönender Sirene. 1900 *ff.* **2.** Sängerin. *Vgl* ↗Heul-Arie. 1900 *ff.* **3.** schluchzender Schlagersänger. 1954 aufgekommen mit Elvis Presley. **4.** Mensch, der um Unwichtiges ein großes Geschrei erhebt. 1915 *ff.* **5.** Nörgler. 1915 *ff.* **6.** unermüdlicher Warner; unliebsamer Mahner. 1935 *ff.* **7.** lärmende, heulende Stimme. ↗Heulboje 3. 1954 *ff.*

heulen *intr* **1.** (anhaltend und stark) weinen. Hergenommen von klagend klingenden Tierlauten (Hund, Wolf, Eule u. ä.); auch der Wind heult. Seit dem 16. Jh. **2.** schimpfen. 1910 *ff.* **3.** gegen etw ~ = gegen etw laut Einspruch erheben. Mit „Heuler" verspottete man 1848 die rechtsgerichteten Kreise in ihrem Widerstand gegen die Einführung demokratischer Grundsätze. 19. Jh. **4.** es ist zum ~ = es ist zum Verzweifeln. Seit dem 19. Jh. **5.** es war zum ~ = es war sehr erheiternd. Man lacht Tränen darüber. 19. Jh. **6.** zum ~ komisch = überaus lächerlich wirkend. *Vgl* das Vorhergehende. 1920 *ff.* **7.** zum ~ schön = a) überaus schön. 1900 *ff*. b) äußerst unangenehm; höchst widerwärtig. Ironie. 1920 *ff.* **8.** ~ und Zähneklappern = hilflose Wut. „Heulen und Zähneklappern" kennzeichnet die in der Hölle schmorenden Sünder (laut Matthäus 8, 12 in der evangelischen Bibel-Übersetzung). 1500 *ff.* **9.** mit ~ und Zähneklappern = widerwillig; mit innerem Widerstreben. *Vgl* das Vorhergehende. 1920 *ff.* **10.** mit ~ und Zähneknirschen = ohnmächtige Wut; heftige Selbstvorwürfe. Fußt auf der katholischen Übersetzung der Bibelstelle bei Mätthäus 8, 12. *Vgl* ↗heulen 8. 1500 *ff.* **11.** das große ~ = späte Reue. ↗heulen 1. 1920 *ff.* **12.** das große ~ kriegen = laut weinen müssen; einen Weinkrampf bekommen. ↗heulen 1. 1920 ff.

Heuler m **1.** mehr kreischender und/oder schluchzender als singender Schlagersänger. 1920 ff.
2. lauter Beifallsruf. Es ist eine Art Freudengeheul. 1950 ff.
3. lautstarkes Rundfunkgerät (Kofferradio o. ä.). Halbw 1955 ff.
4. Lied, Schlager, „Song" o. ä. Auf „empfindliche" Ohren wirkt es eher wie Geheul als wie Gesang. 1955 ff, halbw.
5. rührende Geschichte. Sie rührt zu Tränen. ↗heulen 1. 1960 ff.
6. Rennwagen mit starker Geräuschentwicklung. 1950 ff.
7. Schützenpanzer HS 30. BSD 1965 ff.
8. Starfighter. Wegen des heulenden Fluglärms; vielleicht beeinflußt von „↗Heuler 11". BSD 1965 ff.
9. Intertrigo (medizinisch). Auch „Wolf" genannt, und Wölfe heulen. BSD 1965 ff.
10. Zivilist. Als politisches Schlagwort 1848 soviel wie der aufbegehrende Gegner, der an den bestehenden Zuständen nichts geändert haben wollte. Vgl ↗heulen 3. BSD 1965 ff.
11. großartige Sache; etwas Umwerfendes; fabelhafter Effekt; köstlicher Witz; Unüberbietbarkeit; sensationelle Meldung. Geht zurück auf gleichbed engl „howler". Halbw 1955 ff.
12. kräftiger Hand-, Fußballstoß. Sportl 1955 ff.
13. nettes junges Mädchen. Fußt auf ↗Heuler 11. 1960 ff.
14. dufter ~ = Spitzenkönner, -produkt. ↗dufte; ↗Heuler 11. 1965 ff.
15. der größte ~ = das Beste. ↗Heuler 11. 1960 ff.
15 a. irrer ~ = großartige Sache. ↗Heuler 11; ↗irr 1. Halbw 1960 ff.
16. lahmer ~ = langweiliges Mädchen. Lahm = schwunglos, wenig umgänglich. Vgl ↗Heuler 13. 1960 ff.
17. der letzte ~ = a) das allergrößte Ereignis; unüberbietbare Sache; letzte Mode-, Schlagerneuheit o. ä. Hier vereinigen sich „der letzte ↗Schrei" und engl „howler" (↗Heuler 11). Halbw 1955 ff. – b) das Schlechteste, das man sich denken kann; unsympathisches Mädchen; höchst wunderlicher Mensch. ↗Letztes. Halbw 1960 ff.
18. schräger ~ = Schlagermelodie. ↗Heuler 4; ↗schräg. 1960 ff.

Heulerei f heftiges Weinen; Weinkrampf; anhaltendes Weinen bei geringstem Anlaß. ↗heulen 1. Seit dem 19. Jh.

Heulkonzert n **1.** mißtönende Musik. ↗Heuler 4. 1920 ff.
2. Sirenenalarm. Zur Erklärung vgl „↗Heulboje 1". 1939 ff.
3. Mißfallensäußerung vieler Personen. ↗heulen 2. 1920 ff.
4. Begeisterungsgeheul der Zuhörer einer modernen (Jugend-)Musikveranstaltung. 1955 ff.

Heulliese f rasch, auch aus geringstem Anlaß weinende weibliche Person. Berlin um 1800: „Weibsperson, welche durch ihr Weinen auf der Straße das Mitleid der Vorüberschreitenden zu erregen sucht, um auf diese Weise milde Gaben zu erheischen". 1900 ff.

Heulregister n das ~ ziehen = mit reichlichem Tränenerguß etw durchzusetzen

suchen (von einer Frau gesagt). Dem Orgelregister nachgeahmt. Vgl ↗Heul-Arie 2. 1900 ff.

Heulstoff m rührendes Vorkommnis; rührseliger Roman oder Film; traurige Begebenheit. Das Gemeinte reizt oder rührt zu Tränen. 1930 ff.

Heulsuse f **1.** zu Tränen neigende weibliche Person; weinerlicher Mann. ↗heulen 1. Seit dem 19. Jh.
2. Nebelhorn; Feueralarm-, Luftwarnsirene. Wegen des Heultons. 1930 ff.
3. Schlagersängerin. ↗Heulboje 2. 1930 ff.

Heumacher m **1.** Boxer, der weit zum Schlag ausholt; weit ausgeholter Boxhieb. Übertragen von der weit ausholenden Armbewegung des Schnitters. Sportl 1920 ff.
2. Mensch, der Bedeutungsloses (zum ansehnlichen, jedoch schütteren Heuhaufen) aufbauscht. 1950 ff.

Heuochse m dummer Mensch. Da alte Ochsen sehr böse werden können und dann blindwütig umherrasen, windet man ihnen einen prall mit Heu ausgestopften Sack um die Hörner, wodurch mancher Schaden vermieden oder gemildert werden kann. Der Ochse mit dem Heusack ist noch verstandesblinder als der ohne Heusack. Steigerung von ↗Ochse. 1700 ff.

Heupferd n dummer Mensch. Eigentlich der volkstümliche Name der Heuschrecke; wahrscheinlich Analogie zum Vorhergehenden, weil „Pferd" ebenfalls den Dummen meint; vgl ↗Roß. 1800 ff.

Heuschrecke f **1.** ältliche Frau. Sie hat ein „schreckliches" Wesen und wirkt im übertragenen Sinne „verheerend" wie im eigentlichen die Wanderheuschrecke. 1900 ff, schül.
2. kleines Jagdflugzeug, das rasch aus dem Hinterhalt vorstößt; Fieseler-Storch. Übertragen vom Sprungvermögen der Heuschrecken. Sold in beiden Weltkriegen.
3. Hubschrauber. BSD 1965 ff.

Hexe f **1.** garstige, unverträgliche, keifende Frau. Eigentlich eine Frau, von der man in abergläubischer Furcht annahm, sie zaubere den Menschen und Tieren Krankheiten an, verstehe sich auf Gifte und Wettermacherei und stehe mit dem Teufel im Bund. Das Zeitalter der Aufklärung bescherte ihr eine Bedeutungsverbesserung: sie war jetzt bloß noch eine alte Frau, deren Schädlichkeit sich vorwiegend in Unverträglichkeit erschöpfte. Seit dem 18. Jh.
2. kleines Mädchen. Es nimmt die Erwachsenen für sich ein wie eine Zauberin. Seit dem 19. Jh.
3. Geliebte; Frau (Kosewort). Sie bezaubert den Mann. Seit dem 18. Jh.
4. voll wie eine ~ = betrunken. Von den Hexen glaubte man, sie hätten mit dem Teufel alkoholische und geschlechtliche Orgien gefeiert. 1900 ff.
5. so was hat man früher als ~ verbrannt!: Redewendung auf eine äußerlich oder charakterlich garstige weibliche Person. 1920 ff.

hexen v nicht ~ können = sich nicht noch mehr beeilen können; Unmögliches nicht vollbringen können. Seit dem 18. Jh.

Hexenblatt n **1.** schwierige Klassenarbeit. 1960 ff.
2. ~ (= mit Geisterhand geschrieben) =

Schulzeugnis mit schlechten Noten. 1960 ff.

Hexenkessel m **1.** Großkampf; Materialschlacht. Hexen sollen früher in einem Kessel Zauberträume gebraut und ebendort auch das Unwetter erzeugt haben. Sold in beiden Weltkriegen.
2. wild aufgeregte Menschenmenge im Stadion. Sportl 1950 ff.

Hexensabbat m wüstes Durcheinander. Eigentlich im trad Aberglauben das an Ausschweifungen reiche Fest der Hexen in der Walpurgisnacht u. a. 1800 ff.

Hexentanz m Damenwahl beim Tanz; Tanz nur unter Frauen. Vorwiegend bezogen auf Witwen- und Ledigenbälle, auf den „Ball einsamer Herzen" u. ä. ↗Hexe 3. 1900 ff.

Hexi-Sexi n junges Mädchen, das die weiblichen Verführungskünste gut beherrscht. Es ist ein „Hexchen" (vgl ↗Hexe 3) und „↗sexy". 1960 ff.

hey interj Begrüßungsruf. ↗hei. Halbw 1955 ff.

'Hick'hack n unfruchtbarer Wortwechsel; Zank; Hin und Her; umständliche Verhandlung. Wohl von Vögeln hergenommen, die mit dem Schnabel aufeinander einhacken. Hicken = mit dem Schnabel hacken, picken. 1920 ff.

Hicks m einen ~ haben = den Schluckauf haben. Lautmalend. Seit dem 19. Jh.

hiddelig adj hastig, überstürzt. Gehört zu „hitt = heiß, hitzig". Nordd 1800 ff.

Hieb m **1.** Kleinigkeit. Eigentlich das abgeschlagene Stück, das Teilstück. Seit dem 18. Jh.
2. Schluck Alkohol. Seit dem 18. Jh.
3. Rausch. Hieb = Schlag. Der Betrunkene ist leicht geistesverwirrt wie von einem heftigen Schlag gegen den Kopf; er hat „Schlagseite". Vorwiegend oberd, 1700 ff.
4. Koitus. Hauen = stoßen = koitieren. 1920 ff.
5. letzter ~ = letzte Modeneuheit. Meint entweder mit „↗Hieb 1" die Kleinigkeit oder ist Analogie zu „Schlager". 1960 ff.
6. auf einen ~ = ohne Pause; ohne abzusetzen; zugleich. Hergenommen vom Holzpflock (o. ä.), der mit einem Axthieb gespalten wird. 1920 ff.
7. einen ~ haben = a) betrunken sein. ↗Hieb 3. 1700 ff. – b) nicht ganz bei Verstand sein. Der Zustand ist dem des Bezechten sehr ähnlich. Seit dem 19. Jh. – c) eine wunderliche Angewohnheit haben; eine merkwürdige Charaktereigentümlichkeit haben. 1800 ff.
8. einen ~ vertragen können = wacker zechen können. ↗Hieb 2. 1800 ff.

hieb- und stichfest adj unumstößlich; unerschütterlich. Meint eigentlich „gefeit gegen Hieb- und Stichwaffen". Etwa seit 1900.

hienzen tr jn necken, kritisieren. Wiederholungsform von „höhnen"; vgl mhd „hoenezzen". Bayr und österr 1800 ff.

hier adv **1.** es geht ihm ~ hinein und da hinaus = es bleibt in seinem Gedächtnis nicht haften. Die Redensart ist an die Gebärde geknüpft: man zeigt zuerst auf das eine Ohr, dann auf das andere, um anzudeuten, daß der Betreffende zwar hört, aber nicht behält. Seit dem 19. Jh.
2. bei der Verteilung der Dummheit zweimal „~!" gerufen haben = überaus dumm sein. 1900 ff.

3. er hat zweimal „~!" gerufen, als die Nasen verteilt wurden = er hat eine auffallend große Nase. 1920 ff.

4. ein bißchen ~ sein = geistesbeschränkt sein. Bei „hier" zeigt man auf Stirn oder Schläfengegend. 1900 ff.

5. nicht von ~ sein = nicht ganz bei Verstand sein; geistesabwesend sein. Gemeint ist, daß der Betreffende nicht so gescheit ist wie die Einheimischen. 1850 ff.

Hiesel (Hiasl) m grober, bäuerischer, dummer Mann. Koseform des Vornamens Matthias. Matthias Klostermayer, genannt „der bairische Hiesel", war ein Wilderer und Räuber (1736–1771). *Bayr* 18. Jh.

hieseln *tr* jn veralbern, nicht als erwachsen ansehen. Steht im Zusammenhang mit der Bauernverachtung. *Vgl* das Vorhergehende. *Bayr* und *schwäb* seit dem 19. Jh.

high (*engl* ausgesprochen) *adj* ~ machen = aufmuntern, begeistern, anspornen. ↗ high sein 3. 1960 ff.

High (*engl* ausgesprochen) *n* im ~ sein = unter Rauschgifteinwirkung stehen. *Halbw* 1960 ff.

Highmacher (Bestimmungswort *engl* ausgesprochen) *m* Rauschgift. ↗ high sein 1. 1955 ff.

high sein (*engl* ausgesprochen) **1.** unter dem Einfluß von Rauschgift stehen. Vom *angloamerikan* Slang übernommen. 1955 ff.

2. volltrunken sein. 1970 ff.

3. gutgelaunt sein. 1965 ff.

4. auf dem laufenden sein. *Vgl* ↗ Höhe 10. 1975 ff.

Hilfe f **1.** Erste ~ leisten = dem Schüler vorsagen. Meint eigentlich die einstweilige Hilfeleistung für einen Verletzten vor dem Eintreffen des Arztes oder der Einlieferung ins Krankenhaus. *Schül* 1950 ff.

2. mit fremder ~ nachdenken = vom Mitschüler abschreiben. 1955 ff.

Hilfestellung f bildungssoziale ~ = Vorsagen durch den Mitschüler. Aufgefaßt als Bildungspflicht aus mitmenschlichen Beweggründen, als Betätigung sozialer Gesinnung auf dem Gebiet der Bildung. *Schül* 1960 ff.

Hilfsauto n Kleinauto. Es ist eine Art von Notbehelf. 1958 ff, *jug.*

Hilfsbremser m **1.** Hilfslehrer. Meint eigentlich den Mitbremser im Bremserhäuschen des Güterwagens (Eisenbahn-Geschichte): er übte keinen Einfluß auf die Bremse der Lokomotive aus, war also weitgehend unselbständig. Seit dem späten 19. Jh.

2. Studienreferendar. 1900 ff.

3. Hilfsgeistlicher. 1890 ff.

4. Hochschulassistent; wissenschaftlicher Hilfsarbeiter. 1930 ff.

5. Hilfsrichter; außerplanmäßiger Richter. 1930 ff.

6. Amtsangestellter in unbedeutender Tätigkeit. 1930 ff.

7. Hilfsausbilder. *BSD* 1965 ff.

Hilfshund m sehr kleiner Hund. Er ist ein Notbehelf in Ermangelung eines größeren Hundes. *Jug* 1958 ff.

Himbeerbubi m **1.** jugendlicher Homosexueller; Jugendlicher, der sich gegen Entgelt für homosexuelle Betätigung zur Verfügung stellt. Die Himbeerfarbe (blaßrosa) steht farbsymbolisch für charakterliche Weichlichkeit. 1933 ff.

2. energieloser Mann. 1945 ff.

3. Schlagersänger, der den rührseligweichlichen Stil bevorzugt. 1955 ff.

himbeerrosa *adj* rührselig, weichlich o. ä. Wohl von der beliebten Bonbonfarbe übertragen: von „harten Männern" wird angenommen, daß sie Bonbons verschmähn. 1930 ff.

Himmel m **1.** ~, Arm und Wolkenbruch!: Unmutsausruf. Abgeschwächt aus ↗ Himmel 8. 1930 ff.

2. ~, Arm und Zwirn!: Verwünschung. Abgeschwächt aus ↗ Himmel 9. 1900 ff.

3. ~, Ärmel und Zwirnknäuel!: Unmutsausruf. 1920 ff.

4. ~ Arsch!: Fluch. *Sold* in beiden Weltkriegen.

5. ~, Arsch und Donnerwetter!: Unmutsausruf. 1900 ff.

6. ~, Arsch und Sack Zement!: Verwünschung. „Sack Zement" ist aus „Sakrament" entstellt. 1920 ff.

7. ~, Arsch und Wolken!: Fluch. 1850 ff.

8. ~, Arsch und Wolkenbruch!: Ausruf des Unwillens. In diesen und ähnlichen Unmutsäußerungen treten Begriffe zusammen, die das Weite und Hohe, das Laute und Große, auch das elementar Eindrucksvolle und das Unflätige bezeichnen. Seit dem 19. Jh.

9. ~, Arsch und Zwirn!: Unmutsausruf. Oft mit dem Zusatz: „entschuldigen Sie das harte Wort Zwirn". „Zwirn" bezieht sich entweder auf den Schneider, der „beim Zwirn" schwört, oder auf die Bedeutung „Sperma". Seit dem 19. Jh.

10. ~ einfach = Erkennungsmarke des Soldaten. Meint die Fahrkarte zum Himmel ohne Rückfahrt. *Sold* 1914 ff.

11. ~, Gesäß und Nähgarn!: Verwünschung. Scherzhaft verfeinert aus „Himmel, Arsch und Zwirn!". 1935 ff.

12. ~, Gesäß und Wäschestrick!: Fluch. Versteht sich wie das Vorhergehende. 1971 ff.

13. ~, Harsch und Firn!: Verwünschung. Umgemodelt auf winterliche Verhältnisse aus „Himmel, Arsch und Zwirn!". 1960 ff.

14. ~ noch eins!: Verwünschung. 1900 ff.

15 a. ~ nochmal!: Verwünschung. 1900 ff.

15 b. ~, Sack und Pfeife!: Unmutsausruf. „Sack" meint den Hodensack, „Pfeife" den Penis. *Sold* 1914 ff.

15 c. ~ und Donner nochmal!: Verwünschung. Seit dem 19. Jh.

15 d. ~ und Menschen = sehr viele Menschen. Teilstück einer Äußerung, der gemäß man nur den Himmel und die Menschen habe sehen können; alles andere war von den Menschenmassen verdeckt. Seit dem 19. Jh.

16 a. ~ und die Welt!: Verwünschung. Seit dem 19. Jh.

16 b. ~ und Wolkenbruch!: Fluch. ↗ Himmel 8. Abgeschwächt durch Auslassung von „Arsch". 1900 ff.

16 c. ~, Zwirn und Hollerstauden!: Unmutsausruf. Zwirn = Sperma. Hollerstaude = Holunderstaude (im bäuerlichen Bereich eine der beliebtesten Gehölze mit vielerlei heilenden und unheilabwehrenden Kräften). *Sold* 1939 ff.

17. vom ~ hoch, da komm' ich her = Fallschirmjäger. Hergenommen aus der Anfangszeile des von Martin Luther 1535 verfaßten Weihnachtslieds. *BSD* 1965 ff.

18. vom ~ in die Hölle = Religionsunterricht. Der Ausdruck besagt wohl, daß die Unterrichtsthematik vom Himmel bis zur Hölle reicht, jedoch die Welt, in der wir leben, vernachlässigt. *Schül* 1960 ff.

19. ~ ohne Sterne = Klassenzimmer. Nach dem Titel des 1955 unter der Regie von Helmut Käutner gedrehten Films. Wie in dem Film leben die Schüler – so meinen sie – freudlos unter der Peitsche der Gewalt. *Schül* 1957 ff.

20. gütiger ~: Ausruf des Entsetzens. Eigentlich eine Anrufung Gottes. Seit dem 19. Jh.

21. du lieber ~!: Ausruf des Entsetzens oder Erstaunens. Entstanden aus der Anrufung Gottes. Seit dem 18. Jh.

22. den ~ für eine Baßgeige ansehen = betrunken sein. Gehört zu der Redewendung „ihm hängt der Himmel voller Geigen" (↗ Himmel 35). 1700 ff.

23. ich haue dich auf den Kopf, daß du den ~ für eine Baßgeige ansiehst!: Drohrede. *Vgl* das Vorhergehende. 1900 ff.

24. den ~ für einen Dudelsack ansehen = a) bezecht sein; heiter, sorglos sein. Gehört zur Musikalität der Trunkenheit; vgl ↗ Himmel 22. 1800 ff. – b) einfältig, dumm sein. Seit dem 19. Jh.

25. ich schlage dich, daß du den ~ für einen Dudelsack ansiehst!: Drohrede. *Vgl* ↗ Himmel 23. Seit dem 19. Jh.

26. ~, tu dich auf!: Ausdruck der Verzweiflung. Entweder soll der Blitz herabfahren, oder der Himmel soll seine Schleusen öffnen, wie bei der Sintflut. 1930 ff.

27. im siebten (in alle) ~ erheben = jn überschwenglich loben. Übersetzt aus *lat* „in coelum efferre; ad astra tollere". *Vgl* ↗ Himmel 42. 1500 ff.

28. das ist einer in den ~ gefahren: Redewendung, wenn einer Schuhe und Strümpfe o. ä. unordentlich hat liegen lassen. Ehe er für Ordnung sorgen konnte, ist er gestorben. 1930 ff.

29. aus allen ~n fallen = überaus erstaunt sein. Beruht auf der altjüdischen Vorstellung, daß der Himmel aus mehreren Schichten besteht. Hängt vielleicht mit der biblischen Erzählung vom Sturz der Engel zusammen. 1700 ff.

30. vom ~ fallen = a) mit dem Flugzeug abstürzen. Fliegerspr. 1939 ff. – b) mit dem Flugzeug landen. 1950 ff.

31. da gibt's vom ~ hoch = da gibt es Prügel. Macht sich das Kinderlied zunutze (↗ Himmel 17), um das Ausholen zum Schlagen zu verdecken. Bigotte Strenge mag auch gemeint haben: der himmlische Vater straft durch die Hand des irdischen Vaters. 1900 ff.

32. den ~ auf Erden haben = ein überaus angenehmes (sorgenfreies) Leben führen. Der Himmel als Wohnsitz Gottes ist zugleich die Stätte höchster Seligkeit. 1700 ff.

33. es wie im ~ haben = unbeschwert leben. Seit dem 19. Jh.

34. ~, hast du keine Blitze: Ausruf des Unwillens. Man wünscht, daß der Blitz dreinschlage. Seit dem 19. Jh.

35. der ~ hängt ihm voller Geigen (Baßgeigen, Fiedeln) = er ist voller Zuversicht, voller Freude; er ist sehr guter Stimmung. Hergenommen von der Vorstellung von den musizierenden Engelscharen. Seit dem 15. Jh.

36. am ~ hängen = fliegen. Fliegerspr. 1935 *ff.*
37. Flugzeuge an den ~ hängen = Flugzeuge in großer Zahl aufsteigen lassen. Fliegerspr. 1935 *ff.*
38. er kommt noch zu spät in den ~ = er kommt ständig zu spät. Er wird sich auch beim Sterben noch verspäten. Seit dem 19. Jh.
39. es schreit zum ~ = es ist entsetzlich. Fußt auf der biblischen Geschichte von Abel und Kain: das Blut des erschlagenen Abel schreit zum Himmel um Rache. *Vgl* ↗himmelschreiend. Seit dem 19. Jh.
40. in allen ~n schweben = überglücklich sein. *Vgl* ↗Himmel 42. Seit dem 19. Jh.
41. den ~ voll Geigen sehen = in guter Stimmung sein; sich seines Lebens freuen. ↗Himmel 35. Seit dem 19. Jh.
42. im siebten ~ sein (schweben; sich im siebten ~ fühlen) = überglücklich sein; sich übermäßig freuen. Der siebte Himmel ist nach rabbinischer Lehre der höchste Himmel; in ihm wohnt Gott mitsamt den Engeln, dazu das Recht, die Gerechtigkeit usw. 1800 *ff.* *Vgl engl* „to be in seventh heaven", *franz* „être au septième ciel".
43. ~ und Hölle in Bewegung setzen = alles aufbieten, um etw zu erreichen. Fußt auf der Bibel: beim Propheten Haggai (2, 7) steht, Gott verheiße, Himmel und Erde, das Meer und das Trockene zu bewegen. An die Stelle der Erde ist im Deutschen aus Alliterationsgründen die Hölle getreten. Seit dem 18. Jh. *Vgl engl* „to move heaven and earth", *franz* „remuer ciel et terre".
44. es stinkt zum ~ = a) es verbreitet einen widerlichen Geruch. Seit dem 16. Jh. – b) es ist äußerst bedenklich, skandalös. Seit dem 18. Jh.
45. auf den ~ studieren = Theologie studieren. 1900 *ff.*
46. jm den ~ auf Erden versprechen = jm das angenehmste Leben versprechen. ↗Himmel 32. 1700 *ff.*
47. das weiß der ~ (der liebe ~)!: Ausdruck des Nichtwissens. Entstanden aus der alten formelhaften Anrufung des Himmels zur Beglaubigung einer Behauptung. Seit dem 19. Jh.

'himmel'angst *präd* **1.** ihm ist ~ (er hat eine ~) = er hat sehr große Angst, Besorgnis, o. ä. Bezieht sich eigentlich auf einen, der für sein Seelenheil fürchtet; er hat Angst, in die Hölle oder ins Fegefeuer zu kommen. Hieraus weiterentwickelt zu verstärkendem Charakter von „himmel-"; auch beeinflußt von dem Gedanken an die Weite des Himmelsgewölbes, wobei sich die Bedeutung „unendlich" einstellt. Seit dem 18. Jh.
2. ihm wird ~ = ihm kommen sehr starke Bedenken; er befürchtet das Schlimmste. Seit dem 19. Jh.

'Himmel'bombenele'ment *interj* Unmutsausruf. Bombenelement = berstendes Gewitter. *Vgl* ↗Himmel 8. Seit dem 19. Jh.
'Himmel'bomben'kreuzele'ment *interj* Verwünschung. 1900 *ff.*
'Himmel'donnerkeil *interj* Fluch. ↗Donnerkeil. 1900 *ff.*
'Himmel'donner'schlag *interj* Verwünschung. Seit dem 19. Jh.

'Himmel'donner'wetter *interj* (zum) ~!: Unmutsausruf. Seit dem 19. Jh.
'Himmelele'ment *interj* Fluch. Seit dem 19. Jh.
Himmelfahrt *f* **1.** Tod. Wahrscheinlich 1864 aufgekommen im Zusammenhang mit der Erstürmung der Düppeler Schanzen: der preußische Pionier Klinke sprengte die erste Bresche in das starke dänische Befestigungswerk und opferte sich in vollem Bewußtsein des ihm Bevorstehenden. Seine mutige Tat wurde sogleich in Prosa und Poesie verherrlicht.
2. lebensgefährliches Unternehmen oder Verhalten; Fahrt durch vermintes Gelände u. ä. 1870 *ff.*
3. dreckige ~ = Soldatentod ohne jeglichen Zweck; schlimmer Ausgang eines aussichtslosen militärischen Unternehmens; schwerer Tod. 1900 *ff.*
Himmelfahrtsknolle *f* aufwärts gebogene, dickliche Nase. ↗Knolle. Meint im besonderen die himmelwärts gerichtete Nase des liegenden Toten. Seit dem späten 19. Jh.
Himmelfahrtskomiker *m* Militärgeistlicher. Geistliche sind Zielscheibe des Soldatenspotts, weil die geistliche Hilfe nur moralisch wirken kann, wohingegen der Besitz von guten Waffen und Munition sowie die Schlagkraft der Truppen insgesamt den eigenen Tod eher verhindern können. *Sold* 1939 *ff.*
Himmelfahrtskommando *n* **1.** mit großer Lebensgefahr verbundener *milit* Auftrag; Stoß-, Spähtruppunternehmen. *Sold* 1914 bis heute.
2. Minenleger; Minensucherabteilung. *Marinespr* 1914 bis 1945.
3. Absprung der Fallschirmjäger. *Sold* 1939 *ff.*
4. lebensgefährliches Unterfangen. *Ziv* 1920 *ff.*
5. gefährlicher politischer Schritt. 1920 *ff.*
6. lebensgefährlicher Beruf. 1920 *ff.*
7. Fluchtunternehmen von DDR-Bürgern. Wegen Schießbefehl und Selbstschußanlagen sowie Verminung der Staatsgrenzen der DDR. 1961 *ff.*
Himmelfahrtsnase (Himmelfahrtnase) *f* aufwärts gebogene Nase. Der Nasenrücken weist den Weg himmelan. Seit dem späten 19. Jh.
'Himmel'fix *interj* Verwünschung. Aus „Kruzifix" umgestaltet. *Österr* seit dem 19. Jh.
'Himmel'fix'lau'don *interj* Unmutsausruf. ↗Fixlaudon. *Österr* 19. Jh.
'himmel'froh *adj* sehr froh. Im Himmel herrscht in volkstümlicher Auffassung ein Zustand ewiger Freude. 1900 *ff.*
'himmel'hagel'dick *adj* stark betrunken. Verstärkung von „↗hageldick", das seinerseits Verstärkung von „↗dick" ist. 1700 *ff.*
'Himmel'hagel'donnerwetter *interj* Unmutsausruf. Seit dem 19. Jh.
'himmel'hagel'voll *adj* stark betrunken. ↗hagelvoll. Seit dem 18. Jh.
'Himmel'herrgott (nochmal) *interj* Verwünschung. Ursprünglich eine fromme Anrufung Gottes. Fluch.
'Himmel'herrgott'donnerwetter *interj* Fluch. Seit dem 19. Jh.
'Himmel'herrgott'kruzi'türken'fix'laudon *interj* Ausruf der Verzweiflung. ↗Kruzitürken; ↗Fixlaudon. *Österr* 1900 *ff.*

'Himmel'herrgott'sakra *interj* Fluch. ↗Sakra. Vorwiegend *oberd,* 19. Jh.
'Himmel'herrgottsakra'ment *m* verdammter Kerl. *Bayr* 1900 *ff.*
'Himmel'herrgottsakra'ment *interj* Fluch. ↗Sakrament. *Oberd* seit dem 19. Jh.
'Himmel'herrgottsakra'ments'donnerwetter *interj* Verwünschung. 1900 *ff.*
'Himmel'herrgottsakra'ment'kreuz'schockschwere'notpotz'bombenele'mentdonnerwetter! *interj* deklamatorischer Ausruf sehr heftigen Unwillens. 1915 *ff.*
'Himmel'herrgottsakra'mentkruzi'fixhalle'lujage'lumpverreckts! ↗Himmiherrgottsakramentzefixhallelujaglumpvareckts.
'Himmel'herrgottsapper'ment *interj* Fluch. ↗Sapperment. 1900 *ff.*
'Himmel'herrgott'schockschwere'not *interj* Verwünschung. ↗Schockschwerenot. 1870 *ff.*
'Himmel'herrgot'teufel'donnerwetter *interj* Fluch. 1870 *ff.*
'Himmel'herrgot'teufels'kreuzmil'lionen'hagel'donnerwetter *interj* Fluch. 1870 *ff.*
'Himmel'herrschaftskruzi'nesen *interj* Unmutsausruf. ↗Kruzinesen. *Bayr* 1900 *ff.*
'himmel'hoch *adj* sehr hoch; großwüchsig. Seit dem 19. Jh.
Himmelhund (Himmelhöllenhund) *m* sehr niederträchtiger Mensch. „Himmel-" im Sinne einer Verstärkung von „↗Hund" (*vgl* auch ↗Höllenhund). 1800 *ff.*
'Himmel'kreuz *interj* Fluch. 1800 *ff.*
'Himmel'kreuz'bomben'donnerwetter *interj* Fluch. 1900 *ff.*
'Himmel'kreuz'bombenele'ment *interj* Verwünschung. 1900 *ff.*
'himmel'kreuz'bombenver'flucht *adj* außerordentlich unangenehm. 1900 *ff.*
'Himmel'kreuz'donnerwetter *interj* Ausdruck heftigen Unwillens. Spätestens seit 1800.
'Himmel'kreuzgra'naten'donnerwetter *n* überaus heftige Auseinandersetzung. Verstärkung von ↗Donnerwetter. Seit dem 19. Jh.
'Himmel'kreuz'herrgottsakra'ment *interj* Verwünschung. Seit dem 19. Jh.
'Himmel'kreuzkruzi'türken'blutsakra'ment *interj* Fluch. *Vgl* ↗Kruzitürken. 1900 *ff.*
'Himmel'kreuzmilli'onen'bombenele'ment *interj* Fluch. Seit dem 19. Jh.
'Himmel'kreuzmilli'onen'bombenundgra'naten'donnerwetter *interj* Ausdruck sehr heftigen Unwillens. 1900 *ff.*
'Himmel'kreuzmilli'onen'donnerwetter *interj* Verwünschung. 1900 *ff.*
'Himmel'kreuzmilli'onen'donnerwetter'hagelschlag *interj* Fluch. 1920 *ff.*
'Himmel'kreuzmilli'onenele'ment *interj* Fluch. 1900 *ff.*
'Himmel'kreuz'sakra (-sakra'ment) *interj* Ausdruck heftigen Unmuts. 1800 *ff.*
'Himmel'kreuzsapper'ment *interj* Verwünschung. ↗Sapperment. Seit dem 19. Jh.
'Himmel'kreuz'schock'donnerwetter *interj* Fluch. Seit dem 19. Jh.
'Himmel'kreuz'schockschwere'brett *in-*

terj Verwünschung. *Vgl* ↗Schwerebrett. Seit dem 19. Jh.

'Himmel'kreuz'schockschwere'not *interj* Verwünschung. ↗Schwerenot. Seit dem 19. Jh.

'Himmel'kreuz'tausend'bombenele-'ment *interj* Fluch. Seit dem 19. Jh.

'Himmel'kreuz'tausendele'ment *interj* Fluch. Seit dem 19. Jh.

'Himmel'kreuz'tausendsapra'ment *in-terj* Fluch. Saprament = Sapperment = ↗Sakrament. Seit dem 19. Jh.

'Himmel'kreuz'teufel *interj* Verwünschung. *Bayr* seit dem 19. Jh.

'Himmel'kruzi'fix *interj* Unmutsausruf. ↗Kruzifix. 1900 *ff*.

'Himmel'kruzi'türken *interj* Fluch. ↗Kruzitürken. *Bayr* seit dem 19. Jh.

'himmel'lang *adj* großwüchsig; hager. 1800 *ff*.

'Himmel'laudon *interj* Verwünschung. ↗Fixlaudon. *Österr* 19. Jh.

'Himmel'mord'donnerwetter *interj* Fluch seit dem 19. Jh.

himmeln *v* 1. *intr* = verzückt zum Himmel blicken; überschwenglich schwärmen; vor Schwärmerei die Augen verdrehen. 1700 *ff*.
2. *intr* = sterben. Hängt zusammen mit dem Umstand, daß Sterbende die Augen verdrehen, und mit der Vorstellung, daß der Tote in den Himmel kommt. Seit dem 18. Jh.
3. *intr* = als geschossenes Flugwild noch einmal hochflattern. Jägerspr. seit dem 19. Jh.
4. *tr* = aus der Flasche trinken. Dabei ist das Gesicht himmelwärts gerichtet. 1960 *ff*.

'Himmel'sackze'ment *interj* Verwünschung. ↗Sackzement. 1900 *ff*.

'Himmel'sakra('ment) *interj* Unmutsausruf. ↗Sakra. 1700 *ff*.

'Himmelsapper'ment *interj* Fluch. ↗Sapperment. 1800 *ff*.

'himmel'schade *präd* es ist ~ = es ist sehr schade. 1900 *ff*.

'Himmel'schockschwere'not *interj* Fluch. ↗Schockschwerenot. Seit dem 19. Jh.

himmelschreiend *adj* 1. entsetzlich, fürchterlich (es ist ein himmelschreiendes Unrecht). ↗Himmel 39. 1700 *ff*.
2. *adv* = überaus. Seit dem 19. Jh.

'Himmel'schwere'not *interj* Verwünschung. ↗Schwerenot. Seit dem 19. Jh.

'Himmel'seiten *interj* Verwünschung. ↗Herrschaftseiten. *Bayr* und *schwäb* seit dem 19. Jh.

Himmelsjongleur (Grundwort *franz* ausgesprochen) *m* geschickter, erfahrener Pilot, der sich auch in gefährlichster Lage noch zu helfen weiß. *Sold* 1914 *ff*, auf Boelcke, Udet, Immelmann, Richthofen u. a. bezogen; 1939 *ff* wiederaufgelebt.

Himmelskomiker *m* 1. Geistlicher; Militärpfarrer. ↗Himmelfahrtskomiker. 1935 *ff*, *ziv*; 1939 *ff* bis heute, *sold*.
2. Frömmler. Er gilt als Clown. 1955 *ff*.

Himmelskutscher *m* 1. Pilot. Er kutschiert im/ am Himmel. *Sold* in beiden Weltkriegen.
2. Militärgeistlicher. Er kutschiert die Gläubigen zum Himmel. 1910 *ff*; *sold* 1914 bis heute.

Himmelsleiter *f* Laufmasche im Damenstrumpf. Eigentlich die von Jakob im

---

Traum erblickte Leiter (1. Moses 28); hier ist „Himmel" der Frauenschoß. 1920 *ff*.

Himmelsmädchen *n* Flugzeug-Stewardeß. Übersetzt aus *engl* „sky-girl". 1950 *ff*.

Himmelsschlüssel *m* sehr großer Hausschlüssel. In volkstümlicher Vorstellung hat der Himmelspförtner Petrus einen sehr großen Torschlüssel. 1900 *ff*.

Himmelsschreiber *m* Flugzeug, das mit Nebelpulver Reklamesprüche an den Himmel schreibt. 1925 *ff*.

Himmelsstürmer *m* Weltraumfahrer. In der griechischen Göttersage der Titan, der die Götter stürzen wollte. Auch soviel wie „kühner Kämpfer". 1962 *ff*.

'Himmel'sterne *interj* Verwünschung. Die Sterne mögen vom Himmel niederfallen — ins vom Verwünschenden gewünschte Ziel. 1800 *ff*.

'Himmel'sternemilli'onen'donnerkeil *interj* Ausruf des Unwillens, der Verzweiflung. ↗Donnerkeil. Seit dem 19. Jh.

Himmelstür *f* Vagina. Der Eingang zum „siebten Himmel" (↗Himmel 42). 1900 *ff*.

Himmelswächter *m* Fluglotse. 1965 *ff*.

Himmelszigarre *f* Luftschiff. Wegen der Formähnlichkeit. ↗Zigarre. 1908 *ff*.

'Himmel'tausend'bombenele'ment *interj* Ausruf des Unmuts. ↗Tausend. Seit dem 19. Jh.

'Himmel'tausendsakra'ment *interj* Fluch. 1800 *ff*.

'Himmel'vater *interj* Ausruf des Staunens, des Entsetzens o. ä. Umgeformt aus der frommen Anrufung des himmlischen Vaters. *Bayr* 1900 *ff*.

'himmel'viele *pl* sehr viele. „Himmel-" als Verstärkung. Seit dem 19. Jh.

himmelweit *adj adv* ~ verschieden (~er Unterschied) = einander nicht im geringsten gleich; überhaupt nicht vergleichbar. Hergenommen von der (vermeintlich) weiten Entfernung zwischen Himmel und Erde. *Vgl lat* „toto coelo distare". 1700 *ff*.

'Himmel'wetter *interj* Verwünschung. 1800 *ff*.

'Himmi'herrgott'sakra *interj* Unmutsausruf. „Himmi" meint in Bayern den Himmel. 1900 *ff*.

'Himmi'herrgottsakra'mentze'fixhalle-'luja'vareckts! = Fluch. Verhochdeutscht: Himmel Herrgott Sakrament Kruzifix Halleluja Gelumpe, verrecktes. *Bayr* 1900 *ff*.

'Himmi'sakra *interj* Verwünschung. *Bayr* 1900 *ff*.

'Himmi'sakra'kreuz'teifi *interj* Fluch. *Bayr* 1900 *ff*.

himmlisch *adj* entzückend (das Kleid steht dir himmlisch; es war eine himmlische Party). Profaniert aus „im Himmel wohnend" zu „überirdisch" und „höchst beseligend". Beliebtes Wort junger Mädchen. Spätestens seit 1800.

hin I *adv* hin wie her = 1. gleichgültig. Die Richtung spielt keine Rolle. 1900 *ff*.
2. genau dasselbe. 1900 *ff*.

hin II *adj* dahin, dahingegangen; verloren, versäumt; entzwei, kaputt, tot. Wird als Eigenschaft verstanden, jedoch nur adverbial gebraucht: *vgl* ↗hinmachen 1, 2, 6; ↗hinmachen 2, 3, 4; ↗hinwerden. Seit dem 14. Jh.

hinbatzen *refl* sich behaglich, flegelhaft niedersetzen. Batzen = kleben. Der Betreffende „klebt" am Stuhl o. ä. 1920 *ff*.

hinbekommen *tr* etw bewerkstelligen.

„Hin" meint „zum Ziel, zum Erfolg". Leitet sich wohl her vom Treffer auf der Zielscheibe oder von einer schweren, zum Ziel gebrachten Last. 1900 *ff*.

hinbiegen *v* 1. jn (etw) ~ = jn nach Wunsch erziehen, ausbilden; etw in die gewünschte Ordnung bringen; eine Bestimmung nach Wunsch auslegen. Hergenommen vom Biegen eines Drahts oder einer Gerte. Der Gärtner gibt durch Biegen und Anbinden den Ranken eine bestimmte Richtung. 1930 *ff*.
2. jm etw ~ = jm etw zu verstehen geben. Analog zu ↗beibiegen 1. 1930 *ff*.

hinbringen *v* 1. ich weiß nicht, wo ich ihn ~ soll = ich erinnere mich nicht, woher ich ihn kenne; mir fällt sein Name nicht mehr ein. Hinbringen = einordnen, in den rechten Zusammenhang bringen. 1800 *ff*.
2. jn wieder ~ = jn wieder gesund machen. Hin = zur ursprünglichen Beschaffenheit. Seit dem 19. Jh.
3. etw ~ = zum Ziel, etw bewerkstelligen. Hin = zum Ziel. *Vgl* ↗hinbekommen 1. 1400 *ff*.
4. sich ~ = sein Leben fristen. Hin = über die Lebensfrist; über die Tage und Wochen. 1800 *ff*.

hinbügeln *v* 1. etw wieder ~ = etw wieder in Ordnung bringen. ↗ausbügeln. 1920 *ff*.
2. jn wieder ~ = jn seelisch wieder aufrichten. 1920 *ff*.

Hindenburgbürste *f* Bürstenhaarschnitt. ↗Bürste. Bekannt als typische Frisur von Generalfeldmarschall und Reichspräsident Paul von Hindenburg und Beneckendorff (1847–1934). 1920 *ff*.

Hindenburglicht *n* 1. (Unterstands)-Talglicht. Diese Lichter wurden im Winter 1915 vom Oberkommando Ost der *dt* Wehrmacht erstmals ausgegeben, um die Unterstände zu beleuchten. Die Soldaten tauften sie auf den Namen ihres verehrten Oberbefehlshabers; Hindenburg selbst gab zur amtlichen Geltung des Namens seine Genehmigung. Bis heute, *ziv* und *sold*.
2. ihm geht ein ~ auf = endlich beginnt er zu begreifen. *Vgl* „ihm geht ein ↗Licht auf". 1930 *ff*.

hindrücken *v* jm etw ~ = jm etw vorhalten, nachsagen. Man führt es ihm deutlich vor Augen, „reibt es ihm unter die ↗Nase" oder „schiebt es ihm unter die ↗Weste". 1900 *ff*.

hineiern *intr* zu Boden stürzen, fallen. Hergenommen vom Sturz mit dem Fahrrad; ↗eiern 4. 1920 *ff*.

hinein *adv* ~! = tritt den Fußball ins Tor! Etwa seit 1910.

hinfegen *intr* 1. betrügen. *Vgl* ↗fegen 5; ↗abstauben 2. 1965 *ff*.
2. mehr kassieren als den Verzehr entsprechend. Kellnerspr. 1968 *ff*.
3. dem Prostituiertenkunden mehr Geld abverlangen als vereinbart; Beischlafdiebstahl begehen. 1968 *ff*, *prost*.

hinfetzen *v* einen Brief ~ = einen energischen Brief abschicken, aufsetzen. ↗fetzen. 1900 *ff*.

hinflapsen *tr* etw unordentlich gestalten, nachlässig erledigen; auf eine Arbeit keine Mühe verwenden. ↗Flaps. 1950 *ff*.

hinflegeln *refl* sich ungesittet setzen, legen. 1900 *ff*.

hinfliegen *intr* zu Boden stürzen, fallen.

Man kommt aus eiliger Bewegung zu Fall. Seit dem 19. Jh.

hingehören v sie hat alles dort, wo's hingehört = sie hat einen normalen Körperbau mit allen naturgegebenen Schönheiten und Reizen. 1950 *ff.*

hingerissen sein 1. völlig bezecht sein. Man ist vom Alkohol so hingerissen, daß man nicht mehr aufrecht sitzen oder stehen kann. 1870 *ff.* **2.** hin- und hergerissen sein = von etw begeistert sein. Zerspielt aus „hingerissen sein". „Hin- und hergerissen" ist man von Zweifeln und Bedenken oder beim Schwanken zwischen zwei verlockenden Aussichten. Etwa seit 1920, *schül* und *stud.*

hingerotzt *part* **1.** wie ~ = tadellos getroffen! Der ausgeworfene oder ausgeschnaubte Nasenschleim haftet fest und paßt sich völlig seiner Unterlage an. Berlin 1870 *ff.* **2.** es klappt wie ~ = es glückt ganz vorzüglich. *Sold* 1939 *ff.* **3.** wie ~ liegen = dicht an der Erde, unbeweglich liegen. *Sold* in beiden Weltkriegen; *ziv* seit 1920. **4.** ~ sitzen = ohne Anstand sitzen. 1920 *ff.*

hinglucken *refl* lange verweilen; einen Besuch ungebührlich lange ausdehnen. Man hockt wie eine Glucke auf den Eiern oder Küken. Seit dem 19. Jh.

Hingucker m **1.** hübsches Mädchen. Zu ihm schaut man gern hin. *Halbw* 1955 *ff.* **2.** Kleid, in dem die Trägerin angenehm auffällt. 1960 *ff.*

hinhauen v **1.** *tr* = etw hinwerfen, niederwerfen, von sich werfen, unsorgfältig anbringen. „Hin-" gibt die Richtung auf eine Unterlage an. Seit dem 19. Jh. **2.** *tr* = etw unsorgfältig niederschreiben. Seit dem 19. Jh. **3.** *intr* = eilig arbeiten. *Österr* und *bayr* seit dem 19. Jh. **4.** *intr* = zu Fall kommen. Kräftiger als „hinschlagen". Seit dem 19. Jh. **5.** da hau' dich einer lang hin und steh' kurz wieder auf: Ausruf der Überraschung. 1850 *ff.* **6.** das haut hin = a) das genügt, reicht hin, stimmt, glückt, ist wirkungsvoll. Ausruf höchster Befriedigung. Hergenommen vom Geschoß, das ins Ziel trifft. 1900 *ff.* – b) das läßt einen den Verstand verlieren. Herzuleiten von stark berauschenden Getränken. Seit dem späten 19. Jh. **7.** sich ~ = sich niederwerfen; sich niedersetzen; sich aufs Bett werfen; sich schlafen legen. 1870 *ff.* **8.** es haut mich hin = es trifft mich schwer; ich bin sehr überrascht. Das Gemeinte ist „niederschmetternd". 1870 *ff.* **9.** das haut hin und zurück = das glückt, ist gekonnt. ↗hinhauen 6 a. *Sold* 1939 *ff.* **10.** das haut hin, aber nicht wieder zurück = am Anfang glückt es, aber am Ende mißlingt es. *Sold* 1939 *ff.*

hinhocken *refl* sich niedersetzen (hock' di hi). *Bayr* seit dem 19. Jh.

hinhorchen v damit kann man schon eine Weile ~ = mit dieser Kartenzusammenstellung kann man dem Angebot der Mitspieler lange standhalten. Kartenspielerspr. 1900 *ff.*

hinken *intr* **1.** auf beiden Seiten ~ = ein gewagtes Spiel spielen, dessen Schwächen die Mitspieler erkennen und zu ihren Gunsten nutzen. Geht zurück auf die Bibel (1. Könige 18, 21). Kartenspielerspr. seit dem späten 19. Jh. **2.** beim Sprechen ~ = stottern, lispeln. Man spricht nicht gleichmäßig, wie ja auch der Hinkende nicht gleichmäßig geht. 1930 *ff.*

hinkitschen *tr* etw unsauber anfertigen. Kitschen = unsorgfältig, kunstnachahmend arbeiten. *Halbw* 1955 *ff.*

hinklatschen *tr* etw formlos hinwerfen. 1920 *ff.*

hinklotzen *tr* etw plump, kunstlos bauen. ↗klotzen. 1950 *ff.*

hinknallen v **1.** *intr* = heftig zu Boden fallen. Man stürzt mit lautem Geräusch. 1900 *ff.* **2.** *tr* = etw heftig hinwerfen, niedersetzen. 1900 *ff.* **3.** *refl* = sich zwanglos niedersetzen, -legen, -werfen. 1920 *ff.*

hinkommen v **1.** es kommt hin = es trifft zu, stimmt annähernd, reicht aus. Von der Gewehr- oder Kegelkugel hergenommen, die ihr Ziel erreicht. 1900 *ff.* **2.** *intr* = notdürftig sein Auskommen haben. Man kommt mit dem Geld gerade aus, bis es neues gibt. 1900 *ff.*

hinkriegen *tr* **1.** etw bewerkstelligen, in Ordnung bringen. Hergenommen vom Treffer auf der Zielscheibe. Vgl ↗hinbekommen 1. 1900 *ff.* **2.** jn gesundpflegen, ärztlich heilen. Vgl ↗hinbringen 2. *Sold* in beiden Weltkriegen; auch *ziv.* **3.** jn zermürben, erschöpfen. Vgl ↗hinsein 2. 1920 *ff.* **4.** jn nach Wunsch beeinflussen. 1900 *ff.*

hinlangen *intr* **1.** zum Glas Alkohol greifen. Langen = greifen, fassen. 1900 *ff.* **2.** bei einer Verteilung ungebührlich viel nehmen. *Sold* in beiden Weltkriegen; auch *ziv.* **3.** sich etw unrechtmäßig aneignen; dem Gast mehr auf die Rechnung schreiben, als dem Verzehr entspricht; Beischlafdiebstahl begehen. *Sold* in beiden Weltkriegen; *prost* und kellnerspr. bis heute. **4.** intim betasten. 1900 *ff.* **5.** rücksichtslos vorgehen; sich einer harten Spielweise bedienen. 1900 *ff*; *sportl* 1950 *ff.* **6.** kräftig ~ = überhöhtes Entgelt fordern. 1920 *ff.* **7.** voll ~ = sich mit aller Kraft bemühen. 1930 *ff.*

hinlegen v **1.** *tr* = koitieren. 1870 *ff.* **2.** *tr* = etw hervorragend bewerkstelligen. Dem Kaufmannsdeutsch entnommen: der Kaufmann legt die Ware auf den Ladentisch, damit der Kauflustige sie besehen, befühlen o. ä. kann. Der Schauspieler „legt einen Wallenstein hin" (d. h. er spielt ihn ausgezeichnet); die Tanzgruppe „legt ein Ballett hin" (d. h. sie tanzt es hervorragend): in beiden Fällen soviel wie „die Leistung kann sich sehen lassen". 1870 *ff.* **3.** *refl* = niederstürzen. Ironie. 1910 *ff.*

hinmachen v **1.** *tr* = etw zerstören. Man bewirkt, daß es „hin = dahin = verloren, kaputt" ist. Seit dem 19. Jh. **2.** *tr* = jn zugrunderichten, umbringen, hinrichten, kampfunfähig machen. Seit dem 19. Jh. **3.** einen ~ = sich vergnügte Tage machen; ausgelassen leben. Hinmachen =

kaputtmachen; *vgl* „die ↗Zeit totschlagen". 1920 *ff.* **4.** mach' hin! = vorwärts! beeile dich! Hinmachen = bewirken, daß man das Ziel erreicht. 1900 *ff.* **5.** hinmachen = reisen nach ... (er will nach Frankfurt hinmachen). ↗machen. Seit dem 19. Jh. **6.** *refl* = sich entkräften, zugrunderichten. 1900 *ff.*

hinpflanzen *refl* sich vor jn ~ = sich steif, breitbeinig vor jm aufstellen. ↗pflanzen. 1800 *ff.*

hinreiben v jm etw ~ = jm etw eindringlich zu verstehen geben; jm Vorhaltungen machen; jn ausschimpfen. Analog zu „jm etw unter die ↗Nase reiben". 1870 *ff.* Vgl *engl* „to rub it in".

hinreißend *adj* treffend; eindrucksvoll (auch *iron*). Man ist von der Sache hingerissen. 1900 *ff.*

Hinrichtung f **1.** unehrenhafte Verabschiedung aus der Beamtenstellung (aus dem militärischen Dienst). Sie gilt als eine Art Vollstreckung des Todesurteils. Seit dem ausgehenden 19. Jh. **2.** Befolgung des Einberufungsbefehls. *BSD* 1965 *ff.* **3.** schwere sportliche Niederlage. *Sportl* 1950 *ff.* **4.** Heirat. Sie setzt dem „freien Leben" ein Ende. 1960 *ff.* **5.** schlechteste Leistungsnote. *Schül* 1960 *ff.* **6.** in dieser (jeder) ~ = in dieser (jeder) Hinsicht, Richtung. Von Studenten im späten 19. Jh zusammengesetzt aus „Hinsicht" und „Richtung".

hinriechen *intr* **1.** du mußt mal ~, wo ich hingeschissen habe: Redewendung an einen jungen, unerfahrenen, vorlauten Menschen. Derb ausgedrückt für „unangenehme, widerwärtige Lebenserfahrungen sammeln". Seit dem frühen 20. Jh. Durch Hans Moser (eigentlich Jean Juliet, 1880–1964) überliefert als Ausspruch von Emil Jannings (1884–1950). **2.** spionieren, auskundschaften. 1965 *ff.*

hinrotzen v **1.** ein Flugzeug ~ = eine Bauch-, Bruchlandung vollführen. Die Maschine liegt hiernach flach darnieder wie ausgeworfener Nasenschleim. Fliegerspr. 1935 *ff.* **2.** *tr intr* = feuern; Schnellfeuer eröffnen. ↗rotzen. *Sold* in beiden Weltkriegen. **3.** *tr* = etw schnell und unsorgfältig niederschreiben, zeichnen. 1950 *ff.* **4.** *refl* = sich schnell zu Boden werfen und unbeweglich liegen bleiben; volle Deckung nehmen. *Sold* 1939 *ff.*

hinsausen *intr* heftig fallen. Man kommt aus sehr schneller Bewegung heraus zu Fall. Seit dem 19. Jh.

hinschlagen v **1.** niederfallen, zu Boden stürzen. Man schlägt mit dem Körper (Kopf) auf dem Boden auf. Seit dem 18. Jh. **2.** da schlag' einer lang hin (da schlägt man lang hin): Ausruf der Verwunderung, oft mit dem scherzhaften Zusatz „. . . und steh' kurz wieder auf!". ↗hinhauen 5. 1850 *ff*, wohl von Berlin ausgegangen.

hinschlumpen v **1.** *intr* = langsam gehen; schlendern. ↗schlumpen. Seit dem 19. Jh. **2.** *tr* = ein Kleidungsstück verderben; etw unachtsam behandeln. 1850 *ff.*

hinschmeißen *tr* 1. etw hinwerfen, zu Boden werfen. ↗ schmeißen. 1500 ff.
2. etw aufgeben; von etw Abstand nehmen; von einer Sache freiwillig zurücktreten; auf etw nachdrücklich verzichten. Man wirft das Handwerkszeug hin zum Zeichen der Arbeitseinstellung. 1900 ff.
hinschmieren *v* 1. *intr* = fallen, stürzen. *Vgl* „↗ schmieren = schlagen"; also analog zu „↗ hinschlagen". 1900 ff.
2. *tr* = etw flüchtig niederschreiben. ↗ schmieren. 1700 ff.
hinsein *intr* 1. (irgendwo)hingegangen sein. Hieraus verkürzt durch Auslassung des Verbs der Bewegung. Seit dem 19. Jh.
2. entkräftet, müde sein. Seit dem 19. Jh.
3. gestorben sein. Der Tote ist (ins Jenseits) „dahingegangen". Seit dem 14. Jh.
4. wirtschaftlich zugrundegerichtet, bankrott sein. Seit dem 19. Jh.
5. betrunken sein. 1700 ff.
6. ganz ~ im Kopf = sehr dumm sein. 1960 ff, jug.
7. von etw (jm) ~ = von etw (jm) entzückt sein. Verkürzt aus „hingerissen sein". 1870 ff.
8. er ist hin = um ihn ist es geschehen. Seit dem 19. Jh.
hinspucken *v* wo man hinspuckt = überall; ringsum. Seit dem 19. Jh.
hinten *adv* 1. ~ ohne = mit Rückendekolleté. Aufgekommen in Nachahmung von „oben ohne" als Bezeichnung für die oberteillose Frauenbekleidung. 1965 ff.
2. ~ und vorne = überall, gründlich, völlig. Entwickelt aus „die Augen hinten und vorn haben" oder „er suchte hinten und vorn" o. ä. Seit dem 18. Jh.
3. jn von ~ ansehen = jm den Rücken kehren; jm Nichtachtung bezeugen. Seit dem 19. Jh.
4. sich ~ und vorne nicht auskennen = von etw nichts verstehen. Seit dem 19. Jh.
5. ~ und vorne nichts haben = a) mittellos sein. ↗ hinten 2. Seit dem 19. Jh. – b) keine ausgeprägten Körperrundungen haben (als Frau). 1920 ff.
6. es hat ~ nichts und vorne nichts = ist substanzlos, ist wertlos, ist leeres Geschwätz. 1900 ff.
7. ~ nicht mehr hochkönnen = vom Koitus erschöpft sein; körperlich entkräftet, impotent sein. 1900 ff.
8. er kann von ~ nicht mehr hoch = er ist in wirtschaftlichen Schwierigkeiten; es fehlt ihm an Energie. 1900 ff.
9. du kannst mich ~ küssen (lecken): Ausdruck der Abweisung. ↗ Arsch 169. 1500 ff.
10. jm ~ reinkriechen (reinschlüpfen) = jm würdelos ergeben sein. Umschreibung für „jm in den ↗ Arsch kriechen". 1800 ff.
11. ~ runterfallen (runterrutschen) = das Wohlwollen verlieren; scheitern; Bankrott machen. Hergenommen von einem Fall rückwärts vom Pferd, vom Schlitten o. ä. 1920 ff.
12. ~ schlafen = einflußlos sein; im Nachteil sein. Hergenommen vom gemeinsamen Bett an der Wand: wer an der Wand schläft, ist in seiner Bewegungsfreiheit gehemmt als der Mitschläfer auf der frei zugänglichen Vorderseite des Bettes. 1920 ff.
13. jn lieber von ~ als von vorn sehen = jn nicht leiden können. Man sieht ihn lieber weggehen als kommen. 1900 ff.

14. nicht mehr wissen, wo ~ und vorn ist = betrunken sein. 1920 ff.
15. es ist ~ vorne wie höher = es ist gleichgültig. Diese und die folgenden acht Redensarten beziehen ihren Witz aus dem Vertauschen und Umstellen der Vergleichsbegriffe, so daß sich aus Unlogik und Unsinnigkeit die Bedeutung „gleichgültig, einerlei" ergibt. Seit dem 19. Jh.
16. es ist ~ vorne wie höher = es ist völlig gleichgültig. 1900 ff.
17. es ist alles ~ lang wie vorne hoch = es macht keinen Unterschied. 1900 ff.
18. es ist ~ vorn wie höher = es ist gänzlich gleichgültig. 1900 ff.
19. es ist ~ so hoch wie (so) vorne = es ist gleichgültig. 1900 ff.
20. es ist vorne so ~ wie hoch = es ist dasselbe. 1850 ff.
21. es ist ~ wie vorne so lang = es ist dasselbe. 1900 ff.
22. es ist alles ~ so lang wie breit = es ist völlig gleichgültig. 1900 ff.
23. es ist vorne so ~ wie hoch, in der Mitte wie ebenso = es ist völlig gleichgültig. ↗ hinten 15. 1920 ff.
24. es stimmt ~ und vorn nicht = es stimmt überhaupt nicht. 1920 ff.
hintendran *adv* 1. es gibt noch 'was ~ = es gibt noch Nachtisch. 1900 ff.
2. ~ hängen = jm dicht folgen. *Sportl* 1920 ff.
hintendrauf *adv* 1. jm ein paar ~ geben = jm auf das Gesäß schlagen. Seit dem 19. Jh.
2. ein paar ~ kriegen = Schläge auf das Hinterteil bekommen. Seit dem 19. Jh.
hintenherum *adv* ↗ hinterum.
Hintenreinkriecher (**-schlüpfer**) *m* würdeloser Schmeichler. ↗ hinten 10. Seit dem 19. Jh.
hintenrüber *adv* ~ fallen = Mißerfolg erleiden. ↗ hinten 11. 1920 ff.
hintenrum (hintenherum) *adv* 1. heimlich; auf Schleichwegen; im Schleichhandel; unter Umgehung der amtlichen Vorschriften. Meint eigentlich „hinter dem Rücken", „vom Rücken her" oder „durch die Hintertür". Seit dem 17. Jh.
2. heimtückisch. Seit dem 19. Jh.
3. sich ~ empfehlen = sich unauffällig entfernen. 1920 ff.
4. ~ gehen = nicht offen und aufrichtig sein; anrüchige Wege einschlagen. 1920 ff.
5. du kannst mir ~ gehen (laufen): derber Ausdruck der Ablehnung. Abschwächung des Götz- Zitats. 1800 ff.
6. nicht lang ~ machen = keine Ausflüchte suchen; sich unumwunden äußern. 1920 ff.
7. ~ verkehren = sich homosexuell betätigen. Anspielung sowohl auf Analkoitus als auch auf Heimlichtuerei (↗ hintenrum 4) als Erfordernis infolge gesellschaftlicher Ächtung. 1900 ff.
hintenvor *adv* ein paar ~ kriegen = auf das Gesäß geschlagen werden. 1900 ff.
hinter *präp* ~ etw hersein = etw eifrig betreiben; etw zu erreichen suchen; etw beschleunigen. Eigentlich soviel wie „folgen, verfolgen". Seit dem 18. Jh.
Hinterbänkler *pl* Abgeordnete, die nie als Redner im Parlament in Erscheinung treten. Um 1960 aus *engl* „back-bencher" übersetzt.
Hinterbein *n* 1. das ~ heben = harnen

(vom Mann gesagt). Fußt auf dem Bild vom harnenden Rüden. 1910 ff.
2. sich auf die ~e setzen (stellen) = a) sich sträuben, sich weigern; Widerstand leisten; eine Zumutung abwehren; aufbegehren. Vierbeinige Wirbeltiere (das Bild ist hier wohl vom Pferd und/oder vom Bären hergenommen) stellen oder setzen sich auf die Hinterbeine, um ihre vorderen Gliedmaßen vom Boden abheben und als Waffen einsetzen zu können. Analog braucht auch der Mensch festen Stand auf den (Hinter-)Beinen, um sich mit seinen „Vorderbeinen = Armen" zur Wehr setzen zu können. Hiervon übertragen auf jegliche Art der Selbstbehauptung/Selbstverteidigung. 1700 ff. *Vgl engl* „to get on one's hind legs". – b) sich Mühe geben; sich anstrengen. 1700 ff.
hinterblieben *adj* geistesbeschränkt. Man ist geistig zurückgeblieben. 1960 ff, österr.
hinterdenken *intr* grübeln. 1800 ff.
Hinterdummsbach *On* abgelegener Ort. Der fingierte Name spielt an auf „↗ Hintertupfingen" und „↗ Dummsdorf". 1959 ff.
hintereinanderbringen *v* Leute ~ = Leute entzweien. „Hintereinander" kann hier zweierlei bezeichnen, nämlich in zeitlicher Bedeutung: „das Wort (der Schlag) des einen hat das Wort (den Schlag) des anderen zur Folge", oder in räumlicher Bedeutung: „dem weglaufenden Kind läuft das andere nach". Seit dem 19. Jh.
hintereinanderweg *adv* ohne aufzuhören; pausenlos. Es ist wohl ans Fließband zu denken, an dem unterwegt Einzelstücke räumlich „hintereinander" und zeitlich „nacheinander" abgefertigt und „weggeschafft" werden. 1920 ff.
Hinterer *m* Gesäß. ↗ Hintern.
Hinterflosse *f* Fuß. ↗ Flosse. 1920 ff.
Hinterfotze *f m* hinterlistiger Mensch. Gehört zu „Fotze = Mund" und betrifft die üble Nachrede. 1900 ff, vorwiegend *oberd*.
hinterfotzig (**-fötzig**) *adj* heimtückisch, unaufrichtig. *Vgl* das Vorhergehende. 1900 ff.
Hinterfotzigkeit *f* Heimtücke; Hinterhältigkeit. ↗ Hinterfotzig. 1900 ff.
hinterfragen *tr* kritisch, mißtrauisch fragen; nach der Bedeutung, dem wirklich Gemeinten fragen; zu ergründen suchen, was sich hinter der tatsächlich verbirgt. Man begehrt die wahre Antwort hinter der vorgegebenen. 1870 ff.
hinterfürzig *adj* heimtückisch; hinterhältig. Parallel zu „↗ hinterfotzig". *Vgl* aber auch „↗ hinterrum 2" sowie „↗ furzen" im Sinn von „(unangenehm anrüchig) Wind machen". 1900 ff.
Hintergeschirr *n* Gesäß. Eigentlich das Sturzleder des Reiters. „Vordergeschirr" nennt man die Geschlechtsteile. 1950 ff.
Hintergestell *n* 1. Gesäß. *Vgl* ↗ Gestell = Körpergestalt. 1600 ff.
2. was hast du ein ~! = was dauert das bei dir (so) lange! Meint entweder, daß man mit der Notdurftverrichtung kein Ende findet, oder daß ein großes (= schwer anzuhebendes) Gesäß die Beweglichkeit beeinträchtigt. 1840 ff.
Hintergrund *m* der moralische ~ fehlt = die Sache ist wertlos; das Unternehmen ist zwecklos. Der „moralische Hintergrund" ist die innere Berechtigung, der vernünftige Beweggrund. 1900 ff.

hinterhaken *intr* eingreifen, einschreiten. *Vgl* auch ↗hinterherhaken; ↗haken 3. 1900 *ff.*

Hinterhalt *m* **1.** aus dem ~ pupen = in Hinterhand gewinnbringend trumpfen. ↗pupen. Kartenspielerspr. 1900 *ff.* **2.** jn aus dem ~ zerreißen = a) jn heimtückisch überfallen. Herzuleiten vom wilden Tier, das sein Opfer hinterrücks anfällt. 1920 *ff.* – b) jn hinterlistig schädigen; jn moralisch erledigen. 1920 *ff.*

Hinterhand *f* **1.** Fuß des Menschen. Eigentlich Hinterbein des Pferdes. 1920 *ff.* **2.** Gesäßhälfte des Menschen. 1920 *ff.* **3.** etw in der ~ haben = a) Rücklagen haben. Aus der Kartenspielersprache: in Hinterhand ist der Spieler, der beim Austeilen als letzter Karten erhält und als letzter ausspielt. 1950 *ff.* – b) schlagende Beweise zurückhalten. 1950 *ff* (wohl älter). **4.** auf der ~ kehrtmachen = a) eine Steilkurve um 180 Grad fliegen. Fliegerspr. 1935 *ff.* – b) unvermittelt, rasch umkehren. 1935 *ff.* **5.** in der ~ sein = a) im Nachteil sein. ↗Hinterhand 3. Seit dem 19. Jh. – b) die (freie) Entscheidung haben. Seit dem 19. Jh.

Hinterhausmieter *m* dummer, einfältiger Mensch. Hinterhausbewohner zahlen eine geringere Miete als die Vorderhausbewohner. Die Vokabel kommt aus dem alten Vorurteil, daß, wer geldlich beschränkt ist, auch geistesbeschränkt sei. 1948 *ff.*

hinter'herhaken *intr* auf Beschleunigung drängen; einer Sache nachgehen. ↗haken 3. 1900 *ff.*

hinter'herhecheln *intr* mit Mühe jn zu erreichen (einzuholen) trachten. Hecheln = keuchen; außer Atem kommen. 1920 *ff.*

hinter'herlaufen *v* einer Sache (jm) ~ = eine Sache zu erringen suchen; jn zu gewinnen trachten. 1900 *ff.*

Hinterhof-Troubadour *m* Straßensänger. 1950 *ff.*

Hinterhuglhapfing *On* unbedeutender, weit abgelegener, kaum zivilisierter Ort. Ein fingierter Ortsname in Nachahmung bayerischer Ortsnamen. 1950 *ff.*

Hinterkammer *f* After. 1900 *ff.*

Hinterkastell *n* Gesäß. ↗Achterkastell. Seit dem 19. Jh.

Hinterkopf *m* **1.** musikalischer ~ = a) stark entwickelter Hinterkopf; länglicher Hinterkopf. Gilt volkstümlich als äußeres Zeichen von musikalischer Begabung. 1900 *ff.* – b) intelligenter Mensch. 1930 *ff.* **2.** verlängerter ~ = Kahlkopf. Berlin 1950 *ff.* **3.** leichte Schläge auf den ~ erhöhen das Denkvermögen (die Denkfähigkeit): *iron* Schülerweisheit. 1900 *ff.*

Hinterkuhdreckshausen *On* abgelegener Ort, fernab von jeglicher Zivilisation. Ein fingierter Ortsname. 1930 *ff.*

Hinterlader *m* **1.** Gesäß. Eigentlich das von hinten zu ladende Gewehr. Das Gesäß ist nach hinten ausladend geformt. 1900 *ff.* **2.** Kinderhose mit aufknöpfbarer Hinterklappe. Seit dem späten 19. Jh. **3.** Homosexueller. 1900 *ff.* **4.** Analkoitus. 1900 *ff.*

Hinterletztes *n* Unüberbietbares an Geschmacklosigkeit o. ä. Die scherzhafte Unlogik, daß hinter „letzt" noch das Adjektiv

„hinterletzt" kommt, stammt von Halbwüchsigen. 1955 *ff.*

hinterlistig *adj* **1.** auf das Gesäß bezogen. 1900 *ff.* **2.** ~ gähnen = Darmwinde lautlos entweichen lassen. 1900 *ff.* **3.** etw zu ~en Zwecken verwenden = mit etw das Gesäß reinigen. 1900 *ff.*

Hintern *m* **1.** Gesäß. Verkürzt aus „Hinteren", der Genitiv-, Dativ- und Akkusativform von „Hinterer". Seit dem 19. Jh. **2.** ein ~ wie ein 80-Taler-Pferd = breites Gesäß. Seit dem 19. Jh. **3.** ein ~, auf dem eine Ju 52 landen kann = breites Gesäß. Fliegerspr. 1939 *ff.* **4.** eiserner ~ = Mensch, der sich in allen Lagen durchsetzt. Verfeinerte Form von „eiserner Arsch". ↗Arsch 26. 1920 *ff.* **5.** sich etw am ~ abfingern können = etw unschwer begreifen können. ↗Arsch 48. Seit dem 19. Jh. **6.** gut, daß sein ~ angewachsen ist; sonst würde er auch noch ihn vergessen: Redewendung angesichts eines Vergeßlichen. *Vgl* ↗Arsch 61. 1900 *ff.* **7.** ich lasse mir nicht am ~ arbeiten: scherzhaft verdreht aus „ich lasse mich nicht am Arbeiten hindern". 1930 *ff.* **8.** den ~ aufhaben = sich fürchten; Angst haben. *Vgl* ↗Arsch 181. 1939 *ff, sold.* **9.** jm den ~ aufreißen = a) jn rauh, entwürdigend behandeln; jm schwer zu schaffen machen. ↗Arsch 63. 1930 *ff.* – b) jn schikanös einexerzieren. Kasernenhofjargon. 1930 *ff.* – c) jds Flugzeug von hinten beschießen. Fliegerspr. 1939 *ff.* **10.** ich reiße ihm den ~ aus!: Drohrede. ↗Arsch 75. 1940 *ff.* **11.** einen warmen ~ behalten = mit dem Leben davonkommen. *Vgl* ↗Arsch 146. *Sold* spätestens seit 1939. **12.** jm in den ~ beißen = jn heimtückisch überfallen. Hergenommen vom Angriff hinterlistiger Hunde. 1900 *ff.* **13.** da möchte man sich in den ~ beißen!: Ausdruck des Ärgers, der Wut, der Verzweiflung. Vor Wut möchte man Unmögliches vollbringen. ↗Arsch 82. 1900 *ff.* **14.** in den ~ gebissen sein = einen Hautwolf haben. 1910 *ff.* **15.** sich in den ~ gebissen haben = eine mißliche Lage selbst verschuldet haben. Der Hautwolf ist vielfach auf Eigenverschulden zurückzuführen. 1910 *ff.* **16.** den ~ betrügen = sich erbrechen. Feinere Form von „den ↗Arsch betrügen". 1900 *ff.* **16 a.** sich den ~ breitsitzen = eine sitzende Tätigkeit ausüben. 1920 *ff.* **17.** mit etw auf den ~ = mit etw scheitern. *Vgl* ↗Arsch 100. 1930 *ff.* **18.** ihm hat's noch nicht in den ~ geregnet = er hat den Ernst des Lebens noch nicht erlebt. Fußt auf dem Landstreicherleben: man kampiert ohne Dach und wird im Schlaf vom Regen überrascht. 1920 *ff.* **19.** aussehen wie aus dem ~ gezogen = sehr schmutzig aussehen. 1910 *ff.* **20.** sein ~ hat Kirmes = er wird heftig geprügelt. Übertragen von Kirmesschlägereien. 1920 *ff.* **21.** keinen reinen ~ haben = ein schlechtes Gewissen haben; mitschuldig sein. Derbe Vorstellung von der moralischen Unsauberkeit. 1900 *ff.* **22.** einen trockenen ~ haben = militä-

risch eine ungefährliche Stellung innehaben. Da beschmutzt man nicht vor Angst seine Hose von innen, liegt nicht bei Regen im Gelände. *Sold* 1939 *ff.* **23.** den ~ in die Luft hängen = sich als Flieger Gefahren aussetzen; lebensgefährliche Flüge unternehmen. Fliegerspr. 1939 *ff.* **24.** alles an den ~ hängen = alles Geld für Kleidung ausgeben. 1800 *ff.* **25.** mit dem ~ an der Wand hängen = überlistet, hintergangen werden. Hergenommen von einer Rauferei, bei der man an die Wand gedrängt wird und keine Rückzugs- oder Ausweichmöglichkeit mehr hat. *Sold* 1939 *ff.* **26.** seinen ~ hergeben mögen = sein Letztes hergeben mögen, um anderen zu helfen. 1920 *ff.* **27.** den ~ hinhalten = sich der Gefahr aussetzen. Derbe Variante von „den ↗Kopf hinhalten". *Sold* 1939 *ff.* **28.** jm den ~ hochbinden (nach oben binden) = jn streng behandeln. 1935 *ff, sold* und *ziv.* **28 a.** den ~ nicht mehr hochkriegen = zum Geschlechtsverkehr nicht mehr taugen. 1930 *ff.* **29.** sich den ~ voll Koste holen = a) sich erhebliche Unannehmlichkeiten zuziehen. Koste = Beköstigung; hier Umschreibung für „Prügel". 1900 *ff, westd.* – b) heftig geprügelt werden. Westd 1900 *ff.* **30.** jm in den ~ krauchen (kriechen) = jn würdelos umschmeicheln. ↗Arsch 161. Seit dem 19. Jh. **31.** einen kalten ~ kriegen = sterben; im Krieg fallen. *Sold* in beiden Weltkriegen. **32.** mit dem ~ lachen = durch auffälliges Wackeln mit dem Gesäß Männer anlocken. Berlin 1960 *ff.* **33.** den ~ lüften = aufstehen. 1900 *ff.* **34.** Anleihe beim ~ machen = mit den Hinterkopfhaaren die beginnende Glatze überkämmen. „Hintern" meint hier den Hinterkopf. 1900 *ff.* **35.** im den ~ rutschen = jn umschmeicheln. Hergenommen von homosexueller Betätigung. 1920 *ff.* **36.** sich auf den ~ setzen = fleißig lernen. 1900 *ff.* **37.** auf seinem ~ können 4 Mann Skat spielen, und da bleibt noch Platz für den Aschenbecher = er hat ein sehr breites Gesäß. *Sold* 1930 *ff.* **38.** jm mit dem nackten ~ ins Gesicht springen = jn unvorbereitet mit einer unangenehmen Sache behelligen. 1930 *ff.* **39.** jm den ~ streicheln = jm schmeicheln, um ihm etw abzugewinnen. 1930 *ff.* **40.** mit 'einem ~ auf mehreren Hochzeiten tanzen = mehrerlei gleichzeitig betreiben. ↗Hochzeit. 1900 *ff.* **41.** nicht mal seinem eigenen ~ trauen = überaus mißtrauisch sein. 1935 *ff.* **42.** jm in den ~ treten = a) jn zur Eile anspornen. 1900 *ff.* – b) jn streng zurechtweisen. 1930 *ff.* – c) jn nachdrücklich die Mißachtung spüren lassen. 1950 *ff.* **43.** sich von jm nicht in den ~ treten lassen = eine Kränkung nicht widerspruchslos hinnehmen. 1950 *ff.* **43 a.** ich hätte mich in den ~ treten können!: Ausdruck der Verzweiflung, der Ohnmacht. 1920 *ff.* **44.** jm den ~ versohlen = jn auf das

Gesäß schlagen. ↗versohlen. Seit dem 19. Jh.

45. den ~ voll brauchen = Prügel auf das Gesäß verdienen. 1900 ff.

46. den ~ vollhaben = der Unterlegene sein. Man hat Prügel erhalten. 1900 ff.

46 a. den ~ vollkriegen = Schläge auf das Gesäß erhalten. 1900 ff.

47. mit dem ~ wackeln = a) Verneigungen andeuten. 1925 ff. – b) Empfangschef in Speiselokalen o. ä. sein. 1925 ff. – c) moderne Tänze tanzen. 1930 ff.

48. der Wagen ist ihm unterm ~ weggerutscht = auf abschüssiger Strecke hat das Auto nicht mehr dem Willen des Fahrers gehorcht. 1920 ff.

49. den ~ zukneifen = sterben, im Krieg fallen. Vgl ↗Arsch 251. Seit dem 19. Jh.

50. den ~ zusammenkneifen = sich aufraffen; sich ein Herz fassen. ↗Arschbacke 6. 1900 ff.

Hinterniedertupfenhausen On abgelegener Ort. Ein fingierter Name. 1920 ff.

Hinterpartie f Gesäß. 1900 ff.

Hinterquartier n **1.** Gesäß. Seit dem 19. Jh.

2. ein ~ haben wie der stärkste Hirsch aus dem Odenwald = ein sehr breites Gesäß haben. 1920 ff.

hinterstellen v jm einen ~ = a) jn kränken. Man läßt ihn insgeheim beaufsichtigen oder beobachten. 1945 ff, bayr. – b) jm den Ernst der Lage klarmachen. Man gibt ihm hinterrücks einen Wink. 1945 ff, bayr. – c) sich homosexuell betätigen. 1945 ff, bayr.

Hintersteven m Gesäß. ↗Achtersteven. Seit dem 19. Jh.

Hintertannenzapfenhausen On abgelegener Ort ohne besondere Bedeutung. Ein scherzhaft fingierter Name. 1959 ff.

Hintertreffen n **1.** ins ~ geraten (kommen) = in Nachteil geraten; zurückgesetzt werden; von anderen übertroffen werden. Hintertreffen ist die Reservetruppe, die nicht am Kampf beteiligt war und im Fall des Sieges keinen Anteil an der Beute hatte. 1750 ff.

2. im ~ sein = benachteiligt sein. Seit dem 19. Jh.

hintertückisch (hintertücksch) adj hinterlistig, unaufrichtig. Zusammengesetzt im späten 19. Jh aus „hinterlistig" und „heimtückisch".

Hintertupfingen On abgelegene Ortschaft. Fingierter Ortsname. 1920 ff.

Hintertür f **1.** After. 19. Jh.

2. quergeknöpfte Hosenklappe eines kleinen Jungen. 1900 ff.

3. jm die ~ eintreten = jm einen Tritt ins Gesäß geben. 1910 ff.

4. durch die ~ eintreten = sich homosexuell betätigen. 1920 ff.

5. zu etw durch eine ~ kommen = etw auf nicht geradem Weg erreichen, erzielen. Seit dem 19. Jh.

Hintertürchen n sich ein ~ lassen (auflassen) = sich eine Ausflucht lassen; sich einen Ausweg sichern. 1700 ff. Vgl franz „se ménager une sortie", engl „to keep oneself a backdoor open".

Hinterwäldler m ahnungsloser, beschränkter Mensch in primitiven Lebensverhältnissen. Übersetzt um 1800 aus engl „backwoodsman".

hinterwärtsig adj unaufrichtig, heimtückisch. Aus „hinterlistig" entstellt mit Ein-

fluß von „hinterwärts = hinterrücks". 1900 ff.

hintrimmen tr **1.** etw instandsetzen, überholen. Kommt über die Seemannssprache aus engl „to trim = putzen", weiterentwickelt zu „in sachgemäße Ordnung bringen". 1920 ff.

2. jn erziehen. 1935 ff.

hintun tr nicht wissen, wo man jn ~ soll = sich an jn erinnern, jedoch nicht mehr genau wissen, woher und in welchem Zusammenhang. Hintun = einordnen, in Zusammenhang bringen. Seit dem 19. Jh.

hinübersein intr **1.** tot sein. Man ist über die Schwelle, über den Fluß des Todes ins Jenseits gelangt. Seit dem 19. Jh.

2. unbrauchbar geworden sein. Seit dem 19. Jh.

Hinweis m heißer ~ = Hinweis, der zu einer Verhaftung führt. ↗heiß 5. 1950 ff.

hinwerden intr **1.** an Kraft verlieren; dem Tode entgegensehen; sterben; entzweigehen. ↗hinsein. 1800 ff.

2. bankrottieren. 1870 ff.

3. es ist zum ~ = es ist zum Verzweifeln. Seit dem 19. Jh.

hinwichsen v einen Brief ~ = einen energischen Brief unvorbereitet schreiben. „Wichsen = schlagen"; somit Analogie zu „↗hinhauen". 1920 ff.

hinwirtschaften refl **1.** durch eigenes Verschulden in eine mißliche Lage geraten; Bankrott machen. Man wirtschaftet so lange, bis man „hin" ist. ↗hinsein. 1900 ff.

2. seine Gesundheit untergraben. 1900 ff.

hinwischen tr etw schwungvoll niederschreiben. ↗Wisch. 1920 ff.

Hinz Vn ~ und Kunz = alle möglichen Leute. Hinz (Abkürzung für Heinrich) und Kunz (Abkürzung für Konrad) waren, durch „und" verbunden, schon im 13. Jh eine formelhafte Wendung, wohl wegen der Volkstümlichkeit dieser Namen seit der mittelalterlichen Kaiserzeit. Vom 15. Jh bis heute allgemein geläufig.

hinzaubern tr etw vor Augen führen, vormachen. 1900 ff.

Hiob Vn arm wie ~ (Job) = a) sehr arm. Im Alten Testament ist Hiob ein frommer Dulder, ein vom Schicksal sehr hart geschlagener Mann. Seit dem 18. Jh. Vgl franz „pauvre comme Job". – b) im Besitz einer sehr schlechten Kartenzusammenstellung. Der Partner kann also auf keinerlei Unterstützung rechnen. Kartenspielerspr. 19. Jh.

Hip m im Umgang mit Rauschgift erfahrener junger Mann. Fußt wohl auf angloamerikan „to be hipped to something = über etw gut unterrichtet sein". 1970 ff.

Hippe f **1.** Ziege. Koseform zu mhd „haber = Bock". Etwa seit 1500.

2. Pferd. Meint eigentlich das abgemagerte Pferd, das so dürr ist wie eine (abgehärmte) Ziege. Seit dem 19. Jh.

3. abwert. Vom Ziegenbart übernommen. 1920 ff.

4. hagere Person. Seit dem 19. Jh.

5. häßliches, langweiliges Mädchen. Es ist wohl zu knochig und störrisch. 1960 ff, halbw.

6. alte ~ = ältere weibliche Person. Seit dem 19. Jh.

7. jn auf die ~ nehmen = a) jn geschickt ausfragen. Fußt vielleicht auf jidd „chiba = Liebe" und ist zur Bedeutung „falsche

Liebenswürdigkeit" weiterentwickelt worden. Rotw 1920 ff. – b) jm zu schaffen machen; jm sein Können zeigen. 1930 ff. – c) jn veralbern. 1930 ff.

hippeln intr **1.** hüpfen. Hierzu als niederd Nebenform iterativen Charakters entwickelt. 18. Jh.

2. vom einen Bein aufs andere treten (aus Angst, Nervosität oder wegen Harndrangs); zwecklos hin- und herlaufen. Seit dem 18. Jh.

Hippie m **1.** Hilfsausbilder. Aus der Verkürzung „Hibi" weiterentwickelt in Anlehnung an die von Nordamerika ausgegangene „Hippie"-Bewegung. BSD 1965 ff.

2. modernes Mädchen. Sie befolgt die Losung „make love, not war" der Hippies. BSD 1965 ff.

3. pl = Gebirgsjäger. Sie haben das Edelweiß als Mützenabzeichen und sind daher „Blumenkinder" wie die Hippies. BSD 1965 ff.

hipsen v koitieren. Gehört zu „hüppen = hüpfen", beeinflußt von „hupsen = ↗hopsen". 1950 ff.

Hirn n **1.** im ~ nicht bedient sein = nicht verständig sein. Österr 1950 ff.

2. es geht nicht in mein ~ rein = es ist mir unverständlich. Österr 1800 ff.

3. im ~ ist das ~ gebrochen = er hat den Verstand verloren. Es ist ein Defekt eingetreten von der Art eines Schädel- oder Beinbruchs: der Betreffende hat sich das Hirn zerbrochen (er hat zuviel nachgedacht). Österr 1950 ff.

4. nicht aufs ~ gefallen sein = nicht dumm sein; sich zu helfen wissen. Analog zu „nicht auf der ↗Kopf gefallen sein". Oberd seit dem 19. Jh.

5. greif dir aufs ~ und schrei' Feuer!: Redewendung auf einen Dummen oder Versager. Das Gehirn ist heißgelaufen wie eine Maschine. Jug 1955 ff, österr.

6. eine schwache Stelle im ~ haben = nicht logisch denken können; nicht recht bei Verstand sein. Österr 1920 ff.

7. sich ans ~ langen = sich an den Kopf fassen. Bayr 1920 ff.

8. arm im ~ = dümmlich sein. Südd seit dem 19. Jh.

9. dir haben sie wohl ins ~ gespuckt?: Frage an einen Dummen. Österr 1955 ff.

10. jm das ~ umkrempeln = jn scharf verhören. Hergenommen vom Anzugoder Mantelärmel, den man so außen nach innen dreht. Analog zu „↗links drehen". 1935 ff.

11. das ~ mit Brettern vernagelt haben (im ~ vernagelt sein) = geistesbeschränkt, begriffsstutzig sein. ↗vernagelt sein. 1900 ff.

12. jm das ~ vollblasen = jm etw einreden. Analog zu „jm die ↗Ohren vollblasen". 1900 ff.

Hirnanhang m Beule am Schädel. Eigentlich die Hypophyse. 1920 ff.

Hirnblähung f **1.** unsinniger Vorschlag. Verwandt mit dem „↗Furz im Kopf". 1920 ff.

2. Überheblichkeit. Vgl „sich ↗aufblasen". 1930 ff.

Hirnexport m (unfreiwillige) Übersiedlung deutscher Gelehrter ins Ausland. 1950 ff.

Hirnfurz m törichte Äußerung. ↗Furz 27 u. 30. Spätestens seit 1900.

hirngepickt adj dumm, närrisch. Der

„↗Vogel" im Kopf hackt im Gehirn. 1920 ff.

Hirni m dummer, stumpfsinniger Mensch. Berlin, 1960 ff.

Hirnkrampf m Verrücktheit, Verstiegenheit. Dem Muskel- oder Herzkrampf nachgebildet. 1920 ff.

Hirnleiste f Lösung einer schwierigen Aufgabe in der Schule. „Leiste" ist neues Substantiv zu „leisten". Berlin 1955 ff, schül.

Hirnmauke f leichte Dummheit. ↗Mauke. Sold in beiden Weltkriegen.

hirnrissig adj verrückt, dumm. Rissig = verwundet; Analogie zu „geisteskrank". Seit dem 19. Jh.

Hirnschale f ihm ist die ~ um eine Nummer zu klein geworden = er leidet unter den Nachwehen des Rausches. Man hat das Gefühl, der Schädel wolle platzen. 1935 ff.

hirnscheu adj begriffsstutzig. Das Gehirn scheut sich, etwas zu begreifen. 1910 ff.

hirnstolz adj bildungsstolz; eingebildet. 1920 ff, österr.

hirnverbrannt adj verrückt, unsinnig. Im 19. Jh dem franz „cerveau brûlé" nachgebildet; vorher in der Form „hirnverrückt" verbreitet.

hirnvernagelt adj geistesbeschränkt. ↗vernagelt. 1920 ff.

Hirsch m 1. junger Mann; einfältiger junger Mann. Anspielung auf den stark ausgeprägten Geschlechtstrieb, den der junge Mann mit dem Hirsch gemeinsam hat. Seit dem ausgehenden 19. Jh, vorwiegend bayr. Gleichbed engl „stag".
2. Rekrut. Sold in beiden Weltkriegen.
3. dummer (uneinsichtiger) Erwachsener. 1900 ff.
4. Frauenheld. 1900 ff, bayr.
5. jähzorniger, unbesonnen redender und handelnder Mann. Geht wohl auf Hirschkämpfe in der Brunft zurück. 1900 ff.
6. Könner. 1920 ff.
7. betrogener Ehemann. Die Frau hat ihm „↗Hörner" aufgesetzt, die ihm schon zum „↗Geweih" gereichen. 1910 ff.
8. Nichtverbindungsstudent. Fußt vielleicht auf jidd „hivresch sein = sich absondern". Andererseits weiß man vom Damhirsch, daß die starken Schaufler in Rudeln für sich leben und erst zur Paarungszeit sich zu den weiblichen Tieren gesellen. 1800 ff, stud.
9. Sträfling in Einzelhaft. Geht zurück auf jidd „porasch = trennen". Rotw 1920 ff.
10. Fahrrad, Motorrad. Wegen der Gabelform der Lenkstange. Wahrscheinlich bei den Soldaten der Ersten Weltkriegs aufgekommen und kurz danach von der Jugend aufgegriffen.
11. Auto. Herzuleiten vom starken Hirsch. 1950 ff.
12. Omnibus. 1960 ff.
13. Motorradfahrer. Sein Hirschgeweih ist die Lenkstange. 1925 ff.
14. alter ~ = a) altgedienter Soldat. Meint in der Jägersprache das überständige Tier. 1890 ff. - b) im Dienst ergrauter Mann; Invalide. 1890 ff. - c) nach langer Zeit wiederholte Rede oder Predigt. 1900 ff. - d) Klassenwiederholer. Schül 1955 ff.
15. blöder ~ = dummer Kerl. Jug 1955 ff.
16. finsterer ~ = langweiliger Mann. Leitet sich her vom finsteren (= un-

freundlichen, verdrossenen) Gesichtsausdruck. Halbw 1955 ff.
17. flinker ~ = Motorrad. ↗Hirsch 10. Halbw 1955 ff.
18. flotter ~ = a) Draufgänger; Mann, der seine Geliebte häufig wechselt. ↗Hirsch 4. 1920 ff. - b) leichtlebige, anziehend gekleidete weibliche Person. Marinespr 1939 ff. - c) vornehm gekleideter Wohlhabender. 1950 ff, halbw. - d) schneller Autofahrer; schnelles Auto. ↗Hirsch 11. 1960 ff.
19. junger ~ = unerfahrener junger Mann. ↗Hirsch 1. 1930 ff.
20. lascher ~ = schüchterner junger Mann. Lasch = ohne Spannkraft; ↗Hirsch 1. Halbw 1955 ff.
20 a. müder ~ = energieloser junger Mann. 1950 ff.
21. röhrender ~ = Schlagersänger mit laut heulender Stimme. Sie klingt wie das Röhren eines brünftigen Hirsches. 1955 ff.
22. schneller (starker) ~ = a) Kraftfahrzeug mit hoher Motorleistung. ↗Hirsch 11 und 17. 1950 ff. - b) tüchtiger, netter Junge. ↗schnell. Schül 1955 ff.
23. sturer ~ = Mann, der von seinem Willen nicht abzubringen ist. ↗stur. 1935 ff.
24. trauriger ~ = langweiliger Bursche. Vgl ↗Hirsch 20 und 20 a. Halbw 1950 ff.
25. Beine wie der stärkste ~ im Taunus (Odenwald o. ä.) = sehr kräftig entwickelte Beine. 1950 ff.
26. einen ~ haben = bezecht sein. Anspielung auf das übermäßige Kraftgefühl der Betrunkenen. Seit dem 19. Jh.
27. sei kein ~ = entziehe dich nicht der Verantwortung! Steh zu deinem Wort! „Hirsch" meint hier den dummen Burschen; ↗Hirsch 5. 1960 ff.
28. wissen, wo die ~e wechseln = sich auskennen. Etwa seit 1930.

Hirschauerstück (Hirschauer Stückl) n Schildbürgerstreich. Hirschau liegt in der Oberpfalz und ist Schauplatz vieler (sagenhafter) Schelmenstreiche. 1950 ff.

Hirschfänger m Kriminalbeamter auf Fahndung nach Homosexuellen, die Kunden suchen. Eigentlich das starke Jagdmesser, mit dem man dem Hirsch den Genickfang gibt. Hier ist „↗Hirsch 1" gemeint. 1950 ff.

Hirschgefahr f Warnschild „Wildwechsel" an den Autobahnen. Das Schild zeigt einen springenden Hirsch. 1960 ff.

hirschig adj außerordentlich, vorzüglich, sensationell. Hergenommen von der sinnbildlichen Kraftfülle des Hirsches und seinem Verhalten in der Brunft. 1950 ff, halbw.

Hirt m 1. großer, starker, breitschultriger Mann. Den Schäfer stellt man sich im allgemeinen als kräftig gebaut vor. 1920 ff.
2. Schulleiter. 1920 ff. Vgl gleichbed franz „pâtre".
3. Klassensprecher. 1950 ff.
4. Schimpfwort. Manche Leute stellen sich unter einem Schäfer den dummen Menschen vor. Oder steht „Hirt" hier umschreibend für eine Art Komparativ von „Schaf"? (Der Betreffende wäre also noch dümmer als ein Schaf.) Schül 1950 ff.
5. junger ~ = junger Mann. Vgl das Vorhergehende. Halbw 1950 ff.

historisch adj 1. hysterisch. Scherzhafte

Verhüllung durch Tausch ähnlich klingender Wörter. 1900 ff.
2. ~ werden = jm seine kleinen Verfehlungen und Unterlassungen aus früherer Zeit vorhalten. 1910 ff.

Hit m 1. Spitzenware. Engl „hit = Schlager". 1950 ff.
2. big ~ = moderner Tanzschlager. 1950 ff.

Hitlersäge f Maschinengewehr MG 42. ↗Säge. Sold 1939 ff; BSD 1960 ff.

Hitsche f 1. alte, langsame, häßliche Frau. Mhd „hutschen = schieben, rutschen". „Hitsch" ist in Bayern die große Gartenkröte. 19. Jh, bayr.
2. Schlitten. Hitschen = gleiten. Mitteld seit dem 19. Jh.
3. kleines Fahrzeug; klapperndes Auto. Mitteld seit dem 19. Jh.
4. motorloses, selbstgebasteltes Kleinfahrzeug („Seifenkiste"). 1936 ff.

hitschen v 1. rodeln. ↗Hitsche 2. Mitteld seit dem 19. Jh.
2. tr intr = Autos anhalten und um Mitnahme bitten. Fußt gekürzt auf engl „to hitchhike = per Autostop reisen". 1950 ff.

hitverdächtig adj hohe Beliebtheit erwarten lassend. ↗Hit 1. Werbetexterspr. 1965 ff.

Hitze f 1. Temperament; Leidenschaft; heißes Blut. Seit dem 19. Jh.
2. Zorn, Aufregung u. ä. 1400 ff.
3. brüllende ~ = sehr große Hitze. ↗brüllendheiß. 1900 ff.
4. dritte ~ = Wiedererwachen des Geschlechtstriebs bei älteren Personen. 1950 ff.
5. in der ~ = in der Aufregung; in der Eile. 1800 ff.
6. in der ~ des Gefechts = vor lauter Eifer; in der Hast. 1800 ff.
7. ~ haben = Angst haben; böse Befürchtungen hegen. 1920 ff.
8. du hast wohl ~? = du bist wohl von Sinnen? „Hitze" kann auch das Fieber meinen oder spielt an auf die „Denkmaschine", die „heißgelaufen" ist. Vgl auch „du hast wohl Hitze im Hintern, weil du bei scharfem Frost ins Freie willst". Seit dem 19. Jh.

Hobby n 1. Gelegenheitsfreundin. Sie ist das „Hobby = Steckenpferd" für die Freizeitgestaltung. 1955 ff, halbw.
2. Geliebte eines verheirateten Mannes. 1955 ff.

Hobby-Kapitän m nicht berufsmäßiger Motorbootfahrer. 1965 ff.

Hobby-Soldat m Offizier auf Zeit. Kasinojargon, BSD 1969 ff.

Hobel m 1. Gesäßkerbe. Übertragen vom Schlitz im Hobelkasten des Holzbearbeitungswerkzeugs; vielleicht beeinflußt von „Hubel = Hügel = Gesäß". Vgl auch ↗hobeln 3. 1800 ff.
2. Penis. Wegen der Hin- und Herbewegung. 1900 ff.
3. Vulva, Vagina. 1900 ff.
4. Panzerkampfwagen. Er walzt das Gelände ein; vgl „hobeln = planieren". Sold 1939 bis heute.
5. Fahrrad, Motorrad, Auto. Hobeln = schleifend fahren. 1950 ff, halbw.
6. Lastkraftwagen. BSD 1965 ff.
6 a. Mundharmonika. Verkürzt aus „↗Maulhobel" oder „↗Schnauzenhobel". 1900 ff.

7. Tonarm des Plattenspielers. Technikerspr. 1950 ff.
8. Prügel. ↗ hobeln 5. Österr 1920 ff.
9. heißer ~ = a) schweres Motorrad. ↗ Hobel 5. 1950 ff, halbw. – b) Auto mit hoher Motorleistung. Halbw 1950 ff.
10. den ~ ausblasen = fellieren. ↗ Hobel 2. 1900 ff.
11. blas' mir den ~ aus (du kannst mir am ~ blasen)!: Ausdruck der Ablehnung, der derben Abfertigung. ↗ Hobel 1. 1800 ff.
12. jm den ~ ausblasen (blasen) = jn derb behandeln; rücksichtslos gegen jn vorgehen. Ausblasen = säubern = fegen = schlagen. 1800 ff.
hobeln v **1.** tr = jn erziehen; jm artiges Benehmen beibringen. Erziehung = Entfernung von charakterlichen Unebenheiten, Glättung der Umgangsformen. Oberd seit dem 19. Jh.
2. tr = planieren. Seit dem 19. Jh.
3. koitieren. Der Hobel wird hin- und hergeführt. 1900 ff.
4. onanieren. 1900 ff.
5. tr = jn über die Tischkante legen und prügeln. Der Tisch als Hobelbank. Österr 1920 ff.
Hoch n Hochstimmung, Siegeszuversicht. Vom Wetterbericht übernommen. 1950 ff.
hoch adj **1.** etw zu ~ finden = etw nicht begreifen können. Hoch = hochgeistig. Vgl ↗ hoch 9. 1900 ff.
2. es ~ im Kopf (o. ä.) haben = eingebildet, anmaßend sein. Der Hochmütige trägt den Kopf hoch. 1900 ff.
3. das hängt mir zu ~ = das verstehe ich nicht. Fußt auf der Fabel vom Fuchs, dem die Trauben zu hoch hängen. 1900 ff.
4. es geht ~ her = a) man entfaltet ein lebhaftes Treiben; man feiert mit verschwenderischen Lebenswandel. Es geht her = es ereignet sich. „Hoch" kann den hohen Einsatz beim Spiel meinen, oder man steigt auf Tische und Stühle, oder die Stimmung schlägt hohe Wellen. 1700 ff. – b) man ereifert sich. 1900 ff.
5. ~ hinaussein = eingebildet, dünkelhaft sein. Vgl das Folgende. 1800 ff.
6. ~ hinauswollen = anspruchsvoll, ehrgeizig sein; hochmütig auftreten. Meint entweder, daß einer hochgesteckte Ziele verfolgt, oder daß er „die Nase hochträgt", oder daß er „hoch zu Roß" auftritt. 1600 ff.
6 a. wenn's hoch kommt = im günstigsten Fall. Fußt auf Psalm 90, 10. 1800 ff.
7. ~ laden = sehr anspruchsvoll sein; sich aufspielen. Hergenommen vom Heuwagen, der so hoch beladen ist, daß er nicht durch das Scheunentor gefahren werden kann. 1930 ff.
8. das liegt zu ~ = das ist unerreichbar; das kann man nicht stehlen. ↗ hoch 3. Seit dem 19. Jh.
9. das ist mir zu ~ = das kann ich nicht begreifen; das übersteigt meine Auffassungsgabe. Wahrscheinlich der Bibel entlehnt (Hiob 42, 3 und Psalm 139, 6) mit Einfluß der Fabel vom Fuchs und den Trauben. 1500 ff.
10. ~ oben sein = unter Rauschgifteinwirkung stehen. Übersetzt aus engl „↗ high". 1965 ff.
11. etw ~ und heilig versprechen (geloben o. ä.) = etw fest versprechen. „Hoch" bezieht sich auf das Erheben der Schwurfinger; „heilig" spielt auf die redliche Absicht

an im Sinne einer superlativischen Beteuerung; auch spricht man von der „Heiligkeit" des Eides. Seit dem 19. Jh.
12. etw ~ und teuer versprechen (versichern, schwören) = etw beteuern. 1700 ff.
Hochamt n dreispänniges ~ = Hochamt mit drei Geistlichen. „Dreispännig" meint eigentlich „von drei Pferden gezogen". Westd 19. Jh.
'hoch'anständig adj sehr großzügig; sehr anerkennenswert. „Hoch" als Verstärkung versteht sich nach „hochbeglückt, hochverdient". Seit dem 19. Jh.
Hochbau m üppiger Frauenbusen. 1900 ff.
hochbeinig adj überheblich, anspruchsvoll. „Hoch zu Roß" gilt in volkstümlicher Auffassung als gleichbed mit „dünkelhaft" und „anmaßend". Seit dem 19. Jh.
'hoch'blond adj auffallend (hell-)blond; blond gefärbt. 1920 ff.
hochboxen v **1.** etw ~ = einen Betrieb mit rauhen Methoden voranbringen. Vom Boxer hergenommen, der durch erfolgreiche Boxkämpfe in die Spitzengruppe gelangt. 1950 ff.
2. jn ~ = jn auf einen leitenden Posten bringen. Der Widerstand wird niedergeboxt. 1950 ff.
3. sich ~ = sich emporarbeiten, durchsetzen; eine leitende Stellung anstreben. 1950 ff.
hochbringen tr **1.** jn nach oben bringen. Hoch = die Treppe hinauf. 1900 ff.
2. jn erzürnen. Man bewirkt, daß der andere „hochgeht". 1900 ff.
3. jds Laufbahn fördern. 1920 ff.
4. jds Leidenschaft wecken. Von der Erektion des Penis übertragen. 1920 ff.
Hochdeutsch n **1.** ~ mit Fransen = unreines Hochdeutsch. Fransen befinden sich an verschlissener Kleidung und kennzeichnen den Träger als ungepflegt. 1930 ff.
2. ~ mit Knubbeln = mundartlich gefärbtes Hochdeutsch. ↗ Knubbel. Westd 1900 ff.
3. ~ mit Streifen = fehlerhaftes, unreines Hochdeutsch. Hergenommen von den Streifen im Hochglanz-Lackanstrich, im Farbanstrich. Seit dem 19. Jh.
hochdeutsch adv **1.** mit jm ~ reden = jn zur Rede stellen. Sprachstil und Wortwahl werden förmlich, womit man zu verstehen gibt, daß jegliche Vertraulichkeit aufgehoben ist. 1900 ff.
2. ~ werden (unangenehm ~ werden) = (im Ausdruck) sehr deutlich werden. 1900 ff.
hochdienen refl im Staatsdienst (in der militärischen Laufbahn) aufsteigen; unter Mühen Spitzensportler werden. Vorstellung von der Stufenleiter der beruflichen Laufbahn. 1900 ff.
Hochdruck m mit ~ arbeiten = angestrengt arbeiten. Vom physikalisch-technischen Begriff des Hochdrucks übertragen. 1920 ff.
hochfahren intr aufbrausen. Man fährt aus dem Sessel auf = man springt auf. 1900 ff.
'hoch'fein adj sehr fein; ganz vorzüglich. In der Kaufmannssprache des 19. Jhs aufgekommen zur Kennzeichnung besonders hochwertiger Ware.
hochfliegen v **1.** intr = verhaftet werden.

↗ auffliegen 2. Rotw und polizeispr. 1870 ff.
2. jn ~ lassen = jn verhaften lassen. ↗ auffliegen 5. 1870 ff.
3. etw ~ lassen = ein anrüchiges (strafbares) Unternehmen zur Anzeige bringen. ↗ auffliegen 4. 1920 ff.
Hochform f **1.** großes Leistungsvermögen. ↗ Form 1. Sportl 1920 ff.
2. in ~ sein = hochleistungsfähig sein. 1920 ff.
3. sich zur ~ steigern (zur ~ auflaufen) = seine Leistungshöhe erreichen. Sportl 1950 ff.
hochgebaut adj **1.** langbeinig, großwüchsig. 1900 ff.
2. üppig entwickelt (auf den Busen bezogen). 1900 ff.
hochgehen v **1.** intr = explodieren, in die Luft fliegen. Sold und ziv 1910 bis heute.
1 a. impers = scheitern. 1950 ff.
2. intr = sich erregen; aufbrausen. Erregt springt man vom Stuhl auf: der Zornige geht hoch wie eine detonierende Granate. 1914 ff.
3. intr = vernichtet, verhaftet werden. Gehört zu „hochfliegen = ↗ auffliegen". Rotw 1885 ff.
4. intr = sterben, im Krieg fallen. Man geht in den Himmel ein. 1940 ff.
5. intr = vom Dach aus einbrechen. Rotw 1820 ff.
6. intr = hinaufgehen. Seit dem 19. Jh.
7. der Wechsel (Scheck) geht hoch = der Wechsel wird nicht eingelöst. Vgl ↗ auffliegen 1. 1920 ff.
8. jn ~ lassen = jn zur Anzeige bringen; jn verhaften lassen; jn entlarven, anprangern. ↗ hochfliegen 2. Kundenspr. 1870 ff.
9. etw ~ lassen = etw sprengen. ↗ hochgehen 1. 1914 ff.
10. etw ~ lassen = brandstiften. Etw geht in Flammen auf. 1920 ff.
hochgeistig adj sehr alkoholhaltig. ↗ Geist 1. 1960 ff.
hochgestochen adj **1.** gesellschaftlich hochstehend; anspruchsvoll; eingebildet. Lehnübersetzt aus engl „highbrow = hochgeistig". 1800 ff.
2. überbewertet; überzüchtet. 1920 ff.
hochgetrimmt adj hochgezüchtet. ↗ trimmen. 1950 ff.
Hochglanz m **1.** auf ~ poliert sein = in betrügerischer Absicht verschönt sein. 1950 ff.
2. jn auf ~ schleifen = jn nach jeglicher milit Erfordernis drillen. Er wird ein glänzender Soldat. 1935 ff.
3. etw auf ~ wienern = einer Sache ein gefälliges Äußeres geben. ↗ wienern. 1950 ff.
hochhaben v **1.** jn ~ = jn erbost haben. Verkürzt aus „hochgebracht haben"; ↗ hochbringen 2. 1950 ff.
2. einen ~ = einen erigierten Penis haben. 1950 ff.
3. ~ = angetrunken sein. Bezieht sich auf den hohen Alkohol-Pegelstand. 1870 ff.
Hochhaus n **1.** großwüchsiger Mensch. 1930 ff.
2. auf jn Hochhäuser bauen = festes Vertrauen zu jm haben. Moderne Weiterentwicklung von „↗ Haus 33". 1965 ff.
hochherzig adj hochbusig. ↗ Herz 2. 1920 ff.

hochholen *tr* etw heraufholen. Seit dem 19. Jh.

hochjagen *tr* etw sprengen. *Vgl* „in die ↗Luft jagen"; „↗hochgehen 9". 1914 *ff.*

hochjubeln *v* 1. jn ~ = jn unverdientermaßen in den Vordergrund der Beachtung rücken. Man lobt ihn durch Jubel- und Beifallsrufe („hoch soll er leben . . .!"). 1950 *ff.*
2. etw ~ = etw betrügerisch im Wert steigern; etw zu einer hohen Versteigerungssumme treiben. 1950 *ff.*
3. eine Stimme ~ = mit technischen Mitteln eine Stimme verstärken. Technikerspr. 1950 *ff.*
4. den Motor ~ = bei stehendem Wagen den Motor auf vollen Touren laufen lassen. Der Klang wird immer heller (= die Tonlage wird höher). 1950 *ff.*

hochkant (hochkantig) *adv* 1. ~ gehen = a) hinausgeworfen werden. Hochkant = auf die schmale Seite gestellt (die weniger Standfestigkeit bietet als die breite Seite). 1900 *ff.* – b) verhaftet werden. *Rotw* 1900 *ff.*
2. ~ rausfliegen = rücksichtslos, unhöflich, gewaltsam hinausbefördert werden. ↗rausfliegen. 1900 *ff.*
3. jn ~ rausschmeißen (rauswerfen) = jn rücksichtslos, gewaltsam hinausweisen. 1900 *ff.*

hochkarätig *adj* 1. adlig; vornehm. Eigentlich soviel wie „hoch goldhaltig". 1950 *ff.*
2. hochstehend; wertvoll; ausgezeichnet; unbezweifelbar. 1950 *ff.*
3. reich; hoch im Kurs stehend. 1950 *ff.*
4. echt, unverfälscht, naturgetreu. 1950 *ff.*
5. hochprozentig (Alkoholgehalt). 1950 *ff.*
6. *adv* = überaus; sehr; höchst. 1950 *ff.*

hochkochen *impers* es kocht hoch = es wird bekannt. Der Küchenpraxis entlehnt. 1960 *ff.*

hochkommen *v* 1. *intr* = erwachen, aufstehen. 1900 *ff.*
2. *intr* = die Treppe heraufkommen. Seit dem 19. Jh.
3. *intr* = etw erreichen; Erfolg haben. Man gelangt beruflich empor und steigt in der Beachtung. 1900 *ff.*
4. *intr* = überführt, verhaftet werden. ↗hochgehen 3. 1950 *ff.*
5. es kommt mir hoch = es widert mich an. Anspielung auf Brechreiz. Seit dem 19. Jh.
6. nicht mehr ~ = nicht mehr genesen. Man kann sich vom Krankenlager nicht mehr erheben. 1900 *ff.*

hochkriegen *tr* 1. jn (etw) ~ = jn (etw) aufrichten. Seit dem 19. Jh.
2. jn erbosen. *Vgl* ↗hochbringen 2; ↗hochgehen 2. 1920 *ff.*
3. einen ~ = eine Erektion des Penis bekommen (bewirken). *Halbw* 1960 *ff.*
4. keinen mehr ~ = nicht mehr potent sein. 1960 *ff.*

hochkurbeln *tr* 1. jn antreiben, drillen. Man verhilft ihm zu einer hohen Drehzahl. *Sold* 1935 *ff.*
2. jn auf eine bestimmte Flughöhe bringen. ↗kurbeln 4. 1935 *ff.*

Hochlebenlassen *n* Hochheben eines Wohlhabenden, dem dabei die Brieftasche o. ä. geraubt wird. 1950 *ff.*

hochloben *tr* 1. jn ~ = jn durch Lob in eine höhere Stellung bringen. *Vgl* ↗hochjubeln 1. 1900 *ff.*
2. etw (jn) ~ = etw (jn) übergebührlich

loben, um sich der Sache oder Person zu entledigen. *Vgl* ↗hochjubeln 2. 1900 *ff.*

hochnäsig (hochnasert, -nasig) *adj* 1. anmaßend, hochmütig, stolz. Adjektivisch entwickelt aus „die ↗Nase hochtragen". Seit dem 18. Jh. *Vgl engl* „to go highnose".
2. großwüchsig, stattlich. 1900 *ff.*

hochnehmen *tr* 1. jn streng rügen; jn drillen, plagen. Beim Zureiten werden die Zügel hochgenommen. 1870 *ff.*
2. jn necken, veralbern. Analog zu „jn auf den ↗Arm nehmen". 1920 *ff.*
3. jn übervorteilen; jm überhöhte Preise abfordern. 1870 *ff.*
4. jn zur Freigebigkeit veranlassen; jn erpressen, ausnutzen, prellen. Kundenspr. 1890 *ff.*
5. jn verhaften. Man läßt ihn „↗hochgehen". 1900 *ff. Vgl engl* „to take up".

'hoch'nobel *adj* sehr vornehm; sehr großzügig. (Auch *iron* gebraucht.) ↗nobel. 1900 *ff.*

hochpäppeln *tr* 1. jn behutsam aufziehen; jm durch behutsame Pflege zur Gesundung verhelfen. ↗päppeln. 1920 *ff.*
2. jn durch geschickte Propaganda o. ä. zu Ansehen und Beliebtheit verhelfen. 1950 *ff.*
3. jm wirtschaftlich aufhelfen. 1930 *ff.*

hochpeitschen *tr* etw mit nachdrücklichen Mitteln dem Publikum näherbringen. Die Peitschenschläge gelten eigentlich dem Spielkreisel, der so „auf Touren kommt". 1950 *ff.*

hochpokern *tr* etw schlimmer darstellen als der Wirklichkeit entsprechend. Leitet sich her vom Pokerspiel, bei dem man ein hohes Gebot macht. 1960 *ff.*

'hoch'prima *adj adv* ausgezeichnet. ↗prima. 1900 *ff.*

hochprozentig *adj* 1. kräftig, tüchtig. Vom hohen Alkoholgehalt hergenommen. 1920 *ff.*
2. fast völlig. 1950 *ff.*
3. ~ in Ordnung sein = sehr zuverlässig und vertrauenswürdig sein. 1910 *ff.*
4. ~ trauern = nach einer Beerdigung ausgiebig zechen. Ironie. 1950 *ff.*

hochpuffen *tr* etw übertrieben darstellen, übermäßig loben. Puffen = stoßen. Man führt Faust- oder Dolchstöße u. ä. heftiger als nötig (effekthascherisch) aus. Theaterspr. 1930 *ff.*

hochpusten *tr* etw für die Öffentlichkeit aufbauschen. Analog zu ↗aufblasen 2. 1950 *ff.*

hochputschen *tr* etw (jn) überschwenglich anpreisen. Putschen = aufwiegeln, -hetzen. 1950 *ff.*

Hochrad *n* 1. ~ fahren = a) dünkelhaft sein. Analog zu „auf hohem ↗Roß sitzen". 1900 *ff.* – b) stark übertreiben; sich aufspielen. 1900 *ff.* – c) sich beim Lehrer einschmeicheln. Verstärkung von ↗radfahren. *Schül* 1940 *ff.*
2. vom ~ fallen = sich das Wohlwollen des Lehrers verscherzen. *Schül* 1940 *ff.*

hochrappeln *refl* 1. genesen; sich ermannen. ↗aufrappeln. 1870 *ff.*
2. einen schweren „Schlag" überwinden. 1900 *ff.*
3. sich aus kleinen Anfängen emporarbeiten. 1900 *ff.*

hochschaukeln *v* 1. *tr* = etw immer (noch) beliebter machen; etw immer wei-

ter übertreiben. Von der Schiffsschaukel hergenommen. 1950 *ff.*
2. *tr* = jm zu durchschlagendem Erfolg verhelfen. 1950 *ff.*
3. *refl* = a) sich mit Erfolg emporarbeiten. 1950 *ff.* – b) sich steigern; seine Gier vergrößern. 1975 *ff,* Drogenszene.

'hoch'schick *adj* sehr elegant. ↗schick. 1920 *ff.*

hochschießen *tr* 1. jn dem Publikum als Könner vorführen. Vom Abschuß eines Feuerwerkskörpers übertragen. 1930 *ff.*
2. jm eine gutdotierte Stellung verschaffen, um sich seiner zu entledigen. 1950 *ff.*

hochschrauben *tr* zuviel erwarten; hohe Ansprüche stellen. Hergenommen vom Hochschrauben des Dochts in der Petroleumlampe: ist er allzu hochgeschraubt, erlischt seine Flamme. 1920 *ff.*

Hochschule *f* 1. Strafanstalt. Dort lernt der Verbrecher die schwiegeren Formen der Kriminalität. *Rotw* 1920 *ff.*
2. Hilfsschule. Ironie. 1900 *ff.*
3. ~ für Erotik = Pädagogische Hochschule o. ä. Anspielung auf Liebesverhältnisse unter den Studierenden. 1965 *ff.*
4. ~ für brotlose Künste = Hochschule für Bildende Künste. Brotlose Kunst = Tätigkeit, die keine Erwerbsgrundlage bietet. Berlin 1960 *ff.*
5. ~ für Minderbemittelte = Hilfsschule. ↗minderbemittelt. 1900 *ff.*
6. ~ für Schleichhandel = Hochschule für Welthandel zu Wien. 1930 *ff, stud.*
7. hast du das auf der Hochschule?: Frage an einen Preisüberforderer. 1935 *ff.*

hochschwanger gehen trotz innerer Vorbehalte ein teures Spiel wagen. Kartenspielerspr. 19. Jh.

hochsein *intr* 1. aufgestanden sein. Verkürzt aus „hochgekommen sein" durch Auslassung des Verbs der Bewegung. 1900 *ff.*
2. wütend sein; sich gereizt äußern. Verkürztes Perfekt von „↗hochgehen 2". 1900 *ff.*
3. unter Rauschgifteinwirkung stehen. ↗high. 1965 *ff.*
4. wieder ~ = genesen sein. *Vgl* ↗hochkommen 6. 1900 *ff.*

Hochspannung *f* 1. Sex wie eine ~ haben = starken Sinnenreiz ausstrahlen. Man stellt sich vor, die betreffende weibliche Person sprühe attraktive Funken. *Halbw* 1955 *ff.*
2. unter ~ stehen = a) sehr temperamentvoll sein. 1960 *ff.* – b) angestrengt arbeiten. 1960 *ff.*

hochspielen *v* 1. ein Thema ~ = Gesprächsstand übergebührlich in den Vordergrund rücken, vor der Öffentlichkeit erörtern. Fußt auf *engl* „to play up". 1950 *ff.*
2. sich ~ = sich aufspielen. 1950 *ff.*

hochspritzen *v* 1. *intr* = vom Stuhl aufspringen. ↗spritzen. 1914 *ff.*
2. *refl* = sich eine Rauschgiftspritze geben, um sich „hochzubringen" = high zu machen". 1960 *ff.*

hochstapeln *tr* etw übertreibend erhöhen. Eigentlich „in hohen Stapeln aufrichten", dann auch „in betrügerischer Absicht sich einen hohen Rang beilegen'" 1920 *ff.*

Höchstes *n* Bestes, Einmaliges, Unübertreffliches. *Halbw* 1955 *ff.*

Höchstform *f* 1. jn auf ~ bringen = jds

Leistungsvermögen bis zum äußersten steigern. ↗ Form 1. *Sportl* 1920 *ff.*

2. in ~ sein = sehr leistungsfähig sein. *Sportl* 1920 *ff.*

3. zur ~ auflaufen = sich in der Leistungskraft steigern. ↗ Hochform. *Sportl* und Politikersprache, 1970 *ff.*

Hochtouren *pl* **1.** auf ~ arbeiten = angestrengt arbeiten. Hochtouren = hohe Umdrehungszahlen bei Motoren o. ä. 1920 *ff.*

2. jn auf ~ bringen = a) jn (eine Gruppe) schikanös drillen. *Sold* 1935 *ff.* – b) jn anspornen, ermuntern. 1935 *ff.*

3. etw auf ~ halten = bei einer Sache keine langsamere Entwicklung, keine Verlangsamung im Ablauf zulassen. 1950 *ff.*

4. auf ~ kommen = höchstleistungsfähig werden. 1920 *ff.*

5. der Mund (o. ä.) läuft auf ~ = man spricht schnell, ohne Unterbrechung. 1935 *ff.*

6. auf ~ laufen = angestrengt, mit voller Anspannung tätig sein. 1920 *ff.*

7. es läuft auf ~ = es wird nachhaltig betrieben. 1920 *ff.*

8. auf ~ sein = a) seine Leistungskraft voll entfalten. 1920 *ff.* – b) leidenschaftlich bei der Sache sein; leidenschaftlich verliebt sein. 1930 *ff.*

Hochwasser *n* **1.** ~ haben = die Hosenbeine zu hoch gezogen haben; zu kurze Hosenbeine haben. Sie erinnern an die aufgekrempelten Hosenbeine beim Waten durch Hochwasser. Seit dem ausgehenden 19. Jh.

2. Harndrang verspüren. ↗ Hochwassermeldung. 1965 *ff.*

Hochwassermeldung *f* Harndrang. Eigentlich die Wasserstandsmeldung bei Pegelstand über Normal (= Überflutungsgefahr). *BSD* 1965 *ff.*

hochwollen *intr* aufstehen wollen. Man will ↗ hochkommen. Seit dem 19. Jh.

Hochzeit *f* **1.** baumwollene ~ = Feier der Eheschließung nach dem ersten Ehejahr. Herleitung ungesichert; mögliche Bedeutung: die eheliche Gemeinschaft des Lakens hat die Flitterwochen überdauert, und an baumwollweicher Babywäsche wird gestrickt. 1920 (?) *ff.*

2. blecherne ~ = 8. Hochzeitstag. Herleitung unbekannt. 1920 (?) *ff.*

3. diamantene ~ = 60. (65.; 75.) Wiederkehr des Hochzeitstages. Der Diamant ist hart, widerstandsfähig und kostbar. Seit dem 19. Jh.

4. eiserne ~ = 60. (65.) Hochzeitstag. Seit dem 19. Jh.

5. gläserne ~ = zehnter (fünfzehnter) Hochzeitstag. Vermutlich erneuert man seinen Gläserbestand. 1900 (?) *ff.*

6. goldene ~ = 50. Hochzeitstag. Gold als hochwertiges Edelmetall. Seit dem 19. Jh.

7. grüne ~ = Tag der Vermählung. Grün ist die Farbe der Hoffnung und des Neuen, noch Unerprobten. Seit dem 19. Jh.

8. hölzerne ~ = Beginn des 4. (5.; 10.) Ehejahres. Aus angelsächsischen Ländern übernommene Bezeichnung (?). 1950 *ff.*

9. kupferne ~ = Wiederkehr des Hochzeitstages nach 7 (20; 70) Ehejahren. 1950 *ff.*

10. papierene ~ = erster Jahrestag der Eheschließung. Angeblich schenkt man bei diesem Anlaß Alben, Tage-, Gästebücher. 1950 *ff.*

11. porzellane(ne) ~ = Wiederkehr des Hochzeitstages nach 20 Jahren. Wohl wegen fälliger Erneuerung des Porzellanbestands. 1950 *ff.*

12. seidene ~ = Wiederkehr des Hochzeitstages nach 12 Jahren. Seide ist kostbar und hat einen eigentümlich matten Glanz. 1950 *ff.*

13. silberne ~ = 25. Hochzeitstag. Anspielung auf das beginnende Silberhaar. Das Ehepaar trägt Silberkranz und Silbersträußchen. Seit dem 18. Jh; auch *ndl.*

14. steinerne ~ = Wiederkehr des Hochzeitstages nach $67\frac{1}{2}$ (70; 75) Jahren. Hängt wohl zusammen mit „↗ steinalt". 1900 *ff.*

15. weiße ~ = Hochzeit, bei der die Braut in Weiß gekleidet ist. Seit dem 19. Jh.

15 a. zinnerne ~ = Feier der Eheschließung nach sechseinhalb Jahren. 1980 *ff.*

16. es ist mir eine halbe (kleine) ~ = es freut mich sehr, erleichtert mich sehr. 1920 *ff.*

17. das ist nicht meine ~ = das geht mich nichts an, ist nicht meine Angelegenheit. 1950 *ff.*

18. auf der falschen ~ sein (tanzen) = sich gröblich irren; etw völlig mißverstehen. Seit dem frühen 20. Jh.

19. auf allen (zwei) ~en tanzen = verschiedenerlei gleichzeitig erledigen wollen; es mit zwei Parteien halten; einander widersprechende Ansichten vertreten; vielseitig tätig sein. 1900 *ff.*

hochziehen *v* **1.** *tr* = jn necken, ärgern. ↗ aufziehen. 1900 *ff.*

2. ~ = sich etw diebisch aneignen. Hergenommen von der Uhr (o. ä.), die man dem Opfer aus der Tasche zieht. *Sold* 1939 bis heute; *halbw* 1950 *ff.*

3. sich an etw ~ = sich übereifrig einer Sache widmen; eine Sache übergebührlich erörtern; mit wenig Arbeit seine Zeit ausfüllen. Hergenommen vom Geräteturnen oder Bergsteigen. 1935 *ff.*

4. ~ und runterschlucken!: Rat an einen, der eine ungerechtfertigte Rüge zweckmäßigerweise widerspruchslos hinnehmen sollte. Bezieht sich auf den Umgang mit dem Nasenschleim, wenn kein Taschentuch zur Hand ist. *Sold* 1940 *ff.*

hocken *v* **1.** *intr* = sich befinden; sich aufhalten. Ursprünglich „sich kauern", dann „kauernd sich verbergen" und „sich im Innern des Hauses aufhalten" (wie ein „↗ Stubenhocker"). Seit dem 19. Jh.

2. *intr* = sitzen. Vorwiegend *oberd* seit dem 19. Jh.

3. *intr* = Strafgefangener sein. Analog zu ↗ sitzen. 1900 *ff, oberd.*

4. *intr* = eine Strafstunde verbüßen. Man muß „hocken = sitzen" bleiben, während die anderen heimgehen dürfen. *Schül* 1900 *ff.*

5. er hockt mir ~ = es ärgert mich. Gehört zu „↗ Hocker = Alp". *Bayr* 19. Jh.

6. sich ~ = sich setzen. *Bayr* und *schwäb*, auch *schweiz*, 1800 *ff.*

hockenbleiben *intr* **1.** in der Schule nicht versetzt werden. Analog zu ↗ sitzenbleiben. Seit dem ausgehenden 19. Jh.

2. ledig bleiben. ↗ sitzenbleiben. *Bayr* und *schwäb* seit dem 19. Jh.

3. vom Mann verlassen werden. 1920 *ff.*

4. sich nicht zum Weggehen anschicken;

den Besuch sehr ausdehnen. Seit dem 19. Jh.

5. auf etw ~ = eine Ware nicht verkaufen können. Der Händler sitzt verdrossen auf seinen Waren, die niemand haben will. *Bayr* und *schwäb* seit dem 19. Jh.

Hocker *m* **1.** Mann, der gern und lange im Wirtshaus sitzt. *Südwestd* und *bayr* seit dem 19. Jh.

2. Gast, der die schickliche Zeit zum Weggehen verstreichen läßt. ↗ hockenbleiben 4. Seit dem 19. Jh.

3. Klassenwiederholer. ↗ hockenbleiben 1. 1900 *ff.*

4. Strafstunde; mit einer Strafstunde bestrafter Schüler. ↗ hocken 4. 1900 *ff.*

5. Motorrad. Eine Art „↗ Untersatz" oder „↗ Feuerstuhl". *Halbw* 1960 *ff.*

6. Lungenzug beim Rauchen. Er setzt sich (= seine Ablagerungen) in der Lunge fest. *Österr* 1950 *ff.*

7. es reißt (haut) mich vom ~ = es erregt, begeistert mich. Man springt auf. 1960 *ff.*

Hof *m* vom ~ reiten (fahren) = sich verabschieden; die Wohnung verlassen; seinen Urlaub antreten. *Halbw* 1965 *ff.*

Hoferbrigade *f* ↗ Andreas-Hofer-Brigade.

hoffee sein gesund, wohlauf sein. Geht zurück auf *franz* „être au fait de quelquechose = in etw wohlbewandert sein" oder auf *franz* „hauts faits = kriegerische Heldentaten". 1950 *ff.*

hoffen *v* = wir das Beste, lieber Leser! = hoffen wir das Beste! Fußt auf der Schlußzeile von (in Fortsetzungen veröffentlichten) Hintertreppenromanen, die in einer für den (die) Held(in) entscheidenden Lage abbrechen und den Leser zu Hoffnungsfreudigkeit (= Weiterlesenwollen) einstimmen. Beispiel: „Das Geheimnis der alten Mamsell" von E. Marlitt (1867) endet mit den Worten: „Hoffen wir, lieber Leser . . ." 19. Jh.

hoffentlich *adv* wahrscheinlich (er stirbt hoffentlich bald). „Hoffen" hat hier den alten Sinn von „befürchten, besorgen, (aufgeregt) erwarten". Seit dem 19. Jh.

hoffnungslos *adv* sehr, maßlos, völlig (er ist hoffnungslos dumm). Es besteht keine Hoffnung auf Änderung. 1900 *ff.*

hofieren *intr* koten, harnen. Gehört zu „Hof = Dungstätte" und vergröbert zugleich den adligen Begriff (hofieren = stattlich Hof halten). Wegen der mehr oder minder gebückten Körperhaltung sowohl bei Untertänigkeitsbezeugungen als auch bei Notdurftverrichtungen. Seit dem 14. Jh.

Höflichkeitsgemüse *n* Blumenstrauß als Mitbringsel des Gastes. Burschikose Wertminderung. 1950 *ff.*

Hofratsecken *pl* Haarbuchten oberhalb der Schläfen. Sie treten gewöhnlich in dem Lebensalter auf, in dem (von dem an) man zum Hofrat ernannt werden kann. *Wien* seit dem 19. Jh.

Hoftrauer *f* Schmutz unter den Fingernägeln. Eigentlich die von einem Herrscher angeordnete Trauerzeit mit Bekleidungsvorschriften und Verhaltensmaßregeln wegen des Todes eines Angehörigen des Herrscherhauses o. ä. Das „Schwarze" unter den Fingernägeln wurde umgangssprachlich zum „Trauerrand" stilisiert und ironisiert. Seit dem 19. Jh.

Höhe *f* **1.** in die ~ fahren (gehen) = zornig

aufspringen; aufbrausen. ↗ hochfahren; ↗ hochgehen 2. 1870 ff.

2. in die ~ gehen = a) schwanger sein. Der Bauch wölbt sich auf. *Vgl* ↗ aufgehen 1. Kundenspr. 1800 ff. – b) mit dem Flugzeug aufsteigen. 1914 ff.

3. wenn er an ~ hätte, was ihm an (der) Tiefe fehlt, wäre er ein guter Sänger: Redewendung auf einen unbegabten Sänger. 1900 ff.

4. in die ~ können = aus dem Bett aufstehen können. ↗ hochkommen 1. 1900 ff.

5. jn in die ~ schießen = jn rasch beim Publikum beliebt machen. ↗ hochschießen 1. 1930 ff.

6. das ist die ~!: Ausdruck des Unwillens, der Unerträglichkeit. Verkürzt aus älterem „das ist die rechte Höhe", wobei „recht" *iron* gemeint ist (= so recht geeignet, Unwillen zu erregen). Leitet sich her vom Messen und Einpassen, wobei das richtige Maß verfehlt wurde. Seit dem 19. Jh. *Vgl engl* „that is the limit" und *franz* „c'est le comble".

7. das ist die ~ vom Balkon = das ist unerhört, höchst verwunderlich. Veranschaulichende Weiterentwicklung der vorhergehenden Redensart. 1950 ff, schül.

8. das ist die ~ der Gefühle = das ist der Gipfel des Wünschenswerten; das ist eine sehr kostbare Sache; das ist das Äußerste, was einer geben kann. Geht entstellt zurück auf „das höchste der Gefühle" aus Mozarts Oper „Die Zauberflöte". Seit dem späten 19. Jh.

9. das ist die Höhe h! = das ist eine Zumutung, eine Unverfrorenheit. Veranschaulichung von „das ist die Höhe" durch den Buchstaben „h" als Kennzeichen der Höhe in geometrischen Figuren. *Schül* und *stud*, 1870 ff.

10. auf der ~ sein = a) mit den neuesten Errungenschaften und Erkenntnissen vertraut sein; mit den anderen mithalten können. „Höhe" meint geistige Höhengleichheit in Bezug auf Meinungen, Meldungen usw. 1800 ff. – b) betrunken sein. Man hat den Gipfel des Rausches erreicht. *Vgl* ↗ high. 1935 ff.

11. nicht auf der ~ sein = kränkeln; abgespannt, mißgestimmt sein; seine volle Leistungskraft nicht erreichen. Meint die Höhe der Schaffenskraft, der Gesundheit usw. *Vgl* ↗ Hochform. 1900 ff.

12. in der ~ sein = a) aus dem Bett aufgestanden sein. *Vgl* ↗ hochkommen 1 und 6. Seit dem 19. Jh. – b) schwanger sein. ↗ Höhe 2. Seit dem 19. Jh.

13. gleich in der ~ sein = rasch aufbrausen. Gleich = sofort, unvermittelt; ↗ Höhe 1. Seit dem 19. Jh.

Hohenastheimer *m* Apfelwein, -saft. Scherzhafte Weinmarke mit Anspielung auf den hohen Ast, an dem der Apfel hängt. Seit dem 19. Jh.

Höhenrausch *m* Hochmut, Dünkel; geistiges und gesellschaftliches Mehrgeltungsstreben. Es handelt sich um rauschähnliche Selbsttäuschung. 1920 ff.

höher *adv* ~ hinauswollen = dünkelhaft sein; gesellschaftlich nach höherem Ansehen streben. ↗ hoch 6. 1600 ff.

hohl *adj* **1.** ~ sein = a) mittellos sein; lieber nehmen als geben. *Vgl* ↗ Hand 81. 1900 ff. – b) nicht recht bei Verstand sein; dumm sein. Der Kopf ist leer. 1920 ff.

2. ganz ~ sein = viel trinken können; großen Durst entwickeln. Wie ein leeres Faß. 1900 ff.

Hohle *f* **1.** schlechteste Leistungsnote. *Vgl* ↗ Hohler. *Schül* 1960 ff.

2. die ~ machen = die (nach oben offene) Hand zum Trinkgeldempfang hinhalten. 1950 ff.

Höhle *f* **1.** unwirtliche Wohnung. Analog zu ↗ Loch. Seit dem 18. Jh.

2. Kasernenstube. *BSD* 1965 ff.

3. Klassenzimmer. *Schül* 1960 ff.

4. eigenes Zimmer. *Halbw* 1960 ff.

5. ~ des Löwen = a) Hitlers Hauptquartier. *Sold* 1939 ff. – b) Amtszimmer des Schulleiters, des Vorgesetzten. ↗ Höhle 7. 1920 ff.

6. famose ~ = vor Überrschtwerden sicheres Zimmer. Famos = berühmt-berüchtigt = großartig"; ↗ Höhle 4. *Stud* 1900 ff.

7. sich in die ~ des Löwen wagen (begeben) = sich beherzt in eine Gefahr begeben; den Vorgesetzten in seinem Amtszimmer aufsuchen und mit einer Rüge rechnen. Hergenommen von Äsops Fabel: Zu dem krank in seiner Höhle liegenden Löwen sagt der Fuchs, er würde ihn gern besuchen, wenn er nicht sähe, daß viele Spuren hinein-, aber nur wenige wieder herausführten. 1900 ff.

Hohler *m* einen Hohlen schieben = Mißerfolg erleiden; abgewiesen werden. „Hohler" meint wohl den leeren Magen und steht also für „Hunger". 1930 ff.

Hohlkopf *m* geistig uninteressierter Mensch. Seit dem 18. Jh.

hohlköpfig *adj* **1.** geistlos; geistig unbedeutend. Seit dem 19. Jh.

2. strahlend ~ = sehr geistlos; völlig unüberlegt. „Strahlend" im Sinne von „in hellstem Licht" entwickelt sich weiter zur Bedeutung „offenkundig". *Jug* 1955 ff.

hökern *v* mit etw ~ gehen = etw überall weitererzählen; etw in aller Leute Mund bringen. Man trägt es „huckepack" mit sich überall herum. Analog zu ↗ hausieren. Seit dem 19. Jh.

'Hokus'pokus *m* **1.** unnötige Umschweife; überflüssiges Beiwerk; Gaukelei; Unsinn. Beruht auf der unsinnigen Zauberformel „hax, pax, max, Deus adimax", die 1624 in England in der Form „hocospocus" erscheint und zehn Jahre später im Titel eines englischen Handbuchs der Taschenspielerkunst „Hocus Pocus junior" wiederkehrt (ins Deutsche übertragen 1667). Seit dem späten 17. Jh.

2. ~ fidibus: Redewendung, wenn man eine Sache verblüffend einfach erledigt hat. Übernommen aus dem Couplet des Felix in Ralph Benatzkys Operette „Bezauberndes Fräulein" (uraufgeführt am 24. Mai 1933 in Wien). „Fidibus" ist eigentlich (*stud* seit dem 17. Jh) der gefaltete Papierstreifen zum Feueranzünden. 1940 ff.

3. ~ verschwindibus!: scherzhafte Zauberformel, aus dem Vorhergehenden abgefälscht mit Blick auf Jahrmarkts-„Zaubereien" geschickter Taschenspieler. 1900 ff.

Hokuspokus-Kaffee *m* Pulverkaffee. Aus ihm läßt sich die Tasse Kaffee „im Handumdrehen" (vermeintlich) zaubern. 1953 ff.

holen *tr* **1.** sich jn ~ = a) jn verhaften, gefangennehmen. Eigentlich soviel wie

„hingehen und mitnehmen". 1900 ff. – b) den Gegner erschießen, unschädlich machen. *Sold* in beiden Weltkriegen. – c) jn zur Rechenschaft ziehen; jn anherrschen. 1920 ff.

2. sich etw ~ = a) sich eine Krankheit zuziehen. 18. Jh. – b) geschlechtskrank werden. 19. Jh.

3. bei ihm ist nichts zu ~ = er besitzt nichts. Seit dem 19. Jh.

4. da ist nichts mehr zu ~ = da ist nichts mehr zu helfen; das ist hoffnungslos. Fußt auf „das Spiel holen = das Spiel gewinnen". 1920 ff.

Holland *Ln* ~ in Not = große Bedrängnis; große Ratlosigkeit. Leitet sich her von Damm- und Deichbrüchen an der niederholländischen Küste, als die Holländer die Dämme durchstachen, um die Franzosen aus dem Lande zu jagen, oder beginnt sich auf Verwüstungen, die der Bohrwurm 1730 an den Dämmen anrichtete. Auch ist Erinnerung an die spanische Schreckensherrschaft in den Niederlanden möglich. 18. Jh.

Hölle *f* **1.** Gefängnis, Zuchthaus. *Rotw* 1900 ff.

2. Amtszimmer des Schulleiters. Eine Hölle ist es nur für einen Schüler mit schlechtem Gewissen. 1940 ff.

3. Chemiesaal. Anspielung auf den üblen Geruch des Schwefelwasserstoffs usw. In der Hölle soll es gewaltig stinken. *Schül* 1900 ff.

4. Platz hinter dem Kachelofen; Winkel zwischen Ofen und Wand. Dort herrscht die größte Hitze. 1400 ff.

5. zur ~ und zurück = a) Gang zum Schulleiter. Entlehnt dem *dt* Titel des Films „To Hell and Back" mit Audie Murphy (1955). *Vgl* ↗ Hölle 2. *Schül* 1958 ff. – b) Schulweg. 1958 ff. – c) ↗ Spähtrupp. *BSD* 1960 ff.

6. der Weg zur ~ ist mit guten Vorsätzen gepflastert = gute Vorsätze werden nicht eingehalten, so daß der Mensch doch immer tiefer sinkt. Ein Ausspruch des Engländers Samuel Johnson (1775), bekannter geworden durch Sir Walter Scott in seinem Roman „Die Braut von Lammermoor" (1819). Seit dem 19. Jh, vor allem im Munde von Geistlichen.

7. jm die ~ heiß machen = jm Angst und Schrecken einjagen. Fußt auf *mhd* „helleheiz = höllenheiß, höllisch heiß, sehr heiß"; hieraus im 16. Jh umgedeutsch unter dem Einfluß geistlicher Höllenschilderungen.

8. dann ist die ~ los = dann kommt es zu heftiger Auseinandersetzung, zu Lärm, Unfrieden usw. Analog zu „der ↗ Teufel ist los". 1900 ff.

Höllen- als erster Teil einer doppelt betonten Zusammensetzung hat verstärkenden Charakter; denn die Hölle als Stätte der Qualen für die Verdammten gilt als das Allerfürchterlichste. Ausgangspunkt war wohl „Höllenangst", das sowohl „Angst vor den Qualen der Hölle" als auch „große Angst" meinen kann. 1700 ff.

'Höllen'angst *f* sehr große Angst. ↗ Höllen-. Seit dem 19. Jh.

'Höllen'arbeit *f* anstrengende Arbeit. 1900 ff.

'Höllen'brand *m* sehr heftiger Durst. ↗ Brand. 1920 ff.

'Höllen'braten *m* widerwärtiger, bösartiger, gefährlicher Mensch. Ihn sähe man gern in der Hölle braten, oder er wird später in der Hölle braten. 18. Jh.

'Höllen'durst m großer Durst. Bei der großen Hitze in der Hölle müssen die Verdammten großen Durst haben. 1920 ff.

'Höllen'fahrt f schnelle, gefährliche Fahrt. 1930 ff.

'Höllenge'lächter n lautstarkes Gelächter. Da es in der Hölle nichts zu lachen gibt, ist die Vokabel wohl aus „Hohngelächter der Hölle" (Lessing) umgemodelt. 1920 ff.

'Höllenge'schwindigkeit f sehr hohe Geschwindigkeit. Seit dem 19. Jh.

'Höllenge'stank m sehr widerwärtiger Gestank. Seit dem 19. Jh.

Höllenhund m aufpassen wie ein ~ = überaus wachsam sein. Gemeint ist der Wächter am Eingang zur Unterwelt in der griech Mythologie (↗ Zerberus): ein Fabelwesen von Hundsgestalt, das jeden schweifwedelnd in das Totenreich des Hades einließ, aber dreiköpfig zähnefletschend jedem entgegentrat, der es wieder verlassen wollte. Die Redewendung ist umgemodelt aus „aufpassen wie ein ↗ Schießhund". 1964 ff.

Höllenkonzert n vielstimmiger, mißtönender Lärm. Höllenschilderer wissen zu berichten, daß in der Hölle ein fürchterlicher Lärm herrscht. 1920 ff.

'Höllen'krach m großer Lärm; lautstarke Auseinandersetzung. Seit dem 19. Jh.

'Höllen'lärm m sehr lautstarker Lärm. 19. Jh.

höllenmäßig adv arg, sehr. 1900 ff.

'Höllenra'dau m ohrenbetäubender Lärm. ↗ Radau. Seit dem 19. Jh.

'Höllenre'spekt m mit Furcht gepaarte Hochachtung; große Furcht. 1900 ff.

'Höllen'sakra (-sakra'ment) interj Unmutsausruf. ↗ Sakra. Seit dem 19. Jh.

'Höllensapper'ment interj Verwünschung. ↗ sapperment. Seit dem 19. Jh.

'Höllen'spaß m sehr viel Spaß auf einmal; große Heiterkeit, Ausgelassenheit. 1900 ff.

'Höllenspek'takel n ohrenbetäubender Lärm. ↗ Spektakel. 1800 ff.

'Höllen'tempo n sehr hohe Geschwindigkeit. 1900 ff.

höllisch adj adv sehr groß; sehr (höllische Angst; höllisch aufpassen). Adjektiv zu „Hölle" im Sinne einer Verstärkung nach dem Muster von „höllisch gepeinigt werden = wie in der Hölle gepeinigt werden". Seit dem 18. Jh.

holterdipolter adv eiligst; durcheinander. Bezeichnet eigentlich ein lautes Fallen. „Poltern" ist schallnachahmender Natur wie auch „hullern", das wegen des Binnenreims an „poltern" angeglichen ist. Seit dem 17. Jh.

Holz n 1. guter Kegelwurf. Die Kegel waren früher stets aus Holz gedrechselt. 1700 ff. 2. Pfosten und Querlatte des Fußballtors. Sportl 1950 ff. 3. pl = Beine. Verkürzt aus ↗ Spazierhölzer. 1920 ff. 4. ~ bei der Wand (vor dem Haus; bei der Herberge; vor der Hütte; vor der Tür) = üppiger Frauenbusen. Meint eigentlich den an der Hauswand draußen aufgestapelten Holzvorrat für den Winter. Seit dem 19. Jh, vermutlich von Bayern ausgegangen. 5. gut ~!: Wunsch an einen, der zum Kegeln geht. ↗ Holz 1. Seit dem 19. Jh.

6. viel (eine Menge) ~ = viel Geld. Holz als Geldwertmaßstab. Seit dem 19. Jh. 7. viel ~ = Treffer auf sieben und mehr Kegel. ↗ Holz 1. Seit dem 19. Jh. 8. ~ besehen = verprügelt werden. Gemeint ist der Anblick des Holzknüppels. Seit dem 19. Jh. 8 a. ~ anfassen! = hoffentlich glückt es! Fußt der Aberglaubensregel, daß, wer Holz anfaßt, vor Schaden bewahrt wird. 1900 ff. 9. hartes ~ bohren = schwere Arbeit verrichten. Seit dem 19. Jh. 10. ~ unter den Füßen haben = auf Skiern stehen. 1920 ff. 11. ~ vor dem Haus haben = vermögend sein. Seit dem 19. Jh. 12. ~ hacken = a) jm mühsam etw beibringen. Es ist eine schwere, eintönige, wenig geistvolle Tätigkeit. 1920 ff. – b) beim Fußball unfair spielen. 1920 ff. 13. ~ auf sich hacken lassen = sich viel gefallen lassen. Man ist als Hackklotz zu Diensten. 1600 ff. 13 a. ich muß dreimal auf ~ klopfen: Redensart der Verwunderung über einen Glücksfall. Abergläubische klopfen dreimal auf Holz, wenn sie unbedachterweise von einem Glücksumstand gesprochen haben. Seit dem 19. Jh. 14. ~ sägen (schneiden) = heftig schnarchen. Die Schnarchlaute klingen wie Sägegeräusche. Vgl ↗ Brett 31. 1800 ff. 15. nicht aus ~ sein = weiblichen Reizen nicht abgeneigt sein. Anspielung z. B. auf den Baumast, der sich nicht bewegt, wenn sich ein schönes Mädchen nähert. 1900 ff. 16. immer noch gut bei ~ sein = trotz vorgerückten Alters noch recht ansehnlich sein (auf weibliche Personen bezogen). ↗ Holz 4. 1920 ff. 17. ~ in den Wald tragen = a) sich eine Arbeit sehr leicht machen; auf eine sehr leichte Arbeit viel Zeit vertun, um zu keiner anderen Beschäftigung herangezogen zu werden. 1914 ff. – b) zwecks Beschäftigung eine unsinnige (nutzlose) Arbeit auszuführen haben. Sold 1939 ff. 18. ~ treffen = den Fußball gegen Torlatte oder -pfosten treten. Sportl 1900 ff. Holzauge n 1. scharfes Auge. ↗ Holzauge 5. Sold 1939 ff. 2. gewitzter Mann. BSD 1965 ff. 3. Kamerad ~ = deutsches Aufklärungsflugzeug. Sold 1939 ff. 4. ~ machen = a) die tiefer fliegenden Maschinen bewachen; den Begleitschutz eines Jägers beim Angriff übernehmen. Vgl ↗ Holzauge 5. 1935 ff, fliegerspr. – b) vom Mitschüler absehen (abschreiben). Schül nach 1945. 5. ~, sei wachsam! = gib acht, daß man dich nicht übertölpelt oder hintergeht. Dabei wird mit dem Zeigefinger das Unterlid eines Auges herabgezogen. Nach weitverbreiteter Soldatenmeinung ist mit „Holzauge" der Blick durch ein Astloch (im Bretterzaun) gemeint: man sieht, ohne gesehen zu werden. Übrigens nannte man „Holzauge" auch das runde Hoheitsabzeichen an der Tragfläche britischer Flugzeuge. Sold 1935 ff. 6. wen sieht mein ~? = wen sehe ich da? Sold 1939 ff. Hölzchen n vom ~ aufs Stöckchen kommen = a) sich im Gespräch auf immer

nebensächlichere Dinge verlieren. „Hölzchen" und „Stöckchen" stehen bildlich für Kleinigkeiten, für kaum unterscheidbare Belanglosigkeiten. 1800 ff. – b) von bescheidenem Anfang zu größerem Erfolg gelangen. Hier meinen „Hölzchen" das sehr kleine (kurze), „Stöckchen" das größere (längere) Holzstück. 1950 ff.

holzen v 1. tr = auf jn einschlagen; jn roh prügeln. Man schlägt mit einem Stock drein. 1800 ff, anfangs stud. 2. intr = beim Fußballspiel regelwidrig handeln; unfair spielen; grob foulen. 1920 ff. 3. intr refl = kämpfen. Sold 1939 ff. 4. intr = sich gröblich äußern; rüde vorgehen. 1950 ff.

Holzer m unfairer Fußballspieler. ↗ holzen 2. 1920 ff.

Holzerei f 1. Schlägerei. ↗ holzen 1. 1800 ff. 2. unfaire Spielweise eines Fußballspielers; wildes, ungezügeltes (regelwidriges) Fußballspielen. ↗ holzen 2. Sportl 1920 ff. 3. Gefecht. Sold 1939 ff. 4. rüder Wortwechsel. 1950 ff.

hölzern adj steif, ungelenk; unzugänglich. 1700 ff.

Holzfabrik f Wald. Ausdruck nüchtern-wirtschaftlicher Wertung ohne jegliche Liebe zur Natur. 1920 ff.

Holzgasschaukel f mit Holzgas betriebenes Auto. ↗ Schaukel. 1945 ff.

Holzgeist m giftig wie ~ = unverträglich; sehr zänkisch. Mit Holzgeist wird Alkohol vergällt. 1925 ff.

Holzhacker m 1. gefühlloser Klavierspieler; schlechter Musiker. Er schlägt auf die Tasten wie ein Holzhacker auf den Hauklotz. 1900 ff. 2. grober, ungeschlachter Mann. 1920 ff. 3. unfairer Fußballspieler. ↗ holzen 2. Sportl 1920 ff.

Holzhackerei f 1. unfaire, rüde Spielweise eines Fußballspielers. ↗ holzen 2. 1920 ff. 2. rüder Wortwechsel. 1950 ff.

Holzhackergemüt n Rücksichtslosigkeit, Roheit. 1920 ff.

Holzhackerton m rüde Sprechweise. 1850 ff.

Holzhackertour f plumpe Art, zu Erfolg zu kommen. 1920 ff.

Holzhammer m 1. moralischer ~ = plumpe sittliche Unterweisung. Der Holzhammer als Sinnbild für plumpe, rücksichtslose Handlungsweise. 1900 ff. 2. rhetorischer ~ = plumpe Propagandasprüche eines Redners. 1920/30 ff. 3. mit dem ~ = auf plumpe Weise; gewaltsam; unduldsam; unmißverständlich. 1920/30 ff. 4. auf jn mit dem ~ einschlagen = seine Forderungen grob vorbringen. 1930 ff. 5. zum ~ greifen = hart, rücksichtslos, unter Gewaltandrohung fordern. 1950 ff. 6. eins mit dem ~ gekriegt haben = nicht recht bei Verstand sein. Der Schlag mit dem Holzhammer hat Gehirnerschütterung zur Folge gehabt. 1920 ff. 7. den ~ schwingen = plump polemisieren; seine Ansicht plump vertreten; vor Gewaltandrohung nicht zurückschrecken. 1950 ff.

Holzhammer-Klamotte f Volksstück mit plumpen Einfällen. ↗ Klamotte. 1960 ff.

Holzhammerkomiker m Komiker, der

Derbheiten liebt, und an den das Publikum keine anderen Ansprüche stellt. 1960 *ff.*

Holzhammermethode *f* plumpe geistige Beeinflussung; rüde Handlungsweise; strengdidaktische Lehrweise. 1945 *ff;* aber wohl älter.

Holzhammernarkose *f* **1.** heftiger Schlag auf den Kopf; Betäubung. 1935 *ff.* **2.** Gesinnungsbeeinflussung mit primitiven Mitteln; gewaltsame „Umerziehung". 1945 *ff.*

Holzhammerpolitik *f* gewaltsame Handlungsweise; plumpe Art des Vorgehens. 1950 *ff.*

Holzhammer-Propaganda *f* Propaganda, die sich sehr plumper Mittel bedient. 1950 *ff.*

Holzhammer-Taktik *f* plumpes Vorgehen. 1950 *ff.*

Holzklumpengymnasium *n* Grund-, Volksschule. Klumpen = Holzschuhe. Ursprünglich soviel wie eine Schule für die Kinder der ärmeren Bevölkerungsschicht. „Gymnasium" ist *iron* Wertverbesserung. *Westd* 1900 *ff.*

Holzknecht *m* **1.** grober, ungebildeter Mann. 1900 *ff.* **2.** grob wie ein ~ = derb (auf die Redeweise bezogen). 1900 *ff.*

Holzkopf (-kopp) *m* **1.** schwerfälliger, begriffsstutziger Mensch; schlechtes Begriffsvermögen. Das Holz erscheint hier als Sinnbild geistiger Unbeweglichkeit. „Grobes Holz" bezeichnet schon im 18. Jh den ungeschickten, ungesitteten Menschen. 19. Jh. **2.** ~ mit Patentverschluß = geistesbeschränkter, geistig schwerfälliger Mensch; auch gemütliche Schelte. Den Patentverschluß können nur Kenner öffnen. Berlin 1950 *ff, jug.*

Holzlaatschen *pl* Holzschuhe, -pantoffeln. ↗ Laatschen. Seit dem 19. Jh.

Holzmesser *n* auch mit einem eisernen ~ geht es nicht = es ist auf keine Weise zu verwirklichen. Das „eiserne Holzmesser" ist als Widerspruch in sich gemeint. 1850 *ff.*

Holznarkose *f* heftiger Schlag auf den Kopf. Kann sich herleiten vom „↗ Holzkopf", aber auch vom Holzknüppel, mit dem geschlagen wird. 1935 *ff.*

Holzschraube *f* plumpe, steife, geistig wenig regsame weibliche Person. ↗ Schraube; ↗ hölzern. 1900 *ff.*

Holztreffer *m* Fußballtreffer gegen den Torpfosten. *Sportl* 1920 *ff.*

Holzvorrat *m* sehr üppiger Busen. ↗ Holz 4. 1900 *ff.*

Holzweg *m* **1.** auf den ~ geraten (den ~ gehen) = ins Verderben geraten; sich irren. Der Holzweg dient der Holzabfuhr: er endet im Wald und führt nur rückwärts zum Dorf. In sumpfigen Gegenden nennt man „Holzweg" auch den Knüppeldamm. Seit dem 15./16. Jh. **2.** auf den ~ sein (reiten) = sich irren; einem unsinnigen Gedanken nachhängen. 15./16. Jh.

Holzwurm *m* **1.** Schreiner, Zimmermann, Einschaler; Holzkaufmann; Möbelhersteller. Eigentlich ein Holzschädling. 1500 *ff.* **2.** vom ~ gebissen sein = dumm sein. Der Holzwurm frißt sich in den „↗ Holzkopf". 1950 *ff.* **3.** den ~ ticken hören = geistesbe-

schränkt sein. *Vgl* das Vorhergehende. 1930 *ff,* Berlin.

Holzzahn *m* **1.** ungeschickt wirkendes, schwer zugängliches Mädchen. Das Mädchen ist „↗ hölzern". *Vgl* ↗ Zahn. *Halbw* 1955 *ff.* **2.** Mädchen, das nicht tanzen kann oder keinen Tänzer findet. *Halbw* 1955 *ff.*

Homburg *m* **1.** steifer Herrenhut. Der Hut wurde ursprünglich nur in Homburg v. d. Höhe in der Hutfabrik Möckel hergestellt, und zwar nach einem Entwurf des damaligen Prinzen von Wales und nachmaligen Königs Eduard VII. von England. Der Hut ging als „The Real Homburg-Hat" in die internationale Herrenmode ein. 1882 *ff.* **2.** Mister ~ = a) Unternehmer, Industrieller. Wegen der Beliebtheit jenes Hutes in diesen und ähnlichen Kreisen. 1935 *ff.* – b) Vornehmtuer, Prahler. 1935 *ff.*

Homo I *m* **1.** Homosexueller. Hieraus verkürzt. 1900 *ff.* **2.** aufgehen (auflaufen) wie die ~s = beim Marschieren zu dicht aufschließen. Anspielung auf homosexuelle Annäherung. *BSD* 1960 *ff.*

Homo II *f* Lesbierin. 1920 *ff.*

homo (homos) *adj* homosexuell. Hieraus verkürzt. 1900 *ff.*

Homo-Jäger *m* Beamter des Sittendezernats auf Fahndung nach Homosexuellen. 1960 *ff.*

Honig *m* **1.** Lüge; listiges Versprechen. ↗ Honig 6–8. 1920 *ff.* **2.** Wertloses; auch Ausdruck der Ablehnung. Das Gemeinte ist im Sinn des Vorhergehenden als „Lüge = Fälschung" erkannt, oder „Honig" dient als Hehlwort für „↗ Scheiße". *Vgl* ↗ Honig 5. 1920 *ff.* **3.** es geht ihm wie ~ ein = das hört er gern; das versteht er sofort. 1920 *ff.* **4.** ~ reden = zärtliche Worte sagen („süß wie Honig"). 1900 *ff.* **5.** ~ schleudern = die Latrine reinigen, ausräumen. Wegen der Farbähnlichkeit von Honig und Kot. Eigentlich der Vorgang der Honiggewinnung aus den Bienenwaben. *Sold* 1939 bis heute. **6.** jm ~ an die Backe schmieren = jm schmeicheln. Nebenform von ↗ Honig 8. 19. Jh. **7.** jm ~ um den Bart schmieren = jm schmeicheln; jn betrügerisch beschwatzen. *Vgl* das Folgende. 1700 *ff.* **8.** jm ~ um den Mund (das Maul) schmieren = jm schmeicheln; jm eine Sache vorteilhafter darstellen als der Wirklichkeit entsprechend; jn belügen. Meinte ursprünglich „jm Honig mit dem Löffel eingeben". Dies tat man vor allem gegenüber Kindern gern, um sie zu verwöhnen, zu trösten oder abzulenken. Hiernach entwickelte sich der Nebensinn des Täuschens. Seit *mhd* Zeit. **9.** der ~ ist zu dick, er läuft nicht durch = diese plumpe Schmeichelei erregt Mißtrauen. 1965 *ff.*

Honigdöschen *n* Vagina. ↗ Dose. *BSD* 1965 *ff.*

Honigkuchenpferd *n* **1.** einfältiger, energieloser Mensch. Eigentlich das aus Lebkuchenteig geformte Pferd; beliebt auf Jahrmärkten u. ä. *Vgl* auch das Folgende. 1900 *ff.* **2.** grinsen wie ein ~ = anhaltend, starr grinsen. Bei der Bemalung des Honigku-

chenpferds mit Zuckerguß wird das Maul als kleiner Bogen gezeichnet, wodurch ein grinsender Ausdruck entsteht. Gelegentlich auch erweitert: „grinsen wie ein Honigkuchengäulchen mit Rosinenaugen und 'nem Schokoladenmäulchen". 1830 *ff.* **3.** ein Gemüt haben wie ein ~ = wunderlich sein. 1940 *ff.* **4.** ein Gesicht haben wie ein ~ = ein ziemlich ausdrucksloses Gesicht haben. 1900 *ff.* **5.** strahlen wie ein ~ = über das ganze Gesicht „strahlen = glücklich lächeln, grinsen". Seit dem 19. Jh.

Honiglecken (Honigsaugen, Honigschlecken) *n* das ist kein ~ = das ist kein Vergnügen; das ist sehr schwierig; das ist gefährlich. 1900 *ff.*

Honigsache *f* Liebelei. ↗ Honig 4. *Stud* 1900 *ff. Vgl engl* „my honey = mein Liebling".

Honigscheißer *m* Schmeichler; listiger, heimtückischer Mensch. Beruht auf der Imkersprache: Honig scheißen = Honig liefern. *Vgl* ↗ Honig. Seit dem 19. Jh.

Honorar *n* **1.** dickes (fettes) ~ = ansehnliches Honorar. ↗ fett 2. 1950 *ff.* **2.** stolzes ~ = reichliches Honorar. Stolz = ansehnlich. 1950 *ff.* **3.** strammes ~ = sehr hohes Honorar. Stramm = kräftig, stämmig; weiterentwickelt zur Bedeutung „ansehnlich". 1950 *ff.* **4.** ~ schinden = viel Honorar erhalten ohne angemessene Gegenleistung. ↗ schinden. 1950 *ff.*

honorig *adj* ehrenwert, freigebig, anständig. Geht zurück auf *lat* „honor = Ehre". 19. Jh.

Hook *m n* auf dem ~ sein = unrettbar rauschgiftsüchtig sein. Geht zurück auf *angloamerikan* „hog = Mann, der starke Rauschgiftdosen benötigt". 1968 *ff.*

Hopfen *m* da (an ihm) ist ~ und Malz verloren = da ist alle Mühe vergeblich; ihm ist nicht mehr zu helfen. Stammt aus der Zeit, als man Bier nur für den eigenen Gebrauch braute; war trotz großer Mühe das Bier (vielleicht wegen Verwendung unreinen Wassers) mißlungen, so waren Hopfen und Malz verloren. Seit dem 16. Jh.

Hopfenblütentee *m* Bier. Es wird unter Verwendung von Hopfen hergestellt und hat die Farbe eines Teeaufgusses. 1900 *ff.*

Hopfenbruder *m* Biertrinker. Seit dem 16. Jh.

Hopfensaft *m* Bier. *Halbw* 1960 *ff.*

Hopfenstange *f* großwüchsiger, hagerer Mensch. Hopfen wächst an langen Stangen. 18. Jh.

hopp *interj* rascher Ruf zur Achtsamkeit, zum Springen, Anfassen, Heben o. ä. Hoppen = hüpfen, springen. Seit dem 19. Jh.

Hoppa-Reiter *m* ~ machen = auf jds Schultern (Knien) sitzen. Kindersprachliche Redewendung für die Nachahmung von Reitsitz und -bewegungen. 1900 *ff.*

hoppatatschig *adj* **1.** anmaßend, geringschätzend, unfreundlich. Geht zurück auf „hoppatarschi = mit dem Steiß tänzelnd". *Österr* 19. Jh. **2.** ungeschickt. *Österr* seit dem 19. Jh.

Hoppeditz *m* **1.** da schlage doch der ~ drein!: Unmutsausruf. „Hoppeditz" (aus „Hopfenditz") ist der Pritschenmeister im Karneval, der Narrenkönig. *Westd* 1950 *ff.*

2. mit jm ~ machen = jn schikanieren. 1950 *ff.*

3. ~ machen = koitieren. Beeinflußt von „hoppen = hüpfen, springen". 1955 *ff, halbw, westd.*

hoppeln *v* 1. reiten. Eigentlich „in kleinen Sprüngen sich bewegen", „sich nach Hasenart bewegen". 1920 *ff.*
2. koitieren. 1920 *ff.*

Hoppelpoppel *n* 1. wüstes Durcheinander; Zustand nach Einschlag eines Granatvolltreffers. Eigentlich Name eines Speisegemischs aus Schinken, Ei und Kartoffel. *Sold* in beiden Weltkriegen.
2. ~ machen = ein Fahrzeug zugrunderichten. 1930 *ff.*

Hoppemädchen *n* Prostituierte. *Vgl* das Folgende. 1900 *ff.*

hoppen *v* koitieren. Soviel wie „hüpfen, springen, bespringen". 1900 *ff.*

höpperlen *v* koitieren. ↗ hoppeln 2. Zürich 1963 *ff.*

hoppgehen *v* 1. *intr* = ertappt, verhaftet werden. Hopp = Zuruf zur Beeilung, zum Springen: der Täter hüpft gewissermaßen auf die Analogie zu „hochgehen = auffliegen" ist möglich. 1870 *ff.*
2. jn ~ lassen = jn verhaften, gefangennehmen, ausheben. 1870 *ff.*
3. jn ~ lassen = sich von jm trennen; jn im Stich lassen. 1950 *ff.*

hopp'hopp *adv* 1. *interj* Zuruf zur Beeilung. ↗ hopp. 1920 *ff.*
2. ~ machen = sich beeilen. 1920 *ff.*

'hoppla *interj* 1. Zuruf zum Springen; auch entschuldigender Ausruf bei ungeschicktem Zusammenstoßen, beim Stolpern o. ä. Seit dem 19. Jh.
2. ~, jetzt komm' ich!: Kennruf des Draufgängers. Beliebt geworden 1932 durch Hans Albers in dem Film „Der Sieger".

hoppla'hopp *adv* 1. schnell, übereilt, kurzfristig; mit Schwung; voller Begeisterung. Tautologisch zusammengesetzt aus „↗ hoppla" und „↗ hopp". 1900 *ff.*
2. ~ machen = schnell, aber oberflächlich und ungenau arbeiten. 1900 *ff.*

Hoppla-jetzt-komm-'ich-Typ *m* Draufgänger. ↗ hoppla 2. 1932 *ff.*

hoppnehmen *tr* 1. jn verhaften. ↗ hoppgehen 2.
2. jn ausbeuten, erpressen. ↗ hochnehmen 4. 1890 *ff.*
3. jn verulken, reizen. Analog zu „jn auf den ↗ Arm nehmen". 1900 *ff.*
4. jn prügeln. Wohl soviel wie „auf einen Weglaufenden einschlagen" oder „jn mit Prügeln zum Weglaufen veranlassen". 1900 *ff.*

hoppsein *intr* verloren, bankrott, tot sein. Verkürzt aus „hoppgegangen sein". Der Vogel ist auf die Leimrute des Vogelstellers gehüpft. 1750 *ff.*

Hopse *f* Spielfeldzeichnung auf dem Boden zum Geschicklichkeitshüpfen der Kinder. Berlin 1920 *ff.*

hopsen *intr* 1. tanzen. Vom Ballett hergenommen: hier wird gehüpft und gesprungen. 1910 *ff.*
2. mit dem Fallschirm abspringen. ↗ Hopser 4. 1965 *ff.*

Hopser *m* 1. Tanz; Polka; Ecossaise (Hopswalzer). Eine Art Sprungtanz. 1830 *ff.*
2. Tänzer. Seit dem 19. Jh.
3. Tanzlehrer. Seit dem 19. Jh.

4. Fallschirmjäger. Er hopst aus dem Flugzeug. *BSD* 1965 *ff.*
5. kurzer Flug. Soviel wie ein kleiner Sprung. 1960 *ff.*
6. Koitus. *Vgl* ↗ Aufhüpferchen. 1900 *ff.*

hopsgehen *v* 1. *intr* = a) entzweigehen; verlorengehen; zu Ende gehen; sterben. „Hops" ist Befehlsform zu „hopsen = hüpfen, springen", vor allem auf Vögel bezogen, die davonhüpfen. 19. Jh. – b) verhaftet werden. 1900 *ff.* – c) von der Schule verwiesen werden. 1950 *ff.*
2. jn ~ lassen = a) jn betrügen, Landesverräter o. ä. entlarven; jn verhaften. 1900 *ff.* – b) jn umbringen. 1900 *ff.*

Hopskäse *m* 1. kleiner Junge. Er hopst drei Käse hoch. 1900 *ff.*
2. wildes Mädchen. *Öster* 1950 *ff.*

hopsnehmen *tr* 1. jn verhaften, gefangennehmen. ↗ hopsgehen 2. 1900 *ff.*
2. etw ausrauben. 1950 *ff.*

hopssein *intr* 1. entzwei, verloren, bankrott, tot sein. Verkürzt aus „hopsgegangen sein". 1800 *ff.*
2. verhaftet sein. *Rotw* 1900 *ff.*
3. berauscht sein. Seit dem 19. Jh.
4. im Kartenspiel unterlegen sein. Seit dem 19. Jh.
5. schwanger sein. Schwangerschaft gilt hier als Besiegung. Kundenspr. Seit dem 19. Jh.
6. geistig ~ = verrückt sein. Seit dem 19. Jh.

Horchdienst *m* Schlafen. Auch Schlafen ist in soldatischer Auffassung Dienst: der Soldat horcht an der Matratze. *Sold* 1939 bis heute.

Horcher *pl* Ohren. 1700 *ff.*

Horchgerät *n* 1. Ohren. Technisierung. *Sold* 1939 *ff.*
2. Spitzel, der Leute aushorchen soll. 1950 *ff.*

Horchophon *n* Ohr. Nachahmung von Telefon, Mikrofon, Megafon u. ä. 1950 *ff*, Berlin.

Horchposten *m* 1. Bett. Man horcht an der Matratze. *Sold* 1939 bis heute.
2. auf ~ gehen = schlafengehen. *Sold* 1939 bis heute.

Horchsirene *f* politische oder militärische Agentin. Aus der Odyssee kennt man die Sirenen als gefährlich verführerische Frauen. 1935 *ff.*

Horde *f* Schar, Wandergruppe, Wandervogelgruppe. Eigentlich die Rotte, die wilde und lärmende Schar. Wandervogelspr. 1900 *ff.*

Hordenhahn *m* Führer einer Wandervogelgruppe. 1900 *ff.*

Hordenpott *m* gemeinsamer Eßnapf. ↗ Pott. *Nordd* und *westd* Entsprechung von „Hordentopf". Wandervogelspr. und *jug* 1900 *ff.*

hören *v* 1. ich höre = ich warte auf deine Ansage. Kartenspielerspr. 1900 *ff.*
2. etwas zu ~ kriegen = heftigen Vorwürfen ausgesetzt sein. Hinter „etwas" ergänze „Unerfreuliches". 1900 *ff.*
3. das läßt sich ~ = das ist annehmbar, zumutbar. 19. Jh.
4. sich ~ lassen = einen Darmwind laut abgehen lassen. 19. Jh.
5. ein Lärm (Tempo o. ä.), daß einem ~ und Sehen vergeht = ein ohrenbetäubender Lärm; eine sehr hohe Geschwindigkeit. Wenn einem Hören und Sehen vergeht, schwinden die Sinne, oder man

befindet sich in größter Verwirrung. 1500 *ff.*

Hörer *m* den ~ einhängen = die Beziehungen zu jm abbrechen. Vom früheren Telefonapparat hergenommen, bei dem der Hörer an seine Gabel hing (nicht auf die Gabel aufgelegt wurde). 1950 *ff.*

Horizont *m* 1. an den ~, marsch, marsch!: Anfeuerungskommando. Die Soldaten sollen möglichst schnell dahineilen, so weit das Auge reicht. 1935 *ff.*
2. erweiterter ~ = Stirnglatze. Hier meint Horizont scherzhaft und wortwörtlich den „Gesichts- Kreis". 1920 *ff.*
3. das geht über seinen ~ = das übersteigt sein Auffassungsvermögen. Horizont = geistiger Gesichtskreis. 1600 *ff.*
4. sein ~ geht nicht über seine Nase hinaus = seine Auffassungskraft (sein Interesse) ist sehr begrenzt. Seit dem 19. Jh.

horizontal *adv* ~ verdienen = seinen Lebensunterhalt durch Prostitution verdienen. 1920 *ff.*

Horizontales *n* Geschlechtsverkehr. 1920 *ff.*

Horizontalgewerbe *n* Prostitution. 1925 *ff.*

Horizontalgewerblerin *f* Prostituierte. 1925 *ff.*

Horizontalhosteß *f* Prostituierte. Nach 1950 aufgekommen mit dem Eindringen der *engl* Vokabel „hostess".

Hörkulisse *f* Zuschauer bei einer Rundfunksendung. ↗ Geräuschkulisse 1. 1930 *ff.*

Hormonbombe *f* 1. sehr üppig entwickelte weibliche Person. ↗ Bombe 3. 1930 *ff.*
2. vitaler (für vital gehaltener) Mann. 1950 *ff.*

Horn *n* 1. Beule an der Stirn. Scherzhafte Übertreibung. Hörner hat außer dem Hornvieh auch der Teufel. Seit dem 19. Jh.
2. Penis. Anspielung auf den erigierten Zustand. Seit dem 19. Jh.
3. Blasinstrument jeglicher Art bei der Jazzmusik. 1945 *ff.*
4. steifes ~ = erigierter Penis. Seit dem 19. Jh.
5. sich die Hörner abgelaufen (abgestoßen) haben = seine Leidenschaftlichkeit überwunden haben; durch Erfahrungen gereift sein. Hergenommen vom Weidevieh, das sich die Hörner abstößt; männliches Wild kämpft in der Brunftzeit um den Besitz der weiblichen Tiere, wobei das Gehörn oder das Geweih Schaden nimmt. Daher im menschlichen Bereich vorwiegend übertragen auf Erfahrungen des Mannes auf geschlechtlichem Gebiet. 1500 *ff.*
6. jm Hörner aufsetzen (jm ein H. pflanzen) = den Ehemann betrügen. Über die Herkunft der Redensart gibt es nur Vermutungen. Man hat auf den Aberglauben verwiesen, wonach im Zeichen des Steinbocks geborene Menschen zu ehelichem Unglück bestimmt sind. Dem verschnittenen Hahn setzte man die abgeschnittenen Sporen in den Kamm, wo sie weiterwuchsen und sich hornähnlich entwickelten. 1700 *ff.*
7. jm ein paar an (zwischen) die Hörner geben = jn ohrfeigen. Anspielung auf die Hörner des „↗ Ochsen", d. h. des dummen Menschen. 1800 *ff.*
8. ein ~ haben = eine wunderliche Eigenart haben; unbelehrbar, dümmlich sein. Man ist ein „↗ Rindvieh". 1900 *ff.*

9. einen auf dem ~ haben = bezecht sein. Der Betrunkene benimmt sich wie ein Narr. 19. Jh.

10. jn zwischen die Hörner hauen = jn auf den Kopf schlagen. *Vgl* ↗Horn 7. 1950 *ff.*

11. jn an (bei) den Hörnern kriegen = jn ergreifen, zwingen. Hergenommen von der Bezwingung des Stiers. 1900 *ff.*

12. eins auf die Hörner kriegen = eine Niederlage erleiden. Meint eigentlich den Schlag auf den Kopf. Prügel stehen umgangssprachlich für Niederlage. *Sportl* 1950 *ff.*

13. einen zwischen die Hörner kriegen = bestraft werden; Ohrfeigen, Prügel erhalten. ↗Horn 7. Seit dem 19. Jh.

14. jn auf die Hörner nehmen = a) jn veralbern, schikanieren; jm Vorhaltungen machen. Hergenommen vom Stier, der einen auf die Hörner nimmt. 1935 *ff.* – b) jn angreifen, rammen. *Marinespr* 1939 *ff.*

15. etw auf die Hörner nehmen = a) etw aufgreifen, angreifen. 1950 *ff.* – b) etw zu meistern suchen. 1950 *ff.*

16. jn auf (zwischen) die Hörner schlagen = jm grob begegnen; jn prügeln. *Vgl* ↗Horn 7. 1920 *ff.*

17. ins ~ stoßen = stark prahlen. Analog zu ↗ausposaunen. 1930 *ff.*

18. ins alte ~ stoßen = eine altbekannte Forderung laut wiederholen. Versteht sich nach dem Folgenden. 1960 *ff.*

19. ins selbe ~ stoßen (blasen, tuten) = jm beipflichten. Bezieht sich auf das ventillose Blechblasinstrument, das nur in einer Tonart geblasen werden kann, oder auf das Trinkhorn, das reihum geht. 1600 *ff.*

19 a. jm die Hörner stutzen = jds Übermut dämpfen. 1978 *ff.*

20. Hörner tragen = von der Ehefrau betrogen sein. ↗Horn 6. 1700 *ff.*

'horn'alt *adj* sehr alt. Horn als zählebiges Material entwickelt verstärkenden Charakter. 1920 *ff.*

Hornberg *On* es geht aus (es endet) wie das ~er Schießen = es endet erfolglos; die Vorbereitungen erweisen sich als zwecklos. Hornberg liegt im Gutachtal im Schwarzwald. Eine Schelmengeschichte erzählt, daß nach dem Dreißigjährigen Krieg der Herzog von Schwaben den Hornbergern seinen Besuch ankündige und mit Kanonendonner und Gewehrsalven gebührend empfangen werden sollte; aber weil die Hornberger an ihrem heißen Sommertag schon früh zu zechen begannen, hielten sie jedes nahende Gefährt für den Wagen des Herzogs, so daß, als dieser endlich eintraf, alles Pulver für die Begrüßung bereits verschossen war. Seit dem späten 18. Jh.

'horn'blöde *adj* sehr dümmlich. ↗hornalt. *Vgl* auch ↗Hornochse. Seit dem ausgehenden 19. Jh.

hörnen *tr* den Ehemann betrügen. ↗Horn 6. 1900 *ff.*

Hornhaut *f* **1.** ~ auf der Seele (auf dem Herzen; seelische, innere ~) = Mangel an Feinempfinden; Mitleidlosigkeit; Hartherzigkeit. Auf die Seele übertragen von der hornartigen Verdickung der Oberhaut, vor allem an der Hand und der Fußsohle. 1930 *ff.*

2. mit der ~ aufs Gaspedal treten = kräftig Gas geben. 1930 *ff.*

hornhäutig *adj* gefühllos. 1930 *ff.*

Hornisse *f* **1.** Ohrfeige. Analog zu ↗Bremse 1. Seit dem 19. Jh.

2. intime Freundin des Ehemanns. Sie versetzt dem Eheleben heftige Stiche. 1920 *ff.*

3. Hubschrauber. Anspielung auf das Geräusch. *BSD* 1965 *ff.*

4. ~ der Straße = rücksichtsloser Moped-, Motorradfahrer. 1960 *ff.*

5. ihn hat eine ~ gestochen = er ist wütend. 1920 *ff.*

Hornochse *m* **1.** dummer Mensch. Der in früher Jugend kastrierte Ochse ist hornlos; wird die Operation später vorgenommen, entsteht der Ochse mit Hörnern. Der Hornochse ist also ein ausgewachsener Ochse und, da „Ochse" den Dummen bezeichnet, ein ausgewachsener Dummkopf. 1800 *ff.*

2. dreimal gehörnter ~ = sehr dummer Mensch. 1900 *ff.*

3. gekrönter ~ = sehr dumme Person. 1900 *ff.*

Hornträger *m* betrogener Ehemann. ↗Horn 6. 1700 *ff.*

Hornvieh *n* dummer Mensch. Analog zu ↗Rindvieh; denn Hornvieh nennt man das hörnertragende Vieh, vor allem das Rindvieh. 18. Jh.

Hörratte *f* Besucher einer Phonothek für Blinde. Der „Leseratte" nachgebildet. 1973 *ff.*

Horror *m* **1.** Widerwille, Angst. Im 19. Jh wohl von Studenten aus *lat* „horror = Schrecken, Grauen" entlehnt.

2. schreckliches Erlebnis. Nach 1945 aufgekommen.

3. Rauschgift. *Halbw* 1968 *ff.*

4. auf den ~ kommen = durch Rauschgift in Ekstase geraten. *Halbw* 1968 *ff.*

5. ich kriege gleich einen ~!: Ausdruck großen Gelangweiltseins. *Schül* 1970 *ff.*

Horrorfilm *m* Gruselfilm. Nach 1945 vielleicht aus dem *Engl* übernommen.

Horrorschinken *m* Gruselfilm. ↗Schinken. 1950 *ff.*

Horrorschmöker *m* Literaturerzeugnis voller Gruselszenen. ↗Schmöker. 1950 *ff.*

Horrorschocker *m* Gruselfilm. Aus dem *Engl.* 1950 *ff.*

Horrortrip *m* **1.** Drogenrausch mit Schreckensphantasien. ↗Trip. Aus dem *Angloamerikan.* 1970 *ff.*

2. strapazenreiche Reise; widerwillig unternommenes Vorhaben. 1970 *ff.*

3. schmachvolle Handlungsweise. 1975 *ff.*

4. Zeitspanne zwischen Geiselnahme und Befreiung. 1979 *ff.*

Horrortyp *m* unsympathischer, Widerwillen erweckender Mensch. 1980 *ff, jug.*

Hörsaalbänke *pl* die ~ drücken = Student sein. Der Redewendung „die ↗Schulbank drücken" nachgebildet. 1920 *ff.*

Hors-d'œuvres (*franz* ausgesprochen) *pl* die ~ machen = die Gäste gebührend empfangen. Scherzhaft entstellt aus „die Honneurs machen". 1920 *ff.*

Hörspiel *n* aus der Nachbarwohnung vernommene eheliche Auseinandersetzung, überhaupt von dort vernommene Geräusche. Man hört alles, aber sieht nichts, wie bei einer Rundfunksendung. 1930 *ff.*

Horst-Wessel-Butter *f* Margarine. Die Butter ist nicht vorhanden, man hat sie sich zu denken. Fußt spottend auf dem Horst-Wessel-Lied der NS-Zeit: „. . .

Kam'raden, die Rotfront und Reaktion erschossen, marschier'n im Geist in unsern Reihen mit". Ebenso marschiert auch die Butter „im Geiste" mit. 1939 *ff.*

Höschen *n* **1.** heißes ~ = sehr kurze Damenhose. Heiß = gewagt. Übernommen aus *engl* „hot pants" („short shorts", „Mikro-Shorts"). 1970 *ff.*

2. scharfes ~ = sehr kurze Shorts. ↗scharf. 1970 *ff.*

3. ist was, oder klemmt's ~?: Frage an einen Niedergeschlagenen, Verdutzten o. ä. Gemeint ist, daß die Hose den Penis einklemmt. 1955 *ff.*

4. kneift das ~? = a) bist du ratlos? 1955 *ff.* – b) Frage an einen, der nicht weiß, welche Karte er ausspielen soll. Kartenspielerspr. 1955 *ff.*

5. wo kneift das ~? = was bedrückt dich? worum handelt es sich? 1955 *ff.*

6. jn ans H. lassen = zum Beischlaf (Petting) bereit sein. 1979 *ff.*

Hose *f* **1.** abgesägte ~ = Kniehose. Seit dem 19. Jh.

2. freche ~ = enganliegende Hose. ↗frech = gewagt. 1955 *ff.*

3. futteralenge ~ = enganliegende Hose. ↗futteraleng. 1955 *ff.*

4. auf die Haut gespritzte ~ = enganliegende Hose. Übernommen von dem im Spritzverfahren hergestellten Guß oder von der mit der Spritzpistole lackierten Karosserie. 1955 *ff.*

5. krumme ~ = Krummbeinigkeit. Scherzhaft ist gemeint, die Krümmung der Beine rühre von krumm geschneiderten Hosen her. 1850 *ff.*

5 a. leere ~ = Mißerfolg, Fehlschlag. *Vgl* ↗Hose 9. 1983; wohl älter.

6. messerscharfe ~ = Hose mit strenger Bügelfalte. 1920 *ff.*

7. ondulierte ~ = ungebügelte Hose. Onduliert = gewellt. 1920 *ff.*

8. scharfe ~ = a) enganliegende Hose. ↗scharf. 1955 *ff.* – b) sehr kurze Damenhose. 1970 *ff.*

9. tote ~ = Ereignislosigkeit, Schwunglosigkeit. Wohl hergenommen von sexuellem Versagen. 1975 *ff.*

9 a. unruhige ~ = geschlechtliche Erregung des Mannes. Anspielung auf den sich regenden Penis. 1915 *ff.*

10. verseichte ~ = bedenkliche Sache; Sache, die man nicht nachtrauert. Verseicht = mit Harn verunreinigt. Die üble Sache „stinkt". 1940 *ff.*

11. durch diese kahle ~ = durch diese hohle Gasse; durch diesen letzten Ausweg. Scherzhaft verdreht aus Schillers „Wilhelm Tell": „Durch diese hohle Gasse muß er kommen!" 1900 *ff.*

12. ~n runter! = a) die Spielkarten aufgeworfen! (beim Ouvert-Spiel). Sich entblößen = die Karten offenlegen. Kartenspielerspr. 19. Jh. – b) offenbare dich! berichte, was du darüber weißt! 1870 *ff.*

13. die ~n anbehalten = sich die Herrschaft im Hause nicht entwinden lassen. Die Männerhose als Sinnbild der Macht im Hause. 1700 *ff.*

14. die ~n anhaben = im Hause herrschen. *Vgl* das Vorhergehende. Seit dem 15. Jh. *Vgl engl* „she wears the pants", *franz* „Madame a la culotte", *ital* „portare le brache".

15. die gute ~ anhaben = in Geberlaune sein; gutgelaunt sein. Die „gute Hose" ist die an Festtagen getragene Hose; an Festtagen ist man in guter Stimmung. Seit dem 19. Jh.

16. eine krumme ~ anhaben = krumme Beine haben. ↗Hose 5. 1850 ff.

17. jm die ~n anmessen = a) jn bevormunden, wie ein kleines Kind behandeln. Vom Schneider hergenommen. 19. Jh. – b) jn durchprügeln. Euphemismus. Seit dem 19. Jh.

18. die ~n mit der Beißzange anziehen (zumachen) = sehr dumm sein; rückständig sein. Bezogen auf einen, der Einfaches umständlich und auf unsinnige Weise zu bewerkstelligen sucht. 1850 ff.

19. das kannst du einem erzählen, der die ~ mit der Beißzange (Kneifzange) anzieht (zumacht) = das kannst du einem Dummen erzählen, aber nicht mir! 1900 ff.

20. sich einen suchen, der die ~ mit der Beißzange (Kneifzange) anzieht (zumacht) = sich einen Dummen suchen. 1900 ff.

20 a. ich will mir die ~n mit der Beißzange anziehen, wenn nicht . . .!: Redewendung der Beteuerung. 1975 ff.

21. jm die ~ aufknöpfen = jn geschlechtlich erregen. 1910 ff.

22. in der ~ gut ausstaffiert sein = einen stattlichen Penis (eine ansehnliche Wölbung überm „Schritt" der Hose) haben. 1500 ff.

23. jm die ~ ausziehen = a) jn beim Kartenspielen besiegen. Man nimmt ihm Stich um Stich fort und zieht ihm gewissermaßen die Hose aus: man entblößt ihn. Kartenspielerspr. 19. Jh. – b) jn scharf verhören. Man entkleidet ihn seelisch. 1920 ff. – c) jn wirtschaftlich zugrunderichten; jn übertölpeln. Analog zu ↗ausziehen. 1910 ff.

24. jm die ~n auf dem Hintern bügeln = jn heftig auf das Gesäß prügeln. 1950 ff.

25. ohne ~ dastehen = hilflos, schutzlos sein. Man befindet sich in peinlicher Lage. 1939 ff.

26. sich die ~ durchwetzen = angestrengt lernen. Wetzen = reiben, glätten. 1920 ff.

27. aus der ~ fallen = vor Müdigkeit nicht mehr stehen können. Man bricht kraftlos nieder und wird auch von der Hose nicht mehr gehalten. Sold 1939 ff.

28. ihm flattert die ~ = er hat Angst, hat böse Befürchtungen, empfindet Unbehagen. Wenn die Knie zittern (schlottern), flattert (schlottert) die Hose mit. Sold 1914 ff.

29. ihm kann man im Gehen die ~ flikken = er ist überaus langsam. BSD 1965 ff.

30. die ~ über die Tonne gebügelt haben = krummbeinig sein. Die Krummbeinigkeit ist durch unzweckmäßiges Bügeln verursacht; vgl ↗Hose 5. 1900 ff.

31. aus der ~ gehen = koten. BSD 1965 ff.

32. bei ihm geht die ~ allein = er trägt eine sehr weite Hose. 1960 ff.

33. ihm geht die ~ mit Grundeis = er ist sehr furchtsam. ↗Arsch 110. Etwa seit 1800.

34. es geht abwärts durch die ~ = man erlebt einen Rückschlag, einen Mißerfolg, wird Opfer einer Übertölpelung. Hergenommen von einem, der den Abort nicht mehr rechtzeitig erreicht. 1910 ff.

35. es geht in die ~ = es scheitert. Man wird des Stuhl- oder Harndrangs nicht mehr Herr. 1910 ff.

36. jm die ~n gerben = jm das Gesäß verprügeln. ↗gerben. 1900 ff.

37. besser als in die ~ geschissen = besser als in die Ärgeres). Ausdruck der Befriedigung über den glimpflichen Ausgang einer Sache. 1900 ff.

38. er hat die ~ über der Tonne getrocknet = er hat krumme Beine. Die Wölbung der Tonne hat sich auf die Hose und von dieser auf die Beine übertragen. Vgl ↗Hose 5. 1900 ff.

39. eilige ~n haben = an Durchfall leiden. Nicht der Durchfallerkrankte hat es eilig, sondern die Hose. 1900 ff.

40. eine offene ~ haben = an Durchfall leiden. Man schließt die Hose schon nicht mehr, um von Fall zu Fall schneller zu Stuhle zu kommen. 1900 ff.

41. ein Benehmen haben wie eine offene ~ = sehr schlechte Umgangsformen haben. Die vorn offene Hose gilt als Sinnbild der Unanständigkeit. 1935 ff.

42. bei ihr braucht die ~ nur an der Bettstelle zu hängen = sie wird schnell schwanger. Schon das Ausziehen und Aufhängen der Hose bei der Schlafstatt genügt. Seit dem 19. Jh.

43. es haut einen aus der ~ = es setzt einem gesundheitlich schwer zu. Gemeint ist, daß man erschreckend schnell abmagert. 1943 ff.

44. die ~n hochziehen = einen Befehl ausführen. Man zieht die Hose am Bund hoch, macht sich also zum Handeln bereit. BSD 1965 ff.

45. da möchte man aus der ~ hüpfen!: Ausdruck der Verzweiflung. 1930 ff.

46. ihm juckt die ~ = er hat Verlangen nach Geschlechtsverkehr. Sold 1939 ff.

47. die ~ killt (es killt in der ~; es killt einem die ~ am Hintern) = man hat Angst. Stammt aus der Seemannssprache: die Segel killen = die Segel flattern im Wind. Vgl ↗Hose 28. Marinespr 1939 ff.

48. jm kneifen unter dem Arm = das Oberteil der Unterhose ist zu lang. BSD 1965 ff.

49. durch die ~ kommen = a) ein Loch in der Hose haben. 1920 ff. – b) nach Geschlechtsverkehr verlangen. Anspielung auf den erigierten Penis. 1920 ff.

50. nicht aus der ~ kommen können = Verstopfung haben. Zurückzuführen auf den Mangel an Gelegenheit zur Notdurftverrichtung. 1900 ff.

51. ihm krachen die ~n = a) er verlangt heftig nach Geschlechtsverkehr. Übertreibende Anspielung auf den anschwellenden Penis. 1900 ff. – b) bei ihm herrscht Aufregung, Unruhe. 1900 ff.

52. stramme ~n kriegen = Prügel auf das Gesäß erhalten. Die Hose wird über dem Gesäß strammgezogen. 1840 ff.

53. es liegt an den krummen ~n: Redewendung auf eine Person mit krummen Beinen. ↗Hose 5. 1850 ff.

54. sich in die ~ machen = a) in die Hose harnen (koten). 19. Jh. – b) ängstlich, feige sein. Der Ängstliche verliert leicht die Herrschaft über den Schließmuskel. 1900 ff. Vgl franz „faire dans ses culottes".

55. mach dir nicht in die ~! = übertreibe nicht! reg' dich nicht auf! Vgl das Vorhergehende. 1910 ff.

56. aus der ~ müssen = a) Stuhldrang verspüren. 1900 ff. – b) nach Geschlechtsverkehr verlangen. 1900 ff.

57. jm die ~ öffnen = a) jn politisch belehren. Derbe Verdeutlichung von „jm die Augen öffnen". 1935 ff. – b) in einer unmoralischen Tat bezichtigen oder überführen; einen sexuell abartigen Menschen entlarven. 1960 ff.

58. jm an (in) die ~ pinkeln = jn übertölpeln. Betrug erscheint in volkstümlicher Rede unter dem Bilde des Beharnens und/oder Bekotens. 1940 ff.

59. aus der ~ quatschen = a) unziemliche Reden führen (gegenüber einer weiblichen Person). 1915 ff. – b) koitieren. 1915 ff.

60. jn aus der ~ quatschen = auf jn so lange einreden, bis er nachgibt oder einwilligt. Übertragen von der Verführung zum Geschlechtsverkehr. 1910 ff.

61. er kann mir mal an der ~ riechen!: Ausdruck der derben Abweisung. 1910 ff.

62. die (seine) ~ wird bald allein rumlaufen = er magert sehr stark ab. 1920 ff.

63. die ~n runterlassen = a) Verlierer sein. Man entblößt sich seines Geldes. Kartenspielerspr. 19. Jh. – b) den Widerstand aufgeben. 1920 ff. – c) wahrheitsgemäß berichten; offenherzig, freimütig sich äußern. 1870 ff. – d) den Offenbarungseid leisten; ein Geständnis, Rechenschaft ablegen. 1870 ff.

64. jm die ~n runterlassen = jn bloßstellen, entlarven, lächerlich machen. Man setzt ihn einer peinlichen Lage aus. 1900 ff.

64 a. jm die ~n runterziehen = jn zum Verlierer machen. Kartenspielerspr. 1900 ff.

65. in die ~ scheißen = Angst haben; feige sein. ↗Hose 54. 1900 ff.

66. die etw aus den ~ schlagen müssen = auf etw Verzicht leisten müssen. Derbe Variante zu „sich etw aus dem Sinn (Kopf) schlagen". 1960 ff.

67. das ist eine alte ~ = das ist eine altbekannte Sache. Seit dem 19. Jh.

68. stramm in der ~ sein = a) kräftig sein; körperlich prall sein. 1900 ff. – b) kräftige Beine haben. 1900 ff.

69. sich auf die ~ setzen = fleißig lernen; angestrengt arbeiten. 1880 ff.

70. jm die ~n spannen = jm Schläge auf das Gesäß geben. ↗Hose 52. Seit dem 19. Jh.

71. die ~ spaziert allein = man ist stark abgemagert. ↗Hose 62. 1920 ff.

72. mit voller ~ ist leicht stinken = mit mühelos Erworbenem ist leicht prahlen. 1950 ff., österr.

73. jm die ~n strammziehen = jn auf das Gesäß prügeln. ↗Hose 52. 1800 ff.

74. es tropft ihm aus der ~ = er hat Angst. 1900 ff.

75. die ~ umkehren = sich zum Koten anschicken. 1960 ff.

76. die ~ umkehren = ängstlich, feige sein. ↗Hose 54 b. 1830 ff.

77. die ~ gestrichen vollhaben = sehr große Angst haben. Gestrichen voll ist das Trinkglas, wenn mehr Flüssigkeit nicht hineingeht. 1850 ff.

78. die ~ vollkriegen = a) sich ängstigen. 1850 ff. – b) auf das Gesäß geprügelt werden. 19. Jh.

79. die ~ vollmachen = a) in die Hose

koten. 19. Jh. – b) ängstlich, feige sein. ↗Hose 54 b. 19. Jh.

80. sich die ∼ vollscheißen = a) in die Hose koten. 19. Jh. – b) ängstlich, feige sein. 19. Jh.

81. die ∼ vollschmeißen = a) in die Hose koten. ↗schmeißen. 19. Jh. – b) ängstlich, feige sein. Seit dem 19. Jh.

82. ihm wackeln die ∼n = er hat Angst. ↗Hose 28. 1900 ff.

83. jm die ∼ vom Arsch ziehen = jn im Kartenspiel besiegen; jm viel Geld abgewinnen. ↗ Hose 23. Kartenspielerspr. 1900 ff.

84. jm etw aus der ∼ ziehen = jm ein Geheimnis entlocken. 1930 ff.

85. hast du dir auch die ∼n zugebunden?: Frage an einen, der seine erste Zigarette raucht. 19. Jh.

86. machen wir die ∼ wieder zu!: Ausdruck des Verzichts nach Abweisung. Wohl auf die Verweigerung von Geschlechtsverkehr bezogen. 1900 ff.

87. das habe ich schon gemacht, da hast du dir die ∼ noch hinten zuknöpfen lassen: Redewendung, mit der man einen vorlauten Menschen zurückweist. Anspielung auf die hintere Hosenklappe des kleinen Jungen. 1900 ff.

Hosenboden m **1.** sich den ∼ abwetzen = sich heftig anstrengen. Wetzen = reiben, blankscheuern. 1920 ff.

2. jm den ∼ aufwärmen = jn auf das Gesäß prügeln. Schläge erzeugen Wärme. 1900 ff.

3. jm den ∼ einheizen = jm Angst einjagen. Gelängt aus „jm ↗einheizen". 1940 ff.

4. das hat keinen moralischen ∼ = das ist sittlich nicht einwandfrei. Hosenboden = Grundlage. 1900 ff.

5. sich auf den ∼ setzen = fleißig lernen. 1900 ff.

6. jm den ∼ strammziehen = jm Schläge auf das Gesäß geben. ↗Hose 73. Seit dem 19. Jh.

7. jm den ∼ versohlen = jn auf das Gesäß prügeln. ↗versohlen. 1900 ff.

8. den ∼ vollkriegen = Schläge auf das Gesäß bekommen. Seit dem 19. Jh.

Hosenbodenprobe f Bierprobe, bei der man das Bier auf eine Bank ausschüttet und es nur dann für gut befindet, wenn die Versuchsperson an ihm mit dem (Leder-)Hosenboden festklebt. 1500 ff.

Hosenmädchen n Mädchen in Blue Jeans, in Hosen. 1955 ff.

Hosenmatz m **1.** kleiner Junge in den ersten Hosen; unreifer Mann; energieloser Mann unter Frauenherrschaft. ↗Matz. Seit dem 19. Jh.

2. Mädchen in Hosen (im Hosenrock). 1955 ff.

hosenreif adj ∼es Gesicht ↗Gesicht 8.

Hosenscheißer (Hosenschisser) m **1.** kleiner Junge (auch Kosewort). Eigentlich das Kind, das seine Wäsche noch verunreinigt. 1500 ff.

2. Feigling, Mutloser. 1500 ff.

Hosenseicher m **1.** unreinlicher Mensch. ↗seichen. 1500 ff.

2. feiger Mensch. Südd 1500 ff.

Hosenstall m Hosenlatz, -schlitz. Es ist der Stall für den Penis, der auch „Bulle" heißt; ↗Bulle 13. Seit dem 19. Jh.

Hosentasche f **1.** sich in etw auskennen

wie in der eigenen ∼ = in etw gründlich Bescheid wissen. 19. Jh.

2. etw aus der linken ∼ bezahlen = große Beträge mühelos zahlen. Um 1920 aufgekommene Vergröberung von „etw aus der linken ↗Westentasche bezahlen".

3. zugenähte ∼n haben = geizig, sparsam sein. Verstärkung von ↗zugeknöpft. 1950 ff.

4. jn (etw) kennen wie die ∼ = jn (etw) genau kennen. Seit dem 19. Jh.

Hosentä'trä m **1.** kleiner Junge, der noch nicht sauber ist. „Täträ" bildet das Trompetensignal nach. Analog zu „Hosentrompeter". 1900 ff.

2. ängstlicher Mensch. 1900 ff.

3. Mensch, den man nicht achtet, und der keine Achtung verdient. 1900 ff.

Hosenträger m **1.** ihm platzen die ∼ = er braust auf. Grotesk-übertreibend für den zunehmenden Umfang der Wut, die in volkstümlicher Auffassung ihren Sitz im Leib hat. 1940 ff.

2. jm in die ∼ springen = jn angreifen; mit jm in Wortwechsel geraten. Veranschaulichung von „handgemein werden" oder „tätlich werden". 1920 ff.

3. neben dem Gürtel noch ∼ tragen = Pessimist sein. Geht der Gürtel entzwei, wird die Hose noch vom Hosenträger gehalten, und bei einem Hosenträgerdefekt rettet der Gürtel die Lage. 1950 ff.

Hosentrompeter m **1.** kleiner Junge. Er läßt Darmwinde laut entweichen. 1900 ff.

2. ängstlicher Mann. 1800 ff.

Hosentür (-türl) f (n) Hosenklappe, -latz. 1800 ff, oberd und ostd.

Hosentürl-Augen pl lüsterne Blicke. 1900 ff.

Hosteß f Prostituierte, Callgirl. Tarnende Selbstbezeichnung. Um 1968 aufgekommen.

Hotel n **1.** Gefängnis. Es bietet Unterkunft und Verpflegung, und die „Gäste" bleiben nicht auf Dauer. 1960 ff.

1 a. H. Apartheid = Hotel Monopol am (Ost-) Berliner S-Bahnhof Friedrichstraße. Übertragen von der Rassentrennung in Südafrika, weil in einigen Restaurants des Hotels nur westdeutsche Reisende und Ausländer gegen westliche Währungen bedient werden. 1977 ff.

2. ∼ der tausend Betten = Kaserne. BSD 1960 ff.

3. ∼ hinter Gittern = Haftanstalt. 1960 ff.

4. ∼ ohne Klinken = Haftanstalt. Die Türen sind von außen verriegelt. 1950 ff.

5. ∼ des kleinen Mannes = Campingzelt. 1955 ff.

6. ∼ zur Nachtigall = Wanderzelt; Auto, in dem man übernachtet. Soll von Wandervögeln im frühen 20. Jh geprägt worden sein.

7. ∼ zum karierten Sonnenschein = Arrestanstalt. „Kariert" spielt auf die Fenstervergitterung an. BSD 1965 ff.

8. ∼ zu den sieben Stäben (Stäbchen) = Arrestanstalt. Bezieht sich auf die Gitterstäbe vor den Fenstern. BSD 1965 ff.

9. ∼ Viereck = Arrestanstalt, -zelle. ↗Café 15. BSD 1965 ff.

10. ∼ zur sündigen Wiese = Campingplatz. Anspielung auf angebliche Unsittlichkeiten. 1955 ff.

Hotelmesser n Messer, das nicht (oder schlecht) schneidet. 1930 ff.

Hotelratte f Hoteldieb, -diebin. Um 1890

aufgekommen im Zusammenhang mit dem Hoteldieb George Manolescu. ↗Ratte. Vgl ndl „hotelrat".

Hotelwanze f **1.** weibliche Person, die in Hotels nach zahlungskräftigen Beischlafinteressenten sucht. Sie gilt als menschliches Ungeziefer. 1880 ff.

2. weibliche Person, die in den Hotelhallen von Erholungsorten Herrenbekanntschaft sucht (ohne Geschlechtsverkehr und/oder Geldgewinn anzustreben). 1880 ff.

3. Hoteldiebin. 1900 ff.

Hotelzimmer n ∼ auf Rädern = a) Wohnwagen. 1960 ff. – b) breitgebautes Auto. 1960 ff.

Hot Pants (engl ausgesprochen) pl Badehose. Meint eigentlich die sehr kurze Damenhose. Engl „hot pants = heiße Höschen". BSD 1971 ff.

hott interj **1.** einmal ∼ und einmal ha sagen (bald hott, bald hü sagen) = seine Ansichten und Äußerungen ständig ändern; unzuverlässig sein. Hergenommen vom Zuruf des Fuhrmanns an die Pferde, damit sie anziehen oder nach rechts (links) gehen. Seit dem 18. Jh. Vgl franz „l'un tire à hue et l'autre à dia".

2. nicht ∼ noch ha wissen = ratlos sein. Eigentlich soviel wie „nicht wissen, ob man vorwärtsgehen oder einbiegen soll". Seit dem 18. Jh.

'Hotte'hott n Pferd. Kindersprachlich entstanden aus der Verdoppelung des Zurufs „hott" an die Pferde.

'Hotte'hüh n **1.** Pferd. „Hott" und „hü(h)" sind trad Zurufe (mit wechselnden Bedeutungen) zur Lenkung von Pferden. Seit dem 19. Jh.

2. Pferdefleisch. Seit dem 19. Jh.

3. ∼ mit Bäckerzusatz = Bulette (Frikadelle) aus Pferdefleisch mit viel Semmelbeimengung. 1900 ff, Berlin.

hotten v **1.** tanzen. Fußt auf engl „hot = heiß" in Anspielung auf die wilde Bewegtheit der modernen Tänze. Diese um 1950/55 übliche Bedeutung ist nicht die ursprüngliche; im Sinn von „hoch, laut" bezog sich zwischen 1920 und 1930 auf die kraftvolle und lautstarke Jazzmusik.

2. mit jm ∼ können = mit jm gut auskommen; mit jm gemeinsame Sache machen. Hat nichts mit dem Vorhergehenden zu tun, sondern meint über den Zuruf „hott" an das Pferd soviel wie „reiten". Um 1600 aufgekommen, südd.

Hottentotte m **1.** ungesitteter, dummer, lächerlicher Mensch. Eigentlich entstanden aus ndl „hotentot = Stotterer" als abf Sammelbezeichnung der Eingeborenen Süd- und Südwestafrikas, weil deren Sprachen den Kolonialherren völlig unverständlich waren.1800 ff.

2. wie die ∼ hausen = ärmlich, in dürftiger Wohnung leben. 1910 ff.

Hottentottenboy m modisch gekleideter Halbwüchsiger. Man hält ihn für lächerlich. ↗Hottentotte 1. Wohl auch beeinflußt von ↗hotten 1. 1955 ff.

Hottentottenmusik f laute Unterhaltungsmusik neuesten Stils. 1980 ff.

Hotzenblitz m ↗Bauernblitz.

hü interj **1.** vorwärts! Eigentlich Zuruf an die Zugpferde. 1800 ff.

2. mal hü, mal hott sagen ↗hott 1.

Hub m Alkoholgehalt im Blut. Vgl „einen ↗heben". 1960 ff.

Hubbel *m* kleine Erhöhung; Unebenheit. Gehört zu „Hübel = Hügel, Erhebung". 1300 *ff.*

Huberer *m* Hubschrauber. *Schül* 1965 *ff, österr.*

Hubertusjünger *m* Jäger. St. Hubertus ist der Schutzpatron der Jäger. Seit dem 19. Jh (?).

hübsch *adj* **1.** äußerst unangenehm. Ironie. 18. Jh.
2. etw ~ bleiben lassen = etw unterlassen. Hübsch = gern, artig. Seit dem 18. Jh.
3. es geht mir ~ = es geht mir gut. Seit dem 19. Jh.
4. ~ genug haben = betrunken sein. Hübsch = ansehnlich = offensichtlich. 19. Jh.
5. ~ machen = a) die Vorderbeine auf- und abbewegen (auf Hunde bezogen, wenn sie auf den Hinterbeinen sitzen). Hübsch = hofmäßig, feingesittet. Seit dem 19. Jh. – b) stillstehen (mit den Fingern an die Hosennaht gelegt). *Sold* 1900 *ff.*
6. es schmeckt mir ~ = es gefällt mir. 19. Jh.

Hübsche *pl* ihr Hübschen!: scherzhafte Anrede. 1900 *ff.*

Hübschlerin *f* Prostituierte. *Vgl* „↗ schöntun = schmeicheln". *Bayr* und *österr* seit 1200.

Hübschling *m* Mann von gepflegtem Aussehen, aber ohne sonstige Gaben (schon gar nicht geistiger Art). 1920 *ff.*

Hubschrauber *m* aufbrausender Mensch. Er „geht in die Luft", und zwar senkrecht wie das „↗ HB-Männchen". 1960 *ff.*

huch *interj* **1.** Ausruf der Verwunderung, der Bestürzung. Seit dem 19. Jh.
2. huch nein!: Ausruf der Abweisung im Munde zimperlicher, schämiger Personen. 1900 *ff.*

Hucke *f* **1.** Rücken (des Buckligen). Meint eigentlich das Tragegestell auf dem Rücken, auch die auf dem Rücken getragene Last und schließlich den Rücken selber. Seit dem 19. Jh.
2. etw auf der ~ haben = mit etw belastet sein. Seit dem 19. Jh.
3. jn auf die ~ kriegen = jn als lästig empfinden; von jm verfolgt werden. 1920 *ff.*
4. jm auf der ~ sitzen = jn antreiben, verfolgen. Seit dem 19. Jh.
5. sich die ~ vollfressen = sich überreichlich sättigen. Hergenommen von der Menge, die man auf dem Rücken tragen kann. Seit dem 19. Jh.
6. die ~ vollhaben = a) betrunken sein. Mehr kann man nicht „↗ laden". 1900 *ff.* – b) entkräftet sein. *Vgl* ↗ Hucke 9. 1900 *ff.*
7. jm die ~ vollhauen = a) jn heftig prügeln. 1700 *ff.* – b) jn heftig, vernichtend beschießen. Fußt auf der Gleichsetzung von Prügeln und Niederlage. *Sold* 1939 *ff.*
8. jm die ~ volljammern = jm mit Jammern lästig fallen. 1900 *ff.*
9. die ~ vollkriegen = a) Prügel erhalten. 19. Jh. – b) schwerem Beschuß ausgesetzt sein. *Sold* 1939 *ff.* – c) hoch besiegt werden. *Sportl* 1950 *ff.*
10. sich die ~ voll lachen (vollachen) = übermäßig lachen. Analog zu „sich einen ↗ Buckel lachen". Seit dem 19. Jh.

11. jm die ~ voll lügen (vollügen) = jn dreist belügen. 1700 *ff.*
12. jm die ~ vollreden = ausdauernd auf jn einreden. 1950 *ff,* Berlin.
13. jm die ~ vollrotzen = jn unter heftigen Beschuß nehmen. ↗rotzen. *Sold* 1939 *ff.*
14. sich die ~ vollsaufen = sich betrinken. Man trinkt soviel, wie man tragen kann. Seit dem 19. Jh.
15. jm die ~ vollschwatzen = jn mit Geschwätz belästigen. 12. 1950 *ff.*
16. jm die ~ vollschwindeln = jn dreist belügen. Seit dem 19. Jh.

huckepacken *tr* etw auf den Rücken nehmen. Zusammengewachsen aus „Hucke = Rückenbündel, Rücken" und „Pack = Packen, Bündel". Seit dem 19. Jh.

Huckepackglas *n* Schnapsglas, ans Bierglas gehängt. 1971 *ff.*

Huckepack tragen (auf den Huckepack nehmen; huckepack tragen; huckepack nehmen) = auf dem Rücken tragen; auf die Schultern nehmen. ↗huckepacken. 1700 *ff.*

Huckepackverkehr *m* **1.** Warenbeförderung durch die Eisenbahn mittels Einheitsbehältern. 1954 *ff.*
2. Schiffs-, Bahn- oder Flugreise unter Mitnahme des Autos. 1954 *ff.*

Hudel (Huddel) *m* **1.** oberflächlicher Mensch; unzuverlässiger Mann; Taugenichts. ↗hudeln 1. 19. Jh (aber wohl viel älter).
2. Oberflächlichkeit. Seit dem 19. Jh.

hudeln (huddeln) *v* **1.** *intr* = unordentlich, überhastet arbeiten; hasten. Gehört zu *mhd* „hudeln = Lumpen": was man herstellt, ist wertlos wie ein Lumpen. 15./16. Jh.
2. *tr* = jn im Dienst rücksichtslos behandeln, plagen, maßregeln, zur Eile antreiben. Man behandelt ihn wie einen Lumpen. 1500 *ff.*

Huf *m* **1.** Fuß des Menschen. Vom Tierhuf übertragen. 1500 *ff.*
2. duftende ~e = Schweißfüße. 1935 *ff.*
3. mit klappernden ~en = sehr schnell. Anspielung auf den reitenden Boten. 1955 *ff.*
4. mit rauchenden ~en = äußerst eilig. Die Hufeisen und das Horn der Hufe qualmen vor Erhitzung. 1955 *ff.*
5. jm donnernde ~e machen = jn zur Eile antreiben. Die Hufe des galoppierenden Pferdes „donnern" auf dem Straßenpflaster. 1935 *ff, sold.*
6. mit den ~en scharren = Ungeduld hörbar äußern. Wie es die Pferde tun. 1900 *ff.*
7. die ~e schwingen = a) schnell tanzen. *Halbw* 1960 *ff.* – b) sich beeilen. *BSD* 1965 *ff.*
8. jm die ~e zeigen = jn im Wettkampf überholen. Stammt aus dem Pferdesport. 1950 *ff.*

Hufeisen *n* ein ~ verloren haben = unehelich gebären; vor der Hochzeit niederkommen oder schwanger werden. Der Verlust eines Hufeisens (der Stute) ist nicht so schlimm wie ein „↗ Beinbruch". 1500 *ff.*

Hüfte *f* **1.** jn aus der ~ schießen = jn unbemerkt (gegen seinen Willen) fotografieren. Der militärischen Schießpraxis entlehnt. 1935 *ff.*
2. (scharf) aus der ~ schießen = ener-

gisch vorgehen; ohne überlegen zu müssen, scharf erwidern; jn mit Worten angreifen. Wohl aus den sagenhaften Hand- und Fingerfertigkeit der Revolverhelden aus Wildwestfilmen übertragen. 1950 *ff.*
3. mit den ~n singen = zu Rock'n'Roll-Musik singen. Der Vortrag des Schlagerlieds ist von Hüftenschwenken begleitet. 1955 *ff.*

Hüftenschwenker (-schwinger, -verrenker, -wackler) *m* Rock'n'Roll-Sänger, der seine Darbietungen mit heftigen Hüftbewegungen begleitet. 1955 *ff.*

Hüftschuß *m* augenblickliche Erwiderung aus dem Stegreif. ↗Hüfte 2. 1950 *ff.*

hugh *interj* ~, ich habe gesprochen: Redewendung, wenn man seine Worte endet. Übernommen aus den Indianerromanen von Karl May. 1900 *ff.*

Hugo *m* **1.** Geschmack eines Stücks Wild im ersten Stadium der Verwesung; Wildgeschmack. Verdreht aus *gleichbed franz* „haut-goût" etwa seit 1850.
2. unangenehm riechendes, erkaltetes Zigarren-, Zigarettenendstück. Versteht sich nach dem Vorhergehenden. Etwa seit 1914, bei Soldaten aufgekommen und in den Wortschatz der Jugendlichen allgemein übernommen.
3. Penis. Stilmerkmal der Verpersönlichung. *Österr* 1920 *ff.*
4. flotter ~ = Durchfall. *BSD* 1965 *ff.*
5. das walte ~ (der Gerechte)! = Ausruf der Bekräftigung. Angeblich ein in der Firma Hugo Stinnes aufgekommener Spruch. 1920 *ff.*

Huhn *n* **1.** Sonderling; Mensch. Wohl weil Hühner nach menschlicher Auffassung gelegentlich ein wunderliches Benehmen an den Tag legen. 19. Jh.
2. Mädchen. Es hat noch nicht „gebrütet", ist „Huhn", aber noch nicht „Henne". 1900 *ff.*
3. Einmarkstück. Fußt auf *jidd* „hon = genug; honnim = Reichtümer". In der Schreibung „Hon = Geld" *rotw* seit 1840. Die Schreibung „Huhn" scheint erst um 1950 aufgekommen zu sein. *Vgl* auch *gleichbed* „Ei".
4. Prostituierte. Sie läßt sich von jedem „↗ Hahn" „treten". 1910 *ff.*
5. ~ im Beutel (in der Tüte) = Trockenei. 1945 *ff.*
6. ahnungsloses ~ = ahnungslose, arglose, einfältige Person. 1910 *ff.*
7. armes ~ = bedauernswerter Mensch. 1910 *ff.*
8. blödes ~ = dummer Mensch. 1900 *ff.*
9. dummes ~ = dummer Mensch. 19. Jh.
10. fideles ~ = lustiger Mensch; Spaßmacher. ↗fidel. Seit dem 19. Jh, wohl in Studentenkreisen aufgekommen.
11. gelehrtes ~ = kluger, gebildeter Mensch; Vielwisser. 1900 *ff.*
12. gemütliches ~ = gemütlicher Mensch. 1900 *ff.*
13. junges ~ = junges, unerfahrenes Mädchen. 1900 *ff.*
14. komisches ~ = Sonderling. 1900 *ff.*
15. krankes ~ = kranker Mensch. 1850 *ff.*
16. lahmes ~ = energieloser, entschlußloser Mensch. 1920 *ff.*
17. leichtes ~ = leichtlebiger Mensch. 1900 *ff.*

18. leichtsinniges ~ = leichtsinnige, unüberlegt handelnde Person. 1900 ff.

18 a. lustiges ~ = lustiger Mensch; Spaßmacher. 1870 ff.

19. mageres ~ = Schwächling; Nichtskönner(in). 1920 ff.

20. tolles ~ = närrischer Mensch; Mann, der hervorragend zu unterhalten versteht. 1900 ff.

21. trauriges ~ = jämmerlicher, verachtungswürdiger Mensch. 1870 ff.

22. vergnügtes ~ = lebenslustiger Mensch. 1900 ff.

23. verrücktes ~ = Spaßmacher; Sonderling. 1850 ff.

24. traurig wie ein ~ im Regen = mißgestimmt, niedergeschlagen. 1900 ff.

25. mit den Hühnern aufstehen = früh aufstehen. Die Hühner erwachen mit Sonnenaufgang. 1900 ff.

26. jn ausnehmen wie ein ~ = jn ausfragen. Man dringt gewissermaßen in ihn ein wie in ein Huhn, dem man die Eingeweide entfernt. 1920 ff.

27. er sieht aus (macht ein Gesicht), als wenn ihm die Hühner das Brot gestohlen hätten = er macht ein einfältiges, ratloses, trübseliges Gesicht. Hergenommen vom Gesichtsausdruck eines Kindes, das sich aus Unachtsamkeit von den Hühnern das Butterbrot hat wegnehmen lassen. 1800 ff.

28. mit den Hühnern zu Bett gehen (schlafen gehen; auffliegen; aufsitzen) = sehr früh zu Bett gehen. Die Hühner ziehen sich meist vor Einbruch der Dunkelheit in ihren Stall zurück. 1600 ff.

29. grüße die Hühner (Gruß an die Hühner)!: scherzhafter Auftrag beim Abschiednehmen. Seit dem 18. Jh.

30. nicht alle Hühner auf dem Balkon (auf der Stange) haben = nicht ganz bei Verstand sein. Die Hühnerhaltung auf dem Balkon verrät kleinbürgerliche Lebensweise. 1920 ff.

31. da (darüber) lachen ja die Hühner! Ausdruck der Abweisung einer unsinnigen Bemerkung. Die Äußerung muß dermaßen töricht sein, daß über sie sogar die Hühner lachen würden, obwohl sie für dumm gelten. Seit dem 19. Jh.

32. weise Hühner legen wohl auch einmal in die Nesseln = kluge Leute irren auch gelegentlich. 1700 ff.

33. Hühner melken = Unsinniges, Erfolgloses beginnen; sich mit törichten Dingen beschäftigen. 1880 ff; aber wohl viel älter. Vorform in der Antike.

34. rede mit den Hühnern, dann kriegst du die Eier umsonst: Rat an einen Einfältigen. Umsonst = kostenlos. Schül 1950 ff.

35. du kannst zwar ein lungenkrankes ~ den Abhang runterstürzen, aber . . .: Redewendung auf einen Prahler. BSD 1965 ff.

36. ein ~ schlachten, das goldene Eier legt = sich seiner Erwerbsquelle berauben; einen Vorteil aus Torheit zunichte machen. Geht zurück auf eine Fabel von Lafontaine (17. Jh), in der erzählt wird, daß ein Bauer, dessen Huhn goldene Eier legt, sein Tier schlachtet, um dem Geheimnis der goldenen Eier auf die Spur zu kommen.

37. bei sitzen wohl nicht alle Hühner auf der Stange? = du bist wohl nicht bei Verstand? ↗Huhn 30. 1920 ff.

38. die Hühner tasten = zu ermitteln suchen, wie bei den Gegnern die Karten verteilt sind. Hergenommen von einem,

der durch einen Griff in den Hühnerafter feststellen will, ob er am nächsten Tag ein Ei zu erwarten hat. Kartenspielerspr. seit dem 19. Jh.

39. da wird das ~ in der Pfanne verrückt!: Ausdruck der Verzweiflung, des Unwillens o. ä. Vgl ↗Hund 160. 1950 ff.

Hühnchen n **1.** weibliche Person (Kosewort). 1920 ff.

2. intime Freundin. 1920 ff.

3. mit jm noch ein ~ zu pflücken (rupfen) haben = eine Sache mit jm noch zu bereinigen haben; jm Vorhaltungen machen müssen. Herkunft unsicher. „Hühnchen" ist vielleicht nur spätere, versinnlichende Zutat zu „rupfen = streiten, Händel haben; tadeln". „Pflücken" ist wohl dem franz „éplucher = rupfen" nachgebildet. 15. Jh.

Hühneraugen pl **1.** jm die ~ abtreten = jm schwer zu schaffen machen; jn beim Exerzieren sehr streng behandeln. Man tritt ihm kräftig auf den Fuß. 1900 ff.

2. mach deine ~ auf! = paß auf! (Rat an einen Stolpernden oder Stürzenden.) 1920 ff.

3. sich die ~ ausrecken = a) eine lange Fußwanderung unternehmen. Scherzhaft der Redewendung „sich den Hals ausrekken" nachgebildet. 1900 ff. – b) eilig weglaufen. 1900 ff.

4. es geht ihm bis in die ~ = es geht ihm sehr nahe. 1900 ff.

5. ~ haben = schielend und starr blicken. Vom Augenausdruck des Huhns übernommen. 1900 ff.

6. das kann man mit ~ sehen = das ist sehr leicht festzustellen; das ist ohne weiteres einleuchtend. 1830 ff.

7. jm auf die ~ steigen = jn kränken. Vom eigentlichen Treten auf die Hühneraugen übertragen auf die heftige Berührung einer seelisch empfindlichen Stelle. 1800 ff.

8. jn auf die seelischen ~ treffen = jn beleidigen. 1900 ff.

9. jm auf die ~ treten = a) jm zu nahe treten. Analog zu „jm auf den ↗Fuß treten"; sind Hühneraugen vorhanden, ist der Tritt besonders schmerzhaft. 1800 ff. – b) jn energisch mahnen, erinnern. 1850 ff.

10. jm auf die ~ der Gefühle treten = bei einer seelisch empfindliche Stelle treffen. 1930 ff.

11. sogar die ~ zudrücken = überaus duldsam, nachgiebig urteilen. Man drückt nicht nur die Augen zu, sondern sogar die Hühneraugen. 1950 ff.

Hühnerbouillon (Grundwort meist ungekonnt franz ausgesprochen) f klar wie ~ = völlig einleuchtend. ↗Bouillon 1. 1900 ff.

Hühnerfutter-Rede f Rede von Johannes Semler, Direktor der Verwaltung für Wirtschaft, 1947/48. Er sagte: „Man hat den Mais geschickt und das Hühnerfutter, und wir zahlen es teuer, in Dollars und deutschen Exporten, und wir sollen uns auch noch bedanken".

Hühnerhaufen m Fußballmannschaft ohne konzentrierte Spielweise. Das Verhalten von Hühnern ist für menschliche Einsicht oft nicht erkennbar zweckmäßig. Sportl 1950 ff.

Hühnerkieke f **1.** astigmatisches Blicken eines Menschen. Hühner halten den Kopf

schief, wenn sie etwas betrachten. ↗kieken. Seit dem späten 19. Jh, Berlin.

2. die ~ haben = schielen. 1870 ff.

Hühnerkorb m weiter, steif abstehender Frauenrock. Die Tracht des Reifrocks wurde um 1720 höfische Mode. Franzosen nannten sie „panier", und dies ergibt in deutscher Übersetzung „Hühnerkorb". Um 1957/58 erneut aufgekommen mit Bezug auf den „Petticoat".

Hühnerkram m Belanglosigkeit, Wertlosigkeit, Unsinn. Es ist so unwichtig wie das Gackern der Hühner auf dem Hühnerhof o. ä. ↗Kram. 1900 ff.

Hühnerleiter f **1.** schmale, steile Treppe. 19. Jh.

2. Laufmasche im Damenstrumpf. 1930 ff.

3. das Leben ist wie eine ~, beschissen (o. ä.) von oben bis unten: Redewendung von Pessimisten. 1850 ff.

4. das Leben gleicht der ~, man kommt vor lauter Mist nicht weiter: gereimte Lebensweisheit lebenserfahrener Menschen. „Mist" meint hier sowohl den Kot als auch jegliche Widerwärtigkeit. 1900 ff.

5. das Leben ist eine ~, man macht viel durch: Redewendung von Leuten, die das Leben enttäuscht hat. Der Kot fällt zwischen den Sprossen der Hühnerleiter hindurch, und der Mensch muß im Leben viel ertragen: mit diesen beiden Bedeutungen von „durchmachen" spielt die Redewendung. 1900 ff.

hühnern v koitieren. Analog zu ↗vögeln. 1950 ff, halbw.

Hühnerschreck m **1.** Tieflieger. Er schreckt die Hühner. Sold 1935 ff.

2. Moped, Kleinauto. 1955 ff.

Hühnersprenger m Motorrad. Es treibt die Hühner auseinander, daß sie nach allen Seiten davonstieben. Sold 1939 ff bis heute.

Hühnervogt m Amtsarzt der polizeilich kontrollierten Prostituierten. ↗Huhn 4. 1950 ff.

Hühnerwärterin f Bordellbesitzerin; aufsichtführende Frau im Bordell. ↗Huhn 4. 1925 ff.

Hu'hu m Homosexueller. Mit „huhu" kennzeichnet man das weinerliche Schluchzen. Hier Anspielung auf das gekünstelt weibische Benehmen. 1906 ff.

Hui m im ~ = sehr schnell. „Hui" ist schallnachahmende interj zur Bezeichnung der Schnelligkeit und Plötzlichkeit, dem Klang starken, pfeifenden Windes nachgebildet. Seit dem 16. Jh.

hui adv **1.** oben ~, unten pfui = nach außen gut, darunter schlecht gekleidet. „Hui" als antreibender Ruf ist um des Reimes auf „pfui" willen zu einem anerkennenden Ausdruck geworden. Seit dem 17. Jh.

2. vorn (außen, auswendig) ~, hinten (innen, inwendig) pfui = schön von Gestalt auf häßlichem Körper; schön von Charakter, aber schlecht von Charakter. Seit dem 17. Jh.

hui-hui adv schnell, oberflächlich. ↗Hui. 1900 ff.

Hule f unordentliche, sich vernachlässigende weibliche Person. Hervorgegangen aus dem Lockruf für Gänse. 1900 ff.

Hülle f **1.** ~ und Fülle = Damenbluse, die einen üppigen, wallenden Busen erkennen läßt. Hülle ist das Umschließende, Fülle das Füllende. „Hülle und Fülle" meint auch „reichlich gekleidet, reichlich ernährt". 1930 ff.

2. die ~ ehelichen = eine Frau wegen ihrer hübschen Gestalt oder ihrer günstigen Vermögenslage heiraten und dabei (bekannte) Nachteile in Kauf nehmen. 1930 ff.

Hully Gully (engl ausgesprochen) m rücksichtsloser Drill. Name eines angloamerikan Modetanzes, der in geöffneter Form getanzt wird. BSD 1970 ff.

Humanitätsdusel m wirklichkeitsferne Pflege der Humanität. ↗Dusel 1. 1870 ff.

Humanitätsduselei f übertriebene oder unangebrachte menschliche Hilfsbereitschaft oder Rücksichtnahme. Seit dem späten 19. Jh.

Humbug m unlautere Reklame; listige Übertölpelung; Lug und Trug. Die Herkunft ist ungeklärt. Um 1750 in Nordamerika aufgekommen im Zusammenhang mit „to hum = jn nasführen" und „bugbear = Popanz, Schreckbild". In Deutschland seit 1830 bekannt.

Hummel f 1. Flugzeug. Wegen des dumpfen Motorengebrumms. Sold 1914 bis heute.
2. Hubschrauber. 1950 ff.
3. pl = vorbeisummende Geschosse; Maschinengewehrgarbe; Querschläger. Sold in beiden Weltkriegen.
4. Bratsche. Wegen des dumpf verschleierten Klangs. 1940 ff.
5. Erzieherin, Lehrerin. Die Hummel brummt, aber sticht nicht: die hier Gemeinte nörgelt und tadelt, ist aber nicht gefährlich. Halbw 1955 ff.
6. Straßenprostituierte ohne festen Bezirk. Sie „fliegt" hierhin und dorthin. 1955 ff.
7. aufgeregter Mensch. ↗Hummel 13. 19. Jh.
8. Mädchen. Meint vor allem das Mädchen unruhigen Gemüts. Analog zu ↗Biene 3. 19. Jh.
9. ~, ~, Mors, Mors!: Erkennungsruf der Hamburger. „Hummel" war der Spitzname eines Hamburger Wasserträgers namens Johann Wilhelm Bentz (1787–1854). Er hatte eine mürrische Art, die man in Hamburg „hummelig" nennt. Die Straßenjungen neckten ihn mit dem Ruf „Hummel, Hummel", worauf er „Mors, Mors!" erwiderte, was aus „leck mich am Arsch!" (in plattdeutscher Aussprache) verkürzt ist. Etwa seit 1840.
10. dicke ~ = Hubschrauber des Typs „Sikorsky CH–53 D". Anspielung auf Größe und Geräusch. BSD 1972 ff.
11. kleine ~ = Kleinauto. Anspielung auf den Summton des Motors. 1955 ff.
12. wilde ~ = a) ungestümes Mädchen voller Übermut und Tatendrang. Hergenommen vom unberechenbaren Hin- und Herfliegen der Hummel. 1600 ff. – b) Kleinkraftrad. 1960 ff.
13. ~n haben = nicht ruhig sitzen können; vor Ungeduld vergehen. Verkürzte und verfeinerte Variante zum Folgenden. Seit dem 19. Jh.
14. ~n im Arsch haben = nicht ruhig sitzen können. 1500 ff.
15. ~n im (unter dem) Hintern haben = a) unruhig sitzen; von unruhiger Wesensart sein. 16. Jh. – b) keine Ausdauer, keine Geduld haben. 19. Jh. – c) wollüstig sein. 1900 ff.
16. ~n in der Hose haben = a) unruhig

sitzen. 1800 ff. – b) eilig, unruhig, unbeständig sein; von ungestümem Erlebnisund/oder Schaffensdrang erfüllt sein. 19. Jh. – c) nach Geschlechtsverkehr verlangen. 1900 ff.
17. ~n im Loch haben = nicht ruhig sitzen können. Loch = After. ↗Hummel 14 und 15. Seit dem 19. Jh.
18. ~n in den Perlonhosen haben = unruhig sitzen; in geschlechtlicher Beziehung leidenschaftlich sein (von weiblichen Personen gesagt). 1961 ff.
19. ~n kriegen = nervös, ungeduldig werden. 1920 ff.

Humor m 1. ~ von der Stange = Humor ohne persönliche Eigenart; Humor nach Witzbuchart. ↗Stange. 1950 ff.
2. schwarzer ~ = Humor, der mit Entsetzen Scherz treibt. Aus engl „black humour" um 1950 übersetzt und über Wiener Vermittlung (Georg Kreisler?) nach Deutschland gelangt. 1930 ff.
3. ~ im Bauch haben = Sinn für Humor haben. 1930 ff.
4. einen sonnigen ~ haben = merkwürdige Ansinnen stellen. ↗sonnig. 1920 ff.

Humorkanone f Humorist; hervorragender Karnevalist. ↗Kanone 1. 1955 ff.

Humornudel f Witzereißer. ↗Nudel 17. 1970 ff.

Humorrakete f beliebter Humorist. ↗Raketenstart. 1975 ff.

Humpelrock m langer Frauenrock, der an den Knöcheln (Knien) sehr eng ist. 1913 ff.

Humse f Vulva. Humsen = mausen. „Humse" ist auch eine untergegangene Bezeichnung für die Hummel (vgl ↗Hummel 6). Rotw 1812 ff.

Humsenspritzer m Geschlechtsverkehr. ↗Humse. Österr 1900 ff.

Hund m 1. Fehlwurf; schlechtester Wurf beim Würfeln; Fehler; Verstoß. Die Bezeichnung hängt mit der Hundeverachtung zusammen. 1800 ff.
2. Mann (Kosewort). Fußt auf den Metaphern „treuer Hund", „braver Hund", „folgsamer Hund", auch „Schoßhund" o. ä. 1900 ff.
3. Schimpfwort. Die internationale Mindergeltung des ältesten Haustiers beruht wohl auf menschlichem Empfinden für widerwärtig erscheinendes Verhalten. Das Schimpfwort „Hund" gilt dem Widerwärtigen, auch dem Niederträchtigen. Seit dem 15. Jh.
4. pl = Begleitflugzeuge einer Bomberstaffel o. ä. Sie sind wie Jagd- und Spürhunde um den Jäger versammelt. Sold 1939 ff.
5. ~ mit halben Beinen = Dackel. Wegen seiner Kurzbeinigkeit. 1910 ff.
6. ~ mit Geweih = Dummer. Dem Schimpfwort „Hund" wird hier sinngemäß das Gehörn des Ochsen (Sinnbildtier der Dummheit) beigegeben, wodurch sich Verstärkung einstellt. Schül 1950 ff.
7. ~ mit Henkel = Hund mit gerolltem Schwanz. 1900 ff.
8. abgelaufener ~ = Dackel. Seine Kurzbeinigkeit wird als Verschleißerscheinung gedeutet. 1900 ff.
9. alter ~ = altgedienter Soldat. Ein braver Hund gehorcht jedem Befehl. Seit dem 19. Jh.
10. armer ~ = a) armer, mittelloser Mensch. 19. Jh. – b) bedauernswerter Mensch. 19. Jh.

11. wie ein begossener ~ = kleinlaut, schuldbewußt. 1800 ff.
12. bellender ~ = Rekrutenausbilder, Unteroffizier o. ä. Bellen = schimpfen, anherrschen. Sold in beiden Weltkriegen.
13. bepißter ~ = Mensch, der kleinlaut davongeht. Die Besudelung durch „Pisse = Harn" gilt umgangssprachlich seit altersher als Sinnbildhandlung schlimmen Tadels. 1800 ff.
14. blöder ~ = dummer, einfältiger Mensch; unsympathischer Mensch. (Auch scherzhafte Anrede unter guten Kameraden.) Spätestens seit 1900, schül und sold.
15. damischer ~ = dummer Bursche. ↗damisch. Bayr 1900 ff.
16. dämlicher ~ = dummer Kerl. ↗dämlich. 1900 ff.
17. selten dämlicher ~ = völliger Versager. 1920 ff.
18. dicker ~ = a) große Sache; gute Erfolgsaussicht; unglaubwürdiger Vorgang; schwieriger und gefährlicher militärischer Einsatz; große Zumutung o. ä. 1920 ff, vor allem schül, stud und sold. – b) ausgedehnte Zecherei. 1930 ff. – c) aufgedeckte Straftat; Strafverfahren. 1950 ff, halbw. – d) grober grammatikalischer oder orthografischer Fehler. 1930 ff. – e) wichtige, einflußreiche Person. Variante zu „großes ↗Tier". 1935 ff. – f) Millionenobjekt. 1965 ff. – g) Unwetter. 1970 ff.
19. dickster ~ = achtlos weggeworfener Müll. In den späten sechziger Jahren des 20. Jhs aufgekommen mit dem erwachenden Kampf der Behörden gegen die Umweltverschmutzung.
20. der dickste ~, der je gebraten wurde = unerhörter Vorfall; sehr große Frechheit. Halbw nach 1950.
21. doofer ~ = dümmlicher Mensch. ↗doof. 1900 ff.
22. dösiger ~ = verträumter Mensch. ↗dösig. 1900 ff.
23. dummer ~ = dummer Mensch; seinen eigenen Vorteil nicht wahrnehmender Mensch. Seit dem 19. Jh.
24. eingebildeter ~ = dünkelhafter Mensch. 1920 ff.
25. eisiger ~ = Mann, den nichts rührt; Mann, der sich durch nichts aus der Fassung bringen läßt. Seine Gefühle sind wie vereist. Sold 1914 ff.
26. eiskalter ~ = gefühlloser Streber. 1920 ff.
27. elender (elendiger) ~ = niederträchtiger Mensch. 1850 ff.
28. fader ~ = energieloser Mensch.
29. falscher ~ = a) Deutsches Beefsteak. Man vermutet scherzhaft, der „falsche Hase" sei aus Hundefleisch hergestellt. BSD 1965 ff. – b) unzuverlässiger, heimtückischer Mann. ↗falsch 6. 1700 ff.
30. fauler ~ = träger Mensch. Faul = bewegungs-, arbeitsscheu. 1870 ff.
31. feiger ~ = a) Feigling. Feig(e) ist der Hund, der, statt anzugreifen, den Schwanz einkneift und flüchtet. Seit dem 15. Jh. – b) kameradschaftlicher Mensch. ↗feige 1. Schül 1900 ff.
32. feiner ~ = a) gutgekleideter Mann; Mann, der auf Vornehmheit hält. Weitgehend Ausdruck für den denkbar feinen Offizierstypus aus dem Blickwinkel der Witzblätter. Spätestens seit 1900. – b) cha-

raktervoller, kameradschaftlicher Mann; beliebter Vorgesetzter. „Fein" spielt hier auf die Vornehmheit der Gesinnung an. 1920 *ff.* – c) niederträchtiger Mann. Stark *iron.* 1920 *ff.*

33. feister ~ = beleibter Mann. 1930 *ff.*

34. fieser ~ = charakterloser Mensch. ↗fies. 1920 *ff.*

35. flauer ~ = energieloser Mann. ↗flau. 1935 *ff.*

36. fliegender ~ = a) Flugzeug; Wasserflugzeug. Eigentlich das Flattertier mit hundeähnlichem Kopf. *Marinespr* und *fliegerspr* in beiden Weltkriegen. – b) Sputnik II. Der Satellit hatte die Hündin Laika an Bord. Start am 3. November 1957. – c) Fallschirmjäger. *BSD* 1965 *ff.*

37. frecher ~ = frecher, dreister, mit Worten angreifender, verwegener Mann. 1870 *ff.*

38. gehackter ~ = a) Hackbraten, Deutsches Beefsteak o. ä. Falls der Ausdruck nicht von deutschen Wortschöpfern geprägt sein sollte, fußt er auf *franz* „haché de chien" und hängt zusammen mit der Einschließung der Stadt Paris im Kriege 1870/71, als Hundefleisch die Geltung einer Delikatesse erhielt. 1914 bis heute, *sold.* – b) Büchsenfleisch. 1914 *ff.* – c) Ragout fin. 1920 *ff.*

39. geheizter ~ = Moped. Es läuft kaum schneller als ein Hund, aber es hat eine Heizung (= Verbrennungsmotor) eingebaut. *Österr* 1955 *ff.*

40. geiler ~ = a) schikanöser Rekrutenausbilder. Er ist ↗dienstgeil. *BSD* 1965 *ff.* – b) Unabkömmlicher. Er gibt sich so diensteifrig, daß der Arbeitgeber ihn nicht entbehren mag. *BSD* 1965 *ff.*

41. geiziger ~ = Geizhals. 1920 *ff.*

42. gelackter ~ = a) kecker, scheinbar mutiger Mann. Der Lack ist das schöne Äußere, dem das Innere im Ernstfall nicht entspricht. 1920 *ff.* – b) nicht vertrauenswürdiger, undurchsichtiger Mann. 1920 *ff.*

43. gemeiner ~ = niederträchtiger Mann. 1850 *ff.*

44. gerissener ~ = lebenserfahrener, listiger, erfolggewohnter Mensch. ↗gerissen. 1900 *ff.*

45. gescherter ~ = übler Kerl. ↗geschert. *Bayr* seit dem 19. Jh.

46. geschickter ~ = tüchtiger, einfallsreicher Mann. 1920 *ff.*

47. großer ~ = einflußreiche Persönlichkeit; hochgestellter Vorgesetzter. Analog zu „großes ↗Tier". 1900 *ff.*

48. grüner ~ = Landpolizeibeamter. Wegen der grünen Uniform. 1950 *ff.*

49. guter ~ = kameradschaftlicher Mitschüler. 1960 *ff.*

50. halber ~ = a) Stück zähen, mageren Rindfleischs; zähe Bratenscheibe. 1920 *ff.* – b) Stangenkäse mit Butterbrot. Wohl dem „halben ↗Hahn" der Kölner nachgeahmt. *Stud* 1900 *ff,* Leipzig.

51. harter ~ = unangenehme, schwierige Sache. An ihr hat man schwer zu kauen. 1900 *ff.*

51 a. heißer ~ = heißes Würstchen zwischen zwei Brötchenhälften. Aus *anglo-amerikan* „hot dog" übersetzt. 1950 *ff.*

52. junger ~ = a) unerfahrener, ungeschickter junger Mann. 19. Jh. – b) Rekrut. 1900 *ff.* – c) junger Schauspieler. Theaterspr. 1900 *ff.*

53. kalter ~ = gefühlloser Mann. 1920 *ff.*

54. kein ~ = niemand. 1800 *ff.*

55. krummer ~ = a) Mensch in schlechter (unmilitärischer) Körperhaltung. Alles unmilitärische Benehmen gilt *milit* als „krumm". Erstmals im 15. Jh, wiederaufgelebt im späten 19. Jh. – b) Versager; unzuverlässiger Mensch; heimtückischer Mann. Er hat keinen „geraden" (aufrichtigen) Charakter und macht „↗krumme Sachen". 1870 *ff.* – c) geiziger, kleinlicher Mensch. 1920 *ff.*

56. lahmer ~ = Einzelgänger. ↗lahm. *Schül* 1960 *ff.*

57. linker ~ = a) Linkshänder, der manches falsch macht. Halle/Saale 1950 *ff.* – b) hinterhältiger Mann. ↗link. 1960 *ff.* – c) Sozialist *(abf).* 1870 *ff.*

58. loser ~ = mutwilliger, listiger Mann. ↗los. 1900 *ff.*

59. mieser ~ = minderwertiger, charakterloser Mensch. ↗mies. 1920 *ff.*

60. müder ~ = schwungloser, wenig unternehmungslustiger Mann; Schimpfwort. *Bayr* 1920 *ff.*

61. nobler ~ = freigebiger Mann. 1900 *ff.*

62. roter ~ = a) Sozialdemokrat *(abf).* ↗rot 1. 1870 *ff.* – b) Hautwolf. Anspielung auf die Rötung und scherzhafte Abschwächung der Gefährlichkeit von „Wolf" zu „Hund". *BSD* 1965 *ff.*

63. schäbiger ~ = niederträchtiger Mensch. ↗schäbig. 1920 *ff.*

64. scharfer ~ = a) unnachsichtig urteilender Richter; strenger Vorgesetzter. Er ist „scharf" wie ein Hund, der auf den Mann dressiert ist. 1920 *ff.* – b) strenger Kritiker. 1920 *ff.*

65. scheeler ~ = schweres Schimpfwort. „Scheel" nimmt den Sinn von „heimtückisch" an. 1920 *ff.*

66. schiefer ~ = Schimpfwort. Analog zu „krummer ↗Hund". 1920 *ff.*

67. schlapper ~ = energieloser, weichlicher Mann. ↗schlapp. 1900 *ff.*

68. schlauer ~ = welterfahrener, allen Lebenslagen gewachsener Mann. Seit dem 19. Jh.

69. schneidiger ~ = mannhafter, verwegener, militärisch straffer Soldat oder Offizier. ↗schneidig. 1939 *ff.*

70. schwarzer ~ = a) Hund, für den keine Hundesteuer entrichtet worden ist. ↗schwarz = außerhalb der erlaubten Bestimmungen. 1965 *ff.* – b) Mitglied der CDU/CSU *(abf).* ↗ schwarz 1. 1950↗.

71. steifer ~ = unbeholfener, wenig gewandter Mann. Seit dem 19. Jh.

72. strammer ~ = energischer Vorgesetzter; strenger, unnachgiebiger, Mannhaftigkeit heischender Mann. *Sold* 1939 *ff.*

73. sturer ~ = Mensch, der durch nichts zu beeinflussen oder von der Verfolgung seines Vorhabens abzubringen ist; hartnäckiger, unbelehrbar handelnder Mann. ↗stur. (Hundefreunde halten dieses Schimpfwort auf einen Menschen für eine Beleidigung der Hunde.) 1930 *ff.*

74. toller ~ = a) verrückter Mensch. Meint eigentlich den tollwütigen Hund. 19. Jh. – b) verwegener Mann. *Sold* 1939 *ff.*

75. toter ~ = Frikadelle, Hackbraten, Deutsches Beefsteak. ↗Hund 38. 1930 *ff.*

76. tückischer ~ = hinterhältiger, nicht

vertrauenswürdiger Mensch. Seit dem 19. Jh.

77. verlogener ~ = lügnerischer Mensch. 1950 *ff.*

78. verrückter ~ = waghalsiger, durch Leidenschaft törichter Mann. *Sold* 1939 *ff.*

79. versoffener ~ = Trunksüchtiger ohne feste Wohnung. Er streunt wie ein herrenloser Hund. 1940 *ff.*

80. verwegener ~ = Draufgänger. 1920 *ff.*

81. warmer ~ = Würstchen mit Senf zwischen halbierter Semmel. Übernommen aus *engl* „hot dog". *Vgl* ↗Hund 51 a. 1945 *ff.*

82. widerlicher ~ = unsympathischer Mann. 1900 *ff.*

83. wilder ~ = Draufgänger. *BSD* 1955 *ff.*

84. wüster ~ = ungestümer, draufgängerischer Mann. *Sold* 1939 *ff.*

85. zäher ~ = Mensch, der harte körperliche Anstrengungen durchhält. 1935 *ff.*

86. zwei ~e an einen Knochen = Umwerbung eines Mädchens durch zwei Liebhaber. 1900 *ff.*

87. bekannt wie ein bunter ~ = überall bekannt. „Bunt" ist der gescheckte Hund, der eher auffällt als der einfarbige. 1600 *ff.*

88. müde wie ein ~ = sehr müde; übermüdet. Herzuleiten vom Hund des Schäfers, vom Karrenhund oder vom Hund nach der Jagd. 1800 *ff.*

89. jn abknallen wie einen tollen (tollwütigen, räudigen) ~ = jn ungerührt erschießen. Tollwütige Hunde müssen erschossen werden. 1930 *ff.*

90. etw abschütteln wie der ~ die Flöhe = sich etw nicht nahe gehen lassen. Seit dem 19. Jh.

91. etw abschütteln wie der ~ den Regen (die Regentropfen, das Wasser) = sich etw nicht zu Herzen nehmen. Seit dem 19. Jh.

92. jn belln (kläfft) kein ~ mehr an = um ihn kümmert sich niemand mehr; er hat die allgemeine Achtung verloren. 1900 *ff.*

93. er ist (es) nicht wert, daß ihn die ~e anpinkeln = er ist höchst minderwertig. Hergenommen von einem Übeltäter, der, an Händen und Füßen gefesselt, am Schandpfahl steht und die Hunde nicht abwehren kann; harnen nicht einmal sie ihn an, muß der Betreffende überaus ehrlos sein. 1600 *ff.*

94. er ist so dumm, daß ihn die ~e anpinkeln = er ist sehr dumm. Gemeint ist, daß der Dumme den Hund nicht verjagt, der an ihm sein Bein hebt. 1900 *ff.*

95. kein ~ pißt ihn an = er hat jegliche Achtung eingebüßt. ↗Hund 93. 1800 *ff.*

96. er ist nicht wert, daß ihn die ~e anpissen = er ist höchst minderwertig. ↗Hund 93. 1600 *ff.*

97. schaff dir einen ~ an, der deine Anschläge frißt: Redewendung auf einen, der Pläne über Pläne schmiedet. Von so vielen Plänen könnte ein Hund sattwerden. 1900 *ff.*

98. einen dicken ~ ausbrüten = eine völlig verfehlte Maßnahme mit entsprechend bösen Folgen treffen; einen argen, folgenschweren Irrtum begehen. ↗Hund 18. 1940 *ff.*

99. aus~ sehen = in schlechtem Zustand sein. Hergenommen vom ungepflegten, herrenlosen Hund. *BSD* 1970 *ff.*

100. da liegt der ~ begraben = auf diese Sache kommt es an; dies ist das Entscheidende; das ist der Kern der Sache. Die Redensart ist nicht befriedigend geklärt. Im alten Volksglauben lagern Hunde auf vergrabenen Schätzen und werden oft mit dem Schatz selbst identifiziert. 1600 *ff.*

101. da liegt auch ein ~ begraben: Redewendung des Kartenspielers, wenn er schlechte Karten hat. 1900 *ff.*

102. hier ist der tote ~ begraben = dies ist eine öde, unwirtliche Gegend. Hunde wurden früher auf dem Schindanger verscharrt. *Österr* 1955 *ff.*

103. da beißt sich der H. in den Schwanz = das bringt nicht weiter; das ist ein Teufelskreis. Analog zu ↗Katze 14 a. Seit dem 19. Jh.

103 a. wo die ~e mit dem Arsch (Schwanz) bellen = nirgends; auch Anspielung auf einen unbedeutenden Ort. Bezieht sich auf den volkstümlich sprichwörtlichen Ort Buxtehude, „wo die Hunde mit dem Schwanz bellen". „Hund" meint den Glockenklöppel, ursprünglich mit der Hand geschwungen, dann durch ein Tau (= Schwanz des Hundes) in Bewegung gesetzt. 19. Jh.

104. um etw betteln wie ein ~ = um etw inständig bitten. Spielt an auf das Verhalten schlecht erzogener Hunde angesichts essender Menschen. 1900 *ff.*

105. erschlagene ~e beuteln = wirkungslos Gewordenes (zu spät) scharf kritisieren. ↗beuteln 1 und 2. 1920 *ff.*

106. einen fetten ~ braten = sich gröblich irren. ↗Hund 18. 1960 *ff.*

107. jn auf den ~ bringen = jn zugrunde richten. Bewirkungsform von „auf den Hund kommen". 19. Jh.

108. das bringt ihn auf den ~ = dadurch kommt er in eine üble Lage. Seit dem 19. Jh.

109. einen dicken ~ drehen = eine schwere Straftat begehen. ↗Hund 18; zu „drehen" *vgl* ↗Ding 33. 1960 *ff.*

110. ~e flöhen = eine langweilige, sinnlose Arbeit verrichten. Seit dem 19. Jh.

111. frieren wie ein (junger) ~ = heftig frieren. Junge Hunde sind nackt oder nur dünn behaart und entsprechend kälteempfindlich. 1700 *ff.*

112. dich hat wohl ein toller ~ gebissen?: Frage an einen, der unsinnige Behauptungen aufstellt. Seit dem 19. Jh.

113. vor die ~e gehen = verkommen. Übertragen vom Bild der wildernden Hunde, die krankes, schwaches, schlechtes Wild jagen und töten. 1600 *ff.* *Vgl engl* „to go to the dogs".

114. von allen ~en gehetzt sein = sich in jeder Gefahr zu helfen wissen; jede List kennen. Hergenommen vom Wild, das den auf seine Fährte gesetzten Hunden entgeht. 1800 *ff.*

115. am ~ getittet haben = von roher Gemütsart, unkameradschaftlich sein. Man ist von einer Hündin gesäugt, unter Hunden großgeworden. 1900 *ff.*

116. das gönne ich keinem ~ = das wünsche ich niemandem; das möchte ich niemandem zumuten. Leitet sich her von der schlechten Behandlung von Hunden. Seit dem 19. Jh.

117. was jeder ~ hat = Spielkartenfarbe „Karo". Die Kartenfarbe heißt auch „Eck-

stein", und einen Eckstein „hat" jeder Hund. Kartenspielerspr. 1950 *ff.*

118. einen dicken ~ haben = beim Skatspiel eine gute Karte in der Hand haben. ↗Hund 18. 1930 *ff,* kartenspielerspr.

119. einen schweren ~ am Hals haben = erheblich vorbestraft sein. Vielleicht späte oder neuaufgefrischte Erinnerung an die frühere Strafe des Hundetragens. *Halbw* 1950 *ff.*

120. es ist so schlechtes Wetter, daß man keinen ~ vor die Tür (auf die Straße) jagt = es ist sehr unfreundliches, naßkaltes Wetter. 1600 *ff.*

121. das jammert einen ~ (einen toten H.) = das findet schärfste Mißbilligung. Seit Ende des 19. Jhs.

122. das kann einen ~ jammern = das ist äußerst schlecht, nichtswürdig. Darüber würde auch ein Hund ins Jaulen geraten. 1840 *ff.*

123. auf den ~ kommen = a) wirtschaftlich absinken; schwer erkranken; in Not geraten; verkommen. Herkunft umstritten. Entweder hergenommen vom „Hundetragen" als schimpflicher Bestrafung oder umgesetzt aus „vom Pferd auf den Hund kommen", nämlich das bisherige Pferdefuhrwerk durch ein Hundefuhrwerk ersetzen. „Hund" ist unter anderem der eiserne Behälter zur Aufbewahrung nötigster Habe (die Reserven anbrechen = in Not sein), und „Hund" meint den schlechtesten Wurf beim Würfeln. 18. Jh. – b) sich einen Hund anschaffen. Scherzhaft-wörtliche Auffassung der vorhergehenden Bedeutung. Seit dem frühen 19. Jh.

124. danach kräht kein ~ und Hahn = an diese Sache erinnert sich niemand mehr. Mißverstanden aus „danach kräht kein Hahn" (↗Hahn 16). Seit dem 19. Jh.

125. es ist, um junge ~e zu kriegen!: Ausdruck der Verzweiflung. Seit dem späten 19. Jh.

126. nun kriegt der ~ junge Katzen! = Ausdruck der Überraschung. 1960 *ff.*

127. sich krummlegen wie ein ~ = sich sehr einschränken. Hunde liegen gern eingerollt. Wortspiel mit „↗krummlegen". 1960 *ff.*

128. den letzten ~ von der Kette lassen = das treffendste Argument offenbaren. Dieser „letzte Hund" ist ein bissiger Angreifer. 1960 *ff.*

129. einen dicken ~ laufen haben = in ein Strafverfahren verwickelt sein; auf die Aburteilung warten. ↗Hund 18. 1950 *ff, halbw.*

129 a. den toten H. lausen = Unsinniges, Überflüssiges tun. 1920 *ff.*

130. leben wie ein ~ = armselig, in sehr dürftigen Verhältnissen leben. *Vgl* Goethe, Faust: „es möcht' kein Hund so länger leben". Seit dem 19. Jh.

131. ~e, wollt ihr ewig leben? = Turnunterricht. Übernommen vom Titel des 1958/59 unter der Regie von Frank Wisbar gedrehten Spielfilms nach dem gleichnamigen Roman von Fritz Wöss. Die Redensart wird auf einen Zuruf Friedrichs II. an die in der Schlacht bei Kolin (1757) zurückflutenden Soldaten Preußens zurückgeführt. *Schül* 1959 *ff.*

132. mit etw keinen ~ aus dem (vom) Ofen locken (hinter dem Ofen hervorlocken) = mit etw keinerlei Anreiz ausüben. „Ofen" meint ursprünglich wohl die Fuß-

höhlung des gemauerten Ofens, in der der Hund zu liegen pflegt; verläßt der Hund diesen Platz einmal um des Fressens willen, muß der Leckerbissen minderwertig sein. 1500 *ff.*

133. mit etw keinen ~ aus dem Backofen locken = mit etw vergeblich reizen. 1900 *ff.*

134. mit etw keinen ~ von der Zentralheizung (weg)locken können = mit etw erfolglos bleiben müssen. Modernisierte Form von ↗Hund 132. 1960 *ff.*

135. einen ganz großen ~ loslassen = eine gefährliche, folgenschwere Sache anzetteln. Der befreite Kettenhund ist angriffslustig. 1950 *ff.*

136. einen ~ losmachen = etw Besonderes verursachen. *Vgl* das Vorhergehende. 1950 *ff, halbw.*

137. mach' keinen dicken ~ los! = reg' dich nicht auf! ↗Hund 18. *Halbw* 1950 *ff.*

138. der ~ ist los = der Kampf beginnt. *Vgl* ↗Hund 18. 1950 *ff.*

139. der große ~ ist los = ein Großkampf hat begonnen. *Sold* 1939 *ff.*

140. alle ~e sind los = es herrscht Aufregung und Durcheinander. 1910 *ff.*

141. von ihm nimmt kein ~ ein Stück Brot = er wird von allen verachtet. Hunde haben zuweilen eine untrügliche Witterung für die Garstigkeit (Schlechtigkeit) eines Menschen. 15./16. Jh.

142. von ihm nimmt kein ~ mehr einen Knochen = er ist der allgemeinen Verachtung anheimgefallen. *Vgl* das Vorhergehende. 1900 *ff.*

143. jn niederknallen wie einen tollen ~ = ohne innere Regung jn erschießen. ↗Hund 89. 1930 *ff.*

144. einen ganz dicken ~ am Schwanz packen = eine sehr heikle Sache erörtern. ↗Hund 18. *Halbw* 1950 *ff.*

145. da ist ein dicker ~ passiert = da ist etwas sehr Wichtiges geschehen. ↗Hund 18. 1950 *ff.*

146. und wenn es kleine (junge) ~e regnetl = auf jeden Fall! Ausdruck der Beteuerung. Gemeint ist, daß auch heftigster Dauer- oder Sturzregen (*vgl engl* „it is raining cats and dogs") einen nicht von dem Vorhaben o. ä. abbringen könnte. 1900 *ff.*

147. jetzt scheiß' der ~ dreinl: Ausdruck der Wut über einen Mißerfolg. Seit dem 19. Jh.

148. da scheißt der ~ ins Feuerzeugl: Ausdruck der Verzweiflung oder Enttäuschung, weil eine Sache mißlungen ist. 1945 *ff.*

149. du brauchst (mich) nicht gleich krummer ~ zu schimpfen = du brauchst nicht sofort grob zu werden. 1900 *ff.*

150. wie ~ schmecken = widerlich schmecken. Nach allgemeiner Ansicht ist Hundefleisch unschmackhaft; in Hungerzeiten war man anderer Meinung. *BSD* 1965 *ff.*

151. es schmeckt wie dicker ~ von hinten = es schmeckt scheußlich. 1950 *ff, schül.*

151 a. sich schütteln wie ein nasser ~ = Einwände nicht beherzigen; Lästiges abweisen. 1900 *ff.*

152. mit etw auf dem ~ sein = mit etw in schlechter Verfassung sein; kein Geld mehr haben. Verkürzt aus „auf den Hund gekommen sein". (↗Hund 123). 1700 *ff.*

153. das ist unter dem (unter allem) ~ = das ist höchst minderwertig. Im volkstümlichen Vorurteil ist der Hund noch immer das Sinnbild des Minderwertigen; was noch darunter ist, ist also vollends verachtenswert. Seit dem frühen 19. Jh.

154. kaputt sein wie ein toter ~ = völlig erschöpft sein. ↗ kaputt. 1950 ff.

155. der ~ ist von der Kette = man ist ausgelassen, hemmungslos. 1950 ff.

156. unter dem ~ spielen = sehr schlecht kartenspielen. ↗ Hund 153. Kartenspielerspr. 1900 ff.

157. das ist der Moment, wo der ~ ins Wasser rennt (springt) = das ist der wichtige Augenblick. Vgl ↗ Affe 56. 1920 ff.

158. bei euch ist wohl der ~ gestorben?: Frage an einen, der zu kurze Hosen trägt. Anspielung auf Halbmastbeflaggung zum Zeichen der Trauer. 1930 ff, jug.

158 a. den ~ zur Jagd tragen = sich mit einem Energielosen abgeben. 1800 (?) ff.

159. das macht den ~ in der Pfanne verrückt = das treibt einen zum Äußersten, macht einen nervös, raubt einem die Beherrschung. Vgl das Folgende. 1930 ff.

160. da wird der ~ in der Pfanne verrückt!: Ausdruck ratloser Verwunderung über Unerwartetes. Gleichbed hieß es früher „da wird die Laus auf dem Kopf verrückt". Zu dieser anschaulichen Redensart wurde vielleicht die Variante „da wird der Aal in der Pfanne verrückt" gebildet und „Aal" durch „Hund" ersetzt in Erinnerung an wirklichen oder vermeintlichen Hundebraten. Etwa seit 1910.

161. schlafende ~e wecken = mögliche Gegner aufmerksam machen; unerwünschte Gewinnmöglichkeiten vereiteln. Wohl hergenommen von Dieben, die nicht leise genug auftreten. 1500 ff.

162. wegsein wie Fischers ~ = a) ausdauernd ausbleiben; lange fernbleiben. Auf die Frage, was mit Fischers Hund sei, erhält man die Antwort: „er war 14 Tage weg" (weil der Fischer zwei Wochen auf See war). 1960 ff. – b) längere Zeit geistesabwesend sein; ohnmächtig sein. 1960 ff.

163. zusammenlaufen wie die ~e = wahllos heiraten; ohne Standesrücksichten heiraten. 1900 ff.

Hunde- (hunde-) als erster Bestandteil einer meist doppelt betonten Zusammensetzung drückt meist nicht nur eine allgemeine Verstärkung aus, sondern vielfach auch die Niedrigkeit und Verächtlichkeit – gemäß der trad Geltung des Hundes als eines verachteten Tieres.

'Hunde'angst f große Angst. Dem Hund schreibt man Ängstlichkeit und Feigheit zu. 1900 ff.

Hundebuchstabe m Buchstabe R. Das R ahmt Hundeknurren nach. 1900 ff.

Hundedeckchen pl Schuhgamaschen. Ähnlich der kleinen Decke, die man verwöhnten Hunden im Winter überzieht. 1870 ff.

Hundedreck m warmer ~ = herzliches Händeschütteln. Scherzhaft umgestellt aus „warmer Händedruck". 1910 ff.

'hunde'elend ('hunds'elend) adj adv sehr elend. 17. Jh. Vgl engl „as sick as a dog".

Hundehimmel m das Jenseits der Hunde. Von Hundefreunden erfundene Abteilung des Himmels in christlichem Verständnis. 1900 ff.

'Hunde'hitze ('Hunds'hitze) f große Hitze; sehr hohe Temperaturen. Hunde leiden unter Hitze, weil sie nicht schwitzen können. Seit dem 19. Jh.

Hundehund m Hund. Nordd 1930 ff.

Hundehütte (Hundshütte) f 1. Schilder-, Wachhäuschen. Wegen einer gewissen Form- und Funktionsverwandtschaft. 1900 ff.

2. ärmliche Wohnung; kleines Siedlungshaus. Anspielung auf die Enge. Seit dem 19. Jh.

3. Ein-, Zweimannszelt (auf Campingplätzen, beim Manöver o. ä.). Es ist spitzgiebelig, hat eine Einstiegsluke und ist eng. Sold 1940 ff bis heute; jug 1955 ff.

4. Baßgeige, Schlagbaß. Übersetzt aus angloamerikan „doghouse". Halbw 1955 ff.

5. seine Brust sieht aus wie eine ~, in jeder Ecke ein Knochen = er hat eine schwächliche, knochige Brust. Die Rippen sind deutlich zu erkennen. BSD 1955 ff.

6. jede ~ ist ein Bahnhof = die Kleinbahn hat überaus viele Haltestellen. 1950 ff.

Hundejahre pl Notjahre. Es sind die Jahre, in denen man ein „↗ Hundeleben" führt. Offenbar erst mit dem Romantitel von Günter Grass (1963) in die Umgangssprache eingedrungen.

'hunde'kalt adj bitterkalt. Vgl ↗ Hund 111. Seit dem 17. Jh.

Hundekerl (Hundskerl) m Schimpfwort auf einen Mann. 1800 ff.

'Hunde'leben (Hundsleben) n 1. elendes Leben; Leben in großer Not und Dürftigkeit. Hergeleitet von der schlechten Behandlung des Hundes. 1600 ff. Vgl engl „dog's life".

2. ein ~ führen = Hunde (anderer Leute) spazierenführen. Scherzhafte Redewendung. 1964 ff.

Hundelohn m amtlicher Verpflegungssatz für Diensthunde. 1960 ff.

'Hunde'lohn m 1. (vergleichsweise) niedriger Arbeitsverdienst. Seit dem 19. Jh.

2. Löhnung; Wehrsold. BSD 1965 ff.

hundemäßig (hundsmäßig) adv sehr schlecht; sehr elend. Hergenommen vom herrenlosen Straßenhund. Seit dem 19. Jh.

'hunde'müde ('hunds'müde) adj adv sehr müde. Etwa so müde wie der Hund nach der Jagd. 1600 ff. Vgl engl „dog-tired".

hundert num 1. jn auf ~ bringen = jn in höchste Erregung versetzen; jds Leidenschaftlichkeit anstacheln. Stammt entweder aus der Kraftfahrt (100 km Stundengeschwindigkeit) oder vom Siedepunkt des Wassers. 1935 ff.

2. auf ~ sein = sehr erbost sein. 1935 ff.

3. ~ gegen eins wetten = etw mit größter Bestimmtheit vermuten. Seit dem 18. Jh.

hundertachtzig num 1. jn auf ~ bringen = jn heftig erregen. Hergenommen von der Geschwindigkeitsmarke „180 Stundenkilometer". 1950 ff.

2. auf ~ sein = sehr wütend sein. 1950 ff.

hundertelfprozentig adj ↗ Narr.

Hundertfünfundsiebziger m Homosexueller. Anspielung auf den einschlägigen § 175 StGB. 1930 ff.

hundertfünfzigprozentig adj weit über das vernünftige Maß hinausgehend; über-

trieben bis zum Irrsinn. Steigerung von ↗ hundertprozentig. 1935 ff.

hundertkarätig adj charakterlich völlig einwandfrei. Gebildet im Anschluß an „hundertprozentig". 1920 ff.

hundertprozentig adj 1. ganz, vollwertig, voll. Geht zurück auf die prozentuale Angabe der Dividende, auch des Alkoholgehalts. Das Wort erhielt Auftrieb durch den Roman „Hundertprozentig" des Amerikaners Upton Sinclair (1920; dt 1921). Von daher aufgegriffen durch die Nationalsozialisten zur Bezeichnung der mustergültigen, leidenschaftlich überzeugten Parteianhänger. Die Vokabel wurde damals auch bei den unsinnigsten Gelegenheiten gedankenlos angewandt (das „halb hundertprozentig" gefüllte Glas ist halbleer) und lächerlich gesteigert zu 150-prozentig u. ä. Erstes Auftauchen um 1850.

2. adv sehr. 1920 ff.

Hundertstes n vom Hundertsten ins Tausendste kommen = sich in Nebensächlichkeiten verlieren; vom Thema abschweifen. Meint eigentlich, daß einer beim Rechnen die Hunderter und Tausender falsch untereinanderschreibt. Die Redensart hieß früher „das Hundert in das Tausend werfen". Seit dem 17. Jh.

hundertvierzehn num Tempo ~ = geschwind, eilig. Hergenommen von der milit Marschgeschwindigkeit: 114 Schritte in 60 Sekunden war die vorgeschriebene Schrittzahl. Seit dem frühen 20. Jh.

hundertzehn num 1. ~ sein = gut, vortrefflich sein. Gemeint ist, daß 110 besser ist als 100(prozentig). BSD 1965 ff.

2. auf ~ sein = sehr erregt sein. Vgl ↗ hundert. 1935 ff.

Hundescheiße f 1. Minderwertiges, Wertloses. Seit dem 19. Jh.

2. auf ~ ausrutschen = unverhofftes Glück haben. Nach einer Aberglaubensregel soll es Glück bedeuten oder ankündigen, wenn man in einen Kothaufen tritt. 1900 ff.

3. in ~ treten = mit einem Glücksfall rechnen können. 1900 ff.

'hunde'schlecht adj adv sehr schlecht; sehr übel. 1600 ff.

Hundeschnauze f 1. gefühlloser Mensch. ↗ Hundeschnauze 4. Seit dem späten 19. Jh.

2. du dreckige ~!: Schimpfwort. 1950 ff.

3. kalte ~ = Ungerührtheit, Gefühllosigkeit. Vgl das Folgende. 1870 ff.

4. kalt wie eine ~ = gefühllos, rücksichtslos; unnahbar gegenüber Liebesgelüsten. Die kalte Hundeschnauze ist eigentlich Zeichen der Gesundheit des Hundes, der Fieberfreiheit; hier meint „kalt" jedoch die Gefühlskälte. 1860/70 ff.

hundeschnäuzig adj rücksichtslos, mitleidslos. ↗ Hundeschnauze 4. 1920 ff.

Hundeseele f würdelos ergebener Mensch. Hergenommen vom Kriechen des „feigen" oder „schuldbewußten" Hundes. 1800 ff.

Hundesohn m Schimpfwort. Seit dem 19. Jh. Vgl engl „son of a bitch".

'hunde'übel ('hunds'übel) adj adv sehr elend. 1600 ff.

Hundevieh (Hundsvieh, -viech) n 1. Hund (abf). Seit dem 19. Jh.

2. kriecherischer Mensch. Vgl ↗ Hundeseele. Seit dem 19. Jh.

Hundewache (Hundswache) f Wache von 12 Uhr Mitternacht bis 4 Uhr morgens. In dieser besten Schlafenszeit bewacht auf dem Lande der Hund das Haus. *Marinespr* seit dem 19. Jh.

Hündi *m* Hundertmarkschein. *Halbw* 1978 *ff.*

'Hunds'arbeit *f* ↗ Hundearbeit.

'hunds'blöde *adj* sehr einfältig. *Bayr* 1900 *ff.*

Hundsdreck *m* 1. große Unannehmlichkeit. 19. Jh.
2. das geht ihn einen ~ an = das geht ihn nichts an. Vergröberung von ↗ Dreck 19. Jh. 1900 *ff.*

'hunds'dumm *adj* sehr dumm. 19. Jh, *oberd.*

'hunds'elend *adj adv* ↗ hundeelend.

'hunds'erbärmlich *adj adv* unerträglich schlecht. 1900 *ff.*

Hundsfott *m* niederträchtiger Mann; Feigling; Betrüger. Hergenommen von der Bezeichnung für die Vulva der Hündin, auf die läufige Hündin selbst übergegangen wegen ihrer Schamlosigkeit. Seit dem 16. Jh übertragen auf den ehrlosen Mann.

'hundsge'mein *adj* 1. sehr niederträchtig. Bezieht sich auf das unter ↗ Hundsfott Gesagte. 19. Jh.
2. scheußlich, widerlich; unerträglich stark. 1900 *ff.*
3. *adv* überaus (vor negativen Adjektiven). 1970 *ff.*

'Hunds'hitze *f* ↗ Hundehitze.

'hunds'jung *adj* sehr jung. 1600 *ff, oberd.*

Hundskerl *m* ↗ Hundekerl.

Hundsknochen *m* Schimpfwort. ↗ Knochen. Seit dem 19. Jh.

Hundsköter *m* nicht rassereiner Hund; Hund *(abf.).* ↗ Köter. Pleonastische Verdoppelung verstärkt den Ausdruck der Geringschätzung. 1930 *ff.*

Hundskrüppel *m* derbes Schimpfwort. ↗ Krüppel. *Bayr* 1900 *ff.*

'Hunds'leben *n* ↗ Hundeleben.

'hunds'mäßig *adj adv* ↗ hundemäßig.

'hundsmise'rabel *adj* überaus schlecht; sehr elend. 1800 *ff.*

'hunds'müde *adj* ↗ hundemüde.

Hundsteufel *m* niederträchtiger Mann. *Bayr* 1900 *ff.*

'hunds'übel *adj* ↗ hundeübel.

Hundsvieh (-viech) *n* ↗ Hundevieh.

Hundswache *f* ↗ Hundewache.

Hundswurf *m* Würfelergebnis, bei dem jeder Würfel ein Auge zeigt. ↗ Hund 1. 1800 *ff.*

Hünengrab *n* technisches ~ = Aufbewahrungsplatz für schrottreife Autos. Modernisierung des steinbedeckten urzeitlichen Grabs, in dem man Hünen beigesetzt glaubt. 1950 *ff, jug.*

Hunger *m* 1. ~ bis unter beide Arme = heftiges Hungergefühl. „Bis unter beide Arme" beschreibt grotesk den Umfang des leeren Magens. Der Ausdruck sollte ursprünglich das Fremdwort „Appetit" verdrängen und war anfangs ernsthaft aufgefaßt. 1914 *ff.*
2. ~ bis in den dicken Zeh = sehr großer Hunger. 1920 *ff.*
3. brüllender ~ = heftiger Hunger. „Brüllen" verstärkt hier das Magenknurren. 1920 *ff.*
4. guten ~! = guten Appetit! Gemeint ist: „Ich wünsche einen guten Hunger; der Appetit wird schon von selber kommen." 1870 *ff.*

5. ~ haben wie drei (für drei; für zehn) = sehr hungrig sein. 1900 *ff.*
6. unmenschlichen ~ haben = heftigen Hunger haben. „Unmenschlich" meint „wie ein Raubtier". 1930 *ff.*
7. ich habe so(lchen) ~, daß ich vor lauter Durst nicht weiß, wo ich heute nacht schlafen soll, so friert's mich in den Beinen! Redewendung eines Durstigen. Berlin 1900 *ff.*
8. der Schuh (Stiefel o. ä.) hat ~ (ist hungrig) = der Schuh ist im Zehenteil entzwei. Er „macht das Maul auf". 1850 *ff.*
9. vor ~ nicht kacken (scheißen) können = aus Armut hungern. 1700 *ff.*
9 a. ihm guckt der H. aus allen Knopflöchern raus = er ist sehr hungrig. 1939 *ff.*
10. vor ~ nicht gradeaus sehen können = Hunger leiden. 1900 *ff.*
11. ~ ist schlimmer als Heimweh: Lebensweisheit eines Hungerleiders. Nach dem Motto und „↗ Durst ist schlimmer als Heimweh". *Sold* 1939 *ff.*

Hungerharke *f* Luftbrücken-Denkmal in Berlin- Tempelhof. Formähnlich mit der von Zugtieren gezogenen großen Harke (= Rechen), mit der auf dem abgeernteten Kornfeld das liegengebliebene Getreide zusammengekehrt wird. Das Denkmal gemahnt an die Versorgung West-Berlins mit allen lebenswichtigen Gütern durch die Luft während der sowjetischen Landblockade 1948/49. 1951 *ff.*

Hungerlampe *f* beleuchtetes „Frei"-Schild am Taxi. Hamburg 1968 *ff.*

hungern *v* jn ~ lassen = jds Fragen unbeantwortet lassen. Anspielung auf den „Wissenshunger". 1950 *ff.*

Hungerpfoten *pl* ~ saugen (an den ~ saugen) = hungern, darben. Hängt mit der volkstümlichen Meinung zusammen, daß der Bär im Winter seine Nahrung aus den Tatzen saugt. Seit dem 16. Jh.

Hungerrolle *f* Bühnenrolle, die angesichts der Hauptrolle nicht (oder nur wenig) zur Geltung kommt. 1950 (?) *ff.*

Hungertuch *n* am ~ nagen = in Armut leben; Hunger leiden. Das Hungertuch wurde während der Fastenzeit in der Kirche vor dem Altar niedergelassen und sollte die Bußgesinnung steigern. Das Fasten war früher ernstlich ein Hungern. Die Wendung läßt sich ursprünglich „am Hungertuch nähen". Daß aus dem Nähen ein Nagen wurde, hängt wohl zusammen mit der Metapher vom nagenden Kummer, vom nagenden Hunger u. ä. 1500 *ff.*

Hunne *m* rücksichtsloser, grober Mann. Von den geschichtlichen westlichen Hunnen ist im Volk nur die Vorstellung von ungesitteten, rohen und gewalttätigen Leuten erhalten geblieben, wahrscheinlich durch das Auftreten der Hunnen in der Nibelungensage. Deutschlands Weltkriegsgegner gebrauchten dasselbe Schlagwort, um (dem Feindbild entsprechend) Gefühlsrohheit und Gewalttätigkeit deutscher Soldaten zu kennzeichnen. 1914 *ff.*

Hunni (Hunnie) *m* Hundertmarkschein. ↗ Hündi. *Halbw* 1978 *ff.*

hunzen *v* 1. *tr* = jn ausschimpfen, quälen, übel behandeln. Wäre eigentlich „hundsen" zu schreiben, wenn gemeint ist, daß man jn einen Hund nennt oder ihn wie einen Hund behandelt. 1700 *ff.*
2. *intr* = unsorgfältig arbeiten. *Sold* in beiden Weltkriegen.

hupen *intr* einen Darmwind hörbar entweichen lassen. 1900 *ff.*

'Hupenla'mento *n* anhaltendes Hupen vieler Kraftfahrzeuge. ↗ Lamento. 1955 *ff.*

Hupf *m* 1. Koitus. ↗ hupfen, hüpfen. 1950 *ff.*
2. kurze Wegstrecke. Sie ist nur ein Sprung (↗ Katzensprung). 1950 *ff.*

Hüpfboden *m* Turnhalle in Mädchenschulen. Hüpfen = tanzen, springen. 1930 *ff.*

Hupfdohle *f* 1. Tänzerin; Ballett-Tänzerin; Tänzer. Hergenommen von der hüpfend sich bewegenden Dohle. 1920 *ff.*
2. Striptease-Vorführerin. 1955 *ff.*

hupfen (hüpfen) *v* 1. *intr* = tanzen. *Oberd* 16. Jh.
2. mit jm ~ = koitieren. ↗ bespringen. 1900 *ff.*
3. *intr* = Geld stehlen, diebisch beschaffen. Versteht sich vom Gegensatz her: „untätig im Zimmer sitzen". Verbrecherspr. 1950 *ff.*

Hupfer (Hüpfer) *m* 1. Koitus. ↗ hupfen 2.
2. Versager. Erweitert aus der Bedeutung „Hinkender". 1925 *ff.*
3. schlechter Schauspieler. 1925 *ff,* theaterspr.
4. Kleinauto. *Halbw* 1960 *ff.*
5. Tänzer. 1950 *ff.*
6. Mädchen. Gemeint ist entweder eines mit tänzelnder Gangart oder eines, das von Freund zu Freund hüpft oder mit jedem „hüpft" (↗ hupfen 2). *Vgl* auch ↗ Grashüpfer 1 und 2. 1960 *ff.*
7. kurze Flugreise. 1960 *ff.*
8. Hochsprung. Verniedlichung. 1960 *ff.*
9. ~ zur Seite = Ehebruch. Analog zu „Seitensprung". 1950 *ff.*
10. junger ~ = Neuling; unerfahrener, vorlauter junger Mensch; Rekrut; frontunerfahrener Soldat. Er gilt als junger Hase, als junges „Vögelchen o. ä. *Vgl* auch ↗ Grashüpfer 4 und 6. 1935 *ff.*
11. kleiner ~ = a) gelegentliche, nicht schwerwiegende Ausschweifung. 1950 *ff.* – b) kurzer Wirtshausbesuch. Wien 1950 *ff.*

Hupferl *n* 1. Liebchen; Prostituierte. ↗ hupfen 2. 1900 *ff.*
2. ein ~ machen = koitieren. 1900 *ff, südd.*

Hupferlreise *f* Hochzeitsurlaub. ↗ hupfen 2. *Südd* 1950 *ff.*

Hupferter *m* Sekt. Wegen der aufsteigenden Kohlensäurebläschen. *Bayr* 1950 *ff.*

Hüpflinie *f* Flugverkehrsstrecke mit vielen Zwischenlandungen. Man „hüpft" von Stadt zu Stadt. Lufthansa 1920 *ff.*

Hupftöle (Hüpftöle) *f* Tanzmädchen, Ballett- Tänzerin. Entstellt aus ↗ Hupfdohle. „Töle" meint eigentlich den Hund. 1900 *ff.*

'Hup'heini *m* laut, anhaltend hupender Kraftfahrer; mit seinem Motorrad oder Moped lärmender Halbwüchsiger. ↗ Heini 1. 1950 *ff.*

Hupkonzert *n* anhaltendes Hupen vieler Kraftfahrer. 1950 *ff.*

Hupmädchen *n* motorisierte Prostituierte, die durch Hupen oder Blinken mit den Scheinwerfern die Aufmerksamkeit der vorübergehenden Männer auf sich zu lenken sucht. 1960 *ff.*

Huppdohle *f* Tanzmädchen, Tänzerin *(abf).* ↗ Hupfdohle. Spätestens seit 1920, theaterspr.

Huppdolle *f* Tanzmädchen. „Doll" meint

wohl soviel wie „gliederverrenkend" und „stürmisch". Berlin 1920 ff.

Hürde f **1.** etw über die ~ bringen (die ~ nehmen) = etw meistern. Vom Pferdesport hergenommen. 1930 ff.
2. wirf dein Herz über die ~. ↗Herz 49.

Hurenbeutel m **1.** geiler Mann. ↗Beutel 1. 1900 ff.
2. Zuhälter. 1900 ff.

Hurenbock m **1.** geiler Mann. ↗Bock 22. 1800 ff.
2. Zuhälter. Seit dem 19. Jh.

Hurengelumpe n Minderwertigkeit; wertloses Zeug; widerliche Sache. ↗Gelumpe. 19. Jh.

Hurenhengst m geiler Mann. ↗Hengst 1. 1600 ff.

Hurenjäger m Prostituiertenkunde; geiler Mann. Berlin 1850 ff.

Hurenkaffee m Mokkalikör mit Kirschwasser. Bayr 1950 ff.

Hurenkerl m Hurer. Seit dem 19. Jh.

Hurenmensch n Hure. ↗Mensch II. Südd seit dem 18. Jh.

Hurenseich m **1.** Lügen, Unwahrheiten. ↗Seich. Schweiz 1972 ff.
2. Prahlerei. Schweiz 1972 ff.

Hurensohn m Schimpfwort. Übersetzt aus engl „son of a bitch". Seit dem 15. Jh.

Hurentorkel m sehr großer Glücksfall. ↗Torkel. Das Glück soll sich einstellen, wenn einem am Morgen als erste Person eine Prostituierte begegnet. 1920 ff.

Hurentreiber m Zuhälter. 1900 ff.

hur'ra interj **1.** ~ die Enten!: Ausruf der Genugtuung über ein Ereignis, das man lange und mit Spannung erwartet hat. Stammt aus der Jägersprache und bezieht sich auf die Niederungsgebiete, in denen die Jagd auf Wildenten eine große Rolle spielt; das Einfallen der Vögel wird alljährlich mit großer Freude begrüßt. 1850 ff.
2. ~ die Gemsel: Ausruf der Freude. Österr 1930 ff.
3. im (mit) ~ (in einem ~) = schnellstens, hastig, unordentlich. „Hurra" ist Befehlsform des mhd Verbs „hurren = sich schnell bewegen". Mit „Hurra!" stürmen die Soldaten auf die feindlichen Linien zu. 1870 ff.
4. nicht viel ~ machen = schweigsam, bescheiden sein. 1900 ff.
5. am den verkehrten (falschen) Bein (Fuß) ~ schreien. ↗Bein 112.
6. beim ~ sein = Soldat sein. 1935 ff.

Hur'ra-Allee f Straße, durch die ein Staatsmann fährt. Meinte im späten 19. Jh die Siegesallee in Berlin. 1910 ff.

Hur'ra-Europäer m Politiker, der für ein geeintes Europa eintritt. 1970 ff.

Hur'ra-Hut m Stahlhelm. ↗hurra 6; ↗Hut 1. Sold 1917 bis heute.

Hur'ra-Patriot m Mensch, der seine Vaterlandsliebe übertrieben und oft unangebracht laut äußert. Seit dem späten 19. Jh.

Hur'ra-Tüte f Helm, Stahlhelm; Helm des Polizeibeamten. „Tüte" spielt an auf die eine Spitze auslaufende Helmform früherer Zeiten. 1870 bis heute.

Husar m **1.** Draufgänger; Mann. Meint eigentlich den Angehörigen der schnellen, leichten Truppen bei der Kavallerie. Die Husaren galten als mutig und verwegen, auch als handfest, grob und derb. Auch hielt man sie für stürmische Liebhaber. 19. Jh.
2. Wagestück im Kartenspiel. ↗Husarenstück. 1750 ff.

3. ~en zur See = Schnellbootfahrer. Sie „reiten" auf den Wogen. Marinespr 1914 bis heute.
4. brauner ~ = Floh. 1870 ff, sold und ziv.
5. roter ~ = Wanze. Sold in beiden Weltkriegen.
6. schwarzer ~ = Angehöriger der Panzerwaffe. Das Uniformtuch war schwarz. 1939 ff.
7. ~en reiten wie der Wind = durch Einstechen mit guten Trümpfen erreicht man schnell die zum Gewinnen erforderliche Punktzahl. Beim Militär hieß es: „Husaren reiten wie der Wind, – wenn sie erst aufgesessen sind." Kartenspielerspr. 19. Jh.
8. ~en reiten wie der Wind, wenn welche hinter ihnen sind: das Trumpfen in Mittelhand nutzt wenig, wenn der nächste Spieler eine höhere Trumpfkarte hat. Kartenspielerspr. 19. Jh.

Husarenritt m **1.** mutiger, tatkräftiger Vorstoß gegen Mißstände; keckes Wagestück. ↗Husar 1. 1850 ff.
2. Querfeldeinfahrt mit dem Auto. 1960 ff.
3. unvorsichtiges Vorgehen. 1920 ff.
4. im ~ = eiligst. 1900 ff.

Husarenstück n verwegene Tat; Verwegenheit. ↗Husar 1; ↗Stück 4. Seit dem 19. Jh.

husch (husch-husch) adv schnell; oberflächlich; schnell und leise. Befehlsform zu „huschen = sich leise, flink bewegen". 1800 ff.

Husch m **1.** plötzliche Ohrfeige. Eigentlich die flinke Bewegung. 1800 ff.
2. auf einen ~ = für kurze Zeit. Seit dem 19. Jh.
3. in einem ~ = im Nu; sehr rasch. 19. Jh.
4. einen ~ haben = geistesgestört sein. Vom Schlag gegen den Kopf ist eine Geistestrübung zurückgeblieben. 1900 ff.

Husche f **1.** Regen-, Schneeschauer; Platzregen. Huschen = schnell dahingleiten. Seit dem 15. Jh, ostmitteld.
2. kurzer feindlicher Feuerüberfall. Sold in beiden Weltkriegen.
3. Ohrfeige. Oberd 1500 ff.

huscheln intr ungenau, unsorgfältig arbeiten. Gehört zu „huschen" in der Bedeutung „schnell sich bewegen". 18. Jh.

huschig adj leicht geistesgestört. ↗Husch 4. 1900 ff.

husig adj ausgezeichnet, schnell, lebhaft. Geht zurück auf mhd „hiuze = munter". Bayr und österr, spätestens seit 1800.

Hustekuchen interj Ausdruck der Ablehnung. Vielleicht ist gemeint „ich muß auf Kuchen = ich gebe nichts um Kuchen". Vgl ↗Pustekuchen. Seit dem 19. Jh.

Husten m **1.** Entweichen von Darmwinden. Euphemismus. 1900 ff.
2. Durchfall. Seit dem 19. Jh.
3. bröckliger ~ = Erbrechen (nach Alkoholgenuß). 1930 ff, stud.
4. schlechter ~ = laut abgehender Darmwind. Meint eigentlich den Keuchhusten, den Husten der Lungenkranken o. ä. 1900 ff.
5. sich gegenseitig den ~ aus den Lungenflügeln klopfen = einander stürmisch (und sich den Rücken klopfend) umarmen. 1963 ff.

husten v **1.** intr = Darmwinde laut entweichen lassen. 1800 ff.

2. intr = schießen. Sold in beiden Weltkriegen und BSD.
3. intr = ein Geständnis ablegen. Sachverwandt mit gleichbed „↗auskotzen", „↗ausspucken" o. ä. Österr 1920 ff.
4. auf (in) etw ~ = auf etw keinen Wert legen; etw als minderwertig zurückweisen. Analog zu „auf etw flöten", „pfeifen", „scheißen", – alles sinnbildliche Handlungen der Geringschätzung. Seit dem 17. Jh.
5. jm etw ~ = jm etw derb verweigern. 1700 ff.
6. jm etw ~ = jm die Meinung sagen; jm Vorhaltungen machen. 1900 ff.
7. sich was (eins) ~ = etw unterlassen, ablehnen. Seit dem 19. Jh.
8. du hast schon mal besser gehustet!: iron Bemerkung zu einem Hustenden. 1900 ff.

Hut m **1.** Helm, Stahlhelm. Sold 1870 bis heute.
2. Zielscheibe. Gemeint ist die figürliche Zielscheibe, die nur einen Kopf zeigt. BSD 1965 ff.
3. ~ mit Grünkramkeller = Damenkopfbedeckung mit blumenähnlichen Gebilden. Der „Grünkramkeller" ist eigentlich der Kellerraum zur Einlagerung von Obst und Gemüse. 1920 ff.
4. alter ~ = a) altbekannte Tatsache; Langgewohntes; alter Witz; Bekanntes als Neuigkeit vorgebracht. 1870 ff. – b) völlige Wertlosigkeit. 1920 ff. – c) gealterter, nicht mehr hochleistungsfähiger Sportler. Sportl 1950 ff.
5. alter ~ mit alter Krempe = ganz alte Tatsache. 1972 ff, politikerspr.
6. bügelfreier ~ = Stahlhelm. ↗Bügelfreier. BSD 1965 ff.
7. eiserner ~ = Stahlhelm. ↗Eisenhut. BSD 1965 ff.
8. ein ganzer ~ voll = sehr viel; sehr viele. 19. Jh.
9. harter ~ = a) Stahlhelm. Sold 1939 bis heute. – b) Schutzhelm. 1950 ff.
10. knitterfreier ~ = Stahlhelm. ↗Knitterfreier. BSD 1965 ff.
11. steifer ~ = Stahlhelm. Eigentlich der Halbzylinderhut (↗Melone). BSD 1965 ff.
12. wasserdichter ~ = Stahlhelm. Sold 1935 ff.
13. aus dem ~ = ohne langes Überlegen; aus dem Stegreif. Hergenommen vom „Zauberer", der ein Kaninchen o. ä. aus dem Hut „zaubert", vom Redner, der seinen Notizzettel im Hut (unterm Hutband) versteckt hat. 1900 ff.
14. das geht ihn einen alten ~ an = das geht ihn nichts an. ↗Hut 4 b. 1920 ff.
15. er kann beim Haareschneiden den ~ aufbehalten = er hat eine Vollglatze. 1930 ff.
15 a. ich esse meinen ~ auf, wenn . . .: Ausdruck der Beteuerung. Aus engl „I'll eat my hat if . . ." übersetzt. 1945 ff.
16. einen ~ aufhaben = betrunken sein. Gemeint ist wohl, daß es dem Betreffenden auf den Hut geregnet hat. Der Filzhut, der sich voll Nässe saugt, steht stellvertretend für den „schweren Kopf". 1965 ff.
17. einen feuchten (nassen) ~ aufhaben = nicht recht bei Verstand sein. Versteht sich nach dem Vorhergehenden im Sinn, daß Bezechte sich wie närrisch gebärden. 1950 ff, halbw.

18. jm einen falschen ~ aufsetzen = jm Unwahres einreden. 1920 *ff.*
19. das kannst du einem erzählen, der seinen ~ mit der Gabel aufsetzt = das kannst du einem Dummen erzählen, aber nicht mir. 1935 *ff.*
20. Leute unter einen ~ bringen = Charaktere verschiedenster Art zu erträglicher Zusammenarbeit führen; verschiedenartige Auffassungen vereinigen. Hergenommen von der einheitlichen Kopfbedeckung für eine Gruppe Gleichgesinnter oder *(milit)* Gleichverpflichteter. Seit dem 19. Jh.
21. ihn drückt der ~ = er hat Sorgen. Der enge Hut verursacht Kopfschmerzen. 1900 *ff.*
22. jm den ~ eintreiben = jm auf den Hut schlagen. „Eintreiben" bezieht sich ursprünglich nur auf die steifen Hüte (Zylinderhut u. ä.). 19. Jh.
23. jm eins auf den ~ geben = a) jm einen Schlag auf den Kopf versetzen. 1900 *ff.* – b) jn beschimpfen. *Sold* 1939 *ff.* – c) jm einen heftigen Verweis erteilen. Beruht auf der volkstümlichen Gleichsetzung von Prügeln und Tadeln. 1900 *ff.*
24. einen unter dem ~ haben = a) von Sinnen sein; schwachsinnig sein. „Unter dem Hut" meint „im Kopf"; hinter „einen" ergänze ⁊*Vogel* o. ä. 1900 *ff.* – b) bezecht sein. Man hat den Rausch im Kopf. 1900 *ff.*
25. damit habe ich nichts am ~ = das interessiert mich nicht; dafür bin ich nicht zuständig/verantwortlich. Versteht sich nach „sich etw an den ⁊Hut stecken". 1950 *ff.*
26. eine Rede aus dem ~ halten = die vorbereitete Rede verstohlen ablesen. Der Manuskriptzettel steckt im Hut(band). *Vgl* ⁊Hut 13. 1850 *ff.*
26 a. jm auf den ~ hauen = jn heftig rügen. ⁊*Deckel* 7. 1900 *ff.*
27. für jn den ~ hinhalten = für jn Zuschüsse erwirken. Vom Bettler übernommen. 1950 *ff.*
28. mir geht der ~ hoch (es jagt mir den ~ hoch) = ich werde wütend, brause auf. Der Hut geht hoch, wenn sich die Haare sträuben. 1920 *ff.*
29. etw aus dem ~ holen = zu einer Lüge seine Zuflucht nehmen; eine Lüge ersinnen. Vom Zauberkünstler übernommen, der die unglaublichsten Dinge aus seinem Hut holt. 1900 *ff.*
30. jm auf den ~ kommen = jn zur Verantwortung ziehen. Analog zu „jm auf den ⁊Kopf kommen". 1920 *ff.*
31. unter 'einen ~ kommen = sich zu derselben Einstellung bekennen; sich einigen. ⁊Hut 20. 1850 *ff.* ·
32. einen auf den ~ kriegen = auf den Kopf geschlagen werden; einen kräftigen Verweis erhalten. *Vgl* ⁊Hut 23. Seit dem späten 19. Jh.
33. eins auf den ~ kriegen = einen empfindlichen Schaden davontragen. *Vgl* ⁊Hut 23. 1900 *ff.*
34. viel auf den ~ kriegen = unter heftigen Beschuß geraten. *Vgl* ⁊Hut 23 b. *Sold* 1939 *ff.*
35. eine Rede aus dem ~ lesen = eine Rede mit Hilfe des Stichwortzettels halten. ⁊Hut 26. 1850 *ff.*
36. etw aus dem ~ machen = etw improvisieren. Nach Zauberkünstlerart. ⁊Hut 13. 1920 *ff.*

37. einen durch den ~ machen = ausschweifend leben; sich in feuchtfröhlichen Kreisen bewegen. Hergenommen vom „Landesvater" bei farbentragenden Studentenverbindungen: es ist ein studentischer Festbrauch, die Studentenmützen auf den Degen (o. ä.) zu spießen. 1950 *ff.*
38. den ~ nehmen = a) davongehen. 1900 *ff.* – b) seinen Rücktritt erklären; um seinen Abschied einkommen; sich als entlassen betrachten. 1900 *ff.*
39. mir paßt kein ~ mehr = ich bin sehr verärgert, bin wütend. Die Zornesadern an der Schläfe sind geschwollen. 1950 *ff.*
40. ihm paßt vor lauter Schlauheit der ~ nicht mehr = er trägt einen zu kleinen Hut. Seine Schläue, Erfahren- oder Klugheit ist ihm wohl „zu Kopf gestiegen" und hat dessen Umfang erweitert. 1920 *ff.*
41. aus dem ~ quatschen = eine improvisierte Rede halten. ⁊Hut 36. 1920 *ff.*
42. steig' mir den ~ rauf: Ausruf der Abweisung. Etwa soviel wie „blas' mir auf den Kopf". 1950 *ff.*
43. den ~ in den Nacken rücken = unternehmungslustig sein. 1920 *ff.*
44. siehst du den ~ dort auf der Stange?: Frage angesichts eines hochgewachsenen, hageren Menschen. Gemeint ist der aus Schillers „Wilhelm Tell" bekannte Geßlerhut, dem seine Achtung zu zollen hatte; „⁊Stange" steht für den Großwüchsigen (⁊Bohnenstange). 1900 *ff.*
45. unter dem ~ nicht gesund sein = verrückt sein. *Vgl* ⁊Hut 24. 1500 *ff.*
46. kurz unter dem ~ sein = einfältig, dumm sein. Ein niedriger Schädel gilt als Kennzeichen von Geistesbeschränktheit. Seit dem 19. Jh.
47. nicht richtig unterm ~ sein = nicht bei Sinnen sein. ⁊Hut 45. 1800 *ff.*
48. er ist wie sein ~, kleiner Kopf und großer Rand: Redewendung auf einen geistlosen Schwätzer. ⁊Rand. 1940 *ff.*
49. aus dem ~ singen = ein Lied improvisieren. ⁊Hut 36. 1920 *ff.*
50. der ~ sitzt auf Krakeel (Krawall) = der Hut ist ins Genick geschoben. Dies empfiehlt sich vor Handgreiflichkeiten, damit der Hut nicht über die Augen rutscht. ⁊Krakeel; ⁊Krawall. *Vgl* auch ⁊Hut 43. seit dem frühen 19. Jh.
51. der ~ sitzt von links nach lustig = der Hut sitzt schräg. Entstanden offenbar aus Lust am Stabreim. 1910 *ff.*
52. aus dem ~ ~ spielen = vom Blatt spielen; musikalisch improvisieren. ⁊Hut 36. 1910/20 *ff.*
53. aus dem ~ sprechen = a) auf der Bühne improvisieren. ⁊Hut 36. Theaterspr. 1920 *ff.* – b) eine improvisierte Rede halten. Seit dem 19. Jh.
54. das kannst du dir an (auf) den ~ stecken = das mußt du aufgeben; das ist für dich wertlos. Leitet sich her von der Sitte der bei der Musterung angenommenen jungen Leute, Papierblumen o. ä. an den Hut zu stecken, oder von dem Geistesschwachen, der seinen Hut rundum mit Federn, Gräsern und wertlosem Tand besteckt. 1870 *ff.*
55. der ~ steht auf halb acht = a) der Hut sitzt schief. Übernommen von der Uhrzeigersprache. 1920 *ff.* – b) er ist bezecht. 1920 *ff.*
56. der ~ steht auf halb dreizehn (halb

zwölf; halb elf) = der Hut sitzt schief. 1920 *ff.*
57. der ~ steht schief = man macht sich Sorgen. Als Gebärde ernster Überlegung infolge von Schwierigkeiten kratzt man sich über oder hinter dem Ohr und verschiebt dadurch den Sitz des Hutes. 1950 *ff.*
58. der ~ steht auf Sturm = der Hut ist schief aufgesetzt; man wird streitlüstern. *Vgl* ⁊Hut 43 und 50. Starker Wind wie auch der erregte Griff zur Krempe verrücken den Sitz des Hutes. 1920 *ff.*
59. der ~ steht auf Windstärke 12 = der Hut sitzt schief. Steigerung des Vorhergehenden. 1920 *ff.*
60. damit kannst du mir den ~ steigen!: Ausdruck der Ablehnung. *Vgl* ⁊Hut 42. 1950 *ff*, bayr.
61. vor jm den ~ ziehen = vor jm Achtung haben. Die Gebärde ist hier bildlich gemeint. 1800 *ff.*
Hutgedicht *n* wunderschöner Damenhut. ⁊Gedicht. 1900 *ff.*
Hutnummer *f* 1. Kaliber. Die Bezeichnung meint eigentlich „Hutweite = Kopfumfang". 1900 *ff*, *sold.*
2. das ist meine ~ = das sagt mir zu. Es paßt. 1920 *ff.*
Hutsche (Hutschn) *f* 1. Wiege. ⁊hutschen 2. *Bayr* und *österr*, seit dem 19. Jh.
2. Schaukel. *Bayr* und *österr* seit dem 19. Jh.
3. Bett. *Österr* seit dem 19. Jh.
4. Fußbank. Seit dem 19. Jh.
5. Kleinauto, Kabinenroller. 1955 *ff.*
hutschen *v* 1. *intr refl* = davongehen. Eigentlich soviel wie „schlurfend gehen" und weiterentwickelt zur Bedeutung „schleichen"; *vgl* „sich ⁊schleichen". *Österr* 19. Jh.
2. *tr* = jn schaukeln. Etwa soviel wie „über etw hinstreichen, hingleiten". Seit dem 19. Jh.
3. *intr* = rodeln. *Mitteld* 19. Jh.
Hutschnur *f* 1. das geht über die ~ = das ist zu arg, ist unerträglich. Wohl herzuleiten von der „Schnur" (= Grenze) einer „Hütung" (= Weide); eigentlich die Grenzverletzung. 1850 *ff.*
2. das geht über die ~ = das übersteigt seine Auffassungsgabe. Hutschnur wird hier fälschlich als eine Art Begrenzung des geistigen Horizonts aufgefaßt. 1955 *ff.*
Hutsimpel *m* einfältiger Mensch; Müßiggänger; *iron* Anrede. „Hut" meint hier die Hut, nämlich die Bewachung der Stadt; zu ihr waren die Bürger verpflichtet; aber man konnte auch Vertreter stellen. ⁊Simpel. Seit dem 19. Jh.
Hütte *f* 1. Wohnung, Heim, eigenes Zimmer. Stammt wohl aus der Dichtersprache zur Kennzeichnung einer traulichen Wohnung oder aus der Bedeutung „kleine, ärmliche Wohnung". 19. Jh; heute vorwiegend *halbw.*
2. Schulgebäude. *Schül* 1950 *ff.*
3. Kaserne, Kasernenstube. *Sold* 1935 bis heute.
3 a. Zelle in der Haftanstalt. Häftlingsspr., Berlin 1970 *ff.*
3 b. Klublokal o. ä. *Halbw* 1960 *ff.*
4. Fußballtor. Der Torwart gemahnt an den Wachhund in seiner Hütte. *Sportl* 1950 *ff.*
5. alte ~ (alte Hüttn) = gemütliche Anrede. Keine Wertminderung, sondern Analo-

gie zu „altes ↗ Haus". *Bayr* seit dem ausgehenden 19. Jh.

6. flotte ~ = Prunkvilla; Hochhaus, das hohe Ansprüche befriedigt. Flott = anziehend, eindrucksvoll; aber auch soviel wie „wo sich leicht leben läßt". *Halbw* 1955 *ff.*

7. ~n bauen = sich behaglich niederlassen; nicht den rechten Zeitpunkt zum Weggehen finden. Beruht auf Matthäus 17, 4 und meint eigentlich das Errichten von Hütten zum Daueraufenthalt. Seit dem 19. Jh.

Hüttenzauber *m* **1.** gesellige Unterhaltung in einer Berghütte. 1935 *ff.*

2. fauler ~ = unzünftiges Treiben in einer Berghütte. ↗ faul 1. 1976 *ff.*

Hutzel *f* **1.** kümmerliches Wesen. 19. Jh. *Vgl* das Folgende.

2. alte ~ = alte weibliche Person. Bezeichnet eigentlich die getrocknete Birne; von da übertragen auf runzlige Personen. Seit dem 18. Jh.

3. gute ~ = gutmütige weibliche Person. 19. Jh.

hutzelig *adj* eingeschrumpft, faltig, dürr. 19. Jh.

hutzen *intr* hasten. Fußt auf *mhd* „hurten = beim Turnier stoßend losrennen", verquickt mit „hurzen = anprallen, hetzen". *Bayr* seit dem 19. Jh.

Hydrant *m* den ~en aufdrehen = harnen. Hydrant = Wasserzapfstelle. 1940 *ff.*

hydraulisch *adj* betrügerisch verdünnt (auf Getränke bezogen). Meint eigentlich „mit Wasserkraft betrieben". 1940 *ff.*

hyper *adj* unübertrefflich; völlig neu. Aus dem *Griech.* Analog zu ↗ super. *Halbw* 1950 *ff.*

hypergut *adj* unübertrefflich. *Jug* 1965 *ff.*

hyperphänomenal *adj* unüberbietbar. *Schül* 1965 *ff.*

'hyperpro'fil *adj* außerordentlich. Eine Sache hat Profil, wenn sie sehr eindrucksvoll ist. *Jug* 1950 *ff.*

hypo *adj* hochmodern, unübertrefflich. Mißverstanden aus ↗ hyper. *Halbw* 1960 *ff.*

I

i. d. H. Rat an Dickleibige. Abgekürzt aus „iß die Hälfte!". Für 1932 als „der modernste Schlachtruf" bezeugt.

i. d. P. wegen Wertlosigkeit vernichten! Abgekürzt aus „in den Papierkorb!". Nach dem Muster der Abverfügung „z. d. A. = zu den Akten". 1930 *ff*.

I. G. 1. eine I. G. bilden = voneinander abschreiben. Man bildet eine „⁊ Interessengemeinschaft". 1930 *ff*, *schül*.
2. bei der I. G. sein = Arbeitslosenunterstützung beziehen. „I. G." ist scherzhafte Abkürzung von „i geh (stempeln)". 1920 *ff*.

'Ia *m* **1.** Esel. Entstanden aus der Wiedergabe der Stimme des Esels. Kinderspr., 19. Jh.
2. dummer Mensch. Analog zu ⁊ Esel 1. 19. Jh.
3. Gebirgsjäger. Anspielung auf den Maulesel. *BSD* 1965 *ff*.
4. Salamiwurst. Ursprünglich wurde sie aus Eselsfleisch hergestellt. *BSD* 1965 *ff*.

I-Beine *pl* geradegewachsene Beine. Sie sind ungekrümmt wie der Druckbuchstabe I. 1970 *ff*.

Ibiche *pl* die ~ des Kranikus = die Kraniche des Ibykus. Scherzhafte Verdrehung des Titels von Schillers Ballade. Seit dem späten 19. Jh, *schül*.

Ibidum *n* Name eines scherzhaft erfundenen Medikaments, um das man Kinder in die Apotheke schickt. Im *Oberd* um 1900 gebildet aus „ich bin dumm".

Ickes *pl* Berliner Ferienkinder. Nach dem berlinischen „icke = ich". 1950 *ff*.

Ida *f* zahnlose ~ = Schimpfwort auf eine weibliche Person. 1940 *ff*.

Idealistenplatz *m* Theater- oder Kinogalerieplatz. Von den Zuschauern auf den anderen Plätzen nimmt man an, sie seien geltungssüchtig und wollten gesehen werden, während die wirklichen Kenner auf der Galerie zu suchen seien. 1964 *ff*.

Idealkonkurrenz *f* Bewerbung mehrerer Männer um dieselbe weibliche Person. Meint in der Juristensprache die Verletzung mehrerer Gesetze durch ein und dieselbe Handlung. 1920 *ff*.

Idee *f* **1.** eine ~ = eine Kleinigkeit; eine Prise; ein bißchen. Analog zu „eine Ahnung" in dem Satz „dieses Blau spielt eine Ahnung ins Grün". 1850 *ff*.
2. die ~ von einer ~ = überaus wenig. 1920 *ff*, *stud*.
3. ~ von Einstein = guter Einfall; trefflicher Vorschlag. Anspielung auf den Physiker Albert Einstein (1879–1955), Schöpfer der Relativitätstheorie, der Hypothese der Lichtquanten usw. 1960 *ff*.
4. ~ von Schiller = guter Gedanke (auch *iron*). Scherzhaft-burschikose Profanierung des Schillerschen Ideenbegriffs. Im letzten Drittel des 19. Jhs aufgekommen.
5. fixe ~ = festeingewurzelte irrige Vorstellung; verrückter Gedanke; Zwangsvorstellung. Übersetzt aus neu-*lat* „idea fixa". Seit dem späten 18. Jh.
6. gloriose (glorreiche) ~ = ausgezeichneter Einfall (auch *iron*). 1920 *ff*.
7. keine ~! : Ausdruck der Abweisung. Verneinung von ⁊ Idee 1. 1850 *ff*.
8. keine ~ von einer ~! : Ausdruck der

Ablehnung. Verstärkung des Vorhergehenden. 1920 *ff*.
9. zweitbeste ~ des Jahres = törichter Plan. Die erstbeste Idee wird, obwohl vernünftig, nicht erwogen. *Sold* 1939 *ff*.
10. weitaus zweitbeste ~ des Jahres = völlig unsinniger Vorschlag. *Sold* 1939 *ff*.
11. eine ~ weiter raufl: Erwiderung auf einen unsinnigen Vorschlag, auf eine irrige Behauptung. Gemeint ist, der Betreffende solle etwas höher in den Verstand greifen und einen vernünftigeren Vorschlag heraussuchen. 1900 *ff*.
12. krumme ~ = unlauterer Plan. Er weicht von der geraden (einwandfreien) Richtung ab. 1950 *ff*.
13. das ist 'die ~ des Jahrhunderts = das ist der rettende Gedanke (auch *iron*). 1950 *ff*.
14. von etw keine blasse ~ haben = etw nicht kennen, nicht wissen. ⁊ Ahnung 4. 19. Jh.
15. keine ~ von einer Ahnung haben = nicht das mindeste wissen. ⁊ Ahnung 9. Seit dem 19. Jh.
16. haben Sie eine ~! = das können Sie sich überhaupt nicht vorstellen; das ist unwahrscheinlich gut. 1900 *ff*.
17. ~n haben wie ein alter Eimer = wunderliche Gedanken haben. Idee = Einfall. „Einfall" kann sowohl den Geistesblitz als auch den Einsturz meinen. ⁊ Eimer 23. 1920 *ff*.
18. ~n haben wie eine kranke Kuh = seltsame Einfälle haben. *Vgl* „Einfälle wie eine ⁊ Kuh Ausfälle haben". 1920 *ff*.

Ideechen *n* ein ganz klein bißchen. ⁊ Idee 1. 1900 *ff*.

Ideenmann *m* Werbefachmann. 1950 *ff*.

Ideenmarder *m* Wirtschaftsspion, Patentdieb. ⁊ Marder. 1920 *ff*.

Ideenwanze *f* **1.** Mann, der Erfindungen (Konstruktionen o. ä.) aufkauft, sie ausnutzt und mit ihnen ein sehr gewinnbringendes Geschäft macht. Leute seiner Art gelten als Ungeziefer. 1920 *ff*.
2. Wirtschaftsspion. 1920 *ff*.

Idi *m* dummer Mensch. Verkürzt aus „Idiot", aber milder gemeint. 1900 *ff*, *schül*.

Idiot *m* **1.** gänzlich dummer Mensch. Der Gebrauch des Wortes erfüllt den Tatbestand der groben Beleidigung (Bundesarbeitsgericht: 2 AZR 24/66). Undatierbar.
2. Kraftfahrer, der gegen die Straßenverkehrsordnung verstößt und dadurch andere schädigt. Gilt als verkehrsübliche Zornesentladung, meist in Verbindung mit dem leichten Berühren von Stirn oder Schläfe mit dem Zeigefinger. 1920 *ff*.
3. blutiger ~ = völlig Verrückter; sehr dummer Mann. ⁊ blutig. 1920 *ff*.
4. genialer ~ = Computer. Er kann nicht selbständig denken, beherrscht aber die Gesetze der Mathematik. 1960 *ff*.
5. lahmer ~ = Schimpfwort. *BSD* 1955 *ff*.

Idiotenbagger *m* Skilift am Übungshügel; Sessellift. *Vgl* ⁊ Idiotenhügel 2. 1940 *ff*.

Idiotenbox *f* leicht zu bedienender Fotoapparat. „Box" war der Name einer einfachen Kastenkamera. 1955 *ff*.

Idiotenfibel *f* Dienstvorschrift. Fibel = Schulbuch für Anfänger. *BSD* 1965 *ff*.

Idiotenglotze *f* Bildschirm; Fernsehgerät. ⁊ Glotze. 1960 *ff*.

Idiotengruß *m* Berühren von Stirn oder Schläfe mit dem Zeigefinger in Blickrich-

tung auf einen regelwidrig fahrenden Kraftfahrer. ⁊ Idiot 2. 1950 *ff*.

Idiotenhang *m* Übungshang für Skianfänger. *Vgl* ⁊ Idiotenhügel. 1930 *ff*.

Idiotenheini *m* sehr dummer Kerl. ⁊ Heini. 1950 *ff*.

Idiotenhügel *m* **1.** Übungshügel auf dem militärischen Übungsgelände. Die Rekruten gelten als idiotisch. Die Art der Veranstaltung ist gleichbleibend, weswegen selbst der Dümmste sie nach einiger Zeit beherrscht. 1910 *ff*.
2. Ski-Übungshügel. Dem Vorhergehenden nachgebildet. Etwa seit 1920.

Idiotenkamera *f* einfach zu bedienender Fotoapparat. 1955 *ff*.

Idiotenkarten *pl* übergroße Tafeln mit Gedächtnisstützen für Künstler. Fernsehspr. 1960 *ff*.

Idiotenlaterne *f* Fernsehgerät. Dummen beschert es Geisteserhellung. 1958 *ff*.

Idiotenrennbahn *f* Promenierstraße. Dort „rennen" die Narren der Geltungssucht „um die Wette". 1950 *ff*.

Idiotenschach *n* Spiel „Mensch, ärgere dich nicht". 1950 *ff*.

idiotensicher *adj* gegen falsche Behandlung durch Unerfahrene gesichert. Entwickelt aus *angloamerikan* „fool-proof = narrensicher". 1925 *ff*.

Idioten-Skat *m* Rommée. 1950 *ff*.

Idiotentest *m* **1.** Eignungstest. *BSD* 1955 *ff*.
2. Schulaufnahmeprüfung. 1960 *ff*.
3. medizinisch-psychologische Untersuchung von Autofahrern beim Technischen Überwachungsverein. 1977 *ff*.

Idiotenwette *f* Toto-(Lotto-)Wette mit willkürlich gewählten Zahlen. 1950 *ff*.

Idiotenwiese *f* **1.** Übungsgelände, Exerzierplatz, Kasernenhof. ⁊ Idiotenhügel 1. 1910 *ff*.
2. Übungswiese für Skianfänger. ⁊ Idiotenhügel 2. 1920 *ff*.

I-Dotz (I-Dötzchen) *m (n)* Schulanfänger. ⁊ Dotz 2. „I" ist der erste Buchstabe, den der Anfänger zu schreiben lernt. 1900 *ff*, *westd*.

Igel *m* **1.** nach allen Seiten gesicherte Verteidigungsstellung. 1500 *ff*.
2. widerspenstiger Mensch. Innerlich richtet er Stacheln auf. *BSD* 1965 *ff*.
3. Verrückter. Tarnwort für „Idiot". *Sold* 1939 *ff*.
4. tauglich wie der ~ zum Arschwisch = wehrdienstuntauglich. *Sold* 1910 bis heute.
5. einen ~ im Gesicht haben = unrasiert sein. 1920 *ff*.
6. passen (sich eignen) wie der ~ zum Arschwisch = überhaupt nicht zusammenpassen; durchaus nicht passen. Seit dem 17. Jh.
7. passen (taugen) wie der ~ zur Türklinke = zu dem beabsichtigten Zweck unbrauchbar sein. *Sold* seit dem späten 19. Jh, danach *ziv*.
8. saufen wie ein ~ = trunksüchtig sein; wacker zechen. Mißverstanden aus „(Blut-)Egel" oder aus „⁊ Ilk = Iltis". 1700 *ff*.
9. vorsichtig sein wie der ~ bei der Vermehrung = sehr vorsichtig fahren. 1980 *ff*.

Igelbürste (-frisur) *f* auf gleiche Länge (kurz-)geschnittenes Kopfhaar. Das gestutzte Stirn- und Schläfenhaar wird starr in die Höhe gekämmt. Haartracht seit dem ausgehenden 18. Jh. 1900 *ff.*

igeln *intr* **1.** Waffen und Mannschaften in engem Rund zusammenziehen. *Vgl* ↗ Igel 1. 1900 *ff.* **2.** aufbegehren; widerspenstig (widerborstig) sein. 1900 *ff.*

Igelstellung *f* Rundumverteidigung. ↗ Igel 1. 1900 *ff.*

i gittegittegitt (i gittigitt) *interj* Ausdruck sehr großen Ekels (auch spöttisch gemeint). Aus „o Gott, o Gott, o Gott!" umgewandelt unter Einwirkung des Vokals „I", mit dem man Abscheu und Ekel ausdrückt. Seit dem 19. Jh.

ignorieren *v* gar nicht (nicht einmal; nur nicht erst) ~ (net amal ~) = überhaupt nicht berücksichtigen; überhaupt nicht zur Kenntnis nehmen. Geht wahrscheinlich auf Kritiker in Prag und Wien zurück, spätestens seit 1900.

Iha'ha I *n* Pferd, Pferdefleisch, Pferdemetzger. Beruht auf formuliertem Wiehern. 1900 *ff, österr.*

Iha'ha II *m* Pferdefleischesser. 1900 *ff.*

I-Kröttchen *n* Schulanfänger. *Vgl* ↗ I-Dotz, ↗ Krott. *Westd* 1900 *ff.*

I-Lecker *m* Schulanfänger. Mit dem angefeuchteten Finger entfernt er das schlecht geschriebene I von der Schiefertafel. 1940 *ff.*

illes *adj adv* geistesbeschränkt, benommen, verrückt. Fußt auf *engl* „illness = Krankheit". Wohl von *engl* Besatzungssoldaten ins *Westd* eingeschleppt; 1920 *ff.*

Illing *m* Beifahrer; ständiger Begleiter. In Berlin einer von Zwillingen. Seit dem späten 19. Jh.

illuminiert sein betrunken sein. Illuminiert im Sinne von „erleuchtet" bezieht sich entweder auf den roten Kopf des Bezechten oder auf das geistige Angeregtsein, wie es sich nach etlichen Glas Alkohol in Form von Redseligkeit und „Geistesblitzen" bekundet. Seit dem 18. Jh.

Illusionsbunker *m* Kino. Der Film als Medium der Sinnestäuschung. Sachverwandt mit dem Begriff „Traumfabrik". *Halbw* 1950 *ff.*

Illusionskasten *n* Fernsehgerät. 1965 *ff, BSD.*

illustriert *part* wie stellst du dir das ~ vor? = wie stellst du dir das, in die Tat umgesetzt, vor? wie denkst du das verwirklicht? Illustrieren = mit Bildern erläutern. Die Frage zielt auf Veranschaulichung und Verdeutlichung. 1920 *ff.*

Illustriertendasein *n* vermeintliche Lebensweise wohlhabender Publikumslieblinge. Dieses Leben führen sie nur in den illustrierten Zeitschriften. 1955 *ff.*

Illustriertendemokratie *f* demokratische Politiker, die ihre politischen Ansichten in illustrierten Zeitschriften äußern; Demokratie, deren Politiker sich über das Fernsehen und die illustrierte Presse unmittelbar an ihre Wähler wenden. Soll 1965 vom Bundestagsabgeordneten Kliesing geprägt worden sein.

Iltis *m* **1.** Spion. Der Raubmarder ist ein Dämmerungs- und Nachttier. Auch Spione arbeiten vorzugsweise im Dunkeln. *Sold* 1939 *ff.* **2.** Saboteur. *Sold* 1939 *ff.* **2a.** Polizeibeamter. *Vgl* ↗ Iltis 1. *Rotw* seit 1500, anfangs soviel wie „Stadtknecht", Büttel".

Image-Kreide (Bestimmungswort *engl* ausgesprochen) *f* Schminke, Puder; Makeup. *Engl* „image = Erscheinungsbild; vorteilhaftes Aussehen". *Halbw* 1960 *ff.*

I-Männchen (I-Männeken) *n* Schulanfänger. ↗ I-Dotz. 1900 *ff.*

Imi *m* Zugewanderter. Verkürzt aus „imitiert": der Betreffende ist ein nachgemachter, kein alteingesessener Bürger. Etwa seit 1948 in Köln geläufig im Zusammenhang mit der Aufnahme der Heimatvertriebenen.

Imker *m* **1.** Bordellbesitzer; Zuhälter. Er hält „↗ Bienen". 1900 *ff.* **2.** Mann, der Mädchen nachstellt. 1950 *ff.* **3.** Halbwüchsiger mit mehreren Freundinnen. *Halbw* 1955 *ff.*

Imme *f* **1.** sich reinigen wie eine ~ = Karten abwerfen. Man putzt sich wie eine Biene. Kartenspielerspr. 1900 *ff.* **2.** stechen wie eine ~ = überbieten. Kartenspielerspr. 1900 *ff.*

immer dabei ABC-Schutzmaske. Beruht auf dem gleichlautenden Werbespruch der Kölnisch-Wasser-Marke „4711". Die Schutzmaske hat der Soldat im Dienst stets bei sich zu führen. *BSD* 1965 *ff.*

Immergrün *n* jugendlich wirkende betagte Person. *Jug* 1955 *ff.*

immergrün *adj* gleichbleibend modisch. Dem *engl* „evergreen = unsterbliches Schlagerlied" nachgebildet. 1960 *ff.*

immerhinque *adv* besser als nichts; wie dem auch sei. Von Studenten um 1920 aus „immerhin" scherzhaft verlängert.

Impf *m* ein Schlückchen ~ = Schluckimpfung gegen Kinderlähmung; Serumtrank. 1960 *ff.*

impfen *v* **1.** jm eine ~ = jn ohrfeigen. Vom „stechenden Schmerz" abgeleitet. Seit dem 19. Jh. **2.** koitieren. Fußt auf der alten Bedeutung „veredeln, pfropfen", weiterentwickelt zu „zukorken". Seit dem 19. Jh. **3.** *tr* = jn nach dem Besuch des Wehrmachtbordells sanieren. Es wurde eine antivenerische Spritze verabreicht. *Sold* in beiden Weltkriegen. **4.** *tr* = jn nachhaltig beeinflussen; jn zu einer bestimmten Aussage veranlassen; jn voreingenommen machen. 1920 *ff.* **5.** *intr* = Haschisch mit Opium versetzen. 1970 *ff.* **6.** *intr* = zechen. Auch eine Art „Schluckimpfung". 1960 *ff.*

importieren *intr* imponieren. In scherzhafter Absicht fehlgeleitet; dient zur Verspottung der Unsicherheit im Umgang mit Fremdwörtern. 1920 *ff.*

impotent *adj* sehr minderwertig. Gegenwort „potent = vielversprechend". *Schül* 1965 *ff.*

In *m* modern denkender Mensch. ↗ in sein. 1983 *f.*

In-den-Hintern-Beißen *n* es ist zum ~ = es ist zum Verzweifeln. Man möchte, aber kann nicht. *Sold* 1939 *ff.*

Indianer *m* **1.** Mann, Fußgänger. Hergenommen von den Indianer-Schilderungen in den Romanen von J. F. Cooper und Karl May. In Zusammensetzungen mit „Indianer" als Grundwort hat dieses fast dieselbe Geltung wie „Heini" oder „Fritze". In der Soldatensprache um 1900 aufgekommen. **2.** *pl* = Münzen; Kupfermünzen. Etwa analog zu „↗ Mohikaner". 1920 *ff.* **3.** Feingebäck in (halb-)kugeliger Form,

mit Schokolade überzogen und mit Schlagsahne (*österr* Schlagobers) gefüllt. Im *Dt* als „Mohrenkopf" bekannt. *Österr* 1900 *ff.* **4.** nordamerikanischer Soldat. Übertragen und verallgemeinert im Anschluß an Indianergeschichten, die in den USA spielen. *Sold* 1917 bis 1945; *ziv* 1945 bis heute. **5.** dummer Mensch. Wohl als Schelte im Mund der Überlegenen gemeint. 1900 *ff.* **6.** gepreßter ~ = Büchsenfleisch. Hergenommen vom Corned Beef, dessen Färbung an „Rothaut" erinnert. 1920 *ff.* **7.** gehackter ~ = Büchsenfleisch. *Vgl* das Vorhergehende. 1925 *ff.* **8.** toter ~ = Büchsenfleisch. ↗ Indianer 6. *Sold* 1939 *ff.*

Indianergehacktes *n* Büchsenfleisch. ↗ Indianer 6. 1920 *ff.*

Indianergeheul *n* **1.** Freudengeschrei. Eigentlich die einen Angriff begleitenden Kampfrufe indianischer Krieger. 1900 *ff.* **2.** lärmender Protest. 1900 *ff.*

Indianerspiel *n* Manöver, Felddienstübung u. ä. Dem gleichnamigen Kinderspiel (auch „Räuber und Gendarm") nachgebildet. *Sold* 1914 bis heute.

Indianertänze *pl* Freudentänze. 1870 *ff.*

Indi'vidibum (Indi'vidubum) *n* Einzelmensch (leicht *abf*). Aus „Individuum" umgestaltet im Hinblick auf leichtere Aussprache. 1870 *ff.*

In'dizien *pl* dünne ~ = wenig überzeugende verdachterregende Umstände. 1920 *ff.*

Industrie *f* weiße I. = a) Hotel- und Gaststättengewerbe. 1970 *ff.* – b) Wintersportindustrie. 1975 *ff.*

Industriebaron *m* Großindustrieller. In der Monarchie wurden viele Großindustrielle geadelt. 1900 *ff.*

industrieblond *adj* blondgefärbt (vom Frauenhaar gesagt). Dieses Blond stammt aus Mitteln der kosmetischen (chemischen) Industrie. 1930 *ff.*

Industriebonze *m* emporgekommener Chef eines Industriebetriebs. ↗ Bonze. 1920/30 *ff.*

Industriekapitän *m* Großindustrieller. Vom verantwortlichen Schiffsführer übernommen. 1920 *ff.*

Industrie-Smoking *m* blauer Arbeitsanzug. Wertsteigerung im Sinne eines Wetteiferns mit den begüterten Kreisen. 1950 *ff.*

Industriewitwe *f* Ehefrau eines Wirtschaftsführers. Sie bekommt ihren Mann selten zu sehen. 1955 *ff.*

ineinanderkippen *v* koitieren. 1950 *ff.*

Infanterie *f* ~ (leichte ~) = Gesamtheit der Straßenprostituierten. Sie sind Fußvolk. 1950 *ff.*

Infanteriemunition *f* kleine Trümpfe, die bei geeigneter Kartenlage einen Stich einheimsen lassen oder sonstwie dem Gegner gefährlich werden können. Kartenspielerspr. 1900 *ff.*

Infante'rist *m* ~ des Verkehrs = Fußgänger. 1955 *ff.*

Infarktmacher *m* Klassenarbeit. 1978 *ff, schül.*

Infau'lenza (Infau'lenzia) *f* Faulheit; geheuchelte Krankheit träger Schüler. Entstellt aus Influenza (Katarrhfieber). Seit dem späten 19. Jh.

Inflatio'nitis *f* schleichende Inflation. Nach

dem Muster von Krankheitsbezeichnungen gebildet. 1955 *ff.*

Influ'enza *f* Sankt ~ = (frei erfundene) Schutzheilige der Apotheker. Anspielung auf die Umsatzsteigerung in Monaten mit weitverbreiteten Erkältungs- und Grippekrankheiten. Seit dem späten 19. Jh.

Information *f* geheime ~ = vom Mitschüler Vorgesagtes, Abgeschriebenes. Meint eigentlich die Nachricht, die aus privaten, nichtgenannten Quellen stammt (und in der Regel ausschließlich zum persönlichen Gebrauch des Empfängers bestimmt ist). 1950 *ff.*

informieren *v* 1. *tr* = etw essen. Man gibt es in die „Form" (= Gestalt), damit man „in Form kommt". *Sold* in beiden Weltkriegen.
2. *refl* = vom Mitschüler absehen, abschreiben. Euphemistisch für „sich erkundigen; sich Gewißheit verschaffen". *Schül* 1950 *ff.*

Infostand *m* vollen ~ haben = bestens unterrichtet sein. Info = Information. *Halbw* 1983.

inhalieren *tr* 1. essen; Nahrung zu sich nehmen. Von „einatmen" weiterentwickelt zur allgemeinen Bedeutung „in sich aufnehmen, vereinnahmen". 1910 *ff.*
2. trinken, zechen. 1910 *ff.*
3. jn moralisch erledigen, dienstlich plagen. *Vgl* ↗einatmen. 1935 *ff, sold.*
4. jn unfreundlich abfertigen. 1935 *ff.*
5. ein kleines Unternehmen einer größeren Firmengruppe einordnen. 1950 *ff.*
6. sich etw aneignen; etw an sich nehmen. 1920 *ff.*
7. etw geistig sich zueigen machen. 1920 *ff.*
8. rauchen. 1920 *ff.*
9. fellieren o. ä. 1950 *ff.*

Initialzündung *f* 1. Auslösung eines Vorgangs, der viele andere nach sich zieht; erfolgreiche Initiative. Meint eigentlich die Auslösung der Explosion eines schwerentzündlichen Sprengstoffs durch einen leichtentzündlichen. 1950 *ff.*
2. etw einer ~ geben = eine Sache einleiten, veranlassen, in Gang setzen. 1950 *ff.*

innen *adv* 1. sich von ~ befeuchten = zechen. 1900 *ff.*
2. sich von ~ besehen (betrachten; nach ~ gucken) = a) seinen Gedanken nachhängen; grübeln; in sich gekehrt sein; geistesabwesend sein. 1870 *ff.* – b) schlafen; ein Schläfchen machen. 1900 *ff.*
3. nach ~ dösen = grübeln. ↗dösen. 1920 *ff.*
4. nach ~ grinsen = die Schadenfreude verhehlen. 1920 *ff.*
5. nach ~ horchen = sein Gewissen überprüfen. 1920 *ff.*
6. sich ~ waschen = a) kräftig zechen. 1910 *ff, sold.* – b) Mund und Zähne pflegen. *Schül* 1950 *ff.*

Inneneinrichtung *f* geistige ~ = Verstandesgaben. 1960 *ff.*

Innengymnastik *f* angestrengtes Nachdenken. 1960 *ff.*

Innenleben *n* 1. Knochenbau auf dem Röntgenbild. Meint eigentlich die Gesamtheit der leib-seelischen Vorgänge beim Menschen. 1950 *ff.*
2. Innenfutter von Jacke, Mantel o. ä. 1950 *ff.*

3. hinter der Außenwand verborgener Mechanismus. 1930 *ff.*
3 a. Zimmereinrichtung; Platz zum Unterbringen von Gegenständen im Unterteil von Sitzmöbeln. Werbetextersprache 1973 *ff.*
3 b. ~ des Autos = elektrische Innenausstattung mit dem Meßinstrumentenbrett u. ä. 1930 *ff.*
4. ~ mit Komfort = seelisch tiefe Veranlagung. 1950 *ff.*
5. angeknackstes ~ = Magenverstimmung; Unpäßlichkeit; Nachwehen des Rausches o. ä. ↗Knacks. 1950 *ff.*
6. bewegtes ~ = Brechreiz. 1966 *ff.*
7. handgewebtes ~ = schlichte seelische Veranlagung; Naivität. 1957 *ff.*
8. kompliziertes ~ = Brechreiz. 1950 *ff.*
9. reiches ~ = a) hochgradige Selbstsucht; Gemütsroheit. Meint eigentlich die tiefe Innerlichkeit eines Menschen. *Sold* 1940 *ff.* – b) Magenknurren; Blähungen usw. 1940 *ff.*
10. verstauchtes ~ = Erschrockensein; völlige Verwirrtheit; Verlust des seelischen Gleichgewichts o. ä. 1930 *ff.*
11. das ~ besichtigen (betrachten) = schlafen. *Marinespr* 1909 *ff;* stud 1939 *ff.*
12. im ~ blättern = grübeln. Das Geistig-Seelische als Buch aufgefaßt. 1950 *ff.*
13. ein reiches ~ haben = Würmer haben. *Sold* 1939 *ff.*
14. auf ~ schalten = zu Bett gehen; einschlafen. 1950 *ff.*

Inne'reien *pl* 1. seelische Qualitäten; Seelen-, Gemütsleben. Eigentlich Herz, Lunge, Kaldaunen usw. beim Schlachtvieh. 1920 *ff.*
2. technische Innenausstattung. 1970 *ff.*

Innung *f* 1. Kompaniehandwerker. Von der Handwerkervereinigung übertragen. 1870 bis heute.
2. militärische Einheit. Bezieht sich vor allem auf eine solche, bei der es in besonderem Maße auf Zusammenarbeit ankommt (Pioniere, Gebirgsartillerie usw.). *Sold* 1939 *ff.*
3. saubere ~ = nichtswürdige Gesellschaft; untaugliche militärische Einheit. „Sauber" meint in *iron* Bedeutung „minderwertig". 1939 *ff.*
4. die ganze ~ blamieren = als Einzelner die Kollegen bloßstellen. Innung = Arbeits-, Berufsgemeinschaft; Arbeitsgruppe. 1900 *ff.*

in sein elegant gekleidet sein; vornehm, prominent sein; als ebenbürtig gelten; zeitgemäß, modisch, unübertrefflich sein. Aus dem *Engl* übernommen im Sinne von „in Mode sein; dem Stil der Zeit entsprechen; der tonangebenden Gesellschaftsschicht angehören". *Halbw* 1960/65 *ff.*

Inseratenplantage *f* Anzeigenseite der Zeitung. 1950 *ff.*

insolvent *adj* zeugungsunfähig. Scherzhaftes Tarnwort für „impotent"; meint eigentlich „zahlungsunfähig". 1920 *ff.*

Insolvenzel *m* Heiliger ~ = Schutzpatron der bankrottierenden Geschäftsleute. Börsenspr. 1920 *ff.*

inspirieren *v* 1. koitieren. Macht sich die Bedeutung „eingeben" zunutze. *Halbw* 1960 *ff.*
2. dem Mitschüler vorsagen. 1960 *ff.*

instandbesetzen *tr* eine leerstehende Wohnung widerrechtlich besetzen und instandsetzen. 1980 *ff.*

Instandbesetzer *m* Wohnungsuchender, der eine leerstehende Wohnung widerrechtlich besetzt und instandsetzt. 1980 *ff.*

Instandbesetzung *f* widerrechtliche Besetzung einer leerstehenden Wohnung mit der Absicht ihrer Instandsetzung. 1980 *ff.*

Instes *n* das Allermodernste. Superlativbildung von „↗in sein". 1970 *ff.*

Insulaner *m* 1. Fußgänger auf einer Verkehrsinsel. 1920 *ff.*
2. *pl* = Westberliner. Bekannt durch Günter Neumanns Kabarett „Die Insulaner" im Theater am Kurfürstendamm. 1948 *ff.*

insultieren *tr* jn um Rat fragen, um Raterteilung aufsuchen. Scherzhaft aus „konsultieren" entstellt. 1900 *ff.*

intele'gen *adj* häßlich. ↗telegen. 1955 *ff.*

Intellekt *m* kaum von ~ geplagt sein = arm an Geistesgaben sein. 1920 *ff.*

Intellektbestie *f* kalt-berechnender Mensch. Vom wilden Tier unterscheidet er sich nur durch den Verstand. *Vgl* ↗Intelligenzbestie. 1950 *ff.*

Intellektuellenbrille *f* Hornbrille. Angeblich wird sie von Denkern bevorzugt, oder sie verleiht dem Gesicht einen „gebildeten" Ausdruck. 1920 *ff.*

Intellektuellen-Getto *n* Wohnviertel von Wissenschaftlern, Künstlern o. ä. 1967 *ff.*

Intellektuellen-Prothese *f* Brille. Prothese = künstliches Ersatzglied. 1950 *ff.*

Intellektuellentracht *f* absichtlich verwahrloste, abgerissene Kleidung. 1982 *ff, schül.*

intel'lent *adj* klug. Aus „intelligent" entstanden. *Stud* 1950 *ff.*

Intel'lenz *f* Klugheit. *Vgl* das Vorhergehende. 1950 *ff, stud.*

Intel'lenzler *m* kluger Mensch *(iron).* 1970 *ff, schül.*

Intelligen'teiler *m* Gebildeter. Zusammengesetzt aus „Intelligenter" und „Intellektueller". 1950 *ff.*

Intelligenz *f* 1. etw trotz ~ begreifen = trotz Gelehrsamkeit praktische Begabung zeigen. 1940 *ff.*
2. bei ihr ist die ~ in den Busen gerutscht = sie hat üppige Körperformen, aber nur geringe Geistesgaben. 1955 *ff.*
3. ~ säuft, Dummheit frißt: Redewendung zur Verteidigung gegen den Vorwurf, man trinke zuviel Alkohol. 1939 *ff.*
4. ~ schwächt die Sehkraft = der Denker verliert leicht den Blick für das Nächstliegende. 1960 *ff.*

Intelligenzbestie *f* 1. geistig Schaffender; Hochschullehrer. „Bestie" verstärkt in *abf* Sinn den Begriff „hohes Tier". Von anderen „hohen Tieren" unterscheidet sie sich durch geistige Leistungsfähigkeit. *Schül* und *stud,* 1900 *ff.*
2. Klassenschlechtester; Dummer. *Iron.* 1970 *ff, schül.*

Intelligenzbrille *f* Hornbrille. Sie soll dem Gesicht einen geistigen (vergeistigten) Ausdruck verleihen. ↗Intellektuellenbrille. 1920 *ff.*

Intelligenz-Ei *n* vermeintlich kluger Mensch *(abf).* Wohl Anspielung auf „↗Eierkopf". 1960 *ff.*

Intelligenzfabrik *f* Universität, höhere Schule. 1950 *ff.*

Intelligenz-Getto *n* Siedlung für Universitätsangehörige. 1953 *ff.*

Intelligenz-Hochstapler *m* Intellektueller *(abf).* 1955 *ff.*

Intelligenzkoffer m Schultasche. 1981 ff.

Intelligenzkonserve f Gehirn, Gedächtnis. Da sind Verstandeskräfte und Bewußtseinsinhalte haltbar eingelagert. 1954 ff.

Intelligenzler m Gebildeter; Gebildeter ohne geistige Berührung mit der Gegenwart und dem Alltag der Durchschnittsbürger. 1920 ff.

Intelligenzscheune f Hörsaal, Hochschule, Universität, Lehranstalt. Dort wird Wissensstoff eingefahren. 1910 ff.

Intelligenzverbrecher m Verbrecher, der seine Tat mit allen Vorbereitungen und Folgen genau überlegt und plant. 1950 ff.

Intelligenzverstärker m Brille. Dem Strom- oder Tonverstärker nachgebildet. 1955 ff.

Intelligenzwanze f Mensch, der mit seinem Bildungsdrang (oder seiner Rechthaberei) anderen lästig fällt. 1940 ff.

interessant adj 1. wunderlich, einfältig, dumm. Gemeint ist wohl soviel wie „wissenswert, aber unverständlich". 1950 ff. 2. das ist für ihn ~ = das ist für ihn vorteilhaft; dafür zeigt er Interesse. Bezieht sich nur auf materielle Interessen. 1920 ff.

Interessenfilz m skandalöse Interessenverflechtung. Vgl ↗ Filz 6. 1965 ff.

Interessengemeinschaft f eine ~ bilden = voneinander abschreiben. Es handelt sich um einen Zusammenschluß mehrerer Personen zur Wahrung derselben Interessen. 1930 ff, schül.

Interpretationsehe f Gemeinschaft von Studierenden, die voneinander abschreiben. Einer schreibt die Auslegungen des Dozenten mit und gibt den Kommilitonen, die nicht dabeiwaren, die Niederschrift weiter. Stud 1955 ff.

intim adv ~ verfeindet sein = unversöhnlich verfeindet sein. Nach dem Muster von „intim befreundet sein" (↗ Feind 4) nach 1945 aufgekommen.

Intimfeind m unversöhnlicher Gegner. Vgl das Vorhergehende. 1945 ff.

Intimgegner m unversöhnlicher Gegner. 1950 ff.

Intimsportlerin f beischlafwilliges Mädchen; Prostituierte o. ä. 1960 ff.

intus haben tr 1. etw verzehrt, geleert haben. Entlehnt dem lat „intus = innen, drinnen". Wohl bei Studenten entstanden und über Berlin verbreitet. Seit dem 19. Jh. 2. einen ~ = leicht betrunken sein. 1900 ff. 3. etw begriffen haben, geistig beherrschen. Man hat es im Kopf. 1900 ff, schül. 4. tüchtig, klug sein. 1900 ff. 5. etw gelesen haben. 1910 ff.

intus kriegen tr etw begreifen. Schül 1900 ff.

'In'typ m moderner, allem Neuen aufgeschlossener Mensch. Gehört zu „↗ in sein", „↗ Typ". Halbw 1960 ff.

Inventar n 1. lebendes ~ = Ungeziefer. 1945 ff. 2. zum ~ gehören = a) ein unvermeidlicher Gast sein. 1870 ff. - b) langjähriger Haushalts- oder Betriebsangehöriger sein. 1920 ff.

investieren tr Liebe (Herz, Gründlichkeit, viele Stunden) ~ = einer Sache Liebe (o. ä.) widmen. Vom gewinnbringend angelegten Kapital übertragen im Sinne einer Gefühlsnüchterung. 1975 ff.

inwendig adv 1. ~ arbeiten = schlafen;

gedankenverloren sein. Dem Soldaten ist alles Tätigkeit und Dienst. Sold 1915 ff. 2. jn ~ begucken = jn scharf verhören. 1935 ff. 3. sich ~ begucken (bekieken, besehen o. ä.) = schlafen. 1870 ff (bei Theodor Fontane 1887 belegt). 4. ~ räsonnieren = wortlos murren; seinen Groll verbeißen. ↗ räsonnieren. Etwa seit 1820/30 im Zusammenhang mit ohnmächtigen Äußerungen revolutionärer Gesinnung aufgekommen und verbreitet.

I-Punkt m letzte Vervollkommnung; Abschluß, Krönung eines Tuns. ↗ Punkt. 1900 ff.

irgendwie adv sich ~ benehmen = sich einigermaßen anstandsgemäß verhalten. 1920 ff.

irgendwohin müssen den Abort aufsuchen müssen. Hehlausdruck. 1920 ff.

Iro (Irokesenbürste, Irokesen-Haarschnitt) m f bürstenartiger Haarstreifen (der Scheitellinie folgend) auf sonst kahlrasiertem Kopf. Eine früher nur von nordamerikanischen und kanadischen Indianern (darunter den Irokesen) bekannte Haartracht. 1965 ff.

irr (irre) adj 1. hervorragend; unvorstellbar groß. Von „geistig gestört" weiterentwickelt zur Bedeutung „das normale Wahrnehmungsvermögen übersteigend" und weiter zu „unübertrefflich". „Irr" hat ähnlich steigernden Charakter angenommen wie „wahnsinnig", „verrückt" u. ä. Halbw 1950 ff. 2. adv = sehr; überaus schön. Halbw 1950 ff. 2 a. echt ~ (total ~, echt total ~) = völlig unüberbietbar. 1980 ff, jug. 3. sich ~ anziehen (kleiden o. ä.) = auf ungewöhnliche Weise (nach eigenem Geschmack) kleiden. 1950 ff.

Irre f Irrtum, Versehen. Weiterentwickelt aus „sich irren" und „in die Irre gehen". 1970 ff.

Irrer m 1. armer ~ = a) einfältiger Mensch; Leichtverrückter. Eigentlich Mitleidsbezeichnung gegenüber einem Geistesgestörten. Seit dem frühen 20. Jh. - b) Einzelgänger. Schül 1920 ff. 2. sanfter ~ = a) übermoderner Maler. 1955 ff. - b) ungefährlicher Verrückter; gutmütig Schwachsinniger. 1955 ff. 3. wie ein ~ fahren = sehr schnell, sehr undiszipliniert fahren. 1920 ff.

irrsinnig adv 1. ausgezeichnet. ↗ irr 1. Halbw 1950 ff. 2. unflätig, wüst. 1950 ff. 3. adv = überaus; sehr. ↗ irr 2. 1920 ff.

Irrtum m 1. ein ~ vom Amt = Irrtum, Versehen. Mit „Amt" ist das Fernsprechamt gemeint, dessen Bedienstete sich vor Einführung des Selbstwähl- Fernsprechverkehrs bei falscher Verbindung mit dem Hinweis „Irrtum vom Amt" entschuldigten. 1920 ff. 2. dicker ~ = großer Irrtum. 1850 ff. 3. harter ~ = schwerwiegender Irrtum. Halbw 1950 ff. 4. auf einem dicken ~ reiten = sich gröblich irren; von einem groben Irrtum nicht ablassen. ↗ reiten. 1850 ff.

irrwitzig adj 1. überaus vorzüglich. Zusammengesetzt aus „↗ irrsinnig" und „↗ wahnwitzig". 1950 ff. 2. adv = sehr. 1950 ff.

isa'bell (isa'bellfarben) adj graubgelb mit

weißlich-bräunlichem Einschlag. Während des niederländischen Freiheitskampfes gelobte Isabella, die Tochter Philipps II. von Spanien, im Jahre 1601, ihr Hemd erst nach der Eroberung Ostendes durch die spanischen Truppen zu wechseln. Die Belagerung dauerte drei volle Jahre. 1625 ff.

Isar-Athen n München. Anspielung auf die neoklassizistische Bauweise nach dem Vorbild Alt- Griechenlands, wie sie seit König Ludwig I. (1786–1868) in München Platz griff. 1830 ff.

Isch m 1. Mann. Fußt auf dem Jidd. Rotw 1814 ff. 2. Freund, Geliebter. 1950 ff, halbw.

Ische f 1. Mädchen, intime Freundin, Geliebte; leichtes Mädchen. Geht zurück auf jidd „ischa = Frau". Seit dem frühen 19. Jh. 2. Ehefrau, Frau. Seit dem 19. Jh. 3. unsorgfältige, leicht närrische Frau. 1920 ff. 4. feste ~ = intime Freundin. ↗ Feste. Halbw 1950 ff.

Ischias-Anger m Campingplatz. 1953 ff.

Ischias-Hotel n Campingzelt. Anger = Grüngelände. 1955 ff.

Ischias-Platz m Campingplatz. 1955 ff.

Ischias-Wiese f Campingplatz. 1955 ff.

Ischlinge pl Schillinge. Hieraus verdreht. Öster 1950 ff.

Israel Ln bei ~ sein = im Pfandhaus sein. ↗ hebräisch. 1900 ff.

Ita m Italiener. Hieraus verkürzt. Halbw 1950 ff.

ita gehen spazierengehen. Parallelform zu „↗ ada gehen". 1900 ff.

Itaker (Itacker, Ithaker, Ittacker) m italienischer Soldat; italienischer Gastarbeiter; Italiener. Verballhornung des Worts „Italiener" im Sinne eines Schimpfworts. Im Ersten Weltkrieg bei der österr Armee in Formen wie „Itak", „Idaker" o. ä. aufgekommen nach dem Muster von „Polak, Slowak, Bosniak" usw. Im Zweiten Weltkrieg wiederaufgelebt, anfangs nur auf den ital Soldaten bezogen, im Lauf der Zeit bis heute auf den Italiener schlechthin.

Italianski m italienischer Soldat; Italiener. 1914 bei den Österreichern aufgekommen, dann nach Deutschland gewandert und bis heute geläufig.

Italiker m Italiener. Eigentlich Angehöriger vor- italienischer Siedlergruppen indogermanischer Herkunft im vor- bis frührömischen Italien. 1950 ff.

Ithaker m ↗ Itaker.

Itsch Italienisch als Unterrichtsfach. Zusammengezogen aus „italienisch". Schweiz 1960 ff.

Itsche f besoffen (voll) wie eine ~ = volltrunken. Itsche = Kröte. Nach altem Volksglauben sind Kröten giftig. Hier meint „Gift" den Alkohol. Seit dem 19. Jh.

I-Tüpfelchen n 1. Punkt auf dem Buchstaben i. Seit dem 19. Jh. 2. Bestes, Empfehlenswertestes. Der Punkt steht höher als der Strich. 1960 ff. 3. aufs ~ = bis aufs letzte; völlig; genau; sorgfältig bis sorgfältigst. Seit dem 19. Jh. 4. da fehlt kein ~ = da fehlt nichts. 19. Jh.

Itzig m 1. Jude. Entstanden aus der Form „Jizchak" des Namens „Isaak". Seit dem 19. Jh. 2. dummer Mann. Hat nichts mit dem

Vorhergehenden zu tun, sondern ist lediglich ein Hehlwort für „Idiot". 1900 *ff.*

Iwan *m* Russe. Spätestens seit dem 18. Jh. Hübner (1724) bezeugt, daß alle „moskowitischen Untertanen" aus Respekt gegenüber dem Zaren mit „Iwan" und/oder „Petrow" unterschreiben mußten. Seit dem Ersten Weltkrieg erneut aufgelebt und noch heute üblich.

2. voll wie ein ~ = volltrunken. Den Russen sagt man nach, sie tränken viel Alkoholisches (und könnten viel davon vertragen). 1965 *ff.*

Ixer *pl* Beine, die sich nur an den Knien berühren. ↗ X-Beine. 1900 *ff.*

ixerlei *adv* verschiedenerlei, vielerlei, allerlei. Fußt auf dem mathematischen Zeichen „x" für eine „unbekannte Größe". Seit dem 19. Jh.

J

j. w. d. in verlorener, einsamer Gegend; an der vordersten Front; weit vor der Stadt; am Ausgang der Stadt. Berlinische Abkürzung von „janz weit draußen". Etwa seit 1900.

Ja *n* zu allem Ja und Amen sagen = mit allem einverstanden sein. Stammt aus den Schlußversen der Offenbarung des Johannes oder aus 5. Moses 27, 15 *ff.* Im 17 Jh. vorgebildet durch „Ja und Amen sein = untrüglich wahr sein". In der heutigen Form seit dem späten 18. Jh. *Vgl franz* „dire amen à tout" und „dire toujours oui".

Jabbelkasten *m* Rundfunkgerät. Jabbeln = reden, schwätzen. *Niederd* 1950 *ff.*

Jabbelwasser *n* Mineralwasser ohne Geschmack. Jabbeln = in weinerlichem Ton reden (wie es Kinder gern tun). *BSD* 1965 *ff.*

jabbern *intr* reden, sprechen. Fußt wohl auf „jappen" und meint „den Mund so heftig schließen, daß ein Laut ‚happ' oder ‚japp' entsteht". *Rotw* 1900 *ff. Vgl engl* „to jabber = schwatzen, schnattern, plappern".

Jabruder *m* Mann, der der Meinung eines Höhergestellten kritiklos beipflichtet. Seit dem 16. Jh.

jachern (jachen) *intr* ausgelassen lustig sein; lärmen; albern sein; kichern. Gehört zu „jagen = rasch laufen". Seit dem 19. Jh.

jachten (jachtern) *intr* ausgelassen spielen; eilen; sich abhetzen; außer Atem sein. Intensivform von „jagen = rasch laufen" und weiterentwickelt zu „hastig atmen". Seit dem 14. Jh.

Jacke *f* 1. warme ~ = hochprozentiger Schnaps. ↗Konjäckchen. Seit dem späten 19. Jh.
2. sich die ~ anziehen = a) etw als persönliche Kränkung empfinden. Gehört zu der sprichwörtlichen Redensart „wem die Jacke paßt, der zieht sie an". 19. Jh. – b) das Präservativ überstreifen. 1900 *ff.*
3. sich jds ~ anziehen = sich jds Ansicht zu eigen machen. 1950 *ff.*
4. jm die ~ ausklopfen = a) jn heftig prügeln. 19. Jh. *Vgl engl* „to dust a person's jacket for him". – b) jm im Kartenspiel das Geld abgewinnen. Gehört zu der volkstümlichen Gleichsetzung von Prügeln und Niederlage. Kartenspielerspr. 1900 *ff.*
5. einen in die ~ feuern = ein Glas Alkohol trinken. 1920 *ff.*
6. es gibt die ~ voll = es gibt Prügel. 1900 *ff.*
7. aus der ~ gehen = sich aufregen; sich erregen; sich wie närrisch benehmen. Man legt die Jacke ab, weil es einem vor Wut oder Aufregung zu warm wird, oder weil man tollen oder raufen will. 1850 *ff.*
8. da gehst du glatt aus der ~!: Ausruf maßlosen Erstaunens. Seit dem 19. Jh.
9. etw auf der ~ haben = viel Geld besitzen. Anspielung auf die Uhrkette oder auf die Jackenknöpfe (*vgl* „↗Knöpfe = Geld"). 1930 *ff.*
10. jm etw unter die ~ jubeln = jm etw unterschieben. Analog zu „unter die ↗Weste jubeln". 1920 *ff.*
11. sich einen in die ~ schwenken = ein Glas Alkohol zu sich nehmen. 1850 *ff.*
12. das ist eine alte ~ = das ist nichts

Neues, ist eine bekannte Erscheinung. Die alte, abgetragene Jacke als Sinnbild des Gewohnten. 1800 *ff.*
13. das ist ~ wie Beinkleid = das ist dasselbe, einerlei. Aus dem Folgenden scherzhaft-verhüllend entwickelt. 1900 *ff.*
14. das ist ~ wie Hose = das ist gleichgültig, ist dasselbe. Die Jacke entstand aus einem gekürzten Rock oder Mantel, und die Hosen waren eigentlich Strümpfe (Beinlinge). Als man beide aus demselben Stoff schneiderte, entfiel ein bei älteren Trachten wesentlicher Unterschied zwischen Jacke und Hose. Seit dem 17. Jh.
15. die ~ ist zu kurz = das Ergebnis ist wenig wert, ist unbefriedigend. 1930 *ff.*
16. sich einen unter die ~ spritzen = Alkohol zu sich nehmen. 1920 *ff.*
17. jm die ~ verhauen = jn prügeln. 1900 *ff.*
17 a. die ~ vollbekommen (vollkriegen) = Prügel erhalten. Seit dem 19. Jh.
18. die ~ vollhaben = betrunken sein. Wer „die Jacke voll" hat, hat allemal genug: Prügel erhalten oder getrunken. Beide – der Betrunkene wie der Verprügelte – sind unsicher auf den Beinen, taumeln, straucheln, stürzen nieder. 1700 *ff.*
19. jm die ~ vollhauen = a) jn heftig prügeln. *Nordd* 18. Jh. – b) jm eine militärische Niederlage beibringen. Dieselbe Entwicklung wie bei „↗Jacke 4 b". *Sold* 1939 *ff.*
20. sich die ~ vollsaufen = sich betrinken. 19. Jh.
21. sich die ~ vollschlagen (vollfressen) = sich gründlich sättigen. Analog zu „sich den ↗Bauch vollschlagen". 1900 *ff.*
22. jm die ~ vollschlagen = jn verprügeln. 19. Jh.
23. jm auf die ~ wollen = jm Prügel androhen. Seit dem 19. Jh.
24. ehe ich mir die ~ zerreißen lasse = ehe ich mich zwingen lasse (nehme oder tue ich es freiwillig). Hergenommen von einem, den man am Rock zerrt, um ihn zu etwas zu nötigen. 1900 *ff.*

Jackse *pl* Prügel. ↗verjacksen. 1850 *ff.*

Jadeschlamm *n* Kartoffelbrei. Anspielung auf den Schlamm im Jadebusen. *Marinespr* 1909 *ff.*

Jagd *f* 1. freie ~ = Prügelei Mann gegen Mann. Stammt aus der Fliegersprache: bei der Luftwaffe meint „freie Jagd" den eigentlichen Luftkampf, bei dem jeder Kampfflieger auf sich allein gestellt ist. *Gleichbed engl* „free for all". 1935 *ff.*
2. gute ~!: = a) Fliegergruß an Jagdflieger. *Sold* in beiden Weltkriegen. – b) Wunsch an einen, der sich laust. Er macht Jagd auf Ungeziefer. 1939 *ff, sold.*
3. schwarze ~ = Wildererunwesen. Schwarz = ungesetzlich, gesetzwidrig. 1920 *ff.*
4. auf jn ~ machen = jn für sich selbst oder für einen Auftraggeber als Ehepartner zu gewinnen trachten. Seit dem 19. Jh.

Jagdgründe *pl* 1. die ewigen ~ = Jenseits. Bezeichnung für das Totenreich der Indianer; bekannt geworden durch die Romane von James Fenimore Cooper und Karl May. 1900 *ff.*
2. ich werde dich in die ewigen ~ befördern (versetzen)!: Drohrede. *Jug* 1920 *ff.*

Jagdhund *m* 1. Kriminalpolizeibeamter; Angehöriger des Sittendezernats, der

Wehrmachtstreife o. ä. Er stöbert das „Wild" auf und stellt es. 1900 *ff.*
2. scharfer ~ = strenger, rücksichtsloser Vorgesetzter. Er ist „scharf" (= auf den Mann dressiert) und stöbert Disziplinwidrigkeiten auf. 1930 *ff.*

Jagdrevier *n* Stadtgegend, in der die Straßenprostituierten auf Kundenfang ausgehen. 1900 *ff.*

Jagdschein *m* 1. amtliche Bescheinigung über Unzurechnungsfähigkeit; Zubilligung des § 51 StGB. Der Jagdschein berechtigt zur Jagd auf jagdbare Tiere; sein Besitzer kann in seinem Jagdbezirk nach Belieben schalten und walten. 1900 *ff.*
2. Führerschein. Spöttisch aufgefaßt als Berechtigungsausweis zur Ausübung der Jagd auf Fußgänger. 1950 *ff.*
3. Wehrpaß. Anspielung auf Unzurechnungsfähigkeit. *BSD* 1965 *ff.*
4. Heiratsurkunde. *BSD* 1965 *ff.*
5. großer ~ = völlige Straffreiheit wegen Unzurechnungsfähigkeit. 1900 *ff.*
6. päpstlicher ~ = Heiratsurkunde eines Katholiken. 1965 *ff.*
7. den ~ bekommen = das Abiturientenexamen bestehen. Dann geht die Jagd im Berufsleben auf, oder es beginnt die Jagd auf einen Studienplatz. *Stud* 1960 *ff.*

Jagdscheinbesitzer *m* geistig Unzurechnungsfähiger, dem der Schutz des § 51 StGB zugebilligt worden ist. ↗Jagdschein 1. 1900 *ff.*

jagen *tr* 1. den Ball (o. ä.) ~ = den Ball heftig treten (schlagen). *Sportl* 1950 *ff.*
2. damit kann er mich ~ = davor habe ich großen Widerwillen; damit kann er mich aus dem Haus treiben. Jagen = vor sich her treiben; in die Flucht schlagen. Seit dem 19. Jh.

Jägerlatein *n* unwahre oder übertriebene Schilderung von Jagderlebnissen. Ursprünglich die Jägersprache mit ihren den Laien unverständlichen Fachausdrücken. ↗Latein. 1900 *ff.*

Jaherr *m* Mensch, der allem zustimmt; Mensch ohne festen Willen. Zusammengezogen aus „ja, Herr!" als Sinnbild-Floskel der Unterwürfigkeit. 1500 *ff.*

Jahr *n* 1. zwischen den ~en = Zeitspanne zwischen Weihnachten und Neujahr. Hängt zusammen mit den unterschiedlichen Jahreswechseln im Mittelalter: an manchen Orten begann das neue Jahr am 25. Dezember, an anderen am 1. Januar. 1400 *ff.*
2. jm das neue ~ abgewinnen = a) jm mit dem Glückwünschen zum Jahreswechsel zuvorkommen. Eine im frühen 19. Jh aufgekommene Redensart fußt auf der alten abergläubischen Regel, daß man am 1. Januar etwaigen Unheilsanwünschungen zuvorkommen muß, damit man im neuen Jahr Glück hat. Diese Grundvorstellung ist bis zur Unkenntlichkeit überlagert von dörflichem Brauch, am Neujahrstag die Glückwünsche rasch anzubringen, damit man das dem ersten Glückwünscher zustehende kleine Geschenk erhält. – b) jn zwingen, zu tun, was ein anderer will. *Österr* 1860 *ff.*
3. das alte ~ rausschmeißen = Silvester feiern. Seit dem 19. Jh.
4. jm ein ungewisses Neues ~ wünschen = dem Arzt zum Jahreswechsel Glück wünschen. Ein gesundes Jahr – mit lauter

gesunden Leuten – wäre sein Unglück. 1930 ff.

Jährchen pl Jahre, Lebensjahre. 1800 ff.

Jah're pl Jahre. Die Betonung der Endsilbe dient zur Hervorhebung einer Vielzahl von Jahren, zum Beispiel: „nach Jahren habe ich ihn wiedergesehen, – ach was, nach Jah'ren!" 1900 ff.

Jahren'de pl viele Jahre. Ein missingscher Plural von „Jahr". 1900 ff.

Jahreszapf m Schul-, Jahrgangsabschlußprüfung. ⁊ Zapf. Österr 1930 ff.

Jahreszeit f 1. bayerische ~ = Münchner Oktoberfest. 1950 ff.
2. fünfte ~ = a) Faschings-, Karnevalszeit. Aufgekommen mit der geschäftstüchtigen, von Rundfunk und Fernsehen unterstützten Überbewertung der Zeit vom 11. November bis Aschermittwoch. 1950 ff. – b) Münchner Oktoberfest. 1950 ff. – c) Anstich der Märzbierfässer. Bayr 1976 ff.

Jahrgang m 1. dankbarer ~ = vierzigjährige Frau. Der Mann setzt bei ihr gereifte geschlechtliche Erfahrung voraus und meint, sie sei dankbar für geschlechtliche Freuden. Halbw 1955 ff.
2. weißer ~ = Geburtsjahrgang, dessen Angehörige nie Wehrdienst leisten mußten (1928 bis 1936). Weiß als Farbe der Unschuld. 1950 ff.

Jahrhundert n mit dem ~ gehen = dem Geburtsjahrgang 1900 angehören. Die Zahl der Lebensjahre entspricht der Zahl der Kalenderjahre. 1920 ff.

Jahrmarkt m ~ der Eitelkeit (der Eitelkeiten) = a) Filmfestspiele. Fußt auf dem Roman „Vanity Fair" von William Makepeace Thackeray (dt Titel) 1849 „Der Markt des Lebens", später „Jahrmarkt der Eitelkeit") und spielt an auf die eitle Zurschaustellung ehrgeiziger und geldgieriger Filmschauspieler(innen). 1955 ff. – b) aus gesellschaftlichen Gründen beliebte Promenade, auf der man sieht und gesehen wird. 1955 ff.

Jahrmarktbummel m Schlendern von Marktstand zu Marktstand. ⁊ Bummel 1. 1900 ff.

Jahrmarktsverkäufer m eine Schnauze haben wie ein ~ = wortgewandt, laut und/oder mit derber Ausdrucksweise Käufer anzulocken trachten. 1920 ff.

Jakob m 1. billiger ~ = a) Verkäufer auf den Jahrmärkten. Er preist seine Ware als überaus billig an. 19. Jh. – b) Jahrmarkt, der seine Ware billig absetzt. 1920 ff. – c) Kantinenwirt. Sold 1939 ff. (Im Ersten Weltkrieg galt „billiger Jakob = Marketender").
2. der wahre ~ = billiger Straßenhändler; reisender Händler. Vgl den Werbespruch: „Kauft, kauft hier: das ist der wahre Jakob von Trier!" Westd. 1900 ff.
3. das ist der wahre ~ = das ist der Richtige, der Gesuchte (auch iron). Bezieht sich entweder auf Jakobus, den Schutzpatron Spaniens, dessen Grab in Santiago de Compostela verehrt wird (es gab auch falsche Jakobsgräber), oder auf den als Esau verkleideten Jakob, der sich nach 1. Moses 27 das Erstgeburtsrecht und den Segen seines blinden Vaters erschlich. Seit dem 18. Jh.

Jalousie (franz ausgesprochen) f 1. ~ (~ du popo) = sehr kurzer Mädchenrock. Diese

„Jalousie" ist weitgehend hochgezogen. Halbw 1965 ff.
2. die ~n sind geöffnet = man paßt genau auf. Jalousie = Augenlid. Sportl 1950 ff.
3. die ~ geht runter (fällt) = man wird unnahbar, bleibt nicht länger zugänglich. Bei Schließung des Geschäfts läßt man die Jalousien herab. 1945 ff.
4. die ~n runterhaben = unaufmerksam sein. 1945 ff.
5. die ~n runterlassen = a) Schlafmittel einnehmen. Lazarettspr. 1939 ff. – b) sich beleidigt fühlen und sich abweisend verhalten; die Aussage verweigern. 1945 ff.

Jam (Jamm) m studentischer Verruf. Verkürzt aus lat „infamiam = Schande". 1800 ff.

Ja'mäle (Scha'mäle) n Feuerzeug, das nicht funktioniert. Fußt auf franz „jamais = nie". 1900 ff.

jammerbar adj adv sehr jämmerlich. Im 19. Jh in Studentenkreisen aufgekommen.

Jammerfetzen m 1. energieloser Mann. Fetzen = Lappen; daher analog zu „⁊ Jammerlappen". 1900 ff.
2. Theatervorhang. Meint ursprünglich den primitiven Bühnenvorhang einer umherreisenden Komödiantentruppe. 1910 ff.

Jammergestell n energieloser, wehleidiger Mensch. ⁊ Gestell. 1850 ff.

jammerhaft adj sehr schlecht; erbarmungswürdig. 1920 ff.

Jammerinstrument n Geige. Anspielung auf die schmachtende Spielweise. 1950 ff, schül.

Jammerkasten m 1. Drehorgel. Wegen der jammernden Klänge. 1900 ff.
2. altes, verstimmtes Klavier. 1900 ff.
3. Rundfunkgerät. 1930 ff.

Jammerkiste f Rundfunkgerät o. ä. 1930 ff.

Jammerlappen m 1. wehleidiger, energieloser, unmilitärischer Mensch. Entweder zusammengesetzt aus „jammernd" und „⁊ Waschlappen" oder weiterentwickelt aus der Bedeutung „Taschentuch zum Abwischen der Tränen". 18. Jh.
2. Schlagersänger(in). Der Gesang wird als ein Jammern aufgefaßt. Halbw 1955 ff.
3. Schulzeugnis. Ein Fetzen Papier, der Jammern auslösen kann. 1955 ff, schül.

Jämmerling m untüchtiger, schwächlicher, energieloser, armseliger Mensch. 1950 ff.

jammern intr Geige spielen. ⁊ Jammerinstrument. Schül 1950 ff.

Jammerochse m Kegelwurf, bei dem die Kugel kurz vor dem Kegeln aus der Bahn springt. Vgl Keglervokabeln wie „Pudel", „Ratte" u. a. 19. Jh.

Jammer-Pepi m 1. wehleidiger, energieloser Mann. Pepi ist Koseform von Josef. Südd 1920 ff.
2. Transistorgerät. Halbw 1955 ff.

Jammerpott m jammernder Mensch. Vgl ⁊ Tränenfaß. 1900 ff.

'jammer'schade adj präd sehr bedauerlich. Zusammengesetzt aus „Jammer und Schade" im Sinne von „Jammer und Leid (Not, Elend)". Seit dem 18. Jh.

Jammerschinken m 1. Mandoline. Das Instrument ähnelt in der Form einem Schinken, und es kann „jammernd | klagend, wimmernd" klingen. 1930 ff.
2. Geige. ⁊ Jammerinstrument. 1950 ff.
3. minderwertiges Gemälde. ⁊ Schinken. 1920 ff.

Jammerstreifen m gefühlvoller Film. ⁊ Streifen. 1950 ff.

Jammertag m Aschermittwoch. Für viele ist er ein rechter Trauertag; denn die Ausgelassenheit hat ein Ende, und der Geldbeutel ist leer. Westd 1870 ff.

Jammertal n 1. Erde. Fußt auf Psalm 83, 7: „vallis lacrimarum = Tal der Tränen". Etwa seit 1300.
2. Truppenübungsplatz. Da gibt es viel zu ächzen und zu stöhnen. 1870 ff.
3. irdisches ~ = Erdenleben. Geht zurück auf die Oper „Der Freischütz" von Carl Maria von Weber (1821).

Jammertante f wehleidiger Mensch. 1920 ff.

Jammertruhe f Klavier. Schül 1950 ff.

Jampe f wehleidige jugendliche Person. Jampen = kläglich schreien (von Katze und Schwein gesagt). Halbw 1955 ff.

jampeln (jampern) v nach etw ~ = auf etw begierig sein. Vgl das Vorhergehende. Nordd 19. Jh.

Janhagel m Pöbel, Gesindel. Im 17. Jh zunächst Bezeichnung für die Matrosen, weil sie mit „Hagel!" fluchten. Von der unflätigen Redeweise weiterentwickelt zur heutigen Bedeutung, die kurz nach 1680 belegt ist.

janken intr 1. zetern, winseln, schreien, lärmen o. ä. Schallnachahmendes Wort für das kreischende Geräusch eines ungeschmierten Wagens oder eines, der durch Sand fährt. Von da übertragen auf Winseln und Wimmern. 1700 ff.
2. nach etw ~ = nach etw lechzen, verlangen. 1700 ff. Vgl engl „to jangle = kreischen".

Janmaat (Jan Maat) m Leichtmatrose, Matrose; Seemann. „Maat" ist im Ndl der Schiffsmann. Jan = Hans. Seit dem 19. Jh.

jannen v jann michl: Ausdruck der Abweisung. Jannen = lecken. Analog zum Götz-Zitat und seinen Varianten. Rotw seit dem 17. Jh.

Jans f eine jut jebratene Jans (mit joldenen Jabeln jejessen) ist eine jute Jabe Jottes: Verspottung der Aussprache „j" für „g". Seit dem späten 19. Jh.

Jantel m Manteljacke; Jackenmantel. Das Bekleidungsstück ist zu kurz für einen Mantel und zu lang und zu weit, um als Jacke gelten zu können. 1972 ff, modenspr.

Januarloch n Geldknappheit während des ersten Monats im neuen Jahr. Das „Loch" entsteht durch unvernünftiges Wirtschaften im Weihnachtsmonat. 1920 ff.

Japper m Gier, Begierde. Jappen = den Mund aufsperren; verwandt mit „gapen = gierig blicken". Mitteld 1900 ff.

Japs m Japaner (abf). Verkürzt aus „Japanese". Spätestens seit 1900 ff.

japsen intr 1. nach Luft ringen. Wiederholungsform von „jappen = den Mund aufsperren; mühsam atmen". 1900 ff.
2. nicht mehr ~ = tot sein. 1900 ff.
3. nicht mehr ~ können = völlig erschöpft sein. 1900 ff.

Jaß m 1. Fachgröße, Kenner. „Jaß" nennt man den Trumpf-Buben im gleichnamigen Kartenspiel. Wohl von „⁊ As" beeinflußt. Österr 1950 ff, schül, stud und sportl.
2. begabter Schüler. Österr 1950 ff.

Jauche f 1. widerliche Suppe; schlechtes

Getränk. Eigentlich die Mistbrühe. Seit dem 14. Jh.
2. ~!: Ausdruck der Ablehnung. Analog zu ↗Scheiße u. ä. Gilt manchen als Euphemismus zimperlicher Leute. 1900 ff.
3. in ~ fassen = beim Kartenspiel nicht auf das Spiel des Partners eingehen, sondern eine ihm ungelegene Farbe ausspielen. Kartenspielerspr. 1900 ff.
4. in der ~ sitzen = in Not, Verlegenheit sein. Analog zu „in der ↗Scheiße sitzen" o. ä. 1900 ff.
Jaucheschöpfer (-schepper) m Tabakspfeife. Wegen Formähnlichkeit mit dem an einem längeren Stiel befestigen Eimer zum Ausschöpfen der Jauchegrube. 1900 ff, nordd.
Jauchezuber m kurze Tabakspfeife. Jauche = Tabaksaft. Zuber = Bütte, Wanne, Topf. 1910 ff.
jaukeln intr Unfug stiften; Unsinn treiben; seinen Spaß haben. Wiederholungsform von „jauken = jagen; jagend laufen"; wohl beeinflußt von „gaukeln". 1920 ff.
jauker adj **1.** knapp, teuer. Geht zurück auf jidd „joker = teuer, selten". Rotw seit dem frühen 19. Jh.
2. nicht vertrauenswürdig; wenig vertrauenerweckend. Der oder das so Bezeichnete verdient nur knappes Vertrauen. 1900 ff.
Jaukerl m n **1.** Giftspritze; Injektion. Gehört zu „jauken = antreiben". Vgl mhd „jochen = jagen". Österr 1930 ff.
2. Samenerguß. 1930 ff, österr.
Jaule f Schallplatte, Plattenspieler. Vgl das Folgende. Halbw 1965 ff.
jaulen (jäulen) intr mißtönende Musik machen; mißtönend singen. Von den Klagelauten der Hunde auf als unmusikalisch empfundene Klänge übertragen. Seit dem 19. Jh.
Jaulerin f Schlagersängerin. ↗jaulen. 1955 ff.
Jaulpief m Militärpfarrer. „Jaulen" bezieht sich hier vielleicht auf Unmutsäußerungen von der Kanzel herab oder fußt auf jidd „jolal = jammern". ↗Pief. 1900 ff, sold.
jausnen intr **1.** sich das Zusagendste aussuchen; ein Plagiat begehen. Gehört zu „Jause = Zwischenmahlzeit; kleiner Imbiß". Analog zu ↗frühstücken. Österr 1930 ff.
2. jm in die Zeitung, in die Spielkarten blicken; vom Mitschüler abschreiben. 1930 ff.
3. einer weiblichen Person ins Dekolleté blicken. 1930 ff.
ja'woll adv jawohl. Hieraus zu einer kräftigeren Variante entwickelt, vor allem in milit Kreisen. Seit dem späten 19. Jh.
ja'wollja adv jawohl. Die amtlich befohlene oder gebräuchliche Bejahung wird hier durch Anhängung von „-ja" verspottet. Dazu der geläufige Spruch: „jawollja, sagt die Olga". Seit dem späten 19. Jh, wohl berlinischer Herkunft.
Ja'wollsager m kritikloser Befehlsempfänger. Seit dem späten 19. Jh.
Jazz m Jazzmusik. Die Vokabel (vermutlich von engl „to jazz = hetzen" herzuleiten) wird umgangssprachlich mal dt, mal engl ausgesprochen. In Zusammensetzungen dient sie vielfach nur als – sachlich unrichtige – Umschreibung für moderne (laute, dumpf rhythmisch bestimmte, oft als mißtönend empfundene) Tanz- und Unterhaltungsmusik.

Jazz-Affe m leidenschaftlicher Freund des Jazz (iron). ↗Affe. 1955 ff.
Jazz-Bomber m geübter Jazz-Tänzer. ↗Bomber 5. 1955 ff, halbw.
jazzen intr moderne Tänze tanzen. 1920 ff.
Jazzer m Freund des Jazz; eifriger Jazz-Tänzer. 1920/30 ff; wiederaufgelebt um 1950.
Jazz-Fan (zumindest im Grundwort engl ausgesprochen) m leidenschaftlicher Freund des Jazz. ↗Fan 1. Nach 1945 aufgekommen.
Jazz-Feinmechaniker m tüchtiger Jazz-Musiker. Er musiziert mit Feingefühl und/oder muß im Umgang mit elektrischen/elektronischen Geräten vertraut sein. 1950 ff, halbw.
Jazz-Musik f ~ in den Därmen = Leibschmerzen; Magenknurren; Blähungen; Durchfall, Ruhr o. ä. 1930 ff.
Jazz-Winsler m Jazz-Sänger. „Winseln" spielt an auf weinerlichen Blues-Gesang o. ä. 1955 ff.
Jazz-Zahn m Mädchen, das moderne Tänze liebt. ↗Zahn. 1955 ff.
je interj o je (ach je)!: Ausruf des Entsetzens, des Mitleids. Seit 1700 verkürzt aus der Anrufung „o Jesu!".
Jeansbrumme (Bestimmungswort engl ausgesprochen) f Mädchen in Blue Jeans. ↗Brumme 2. 1970 ff.
Jeanser (engl ausgesprochen) m Träger von Blue Jeans. 1976 ff.
jeansig (engl ausgesprochen) adj von der Blue-Jeans-Mode beeinflußt. 1976 ff.
jeck adj närrisch, verrückt. Rhein Form von „geck"; wohl schallnachahmende Wiedergabe von unartikulierten Lauten eines, der von Sinnen ist. Einfluß von „gackern" und „gaukeln" erscheint möglich. Seit dem 14. Jh.
Jeck m **1.** Narr. Vgl das Vorhergehende. 1300 ff.
2. jeder ~ ist anders = jeder Mensch ist auf seine Weise närrisch. Rhein 1920 ff.
jecken refl schadenfroh sein. Man freut sich wie närrisch über das Mißgeschick eines Mitmenschen. 1840 ff.
Jeckenzahl f Zahl 11, 111, 1111 usw. ↗elf. 19. Jh.
jedenfalls adv ~ ist der Kopf dicker als der Hals: Erwiderung auf eine mit „jedenfalls" beginnende Äußerung des Einwands, der Einschränkung o. ä. 1920 ff.
jeder adj da könnte ja ~ kommen!: Ausdruck der Abweisung. Wird gesagt beispielsweise angesichts einer Forderung, die, ließe man sich darauf ein, jedermann geltend machen könnte. 19. Jh.
jederfrau f jede Frau. Scherzhaftes Gegenwort zu „jedermann". 1920 ff.
jegerl interj o ~!: Ausruf des Entsetzens, des Mitleids. „Jegerl" ist Verkleinerungsform von „↗je". Bayr und österr, spätestens seit 1800.
jeiern intr wehleidig sein; jammern. ↗Gejeier. 1900 ff.
jei jei jei interj Ausruf des Erstaunens, des Unbehagens. Vgl das Vorhergehende. 1920 ff.
jein adv halb zustimmende, halb ablehnende Antwort. Zusammengesetzt aus „ja" und „nein". 1950 ff.
Jeinsager m Wähler, der nicht mit voller Überzeugung seine Stimme abgibt. 1950 ff.

Jeinwort n Äußerung, die weder zustimmend noch ablehnend ist. 1950 ff.
Jemand m ein gewisser ~ = Person, die man namentlich nicht nennen will oder die man überhaupt nicht kennt; der große Unbekannte des Straftäters. Seit dem 19. Jh.
jemand sein eine angesehene Persönlichkeit sein; der herrschenden Gesellschaftsschicht angehören. Hinter „jemand" ergänze „von gesellschaftlicher Geltung" oder „von Rang und Namen". Seit dem 19. Jh.
'jemi'ne interj o ~!: Ausruf des Entsetzens oder Mitleids. Entstellt aus „o Jesu dominel". 17. Jh.
Jennerwein m Schütze. Fußt auf einem in Bayern verbreiteten Lied über das Schicksal eines Wildschützen („Es war ein Schütz in seinen schönsten Jahren") namens Jennerwein. BSD 1965 ff.
jenseits adv ~ von Gut und Böse = alt, gealtert (auf Frauen bezogen). Übernommen vom Titel eines Buchs von Friedrich Nietzsche (1886). BSD 1965 ff.
Jenseits n **1.** jn ins ~ befördern = jn töten. 1900 ff.
2. sich ins ~ befördern = Selbstmord verüben. 1930 ff.
3. er rotiert im ~ = wenn der Verstorbene dies wüßte, würde er heftiges Mißfallen äußern. Vgl ↗Grab 3. 1930 ff.
Jericho-Effekt m elektrotechnisch verstärkte Stimme. Laut Josua 6 sind die Mauern Jerichos durch den Schall der Posaunen zum Einsturz gebracht worden. 1960 ff.
jerum interj o ~!: Ausruf des Mitleids o. ä. Entweder bloße Entstellung des Namens Jesus oder abgekürzt aus „Jesus Rex Judaeorum". Am bekanntesten als Kehrreim des Studentenlieds „O alte Burschenherrlichkeit". Etwa seit 1750.
Jeses (Jesses, Jessas, Jösses) interj Ausruf des Unwillens, des Entsetzens oder Erstaunens. Abgeschliffen aus der Anrufung „Jesus!". Spätestens seit 1800.
Jesus m **1.** Militärgeistlicher. ↗Kommißjesus. BSD 1965 ff.
2. ich bin nicht ~ = ich weiß nicht alles. Anspielung auf Allwissenheit, auf Prophezeiungen, die eingetroffen sind, u. ä. Sold 1935 ff.
3. bin ich ~? weiß ich alles?: Antwort auf die Frage nach dem Verbleib einer Person oder Sache. Jug 1950 ff.
4. bin ich ~, wächst mir ein Kornfeld in der Hand?: Erwiderung auf die Frage nach dem Verbleib einer Person oder Sache. Mit dem Vorhergehenden verquickt durch die Stelle aus Schillers „Die Jungfrau von Orleans": „Kann ich Armeen aus der Erde stampfen? Wächst mir ein Korn feld in der flachen Hand?" BSD 1965 ff.
5. bin ich ~, wächst mir aus Gras aus der Tasche?: Redewendung, wenn man nicht weiß, wo eine gesuchte Person sich aufhält. BSD 1965 ff.
6. wo du nicht bist, Herr Jesu Christ = ohne Geld; ohne Bestechung. Geht zurück auf die dritte Strophe eines Lieds von Erdmann Neumeister (1671–1756): „Herr Jesu Christ! Wo du nicht bist, ist nichts, das mir erfreulich ist", scherzhaft umgestaltet zu „Wo du nicht bist, Herr Organist, da schweigen alle Flöten". Etwa seit dem späten 19. Jh.

Jesusmännchen *n* kleinwüchsige Person. Anspielung auf Jesus in der Krippe. Jesus soll klein von Gestalt gewesen sein. 1935 *ff.*

Jet-Pilot *m* Brathähnchen o. ä. Jet = Düsenflugzeug. *BSD* 1965 *ff.*

jetten *intr* mit dem Flugzeug fliegen. Nach 1950 aufgekommen.

jetzt *adv* etw von ~ auf gleich erledigen = etw unverzüglich erledigen. 1955 *ff.*

jeuen (Wortstamm *franz*, Endung *dt* ausgesprochen) *intr* glücksspielen, Karten spielen. Aus *franz* „le jeu = das Spiel". Seit dem 19. Jh.

Jeuratte (Bestimmungswort *franz* ausgesprochen) *f* Glücksspieler; leidenschaftlicher Spieler. 1900 *ff.*

Jidelhops *m* jugendbewegtes Benehmen. „Jiddel" ist in Norddeutschland die Wespe. Anspielung auf Ruhelosigkeit, Betriebsamkeit o. ä. 1930 *ff.*

Job *m* **1.** Dienst. Meint in England die Arbeit, die Beschäftigung, die Stellung in der Arbeitswelt. 1950 *ff.*
2. Gelegenheitsarbeit; Ferienarbeit; leichte Arbeit. 1950 *ff.*
3. guter (dufter, schlauer) ~ = bequemer Dienst; angenehme, befriedigende und einträgliche Tätigkeit. 1950 *ff.*
4. harter ~ = schwerer Dienst. *BSD* 1965 *ff.*
5. ruhiger ~ = angenehmer Dienst, in dem man es lange aushält, wenn man nicht nachzudenken beginnt. *BSD* 1965 *ff.*

jobben *intr* **1.** bequeme Gelegenheitsarbeit verrichten. 1950 *ff.*
2. viele Berufe nacheinander ausüben. 1950 *ff.*
3. angestrengt arbeiten. *Schül* 1950 *ff.*
4. ~ gehen = arbeiten gehen (statt zu studieren). *Stud* 1950 *ff.*

Jobber *m* Student, der Gelegenheitsarbeiten verrichtet. *Stud* 1950 *ff.*

Job-Hopper *m* Mann, der oft seinen Arbeitsplatz wechselt. Hoppen = hüpfen, springen. 1965 *ff.*

Job-Killer *m* Computer. Aufgekommen um 1976 im Zusammenhang mit steigender Arbeitslosigkeit. Vgl *engl* „to kill = töten".

jockeln *intr* koitieren. Gehört entweder zu „schockeln = schaukeln" oder zu „jucken = mit den Gliedern zucken; einen Juckreiz verschaffen". *Rotw* 1862 *ff.*

Joddämpfe *pl* Abortgestank in Bedürfnisanstalten für Männer. Jod verströmt einen durchdringenden Geruch und ähnelt in der Färbung dem Kot. 1920 *ff.*

Jodelheim *n* Musikzimmer in der Schule. Jodeln = beim Singen schnell zwischen Brust- und Kopfstimme wechseln. 1950 *ff.*

jodeln *intr* **1.** sich vergnügte Tage machen; ausgelassen leben. Jodeln = jauchzen. 1900 *ff.*
2. koten. Anspielung auf die Farbe des Jods. *Sold* wohl nicht erst seit 1955.
3. koitieren. Jodeln = jauchzen = etw jauchzend tun. 1950 *ff.*
4. einen ~ = ein Glas Alkohol zu sich nehmen. Man „jubelt es mit Freuden" = gießt es in die Kehle. 1950 *ff.*

Jodelschnulze *f* anspruchslos-rührseliges Jodellied; anspruchslos-gefühlvoller Gebirgsfilm. ↗ Schnulze. 1955 *ff.*

Jodeltenor *m* hoher Bariton. Künstlerspr. 1950 *ff.*

Jodhengst *m* Sanitätssoldat in der Revierstube o. ä. ↗ Hengst. *Sold* 1935 bis heute.

Jodler *m* **1.** *pl* = Gebirgsjäger. Das Jodeln ist eine vor allem bei Gebirgsbewohnern verbreitete Gesangsform. 1939 bis heute, *sold.*
2. Schlagersänger. *Jug* 1967 *ff.*
3. einen ~ machen = während der Dienstzeit ausgedehnt koten. ↗ jodeln 2. *Sold* 1914 *ff.*

jofe *adj* schön, angenehm. Fußt auf *jidd* „jophe = schön". 1900 *ff*, kundenspr.

jofel *adj* ausgezeichnet; vortrefflich gelungen. Herleitung wie beim Vorhergehenden. 1920 *ff.*

Johann *m* **1.** Hotel-, Hausdiener; Kutschername o. ä. Wegen der Häufigkeit des Vornamens Johann (Hans, Jan o. ä.). Seit dem 18. Jh.
2. kleiner ~ = Penis. ↗ Johannes. 1900 *ff.*
3. ich bin nicht dein ~ = ich bin nicht dein Handlanger; ich lasse mir von dir nichts befehlen. ↗ Johann 1. Seit dem 19. Jh.
4. den dummen ~ spielen = sich dumm stellen; tun, als verstünde man nicht. 1914 *ff.*

Johanna *f* **1.** blaue ~ = Blue Jeans. Hieraus eingedeutscht. 1955 *ff.*
2. eilige ~ = Durchfall. Wohl aus der „Heiligen Johanna" abgewandelt. 1920 *ff.*
3. lange ~ = lange Unterhose. Aus *engl* „jeans = Baumwollköper; jeans = Hosen" umgemodelt. *BSD* 1965 *ff.*
4. schwarze ~ = schwarzer Johannisbeersaft. Kellnerspr. 1960 *ff.*

Johannes *m* Penis. Herleitung nicht gesichert. Benannt nach dem Lieblingsjünger Jesu? Angeblich seit dem späten Mittelalter geläufig.

Johanniskäfer *m* **1.** Platzanweiserin im Kino. Anspielung auf das Aufleuchten der Taschenlampe. 1950 *ff.*
2. *pl* = Leuchtraketen. *Sold* 1914 *ff.*

Johannistrieb *m* erneutes Aufleben der Geschlechtslust bei älteren Personen. Ein *bot* Fachausdruck kennzeichnet so die erneute Vegetationstätigkeit im Sommer. Der 24. Juni heißt auch „Johannistag". 1800 *ff.*

Johnny *m* Kerl, Bursche. *Engl* Koseform von „John = Johann". Bei uns volkstümlich geworden nach 1950 aus Seemannsliedern u. ä.

Jöhre *f* Mädchen. Berlinische Form von ↗ Göre.

Joint (*engl* ausgesprochen) *m* selbstgedrehte Haschisch-Zigarette (Marihuana-Zigarette); mit Tabak und Haschisch gefüllte Tabakspfeife. Aus dem *angloamerikan* Slang um 1965 übernommen.

jointen (*engl* ausgesprochen) *intr* Haschisch rauchen. 1965 *ff.*

Jojel *f* Bett. Vgl das Folgende. 1971 *ff*, prost.

jojeln *intr* schlafen. Aus *jidd* „joschnen = schlafen". 1971 *ff*, prost.

Jo'jo *m* Halbwüchsiger mit sehr schmalem Oberlippenbärtchen. *Franz* „jojo = hübsch". Beeinflußt durch die Endsilbe des Namens von Adolphe Menjou, dem vorübergehend auch in Frankreich tätigen amerikanischen Filmschauspieler, der in den zwanziger Jahren einen sehr gestutzten Oberlippenbart trug. *Halbw* 1960 *ff.*

joker *adj* übertrieben. ↗ jauker. Seit dem frühen 19. Jh, rotw.

Jolanthe *f* **1.** Schwein. Name des Schweins

in der „Swienskomödi" von August Hinrichs (1930), im *Hd* als Lustspiel und Film bekannt unter dem Titel „Krach um Jolanthe". 1930 *ff.*
2. jn zur ~ machen = jn körperlich entkräften; jn entwürdigend behandeln. Analog zu „jn zur ↗ Sau machen". 1940 *ff.*

Jole *m* Wein, Getränk. „J" ist der Anfangsbuchstabe von *jidd* „jagin = Wein", und „ollef" bezeichnet in demselben *jidd* Wort den Buchstaben „a". *Rotw* seit dem frühen 19. Jh; *halbw* 1955 *ff.*

Jonny (meist *engl* ausgesprochen) *m* Engländer. ↗ Johnny. *Sold* in beiden Weltkriegen und auch noch heute.

joof *adj* gut, schön, angenehm. ↗ jofe. 1900 *ff.*

Jordan *m* **1.** über den ~ fahren (gehen) = a) sterben, im Krieg fallen. Geht zurück auf die biblische Geschichte: Die israelitischen Stämme überschritten den Jordan und nahmen Besitz vom Westjordanland; nach der Sage gingen die Israeliten trockenen Fußes durch das Jordanbett. So gelangten nach „drüben" (↗ drüben 3). 1900 *ff.* – b) verschwinden. 1900 *ff.*
2. Schuhe (Füße), mit denen man über den ~ gehen kann = breite, plumpe Schuhe (Füße). 1910 *ff.*
3. jm über den ~ helfen = jn antreiben. 1939 *ff*, sold.
4. ein Kind über den ~ jagen = ein Kind abtreiben. 1910 *ff.*
5. sich über den ~ jagen = Selbstmord verüben. 1950 *ff.*
6. jn über den ~ schicken = jn hintergehen, betrügen. 1950 *ff.*
7. über den ~ sein = tot sein. 1900 *ff.*
8. eine Szene über den ~ werfen = eine Szene verderben. *Halbw* 1960 *ff.*

Josef *m* **1.** kinderloser Ehemann. Übernommen aus der neutestamentlichen Geschichte von Josef und Maria. 1920 *ff.*
2. den ahnungslosen ~ spielen = sich unwissend (schuldig) stellen. Geht zurück auf die biblische Geschichte entweder von Josef und Potiphar oder von Josef und Maria. 1920 *ff.*
3. den heiligen ~ spielen = geschlechtlich enthaltsam leben. 1920 *ff.*

Josefsehe *f* Ehe ohne Geschlechtsverkehr; kinderlose Ehe. 1920 *ff.*

Jösses *interj* ↗ Jeses.

jovel *adj* sympathisch, kameradschaftlich. ↗ jofel. Vielleicht beeinflußt von „jovial". 1920 *ff.*

jü (jüh) *interj* vorwärts! schnell! schneller! Eigentlich ein Zuruf an das Zugvieh, wenn es vorwärts oder schneller gehen soll. Seit dem 18. Jh auch auf den Menschen angewandt.

Jubel *m* ~, Trubel, Heiterkeit = ausgelassene Stimmung; fröhliches Fastnachts-, Kirmestreiben o. ä. Erweitert aus „↗ Jubeltrubel" durch die „Paul- Neugebauer-Serie" von L. M. Lommel. 1935 *ff.*

Jubeldeutsche *f* gedungene Hochrufer. 1970 *ff* gebildet nach dem Muster „↗ Jubelperser".

Jubelfront *f* Menge spalierbildender und begeisterter Zuschauer bei der Anfahrt hochgestellter Persönlichkeiten des In- und Auslands. 1965 *ff.*

Jubelgreis *m* **1.** Mann an seinem 60., 70. oder 80. Geburtstag. 1900 *ff.*

2. bejahrter Mann, dessen geschlechtliches Interesse jungen Mädchen gilt. 1920 *ff.*

Jubeljahre *pl* alle ~ einmal = sehr selten. Bezieht sich auf das bei den Israeliten alle 50 Jahre wiederkehrende Jubeljahr (*hebr* „jobel = Posaunen-, Freudenschall"). Seit 1300 auch in der katholischen Kirche, anfangs alle 100, heute alle 25 Jahre begangen. 1600 *ff.*

Jubelkulisse *f* (Beifallsäußerungen einer) Menschenmenge anläßlich des Auftretens einer hochgestellten Persönlichkeit in der Öffentlichkeit. 1960 *ff.*

jubeln *intr* **1.** sorglos in den Tag leben; sich keinen Lebensgenuß versagen. Soviel wie „vor Freude jauchzen". 1700 *ff.*
2. ein Jubiläum feiern. 1900 *ff.*
3. Alkohol zu sich nehmen. 1920 *ff.*

Jubelperser *pl* **1.** hochgestellten Würdenträgern zujubelnde Perser. Aufgekommen beim Staatsbesuch von Schah Mohammad Resa Pahlawi in Berlin am 2. Juni 1967.
2. spielfreie Schauspieler als Claqueure. 1977 *ff.*

Jubelpreis *m* niedriger Preis. Er läßt die Kundschaft jubeln. 1972 *ff.*

Jubelröhre *f* Flasche Schnaps. ↗jubeln 3; ↗Röhre. *Rotw* 1955 *ff.*

Jubelscheune (-schuppen) *f (m)* Vergnügungs-, Tanzlokal; Party-Keller. *Halbw* 1960 *ff.*

Jubeltrubel *m* große Tanzveranstaltung, Gartenparty o. ä. *Halbw* 1955 *ff.* Seit dem frühen 20. Jh bezogen auf ein großes Volksfest. ↗Jubel; ↗trubeln 1.

Jubiläumsfeuerzeug *n* minderwertiges Feuerzeug. Es funktioniert erst beim 10. oder 25. Versuch. 1915 *ff.*

Jubiläumsflammenwerfer *m* schlecht funktionierendes Feuerzeug. *Vgl* das Vorhergehende; ↗Flammenwerfer. 1914 *ff.*

'jubilo in dulci jubilo leben = sorglos leben. Fußt auf einem alten Weihnachtslied und hat in Studentenliedern die Bedeutung „ausgelassen, lebenslustig, laut o. ä." angenommen. 1850 *ff.*

Juch'he (Juch'hee, Juch'hei, Ju'he) *m f n* **1.** höchste Galerie im Theater. Gehört zu „jauchzen" und bezieht sich im engeren Sinne auf Begeisterungsstürme, Bravorufe u. ä., wie sie im Theater oft vermehrt von den oberen Rängen (den billigeren Plätzen) zu vernehmen sind. Seit dem 19. Jh.
2. Parlamentstribüne. 1920 *ff.*
3. Mansardenwohnung; oberer Teil des Hauses. Seit dem späten 19. Jh.
4. gehaltloses Getränk. Anspielung auf minderwertige Getränke bei Volksbelustigungen. 1700 *ff.*
5. Sensation, Attraktion, Fröhlichkeit, Volksbelustigung. Seit dem 19. Jh.
6. auf den (das) ~ gehen = öffentliche Vergnügungen mitmachen. Seit dem 19. Jh.
7. im (in der) ~ schlafen = im oberen von übereinanderstehenden Betten schlafen. Über die Interjektion „juchheia" Querverbindung zu „Heia = Bett". 1920 *ff.*

Juch'he-Dame *f* Prostituierte. Analog zu „Freudenmädchen". Schweiz 1920 *ff.*

Juch'he-Knolle *f* aufwärts gebogene Nase. ↗Knolle. 1900 *ff.*

Juch'he-Mädchen *n* leichtes Mädchen. ↗Juchhe- Dame. 1870 *ff.*

Juch'he-Rübe *f* erigierter Penis. ↗Rübe. 1900 *ff.*

Juch'he-Trompete *f* aufwärts gebogene Nase. „Trompete" spielt an auf gewisse Nies- und Schneuzlaute. 1955 *ff, halbw.*

Juch'he-Zinken *m* aufwärts gerichtete Nase. ↗Zinken. 1900 *ff.*

Juck *m* Juckreiz. 1700 *ff.*

Jucke *f* Spielsaal. Bei echten Spielern bringt er die linke Hand zum Jucken. ↗jucken 1. 1960 *ff.*

juckeln *intr* **1.** langsam fahren, traben; spazieren fahren. Verkürzt aus ↗karjuckeln. Seit dem 19. Jh.
2. koitieren. ↗jockeln. 1900 *ff.*

jucken *v* **1.** es juckt mich = es reizt mich. Vom körperlichen Jucken übertragen auf seelisches Jucken. Jucken läßt Ruhelosigkeit entstehen. 1700 *ff.*
2. es juckt mich nicht = es ist mir völlig gleichgültig, betrifft mich nicht. 1920 *ff.*
3. das juckt einen Toten = das ist völlig gleichgültig; dem ist keine Bedeutung beizulegen. 1944 *ff.*
4. laß ~! = Aufforderung zum Beischlaf. Jucken = einen Juckreiz auslösen. *Vgl* den Titel des Films „Laß jucken, Kumpel" von Hans Henning Claer (1971). 1965 *ff, westf.*
5. laß ~, die Nacht ist kurz! = mach schnell! Anspielung auf das Vorhergehende, jedoch verallgemeinert. 1965 *ff.*

Juckpunkt (Juckepunkt) *m* Umstand, durch dessen Erwähnung ein anderer gereizt wird. ↗jucken 1. 1970 *ff.*

Juckreiz *m* Geilheit. 1900 *ff.*

Judas *m* kleine trichterförmige Öffnung in der Zellentür. Eigentlich das Guckfenster in der Tür. Aus dem *Franz* übernommen. 1870 *ff.*

Jude *m* **1.** Inhaber einer Pfandleihe. Zur Sache *vgl* ↗hebräisch. Seit dem 18. Jh bis heute gebräuchlich (auch wenn der Pfandleiher kein Jude ist).
2. christlicher ~ = schachernder christlicher Kaufmann. Juden galten (gelten) als sehr gewinnsüchtig. 1900 *ff.*
3. ewiger ~ = unruhig sitzendes, ruheloses Kind. Fußt auf der Sage von Ahasver, der wegen Beteiligung an Christi Tod zu Ruhelosigkeit bis zum Jüngsten Tag verdammt ist. 1920 *ff.*
4. getaufter ~ = Wucherer (der kein Jude ist). *Vgl* ↗Jude 2. 1200 *ff* bis heute.
5. katholischer ~ = gewinnsüchtiger Katholik. ↗Jude 2. 1870 *ff.*
6. weißer ~ = sehr erfahrener christlicher Geschäftsmann. Bei der Taufe trug er ein weißes Taufkleid. Seit dem 19. Jh.
7. für das Gewesene gibt der ~ nichts = Wert hat nur, was man besitzt. Vergangenes gilt dem Juden angeblich für belanglos; nur das Gegenwärtige hat für ihn Interesse. Seit dem 19. Jh.
8. handeln wie ein ~ = geschickt, zäh verhandeln; den Preis zu senken trachten. ↗Jude 2. Seit dem 19. Jh.
9. schlägst du meinen ~n, schlage ich deinen! = wie du mir, so ich dir! Geht zurück auf eine Geschichte im „Schatzkästlein des rheinischen Hausfreundes" von Johann Peter Hebel (1811): Zwei Kutscher, die von ihren Herren stets schlechte Trinkgelder erhielten, rächten sich, indem bei der nächsten Begegnung der Wagen auf schmaler Fahrweg keiner dem anderen auswich; erst zankten sich die Kutscher, und als die Handelsleute eingriffen, schlug und der Postillon abwechselnd einer des anderen Herrn. Auf diese Weise erwirkten sie beide ein besseres Trinkgeld. Hebels Quelle ist unbekannt; auch läßt Hebel nicht erkennen, daß die Handelsleute Juden waren. Dies findet sich erst dreißig Jahre später in Ernst Elias Niebergalls Posse „Der Datterich" (1841).
10. daran sind die ~n schuld = das sollen harmlose, unbeteiligte Leute verschuldet haben. Die willkürliche Bezichtigung richtete sich ursprünglich gegen die alten Römern (unter Nero) gegen die Christen, allerdings ohne spaßigen Nebensinn. 1850 *ff.*
11. daran sind die ~n, die Radfahrer und die linksrheinischen Katholiken schuld = das haben irgendwelche Leute verschuldet, die mit der Sache überhaupt nichts zu tun haben. Hängt wohl zusammen mit dem sogenannten „Kulturkampf" Preußens gegen die katholische Kirche, 1872. Die Redensart taucht gegen 1900/1910 auf.

Judenbengel *m* Jude *(abf).* *Vgl* ↗Bengel 4. Im 19. Jh aufgekommen.

Judenfresser *m* fanatischer Antisemit. ↗Fresser 2. Seit dem 19. Jh.

Judenfuhre *f* überfüllte Kutsche; überladenes Gefährt jeder Art. Juden standen in dem Ruf, an Fahrgeld zu knausern und darum in eine Kutsche o. ä. einzuladen, was nur hineinging. Spätestens seit 1800.

Judenhelm *m* steifer (schwarzer) Herrenhut. Ein Kennzeichen orthodox-jüdischer Alltagstracht der Männer. Spätestens seit 1900.

Judenjunge *m* Jude (gleich welchen Alters). 1800 *ff.*

Judenlümmel *m* Jude *(abf).* Meist in Verbindung mit den Adjektiven „frech", „dreckig", „mies", „stinkig" o. ä. gebraucht. *Vgl* ↗Lümmel 1. Seit dem 19. Jh.

Judenschicksel *f* Jüdin (ursprünglich nicht unbedingt *abf).* ↗Schickse. 1800 *ff.*

Judenschule *f* **1.** Lärm wie in einer ~ = großer Lärm; Stimmengewirr. „Judenschule" meint die Synagoge, in der nicht nur Gottesdienst abgehalten wurde, sondern auch Elementarunterricht erteilt wurde. Das gemeinsame laute Lesen von Thora-Texten u. ä. war dem Nichteingeweihten völlig unverständlich. 1600 *ff.*
2. eine ~ aufmachen = zu lärmen beginnen; eine laute Unterhaltung anfangen; durcheinandersprechen. 1920 *ff.*
3. sich benehmen wie in einer ~ = lärmen; johlen. 1920 *ff.*
4. es geht zu wie in einer ~ = man lärmt durcheinander; es herrscht Stimmengewirr; man kann sein eigenes Wort nicht verstehen. 1900 *ff.*

jüdisch *adj* **1.** nur keine ~e Hast! = keine übertriebene Geschäftigkeit! nur nicht gehetzt! Den Juden sagt man Eile bei Verhandlungen und Drängen zum Geschäftsabschluß nach. *Vgl* Erklärung zu ↗Jude 2. 1900 *ff.*
2. wie in den besten ~en Häusern = ausgezeichnet; hervorragend geglückt. 1900 *ff.*

Jugend *f* **1.** alte ~ = Schüler der Oberstufe. *Schül* 1960 *ff.*
2. überreife ~ = weibliche Person, die sich weit jugendlicher gibt und kleidet, als ihrem Lebensalter angemessen erscheint. Hergenommen vom überreifen Obst, dessen Färbung noch kräftiger wird, während es schon faltig einschrumpft. 1870 *ff.*

3. in der zweiten ~ stehen (sich befinden) = im vorgerückten Alter das Wiedererwachen des Geschlechtstriebs erleben. 1920 *ff.*

Jugenderinnerung *f* Senf. Anspielung auf die Farbe des Säuglings- und Kleinkinderkots. 1900 *ff.*

Jugendknast *m* Jugendgefängnis. ↗Knast. 1950 *ff.*

Jugendschuppen *m* Tanzlokal, das vorwiegend von Jugendlichen besucht wird. ↗Schuppen. 1955 *ff.*

Jugendsünden *pl* ~ treiben = beim Kartenspiel grobe Fehler machen. Kartenspielerspr. 1900 *ff.*

Jugendzeit *f* aus der ~ = a) Kinderkot. 1920 *ff.* – b) Senf. ↗Jugenderinnerung. 1930 *ff.*

Ju'he *m f n* ↗Juchhe.

Ju'hu *m* einen ~ machen = ausgelassen, ausschweifend leben. „Juhu" ist ein Ausruf der Freude. 1900 *ff.*

juhu'lieren *v* koitieren. *Vgl* das Vorhergehende. 1950 *ff.*

Ju'hu-Mensch *m* **1.** schreckhafte weibliche Person. Schon bei geringstem Anlaß schreit sie vor Schreck (oder schreckhaftem Erstaunen) „juhu". 1900 *ff.* **2.** in Musikcafés (in Gebirgsorten) als Jodler engagierter Mann. 1900 *ff.*

'Jule *f* **1.** Tätigkeitsbezeichnung für eine weibliche Person. Fußt auf der Koseform des Vornamens Julia, Julie oder Juliane. Etwa seit dem späten 18. Jh. **2.** Mädchen mit modernen Ansichten. *BSD* 1965 *ff.* **3.** bejahrte, nicht mehr sonderlich anziehende weibliche Person. 1900 *ff.* **4.** schwule ~ = Lesbierin. Wegen des Reimklangs. ↗schwul. 1920 *ff.*

Ju'lei *m* Juli. Verdeutlichende Aussprache zur Unterscheidung vom Monat Juni. Vielleicht Übernahme der *engl* Aussprache von „July". Mit der Telefonsprache nach 1920 aufgekommen.

Juliusturm *m* **1.** Staatsschatz; Bundesvermögen. Im „Juliusturm" der Spandauer Zitadelle (heute Berlin-W-Spandau) war nach 1871 die französische Kriegsentschädigung (bis 1914) als „Reichskriegsschatz" in Gold eingelagert. 1900 *ff.* **2.** Gesamtheit der Rücklagen; Hortung großer Geldmittel. 1930 *ff.*

jumbig *adj* **1.** ausgezeichnet. Geht zurück auf die *angloamerikan* Bezeichnung „Jumbo" für den Elefanten und ist also Analogie zu „↗elefantös". *Schül* 1950 *ff.* **2.** sehr groß. 1950 *ff.*

Jumbo *m* **1.** Panzerkampfwagen. ↗jumbig. *Sold* 1939 *ff.* **2.** Auto mit starker Motorleistung. *Sold* 1939 *ff.* **3.** schwere Seitenwagenmaschine des Motorradsportlers. 1950 *ff.* **4.** Transportflugzeug. *BSD* 1965 *ff.* **5.** dicker, kräftiger Mann. 1950 *ff.*

Jump *(engl* ausgesprochen*)* *m* Party-Keller. *Vgl* das Folgende. *Halbw* 1955 *ff.*

jumpen *(engl* ausgesprochen*)* *intr* **1.** springen; ins Wasser tauchen; bei Seegang schaukeln. Geht zurück auf *engl* „to jump = springen, hopsen" o. ä. *Marinespr* spätestens seit 1900 *ff.* **2.** gehen. *Schül* 1965 *ff.*

jung *adj* **1.** fünfzehn Jahre ~ = fünfzehn Jahre alt. Höfliche, freundliche Redewendung von Kavalieren. 1950 *ff.*

2. so ~ und schon so verdorben: Redewendung auf Gerichte aus nicht mehr frischem Fleisch oder Fisch oder auf Fleischgerichte von in zu hohem Alter geschlachteten Tieren. Die Wendung gilt eigentlich der Verurteilung des sittenlosen Erwachsenwandels Jugendlicher. Seit dem ausgehenden 19. Jh.

3. jn auf ~ quälen = jn jugendlicher kleiden als seinem Alter entsprechend. 1955 *ff.*

4. du bist dir wohl zu ~?: Frage an einen, der sich einen Bart wachsen läßt. Der Bart läßt das Gesicht älter erscheinen. 1950 *ff.*

5. du bist zu ~ für dein Alter = du bist nicht recht bei Verstand. Man neigt wohl noch zu Jugendtorheiten, wo eigentlich schon Altersweisheit zu erwarten wäre. *Schül* 1950 *ff.*

6. zu ~ für diese Welt: Redewendung des Kartenspielers, der eine niedrige Trumpfkarte überspielt. Kartenspielerspr. 1900 *ff.*

7. als wir noch ~ und hübsch (schön) waren = in unserer Jugendzeit. 1900 *ff.*

8. so ~ sehen wir uns nicht wieder: Redewendung, wenn einer eilig aufbrechen will. Seit dem 19. Jh.

9. so ~ kommen wir nicht wieder zusammen: Aufforderung, noch länger beisammen zu bleiben. Stammt in leichter Abwandlung aus einem um 1790 gedichteten Lied von Christian August Vulpius. 1800 *ff.*

Junge I *m* **1.** Penis. Analog zu „kleiner ↗Herr". *Halbw* 1960 *ff.* **2.** Zuhälter. 1960 *ff.* **3.** Junge, Junge!: Ausruf der Verwunderung; Drohwort. Seit dem 19. Jh. *Vgl engl und angloamerikan* „o boy, o boy!". **4.** alter ~!: gemütliche Anrede an einen älteren Erwachsenen. Analog zu „alter ↗Knabe". 1830 *ff.* **5.** blauer ~ = Matrose. Geht zurück auf *engl* „blue boys = Matrosen". Die blaue Farbe wurde in der englischen Marine unter Georg II. (1683–1760) eingeführt nach dem Vorbild seiner Maitresse, die Kleidung von blauer Farbe und Kragenblusen im späteren Marineschnitt bevorzugte. Seit dem späten 19. Jh. **6.** diesjähriger ~ = dummer, unerfahrener Mensch. Bezieht sich in der Viehzucht auf ein Tier, das in diesem Jahr geboren ist. *Vgl* „heuriger ↗Hase". 1850 *ff.* **7.** dufter ~ = a) anstellige männliche Person. ↗dufte. 1920 *ff.* – b) schlauer Dieb. *Rotw* 1920 *ff.* – c) männlicher Prostituierter, der vertrauenswürdig ist. 1950 *ff.* **8.** dummer ~ = Schimpfwort. In studentischer Auffassung ist die Bezeichnung eine Ehrenkränkung. Seit dem 18. Jh. **9.** fauler ~ = unzuverlässiger Mann; erpresserischer Prostituierter; Verräter. ↗faul 1. *Rotw* seit den frühen 19. Jh. **10.** feuchter ~ = Rekrut. Er ist „noch nicht trocken hinter den ↗Ohren" oder muß noch „trockengelegt" werden (= bedarf ständig der Hilfe eines älteren Kameraden). 1910 *ff.* **11.** fixer ~ = a) geschäfts- und menschenerfahrener Mann mit vorwiegend betrügerischen Absichten. ↗fix 1. 1910 *ff.* – b) anstelliger, reaktionsschneller Mann. Seit dem 18. Jh. **12.** flotter ~ = gut aussehender junger Mann. ↗flott 1. *Jug* 1955 *ff.* **13.** gesunder ~ = Mann, der sich zu

helfen weiß; praktisch veranlagter Mann. Er „hat seine fünf Sinne beisammen" und weiß seine Hände zu gebrauchen. Seit dem 19. Jh.

14. großer ~ = Ehemann (Kosewort). 1900 *ff.*

15. grüner ~ = a) Forsteleve, -praktikant; Förster in Ausbildung. Wegen der Uniformfarbe. 1920 *ff.* – b) Polizeibeamter. Wegen des Uniformtuchs. *Vgl* ↗Grüner 7. 1950 *ff.* – c) unerfahrener, vorwitziger, vorlauter junger Mann. ↗grün 1. 1800 *ff.*

16. heißer ~ = Tatverdächtiger. ↗heiß 5. 1950 *ff.*

17. kesser ~ = a) anstelliger Mittäter; intelligenter Verbrecher. ↗keß. Etwa seit der Mitte des 19. Jhs. – b) frecher, aufdringlicher Junge. 1920 *ff.*

18. kleiner ~ = Penis. ↗Junge I 1. *Halbw* 1960 *ff.*

19. nasser ~ = a) Halbwüchsiger. Er ist „noch naß hinter den Ohren" oder der Nasenschleim hängt ihm noch aus der Nase (↗Rotzjunge). 19. Jh. – b) Schmarotzer. ↗naß. 19. Jh. – c) unzuverlässiger Mann. ↗naß. 1900 *ff.* – d) Zechpreller. ↗naß. 1870 *ff.*

20. schlanker ~ = Zuhälter. ↗schlank. 1920 *ff.*

21. schwerer ~ = Schwerverbrecher. „Schwer" nach dem Vorbild von „schweres Verbrechen", „schwere Schuld" o. ä. 1850 *ff.*

22. süßer ~ = Homosexueller. ↗Süßer. 1920 *ff.*

23. jn wie einen dummen ~n behandeln = jn wie einen unreifen Menschen behandeln; jn beleidigend behandeln. Seit dem 19. Jh.

24. ein halber ~ sein = umhertollen; sich jungenhaft benehmen (auf kleine Mädchen bezogen). 1900 *ff.*

25. nicht mehr wissen, ob man ein ~ oder ein Mädchen ist = verwirrt, ratlos sein. 1900 *ff.* Ähnlich schon im 16. Jh.

Junge II *pl* **1.** ~ haben = bösartig, streitlüstern, angriffslustig sein. Tieren, die Junge haben, darf man nicht zu nahe kommen. 1935 *ff.* **2.** ~ kriegen = im Wert steigen (auf Wertpapiere u. ä. bezogen). „Junge" sind hier die Zinsen o. ä. 1870 *ff.* **3.** da könnte man ~ kriegen!: Ausdruck der Verzweiflung. 1900 *ff.*

Jungens *pl* **1.** Jungen. Das End-s ist von Norddeutschland ausgegangen. Seit dem 18. Jh. **2.** Buben (Bauern) im Kartenspiel. Kartenspielerspr. seit dem 19. Jh. **3.** sich mit ~ einlassen = im Skatspiel einen Grand spielen. Meint, auf ein Mädchen bezogen, eigentlich die Bekanntschaftsanknüpfung mit jungen Männern. Kartenspielerspr. seit dem 19. Jh.

Jungfer *f* **1.** angesäuert wie eine alte ~ = verstimmt, beleidigt. ↗sauer. 1920 *ff.* **2.** sich zieren wie die ~ im Bett = zimperlich sein; schämig tun. 1920 *ff.*

Jungfernglück *n* Bockwurst. Anspielung auf den Penis. 1960 *ff.*

Jungfernrabatt *m* Nachsicht für einen, der seine erste Rede hält. Die erste Rede gilt als „Jungfernrede". 1960 *ff.*

Jungfernsarg *m* Motorradbeiwagen für Personenbeförderung. Er ist sargähnlich gebaut und nimmt oft eine weibliche Person auf. 1925 *ff.*

Jungfernstich *m* **1.** Defloration. Seit dem 19. Jh.

2. erster Koitus des Arbeitstages einer Prostituierten. „Jungfer" nennt man eine Prostituierte, die an diesem Tag noch keinen Kunden gehabt hat. Seit dem frühen 19. Jh.

Jungfrau *f* **1.** Prostituierte „am „Morgen" ihres Arbeitstages: d. h. bevor sie an diesem Tag ihren ersten Kunden gehabt hat. ↗Jungfernstich 2. Seit dem 19. Jh.

2. unvermischtes alkoholisches Getränk. Es ist „rein = unschuldig wie eine Jungfrau". 1920 *ff.*

3. Spieler, der beim Skatspiel „Ramsch" keinen Stich macht. Kartenspielerspr. 1900 *ff.*

4. (Untersuchungs-)Häftling ohne Vorstrafen. 1950 *ff.*

5. Jäger, der in diesem Jahr noch zu keinem Schuß gekommen ist. 1900 *ff.*

5 a. fehlerfrei gesetzte Korrekturfahne. Im Druckereigewerbe geläufig seit dem 19. Jh.

6. ~ der Arbeit = Nichtstuer. Er ist von Arbeit unberührt. 1933 *ff.*

7. alte ~ = zimperlicher Mann. 1900 *ff.*

8. eiserne ~ = a) unnahbare weibliche Person; Mädchen, das sich dem Koitus verweigert. Eisern = auf seinem Willen beharrend; folgerichtig. 1900 *ff.* – b) automatische Zeitansage. Etwa seit 1937. – c) Massagegerät. Im Mittelalter Name eines Folterinstruments. 1914 *ff.*

9. errötende ~ = rote Grütze o. ä. 1920 *ff.*

10. kohlensaure ~ = a) Verkäuferin in alkoholfreien Trinkhallen. Sie gibt kohlensäurehaltige Getränke aus. 1850 *ff.* – b) Kellnerin in Schanklokalen. 1920 *ff.*

11. schwebende ~ = gute Tänzerin. Eigentlich eine Sehenswürdigkeit in Vergnügungsparks o. ä.: durch geschickte Aufhängungstricks sieht die Darbietung so aus, als schwebe das Mädchen durch die Luft. 1900 *ff.*

12. sich anstellen wie eine ~, die plötzlich merkt, daß sie keine mehr ist = sich übertrieben gebaren, gebärden, verhalten. 1930 *ff.*

13. wie die ~ zum Kind kommen (gelangen) = überraschend (unverdient) etw gewinnen oder ein unerwartetes Mißgeschick erleiden. Seit dem 19. Jh.

14. die gekränkte ~ spielen = sich beleidigt fühlen; Beleidigtsein zeigen. 1920 *ff.*

15. sich wie eine ~ mit Kind vorkommen = ratlos sein. 1960 *ff.*

Jungfrauenbelustigungswasser *n* Mineralwasser, Limonade. Ein Getränk für junge Mädchen, die Alkohol verschmähen. *Halbw* 1950 *ff.*

Jungfrauenerquickungstrank *m* Limonade. *Vgl* das Vorhergehende. *Halbw* 1950 *ff.*

Jungfräule *n* Heilig's ~l: Ausruf der Verwunderung. Entstanden aus der Anrufung Mariä. *Schwäb* 1920 *ff.*

jungfräulich *adj* völlig einwandfrei; ganz neu; ungebraucht. 1950 *ff.*

Jungfrauparagraph *m* gesetzliche Bestimmung mit dem Hinweis „unberührt bleiben die Bestimmungen der §§ . . .". *Stud* 1955 *ff.*

Junggeselle *m* **1.** ~ aus Leidenschaft (Passion) = überzeugter Junggeselle; Ehefeind. 1920 *ff.*

2. eiserner ~ = standhafter Lediger. Eisern = auf seinem Willen beharrend. 1920 *ff.*

Junggesellenfutter *n* intime Freundin eines Unverheirateten. Als ↗Naschwerk aufgefaßt. 1960 *ff.*

Junggesellerich *m* alter Junggeselle. Gebildet nach dem Muster von „Enterich", „Gänserich" o. ä. 1900 *ff.*

Junggesellin *f* eiserne ~ = ehefeindliche Ledige. Gegenstück zum „eisernen ↗Junggesellen". 1920 *ff.*

Junghahn *m* junger Mann. 1950 *ff.*

Jungs *pl* **1.** Jungen; Anredeform. Zusammengezogen aus ↗Jungens. Seit dem 19. Jh.

2. blaue ~ = Matrosen. ↗Junge I 5. Seit dem 19. Jh.

3. grüne ~ = Bundesgrenzschutz. Wegen der grünen Uniform. 1950 *ff.*

4. lederne ~ = große Bohnen; reife Pferdebohnen. „Ledern" spielt auf „zäh" und „schwerverdaulich" an. 1900 *ff.*

5. für kleine ~ müssen = den Abort aufsuchen müssen (von Mädchen gesagt). ↗Mädchen 53. 1920 *ff.*

Jungsau *f* halbwüchsige Prostituierte; beischlafwilliges Mädchen. Eigentlich das weibliche Schwein, das zum ersten Mal ferkelt. 1920 *ff.*

Jüngster *m* nicht mehr der (die) Jüngste sein = sich der Lebensmitte nähern (oder sie schon überschritten haben). 1920 *ff.*

Jungtürke *m* **1.** reformfreudiger Beamter. Meint eigentlich das (seit 1908 nationaltürkisch geprägte)„Komitee für Einheit und Fortschritt", 1955 *ff.*

2. junger Abgeordneter; Jungsozialist (-demokrat). 1955 *ff.*

Jungvieh *n* Gesamtheit der Rekruten einer militärischen Einheit. Eigentlich das junge Rindvieh. 1900 *ff.*

Junker *m* Fahnenjunker. Hieraus verkürzt. Eigentlich der adlige Großgrundbesitzer. *Sold* 1914 bis heute.

Junkie (*engl* ausgesprochen) *m* Rauschgiftsüchtiger. Geht auf den *angloamerikan* Slang zurück, wo „junk" das Heroin bezeichnet. 1968 *ff.*

Juno *m* Juni. Von der verdeutlichenden Telefonsprache nach 1920 übernommen, um Verwechslung mit dem Monatsnamen Juli zu vermeiden.

Jussmann *pl* zehn Mark. Fußt auf *jidd* „jud = zehn". *Rotw* 1960 *ff.*

'Justa'ment *n* aus purem ~ = aus Trotz.

Justament = just, gerade; gerade passend. 1950 *ff*, *österr.*

'Justa'ment-Hochzeit *f* Eheschließung gegen den Willen der Eltern. Etwa soviel wie „jetzt erst recht!"; *vgl* das Vorhergehende. 1950 *ff.*

Justiz *f* Herr ~: vermeintlich höfliche Anrede an einen Gerichtsbeamten. Seit dem 19. Jh.

Justizausscheidungskampf *m* Strafverfahren. Der Sportsprache entlehnt. 1950 *ff.*

Justizbiene *f* unverbesserliche Rechtsbrecherin. Biene = Mädchen. Sie „sticht" (= verletzt die Gesetze). 1967 *ff.*

Justizkasten *m* Anklagebank mit ringsum geschlossener Schranke. Der Angeklagte sitzt darin wie in einem Kasten. 1920 *ff.*

Justizunfall *m* richterliches Fehlurteil. 1950 *ff.*

Juttermann *pl* zehn Mark. ↗Jussmann. *Rotw* 1960 *ff.*

Juwelen *pl* die ~ verscheißen (wegscheißen) = Kostbarkeiten gegen Lebensmittel eintauschen. Man führt sie dem körperlichen Stoffwechselgeschehen zu. 1945 bis 1948.

Jux *m* **1.** Scherz, Ulk. Von Studenten eingedeutscht aus *lat* „jocus = Scherz, Spaß", vielleicht beeinflußt von bedeutungsverwandtem „juchzen". Seit dem 18. Jh.

2. schwarzer ~ = Scherzen mit Entsetzlichem. ↗Humor 2. 1960 *ff.*

3. aus ~ und Tollerei (Dollerei) = zum Spaß und Vergnügen. 1950 *ff.*

Juxartikel *m* Scherzartikel. ↗Jux 1. 1900 *ff.*

Juxbold *m* Spaßmacher. Dem „Witzbold" nachgebildet. 1960 *ff.*

Juxbude *f* Vergnügungsstand auf dem Jahrmarkt, in Vergnügungsparks o. ä.; Lachkabinett; Komödienhaus. 1850 *ff.*

juxen *v* **1.** *intr* = Freudenschreie ausstoßen; scherzen, spaßen; Karneval feiern. Das aus „↗Jux" gebildete Verb trifft hier eng mit „juchzen" zusammen. Seit dem 18. Jh.

2. *refl* = sich freuen; schadenfroh sein. 1900 *ff.*

Juxe'rei *f* Ulkerei, Scherzerei o. ä. Seit dem 19. Jh.

juxig *adj* **1.** spaßig. Seit dem 18. Jh.

2. sonderbar, merkwürdig. Was dem einen Ulk, ist dem anderen unverständlich. 1900 *ff.*

Juxmacher *m* Spaßmacher, Unterhalter, Komiker, Kabarettist o. ä. 1900 *ff.*

Juxrede *f* lustige Rede. 1950 *ff.*

Juz *n* Jugendzentrum. Hieraus verkürzt. *Schül* 1980 *ff.*

K

K 1. die 3 ~ = Kirche, Kochtopf, Kinder (Kirche, Küche, Kinder). Nach einem Ausspruch von Kaiser Wilhelm II. um die Jahrhundertwende sollte das Interesse der Frauen auf diese drei Anliegen beschränkt bleiben. **2.** die berühmten 4 ~ = Kirche, Küche, Keller und Kinder. Variante des Vorhergehenden; wohl ebenfalls der Zeit um 1900 angehörend. **3.** die vier großen ~ = a) Kinder, Küche, Kirche und Kleider. 1950 *ff.* – b) Küche, Kinder, Kosmetik, Kino. Angeblich der typische Tätigkeitsbereich der modernen Ehefrau. 1960 *ff.* **4.** 5 ~ = Kinder, Kammer, Küche, Keller, Kleider. 1800 *ff.*

k.I. Ausdruck der Ablehnung. Abkürzung von „kein Interesse". 1914 bis heute.

k.K. Altbekanntes, Wertloses. Abkürzung von „kalter ↗ Kaffee". Seit dem frühen 20. Jh.

k.o. 1. ~ für immer (dauernd ~) = tot. Dem Boxsport (knockout) entlehnt. 1939 *ff, sold.* **2.** geistig ~ = nicht zurechnungsfähig, verblödet. 1920 *ff.* **3.** jn ~ musizieren = jn durch lärmende Musik zum Weggehen veranlassen. *Halbw* 1955 *ff.* **4.** vom Alkohol ~ geschlagen sein = volltrunken sein. 1920 *ff.*

K.o.-Tropfen *pl* aus unlauterer Absicht ins Getränk gegebenes Schlaf- oder Betäubungsmittel. 1920 *ff.*

k.v. 1. ohne Verbindung zu einflußreichen Leuten. Eigentlich die amtliche Abkürzung „kriegsdienstverwendungsfähig", die hier als „keine Verbindung" gedeutet wird. *Sold* in beiden Weltkriegen. **2.** kann verrecken. *Sold* in beiden Weltkriegen. **3.** krepiert vielleicht. *Sold* in beiden Weltkriegen. **4.** nichts getroffen! Gemeint ist, daß der Soldat beim Schießen auf Figurenscheiben keine Figur getroffen hat. „Keine Figur" hier zu „k.v." scherzhaft verkürzt. *BSD* 1965 *ff.*

KVK 1. kleines Vögel-Kreuz. Amtliche Abkürzung von „Kriegsverdienstkreuz"; hier auf Geschlechtsverkehr umgedeutet. ↗ vögeln. *Sold* 1939 *ff.* **2.** Kippen von Kameraden. Meint die Zigarette, die man sich aus den „Kippen" (= Zigarettenendstücken) von Kameraden gedreht hat. *Sold* 1939 *ff.*

KZ *n* 1. Kaserne(nbereich). Von der Abkürzung für „Konzentrationslager" übernommen mit Anspielung auf die Unfreiwilligkeit und den Freiheitsentzug. *BSD* 1965 *ff.* **2.** Schule. Die Schüler fühlen sich eingesperrt. 1955 *ff.* **3.** Klassenzimmer. Abgekürzt hieraus oder aus „Karzer". 1955 *ff.* **4.** Krankenzimmer in der Heimschule. Hieraus abgekürzt. 1955 *ff.* **5.** Turnhalle. *Schül* 1955 *ff.*

KZ-Eier *pl* Eier aus einer Hühnergroßfarm, in der die Tiere keinen Auslauf haben. Die Hühner leben dort in einer Art Konzentrationslager. 1960 *ff.*

KZ-Huhn *n* Huhn ohne Auslauf. 1960 *ff.*

Kabache (Kabacke, Kabake) *f* 1. kleiner Raum; Zimmerchen; elendes Haus. Geht zurück auf *russ* „Kabak (kabaku) = geringe Schenke". Im frühen 19. Jh aufgekommen, anfangs *ostmitteld* und *nordd.* **2.** Auto. Als kleiner Raum aufgefaßt. *Halbw* 1960 *ff.*

Kabänes *m* 1. großer Gegenstand. Herleitung ungeklärt. Beruht vielleicht über „Kambänes" auf „Kumpan" oder geht zurück auf „Kapitän". *Westd* 1900 *ff.* **2.** stattlicher Mensch. *Westd* 1900 *ff.*

kabaretteln *intr* auf der Bühne eines Kabaretts auftreten. 1920 (?) *ff.*

Kabäuschen *n* kleine Kabine. Geht zurück auf *niederl* „kabuis" oder *engl* „caboose". *Rhein* seit dem 19. Jh.

Kabbelei (Käbbelei) *f* Wortwechsel, Zank. ↗ kabbeln. *Nordd* seit dem 18. Jh.

kabbelig *adj* gegeneinanderlaufen (von den Wellen gesagt). Die Wellen „streiten miteinander", wenn Strömung und Wind einander entgegengesetzt sind. Seit dem 18. Jh.

kabbeln (käbbeln) *v* 1. sich mit jm ~ = mit jm einen Wortwechsel führen; sich zanken. Ein *niederd* Wort, verwandt mit „keifen" (mit den Nebenformen „kiwen, kiwweln, kibbeln, kawweln, kabbeln"). Seit dem 17. Jh. **2.** die See kabbelt = die Wellen laufen gegeneinander. ↗ kabbelig. Seit dem 18. Jh.

Kabel *n* 1. *pl* = Nerven. Das Kabel ist ein starker Strick, und wer gute Nerven hat, hat Nerven wie Stricke. 1910 *ff.* **2.** jm das ~ abschneiden = a) jn töten. Man schneidet ihm nach altgriechisch-mythologischem Vorbild den Lebensfaden durch. *Sold* 1940 *ff. Vgl engl* „to part the cable". – b) jn sterilisieren. 1933 *ff.* **3.** das ~ ist gerissen = a) die Geduld ist zu Ende. Das Kabel ist hier ein sehr kräftiger Geduldsfaden. 1900 *ff.* – b) der Gedankenzusammenhang ist verloren gegangen. Man hat den Faden der Gedanken verloren. 1900 *ff.*

Kabeljau *m* 1. Schiff, das Seekabel verlegt. Wortspiel mit „Kabliau (Kabeljau)" und „Kabel". 1900 *ff,* seemannsspr. **2.** Angehöriger der Besatzung eines Kabellegers. 1900 *ff,* seemannsspr. **3.** Augen machen wie ein ~ = erstaunt blicken; dümmlich, seelenlos blicken. ↗ Schellfischaugen. 1900 *ff.*

Kabeljau-Krieg *m* Zwist zwischen Island und England wegen der am 1. September 1958 verfügten Erweiterung der isländischen Hoheitszone von 4 auf 12 Meilen; Streit um die Fanggründe. 1958 *ff.*

Kabelknacks *m* Nervenleiden, Nervenzusammenbruch; Verrücktheit. ↗ Kabel 1; ↗ Knacks 1. 1910 *ff.*

Kabelnetz *n* Nervensystem. ↗ Kabel 1. 1920 *ff.*

Kabine *f* 1. Abort. Aus dem Folgenden verkürzt. 1950 *ff, schül.* **2.** ~ der Erleichterung. Übersetzt aus *franz* „cabinet d'aisance". 1950 *ff, schül.* **3.** in die ~ geschickt werden = einen Feldverweis erhalten. Fußballerspr. 1950 *ff.* **4.** in die ~ schicken = jm einen Feldverweis erteilen. Fußballerspr. 1950 *ff.*

Kabinenpredigt *f* Zurechtweisung der Fußballspieler im Umkleideraum während der Spielpause. Der „↗ Gardinenpredigt" nachgeahmt. Fußballerspr. 1950 *ff.*

Kabinettstückchen *n* 1. besonders wertvolle Einzelheit. Meint eigentlich den besonders wertvollen Kunstgegenstand in einem Kunst-Kabinett. Seit dem 19. Jh. **2.** bewundernswerte Leistung eines einzelnen Fußballspielers. 1950 *ff.*

Kabolzwasser *n* Schnaps. Wohl ein sehr hochprozentiger, der einen umzuwerfen droht. 1930 *ff.*

Kabrusche *f* 1. Diebesbande. Leitet sich her von *jidd* „chawrusso = Gesellschaft, Genossenschaft". *Rotw* 1735 *ff.* **2.** ~ machen = a) gemeinsame Sache machen. 1920 *ff.* – b) die Diebesbeute untereinander teilen. Seit dem frühen 19. Jh. – c) liebkosen, flirten. 1950 *ff,* Berlin.

Kabuff (Kabüffken) *n* 1. kleiner, enger, dunkler Raum; Zimmer ohne besonderen Ausgang. Entstanden aus *mittelniederd* „Kabuse = Bretterverschlag" im Zusammenhang mit „Kombüse = Schiffsküche" oder Streckform zu *mittelniederd* „Kuffe = kleines, minderwertiges Haus". Seit dem 18. Jh. **2.** kleines, enges Lokal. 1920 *ff.* **3.** Klassenzimmer. 1950 *ff.*

Kache *f* kurzes lautes Auflachen. ↗ kachen. Seit dem 19. Jh.

Kachel *f* 1. Nachtgeschirr. Im *Mhd* = irdener Topf. Seit dem 15. Jh. **2.** Vulva, Vagina. Versteht sich aus der Bedeutung „kleine Grube". 17. Jh, *schwäb* und *bayr.* **3.** unverträgliche alte Frau. Seit dem 16. Jh.

kacheln *intr* 1. lachen, kichern. ↗ kachen. Seit dem 19. Jh. **2.** übermäßig heizen. Auf den Kachelofen bezüglich. Seit dem 19. Jh. **3.** ein Glas Alkohol zu sich nehmen. Man heizt sich ein wie einen Ofen. 1920 *ff.* **4.** töricht schwätzen. Ist entweder eine Variante zu „kakeln = gackern" oder meint das Schwätzen nach Art einer zänkischen alten Frau (↗ Kachel 3). 1700 *ff.* **5.** koitieren. (↗ Kachel 2). 1700 *ff.* **6.** schwängern. Fußt auf dem Bilde des Einheizens. Seit dem 19. Jh.

kachen *intr* schallend lachen; aufkreischen; albern kichern. Die Vokabel ist schallnachahmender Natur, verwandt mit „keuchen" und „Kack". Seit *mhd* Zeit.

Kack *m* 1. Kot. ↗ kacken 1. 1500 *ff.* **2.** schlechtes Essen. 1920 *ff.* **3.** Minderwertiges. 1920 *ff.* **4.** Frau ~ = Abortwärterin. Berlin 1955 *ff.* **5.** den flotten ~ haben = Durchfall haben. 19. Jh.

Kackademiker *m* 1. Akademiker (sehr *abf*). 1920 *ff.* **2.** Krippenkind, dessen Eltern noch studieren. 1969 *ff, stud.*

'kack'blond *adj* strohgelb, semmelfarben. Wegen der Farbähnlichkeit mit dem Kot. 1920 *ff.*

'kack'braun *adj* dunkelbraun. 1920 *ff.*

kacke *adj präd* schlecht. *Halbw* 1960 *ff.*

Kacke *f* 1. Kot. ↗ kacken 1. Seit dem 19. Jh. **2.** Minderwertiges, Mißliches, Verwünschtes; sehr üble Lage. Analog zu ↗ Scheiße. 1900 *ff.* **3.** ~ hoch 3 (Kacke³) = sehr große Unannehmlichkeit. *BSD* 1965 *ff.* **4.** ~ mit Pelzbesatz = a) Rührei auf einer

Scheibe Schinkenspeck. „Kacke" wegen der Farbe des Rühreis; „Pelzbesatz" spielt auf das Vorhandensein von Borsten an der Schinkenschwarte an. 1940 *ff.* – b) Ausruf des Unwillens, der Enttäuschung. Erweiterung der mit „Kackel" ausgedrückten unwilligen Abweisung. 1940 *ff.*
5. ~ mit Senf = widrige Unannehmlichkeit. 1950 *ff.*
6. alles ~, deine Elli: Ausruf des Unwillens, der Ratlosigkeit. Wird gewöhnlich aufgefaßt als der Schluß eines fingierten Briefs. *Sold* 1939 *ff.*
7. ganz große ~ = sehr große Widerwärtigkeit. 1935 *ff.*
8. kalte ~ = Coca Cola. Eine Wortspielerei ohne abfälligen Nebensinn. 1945 *ff.*
9. da (jetzt) ist die ~ am Dampfen = a) Gefahr droht; es steht sehr schlimm; da ist guter Rat teuer; es wird überaus heikel. Fußt auf der Beobachtung, daß dampfender Kot weit stärker riecht als kalter. 1933 *ff.* – b) jetzt ist die Geduld zu Ende; jetzt wird rücksichtslos durchgegriffen. 1945 *ff.*
10. in ~ greifen = Mißerfolg erleiden; ein schlechtes Geschäft machen. 1900 *ff.*
11. auf die ~ hauen = großsprecherisch sein; sich aufspielen. Ein fragwürdiger Held, wer mit der Hand auf einen Kothaufen schlägt. *Halbw* 1960 *ff.*
12. ~ reden = Unsinn reden. 1900 *ff.*
13. du bist aus ~: Schimpfrede. *Jug* 1960 *ff.*
14. da ist ~ am Stiel: Redewendung eines Kartenspielers, wenn bei einem für sicher gehaltenen Spiel offenbar wird, daß die guten Karten der Gegner hat. Kartenspielerspr. 1900 *ff.*
15. in der ~ sitzen = in Not sein. 1900 *ff.*
16. in die ~ treten = in Gefahr geraten. *Sold* 1914 *ff.*
17. in ~ treten = Glück haben. Unbeabsichtigtes Treten in einen Kothaufen soll glückbringend sein. 1910 *ff.*
kacken *intr* **1.** koten. *Vgl lat* „cacare". Seit dem 15. Jh.
2. wer kackt, muß auch pissen = eines geht nicht ohne das andere; die Dinge sind miteinander verbunden, und trennen kann man sie nicht. 1800 *ff.*
3. etw zum ~ einnehmen = etw essen. 1930 *ff.*
4. jn beim ~ erwischen = jn bei einer unlauteren Tat erwischen. Leitet sich her von Notdurftverrichtung an unvorhergesehener Stelle. 1950 *ff.*
5. jn zum ~ reizen = jn ärgern, aufregen. 1920 *ff.*
6. auf etw ~ = auf etw keinen Wert legen. Gemilderte Analogie zu „↗ scheißen 6". 1970 *ff, halbw.*
Kacker *m* **1.** Scheltwort auf einen vermeintlich Klugen. Analog zu ↗ Klugscheißer. 19. Jh.
2. untauglicher Mann; langweiliger Mann; unbeliebter Vorgesetzter. Analog zu ↗ Scheißer, Schisser. 1920 *ff.*
3. kleinlicher, pedantischer Mensch. Verkürzt aus ↗ Korinthenkacker. 1900 *ff.*
4. alter ~ = alter Mann *(abf).* 1900 *ff.*
5. intellektueller ~ = Intellektueller *(abf).* 1960 *ff, halbw.*
Käcker *m* **1.** ängstlicher Mann. ↗ käckern 1. *Sold* 1939 *ff.*
2. kleiner Junge (Kosewort). Ähnlich wie

„Scheißer, Scheißerle" u. ä. hergenommen von der gemütlich scheltenden Bezeichnung für ein kleines Kind, das noch nicht sauber ist. 1900 *ff.*
kackerig *adj* **1.** unwohl; bleich aussehend. 1900 *ff.*
2. ärmlich, armselig. 1900 *ff.*
kackern (käckern) *intr* **1.** Stuhldrang spüren. 1800 *ff.*
2. Brechreiz spüren. Seit dem 19. Jh.
3. das große ~ kriegen = Furcht bekommen. *Sold* 1939 *ff.*
kackfarben *adj* hellbraun; gelb. Seit dem 19. Jh.
'kackfi'del *adj* sehr lustig; sehr vergnügt. Gehört zu „kack = noch ohne Federn; kahl, nackt; nicht flügge". Seit dem späten 19. Jh.
'kack'frech *adj* dreist. 1980 *ff.*
'kack'gelb *adj* hellgelb. Etwa soviel wie „kotgelb". 1900 *ff.*
Kackhaus (-häuschen) *n* Abort. ↗ Häuschen 1. 1700 *ff.* Vgl *niederl* „kakhuis".
kackig *adj* schlecht, minderwertig, langweilig. *Jug* 1960 *ff.*
Kackmeier *m* **1.** Schimpfwort. Gelindere Variante zu ↗ Scheißkerl. Seit dem 18. Jh.
2. an Durchfall Leidender. 1850 *ff.*
3. unreinlicher Mensch. 1850 *ff.*
4. Mann, der sich in alles einmischt und sich über jede Kleinigkeit übermäßig aufregt. 1850 *ff.*
5. Schwächling. 1920 *ff.*
'kack'naiv *adj* ganz naiv, lebensunerfahren. *Vgl* ↗ kackfidel. Um 1900 aufgekommen; *schül, stud* und theaterspr.
'Kack'naive *f* Schauspielerin des Fachs der Naiven ohne natürliche Naivität. Theaterspr. 1920 (?) *ff.*
'kack'schlau *adj* pfiffig. *Vgl* ↗ kackfidel. 1920 *ff.*
Kackschmus *m* würdelose Schmeichelei. ↗ Schmus. 1920 *ff.*
Kackstelzen *pl* Beine; sehr lange Beine. Bei Benutzung der Latrine haben die Beine nur die Aufgabe, den Oberkörper zu stützen. Seit dem späten 19. Jh., vorwiegend *sold.*
Kackstiefel *m* erbärmlicher Mann. Kot an den Stiefeln als Sinnbild ärmlicher, verkommener Lebensweise. 1600 *ff.*
Kackstuhl *m* **1.** Kranken-, Nachtstuhl. Meint eigentlich den Kinderstuhl mit dem Töpfchen unter dem Sitz. Seit dem 19. Jh.
2. Kegelwurf, bei dem nur der vordere und die beiden Eckkegel fallen oder bei dem nur die drei Mittelkegel getroffen werden. Keglerspr. Seit dem 19. Jh.
Kackzigarette *f* Zigarette nach dem Frühstück. Angeblich erleichtert sie die Notdurftverrichtung. 1925 *ff.*
Kaczmarek *m* ↗ Katschmarek.
Kadaver *m* **1.** Körper eines Lebenden. Eigentlich der tote Körper, der tote Tierkörper. 1800 *ff.*
2. sich den ~ vollhauen = sich sattessen. 1914 *ff.*
3. sich den ~ vollschlagen = essen; gierig essen. 1914 *ff.*
Kadavergehorsam *m* kritiklose Befolgung einer Anordnung. Geht zurück auf die Ordensregel der Jesuiten. In den „Constitutiones" steht, die Patres hätten dem Oberen zu gehorchen, „perinde ac si cadaver essent" („ebenso wie wenn sie Kadaver wären"). Kurz nach 1870/71 aufgekommenes Schlagwort, vor allem bei der Be-

kämpfung des Militarismus durch die Sozialdemokraten.
Kadaverschlepper *m* Ski-, Sessellaufzug. 1950 *ff.*
kaddeln *tr* schneiden, abschneiden; verschneiden. Verwandt mit *engl* „to cut = schneiden". *Nordd* Seit dem 19. Jh.
Kadett *m* **1.** aufgeputzter junger Mann; leichtsinniger junger Mann. Bezeichnung seit dem 18. Jh den Offiziersanwärter; die Kadetten waren anfangs eine streng abgeschlossene (adlige) Standesgemeinschaft; später wurden auch Beamtensöhne zugelassen. 1850 *ff.*
2. *pl* = Leute *(abf).* Analog zu „Burschen", „Jungens" u. ä. 1840 *ff.*
3. alter ~ = gemütliche Anrede. Parallel zu „alter ↗ Knabe". 1920 *ff.*
4. flotter ~ = mutiger Bursche. 1900 *ff.*
5. seine ~en kennen = seine Leute kennen; wissen, wie man seine Kollegen (Verwandten, Freunde o. ä.) zu behandeln und was man von ihnen zu erwarten hat. Gebildet nach dem Muster von „seine ↗ Pappenheimer kennen". Seit dem Ende des 19. Jhs.
6. Sie denken wohl, Sie spielen mit ~en?!: Redewendung der Kartenspieler, die sich vom Gegner nicht übertölpeln lassen. „Kadett" meint hier den unerfahrenen Spieler. Seit dem späten 19. Jh.
7. so spielt man mit ~en! = so gewinnt man gegen unerfahrene Kartenspieler! Kartenspielerspr. seit dem späten 19. Jh.
Kadi *m* **1.** Richter. Aus dem Arabischen übernommen; geläufig geworden durch die Erzählungen aus „Tausendundeine Nacht". Seit dem 19. Jh.
2. Religionslehrer. Aus „Katechet" entstellt. *Österr* 1900 *ff.*
3. zum ~ rennen (laufen o. ä.) = anzeigen. Seit dem 19. Jh.
4. jn vor den ~ zerren (bringen) = jn wegen einer Nichtigkeit verklagen. 1920 *ff.*
ka'duk (kaduck) *adj* **1.** hinfällig, erschöpft. Entlehnt aus *gleichbed lat* „caducus". Etwa seit 1500.
2. kleinlaut, mutlos, unterwürfig. Der Hinfällige ist leicht rat- und hilflos. 1800 *ff.*
Ka'fenzmann *m* ↗ Kawenzmann.
Käfer *m* **1.** kleines Mädchen; kleines Kind. Mit dem Käfer verbindet man die Vorstellung des Kleinen, auch des Niedlichen und des Munteren. Beliebt ist der Marienkäfer wegen seiner roten Farbe und Zutraulichkeit. Seit dem 19. Jh.
2. junges Mädchen (meist in Verbindung mit positiven Adjektiven). Seit dem 19. Jh.
3. Schüler der Unterstufe. In der Sicht der Sekundaner und Primaner klein wie ein krabbelnder Käfer am Boden. 1950 *ff.*
4. Abhörmikrofon. Wegen der geringen Größe nennt man es in den USA „bug", das sowohl „Käfer" als auch „Wanze" bedeutet. 1930 *ff.*
5. Rausch. *Vgl* ↗ Käfer 18. Seit dem 19. Jh.
6. ~ in Milch = weißgekleidetes Mädchen. 1955 *ff, jug.*
7. famoser ~ = anstelliges, gewandtes, ansehnliches Mädchen. ↗ famos. 1870 *ff.*
8. flotter ~ = hübsches, lebenslustiges Mädchen. ↗ flott 1. *Halbw* 1935 *ff.* – b) Volkswagen 1302-S. 1970 *ff.*
9. hastiger ~ = eindrucksvolles, anzie-

hendes Mädchen. Analog zu ↗ schnell. *Halbw* 1955 *ff.*

10. smarter ~ = nettes Mädchen. *Engl* „smart = frisch, munter, aufgeweckt". *Halbw* 1955 *ff.*

11. schneller ~ = a) sehr nettes Mädchen. ↗ schnell. 1955 *ff*, *halbw.* – b) schneller Rennwagen. „Käfer" ist der Name des Volkswagens. 1965 *ff.*

12. strammer ~ = nettes, eindrucksvolles Mädchen. ↗ stramm. 1955 *ff.*

13. süßer ~ = reizendes Mädchen. 1920 *ff.*

14. toller ~ = a) schönes, umgängliches Mädchen. ↗ toll. *Halbw* 1955 *ff.* – b) sehr leistungsfähiges Auto. 1970 *ff.*

15. verliebter ~ = verliebtes junges Mädchen. 1850 *ff.* *Vgl* Heinrich von Kleists „Käthchen von Heilbronn": „verliebt wie ein Käfer".

16. weißer ~ = empfängnisverhütende Pille. Hehlwort? *Halbw* 1960 *ff.*

17. du hast wohl einen ~ gefrühstückt?: Frage an einen, der törichte Behauptungen aufstellt. *Vgl* das Folgende. 1920 *ff.*

18. einen ~ haben = a) nicht recht bei Verstand sein. Der Käfer dient ähnlich wie Grille, Motte, Mücke, Hummel u. ä. zur Umschreibung für Wunderlichkeit. Seit dem 19. Jh. – b) leichtbezecht sein. Betrunkene können wie von Sinnen sein. Seit dem 15. Jh. – c) mißgestimmt sein. 1850 *ff.*

19. einen kleinen ~ unter der Hirnrinde haben = nicht recht bei Verstand sein. Berlin 1930 *ff.*

20. den toten ~ markieren = sich nicht einmischen. 1950 *ff.*

21. dich pickt wohl der ~? = du weißt wohl nicht, was du sagst? 1850 *ff.*

Kaff I *n* **1.** rückständiges Dorf, Kleinstadt, Stadt *(abf).* Stammt aus *zigeun* „gav = Dorf". 1840 *ff.*

2. verrufenes Lokal; Haus, in dem Paare stundenweise ein Zimmer nehmen können. 1920 *ff.*

Kaff II *m (n)* **1.** wertloses Zeug; Unsinn. Meint den Abfall, der beim ausgedroschenen Korn in der Windfege herausgeschleudert wird; Spreu. Analog zu der Metapher vom „leeren ↗ Stroh". Seit dem 19. Jh.

2. Studentenzimmer. Geht über „Kafet = Verschlag" zurück auf *lat* „cavea = Käfig". Ursprünglich wurde so der Verschlag für die einzelnen Studenten in den Stiftsstuben genannt. 1900 *ff.*

Kaffee *m* **1.** Kraftstoff. Er ist eine anregende Substanz. *Sold* 1935 *ff.*

2. ~ mit Haut = Kaffee mit Schlagsahne. Wien 1900 *ff.*

3. ~ verkehrt = Tasse Kaffee mit sehr viel Milch oder Sahne. Wien 1900 *ff.*

4. aufgebrühter ~ = immer dasselbe Geschwätz; immer derselbe Unsinn. Aufgebrühter Kaffee ist gehaltlos und unschmackhaft. 1920 *ff.*

5. aufgenordeter ~ = mit Kaffeebohnen veredelter Kornkaffee. ↗ aufnorden 1. 1930 *ff.*

6. dicker ~ = starker Kaffee. Scherzhaft meint man, der Löffel könne darin stehen. 1900 *ff.*

7. kalter ~ = a) leeres Gerede; wertlose Sache; reizlose Feststellung; hoffnungslos veraltete Sache. Der abgestandene Aufguß ist reizlos und fade. 1920 *ff.* – b) Mischgetränk aus Coca Cola und Sinalco; Cola-

Getränk mit Limonade. Das Getränk hat eine dunkle Färbung und wird kalt getrunken. 1960 *ff*, gastwirtspr. – c) Brauselimonade mit Coca Cola und einem Schuß Bier. 1970 *ff.*

8. kastrierter ~ = koffeinarmer Kaffee. 1950 *ff.*

9. leerer ~ = Kaffeeaufguß, zu dem weder Milch noch Zucker genommen wird. Seit dem frühen 20. Jh.

9 a. richtiger ~ = Bohnenkaffee. 1914 *ff.*

10. schaler ~ = langweilige Sache. 1950 *ff.*

10 a. steifer ~ = starker Kaffeeaufguß. Seit dem 19. Jh.

11. trockener ~ = Kaffee ohne einen Schnaps. 1800 *ff.*

12. ~, bei dem die Bohnen mit Ultraschall durchs Wasser geschossen sind = sehr dünner Kaffeeaufguß. *BSD* 1969 *ff.*

13. das geht ihn einen kalten ~ an = das geht ihn nichts an. ↗ Kaffee 7. 1950 *ff.*

14. für heute habe ich den ~ auf: Ausdruck des Überdrusses. Man hat ihn aufgetrunken und wünscht keine weitere Tasse mehr. *BSD* 1965 *ff.*

15. zu ~ und Kuchen eingeladen sein = den Arrest verbüßen. Ironisch für „Wasser und Brot". *BSD* 1965 *ff.*

16. ihm kommt der ~ hoch = es widert ihn an; ihm wird schlecht; er wird wütend. Man ekelt sich bis zum Erbrechen. 1920 *ff.*

17. kalten ~ machen = Petting machen. Kalter Kaffee versinnbildlicht das Reizlose. *Schül* 1960 *ff.*

18. jm kalten ~ servieren = jm Belangloses berichten. ↗ Kaffee 7. 1950 *ff.*

19. ein ~, daß der Löffel drin steht (drin stecken bleibt) = ein sehr starker Kaffeeaufguß. 1900 *ff.*

20. den ~ taufen = den Kaffeeaufguß stark verdünnen. 1920 *ff.*

21. den ~ zur Zahnbürste trinken = hastig frühstücken. 1950 *ff.*

22. ihm haben sie etwas in den ~ getan = er ist verrückt. 1920 *ff.*

23. jm etwas in den ~ tun = jm übel mitspielen. 1950 *ff.*

24. der ~ ist kalt geworden = die Angelegenheit ist veraltet. 1950 *ff.*

Kaffeebase *f* Teilnehmerin an einer Damenkaffeegesellschaft; Schwätzerin. Seit dem frühen 18. Jh.

Kaffeebohnen *pl* **1.** Ziegen- und Schafskot. Wegen der Formähnlichkeit. Seit dem 19. Jh.

2. Gewehr-, Maschinengewehrmunition. Es ist Munition für die „↗ Kaffeemühle 1". *Sold* 1914 *ff.*

3. da haben sie die ~ mit dem Maschinengewehr durchgejagt = das ist ein sehr gehaltloser, unschmackhafter Kaffeeaufguß. *Sold* 1939 *ff.*

Kaffeebruder *m* Kaffeeliebhaber. Seit dem 19. Jh.

Kaffeebuch *n* gleichzeitig mit dem Kaffee zum Kauf angebotenes Buch. 1975 *ff.*

Kaffeefahrt *f* **1.** Ausflugsfahrt am Nachmittag. 1924/25 *ff.*

2. mit einem Kaffeehausbesuch verbundene Beförderung von Auswärtigen zum Geschäftshaus, um sie dort zu Kunden zu gewinnen. 1950 *ff.*

Kaffeehäferl *n* Kaffeetasse. ↗ Hafen I 1. *Österr* seit dem 19. Jh.

Kaffeehaus-Tiger *m* häufiger Kaffeehausgast. ↗ Tiger. *Österr* 1920 *ff.*

Kaffeeklappe *f* kleines Café minderer Güte; übelbeleumdetes Gasthaus (Nachtlokal). ↗ Klappe 5. Berlin seit dem frühen 19. Jh. Die frühere Kennzeichnung als verrufen und verrucht trifft heute nicht mehr zu.

Kaffeeklatsch *m* **1.** Damenkaffeegesellschaft. ↗ Klatsch. Gegen 1840 aufgekommen.

2. Versammlung aller vier Damen (= der höchsten Trümpfe) in einer Hand. Kartenspielerspr. seit dem späten 19. Jh.

kaffeeklatschen *intr* bei einer Tasse Kaffee miteinander plaudern. 1900 *ff.*

Kaffeekränzchen *n* **1.** regelmäßige Zusammenkunft von Frauen bei Kaffee und Kuchen. ↗ Kränzchen. 1900 *ff.*

2. Zusammenstehen der Schülerinnen während der großen Pause. 1900 *ff.*

3. Strafstunde des Schülers (in der Wohnung des Lehrers). 1960 *ff.*

Kaffeemühle *f* **1.** leichtes Maschinengewehr. Wegen einer gewissen Geräuschähnlichkeit. *Sold* in beiden Weltkriegen und bis heute. *Vgl franz* „moulin à café".

2. altmodisches Kraftfahrzeug. Etwa seit 1910.

3. Kleinbahnlokomotive. 1900 *ff.*

4. Propeller. Luftschraube und Kaffeemühlenkurbel drehen sich. *Sold* in beiden Weltkriegen.

5. Flugzeug, das unter erheblicher Lärmentwicklung fliegt. *Sold* in beiden Weltkriegen.

6. langsames russisches Flugzeug (Rata). Wegen des asthmatischen Motorengeräuschs. *Sold* 1941 *ff.*

7. Hubschrauber. Wegen des Geräuschs und der Drehflügel. 1938 bis heute, *sold* und *ziv.*

8. Kurvenfliegen im Luftkampf. Fliegerspr. 1935 *ff.*

Kaffeepummel *m* Kaffeewärmer. ↗ pummelig. Seit dem Ende des 19. Jhs.

Kaffeesachsen *pl* Sachsen. Wegen des Lieblingsgetränks Kaffee. Seit dem 19. Jh.

Kaffeesatz *m* den ~ bemühen (im ~ lesen) = a) Unsinn prophezeien; Gerüchte ersinnen oder verbreiten. Anspielung auf Wahrsagerei aus dem Kaffeesatz. *Sold* und *ziv* seit 1900. – b) den Kaffeesatz nochmals aufbrühen. 1920 *ff.*

Kaffeeschlacht *f* Damenkaffeegesellschaft. Wo der Kuchen „geschlachtet" wird und auch die mißliebigen Bekannten. Seit dem 19. Jh.

Kaffeeschwester *f* leidenschaftliche Kaffeetrinkerin (auch auf Männer bezogen); geschwätzige Teilnehmerin an einer Damenkaffeegesellschaft. 1700 *ff.*

Kaffeeschwips *m* Übererregung durch Kaffeegenuß; leichte Koffeinvergiftung mit Herzklopfen, Unruhe und Kopfschmerzen. ↗ Schwips. 1950 *ff.*

Kaffeetante *f* leidenschaftliche Kaffeetrinkerin (auch von Männern gesagt); gern an Damenkaffeegesellschaften teilnehmende weibliche Person. 1900 *ff.*

Kaffeetennis *n* Tennisspiel, bei dem man sich nicht besonders anstrengt. Das Wichtigste dabei ist die Kaffeegesellschaft, die zu ihrer Unterhaltung dem Spiel zusieht. *Sportl* 1950 *ff.*

Kaffeeteute (-töte) *f* Kaffeeflasche. Teute = großes Trinkgeschirr, große Kanne. *Westd* seit dem 19. Jh.

Kaffeetiger *m* häufiger Kaffeehausgast. ↗Tiger. *Österr* seit dem 1920 *ff.*

Kaffeetschecherl *n* Kaffeestube. ↗Tschecherl. *Österr* 19. Jh.

Kaffeewasser *n* das ~ anbrennen lassen = in einfachsten Küchenverrichtungen ungeschickt sein; unanstellig sein. 1900 *ff.*

Kaffeezahn *m* Appetit auf Kaffee. Nach dem Muster von „Kuchenzahn", „Weinzahn" o. ä. gebildet. 1966 *ff.*

Kaffeezerl *n* Täßchen Kaffee. Entstanden aus „Kaffee" und dem Wohlklangs-z sowie der Endung „-erl". *Bayr* 1900 *ff.*

käffen *intr* schimpfen. Nebenform von „keifen". *Westd* seit dem 19. Jh.

Kaffer *m* 1. Dorfbewohner; dummer Bauer; ungebildeter Mann; Schimpfwort. Fußt auf *jidd* „kapher = Bauer". 1700 *ff.*
2. Lehrer *(abf).* 1850 *ff.*
3. Zivilist (in der Meinung der Soldaten). Seit dem späten 19. Jh.

Käffer *m* Schimpfender. ↗käffen. *Westd* seit dem 19. Jh.

Kafferin *f* Zimmervermieterin. ↗Kaff II 2. 1900 *ff, österr.*

kaffern *impers* Appetit auf Kaffee haben. 1890 *ff* (Berlin?).

Kaffitzker (Kaffitzki) *m* Kaffee. Kosewörtliche Bezeichnung. Seit dem späten 19. Jh.

kaffrig *adj* einfältig. ↗Kaffer 1. Seit dem 19. Jh.

Kaffschuck *pl* 20 Mark. *Jidd* „kaph = zwanzig", *jidd* „schuck = Mark". Kundenspr. 1960 *ff.*

Käfig *m* 1. Gefängniszelle. Sie ist eng und vergittert. 1500 *ff.*
2. Schlafsack. 1939 *ff, sold.*
3. Schule. Wo man die Schüler einsperrt wie wilde Tiere. 1900 *ff.*
4. Klassenzimmer. 1900 *ff.*
5. eigenes Zimmer. *Halbw* 1955 *ff.*
6. Aufzugkabine. 1950 *ff.*
7. Vulva, Vagina. Seit dem 19. Jh.
8. goldener ~ = Unfreiheit in Verbindung mit materieller Sorglosigkeit. Seit dem 19. Jh.
9. unsichtbarer ~ = eheliche Gemeinschaft. 1930 *ff.*

Käfterchen I *n* Verschlag; kleiner, enger Abstellraum; kleine Stube; Wohnung. Geht zurück auf *mittellat* „capisterium = Bienenkorb". 1700 *ff.*

Käfterchen II *m* Kaffee. Koseförmliche Bezeichnung. 1920/30 *ff.*

kahl *adj* 1. jn ~ fressen = jn ausnutzen, schröpfen. Übertragen vom Unwesen der Forstschädlinge. 1900 *ff.*
2. jn ~ scheren = jn bis zum letzten schröpfen. Man schert ihm einen Glatzkopf, macht ihn „blank". 1920 *ff.*
3. ~ sein = ohne Geld sein. *BSD* 1965 *ff.*

Kahlschlag *m* 1. Kahlrasur des Kopfhaars; sehr kurz geschorenes Kopfhaar. Es sieht aus wie ein abgeholzter Waldbezirk. 1920 *ff.*
2. Mensch, der in seinem Leistungsvermögen nachläßt. 1935 *ff.*
3. Absage an die Schönschreiberei; Rückkehr zur Kargheit des Stils. 1949 von Wolfgang Weyrauch proklamiert.
4. flachbusige weibliche Person. 1950 *ff, stud.*
5. heftige Grundsatzkritik. 1977 *ff.*
6. Entlassung sehr vieler Arbeitnehmer. 1977 *ff.*
7. umfangreicher Personalaustausch beim Regierungswechsel. 1970 *ff.*

8. erotischer ~ = geschlechtlich verbrauchter Mensch. 1920/30 *ff.*
9. religiöser ~ = Gemeinde ohne tätiges religiöses Leben. 1950 *ff.*
10. wirtschaftlicher ~ = Vernichtung von Kleinbetrieben. 1977 *ff.*

Kahn *m* 1. seetüchtiges Schiff; Kriegsschiff; großer Ozeandampfer. Wertmindernde Vokabel. Im späten 19. Jh aufgekommen.
2. Torpedoboot. *Marinespr.* 1939 *ff.*
3. Flugzeug; Luftschiff. Es segelt durch die Luft wie das Schiff über das Wasser. *Sold* in beiden Weltkriegen; auch verkehrsfliegerspr.
4. Panzerkampfwagen. Er schaukelt durchs Gelände. *Sold* 1938 *ff.*
5. Auto. 1930 *ff.*
6. Gefängnis, Karzer, Militär-, Polizeiarrest. Meint entweder „Kahn" im Sinne eines engen Behältnisses oder fußt auf *jidd* „bekane, kaan = irgendwo", also neutralisierend-euphemistisch. *Rotw* 1750 *ff.*
7. Bett. Spielt an auf die früher höheren Seitenteile der Betten. *Sold* 1870 bis heute; auch *rotw* und *schül.*
8. *pl* = breite, ausgetretene Schuhe. Je nach der geographischen Lage spricht man von „Elbkähnen", „Oderkähnen", „Mainböötchen" o. ä. Seit dem späten 19. Jh.
9. Fußball-, Handball-, Eishockey-Tor. „Kahn" meint das Schiff; das Schiff nennt man auch „Kasten", und „Kasten" bezeichnet auch das Balltor. 1910 *ff.*
10. billiger ~ = kleines Seeschiff. Billig = anspruchslos, einfach. Fliegerspr. 1939 *ff.*
11. einen anständigen ~ bauen = das Bett vorschriftsmäßig herrichten. ↗Kahn 7. *Sold* 1939 *ff.*
12. auf der Spucke dieses Redners fahre ich nicht ~ = von diesem Redner lasse ich mich nicht beschwatzen. 1960 *ff.*
13. auf jds Tränen ~ fahren können = sich von jm in rührselige (gerührte) Stimmung versetzen lassen. Aufgekommen am 22. August 1961 im Zusammenhang mit dem verspäteten Besuch von Bundeskanzler Adenauer in West-Berlin nach dem Bau der Mauer.
14. einen im ~ haben = betrunken sein. Anspielung auf die schwankende Bewegung des Kahns und auf das Torkeln des Bezechten. *BSD* 1965 *ff.*
15. sich im ~ hauen = zu Bett gehen. ↗Kahn 7. 1920 *ff.*

Kaiser *m* 1. dahingehen, wo der ~ zu Fuß hingeht = den Abort aufsuchen. Volkstümliche Feststellung, daß in sehr wichtigen Dingen auch der Kaiser nur ein Mensch wie alle anderen ist. 1800 *ff.*
2. zum ~ gehen = den Abort aufsuchen. 1900 *ff.*
3. du hast wohl den ~ gesehen? = du bist wohl nicht recht bei Sinnen? du bist wohl betrunken? Fußt entweder auf der Begeisterung für den Kaiser (ihn zu sehen, macht närrisch vor Freude) oder auf dem Lohnempfang (*vgl* das Folgende). 1900 *ff.*
4. der ~ kommt = es ist Lohnzahltag, Löhnungstag, Lohnappell. Die preußischen Könige mischten sich am Weihnachtsabend unter die Volksmenge; wer sie erkannte und einen Weihnachtsgruß sprach, bekam neben dem Händedruck auch ein Geldstück. „Der Kaiser kommt" war seit 1871 das Signal, daß man höchsten Herrschaften nahen durfte. Das

Ganze war trefflich in Szene gesetzt: der Weg war festgelegt, Kriminalbeamte säumten die Straße, und die Gratulanten waren ausgesucht. 1871 wurde Wilhelm I., König von Preußen, zugleich deutscher Kaiser.
5. ~ sein = a) viel Geld haben. Kaiser gelten beim einfachen Bürger als unbeschränkt wohlhabend. 1900 *ff.* – b) „ich bin ~", ruft, wer als erster seinen Teller geleert hat. 1900 *ff.*
6. der ~ ist dagewesen = es hat Löhnung gegeben. 1900 *ff.* ↗Kaiser 4. Sold 1914 *ff.*
7. sich um des ~s Bart streiten (zanken) = sich um Belanglosigkeiten streiten. „Kaisers Bart" ist volksetymologisch umgeformt aus „Geißenbart" und bezieht sich auf die von Horaz bespöttelte Streitfrage, ob Ziegenhaare als Wolle zu gelten hätten. Seit dem 19. Jh.

Kaiserbart *m* einen ~ haben = einen weißen Vollbart tragen. Bezieht sich auf Kaiser Franz Joseph I. von Österreich (1830–1916, Kaiser ab 1848). *Österr* 1900 *ff.*

Kaiserfrühstück *n* reichhaltiges, abwechslungsreiches Frühstück an Stelle des üblichen Standardfrühstücks. *Österr* 1976 *ff.*

Kaiserwetter *n* strahlend schönes Wetter. Meint im engeren Sinne den strahlenden Sonnenschein am 18. August, dem Geburtstag Kaiser Franz Josephs I. von Österreich. Nach 1850 in Wien aufgekommen.

Kaiser-Wilhelm-Bart *m* an den Enden aufgezwirbelter Schnurrbart, wie ihn der deutsche Kaiser Wilhelm II. trug. 1900 *ff.*

Kaiser-Wilhelm-Gedächtnis-Anzug *m* Ausgehuniform. Diese und die folgenden Vokabeln sind nach dem Vorbild der „Kaiser-Wilhelm-Gedächtnis-Kirche" (1891–1895 erbaut) zu Berlin gebildet. *Sold* 1939 *ff.*

Kaiser-Wilhelm-Gedächtnis-Fraß *m* 1. Deutsches Beefsteak. *Sold*, spätestens seit 1930.
2. schlechtes Essen. ↗Fraß. 1950 *ff.*

Kaiser-Wilhelm-Gedächtnis-Klöben *pl* Frikadellen. „Klöben" nennt man das mit Rosinen gebackene Weißbrot. Anspielung auf die geringe Fleisch- und die große Weißbrotmenge. *BSD* 1965 *ff.*

Kaiser-Wilhelm-Gedächtnis-Knoten *m* Haar-, Nackenknoten der Frauenfrisur. Nach 1918 aufgekommen; galt gegenüber dem „Bubikopf" als Merkmal der nationalistisch-reaktionären Kreise.

Kaiser-Wilhelm-Gedächtnis-Spiele *pl* Nachexerzieren. *Sold* 1939 *ff.*

Kaiser-Wilhelm-Gedächtnis-Töne *pl* patriotische Reden. *Sold* 1939 *ff.*

Kaiser-Wilhelm-Gedächtnis-Wurst *f* Rot-, Jagdwurst. Sie wurde erfunden von einem Herrn Kaiser („Kaiser-Jagd-Wurst") und war bei Kaiser Wilhelm II. sehr beliebt. 1920 *ff.*

Kajauke *m* Schimpfwort. Vielleicht zusammengesetzt aus „kajolen (karriolen) = äffen" und „↗Rabauke". Berlin 1950 *ff, jug.*

Kakao (gesprochen „Kakau") *m* 1. Kot. Euphemistische Umschreibung für ↗Kacke. Anscheinend 1910 bei den Soldaten aufgekommen.
2. Durchfall. 1910 *ff.*
3. Minderwertiges, Wertloses. Euphemistische Analogie zu ↗Kacke 2. 1920 *ff.*
4. im ~ (im ~ hinten) = in unwegsa-

mem Gelände; völlig abgelegen. Analog zu „in der ↗Scheiße". 1950 *ff, schweiz.*

5. ~ in der Hose haben = Angst haben. 1940 *ff.*

6. jn in den ~ schicken = jn veralbern, necken, übertölpeln. Analog zu „jn in den ↗April schicken". „Kakao" mildert das derbere „Scheiße". 1968 *ff.*

7. du schreist ~!: Ausruf der Verwunderung. 1939 *ff, sold.*

8. im ~ sitzen = in Not, Verlegenheit sein. Gelinder als „in der ↗Scheiße sitzen". 1920 *ff.*

9. der ~ will schon stinken = eine bedenkliche Entwicklung scheint sich anzubahnen. 1950 *ff.*

10. ihm haben sie etwas in den ~ getan und vergessen umzurühren = er ist dumm. 1930 *ff.*

11. es wird ~ = es läßt sich nicht verwirklichen; es mißlingt. 1940 *ff.*

12. jn durch den ~ ziehen = jn veralbern; über einen Abwesenden kritisch (mißgünstig) reden. Derbere Variante von „jn durch die ↗Hechel ziehen". *Sold* 1914 *ff.* Dazu der Hinweis von Haupt-Heydemarck, daß Leute, die sich zwar vergangen hatten, aber vom Gesetz nicht gefaßt werden konnten, aus der Bettlade geholt und durch die Kacke gezogen wurden.

Kakaobohne *f* Ziegen-, Kaninchenkot. Wegen der Formähnlichkeit. 1900 *ff.*

kakelbunt *adj* buntscheckig; grellbunt. „Kakel-" soll sich auf die Ofenkacheln beziehen. 1400 *ff, nordd.*

kakelig *adj* **1.** bunt; grellfarbig. ↗kakelbunt. Seit dem 19. Jh.

2. geschwätzig; albern schwätzend. ↗kakeln 1. Seit dem 19. Jh.

3. dünn, wässerig, gehaltlos, schal. Es ist gehaltlos wie Geschwätz. Seit dem 19. Jh.

kakeln *intr* **1.** viel schwatzen; albern reden. Hergenommen vom Hühnergackern, das man mit „kakeln" wiedergibt. 1800 *ff, nordd.*

2. kichernd lachen. Seit dem 19. Jh.

kakfif *interj* Ausdruck der Ablehnung. Zwischen 1920 und 1930 unter jungen Leuten aufgekommen durch Aneinanderreihung der Anfangsbuchstaben von „kommt auf keinen Fall in Frage".

Kaks *m* kleinwüchsiger Mensch. Gehört zu „kack = nicht flügge". 1900 *ff.*

Kaktus *m* **1.** Kothaufen eines Menschen. Die Vokabel hat nichts mit dem Pflanzennamen zu tun, sondern hängt latinisierend mit „kacken" zusammen. 1870 *ff.*

2. wie ein ~ = unrasiert. Kakteen sind stachlig. 1900 *ff.*

3. der ~ klemmt = man hat Stuhlverstopfung. 1900 *ff.*

4. ~ pflanzen (drehen; einen ~ setzen) = in freier Natur koten. 1900 *ff.*

Ka'laika (Kaleika) *m* Unsinn; überflüssige Umstände; Schwierigkeiten; unangenehme Weiterungen. Geht zurück auf *poln* „kolejka = Reihenfolge", vermittelt durch polnische Saisonarbeiter auf den großen Gütern Brandenburgs, etwa seit 1840.

Ka'lasche (Kallasche) *f* Prügel. Aus dem Polnischen übernommen im 19. Jh.

Kalauer *m* anspruchsloser Wortwitz. Geht zurück auf *gleichbed franz* „calembour" und ist angelehnt an den Namen der Stadt Kalau in der Niederlausitz, wo um 1850 der Mitarbeiter eines Witzblattes gewohnt

und von wo aus er seinem Blatt laufend Witze machte. Seit dem 1850 *ff.*

Ka'laumes *n* überflüssiges Gerede; Geschwätz. Fußt auf *jidd* „chalaumes = Nichtigkeiten". 1870 *ff.*

Kalb *n* **1.** ungeschickter, alberner Mensch. Hergenommen vom mutwilligen und tölpischen Benehmen des Tieres. Seit dem 15. Jh.

2. Rekrut. 1900 *ff.*

3. junges Mädchen. 1900 *ff.*

4. großer Hund. 1900 *ff.*

5. ~ Moses = ungeschickter, alberner, dummer Mensch. Aus „↗Kalb 1" verlängert unter Einfluß der biblischen Geschichte von Aarons goldenem Kalb (2. Moses 32, 1 *ff.*). 1700 *ff.*

6. goldenes ~ = heiratsfähige Tochter aus reichem Hause. Der biblische „Tanz um das goldene Kalb" ist hier die Bewerbung vieler um die reiche Tochter. 1900 *ff.*

7. ein ~ absetzen = sich erbrechen. Das Wort „Kalb" ahmt hier die Würgelaute nach. Seit dem 19. Jh.

8. ein ~ anbinden = sich erbrechen. *Vgl* das Vorhergehende. 1700 *ff.*

9. aussehen (blicken) wie ein ~, wenn's donnert = einfältig blicken. 1900 *ff.*

10. aussehen wie ein gestochenes ~ (Augen machen wie ein gestochenes ~) = ausdruckslos, hilflos blicken. Bezieht sich auf den Augenausdruck des abgestochenen Kalbs. 1500 *ff.*

11. ein Gesicht machen wie ein ~, wenn's donnert = verständnislos, erschrocken blicken. 1900 *ff.*

12. ein ~ machen (setzen) = sich erbrechen. *Vgl* ↗Kalb 7. 1700 *ff. Vgl niederl* „een kalf maaken".

13. mit fremdem ~ pflügen = sich eine fremde Leistung zunutze machen; Fremdes als Eigenes ausgeben; ein Plagiat begehen. Geht auf die Bibel zurück (Richter 14,18). 1500 *ff.*

14. dem ~ ins Auge schlagen = etw ungeschickt ausführen; grob, derb reden. Übertragen von der brutalen Handlung gegen ein wehrloses Tier. Seit dem 16. Jh.

15. auf das ~ schwören = Soldat werden. Gekürzt aus „auf das Kalbfell schwören". Kalbfell meint das Fell der Trommel, vor allem das der Werbetrommel. *Sold* 1935 *ff,* wohl älter.

kalben *intr* **1.** niederkommen. Eigentlich „ein Kalb werfen". Seit dem 19. Jh.

2. sich erbrechen. Entweder lautmalend für den Würgelaut, oder übertragen von der Beobachtung, daß Kälber übermäßig fressen und saufen, bis der Trank aus Maul und Nüstern läuft. Seit dem 19. Jh.

kalbern (kälbern) *intr* **1.** sich albern, mutwillig, kindisch benehmen. *Vgl* ↗Kalb 1. 15./16. Jh.

2. sich erbrechen. ↗kalben 2. Seit dem 16. Jh.

Kalbfellmantel *m* auf Leopard getrimmter ~ = Mantel aus imitiertem Leopardenfell. 1960 *ff.*

Kalbfleisch *n* **1.** junges Mädchen. Kalbfleisch ist zartes Fleisch. Seit dem frühen 18. Jh.

2. ~, Halbfleisch: Redewendung von starken Essern, in deren Augen Kalbfleisch kein vollwertiges Fleisch ist. Etwa seit 1800.

3. junges ~ = Schauspielerinnennachwuchs. Theaterspr. 1900 *ff.*

4. noch ~ sein = noch unerfahren, albern sein. Seit dem 19. Jh.

5. ~ verputzen = mit einem jungen Mädchen intim verkehren. ↗verputzen. 1910 *ff.*

Kalbsaugen *pl* **1.** hervorstehende Augen; große, verwunderte Augen; blöder Blick. Seit dem 19. Jh.

2. angestochene ~ machen = schmachtend blicken. 1900 *ff.*

Kalbsbrust *f* gefüllte ~ = junges Mädchen mit Gummibusen. Kalbsbrust ist das Bratenstück der Kalbsbrust; nach Herauslösen der Knochen aus dem Blatt oder Bug wird die Höhlung mit geriebenem Weißbrot und zu Schaum geschlagenem Eiweiß gefüllt. Hier bezogen auf „↗Kalb 3". *Halbw* 1950 *ff.*

Kalbskopf *m* dummer, ungeschickter Mensch. ↗Kalb 1. 1700 *ff.*

Kalches *m* **1.** Meinungsänderung; Widerruf des Geständnisses. Geht zurück auf *jidd* „kelai = Arglistiger, Betrüger". *Rotw* seit dem frühen 19. Jh.

2. ~ machen = seine Meinung oder Absicht ändern; fehlspekulieren; überbieten o. ä. *Rotw* seit dem 19. Jh.

Kaldaunen *pl* **1.** Bauch, Magen. Eigentlich die Eingeweide, der Vormagen der Wiederkäuer. Seit dem 19. Jh.

2. die ~ krachen = man verspürt heftigen Hunger. Vergröberung des Magenknurrens. 1945 *ff.*

3. die ~ vollhaben = satt sein. *BSD* 1965.

Kaldaunenschlucker *m* ärmlich lebender Mensch; Mann, der alles ißt, was er bekommt. In der Not nimmt er auch mit Eingeweide vorlieb. 1700 *ff, stud* und *sold.*

kal'daunen'voll *adj präd* **1.** stark betrunken. Entweder hat man die Eingeweide mit Alkohol gefüllt oder die Vokabel ist entstellt aus „kartaunenvoll": Kartaune war die kurze Kanone, die nur 25pfündige Kugeln schoß. Der Trunkenheitsgrad wird häufig mit Schützbezeichnungen in Verbindung gebracht („voll wie eine Haubitze" o. ä.). Vielleicht ist die Vokabel aus beiden Vorstellungen gemischt. Seit dem 19. Jh., vorwiegend *westd.*

2. übersatt. Seit dem 19. Jh.

Kaldaunerei *f* gesellige Mahlzeit; Gelage. 1960 *ff.*

Kal'eika ↗Kalaika.

Kalender *m* **1.** es knallt im ~!: Ausruf des Unwillens. „Kalender" meint hier wohl das Gedächtnis, überhaupt den Kopf, und „es knallt" spielt auf eine Art Explosion in Form eines Zornesausbruchs an. 1935 *ff.*

2. im ~ graben = sich mit unnötigen Dingen beschäftigen; nachdenklich sein. Anspielung auf die alten Kalender mit ihren Bibelsprüchen, astrologischen Angaben, Wettervorhersagen und Alltagsratschlägen, die zum größten Teil die Frucht langen Grübelns waren. 1600 *ff.*

3. es rappelt im ~ = die Geduld ist zu Ende; man verliert die Beherrschung, braust auf. ↗Kalender 1. *Sold* 1935 *ff.*

4. irr im ~ sein = nicht ganz bei Verstand sein. Bezieht sich wohl auf einen, der das Datum verwechselt. Seit dem späten 19. Jh.

kalendern *intr* grübeln o. ä. ↗Kalender 2. Seit dem 19. Jh.

Kaleu *m* Kapitänleutnant; Unterseeboot-Kommandant. Eine sehr geläufige Abkürzung jenseits von Spott oder Achtung. 1939 bis heute.

Kalfakter *m* **1.** Zuträger, Aushorcher, Ohrenbläser. Fußt auf *lat* „calefactor = Warmmacher, Einheizer". Weiterentwickelt zur Bedeutung „Aufwärter; Diener; hilfreicher Mensch" und von letzterem fortgeführt zur Bedeutung „Schmeichler, Heimtücker". 1700 *ff.* **2.** Augendiener, Einschmeichler. 1800 *ff.*

kalfaktern *v* **1.** *tr* = jn aushorchen. ↗Kalfakter 1. Seit dem 19. Jh. **2.** ~ (~ gehen) = zu anderen gehen, um zu schwatzen; sich umhertreiben. 1800 *ff.*

Kaliber *n* **1.** äußere Beschaffenheit eines Menschen; Art eines Menschen; Typ. Meint eigentlich die lichte Weite (Durchmesser) von Rohren, auch die Größe einer Geschoßkugel. Von da übertragen auf den Menschen zur Kennzeichnung seiner äußeren und inneren Form. Seit dem 18. Jh. **2.** breitschultriger Mensch. *BSD* 1965 *ff.* **3.** dickstes ~ = gemeingefährlicher Schwerverbrecher. 1950 *ff.* **4.** Sache großen ~s = wichtige, aufsehenerregende Sache. 1950 *ff.* **5.** schweres ~ = a) erfolgreicher Bühnenkünstler. 1950 *ff.* – b) Schwerverbrecher. 1950 *ff.* – c) sehr einflußreicher Mann. 1950 *ff.* **6.** jn mit schwersten ~n bepflastern = sich scharf gegen jn äußern. Analog zu „sein schwerstes Geschütz auffahren", ↗Geschütz 9. 1950 *ff.* **7.** ~ haben = ein eindrucksvolles Äußeres oder Wesen haben. 1920 *ff.* **8.** der Wein hat ein ~ = der Wein ist schwer. 1920 *ff.* **9.** vom gleichen ~ sein = einander gleichen; genauso gut (schlecht) sein wie die anderen. 1910 *ff.* **10.** mit schwerem ~ zurückfeuern = Beschuldigungen mit schwereren Beschuldigungen erwidern; gegen etw schwerwiegende Gesichtspunkte vorbringen. 1950 *ff.*

Kalk *m* **1.** Bejahrtheit; geistige Abständigkeit; Veraltetsein. Anspielung auf Arterienverkalkung. 1900 *ff.* Beliebte Jugendvokabel. **2.** da blättert der ~ von den Wänden = das ist unerhört, unerträglich. Hergenommen von der Äußerung des Unwillens über eine verkommene Wohnung. 1950 *ff.* **3.** der ~ knirscht in den Knochen = man ist ältlich. *Sold* 1939 *ff.* **4.** leise rieselt der ~ = die Abständigkeit wird deutlich. Parodie auf das Weihnachtslied „Leise rieselt der Schnee". 1950 *ff.* **5.** bei ihm rieselt der ~ (aus der Hose; aus den Hosenbeinen) = er ist abständig, ältlich. 1900 *ff.*

Kalkeimer *m* ältlicher, abständiger Mensch. 1920 *ff.*

kalken *refl* sich schminken, pudern. 1925 *ff.*

Kalker *m* alter Mann. 1955 *ff, jug.*

Kalkfabrik *f* Gremium bejahrter, geistig nicht mehr rüstiger Leute. ↗Kalk 1. 1965 *ff.*

Kalkfelsen *m* ältliche, abständige Person. 1930 *ff.*

Kalkhaufen *m* ältlicher Mensch. 1945 *ff.*

kalkig *adj* abständig. 1930 *ff.*

Kalkleiste *f* enganliegender weißer Kragen; Stehkragen. 1930 *ff.*

Kalkmedaille *f* Bundesverdienstkreuz. Man faßt es als Alterssehrung auf. 1960 *ff.*

Kalkstreifen *m* steifer weißer Halskragen. 1910 *ff.*

kalkulieren *intr* im Essen wählerisch sein. Hergenommen von einem, der beim Essen nach der Speisekarte die Kosten sorgfältig überschlägt. *BSD* 1965 *ff.*

Kall *m* Unterhaltung, Plauderei, Geschwätz. ↗kallen. *Westd* 1800 *ff.*

Kalle *f* weibliche Person; Geliebte; Braut; Prostituierte. Fußt auf *jidd* „kalla = Braut, Schwiegertochter" und auf *jidd* „kal = leichtfertig". *Rotw* 1750 *ff*; von da über die Mundarten in die Umgangssprache gewandert.

kallen *intr* reden, schwätzen. Seit *mhd* Zeit. Ein germanisches Wort; *vgl niederl* „kallen", *engl* „to call", *schwed* „kalla".

Kalmäuser *m* **1.** grüblerisch, nachdenklich gestimmter Mensch. Seit dem 16./17. Jh. **2.** Geiziger; übergenauer Mensch. 1600 *ff.*

kalmäusern *intr* **1.** grübeln. Fußt auf *lat* „calamus = Schreibrohr" und bezieht sich auf den fleißigen Studenten und Stubenhocker. Von da weiterentwickelt zur Vorstellung des sehr genauen, pedantischen Arbeitens und Verhaltens. Seit dem 16./17. Jh. **2.** gelehrt schwätzen. 1920 *ff.*

Kalmücke *m* **1.** Schimpfwort. Die Kalmücken sind ein westmongolisches Volk, ansässig an der unteren Wolga. Im Westen wurde ihr Name bekannt durch ihre Teilnahme 1813 *ff* am Kampf gegen Napoleon. Den Anlaß zur Schimpfwortgeltung gab vielleicht das pejorative Substantiv „Tücke". Seit dem 19. Jh. **2.** Heuchler, Heimtücker. Seit dem 19. Jh.

Kalmus *m* **1.** auf diesen ~ pfeifen wir nicht (berlinisch: uff den ~ piepen wa nich)!: Ausdruck der Ablehnung. Kalmus ist die Rohrpfeife der Kinder. 1870 *ff.* **2.** einen falschen ~ pfeifen (piepen) = sich irren. Berlin 1930 *ff.*

Kalorien *pl* **1.** Geldmittel. Eigentlich Bezeichnung für die Wärmeeinheiten und für die Energiewerte von Nahrungsmitteln. 1955 *ff.* **2.** wir wollen keine ~, wir wollen was zu essen!: Ausdruck, mit dem man sättigende Nahrungsmittel in ausreichender Menge verlangt. Die Kalorienberechnung der notwendigsten Lebensmittel kam 1945 mit der Niederlage auf und bot der Bevölkerung eine der wichtigsten Angriffsflächen beim Protest gegen die Ernährungspolitik der Besatzungsmächte.

Kalorienbombe *f* sehr kalorienreiche Nahrung; Schlagsahne. 1973 *ff.*

Kalorienbremser *m* Schlankheitsmittel. 1965 *ff.*

kalt *adj* **1.** geschlechtlich normal veranlagt. Gegenwort zu „warm = homosexuell". 1910 *ff.* **2.** ohne Heizungskosten. Kurzwort in Wohnungsanzeigen. 1960 *ff.* **3.** *adv* = ohne den Rechtsweg; ungesetzlich; formlos. *Vgl* „auf kaltem ↗Weg". 1960 *ff.* **4.** halb so ~! = halb so schlimm! Wohl hergenommen von der Wassertemperatur der See oder des Schwimmbads; hängt vielleicht auch zusammen mit dem Sprichwort „es wird nichts so heiß gegessen, wie es gekocht wird". 1940 *ff.* **5.** ~ abbrennen = beim Kartenspiel das letzte Bargeld verlieren. ↗abbrennen 3. Kartenspielerspr. 1920 *ff.*

6. etw ~ an sich ablaufen lassen = etw leidenschaftslos hinnehmen. Kalt = ohne eine lebhafte Gefühlsregung. Politikerspr. 1971 *ff* (Herbert Wehner). **6 a.** jn ~ ablaufen lassen = jn frostig abweisen. 1900 *ff.* **7.** jn ~ abreiben = jn ausschimpfen. ↗abreiben 1. Kalt = rücksichtslos, derb, grob. 1950 *ff.* **8.** jn ~ abschießen = jn heimtückisch, auf niederträchtige Weise aus Amt und Würden verdrängen. ↗abschießen. 1933 *ff.* **9.** jn ~ abservieren = jn nicht beachten. ↗abservieren. 1950 *ff.* **10.** etw ~ abwürgen = etw formlos vereiteln. ↗kalt 3. 1960 *ff.* **11.** jn ~ auffressen = ein Mädchen herzhaft an sich drücken und küssen. 1930 *ff.* **12.** ~ erwischt werden = schon kurz nach Spielbeginn im Rückstand liegen. Die Sportler haben sich in der kurzen Zeit noch nicht warmgespielt. *Sportl* 1950 *ff.* **13.** zu ~ gebadet haben (zu ~ gebadet worden sein) = nicht recht bei Verstand sein. Bekannter ist „zu ↗heiß gebadet worden sein". Beim Kaltbaden hat man sich einen geistigen Schaden zugezogen. *BSD* 1965 *ff.* **14.** etw ~ genießen = etw weidlich auskosten. Der Betreffende denkt nicht darüber nach, ob und wieweit er mit seiner Handlungsweise andere schädigt. 1900 *ff.* **15.** den möchte ich ~ genießen!: Ausdruck des Widerwillens gegen jm. Kalt = tot. 1920 *ff.* **16.** ~ getroffen sein = kurz nach Beginn des Kampfes in Nachteil geraten sein. ↗kalt 12. Boxerspr. 1950 *ff.* **17.** ist es da so oben ~?: Frage an einen Großwüchsigen. 1920 *ff.* **18.** das läßt mich ~ = das berührt mich nicht; das macht auf mich keinen Eindruck. Kalt = innere Bewegung auslösend. 18. Jh. *Vgl engl* „it leaves me cold" und *franz* „cela ne me fait ni chaud ni froid". **19.** ~ rauchen = die Tabakspfeife (o. ä.) im Mund halten, ohne anzuzünden. 1800 *ff.*

Kalter *m* **1.** Blindgänger. Er zündet nicht. *Sold* 1939 *ff.* **2.** Liegestütz. Er ähnelt den Bewegungen des Geschlechtsverkehr. *Sold* 1935(?) *ff.* **3.** Flirt ohne Beischlaf. *Halbw* 1955 *ff.* **4.** unfreiwilliger Spermaerguß. *Vgl* ↗Bauer 9 a. 1900 *ff.*

kaltlächelnd *adj* ungerührt; empfindungslos; gelassen; mühelos. An dem Lächeln ist kein herzliches Gefühl beteiligt. 1870 *ff.*

kaltmachen *tr* jn töten. Hergenommen vom Erkalten der Leiche. Ein euphemistischer Ausdruck. Seit dem 18. Jh.

Kaltmiete *f* Mietpreis ohne Heizungskosten. ↗kalt 2. 1960 *ff.*

Kaltraucher *m* Mann, der die Pfeife (o. ä.) im Mund trägt, ohne anzuzünden. Seit dem 19. Jh.

kaltschnauzig (-schnäuzig) *adj* gefühllos, rücksichtslos, roh, frech, dreist. *Vgl* ↗Hundeschnauze 4. 1900 *ff.*

kaltstellen *tr* **1.** jds Einfluß schwächen; jn unbeachtet lassen. Hergenommen von Speisen, die man vom Feuer stellt, damit sie nicht verderben. Die Redewendung stammt möglicherweise von Bismarck, der 1858 an seine Schwester schrieb, er solle

an der Newa kaltgestellt werden, und diese Wendung mit Champagner erklärte, der in Eis gestellt wird; allerdings meinte er, er werde in kaltem Landstrich „abgestellt".
2. jn ~ wie eine Flasche Bier = jn vorerst seinem Einflußbereich entziehen. 1960 ff.
Kaluppe (Kaluppn) f minderwertiges, ärmliches Haus. Fußt auf poln und tschech „chalupa = Kleinbauernhütte". 1800 ff.
Kamel n **1.** Nichtverbindungsstudent. Man hält ihn für sehr fleißig und meint, vom vielen und angestrengten Lesen in den Büchern bekäme er einen gekrümmten Rücken oder einen Höcker, wie ihn das Dromedar hat. Stud etwa seit 1800.
2. Student älteren Semesters. 1850 ff.
3. dummer Mensch. Vom emsigen Studenten übertragen zum Sinnbild der Weltunerfahrenheit. 1800 ff.
4. Schulneuling. 1900 ff.
5. Rekrut. 1910 ff.
6. ~ mit Locken = dummer, besonders dummer Mensch. Bei alten, stark enthaarten Kamelen finden sich Reste der Behaarung oft in Lockenform. 1935 ff, schül.
7. hölzernes ~ = sehr dummer Mensch. Anspielung auf den ↗ Holzkopf. Schül 1950 ff.
8. sympathisches ~ = einfältiger, gutmütiger und hilfsbereiter Mensch. BSD 1965 ff.
Kame'larii pl arabische Studenten. Latinisierung von „Kameltreiber": scherzhaft stellt man sich alle Araber als Kameltreiber vor. Wien 1950 ff.
Kamellen pl **1.** Lügen; Witze. ↗ Kamellen 3. 1900 ff.
2. alte (olle) ~ = alte, längst bekannte Dinge; alte Geschehnisse als Neuigkeiten berichtet. Der vorwiegend in Norddeutschland heimische Ausdruck leitet sich her von den Kamillen, die bei langem Lagern den würzigen Geruch und auch die Heilkraft einbüßen. Seit dem 18. Jh.
3. faule ~ = unglaubwürdige Äußerungen. ↗ faul 1. Seit dem 19. Jh.
4. uralte ~ = Altbekanntes. 1920 ff.
5. seine ollen ~ abziehen = seine altbekannten Äußerungen wiederholen. ↗ abziehen 1. 1964 ff.
6. olle ~ aufwärmen = abgetane Vorgänge nochmals erwähnen. ↗ aufwärmen. 1950 ff.
7. die ollen ~ ausgraben = veraltete, längst bekannte Tatsachen zur Sprache bringen. 1950 ff.
Kameltreiber m **1.** Rekrutenausbilder. ↗ Kamel 5. 1910 ff.
2. Hilfsschullehrer. ↗ Kamel 3. 1950 ff.
3. Student aus Nordafrika oder dem Orient. ↗ Kamelarii. 1950 ff.
4. Gebirgsjäger. Das Maultier ist ein Lasttier wie das Kamel. BSD 1965 ff.
5. Zuhälter. 1950 ff.
Kamerad m **1.** großer Gegenstand. Vom stattlichen Menschen auf den entsprechenden Gegenstand übertragen. Spätestens seit 1900.
2. ~ Dienstteil = Unterführer (Unteroffizier) mit herausforderndem Auftreten. ↗ Keil = Mann. Dem Betreffenden ist jegliches Tun „Dienst". BSD 1965 ff.
3. ~en von drüben = a) die Russische Armee. Sold 1941 ff. – b) die Nationale Volksarmee. BSD 1960 ff.
4. ~ von der anderen Feldpostnummer. ↗ Feldpostnummer.

5. ~ Hüh = Pferd. „Hü" ist der Zuruf an das Pferd. Sold 1939 ff.
6. ~ Krummstiefel = deutscher Soldat. ↗ Krummstiefel. Österr Bezeichnung in beiden Weltkriegen.
7. ~en am Mast = Filzläuse. Mast = erigierter Penis. BSD 1965 ff.
8. ~ im schwarzen Rock = Militärgeistlicher. BSD 1965 ff.
9. ~ Schnürschuh = österreichischer Soldat. Die Soldaten der k.u.k. Armee trugen nicht Stiefel, sondern Schnürschuhe. Deutsche Bezeichnung in beiden Weltkriegen; bei Preußen gelegentlich mit dem Nebensinn der Untauglichkeit.
10. ~ Schwimm = Matrose. War das Schiff torpediert, gab es keine andere Wahl, als ins Wasser zu springen und das Leben durch Schwimmen zu retten zu suchen. Marinespr in beiden Weltkriegen.
11. ~ Servus = österreichischer Soldat; Wiener. Benannt nach dem beliebten österr Begrüßungs- und Abschiedswort „Servus". Sold 1939 ff.
12. ~ von der schnellen Truppe = Heißsporn. Er ist schnell angriffsbereit. Sold 1939 ff.
13. ~ Wauwau = Wachhund im Dienst der Bundeswehr. ↗ Wauwau. BSD 1965 ff.
14. ~ Wichtig = Soldat, der sich aufspielt. Sold 1939 ff.
15. alter ~ = altes, altgewohntes Auto. 1920 ff.
Kameradensau f **1.** unkameradschaftlicher Soldat. „Sau" als Schimpfwort für einen niederträchtigen, charakterlosen Menschen. Der Ausdruck scheint in den Kriegsgefangenenlagern 1944 ff aufgekommen zu sein; BSD 1965 ff.
2. unkameradschaftlicher Schüler. 1960 ff.
Kamillentee m mit Gottes Hilfe und ~ = schlecht und recht. Hergenommen von einem Kranken, dem man Gebet und Hausmittel empfiehlt. 1870 ff.
Kamin m **1.** Nase. Sie ist der Schornstein für die Ableitung verbrauchter Luft. Seit dem 19. Jh.
2. etw in den ~ schreiben = etw verloren geben; mit der Rückzahlung einer Geldschuld nicht rechnen. Im Schornstein wird die Schrift durch Ruß und Rauch unleserlich, so daß es überflüssig ist, hier etwas zu notieren. Seit dem 19. Jh.
Kaminplauderei f unsinnige Reden voller Lug und Trug. Aufgekommen kurz vor Ausbruch des Zweiten Weltkriegs im Zusammenhang mit den in bestimmten Abständen zwanglos veranstalteten Unterhaltungen des amerikanischen Präsidenten Roosevelt mit Journalisten über politische Tagesfragen; vgl engl „fireside-talk".
kamisölen tr jn prügeln. Kamisol = Wams, Jacke. Vgl ↗ Jacke. Westd seit dem 19. Jh.
Kamm m **1.** jm den ~ beschneiden = jds Übermut zügeln; jm die Geilheit austreiben. Nach abergläubischer Vorstellung wird der Haushahn unfruchtbar, wenn man ihn seiner Kammzier beraubt. 1900 ff.
2. ihm geht der ~ hoch = a) er wird wütend. Hergenommen vom Hahnenkamm. Seit dem 18. Jh. – b) er wird verwegen, angriffslustig. 1700 ff.
3. Kämme kaufen = Vorsorge treffen; sich auf Unerfreuliches einstellen. Geht

zurück auf den Spruch: „Kauft Kämmel Es kommen lausige Zeiten!" Der Spruch eines Jahrmarktverkäufers dürfte zwischen 1850 und 1890 in Berlin aufgekommen sein, vielleicht als Bruchstück aus einer Berliner Posse von Glaßbrenner oder Kalisch. Nordd 1910 ff.
4. da liegt der ~ bei der Butter = da herrscht unbeschreibliche Unordnung. 1870 ff.
5. alle über einen ~ scheren = alle Leute gleich behandeln; alle Menschen gleich einschätzen. Hergenommen vom Friseur, der für alle Kunden denselben Kamm benutzt, oder vom Tuchscherer, der grobe und feine Wollstoffe unterschiedslos über denselben Kamm schor. 1500 ff. Vgl schwed „skära alla öfver en kam".
6. ihm schwillt der ~ = er wird übermütig, angriffslustig, zornig. Dem Hahn schwillt der Kamm, wenn er zornig wird. Seit dem 17./18. Jh.
7. ihm steigt der ~ = er wird zornig. Seit dem 18. Jh.
8. jm auf den ~ treten = a) jds Leidenschaftlichkeit dämpfen; jn anherrschen, scharf rügen. Analogie zu „jm auf den ↗ Fuß treten" unter Einfluß des Hahnenkamms als des Sinnbilds des Übermuts und der Hoffart. 1870 ff. – b) jn beleidigen; jn an seiner seelisch empfindlichsten Stelle treffen. Seit dem 1870 ff.
9. ihm wächst der ~ = er wird übermütig. Seit dem 17./18. Jh.
Kammerjäger m **1.** Kammer-Unteroffizier. Eigentlich der Ungeziefervernichter. Sold seit dem späten 19. Jh.
2. Mann, der Mädchen nachstellt und sie nachts in ihrem Zimmer besucht. 1900 ff.
3. Mensch, der in den Intimitäten prominenter Leute stöbert, um daraus Geld zu machen. 1950 ff.
Kammerkätzchen n **1.** Zofe, Zimmermädchen im Hotel; Hausgehilfin. Wie eine Katze umschmeichelt sie ihre Herrin und läßt auch sich selber umschmeicheln. 1600 ff.
2. Mädchen, das dem Beischlaf im eigenen Zimmer nicht abgeneigt ist. Dies scheint die ursprüngliche Bedeutung zu sein, weswegen – vor allem früher – die Bezeichnung zweideutig war. Seit dem 16. Jh.
Kämmerlein n im stillen ~ = im eigenen Zimmer; außerhalb der Öffentlichkeit; ungestört von anderen; ganz sich selber überlassen. Geht zurück auf Matthäus 6, 6 („wenn du aber betest, so gehe in dein Kämmerlein"). 1800 ff.
kam'mod adj bequem. Von „Kammer" beeinflußtes „kommod". Seit dem 19. Jh.
Kam'mode f Kommode. Seit dem 19. Jh.
Kampel m **1.** Kamm. Von ahd und mhd „kamb, kamp = Kamm". Oberd seit dem 15. Jh.
2. kecker, verwegener, junger Mann; tüchtiger Mann. ↗ kampeln. 1600 ff.
3. rauflustige männliche Person. 1600 ff.
4. närrischer Bursche. 1900 ff.
5. Freund, Genosse. Nebenform von ↗ Kumpel. Österr 1900 ff.
kampeln v **1.** intr tr = kämmen. ↗ Kampel 1. Seit mhd Zeit.
2. tr = jn prügeln. Wiederholungsform von „kämpfen". Seit dem 18. Jh.
3. tr = jn rügen. 1800 ff.

4. miteinander ~ = streiten; sich zanken. 1600 ff.

5. intr = einen Camping-Urlaub machen. Eingedeutscht aus engl „to camp = im Freien zelten". 1955 ff.

Kampf m **1.** ~ um die tägliche Butter = Erwerbskampf, Erwerbsleben. Erweitert aus „Kampf um das tägliche Brot": die Erwerbsgrundlage (= Brot) ist vorhanden; man bemüht sich um Aufbesserung des Notwendigen. 1960 ff.

2. ~ um das Dabeisein = Sicheindrängen aus Geltungsbedürfnis; Suche nach Anschluß an die zur Zeit herrschende politische Richtung. 1933 ff.

3. ~ mit dem (inneren) Schweinehund = Niederringen niedriger Instinkte. ↗Schweinehund 2. 1914 ff.

4. ~ der Wagen und Gestänge = Suche nach einem Parkplatz und Wettstreit mit anderen Autofahrern um den Platz. Umgewandelt aus „Kampf der Wagen und Gesänge" aus Schillers Ballade „Die Kraniche des Ibykus". 1950 ff.

5. auf in den (auf zum) ~, die Schwiegermutter naht! = mutig voran! Mach' dich auf Unfrieden gefaßt! Manche Schwiegermütter mischen sich in die Angelegenheiten des jungen Paars und stiften dadurch Streit. 1930 ff, stud.

Kampfbemalung f Make-up. ↗Kriegsbemalung. 1975 ff.

Kampfeisen n Ehering. In spöttischer Auffassung beginnt mit dem Hochzeitstag der Ehekampf. 1925 ff.

kämpfen gehen intr zum Mädchen gehen. Der Geschlechtsverkehr als (Nah-)Kampf. 1940 ff.

Kampfgeist m Schnaps. Er befeuert den Angriffsgeist. Sold 1939 ff.

Kampfgespräch n Flirt. ↗kämpfen gehen. BSD 1965 ff.

Kampfhahn m streitsüchtiger Mensch. Vom Hühnerhof hergenommen. Seit dem 19. Jh.

Kampfmaschine f ständig angreifender Boxer ohne Rücksicht auf gegnerische Treffer. 1960 ff.

Kampfnutte f wie eine persische ~ in Lauerstellung liegen = unvorschriftsmäßig, unanständig liegen. Gemeint ist etwa ein „hingegossenes" Liegen mit gespreizten Beinen, fußend auf einer Phantasievorstellung, wie sie durch Verfilmung orientalischer Stoffe genährt ist. BSD 1970 ff.

Ka'muffel n dummer Mensch; mürrischer Mensch. Zusammengesetzt aus „↗Kamel 3" und „Muffel = verdrießlicher Mensch". 1800 ff.

Kanaille (gesprochen „Kanalje") f **1.** schicke ~ = elegant gekleidete Prostituierte. Franz „canaille = Gesindel". 1935 ff.

2. unter aller ~ = überaus schlecht; sehr elend. Analog zu „unter allem ↗Luder". Seit dem späten 19. Jh.

Ka'nake m ungebildeter, ungesitteter Mensch. Eigentlich der Eingeborene der Sandwichinseln; wohl beeinflußt von „↗Hanake". 1850 ff.

Kanaker m **1.** Kanadier. Wortspiel mit „↗Kanake", doch auch beeinflußt von amerikan „canuck = Kanadier". Sold 1939 ff.

2. Schimpfwort. 1930 ff.

3. Gastarbeiter (abf.) 1974 ff.

Kanal m **1.** sich den ~ füllen = sich

betrinken. Kanal = Speiseröhre, Magen-Darm-Kanal. 1910 ff.

2. es kommt in den falschen ~ = es wird mißverstanden. Falscher Kanal = Luftröhre. Vgl „etw in den falschen ↗Hals kriegen". 1950 ff.

3. den ~ vollhaben = a) einer Sache überdrüssig sein; von etw angewidert sein. ↗Kanal 1. Spätestens seit 1914 ff. – b) betrunken sein. 1920 ff. – c) schwanger sein. 1900 ff. – d) von einer Fernsehsendung angewidert sein. Wortspiel mit „Fernsehkanal". 1958 ff.

4. sich den ~ vollhauen = sich betrinken. 1920 ff.

5. den ~ vollkriegen = sich betrinken. 1920 ff.

6. sich den ~ voll laufen lassen (vollkippen) = sich betrinken. 1920 ff.

7. jm den ~ bis zum Stehkragen vollrotzen = jn heftig unter Beschuß nehmen. ↗rotzen. Sold 1939 ff.

8. jetzt ist der ~ voll!: Ausdruck der Unerträglichkeit. ↗Kanal 3. 1914 ff.

Kanalarbeiter m **1.** Fernsehtechniker. Eigentlich der Arbeiter im unterirdischen Kanalisationssystem; hier bezogen auf den Fernsehkanal. 1955 ff.

2. Fernsehreporter; Künstler, der im Fernsehen auftritt. 1960 ff.

3. pl = untere Parteifunktionäre; SPD-Bundestagsabgeordnete auf den hinteren Bänken. Sie arbeiten in den Ortsgruppen, parlamentarisch sieht man sie kaum tätig werden; Vertreter einer konservativen Politik innerhalb der SPD. 1968 ff.

Kanalarschloch n Schimpfwort. Steigerung von „Arschloch", wohl mit Anspielung auf den üblen Geruch. 1950 ff.

Kanaldeckel m **1.** pl = große Füße. Mit ihnen kann man eine Kanalsenke verschließen. 1920 ff.

2. sg = Fünfmarkstück. Galt früher als übliches Prostituistenentgelt. Kanal = Vagina. 1900 ff.

Kanalforellen pl **1.** Ratten. Sie wimmeln in den unterirdischen Abwasserkanälen. Österr seit dem 19. Jh.

2. Exkremente im Abwasserkanal. Österr 1920 ff.

Kanalratte f **1.** Schimpfwort auf einen Versager oder Heimtücker. Er ist im Verborgenen tätig wie eine Kanalratte, und sein Charakter ist ekelerregend. Sold 1939 ff.

2. Angehöriger einer heimlichen Widerstandsbewegung. 1944 ff.

Kanalröhre f **1.** Straßentunnel. 1955 ff.

2. wandelnde ~ = a) Mensch, der wiederholt Darmwinde entweichen läßt. 1910 ff. – b) Mann, der in Zoten schwelgt. 1910 ff.

Kanalstrotter m **1.** Kanalräumer; Mann, der im unterirdischen Kanalnetz einer Großstadt nach Wertgegenständen sucht. ↗strotten. Österr 1900 ff.

2. niederträchtiger Mann; roher Mann; Zuhälter. 1950 ff.

Kanarienvogel m **1.** Gelbsuchtkranker. Wegen der Hautverfärbung. BSD 1965 ff.

2. pl = Fernmeldetruppe. Wegen der gelben Kragenspiegel. Sold 1939 bis heute.

3. es paßt wie ~ ins Aquarium = es paßt auf keine Weise zusammen. 1955 ff.

4. singen wie ein ~ = ein umfassendes Geständnis ablegen. ↗singen. 1960 ff.

Kanarienvögelchenzüngelchensüpp-

chen n Antwort auf die Frage, was es zu essen gibt. 1930 ff.

Kandare f **1.** jm die ~ anlegen = jn in strenge Zucht nehmen. Kandare ist die Gebißstange an Pferdezügeln. Seit dem 19. Jh.

2. jn an der ~ haben = jn unter seiner Gewalt haben. Seit dem 19. Jh.

3. jn an der ~ halten = jn beherrschen; jm die ausschweifende Lebensweise untersagen. 1920 ff.

4. jn an die ~ kriegen = jn bezwingen. 1920 ff.

5. jn an die ~ legen = jn scharf einexerzieren; jn sehr streng behandeln; jds Freiheit stark einschränken. 1920 ff.

6. an der ~ liegen = in jds Gewalt sein. 1920 ff.

7. sich (jn) an die ~ nehmen = sich (jn) zügeln; jn streng behandeln; sich beherrschen. Seit dem späten 19. Jh.

8. jn an die kurze ~ nehmen = jm arge Beschränkungen auferlegen. 1950 ff.

Kandel f **1.** weibliche Person. Verkleinerungsform von „Kanne". Hier ist die „Milchkanne" in Anspielung auf die weibliche Brust. Österr 1950 ff.

2. Rausch. Er rührt davon her, daß man zu sehr in die „↗Kanne" gestiegen ist. 1950 ff, österr.

kan'didel adj lustig, fröhlich. Geht zurück auf lat „candidus = heiter" und ist beeinflußt von dem „Dideldei" der Fröhlichkeit. Nordd seit dem 19. Jh.

kan'didein refl sich betrinken. 1900 ff.

Känguruh-Benzin n mit ~ fahren = beim Starten mit dem Auto ein paar Sätze voran machen und stehen bleiben. Ironie auf mangelhafte Fahrtechnik. Kraftfahrerspr. 1955 ff.

Känguruh-Politik f großzügige Handlungsweise ohne ausreichende materielle Mittel. Man macht „große Sprünge" mit leerem „Beutel". 1967 ff.

Känguruh-Suppe f Suppe aus Maggibeuteln o. ä.; Erbswurstsuppe. Anspielung auf die Beutel, in denen die Fertigsuppe im Handel ist. 1934 ff.

Kaninchen n **1.** furchtsamer Mensch. Analog zu ↗Angsthase. 1900 ff.

2. ~ auf Nerz (auf Nerzlook) gequält = unechter Nerzpelz. 1935 ff.

3. Leute abknallen wie ~ = Leute in Mengen erschießen. 1940 ff.

3 a. ein ~ im Hut haben = einen überraschenden Vorschlag machen. ↗Kaninchen 6. 1950 ff.

4. es riecht wie feuchte ~ = es stinkt. Kaninchen strömen einen strengen Geruch aus. 1970 ff.

5. nach dem ~ sehen = den Abort aufsuchen. Wie die Kaninchenställe befindet sich in ländlicher Gegend der Abort auf dem Hof. 1900 ff.

6. ein ~ aus dem Hut zaubern = etw völlig Unerwartetes tun; stets einen Ausweg wissen; einer Sache die Wendung zum Guten geben. Man bewerkstelligt es wie mit einem Zauberkünstlertrick. 1900 ff.

Kaninchenstall m **1.** Kinderzimmer, in dem viele Kinder ihr Wesen treiben. 1900 ff.

2. kinderreiche Familie; Wohnung mit vielen Kindern. 1900 ff.

3. Lokal, in dem die leichtgeschürzte Mäd-

chen mit Pappohren und Stummel- schwänzchen bedienen. Hugh Hefner, der Herausgeber des „Playboy", nennt diese Bedienerinnen „bunnies" (= Kaninchen). *Vgl* ↗ Häschen 5. 1966 *ff*.
4. *pl* = Kleinwohnungen in einem Wohnhochhaus. 1960 *ff*.
kanisch *adj* amerikanisch. Verkürzt durch Auslassung der schwach- oder unbetonten Silben. *Halbw* 1955 *ff*.
Kanister *m* Terrine Suppe. Kellnerspr. 1967 *ff*.
Kanne *f* **1.** Glas Bier; Maßkrug; Flasche. Seit dem 19. Jh in Studentenkreisen Be- zeichnung für die Bier- und Weinkanne, für den Bier- oder Weinkrug. *BSD* 1960 *ff*.
2. Saxophon der Jazzkapelle. Es ähnelt der früher üblichen (und heute wieder modi- schen) Metall-Kaffeekanne. *Halbw* 1950 *ff*.
3. Blasinstrument; Posaune in der Jazzka- pelle. *Halbw* 1950 *ff*.
4. weibliche Brust. Anspielung auf „Milchkanne"; *vgl* ↗ Kandel 1. *BSD* 1965 *ff*.
5. modern gekleidetes Mädchen. Vermut- lich eine, deren Brüste durch die enge Kleidung vorteilhaft zur Geltung kommen. *Halbw* 1955 *ff*. Vielleicht auch Zusam- menhang mit der alten Wendung „elegant und schlank wie eine Kanne", wobei „Kanne" den Stock (*franz* „canne" = Spa- zierstock") meint.
6. schräge ~ = Saxophon. ↗ schräg. *Halbw* 1950 *ff*.
7. hoch die ~n!: Zuruf zu gemeinsamem Trinken. ↗ Kanne 16. 1920/30 *ff*, Berlin.
8. bei mir in die ~!: Ausdruck der Ableh- nung und Zurückweisung. Versteht sich nach ↗ Kanne 16. 1920/30 *ff*, Berlin.
9. eine saure ~ blasen = schlecht Saxo- phon spielen. *Halbw* 1950 *ff*.
10. eine scharfe ~ blasen = gut auf dem Saxophon spielen; „hot music" machen. Scharf = leidenschaftlich. *Halbw* 1950 *ff*.
11. zu tief in die ~ geguckt haben = bezecht sein. Analog zu „zu tief ins ↗ Glas geguckt haben". 1500 *ff*.
12. es gießt ~n (mit ~n; wie aus ~n) vom Himmel = es regnet sehr heftig. Seit dem 19. Jh.
13. einen Schlag in der ~ haben = die Beherrschung verlieren. „Kanne" ist hier verkürzt aus „Gießkanne = Penis" und bezieht sich auf heftige Schmerzen, her- rührend von einem Tritt in die Genitalien. *BSD* 1965 *ff*.
14. in die ~ pusten = ins Megafon sin- gen. *Halbw* 1950 *ff*.
14 a. jn in die ~ schicken = a) jn zum Leeren eines Bierglases (einer Bierkanne) verurteilen. ↗ Kanne 1. *Stud* seit dem 19. Jh. – b) jn verurteilen. 1980 *ff*.
15. die ~ schwenken = wacker zechen. ↗ Kanne 1. Seit dem 19. Jh.
16. in die ~ steigen = als Strafe für einen Verstoß gegen die Trinksitten ein volles Glas (o. ä.) leeren müssen. *Stud* seit dem 19. Jh.
17. in die ~ stoßen = Posaune blasen. *Halbw* 1950 *ff*.
18. sich die ~ verbiegen = sich eine Geschlechtskrankheit zuziehen. ↗ Gieß- kanne. *BSD* 1965 *ff*.
Kannegießer *m* Mann, der in politischen Dingen keinen Weitblick besitzt, aber sich gleichwohl ein Urteil anmaßt; politischer

Schwätzer. Geht zurück auf die Überset- zung Dethardings (1741) von Ludvig Hol- bergs Komödie „Den politiske Kandstøber" („Der politische Kannegießer"). Bei uns seit 1760 literarisch bezeugt.
kannibalisch *adj* **1.** sehr groß, umfang- reich. Von „menschenfresserisch" weiter- entwickelt zur Bedeutung „furchterregend" und von da zu einer allgemeinen Steige- rung. 1700 *ff*.
2. *adv* = sehr. 1700 *ff*.
Kanonade *f* **1.** Entweichen mehrerer Darmwinde. Eine Art Beschuß mit viel Lärm. 1950 *ff*.
2. anhaltendes Zielen auf das gegnerische Tor. *Sportl* 1950 *ff*.
3. ~ von Vorwürfen = anhaltendes und nachhaltiges Rügen. 1950 *ff*.
Kanone *f* **1.** Gewehr. Scherzhafte Wertstei- gerung nach englischem Vorbild. *Engl* „gun" bezeichnet sowohl die Kanone als auch das Gewehr. *Sold* seit dem späten 19. Jh.
2. Revolver, Pistole. *Sold*, polizeispr. und kriminalromanspr. 1914 *ff*.
3. Penis. Die Ejakulation gilt als „Schuß". 1930 *ff*.
4. Fachgröße; Klassenbester; hervorragend tüchtiger Soldat; ausgezeichneter Sportler. Leitet sich her vom schweren Geschütz, das den kleineren Feldgeschützen überle- gen ist; auch kann man mit einer Kanone weiter schießen als mit einer Handfeuer- waffe. Aus dem *engl* „great gun" und „big gun" im frühen 20. Jh übernommen; möglicherweise anfangs durch das Fuß- ballspiel, seit 1914 durch die Soldaten und später durch die Schüler und Studenten verbreitet.
5. Teleobjektiv mit besonders langer Brennweite. Fernsehtechnikerspr. 1955 *ff*.
6. *pl* = hohe Stiefel mit steifen Schäften; Reitstiefel; Langschäfter. Wegen einer ge- wissen Formverwandtschaft mit dem Ka- nonenrohr. 1800 *ff*.
7. ausgeschossene ~ = nur scheinbar tüchtiger Mann. Er hat als „Kanone" aus- gedient. Wien 1950 *ff*, *jug*.
8. dicke ~ = beleibter Mensch. Kanone = Tonne, Faß. Seit dem 19. Jh.
9. tolle ~ = sehr leistungsfähiger, ein- drucksvoller Mensch. 1920 *ff*.
10. voll (besoffen) wie eine ~ = schwer bezecht. Hergenommen einerseits von „Kanone = Bierkrug (2 bis 3 Liter)", an- dererseits von „voll wie ein schwergelade- nes Geschütz". 1800 *ff*.
11. mit der ~ geschossen = unver- züglich; ohne nachdenken zu müssen. Analog zu „wie aus der ↗ Pistole geschos- sen". 1950 *ff*.
12. jn mit der ~ um etw bitten = jn mit vorgehaltener Pistole ausrauben. 1920 *ff*.
13. auf der ~ geritten haben = auswärts gebogene Beine haben. 1900 *ff*.
14. die ~ geht nach hinten los = die Kritik trifft letztlich den Kritiker. 1920 *ff*.
15. mit ~n nach Tauben schießen = gegen eine Belanglosigkeit überaus schwerwiegende Gesichtspunkte geltend machen. 1950 *ff*.
16. mit ~n auf Spatzen schießen = eine unwichtige Sache mit unverhältnismäßig großen Mitteln bekämpfen. *Vgl franz* „ti- rer aux moineaux". Spätestens um 1900.
17. das ist unter (aller) ~ = das ist sehr schlecht, völlig ungenügend, gänzlich

unbrauchbar. Leitet sich her vom *lat* Schulausdruck „sub omni canone": mit „Kanon" ist die Richtschnur, der Bewer- tungsmaßstab gemeint. Der Lehrer bewer- tete Schülerarbeiten mit „optime, bene, sic satis, male, pessime"; was unterhalb dieses Kanons lag, war sehr schlecht. Seit dem 19. Jh.
Kanonenfieber *n* Angst vor dem Krieg, vor der Frontverwendung, vor dem ersten Gefecht, vor irgend etwas Bevorstehen- dem. Eine Abart des „Lampenfiebers", des „Reisefiebers" u. ä. 1800 *ff*.
Kanonenfutter *n* **1.** Soldaten, die sinnlos geopfert werden. Fußt frei auf Shake- speares „Heinrich IV." mit dem Ausdruck „food for powder". *Vgl franz* „chair à ca- non". 1820 *ff*.
2. Infanterie; Heeresangehöriger; Panzer- grenadier. *Sold* seit dem späten 19. Jh bis heute.
3. gegnerische Mannschaft, die leicht und hoch zu besiegen ist. 1970 *ff*, *sportl*.
Ka'nonen'rausch *m* sehr schwerer Rausch. Versteht sich nach „voll wie eine ↗ Kano- ne". Seit dem 19. Jh.
Kanonenrohr *n* **1.** Karabiner. ↗ Kanone 1. *BSD* 1965 *ff*.
2. erigierter Penis. ↗ Kanone 3. 1950 *ff*.
3. *pl* = langschäftige Stiefel. ↗ Kanone 6. Seit dem 19. Jh.
4. Heiliges ~!: Ausruf des Entsetzens oder der Verwunderung. Verunstaltete Anru- fung eines Heiligennamens unter Einfluß des eindrucksvollen Aussehens des aufge- richteten Kanonenrohrs. 1870 *ff*.
Kanonenschuß *m* **1.** sehr heftige Kritik. 1950 *ff*.
2. sehr kräftig getretener Fußball; unhalt- barer Torball. *Sportl* 1950 *ff*.
Kanonenstiefel *pl* hohe, runde Schaftstie- fel; Röhrenstiefel. ↗ Kanone 6. Seit dem 19. Jh, *stud* und *sold*.
Kanonenstöpsel *m* gedrungener kleiner Junge; kleinwüchsige Person. ↗ Stöpsel. 1900 *ff*.
Kanonensturm *m* Fußballmannschaft in stärkster Besetzung; hervorragende Stür- merreihe einer Mannschaft. *Sportl* 1950 *ff*.
Kanonier *m* **1.** Fußballspieler, der sehr hef- tige Bälle tritt. *Sportl* 1950 *ff*.
2. Tennisspieler mit heftigem Schlag. 1950 *ff*.
kanonieren *intr* **1.** den Ball heftig ins Tor treten (werfen). *Sportl* 1950 *ff*.
2. koitieren. ↗ Kanone 3. 1930 *ff*.
Kante *f* **1.** Gegend. Im Niederdeutschen bezeichnet „Kant" den Rand, die Seite ei- ner Örtlichkeit; am geläufigsten „Water- kant = Küste". Seit dem 19. Jh.
2. Penis. Er ist die „Wasserkante" des Mannes. 1960 *ff*.
3. Bordell. Hehlwort für „Örtlichkeit". *BSD* 1965 *ff*.
4. eindrucksvolles Mädchen. Die Kante als Schnittlinie zweier Ebenen entwickelt sich zur Bedeutung „scharfe Ecke", und da ergibt sich Analogie zu „scharfe ↗ Kurve". „Kante" kann auch die Felskante meinen und auf Spitzbrüstigkeit anspielen. *Halbw* 1955 *ff*.
5. Bordellprostituierte. *BSD* 1965 *ff*.
6. an allen ~n = überall. 1700 *ff*.
7. auf keine ~!: Ausdruck der Ablehnung. Wohl hergenommen von einer Kiste, die man nicht kanten darf. 1920 *ff*.

8. auf die ~ gehen = Bordellprostituierte sein. *Vgl* ↗Kante 3. *BSD 1965 ff.*
9. etw auf der hohen ~ haben = Ersparnisse besitzen. Bei Geldmünzen, die in Rollen verpackt sind, steht jedes Geldstück aufrecht, nämlich auf der hohen Kante (= auf der schmalen Seite). Kann sich in der Bauernstube oder in der großen Wohnküche auch auf das Sims unterhalb der niedrigen Decke beziehen, auf das man Gegenstände ablegte, damit die Kinder nicht an sie heranlangen konnten. Seit dem 19. Jh.
10. das kommt auf die hohe ~ = das kommt zu den Ersparnissen. Seit dem 19. Jh.
11. Geld auf die hohe ~ legen (setzen) = Ersparnisse machen. Seit dem 17. Jh.
12. die Beine (Füße) auf die hohe ~ legen = die Beine (Füße) hochlegen. *1950 ff.*
13. auf der äußersten ~ rumturnen = a) ein gewagtes Spiel treiben. Hergenommen von der Tätigkeit des Dachdeckers, Schornsteinfegers oder Zimmermanns. *1955 ff.* – b) freche, herausfordernde Reden führen. *1955 ff.*
14. von der nassen ~ sein = gern trinken. *1900 ff.*
Kantensteherin *f* Straßenprostituierte, die vorüberfahrende Autofahrer zu interessieren sucht. Kante = Bordsteinkante. *1965 ff.*
Kanthaken *m* jn beim ~ fassen (kriegen, nehmen, packen o. ä.) = jn am Genick ergreifen; jn zur Verantwortung ziehen. Kanthaken ist der Eisenhaken, mit dem in Häfen die Fässer und Kisten beim Verladen auf die Kante gestellt werden. In der Redensart ist Kanthaken entstellt aus „Kammhaken" = hakiger Kamm des Hahns; Genick". Seit dem späten 17. Jh.
kantig *adj* beachtenswert, eindrucksvoll. ↗Kante 4. *Halbw 1955 ff.*
Kantinenkost *f* anspruchslose künstlerische Darbietung für das Durchschnittspublikum. *1950 ff.*
Kantonist *m* **1.** fragwürdiger ~ = Mensch, demgegenüber Vorsicht geboten ist. *Vgl das Folgende. 1960 ff.*
2. unsicherer ~ = unzuverlässiger Mensch. Leitet sich her von dem unter König Friedrich Wilhelm I. von Preußen eingeführten, bis 1814 gültigen Kantonsystem für die Aushebung der Soldaten: jeder Rekrutierungsbezirk hatte eine festgesetzte Zahl von Soldaten zu stellen. Wer sich der Rekrutierung durch Flucht oder anderweitig entzog, war ein unsicherer Kantonist. Seit dem 19. Jh.
Kantönligeist *m* engherziger Föderalismus; kleinliches partikularistisches Denken. Ein Schweizer Ausdruck, fußend auf der Einteilung des Landes in Kantone. Seit dem 19. Jh.
Kantus *m* einen ~ steigen lassen = ein Lied zu singen beginnen. *Stud,* spätestens seit 1900.
Ka'nuff *m* heimtückischer Mensch. Von *jidd* „ganew = Dieb" weiterentwickelt zur Bedeutung „durchtriebener Mensch". Seit dem 19. Jh.
Kanzel *f* von der ~ springen (geworfen werden) = in der Kirche aufgeboten werden. Von der Kanzel wurden früher alle obrigkeitlichen Verordnungen verlesen, seit der Einrichtung der Standesämter nur noch das Aufgebot des Brautpaars. *1600 ff.*
Kanzelschwalben *pl* frömmelnd-eifrige

Kirchgängerinnen. Sie halten sich gern in der Nähe der Kanzel auf, damit ihnen kein Predigtwort entgeht und der Geistliche sie sieht. *1954 ff.*
Kanzlerspiel *n* Boccia-Spiel. Wegen seiner Beliebtheit bei Bundeskanzler Adenauer. *1960 ff.*
Kanzlerwetter *n* prächtiges, warmes Wetter. Dem „↗Kaiserwetter" nachgebildet. *1968 ff.*
Kapaun *m* geschlechtlich gehemmter, schüchterner Mann. Eigentlich der verschnittene Hahn. *1910 ff.*
Kapazität *f* meine ~ ist erschöpft = ich bin gesättigt. Kapazität = räumliches Fassungsvermögen. *1920 ff.*
Ka'pee *n (f)* **1.** Verständnis. Französierendes Substantiv zu ↗kapieren. *1900 ff.*
2. ~? = (hast du) verstanden? *1900 ff, schül.*
3. schwer von ~ sein = begriffstutzig sein. *1900 ff.*
Kapelle *f* richtige ~ = persönlich auftretende Musikergruppe (im Unterschied zur Musik vom Plattenspieler oder Tonband). *1960 ff.*
Kaperei *f* Abwerbung von Arbeitskräften. *Vgl das Folgende. 1960 ff.*
kapern *v* **1.** etw ~ = sich einer Sache bemächtigen; etw ergreifen, entwenden. Fußt auf *niederl* „kaper = Freibeuter" und bezieht sich anfangs nur auf Seeraub; im späten 18. Jh setzt sich die allgemeinere Bedeutung durch.
2. sich jn ~ = jn mit Beschlag belegen; jn für sich gewinnen. *1900 ff.*
kapez-vous? *(franz ausgesprochen)* verstanden? Französierte Form aus ↗kapieren. *1920 ff.*
kapieren *tr* etw begreifen, verstehen. Aus *lat* „capere = ergreifen, begreifen" in Lateinschulen des 17./18. Jhs aufgekommen und dem Französischen angeglichen.
ka'pisko 1. ich habe begriffen. Hervorgegangen aus *ital* „capisco = ich verstehe". *1900 ff.*
2. ~? = verstanden? *1900 ff.*
ka'pisti hast du verstanden? Übernommen aus *ital* „capisti = du verstandest". *1900 ff.*
ka'pisto verstanden? Willkürbildung nach italienischem Vorbild. *1920 ff.*
Kapital *n* **1.** Kopf. Fußt auf *lat* „caput = Kopf". Seit dem 19. Jh.
2. totes ~ = Wehrdienstzeit. Die Soldaten fassen sie als nicht gewinnbringend auf. *BSD 1965 ff.*
3. jn vor das ~ hauen, daß die Zinsen fliegen (o. ä.) = jn heftig prügeln. Seit dem 19. Jh.
4. ~ unter der Hand verschleudern = onanieren. *1920 ff.*
Kapitalistenknecht *m* Arbeitnehmer in der kapitalistischen Wirtschaft; Mann, der vor Wohlhabenden seine persönliche Würde vergißt. Sozialistisches Schlagwort seit 1918 (?).
Kapitalistenlump *m* Wohlhabender, der politischen Einfluß ausübt. ↗Lump. *1950 ff.*
Kapitalistensau *f* Kapitalist *(abf). 1920 ff.*
Kapitalpolster *n* Geldbesitz o. ä. ↗Polster. *1950 ff.*
Kapitalspritze *f* Kapitalhilfe. ↗Spritze 12. *1950 ff.*
Kapitän *m* **1.** Hauptmann. ↗Captain. *Sold* 1914 bis heute.

2. Mannschaftsführer. *Sportl* 1950 ff.
3. Bettnässer. Hehlbezeichnung, fußend auf „↗schiffen = harnen". *Südwestd 1950 ff.*
4. ~ der Gaudi = Chef des Schaustellergewerbes. *1950 ff.*
5. ~ der Landstraße = Fernfahrer. „Kapitän" ist er insofern, als man das Auto auch „Schiff" oder „Kreuzer" nennt. *1920/30 ff.*
6. ~ der Schiene = Lokomotivführer. Wettbewerbswort zum Vorhergehenden. *1971 ff.*
7. die besten ~e stehen immer an der Pier = Nichtsachverständige meinen, sie wüßten am besten, wie man etwas tun muß. *Vgl niederl* „de beste stuurlui staan aan wal". *1900 ff.*
Kapitel *n* **1.** Sache, Angelegenheit. Eigentlich der Hauptabschnitt einer Schrift, vor allem der Bibel. Seit dem 19. Jh.
2. ein ~ für sich = eine besondere Angelegenheit; eine vom unmittelbaren Gesprächsstoff abweichende, abseits liegende Sache. *1900 ff.*
3. jm das ~ verlesen = jn streng zurechtweisen. ↗Leviten. Seit dem 15. Jh.
kapitelfest *adj prädi* **1.** seiner Sache sicher; im Besitz gediegenen Wissens. Hergenommen von „Kapitel = Bibelstück": wer biblische Stellen genau angeben kann, ist gut geschult und belesen. Seit dem 19. Jh.
2. nicht ~ = nicht kerngesund; krankheitsanfällig. *1850 ff.*
kapiteln *tr* jn rügen, ausschimpfen. ↗Kapitel 3. 15. Jh. ff.
kapito 1. verstanden? Aus dem Italienischen übernommen. *1920 ff.*
2. nix ~ = nichts verstanden. *Schül 1920 ff.*
3. schwer von ~ sein = begriffstutzig sein. *1982 ff.*
kapitulieren *intr* Essen nachverlangen. Meint eigentlich „über einen Vertrag verhandeln", dann auch „sich zu weiterer Dienstleistung verpflichten". *Sold 1914 ff.*
Kapo *m* **1.** Unteroffizier (Gefreiter U. A.). In Italien ist „capo" der Vorarbeiter, der Rottenführer bei den Straßenarbeiten. In Frankreich heißt der Gefreite „caporal". Vermutlich hieraus verkürzt. *Sold 1965 bis heute.*
2. Unterführer; Leiter eines Häftlingsarbeitskommandos in Konzentrationslager. *1939 ff.*
3. Oberstudiendirektor. *Schül 1950 ff.*
4. herrischer Bauleiter. *1900 ff.*
ka'pores *adj prädi* **1.** entzwei, tot. Stammt aus *jidd* „kapore = Sühnopfer, Sühnung, Versöhnung, Genugtuung". Am Vorabend des Versöhnungstages wurden Hühner „kapores" geschlagen, nämlich als Sühnopfer geschlachtet. Im späten 18. Jh. aufgekommen.
1 a. erschöpft sein. Seit dem 19. Jh.
2. bankrott. Kaufmannsspr. seit dem ausgehenden 19. Jh.
3. ~ gehen = sterben. *1700 ff, rotw.*
4. ~ machen = vernichten, ermorden o. ä. *Rotw* 1700 ff.
Kappe *f* **1.** jm etw auf die ~ geben = jn ohrfeigen, prügeln. Kappe meint von Haus aus den Mantel mit Kopfbekleidung, auch nur die Kopfbedeckung, von diese als Teil der Amtstracht. Wer etwas auf seine Kappe nimmt, läßt auf Mantel oder Kopfbedeckung die Schläge über sich ergehen und steht für die Sache mitsamt ihren Folgen amtlich ein. *1700 ff.*

2. es geht auf seine ~ = er trägt die Verantwortung, die Unkosten. 1800 *ff.*

3. jm auf die ~ kommen = a) jn prügeln; mit jm streiten. Seit dem 19. Jh. – b) jm Vorhaltungen machen; den Schuldigen belangen. Seit dem 19. Jh.

4. das kommt auf seine ~ = dafür trifft ihn die Verantwortung; das geht auf seine Rechnung. 1800 *ff.*

5. eins auf die ~ kriegen = eine Abfuhr erleiden. Seit dem 19. Jh.

6. etw auf eigene ~ machen = etw auf eigene Verantwortung, auf eigene Kosten, ohne Auftrag leisten. 1900 *ff.*

7. etw auf seine ~ nehmen (holen, laden) = die Verantwortung für etw übernehmen; für die Folgen einstehen. ↗ Kappe 1. Seit dem 19. Jh.

8. neben der ~ sein = a) verwirrt sein. 1960 *ff.* – b) betrunken sein. 1960 *ff.*

9. jm auf die ~ steigen = jn zur Rechenschaft ziehen. *Österr* seit dem 19. Jh.

Kappelaufsetzen *n* zum ~ kommen = sehr spät kommen; zu spät kommen. Hergenommen vom katholischen Gottesdienst: man trifft erst dann in der Kirche ein, wenn der Priester seine Kappe (Birett) aufsetzt und zur Sakristei zurückkehrt. Wien 1920 *ff.*

kappen *tr* **1.** jn ergreifen, erwischen, einholen, verhaften. Fußt auf *lat* „capere = ergreifen". *Rotw* seit dem frühen 19. Jh.

2. etw beschlagnahmen, an sich nehmen, stehlen. Kundenspr. seit dem ausgehenden 19. Jh.

3. sich jn ~ = jm ins Gewissen reden; jn zur Ordnung anhalten. 1910 *ff.*

4. jn ~ = jn umbringen. Gehört zu „kappen" in der Bedeutung „das Tau zerschlagen", auch „Äste verkürzen" und steht also in Analogie zu „jn einen ↗ Kopf kürzer machen". 1960 *ff.*

Kappes *m* **1.** Kopf. Geht zurück auf *franz* „cabus = Kohlkopf". 1600 *ff.*

2. Unsinn; Geschwätz; minderwertige Arbeit; Untaugliches. Analog zu ↗ Kohl. Seit dem 19. Jh.

3. einen im ~ haben = bezecht sein. *Westd* 1920 *ff.*

Kappesbauer *m* Gemüsebauer. Kappes = Kohlkopf. 1600. *Westd.*

Kappeskopf *m* dummer Mensch. Seit dem 19. Jh.

Käppi *n* Feldmütze. Verkleinerungsform von „Kappe". *Gleichbed franz* „cépi". *Sold* 1850 *ff.*

Kapriolen *pl* ~ machen = sich unbesonnen, albern benehmen. Leitet sich her von *ital* „capriola = muntere Sprünge der jungen Ziegen", dann auch soviel wie „Luftsprünge italienischer Tänzer". Im 17. Jh *gleichbed* in der Form „Kapriolen schneiden". Seit dem 19. Jh.

kapristi hast du verstanden? Von „↗ sapristi" überlagertes „↗ kapisti". Seit dem späten 19. Jh.

Käpsele *n* **1.** Klassenbester. Er gilt als „Zündhütchen". *Schwäb* 1950 *ff.*

2. Klassenschlechtester. *Schwäb* 1950 *ff.*

3. temperamentvoller, aber im Grunde harmloser Lehrer. *Schwäb* 1950 *ff.*

kaputt *adj* **1.** entzwei; bankrott; erschöpft. Entlehnt aus *franz* „capot" als Kartenspielerausdruck für den Verlierer. Seit dem 17. Jh. Gilt heute bei Ausländern als einer der bekanntesten und typischsten umgangsdeutschen Ausdrücke.

2. tot. 1800 *ff.*

2 a. im Berufsleben gescheitert. 1920 *ff.*

2 b. asozial. 1960 *ff.*

2 c. kriminell. 1920 *ff.*

2 d. ernüchtert, gefühllos, illusionslos. 1955 *ff.*

2 e. geschlechtlich anormal. 1920 *ff.*

3. dumm, schlecht; schwunglos, langweilig. *Halbw* 1955 *ff.*

4. 400 Mark und ein paar ~e = 400 Mark und ein paar kleinere Beträge. Kaputt = kleingemacht, gestückelt. 1950 *ff.*

5. sich ~ arbeiten = sich beim Arbeiten überanstrengen. 1900 *ff.*

6. sich ~ denken = angestrengt überlegen; unter Mühen sich zu erinnern suchen. 1900 *ff.*

7. sich ~ freuen = sich übermäßig freuen. 1920 *ff.*

8. ~ gehen = entzwei, bankrott gehen; zugrunde gehen; sterben. 1700 *ff.*

9. da gehst du ~!: Ausdruck des Erstaunens. Seit dem 19. Jh.

10. etw (jn) ~ hauen = etw entzweischlagen; jn töten. 1900 *ff.*

11. jn ~ kriegen = jn besiegen. *Sold* in beiden Weltkriegen.

12. etw ~ kriegen = etw zerstören können. 1900 *ff.*

13. kriegen Sie's nicht ~?: Frage an einen, der sich vergeblich bemüht, eine Arbeit zustandezubringen. 1910 *ff.*

14. nicht kaputtzukriegen sein = unverwüstlich sein. *Sold* in beiden Weltkriegen.

15. sich ~ lachen = heftig lachen. Analog zu „sich ↗ totlachen". Seit dem 19. Jh.

16. etw ~ machen = etw zugrunde richten, zerbrechen, zerstören. Seit dem 17. Jh.

17. jn ~ machen = a) jn zum Bankrott treiben; jn töten. Seit dem 17. Jh. – b) in jds Laufbahn eingreifen; jm die Publikumsgunst rauben. 1920 *ff.*

18. jm ein Spiel ~ machen = den Spieler zum Verlierer machen. Kartenspielerspr. 1900 *ff.*

19. sich ~ machen = sich abarbeiten; sich zugrunde richten. Seit dem 19. Jh.

19 a. jn ~ nerven = jds Nervenkraft überfordern. *Stud* 1970 *ff.*

20. etw ~ reden = etw von allen Seiten so lange erwägen und erörtern, bis sich die Sache in nichts auflöst. 1900 *ff.*

21. sich ~ schämen = sich sehr schämen. 1900 *ff.*

22. etw ~ schlagen = etw entzweischlagen. Seit dem 19. Jh.

23. jn ~ schreiben = a) jn für wehrdienstuntauglich erklären. *Sold* 1939 bis heute. – b) jm die dauernde Erwerbsunfähigkeit ärztlich bescheinigen. 1950 *ff.*

24. ~ sein = a) abgearbeitet, erschöpft, mitgenommen sein. 1700 *ff.* – b) im Kartenspiel unterliegen. Kartenspielerspr. seit dem 19. Jh.

25. was ist ~?: = was ist geschehen? was geht da vor sich? Die Frage richtet sich eigentlich an einen, der nach Hilfe eilt. 1900 *ff.*

26. bei dir ist wohl etwas ~?: = du bist wohl nicht recht bei Verstand? 1920 *ff.*

27. sich ~ siegen = trotz Siegen über Siegen am Ende die Waffen strecken. *Sold* und *ziv* in beiden Weltkriegen und nachher.

28. sich an etw ~ verdienen = an einer Sache sehr großen Verdienst erzielen. 1950 *ff.*

Kapuze *f* Präservativ. 1910 *ff.*

Kapuziner *m* **1.** Mokka mit einigen Tropfen (mit ziemlich viel) Milch oder Schlagsahne. Anspielung auf die braune Färbung des Kaffees, ähnlich der braunen Kutte der Mitglieder des Kapuzinerordens. Wien, seit dem 19. Jh.

2. einen ~ im Hals haben (geschluckt haben) = heiser sein; eine rauhe, brüchige Stimme haben; Halsschleim haben. „Rauh" spielt hier auf die härene Kutte der Mitglieder des Kapuzinerordens an. *Oberd* 1800 *ff.*

Karacho *m n* ↗ Caracho.

-karätig *adj* prozentig (auf den Alkoholgehalt bezüglich). Mit Karat gibt man das Gewicht von Gold, Diamanten u. ä. an. 1920 *ff.*

Karawane *f* Gesellschaftsreise; Reisegesellschaft. Eigentlich Bezeichnung für den Pilger- und Reisezug. 1700 *ff.*

kar'batschen *tr* jn prügeln. Karbatsche ist in der Türkei die Lederpeitsche, der Ochsenziemer. 1650 *ff.*

Karbol *n* du hast wohl lange nicht mehr ~ gerochen?: Drohfrage. Der Kraftmensch will den Betreffenden krankenhausreif schlagen. *Sold* in beiden Weltkriegen und noch heute.

Karboldragoner *m* **1.** Sanitätssoldat, -unteroffizier; Sanitätsoffizier; Arzt. ↗ Dragoner 1. *Sold* 1914 bis heute; auch *rotw.*

2. handfeste Krankenschwester. ↗ Dragoner 2. 1939 *ff.*

Karbolfeldwebel *m* energische, herrschsüchtige Krankenhausoberin. ↗ Feldwebel 2. *Sold* in beiden Weltkriegen.

Karbolhase (-häschen, -haserl) *m (n)* junge hübsche Krankenschwester. ↗ Häschen. *Sold* 1914–1945.

Karbolineum *n* Lazarett. *Sold* 1914–1945.

Karbolkaserne *f* Lazarett. Seit dem Ersten Weltkrieg.

Karbolmaus (-mäuschen) *f (n)* nette junge Krankenpflegerin. „Maus" und „Mäuschen" sind beliebte Kosewörter für ein junges Mädchen. *Sold* und *stud* seit dem späten 19. Jh.

Karbolmieze *f* Krankenschwester. ↗ Mieze. 1950 *ff.*

Karbolschnecke *f* Krankenpflegerin. ↗ Schnecke = Kosewort. *Stud* 1950 *ff.*

Karbolwalküre *f* stämmige, vollschlanke Krankenschwester. ↗ Walküre. Seit dem Ersten Weltkrieg.

Karbolzicke *f* **1.** mop. = Krankenpflegerin auf Moped. ↗ Zicke. 1955 *ff.*

2. ~ mot. = Krankenpflegerin auf Motorrad. *Sold* in beiden Weltkriegen.

Karbolziege *f* **1.** Krankenschwester, Ärztin. ↗ Ziege. *Sold* seit dem Ersten Weltkrieg; auch *ziv* bis heute.

2. ~ mot. = Krankenpflegerin auf Motorrad oder Moped. *Sold* 1939 *ff.*

Karessage *f* (*franz* ausgesprochen) Liebelei. Vgl das Folgende. Seit dem 18. Jh.

karessieren *intr tr* eine Liebelei beginnen; eine Liebschaft unterhalten. *Franz* „caresser", *ital* „carezzare", beides soviel wie „liebkosen, schmeicheln". 1500 *ff.*

Karfi'ol *m* Blumenkohl. Oberdeutsche Entlehnung seit 1600 aus *gleichbed ital* „cavolfiore".

Karfreitagschrist *m* Protestant, der nur am Karfreitag den Gottesdienst besucht. 1900 *ff.*

kariert *adj* **1.** unzurechnungsfähig; nicht ganz bei Verstand. Kariert nennt man das schachbrettartig gemusterte Tuch: die Längsfäden werden deutlich von Querfäden durchzogen. Ähnlich kreuz und quer laufen die Gedankenfäden eines Geistesbeschränkten. 1900 ff.

2. leicht bezecht; betrunken. Mancher verliert beim Trinken den Verstand. 1900 ff.

3. derb. Hergenommen vom großen Tuchkaro. 1950 ff.

4. mir geht es ~ = mir geht es mittelmäßig. Aus dem verschiedenfarbig und viereckig angeordneten Stoffmuster entwickelt sich die Vorstellung der Uneinheitlichkeit. 1900 ff.

5. ~ gucken = verdutzt, ratlos blicken. „Kariert" im Sinne von „wunderlich". 1920 ff.

6. ~ aus dem Fenster gucken = Gefängnisinsasse sein. „Kariert" bezieht sich auf die Vergitterung des Zellenfensters. 1920 ff.

7. ~ aus der Wäsche gucken = einfältig blicken. 1935 ff.

8. ~ reden (quatschen; ~en Unsinn reden) = unverständig, unverständlich reden. Spätestens seit 1900.

9. ~ sprechen = keine reine Mundart sprechen. 1900 ff.

10. es kommt ihm ~ vor = es mutet ihn sonderbar an; er kann es nicht völlig verstehen. 1920 ff.

karjolen intr schnell fahren; wild laufen; umherkutschieren. Geht zurück auf franz „carriole = leichtes zweirädriges Wägelchen". Seit dem späten 18. Jh.

karjuckeln intr gemächlich fahren (mit vielem Rütteln und Schütteln). Nebenform zu „karrieren = schnell reiten". Nordd 1800 ff.

Karline f **1.** flache Brustflasche voll Schnaps. Geht zurück auf jidd „koro logina = Labeflasche". Jidd „logina" fußt auf lat „lagoena = Flasche". Seit dem frühen 19. Jh., kundenspr.

2. Stoßball beim Billard. Fußt auf ital „caramboline". „Carambolieren" nennt es der Billardspieler, wenn er mit dem Spielball einen Ball trifft. Seit dem späten 19. Jh.

3. unordentliche, liederliche weibliche Person. Verkürzt aus dem Vornamen „Karoline". 1900 ff.

4. alberne weibliche Person. 1900 ff.

5. alte ~ = alte (ältere) weibliche Person. 1900 ff.

6. schoflige ~ = häßliches Mädchen. Schoflig, schofel = schäbig. BSD 1965 ff.

Karl-May-Festspiele pl Manöver. Benannt nach den seit 1951 in Bad Segeberg veranstalteten Festspielen. BSD 1965 ff.

Karnevalsfeldherr m Präsident eines Karnevalsvereins. Da man es für angebracht hält, die Gesamtheit der karnevalistischen Veranstaltungen als „Kampagne" zu bezeichnen, gilt der Präsident füglich ein Feldherr (strenglogisch müßte man ihn „Stratege" nennen). 1966 ff.

Karnevalsflüchtling m Bürger, der den Karnevalsbetrieb flieht. 1965 ff.

Karnevalsjeck m Fastnachtsnarr; Mensch, der sich an den Fastnachtstagen gründlich auslebt. ↗ Jeck. Seit dem 19. Jh.

Karnevalsmuffel m Karnevalsgegner. ↗ Muffel. 1967 ff.

Karnickel n **1.** Verantwortlicher, Schuldiger. Reststück der ursprünglich berlinischen Redensart „der Karnickel hat ange-

fangen". Der Hund eines Marktbesuchers zerreißt das lebende Kaninchen einer Marktfrau, die, mit dem zehnfachen Ersatz nicht zufrieden, in die Klage gehen will; ein Schusterjunge erklärt sich gegenüber dem Hundebesitzer bereit, gegen ein Trinkgeld zu bezeugen, daß nicht der Hund, sondern das Kaninchen Anlaß zu der Tat gegeben hat. Die Geschichte stammt von Lami (1828), soll aber in ähnlicher Form schon vorher bekannt gewesen sein. 1840 ff.

2. Versager. Österr 1950 ff.

3. auf echt gequältes ~ = imitierter Hermelinpelz; Kleidungsstück aus Kaninchenfell. 1930 ff.

4. jn abschießen wie ein ~ = jn rücksichtslos erschießen. 1940 ff.

5. das ~ sein = zurückgesetzt, unterdrückt sein; das Nachsehen haben. 1850 ff.

6. das ist unterm ~ = das ist sehr schlecht, sehr minderwertig. Kaninchen gibt es in Mengen; in Mengen Vorhandenes ist nicht kostbar. Was jedoch noch unter dem Kaninchen ist, taugt überhaupt nichts. Berlin 1850 ff.

Karnickelfamilie f Familie mit zahlreichem Nachwuchs. Anspielung auf die Fruchtbarkeit der Kaninchen. 1920 ff.

Karnickelschein m verbilligter Fahrschein für Kinder aus kinderreichen Familien. Stud 1958 ff.

karniefeln tr jn plagen, streng behandeln. Gleichbed „karnöffeln, karnüffeln"; Streckform von „knuffeln" und Intensivum zu „↗ knuffen". 1800 ff.

Karnike'el n Pelzmantel. Man vermutet spöttisch und bestehe aus Karnickelfell. Man betont auf der letzten Silbe, weil es so sympathisch ausländisch klingt, als handle es sich um ein exotisches Tier. 1930 ff.

Karo I m Rufname des Hundes. Fußt vielstens seit 1800.

Karo II n **1.** Kommißbrot. Wegen der viereckigen Form. 1900 ff.

2. Butterbrot, das man zur Arbeitsstelle mitnimmt. 1920 ff.

3. ~ mit Fehlanzeige = Brot ohne Aufstrich. Fehlanzeige gibt es auf dem Schützenstand, wenn der Schütze keinen Treffer auf der Zielscheibe angebracht hat. Im Behördendeutsch ist „Fehlanzeige" die Meldung, daß eine Sache nicht vorhanden ist. Sold seit dem Ersten Weltkrieg.

4. ~ einfach (aus der Hand) = trockene Kommißbrotschnitte, aus der Hand gegessen. Dem Skatspielerausdruck nachgebildet: man spielt Karo ohne oder mit dem Treff-Buben. 1914 ff.

5. ~ einfach, belegt mit Daumen und Zeigefinger (~ doppelt mit Fingern) = Schnitte Brot ohne Aufstrich. Als Belag dienen scherzhaft der Daumen und der Zeigefinger. 1914 ff.

6. ~ einfach, aus der Hand, geschnitten = trockene Brotschnitte. Der Kartenspielersprache entlehnt. Sold 1914 ff.

7. ~ einfach mit Sonnenschein = trockene Brotschnitte. Sold 1914 ff.

8. trockenes (trockener) ~ (~ trocken) = (Kommiß-)Brotschnitte ohne Aufstrich und ohne Belag. 1914 ff.

9. ~ heißt der Hühnerhund (der Kettenhund; ~ war ein treuer Hund) = der

Spielmacher sagt ein Spiel in der Karo-Farbe an. Kartenspielerspr. seit dem späten 19. Jh.

10. nur ~ spielen = Schach spielen. Anspielung auf die Viereckfelder des Schachbretts. BSD 1965 ff.

11. wenn man nicht weiß, wie oder wo, spielt man ~: Redewendung an einen unschlüssigen Kartenspieler. Karo als die niedrigste Kartenfarbe bringt den kleinsten Verlust ein. Kartenspielerspr. seit dem späten 19. Jh.

Karosserie f **1.** Körperbau, Körperformen. Übernommen vom Aufbau des Kraftwagens. 1920 ff.

2. Bekleidung, Kleidung. 1930 ff.

Karottenhaar n Rothaarigkeit. 1960 ff.

Karottenhose f weitgeschnittene Damenhose, die sich zur Ferse hin verengt. Wegen Formähnlichkeit mit der Möhre. 1979 ff.

Karottenschopf m Haarschopf eines Rothaarigen. 1960 ff.

Karpfen m **1.** dummer, begriffsstutziger, ungeschickter Mensch. Den Gesichtsausdruck des Karpfens empfindet man als geruhsam und dümmlich-seelenlos. Seit dem 19. Jh, österr.

2. Hering. Scherzhafte Wertsteigerung. Seit dem 19. Jh.

3. ~ des kleinen Mannes = Hering. Der kleine Mann ist der durchschnittliche Bürger, vor allem der mit geringem Einkommen. 1900 ff.

4. ~ für Minderbemittelte = Hering. 1900 ff.

5. dicker ~ = Verbrecher, dem viele Delikte zur Last gelegt werden. Analog zu „großer ↗ Fisch". 1960 ff.

6. wie ein ~ glotzen = mit dümmlichem Gesichtsausdruck starren. 1920 ff.

Karpfenblick m hingebungsvoller, leicht dümmlicher Gesichtsausdruck. 1900 ff.

Karpfenschnute f **1.** großer, breiter Mund; Mund mit offenen, vorstehenden Lippen; Mensch mit solchem Mund. Seit dem späten 19. Jh, Berlin.

2. eine ~ ziehen = die Lippen aufwerfen, vorschieben. 1900 ff.

Karre (Karren) f (m) **1.** Fahrrad, Auto, Motorrad usw. Aufs Fahrrad bezogen, ist die zweirädrige Karre gemeint, vor allem als Abkürzung von „Tretkarre"; hingegen ist in Bezug auf das Auto der vierrädrige Karren gemeint. Nachdem „Karre" um 1865 die Berliner Pferdebahn gemeint hatte, ging die Bedeutung gegen 1900 auf das Fahrrad, später auch auf das Auto über. Der Vokabel haftet gelegentlich ein abfälliger Nebensinn an.

2. Panzerkampfwagen. Sold 1939 bis heute.

3. Flugzeug. Sold 1939 ff.

4. große ~ = Luxusauto. 1955 ff.

5. tolle ~ = eindrucksvolles Auto. Halbw 1955 ff.

6. verfahrene ~ = mißglücktes Vorhaben. Seit dem 19. Jh.

7. jn an die ~ fahren (kommen) = jn kränken, belangen, zurechtweisen. Hergenommen von der Karre, die gegen eine andere stößt. 1910 ff.

8. mit jm ~ fahren = jn streng behandeln. Übernommen von ungestümer, gefährlicher Fahrt mit dem Karren. 1900 ff.

9. die ~ in den Dreck (Kot, Schlamm, Pfütze) fahren (schieben) = eine Sache verderben; einer Sache eine ungünstige Wendung geben. Sinnbild für selbstverschuldetes Scheitern. 1500 ff.

10. die ~ festfahren = etw falsch handhaben, gründlich verderben. Seit dem 19. Jh.

11. die ~ ist festgefahren = das bisherige Vorgehen ist gescheitert; die Entwicklung ist aufgehalten. Seit dem 19. Jh.

12. die ~ flottmachen (aus dem Dreck kriegen) = einer dem Scheitern nahen Sache zu Erfolgsaussichten verhelfen. 1900 ff.

13. etw auf die falsche ~ laden = etw falsch auffassen; falsche Maßnahmen einleiten. 1950 ff.

14. die ~ läuft gut = die Angelegenheit nimmt einen guten Fortgang. 1900 ff.

15. die ~ laufen lassen = in eine Entwicklung nicht eingreifen; sich passiv verhalten. Seit dem 19. Jh.

16. jm an die ~ pinkeln (pissen) = a) jm zu nahe treten. Gemeint ist, daß man am Karrenrad des anderen sein Wasser abschlägt. 1925 ff. – b) jn übertölpeln. 1925 ff.

17. die ~ schmieren = jn bestechen. Gehört zu der sprichwörtlichen Wendung „wer gut schmiert, fährt gut". Seit dem 19. Jh.

18. in derselben ~ sitzen = mit jm das Schicksal teilen. 1900 ff.

19. jn vor seine ~ spannen = jn zu selbstsüchtigen Zwecken ausnutzen. Man spannt die Betreffenden als Zugtier vor. 1920 ff.

20. die ~ steckt im Dreck (o. ä.) = die Entwicklung ist ins Stocken geraten. 1800 ff.

21. die ~ umkippen = eine Sache zum Scheitern bringen; Bankrott machen. 1900 ff.

22. die ~ ist verfahren = die Angelegenheit ist verdorben, falsch betrieben worden. 1600 ff.

23. die ~ aus dem Dreck (Graben) ziehen (holen, schieben) = eine ungünstige Entwicklung wieder in Ordnung bringen. 1600 ff.

Karree *n* **1.** der den eingeschriebenen Prostituierten vorgeschriebene Straßenbezirk. Eigentlich das Häuserviereck. 1900 ff.

2. ~ gehen = Straßenprostituierte sein. 1900 ff.

3. einmal ums ~ gehen = die vier Eckkegel zum Fallen bringen. Keglerspr. seit dem 19. Jh.

Karren *m* ↗ Karre.

karren *v* **1.** *intr* = fliegen. Versteht sich als „sich mit der ↗ Karre fortbewegen". Fliegerspr. 1935 ff.

2. zu Schiff fahren. *Marinespr* 1939 ff.

Karrenrad *n* **1.** breitrandiger Damenhut. 1900 ff.

2. groß wie ein ~ = sehr groß (beispielsweise bezogen auf einen Hut, einen Pfannkuchen, auf die Augen o. ä.). Seit dem 19. Jh.

Karrenschlüssel *m* Autoschlüssel. ↗ Karre 1. 1920 ff.

Karrierefaden *m* sich (jm) den ~ abschneiden = die aussichtsreiche berufliche Laufbahn abbrechen. Nach dem Muster des Lebensfadens, des Gesprächsfadens o. ä. entwickelt. 1950 ff.

Karriere-Frau *f* Frau mit erfolgreicher Be-

rufslaufbahn; tüchtige, gut verdienende, auf Qualität bedachte Frau. 1950 ff.

karrieregeil *adj* übertrieben ehrgeizig in bezug auf den Beruf. ↗ geil. 1950 ff.

Karrierehengst *m* Mann, der nur sein berufliches Fortkommen im Auge hat und dabei keinerlei Rücksichtnahme walten läßt. ↗ Hengst. 1950 ff.

Karrierekurven *pl* üppig entwickelter Busen. Nach 1950 aufgekommen, als Vollbusigkeit zu Filmruhm und Vermögen führen konnte.

Karrieremädchen *n* Mädchen mit erfolgreicher Berufslaufbahn; Mädchen, das mit allen Mitteln eine lohnende Berufslaufbahn anstrebt. Stammt aus *engl* „career girl". 1950 ff.

Karriere-Mode *f* aufreizende Damenbekleidung. Mit ihr will man auf die männlichen Vorgesetzten Eindruck machen, um höher eingestuft zu werden (wohl auch über das Mittel des Geschlechtsverkehrs). 1960 ff.

Karriere-Muffel *m* Mann ohne Laufbahnehrgeiz. ↗ Muffel 2. 1970 ff.

Karriere-Ritter *m* Mann, dessen Sinn nur nach beruflichem Fortkommen steht. Ein naher Verwandter des „↗ Konjunkturritter". 1950 ff.

Karriere-Weib *n* attraktive weibliche Person, die wegen ihrer körperlichen Vorzüge in günstige Lebensverhältnisse gelangt. 1950 ff.

Karte *f* **1.** ~ oder Scheit Holz (eine ~ oder ein Stück Holz): Zuruf an einen zögernd aufspielenden Kartenspieler. Gemeint ist, er solle eine Karte aufspielen oder ein Scheit Holz auflegen, damit die wartenden Mitspieler nicht erfrieren. Kartenspielerspr. seit dem 19. Jh.

2. fette ~ = hochwertige Spielkarte. Sie macht den Stich „fett". Kartenspielerspr. 1900 ff.

2 a. gelbe ~ = ernstlicher Verweis; Verwarnung; Einspruch. Vom Fußballsport übernommen. 1974 ff, schül.

2 b. gezinkte ~ = Unredlichkeit bei einer äußerlich einwandfreien Handlungsweise. ↗ zinken 1. 1920 ff.

2 c. rote ~ = aa) Hinauswurf; Lokalverbot; Entlassung; Suspendierung. Von der roten Karte des Fußballschiedsrichters hergenommen. 1974 ff. – bb) Freiheitsstrafe. 1974 ff. – cc) Verbot eines Vorhabens. 1972 ff. – dd) Schulverweisung o. ä. 1975 ff.

3. ~n abmelken = Spielkarten nur zum Schein mischen. Falschspielerspr. 1964 ff.

4. die ~n aufdecken (offenlegen; auf den Tisch legen) = bisher absichtlich geheimgehaltene Pläne äußern. Von Kartenspielern übernommen. *Vgl engl* „to lay one's cards on the table". Seit dem 19. Jh.

4 a. die ~ ausreizen = a) eine Höchstforderung stellen; keine weiteren Möglichkeiten mehr haben. 1950 ff. – b) den Rekord anstreben. *Sportl* 1980 ff.

4 b. eine ~ gegen in ausspielen = jn in schwerwiegenden Nachteil bringen. 1900 ff.

5. eine ~ biegen = auf eine Einladung zum Kartenspiel eingehen. Kartenspielerspr. 1920 ff.

6. bring die ~n mal zum Pastor! = Redewendung des Kartenspielers bei schlechten oder bei schmutzigen Karten. Der Pastor soll sie segnen, damit sie Segen bringen,

und taufen, damit sie rein werden. Kartenspielerspr. 1900 ff.

7. die ~ brüllt = im Skat liegen gute Karten. Sie brüllen gewissermaßen wie Kühe, wenn das Euter prall ist. 1900 ff.

8. die ~n dreschen = leidenschaftlich Karten spielen. Man schlägt die Karten heftig auf die Tischplatte. Seit dem 19. Jh.

9. ~n kloppen = Karten spielen. Versteht sich wie das Vorhergehende. Seit dem 19. Jh.

10. die ~n auf den Tisch knallen = rücksichtslos, energisch auftreten. 1950 ff.

11. auf ~n leben = sich sehr einschränken müssen. Hergenommen von den Lebensmittelkarten bei Rationierung. Im Ersten Weltkrieg aufgekommen.

11 a. die ~n auf den Tisch legen = Geheimgehaltenes offenbaren; die Lage freimütig bekennen. 1900 ff.

12. eine ~ schmeißen = eine Spielkarte aufspielen. Seit dem 19. Jh.

13. jm in die ~n sehen (gucken o. ä.) = jds Pläne oder Geheimnisse erkennen. 1500 ff.

14. sich nicht in die ~n sehen lassen = seine Verhältnisse, Absichten usw. geheimhalten. 1500 ff.

15. alles auf eine (betont) ~ setzen = das Letzte wagen; sich keinen Ausweg lassen. Vom Kartenspieler hergenommen, der – etwa beim Null ouvert – trotz einer ungünstigen Karte das Spiel wagt. *Vgl franz* „jouer tout sur une carte". Seit dem 19. Jh.

16. jm in die ~n spielen = jm die zusagende Farbe ausspielen. Seit dem 19. Jh.

17. mit falschen ~n spielen = betrügerisch handeln; täuschen; übertölpeln. 1920 ff.

18. mit gezinkten ~n spielen = unredlich handeln. ↗ zinken. 1920 ff.

19. mit offenen ~n spielen = seine Absichten und Wünsche nicht verbergen. *Vgl franz* „jouer cartes sur table". 1900 ff.

20. mit verdeckten ~n spielen = a) die wahre Absicht verheimlichen. 1920 ff. – b) nicht die volle Angriffsstärke entfalten. *Sportl* 1950 ff.

21. eine ~ sticht = a) eine Maßnahme ist erfolgreich. Die stechende Karte ist höherwertig. Seit dem 19. Jh. – b) die Behauptung trifft zu; die Voraussage bewahrheitet sich. 1950 ff.

22. die ~n überreizen = zuviel wagen; sein Können überschätzen; zu weit gehen. 1941 ff.

23. jm die ~ verpesten = a) einem Kartenspieler über die Schulter blicken. Hängt mit der abergläubischen Geltung des bösen Blicks zusammen: durch Hineinblicken in die Karten bringt man Unheil. 1900 ff. – b) jn durch bloße Anwesenheit nervös machen. 1900 ff.

24. die ~ nicht verraten = seine Absicht verheimlichen. Seit dem 19. Jh.

Kartei-Leiche *f* **1.** Person, die in einer Kartei geführt wird, obwohl sie nicht mehr hineingehört. 1950 ff.

2. Christ, der das christliche Bekenntnis nur äußerlich beibehält, um in Anwesenheit eines Geistlichen beerdigt zu werden. Um 1960 vom Jesuitenpater Leppich aufgebracht.

karte(l)n *intr* kartenspielen. Seit dem 14./15. Jh.

kartenbatschen *intr* kartenlegen. Batschen

= patschen. Man blättert die Karten mit dem Klang „batsch" auf. 1920 ff.

Kartenbruder m eifriger Kartenspieler. 1900 ff.

Kartenfrau f amtlich überwachte Prostituierte. „Karte" bezieht sich auf die Karteikarte bei der Polizei oder beim Gesundheitsamt. 1920 ff.

Kartenfuchser m leidenschaftlicher Kartenspieler. Fuchsen = quälen, plagen. Seit dem 19. Jh.

Kartengeck m leidenschaftlicher Kartenspieler. Seit dem 19. Jh.

Kartenhaus n 1. einstürzen (zusammenfallen) wie ein ~ = unversehens mißglücken. 1920 ff.
2. zusammenklappen wie ein ~ = einen Nervenzusammenbruch erleiden. 1950 ff.

Kartenhexe f Kartenschlägerin. 1920 ff.

Kartenmacher m Falschspieler; Spieler mit gezinkten Karten. Er stellt die Karten nicht her, sondern präpariert sie. 1900 ff.

Kartenspieler m Schiedsrichter, der schnell die gelbe (rote) Karte zückt. Nach 1970 aufgekommen.

Karter (Kärter) m leidenschaftlicher Kartenspieler. Seit den 19. Jh.

Kartler m 1. Kartenspieler. ↗karten. 19. Jh, südd.
2. auswärtiger Schüler. Während der Eisenbahn- oder Omnibusfahrt spielt man Karten. 1950 ff.

Kartoffel f 1. Taschenuhr. Wegen der Kugelform der früheren und der Kartoffelscheibenform der heutigen Uhren. Seit dem 19. Jh.
2. Loch im Fuß des Strumpfes. Zehen oder Ferse nehmen sich in dem Loch wie eine geschälte Kartoffel aus. Hat jemand ein Loch im Fuß des Strumpfes, fragt man „hast du Kartoffeln gepflanzt?" oder man sagt „die Kartoffel guckt heraus" oder „die Kartoffeln sind reif" oder „die Kartoffeln blühen". Vgl engl „potato-hole". 1900 ff.
3. plumpe Nase. ↗Kartoffelnase, ↗Knolle 1, ↗Knollennase. Seit dem 19. Jh.
4. großartige Sache. Die Bezeichnung soll 1936 während der Olympischen Spiele in Berlin bei Südamerikanern aufgekommen sein: den Reisessern sei die Kartoffel als der kennzeichnende Ausdruck des deutschen Wesens im guten Sinn erschienen.
5. minderwertiger Fußball. Er hat keine Rundform. Schül 1950 ff.
6. Eierhandgranate. Wegen der Formähnlichkeit. Sold in beiden Weltkriegen.
7. kleine Werfermine, Werfergranate. Sold in beiden Weltkriegen.
8. unansehnliches Mädchen. Gemeint ist wohl das gedrungene und plumpe. 1920 ff.
9. ~n in Uniform (mit Montur) = Pellkartoffeln. 1800 ff.
10. am Rand genähte ~n = dünne gebratene Kartoffelscheiben mit einem schmalen braunen Rand. 1920 ff.
11. häßliche ~ = gedrungener Mensch. 1920 ff.
12. heiße ~ = heikle Sache; Mensch, dem nicht zu trauen ist. 1950 ff.
13. kaputte ~ = häßliches Mädchen. „Kaputt = entzwei" spielt an auf den Mangel (Verlust) an Reizen. Halbw 1960 ff.
14. ~n abgießen (abschütten) = harnen. Man entfernt das überflüssige Wasser. 1850 ff.

15. die ~n von unten ansehen (von unten wachsen sehen) = im Grab liegen. Entpathetisierung. Seit dem späten 19. Jh.
16. eine heiße ~ aufpicken = ein heikles Thema anschneiden. 1950 ff.
17. aussehen wie eine ausgequetschte ~ = eingefallene Wangen haben; hager im Gesicht sein; faltig, wie ausgedörrt aussehen. BSD 1965 ff.
18. etw fallen lassen wie eine heiße ~ = eine Sache kurz, überschnell abtun; sich auf eine Sache nicht weiter einlassen. Übernommen nach 1950 aus engl „to drop something like a hot potato".
19. jn fallen lassen wie eine heiße ~ = den Umgang mit ihm plötzlich abbrechen. Vgl das Vorhergehende. 1950 ff.
20. wo man die ~n mit dem Lasso fängt = in einer Gegend, wo nur Dumme wohnen. Halbw 1960 ff.
21. ~n gehören in den Keller, nicht aber auf den Tisch: Redewendung, wenn einer bei Tisch auf die angereichten Kartoffeln verzichtet. Die Redensart klingt den einen wie ein Stück konservativen Widerstands von Süddeutschen, die Mehl- und Teigwaren bevorzugen; andere meinen, Kartoffeln seien nur (vor allem) als Beigabe geschätzt, wofern das Fleisch in entsprechend größerer Menge vorhanden sei. 1930 ff.
22. da werden die ~n in der Toilette (o. ä.) gewaschen: da lebt man in größter Armut. Scheint auf einen Ostfriesenwitz zurückzugehen: man wäscht die Kartoffeln in dem im Abortbecken stehenden Wasser. BSD 1970 ff.
23. wenn wir dich nicht hätten und keine kleinen ~n, müßten wir dauernd große essen: Ausdruck ironischen Lobs. 1920 ff.
24. ~n haben = Glück haben. Kartoffeln sind willkommener als Steckrüben. Wer im „Steckrübenwinter" des Ersten Weltkriegs über Kartoffeln verfügte, galt als glücklicher und beneidenswerter Mensch. 1917/18 ff.
25. die größten ~n haben = sehr einflußreich sein. Ironische Redensart; denn das Sprichwort weiß: „der dümmste Bauer hat die größten Kartoffeln". Spätestens seit 1900.
25 a. eine heiße ~ in die Hand nehmen = sich eines sehr heiklen Themas annehmen. 1950 ff.
26. hast du ~ gepflanzt?: Frage an einen, der im Fußstück des Strumpfes ein Loch hat. ↗Kartoffel 2. 1900 ff.
27. ~ polieren = sich mit unnützen Dingen beschäftigen; seine Zeit mit Nichtigkeiten vertun. Seit dem späten 19. Jh.
28. jn (etw) rumreichen (weiterreichen) wie eine heiße ~ = eine mißliebige Sache an einen anderen abgeben; eine Entscheidung verschieben, hinauszögern. 1950 ff.
29. ihm sind die ~ verhagelt = er hat einen bösen Mißerfolg erlitten. Aus der Landwirtschaft hergenommen. 1900 ff.

Kartoffelbauch m dicker Bauch. Seit dem 19. Jh.

Kartoffelbomber m Kraftfahrzeug des ambulanten Gemüsehändlers. 1975 ff.

Kartoffelferien pl Herbst-, Michaelisferien der Schüler. Angesetzt in die Zeit der Kartoffelernte, weil früher die Kinder dabei benötigt wurden. Seit dem 19. Jh.

Kartoffelkeller m Magen, Bauch. Sold in beiden Weltkriegen.

Kartoffelnase f dicke kurze Nase. Sie ähnelt einer runden Knolle. Seit dem 18. Jh.

Kartoffelsack m 1. Uniform, Sportanzug. Die Bekleidung ist weit geschnitten und schlottert um den Körper. BSD 1960 ff.
2. aussehen wie ein alter ~ = schmutzig, verwahrlost aussehen. 1950 ff.
3. wie ein ~ gehen = schwerfällig gehen. Vom Sackhüpfen der Kinder übernommen. 1950 ff.

Kartoffelsalat m bau lieber ~ an!: Rat an einen Versager. Jug 1970 ff.

Kartoffelwasser n das ~ abgießen (abschütten) = harnen. Vgl ↗Kartoffel 14. 1900 ff.

Karton m 1. Kopf. In gekürzter Form analog zu „↗Verstandskasten". 1925 ff.
2. Kleinauto. Gekürzt aus ↗Schuhkarton. 1947 ff.
3. antiker ~ = alte Frau. Parallel zu „alte ↗Schachtel". BSD 1965 ff.
4. feuchter ~ = Begriffsstutzigkeit. Vgl ↗Gehirnkasten 1. „Feucht" berührt sich mit „weich" in dem Ausdruck „weiche ↗Birne". 1930 ff.
5. leerer ~ = unbedeutender Mensch. 1962 ff.
6. nasser ~ = energieloser Mensch. Der nasse Karton fällt bei Belastung in sich zusammen. 1930 ff.
7. wie aus dem ~ = sehr sauber; wie neu gekleidet. Hergenommen von der Pappschachtel, in die man Wäschestücke, auch Puppen verpackt. 1947 ff.
8. das geht dich einen feuchten ~ an = das geht dich nichts an. Ein feuchter Karton ist wertlos. 1950 ff.
9. es brummt im ~ = es bereitet sich eine Auseinandersetzung vor. Spielt an entweder auf Insekten in einer Pappschachtel oder auf eine „Höllenmaschine". 1950 ff.
10. etw im ~ haben = klug sein. ↗Karton 1. 1925 ff.
11. nicht alle im ~ haben = nicht recht bei Verstand sein. 1925 ff.
12. auf den ~ hauen = prahlen; sich aufspielen. Gemeint ist vielleicht der Schlag eines Mutigen auf eine Pappschachtel, obwohl er in ihr eine Höllenmaschine weiß. 1935 ff.
13. ich haue dir gleich einen vor den ~!: Drohrede. Karton = Kopf. 1940 ff.
14. es knallt im ~ = es gibt eine ernste Auseinandersetzung; es kommt zum Kampf. Hergenommen von einer Höllenmaschine in einer Pappschachtel. 1939 ff.
15. es knistert im ~ = a) das Flugzeug fängt Feuer; feindliche Geschosse explodieren im Flugzeug. Anspielung auf knisternde Flammen. Fliegerspr. 1939 ff. – b) eine gefährliche Entwicklung kündet sich an; Bedenken werden wach. 1950 ff.
16. hier ist was los im ~ = hier herrscht lebhaftes Treiben. 1950 ff.
17. es rappelt im ~ = a) die Geduld ist zu Ende; es wird rücksichtslos vorgegangen. ↗Karton 14. 1939 ff. – b) man ist von Sinnen. Karton = Kopf; vgl ↗rappeln. 1925 ff.
18. es raucht im ~ = Unangenehmes kündet sich an; man entschließt sich zu schwerwiegenden Maßnahmen. 1930 ff.
19. es rauscht im ~ = a) die Geduld ist zu Ende; es wird ungemütlich, gefährlich. 1930 ff. – b) man feiert ausgelassen. 1950 ff.

20. es rumpelt (rumpst) im ~ = man beginnt zu begreifen. Man hört förmlich, wie der Denkmechanismus im Gehirnkasten in Gang kommt. 1930 ff.

21. es stinkt im ~ = Unangenehmes steht bevor; es herrscht Unfriede. *Sold* 1939 ff.

Karussell n **1.** Uhr. Wegen der kreisenden Zeiger. *Sold* 1914 ff.

2. Luftkampf, bei dem die Gegner umeinander kreisen. *Sold* 1939 ff.

3. Plattenspieler. *Halbw* 1960 ff.

4. ~ drehen = wegen Einkesselung sich nach allen Seiten verteidigen. *Sold* 1941/42 ff.

5. bei ihm fährt alles ~ = er ist volltrunken. Dem Bezechten dreht sich alles vor den Augen. 1920 ff.

6. jn mit jm ~ fahren = a) jn um den Exerzierplatz jagen. *Sold* spätestens seit 1900. – b) jn heftig rügen. Bei einer Karussellfahrt geht es nicht glimpflich zu: es geht „↗ rund". 1900 ff.

7. ~ fahren = den Panzerwagen über dem Schützenloch drehen. *Sold* 1939 ff.

8. ~ fliegen = im Kreis fliegen. *Sold* 1939 ff.

kar'watschen tr ↗ karbatschen.

Kar'wuppdich (Karwupptig) m **1.** Schwung, Tatkraft. Gehört zu „wippen = schaukeln, hochschnellen". ↗ Wuppdich. *Westd* seit dem 19. Jh.

2. im ~ = im Nu. *Westd* seit dem 19. Jh.

Karwuppdizität (Karwupptizität) f Geschwindigkeit; großer Nachdruck; große Kraft. Hier ist „Karwuppdich" mit „Elektrizität" gekreuzt. *Westd* 1900 ff.

Kasak m *(f)* katholischer Militärgeistlicher. Abkürzung von „katholische Sündenabwehrkanone", beeinflußt von den amtlichen Kurzwörtern „Flak" und „Pak". Diese Erklärung trifft nur für den Ersten und Zweiten Weltkrieg zu; die Bundeswehrsoldaten, die dieselbe Vokabel verwenden, erblicken in ihr die Abkürzung von „katholischer Seelenaufkäufer", vermutlich weil das Hintergrundwort „Flak" heute zu „Fla" verkürzt ist.

Kaschemme f sehr minderwertiges Wirtshaus; Verbrecherkneipe. Im 19. Jh aufgekommen aus *zigeun* „katsima, Kertštma = Wirtshaus". Steht in der Soldatensprache häufig für „Kantine".

kaschen tr **1.** jn ergreifen, aufgreifen, verhaften, gefangennehmen. Geht zurück auf *engl* „to cash = einkassieren", beeinflußt von *dt* „haschen". 1900 ff.

2. sich etw auf unrechtmäßige Weise aneignen. 1900 ff.

Ka'schott (Kaschöttchen) n Gefängnis, Arrestlokal. Geht zurück auf *gleichbed franz* „le cachot". *Sold* seit dem frühen 19. Jh.

Kaschperl m einfältiger, unfähiger Mann. Hergenommen vom Namen der lustigen Person im Kasperle-Theater; diese geht zurück auf Caspar, den von den Heiligen drei Königen, der seit dem 14. Jh als Mohr erscheint und bei Kinderumzügen ein geschwärztes Gesicht hat. 1900 ff, *südd.*

Käse m **1.** Geschwätz, Unsinn; Wertlosigkeit. Käse gilt, vor allem auf dem Lande, als ein billiges, leicht selbstzuzubereitendes Nahrungsmittel, besonders in Form von Quark, dessen übertragene Bedeutung mit dem Stichwort identisch ist. Seit dem 18. Jh.

2. Schweißfuß. Wegen des Geruchs. 1900 ff.

3. Taschenuhr. Übertragen vom flachen Rundkäse oder vom Inhalt des „↗ Käsekasten". *Schül* 1920 ff.

4. Taschenmesser. Verkürzt aus „↗ Käsemesser". Vermutlich durch die Wandervogelbewegung im frühen 20. Jh geläufig geworden.

5. schlechte Zeugnisnote. Man tut sie als wertlos und unbedeutend ab. *Schül* 1920 ff.

6. Unannehmlichkeit. Entweder Weiterentwicklung aus „↗ Käse 1" oder als stinkende Materie analog zu ↗ Scheiße. Seit dem 19. Jh.

7. ~ mit Freilauf = a) weicher Käse. Er läuft von allein. 1914 ff, *sold.* – b) schlechter, minderwertiger Käse. 1914 ff.

8. ~ vom Fuße des Harzes = a) Harzer Käse. 1920 ff, *stud.* – b) Schweiß- und Hautabsonderungen des Fußes nach längerem Marsch usw. 1920 ff.

9. ~ im Gesicht = Bleichgesichtigkeit. 1900 ff.

10. ~ im Hochformat = völliger Unsinn. 1935 ff.

11. ~ mit Musik = a) Käse mit Zwiebeln überstreut, in Essig und Öl getaucht. Die Speise verursacht Blähungen. 1900 ff. – b) geschickt vorgetragener Unsinn, der glaubwürdig klingt. 1900 ff.

12. ja, einen ~ (ja, an Kaas)! = Ausdruck der Ablehnung. Käse = Wertlosigkeit. *Bayr* 1920 ff.

13. alter ~ = a) längst abgetane Sache; altbekannte Sache. Seit dem 19. Jh. – b) abgeschmacktes Geschwätz. Seit dem 19. Jh.

14. ausgemachter ~ = großer, allbekannter Unsinn; Sache, die längst allen bekannt ist. ↗ ausgemacht. 1920 ff.

15. automatischer ~ = reifer Käse. Er läuft von selber. 1920 ff.

16. billiger ~ = Wertlosigkeit. *Jug* 1950 ff.

17. blutiger ~ = Schauergeschichte; Film mit vielen Toten und Niedergeschlagenen. 1920 ff.

18. durcher (durchner) ~ = reifer Käse. Verkürzt aus „durchgeweicht". Seit dem 19. Jh.

19. der ganze ~ = das alles *(abf).* 1920 ff.

20. großer ~ = großer Unsinn. 1920 ff.

21. größter ~ = größter Unsinn. 1920 ff.

22. harter ~ = a) unverschämte Zumutung. An ihr hat man lange zu kauen. 1940 ff. – b) großer Unsinn. 1940 ff.

23. jeder ~ = alles. 1920 ff.

24. auf jeden ~ = auf jeden Fall. „Käse" fußt hier in entstellter Form entweder unmittelbar auf *lat* „casus = Fall" oder auf *engl* „at any case". *Schül* und *stud,* 1850 ff.

25. auf keinen ~ = unter keinen Umständen. 1900 ff.

26. lebendiger ~ = von Maden befallener Käse o. ä. 1900 ff.

27. stinkender ~ = altbekannter Unsinn. 1930 ff.

27 a. das geht ihn einen ~ an = das geht ihn nichts an. ↗ Käse 1 und 12. 1950 ff.

28. alten ~ aufwärmen = altbekannte Dinge nochmals vorbringen. Der Redensart „alten ↗ Kohl aufwärmen" nachgebildet. 1960 ff.

29. da hört der ~ auf zu duften!: Ausdruck des Unwillens. Ein verwunderlicher Vorgang, daß ein von Natur aus Stinkendes nicht länger stinkt. 1920 ff.

30. jn mit altem ~ erschießen = auf jn mit landläufigen Redensarten einwirken; jn auf einfache Weise beschwatzen. ↗ Käse 13. 1930 ff.

31. ich erschieße dich mit (heißem ~!: ironische Drohrede. 1920 ff.

32. ich erschieße dich mit kaltem ~ quer durch die Brust von hinten ins linke Augel: scherzhafte Drohrede. ↗ Brust 5. *Stud* 1950 ff.

33. ~ esse ich nicht = dieser Kartenstich reizt mich nicht. Der Stich, der keine oder nur wenige Punkte bringt, ist eine Unwichtigkeit. Kartenspielerspr. 1870 ff.

34. er ißt den ~ – und sie die Löcher = die Frau bescheidet sich, während der Mann schlemmt. Soll aus einem Gedicht über Kempinsky stammen. Berlin seit 1900 ff.

35. in den ~ fallen (fliegen) = Unglück haben. ↗ Käse 6. Seit dem 19. Jh.

35 a. dann ist der ~ gegessen = dann ist Schluß. Käse wird gern am Schluß der Mahlzeit gereicht, er „schließt den Magen ab". 1970 ff.

36. da haben wir den ~! = das Unangenehme ist wie erwartet eingetroffen. Seit dem 19. Jh.

37. auf den ~ hauen (kloppen) = prahlen; sich aufspielen; ausgelassen sein. „Käse" ist hier möglicherweise aus *franz* „caisse" entstellt: der Unternehmungslustige schlägt mit der Hand auf die Hosentasche (wo der Geldbeutel ist) zum Zeichen, daß er die Ausgelassenheit auch bezahlen kann. 1900 ff.

38. der ~ läuft davon = der Käse wird weich. Seit dem 19. Jh.

39. im ~ liegen = a) sich in einer Notlage befinden. ↗ Käse 6. *Sold* 1914 ff. – b) der Übervorteilte sein. 1914 ff.

40. mach nicht solchen ~! = mach kein langes Geredel komm endlich zur Sachel 1900 ff.

41. um ~ mehr Gestank machen, als er selbst hergibt = etw aufbauschen. 1950 ff.

42. da hört der ~ auf zu miefen!: Ausdruck des Unwillens. ↗ Käse 29. 1920 ff.

43. es nützt mich einen ~ = es hilft mir in keiner Weise. 1900 ff.

44. quatsch keinen ~! = rede keinen Unsinn! 1900 ff.

45. sich einen heißen ~ durch den Bauch schießen mögen = sehr wütend sein. 1920 ff.

46. ~ schließt den Magen = die Mahlzeit wird mit Käse beschlossen. Seit dem 19. Jh.

47. das ist mir ~ = das ist mir gleichgültig. Seit dem späten 19. Jh.

48. klar ist der ~! = die Sache ist abgemacht! „Käse" fußt hier auf *engl* „case = Sache". Seit dem 18. Jh.

49. das ist mir zuviel ~ aufs Brotl: Ausdruck des Unwillens. Wien 1920 ff.

50. drei ~ hoch sein = kleinwüchsig sein. ↗ Dreikäsehoch. 1700 ff.

Käsebinden pl Fußlappen. *Sold* 1939 bis heute.

Käseblatt (-blättchen, Kasblattl, Kasblättli) n **1.** kleine, unbedeutende Zeitung; Winkelblatt. Dieses Blatt enthält nur

„Käse" (= Unwichtigkeit). Seit dem 19. Jh.
2. schlechtes Schulzeugnis. 1900 *ff.*
käsebleich *adj* sehr bleich. Gemeint ist „bleich wie Quark". Seit dem 19. Jh.
Käsefabrik *f* Schweißfüße. *Halbw* 1950 *ff.*
Käsefuß *m* **1.** unsauberer, übel riechender Fuß. 1900 *ff.*
2. großer ~ = hoher Vorgesetzter; General; Marschall; Chef; Generaldirektor. Hier kreuzen sich die Bedeutungen „Käse = Fußschweiß" und „Käse = Unsinn, Geschwätz". 1935 *ff.*
3. ein ~ kommt selten allein ↗ Schweißfuß.
Käsegesicht *n* bleiches Angesicht. ↗ käsebleich. Seit dem 19. Jh.
Käseglocke *f* **1.** rundgebaute Kirche. Sie ähnelt dem halbkugeligen Glassturz über dem Käse. Seit dem späten 19. Jh.
2. runder steifer Herrenhut. 1900 *ff.*
3. Kabinenroller. 1955 *ff, halbw.*
Käsehaxen (Kashaxen) *pl* Schweißfüße. ↗ Haxe 1. *Bayr* 1900 *ff.*
Käsehutsche *f* Schlitten. Meint ursprünglich wohl die als Schlitten verwendete Käsekiste oder den aus dem Holz dieser Kiste gezimmerten Schlitten. ↗ hutschen 3. Seit dem 19. Jh.
Käsekaff *n* unbedeutendes, wenig zivilisiertes Dorf. ↗ Kaff I. 1959 *ff.*
Käsekasten *m* durchsichtige Uhrenschutzhülle aus Zelluloid. ↗ Käse 3. 1920 *ff.*
Käsekiste *f* **1.** altes, schrottreifes Auto. Wegen des kisten-, kastenförmigen Aufbaus. 1918 *ff.*
2. kleiner niedriger Schlitten. ↗ Käsehutsche. *Schwäb* seit dem 19. Jh.
3. rechteckiges Hochhaus. 1925 *ff.*
4. After. Wegen der abgehenden Darmwinde. 1920 *ff.*
Käsekopf (-kopp) *m* dummer Mensch; Vielschwätzer. ↗ Käse 1. Seit dem späten 19. Jh, von Berlin ausgegangen.
Kasemattenbär *m* **1.** Altgedienter. Kasematte war in früheren Festungswerken ein schußsicherer Raum zur Unterkunft von Mannschaften und zur Lagerung von Kriegsgerät und Vorräten; mit der Bewachung waren Altgediente beauftragt. *BSD* 1965 *ff.*
2. Verwalter von Versorgungsgütern; Rechnungsführer. *BSD* 1960 *ff.*
Käsemauken *pl* **1.** Menschenfüße. ↗ Mauken. 1900 *ff,* vorwiegend *sold.*
2. Socken. *BSD* 1965 *ff.*
Käsemesser *n* **1.** sehr großes Taschenmesser. ↗ Käsedolch. Seit dem späten 19. Jh.
2. Seitengewehr, Dolch. Eignet sich zum Schneiden von Käse. 1830 *ff, sold* bis heute.
3. schlecht schneidendes Messer. Seit dem 19. Jh.
Käsemuffel *m* Mensch, der Käse verschmäht. ↗ Muffel. 1967 *ff.*
käsen *intr* **1.** nach Schweißfüßen riechen. Seit dem 19. Jh.
2. Unsinn reden. ↗ Käse 1. 1900 *ff.*
3. Gerüchte weitergeben. 1914 *ff.*
4. vom Mitschüler absehen oder abschreiben. Zu einer Unwichtigkeit verharmlost. 1920 *ff.*
Käse-Olymp *m* höchste Theatergalerie. Die Zuschauer auf diesen billigen Plätzen suchen nicht das Theaterrestaurant auf, sondern essen mitgebrachte Butterbrote mit Käsebelag. 1920 *ff, stud.*

Kasernatorium *n* Kaserne. Spöttisch zusammengesetzt aus „Kaserne" und „Sanatorium". *BSD* 1965 *ff.*
Kaserne *f* **1.** Schule. Wegen der architektonischen Ähnlichkeit und wegen der Verwandtschaft von Schulpflicht und Wehrpflicht. *Schül* 1900 *ff.*
2. quer durch die ~ ↗ quer.
Kasernenfetzen *m* liederliche weibliche Person, die sich mit Soldaten abgibt. ↗ Fetzen 12. *Österr* 1900 *ff.*
Kasernengeist *m* **1.** befohlene, reglementierte Gesinnung; Zwang; Engstirnigkeit. Seit dem 19. Jh.
2. Kameradengericht mit Verprügelung eines Stubengenossen wegen unkameradschaftlichen Verhaltens. Es ist der „Heilige Geist", wie er in Kasernenstuben zu erscheinen pflegt. *BSD* 1965 *ff.*
Kasernenhofblüte *f* derbe oder ungewollt komische Redewendung eines militärischen Vorgesetzten auf dem Kasernenhof. Den Begriffen „Kathederblüte", „Stilblüte" u. ä. nachgeahmt. Seit dem späten 19. Jh.
Kasernenmatratze *f* Soldatenhure. ↗ Matratze. *BSD* 1965 *ff.*
Kasernenmizzi *f* Soldatenhure. ↗ Mizzi. 1945 *ff, österr.*
Kasernenzirkus *m* Kasernenleben, Kasernenhofleben. ↗ Zirkus. *Sold* 1939 *ff.*
Kasernierte *f* Bordellprostituierte. 1960 *ff.*
Käsestulle *f* mit Käse belegte Brotscheibe. ↗ Stulle. Seit dem 19. Jh.
'käse'weiß (kasweiß) *adj* sehr fahl aussehend. ↗ käsebleich. 1700 *ff.*
Käsezeit *f* Flitterwochen. ↗ käsebleich; ↗ buttern = koitieren. 19. Jh.
Käsezettel (Kaszettel) *m* **1.** unbedeutender Zettel; wertloses, formloses Schreiben; amtliches Schriftstück ärgerlichen Inhalts. Käse = Unsinn, Wertlosigkeit. 1850 *ff.*
2. schlechtes Schulzeugnis. 1890 *ff.*
käsig *adj* **1.** blaß von Aussehen. ↗ käsebleich. 1800 *ff.*
2. schweißfüßig. *BSD* 1965 *ff.*
3. langweilig. Im Sinne einer wertlosen Beschäftigung. ↗ Käse 1. *Schül* 1950 *ff.*
kasi'mulisch *adj* musikalisch. Hieraus scherzhaft verdreht. *Schül* 1920 *ff.*
Kasler *pl* Schweißfüße. ↗ käsen 1. *Österr* 1940 *ff.*
Kasper (Kaspar) *m* **1.** Sonderling; närrischer Mensch. ↗ Kaschperl. 1800 *ff.*
2. Schwätzer. 1900 *ff.*
3. Markthändler, -schreier. Wohl vom Verhalten der Kasperle-Figur im Kindertheater hergenommen. 1900 *ff.*
4. Schwindler, Lügner, Betrüger. ↗ kaspern. *Rotw* 1820 *ff.*
5. Schauspieler. Meint vor allem den unselbständigen und ungeschickten. Theaterspr. 1950(?) *ff.*
6. jn zum ~ machen = jn veralbern. 1900 *ff.*
Kasperl *m* **1.** Spaßmacher; alberner Mann; Mann, der sich lächerlich aufführt. *Oberd* 1900 *ff.*
2. einen ~ spielen = sich albern benehmen. 1900 *ff.*
kaspern *intr* **1.** täuschen, lügen, betrügen. Geht zurück auf *jidd* „kaswen = lügen". Kundenspr. seit dem späten 18. Jh.
2. als Gefangene unerlaubt sich untereinander verständigen. ↗ kaswenen = schreiben", erweitert zu „schriftliche Mitteilungen einander zustecken". *Rotw* 1840 *ff.*

3. töricht schwätzen. Vom Puppentheater übernommen. 1800 *ff.*
4. sich albern benehmen; vorlaut sein. 1800 *ff.*
5. necken, veralbern. 1800 *ff, schwäb.*
6. Liebesgespräche führen. Entweder ist es mehr Spiel als Ernst oder ein Täuschen. 1800 *ff.*
7. einen Darmwind abgehen lassen. Kasperle im Puppentheater liebt Derbheiten. 1900 *ff.*
8. mit unzureichenden Mitteln Kleinarbeit verrichten. *Mitteld* seit dem 19. Jh.
9. schwängern. *Mitteld* seit dem 19. Jh.
Kasse *f* **1.** gekrümmter Rücken; Buckel. Verkürzt aus ↗ Kriegskasse. Seit dem 19. Jh.
2. schwarze ~ = nicht erlaubte, aber meist stillschweigend geduldete Kasse; Privatkasse der Ehefrau. ↗ schwarz. 1950 *ff.*
3. mangels ~ = aus Geldmangel. 1920 *ff.*
4. zur ~ bitten = a) einen Geldraub begehen. Aufgekommen 1966 mit dem im Deutschen Fernsehen vorgeführten Film „Die Gentlemen bitten zur Kasse" in Nachahmung des 1963 verübten Raubüberfalls auf den englischen Postzug. 1966 *ff.* – b) zur richterlichen Vernehmung laden (vorführen). 1966 *ff.* – c) den Gewinnanteil einfordern. 1966 *ff.* – d) höhere Preise fordern. 1966 *ff.* – e) zur Steuerzahlung, Bußgeldentrichtung o. ä. heranziehen. 1966 *ff.* – f) betteln; vom Betteln leben. 1966 *ff.* – g) Eintritts-, Zuschauergeld erheben; eine Rechnung ausstellen. 1966 *ff.* – h) Scheckbetrug begehen o. ä. 1966 *ff.* – i) Schadenersatz fordern; zur Verantwortung ziehen; zur Gegenleistung zwingen. 1966 *ff.*
5. sich nicht zur ~ bitten lassen = keine Entschädigung zahlen. 1966 *ff.*
6. zur ~ gebeten werden = a) zu einer Geldstrafe verurteilt werden. 1966 *ff.* – b) höhere Gebühren entrichten müssen. 1966 *ff.* – c) sich dem Preisanstieg nicht entziehen können. 1966 *ff.*
7. die ~ klingelt = das Geschäft gedeiht. Von der Registrier-Ladenkasse hergenommen: bei Registrierung des Rechnungsbetrags und der Betätigung der Registrierkurbel ertönt ein Klingelzeichen. Um 1950 aufgekommen.
8. die ~ zum Klingen bringen = einen ansehnlichen Umsatz erzielen. 1950 *ff.*
9. süßer die ~n nie klingeln = Weihnachten beschert den größten Umsatz. Parodie auf das Weihnachtslied „Süßer die Glocken nie klingen". 1960 *ff.*
10. eine ~ knacken = eine Geschäftskasse ausrauben. ↗ knacken. 1900 *ff.*
11. ~ machen = a) viel Geld einbringen. Verkürzt aus „gute Kasse machen". Eigentlich soviel wie „die Tageseinnahme zählen". 1900 *ff.* – b) eine Tätigkeit beenden. Man rechnet mit dem eingenommenen Geld ab. 1910 *ff.* – c) sterben. 1910 *ff.* – d) einen Bankraub begehen. 1960 *ff.*
12. schnelle ~ machen = schnell Geld verdienen. 1980 *ff.*
12 a. jm in die ~ manschen = jm Geld entwenden. Hergenommen vom diebischen Griff in die Ladenkasse. 1900 *ff.*
13. gut bei ~ sein = a) viel Geld haben. Seit dem 18. Jh. – b) beleibt sein. Der Wohlhabende kann sich reichlich sättigen. 1900 *ff.*
14. knapp (kurz) bei ~ sein = in Geldnot

sein. *Vgl engl* „short of cash" und *franz* „être à court d'argent". Seit dem 19. Jh.
15. nicht recht bei ~ sein = nicht recht bei Verstand sein. Übertragen von den Geldmitteln auf die Geistesgaben: Verstand ist ebenso Kapital wie Geld. 1900 *ff.*
16. geistig stark bei ~ sein = schlagfertig, gewitzt sein. 1920 *ff.*
17. die ~ stimmt = die Einnahmen sind gesichert; die Vermögenslage ist geordnet. 1950 *ff.*
18. zur ~ treten = heiraten. Die Ehe ist nach weitverbreiteter Fehlmeinung erheblich teurer als das Junggesellendasein. *BSD* 1965 *ff.*
Kassenlokomotive *f* beliebter Schauspieler o. ä. Wie eine Lokomotive zieht er das Publikum hinter sich her an die Kasse. 1950 *ff.*
Kassenlöwe *m* Krankenkassenarzt mit überdurchschnittlich vielen Patienten. 1930 *ff.*
Kassenmagnet *m* **1.** publikumswirksames Theater-, Kinostück; Jahrmarkt-Attraktion. 1920 *ff.*
2. Publikumsliebling. 1920 *ff.*
Kassenregen *m* **1.** unverhoffte gute Einnahme; Lotteriegewinn. Dieser Regen fördert auch das Wachstum des Vermögens. 1920 *ff.*
2. Gehalts-, Lohnzahlung. 1920 *ff.*
Kassenschreck *m* durch Sparkassenüberfälle bekannter Mann. 1950 *ff.*
Kassenstar *m* Publikumsliebling. *Anglo-amerikan* „star = Stern = gefeierter Bühnen-, Gesangskünstler". 1950 *ff.*
Kassenstürmer *m* sehr einträglicher Film. Die Zuschauer stürmen zur Kasse. 1950 *ff.*
Kassensturz *m* **1.** seelischer ~ = Gewissenserforschung. *Vgl* das Folgende. 1960 *ff.*
2. ~ machen = a) den Barbestand zählen. Seit dem 19. Jh, kaufmannsspr. – b) die Diebesbeute zählen. 1950 *ff.*
kassieren *tr* **1.** jn des Dienstes entheben; jn entlassen. Geht zurück auf *ital* „cassare = entlassen, abdanken". 1400 *ff.*
2. etw entwenden, rauben, sich aneignen. Meint eigentlich den redliche Einnahme von Geld. Seit dem 19. Jh.
3. jn verhaften, gefangennehmen; eine militärische Stellung einnehmen. 1910 *ff.*
4. die Hand zum Trinkgeldempfang hinhalten. 1920 *ff.*
5. etw hinnehmen müssen. 1930 *ff.*
6. ein Tor ~ = einen Torball nicht abwehren können. *Sportl* 1930 *ff.*
Kastanie *f* **1.** *pl* = Hoden. Ihre Form ähnelt den Kastanien. 1935 *ff.*
2. die ~n aus dem Feuer holen = für jn eine gefährliche Sache unternehmen. Hergenommen aus einer durch La Fontaine bekannt gewordenen Fabel, vermutlich orientalischen Ursprungs: der Affe läßt sich von der Katze die gerösteten Kastanien aus dem Feuer holen und verspeist sie sofort; beim Erscheinen der Magd fliehen beide Tiere. *Vgl franz* „tirer les marrons du feu" und *engl* „to make a cat's-paw of ". 1600 *ff.*
kasteln *intr* eine Freiheitsstrafe verbüßen. ↗Kasten 4. 1900 *ff.*
Kasten *m* **1.** Schrank. Ursprünglich die Kleidertruhe. Durch Aufrechtstellen wurde aus ihr der Schrank. Seit *mhd* Zeit.
2. Haus *(abf)*. Wegen der annähernd über-

einstimmenden kubischen Form von Haus und Kasten. Schon seit *mhd* Zeit.
3. Bett. Man spricht auch von „Bettlade" („Lade = Truhe"); *vgl* ↗Kasten 1. Seit dem 19. Jh.
4. Gefängnis, Arrest, Karzer, Arrestlokal u. ä. Der Kasten ist ein verschließbares Behältnis und eng. Seit dem 19. Jh., *rotw, sold* und *schül*.
5. Schulgebäude, Heimschule, Konvikt; Kadettenanstalt; Studienheim o. ä. Anspielung sowohl auf die schmucklarme, zweckbetonte und einförmige Architektur als auch auf das Eingeschlossensein wie in einem Gefängnis. *Vgl franz* „la boîte". Etwa seit 1850.
6. Klassenzimmer. 1950 *ff.*
7. Kasernenstube. *BSD* 1965 *ff.*
8. Schiff. Das Schiff gilt als Behältnis, analog zu „↗Eimer", „↗Pott" u. ä. Seit dem 19. Jh.
9. Flugzeug. Analog zu ↗Kiste. *Sold* 1914 *ff.*
10. Panzerkampfwagen. *Sold* 1939 bis heute.
11. Handball-, Fußball-, Hockeytor. Es ist kastenförmig. *Sportl* 1920 *ff.*
12. großwüchsige, breitschultrige, beleibte Person. Spätestens seit 1900. Gebräuchlicher ist heute die Parallelform „↗Schrank".
13. Schädel. Verkürzt aus „↗Verstandskasten". 1870 *ff.*
14. Buckel, Höcker. Analog zu „↗Kriegskasse". 1900 *ff.*
15. Klavier. 1700 *ff.*
16. Telefonapparat. Das Feldtelefon im Ersten Weltkrieg hatte die Form eines rechteckigen Kastens. 1930 *ff.*
17. Funkgerät. 1935 *ff.*
18. Rundfunkgerät, Fernsehgerät. 1935 *ff.*
19. Plattenspieler. *Halbw* 1955 *ff.*
20. Auto. 1920 *ff.*
21. Ruder-, Segelboot. 1870 *ff.*
21 a. umrandeter (Zeitungs-)Text. 1900 *ff.*
22. alter ~ = Schiff, das nur noch geringe Seetüchtigkeit besitzt. ↗Kasten 8. 1900 *ff.*
23. dämlicher ~ = Grund-, Volksschule. Die Schüler gelten als „↗dämlich". 1960 *ff.*
24. dicker ~ = Kriegsschiff. ↗Dickschiff. 1939 *ff.*
25. fester ~ = a) Panzerkreuzer. 1914 *ff.* – b) Panzerkampfwagen. *Sold* 1939 *ff.* – c) üppiger, draller Busen. Kasten = Brustkasten. 1920 *ff.*
26. großer ~ = Kriegsschiff. *Sold* in beiden Weltkriegen.
27. heißer ~ = Kochkiste. 1920 *ff.*
27 a. etw in den ~ bringen = die Filmaufnahme beenden. ↗Kasten 35 a. 1920 *ff.*
28. jm auf den ~ fallen = jn nervös machen. ↗Kasten 13. 1900 *ff.*
29. in den ~ glotzen = fernsehen. 1960 *ff.*
30. etw auf dem ~ haben = bezecht sein. Gemeint ist der Druck auf dem „Kasten = Schädel". Seit dem 19. Jh.
31. hundert Sachen auf dem ~ haben = hundert Kilometer Stundengeschwindigkeit fahren. 1950 *ff.*
32. viel (wenig, allerlei) auf dem ~ haben = a) klug (dumm) sein; leistungsfähig sein; wenig leisten. Kasten = Schädel. 1920 *ff.* – b) eine hohe (geringe) Fahrgeschwindigkeit entwickeln. 1950 *ff.*

33. nicht alle auf dem ~ haben = nicht recht bei Verstand sein. 1920 *ff.*
34. etw auf dem ~ haben = a) ein Gesangstalent sein. Kasten = Brustkasten. 1920 *ff.* – b) Bizeps haben; einen kräftig entwickelten Oberkörper haben. 1910 *ff.*
35. etw im ~ haben = a) die Szene zu Ende gefilmt haben. Kasten = Filmkamera, Kurbelkasten. 1920 *ff.* – b) etw erlangt haben; etw fertiggestellt haben. 1960 *ff.*
36. einen im ~ haben = bezecht sein. ↗Kasten 30. 1900 *ff.*
37. in den ~ kommen = als Heiratswilliger standesamtlich bekannt gemacht werden. Hier ist der Aushängekasten der Gemeindeverwaltung gemeint. 1875 *ff.*
38. der ~ hat Besuch gekriegt = a) man hat einen Tortreffer hinnehmen müssen. ↗Kasten 11. *Sportl* 1950 *ff.* – b) man hat einen empfindlichen Rückschlag erlitten. *Halbw* 1950 *ff.*
39. etw in den ~ kriegen = a) etw fotografieren; eine Szene zu Ende filmen. ↗Kasten 35 a. 1920 *ff.* – b) einen Torball nicht abwehren können. *Sportl* 1920 *ff.*
40. ~ machen = sich niederlegen, ausruhen; schlafen gehen. ↗Kasten 3. 1910 *ff.*
41. den ~ reinhalten (sauberhalten) = jeden auf das Tor gezielten Ball abwehren. *Sportl* 1950 *ff.*
42. den Ball in den ~ schaufeln = mühelos einen Tortreffer erzielen. Wie mit einer Schaufelbewegung hebt man den Ball mit dem Fuß über den am Boden liegenden Torwart. *Sportl* 1960 *ff.*
43. im ~ sein = a) als Heiratswillige öffentlich bekannt sein. ↗Kasten 37. 1875 *ff* (mit Einführung der Standesämter). – b) zu Ende gefilmt sein. ↗Kasten 35 a. Filmspr. 1920 *ff.* – c) es ist im ~ = die Sache ist erledigt. 1975 *ff.*
44. den ~ streichen = ein Saiteninstrument spielen. „Kasten" spielt auf den großen Resonanzboden an. Seit dem 19. Jh.
44 a. den ~ vollhauen = viele Tortreffer erzielen. 1920 *ff.*
44 b. den ~ vollkriegen = viele Tortreffer hinnehmen müssen. 1920 *ff.*
45. aus dem ~ ziehen = sich vom Souffleur den Text vorsagen lassen. Kasten = Souffleurkasten. Theaterspr. 1900 *ff.*
46. den ~ zugenagelt haben = jeden Torball abwehren. *Sportl* 1950 *ff.*
Kastengeist *m* Souffleur, Souffleuse. Dem Publikum bleibt er (sie) ein Geist, weil man unsichtbar bleibt. Theaterspr. seit dem späten 19. Jh.
Kastenschub *m* Gelddiebstahl aus Laden- oder Geldkasten. *Rotw* 1847 *ff.*
Kastrate *f* Filter-, Mentholzigarette. ↗Kastrierte. 1950 *ff.*
Kastratentenor *m* Sänger, der zu hoch singt. Seine Stimme ähnelt der eines Kastraten. 1950 *ff.*
kastrieren *tr* **1.** etw ~ = einen Text (o. ä.) von Anstößigkeiten säubern. Man spricht ihn unschädlich, was eigentlich auf die Fortpflanzung bezogen wird. 1600 *ff.*
2. ~ = jn langweilen. „Entmannen" ist hier durch Halbwüchsige weiterentwickelt zur Bedeutung „geistig lähmen; entnerven". 1960 *ff.*
3. ich kastrire dich gleich mit einem Bißl: Drohrede. Rocker 1967 *ff.*
kastriert *adj* **1.** von Anstößigkeiten befreit

(vor allem von Texten gesagt). ↗kastrieren 1. 1600 ff.

2. alkoholfrei. 1960 ff.

3. geistig ~ sein = nicht zurechnungsfähig sein. 1900 ff.

4. militärisch ~ sein = entmilitarisiert sein. 1950 ff.

Kastrierte f Filterzigarette. Durch den Filter geht dem Rauchgenuß Wesentliches verloren; der Verlust wird mit Entmannung gleichgesetzt. 1950 ff.

Kasus knusus m ↗casus 2.

Kaszettel m ↗Käsezettel.

Katabombe f aufsehenerregendes schlimmes Ereignis; große unangenehme Überraschung. Zusammengesetzt kurz nach 1945 aus „Katastrophe" und „(Atom)bombe". „Kata-" bezeichnet die Abwärtsrichtung.

katapultieren v 1. tr = jn absetzen, entlassen, verdrängen. Das Opfer wird gewissermaßen mit Preßluft hinausbefördert. Politikerspr. 1965 ff.

2. refl = überaus schnell zu Ansehen gelangen. 1965 ff.

Katapultkaffee m sehr dünner Kaffeeaufguß. Eine einzige Bohne ist mit einem Katapult durch das kochende Wasser geschossen worden. 1920 ff.

Katapultstart m plötzliches Bekanntwerden eines Künstlers, Politikers o. ä. 1965 ff.

Katarrhbremse f Schnurr-, Vollbart. 1870 ff.

katastrophal adj schrecklich, fürchterlich, schlecht, außerordentlich. Superlativisches Allerweltswort, seit 1900 vordringend und seit dem Ersten Weltkrieg in Mode gekommen.

Katastrophe f 1. unerträglicher Zustand; Ärgernis (das Kleid ist eine ~; wie er Auto fährt, ist eine ~). Meint eigentlich den schweren Schicksalsschlag, den Zusammenbruch und Untergang. 1920 ff.

2. völliger Versager (Herr Müller als Leiter ist eine ~). 1920 ff.

Katastrophenhengst m Mensch, der sich stets vor möglichen Katastrophen fürchtet. ↗Hengst 1. 1950 ff.

Katastrophenkaffee m Kaffee, der bei hochwichtigen Entscheidungen getrunken wird. 1950 ff.

Katastrophenweib n von Unglück heimgesuchte Frau. 1933 ff.

Kater m 1. Nachwehen des Rausches; Folgeerscheinungen des Alkoholmißbrauchs. Entweder entstellt aus „Katarrh" oder verkürzt aus „↗Katzenjammer". Spätestens seit 1850.

2. Mann (Kosewort). Seit dem 19. Jh.

3. unbeständiger Liebhaber. 1920 ff.

3 a. alter ~ = liebessehnsüchtiger alter Mann. 1900 ff.

4. moralischer ~ = Selbstvorwürfe wegen ausschweifender Lebensweise. Seit dem 19. Jh.

5. verliebter ~ = verliebter Mann. 1900 ff.

6. kastriert sein wie ein ~ = alle guten Karten wirkungslos ausgespielt haben. Der Spieler kann nicht mehr „stechen"; vgl ↗stechen. 1900 ff.

7. den ~ ausbaden = die Nachwehen des Rausches bekämpfen; sich ernüchtern. ↗ausbaden. 1950 ff.

8. den ~ auslüften = wegen Schädeldrucks ins Freie gehen. 1950 ff.

9. mit dem ~ gehurt haben = viel Glück

haben. Anspielung auf die Fruchtbarkeit der Katze. 1820 ff.

10. einen ~ mit der Flasche großziehen = sich betrinken. 1870 ff.

11. wie ein ~ sein, der überall maust = seiner Frau untreu sein. ↗mausen = koitieren. 1920 ff.

Katerbaden n morgendliches Bad nach alkoholischer Ausschweifung. 1973, Prospekt der Nordseeinsel Borkum.

Katerbummel m Spaziergang nach durchzechter Nacht. ↗Bummel 1. Stud 1870 ff.

Katerdurst m Durst nach durchzechter Nacht. 1950 ff.

Katerei f Umänderung, Umständlichkeit. ↗umkatern. Seit dem 19. Jh.

Katerfrühstück n scharf gewürztes Frühstück nach nächtlicher Ausschweifung. 1850 ff.

Katergesicht n Gesichtsausdruck nach einer Nacht voller Ausschweifungen. Seit dem 19. Jh.

Katerhappen m Fischstückchen zum Abschluß einer durchzechten Nacht. 1950 ff.

Kateridee f törichter, unsinniger, wunderlicher Einfall. Eigentlich der Einfall eines Bezechten. 1890 ff.

katerig adj elend aussehend; sich elend fühlend. ↗Kater 1. 1870 ff.

katern intr 1. Mädchen nachstellen; auf Liebesabenteuer ausgehen; intim miteinander verkehren. Eigentlich auf die brünstige Katze bezogen, die nach dem Kater verlangt. 1900 ff.

2. unter den Folgen alkoholischer Ausschweifung leiden. 1900 ff.

Katersalat m Salat zur Behebung der Nachwehen des Rausches. 1950 ff.

Katerspiel n Umwerbung einer weiblichen Person durch mehrere Männer. 1920 ff.

Katerstimmung f pessimistische Gestimmtheit nach durchzechter Nacht; mit Selbstvorwürfen angefüllte Stimmung. 1870 ff.

Katertag m 1. Tag nach durchzechter Nacht; Aschermittwoch; Neujahrstag. 1920 ff.

2. Tag nach dem „↗Vatertag". 1959 ff.

Kathangelischer m lauer Christ. Seine Religiosität setzt sich aus katholischen und evangelischen Stücken zusammen. 1950 ff.

Katharina f 1. ~ Schnell = Durchfall. „Katharina" geht wahrscheinlich auf griech „katharma = Reinigung" zurück. Seit dem späten 19. Jh. Vgl auch ↗Schnellkathrine.

2. ~ die Schnelle = Durchfall. 1920 ff.

3. dünne ~ (dünne Kathi) = Durchfall. Österr 1900 ff.

4. rote ~ (rote Kathi) = Menstruation. 1900 ff.

5. schnelle ~ (schnelle Kathi) = Durchfall. 1600 ff. ↗Schnellkathrine.

Kathederblüte f unfreiwillig komische Formulierung durch den Lehrer oder Universitätsprofessor. 1870 ff. Als Abart der „Stilblüte" aufgekommen.

Katheder-Fee f beliebte Lehrerin. ↗Fee. 1960 ff.

Kathederstratege m Lehrer. 1900 ff.

kathogelisch adj katholisch. Zusammengesetzt aus „katholisch" und „evangelisch" und häufig auf konfessionelle Mischehen bezogen. ↗Kathangelischer. 1900 ff.

Katholen pl Katholiken. Gegenwort

„↗Evangelen". Spätestens seit Ende des 19. Jhs.

Katholiken pl 1. das ist ja, was uns ~ so ärgert = darüber ärgere ich mich sehr. Diese und die folgenden Redensarten dürften mit dem Kulturkampf von 1872 zusammenhängen, auch wenn sie erst später greifbar werden. Ihre Erfinder sind wahrscheinlich Studenten gewesen. 1920 ff.

2. das ist es ja, was uns ~ so maßlos erbittert und den kleinen Mann auf die Barrikaden treibt = deswegen rege ich mich auf. 1920 ff.

3. das treibt die ~ auf die Barrikaden = das ist empörend; dabei kann man nicht die Ruhe bewahren. 1947 ff, schül.

Katholikenkotelett n Fisch, Fischsteak. Anspielung auf die Fasttage der Katholiken. BSD 1965 ff.

Katholiken-TÜV m Beichtstuhl. ↗TÜV. 1977 ff.

Ka'tholiker m Angehöriger einer katholischen Studentenverbindung. 1870 ff.

katholisch adj 1. rasend vor Wut. Hängt zusammen mit der Erbitterung der rheinischen Katholiken gegen das evangelische Preußen, dem das Rheinland 1815 im Zusammenhang der politischen Neuordnung Deutschlands auf dem Wiener Kongreß angegliedert wurde. 1830 ff.

2. frömmelnd, heuchlerisch; unzuverlässig. Protestantische Auffassung, spätestens aus der Zeit des Kulturkampfes. 1880 ff.

3. wunderlich, seltsam; missmutig; übellaunig. Wohl weil dem Protestanten der katholische Gottesdienst fremdartig wirkt. 1830 ff.

4. sich ~ ärgern = sich sehr ärgern. 1880 ff.

5. ~ gucken = hinterlistig, mißtrauisch blicken. 1910 ff.

6. ~ lachen = heimtückisch grinsen. 1910 ff.

7. jn ~ machen = a) jn gefügig machen; bessernd auf jn einzuwirken suchen. Soll im frühen 17. Jh während der Protestantenkriege unter Ferdinand II. von Österreich aufgekommen sein. – b) jn einschüchtern. 1890 ff.

8. ~ schwätzen = Unverständliches, Unsinniges äußern. 1900 ff.

9. ~ sein = nicht aufs Wort glaubwürdig sein; unaufrichtig sein. 1900 ff.

10. im Portemonnaie ~ sein = kein Geld haben. Wer kein Geld hat, muß sich einschränken und muß fasten, wodurch er sich notgedrungen wie ein Katholik verhält. 1830 ff.

11. ~er als der Papst sein = übertrieben katholisch sein. Aufgekommen 1871 mit der Unfehlbarkeitserklärung des Papstes.

12. ~ ist Trumpf = es wird Pik gespielt. Die Pikfarbe ist schwarz, und schwarz ist die Amtstracht der katholischen Geistlichen. Kartenspielerspr. seit dem späten 19. Jh.

13. hier ist ~ Trumpf = hier wird betrügerisch gespielt. Seit dem ausgehenden 19. Jh.

14. gut ~ sein = vermögend sein. Vielleicht Anspielung auf die Reichtümer der katholischen Kirche. 1930 ff.

15. ~ werden = aufbrausen; tückisch werden. ↗katholisch 1. 1830 ff.

16. er wird noch ~ = vor Ärger weiß er sich nicht zu helfen; vor Wut könnte er eine Torheit begehen. Seit dem 18. Jh.

17. das ist ja, um ~ zu werden (da könnte man ja gleich ~ werden)l: Ausdruck höchsten Unwillens, der Verzweiflung. 1800 *ff.*
18. da geht es nicht ~ zu = da geht es nicht redlich zu; das stimmt einen sehr bedenklich. *Südd* 1880 *ff.*
Katschmarek *m* **1.** dümmlicher, untüchtiger, wenig sauberer Mann. Ein häufiger polnisch-oberschlesischer Eigenname; daher bezogen auf einen polnisch sprechenden Mann. In deutscher Umwelt wirkte er wegen seiner mangelnden Sprachkenntnis als tölpisch und ungeschickt. Er arbeitete brav mit, ohne viel nachzudenken. Etwa seit 1900, *sold.*
2. Rekrut ohne ausreichende militärische Kenntnisse. 1914 *ff.*
Kattun *m* **1.** schwerer Beschuß. Rasendes Infanterie- und Maschinengewehrfeuer hört so wie Kattunreißen an. *Sold* in beiden Weltkriegen.
2. Prügel; Prügelei. Wahrscheinlich entstellt aus seemannsspr. „Katt geben = dem über eine Kanone gebundenen Seemann mit Tauen auf das Gesäß peitschen". Seit dem späten 19. Jh.
3. große Fahrgeschwindigkeit. Aus den beiden vorhergehenden Bedeutungen entwickelt sich die Vorstellung der Heftigkeit. Kraftfahrerspr. 1930 *ff.*
4. ~ geben = schießen. *Sold* 1914 *ff.*
5. jm ~ geben = a) jn prügeln. ↗ Kattun 2. 1880 *ff.* - b) jn scharf zurechtweisen. Die Bedeutung „prügeln" deckt sich in der Umgangssprache fast immer mit der Bedeutung „rügen". 1900 *ff.*
6. ~ kriegen = a) unter schwerem Beschuß liegen. *Sold* in beiden Weltkriegen. - b) streng behandelt werden; heftig gerügt werden. 1900 *ff.*
7. ~ reißen = schnarchen. Wohl wegen einer gewissen Geräuschähnlichkeit. 1920 *ff.*
Kattun-Christ *m* Frömmler aus Geschäftsrücksichten. Steht im Zusammenhang mit der Textstelle bei Theodor Fontane: „Die Engländer sagen Christus, aber sie meinen Kattun." 1870 *ff.*
katzbalgen *intr* sich zanken; raufen. Leitet sich her vom Balgen, wie es unter Katzen häufig ist. 1500 *ff.*
Katzbuckel *m* **1.** Rücken des Buckligen. Seit dem 19. Jh.
2. Verbeugung aus falscher Schmeichelei; unterwürfige Schmeichelei. 1750 *ff.*
3. einen ~ machen = a) sich verneigen; dienern. Seit dem 19. Jh. - b) heuchlerisch dienern; sich unwissend, unschuldig stellen. 1900 *ff.*
katzbuckeln *intr* unterwürfige Verbeugungen machen; gegenüber dem Vorgesetzten Selbstbewußtsein und Würde verlieren. 1750 *ff.*
Kätzchen *n* **1.** anschmiegsames Mädchen. Von der Jungkatze übertragen mit ihrer Zutraulichkeit und ihrem Spieltrieb, auch mit dem angenehmen Gefühl beim Anfassen. 1900 *ff.*
2. Vagina, Vulva. Seit dem frühen 19. Jh.
3. Prostituierte. 1900 *ff.*
4. gestiefeltes ~ = junges Mädchen in Stiefeln. Dem „gestiefelten Kater" des Märchens nachgebildet. 1960 *ff.*
5. kleines ~ = weibliche Person (Kosewort). 1900 *ff.*
Katze *f* **1.** unverträgliche weibliche Person. Mit der Katze hat sie sinnbildlich das Fau-

chen, Kratzen und Beißen gemeinsam. Seit dem 19. Jh.
2. leichte weibliche Person; lebenslustiges hübsches Mädchen; Mädchen. ↗ Kätzchen 1. 1900 *ff.*
3. Prostituierte. Sie treibt sich umher wie die Katze auf Mäuse- und Vogelfang. 1900 *ff.*
4. falsche ~ = charakterlose, schmeichlerische Person. Katzen sind weitgehend ergründlich und daher ein vielseitiges Vergleichsobjekt für Eigenschaften des Menschen. Seit dem 16. Jh.
5. kesse ~ = a) reizendes junges Mädchen. ↗ keß. 1950 *ff.* - b) leichtes Mädchen; junge Prostituierte; Callgirl. 1950 *ff.*
6. nasse ~ = aus dem Wasser gefischtes Mädchen. 1920 *ff.*
7. schwarze ~ = Kameradenjustiz. Die schwarze Katze gilt abergläubischen Menschen als Vorankündigung von Unheil. *BSD* 1965 *ff.*
8. blaß wie die ~ am Bauch = bleich. Seit dem 19. Jh.
9. naß wie eine ~ (wie eine gebadete ~) = völlig durchnäßt. Seit dem 18. Jh.
10. der ~ den Schwanz abhacken = eine Angelegenheit kurzentschlossen erledigen. Hergenommen von einer Katze, die mit dem Schwanz in einer Falle eingeklemmt ist. Seit dem späten 19. Jh.
11. die ~ guckt den Kaiser an (sieht doch die ~ den Kaiser an): Redewendung, mit der eine höhergestellte Persönlichkeit freimütig anblickt. Gemeint ist wohl, daß die Katze auch den Kaiser anblickt, wie sie jedermann anblickt; denn sie sieht nicht den Kaiser, sondern den Menschen. *Vgl engl* „a cat may look on a king". 1500 *ff.*
12. der ~ die Schelle anhängen (umhängen) = ein Wagnis auf sich nehmen. Fußt auf der erstmalig um 1350 bei Boner vorkommenden Fabel von den Mäusen und der Katze: um rechtzeitig vor der Annäherung der Katze gewarnt zu sein, beschlossen die Mäuse, ihr eine Schelle anzuhängen; aber dazu hatte keine Maus den Mut. 1500 *ff.*
13. aussehen wie eine abgezogene ~ = elend, mager, jämmerlich aussehen. 1900 *ff.*
14. wie die ~ unterm Bauch aussehen = blaß aussehen. 1900 *ff.*
14 a. da beißt sich die ~ in den Schwanz = das bringt die Sache nicht voran; so kommen wir nicht weiter. Seit dem 19. Jh.
15. das trägt die ~ auf dem Schwanz fort = das ist nur eine Kleinigkeit. Auf dem Schwanz hat die Katze für nichts Platz, weil sie ihn aufgerichtet trägt. 1870 *ff.*
16. die ~n gähnen = es ist überaus langweilig. 1925 *ff.*
17. wie die ~ um den heißen Brei gehen (schleichen) = Umschweife machen. Leitet sich her von der Vorsicht und dem Mißtrauen, mit dem die Katze den dampfenden Freßnapf umkreist. *Vgl franz* „tourner autour du pot". 1500 *ff.*
18. und wenn es ~n hagelt = bei jedem Wetter; selbst bei Unwetter; unter allen Umständen. Seit dem 19. Jh.
19. hinter jm herlaufen wie ~n hinter Baldrian = jn nicht aus den Augen lassen; jn (wie willenlos) verfolgen. Katzen werden von Baldrian angezogen. 1500 *ff.*
20. damit lockt man keine ~ hinterm

Ofen hervor = damit übt man keinerlei Anreiz aus. *Vgl* ↗ Hund 132. Seit dem 19. Jh.
21. das lockt keine ~ unter der Zentralheizung hervor = das reizt niemanden. Moderne Variante zum Vorhergehenden. 1960 *ff.*
22. die ~ im Sack kaufen = a) etw unbesehen kaufen. Leitet sich her von einem alten Schwank: mit einer Katze im Sack tritt man vor den Teufel und erzählt ihm, in dem Sack befinde sich ein dreibeiniger Hase, woraufhin der Teufel den Sack mitsamt Inhalt für einen Taler kauft; ehe der Teufel den Betrug bemerkt, hat er seine Macht über den listigen Verkäufer verloren. Etwa seit dem 15. Jh. Vorher hieß es „etw im Sack kaufen": die Erzählung von der Katze ist nachträgliche Hinzufügung. *Vgl niederl* „eene kat in den zak koopen", *franz* „acheter le chat en poche", *engl* „to buy a pig in a poke" und *ital* „comprare la gatta in sacco". - b) heiraten, ohne vorehelichen Verkehr miteinander gehabt zu haben. Seit dem 16. Jh.
23. die ~ aus dem Sack lassen = die Wahrheit ans Licht kommen lassen; Verheimlichtes gestehen; sein wahres Vorhaben offenbaren. Wer die Katze aus dem Sack läßt, kann niemandem mehr weismachen, es sei ein Hase. Seit dem 19. Jh. *Vgl engl* „to let the cat out of the bag".
24. die ~ im Sack lassen = ein Geheimnis noch nicht lüften. 1920 *ff.*
25. leck die ~ am Ärmell: Ausdruck der Ablehnung. „Ärmel" steht verhüllend für „Arsch". 1900 *ff.*
26. er kann die ~ am Arsch leckenl: Ausdruck der Abweisung. 1900 *ff.*
27. lieber will ich deine ~ im Arsch leckenl: Ausdruck der Ablehnung. 1900 *ff.*
28. immer noch besser als die ~ im Arsch geleckt = besser als nichts! 1944 *ff.*
29. ein Gesicht (Augen) machen wie die ~, wenn es donnert = erschrocken blikken; vor Angst, Erstaunen oder Überraschung die Augen weit aufreißen. Seit dem 18. Jh.
30. die ~ ist den Baum rauf = es ist zu spät; es ist vorbei. Hergenommen von der Katze, die vor dem nachsetzenden Hund den Baum hinaufläuft. Seit dem 19. Jh.
31. es regnet ~n = es regnet heftig. *Vgl engl* „it rains cats and dogs". Seit dem 19. Jh.
32. wie die ~ um den heißen Brei rumreden = Umschweife, Ausflüchte machen. *Vgl* ↗ Katze 17. 1920 *ff.*
33. etw der ~ in die Schuhe schieben = die Schuld auf jn abwälzen. Hausgehilfinnen machen für zertrümmertes Porzellan die Katze verantwortlich. *Vgl* „jm etw in die ↗ Schuhe schieben". *Sold* in beiden Weltkriegen.
34. die ~ durch den Bach schleifen (ziehen) = eine schwierige Aufgabe verrichten müssen; die Hauptarbeit leisten. Katzen scheuen das Wasser. Spätestens seit 1900.
35. auch wenn es ~n schneit = auch beim heftigsten Schneegestöber. 1900 *ff.*
36. das ist für die ~ (meist sagt man: „das ist für die Katz") = a) das ist umsonst. Beruht auf dem alten Sprichwort: „was einem spart ihm der Mund, ist für Katze und Hund". Hiermit berührt sich der Ausdruck „es der Katze geben" im Sinne von

„fortgeben, was der Herrschaft wertlos erscheint". Seit dem 16. Jh. – b) das ist für mich zu wenig. 1920 *ff.*

37. die ~ ist aus dem Sack = das Geheimnis ist gelüftet. ↗ Katze 23. Seit dem 19. Jh.

38. mit dem Gegner ~ und Maus spielen = den Gegner nicht in den Ballbesitz kommen lassen. *Sportl* 1950 *ff.* In allgemeiner Beziehung ist die Redensart seit *mhd* Zeit bekannt. Sie fußt auf dem für menschliche Auffassung grausamen Spiel der Katze mit ihrem hilflosen Opfer.

39. tote ~ spielen = sich dumm stellen; Unwissenheit vortäuschen. 1900 *ff.* Vgl *ital* „fare la gatta morta".

40. dastehen wie die ~ vor dem neuen Scheunentor = ratlos sein. Variante zur Redewendung „stehen wie die ↗ Kuh vor dem neuen Scheunentor". Seit dem 19. Jh.

41. stehlen wie eine ~ = sehr diebisch sein. 1800 *ff.*

42. dann ist die ~ aber auch tot = dann ist endgültig Schluß. 1958 *ff.*

43. keine ~ im Sack verkaufen = keine unlauteren Geschäfte machen. ↗ Katze 22. 1971 *ff* (Werbetext).

44. da wird die ~ in der Pfanne verrückt!: Ausdruck höchster Verwunderung. ↗ Hund 160. Vielleicht Anspielung auf Katzenbraten in Notzeiten. 1944 *ff.*

45. wie ~ und Hund zusammenleben (sein, sich wie ~ und Hund vertragen) = in größter Feindschaft miteinander leben; verfeindet sein. Nach volkstümlicher Meinung, die von wütigen Katzenfeinden immer neu geschürt wird, herrscht zwischen Hund und Katze unversöhnliche Feindschaft, – eine halbe Wahrheit (wie so viele andere); denn wenn sich Hund und Katze aneinander gewöhnt haben, erlebt man die merkwürdigsten Zeichen von Anhänglichkeit. *Vgl engl* „to live like cat and dog", *franz* „vivre comme chien et chat". Seit dem 17. Jh.

Katzelmacher (Katzlmacher) *m* Italiener. Geht zurück auf venezianisch „cazza = Schöpfkelle". Die Grödner in Südtirol vertrieben ins 19. Jh hinein die von ihnen hergestellten hölzernen Schöpflöffel; von hier übertragen auf die Italiener. In volkstümlicher Auffassung hängt die Bezeichnung mit den Katzenfellen zusammen, mit denen die Italiener einen schwunghaften Handel betrieben. Kurz vor 1750 aufgekommen.

Katzenbank *f* Sitzbank für die Klassenschlechtesten; Strafbank. Meinte um 1500 die abseits (am Ofen) stehende Bank, auf die unartige Kinder gesetzt wurden. Von der Vokabel „↗ Katzentisch" übertragen auf die Schulverhältnisse. Spätestens seit 1900.

Katzenbuckel *m* ↗ Katzbuckel

Katzendreck *m* **1.** jn mit ~ erschießen = jn heimtückisch bezichtigen. Katzenkot riecht streng und behält lange seinen Geruch. In ähnlicher Weise verliert die mit Katzendreck als Munition verglichene Bezichtigung ihre Wirkung. Seit dem frühen 20. Jh.

2. den sollte man mit ~ erschießen!: Redewendung auf einen Feigling o. ä. *Sold* 1939 *ff.*

3. das ist kein ~ = das ist beachtlich, keine Kleinigkeit, keine leichte Arbeit. Kat-

zenkot wird von niemandem geschätzt. 1700 *ff.*

katzendreckig *adj* **1.** unverschämt, frech, ausfallend, widerlich. Verstärkung von „↗ dreckig". Seit dem 19. Jh.

2. mißgestimmt. Seit dem 19. Jh.

3. jm ~ kommen = jm plump, unverschämt und anzüglich entgegentreten. 19. Jh.

Katzenficken *n* **1.** es geht wie das ~ = es geht sehr schnell. Bei Katzen dauert der Paarungsakt nur kurz. 1900 *ff.*

2. es ist zum ~ = es ist zum Verzweifeln. Vor Verzweiflung möchte man Sodomiterei betreiben. 1900 *ff*, vorwiegend *sold.*

Katzenficker *m* Kartenspieler, der bei einem bedeutungslosen Stich einen hohen Trumpf verwendet. Vergleichsweise meint man, er vergeude als Mann seine Potenz an eine Katze. Kartenspielerspr. 1900 *ff.*

katzenfreundlich *adj* geheuchelt freundlich. Die schmeichelnde Katze kann auch flink kratzen. Seit dem 19. Jh.

Katzengedächtnis *n* schlechtes Erinnerungsvermögen. Strafen für Unarten wirken bei Katzen nicht lange nach. Seit dem 19. Jh.

Katzengeheul (-gejammer, -gesang) *n (m)* mißtönendes Singen. Seit dem 19. Jh.

Katzenjammer *m* **1.** Nachwehen des Rausches. Vermutlich entstellt aus „Kotzenjammer" im Sinne von Jammer zum Erbrechen. Das Jammern der Katzen in der Laufzeit dürfte kaum heranzuziehen sein. Studentischer Euphemismus, etwa seit 1750.

2. Stimmung, in der man sich Selbstvorwürfe macht; Erwachen aus einer Sinnestäuschung. Seit dem 19. Jh.

3. Standkonzert. Hergenommen vom nächtlichen Schreien der Katzen. *BSD* 1965 *ff.*

4. moralischer ~ = Selbstvorwürfe wegen moralischer Fehlverhaltens. *Stud* seit dem 19. Jh.

Katzenjammerer *m* Mann, der unter den Folgen einer Ausschweifung leidet. 1900 *ff.*

Katzenkopf *m* **1.** Pflasterstein. Er hat eine flache Wölbung wie der Kopf der Katze. Seit dem 19. Jh.

2. Schlag mit den Knöcheln der Faust an den Hinterkopf. 19. Jh.

Katzenmusik *f* **1.** mißtönende Musik; Spottmusik; ohrenbetäubender Lärm. Hergenommen vom nächtlichen Jammern und Schreien verliebter Kater. *Stud* seit dem 18. Jh.

2. politischer Tumult. 1830 *ff.*

Katzenpfoten *pl* jn mit ~ streicheln = jm heuchlerisch liebedienern. 1900 *ff.*

katzenrein *adj* nicht anstößig. Katzen lecken sich sauber. 1910 *ff.*

Katzenscheiße *f* mit ~ schießen = mit kleiner Trumpfkarte einstechen und dadurch Punkte sammeln. Solch ein Stich „stinkt" den Mitspielern sehr. Kartenspielerspr. 1900 *ff.*

Katzenschule *f* Grundschule. Die Schüler spielen und balgen miteinander wie junge Katzen. 1920 *ff.*

Katzensprung *m* **1.** geringe Entfernung; kurze Strecke. Verglichen mit anderen Tieren kann die Katze nicht weit springen. Seit dem 17. Jh.

2. Unbedeutendes, Wertloses. Hehlwort für „Katzendreck". 1920 *ff.*

Katzentisch *m* abseits stehender Tisch für die Kinder (auch für Untergebene und Spätkommende). Meint ursprünglich den Fußboden der Stube. 1750 *ff.*

Katzenträger *m* Schornsteinfeger. „Katze" heißt der Fegebesen. *Westd* 1900 *ff.*

Katzentücke *f* Hinterlist, Hinterhältigkeit, Falschheit. Seit dem 19. Jh.

Katzenwäsche *f* oberflächliches Waschen. Hauskatzen scheuen in der Regel das Wasser. Seit dem 19. Jh.

Katzerl *n* hübsches Mädchen. ↗ Kätzchen. *Österr* 1900 *ff.*

katzig *adj* frech; unverträglich; aus geringem Anlaß gereizt; widerspenstig; schnippisch. ↗ Katze 1. Seit dem 19. Jh.

Katzoff *m* **1.** Metzger. Fußt auf *gleichbed jidd* „kazow". Etwa seit 1700.

2. Dolch. Eigentlich das Fleischermesser. *BSD* 1965 *ff.*

Käu *m* **1.** leeres, langweiliges Geschwätz. Gehört zu „kauen", vor allem zu „wiederkauen". „Käu" ist das bei Wiederkäuern hochgekommene Futter vor der nochmaligen Durcharbeitung im Maul. *Westd* seit dem 19. Jh.

2. der ganze ~ = das alles *(abf).* 1900 *ff.*

Kaue *f* **1.** Mund. 1600 *ff.*

2. künstliches Gebiß; Zahnprothese. *Sold* in beiden Weltkriegen.

3. da muß ich erst mal meine ~ einsetzen = das muß ich mir noch genau überlegen. *Sold* 1914–1945.

kauen *v* an etw zu ~ haben (an etw lange ~) = etw nicht leicht nehmen; einen Vorwurf schwer verwinden; sich lange mit einer Arbeit beschäftigen müssen. Hergenommen vom langsamen und mühsamen Zerkleinern eines harten Bissens im Mund. 1700 *ff.*

Kaufe *f* heilige ~ = Weihnachtseinkäufe. Berlin 1970 *ff.*

kaufen *tr* **1.** jn durch Bestechung für sich gewinnen. Seit dem 15. Jh.

2. sich einen ~ = sich betrinken. Verkürzt aus „sich einen ↗ Affen kaufen". Seit dem 19. Jh.

3. sich jn ~ = a) jn energisch zur Rede stellen. Vom Begriff „bestechen" weiterentwickelt zu „im Geheimen verhandeln" und „unter vier Augen zurechtweisen". 1800 *ff.* – b) sich an jm rächen. 1900 *ff.* – c) jn gefangennehmen, verhaften. Kundenspr. und *sold* 1914 *ff.*

4. etw stehlen. Ironische Bezeichnung seit dem frühen 19. Jh. Soll während der Besetzung Berlins durch die französischen Truppen als Tarnwort für das einschlägige Vorgehen der Besatzungstruppen aufgekommen sein.

5. ~, wenn niemand im Laden ist (~, ohne zu bezahlen) = Ladendiebstahl begehen. Seit dem frühen 19. Jh, genauer

6. was ich mir dafür kaufe (wat ick mir dafor koofe)!: Ausdruck der Geringschätzung und Ablehnung. Wohl hergenommen von einer solch geringen Geldgabe, daß man mit ihr nichts kaufen kann. Berlin, spätestens seit 1840.

7. kauf dir etwas dafür!: Ausdruck der Geringschätzung. Kartenspielerspr. 1900 *ff.*

8. bei mir kannst du nichts ~!: Ausdruck der Abweisung. *Westd* 1920 *ff.*

9. dafür kann ich mir nichts ~ = das ist

für mich wertlos; damit ist mir nicht geholfen; das macht auf mich keinen Eindruck. Seit dem 19. Jh.

Käuferschlange *f* Anstehen der Kauflustigen vor den Geschäften. Im Ersten Weltkrieg aufgekommen.

Kauffrau *f* Prostituierte. Eigentlich Bezeichnung für den weiblichen Kaufmann; hier die weibliche Person, deren geschlechtliche Leistung man bezahlt. 1950 *ff.*

Kaufhausbummel *m* gemächliches Schlendern durch ein Kaufhaus. ↗Bummel 1. 1955 *ff.*

Kaufhaus-Rubens *m* Maler, der gutverkäufliche Bilder im Dutzend herstellt und durch ein Kaufhaus absetzen läßt. 1960 *ff.*

Kaufleute (Kauf-Leute) *pl* Kunden, die kaufen, statt nur zu betrachten. 1920 *ff,* in der Konfektionsbranche aufgekommen.

Kaufmann *m* 1. Mann, der ein Geschäft betritt zum Kaufen und nicht zum bloßen Besehen der Waren. 1920 *ff.* ↗Sehmann 1.
2. ~ an der Ecke = nahegelegenes Einzelhandelsgeschäft. 1970 *ff.*

Kaugummi *m* 1. zähes, sehniges Fleisch. An ihm hat man lange zu kauen. 1939 *ff.*
2. ~ für die Augen = Fernsehen. Wie den Kaugummi im Mund nimmt man die Fernsehdarbietungen ziemlich gedankenlos hin, sofern es einem an kritischer Veranlagung fehlt. Der Ausdruck wird einmal dem Amerikaner Frank Lloyd Wright und zum anderen Mal dem Amerikaner Dean Burch zugeschrieben. 1958 *ff.*
3. ~ für das Gehirn = Kriminalroman; anspruchslose Fernsehreihe. 1970 *ff.*
4. ~ mit Rollkragen = Präservativ. 1960 *ff.*
4 a. alter ~ = immer von neuem vorgebrachte Ansicht. 1970 *ff.*
5. dreimal durchgekauter ~ = Versager. *Schül* 1950 *ff.*
6. jn um den Finger wickeln wie einen ~ = jn bis zur Willenlosigkeit beherrschen; jn gefügig machen. ↗Finger 80. *Halbw* 1960 *ff.*
7. es zieht sich wie ~ = es ist sehr langweilig. *Schül* 1975 *ff.*

Kaugummibegriff *m* vieldeutiger Begriff. 1950 *ff.*

Kaugummi-Lachen *n* Lachen mit breitem Mund. 1960 *ff.*

kaule *adj präd* krank. Fußt auf *jidd* „chole = krank". Kundenspr. seit dem frühen 19. Jh.

Kaule *f* Bett. Mitteldeutsche Form von ↗Kuhle. 1950 *ff, jug.*

Kauleiste *f* 1. künstliches Gebiß. 1900 *ff.*
2. etw hinter die ~ nageln = etw essen. 1900 *ff.*

kaum *adv* wohl ~ = wahrscheinlich nicht; nein. Reststück eines vollständigen Antwortsatzes „er wird es wohl kaum sagen" auf die Frage „wird er es sagen?". 1900 *ff.*

käumlings *adv* kaum. Von Studenten um 1930 scherzhaft erweitert nach dem Muster von „blindlings", „rücklings" o. ä.

kaumst (kaumstens, käumstens) *adv* kaum. Scherzhaft-willkürliche Steigerungsform nach dem Vorbild von „meist" oder „best" u. ä. *Stud* 1928 *ff.*

kaupeln *intr* 1. tauschhandeln, feilschen. Fußt auf *lat* „caupo = Schenkwirt, Marketender". *Mitteld* seit dem 19. Jh.
2. beim Kartenspiel täuschen. 1900 *ff.*

Kautschukbestimmung *f* Bestimmung, die mehrere Auffassungen zuläßt. 1950 *ff.*

Kautschuk-Erklärung *f* Erklärung, die sich auf verschiedene Weise verstehen läßt. 1950 *ff.*

Kautschukformulierung *f* gewundene Formulierung. 1950 *ff.*

Kautschukparagraph *m* dehnbares Gesetz. Soll am 3. Dezember 1875 von dem nationalliberalen Politiker Eduard Lasker im Deutschen Reichstag geprägt worden sein. ↗Gummiparagraph.

Kauz *m* komischer ~ = Sonderling. Der lichtscheue Vogel ist hilf- und wehrlos, wenn ihn das Tageslicht blendet. 1900 *ff.*

kauzen *intr* sich unzufrieden äußern; murren; nörgeln. Hergenommen vom Schreien der Käuze. 1900 *ff.*

Kavalier *m* 1. vornehmer, wohlhabender Prostituiertenkunde; reicher, vornehmer Freund der männlichen Prostituierten. Eigentlich der Edelmann; später soviel wie „galanter Liebhaber". Seit dem frühen 19. Jh, *prost.*
2. ~ mit Strupfen = eitler Narr; Prahler; ungepflegter Liebhaber. Strupfen sind Bindfäden, auch Bänder. Der Betreffende hat entweder Bindfäden statt Schnürbändern in den Schuhen oder er hält mit Bändern die langen Unterhosen fest. *Bayr* und *österr* 1900 *ff.*

Kavaliersdelikt *n* 1. Vergehen, das nach Ansicht des Täters nicht strafbar ist. Diese Auffassung geht auf die ehemaligen Vorrechte des Kavalierstandes zurück. Nach der Standesauffassung war ein solches Vergehen nicht ehrenrührig. 1900 *ff.*
2. Geschlechtskrankheit. 1900 *ff.*

Kavalierskrankheit *f* Geschlechtskrankheit. ↗Kavaliersdelikt 2. 1910 *ff.*

Kavaliersknast *m* offener Strafvollzug für Leute, die wegen Verstoßes gegen die Straßenverkehrsordnung zu Freiheitsstrafen verurteilt sind oder wegen Nichtbezahlung von Geldstrafen eine Ersatzfreiheitsstrafe verbüßen. *Knast.* 1966 *ff.*

Kavalierstart *m* steiler Start des Fliegers; lauter Start des Kraftfahrers. Fliegerspr. und kraftfahrerspr., seit dem Ersten Weltkrieg.

Kavallerie *f* 1. ~ der Luft = Flieger; Luftwaffe. Die Kavallerie wurde im Zweiten Weltkrieg nur noch im Osten eingesetzt; ihre Aufgabe im Angriff und in der Aufklärung übernahm zum Teil die Luftwaffe. *Sold* 1939 *ff.*
2. fliegende ~ = Hubschrauberstaffel. *BSD* 1939 *ff.*
3. leichte ~ = die Prostituierten, Unterhaltungsdamen, Animiermädchen usw. 1965 *ff.*
4. bei der ~ gedient haben = auswärts gebogene Beine haben. 1920 *ff.*

Kaviar *m* 1. ~ des kleinen Mannes = Heringssalat. 1920 *ff.*
2. ~ für die Pupille = sehr erfreulicher Anblick; reizvolle Aussicht. Kaviar als Sinnbild der Erlesenheit und Seltenheit. 1920 *ff.*
3. ~ fürs Volk = unsinnige Kostbarkeit für anspruchslose Leute. Geht zurück auf „that is caviare to the general" aus Shakespeares „Hamlet": „general" meint „general public", also die Allgemeinheit. Seit dem 19. Jh.
4. deutscher ~ = a) Herings-, Karpfenrogen. 1914 *ff.* – b) gewichste Graupen; po-

lierter Sago. Wegen der Formähnlichkeit. 1910 *ff, stud* und *sold.*
5. du hast wohl ~ gegessen?: Frage an einen mit betrübtem oder ratlosem Gesichtsausdruck. Gemeint ist die „verstörte" Miene, und „verstört" ist scherzhaft an „Stör" angelehnt. *Stud* 1920 *ff.*
6. nicht mal den nötigen ~ zum Brot haben = über das Lebensnotwendige hinaus nichts besitzen. 1955 *ff.*

Ka'wenzmann *m* 1. großwüchsiger, kräftiger Mann; dicker Mann. Fußt wahrscheinlich auf „Konventsmann" und meint den Mönch oder frommen Bruder, der in einem Konvent (= kleines Ordenskloster) wohnt. Er fiel auch durch Beleibtheit auf. *Westd* seit dem 19. Jh.
2. großes Stück; großer Gegenstand. *Westd* seit dem 19. Jh.

Kawuppdich *m* ↗Karwuppdich.

Ka'zett *n* Konzentrationslager. Voll ausgesprochene Abkürzung „KZ". 1933 *ff.*

Kegel *m* 1. Penis. Wohl Anspielung auf die senkrechte oder waagerechte Lage oder auf die Formähnlichkeit mit dem Kegelstumpf. 1900 *ff.*
2. kleiner Junge; Jüngster; Kind. Wohl wegen der kegelstumpfähnlich gedrungenen Form. Seit dem 19. Jh.
3. Nachhilfeschüler. Stammt vielleicht aus der Jägersprache, wo „Kegel" den auf den Hinterläufen aufgerichteten, lauschenden Hasen (auch Kaninchen, Marder, Wiesel) meint. 1900 *ff.*
4. unerlaubte Übersetzung eines fremdsprachlichen Textes. Hier ist wohl zurückzugehen auf die Bedeutung „Kegel = uneheliches Kind". 1960 *ff.*
5. Menschenkopf. Bezieht sich wohl auf den Langschädel oder den eiförmigen Kopf. 1900 *ff.*
6. rundlicher Mensch. Wegen Ähnlichkeit mit einem Kegelstumpf. 1850 *ff.*
7. Bein mit stark ausgeprägten Waden. Seit dem späten 19. Jh.
8. ~ setzen = (im Freien) koten. 1900 *ff.*

Kegelbruder *m* 1. Kegler. Nach dem Muster von Zech-, Sauf-, Skatbruder u. ä. gebildet. Spätestens seit 1880.
2. Mann, der einen leichten Posten versieht. Er schiebt eine ruhige ↗Kugel. 1950 *ff.*

kegeln *intr* 1. koten. ↗Kegel 8. 1900 *ff.*
2. koitieren. ↗Kegel 1. 1900 *ff.*
3. im Himmel wird gekegelt = es donnert. Das Donnerrollen erinnert an das Rollen der Kugel auf der Kegelbahn. Seit dem 19. Jh.
4. mit jm ~ = jn zu übervorteilen suchen; feilschen. Man sucht besser zu kegeln als der andere. *Südwestd* seit dem 19. Jh.
5. es ist zum ~ = es ist sehr erheiternd. *Vgl* „sich vor Lachen ↗kugeln". Seit dem späten 19. Jh.

Kehle *f* 1. durstige ~ = Dürstender; Zecher. Seit dem 18. Jh.
2. falsche (unechte) ~ = Luftröhre. Essen und Trinken ist vor dem Atemholen vorrangig, da das Atemholen vom menschlichen Willen weitgehend unabhängig ist. 1600 *ff.*
3. sich die ~ anfeuchten (ausschwenken) = zechen. Seit dem 19. Jh.
4. seine ~ baden = zechen. 1960 *ff.*
5. ihm ist etw in die unrechte (falsche) ~ gekommen (geraten) = a) es ist ihm etw

in die Luftröhre geraten. 1600 *ff.* – b) er hat es falsch aufgefaßt. Seit dem späten 19. Jh.

6. eine ausgepichte ~ haben = trinkfest sein. ↗ausgepicht. 1900 *ff.*

7. eine trockene ~ haben = Durst haben. Seit dem 19. Jh.

8. etw durch die ~ jagen = etw vertrinken. 1700 *ff.*

9. sich etw in die ~ jubeln = ein Glas Alkohol zu sich nehmen. 1960 *ff.*

10. es juckt ihm (ihn) in der ~ = er hat Lust zu singen. ↗jucken 1. 1950 *ff.*

11. etw in die falsche ~ kriegen = a) etw in die Luftröhre bekommen. Seit dem 19. Jh, wohl älter. – b) etw mißverstehen, falsch auffassen. Seit dem späten 19. Jh.

12. die ~ ölen = zechen. 1900 *ff.*

13. die ~ schmieren = Alkohol zu sich nehmen. Spätestens seit 1700.

14. sich die ~ aus dem Hals schreien (ausschreien) = heftig, langanhaltend schreien. Spätestens seit 1890.

15. die ~ strapazieren = a) ausgedehnt zechen. 1870 *ff.* – b) laut, überlaut singen; ein Soldaten-, Marschlied „brüllen". 1890 *ff.*

16. eine Flasche (ein Glas) durch die ~ zischen = eine Flasche oder ein Glas leertrinken. ↗zischen. 1950 *ff.*

Kehlkopf *m* **1.** den ~ abspülen = Alkohol zu sich nehmen. 1950 *ff.*

2. den ~ anfeuchten = zechen. 1890 *ff.*

3. einen hinter den ~ brausen = zechen. 1900 *ff.*

4. gleich fliegt ihm der ~ raus: Redewendung auf einen Sänger, dem die Höhe zu schaffen macht. Theaterspr. 1950 (?) *ff.*

Kehlkopfakrobat *m* stimmlich hervorragender Sänger. 1920 *ff.*

Kehlkopfwalzer *m* Zechgelage. Der Kehlkopf tanzt beim Trinken auf und ab. 1920 *ff.*

Kehlkopfwärmer *m* Schlips. 1930 *ff.*

Kehrauspreise *pl* Preise bei einem Räumungsverkauf. Kehraus ist der letzte Tanz. 1960 *ff.*

Kehre *f* die ~ nicht kriegen = das Arbeitspensum nicht bewältigen. Kehre = Straßenbiegung. Vorform von „die ↗Kurve nicht kriegen". 1850 *ff.*

Kehricht *m* **1.** feuchter ~ = Unwichtigkeit, Wertlosigkeit. Umschreibung für „↗Dreck". 1930 *ff.*

2. einen feuchten ~!: Ausdruck der Ablehnung, der Verneinung. 1930 *ff.*

3. das geht ihn einen ~ (einen feuchten ~) an = das geht ihn nichts an. 1930 *ff.*

4. das geht ihn einen kleinen ~ an = das geht ihn nichts an. 1930 *ff.*

5. das interessiert mich einen feuchten ~ = das interessiert mich überhaupt nicht. 1930 *ff.*

6. einen feuchten ~ können = untauglich sein. 1930 *ff.*

7. sich um jn (etw) einen feuchten ~ kümmern (scheren) = sich einer Person oder Sache überhaupt nicht annehmen. 1930 *ff.*

8. das ist einen feuchten ~ wert = das ist höchst minderwertig. 1930 *ff.*

Kehrseite *f* **1.** Rücken, Gesäß. Eigentlich die Unterseite. 1900 *ff.*

2. jm die ~ zeigen = a) jm den Rücken zukehren; jn unmißverständlich abweisen. 1900 *ff.* – b) weggehen; fliehen. *Sold* 1939 *ff.*

3. jm die barocke ~ zuwenden = jm das Gesäß zukehren. Eine Art Sinnbildhinweis auf „du kannst mich am Arsch lecken!". 1950 *ff.*

Kehrseitenschönheit *f* weibliche Person mit reizvoll gerundetem Gesäß. 1955 *ff.*

Keiche *f* **1.** Gefängnis; Arrestanstalt. Falls nicht aus dem Slawischen (*slow* „Kajža = Gehäuse") herzuleiten, ist von „kauchen = sich bücken" auszugehen. 1300 *ff.*

2. Hütte; schlechtes Quartier. 1800 *ff.*

Keil *m* **1.** großes Stück Brot. Es ist aus einem Laib keilförmig geschnitten. Seit dem 19. Jh.

2. Penis. 1900 *ff.*

3. Mann. *BSD* 1965 *ff.*

4. einfacher ~ = Karte mit abgeschliffenem Rand. Falschspielervokabel unbekannter Herkunft. 1964.

Keile *pl* (*f*) **1.** Prügel. ↗keilen 1. Seit dem 18. Jh.

2. Prügelei. 1900 *ff.*

keilen *v* **1.** *tr* = jn prügeln. Leitet sich her vom kräftigen Schlagen, das beim Eintreiben eines Keils erforderlich ist. Seit dem 17. Jh.

2. *tr* = jn für etw zu gewinnen suchen; Mitglieder werben. Man redet nachdrücklich auf jn ein und dringt langsam in ihn ein wie ein Keil. *Stud* seit dem frühen 19. Jh.

3. *tr* = einen Ehepartner (eine beischlafwillige Person) suchen. 1950 *ff.*

4. *tr* = jn betrügen. Leitet sich her vom Beschwatzen zu einem übereilten Kauf. 1900 *ff.*

Keiler *m* **1.** Berufssoldat; Soldat auf Zeit. Eigentlich das männliche Wildschwein, das älter als zwei Jahre ist. *BSD* 1965 *ff.*

2. betrügerischer Händler. ↗keilen 4. 1900 *ff.*

3. Werber. ↗keilen 2. Seit dem 19. Jh.

4. Vater, der seine Kinder prügelt. ↗keilen 1. 1900 *ff.*

Keiloff *m* Hund. Geht zurück auf *jidd* „kelew = Hund". *Rotw* 18. Jh.

keimfrei *adj* **1.** nicht anstößig; von allen Anstößigkeiten befreit. Bezogen auf den Keim der Ansteckung in sittlichem Sinne. Seit dem späten 19. Jh.

2. ohne Berührung mit dem anderen Geschlecht. 1950 *ff.*

3. gut erzogen. Von der medizinischen Asepsis übertragen auf das Freisein von Sittenlosigkeit, Ungehorsam und anderen Untugenden. 1955 *ff*, *jug.*

4. unbedingt, klar o. ä. 1955 *ff.*

keiner sein der großen Menge angehören; kein Wohlhabender oder Einflußreicher sein. Der Betreffende ist keiner, der aus der breiten Masse herausragt. Seit dem späten 19. Jh.

keinstenfalls *adv* keinesfalls. Scherzhafte Superlativbildung: „kein" verträgt keinen Superlativ. 1920 *ff*, *stud.*

keinstens *adv* keineswegs; durchaus nicht. Studentische Scherzbildung. 1920/30 *ff.*

Keks *m* **1.** Kopf. Stammt vielleicht aus *jidd* „gag = Dach"; mit „Dach" bezeichnet man auch den Kopf. 1900 *ff.*

2. Offiziersstern. Wegen einer gewissen Formähnlichkeit mit dem Kleingebäck in Sternform. *BSD* 1970 *ff.*

3. alberner ~ = Unsinn. „Keks" ist wohl Hehlwort für „Kacke". 1950 *ff.*

4. feuchter ~ = Geistesbeschränktheit;

geistiger Defekt. Steht in Analogie zu „weiche ↗Birne". 1900 *ff.*

5. morscher (mürber) ~ = Begriffsstutzigkeit. Morsches und Mürbes zerfällt leicht und ist kraftlos. 1910 *ff.*

6. poröser ~ = schlechtes Auffassungsvermögen; geistige Beschränktheit; schlechtes Gedächtnis. Sachverwandt mit „ein Gedächtnis haben wie ein ↗Sieb". *Vgl* auch „↗dicht 1 e". 1920 *ff.*

7. trockener ~ = Dummheit. 1950 *ff.*

8. weicher ~ = Dummheit, Begriffsstutzigkeit. ↗Keks 4. 1900 *ff.*

9. trocken wie ein ~ = schwunglos, langweilig. „Trocken" meint sowohl „mürbe" als auch „geistig ohne Energie". 1920 *ff.*

10. das geht ihn einen feuchten ~ an = das geht ihn nichts an. „Keks" verhehlt „Kacke". 1955 *ff.*

11. auf den ~ gefallen sein = dümmlich sein. ↗Keks 1. 1920 *ff.*

11 a. es geht ihm auf den ~ = es strengt ihn geistig sehr an, macht ihn nervös. 1975 *ff.*

12. einen weichen ~ haben = dumm sein. ↗Keks 4. 1900 *ff.*

13. du hast wohl einen nassen ~ im Schuh? = du bist wohl nicht recht bei Verstand? *Halbw* 1968 *ff.*

Kelle *f* **1.** breite, plumpe Hand; Boxerhand. Formähnlich mit einem breiten Schöpflöffel. 1870 *ff.*

2. Scheibe mit Stiel des Schützenanzeigers. 1870 *ff.*

3. Befehlsstab des Fahrdienstleiters. Gegen Ende des 19. Jhs eingeführt und seitdem geläufig. Die Vokabel gilt manchen als amtliche Bezeichnung.

4. Stopscheibe der Polizei, der Feldjäger, des Verkehrsreglers u. ä. Bei der Polizei zwischen 1920 und 1930, bei der Wehrmacht gegen 1935 eingeführt.

5. Ball-, Tennisschläger. 1910 *ff.*

6. Bruder. Nebenform von „↗Keule". Vielleicht beeinflußt von „Kerle". *Halbw* 1955 *ff*, Berlin.

7. die rote ~ heben (hochhalten, zeigen) = Einhalt gebieten. Hergenommen von der Stopscheibe der Polizeibeamten. 1950 *ff.*

8. die ~ machen = die Hand zum Trinkgeldempfang aufhalten. ↗Kelle 1. 1950 *ff.*

9. mit der großen ~ nachfassen = sich weiterverpflichten. *Vgl* ↗kapitulieren. *BSD* 1970 *ff.*

10. nehmen, was die ~ gibt = a) im Essen nicht wählerisch sein. Bezieht sich auf die Essensausgabe mit der Schöpfkelle. 1700 *ff.* – b) sein Schicksal hinnehmen. *Sold* in beiden Weltkriegen.

11. eine dufte ~ schlagen = hervorragende Boxhiebe austeilen. ↗Kelle 1. *Sportl* 1967 *ff.*

12. eine gute ~ schlagen = bei einer Prügelei tapfer mithalten. 1870 *ff.*

kellen *v* **1.** *tr* = jn mittels Stopscheibe zum Halten veranlassen. ↗Kelle 4. 1960 *ff.*

2. *tr intr* = Essen ausgeben. 1950 *ff.*

Keller *m* **1.** Vulva. Eine tiefgelegene Örtlichkeit. Seit dem frühen 19. Jh.

2. Gesäß. 1950 *ff.*

3. After. 1950 *ff.*

4. Stock (beim Skatspiel); Talon. Es sind die beim Austeilen unten liegenden Karten, und sie bilden eine Art Vorratskeller. 1950 *ff.*

5. Gefängniszelle, Dunkelzelle. Sie ist unterirdisch angelegt. 1900 *ff.*
6. Maschinenraum. *Marinespr* 1965 *ff.*
7. Tabellenende. *Sportl* 1950 *ff.*
8. in den ~ gehen (geraten, steigen) = a) beim Kartenspiel verlieren. Die Abwärtsbewegung steht sinnbildlich für Kräfteverfall, Verlust usw. 1920 *ff.* – b) mit dem Unterseeboot tauchen; versinken; untergehen. *Marinespr* 1914 *ff.* – c) Bankrott machen; wirtschaftlich sinken. 1960 *ff.* – d) eine Untergrundbahn bauen. 1960 *ff.* – e) eine empfindliche Wahlniederlage erleiden. 1960 *ff.* – f) das Geschlechtsorgan mit dem Mund berühren. *Vgl franz* „descendre à la cave". Spätestens seit dem 19. Jh.
9. gehen Sie in den ~, fangen Sie Agenten!: Auftrag an einen Dummen. *BSD* 1965 *ff.*
10. aus dem ~ kommen = armen, ungebildeten Kreisen entstammen. 1920 *ff.*
10 a. im ~ lachen (zum Lachen in den ~ gehen) = heimlich lachen; nie mit lachender Miene gesehen werden. 1920 *ff.*
11. in den ~ rutschen = a) eine sportliche Niederlage erleiden. *Sportl* 1950 *ff.* – b) sich sehr niedrigem Börsenkurs nähern. 1967 *ff.* – c) Verlierer einer Wahl werden. 1977 *ff.*
12. im ~ sein = a) Mißerfolg haben. 1920 *ff.* – b) wirtschaftlich moralisch erledigt sein. 1960 *ff.* – c) im Kartenspiel Verlierer sein. 1920 *ff.*
13. er ist so hell wie ein ~ = er ist nicht besonders gescheit. *Halbw* 1965 *ff.*
14. im ~ sitzen = sich in Not befinden; Mißerfolg, Schulden haben. 1920 *ff.*
15. er sitzt im ~: Antwort auf die Frage, wo einer ist. Zu der Art der Beschäftigung im Keller gibt es in der Bundeswehr seit etwa 1965 folgende Hinweise: „er sitzt im Keller und fängt Agenten; ... und sägt Benzin; ... und staubt Briketts ab; ... und wäscht Briketts; ... und stapelt Eierbriketts; ... und schlichtet Eierkohlen rund; ... und fickt die Gasuhr; ... und stapelt Heizöl; ... und hackt Mehl; ... und sägt dicke Milch; ... und hängt Sauerkraut auf; ... und macht Sportabzeichen; ... und übt Stabhochsprung; ... und fliegt Starfighter ein."
Kellerbaß *m* Sängerin mit tiefer Stimme (meist mit unechter dumpfer Klangfarbe). 1920 *ff.*
Kellerfete *f* Keller-Party. ↗Fete. *Halbw* 1960 *ff.*
Kellergesang *m* tiefe Singstimme. 1920 *ff.*
Kellerhorn *n* Luftwarnsirene. Bei ihrem Aufheulen eilen die Leute in den Keller. 1939 *ff.*
Kellerkind *n* **1.** in einer Kellerwohnung aufwachsendes Kind. 1940 *ff.*
2. bleich, kränklich aussehendes Kind. 1945 *ff.*
3. Mann aus der unteren Bevölkerungsschicht. 1960 *ff.*
4. Gast in Kellerlokalen. 1955 *ff.*
5. *pl* = Maschinenpersonal. *Marinespr* 1965 *ff.*
6. *pl* = tabellenletzte Mannschaften. *Sportl* 1950 *ff.*
7. *pl* = Opernmusiker. Anspielung auf den Orchestergraben. 1950 *ff.*
8. ein ~ sein = Aufstiegsmöglichkeiten haben. 1960 *ff.*
Kellerlöcher *pl* mit jm durch mehrere ~ verwandt sein = mit jm weitläufig ver-

wandt sein. Umschreibung für sehr verwickelte Verwandtschaftsverhältnisse. 1870 *ff.*
Kellermädchen *n* Halbwüchsige, die in Kellerlokalen verkehrt. 1950 *ff.*
Kellerorgan *n* sehr tiefe Stimme. 1920 *ff.*
Kellerratte *f* **1.** Schwerverbrecher. Ratte = lichtscheuer Verbrecher (der sich in die großstädtische Unterwelt zurückzieht). Seit dem 19. Jh.
2. Mädchen in Kellerlokalen. 1955 *ff.*
Kellerschuppen *m* Kellerlokal; Party-Keller. ↗Schuppen. 1955 *ff.*
Kellerschwof *m* Kellerparty. ↗Schwof. *Halbw* 1960 *ff.*
Kellerstiege *f* da ist dem Wirt etwas über die ~ geflossen: Redewendung auf verwässerten Wein. Wohl hergenommen vom Hochwasser, das über die Kellertreppe herabgestürzt ist. *Österr* 1920 *ff.*
Kellerstimme *f* sehr tiefe (Sing-)Stimme. 1920 *ff.*
Kellerwanze *f* Kellerbewohner. 1950 *ff.*
Kellerwurm *m* *n* **1.** im Keller aufwachsendes Kind. ↗Wurm. Seit dem 19. Jh.
2. Kind des Hausmeisters. Seit dem 19. Jh.
3. bleiches, schwächliches, rachitisches Kind. 1900 *ff.*
4. Emporkömmling. 1850 *ff.*
Kellnerbiene *f* junge Kellnerin. ↗Biene 3. 1870 *ff.*
kellnerieren *intr* als Kellner tätig sein; Aushilfskellner sein. 1920 *ff.*
kellnern *intr* den Kellnerberuf ausüben. 1900 *ff.*
Kellneruniform *f* Frack. Seit dem späten 19. Jh.
kelzen *intr* husten. Geht zurück auf *mhd* „kelzen = schreiend sprechen". Wohl schallnachahmender Herkunft. *Bayr* und *österr* seit dem 19. Jh.
Kemenate *f* eigenes Zimmer. So hieß im Mittelalter das Frauengemach. *Halbw* 1950 *ff.*
Kennedy *m* Berliner Pfannkuchen. John F. Kennedy, der Präsident der USA, sagte im August 1961 bei seinem Berlinbesuch: „ich bin ein Berliner". „Berliner" ist auch die abgekürzte Bezeichnung des Berliner Pfannkuchens. *Schweiz* 1963 *ff.*
kennen *v* **1.** sich selbst nicht mehr ~ = überehrgeizig, überheblich sein. Andere nicht an zu kennen; jn gewissen Leuten eigen, die über ihre Umgebung hinausgewachsen sind und sich von ihrer Vergangenheit (vor allem von ihrer Herkunft) völlig freizumachen suchen. 1920 *ff.*
2. ich kenne mich nicht mehr = ich verliere die Beherrschung. 1800 *ff.*
3. da kenne ich nichts = da lasse ich keine Rücksicht walten; da gehe ich mitleidlos vor. Hinter „nichts" ergänze „was mich zurückhalten könnte". 1900 *ff.*
kennenlernen *tr* ihn habe ich kennengelernt = er hat sich mir von der unfreundlichsten Seite gezeigt. 19. Jh.
kennimus das kenne ich. Entstanden aus *dt* „kennen" mit der *lat* Endung der ersten Person des Plurals; zugleich Plural der anmaßenden Selbsteinschätzung. 1910 *ff.*
Kennimus *m* von etw einen ~ haben = von etw Kenntnis haben. Nach dem Muster von „↗Animus" gebildet. 1945 *ff.*
Kenntnisse *pl* nun sitzt er da mit seinen ~n = es geht ihm schlecht; er ist völlig

ratlos. Jetzt helfen dem Betreffenden auch seine Kenntnisse nichts. 1870 *ff.*
Keppelmeier *Pn* Frau ~ = Schwätzerin. *Vgl* das Folgende. *Österr* 1920 *ff.*
keppeln *intr* schwatzen, schwätzen, zanken o. ä. *Hochd* Form von *niederd* „↗kabbeln". *Mhd* „kebelen". *Österr* seit dem 19. Jh.
Keppelweib *n* unverträgliche Frau. *Österr* seit dem 19. Jh.
Kerbe *f* **1.** Gesäßkerbe, Gesäß. 1500 *ff.*
2. Vulva. 1500 *ff.*
3. jm die ~ aus dem Arsch bügeln = jn schikanös einexerzieren (Drohrede). *Sold* 1939 *ff.*
4. jn auf die ~ einladen = jn derb abweisen. Umschreibung für das Götz-Zitat. Wortspiel mit „↗Kerbe 1" und „Kerbe = Kirchweih". 1500 *ff.*
5. mit jm in dieselbe ~ hauen (schlagen) = sich gegenseitig unterstützen; gemeinsam auf dasselbe Ziel hinarbeiten. Leitet sich her vom Baumfällen. Seit dem 16. Jh.
Kerbholz *n* etw auf dem ~ haben = nicht schuldlos sein. Hergenommen von dem Holzstab, auf dem man früher Leistungen oder Forderungen einritzte; der Stab wurde in der Länge durchgeschnitten, und sowohl der Gläubiger als auch der Schuldner bekam eine Hälfte. Seit dem ausgehenden 17. Jh.
Kerl *m* **1.** tüchtiger Mann. Ursprünglich der Unfreie, auch der Freie, sofern er dem ritterlichen Stand nicht angehörte. Von da werterhöht zur Bedeutung „kräftiger Mann". Seit dem 16. Jh. Später vor allem durch die Dichtungen des Sturm und Drang verbreitet.
2. Verehrer, Liebhaber, Ehemann. Zuweilen auch sehr geringschätzig: „sie treibt sich mit einem Kerl rum". 1700 *ff.*
3. Zuhälter. Seit dem ausgehenden 18. Jh.
4. großer Gegenstand (ein ~ von Baum; ein ~ von Kartoffel). Seit dem 19. Jh.
5. übler Bursche; Straftäter. 1900 *ff.*
6. alter ~ = altgedienter Soldat. 1900 *ff.*
7. dufter ~ = sympathischer Mann. ↗dufte. *Halbw* 1950 *ff.*
8. feiner ~ = beliebter, charaktervoller, schöner, umgänglicher Mann. 1870 *ff.*
9. klarer ~ = tüchtiger, anstelliger Mann. Klar = aufrichtig, redlich. 1920 *ff.*
10. netter ~ = liebe, angenehme, kameradschaftliche weibliche Person. 1870 *ff.*
11. patenter ~ = anstelliger, umgänglicher, Mann, auf den unbedingt Verlaß ist. ↗patent. 1850 *ff.*, wohl in Studentenkreisen entstanden oder durch sie verbreitet.
12. schnatzer ~ = gutaussehender junger Mann. ↗schnatz. 1900 *ff.*
13. toller ~ = ausgezeichneter, tüchtiger, kameradschaftlicher, mutiger, verwegener junger Mann. *Halbw* 1900 *ff.*
14. verfluchter ~ = a) ungesitteter, sittenloser Mann. Seit dem 19. Jh. – b) erfahrener, aber gewissenloser Mann. Seit dem 19. Jh. – c) verwegener, mutiger Mann. Seit dem 19. Jh. – d) Händelsucher. Seit dem 19. Jh.
15. das ist ein ~ = a) das ist ein tüchtiger, ein ganzer Mann; das ist einer, der sich männlich und mannhaft benimmt. Seit dem 16. Jh. – b) das ist ein großer, mächtiger Gegenstand. 1800 *ff.*
Kerle *m* tüchtiger, anstelliger Mann. Das

End-„e" deutet auf berlinische Herkunft hin. Seit dem 19. Jh.

Kern *m* **1.** harter ~ = ausdauernde Skatspieler, Zecher, Diskutierer o. ä. Übernommen von der Bezeichnung für die oberste Führung der Terroristen. 1975 *ff*. **2.** ich haue dir die ~e aus der Melone!: Drohrede. Mit der Melone ist hier der Kopf gemeint. *Jug* 1955 *ff*. **3.** den ~ rauspudeln = beim Kartenspiel die Zusammensetzung der Karten des Gegners durch Vorsetzen bestimmter Karten zu ermitteln suchen. Geht zurück auf Goethes „Faust": „das ist des Pudels Kern"; *vgl* ↗ Pudel. Kartenspielerspr. seit dem 19. Jh.

kernig *adj* **1.** vorzüglich, gründlich, straff, draufgängerisch. Der Kern als Sinnbild des Besten und Vorzüglichsten. 1900 *ff, sold* und *halbw*. **2.** jung (auf eine weibliche Person bezogen). *Halbw* 1950 *ff*.

Kerze *f* **1.** Penis. Anspielung auf Erektion. 1500 *ff*. **2.** Steilball beim Schlagballspiel. 1920 *ff*. **3.** steil aufwärts getretener Fußball. 1920 *ff*. **4.** Leuchtpistole. *BSD* 1965 *ff*. **5.** auslaufender Nasenschleim. Hergenommen vom Bild der abtropfenden Kerze. 1900 *ff*. **6.** ~, die an beiden Enden brennt (die man an beiden Enden anzündet) = Mensch, der sich für eine Aufgabe verzehrt; Mensch, dessen Steckenpferdtätigkeit fast soviel Zeit beansprucht wie seine Haupttätigkeit. 1920 *ff*. **7.** jm die ~ ausblasen = jn umbringen. Kerze = Lebenslicht. *Vgl* das Märchen „Der Gevatter Tod". 1920 *ff*. **8.** nicht alle ~n auf dem Christbaum haben = nicht recht bei Verstand sein. 1914 *ff*. **9.** bei etw die ~ gehalten haben = Zeuge oder Mittäter gewesen sein. 1900 *ff*. **10.** die ~ an beiden Enden in Brand halten (anzünden) = seine Gesundheit untergraben. ↗ Kerze 6. 1920 *ff*. **11.** ihm ist nicht mit der gesegneten ~ zu helfen = er ist unverbesserlich, unbelehrbar; er ist dumm und bleibt es. Die vom katholischen Geistlichen gesegnete (geweihte) Kerze soll Beistand bei Gewitter, im Todeskampf u. ä. bieten. *Westd* seit dem 19. Jh. **12.** eine ~ opfern = koitieren. ↗ Kerze 1. Spätestens seit dem 19. Jh. **13.** seiner frische ~ Flamme eine verpassen = koitieren ↗ Flamme 1. 1920 *ff*. **14.** bei ihm zündet eine Kerze nicht mehr = er ist nicht bei Verstand. Hergenommen von der Zündkerze des Verbrennungsmotors. 1950 *ff*.

Kerzelschlucker *m* Frömmler. Meint eigentlich den armen „Schlucker", der an oder in der Kirche Kerzen verkauft. *Österr* seit dem 19. Jh.

Kerzelweib *n* Frömmlerin. *Österr* seit dem 19. Jh.

keß (kess) *adj* **1.** klug, sicher, listig. „Keß" ist der *jidd* Name des *hebr* Buchstabens „ch" und der Anfangsbuchstabe von „chochem = klug". Seit dem späten 19. Jh, anfangs *rotw*. **2.** schnippisch, frech, dreist. 1890 *ff*. **3.** draufgängerisch; zu vertraut tuend. 1920 *ff*.

4. einen vorteilhaften Eindruck erwekkend; reizend, fein, nett; elegant gekleidet; schwungvoll o. ä. 1900 *ff*. **5.** sportlich. 1950 *ff, jug*.

Kessel *m* **1.** der ~ ist geplatzt = die aufgespeicherte Wut macht sich Luft. Hergenommen vom Dampfkessel, der bei Überdruck platzt. 1950 *ff*. **2.** einen ~ knacken = eine „↗ Igelstellung" aufbrechen. „Kessel" als militär. Begriff ist entstanden aus der jägersprachl. Bedeutung „vertieftes Lager einer Rotte Wildschweine". *Sold* 1939 *ff*. **3.** bei ihm läuft der ~ über (ihm platzt der ~) = er verliert die Fassung, braust auf. 1950 *ff*.

Kesselflicker *m* **1.** einander beschimpfen wie die ~ = einander heftig, unflätig beschimpfen. Kesselflicker ist eigentlich der Blechschmied, der Klempner. Die von Dorf zu Dorf umherziehenden Kesselflikker waren (sind) zumeist Zigeuner und gelten als grob und dreist. 1700 *ff*. **2.** schimpfen wie die ~ = laut, unflätig schimpfen. 1700 *ff*. **3.** sich streiten (zanken) wie die ~ = heftig, mit groben Worten miteinander streiten. 1700 *ff*.

kesseltreiben *intr* das Feldküchenessen verzehren. Meint jägersprachlich das Zusammentreiben des Wilds durch Treiber und Schützen auf engem Raum. In Analogie dazu kennt der Jäger das „Schüsseltreiben", das gemeinsame Essen nach der Jagd. Soldaten meinen mit „Kessel" den Kochkessel der Feldküche. 1939 *ff*.

Kette *f* **1.** ~ der Liebe = Schmuckkettchen an der Fußfessel der Frau. 1955 *ff*. **2.** in die ~n gehen = sich aufbäumen; Widerstand leisten. Vom Pferd hergenommen. 1920 *ff*. **3.** jn an die ~ legen = a) jds Handlungs-, Meinungsfreiheit eingrenzen. 1900 *ff*. – b) jds Angriffskraft einschränken. *Sportl* 1950 *ff*. **4.** an der ~ liegen = a) in der Freiheit behindert sein. Hergenommen vom angeketteten Hund oder Gefangenen. Seit dem 19. Jh. – b) verheiratet sein. 1900 *ff*. – c) von einem Gegenspieler gedeckt sein. *Sportl* 1950 *ff*. **5.** jn an die ~ nehmen = jn in seiner Freiheit beschränken. 1900 *ff*. **6.** ~ rauchen = eine Zigarre (Zigarette) an der vorhergehenden anzünden. Es greift wie Kettenglieder an- und ineinander. 1900 *ff*. **7.** ~ schieben = in ein Haus einbrechen und Diebstahl begehen. Kette = Kitte = Haus; *vgl* Kate, Kotten u. ä. Auch bezogen auf das Beiseiteschieben der Sicherheitskette. *Rotw* 1750 *ff*. **8.** ~ stecken = sich erbrechen. Ein *marinespr* Ausdruck seit dem frühen 20. Jh. Meint eigentlich „die Ankerkette herunterlassen": das Gewürgte kommt hintereinander zum Vorschein wie die Glieder der Kette. **9.** ~ trinken = Glas nach Glas leeren. Nach dem Muster von „↗ Kette 6". 1960 (?) *ff*.

Kettenhund *m* **1.** Polizeibeamter. Er legt den Übeltäter an die Kette und führt ihn ab. Seit dem 19. Jh. **2.** Letzter in marschierender Einheit. Er paßt auf, daß sich keiner entfernt. Seit dem frühen 20. Jh.

3. Angehöriger der Feldgendarmerie oder Wehrmachtstreife; Fahnen- und Standartenträger. Anspielung auf den Ringkragen, der an einer Kette um den Hals getragen wurde und wird. *Sold* in beiden Weltkriegen und *BSD*. **4.** Flieger im Verband. Kette nennt man den Schwarm von Tauben, Rebhühnern usw. Ähnlich ist „Kette" auch der Verband von Flugzeugen. Fliegerspr. 1939 *ff*. **5.** aufsichtführende Lehrperson auf dem Schulhof. *Schül* 1910 *ff*. **6.** unfreundlicher, bösartiger Mensch. Er ist angriffslüstern wie der an einer Kette angeschlossene Hofhund. Seit dem 19. Jh. **7.** polternder, aber sonst harmloser Mann. 1950 *ff*. **8.** aufpassen wie ein ~ = scharf aufpassen; sich nichts entgehen lassen. 1950 *ff*. **9.** heulen wie ein ~ = laut weinen. ↗ Schloßhund. Seit dem 19. Jh.

Kettenraucher *m* Mann, der eine Zigarre oder Zigarette unmittelbar an (nach) der vorhergehenden anzündet. ↗ Kette 6. 1900 *ff*.

Kettenreaktion *f* Maßnahme, die notwendig eine andere auslöst. Fachausdruck der Physiker, Chemiker und Biologen. 1940 *ff*.

Kettenschub *m* nächtlicher Diebstahl. ↗ Kette 7. *Rotw* 1900 *ff*.

Keuche *f* **1.** Gefängnis. ↗ Keiche. 1500 *ff*. **2.** elende Wohnung; Kleinbauernhaus. *Südd* 1700 *ff*. **3.** Gebäude (allgemein). *Südd* seit dem 19. Jh. **4.** Leichtmotorrad. Es keucht über Bodenerhebungen hinweg. 1930 *ff*.

keuchen *intr* sich erbrechen. 1920 *ff*.

Keuchhusten *m* **1.** Gesangverein. „~" = untauglicher Gesangverein. Spottbezeichnung seit 1900. **2.** Karl ~ und seine Asthmatiker = schlechtes Orchester. Wien 1920 *ff*.

Keule *f* **1.** Stielhandgranate. Wegen der Formähnlichkeit mit der Wurfkeule. *BSD* 1965 *ff*. **2.** Flasche Sekt. Sie ist keulenförmig. 1955 *ff*. **3.** Flasche Schnaps. *Jug* 1955 *ff*. **4.** Tabakspfeife. Gemeint ist die plumpe und dickliche. *BSD* 1965 *ff*. **5.** Bein; plumpes Frauenbein; Oberschenkel. 1900 *ff*. **6.** erigierter Penis. 1500 *ff*. **7.** Hodensack. 1900 *ff*. **8.** Bruder; guter Freund. Verkürzt aus ↗ Brietzkeule. 1920 *ff, jug*. **9.** kräftiger, stämmiger Mann; Rauflustiger; Schläger. 1900 *ff*. **10.** Mann. Wegen ↗ Keule 6 und 7. *BSD* 1965 *ff*. **11.** kräftiger Fußballstoß. *Sportl* 1950 *ff*. **12.** Gefreiter. Ist in der Meinung der Soldaten Analogie zu „alter ↗ Knochen". *BSD* 1965 *ff*. **13.** Frau. Vielleicht übertragen von der Bezeichnung für Oberschenkel (↗ Keule 5). *BSD* 1965 *ff*. **14.** nettes, umgängliches Mädchen. Man stellt es sich als erlesenen Genuß vor wie eine Fleischkeule. *BSD* 1965 *ff*. **15.** häßliches Mädchen. Es hat vielleicht keulenförmige Waden. *BSD* 1965 *ff*. **16.** tofte ~ = kameradschaftlicher Soldat. ↗ toft. *BSD* 1965 *ff*. **17.** seine ~n anlanden = mit heiler Haut

davonkommen. Keule = Bein. *Sold*
1939 ff.
18. du kannst mir mal die ~ küssen!:
Ausdruck der Abweisung. Variante zum
Götz-Zitat. *Sold 1960 ff.*
19. die ~ schwingen (mit der ~ losgehen)
= energisch handeln; keine Rücksichtnahme gelten lassen; massiv drohen.
1900 ff.
20. die ~n schwingen = davoneilen, laufen. Keule = Bein. *1930 ff.*
21. die ~ steigt = der Penis erigiert.
1500 ff.
keulen *v* **1.** *intr* = a) rennen, laufen.
↗Keule 20. *1950 ff.* - b) körperlich
schwer arbeiten. Kräftig bewegt man die
„Keulen" (= Beine). *Sold 1960.*
2. sich einen ~ = masturbieren. ↗Keu-
le 6. *1950 ff.*
Keulenschau *f* Schönheitskonkurrenz.
↗Keule 5. *1925 ff.*
keusch *adj* **1.** schüchtern gegenüber dem
anderen Geschlecht. Bezieht sich eigentlich
auf die Nichtbetätigung des Geschlechtstriebs. *1930 ff, jug.*
2. die Beine völlig bedeckend. Bezogen auf
die Kleidermode um 1900.
Keusche (Keuschn) *f* ↗Keiche; ↗Keu-
che.
Keuschheitsetui *n* Bett. Gemeint ist das
enge, einschläfrige Bett. Seit dem frühen
20. Jh, *stud* und *sold.*
Keuschheitstango *m* Flirt. Zürich *1967 ff,*
halbw.
Keuschler *m* Kleinlandwirt. ↗Keuche 2.
Österr 1900 ff.
keuzen *intr* sich erbrechen. Nebenform von
„↗kotzen". *1870 ff.*
Khif *n* Marihuana. ↗Kif. *1963 ff.*
kibbeln *refl* sich zanken. Nebenform von
„↗kabbeln". Seit *mhd* Zeit.
Kicheralter *n* Jungmädchenalter. *1930 ff.*
kichern *intr* **1.** daß ich nicht kichere!: Ausdruck der Abweisung, der höhnischen Be-
mitleidung einer einfältigen Person. Veral-
bernde Analogie zu „daß ich nicht lache!".
Spätestens seit 1920.
2. das wäre ja gekichert!: Ausdruck der
Bestätigung. Parallel zu „das wäre ja gelacht!". Berlin *1920 ff.*
3. da kann ich bloß ~ (leise ~; müde ~)!:
Ausdruck mitleidiger Ablehnung. *1920 ff.*
4. daß ich nicht schrill kichere!: Ausdruck
mitleidig-spöttischer Verwunderung.
Halbw 1955 ff.
Kick *m* **1.** Fußballspiel. ↗kicken 1. *1970 ff.*
2. Willensanstoß, Auftrieb, Ermunterung.
1950 ff.
kicken *v* **1.** Fußball spielen. Übernommen
aus *engl* „to kick = stoßen" kurz nach
1920.
2. jn ~ = jn unehrenhaft entlassen. *Engl*
„to kick = treten; einen Fußtritt geben".
1950 ff.
3. ~ gehen = im Fernsehen einem Fußballspiel zusehen. *1960 ff.*
kickern *intr* Fußballautomat spielen.
1960 ff.
Kicks *m* **1.** hörbarer Fehlstoß beim Billard.
„Kicks" gibt den Klang beim Brechen oder
Springen von Glas oder Porzellan wieder.
1800 ff.
2. ~ und Kacks = Wertloses; Geschwätz;
dieses und jenes. ↗gicks. *1700 ff, nordd.*
3. von ~ und Kacks nichts wissen = von
einer Sache garnichts wissen. Seit dem
19. Jh.

kicksen *intr* **1.** beim Billard einen Fehlstoß
begehen. ↗Kicks 1. *1800 ff.*
2. einen Fehler machen. Leitet sich schallnachahmend her von der sich überschla-
genden Stimme. ↗kieksen. *1800 ff.*
Kickser *m* **1.** Überschlag der Stimme.
↗Kiekser. *1900 ff.*
2. leichter Stoß. ↗Kicks 1. *1800 ff.*
Kieberer *m* Kriminalbeamter; Detektiv. Soll
zusammenhängen mit *jidd* „koiwesch
sein = bedrücken" oder mit *hebr* „cha-
pasch = nachspüren". *Österr 1910 ff.*
kiebig *adj* **1.** zänkisch; mißgestimmt. Verwandt mit „keifen = zanken". Seit dem
16. Jh.
2. frech, aufbegehrend, ausfallend; selbstbewußt; überheblich; prahlerisch. Entweder als Sonderbedeutung entwickelt aus
dem Vorhergehenden oder zusammenhängend mit *oberd* „keif = derb, fest,
dicht", woraus sich Analogie zu „sich
↗dick machen" ergibt. *1850 ff.*
3. tüchtig, aufgeweckt. *1850 ff.*
4. derb. Seit den späten 18. Jh.
5. neugierig, erwartungsvoll. *1900 ff.*
6. sich ~ machen = sich vordrängen,
aufspielen. *1850 ff.*
7. auf jn ~ sein = gegenüber jm unverträglich und neidisch sein. *1960 ff.*
8. sich ~ tun = prahlen. *1850 ff.*
Kiebitz *m* **1.** Zuschauer beim Karten-,
Schach-, Glücksspiel. ↗kiebitzen. Seit
dem 16. Jh.
2. geheimer Leser von Briefen anderer.
1920 ff.
3. Kriminalbeamter, Untersuchungsrichter, Detektiv. *1900 ff.*
4. aufsichtführende Lehrperson. *1910 ff.*
5. Zuschauer (allgemein); Pressefotograf.
1950 ff.
6. besserwisserischer Automitfahrer.
1970 ff.
kiebitzen *intr* **1.** dem Karten-, Schach-,
Glücksspiel anderer zusehen. Soll aus *rotw*
„kiebitschen = visitieren; Diebe nach der
Tat untersuchen" stammen; näherliegend
ist die Volksmeinung, wonach der gleichnamige Vogel vorlaut und neugierig ist
und die Tierwelt vor der Annäherung des
Jägers warnt. Seit dem 19. Jh.
2. spähen, äugen. *1920 ff.*
3. ein Gespräch belauschen. *1920 ff.*
4. vom Mitschüler absehen. *1920 ff.*
kiefeln *tr* über Knochen abnagen; nagen;
kauen. Gehört zu „der ↗Kiefer". Seit *mhd*
Zeit; *oberd.*
Kiefer *m* **1.** halt' die ~l = schweige, verstumme! Analog zu „halt' das Maul!".
1920 ff.
2. sich einen schiefen ~ lachen = a) sehr
kräftig lachen. Berlin *1920 ff.* - b) höhnisch lachen. Berlin *1920 ff.*
3. sich eine Zigarette zwischen die ~
schrauben = eine Zigarette in den Mund
stecken. *1914 ff.*
kiekdoof *adj* sehschwach, kurzsichtig.
↗doof 1. Berlin *1910/20 ff.*
Kieke *f* **1.** Brille. ↗kieken. *1900 ff.*
2. Bettgenossin. Meint in Niederdeutschland das Kohlenbecken zur Erwärmung
der Füße. *1900 ff.*
3. *pl* = Augen. Seit dem 19. Jh.
4. genierte ~ = Schieläugigkeit. *1850 ff.*
5. eine ~ machen = fernsehen. *1968 ff.*
kieken *intr* sehen, blicken. Ein *niederd*
Wort, das mit „gucken" nicht verwandt
ist; die Herkunft ist ungesichert. *1400 ff.*

Kieker *m* **1.** Fernglas, -rohr; Lupe. *1700 ff.*
2. Bildschirm. *1960 ff.*
3. Polizeiarzt bei der Untersuchung der
kontrollierten Prostituierten. *1900 ff.*
4. Mann, der durch ein Fernglas weibliche
Strandbadende beobachtet. *1900 ff.*
5. *pl* = Augen. *1700 ff.*
6. etw (jn) auf dem ~ haben = etw (jn)
beobachten; es auf jn abgesehen haben; jn
verdächtigen; jn nicht ausstehen können.
Der Kieker meint entweder das Fernglas oder
das Korn als Teil der Visiereinrichtung am
Gewehr. Analog zu „jn auf dem ↗Korn
haben". *1700 ff.*
7. auf etw einen ~ haben = es auf etw
abgesehen; nach etw verlangen. *Mitteld*
seit dem 19. Jh.
8. auf jn einen ~ haben = jm etw nachtragen; es jm gedenken. *Mitteld* seit dem
19. Jh.
9. jn auf den ~ nehmen = jn scharf
beobachten. ↗Kieker 6. Seit dem 19. Jh.
10. auf dem ~ sein = seinen Vorteil zu
wahren wissen. „Kieker" hier im Sinne
von „Umsicht". *1950 ff.*
11. auf dem ~ sitzen = Ausschau halten.
Seit dem frühen 20. Jh.
Kiek-in-die-Welt *m* kleines Kind; unreifer
Mensch; vorlauter Bursche. Ein *niederd*
Ausdruck, aus „ich kieke in die Welt" verkürzt zu einem Satznamen. *1700 ff.*
Kiekse *f* Prostituierte, die vom Fenster aus
nach Kunden Ausschau hält und sie her-
anwinkt. *Nordd 1900 ff.*
kieksen *v* **1.** *tr* = jm mit dem Finger in die
Seite stechen. Der Betreffende stößt den
Laut „kieks" oder „gieks" aus: er kreischt
auf. *1900 ff.*
2. *intr* = einen zu hohen Ton hervorbringen. Schallnachahmend. *Vgl* ↗gicksen.
Seit dem 19. Jh.
Kiekser *m* **1.** Überschlag der Stimme. *Vgl*
das Vorhergehende. Spätestens seit 1900.
2. schrill aufkreischender Mensch. *1900 ff.*
Kiekverhältnis *n* ein ~ haben = einander
verliebte Blicke zuwerfen. *1940 ff.*
kielholen *tr* jn wegen unkameradschaftlichen Verhaltens gemeinschaftlich bestrafen. Früher wurde die Strafe wortwörtlich
vollzogen: der Schuldige wurde an einem
Tau unter den Kiel des Schiffs hindurch-
gezogen. *Sold 1939 ff.*
Kiellegung *f* Zeugung. Kiel ist der Grund-
balken des Schiffs. *Sold 1935 ff.*
Kielschwein *n* **1.** untätiger Mitfahrer im
Boot; Reservemann bei Ruderern und
Seglern. Eigentlich der Balken, der zur
Verstärkung dem Kiel aufliegt; von da
übertragen auf eine Person, die zur Verstärkung mitgenommen wird. Seit dem
späten 19. Jh.
2. Marineangehöriger. *BSD 1965 ff.*
3. untauglicher Mann. *1950 ff.*
Kiemen *pl* **1.** Mund; Kiefer; Kinnlade. Eigentlich die Atmungswerkzeuge der Fische. *1900 ff.*
2. Ohren. Zürich. *1955 ff.*
3. Wangen. *1900 ff.*
4. die ~ nicht auseinanderkriegen = a)
wortkarg sein; leise sprechen. *1910 ff.* - b)
vor Staunen oder Verlegenheit sprachlos
sein. *1910 ff.* - c) kein Geständnis ablegen.
1910 ff.
5 a. etw zwischen die ~ brauchen =
Hunger haben. *1939 ff.*
5 b. oder ich schlage dir die ~ ein!: Drohrede. *1950 ff.*

6. eine durch die ~ hauen = eine Zigarette rauchen. *Marinespr* 1915 *ff.*

7. etw vor die ~ kriegen = einen Schlag auf den Mund erhalten. 1900 *ff.*

8. sich etw zwischen die ~ schieben = etw essen oder trinken. *Sold* 1939 *ff.*

Kien *m* **1.** reiner ~ = a) etw Vorzügliches. Versteht sich entweder nach „↗Kien 5" oder geht zurück auf den Namen eines Branntweins. 1850 *ff,* Berlin. - b) Lug, Trug, Schwindel. Ironisierung des Vorhergehenden. 1870 *ff,* Berlin.

2. auf den ~ achten = seinen Vorteil zu wahren suchen; behutsam vorgehen; um keine Erfolgsaussicht zu verderben. ↗Kien 5, Berlin.

3. etw auf dem ~ haben = eine Sache scharf beobachten, bis die günstige Gelegenheit kommt, sie zu erwerben oder zu entwenden. ↗Kien 5. Seit dem 19. Jh.

4. jn auf dem ~ haben = auf eine günstige Gelegenheit warten, um sich an jm zu rächen. Seit dem 19. Jh.

5. auf dem ~ sein = Glück in seinen Unternehmungen haben; sorgsam, listig auf seinen Vorteil bedacht sein; ein großer Könner sein. Geht zurück auf *franz* „le quine = Glückstreffer (in der Lotterie); unvermuteter Glücksfall". In Berlin aufgekommen zur Zeit der französischen Besetzung (1806-1808).

6. nicht auf dem ~ sein = mißgestimmt sein. 1900 *ff.*

Kiepe *f* **1.** Damenhut in Glockenform. Er ähnelt dem Frauenstrohhut, wie man ihn bei der Ernte trägt. 1910 *ff.*

2. Hut *(abfl)*. 1910 *ff.*

3. Bauch. Eigentlich der auf dem Rücken tragbare, geflochtene Behälter; dann auch der Höcker und schließlich der Hängebauch. 1700 *ff.*

4. aus der ~ gefallen sein = aus der Art geschlagen sein; unredlich, listig handeln. Gehört zu der Redensart „dem Teufel aus der Kiepe gefallen sein = mit allen Schlichen vertraut sein". 1930 *ff.*

5. aus der ~ gucken = übermütig sein. Man fühlt sich hochgestellt wie ein Kind, das „huckepack" getragen wird. 1920 *ff.*

6. nicht aus der ~ gucken können = in Bedrängnis sein. 1920 *ff.*

7. nicht aus der ~ kommen = seiner Gewohnheit nicht untreu werden; beherrscht bleiben. Da wird vielleicht einer im Rückenkorb getragen und gibt, obwohl er veraltet wird, seinen Platz nicht auf. 1920 *ff.*

8. aus der ~ steigen = sich ärgern. 1920 *ff.*

9. die ~ vollhaben = a) gesättigt sein. ↗Kiepe 3. 1700 *ff.* - b) schwanger sein. 1700 *ff.*

10. die ~ vollnehmen = prahlen. Die Lüge erscheint in volkstümlicher Auffassung als eine schwere Bürde. Füllt einer seine Kiepe mit lauter Lügen, ist er ein arger Prahler. 1900 *ff.*

Kiepenjule *f* weibliches Mitglied der Heilsarmee. Wegen des Kiepenhuts. ↗Jule. Seit dem späten 19. Jh.

Kies *m* **1.** Geld. Geht entweder zurück auf *hebr* „kiß = Geldbeutel" oder ist Parallelbildung zu „Stein". Seit dem 18. Jh.

2. ~ im Beutel = a) Wohlhabenheit. 1900 *ff.* - b) Wollust. Beutel = Hodensack. 1910 *ff.*

---

3. schwerer ~ = großer Reichtum. 1900 *ff.*

4. du hast wohl eine Karre ~ in den Augen? = du kannst wohl nicht klar sehen? „Kies" ist hier Vergröberung jenes Sands, den das „↗Sandmännchen" müden Leuten in die Augen streut. 1950 *ff.*

5. ~ in der Molle haben = viel Geld haben. Molle = Mulde = Bett. Wohl Anspielung auf den im Bett versteckten Sparstrumpf. 1870 *ff.*

6. da knirscht der ~ = es winkt reichlicher Lohn. 1961 *ff.*

7. mit ~ rascheln = jn mit Geld zu bestechen suchen. 1900 *ff.*

kiesätig *adj* **1.** im Essen wählerisch; mäkelig; verwöhnt. Gehört zu „kiesen = wählen"; „ätig" ist adjektivisch aus „äten, eten = essen" entwickelt. *Nordd* und *ostd,* 1800 *ff.*

2. unzufrieden, nörglerisch. Seit dem 19. Jh.

kietern *tr intr* tauschhandeln. ↗kuten. Seit dem 19. Jh, *nordd* und *mitteld.*

Kietz (Kiez) *m* **1.** anrüchiges Stadtviertel; Vorstadt; Ortsteil. Soll auf *altslaw* „chyzu = Haus" beruhen. Seit dem 18. Jh, Berlin und *nordd.*

2. Dorf. Seit dem 19. Jh, Berlin.

3. auf den ~ gehen = Vergnügungslokale aufsuchen. *Halbw* 1950 *ff.*

Kif (Kiff, Kief) *n* Marihuana; Marihuana-Zigarette. Aus dem Amerikanischen übernommene Bezeichnung in mohammedanischen Ländern des Nahen Ostens und Afrikas; vielleicht zusammenhängend mit *franz* „khédive = Vizekönig von Ägypten". Kurz nach 1960 aufgekommen.

Kiff *m* **1.** Hut, Kopfbedeckung *(abfl)*. Geht zurück auf „Kiepe = bäuerlicher Frauenhut", wie er in abgewandelter Form um 1850 in den Städten Mode wurde. 1870 *ff.*

2. Krieg, Streit, Zank. Gehört zu „keifen". 1300 *ff.*

kiffen *intr* Rauschgiftzigaretten rauchen. ↗Kif. 1963 *ff.*

Ki-Ka-Ke *f* Kinderkot. Scherzhaft umgemodelt aus „Kinderkacke" zu einem chinesisch klingenden Wort. 1940 *ff.*

Kikelkakel *n* Geschwätz; dummes Gerede. „Kikeln" ahmt den Laut des Hahns, „Kakel" den Laut der Henne nach. 1700 *ff.*

Kikeriki *m* Haushahn. Benennung nach dem Krähen. 19. Jh.

Kiki *m* **1.** Unsinn. Fußt vielleicht auf *franz* „chichi = betrügerische Schmeicheleien; Übertölpelung". 19. Jh.

2. widersinniger Befehl. *BSD* 1965 *ff.*

Kilber *f* nettes junges Mädchen. Meint eigentlich das einjährige weibliche Schaf, das noch nicht geworfen hat. 1900 *ff.*

Kille *f* **1.** Gaunerbande; Gaunerzusammenkunft; üble Gesellschaft. Geht zurück auf *jidd* „k(eh)illo = Versammlung, Gemeinde". 1900 *ff.*

2. leichtlebiges Mädchen; (Winkel-)Prostituierte. Versteht sich nach dem Folgenden. 1930 *ff.*

kille-kille machen *intr* **1.** streicheln, kitzeln. Der kindlichen Lallsprache nachgeahmt. *Vgl franz* „guili-guili". Seit dem 19. Jh.

2. durch Kitzeln sexuell reizen. Seit dem 19. Jh.

3. Unzucht mit Kindern treiben. Seit dem 19. Jh.

killen *tr* **1.** jn töten, umbringen. Aus *engl*

„to kill" in die Marinesprache übergegangen, etwa seit dem Ersten Weltkrieg.

2. etw leertrinken. 1914 *ff.*

3. jn im sportlichen Wettkampf besiegen. *Sportl* 1950 *ff.*

4. jn an etw hindern. Man bringt ihm seine Absichten um. 1950 *ff.*

5. ich werde dich ~! Drohrede. *Jug* 1955 *ff.*

6. jn von hinten ~ = jn beim Verhör so geschickt ausfragen, daß das Geständnis unausbleiblich ist. 1930 *ff.*

Kilo *n* **1.** Tausendmarkschein; Hundertschillingnote. In Deutschland ist „Kilo" gleich tausend Gramm, in Österreich gleich hundert Deka. *Rotw* 1950 *ff.*

2. Strafmaß. Meint entweder die hohe Geldstrafe oder die mehrmonatige (mehrjährige) Freiheitsstrafe. 1950 *ff.*

Kilometer *pl* **1.** ~ fressen = a) viele Kilometer wandern (marschieren). „Fressen" spielt an auf die Menge und die Hast. Seit dem späten 19. Jh. - b) sehr rasch fahren; Autoraserei treiben. 1950 *ff.*

2. ~ machen = mit dem Auto eine bestimmte Fahrgeschwindigkeit erreichen. 1900 *ff.*

3. ~ runterreißen = weite Entfernungen zurücklegen. ↗runterreißen. 1950 *ff.*

Kilometerfresser *m* **1.** Mensch, der weite Wanderungen unternimmt; ausdauernder Marschierer; Infanterist; Radfahrer; Geschäftsreisender. Seit dem späten 19. Jh.

2. Kraftfahrer. 1900 *ff.*

3. Kraftwagen (mit hoher Motorleistung). 1900 *ff.*

4. Geflügel. Es hat gewöhnlich viele ↗Flugstunden hinter sich. *BSD* 1965 *ff.*

5. große Stiefel. *BSD* 1965 *ff.*

Kilometerkunst *f* querformatiges Panoramagemälde ohne künstlerischen Wert. 1960 *ff.*

kilometerlang *adj* langdauernd. 1955 *ff.*

kilometern *intr* marschieren. Seit dem späten 19. Jh, *sold.* Das heutige Maßsystem wurde um 1870 in Deutschland eingeführt.

Kilometersäufer *m* Kraftfahrer, der eine sehr hohe Fahrgeschwindigkeit zu erzielen sucht. 1952 *ff.*

Kilometerschwein *n* rücksichtslos rasender Kraftfahrer. 1950 *ff.*

Kilometertip *m* Serienschein in Lotto oder Toto. 1960 *ff.*

kilometerweit *adv* es hängt mir ~ zum Hals raus = es ist mir gründlich zuwider. 1960 *ff, halbw.*

Kilowatt *n* reichliches Achselpolster. Scherzhafte Gleichsetzung von „Kilowatt" (= tausend Watt) und „Kilo Watte". 1920 *ff.*

kimbeln *intr* **1.** Fahnenflucht begehen. *Vgl* ↗Kimble 1. *BSD* 1968 *ff.*

2. reisen, ohne Fuß zu fassen. 1975 *ff.*

Kimble *m* **1.** Dr. ~ (Richard) = Fahnenflüchtiger; Wehrdienstverweigerer. Benannt nach der Fernsehreihe „Dr. Richard Kimble auf der Flucht" mit David Janssen. *BSD* 1968 *ff.*

2. Richard ~ auf Achse = Fahnenflüchtiger. *BSD* 1968 *ff.*

3. Aktion Richard ~ = Fahnenflucht. *BSD* 1968 *ff.*

Kimme *f* **1.** Gesäß, Gesäßkerbe, After. Hergenommen von der Bezeichnung für den Einschnitt am Visier der Feuerwaffen. Seit dem späten 19. Jh.

2. Vulva, Vagina. Spätestens seit 1900.

3. ihm ist die ~ eingerostet = er hat Verstopfung. *Sold* in beiden Weltkriegen.

4. jn auf der ~ haben = es auf jn abgesehen haben. Analog zu „jn auf dem ↗Korn haben". 1900 *ff.*

5. jn drillen (o. ä.), bis ihm die ~ kocht = jn auf rücksichtslose Weise einexerzieren. ↗Arsch 154. *Sold* 1939 *ff.*

6. ihm zittert die ~ = er hat Angst. *Sold* in beiden Weltkriegen.

Kimmeflitzen n Angst, Beklemmung. Parallel zu ↗Fracksausen. Flitzen = eilen. *Sold* 1939 *ff.*

kimmeln *tr intr* schmausen. ↗kümmeln. *Westd* 1900 *ff.*

Kimmengang m er hat ~ eins zu hunderttausend (1 : 100 000) = er hat hochgradige Angst. Übernommen von der Maßstabsbezeichnung auf Landkarten. 1930 *ff*, *sold.*

Kind n 1. ~ aus der Ampulle = aus künstlicher Befruchtung stammendes Kind. 1960 *ff.*

2. ~ im Brunnen = Unglück, das nicht rückgängig gemacht werden kann; unaufhaltsame Sache. Teilstück der Redewendung „das Kind ist in den Brunnen gefallen" (= das Unglück ist bereits geschehen, und erst danach wird der Brunnen geschlossen). 1900 *ff.*

3. ~er Floras = Blumen. Der Ausdruck wirkt heute als lächerlich gestelzte Poetisiererei. 1920 *ff.*

4. ~ Gottes: gemütliche Anrede, gern auf die Einfältigkeit des Angeredeten bezüglich. Verweltlicht aus der Auffassung von der Vaterschaft Gottes und der Kindschaft aller Christusgläubigen. „Kinder Gottes" nennen sich auch die Juden, weil sie sich als das auserwählte Volk Gottes betrachten. Seit dem späten 19. Jh.

5. ~ Gottes in der Hutschachtel = einfältiger Mensch. Erweiterung des Vorhergehenden, vielleicht beeinflußt von der biblischen Geschichte von Mose, der als Säugling zu seinem Schutz in einem Binsenkörbchen ausgesetzt wurde (2. Mose 2,3 *ff*). 1870 *ff.*

6. ~ aus dem Kühlschrank = aus künstlicher Befruchtung hervorgegangenes Kind. 1960 *ff.*

7. ~ vom Meter = künstlich gezeugtes Kind. Das Sperma ist käuflich wie Stoff, der meterweise verkauft wird. 1955 *ff.*

8. ~ nach Null acht fünfzehn = künstlich gezeugtes Kind. „↗Null acht fünfzehn" meint das Einheitsverfahren. 1955 *ff.*

9. ~ aus der Retorte = durch künstliche Besamung entstandenes Kind. 1960 *ff.*

10. ausgetragenes ~ = pfiffiger Mensch. Er ist also keine Frühgeburt; Frühgeburten können geistige Schäden aufweisen. 1870 *ff.*

11. behendes ~ = Soldat, der sich und seinen Kameraden Sonderzuteilungen u. ä. zu beschaffen weiß. „Behende" ist von der Leichtfüßigkeit zur geistigen Beweglichkeit weiterentwickelt. *Sold* 1914 *ff.*

12. dankbares ~ = williges Mädchen. 1960 *ff.*

13. flottes ~ = gutaussehendes Mädchen. ↗flott. *Schül* 1965 *ff.*

14. gebranntes ~ = Mensch mit schlechten Lebenserfahrungen. Fußt auf dem Sprichwort „ein gebranntes Kind scheut das Feuer". 1920 *ff.*

15. gesundes ~ = aufgeweckte Person. Sie ist im vollen Besitz der Geisteskräfte. 19. Jh.

16. ~ goldenes (nicht: goldenes ~) = naive, geistesbeschränkte Person. „Golden" ist ironisch gemeint. *Ziv* und *sold* 1914 *ff.*

17. halbes ~ = kleines Glas Bier. Berlin 1960 *ff.*

18. kein ~ und kein Rind = ohne Verwandtschaft; ohne Nachkommen; ohne Habe. Dem bäuerlichen Lebenskreis entlehnt. 1900 *ff.*

19. kleines ~ = Gerichtsvollzieher. Wie ein kleines Kind will er alles haben, was er sieht. Berlin 1920 *ff.*

20. kluges ~ = kluger (vermeintlich kluger) Mensch. Seit dem 19. Jh.

21. rundes ~ = vollbusiges Mädchen. 1920 *ff.*

22. schnelles ~ = (vermeintlich) kluger, anstelliger Mensch. ↗Kind 11. 1920 *ff.*

23. totgeborenes ~ = von Anbeginn aussichtsloses Unternehmen; unmöglich durchführbares Vorhaben. Seit dem 19. Jh.

24. mit ~ und Kegel = mit der ganzen Familie. „Kegel" nannte man im späten Mittelalter das uneheliche Kind, den Bastard. 1400 *ff.*

25. unschuldig wie ein neugeborenes ~ = zu Unrecht beschuldigt. 1900 *ff.*

26. das ~ abbestellen = eine Abtreibung vornehmen. Gegenwort „↗bestellen 1". 1950 *ff.*

27. das ~ abstellen = den schreienden Säugling beruhigen. Technisierung: man stellt ein Rundfunkgerät, einen Pfeifenkessel o. ä. ab. 1950 *ff.*

27 a. einer ein ~ anhängen = eine weibliche Person schwängern. 1900 *ff.*

28. jm ein ~ anhängen = jn wahrheitswidrig als Vater benennen. ↗anhängen 1. 1900 *ff.*

29. ein ~ meldet sich an = die Frau ist schwanger. Das Kind meldet sich wie ein Besuch. 1900 *ff.*

30. ich werde das ~ schon aufziehen = ich werde die Sache erledigen. Hergenommen von der Versicherung, man werde sich des verwaisten Kindes annehmen. 1920 *ff.*

31. das ~ mit dem Bade ausschütten = das Gute mit dem Schlechten verwerfen; übereilt handeln. Leitet sich seit 1500 her von der Handlungsweise eines Narren: er dreht die Badebütte um, aber vergißt, vorher das Kind herauszunehmen.

32. einem ~ ausweichen = den Geschlechtsverkehr vorzeitig beenden; mit Präservativ beischlafen. 1950 *ff.*

33. ein ~ bauen = ein Kind zeugen. ↗bauen 1. Spätestens seit dem 19. Jh.

34. sich zu einem ~ bekennen = a) eine Tat eingestehen. Bezieht sich eigentlich auf die Anerkennung der Vaterschaft. *Sold* in beiden Weltkriegen. – b) etw auf sich nehmen, um die Kameraden vor Bestrafung zu schützen. *Sold* in beiden Weltkriegen.

35. sich freuen wie ein ~ = ungetrübt froh sein; arglos sich freuen. Seit dem 19. Jh.

36. dem ~ die Brust geben = ein Glas Alkohol zu sich nehmen. Scherzhaft übernommen vom Stillen eines Kindes. 1910 *ff.*

37. dem ~ einen Namen geben = einer Sache den Anschein von Richtigkeit geben. Bezieht sich ursprünglich auf die Annahme eines unehelichen Kindes an Vaters Statt. 1800 *ff.*

38. das ~ muß einen Namen haben = die Sache muß irgendeine Bezeichnung haben, wenn auch nur als Vorwand. 1800 *ff.*

39. nicht ~ noch Kegel haben = kinderlos, alleinstehend sein. Zu „Kegel" ↗Kind 24. 1500 *ff.*

40. ein ~ am Bein haben = für ein (uneheliches) Kind sorgen müssen. ↗Bein 33. Seit dem 19. Jh.

41. vom ~ kommen = heftig erschrecken. Meint eigentlich „zur Frühgeburt kommen". 1920 *ff.*

42. zu etw kommen wie das ~ zu Prügeln = zufällig, unbeabsichtigt zu etw kommen. Hergenommen vom Kind, das man in Zorn voreilig schlägt. 1950 *ff.*

43. ein ~ kriegen = sehr entsetzt sein; sich sehr wundern; heftigen Ärger empfinden. Auch in der Ausrufform „ich kriege ein Kind!". Hergenommen von dem Entsetzen, das eine Ledige empfindet, wenn sie zum ersten Mal merkt, daß sie Mutter wird. Seit dem 19. Jh.

44. ein ~ von Lumpen (von Puppenlappen) kriegen = sich sehr wundern; höchst überrascht sein; sich heftig ärgern. Eine Puppe aus Tuchresten gab es früher als Scherzgeschenk für den Bräutigam bei der Hochzeit, auch als Grabbeigabe für eine Wöchnerin. „Kinder von Lumpen machen" hieß soviel wie „kinderlos verheiratet sein". Seit dem 19. Jh.

45. daß unsere ~ lange Hälse kriegen!: scherzhafter Trinkspruch. 1910 *ff.*

45 a. weißt du, wie man doofe ~er kriegt?: Frage an einen Dummen. Bei Verneinung der Frage rät man: „Frag' mal deine Eltern!" *Schül* 1970 *ff.*

46. dieses ~ hat nie gelebt = dieser Vorschlag ist völlig undurchführbar, ist von vornherein zum Scheitern verurteilt. *Vgl* ↗Kind 23. 1956 *ff.*

47. das ~ liegt im Brunnen = die Sache ist gescheitert; die Sache ist nicht mehr zu retten. ↗Kind 2. 1900 *ff.*

48. ein ~ machen = ein Kind zeugen. Spätestens seit dem 15. Jh.

49. einer ein ~ machen = schwängern. 1500 *ff.*

50. ich mache mit einem Schlag aus dir zwei schulpflichtige ~er!: Drohrede. *BSD* 1965 *ff.*

51. das macht der Liebe kein ~ = das spielt keine allzu große Rolle; das ist ungefährlich; darauf kann man sich getrost einlassen. Hergenommen vom nichtvollendeten Geschlechtsverkehr. 19. Jh.

52. das macht dem ~ kein Loch = das verschlimmert (vergrößert) die Angelegenheit nicht. 1900 *ff.*

53. sich ein ~ machen lassen = Schwangerschaft anstreben; sich nach der Mutterschaft sehnen. 1500 (?) *ff.*

54. geh nach Haus, deine Mutter will die ~er nachzählen!: Ausdruck der Abweisung. 1900 *ff.*

55. das ~ an die Brust nehmen = a) vernünftig, geduldig handeln. Gemeint ist wohl, daß man den schreienden Säugling auf die natürlichste Art von der Welt beruhigt. 1900 *ff.* – b) aus der Flasche trin-

ken; die Flasche Alkohol kreisen lassen. *Vgl* ↗ Brust 13. 1900 *ff.*

56. sich das ~ nicht von der Brust nehmen lassen = sich nicht übertölpeln, einschüchtern lassen. Gemeint ist, daß die Mutter sich nicht vom Stillen abbringen lassen soll. 1914 *ff.*

57. das ~ beim rechten Namen nennen = eine Sache unumwunden bezeichnen; für etw keine ausweichende Bezeichnung suchen. Als geflügeltes Wort bekannt geworden durch Goethes „Faust I"; aber schon im 17. Jh geläufig. *Vgl franz* „nommer les choses par leur nom".

58. jm ein ~ in den Bauch reden = auf jn anhaltend einreden; jn zu beschwatzen suchen. Leitet sich her von dem bei Hans Sachs vorkommenden Motiv vom dummen Bauern, dem man sagte, er sei schwanger, bis er es glaubte. Seit dem 19. Jh.

59. sich ein ~ in den Bauch reden = sich irrtümlich für schwanger halten. Seit dem 19. Jh.

60. wie sag' ich's meinem ~e? = wie sage ich es dir am geschicktesten? Wohl hergenommen vom Titel einer Schrift über die geschlechtliche Aufklärung des Kindes durch die Eltern. 1900 *ff.*

61. dem ~ die Ohren (be)säumen = mit einer Schwangeren koitieren. Gemeint ist soviel wie „Überflüssiges tun". 19. Jh.

62. wir werden das (auch: dem) ~ schon schaukeln = wir werden (ich werde) die Sache meistern, wunschgemäß erledigen. Beruhigende Redewendung an eine Mutter, daß man während ihrer Abwesenheit auf das Kind achtgeben werde. Seit dem späten 19. Jh.

62 a. kein ~ von Langeweile sein = temperamentvoll sein, sich zu beschäftigen wissen. 1970 *ff.*

63. kein ~ von (der) Traurigkeit sein = lebensfroh sein. 1955 *ff.*

64. ein ~ ohne Kopf ist zeitlebens ein Krüppel (oft mit dem Zusatz: und nie paßt ihm ein Strohhut): Ausdruck der Bestätigung. Seit dem ausgehenden 19. Jh.

65. dasitzen (dastehen) wie das ~ vorm (beim) Dreck = hilflos sitzen (stehen); sich unbeholfen aufführen. Dreck meint hier die Exkremente. 1800 *ff.*

66. wer so etwas sagt, macht auch kleine ~er tot: Ausdruck gutmütiger Entrüstung über die Äußerung eines anderen. 1965 *ff.*

67. dieses ~ lasse ich mir nicht unterschieben = diese Bezichtigung weise ich zurück; an der in Rede stehenden Handlung habe ich keinen Anteil. Übertragen von der Kindesunterschiebung. 1900 *ff.*

68. das ~ versaufen (vertrinken) = an einem Taufschmaus teilnehmen. Entwickelt nach dem Muster von ↗ Fell 31. Seit dem 19. Jh.

69. jm ein ~ wegmachen = eine Abtreibung vornehmen. Seit dem 19. Jh.

70. sich ein ~ wegmachen lassen = sich einer Abtreibung unterziehen. Seit dem 19. Jh.

71. erst den ~ern die Stöcke wegnehmen = den Gegnern zunächst die Trümpfe abfordern. Kartenspielerspr. 1900 *ff.*

72. kluge ~er werden nicht alt: Zuruf an einen Besserwisser, um ihn zum Schweigen zu bringen. 1900 *ff.*

kindeln *intr* sich kindisch benehmen. *Südwestd* seit dem 19. Jh.

Kinderbelustigungssaft (-wasser) *m (n)* Mineralwasser; Brauselimonade. Man schenkt sie bei Kinderbelustigungen aus. 1920 *ff.*

Kinderei *f* **1.** Familie mit zahlreichem Nachwuchs. Seit dem 19. Jh.

2. Heim für Schwererziehbare. 1920 *ff.*

3. das ist die reinste ~ = das ist äußerst leicht zu bewerkstelligen. Kinderei meint kindisches Tun, also eine mühelose Verrichtung. 1700 *ff.*

Kinderfest *n* **1.** es ist mir ein ~ = es freut mich sehr. 1920/30.

2. es ist mir ein ~ mit Stocklaternen = es ist mir ein großes Vergnügen. Hergenommen von Kinderumzügen in der Dunkelheit (Martinstag). 1920/30 *ff.*

Kinderfick *m* Frühehe. ↗ Fick. 1935 *ff.*

Kinderfreund *m* **1.** Mann, der sich an Kindern beiderlei Geschlechts vergeht. Grimmige Ironie. 1900 *ff.*

2. ein ~ sein = auf Gewaltanwendung (Ohrfeigen, Prügel usw.) verzichten, nachsichtig sein; Verständnis für die Schwächen der Mitmenschen haben. Vokabel von Lehrern, Unteroffizieren, Kraftmenschen u. ä. Spätestens seit 1900.

Kinderfußball *m* schlechte, planlose Spielweise. *Sportl* 1950 *ff.*

Kinderhand (-händchen) *f (n)* Mensch, der beim Glücksspiel Glück über Glück hat. Spieler behaupten abergläubisch, Kinder hätten eine besonders glückliche Hand. 1920 *ff.*

Kinderhemd *n* das Leben ist wie ein ~, kurz und beschissen: Redewendung von Pessimisten. Spiel mit den beiden Bedeutungen von „beschissen": a) durch Kot verunreinigt; b) widerwärtig. Spätestens seit 1900.

Kinderkacke *f* Senf. Wegen der Farbähnlichkeit. *Sold* 1910 bis heute.

Kinderkrankheit *f* **1.** Versagen einer technisch noch nicht genügend erprobten Vorrichtung; anfänglich auftretender Fehler bei Neukonstruktionen. Seit dem späten 19. Jh.

2. beim ersten Beischlaf erworbene Geschlechtskrankheit. 1900 *ff.*

Kinderladen *m* Kindertagesstätte. So genannt, weil sie überwiegend in billig zu mietenden ehemaligen Kaufläden betrieben wird. 1967 *ff.*

'kinder'leicht *adj* unschwer zu bewerkstelligen; sehr leicht. Eigentlich „so leicht wie für Kinder". 1700 *ff.*

kinderlieb *adj* **1.** nachsichtig; nicht gewalttätig. ↗ Kinderfreund 2. 1900 *ff.*

2. Kinder geschlechtlich mißbrauchend. 1900 *ff.*

Kindermädchen *n* ~ der Nation = Kinderfernsehen. Er ersetzt das Kindermädchen. 1975 *ff.*

Kindermord *m* **1.** Beischlaf mit Verwendung eines Präservativs oder anderer empfängnisverhütender Mittel. 1900 *ff.*

2. kriegerischer Einsatz von 12- bis 14jährigen Jungen. *Sold* um 1944 *ff.* Moderne Variante zum bethlehemitischen Kindermord der biblischen Geschichte.

3. im Jahr der Lese abgefüllter und verkaufter Wein. 1950 *ff.*

kindern *intr* koitieren. Eigentlich soviel wie „gebären". 1950 *ff.*

Kinderpopogesicht *n* rosiges ~ = zartrosa Gesichtshaut. 1920 *ff.*

Kindersarg *m* **1.** großer Schuh; großer,

breiter Fuß. Grimmiger Scherz, wohl bei Berliner Soldaten um 1813/14 entstanden und bis heute geläufig.

2. Geigenkasten. Musikerspr. 1920 *ff.*

3. *pl* = Musterkoffer der Reisenden der Damenhutbranche. 1900 *ff.*

4. wattierte Kindersärge = Postenschuhe (große gefütterte Filz-Überschuhe). *Sold* bei beiden Weltkriegen.

5. eine Nummer kleiner als ein ~ = große, breite Schuhe; große, breite Füße. 1920 *ff.*

Kinderschäse *f* Kinderwagen. ↗ Schäse. Seit dem 19. Jh.

Kinderschuhe *pl* **1.** die ~ ausgezogen (zertreten) haben = erwachsen sein. 1400 *ff.*

2. aus den ~n rausgewachsen sein = die technischen Anfangsschwierigkeiten überwunden haben. 1920 *ff.*

3. noch in den ~n stecken = noch unreif, unerwachsen sein. Spätestens seit dem 19. Jh.

4. es steckt noch in den ~n = es ist technisch noch nicht ausgereift. 1920 *ff.*

Kinderspiel *n* Mühelosigkeit; leichte Sache. *Vgl franz* „ce n'est qu'un jeu d'enfant pour lui". 1200 *ff.*

Kinderstube *f* **1.** feuchte ~ = schlechte Erziehung. Die feuchte Wohnung läßt auf ärmliche Verhältnisse schließen; voreingenommene Menschen meinen noch heute, arme Leute seien zwangsläufig auch schlechterzogen. 1920 *ff.*

2. gute (schlechte) ~ = gute (schlechte) Erziehung. Seit dem späten 19. Jh.

3. keine ~ besitzen = schlecht erzogen sein. 1920 erzählte man sich von Raffkes, beim Rundgang durch die Wohnung hätten Raffkes voller Stolz ihr Kinderzimmer vorgeführt, und als einer der Gäste meinte: „Kinderzimmer? Sie haben doch keine Kinder?!", hätten sie erwidert, man habe ihnen vorgeworfen, sie hätten keine Kinderstube, und seitdem hätten sie das Kinderzimmer angeschafft. 1870 *ff.*

4. er hat die ~ wohl nach Mach 2 durchflogen = er hat sehr schlechtes Benehmen. „Mach 2" ist die Geschwindigkeit von etwa 2400 Stundenkilometern. *BSD* 1965 *ff.*

5. er hat die ~ nur durchs Schlüsselloch erblickt = er ist sehr schlecht erzogen. 1960 *ff.*

6. er ist mit dem Düsenjäger durch die ~ gerast = er hat sehr schlechtes Benehmen. 1950 *ff.*

7. er ist im Galopp durch die ~ geritten = mit den Anstandsregeln hat er sich nicht bekanntgemacht. 1920 *ff.*

8. er ist mit dem Motorrad durch die ~ gefahren = ihm fehlt es völlig an Anstand. 1920 *ff.*

9. im D-Zug (Schnellzug) durch die ~ gesaust sein = sehr schlechtes Benehmen haben. 1920 *ff.*

Kinderwagen *m* **1.** Kinnhaken. Um 1930 bei Schülern aufgekommen: sie rufen nach dem Kinderwagen, damit die Getroffene weggebracht wird.

2. Leichtmotorrad. Gemeint ist wohl ein Fahrzeug für junge Leute, die es aus Gehfaulheit benutzen. 1960 *ff, jug.*

3. Polizeiwagen, mit dem bei einer Razzia aufgegriffene, nichtkontrollierte Prostituierte abtransportiert werden. *Rotw* 1900 *ff.*

4. deutscher ~ = Kleinauto. Ursprünglich

Deutung der Abkürzung „DKW", ↗DKW 1. 1925 ff.

5. komm nicht unter einen ∼!: scherzhafte Mahnung bei der Verabschiedung. 1900 ff.

6. mit dem ∼ überfahren sein = dümmlich sein. 1920 ff.

Kinderwein m Trinkwasser; Mineralwasser, Limonade; Fruchtsaft mit Wasser gemischt. 1870 ff.

Kinderzimmer-Look m kniefreies Kleid nach Kinderart. 1965 ff.

kindschen intr sich albern benehmen. Vorwiegend mitteld und westd Verbbildung zum Adjektiv „kindisch". 1900 ff.

kindschig adv sich ∼ benehmen = sich albern aufführen. Nebenform von „kindisch". 1920 ff.

kindsköpfig adj kindisch. Seit dem 18. Jh.

Kindspech n Mißgeschick eines Neulings, eines Rekruten. Eigentlich der Unrat, der sich vor der Geburt in den Därmen des Kindes sammelt und nach der Geburt ausgeschieden wird. Hier meint „Pech" das Mißgeschick. 1910 ff.

Kiniglhas (Kinihas) m 1. Kaninchen. Geht zurück auf lat „cuniculus = Kaninchen". Bayr seit dem 15. Jh.
2. Schimpfwort. Wohl Anspielung auf Furchtsamkeit und Feigheit; ↗Kaninchen 1. Bayr seit dem 19. Jh.

Kink (Kinken) m 1. Fehler, Versehen. Meint eigentlich die Verdrehung in einem Schiffsseil. Gleichbed engl „kink", auch im Sinne von „Klaps", „Sparren". Marinespr 1900 ff.
2. da ist ein ∼ drin = das ist eine Falle, ein Versuch zur Übertölpelung. Marinespr 1900 ff.

Kinker m Schmuck. Gehört zu „kinkern = schimmern, glitzern". 1920 ff.

Kinkerlitzchen (Kinkerlitzen) pl 1. Tand; alberne Ziererei; Blendwerk; Täuschung. Entstanden aus Anhängung der Verkleinerungssilbe „-litz" an „kinkern = schimmern, blenden", vielleicht beeinflußt von franz „quincaille = Flitterkram" oder gleichbed ital „cinciglio". Seit dem späten 18. Jh.
2. Schmuck. 1920 ff.

Kinnhaken m jm einen ∼ versetzen (schlagen) = jm eine nachdrückliche Rüge erteilen. Kinnhaken ist der Schlag mit dem abgebogenen, versteiften Arm gegen die Kinnspitze. 1930 ff.

kinnhakenfreudig adj rauflustig. Jug 1955 ff.

kinnladenbrechend adj ↗Gähnen.

Kinnspitze f jn auf die ∼ treffen = bei jm die beabsichtigte Wirkung erzielen. Der Boxersprache entlehnt. 1930 ff.

Kino n 1. ∼ im Heim = Fernsehen. 1960 ff.
2. ∼ im Schlaf = Traum. Wird meist für die Pointe eines Kinderwitzes ausgegeben. ↗Fernsehen 3. 1955 ff.
3. das ∼ genießen = während der Filmvorführung Zärtlichkeiten aller Art austauschen. 1910 ff.
4. einen Kopf wie ein ∼ haben = vergeßlich oder unzuverlässig sein. Scherzhafte Anspielung auf die Notausgänge, die sich an beiden Seiten des Kinos befinden. Schül 1950 ff.
5. wie ein volles ∼ lachen = überlaut lachen. Leitet sich her von der Vorführung von Lustspielfilmen. 1950 ff.

6. im Krieg ist's wie im ∼, vorne flimmert es, und hinten sind die besten Plätze = spöttische Redewendung der Frontsoldaten gegen die Soldaten in der Etappe oder Heimat. Sold in beiden Weltkriegen.

Kinobraut f weibliche Person, mit der man während der Filmvorführung handgreiflich flirtet. 1910 ff.

Kinogesicht n Make-up der Filmschauspielerinnen; ausdrucks-, seelenloses Einheitsgesicht gewisser Filmschauspielerinnen. 1960 ff.

Kinogöttin f verehrte Filmschauspielerin. 1955 ff.

Kinohase m erfahrener Filmtheaterbesitzer. 1955 ff.

Kinoleiche f erfolgloser Film. 1967 ff.

Kinomädchen n junge Filmschauspielerin. 1960 ff.

Kinomuffel m Mann, der selten (oder nie) ein Kino besucht. ↗Muffel. 1967 ff.

Kinoromanze f Liebesfilm. ↗Romanze 1. 1965 ff.

Kinoschöne f Filmschauspielerin. 1950 ff.

Kinosportwoche f Filmfestspielwoche. Gebildet nach dem Muster von Leichtathletik-Sportwoche, Radrennwoche u. ä. Berlin 1961 ff.

Kinotasche f Hosentasche mit einem Loch. Anspielung auf Onanie oder intimes Betasten des Partners. 1920 ff.

Kintopp m 1. Kino. Im Jahre 1906 aufgekommen in Berlin im Zusammenhang mit dem am Kottbuser Damm errichteten „Kinematographentheater", dessen Besitzer Topp hieß. Heute nur noch in geringschätzigem oder burschikos-scherzhaftem Sinne gebräuchlich.
2. ∼ machen = einexerziert werden. Man bewegt sich nach den Anweisungen des „Regisseurs". Sold 1920 ff.

Kipfel n Schimpfwort. Bekannt als halbmondförmiges Gebäck; daher vielleicht Anspielung auf einen Menschen in krummer Haltung oder auf einen Türken, dessen Name gelegentlich als Schimpfwort vorkommt. Österr 1900 ff.

Kiparsch m sich einen ∼ laufen = sich eifrig um etw bemühen; viele Wege machen. Kiparsch nennt man die vornübergebeugte Körperhaltung, durch die die Gesäßteile wie geknickt wirken. Seit dem späten 19. Jh.

Kippe f 1. Zigarren-, Zigarettenendstück. Gehört als mitteld und niederd Form zu frühneuhd „Kipfe = Spitze". Scheint im Ersten Weltkrieg aufgekommen zu sein, sold und ziv. Meint seit 1960 auch die vollständige Zigarette; jug.
2. Müllabladeplatz, Schutthalde. Kippen = auf die Kante stellen und umstürzen. 1920 ff.
3. Anteil an Beute oder Raub; Teilung der Beute. Geht zurück auf jidd „kippe = gemeinschaftlicher Handel; Gewinnteilung aus Kameradschaft". Seit dem frühen 19. Jh, rotw.
4. ∼ oder Lampen! = entweder du teilst mit mir oder ich zeige dich an! ↗Lampen. Rotw seit dem frühen 19. Jh.
5. es geht auf ∼ = es wird genau unter zweien geteilt. 1900 ff.
6. die ∼ lacht = das Zigarettenendstück geht im Kreis der Kameraden um. Über solche Sparsamkeit und Kameradschaftlichkeit freut sich die Kippe. Sold 1930 ff.
7. ∼ machen = a) abtreiben; eine Fehlge-

burt haben. Analog zu ↗umschmeißen. 1900 ff. – b) Bankrott, Konkurs machen. 1950 ff. – c) sterben. 1950 ff.
8. mit jm ∼ machen = mit jm redlich teilen; mit jm betrügerisch zum Schaden eines Dritten gemeinschaftliche Sache machen. ↗Kippe 3. Seit dem 19. Jh.
9. ∼n quälen = Zigaretten so rauchen, daß kein verwertbares Endstück übrigbleibt. Hier ist „quälen" von Lebewesen auf leblose Gegenstände übertragen. 1920 ff.
10. eine Zigarette auf ∼ rauchen = eine Zigarette gemeinsam bis zum Endstück rauchen. Hier vereinigen sich die Bedeutungen „Kippe 1" und „Kippe 3". Sold 1914 ff.
11. an der ∼ sein = dem Tode nahe sein. Kippe = aufrechte Stellung, aus der man umstürzt. 1920 ff.
12. auf der ∼ sein = in der Schwebe sein. 1900 ff.
13. ∼n stechen = Zigarettenendstücke auf der Straße auflesen. 1920 ff.
14. ∼ stehen = in einen Zustand gelangt sein, der zum Guten oder zum Schlechten führen kann. Kippe = das Übergewicht bekommen. Seit dem 19. Jh.
15. auf der ∼ stehen = unentschieden sein; in der Schwebe sein; dem Ende (Bankrott oder Tod) nahe sein; unsicher sein, ob der Schüler versetzt wird. Seit dem 18. Jh.
16. eine ∼ stoßen = ein Zigarettenendstück aufrauchen. Wahrscheinlich sold seit dem Ersten Weltkrieg.

kippelig adj 1. wankend; ungewiß; mit Mißerfolg rechnend; schwierig. ↗kippeln 1. Seit dem 19. Jh.
2. zum Kentern neigend. 19. Jh.

kippeln intr 1. wanken; dem Bankrott nahe sein; seines Amtes nicht mehr sicher sein. Iterativum zu ↗kippen. Seit dem 19. Jh.
2. mit dem Stuhl schaukeln. Seit dem 19. Jh.

kippen v 1. intr = seine Meinung ändern; nicht zu seinem Wort stehen. Meint eigentlich „das Gleichgewicht verlieren", „stürzen, umschlagen". 1900 ff.
2. intr = einen militärischen Mißerfolg erleiden. Sold 1939 ff.
3. intr = kentern. Seit dem 19. Jh.
4. intr = bankrottieren. Seit dem 19. Jh.
5. der Wein kippt = der Wein verdirbt. 1920 ff.
6. intr = den Gewinn teilen. ↗Kippe 3. Seit dem 19. Jh.
7. einen ∼ = Alkohol zu sich nehmen; das Gläschen in einem Zug leeren. Man bringt es aus der Senkrechten in die Waagrechte. Seit dem 19. Jh.
8. tr = Metallgeld durch Beschneiden, Abfeilen o. ä. verringern und als vollgültig in den Verkehr bringen; Falschgeld in Umlauf setzen. Fußt auf „kippen = wiegen, wägen" und bezieht sich hier auf den Gewichtsunterschied. Rotw 1600 ff.
9. tr = jds Sturz herbeiführen. 1920 ff.
10. tr = jds Bett seitlich oder längs hochstellen. 1920 ff, schül.
11. eine Zigarette ∼ = eine Zigarette ausdrücken, um sie später weiterzurauchen. Man „kippt" sie zwischen Daumen und Zeigefinger. 1939 ff.
12. tr = ein Manuskript zurückziehen; die Ausstrahlung eines Films vereiteln; einen Beitrag aus dem Programm nehmen;

einen Kandidaten aus der Wahlliste streichen. 1955 *ff.*
13. *intr* = eine Abtreibung vornehmen (vornehmen lassen). 1900 *ff.*
14. gekippt haben = eine Fehlgeburt gehabt haben. Analog zu ↗ umschmeißen. Spätestens seit 1900, *norctd.*
Kippenhai *m* Mann, der auf der Straße oder aus Aschenbechern Zigarettenendstücke aufliest. 1917/18 *ff.*
Kippenjäger *m* Sammler von Zigarettenendstücken. 1914 *ff.*
Kippenquäler *m* Mensch, der seine Zigarette bis zum letzten halben Zentimeter raucht oder aus den Resten immer neue Zigaretten dreht, bis ein unverwertbarer Rest übrigbleibt, oder der das Reststück erneut anzündet. ↗ Kippe 9. 1920 *ff.*
Kipper *m* Falschmünzer; Vertreiber von Falschgeld; Mann, der unechten Schmuck als echt verkauft. ↗ kippen 8. *Rotw* 1600 *ff.*
Kippergeld *n* außer Kurs gesetzte Zahlungsmittel, die betrügerisch abgesetzt werden. 1900 *ff.*
Kirche *f* **1.** solange es läutet, ist die ~ noch nicht aus = beim Kartenspiel kann sich der Sieg noch einstellen. Kartenspielerspr. Seit dem 19. Jh.
2. die ~ ist aus = ich will nichts mehr darüber hören; die Sache ist abgetan. Seit dem späten 19. Jh.
3. sorgen, daß die ~ im Dorf bleibt = nicht zu stark übertreiben; sachlich bleiben. Das Kirchengebäude war der Stolz der Gemeinde; es zu erhalten, lag allen am Herzen. Seit dem 19. Jh.
4. die ~ muß im Dorf bleiben = das Herkommen soll man nicht stören; gewaltsame Umwälzungen darf man nicht dulden. Seit dem 19. Jh.
5. ich werde euch lehren, in der ~ zu furzen! = ich werde euch Anstand beibringen! 1910 *ff.*
6. mit der ~ ums Dorf gefahren werden = etw auf großen Umwegen erreichen; geprellt werden. Seit dem 19. Jh.
7. hinter die ~ gehen = den Gottesdienst absichtlich versäumen. Seit dem 19. Jh.
8. in die ~ gehen, wo die Gesangbücher Henkel haben = ein Wirtshaus aufsuchen, statt am Gottesdienst teilzunehmen. 1800 *ff.*
9. in die ~ gehen und pfeifen = sich sehr ungehörig benehmen. Seit dem 19. Jh.
10. die ~ im (beim) Dorf lassen (bleiben lassen) = besonnen handeln; Maß halten. ↗ Kirche 3. Seit dem 19. Jh.
11. bei welcher ~ bist (hast) du denn gestanden?: Frage an einen, der über viel Kleingeld verfügt. Der Betreffende hat angeblich vor der Kirchentür gebettelt. 1900 *ff, österr.*
12. die ~ ums Dorf tragen (mit der ~ ums Dorf gehen; die ~ zum Dorf raustragen) = feierliche Umstände machen; über Selbstverständliches viele Worte verlieren; weitschweifig reden. Bei Bittprozessionen usw. macht die Gemeinde einen Umweg über die Felder. Seit dem 19. Jh.
13. die ~ wechseln = das Lokal wechseln. Vielleicht wegen der „Andacht", mit der man Speise und Trank genießt. 1950 *ff.*
Kirchenlicht *n* **1.** Nase, aus der der Schleim herabhängt. Übertragen von der tropfenden Kerze. 1870 *ff.*

2. kein ~ = ziemlich dummer, unbegabter Mensch. „Lumen ecclesiae" bzw. „Kirchenlicht" meint ursprünglich den hervorragenden Theologen des Mittelalters; danach ironisiert seit den „Epistolae virorum obscurorum". Seit dem ausgehenden 18. Jh.
3. ihm geht ein ~ auf = er beginnt, die Zusammenhänge einzusehen. Parallel zu „ihm geht ein ↗ Licht auf". Seit dem 19. Jh.
Kirchenmaus *f* **1.** eifrige Kirchgängerin. Sie findet in der Kirche nur Nahrung geistlicher Art. 1920 *ff.*
2. Mittelloser. *Vgl* das Folgende. Seit dem 19. Jh.
3. arm wie eine ~ = sehr arm. Die in der Kirche lebende Maus findet keinerlei Vorräte und ist also die ärmste aller Mäuse. 1920 *ff.*
Kirchenmuffel *m* Christ, der dem Gottesdienst fernbleibt. ↗ Muffel. 1964 *ff.*
Kirchensteuerchrist *m* Christ, dessen Zugehörigkeit zu einer Kirche sich auf die Entrichtung der Kirchensteuer beschränkt. 1960 *ff.*
Kirchentür *f* du hast wohl vor der ~ gestanden?: Frage an einen, der viel Kleingeld hat. ↗ Kirche 11. 1900 *ff.*
Kirchenverdrossenheit *f* Unzufriedenheit mit der Einstellung der Kirchen zu lebenswichtigen Fragen. 1965 *ff.*
Kirchenzigarre *f* Kautabak. Da im Gotteshaus das Rauchen untersagt ist, nehmen manche – vor allem Seeleute – ihre Zuflucht zum Priem, den sie als Zigarrenersatz sogar in der Kirche kauen können. Seit den späten 19. Jh.
Kirchhof *m* **1.** sehr schadhaftes Gebiß. Die Zähne sind lauter verfallene Grabsteine. 1920 *ff.*
2. traurig wie ein ganzer ~ = sehr betrübt; sehr betrüblich. Der Kirchhof ist nicht traurig, sondern kann traurig stimmen. 1920 *ff.*
Kirchhofsblumen *pl* **1.** graue Haare. 1600 *ff.*
2. hektisch gerötete Wangen des Schwindsüchtigen. 1900 *ff.*
Kirchhofsgemüse *n* alte (reaktionäre) Leute. ↗ Friedhofsgemüse. 1933 *ff, jug.*
Kirchhofsjodler *m* **1.** Sänger bei einer Beerdigung. 1900 *ff.*
2. hohler rasselnder Husten. 1900 *ff.*
Kirchhofsolo *m n* Kreuzspiel im Skat. Das Zeichen für „Treff" ähnelt dem Kreuz. Kartenspielerspr. 1940 *ff.*
Kirchhofsrosen *pl* **1.** hektisch gerötete Wangen des Lungenkranken. Seit dem späten 19. Jh (1872 Krafft-Ebing).
2. rote Wangen. 1900 *ff.*
Kirchtag *m* Löhnungsempfang. Eigentlich der Tag des Kirchenpatrons, häufig verbunden mit der Kirmes, zu der die Erwachsenen den Kindern den „Kirmesgroschen" schenken. *Sold* 1939 *ff.*
Kirchturm *m* mit dem ~ winken = jm einen plumpen, überverständlichen Wink geben. ↗ Wink 3. 1930 *ff.*
Kirchturmdenken *n* Enggeistigkeit der Kommunalpolitiker. Man wirft ihnen vor, sie dächten nur so weit, wie der Kirchturm zu sehen sei. 1950 *ff.*
Kirchturm-Geschäft *n* kurzsichtiges, einseitiges Geschäftsgebaren. 1925 *ff.*
Kirchturm-Nachrichten *pl* Nachrichten aus der näheren Umgebung. 1925 *ff.*

Kirchturmpolitik *f* kleingeistige, von engen geographischen Grenzen bestimmte Politik. Bismarck am 18. Mai 1889 in einer Rede vor dem Deutschen Reichstag. 1900 *ff.*
Kirchweih *f* ich lade dich auf die ~ ein!: derber Ausdruck der Abweisung. Umschreibung für das Götz-Zitat. *Vgl* ↗ Kerbe 4. 1500 *ff.*
kirken *tr* jn betören, geschlechtlich verführen. ↗ bezirzen. 1950 *ff.*
Kirmes *f* **1.** Menstruation. Spätestens seit 1900.
2. alle Tage ~ haben = immer in Hochstimmung sein. 1920 *ff.*
3. es ist nicht alle Tage ~ = man ist nicht immer gutgelaunt. 1920 *ff.*
Kirmesflinte *f* Regenschirm. Man schultert ihn zusammengerollt wie ein Gewehr. 1920 *ff.*
kirre *adj* **1.** jn ~ kriegen (machen) = a) jn fügsam machen. Entstammt einem *indogerm* Wurzelwort mit der Bedeutung „zahm, mild" und ist vor allem durch die Jägersprache umgangssprachlich geworden. Ursprünglich auf die Zähmung von Tieren bezüglich. Seit *mhd* Zeit. – b) jn schikanieren; im Dienst übermäßig streng behandeln. *Sold* in beiden Weltkriegen.
2. ~ sein = gefügig sein. Seit dem 18. Jh.
3. ~ werden = nachgiebig, fügsam werden; nicht länger aufbegehren. Seit *mhd* Zeit.
kirren *tr* jn gefügig machen. ↗ kirre 1. 1600 *ff.*
Kirschblütenfest *n* es ist mir ein japanisches ~ = es ist mir eine sehr große Freude. Das Kirschblütenfest ist in Deutschland ein Bestandteil des volkstümlichen Wissens über Japan. 1950 *ff.*
Kirsche *f* **1.** Kopf. Wegen der Formähnlichkeit. 1930 *ff.*
2. Spiel-, Fuß-, Handball. *Sportl* 1930 *ff.*
3. *pl* = Hämorrhoiden. ↗ Bürokirschen. 1920 *ff.*
4. *pl* = Hoden. 1960 *ff.*
5. *sg* = Freundin eines Jugendlichen. Sie ist wohl prall, drall und appetitanregend. *Schül* 1960 *ff.*
6. saure ~ = Tortreffer. *Sportl* 1930 *ff.*
7. ~n aus Nachbars Garten = das Abschreiben vom Schulkameraden. In leicht veränderter Form auf dem Filmtitel „Kirschen in Nachbars Garten" (1956). *Schül* 1958 *ff.*
8. mit ihm ist nicht gut ~n essen = mit ihm ist schwer auszukommen; er ist unverträglich. Leitet sich her aus der seit dem 14. Jh bezeugten, vollständigen, sprichwörtlichen Redensart „mit großen Herren ist nicht gut Kirschen essen; denn sie werfen einem die Stiele (Steine) ins Gesicht". Die Redensart entstammt Zeitläuften, in denen die großen Herren die Anstandsregeln gegenüber den Leuten niederen Standes vergaßen.
Kissen *n* **1.** überlange Haare eines Jugendlichen; Beatle-Haartracht; Haartracht der ↗ Gammler". Die Haare können als Kopfkissen dienen. 1963 *ff.*
2. steiles ~ = nettes, williges Mädchen; intime Freundin eines Halbwüchsigen. ↗ steil. „Kissen" steht in entfernter Parallele zu „↗ Matratze". 1955 *ff, halbw.*
3. am ~ horchen = schlafen. Analog zu „an der ↗ Matratze horchen". 1947 *ff.*
4. auf ~ laufen = bei Geld sein. Das Luftkissenfahrzeug schwebt auf einem

Luftpolster dicht über dem Erdboden oder Wasser; ähnlich leichten Fußes schwebt dahin, wer vom Geldmangel nicht niedergedrückt wird. *BSD* 1965 *ff.*
5. vom ~ rutschen = sehr erstaunt sein. 1970 *ff.*
6. jm sein ~ unter den Hintern schieben = jn zuvorkommend behandeln. 1959 *ff.*
Kissenpuper *m* Büroangestellter, Beamter. Man denkt sich, sie ließen die Darmwinde ins Sitzkissen entweichen. 1930 *ff.*
Kissenschlacht *f* lustiges Hinundherwerfen von Kopfkissen. 1900 *ff.*
Kiss-in *n* Austausch von Küssen. Nach dem Muster von *angloamerikan* „teach-in", „sit-in", „love-in" u. ä. gebildet. 1970 *ff.*
Kiste *f* **1.** Sache, Angelegenheit, Vorhaben, Unternehmen o. ä. Die große, unförmige Kiste steht sinnbildlich für die große Sache, wohingegen die aus billigem, unbearbeitetem Holz hergestellte Kiste für die schlechte, minderwertige Sache steht. Seit dem späten 19. Jh.
2. Duell. Studenten und Offiziere behandelten es als eine Sache, etwa wie eine Hehlbezeichnung. Seit dem 19. Jh.
3. Straftat, Strafmandat, Bestrafung. 1910 *ff.*
4. Fehlstoß des Fußballspielers. Etwa im Sinne von „schlimme Sache". *Sportl* 1930 *ff.*
5. Gesäß (vor allem von weiblichen Personen); weibliche Person mit breitem Gesäß. Meint hier neutral soviel wie „Sache", gelegentlich mit der Nebenbedeutung „plump". 1850 *ff.*
6. Vagina. Neutrale Bezeichnung. 1900 *ff.*
7. Kopf, Verstand. Analog zu ↗Verstandskasten. 1870 *ff.*
8. Buckel. 1900 *ff.*
9. Busen der Frau. Parallel zu „Brustkasten". 1920 *ff.*
10. dicker Bauch. 1960 *ff.*
11. dickliche weibliche Person. Sie wirkt vierschrötig. 19. Jh.
12. Bett. Bettstelle = Bettlade; Lade = Truhe = Kiste. Kann auch aus „↗Flohkiste" verkürzt sein. Seit dem späten 19. Jh.
12 a. Lebensgemeinschaft; Zusammenleben zweier Partner. ↗Beziehungskiste; ↗Zweierkiste. 1980 *ff.*
13. Fahrzeug (Fahrrad, Auto, Flugzeug usw.). Leitet sich für das Auto vom kastenförmigen Aufbau her; bei den ersten Flugzeugen (der Motor lag hinten) glich der Beobachtersitz einer Kiste. Von da verallgemeinernd auch auf das Fahrrad übertragen. Seit dem Ersten Weltkrieg.
14. Sarg. Seit dem 19. Jh. *Vgl schwed* „likkista", *dän* „ligkiste".
15. Panzerkampfwagen, Tank. *Sold* in beiden Weltkriegen.
16. Rundfunkgerät. 1930 *ff.*
17. Musikautomat. *Halbw* 1955 *ff.*
18. Fernsehgerät. 1960 *ff. Vgl* auch ↗Flimmerkiste.
19. Rausch. Man hat „schwer geladen". *Westd* und *südwestd* seit dem 19. Jh.
20. Gefängnis, Arrest; Haftzelle. Analog zu ↗Kasten 4. 1400 *ff.*
21. Schule. Die Schüler sehen sich als Inhaftierte. 1870 *ff.*
22. Fußballtor. Wegen der kistenähnlichen Form. *Sportl* 1920 *ff.*
23. Anklagebank mit ringsum geschlossener Schranke. 1920 *ff.*
24. alte ~ = altes Haus. Seit dem 19. Jh.

25. dicke ~ = großes Ereignis; Hauptangriff. *Sold* in beiden Weltkriegen. ↗Kiste 1.
26. dolle (tolle) ~ = a) großartige Leistung; Außergewöhnlichkeit. 1900 *ff.* – b) rauschende Vergnügung. 1900 *ff.* – c) mißglückte Sache. 1900 *ff.* – d) böse Angelegenheit; strafbare Handlungsweise. 1920 *ff.*
27. dufte ~ = gefahrloses, gewinnversprechendes Unternehmen. ↗dufte. 1950 *ff.*
28. einmalige ~ = eindrucksvolles Ereignis; hervorragende Sache. 1950 *ff.*
29. faule ~ = a) Sache, zu der man kein Zutrauen haben kann; Sache, die wahrscheinlich ungünstig verlaufen wird; Enttäuschung; Übertölpelung; Straftat; gefährliches militärisches Unternehmen. ↗faul 1. Seit den späten 19. Jh. – b) charakterloser Mensch, der kein Vertrauen verdient. ↗faul 2. 1920 *ff.*
30. fidele ~ = erheiternde Angelegenheit. ↗fidel. Seit dem 19. Jh.
31. fliegende ~ = a) Flugzeug alten Typs; Doppeldecker; jegliches FLugzeug. ↗Kiste 13. Fliegerspr. in beiden Weltkriegen und heute. – b) Fahrstuhl. 1960 *ff.*
32. große ~ = a) großes Ereignis; schwerer Angriff. *Sold* in beiden Weltkriegen. – b) prunkvolle Aufmachung; Parade; Antreten der Ehrenkompanie. *Sold* 1935 *ff.* – c) Großbehälter (Container). 1970 *ff.*
33. gute ~ = gutes, ehrbares Elternhaus. Fußt entweder auf der Gleichung „Kiste = Kasten = Haus" oder auf der „guten Kiste", nämlich dem Kistchen mit den guten (besseren, besten) Zigarren. 1940 *ff.*
33 a. heiße ~ = a) Plattenspieler. *Jug* 1970 *ff.* – b) üble, folgenschwere Sache; hochinteressante, aktuelle Sache. *Halbw* 1970 *ff.*
34. komische ~ = sonderbare Sache. ↗komisch 1. 1900 *ff.*
35. ach du liebe ~! = Ausruf der Verwunderung. Berlin 1950 *ff.*
36. müde ~ = langsames Fahrzeug. 1920 *ff.*
37. noble ~ = Prunkvilla. 1930 *ff.*
38. saure ~ = unangenehme Sache. 1950 *ff.*
39. schwere ~ = Bombenflugzeug. ↗Kiste 13. *Sold* in beiden Weltkriegen.
39 a. schwule (warme) ~ = Homosexueller. 1940 *ff.*
40. steile ~ = angenehme Sache; Vergnügen. ↗steil. *Halbw* 1950 *ff.*
41. stramme ~ = a) üppiger Busen. 1920 *ff.* – b) kräftig entwickeltes Mädchen. 1900 *ff.*
42. teure ~ = Luxusauto. 1955 *ff.*
43. tolle ~ = ↗Kiste 26.
44. unbediente ~ = schlechte Sache. ↗bedient sein. *Halbw* 1955 *ff.* – b) schlechte, unvorteilhafte Körpergestalt. *Halbw* 1955 *ff.*
45. verbotene ~ = unvorteilhafter Körperbau. Er sieht „verboten" aus und müßte verboten werden. 1950 *ff.*
46. verfahrene ~ = völlig falsch gehandhabte Angelegenheit. 1900 *ff.*
47. verfluchte ~ = Ausruf des Unwillens. 1900 *ff.*
48. vermorschte ~ = schlechte Auffassungsgabe. ↗Kiste 7; ↗morsch. *Jug* 1955 *ff.*
49. wacklige ~ = gefährliches, bedenkli-

ches Unternehmen; Unternehmen mit ungewissem Ausgang. Wacklig = schwankend = heikel. *Sold* 1914 *ff.*
50. wuchtige ~ = üppig entwickelter Busen; Frau mit üppigem Busen. ↗wuchtig. 1920 *ff.*
51. aus der ~ = veraltet (auf literarische Werke bezogen). Verkürzt aus ↗Mottenkiste. 1900 *ff.*
52. aus der besten ~ = tadellos, einwandfrei; sehr hochwertig. „Kiste" meint hier die Zigarrenkiste mit den besten Zigarren. 1950 *ff.*
53. aus der gleichen ~ = in gleicher Art. 1950 *ff.*
54. aus derselben ~ = vom selben gesellschaftlichen Stand. ↗Kiste 33. 1940 *ff.*
55. aus der untersten ~ = anrüchig, zotig (auf einen Witz bezogen); sehr minderwertig. Unten = niedrigstehend. 1950 *ff.*
56. eine ~ aufmachen = a) eine Sache erklären. Man legt den Inhalt offen. 1900 *ff.* – b) einen Einbruch inszenieren. ↗Kiste 3. 1910 *ff.*
57. eine große ~ aufziehen = eine Feier aufwendig gestalten. ↗aufziehen 2. 1920 *ff.*
58. ~ bauen = Betten vorschriftsmäßig herrichten. ↗Kiste 12. *Sold* 1914 *ff.*
59. eine ~ bauen = a) mit dem Fahrrad zu Sturz kommen. ↗Kiste 1. 1910 *ff.* – b) eine Vergnügungsreise unternehmen. 1900 *ff.*
60. die ~ brenzelt = die Sache ist heikel, gefährlich. 1920 *ff.*
61. die ~ auf Fahrt drücken = die Fluggeschwindigkeit erhöhen. „Drücken" bezieht sich auf die Bewegung des Steuers. Fliegerspr. 1935 *ff.*
62. wie aus der ~ genommen = tadellos; wie neu. 1950 *ff.*
63. in die unterste ~ greifen = Zoten erzählen; Ehrenrühriges zur Sprache bringen. ↗Kiste 55. 1950 *ff.*
64. etw auf der ~ haben = a) tüchtig, klug sein. ↗Kiste 7. 1900 *ff.* – b) etw besitzen; vermögend sein. „Kiste" meint hier den Geldkasten oder ist von geistigem Besitz auf Geldbesitz übertragen. 1950 *ff.*
65. einen in der ~ haben (= einen haben) = betrunken sein. ↗Kiste 7. 1870 *ff.*
66. etliche Jahre auf der ~ haben = eine langjährige Freiheitsstrafe verbüßen. Kiste = Buckel. Der Häftling trägt schwer an der Strafe wie an einer Bürde. 1920 *ff.*
67. siehste, da haste die ~!! = a) so und nicht anders ist das! Berlin 1870 *ff.* – b) das Unangenehme ist wie erwartet eingetroffen. Berlin 1870 *ff.*
68. etw aus der ~ holen = etw wieder zu Ehren bringen. Kiste = Mottenkiste. 1900 *ff.*
69. eine ~ kriegen = eine Niederlage erleiden. Kiste = schlimme Sache. *Sportl* 1930 *ff.*
70. ~n machen = prahlen; sich aufspielen. Gemeint sind Dinge, mit denen man Aufsehen erregen will. 1960 *ff.*
71. die ~ nageln = koitieren. ↗Kiste 6. „Nageln" hat hier die Bedeutung „fest verschließen". 1950 *ff.*
72. eine ~ packen = eine große Zeche machen. Berlin 1900 *ff.*
73. die ~ rollt = die Sache ist erfolgversprechend. 1950 *ff.*
74. eine ~ schaukeln = eine Sache mei-

stern, schlau bewerkstelligen. Parallel zu „↗Kind 62". *Sold* 1939 *ff.*

75. ~ schieben = mit dem Fuß über den Fußball hinwegstoßen. ↗Kiste 4. *Sportl* 1930 *ff.*

76. die ~ schmeißen = die Sache in Ordnung bringen. ↗schmeißen. 1900 *ff.*

77. aus einer guten ~ sein = einer gediegenen Familie entstammen. ↗Kiste 33. 1940 *ff.*

78. fertig ist die ~ = die Sache ist erledigt. Seit dem späten 19. Jh.

79. in der gleichen ~ sitzen = Schicksalsgenosse sein. ↗Kiste 13. 1950 *ff.*

80. in die ~ springen = sterben. ↗Kiste 14. 1960 *ff.*

81. in der ~ stehen = a) Torwart sein. ↗Kiste 22. *Sportl* 1920 *ff.* – b) zu Beginn der Unterrichtsstunde das Nahen des Lehrers melden. Der Schüler steht im Türrahmen wie der Torwart im Fußballtor. *Schül* 1950 *ff.*

82. die ~ auf die Schnauze stellen = zum Sturzflug ansetzen. Fliegerspr. 1935 *ff.*

83. jm die ~ vernageln = jn prügeln. Der Betreffende wird auf den Kopf geschlagen, bis er wie „↗vernagelt" ist. 1900 *ff.*

84. die ~ vollhaben = betrunken sein. Kiste = Bauch. 1960 *ff.*

85. sich die ~ vollhauen = a) sich reichlich sättigen. ↗Kiste 10. 1960 *ff.* – b) sich betrinken. 1960 *ff.*

86. jm die ~ vollrotzen = ein in der Luft befindliches Flugzeug heftig beschießen. ↗rotzen. *Sold* in beiden Weltkriegen.

Kitekat *n* Fleischkonserven. Hergenommen vom Markennamen für Fertignahrung für Katzen. *BSD* 1968 *ff.*

Kitsch *m* **1.** künstlerisch Wertloses; künstlerischer Schund; kunstähnliches Machwerk. ↗kitschen 1. Etwa seit 1850.

2. ~ mit Locken = pseudodichterische Darstellung in rührseliger Weise. „Locken" spielt wohl auf rührende Lieblichkeit an. Der Ausdruck soll um 1900 von Hedwig Courths-Mahler geprägt worden sein.

3. ~ im Quadrat = künstlerisch überaus geringwertiges Produkt. 1960 *ff.*

4. saurer ~ = übertrieben pessimistische Darstellung ohne künstlerische Qualitäten; blutrünstiger Kriminalroman. Vor lauter Grausen gerinnt das Blut in den Adern. 1945 *ff.*

5. süßer ~ = Gesamtheit der Frauen-, Liebes- und Heimatromane. Süß = voller Rührung; illusionistisch. 1950 *ff.*

6. ~ as Kitsch can = grenzenlos unkünstlerisches Machwerk mit dem Anspruch auf hohe Kunst. Dem Freistilringen „catch as catch can" nachgebildet; wahrscheinlich dem *Angloamerikan* entlehnt. 1964 *ff.*

kitschen *tr* **1.** künstlerisch oberflächlich arbeiten; kunstähnliche Produkte ohne tieferen Kunstverstand herstellen; Bilder (o. ä.) für den Geschmack der breiten Masse anfertigen. In Mundarten erscheint „kitschen" in der Bedeutung „eilen; entlangstreichen", auch „den Straßenschlamm zusammenscharren" und „mit oberflächlichen Hieben an einem Holzstück hauen". Etwa seit 1850.

2. jn einholen, ergreifen, gefangennehmen. Kitsche = Gurgel; also eigentlich „jn an der Gurgel fassen", wohl beeinflußt von „↗katschen". 1900 *ff.*

Kit'schesis *f* erfundene „Muse" der Ge-

schenkartikelindustrie. Nach dem Muster „Nemesis", „Lachesis" o. ä. der griechischen Mythologie gebildet. 1960 *ff.*

Kitt *m* **1.** billige Leberwurst. Es ist eine zähe, spröde Masse wie etwa Fensterkitt. 1870 *ff.*

2. Brot. Gemeint ist wohl das unausgebackene Brot. *Österr* 1950 *ff, jug, sold* und *rotw.*

3. Gelee. Mit ihm kann man Löcher in der Brotschnitte zukitten. *BSD* 1965 *ff.*

4. Geld. Eine *rotw* Vokabel, vielleicht fußend auf *jidd* „chütt = Zwirnsfaden" und dadurch analog zu „↗Zwirn 1". Vielleicht auch späte Erinnerung an *mhd* „kitte = Haufen". 1870 *ff.*

5. Lug, Schwindel, Täuschung. Spielt an auf den Kitt als beliebig formbare Masse oder steht in Analogie zu „↗Leim". „Kitt" ist mundartlich auch der Wandbewurf. 1870 *ff.*

6. Geschwätz; dummes Gerede. 1900 *ff.*

7. Unsinn; derber Ulk; Streich. 1870 *ff.*

8. bindende Regelung des Zusammenlebens; vertragliche Übereinkunft. Kitt verbindet, füllt aus, überbrückt, dichtet. 1950 *ff.*

9. Schminke. Theaterspr. 1950 *ff.*

10. alter (oller) ~ = längst überholte, allbekannte Sache. 1900 *ff.*

11. der ganze ~ = das alles; die ganze Kostensumme; alle Einsätze der betreffenden Runde im Glücksspiel. 1870 *ff.*

12. langsam geht der ~ von den Wänden ab = langsam schwindet die Existenzmöglichkeit dahin. Kitt = Verputz, Wandbewurf. 1955 *ff.*

13. mich drückt der ~ = ich habe Stuhldrang. Kotmasse = Kittmasse. 1960 *ff, jug, österr.*

13 a. ihm fällt (springt) der ~ aus der Brille = er ist entsetzt. 1980 *ff, jug.*

14. den ~ von den Fenstern (Fensterrahmen) fressen = sich kärglich ernähren. 1920 *ff.*

15. ~ in den Augen haben = a) diskret über etw hinwegsehen. Fußt auf der Vorstellung der verklebten Augen durch ungesunde Absonderung. 1900 *ff.* – b) langsam begreifen. Der Betreffende sieht nicht klar. 1945 *ff.*

16. ~ an den Fingern haben = diebisch sein. Analog zu „klebrige ↗Finger haben". 1870 *ff.*

17. ~ in den Ohren haben = etw nicht wahrnehmen wollen. Kitt = Schmalzpfropf. Seit dem 19. Jh.

18. den ~ von den Wänden (aus den Ritzen) kratzen = in sehr dürftigen Verhältnissen leben. 1920 *ff.*

19. ~ ziehen = davongehen. Herleitung unbekannt. Berlin 1870 *ff.*

Kittchen *n* **1.** Gefängnis, Arrest. Fußt entweder auf „Kütte = Haus" (*niederd* Kute = Loch, Höhle) oder auf „Keiche, Keuche = enge Stube; Gefängniszelle". 1750 *ff.*

2. Schule. 1960 *ff.*

3. Klassenzimmer. 1960 *ff.*

4. rin ins ~! = tritt ein. 1900 *ff.*

Kittel *m* **1.** Frauenrock, -kleid. Eigentlich die Jacke, dann auch der Bäuerinnenrock. Seit dem 19. Jh.

2. Männerjacke. Seit dem 19. Jh.

3. Uniformrock. *Sold* bis heute.

4. ich glaube, mir brennt der ~! = Ausdruck des Unwillens. Veranschaulichende

Weiterführung der Redewendung „auf glühenden ↗Kohlen sitzen". 1960 *ff, halbw.*

5. jetzt ist der ~ geflickt = jetzt läßt sich daran nichts mehr ändern. 1920 *ff.*

6. den ~ nicht sauber haben = nicht unbescholten sein. ↗kittelrein. Seit dem 19. Jh.

7. jm an den ~ kommen = jn bedrohen. Seit dem 19. Jh.

kittelrein *adj* unbescholten, schuldlos. Man ist rein wie ein weißer Kittel. Seit dem 19. Jh.

Kittelwaschen *n* Prügelei. Die umgangssprachlichen Ausdrücke für Prügeln decken sich mit denen für Reinigen: Prügel werden als Besserungsversuch aufgefaßt. Seit dem 19. Jh.

kitten *tr* **1.** etw wieder verbinden; ein Zerwürfnis beheben (man kittet eine Freundschaft, eine Ehe u. ä.). Hergenommen von den Scherben, die man mit Kitt verbindet. Seit dem 16. Jh.

2. eine Wunde vernähen, heilen. *Sold* in beiden Weltkriegen.

kitzeln *tr* **1.** etw auf Hochleistung bringen. Kitzeln = reizen. Technikerspr. 1930 *ff.*

2. das Auto (den Motor) ~ = den Motor wiederholt anlassen. 1930 *ff.*

3. aus einer Flasche 35 Schnäpse ~ = aus einer Flasche 35 Schnäpse eingießen. 1965 *ff.*

4. jn leicht verwunden, stechen. Euphemismus. *Sold* und *rotw* 1914 *ff.*

5. es kitzelt ihn = das hört er gern; das schmeichelt ihm; das reizt ihn; darüber freut er sich sehr. Seit dem 19. Jh.

6. kitzel mich!: Zuruf, wenn man einen Witz nicht zum Lachen findet. 1900 *ff.*

7. einmal für 5 Pfennig ~!: Redewendung nach Anhören eines faden Witzes. 1930 *ff.*

8. sich ~ = frohlocken; schadenfroh sein; Genugtuung über etw empfinden. Seit dem 18. Jh.

kitzlig *adj* **1.** empfindlich; leicht reizbar. Der Betreffende reagiert auf Kitzeln sofort. 1500 *ff.*

2. heikel, bedenklich, gewagt. Vom reizbaren Menschen übertragen auf bedenkliche Lebenslagen. 1500 *ff.*

Kla'bache *f* baufälliges Gebäude. Das um 1900 auftauchende Wort stammt aus dem Wendischen und ist von *gleichbed* „↗Kabache" beeinflußt, vielleicht auch von „↗klapprig".

Kla'baster *n* **1.** *pl* = Prügel. ↗klabastern 2. 1800 *ff.*

2. altes ~ = schrottreifes Fahrzeug. Aus „klappern" erweitert. 1920 *ff.*

kla'bastern *v* **1.** *intr* = gehen, laufen, klettern; schwerfällig, mühsam gehen. Schallnachahmende Weiterbildung von „klappern", wohl in Anlehnung an Pferdegetrappel auf Steinpflaster. Seit dem 18. Jh.

2. *tr* = jn prügeln. Lautnachahmende Wiedergabe der klatschend auftreffenden Schläge. Seit dem 19. Jh.

kla'bastrig *adj* gebrechlich; schwerfällig gehend. Seit dem 19. Jh.

Klabautschke *m* unangenehmer, polternder Vorgesetzter. Klabautern = lärmen. *Sold* in beiden Weltkriegen; *ziv* 1945 *ff.*

Klabus *m* ~ der Bär = der mit Dreck haftendes Kotklümpchen. Durch scherzhafte Silbentrennung weiterentwickelt aus „Klabusterbeere". 1918 *ff.*

Kla'busterbeeren *pl* in den Haaren am After anhängende Kotteilchen. Zu „klamüsern" gehörig in der Bedeutung „mühsam absuchen" (?) und mit Anlehnung an „kleben". 1800 ff.

kla'bustern (klabüstern) *tr* etw umständlich auseinandersetzen; Einzelheiten ausarbeiten, ausdenken. Nebenform von ↗klamüsern. 1900 ff.

Klack *m* Makel; böse Nachrede. Meint eigentlich das Geräusch, mit dem ein Klumpen niederfällt; dann auch den Klumpen selber, den Klecks und weiter den sittlichen „Klecks". 1850 ff.

klacken *tr* heftig schlagen, werfen o. ä. Lautmalend für einen harten, kurzen Knall. 1900 ff.

Klacker *m* Versager; furchtsamer Mensch. Klack = Fleck, Klecks. Hier bezogen auf Beschmutzung der Wäsche von innen. 1900 ff.

Klacks *m* 1. Kleinigkeit; kleine Menge; leichte Aufgabe. Klacks = Häufchen. Seit dem 19. Jh.
2. Tadelvermerk im Schulzeugnis. ↗Klack. 1910 ff.
3. du hast wohl einen ∼? = du bist wohl nicht recht bei Verstand? ↗klacken. Der Schlag auf den Kopf hat die Sinne verwirrt. 1900 ff.

klacksen *tr intr* klecksen; klatschend schlagen. Iterativum zu ↗klacken. Seit dem 19. Jh, nordd.

Kladde *f* 1. Entwurf, Schmierheft; Schreibheft. Meint eigentlich das Buch, in dem der Kaufmann vorläufig Notizen niederschreibt. 1870 ff, schül.
2. kleines Lexikon für Täuschungszwecke bei der Klassenarbeit. ↗Klatsche. 1870 ff.
3. in ∼ reden = eine Ansprache einüben. 1900 ff.
4. etw in ∼ tun = etw ausprobieren, bevor man es für fertiggestellt erklärt. 1900 ff.
5. in ∼ heiraten = ohne standesamtliche Trauung zusammenleben. Vgl das Vorhergehende. 1980 ff.

Kladdera'datsch *m* 1. Zusammenbruch, Sturz. Mit „klatsch" begleitet man schallnachahmend das Fallen und Zerbrechen eines Gegenstands; dieses Schallwort hat über „kladatsch" die Streckform „Kladderadatsch" entwickelt. Etwa seit 1830.
2. aufsehenerregender Vorgang; lauter Streit o. ä. 19. Jh.
3. der ganze ∼ = die gesamte Unannehmlichkeit. 1900 ff.
4. großer ∼ = a) Zusammenbruch einer Gesellschaftsordnung. Sozialistisches, demagogisches Kraftwort. Etwa seit 1830.
5. militärische Niederlage. 1918 ff; 1945 ff.

klaffen *intr* 1. schwätzen; mißgünstig über einen Abwesenden sprechen. Gehört zum *german* Wurzelwort „klap = den Mund offen haben" und zu „kläffen = bellen". Seit *mhd* Zeit.
2. trotzig und unverschämt reden. 1700 ff.

Kläffer *m* 1. (bei geringstem Anlaß bellender) Hund. 1500 ff.
2. Schwätzer. 1500 ff.
3. scheltende, verleumderisch redende Person. Seit *mhd* Zeit.
4. Hetzredner. 19. Jh.

Klaffe (Klaffte) *f* 1. unverträgliche, ausfällige Person. Gehört zu „kläffen = bellen". 1900 ff.
2. unsympathisches Mädchen. Es ist

schnippisch und nicht umgänglich. *Halbw* 1955 ff.
3. kaufunentschlossene Kundin. Gehört zu dem Folgenden. Kaufmannsspr. 1900 ff.

klaften *intr* 1. neugierig sein. Geht zurück auf *german* „klap = den Mund offen haben". 1900 ff.
2. schwätzen. ↗klaffen 1. *Mhd* „klaft = Geschwätz". *Südd* 1900 ff.

klaften gehen *intr* einkaufen gehen, aber sich zum Kauf nur schwer entschließen können. 1900 ff.

Klafümf (Klafünf) *n* Klavier. Ein sprachlicher Spaß, beruhend auf der Meinung, die letzte Silbe von „Klavier" sei die Zahl 4 und könne doch eine andere ersetzt werden, – vor allem durch die Zahl 5, weil man 5 Finger hat. 1870 ff.

Klage *f* 1. die ∼ hängt = die Klage ist eingereicht, ist noch nicht entschieden. „Hängen" ist aus dem Lateinischen übersetzt: *lat* „lis pendens = rechtshangende Sache". 1900 ff.
2. daß mir keine ∼n kommen!: Abschiedswort an eine oder mehrere Personen, die ohne Aufsicht Erwachsener einen Spaziergang machen, zu einer Festlichkeit gehen o. ä. Man befürchtet Klagen über schlechtes Benehmen. 1920 ff.

Klagemauer *f* 1. Mensch, dem man seine Kümmernisse anvertraut. Leitet sich her von der Mauer gleichen Namens am Tempelplatz zu Jerusalem: die Juden beklagen hier den Untergang des Tempels. 1950 ff.
2. Bardame. Sie hört sich das Klagen der unzufriedenen Männer an. 1950 ff.
3. Wehrbeauftragter des Deutschen Bundestags. *BSD* 1957 ff.
4. Bürgerbeauftragter, Ombudsmann. 1977 ff.
5. ∼ spielen = traurigen Reden geduldig zuhören. 1950 ff.
6. an der ∼ stehen = Klagen vorbringen, ohne auf Abhilfe zu sinnen. 1950 ff; wohl älter.

klagen *intr* dieses Jahr ∼ alle Skatspieler (o. ä.): Trostrede an den Skatspieler ohne Kartenglück. Übertragen vom sprichwörtlichen Klagen der Bauern über die Ernte. Kartenspielerspr. seit dem späten 19. Jh.

Klageweib *n* Schlagersängerin mit vielen Schluchztönen in der Stimme. Eigentlich eine aus der klagenden Frauenschar bei Beerdigungen. 1955 ff.

Kla'mauk *m* Lärm; sinnloser Trubel; unnötige Aufregung. Ahmt den Klang niederfallenden und zerbrechenden Geschirrs nach (ähnlich „kladderadatsch", „pardauz" u. a.). Seit dem späten 18. Jh.

Kla'maukbruder *m* Komiker mit plumpen Einfällen. 1965 ff.

kla'maukig *adj* mit primitiven Mitteln arbeitend. 1955 ff.

Kla'mauk-Komik *f* anspruchslose Komik; spürbar aufgesetzte, unpersönliche Komik. 1955 ff.

kla'mauksüchtig *adj* streitlüstern. 1930 ff.

'klam'heimlich (klammheimlich) *adv* *adj* ganz heimlich; unbemerkt. Tautologische Bildung studentischer Herkunft; denn „klam" meint *lat* „clam = heimlich". Seit dem letzten Drittel des 19. Jhs.

klamm *adj* 1. langweilig; nicht anregend; geistesarm. Meint eigentlich soviel wie „erstarrt; steif gefroren" (auf die Gliedmaßen bezogen); von da übertragen aufs Gei-

stige im Sinne von „wie leblos; schwunglos". *Halbw* 1955 ff.
2. ∼ sein = kein Geld haben. In Bezug auf die Hand, die das Geld hervorholt, ist man unbeweglich. Verwandt mit „↗Klemme". 1600 ff.
3. ∼ im Kopf sein = benommen, noch nicht hellwach sein. 1950 ff.

Klammer *f* 1. intime Freundin eines Halbwüchsigen. Sie klammert sich an ihn. *Halbw* 1950 ff.
2. Lehrerin. Sie sucht das „↗Gebiß" (= Mädchengruppe) zusammenzuhalten. *Halbw* 1960 ff.

Klammeraffe *m* 1. Schimpfwort. Eigentlich Name einer südamerikanischen Affenart; hier ist „Affe" vervollständigt im Hinblick auf lästige Anhänglichkeit. 1850 ff.
2. Telegraphenbauarbeiter; Angehöriger der Nachrichtentruppe. Wegen der Steigeisen, mit denen sie an den Masten Halt suchen. *Sold* 1914 ff, auch ziv.
3. Motorradmitfahrer(in). Der Mitfahrer klammert sich an den Fahrer oder an den Griff des Mitfahrersattels. 1920 ff.
4. handliches Beleuchtungsgerät. Mittels einer Klammer ist es leicht anzubringen. Technikerspr. 1955 ff.

Klammerblick *m* Blick eines Kurzsichtigen. Er klammert die Augenlider zusammen. 1950 ff.

Klammerbraut *f* Motorrad-Mitfahrerin. ↗Klammeraffe 3. 1920 ff.

Klammer-Fox *m* Foxtrott. Ein Tanz mit festem Umklammern. *Halbw* 1960 ff.

klammern *intr* fest, unzertrennlich zu jm stehen; treu zu jm halten. *Halbw* 1950 ff.

Klamotte *f* 1. aus primitiv-veralteten Einfällen zusammengesetztes, mit anspruchslos-schauspielerischen Mitteln vorgeführtes Bühnen- oder Filmstück. „Klamotte" geht zurück auf „Chamotte (= feuerfester Stein", vermischt mit *böhm* „Klamol = Bruchstück, Brocken". Hieraus entwickelt sich die allgemeine Bedeutung „schlechter Gegenstand", „Geringwertiges" u. ä. Theaterspr. 1900 ff.
2. alter Wagen; altes Auto. 1920 ff.
3. *pl* = Gesteinsproben; zerbrochene Mauersteine; Geröll, Schotter u. ä. ↗Klamotte 1. 1500 ff.
4. *pl* = Zahnreste. 1900 ff.
5. *pl* = ärmliche Habseligkeiten, Gegenstände u. ä. 1850 ff.
6. *pl* = Musikinstrumente. *Halbw* 1960 ff.
7. *pl* = Kleider, Uniformstücke *(abf)*. Vielleicht beeinflußt von *rotw* „klaffot = Kleid". *Sold* 1914 bis heute; auch rotw und halbw.
8. *pl* = Wäsche, Unterzeug o. ä. *BSD* 1965 ff.
9. *pl* = Gliedmaßen. Meint vor allem die kräftig geformten. 1900 ff, sold und rotw.
10. *pl* = Rundungen des Frauenkörpers. 1950 ff.
11. *pl* = Geld, Geldmünzen. Fußt auf der im Rotwelsch häufigen Gleichsetzung von Geld mit Steinen. Seit dem späten 19. Jh.
12. *pl* = Angelegenheiten jeglicher Art. 1950 ff.
13. ∼ machen = a) alle neun Kegel treffen. Man stellt eine Art Geröll her. Keglerspr. 1900 ff. – b) zusammenstoßen. Kraftfahrerspr. 1920 ff.
14. jm die ∼ hinwerfen (hinschmeißen)

= jm die Mitarbeit aufkündigen; sein Amt niederlegen. ↗ Brocken 20. 1900 *ff.*

Klamottendarsteller *m* Schauspieler, der mit derben Mitteln zu gestalten pflegt. ↗ Klamotte 1. Theaterspr. 1900 *ff.*

Klamottenkiste *f* **1.** Sammlung (Aufbewahrungsort) veralteter oder unbrauchbar gewordener Gegenstände. Repertoire alter Bühnenstücke. 1910 *ff.*
2. Sammlung von Altertümern; Museum; Stadt mit reichen Überbleibseln aus dem Altertum. 1920 *ff.*
3. Vorrat an überkommenen Vorstellungen. 1960 *ff.*
4. altes Auto. *Sold* 1939 *ff.*
5. aus der ~ = unmodern, veraltet. 1910 *ff.*

Klamottenkomik *f* einfallsarme, plumpe oder derbe Komik. Filmspr. und fernsehspr. 1930 *ff.*

Klamottenkomiker *m* Schauspieler in derb-komischen Rollen. 1930 *ff.*

Klamottenrolle *f* derb-komische Bühnenrolle. 1900 *ff*, theaterspr.

Klamottical *n* Operette sehr anspruchsloser Art. Zusammengesetzt aus „Klamotte 1" und „Musical". 1969 *ff.*

Klamottier (Endung *franz* ausgesprochen) *m* **1.** Schauspieler in derb-komischen, anspruchslosen Rollen. 1900 (?) *ff*, theaterspr.
2. Verwalter der Bühnengarderobe. 1930 *ff.*

klamottieren *intr* eine Lustspielrolle mit anspruchslosen Einfällen spielen. 1900 *ff.*

klamottig *adj* aus anspruchslosen, derben und plumpen Einfällen zusammengesetzt; künstlerisch wenig wertvoll. ↗ Klamotte 1. 1900 *ff*, theaterspr.

Klampfe (Klampfn) *f* Gitarre. *Hochd* Form zu *niederd* „Klampe = hölzerner Steg". *Südd* seit dem 19. Jh.

Klampfl *n* jm ein ~ anhängen = über jn verleumderische Bemerkungen machen. „Klampfl" nennt man eine kleine Blechplatte, wie man sie früher Verleumderinnen um den Hals gehängt hat. *Südd* 1800 *ff.*

Klamüser *m* **1.** Mensch, der geduldig Feinarbeit verrichtet. ↗ Kalmäuser. Seit dem 19. Jh.
2. Grübler. Seit dem 19. Jh.

klamüsern *v* **1.** grübeln, nachdenken, basteln. ↗ Kalmäuser. Seit dem 19. Jh.
2. etw ~ = etw ergründen, heraussuchen. Seit dem 19. Jh.

Klang *m* **1.** Geld. Entweder Analogie zu *gleichbed* „Pinke" oder aus „Klank = Knopf" entstanden. ↗ Knöpfe = Geld. 1910 *ff.*
2. nasse Klänge = Trauermusik; Musik bei einer Beerdigung. „Naß" spielt auf Tränen an, auch auf die Blasmusik. 1900 *ff.*
3. trockene Klänge = lustige Musik; Tanzmusik. Dabei werden keine Tränen vergossen. 1900 *ff.*
4. einen dreckigen ~ haben = in schlechtem Ruf stehen; unbeliebt sein; keinen Anklang finden. Gegensatz zum reinen Klang, den ein Musikinstrument hat, wenn es richtig gestimmt ist. *Jug* 1950 *ff.*

Klappe *f* **1.** Bett. Bezieht sich in Gaunerkreisen auf das in Haftanstalten übliche Bett, das tagsüber an die Wand geklappt wird; in der Soldatensprache sind die Decken gemeint, die tagsüber zurückgeschlagen sind und deren obere Hälfte der Soldat

über seinen Körper klappt. Betten befanden sich früher auch in einer Wandnische, die mit zwei Klappen geschlossen wurde. 1870 *ff.*
2. Mund. Anspielung auf das Auf- und Zuklappen des Mundes. Seit dem 19. Jh.
3. Tür. Meint ursprünglich die Falltür, dann auch die Tür mit Türschließer und die zweiteilige Stalltür. 1900 *ff.*
4. Hosenschlitz, -latz. Meint die Hose mit Vorderklappe bei Matrosen, Handwerkern und Kindern. 1900 *ff.*
5. einfache Konditorei; bescheidenes (anrüchiges) Lokal; Treffpunkt von Dieben, Homosexuellen, Prostituierten u. ä.; Bordell. Die Fenster werden nachts mit Holzblenden verschlossen, und an der Tür befindet sich eine Klappe, die der Gastwirt zur Seite schiebt oder herabläßt, wenn Gäste an die Tür klopfen. Seit dem späten 18. Jh., *nordd.*
6. Abort als Homosexuellen-Treffpunkt. Sonderentwicklung aus dem Vorhergehenden. 1960 *ff.*
7. Klappe! = schweig! verstumme! Verkürzt aus „halt' die Klappe!". 1910 *ff.*
8. böse ~ = unflätig schimpfende weibliche Person. 1900 *ff.*
9. große ~ = Beredsamkeit; Prahlerei. Der Betreffende reißt die „Klappe" sehr weit auf und läßt wenig Gediegenes vernehmen. Seit dem späten 19. Jh.
10. ~ zu, Affe tot! = a) hinaus mit dir! ↗ Bude 15. Seit dem 19. Jh. – b) erledigt! Schluß aus! 1900 *ff.*
11. ~ zu, Affe tot, Zirkus pleite! = Schluß! 1950 *ff.*
12. die ~ aufmachen = sich äußern. ↗ Klappe 2. 1900 *ff.*
13. die ~ aufreißen = anmaßend, prahlerisch reden. 1900 *ff.*
14. ~ bauen = das Bett vorschriftsmäßig herrichten. ↗ Klappe 1. *Sold* 1914 *ff.*
15. die ~ dichtmachen = die Tür schließen. Meist in Befehlsform. ↗ Klappe 3. 1900 *ff.*
16. die ~ einrasten lassen = a) den Mund schließen. ↗ einrasten. 1935 *ff.* – b) nichts äußern; nichts verraten. 1935 *ff.*
17. die ~ fällt = es ist aus. Hergenommen von der Klappe, die bei Filmaufnahmen fällt, sobald die Vorbereitungen beendet sind und Ruhe eingetreten ist. Wie es auch für das Kaninchen ist, wenn hinter ihm die Klappe der Falle zufällt. 1950 *ff.*
18. bei ihm fällt die ~ = er begreift die Zusammenhänge. Hergeleitet her von der Klappe des Regieassistenten oder von der Klappe an der Fernsprechvermittlung: das Fallen der Klappe zeigt an, wo der Ruf ankommt. 1950 *ff.*
19. bei ihm ist die ~ gefallen = sein Auffassungsvermögen setzt aus; vor Examensangst bleibt er die Antwort schuldig. Hier ist von der Blende des Fotoapparats auszugehen. 1920 *ff.*
20. in die ~ gehen = zu Bett gehen. ↗ Klappe 1. Seit dem 19. Jh.
21. eine große ~ haben = geschwätzig, beredt, prahlerisch sein. ↗ Klappe 9. Seit dem 19. Jh.
22. die ~ halten = verstummen; nichts verraten. Gern in der Befehlsform. Seit dem 19. Jh.
23. sich in die ~ hauen = zu Bett gehen. ↗ hauen 7. 1870 *ff.*
23 a. da bleibt mir die ~ offen! = Ausdruck

der Verwunderung. ↗ Klappe 2. 1980 *ff*, *jug.*
24. eine ~ (eine große ~) riskieren = sich aufspielen; auf gut Glück schwatzen. 1900 *ff.*
25. die große ~ schwingen = großsprecherisch auftreten. Zu „schwingen" *vgl* „eine ↗ Rede schwingen". 1920 *ff.*
25 a. jm die ~ stopfen = jds Prahlsucht energisch entgegentreten. Analog zu ↗ Maul 77. 1970 *ff.*
26. die ~ zumachen = schweigen, verstummen. 19. Jh.
27. mach die ~ zu, es zieht, du verkühlst dir den Charakter! = verstumme! 1900 *ff.*

klappen *v* **1.** es klappt = es glückt; es läßt sich verwirklichen; es funktioniert; es paßt. Meint eigentlich das Geräusch beim Zusammenschlagen von Gegenständen (den Deckel auf den Topf setzen), dann unter Fortlassung des Geräuschs nur das Aufeinanderpassen. 1600 *ff.*
2. es kommt zum ~ = man erzielt eine Übereinstimmung; es kommt zur Entscheidung; es läßt sich endlich verwirklichen. Die Ansichten der Partner passen aufeinander wie der Deckel auf die Kanne. Seit dem 18. Jh.
3. etw bringt eine Sache zum ~ = ein Vorfall führt die Entscheidung herbei. Seit dem 19. Jh.
4. *tr* = jn ertappen, verhaften. Hängt zusammen mit „Klappe = Falle (Mausefalle)". 1870 *ff.*
5. *intr* = schlafen. Versteht sich nach ↗ Klappe 1. Spätestens seit 1900.
6. jm eine ~ versetzen = jm eine Ohrfeige versetzen. „Klapp" als Geräuschwort. 1900 *ff.*

klappengehen *intr* zu Bett gehen. ↗ klappen 5. 1900 *ff.*

Klapper *f* Schwätzer. Eigentlich das Brett mit Holzhämmerchen als Glocken- und Schellenersatz in den Kartagen, auch „Ratsche" genannt. 19. Jh.

Klapperatismus *m* wegen hohen Alters klappernde Maschine. Zusammengesetzt aus „klappern" und „Automatismus". 1870 *ff.*

klapperdürr *adj* abgemagert, ausgemergelt. Eigentlich scherzhaft gemeint: bei dem Betreffenden klappern die Knochen gegeneinander. Seit dem späten 18. Jh.

Klapperer *m* Bettler. Entweder trägt er schadhaftes Schuhwerk oder er klappert die Dörfer und Häuser ab; ↗ abklappern. 1900 *ff.*

Klapperkasten *m* **1.** altes Klavier ohne Klang. Seit dem frühen 19. Jh.
2. altes Rundfunkgerät. 1930 *ff.*
3. altes Fahrzeug. 1900 *ff.*
4. alter Aufzug. 1950 *ff.*
5. Schreibmaschine. 1920 *ff.*

Klapperkiste *f* **1.** altes, baufälliges Haus. Kiste = Haus (wegen der Formähnlichkeit). Klapperig = altersschwach. 1900 *ff.*
2. altes Fahrzeug. 1910 *ff.*
3. Schreibmaschine. 1900 *ff.*
4. Rundfunkgerät. 1930 *ff.*

klappern *v* **1.** *tr intr* = schwätzen, ausplaudern. ↗ Klapper. 1500 *ff.*
2. *intr* = geräuschvoll essen. Auf der trockenen Kommißbrotscheibe knacken die Zähne. *Sold* in beiden Weltkriegen.
3. *intr* = betteln. ↗ Klapperer. 1900 *ff.*
4. es klappert = das Geschäft geht gut. Hergenommen vom Klappern des Geldes in der Ladenkasse. 1920 *ff.*

5. es klappert bei ihm = er hat sich verliebt. Entweder ist bei dem Betreffenden „der ↗Groschen gefallen" oder in seinem Kopf „↗rappelt" es. 1960 *ff*, *halbw.*

6. bei ihm klappert es im Schädel = er ist nicht recht bei Verstand. In seinem Kopf ist „eine ↗Schraube los": der Denkmechanismus hat einen Defekt. *Halbw* 1950 *ff*.

Klapperschlange *f* **1.** redselige weibliche Person. Vom Tier auf den Menschen übertragen unter Einfluß von ↗klappern 1. 1850 *ff*.
2. unverträgliche (widerwärtige) weibliche Person. Spätestens seit dem 18. Jh.
3. Stenotypistin. Vom klappernden Geräusch der Schreibmaschine übertragen auf den Geräuschmacher. Etwa seit 1900.
4. giftig wie eine ~ = äußerst bösartig; überaus wütend. ↗Gift I. 1930 *ff*.

Klapperschluck *m* aus den Resten in den Gläsern zusammengegossenes und getrunkenes Bier. Gehört zu „klappern = betteln". 1971 *ff*.

Klapperstorch *m* **1.** Mann, der eine weibliche Person geschwängert hat. 1900 *ff*.
2. reisender ~ = mehrfacher außer- oder unehelicher Vater. 1900 *ff*.
3. ungeduldiger ~ = Kindesgeburt kurz nach der Eheschließung. 1900 *ff*.
4. der ~ hat sich angemeldet = die Frau ist schwanger. 1900 *ff*.
5. den ~ ankurbeln = viel Nachwuchs zeugen. ↗ankurbeln 1. 1920 *ff*.
6. erzähl mir nichts vom ~! = verschone mich mit deinem Geschwätz! Nur Unwissende glauben an den kinderbringenden Storch. *BSD* 1965 *ff*.
7. den ~ mit Gewalt fortschicken = empfängnisverhütende Mittel anwenden. 1950 *ff*.
8. nicht mehr an den ~ glauben = nicht mehr unbescholten sein. 1900 *ff*.
9. der ~ ist ins Haus gekommen = ein Kind ist zur Welt gekommen. 1900 *ff*.

Klapp-Klapp *n* **1.** hochklappbares Wandbett im Gefängnis oder in der Arrestzelle. 1900 *ff*.
2. ein Jahr ~ = ein Jahr Gefängnis. 1900 *ff*.

Klappmatismus *m* Mechanismus. Zusammengesetzt aus „klappen" (= funktionieren) und „Automatismus". 1900 *ff*.

klapprig *adj* **1.** gebrechlich, kränklich, hager. Versteht sich nach ↗klapperdürr. Seit dem 19. Jh.
2. fast schrottreif. 1910 *ff*.

Klappstuhlarena *f* kleines Kabarett. Man nimmt auf Klappstühlen Platz. 1979 *ff*.

Klappstulle *f* Doppelschnitte Brot. ↗Stulle. Seit dem 19. Jh.

Klaps *m* **1.** Verrücktheit; Geistestrübung o. ä. Klaps meint den gelinden Schlag gegen den Kopf als Ursache einer leichten Gehirnerschütterung. Seit dem 18. Jh.
2. ~ mit Freilauf = a) Geistesbeschränktheit. „Freilauf" steht hier sinnbildlich für Unbeeinflußbarkeit und Unheilbarkeit. 1930 *ff*. – b) unwiderstehliche Lachlust. 1930 *ff*.

klapsig *adj* verrückt. 1900 *ff*.

Klapskäfig *m* Klinik für Nervenleidende und Geistesgestörte. Seit dem frühen 20. Jh.

Klapsmühle *f* **1.** Sanatorium für Nervenleidende; Irrenhaus; psychiatrische Kranken-

hausabteilung. Hergenommen von den sinn- und zwecklosen, schwergängigen Mühlen, die die Irren früher mit den Händen drehen oder mit den Füßen treten mußten. Scheint im Ersten Weltkrieg bei den Soldaten aufgekommen und später allgemeingebräuchlich geworden zu sein.
2. Kaserne. *BSD* 1965 *ff*.
3. Hilfsschule. 1950 *ff*.
4. Schule jeglicher Art. 1950 *ff*.

Klapsmühlenabonnent *m* rückfälliger Nerven- und Gemütskranker. 1960 *ff*.

Klapsrieke *f* dümmliche weibliche Person. ↗Rieke. 1950 *ff*.

klar *adv* **1.** ~!: Ausdruck der Bejahung (kennst du Herrn Meyer? – klar kenne ich ihn!). Verkürzt aus „es ist klar, daß ..." im Sinne von „offensichtlich, augenscheinlich, selbstverständlich". 1900 *ff*.
2. es geht ~ = es glückt, ist in Ordnung, nimmt den gewünschten Verlauf; Ausdruck der Bejahung. Fußt auf der seemannssprachlichen Bedeutung von „klar" im Sinne von „verwendungsfähig, fertiggestellt". Seit dem späten 19. Jh.
3. etw ~ haben = etw geregelt, begriffen haben. Es ist ihm klar = er sieht es ein. 1900 *ff*.
4. ~ kommen = zur Besinnung kommen. Man kehrt zu klaren Sinnen zurück. 1920 *ff*.
5. mit einer Sache ~ kommen = etw bewerkstelligen, fertigbringen. 19. Jh.
5 a. mit dem Geld ~ kommen = mit dem Geld auskommen. Seit dem 19. Jh.
6. mit jm ~ kommen = sich mit jm verständigen. Man klärt die strittigen Punkte und Mißverständnisse. 1900 *ff*.
7. etw ~ kriegen = a) etw ergründen, bewerkstelligen; herausfinden, wie man eine Sache machen muß. 1900 *ff*. – b) etw entzweimachen, zertrümmern, zerkleinern; Geldscheine wechseln. „Klar" bezieht sich auf einen Zustand oder eine Form, in die man eine Sache bringen will, und ist analog verwendbar wie „fertig". 1900 *ff*.
8. etw ~ machen = etw fertigmachen. 1700 *ff*, *nordd.*
9. einen ~ machen = koitieren. Rocker 1967 *ff*.
10. Geld ~ machen = Geld wechseln, ausgeben. Seit dem 19. Jh.
11. ~ sein = fertig, angekleidet, reisefertig sein o. ä. 1700 *ff*, *nordd.*
12. mit etw ~ sein = mit etw fertig sein; einen Auftrag erledigt haben. 1700 *ff*.
13. nicht mehr ganz ~ sein = nicht recht bei Verstand sein; bezecht sein. Seit dem 19. Jh.
14. mit etw ~ werden = etw fertigbringen. Seit dem 19. Jh.
15. mit jm ~ werden = mit jm Übereinstimmung erzielen. ↗klar 6. 1900 *ff*.

Klara (Tante ~) *f* Sonne. Wortspiel mit „klar, sonnenklar". Spätestens seit 1900.

klärchen *adv* selbstverständlich (klärchen tue ich das!). Entweder Verniedlichung von „klar" oder übernommen vom Folgenden im Sinne von „sonnenklar". Spätestens seit 1900.

Klärchen *n* **1.** Sonne. Koseform von ↗Klara.
2. klar wie ~ = völlig selbstverständlich; völlig einleuchtend. 1900 *ff*.

klaren *tr* etw fertigmachen, zustandebrin-

gen, wieder in Ordnung bringen. ↗klar 8. 1700 *ff*, *nordd* (seemannsspr.).

Klarer *m* **1.** unvermischter, aus Korn gebrannter Schnaps. Seit dem 19. Jh.
2. ~ mit Cholera = Kornschnaps mit einem Schuß Wermut. „Cholera" ist aus „Couleur" entstellt: Wermut färbt den Kornschnaps bräunlich. Um 1830 aufgekommen in Berlin während der großen Cholera-Epidemie („Schnaps is jut für de Cholera").
3. ~ mit Speck = Kornschnaps mit etwas Boonekamp; Pfefferschnaps. 1920 *ff*.

Klarheiten *pl* alle ~ sind restlos beseitigt = es ist alles in Ordnung; jetzt sieht man klar. Spöttisch umgeformt aus „alle Unklarheiten sind beseitigt", oft mit Anspielung auf eine Debatte, die durch Ausführlichkeit und Umständlichkeit Klarheit nur für wenige schafft. 1920 *ff*.

klaro *adv* verständlicherweise. Deutsche Schreibweise von *span* „claro". 1975 *ff*, *jug.*

Klarsichtpackung *f* durchsichtige Bluse. 1960 *ff*.

Klartext *m* ~ reden = ohne Umschweife reden. Klartext ist der nichtverschlüsselte oder entschlüsselte Text. 1950 *ff*.

klaß *adj adv präd* vorzüglich, eindrucksvoll, fein. Adjektiv zu „Klasse" im Sinne von Güteklasse (einer Ware). Vielleicht vom *engl* Adjektiv „class" übernommen. Im frühen 20. Jh in Wien aufgekommen.

klasse *adj* (unveränderlich) **1.** hervorragend, unübertrefflich. Aus dem Substantiv entwickeltes Adjektiv. Deutsche Variante zum Vorhergehenden. *Halbw* 1920 *ff*.
2. kameradschaftlich. *Halbw* 1950 *ff*.
3. ungeheuer ~ = unübertrefflich. *Halbw* 1950 *ff*.
4. ~ aussehen = anziehend aussehen; einen hervorragenden Eindruck machen. *Halbw* 1950 *ff*.
5. etw ~ finden = etw für ausgezeichnet halten. *Halbw* 1950 *ff*.
6. sich mit jm ~ unterhalten können = sich mit jm sehr gut unterhalten können. *Halbw* 1950 *ff*.

Klasse *f* **1.** Klassenarbeit. Verkürzung. *Schül* 1950 *ff*.
2. ... erster (zweiter, dritter) ~ = mit einem (zwei, drei) Sternen auf den Schulterstücken. Der Einteilung der Ordensklassen nachgeahmt. *BSD* 1965 *ff*.
3. ~ sein = hervorragend sein. Hergenommen von der kaufmännischen Wareneinteilung in Güteklassen, hier verkürzt aus „erster Klasse". 1910 *ff*.
4. das ist absolute ~ = das ist unübertrefflich; er ist eine großer Könner. 1935 *ff*.
5. dufte ~ = schwungvolle Leistung; hervorragende Könnerschaft. ↗dufte 1. *Halbw* 1950 *ff*.
6. einfach ~! = einfach vorzüglich! 1920 *ff*.
7. einsame ~ sein = unübertrefflich sein. Einsam = einzig in seiner Art. *Halbw* 1950 *ff*.
8. erste ~ = hervorragende Leistung; großer Könner. 1910 *ff*.
9. große ~ = großartige Leistung; hochwertige Sache; sehr leistungsfähiger Mensch. 1920 *ff*.
10. ganz große ~ = überragende Leistung; ausgezeichneter Könner. 1920 *ff*.
11. hohe ~ = hervorragend. Übernommen von der hohen Ordensklasse. 1950 *ff*.

12. das Ziel der ~ nicht erreichen: ↗ Ziel.

13. ~ haben = vorzüglich sein (bezogen auf den Körperbau, das Temperament, das gesellschaftliche Benehmen u. ä.). 1950 ff.

14. erster ~ leben = vermögend sein. Übertragen von der ersten Wagenklasse bei der Eisenbahn. 1920 ff.

15. beste ~ sein = unübertrefflich sein. 1950 ff.

'Klasse'frau f **1.** ausgezeichnete Frau; Frau, wie man sie sich nicht besser wünschen kann; sehr nettes, umgängliches Mädchen. Dieser und ähnlichen Vokabeln sind fachsprachliche Bezeichnungen vorausgegangen wie etwa „Klassepferd" in der Bedeutung „reinrassiges, edles Dressurpferd". Halbw 1920 ff.

2. Prostituierte, die sich nur mit einem einzigen oder nur sehr wenigen Kunden abgibt; ansehnliche, geschäftstüchtige Prostituierte. 1920 ff.

'Klasse-'Job m angenehmer Dienst. ↗ Job. BSD 1965 ff.

'Klasse-'Kerl m **1.** kameradschaftlicher Mitschüler. 1950 ff.

2. beliebter Vorgesetzter. BSD 1965 ff.

'Klasse-'Mann m sehr tüchtiger Mann; Könner; Idealmann. 1950 ff.

'Klasse-'Mannschaft f besonders gute Sportmannschaft. 1950 ff.

Klassenarschprügel pl gemeinschaftliche Verprügelung eines unkameradschaftlichen Mitschülers. 1920 ff.

Klassenbaby n Klassensprecher(in). Wohl aus dem Vorhergehenden entstellt. 1950 ff.

Klassenbummerl n Klassenschlechtester. „Bummerl" ist der Schlechtpunkt beim Kartenspiel „Schnapsen". Österr 1960 ff.

Klassendepp m Klassenschlechtester. ↗ Depp. Oberd 1950 ff.

Klassendresche f Verprügelung eines Schülers durch seine Kameraden. ↗ Dresche. 1920 ff.

Klassengroßsprecher m Klassensprecher. 1950 ff.

Klassenhaß m **1.** ↗ Aufforderung; ↗ Aufreizung.

2. es reizt zum ~ = es macht neidisch. Eine dem Demagogenwortschatz entlehnte Vokabel; sie drückt eigentlich den Haß der Arbeiterklasse gegenüber der besitzenden Klasse aus. Entstellt aus „Anreizung zum Klassenkampf" (§ 130 StGB), 1920 ff.

Klassenkapf m Klassenschlechtester. Österr „Kapf = Karpfen" in der Bedeutung „↗ Karpfen 1". Österr 1960 ff.

Klassenkasper m vorlauter, zu mutwilligen Späßen neigender Schüler. ↗ kaspern. Seit dem ausgehenden 19. Jh.

Klassenkeile pl **1.** Verprügelung des Schülers durch seine Mitschüler. ↗ Keile. 1900 ff.

2. Verprügelung (heftige Zurechtweisung) durch die Betriebsangehörigen. 1950 ff.

3. harte Zurechtweisung durch die Gruppe. 1950 ff.

Klassenmegafon n Klassensprecher. Er ist der Schallverstärker seiner Mitschüler. 1950 ff.

Klassenmutti f Klassensprecherin. Österr 1960 ff.

Klassennaht f Verprügelung eines unkameradschaftlichen Schülers. ↗ Naht. 1900 ff.

Klassenpepi m Dümmster der Klasse. „Pepi" ist Koseform von „Josef" und steht für

irgendeinen, auch für den Einfältigen. Österr 1960 ff.

Klassenpfeife f Klassensprecher (abf). ↗ Pfeife = Versager. 1960 ff.

Klassenpflaume f Klassenschlechtester. ↗ Pflaume = Versager. 1920 ff.

Klassenpost f dem Mitschüler zugeleitetes Täuschungszettelchen. 1930 ff.

Klassenrabatz m Aufsässigkeit der Schulklasse; Klassenaufruhr. ↗ Rabatz. 1950 ff.

Klassenrutsche f Verprügelung eines Klassenkameraden. ↗ Rutsche. 1880 ff.

Klassenschreck m **1.** strenger Lehrer. 1920 ff.

2. Klassenarbeit, auf die die Schüler nicht vorbereitet sind. 1920 ff.

Klassenstier m Klassenbester. ↗ Stier. 1900 ff.

Klassenverhau m Klassenschlechtester. ↗ Verhau = Minderwertiges. Österr 1960 ff.

Klassenverschiß m verächtliche Behandlung eines Mitschülers durch die Klasse; Klassenverruf. ↗ Verschiß. 1880 ff.

Klassenziel n **1.** das ~ erreichen = a) die Erwartungen erfüllen; den Anforderungen genügen. Der Schulsprache entlehnt. 1920 ff. – b) in der Spielklasse bleiben. Sportl 1950 ff.

2. das ~ nicht erreichen (verpassen, verfehlen) = Mißerfolg erleiden; scheitern. 1920 ff.

'Klasse'pferd n **1.** ideale Frau. Eigentlich das reinrassige, edle Dressurpferd (Turfsprache). 1950 ff.

2. hochgestellter Könner. 1950 ff.

'Klasse'preise pl sehr vorteilhafte Preise. 1960 ff.

Klassetyp m sehr sympathischer Mensch. 1950 ff.

'Klasse'wagen m Luxusauto; repräsentatives Auto. 1920 ff.

'Klasse-'Zeit f **1.** Rekordzeit. Sportl 1950 ff.

2. hervorragend verlebte Wochen. 1960 ff.

Klassiker pl **1.** Glacéhandschuhe. Vokabel volksetymologischer Art. 1880 ff.

2. alkoholische Getränke. Sie stehen gelegentlich neben (hinter) den Büchern im Schrank oder sind buchähnlich verpackt. 1965 ff.

klassisch adj **1.** sehr bezeichnend; mustergültig; unübertrefflich. Eigentlich „der Blütezeit des klassischen Altertums zugehörig" und hieraus weiterentwickelt zur Geltung eines superlativischen Adjektivs, weil man das klassische Altertum als den einzig gültigen Maßstab der Kultur ansah. Seit dem 18. Jh.

2. altgewohnt, herkömmlich. 1900 ff.

Klater m **1.** Schmutz, Schmutzfleck, Kot u. ä. Nebenform von „Kladde = Schmutz, Geschmiertes"; wahrscheinlich klangnachahmend für das Auftreffen eines Klumpens auf einer breiartigen Masse. Niederd seit dem 18. Jh.

2. abgenutztes, schmutziges Kleidungsstück. Seit dem 19. Jh.

3. unsaubere weibliche Person. 1800 ff.

4. freche weibliche Person. Anhaftender Schmutz gilt als frech; vgl „frech wie ↗ Dreck". 1900 ff.

5. altes liederliches Weib. 1800 ff.

klaterig adj **1.** schmutzig, ärmlich, erbärmlich, schwächlich. 1700 ff.

2. moralisch anrüchig. Vom sinnlichen Schmutz übertragen auf den unsinnlichen Makel. 1900 ff.

Klatsch m **1.** schallender Schlag; schallende Ohrfeige. Lautmalend für das Geräusch beim Aufprallen o. ä. 1700 ff.

2. kleine Menge (einer geschleuderten Masse); weich-feuchte Masse. Beispielsweise „ein Klatsch Butter". Seit dem 19. Jh.

3. Geschwätz; mißgünstiges Gerede; Zwischenträgerei. Vom klatschenden Schlag übertragen auf das Geräusch beim Sprechen. Seit dem 18. Jh.

Klatschaas n schwatzhafte, verleumderisch redende weibliche Person. ↗ Aas 1. 1900 ff.

Klatschbase f **1.** geschwätzige, weibliche Person; Ohrenbläserin. Base ist in ländlichen Kreisen Bezeichnung für eine Frau, auch wenn keinerlei Verwandtschaftsverhältnis besteht. Seit dem 19. Jh.

2. Teilnehmerin an einer Damenkaffeegesellschaft. Vgl ↗ Kaffeeklatsch. 1920 ff.

Klatschblatt n Zeitung im Dienst von Sensationslust und Gerüchten; Zeitung, die belanglose Nachrichten aus dem Leben der herrschenden Gesellschaftsschicht veröffentlicht. ↗ Klatsch 3. 1800 ff.

Klatschbruder m geschwätziger, schwathafter Mann. Seit dem 19. Jh.

Klatsche f **1.** schwatzhafter Mensch. Vor allem auf Frauen bezogen. 1600 ff.

2. unerlaubte fremdsprachliche Übersetzung; unerlaubtes Miniatur-Wörterbuch bei Klassenarbeiten; verbotene Schulhilfe. Fußt auf „Kladdebuch" (= behelfsmäßig angelegtes Geschäftsbuch); zu „Klatschbuch" zusammengezogen unter Einfluß von „abklatschen = plump nachbilden; vervielfältigen". Seit dem späten 19. Jh.

3. selbstgefertigter Notizzettel für Examenskandidaten. 1920 ff.

4. Ohrfeige. ↗ Klatsch 1. Seit dem 19. Jh.

klatschen v **1.** impers = heftig regnen. Schallnachahmendes Wort. Seit dem 19. Jh.

2. intr = geschwätzig sein; liebloses Gerede verbreiten. ↗ Klatsch 3. Seit dem 17. Jh.

3. intr = verraten; jn zur Anzeige bringen. Seit dem 18. Jh.

4. sich einen ~ (einen ~) = sich betrinken. Man erzeugt sich einen innerlichen Regen; ↗ klatschen 1. BSD 1965 ff.

5. jn (jm eine, ein paar) ~ = jn ohrfeigen. ↗ Klatsch 1. 1700 ff.

Klatscher m **1.** verleumderisch schwathafte Person. Seit dem 19. Jh.

2. Raufbold; Schläger u. ä. ↗ Klatsch 1. 1950 ff.

3. Schaufenster-Zertrümmerer. 1950 ff, polizeispr.

Klatschhaus n Börse. Man sagt, dort könne sich kein Geheimnis halten. 1950 ff.

klatschig adj teigig, klebrig; nicht ausgebacken. Klatsch = weiche Masse. Seit dem 19. Jh.

Klatschjournalist m Zeitungsschreiber als Verbreiter von heiklen Mitteilungen aus dem Privatleben anderer; Gesellschaftskritiker von der niedersten Art. 1950 ff; wohl erheblich älter.

Klatschkolumnist m Zeitungs-, Zeitschriftenschreiber, der über Vorgänge aus den führenden Gesellschaftskreisen berichtet. Gegen 1950 aus den USA übernommen.

Klatschkonzert n rhythmisches Beifallklatschen. 1920 ff.

Klatschmarkt *m* Nachrichtenverbreitung über gesellschaftliche Skandale o. ä. 1950 *ff.*

Klatschmarsch *m* Marschmusik, zu der die Anwesenden mit den Händern den Takt klatschen. Beliebter Ausdruck der Karnevalisten. 1925 *ff.*

Klatschmaul *n* geschwätziger Mund; verleumderischer Mensch. ↗ Klatsch 3. 1700 *ff.*

Klatschmemme *f* unkameradschaftlicher Schüler, der seine Mitschüler beim Lehrer anzeigt. ↗ klatschen 3; ↗ Memme. 1900 *ff.*

'klatsch'naß (klatschenaß, klätschnaß) *adj präd* ganz durchnäßt. Zusammengewachsen aus „klatschend naß"; ↗ klatschen 1. 1800 *ff.*

Klatschnest *n* Ort, in dem über die Mitmenschen viel und lieblos geredet wird. ↗ Nest. 1800 *ff*, vielleicht von Studenten ausgegangen.

Klatschregen *m* Platzregen. ↗ klatschen 1. Seit dem 19. Jh.

Klatschreporter *m* Zeitungs- und Rundfunkberichterstatter, der über Vorfälle aus der herrschenden Schicht berichtet. 1950 *ff.*

Klatschrose *f* 1. geschwätzige, verleumderische weibliche Person. Dem Feldmohn oder der Pfingstrose unterlegte Bedeutung unter Einfluß von ↗ Klatsch 3. Seit dem 19. Jh.
2. Ohrfeige. „Rose" spielt auf die Hautrötung an. *Jug* 1955 *ff.*
3. jm eine ~ überreichen = jn ohrfeigen. *Jug* 1955 *ff.*

Klatschschwester *f* geschwätzige weibliche Person. Seit dem 19. Jh.

Klatschspalte *f* Zeitungs-, Zeitschriftenspalte mit Enthüllungen über lebende Personen. 1950 *ff.*

Klatschsucht *f* Ohrenbläserei. Seit dem 19. Jh.

Klatschtante *f* 1. schwatzhafte Person (nicht auf Frauen beschränkt). Spätestens seit 1900.
2. Teilnehmerin an einer Damenkaffeegesellschaft. 1920 *ff.*
3. Journalistin, die über das Privatleben lebender Personen berichtet. 1950 *ff.*

Klatschweib *n* 1. schwatzhafter Mensch (nicht nur auf Frauen bezogen). Seit dem 18. Jh.
2. Masseuse, Heilgymnastin. Zur Anregung von Muskulatur und Blutkreislauf gibt sie flache Schläge. 1930 *ff.*

Klau *m* 1. Diebstahl. ↗ klauen 1. Gegen 1920 aufgekommen.
2. Dieb. Zwischen 1938 und 1940 aufgekommen, anfangs in Verbindung mit dem „↗ Kohlenklau".
3. ~ und Klemm = Diebstahl, Dieberei. „Klauen" wie „klemmen" meint „stehlen". Die Verbindung beider durch „und" ergibt eine Art Firmenname. 1920 *ff.*

Klaue *f* 1. Hand, Finger. Im 16. Jh. vom Tier auf den Menschen übertragen.
2. Fuß. Seit dem 19. Jh.
3. schlechte, unleserliche Handschrift. Die Zeilen sind am Tier mit seiner Klaue geschrieben. 1830 *ff.*
4. schriftliche Prüfung. Anspielung auf „Klaue = Hand" und auf „klauen = abschreiben". *Stud* 1960 *ff.*
5. Ladendiebstahl. ↗ Klau 1. 1975 *ff*, schül.

6. jn in den ~n haben = jn in seiner Gewalt haben. Seit dem 18. Jh.
7. an etw mit ~n und Zähnen hängen = sich von etw nicht trennen. 1950 *ff.*
8. etw in seine ~n kriegen = sich einer Sache bemächtigen. 1600 *ff.*
9. jn aus den ~n lassen = jn freigeben. Seit dem 19. Jh.
10. etw mit ~n und Zähnen verteidigen = etw sehr energisch verteidigen. 1920 *ff.*
11. sich gegen etw mit ~n und Zähnen wehren = sich gegen etw heftig zur Wehr setzen. 1950 *ff.*

klauen *tr* 1. etw stehlen. Meint eigentlich „mit den Klauen umfassen, ergreifen", vielleicht beeinflußt von „klauben = den Fingern herauslösen". Spätestens seit 1800.
2. er kann mir geklaut werden: Ausdruck der Abweisung. Analog zu „er kann mir gestohlen werden", ↗ stehlen. 1900 *ff.*
3. *intr* = schlecht schreiben. ↗ Klaue 3. 1830 *ff.*
4. *tr* = abschreiben. Hier verbinden sich die beiden Bedeutungen „stehlen" und „schreiben". Oder das Abschreiben wird nur als geistiger Diebstahl gewertet. 1880 *ff.*

Klauenhülsen *pl* 1. Handschuhe. ↗ Klaue 1. 1900 *ff.*
2. Stiefel, Schuhe. ↗ Klaue 2. 1900 *ff.*

Klauenseuche *f* 1. das Kauen an den Fingernägeln. ↗ Klaue = Hand, Finger. 1900 *ff.*
2. die ~ haben = diebisch sein. Der Tierkrankheitsbezeichnung untergeschobene Bedeutung, hervorgerufen durch „klauen = stehlen". 1900 *ff.*

klaufen *tr* etw entwenden, an sich bringen. Zusammengesetzt aus „kaufen" und „klauen". *Sold* in beiden Weltkriegen und später *ziv.*

klaufest *adj* vor Diebstahl gesichert. 1920 *ff.*

Klaukommode *f* 1. Klavier. 1900 *ff.*
2. die ~ bearbeiten = klavierspielen. 1900 *ff.*

Klausack *m* unter dem Frauenrock getragener, geräumiger Beutel zur Aufnahme gestohlener Waren. *Rotw* und polizeispr. Hängt zusammen mit der Zunahme der Diebstähle in Kaufhäusern und Selbstbedienungsläden. 1950 *ff.*

klausicher *adj* sicher gegen Diebstahl. 1920 *ff.*

Klausur *f* Unterredung unter vier Augen. Sie findet gewissermaßen in geschlossenem Raum statt, zu dem kein anderer Zutritt hat. 1950 *ff.*

Klau- und Mauenseuche *f* Stehlsucht. Umgestaltet aus der Tierkrankheitsbezeichnung „Maul- und Klauenseuche", hervorgerufen durch „klauen = stehlen" und „Maue = Ärmel" (wo man Gestohlenes verstecken kann). 1900 *ff.*

Klaviatur *f* neue = neues Gebiß. Die Zahnreihen im Vergleich mit den weißen Tasten des Klaviers. 1920 *ff.*

Klavier *n* 1. Mund mit vorstehenden Zähnen. Die länglichen Tasten kommen bei geöffnetem Deckel zum Vorschein. 1900 *ff.*
2. Gebiß. 1900 *ff.*
3. Vulva, Vagina. 1900 *ff.*
4. des kleinen Mannes = Bohnensuppe o. ä. Die auf den Bohnensuppenverzehr hin fälligen, laut abgehenden Darmwinde gelten als Klavierersatz. 1915 *ff.*

5. neues ~ = künstliches Gebiß. 1920 *ff.*
6. überspieltes ~ = a) altes, abgenutztes Klavier. *Österr* 1920 *ff.* - b) ältliche Frau. ↗ Klavier 3. *Österr* 1920 *ff.*
7. ganz groß, ~ und Geigel: Ausdruck höchster Bewunderung. Hergenommen von einem Festessen mit Musik. „Klavier und Geige" verdeutlichen die Vokabel „Musik = Schwung". 1910 *ff.*
8. mit ~ und Geige = mit allem Zubehör. 1910 *ff.*
9. es war mit ~ und Geige = es war großartig, tadellos; an alles und jeden war gedacht. 1910 *ff.*
10. mit ~ und Pauke = vollständig; einwandfrei. 1920 *ff.*
11. ein Gesicht wie ein ~ = häßliches Gesicht; Gesicht mit frechem, gemeinem Ausdruck. Es reizt zum Draufschlagen wie auf die Tasten des Klaviers. 1900 *ff.*
12. das ~ bändigen = a) Klavierunterricht erteilen. Es wird hier als wildes Tier aufgefaßt. *Vgl* das Gedicht „Gemartert" von Busch. 1900 *ff.* - b) Klavierspieler(in) von Beruf sein. 1900 *ff.*
13. das ~ dreschen = laut und falsch und ohne musikalisches Feinempfinden klavierspielen. Dreschen = laut, kräftig schlagen. 1920 *ff.*
14. ein ~ mißhandeln = ohne Können und Feinempfinden klavierspielen. 1880 *ff.*
15. auf das ~ pauken = kräftig auf die Tasten schlagen. 1880 *ff.*
16. das spielt kein ~ = das ist unerheblich, gleichgültig. Variante zu *gleichbed* „das spielt keine Rolle", wobei „spielen" mit Musikinstrumenten in Verbindung gebracht ist. 1930 *ff.*
17. ich kann nur auf einem schwarzen (braunen) ~ spielen: Erwiderung auf die Aufforderung zum Klavierspielen. Scherzhaft ist das Klavierspiel abhängig von der Farbe des Instruments. 1900 *ff.*
18. auf zwei ~en spielen = es gleichzeitig mit zwei Gegnern (Parteien; Ideologien) halten. 1950 *ff.*
19. auf allen ~en spielen können = lebenserfahren sein; ein Intrigant sein. 1950 *ff.*
20. wo stehen die ~e?: Frage eines, der mit seiner Körperkraft prahlt. 1935 *ff.*

Klavierbändiger *m* Konzertpianist. ↗ Klavier 12. 1900 *ff.*

klavieren *tr* 1. etw verstehen, beherrschen. Parallel zu ↗ fingern. 1840 *ff.*
2. *tr intr* = klavierspielen. 1900 *ff.*

Klavierhaxen *pl* Frauenbeine mit dicken Waden und dünnen Fesseln. Formähnlich mit den Beinen des Konzertflügels. ↗ Haxen. *Österr* 1900 *ff.*

Klavierheber (-stemmer) *m* Kraftmensch. 1935 *ff.*

Klavierklappe *f* kleines Konzertcafé. ↗ Klappe 5. 1910 *ff.*

klavierlen *intr* mit geringem Können und Feinempfinden klavierspielen. *Südwestd* 1900 *ff.*

Klavierlöwe *m* Klavierspieler. Er hat wohl eine löwenähnliche „↗ Mähne". 1870 *ff.*

Klavierpratzen *pl* sehr große Hände mit langen Fingern. ↗ Pratze. Soll sich auf Franz Liszt beziehen. 1870 *ff.*

Klavierschnauze *f* 1. Mund mit auffallenden kräftigen Zähnen. ↗ Klavier 1. 1900 *ff.*
2. nicht einzudämmender Redeschwall.

Die Worte kommen hervor wie beim Klavierspiel die Tonfolgen, Läufe usw. 1920 *ff.*
3. Prahler. 1920 *ff.*
klavierspielen *v* **1.** *intr* = den Fingerabdruck praktizieren; die Fingerabdrücke abnehmen. *Rotw* 1950 *ff.*
2. *intr* = intim betasten. ⁊Klavier 3. 1900 *ff.*
3. das möchte ich ~ können = diese Fertigkeit möchte ich besitzen. ⁊klavieren. 1900 *ff.*
Klaviertiger *m* Klavier-Virtuose. ⁊Klavierlöwe. 1900 *ff.*
Klebbuxe *f* Mensch, der nur schwer aus einer Gesellschaft aufbricht. ⁊kleben 1; ⁊Buxe. 1900 *ff.*
Klebe *f* rechte (linke) ~ = stoßkräftiger rechter (linker) Fuß des Fußballspielers. Gehört zu „kleben = ohrfeigen, schlagen". *Sportl* 1950 *ff.*
Klebejahr *n* Jahr, für das Beiträge zur Sozialversicherung abgeführt werden. Hergenommen vom Aufkleben der Monatsmarken. 1950.
kleben *v* **1.** *intr* = in der Gesellschaft (beim Besuch) nicht den rechten Zeitpunkt zum Gehen finden. Scherzhaft ist gemeint, daß an der Hose oder am Stuhl Pech klebt, so daß man schwer freikommt. 1800 *ff.*
2. *intr* = Marken für die Altersrente kleben; Beiträge zur Sozialversicherung leisten. Früher klebte man Monat für Monat Marken in die Beitragskarte. ⁊Klebejahr. 1880 *ff.*
3. *intr* = seinen Posten nicht zur Verfügung stellen. 1950 *ff.*
4. jm eine ~ = ohrfeigen. „Kleben" meint hier „anhaften; haften bleiben", auch damit der Betreffende die Veranlassung nicht vergißt. *Vgl engl* „to paste". Spätestens seit 1870.
5. einen ~ haben = betrunken sein. Man ist benommen wie von einer heftigen Ohrfeige, die einer einem „geklebt" hat. 1870 *ff.*
6. eine geklebt kriegen = eine Ohrfeige erhalten. ⁊kleben 4. 1870 *ff.*
7. an jm ~ = den Gegenspieler decken und ihm jeden Gegenstoß erschweren. *Sportl* 1950 *ff.*
8. hinter einem Auto ~ = dicht hinter jm fahren. 1920 *ff.*
9. am Fernsehgerät ~ = sich keine Fernsehsendung entgehen lassen. 1955 *ff.*
klebenbleiben *intr* **1.** sich von einer Geselligkeit schwer trennen können; den Besuch übergebührlich ausdehnen; länger als beabsichtigt an einem Ort verbleiben. ⁊kleben 1. *Vgl* auch ⁊Hosenbodenprobe. 1800 *ff.*
2. in der Schule nicht versetzt werden. Seit dem späten 19. Jh.
3. an jm ~ = sich vom Ehepartner (o. ä.) nicht trennen. 1890 *ff.*
kleber *adj* schwächlich, schmächtig, ungesund. Meint soviel wie „klebend", nämlich das im Nest verbleibende Vogeljunge, das, nicht mit den anderen flügge geworden, schwächlich bleibt. *Vgl* ⁊Nesthäkchen. 1600 *ff.*
Kleber *m* **1.** Mensch, der nicht den richtigen Zeitpunkt zum Weggehen findet. ⁊kleben 1. 1850 *ff.*
2. Klassenwiederholer. ⁊klebenbleiben 2. 1950 *ff.*
3. Pferd, das nicht von der Stelle gehen will. 1880 *ff.*

4. bis zur Polizeistunde verbleibender Wirtshausgast. 1900 *ff.*
5. Fallschirmspringer, der nicht abspringt. *Sold* 1935 *ff.*
6. Einbrecher, der Fensterscheiben beklebt und eindrückt. 1950 *ff.*
Klebpflaster *n* Mensch, der ungern von einer Gesellschaft aufbricht. Eigentlich der anhaftende Wundverband. 1840 *ff.*
Klebstoff *m* ~ an den Fingern haben = diebisch sein. Analog zu „klebrige ⁊Finger haben". 1900 *ff.*
Kleckerbetrag *m* geringfügiger Betrag. 1920 *ff.*
Kleckergeschäft *n* wenig lohnendes Geschäft. ⁊kleckern 2. 1920 *ff.*
Kleckerkram *m* Belanglosigkeit, Kleinigkeit. ⁊kleckern 2. 1920 *ff.*
kleckern *intr* **1.** beim Essen Tischtuch oder Kleidung verunreinigen. Wiederholungsform zu „klecken = Flecke machen; schmieren". 1600 *ff.*
2. es kleckert = es geht langsam vorwärts; es bringt nur geringen Verdienst ein. Von „beschmutzen" weiterentwickelt zur Bedeutung „tropfenweise fallen lassen" und von da übertragen auf langsames Fortschreiten. Seit dem 19. Jh.
3. *intr* = mit geringen, ungenügenden Mitteln ein Ziel anstreben; Geldmittel auf viele verteilen, ohne den Grad der Bedürftigkeit zu berücksichtigen. 1935 *ff.*
4. nicht ~, sondern klotzen = sofort die ganze Kraft einsetzen; endlich streng vorgehen. Kleckern = tropfenweise, in Abständen, nicht zügig handeln. ⁊klotzen. Im Zweiten Weltkrieg durch General Guderian auf die Panzerwaffe bezogen. Seitdem *sold* und *ziv* sehr häufig.
5. es kleckert nicht nur, sondern es klotzt = es beschert sehr ansehnlichen Erfolg. 1960 *ff.*
Klecks *m* **1.** geringe Menge. ⁊Klacks 1. Seit dem 19. Jh.
2. Schandfleck, Makel. Vom sinnlichen Schmutzfleck übertragen auf den unsinnlichen Fleck. Seit dem 19. Jh.
3. Spiegelei. Formähnlich mit einem großen Fleck. *Österr* 1960 *ff, jug.*
4. einen ~ in den Akten haben = nicht unbescholten sein; vorbestraft sein. ⁊Klecks 2. Seit dem 19. Jh.
Kleckser *m* **1.** Kunstmaler *(abf).* 1800 *ff.*
2. Schreibzeug. *Schül* 1960 *ff.*
Kleckserei *f* **1.** minderwertiges Gemälde; unkünstlerische Malweise; das Malen. 1800 *ff.*
2. Kunsterziehung. *Schül* 1960 *ff.*
Kledage (Kleedage) *f (franz ausgesprochen)* **1.** Kleidung, Kleider. Entstanden in Berlin oder in Niederdeutschland im späten 18. Jh aus dt „Kleid" und der *franz* Endung „-age", die vielfach einen Sammelbegriff ausdrückt.
2. scharfe ~ = elegante, auffallende, gewagte Kleidung. ⁊scharf. 1950 *ff.*
Klee *m* etw über den grünen ~ loben = etw übermäßig loben. Soll zurückgehen auf die mittelalterliche Dichtersprache: grüne Klee diente zu Vergleichen aller Art und blieb bis heute im Volkslied erhalten. 1800 *ff.*
Kleeblatt *n* **1.** drei unzertrennlich zusammenlebende Leute (oft iron). Seit dem 19. Jh.
2. ~ mit Stengel = viertes Glas Schnaps. 19. Jh.

3. ein ~ (Kleeblättchen) pflücken = drei Glas Schnaps hintereinander trinken. Seit dem 19. Jh.
Kleid *n* **1.** ~ mit kalter Schulter = Kleid mit tiefem Rückenausschnitt. ⁊Schulter. 1920 *ff.*
2. ~ von der Stange = Fertigkleid. ⁊Stange. 1920 *ff.*
3. das erste ~ = Büstenhalter, Mieder, Korsett, Unterkleid. Die Bezeichnung soll von den Triumph-Werken geprägt worden sein. 1955 *ff.*
4. freches ~ = gewagtes Kleid. ⁊frech 2. 1920 *ff.*
5. letztes ~ = Totenkleid, -hemd. Seit dem 19. Jh.
6. scharf ausgeschnittenes ~ = Kleid mit tiefem Dekolleté. ⁊scharf. 1950 *ff.*
7. zweites ~ = Unterkleid. 1950 *ff.*
8. aus den ~ern fallen (rausfallen) = abmagern; dünn sein. Die Kleider sind so weit geworden, daß sie keinen Halt mehr bieten. 1850 *ff.*
8 a. einander an die ~er geraten = miteinander Streit bekommen. 1970 *ff.*
9. etw ist ihm nicht in den ~ern geblieben (hängen geblieben) = das hat ihm innerlich zugesetzt; das bleibt ihm unvergeßlich. Was nicht in den Kleidern geblieben ist, muß tiefer in den Menschen eingedrungen sein und wird nicht mit dem Ausziehen der Kleider abgelegt. Ursprünglich wohl auf Prügel bezogen. 1700 *ff.*
10. nicht wissen, daß zweierlei ~er im Schrank hängen = geschlechtlich noch nicht aufgeklärt sein. 1900 *ff.*
11. nicht aus den ~ern kommen = so stark beschäftigt sein, daß man sich nicht einmal ausziehen (und ausruhen) kann. 1900 *ff.*
12. sich tüchtig in die ~er tun müssen = reichlich essen müssen. Gern zu einem Genesenden gesagt, damit ihm die Kleider wieder passen. 1930 *ff.*
Kleiderbügel *m* **1.** Modenvorführerin. Auf sie hängt man die Kleider wie auf den Kleiderbügel im Schrank. 1900 *ff.*
2. der große ~ = Brücke über den Fehmarnsund. Wegen der Formähnlichkeit. 1963 *ff.*
3. wie ein ~ aussehen = eckige Schultern haben. 1920 *ff.*
Kleiderbügelbrücke *f* Brücke über den Fehmarnsund. 1963 *ff.*
Kleiderhai *m* **1.** angeblich karitativ tätiger Aufkäufer (Sammler) alter Kleider. ⁊Hai. 1970 *ff.*
2. Mann, der bei einer karitativen Kleidersammlung Kleidersäcke stiehlt. 1971 *ff.*
Kleiderhaken *m* **1.** lange, gebogene Nase. 1910 *ff.*
2. hagerer Mensch. Er ist so hager und eckig, daß man an ihm Kleider aufhängen kann. 1960 *ff.*
3. *pl* = eckige Schultern. 1965 *ff, BSD.*
4. schöner ~ = Modenvorführerin. 1960 *ff.*
Kleiderleiche *f* Kleid, das wegen unzweckmäßiger Behandlung durch den Besitzer oder die chemische Reinigung verdorben ist. 1981 *ff.*
Kleiderordnung *f* das ist gegen die ~ = daraus wird nichts; das widerspricht allem Herkommen, allen kameradschaftlichen Gepflogenheiten. In der Kleiderordnung bestimmten früher Staat und Stadt die Kleidertracht der Bürger. 1880 *ff.*

Kleiderschrank *m* **1.** breitschultriger, kräftiger Mann. Im Ersten Weltkrieg bei den Soldaten aufgekommen.
2. zwei-, dreitüriger ~ = breitschultriger Mensch. 1914 *ff.*
3. breit wie ein ~ = breitschultrig. 1914 *ff.*
4. feststehen wie ein ~ = unerschütterlich sein. 1950 *ff.*
5. ein Kreuz haben wie ein ~ = breitschultrig sein. 1914 *ff.*
Kleiderständer *m* **1.** abgemagertes Tier. ↗Garderobenständer 1. 1900 *ff.*
2. großwüchsiger hagerer Mensch. 1870 *ff.*
3. putzsüchtige weibliche Person; Stutzer. Die Betreffenden gelten nur als Träger(innen) von Kleidern. 1900 *ff.*
4. Modenvorführerin. 1950 *ff.*
5. aufgeputzter ~ = elegant gekleidete Frau. 1900 *ff.*
6. lächelnder ~ = Modenvorführerin; Fotomodell für Modeateliers. 1950 *ff.*
klein *adj* **1.** ~ und häßlich = kleinlaut; niedergeschlagen. „Klein" spielt auf demütige und unterwürfige Haltung an, während „häßlich" das unvorteilhafte Äußere oder Verhalten hervorhebt. 1900 *ff.*
2. ~, aber knorplig = von kleiner Gestalt, aber muskulös (leistungsfähig). Knorpel = geschmeidiger Teil der Knochensubstanz. 1950 *ff.*
3. ~, aber oho! = kleinwüchsig, aber sehr leistungsfähig. „Oho" ist Ausruf der Verwunderung, die hier dem Leistungsvermögen gezollt wird. *Vgl engl* „little but oh my!". Seit den späten 19. Jh.
4. bei kleinem = allmählich, bald. Ähnlich *franz* „peu à peu". 1800 *ff.*
5. ~ beigeben = nachgeben; sich fügen; seine Forderungen mildern. Hergenommen vom Kartenspiel: mit geringwertigen Karten kann man nicht übertrumpfen. Seit dem 18. Jh.
6. ~ haben = a) zerkleinert haben; verausgabt haben. Verkürzt aus „klein gemacht haben". 1900 *ff.* – b) Kleingeld haben. 1900 *ff.*
7. etw ~ hacken = a) Geld wechseln. 1930 *ff.* – b) etw weitschweifig erzählen. Man zerstückelt oder „analysiert" die Sache. 1950 *ff.*
8. jn ~ hacken = jn grob abfertigen. Beim Holzhacken geht es rauh zu. 1935 *ff.* – b) jn überzeugend widerlegen. Man entkräftet eine Meinung Stück für Stück, wie man Holz zerkleinert. 1935 *ff.*
9. jn ~ kneten = jn fügsam machen; jn für seinen Vorteil zu gewinnen suchen. 1950 *ff.*
10. nur ~ in ~ können = geldlich beengt sein; sich in seinen Ausgaben einschränken müssen. 1935 *ff.*
11. jn ~ kriegen = a) jds Widerstand brechen; jn demütigen; jn beim Exerzieren schikanieren. Klein = unterwürfig. 1870 *ff.* – b) jn verführen. 1920 *ff.*
12. etw ~ kriegen = etw entzweimachen, zerkleinern, zerbeißen, aufbrauchen. Seit dem 19. Jh.
13. Geld ~ kriegen = Geld wechseln können; Geld ausgeben. Seit dem 19. Jh.
14. eine Sache ~ kriegen = eine Sache ergründen, ermitteln, verstehen, aufdecken. Vom Holzhacken übertragen. Seit dem 18. Jh.
15. er ist nicht ~ zu kriegen = er ist

unverwüstlich; ihm ist nicht beizukommen; vergeblich bemüht man sich um sein Geständnis. Seit dem 19. Jh.
16. etw nicht ~ kriegen können = etw nicht verwinden können. 1900 *ff.*
17. sich nicht ~ kriegen lassen = sich nicht entmutigen lassen; auf seinem Standpunkt unverrückbar beharren. Seit dem 19. Jh.
18. ~ machen = a) Geld wechseln; Banknoten in Münzen umtauschen. Seit dem 19. Jh. – b) harnen. Seit dem 19. Jh.
19. viel ~ machen = viel Geld verbrauchen, vertun. Seit dem 19. Jh.
20. jn ~ machen = jn demütigen, zum Schweigen bringen; jn entwürdigend anherrschen. Seit dem 14. Jh.
21. sich ~ machen = a) bescheiden auftreten; sich möglichst unscheinbar geben; sich unterbewerten; sich nicht länger aufspielen. 1900 *ff.* – b) sich vom Dienst, von einer unangenehmen Arbeit freizumachen suchen. Man macht sich klein, um vom Vorgesetzten nicht gesehen zu werden. *Sold* und *ziv* 1910 *ff.*
22. sich ~ und häßlich machen = bescheiden, zurückhaltend auftreten. ↗klein 1. 1900 *ff.*
23. ~ müssen = harnen müssen. Seit dem 19. Jh.
24. ~ sein = unterwürfig geworden sein; nicht länger unverschämt oder prahlerisch sein; sich fügen. Seit dem 19. Jh.
25. so ~ mit Hut sein (so ~ mit Hut und Stöckelschuhen) = kleinlaut, unterwürfig sein; die Aufsässigkeit und Großsprecherei abgelegt haben. Weiterführung des Vorhergehenden. Die Angabe der geringen Höhe wird durch Hinzurechnung von Hut und Stöckelschuhen noch weiter verringert. 1920 *ff.*
26. sich ~ setzen = sich häuslich einschränken; eine kleinere Wohnung nehmen. 1900 *ff.*
27. ~ werden = sich bescheiden; nachgiebig werden. Seit dem 19. Jh.
28. ~ werden mit Hut = sehr friedfertig werden. 1900 *ff.*
29. ~ und häßlich werden = sein anmaßendes Benehmen verlieren; schuldbewußt sein; fügsam werden. ↗klein 1. 1900 *ff.*
Klein-Doofi *n* **1.** dümmliches Mädchen. 1900 *ff, nordd.*
2. ~ mit Plüschohren (mit Blechohren; mit angebrannten Plüschohren; mit Plüschohren und Gummibauch; mit Blechohren und Plüschüberzug; mit Wollnase) = dummes, argloses Kind; geistesbeschränkte Person. 1900 *ff.*
Kleiner *m* **1.** kleiner Junge (Kosewort). Seit dem 19. Jh.
2. Penis. Seit dem 19. Jh.
3. Klassenschlechtester. Er gilt als geistig unterentwickelt. *Schül* 1960 *ff.*
4. kleines Glas Schnaps. Seit dem 19. Jh.
5. ein kurzer ~ = ein Gläschen Schnaps. Seit dem 19. Jh.
6. einen Kleinen abhaben = nicht recht bei Verstand sein. Hinter „Kleinen" ergänze „Schlag, Hieb, Klaps", vielleicht auch „Vogel". 1900 *ff.*
7. einen Kleinen haben (in der Krone haben) = bezecht sein. 1900 *ff.*
8. sich einen Kleinen kaufen = sich betrinken. 1870 *ff.*

9. dem Kleinen die Welt zeigen = im Freien harnen. ↗Kleiner 2. 1910 *ff.*
kleiner *adj* **1.** es ~ geben = seine Überheblichkeit aufgeben. Hergenommen von einem, der erst mit großen Banknoten bezahlen will und dann kleinere Scheine gibt. 1920 *ff.*
2. haben Sie es nicht ~?: Frage an einen Prahler. 1960 *ff.*
Kleines *n* **1.** weibliche Person (Kosewort). ↗Kleine I. Seit dem 19. Jh.
2. etwas ~ kriegen = vor der Geburt stehen. Seit dem 19. Jh.
3. etwas ~ machen = harnen. Seit dem 19. Jh.
Kleingeld *n* **1.** das nötige ~ haben = über das erforderliche Geld verfügen. „Kleingeld" steht hier ironisch-bescheiden für Geld. 1800 *ff.*
2. bei dir klappert wohl das ~? = du bist wohl nicht recht bei Verstand? Der Groschen klappert im Automaten, setzt den Mechanismus nicht in Gang. 1960 *ff.*
3. das kann er machen, wie er ~ hat = das kann er nach Belieben tun. 1920 *ff.*
Kleinholz *n* **1.** geringe Oberweite. *Vgl* ↗Holz 4. 1965 *ff.*
2. es gibt ~ = a) es wird heftig gerauft. Dabei gehen Teile der Inneneinrichtung entzwei. 1920 *ff.* – b) der Feind wird unter hohen Verlusten zurückgeworfen. *Sold* 1939 *ff.*
3. ~ machen = a) etw unbeabsichtigt zertrümmern; beim Rodeln heftig zusammenstoßen. 1900 *ff.* – b) seine Erregung an Einrichtungsgegenständen auslassen; Möbel zertrümmern. 1900 *ff.* – c) beim Landen Teile des Flugzeugs beschädigen; das Flugzeug durch Absturz zertrümmern. Fliegerspr. in beiden Weltkriegen.
4. aus jn ~ machen (jn zu ~ machen; jn zu ~ zerhacken) = jn übel zurichten; jn sehr heftig verprügeln; jn umbringen; Drohrede. 1910 *ff.*
5. jn zu ~ verarbeiten = a) jn heftig prügeln. 1910 *ff.* – b) jn völlig vernichten, moralisch erledigen. 1910 *ff.*
6. etw in ~ verwandeln = etw zertrümmern. 1910 *ff.*
Kleinigkeitskrämer *m* kleinlicher Mensch. Eigentlich der krämerhaft mit Kleinigkeiten handelnde Kaufmann. Seit dem 18. Jh.
kleinkariert *adj* **1.** engherzig, kleingeistig, in kleinlichen Sittenanschauungen befangen. Die kleine schachbrettartige Musterung (Millimeterpapier) als Sinnbild geringer Geistesgaben. 1950 *ff.*
2. unsinnig, töricht, geistesbeschränkt. 1950 *ff.*
3. unbedeutend, mangelhaft, wenig durchdacht. 1950 *ff.*
4. minderwertig, untüchtig, untauglich. 1950 *ff.*
Kleinkies *m* Kleingeld. ↗Kies 1. 1900 *ff.*
Kleinkinderbelustigungswasser *n* Limonade. ↗Kinderbelustigungssaft. 1920 *ff.*
Kleinkistendorf *n* Schrebergartensiedlung. Die Gartenlauben sind vielfach aus Kisten oder Kistenholz zusammengezimmert. 1925 *ff.*
Kleinkleckersdorf *On* beliebiges Dorf; unbedeutender Ort. ↗kleckern 2. 1900 *ff.*
Klein-Klein *n* **1.** Gesamtheit der Kleinigkeiten, Belanglosigkeiten; Basisarbeit. 1960 *ff.*

2. Zuspiel auf sehr engem Raum. *Sportl* 1960 *ff.*

3. in ~ machen = Belangloses entscheiden. 1960 *ff.*

4. ~ spielen = einander den Ball auf zu engem Raum zuspielen. *Sportl* 1960 *ff.*

Kleinkram *m* Belanglosigkeiten, Kleinigkeiten. 1900 *ff.*

kleinkrämerisch *adj* kleinlich, enggeistig; selbstsüchtig. Geht vom Geschäftsgebaren des Kleinhändlers aus. 1900 *ff.*

Kleinleutemief *m* Enggeistigkeit. ↗ Mief. 1920 *ff.*

Kleinlichkeitskrämer *m* kleinlicher Mensch. ↗ Kleinigkeitskrämer. Hieraus vielleicht mißverstanden. 1970 *ff.*

Kleinmacher *m* Ladendieb. Er macht sich klein, um unauffällig verschwinden zu können. *Rotw* 1850 *ff.*

Klein-Mann-Börse *f* Pfandleihe, Versatzamt. 1850 *ff.*

Klein-Mann-Monte-Carlo *n* Spielautomat; Spielhalle. 1950 *ff.*

Kleinmaus *f* weiße ~ = Schülerlotse. Er ist ein Kollege der „weißen ↗ Mäuse". 1950 *ff.*

Kleinmogul *m* Beamter des unteren und mittleren Dienstes mit starker Überschätzung seiner dienstlichen Bedeutung. Gegenwort „↗ Großmogul". 1933 *ff.*

kleinpüttjerig *adj* enggeistig; kleinhandwerklich. ↗ Püttjer. *Nordd* 1920 *ff.*

kleinschlau *adj* einfältig, dumm. 1940 *ff.*

kleinschreiben *tr* etw geringschätzen; etw nur in geringem Umfang betätigen können. Gegenwort „↗ großschreiben". 1920 *ff.*

kleinsilbig *adj* schweigsam, wortkarg, zurückhaltend. Zusammengesetzt aus „kleinlaut" und „einsilbig". 1950 *ff.*

Kleinstadtmief *m* Hinterhältigkeiten und Ränke in (kleinen) Städten. ↗ Mief. 1920 *ff.*

Kleinstmesse *f* Hausierhandel mit vorgebundenem Tragekasten oder vom Koffer aus. 1935 *ff.*

Kleintierhalter *m* von Ungeziefer befallener Mann. Eigentlich der Halter von Hühnern, Gänsen, Enten, Ziegen usw. *Sold* in beiden Weltkriegen; *ziv* 1945 *ff.*

Kleintierkäfig *m* modernes Wohnhochhaus mit sehr kleinen Wohnungen und Balkons. Berlin 1958 *ff.*

Kleinvieh *n* **1.** Schüler der unteren Klassen. Eigentlich Hühner, Enten, Gänse usw. 1920 *ff.*

2. unbedeutende Beikarten. Kartenspielerspr. seit dem späten 19. Jh.

3. ~ macht auch Mist = auch Geringes ergibt einen Wert. Spätestens seit 1900.

4. ~ macht auch Moneten = auch Geringes läßt sich zu Geld machen. ↗ Moneten. 1950 *ff.*

Kleinvogelbesitzer *m* Mann mit wunderlichen Ansichten. Versteht sich nach „einen ↗ Vogel haben". 1950 *ff.*

kleinweis (kleinweise) *adv* nach und nach; in kleinen Mengen. *Oberd* seit dem 19. Jh.

Kleister *m* **1.** sehr dicker Brei. Eigentlich der Klebstoff zum Tapezieren, dann auch die zusammenklebende Speise. Seit dem 18. Jh.

2. Kartoffelbrei. *BSD* 1965 *ff.*

3. Schminkbrei. 1950 *ff.*

4. das kümmert mich einen feuchten ~

= das geht mich nichts an. „Feuchter Kleister" umschreibt „Dreck". 1950 *ff.*

5. im ~ sitzen = sich in Verlegenheit befinden. Umschreibung für „festsitzen". Kleister = zäher Brei = Morast. Von da weiterentwickelt zur Bedeutung „Notlage". *Sold* in beiden Weltkriegen.

Kleisterfresser *m* **1.** armer Mensch. Er nährt sich hauptsächlich von Brei, Mehlsuppen usw. 1900 *ff.*

2. Schimpfwort. 1900 *ff.*

kleistern *tr* **1.** etw eilig, unsauber herstellen. Wohl herzuleiten vom unkundigen Tapezieren. 1900 *ff.*

2. jm eine ~ = jn ohrfeigen. Parallel zu „jm eine ↗ kleben". Spätestens seit 1900.

Kleistertanz *m* Tanz auf der Stelle. *Halbw* 1955 *ff.*

Klem (Klemm, Klemmen) *pl* Kilometer. Um 1900 aufgekommen, als für Kilometer die Abkürzung „klm" üblich war.

Klemm 1. Firma ~ und Klau = Geschäft mit zweifelhaftem Ruf; diebisches Unternehmen. ↗ klemmen = stehlen. *Gleichbed* mit „↗ klauen". Als fingierte Firmenbezeichnung gegen 1910 aufgekommen.

2. ~ und Klau machen = stehlen. 1910 *ff.*

3. Firma ~ und Lange = Diebstahl; Stehlsucht. „klemmen" und „langen" bedeuten „stehlen", beeinflußt von „↗ Langfinger". Seit dem späten 19. Jh.

Klemme *f* **1.** Verlegenheit, Bedrängnis, Notlage. Gehört zu „klemmen = einengen", auch zu „↗ klamm" und „Klammer". Klemme ist die Einengung, auch das Engende. „Klemme" hieß auch das mittelalterliche Foltergerät der Daumenschraube; in der Jägersprache bezeichnet die Vokabel das zum Vogelfang gespaltene Holz. Seit dem 16. Jh.

2. Gefängnis, Arrest; Freiheitsstrafe. *Rotw* 1750 *ff.*

3. Schule. Von den Schülern als Stätte der Einengung der persönlichen Freiheit aufgefaßt. 1950 *ff.*

4. Vagina, Vulva. 1900 *ff.*

5. Gesäß, Gesäßhälften, Gesäßkerbe. 1960 *ff.*

6. jn aus der ~ bringen = jm aus der Not aufhelfen. Seit dem 19. Jh.

7. jn in die ~ bringen = jn in eine schwierige Lage bringen. Seit dem 16. Jh.

8. in die ~ geraten (kommen) = in eine Notlage geraten. 1500 *ff.*

9. eine ~ haben = wunderliche Gedanken hegen; von seltsamen Gedanken überfallen werden; sich schwerer Gedanken nicht erwehren können. Man gerät in Denkbedrängnis. 1935 *ff.*

10. jm aus der ~ helfen (jn aus der ~ ziehen) = jm aus bedrängter Lage aufhelfen. Seit dem 19. Jh.

11. aus der ~ kommen = die Notlage überwinden. Seit dem 19. Jh.

12. jn in die ~ nehmen = jm arg zusetzen. Seit dem 19. Jh.

13. in der ~ sein (sitzen, stecken) = sich in Not und Verlegenheit befinden. Seit dem 15. Jh.

klemmen *v* **1.** *intr* = jn zur Bestrafung melden; jn zur Anzeige bringen. Verbal aus „jn in die ↗ Klemme bringen". Seit dem 19. Jh.

2. *intr* = nachexerzieren. Klemmen = einengen, fügsam machen. *BSD* 1965 *ff.*

3. *intr* = sparsam sein; geizen; sich in

seinen Lebensansprüchen einschränken. Seit dem 19. Jh.

4. *tr* = jn erpressen; jm Geld oder Wertsachen gewalttätig abnehmen. 1900 *ff.*

5. *tr intr* = koitieren. ↗ Klemme 4. 1900 *ff.*

6. *tr* = etw stehlen, entwenden. Meint im eigentlichen Sinne „packen, fesseln", „fesselnd ergreifen" (von Raubvögeln gesagt); verwandt mit „Klamme = Klaue, Hand". Seit dem späten 18. Jh.

7. es klemmt bei ihm = er versteht es nicht. Hergenommen von „↗ Groschen", der im Automaten festsitzt und den Mechanismus stocken läßt. 1950 *ff.*

8. es klemmt = es ist mittelmäßig. *Halbw* 1950 *ff*, Wien.

9. sich auf etw ~ = eigensinnig auf etw bestehen. Gehört wohl zur abergläubischen Vorstellung vom Aufhocker oder Alpdruck. Seit dem 19. Jh.

10. sich hinter etw ~ (sich dahinterklemmen) = eifrig etw vorantreiben. Meint soviel wie „sich hinter etw pressen" (man klemmt sich hinter den Schrank, wenn man ihn von der Wand abrücken will). 1900 *ff.*

11. sich hinter jn ~ = a) jm dicht folgen; sich jm anschließen; Umgang mit jm beginnen. 1900 *ff.* - b) jds Fürsprache betreiben. 1900 *ff.*

Klemmer *m* **1.** geiziger Mensch. ↗ klemmen 3. Seit dem 19. Jh.

2. Lehrer; Mitglied einer Prüfungskommission. Der Prüfling wird mit Fragen in die „Klemme" genommen. 1900 *ff.*

3. Dieb. ↗ klemmen 6. Seit dem 19. Jh.

4. heimtückischer Anzeigender. ↗ klemmen 1. 1800 *ff.*

Klempner *m* **1.** Dummschwätzer; Verbreiter oder Erfinder von Gerüchten. Wortspiel mit dem Blech, dem Material des Klempners, und dem anderen „Blech = Unsinn". *Sold* in beiden Weltkriegen.

2. Arzt. Man faßt ihn als Reparaturhandwerker auf. Seit dem ausgehenden 19. Jh.

3. Zahnarzt. 1890 *ff.*

Klepper *m* **1.** Pferd (*abf*). Hergenommen vom Klappern des Hufschlages. Ursprünglich ohne verächtlichen Nebensinn. Etwa seit 1500.

2. abgearbeiteter Mann. Er ist erschöpft wie ein altes Pferd. 1970 *ff.*

3. Schulanfänger; Schüler der unteren Klassen. Gehört zu „kleppern = sich tummeln" und meint in erster Linie den munter auf dem Schulhof spielenden Jungen. Seit dem 19. Jh.

4. alter ~ = Auto aus der Frühzeit des Automobilismus. 1900 *ff.*

Klesche (Kleschen, Kleschn) *f* **1.** mit Luft gefüllte Papiertüte, die man zum Platzen bringt. ↗ kleschen. *Österr* seit dem 19. Jh.

2. Ohrfeige. *Österr* 1900 *ff.*

3. Motorrad. *Österr* 1920 *ff.*

4. dummer Mensch. 1940 *ff.*

kleschen *v* jm eine ~ = jn ohrfeigen. Eigentlich soviel wie „klatschen, lärmen". *Österr* 1900 *ff.*

Klette *f* **1.** lästig fallender Mensch; Mensch, der durch seine Anhänglichkeit zur Last wird. Übertragen von der distelartigen Klette mit ihren hakenförmigen Stachelspitzen auf den ähnlicher Weise festhaftenden Menschen. Seit dem 18. Jh. *Vgl engl* „bur".

2. anhänglicher, treuer Mensch. 1900 *ff.*

3. sich an jn hängen wie eine ~ (an jm hängen wie eine ~) = von jm nicht ablassen, nicht weichen. *Vgl engl* „he sticks like a bur". Seit dem 18. Jh.
4. aneinander hängen (zusammenkleben) wie die ~n = fest zueinander stehen; in unzertrennlicher Freundschaft (Liebe) leben. Seit dem 18. Jh.
5. zusammenhalten wie die ~n = sich nicht voneinander trennen. 1800 *ff.*
6. wie die ~n zusammenhängen = miteinander eng verbunden sein. Seit dem 19. Jh.
Klettergarten *m* Berghang außerhalb der Alpen, von Alpenvereinsmitgliedern zu Übungszwecken verwendet. 1967 *ff.*
Kletterhanne *f* Prostituierte; Vermieterin von Einzelzimmern auf Stunden. ↗ klettern 1. Seit dem 19. Jh.
Kletterjule *f* Prostituierte. ↗ klettern 1. Seit dem 18. Jh.
Klettermaxe *m* **1.** Einsteigdieb, Fassadenkletterer. Aufgekommen um 1920/21 in Berlin, als dort der Fassadenkletterer Bruno Kaßner Hoteldiebstähle beging.
2. guter, gewandter Kletterer; Alpinist; Sensationsartist. 1925 *ff.*
3. automatische Säge, die die Bäume längs des Stammes hinauffährt und dabei sämtliche Äste abschneidet. 1966 *ff.*
klettern *v* **1.** mit jm ~ = jn auf sein Zimmer mitnehmen; koitieren. Sachverwandt mit *gleichbed* „↗ turnen". Seit dem 18. Jh.
2. *intr* = aufsteigen (vom Flugzeug gesagt). 1935 bis heute.
3. ~ gehen = durch Prostitution den Lebensunterhalt verdienen. Seit dem 19. Jh.
Kletze *f* **1.** Dörrpflaume, -birne; Dörrobst. Geht zurück auf „kleuzen = spalten" (größere Früchte werden zum Dörren gespalten). *Südd* seit dem 15. Jh.
2. Vulva. Analog zu „↗ Pflaume". Seit dem 19. Jh.
3. ältere Frau. Anspielung auf die Gesichtsfalten. 19. Jh.
kletzeln *tr intr* stehlen; diebisch sein. Gehört wahrscheinlich zu *zigeun* „kliyin = Schloß" und *zigeun* „kleya = Schlüssel". Bezieht sich wohl auf Diebstahl mit Nachschlüsseln. *Rotw* 1850 *ff.*
klick *interj* es macht bei ihm ~ = er erkennt die Zusammenhänge. Ein Schallwort im Zusammenhang mit vielen technischen Geräten (Spiel- und Freimarkenautomat, Fotoapparat, Stromschalter, Drucktaste, Funkgerät usw.). 1950 *ff.*
klicken *intr* **1.** den Sicherheitsgurt anlegen. 1974 *ff. Vgl* das Vorhergehende.
2. es klickt zwischen zweien = Liebe stellt sich ein. 1950 *ff.*
Klicker *m* **1.** Angehöriger eines Jugendklubs. Deutsche Schreibweise für ↗ Cliquer. 1950 *ff.*
2. *pl* = Hoden. Formähnlich mit den Spielkugeln der Kinder. 1900 *ff.*
3. etw für einen ~ und einen Knopf tun = etw für ganz geringes Entgelt tun. 1920 *ff.*
Klickerwasser *n* Mineralwasser. Auf Grund des Verbreitungsgebiets ist auszugehen von „Klicker = Kugel" wegen des Kugelverschlusses der Flaschen. *Westd* 1920 *ff.*
Klick-Klack-Kugeln *pl* Ratterkugeln. Zwei Plastikkugeln an einem Band schlagen so

gegeneinander, daß sie beim Zurückprallen mehrmals gegeneinanderstoßen und ein maschinengewehrartiges Knattern verursachen. 1970 *ff.*
klieren *intr* schmieren; unordentlich schreiben. Nebenform von „klarren", das zu „↗ Klater" gehört. *Mitteld, ostd* und *nordd* seit dem 19. Jh.
Klima *n* **1.** eisenhaltiges ~ = für heftigen Beschuß, umfangreiche Abwehr u. ä. bekanntes militärisches Angriffsziel. *Sold* in beiden Weltkriegen.
2. heißes ~ = a) unter Beschuß liegendes Gelände. Heiß = erbittert umkämpft. *Sold* in beiden Weltkriegen. – b) von der Polizei bewachte Gegend. ↗ heiß 5. 1920 *ff.*
Klimbim *m* **1.** Musikkorps, Spielleute. Zusammengewachsen aus „klingeln" und „↗ bimmeln" mit Anspielung auf Schellenbaum und Querpfeifen. *Sold* seit dem späten 19. Jh.
2. lärmende Festlichkeit; geräuschvolle Begleiterscheinung; überflüssiges Beiwerk; Aufsehenerregendes; Musik *(abf)*. Seit dem späten 19. Jh.
3. gesamte militärische Ausrüstung des einzelnen Soldaten. Sie klappert beim Marschieren und ist zugleich ein lästiges Beiwerk. *Sold* in beiden Weltkriegen.
4. Orden und Ehrenzeichen. 1920 *ff.*
5. Schmuckketten u. ä. *Halbw* 1950 *ff.*
6. Geld(münzen). *Schweiz* 1930 *ff.*
7. Wertlosigkeit; Belanglosigkeit; Habe *(abf)*. 1920 *ff.*
8. Unsinn. 1900 *ff.*
Klimbimbel (Klimbimsel) *n* Orden und Ehrenzeichen. 1920 *ff.*
Klimbim-Gasometer *m* Theatergebäude in Rundbauform; Zirkusgebäude o. ä. 1910 *ff.* In Berlin 1955 bezogen auf den Neubau der Kaiser-Wilhelm-Gedächtniskirche.
Klimmzüge *pl* **1.** ~ machen = ein Mädchen umwerben, freien. Vom turnerischen „sich hochziehen" weiterentwickelt zur Bedeutung „sich bemühen" oder verkürzt aus „Klimmzüge mit den Augendeckeln machen" (↗ Klimmzüge 3). 1960 *ff.*
2. geistige ~ machen = sich geistig anstrengen; über ein Problem angestrengt nachdenken. 1940 *ff.*
3. ~ mit den Augendeckeln machen = verliebt, lüstern blicken; mit Blicken flirten. 1920 *ff.*
4. am Brotfach (Brotkasten) machen = knapp zu essen haben. Spätestens seit 1900.
5. bei denen machen die Mäuse ~ unterm Tisch = da lebt man in sehr dürftigen Verhältnissen. 1920 *ff.*
Klimper (Chlimper) *n* Geldmünzen, Geld. ↗ Klimbim 6. *Schweiz* 1930 *ff.*
Klimperaugen *pl* Augen, deren Lider schnell auf- und zuklappen. Hergenommen von den Puppenaugen, bei deren Öffnen und Schließen ein Geräusch entsteht. 1920 *ff.*
Klimperei *f* minderwertiges Klavierspiel. Seit dem 19. Jh.
Klimperer *m* Klavierspieler *(abf)*. Seit dem 19. Jh.
Klimperkasten *m* **1.** Klavier *(abf)*. Seit dem 19. Jh.
2. Musikzimmer in der Schule. 1960 *ff.*
3. Rundfunkgerät. Gleich dem Klavier ist es auch ein „Musikmacher". *BSD* 1965 *ff.*
klimperklein *adj adv* sehr klein. Gehört zu „Klumper = Klümpchen". 1600 *ff.*

Klimperkram *m* **1.** Unwichtigkeiten. Verallgemeinert aus der Vorstellung von den „klimpernden" Orden und Ehrenzeichen. 1910 *ff.*
2. Musikinstrument. *Schül* 1950 *ff.*
klimpern *intr* **1.** schlecht klavierspielen; klavierspielen. Meint schallnachahmend das helle Klappern, dann das Anschlagen der hohen Töne auf dem Klavier; von da verallgemeinert und zwar vorwiegend in geringschätzigem Sinne. Seit dem 17. Jh.
2. glitzernden, klirrenden Schmuck tragen (vor allem auf Schmuckketten und Reifen bezogen). 1955 *ff.*
3. daran ist nicht zu ~ = das steht fest, ist unerschütterlich. 1920 *ff.*
Klimperschinken *m* Mandoline. Wegen der Formähnlichkeit mit einem Schinken. 1935 *ff.*
Klimper-Uni *f* Musikhochschule. ↗ Uni. 1960 *ff.*
Klimperwimpern *pl* künstlich verlängerte Wimpern. 1970 *ff.*
Klinge *f* **1.** eine gute ~ schlagen = wacker essen oder trinken. Der Fechtersprache entlehnt. Klinge = Schneide des Messers. Seit dem 19. Jh.
2. über die ~ springen = der Stellung enthoben werden. *Vgl* das Folgende. 1920 *ff.*
3. jn über die ~ springen lassen = a) jn töten, hinrichten. Geht zurück auf den Tod durch Henkershand: der abgeschlagene Kopf macht einen Luftsprung, ehe er niederfällt. 1500 *ff.* – b) jn der Stellung entheben; unnachsichtig gegen jn verfahren. Seit dem 18. Jh. – c) einem Fußballspieler ein Bein stellen und ihn dadurch zu Fall bringen. *Sportl* 1950 *ff.*
Klingel *f* **1.** Brustwarze. ↗ Hausklingel. Seit dem 19. Jh.
2. ~n putzen = a) hausieren; an den Wohnungstüren betteln. Scherzhafter Euphemismus. Kundensprr. seit dem 19. Jh. – b) auf alle Klingelknöpfe eines Miethauses drücken und anschließend weglaufen. 1900 *ff.*
Klingelfahrer *m* Einbrecher, der vor der Tat an der Wohnungstür schellt, um festzustellen, ob die Bewohner anwesend sind; Mensch, der nach dem Klingeln an der Haustür von der gegenüberliegenden Straßenseite aus beobachtet, ob einer reagiert. *Rotw* 1910 *ff.*
Klingelfee *f* **1.** Angestellte des Fernsprechamts, die die Telefongespräche handvermittelt; Telefonistin. Scheint auf den Revueschlager aus „Das Fräulein vom Amt" vom Jahre 1911 zurückzugehen.
2. Zimmermädchen im Hotel. Kurz vor dem Ersten Weltkrieg aufgekommen.
klingeln *intr* **1.** die Brüste streicheln. ↗ Hausklingel. Seit dem 19. Jh.
2. unterwürfig sein. Auf dem Umweg über die Klingel an der Lenkstange herzuleiten von „↗ radfahren". *BSD* 1965 *ff.*
3. an etw nicht ~ können = jn nicht überfragen können. Vielleicht hergenommen von einem Klingelzug, der so hoch angebracht ist, daß kleine Personen ihn nicht erreichen können. 1920 *ff.*
4. da gibt es nichts zu ~ = das steht unerschütterlich fest. Vielleicht ist gemeint, an der Sache ändere sich nichts, auch man Hilfe herbeiklingle. 1920 *ff.*
5. da laß' ich mir nicht dran ~ = das kommt für mich nicht in Betracht. 1920 *ff.*

6. es klingelt = a) es ist gefährlich; Gefahr kündigt sich an. Hergenommen vom Auslösen der Alarmsirene. 1920 ff. – b) der Orgasmus setzt ein. 1920 ff.
7. klingelt da nicht jemand? = schwätzt da nicht einer in leeren Phrasen? Anspielung auf Wortgeklingel. Seit dem 19. Jh.
8. bei dir klingelt es wohl? = du bist wohl nicht recht bei Verstand? Analog zu „bei dir rasselt wohl der ↗Wecker". 1950 ff.
9. es hat geklingelt = a) Wichtiges, Entscheidendes hat sich ereignet; man ist gewarnt. 1920 ff. – b) ein Tortreffer wurde erzielt. Sportl 1950 ff. – c) die Frau ist schwanger geworden. 1920 ff.
10. bei ihm hat es geklingelt = a) er hat gut verdient. Hergenommen von der Klingel der Ladenkasse. Halbw 1960 ff. – b) er hat endlich begriffen. Analog zu „der ↗Groschen ist gefallen". 1910 ff.
11. es hat bei zweien geklingelt = Liebe hat sich eingestellt. 1950 ff.
12. jetzt hat es geklingelt = jetzt ist die Geduld zu Ende; jetzt hört der Spaß auf; jetzt wird energisch durchgegriffen. Eine Alarmvorrichtung wird in Betrieb gesetzt. 1920 ff.

klingelputzen intr **1.** betteln; Ware an der Wohnungstür anbieten. ↗Klingel 2. Kundenspr. seit dem 19. Jh.
2. auf alle Klingelknöpfe eines Mietshauses drücken und anschließend weglaufen. 1900 ff.

Klingelspieler m Junge, der aus Schabernack die Klingelknöpfe eines Mehrfamilienhauses betätigt. 1920 ff.

Klinke f **1.** Penis. Aufgefaßt als Klinke zur Vagina. 1950 ff.
2. jm die ~ in die Hand geben = einem Bittsteller vorangehen. 1920 ff.
3. einander die ~ in die Hand geben = zur Tür hereintreten, die ein anderer gerade geschlossen hat oder schließen will. 1920 ff.
4. ~n klopfen = von Wohnungstür zu Wohnungstür betteln. Seit dem 19. Jh.
5. vor jm jede ~ putzen = jm würdelos ergeben sein. 1935 ff.
6. ~n putzen = a) an den Haustüren betteln. Scherzhafte Umschreibung, als wolle man die Türklinken lediglich säubern. Durch reichlichen Bettlerbesuch sind die Klinken weder staubig noch schmutzig. Seit dem 19. Jh. – b) Handelsvertreter sein und die Privatkunden besuchen. 1900 ff. – c) viele vergebliche Bittgänge machen; Besuche abstatten. 1900 ff.

Klinkenputzer m **1.** Bettler, der von Haus zu Haus geht; Hausierer. ↗Klinke 6. Seit dem 19. Jh.
2. Handelsvertreter, der Privatkunden aufsucht. 1900 ff.
3. Mann, der Bittgänge unternimmt. 1900 ff.
4. Hoteldieb, der in unverschlossene Zimmer einbricht. 1950 ff.

Klinker pl **1.** Schmuckketten o. ä. Nebenform von ↗Klunker. Halbw 1955 ff.
2. ~ haben = reich sein. Verkürzt aus „Klinkersteine". Bezeichnungen wie „Stein, Kies, Bims, Schotter usw." stehen umgangssprachlich für „Geld". 1900 ff.

klipp adv ~ und klar = sehr deutlich; unumwunden. „Klippen" als Nebenform von „klappen" bezieht sich auf den Zu-

schlag beim Viehhandel, wobei man einander in die Hand schlägt. Seit dem 18. Jh.

Klippkram m Kleinzeug; Belanglosigkeiten. Klipp = klein; geringes Ding. Seit dem 17. Jh.

Klitsch m **1.** feucht-klebrige Masse; Unausgebackenes. Seit dem 19. Jh.
2. Nachschlüssel. ↗kletzeln. Rotw 1700 ff.
3. Schlag mit der flachen Hand. Nebenform von ↗Klatsch. Seit dem 19. Jh, ostd.

Klitsche f **1.** Landgut; kleines landwirtschaftliches Anwesen. Fußt auf poln „klič = Lehmhütte; elendes Haus". 1850 ff.
2. Kleinbetrieb; schlechte Werkstatt; kleine, schlecht gedeihende, vom Bankrott bedrohte Firma. Aus der vorhergehenden Bedeutung weiterentwickelt. 1900 ff.
3. Mittelschule. Aus der Sicht des Gymnasiasten aufgefaßt. 1950 ff.
4. Privatgymnasium. Wohl von „↗Quetsche" beeinflußt. 1950 ff.
5. Vulva, Vagina. Vermutlich aufgefaßt als Schloß, zu dem der Penis der Schlüssel ist. ↗kletzeln. 1920 ff.
6. pl = Prügel. Vgl das Folgende. Seit dem 19. Jh.

klitschen v **1.** tr = schlagen. Schallnachahmend. „Klitschen" gibt einen helleren Klang wieder als „klatschen". 1500 ff.
2. intr = unsauber, unsorgfältig arbeiten. Hergenommen vom oberflächlichen Verputz der Wände. Seit dem 19. Jh.
3. intr = schlecht und unleserlich schreiben. Parallel zu ↗hauen 2. 1900 ff.

klitschig adj **1.** unausgebacken. ↗Klitsch 1. Seit dem 19. Jh.
2. unsauber, oberflächlich, fehlerhaft. ↗klitschen 2. Seit dem 19. Jh.

'klitsch'naß ('klitsche'naß) adj völlig durchnäßt. Analog zu ↗klatschnaß. 19. Jh.

'klitze'klein adj adv sehr klein; winzig. Klitz = winzig. 1800 ff.

Klo n **1.** Abort. Abkürzung von „Klosett", dieses von „Wasserklosett" (aus England um 1840 entlehnt). 1880 ff.
2. ~ auf Rädern = a) alter Opel (P 4). Ein Zweisitzer mit dahinter befindlichem, durch einen aufklappbaren Runddeckel freiwerdendem Notsitz. 1925 ff. – b) BMW-Isetta. 1957 ff.
3. du mußt wohl mal aufs ~? = du bist wohl nicht recht bei Sinnen? Gemeint ist, daß schlechter oder eingehaltener Stuhldrang auf das allgemeine Wohlbefinden einwirkt, also auch auf das Denkvermögen. 1960 ff.
4. schütt das Essen gleich ins ~, dann sparst du den Umweg!: Redewendung angesichts eines unschmackhaften Essens. 1927 ff, stud.

klob adj plump. Verkürzt aus ↗klobig. 1950 ff.

Kloben m **1.** ungesitteter Mensch; ungefälliger Mensch. Meint eigentlich das große, plumpe Stück Holz. Analog zu ↗Klotz. Seit dem 19. Jh.
2. dicklicher, unförmiger Mensch. Seit dem 19. Jh.
3. gedrungene Tabakspfeife. 1800 ff.
4. unförmige, altmodische Taschenuhr. Seit dem 19. Jh.
5. Lötkolben. Technikerspr. 1950 ff.
6. plumpe Hand. 1900 ff.
7. plumpe Nase. 1900 ff.
8. pl = Füße. 1910 ff.

klobig adj **1.** grob, plump, ungesittet, schwerfällig, ungefällig. ↗Kloben 1. Seit dem 19. Jh.
2. adv = sehr. 1850 ff.
3. ein ~es Geld verdienen = sehr viel Geld verdienen. 1900 ff.

Klobürstenfrisur f Frisur, bei der die Haare ziemlich kurz geschnitten und hochgebürstet sind. Ohne viel Phantasie stellt sich die Ähnlichkeit mit der Abortbürste her. 1910 ff.

Klodde f aufdringlicher Mensch. Nordd „Klotte = Klumpen, Kloß; Mistklumpen aus den Haaren der Tiere". 1900 ff.

Klofrau f Abortwärterin. Seit dem ausgehenden 19. Jh.

Klogroschen m Entgelt für Benutzung der öffentlichen Bedürfnisanstalt. 1920 ff.

Klöhn m ↗Klön.

klöhnen intr ↗klönen.

Kloifel m ungesitteter Mann. ↗Gloifel. Bayr 1900 ff.

Klo-Jahrgang m Geburtsjahrgang 1900. Die beiden Nullen spielen auf „↗Null-Null" an. 1920 ff.

Klön (Klöhn) m Geplauder; gemütliche Unterhaltung. ↗klönen. Seit dem 18. Jh, nordd.

Klönbartel m Schwätzer. „Bartel" ist Koseform von Bartholomäus. Seit dem 19. Jh.

klönen (klöhnen) intr gemütlich plaudern; schwatzen. Meint eigentlich „tönen", dann „mit durchdringender Stimme reden", gleichzeitig auch „wehleidig sein" und „langweilig, weitschweifig reden". Die heutige Bedeutung setzt sich mit dem späten 18. Jh durch. Nordd und westd.

Klönkasten m **1.** Telefonapparat. Stammt aus der Zeit, als der Apparat einen Kasten hatte; trotzdem heute nicht veraltend, wie manche irrigerweise behaupten. 1910 ff.
2. Rundfunkgerät. 1955 ff.

Klönschnack (Klöhnschnack, Klönsnack) m Geplauder, Unterhaltung. ↗Schnack. Nordd seit dem 19. Jh.

klopfen v **1.** tr = jm auf Charakterart, Lebensanschauung, Interessen usw. psychologisch zu untersuchen trachten. Der ärztlichen Praxis entnommen: der Arzt klopft auf bestimmte Körperstellen. 1960 ff.
2. tr = verprügeln. Seit dem 16. Jh.
3. einen ~ = kartenspielen. Hinter „einen" ergänze „Skat". Die Karten werden laut auf die Tischplatte geschlagen. Kartenspielerspr. 1900 ff.
4. einen ~ = onanieren. 1920 ff.
5. intr = betteln. Verkürzt aus „↗Klinken klopfen". Seit dem 19. Jh.
6. intr = Wehrdienst ableisten. Verkürzt aus „↗Griffe klopfen (kloppen)". 1910 ff.

klopfengehen intr von Tür zu Tür betteln. ↗Klinke 4. 1900 ff.

Klopfer m **1.** Bettler, Hausierer, Handelsvertreter. ↗klopfen 5. Seit dem 19. Jh.
2. dummer Mensch. Er hat einen Schlag auf den Kopf bekommen und leidet seitdem an Geistestrübung. Jug 1930 ff, österr.
3. einen ~ haben = nicht recht bei Verstand sein. Vgl das Vorhergehende. Österr 1930 ff.
4. das ist ein ~ = das ist eine großartige Sache; das ist eine arge Unannehmlichkeit. Analog zu ↗Hammer 4. Halbw 1950 ff.

Klo-Poesie f gereimte und ungereimte Abortinschriften. 1930 ff.

Kloppe I *f* 1. Schlagwerkzeug (Hammer, Beil, Axt usw.). Seit dem 19. Jh.
2. jn in der ~ haben = jn hart behandeln; jn streng zur Rechenschaft ziehen; über jn üble Nachrede führen. Kloppe = Zange. *Mitteld* seit dem 19. Jh.
3. jn in die ~ kriegen = jn in seine Gewalt bekommen. Seit dem 19. Jh.
4. in der ~ sein (sitzen) = in großer Not sein; vom militärischen Gegner umzingelt sein. Seit dem 19. Jh.
Kloppe (Klöppe) II *pl (f)* Prügel, Prügelei. *Nordd* kloppen = jd klopfen. Seit dem 18. Jh.
Klöppeljunge *m* Trommler. Klöppel = Trommelstock. Seit dem 19. Jh.
kloppen *tr* 1. klopfen, prügeln. *Niederd* und *mitteld* Form von *hd* „klopfen". 1300 *ff.*
2. *intr* = betteln. ↗ klopfen 5. Seit dem 19. Jh.
Klops *m* 1. dicker, gedrungener Mensch. Wegen einer gewissen Formähnlichkeit. 1900 *ff.*
2. Frauenbrust. 1920 *ff.*
3. ~ mit Beinen (~ mit Beene) = dicklicher Junge. Berlin 1910 *ff.*
4. das ist der letzte ~ = das ist das Beste, Großartigste. Der Klops ist rund, und eine „runde" Sache versinnbildlicht das Geglückte. 1950 *ff.*
Klopsabitur *n* Reifeprüfung an der Frauenoberschule. Anspielung auf den hauswirtschaftlichen Unterricht. 1910 *ff.*
Klosett *n* 1. kurz vor dem ~ in die Hose = kurz vor dem Ziel ein böser Mißerfolg. Der Stuhldrang war heftiger als die Schnelligkeit, mit der die Hose herabgelassen wurde. 1910 *ff.*
2. aus dem Mund riechen wie ein ~ = üblen Mundgeruch verströmen. 1920 *ff.*
Klosettbürste *f* 1. vorn kurzgeschnittene, nach oben gebürstete Haartracht. ↗ Klobürstenfrisur. 1910 *ff.*
2. Drahthaarterrier; kleiner stichelhaariger Hund. 1930 *ff.*
3. wildgewordene ~ = kurzbeiniger, struppiger Hund. 1930 *ff.*
Klosettdeckel *m* 1. etw auf dem ~ abmachen = etw flüchtig und nebenher erledigen. Hergenommen von flüchtiger Arbeitsweise der Abortwärter. 1930 *ff.*
2. Hände wie ~ = plumpe, übergroße Hände. Vergröbernde und übertreibende Vokabel. 1910 *ff;* vorwiegend *sold* bis heute.
Kloß *m* 1. plumper, dicker Mensch. Eigentlich Bezeichnung für eine kugelförmige Masse. Seit dem 19. Jh.
2. dummer, einfältiger Mensch ohne Weltkenntnis. Meint über das verbindende Wort „Erdkloß, Klumpen" ursprünglich den für dumm gehaltenen Bauern. Bei den Studenten galt als dumm auch der sehr emsige Student, auch der Nichtverbindungsstudent. Seit dem 18. Jh.
3. langweiliger Mensch. 1900 *ff.*
4. Frauenbrust. 1920 *ff.*
5. *pl* = Hoden. 1920 *ff.*
6. *sg* = Stich mit hoher Punktzahl. 1900 *ff,* kartenspielerspr.
7. ohne die Klöße = a) ohne die Nebenkosten. ↗ Kloß steht hier in Analogie zu „dickes ↗ Ende". 1850 *ff.* – b) ohne die begleitenden Strafmaßnahmen, beispielsweise Geldbuße, Ehrverlust usw. 1900 *ff.*
8. dicker ~ = beleibter, untersetzter Mensch. Seit dem 19. Jh.
9. trauriger ~ = Schwächling, Versager; energieloser Mensch. ↗ Trauerkloß. Seit dem 19. Jh.
10. Klöße auf den Augen haben = im Urteilsvermögen stark eingeschränkt sein. „Klöße" meint wohl die kräftigen Hautwülste in der Umgebung der Augen. 1960 *ff.*
11. einen ~ am Bein haben = in seiner Freiheit beeinträchtigt sein. „Kloß" meint die Kugelfessel am Bein des Gefangenen oder ist mißverstanden aus „einen ↗ Klotz am Bein haben". 1960 *ff.*
12. einen ~ im Hals haben = infolge Gemütsbewegung oder Bronchitis kaum sprechen können. *Vgl engl* „to have a lump in the throat". Seit dem 19. Jh.
13. einen ~ im Mund haben = kaum ein Wort äußern können. 1920 *ff.*
14. einen ~ in den Hals kriegen = vor Schreck nicht reden können. 1920 *ff.*
15. einen dicken ~ runterwürgen = eine Unannehmlichkeit (einen ungerechtfertigten Vorwurf) ohne Widerrede hinnehmen. An unzerkleinerter Speise würgt man lange. 1950 *ff.*
16. es sitzt einem wie ein ~ im Hals = es bedrückt einen heftig. ↗ Kloß 12. Seit dem 19. Jh.
Kloßbrühe *f* 1. klar wie ~ = völlig einleuchtend. Ein ironischer Ausdruck; denn Kloßbrühe ist trübe. Daß eigentlich die Klosterbrühe gemeint sein soll, also die dem Bettelnden an der Klosterpforte verabreichte Armensuppe (wie 1929 Lederer sagte) ist im Hinblick auf die analogen Redewendungen abwegig. 1830 *ff.*
2. klar wie ~ und flüssig wie Pomade = völlig einleuchtend. 1870 *ff.*
Kloster *n* 1. Abort. Aus „↗ Klo" zur Tarnung erweitert. Seit dem ausgehenden 19. Jh.
2. Mädchenschule. Jungen haben keinen Zutritt. *Halbw* 1955 *ff.*
3. Heimschule. Wegen der Beeinträchtigung der persönlichen Freiheit. 1955 *ff.*
4. Kaserne; Kasernenstube. *BSD* 1965 *ff.*
5. wie in einem ~ leben = ohne Frau sein. 1920 *ff.*
Klosterfrau *f* Abortwärterin. ↗ Kloster 1. 1900 *ff.*
Klostersuppenmentalität *f* Sozialpolitik, die sich auf die Verteilung milder Gaben beschränkt. 1963 *ff, österr.*
Klöten *pl* 1. Hoden; Hodensack. *Niederd* Form „Kloot" zu *hd* „Kloß" im Sinne von „Kugel, Ball". 1300 *ff.*
2. mit den ~ klappern = nach Geschlechtsverkehr verlangen; sich zum Beischlaf rüsten. 1900 *ff.*
3. jm an den ~ klimpern = jn zu übertölpeln suchen. 1900 *ff.*
4. sich nicht an den ~ klimpern lassen = sich nicht beschwatzen lassen; Übertölpelungsversuche abwehren. 1900 *ff.*
klöterig *adj* schlecht, häßlich, schwächlich, armselig. Nebenform von ↗ klaterig. *Nordd* seit dem 19. Jh.
Klöterkram *m* Kleinzeug, Unwichtigkeiten o. ä. *Nordd* 19. Jh.
klötern *intr* 1. klappern. Klöter = Kugeln, Bällchen. *Nordd* seit dem 18. Jh. *Vgl niederl* „klateren", *engl* „to clatter".
2. unnütz hin- und herlaufen; lärmend rennen. Seit dem 19. Jh.
Klotten *pl* Sachen, Gegenstände. Vielleicht verkürzt aus „Klamotten". *Niederd* 1950 *ff.*
Klotz *m* 1. grober, plumper Mann; ungeschickter Mensch. Eigentlich das plumpe Stück Holz, auch der Erdkloß. 1700 *ff.*
2. schwere Bombe. *Sold* 1939 *ff.*
3. großer Gewinn; freudige Überraschung. Analog zu „dicker ↗ Brocken". 1900 *ff;* auch kartenspielerspr.
4. Fernsehgerät. Als unförmiger Kasten aufgefaßt. 1963 *ff.*
5. geräumiges Haus. Es wirkt vierschrötig und plump. 1930 *ff.*
6. Schwerwiegendes; Nichtalltägliches. Parallel zu „dicker ↗ Brocken". 1920 *ff.*
7. Geld. Soviel wie „großes Stück", also wohl eine Münze von hohem Wert. *Schweiz* 1950 *ff.*
8. *pl* = Hoden. Parallel zu ↗ Klöten 1. 1960 *ff.*
9. *pl* = Stiefel; schweres Schuhwerk. 1914 *ff.*
10. ~ am Bein = Schuh mit übermäßig dicker Sohle und plump geformtem Absatz. 1971/72 mit der Mode aufgekommen.
11. grober ~ = plumper, derber, ungefälliger, ungesitteter Mann. *Vgl* das Sprichwort „auf einen groben Klotz gehört ein grober Keil". Seit dem 19. Jh.
12. schwerer ~ = Mensch, der nicht zu Zugeständnissen bereit ist. 1930 *ff.*
13. müde wie ein ~ = sehr müde. „Wie ein Klotz" entwickelt sich zu einem steigernden Vergleich im Sinne von „schwerfällig, schwerbeweglich". 1950 *ff.*
14. steif wie ein ~ = ungewandt. 1950 *ff.*
15. sich einen ~ ans Bein binden = a) sich mit etw belasten; sich selbst eine Behinderung schaffen; eine Zahlungsverpflichtung eingehen, die auf die Dauer immer drückender wird. *Vgl* das Folgende. Seit dem 18. Jh. – b) heiraten. Seit dem 18. Jh.
16. einen ~ am Bein haben = a) durch etw sehr stark behindert sein. Leitet sich her von dem unförmigen Stück Holz, das man den Weidetieren ans Bein bindet, damit sie nicht durchgehen; auch den Bullen und Ochsen bindet man die Vorderbeine zusammen und behindert sie durch einen Klotz, um ihrem Lauf in wütigem Zustand Einhalt zu gebieten. Auch hat man Gefangene früher an einem Klotz gefesselt. Seit dem 18. Jh. – b) ein uneheliches Kind haben; geschiedene Mutter sein. 19. Jh. – c) verheiratet sein (vom Mann gesagt). Seit dem 18. Jh. – d) durch die Sorgepflicht für einen anderen stark in Mitleidenschaft gezogen sein. 1900 *ff.*
17. jm als ~ am Bein hängen = jn erheblich behindern; jm zur Last fallen. 1900 *ff.*
18. es hängt ihm wie ein ~ am Bein = die Bestrafung hindert für lange Zeit sein Fortkommen. 1900 *ff.*
19. auf die Klötze hauen = Streit suchen. ↗ klotzen = sich aufspielen. „Klotz" kann auch den starrsinnigen Mann bezeichnen, vor allem den, der anderen denkt als man selber und den man mangels geistiger Waffen verprügelt. *Rocker* 1967 *ff.*
20. es ist ein ~ am Bein = es ist auf lange Zeit ein arges Hindernis. Seit dem 19. Jh.

21. von den Klötzen sein = sehr erstaunt, sprachlos sein. ↗Klotz 9. Vor Verwunderung oder Schreck verliert man das Gleichgewicht oder sinkt besinnungslos zu Boden. 1920 ff.

Klötzchenaufbauschule f Sonderschule. Anspielung auf die Baukastenspiele nach der Methode Fröbel, Montessori o. ä. 1950 ff.

Klotzen pl **1.** Holzschuhe; Stiefel mit Holzsohlen. Aus „Klotzschuh" verkürzt. 1900 ff.

2. Füße. 1900 ff.

3. die ~ bewegen = gehen, marschieren, laufen. 1900 ff.

klotzen intr **1.** marschieren, wandern. Meint eigentlich das schwerfällige Gehen in schwerem Schuhwerk. Im frühen 20. Jh mit der Wandervogelbewegung aufgekommen.

2. schwerfällig, laut auftreten. 1905 ff.

3. mit großem Kaliber schießen. Sold in beiden Weltkriegen.

4. beim Fußballspiel unfair vorgehen. Sportl 1920 ff.

5. schweren Dienst tun; hart arbeiten; hart gedrillt werden. Ziv und sold 1930 ff.

6. hart trainieren. Sportl 1930 ff.

7. ~ nicht kleckern = die ganze Kraft einsetzen, statt taktisch vorsichtiger zu operieren. ↗kleckern 4. 1939 ff.

8. streng einschreiten, durchgreifen, vorgehen. 1940 ff.

9. schnell arbeiten, ohne auf Feinheit Rücksicht nehmen zu können. Kellnerspr. 1960 ff.

10. eine größere Zahlung leisten. Seit dem 18. Jh, stud.

11. es sich etwas kosten lassen. Seit dem 19. Jh.

12. sich laut bemerkbar machen; herausfordernd auftreten; durch Großzügigkeit Eindruck zu machen suchen; übertreiben; sich aufspielen. Seit dem 18. Jh.

13. starr blicken. Durch „Klotz = Schwerbewegliches" beeinflußtes Verb „↗glotzen". Seit dem 19. Jh.

Klotzfahrt f anstrengende Jugendwanderung. ↗klotzen 1. Wandervogelspr. 1905 ff.

klotzig adj **1.** plump; schwerfällig; großartig; außerordentlich; sehr groß; sehr viel. ↗Klotz 1. Seit dem 18. Jh.

2. adv = sehr; überaus. Seit dem 18. Jh.

Klotzkopf m **1.** starrsinniger Mensch. ↗Klotz 1. Seit dem 18. Jh.

2. dumme Person. Seit dem 18. Jh.

Klotzlied n Wander-, Marschlied. ↗klotzen 1. Wandervogelspr. im frühen 20. Jh.

Klotzmarsch m Gewaltmarsch. Wandervogelspr., kurz nach 1900.

Klotzpantinen pl Schuhe mit Holzsohlen, mit dicken Krepp- oder Kunststoffsohlen; Holzschuhe. Seit dem 19. Jh.

Klotzpartie f anstrengende Wanderung. ↗klotzen 1. Wandervogelspr. 1910 ff.

Klotztour f Gewaltmarsch. Wandervogelspr. 1910 ff.

Klub m **1.** militärische Einheit. Eigentlich der geschlossene Verein. Sold in beiden Weltkriegen.

2. Verbrecherbande. 1900 ff.

3. ~ der Entpuppten = Nacktkultur-Vereinigung. ↗entpuppen 1. 1920 ff.

4. ~ der Harmlosen = Verbrecherbande. 1900 ff. Vielleicht übernommen von dem Namen eines Spielklubs gegen Ende des

19. Jhs, der mit einem Skandalprozeß sein Ende fand.

kluckeln intr ↗gluckeln.

kluckern intr tr ↗gluckern.

Kluft f **1.** Kleidung (ziv); Uniform (sold); Spielkleidung (sportl). Fußt auf jidd „keliphas = Schale". Aus dem Rotwelschen des 17. Jhs über Studenten des 18. Jhs. und Soldaten des späten 19. Jhs umgangssprachlich geworden.

2. stramme ~ = enganliegende Kleidung; modisch auffallende Kleidung. 1910 ff.

3. sich in ~ schmeißen (werfen) = Uniform anlegen; sich gesellschaftsfähig kleiden. 1910 ff.

Klüftchen n **1.** Ausgeh-Uniform; maßgeschneiderte Eigentumsuniform; Urlaubsanzug. Sold seit dem späten 19. Jh.

2. schlechter, abgetragener Anzug. 1900 ff.

3. leichtes Sommer-, Tanzkleid. 1900 ff.

Klug m nicht seinen ~ haben = nicht recht bei Verstand sein. Der Klug = Geist, Verstand, fünf Sinne. Nordd seit dem 19. Jh.

klug adj **1.** wie nicht ~ = übermäßig. 1900 ff.

2. nicht recht (nicht ganz) ~ = leicht verrückt. 1700 ff.

3. etw nicht ~ kriegen = etw nicht verstehen. Seit dem 19. Jh.

4. jn ~ machen = jm über eine Sache Aufschluß geben. Seit dem 19. Jh.

5. aus etw nicht ~ werden = eine Sache nicht begreifen; etw nicht entwirren können. Seit dem 19. Jh.

Klugarsch m Besserwisser. Seit dem 19. Jh.

Kluglabbe f vorlauter, vermeintlich überkluger junger Mensch. ↗Labbe. 1900 ff.

klugscheißen intr sich sehr klug dünken; sich vermeintlich klug äußern; Besserwisser sein. Bezieht sich auf einen, der sogar auf dem Abort besonders klug zu handeln meint oder anderen weise Ratschläge für das zweckmäßige Koten erteilt. Seit dem 19. Jh.

Klugscheißer m **1.** vermeintlich kluger (überkluger) Mensch; Besserwisser. Nach Auffassung des Gutachterausschusses der Tübinger „Götz-von-Berlichingen-Akademie" stellt dieser Ausdruck im amtlichen Schriftverkehr keine Beleidigung dar (1971). Seit dem 19. Jh.

2. Klassenbester. Schelte unter Schülern, die an Begabung und Fleiß unterlegen sind. 1930 ff.

Klugschieter m vermeintlich kluger Mensch. Analogie zu „↗Klugscheißer 1". Niederd seit dem 19. Jh.

Klugschisser m vermeintlich kluger Mensch. ↗Schisser. Seit dem 19. Jh.

klugschmusen intr sich vermeintlich klug äußern. Seit dem 19. Jh.

Klugschnack m **1.** Geschwätz eines Klüglings. ↗schnacken. Seit dem 19. Jh.

2. vermeintlich kluger Mensch. Seit dem 19. Jh.

Klump m **1.** etw in ~ (in den ~; zu ~) ballern (hauen, schießen) = etw zertrümmern, vernichten, völlig unbrauchbar machen. Niederd „Klump = Kloß, Klotz"; hergenommen vom Holzhacken im Sinne von „zerstückeln, entzweimachen" und weiterentwickelt für jegliche Art des Vernichtens.

2. ein Auto in den ~ (in ~; zu ~) fahren

= durch unzweckmäßige Fahrweise ein Auto völlig unbrauchbar machen. 1920 ff.

3. eine Straße in ~ fahren = eine Straße solange befahren, bis sie nicht mehr befahrbar ist. 1935 ff.

4. es geht in ~ = es geht entzwei, wird unbrauchbar. 1910 ff.

5. jn in ~ reden = jn mundtot reden. 1900 ff.

6. etw in ~ schmeißen = a) bei Notlandung das Flugzeug zertrümmern. Fliegerspr. in beiden Weltkriegen. - b) etw durch Bomben vernichten. Fliegerspr. 1940 ff.

7. in ~ sein = entzwei, unbrauchbar sein. 1900 ff.

Klumpatsch m **1.** Durcheinander; Haufen wertloser Dinge; Zerbrochenes, Vernichtetes; Mißerfolg. Zusammengewachsen aus „Klump = Klotz" und „patschen = laut zusammenfallen", woraus sich die Bedeutung „Ungeformtes; Dreckhaufen" ergibt. Etwa seit 1840.

2. Schmutz. Seit dem 19. Jh.

3. Unsinn; unsinnige Schwierigkeiten. 1840 ff.

4. der ganze ~ = alles; das Ganze. 1840 ff.

5. jn in den ~ hauen = jn gründlich verprügeln; jn vernichten. 1900 ff.

Klumpen m **1.** unförmiges Stück. Eigentlich die formlos zusammengeballte Masse, der Haufen, die Erdscholle. Meint bei den Halbwüchsigen beispielsweise das Stück Kuchen. 1955 ff.

2. Höckernase. 1950 ff.

3. pl = Holzschuhe. Stammt aus gleichbedeutendem niederd „klump". 1600 ff.

4. pl = derbe Lederstiefel, -schuhe. 1900 ff.

klumpen intr schwerfällig gehen. ↗Klumpen 3. 1900 ff.

Klumpert m ↗Glumpert.

Klüngel m **1.** geheime Fürsprache; Parteiwirtschaft; Bevorzugung von Günstlingen. Meint eigentlich das Knäuel und in übertragener Bedeutung das Ineinanderverschlungene. Weit über Köln hinaus bekannt ist der „kölsche Klüngel", der allerorten Nachahmer gefunden hat. Im 18. Jh als „betrügerische Machenschaften" gebucht, scheint die heutige Bedeutung gegen 1820 aufgekommen zu sein.

2. Gruppe, deren Mitglieder einander zu Vorteilen verhelfen. Seit dem 19. Jh.

3. Flirt, Liebelei. ↗klüngeln 4. 1920 ff.

4. Lumpen, Fetzen; Nachlässigkeit, Trägheit o. ä. Fußt auf der Vorstellung vom auseinandergefallenen Knäuel Wolle o. ä. Seit dem 18. Jh.

5. nachlässiger, langsam tätiger Mann. ↗klüngeln 2. Seit dem 19. Jh.

Klüngelarbeit f nachlässige, langsame Arbeit. ↗klüngeln 2. Seit dem 19. Jh.

klüngelig adj unordentlich, nachlässig, zerlumpt. Westd seit dem 19. Jh.

Klüngelkerl (Klüngelskerl) m **1.** Altwarenhändler; ambulanter Händler. ↗Klüngel 4. Seit dem späten 19. Jh.

2. unordentlicher, nachlässiger Mensch. ↗klüngeln 2. Westd seit dem 19. Jh.

klüngeln intr **1.** geheime Fürsprache verwenden. ↗Klüngel 1. 1820 ff (1822 Heinrich Heine).

2. zögern; langsam zu Werke gehen. ↗Klüngel 4. Seit dem 19. Jh.

3. tauschhandeln. Seit dem 19. Jh.

4. Liebesbeziehungen anrüchiger Art unterhalten. 1920 ff.

Klüngelwirtschaft f Günstlingswirtschaft. ↗Klüngel 1. 1900 ff.

Klüngler m Mensch, der heimliche Abmachungen sucht oder trifft. Westd seit dem 19. Jh.

Klunker m **1.** Tuchfetzen; Kleiderlumpen. Gehört zu „glunkern = baumeln, schlenkern". 1600 ff. **2.** Schmuckstück, Schmuckketten. 1870 ff. **3.** wertlose Ordensauszeichnungen. 1900 ff. **4.** pl = Hoden. Seit dem 19. Jh. **5.** pl = Geld. Gemeint sind wohl die Banknoten wegen der Parallele zu „↗Lappen". BSD 1965 ff. **6.** einen ~ haben = a) einen geistigen Defekt haben. „Klunker", auch gleichbedeutend mit „Klümpchen", meint hier die dicke Stelle im Gewebe und steht also in Analogie zu „↗Webfehler". 1963 ff. – b) homosexuell sein. 1963 ff.

Kluppe f **1.** jm in die ~ fallen = in jds Gewalt geraten. Westd „Kluppe = Klemme, Zange u. ä.", ablautende Nebenform von „↗Kloppe I". Seit dem 19. Jh. **2.** jn in der ~ haben = jn in der Gewalt haben. 1500 ff. **3.** jn in die ~ kriegen = jn in seine Gewalt bekommen; jn verprügeln. 1500 ff. **4.** jn in die ~ nehmen = jn in die Enge treiben; jm heftig zusetzen. Seit dem 19. Jh.

Klüsen pl **1.** Nasenlöcher; Nase. Klüse ist das Loch in der Schiffswand für die Ankerkette. Marinespr seit dem späten 19. Jh. **2.** Augen. Marinespr 1870 ff. **3.** jn vor (in) die ~ hauen = jm ins Gesicht schlagen. 1920 ff, nordd. **4.** ich haue dir die ~ dicht!: Drohrede. Nordd 1920 ff. **5.** die ~ dichtmachen (zumachen) = sich zum Schlafen anschicken. 1930 ff, nordd. **6.** die ~ auf Null stellen (schrauben) = schlafengehen. Marinespr 1939 ff.

Klut m ungebildeter, plumper, roher Mensch; Raufbold. Gehört zu nordd „Klut = Klumpen, Erdkloß" und ist parallel zu „↗Klotz 1" u. ä. Seit dem späten 19. Jh.

Klutenpedder m Bauer, Landwirt. Kluten = Erdschollen; pedden = treten. Niederd seit dem 19. Jh.

Klütenseminar n Frauenfachschule. Anspielung auf den hauswirtschaftlichen Unterricht; Klüten = Fleischklöße. 1920 ff, nordd.

Klutenuniversität f Landwirtschaftsschule. Kluten = Erdschollen. Scherzhafte Wertsteigerung seit 1910.

Klütenuniversität f Haushaltungsschule. Klüten = Fleischklöße. 1920 ff.

klütern intr **1.** kleine behelfsmäßige Arbeiten ausführen; unzweckmäßig, unsachgemäß vorgehen. Nebenform zu „klittern = schmieren, klecksen", weiterentwickelt zur Bedeutung „unsorgfältig herstellen". 1700 ff. **2.** koitieren. Seit dem 19. Jh.

Klütter m Kleingeld. Alemannische Nebenform von „klitter = klein, winzig". Südwestd 1900 ff.

Knaatsch m **1.** zertretenes Obst; breiige Masse. Seit dem 19. Jh. **2.** zusammengemengtes Essen. 1900 ff. **3.** weinerliche Erzählung; leeres Gerede;

überflüssige Umstände. ↗knaatschen 2. Seit dem 19. Jh. **4.** Widerrede, Streit. 1870 ff. **5.** Unsinn. 1870 ff. **6.** verzärtelter, wehleidiger Mensch. Seit dem 19. Jh. **7.** der ganze ~ = der ganze widerwärtige Vorgang; das alles. 1930 ff.

knaatschen v **1.** tr = etw zerdrücken. Lautmalend für das Gehen auf einer sumpfigen Wiese, das Beißen in eine saftige Birne o. ä. Seit dem 19. Jh. **2.** intr = aus Mißmut weinen; weinerlich reden; wimmern. Schallnachahmend für ein langanhaltendes, wortloses Weinen. Seit dem 19. Jh.

Knaatschpott m langsam, langweilig, in leierndem Tonfall sprechender Mann; wehleidiger Mensch. Der Betreffende ist ein einziger „Pott" (= Topf) voll „Knaatsch". Seit dem 19. Jh.

knäbbeln refl sich zanken. Ablautform von „knabbeln = beißen". Seit dem 19. Jh.

Knabberei f Gebäck. ↗knabbern 1. 1950 ff.

knabbern intr **1.** (mit leisem Geräusch) nagen. Ein niederd Wort, verwandt mit engl „to knab; to knabble". 1600 ff. **2.** an etw nicht viel ~ = an etw nicht viel verdienen. Seit dem 19. Jh. **3.** an etw ~ (zu knabbern haben) = an etw schwer zu schaffen haben; lange Zeit benötigen, um eine Enttäuschung zu verwinden. Seit dem 19. Jh. **4.** jm etw zu ~ geben = jm zu schaffen machen; jm eine schwierige Aufgabe stellen; jn einem argen Hindernis gegenüberstellen. Vgl „eine harte ↗Nuß knacken". 1870 ff. **5.** nichts zu ~ haben = nichts zu essen haben; ärmlich leben. Seit dem 19. Jh. **6.** etw zum ~ (~ und beißen) haben (anzubieten, vorzusetzen haben) = Backwerk, Teegebäck o. ä. besitzen. 1920 ff.

Knabe m **1.** dummer, törichter Mann. Er wird zurückgestuft in die Lebensperiode mutwilliger Jungen. 1900 ff. **2.** Freund einer Halbwüchsigen. Für heutiges Halbwüchsigenempfinden eine Übersetzung von engl „boy" und ein Ersatz für das als albern geltende Wort „Jüngling". Halbw 1955 ff. **3.** Junge (vorwurfsvolle Anrede unter Halbwüchsigen). Halbw 1955 ff. **4.** alter ~ = a) gemütliche Anrede; alter Freund; netter alter Mann. Hintergründig ist vielfach die unverwüstliche (äußere und) innere Frische gemeint. Seit dem 18. Jh. – b) Treff-Bube im Skatspiel; die höchste Karte im Spiel. Kartenspielerspr. 1900 ff. **5.** älterer ~ = älterer Herr; grauhaariger Junggeselle. 1920 ff. **6.** bedienter ~ = tüchtiger, anstelliger, zuverlässiger Altersgenosse eines Halbwüchsigen. ↗bedient 1. Halbw 1955 ff. **7.** betagter ~ = älterer Mann. 1920 ff. **8.** fixer ~ = pfiffiger, lebenserfahrener Mann. ↗fix. 1920 ff. **8 a.** heller ~ = aufgeweckter (junger) Mann. ↗hell 1. 1975 für Wien belegt. **9.** kesser ~ = sinnlich veranlagter älterer Mann. ↗keß. 1925 ff. **10.** munterer ~ = a) Taugenichts. Eine ironische Vokabel. 1950 ff. – b) aufsässi-

ger, zerstörungssüchtiger Halbwüchsiger. 1965 ff. – c) kameradschaftlicher Mitschüler. 1960 ff. **11.** nasser ~ = a) unreifer junger Mann, der sich als Erwachsener aufspielt. Er ist noch „naß hinter den ↗Ohren". 1955 ff. – b) Trinker. 1500 ff. **12.** reifer ~ = alter Ehemann. 1930 ff. **13.** sauberer ~ = niederträchtiger, verbrecherisch veranlagter junger Mann. ↗sauber. 1920 ff. **14.** weiblicher ~ = Mädchen in Jungmännertracht. In Begleitung der Bubikopfmode gegen 1926 aufgekommen. **15.** besonders weiser ~ = übler Besserwisser. Hohnwort. BSD 1965 ff. **16.** für ~n = Männerabort. 1920 ff. **17.** sich mit ~n einlassen = im Skatspiel einen Grand spielen. Beim Grand sind die „Knaben" (= die Buben) die höchsten Trümpfe. Bezieht sich eigentlich auf die Vornahme homosexueller Handlungen mit Minderjährigen männlichen Geschlechts. Kartenspielerspr. 1900 ff. **18.** daß mir keine ~n kommen!: elterliche Warnung an ein Liebes- oder Brautpaar vor gemeinsamem Ausflug ins Grüne. 1920 ff.

Knabenmädchen n knabenhafter Typ eines jungen Mädchens. Vgl ↗Knabe 14. 1932 bezogen auf die Filmrolle der Elisabeth Bergner in „Der träumende Mund". 1926 ff.

Knäbin f Mädchen mit gewollt männlichem Gebaren in Kleidung und Benehmen. ↗Knabenmädchen. 1926 ff.

knackbar adj leicht zugänglich (auf eine weibliche Person bezogen). Knacken = deflorieren, koitieren. 1960 ff. halbw.

Knacke f **1.** sportliche Niederlage. Die siegreiche Mannschaft hat der unterlegenen Mannschaft Punkte „geknackt". ↗knacken 10. Sportl 1920 ff. **2.** Bett. ↗knacken = schlafen. BSD 1965 ff.

knacken v **1.** intr = geizen. Nebenform von ↗knicken. 1920 ff. **2.** intr = beim Biertrinken zu stark zurückhalten. Der Betreffende gilt als geizig. Stud 1870 ff. **3.** intr = Einbruchsdiebstahl begehen. Der Einbrecher knackt Fensterscheiben, Türschlösser oder Gitterstäbe. Seit dem frühen 19. Jh. **4.** tr = etw gewaltsam aufbrechen. 1820 ff. **5.** tr = jn für ein Vorhaben gewinnen; jn beschwatzen; jn gefügig machen. Man bricht seinen Widerstand. 1900 ff. **6.** intr = schlafen. Anspielung auf die knackende Bettlade unter dem Schnarchtöne. Halbw und BSD 1955 ff. **7.** intr = schnarchen. Halbw und BSD 1955 ff. **8.** einen ~ = die ausgespielte Karte abtrumpfen oder überspielen. Kartenspielerspr. 1900 ff. **9.** jn ~ = jn ertappen, überführen, verhaften, unschädlich machen. 1920 ff. **10.** jn ~ = jn überflügeln; jds Rekord brechen. Sportl 1960 ff. **11.** eine ~ = den geschlechtlichen Widerstand einer Frau brechen; deflorieren. 1920 ff. **12.** schwer zu ~ sein = geschlechtlich abweisend sein. 1920 ff. **13.** es gibt ihm zu ~ = es bereitet ihm (große) Schwierigkeiten. *Vgl* „eine ↗Nuß knacken". Seit dem 19. Jh.

14. an etw zu ~ haben = mit etw viel Mühe haben. *Vgl* das Vorhergehende. Seit dem 19. Jh.

14 a. eine Aufgabe ~ = eine Schulaufgabe lösen. Bezieht sich vor allem auf einen fremdsprachlichen Text oder auf eine mathematische Aufgabe. *Schül* 1950 *ff.*

15. daß es nur so knackt = mit großem Erfolg; heftig; überaus. Beispielsweise friert es, daß es knackt = es friert sehr heftig. Seit dem späten 19. Jh, *nordd.*

16. jm einen ~ = jn niederschlagen. Man versetzt ihm einen knackenden (heftigen) Schlag auf den Kopf. Rocker 1967 *ff.*

17. ~ lassen = sich beeilen; Eifer zeigen; einen Befehl ausführen. Leitet sich her entweder vom Knacken der in Untätigkeit steifgewordenen Gelenke oder vom erfundenen Geräusch der in Gang kommenden Denkmaschine. *Halbw* 1955 *ff.*

knackeng *adj* enganliegend. 1960 *ff.*

Knacker *m* **1.** Geiziger; zurückhaltender Zecher; Mann, der sich von einem gemeinsam Vorhaben zurückzieht. ↗knacken 1. 1870 *ff.*

2. Einbrecher; Geldschrankausrauber. ↗knacken 3. *Rotw* 1820 *ff.*

3. Lehrer *(abfl.* ↗Knacker 7. 1920 *ff.*

4. Gymnasiast. Er besucht die Schule über die gesetzliche Schulpflichtzeit hinaus und gilt daher den anderen als alter Mann. 1900 *ff.*

5. Knackwurst. Beim Hineinstechen entsteht der Laut „knack". *Südd* 1900 *ff.*

6. Pistole. 1900 *ff.*

7. alter ~ = a) alter Mann; alterfahrener Mann. Vor Alter knackt es in den Gelenken. Seit dem 19. Jh. – b) Schüler der Oberstufe 1960 *ff.* – c) freundschaftliche Anrede an den Freund (Geliebten). 1965 *ff. halbw.*

Knackertopf *m* Bierkrug, dessen Inhalt und Menge nicht von außen erkennbar ist. ↗Knacker 1. 1870 *ff.*

'knack'grün *adj* grellgrün. Parallel zu „↗knallgrün". 1950 *ff.*

Knacki *m* Strafanstaltsinsasse. Gehört zu „↗verknacken = zu einer Freiheitsstrafe verurteilen". Koswörtlich im Sinne eines möglichst milden Strafvollzugs. 1970 *ff.*

knackig *adj* **1.** stramm, tapfer, diensteifrig. Leitet sich her von den eckigen Bewegungen, dem Zusammenschlagen der Hacken o. ä. *Sold* 1939 *ff.*

2. ansehnlich, muskulös; liebreizend; jung. Analog zu „↗knusprig". *Halbw* 1955 *ff.*

3. erfolgreich, werbewirksam. Sachverwandt mit „das haut hin" (↗hinhauen 6). 1950 *ff.*

4. ~ eng = enganliegend. 1965 *ff.*

5. ~ braun = schön sonnengebräunt. 1975 *ff.*

6. ~ frisch aus Holland = geschlechtlich anziehend. „Frisch aus Holland" ist als Werbespruch geläufig. 1973 *ff.*

Knackis *pl* die Erwachsenen; die Eltern. Zu einem *iron* Kosewort entwickelt aus ↗Knacker 7a. 1980 *ff*, *jug.*

Knackpulle *f* Schnapsfläschchen für die Seitentasche. „Knacken" meint hier soviel wie „geizend leeren", „langsam austrinken". 1920 *ff*, Berlin.

Knackpunkt *m* Höhepunkt des Erreichten; Erkenntnis, ob sich die Schwierigkeit auf

---

diese Weise lösen läßt. Hergenommen vom Bilde der harten Nuß: der Punkt, an dem die Schale mit einem Knackgeräusch nachgibt, ist der Knackpunkt. Er kann in übertragener Bedeutung den erwarteten Erfolg bescheren, aber auch den erwünschten Mißerfolg, falls die Nuß taub ist. 1975 *ff.*

Knacks *m* **1.** Schaden, Defekt; empfindliche Einbuße an Erfolgsaussicht (Gesundheit, Macht o. ä.); Trauma; Neurose. Das knackende Geräusch begleitet den Sprung im Teller und verrät Schadhaftigkeit. Seit dem späten 18. Jh.

2. Kurzschluß; Defekt in der Lichtleitung. 1870 *ff.*

3. Zerwürfnis. Das Einvernehmen hat Schaden genommen. 1900 *ff.*

4. ~ im Gemüt = Gemütsleiden. 1920 *ff.*

5. der alte ~ = alter Mann. Analog zu ↗Knacker 7a. Seit dem 19. Jh.

6. einen ~ haben (weghaben) = a) nicht mehr gesund sein; einen dauernden körperlichen Schaden haben; nicht mehr voll bei Sinnen sein. 1800 *ff.* – b) bezecht sein. Seit dem 19. Jh.

7. sich einen ~ holen = erkranken. Seit dem 19. Jh.

8. einen ~ kriegen = sich eine Krankheit zuziehen; Schaden nehmen. Seit dem 18. Jh.

knacksen *intr* **1.** reißen, brechen. Wiederholungsform von „knacken" 1800 *ff.*

2. die Ehe (Freundschaft o. ä.) knackst = das gute Einvernehmen wird erschüttert. 1900 *ff.*

Knackstiefel *m* alter Mann, der nicht mehr fest auf den Beinen ist. Analog zu ↗Knickstiefel. Seit dem späten 19. Jh.

'knack'voll *adj* dichtbesetzt, überfüllt. 1960 *ff.*

Knackwurstfinger *pl* dicke Finger. 1900 *ff.*

Knackwurstkocher *m* Auto. „Kocher" ist aus „Benzinkocher" verkürzt, und „Knackwurst" spielt auf den Kühlergrill an. *BSD* 1960 *ff.*

knafte *adj adv* gut, vorzüglich. Zusammengezogen aus den gleichbedeutenden „↗knorke" und „↗schnafte". *Halbw* 1955 *ff.*

Knall *m* **1.** aufsehenerregender Zwischenfall; Zusammenbruch. Meint eigentlich den bei einer Explosion entstehenden Lärm. 1920 *ff.*

2. Autozusammenstoß. 1920 *ff.*

3. schwere Erkrankung. 1950 *ff.*

4. Konkurs. 1950 *ff.*

5. ausgeprägte Formenbildung des Frauenkörpers. 1950 *ff.*

6. wunderliche Angewohnheit; festeingewurzelte Vorstellung, von der man nicht abzubringen ist. Hergenommen von einem knallenden Schlag gegen den Kopf als Ursache einer Geistestrübung. Seit dem späten 19. Jh.

7. Koitus. Knallen = schießen = ejakulieren. 1900 *ff.*

8. der große ~ = a) Kriegsausbruch. Kann den gleichzeitigen Beschuß aus vielen Rohren meinen, aber auch die Verrücktheit. 1939 *ff.* – b) plötzliche Amtsenthebung; plötzlicher Rücktritt vom Amt. 1950 *ff.* – c) Enthüllung (Aufdeckung) eines schwerwiegenden Vergehens. 1920 *ff.* – d) endgültiges Zerwürfnis; Ende mit Schrecken. 1920 *ff.* – e) Orgasmus. 1900 *ff.*

---

9. mittelstarker ~ = Geistesbeschränktheit mittleren Grades. ↗Knall 6. 1900 *ff.*

10. ~ und Fall (auf ~ und Fall; ~ auf Fall) = plötzlich, unversehens. Herzuleiten aus der Jäger- und Soldatensprache: so rasch, daß der Knall der Büchse und der Fall des Getroffenen nahezu gleichzeitig erfolgen. 1700 *ff.*

11. einen ~ haben = a) verrückt, närrisch sein. ↗Knall 6. Seit dem späten 19. Jh. – b) betrunken sein. 1900 *ff.*

knall- als erste Silbe einer doppeltbetonten Zusammensetzung entwickelt sich vom lauten Gehörseindruck teilweise unmittelbar, teilweise über den Augeneindruck zu einer allgemeinen Verstärkung.

Knallbonbon *n* **1.** Platzpatrone. Sie knallt beim Abschuß wie das Knallbonbon beim Zerreißen. *Sold* seit dem späten 19. Jh.

2. Handgranate, Sprengkörper. *Sold* in beiden Weltkriegen und *BSD.*

3. Haftmine gegen Panzerkampfwagen. *Sold* 1939 *ff.*

4. Bombe. *Sold* in beiden Weltkriegen.

5. aufs Fußballtor gezielter Ball, der am Pfosten abprallt. *Sportl* 1950 *ff.*

6. unausführbarer Plan; unsinniger Einfall. ↗Knall 6. 1915 *ff.*

7. Liebhaberei, Steckenpferd. ↗Knall 6. 1930 *ff.*

8. Versager; einfältiger Mensch. ↗Knall 6. 1920 *ff.*

9. Prahler. *Sold* 1939 *ff.*

10. weibliche Person mit üppigen Körperformen in enger Kleidung; eindrucksvolle Frau mit Charme und Intelligenz. Wie das Knallbonbon ist sie eine besondere Kostbarkeit mit einer gewissen Schwäche für Selbstzurschaustellung. ↗knallen 2. 1950 *ff.*

11. plötzlich bekanntwerdender Künstler. Er schlägt ein wie eine „↗Bombe"; *vgl* ↗Knallbonbon 4. 1960 *ff.*

12. aufsehenerregender Vorgang. 1960 *ff.*

13. treffende kritische Bemerkung. 1960 *ff.*

'knall'bumm *adv* unvorbereitet, plötzlich. Knall kennzeichnet den Abschuß, Bumm den Fall. Sachverwandt mit ↗Knall 10. 1920 *ff.*

'knall'bumm *m* Lärm, Beschuß, Explosion. *Vgl* das Vorhergehende. 1920 *ff.*

'knall'bunt *adj* sehr bunt. ↗knall-. 1870 *ff.*

Knallcharge *f* Schauspieler, der plumpe, derbe Komik vorzuführen hat. Charge = kleine Charakterrolle. Knallen = heftig werfen; kräftig zum Ausdruck bringen. Theaterspr. 1920 *ff.*

Knalldüse *f* Prahler. Bei Fehlzündung ruft die Vergaserdüse des Motors einen Knall hervor. 1920 *ff.*

'knall'echt *adj* gänzlich unverfälscht. ↗knall-. 1950 *ff.*

Knallecke *f* unübersichtliche Straßenkreuzung. Sie ist bekannt für Autozusammenstöße. 1950 *ff.*

Knalleffekt *m* **1.** verblüffende Wirkung; überraschende Wendung des Geschehens. Vom Feuerwerk hergenommen und vor allem in die Theatersprache eingegangen. Seit dem frühen 19. Jh.

2. Hauptsehenswürdigkeit, Sensation. Seit dem 19. Jh.

3. Verabreichung einer Ohrfeige. 1950 *ff.*

'knall'einfach *adj adv* sehr einfach. ↗„knall-". 1950 *ff.*

knallen *v* **1.** *intr* = prunken; sich aufspie-

len. Kann hergenommen sein vom Schießen mit der Knallbüchse, vom Knallen mit
der Peitsche, vom lauten Herausfliegen des
Sektkorkens oder auch vom Feuerwerk.
1900 *ff.*
2. *intr* = durch überspannte oder hochmodische Kleidung auffallen (auffallen
wollen). *Vgl* das Vorhergehende. ↗Knall-
bonbon 10. 1930 *ff.*
3. die Sonne knallt = die Sonne brennt
heiß. Die Sonnenstrahlen treffen heiß auf;
↗knallen 5. 1900 *ff.*
4. die Birne knallt = die Glühbirne wirft
sehr helles Licht. *Vgl* das Vorhergehende.
1920 *ff.*
5. *tr* = etw heftig werfen; schießen; etw
heftig auftreffen lassen. Schallnachahmend. Seit dem 18. Jh.
6. *tr* = den Ball heftig treten; Tortreffer
erzielen. *Sportl* 1920 *ff.*
7. *tr* = koitieren. Knall = Ejakulation.
Vgl ↗bumsen; ↗stoßen u. a. Seit dem
18. Jh.
8. einen ~ = a) sich betrinken. Das Geld
für die Zeche wirft man laut auf die Tischplatte. 1920 *ff.* - b) eine Droge injizieren.
1970 *ff.*
9. jm eine ~ = jm eine schallende Ohrfeige geben. Seit dem 19. Jh.
10. ich knalle dir eine, daß du kopfstehst!:
Drohrede. *Schül* 1950 *ff.*
11. es knallt = Autos prallen aufeinander. 1920 *ff.*
12. es hat geknallt = a) eine heftige
Auseinandersetzung hat stattgefunden;
jetzt ist die Geduld zu Ende. Bei dem Zank
hat es Ohrfeigen gegeben oder die
„↗Bombe ist eingeschlagen" oder „die
↗Sicherung ist durchgeknallt". 1950 *ff.* –
b) man ist schwanger. ↗knallen 7. Seit
dem 18. Jh.
13. sonst knallt es = sonst gibt es Ärger,
Prügel, eine heftige Auseinandersetzung
o. ä. 1950 *ff.*
14. eine geknallt kriegen = eine schallende Ohrfeige erhalten. ↗knallen 9. Seit
dem 19. Jh.
'knall'eng *adj* sehr enganliegend. ↗ „knall-
". 1950 *ff.*
Knaller *m* **1.** heftiger Schlag; Ohrfeige.
↗knallen 9. 1920 *ff.*
2. Pistole, Revolver. 1950 *ff.*
3. verpuffte Wirkung; Täuschung; Aufbauschung einer Belanglosigkeit. Es ist ein
aufsehenerregender Lärm ohne jegliche
entsprechende Nachwirkung. 1950 *ff.*
4. aufsehenerregendes Ereignis; großartige
Sache; durchschlagender Erfolg. Höhepunkt, Bestleistung. Analog zu „Schlager"
und ablautende Nebenform von „↗Knül-
ler". 1930 *ff.*
5. erfolgreicher Könner; Publikumsliebling. 1930 *ff.*
6. Auto, das mit geöffneter Auspuffklappe
fährt. 1955 *ff.*
7. Moped. 1955 *ff.*
8. kraftvoller, unhaltbarer Torball. *Sportl*
1950 *ff.*
9. *pl* = Artillerie. *BSD* 1965 *ff.*
10. doller (toller) ~ = tüchtiger Mensch.
↗Knaller 4. 1930 *ff.*
11. großer ~ = Hauptleistung. ↗Knal-
ler 4. 1977 *ff.*
12. einen ~ haben = verrückt sein.
↗Knall 6. 1920 *ff.*
Knallerbse *f* **1.** steifer Hut. Er besitzt die

runde Erbsenform und reizt zum Draufschlagen. 1900 *ff.*
2. Mensch mit veralteten Ansichten;
Mensch, der lustige Streiche ersinnt und
vollführt. Seine „Erbse" (= Kopf) hat einen „↗Knall 6". 1910 *ff.*
3. Schimpfwort. 1950 *ff.*
4. Moped. 1950 *ff.*
5. *pl* = Munition, Patronen. Sie zerplatzen mit einem Knall unter Druck. *Sold* in
beiden Weltkriegen und *BSD*.
6. *pl* = Bohnen. Sie verursachen Blähungen. 1910 *ff.*
7. mit den Augen ~n spielen = die Augen rollen. 1930 *ff.*
Knallfarbe *f* grelle Farbe. 1920 *ff.*
knallfarben *adj* grellfarben; sehr auffallend. 1920 *ff.*
'knall'froh sein sehr froh sein. ↗knall-.
1950 *ff.*
Knallfrosch *m* **1.** aufschreckende Behauptung. Eigentlich der plötzlich mit einem
Knall detonierende Feuerwerkskörper.
1950 *ff.*
2. schlechte Zigarre. Wie den Feuerwerkskörper soll man sie anzünden und wegwerfen. 1940 *ff.*
3. *pl* = Platzpatronen. *Sold* 1939 *ff.*
4. *pl* = Handgranaten. *Sold* 1939 *ff.*
5. *sg* = Haftladung. *Sold* 1939 *ff.*
6. *sg* = Mine. *Sold* 1939 *ff.*
7. *sg* = Unteroffizier im Waffen-, Geräte-
und Munitionsdienst; Feuerwerker. *Sold*
1939 *ff.*
8. *sg* = Schimpfwort. Vermutlich einer,
der einen „Knall" hat; ↗Knall 6. Berlin
1972 *ff,* schül.
9. temperamentvoller Mensch. 1950 *ff.*
'knall'gelb *adj* grellgelb. 1900 *ff.*
'knallge'nau *adj adv* haargenau. ↗ „knall-
". 1950 *ff.*
'knallgesund *adj* vollgesund. 1950 *ff.*
'knall'grün *adj* **1.** grellgrün. 1900 *ff.*
2. sehr jung und unerfahren. ↗grün 1.
1920 *ff.*
'knall'hart *adj* **1.** rücksichtslos, schonungslos, unnachgiebig. 1950 *ff.*
2. sehr, wuchtig; voller Gewalttaten;
nur den gewaltsamen Ausgang zulassend.
Auf Filme u. ä. bezogen. 1950 *ff.*
3. sehr kraftvoll; mit voller Wucht getreten (auf den Fußball bezogen). *Sportl*
1950 *ff.*
4. äußerst gewagt. 1950 *ff.*
5. hochprozentig (auf alkoholische Getränke bezüglich). ↗Harter. 1950 *ff.*
6. unübertrefflich; sehr sympathisch. *Jug*
1970 *ff.*
Knallhaus *n* Bordell. ↗knallen 7. 1960 *ff.*
'knall'heiß *adj* **1.** drückend heiß. ↗knal-
len 3. 1880 *ff.*
2. mitreißend; leidenschaftlich erregend.
↗heiß 1. *Halbw* 1960 *ff.*
'knall'hell *adj* gleißend hell. 1950 *ff.*
knallig *adj* **1.** in die Augen fallend; grellfarbig. Grelle Farben gelten als laut; sie
„schreien". *Vgl* ↗knall. Seit dem 19. Jh.
2. treffsicher; die beabsichtigte Wirkung
nicht verfehlend. 1920 *ff.*
3. übertrieben in den Darstellungsmitteln;
gröblich. 1920 *ff.*
4. enganliegend; strammsitzend. ↗knal-
len 2. 1930 *ff.*
5. schwungvoll. *Halbw* 1960 *ff.*

Knallkarre *f* Motorrad. ↗Karre 1. Wegen
der Auspuffgeräusche. 1920 *ff.*
Knallköm *m* **1.** Kornbranntwein; schlechter
Schnaps. Köm = Kümmel. „Knallen"
spielt auf Blähungen an. 1920 *ff.*
2. Sekt. 1920 *ff.*
'knall'komisch *adj* überaus komisch.
1920 *ff.*
Knallkopf (-kopp) *m* **1.** dummer, beschränkter, wunderlicher Mensch.
↗Knall 6. Spätestens seit 1900.
2. Artillerist. *Vgl* ↗Bumskopf 4. *BSD*
1960 *ff.*
Knallkorken *m* **1.** *pl* = Platzpatronen,
Übungsmunition. Vom Korken im Hals
der Sektflasche übertragen. 1914 *ff.*
2. geistiger ~ = a) sprühender Witz.
1950 *ff,* jug. – b) hervorragender Einfall.
1950 *ff,* jug.
Knallkörper *m* **1.** dummer, beschränkter,
verschrobener Mensch. Wie ein Feuerwerkskörper zischt und faucht er kurz;
aber sonst bringt er nichts zu Wege.
1920 *ff.*
2. Versager. 1920 *ff.*
3. Stimmungsmacher. Versteht sich nach
↗knallen 1. 1920 *ff.*
4. Aufbauschung einer minderwertigen
Ware. 1950 *ff.*
5. eindrucksvoller Körperbau einer weiblichen Person. ↗knallen 1 u. 2. Berlin
1909 *ff.*
6. Mörser, Mine. *BSD* 1965 *ff.*
Knallkümmel *m* **1.** Sekt. Anspielung auf
den herausfliegenden Korken der Sektflasche und wohl auch auf die Blähungen.
Vgl ↗Knallköm. 1900 *ff.*
2. Mineralwasser. 1900 *ff.*
'knall'mies *adj adv* sehr schlecht; scheußlich. ↗mies. 1955 *ff,* jug.
'knallmo'dern *adj* hochmodern. 1950 *ff.*
Knallnummer *f* Sonderling. ↗Nummer.
1930 *ff.*
Knallprotz *m* **1.** widerwärtiger Prahler;
großsprecherischer Emporkömmling.
↗Protz. Seit dem späten 19. Jh.
2. übermäßigen Lärm verursachender
Kraftfahrer. 1970 *ff.*
'knall'rot *adj* **1.** grellrot. 19. Jh.
2. überzeugt (leidenschaftlich) sozialistisch; mehrheitlich sozialdemokratisch.
↗rot. Seit dem späten 19. Jh.
Knallschote *f* **1.** schallende Ohrfeige.
Übertragen vom gelben Blasenstrauch,
dessen blasig aufgetriebene Hülsen beim
Zerdrücken oder Zerschlagen knallen. Seit
dem frühen 19. Jh.
2. Motorrad, bei dem die Auspuffklappe
abmontiert worden ist oder das mit geöffneter Auspuffklappe fährt. Der Lärm trifft
das Ohr wie ein Schlag gegen den Kopf.
1930 *ff.*
3. Großsprecher. Außer selbstgefälligem
Lärmen bringt er nichts zustande. 1935 *ff.*
Knallteppich *m* Lärmbelästigung durch
Flugzeuge. Dem „Bombenteppich" nachgebildet: das Flugzeug zieht einen „Lärm-
fächer" hinter sich her. 1970 *ff.*
Knallton *m* greller Farbton. 1920 *ff.*
Knalltüte *f* **1.** dummer Mensch. Hergenommen von der Tüte, die man aufbläst
und durch einen Schlag zum Platzen
bringt, oder von dem tütenförmig zusammengelegten Papierbogen, der bei schneller, ruckartiger Bewegung durch die Luft
aufspringt und einen ziemlich lauten Knall
verursacht. Auf den Menschen ange-

wandt, ist es einer, der lärmt, aber sonst nichts vollbringt. 1920 *ff.*

2. Kraftfahrer, der mit offenem Auspuff fährt. 1920 *ff.*

3. Kastenmine; Explosivladung. „Tüten" nannte man sie, weil die Treibladungen in Beuteln geliefert wurden. *Sold* 1939 *ff.*

4. Pistole, Colt o. ä. 1955 *ff.*

5. Humorist, Karnevalist. Mit Worten leistet er viel; aber an Gehalt fehlt es bei ihm. 1950 *ff.*

6. anspruchsloser theatralischer Effekt. 1930 *ff.*

7. Präservativ. ↗ knallen 7. 1950 *ff.*

Knalltype *f* **1.** dummer, närrischer Mensch. ↗ Type. 1920 *ff.*

2. leidenschaftlich erregbarer Zuschauer bei sportlichen Veranstaltungen o. ä. 1950 *ff.*

Knallvogel *m* **1.** Düsenflugzeug, Raketenflugzeug. 1943 *ff.*

2. Sucht, sich hochmodisch zu kleiden. Die betreffende Person hat sowohl einen „Knall" als auch einen „Vogel", was beides die Verrücktheit meint. 1950 *ff.*

'knall'voll *adj* **1.** volltrunken. 1900 *ff.*

2. dichtbesetzt; überfüllt. 1920 *ff.*

'knall'wach *adj* hellwach. 1930 *ff.*

knapp *adv* **1.** nicht zu ~ = reichlich, tüchtig (wir haben ihn nicht zu knapp verhauen). Euphemistische Umschreibung. Seit dem 19. Jh.

2. ~ wie Geld vor Ultimo = a) selten; schwer zu bekommen. Am Monatsletzten sind die Geldmittel aufgebraucht. 1950 *ff.* – b) enganliegend (auf Kleider bezogen). 1952 *ff,* Berlin.

3. jn ~ halten = jm Beschränkungen auferlegen. Seit dem 19. Jh.

4. es geht ~ her = man lebt ärmlich. Seit dem 19. Jh.

knapsen *intr* sparsam sein; geizen; sich Einschränkungen auferlegen. Wiederholungsform von „knappen = sich einschränken". Seit dem 19. Jh.

Knarre *f* **1.** Gewehr, Flinte. Früher hatte das Gewehr eine Sperrklinke; bei jedem Radzacken erklang ein knarrendes Geräusch. 1850 *ff.*

2. Taschenuhr. Wegen des knarrenden Geräuschs der früheren Uhren, wenn man sie mit dem Schlüssel aufzog. 1850 *ff.*

3. Fahrrad. Wohl eines, das knarrend fährt. 1950 *ff.*

4. unverträgliche, keifende weibliche Person. ↗ knarren. 1800 *ff.*

5. weinerliches Kind. ↗ knarren. Seit dem 19. Jh.

6. eine ~ haben = mißmutig sein. 1900 *ff.*

knarren *intr* verdrießlich, mürrisch, weinerlich sein. Gibt einen etwas höheren Ton wieder als „↗ knurren". 1800 *ff.*

knarsch *adj* **1.** stramm; charakterlich hart; energisch. Fußt auf dem Schallwort „knarr" für ein schnarrendes Geräusch, wie wenn man mit knarrender Stimme Befehle erteilt. 1900 *ff.*

2. streng, unerbittlich. 1900 *ff.*

Knast *m* **1.** Gefängnis, Arrest; Freiheitsstrafe. Geht zurück auf *jidd* „knas = Geldstrafe" und ist wohl beeinflußt von „knastern = brummend tadeln"; analog zu „↗ brummen 4". *Rotw* seit dem frühen 19. Jh; auch *sold* und *schül.*

2. Schulgebäude; Heimschule, Klassen-

zimmer. Die Schulpflicht betrachten die Schüler als Haftstrafe. 1950 *ff.*

3. Strafstunde des Schülers. 1950 *ff.*

4. Buckel des Menschen. Soviel wie der Knorren im Holz, der Auswuchs am Baum. 1850 *ff.*

5. Kopf. Auch er wird als Auswuchs aufgefaßt. Seit dem 19. Jh.

6. Sonderling. Wunderliche Menschen, vor allem alte, können leicht grob werden und werden in dieser Hinsicht mit einem harten Knorren im Holz verglichen. Seit dem 18. Jh.

7. hohe Fahrgeschwindigkeit. Hängt möglicherweise mit dem Motorradfahrer zusammen, der bei schnellem Fahren den Oberkörper nach vorn legt, so daß der Rücken wie ein Buckel aussieht. *Vgl* aber *nordd* „zu Knast gehen = einen Knorren durchsägen" und übertragen „eine Sache tatkräftig handhaben" 1945 *ff.*

8. ~ auf Raten = Gefängnisstrafe, die von Samstagnachmittag bis Montag früh verbüßt werden kann. 1953 *ff.*

9. ein Soldat ohne ~ ist wie ein Schiff ohne Mast = ein unbestrafter Soldat ist nicht vollwertig. Trostvoller Wertmaßstab der Soldaten untereinander. *BSD* 1965 *ff.*

10. alter ~ = mürrischer alter Mann; steifer, knorriger Mensch. ↗ Knast 6. 1700 *ff.*

11. dicker ~ = mehrjährige Freiheitsstrafe. Seit dem 19. Jh.

12. schwerer ~ = Zuchthausstrafe. 1900 *ff, rotw.*

13. seinen ~ abreißen = seine Freiheitsstrafe verbüßen. ↗ abreißen. 1920 *ff.*

14. jm ~ aufasten = jn zu einer Freiheitsstrafe verurteilen. Ast = Rücken; aufasten = aufbürden. 1910 *ff.*

15. ~ schieben = eine Gefängnisstrafe verbüßen. ↗ schieben. Seit dem späten 19. Jh.

Knast-Ehrenbürger *m* vielfach vorbestrafter Rechtsbrecher. ↗ Ehrenbürger. 1900 *ff.*

knasten *v* **1.** *intr* = eine Freiheitsstrafe verbüßen. 1800 *ff.*

2. *intr* = eine Strafstunde verbüßen. *Schül,* 1950 *ff.*

3. *tr* = jn gerichtlich verurteilen. 1900 *ff.*

Knaster *m* **1.** Tabak, Pfeifentabak. Stammt aus *span* „canastro = Rohr, Korb"; früher wurde der Tabak in Rohrkörben verschickt. Gegen 1700 kam das Wort über Holland nach Deutschland und bezeichnete dort zunächst eine feinere Sorte Tabak; gegen Ende des 18. Jhs kam die verächtliche Bedeutung auf, die im allgemeinen bis heute vorherrscht.

2. Mann *(abf).* Gehört zu „knastern = knurren; verdrießlich sich äußern". Seit dem 18. Jh.

3. Schüler einer höheren Schule. Vom vielen Lernen bekommt er einen „Knast" (= Buckel) oder er besucht länger als die anderen Schüler den „Knast" (= Schule). 1900 *ff.*

4. Richter. ↗ knasten 3. 1900 *ff.*

5. alter ~ = alter Mann. ↗ Knaster 2. Seit dem 18. Jh.

Knasterbart *m* **1.** alter Mann; mürrischer, grämlicher Mann. ↗ Knaster 2. 1600 *ff.*

2. Mann mit ungepflegtem Bart; unordentlicher, struppiger Bart. Seit dem 19. Jh.

Knastforelle *f* Hering. Häftlinge werten ihn zur Forelle auf. 1945 *ff.*

Knasti *m* Strafgefangener. 1970 *ff.*

Knastical *n* Theaterstück, das in Verbrecherkreisen spielt; Verbrecherfilm. Zusammengesetzt aus „Knast" und „Musical". 1960 *ff.*

Knastler *m* Gefängnisinsasse. Gebildet nach dem Vorbild von Postler, Zeltler o. ä. 1960 *ff.*

Knastlerin *f* Strafgefangene. 1960 *ff.*

Knastmauke *f* Gefängnis-, Gefangenschaftspsychose. ↗ Mauke. 1950 *ff.*

Knastmond *m* Scheinwerfer, der nachts die Zellenfenster im Gefängnis anleuchtet. 1960 *ff.*

Knastologe (Knastrologe) *m* Strafgefangener. Scherzhaft erhoben zum Rang eines Wissenschaftlers nach dem Muster von Kriminologe, Theologe, auch von Astrologe. Etwa seit 1900.

Knastologie *f* die ~ erlernen (~ studieren) = eine längere Freiheitsstrafe verbüßen; Strafgefangener im Rückfall sein. 1900 *ff.*

Knastrologe *m* ↗ Knastologe.

Knastronaut *m* mit Arrest Bestrafter. Modern zusammengesetzt aus „Knast" und „Astronaut". 1965 *ff.*

Knastschieber *m* Strafgefangener. ↗ schieben. Seit dem späten 19. Jh.

Knast-Theke *f* Richtertisch. Statt Schnaps wird „Knast" verabreicht. 1930 *ff.*

Knastträne *f* zwecks Erkennung unter Seinesgleichen unter ein Auge tätowierter blauer Punkt. 1977 *ff.*

knatsch- als Teil einer doppelt betonten Zusammensetzung steht lautmalend für das Geräusch des Knatterns und Knallens. Aus der Bedeutung „laut" entwickelt sich eine allgemeine Verstärkung. Vorwiegend *westd* seit dem 19. Jh.

'knatsch'bunt *adj* grellbunt. 1900 *ff.*

'knatsch'doll *adj prād* ganz verrückt. *Westd* seit dem 19. Jh.

knatschen *intr* geräuschvoll kauen; Speise auf dem Teller oder im Mund zu Brei zerdrücken. Schallnachahmende Nebenform zu „kneten"; auch verwandt mit *nordd* und *mitteld* „↗ knutschen". Seit dem 18. Jh.

'knatsch'geck (-geckig, -jeck) *adj prād* ganz verrückt. *Westd* 19. Jh.

knatschig *adj* nicht ausgebacken; klebrigfeucht. ↗ knatschen. *Westd* seit dem 19. Jh.

'knatschver'rückt *adj prād* ganz verrückt. *Westd* 1800 *ff.*

knatter *adj prād* betrunken. Knattern = knallen. Wer einen „Knall" hat, ist von Sinnen. 1920 *ff.*

Knatterarsch *m* Motorrad mit unzureichender Schalldämpfung. Arsch = Auspuff. Kraftfahrerspr. 1955 *ff.*

Knatterbiest *n* Motorrad. ↗ Biest 4. 1925 *ff.*

Knatterbrett *n* Go-Kart. 1964 *ff.*

Knatterbüchse *f* **1.** Motorrad, Moped o. ä. Meint ursprünglich nur das Fahrzeug mit geöffneter Auspuffklappe. 1960 *ff.*

2. Kleinauto. 1960 *ff.*

3. Flugzeug. 1960 *ff.*

4. Gewehr. *BSD* 1960 *ff.*

5. Maschinengewehr. *BSD* 1960 *ff.*

Knatterflitzer *m* Go-Kart. ↗ Flitzer. 1960 *ff.*

Knatterkasten *m* lärmendes Kleinfahrzeug mit Motor. 1925 *ff.*

Knattermann *m* **1.** Nörgler. Knattern = murren; sich verdrießlich äußern. 1960 *ff.*

2. Motorradfahrer. 1960 *ff.*

Knattermax(e) *m* Fahrer eines knatternden Motorrads, -boots; Autofahrer, der mit geöffnetem Auspuff fährt. 1920 *ff.*

Knattermime *m* äußerliche Effekte stark herausarbeitender Schauspieler. Theaterspr. 1950 *ff* (wohl älter).

Knatterpest *f* Sucht, mit offener Auspuffklappe ein Kraftfahrzeug zu fahren. 1955 *ff.*

Knatterpuff *m n* Motorrad. Es fährt knatternd und pufft Gase aus. *Schül* 1954 *ff.*

Knatterschleiche *f* Fahrerflucht. ↗Schleiche. 1950 *ff.*

Knatterton *m* lärmender Motorradfahrer. „Nick Knatterton" ist der von Manfred Schmidt geschaffene Held einer in den fünfziger Jahren in der Illustrierten „Quick" durch viele Jahre hindurch verbreiteten, bebilderten Detektivgeschichte. 1958 *ff.*

Knatterzahn *m* Motorradmitfahrerin. ↗Zahn. *Halbw* 1955 *ff.*

knattrig *adj* verstimmt, verärgert, nörglerisch. Knattern = laut murren. 1900 *ff.*

knäueln *intr* koitieren. Knäuel = Ineinanderverschlungenes. 1970 *ff.*

knaunzen (knaunschen) *intr* weinerlich klagen; nörgeln. Schallnachahmend für den klagenden Laut von Katzen. *Oberd* seit dem 18. Jh.

knauserig *adj* geizig. 1800 *ff.*

knausern *intr* geizen. Das *mhd* Adjektiv „knuz = keck, verwegen" entwickelt sich im 15. Jh zur Bedeutung „hochfahrend". Hieraus wird etwa im 17. Jh die Bedeutung „geizig"; denn die Ablehnung einer Bitte um Geld oder um sonstige Hilfe berührt sich in den Augen des Abgewiesenen mit Dünkelhaftigkeit. 18. Jh.

Knautsch I *m* 1. zusammengeballtes Papier (Stoff o. ä.). ↗knautschen 1. 1900 *ff.* 2. Ziehharmonika. 1955 *ff, jug.*

Knautsch II *f* 1. Couch. Aus dem Englischen scherzhaft eingedeutscht mit Angleichung an „knautschen = knittern", auch mit dem Nebengedanken an „knutschen". 1917 *ff.* 2. über die ~ ziehen = koitieren. 1955 *ff.*

Knautsche *f* 1. Ziehharmonika. ↗knautschen 1. 1920 *ff.* 2. eine ~ machen = ein Auto so sehr zu Schanden fahren, daß das Blech der Karosserie unentwirrbar zusammengedrückt wird. Kraftfahrerspr. 1930 *ff.*

knautschen *v* 1. *tr* = zusammendrücken, knittern. Nebenform von „kneten"; *vgl* auch ↗knutschen, ↗knatschen. Seit dem 18. Jh. 1 a. Ziehharmonika spielen. 1920 *ff.* 2. *intr* = auf einem Kaugummi kauen. 1950 *ff.* 3. *intr* = nörgeln; mürrisch äußern. Übertragen vom Zusammenpressen des Mundes und vom Stirnrunzeln. 19. Jh. 4. *intr* = wehleidig sein; zimperlich weinen. Leitet sich her sowohl vom Gesichtsausdruck als auch vom Ton; *vgl* ↗knaatschen. Seit dem 19. Jh.

Knautschklavier *n* Ziehharmonika. Der Blasebalg wird zusammengedrückt, und das Instrument besitzt eine Klaviatur. 1910 *ff.*

Knautschkommode *f* Ziehharmonika. „Kommode" ist von „↗Drahtkommode" übernommen. Seit dem späten 19. Jh; von Berlin ausgegangen.

Knautschzone *f* körperliche und geistig-

seelische Widerstandskraft. Hergenommen von der elastischen Blechzone, in der sich das Blech verformt und die Aufprallkraft aufnimmt. 1975 *ff.*

kneifen *v* 1. *intr* = zurückweichen; sich einer Verpflichtung entziehen; feige sich zurückhalten; bei der Mensur ausweichen; unentschuldigt dem Unterricht fernbleiben. Hergenommen vom Hund, der den Schwanz einzieht, wenn er Angst hat, oder vom Zweikämpfer, der den Kopf vor dem Hieb einzieht oder wegwendet. *Stud* seit dem frühen 19. Jh; danach allgemein. *BSD* 1960 *ff.* 3. *tr* = jn bedrängen, in die Enge treiben; jn nachdrücklich mahnen. Soviel wie „zwicken, einengen"; parallel zu „↗klemmen" und „in die ↗Zange nehmen". 1700 *ff.* 4. *tr* = etw aus Geiz einbehalten, abziehen; jds Anteil kürzen. 19. Jh. 5. *tr* = jm einen überhöhten Preis abfordern. 19. Jh. 6. *tr* = jn betrügen. Seit dem 19. Jh. 7. *tr* = jn ausschalten; jn an etw nicht beteiligen. *Jug* 1955 *ff.* 8. es kneift = man ist in geldlicher Verlegenheit. ↗Höschen 5. 1970 *ff.*

Kneifer *m* 1. Feigling. ↗kneifen 1. Seit dem 19. Jh. 2. Wehrdienstverweigerer. *BSD* 1960 *ff.* 3. Gläubiger, der seine Forderungen rücksichtslos eintreibt. ↗kneifen 3. 19. Jh. 4. roh zusammengeschlagener Soldatensarg. Er ist sehr eng. Um 1850 soviel wie der von der Stadtverwaltung zur Verfügung gestellte Armensarg. *Sold* in beiden Weltkriegen.

Kneifzange *f* 1. zänkische Person. ↗Zange. 1900 *ff.* 2. hartnäckiger, prozeßbereiter Wehrdienstverweigerer. *BSD* 1960 *ff.* 3. Dienstgradabzeichen des Hauptfeldwebels. Es ähnelt dem gleichnamigen Handwerkszeug. *BSD* 1965 *ff.* 4. etw nicht mit der ~ anfassen = eine heikle Sache nicht erörtern. ↗Feuerzange 3. 1950 *ff.* 5. mit der ~ angezogen sein = ein Kleid aus Metallfolien tragen. 1966 *ff.*

Kneipant *m* Teilnehmer an einer studentischen Zecherei. ↗Kneipe 2. Seit dem 19. Jh.

Kneipe *f* 1. Wirtshaus *(abf).* Verkürzt aus „Kneipschenke = kleine schlechte Schenke, in der man enggedrückt beieinander sitzt" (kneipen = kneifen = sanft drücken); kneip = klein, schlecht, gering); daher gelegentlich auch soviel wie „Bordell". Von da entwickelt sich die Bedeutung „anrüchiges Haus". Die geringschätzige Bedeutung schwindet, wenn man von „gemütlicher Kneipe" spricht. Anfangs *rotw* = Diebswirtshaus (1755); durch Studenten in die Umgangssprache eingeführt seit dem ausgehenden 18. Jh. 2. studentischer Kommers; Zechergesellschaft; Trinkgelage. Seit dem 19. Jh. 3. ~ an der (um die) Ecke = nahegelegener Bierausschank; Stammlokal. 1970 *ff.*

kneipen *intr* im Wirtshaus zechen. *Stud* seit dem ausgehenden 19. Jh.

Kneiperei *f* Zechgelage. 19. Jh.

Kneipgenosse *m* wackerer Zecher; lustiger Zecher auf Kosten anderer oder auf Borg. 1800 *ff.*

Kneipier (Endung *franz* ausgesprochen) *m* Wirt in zweifelhafter Gaststätte; Gastwirt. 1800 *ff.*

Kneipkur *f* Zecherei. In Anlehnung an die „Kneippkur" (= Wasserbehandlung nach den Lehren von Pfarrer Sebastian Kneipp) nach 1920 aufgekommen.

Kneipname *m* Spitzname. *Stud* 1800 *ff.*

Kneipperer *m* Kneippkurgast. 1920 *ff.*

Kneippianer *m* Mensch, der sich Wasserbehandlungen unterzieht. 1920 *ff.*

Kneippkur *f* 1. unfreiwilliger Sturz ins Wasser. 1900 *ff.* 2. Körperwaschung. *BSD* 1960 *ff.*

kneisen (kneissen) *tr intr* spähen, auskundschaften; bemerken, erraten. *Vgl* ↗gneisen. Seit dem 18./19. Jh.

Kneiste *f* Blickfeld. 1900 *ff.*

kneisten *intr* spähen, lauern, blinzeln; erfahren, begreifen, wissen. Nebenform von ↗kneisen. *Rotw* seit dem frühen 17. Jh.

Kneller *m* minderwertiger Tabak; Tabakspfeife. Meint eigentlich den Feuerwerkskörper, der kurz zischt und faucht, aber sonst nichts leistet. Seit den Freiheitskriegen 1815 geläufig, wahrscheinlich von Soldaten der Garde mitgebracht.

knellern *intr* schlechten Tabak rauchen. 19. Jh.

Knete *f* 1. Knetgummi, -masse. *Schül* 1925 *ff.* 2. Geld. Vielleicht weiterentwickelt aus der Vorstellung der Knet-, Teigmasse, die zur Brotherstellung erforderlich ist. Brot ist ebenso lebensnotwendig wie Geld. Berlin 1970 *ff*, anfangs *jug.*

kneten *tr* 1. jn massieren. 19. Jh. 2. jn nachdrücklich zu etw beeinflussen; ausdauernd auf jn einreden. Man formt ihn wie eine weiche Masse; man massiert ihn geistig. 1920 *ff.* 3. jn intim betasten. *Vgl* auch ↗knutschen. *Halbw* 1955 *ff.*

Knetmaus *f* Heilgymnastin. ↗Maus. 1920 *ff.*

Knetwalküre *f* Krankengymnastin; Masseuse. ↗Walküre. 1930 *ff.*

knibbelig *adj* mühsam, verwickelt; viel Kleinarbeit erfordernd. *Vgl* das Folgende. *Niederd* seit dem 19. Jh.

knibbeln *intr* mit den Fingern an etw kratzen; nagen; bröckeln; abbrechen. *Niederd* und *mitteld* Nebenform von „↗knabbern". Seit dem 19. Jh.

Knibbelsarbeit *f* mühselige Arbeit. *Westd* seit dem 19. Jh.

Knibbelsschrift *f* kleine, kaum leserliche Schrift. 1900 *ff.*

Knibi *f* Knielänge des Frauenrocks. Mit den Begriffen „Mini", „Midi" und „Maxi" aufgekommen. ↗Knie, ↗Kniebie". 1970 *ff.*

knibs *interj* Ausdruck der Abweisung. Zusammengesetzt aus den Anfangsbuchstaben von „kommt nicht in Betracht, Süßerl". Wien 1930 *ff.*

Knick *m* 1. Unsicherheit im Benehmen. Die Abweichung von der Geraden dient zur Kennzeichnung „eckigen" Benehmens. 1950 *ff.* 2. ~ in der Birne (Gondel) = Begriffsstutzigkeit. ↗Birne 1. 1950 *ff.* 2 a. ~ in der Logik = richtiger Gedanke, bei dem jedoch die zwingende Logik unberücksichtigt bleibt. 1960 *ff.* 3. ~ im Rücken = Buckel. *BSD* 1960 *ff.* 4. du hast wohl einen ~ im Auge (in der Linse)? = du kannst wohl nicht klar sehen? du begreifst wohl nicht richtig? Der Betreffende kann nicht geradeaus sehen. 1935 *ff.*

5. einen ~ in der Optik haben = kurzsichtig sein; falsch urteilen. 1955 *ff.*

Knickebein *n* Bein, das beim Gehen leicht einknickt. 18. Jh.

knicken *tr* **1.** etw vereiteln, unmöglich machen. Man bricht oder beugt es und bringt es von der anfänglichen Richtung ab. 19. Jh.

2. jds Eigenart brechen, vergewaltigen. 1900 *ff.*

Knicker *m* **1.** Geiziger; sparsamer Mensch. Entweder gekürzt aus „Läuseknicker" (einer, der die Läuse zerdrückt, um ihr Fell zu bekommen) oder zusammenhängend mit untergegangenem „knicken = knausern" (von einem Betrag einen Teil einbehalten). 1500 *ff.*

2. Klappmesser. 1900 *ff.*

3. Schirm mit einzuknickendem Stiel; Sonnenschirm. 1820 *ff.*

4. vom Wind umgestülpter Schirm. 1900 *ff.*

knickerig *adj* geizig; kleinlich im Hergeben. 1700 *ff.*

knickern *intr* **1.** geizen. ↗ Knicker 1. 1700 *ff.*

2. Überfall-Kniehosen tragen. 1975 *ff.*

Knickstiefel *m* **1.** Mensch, der schwach (unsicher) auf den Beinen ist; alter gebrechlicher Mann; unmilitärischer Soldat. ↗ Knickebein. 19. Jh.

2. Geiziger. Eigentlich der Stiefel mit eingeknicktem, brüchigem Leder; von da weiterentwickelt zum Sinnbild eines, der keinen Wert auf gepflegtes Schuhwerk legt oder zur Anschaffung neuer Stiefel zu geizig ist. Seit dem 19. Jh.

Knie *n* **1.** katholische ~ = Knie, die bei Putzfrauen und Hausgehilfinnen zum Knien und Rutschen dienlich sind. Hergenommen von der Sitte der Katholiken, beim Gebet o. ä. zu knien. 1920 *ff.*

2. sich das ~ anbohren lassen = (aus Geiz gegen geringes Entgelt) zu allem bereit sein. Gemeint ist, daß der Betreffende die fürchterlichsten Schmerzen auszuhalten bereit ist, wofern man es ihm bezahlt. 1920 *ff.*

3. jm die ~ aufkrempeln = jn antreiben, umherhetzen. Hängt wohl zusammen mit dem Waten durch einen Bach. 1935 *ff*, *sold.*

4. etw übers ~ brechen (überm ~ zerbrechen; auf dem ~ abbrechen) = etw schnell, gewaltsam erledigen. Holz, das, statt gesägt zu werden, auf dem Knie gebrochen wird, splittert: Sinnbild unsorgfältiger Handlungsweise. Seit dem 17. Jh.

5. bis übers ~ dekolletiert sein = einen Schlitzrock tragen. 1955 *ff.*

6. etw übers ~ ficken = etw oberflächlich, ungenau, nach Gutdünken erledigen. ↗ ficken = schlagen. 1910 *ff.*

7. sich ins ~ ficken = vor Aufregung fassungslos sein; umständlich, übereifrig, hastig handeln. Die Redewendung ist nicht wörtlich zu nehmen, sondern kennzeichnet mehr das umständliche, unsinnige Vorgehen. 1900 *ff.*

8. fick' dich ins ~!: Ausdruck der Abweisung. Bezieht sich eigentlich auf die Zurückweisung vom Geschlechtsverkehr. *Sold* 1939 *ff.*

9. in die ~ gehen = a) überlegen besiegt

werden. Hergenommen vom sportlichen Ringkampf. *Sportl* 1920 *ff.* – b) sich geschlagen geben; sich schämen; wirtschaftlichen Rückgang erleiden. 1920 *ff.* – c) nachgeben; keinen Widerstand mehr leisten. 1930 *ff.* – d) die Beherrschung verlieren; sehr außer sich sein. 1930 *ff.* – e) zur Landung ansetzen; das Fahrgestell ausfahren. Anspielung auf das federnde Fahrgestell. Fliegerspr. 1935 *ff.* – f) beim Halten vornübergehen (vom Auto gesagt). Kraftfahrerspr. 1950 *ff.*

10. vor etw in die ~ gehen = etw ehrfürchtig bestaunen. Von religiöser Ergriffenheit hergenommen. 1920 *ff.*

11. ihm ist das ~ auf den Kopf gerutscht = er hat eine Glatze. 1920 *ff.*

12. ihm ist das ~ durch die Haare gewachsen = er hat eine Glatze. 1920 *ff.*

13. ihm gucken die ~ aus dem Kopf = er hat eine Teilglatze. 1930 *ff.*

14. keine katholischen ~ haben = nicht knien können oder wollen. 1920.

15. zu tiefe ~ haben = kleinwüchsig sein. Humorvoll-tröstende Umschreibung. 1935 *ff.*

16. wacklige ~ haben = nicht standfest sein. 1900 *ff.*

17. weiche ~ haben = a) Angst haben. Der Betreffende ist beim Gehen nicht stramm in den Knien. 1933 *ff.* – b) energielos sein. 1933 *ff.*

18. krumme ~ kriegen = einen ausschweifenden Lebenswandel führen. Die Spruchweisheit lehrt: „Hohe Berg' und junge Weiber / machen krumme Knie und matte Leiber." 1850 *ff.*

19. weiche ~ kriegen = a) Angst bekommen; kraftlos werden. Man bekommt schlotternde Knie. 1933 *ff.* – b) in nachgiebige Stimmung geraten. Man läßt im Widerstand nach. 1933 *ff.*

20. jn in die ~ kriegen = jn bezwingen, besiegen. Von den Ringern hergenommen. 1900 *ff.*

20 a. einander mit den ~n küssen = unter dem Tisch einander mit den Knien berühren. Seit dem 19. Jh.

21. jn übers ~ legen = jn verprügeln. Seit dem 19. Jh.

22. krumme ~ machen = auf dem Abort sitzen. Seit dem 19. Jh.

23. vor jm auf den ~n rutschen = sich vor jm unterwürfig zeigen; jn inständig bitten; durch entwürdigendes Benehmen eine Zusage zu erwirken suchen. Hergenommen von der Unterwürfigkeitsbezeugung gegenüber Machthabern. Seit dem 19. Jh.

24. mit dem ~ schalten = unter dem Tisch Berührung mit der Nachbarin suchen. 1930 *ff.*

25. mit den ~n Feuer schlagen können = einwärtsgekehrte Beine haben. Seit dem frühen 20. Jh.

26. ihm schnackeln die ~ = er wird weich in den Knien. ↗ schnackeln. 1935 *ff.*

27. in den ~n schwach werden = nach Aufheben der beiden Skatkarten das Spiel als aussichtslos ansehen. Man verliert die Standfestigkeit mit einer Ohnmacht nahe. Kartenspielerspr. 1900 *ff.*

28. bis an die ~ im Wasser stehen = Harndrang haben. 1920 *ff.*

Kniebe (Kniebi) *f* das Knie bedeckende Rocklänge. ↗ Knibi. 1970 *ff.*

Kniefiesel *m* Geiziger; übergenauer Mensch. *Vgl* ↗ Fiesel 6. Vielleicht ist das einer, der die Hosenknie durchgewetzt hat und aus Geiz keine neuen Hosen kauft. *Vgl* auch ↗ fieseln 4. Seit dem 19. Jh, *bayr.*

Kniefte *n f* Butterbrot. ↗ Knifte.

Kniegelenkmotor *m* ~ mit Arschbackenzündung = Fahrrad. 1930 *ff.*

Kniekehle *f* **1.** schlechte Gesangsstimme; schlechte(r) Sänger(in). Das sprichwörtliche Gold in der Kehle befindet sich hier in der Kniekehle. 1880 *ff.*

2. aus (mit) der ~ singen = schlecht, unmusikalisch singen. 1880 *ff.*

knien *intr* **1.** dringend für etw eintreten; dringend etw veranlassen. Hergenommen vom Kniefall des Bittenden. *Halbw* 1955 *ff.*

2. sich auf jn ~ = jn streng verhören, quälen. Wer den anderen auf der Brust kniet, läßt ihm keine Ausweichmöglichkeit mehr. Seit dem späten 19. Jh.

3. hinter etw ~ (dahinterknien; sich dahinterknien) = etw nachdrücklich betreiben. *Vgl* ↗ klemmen 10. 1900 *ff.*

4. sich in etw ~ = a) etw im Überfluß haben. Seit dem 19. Jh. – b) beim Essen gründlich zulangen. Theatersprachlicher Herkunft: der Schauspieler „kniet" sich in eine Rolle (in ein Textbuch), wenn er sich in eine Rolle vertieft. Seit dem späten 19. Jh. – c) sich nachdrücklich mit etw beschäftigen. 1870 *ff.*

kniepig *adj* geizig, sparsam. *Niederd* „kniepen = kneifen": man kneift vom Preis, von der geforderten Summe einen Teil ab. Seit dem 19. Jh.

Knierutscher *m* **1.** übereifriger Kirchenbesucher; Frömmler. Seit dem 19. Jh.

2. würdelos unterwürfiger Mensch; Liebediener. Seit dem 19. Jh.

3. *pl* = Katholiken. ↗ Knie 1. Seit dem 19. Jh.

Knies *m* **1.** alter, festhaftender Schmutz an Möbeln, Kleidungsstücken u. ä. ↗ Kniest. Seit dem 14. Jh, *niederd.*

2. Zank, Streit, Unfriede. Geht zurück auf *niederl* „kniezen, knyzen = zanken, murren". Vorwiegend *westd,* seit dem 19. Jh.

Kniescheibe *f* **1.** auf der ~ zu Mittag essen = ohne Tisch, notdürftig essen. 1900 *ff.*

2. die ~ kommt (wächst) durch den Kopf = es bildet sich eine Glatze. 1920 *ff.*

3. ihm ist die ~ auf den Kopf gerutscht = er hat eine Glatze. 1920 *ff.*

4. auf den ~n laufen = von anhaltendem Marschieren erschöpft sein. *Sold* 1939 *ff.*

Kniescheibenmotor *m* Fahrrad. 1930 *ff, jug.*

Kniescheibenzündung *f* mit ~ fahren = radfahren. *Vgl* ↗ Kniegelenkmotor. 1950 *ff.*

Knieschnackel *m* **1.** innig getanzter Tango. Man tanzt ihn mit „weichen" (= federnden) Knien. ↗ schnackeln. 1913 *ff.*

2. ärgerniserregend ausgeführter Schiebetanz. 1913 *ff.*

knieschnackeln *intr* **1.** sich ehrerbietig verneigen; liebedienern. ↗ schnackeln. 1900 *ff, bayr.*

2. die eigene Meinung ändern oder verleugnen; kneifen. 1900 *ff.*

Knieschoner *pl* Hörnchennudeln. Wegen der Formähnlichkeit. *Sold* 1939 *ff.*

Knieschoner-Mode *f* Mode der kniebedeckenden Röcke. 1970 *ff.*

Kniesel *m* kleinlicher, wegen seiner Kleinlichkeit unliebsamer Mensch. Knieseln = übertrieben sparsam sein. 1900 *ff.*

Knieskopf (-kopp) *m* Geiziger. Knies = klebriger Schmutz. Geiz gilt volkstümlich als schmutzig. Seit dem 19. Jh.

Kniest *m* eingetrockneter, klebriger Schmutz; Augenabsonderungen während des Schlafs; alte Schmiere; Kopfschorf o. ä. Soviel wie „Knorren; Knoten; Verdickung; Klümpchen o. ä.". *Niederd* seit dem 18. Jh.

kniestig *adj* 1. schmutzig; klebrig-schmutzig. Seit dem 18. Jh.
2. übertrieben sparsam; geizig. Man spricht von „schmutzigem" Geiz. Seit dem 19. Jh.

knietschen *v* 1. *tr* = pressen, drücken. Nebenform von „↗knatschen". Seit *mhd* Zeit.
2. *intr* = umständlich berichten; nicht zur Sache kommen. Beruht auf der Vorstellung, daß einer seine Worte „knetet". 1900 *ff.*
3. *intr* = weinerlich tun; weinen. Schallnachahmend. Ablautende Nebenform von „↗knaatschen". 1900 *ff.*
4. *intr* = nörgeln; sich verdrießlich äußern. 1800 *ff.*

knieweich *adj* wankelmütig; nachgiebig, friedfertig. 1933 *ff.*

knif *interj* Ausdruck der Ablehnung. Verkürzt aus den Anfangsbuchstaben von „kommt nicht in Frage!". Kurz nach 1920 aufgekommen. Die Entstehung bei den Soldaten des Ersten Weltkriegs wird von Kennern bestritten.

Kniff *m* 1. Kunstgriff, List. Hängt zusammen mit dem betrügerischen Einkneifen der Spielkarten. Etwa seit 1750.
2. ohne ~ und Pfiff = ohne Vorbehalt; ohne spätere Ausrede. „Pfiff" meint wie „Kniff" den Kunstgriff. 1900 *ff.*

Kniffelbruder *m* Rätselfreund. Gehört zu „kniffeln = mühselige Arbeit verrichten". 1930 *ff.*

knifflig *adj* schwierig, verwickelt; viel Kleinarbeit erfordernd. *Niederd* „kniffeln, knüffeln = mühselige Arbeit verrichten". ↗knibbeln. 1800 *ff.*

Knifte (Kniefte, Kniffte) *n f* Butterbrot. Gehört zu *niederd* „kniepen = kneifen" und meint das abgekniffene Stückchen. 1920 *ff.*

Knigge *m* durch den ~ gerast sein = sehr schlechtes Benehmen besitzen. Adolph Freiherr von Knigge (1752–1796) veröffentlichte 1788 das lebenserzieherische Buch „Über den Umgang mit Menschen", das heute noch immer als grundlegend genannt wird, obwohl kaum einer es gelesen hat. 1900 *ff.*

Knigge-Rat *m* Fachausschuß für Umgangsformen. Selbstbezeichnung. 1956 *ff.*

Knilch *m* 1. widerlicher Mensch; minderwertiger, niederträchtiger Mensch. Gehört zu „Knolle = Erdscholle; klumpige Masse". Anfangs Schelte auf den jungen Bauern; vielleicht verkürzt aus *gleichbed* „Knollmichel". Seit dem späten 19. Jh.
2. fester Freund eines jungen Mädchens. *Halbw* 1955 *ff.*

knipperig *adj* geizig. Soll er Geld hergeben, sucht er die gewünschte Summe herunterzuhandeln. 1900 *ff.*

knippern *intr* 1. geizen. 1900 *ff.*

2. nicht bei Geld sein; mangels Geld nicht mithalten können. Man legt es ihm als Geiz aus. *BSD* 1960 *ff.*
3. *tr* = knüpfen. Hierzu die *niederd* Entsprechung. Seit dem 19. Jh.
4. *tr* = koitieren. Läßt sich entweder aus der Bedeutung „knüpfen" verstehen oder ist durch Vokalkürzung aus „kniepen = kneifen" entstanden. Seit dem 19. Jh.

knipsen *v* 1. *tr* = fotografieren. Hergenommen vom Klang, mit dem der Auslöser die Blende des Fotogeräts öffnet. Seit dem ausgehenden 19. Jh.
2. *tr* = lochen (auf die Fahrkarte o. ä. bezogen). Schallnachahmend für das rasche Zusammendrücken der Lochzange. Seit den späten 19. Jh.
3. *intr* = den Lichtschalter betätigen. 1890 *ff.*
4. *intr* = a) mit dem Gewehr (der Pistole) schießen. Wenn der Hahn der Handfeuerwaffe gezogen wird, entsteht der Laut „knips". 1890 *ff, stud* und *sold.* – b) jn aus dem Amt verdrängen; jn stürzen. ↗abschießen 3. 1974 *ff.*
5. *intr* = mit Papierkugeln schießen. 1900 *ff.*
6. *intr* = koitieren. Analog entweder zu „↗lochen" oder zu „↗schießen". 1900 *ff.*
7. eine Partie ~ = Billard spielen. Wegen des Lauts, der beim Zusammentreffen der Kugeln entsteht. 1920 *ff.*
8. das laß dir ~ (das kannst du dir ~ lassen)!: Ausdruck der Abweisung. Moderne Variante zu „laß es dir ↗malen". 1920 *ff.*

Knipsos *m* Schutzpatron der Fotografen. Dem Griechischen nachgebildet. 1960 *ff.*

Knips-Pirsch *f* Reise um lohnender Foto-Objekte willen. 1968 *ff.*

Knirrficker (Knirfix) *m* 1. kleinwüchsiger Mensch; kleiner Junge. „Knirren" ist ablautende Form von „knarren" im Sinne von „schreien"; „Ficker" nennt man auch das Ferkel. Hieraus ergibt sich die Bedeutung „quietschendes Ferkel". Andererseits ist „kniefixig" soviel wie „mit gebogenen Knien gehend". *Nordd* 1700 *ff.*
2. Gernegroß. 1850 *ff.*

knirsch *adj* 1. schwungvoll, kraftvoll, behende. Ablautende Nebenform von „↗knarsch". Berlin 1920 *ff.*
2. *adv* = sehr knapp. Berlin 1955 *ff.*

knirschen *intr* innerlich ~ = den Unwillen verbeißen. Man knirscht mit den Zähnen und äußert kein Wort. Seit dem 19. Jh.

Knispel *m* Pedant; Mann, der Geduldsarbeit verrichtet. ↗knispeln. 1900 *ff.*

knispeln *intr* 1. auf gut Glück basteln; Geduldsarbeit verrichten. Verwandt mit „↗knibbeln", auch mit „↗knifflig". 1900 *ff.*
2. geduldig Rätsel lösen. 1900 *ff.*
3. koitieren. Analog zu ↗basteln 3. 1900 *ff.*

knispern *intr* 1. geduldig Kleinarbeit verrichten. Nebenform zum vorhergehenden Stichwort. 1900 *ff.*
2. flirten. Nach Erledigung der Berufsarbeit widmet man sich der Liebhaberei. 1960 *ff, BSD.*

knistern *v* 1. ich glaube, es knistert!: Ausdruck der Verwunderung, auch des Zweifels. Es knistert im Gebälk = Einsturz droht = Unheil kündet sich an. Das Unheil besteht wahrscheinlich in Prügeln, die

das Gegenüber des Sprechenden verdient hat, wenn es weiter solchen Unsinn vorbringt. *BSD* 1960 *ff.*
2. es knistert schon = der Konkurs droht. ↗Gebälk 2. 1920 *ff.*
3. es hat geknistert = Liebe stellt sich ein. Fußt auf der Vorstellung von den überspringenden Liebesfunken. 1920 *ff.*

Knisterstübchen *n* Imbißstube. „Knistern" bezieht sich auf das Zischen des Backöls. 1965 *ff.*

knitterfrei *adj* 1. gutgelaunt. Vom Begriff der Textilbranche übertragen auf Sorgen- und Unmutsfalten im Gesicht. *Jug* 1958 *ff.*
2. ~er Charakter = einwandfreier, vornehmer, charaktervoller Mensch. 1935 *ff.*

Knitterfreier *m* 1. Stahlhelm. *Sold* 1939 bis heute.
2. Sturzhelm. 1965 *ff.*

Knitterlook (Grundwort *engl* ausgesprochen) *m* Modestil der weit und lässig geschnittenen Kleider. ↗Look. 1980 *ff.*

knitz *adj* aufgeweckt. Zusammengewachsen aus „keinnützig" im Sinne von „nichtsnutzig" im tadelnden Sinne, doch auch im lobenden Sinne, etwa „mutwillig, spaßhaft". Seit dem 19. Jh.

Knobelbecher *pl* 1. Infanteristenstiefel; Kampfstiefel. Leitet sich her von der Formähnlichkeit zwischen Würfelbecher und Stiefel und ihrer beider Material. *Sold* seit dem frühen 20. Jh.
2. gekürzte ~ = Halbschuhe. *BSD* 1965 *ff.*

Knobelei *f* schwierige Rechenaufgabe; anstrengende Suche nach der günstigsten Lösung. ↗knobeln 2. 1900 *ff.*

knobeln *intr* 1. würfeln. Knobel = Fingerknöchel; die Würfel wurden früher aus Knochen geschnitten. 1800 *ff.*
2. nachdenken; sich etw ausdenken; zu enträtseln suchen. Meint ursprünglich das Befühlen mit den Fingern, dann jegliche angelegentliche Beschäftigung, auch die geistige. Seit den späten 19. Jh.
3. beten. Vor allem auf den katholischen Rosenkranz bezogen, dessen Perlen man durch die Finger gleiten läßt. *Rotw* seit dem frühen 19. Jh.

Knöchelchen *n* 1. elektrisches ~ = empfindliche Stelle am Ellenbogen. Bei unfreiwilligem Anstoßen zuckt man zusammen wie bei einem leichten elektrischen Schlag. 1900 *ff.*
2. geckiges ~ = Spitze des Ellenbogenknochens. Seit dem 19. Jh, *westd.*

Knochen *m* 1. Schlüssel. ↗Hausknochen 1. Seit dem 19. Jh.
2. Zehnlochschlüssel für das Fahrrad. Wegen einer gewissen Formähnlichkeit. 1930 *ff, schül.*
3. Fernsprechhörer. Er ist knochenähnlich geformt. Technikerspr. 1950 *ff.*
4. Geld, Markstück. Namen für harte Materialien sind umgangssprachlich als Bezeichnungen für Geld („Bims, Stein, Kies, Schotter" u. ä.). 1900 *ff.*
5. Mensch (halbmengemütliche Schelte). Eigentlich der starkknochige, auch der plumpe Mensch; hieraus ergab sich anfangs Schimpfwortgeltung (frühes 19. Jh), etwa seit 1850 die mehr harmlose Schelte.
6. alter Mann. Man denkt sich, seine Knochen müßten klappern, weil nur wenig Haut sie bedeckt. 1900 *ff.*
7. unartiges Kind. Sonderbedeutung nach „↗Knochen 5". 1900 *ff.*

8. erigierter Penis. Er kann hart wie ein Knochen werden. Seit dem 19. Jh.

9. *pl* = Hände, Finger, Arme, Beine, Füße. 1600 *ff.*

10. bis auf (in) die ~ = völlig, unbedingt; durch und durch. Leitet sich her von einer Verwundung, bei der die Wunde bis auf die Knochen reicht. *Vgl* auch die Metapher vom durchdringenden Schmerz. 1800 *ff.*

11. du ~! = du Sonderling! ↗Knochen 5. 1920 *ff.*

12. abgebrühter ~ = Mensch, der mit allem Menschlichen vertraut ist und sich nicht übertölpeln läßt. ↗abgebrüht 1. 1920 *ff.*

13. alter ~ = a) Anrede vertraulicher Art an einen Mann. ↗Knochen 5. *Stud* seit dem späten 18. Jh. – b) altgedienter Soldat; Soldat ab dem zweiten Dienstjahr. In der Auffassung der Rekrutenausbilder ist der Mensch nur eine Ansammlung von Knochen, die es zu ordnen gilt. 1870 *ff.* – c) alter Mann. 1900 *ff.* – d) Schüler, der eine Klasse wiederholt. 1920 *ff.*

14. ausgekochter ~ = lebenserfahrener älterer Mensch. ↗ausgekocht. 1920 *ff.*

15. dämlicher ~ = dummer, ungeschickter Mann. ↗dämlich 1. 1870 *ff, sold.*

16. eingerostete ~ = ungelenke Gliedmaßen. *Sold* 1935 *ff.*

17. fauler ~ = Arbeitsscheuer. 1900 *ff.*

18. fideler ~ = lustiger Mensch. ↗fidel. Seit dem 19. Jh.

18 a. fieser ~ = unsympathischer Mann. ↗fies. 1920 *ff.*

19. flotter ~ = frischer, lebenslustiger Mensch; leichtlebiges Mädchen. ↗flott 1. 1900 *ff.*

20. grober ~ = grober Mensch; Rohling. 1900 *ff.*

21. harter ~ = a) schwierige Sache; schwierig aufzudeckende Straftat. 1900 *ff.* – b) Verdächtiger, der bis zuletzt leugnet. 1900 *ff.* – c) alter, erfahrener Frontsoldat. *Sold* 1939 *ff.* – d) gefühlloser Mensch; Rohling. 1900 *ff.*

22. hohler ~ = Versager; energieloser Mensch. Er hat kein Mark in den Knochen. 1900 *ff.*

23. kein ~ = niemand. ↗Knochen 5. 1900 *ff.*

23 a. mieser ~ unsympathischer Erwachsener. ↗mies 1. 1960 *ff, jug.*

24. morsche ~ = Leute ohne Leistungskraft, ohne Leistungswillen. Bekannt durch das von Hans Baumann um 1933 gedichtete und vertonte Lied mit den Anfangszeilen: „Es zittern die morschen Knochen/der Welt vor dem roten (Variante: großen) Krieg."

25. müder ~ = müder Mann; erschöpfter Soldat. 1920 *ff.*

26. müde ~ = müde Glieder. 1900 *ff.*

27. musikalischer ~ = Ellenbogenknochen, wo der Armnerv unmittelbar unter der Haut liegt. Wer sich an ihm unversehens stößt, „hört die ↗Engel im Himmel pfeifen". 1900 *ff.*

28. netter ~ = umgänglicher älterer Mann. 1920 *ff.*

29. uralter ~ = altgedienter Soldat. *Sold* 1940 *ff.*

30. zäher ~ = beharrlicher, widerstandsfähiger Mann. *Sold* 1939 *ff.*

31. für mich ist der ~ abgenagt = für mich ist die Sache erledigt. 1920 *ff.*

32. dann kannst du deine ~ von der Wand abkratzen!: Drohrede. *Sold* 1939 *ff.*

33. sich bis auf die ~ blamieren = sich bloßstellen; sich auf peinliche Weise lächerlich machen. ↗Knochen 10. Seit dem 19. Jh.

34. jm die ~ brechen = jn plagen, drangsalieren; jn willfährig machen; jm das selbständige Denken und Handeln abgewöhnen. Bezieht sich vor allem auf das Rückgrat als Sinnbild des Eigenwillens und der geistigen Selbständigkeit. Seit dem frühen 20. Jh.

35. ich breche dir sämtliche ~ im Leib!: Drohrede. 1910 *ff.*

36. ~ brechen = turnen. *Schül* seit dem späten 19. Jh.

37. ~ gegen andere einpflanzen = den Verdacht auf andere lenken. Vielleicht hergenommen von den Knochen eines Ermordeten, die man auf anderer Leute Grundstück eingräbt. 1910 *ff.*

38. die ~ rosten ein = die Glieder werden steif. *Sold* 1935 *ff.*

39. jm die ~ entzweischlagen = jn ungestüm verprügeln; Drohrede. Seit dem 19. Jh.

40. das fährt in die ~ = das hinterläßt einen nachhaltigen Eindruck. *Vgl* „der Schrecken fährt einem in die Glieder". Seit dem 18. Jh.

41. es geht ihm bis an die ~ = es berührt ihn tief, beschäftigt nachhaltig seine Gedanken. ↗Knochen 10. Seit dem 19. Jh.

41 a. auf die ~ gehen = mit rohen Mitteln Fußball spielen. 1975 *ff.*

42. das geht auf die ~ = das ist eine sehr anstrengende aufreibende Tätigkeit. 1900 *ff.*

43. es geht ihm nicht aus den ~ = er verwindet es nicht. 1920 *ff.*

44. ~ im Leib haben = schwanger sein. 1900 *ff.*

45. es in den ~ haben (liegen haben; stecken haben) = sich krank fühlen. Eine Krankheit, auch das Gewitter oder den Witterungswechsel spüren manche Leute voraus. 1700 *ff.*

46. nichts in den ~ haben = kraftlos sein. ↗Knochen 22. 1900 *ff.*

47. seine ~ hinhalten = sich opfern; an der Front stehen, während der anderen daheim oder in der Etappe leben; Gefahren auf sich nehmen; Fußballspielern mit roher Spielweise gegenüberstehen. *Sold* in beiden Weltkriegen; *sportl* 1950 *ff.*

48. du hast wohl lange keine ~ gehustet?: Drohfrage. 1920 *ff.*

49. jm die ~ kaputtschlagen (zusammenschlagen) = jn heftig verprügeln; Drohrede. Seit dem 19. Jh.

50. jm die ~ langziehen = jn rücksichtslos drillen. ↗Hammelbeine 5. *Sold* in beiden Weltkriegen.

51. laßt mir die ~ ganz! = laßt mich endlich in Ruhe! Das entweder zu toll mir mir! Der Betreffende wird entweder geprügelt oder hin- und hergeworfen oder hin und hergeschüttelt. 1910 *ff.*

52. jn bis auf die ~ nacktmachen = jn ausplündern, erpressen. 1950 *ff.*

53. laß deine ~ numerieren (du kannst dir deine ~ numerieren)!: Drohrede. Rat an einen, der geprügelt werden soll, daß er vorher seine Knochen kennzeichnet, damit

er sie hinterher wieder zusammenfinden kann. 1870 *ff.*

54. jm die ~ polieren = jm gegen das Schienbein treten. Fußballerspr. 1920 *ff.*

55. bei ihm kann man die ~ rappeln hören = er ist hager. 1900 *ff.*

56. die ~ riskieren = sich einer Gefahr aussetzen. *Sold* in beiden Weltkriegen.

57. jm die ~ schleifen = jn hart einexerzieren. ↗schleifen. 1914 *ff.*

58. die ~ schonen = arbeitsscheu sein; die am wenigsten anstrengende Arbeit bevorzugen; keinen Angriffsgeist besitzen. 1910 *ff, sold;* 1920 *ff, sportl* und handwerkerspr.

59. es sitzt (steckt) ihm noch in den ~ = er hat es noch nicht überwunden. *Vgl* ↗Knochen 45. Seit dem 18. Jh.

60. du kannst schon mal deine ~ sortieren!: Drohrede. ↗Knochen 53. 1900 *ff.*

61. die ~ sortiert kriegen = verprügelt werden. 1900 *ff.*

62. auf die ~ spielen = roh Fußball spielen. *Sportl* 1920 *ff.*

63. es in den ~ spüren = in den Gliedern spüren, daß ein Gewitter, Witterungsumschlag, der Föhn o. ä. bevorsteht. ↗Knochen 45. 1900 *ff.*

64. seine ~ zu Markte tragen = sein Leben (seine Gesundheit) für andere einsetzen; sich einer ernsten Gefahr aussetzen; die üblen Folgen tragen. *Vgl* ↗Haut 68. Seit dem 19. Jh.

65. ich haue dich, daß du die ~ im Sack (Schnupftuch o. ä.) nach Hause tragen kannst!: Drohrede. 1800 *ff.*

66. seine (die) ~ verkaufen = a) in fremden Militärdienst treten. *Sold* 1941 *ff.* – b) sich als Spion (Saboteur o. ä.) verdingen. *Sold* 1941 *ff.*

67 a. jm die ~ weghauen = jn durch einen Tritt gegen das Schienbein zu Fall bringen. Rocker 1975 *ff.*

67 b. ihm tun die ~ nicht mehr weh = er ist tot. Seit dem 19. Jh.

68. ihm möchte ich alle ~ im Leib zerbrechen (zerschlagen)!: Drohrede. Seit dem 18. Jh.

69. dann kannst du deine ~ zusammenfegen lassen (von der Straßenreinigung zusammenfegen lassen)!: Drohrede. 1870 *ff.*

70. ich werde dir alle ~ zusammenhauen!: Drohrede. Seit dem 19. Jh.

71. die ~ zusammennehmen = a) die Beine im Sitzen an sich ziehen. 1900 *ff.* – b) militärisch straffe Haltung annehmen. Der Soldat hat die Hacken zusammenzuschlagen und aufrechte Haltung annehmen. *Sold* in beiden Weltkriegen und *BSD.* – c) sich ermannen. 1914 *ff, ziv.*

72. die ~ zusammenreißen = militärisch stramme Haltung annehmen. ↗Knochen 71 b. *Sold,* spätestens seit 1900 *ff.*

73. die ~ zusammenschmeißen (-werfen) = heiraten. 1920 *ff.*

74. dann kannst du deine ~ zusammensuchen!: Drohrede. 1900 *ff.*

Knochenarbeit *f* körperlich anstrengende Arbeit. 1900 *ff.*

Knochenbahn *f* Rodelbahn; Ski-Piste; Abfahrtsstrecke für schnelle Wintersportler. Dort kommt es leicht zu Knochenbrüchen u. ä. 1920 *ff.*

Knochenbrecher *m* 1. Spottwort auf die ersten Fahrräder; Hochrad. 1859 *ff.*
2. Fahrzeug ohne Gummibereifung. 1914 *ff.*

3. schlecht gefederter oder ungefederter Wagen. 1910 ff.
4. Motorrad. 1925 ff.
5. Radfahrer. 1900 ff.
6. strenger Soldatenausbilder. Seit dem frühen 20. Jh. ↗ Knochen 34.
7. Mann, der Glieder einzurenken versteht. 1920 ff.
8. Militärarzt; Assistenzarzt; Sanitätsoffizier. Seit dem späten 19. Jh.
9. Sanitätssoldat; Lazarettgehilfe. 1870 ff.
10. Chirurg. 1900 ff.
11. Raufbold. ↗ Knochen 35. 1910 ff.
12. gefährliche Rennstrecke; steile Skiabfahrtsstrecke. Vgl ↗ Knochenbahn. 1920 ff.

Knochenbukett n 1. Blumenstrauß. ↗ Knochen 9. 1900 ff.
2. geballte Faust. Seit dem ausgehenden 19. Jh.
3. völlig unterernährter, hagerer Mensch. 1945 ff.

Knochengerüst n mageres, dürres Lebewesen. Es ist wenig mehr als ein Skelett. 1800 ff.

knochenhart adj 1. sehr hart (auf den Aggregatzustand bezogen). Seit dem 19. Jh.
2. sehr anstrengend. 1950 ff.
3. unerschütterlich; von unerbittlichem Kampfgeist beseelt; gewalttätig; reich an brutaler Handlung; rücksichtslos; unempfindlich o. ä. 1950 ff.

Knochenkotzen n 1. es ist zum ~ (ich finde es zum ~) = es ist zum Verzweifeln. Aus der Sicht groteske Physiologie verstärkt aus „es ist zum ↗ Kotzen". Der Hund erbricht sich, wenn ihm ein Knochen im Hals steckengeblieben ist. 1900 ff.
2. das große ~ kriegen = sehr angewidert werden. 1914 ff.

Knochenma'loche f schwere körperliche Arbeit. ↗ Maloche. 1974 ff.

Knochenmühle f 1. Schwerarbeit; Betrieb, der seine Arbeitnehmer übermäßigen körperlichen Anstrengungen aussetzt. Da werden die Knochen der Arbeiter langsam, aber unaufhaltsam kleingeschrotet; wohl auch Anspielung auf die vielen Unglücksfälle. 1830 ff.
2. Turnhalle, Ballettschule o. ä. 1900 ff.
3. Sportschule. 1900 ff.
4. Hochleistungstraining. 1965 ff.
5. Exerzierplatz o. ä. Sold seit dem späten 19. Jh.
6. Arbeitshaus. Rotw 1919 ff.
7. Torpedoboot; Schiff, auf dem schwer gearbeitet werden muß. Marinespr 1900 ff.
8. unter schwerem Beschuß liegende Stellung; Trommelfeuer. Sold in beiden Weltkriegen.
9. Lazarett, vor allem die mediko-mechanische Abteilung; Notlazarett; Krankenhaus. Sold in beiden Weltkriegen und BSD; auch ziv.
10. Konzentrationslager, Haftarbeitslager. 1945 ff.
11. ~ der Nation = Wehrdienst; Heer o. ä. Sold 1939 ff.
12. schlechter (schlecht gefederter) Wagen; alter Straßenbahnwagen. Der Wagen rüttelt und schüttelt, als sollten die Knochen der Fahrgäste gemahlen werden. Seit dem späten 19. Jh.
13. Kleinbahnzug. 1880 ff.
14. stark stoßende Lokomotive. 1910 ff.

15. gefährliche Rennstrecke; Hindernisbahn. 1914 ff.

Knochensack m 1. Sprungkombination des Fallschirmjägers; Fliegerkombination. 1935 ff.
2. Arbeits-, Kampfanzug. BSD 1965 ff.

Knochensammler m 1. Angehöriger der Verkehrswacht. 1950 ff.
2. Trophäenjäger. 1960 ff.

Knochenschüttler m 1. Hochrad. 1880 ff.
2. Fahrrad. 1900 ff.
3. Motorrad. Vgl engl „boneshaker". 1920 ff.
4. rumpelndes Fahrzeug. 1920 ff.

knochentrocken adj 1. sehr trocken; hager, mager. „Knochen" als Sinnbild der Härte hat hier verstärkende Geltung. Seit dem 19. Jh.
2. schwunglos; temperamentlos; unpersönlich; streng-förmlich; humorlos. Seit dem 19. Jh.
3. ohne jegliches alkoholisches Getränk. 1960 ff.

Knödel m 1. Schimpfwort auf einen Dummen und Ungeschickten. Analog zu ↗ Kloß. Österr 1920 ff.
2. frecher, zu Streichen aufgelegter, ungeratener Junge. Österr 1920 ff.
3. unterhaltender Vortrag; Unterhaltungsspiel. Gemeint ist wohl, daß der Vortrag eine gelungene Sache, eine „runde Sache" ist. 1920 ff, stud.
4. Fußball. Wegen der Rundform. 1900 ff.
5. Geschoß. Formgleich mit der Kugel. Sold in beiden Weltkriegen und BSD.
6. hochgerollter Zopf; Haarknoten. 1900 ff.
7. pl = Frauenbrüste. 1920 ff.
8. stramme ~ = üppiger Busen. 1920 ff.
9. mit dem ~ ackern = den Fußball über das Spielfeld treiben. 1900 ff.
10. einen ~ im Hals haben = unfrei singen. Österr 1900 ff.
11. er kann nie hungrig werden, er hat stets einen ~ bei sich = er singt kehlig. Theaterspr. 1900 ff.
12. mit einem ~ im Hals reden = heiser, unfrei reden. 1920 ff.

Knödeläquator m Mainlinie. Südlich von ihr sind Knödel eine beliebte Speise. 1920 ff.

Knödel-Bariton m kehlig singender Bariton. ↗ knödeln 2. 1920 ff.

Knödelbrühe f klar wie ~ = völlig einleuchtend. Analogiebildung zu „klar wie ↗ Kloßbrühe". Seit dem 19. Jh.

Knödeldeutsch n Amtssprache; militärische Sprache. Anspielung auf die schnarrende, gutturale Stimme, wohl auch auf die holprige Sprache (da „Knödel" dort die kalte Bulette bezeichnet). Österr seit dem 19. Jh.

Knödelfriedhof m dicker Leib. Bayr 1950 ff.

Knödelhütte f kleine Gastwirtschaft; Lokal mit kalter Küche. Bayr und österr 1920 ff; auch in Berlin bekannt (da „Knödel" dort die kalte Bulette bezeichnet).

knödeln intr 1. Fußball spielen. 1900 ff.
2. Mensch, der zur Kehle singen; eine gutturale Singstimme haben; undeutlich sprechen. 1900 ff, theaterspr.

Knödelreiter m 1. Kniestoß ins Gesäß. Knödel = Hode. Wien 1930 ff.
2. Mensch, der einem anderen mit dem Knie ins Gesäß stößt. Wien 1930 ff.

Knödelschulden pl Geldschulden gegenüber dem Wirt, dem Lebensmittelhändler, der Zimmervermieterin o. ä. 1920 ff.

Knödelstimme f belegte, unfreie, gutturale Stimme. 1900 ff.

Knödeltenor m Tenor mit unfreier Stimme. 1920 ff.

Knödler m Mann mit gutturaler Gesangsstimme. ↗ knödeln 2. 1900 ff.

knöken intr 1. koten. Niederd „Knöken = Knochen"; vgl „Knökendreiher = Kunstdrechsler in Knochen". 1800 ff.
2. Darmwinde entweichen lassen. 1900 ff.

Knoll m grober ~ = plumper, ungesitteter, ungefälliger Mann. Knoll ist der Klumpen oder Knorren und gilt als Versinnbildlichung von Plumpheit und Grobheit. Analog zu ↗ Kloß, zu ↗ Knödel u. a. 1400 ff.

Knöllchen n ↗ Knolle 5.

Knolle f 1. dicke Nase. Meint eigentlich den rundlichen Klumpen, auch die kugelähnliche Pflanzenwurzel, sodann die Erdscholle, die Rübe usw. Seit dem 19. Jh.
2. kleinwüchsige untersetzte Person. 1900 ff.
3. Taschenuhr. Parallel zu ↗ Kartoffel 1. 1870 ff.
4. grober Mensch. ↗ Knoll. 1500 ff.
5. Strafprotokoll; gebührenpflichtige Verwarnung. Aus „Protokoll" umgemodelt und gern verharmlost in der Verkleinerungsform. Seit dem frühen 20. Jh.
5 a. Eintragung ins Klassenbuch; (schriftlicher) Tadel; Strafarbeit. Vgl das Vorhergehende. 1965 ff schül.
6. pl = Füße. Sie sind der Wurzelstock der Pflanze Mensch. 1920 ff.
7. pl = Frauenbrüste. 1930 ff.

Knollennase f dicke Nase. Vgl ↗ Kartoffelnase. Seit dem 19. Jh.

Knolli-Bolli pl Kartoffeln. „Bollen" meint ebenso wie „Knolle" etwas kugelartig Geformtes. 1939 ff.

knollig adj 1. derb, grob, ungesittet, stark. ↗ Knolle. 1700 ff.
2. derb-spaßig; handfest-komisch; sonderbar. 1900 ff.
3. adv = sehr. Seit dem 19. Jh.

Knollmichel m Bauer. Wohl Vorform von ↗ Knilch. 1800 ff.

Knolly-Brandy m Kartoffel-, Rübenschnaps. Mit „Knolle = Kartoffel/ Rübe" scherzhaft an Cherry-Brandy angelehnt. 1918 ff.

knöpern intr koitieren. Nebenform von „knuppern" und „knabbern"; knabbern = genüßlich nagen; hieraus weiterentwickelt zur Analogie mit „naschen", ↗ vernaschen". 1960 ff.

Knopf (Knopp) m 1. grober, geistig uninteressierter Mann. „Knopf" bezeichnet auch den Astknorren und den Klumpen und ist also Parallele zu „Kloß", „Knödel" u. ä. Seit dem 15./16. Jh, vorwiegend oberd.
2. Mann, „Kerl". Eigentlich der dickliche untersetzte Mann gemeint. Seit dem 19. Jh.
3. eigensinniger Mensch. Österr seit dem 19. Jh.
4. Mensch, der durch unangenehme Eigenart auffällt; Mensch, mit dem man vorsichtig umgehen muß; Sonderling. Seit dem 19. Jh.
5. kleiner Junge. ↗ Knopf 2. Seit dem 19. Jh.
6. pl = Geld, Geldstücke. Spielt an auf die Ähnlichkeit der Knöpfe mit Münzen; reiche Bauern trugen früher als Knöpfe Silbermünzen. Seit dem 18. Jh.

7. *pl* = Prügel. „Knopf" meint auch die Beule oder die Geschwulst, die in diesem Fall wohl von Stockschlägen herrührt. Seit dem 19. Jh.
8. alter (oller) ~ = alter Mann; altgedienter Soldat; gemütliche Anrede. Seit dem späten 19. Jh.
9. armer ~ = bedauernswerter Mann. 1900 ff.
10. dummer ~ = dummer Mann. 1920 ff.
11. grober ~ = grober Mensch. ↗Knopf 1. 1500 ff.
12. kein ~ Geld = kein Geldstück. 1900 ff.
13. kleiner ~ = Kleinwüchsiger. Seit dem 19. Jh.
14. mieser ~ = unsympathischer, nicht vertrauenswürdiger Mann. ↗mies. 1930 ff.
15. reicher ~ = Wohlhabender. Seit dem 19. Jh.
16. toller ~ = lebenslustiger Mann. Seit dem 19. Jh.
17. trockener ~ = humorloser, langweiliger Mann. Etwa seit 1920 ff.
18. sich etw an den Knöpfen abzählen = eine Entscheidung dem Zufall überlassen. Bei Ja oder Nein berührt man flüchtig die Jacken- oder Westenknöpfe: der letzte Knopf entscheidet das Orakel. Seit dem 19. Jh.
19. ihm geht ein (der) ~ auf = a) er begreift endlich die Zusammenhänge; er findet endlich die einfachste Lösung der Schwierigkeit; er findet endlich den Beifall des Publikums. Bezieht sich auf „Knopf" in der Bedeutung „schwer entwirrbarer Knoten" oder „Knospe". 1850 ff, vorwiegend *oberd.* – b) er braust auf, verliert die Beherrschung, befreit sich von Hemmungen. 1930 ff.
20. den ~ auftun = Verständnis für eine Sache gewinnen. *Vgl* das Vorhergehende. 1900 ff.
21. auf den ~ drücken = a) etw in Gang bringen; eine vorbereitete Sache auslösen. Durch einen Knopfdruck wird ein Mechanismus in Betrieb gesetzt. 1930 ff. – b) sich erkundigen. Hergenommen von der Sprechanlage. 1950 ff.
22. auf den falschen (verkehrten) ~ drücken = a) aus Versehen die Leute in Aufregung versetzen; eine unbeabsichtigte Wirkung erzielen. „Knopf" ist hier der Alarmknopf. 1920 ff. – b) einen unsinnigen Befehl erteilen. *Sold* 1939 ff.
23. auf den richtigen ~ drücken = a) das Richtige tun; eine vernünftige Entscheidung treffen. 1920 ff. – b) eine zutreffende Bemerkung machen. 1920 ff.
24. jm die Knöpfe aus der Weste fragen = jn ausfragen. Anspielung auf das lose Geld in der Westentasche. 1950 ff.
25. keinen ~ haben = mittellos sein. ↗Knopf 6. 1900 ff.
26. Knöpfe auf den Augen (im Kopf) haben = nichts sehen; unaufmerksam sein. Herzuleiten von den Knopfaugen der Kinderpuppe. Seit dem späten 19. Jh.
27. keinen ~ im Hirn haben = geistesbeschränkt sein. Gemeint ist der Knopf zur Ingangsetzung des Denkmechanismus. 1950 ff.
28. einen ~ im Mund haben = nichts reden. 1950 ff.
29. einen ~ im Ohr haben = schwerhö-

rig sein; etw absichtlich überhören. 1910 ff.
30. das kannst du einem erzählen, der keine Knöpfe an der Hose (der Weste, dem Rock) hat = das kannst du einem Dummen erzählen. Hergenommen von der Trainingshose, der üblichen Bekleidung der Geistesgestörten in Anstalten. Seit dem späten 19. Jh.
31. einen ~ in den Schlund kriegen = sprachlos werden. 1950 ff.
32. Knöpfe machen = a) ein kurzes Schläfchen machen. Versteht sich nach ↗Knopf 26. 1900 ff. – b) koitieren. Leitet sich her von „Knopf = Knoten" und spielt auf Ineinanderverschlungensein an. Seit dem 18. Jh, *stud.*
33. noch einen ~ schärfer sein = noch klüger, verschlagener sein. Knopf = Geldstück; weiterentwickelt zu verallgemeinerndem „Stück". 1950 ff.
34. Knöpfe springen lassen = Geld ausgeben; Geld bereitstellen. Man wirft das Geldstück auf die Tischplatte, so daß es einen Sprung macht. Der Wirt kann am Klang hören, ob das Geldstück echt ist oder nicht. Seit dem 18. Jh, *stud.*
Knopfaugen *pl* weit geöffnete Augen. Von den Augen der Kinderpuppe übertragen. 1930 ff.
Knopfdrücker *m* großer ~ = bedeutender, einflußreicher Mann. ↗Knopf 21. 1960 ff.
Knopfloch *n* **1.** lediges ~ = durch kein Ordensband geschmücktes Knopfloch. 1870 ff.
2. trockenes ~ = Knopfloch ohne Ordensband. 1850 ff.
3. bei ihm blinzelt der Zaster (o. ä.) aus allen Knopflöchern = er ist sichtlich sehr wohlhabend. Die sehr gebräuchliche Metapher „aus allen Knopflöchern" ist eine allgemeine Verstärkung geworden im Sinne von „so prall, daß es aus den kleinsten Öffnungen quillt", auch von „unverkennbar" und „rundum". 1920 ff.
4. aus allen Knopflöchern fetzen (feuern, funken, knallen, rotzen, schießen, spucken o. ä.) = aus allen Rohren schießen. *Sold* in beiden Weltkriegen.
5. aus allen Knopflöchern grinsen = stark grinsen. 1930 ff, *schül.*
6. ihm guckt der Ärger aus allen Knopflöchern raus = er sieht sehr verärgert aus. Seit dem 19. Jh.
7. ihm guckt die Dummheit aus allen Knopflöchern = er ist überaus dumm. Modernisiert aus „ihm kann man die Dummheit ansehen". 1920 ff.
8. ihm guckt die Weisheit aus allen Knopflöchern = er ist sehr dumm. Ironische Redewendung. 1920 ff.
9. ihm guckt der Kohldampf aus allen Knopflöchern = er ist sehr hungrig. 1900 ff.
10. Knopflöcher machen = die Augen bis auf einen schmalen Strich schließen; lüstern blicken. 1950 ff.
11. jm die Knopflöcher öffnen = jm für etw Verständnis beibringen; jm schonungslos die Wahrheit sagen. Versteht sich nach dem Vorhergehenden. 1950 ff.
12. ihm quillt die Intelligenz aus den Knopflöchern = er dünkt sich klug. 1920 ff.
13. aus allen Knopflöchern spritzt ihm der Alkohol = er ist volltrunken. 1920 ff.

14. aus allen Knopflöchern stinken = a) sehr üble Gerüche verbreiten (durch entweichende Darmwinde, durch Alkohol- oder Knoblauchgenuß, durch Schweißfüße o. ä.). 1900 ff. – b) heftig mit allen Geschützen feuern. *Sold* in beiden Weltkriegen.
15. ich scheiße dich mal an, daß du aus allen Knopflöchern stinkst!: Drohrede. 1935 ff, kasernenhofspr.
16. aus allen Knopflöchern vor Faulheit stinken = überaus träge sein. 1900 ff.
17. aus allen Knopflöchern nach Geld stinken = sehr reich sein. 1920 ff.
18. aus allen Knopflöchern strahlen = eine sehr frohe Miene zeigen. 1900 ff.
19. jm das ~ versilbern = jm einen Orden verleihen. Man ziert es mit einem silbernen Ordensband. *Österr* 1900 ff.
knopflos *adj* mittellos. ↗Knopf 6. 1920 ff.
knorke *adj präd* **1.** ausgezeichnet, unübertrefflich. In Berlin im ersten Jahrzehnt des 20. Jhs aufgekommen, wohl zusammenhängend mit „Knorr (Knoten an Bäumen, Steinen usw.)"; daraus „knorrig = kraftvoll, widerstandsfähig, von harter Schale". Die Endung „-ke" ist *nordd* Verkleinerungssilbe. Bekannt geworden oder „erfunden" nach den einen vom Bulettenverkäufer Knorke mit seinem Werbespruch „Knorkes Buletten sind die besten"; nach anderen soll das Wort eine Verlegenheitserfindung der Claire Waldoff gewesen sein (Friedrich Hussong bezeugt gegenüber einem Mitarbeiter des Verfassers, daß Claire Waldoff die Erfinderschaft offen abgestritten habe). Andere halten die Varietékomiker Rudolf Melzer mit seiner Posse „Die Familie Knorke" für den Urheber.
2. ~ is zweemal so schnafte wie dufte = das ist völlig unübertrefflich; das ist der Gipfel der Vorzüglichkeit. Gilt als Erwiderung auf die Frage, was „knorke" sei. 1920 ff.
3. ~ ist noch schnafter als dufte: vgl das Vorhergehende. 1920 ff.
4. das is ~ mit 'nem Bogen = das ist bedenklich, erregt Verdacht. Das Vorzügliche weicht hier von der Geraden ab. 1927 ff.
Knorpel *m* **1.** Penis. Soviel wie weicher Knochen. 1900 ff.
2. einen (eins) hinter den ~ brausen (gießen, gluckern, jubeln, kippen, plätschern, raschen, raspeln, schütten) = ein Gläschen Alkohol zu sich nehmen. Knorpel = Adamsapfel. Seit den frühen 20. Jh.
knorpeln *v* **1.** *intr* = koitieren. ↗Knorpel 1. 1900 ff.
2. einen ~ = ein Gläschen Alkohol zu sich nehmen. 1920 ff.
Knorren *m* **1.** plumpe Tabakspfeife. Eigentlich das grobe Stück Holz, auch der Auswuchs an Bäumen. 1900 ff.
2. alter, entkräfteter Mann. 1950 ff.
Knorz *m* gedrungener, plumper Mann. Eigentlich der rauhe Klotz, das grobe Stück Holz. Seit dem 19. Jh.
knorzen *intr* **1.** angestrengt arbeiten; sich abmühen. Von der schweren Arbeit an einem harten, verasteten Stück Holz. Seit dem 19. Jh.
2. langsam arbeiten. Seit dem 19. Jh.
3. mäkeln, nörgeln. Verwandt mit „↗knurren". Seit dem 19. Jh.
Knösel *m* **1.** kurze Tabakspfeife. Soviel wie

der zusammengeballte Klumpen; von da übertragen auf Gedrungenförmiges. Seit dem späten 19. Jh.
2. minderwertiger Tabak. 1900 *ff.*
3. kleinwüchsiger Mensch; kleiner Junge (Kosewort); Halbwüchsiger. Seit dem 19. Jh.
4. Mensch (Schimpfwort). Seit dem 19. Jh.
knöseln *intr* rauchen. ↗Knösel 1 und 2. *Sold* 1939 *ff.*
Knote (Knoten) *m* ungesitteter, plumper, grober Mann. Soll auf *niederd* „Gnote = Genosse" fußen; doch ist „Knoten" auch der Knorren im Holz, das knorrige Auswuchs, das derbe Stück Holz, daher Analogie zu „↗Knorren 2". 1600 *ff.*
Knoten *m* **1.** ↗Knote.
2. eigensinniger Mann. Er ist hart wie ein Astknoten. 1900 *ff.*
3. ~ im Schlauch = grober Irrtum. Meint wohl den Knoten im Wasserschlauch. Von der unterbundenen Zufuhr übertragen auf den Denkfehler. 1920 *ff.*
4. ~ im Strom = a) Versagen der elektrischen Stromzufuhr; Kurzschluß in der Leitung. 1910 *ff.* – b) Begriffsstutzigkeit. 1920 *ff.*
5. gesunder ~ = gesunder, rüstiger Mann. 1900 *ff.*
6. der ~ geht auf = a) endlich ergründet er die Sache. Fußt auf der Vorstellung von Verschlingung der Gedanken, etwa nach dem Muster der Darmverschlingung. *Halbw* und *sportl* 1950 *ff.* – b) die körperliche Leistungsfähigkeit bessert sich endlich; man gewinnt seine frühere Leistungskraft zurück. *Halbw* und *sportl* 1950 *ff.*
7. sich einen ~ ins Bein binden (machen) = eine Gedächtnisstütze benutzen. Groteske Vergröberung des Knotens, den man ins Taschentuch bindet, um an eine Sache erinnert zu werden. 1920 *ff.*
8. einen ~ im Kopf haben = von einer fest eingewurzelten Vorstellung nicht abgehen. 1930 *ff.*
9. einen ~ in der Optik haben = dumm sein. Eine krankhafte Anschwellung trübt das Sehvermögen. *Jug* 1955 *ff.*
10. einen ~ in der Zunge haben = wortkarg sein. 1920 *ff.*
11. das Wasser kocht ~ = das Wasser kocht lange. 1920 *ff.*
12. mach einen ~! = hör endlich zu reden auf! Am Ende eines Bindfadens oder Seils macht man einen Knoten. 1920 *ff.*
13. einen ~ in die Beine machen = seine langen Beine in sich ziehen. Seit dem 19. Jh.
14. jm einen ~ ins Bein machen = jm schwer zu schaffen machen; jm Hindernisse in den Weg legen. 1920 *ff.*
15. sich einen ~ ins Gedächtnis (Hirn) machen = sich etw einprägen. ↗Knoten 7. Spätestens seit 1890.
16. sich einen ~ in die Nase (Ohren) machen = sich etw einprägen. 1900 *ff.*
17. oder ich mache dir einen ~ ins Rückgrat!: Drohrede. *Schül* 1950 *ff.*
18. sich einen ~ ins Taschentuch machen = es jm gedenken. Seit dem 19. Jh.
19. mach dir keinen ~ in die Zunge! = rede nicht soviel! Man befürchtet, durch das viele Reden könne sich die Zunge zu einem Knoten verwickeln. 1920 *ff.*
20. der ~ platzt = man begreift endlich die Zusammenhänge; die Beklemmung (Zurückhaltung) lockert sich; man er-

mannt sich. ↗Knoten 6. *Halbw* und *sportl* 1950 *ff.*
21. schlag einen ~ in deinen Bauch!: scherzhafte Aufforderung an einen Großwüchsigen. 1950 *ff, schül.*
knotig *adj* **1.** ungesittet, flegelhaft, ungebildet. ↗Knote. Seit dem 18. Jh.
2. heftig, stark. Ähnlich wie bei „↗knorke" entwickelt sich hier aus „Knoten = Knorren" die Geltung einer allgemeinen Verstärkung. 1900 *ff.*
3. *adv* = sehr. 1900 *ff.*
knotzen *intr* **1.** lässig sitzen; untätig sein; müßiggehen; schlummern. *Gleichbed* auch „knocken", dieses wohl eine ablautende Nebenform von „knacken = brechen", im engeren Sinne soviel wie „in die Knie gehen; knien" und weiterentwickelt zur Bedeutung „hocken". Seit dem 19. Jh, vorwiegend *bayr* und *österr.*
2. ein Stubenhocker sein. Seit dem 19. Jh.
Knubbel *m* **1.** Höcker, Anschwellung, Beule. Ein *niederd* Wort in der Bedeutung „Knoten im Holz". 1700 *ff.*
2. Kopf. Er gilt als ein Auswuchs. *BSD* 1965 *ff.*
3. kleinwüchsiger, untersetzter Mensch. Analog zu „↗Knoten, ↗Knopf" usw. 1700 *ff.*
4. *pl* = dicke Finger. Sie sind gedrungen. 19. Jh.
5. Deutsch mit ~n = mundartlich gefärbtes Hochdeutsch. Die mundartlichen Wörter und Wortformen wirken wie Unebenheiten, auch wie Klumpen in einer nicht sorgfältig genug verrührten Suppe. 1900 *ff.*
6. Mundart mit ~n = hochdeutsch gefärbte Mundart. 1900 *ff.*
7. das Wasser kocht zu ~n = das Wasser kocht lange. *Westd* 1912 *ff.*
Knubbeldeutsch *n* mit Umgangsdeutsch vermischtes Hochdeutsch. ↗Knubbel 5. 1950 *ff.*
knubbeldick *adv* reichlich. Aus „Knubbel = Knorren" entwickelt sich ein allgemein verstärkendes Adjektiv. *Westd* seit dem 19. Jh.
knubbelig *adj* **1.** uneben, höckerig. 1700 *ff, niederd.*
2. untersetzt. 1700 *ff.*
3. vollbusig. 1920 *ff.*
knubbeln *v* **1.** *intr* = Hochdeutsch mit Umgangsdeutsch oder Mundart vermischen. ↗Knubbel 5. 1920 *ff.*
2. sich ~ = drängend sich ballen; im Gedränge zusammenstehen. Es bilden sich Verdickungen, Klumpen, Haufen u. ä. Seit dem 19. Jh, niederd.
knubbelvoll *adv* dichtgedrängt, vollbesetzt. ↗knubbeldick. 1900 *ff.*
knucksen *intr* raten, wieviele von drei Streichhölzern eine Runde in der Hand hat. Gehört zu „Knuckel, Knückel = Knöchel" und steht in Analogie zu „↗knobeln 1". 1950 *ff.*
knuddeln *intr* ↗knudeln.
Knudelei *f* Flirt, Umarmung u. ä. Seit dem 19. Jh.
knudelig (knuddelig) *adj* Zärtlichkeiten liebend. ↗knudeln 2. Seit dem 19. Jh.
Knudelkissen *n* weiches Kissen.
knudeln *tr* **1.** etw zusammenballen, zusammendrücken. Gehört zu „Knödel = Kloß" im Sinne von rundlich Geknetetem; *vgl* auch „Knäuel" und „Kneten". Seit dem 19. Jh.

2. jn an sich drücken, liebkosen. Seit dem 19. Jh.
knufen *tr* **1.** widerwillig kauen. Nebenform von „knauben = kneten, hineindrücken, tasten". *Niederd* 1700 *ff.*
2. Geduldsarbeit verrichten. Seit dem 19. Jh.
3. an etw zu ~ haben = an einer Sache viele Mühe haben; eine schwierige Aufgabe zu lösen suchen. 1900 *ff.*
Knuff *m* **1.** leichter Stoß mit Faust oder Ellenbogen. ↗knuffen. 18. Jh, *nordd* und *mitteld.*
2. schwer-, unverdauliche Speise. Sie „knufft" im Magen. 1920 *ff.*
3. alkoholisches Mischgetränk. Es wirkt „knuffig" (= kräftig). 1950 *ff.*
4. grober, roher Mensch. Mit Ellenbogen und Knöcheln schafft er sich rücksichtslos Platz. Seit dem 19. Jh.
5. derber Kerl (anerkennend). Er leistet schwere Arbeit und macht sich nichts aus schlechter Witterung. Seit dem 19. Jh.
6. Klassenbester. ↗knuffen 2. *Schül* 1930 *ff.*
7. einen knuffigen ~ knuffen = a) jm einen kräftigen Stoß versetzen. *Sold* 1939 *ff.* – b) jm eine schwere Niederlage bereiten. *Sold* 1939 *ff.*
8. einen knuffigen ~ verknufft kriegen = a) einen sehr kräftigen Stoß erhalten. *Sold* 1939 *ff.* - b) eine schwere Niederlage erleiden. *Sold* 1939 *ff.*
knuffen *v* **1.** *tr* = jn im Gedränge stoßen; jn mit der Faust stoßen (schlagen). Geht zurück auf *niederd* „Knüvel = Knöchel" und ist verwandt mit *hochd* „Knauf". 1700 *ff.*
2. *intr* = schwer arbeiten. Sachverwandt mit „↗Knochen 42" und „↗Knochenarbeit". 19. Jh.
knuffig *adj* **1.** tüchtig, gehörig, heftig, kräftig. Leitet sich her vom kräftigen Stoß, den man einer versetzt oder aushält; von da weiterentwickelt im Sinne einer allgemeinen Verstärkung. 1800 *ff.*
2. schwer-, unverdaulich. 1920 *ff.*
Knülch *m* **1.** unsympathischer Mann. ↗Knilch. 1900 *ff.*
2. Mann (Kosewort). 1920 *ff.*
3. Geliebter, Liebhaber. 1920 *ff.*
4. süßer ~ = Kosewort auf einen Mann. 1920 *ff.*
knüll (knülle) *adj* bezecht. Gehört wohl zu „knellen, knillen" als ablautende Formen von „knallen" im Sinne von „schlagen": Der Betrunkene benimmt sich wie einer, der einen Schlag auf den Kopf erhalten hat und dadurch an Geistestrübung leidet. Analog zu ↗angeschlagen. 1800 *ff*, wahrscheinlich von Studenten ausgegangen.
knüllen *v* **1.** *tr* = etw unordentlich zusammendrücken, zusammenballen. ↗knudeln 1", zu „Knäuel" und ablautend zu „↗knallen". 1600 *ff.*
2. *intr* = mit einem Stoffball Fußball spielen. 1910 *ff, jug.*
Knüller *m* **1.** sehr wirksame Neuheit; aufsehenerregende Veröffentlichung in der Zeitung, im Kino oder auf dem Buchmarkt; Sensation. Soll um 1920 in Berlin vom Redakteur Dupont der „Berliner Zeitung" geprägt worden sein, wohl ablautende Nebenform von „Knaller" und „Kneller", die beide analog zu „Schlager" sind; wohl auch beeinflußt vom Knallbonbon sowie von der durch einen kräftigen

Schlag zum lauten Platzen gebrachten Papiertüte.

2. sinnvolle Wortverdrehung; Versprecher. Rundfunkspr. 1950 ff.

3. unerlaubte Übersetzungshilfe. Die Schüler halten sie für eine großartige Sache, die Lehrer denken da anders. 1955 ff.

4. nettes, elegant gekleidetes, umgängliches Mädchen. 1955 ff.

5. ~ von Format = eindrucksvolle Sache. Vgl ↗Frau 9. 1950 ff.

6. der ~ vom Ganzen = die Hauptsache; der entscheidende Kunstgriff. 1950 ff.

7. einsamer ~ = unübertreffliche Sache. 1960 ff.

8. fetter ~ = wichtiges Ereignis; Sensation. 1955 ff.

Knüllerjagd f Sommer-, Winterschlußverkauf; Räumungsverkauf. 1960 ff.

Knüppel m **1.** roher Bursche; unfähiger Mensch. Meint eigentlich den derben Stock, zu dem der Rohling rasch greift; bezeichnet auch das plumpe Scheit Holz und also die Analogie zu „↗Klotz“. Die Unfähigkeit des groben Menschen erstreckt sich auf Geduids- und Feinarbeit. Bayr 19. Jh.

2. Rekrut. In militärischem Sinne ist er noch „roh“, nämlich unkultiviert. BSD 1960 ff.

3. erigierter Penis. Ähnlich dem dicken Stock oder dem Klöppel. 1900 ff.

4. Pilotensteuer, Steuerstange, -hebel. Fußt auf dem Vergleich mit dem hölzernen Schlägel mit Stiel, wie er bei Tischlern, Bildhauern, Steinmetzen u. ä. üblich ist. Sold in beiden Weltkriegen bis heute.

5. Trommelschlegel, Jazzbesen; pl = Instrumente des Schlagzeugers. Knüppel = Trommelstock. Vgl engl „sticks“. Halbw 1955 ff.

6. Schreibzeug des Schülers. 1960 ff.

7. bei ihm ist der ~ an den Hund gebunden = er muß eingeschränkt leben, weil er kein Geld hat. Mancher Hofhund hat ein Stück Holz am Hals, das ihm beim Laufen an die Beine schlägt. 1900 ff.

8. auf dem ~ blasen = Flöte spielen. 1900 ff.

8 a. der ~ bleibt im Sack = strenge Maßnahmen sind nicht zu erwarten. ↗Knüppel 10 a. 1900 ff.

9. ich geh' am ~l: Ausdruck des Erstaunens. Der Betreffende stützt sich auf den Stock, um vor Verwunderung nicht niederzustürzen. 1950 ff, schül.

10. einen ~ am Bein haben = in der Freiheit behindert sein; sich nach fremdem Willen richten müssen. Das Weidevieh hat einen Knüppel am Bein. Vgl ↗Klotz 16. 1800 ff.

10 a. den ~ aus dem Sack holen = energisch vorgehen; drohen. Seit dem 19. Jh.

11. da liegt der ~ beim Hunde = das ist das eigentliche Hindernis, die Hauptschwierigkeit. Dieser Knüppel ist dem Hund nicht angebunden, sondern liegt neben ihm, so daß er stets vor Augen hat, was er bei Ungehorsam zu erwarten hat. 1500 ff.

12. den ~ rühren = das Pilotensteuer vor- und rückwärts bewegen. Die Bewegung ähnelt dem Rühren in einem Topf. Fliegerspr. in beiden Weltkriegen.

13. einen flotten (unerhörten) ~ schlagen

= ein vortrefflicher Schlagzeuger sein. ↗Knüppel 5. Halbw 1955 ff.

14. es schmeckt wie ~ auf dem Kopf = es schmeckt widerlich. Stockschläge auf den Kopf „schmecken“ keinem. 1920 ff.

15. den ~ wärmen (heizen) = auf der Latrinenstange sitzen. „Knüppel“ meint den „↗Donnerbalken“. Sold 1900 bis 1945.

16. jm einen ~ zwischen die Beine (ins Rad; in den Weg) werfen = jm ein Hindernis in den Weg legen; jm Schwierigkeiten bereiten; störend in ein Vorhaben eingreifen. Vgl franz „mettre des bâtons dans les roues à qn“. 1800 ff.

'knüppel'dick adj **1.** sehr dick; plump; nachdrücklich. Eigentlich „dick wie ein Knüppel“ (= auf bestimmte Länge geschnittenes Rundholz); von da weiterentwickelt zur Bedeutung „unförmig, stark“ sowie zur Geltung einer allgemeinen Verstärkung. 1700 ff.

2. völlig betrunken. ↗dick 4. 1700 ff.

3. völlig gesättigt; übersatt. Seit dem 19. Jh.

4. es ~ haben = reich sein. Seit dem 19. Jh.

'knüppel'dick'satt adj präd völlig gesättigt. 1870 ff.

'knüppel'hagel'dick adj präd **1.** sehr dick; plump; oftmalig; sehr viel. Seit dem 19. Jh.

2. volltrunken. Seit dem 19. Jh.

knüppelhart adj **1.** sehr hart. Eigentlich „hart wie Knüppelholz“; vgl ↗knüppeldick 1. 19. Jh.

2. rücksichtslos, unbeirrbar, gefühllos. 1948 ff.

Knüppeljunge (Knüppelchesjunge) m Mitglied des Spielmannszugs; Trommler. Knüppel = Trommelstock. Seit dem ausgehenden 19. Jh.

Knüppelmusik f **1.** Musik der Spielleute (Pfeifer und Trommler). „Knüppel“ meint sowohl den Trommelstock als auch die Flöte (o. ä.). Seit dem späten 18. Jh.

2. lautes, mikrophonverstärktes Schlagzeugspiel in Tanzkapellen o. ä. 1950 ff.

knüppeln v **1.** intr = fahren. Knüppel = Steuerruder. Marinespr 1939 ff.

2. intr = fliegen. ↗Knüppel 4. Fliegerspr. 1935 ff.

3. intr = autofahren. 1950 ff.

4. intr = hart arbeiten. Leitet sich her entweder von der Handhabung des Dreschflegels oder von Reparaturarbeiten an Segeln, Tauen u. ä. 1900 ff.

4 a. intr = koitieren. Vgl ↗Knüppel 3. Halbw 1960 ff.

5. intr = eine harte, unfaire Spielweise bevorzugen. Sportl 1950 ff.

6. intr = heftig die Tasten niederdrücken. 1950 ff.

7. intr tr = abfeuern, Bomben abwerfen. Sold 1940 ff.

8. tr = auf jn mit dem Gummiknüppel einschlagen. 1920 ff.

'knüppel'satt adj präd völlig gesättigt. ↗knüppeldick 1. Seit dem 19. Jh.

'knüppel'voll adj präd **1.** bezecht. ↗knüppeldick 1. Seit dem 19. Jh.

2. dichtbesetzt. Seit dem 19. Jh.

Knupperchen n ein ~ machen = koitieren. ↗knuppern 2. 1950 ff.

knuppern intr **1.** essen. Lautmalend für den Klang des Nagens; ablautende Nebenform von „↗knabbern“. Seit dem 19. Jh.

2. koitieren. Im Sinne von „einen Leckerbissen zu sich nehmen“ analog zu ↗vernaschen. 1950 ff.

knurpsen (knurpschen) intr kauen, zerkauen, nagen, knirschen. Schallnachahmend für einen knirschenden Laut, wie er beispielsweise beim Beißen in ein knuspriges Brötchen entsteht. Seit dem 19. Jh.

knurpsig adj **1.** frisch, kroß, resch. Analog zu ↗knusprig. 1900 ff.

2. zart, jung, liebreizend. 1900 ff.

knurren intr mißgelaunt sein; schmollen; sich verdrießlich äußern. Vom Laut des zornigen Hunds übertragen. 1700 ff.

knurrig adj verstimmt, reizbar. 1700 ff.

Knurz m kleinwüchsiger, aber zäher Mensch. ↗Knorz. Seit dem 19. Jh.

knuspern intr **1.** an etw ~ = etw eingehend überlegen; sich mit einer Sache genau beschäftigen. Meint eigentlich das hörbare Nagen an etwas Hartem. 1910 ff.

2. koitieren, flirten. Versteht sich nach dem Folgenden. 1960 ff, halbw.

knusprig adj **1.** nett, liebreizend, liebeweckend. Hergenommen von der knusprigen Kruste frisch gebackenen Brots: man beißt mit Appetit hinein. Ähnlich appetitreizend ist das junge Mädchen. Man möchte es vor Liebe „↗fressen“. 1900 ff.

2. ihm ist ~ um die Rosette. ↗Rosette.

knüsselig adj kleinlich arbeitend. Vgl das Folgende. Niederd 1700 ff.

knüsseln (knöseln) intr unordentlich, kleinlich arbeiten; mit der Arbeit nicht weiterkommen. Meint eigentlich „knittern, durchwühlen, beschmutzen“; daraus weiterentwickelt zur Bedeutung „unsauber arbeiten“. Nordd 1700 ff.

Knust (Knuust) m **1.** Anfangs- und Endstück vom Brot. Meint eigentlich den Knorren und Auswuchs, auch die Anschwellung. 1700 ff, nordd, mitteld und westd.

2. hochgerollter Frauenzopf; Nackenknoten. Seit dem 19. Jh.

Knutsch I m **1.** schwerverdauliches Essen. Beruht auf einer Nebenform von „↗knautschen = zu Brei zerdrücken“: das Essen bildet im Magen eine klumpige Masse. Seit dem 19. Jh.

2. zähniges Fleisch. Die Zähne haben viel Arbeit mit dem Zerkauen. 1935 ff.

3. stürmische Umarmung. ↗knutschen 1. Spätestens seit 1900.

4. Liebhaber einer Frau. 1900 ff.

Knutsch II f Couch. Scherzhaft-wortspielerisch eingedeutscht aus dem Englischen unter Anlehnung an „↗knutschen 1“. 1920 ff.

Knutschbude f Party-Keller o. ä. Jug 1970 ff.

Knutsche f **1.** zärtliche Freundin; leichtes, beischlafwilliges Mädchen. ↗knutschen 1. 1900 ff.

2. Ziehharmonika. „Knutschen“ bezieht sich auf das Zusammendrücken des Blasebalgs. Kundenspr. Seit dem 19. Jh.

Knutschecke f traulicher Winkel in einem Lokal. Er ist gut geeignet für ein Liebespärchen. Vgl das Folgende. Etwa seit dem späten 19. Jh.

knutschen tr intr **1.** jn (mit jm) ~ = jn liebend an sich drücken; jn liebend betasten, umarmen, küssen o. ä. Das nordd und mitteld Wort entspricht dem hochd „knautschen“. Meint ursprünglich das Zusammendrücken (eines Gegenstands), in

verengter Bedeutung seit dem 18. Jh auch das liebende Umarmen.
2. Worte ~ = gefühlvoll, mit falschem Pathos sprechen. Man knetet seine Worte, als wäre man in sie verliebt. 1920 ff.

knutscherig *adj* handgreiflich zärtlich. 1900 ff.

Knutschfest *n* Party unter Jugendlichen. *Halbw* 1950 ff.

Knutschfete *f* Party unter Jugendlichen. ↗Fete. *Halbw* 1950 ff.

Knutschfilm *m* Liebesfilm. 1950 ff.

Knutschfleck *m* vom Küssen gerötete Stelle der Haut. 1900 ff.

knutschig *adj* schmachtend. 1900 ff.

Knutschkäfer *m* Mädchen, das sich nach Liebkosungen sehnt; Mädchen, das man gern an sich drücken möchte. ↗Käfer 2. 1920 ff.

Knutschkissen *n* kleines weiches Kissen. 1900 ff.

Knutschkiste *f* **1.** Auto, in dem Zärtlichkeiten ausgetauscht werden; Kleinauto o. ä. 1955 ff.
2. Bett. *Österr* 1964 ff, sold.

Knutschkluft *f* stark dekolletiertes Kleid mit wenig Unterwäsche. ↗Kluft 1. 1935 ff.

Knutschkörper *m* liebeshungriger Mensch. 1920 ff.

Knutschkugel *f* **1.** BMW-Isetta; Kleinauto. Anspielung auf die kugelähnliche Form und die Enge, durch die es sich für ein Liebespaar empfiehlt. *Stud* 1955 ff.
2. Leichthubschrauber. 1975 ff, BSD.
3. Frau (Kosewort). 1982 ff.

Knutschmatratze *f* Couch. 1920 ff.

Knutschpuppe *f* intime Freundin. 1950 ff.

Knutschszene *f* Liebesszene. 1920 ff.

Knutsch- und Fummelparty *f* Kellerparty o. ä. *Jug* 1965 ff.

Knutsch- und Knettag *m* Buß- und Bettag. Durch „↗knutschen" und „↗kneten" wird der sexuelle Bezug hergestellt. *Schül* 1955 ff.

knuttern *intr* nörgeln, schimpfen, grollen. Vom Knurrlaut des Hundes übertragen. 1700 ff.

knuttrig (knüttrig) *adj* verstimmt, reizbar, nörglerisch, verdrießlich. 1700 ff.

Ko . . . (es ist) zum ~!: Ausdruck des Unwillens, der Verzweiflung. In Texten schamhaft verkürzt aus „es ist zum Kotzen!". 1920 ff.

Kö *f* Königsallee in Düsseldorf. Hieraus verkürzt, etwa um 1920.

Koalitions-Ehe *f* Regierungskoalition. 1949 ff.

Koalitionsgewitter *n* Streit innerhalb der Regierungskoalition. 1960 ff.

Kob *m* Kontaktbereichsbeamter. Hieraus abgekürzt seit 1977.

Kobelmädchen *n* Prostituierte. „Kobel" ist ursprünglich die aus Reisig geflochtene Hütte; hieraus weiterentwickelt zu „elendes Haus" und weiter zu „schlechtes Haus; Bordell". 1900 ff.

Kober *m* **1.** Wirt; Zuhälter. *Mhd* „koberen = beherbergen"; vgl auch jidd „kowo = Schlafkammer; Bordell". *Rotw* seit dem späten 17. Jh.
2. Prostituiertenkunde. *Vgl* das Vorhergehende, vermehrt um *jidd* „kowo = Vulva". *Rotw* seit dem frühen 19. Jh.

Koberei *f* **1.** Gastwirtschaft. ↗Kober 1. 1700 ff.
2. Bordell. 1700 ff.

3. Sittendezernat der Kriminalpolizei. *Österr* 1850 ff.

Koberer *m* **1.** Gastwirt. ↗Kober 1. Seit dem frühen 19. Jh.
2. Kriminalpolizeibeamter als Prostituiertenkontrolleur. *Rotw* 1862 ff.
3. Portier von Nachtlokalen. Hamburg 1960 ff.

Koberin *f* Kupplerin; Bordellwirtin. *Rotw* 1835 ff.

kobern *intr* **1.** prostituieren; Kuppelei betreiben. *Vgl* ↗Kober 1. *Rotw* seit dem 19. Jh.
2. koitieren. Seit dem 19. Jh.
3. Vertraulichkeiten pflegen; vertraulich beisammensein. Berlin 1840 ff.
4. eine Verabredung treffen; heimliche Vereinbarungen treffen. 1910 ff.

Kobolz schießen 1. Purzelbaum schlagen. Fußt auf *franz* „culbuter = überstürzen"; später angeglichen an „Bolzen" und an „Kobold", den gutmütigen, zu Streichen aufgelegten Hausgeist. Seit dem 19. Jh.
2. durcheinanderlaufen; hochgradig aufgeregt sein; vor Rat- und Hilflosigkeit unsinnig machen. 1920 ff.
3. es ist zum Kobolzschießen = es ist sehr erheiternd. Seit dem 19. Jh.
4. es ist zum Ko . . . bolzschießen!: Ausdruck des Unwillens, der Verzweiflung. Die Redewendung weicht dem eigentlichen „es ist zum Kotzen" scherzhaft aus; durch kurzes Einhalten nach „Ko-" und durch die Miene versteht der Zuhörer, was gemeint ist. 1920 ff.

köcheln *intr* kleinlich, zeitraubend, unauffällig kochen; aus Liebhaberei kochen. Verkleinerungsform von „kochen". Seit dem späten 19. Jh.

kochem *adj* eingeweiht; mit den Bräuchen vertraut. Fußt auf *jidd* „chochom = klug, weise, gelehrt". *Rotw* seit 1750.

kochen *v* **1.** *intr* = erregt, wütend sein (er kocht; es kocht in ihm). Beruht auf dem Vergleich des aufwallenden Zorns mit dem aufwallenden Wasser. Seit dem 18. Jh.
2. *tr* = etw insgeheim vorbereiten. 1900 ff.
3. *tr* = jn veralbern, necken. Entweder wird der Betreffende geneckt, bis er ins „Kochen" gerät, oder man hat auszugehen von der Gleichsetzung „erhitzen = aufstacheln = reizen". *Rotw* seit dem späten 19. Jh.
4. *tr* = jm im Kartenspiel das Geld abgewinnen. Man macht den Betreffenden langsam gar, d. h. „fertig". *Rotw* 1900 ff.
5. sich selbst etw ~ = Mißerfolg selber verschulden. 1950 ff.
6. etw zum ~ bringen = leidenschaftliche Anteilnahme entfachen. Man bringt die Leute in Wallung. 1920 ff.
7. ins ~ geraten (kommen) = in Wut geraten. ↗kochen 1. Seit dem 19. Jh.
8. etw am ~ halten = etw nicht zur Ruhe kommen lassen; die Stimmung nicht abklingen lassen; die anstehende Entscheidung hinausschieben. 1960 ff.

kochendheiß (kochend heiß) *adv* sofort nach dem Bekanntwerden. Verstärkende Analogie zu „↗brühwarm". 1950 ff.

Kocher *m* **1.** altes Kraftfahrzeug. Das Kühlwasser kocht wegen geringer Leistungsfähigkeit schnell oder weil sich in den Röhren Wasserstein abgesetzt hat. *Vgl* ↗Benzinkocher. 1920 ff.
2. Tabakspfeife. Anspielung auf das gur-

gelnde Geräusch in unsauberer Pfeife. Verkürzt aus ↗Rotzkocher. 1920 ff.

Köcher *m* etw im ~ haben = etw bereithalten. Im Köcher bewahrt man die Pfeile für das Bogenschießen auf. 1920 ff.

Kocherl *n* Küchen-, Kochmädchen; Köchin. *Bayr* 1870 ff.

Köchinnenwein *m* Wermutwein. Man sagt Köchinnen eine stille Liebe zum Wermutwein nach. 1930 ff.

Kochlöffel-Akademie (-Gymnasium) *f (n)* Hauswirtschaftsschule; Mädchenoberschule mit hauswirtschaftlicher Abteilung. 1910 ff.

Kochmaschine *f* Kochherd. Berlin seit dem späten 19. Jh.

Kochmaschinistin *f* Köchin. Berlin 1910 ff.

Kochtopf *m* **1.** topfähnlicher Damenhut. 1900 ff.
2. schwere Granate; Mine. Das Flugbahngeräusch erinnert an das Gurgeln siedenden Wassers. *Sold* in beiden Weltkriegen.

Kochtopffrisur *f* stufenlos geschnittenes Haar. Der Kopf sieht aus, als habe man auf ihn einen Kochtopf gestülpt und die hervorstehenden Haare abgeschnitten. 1925 ff.

koddeln *tr intr* ↗koddern.

Kodder *m* **1.** Putzlappen, Lumpen. Ein *nordostd* und *nordd* Wort, über „Korze" (= Wolldecke) verwandt mit „Kutte". Seit dem 19. Jh.
2. *pl* = Kleider, Bekleidungsstücke. *Ostpreuß* seit dem 19. Jh.

koddern (koddeln) *intr* kleine Wäsche (oberflächlich) waschen. Eigentlich soviel wie „mit dem Putzlappen wischen". Seit dem 19. Jh.

Kodderschnauze *f* freche, unehrerbietige Redeweise; Geschwätzigkeit. ↗koddrig 3. Seit dem späten 19. Jh.

koddrig *adj* **1.** ärmlich gekleidet; ärmlich. ↗Kodder 1. Seit dem 19. Jh, vorwiegend *nordostd* und *nordd*.
2. Brechreiz verspürend; elend; unwohl; unbehaglich. Gehört zu *niederd* „Koder = Schleim, Auswurf". Seit dem 19. Jh.
3. grob, unziemlich, unflätig im Reden. Fußt auf *niederd* „köddern, kodern = plaudern, schnattern", beeinflußt von „koddrig 1"; denn Unflat im Reden und Armut in der Kleidung gehen in alter Voreingenommenheit Hand in Hand. Seit dem späten 19. Jh.

ködern *tr* jn an sich locken, um ihn auszunutzen. Köder ist die Lockspeise für Tiere. Analog zu ↗angeln. Seit dem 19. Jh.

koffeinfrei *adj* frei von Anstößigkeiten. 1960 ff.

Koffer *m* **1.** Vulva, Vagina. Fußt auf *jidd* „kowo = Vulva". 1900 ff.
2. Bombe, Granate, Artilleriegeschoß. Übertragen von schwerem Gepäckstück. *Sold* seit dem frühen 20. Jh.
3. entweichender Darmwind; von Darmwinden stinkender Teil eines Raums. „Koffer" meint hier die Höllenmaschine: der Teufel hinterläßt Schwefelgestank. 1920 ff.
4. Kopf. Wie „Verstandskasten" oder „Hirnkiste" ein Gehäuse für den Denkmechanismus. 1900 ff.
5. großer Könner. Vom schweren Koffer auf den bedeutenden Menschen übertragen. *Sold* 1939 ff.
6. Rekrut. Ähnlich einem Koffer ist er

sperrig und unhandlich. *Sold* 1939 bis heute.

7. starkgebauter Mensch. Fußt auf dem Vergleich mit dem Schrankkoffer. *Halbw* 1955 *ff.*

8. dickliches Mädchen. Es wiegt viel wie ein Koffer. *Halbw* 1955 *ff.*

9. üppige Frauenbrust. *Halbw* 1960 *ff.*

10. umfangreicher Gegenstand; großartige, erfolgversprechende Sache. *Halbw* 1955 *ff.*

11. sehr erfolgreiches Musikstück o. ä.; rasch beliebt werdender Schlager. Er schlägt ein wie eine ↗Bombe. 1960 *ff.*

12. schlechteste Leistungsnote. Entweder gilt sie als schwerwiegend oder man muß „reisen" (= die Schule verlassen). *Schül* 1960 *ff.*

13. Schulzeugnis mit vorwiegend schlechten Noten. 1960 *ff.*

14. Päckchen Tabak (im Gefängnis). Häftlingsspr. 1960 *ff.*

15. böser ~ = häßliches Mädchen. ↗Koffer 8. *Halbw* 1955 *ff.*

16. dicker ~ = großkalibriges Artilleriegeschoß; große Bombe; Luftmine. ↗Koffer 2. *Sold* 1939 *ff.*

17. fahrender ~ = Kleinauto. Wegen einer gewissen Formähnlichkeit. 1930 *ff.*

18. fliegender ~ = Transportflugzeug Junkers 52. Hergenommen vom gleichnamigen Märchen des Dänen Andersen. *Sold* 1937 *ff.*

19. flotter ~ = nettes, umgängliches, lebenslustiges Mädchen. ↗flott 1. *Halbw* 1960 *ff.*

20. großer ~ = a) schweres Artilleriegeschoß. *Sold* 1939 *ff.* – b) großes Luxusauto. Kraftfahrerspr. 1955 *ff.* – c) großer Behälter (Container). 1966 *ff.*

21. kleiner ~ = Schwächling. ↗Koffer 7. *Halbw* 1955 *ff.*

22. lahmer ~ = langweiliger, schwungloser Mensch. ↗lahm. *Halbw* 1955 *ff.*

23. nasser ~ = unliebsamer Mitmensch. ↗„naß" im Sinne von „verschlagen, schmarotzend o. ä.". *Halbw* 1955 *ff.*

24. rascher ~ = nettes, vergnügtes, unternehmungslustiges Mädchen. ↗rasch. *Halbw* 1955 *ff.*

25. schwerer ~ = großkalibrige Granate; schwere Bombe; Granate der Schiffsgeschütze. *Sold* in beiden Weltkriegen.

26. stiller ~ = unentdeckter Koffer mit Diebesbeute. 1971 *ff.*

27. ~ abladen = Granaten abfeuern; Bomben abwerfen. ↗Koffer 2. *Sold* in beiden Weltkriegen.

28. einen ~ abstellen = einen Darmwind abgehen lassen. ↗Koffer 3. 1920 *ff.*

29. einen ~ aufschließen = a) eine Frau beischlafwillig machen. ↗Koffer 1. 1910 *ff.* – b) deflorieren. 1910 *ff.*

30. mit dem ~ gehen = Prostituierte sein. „Koffer" meint entweder die Handtasche vom Format eines kleinen Koffers oder den ↗Wochenend- und Beischlafutensilienkoffer". 1920 *ff.*

31. etw im ~ haben = a) einer Sache völlig sicher sein. Analog zu „etw im ↗Sack haben = etw beherrschen". 1930 *ff.* – b) intelligent sein. ↗Koffer 4. 1935 *ff.*

32. viel auf dem ~ haben = klug sein. 1935 *ff.*

33. nicht alle auf (in) dem ~ haben = nicht recht bei Verstand sein. 1930 *ff.*

34. einen ~ in Berlin haben = Anlaß zur Rückkehr nach Berlin haben; Berlin verbunden bleiben. Geht zurück auf das von Ralph Maria Siegel komponierte Schlagerlied „Ich hab' noch einen Koffer in Berlin". 1948 *ff.*

35. tragen wir also den ~ wieder rauf: Verzichterklärung nach Abweisung. Man ist schon abreisefertig vor der Haustür angelangt und macht seine Reiseabsicht wieder rückgängig. 1935 *ff.*

36. jm vor den ~ knallen = jm etw unvermittelt mitteilen. Man schreit es ihm ins Gesicht. 1935 *ff.*

37. einen großen ~ (eins auf den ~) kriegen = heftig gerügt werden. Tadel = Prügel. 1950 *ff.*

38. einen ~ landen = einen derben Schlag versetzen. „Koffer" ist hier der schwerwiegende Hieb. 1960 *ff.*

39. aus dem ~ leben = auf Reisen sein; keine feste Wohnung haben. 1920 *ff.*

40. einen ~ mitkriegen = eine sportliche Niederlage erleiden. ↗Koffer 38. *Sportl* 1950 *ff.*

41. die ~ packen können = ausgeschlossen werden; nichts mehr zu erhoffen haben. Analog zu ↗einpacken. Seit dem 19. Jh.

42. jm vor den ~ scheißen = a) jn entwürdigend anherrschen. Koffer = Kopf, Gesicht. Verdeutlichung von ↗anscheißen 2. 1935 *ff*, vorwiegend *sold*. – b) jn hintergehen; jn Befehl listig umgehen; jn schwer enttäuschen; die (Anstands-)Pflicht gröblich verletzen. Wohl hergenommen von der Sitte der Einbrecher, am Tatort einen Kothaufen zu hinterlassen. 1935 *ff.*

43. dem Lehrer vor den ~ scheißen = in der Schule täuschen. *Schül* 1935 *ff.*

44. sich nicht vor den ~ scheißen lassen = sich nichts gefallen lassen; Ungebührlichkeiten scharf zurückweisen. 1955 *ff*, *stud.*

45. jm vor den ~ schmeißen = jds Absichten durchkreuzen; listig (heimtückisch) gegen jn vorgehen. ↗schmeißen = koten. 1935 *ff.*

46. das ist ja ein ~!: Ausdruck höchster Bewunderung. ↗Koffer 10 u. 11. *Halbw* 1955 *ff.*

47. alles im ~! = alles in Ordnung! Alles Benötigte fand im Koffer Platz; kein Stück mußte zurückbleiben. *Halbw* 1955 *ff.*

48. einen ~ stehen lassen = einen Darmwind entweichen lassen und anschließend weggehen. ↗Koffer 3. 1920 *ff.*

Kofferkleid *n* Kleid aus knitterfreiem Stoff. 1965 *ff.*

koffern *intr* **1.** einen Granatenhagel abfeuern; Bomben abwerfen. ↗Koffer 2. *Sold* 1939 *ff.*

2. hart, unfair Fußball spielen; den Ball heftig treten. Analog zu ↗bomben. *Sportl* 1950 *ff.*

3. einen Darmwind entweichen lassen. ↗Koffer 3. 1950 *ff.*

4. der Geliebten abends einen Besuch abstatten. Dabei nahm man auf der Truhe (= Koffer) in der Diele Platz. *Nordfries* 1900 (?) *ff.*

Kofferstripper *m* Dieb, der den gestohlenen Koffer in einem größeren mit beweglichem Boden verbirgt. ↗strippen = stehlen. Berlin 1920 *ff.*

Kognakfahne *f* nach Kognak riechender Atem. ↗Fahne 1. Seit dem 19. Jh.

Kognakpumpe *f* Herz. ↗Pumpe. 1900 *ff.*

Kohl *m* **1.** Unsinn; langweilige Rede; Lüge, Verstellung. Stammt entweder aus mhdt „kol = Schall, Rede, Gerücht" oder aus *zigeun* „kalo = schwarz" (*rotw* „schwarz = lügnerisch, betrügerisch"). 1750 *ff.*

2. Spaß, Ulk, Veralberung. 1800 *ff.*

3. alter ~ = vermeintliche Neuigkeit. 1920 *ff.*

4. aufgewärmter ~ = alte, abgetane Dinge als Neuigkeiten vorgebracht. ↗aufwärmen. Die vielfach angeführte Stelle aus Juvenal bezieht sich nicht auf aufgewärmten Kohl, sondern auf wiederholt gereichten Kohl. Seit dem 18. Jh.

5. ausgewachsener ~ = völliger Unsinn. Ausgewachsen ist, wer zu voller Größe körperlich entwickelt ist. 1920 *ff.*

6. den alten ~ wieder aufwärmen = eine alte, bereits vergessene Sache (Streitsache) erneut zur Sprache bringen. ↗Kohl 4. Seit dem 18. Jh.

7. seinen eigenen ~ bauen = a) Landwirt, Selbstversorger sein. 1900 *ff.* – b) sich nicht dreinreden lassen; unbeirrbar sein Ziel verfolgen; handeln, wie man es für richtig hält. *Vgl* Voltaire, Candide: „planter son choux". 1850 *ff.*

8. seinen ~ in Ruhe bauen können = ungestört leben. 1880 *ff.*

9. den ~ von unten besehen = im Grab liegen. Hehlausdruck. 1940 *ff.*

10. ~ machen = Unsinniges reden; töricht handeln; etw vortäuschen; viele Worte um eine Belanglosigkeit machen. 1700 *ff.*

11. das macht den ~ nicht fett = das ändert an der Sache nicht viel; das macht die Sache nicht besser. Meint wohl eine spärliche Zugabe von Fett zum Gemüse oder leitet sich her vom Sprichwort „eine Laus macht den Kohl nicht fett". Seit dem 16. Jh; häufiger seit dem 18. Jh.

12. ~ pflanzen = Unsinn reden; etw vortäuschen. Wörtlich richtige Vervollständigung zu falsch verstandenem „↗Kohl 1". Kundenspr. 1900 *ff.*

13. ~ reißen = lügen, schwindeln; Fleiß heucheln. ↗reißen. *Rotw* seit dem 19. Jh.

14. davon wird der ~ fett = das ist vorteilhaft; das macht viel aus. Seit dem 19. Jh.

Kohldampf *m* **1.** Hunger. Tautologie; denn sowohl *rotw* „koll" (aus „Koller = starker Hunger") als auch *rotw* „Dampf" meint „Hunger". *Vgl* auch *zigeun* „kalo", „mittellos" und auch „ohne Essen" bezeichnet. Seit den frühen 19. Jh.

2. ~ bis unter die Arme haben = heftigen Hunger verspüren. ↗Hunger 1. 1914 *ff.*

3. ~ schieben = Hunger leiden; hungern. ↗schieben. Seit dem 19. Jh.

Kohle *f* **1.** *pl* = Geld. Hängt zusammen mit der im 18. Jh gebuchten Redewendung „der Schornstein muß rauchen" im Sinne von „ohne Geld, Lebensmittel usw. kann man nicht leben". Was die Kohlen für den Ofen, ist das Geld für den Menschen. Wer Mangel an Kohlen hat, lebt in Armut. Darüber hinaus bezeichnet man im Umgangsdeutsch „Geld" mit den Namen von harten Materialien wie Bims, Kies, Schiefer, Schotter, Steine u. ä. 1840. Neuerdings

ist in derselben Bedeutung auch die Einzahl „Kohle" gebräuchlich.
2. *pl* = Krüllschnitt-Tabak; Pfeifentabak. Er ist Brennmaterial für die Tabakspfeife. 1960 *ff, sold.*
3. gute (große) ~ = gutes Geld; viel Geld. 1975 *ff.*
4. schwarze ~ = Verdienst durch „↗Schwarzarbeit". 1975 *ff.*
5. weiße ~ = Wasser, das in Talsperren gesammelt wird. 1970 *ff.*
6. die ~n abbauen = jm die Brieftasche stehlen, das Geld abnehmen. Aus der Bergmannssprache übertragen. 1950 *ff.*
7. ein paar ~n auflegen = sich noch mehr anstrengen; das Tempo beschleunigen. 1940 *ff.*
8. ~n aufreißen = Geld beschaffen. ↗aufreißen. 1970 *ff.*
9. die große ~ bringen = viel Geld verdienen. 1975 *ff.*
10. ~n in den Keller bringen = Geld einnehmen. 1920 *ff.*
11. ~n graben = schwer arbeiten. 1925 *ff.*
12. mit ~n gegurgelt haben = eine rauhe Stimme haben. 1930 *ff.*
13. die ~n im Keller haben = ein gutes Geschäft gemacht haben. 1920 *ff.*
14. die ~n aus dem Feuer holen = Gefahr für andere auf sich nehmen. Mißverstanden aus „die ↗Kastanien aus dem Feuer holen". 1975 *ff.*
15. ~n kommen von mir = der Verzehr geht auf meine Rechnung. *Halbw* 1950 *ff.*
16. ~ (~n) machen = Geld verdienen. 1950 *ff.*
17. gut ~ machen = viel Geld verdienen. 1975 *ff.*
18. die großen ~n machen = sehr viel verdienen. 1950 *ff.*
19. ~n nachschütten = für einen Verlust bürgen; geldliche Verpflichtungen eines anderen übernehmen. Hergenommen vom Nachfüllen des Ofens. 1928 *ff.*
20. die ~n rollen = Geld kommt zusammen. 1950 *ff.*
21. feurige ~n auf jds Haupt sammeln = jn beschämen. Stammt aus der Bibel: Römer 12, 20 und Sprüche Salomos 25, 22. 1500 *ff.*
22. gut bei ~ sein = bei Geld sein. 1965 *ff.*
23. auf glühenden (heißen) ~ sitzen = voller Unruhe warten; machtlos sich in peinlicher Verlegenheit befinden. Geht zurück auf ein Folterverfahren, dem Märtyrer ausgesetzt waren. 1600 *ff.*
24. ~n spucken = Geld hergeben, aufwenden. 1975 *ff.*
25. die ~n stimmen = die Geldfrage ist geklärt; der Lohn ist ausreichend; die Sache hat ihre Richtigkeit. 1920 *ff.*
26. sich die ~n verdienen = für ein ausreichendes Einkommen sorgen. 1920 *ff.*
kohlen *intr* **1.** lügen, prahlen. ↗Kohl 1.
2. Unsinn reden; schwatzen. Seit dem 18. Jh.
Kohlenkasten *m* **1.** Schalterraum des Kassierers. 1910 *ff.*
2. schwere Granate; Mine. Mit tiefschwarzem Rauch platzt sie auseinander. *Sold* in beiden Weltkriegen.
3. Kleinauto. Formverwandt mit dem Kohlenwagen unter dem Küchenherd. 1925 *ff.*

4. *pl* = breite Schuhe. 1920 *ff.*
5. wildgewordener ~ = Kleinauto. Wildgeworden = motorisiert. 1925 *ff.*
6. er hat ein Gemüt wie ein ~ = er ist gefühllos, grob, roh. 1930 *ff.*
7. im ~ schlafen = in sehr bescheidenen Verhältnissen leben. 1900 *ff.*
Kohlenkellerstimme *f* tiefe Stimme. Veranschaulichung der Metapher „dunkle Stimme". 1920 *ff.*
Kohlenpott *m* **1.** Bergwerksbezirk; Schacht; Zeche; Ruhrgebiet. *Niederd* „Pott = Topf". Fußt auf *lat* „puteus = Grube, Schacht". Seit dem 19. Jh, *westd.*
2. Geldschrank, -kassette o. ä. ↗Kohle 1. 1900 *ff.*
3. Behälter, in dem die Hausfrau eingesparte Beträge des Wirtschaftsgelds aufbewahrt. 1900 *ff.*
4. Kohlenfrachter. ↗Pott. 1920 *ff.*
Kohlenpottdialekt (-deutsch) *m (n)* Wortschatz im Kohlenrevier an der Ruhr. Aufkommen im Zusammenhang mit den Vorträgen des Jürgen von Manger, der diesen Wortschatz (bzw. was er darunter versteht) zu verbreiten sucht. 1965 *ff.*
Kohlenpütt *m* Bergwerksbezirk. ↗Pütt. 1850 *ff.*
Kohlenschaufel *f* **1.** kurzes Ruderblatt. Wegen der Formähnlichkeit. 1910 *ff.*
2. Hände wie ~n (Hände, Marke ~) = plumpe breite Hände. 1910 *ff.*
3. mit der ~ frühstücken können = einen sehr breiten Mund haben. 1910 *ff.*
Kohlenschlepper *m* Geldbriefträger. ↗Kohle 1. 1920 *ff.*
kohlenschwarz *adj* streng päpstlich gesinnt. ↗schwarz = katholisch. Seit dem späten 19. Jh.
Kohlentankstelle *f* Bank, Sparkasse. 1930 *ff.*
Kohlenzange *f* jn nicht mit der ~ anfassen mögen = gegen jn sehr heftigen Widerwillen hegen; sich mit ihm überhaupt nicht abgeben mögen. Der Betreffende ist überaus schmutzig. 1900 *ff.*
Köhlerglaube *m* blinder religiöser Glaube; wirklichkeitsfremde Meinung. Köhler sind tief im Wald tätig und haben wenig Umgang mit anderen Menschen; daher sind sie leicht- und gutgläubig. Diese Tatsache hat im 16. Jh zu einer Art Schwankerzählung geführt, in der der Teufel einen Köhler fragt, was er glaube, und der Köhler antwortet: „was die Kirche glaubt". Die Vokabel ist ohne religiösen Bezug geläufig geblieben. 1900 *ff.*
Kohlkopf *m* **1.** Menschenkopf; Wasserkopf. Wegen der Formähnlichkeit. 1900 *ff.*
2. Lügner, Prahler, Unsinnschwätzer. ↗Kohl 1. 1850 *ff.*
3. Journalist, der angebliche Skandale in der vornehmen Gesellschaft aufdeckt. 1940 *ff.*
'kohl'pech'raben'schwarz *adj* tiefschwarz. Im 19. Jh zusammengesetzt aus den früher selbständigen Wörtern „kohlschwarz", „pechschwarz", „kohlpechschwarz" und „kohlrabenschwarz". Am bekanntesten durch das Kinderbuch „Der Struwwelpeter". 1900 *ff.*
Kohlrabiapostel *m* Vegetarier, Gesundheitsapostel. Seit dem späten 19. Jh.
Kohlrabiatur *f* Koloratur. Scherzhaft zusammengesetzt aus „Kohl", „rabiat" und „Koloratur". Theaterspr. 1920 *ff.*
Kohlrabisänger *m* Gemüsehändler, der

seine Ware vom Wagen verkauft und die Vorübergehenden lautstimmig zum Kauf anlockt. Berlin 1910 *ff.*
Kohlräuschling *m* Heilgymnastin (aus der Schule von Professor Kohlrausch). Freiburg 1928 *ff, stud.*
Kohlzettel *m* Schulzeugnis mit schlechten Noten. Die schlechten Noten bezeichnen die Schüler als „Unsinn" und „Lüge". 1960 *ff.*
Koje *f* **1.** Bett. Meint eigentlich die Schlafkajüte. Aus der Seemannssprache nach 1850 in die Umgangssprache vorgedrungen.
2. sich in (auf) die ~ hauen = sich schlafenlegen. 1900 *ff.*
kokeln *intr* **1.** mit Feuer spielen; ansengen; abflämmen; glimmen. Nebenform von „gaukeln = Narrenpossen treiben". *Nordd* und *ostmitteld* seit dem 19. Jh.
2. brandstiften; aus betrügerischen Gründen einen Brand anlegen. 1920 *ff.*
3. Feuer fangen. Fliegerspr. 1939 *ff.*
4. tauschhandeln. Um 1900 aufgekommen als Sonderentwicklung von „gaukeln" im Sinne von „täuschen" und von „betrügerisch tauschen".
5. unter Umgehung des Dienstwegs sein Ziel erreichen. 1950 *ff.*
Kokettierfetzl (-tücherl) *n* Ziertaschentuch in der linken oberen Außentasche der Herrenjacke. *Österr* 1920 *ff.*
Koko'lores (Kokeloris, Kokolorus, Kokulores, Kukuloris, Kukuloris, Kukeloris) *m (pl)* **1.** überflüssige Umstände; unangebrachte Anstrengungen; Geschwätz; das Ganze. Entweder weiterentwickelt aus „Gauklerei" oder entstellt aus dem Schluß des *lat* Gebetstextes „per omnia saecula saeculorum" (= von Ewigkeit zu Ewigkeit). Wahrscheinlich theatersprachlichen Ursprungs gegen 1900.
2. da haben wir den ~ = das Unangenehme ist wie erwartet eingetroffen. 1920 *ff.*
Kokoskopf *m* kurz geschnittenes, fransig in die Stirn hängendes Haar. Formähnlich mit der Behaarung der Kokosnuß. *Halbw* 1960 *ff.*
Koks *m* **1.** Unsinn, Geschwätz; minderwertiges Zeug. Analog zu „Kohl 1", aber auf dem Umweg über „kohlen = koksen", beides in der Bedeutung „schwätzen, lügen". Seit dem späten 19. Jh.
2. Geld. Parallel zu „↗Kohle 1". 1900 *ff.*
3. Rum mit einem Stück Würfelzucker (und Kaffeebohnen) im Schnapsglas. Wegen des hohen Erwärmungsgrads. 1900 *ff.*
4. Rauschgift. Aus „Kokain" verkürztes Hehlwort nach englischem Vorbild. Unmittelbar nach dem Ersten Weltkrieg aufgekommen.
5. steifer Herrenhut. Herzuleiten von dem Engländer William Coke, der dem Hut Volkstümlichkeit zu verschaffen wußte. 1900 *ff.*
6. Graf ~ = junger Stutzer; Vornehmtuer. Er trägt einen steifen Hut und tut wie einer vom Adel. 1900 *ff.*
7. Graf (Baron) ~ von der Gasanstalt (vom Gaswerk) = eitler Geck; einer, der vornehm tut, aber linkisch ist. 1900 *ff.*
8. sich fühlen wie Graf ~ = sich behaglich fühlen. Fliegerspr. 1939 *ff.*
9. mit ~ gurgeln = a) schnarchen. Anspielung auf die knarrenden Schnarchtöne. *Marinespr* 1914 *ff.* – b) Rum trinken; zechen. ↗Koks 3. 1920 *ff.*

10. ~ im Gehirn haben = dumm sein; benommen sein. Hier ist „Koks" Hehlwort für „Kacke". 1950 *ff.*
11. zuviel ~ im Vergaser haben = nicht recht bei Verstand sein. Die Rußansammlung zwischen den Zündkontakten steht hier in Parallele zu einem geistigen Defekt. 1950 *ff.*
12. jn durch den ~ holen (ziehen) = jn bekritteln, veralbern, necken. Entstellt aus „jn durch den ↗ Kakao ziehen". 1920 *ff.*
13. den Grafen ~ spielen = sich aufspielen; dünkelhaft sein; sich vollkommen bedienen lassen. ↗ Koks 6. 1939 *ff.*
14. da wird der ~ in der Kiste verrückt!: Ausruf der Verwunderung oder des Erschreckens. 1920 *ff.*
koksen *intr* **1.** übertreiben, prahlen, lügen; sich aufspielen. Analog zu ↗ kohlen. 1900 *ff.*
2. Kokain schnupfen. ↗ Koks 4. 1920 *ff.*
3. rauchen. Hängt mit „↗ Koksofen" zusammen. 1900 *ff.*
4. schlafen; fest schlafen. Im Sinne von „↗ Koks 9" ist ursprünglich wohl das Schnarchen gemeint. 1914 *ff.*
5. Branntwein trinken. ↗ Koks 3. 1900 *ff.*
Koksgurgler *m* **1.** Bassist. Man denkt sich scherzhaft, die dunkle Stimme rühre vom Gurgeln mit Koks her. Seit dem ausgehenden 19. Jh.
2. heiserer Mensch. 1890 *ff.*
Kokskopf *m* Schwätzer. ↗ Koks 1. 1900 *ff.*
Koksnase *f* **1.** breite, leicht eingedrückte Nase. In Berlin vermutet man seit dem ausgehenden 19. Jh scherzhaft, auf dieser Nase habe man Koks zerkleinert.
2. wegen Erkältung tröpfelnde Nase. Hängt zusammen mit einem, der den Nasenschleim einzieht, als wäre es Schnupftabak. 1900 *ff.*
3. Kokainschnupfer. 1919 *ff.*
Koksofen *m* (kurze) Tabakspfeife mit Deckel. Sie entwickelt große Hitze. ↗ koksen 3. 1900 *ff.*
Kolben *m* **1.** Kopf des Menschen. Klumpen- und knollenartig erinnert er an den dicken Teil einer Keule. Seit dem 19. Jh.
2. (plumpe) Nase. 1900 *ff.*
3. erigierter Penis. Formähnlich mit dem Maiskolben. Verkürzt aus „Samenkolben". 1900 *ff.*
4. Flasche. Formähnlich mit einer Keule. 1960 *ff.*
5. Urinflasche für männliche Bettlägerige. BSD 1960 *ff.*
6. gedrungene Tabakspfeife. 1910 *ff.*
7. jm den ~ lausen = a) jn verprügeln. Man schlägt dem Betreffenden auf den Kopf und erledigt gleichzeitig die Läuse. Seit dem 16. Jh. – b) jn ausschimpfen. Rügen werden in volkstümlicher Rede mit den Prügeln gleichgesetzt. 1700 *ff.* – c) jm Geld abgewinnen oder abnehmen. Analog zu ↗ filzen, zu ↗ lausen: der Reiche hat an Geld ebenso sehr Überfluß wie der Nichtbegüterte an Ungeziefer. Seit dem 19. Jh.
Kolbenstange *f* erigierter Penis. Anspielung auf die Hin- und Herbewegung. 1900 *ff.*
Kolchose *f* Klassenzimmer; Klassengemeinschaft. Dem russischen Begriff der landwirtschaftlichen Produktionsgenossenschaft nachgebildet: die Schüler „wirtschaften" ähnlich kollektiv, indem sie ein-

ander vorsagen, voneinander abschreiben usw. 1955 *ff.*
kolken *intr* **1.** ausspucken; sich erbrechen. Schallnachahmend. Seit dem 17. Jh.
2. dumm schwätzen; ungefragt reden. Analog zu „kotzen", das sowohl „sich erbrechen" als auch „sich äußern" bezeichnet. Seit dem 19. Jh.
Kolkrabe *m* Geistlicher. Eigentlich Name des größten Rabenvogels; hier beeinflußt von „↗ kolken 2". Sold in beiden Weltkriegen; jug 1955 *ff.*
Kolle-Bomber *m* Aufklärungsflugzeug. ↗ Oswalt- Kolle-Verband. BSD 1955 *ff.*
Kolleg *n* **1.** ~ schinden = ohne Gebührenentrichtung eine Vorlesung besuchen. ↗ schinden. Stud, seit dem 19. Jh.
2. ~ schnorren = eine Vorlesung hören, aber keine Gebühren entrichten. ↗ schnorren. Stud 1900 *ff.*
Kollege *m* ~ von der anderen Fakultät = a) Kollege aus einem anderen Berufszweig. ↗ Fakultät 1. 1920 *ff.* – b) Homosexueller. Stud 1900 *ff.* – c) Andersgläubiger. 1955 *ff.* – d) Ausländer. 1950 *ff.* – e) Angehöriger einer anderen politischen Partei. 1960 *ff.* – f) militärischer Gegner. Sold 1900 *ff.*
Kollege-kommt-gleich *m* Kellner. Hergenommen von der Redewendung des nichtzuständigen Kellners an den wartenden Gast. 1930 *ff.*
Koller *m* **1.** Wutausbruch, Tobsuchtsanfall. Fußt auf *griech-lat* „cholera = Gallenbrechdurchfall" und nimmt schon im Mittelalter die heutige Bedeutung an.
2. stiller ~ = ungewohntes schweigsames Verhalten. 1700 *ff.*
kollerig *adj* zornig; leicht erregbar. Seit dem 19. Jh.
kollern *intr* verärgert sein; zanken; wüten. 1600 *ff.*
Kollex *m* **1.** wandernder Handwerksbursche; Herbergsgast; Spießgeselle. Nebenform zu „Kollege". Kundenspr. 1900 *ff.*
2. Berufskollege. 1920 *ff.*
Kolonne *f* **1.** blaue ~ = zivile Wachangestellte. Wegen der Farbe ihrer Bekleidung. BSD 1965 *ff.*
2. fünfte ~ = a) Kampfgruppe, die innerhalb des Gegners oder unmittelbar hinter seinem Rücken ihr Werk verrichtet. Der Ausdruck ist 1936 im spanischen Bürgerkrieg aufgekommen. General Mola erklärte, der Fall von Madrid werde unter dem Ansturm von fünf Kolonnen erfolgen, von denen vier von außen heranmarschieren würden, während die fünfte in der Stadt selber am Augenblick der Erhebung warte. – b) Gepäcktroß; Fahrtruppen. Sold 1939 *ff.* – c) Wanzen. Sold 1939 *ff.* – d) im Ausland tätige politische Geheimorganisation. 1960 *ff.* – e) Gesamtheit der Zuhälter. 1950 *ff.* – f) Modenvorführerinnen auf Auslandsreise. 1959 *ff.* – g) inländische Gruppe, die die Ideologie eines ausländischen Politikers angeblich teilt. September 1983.
Kolonnenknacker *m* Kraftfahrer, der aus einer Kolonne auszubrechen sucht. 1955 *ff.*
Kolonnenschieber *m* Anführer einer Arbeitskolonne. 1950 *ff.*
Kolonnenspringen *n* Fahrweise, bei der der Kraftfahrer die in langsamer Fahrt befindliche Fahrzeugkolonne zu überholen oder sich in eine Lücke einzuschieben sucht. 1955 *ff.*

kolossal *adj adv* sehr eindrucksvoll; außerordentlich; sehr. Leitet sich her von den vorgriechischen Riesenbildsäulen und wird im 19. Jh ein Ausdruck allgemeiner Verstärkung.
Kolossalschwein *n* außergewöhnlicher Glücksfall. ↗ Schwein. Sold 1939 *ff.*
kolossiv *adj* hervorragend. Zusammengesetzt aus „kolossal" und „massiv". Etwa seit 1850, Berlin.
Kombine *f* ~ machen = mit jm alles gemeinschaftlich tun und teilen. In der *engl* Soldatensprache meint „to combine" soviel wie „innerhalb einer dazu verpflichteten Gruppe von Leuten alles miteinander teilen". 1900 *ff*, sold in beiden Weltkriegen; jug 1955 *ff.*
Kometenkasten *m* Scheinwerfer. Mit dieser Lichtquelle zaubert man einen neuen Schweifstern an den Himmel. Sold 1914 *ff*; theaterspr. und filmspr. 1920 *ff.*
Komfort *m* **1.** mit allem ~ und komm zurück (mit allem ~ und zurück) = mit allen modernen Neuheiten. Hier wird „Komfort" scherzhaft als „komm vor" aufgefaßt und dementsprechend ergänzt. 1950 *ff.*
2. jn mit allem ~ schleifen = jn überaus streng drillen. „Mit allem Komfort" meint eigentlich soviel wie „mit allen modernen technischen und architektonischen Bequemlichkeiten und Annehmlichkeiten". Daher analog zu „mit allen ↗ Schikanen". Sold 1930 *ff.*
Komfortherberge *f* Luxushotel. „Herberge" ist nach 1950 aufgekommen als burschikos-scherzhafte Bezeichnung für „Hotel"; wohl beeinflußt von „Jugendherberge".
komfortionös *adj* behaglich; mit allen modernen Einrichtungen ausgestattet. Willkürlich zu „Komfort" gebildetes Adjektiv leicht burschikosen Klangs. Im Vergleich mit „komfortabel" wirkt es wie eine verunglückte Neubildung mehrgeltungssüchtiger Neureicher. 1920 *ff.*
Komiker *m* **1.** wunderlicher Mann; Sonderling. ↗ komisch 1. 1900 *ff.*
2. Chemielehrer. Entstellt aus „Chemiker" durch Leute, die „ch" wie „k" sprechen. 1950 *ff.*
Komikkanone *f* Humorist. ↗ Kanone. 1975 *ff.*
Komiknudel *f* Komikerin. ↗ Nudel. 1975 *ff.*
komisch *adj adv* **1.** seltsam, wunderlich, auffallend. Eigentlich „auf die Komödie bezüglich", dann „komödienähnlich", und über „possenhaft" weiter zu „wunderlich". Seit dem späten 18. Jh.
2. darin bin ich ~ = in dieser Hinsicht bin ich eigen. 1900 *ff.*
3. mir ist ~ im Magen = ich habe Magenbeschwerden. 1900 *ff.*
4. er ist heute ~ = er ist heute schwierig zu behandeln; er ist heute anders als gewöhnlich. 1900 *ff.*
5. jm ~ kommen = jm dümmlich, dreist ansprechen. Seit dem 19. Jh.
6. ~ werden = a) unbesonnen handeln. Berlin, seit dem 19. Jh. – b) sich gegenüber einer Frau Intimitäten anmaßen. 1900 *ff.*
7. nun werden Sie nur nicht ~!: Zuruf an einen, der sich plötzlich gekränkt fühlt, in fröhlicher Runde plötzlich ernst oder ausfallend wird oder in anderer Weise ein völlig verändertes Wesen an den Tag legt. Berlin seit dem 19. Jh.

Kommafuchs *m* Korrektor. ↗fuchsen 2. 1950 ff.

Kommandeuse *f* **1.** Frau des Kommandeurs. Gebildet nach dem Muster von „Friseuse", „Diseuse" u. ä. Offiziersspr. seit dem späten 19. Jh. **2.** herrschsüchtige Frau. 1870 ff. **3.** leitende Krankenschwester; Oberin eines Krankenhauses; Stationsschwester o. ä. 1914 ff.

Kommandosache *f* geheime ~ = streng gehütetes Geheimnis; Unbefugten nichtzugängliches Gebäude (Gelände). Aus der Militärsprache ins Zivile übertragen. 1950 ff.

Kommandoschieber *m* am selben Ort lange verweilender Bettler. „Kommando" ist in der Kundensprache seit dem späten 19. Jh die Bettelei in der Umgebung des Standorts.

kommen *intr* **1.** anspielen, aufkarten. Der Spieler kommt mit der Karte heraus. Kartenspielerspr. seit dem 19. Jh. **2.** komm und mache! = spiel' endlich aus! nenn' endlich deine Spielfarbe Geht in verkürzter Form zurück auf das 1791 von Mozart komponierte Lied von Christian Adolf Overbeck „Komm, lieber Mai, und mache die Bäume wieder grün". Kartenspielerspr. seit dem 19. Jh. **3.** funktionieren; zu funktionieren beginnen (auf Maschinen bezogen). Die Maschine gerät in sichtbare Bewegung. 1920 ff. **4.** jm ~ = jm Prügel androhen (ich komme dir!: Drohrede. Meint eigentlich „jm entgegentreten"; mit jm verfahren". 1600 ff. **5.** jm einen ~ = jm zutrinken. Man kommt einem mit einem Glas Bier, indem man auf ihn zutritt. *Stud* seit dem 16. Jh. **6.** der soll nur ~!: Drohrede auf einen Abwesenden. 1900 ff. **7.** damit kann er mir nicht ~ = das beeindruckt mich nicht; damit kann er mich nicht belügen; seinen Borgversuch lehne ich grundsätzlich ab. 1800 ff. **8.** auf etw ~ = sich besinnen; nachdenken (auf den Namen kann ich noch = der Name wird mir wieder einfallen). Seit dem 19. Jh. **9.** nichts auf jn ~ lassen = eine tadelnde oder mißgünstige Äußerung gegen jn nicht dulden. Seit dem 19. Jh. **9 a.** den Gegner ~ lassen = den Angriff der gegnerischen Sportmannschaft abwarten. Aus dem Militärischen nach 1920 in die Sportlersprache übergegangen. **10.** komm mal wieder bei mich bei! = komm mal zu mir! Seit dem 19. Jh. **11.** hinter etw ~ (dahinterkommen) = etw ergründen, aufdecken. 1500 ff. **12.** mit etw ~ = etw zur Sprache bringen. 19. Jh. **13.** kommst du nicht heut', kommst du morgen (Komm' mal heut' nicht, komm' ich morgen): Redewendung auf einen langsamen Menschen. 1700 ff. **14.** das durfte nicht ~ = a) diese Bemerkung wäre besser unterblieben. Seit dem späten 19. Jh, wahrscheinlich in Berlin entstanden. – b) diese Karte hätte nicht aufgeworfen werden dürfen. 1870 ff. **15.** erst komme ich, dann komme ich nochmal, und dann kommst du noch lange nicht: Redensart eines krassen Selbstsüchtigen. 1900 ff. **16.** so mußte es ~ = das war vorauszu-

sehen; dagegen war nichts zu machen. 1800 ff. **17.** etw langsam ~ lassen = sich für etw viel Zeit nehmen. Beispielsweise läßt man den Motor langsam kommen, indem man die Drehzahl langsam erhöht. 1920 ff. **18.** so weit kommt's noch!: Ausdruck der Abweisung. 1900 ff. **19.** kommt noch einer?: Frage an den Eintretenden, wenn er hinter sich die Tür nicht schließt. 1920 ff. **20.** jm nicht so ~ dürfen = jn nicht auf diese Weise behandeln dürfen. Kommen = entgegentreten. Seit dem 19. Jh. **21.** da könnte ja jeder ~!: Ausdruck der Abweisung. ↗jeder. **22.** im ~ sein = modisch werden; in den Mittelpunkt des Interesses rücken; nahe bevorstehen. Meist bezogen auf eine Entwicklung, die man nicht aufhalten kann. 1920 ff.

Kommiß *m* **1.** Soldatenstand, Militär. Im 15. Jh aus *lat* „commissum = anvertrautes Gut" entstanden im Sinne von Heeresvorrat, Lieferungsbefehl. Im letzten Drittel des 19. Jhs vorgedrungen; zeitweilig von „↗Barras" oder „↗Bund" überlagert. **2.** Brot. Verkürzt aus dem seit 1552 bekannten Wort „Kommißbrot". 1870 ff. **3.** reiner ~ = Schund; Ausschußware. Seit dem 18. Jh.

Kommissar *m* **1.** ~ Computer = Datenverarbeitung im Dienst der Verbrechensbekämpfung. 1975 ff. **2.** ~ Zufall = zufällige Aufdeckung eines Verbrechens. Dem „General Winter" o. ä. nachgebildet. 1920/30 ff. **3.** vierbeiniger ~ = Polizeihund, Suchhund. 1950 ff.

Kommißbrot *n* Hanomag-Kleinwagen (auch „~ auf vier Rädern" oder „rollendes ~" genannt). Wegen der Formähnlichkeit mit dem kastenförmigen Soldatenbrot. Gegen 1923 aufgekommen. Dazu der Spruch: „zwei Kilo Blech, zwei Kilo Lack, – fertig ist das Hanomag".

kommissig *adj* auf den Wehrdienst bezüglich; militärisch straff; militärisch pedantisch. 1870 ff.

Kommißjesus *m* **1.** Militärgeistlicher. 1870 ff. **2.** sehr religiöser Soldat. Britische Rheinarmee 1952; *BSD* 1962 ff.

Kommißklamotte *f* **1.** anspruchsloses, derb-komisches Soldatenstück. ↗Klamotte 1. 1950 ff. **2.** *pl* = militärische Dienstkleidung. ↗Klamotte 7. 1914 ff.

Kommißknopf (-knopp) *m* militärischer Vorgesetzter, der durch überbetonte militärische Straffheit und Vorschriftenhörigkeit seine Untergebenen drangsaliert. ↗Knopf 1. *Sold* 1870 ff.

Kommißknüppel *m* **1.** aktiver Soldat mit mehrjähriger Dienstzeit. ↗Knüppel 1. *Sold* 1870 ff. **2.** grober, derber, bildungsuninteressierter, von vitalen Instinkten beherrschter Mann. 1920 ff.

Kommißkopf (-kopp) *m* kriegsgedienter, barscher, herrschsüchtiger Soldat (Unteroffizier, Offizier). Sein Kopf ist angefüllt mit Soldatendienst. 1870 ff.

Kommiß-Stil *m* grobe Sprechweise. 1920 ff.

Kommode *f* **1.** Paket mit Lebensmitteln; ins Gefängnis geschmuggeltes Paket Ta-

bak. Scherzhaft- übertreibende Anspielung auf die Größe. *Rotw* und *sold* 1900 ff. **2.** Klavier, Harmonium. Verkürzt aus ↗Drahtkommode. 1930 ff. **3.** verknautschte ~ = altes, noch immer fahrtüchtiges Auto. Sein Äußeres ist nicht mehr jugendfrisch. 1920 ff. **4.** in die ~ reindreschen = laut, ungekonnt klavierspielen. ↗dreschen. 1950 ff. **5.** jm vor die ~ scheißen = jn entwürdigend anherrschen. ↗Koffer 42. 1935 ff. **6.** jm vor die ~ schmeißen = jm Vorhaltungen machen. ↗Koffer 45. 1935 ff. **7.** etw (jn) in die ~ spielen = sich von etw (jm) trennen. In die Kommodenschublade stopft man, was im Alltag keine Verwendung mehr findet: man schafft es sich aus den Augen. 1965 ff, *stud.* **8.** mach die ~ zu! = rede nicht beim Essen; schließe den Mund beim Kauen! 1910 ff.

Kommodenlack *m* Wermutwein, Branntwein. Anspielung auf die Färbung. 1950 ff.

Kommodenschublade *f* in der ~ schlafen = in sehr dürftigen Verhältnissen leben. 1900 ff.

Kommunikation *f* gegenseitige Hilfe bei Klassenarbeiten o. ä. *Schül* 1960 ff.

Kommunionsessen *n* ihm kommt das ~ hoch = es widert ihn an; er ist der Sache überdrüssig. 1930 ff.

Kommunistenfresser *m* wütiger Kommunistengegner. ↗Fresser 2. 1920 ff.

Komödie *f* **1.** übertriebene Umstände; allgemeine Erregung; allgemeines Durcheinander. Hergenommen von den lustigen Vorfällen und lärmenden Auftritten eines Lustspiels; man faßt die Darstellung leicht als Übertreibung und Vorspiegelung auf. 1600 ff. **2.** ich lasse mit mir nicht ~ spielen = ich lasse mich durch Vorspiegelungen nicht täuschen. Seit dem 19. Jh.

Kompaniearbeit *f* Abschreiben vom Mitschüler. „Kompanie" ist hier die Handelsgesellschaft. *Schül* 1950 ff.

Kompaniematratze *f* Mädchen, das sich keinem Soldaten verweigert. ↗Matratze. Ursprünglich bezeichnete man so die einzige Prostituierte in einem kleinen Garnisonsort (bei dem geringen Entgelt von 50 Pfennig wäre eine zweite nicht auf ihre Kosten gekommen). 1900 ff.

Kompaniepritsche *f* Verprügelung eines Soldaten (Schülers) wegen unkameradschaftlichen Verhaltens. ↗Pritsche. 1900 ff.

Kompanieschirm *m* Regenschirm, dessen Besitzer niemand kennt, den aber jeder Betriebsangehörige im Bedarfsfall benutzt. Stillschweigend geht er in das Eigentum der „Kompanie" über. 1940 ff.

Kompanietip *m* Gemeinschaftswette in Lotto oder Toto. 1955 ff.

Kompaß *m* jm den ~ verderben = jn von der eingeschlagenen Richtung abbringen; jm ein Vorhaben vereiteln. 1920 ff.

komplett *adj* **1.** füllig. *Nordd*, seit dem 19. Jh. **2.** ich bin ~ = mein Gasthaus ist besetzt. *Österr* 1900 ff. **3.** wir sind ~ = wir sind vollständig eingerichtet. 1870 ff.

Komplikaz *m* Mensch, der überall Schwierigkeiten macht oder wittert. Aus „Komplikation" entstanden. 1920 ff.

Kompott *n* 1. Früchte in der Bowle. Offiziersspr. 1914 *ff; schül* und *stud.*
2. Schnaps zum Glas Bier. 1920 *ff.*
3. mit allem ~ = mit allem Zubehör. 1900 *ff.*
4. mit allem ~ der Neuzeit = mit allen modernen Zutaten. 1900 *ff.*
5. ~ reden = a) vom Thema abweichen und sich über Nichtzugehöriges verbreiten. „Kompott" steht sinnbildlich für eine verlockende Nebensächlichkeit. 1935 *ff.* – b) eine abgetane Sache erneut ausführlich besprechen. 1935 *ff.*
Kompotthut *m* mit Nachbildungen von Früchten garnierter Damenhut. Auf der Grundlage des älteren Kapotthuts umgebildet. 1920 *ff* und seitdem mit der einschlägigen Hutmode geläufig.
Kompottschüssel *f* 1. Damenhut, mit künstlichen Früchten verziert. *Vgl* das Vorhergehende. 1955 *ff.*
2. Stahlhelm. Er ist schüsselförmig und ähnelt dem vorerwähnten Damenhut, wenn der Netzüberzug zur Tarnung mit Zweigen besteckt ist. *BSD* 1965 *ff.*
Kompromiß *m* fauler ~ = bedenkenerregender Vergleich auf der Grundlage beiderseitiger Zugeständnisse. ↗ faul 1. Seit dem 19. Jh.
kompromisseln *intr* durch Zugeständnisse eine Einigung zwischen zwei Parteien erzielen. 1950 *ff.*
Kondensstreifen *m* 1. entwichener Darmwind. Eigentlich der dem Flugzeug folgende weißliche Streifen von Wassertröpfchen, die zu Eis erstarrt sind. 1940 *ff.*
2. Laufmasche im Damenstrumpf. 1940 *ff.*
3. nach Alkohol riechender Atem. 1940 *ff.*
4. *pl* = tiefe Ringe um die Augen. Man hält sie für die Folgen geschlechtlicher Ausschweifung. 1940 *ff.*
5. mit ~ = sehr schnell. *Jug* nach 1945.
konditern (konditern gehen) *intr* eine Konditorei besuchen. Um 1910 in Berlin aufgekommen; verbreitet durch Claire Waldoff mit dem Schlager „Warum soll er nicht mit ihr vor der Türe stehn" in einer Revue von Erich Charell im Großen Schauspielhaus zu Berlin.
Kondition *f* 1. ~ bolzen = das körperliche Leistungsvermögen trainieren. ↗ bolzen 1. *Sportl* 1970 *ff.*
2. keine ~ haben = nicht bei Geld sein. Sportler und ihre Reporter bezeichnen Leistungsvermögen und Kraft als Kondition. *BDS* 1965 *ff.*
3. ~ tanken = das Leistungsvermögen steigern; sich körperlich erholen. ↗ tanken. 1970 *ff.*
Konfektionserotik *f* 1. übliches Können der Prostituierten. Ihre Leistung ist nicht maßgeschneidert. 1950 *ff.*
2. übliche Behandlung der Liebe im Film. 1950 *ff.*
Konfektionsmensch *m* Durchschnittsmensch. 1950 *ff.*
Konfektionsmusik *f* Musik nach üblichem Muster. 1950 *ff.*
Konfektionsreise *f* vom Reisebüro vermittelte Urlaubsfahrt. Sie ist nicht individuell. 1950 *ff.*
konfern gehen *intr* zum Konfirmandenunterricht gehen. 1955 *ff.*
Konfirmandenblase *f* eine ~ haben = oft harnen müssen. 1900 *ff.*
Konfirmationskaffee *m* mir kommt der ~

hoch = ich werde der Sache überdrüssig. ↗ Kaffee 16. 1920 *ff.*
konfirmieren *tr* 1. jn zurechtweisen. Übertragen von der Unterrichtung im evangelischen Glauben. 1900 *ff.*
2. jn prügeln. Handgreiflich bringt man ihm Verstand bei. 1910 *ff.*
3. jn vereidigen. Die Konfirmanden legen das Glaubensbekenntnis und Treuegelöbnis öffentlich ab. *Sold* 1935 *ff.*
konfirmiert sein Bescheid wissen; sich auskennen; genug Lebenserfahrung besitzen. Man gehört nicht mehr zu den geistlich Unmündigen. 1970 *ff.*
konform gehen mit jm in etw ~ = jm in etw beipflichten; mit jm übereinstimmen. Eine üble Schwätzerfloskel; etwa seit 1920 *ff.*
Konfrontationskurs *m* Verteidigung der gegensätzlichen Meinungen. 1960 *ff.*
Konfusionsrat *m* umständlicher, zerstreuter Mann. Das frühe 18. Jh kennt den „Confusrat"; 1840 kommt bei Immermann der „Konfusionarius" vor. Das noch heute gültige Wort „Konfusionsrat" ist 1839 als Schimpfwort gebucht; 1846 ist es Titel einer Posse von W. Friedrich.
konfuzius *adv* du machst mich ganz ~ = du machst mich ganz verwirrt. Scherzhaft aus „konfus" umgestaltet unter Anlehnung an den Namen des chinesischen Philosophen. 1950 *ff.*
Kongreß *m* 1. Party. Meint eigentlich „Versammlung, Tagung". *Halbw* 1960 *ff.*
2. Ausrede gegenüber der Ehefrau für ein Zusammentreffen mit der Geliebten. 1960 *ff.*
Kongreßlöwe (-tiger) *m* häufiger, einflußreicher Teilnehmer an Kongressen. Ein gegen 1960 auftretender Verwandter des „↗ Salonlöwe" und des „↗ Premierentiger".
Kongreßwanze *f* Mann, der an möglichst vielen Kongressen teilnimmt und andere Arbeit kaum verrichtet. Er ist ein lästiges Ungeziefer. 1960 *ff.*
König *m* 1. ~ ohne Krone = Lehrer. ↗ Herrscher 1. *Schül* 1960 *ff.*
2. roter ~ = Menstruation. Seit dem 18. Jh.
3. sich freuen wie ~ = sich sehr freuen. „Wie ein König" meint soviel wie „herausragend, hervorragend" und dient also zu einer allgemeinen Verstärkung. Vielleicht auch verkürzt aus „sich freuen wie ein ↗ Schneekönig". Seit dem 19. Jh.
königlich *adv* sich ~ amüsieren (freuen) = sich ausgezeichnet amüsieren; sich überaus freuen. ↗ König 3. Seit dem 19. Jh.
Königsmacher *m* Politiker, dessen Stimme bei der Benennung des Kanzlerkandidaten den Ausschlag gibt. 1965 *ff.*
Konjäckchen *n* 1. kleines Glas Weinbrand. Aus *franz* „cognac" eingedeutscht und an „Jacke" angelehnt. 1870 *ff.*
2. die wärmsten Jäckchen sind die ~ = Weinbrand wärmt besser als eine warme Jacke. 1870 *ff.*
Konjunktiv-Urteil *n* richterliches Urteil, das seine Begründung mit „würde", „wäre", „hätte", „könnte" u. ä. führt. 1950 *ff.*
Konjunkturbremse *f* Eindämmung (Verlangsamung) der günstigen Wirtschaftslage. 1960 *ff.*
Konjunkturhyäne *f* rücksichtsloser Nutznießer günstiger wirtschaftlicher Verhältnisse. 1934 *ff.*

Konjunkturritter *m* Mensch, der eine günstige wirtschaftliche oder politische Lage für eigene Zwecke auszunutzen versteht. Dem „Glücksritter" nachgeahmt, etwa um 1918.
Konjunkturspritze *f* Maßnahme zur Verbesserung der Wirtschaftslage. Der ärztlichen Praxis entlehnt. 1955 *ff.*
Konkneipant *m* Teilnehmer an einer studentischen Biertafel; Zechgenosse. ↗ Kneipant. 19. Jh.
Konkursula *f* Heilige ~ = Schutzheilige der Konkursmacher und Konkursbetrüger. Zusammengesetzt aus „Konkurs" und „Ursula". Spätestens seit 1930.
können *v* 1. uns kann keiner = wir sind unübertrefflich. Gekürzt aus „uns kann keiner übertreffen, übertölpeln o. ä.". Berlin 1850 *ff.*
2. wer kann, der kann!: Ausdruck von berechtigtem Stolz über eine Leistung. Seit dem 19. Jh.
3. er kann mir (mich)!: Ausdruck derber Abweisung. Gekürzt aus „er kann mir (mich) am Arsch lecken". Seit dem 19. Jh.
4. du kannst mich mal, aber nach Voranmeldung!: wie das Vorhergehende. „Nach Voranmeldung" läßt vermuten, daß andere dieselbe Einladung erhalten haben. 1940 *ff.*
5. du kannst mir da, wo ich am schönsten bin!: wie das Vorhergehende. 1955 *ff.*
6. darauf kann ich = das mag ich gern; das gönne ich mir gut. Verkürzt aus „auf etw ↗ stehen". *Halbw* 1955 *ff.*
7. es gut mit jm ~ = gut mit jm auskommen. „Es" steht neutral für irgendwelche Gemeinschaftlichkeit. Seit dem 19. Jh.
8. wie kann man nur!: mißbilligender Ausdruck gegenüber der Handlungsweise eines anderen. 1900 *ff.*
9. gekonnt ist gekonnt!: Ausdruck der Anerkennung für die Leistung eines anderen, auch für die eigene Leistung. 1930 *ff.*
10. das hast du mal wieder gekonnt!: Redewendung, wenn einer etw unbeabsichtigt entwertet. 1950 *ff.*
Konserve *f* 1. Fernsehaufzeichnung; Fernsehsendung, die vorher auf Film aufgenommen ist. Sie ist eingeweckt wie Obst und wird bei Bedarf ausgestrahlt. 1955 *ff.*
2. etw in der ~ halten = etw noch nicht preisgeben. *Vgl* „etw in der Reserve halten". 1950 *ff.*
Konservenapplaus (-beifall) *m* auf Tonband aufgenommener Beifall. 1960 *ff.*
Konservendeutsch *n* veraltete Ausdrucksweise; Amtsdeutsch. Es ist eingeweckt, nicht lebendig. 1950 *ff.*
Konservendose *f* 1. vorgeformte Krawatte. Sie ist ein lange haltbares Fertigfabrikat. 1925 *ff.*
2. Kopf. Im Gehirn wird das Wissen eingeweckt. *Halbw* 1960 *ff.*
3. Rundfunkgerät. Es ist eine Spieldose, die Platten- oder Bandaufnahmen abspielt. *BSD* 1965 *ff.*
4. Unterseeboot. Es ist rundum von „Blech" umgeben und eng. *BSD* 1965 *ff.*
5. Gesicht wie eine ~ = plattes, feistes, faltenloses Gesicht ohne eigenen Ausdruck. 1950 *ff.*
Konservenfahrt *f* vom Reisebüro zusammengestellte, immer gleiche Urlaubsfahrt (Gesellschaftsreise). Es ist Einheitsware ohne individuellen Charakter. 1955 *ff.*

Konservengelächter *n* auf Tonband aufgenommenes Gelächter. 1960 *ff.*

Konservenmusik *f* Schallplatten-, Tonbandmusik. Schallplattenmusik verhält sich zur Musikaufführung wie Konservengemüse zu Frischgemüse. Im Sinne von „Grammophonmusik" entstanden im Ersten Weltkrieg bei den Soldaten, die zur Vertreibung der Langeweile sich Grammophone in den Schützengraben holten; der Ausdruck stand damals im Gegensatz zu Konzerten der Militärkapellen. *Vgl engl* „canned music".

Konsorten *pl* Gesindel. Aus der Kaufmannssprache geläufig als „Gesellschafter"; hier soviel wie Spießgesellen, Mittäter o. ä. 1900 *ff.*

Konsumidiot *m* Kunde, der sich gegenüber dem Verkaufsangebot nicht vernünftig zu verhalten weiß. 1965 *ff.*

Konsummuffel *m* Kunde, der sich beim Kauf zurückhält. ↗Muffel. 1970 *ff.*

Konsumprolet *m* Arbeitnehmer, der sich höhere Lebensverhältnisse ermöglichen kann. 1965 *ff.*

Konsumscheißer *m* Durchschnittsbürger der Konsumgesellschaft. ↗Scheißer. *Halbw* 1965 *ff.*

Konsumterror *m* Warenangebot, das den Kunden fast willenlos macht. Dem „Bombenterror" des Zweiten Weltkriegs nachgeahmt. 1958 *ff.*

kontagieren *intr* koitieren. Fußt auf „Kontakt = Fühlungnahme; körperliche Berührung". 1960 *ff.*

kontakten *tr* mit jm in Verbindung treten. 1970 *ff.*

Konte *f* Prostituierte. ↗Chonte 1. 1900 *ff.*

Konter *m* 1. Gegenangriff. ↗kontern 1. Stammt aus der Boxersprache. *Sportl* 1950 *ff.*
2. Gegenäußerung. 1950 *ff.*

kontern *intr* 1. widersprechen; auf eine heftige Äußerung heftig erwidern. Hergenommen vom Boxer, der aus der Abwehr einen Gegenstoß führt, oder vom Fußballmannschaft, die den gegnerischen Angriff abfängt und zum Gegenangriff vorstößt. 1950 *ff.*
2. Maßnahmen mit Gegenmaßnahmen beantworten. 1950 *ff.*

kontra geben *intr* widersprechen; Widerstand leisten; sich gegen etw verwahren. Hergenommen entweder vom Fechten (= zurückschlagen) oder vom Skatspiel (= einer Wette um die Niederlage durch Erhöhung der Punktwertung entgegentreten). 1900 *ff.*

Konturen *pl* 1. abendfüllende ~ = üppig entwickelter Busen. ↗abendfüllend. 1950 *ff.*
2. jm die ~ verbessern = jm heftig ins Gesicht schlagen. Hehlausdruck. 1915 *ff.*

3. jm die ~ verwischen = jm heftig ins Gesicht schlagen. 1930 *ff.*

Konversationslexikon *n* 1. lebendes (lebendiges; wandelndes) ~ = Vielwissender; vielseitig, aber oberflächlich Gebildeter; Gedächtniskünstler. 1819 (E. T. A. Hoffmann) *ff.*
2. das steht nicht in meinem ~ = das lehne ich ab. 1830 *ff,* Berlin.

Konzert *n* 1. Lärm, Aufregung. Von der musikalischen Veranstaltung übernimmt man in einfachen Kreisen nur den Eindruck des Lauttönenden und Vielstimmigen. 1930 *ff.*
2. sich nicht aus dem ~ bringen lassen = sich nicht beirren, ablenken lassen. Entstellt aus „sich nicht aus dem Konzept bringen lassen" gegen 1900.

Konzertäpfel *pl* Zwiebeln. Sie verursachen Blähungen. 1920 *ff.*

Konzerthyäne *f* Konzertbesucher, wofern er eine Freikarte erobert hat. 1900 *ff.*

Konzertkonserve *f* Plattenspieler, Musikautomat. ↗Konserve 1. 1955 *ff.*

Konzertlager *n* Konzentrationslager. Die übliche Abkürzung „KZ" ist euphemistisch umgedeutet worden. 1933 *ff.*

Konzessionsschulze *m* Mann, der aus (politischer) Gefälligkeit mit einem Posten betraut wird, dem er nicht gewachsen ist. Konzession = Zugeständnis. „Schulze" ist Bezeichnung für einen, der mit niederer Gerichtsbarkeit betraut ist; auch der Ortsvorsteher oder Bürgermeister wird teilweise noch heute so genannt. Seit dem 19. Jh.

koofen *tr* kaufen. Berlinische und *mitteld* (*ostmitteld*) Nebenform von „kaufen". 1850 *ff.*

Koofmich (Koofmichel) *m* Kaufmann. „-mich" und „-michel" gestaltet die üblichen Endungsnamen „-mann" geringschätzig um, vor allem in Anlehnung an die Deutschschelte „Michel". 1850 *ff.*

Kopeken *pl* Geld, Sold. Kopeke ist eine russische Münze (100 Kopeken = 1 Rubel). Wohl im Ersten Weltkrieg aufgekommen und bis heute geläufig.

kopern *tr* jn herbeischaffen, anschleppen. Dabei geht es handgreiflich zu; denn *rotw* „kobern = schlagen". Vielleicht beeinflußt von „kapern". Verbrecherspr. 1960 *ff.*

Kopf *m* 1. mit (in) besoffenem ~ = in betrunkenem Zustand. 1920 *ff.*
2. fauler ~ = a) träger Arbeiter; Arbeitsscheuer; Taugenichts; unzuverlässiger Mann; Leichtsinniger. ↗faul 1. 1850 *ff.* – b) säumiger Zahler. 1920 *ff.*
3. die großen Köpfe = die Vorgesetzten. Mehr höhnisch als anerkennend gemeint. 1950 *ff.*
4. heller ~ = kluger, aufgeweckter Mensch. ↗hell. Seit dem 18. Jh.
5. offener ~ = aufgeschlossener, aufgeweckter Mensch, Neuem zugänglich. Seit dem 19. Jh.
6. rauchiger ~ = unter alkoholischer Ausschweifung und vielem Rauchen leidender Kopf. Rauch = Mißgestimmtheit, Unfriede. 1950 *ff.*
7. zweiter ~ = Perücke. 1965 *ff.*
8. ~ ab zum Gebet!: Zuruf der Ermunterung zu einem schwerwiegenden, gefährlichen Unternehmen. Mit grimmigem Humor entstellt aus „Helm ab zum Gebet!". *Sold* 1939 *ff.*
9. ~ hoch, Arsch zu!: Zuruf zur Ermunte-

rung. „Arsch zu" meint „die Arschbacken zusammenkneifen = Entschlossenheit zeigen". *Sold* 1914 *ff,* auch *ziv.*
10. pro ~ und Nase = für jeden Einzelnen. ↗Nase. 1900 *ff.*
11. ~ über Arsch = kopfüber. Seit dem 19. Jh.
12. sich den ~ abbrechen = angestrengt überlegen; scharf nachdenken. Nebenform von ↗Kopf 168. 1900 *ff.*
13. jm den ~ abreißen (runterreißen) = jn entwürdigend anherrschen; jn heftig zur Rede stellen; jn rücksichtslos belangen. Man packt ihm am Kopf und schüttelt ihn. *Vgl engl* „to bite (snap, take) someone's head off". 1870 *ff.*
14. deswegen wird er dir den ~ nicht abreißen = deswegen wird er dich nicht hart bestrafen. 1870 *ff.*
15. den ~ (das Köpfchen) aufsetzen = trotzig sein; auf seinem Willen beharren. Man richtet den Kopf starr auf und bewegt ihn nicht: Sinnbildgebärde der Unzugänglichkeit und Unbeugsamkeit. 1500 *ff.*
16. einen anderen ~ aufsetzen = a) sein Wesen ändern. Hergenommen vom Überstülpen eines Pappkopfes beim Fastnachtstreiben. 1938 *ff.* – b) die Perücke aufsetzen. 1930 *ff.*
17. das hältst du im ~ nicht aus = das ist unerträglich. Das Gemeinte ist widersinnig, bereitet arges „↗Kopfzerbrechen", oder es ist an unerträglichen Lärm gedacht. 1960 *ff.*
18. den ~ auslüften = nach geistiger Anstrengung spazierengehen. Übertragen vom Auslüften der Kleider. 1920 *ff.*
19. sich einen in den ~ ballern = sich betrinken. ↗ballern 5. *BSD* 1965 *ff.*
20. den ~ oben behalten = sich nicht entmutigen lassen; die Besinnung bewahren. Beruht entweder auf der Vorstellung, daß der Mutlose den Kopf hängen läßt, oder spielt an auf den Schwimmer, der den Kopf über Wasser hält. Seit dem 19. Jh.
21. den ~ behüten ↗behüten.
22. den ~ nicht nur zum Essen (Frisieren) benutzen = denken, nachdenken. 1910 *ff.*
23. blas' mir auf den ~!: Ausdruck der Ablehnung. Hehlausdruck für „blas' mir in den ↗Arsch!". Seit dem 19. Jh.
24. jm eins über den ~ braten = jm auf den Kopf schlagen. ↗überbraten. 1939 *ff.*
25. ihm brummt der ~ = a) er arbeitet angestrengt; er leidet an Kopfschmerzen. Im Sinne des Volksglaubens denkt man sich, daß irgendwelche kleinen Lebewesen (Hummeln o. ä.) im Kopf Unfug treiben. Seit dem 19. Jh. – b) er leidet unter den Nachwehen des Rausches. Seit dem 19. Jh.
26. seinen ~ durchsetzen = erfolgreich auf seiner Meinung bestehen; unnachgiebig sein. Berührt sich mit der Redewendung „mit dem Kopf durch die Wand gehen". Seit dem 19. Jh.
27. sich den ~ einrennen = am Widerstand scheitern. Man rennt mit dem Kopf gegen die Wand. *Vgl engl* „to run one's head against a wall". Seit dem 19. Jh.
28. ihm hat's im ~ erwischt = er ist verrückt geworden. ↗erwischen 1. 1920 *ff.*
29. faß dir mal an den ~ und sage „Kürbis (Fallobst) gedeihe": Redensart auf einen Träumerischen, einen Dümmlichen o. ä.

„Kürbis" steht hier für „Wasserkopf", „Fallobst" für „weiche ↗Birne". *Jug* 1933 *ff.*

30. seinem ~ fehlen nur die Zitronenscheibe und ein Büschel Petersilie = er ist sehr dumm. Er sähe dann aus wie ein Schweinskopf in der Auslage des Metzgers. Wien 1930 *ff.*

31. ich kann keinen ~ und keinen Arsch dran finden = ich kann es nicht begreifen, nicht ergründen. „Kopf und Arsch" stehen derb-anschaulich für „Anfang und Ende", für „oben und unten". *Vgl* ↗Kopf 60. Seit dem 19. Jh.

32. auf den ~ (als Kind einmal auf den ~) gefallen sein = dümmlich sein. Der Fall hatte eine Gehirnerschütterung zur Folge. Seit dem 18. Jh.

33. nicht auf den ~ gefallen sein = klug, schlau sein; sich Rat wissen. Seit dem 18. Jh. *Vgl franz* „n'être pas tombé sur la tête".

34. es geht um (an) ~ und Kragen = es geht ums Äußerste. Seit dem 19. Jh.

35. das Essen geht ihm durch den ~ = er hat Aufstoßen. 1920 *ff.*

36. es geht nach seinem ~ = er bestimmt die Handlungsweise; ihm hat man zu gehorchen. Seit dem 19. Jh.

37. sich die Sache (etw) durch den ~ gehen lassen (und sehen, wie sie ausläuft) = harnen (auf den Mann bezogen). Die Redewendung nimmt sich aus, als ginge einer zu angeblichem Nachdenken hinaus; aber es liegt Wortspielerei vor: „Kopf" meint hier die Eichel. 1930 *ff.*

38. wie vor den ~ geschlagen sein = verwirrt, sprachlos, sehr überrascht sein. Vieh wird durch einen Schlag vor den Kopf vor dem Schlachten betäubt. Seit dem 18. Jh.

39. auf seinen ~ hat es geschneit = er hat graue (weiße) Haare. Seit dem 19. Jh.

40. das ist ihm in den ~ (zu ~) gestiegen = das hat ihn übermütig (eingebildet) gemacht. Nachgebildet der Wendung „der Wein steigt in den Kopf" und „Erfolg macht trunken". *Vgl engl* „his success went to his head". Seit dem 19. Jh.

41. sich an den ~ greifen = militärisch grüßen. Wortspielerei: man greift sich an den Kopf, wenn man fassungslos ist. *BSD* 1960 *ff.*

42. den ~ nicht danach haben = nicht dazu aufgelegt sein. Verkürzt aus „den Kopf nicht danach stehen haben". Seit dem 18. Jh.

43. es am ~ haben = dumm sein. „Es" steht neutral für eine Krankheit, einen Defekt o. ä. 1900 *ff.*

44. es im ~ haben = a) Kopfschmerzen haben. *Vgl* das Vorhergehende. Seit dem 19. Jh. – b) betrunken sein. Seit dem 19. Jh.

45. es groß (hoch) im ~ haben = stolz, eingebildet, prahlerisch sein. Seit dem 19. Jh.

46. noch ~ oberhalb der Haare haben = eine Glatze haben. *Vgl* ↗Kopf 157. 1950 *ff.*

47. einen ~ haben = Kopfschmerzen haben. Hinter „einen" ergänze „schmerzenden" o. ä. 1900 *ff.* *Vgl engl* „to have a head".

48. einen ~ haben (seinen eigenen ~ haben; seinen ~ für sich haben) = eigensinnig sein; an seiner Meinung starr festhalten. Der Kopf als Sinnbild des Eigenwillens. Seit dem 17. Jh.

49. einen anschlägigen (anschlägischen) ~ haben = klug, pfiffig sein. ↗anschlägig. Seit dem 16. Jh.

50. einen dicken ~ haben = a) eigensinnig, hartnäckig sein. ↗Dickkopf. Seit dem 19. Jh. – b) schwer begreifen. Die dicke Schädeldecke erschwert das Eindringen, oder Eigensinn erschwert das Begreifen. Seit dem 19. Jh. – c) eifrig nachgedacht haben; an Kopfschmerzen leiden. Seit dem 19. Jh. – d) Sorgen haben. Seit dem 19. Jh. – e) betrunken sein; unter den Nachwehen der alkoholischen Ausschweifung leiden. Seit dem 19. Jh.

51. einen guten ~ haben = leicht lernen. Seit dem 19. Jh.

52. einen harten ~ haben = a) begriffsstutzig sein. Man nimmt an, die harte Schädeldecke hindere am Begreifen. 1700 *ff.* – b) eigensinnig, unnachgiebig sein. 1700 *ff.*

53. einen kurzen ~ haben = a) ein schlechtes Erinnerungsvermögen besitzen. Kurzer Kopf = kurzes Gedächtnis. 1500 *ff.* – b) sehr dumm sein. 1900 *ff.*

54. einen offenen ~ haben = klug, aufgeweckt sein. ↗Kopf 5. Seit dem 18. Jh.

55. einen schweren ~ haben = a) langsam denken. Seit dem 19. Jh. – b) unter den Folgen des Rausches leiden; benommen sein. Seit dem 19. Jh.

56. einen tomatenroten ~ haben = stark erröten; sich schämen, genieren. 1900 *ff.*

57. nicht einmal den ~ in der Partitur haben = kein guter Dirigent sein. Anspielung auf die alte Musikerregel: „ein Kapellmeister soll die Partitur im Kopf haben, nicht den Kopf in der Partitur". Theaterspr. seit dem 19. Jh (?).

58. was man nicht im ~ hat, muß man in den Beinen (Füßen) haben = der Vergeßliche muß viele Wege machen. 1700 *ff.*

59. sich an den Köpfen haben = sich streiten; raufen. Verkürzt aus „sich an den Köpfen gekriegt haben". *Vgl* ↗Kopf 93. Seit dem 19. Jh.

60. das hat keinen ~ und keinen Arsch = das ist unfertig, sinnlos, unbrauchbar. Derbe Variante zu „das hat nicht ↗Hand noch Fuß". *Vgl* ↗Kopf 31. Seit dem 19. Jh.

61. den ~ voll Sprünge haben = Torheiten, Streiche sich ausdenken. ↗Sprung. 1900 *ff.*

62. den ~ nur zum Essen haben = dumm sein. 1910 *ff.*

63. den ~ nur zum Haareschneiden (Haarewaschen) haben = dumm sein. 1910 *ff, sold.*

64. den ~ nur zum Hütetragen haben = dumm sein. 1910 *ff.*

65. er hat seinen ~ nur, damit es zum Hals nicht reinregnet = er kann nicht denken. *BSD* 1965 *ff.*

66. er hat seinen ~ nur, damit die Krawatte nicht rüberrutscht = er ist sehr dumm. 1910 *ff.*

67. er hat seinen ~ nur, damit er das Stroh nicht unterm Arm zu tragen braucht = er ist geistesbeschränkt. Wahrscheinlich geprägt von Heinz Erhardt für den Film „Die Herren mit der weißen Weste" (1969). *Vgl* ↗Stroh im Kopf haben". *BSD* 1970 *ff.*

68. sich auf den ~ hacken lassen = sich halten. Der Kopf als Sinnbild des Eigenwillens. Seit dem 17. Jh.

alles gefallen lassen; zum eigenen Schaden nachgiebig sein. Wohl hergenommen von Vögeln, die aufeinander einpicken. 1900 *ff.*

69. den ~ hängen lassen = mutlos sein. Formulierte Gebärdensprache. 1500 *ff.*

70. etw (Geld) auf den ~ (Kopp) hauen = etw zu Geld machen; Geld durchbringen. Umschreibung für den Begriff „zerkleinern": der auf den Kopf geschlagene Mensch geht in die Knie und wird klein; das auf den Kopf geschlagene Tier bricht zusammen. 1900 *ff.*

71. jn auf den ~ hauen = jn verkleinern, verleumden. Moralische Variante zum Vorhergehenden. Seit dem 19. Jh.

72. hau' ihn auf den ~! = sichere dir den Stich! Kartenspielerspr. seit dem 19. Jh.

73. ich haue dich auf den ~, daß er zwischen den Beinen wieder rausguckt! Drohrede. 1870 *ff.*

74. ich haue dir auf den ~, daß deine Läuse piepen (wimmern)! Drohrede. Berlin seit dem späten 19. Jh.

75. ich haue dir auf den ~, daß du Plattfüße kriegst! Drohrede 1870 *ff.*

76. ich haue dir auf den ~, daß du durch die Rippen (den Brustkasten) guckst wie ein Affe durchs Gitter!: Drohrede. Berlin 1900 *ff.*

77. ich haue dir auf den ~, daß (dir) die Socken (Strümpfe) platzen!: Drohrede. 1910 *ff.*

78. einen in den (hohlen) ~ hauen = Alkohol zu sich nehmen. Hinter „einen" ergänze „Schnaps" o. ä. *BSD* 1965 *ff.*

78 a. jm etw vor den ~ hauen = jm etw unvermittelt (rücksichtslos) zumuten, jm etw unverhohlen sagen. Der Betreffende fühlt sich „wie vor den Kopf geschlagen". 1920 *ff.*

79. den ~ herhalten (hinhalten) = sich der Gefahr aussetzen; für etw einstehen; sich furchtlos zu einer Sache bekennen. Anspielung auf Enthauptung. Seit dem 19. Jh.

80. den ~ hochtragen = a) stolz, hochmütig sein. Der aufgerichtete Kopf als Sinnbildgebärde des Selbstbewußtseins, auch der Überheblichkeit. Seit dem 19. Jh. – b) eine Turmfrisur tragen. Aufgekommen um 1960/61 im Zusammenhang mit der Haartracht von Farah Diba, der damals noch ungekrönten Frau Mohammed Reza Pahlawis, des letzten Schahs von Iran.

81. einen blutige Köpfe holen = unter hohen Verlusten zurückgeschlagen werden. *Sold* 1870 *ff.*

82. jm auf den ~ kacken = jn schroff, entwürdigend rügen. Veranschaulichende Variante von „↗anscheißen 1". 1920 *ff.*

83. in seinem ~ klickt es = endlich begreift er. Im Spielautomaten macht es „klick", wenn der Groschen fällt (↗Groschen 6). Kann auch mit dem Fotoapparat zusammenhängen, dessen Blendenöffnung und -verschluß einen Klick-Laut erzeugt. 1950 *ff.*

84. etw auf den Kopp kloppen = etw zu Geld machen, verausgaben. Wohl des Lautreims wegen aus „↗Kopf 70" abgewandelt. 1920 *ff.*

84 a. sich etw in den ~ klopfen (kloppen) = sich etw einlernen, einprägen. 1978 *ff, stud.*

85. Geld auf den ~ knallen = Geld leichtsinnig ausgeben. ↗Kopf 70. 1950 *ff.*

86. einen in den hohlen ~ knallen = ein

Glas Alkohol trinken. ↗Kopf 78. *BSD* 1965 *ff.*

87. jm etw vor den ~ knallen = jn durch Worte kränken; jm etw heftig und unvermittelt sagen. Variante zu dem gebräuchlicheren „jm etw vor den ~ werfen". *Vgl* ↗Kopf 78 a. 1920 *ff.*

88. jm auf den ~ kommen = jm Schläge (Ohrfeigen) androhen; jn zurechtweisen; jm Einhalt gebieten. Seit dem 19. Jh.

89. etw aus dem ~ können = etw auswendig wissen. Seit dem 19. Jh.

90. das kann (wird) den ~ nicht kosten = das ist halb so schlimm; damit geht man kein Risiko ein. Seit dem 19. Jh.

91. es kostet ~ und Kragen = es geht ans Leben; es führt zum Bankrott. ↗Kopf 34. Seit dem 19. Jh.

92. hiervon kriegt man keinen ~ = von diesem Alkohol bekommt man keine Kopfschmerzen. ↗Kopf 47. 1900 *ff.*

93. sich an die Köpfe (an den, mit den Köpfen) kriegen = miteinander in Streit geraten. Analog zu „sich in die ↗Haare geraten". *Vgl* ↗Kopf 59. Seit dem 19. Jh.

94. etw nicht in den ~ kriegen = etw nicht begreifen. Seit dem 19. Jh.

95. jm den ~ lausen = jm heftige Vorhaltungen machen. *Vgl* ↗Kolben 7. Seit dem 19. Jh. (?)

96. ihm wird der ~ leck = er vergißt leicht; gute Gedanken kommen ihm abhanden. Beruht auf der Vorstellung vom auslaufenden Gehirn. *Vgl* ↗Sieb 7 u. 8. 1920 *ff.*

97. einen in den hohlen ~ leeren = Alkohol zu sich nehmen. *Vgl* ↗Kopf 78. *BSD* 1965 *ff.*

98. jm den ~ vor (zwischen) die Füße legen = jn enthaupten. Hehlausdruck. 1800 *ff* (wohl viel älter).

99. jm einen dicken ~ machen (jm den ~ dick machen) = jm Sorgen bereiten; jm eine schwere Denkaufgabe stellen; jm schwere Vorwürfe machen. Bildhaft ist gemeint, besondere (psychische, intellektuelle) Anstrengung treibe den Kopf auf, lasse ihn anschwellen wie einen „↗Ballon". Seit dem 19. Jh.

100. jm einen ~ (um einen ~) kürzer machen = jn enthaupten. Scherzhafter Hehlausdruck. 1600 *ff.*

101. jm einen ~ heiß (warm) machen = jm Ärger verursachen; jm ernste Dinge zu bedenken geben. Leitet sich vom Blutandrang im Kopf her. Seit dem 18. Jh.

102. nehmen Sie ~ auch gleich mit!: Erwiderung auf die Äußerung eines (einer) anderen: „Ich gehe (jetzt) zum Friseur!". 1930 *ff.*

103. sein ~ ist nur spärlich möbliert = er ist ziemlich einfältig. Von der Wohnungseinrichtung auf das Geistige übertragen. 1950 *ff.*

104. den ~ unter den Arm nehmen = sich zurückziehen; sich einem Wettbewerb verweigern. Gehört zu der geläufigeren Redewendung „den Kopf unter dem Arm tragen = schwerkrank, tot sein" (↗Kopf 147). 1950 *ff.*

105. sich den ~ nudeln lassen = sich das Haar in Wellen oder Rollen legen lassen. Nudeln werden gerollt. 1950 *ff.*

106. pump' mir mal deinen ~, ich möchte meiner Alten einen Schrecken einjagen: Redewendung angesichts einer mürrischen Miene. 1920 *ff.*

107. der ~ raucht = man denkt angestrengt nach; man ist mit einer schwierigen geistigen Arbeit beschäftigt. Übertragen vom rauchenden Schornstein als dem Sinnbild fleißigen Arbeitens. Doch *vgl* auch „↗rauchen 4". Seit dem 19. Jh.

108. mir raucht der ~ = ich habe Kopfschmerzen. 1900 *ff.*

109. sich um ~ und Kragen reden = aufrührerische Reden halten. Anspielung auf Enthauptung. Seit dem 19. Jh.

110. sich den ~ dick reden lassen = sich beschwatzen lassen. *Vgl* ↗Kopf 99. Seit dem 19. Jh.

110 a. sich die Köpfe heiß reden = sich ereifern; etw ausgiebig und leidenschaftlich erörtern. Erhitzung = Blutandrang zum Kopf. Seit dem 19. Jh.

111. mit dem ~ durch die Wand rennen = seinen Willen trotz aller Widerstände durchsetzen. *Vgl* auch das Folgende. Seit dem 15. Jh.

112. mit dem ~ gegen die Wand rennen = Unmögliches durchsetzen wollen und dabei zwangsläufig scheitern. Ein anschauliches Bild vom unausbleiblichen Mißerfolg unvernünftigen Wollens. 1600 *ff.*

113. ~ und Kragen riskieren = Aufruhr verbreiten; sich einer ernsten Gefahr aussetzen. ↗Kopf 34. Seit dem 19. Jh.

114. Köpfe rollen = Leute werden entlassen, ihrer Ämter enthoben. Die Kündigung ist hier mit der Enthauptung gleichgesetzt. 1919 *ff.*

115. sich etw im ~ rumgehen (durch den ~ gehen) lassen = etw gründlich überdenken. Seit dem 19. Jh.

116. jm auf dem ~ rumtanzen = sich gegenüber jm ungestraft Frechheiten erlauben. Hergenommen von einem kleinen Kind, das auf einem Erwachsenen klettert. Seit dem 19. Jh.

117. jm auf dem ~ rumtrampeln = jds Gutmütigkeit mißbrauchen. *Vgl* das Vorhergehende. Seit dem 19. Jh.

118. jm etw vor den ~ (auf den ~ zu) sagen = jm etw unumwunden und voller Überzeugung sagen; das entscheidende Wort sagen, gegen das kein Leugnen mehr hilft. Seit dem 19. Jh.

119. sich auf den ~ scheißen lassen = alles mit sich geschehen lassen; willenlos sein. Sogar gegen die entwürdigendste Behandlung kann man sich nicht wehren. Seit dem 19. Jh.

120. es schießt ihm durch den ~ = plötzlich kommt ihm ein Einfall. Schießen = vorwärtsstürmen. *Vgl* ↗Furz 27. 1900 *ff.*

121. sich etw aus dem ~ schlagen = eine Absicht aufgeben; einen Gedanken nicht weiterverfolgen. *Vgl engl* „You must get that out of your head" und *franz* „s'ôter quelquechose de l'esprit". Seit dem 17. Jh.

122. jm eine Beleidigung (ein Schimpfwort) an den ~ schmeißen (werfen) = jn beleidigen, beschimpfen. Was man einem an den Kopf wirft, läßt man ihm unverlangt (und unsanft) zukommen. *Vgl* ↗Kopf 162. 1800 *ff.*

123. ihm ist der ~ dick = er hat viel nachgedacht; er hat Kopfweh. *Vgl* ↗Kopf 99. 1800 *ff.*

124. da ist kein ~ und kein Arsch dran = die Arbeit ist gründlich verdorben wor-

den; die Sache ist völlig unbrauchbar. ↗Kopf 60. Seit dem 19. Jh.

125. jedenfalls ist der ~ dicker als der Hals: Ausdruck einschränkender Bestätigung. Eigentlich Vervollständigung eines mit „jedenfalls" eingeleiteten Satzes. Mit diesem Reimspruch auf „jedenfalls" ist ungefähr gemeint: „mag alles anders sein, wie es will, – eines steht fest: der Kopf ist dicker als der Hals". Spätestens seit 1900.

126. im ~ nicht ganz richtig sein = nicht voll bei Verstand sein. Anspielung auf Geisteskrankheit. Seit dem 18. Jh.

127. krank im ~ sein = dumm sein. Seit dem 19. Jh.

128. ohne ~ sein = spärlichen Haarwuchs besitzen. Aufgekommen gegen 1960 mit dem Wiederaufleben der Langhaartracht für junge Männer.

129. mit jm ein ~ und ein Arsch sein = mit jm eng befreundet sein. Vergröberte Variante zu „mit jm ein Herz und eine Seele sein". Während Herz und Seele hier die Übereinstimmung des Fühlens, des Seelischen und Geistigen ausdrücken, bezieht sich „Kopf" auf das Denken und „Arsch" auf das Grobnatürliche, auch auf das Geschlechtliche. 1800 *ff.*

130. jm den ~ zwischen die Ohren setzen = jn zurechtweisen. Die zuweilen als lustige Drohung an unartige Kinder bekannte Redensart umschreibt bildhaft die Wiederherstellung gestörter Ordnung; analog zu „jm den ↗Kopf zurechtsetzen". Seit dem 16. Jh.

131. jm etw in den ~ setzen = jn zu etw beschwatzen; jm eine bestimmte Vorstellung eingeben. Man setzt es ihm in den Kopf wie einen Steckling, der sich zu einer reifen Pflanze entwickeln soll. Seit dem 19. Jh.

132. sich etw in den ~ setzen = sich etw fest vornehmen und nicht mehr davon ablassen. Anspielung auf die Grillen, die nach altem Volksglauben ihr Unwesen im Kopf treiben. *Vgl engl* „to take something into one's head" und *franz* „se fourrer quelquechose dans la tête". Seit dem 18. Jh.

133. sich jn in den ~ setzen = in Liebe zu jm entbrennen. Seit dem 19. Jh.

134. mit dickem ~ sitzen (dasitzen) = sich ernstliche Sorgen machen; in arger Verlegenheit sein. ↗Kopf 99. 1800 *ff.*

135. jm auf den ~ spucken = jn überlegen; jn „von oben herab" behandeln. Spucken gilt als mimische Handlung der Geringschätzung; die Redewendung umschreibt die Verhöhnung und Entwürdigung durch einen Mächtigeren. Seit dem 19. Jh.

136. ich spucke dir auf den ~, daß du drei Tage unter Wasser stehst!: Drohrede. *Vgl* das Vorhergehende. Berlin 1910 *ff.*

137. den ~ ins Loch stecken = die unangenehmen Folgen auf sich nehmen. Gemeint ist das Halsloch des Prangerblocks, der Schandgeige usw., auch die Höhlung des Richtblocks. Seit dem 19. Jh.

138. den ~ in den Sand stecken = die wirklichen Verhältnisse nicht sehen wollen; vor der Wahrheit die Augen verschließen. Fußt auf der vorwissenschaftlichen Behauptung, der Vogel Strauß stecke bei Gefahr den Kopf in den Sand, weil er meine, wenn er nichts sehe, könne er auch nicht gesehen werden. Seit dem 19. Jh.

139. etw in den ~ stecken = etw essen. *BSD* 1965 *ff.*

140. ~stehen = überrascht, sprachlos, hochgradig aufgeregt sein. Scherzhafte Umschreibung für geistige Verwirrung. Seit dem 19. Jh.

141. danach steht ihm der ~ nicht = dazu ist er nicht in Stimmung. Kopf = Sinn, Interesse. Seit dem 18. Jh.

142. nicht wissen, wo einem der ~ steht = völlig ratlos sein; völlig erschöpft sein; unter einer Überlast von Arbeit stehen. Seit dem 18. Jh.

143. jn auf den ~ stellen = a) als Arzt jn gründlich untersuchen. Umschreibung für „das Unterste zuoberst kehren". 1900 *ff.* – b) jn energisch an seine Geldschuld erinnern. Stellt man den Schuldner auf den Kopf, müßte das Geld ihm aus den Hosentaschen fallen. 1900 *ff.*

144. du kannst mich auf den ~ stellen = ich weiß es wirklich nicht! 1920 *ff.*

145. und wenn du dich auf den ~ stellst (und mit den Beinen Hurra brüllst; und mit den Beinen wackelst; und mit den Beinen Fliegen fängst)!: Ausdruck der Verneinung. Hergenommen von Straßenbettlern, die sich auf den Kopf stellen und für ihre turnerische Leistung Geld erwarten. *Vgl engl* „I would not do it even if he stands on his head". Seit dem 18. Jh.

146. jn an (vor) den ~ stoßen = jn empfindlich kränken. Hergenommen von einem wirklichen Stoß vor den Kopf, von einem tätlichen Angriff. *Vgl franz* „heurter quelqu'un de front". 1600 *ff.*

147. den ~ unterm Arm tragen = a) schwerkrank sein; nicht kriegsdienstverwendungsfähig sein. Übernommen von der militärischen Vorschrift, wonach beim Betreten eines Zimmers die Kopfbedeckung abzusetzen und unter den linken Arm zu nehmen ist. *Vgl* aber auch „den ~ unter den Arm nehmen" (↗ Kopf 104). 1914 *ff.* – b) wirtschaftlich vernichtet sein. 1935 *ff.*

148. auf den ~ treten = die Fahrgeschwindigkeit erhöhen. Gemeint ist der Kopf des Gaspedals. 1955 *ff, halbw.*

149. jm den ~ verdrehen = jn verwirrt, verliebt machen; jm die ruhige Besinnung rauben. Entsprechung zu schriftsprachlich „jm den Sinn verrücken". Seit dem 18. Jh.

150. jm (sich) den ~ verkeilen = jm (sich) etw einreden; von einem Vorhaben nicht ablassen; sich verlieben; jn verliebt machen. Hergenommen von falschem Eintreiben der Keile: man handhabt sie so ungeschickt, daß sie sich nicht mehr entfernen lassen. *Vgl* auch das Vorhergehende. 1800 *ff.*

151. den ~ verlieren = die ruhige Überlegung verlieren; rat-, hilflos werden. *Vgl engl* „to lose one's head". 1700 *ff.*

152. jm den ~ vernageln = jn heftig prügeln. Gemeint ist wohl, daß man den Betreffenden besinnungslos schlägt; *vgl* ↗ vernagelt. 1900 *ff.*

153. der ~ ist vernagelt = man begreift nicht. *Vgl* ↗ vernagelt. 1920 *ff.*

154. den hohlen ~ vollhauen = sich betrinken. ↗ Kopf 78. *BSD* 1965 *ff.*

155. sich mit etw den ~ vollpfropfen = (Fach-) Wissen sich aneignen. Seit dem 19. Jh.

156. jm den ~ vollquatschen (vollreden, vollschwätzen) = jm durch Schwätzen lästig fallen; langanhaltend auf jn einreden. Seit dem 19. Jh.

157. der ~ ist ihm durch die Haare gewachsen = er hat eine Glatze. Wie ein Pilz wächst der Schädel durch die Haarschicht. *Vgl* ↗ Kopf 46. 1840 *ff.*

158. jm über den ~ wachsen = jm überlegen werden; jds Einfluß entgleiten. Stammt aus der Bibel (Esra 9, 16). Seit dem 18. Jh.

159. jm den ~ waschen = jn heftig rügen. Fußt in der Grundvorstellung auf der umgangssprachlich beliebten Gleichsetzung des Tadelns mit dem äußerlichen Reinigen; im engeren Sinne vom Bader (Friseur) gemeint. *Vgl franz* „laver la tête à quelqu'un". 1500 *ff.*

160. ich haue dir den ~ zwischen den Ohren weg!: Drohrede. *BSD* 1965 *ff.*

161. wenn der Mensch verrückt wird, fängt es im ~ an (wird er es zuerst im ~): Redewendung bei Anhören einer unsinnigen, in vollem Ernst vorgetragenen Ansicht oder Absicht. Seit dem späten 19. Jh.

162. jm etw an den ~ werfen = jm Vorhaltungen machen. ↗ Kopf 122. *Vgl franz* „jeter quelquechose à la figure de quelqu'un". Seit dem 19. Jh.

163. etw auf den ~ wichsen = Geld ausgeben, verschwenden. ↗ Kopf 70; ↗ wichsen. 1900 *ff.*

164. etw aus dem ~ wissen = etw auswendig wissen. Seit dem 19. Jh.

165. mit dem ~ durch die Wand wollen (gehen) = etw erzwingen wollen. ↗ Kopf 111. Seit dem 16. Jh.

166. es will ihm nicht in den ~ = er kann es nicht begreifen. Seit dem 18. Jh.

167. ich wünsche dir den ~ voll Läuse und so kurze Arme, daß du dich nicht kratzen kannst!: gehässige Anwünschung. 1900 *ff.*

168. sich den ~ zerbrechen = angestrengt nachdenken. Hierbei hat man das Gefühl, als wolle der Schädel zerspringen. Seit dem 18. Jh.

169. sich jds ~ zerbrechen = sich über eine Sache Gedanken machen, die einen nichts angeht; die Schwierigkeiten eines anderen zu beheben trachten. 1930 *ff.*

170. den ~ aus der Schlinge ziehen = sich im letzten Augenblick retten. Hängt ursächlich nicht mit der Schlinge am Galgen zusammen, sondern mit der vom Fallensteller gelegten Schlinge, der das Wild soeben noch entkommen konnte. 1500 *ff.*

171. der ~ ist zugenagelt = man ist begriffsstutzig. ↗ Kopf 153. 1920 *ff.*

172. den ~ zumachen = a) verstummen. Meist in der Befehlsform. Übertragen von der Schließung eines Geschäftslokals. Der Mund als Tür und Tor. *Sold* 1935 *ff.* – b) schlafen. 1950 *ff.*

173. jm den ~ zurechtsetzen (zurechtrücken) = jn tadeln. ↗ Kopf 130. 1600 *ff.*

174. die Köpfe zusammenstecken = etw heimlich bereden; über eine Sache angestrengt beratschlagen. 1500 *ff.*

Kopfballartist *m* für wirkungsvolle Kopfbälle bekannter Fußballspieler. 1965 *ff, sportl.*

Köpfchen *n* 1. Schläue, Gewitztheit. Diminutivisch verniedlicht seit 1900 aus „Kopf haben = denken können".

2. schmerzender Kopf nach ausgiebiger Zecherei. Seit dem ausgehenden 19. Jh.

3. ausgeruhtes ~ = gewitzter, aufgeweckter Mensch. 1950 *ff.*

4. kluges ~ = Elektronenrechner. 1960 *ff.*

5. ein rundes ~ haben = sehr belesen, klug, schlau sein. Hängt mit der Sinnbildgeltung von „rund = vollkommen" zusammen. 1935 *ff.*

köpfen *v* 1. der Wein köpft = der Wein steigt zu Kopf. 1900 *ff.*

2. eine Ampulle ~ = den Hals einer Ampulle durchsägen, abbrechen. 1920 *ff.*

3. eine Flasche ~ = eine Flasche Wein öffnen (und trinken). 1920 *ff.*

4. eine Zeitschrift ~ = den Titel einer Zeitschrift oder Zeitung ausschneiden. 1920 *ff.*

kopfgesteuert *adj* besserwisserisch. Moderne Variante zum „Arbeiter der Stirn" als Gegensatz zum „Arbeiter der Faust". *Vgl* auch das Folgende. *BSD* 1965 *ff.*

Kopfgesteuerte *pl* Hubschrauberstaffel. Sie wird eigentlich durch Sprechfunk über die Kopfhörer des Piloten gelenkt, der selbst in eine passive Rolle gedrängt ist. *BSD* 1965 *ff.*

Kopfhörer *pl* Ohrenschützer. *Sold* 1939 bis heute; auch *rotw.*

Kopfkissen *n* das ~ abhorchen (am ~ horchen) = schlafen. *Vgl* „an der ↗ Matratze horchen". 1930 *ff; sold.*

Kopfkissen-Bekanntschaft *f* intimes Liebesverhältnis. 1935 *ff.*

Kopfkissengeschöpf *n* = zur Freizeitgestaltung = intime Freundin; beischlafwilliges Mädchen. 1950 *ff.*

Kopfkissenzerstörer (-zerreißer, -zerwühler) *m* angenehme Bettgenossin; intime Freundin. 1935 *ff.*

kopflastig *adj* stark bezecht; arg unter den Folgen des Rausches leidend. Der Bezechte „hat einen schweren Kopf", der ihm schließlich auf die Brust niedersinkt. 1910 *ff.*

kopfmäßig *adv* sich etw ~ klarmachen = etw zu begreifen suchen. 1982 *ff, halbw,* Hamburg.

Kopfnuß *f* Schlag mit den Fingerknöcheln an den Kopf; Ohrfeige. Anspielung auf Härte und Form des Fingerknöchels. 1700 *ff.*

Kopfrechnen *n* ~ schwach, Religion gut: Schelte auf einen wirklichkeitsfremden Dümmling. 1900 *ff.*

kopfscheu *adv* jn ~ machen = jn einschüchtern, entmutigen, kränken. Übertragen vom Pferd, das sich nicht gern an den Kopf fassen läßt. 1900 *ff.*

Kopfschmerzen *pl* 1. nützlich wie ~ = unnütz, zwecklos, unverwertbar. 1950 *ff.*

2. sich wegen einer Sache ~ machen = sich wegen einer Sache ernstliche Sorgen machen; über eine Sache angestrengt nachdenken. 1900 *ff.*

3. sich ~ zulegen = eine Unpäßlichkeit vorschützen. 1900 *ff.*

Kopfstand *m* einen ~ bauen = bei der Landung mit dem Flugzeug sich halb überschlagen; auf dem Flugzeugkanzel landen. Fliegerspr. 1914 bis heute.

Kopfstück *n* 1. Schlag auf den Kopf; Ohrfeige. 1700 *ff.*

2. Kopfverwundung. *Sold* 1914 *ff.*

Kopfwäsche *f* heftige Zurechtweisung. ↗ Kopf 159. Spätestens seit 1900.

Kopfwindel f Kufija. Für den Palästina-Araber Arafat, den Generalsekretär der Organisaton zur Befreiung Palästinas, die typische Kopfbedeckung in Form eines bunt gewürfelten Kopftuchs. 1975 ff.

kopieren intr vom Mitschüler abschreiben. Analog zu „↗vervielfältigen". 1950 ff.

Koppelfrauen pl zwei Ehefrauen, die sich gegenseitig helfen (während die eine berufstätig ist, betreut die andere deren Haushalt und Kinder). Koppeln = verbinden. 1964 ff.

Koppelgeschäft n Kauf, bei dem man eine andere Ware mitkaufen muß. 1960 ff.

koppen (koppeln, koppern) intr 1. aufstoßen; Aufstoßen haben. Schallnachahmender Natur seit mhd Zeit, wo es das Rülpsen des Pferdes bezeichnet. Etwa seit 1500 auch auf den Menschen angewendet. Vorwiegend oberd.
2. nörgeln, schimpfen, aufbegehren. Analog zu ↗kotzen. Seit dem 19. Jh.

kopperneckisch (koppernäckisch) adj
1. schwierig. Vgl ↗koppen, koppern 1 und 2. Das zugrundeliegende Bild des rülpsenden Pferdes hat hier auch noch durch „Kopp = verschnittener Hahn" beeinflußt sein; und „neckisch" meint nicht „spaßig", sondern „näckisch = näckig = den Nacken, den Hals betreffend". Seit dem 19. Jh.
2. aufbegehrend; widerspenstig. Seit dem 19. Jh.

koppheister gehen intr 1. sich überschlagen; kentern. Herkunft ungesichert. Seit dem 19. Jh.
2. umkommen, verelenden; Bankrott machen. 1900 ff.
3. verloren gehen. 1900 ff.
4. sterben; den Soldatentod erleiden. Sold in beiden Weltkriegen.

Koralle f da lacht die ∼: Erwiderung auf eine witzige Bemerkung. Hergenommen von der stehenden Überschrift der Witzseite in dem Ullstein-Magazin „Die Koralle". Jug 1930 ff.

Korb m 1. Ablehnung; ablehnender Bescheid; Zurückweisung eines Heiratsantrags. ↗Korb 4. Seit dem 17. Jh.
2. Bett. Übernommen vom Hundekorb; geläufiger in der Verkleinerungsform. Fliegerspr. und marinespr in beiden Weltkriegen.
3. sich einen ∼ einhandeln = abgewiesen werden. Seit dem 19. Jh.
4. jm einen ∼ geben = jn abweisen; einen Heiratsantrag zurückweisen; jm etw ablehnen. In mittelalterlichen Geschichten wird erzählt, daß der Liebhaber in einem Korb zum Gemach der Geliebten emporgezogen wird; lehnt sie ihn ab, wählt sie einen Korb mit dünnem oder losem Boden, so daß der Freier durch den Korb fällt. 1600 ff.
5. jm den ∼ höher hängen = jm die Nutzung einer Sache erschweren; jm Einschränkungen auferlegen. Verkürzt aus ↗Brotkorb 3. 1900 ff.
6. sich einen ∼ holen = abgewiesen werden. Seit dem 18. Jh.

Körbchen n 1. Bett. Hergenommen vom Hunde-, Bienen-, Vogel- oder Hühnerkorb. Seit dem späten 19. Jh.
2. husch husch ins ∼! = rasch zu Bett! ↗husch. 1910 ff.
3. wieder ins ∼ gehen = nach feierlicher Begrüßung sich wieder zurückziehen. 1920/30 ff.

Körberlgeld n durch günstigen Einkauf eingespartes Geld. Körberl = Einkaufskörbchen. Wien seit dem 19. Jh.

Korbgroschen (-pfennige) pl vom Einkaufsgeld herauswirtschafteter und von der Hausfrau für sich behaltener Geldbetrag. Vgl ↗Körberlgeld. Seit dem 19. Jh.

Koreapeitsche f kurzer Haarschnitt. Hergenommen von der Haartracht der US-Soldaten im Koreakrieg (1950–53). Halbw 1955 ff.

Korinthen pl 1. Ziegen-, Schafkot. Wegen der Formähnlichkeit. Seit dem 19. Jh.
2. ∼ im Kopf haben = hochfliegende Pläne haben. Parallel zu „↗Rosinen im Kopf haben". 1900 ff.
3. ∼ kacken = kleinlich sein. Das drückt sich sogar beim Koten aus. Seit dem 19. Jh.

Korinthenaugen pl kleine Augen. Herzuleiten vom Gebildbrot, in dem man die Augen durch Korinthen darstellt. 1900 ff.

Korinthenfabrik m Ziege, Schaf. ↗Korinthen 1. 1910 ff.

Korinthenkacke f widerwärtige Kleinlichkeit. ↗Korinthen 3. 1900 ff.

Korinthenkacker m 1. kleinlicher Mensch; enggeistiger Beamter. ↗Korinthen 3. Seit dem 19. Jh.
2. Feigling. 1920 ff.

Korken m 1. breite, flache Nase. Sie ähnelt einem schräg längs halbierten Korken. 1900 ff.
2. Versager. Der Korken entfährt der Sektflasche mit lautem Knall, aber sonst bringt er nichts zustande. Schül 1950 ff.
3. dicker ∼ = grobe Disziplinwidrigkeit; schwere Straftat. Parallel zu „dickes ↗Ding". Sold 1939 ff.
4. dufter ∼ = großartige Sache; hervorgender Einfall. ↗dufte. Halbw 1960 ff.
5. harter ∼ = große Schwierigkeit. Ihn aus der Flasche zu ziehen, bedarf großer Anstrengung. 1950 ff.
6. seine ∼ abschießen = in der Jazzband o. ä. sich besonders hervortun. Anspielung auf knallende Klänge. Halbw 1955 ff.
7. einen ∼ im Arsch haben = unter Verstopfung leiden. BSD 1965 ff.
8. das ist ein mächtiger ∼ = das ist eine ansehnliche Sache (auch iron). Sold 1939 ff.

Korkenparty f Party, bei der jeder seine Getränke mitbringt. Eine moderne Variante zum „↗Stopfengeld" oder „↗Stöpselgeld". 1960 ff.

Korkenzieherlocken pl 1. seitliche Locken der Frauen. Sei sind wie Korkenzieher gedreht. Seit der Biedermeierzeit.
2. Haarlocken der orthodoxen Juden. Wie das Vorhergehende.

Korks m n ∼ machen = Durcheinander verursachen. Vgl das Folgende. 1900 ff.

korksen intr 1. schlecht, unzweckmäßig zu Werke gehen. Bezieht sich entweder auf die schlecht verkorkte Flasche, deren Inhalt dadurch beeinträchtigt wird, oder gehört als Nebenform zu „gorgsen, gorksen" im Sinne von „gurgelnde Geräusche von sich geben, sich erbrechen" woraus die übertragene Bedeutung „nachlässig arbeiten" entwickelt. Seit dem 19. Jh, nordd und ostd.
2. schlecht spielen (Billard, Fußball o. ä.). Seit dem 19. Jh.
3. mühsam fahren. 1900 ff.
4. kränkeln. 1900 ff.

Kormel m ↗Kurmel.

Korn n 1. Körner picken (aufpicken) = essen. Vom Federvieh übertragen. 1935 ff, sold.
2. die Körner vom Chef aufpicken = dem Vorgesetzten würdelos ergeben sein. Sold 1935 ff.
3. ∼ einfahren = Kornbranntwein trinken. BSD 1965 ff.
4. jn (etw) auf dem ∼ haben = jn (etw) beobachten; auf jn (etw) seine Absichten richten; jn nicht ausstehen können und es ihn entgelten lassen. Bezieht sich auf das Visierkorn am Gewehrlauf. Beim Zielen liegt für das Auge des Schützen das Ziel auf dem Korn. Seit dem 18. Jh.
5. das ∼ klemmen = schielen. Wenn der Schütze beim Anvisieren den Gewehrlauf etwas verdreht, rückt das Korn aus der Visierlinie und scheint in der Kimme zu klemmen; der Schuß geht fehl. 1840 ff.
6. jn (etw) aufs ∼ nehmen (holen) = jn (etw) scharf beobachten; jn (etw) nicht aus den Augen lassen. ↗Korn 4. Seit dem 18. Jh.

'korn'blumen'blau ('kornblumenblau) adj präd schwer bezecht. Steigerung von „↗blau 5", vielleicht mit Anspielung auf „Kornbranntwein". Seit dem frühen 20. Jh.

Körnchenpicker m dem Vorgesetzten würdelos ergebener Mensch; Untergebener, der dem Vorgesetzten eifrig lauscht. ↗Korn 2. 1935 ff.

Korninsel f Branntweinausschank; kleines Wirtshaus. Korn = Kornschnaps. 1920 ff.

Körper m 1. nettes, hübsches, umgängliches Mädchen. Das schöne Äußere als Wertmaßstab. Halbw 1955 ff.
2. ach du armer ∼! Ausdruck der Überraschung. Vielleicht aus dem Anrufung Christi am Kreuz hervorgegangen. 1930 ff.
3. und das (und so bin ich) am ganzen ∼l: iron Nachsatz, wenn man wegen einer Eigenschaft gelobt wird. 1945 ff.
4. den ∼ abstauben = sich waschen. BSD 1960 ff.
5. den ∼ auftanken = neue Kräfte sammeln; eine Kur machen. Übertragen vom Nachfüllen des Brennstoffs, damit der Motor arbeiten kann. 1930 ff.
6. den ∼ mit Sonne auftanken = sonnenbaden. 1950 ff.
7. sowas nagt am ∼ = derlei wirkt zermürbend. Übernommen von der Metapher „nagender Kummer". 1960 ff.

Körpermuff m Körpergeruch. ↗Muff. Aufgekommen mit der zunehmenden Schönheitspflege in der Wohlstandsgesellschaft; 1950 ff.

Körperteil m 1. der dazu bestimmte ∼ = Gesäß. Bestimmt ist er entweder zum Hineintreten oder zum Hineinkriechen. 1900 ff.
2. edelster ∼ = Gesäß. 1930 ff.
3. gewisser ∼ = Gesäß. 1900 ff.

Korps n 1. der Rache = Gruppe mißliebiger Leute; Gesindel. Hängt zusammen mit der „Schwarzen Schar", dem 1813 aufgestellten Jägerkorps des Freiherrn von Lützow, das später „Korps der Rache" genannt wurde. Da nach der Niederlage dieses Freikorps am 17. Juni 1813 bei dem Dorf Kitzen (in der Nähe Merseburgs) Theodor Körner weiterhin patriotische Lieder zur Verherrlichung der Lützowschen Jäger dichtete, während die Vorgänge von

Kitzen auch dem „breiten" Volk nicht verborgen blieben, machte man aus dem „Korps der Rache" spöttisch einen „Chor der Rache", 1840 ff. („Chor der Rache" = volkstümliche Bezeichnung für eine jämmerliche oder schlechte Gesellschaft; fälschlich „Corps der Rache" genannt.) **2.** leichtes ~ = Ballett-Tänzerinnen. Einerseits wegen der leichtfüßigen Beschwingtheit, andererseits wegen der vermeintlich oder wirklich „leichten" Liebesauffassung. 1900 ff.

Korpser (gesprochen wie geschrieben) m Student einer schlagenden Verbindung. 1920 ff.

Korsett n **1.** Leibbinde. Sold 1914 bis heute. **2.** ~ der Würde = streng dienstliches, förmliches Verhalten. 1920 ff. **3.** moralisches ~ = Sittengesetz; moralischer Halt. 1933 ff. **4.** seelisches ~ = seelischer Halt. 1920 ff. **5.** das moralische ~ ist angekratzt = die sittlichen Grundsätze werden nicht mehr unbedingt eingehalten. 1933 ff. **6.** seinen Gefühlen ein ~ anlegen = Herr seiner Gefühle bleiben; sich beherrschen. 1920 ff. **7.** in einem ärztlichen ~ leben = unter ärztlicher Aufsicht leben. 1960 ff. **8.** in ein ~ passen = den Vorstellungen (Notwendigkeiten) entsprechen. 1960 ff. **9.** ihr ist das ~ geplatzt = sie hat einen Darmwind entweichen lassen. Halbgalante Beschönigung. 1910 ff. **10.** jm das ~ stärken = jm durch günstige, verschönte, beschönigende Aussagen Beistand leisten. 1950 ff.

Korsettstange f **1.** Beihilfe zur Durchführung einer Absicht. Sie stärkt einem das Rückgrat, die Standfestigkeit und das Beharrungsvermögen. 1930 ff. **2.** tatkräftiger Helfer. 1930 ff. **3.** der Mannschaft haltgebender Fußballspieler. Sportl 1965 ff. **4.** pl = Anschauungen, Sitten o. ä., die die freie, natürliche Entfaltung der Persönlichkeit behindern. 1930 ff. **5.** moralische (seelische) ~ = innerer Halt; geistig-seelische Unerschütterlichkeit. 1933 ff. **6.** jm ~n einsetzen (einziehen) = jn zur Standfestigkeit ermahnen; jn in seiner Entschlossenheit bestärken; jm Festigkeit vermitteln. 1933 ff.

koscher adj **1.** unbedenklich, einwandfrei, sauber, unverdächtig. Stammt aus dem Jiddischen, wo die gleichlautende Vokabel ursprünglich auf die Reinheit gemäß den jüdischen Speisegesetzen bezogen war; die allgemeine Bedeutung im heutigen Sinn wurde im 18. Jh gel. **2.** nicht ~ = menstruierend. Seit dem 19. Jh. **3.** mir ist nicht ganz ~ (ich bin nicht ganz ~) = ich fühle mich unwohl, unbehaglich. Seit dem 19. Jh.

koschern refl **1.** sich verräterische Gegenstände entledigen; die Diebesbeute dem Hehler verkaufen. Man macht sich „↗koscher = sauber = unverdächtig". 1850 ff. **2.** alte Schulden bezahlen. Seit dem 19. Jh.

Kosmetik f **1.** verschönernder Umbau; Wiederinstandsetzung. 1960 ff. **2.** Beschönigung; Vorspiegelung. 1965 ff. **3.** innere ~ = vernünftige, natürliche Ernährungsweise. 1960 ff.

Kosmetiksalon m stark geschminkte Frau.

Sie stellt eine ganze Palette von Verschönerungsmitteln zur Schau. 1950 ff.

Kosmetikstudio n Mädchenrealschule; Handelsschule. 1965 ff.

kostbar adj sich ~ machen = selten in Erscheinung treten, um mehr zu gelten. Der Wert der Kostbarkeit steigt mit ihrer Seltenheit. Seit dem 18. Jh.

Kosten pl ~ schinden = mehr Kosten in Rechnung stellen, als tatsächlich entstanden sind. ↗schinden. 1920 ff.

Kostenpunkt m gesetzliches Strafmaß für eine Straftat; Verurteilung zu einer Strafe. Von der Preisberechnung übertragen. 1900 ff.

Kostgänger m **1.** fester Freund einer Halbwüchsigen. Bezieht sich auf die Gewährung von geschlechtlicher Kost. 1950 ff, halbw. **2.** (laufende) ~ = Ungeziefer. „Laufend" meint sowohl „krabbelnd" als auch „ständig". 1600 ff. **3.** unser Herrgott hat seltsame ~: Redewendung auf wunderliche Mitmenschen. Seit dem 19. Jh.

Kosthappen m erotischer ~ = flüchtiger oder vereinzelter Kuß; kurze Intimität. Eher ein Appetithappen als ein vollwertiges Essen. Halbw 1955 ff.

Kostprobensalat m Filmvorschau; Programmhinweis auf eine Fernseh-Magazinsendung. ↗Salat. 1930 ff.

Kostschachtel f Vermieterin möblierter Zimmer, meist mit Frühstück (= Frühkost). ↗Schachtel. Wien 1950 ff.

Kostümfest n zur Strafe verfügtes Antreten der Soldaten in (wechselnd) verschiedenen Uniformen (mit unterschiedlicher Ausrüstung) binnen kurzer Zeit. Anspielung auf Karnevalsbräuche. 1900 ff.

Kostümprobe f Uniformprobe; Antreten mit feldmarschmäßiger Ausrüstung. Vgl ↗Kostümfest. 1900 ff.

Kostümschwof m Kostümball. ↗Schwof. 1920 ff.

Kostverächter m kein ~ sein (nicht den ~ spielen) = sich keiner anziehenden Frau versagen. 1870 ff.

Kötel m **1.** kugel-, eiförmiger Kot; Kotklümpchen. Verkleinerungsform von „Kot". 1700 ff. **2.** kleiner, frecher, vorlauter Junge. Vorwiegend westd, seit dem 19. Jh.

Kotelett n **1.** dummer, einfältiger Mensch. Der Dumme ist nicht nur einfach, sondern auch auf beiden Seiten „↗bekloppt", wie es mit dem Kotelett zu geschehen pflegt, ehe man es in die Pfanne legt. Vielleicht Kasernenhofwitz eines Ausbilders. 1939 ff. **2.** ~ in Darm = Bratwurst. Halbw 1955 ff. **3.** katholisches ~ = Bratfisch. Anspielung auf das Fischgericht am Fasten-Freitag der Katholiken. BSD 1965 ff.

Kotelettenkünstler m Frisör. Koteletten nennt man den Backenbart, der die halbe Wange hinunterreicht. 1900 ff.

Koteletten-Orpheus m Sänger mit „Koteletten" (vgl das Vorhergehende). 1960 ff.

Kotelett-Friedhof m dicker Bauch. In ihm fanden viele Koteletts ihre „letzte Ruhe". 1914 ff.

Kotelettlokomotive f beleibte Frau. „Lokomotive" meint im übertragenen Sinn den schwerfälligen, massigen Menschen. Vgl das Vorhergehende. Halbw 1955 ff.

Kotelettstück n weibliche Person. Anspie-

lung auf den biblischen Bericht von der Erschaffung des Weibes aus einer Rippe des Mannes. 1900 ff.

kötelig adj kleinwüchsig. ↗Kötel 2. Westd seit dem 19. Jh.

Kötelkiste f Gesäß. 1900 ff.

köteln intr koten. ↗Kötel 1. Seit dem 19. Jh.

Köter m **1.** Hund (abf). Gehört zu mittelniederd „kuten = schwatzen" und rheinfränk „kauzen = bellen"; andererseits sind nordd „Kote = kleines Bauernhaus" und „Köter = Besitzer eines kleinen Bauernhauses". Seit dem 16. Jh. **2.** dreckiger ~ = charakterloser, niederträchtiger Mann. ↗Hund 3; ↗dreckig 1. 1930 ff.

Kotflegelei f Rücksichtslosigkeit des Kraftfahrers, dessen Wagen Fußgänger mit Kot bespritzt. Flegelei = Unverschämtheit. 1965 ff.

Kotten m **1.** kleiner landwirtschaftlicher Betrieb. Fußt auf mhd „kote = kleines Bauernhaus; Haus eines Tagelöhners". Seit dem 19. Jh. **2.** minderwertiges, baufälliges Gebäude. 1900 ff. **3.** Schule. 1900 ff. **4.** Gerichtsgebäude. Niederd 1900 ff.

Kotter m **1.** Gefängnis. Eigentlich der Schafstall, auch die Hütte. Hieraus weiterentwickelt zur Bedeutung „Käfig". 1500 ff. **2.** Irrenhaus. Österr 1900 ff.

Kotz m **1.** ausgebrochener Mageninhalt; das Erbrechen. ↗kotzen 1. Seit dem 19. Jh. **2.** Husten. Seit dem 19. Jh. **3.** Widerwärtiges. 1900 ff. **4.** Prahler, Lügner. ↗Großkotz. Rotw 1920 ff.

Kotz- (kotz-) als erster Teil von doppeltbetonten Flüchen, Unmutsäußerungen sowie verstärkenden Adjektiven ist aus „Gottes" entstellt. Seit dem 17. Jh.

Kotzbalken m minderwertige Zigarre. In übertriebener Auffassung eine balkenförmige Zigarre, die Brechreiz verursacht. Sold 1870 ff; auch ziv.

kotzbar adj ekelhaft, mangelhaft, schlecht. Nach dem Muster von „kostbar" gebildet. ↗kotzen 1. 1930 ff.

'kotzbe'schissen adj höchst widerwärtig. Anspielung auf Übelkeit mit Erbrechen und Durchfall. ↗kotzen 1; ↗beschissen. 1900 ff.

'Kotz'blitz interj Ausruf des Unwillens. Aus dem älteren „↗Potz Blitz" abgewandelt. ↗Kotz-. 1800 ff.

'kotz'blöde adj sehr einfältig. 1900 ff.

'Kotz'bombene'lement interj Ausruf des Unwillens.

'Kotz'bombenundgra'naten interj Ausruf der Verzweiflung. 1900 ff.

Kotzbrocken m widerwärtiger Mensch. Er ist einem ebenso zuwider wie erbrochene Speisereste. ↗kotzen 1. 1930 ff.

'Kotz'donner interj Ausruf des Unmuts.

'Kotz'donnerwetter interj Verwünschung. Seit dem 19. Jh.

Kotze f **1.** Erbrochenes. ↗Kotz 1; ↗kotzen 1. 1700 ff. **2.** Mund des Schwätzers. Kotzen = grob reden. 1930 ff. **3.** ärmelloser Umhang; grobes Oberkleid; zottige Wolldecke; Filzdecke. Gehört zu „Kutte". Seit mhd Zeit.

3 a. die ganze ~ = Gesamtheit aller widerwärtigen Leute. 1980 *ff*, Berlin, *jug.*
3 b. große ~ = heftiges Angewidertsein. 1920 *ff.*
4. halt' die ~! = schweig' endlich still! Kotze = Mund. 1930 *ff.*
5. die ~ kriegen = angewidert werden. Kotze = Brechreiz. 1920 *ff.*
6. krieg' die ~!: Ausdruck höchsten Mißfallens. 1920 *ff.*
7. das ist kalte ~ = das ist höchst widerwärtig; Ausruf des Unwillens. 1950 *ff.*
Kotzebue *Pn* **1.** ~s Verzweiflung = Brechreiz. Der Name des deutschen Bühnendichters August von Kotzebue (1761–1819) tritt tarnend an die Stelle von „kotzen". Seit dem 19. Jh.
2. ~s Werke herausgeben (studieren) = sich erbrechen. Scherzhafte Verhüllung von „kotzen" dank der lautlichen Übereinstimmung mit dem Namen des Dichters. Kotzebue wurde am 23. März 1819 in Mannheim von dem Theologiestudenten K. L. Sand ermordet; für das darauffolgende Jahr ist die Redensart belegt.
3. ~ rufen = sich erbrechen. 1850 *ff.*
kötzeln *intr* **1.** Brechreiz verspüren. ↗ kotzen 1. Seit dem 19. Jh.
2. Anzeige erstatten; ein Geständnis ablegen. ↗ kotzen 4. 1950 *ff.*
kotzen *intr* **1.** sich erbrechen. Im 15. Jh zusammengezogen aus „koppezen", dem Intensivum zu „koppen = erbrechen".
2. husten. Wegen einer gewissen Verwandtschaft in Lautäußerung und Gebärde. Seit dem 19. Jh.
3. schimpfen; grob reden. *Vgl* ↗ anscheißen 1 b. 1900 *ff.*
4. ein Geständnis ablegen. Man gibt es stückweise von sich wie beim Erbrechen. *Rotw* seit dem frühen 19. Jh.
5. in Abständen feuern. *Sold* in beiden Weltkriegen.
6. explodieren, detonieren. *Sold* in beiden Weltkriegen.
7. auf etw ~ = etw weit von sich weisen; etw mit Entrüstung, grob ablehnen. Das Gemeinte ist so widerlich und wertlos wie Erbrochenes. 1914 *ff.*
8. über (von) etw ~ = über etw (mit Widerwillen) berichten. 1935 *ff.*
9. der Motor kotzt = der Motor läuft unregelmäßig wegen eines Schadens an der Kraftstoffzufuhr. Kraftfahrerspr. und fliegerspr. seit 1914.
10. es ist zum ~ = es ist zum Verzweifeln; es ist unerträglich, völlig unbrauchbar. Ausruf heftigsten Unwillens. Seit dem späten 19. Jh.
11. zum ~, Herr Major (auch mit dem Zusatz: das ganze Bataillon steht schief)!: Ausdruck heftigen Unmuts. *Sold* 1914 *ff.*
12. man kann gar nicht so viel fressen, wie man ~ möchte: Ausdruck höchsten Unwillens. Die Redensart soll von Max Liebermann stammen, datiert auf den 30. Januar 1933, als der (später als „entartet" eingestufte, impressionistische) Maler den Fackelzug der Nationalsozialisten auf der Straße Unter den Linden in Berlin miterlebte.
13. das ist gekotzt wie geschissen = das ist gleichgültig. Abgang von Speise aus Mund oder After ist gleichermaßen unappetitlich. 1910 *ff.*
14. wie gekotzt aussehen = ungepflegt und wüst aussehen. 1920 *ff.*

15. aussehen wie frisch gekotzt = bleich, farblos aussehen. 1940 *ff.*
16. aussehen wie gekotzt und geschissen = bleich, elend aussehen. 1940 *ff.*
17. zum ~ glücklich sein = über eine Sache teils froh, teils mißgestimmt sein. *Jug* 1950 *ff.*
18. zum ~ langweilig sein = überaus langweilig sein; nicht das mindeste Interesse erwecken. 1935 *ff.*
19. zum ~ schön = ausgesprochen scheußlich; minderwertig gemalt. 1955 *ff*, *jug.*
20. etw zum ~ finden = etw als widerlich empfinden; etw zutiefst verachten. 1920 *ff.*
21. da kommt einem ja das ~!: Ausdruck unwilliger Ablehnung. 1914 *ff.*
22. ihm kommt das große ~ (ihm kommt das große ~ an) = er fühlt sich (durch etw) stark angewidert. *Sold* in beiden Weltkriegen; auch *ziv* bis heute.
22 a. das ~ kriegen = Brechreiz verspüren. Seit dem 19. Jh.
23. das große (kalte) ~ kriegen = gründlich angewidert werden. *Sold* in beiden Weltkriegen und *ziv* bis heute.
24. es zum ~ satthaben = einer Sache sehr überdrüssig sein. 1917 *ff.*
'kotzen'grob *adj* ↗ kotzgrob.
'kotzer'bärmlich *adj adv* sehr erbärmlich, kläglich. ↗ Kotz-. *Vgl* auch ↗ gottserbärmlich. Seit dem 19. Jh.
kotzerig *adj* Brechreiz verspürend; zum Erbrechen neigend. 1800 *ff.*
Kotzgefühl *n* Brechreiz. ↗ kotzen 1. 1920 *ff.*
'kotz'grob ('kotzen'grob) *adj* sehr grob, barsch. Meint eigentlich „grob wie eine zottige Wolldecke" (↗ Kotze 3); danach überlagert von der Bedeutung „grob = unhöflich". Vorwiegend *österr*, 1700 *ff.*
'Kotz'höllensakra'ment *interj* Ausruf heftigen Unwillens. ↗ Kotz-; ↗ Sakrament. *Bayr*, 1800 *ff.*
kotzig *adj* **1.** zum Erbrechen übel. 1700 *ff.*
2. sehr minderwertig, langweilig, völlig unsympathisch. *Halbw* 1955 *ff.*
'kotz'jämmerlich *adj adv* überaus jämmerlich; sehr elend. ↗ Kotz-. *Vgl* auch ↗ gottsjämmerlich. Seit dem 19. Jh.
Kotzkram *m* widerliche Sache. Eigentlich das Erbrochene; ↗ Kram. 1900 *ff.*
'kotz'langweilig *adj* überaus langweilig; ohne jegliche Spannung. *Vgl* ↗ kotzen 18. 1900 *ff.*
Kotzmichel *m* leicht zum Erbrechen neigender Mann. Seit dem 19. Jh.
Kotzpfropfen (-proppen) *m* widerlicher, unangenehmer Mensch. Mit „Pfropfen" ist umgangssprachlich stets ein dicker, untersetzter Mensch gemeint. Der hier Gemeinte ist „zum Kotzen" (↗ kotzen 10). 1900 *ff.*
kotzschlecht *adj adv* Brechreiz verursachend; speiübel. 1900 *ff.*
'kotz'tausend *interj* Verwünschung. *Vgl* ↗ potz tausend; ↗ Tausend. 1800 *ff.*
Kotztüte *f* Speibeutel des Fluggastes. 1920 *ff.*
'kotz'übel *adj adv* **1.** zum Erbrechen übel; Brechreiz verspürend. 1900 *ff.*
2. sehr schlecht; höchst minderwertig; völlig unbrauchbar. 1935 *ff.*
'kotzver'dammt *adj* höchst widerwärtig; sehr unangenehm. ↗ Kotz-. 1900 *ff.*

'kotzver'flucht *adj* sehr widerlich; höchst unerwünscht. ↗ Kotz-. 1900 *ff.*
'Kotz'wut *f* große Wut; heftiger Ärger; „heiliger Zorn". ↗ Kotz-. 1920 *ff.*
Kouleur *f* ↗ Couleur.
Krabbe *f* **1.** Taschendieb. Analog zu ↗ Krebs; vielleicht beeinflußt von „↗ Grapsche" und „↗ grapschen". 1920 *ff.*
2. kleines Kind; flinkes Kind; Mädchen (lobend). Ursprünglich auf Wickel- und Kleinkinder bezogen, wohl weil sie krabbelnd sich fortbewegen und Krabbelbewegungen machen, die an die eigentümliche Gangart mancher Krabben erinnern. Da „Maikrabbel" auch den Maikäfer bezeichnet, kann das Wort auch die Bedeutung von „↗ Käfer 2" annehmen und das junge Mädchen bezeichnen. 1700 *ff.*
3. Person oder Sache, die nur langsam vorwärtskommt. Sie krabbelt, statt zu gehen oder zu laufen. 1920 *ff.*
4. weibliche Person, der jeder Mann zusagt. Wie ein Seekrebs nimmt sie den Partner in ihre Zangen. 1910 *ff.*
5. kesse ~ = umgängliches, lebenslustiges Mädchen. ↗ keß 4. 1920 *ff.*
6. süße ~ = a) hübsches Kind. 1920 *ff.* – b) nettes Mädchen. 1920 *ff.*
7. tolle ~ = lebenslustiges, intelligentes, sympathisches Mädchen. ↗ toll. 1910 *ff.*
8. ~n fangen = Liebschaften mit Mädchen suchen. ↗ Krabbe 2. 1840 *ff.*
Krabbel *m* **1.** Kleinkind, das sich mit Händen und Füßen fortbewegt. *Vgl* auch ↗ Krabbe 2; ↗ krabbeln 1. Seit dem 19. Jh.
2. Umstände, Schwierigkeit; Erschwernis. 1920 *ff.*
Krabbe'lei *f* mühselige Arbeit. ↗ krabbeln 4. Seit dem 19. Jh.
krabbelig *adj* nervös, unruhig. ↗ krabbeln 3. 1920 *ff.*
Krabbelkind *n* kleines Kind, das noch nicht gehen kann. *Vgl* das Folgende. Seit dem 19. Jh.
krabbeln *intr* **1.** kriechen; sich auf Händen und Füßen fortbewegen. Beruht auf dem *indogerm* Wurzelwort „grebh-" im Sinne von „kriechen, indem man sich festhakt". Seit *mhd* Zeit.
2. intim betasten. ↗ grabbeln.
3. es krabbelt mich = es reizt mich, läßt mir keine Ruhe. Seit dem 19. Jh.
4. zu ~ haben = sich abmühen müssen; den Lebensunterhalt nur unter Mühen verdienen können. „Kriechen" im Sinne von „mühsam sich fortbewegen" entwickelt sich weiter zur Bedeutung „mühsam arbeiten". Seit dem 19. Jh.
Krabbelstube *f* Aufenthaltsraum in einem Kinderhort für die Jüngsten. ↗ Krabbel. 1935 *ff.*
Krabbenzeug *n* Kleinkinder. ↗ Krabbe 2. Seit dem 19. Jh.
krabitzig *adj* **1.** reizbar, unverträglich, zänkisch. Zusammengesetzt und zerredet aus „Krabbe" (das Seekrebs gilt als unfreundlich, unleidlich) und *franz* „caprice = Laune". Seit dem 19. Jh.
2. kokett. *Vgl* ↗ Krabbe 4; ↗ krabbeln 5. *Westd* 1920 *ff.*
Krach *m* **1.** lauter Streit; Zerwürfnis; Zank. Meint eigentlich den Lärm des Wortwechsels, dann den Wortwechsel an sich. Mehrzahl „die Kräche", auch „die Krache"; *österr* „die Krachs". Seit dem 19. Jh.

2. Bankrott; Kurssturz. Vielleicht beeinflußt von *engl* „crash". *Vgl* ↗Bankkrach. Seit dem 19. Jh.
3. großer ~ = Wirtschaftskrise. 1870 *ff.*
4. handfester ~ = heftige Auseinandersetzung (oft mit handgreiflichen Tätlichkeiten verbunden). 1920 *ff.*
5. miteinander ~ haben = miteinander in Unfrieden leben. Seit dem 19. Jh.
6. einen sauberen ~ haben = gründlich entzweit sein. Sauber = rein = unverfälscht. 1920 *ff.*
7. ~ pflanzen = lärmen. ↗pflanzen. *Oberd* seit dem 19. Jh.
8. ~ schlagen (machen) = zanken, schimpfen; nachdrücklich seine Meinung sagen; aufbegehren. „Schlagen" rührt hier wohl vom Schlagen der Trommel her. Seit dem späten 19. Jh.
Krachbude *f* **1.** kleines, baufälliges Haus. Es ist einsturzgefährdet (krachen, zusammenkrachen = geräuschvoll einstürzen); das Gebälk, die Dielen krachen. 1920 *ff.*
2. Musikzimmer in der Schule. „Musik wird lärmend oft empfunden, dieweil sie mit Geräusch (↗Krach 1) verbunden" (nach W. Busch). 1960 *ff.*
3. Party-Keller, Diskothek o. ä. *Halbw* 1960 *ff.*
krachen *v* **1.** koitieren. Analog zu ↗bumsen, ↗knallen u. a. 1900 *ff.*
2. sich mit jm ~ = sich mit jm streiten, entzweien. ↗Krach 1. Seit dem 19. Jh.
3. daß es kracht (daß alles nur so kracht) = nachdrücklich; mit Schwung; mit durchschlagendem Erfolg. Vom Eindruck des Getöses weiterentwickelt zu einer allgemeinen Verstärkung. 1500 *ff.*
4. es kracht = a) es herrscht Unfriede, Streit, Zerwürfnis. 1900 *ff.* – b) zwei Autos stoßen zusammen; ein Auto fährt gegen einen Baum o. ä. 1920 *ff.*
5. ~ gehen = a) Konkurs, Bankrott machen. ↗Krach 2. 1870 *ff.* – b) sterben. Eigentlich soviel wie „kränkeln". *Rotw* 1850 *ff.* – c) verhaftet werden. Mit „Krach = Lärm" fällt der Riegel ins Schloß, schließt die Klappe der Zellentür usw. Kundenspr. seit dem 19. Jh.
Kracher *m* **1.** steifer schwarzer Herrenhut. Wegen der Formähnlichkeit mit der „↗Melone" oder mit dunklen, hartfleischigen Kirschen (= Kracher). 1900 *ff.*
2. Pistole, Revolver. Der Schuß kracht. *Rotw* 1840 *ff.*
3. alter ~ = gebrechlicher Mann; widerwärtiger alter Mann. Parallel zu ↗Knakker 7. 1800 *ff.*
Kracherl *n* **1.** Mineralwasser, Brauselimonade. Beim Öffnen der Flasche gibt es einen „Kracher". *Bayr* und *österr* 1900 *ff.*
2. altes Auto mit lautem Motorgeräusch; Auto, Motorrad. *Bayr* und *österr* 1900 *ff.*
3. Pistole. *Iron* Verniedlichung von „↗Kracher 2". *Rotw* 1910 *ff.*
krachert *adj* urwüchsig. Gehört wohl zu „↗krachledern". *Bayr* 1900 *ff.*
Krachglocke *f* unerträgliche Lärmerzeugung durch (Überschall-)Flugzeuge. Der „Dunstglocke" nachgeahmt. 1960 *ff.*
Krachkurven *pl* üppig entwickelter Busen. Man muß befürchten, daß das Kleid „kracht = platzt". ↗Kurve. 1955 *ff.*
krachledern *adj* urwüchsig; typisch oberbayrisch. Hergenommen von der *trad* kurzen, derb-ledernen Hose der Oberbayern. *Vgl* das Folgende. 1920/30 *ff.*

Krachlederne *f* kurze, derb-lederne Männerhose mit vorderem Klappenverschluß. Das Leder ist nicht weich und (lautlos) geschmeidig wie Nappa- oder Saffianleder, sondern es „knackt = kracht" hörbar beim Knicken. 1890 *ff, bayr.*
Krachmacher *m* **1.** Lärmender; Aufbegehrender; Aufständischer; zanksüchtiger Mann. Seit dem 19. Jh.
2. Mann, der überlaut musiziert. 1920 *ff.*
3. lärmende Maschine; Mensch mit lärmender Maschine. 1900 *ff.*
Krachmeier *m* Lärm-, Unruhestifter. ↗Meier. 1850 *ff.*
Krachn *f* **1.** Pistole. *Vgl* ↗Kracher 2. *Bayr* und *österr* 1940 *ff.*
2. Motorrad, Moped o. ä. Der erwünschten Lärmentwicklung (= Kracherzeugung) wegen wird nicht selten sogar der Schalldämpfer ausgebaut. 1950 *ff, österr.*
Krachschlager (-schläger) *m* öffentlich Aufbegehrender; Aufwiegler. ↗Krach 8. Seit dem späten 19. Jh.
Krachsünder *m* lärmender Motorradfahrer o. ä. *Vgl* ↗Sünder. 1955 *ff.*
Krachtopf *m* lärmendes Kraftfahrzeug; Motorrad o. ä. ohne Schalldämpfer; Fahrer lautstarker Maschinen. Topf = Zylinder. 1930 *ff.*
Kracke *f* **1.** altes, unbrauchbares Pferd. Gehört zu „krachen, zusammenkrachen" und spielt auf Altershinfälligkeit an. 1650 *ff.*
2. gebrechlicher Mann; Schwächling. Seit dem 19. Jh.
3. alte ~ = alte Frau. Seit dem 19. Jh.
4. jn zur ~ machen = jn körperlich oder seelisch drangsalieren; jn entwürdigend anherrschen. Hergenommen vom Pferd, das zum Reiten nicht mehr taugt und nur noch als Zugtier verwendbar ist. *Sold* in beiden Weltkriegen; 1950 *ff* ziv.
kracksen *intr* **1.** kränklich sein. Häufigkeitsform von „krachen". 1900 *ff.*
2. mühsam gehen; gehbehindert sein. 1900 *ff.*
3. mühselig sein Leben fristen. 1900 *ff.*
Kraft *f* **1.** vor lauter ~ nicht mehr gehen können = wegen Muskelstrotzens unbeholfen gehen. Ursprünglich auf Boxer und Ringer bezogen. 1910 *ff.*
2. vor lauter ~ nicht gradestehen können = völlig entkräftet sein. *Sold* 1939 *ff.*
3. ~ wird durch Saft erst schön: Redewendung von Kraftfahrern. Saft = Kraftstoff. Parodie auf das von Zarah Leander gesungene Lied „Eine Frau wird erst schön durch die Liebe", das ebenfalls Anlaß zu der Parodie „Durst wird erst schön durch Bier" geboten hat. 1965 *ff.*
4. ~ für den Alltag tanken = Urlaub machen; ein unbeschwertes Wochenende verleben. ↗tanken. 1935 *ff.*
5. neue ~ tanken = sich auffrischen, entspannen, erholen. ↗tanken. 1935 *ff.*
Kraftbolzerei *f* rüder Fußballstil. ↗bolzen 6. 1975 *ff.*
Kraftfahrergruß *m* deutscher = leichtes Berühren der Stirn oder Schläfe mit dem Zeigefinger in Blickrichtung auf einen Verkehrsteilnehmer. ↗Autofahrergruß. 1955 *ff.*
Kraftfahrzeug *n* sauer gewordenes ~ = Kraftfahrzeug mit Motorschaden. Es ist „sauer = unbrauchbar" geworden wie Wein oder Milch. 1955 *ff.*
Krafthuber *m* Mann von kräftiger Gestalt, aber geringen Geistesgaben. Huber ist ein

in Süddeutschland verbreiteter Familienname. *Vgl* ↗Kraftmeier. *Südd* seit dem späten 19. Jh.
'Krafthube'rei *f* geistloses Protzen mit der Körperkraft. 1900 *ff.*
Kraftlackel (-lackl) *m* kräftiger, aber einfältiger Mann. ↗Lackel. 1920 *ff, bayr* und *österr.*
Kraftmax (-maxe) *m* Kraftmensch. 1920 *ff.*
Kraftmeier *m* sehr starker Mann; Mann, der mit seinen Körperkräften protzt. ↗Meier. 1850 *ff.*
'Kraftmeie'rei *f* **1.** Kraftmenschentum; Protzen mit der Körperkraft. 1900 *ff.*
2. Institut für Körpertraining. 1980 *ff.*
Kraftpaket *n* **1.** kräftiger Mann. 1970 *ff.*
2. schweres Motorrad; Auto mit hochleistungsfähigem Motor. 1970 *ff.*
Kraftprotz *m* **1.** Mensch, der sich seiner Körperkräfte rühmt. ↗Protz. 1900 *ff.*
2. hochleistungsfähiges Flugzeug; Kran mit sehr hoher Tragfähigkeit; Auto mit sehr starkem Motor. 1965 *ff.*
Kraftprotzerei *f* Prahlerei eines Kraftmenschen; Angsterzeugung durch (angebliche) *milit* Stärke. 1900 *ff.*
Kraftstoff *m* **1.** hochprozentiges alkoholisches Getränk: Vom Kraftstoff für Verbrennungsmotoren zunächst übertragen auf den vor einem Angriff ausgeteilten Schnaps, dann verallgemeinert. *Sold* 1939 *ff.*
2. Geld. 1950 *ff.*
Kraftwasser *n* alkoholisches Getränk. ↗Kraftstoff 1. *Halbw* 1955 *ff.*
Kraftwerk *n* ~ Christi (Gottes, Jesu) = Kirchengebäude. Mit ihrer Beton- und Stahlkonstruktion ähneln moderne Kirchen nüchternen industriellen Zweckbauten. 1955 *ff.*
krägel *adj* ↗kregel.
Kragen *m* **1.** Schaum auf dem Glas Bier. Vielleicht verkürzt aus „Ulanenkragen" (wegen der weißen Aufschläge der Königsulanen). Spätestens seit 1900.
2. ~ mit Gegenschub = Umlege-, Rollkragen. *Marinespr* 1900 *ff.*
3. grüner ~ = Sicherungsverwahrung. Laut Auskunft der Justizvollzugsanstalt Straubing trug die Oberbekleidung der Verwahrten seit 1963 einen dunkelgrünen Kragen. Diese Kennzeichnung ist nicht mehr vorgeschrieben.
4. weißer ~ = a) Sozialsymbol der Angestellten. 1960 *ff.* – b) Angestellter. 1960 *ff.*
5. einem Gerät den ~ abdrehen = ein Gerät ausschalten. Kragen = Hals. 1950 *ff.*
6. sich den ~ absaufen = sich zu Tode trinken. 1900 *ff.*
7. jn am ~ fassen = jn verhaften; jn derb zur Ordnung rufen; jm Schwierigkeiten bereiten. Seit dem 19. Jh.
8. es geht ihm an den ~ = es ergeht ihm schlecht; er wird zur Verantwortung gezogen; es geht ihm ans Leben. Kragen = Hals, Nacken. Anspielung auf Enthauptung. Seit dem 18. Jh.
9. jm an den ~ gehen (kommen) = jn zur Rede stellen; jn zur Rechenschaft ziehen. *Vgl* ↗Kragen 7. Seit dem 19. Jh.
10. mit einem ~ gehen = Büroangestellter (o. ä.) sein. Durch den Kragen (ursprünglich den „↗Stehkragen") und neuerdings (von Amerika beeinflußt) durch den weißen Kragen unterscheidet sich der

Büroangestellte vom Fabrikarbeiter. 1900 ff.

11. einen hinter den ~ gießen (schütten) = Alkohol zu sich nehmen. Seit dem 19. Jh.

12. jn beim (am) ~ haben = jn am Hals (Genick, Kragenaufschlag der Jacke o. ä.) ergriffen haben und festhalten. 1800 ff.

13. sich einen hinter den ~ kippen = ein Glas Alkohol trinken. Analog zu „einen hinter die ↗Binde gießen". Seit dem 19. Jh.

14. den ~ leeren = seinem Zorn ungehemmten Ausdruck geben. Kragen = Hals, Kehle, Gurgel. Vgl auch ↗Kropf. 1900 ff.

15. jn beim ~ nehmen (kriegen, packen, erwischen; jm an den ~ kommen) = jn am Hals greifen; jn verhaften. Vgl ↗Kragen 12. Seit dem 16. Jh.

16. ihm platzt der ~ = er ist sehr wütend, braust auf. Hängt zusammen mit den anschwellenden Zornesadern am Hals. Spätestens seit 1900.

17. ihm platzt der moralische ~ = er entrüstet sich sittlich. 1950 ff.

18. jm den ~ rausmachen = jn ausschimpfen. Geht auf Enthauptung zurück: der Henker macht den Hals des Verurteilten frei, damit Richtschwert oder Fallbeil nicht behindert werden. 1800 ff.

19. ich drehe dir den ~ rum!: Drohrede. Hergenommen von der Art, wie man Geflügel tötet. Seit dem 19. Jh.

20. jm den ~ rumdrehen = jn beruflich, wirtschaftlich, moralisch erledigen. 1920 ff.

21. den ~ rumgedreht kriegen = Geistlicher werden. (Katholische) Geistliche schließen den Kragen im Nacken. 1900 ff.

22. es steht mir bis zum ~ = es widert mich an. Anspielung auf Brechreiz. 1900 ff.

23. sich den ~ verkehrt umbinden = Geistlicher sein. ↗Kragen 21. 1900 ff.

24. den ~ vollhaben = a) betrunken sein. 1920 ff. – b) gesättigt sein. 1920 ff. – c) genug Geld verdient haben. 1920 ff.

25. bis zum ~ vollsein = volltrunken sein. 1920 ff.

26. ihm wird der ~ zu eng = es verdrießt, ärgert ihn. ↗Kragen 16. 1900 ff.

27. jm an den ~ wollen = a) jn am Genick ergreifen. Seit dem 19. Jh. – b) jn zur Verantwortung ziehen. ↗Kragen 8. 1900 ff. – c) jn schärfstens kritisieren; jn durch Kritik (moralisch, gesellschaftlich, beruflich o. ä.) erledigen. 1900 ff.

28. den ~ hinten zuknöpfen = (katholischer) Geistlicher sein. ↗Kragen 21. 1900 ff.

Kragennummer f **1.** das ist nicht meine ~ = das paßt mir nicht, liegt mir nicht; Ausdruck der Ablehnung. 1920 ff.

2. sich eine ~ kleiner ausdrücken = ohne Pathos sprechen; gemeinverständlich reden. ↗Nummer. 1935 ff.

Kragenweite f **1.** körperliche (seelische, charakterliche) Widerstandskraft; Umfang des Leistungsvermögens. 1920 ff.

2. Bildschirmdiagonale. Technikerspr. 1955 ff.

3. kleine ~ = Unwichtigkeit, Bedeutungslosigkeit. 1950 ff.

4. richtige ~ = Zusagendes; Angemessenes. 1920 ff.

5. ein Mann von meiner ~ = einer wie ich; ein Gleichgesinnter; ein Mann, wie ich ihn schätze (nach meinem Geschmack). Stud 1900 ff.

6. in dieser ~ = in dieser Art. 1920 ff.

7. in der üblichen ~ = in der gewohnten Weise. 1920 ff.

8. bei 'der ~!: Ausdruck der Ablehnung. 1900 ff.

8 a. nach meiner ~ = nach meinem Geschmack; nach meinen Wünschen. 1920 ff.

9. das ist meine ~ = das paßt mir, steht mir zu, ist mein Geschmack; dieses Mädchen gefällt mir. 1920 ff.

10. es ist unter meiner ~ = es paßt mir nicht, ist mir zu klein(lich), mißfällt mir. 1920 ff.

10 a. das ist für mich eine ~ zu groß = das paßt nicht zu meiner bescheidenen Art, entspricht nicht meinen Geldverhältnissen. 1920 ff.

11. bei der alten ~ bleiben = zu seinem Freund (Partner, Mädchen) stehen. Halbw 1955 ff.

12. das entspricht meiner ~ = das entspricht meinem Geschmack. 1920 ff.

13. deine ~ ist hier nicht erwünscht = du bist hier nicht willkommen. 1950 ff.

14. eine kleine ~ haben = dumm sein. Von kleiner Halsweite wird auf kleinen Schädel und entsprechend kleines Gehirn geschlossen. 1950 ff.

15. jm die ~ auf Null stellen = jm den Hals zudrücken; jn (er-)würgen; Drohrede. 1940 ff.

Krähe f **1.** häßliche, hagere Frau; verkommene Frau. Krähen gelten landläufig als dürr, mager, häßlich und unleidlich. 1900 ff.

2. Hoheitsadler am Uniformrock. Ausdruck der Verächtlichmachung. Im frühen 20. Jh wurde der Rote Adlerorden geringschätzig „Rote Krähe" genannt. Sold 1939 ff.

3. Flugzeug; Transportflugzeug. Vorwiegend auf ein nicht sehr schnell fliegendes Flugzeug bezogen. Fliegerspr. 1939 ff.

4. ~ mit dreitausend Flugstunden = zähes Hähnchen, Hähnchen. BSD 1965 ff.

5. alte ~ = unverträgliche, keifende Frau. Krähen gelten als streitsüchtig und haben eine unschöne Stimme. Vgl ↗Krähe 1. 1900 ff.

6. lahme ~ = schwerfälliges Flugzeug; Flugzeug mit Motordefekt. Vgl ↗Krähe 3. Fliegerspr. 1939 ff.

krähen v **1.** vor Freude kreischen und jauchzen. Klangähnlich mit dem Hahnenkrähen. 1900 ff.

2. es ist zum ~ = es ist sehr erheiternd; es ist urkomisch. 1900 ff.

Krähenfüße pl **1.** kleine Falten an den Augen- und Mundwinkeln. 1750 ff. Vgl engl „crow's feet".

2. vierspitzige kleine Stahlhindernisse für Panzerwagen; selbstgeschweißte Reifentöter. Sie liegen am Boden auf wie ein gespreizter Krähenfuß. 1960 ff.

3. schlechte, unleserliche Handschrift. Seit dem 16. Jh.

Krähen-Komment (Grundwort franz ausgesprochen) m Zusammenhalt der Ärzte bei Angriffen auf ihren Berufsstand. Fußt auf dem Sprichwort „Eine Krähe hackt der anderen kein Auge aus". 1900 ff, juristenspr.

Kra'hizu m katholischer Militärgeistlicher. Verkürzt aus „Kragen hinten zu"; ↗Kragen 28. BSD 1960 ff.

Krähwinkel n m **1.** entlegener Ort; Kleinstadt. Ursprünglich ist kein amtlicher Ortsname gemeint, sondern irgendeine Ansiedlung mit vielen Krähen (oder viel Geflügel). Geprägt von Jean Paul, 1801. Gebräuchlich bis heute.

2. territoriale Engstirnigkeit; politische Abkapselung o. ä. 1900 ff.

Kra'keel m Lärm, Zank; heftige Auseinandersetzung. Kurz nach 1550 aus den Niederlanden eingedrungen; fußt – über Vermittlung der Landsknechte – vielleicht auf ital „gargagliata = vielstimmiger Lärm". Doch kann das Wort auch zurückgehen auf mhd „kragelen = wie Krähen schreien", was niederd „kräkeln = krächzen" ergibt. Die Tonverschiebung von der ersten auf die zweite Silbe kann durch franz „querelle = Streit" verursacht sein.

kra'keelen intr lärmen, zanken. ↗Krakeel. 1600 ff.

Kra'keeler m **1.** Lärmender; Zänker. 1600 ff.

2. Aufständischer; (neuerdings:) Demonstrant. Seit dem 19. Jh.

3. Schlagersänger. Halbw 1970 ff.

kra'keelig adj streitsüchtig, zänkisch; zum Lärmen aufgelegt. ↗krakeelen. Seit dem ausgehenden 16. Jh.

Kra'keelwasser (Kra'keelerwasser) n Schnaps; Bier o. ä. Mancher Zecher wird unter Alkoholeinfluß zum „↗Krakeeler". Seit dem späten 19. Jh.

'Krakel m **1.** Schnörkel; unleserliches Schriftzeichen. ↗krakelig. Seit dem 19. Jh.

2. Kurzschriftzeichen. 1920 ff.

'krakelig adj verschnörkelt, kritzelig; unleserlich gekritzelt. Gehört zu „Krack = Krähe". Man hält die Schriftzeichen scherzhaft für die Nachahmung von Vogelfußspuren. Seit dem 19. Jh.

'krakeln intr kritzeln; unleserlich schreiben. Vgl das Vorhergehende. Seit dem 19. Jh.

krall adj munter, hell, klar, funkelnd, glänzend. ↗krille. Niederd 1700 ff.

Kralle f **1.** Hand, Finger. Von Raubtieren übernommen.

2. langgewachsener (und spitzgefeilter) Fingernagel. Seit dem 19. Jh.

3. rote ~n = rotlackierte Fingernägel. Mit der aus den USA eingeführten Mode um 1930 aufgekommen.

4. etw an der ~ haben = Geld in der Hand haben. ↗Kralle 1. 1920 ff.

5. jn in den ~n haben = jn in seiner Gewalt haben. Wie die Beute eines Raubvogels, einer Raubkatze usw. 1900 ff.

6. die ~n zeigen = energisch auftreten; bösartig werden; seine Macht fühlen lassen. Von den Katzen o. ä. hergenommen. Seit dem 19. Jh.

krallen tr **1.** etw stehlen. Vgl ↗Kralle 1. 1700 ff.

2. jn gefangennehmen, verhaften. Vgl ↗Kralle 5. Rotw und sold 1900 ff.

3. sich jn ~ = a) jn zur Rechenschaft ziehen. 1935 ff. – b) jn für sich gewinnen. 1935 ff.

Kram m **1.** wertloses Zeug; minderwertige Ware; Sache (abf). Eigentlich die Ware, die der Händler in einem kleinen Laden oder der Hausierer auf einem Tragebrett anbietet; von da verallgemeinert zur Bezeich-

nung für Dinge von minderem Wert. Seit dem 16. Jh, vor allem seit 1750 allgemein gebräuchlich.
2. Wehrdienst. *Vgl* ↗Krämchen. 1930 *ff.*
3. fauler ~ = unredliche Sache. ↗faul 1. Seit dem 19. Jh.
4. das ist nur halber ~ = das ist nichts Rechtes; das sind nur Halbheiten. Analog zu „halbe Sache". Seit dem 19. Jh.
5. da haben wir den ~ = das Unangenehme ist wie erwartet eingetroffen. 1900 *ff.*
6. ~ am Leib haben = viele Verpflichtungen haben. 1900 *ff.*
7. den ~ hinschmeißen = a) die Arbeit niederlegen. Kram = Arbeitsgerät. 1920 *ff.* – b) von einer Verpflichtung zurücktreten; den Beruf aus Enttäuschung aufgeben. 1920 *ff.*
8. sich um den eigenen ~ kümmern (seinen eigenen ~ machen) = sich um die eigenen Angelegenheiten kümmern (und sich nicht in anderer Leute Belange einmischen). 1900 *ff.*
9. um etw ~ machen = um eine Sache viel Aufhebens machen. Seit dem 19. Jh.
10. mach keinen ~! = mach keine Umstände, keine Ungelegenheiten! Seit dem 19. Jh.
11. das paßt ihm in den ~ = das kommt ihm gelegen. Leitet sich her von der Zusammengehörigkeit von Waren (Käse paßt zu Eiern in den Kram). Seit dem 16. Jh.
12. jm in den ~ pfuschen = sich in jds Angelegenheiten störend einmischen; jds Tun behindern. *Vgl* ↗Handwerk 5. Seit dem 19. Jh.
13. jm in den ~ reden = in jds Angelegenheit hineinreden. 1900 *ff.*
14. den ~ schmeißen = eine Sache meistern. ↗schmeißen. 1900 *ff.*
15. jm den ~ vor die Füße schmeißen (werfen) = jm die weitere Mitarbeit aufkündigen. ↗Kram 7. Seit dem 19. Jh.
16. beim ~ sein = Soldat sein. ↗Kram 2. 1930 *ff.*
17. seinen ~ verstehen = seine Sache verstehen; den beruflichen Anforderungen gewachsen sein. Seit dem 19. Jh.
18. den ~ zusammenschmeißen = heiraten. Eheleute legen ihre Habe zum fortan gemeinsamen Eigentum zusammen. Seit dem 19. Jh.

Krämchen *n* 1. Uniform; Ausrüstungsstücke des Soldaten. ↗Kram 1. 1870 *ff.*
2. das Ganze; das alles *(abf)*. 1900 *ff.*
3. jn sein eigenes ~ machen lassen = sich nicht in jds Angelegenheiten einmischen. *Vgl* ↗Kram 8. 1900 *ff.*

kramen *v* mit jm ~ = mit jm ein Liebesverhältnis unterhalten; intim betasten; koitieren. Eigentlich soviel wie „mit jm Geschäfte machen; mit jm geschäftlich verkehren"; hieraus weiterentwickelt im Sinne des Geschlechtsverkehrs. 1800 *ff.*

Krämerseele *f* 1. Kleinhändler *(abf)*. Seit dem 19. Jh.
2. kleinlicher Mensch; kleinliches Wesen. Seit dem 19. Jh.
3. Apotheker. 1925 *ff.*

Krampe (Krampn) *f (m)* 1. altes Pferd; schlechtes Pferd. Gehört wohl zu „↗Krempel". *Oberd* seit dem 19. Jh.
2. Versager. Er taugt nicht mehr als ein altes, schlechtes Pferd. 1900 *ff.*
3. unsympathisches Mädchen. Es versagt

auf geschlechtlichem Gebiet. *Halbw* 1955 *ff.*

Kramperl *m* gebrechlicher Mann. ↗Krampe 1. Seit dem 19. Jh.

krampert *adj* armselig o. ä. Versteht sich nach „↗Krampe 1". *Oberd* 1900 *ff.*

Krampf *m* 1. Unsinn; Wertloses; Unbrauchbares. Eigentlich das Gekrümmtsein, die Verrenkung. Aus der Vorstellung „mißgestaltet" entwickelt sich die Bedeutung „minderwertig". Seit dem späten 19. Jh.
2. dummes Geschwätz. 1900 *ff.*
3. Prahlerei; Ausrede; Täuschungsmanöver. Vielleicht zusammenhängend mit Gaunern, die Krampfanfälle vortäuschen. Seit dem ausgehenden 18. Jh.
4. Betrug. 1900 *ff.*
5. Bedienungsgeld. Der Trinkgeldforderer macht die Hand krumm, als wäre sie im Krampf erstarrt. 1910 *ff.*
6. Unangenehmes; Schwieriges; angestrengtes Bemühen; Erfolglosigkeit, Mißgeschick. Versteht sich nach „↗Krampf 1". 1900 *ff.*
7. Diebesunternehmen. ↗krampfen 1. 1910 *ff.*
8. fauler ~ = durchschaubarer Übertölpelungsversuch. ↗faul 1. 1920 *ff.*
9. auf in den ~! = auf in den (aussichtslosen) Kampf! Aus dem Torerolied der Oper „Carmen" von Georges Bizet verballhornt, als 1943 das Kriegsglück zu weichen begann.
10. einen ~ drehen = einen einträglichen Diebstahl (Einbruch o. ä.) begehen. Analog zu „ein ↗Ding drehen". *Vgl* ↗krampfen 1. 1920 *ff.*
11. auf ~ gehen = auf Entwenden ausgehen. *Vgl* das Vorhergehende. 1920 *ff.*
12. ~ haben = Angst haben. Der Magen krampft sich zusammen. *Sold* 1914 *ff.*
13. einen ~ haben = a) sich ärgern; wütend sein. Hängt mit Magenkrämpfen zusammen. 1900 *ff.* – b) in Geldnöten sein. Der Geldbeutel krampft sich zusammen. 1920 *ff.*
14. jm auf den ~ kommen = jds Täuschungsmanöver o. ä. (↗Krampf 3) durchschauen, aufdecken. 1914 *ff.*
15. ~ machen = sich aufspielen; überflüssige Umstände machen; leere Höflichkeiten erweisen. ↗Krampf 1-3. 1910 *ff.*
16. einen ~ machen = Verwirrung, Unfrieden stiften. Wien 1920 *ff.*
17. jn auf den ~ nehmen = jn veralbern. „Krampf" hat hier die ausgestorbene Bedeutung „Haken, Klammer, Krampen" und steht dadurch in Parallele zu „↗triezen". 1920 *ff.*

Krampfadergeschwader *n* 1. weibliche Angehörige des Luftschutzes. Anspielung auf Krampfadern bei älteren Frauen. *Sold* 1939 *ff.*
2. weibliche Angehörige des Deutschen Roten Kreuzes. *Sold* 1939 *ff.*
3. weiblicher Reichsarbeitsdienst. *Sold* 1939 *ff.*
4. Nachrichtenhelferinnen. *Sold* 1939 *ff.*
5. NS-Frauenschaft. 1939 *ff.*
6. Putzfrauenkolonne. 1940 *ff.*
7. Frauenhilfsdienst. *Schweiz* 1950 *ff.*
8. Damenturnverein. *Schweiz* 1950 *ff.*
9. Damenkaffeegesellschaft. 1950 *ff.*
10. weibliches Küchenpersonal. *BSD* 1965 *ff.*
11. die Erwachsenen. *Halbw* 1960 *ff.*

Krampfbruder *m* 1. Schwätzer. ↗Krampf 2. ↗Bruder. 1920 *ff.*
2. Mann mit wunderlichem, kaum natürlichem Benehmen. Sein Verhalten erscheint verzerrt. *Vgl* ↗Krampf 1. *Bayr* 1920 *ff.*
3. Dieb; Betrüger; unredlicher Kaufmann. ↗krampfen 1. *Rotw* seit dem frühen 20. Jh.

krampfen *v* 1. *tr* = stehlen, entwenden. „Krampfen" in der Bedeutung „im Krampf zusammenziehen" stellt sich zu der Grundvorstellung „krumme ↗Finger machen"; auch meint man mit „Krampf" den Haken (= Krampen). 1900 *ff.*
2. *intr* = schwer arbeiten. Man ist krampfhaft tätig. Vorwiegend *südwestd* 1900 *ff.*
3. *intr* = unter großen wirtschaftlichen Schwierigkeiten leiden. 1950 *ff.*
4. sich halb zu Tode ~ = sich sehr abmühen. *Südwestd* 1900 *ff.*

Krampfer *m* 1. Mensch, der Unsinniges ernsthaft äußert. ↗Krampf 1 und 2. *Halbw* 1955 *ff.*
2. verbissen tätiger Mann. ↗krampfen 2. *Schweiz* 1950 *ff.*

Krampfhenne *f* 1. an Krampf leidender Mensch (vor allem auf Frauen bezogen). 1900 *ff.*
2. unnatürlich wirkende, überspannte Frau; Mensch, der sich wegen einer Kleinigkeit wild erregt. Hier ist der Krampf ein geistiger. *Bayr* 1900 *ff.*
3. Beischlafdiebin. ↗krampfen 1. 1920 *ff.*

krampfig *adj* verzerrt, unnatürlich; durch Übertreibung eindruckheischend. *Vgl* ↗Krampf 1 u. 3. 1920 *ff.*

Krampn *m* ↗Krampe.

Krampus *m* 1. Knecht Ruprecht. Er ist mit „Kramperln = Krallen, Klauen" versehen; denn eigentlich ist er der als Teufel verkleidete Knecht des Kinderheiligen Nikolaus. *Bayr* und *österr* 1800 *ff.*
2. dich wird gleich der ~ holen!: Drohrede. Seit dem 19. Jh.

Kranenberger (Kraneberger; Kranenberger Silber) *n* 1. Trinkwasser. Scherzhafte Wertsteigerung des Wassers aus dem Kran nach dem Muster von Weinbezeichnungen oder Bier-Markennamen. Spätestens seit 1900.
2. ~ Riesling (Rohrperle; Rohrlese) = Leitungswasser. 1930 *ff.*

Kranenheimer *m* Leitungs-, Trinkwasser. *Vgl* das Vorhergehende. 1900 *ff.*

krank *adj* 1. geschlechtskrank. Beschönigung. Seit dem 19. Jh.
2. dumm, albern. Aus „geisteskrank" verkürzt. ↗krank 8. 1955 *ff, halbw.*
3. verhaftet. Hehlwort der Familienangehörigen. *Rotw* seit dem späten 18. Jh.
4. mittellos. Man ist krank im Portemonnaie oder hat die „↗Brustbeutelschwindsucht". Seit dem 19. Jh.
5. sich ~ärgern = sich heftig ärgern. *Vgl* die Redensart „sich Magengeschwüre auf den Hals ärgern". 1900 *ff.*
6. sich ~lachen = aus vollem Herzen lachen. Heftiges Lachen kann Herz-, Magen- und andere Beschwerden hervorrufen. Seit dem 16. Jh. *Vgl engl* „to laugh oneself sick".
7. sich halb kranklachen (halbkrank lachen) = herzhaft lachen. *Vgl* das Vorhergehende. 1600 *ff.*
8. du bist wohl ~? = du weißt wohl

nicht, was du sagst? ↗krank 2. Seit dem 19. Jh.

9. du siehst so gut aus; bist du ~?: Redewendung, mit der man das häufige Krankfeiern von Arbeitnehmern ironisiert. 1965 ff.

10. dafür kann ich nicht ~ sein = dafür kann ich nicht haften. Vgl ↗Bett 15. 1920 ff.

11. ~ spielen = a) Kranksein vortäuschen. 1900 ff. – b) erkrankt sein. Ironie (auch Selbstironie). 1900 ff.

Kränke (Kränk) f **1.** die ~ kriegen = verzweifeln; ratlos sein. Kränke = Fallsucht, Schwindsucht, Krampf. Seit dem 19. Jh.

2. krieg' die ~l: Ausruf des Unwillens, auch der Abweisung. Seit dem 19. Jh.

3. das ist, um die ~ zu kriegen (zum Die-~Kriegen)l = es ist zum Verzweifeln. Seit dem 19. Jh.

kränken tr jn um Geld ~ = jn um Geld ansprechen; jm Geld abnehmen; beim Kartenspiel abgewinnen; jm Geld schuldig bleiben. Kränken = kraftlos machen; schädigen. Stud 1870 ff.

Krankenhaus n **1.** Gefängnis. ↗krank 3. Rotw 1900 ff.

2. Hilfsschule. ↗krank 2. Schül 1955 ff.

3. du hast wohl lange nicht im ~ gefrühstückt?: Drohfrage. 1930 ff.

4. du hast wohl lange nicht aus dem ~ geguckt?: Drohfrage. 1920 ff.

5. du hast wohl lange nicht mehr im ~ gelegen?: Drohfrage. 1900 ff, Berlin.

6. du hast wohl lange kein ~ mehr gesehen?: Drohfrage. 1900 ff.

krankenhausreif adj dich werde ich ~ schlagenl: Drohrede. 1920 ff.

Krankenhaussuppe f klar wie ~ = völlig einleuchtend. Krankenhaussuppe gilt als dünne Wassersuppe. 1930 ff.

Krankenkasse f du bist wohl von der ~ ausgesteuert?: Frage an einen Unrasierten oder an einen, der sich einen Bart wachsen läßt. Das Nichtmitglied der Krankenversicherung bekommt keinen Krankenschein, mit dem man – wie man spöttisch sagt – zum Frisör gehen könnte. 1900 ff.

Krankenmaterial n Gesamtheit der Kranken. Dem ↗"Menschenmaterial" nachgebildet im Gegensatz zum "Kriegsmaterial". 1950 ff.

Krankenschwester f **1.** mit der ~ pussieren = im Krankenhaus liegen. ↗pussieren. 1920 ff.

2. du hast wohl lange nicht mehr mit einer ~ pussiert (gefrühstückt; du hast wohl lange kein Verhältnis mit einer ~ gehabt)?: Drohfrage. Man geht Gefahr, "↗krankenhausreif" geschlagen zu werden. 1920 ff.

Krankfeierer m krankheitshalber arbeitsunfähiger Arbeitnehmer. Vgl das Folgende. 1900 ff.

krankfeiern intr wegen (vorgeblicher) Erkrankung nicht arbeiten. Tatsächlich – so die iron Annahme – wird nicht gelitten, sondern gefeiert. 1900 ff.

Krankheit f **1.** Haft. ↗krank 3. 1900 ff.

2. chinesische ~ = Gelbsucht. Wegen der "gelben" Hautfarbe der Chinesen. BSD 1965 ff.

3. diplomatische ~ = angebliche Erkrankung eines Diplomaten; schlau vorgeschobene Krankheit, um einer Verpflichtung zu entgehen. 1920 ff.

4. eine ~ erben = sich eine ansteckende Krankheit zuziehen. ↗erben. 1900 ff.

5. wir haben dieselbe ~: Redewendung, wenn man mit einem anderen dieselbe Zigarette raucht, aus demselben Glas trinkt o. ä. 1900 ff.

6. die beste ~ taugt nichts = auch eine noch so leichte Erkrankung ist vom Übel. 1920 ff.

krankmachen intr wegen angeblicher Erkrankung nicht an der Arbeitsstätte erscheinen. Analogie zu ↗krank 11. 1930 ff.

krankschreiben tr jds Erkrankung ärztlich bescheinigen. 1900 ff.

Kranz m **1.** besorg dir einen ~ und warte, bis du an der Reihe bist (kauf dir einen ~ und warte auf dem Kirchhof, bis du begraben wirst)l: Redewendung an einen Nichtskönner. Berlin 1920 ff.

2. sich den ~ bestellen = den sicheren Niedergang voraussehen. 1925 ff.

Kränzchen n regelmäßige gesellige Zusammenkunft von Frauen oder Ehepaaren. Ein geselliger Kreis, bei dem die Aufgabe der Bewirtung reihum wechselt. Früher setzte man den Mitglied, das beim nächsten Mal der Gastgeber sein sollte, ein Kränzchen auf. Seit dem 16. Jh.

Kräpel m Schwächling; gebrechlicher Mann. Nebenform von "↗Kröpel". Seit dem 19. Jh.

kräpeln intr kränkeln; kümmerlich vegetieren; nicht vorankommen. ↗Kräpel. Nordd und ostd seit dem 19. Jh.

Krapferln pl kleine Frauenbrüste. Formähnlich mit Wiener Krapfen. 1950 ff.

Krat m (f) Schimpfwort (Mann aus den unteren Volksschichten; Trunkenbold; verkommener Mann). Leitet sich her entweder von "Kroat = zerlumpter Hausierer" oder – wahrscheinlicher – von "Krade = Kröte"; vgl ↗Krott. Niederd seit dem späten 19. Jh.

Krattler m **1.** mit einem Karren umherziehender Händler. "Krattn = zweirädriger Karren", fußt auf ital "caretta". Bayr und südostd seit dem 19. Jh.

2. roher, frecher, grober Mann, aus den untersten Bevölkerungsschichten stammend. Bayr und südostd 1900 ff.

Kratzbürste f **1.** unverträglicher Mensch. Übertragen von der Drahtbürste, wie sie Metallarbeiter, Bergleute, Wollspinner u. a. verwenden. Spätestens seit dem 17. Jh.

2. Masseuse, Heilgymnastin. 1930 ff.

Krätzchen n schirmlose Soldatenmütze; Feldmütze. Sie ähnelte einem kleinen Korb ("Krätze = Korb", südd). Seit dem ausgehenden 19. Jh. Die Bezeichnung ging 1936 auf die Feldmütze in Schiffchenform über.

kratzen v **1.** zu ~ haben = sich plagen müssen; sich mühsam durchs Leben schlagen. Kratzen = scharren (nach Hühnerart); hier bezogen auf das Zusammenscharren des Bargelds. 1900 ff.

2. mit etw ~ haben = mit einer Sache seine Schwierigkeit haben; eine Sache nicht leichthin erledigen können. 1900 ff.

3. intr = bezahlen. Man kratzt seine Barschaft zusammen. 1900 ff.

4. intr = liebedienerisch sein; gehorsam sein. Hängt zusammen mit "sich ↗einkratzen", auch mit "einen Kratzfuß machen" oder "jm den Bart kratzen" oder

gar "jn am Arsch kratzen", – alles einschlägige Ausdrücke der Willfährigkeit. 1800 ff.

5. sich gekratzt fühlen = sich geschmeichelt, geehrt fühlen. Versteht sich nach dem Vorhergehenden. Seit dem 19. Jh.

6. intr = auffallen wollen. Gehört zu "sich herauskratzen = sich herausputzen", beeinflußt von "sich einkratzen = sich beliebt machen". Halbw 1955 ff.

7. es kratzt mich nicht = es berührt mich nicht, betrifft mich nicht, stört mich nicht, regt mich nicht auf. Hergenommen von anzüglichen Bemerkungen. "Wen's juckt, der kratze sich" heißt es, wenn eine namentlich nicht genannte Person sich von einer Bemerkung getroffen fühlt. 1600 ff.

8. es kratzt mich = das ärgert mich sehr; darüber bin ich sehr wütend. Versteht sich nach dem Vorhergehenden. 1900 ff.

9. tr = etw stehlen; etw auf nicht ganz erlaubte Weise beschaffen. Durch eine scharrende Bewegung mit der Hand oder dem Fuß bringt man es an sich. 1900 ff.

10. tr = jn schädigen, erpressen, schröpfen. Man bringt ihm eine Wunde bei, so daß er bluten muß. Vgl "jn zur ↗Ader lassen". 1920 ff.

11. nicht ~, - Stelle merken und waschenl: Mahnung zu körperlicher Sauberhaltung. BSD 1965 ff.

Kratzenberger m schlechter Wein. Er ist so sauer, daß er auf der Zunge, in der Kehle kratzt. Ein iron Weinname. Seit dem 17. Jh.

kratzengehen intr davongehen, flüchten. ↗auskratzen. 1900 ff.

Kratzer m **1.** Herrenfrisör. Verkürzt aus ↗Bartkratzer. Seit dem 19. Jh.

2. Arzt für Haut- und Geschlechtskrankheiten; Gynäkologe; Arzt, der Abtreibungen vornimmt. 1910 ff.

3. Geiger. Er kratzt mit dem Bogen über die Saiten. 1900 ff.

4. Rasiermesser. Eigentlich das Schabeisen zum Abkratzen der Baumrinde, auch zum Entfernen der Schweineborsten. Rotw seit dem frühen 20. Jh.

5. Liebediener. ↗kratzen 4. 1900 ff.

Krätzer m saurer, minderwertiger Wein. ↗Kratzenberger. Seit dem 17. Jh.

Kraut n **1.** ungekämmte Haare; Kopfhaar. Wegen einer gewissen Ähnlichkeit mit Kräuter- oder Grasbüscheln. Rotw 1847 ff; sold 1939 ff.

2. Tabak; Raucherware. Weil früher als Heilkraut angesehen, kam die scherzhafte und verächtliche Bedeutung wohl erst gegen Ende des 19. Jh. auf.

3. Rauschgiftzigarette. Analog zu ↗Gras 2, 1960 ff.

4. stinkendes ~ = minderwertiger Tabak. 1920 ff.

5. wildes ~ = übelriechender Tabak. Er ist wild gewachsen und gilt als Unkraut. BSD 1965 ff.

6. jm das ~ ausschütten = jn verärgern; es mit jm verderben. Kraut nennt man die eßbaren Kohlblätter. Sie mit dem Wasser auszugießen, heißt, etw gründlich falsch zu machen. 1950 ff.

7. ~ fressen = sich in Haft befinden. Kraut = kleingehackte weiße Rüben. Fleischgerichte sind in Haftanstalten selten. Österr 1900 ff.

8. dich freß' ich auf dem ~ = mit dir werde ich mühelos fertig; Redewendung

eines Kraftmenschen. Zu Krautgemüse oder Sauerkraut ißt man Rippchen oder Würstchen. 1600 *ff, bayr* und *schwäb.*
9. jn auf dem ~ fressen = jm heftige Vorhaltungen machen. *Vgl* das Vorhergehende. *Bayr* 1900 *ff.*
10. dagegen ist kein ~ gewachsen = dagegen gibt es kein Mittel; das läßt sich nicht beheben. Ursprünglich auf eine Krankheit bezogen, gegen die es kein Heilkraut gab. 1500 *ff.*
11. das macht das ~ nicht fett = das ändert an der Sache nichts. *Südd* Variante zu *nordd* „das macht den ↗Kohl nicht fett". Seit dem 17. Jh.
12. das ~ noch fetter machen = eine Sache noch mehr steigern, verschlimmern. *Bayr* 1950 *ff.*
13. sich viel ~ rausnehmen = dreist auftreten. Hergenommen von einem, der bei Tisch viel Kraut auf seinen Teller häuft. ↗rausnehmen. Seit dem 19. Jh, *bayr.*
14. ins ~ schießen = überhandnehmen. Leitet sich her von Knollengewächsen, bei denen die Blätter übergroß auswachsen, während die Frucht nicht zur normalen Größe gedeiht. Seit dem 19. Jh.
15. da wird das ~ nicht fett = daran ist nichts zu verdienen. *Bayr* 1900 *ff.*
16. wie ~ und Rüben durcheinander = wirr durcheinander; völlig ungeordnet. Kraut ist das oberirdische Blattwerk, Rübe die fleischig verdickte Wurzel. Vor der Zubereitung werden beide voneinander getrennt; das Gemisch wäre minderwertig oder völlig ungenießbar. Kann sich auch herleiten vom ungetrennten Anbau von Kohl und Rüben auf ein und demselben Acker. 1600 *ff.*
Kräutchen *n* 1. mißratener Mensch. Parallel zu ↗Pflänzchen. 1900 *ff.*
2. ~ auf jeder Suppe = Mensch, der sich überall einmischt oder für alle möglichen Aufgaben herangezogen wird. Ebenso wie man Petersilie o. ä. unterschiedslos zu jeder Suppe gibt. *Österr* 1900 *ff.*
3. ~ Rühr-mich-nicht-an = leicht reizbarer, verletzlicher, empfindsamer Mensch. Hergenommen vom volkstümlichen Namen des echten Springkrauts (*bot* „Impatiens noli tangere"), dessen Fruchtkapseln beim Nahen der Reife durch geringste Berührung aufspringen und die Samen herausschleudern. Seit dem 16. Jh, häufiger seit dem 19. Jh.
Krauter *m* 1. Kleinlandwirt; Inhaber eines kleinen Handwerks- oder Landwirtschaftsbetriebs; unbedeutender Unternehmer. Er gewährt seinen Knechten und Gesellen Kost (Kraut = Speise), aber keine Wohnung. Seit dem frühen 19. Jh.
2. unbedeutender Mann; Sonderling. Seit dem 19. Jh.
krautern *intr* sich viel mühen, aber wenig zustandebringen; bei der Arbeit unbeholfen und schwerfällig sein. ↗Krauter 1. Kann sich auch beziehen auf „krauten = Unkraut jäten" oder auf „krautern = sich im Haushalt schwertun". 1900 *ff.*
Krautfresser *m* 1. ärmlich lebender Mensch. Er muß notgedrungen auf Fleischgenuß verzichten. Seit dem 19. Jh.
2. Beamter des unteren (mittleren) Dienstes. Seit dem 19. Jh.
3. Vegetarier. 1900 *ff.*
4. Häftling. ↗Kraut 7. *Österr* 1900 *ff.*
Krauthobler *m* Krankenpfleger, Arztgehil-

fe. Er entfernt vor der Operation die Körperhaare des Patienten. ↗Kraut = Haare. *Sold* 1939 *ff; ziv* 1945 *ff.*
Krautjäger *m* Kleingärtner. Er baut vorwiegend Gemüse an. 1920 *ff.*
Krautkopf *m* Schädel. Analog zu ↗Kohlkopf 1. 1900 *ff.*
Krautscheuche *f* alte ~ = unansehnliche alte Frau. Eigentlich die ins Gemüsebeet gestellte Vogelscheuche. 1900 *ff.*
Krautstengel *m* Zigarre, Zigarette. ↗Kraut 2; ↗Stengel. *Österr* 1914 *ff.*
Kraut-und-Rüben-Durcheinander *n* großes Durcheinander; wirrer Haufen. 1900 *ff.*
Krautwickel *f* (minderwertige) Zigarre. Eigentlich die Kohlroulade. ↗Kraut 2. 1914 *ff.*
Kra'vozu *m* evangelischer Militärgeistlicher. Zusammengesetzt aus „Kragen vorne zu", weil die protestantische Geistliche seinen Kragen vorne schließt. *Vgl* ↗Krahizu. *BSD* 1965 *ff.*
Kra'wall *m* 1. Straßenkampf; Aufruhr; Lärm; Streit o. ä. Gegen 1830 aufgekommen im Zusammenhang mit den politischen Auseinandersetzungen auf der Straße. Geht entweder zurück auf *mittellat* „charavallium = Katzenmusik, Straßenlärm" oder auf „rebellen = lärmen"; *bayr* „Grebell = Lärm", in Hessen „Graball = Aufruhr".
2. auf ~ frisiert sein = streitlüstern gestimmt sein. Variante zu „die Haare stehen auf Sturm". 1939 *ff, sold* und *ziv.*
3. auf ~ gestimmt sein = streitlüstern aussehen (hochgekrempelte Hemdsärmel, offene Jacke u. ä.). 1950 *ff.*
Krawal'lant *m* Aufrührer, Demonstrant. Neuwort seit 1980.
Kra'wallbruder *m* öffentlicher Aufrührer. ↗Krawall 1; ↗Bruder. 1900 *ff.*
kra'wallen *intr* 1. sich a einem Straßenauflauf unzufriedener Bürger beteiligen; mit der Volksmenge gegen die Obrigkeit auftreten. ↗Krawall 1. Seit dem 19. Jh.
2. streiten. Seit dem 19. Jh.
Kra'wallfrisur *f* aufwärts gekämmtes Männerhaar. Die Haare „stehen auf Sturm". ↗Krawall 2. 1920 *ff.*
Kra'wallgirl *n* jugend Filmschauspielerin mit ärgeniserregendem Verhalten. 1960 *ff.*
Kra'wallhaufen *m* 1. aufrührerische Volksmenge. 1920 *ff, halbw.*
2. uneinige Familie. 1950 *ff, halbw.*
krawal'lieren *intr* einen Straßenauflauf bewirken oder sich daran beteiligen. *Vgl* ↗krawallen 1. 1965 *ff.*
kra'wallig *adj* streitsüchtig, aufsässig. ↗Krawall 1. 1950 *ff.*
Kra'walljacke *f* minderwertige Halbwüchsiger. Die Jacke steht für ihren Träger; möglicherweise beeinflußt von „Jeck = Narr, Rasender". 1950 *ff.*
Kra'wallkopf *m* Aufrührer. 1965 *ff.*
Kra'wallmacher *m* 1. angriffslüsterner Mann; Teilnehmer an einem Straßenauflauf. ↗Krawall 1. Seit dem 19. Jh.
2. autoritärer Lehrer. *Schül* 1960 *ff.*
Kra'wallpunkt *m* Anlaß zu Ausschreitungen und Widerstand. Aufgekommen gegen 1977 im Zusammenhang mit Hausbesetzungen.
Kra'wallschläger *m* Unruhestifter, Aufbegehrender. ↗Krawallmacher 1. 1920 *ff.*
Kra'wallschlitten *m* Konzertflügel. Der Pianist macht „Krawall = Lärm" auf dem

(auf Rädern) fahrbaren, in seiner Formgestaltung an Kufen erinnernden Gerät. 1952 *ff.*
Kra'wallstreife *f* Polizeistreife zur Straßenkontrolle. 1958 *ff.*
Kra'walltüte *f* streitlüsterner Mensch; Aufwiegler; Teilnehmer an einem Straßenauflauf. ↗Krawall 1; ↗Tüte. 1918 *ff.*
Kra'wallwasser *n* Schnaps o. ä. Analog zu ↗Krakeelwasser. Seit dem späten 19. Jh.
Krawatte *f* 1. Würge-, Ringer-, Catchergriff. Hierbei umschließt die Armbeuge wie ein Schlips den Hals. 1930 *ff.*
2. eiserne ~ = Ritterkreuz zum Eisernen Kreuz. Es ist Krawattenersatz aus Eisen. 1940 *ff.*
3. genagelte ~ = vorgeformter Schlips. 1900 *ff.*
4. die ~ ansetzen = den Gegner am Hals würgen. ↗Krawatte 1. 1930 *ff.*
5. jm die ~ ausbügeln = jn handgreiflich zur Ordnung rufen. Eigentlich beschönigend für ein heftiges Schlagen vor die Brust. 1900 *ff.*
6. ich drehe dir den Kopf so, daß du anschließend die ~ hinten bindest!: Drohrede. 1900 *ff.*
7. ich drehe dir eine ~!: Drohrede. Man will den Betreffenden würgen. *Jug* 1955 *ff.*
8. jm an die ~ fahren = jn würgen; jm androhen, man werde ihn würgen. Seit dem späten 19. Jh.
8 a. er bindet sich mit der ~ am Schreibtisch fest, damit er während des Büroschlafs nicht vom Stuhl fällt: gehässige Redewendung auf Bürobedienstete. Dem Autor persönlich seit 1970 bekannt; gern als Witz erzählt.
9. einen hinter die ~ gießen (brausen, schütten, stoßen o. ä.) = ein Glas Alkohol zu sich nehmen. 1890 *ff.*
10. ich werde dich gleich an die ~ kriegen!: Drohrede. 1870 *ff.*
11. jn in die ~ nehmen = jds Hals in der Armbeuge einzwängen. ↗Krawatte 1. 1930 *ff.*
12. jn an der ~ nehmen (packen, erwischen) = jn am Hals ergreifen; jn würgen. 1870 *ff.*
13. das wächst mir bei der ~ raus = ich bin dessen überdrüssig. Analog zu ↗Hals 51. Seit dem 19. Jh.
14. die ~ auf Halbmast tragen = die Krawatte sehr lose um den Hals hängen haben. 1930 *ff.*
15. jm auf die ~ treten (trampeln) = jn empfindlich kränken. Bedeutungsgleich mit „jm auf den ↗Schlips treten", aber falsch hinsichtlich der Herleitung (↗Schlips 22 a). 1900 *ff.*
16. sich in die ~ werfen = sich festlich kleiden. Der Schlips als Bestandteil festlicher Kleidung. 1920 *ff.*
Krawattenmacher *m* 1. Wucherer. „Krawatte" nannte man früher auch den Strick des Henkers, weswegen den Henker auch „Krawattenmacher" hieß. Von da übertragen auf einen, der dem Schuldner wirtschaftlich die Luft abschnürt. Seit dem späten 19. Jh.
2. anrüchiges Kreditunternehmen (das Kunden zum Konkurs zwingt, um deren Haus- und Grundbesitz und/oder Geschäftsbetriebe unter Wert vereinnahmen zu können). Der Geldverleiher gewährt zunächst großzügig Kredite und auch Tilgungsfristverlängerungen, bis der Kunde

über seine laufende Leistungsfähigkeit hinaus verschuldet ist. 1955 ff.

Krawattenmuffel m 1. Mann, der nie die Krawatte wechselt. „Muffel" ist der verdrießliche, unfrohe Mann, der sein Leben ohne Abwechslung dahinlebt und für Modisches keinen Sinn hat. Aufgebracht 1964 von der Werbeabteilung der deutschen Krawattenindustrie. In Verbindung mit diesem Wort hat die Werbung ihren Zweck voll erfüllt und zugleich einen Begriff geprägt, der seither auf Neinsager aller Art und auf Verfechter des Herkömmlichen angewandt wird. 2. Mann, der keine Krawatte trägt. 1966 ff. 3. Mann, der sich keine modische Krawatte kauft. 1965 ff. 4. Luftwaffenangehöriger. Gemäß Dienstvorschrift wechselt er nie die Krawattenart. 1967 ff.

Krawattenschoner m Vollbart. 1900 ff.

Krawattentenor (Krawattltenor) m schlechter Tenor mit überwiegender Kopfstimme. Theaterspr. seit dem späten 19. Jh.

Kraxe (Kraxn) f 1. Tragreff, -gestell. Geht zurück auf slaw „kraschinja = stuhl-, korbartiges Gerät". Oberd seit mhd Zeit. 2. alte Frau; verkommene Frau. Analogie zu „↗Reff", zu „↗Gestell". Kann auch Nebenform zu „↗Kracke = abgearbeitetes Pferd" sein. 1900 ff. 3. Bett, Liege. Analog zu ↗Körbchen. Österr 1950 ff, halbw. 4. unleserliche Handschrift. Gehört zu ↗Krakel. Österr 1920 ff. 5. altes Gerät; altes Auto o. ä. Gehört wohl zu „krachen" und „krächzen". Österr 1920 ff. 6. eine ~ machen = a) beim Skifahren stürzen. Fußt auf österr „krageln = strampeln", beeinflußt von „krachen = (mit Geräusch) niederstürzen". 1880 ff, österr. - b) sterben; im Krieg fallen. Österr seit dem ausgehenden 19. Jh.

Kraxe'lei f Bergsteigen; anstrengender Aufstieg. Seit dem 19. Jh.

kraxeln intr bergsteigen, klettern. Weitergebildet aus österr „kragein = strampeln, klettern". Im späten 18. Jh mit dem Alpinismus aufgekommen; oberd.

Kraxler m Bergsteiger, Alpinist. ↗kraxeln. Seit dem 19. Jh.

Krebs m 1. Taschendieb. Verkürzt aus ↗Taschenkrebs. 1900 ff. 2. unverkäufliches Buch, das der Buchhändler dem Verleger zurückschickt. Übertragen vom Krebs, der rückwärts schwimmt. Seit dem frühen 19. Jh. 3. da wird selbst dem ~en schlecht = es ist höchst widerlich, völlig unerträglich. Krebse nähren sich auch von Aas; was sogar ihnen Brechreiz verursacht, muß also noch übler sein. 1935 ff.

krebsen intr 1. schlecht vorankommen; sich im Alltag schwertun; mühsam, langsam sich bewegen. Anspielung auf die mühevolle Fortbewegung des Krebses an Land. 1500 ff. 2. zurückweichen; seine Forderungen mildern; sich von einem Vorhaben zurückziehen.' Der Krebs schwimmt rückwärts. 1900 ff. 3. Taschendiebstahl begehen. ↗Krebs 1. 1900 ff.

Krebsfutter n Zigarette. Zigarettenrauchen

kann die Bildung von Lungenkrebs fördern. 1965 ff.

Kredit m 1. ~ des kleinen Mannes = Pfandleihe, Versatzamt o. ä. 1920 ff. 2. geistigen ~ aufnehmen = Gedanken anderer verwerten; von seinem Mitschüler abschreiben. 1920 ff. 3. einen ~ bei der Bank aufnehmen = einen Banküberfall begehen. Nach 1960 aufgekommen, als sich derartige Überfälle häuften. 4. etw (ein Kleidungsstück o. ä.) bringt ~ = etw hebt das Ansehen, die Geltung seines Besitzers in den Augen der Mitmenschen. Vgl „↗Kleider machen Leute". Seit dem 19. Jh.

Kreditbremse f 1. Krediterschwerung. Vom Kraftfahrzeug auf den Geldverkehr übertragen. 1960 ff. 2. den Fuß von der ~ nehmen = den Diskontsatz senken. 1960 ff. 3. auf die ~ treten (die ~ anziehen) = Krediteinschränkungen verfügen. 1960 ff.

Kreditfetzen m 1. Gesichtsschleier. Der ~ verleiht Ansehen bei den Mitmenschen und läßt züchtig erscheinen. ↗Kredit 4. Österr seit dem 19. Jh. 2. ältliche Prostituierte. ↗Fetzen 12. Wien, seit dem 19. Jh.

Kredithai m wucherischer Kreditgeber; wucherischer Kreditvermittler; Vertreter, der den Besteller über die wirklichen Kosten bei Teilzahlungskäufen im unklaren läßt. Mit dem Hai hat er die Raubgier gemeinsam. 1960 ff.

Kreditjacke f vornehme Jacke. ↗Kredit 4. Seit dem 19. Jh.

Kreditschlitten m Luxusauto. ↗Kredit 4; ↗Schlitten. 1950 ff.

kregel (krägel) adj munter, heiter, gesund, glücklich. Weiterentwickelt aus der mittelniederd Bedeutung „kampfbereit" (zu „kriegen = befehden"). Nordd, vorwiegend seit 1700.

Kreide f 1. Anschreibung einer Geldschuld; Geldschuld. Schulden wurden früher mit Kreide auf ein schwarzes Brett angeschrieben. Seit dem 15. Jh. 2. unschuldig wie ~ = völlig schuldlos. Weiß als Sinnbildfarbe der Unschuld. Sold 1940 ff. 3. mit x DM in der ~ bleiben = x DM schuldig bleiben. Seit dem 19. Jh. 4. jn aus der ~ bringen = jds Schulden bezahlen. Seit dem 19. Jh. 5. ~ fressen = sich harmlos stellen. Im Märchen „Der Wolf und die sieben Geißlein" verstellt der Wolf mittels Kreide seine rauhe Stimme. 1920 ff. 6. bei jm in die ~ geraten (kommen) = bei jm Schulden machen. Seit dem 18. Jh. 7. ~ haben = Kredit haben. Österr 1950 ff, stud. 8. jn an (in) der ~ haben = jds Gläubiger sein. Seit dem 18. Jh. 9. auf ~ leben = von Kredit leben; den Schuldbetrag anschreiben lassen. Seit dem 19. Jh. 10. auf die ~ nehmen = auf Borg leben. Seit dem 19. Jh. 11. aus der ~ rauskommen = schuldenfrei werden. Seit dem 19. Jh. 12. mit doppelter ~ schreiben (rechnen, anschreiben) = Zechschulden doppelt buchen; überhöhte Preise verlangen. Seit mhd Zeit.

13. bei jm in der ~ sein (sitzen, stecken, stehen) = bei jm Schulden haben. 1700 ff. 14. eine Rechnung steht noch in der ~ = eine Rechnung ist noch nicht bezahlt. Seit dem 19. Jh. 15. in die ~ steigen = sich verschulden. 1950 ff.

Kreidezeit f versöhnliche Gestimmtheit der politischen Gegner; Zeitspanne vorgetäuschter Freundlichkeit. Vgl ↗Kreide 5. Seit 1980 belegt; aber wohl älter.

Kreidezeitgenossen (Kreide-Zeitgenossen) pl Pflastermaler. Sie arbeiten mit Farbkreiden. Kreidezeit meint geologisch die Kreideformation des Mesozoikums. 1964 ff.

Kreis m 1. geschlossener ~ = Haftanstalt. Der „geschlossenen Gesellschaft" nachgeahmt mit Anspielung auf die von außen verschlossenen Zellentüren und den Rundgang im Gefängnishof. Spätestens seit 1900. 2. geschlossene ~e = die Insassen einer Haftanstalt. Vom Vorhergehenden abgeleitet. 1900 ff. 3. im ~ gehen = ratlos sein; keinen Ausweg wissen. Die Gedanken bewegen sich im Kreis und schreiten nicht fort. 1900 ff.

kreischend adv ihm ist ~ wohl zumute = besser kann ihm nicht zumute sein. Berlin 1935 ff.

Kreischer m 1. Arbeitsverweigerer, -unwilliger. Seinem Unmut gibt er laut Ausdruck. 1925 ff. 2. Feigling. Er schreit laut auf bei drohender oder vermeintlicher Gefahr. Sold 1939 ff. 3. Schlagersänger. Halbw 1970 ff. 4. Vorgesetzter, der für sein Schreien bekannt ist. 1914 ff.

Kreisel m 1. Zirkel. Eigentlich der Drehkegel. Schül 1930 ff. 2. Schallplatte. 1965 ff, jug. 3. Hallenradrennen. 1970 ff.

kreiseln intr an einem Hallenradrennen teilnehmen. Vgl das Vorhergehende. 1970 ff.

Kreislauf m den ~ fördern (etwas für den ~ tun) = geschlechtlich verkehren. Halbw 1965 ff.

Kreislaufregler m 1. intimer Freund eines Mädchens. Halbw 1955 ff. 2. vorübergehende Liebschaft eines Kurgastes. 1960 ff.

Kreissäge f 1. steifer, ovaler Strohhut mit flachem Kopf und gerader Krempe. Übertreibend erinnert der Strohrand an ein Kreissägeblatt. Um 1900 in Mode gekommen. Bühnenrequisit von Buster Keaton, Harold Lloyd und Maurice Chevalier. 2. Schirmmütze. Formverwandt mit dem Vorhergehenden. BSD 1965 ff. 3. schlechte Sängerin. Ihr Gesang erinnert an die Geräuschentwicklung einer Kreissäge. Theaterspr. 1920 ff. 4. eifernde, schimpfende Frau. 1920 ff. 5. an einer ~ verletzt haben = von unbekanntem Mann geschwängert worden sein. Wer sich an der Kreissäge verletzt hat, kann nicht angeben, welcher Zahn die Wunde riß. Sold 1939 ff.

krekeln intr nörgeln; kleinlich tadeln. Lautmalend für das Krächzen der Raben und Krähen. 1700 ff.

krell adj krill.

Krempe f 1. Altwarenhändlerin, Lumpen-

sammlerin; Stöberin in Mülltonnen. Gehört zu „↗Kram" und „↗Krempel". Seit dem späten 19. Jh.
2. jm an die ~ fassen = jm Takt beibringen; jn über die Anstandsregeln belehren. Durch einen Griff an die Krempe will man ihm bedeuten, daß er den Hut abzunehmen hat. 1900 *ff.*
3. keine ~ am Hut haben = nicht gescheit sein. Leitet sich her vom „dummen August" im Zirkus, der meist einen Hut ohne Krempe trägt. 1900 *ff.*
4. das kannst du einem erzählen, der keine ~ am Hut hat = das kannst du einem Dummen erzählen, aber nicht mir! 1900 *ff.*
5. einen suchen, der keine ~ am Hut hat = einen suchen, den man übertölpeln oder veralbern kann. 1900 *ff.*
Krempel *m* **1.** minderwertige Waren; wertlose Gegenstände; Geringwertiges; Habe *(abf)*. Geht zurück auf *mhd* „grempeln = Kleinhandel treiben"; der Trödelmarkt hieß in Süddeutschland früher „Grempelmarkt". Seit dem 19. Jh.
2. Gesamtheit der Orden und Ehrenzeichen. *Sold* 1939 *ff* bis heute.
3. Schmuck *(abf)*; Modeschmuck. *Halbw* 1960 *ff.*
4. Prügelei, Streit. Geht vielleicht zurück auf „Gerempel"; *vgl* ↗rempeln. 1900 *ff.*
5. der ganze ~ = das alles *(abf)*. 1800 *ff.*
6. seinen eigenen ~ haben = Besonderheiten besitzen. Seit dem 19. Jh.
7. den ganzen ~ hinhauen (hinschmeißen) = die Arbeit aufgeben; sein Amt niederlegen; einen Beruf angewidert aufgeben. *Vgl* ↗Kram 7. 1900 *ff.*
8. jm den ~ vor die Füße werfen (schmeißen) = jm die weitere Mitarbeit aufkündigen. *Vgl* ↗Kram 15. 1900 *ff.*
9. den ~ zusammenschmeißen = heiraten. *Vgl* ↗Kram 18. 1970 *ff.*
krempelgeil *adj* ordenslüstern. ↗Krempel 2. 1965 *ff.*
Kren *m* **1.** Geldgeber; geldlich freigebiger Mensch. Fußt auf *jidd* „keren = Kapital". *Österr* 1920 *ff, rotw.*
2. dummer Mann; Mann, der leicht zu übertölpeln ist; Betrogener. Er ist so arglos, daß man ihm leicht sein Geld abgewinnen kann. *Österr* 1900 *ff.*
3. Gefallsucht, Prahlerei. Versteht sich nach dem Folgenden. *Bayr* und *österr,* seit dem 19. Jh.
4. sich einen ~ geben = stolz, dünkelhaft sein. Kren = Meerrettich. Hält man ihn sich unter die Nase, nimmt man die Nase hoch, weil er sehr scharf riecht. Daher analog zu „die ↗Nase hoch tragen". *Bayr* und *österr,* 1800 *ff.*
5. zu etw seinen ~ geben = zu etw (überflüssigerweise) seine Meinung äußern. Manche Leute mögen Meerrettich bei erlesenen Essen missen. Parallel zu „zu etw seinen ↗Senf geben". *Österr* 1900 *ff.*
6. einen ~ haben = stolz, hochmütig sein. ↗Kren 4. *Bayr* und *österr,* 1800 *ff.*
7. in alles seinen ~ reiben = sich in alles ungebeten einmischen. ↗Kren 5. 1900 *ff, österr.*
8. einen ~ reißen = prahlen; sich aufspielen. ↗Kren 4; ↗reißen 5. *Österr* 1900 *ff.*
krepieren *intr* **1.** sterben; elend zugrundegehen. Geht zurück auf *ital* „crepare = zerplatzen (Sprengkörper zerplatzen); ver-

recken". Ursprünglich in der Soldatensprache um 1600 auf den Menschen, später auch auf das Tier angewandt.
2. es krepiert ihn = es ärgert ihn sehr. Analog zu „die ↗Platze kriegen". Seit dem 19. Jh.
3. der Motor ist krepiert = der Motor ist wegen eines Defekts stehengeblieben. 1920 *ff.*
4. nicht ums ~ = um keinen Preis; durchaus nicht (und koste es das Leben). Analog zu „nicht ums ↗Verrecken". 1914 *ff.*
5. es ist zum ~ = es ist zum Verzweifeln. *Vgl* ↗verrecken 7. 1700 *ff.*
Kre'pierl *n (m)* gebrechlicher, elend aussehender Mensch; elendes, krankes Tier. ↗krepieren 1. *Bayr* und *österr* 1800 *ff.*
krepitzen *intr* Aufstoßen haben. Schallnachahmend. Seit dem 19. Jh, *österr.*
Krethi und Plethi *pl* viele Leute verschiedenen Standes, verschiedener Herkunft; minderwertige Gesellschaft. Meint in der Bibel die Kreter und die Philister, die die Leibwache König Davids bildeten. Spätestens seit 1600.
Kretscham *m* Wirtshaus, Dorfschenke. Geht zurück auf *poln* „karczma" und *tschech* „krčma". Aus dem *Schles* durch Gerhart Hauptmann („Die Weber") in die allgemeine Umgangssprache eingedrungen, etwa seit 1900.
Kreuz *n* **1.** Mühsal, Sorge, Not; Übles, Schlimmes. Hergenommen von der Bedeutung des Kreuzes für das Christentum: der Schandgalgen für Verbrecher wurde durch den Kreuzestod Christi zum Sinnbild unausweichlicher Bekümmernis und arger Mühsal. Seit dem 15. Jh.
2. ein ~, ein Leid: Redewendung, wenn Treff (= Kreuz) gespielt wird. Kartenspielerspr. seit dem 19. Jh.
3. o ~, mein Leiden!: Redewendung, mit der ein Skatspieler seinem Partner verrät, daß er schlechte Karten der Farbe „Treff = Kreuz" hat. Seit dem 19. Jh.
4. ~ mit Bandscheibenschaden = nicht gewinnsicheres Treff-Spiel. „Kreuz" meint hier wortspielerisch sowohl die Kartenfarbe Treff als auch das Rückgrat(ende). 1950 *ff,* kartenspielerspr.
5. ~ von Doppelschrankbreite = Breitschultrigkeit. *Vgl* „normannischer Kleiderschrank" = Spitzname des breitschultrigen deutschen Filmschauspielers Curd Jürgens (1912–1982). 1950 *ff.*
6. ~ des Südens = Gesäß. Eigentlich der Name eines Sternbilds des südlichen Himmels. 1900 *ff.*
7. Deutsches ~ in Holz (in Birke) = schlichtes Holzkreuz auf dem Soldatengrab. In grimmigem Scherz dem Deutschen Kreuz in Gold nachgeahmt. *Sold* 1939 *ff.*
8. Eisernes ~ mit Trauerflor = Kriegsverdienstkreuz. Der breite Mittelstreifen des Bandes ist schwarz. 1939 *ff.*
9. oberes ~ = Halswirbelsäule, -muskulatur. 1920 *ff.*
10. südliches ~ = Gesäß. ↗Kreuz 6. 1900 *ff.*
11. unteres ~ = unteres Wirbelsäulende; Steißbein. 1920 *ff.*
12. im ~ abbrechen = sich zum Schlafen niederlegen. Das geschieht gemeinhin mit angewinkelten Beinen; so entsteht am

„südlichen Kreuz" ein „Knick = Bruch". 1914 *ff.*
13. sich das ~ abbrechen = übertrieben viele (tiefe) Verbeugungen machen. 1920 *ff.*
14. es drückt ihm fast das ~ ab = es strengt ihn körperlich sehr an. 1950 *ff.*
15. jm das ~ abschlagen = jn heftig verprügeln; jn umbringen. *Bayr* 1900 *ff.*
16. jm das ~ aushaken = jn heftig prügeln. 1900 *ff.*
17. jm das ~ aushängen = jn so zurichten, daß die Wirbelsäule beschädigt wird; Drohrede. Übertragen von der Vorstellung der aus den Angeln gehobenen Tür. 1900 *ff.*
17 a. über ~ bleiben = in einer Meinungsverschiedenheit auf dem eigenen Standpunkt beharren. ↗Kreuz 22. 1960 *ff.*
18. jm das ~ brechen = a) jds Eigenwillen brechen. Das Rückgrat als Sinnbild der Willens- und Gesinnungsstärke. Seit dem 19. Jh. – b) den Gegner im Kartenspiel um den Sieg bringen. Kartenspielerspr. seit dem 19. Jh.
19. aus dem ~ drücken = koten. ↗Kreuz 10. *BSD* 1965 *ff.*
20. jm das ~ einrichten = jn verprügeln, mißhandeln. Ironie; denn „einrichten" meint soviel wie „zurechtsetzen". 1930 *ff.*
21. aufs ~ fallen = sehr erstaunt sein. Vor Überraschung oder Schreck verliert man die Standfestigkeit oder wird gar ohnmächtig. Gemeint ist „Kreuz = Gesäß"; *vgl* daher auch „↗setzen 3". Seit dem 19. Jh.
22. mit jm über ~ geraten = sich mit jm entzweien. Meint eigentlich das Kreuzen der Klingen beim Fechten. 1900 *ff.*
23. ein ~ hat jeder Mensch: Treff-Ansage des Kartenspielers. 1900 *ff.*
24. etw im ~ haben = wohlhabend sein. Man hat geldlichen Rückhalt. 1920 *ff.*
25. einen im (auf dem) ~ haben = betrunken sein. Der Bezechte torkelt wie unter einer schweren Last. 1900 *ff.*
26. wer das ~ hat, segnet sich zuerst = wem die Möglichkeit gegeben ist, der nimmt sich seinen Vorteil vorweg; Macht läßt zu Reichtum kommen. Das Kreuz als Sinnbild des Christentums meint hier die katholische Gesinnlichkeit und wahren den Erwerbssinn der Kirche. Im späten 19. Jh aufgekommen, wohl im Zusammenhang mit dem Zwist zwischen der preußischen Regierung und der katholischen Kirche.
27. mit jm sein ~ haben = um jn viel Sorge und Kummer haben. ↗Kreuz 1. 1500 *ff.*
28. ein breites ~ haben = allerlei Zumutungen zu ertragen müssen; sich nicht aus der Ruhe bringen lassen; viel Widriges aushalten können. Der breite Rücken trägt schwere Lasten. 1900 *ff.*
29. jm etw ans ~ hängen = jn für etw verantwortlich machen. Man bürdet ihm die Last der Verantwortung auf die Schultern. 1950 *ff.*
30. mit jm über ~ kommen = sich mit jm verfeinden. ↗Kreuz 22. 1900 *ff.*
31. zu ~ e kriechen = widerrufen; sich demütigen; nachgeben. Fußt auf der alten kirchlichen Kreuzstrafe: der reuige Sünder mußte am Karfreitag auf Händen und Füßen zum

Kreuz Christi kriechen. Seit dem 17. Jh auf weltliche Verhältnisse übertragen.

32. jn aufs ~ legen (schmeißen, werfen) = a) jn zu Boden werfen; jds Widerstand brechen; jn bezwingen; jn unschädlich machen; jn umbringen. Aus der Ringersprache übernommen. *1920 ff.* – b) jn erpressen, betrügen, belügen, übertölpeln, als Geldgeber (für eine unsichere Sache) gewinnen. *1920 ff.* – c) jn einem strengen Verhör unterziehen (und zu einem Geständnis zwingen). *1930 ff.* – d) jm unbeantwortbare Fragen stellen; jm Antworten geben, die keine Erwiderung zulassen. *1920 ff.*

33. eine Frau aufs ~ legen (schmeißen) = eine Frau beischlafwillig machen, zum Geschlechtsverkehr zwingen. *1920 ff.*

34. sich aufs ~ legen lassen = sich übertölpeln lassen. *1920 ff.*

35. jm etw aus dem ~ leiern = jm etw abnötigen. Analog zu ↗abzapfen, auch ↗entsteißen. Im engeren Sinne ist wohl von einer Rückenmarkpunktion auszugehen. *Vgl* aber auch „etw im Kreuz haben = Geld im Rückhalt haben": es ist also auch von dort herzuholen. ↗leiern 2. *1920 ff.*

36. hinter etw drei ~ e machen = froh sein, daß man eine Arbeit erledigt hat. Hergenommen von der Segenserteilung des Geistlichen. Seit dem 19. Jh.

37. hinter jm drei ~ e machen = sich über jds Weggehen sehr freuen. *Vgl* das Vorhergehende. Seit dem 19. Jh.

38. mach drei ~ e, vier ~ e sind Doktor!: scherzhafte Redewendung, wenn einer kaum seinen Namen schreiben kann. Drei Kreuze statt einer Unterschrift sind die Merkzeichen des Schreibunkundigen. Ihm wird unterstellt, daß er immerhin „bis drei zählen" kann. *1950 ff.*

39. vor jm (etw) das ~ machen = sich vor jm (etw) fürchten; gegen jn (etw) Abscheu hegen. Das Kreuzzeichen ist in der volkstümlichen Praxis auch ein unheilbannendes Zeichen. *1700 ff.*

40. ins ~ ~ schmeißen. ↗Kreuz 32.

41. es ist ein ~ mit ihm = man hat mit ihm seine Last, seine Not. ↗Kreuz 1. *1500 ff.*

42. stark im ~ sein = unbeugsam sein. *Vgl* ↗Kreuz 18. *1930 ff.*

43. mit jm über ~ (übers ~) sein = mit jm verfeindet sein. ↗Kreuz 22. Seit dem 18. Jh.

44. jn aufs ~ werfen. ↗Kreuz 32.

45. ein breites ~ zeigen = sich ablehnend verhalten; sich einer Sache widersetzen. ↗Kreuz 28. *1900 ff.*

46. jm ein paar übers ~ ziehen = jn heftig prügeln. Seit dem 19. Jh.

Kreuz- (kreuz-) als erste Silbe einer doppelbetonten Zusammensetzung hat verstärkende und steigernde Geltung. Herzuleiten von einschlägigen Vergleichen sowie von Flüchen und Verwünschungen, die sich auf das Kreuz Christi beziehen, auch von frommen Anrufungen des Kreuzes Christi in Gebeten, Beteuerungen u. ä.

'Kreuz'birnbaum'hollerstauden (Kreuz, Birnbaum und Hollerstauden) *interj* Unmutsausruf. *Bayr 1900 ff.*

'Kreuz'bomben *interj* Verwünschung. Seit dem 19. Jh.

'Kreuz'bomben'donnerwetter *interj* Fluch. Seit dem 19. Jh.

'Kreuz'bombenele'ment nochmall *interj* Ausruf heftigsten Unwillens. ↗Bombenelement. Seit dem 19. Jh.

'Kreuz'bomben'hitze *f* unerträgliche Hitze. ↗Bombenhitze. *1920 ff.*

'kreuz'brav *adj* sehr brav, bieder, redlich. *1700 ff.*

'kreuz'divi'domini *interj* Fluch. Entstellt aus „Iaus tibi, Domine". *1800 ff, bayr* und *österr.*

'Kreuz'donner *interj* Ausruf heftigen Unmuts. Seit dem 19. Jh.

'Kreuz'donnerschlag *interj* Verwünschung. ↗Donnerschlag. Seit dem 19. Jh.

'Kreuz'donnerwetter *interj* Fluch. ↗Donnerwetter. *1800 ff.*

'Kreuz'donnerwettersakra'menter *m* übler Kerl; niederträchtiger Mensch; auch harmloses Scheltwort. ↗Sakramenter. *Bayr 1900 ff.*

'kreuz'dumm *adj* sehr dumm. *1800 ff.*

'kreuz'ehrlich *adj* sehr bieder, aufrichtig. *1800 ff.*

'Kreuzele'ment *interj* Verwünschung. *1800 ff.*

kreuzen *tr* etw einschmuggeln; verbotene Ware mitbringen. Meint seemannsspr. „im Zickzack (gegen den Wind) segeln"; von da weiterentwickelt zur Bedeutung „alle Kontrollen umgehen". *Marinespr 1910 ff.*

Kreuzer *m* breitgebautes Auto. Verkürzt aus ↗Straßenkreuzer. *1950 ff.*

kreuzerweise *adv* ~ verliert man's Geld: Spielansage „Treff". Wortspiel mit „Kreuz = Spielfarbe Treff", „Kreuzer = Geldmünze" und „kreuzweise". Kartenspielerspr. *1900 ff.*

'kreuzfi'del *adj* **1.** sehr lustig; in ausgelassener Stimmung. ↗fidel. Wohl von Studenten ausgegangen. *1800 ff.* **2.** ~ und puppenlustig = sehr ausgelassen. ↗puppenlustig. *1900 ff.*

'kreuzge'mütlich *adj* sehr gemütlich, behaglich. *1900 ff.*

'Kreuz'hagel'donnerwetter *interj* Fluch. *1900 ff.*

'Kreuz'himmel'bomben *interj* Fluch. *1900 ff.*

'Kreuz'himmel'bomben'donnerwetter *interj* Ausruf heftigsten Unmuts. *1900 ff.*

'Kreuz'himmel'bomben'hagel'schock-'donnerwetter *interj* Verwünschung. *1900 ff.*

'Kreuz'himmel'donnerwetter *n* **1.** sehr laute Auseinandersetzung; heftiges Gewitter. ↗Donnerwetter. Seit dem 19. Jh. **2.** *interj* Ausruf heftigen Unmuts. Seit dem 19. Jh.

'Kreuz'himmel'herrgott *interj* Verwünschung. Seit dem 19. Jh.

'Kreuz'himmel'tausend'donnerwetter *interj* Fluch. Seit dem 19. Jh.

'Kreuzkruzi'fix *interj* Verwünschung. Ein Pleonasmus. ↗Kruzifix. *Bayr 1900 ff.*

'kreuzkruzi'fix'himmi'herrgottsakra-'ment *interj* Verwünschung. *1900 ff, bayr.*

'Kreuzkruzi'türken *interj* Ausruf der Verzweiflung, auch der Freude. ↗Kruzitürken. *Bayr 1900 ff.*

'kreuz'lahm *adj präd* **1.** rückenlahm; bewegungslos. Kreuz = Rückgrat. Seit dem 18. Jh. **2.** wankelmütig; zu nachgiebig; nicht gesinnungstreu; nicht charakterfest; unbedeutend, inhaltsleer. *1700 ff.*

Kreuzlschreiber *m* Analphabet. ↗Kreuz 38. *Österr 1920 ff.*

'kreuz'lustig *adj* sehr lustig, unbeschwert, sorglos. *1800 ff.*

'Kreuzmilli'onen *interj* Fluch. *1800 ff.*

'Kreuzmilli'onen'donnerwetter *interj* Verwünschung. Seit dem 19. Jh.

'Kreuzmilli'onen'himmel'donnerwetter *interj* Verwünschung. Seit dem 19. Jh.

'Kreuzmilli'onen'schockschwere'not *interj* Ausruf heftigsten Unwillens. ↗Schwerenot. Seit dem 19. Jh.

'kreuznor'mal *adj* völlig normal; allgemein üblich. *1970 ff.*

'kreuz'ruhig *adj adv* leidenschaftslos, unerschütterlich. *1900 ff.*

'Kreuz'sakra *interj* Fluch. ↗Sakra. *1800 ff.*

'kreuz'sauber *adj* sehr hübsch. ↗sauber. *Bayr seit dem 19. Jh.*

Kreuzschmerzen *pl* angestrengtes Verlangen nach einem Eisernen Kreuz; Gier nach Orden und Ehrenzeichen. Den Rückenschmerzen untergeschobene neue Bedeutung; *1850 ff.*

'Kreuz'schock'donnerwetter *interj* Ausruf des Unmuts. Seit dem 19. Jh.

'Kreuz'schockschwere'not *interj* Verwünschung. ↗Schwerenot. Seit dem 19. Jh.

'Kreuzschwere'not *interj* Fluch. ↗Schwerenot. Seit dem 19. Jh.

'Kreuz'seiten *interj* Verwünschung. ↗Herrschaftsseiten. *Bayr* und *österr* seit dem 19. Jh.

Kreuzstich *m* Skatstich, der mit einer Kreuzkarte (Spielfarbe „Treff") getrumpft wurde. Eigentlich der Stich übers Kreuz beim Nähen oder Sticken. Kartenspielerspr. *1900 ff.*

'Kreuz'tausend'donnerwetter *interj* Ausruf der Verzweiflung. Seit dem 19. Jh.

'Kreuz'teufel ('Kreuz'deifi; zum 'Kreuz'teufel; 'Kreuz'teufel noch'-mal)l *interj* Verwünschung. *Bayr seit dem 19. Jh.*

'Kreuz'türken (~ noch'mal) *interj* Fluch. ↗Kruzitürken. Seit dem 19. Jh.

'kreuz'unglücklich *adj* sehr unglücklich. Seit dem 19. Jh.

Kreuzungshuscher *m* Kraftfahrer, der noch bei rotem Ampellicht eine Straßenkreuzung befährt (über die Kreuzung huscht). *1960 ff.*

'kreuzver'flucht *adj* höchst unangenehm; zutiefst widerwärtig. Seit dem 19. Jh.

'kreuzver'gnügt *adj* sehr vergnügt; sehr ausgelassen. Seit dem 19. Jh.

kreuzweise (er kann mich ~; leck mich ~; ~ sogar) *adv* derber Ausdruck der Verachtung. Der mit dem Götz-Zitat verbundenen Einladung soll hier der Kerbe entlang und auch quer dazu Folge geleistet werden. *1840 ff.*

'kreuzwohl'auf *adv präd* sehr munter; bei bester Gesundheit. *1800 ff.*

kreuzworteln *intr* Kreuzworträtsel lösen. *1973 ff.*

Kreuzworträtseljacke *f* karierte Jacke. *1960 ff.*

Kribbel *m* **1.** Juckreiz. ↗kribbeln 1. Seit dem 19. Jh. **2.** Reizbarkeit, Ungeduld. Seit dem 19. Jh. **3.** Geschlechtslust. Seit dem 19. Jh. **4.** unruhiger, ruheloser, nervöser Mensch. 19. Jh.

kribbelig *adj* **1.** prickelnd. ↗kribbeln 1. Seit dem 19. Jh.

2. reizbar, nervös, unruhig. 1800 *ff.*

Kribbelknochen *m* Ellbogenspitze. Ein anatomisches Mißverständnis. Gemeint ist eigentlich kein Knochen, sondern ein hochempfindlicher Nerven-Knotenpunkt am Ellbogengelenk, zwischen Elle und Speiche. Ein leichter Stoß an dieser – je nach Armhaltung mehr oder minder geschützten – Stelle bewirkt ein „Kribbeln = Prickeln, Kitzeln", ein kräftiger Stoß ein Gefühl wie von einem elektrischen Schlag. *Vgl* „↗ kribbeln 1". 1900 *ff.*

Kribbelkopf *m* nervöser, leicht erregbarer, aufgeregter, jähzorniger Mensch. ↗ kribbelig 2. 1700 *ff.*

kribbeln *intr* **1.** prickelnd jucken; kitzeln; sich unruhig bewegen. Ablautende Nebenform zu „↗ krabbeln". Seit *mhd* Zeit. **2.** ~ in den Beinen verspüren = tanzlustig sein. 1920 *ff.*

Kribbelwasser *n* **1.** Mineralwasser. Analog zu ↗ Krabbelwasser. *Vgl* ↗ kribbeln 1. 1900 *ff.* **2.** Sekt. *Iron* Wertminderung. *BSD* 1965 *ff.*

krickelig *adj* gekritzelt, unleserlich. Ablautende Nebenform zu „↗ krakelig", beeinflußt von „↗ kritzeln". 1900 *ff.*

Krickelkrakel (Krikelkrakel) *n* unleserlich Geschriebenes. Wortdoppelung zu „Krakel" in Verbindung mit „Kritzel". Seit dem 19. Jh.

krickeln *intr* unleserlich schreiben; kritzeln. ↗ krickelig; ↗ krakeln. Seit dem 19. Jh.

Kriecher *m* würdelos unterwürfiger Mensch; Schmeichler, Anbiederer. Möglicherweise verkürzt aus „↗ Arschkriecher". 19. Jh und bis heute.

Krieg *m* **1.** Streit, Zank, Unfrieden. Auf mangelnde Friedfertigkeit in jeglichen zwischenmenschlichen Beziehungen übertragen seit dem 19. Jh. **2.** ~ und Frieden = Verhältnis zwischen Lehrer und Schüler. Übernommen vom deutschen Titel des nach dem Roman von Leo Tolstoj gedrehten Films „War and Peace" (1956). *Schül* 1959 *ff.* **3.** dreißigjähriger ~ = dreißig Jahre währende schlechte Ehe. Ironie. Seit dem 19. Jh. **4.** fauler ~ = Stellungskrieg zwischen *dt* „Westwall" und *franz* „Maginot-Linie" vom 1. September 1939 bis zum 9. Mai 1940. Da kein ernsthafter Schußwechsel stattfand, herrschte auf beiden Seiten ein „Faulenzerleben". 1940 *ff.* **5.** heißer ~ = Krieg mit militärischen Waffen. Im Anschluß an das Folgende gegen 1947/48 aufgekommen. **6.** kalter ~ = kriegsähnlicher Zustand ohne *milit* Waffenanwendung. Übersetzung von *engl* „cold war" seit Anfang November 1947 in der *dt* Presse; wahrscheinlich hervorgerufen durch einen Leitartikel von Walter Lippmann in der „Washington Post". Laut „Frankfurter Allgemeine Magazin", Heft 138/1982, taucht der Begriff in der Form „guerre froide" bereits 1893 bei Eduard Bernstein auf; er dürfte noch älter sein. **7.** lauwarmer ~ = kleiner Zwist; Meinungsverschiedenheit. Erklärt sich aus dem Vorhergehenden. 1950 *ff.* **8.** schmutziger ~ = a) in der Verborgenheit geführter Krieg mit Sprengstoffanschlägen, Ermordungen usw. Schmutzig = heimtückisch. 1955 *ff.* – b) Firmen-

wettbewerb mit unredlichen Mitteln; unlauterer Wettbewerb. 1965 *ff.* **9.** siebenjähriger ~ = sieben Jahre währende schlechte Ehe. Eigentlich der europäische Krieg 1756–1763. Umgangssprachlich seit dem 19. Jh. **10.** den ~ nicht erfunden haben = an einer unerfreulichen Anordnung nicht schuld sein (aber sie dennoch ausführen). *Sold* in beiden Weltkriegen. **11.** genießt den ~ (freut euch des Kriegs), der Friede wird furchtbar (fürchterlich, grauenvoll) sein: grimmige defätistische Äußerung. Wahrscheinlich nicht erst im Zweiten, sondern schon im ausgehenden Ersten Weltkrieg aufgekommen. **12.** ~ spielen = a) Soldat sein. Entpathetisierung, als wäre es ein Kinderspiel. 1920 *ff.* – b) am Manöver teilnehmen. Es ist eine Übung (ein „Sandkastenspiel"), kein Ernstfall. *BSD* 1955 *ff.* **13.** stellt euch vor (stell' dir vor), es gibt (gäbe) ~, und keiner geht (ginge) hin!: an- oder aufreizender Losungsspruch von Kriegsdienstgegnern und Anhängern der „Friedensbewegung"; jedoch oft auch *iron*, um Kriegsgegnertum verächtlich zu machen. Laut „Information für Jugendliche" (Bonn 1983, Heft 4) ist der Spruch ein Zitat aus dem Buch „The People – Yes" des amerikanischen Schriftstellers Carl Sandburg aus dem Jahre 1936; Übersetzung im Aufbau-Verlag, Berlin und Weimar 1964. Verbreitet durch Aufkleber und Wandbeschriftungen seit 1980/81. *Vgl* auch „Der Sprachdienst" (Wiesbaden 1983, Heft 7, S. 97 *ff.*).

kriegen *tr* **1.** bekommen, erlangen, einer Sache (einer Person) habhaft werden. Stammt aus *mittel* „kriegen = streben", dann „zu erhalten trachten". Etwa seit 1400 aufgekommen aus „erkriegen = bekommen" unter Wegfall der Vorsilbe. **2.** jn ertappen, einer Tat überführen, festnehmen. Seit dem 19. Jh. **3.** jn rügen; es jm gedenken. 1900 *ff.* **4.** sich ~ = ein Braut-, Ehepaar werden. Man bekommt (beiderseits) den (gewünschten) Partner zu eigen. 1800 *ff.* **5.** sich ~ = miteinander streiten. Verkürzt aus „sich in die ↗ Haare kriegen". Seit dem 19. Jh. **6.** du kriegst sie gleich = du bekommst gleich Hiebe (Ohrfeigen). Seit dem 17. Jh. *Vgl engl* „to get it". **7.** das werden wir schon ~ = das werden wir geschickt bewerkstelligen. Kriegen = erreichen; passend machen. *Vgl* aber auch „↗ hinkriegen". Spätestens seit 1900. **8.** jn zu etw ~ = jn zu etw beeinflussen, bewegen, gewinnen, verleiten. ↗ hinkriegen 4. Seit dem 19. Jh. **9.** sich nicht ~ lassen = sich nicht erwischen lassen. ↗ kriegen 2. 1900 *ff.* **10.** laß dich nicht ~!: Warn-, Drohrede. 1900 *ff.* **11.** ~ Sie das öfter? = haben Sie solche Anfälle von Torheit (Schwachsinn, Unvernunft) öfter? Berlin seit dem späten 19. Jh. **12.** es ~ = stark in Mitleidenschaft gezogen werden; grob, rücksichtslos behandelt werden. „Es" steht ursprünglich wohl für „das Verdiente". 1900 *ff.* **13.** etw an sich ~ = sich entsetzen; sich heftig erregen. Wie einer, der mit etw arg

Ekelerregendem o. ä. beworfen wird. 1900 *ff.* **14.** zuviel ~ ↗ kriegen 1; ↗ zuviel.

Krieger *m* **1.** ein im Kraut gedünsteter ~ = alterfahrener Frontsoldat. Scherzhaft umgemodelt aus „im Dienst ergrauter Krieger". 1927 *ff.* **2.** kalter ~ = Staatsmann, der einen feindseligen Zustand ohne Waffenanwendung aufrechterhält. ↗ Krieg 6. 1947 *ff.* **3.** moosbewachsener ~ = Altgedienter; erfahrener Frontsoldat. ↗ bemoost. *Sold* 1914 *ff.* **4.** müder ~ = a) Marschkranker. *Sold* 1940 *ff.* – b) kriegsmüder Soldat. *Sold* 1942 *ff.* – c) abgearbeiteter Mensch. 1920 *ff.* – d) lässiger, träger Arbeiter. 1920 *ff.* – e) Soldat, der – vor allem montags – nur widerwillig aufwacht (zum Appell erscheint). *BSD* 1965 *ff.* – f) schwungloser Sportler. 1950 *ff.* **5.** das haut den kältesten ~ um!: Ausdruck größter Überraschung. Kalt = gefühlskalt. 1900 *ff.* **6.** den müden ~ in sich wecken = sich zu etw aufraffen, anschicken. ↗ Krieger 4. 1970 *ff*, *jug.*

Kriegervereinsgewehr *n* Regenschirm. Bei Paraden und Aufmärschen schultern Kriegervereinsmitglieder den Regenschirm wie zu ihrer Soldatenzeit das Gewehr. 1910 *ff.*

Kriegsandenken *n* Verwundung, Narbe; Geschoßsplitter im Körper. 1914 *ff* bis heute.

Kriegsbeil *n* **1.** das ~ begraben = Frieden schließen; den Streit beenden. Stammt aus *engl* „to bury the tomahawk", bekannt geworden durch die Lederstrumpf-Erzählungen von James Fenimore Cooper (1798–1851). 1870 *ff.* **2.** das ~ ausgraben = Streit beginnen, wiederbeginnen. 1920 *ff.*

kriegsbemalt *adj* (auffallend) geschminkt. *Vgl* das Folgende. 1920 *ff.*

Kriegsbemalung *f* **1.** Schminken; Make-up. Beruht auf der Gesichts- und Körperbemalung zum Kampf aufberedender Krieger; sie diente magischen Zwecken: eigener Stärkung bei gleichzeitiger Schwächung des Gegners. Die Begriffsübertragung auf die Rolle der (weiblichen) Schminkkunst im „Kampf der Geschlechter" ist mithin von verblüffender Logik. Theaterspr. 1920 *ff*, nach 1945 allgemein verbreitet. **2.** in ~ (in voller ~) = zum Ausrücken fertig angezogen; versehen mit Orden, Ehrenzeichen, Schießschnur usw.; geschminkt. Bezieht sich ausschließlich auf zusätzliche Verschönerung, nicht auf die normale Uniform oder Gesichtsfarbe. Seit dem späten 19. Jh. *Vgl engl* „war-paint".

Kriegsersatz *m* Fußballspiel. ↗ Ersatzkrieg 1. 1966 *ff.*

Kriegsfuß *m* **1.** mit jm auf dem ~ stehen (leben) = mit jm in Streit leben. Geht zurück auf die Indianergeschichten von Karl May. 1880 *ff.* *Vgl franz* „vivre sur le pied de guerre avec quelqu'un". **2.** mit etw auf dem ~ stehen = mit etw immer von neuem Schwierigkeiten haben; einer Sache nicht gewachsen sein. 1900 *ff.* **3.** sich mit jm auf ~ stellen = jn ablehnen und bekämpfen. 1920 *ff.*

Kriegshabicht *m* Mensch, der auf unredliche, ehrenrührige Weise am oder durch den Krieg verdient. Er ist ein greifvogelartiger Beutemacher. *Ziv* in beiden Weltkriegen.

Kriegskasse *f* 1. Buckel. Zum Scherz oder Trost sagt man dem Buckligen, er trage die Kriegskasse auf dem Rücken. Spätestens seit 1850.
2. Barschaft für die Wanderung; Wegzehrgeld. Seit dem 19. Jh.

Kriegsklamotte *f* einfallsloser Kriegsfilm. ↗Klamotte. 1965 *ff.*

Kriegskotelett *n* geröstete Brotschnitte. *Sold* und *ziv* in beiden Weltkriegen.

Kriegsmutwilliger *m* Kriegsfreiwilliger. Die Freiwilligenmeldung gilt als Tat eines Übermütigen. *Sold* in beiden Weltkriegen.

Kriegsrat *m* 1. Lehrerkonferenz. Eigentlich die Erörterung der Kriegslage und die Beschlußfassung über das weitere strategische Vorgehen. 1950 *ff.*
2. ~ halten = das weitere Vorgehen erörtern. Spätestens seit 1900.

Kriegsreißer *m* publikumswirksamer Kriegsfilm. ↗Reißer. 1958 *ff.*

Kriegsschnulze *f* anspruchslos-rührseliger Kriegsfilm. ↗Schnulze. 1958 *ff.*

Kriegsstärke *f* in voller ~ = vollzählig. Meint in der *milit* Fachsprache die Truppenzahl für den Kriegsfall. 1950 *ff.*

Kriegszitterer *m* Mann, der durch vorgetäuschte Krankheiten sich dem Wehrdienst zu entziehen sucht. *Sold* 1942 *ff.*

Kriegszustand *m* Entzweiung von Eheleuten. 1920 *ff.*

Krikelkrakel *n* ↗Krickelkrakel.

krill (krille, krell) *adj* munter, vergnügt, lebhaft. Krillen, krellen = drehen. Zum Bild des Tanzenden gesellt sich die Vorstellung des Rührigen; *vgl* auch ↗quirlig. *Nordd* seit dem 19. Jh.

Krim I *f* 1. Kriminalpolizei. Hieraus verkürzt. 1950 *ff.*
2. Gefängnis. *Rotw* 1920 *ff.*

Krim II *m* Gerichtsgebäude. Verkürzt aus „Kriminalgerichtshof". *Rotw* 1920 *ff.*

Krimi *m* 1. Kriminalroman, -film. Gegen 1950 aufgekommen, vielleicht beim Münchener Verlag Wilhelm Goldmann.
2. ein Gemüt haben wie ein ~ = rücksichtslos, roh, gefühllos handeln. 1955 *ff.*

Krimi-Bombe *f* zugkräftiger Kriminalfilm, -roman. ↗Bombe 5. 1960 *ff.*

Krimi-Knüller *m* spannender Kriminalroman oder -film. ↗Knüller. 1960 *ff.*

Kriminal I *interj* Ausruf höchsten Unwillens. Hergenommen von der Empörung über Schwerverbrechen. 1920 *ff.*

Kriminal II *m* Kriminalpolizeibeamter. ↗Kriminaler.

Kriminal III *f* Kriminalpolizei. Hieraus verkürzt. 1920 *ff.*

Kriminal IV *n* Gefängnis, Untersuchungshaftanstalt. Verkürzt aus „Kriminalgefängnis". *Oberd* seit dem 19. Jh.

kriminal *adv adj* sehr, außerordentlich; sehr groß (ich habe kriminalen Durst; es ist kriminal kalt). Von der Behandlung von Schwerverbrechern und -verbrechern weiterentwickelt zur Geltung einer allgemeinen Verstärkung. 1800 *ff.*

Kriminalblick *m* durchdringender, forschender Blick. 1925 *ff.*

Kriminaler *m* 1. ~ (Kriminal; Herr Kriminal; Kriminäler) = Kriminalpolizeibeamter; vernehmender Kriminalbeamter. Etwa seit 1830/40.
2. Kriminalfilm, -roman. 1950 *ff.*

kriminalisch *adj adv* außerordentlich; gewaltig; überaus; sehr. ↗kriminal. Seit dem 19. Jh.

Kriminalität *f* 1. ~ mit weißem Kragen = Wirtschaftsverbrechen. ↗Weiße-Kragen-Kriminalität. 1960 *ff.*
2. ~ der feinen Leute = Wirtschaftsverbrechen; Betrug großen Stils. Geprägt von Dr. Horst Franzheim (?). 1971 *ff.*

Kriminalpolente *f* Kriminalpolizei. ↗Polente. 1920 *ff.*

Kriminalreißer *m* sehr erfolgreicher Kriminalroman, -film. ↗Reißer. 1920/30 *ff.*

Kriminalschmöker *m* (minderwertiger) Kriminalroman. ↗Schmöker. 1900 *ff.*

Kriminalstudent *m* (angehender Rechtsbrecher als) Zuhörer bei Gerichtsverhandlungen. Seit dem späten 19. Jh.

Kriminell *m* Polizeikommissar; Kriminalpolizeibeamter. Im frühen 19. Jh in Berlin aufgekommen, wohl als Entstellung aus „Krimináler".

Krimi'neser *m* 1. Kriminalbeamter. Das Fluch- und Schimpfwort „Kruzinesen" ist hier durch „Kriminal" umgemodelt. *Österr* 1930 *ff.*
2. Kriminalfilm, -roman. *Österr* 1930 *ff.*

Krimschen (Krimsches) *pl* Beamte der Kriminalpolizei. Entweder verkürzt aus „Kriminalisten" oder Verlängerung von „↗Krim I" und die Endung „-sche" nach dem Muster von „die Wagnersche = die Frau Wagner" o. ä. 1920 *ff.*

Krimskrams *m* Kleinkram; wertloses Zeug; Gerümpel; Plunder. Mit Konsonantenerleichterung zusammengewachsen aus „kribbeln" und „krabbeln" im Sinne eines wimmelnden Haufens, woraus sich die Durch-, Neben- und Übereinander unterschiedlichster Gegenstände ergeben hat. Gegen 1800 aufgekommen und bis heute allgemein gebräuchlich.

Krimstecher *m* 1. Brille. Eigentlich die erstmals im Krimkrieg 1853–1856 verwendete Fernrohrart (Feldstecher). 1900 *ff.*
2. Mann, der badende (unbekleidete) Mädchen durch ein Fernglas beobachtet. 1900 *ff.*

Kringel *m* 1. Schallplatte. Eigentlich die unregelmäßige Kreislinie. *Halbw* 1960 *ff.*
2. sich einen ~ lachen = herzlich, laut lachen. Kringel = Brezel. Analog zu ↗brezeln 3. *Nordd* 1960 *ff.*

Kringeldreher *m* Eiskunstläufer. Er zieht seine Kreise und Kurven auf dem Eis. 1950 *ff.*

kringelig *adv* sich ~ lachen = sich vor Lachen biegen. ↗Kringel 2. 1900 *ff.*

kringeln *v* 1. sich ~ vor Lachen = herzlich, hellauf, konvulsivisch lachen. ↗Kringel 2. Seit dem 19. Jh.
2. es ist zum ~ = es ist sehr erheiternd (auch *iron*). 1840 *ff.*

Kripo-Feuerwehr *f* polizeiliche Sonderfahndungsabteilung. Sie greift ein, wo es „brennt". ↗Feuerwehr 1. 1971 *ff.*

Kripo-Gammler *m* Kriminalpolizeibeamter in „Gammler"-Kleidung. ↗Gammler. 1970 *ff.*

Krippe *f* 1. Eßtisch. Übernommen von der Futterkrippe für Tiere. 1900 *ff.*
2. zur ~ drängen = einen einträglichen Posten anstreben. 1900 *ff.*
3. an die ~ kommen = ans Verdienen kommen. 1920 *ff.*
4. an der ~ sitzen (stehen) = einen ein-

träglichen Posten bekleiden. Seit dem späten 19. Jh.

Krippenbeißer *m* 1. mürrischer, grollender, zanksüchtiger, störrischer Mensch. Hergenommen vom Pferd, das in die Krippe beißt. 1700 *ff.*
2. Neider; mißgünstiger Mitarbeiter. Übertragen vom futterneidischen Pferd. Seit dem 19. Jh.

Krippensteiger *m* Mensch, der anderen alles wegißt. Bei Futterausteilung stellen sich manche Pferde mit den Vorderhufen in die Krippe und beißen nach rechts und links. 1910 *ff.*

Kripplgspüll *n* ↗Krüppelgespiel.

Krips *m* jn beim ~ holen (kriegen, nehmen, packen) = jn am Hals ergreifen; jn dingfest machen. Leitet sich her von „Griebs = Kerngehäuse"; auf den Kehlkopf übertragen, weil nach volkstümlicher Überlieferung Adam das Kerngehäuse des Paradies-Apfels in der Kehle steckenblieb. 1700 *ff.*

kripsen *tr* etw stehlen, diebisch an sich nehmen. Nebenform zu ↗grapschen. Seit dem 19. Jh.

Krisperl (Krischperl) *m* schwächlicher Mensch; gebrechlicher Mann. Fußt auf *mhd* „kruspel = Knorpel, Knorren". Gemeint ist entweder, der Betreffende sei voller Knorpel, aber ohne Knochen, oder er sei ein alter Knorren, der zu nichts mehr taugt. *Bayr* und *österr* seit dem 19. Jh.

Krispindel (Krispindl, Krischpinderl) *n m* magerer Mensch; Schwächling. Leitet sich her von Krispinus, dem Schutzpatron der Schuster, in Verbindung mit „spindeldürr". *Österr* seit dem 19. Jh.

kristall *adj präd* schwungvoll. Kristall ist das Sinnbild der Klarheit und Durchsichtigkeit und gelangt schon von daher zu einer Superlativgeltung. Kristalline Formen sind aber auch meist „↗spitze" Formen. *Halbw* 1960 *ff.*

kristallklar *adj* völlig einleuchtend; zweifelsfrei. Seit dem 19. Jh.

Kristierspritze (Kristihrspritze) *f* Klistierspritze. Das Klistier war in allen Lazaretten gebräuchlich, keiner wurde davon ausgenommen; daher deutete man das Wort (im Berliner Sprachgebrauch) um im Sinne von „du krie(g)st ihr schon (auch) noch!". 1840 *ff*, Berlin; später verallgemeinert.

Kritik *f* das ist unter aller (jeder) ~ = das ist überaus schlecht. Es ist noch schlechter, als jede mögliche Kritik auszudrücken vermag. Seit dem 18. Jh.

Kriti'kaster *m* nörglerischer Kritiker; nicht ernst zu nehmender Kritiker. Entstanden im Anschluß an *lat* „philosophaster = Scheinphilosoph". 1700 *ff.*

Kritikerpapst *m* vermeintlich unfehlbarer Kunstkritiker; Kritiker, den sein Urteil für maßgeblich halten läßt. Aufgekommen im Anschluß an die Unfehlbarkeitserklärung des Papstes (1870).

kritisch *adj* leicht reizbar, mürrisch, zornig. Aus der Bedeutung „streng urteilend" entwickelt sich „bedenkenerregend, heikel". Einfluß von *nordd* „kriddeln = zanken" ist möglich; doch stammen die frühesten Buchungen aus dem *oberd* Bereich. 1870 *ff.*

krittelig *adj* nörgelnd; leicht reizbar; unzufrieden; im Essen wählerisch. ↗kritteln. 1600 *ff.*

kritteln *intr* nörgeln, mäkeln, zanken o. ä. Herkunft ungesichert; Zusammenhang mit *nordd* „kriddeln = zanken" wahrscheinlich. 1600 *ff.*

kritzeln *intr tr* schlecht, unleserlich schreiben. Weitergebildet aus *mhd* „kritzen = einritzend stricheln". Seit dem 15. Jh.

Krokodilstränen *pl* ~ weinen (vergießen, heulen o. ä.) = heuchlerische Tränen vergießen; sich zu Tränen gerührt stellen. Beruht auf dem von mittelalterlichen Gelehrten verbreiteten, auf die Antike (Harpyien) zurückgehenden Volksglauben, das Krokodil erzeuge die Laute eines weinenden Kindes, um seine Opfer anzulocken. Seit dem 15./16. Jh.

Krone *f* 1. die ~ vons Ganze (Janze) = der Höhepunkt. Die Krone gilt sinnbildlich als das Beste, das Hauptsächliche, das Zeichen höchster Macht. Berlin seit dem späten 19. Jh.
2. fünfzackige ~ = Hand. 1920 *ff.*
3. das ist die ~ von allem = das ist das Äußerste (sowohl im positiven als auch im negativen Sinn). 1900 *ff.*
4. das setzt allem die ~ auf = das ist der Gipfel der Frechheit, Dreistigkeit, Gemeinheit o. ä. Gekrönt wird gemeinhin nur der (das) Mächtigste und Höchste. Vielleicht auch beeinflußt von der Sprache der Zimmerleute, die die Richtkrone auf das im Rohbau fertige Haus setzen. Seit dem 18. Jh.
5. das ist ihm in die ~ gefahren (gestiegen) = a) das hat ihn aufgeregt, geärgert, verdrossen. Krone = Kopf. 1700 *ff.* - b) das hat ihn hochmütig, eingebildet gemacht. Analog zu „das ist ihm in den ↗Kopf gestiegen". Seit dem 19. Jh. - c) davon ist er (be)trunken. 1800 *ff.*
6. es (einen) in der ~ haben = betrunken sein. 1700 *ff.*
7. jm einen aus der ~ leiern = jm Geld abgewinnen; jn zur Geldhergabe bewegen. Leiern = bittend bedrängen. „Einen" meint wohl „einen Stein" und bezieht sich auf den Edelstein, der die Krone ziert. *Halbw* 1955 *ff.*
8. die ~ in den Wind schlagen = unstandesgemäß heiraten. Leitet sich ursprünglich her von der unstandesgemäßen Heirat eines Fürsten; doch auch gültig in alten Bürger- und Bauernfamilien. *Vgl* ↗Wind 45. Seit dem frühen 20. Jh.
9. jm an die ~ stoßen = jn kränken. 1900 *ff.*

Kronjuwelen-Hochzeit *f* 75jähriges Ehejubiläum. 1969 *ff.*

Kronleuchter *m* 1. Schimpfwort. Parallel zu ↗Armleuchter. 1920 *ff.*
2. jhm geht ein ~ auf = er beginnt zu begreifen. Erweiterung von „ihm geht ein ↗Licht auf". 1900 *ff.*

Kronprinz *m* 1. ältester Sohn. Eigentlich der Thronfolger in Monarchien; von da übertragen auf den Hoferben, dann auf den ältesten Sohn jeder Familie. 1920 *ff.*
2. künftiger Amtsnachfolger; in Aussicht genommenes Staatsoberhaupt. 1950 *ff.*

Kropf *m* 1. Hals, Kehle. Hergenommen von der Bezeichnung für den Vogelschlund. 1800 *ff.*
2. lästiger, unsympathischer Mensch. Übertragen von der Schilddrüsenvergrößerung. 1900 *ff.*
3. ungeratener Junge. Bezeichnet in Bayern auch das fehlerhafte kleine oder ver-

krüppelte organische Wesen schlechthin. 1900 *ff.*
4. überflüssig (unnötig) wie ein ~ = völlig überflüssig; völlig wertlos; gänzlich unerwünscht. Kropf = krankhafte Schwellung der Schilddrüse. *Oberd* seit dem 19. Jh.
5. das hat einen Sinn wie ein ~ = das hat überhaupt keinen Sinn, besitzt keinerlei Zweck. Seit dem 19. Jh.
6. sich einen ~ lachen = übermäßig lachen. Bei heftigem Lachen bläht man den Hals. Seit dem 19. Jh.
7. den ~ leeren = a) schimpfen, zetern. Kropf = Vogelschlund, Vormagen. 1800 *ff.* - b) ein Geständnis ablegen; Mittäter benennen; sich aussprechen; das Herz ausschütten. 1800 *ff.*

kropfert (kropfig) *adj* sich ~ lachen = heftig lachen. ↗Kropf 6. *Oberd* seit dem 19. Jh.

Kroppzeug *n* kleine Kinder; ärmliche, kleine Leute; Gesindel; Versager; Wertloses. Gehört zu *niederd* „Kropptüg" zu „Krop = kriechendes Wesen; Kleinvieh"; *vgl* „krupen = kriechen". 1700 *ff.*

Kros *m* 1. Kram, Plunder; viel wertloses Zeug. Sprachwurzeln finden sich im Mittelniederdeutschen (auch *mhd*) bei „krus = kraus, gedreht, verwickelt" und „kros = Eingeweide" (*mhd* „gekroese = kleines Gedärm"); als *trad* (ärmliches) Fleischgericht gibt es „Gekröse = Magen mit Netz und krausen Gedärmen (von Kalb oder Lamm)". *Westd* seit dem 19. Jh.
2. viel mühselige Arbeit. *Westd* seit dem 19. Jh.
3. Unordnung. *Westd* seit dem 19. Jh.

Kröte *f* 1. Schimpf-, Schelt-, Kosewort für Kinder. Die bösartige Bedeutung beruht auf dem vermeintlichen „Giftspeien" (tatsächlich giftige Absonderungen aus Hautdrüsen) der Kröte und ist schon seit *mhd* Zeit ein Schimpfwort für unverträgliche Frauen, zänkische Männer und ungezogene Knaben.
2. Mädchen (Kosewort). Seit dem 19. Jh.
3. Schimpfwort auf eine Frau. Seit dem 14. Jh.
4. kleinwüchsiger, reizbarer Mensch. Kröten bewegen sich am Boden und haben Giftdrüsen. 1700 *ff.*
5. *pl* = Geld, Geldmünzen. Möglicherweise entstellt aus *niederd* „Grote = Groschen". Seit dem 14. Jh.
6. alte ~ = widerlicher alter Mensch. 1900 *ff.*
7. ausgediente ~ = Frau nach den Wechseljahren. *BSD* 1965 *ff.*
8. giftige ~ = zänkische, verleumderische Frau. Wer *abf;* eigentlich eine Bedeutungs-Verdoppelung, da die Kröte an sich schon „giftig" ist. Seit dem 18. Jh.
8 a. häßliche ~ = häßlicher, unsympathischer Mensch. Seit dem 19. Jh.
9. nette ~ = hübsches, lebenslustiges, umgängliches Mädchen. Es handelt sich um „süßes Gift". Seit dem 19. Jh.
10. giftig wie eine ~ = zänkisch, ausfallend, keifend. Seit dem 18. Jh.
11. voll wie eine ~ = bezecht. Wohl weil Kröten im allgemeinen feuchte Orte lieben. Seit dem 19. Jh.
12. eine ~ im Hals haben = sich räuspern müssen. *Vgl* ↗Frosch 20. 1900 *ff.*
13. saufen wie eine ~ = viel trinken. ↗Kröte 11. Seit dem 19. Jh.

14. eine ~ schlucken (runterwürgen) = eine unvermeidliche Unannehmlichkeit hinnehmen. Kröten gelten als widerliche Tiere. 1920 *ff.*

krötig *adj* 1. frech, barsch, ungezogen. ↗Kröte 1. Seit dem 18. Jh.
2. gereizt, reizbar, zornig. *Vgl* ↗Kröte 1 und 10. Seit dem 19. Jh.

Krott *m f n* 1. kleines Kind; freches Kind. Ältere Lautform zu *hd* „↗Kröte". Spätestens seit 1800.
2. angebissene ~ = ledige, nicht mehr unberührte weibliche Person. 1920 *ff.*
3. faule ~ = träger Mensch. 1900 *ff.*
4. goldisch (goldige ~) = kleines Mädchen (Kosewort). *Westd* und *südwestd* 1900 *ff.*

Krücke *f* 1. Spazierstock, Schirm. 1920 *ff.*
2. Versager; energieloser Mensch. Eigentlich die Gehstütze alter und kranker Menschen; von daher zu einer allgemein verächtlichen Bezeichnung entwickelt. „Krücke" nennt man auch das alte, abgearbeitete Pferd. Etwa seit 1910.
3. Mann in krummer Haltung. Übertragen vom gekrümmten Krückstock. *BSD* 1965 *ff.*
4. würdeloses liebedienerischer Mann. Anspielung auf seine Verbeugungen. *BSD* 1965 *ff.*
5. unsympathisches Mädchen. ↗Krücke 2. 1920 *ff.* 6. Gedächtnisstütze. 1920 *ff.*
7. Penis. Formähnlich mit dem Griff am Sensenstiel. 1910 *ff.*
8. altes Auto. ↗Krücke 2. 1930 *ff.*
9. veraltetes Gerät. Technikerspr. 1920 *ff.*
10. alte ~ = a) alter, gebrechlicher Mensch. Seit dem 19. Jh. - b) Schimpfwort auf eine Frau. Übernommen von der Bezeichnung für ein altes, schlechtes Pferd. ↗Krücke 2. Seit dem 19. Jh.
11. krumme ~ = Versager. 1939 *ff.*
12. lahme ~ = Versager, Energieloser; langweilige Sache. ↗lahm. 1939 *ff.*
13. müde ~ = langweiliger Mensch. *Sold* 1939 *ff.*
14. jm eine ~ andrehen = a) jm unnötigerweise etw aufbürden; jn schikanieren. „Krücke" als Gekrümmtes umschreibt hier wohl den Ausdruck „krumme ↗Sache". Oder man schwatzt dem Betreffenden eine Krücke auf, für die er keine Verwendung hat; *vgl* ↗Krücke 2. 1935 *ff.* - b) jn fälschlich bezichtigen. 1935 *ff.*
15. eine ~ drehen = jm einen Streich spielen; etw vorspiegeln. Analog zu „ein krummes ↗Ding drehen". 1930 *ff.*
16. an ~n gehen = sich in wirtschaftlichen Schwierigkeiten befinden. 1928 *ff.*
17. du weißt wohl nicht, was ein Paar ~n kostet?: Drohfrage. *Jug* 1930 *ff.*
18. jn zur ~ machen = jn körperlich, seelisch schinden. Krücke = altes, abgearbeitetes Pferd. 1939 *ff.*
19. kennst du das Buch „Wie wandle ich auf ~n?": Drohfrage. *Jug* 1930 *ff.*

Kruke *f* 1. Mensch, Sonderling. Kruke ist die enghalsige, bauchige Flasche aus Steingut mit oder ohne Henkel; sie wird zur Feldarbeit mitgenommen. Auf den Menschen übertragen, ist wohl auf die dickliche, untersetzte Figur angespielt. 1850 *ff.*
2. Versager. Analog zu ↗Flasche 1. 1900 *ff.*
3. dämliche ~ = dümmlicher Junge. ↗dämlich. 1900 *ff.*

4. dolle ~ = beliebter Unterhalter; an lustigen Einfällen reicher Mensch. 1870 ff.

5. kleine ~ = Kleinwüchsiger. 1870 ff.

6. komische ~ = Sonderling. ↗komisch 1. Seit dem späten 19. Jh.

7. putzige ~ = Sonderling. ↗putzig. 1870 ff.

8. süße ~ = liebes Mädchen. 1900 ff.

9. ulkige (wunderliche) ~ = Sonderling. 1900 ff.

10. ~ machen = a) eine Arbeitspause einlegen; rasten. Arbeiter nahmen Kaffee o. ä. in Kruken mit; griffen sie zur Kruke, war die Arbeitspause gekommen. 1920 ff. – b) schlafen. 1920 ff. – c) sterben. 1920 ff.

Krümel (Krümmel) m **1.** kleines Kind; kleinwüchsiger Mensch. Eigentlich das Brotbröckchen. 1870 ff.

1 a. ~ drehen = aus dem Tabakpäckchen die letzten Reste zu einer Zigarette drehen. 1940 ff.

2. du hast wohl einen ~ auf der Schalmei? = du bist wohl nicht recht bei Verstand? Der Krümel in der Rohrflöte beeinträchtigt die Tonqualität. Hier übertragen auf eine Verunreinigung im Gehörgang, wodurch Begriffsstutzigkeit entsteht. 1962 ff.

3. einen ~ in der Tröte haben = sich verschluckt haben; heiser sein. Tröte = Luftröhre. 1900 ff, westd.

Krümelhusten m ~ haben = sich erbrechen. Euphemismus. 1930 ff.

Krümelkacker m kleinlicher Mensch. ↗Korinthenkacker. 1920 ff.

Krümelkäse m Wertlosigkeit; unwichtige Kleinigkeiten; Unsinn. Verstärkung von ↗Käse 1. 1900 ff.

Krümelknaster m Machorka. ↗Knaster 1. Sold in beiden Weltkriegen und anschließend auch ziv.

Krümelsuche (-sucherei) f Kleinlichkeit. 1900 ff.

krumm adj **1.** ohne militärische Körperhaltung; ungeschickt; zivilistisch. Sold 1870 bis heute.

2. unehrlich, unaufrichtig, verdächtig; auf Befehlsumgehung eingestellt. Man weicht vom geraden Pfad der Tugend, der Pflicht o. ä. ab. Krumm = sittlich anfechtbar. Seit mhd Zeit.

3. jn ~ ansehen = jn unfreundlich anblicken. 1500 ff.

4. sich ~ arbeiten (machen) = angestrengt arbeiten. Schwere Arbeit krümmt den Rücken. Seit dem 19. Jh.

5. sich ~ ärgern = sich sehr ärgern. Ärger „schlägt" auf den Magen und zwingt zu gebückter Körperhaltung. 1900 ff.

6. eine ~ biegen = von rückwärts koitieren. 1900 ff.

7. ~ blicken = heimtückisch blicken; schielen. Der Blick geht nicht geradeaus und ist nicht offen. 1900 ff.

8. sich ~ und schief freuen = sich überaus freuen. Man kann sich „↗krumm" und „↗schief" lachen. 1920 ff.

9. es geht ~ = es mißlingt. Analog zu „es geht ↗schief". 1800 ff.

10. es geht ihm ~ = es ergeht ihm schlecht; er wird zur Rechenschaft gezogen. 1900 ff.

11. ~ gehen = ein Verbrechen begehen. Krumm = vom geraden Weg (vom Gesetz) abweichen. 1900 ff.

12. jn ~ und bucklig hauen = jn heftig prügeln. Seit dem 19. Jh.

13. jm ~ kommen = jn unfreundlich, barsch behandeln. Variante zu „ein schiefes Gesicht ziehen". 1920 ff.

14. sich (über etw) ~ lachen = (über etw) heftig lachen. Man biegt sich vor Lachen, so daß es aussieht, als habe man einen Buckel. 1800 ff.

15. sich ~ und bucklig (schief) lachen = heftig lachen. Vgl das Vorhergehende. Seit dem 19. Jh.

16. sich ~legen (~liegen) = sich einschränken; ärmlich leben; darben. Ursprünglich soviel wie „in Schuldhaft sein" (der Häftling wurde „krummgeschlossen"); später vermischt mit „sich nach der ↗Decke strecken". Auch zieht sich der leere Magen zusammen, und der Hungernde krümmt sich. 1700 ff.

17. jm etw ~ machen = jm etw vereiteln. Man bringt es von der Geraden ab. 1950 ff.

18. etw ~ nehmen = etw übelnehmen. „Krumm" bezieht sich auf das „schiefe" Gesicht als Zeichen der Unzufriedenheit und Verärgerung. Seit dem 18. Jh.

19. jn ~ und dumm reden = jn zu beschwatzen trachten. 1920 ff.

20. jn ~ und lahm schlagen = jn heftig prügeln. 1500 ff.

21. er ist ~, wenn er sich bückt = er ist geizig; der nicht gern. „Wenn er sich bückt" ist ein tarnender Zusatz; „krumm" bezieht sich entweder auf die geschlossene Hand oder auf die Art und Weise, in der der Geizige sich windet, wenn er etwas hergeben soll. Berlin 1850 ff.

22. sich an etw ~ staunen = etw sehr bestaunen. 1958 ff.

23. es steht für ihn ~ = die Sache steht für ihn ungünstig. Vgl ↗krumm 9. 1962 ff.

24. sich ~ verdienen = hohe Einnahmen haben. Vom vielen Arbeiten oder vom vielen Geldsacktragen bekommen manche einen krummen Rücken. 1920 ff.

25. sich ~ und dämlich (~ und dumm; ~ und lahm) verdienen = sehr viel verdienen. 1950 ff.

Krummbuckel m kriecherischer Mann. Einen krummen Buckel machen = Untertänigkeit bezeigen. Seit dem 18. Jh.

Krumme f die ~ machen = unehrlich sein, besonders gegenüber dem Mittäter. Verkürzt aus „krumme Tour"; ↗krumm 2. 1950 ff.

Krümmel m ↗Krümel.

krummgescheit adj mittelmäßig intelligent. Hergenommen von den „krummen" Zahlen bei der Benotung (3 minus, 4 plus o. ä.). 1920 ff.

krummgut adj mittelmäßig. Vgl das Vorhergehende. Schül 1950 ff.

Krummstab m Hockeyschläger. Eigentlich der Bischofsstab. 1980 ff.

Krummstiefel (-stiebel) m krummbeiniger, krummgewachsener Mann; lässig Gehender; Untauglicher. Meint eigentlich die ungeschickt gemachten hohen Stiefel; danach den Infanteristen, dann überhaupt den unordentlichen Soldaten und schließlich den untauglichen Zivilisten. Etwa seit 1870.

krumpelig adj faltig, ungebügelt. Vgl das Folgende. 1600 ff.

krumpeln tr etw durch Drücken zerknittern; etw falten. Nebenform von „krimpen = schrumpfen; sich verengen". 1600 ff.

krünkelig adj faltig, knitterig, runzlig. Vgl das Folgende. 1700 ff.

krünkeln intr tr kraus werden; knittern; Stoff brüchig falten; runzeln. Fußt auf mittel-niederd „krunkelen = faltig machen". Vgl auch engl „to crinkle = kräuseln". 1700 ff.

Krüppel m **1.** charakterlich minderwertiger Mensch. Er ist in charakterlicher Hinsicht mißgestaltet. 1900 ff.

2. listiger, lebenserfahrener Mensch. Beim Erwerb der Lebenserfahrung muß man auch Schrunden und Wunden in Kauf nehmen. 1900 ff.

3. Lebewesen (sehr abf); Schimpfwort. 1900 ff.

4. pl = mutwillige, übermütige, unartige Kinder. 1900 ff.

5. geringwertige Spielkarte. Kartenspielerspr. 1920 ff.

5 a. alter ~ = a) alter Mann. 1900 ff. – b) altes, abgenutztes Gerät. 1950 ff.

5 b. geistiger ~ = Dummer. 1914 ff.

6. seelischer ~ = a) Rohling. 1920 ff. – b) geschlechtlich abweisender Mensch. 1920 ff.

7. anhalten wie ein ~ am Wege = inständig, immer von neuem bitten. Hergenommen vom anhaltenden Gabeheischen des verkrüppelten Bettlers. Seit dem 19. Jh.

8. ~ im Kopf sein = dumm sein. Der Betreffende ist im Gehirn verstümmelt. 1900 ff.

Krüppelgespiel (Kripplgspüll) n schmächtiger Mann. Gespiel = Genitalien. Österr seit dem 19. Jh.

Kruppstahl m hart wie ~ = a) unnachgiebig; unsentimental. Auf dem Reichsparteitag in Nürnberg 1938 äußerte Hitler anläßlich der Hitlerjugend-Kundgebung, die Hitlerjugend solle „flink (sein) wie die Windhunde, zäh wie Leder, hart wie Kruppstahl". Fußt auf der älteren Redewendung „hart wie Stahl". – b) hart; schwer zu beißen. Sold 1939 ff.

Kruscht n (m) altes Gerät; wertloser alter Kram; Plunder. Aus frühnhd „rust = Ausrüstung, Hausrat" ergibt sich der Sammelbezeichnung „Gerust", die im Schwäb die Form „Gruscht" und „Kruscht" annimmt. Seit dem 19. Jh.

Krüsel m einen ~ haben = betrunken sein. Krüsel = Kreisel: dem Bezechten dreht sich alles. 1700 ff, nordd.

Krux f leidige Schwierigkeit. ↗Crux; ↗Kreuz 1. Seit dem 19. Jh.

Kruzi'fix interj **1.** Ausdruck heftigen Unwillens. Aus der Fluch- und Verstärkungsgeltung von „↗Kreuz-" wohl vermischt mit „↗verflixt". Seit dem 19. Jh, oberd.

2. ~ und alle Heiligen! = Verwünschung. 1900 ff, bayr.

3. ~ Alleluja! = Verwünschung. 1920 ff, bayr.

kruzi'fix adj niederträchtig, verwünscht. Bayr 1920 (?) ff.

Kruzi'fixmensch n weibliche Person (sehr abf). ↗Mensch II. 1900 ff.

Kruzi'fixsakra'ment interj Verwünschung. 1920 ff, bayr.

kruzi'nal interj Verwünschung. Zusammengesetzt aus „Kruzifix" und „kriminal". Bayr 1950 ff.

Kruzi'türken interj Ausruf sehr heftigen Unmuts. Kann zusammengesetzt sein aus

„Kruzifix" und „Türken" oder aus „Kuruzen" und „Türken". Die Kuruzen (= ungarisches Militär) und die Türken bildeten im 17. Jh die Landplage Ungarns. *Oberd* 1800 *ff.*

Kübel *m* **1.** Pokal, Maßkrug. In übertreibender Auffassung ein Bottich. 1900 *ff.*
2. Nachttopf, Abort. Gekürzt aus „Abortkübel". *Rotw* und *sold* 1910 *ff.*
3. Kopf. Fußt wohl auf der Gleichsetzung von Holzkübel und Holzkopf. 1910 *ff.*
4. Kübelwagen. Hieraus verkürzt; gilt vielen als amtlicher Ausdruck. *Sold* 1939 *ff.*
5. Auto. *Halbw* 1950 *ff.*
6. Moped. *Halbw* 1960 *ff.*
7. alter ~ = veraltetes Auto. *Halbw* 1950 *ff.*
8. es regnet (gießt, schüttet) mit ~n (wie aus ~n) = es regnet sehr stark. 1500 *ff.*

kübeln *v* **1.** *tr* = trinken; reichlich trinken. ↗ Kübel 1. 1900 *ff.*
2. *intr* = sich erbrechen. Schallnachahmend für die Würgelaute. *Schül, stud* und *sold* seit dem ausgehenden 19. Jh.
3. *intr* = in einen Kübel koten. ↗ Kübel 2. 1910 *ff.*
4. *intr* = Aborteimer leeren und reinigen. ↗ Kübel 2. 1900 *ff.*
5. es ist zum ~ = es ist zum Verzweifeln. ↗ kübeln 2. 1900 *ff.*

Ku'bikarschloch *n* grobes Schimpfwort. Der Betreffende ist ein „↗ Arschloch" in der dritten Potenz. 1900 *ff.*

Küche *f* **1.** Vulva, Vagina. 1500 *ff.*
2. Schlagzeug. Trommeln und Becken als Töpfe und Teller gedeutet, Schlegel, Besen usw. als kochlöffelähnliche Geräte. *Halbw* 1955 *ff.*
3. durch die kalte ~ = auf Um-, Schleichwegen. In alten Bürgerhäusern in Berlin, Hamburg usw. lag die Küche am anderen Ende der Wohnung und war über die sogenannte Dienstbotentreppe zu erreichen. Die Küche war „kalt", weil sie keinen Ofen hatte und der Herd nur zum Kochen beheizt wurde. 1910 *ff.*
4. durch die kalte ~ ins Auge = auf irgendeine Weise, wenn auch auf Umwegen. Zusammengesetzt aus „durch die kalte Küche" und „von hinten durch die Brust ins Auge" (↗ Brust 5). *Sold* 1939 *ff.*
5. eng in der ~, was?: Redewendung, wenn der Gegenspieler in die Enge getrieben ist. Kartenspielerspr. 1950 *ff.*
6. von hinten durch die kalte ~ kommen = a) unerwartet kommen; auf Nebenwegen hinzugelangen. ↗ Küche 3. 1910 *ff.* – b) den Feind umgehen und vom Rücken her angreifen; die Front von rückwärts aufrollen. *Sold* in beiden Weltkriegen. – c) analkoitieren. 1920 *ff.*
7. es raucht in der ~ = im Hause herrscht Unfriede. Der rauchende Küchenherd bereitet Verdruß. Wohl Veranschaulichung von „sich in Hitze reden". 1700 *ff.*
8. jm in die ~ sehen = jds Heimlichkeiten aufdecken. Die Küche ist Besuchern meist nicht zugänglich. 1920 *ff.*
9. von hinten durch die kalte ~ sprechen = sich nicht unumwunden äußern; auf Umwegen eine Rüge aussprechen. ↗ Küche 3. 1910 *ff.*

Kuchel-Böhmisch *n* Deutsch mit *tschech* Endungen. Kuchel = kleine Küche. Die Vokabel stammt aus Prag im 19. Jh und vergleicht sich mit „↗ Küchenlatein".

Kucheldragoner *m* ↗ Küchendragoner.

Kuchelmensch *n* Küchenmädchen. ↗ Mensch II. *Bayr* und *österr* seit dem 19. Jh. Die *hd* Form „↗ Küchenmensch" ist älter.

Kuchen *m* **1.** Frauenbrust. Formähnlich mit kleinen Rundkuchen. 1935 *ff.*
2. ~ (ja, ~)!: Ausdruck der Verneinung und Ablehnung. „Kuchen" meint beschönigend soviel wie „Kot" und weiter „Minderwertiges, Enttäuschendes". Seit dem frühen 19. Jh, Berlin.
3. unsympathisches Mädchen. Wie im Vorhergehenden lehnt man es mit „Kuchen!" ab. *BSD* 1965 *ff.*
4. das größte Stück vom ~ = der Hauptanteil. 1920 *ff.*
5. nachgemachter ~ = unselbständiger Mann; Versager. Hängt mit dem „Mutterkuchen" zusammen. 1966 *ff.*
6. nicht für ~ = um keinen Preis; auf keinen Fall. 1950 *ff.*
7. sich ein Stück ~ (sich vom ~ eine Scheibe) abschneiden (raus-, runterschneiden) = sich vom allgemeinen Erfolg geldlichen Vorteil sichern; bequemer Nutznießer des allgemeinen Wohlstands sein, ohne selbst dazu beigetragen zu haben. Seit dem späten 19. Jh.

Küchenbesen *m* Küchengehilfin, Köchin. ↗ Besen 1. 1800 *ff.*

Küchenbulle *m* Koch, Küchenunteroffizier; Soldat, der an der Feld- oder Kasernenküche) beschäftigt ist. ↗ Bulle 1. Seit dem ausgehenden 19. Jh.

Küchendeutsch *n* Sprachverschandelung. Dem „↗ Küchenlatein" nachgebildet mit Anspielung auf die gepflegte sprachliche Vornehmtuerei der Hausangestellten. 1900 *ff.*

Küchendragoner (Kucheldragoner) *m* handfeste Köchin, die unumschränkt zu herrschen trachtet. Wohl Erweiterung von „↗ Dragoner 2". Gegen 1850 aufgekommen.

Küchenfahrplan *m* **1.** Speisezettel; Speisenfolge für einen längeren Zeitraum. Dem „Magenfahrplan" nachgebildet. 1950 *ff.*
2. Kochbuch. 1955 *ff.*

Küchenfee *f* hübsche, saubere Köchin. ↗ Fee. Sie „kocht" nicht, sondern „zaubert" auf den Tisch". 1830 *ff.*

Küchenlatein *n* **1.** schlechtes, falsches Latein. Hervorgegangen aus dem Mönchslatein, wie es in den Klosterküchen gesprochen wurde. 1500 *ff.*
2. Wortschatz der Köche und Köchinnen. Latein = dem Laien unverständliche Fachsprache. 1920 *ff.*

Küchenlateiner *m* Mensch, der fehlerhaftes Latein spricht. ↗ Küchenlatein 1. 1500 *ff.*

Küchenmensch (Kuchelmensch) *n* Küchengehilfin. ↗ Mensch II. 1600 *ff.*

Küchenpampel *m n* Köchin, Hausgehilfin. ↗ Pampel. 1900 *ff.*

Küchenperle *f* tüchtige Köchin. ↗ Perle. 1870 *ff.*

Küchenpudel (-puttel) *m n* Küchenmädchen, Köchin o. ä. ↗ Pudel 6; hier vielleicht unmittelbar beeinflußt von der Märchenfigur „Aschenputtel". 1920 *ff.*

Kuchenquetsche *f* Mund. Spezialisierung auf das Kuchenessen. *jug* 1930 *ff.*

Kuchenschlacht *f* gemeinsamer Verzehr von viel Kuchen; Damen-, Kinderkaffeegesellschaft. 1910 *ff.*

Kuchenteller *m* **1.** Diskus. Eine formähnliche Scheibe. *Sportl* 1910 *ff.*
2. Tellermine, Mine. *Sold* 1939 *ff.*
3. breite Hand. 1955 *ff.*
3 a. Hinweistafel mit großer Ziffer beim Auswechseln eines Ballspielers. 1982.
4. Augen machen wie ~ = die Augen sehr weit aufreißen. 1930 *ff.*

Küchentrampel *m n* plumpes, dralles Küchenmädchen; derbe Köchin. ↗ Trampel. Seit dem 19. Jh.

Kuchiges *n* Kuchenartiges; irgendwelcher Kuchen. 1870 *ff.*

Kucke *f* Sehvermögen; Blick; visuelle Aufmerksamkeit. 1900 *ff.*

kucken *intr* blicken, sehen, betrachten. *Nordd* Form zu *mitteld* „gucken". Die Anlautveränderung ist wohl durch „kieken" verursacht. 1700 *ff.*

Kuckuck *m* **1.** Orden, Dienstauszeichnung *(abf)*. Der Wappenadler wird geringschätzig als Kuckuck gedeutet. Seit dem 19. Jh.
2. Pfändungssiegel des Gerichtsvollziehers; Amtssiegel; Gerichtsvollzieher. 1870 *ff.*
3. Pfändung, Zwangsvollstreckung. 1900 *ff.*
4. Teufel. Ein Hehlwort, weil nach abergläubischer Vorstellung der Teufel bei unumwundener Namensnennung sich sofort einstellt. An „teuflische List" erinnert das Schmarotzerverhalten des Kuckucks hinsichtlich der Brutpflege. Seit dem 16. Jh.
5. von der Mutter untergeschobenes Kind eines außerehelichen Vaters. Der Kuckuck legt seine Eier in fremde Nester. 1900 *ff.*
6. rasierter ~ = Brathähnchen. 1965 *ff.*
7. dankbar wie ein ~ = sehr undankbar. Der vom fremden Vogel ausgebrütete Kuckuck vertreibt die kleinen Nestgenossen. Seit dem 19. Jh.
8. pfui ~!: Ausruf des Widerwillens. Analog zu „pfui, Teufel!". ↗ Kuckuck 4. Seit dem 19. Jh.
9. zum ~ (zum ~ zu; zum ~ nochmal)!: Ausruf des Unwillens. Man wünscht den Betreffenden zum Teufel. Seit dem 18. Jh.
10. daß dich der ~!: Verwünschung. Hehlform für „daß dich der Teufel hole!". Seit dem 18. Jh.
11. in ~s Namen!: Ausdruck des Unmuts, der Verzweiflung. Der Metapher „in Gottes Namen" nachgebildet. Seit dem 18. Jh.
12. der ~ fliegt ins Haus = der Gerichtsvollzieher schreitet zur Pfändung. ↗ Kuckuck 2 und 3. 1920 *ff.*
13. zum ~ gehen = verlorengehen; verderben; zugrunde gehen. Parallel zu „zum ↗ Teufel gehen". Seit dem 18. Jh.
14. jn zum ~ jagen = jn verjagen, entlassen. Seit dem 19. Jh.
15. der ~ soll das holen (hol's der ~)!: Ausruf heftigen Unwillens. Seit dem 18. Jh.
16. da ist der ~ los = da herrscht Aufregung, Verwirrung; man setzt sich laut auseinander; es geht lebhaft her. Analog zu „da ist der ↗ Teufel los". 19. Jh.
17. sich um etw den ~ scheren (kümmern) = sich um etw überhaupt nicht kümmern; etw absichtlich nicht beachten. „Kuckuck" hat hier die Geltung einer verstärkten Verneinung. *Vgl* ↗ Teufel 21. Seit dem 18. Jh.
18. sich zum ~ scheren = weggehen.

Meist in der Befehlsform. Analog zu „sich zum ↗Teufel scheren". 1800 ff.

19. ~ sein = betrunken sein. Lautmalend für das Geräusch des Aufstoßens und Erbrechens. 1950 ff, westd.

20. zum ~ sein = wegsein; verloren sein. Vgl ↗Kuckuck 13. Seit dem 18. Jh.

21. das weiß der ~! = ich weiß es nicht. Hehlform für „↗Teufel 92", unterstützt durch den einst volkstümlichen Aberglauben an prophetische Gaben des Kuckucks. 1700 ff.

Kuckucksei n 1. Untergeschobenes, Falsches; falsche Nachricht. Vgl ↗Kuckuck 5. 1800 ff.

2. bedenkliches Geschenk. Seit dem 19. Jh.

3. Eindringling. Seit dem 19. Jh.

4. jm ein ~ ins Nest legen = a) jm etw zur Last legen, wofür er nicht verantwortlich ist. 1920 ff. – b) die Frau eines anderen schwängern. 1900 ff.

Kuckucksuhr f durch den Gerichtsvollzieher gepfändete Uhr. Der trad Schwarzwalduhr unterschobene neue Bedeutung. 1930 ff.

Kudamm m Kurfürstendamm in West-Berlin. 1945 (?) aufgekommene Verkürzung.

Kuddel m 1. Durcheinander, Wirrwarr; mißratene Arbeit. ↗kuddeln 1. Seit dem 19. Jh.

2. verdächtige Beziehungen; anrüchiger Handel. Seit dem 19. Jh.

3. ~ = Seemann. „Kuddel" hat sich hier aus dem Vornamen „Karl" entwickelt, und „Daddeldu" geht zurück auf engl „that will do = es genügt". 1900 ff.

'Kuddel'muddel m n 1. Wirrwarr, Durcheinander; Geheimverabredung. Zusammengewachsen aus niederd „koddeln = Sudelwäsche halten" und niederd „Modder = Moder". Andererseits meint „Kuddeln" die Kaldaunen, und „muddeln" steht für „durcheinandermischen": die Därme des Schlachttiers bilden ein scheinbar unentwirrbares Geschlinge. Seit dem 19. Jh.

2. Liebesverhältnis, Flirt. Vgl ↗kuddeln 2; dazu „muddeln = durcheinandermischen", mit der gaunersprachlichen Nebenbedeutung „Karten mischen". 1900 ff.

kuddeln intr 1. Unordnung stiften; ein Durcheinander anrichten; unordentlich arbeiten; oberflächlich waschen. Niederd „koddeln = sudeln". Seit dem 19. Jh.

2. liebkosen; flirten; ein anrüchiges Liebesverhältnis unterhalten. Seit dem 19. Jh.

3. betrügen; falschspielen. Fußt auf der Bedeutung des unsauberen Handelns. Seit dem 19. Jh.

4. Tauschgeschäfte machen; heimlich verhandeln. 1900 ff.

Kugel f 1. untersetzter, dicklicher Mensch. 1900 ff.

2. Rundschädel. 1900 ff.

3. Fußball. 1940 ff.

4. ruhige ~ = bequemer Dienst; beschauliches Dasein. Gegen 1920 vom Kegeln übernommen.

5. schmutzige ~ = Roulette-Kugel. Mit der Charakterisierung „schmutzig" brandmarkt man das Glücksspiel um Geld. 1920 ff.

6. die ~ abdrehen lassen = sich die Haare schneiden lassen. Aus dem Wortschatz der Metallarbeiter übernommen. 1920 ff.

7. seine ruhige ~ arbeiten = bequemen Dienst haben. ↗Kugel 4. 1920 ff.

8. ~n ausspucken = Schuß auf Schuß abfeuern. 1939 ff, sold.

9. jn mit goldenen ~n erschießen = jn mit ansehnlichen Geschenken bestechen. Man macht den Betreffenden mundtot mitsamt der Stimme seines Gewissens. 1958 ff.

10. nicht alle ~n am Christbaum haben = nicht recht bei Verstand sein. „Alle Kugeln" umschreibt „alle Sinne". Sold 1939 ff.

11. die ~ rollt = die Sache nimmt ihren (guten) Verlauf. Hergenommen von der Kegel- oder Billardkugel. 1935 ff.

12. die schmutzige ~ rollt = man betreibt eine Spielbank. ↗Kugel 5. 1920 ff.

13. die ~ zu schieben wissen = wissen, wie man sich sein Dasein möglichst bequem einrichtet. Vom Kegeln übertragen. 1910 ff.

14. billige ~n schieben = nichtssagende Redensarten (Gemeinplätze) äußern. 1963 ff.

15. mit jm eine flotte ~ schieben = sich mit jm gut amüsieren. 1950 ff.

16. eine ruhige ~ schieben = a) kegeln. 1920 ff. – b) bequemen Dienst haben; sich nicht anzustrengen brauchen; sorglos leben können. ↗Kugel 4. 1920 ff; weiterverbreitet durch die Soldaten des Zweiten Weltkriegs und bei der Bundeswehr.

17. diese ~ ist nicht schwer zu schieben = diese Sache ist leicht zu bewerkstelligen. 1935 ff.

18. spiel' ~ und verroll' dich! = geh weg! ↗verrollen. Österr 1935 ff, jug.

19. ~n stoßen = a) schlafen. Wohl Anspielung auf den Hodensack, den man bequem legt. BSD 1960 ff. – b) Brüste oder Hoden betasten. 1920 ff.

20. die dritte ~ suchen = die Hände in den Hosentaschen haben. Anspielung auf Betasten der Hoden und auf das Billardspiel mit drei Kugeln. 1900 ff.

Kugelfang m 1. Mensch, der alles Unangenehme auf sich nehmen muß. Übertragen von dem Erdwall zum Auffangen der Geschosse hinter den Schießscheiben. 1920 ff.

2. mehrmals verwundeter Soldat. 1914 ff, sold.

3. am Ende einer Staffel fliegendes Militärflugzeug. 1935 ff.

Kugelfüße pl wundgelaufene Füße. Die Blasen sind (halb-)kugelförmig aufgeworfen, und die ganze Sohle fühlt sich rundgeschwollen an. BSD 1965 ff.

kugelig adj sich ~ lachen = kräftig lachen; sich vor Lachen biegen. ↗kugeln 1. Seit dem 19. Jh.

Kugellager n 1. Erbsen. Sold in beiden Weltkriegen und BSD.

2. wundgelaufene Füße. ↗Kugelfüße. BSD 1965 ff.

3. es läuft wie auf ~n = es geht reibungslos vonstatten. 1950 ff.

kugeln v 1. sich ~ (vor Lachen) = sich vor Lachen biegen. Vgl die gleichbed Wendungen „sich ~ bucklig lachen" und „sich ↗krumm lachen". Spätestens seit 1850.

2. es ist zum ~ = es ist sehr belustigend. 1850 ff.

3. es ist zum ~ komisch = es ist überaus komisch. 1950 ff.

Kugelspritze f 1. Maschinengewehr;

2-cm-Flak. 1867 aufgekommen als Verdeutschung von franz „mitrailleuse". ↗Spritze. Sold in beiden Weltkriegen.

2. Gewehr. 1870 ff.

3. Pistole, Maschinenpistole. Sold 1914 bis heute.

Kuh f 1. starkbusige, vollschlanke Frau; Frau von plumper Gestalt. Seit dem 19. Jh.

2. dumme, ungeschickte weibliche Person. Die Kuh gilt als dumm, unbelehrbar, unbeholfen und störrisch. Seit dem 18. Jh.

2 a. Polizeibeamtin. Aufgefaßt als weiblicher ↗Bulle. 1975 ff.

3. sittlich verkommene Frau; Prostituierte. Sie kann von jedem Stier besprungen werden. Seit dem 19. Jh.

4. große Einkaufstasche der Hausfrau. Sie ist aus Rindleder gearbeitet. 1930 ff.

5. ~ in Dosen = Rindfleischkonserve. Sold 1939 ff.

6. ~ mit Kalb = Ledige mit Kind. 1700 ff.

7. ~ in der Tüte = Trockenmilchpulver. 1914 ff.

8. ~ des kleinen (armen) Mannes = Ziege. Seit dem späten 19. Jh.

9. alte ~ = alte Frau (abf). Seit dem 19. Jh.

10. ausgequetschte ~ = Trockenmilch. BSD 1965 ff.

11. die beste ~ im Stall = die tüchtigste Könnerin unter vielen; die tüchtigste unter den Töchtern des Hauses. 1900 ff.

12. blöde ~ = dümmliche weibliche Person. 1900 ff.

13. bunte ~ = geschmacklos, allzu bunt gekleidete Frau. Übertragen von der gefleckten Kuh. Seit dem 19. Jh.

14. dämliche ~ = dümmliche Frau. 1900 ff.

15. dicke ~ = beleibte weibliche Person. Seit dem 19. Jh.

16. dumme ~ = dummer Mensch. ↗Kuh 2. Seit dem 18. Jh.

17. eiserne ~ = Büchsenmilch. (Im Ersten Weltkrieg gleichbed „blecherne Kuh".) Sold 1939 ff.

18. flüssige ~ = Milch. BSD 1965 ff.

18 a. gemolkene ~ = Zahlungspflichtiger; Steuerzahler. ↗Kuh 50. 1900 ff.

19. glückliche Kühe = Kühe, die zur Leistungssteigerung und vermeintlich zu ihrem Wohlbefinden besonders gehegt und gepflegt werden. Daß Kühe glücklich sein können, ist unbeweisbar; lediglich der Viehhalter ist glücklich, wenn seine Kühe mehr und bessere Milch geben. Der vielbelachte Werbespruch „Milch von glücklichen Kühen" stammt von Werbefachmann Harper. Um 1962 ff.

20. goldene ~ = Mutter eines Mädchens, das eine stattliche Mitgift zu erwarten hat. 1920 ff.

21. heilige ~ = a) unantastbare Person oder Gruppe oder Sache. Hergenommen von den in den Indien als heilig verehrten Kühen, die niemand gewähren lassen muß und niemand auch nur gängeln, geschweige denn verletzen darf. 1950 ff. – b) Gegnerschaft gegen Neuerungen. 1950 ff.

22. melke ~ = gute Einnahmequelle; Geldgeber; Erpreßter; Mensch, der ausgenutzt wird. Melk, melkend = milchgebend. 1600 ff.

23. müde alte ~ = untauglicher Tormann. Sportl 1950 ff.

24. preisgekrönte ~ = Schönheitskönigin

(abf). Hergenommen von der Tiervorführung (Zuchtschau) mit Prämiierung. 1955 *ff.*

24 a. romantische ~ = gefühlvolles Mädchen. 1975 *ff,* Rocker.

25. schwarze ~ = Beischlafdiebin. ↗Kuh 3. Analog zu der Metapher „schwarzes ↗Schaf": in zünftigen Prostituiertenkreisen ist die Beischlafdiebin verfemt, weil ihre Handlungsweise geschäftsschädigend ist. 1960 *ff.*

26. trockene ~ = Unternehmen, das nichts einbringt; Geschäft vor dem Bankrott. Eigentlich die Kuh, die keine Milch gibt. 1900 *ff.*

27. dumm wie eine ~ = sehr dumm. ↗Kuh 2. Seit dem 18. Jh.

28. dunkel (düster, finster) wie in einer ~ = sehr dunkel: völlig lichtlos. Kuh = Verließ, Kerker für widerspenstige Geistliche *(bayr, schwäb)*. Heute auf das Tier bezogen. Seit dem 18. Jh.

29. der ~ das Kalb abfragen = jn ausfragen; an jn allzuviele Fragen richten. Wer befragt wird, soll sein Innerstes preisgeben. Das erfordert – in bildhaftem Denken – die Vorstellung von einer Körperöffnung, hier erfüllt durch „Loch = Scheide = Geburtsweg". *Vgl* aber auch „jm ein Loch (Löcher) in den Leib (in den Bauch) fragen" u. ä. 1700 *ff.*

30. jn (etw) ansehen wie die ~ das neue Tor = jn (etw) ratlos, verständnislos, völlig verblüfft anschauen. Mit dem neuen Tor ist das neue Stalltor gemeint. Seit dem 16. Jh.

31. sich anstellen wie die ~ zum (beim) Eierlegen (Klavierspielen) = sehr unbeholfen sein; sich keinen Rat wissen. 1950 *ff.*

32. eine ~ ausmelken = jn schröpfen. Ausmelken = bis zum letzten Tropfen Milch melken. *Vgl* ↗Kuh 22. 1920 *ff.*

33. für etw begabt sein wie die ~ fürs Seiltanzen = für etw offenkundig keinerlei Begabung haben. 1960 *ff.*

34. blicken (gucken, kucken) wie die ~, wenn's donnert = einfältig, verständnislos dreinsehen. Seit dem 19. Jh.

34 a. die ~ vom Eis bringen (holen) = eine Schwierigkeit meistern. ↗Kuh 41a. 1965 *ff.*

35. eine alte ~ fangen = einen nicht lohnenden Stich machen. Kartenspielerspr. 1900 *ff.*

36. von der ~ gebissen (gekratzt) sein = nicht recht bei Verstand sein; unsinnige Ansprüche stellen. Seit dem späten 19. Jh.

37. eine gute ~ geht wieder in ihren Stall = den Spielverlust gewinnt man zurück. Kartenspielerspr. 1900 *ff.*

38. das glaubt keine ~ = das glaubt niemand. Nicht einmal die als besonders dumm geltende Kuh glaubt es. 1900 *ff.*

39. Einfälle haben wie eine ~ = wunderliche Einfälle haben. Von der dummen Kuh (↗Kuh 2) kann man nur dumme Einfälle erwarten. 1900 *ff.*

40. Einfälle haben wie die ~ Ausfälle = unsinnige Einfälle haben. „Ausfall" bei der Kuh meint ihre Darmentleerung. Da die Kuh viel misten, macht auch der Einfallsreiche viel „Mist = Unsinn". 1910 *ff.*

41. (einen) Geschmack wie eine ~ haben = einen schlechten Geschmack haben; ästhetisches Empfinden vermissen lassen. 1900 *ff.*

41 a. die ~ vom Eis haben = eine Schwierigkeit behoben haben. Die auf dem Eis liegende Kuh kann sich ohne menschliche Hilfe nicht aufrichten. 1965 *ff.*

42. es hängt eine ~ in der Luft = es bereitet sich etw ungeheuer Wichtiges, etw Ungewöhnliches vor. *Vgl* ↗Spinat 8. 1920 *ff.*

43. die ~ mit dem Kalb heiraten = eine Frau heiraten, die ein anderer geschwängert hat. Seit dem 18. Jh.

44. jm die beste ~ aus dem Stall holen = a) die tüchtigste Tochter eines Hauses heiraten. ↗Kuh 11. 1900 *ff.* - b) jm die beste Spielkarte abfordern. Kartenspielerspr. 1900 *ff.*

45. das imponiert keiner ~ = das macht auf niemanden Eindruck. Nicht einmal auf die dumme Kuh (↗Kuh 2), der die schon eine neue Stalltür eine Sensation ist (↗Kuh 30). 1890 *ff.*

46. es jodelt = es wird ein deutscher Heimatfilm vorgeführt. 1947 *ff.*

47. die ~ mit dem Kalb kaufen (kriegen) = eine von einem anderen Mann geschwängerte Frau (unwissend) heiraten; die geschwängerte Braut heiraten. ↗Kuh 43. 1700 *ff.*

47 a. die ~ vom Eis kriegen = einer Schwierigkeit Herr werden. ↗Kuh 41a. 1965 *ff.*

48. da lacht ja eine ~ (da lacht selbst eine ~; da lachen alle Kühe) = das ist völlig unglaubwürdig. 1900 *ff.*

49. Augen machen wie eine frischgemolkene ~ = verquollene Augen haben und dadurch dümmlich dreinschauen. 1930 *ff.*

50. die ~ melken = dem Bürger Steuern abfordern. *Vgl* ↗Kuh 18 a und 32. 1900 *ff.*

51. die blaue ~ melken = Milch verfälschen. Durch Wasserbeimischung wird Milch bläulich. 1900 *ff.*

52. die eiserne (kupferne) ~ melken = Milch mit Wasser verdünnen. Anspielung auf die eiserne Wasserleitung oder die kupferne Trommel der Zentrifuge. Seit dem späten 19. Jh.

53. die ~ muß endlich vom Eis = die Sache muß endlich bereinigt, entschieden werden. ↗Kuh 41 a und 47 a. 1965 *ff.*

54. aus dem Hals riechen (stinken) wie die ~ aus dem Arsch = üblen Mundgeruch ausströmen. 1900 *ff.*

55. saufen wie eine ~ = a) in großen Schlucken trinken. 1500 *ff.* - b) sich betrinken. 1500 *ff.*

56. heilige Kühe schlachten = altes Herkommen abschaffen; Tabus zerstören. ↗Kuh 21. 1950 *ff.*

57. am Euter der ~ sehen, was in der Stadt die Butter kosten wird = überschlau tun; sich als Besserwisser aufspielen. 1900 *ff.*

58. es schmeckt wie ~ auf Sofa = es schmeckt widerlich. Die Bestandteile des Essens passen so wenig zusammen, wie eine Kuh auf eine gepolsterte Sitzbank paßt. 1950 *ff, jug.*

59. die ~ ist vom Eis = die Aufregung (Unruhe, Ungewißheit) ist zu Ende; die Sache ist entschieden. ↗Kuh 41 a. 1965 *ff.*

60. eine ~ ist satt = ein Esser hat Aufstoßen. 1900 *ff.*

61. Englisch (Französisch) sprechen wie die ~ Spanisch = Fremdsprachen radebrechen; keine Fremdsprachenkenntnisse besitzen. 1800 *ff. Vgl franz* „il parle français comme les vaches espagnol".

62. seichen wie eine alte ~ = viel Harn lassen. Seichen = urinieren. Kühe lassen viel Wasser. 1900 *ff.*

63. dastehen wie die ~ vor dem neuen Tor (Stall-, Scheunentor) = ratlos sein. ↗Kuh 30. 1500 *ff.*

64. von etw soviel verstehen wie die ~ von einer Apotheke (vom Fliegen; vom Klavierspielen; vom Liebesspiel; vom Tanzen; vom Radfahren; von Weihnachten; vom Zitherspielen) = von etw nichts verstehen; für etw keinerlei Begabung haben; sich in etw überhaupt nicht auskennen. *Vgl* ↗Kuh 31 und 33. 1900 *ff.*

65. von etw soviel wissen (verstehen; Ahnung haben) wie die ~ vom Sonntag = von einer Sache nichts wissen (nichts verstehen). *Vgl* das Vorhergehende. Spätestens seit 1800.

66. das weiß jede ~ = das weiß jedermann. Sogar die dümmste unter allen sprichwörtlich dummen Kühen hat es bereits begriffen. 1900 *ff.*

'Kuh'arsch *m* **1.** breites Gesäß. 1900 *ff.* **2.** großer Mund. *Vgl* ↗Kuh 54. 1900 *ff.* **3.** finster wie in einem ~ = sehr dunkel. *Vgl* ↗Kuh 28. 1920 *ff.* **4.** ein Gesicht haben wie ein ~ = abstoßend häßlich von Angesicht sein. 1850 *ff.*

Kuhbauer *m* Kleinbauer. Er läßt Wagen und Ackergeräte von seinen Kühen ziehen und hat dadurch geringeren Milchertrag. Seit dem 19. Jh.

Kuhbläke *f* **1.** armseliges Dorf; reizlose Gegend. Hergenommen vom Blöken der Rinder. 1920 *ff.* **2.** dufte ~ = idyllisch, weltabgeschieden gelegenes Dorf mit Erholungsmöglichkeiten für Städter. ↗dufte. 1950 *ff.*

'Kuhbusenent'safterin *f* Sennerin; Melkerin. Sie gewinnt die Milch (= den Saft) aus dem Euter. *Vgl* ↗Kuhsaft. 1960 *ff.*

Kuhbusenmasseur *m* (Grundwort *franz* ausgesprochen) Melker. 1960 *ff.*

Kuhdorf *n* kleines, unbekanntes, unfortschrittliches Dorf; Kleinstadt *(abf)*. Meint eigentlich einen Ort, in dem die Kühe noch zum alltäglichen Leben und zum Straßenverkehr gehören wie andernorts die Autos. 1910 *ff.*

'kuh'dumm *adj* sehr dumm. *Vgl* ↗Kuh 2. Seit dem 19. Jh.

Kuheuter *m n* großer, schlaffer Busen. 1870 *ff.*

Kuhfänger *m* schwere Verstrebungen des Fahrerhauses von Fernlastzügen. Wahrscheinlich – durch Wildwestfilme vermittelt – übertragen von den keilförmigen, ursprünglich vor allem gegen Büffel gedachten Vorbauten an Lokomotiven der amerikanischen Pionierzeit. 1977 *ff.*

Kuhfladen *m* **1.** Kartoffelpuffer, Reibekuchen. Wegen der Form- und Farbähnlichkeit. 1910 *ff.* **2.** Tellermine. BSD 1965 *ff.* **3.** Spinat. Kot von Kühen ist oft tiefgrün. BSD 1965 *ff.* **4.** Baskenmütze. Sie ist flach und rund. 1930 *ff.*

Kuhgeschmack *m* schlechter Geschmack; mangelndes ästhetisches Empfinden. 1900 *ff.*

Kuhhandel *m* Abmachung mit Zuständnissen gegen Zugeständnisse; politischer Parteischacher; unlautere Vereinbarung. Herzuleiten vom Handel mit Kühen, wobei mancherlei Betrugsmöglichkeiten und Nebenabreden vorkommen. Seit dem ausgehenden 19. Jh.

Kuhhaut f das geht auf keine ~ = das ist unbeschreiblich, unvorstellbar groß; es ist länger nicht zu ertragen. Fußt auf einer mittelalterlichen Teufelserzählung, die verschiedentlich auch bildlich dargestellt ist: Teufel halten dem Sterbenden ein auf Kuhhaut geschriebenes Sündenverzeichnis vor; die Fläche der Kuhhaut reicht jedoch nicht aus, um alle seine Sünden aufzunehmen. Die Kuhhaut als Maß; was darüber hinausgeht, bedarf also einer weit größeren Zahl von Worten. Seit dem 15./16. Jh.

Kuhkacke f Spinat. Ähnlich in Farbe und Konsistenz. ↗ Kacke. 1900 ff.

Kuhkaff n Dorf (abf). Man sieht dort noch Kühe auf den Straßen. ↗ Kaff I. 1910 ff.

Kuhklack m 1. Kuhfladen. „Klack" ahmt das Geräusch nach, das entsteht, wenn die Exkremente fallen. Seit dem 19. Jh.
2. Baskenmütze. ↗ Kuhfladen 4. 1935 ff.

kühl adj 1. ~ bis ans Herz hinan = a) völlig gefühllos; zurückhaltend; geschlechtlich abweisend. Geht zurück auf Goethes Ballade „Der Fischer" (1779). 1870 ff.; b) tief dekolletiert. 1970 ff.
2. es läßt ihn ~ = es berührt ihn nicht; es regt ihn nicht auf. Analog zu „es läßt ihn ↗ kalt". Seit dem 19. Jh.

Kuhle (Kule) f 1. Vertiefung, Grube, Loch. Nordd Form von mitteld und westd „Kaule"; vgl griech „gyalon = Höhle, Schlucht". Seit dem 12. Jh.
2. Grab. 1300 ff.
3. Bett. Man liegt in ihm wie in einer Vertiefung oder ↗ Mulde. 1920 ff.
4. Stück Brot; Brotration. Meint in Berlin „Kule = Kugel = Brotlaib". Kundenspr. 1847 ff.
5. in die ~ fahren = sterben; beerdigt werden. ↗ Kuhle 2. 1900 ff.
6. in eine ~ gehen (treten) = hinken. 1700 ff.

Kühlergrill m Kühler des Autos. Anspielung auf das Gitter der Verkleidung. 1950 ff.

Kühlerkuß m (frontaler) Zusammenstoß zweier Autos. 1925 ff.

Kühlschrank m 1. gefühlsarmer Ehepartner. Geschlechtliche Annäherung läßt ihn „kühl" bis „kalt". 1950 ff.
2. ein Herz wie ein ~ haben = herzlos, gefühlskalt sein. 1950 ff.
3. einen ~ stoßen = mit einer zurückhaltenden Frau tanzen. 1950 ff.

kühn adj 1. sich für etw ~ machen = sich über Gebühr eine Leistung zutrauen; sich Mut antrinken. Vgl „sich für etw ↗ stark machen". 1920 ff.
2. nicht zu ~ sein = sich nicht getrauen. 1900 ff.

Kuhreigen m 1. ländliches Tanzvergnügen; Mai-, Frühlings-, Erntefest. Eigentlich die von Schweizer Hirten gesungene oder auf dem Alphorn geblasene Melodie als Viehlockruf. 1870 ff.
2. Tanzvorführung von weiblichen Personen; Ballett (abf). 1900 ff.
3. Damenwahl bei einer Tanzveranstaltung. 1900 ff.

Kuhsaft m Milch. Nach dem Muster von

„Rebensaft", u. ä. Vgl engl „cow juice". 1900 ff.

Kuhscheiße f 1. höchst Minderwertiges; völliger Versager. Analog zu ↗ Scheißhaufen. 1935 ff.
2. Spinat. ↗ Kuhkacke. BSD 1965 ff.
3. wie kommt ~ aufs Dach?: iron Gegenfrage, wenn einer verwundert fragt, wie eine Sache zu erklären sei; Einwurffrage. Auf diese absonderliche Frage gibt es mehrere Antworten: „hat sich Kuh auf Schwanz geschissen, Scheiße dann aufs Dach geschmissen" oder: „der Dachdecker hieß Kuhscheiße" oder: „wenn das Dach an den Hang anlehnt" oder: „wenn die Schildbürger sie hochgezogen haben" oder: „wenn man die Kuhfladen als Brennmaterial verwendet". Diese Antworten sind wohl als später aufgesetzt; vielleicht ist ursprünglich auf einen alten Schwank zurückzugehen. Vgl auch ↗ Kuh 42. Seit dem 19. Jh.
4. und wenn es ~ regnet = unter allen Umständen; auf jeden Fall. 1900 ff.

Kuhschwof (-schwoof) m Tanzvergnügen auf dem „↗ Kuhdorf"; Tanz beim Erntefest. ↗ Schwof. Seit dem frühen 19. Jh, anfangs stud.

Kuhstall m hier riecht's nach ~ = ihr alle seid dumm. Umschreibung für „ihr alle seid Rindviecher". Schül 1955 ff.

Kuhtränke f sehr große Tasse; sehr großer Becher o. ä. 1950 ff.

Kuhzunft f Zukunft. Ein sprachlicher Spaß, wohl stud Herkunft; seit dem späten 19. Jh.

Ku'jon m Schurke; niederträchtiger, heimtückischer Mann. Fußt auf franz „couillon = gemeiner Mann". 1500 ff.

kujo'nieren tr in böswillig, unwürdig behandeln; u streng behandeln, schikanieren. Vgl das Vorhergehende. 1600 ff.

Ku-Ka-Ké f 1. Spinat. Chinesisch aufgemacht aus ↗ Kuhkacke. Jug 1900 ff.
2. Verächtliches, Minderwertiges o. ä. 1900 ff.

Küken n 1. junges, unerfahrenes Mädchen; auch Kosewort. Niederd Form von hd „Küchlein = junges Hühnchen". Seit dem 19. Jh.
2. jüngstes Mädchen unter mehreren. Seit dem 19. Jh.
3. Schulanfänger. 1900 ff.
4. Rekrut. Sold in beiden Weltkriegen und BSD.
5. junger Sportler. 1900 ff.

Kükenfabrik f Ehe, aus der viele Kinder hervorgegangen; Wohnung einer kinderreichen Familie. 1933 ff.

Kükenfahrt f Wanderung mit Jungen. ↗ Fahrt. Wandervogelspr. seit dem frühen 20. Jh.

Kükenfleisch n frisches ~ = junge Mädchen ohne geschlechtliche Erfahrung. ↗ Küken 1. Berlin 1980 ff.

Kule f ↗ Kuhle.

Kuli m 1. Mensch (abf). Eigentlich der ostasiatische Lohnarbeiter oder Tagelöhner. Im späten 19. Jh aufgekommen.
2. Untergebener; unterwürfiger Mensch. 1930 ff.
3. Rekrut. Sold 1939 bis heute.
4. Heizer auf Kriegsschiffen; Marinesoldat. 1900 ff.
5. Famulus eines Lehrers. 1910 ff.
6. Schreiber, Büroangestellter o. ä. Verkürzt aus ↗ Tintenkuli. Rotw 1910 ff.

7. Kugelschreiber. Verkürzt aus „Tintenkuli". 1950 ff.

Kulibagger m Paternosteraufzug für Arbeiter und untere Angestellte. ↗ Kuli 1. 1920 ff.

Kulisse f 1. Gesamtheit der Nebenumstände; Hintergrund eines Vorfalls; Beiwerk o. ä. Eigentlich die bemalte Leinwand auf Holzrahmen als Bühnen- oder Schiebewand für Theateraufführungen. 1930 ff.
2. Zuschauermenge. Sie bildet den Hintergrund aus der Sicht der zur Schau Spielenden. Sportl 1950 ff.
3. das ist nur ~ = das ist nur vorgetäuscht. 1930 ff.
4. hinter (in) den ~n = heimlich; unter Ausschluß der Öffentlichkeit. Seit dem späten 18. Jh.
5. ~ schieben = den Hausierer (Abonnentenwerber) begleiten, ohne selbst tätig zu werden. 1950 ff.
6. hinter die ~n sehen = unerwartete, enttäuschende Feststellungen machen; Geheimgehaltenes kennenlernen. Seit dem späten 18. Jh.
7. jn an die ~n singen (tanzen o. ä.) = jn auf der Bühne im Tanz (Gesang o. ä.) überflügeln. Analog zu „jn an die ↗ Wand singen" 1920 ff.
8. ~n stellen = Vorbereitungen zur Verwirklichung eines Plans treffen. 1920 ff.
9. aus den ~n treten = an die Öffentlichkeit treten. 1920 ff.
10. die ~ verlassen (wechseln) = das Lokal wechseln. 1950 ff.

Kulissengeflüster n Gerücht von Theaterleuten. Es dringt nicht an die Öffentlichkeit, sondern bleibt „hinter den Kulissen". 1920 ff.

Kulissengespräch n Unterredung von Politikern unter Ausschluß der Öffentlichkeit. Vgl das Vorhergehende. 1950 ff.

Kulissenklatsch m gehässiges Gerede unter Bühnenangehörigen. ↗ Kulissengeflüster; ↗ Klatsch 3. 1920 ff.

Kulissenreißer m Schauspieler oder Sänger, der mit wirkungssicheren Mitteln nur auf Effekt hinaus und das Publikum für sich zu gewinnen trachtet, ohne Rücksicht auf das Ensemblespiel. Seit dem frühen 19. Jh.

Kulissenschieber m 1. Bühnenarbeiter. Seit dem 19. Jh.
2. Famulus eines Lehrers. Vgl ↗ Kulisse 5. 1910 ff.
3. wenig einflußreicher Politiker in Abhängigkeit von mächtigeren. 1900 ff.
4. Politiker, der nicht vor die Öffentlichkeit in Erscheinung tritt. 1900 ff.
5. Verbandsfunktionär. 1950 ff.

Kulissenzauber m Gesamtheit von politischen Vorgängen, die verborgen bleiben. Vgl ↗ Zauber 1 und 4. 1930 ff.

Kulleraugen pl große runde (rollende), vor Erstaunen weit geöffnete Augen. ↗ kullern 1. Seit dem 19. Jh.

Kullerchen pl 1. große runde Augen. ↗ kullern 1. 1910 ff.
2. Geldmünzen; Geld. Berlin nach 1950.

Kullerhahn m aufbrausender Mann. ↗ kullern 2. Seit dem 19. Jh.

kullerig adj erbost, wütend, gereizt, reizbar. ↗ kullern 2. Seit dem 19. Jh.

Kullerkette f Halskette aus Kugeln. ↗ kullern 1. 1920 ff.

kullern v 1. tr intr = rollen, rumpeln. Lautmalend hergenommen vom Geräusch zusammenstoßender Kugeln (Kuller = Klicker = Murmeln); auch vom Gurren der Tauben und des Truthahns. Seit dem 17. Jh.

2. *intr* = schimpfen. Klangverwandt mit dem Gurren und beeinflußt von „↗Koller 1", auch von „↗kollern". Seit dem 19. Jh.

3. es ist zum ~ = es ist sehr erheiternd. Hängt zusammen mit „sich ↗kringeln vor Lachen" u. ä. 1920 *ff.*

Kullerpfirsich *m* Pfirsich in Schaumwein (Sekt). Durch die aufsteigenden Kohlensäurebläschen gerät die Frucht in kreisende und rollende Bewegung. 1900 *ff.*

Kullerschau *f* öffentliche Ziehung der Lottozahlen im Fernsehen. ↗kullern 1. 1980 *ff.*

Kulpen *pl* weitgeöffnete Augen. *Vgl* das Folgende. *Nordd* 1700 *ff.*

kulpen *intr* dumm blicken; stieren. Verwandt mit „Kolben" und „Klumpen" im Sinne von rundlich-kugeligen, groben Gegenständen. *Nordd* 1700 *ff.*

Kulpnase *f* **1.** kleine, dicke Nase. Zur Erklärung *vgl* das Vorhergehende. Seit dem 19. Jh.

2. vorwitziger, neugieriger Mensch. *Vgl* „↗Vorwitznase". Seit dem 19. Jh, *nordd* und *nordostd.*

Kultur *f* **1.** ~ aus der Röhre = Gesamtheit der Fernsehdarbietungen. 1955 *ff.*

2. ~ von der Stange = nicht organisch gewachsene Kultur; übernommene, überpflanzte Kultur. ↗Stange. 1930 *ff.*

3. von der ~ beleckt = gebildet; aufgeschlossen gegenüber den schönen Künsten. Geht zurück auf Goethes „Faust": „Auch die Kultur, die alle Welt beleckt, hat auf den Teufel sich erstreckt." Seit dem 19. Jh.

4. von der ~ nicht beleckt (unbeleckt) = ungesittet; roh, unzivilisiert; nicht fortschrittlich; gegen die Anstandsregeln verstoßend. Seit dem 19. Jh.

5. ~ tanken = an kulturellen Veranstaltungen teilnehmen; eine Bildungsreise unternehmen. ↗tanken. 1950 *ff.*

Kulturangebot *n* Gesamtheit der kulturellen Sehenswürdigkeiten einer Stadt. Kaufmannsdeutsch der Reiseprospektmacher. 1977 *ff.*

Kulturaustausch *m* ~ treiben = vom Mitschüler abschreiben. Meint eigentlich den Kulturaustausch zwischen Völkern. 1910 *ff.*

Kulturbanause *m* **1.** Mensch ohne Bildung. ↗Banause. 1920 *ff.*

2. Kulturbeauftragter ohne Fachwissen; Kulturfunktionär. 1920 *ff.*

Kulturbändel *n* (*m*) schmale Krawatte. Sie gilt als Zeichen von Gesittung und Vornehmheit. Bändel = schmales Band. 1950 *ff.*

kulturbeleckt *adj* halbzivilisiert. ↗Kultur 3. Seit dem 19. Jh.

kulturbesoffen *adj* durch ständige Teilnahme an kulturellen Veranstaltungen geistig benommen. 1945 *ff.*

Kulturbindfaden *m* schmaler Binder. ↗Kulturbändel. 1950 *ff.*

Kulturbremse *f* bildungsloser (verbildeter), unwissender, unfortschrittlicher Mensch; „Bourgeois". 1930 *ff.*

Kulturbremser *m* **1.** Altphilologe. Stammt aus einer kritischen Einstellung zur Antike: die Hervorhebung ihrer kulturellen

Werte kommt einer Minderbewertung der Gegenwarts-Zivilisation gleich. Seit dem frühen 20. Jh.

2. Lehrer. Eine Schelte wegen Vernachlässigung der Moderne. 1960 *ff.*

3. Gegner moderner Tänze o. ä.; Fortschrittsfeind. 1955 *ff, halbw.*

Kulturbunker *m* **1.** Gebäude für kulturelle Veranstaltungen. Anspielung auf die Betonarchitektur. 1955 *ff.*

2. Funkhaus. 1955 *ff.*

3. Opernhaus. 1955 *ff.*

Kulturfaden *m* schmaler Binder. ↗Kulturbändel. 1940 *ff.*

Kulturfetzen *m* **1.** Mensch, der in der Kultur (im Takt, in zeitgenössischen Umgangsformen) zurückgeblieben ist. ↗Fetzen 9. 1930 *ff.*

2. Schlips. ↗Kulturbändel; Fetzen = Stück Tuch. 1950 *ff.*

Kulturgalgen *m* Antenne für Rundfunk- und Fernsehempfang. 1960 *ff.*

Kulturgasometer *m* **1.** Kirche in Rundbauform. Gemeint ist der schmuckarme Rundbau in der Art eines Gaskessels oder mit einer Kuppel. Der Berliner Dom hieß seit dem frühen 20. Jh „Kultusgasometer". 1960 *ff.*

2. Theatergebäude. 1960 *ff.*

Kulturgerät *n* **1.** Rasierapparat. Den Bart wachsen zu lassen, gilt zeitweise als „unkultiviert". 1930 *ff.*

2. Rundfunk-, Fernsehgerät. 1940 *ff.*

Kulturgewächs *n* Lorbeerkranz für einen Künstler. 1910 *ff.*

Kulturgewaltiger *m* Kulturdezernent, -funktionär o. ä. ↗Gewaltiger. 1930 *ff.*

Kulturhocke *f* kulturelle Fernsehsendung mit Studiogästen. Hocken = sitzen. Stuttgart 1982 *ff.*

Kulturingenieur *m* Animateur bei Gesellschaftsreisen. 1980 *ff.*

Kulturkleidchen *n* Abendkleid; Frack, Smoking o. ä. *Iron* Verniedlichung. *Halbw* 1955 *ff.*

Kulturlappen *m* Schlips. ↗Kulturfetzen 2. 1950 *ff, halbw.*

Kul'turlaub *m* Urlaub für kulturell anspruchsvolle Reisende. Zusammengewachsen aus „Kultur" und „Urlaub". 1975 *ff.*

Kulturmaschine *f* Rundfunk-, Fernsehgerät; Plattenspieler. 1950 *ff.*

Kulturmuffel *m* Mensch, der für kulturelle Anliegen keinen Sinn hat. ↗Muffel. 1968 *ff.*

Kulturnarbe *f* **1.** verheilte Mensurwunde (*iron*). Die Mensur wird hier als fragwürdige kulturelle Errungenschaft gewertet. 1910 *ff.*

2. schicke ~ = von Mensurwaffen herrührende Gesichtsnarbe, auf die man stolz ist. 1910 *ff.*

Kulturpapst *m* **1.** Mann, dessen Wort in kulturellen Dingen entscheidet; Kunstkritiker, der sich zur Autorität aufwirft und/oder dessen Meinung blindlings übernommen wird. Aufgekommen im Zusammenhang mit der Unfehlbarkeitserklärung des Papstes (1870).

2. Kulturminister o. ä. 1950 *ff.*

3. Moderator eines (Fernseh-)Kultur-Magazins. 1965 *ff.*

Kul'turpro'let *m* Mensch, der keinerlei Kunstkenntnis besitzt, aber anmaßend urteilt. 1900 *ff.*

Kulturprotz *m* Mensch, der alte Kunstge-

genstände (meist sakraler Herkunft) auf moderne Möbel stellt; Mensch, der den Antiquitäten um seiner gesellschaftlichen Mehrgeltung willen wahllos in seiner Wohnung aufstellt. ↗Protz. 1955 *ff.*

Kulturscheune *f* **1.** Dorfschule; Schulgebäude. Scheune = ↗Schuppen. 1900 *ff.*

2. Vorstadtkino. 1920 *ff.*

3. moderner Theaterbau. Gegen 1950 aufgekommen als Bezeichnung für Bauten in streng sachlich-nüchterner Zweckform.

Kulturschuppen *m* Gemeinschaftshaus für kulturelle Veranstaltungen; Theater; Konzertsaal. ↗Schuppen. 1960 *ff.*

Kultursilo *m* **1.** Museum, Kunstsammlung. Dem Getreidespeicher ähnlich, ist sie/es ein Lagerhaus für kulturelle Erzeugnisse. 1950 *ff.*

2. Opernhaus o. ä. Anspielung auf siloartige Betonarchitektur. 1950 *ff.*

3. Universität. *Stud* 1950 *ff.*

Kulturstrick *m* Schlips. Eine Krawatte zu tragen, „gehört sich" für einen „kultivierten Herrn"; sie als „Strick" aufzufassen, läßt an die Halsschlinge des Galgens denken, jedenfalls an ein Einschnüren. 1920 *ff.*

Kulturverbraucher *m* Theater-, Konzert-, Museumsbesucher o. ä. Er wird eingestuft als Verbraucher, nicht als Kulturgenießer. 1970 *ff.*

Kümmel *m* **1.** jm den ~ reiben = jm Vorhaltungen machen. Man reibt ihm den Kümmel unter die Nase, damit der Geruch in der Nase bleibt (= damit die Rüge beherzigt wird). 1800 *ff.*

2. jm den ~ verreiben = jn an Zucht und Ordnung gewöhnen; jn nachdrücklich aufmuntern. 1870 *ff.*

Kümmelapotheke *f* Wirtshaus. Dort gibt es Kümmelschnaps. Seit dem 19. Jh.

Kümmelblättchen *n* (betrügerisches) Glücksspiel mit drei Karten. Fußt auf *jidd* „gimmel = drei". 1850 *ff,* Berlin.

kümmeln *v* **1.** *tr intr* = Alkohol (langsam, in kleinen Schlucken) trinken; viel trinken; zechen. Leitet sich her vom Kümmelschnaps; dann übertragen auf allgemeinen Alkoholgenuß. Seit dem 18. Jh.

2. *intr* = eifrig lernen. Zusammenhängend mit dem als „↗Kümmeltürke" beschimpften strebsamen Studenten. Seit dem 19. Jh, *schül* und *stud.*

Kümmelspalter *m* geiziger Mensch. Eigentlich der Kaufmann, der die kleinen länglichen Kümmelkörner lieber halbiert, ehe er ein Milligramm hinzugibt. *Bot* ist der Kümmelsamen eine Spaltfrucht. 1880 *ff.*

Kümmeltürke *m* **1.** langweiliger Mann; Schimpfwort. Bezeichnete seit 1790 den Studenten, der im Bannkreis der Universitätsstadt Halle gebürtig war, wo früher Kümmel angebaut wurde. Auch malte man einen Türken oder Mohren auf das Aushängeschild eines Kaufladens, und auf den Gewürzmärkten trugen die Händler die türkische Tracht. Seit dem ausgehenden 18. Jh.

2. Gemüsehändler. 1900 *ff,* Berlin.

3. ackern wie ein ~ = angestrengt arbeiten. *Vgl* auch ↗kümmeln 2. Seit dem 19. Jh.

4. saufen wie ein ~ = wacker zechen.

Geht auf den Alkoholverzehr der Studenten zurück. Seit dem 19. Jh.

Kummer *m* **1.** dicker ~ = schwerer Kummer. Dick = schwerwiegend. 1920 *ff*.
2. (an) ~ gewöhnt sein = sich mit Enttäuschungen abzufinden wissen; über Ärgerliches sich nicht weiter verwundern (meist leicht *iron* im Sinne einer Verharmlosung gemeint). 1900 *ff*.
3. seinen ~ ertränken = aus Trauer oder Niedergeschlagenheit zechen. 1920 *ff*; wohl älter.

Kummeraktie *f* Schulzeugnis mit schlechten Noten. Ein (Börsen-)„Papier", das schlecht „notiert" ist. 1890 *ff*.

Kummerbauch *m* Beleibtheit. Seelischer Kummer kann Freßlust erzeugen, und der Bauch bereitet neuen Kummer. 1900 *ff*.

Kümmerbetrieb *m* unbedeutender Geschäftsbetrieb; landwirtschaftlicher Kleinbetrieb; Geschäft, das nur kümmerlich gedeiht. Kümmerlich = armselig; mangelhaft entwickelt; wenig tauglich. 1930 *ff*.

Kummerbinde *f* über der Hose getragene Westenbinde für Herren. Sie soll den „↗Kummerbauch" etwas zurückdrängen oder verdecken. 1920 *ff*.

Kummerer *m* Kommunist. Hieraus umgeformt. *Österr* 1930 *ff*.

Kümmerer *m* **1.** schwächlicher, energieloser Mensch. Stammt aus der Jägersprache: Tier mit schlechtem Geweih (Gehörn). 1900 *ff*.
2. Mann, der sich eines Mitmenschen annimmt. Er kümmert sich um ihn. 1920 *ff*.
3. Mann, der sich einer Frau bei ihren Besorgungen, Kaffeehausbesuchen usw. annimmt, ohne mit ihr in geschlechtliche Beziehung zu treten. 1900 *ff*.

Kummerkasten *m* **1.** Briefkasten für Schreiben rat- und hilfloser Menschen; Briefkasten für Bürgerbeschwerden über die Verwaltung; Zeitungsspalte für Raterteilung in Kümmernissen. 1950 *ff*.
2. Seelsorgehelferin; Mensch, dem man seine Kümmernisse anvertraut. 1975 *ff*.
3. ~ der Nation = Petitionsausschuß des Deutschen Bundestages. 1975 *ff*.

Kummerkastenonkel *m* Beantworter von Zuschriften, in denen Zeitungsleser ihre Kümmernisse darlegen. 1955 *ff*.

Kümmerling *m* **1.** kränklicher Mensch; verkümmerter Mensch; Versager. Eigentlich ein schlecht anwachsender Setzling, eine mangelhaft gedeihende Pflanze. 1500 *ff*.
2. Gurke. Fußt auf *lat* „cucumer = Gurke". *Südd* seit dem 19. Jh.
3. Nase. ↗Gurke 1. Seit dem 19. Jh, *bayr*.

Kummernuß *f* **1.** bekümmerte Frau. ↗Nuß = Vulva. 1900 *ff*.
2. eine ~ knacken = eines Kummers Herr werden. 1900 *ff*.

Kummeronkel *m* Wehrbeauftragter des Deutschen Bundestags. Er beantwortet Beschwerden von Bundeswehrangehörigen. *BSD* 1965 *ff*.

Kummerpuff *m* unansehnliches Lokal. ↗Puff. 1920 *ff*, *stud*.

Kummerspalte *f* Zeitungsspalte für Kümmernisse der Leser. 1955 *ff*.

Kummerspeck *m* durch Kummer bedingte Eßlust mit Fettleibigwerden als Folge; unerwünschte Fettleibigkeit, die eine mit Kummer erfüllt. Literarisch vielleicht beeinflußt von der Figur des Falstaff in

Shakespeares „Heinrich IV." und „Die lustigen Weiber von Windsor". 1880 *ff*.

Kümmler *m* eifrig Lernender. ↗kümmeln 2. 1900 *ff*.

Kump (Kumpen) *m* tiefe Schüssel; henkelloser Napf. *Niederd* Form zu *mhd* „Kumpf". Seit dem 14. Jh.

kum'pabel *adj* tüchtig, fähig, mutig, dreist. Durch Einfluß von „↗Kumpan" umgeformt aus *franz* „capable = fähig". Seit dem 18. Jh.

Kum'pan *m* Spießgeselle, Mittäter; Zechbruder u. ä. Fußt auf *mittellat* „companio = Brotgenosse, Geselle" und ergibt *mhd* „kompan, kumpan" = Amts-, Berufsgenosse". 1500 *ff*.

Kumpa'nei *f* **1.** Kameradschaft. *Vgl* das Vorhergehende. Seit dem 19. Jh.
2. Kompanie. Hieraus umgemodelt. *BSD* 1965 *ff*.
3. Zusammenarbeit; wechselseitige Begünstigung. 1920 *ff*.

Kumpel *m* **1.** Kamerad, Freund, Mitarbeiter, Mitschüler, Mitsoldat, Reisebegleiter u. ä. Hängt zusammen mit „↗Kumpan" und mit „↗Kump", wohl weil man aus derselben Schüssel ißt. Scheint bei den Soldaten des Ersten Weltkriegs aufgekommen zu sein.
2. Bergmann. Gegen Mitte des 19. Jhs aufgekommen, nach manchen Quellen im rheinisch-westfälischen Bergbaugebiet, nach anderen in Oberschlesien.
3. kameradschaftlicher Soldat. 1914 *ff* bis heute.
4. beliebter Vorgesetzter. *BSD* 1965 *ff*.
5. Landstreicher; Arbeitsloser. 1920 *ff*.
6. dicker ~ = verläßlicher Arbeitskamerad; vertrauter Freund. ↗Freund 12. 1950 *ff*.
7. dufter ~ = zuverlässiger Kamerad; umgänglicher Mensch. ↗dufte. 1950 *ff*, *halbw*.
8. guter ~ = guter Kamerad; anstelliger Mitarbeiter. 1950 *ff*.
9. prima ~ = ausgezeichneter Kamerad. ↗prima. 1950 *ff*.
10. einen auf ~ machen = sich kameradschaftlich zeigen; sich anbiedern. *Halbw* 1965 *ff*.
11. schwer ~ sein = als Vorgesetzter sehr beliebt sein. Schwer = schwerwiegend = ernstzunehmen. *BSD* 1965 *ff*.

Kumpeldeutsch *n* Umgangssprache im Ruhrgebiet. ↗Kumpel 2. 1960 *ff*.

kumpelhaft *adj* kameradschaftlich. *Schül* 1950 *ff*.

kumpelig *adj* kameradschaftlich. 1965 *ff*.

'Kumpelin *f* intime Freundin. Verweiblichung von ↗Kumpel. *Halbw* 1955 *ff*.

Kumpe'line *f* Arbeitskameradin u. ä. Verweiblichung von ↗Kumpel. 1955 *ff*.

Kumpelkluft *f* Berufskleidung des Bergmanns. ↗Kumpel 2; ↗Kluft 1. 1900 *ff*.

kumpeln *intr* mit Arbeitskameraden reden. 1970 *ff*.

Kumpel-Riviera *f* Ufer des Rhein-Herne-Kanals. Der Badestrand für „↗Kumpel 2". 1960 *ff*.

Kumpelschaft *f* Kameradschaft. ↗Kumpel 1. 1960 *ff*.

Kumpeltreue *f* Arbeitskameradschaft. 1950 *ff*.

Kumpeltrick *m* unechte Vertraulichkeit; Anbiederung aus selbstsüchtigen Gründen. *Vgl* ↗Kumpel 10. 1960 *ff*.

Kumpen *m* ↗Kump.

Kumpf *m* **1.** dicke, große Nase. Eigentlich der kleine köcherartige Behälter für den Wetzstein. Seit dem 19. Jh, *schwäb* und *österr*.
2. Penis. 1900 *ff*, *österr*.

Kunde *m* **1.** unsympathischer Mann. Meint eigentlich den Bekannten, vor allem den Handwerksgenossen, dann auch den wandernden Handwerksburschen, den Wandergesellen und schließlich den Landstreicher. Von der Mißliebigkeit des letzteren übertragen auf den unangenehmen Menschen schlechthin. Seit dem 19. Jh.
2. Kamerad, Mitschüler. Sonderentwicklung aus der Bedeutung „Handwerksgenosse". 1900 *ff*.
3. dufter ~ = a) erfahrener Handwerksbursche. 1900 *ff*. – b) Verbrecher. 1900 *ff*.
4. fauler ~ = a) schlechter, säumiger Bezahler. Seit dem 19. Jh. – b) diebischer Kunde; Betrüger. Faul = charakterlich angefault. 1950 *ff*. – c) unzuverlässiger Mensch. 1950 *ff*.
5. nasser ~ = a) Prostituiertenkunde, der nicht zahlen kann oder will. ↗naß. 1960 *ff*, *prost*. – b) Mann, der gewohnheitsmäßig Durst hat. Seit dem 16. Jh.
6. netter (sauberer, schöner o. ä.) ~ = übler Kerl; Mensch, dem nicht zu trauen ist. Ironie. Seit dem ausgehenden 17. Jh.
7. unsicherer ~ = unzuverlässiger Mann. 1900 *ff*.
8. ~n saufen = mit Geschäftsfreunden zechen. Das Trinken dient der Kundenwerbung. 1900 *ff*.

Kungel *m* geheime Abmachung; Günstlingswirtschaft. ↗kungeln. 1900 *ff*.

Kunge'lei *f* heimlicher Handel; geheime Abmachung; Ränkespiel; Günstlingswirtschaft. *Vgl* das Folgende. 1880 *ff*.

kungeln (kongeln, konkeln, kunkeln) *intr* **1.** tauschhandeln; verbotenen Handel treiben; unlautere Geschäfte abschließen. Eigentlich soviel wie „verwirren, durcheinanderbringen", bezogen auf die Fäden eines Gewebes oder Gespinstes. Von der „unordentlichen Arbeitsweise" entwickelt sich das Verb in seiner umgangssprachlichen Bedeutung weiter zu „unredlicher Handlungsweise". Seit dem 19. Jh, vorwiegend *niederd*.
2. heimliche Abmachungen treffen; Ränke schmieden. Versteht sich nach dem Vorhergehenden, vor allem im Zusammenhang mit den Spinnstuben („Kunkelstuben" genannt), zu denen auch die Knechte Zutritt hatten, wodurch es zu geschlechtlichen Ausschweifungen kam. Seit dem 19. Jh.

kunkeln *intr* ↗kungeln.

Kunst *f* **1.** ~ von der Stange = im Dutzend oder in mehr Stücken (industriell) hergestellte „Kunst"- Gegenstände. ↗Stange. 1920 *ff*.
2. nach allen Regeln der ~ = tüchtig; wie es sich gehört. Meint eigentlich „bei Befolgung aller Kunstregeln" im Sinne von „wie es sein soll". Seit dem 19. Jh.
3. moderne ~ = Rohrkrepierer. Anspielung auf den Amorphismus gewisser moderner Kunstrichtungen, auch im Sinne von „Schrott- oder Gerümpelmontage". *BSD* 1955 *ff*.
4. schwarze ~ = a) Zauberei. Fußt auf „Nekromantie", der Heraufbeschwörung oder Befragung von Toten; fälschlich als „Nigromantie" (= schwarzer Zauber) ety-

mologisiert. Etwa seit 1500. – b) Buchdruckergewerbe. Einerseits infolge Verwechslung des Mainzer Buchdruckers Johann Fust (etwa 1400–1466) mit dem „Zauberer" Johannes (Georg) Faust (etwa 1480–1536/40), andererseits wegen der Druckerschwärze. Seit dem 19. Jh. – c) Falschgeldherstellung. Schwarz = gesetzlich verboten; unter Umgehung der gesetzlichen Bestimmungen. 1950 *ff.*
5. weiße ~ = a) Skilaufen. 1913 mit einem Filmtitel von Dr. Fanck und Sepp Allgeier aufgekommen. – b) Papierherstellung. Sie liefert den weißen Grund für die „schwarze ↗ Kunst 4 b". 1950 *ff.*
5 a. das ist keine ~ = das ist leicht zu bewerkstelligen; das kann jeder. Leitet sich her von Akrobaten- und Zauberkunststükken, die eben nicht jedermann beherrschen kann. 1500 *ff.*
6. ~ kneipen = ein Museum o. ä. besuchen. Nachgebildet der Redensart „↗ Natur kneipen". 1890 *ff.*
7. der ~ leben = Rentner sein. Leitet sich her von der Frage „kunnst (= könntest du) mir nicht beim Arbeiten helfen?". Wien 1930 (?) *ff.*
8. was macht die ~? = wie geht es dir? Meint eigentlich die Frage „wie steht es um deine künstlerischen Arbeiten?". Gegen 1900 erweitert auf das allgemeine Können und die allgemeinen Lebensumstände. Die Frage wird gern beantwortet mit dem stehenden Spruch: „sie ist verhunzt". ↗ verhunzen.
Kunstbahnhof *m* Haus der Deutschen Kunst in München. ↗ Bahnhof 4. 1938 *ff.*
Kunstbanause *m* Mensch, der künstlerischen Dingen kein Verständnis entgegenbringt; Kunstverächter. ↗ Banause. 1900 *ff.*
kunstblond *adj* blond gefärbt. kunst- = künstlich. 1925 *ff.*
Kunstfehler *m* **1.** Irrtum (Unterlassung) bei einer Straftat. Eigentlich der (fahrlässige) Verstoß eines Arztes gegen die grundsätzlichen Gebote der ärztlichen Wissenschaft. 1920 *ff.*
2. Entschuldigung als Selbstbezichtigung. 1920 *ff.*
Kunstfresser *m* Mann ohne Kunstverständnis, aber mit wachem Sinn für den materiellen Wert von Kunstgegenständen. 1920 *ff.*
Kunsthuber *m* Mann, der ohne irgendwelche Sachkenntnis über künstlerische Dinge urteilt. Zu „Huber" *vgl* „↗ Geschaftelhuber". 1880 *ff.*
Kunstkneipe *f* Museum o. ä. ↗ Kunst 6. 1928 *ff.*
Künstlerbahnhof *m* Bahnhofsgebäude Rolandseck bei Remagen. Der ehemalige Bahnhof dient heute künstlerischen Zwecken. 1965 *ff.*
Künstlerfliege *f* Querbinder. ↗ Fliege 3. 1900 *ff.*
Künstler-Latein *n* übertreibende Schilderung eines Künstlers. ↗ Latein. 1900 *ff.*
Künstlerlikör *m* Wermutwein. Er ist Likörersatz für bedürftige Künstler. 1930 *ff.*
Künstlermähne *f* langes, ungeordnetes Haar; Beatle-Frisur. ↗ Mähne. 1900 (?) *ff.*
Künstlertolle *f* gebauschte Locke oder Haarsträhne. Ungewöhnliche Haartrachten werden bevorzugt Künstlern zugeschrieben. ↗ Tolle. 1900 *ff.*
künstlich *adv* sich ~ aufregen = sich über

Gebühr aufregen; Aufgeregtsein vortäuschen. 1900 *ff.*
Kunstma'lör *n (m)* Kunstmaler *(abf)*. Umgeformt durch *franz* „malheur = Unglück". Im späten 19. Jh aufgekommen, wahrscheinlich in ursächlichem Zusammenhang mit den Kunstrichtungen der Moderne.
Kunstpause *f* Pause zwischen zwei Darbietungen, Filmaufnahmen o. ä.; kurze Ruhe zwischen zwei Kampfhandlungen. Eigentlich die absichtliche Pause, die ein Schauspieler der Sprechbühne eintreten läßt, um seinem Text mehr Wirkung zu verleihen. 1915 *ff.*
Kunstschatulle *f* Fernsehtruhe. 1965 *ff.*
Kunstschulze *m* Kunstsachverständiger. Schulze ist der Inhaber niederer Gewalt (z. B. Dorfschulze). 1920 *ff.*
Kunstschuppen *m* Kunsthochschule. ↗ Schuppen 3. 1955 *ff, halbw.*
kunstseichen *intr* ein Fachgespräch über die Kunst führen. ↗ seichen. *Stud* seit dem späten 19. Jh.
Kunststoff-Äquator *m* Hula-Hoop-Reifen. Er ist aus Kunststoff und kreist um die Körpermitte. 1958 *ff.*
Kunststück *n* das ist kein ~ = das ist keine außergewöhnliche Leistung; das kann jeder. ↗ Kunst 5 a. Seit dem 19. Jh.
Kunstwein *m* künstlich hergestellter Wein; weinähnliches Getränk. 1958 *ff.*
'kunter'bunt *adj adv* ungeordnet, regellos, durcheinander. Ursprünglich die Adjektivbildung zu „Kontrapunkt" im Sinne von „vielstimmig"; mit Anlehnung an „bunt" seit dem 17. Jh zur heutigen Bedeutung entwickelt.
Kupferbergwerk *n* gerötete Nase des Trinkers. Farbähnlich mit dem Kupfer. „Bergwerk" spielt auf das Bohren in der Nase an. Seit dem 19. Jh.
Kupferbolzen *m* **1.** Exkremente. Der Kot ist bolzenähnlich geformt und kupferfarben. *Sold* 1939 bis heute.
2. ein ~ steht an = man verspürt Stuhldrang. Anstehen = bevorstehen; vorgemerkt sein. *BSD* 1965 *ff.*
Kupferdach (-dächelchen; -dächle) *n* rötliches Kopfhaar. 1930 *ff.*
Kupferkolben *m* bräunlich-rot verfärbte Trinkernase. ↗ Kolben 2. 1900 *ff.*
kupfern *tr intr* vom Mitschüler abschreiben. ↗ abkupfern. 1960 *ff.*
Kupfernase *f* rote, gerötete Nase; Trinkernase. Seit dem 18. Jh. *Vgl franz* „nez cuivré".
Kuppelbörse *f* **1.** Heiratsanzeigenteil in der Zeitung. Anspielung auf „Kuppelei = Zusammenbringen Beischlafwilliger". 1870 *ff.*
2. Eheanbahnungsinstitut. 1900 *ff.*
Kuppelbosten *f* Kupplerin. ↗ Bost. Berlin 1920 *ff.*
Kuppelbude *f* kleines Hotel, das Zimmer stundenweise vermietet. 1900 *ff.*
Kuppelmutter *f* Bordellinhaberin; Kupplerin o. ä. 1900 *ff.*
Kuppelpelz *m* sich den ~ verdienen = eine Ehe stiften; der Unsittlichkeit Vorschub leisten. Im altdeutschen Eherecht bildete der Pelz den üblichen Kaufpreis, zu dem man die Mundschaft über die Frau an den Gatten überließ. Hieraus entwickelte sich der Pelz als Geschenk für den Ehevermittler. 1700 *ff.*
Kur *f* **1.** schwere Anstrengung; strenge Be-

handlung eines Strafgefangenen. Übertragen von der ärztlichen Behandlung, besonders von Heilungsversuchen, die mitunter sehr schmerzhaft und langwierig sind. Seit dem 18. Jh.
2. Prügelei, Verprügelung. Prügel erweisen sich manchmal als heilsam. 1920 *ff.*
3. Schnaps. Er gilt als Arznei in einem privaten Heilversuch, einer nicht vom Arzt verschriebenen „Trinkkur". *BSD* 1965 *ff.*
3 a. eine ~ abreißen = sich (widerwillig) einer Kur unterziehen. ↗ abreißen 6. 1960 *ff.*
4. jn in der ~ haben = mit jm streng verfahren; jn züchtigen. 1700 *ff.*
5. etw in der ~ haben = etw wiederinstandsetzen. Seit dem 19. Jh.
6. jn in die ~ nehmen (kriegen) = jn heftig rügen; jn sehr streng behandeln; jn rücksichtslos drillen. 1700 *ff.*
7. zur ~ in X. sein (gefahren sein) = sich in X. im Gefängnis befinden. Tarnausdruck. 1870 *ff.*
Kür *f* **1.** Geschlechtsverkehr zwischen Nichtverheirateten. Hergenommen von der Kür beim Eiskunstlauf u. ä., nämlich von der freien Zusammenstellung von Bewegungsfolgen. Der *sportl* Fachausdruck ist insbesondere durch Fernsehübertragungen entsprechender Veranstaltungen Allgemeingut geworden. 1965 *ff.*
1 a. eigenmächtige Handlungsweise. 1970 *ff.*
2. außereheliche ~ = außereheliches Verhältnis (neben der ehelichen „Pflicht"). 1965 *ff.*
kuranzen *tr* quälen, peinigen, prügeln, entwürdigend ausschimpfen. Geht zurück auf *mittellat* „carentia = Bußübung mit Geißeln"; von da in heutiger Bedeutung über die Studentensprache im 17. Jh in die Mundarten eingedrungen. Kann auch Streckform zu „kranzen = im Kreis herumtreiben" sein.
Kuraufenthalt *m* **1.** Verbüßung einer Freiheitsstrafe. Tarnwort. *Vgl* ↗ Kur 7. 1870 *ff.*
2. Dienstzeit in der Bundeswehr. Ironie. *BSD* 1965 *ff.*
3. Reservistenübung. *Sold* 1935 *ff.*
Kurbel *f* die ~ drehen = filmen. 1920 aufgekommen mit der durch Kurbeldrehung von Hand bedienten Filmkamera. Trotz aller technischen Neuerungen bis heute geläufig.
Kurbe'lei *f* **1.** Filmaufnahme. ↗ Kurbel. 1910 *ff.*
2. Kurvenfahren; unablässiges Hin- und Herreißen am Lenkrad (o. ä.). *Sold* 1939 *ff.*
3. Luftkampf; Kurvenkampf der Jagdflieger; Rundflug. Spätestens seit 1939 bis heute. Unsicher, ob schon 1914 *ff.*
Kurbelkasten *m* **1.** Filmkamera. ↗ Kurbel. 1910 *ff.*
2. Plattenspieler. Vor der Elektrifizierung mußte mittels einer Kurbel die Feder des Laufwerks gespannt werden. *Halbw* 1955 *ff.*
kurbeln *intr* **1.** eine Filmaufnahme machen. *Vgl* ↗ Kurbel. Seit dem frühen 20. Jh.
2. radfahren. Bezieht sich auf die Tretkurbel, auch auf das Rundfahren beim Sechstagerennen o. ä. 1920 *ff.*
3. Auto, Motorrad o. ä. fahren. Zusammenhängend mit der Betätigung der (einstigen) Handkurbel zum „Anwerfen" des

Motors sowie mit den Drehbewegungen des Steuerrads oder der Lenkstange. 1920 *ff.*

4. rundfliegen; sich im Luftkampf befinden. ↗Kurbelei 3. Fliegerspr. 1939 *ff.*

5. Zigaretten drehen. Frühe Zigarettendreh-Maschinen und handliche -Maschinen hatten eine Handkurbel. *Sold* und *ziv* 1939 *ff.*

6. *tr intr* = im Tanz herumwirbeln. *Halbw* 1955 *ff.*

Kürbis *m* **1.** Kopf; dicker Kopf; Wasserkopf. 1800 *ff.* **2.** Glatzkopf. 1900 *ff.*

3. plumpe Nase. Formähnlich mit dem Flaschenkürbis. 1914 *ff.*

4. dicker Bauch. 1850 *ff.*

5. Leib der Schwangeren. 1850 *ff.*

Kurgast *m* dumm wie ein ~ = dümmlich; leicht zu übertölpeln. Kurgäste kaufen bisweilen Wertloses für teures Geld. 1900 *ff.*

kurieren *v* **1.** etw ~ = etw wiederinstandsetzen. Von der ärztlichen Praxis übertragen. 1900 *ff.*

2. jn dazu etw ~ = jn (durch Erfahrung) dazu bringen, daß er Vorurteile (auch: Großzügigkeit, Leichtgläubigkeit usw.) aufgibt. 1900 *ff.*

3. *intr* ~ = Nachrichten zutragen; böse Nachrede verbreiten. Verbal zu „Kurier = Nachrichtenübermittler". 1950 *ff.*

4. von etw kuriert sein = durch Schaden klug geworden sein; zu vernünftigerer Ansicht gelangt sein. 1900 *ff.*

Kurlaub *m* Kuraufenthalt. Zusammengesetzt aus „Kur" und „Urlaub"; 1962 auf dem Deutschen Bädertag in Baden-Baden geprägt.

kurlauben *intr* seinen Urlaub mit einer Kur verbinden. *Vgl* das Vorhergehende. 1962 *ff.*

Kurliebe *f* Liebschaft während eines Kuraufenthalts. 1955 *ff.*

Kurmel *m* **1.** Durcheinander, Unordnung. Herkunft nicht gesichert. *Westd* und *nordd* seit dem 19. Jh.

2. Plunder, Gerümpel, Wertloses. *Westd* seit dem 19. Jh.

Kurs *m* **1.** harter ~ = Durchführung strenger Maßnahmen; Strenge; rücksichtsloses Vorgehen. Kurs = Fahrtrichtung, 1920 *ff.*

2. ~ machen = im Lokal die Rechnung verlangen. Kurs = Geldumlauf; Verrechnungs-Verhältnis. Aus der Bankfachsprache. 1950 *ff.*

3. die ~e purzeln = die Aktienkurse fallen beträchtlich. 1950 *ff.*

Kurschatten *m* **1.** weiblicher Kurgast, der sich männlichen Bekannten anschließt (anbiedert); Liebschaft eines verheirateten männlichen Kurgastes. 1955 *ff.*

2. Mann, der sich in Kurorten gewerbsmäßig Frauen als Alleinunterhalter anbietet. 1960 *ff.*

Kurschattenspieler(in) *m f* Person die mit einem Kurgast ein Liebesverhältnis eingeht. 1960 *ff.*

Kurve *f* **1.** *pl* = üppig entwickelte Rundungen des weiblichen Körpers. Gegen 1950 aufgekommen in Anlehnung an die Straßenkurven. Vorausgegangen ist seit 1900 *schül* „↗Sinuskurve".

2. *sg* = Frau mit üppigen Körperformen. 1950 *ff.* Vorgebildet schon 1914 bei Egon Erwin Kisch, „Der rasende Reporter".

3. brüllende ~n = übermäßig betonter Busen. ↗brüllend. 1950 *ff.*

4. heiße ~ = gefährliche Rennstreckenkurve. 1950 *ff.*

5. sanfte ~n = a) Jungmädchenbusen. 1950 *ff.* – b) Flachbusigkeit. 1950 *ff.*

6. schädelechte ~n = üppiger Busen ohne künstliche Nachhilfe. „Schädelecht" sagt der Jäger, wenn der Präparator der Trophäe das Geweih auf die echte, nicht auf eine künstliche Knochenunterlage setzt. 1953 *ff.*

7. scharfe ~n = üppig entwickelter und durch die Kleidung entsprechend hervorgehobener Busen. Hergenommen von der engen Straßenkurve. 1950 *ff.*

8. vor der ~ abspringen = den Koitus abbrechen. 1960 *ff.*

9. eine ~ entschärfen = eine allzu enge Straßenkurve („Haarnadelkurve") ausweiten und damit weniger gefährlich (= verkehrsunfallträchtig) machen. Übernommen vom Entschärfen von Bomben u. ä. 1955 *ff.*

10. die ~ erwischen = mit knapper Not in die nächsthöhere Klasse versetzt werden. Der Schüler meistert die Biegung (um die sprichwörtliche Klippe), wird nicht aus der Fahrbahn getragen. 1950 *ff.*

11. die falsche ~ erwischen = a) eine falsche Richtung einschlagen; sich verirren. Leitet sich wohl her vom Nichtbeachten der Verkehrsschilder am Verteilerring o. ä. 1935 *ff.* – b) eine Torheit begehen; irrtümlich oder unüberlegt sich dem Gegner ausliefern. 1935 *ff.*

12. mit ~n fahren = den üppigen Busen bei jeder Bewegung deutlich voranstellen. 1950 *ff.*

13. die ~ finden = eine Schwierigkeit meistern. *Vgl* ↗Kurve 10. 1950 *ff.*

14. zu schnell in die ~ gehen = unüberlegt handeln. Stammt aus dem Hallenradrennsport: geht der Rennfahrer mit zu hoher Geschwindigkeit in die Kurve, wird er aus der Bahn getragen und kommt zu Fall. 1920 *ff.*

15. aus der ~ getragen werden = die Beherrschung verlieren. *Vgl* das Vorhergehende. 1920 *ff.*

16. in der ~ hängen = benachteiligt sein; überflügelt werden. Bei Bahnrennen jeder Art hat der Läufer (Reiter, Fahrer o. ä.) auf der Innenbahn den kürzesten Weg; wer sich auch auf dem Weg abdrängen läßt, wird in der Kurve „↗abgehängt". 1920/30 *ff.*

17. die ~ kratzen = a) die Straßenbiegung schneiden. Man biegt so rasch und eng um die Ecke, daß man den Bordstein oder die Mauer kratzt. Kraftfahrerspr. 1920/30 *ff.* – b) etw mit knapper Not bewerkstelligen. 1930 *ff.* – c) sich einer Verpflichtung entziehen, entwinden; sich eiligst (noch rechtzeitig) entfernen. *Vgl* ↗auskratzen. 1920/30 *ff.* – d) sich der Dienstpflicht entziehen. *BSD* 1965 *ff*; wohl schon 1939 *ff.* – e) sich beliebt zu machen suchen; liebedienerisch sein; sich anbiedern. *Vgl* „sich bei jm ↗einkratzen"; beeinflußt von „die Kur schneiden = umwerben". *Sold* 1939 *ff.*

18. die ~ kriegen = a) einer Sache gewachsen sein; einer Sache die günstige Wendung geben; sich fassen. Vom Straßenverkehr hergenommen. 1920 *ff.* – b) etw begreifen, richtig auffassen. 1930 *ff.*

19. die ~ nicht kriegen = a) bezecht torkeln. 1920/30 *ff.* – b) von der Schule

verwiesen werden. *Vgl* ↗Kurve 10. 1930 *ff.*

20. eine Sache durch die letzte ~ kriegen = einer Sache über die letzte Schwierigkeit hinweghelfen; das letzte Hindernis überwinden. 1930 *ff.*

21. sich in die ~ legen = sehr schnell und eng durch die Kurve fahren; um die Ecke eilen. Kraftfahrerspr. 1920/30 *ff.*

22. sich in die ~n legen = die üppigen Rundungen des Körpers wirkungsvoll zur Geltung bringen. 1950 *ff.*

23. gut in der ~ liegen = Erfolg haben; Beifall ernten; in guter Stimmung sein. 1930 *ff.*

24. auf ~n machen = üppige Körperformen zur Schau stellen. 1950 *ff.*

25. die ~ nehmen = a) einer Schwierigkeit Herr werden. ↗Kurve 18. 1930 *ff.* – b) die Prüfung bestehen. *Stud* und *schül* 1930 *ff.* – c) fliehen; desertieren. ↗Kurve 17 d. *Sold* 1939 *ff.*

26. die ~ raushaben = etw gründlich verstehen; eine Sache geschickt erledigen. Analog zu „den ↗Bogen raushaben". 1920/30 *ff.*

27. die ~n rausrecken = die üppigen Körperformen durch die Haltung noch stärker zur Geltung bringen. 1950 *ff.*

28. die ~ nicht schaffen = unterliegen; in der Prüfung scheitern; in der Schule nicht versetzt werden; sich vom Partner nicht freimachen können. 1930 *ff.*

29. die ~ wetzen = davoneilen. Verstärkung von ↗Kurve 17 c. 1930 *ff.*

kurven *intr* **1.** hin- und herfahren; umherfahren; fahren. 1930 *ff.*

2. schlendern. Bezieht sich auf die absichtliche Schaukelbewegung der Hüften, vor allem bei Straßenprostituierten. 1950 *ff.*

kurvenbewußt *adj* auf Hervorhebung von Busen und Gesäß durch die Kleidung bedacht. ↗Kurve 1. 1955 *ff.*

Kurvenengel *m* vollbusiges Mädchen. 1955 *ff.*

Kurvenfach *n* Bühnenrolle, deren Darstellerin über üppige weibliche Rundungen verfügen muß. 1955 *ff.*

Kurvenfahrer *m* Schmeichler, Anbiederer o. ä. ↗Kurve 17 e. Eng verwandt mit dem Begriff „↗Radfahrer". *Sold* 1939 *ff.*

Kurvenfeindlichkeit *f* Abneigung gegen die Überbetonung (Überbewertung) üppiger Körperformen; Verlangen nach Charakterdarstellung. 1955 *ff.*

Kurvenfresser *m* Kraftfahrer, der Straßenbiegungen vorschriftswidrig (zu schnell, zu eng) nimmt. 1930 *ff.*

kurvenfreudig *adj* üppige Körperformen liebend, zumal wenn sie geschmackvoll betont werden. 1955 *ff.*

Kurvengeist *m* **1.** Alkohol. Er macht beschwingt und schwankend, so daß man sich in Kurven fortbewegt. 1915 *ff.*

2. Draufgängertum beim Autofahren; Kühnheit (Leichtsinn) in den Kurven. 1920/30 *ff.*

kurvengesegnet *adj* vollbusig. 1960 *ff.*

Kurvenharnisch *m* Mieder in Dreiviertelform mit hoch angesetzten Büstenschalen und Schaumstoff-Fütterung. Harnisch meint eigentlich vor allem den Brustpanzer der Ritterrüstung. 1950 *ff.*

Kurvenkampf *m* **1.** Luftkampf. Er verläuft nicht geradlinig, sondern in Kurven und Schleifen. Fliegerspr. 1939 *ff.*

2. alberner Wettstreit um die ausgeprägtesten weiblichen Körperformen. Falls die Presseberichte stimmen, wütete solch ein Kampf 1955 zwischen den italienischen Filmschauspielerinnen Gina Lollobrigida und Sophia Loren.

Kurvenkratzer *m* **1.** Flüchtender. ↗Kurve 17. 1920 *ff.*
2. hochprozentiger Schnaps. ↗Kurvengeist 1. 1948 *ff.*

Kurvenkreischer *m* weichgefedertes Auto, das in der Kurve quietscht. 1930 *ff.*

kurvenreich *adj* reich an stark ausgeprägten Körperformen. Durch Journalisten oder Künstler- Agenten gegen 1950 aus der Kraftfahrersprache entlehnt; *vgl gleichbed engl „curvaceous".*

Kurvenrolle *f* Filmrolle, in der vor allem die körperlichen Rundungen der Darstellerin hervorragend zur Geltung kommen. 1955 *ff.*

Kurvenschau *f* Schönheitswettbewerb o. ä.; Striptease-Vorführung; Nacktfoto(s) o. ä. ↗Kurve 1. 1960 *ff.*

Kurvenschaustellerin *f* Filmschauspielerin, die vor allem ihre drallen Körperformen wirkungsvoll ins Bild zu setzen weiß. Zusammengesetzt aus „↗Kurvenschau" und „Schaustellerin" (= Besitzerin einer Jahrmarktsbude o. ä.) unter Einschluß von „(Film-)Darstellerin". 1955 *ff.*

kurvenschwenkend *adj* hüftenschwingend. 1955 *ff.*

Kurvenspielerei *f* Filmrolle, in der die Zurschaustellung körperlicher Reize überwiegt, auf Kosten ernstlich zu würdigender Schauspielerei. 1955 *ff.*

Kurvenstar *m* **1.** Filmschauspielerin mit üppigen körperlichen Reizen. ↗Kurve 1; ↗Star. 1955 *ff.*
2. Rennfahrer. Kurve = Straßenbiegung, Bahnkurve. 1970 *ff.*
3. Auto mit günstiger Kurvenlage. Aus dem Wortschatz der Werbefachleute. 1970 *ff.*

Kurventechnik *f* Kunst der wirkungsvollsten Zurschaustellung anreizender Körperformen. 1955 *ff.*

kurvenüppig *adj* vollbusig u. ä. 1955 *ff.*

Kurvenvorführdame *f* Filmschauspielerin, die ihre körperlichen Reize (als Ersatz für mangelndes schauspielerisches Talent) voranstellt. Sie führt ihre Rundungen vor wie das Mannequin die Erzeugnisse der Mode. 1950 *ff.*

Kurve'rei *f* **1.** Rad-, Automobilrennen. ↗kurven 1. 1930 *ff.*
2. Fahrt mit dem Auto. 1930 *ff.*
3. Rundfliegen; Luftkampf; Veranstaltung von Rundflügen. Fliegerspr. 1939 *ff.*

kurvig *adj* mit reizvollen Körperformen ausgestattet. ↗Kurve 1. 1950 *ff.*

kurz *adj adv* **1.** ∼ und klein = kurz gesagt; mit anderen Worten. Vom Holzhacken hergenommen. 1900 *ff.*
2. ∼ und krumm = zusammengefaßt; wie dem auch sei. Aus „kurzum" umgeformt. 1920 *ff.*
3. ∼ und lang = kurz und gut. 1920 *ff.*
4. ∼ und rund = kurz gesagt. 1900 *ff.*
5. ∼ so lange wie hoch = völlig gleichgültig. *Vgl* ↗hinten 15. 1945 *ff.*
6. ∼ und schmerzlos = ohne Förmlichkeiten; ohne Umstände. Aus der ärztlichen oder zahnärztlichen Praxis übernommen. Seit dem späten 19. Jh.
7. ∼ angebunden sein = wortkarg,

schnippisch sein. Der an kurzer Kette angebundene Hofhund ist bissig. 1500 *ff.*
8. jm etw ∼ erklären = jm etw durch Schläge beibringen; gegen jn handgreiflich werden. Ironie. Seit dem späten 19. Jh *schül.*
9. jm etw ∼ und klein erzählen = jm etw ausführlich erzählen. Man setzt es ihm sehr genau auseinander. 1920 *ff.*
10. sich ∼ und schmerzlos fassen = eine niederschmetternde Mitteilung rücksichtslos aussprechen. 1920 *ff.*
11. jn ∼ halten = jn in seiner Freiheit beschränken; jm wenig Geld geben. Vom Pferd hergeleitet, das man straff im Zügel hält oder nur an der kurzen Leine laufen läßt. 1700 *ff.*
12. etw ∼ und klein hauen (hacken, schlagen) = etw entzweischlagen. Der Holzhacker spaltet das Holz in kurze und kleine Stücke. Seit dem 17. Jh.
13. zu ∼ kommen = benachteiligt, übervorteilt werden (vor allem bei einer Verteilung o. ä.). Erreicht der Schuß oder Wurf das Ziel nicht, kommt er zu kurz. 1600 *ff.*
14. ∼ (kürzer) treten = langsam arbeiten; zurückhaltend vorgehen; einen über das zur Zeit erreichbare Ziel hinausgehenden Plan zurückstellen; sich Einschränkungen auferlegen; Kurzarbeit einführen. Leitet sich her vom Marschieren von Kolonnen im Gleichschritt: damit der Gleichschritt erhalten bleibt, machen beim Schwenken die auf der Innenseite Marschierenden kleinere Schritte oder treten gar auf der Stelle. 1920 *ff.*
15. ∼-lang trinken = auf einen Schnaps ein Glas Bier folgen lassen. 1950 *ff.*

Kurzbrenner *m* **1.** Bühnen- oder Filmstück von zeitlich kurzer Wirkung; Einakter. Hergenommen von der Treppenhausbeleuchtung in Miethäusern, die jeweils nur wenige Minuten brennt. *Vgl* das Gegenwort ↗Dauerbrenner. 1950 *ff.*
2. nach Anfangserfolgen in Vergessenheit geratener Künstler. 1950 *ff.*

Kurze *f* **1.** kniekurze Lederhose der Oberbayern. Verkürzt aus „↗Kurzlederne". 1880/90 *ff.*
2. lange ∼ (kurze Lange) = dreiviertellange Damenhose. 1930 *ff.*

Kurzer *m* **1.** klarer Schnaps; kleiner Schnaps o. ä. Das Glas ist kurz, und schnell hat man es geleert. 1890 *ff.*
2. starker Kaffee (Espresso; Mokka). Er wird nur aus einer kleinen Tasse getrunken. Wiene 1890 *ff.*
3. Kleinwüchsiger. 1900 *ff.*
4. Kurzschluß. 1900 *ff. Vgl engl* „a short".
5. unfreiwilliger Samenerguß. Er gilt als Kurzschluß. *Halbw* 1955 *ff.*
6. klarer ∼ = klarer Schnaps. ↗Kurzer 1. 1900 *ff.*
7. einen Kurzen bauen = Kurzschluß verursachen. ↗Kurzer 4; ↗bauen 1. 1900 *ff.*
8. einen Kurzen haben = begriffsstutzig sein. Man hat einen geistigen „↗Kurzschluß". 1900 *ff.*

kürzer *adj* **1.** ∼ treten = sich einschränken; Kurzarbeit einführen. ↗kurz 14. 1920 *ff.*
2. den ∼en ziehen = a) benachteiligt werden. Hergenommen vom Halmziehen im altdeutschen Rechtsleben: wer den kürzeren Halm zog, mußte sich für das ungünstigere Los entscheiden. Dieser Los-

entscheid wird heute mit Streichhölzern praktiziert. 1500 *ff. Vgl franz* „tirer à la courte paille". – b) harnen (auf männliche Personen bezogen). Der Penis gilt als das „kurze Bein". 1870 *ff.*

Kürzester *m* den Kürzesten ziehen = am meisten benachteiligt werden. ↗kürzer 2. Seit dem 19. Jh.

'kurz'igeln *tr* Haar ∼ = das Haar gleichmäßig kurzschneiden. ↗Igelfrisur. 1950 *ff.*

Kurzlederne *f* kurze Lederhose der Oberbayern. 1880/90 *ff.*

Kurzschluß *m* **1.** Aussetzen des klaren Denkvermögens; übereilte Handlungsweise. 1920 *ff.*
2. seelischer ∼ = Verzweiflung als Beweggrund des Handelns. 1920 *ff.*
3. sexueller ∼ = Onanie. 1920 *ff.*
4. bei mir ∼! = ich will nichts von dir hören, will dich nicht verstehen! 1920 *ff.*
5. mit ∼ = voreilig. 1920 *ff.*
6. ∼ haben = die Geduld (Beherrschung) verlieren. 1920 *ff.*
7. du hast wohl ∼ im Gehirn? = du bist wohl nicht recht bei Verstand? Durch den Kurzschluß im Gehirn tritt dort Dunkelheit ein. 1920 *ff.*
8. ∼ kriegen = die ruhige Überlegung verlieren; fassungslos werden. 1920 *ff.*
9. an ∼ leiden = voreilige Schlüsse ziehen; sich unzweckmäßig verhalten; zu rasch verzagen; leicht schwermütig werden, verzweifeln. 1920 *ff.*

Kurzschlußhandlung *f* unüberlegte Handlungsweise. Kommt über die Fachsprache der Psychologen aus der Elektrizitätslehre: der Gedankengang ist nicht vollendet, sondern wie der Stromkreis vorzeitig geschlossen. 1920 *ff.*

Kurzschlußpolitik *f* nicht genügend überlegte Handlungsweise. 1920 *ff.*

kusch *adv* **1.** sei still! verstumme! Eingedeutscht aus *franz* „couche = leg dich nieder!" als Zuruf an den Jagdhund. Seit dem 17. Jh.
2. jn ∼ halten = jds Willen beherrschen; jn einschüchtern; jds Aufbegehren energisch fernhalten gebieten. Seit dem 19. Jh.
3. ∼ sein = eingeschüchtert sein; keine Widerrede wagen. Seit dem 19. Jh.

Kuschee *f* Bett. Aus *franz* „couchée = Nachtquartier". *Westd* 1870 *ff.*

Kuschelbär *m* **1.** Teddybär. Er ähnelt dem australischen Koala-Bären. 1970 *ff.*
2. Mann (Kosewort). 1900 *ff.*

Kuschelbett *n* weiches Bett. 1930 *ff.*

Kuschelecke *f* gemütlicher Zimmerwinkel mit Couch o. ä.; lauschiger Winkel im Lokal. 1900 *ff.*

Kusche'lei *f* zärtliches Beisammensein. ↗kuscheln 4. 1920 *ff.*

kuschelig *adj* weich, mollig, anschmiegsam, behaglich. ↗kuscheln 4. Seit dem 19. Jh.

Kuschelkissen *n* kleines weiches Kissen. 1900 *ff.*

Kuschelmäuschen *n* anschmiegsames Mädchen; Geliebte (Kosewort). ↗Mäuschen 2. 1920 *ff.*

Kuschelmuschel *n* **1.** wirres Durcheinander; Durcheinandergemengtes. ↗kuscheln; ↗muscheln. *Westd* seit dem 19. Jh.
2. Heimlichkeit; geheime Machenschaften. ↗kuscheln 3. *Westd* seit dem 19. Jh.

kuscheln v 1. *intr* = es sich behaglich machen. ↗kuscheln 4. Seit dem 19. Jh.
2. *intr* = flüstern, tuscheln. Lautmalend für Gewisper. *Westd* seit dem 19. Jh.
3. *intr* = heimlich handeln; heimtückisch vorgehen. *Westd* seit dem 19. Jh.
4. *refl* = sich schmiegen, anschmiegen. Eingedeutscht aus *franz* „se coucher = sich niederlegen". Seit dem 19. Jh.
Kuschelpuppe f anschmiegsames, liebebedürftiges Mädchen. 1920 ff.
Kuschelsack m weit geschneiderter Mantel; Hausmantel. 1975 ff, modenspr.
Kuschelsofa n Sofa, auf dem man wohlig liegt. 1925 ff.
Kuscheltier n 1. Stofftier. 1920 ff.
2. anschmiegsamer Partner. 1950 ff.
Kuschelwärme f behagliche Wärme. 1900 ff.
kuschelweich adj 1. angenehm weich (auf Wäsche oder Sitzmöbel bezogen). 1920 ff.
2. anschmiegsam (auf Lebewesen bezogen). 1920 ff.
kuschen *intr refl* sich fügen; unterwürfig sein; eingeschüchtert sein; kein Widerwort wagen. ↗kusch 1. 1700 ff.
'küselig adj benommen, taumelig. Gehört zu *nordd* „Küsel = Kreisel, Wirbel". Seit dem 19. Jh.
Kusen pl 1. Backenzähne. Verwandt mit „kauen". *Niederd* seit dem 14. Jh.
2. einen hinter (achter) die ~ kriegen = eine Ohrfeige bekommen. Seit dem 19. Jh.
3. etw hinter (achter) die ~ stecken = etw essen. *Niederd* seit dem 19. Jh.
Kuß m 1. kleine Luftblase auf einem Getränk (Kaffee, Tee o. ä.). Solche Blasen sollen Küsse verheißen. Die Auslegung entstammt der Gesellschaft des 18. Jhs mit dem verspielten Erlebnisdrang der kaffee- und teetrinkenden, liebebedürftigen Damen und Herren der Rokokozeit. Seit dem 19. Jh.
2. Küsse, Kugeln und Kanaillen = Verhältnis Schüler-Schülerin. Geht zurück auf den deutschen Titel des *franz* Films „Je suis un sentimental" (1955) mit Eddie Constantine. *Schül* 1959 ff.
3. dicker ~ = herzhafter Kuß. 1900 ff.
3 a. falscher ~ = Fieberbläschen auf der Oberlippe. 1920 ff.
4. kühler ~ = kleines Speiseeis. 1935 ff.
5. einen ~ landen = einer scheinbar Unnahbaren, sich Zierenden, sich Sträubenden einen Kuß geben (dürfen). 1920 ff.
Kußbremse f Oberlippenbart; Existenzialistenbart. 1920 ff.
küssen v 1. die Sonne küßt den Steinboden = die Sonne scheint auf den Steinboden. Verblaßte Dichtersprache; wirkt heute nicht nur veraltet, sondern auch lächerlich, albern und stereotyp. 1920 ff.
2. und wer küßt mich (mir)?: Redewendung eines, der bei einer Verteilung oder Verabredung übergangen worden ist. Geht zurück auf ein derbes Reimgedicht aus den siebziger Jahren des 19. Jhs; darin kommen Verse wie diese: „Die Hasen rammeln im Revier. / Kurzum, sie liebelt jedes Tier. / Und wer küßt mir?" oder auch: „Nun hört es endlich auf zu wintern, / die Katzen amüsieren sich. / Die Hunde schnuppern sich am Hintern. / Und wer küßt mich?".
3. du kannst mich ~ (küß mich)!: derbe Abfertigung. Variante des Götz-Zitats. Seit dem 19. Jh.

4. küß mich am Bauch!: Ausdruck der Ablehnung. Der Bauch (abmildernd) als Vorderseite des eigentlich gemeinten Kehrseite des Körpers. Seit dem 19. Jh.
5. du kannst mich ~, wo ich schön (hübsch) bin!: Ausdruck der Abweisung. *Vgl* das Folgende. Seit dem 19. Jh.
6. du kannst mich ~, wo ich keine Nase habe!: derber Ausdruck der Ablehnung. Keine Nase hat das „zweite ↗Gesicht". 1920 ff.
7. sich ~ = mit einem Fahrzeug frontal zusammenstoßen. ↗Kühlerkuß. 1925 ff.
Kußhand f mit ~ = sehr gern; mit großer Freude. Fußt auf der seit dem 18. Jh gebräuchlichen Höflichkeitsgebärde. Seit dem 19. Jh.
Kussine f als Kusine ausgegebene intime Freundin. Anspielung auf „Kuß". 1830 ff.
Küßmädchen n lebenslustiges (leichtes) Mädchen. Es läßt sich gern küssen. 1920 ff.
Kußmaul n voller, sinnlicher Mund; Mund mit aufgeworfenen Lippen. Seit dem 19.Jh.
Kußmonat m 1. Flitterwochen. 1500 ff.
2. Mai. Anlehnung an den „Wonnemonat" der Dichtersprache. Seit dem 19. Jh.
Küßnacht On nach ~ gehen = mit einem jungen Mädchen ins Bett gehen. Wortspiel mit dem durch die Tell-Sage bekannten Bezirkshauptort des Schweizer Kantons Schwyz am Vierwaldstätter See. *Stud* 1900 ff.
Küstenklatsch m Seemannsgerücht. ↗Klatsch 3. *Sold* in beiden Weltkriegen.
Küstenstrich m Strandpromenade in einem Seebad, wo sich leicht Bekanntschaften mit dem anderen Geschlecht anknüpfen lassen. ↗Strich. 1920/30 ff.
Kute f 1. Loch, Grube, Mulde. Ein *niederd* Wort, seit dem 14. Jh bekannt, auch *mitteld*.
2. Vulva, Vagina. Analog zu ↗Loch. Seit dem 18. Jh.
3. Gesäßspalte, After. 1900 ff.
4. jm eine ~ in den Deez besorgen = jm ein Loch in den Kopf schlagen. ↗Deez. Berlin 1870 ff.
kuten tr intr heimlich zurückbehalten und zu Wucherpreisen eintauschen; tauschhandeln. Gemeint ist, daß man die Ware in einer Grube versteckt und zum günstigen Zeitpunkt hervorholt. *Vgl* auch ↗kuten. *Nordd* und *mitteld* seit dem 19. Jh.
'Kutester m mein ~!: = mein Bester! (Anrede). ↗Gutester. Seit dem 19. Jh.
Kutsche f 1. Auto; altes Auto. Eigentlich der gefederte (noch von Pferden gezogene) Personenwagen mit Verdeck. ↗Benzinkutsche. 1920 ff.
2. Panzerkampfwagen. Euphemismus. *Sold* 1939 ff.
3. (kostspieliger, aber unpraktischer) Kinderwagen. 1900 ff.
4. lahme ~ = langsames Kraftfahrzeug. Kraftfahrerspr. 1930 ff.
kutschen *intr* (im Auto) fahren, reisen.
Kutscher m 1. Kraftfahrer. 1920 ff.
2. Flugzeugführer. Fliegerspr. 1935 ff.
3. Panzerfahrer. *Sold* 1939 ff.
4. schlechter, saurer Wein. Es ist ein minderwertiger Wein, wie man ihn früher den Kutschern vorsetzte. Seit dem 19. Jh.
5. fluchen wie ein ~ = unflätig schimpfen. Kutscher galten als grob und dreist. 1900 ff.

Kutsche'rei f 1. Kraftfahrt; Autofahren. Von der Pferdekutsche übertragen. 1920 ff.
2. Luftfahrt; Fliegerei. 1935 ff.
Kutscherglas n Glas mit erheblichem Fassungsvermögen; bis zum Rand gefülltes Glas. Dergleichen paßte zur handfesten Art der Fuhrleute. 1880 ff.
Kutscherkneipe f Gaststätte für sehr einfache Leute; Stehbierhalle. ↗Kneipe. 1900 ff.
Kutscherspiel n unverlierbares Kartenspiel. Während ihrer langen Wartezeiten entwickelten sich die Fuhrleute zu hervorragenden Kartenspielern. 1900 ff.
Kutschertasse f sehr große Tasse. ↗Kutscherglas. 1880 ff.
kutschieren *intr* (mit dem Auto) fahren, lenken. Seit dem 19. Jh.
Kutt m Tauschhandel. ↗kutten. 19. Jh.
Kutte f 1. Vulva, Vagina. Durch Vokalkürzung entstanden aus „↗Kute 2"; vielleicht unter Einfluß von „Kutte = (Kittel-)Schürze". 1700 ff, nordd.
2. Uniform. Eigentlich die Einheitstracht der Mönche. *BSD* 1960 ff.
3. pl = Bekleidungsstücke; Kleidung allgemein. Wohl beeinflußt von „↗Kodder". *Halbw* 1955 ff.
Kuttel f 1. unordentliche Frau. Gehört entweder zu „↗Kutte 1" oder als Nebenform zu „↗Kodder 1". Seit dem 19. Jh.
2. pl = Küchenpersonal in der Heimschule. *Schül* 1950 ff.
3. pl = Frauenbrüste. Eigentlich die Eingeweide der Schlachttiere; hier als Weichteile aufzufassen. 1900 ff, oberd.
4. eine gute ~ haben = energisch, gesund, handfest, tüchtig sein. Die Eingeweide gelten in der Volksmeinung als Sitz des Instinkts. *Oberd* 1900 ff.
5. jm die ~n putzen = jn ausschelten. Gehört zur volkstümlichen Gleichsetzung von Reinigen und Rügen. Dieses dringt hier unter die Haut und ins Gedärm, „bis ins Mark". 1900 ff.
kutten tr tauschhandeln. Geht vielleicht zurück auf *franz* „quêter = bitten, betteln, heischen". Aus „betteln" ergibt sich leicht die Bedeutung „feilschen". *Vgl* aber auch „↗kuten". Seit dem 19. Jh.
Kyritz an der Knatter On beliebiges abgelegenes Dorf mit Kleinbürgerlichkeit und Hinterwäldlertum; sehr anspruchsloses Provinztheater. In Kyritz, einer Kreisstadt der Prignitz (Bezirk Potsdam), wurde früher ein Bier gebraut, das starke Blähungen und Harndrang hervorrief. Nach seinem Genuß war man gezwungen, häufig den Abort aufzusuchen, wo es ans „Knattern" ging. Hieraus ergab sich im Volksmund die Bezeichnung „Kyritz an der schiff- und kackbaren Knatter". Der Ausdruck ging um 1870 in den Wortschatz der Theaterleute ein, wo er bis heute geläufig ist.
KZler m Häftling im Konzentrationslager. „KZ" war amtliche Abkürzung von „Konzentrationslager". 1933 ff.
KZling m Häftling im Konzentrationslager. 1933 ff.

L

(l **hoch** 2; l **Quadrat**) schlechte Auffassungsgabe; Begriffsstutzigkeit. Mathematisch ausgedrückte „lange ↗Leitung". 1900 *ff*, *stud* und *sold.*

l² **d²** Begriffsstutzigkeit. Gemeint ist „lange Leitung, dünner Draht". *Sold* 1939 *ff.*

l³ (l **hoch** 3) Begriffsstutzigkeit. Mathematisch verkürzt aus „lausig lange ↗Leitung". 1900 *ff.*

l³ **m²** K schlechte Auffassung. Verkürzt aus „lausig lange Leitung mit mehreren Knoten". 1950 *ff*, *schül.*

l⁵ (l **hoch** 5) Begriffsstutzigkeit. Verkürzt aus „lebenslänglich lausig lange Leitung". 1914 *ff.*

l⁶ (l **hoch** 6) stark verminderte Auffassungsgabe. Verkürzt aus „leider lebenslänglich lausig lange Leitung". 1930 *ff*, *jug.*

l.b. leicht verrückt. Abgekürzt aus den Anfangsbuchstaben von „leicht ↗bekloppt" oder „leicht ↗bestußt". 1930 *ff.*

l.b.k. leicht verrückt; ziemlich dumm. Abkürzung von „leicht ↗bekloppt" oder „leicht ↗beknackt". 1945 *ff.*

l.d.D. Rat zu mehr Bewegung. Abgekürzt aus „lauf' das Doppelte". Gegen 1930 aufgekommen.

l.f.G. leichtes Mädchen; beischlafwilliges Mädchen. Abkürzung von „leicht ↗fickbarer Gegenstand", der *milit* Abkürzung „lMG" (= leichtes Maschinengewehr) nachgebildet. 1935 *ff*, *sold.*

l.f.W. zum Geschlechtsverkehr schnell bereites Mädchen. Abgekürzt aus „leicht ↗fickbare Ware". *Sold* 1935 *ff.*

l.L. Begriffsstutzigkeit. Abkürzung durch die Anfangsbuchstaben von „lange ↗Leitung". 1910 *ff.*

l.L.d.D.k.V. langsames Auffassungsvermögen. Abgekürzt aus „lange Leitung, dünner Draht, kurzer Verstand". 1920 *ff.*

l.L.k.V. Begriffsstutzigkeit. Gemeint ist „lange Leitung, kurzer Verstand". 1920 *ff.*

l.l.L. vermindertes Begriffsvermögen. Abgekürzt aus „lausig lange Leitung". ˙1910 *ff.*

l.L.v.d.Dr. große Begriffsstutzigkeit. Abgekürzt aus „lange Leitung, verdammt dünner Draht". *Jug* 1960 *ff.*

l.m.A. derber Ausdruck der Abweisung. Abgekürzt aus „leck mich am ↗Arsch!". *Marinespr* wiedergegeben nach den Signalflaggen „Lucie, Max, Anna". Auch als Abkürzung von „laß mich allein!" verstanden. 1900 *ff.*

l.m.a.A. derber Ausdruck der Abweisung. Abgekürzt aus „leck mich am ↗Arsch!". 1914 *ff.*

l.m.A² (l.m.A. **Quadrat**) derber Ausdruck der Abweisung. Abgekürzt wie das Vorhergehende. 1900 *ff.*

l.m.A.-Miene *f* abweisender Gesichtsausdruck. ↗l.m.A. 1939 *ff.*

l.m.G. beischlafwilliges Mädchen. Gemeint ist „leicht ↗mausbarer Gegenstand" oder „leicht mausbares Gerät". Der amtlichen Abkürzung lMG (= leichtes Maschinengewehr) nachgebildet. *Sold* 1939 bis heute.

l.m.i.A. Ausdruck derber Abweisung. Abkürzung von „leck mich im ↗Arsch!". Umstritten ist, ob die Götz-Einladung „am" oder „im" Arsch meint. Seit dem ausgehenden 18. Jh.

Laatsch m 1. Spaziergang; Streifzug durch

---

das Gelände auf der Suche nach beschaffungswürdigen Dingen. ↗laatschen 1. Spätestens seit 1900, *schül* und *sold.*

2. nachlässig, schwerfällig gehender Mensch; langsam tätiger Mensch. 1600 *ff.*

3. großwüchsiger Mann. 1850 *ff.*

4. weichherziger, einfältiger, ungeschickter, langmütiger Mensch; wenig energischer Mann. 1800 *ff.*

5. dünner Milchkaffee; minderwertiger Kaffeeaufguß. Beeinflußt von „café mélange". Seit dem 19. Jh, vorwiegend *ostmitteld.*

Laatschen pl 1. ausgetretene alte Schuhe; Schuhe ohne Hinterleder; bequeme Hausschuhe; Halbpantoffeln. ↗laatschen 1. 1600 *ff.*

2. plumpe, große Füße. 1870 *ff.*

3. abgenutzte Autoreifen; Reifen (Schläuche), denen die Luft entwichen ist. 1920 *ff.*

4. angekreidete ~ = a) weiße Strand-, Turn-, Tennisschuhe u. ä. Sie scheinen mit Kreide geweißt. 1900 *ff.* – b) unbezahlte Schuhe. ↗Kreide 1. 1900 *ff.*

5. ihn haut's von den ~ = er verliert die Fassung, die Geduld. Fußt auf der wortwörtlichen Vorstellung „umwerfend". 1920 *ff.*

6. aus den ~ kippen = a) danebentreten und zu Fall kommen. Kippen = das Gleichgewicht verlieren. 1900 *ff.* – b) ohnmächtig werden; vor Erschöpfung umfallen. 1900 *ff.* – c) einen Fehler machen. Soviel wie „durch einen Sturz zu Schaden kommen". 1920 *ff.* – d) sehr überrascht sein. 1900 *ff.* – e) in ausgelassene Stimmung geraten. Man zieht die Schuhe aus und tanzt barfuß oder in Strümpfen. 1950 *ff.* – f) nicht charakterfest sein; seine Meinung ändern. *Vgl* ↗umfallen. 1920 *ff.* – g) die Beherrschung verlieren. 1920 *ff.*

7. jn aus den ~ kippen = a) jn zu Boden schlagen, umwerfen. 1900 *ff.* – b) jm eine überraschende Mitteilung machen. ↗Laatschen 6 d. 1920 *ff.*

8. mit dem ~ gekloppt sein = dumm sein. Ein Schlag mit dem Pantoffel gegen den Kopf hat eine (leichte) Geistestrübung bewirkt. 1900 *ff.*

laatschen intr 1. schleppend, schlurfend gehen; schlendern. Fußt auf einem *germ* Wurzelwort mit der Bedeutung „träge". *Vgl got* „lats", *alt-sächs* und *mittel-niederd* „lat". Daher bezogen sowohl auf schlurfende Gangart als auch auf Schuhwerk, das man leicht abstreifen kann. 1600 *ff.*

2. spazierengehen; marschieren. *Sold* in beiden Weltkriegen.

3. nachlässig Dienst tun. Man bewegt sich so langsam wie möglich. *BSD* 1965 *ff.*

4. jm eine ~ = jn schlagen, ohrfeigen. Bezieht sich entweder auf einen leichten Schlag mit dem Pantoffel oder ist schallnachahmender Natur. 1870 *ff.*

Laatscher m 1. Fußgänger. ↗laatschen 1. 1900 *ff.*

2. Grenadier. *BSD* 1965 *ff.*

3. beschwerliche Wegstrecke. 1950 *ff*, *österr.*

4. pl = Füße. *Jug.* 1950 *ff.*

laatschig adj 1. schlurfend; schlaff, nachlässig; schlurfende Gangart verursachend. ↗laatschen 1. 1600 *ff.*

2. dünn, breiig, unschmackhaft. *Vgl* ↗Laatsch 5. *Ostmitteld* seit dem 19. Jh.

3. weichlich, welk. 1900 *ff.*

'**Laban** m langer ~ = großwüchsiger

Mensch. Da der aus 1. Moses 29–32 bekannte Laban, der Schwiegervater Jakobs, nicht als großwüchsig geschildert ist, dürfte die Herleitung aus sorbisch „Laban" = ungeschliffener Kerl" eher zutreffen; auch kann „Laban" ein Hehlname für „↗Lapps" sein. 1800 *ff.*

Labbe *f* 1. hängende Unterlippe. Fußt auf „lappen = schlaff herunterhängen" als *niederd* Verb zu *hd* „laff". 1600 *ff.*

2. Mund; Gesicht. 1600 *ff.*

3. Schwätzer. Seit dem 19. Jh.

4. die ~ halten = verstummen, schweigen. Seit dem 19. Jh.

labberig adj 1. gehaltlos, unschmackhaft, dünn. *Niederd* Form zu „↗läppisch". 1700 *ff.*

2. wehmütig, wehleidig, gefühlvoll, energielos. 1900 *ff.*

3. schlaff herabhängend; weit geschneidert. 1900 *ff.*

4. inhaltlich schwach; nicht stichhaltig; nicht überzeugend. 1930 *ff.*

labbern intr 1. schlürfen, saugen. ↗Labbe 1. Seit dem 18. Jh.

2. schwatzen. *Niederd* seit dem 18. Jh.

Labbes m einfältiger Mann. *Westd* Nebenform zu „↗Lapps. 1800 *ff.*

Laberarsch m Großsprecher, Schwätzer; sich leutselig gebender Vorgesetzter, dessen Worten man nicht traut. ↗labern 1. *Nordd* und *südostd* 1900 *ff.* Beliebte *BSD*-Vokabel.

Laberer m 1. Schwätzer. ↗labern 1. 1700 *ff.*

2. Schallplattenansager.*Halbw* 1955 *ff.*

3. Nörgler. ↗labern 2. *BSD* 1965 *ff.*

Laberl n 1. (Hand-, Fuß-)Ball. Eigentlich das kleine Rundbrot. *Öster* 1930 *ff.*

2. einfältiger Mensch; Übertölpelter. Kann über die Gleichung „Rundbrot = Gesäßbacke" soviel wie „↗Arsch 2" meinen. *Österr* 1900 *ff.*

3. pl = Frauenbrüste. *Österr* 1900 *ff.*

labern intr 1. schwatzen; dummschwätzen; albern reden; Unsinn reden. Fußt auf „↗Labbe 1" und ist wohl von „palavern" beeinflußt. 1700 *ff*; Modewort in der Bundeswehr.

2. nörgeln. *BSD* 1965 *ff.*

Laberschnauze *f* Dummschwätzer. *BSD* 1965 *ff.*

Labersülze *f* haltloses Gerede. ↗labern 1; ↗Sülze. 1920 *ff.*

Laberwasser n 1. Dünnbier; Bier. ↗labberig 1. *BSD* 1965 *ff.*

2. Mineralwasser. *BSD* 1965 *ff.*

3. Cola-Getränke. *BSD* 1965 *ff.*

4. ~ getrunken haben = redselig sein; Unsinn reden. ↗labern 1. 1920 *ff.*

la'bet sein = a) im (Karten-)Spiel alles verloren haben. ↗bet. Seit dem 17. Jh. b) kraftlos, abgespannt, abgearbeitet sein. 1800 *ff.*

laborieren intr 1. sich abmühen. Aus *lat* „laborare = unter Mühen arbeiten". 1600 *ff.*

2. kränkeln. Seit dem späten 16. Jh.

Labormäuschen n 1. Medizinisch-Technische Assistentin. ↗Mäuschen. 1910 *ff*, *stud.*

2. Chemiestudentin o. ä. 1930 *ff*, *stud.*

Lache *f* 1. Lachen; Auflachen; Gelächter. Seit *mhd* Zeit.

2. fette ~ = Lachen eines behäbig-beleibten Mannes. 1920 *ff.*

3. grelle ~ = schrilles Lachen. 1950 *ff.*

4. irre ~ = schauriges Lachen. Eigentlich das Lachen eines Irren. 1920 *ff.*
5. eine dreckige ~ anschlagen = hämisch, schadenfroh grinsen. Dreckig = charakterlich schmutzig. Seit dem späten 19. Jh.
6. eine gräßliche ~ anschlagen = unangenehm schrill o. ä. zu lachen beginnen (nach Gruselfilmart). 1900 *ff.*
7. eine helle ~ anschlagen (aufschlagen) = hämisch auflachen. 1840 *ff.*
lächeln *intr* **1.** X. lächelt für Köln = X. ist Fernsehansagerin des Westdeutschen Rundfunks (Köln). Anspielung auf das stereotype Lächeln der Ansagerinnen. Beeinflußt von dem Filmtitel „. . . reitet für Deutschland" (1941). 1957 *ff.*
2. jm etw ~ = jm etw ablehnen. Man lacht ihm ins Gesicht, lacht ihn aus. Hieraus burschikos-blasiert abgeschwächt. 1950 *ff.*
3. daß ich nicht lächle!: Ausdruck des Zweifelns, auch der Ablehnung. Gemilderte Variante von „daß ich nicht lache!". 1920 *ff.*
4. das wäre ja gelächelt!: Ausdruck, mit dem man die Meinung des anderen für irrig erklärt (es wäre ja gelächelt, wenn ich das Zimmer nicht tapezieren könnte). 1920 *ff.*
5. heiser ~ = gequält lächeln. Von der unfreien Stimme übertragen auf den förmlichen Gesichtsausdruck. 1930 *ff.*
Lächeln *n* **1.** ~ vom Dienst = berufsübliches Lächeln; seelenloses Lächeln. 1950 *ff.*
2. knitterfreies ~ = Lächeln, bei dem sich kaum Gesichtsfalten bilden. ↗knitterfrei. 1955 *ff.*
3. das kostet mich ein ~ = das kostet mich keine Mühe; das bringe ich mit Leichtigkeit zustande. Ursprünglich von einer Frau gesagt, die ihrem einflußreichen Gönner viel mit einem einzigen Lächeln erreicht. 1920 *ff.*
lachen *intr* **1.** das wäre ja gelacht!: Ausdruck der Beteuerung, wenn man sich selber eine Leistung zutraut, die der andere nicht für möglich hält. Spätestens seit 1900.
2. ~ Sie nicht! Wenn hier einer lacht, dann bin ich das, und wenn ich lache, lacht der Teufel!: Redewendung an einen unzeitig Lachenden. Eigentlich Verspottung einer unbedachten Äußerung eines Ausbilders. *BSD* 1965 *ff.*
3. er kann ~ (er hat gut ~) = er hat allen Grund, hocherfreut zu sein; ihm geht es gut; er hat keinerlei Sorgen. Seit dem 19. Jh.
4. er hat da nichts zu ~ = er wird dort sehr streng behandelt; von ihm verlangt man schwere Arbeit; er verdient sein Geld nicht mit Leichtigkeit. Seit dem 19. Jh.
5. können vor ~!: Ausdruck der Verweigerung, der Ablehnung (Kannst du mir 5 Mark leihen? – Können vor Lachen!). Die Frage reizt angesichts ihrer Unausführbarkeit dermaßen zum Lachen, daß jegliches Tun verhindert wird. Geht vielleicht zurück auf die Äußerung eines Delinquenten unter dem Galgen, dem man den Strick um den Hals legte, woraufhin er wegen des unerträglichen Kitzelgefühls in unbändiges Lachen ausbrach und außerstande war, Sinn für den Ernst der Stunde zu zeigen. Seit dem späten 19. Jh.
6. vor ~ fast auslaufen = übermäßig

lachen. Anspielung auf unfreiwilligen Harnabgang. 1920 *ff.*
7. vor ~ zerspringen = etw überaus komisch finden und sich des Lachens nicht erwehren können. 1930 *ff.*
8. *intr* = sich erbrechen. Verkürzt aus „↗Bröckchen lachen". 1910 *ff.*
9. haben wir gelacht! = wir haben unbändig gelacht; das Gelächter wollte kein Ende nehmen. 1900 *ff.*
10. daß ich nicht lache!: Ausruf des Zweifelns, auch der Zurückweisung einer Zumutung. 1900 *ff.* *Vgl franz* „que je ne rie pas!".
11. ~, daß sich die Balken biegen = herzhaft lachen. Das dröhnende Gelächter läßt das Haus erzittern. *Vgl auch* ↗Balken 4. 1920 *ff.*
12. sich eins ~ = sich über einen wohlgemeinten Ratschlag (o. ä.) leichtfertig hinwegsetzen. Man lacht über die Torheit des Ratgebers mit einem gewissen mitleidigen Gesichtsausdruck. 1870 *ff.*
13. jm etw ~ = jm etw ablehnen, verweigern. *Vgl* ↗lächeln 2. 1900 *ff.*
14. da lache ich drauf (drüber)!: Ausdruck der Ablehnung. 1900 *ff.*
15. zum ~ in den Keller gehen. ↗Keller 10 a.
Lachen *n* **1.** dreckiges ~ = schadenfrohes Lachen. ↗dreckig 7. Seit dem 19. Jh.
2. schmieriges ~ = hämisches Lachen. Seit dem 18. Jh.
Lacher *m* **1.** Gelächter. *Österr* seit dem 19. Jh.
2. es kostet mich einen ~ = darüber kann ich nur lachen. *Vgl* ↗Lächeln 3. *Österr* seit dem 19. Jh.
lächerbar *adj präd* lächerlich. Umgestaltet aus „lächerlich" analog zu „sonderbar" und „sonderlich", „wunderbar" und „wunderlich". 1840 *ff.*
lächerlich *adj* **1.** ~ billig = überaus billig. Über solch einen Preis kann man nur lachen. Seit dem 19. Jh.
2. wenn hier einer ~ ist, bin ich das!: Redewendungen, mit der man unter Kameraden einen Vorgesetzten verulkt. Vorausgegangen ist die Rüge des Vorgesetzten gegenüber einem Untergebenen: „es haben hier nicht zu lachen! Wenn hier einer lacht, bin ich das!". *Sold* 1939 *ff.*
lächern *v* **1.** es lächert ihn = es reizt ihn zum Lachen, erscheint ihm lächerlich. 1700 *ff.*
2. jn ~ = jn zum Lachen bringen. 1900 *ff.*
lachhaft *adj* **1.** lächerlich; zum Lachen reizend. Spätestens seit 1900.
2. ~ billig = überaus billig. ↗lächerlich 1. 1910 *ff.*
Lachkanone *f* Stimmungsmacher; Witzeerzähler o. ä. ↗Kanone 4. 1950 *ff.*
Lachklaps *m* unwiderstehliche Lachlust. ↗Klaps. 1920 *ff.*
Lachknüller *m* erfolgreiches Lustspiel. ↗Knüller 1. 1950 *ff.*
Lachkoller *m* unwiderstehliche Lachlust; Lachkrampf. ↗Koller. 1920 *ff.*
Lachmuskelkater *m* durch anhaltendes Lachen hervorgerufene Wangenschmerzen. ↗Muskelkater. 1959 *ff.*
Lachmuskelmassage *f* langanhaltendes Gelächter; Vortrag erheiternder Art. 1950 *ff.*
Lachs *m* **1.** Geld. Entweder durch Konso-

nantenumstellung aus „↗Laschi" entstanden oder Anspielung auf das metallische Glänzen der Lachsschuppen. Seit dem 19. Jh.
2. barer ~ = Bargeld. *Österr* 1900 *ff, rotw.*
3. einen ~ fangen (spielen) = beim Skat die vorher ausgemachte Minus-Punktzahl als erster erreichen und eine Runde bezahlen müssen. 19. Jh, kartenspielerspr.
Lachsalve *f* heftiges, kurzes, vielstimmiges Gelächter. Salve = gleichzeitiges Abfeuern mehrerer gleichartiger Schußwaffen. 1870 *ff.*
Lachtaube *f* gern, auch bei unpassenden Gelegenheiten lachender Mensch. Übertragen vom kichernden Treibruf des Taubers. 1800 *ff.*
Lachwerk *n* Lustspiel; Lustspielfilm. Es ist ein zum Lachen reizendes Machwerk. 1960 *ff.*
Lachwurzen *f* **1.** Schauspieler, der auf der Bühne leicht zum Lachen gebracht wird und nicht imstande ist, die komischen Situationen die Fassung zu bewahren. ↗Wurzen. Theaterspr. 1900 *ff.*
2. Mensch, der gern lacht (auch bei unpassenden Gelegenheiten). 1950 *ff.*
3. Zirkusclown o. ä. 1950 *ff.*
lack *adj* träge, müde, matt. Nebenform zu mundartlichem „lau = träge, träge", wohl beeinflußt von „locker". 1800 *ff.*
Lack *m* **1.** Branntwein. Meint entweder die Farbähnlichkeit des Getränks mit braunem Lack oder fußt auf *jidd* „log = kleines Flüssigkeitsmaß". *Rotw* 1920 *ff.*
2. schöne Äußerlichkeit; stutzerhafte Aufmachung; tadelloses Benehmen. Übertragen vom glänzenden Lackanstrich. 1870 *ff.*
3. Schund; minderwertige Ware. Fußt auf der Vorstellung vom betrügerischen „↗Anstrich". Seit dem 19. Jh.
4. Geld, Sold. Die Soldaten halten die Löhnung für das Schwindel, mit dem man sie ködert. *BSD* 1965 *ff.*
5. lendenlahmer ~ = durchschaubare Unwahrheit; derber Übertölpelungsversuch. ↗lendenlahm. 1940 *ff.*
6. der ~ ist ab (runter) = a) ein Mensch ist älter geworden, hat seine Jugendfrische verloren. Meist auf Frauen bezogen, wohl mit Anspielung auf das Make-up. 1920 *ff.* – b) die Liebe hat ihre bindende Kraft eingebüßt. 1930 *ff.* – c) die Sache ist reizlos geworden; an dieser Sache haben die Leute kein Interesse mehr. 1930 *ff.* – d) das Ansehen ist abhanden gekommen; man hat seinen guten Ruf eingebüßt. 1930 *ff.* – e) die Sache ist erledigt. 1950 *ff.*
7. an jds ~ kratzen = jds Ansehen schaden. 1970 *ff.*
8. den ~ lassen = unansehnlich werden; altern. ↗Lack 6a. 1900 *ff.*
9. das ist ~ = das ist Betrug, Irreführung, Übertölpelung, Unwahrheit. ↗Lack 3. 1900 *ff.*
10. fertig ist der ~ = die Sache ist erledigt; so wird's gemacht. Hervorgegangen aus der Äußerung der Befriedigung über den fertiggestellten Lackanstrich. 1900 *ff.*
11. in ~ = in gut gekleidet sein. ↗Lack 2. Kann im engeren Sinne auf den Lackschuh bezogen sein, der ja kein Alltagsschuh ist. 1900 *ff.*
12. sich in ~ schmeißen (werfen) = sich elegant kleiden. ↗Lack 2. 1900 *ff.*

Lackaffe *m* 1. eitler Geck; Stutzer; schöner Mann ohne geistig-seelische Vorzüge; eingebildeter junger Mann. ↗Lack 2; ↗Affe 1. 1870 *ff*.
2. Soldat in Parade-Uniform; Offizier mit Parade-Lackstiefeln. Hier insbesondere auf das lackierte Lederzeug bezogen, das man auf Hochglanz bringt. 1900 *ff*.
Lackel (Lackl) *m* 1. unbeholfener, ungesitteter, leicht grober Mann. Gehört zu „↗lackeln" und ist wohl von „Lakai" beeinflußt. Vorwiegend *oberd*, 1800 *ff*.
2. einfältiger, hochmütiger Mann. *Oberd* 1800 *ff*.
lackeln *intr* in träger Haltung stehen; mit gelangweiltem Ausdruck stehen; sich ungesittet aufführen. Gehört zu „↗lack" und ist von „Lakai" beeinflußt. *Oberd* 1800 *ff*.
lacken *refl* sich schminken. ↗Lack 6. 1920 *ff*.
lackieren *tr* 1. jn übertölpeln, schädigen, bloßstellen. Lack meint die schöne Oberfläche einer minderwertigen Sache. Analog zu ↗anschmieren 1. Seit dem 19. Jh.
2. jm eine ~ = jn heftig ins Gesicht schlagen; jn prügeln. Vom heftigen Schlag verbleiben rote (blaue) Flecken. 1900 *ff*.
3. etw auf neu ~ = etw so herrichten, daß man das wirkliche Alter nicht erkennt. 1870 *ff*.
4. sich (jn) auf neu ~ = sich (jn) einer Schönheitskur unterziehen. 1920 *ff*.
lackiert *adj* 1. eingebildet. Die Bildung ist nur äußerlich. 1920 *ff*.
2. hochgeschminkt; stutzerhaft zurechtgemacht. ↗Lack 2. 1920 *ff*.
lackiert sein (auch: der Lackierte sein) betrogen, übervorteilt sein. ↗lackieren 1. Seit dem 19. Jh.
Lackl *m* ↗Lackel.
lackmeiern *tr* jn betrügen, übertölpeln. Zusammengesetzt aus den *gleichlautenden* Verben „lackieren" und „meiern". Seit dem 19. Jh.
Lade *f* 1. Mund. Verkürzt entweder aus „Kinnlade" oder aus „↗Brotlade". Seit dem späten 19. Jh.
2. ↗Schublade.
Ladehemmung *f* 1. technische Störung. Eigentlich Defekt an einer Schußwaffe. Technikerspr. 1920 *ff*.
2. Nichtübereinstimmung von Filmstreifen und Tongabe. Filmspr. 1920 *ff*.
3. vorübergehende Impotenz. ↗laden 2. 1930 *ff*.
4. Verstopfung, Darmträgheit. 1930 *ff*.
5. Nichtentweichen von Blähungen. 1930 *ff*.
6. Befangenheit. 1950 *ff*.
7. Mißgeschick des sonst wegen seiner ziel- sicheren Bälle gefürchteten Fußballspielers. *Sportl* 1950 *ff*.
8. (dialektische) ~ = Stottern. 1950 *ff*.
9. ~ haben = a) stottern. Seit dem frühen 20. Jh. – b) begriffsstutzig sein; etw plötzlich nicht (mehr) bewerkstelligen können. 1935 *ff*.
10. das Gewitter hat ~ = das Gewitter entlädt sich nicht. 1950 *ff*.
ladeln *intr* Einkäufe machen. Laden = Kaufladen. *Österr* 1920 *ff*.
lädeln *intr* die Schaufensterauslagen besichtigen; in den Geschäftsstraßen schlendern. Freiburg i. Br. 1976 *ff*.
Lademann *Fn* 1. ~ und Söhne machen = zechen. Scherzhaft umgewandelt zu einem Firmennamen mit Einfluß von „la-

den = essen" oder von „den Akkumulator aufladen" (↗Akku 1). 1900 *ff*.
2. erst ~ (~ und Söhne) machen = erst die alte Geldschuld abtragen, ehe über das nächste Geschäft gesprochen wird. ↗abladen. Berlin 1900 *ff*.
laden *v* 1. *tr intr* = essen. Man häuft die Speise auf Gabel oder Löffel, als gelte es, einen Heuwagen zu beladen; vgl ↗einfahren. 1900 *ff*.
2. eine ~ = schwängern. Übertragen vom Ladevorgang einer Feuerwaffe. Seit dem 19. Jh.
3. ↗geladen haben.
4. ↗geladen sein.
Laden *m* 1. Fußballtor. Es ist formähnlich mit dem vorn offenen Jahrmarktsstand. Seit dem frühen 20. Jh.
2. Restaurant, Bar o. ä. Verkürzt aus ↗Saftladen. 1920 *ff*.
3. Firma. Verkürzt aus „Kaufmannsladen". *Halbw* 1955 *ff*.
4. militärische Einheit; Dienstbetrieb. „Laden" meint sowohl die Räumlichkeiten als auch die Gesamtheit der in einem Geschäftslokal tätigen Personen, auch die Gesamtheit aller Geschäftsvorgänge. Spätestens seit 1900 bis heute.
5. Kopf. Verkürzt aus ↗Bilderladen. 1880 *ff*.
6. Sache, Angelegenheit. Das Geschäftslokal des Kaufmanns wurde gegen 1910 zu einem neutralen Begriff für „Sache", wohl weil mit „Laden" der „Kramladen" gemeint ist; von „Kram" haftet dem Wort ein abfälliger Sinn an. 1925 ausdrücklich belegt als „neues Modewort".
7. der ganze ~ = das Ganze; das alles *(abf)*. 1910 *ff*.
8. kaputter ~ = schlechtes, heruntergekommenes, langweiliges Lokal. ↗Laden 2. *Halbw* 1955 *ff*.
9. kesser ~ = Lokal mit viel Stimmungsbetrieb. ↗keß. 1950 *ff*.
10. klammer ~ = Tanzlokal (o. ä.), in dem keine Stimmung aufkommt. ↗klamm. *Halbw* 1955 *ff*.
11. lahmer ~ = a) militärische Einheit ohne Angriffsgeist. ↗Laden 4; ↗lahm. 1939 *ff*. – b) Sportmannschaft ohne Schwung. 1950 *ff*.
12. moderner ~ = Institution mit allen zeitgemäßen Neuerungen; mustergültig moderner Dienstleistungsbetrieb. 1960 *ff*.
13. müder ~ = militärische Einheit ohne Schwung; träge, lustlos tätige Gruppe; langsam arbeitende Behörde. ↗Laden 4. 1910 *ff*.
14. netter ~ = Geschäftsbetrieb, in dem sich angenehm arbeiten läßt. 1950 *ff*.
15. schicker ~ = gutgeführtes Lokal. ↗Laden 2. *Halbw* 1955 *ff*.
16. schlapper ~ = Einheit ohne Disziplin. ↗Laden 4; ↗schlapp. *Sold* 1939 *ff* bis heute.
17. trauriger ~ = a) unbedeutender Geschäftsbetrieb. „Traurig = freudlos" spielt auf den matten Geschäftsgang an. 1910 *ff*. – b) Einheit ohne Angriffsgeist. ↗Laden 4. *Sold* in beiden Weltkriegen.
18. ein ganzer ~ voll = eine große Menge. Gemeint ist der Kauf-, der Kramladen. 1930 *ff*.
19. den ~ auffliegen lassen = eine Verbrecherbande dingfest machen. ↗auffliegen 1. 1920 *ff*.

20. den ~ aufhalten = den Verkehr behindern. Laden = Geschäftsgang. 1950 *ff*.
21. einen ~ aufmachen = a) sich anstellen; überflüssige Umstände machen; zu weitschweifig reden. Hergenommen von der Betriebsamkeit bei Eröffnung eines neuen Verkaufsgeschäfts. 1900 *ff*. – b) in ein Ladengeschäft einbrechen. Scherzhafter Hehlausdruck; häufig in einfältigen Witzen vorkommend. 1900 *ff*.
22. den ~ aufmischen = a) eine Sache nachdrücklich in Gang setzen. ↗aufmischen 1. 1920 *ff*. – b) im Lokal Streit anfangen; zu Handgreiflichkeiten übergehen. ↗aufmischen 2. *Halbw* 1955 *ff*.
23. einen ~ aufreißen = eine Party gestalten. Soviel wie „schwungvoll eröffnen". *Jug* 1955 *ff*.
24. den ~ richtig aufziehen = eine Sache zweckmäßig betreiben, einleiten. ↗aufziehen 2. 1920 *ff*.
25. den ~ auseinandernehmen = die Einrichtungsgegenstände zertrümmern. Man nimmt das Mobiliar usw. auseinander wie ein technisches Gerät. 1950 *ff*.
26. einen großen ~ bauen (reißen) = zu schimpfen anfangen; Streit beginnen. Man inszeniert eine große Sache. ↗Laden 6. 1960 *ff*.
27. den ~ in Ordnung bringen (Ordnung in den ~ bringen) = eine Sache in Ordnung bringen; einen Betrieb in die wünschenswerte Form bringen. 1920 *ff*.
28. den ~ auf Trab bringen = den Geschäftsgang beleben. ↗Trab. 1920 *ff*.
29. der ~ brummt = großer Umsatz wird erzielt; die Sache macht Fortschritte, läßt sich gut an. Stimmengewirr im Geschäftslokal läßt auf zahlreiche Kundschaft schließen. *Sold* in beiden Weltkriegen; *ziv* 1920 *ff*.
30. den ~ dichthalten = a) die Stellung erfolgreich verteidigen. Der Gegner kann nicht eindringen. ↗Laden 4. *Sold* 1939 *ff*. – b) jeden Torball abwehren. ↗Laden 1. *Sportl* 1950 *ff*.
31. den ~ dichtmachen = a) das Geschäft aufgeben; den Betrieb einstellen. 1920 *ff*. – b) das Fußballtor (↗Laden 1) mit vielen Spielern decken (auf Torsicherung spielen; den Sieg sicher in der Hand haben. *Sportl* 1920 *ff*.
32. den ~ durcheinanderbringen = Unordnung stiften. 1920 *ff*.
33. in den ~ fahren = jn streng rügen, anherrschen. „Laden" ist hier das herunterklappbare Brett mit der Warenauslage; es wurde nur von einer Stütze gehalten. In engen Gassen kam man dem Ladenbrett leicht mit dem Wagen zu nahe. Von hier übertragen auf strenge Zurechtweisung. 1930 *ff*.
34. der ~ funkt = die Sache verläuft nach Wunsch. Funken = funktionieren. 1920 *ff*.
35. jm ein paar an (in, vor) den ~ geben = jn ohrfeigen. Prügeln. ↗Laden 5. 1880 *ff*.
36. der ~ geht in Ordnung = die Sache nimmt den gewünschten Verlauf. ↗Laden 6. 1920 *ff*.
37. in den falschen ~ geraten sein = einem Irrtum unterliegen. ↗Laden 59. 1900 *ff*.
37 a. den ~ im Griff haben = den Dienstbetrieb beherrschen. 1930 *ff*.
38. den ~ in Fahrt halten = das Geschäft

(o. ä.) aufrechterhalten; für guten Geschäftsgang sorgen. 1920 ff.

39. seinen ~ in Ordnung halten = in seiner Einheit auf Zucht und Ordnung sehen. ↗Laden 4. *Sold* 1939 ff.

40. den ~ in Schwung halten = den Geschäftsgang nicht ins Stocken geraten lassen; für Ordnung sorgen. 1920 ff.

41. den ganzen ~ hinschmeißen = die Arbeit einstellen. ↗hinschmeißen 2. 1920 ff.

42. den ~ kennen = eine Sache, den üblichen Verlauf einer Angelegenheit kennen; Fachkenner sein. 1920 ff.

43. der ~ klappt = es geht wie gewünscht. ↗Laden 6; ↗klappen. 1910 ff.

44. an den ~ kommen = nach Hause kommen. Ursprünglich auf die militärische Einheit (↗Laden 4) bezogen. 1914 ff.

45. der ~ kommt in Schwung (es kommt Schwung in den ~) = der Geschäftsgang belebt sich; die Arbeit macht große Fortschritte. *Vgl* ↗Laden 40. 1910 ff.

46. eine an (vor) den ~ kriegen = eine Ohrfeige erhalten. ↗Laden 5. *Vgl* auch ↗Laden 35. 1900 ff.

47. der ~ läuft (läuft gut) = das Geschäft blüht; die Sache macht gute Fortschritte. 1920 ff.

48. der ~ läuft wie geölt (wie geschmiert) = die Sache geht reibungslos vonstatten. ↗geschmiert II. 1920 ff.

49. den ~ laufen lassen = nicht in die Entwicklung eingreifen. ↗Laden 6. 1920 ff.

50. sich an den ~ legen = a) sich aufspielen; sich brüsten. Laden = Verkaufstheke, auf der die Ware ausgestellt ist. Daher soviel wie „sich zur Schau stellen". Seit dem 16. Jh. – b) sich an die Arbeit machen; sich für etw energisch einsetzen. „Laden" kann sowohl die Verkaufstheke als auch die Gerichtsschranke meinen. 1700 ff.

51. seinen ~ allein machen = ohne Mitarbeiter tätig sein. 1920 ff.

52. den ~ in die Hand nehmen = die Leitung übernehmen. 1920 ff.

53. der ~ platzt = das Unternehmen scheitert. ↗platzen. 1950 ff.

54. der ~ rollt = die Sache nimmt guten Fortgang. 1950 ff.

55. den ~ schaukeln = eine Sache meistern. ↗Laden 6; ↗schaukeln. 1939 ff.

56. den ~ schmeißen = ein Betrieb überlegen leiten; eine Angelegenheit hervorragend meistern. ↗schmeißen. 1900 ff.

57. den ~ mit links schmeißen = ein Unternehmen mühelos und dennoch erfolgreich leiten. Die linke Hand als die weniger geschickte steht hier sinnbildlich für geringe Anstrengung. 1960 ff.

58. es ist einer im ~ = das Telefon klingelt. Übertragen von der Ladenklingel. 1930 ff.

59. im falschen ~ sein = sich irren. ↗Laden 37. 1900 ff.

60. fertig ist der ~!: Redewendung beim Abschluß einer Arbeit; zur Beendigung einer Sache. ↗Laden 6. 1920 ff.

61. der ~ ist dicht = der Geschäftsbetrieb ist geschlossen. ↗Laden 31 a. 1900 ff.

62. der ~ spurt = die Sache nimmt den gewünschten Verlauf. ↗spuren. *Sold* 1939 ff.

63. der ~ steht = a) die Firma ist fest gegründet. Stehen = sich auf fester Grundlage befinden. 1900 ff. – b) die Sache funktioniert. 1920 ff.

64. der ~ stimmt = die Sache ist in Ordnung; die Anweisung wird befolgt. *Sold* in beiden Weltkriegen; auch *ziv.*

65. der ~ stinkt = die Sache erregt Mißfallen, krankt an Mißständen, ist gefährlich, ist moralisch (rechtlich) nicht einwandfrei. ↗stinken. *Sold* 1939 ff.

66. den ~ umdrehen = eine gründliche Hausdurchsuchung vornehmen. Man dreht die Inneneinrichtung gewissermaßen um wie einen Rock o. ä.; man kehrt das Innerste nach außen, das Unterste zuoberst. 1950 ff.

67. jm den ~ vermasseln = jds Absichten vereiteln. ↗vermasseln. 1910 ff.

68. den ~ vollhaben = a) volltrunken sein. ↗Laden 5. 1910 ff. – b) schwer angeschossen sein; viele Treffer erhalten haben. *Sold* 1939 ff.

69. jm den ~ vollhauen = viele Tortreffer erzielen. ↗Laden 1. 1930 ff.

70. jm den ~ vollknallen = a) Ball auf Ball ins Tor treten. ↗Laden 1. 1930 ff. – b) eine Stellung unter heftigen Beschuß nehmen. ↗Laden 4. *Sold* 1939 ff.

71. den ~ vollkriegen = a) Ohrfeigen erhalten. ↗Laden 5. 1920 ff. – b) von Granaten getroffen werden; viele Treffer erhalten. *Sold* 1939 ff.

72. jm den ~ vollrotzen = eine militärische Stellung, das gegnerische Flugzeug unter starken Beschuß nehmen. ↗Laden 4; ↗rotzen. *Sold* in beiden Weltkriegen.

73. sich den ~ vollschlagen = sich sattessen. 1930 ff.

74. jm den ~ vollspucken = eine Stellung, ein Flugzeug unter Beschuß nehmen. ↗Laden 4; ↗spucken. *Sold* 1939 ff.

75. am ~ vorbeischießen = fehlhandeln. Hergenommen vom Fußball, der das Tor verfehlt. ↗Laden 1. 1930 ff.

76. den ~ zumachen = a) den Geschäftsbetrieb einstellen. ↗Laden 31 a. Seit dem 19. Jh. – b) die Stellung räumen. *Sold* 1939 ff. – c) nur auf Verteidigung spielen. *Sportl* 1950 ff. – d) den Mund schließen; verstummen. ↗Laden 5. 1930 ff.

Ladenhüter *m* 1. schwer verkäufliche Ware; verlegene alte Ware. Scherzbezeichnung, etwa seit 1600.

2. veraltete, überholte Nachricht. 1875 ff.

3. unsympathisches, häßliches Mädchen. *BSD* 1965 ff.

4. Torwart. ↗Laden 1. *Sportl* 1930 ff.

5. alt gebliebener Mann. 1970 ff.

Ladenhüterin *f* lediggebliebene weibliche Person. ↗Ladenhüter 5. 1900 ff.

Ladenschwengel *m* Verkäufer, Ladengehilfe. Dem „Galgenschwengel" nachgebildete Berufsschelte wahrscheinlich obszönen Nebensinns; denn „Schwengel = Penis"; *vgl* ↗Stift". Seit dem späten 18. Jh.

Ladenstänker *m* Limburger (o. ä.) Käse. Aufgekommen gegen 1860, wahrscheinlich im Zusammenhang mit der Scherzfrage nach dem Unterschied zwischen Bismarck und einem Limburger Käse: Bismarck ist ein Staatenlenker, der Limburger ein Ladenstänker.

Ladentisch *m* unter dem ~ = nur für Stammkunden. *Vgl* „unter der ↗Theke kaufen". Mit der staatlichen Warenbewirtschaftung zu Beginn des Zweiten Weltkriegs aufgekommen.

Ladestock *m* 1. hagerer Mensch. Mit dem Ladestock schob man bei den Vorderladern (Pulver und) Munition tief in Gewehrlauf oder Kanonenrohr. Seit dem 19. Jh.

2. Penis. ↗laden 2. Seit dem 19. Jh.

3. steif wie ein ~ = in steifer Haltung; sehr ungelenk. Seit dem 19. Jh.

4. raus mit dem ~!: Aufforderung an den Kartenspieler, eine Karte aufzuspielen. Erst nach Entfernung des Ladestocks ist der Vorderlader schußbereit. Kartenspielerspr. seit dem 19. Jh.

Ladung *f* 1. Menge genossenen Alkohols. Soviel wie das Fassungsvermögen. Seit dem 18. Jh.

2. Essensportion. ↗laden 1. 1900 ff.

3. Rauschgiftinjektion; Inhalt einer Rauschgiftspritze. 1960 ff.

4. Prügel. 1900 ff.

5. Ejakulation; Schwängerung. ↗laden 2. 1900 ff.

6. Regenschauer, -guß. 1900 ff.

7. eine ganze ~ = eine große Menge. Seit dem 19. Jh.

8. geballte ~ = a) große Menge. Eigentlich die zusammengebundenen Handgranaten. 1945 ff. – b) kräftige Dosis eines Anregungsmittels. 1950 ff. – c) Frau mit üppigen Körperformen. 1955 ff. – d) nachdrückliche Forderung. 1975 ff.

9. seine ~ haben = betrunken sein. ↗Ladung 1. *Vgl* auch „↗geladen haben". Seit dem 18. Jh.

10. eine ~ kriegen = geschwängert werden. ↗laden 2. 1900 ff.

11. eine ~ reinhauen = koitieren (vom Mann gesagt). ↗laden 2. *Vgl* ↗Ladung 5. 1900 ff.

Lady-Kickers (*engl* ausgesprochen) *pl* Damenfußballmannschaft. 1975 ff.

Laffe *m* 1. einfältiger, humorloser Mann. Meint eigentlich die Hängelippe (↗Labbe 1). Diese verleiht dem Gesicht einen gelangweilten, matten Ausdruck. Seit dem 15./16. Jh.

2. geleckter ~ = eitler Stutzer. Seit dem 19. Jh.

3. geschniegelter ~ = elegant gekleideter Dümmling. ↗geschniegelt. Seit dem 19. Jh.

Lage *f* 1. Stammtischrunde; Getränkespende an die Anwesenden. Übernommen von der Bedeutung „Salve", dem gleichzeitigen Abfeuern mehrerer gleichartiger Schußwaffen; auch meint „Lage" das Neben- und Übereinanderliegende. Seit dem ausgehenden 19. Jh.

2. Gruppe Gleichgesinnter. Unter Halbwüchsigen gegen 1950 aus der Bedeutung „Stammtischrunde" entwickelt.

3. Dienstzeit in der Bundeswehr. Bezieht sich auf die Gesamtheit der zum selben Zeitpunkt eingezogenen Wehrpflichtigen. *BSD* 1960 ff.

4. Tracht Prügel. Übertragen vom Abfeuern mehrerer Schußwaffen. 1880 ff.

4 a. lüttje ~ = ein kleines Glas Dunkelbier und ein Gläschen Korn in einer und derselben Hand gehalten und gleichzeitig in den Mund gegossen. Hannover seit dem 19. Jh (?).

5. schiefe ~ = Unannehmlichkeit, Unerwünschtheit. Lage = Lebensumstände. 1920 ff.

6. keine Spur mehr von einer ~ = die Lage ist verzweifelt, ausweglos, undurchschaubar. *Sold* 1939 ff.

7. eine ~ auffahren lassen = einem Kreis von Gästen Getränke unentgeltlich bringen lassen. ↗Lage 1; ↗auffahren 1. 1900 ff.

8. eine ~ ausknobeln = durch Würfeln bestimmen, wer für den Stammtisch eine Runde Bier (o. ä.) zu bezahlen hat. ↗knobeln. 1900 ff.

9. sich in die horizontale ~ begeben = sich schlafen legen. 1910 ff.

10. die ~ peilen = a) sich vergewissern, welche Möglichkeiten und Aussichten bestehen; sich nach den Umständen erkundigen. ↗peilen. Sold in beiden Weltkriegen; auch ziv. – b) eine Diebstahlsgelegenheit auskundschaften. 1939 ff.

11. eine ~ schmeißen (spendieren, geben) = für alle Beteiligten eine Runde Bier (o. ä.) ausgeben. Seit dem ausgehenden 19. Jh.

12. wie ist die ~? = wieviele Tage Wehrdienst hast du noch abzuleisten? ↗Lage 3. BSD 1960 ff.

13. die ~ ist beschissen, aber nicht hoffnungslos = die Umstände sind schwierig, aber nicht verzweifelt. ↗beschissen. Sold 1939 ff.

14. die ~ wird erst dann beschissen, wenn wir uns nicht zu helfen wissen = schwierige Umstände werden durch Ratlosigkeit noch verschlimmert. Sold Ermunterungsspruch nach 1943.

15. die ~ ist hoffnungslos, aber nicht ernst = die Lage ist bedenklich. Im Ersten Weltkrieg aufgekommen und im Zweiten wieder aufgegriffen. Verdreht aus „die ~ ist ernst, aber nicht hoffnungslos".

16. die ~ ist hoffnungsvoll, aber verzweifelt = die Lage ist unhaltbar. Grimmige Ironie. Sold 1944 ff.

17. die ~ spannen = Erkundigungen einholen. ↗spannen. 1900 ff.

18. jm eine ~ verpassen (bewilligen) = jn heftig verprügeln. ↗Lage 4. 1880 ff.

Lager n etw auf ~ haben = etw in Vorrat haben; über etw verfügen (er hat Witze auf Lager). Aus der Kaufmannssprache übernommen. Seit dem 19. Jh.

Lago m **1.** ~ di Bonzo = Tegernsee. Ital „lago = See"; dazu Italianisierung von ↗Bonze. Der Tegernsee war in der NS-Zeit beliebte Ansiedlungsgegend für Parteifunktionäre. 1933 ff.

2. ~ Bonzolino = Schliersee. Erklärt sich wie das Vorhergehende. 1960 ff.

3. ~ Briketto = im Tagebau abgebaute, mit Wasser gefüllte Braunkohlengrube („Bleibtreu-See" bei Köln). 1973 ff.

4. ~ di Gema = Chiemsee. Anspielung auf die dort wohnenden Komponisten, Textdichter usw., deren Interessen die GEMA vertritt. GEMA = Gesellschaft für musikalische Aufführungs- und mechanische Vervielfältigungsrechte. 1959 ff.

lahm adj **1.** langweilig, schwunglos; nicht zugkräftig; gehaltlos. Von „gehbehindert; hinkend" zu „langsam", „schwächlich entwickelt". 1800 ff.

2. müde, matt, energielos. 1800 ff.

3. mittelmäßig. 1920 ff.

4. nicht stichhaltig; nicht wahrheitsgemäß; nichtssagend; schlecht erfunden. Man spricht von lahmen Entschuldigungen, lahmen Ausreden usw. Fußt auf der weitverbreiteten Vorstellung von der „hinkenden Lüge". Seit dem 16. Jh.

6. alkoholfrei. Halbw 1955 ff.

7. ~ daherreden = ausweichend sich äußern. ↗lahm 4. 1900 ff.

'Lahm'arsch m energieloser, feiger, unentschlossener, träger Mann. Er erhebt sich schwerfällig, bewegt sich träge in den Hüften und meidet Bewegung überhaupt soweit möglich. Spätestens seit 1850; vorwiegend sold und jug.

'lahm'arschig (**'lahm'ärschig**) adj schwunglos, energielos, träge, langweilig. Seit dem 19. Jh.

lahmlegen tr jn mundtot, unschädlich machen; jn in seiner Einflußnahme berauben. 1920 ff.

laichen intr **1.** koitieren. 1500 ff.

2. gebären. 1920 ff.

Laie m **1.** blutiger ~ = völliger Laie. ↗blutig. 1920 ff.

2. dunkelgrüner ~ = völlig Ahnungsloser; Jugendlicher ohne Erfahrung im Geschlechtsverkehr. „Dunkelgrün" als Verstärkung von „↗grün 1". Halbw 1955 ff.

3. da staunt der ~, und der Fachmann wundert sich. ↗staunen.

La'kal n Gasthof. Von Studenten im späten 19. Jh zusammengesetzt aus „Laden" und „Lokal".

Lakenknüller m Durchreisender für eine einzige Nacht. In der Herberge hinterläßt er kaum mehr als zerknitterte Bettlaken. 1900 ff.

Lakenschoner m geschlechtlich enthaltsam lebender Mann. 1900 ff.

La'kol n Wirtshaus. Entstanden aus „Lokal" durch Vokalscherz. 1900 ff, stud.

Lakritzen pl **1.** Kautabak. Wegen der Farbähnlichkeit. 1900 ff, seemannsspr.

2. Geld(-scheine). Verkürzt aus „Lakritzensaft"; denn „↗Saft = Geld". 1950 ff, jug.

La'kül n Wirtshaus, Restaurant. Vokalspiel nach „↗Lakal" und „↗Lakol". Stud 1900 ff.

la 'la adv einigermaßen; mittelmäßig. Verkürzt aus „↗so so la la". Seit dem 19. Jh.

Lall m Geschwätz. Von ↗lallen 1. 1978 ff, jug.

lall adj fade, substanzlos. Versteht sich wie das Vorhergehende. 1978 ff, jug.

lallen intr **1.** dummschwätzen. Eigentlich soviel wie „unartikuliert sprechen". 1800 ff.

2. dem Mitschüler vorsagen. 1950 ff.

La'mäng (**La'mänk**) f **1.** Hand. Mitsamt Artikel aus Frankreich eingeführt („la main = die Hand"); gleichwohl wird der dt Artikel hinzugesetzt. Im frühen 19. Jh wohl von Berlin ausgegangen.

2. aus der ~ = a) ohne Benutzung von Gabel und Messer. Seit dem 19. Jh. – b) unvorbereitet; aus dem Stegreif; mit größter Leichtigkeit. Vielleicht vom Skatspiel hergenommen. Seit dem späten 19. Jh.

3. aus der freien ~ = a) unvorbereitet; ohne fremde Hilfe; mit Leichtigkeit. Der Künstler zeichnet aus der freien Hand. Seit dem 19. Jh. – b) ohne Benutzung von Teller und Besteck. 1900 ff. – c) ohne den Skat aufzunehmen. Kartenspielerspr. Seit dem späten 19. Jh.

4. aus der kalten ~ = unvorbereitet. ↗Hand 20. 1920 ff.

5. nicht in die ~ -l: Ausdruck der Ablehnung. ↗Hand 17. 1840 ff.

6. nicht in die kalte (nackte) ~ = auf

keinen Fall; durchaus nicht; Ausdruck der Ablehnung. 1880 ff.

lamen'tieren intr jammern, klagen. Im 16. Jh aus lat „lamentari" übernommen.

La'mento n Bittflehen; Klagegeschrei. Auf lat „lamentum" fußend um 18. Jh zur Bezeichnung für eine musikalische Wehklage entwickelt; sodann verallgemeinert.

Lametta I n **1.** auf der Uniform getragene Orden und Ehrenzeichen; Silber- und Goldtressen sowie Litzen, Schnüre usw. Übertragen von den als Weihnachtsbaumschmuck verwendeten Metallstreifen. Gegen 1935 aufgekommen mit einem Spottchanson auf Hermann Göring: „. . . Lametta, und der Bauch wird imma fetta" (nicht von Claire Waldoff). Voraufgegangen ist im Ersten Weltkrieg der „Christbaumschmuck".

2. über die Außenfläche hinausragende Verzierungen am Auto. 1958 ff.

3. Schmuckketten o. ä. Halbw 1955 ff.

4. „falscher" Schmuck (Doublé; aus unedlem Material). 1950 ff.

Lametta II m **1.** Offizier. ↗Lametta I 1. Pars pro toto. Sold 1939 ff.

2. dekorierter Soldat. BSD 1965 ff.

lamettageil adj ordensüstern. BSD 1965 ff.

Lamettaständer m mit Lametta überreichlich geschmückter Weihnachtsbaum. 1970 ff.

Lamm n **1.** du armes ~ Gottes!: Ausruf des Mitleids. Fußt auf der christlichen Auffassung von Christus als Opferlamm. 1900 ff.

2. geduldig wie ein ~ = überaus geduldig; Leiden widerspruchslos auf sich nehmend. Geht zurück auf die christliche Redewendung: „wie ein Lamm wird er zur Schlachtbank geführt und tut den Mund nicht auf". Mit dem Pietismus im frühen 18. Jh aufgekommen.

3. sanft wie ein ~ = sanftmütig, friedfertig; zum eigenen Schaden gutmütig. Seit dem 19. Jh.

Lämmchen n **1.** kleines Mädchen; Geliebte (Kosewort). Anspielung auf Anschmiegsamkeit und Sanftmut. Seit dem 19. Jh.

2. pl = weiße Wellenkämme; kleine weiße Wolken. Sie erinnern an krauses, weißes Lammfell. Seit dem 19. Jh.

3. unschuldiges ~ = schuldloser, harmloser, gutmütiger Mensch. ↗Lamm 2 und 3. Seit dem 19. Jh.

4. ~ spielen = sich unschuldig stellen; den Nichtbeteiligten heucheln. 1900 ff.

Lämmerhüpfen n **1.** Tanzstundenball o. ä. ↗Lämmchen 1. Seit dem späten 19. Jh.

2. erster gemeinsamer Ausgang der Rekruten unter Aufsicht. Sold 1900 ff.

3. fröhliches ~ = Turnstunde. Schül 1930 ff.

Lämmerschwanz m **1.** Mund des geschwätzigen Menschen. Der Schwanz des Jungschafs ist fast stets in Bewegung. Seit dem 19. Jh.

2. sich wie ein ~ bewegen = sich unruhig hin- und herbewegen. Seit dem 19. Jh.

3. ihm geht das Maul (die Zunge) wie ein ~ = er schwätzt und schwätzt. Seit dem 19. Jh.

4. das Herz klopft ihm wie ein ~ = er hat Angst, ist aufgeregt. Vgl ↗Herzflattern. 1600 ff.

5. wie ein ~ sein = unruhig, rastlos, lebhaft sein. Seit dem 19. Jh.

Lämmerweide f Promenierstraße. Anspielung auf die Begegnung der jungen Leute. 1900 *ff.*

'lamm'fromm *adj* sehr sanftmütig; sehr willig; leicht zu lenken. ↗ Lamm 3. „Fromm" spielt hier nicht auf das Religiöse an, sondern meint soviel wie „brav, artig, folgsam". 1700 *ff.*

lamouren *intr* koitieren. Verbal geformt aus *franz* „l'amour". 1950 *ff.*

Lampe *f* **1.** auf Männer anziehend wirkendes Mädchen. Der Schein der Lampe lockt Tiere an. *Halbw* 1955 *ff.*
2. Kopf, Gehirn. Gehört zur volkstümlichen Vorstellung vom Licht des Verstandes. 1950 *ff, jug.*
3. Meister ~ = Hase (Feldhase). Vermutlich zusammenhängend mit der hellen Unterseite des Schwanzes („Fähnlein"): der flüchtende Hase richtet den Schwanz auf. 1400 *ff.*
4. ~l = Vorsicht, Gefahr im Verzug (Anzug)l *Vgl* das Folgende. Verbrecherspr. seit dem 19. Jh.
5. *pl* = Polizeibeamte. Im frühen 19. Jh im Rotwelsch aufgekommen unter dem Bild des lampentragenden Wächters.
6. *pl* = Straftaten; Strafen. Verbrecherspr. 1920/30.
7. ewige ~ = schwachbrennende Beleuchtung in dunklen Gängen; „Hindenburglicht". Übernommen von dem immerwährend brennenden Licht vor dem Tabernakel in katholischen Kirchen. *Sold* in beiden Weltkriegen; auch *ziv.*
8. da gehen zu viele ~n an = das Risiko ist zu groß. Anspielung auf die Lichtscheu der Verbrecher, hehlwörtlich beeinflußt von „↗ Lampe 5". Verbrecherspr. 1960 *ff.*
9. ihm geht eine ~ auf = er begreift die Zusammenhänge. Analog zu „ihm geht ein ↗ Licht auf". 1850 *ff.*
10. ihm geht eine hundertkerzige ~ auf = er begreift plötzlich sehr genau. 1920 *ff.*
11. die ~n gehen aus = die Leistungskraft läßt nach; es stehen arge Zeiten bevor. Herzuleiten vom Erlöschen des Lichtes bei Geschäftsschluß. 1950 *ff.*
12. jm die ~ ausblasen (auspusten) = jn erschießen. ↗ Lebenslicht. *Sold* in beiden Weltkriegen; auch *ziv.*
13. eine ~ bauen = jm eine Falle stellen. Hergenommen vom betrügerischen Blinkzeichen, von der betrügerischen Herrichtung einer nächtlichen Straßensperre o. ä. Verbrecherspr. 1960 *ff.*
14. einen auf die ~ gießen (schütten) = ein Glas Alkohol zu sich nehmen. Verkürzt aus „↗ Öl auf die Lampe gießen", eigentlich soviel wie „den Ölbehälter der Lampe füllen". Das Lebenslicht erscheint auch als Lampe („freut euch des Lebens, weil noch das Lämpchen glüht"); Alkohol gilt als Öl für das Lämpchen des Lebens. 1830 *ff.*
15. zuviel auf die ~ gegossen haben = betrunken sein. *Vgl* das Vorhergehende. Seit dem 19. Jh.
16. ~n haben = verdächtig sein; Verhaftung zu gewärtigen haben. *Vgl* ↗ Lampe 18. *Rotw* 1900 *ff.*
17. einen auf der ~ haben = angetrunken sein. ↗ Lampe 14. 1900 *ff.*
18. ~n kriegen = Gefahr wittern; erfahren, daß ein Diebstahl gestört werden soll. ↗ Lampe 4. *Rotw* 1830 *ff.*
19. ~n machen = a) Mittäter belasten;

ein Geständnis ablegen. Der Verräter stört ebenso wie der am Tatort erscheinende Wächter. *Vgl* ↗ Lampe 5. *Rotw* seit dem frühen 19. Jh. – b) Streit anfangen; störend eingreifen. 1900 *ff.*
20. sich einen auf die ~ tun lassen = sich einen Schnaps einschenken lassen. ↗ Lampe 14. 1920 *ff.*

Lampen *m* Störer beim Diebstahl. *Vgl* ↗ Lampe 5. *Rotw* seit dem frühen 19. Jh.

Lampenfieber *n* Angst vor Verratenwerden durch einen verhafteten Mittäter. Eigentlich Angst vor dem Bühnenauftritt; hier soviel wie Angst vor Anzeige bei der Polizei. ↗ Lampe 19. 1950 *ff.*

lampenfrei *adj* von keinem Überraschtwerden bedroht. ↗ Lampe 5. Seit dem späten 19. Jh.

Land *n* **1.** ~ des Lächelns = Schreibstube. Vom Titel der Operette von Franz Lehár (1929) übernommen. Kann Tarnausdruck für „Amtschinesisch" sein oder mit dem Lied „Dein ist mein ganzes Herz" die enggeistige Verwaltungsarbeit glossieren. Die Schreibstube ist das Ziel mitleidig-höhnischen Belächelns. *BSD* 1965 *ff.*
2. ~ der Mitternachtssünde = Schweden. Umgeformt aus „Mitternachtssonne" in Anspielung auf angeblich großzügige moralische Anschauungen. 1960 *ff.*
3. ~ der unbegrenzten Möglichkeiten = die Vereinigten Staaten von Amerika. Wahrscheinlich vom Schriftsteller Ludwig Max Goldberger (1848–1913) 1902 geprägt unter dem Eindruck des gewaltigen Wirtschaftslebens der USA und seiner reichen Bodenschätze. 1920 *ff.*
4. ~ der Niethosen = Bundesrepublik Deutschland und West-Berlin. Anspielung auf die gegen 1955 aufgekommene Hosenmode der Jugendlichen. Ursprünglich waren mit dem Ausdruck die USA gemeint.
5. ~ aus der Retorte = Rheinland-Pfalz; Nordrhein-Westfalen. Diese Bundesländer wurden 1946 künstlich geschaffen. 1955 *ff.*
6. ~ der unbegrenzten Tellerwäschermöglichkeiten = USA. Mancher heutige Millionär soll als Tellerwäscher angefangen haben. 1920 *ff.*
7. ~ der Träume = Rauschgiftrausch; Rauschgift. 1965 *ff.*
8. ~ der unbegrenzten Unmöglichkeiten = Deutschland. Nach 1925 aufgekommen.
9. das gelobte ~ = Frauenschoß. Eigentlich Palästina als Land der Verheißung (nach dem Alten Testament). 1920 *ff.*
10. ~ in Sicht!: Ausruf, wenn eine mühevolle und/oder langwierige Arbeit ihrem Ende entgegengeht. Der Seemannssprache entlehnt. 1920 *ff.*
11. auch wieder im ~? = (bist du) auch wieder von der Reise (aus dem Urlaub) zurückgekehrt? Land = Heimat. 1900 *ff.*
12. bleibe im ~ und nähre dich von Rettichl: Rat an einen Daheimbleiber. Scherzhaft entstellt aus der Zeile im Psalm 37, 3: „bleibe im Lande und nähre dich redlich". 1920 *ff.*
13. an ~ gehen = Stadturlaub antreten. Von der Marine im späten 19. Jh übernommen.
14. aufs ~ gehen = Leute suchen, die man betrügen kann. Bauern galten (gelten)

als einfältig und leichtgläubig. Seit dem 19. Jh.
15. ~ gewinnen = a) davongehen, flüchten. Meist in der Befehlsform. Meint in der Seemannssprache soviel wie „Land ansteuern". 1935 *ff.* – b) sich in Sicherheit bringen; sein Ziel erreichen. 1935 *ff.*
16. ~ kommt mit = beim Entweichenlassen von Darmwinden gehen Kotteilchen mit ab. 1900 *ff.*
17. ~ sehen = Erfolg haben; dem Erfolg ganz nahe sein. Der Seemannssprache entlehnt. Seit dem 19. Jh.
18. kein ~ sehen = keine überzeugenden Beweise erkennen; die Schlußfolgerung nicht anerkennen; einen Erfolg laufender Bemühungen noch nicht absehen können. 1920 *ff.*
19. aufs ~ verreisen = a) eine Freiheitsstrafe verbüßen. Hehlausdruck. 1900 *ff.* – b) heimlich und in aller Abgeschiedenheit niederkommen. Gleichfalls ein Hehlausdruck. 1900 *ff.*
20. etw an ~ ziehen = a) etw durch Geschicklichkeit oder zufällig bekommen. Hergenommen vom Auffischen des Strandguts. *Sold* und *ziv* 1914 *ff.* – b) sich etw diebisch aneignen 1914 *ff.*

landen *v* **1.** *intr* = ankommen; hingelangen. Von der Schiffahrt hergenommen. Seit dem 19. Jh.
2. etw ~ = etw ausführen, durchführen, geschickt anbringen, meistern. Von der Bedeutung „ans Ufer bringen" weiterentwickelt zu „etw am gewünschten Ziel anbringen" (der Boxer landet einen Kinnhaken, der Komiker seine Witze usw.). 1900 *ff.*
3. bei jm ~ = bei jm Erfolg haben; mit jm Freundschaft schließen; als intimer Partner nicht abgewiesen werden. Seit dem 19. Jh.
4. gegen jn nicht ~ können = gegen jn nicht aufkommen können; jm nicht gewachsen sein. 1900 *ff.*

Landeplatz *m* **1.** Glatze. Sie ist ein freigemachtes, abgewaldetes Gelände, auf dem die Fliegen landen können. 1950 *ff.*
2. ~ des Heiligen Geistes = Glatze. Anspielung auf die Taubengestalt des Heiligen Geistes. 1950 *ff, schül.*
3. ~ im Urwald = von einem Haarkranz umgebene Glatze. 1950 *ff, schül.*

Landesvater *m* den ~ stechen = die Studentenmütze auf den Schläger (Degen) spießen. Eine in bestimmten Studentenverbänden übliche Ehrung, ein Überbleibsel aus der landsmannschaftlichen Ordnung des Studententums. 1700 *ff.*

landfein *adj* sich ~ machen = sich zum Gang an Land festlich kleiden (von Schiffer und Seeleute bezogen); sich zum Ausgehen gut kleiden. Aus dem Marinedeutsch in die allgemeine Umgangssprache übernommen. 1870 *ff.*

Landgang *m* Stadturlaub. Aus der Marinesprache im späten 19. Jh übernommen.

Landgraf *m* **1.** ~, werde hart!: Aufforderung zu strengem, unerbittlichem Handeln. Geht zurück auf die von Wilhelm Gerhard 1817 dichterisch dargestellte Sage von Landgraf Ludwig von Thüringen, unter dessen Regierung die Übermut der Mächtigen überhandnahm, bis der Schmied von Ruhla beim Schmieden dem Landgrafen „werde hart!" einhämmerte. Seit dem 19. Jh.

2. bei ~ens zum Tee sein = Opernstatisterie machen. Geht zurück auf die Aufführung von Richard Wagners „Tannhäuser" an kleinen oder mittleren Theatern; wegen seiner Länge wurde der Beginn der Abendvorstellung lange vor der üblichen Anfangszeit angesetzt, also noch zur Teestundenzeit. Theaterspr. 1900 ff.

Landkarte f Schmutzflecken auf dem Tischtuch; Anzug mit vielen Flicken; Kotflecken im Hemd. Hergenommen von der farbigen Kennzeichnung der Länder in Atlanten. Seit dem 19. Jh.

ländlich-schändlich adj adv nach Bauernart. Scherzhaft umgewandelt aus „ländlich-sittlich" um des Reimes willen. 1900 ff.

Landluft f **1.** ~ aus dem Döschen (aus der Puderdose; aus der Handtasche; im Schachterl) = chemisches Mittel zur Erzielung von Sonnenbräune; Schminke; künstliches Wangenrot. Iron Ausdruck. Wer derlei Mittel verwendet, täuscht Urlaubsbräune o. ä. vor. 1900 ff.
2. ~ genießen (auflegen) = sich schminken. 1900 ff, prost.
3. ~ tanken = zur Erholung aufs Land reisen. Tanken = zu sich nehmen. 1920 ff.

Landpomeranze f **1.** in die Stadt übergesiedeltes Mädchen vom Lande. Meint eigentlich das Mädchen mit pomeranzenroten Pausbacken. Vielleicht wortspielerisch beeinflußt von „Pommern = männliche Provinzler". Etwa seit 1820.
2. Frau mit ungewandtem Benehmen und ohne Kenntnis der Anstandsregeln. 1820 ff.

Landratte f **1.** Festlandbewohner; Mensch, der keinem seemännischen Beruf nachgeht. Im frühen 19. Jh aus engl „land-rat" lehnübersetzt.
2. Nichtschwimmer. Gegenwort „↗ Wasserratte". 1920 ff.

Landreise f eine ~ machen = a) eine Freiheitsstrafe verbüßen. ↗ Land 19 a. Hehlausdruck seit dem frühen 20. Jh. – b) heimlich und in aller Abgeschiedenheit niederkommen. ↗ Land 19 b.1900 ff.

Landschaft f **1.** Umgebung; das nächstgelegene Stück (der jeweils einsehbare Teil) des freien Weltraums. Analog zu „↗ Gelände", „↗ Geographie" u. ä. 1890 ff.
2. weiße ~ = industriearmes Gebiet. Weiß = unschuldig; weiße Flecken auf der Landkarte bezeichnen noch unerforschtes, unzivilisiertes Gelände. ↗ Landkarte.
3. marschier' aus der ~! = verstell' mir nicht die Aussicht (den Weg)! 1950 ff.

Landschaftsputze f Landschaftsentschmutzung; Beseitigung willkürlicher Müllablageplätze; Müllbeseitigung aus Wäldern, von Rastplätzen usw. Mit dem Begriff der „Umweltverschmutzung" gegen 1970 aufgekommen.

Landser m **1.** Soldat. Geht zurück auf „Landsmann = Mensch aus dem Heimatort oder dessen näherer Umgebung"; im ausgehenden 19. Jh üblich als Anrede unter sächsischen Soldaten; im Zweiten Weltkrieg auf alle Soldaten des Heeres gemeindeutsch angewendet.
2. alter (oller) ~ = Soldat nach der Rekrutenzeit. Sold 1939 ff.

Landserbraut f Gewehr. ↗ Braut. Sold 1939 bis heute.

Landsknecht m fluchen wie ein ~ = unflätig fluchen. Die Landsknechte (Söldner zu Fuß) galten als derb und dreist in Lebensart und Ausdrucksweise. 1700 ff.

Landstraße f **1.** rollende ~ = Lastkraftwagenbeförderung mittels Niederflur-Güterwagen der Deutschen Bundesbahn. 1968 ff.
2. auf der ~ liegen = sich auf Geschäftsreise, Kundenbesuch befinden; ständig unterwegs sein. Die weite Reise schließt auch „das Liegen = das Schlafen" ein. Kaufmannsspr. 1900 ff.

Landstraßenbrummer m Lastwagen mit Anhänger. ↗ Brummer. 1955 ff.

Landstraßenkapitän m Lastzugfahrer. ↗ Kapitän 5. 1930 ff.

Landstraßenwanze f Kleinauto. ↗ Chausseewanze. 1920 ff.

Landsturm m **1.** Klassenschlechtester. Landsturm nannte man früher das letzte Aufgebot im Kriege. Schül 1950 ff.
2. großes Glas Schnaps. Die Landsturmmänner, die nur ältere Leute waren, konnten einen kräftigen Schluck vertragen. Während der Befreiungskriege (1813–15) aufgekommen.

Landung f **1.** ungesteuerte ~ = Flugzeugabsturz. Grimmiger Scherz. BSD 1960 ff.
2. eine ~ hinlegen = sicher mit dem Flugzeug landen. ↗ hinlegen 2. 1935 ff.

lang adj adv **1.** das ist ~ gut = das ist gut genug. Lang = bei weitem; hinreichend. Seit dem 19. Jh.
2. wer ~ hat, läßt ~ hängen = der Wohlhabende verbirgt seine Wohlhabenheit nicht. Hergenommen von der langen (goldenen) Uhrkette. 1800 ff.
3. so ~ können Sie mich mal!: Ausdruck der Abweisung bei möglichst weiter Herausstreckung der Zunge. Mit sich langer Zunge soll dem Götz-Zitat entsprochen werden. 1930 ff.
4. es ist so ~ wie breit = es ist gleichgültig. 1870 ff.

Langbrenner m zugkräftiges Theaterstück. ↗ Dauerbrenner 1. 1920 ff.

Lange f **1.** Virginia-Zigarre. Österr seit dem 19. Jh.
2. pl = die Schüler der Oberstufe. 1900 ff.
3. die ~n einhängen = sich beeilen. Bei Eile nimmt man die Garnitur der langen Beine, sonst die Garnitur der kurzen. 1950 ff, jug.

langen v **1.** etw ~ = etw (nebenbei) entwenden. Man reckt sich in der Länge, man streckt die Hände aus, um einen Gegenstand heranzuholen, an sich zu bringen. 1700 ff.
2. jm eine ~ = jm eine Ohrfeige, einen Schlag versetzen. Scherzhaft gemeint, als würde die Ohrfeige (hin)gereicht. 1700 ff.
3. sich jn ~ = a) jn ergreifen, verhaften. 1500 ff. – b) jn zur Rede stellen. Seit dem 19. Jh.
4. mir langt's (das langt)!: Ausdruck scharfer Ablehnung. 1900 ff.
5. es langt mir hin und zurück = ich bin dessen sehr überdrüssig. Langen = (aus)reichen = genügen. 1920 ff.

Langfinger m **1.** Dieb. ↗ Finger 34. Seit dem 18. Jh.
2. pl = Finger eines Diebes. 1920 ff.

langgehen v **1.** so geht's nicht lang = auf diese Weise ist es nicht zu bewerkstelligen. Anspielung auf die Sackgasse. Sold 1939 ff.
2. merken, wo es langgeht = die Absicht erkennen. Man sieht, wohin der Weg führt. 1940 ff.
3. sagen, wo es langgeht = der Bestimmende sein. 1940 ff.
4. wissen, wo es langgeht = die Absicht kennen. 1940 ff.
5. intr = ein langes Kleid tragen. Seit dem 19. Jh.

Langhaaraffe m Halbwüchsiger mit überlangem Haar; Rocker. 1960 ff.

Langhaarkäfer (-mädchen, -nymphe) m (n, f) nettes Mädchen mit langem Haar. ↗ Käfer. 1960 ff.

langhaxig (-haxert, -haxat) adj langbeinig. ↗ Haxen. Bayr seit dem 19. Jh.

langkommen intr mit jm (etw) ~ = mit jm (etw) auskommen. Nordd 1900 ff.

Langlauf m geistiger ~ = a) Begriffsstutzigkeit. Meint im Sport den Langstreckenlauf über 2 000 m bis zu 30 000 m. 1935 ff. – b) umständliche Redeweise. 1935 ff.

langlegen v **1.** sich ~ = sich schlafen legen. Seit dem späten 19. Jh.
2. sich mit jm ~ = koitieren. 1900 ff.
3. da legst du dich lang (da liegst du dich lang hin): Ausdruck des Erstaunens. Vor Überraschung schwinden einem die Sinne, und man sinkt zu Boden. 1900 ff.

langmachen v **1.** intr = sich beeilen. Man macht lange Schritte. Seit dem späten 19. Jh.
2. intr = davongehen, flüchten. 1870 ff.
3. sich ~ = a) sich schlafen legen. 1870 ff. – b) sich auf den Boden legen; in voller Länge zu Boden stürzen. Sold 1939 ff. – c) in voller Länge nach dem Ball springen. Sportl 1950 ff.

Langohr n **1.** Esel. Seit dem 18. Jh.
2. Hase, Kaninchen. Seit dem 18. Jh.
3. dummer, einfältiger Mensch. Analog zu ↗ Esel 1. Seit dem 18. Jh.

Langquassler m Mensch, der ausdauernd telefoniert. ↗ quasseln. 1920 ff.

langsam adv **1.** etw ~ gehen lassen = langsam, vorsichtig handeln. Vom Langsamgang einer Maschine übertragen. 1920 ff.
2. guck nicht so ~ = begreif' doch endlich! 1920 ff.
3. ~ treten = behutsam zu Werke gehen; sich abwartend verhalten. Übernommen vom langsamen (kurzen) Marschtritt einer Kolonne. 1940 ff.

längskommen intr mit etw ~ = mit etw auskommen; sein Auskommen haben. Nordd seit dem 19. Jh im Sinne von „ausreichen".

längsseitsgehen intr in einer Gastwirtschaft einkehren. Hergenommen vom Boot oder Schiff, das man neben ein anderes manövriert. Seemannsspr. 1920 ff.

Langspielplatte f **1.** unversieglicher Redefluß. 1948 ff.
2. Mensch, dessen Rede kein Ende nehmen will. 1948 ff.
3. Hand wie eine ~ = breite, plumpe Hand. 1955 ff.

langstielig adj langweilig, langwierig. Bezieht sich eigentlich auf die ausführliche Schreib- oder Sprechweise. Gegen 1850 ist „Stil" mit „Stiel" vermengt worden, wohl im Hinblick auf den langen Stiel mit einer oder wenigen blauen Blüten.

Langstreckenkrimi m Fernseh-Kriminalfilm in mehreren Folgen. ↗ Krimi. 1965 ff.

Langstreckenläufer *m* **1.** Eisenbahnbeamter. Ironie. Strecke = Eisenbahnstrekke. *BSD 1965 ff.* **2.** mehrjährige Fernsehsendereihe. *1965 ff.*

Langstreckenpferd *n* bestes ~ = bester Langstreckenläufer. ↗Pferd. 1972 aufgekommen bei den Olympischen Spielen in München.

Langweiler *m* **1.** Mensch, der einen nervös macht. *Sold 1939 ff.* **2.** Mensch, an dem alles allzu formvollendet erscheint. *1950 ff.* **3.** edler ~ = veralteter Klassiker; ältlicher Gelehrter; langsam tätiger Mensch. *1950 ff.*

Lantüchte *f* ↗Latüchte.

Lanze *f* **1.** Penis. *1500 ff.* **2.** warme ~ = Penis des Homosexuellen; Homosexueller. **3.** für jn eine ~ brechen (einlegen) = für jn eintreten; für jn ein gutes Wort einlegen. Geht zurück auf die Zeit der Ritterturniere: man legte die Lanze gegen den Oberarm und Brust ein, weihte sie der Herzensdame oder einem Freund und kämpfte zu deren Ehren, bis die Lanze brach oder man selbst aus dem Sattel gestoßen wurde. Sinnverwandt mit „jm die ↗Stange halten". *1800 ff. Vgl franz* „rompre une lance pour quelqu'un". **4.** für jn eine warme ~ brechen = sich für jn angelegentlich verwenden. Zusammengewachsen aus der vorhergehenden Redensart und aus „für jn ein warmes Wort einlegen". (*vgl* ↗Wort 19). Spätestens seit 1900. **5.** mit der ~ stechen = a) koitieren. *1500 ff.* – b) Pik zur Trumpffarbe erklären. Die Spielfarbe Pik wird durch eine schwarze Lanzenspitze dargestellt. Kartenspielerspr. seit dem 19. Jh. **6.** die ~ sticht = Pik ist Trumpf. *Vgl* das Vorhergehende. Kartenspielerspr. seit dem 19. Jh. **7.** sich die ~ verbiegen = als Mann sich eine Geschlechtskrankheit zuziehen. *1920 ff.*

Lapp *m* energieloser, willensschwacher, einfältiger Mann; Schimpfwort. Gehört zu „Lappen = Stück Stoff"; es ist weich und dünn. Verwandt mit „↗Labbe 1" und „↗Laffe 1". Seit *mhd* Zeit.

Lap'palie *f* Kleinigkeit, Belanglosigkeit. Im 17. Jh von Studenten gebildet durch Anhängung der *lat* Endung von Kanzleiwörtern (Personalie, Regalie) an „Lappe, Lappen = Lumpen; wertloses Ding".

'Lapparsch *m* **1.** energieloser Mensch. ↗Lapp; ↗Arsch. Seit dem 18. Jh. **2.** einfältiger junger Mann; Rekrut. *1910 ff.* **3.** armseliger Mann. *1850 ff.*

Läppchen *n* **1.** gezierte, prüde weibliche Person. Verkleinerungsform von ↗Lapp. *1920 ff.* **2.** vom ~ ins Tüchelchen wickeln = a) übertrieben behutsam vorgehen. *1930 ff.* – b) nur eine scheinbare Änderung vornehmen. *1930 ff.*

Lappen *m* **1.** Papiergeld. Verächtlich als „Fetzen" aufgefaßt. Spätestens seit 1840. **2.** Fahne. *1900 ff.* **2 a.** Theatervorhang. *1920 ff.* **3.** Fallschirm. *Sold 1939 ff.* **4.** Schulzeugnis. Wenn die schlechten Noten überwiegen, ist es nicht mehr wert als ein Stoff-Fetzen oder Wischtuch. *1880 ff.* **5.** Kopftuch. Seit dem 19. Jh. **6.** Taschentuch. Im 19. Jh aus „↗Rotzlappen" verkürzt. **7.** energieloser Mann; Schwächling. ↗Lapp. *1500 ff.* **8.** schmutzige, unordentliche Frau. Vom Schmutzlappen übertragen. Seit dem 19. Jh. **9.** Kleid *(abf).* *1700 ff.* **10.** *pl* = Uniform. *Sold 1939 bis heute.* **11.** *pl* = Autopapiere. *1955 ff.* **12.** blauer ~ = Hundertmarkschein. Einerseits wegen der Grundfarbe, andererseits wegen geringer Haltbarkeit des Papiers: die ersten Ausgaben wurden im Verkehr bald unansehnlich und lappig wie Lumpen. Als 1910 neue Scheine aus steiferem Papier in Umlauf gesetzt wurden, blieb die alte Bezeichnung erhalten. ↗Lappen 1. *1870 ff.* **13.** brauner ~ = Tausendmarkschein. Nach der Farbe der bis 1919 im Deutschen Reich geltenden Geldscheine. *1870 ff.* **14.** grauer ~ = a) Wehrpaß. Die Einbandfarbe ist feldgrau. *Sold 1939 ff.* – b) Führerschein. *Vgl* ↗Lappen 11. *1975 ff.* **15.** nasser ~ = treuloser Mensch; Verräter. *Vgl* ↗Lapp; ↗naß. *1925 ff.* **16.** unter vollen ~ = mit aller Kraft; unter Einsatz aller verfügbarer Mittel. Um 1900 aus der Marinesprache übernommen. Anspielung auf die „Lappen" (= Segel) des Segelschiffs. **17.** einen Schlag mit einem nassen ~ bekommen haben = wunderlichen Wesens sein. Der Schlag hat das Gesicht getroffen und Sinnesverwirrung hervorgerufen. *1920 ff.* **18.** jn fallen lassen wie einen nassen ~ = den Umgang mit jm abbrechen. Der nasse Wischlappen (Putzlumpen) ist keine Kostbarkeit. *1950 ff.* **19.** hauen, daß die ~ fliegen = kräftig zuschlagen. Bezieht sich auf das Zerfetzen der Kleidung und/oder der Haut. Die Redensart wurde besonders in den Freiheitskriegen 1813/14 durch ein Soldatenlied bekannt, das damals viel jung und alt gesungen wurde und eigentlich ein Spottlied auf Napoleon war; neuerlich aufgegriffen 1870 in einem Spottlied auf Napoleon III. und den „Franzmann". **20.** jn fortwerfen wie einen nassen ~ = jn herzlos, kaltblütig abweisen. ↗Lappen 18. *1900 ff.* **21.** jm etw auf die ~ geben = jn ohrfeigen, verprügeln. „Lappen" meinen hier wohl (vergröbernd) die Ohrläppchen oder stehen über „↗Lappen 9" für „Frack" o. ä. *1700 ff.* **22.** durch die ~ gehen = entwischen, entgehen. Im 18. Jh der Treibjagd übernommen: vor Einführung der Wildzäune hängte man zwischen den Bäumen breite Leintücher oder bunte Lappen auf, um das Wild zurückzuscheuchen. **23.** sich etw durch die ~ gehen lassen = etw versäumen. *Vgl* das Vorhergehende. *1900 ff.* **24.** auf einem nassen ~ gelegen (gesessen) haben = a) schlechter Laune sein. Die nasse Unterlage hat wohl eine Erkältung verursacht. Fieber verwirrt die Gedanken. *1920 ff.* – b) nicht bei klarem Verstand sein. *1920 ff.*

25. ein paar hinter (auf) die ~ kriegen = ein paar Ohrfeigen bekommen. ↗Lappen 21. Seit dem 18. Jh. **26.** sich auf die Lappen machen = sich schnell entfernen; losmarschieren. Lappen = Fußlappen; Schuhe aus Lappen, zusammengeflickte Schuhe. *1700 ff.* **27.** sich aus den ~ machen = sich schleunigst entfernen. Lappen = Schuhe aus Lappen = Pantoffeln. *1920 ff.* **28.** auf die ~ sehen (kieken, passen) = geizig sein; geldgierig sein; sein Geld zusammenhalten. ↗Lappen 1. *1850 ff.* **29.** durch die ~ sein = geflohen sein; entwischt sein; unwiederbringlich verloren sein. ↗Lappen 22. Seit dem 19. Jh. **30.** sich durch die ~ tun = verschwinden. ↗Lappen 22. *1930 ff.* **31.** man sollte ihn mit einem nassen ~ totschlagen! Ausdruck tiefsten Abscheus. Der Gemeinte erscheint nicht einmal einer Kugel, des Galgens o. ä. wert. *1920 ff.* **32.** jn in die Ecke werfen wie einen nassen ~ = sich von einem verachteten Menschen trennen. ↗Lappen 18. *1950 ff.*

Läppe'rei (Lappe'rei) *f* Kleinigkeit, Belanglosigkeit; langsamer Fortgang. Gehört teils zu „Lappen = Lumpen", teils zu „↗läppern". Seit dem 16. Jh.

läppern *intr* **1.** in kleinen Mengen zusammenkommen; in geringen Mengen mehren. Es kommt „lappenweise" – „flicklappenweise" zusammen. Auch kann es zurückgehen auf „lappen = lecken, schlürfen". Seit dem 18. Jh. **2.** in kleinen Schlucken trinken; in lediglich kleinen Beträgen zahlen. Lappen = lecken. Seit dem 18. Jh.

Läpperschulden *pl* kleine, geringfügige Schuldbeträge bei verschiedenen Gläubigern. *1700 ff.*

Lappes *m* ↗Lapps.

lappig *adj* **1.** schlaff, energielos, ungeschickt. ↗Lapp. *1600 ff.* **2.** unbedeutend, minderwertig. Seit dem 19. Jh. **3.** sich vernachlässigend. Lappen = Lumpen. Seit dem 19. Jh. **4.** geizig. ↗Lappen 28. *1850 ff.*

läppisch (läppsch) *adj* schlaff, energielos, einfältig, kindisch. ↗Lapp. Seit dem 15. Jh.

Lapps (Labbes, Lappes, Lappsch) *m* **1.** energieloser Mann. ↗Lapp. *Vgl* auch „↗Labbe 1". Seit dem 18. Jh. **2.** ungesitteter, flegelhafter Mann. Seit dem 19. Jh.

läppsch *adj* ↗läppisch.

läppschen *intr* sich albern benehmen. Verbal zu „↗läppisch" mit Kontraktion zu „läppsch". Seit dem 19. Jh.

Lapsus *m* Versehen, Fehltritt; Verstoß gegen die Anstandsregeln. Stammt aus dem *Lat*; anfangs eine Vokabel der Wissenschaftler; seit dem 19. Jh. auch in der Umgangssprache geläufig.

'Lari'fari I *n* törichtes Gerede. Stammt entweder aus den *ital* Tonbezeichnungen „la re fa" (= heitere Tonfolge ADF) oder aus *ndl* „larie = Unsinn" mit reimendem Anhängsel. Seit dem 17. Jh.

'Lari'fari II *m* leichtlebiger junger Mann. *Vgl* das Vorhergehende. *1900 ff.*

Lärmglocke *f* unerträgliche Lärmerzeugung durch Düsenjäger. Der „Dunstglocke" nachgebildet. Etwa seit 1960.

Lärmkiste *f* **1.** Rundfunkgerät; Plattenspieler o. ä. *Österr* 1950 *ff.*
2. Hubschrauber. *BSD* 1965 *ff.*
Lärmorgel *f* Rundfunkgerät o. ä. *Halbw* 1955 *ff.*
'Lärmpro'let *m* Kraftfahrer, der sein Fahrzeug zur Lärmerzeugung mißbraucht. 1950 *ff.*
Lärmrakete *f* Motorrad, Moped. *Österr* 1950 *ff, stud.*
Lärmstrolch *m* Kraftfahrer, der den Motor überlaut anläßt, die Türen zuwirft und ohne Schalldämpfer fährt. ↗ Strolch. 1950 *ff.*
Lärmsünder *m* vermeidbaren (verbotenen) Lärm verursachender Bürger. ↗ Sünder. 1965 *ff.*
Lärmteppich *m* Lärmplage, der der Einzelne sich nicht entziehen kann. Dem „Bombenteppich" nachgebildet. 1960 *ff.*
Lärmterror *m* unzumutbare Lärmbelästigung durch Flugzeuge. Gehört in die üble Verwandtschaft von „Bombenterror", „Konsumterror", „Ölterror" u. ä. 1964 *ff.*
lasch *adj* **1.** lau, schwächlich, energielos, gehaltlos. Fußt vielleicht auf *franz* „lâche = schlaff, feige". Seit dem 19. Jh.
2. ausgezeichnet, sehr nett. Entweder mißverstanden aus „↗ lässig" oder als Gefühlsverschleierung zu deuten. *Halbw* 1960 *ff.*
laschen *v* **1.** *tr* = jn prügeln. „Lasche" nennt man auch den vom Schneider eingesetzten Keil. Dadurch Analogie zu „↗ verkeilen". 1900 *ff.*
2. *tr intr* = trinken, zechen. Von der Bedeutung „anschmieden" ergibt sich eine Parallele zu „einen ↗ löten". *BSD* 1965 *ff.*
Laschi (Laschos) *pl* Geldmünzen; Geld. Geht vielleicht zurück auf *ital* „l'agio = das Aufgeld" und/oder *franz* „l'argent = das Geld". *Oberd* 1800 *ff.*
lassen *v* **1.** *intr tr* = auf Geschlechtsverkehrswünsche eingehen. 1820 *ff.*
2. schön aussehen. Geht zurück auf die im *Hd* ausgestorbene, vorwiegend *niederd* Bedeutung „lassen = Aussehen haben; scheinen; sich ausnehmen". Seit dem 19. Jh.
3. jn ~ = jn zur Notdurftverrichtung austreten lassen. 1900 *ff.*
4. einen ~ = einen Darmwind abgehen lassen. Seit dem 19. Jh.
5. worauf du einen ~ kannst = worauf du dich verlassen kannst; Ausdruck der Beteuerung. Verquickt mit dem Vorhergehenden. 1920 *ff.*
6. laß das, ich haß' das!: Aufforderung zur Unterlassung. Um des Reimes willen. 1900 *ff.*
lässig *adj* **1.** außerordentlich, sehr eindrucksvoll; überlegen. Der geübte Reiter hält den Zügel lässig in der Hand: diese scheinbare Nachlässigkeit trotz bester Reitkunst macht auf den laienhaften Zuschauer großen Eindruck. Hier ergibt sich Analogie zu „aus dem ↗ Handgelenk". Andererseits gibt es in der Sprache der Modeschöpfer den Begriff „lässige Eleganz". Um 1930 aufgekommen; heute eine der beliebtesten Halbwüchsigenvokabeln.
2. langweilig, mittelmäßig; gelangweilt. Wohl aus „nachlässig" verkürzt. *Halbw* 1955 *ff.*
3. tolerant. 1975 *ff.*
4. unbeschwert, sorglos. 1980 *ff.*
5. *adv* = mühelos. 1980 *ff.*
Lassowerfen *n* Freudensprünge mit Arme-

schleudern. Die Armbewegungen erinnern an das Lassowerfen. 1966 *ff, sportl.*
Laster I *m* **1.** Lastwagen, Großraum-Transportfahrzeug. Um 1933 aufgekommen als Verkürzung von „Lastkraftwagen".
2. Fernfahrer. 1950 *ff.*
Laster II *n* **1.** verkommene, amoralische Frau. 1600 *ff.*
2. große Menge. Analog zu „↗ Sündengeld": es ist sowohl das durch Sünde erworbene Geld als auch das sündhaft viele Geld. Ähnlich ist „Lastergeld" sowohl das durch Laster erworbene Geld als auch viel Geld schlechthin. Hieraus entwickelte sich „Laster" zum Begriff der ansehnlichen Menge. Seit dem 19. Jh.
3. langes ~ = großwüchsiger, hagerer Mensch. Hat sich nach der Mitte des 19. Jhs aus der Schimpfwortgeltung von „Laster" entwickelt, wobei die Freude an der Alliteration den ursprünglichen Charakter weiter verwischt hat.
4. wüstes ~ = liederliche Frau. Seit dem 19. Jh.
Laster-Allee *f* Straße, auf der Prostituierte männlichen und weiblichen Geschlechts nach Kunden suchen. Spätestens seit 1900, Berlin.
Läster-Allee *f* Promenierstraße, auf der man gehässig über die Spaziergänger spricht. Gegen 1870 aufgekommen.
Lästerchronik *f* ~ zu Fuß = Mensch, der sich in übler Nachrede ergeht. 1900 *ff.*
Lästergosche *f* Mensch, der über andere gehässig und verleumderisch spricht. ↗ Gosche. Seit dem 17. Jh.
Lasterkurven *pl* Schatten um die Augen. 1900 *ff.*
lästerlich *adv* sehr, heftig (er ärgert sich lästerlich; er zetert lästerlich). 1700 *ff.*
Lästermaul *n* lästernder Mensch. Geht zurück auf Luthers Übersetzung der Sprüche Salomos (4, 24).
Lasterpfad *m* von Prostituierten begangene Straße. Dem „Tugendpfad" entgegengesetzt. 1955 *ff.*
Lästerschwein *n* **1.** Schwester. Von Schülern im späten 19. Jh vorgenommene (phonetische) Umstellung aus „Schwesterlein".
2. Krankenschwester. *Sold* 1939 *ff.*
Lasterwiese *f* Doppelbettcouch; Liege. 1950 *ff.*
Lasterzahn *m* ohne lange Vorbereitung beischlafwilliges Mädchen. ↗ Zahn = Mädchen. 1950 *ff, halbw.*
Latein *n* **1.** den Laien unverständliche Fachsprache. Sammelbegriff für eine unverständliche Fremdsprache, für einen mit Fachausdrücken und Fremdwörtern gespickten Wortschatz, der dem Nichtfachmann Rätsel über Rätsel aufgibt. Vor allem hergenommen von der fremdwortreichen Sprache der Mediziner, der Naturwissenschaftler usw. Geht zurück auf die alte Mindergeltung der *dt* Sprache gegenüber der *lat* Gelehrtensprache mit deren vermeintlich höherem Anspruch. Seit dem 19. Jh.
2. Lügengeschichte; übertreibende Schilderung. Aus dem Vorhergehenden ergibt sich die Geltung einer Geheimsprache unter Eingeweihten; mit ihr kann der Laie leicht übertölpelt werden. Was der Laie als prahlerische Rede auffaßt, kann ebenso gut im Lügenmärchen sein. Ein Muster-

beispiel steht unter dem Stichwort „↗ Grubenhund". Seit dem 19. Jh.
3. ihm geht das ~ aus = er kann nicht weiter, ist ratlos. „Latein" steht hier stellvertretend für Wissen und Können. Seit dem 18. Jh.
4. mit seinem ~ zu Ende sein (am Ende seines ~s sein; das ~ vergessen haben) = nicht mehr weiter wissen; sich in auswegloser Lage befinden. Seit dem 18. Jh. *Vgl franz* „être au bout de son latin".
Laterne *f* **1.** herabhängender Nasenschleim. Analog zu „↗ Licht", hergenommen vom herabtropfenden Kerzenwachs. Seit dem 19. Jh.
2. ~ für Innenbeleuchtung = Schnapsflasche; Flasche Schnaps. 1910 *ff.*
3. rote ~ = a) Bordell. Eine rote Lampe vor dem Eingang oder auf der Fensterbank kennzeichnet den Charakter des Hauses. 1900 *ff.* – b) letzter Platz einer Rangordnung. Hergenommen von der roten Laterne als Schlußlicht am letzten Wagen eines Eisenbahnzuges. *Sportl* 1920 *ff.* – c) Klassenschlechtester. 1920 *ff. Vgl franz* „la lanterne rouge".
4. die rote ~ abgeben = vom letzten Platz einer Rangordnung auf einen besseren gelangen. *Sportl* 1930 *ff.*
5. ihm geht eine ~ auf = er beginnt zu begreifen. Scherzhaft übertreibend für „ihm geht ein ↗ Licht auf". 1900 *ff.*
6. jn hinter die ~ führen = jm die Unwahrheit sagen; jn übertölpeln. Analog zu „hinter das ↗ Licht führen". 1900 *ff.*
7. die rote ~ geht an X über = X wird Tabellenletzter. ↗ Laterne 3 b. *Sportl* 1950 *ff.*
8. eine ~ haben = a) bezecht sein. In vorgeschrittenem Stadium ist das Gesicht des Trinkers gerötet. Seit dem 19. Jh. – b) im Rausch einen Geistesblitz haben. Seit dem 19. Jh.
9. einen Schein von der ~ haben = über etw nicht viel wissen. Das Wissen ist nur ein Schimmer. *Schül* 1920 *ff.*
10. die ~ gehalten haben = Mittäter gewesen sein; die Strafbarkeit der Handlung gewußt haben. Man hat bei einer nächtlich vollführten Straftat die Lampe gehalten. 1900 *ff.*
11. etw mit der ~ suchen = etw angestrengt suchen. Seit dem 18. Jh.
12. die rote ~ tragen (zeigen) = Tabellenletzter sein. ↗ Laterne 3 b. *Sportl* 1920 *ff.*
13. die rote ~ übernehmen = Tabellenletzter werden; auf den letzten Tabellenplatz absinken. ↗ Laterne 3 b. *Sportl* 1920 *ff.*
Laternengarage *f* Wagenabstellplatz an der Bürgersteigkante unter einer Laterne. 1920 *ff.*
Laternenparker *m* Kraftfahrer, der sein Auto im Lichtkreis einer Laterne abstellt. 1950 *ff.*
Laternenpfahl *m* **1.** großwüchsiger, hagerer Mensch. 1900 *ff.*
2. sich hinter einem ~ ausziehen können = sehr schlank, dünn, mager sein. Als Sichtschutz genügt ein Laternenpfahl. 1930 *ff.*
3. du riechst wie ~ ganz unten und schmeckst wie Hund ganz hinten: Schelte auf einen unsauberen Jungen. Hunde harnen an Laternenpfähle. *Schül* 1950 *ff.*
4. wie ein ~ ganz unten schmecken =

widerlich schmecken. *Vgl* das Vorhergehende. 1945 *ff.*

5. sich hinter einem ~ verstecken können = schmalwüchsig sein. *Vgl* ↗Laternenpfahl 2. 1900 *ff.*

6. jm mit dem ~ winken = jm einen unmißverständlichen, plumpen Wink geben; jn deutlich warnen. ↗Wink 5. Seit dem späten 18. Jh.

Laternenproletarier *m* Kraftfahrer, der nachts seinen Wagen unter einer Straßenlaterne parkt. Scherzhafte Anspielung auf arme Lebensverhältnisse, die das Mieten einer Garage nicht erlauben. 1950 *ff.*

Latrine *f* unverbürgte Nachricht. Sie ist auf der Latrine erdacht, bei Unterhaltung auf der Latrine entstanden. *Sold* in beiden Weltkriegen.

Latrinenbefehl *m* unsinniger Befehl; scherzhafter Befehl; Gerücht. *Vgl* das Vorhergehende.

Latrinengerücht *n* unverbürgte Meldung. *Sold* 1914 bis heute. *Vgl engl* „latrine rumour".

Latrinenjahrgang *m* Geburtsjahrgang 1900. ↗Klojahrgang. 1918 *ff.*

Latrinenparole *f* unverbürgte Nachricht. Auf der Latrine war man vor plötzlichem Auftauchen des Vorgesetzten ziemlich sicher und konnte sich also Zeit lassen, auch zu ausführlicher Unterhaltung. *Sold* 1914 bis heute.

Latrinenpoesie *f* Inschriften an den Abortwänden. 1930 *ff.*

La'trinius Pa'rolius *m* erfundener Name eines kaiserlichen Sklaven im alten Rom, der die Umwelt mit Neuigkeiten versorgt haben soll. *Vgl* ↗Latrinenparole. Von witzigen Lateinkennern im Zweiten Weltkrieg aufgebracht.

latri'nös *adj* anrüchig, zweideutig, zotig o. ä. Adjektivbildung zu ↗Latrine. 1920 *ff.*

lätsch *adj* **1.** weichlich (reizlos) von Geschmack; nicht ausgebacken. ↗laatschig. 1700 *ff.*

2. schläfrig, matt. 1700 *ff.*

Lätsche (Lätsch) *f (m)* Gesicht; Hängelippe; weinerlicher, verzogener Mund. Gehört zu „↗laatsch" und bezieht sich eigentlich auf den dümmlichen, langweiligen Gesichtsausdruck. Seit dem 19. Jh, vorwiegend *bayr* und *schwäb.*

Latschen *pl* Pantoffeln. ↗Laatschen 1.

lätschen *intr* **1.** weinerlich breit reden; schwatzen; lallen; weinen. ↗Lätsche. 1800 *ff.*

2. Unsinn schwätzen. 1800 *ff.*

lätschern *intr* dummschwätzen. ↗lätschen 1. 1900 *ff.*

lätschert *adj* schlaff, kraftlos, unfest; langweilig. ↗laatsch. *Oberd* 1800 *ff.*

latschig (lätschig, latschet) *adj* klebrigfeucht; nicht ausgebacken, nicht knusprig. ↗lätsch. 1800 *ff.*

Latte *f* **1.** Gewehr. Wegen einer gewissen Formähnlichkeit. *Sold* 1870 *ff*, vorwiegend *bayr* und *österr.*

2. (erigierter) Penis. 1870 *ff.*

3. Propeller, Luftschraube. Aus der Sprache der Bau- und Möbelschreiner übernommen. *Fliegerspr.* 1935 *ff.*

4. große, breite Ordensschnalle. Von der Querlatte übertragen in beiden Weltkriegen.

5. Rechnung; Geldschuld. Analog zum

„↗Kerbholz", in das man die Schulden einritzte. 1840 *ff.*

6. Zahl der Vorstrafen; Menge der zur Aburteilung anstehenden Straftaten. Latte als eine Art Längenmaß. *Vgl* „etw auf dem ↗Kerbholz haben". 1800 *ff.*

7. mehrjährige Freiheitsstrafe. *Vgl* das Vorhergehende. *Rotw* 1900 *ff.*

8. große Geldsumme. ↗Latte 5. *Rotw* 1900 *ff.*

9. flachbusige Frau. Analog zu ↗Brett. 1900 *ff.*

10. *pl* = hagere, dürre Beine. Sie ähneln langen dünnen Holzbrettern oder Leisten. 1900 *ff.*

11. *pl* = Skier. 1900 *ff*, *oberd.*

12. eine ganze ~ = eine lange Liste; eine große Menge. *Vgl* ↗Latte 6. 1900 *ff.*

13. lange ~ = a) schmal- und großwüchsiger Mensch. In der Grundvorstellung verwandt mit „↗Bohnenstange", „↗Hopfenstange" usw. *Vgl* ↗Latte 14 a. Seit dem 18. Jh. – b) lange Liste; umfangreiches Vorstrafenregister. ↗Latte 6. 1900 *ff.*

14. tapezierte ~ = auffällig gekleideter, hagerer Mensch. *Westd* 1900 *ff.*

14 a. dünn wie eine ~ = schlank, flachbrüstig. ↗Latte 9. 1900 *ff.*

15. jn (sich) an die ~ bringen = jn (sich) der Bestrafung ausliefern; straffällig werden. Anspielung auf das Lattengestell der Pritsche in der Gefängniszelle oder auf „Latte = Balken = Pranger". Seit dem 19. Jh.

16. die ~ einklemmen = koitieren. ↗Latte 2. 1900 *ff.*

17. auf die ~ gehen = zu Bett gehen. Latte = Hühnerstange oder Pritsche. ↗Latte 15. *Halbw* 1955 *ff.*

18. jm durch die ~n gehen = jm entkommen. Latte = Zaunstange. Seit dem 19. Jh.

19. etw auf der ~ haben = a) eine Straftat begangen haben. ↗Latte 6. Seit dem 19. Jh. – b) Schulden haben. ↗Latte 5. Seit dem 19. Jh. – c) leistungsfähig sein; ein Könner sein. Anspielung auf die Ordensschnalle als Ausweis besonderer Tüchtigkeit? Oder gilt der Vorbestrafte (↗Latte 6) als „ganzer Kerl"? 1935 *ff*, *sold.* – d) etw vorzubringen haben. Latte = Visierlatte: man hat ein Ziel ins Auge gefaßt. 1920 *ff.*

20. jn auf der ~ haben = a) jn nicht leiden können; jm etw zu gelegentlicher Vergeltung gedenken. Latte = Visierlatte am Geschütz. Seit dem 19. Jh. – b) eine bestimmte Person meinen; das Wort besonders an einen einzigen Zuhörer richten. Seit dem 19. Jh.

21. nicht alle auf der ~ haben = nicht ganz bei Verstand sein. Dem Betreffenden fehlen ein Paar Ziegel, er hat also einen „↗Dachschaden". 1900 *ff.*

22. eine ~ haben = betrunken sein. ↗Latte 12. Man hat eine große Menge Alkohol in sich. 1900 *ff.*

23. einen auf der ~ haben = a) einen Darmwind verspüren. Latte = Visierlatte. Man will die Blähung „abfeuern". 1900 *ff.* – b) bezecht sein. ↗Latte 22. Vielleicht hat man die Zeche sogar anschreiben lassen (↗Latte 5). 1850 *ff.*

24. nicht alle ~n am Zaun haben = nicht

ganz bei Sinnen sein. *Vgl* ähnlich bildliche Vorstellung unter „↗Latte 21". 1930 *ff.*

25. an der (die) ~ hängen = das Flugzeug (beim Start) bis zum steilstmöglichen Anstellwinkel hochziehen. Man hängt es gewissermaßen an die Luftschraube. ↗Latte 3. *Fliegerspr.* 1939 *ff.*

25 a. die ~ höher hängen (legen) = die Ansprüche erhöhen; mehr Geld verlangen. Vom Hochsprung übernommen. 1970 *ff.*

25 b. die ~ niedriger hängen (legen, setzen) = sich in seinen Ansprüchen bescheiden. 1975 *ff.*

26. auf die ~ hauen (schlagen) = auf Borg trinken. ↗Latte 5. 1900 *ff.*

27. an die ~ kommen = bestraft werden. ↗Latte 15. 1900 *ff.*

28. jm vor die ~ kommen = jds Aufmerksamkeit (ungewollt) auf sich ziehen; in jds Einflußbereich geraten; von jm gefaßt werden. Latte = Visierlatte. 1900 *ff.*

29. jn auf die ~n geben = jn mit Militärarrest bestrafen. ↗Latte 15. Seit dem 19. Jh.

30. eine ~ machen = eine mehrjährige Freiheitsstrafe verbüßen. ↗Latte 7. 1900 *ff.*

31. mach' mir keine ~! = verschone mich mit deinen Obszönitäten! ↗Latte 2. *BSD* 1960 *ff.*

32. jn auf die ~ nehmen = a) jn schwer in Verdacht haben. ↗Latte 20. 1920 *ff.* – b) jn streng verhören. 1920 *ff.*

33. etw auf die ~ setzen (schreiben) = eine Geldschuld anschreiben. ↗Latte 5. Seit dem 19. Jh.

34. an der ~ sein = a) der Bestrafung sicher sein. ↗Latte 15. 1900 *ff.* – b) an der Reihe sein (jetzt bist du an der ~!: Drohrede). 1900 *ff.*

35. durch die ~n sein = geflohen sein. ↗Latte 18. Seit dem 19. Jh.

36. etw auf der ~ stehen haben = Geldschulden haben. ↗Latte 5. Seit dem 19. Jh.

37. auf seiner ~ eine Freiheitsstrafe stehen haben = eine Freiheitsstrafe noch verbüßen müssen. ↗Latte 6. 1900 *ff.*

38. eine ~ in die Ecke stellen = harnen (auf Männer bezogen). ↗Stange; ↗Wasserlatte. 1939 *ff.*

39. etw auf die ~ tun = eine Zeche anschreiben lassen. ↗Latte 5. Seit dem 19. Jh.

40. die ~ umhauen = koitieren. ↗Latte 2. Anspielung auf die Rückbildung der Erektion nach dem Beischlaf. 1910 *ff.*

Lattenschuß *m* **1.** Treffer gegen die Torlatte. Fußballsportl. 1920/30 *ff.*

2. mißglücktes Unternehmen; abgeschlagener militärischer Angriff. Dem Sportlerdeutsch entlehnt. *Sold* 1939 *ff.*

Lattenstreicher *m* Fußball, der dicht unter der Querlatte ins Tor geht. *Sportl* 1950 *ff.*

Latüchte (Latichte, Lantüchte) *f* **1.** Laterne, Lampe. Zusammengewachsen aus „Laterne" und „Lüchte". Seit dem 18. Jh.

2. ihm geht eine ~ auf = er beginnt, die Zusammenhänge zu begreifen. Analog zu „ihm geht ein ↗Licht auf". 1900 *ff.*

Latz *m* **1.** jm einen vor (an) den ~ ballern (donnern, hauen, knallen) = jm bösartig, grob entgegentreten; jn ohrfeigen; jn auf die Brust schlagen; jn niederschlagen; auf jn einen Schuß abfeuern. Latz ist entweder das Brustück der Männer- bzw. Arbeitskleidung oder die Vorderöffnung der Hose. 1900 ff.

2. jm etw an den ~ knallen = jm etw (Unerfreuliches) ohne Ankündigung geben (z. B. das Kündigungsschreiben, den Steuernachzahlungsbescheid o. ä.). 1945 ff.

3. einen hinter den ~ knallen = ein Glas Alkohol zu sich nehmen. 1935 ff.

4. einen vor den ~ kriegen (geknallt kriegen) = verwundet werden. *Sold* in beiden Weltkriegen.

5. sich innerlich vor den ~ geknallt fühlen = sich gekränkt fühlen. 1950 ff.

latzen *tr intr* zahlen, bezahlen. Latz ist der Brustlatz mit Tasche, in der man sein Geld mitführt. 1800 ff, westd.

lau *adv* **1.** ~ (für ~; auf ~) = unentgeltlich; ohne Vergütung. Geht zurück auf *jidd* „lo, lau = nicht, nichts, nein, ohne". Vorwiegend *westd*, seit dem 19. Jh.

2. *adj* = mittelmäßig. *Schül* 1950 ff.

Laube *f* **1.** fertig ist die ~l: Ausruf nach glücklicher (rascher) Beendigung einer Sache oder einer Darlegung. Herzuleiten vom Bau einer Laube im Kleingarten: die Aufgabe läßt sich ohne großen Aufwand rasch bewerkstelligen. 1870 ff.

2. in die ~ gehen = sich mit jm einlassen. Meint die für Intimitäten geeignete Laube. 1900 ff.

3. jn in die ~ nehmen = jm von zwei Seiten heftig zusetzen. Stammt aus dem Kartenspielerdeutsch: Laube ist der Platz des Spielmachers zwischen den beiden Mitspielern. 1870 ff.

Laubenpieper *m* Kleingärtner. Eigentlich der Vogel (Pieper), der in einer Laube nistet. Berlin 1920 ff.

Laubfrosch *m* **1.** Meteorologe, Wetterbeobachter. ↗Wetterfrosch. 1870 ff.

2. Rekrut. Er ist „grün" = unerfahren". *Sold* 1914 bis heute.

3. grün Gekleideter. 1800 ff.

4. Jäger, Förster. Seit dem 19. Jh.

5. Landgendarm, Zollbeamter o. ä. 1800 ff.

6. grüner Kleinwagen. 1924 ff.

7. *pl* = Bundesgrenzschutz. Wegen der Uniformfarbe. *BSD* 1960 ff.

8. dünkelhafter Mensch. Es ist einer, der auf der Leiter der gesellschaftlichen Ränge oben steht, oben zu stehen glaubt oder oben stehen möchte. Seit dem 19. Jh.

Lauf *m* **1.** Penis. Verkürzt entweder aus „Gewehrlauf" (Schuß = Spermaausstoß) oder aus „Wasserlauf", 1910 ff.

2. *pl* = Beine des Menschen. Meint in der Jägersprache die Beine des Haarwilds und der Hunde. Spätestens seit 1900.

3. der ~ der Natur = Gang zum Abort. Eigentlich der übliche Ablauf eines natürlichen Geschehens. 1910 ff.

4. den ~ ausstoßen = ejakulieren. ↗Lauf 1. 1935 ff.

5. sich den ~ verbiegen = geschlechtskrank werden. 1935 ff.

Laufbahn *f* **1.** eine ~ abknicken = einer beruflichen Laufbahn ein plötzliches Ende setzen. 1945 ff.

2. die ~ erklettern = im Rang schnell emporsteigen. 1933 ff.

Laufdoktor *m* Arzt für Minderbemittelte; Kassenarzt. Meint eigentlich, daß dieser Arzt kein Fahrzeug besitzt, weil es seine Praxis nicht erlaubt. 1840 ff.

laufen *v* **1.** *intr* = zu Fuß gehen; weggehen. Meint hier im Gegensatz zum Fahren oder Reiten die Bewegung mit den Beinen,

ohne den Nebengedanken an Schnelligkeit. Seit dem 19. Jh.

2. *intr* = eiligst den Abort aufsuchen. 1900 ff.

3. *intr* = auf Liebeleien ausgehen. Eigentlich bezogen auf brünstige Tiere, vor allem auf Hunde. 1700 ff.

4. *intr* = als Straßenprostituierte tätig sein. Seit dem 19. Jh.

5. für jn ~ = für einen Zuhälter als Prostituierte auf Verdienst ausgehen. ↗Pferdchen. Seit dem 19. Jh.

6. zu (mit) jm ~ = mit jm ein Liebesverhältnis unterhalten. *Vgl* ↗ gehen 15. Seit dem 19. Jh.

7. nicht richtig ~ = sich nicht einfügen; aufbegehren. Vom Funktionieren einer Maschine hergenommen. 1920 ff.

8. wer schneller läuft, hat bedeutend mehr vom Leben (lebt länger): Merksatz für gefechtsmäßiges Verhalten. *Sold* 1939 ff.

9. jetzt habe ich dich ~ hören = jetzt habe ich deine wahren Absichten erkannt (durchschaut). Analog zu „↗Nachtigall, ich höre dich trapsen". 1870 ff.

10. es läuft = a) es glückt, läßt sich bewerkstelligen, geht vonstatten, kommt in Gang. Übertragen vom Motor, der auf Touren kommt. 1910 ff. – b) es ist modisch, verkauft sich leicht. 1920/30 ff.

11. was läuft? = was geht vor sich? Hervorgegangen aus der Frage nach dem Filmprogramm o. ä. *Halbw* 1955 ff.

12. das Ding kann ~ = diese Sache läßt sich verwirklichen. 1920 ff.

13. läuft!: Ausruf der Zustimmung. Variante zu „geht in Ordnung". 1950 ff.

14. das läuft bei mir nicht (da läuft bei mir nichts) = das kommt bei mir nicht in Betracht; das lehne ich grundsätzlich ab; an dieser Sache beteilige ich mich nicht. 1950 ff.

15. es läuft bei ihm = es geht etwas in ihm vor; er beschäftigt sich im Geiste mit einer Sache; er trägt sich mit einem Plan o. ä. Die „↗Denkmaschine" läuft. 1950 ff.

16. so was läuft von alleinl: Ausdruck der Überraschung. Herzuleiten vom kleinen Kind, das nicht mehr an die Hand genommen werden muß. 1870 ff.

17. es läuft allein = es ist unübertrefflich. 1950 ff.

18. die Sache läuft noch = die Sache ist noch anhängig; über die Sache ist noch nicht entschieden. 1920 ff.

18 a. nichts ist am ~ = es herrscht Langeweile. *Halbw* 1955 ff.

19. das läuft ins Geld = das macht große Ausgaben erforderlich, ist kostspieliger als angenommen. Übertragen vom Wasser, das nicht tröpfelt, sondern in kräftigem Strahl kommt. Seit dem 19. Jh.

20. eine Karte läuft = eine hochwertige Karte wird vom Gegner nicht gestochen und vom Mitspieler hoch bedient. Sie erreicht ohne Hindernis das Ziel. Kartenspielerspr. 1900 ff.

21. das Radio läuft = das Rundfunkgerät ist eingeschaltet. 1930 ff.

22. die Sache ist gelaufen = die Sache ist gut bewerkstelligt, hat den vorgesehenen Ablauf genommen, ist zu Ende. 1920 ff.

23. die Veranstaltung ist gelaufen = die Veranstaltung ist beendet. 1920 ff.

24. „ferner liefen" sein = keinen Preis davontragen; von anderen überflügelt werden; zurückbleiben. Stammt aus dem

Pferderennsport: man ist nicht unter den Bestplazierten, den Siegern. 1900 ff.

25. unter „ferner liefen" rangieren (eingereicht werden; kommen) = abgetan, ausgeschieden sein; geduldet, aber nicht anerkannt werden. *Vgl* das Vorhergehende. 1910 ff.

26. ~ lassen = eine aufgespielte Karte nicht stechen. ↗laufen 20. Kartenspielerspr. 1900 ff.

27. jn ~ lassen = sich von jm abwenden; auf jn verzichten; einen Untreuen nicht zurückhalten. Seit dem 16. Jh.

28. er läßt ~ = a) er besitzt einen Rennstall. Turfsprache, 1870 ff. – b) er ist Zuhälter. Die für den Zuhälter tätigen Prostituierten sind seine „↗Pferdchen". 1900 ff.

laufend *adv* **1.** ~ Geld einbüßen = beim Rennen auf das falsche Pferd setzen. Das Pferd läuft gleichsam für den Wetter; verliert es, verliert er, als wäre er selbst gelaufen. 1900 ff.

2. ~ Geld verdienen = Straßenprostituierte(r) sein. ↗laufen 4. 1900 ff.

Laufendes *n* auf dem Laufenden sein = Durchfall haben. Wortspielerei mit der Bedeutung „den neuesten Stand der Dinge kennen". 1920 ff.

Läufer *m* **1.** Tripper. Seit dem 19. Jh.

2. Vertreter, der von Haus zu Haus geht. 1920 ff.

3. dem Elternhaus entwichener Jugendlicher. 1970 ff, polizeispr.

4. *pl* = Beine. Spätestens seit 1900.

Lauferei *f* **1.** Notwendigkeit, viele Gänge zu machen, um etw zu besorgen oder zu erledigen. Seit dem 19. Jh.

2. Durchfall. ↗laufen 2. 1900 ff.

Laufgegend *f* **1.** Stadtbezirk mit geringer Stammkundschaft; günstig gelegene Geschäftsgegend. 1920 ff.

2. gute ~ = Stadtviertel mit regem Prostituiertenverkehr. 1920 ff.

läufig *adj* **1.** mannstoll. Übernommen von der „läufigen" Hündin. Seit dem 19. Jh.

2. jn ~ machen = a) jds Geschlechtslust aufreizen. Seit dem 19. Jh. b) jn umherhetzen, antreiben. Man läßt ihn zum Laufen an. Wortspielerei. *Sold* 1900 ff.

Laufjule *f* Straßenprostituierte. ↗laufen 4; ↗Jule. 1820 ff.

Laufjunge *m* **1.** Privatsekretär. Eigentlich der Junge, der für ein Geschäft die Botengänge zu machen hat. 1950 ff.

2. reifer Käse. Er wird dickflüssig. 1900 ff.

3. Tripper. *Sold* in beiden Weltkriegen.

Laufkatze *f* **1.** Straßenprostituierte. ↗laufen 4; ↗Katze 3. 1920 ff.

2. Handelsvertreterin. *Vgl* ↗Läufer 2. 1930 ff.

Laufkundschaft *f* **1.** Gelegenheitskäufer (*sg und pl*). Er läuft mal hierhin, mal dorthin und ist nirgendwo Stammkunde. Seit dem späten 19. Jh, kaufmannsspr.

2. Nicht-Stammkunde einer Prostituierten. 1955 ff, *prost.*

Laufmasche *f* **1.** gängige, aber irrige Meinung. Übertragen vom Schaden im Strumpfgewebe; verquickt mit „Masche = List". 1950 ff.

2. Kette von Mißgeschicken, Schwierigkeiten usw. Die Laufmasche im Strumpf fällt immer weiter. 1950 ff.

3. Defizit; nachhaltiger Defekt. 1950 ff.

4. erfolgversprechende, einträgliche Leistung. Versteht sich nach „↗laufen 10" und „↗Masche 1". 1975 ff.

5. auf die ~ gehen = als Straßenprostituierte tätig sein. Meint wörtlich „die Masche = den Trick", durch Hin- und Hergehen auf der Straße Kunden zu finden. 1920 ff.

6. eine ~ im Auge haben = alles verkehrt sehen, falsch deuten. Laufmasche = Defekt. 1950 ff.

7. eine ~ im Gehirn haben = nicht ganz bei Verstand sein. 1945 ff.

8. ~n im Lebenswandel haben = nicht unbescholten sein. 1950 ff.

9. da ist eine ~ im Strumpf = da macht sich ein Nachteil bemerkbar. 1950 ff.

laufmaschensicher adj nacktbeinig. 1959 ff, jug.

Laufpaß m **1.** jm den ~ geben = jn entlassen; sich von jm trennen. Eigentlich der Passierschein, der früher den Soldaten bei Entlassung aus dem Militärdienst ausgehändigt wurde. Seit dem ausgehenden 19. Jh.

2. sich einen ~ holen = abgewiesen werden. Seit dem 19. Jh.

3. den ~ kriegen (erhalten) = entlassen werden. 1800 ff.

Laufseite f bevorzugt begangene Straßenseite. 1920 ff, kaufmannsspr.

Laufstall m **1.** Kasernenhof. BSD 1965 ff.

2. Gesamtheit der zu einem Zuhälter gehörigen Prostituierten. ↗Stall 12 und ↗laufen 28 b. 1920 ff.

Laufwerk n **1.** Beine. Bei den Soldaten des Zweiten Weltkriegs aufgekommen im Anschluß an das Laufwerk des Panzerkampfwagens o. ä.

2. schaues ~ = schöngeformte Mädchenbeine. ↗schau. Halbw 1955 ff.

3. schiefes ~ = mißglückende Sache. Halbw 1955 ff.

'Lauma'locher m Schmarotzer; Arbeitsscheuer. ↗lau; ↗Malocher. 1950 ff.

Laumann m **1.** lauer, willensschwacher, in seiner Gesinnung unfester Mann. Hinsichtlich Tatkraft und Gesinnung ist er weder heiß noch kalt. 1900 ff.

2. Zuschauer ohne Eintrittskarte. ↗lau 1. 1970 ff.

Laune f **1.** das macht mir ~ = das macht mir Spaß; darauf habe ich Appetit. Laune = heitere Gemütsstimmung. Seit dem 18. Jh.

2. du machst mir ~! : Ausdruck der Ablehnung. Iron Ausdruck. 1920 ff.

3. ~ tanken = sich in frohe Stimmung versetzen lassen. ↗tanken. 1920 ff.

Laus f **1.** nicht eine ~ = durchaus nicht. 1600 ff.

2. nicht eine blasse ~ = a) niemand; nichts. 1870 ff. – b) Ausdruck der Ablehnung. 1870 ff.

3. keine ~ = niemand; nichts. 1840 ff.

4. du lebensmüde ~! : Drohwort an einen überaus dreisten Menschen. Er ist lästig wie das Ungeziefer und soll dessen Schicksal teilen. 1955 ff.

5. nicht um eine ~ = nicht; keine Spur. 1900 ff.

6. frech wie die ~ im Grind = unverschämt, rücksichtslos. Im Grind (Schorf) fühlt sich die Laus wohl. 1900 ff.

7. jm Läuse ansetzen = jm Unwahrheiten erzählen. ↗Laus 19. 1910 ff.

8. laß dir man die Läuse nicht erfrieren (verfrieren)! : Zuruf an einen, der im Zimmer oder zum Gruß die Kopfbedeckung nicht abnimmt. 1840 ff.

9. ihn fressen noch die Läuse (die Läuse fressen ihn noch auf) = er verkommt immer mehr. 1800 ff.

10. ihm ist eine ~ über die Leber gelaufen = er ist verärgert. Beruht auf der volkstümlichen Vorstellung von der Leber als Sitz der leidenschaftlichen Empfindungen. Die Leber reagiert auf die geringste Berührung mit Gereiztheit. In der Redensart ist die Laus eine spätere Hinzufügung um der Alliteration willen und zugleich als kleinste Ungezieferart Sinnbild der geringsten Ursache des Ärgers. 1500 ff.

11. Läuse im Blut haben = keine Ausdauer entwickeln. Die Läuse im Blut versinnbildlichen das unruhige Temperament. 1920 ff.

12. eine ~ im Ohr haben = ein schlechtes Gewissen haben. Die Laus im Ohr schafft Unruhe, wie es auch das Schuldgefühl tut. 1700 ff.

13. eine ~ im Pelz haben = Ursache zu Mißtrauen haben. ↗Laus 19. Seit dem 19. Jh.

14. eine Brust haben, daß man eine ~ drauf knacken kann = eine feste, stramme Brust haben. 1900 ff.

15. bei etw Läuse kriegen = für etw sehr viel Geduld benötigen; bei etw sehr nervös werden. 1920 ff.

16. du wirst Läuse in den Bauch kriegen: sagt man, wenn einer Wasser (viel Wasser) trinkt. Fußt wahrscheinlich auf der Meinung, mit dem Wasser nehme man Cholerakeime in sich auf (weswegen um so mehr für Schnapsgenuß geworben wurde). 1892 ff.

17. leben (sitzen) wie die ~ im Grind (Schorf) = in guten Verhältnissen leben; wohlleben. ↗Laus 6. Früher wurde bei Ausschlag der Kopf sorgfältig bedeckt und warmgehalten. 1900 ff.

18. das ist eine ~! = das ist eine Übertölpelung! Hängt mit dem Folgenden zusammen. Jug 1920 ff.

19. jm (sich) eine ~ in den Pelz setzen = jn mißtrauisch machen; mißtrauisch werden; jm (sich selbst) einen ärgerlichen Schaden zufügen. Die Laus, die man sich in den Pelz setzt, ist schwer wieder zu entfernen, – darin dem Mißtrauen gleich, das sich nicht leicht beheben läßt. 1500 ff.

20. sich Läuse in den Bauch trinken = viel Wasser trinken. ↗Laus 16. 1900 ff.

21. jm die Läuse vertreiben = jn gründlich verprügeln. 1870 ff.

22. da werden selbst die Läuse seekrank: Redewendung angesichts hochbewegter See. 1700 ff.

23. da wird die ~ auf dem Kopf verrückt!: Ausruf des Ärgers, der gelinden Wut, auch der Verwunderung. Wenn die Verrücktheit des Menschen sogar auf die Mitbewohner seines Kopfes übergreift, muß sie einen außerordentlichen Anlaß haben. Vgl ↗Hund 160. Etwa seit 1830.

24. ich wünsche dir den ganzen Kopf voll Läuse und so kurze Arme, daß du dich nicht kratzen kannst!: ↗Kopf 167.

Laus- (laus-; Lause-; lause-) in doppeltbetonten Zusammensetzungen kennzeichnet das Grundwort als besonders abscheulich oder verabscheuungswürdig, als häßlich und ungesittet. Die Laus und der ver-

lauste Mensch werden zu Sinnbildgestalten der größten Verächtlichkeit und Schändlichkeit.

Lausallee (Lauseallee, Läuseallee) f scharf, gerade verlaufender Scheitel. 1840 ff.

'Laus'arbeit ('Lause'arbeit) f schwere, mühevolle Arbeit. 1900 ff.

'Laus'bande ('Lause'bande) f widerliche Gesellschaft. ↗Bande 1. Seit dem späten 19. Jh.

'Laus'bengel ('Lause'bengel) m übler, unartiger, frecher Junge. 1800 ff.

Lausbube (Lausbub) m kecker, zu allerlei Streichen aufgelegter Junge; unartiger Junge. Mit der Laus hat er den Tatendrang und die Beharrlichkeit gemeinsam. 1800 ff.

lausbübisch adj zu Streichen aufgelegt; keck. Seit dem 19. Jh.

Lauschangriff m ungesetzlicher Eingriff in die Privatsphäre von Bundesbürgern mit Hilfe von Mikro-Empfängern (Telefonüberwachung u. ä.). Aufgekommen am 28. Februar 1977 durch die Aufdeckung der Abhöranlagen bei dem Atomwissenschaftler Klaus Traube. Für dieselbe Sache gab es auch folgende Vokabeln: Lauschaktion; Lauschaktivität; Lauschattacke; Lauscheinsatz; Lauschfall; Lauschoperation; Lauschpraktik; Lauschüberwachung.

Lausche f ~ machen (eine ~ machen) = lauschen, horchen, zuhören. Modernes Hauptwort zu „lauschen". 1960 ff.

lauschen intr fremde Telefongespräche abhören. Neubedeutung. Vgl ↗Lauschangriff. 1974 ff.

Lauscher m **1.** Abhörgerät. ↗Lauschangriff. 1974 ff.

2. amtlicher Abhörer von Telefongesprächen. 1960 ff.

3. Klassenbester. Eifrig lauscht er den Worten des Lehrers. 1950 ff, schül.

4. pl = Ohren. Meint bei den Jägern die Ohren des Schalenwilds. Spätestens seit 1900.

lauschig adj versteckt, heimelig. Gehört zu „lauschen = horchen", verbunden mit der Vorstellung des Heimlichen. Seit dem 19. Jh.

Lauschmikrophon n heimlich eingebautes Abhörmikrophon. 1974 ff.

Lauschtechnik f Bespitzelung mittels Abhörmikrophonen. 1974 ff.

'Laus'ding ('Lause'ding) n vorwitziges, dreistes Mädchen. ↗Ding II. Seit dem 19. Jh.

Lause- (lause-) ↗Laus- (laus-).

'lause'gal ('lausee'gal) adv völlig gleichgültig. 1920 ff.

Läusekriegen n es ist zum ~ = es ist zum Verzweifeln. 1939 ff.

lausen tr **1.** jn bestehlen; jn beim Spiel überlisten. In iron Meinung des Habenichts ist Geldbesitz dem Ungezieferbefall gleichzusetzen; hiernach tut man dem Wohlhabenden einen Gefallen, indem man ihm Geld abnimmt. Lausen = von Läusen befreien. 1500 ff.

2. jn streng zurechtweisen. Lausen ist das Reinigen, und Reinigen ist umgangssprachlich gleichbed mit Rügen. 1900 ff.

Lauser (Lausert) m mutwilliger, frecher, dreister Junge; auch Kosewort. Er gilt als verlaust und wird als ebenso lästig empfunden wie Ungeziefer. 1800 ff.

Lause'rei *f* unangenehme Sache. 1900 *ff.*

'Laus'geld ('Lause'geld) *n* unangemessenes Entgelt; Geld als Ärgernis. Seit dem 18. Jh.

Lausglitsche (Lauseglitsche, Läuseglitsche) *f* pomadisierter Scheitel in Kopfmitte. Den Läusen dient er als Rutschbahn. 1850 *ff,* nordd.

Lausharke (Lauseharke) *f* Kamm. Mit ihm harkt man die Läuse zusammen. 1600 *ff.*

'Laus'hund ('Lause'hund) *m* Schimpfwort auf einen Geizigen o. ä. 1700 *ff.*

lausig *adj* **1.** armselig; schlimm; heftig. Meint eigentlich „mit Läusen behaftet"; von daher soviel wie „verkommen; lumpig". 1500 *ff.* **2.** charakterlos, unverträglich, unzuverlässig, unverschämt. Der Verlauste wird mit allen schlechten Eigenschaften bedacht. Seit dem 18. Jh. **3.** geizig. Geiz gilt volkstümlich als eine der übelsten Untugenden. Seit dem 18. Jh. **3 a.** *adv* = sehr, überaus (es ist lausig kalt). Seit dem 19. Jh. **4.** sich ~ machen (benehmen) = a) sich aufspielen, vordrängen; überheblich sein. Man tritt lästig in Erscheinung wie die Laus. 1900 *ff.* – b) sich ungesittet benehmen. 1900 *ff.* – c) unauffällig davongehen. 1900 *ff.*

Lausjunge (Lausejunge) *m* frecher, unverschämter Junge. 1700 *ff.*

'Laus'kälte ('Lause'kälte) *f* grimmige Kälte. Seit dem 19. Jh.

Lauskappe (Läusekappe) *f* Mütze, Kopfbedeckung. *Sold* 1935 *ff.*

Lauskerl (Lausekerl) *m* Schimpfwort auf einen niederträchtigen Mann. Eigentlich der verlauste Kerl. 1700 *ff.*

Lausknacker (Läuseknacker) *m* Daumen. Läuse zerdrückt man mit dem Daumennagel. 1700 *ff.*

Lausknicker (Läuseknicker) *m* **1.** Daumen. *Vgl* das Vorhergehende. 1500 *ff.* **2.** Geiziger; kleinlicher Mann. ↗Knikker 1. 1500 *ff.*

Lauskröte (Lausekröte, Lausekrott) *f* ungezogenes Kind. ↗Kröte. Seit dem 19. Jh.

Lauslümmel (Lauselümmel) *m* frecher, dreister junger Mann; Tunichtgut. ↗Lümmel. 19. Jh.

Lausmensch (Lausemensch) *m* Schimpfwort. Seit dem 19. Jh.

Lausmensch (Lausemensch, -menscherl) *n* unkontrollierte Prostituierte. ↗Mensch II. *Österr* 1900 *ff.*

Lausnest (Lausenest) *n* **1.** Dorf, Kleinstadt (sehr *abf*). ↗Nest. 1840 *ff.* **2.** ärmliches Haus. 1870 *ff.* **3.** Kopfhaar. Aufgefaßt als Brutnest von Läusen. 1900 *ff.*

Lausnickel *m* frecher, unverschämter, vorwitziger Junge. ↗Nickel. 1700 *ff.*

Lauspack (Lausepack) *n* Gesindel. ↗Pack. Seit dem 19. Jh.

Lauspelz (Läusepelz) *m* üppiges Kopfhaar. *Halbw* 1955 *ff.*

Lauspfad (Lausepfad) *m* Scheitel. Seit dem 19. Jh.

Lauspiepel (Lausepiepel) *m* kein ~ = niemand. Piepel = Penis. Verstärkte Analogie zu „kein ↗Schwanz". *Sold* in beiden Weltkriegen.

Lauspromenade (Lausepromenade) *f*

Scheitel von der Stirn bis in den Nacken. Spätestens seit 1900.

Lausrechen (Lauserechen) *m* Kamm. 1900 *ff. Vgl franz* „le rateau".

Laussack (Lausesack) *m* Perücke. 1870 *ff.*

Lausstall (Lausestall) *m* schmutzige, verwahrloste Behausung. Seit dem 19. Jh.

Laustöter (Lausetöter) *m* Daumen, Daumennagel. Seit dem 19. Jh.

Laustreppe (Läusetreppe) *f* treppenförmig geschnittenes Kopfhaar. 1900 *ff.*

Lauswanst (Lausewanst) *m* frecher, dreister Mann. ↗Wanst. 1870 *ff.*

'Laus'welt ('Lause'welt) *f* die Menschen *(abf).* 1700 *ff.*

Lauswenzel (Lausewenzel) *m* **1.** verlauster, ungepflegter Mann. Vielleicht entstanden durch Umkehrung des Namens Wenzeslaus, des böhmischen Nationalheiligen, in Anspielung auf schmutzige Deutsch-Tschechen. 1700 *ff.* **2.** Geiziger; armseliger Prahler. 1700 *ff.* **3.** frecher Junge. Seit dem 19. Jh.

laut *adv* **1.** ~ lesen = a) dem Mitschüler vorsagen. Beschönigung. 1900 *ff, schül.* – b) aufrichtige Gedanken (unabsichtlich, unüberlegt) äußern. 1933 *ff.* – c) einen Darmwind laut entweichen lassen. *Sold* 1939 *ff.* **2.** über etw ~ nachdenken = Mitschuldige belasten; ein Geständnis ablegen. 1950 *ff.*

läuten *v* er hat etw ~ hören = es ist ihm etw zu Ohren gekommen, doch weiß er nichts Genaueres. Verkürzt aus der Redensart „er hat läuten hören, weiß aber nicht, wo die Glocken hängen"; denn der Wind verweht den Schall, so daß der Standort der Glocken schwer auszumachen ist. Seit dem 17. Jh.

Lautsprecher *m* **1.** Schreier; Mensch mit lauter Stimme. Aufgekommen gegen 1924/25 mit dem technischen Gerät zur Lautverstärkung. **2.** politischer Propagandaredner. 1928 in Berlin aufgekommen als Spitzname für Dr. Joseph Goebbels von der NSDAP. **3.** schreiender Säugling. 1925 *ff.* **4.** Ausrufer auf dem Jahrmarkt. 1930 *ff.* **5.** schweres Geschütz. *Sold* 1939 *ff.* **6.** Pistole, Revolver. Nach 1945 aufgekommen in Verbrecherkreisen, auch in Kriminalromanen und -filmen. **7.** Klassensprecher. 1950 *ff, schül.* **8.** Vielschwätzer; schwatzhafter Mensch. 1950 *ff.* **9.** Massenprediger. 1950 *ff.* **10.** Mund. 1950 *ff.* **11.** Musikzimmer in der Schule. 1960 *ff.* **12.** stell' deinen ~ ab! = schweig' endlich! sprich nicht so laut! 1930 *ff.* **13.** jm auf den ~ hauen, daß die Antenne wackelt = jm heftig auf den Kopf schlagen. 1950 *ff.*

lavieren *intr* mit zwei (unterschiedlichen, gegensätzlichen) Menschen auszukommen trachten; sich durch Schwierigkeiten hindurchwinden; einen Kompromiß anstreben; vorsichtig taktieren. Meint in der Seemannssprache das Kreuzen gegen den Wind. 1700 *ff.*

Lazarus *m* **1.** armer ~ = bedauernswerter Kranker. Geht zurück auf die biblische Geschichte (Lukas 16, 19 *ff*). Seit dem 19. Jh. **2.** arm wie ~ = im Besitz einer sehr

schlechten Karte. Kartenspielerspr., spätestens seit 1900.

Lebedame *f* leichtlebige Frau mit Vergangenheit und moralischer Großzügigkeit; Maitresse o. ä. Dem älteren „Lebemann" nachgebildet im späten 19. Jh. Gegen Ende 1957 wiederaufgelebt im Zusammenhang mit Prostituiertenmorden in Frankfurt/Main.

Lebefräulein *n* geschlechtlich großzügige junge Frau; junge Prostituierte, die in Kreisen wohlhabender Leute Eingang findet. 1959 *ff.*

Lebegreis *m* **1.** gealterter Mann. Seine geschlechtliche Tauglichkeit beschränkt sich auf Lüsternheit. 1870 *ff.* **2.** Mann, der trotz vorgerückten Alters einen geschlechtlich abwechslungsreichen Lebenswandel führt. 1900 *ff.* **3.** ~ im ersten Semester = bejahrter Mann mit starken Regungen des Geschlechtstriebs, aber unerfahren in der Nutzung der wiedererwachten Geschlechtlichkeit. 1930 *ff.*

Lebeherr *m* ausschweifend lebender Wohlhabender. Der „Lebedame" nachgeahmt. 1920 *ff.*

Lebejüngling *m* junger Mann mit Ansätzen zum „Lebemann". 1890 *ff.*

Lebemädchen *n* junge Prostituierte in Kreisen der wohlhabenden Gesellschaftsschicht. 1900 *ff.*

Lebemann *m* Mann von moralischer Großzügigkeit; Genußmensch. Nachahmung von *franz* „bonvivant" u. ä. Seit dem späten 18. Jh.

leben *v* **1.** man lebt: Antwort auf die Frage nach dem Befinden. 1870 *ff.* **2.** man lebt, liebt und leidet: Antwort auf die Frage nach dem Befinden. 1935 *ff.* **3.** man lebt nur einmal!: Selbsttrost der Verschwender. 1850 *ff.* **4.** nun leb' mir doch wohl!: Ausdruck des Unwillens. Gemeint ist „lebewohl und geh weg!". 1900 *ff.* **5.** und sowas lebt!: Ausdruck der Verzweiflung. Gemeint ist die Verwunderung oder Enttäuschung darüber, daß „sowas" nicht schon längst gestorben ist, wie es sich gehörte. Wohl Verkürzung des Folgenden. 1920/30 *ff.* **6.** sowas lebt, und Goethe (Schiller) mußte sterben: ↗Goethe; ↗Schiller. **7.** sowas lebt nicht!: Ausdruck ungläubiger Verwunderung. Man will sagen, das (der, die) Gemeinte könne normalerweise überhaupt nicht existieren. 1700 *ff.* **8.** er lebt nicht mehr lange: Redewendung angesichts der ungewohnten Handlungsweise eines Menschen (wenn ein Geiziger freigebig, ein Unverträglicher friedfertig gewesen ist). Scherzhaft nimmt man an, die bisher gewohnten Kräfte nähmen ab, und gegen Ende seines Lebens werde der Betreffende ein normaler Mensch, der seinen Frieden mit der Welt macht. 1870 *ff.* **9.** miteinander ~ = ohne standesamtliche Trauung zusammenleben. Seit dem 19. Jh.

Leben *n* **1.** ~ in der Bluse = Vollbusigkeit. 1930 *ff.* **2.** ~ in Ketten = Ehe. Vokabel im Munde von unbelehrbaren Ehefeinden und Genußmenschen. Undatierbar. **3.** ~ aus dem Koffer = Lebensweise eines Handelsvertreters o. ä. ↗Koffer 39. 1920 *ff.*

4. ~ unter der Leinwand = Camping. 1955 ff.

5. allmächtiges ~l: Ausruf des Entzükkens, Staunens oder Erschreckens. Aus einer frommen Anrufung hervorgegangen („du allmächtiger Herr meines Lebens" o. ä.). 1900 ff.

6. drittes ~ = Lebensabend. 1950 ff.

7. eingewecktes ~ = Fotografie; Film. Einwecken = haltbar machen. 1952 ff.

8. langes ~ = großwüchsiger Mensch. Stabreimende Formel. 1900 ff.

9. ach, du liebes ~l: Ausruf des Erstaunens. 1840 ff.

10. süßes ~ = geschlechtlich zügellose Lebensweise; Lebens-, Geschlechtsgier der besitzenden Leute. Aufgekommen 1959 mit dem Film „La Dolce Vita" des Italieners Federico Fellini.

11. zweites ~ = Lebensjahre nach der Lebensmitte. 1950 ff.

11 a. sein ~ aushauchen = nicht länger funktionieren. Vom sterbenden Menschen übertragen auf den Defekt einer Maschine. 1960 ff.

12. aussehen wie das blühende ~ = gesund-rote Wangen haben. 1870 ff.

13. aussehen wie das ewige ~ = blühend, gesund, jugendfrisch aussehen. Geht zurück auf die antike Vorstellung von der Unverwelkbarkeit und Unvergänglichkeit der Jugend. Die junge Göttin Hebe reichte den Göttern der Antike den Verjüngungstrank. Seit dem 19. Jh.

14. ~ in die Bude bringen = a) in einer Gesellschaft heitere, ausgelassene Stimmung verbreiten; für Geschäftsbelebung sorgen; eine Angelegenheit tatkräftig fördern. In Studentenkreisen gegen 1830/40 aufgekommen; später verallgemeinert. – b) in der Wut mit Gegenständen werfen. 1900 ff.

15. ein eingezogenes ~ führen = a) eine Freiheitsstrafe verbüßen. Das „eingezogene Leben" bezieht sich eigentlich auf den spärlichen Umgang mit Menschen und auf die verinnerlichte Lebensweise. 1910 ff. – b) Wehrdienst ableisten; in der Kaserne wohnen. Sold 1935 ff.

16. ein möbliertes ~ führen = möbliert wohnen. 1900 ff.

17. ein schräges ~ führen = a) immer wieder straffällig werden. ↗schräg. 1950 ff. – b) Bergführer von Beruf sein. Man geht leicht vornübergebeugt, im schrägen Winkel zum Untergrund. 1950 ff.

18. das ~ in vollen Zügen genießen = in vollbesetzten (überfüllten) Verkehrsmitteln fahren. Wortspiel mit „Zug = großer Schluck" und „Zug = Eisenbahnzug". 1920 ff.

19. zum ~ zu wenig und zum Sterben zuviel haben = kümmerlich leben. 1900 ff.

20. ein schlaues ~ haben = in angenehmen Verhältnissen leben. 1900 ff.

21. was kann das schlechte ~ helfen?: Redewendung, wenn man einmal gut essen und trinken will. Oft mit dem Zusatz: „das Vermögen wird doch bald alle". Nach 1870 aufgekommen, wohl im Zusammenhang mit Gepflogenheiten der Gründerzeit.

22. es kommt ~ in die Bude = die Geselligkeit wird fröhlich und ausgelassen; der Geschäftsgang belebt sich. 1830/40 ff.

23. ~ machen = laut lustig sein; lärmend sich amüsieren. 1900 ff.

24. ~ um (von) etw machen = von etw viel Aufhebens machen. Leben = Lebhaftigkeit. 1900 ff.

25. jm das ~ sauer machen = jm das Leben schwermachen. Fußt auf 2. Moses 1,14. Sauer = mühselig, bitter. 1500 ff. Vgl franz „rendre la vie dure à quelqu'un".

26. es reicht nicht zum ~ und nicht zum Sterben = der Lohn (die Rente) ist völlig unzureichend. 1900 ff.

27. in das ~ reinriechen = (erste) Lebenserfahrungen sammeln. Eigentlich soviel wie „flüchtig Kenntnis nehmen". 1870 ff.

28. sich durchs ~ und durch die Liebe schlagen = schlecht und recht der gewerblichen Unzucht nachgehen. 1950 ff.

29. da ist ~ in der Bude = da herrscht ausgelassenes Treiben; da kommt keine Langeweile auf; da herrscht ein reges Geschäftsleben. Seit dem 19. Jh.

30. das ist zum ~ zu wenig, zum Sterben zuviel = das ist eine sehr niedrige Rente, eine äußerst spärliche Beköstigung. 1800 ff.

31. ist das ~ noch frisch?: Frage nach dem Wohlergehen. 1920 ff.

lebendig adj sie ist ~ = der Käse ist voller Maden. Seit dem 19. Jh.

Lebendige pl er nimmt's von den ~n = a) im Nehmen (Preisefordern) ist er rücksichtslos. Oft ergänzt durch den erklärenden Nebensatz: „denn von den Toten ist nichts zu holen". Seit dem 19. Jh. – b) er nimmt jeden noch so geringen Stich; er spielt gewinngierig. Kartenspielerspr. 1880 ff.

Lebensgeister pl **1.** die ~ anfeuern = sich durch Alkohol beleben. Lebensgeister = Lebenskraft. 1830 ff.

2. die ~ auffrischen = sich durch einen kräftigen Schluck Schnaps stärken. 1830 ff.

3. seine ~ kommen wieder = er erholt sich wieder; er wird wieder munter; er erwacht aus der Ohnmacht. 1830 ff.

4. die ~ wecken = der Ermüdung steuern; Gymnastik, Sport treiben. 1960 ff.

Lebenskuß m Mund-zu-Mund-Beatmung. 1960 ff.

Lebenslicht n jm das ~ ausblasen (auspusten) = a) jn umbringen, töten, erschießen. Fußt auf der alten mythologischen Vorstellung vom Leben als einem Licht, am volkstümlichsten bewahrt im Märchen „Der Gevatter Tod". 1600 ff. – b) jn zur Geschäftsaufgabe zwingen; jds Bankrott herbeiführen. 1920 ff.

Lebensmittelkäfig m Drahtkorb im Selbstbedienungsladen. 1955 ff.

Lebensnerv m **1.** Geld, Geldbeutel, Brieftasche o. ä.: Dies ist der Nerv, der alle belebenden Kräfte steuert und überhaupt die Grundlage oder Voraussetzung des Belebtseins bildet. 1900 ff.

2. Schnapsflasche. 1900 ff.

3. am ~ getroffen sein = a) kein Geld haben; einen Geldverlust erlitten haben. 1900 ff. – b) keinen Alkohol mehr zur Verfügung haben. 1900 ff.

Lebensqualität f Gesamtheit der natürlichen, familiären, beruflichen und sozialen Gegebenheiten, die den Wert des Lebens für den Einzelnen und die Gemeinschaft ausmachen. Übersetzung von „quality of

life", einem Fachausdruck nordamerikanischer Soziologen im Sinne eines Gegenpols gegen die „quantity of life", die der Konsumgesellschaft als Triebfeder und Zielvorstellung vor Augen schwebt. Soll vor allem durch den Gewerkschaftsführer Otto Brenner als politisches Schlagwort eingeführt worden sein. Seitdem durch Politiker und Journalisten zu einem propagandistischen Schwammwort entwertet. Etwa seit 1968/69.

Lebenswandel m **1.** fortgesetzter ~ = fortdauernder leichtsinniger, ausschweifender Lebenswandel; Trinkfestigkeit. 1900 ff.

2. freizügiger ~ = gewerbliche Unzucht. 1960 ff.

3. einen lebhaften ~ führen = a) ausgedehnten oder abwechslungsreichen Geschlechtsverkehr haben. 1925 ff. – b) Prostituierte sein. 1925 ff.

4. einen trippelnden ~ führen = Straßenprostituierte sein. 1925 ff.

5. einen weitläufigen ~ führen = Straßenprostituierte sein. 1925 ff.

6. keinen ~ haben = schlicht, zurückhaltend, ohne geschlechtliche Ausschweifung leben. 1925 ff.

Leber f **1.** sich die ~ befeuchten = Alkohol zu sich nehmen. BSD 1960 ff.

2. es geht ihm an die ~ = es rührt, ergreift ihn. Die Leber ist in volkstümlicher Auffassung der Sitz der Lebenskraft, auch der Gemütsbewegungen. 1920 ff.

3. eine durstige (trockene) ~ haben (sein) = immer durstig sein. In volkstümlicher Meinung ist die Leber die Sitz des Durstgefühls, wohl weil bei Alkoholmißbrauch chronische Lebererkrankung die Folge sein kann. Seit dem 17. Jh.

4. eine salzige ~ haben = zum Trunk neigen. 1960 ff.

5. eine trockene ~ haben = a) immer durstig sein. ↗Leber 3. – b) mißmutig, unwirsch sein. Wird der Durst nicht gestillt, kann sich schlechte Laune einstellen. 1900 ff.

6. etw auf der ~ haben = eine Meinung, einen Wunsch, einen Vorschlag vorbringen mögen. 1900 ff.

7. bei mir knistert schon die ~ = ich bin sehr durstig. Die Leber ist ausgedörrt und knistert wie dürres Laub o. ä. 1960 ff.

8. ihr ist etw über die ~ gelaufen (gekrabbelt, gekrochen) = er ist mißgestimmt. ↗Laus 10. Seit dem 19. Jh.

9. jm über die ~ laufen = jn kränken, ärgern. 1900 ff.

10. es liegt ihm auf der ~ = es ärgert, verdrießt ihn. ↗Leber 2. 1920 ff.

11. sich etw von der ~ reden = von etw sprechen, was einen bedrückt. Seit dem 19. Jh.

12. es muß von der ~ runter = es muß freimütig ausgesprochen werden. Seit dem 19. Jh.

13. sich die ~ aus dem Leib saufen = sehr viel trinken. 1900 ff.

14. frei (frischweg) von der ~ sprechen = unumwunden sprechen. Da die Leber als Sitz der Gemütsbewegungen gilt, will die Redensart besagen, daß man sich den Ärger von der Leber redet. 1700 ff.

15. seine ~ versaufen = ein Trinker sein. 1950 ff.

Leberwurst f **1.** feine ~ = sehr gezierte, pride weibliche Person. Eigentlich die feine Sorte Leberwurst zum Unterschied von der groben. *Vgl* auch das Folgende. 1920 *ff.*

2. beleidigte (gekränkte) ~ = Mensch, der sich (grundlos) beleidigt fühlt. „Wurst" ist scherzhafte Hinzufügung zu „Leber", die als Sitz der Empfindungen gilt. Seit dem späten 19. Jh.

3. Hände haben wie eine ~ = völlig schlaff und ohne Druck die Hand geben. 1920 *ff.*

4. es ist ihm ~ = es ist ihm gleichgültig. Verstärkung oder Erweiterung von „es ist ihm ↗ Wurst". *Österr* 1920 *ff.*

Lebesäugling *m* Mensch ohne Geschlechtsverkehrserfahrung. 1919 *ff.*

Lebeschön machen sich keinen Lebens- und Leibesgenuß entgehen lassen. Man macht sich das Leben schön. 1900 *ff.*

Lebeschwein *n* Lüstling; lasterhafter Mann. 1900 *ff.*

Lebewelt *f* wohlhabende Leute, die sich rücksichtslos dem Lebensgenuß anheimgeben und weder in geschlechtlicher noch in lukullischer Hinsicht sich einen Reiz entgehen lassen. 1870 *ff.*

lebhaft *adv* rasch. „Ein bißchen lebhaft!" ist als Kommandowort unter Soldaten und Jugendlichen geläufig. 1910 *ff.*

leck *adj* **1.** ~ sein = a) den Harn nicht halten können. Leck = undicht, wasserdurchlässig. Analog zu „nicht ↗ dicht sein". 1900 *ff.* – b) nichts mehr zu trinken haben; großen Durst haben. Der Durstige ist ausgetrocknet und aufnahmefähig wie ein undichtes Faß o. ä. 1900 *ff.*

2. ~ werden = a) durstig werden. 1900 *ff.* – b) verwundet werden; bluten. Man läuft aus. *Sold* in beiden Weltkriegen. – c) vor Angst in die Hose harnen. *Sold* in beiden Weltkriegen.

lecken *v* **1.** *intr* = (vor Angst) in die Hose harnen. ↗ leck 1. 1914 *ff, nordd.*

2. o leck' . . .!: Ausdruck der Abweisung. Verkürztes Götz-Zitat. 1900 *ff.*

3. leck' mich . . .!: derbe Abfertigung. Hinter „mich" ergänze „am (im) Arsch". Seit dem 18. Jh.

4. nun leck' mich einer . . .!: Ausdruck der Überraschung. ↗ Arsch 173. 1900 *ff.*

5. leck' mich, wo ich kein Auge habe!: Ausdruck der Abweisung. Seit dem 19. Jh.

6. leck' mich fett!: derber Ausdruck der Ablehnung. Verkürzt aus „leck' mich, wo ich fett bin". 1900 *ff.*

7. leck' mich, wo ich hübsch bin!: Ausdruck der Abweisung. 1840 *ff.*

8. leck' mich, ich bin das Eis!: Ausdruck der Abweisung. 1920 *ff*, Berlin.

Lecker *m* **1.** unreifer, junger Mann; mutwilliges Kind; Nichtsnutz. Meint in *mhd* Zeit den Tellerlecker, auch den Schmarotzer sowie den Possenreißer. In neuerer Zeit auch bezogen auf einen, der auf ein gepflegtes Äußeres Wert legt, aber in körperlicher und geistiger Hinsicht unbedeutend ist. 1400 *ff.*

2. Feinschmecker. 1700 *ff.*

3. Liebediener. Verkürzt aus „↗ Arschlecker". 1920 *ff.*

4. Zunge. Seit dem 18. Jh.

5. Gelüst. 1700 *ff.*

6. den ~ ausblecken = zum Zeichen der Verhöhnung die Zunge möglichst weit herausstrecken. 1870 *ff.*

lecker *adj* **1.** hübsch, niedlich, anmutig,

Liebesgefühle weckend. Es reizt zum Kosten. 1900 *ff.*

2. im Essen wählerisch. 1900 *ff.*

3. *adv* = angenehm (im Zimmer ist es lecker warm). 1900 *ff.*

4. jn ~ machen = jn begierig machen. Lecker = gaumenkitzelnd. 1900 *ff.*

Leck-mich-am-Arsch-Gefühl *n* Gleichgültigkeit gegenüber Unannehmlichkeiten (Anherrschung, Bestrafung, Zukunftsunsicherheit usw.). *Sold* 1937 *ff.*

Leck-mich-am-Arsch-Tour *f* nachlässige schauspielerische Leistung; Unbekümmertheit gegenüber Regieanweisungen o. ä. *Theaterspr.* 1900 *ff.*

Leder *n* **1.** Menschenhaut. Eigentlich die gegerbte Tierhaut. 1500 *ff.*

2. zähes Stück Fleisch o. ä. Seit dem 19. Jh.

3. Fußball. 1920 *ff, sportl.*

4. liederliche, freche, faule Frau. Analog zu ↗ Haut. Seit dem 19. Jh.

5. braunes ~ = Fußball. Er war früher von brauner Farbe. *Sportl* 1950 *ff.*

6. rundes ~ = Fußball. 1920 *ff, sportl.*

7. zäh wie ~ = a) hartnäckig, unnachgiebig. Zäh = widerstandsfähig, willensstark. 1900 *ff.* – b) schwer zerbeißbar. 1900 *ff.*

7 a. jm am ~ flicken = jn kritisieren, bezichtigen. *Vgl* ↗ Zeug 11. 1900 *ff.*

8. jm etw aufs ~ geben = jn prügeln. ↗ Leder 1. Seit dem 18. Jh.

9. ihm geht es ans ~ = a) er bezieht Prügel. Seit dem 19. Jh. – b) er wird die Krankheit nicht überstehen; er wird sterben. 1950 *ff.*

10. jm ans ~ gehen = a) jm hart zusetzen; jn prügeln. Seit dem 19. Jh. – b) jm empfindlich schaden. 1950 *ff.*

11. jm das ~ gerben = jn prügeln. 1700 *ff.*

12. ein dickes ~ haben = gefühllos sein. Analog zu „ein dickes ↗ Fell haben". Seit dem 19. Jh.

13. was das ~ hält = aus Leibeskräften. Analog zu ↗ Zeug 14. Seit dem 19. Jh.

14. jm aufs ~ knien = jm stark zusetzen; jn heftig ausschimpfen. Vom Ringkampf hergenommen. Seit dem 19. Jh.

15. jm ans (aufs) ~ kommen = jn prügeln. ↗ Leder 1. Seit dem 19. Jh.

16. das ~ landet im zweiten Stockwerk des Kastens = der Fußball geht hoch über das Tor hinaus. *Sportl* 1950 *ff.*

17. jm aufs ~ rücken = a) sich jm in unfreundlicher Absicht nähern; jn bedrängen, verprügeln. Seit dem 19. Jh. – b) jn dringlich ermahnen. Seit dem 19. Jh.

18. jm das ~ schmieren = jn prügeln. ↗ Leder 1; schmieren = einfetten, geschmeidig machen. 1900 *ff.*

19. jm auf dem ~ sein = jn hart bedrängen; gegen jn streng vorgehen. 1500 *ff.*

20. jm aufs ~ steigen = jn prügeln. 1700 *ff.*

21. jm das ~ versohlen = jn schlagen. ↗ versohlen. Seit dem 19. Jh.

22. jm das ~ vollschlagen = jn heftig prügeln. Seit dem 19. Jh.

23. jm ans ~ wollen = jm hart zusetzen. 1900 *ff.*

24. das ~ zappelt im Netz = man hat einen Tortreffer erzielt. *Sportl* 1920 *ff.*

25. vom ~ ziehen = a) energisch einschreiten; streng, unnachsichtig vorgehen. Gemeint ist ursprünglich „das Schwert aus

---

der Lederscheide ziehen". 1700 *ff.* – b) einen Darmwind entweichen lassen. 1900 *ff.* – c) sich zum Beischlaf anschicken (vom Mann gesagt). 1800 *ff.*

26. nicht vom ~ ziehen = nicht zahlen wollen. Leder = lederne Geldbörse. Seit dem 19. Jh.

ledern *v* **1.** *intr* = üppig leben; viel essen; zechen. Angeblich in der ersten Hälfte des 19. Jhs von einem Gerber aufgebracht, der aus Geschäftsgründen in den Wirtshäusern zechte.

2. *tr* = jn verprügeln. ↗ Leder 1. 1800 *ff.*

ledern *adj* ungewandt, wortkarg; langweilig. Leder ist zäh und spröde. Seit dem 17. Jh.

Lederzeug *n* jm das ~ anstreichen = jn prügeln. ↗ Leder 1. 1920 *ff.*

Ledfeige *f* energieloser Mann. Die Feige ist eine weiche Frucht. „Led-" gehört zu „Letten = Tonboden; Lehm" und spielt auf die Formbarkeit des Tons an. Das Adjektiv „ledschert" meint soviel wie „schlaff, weich" und steht in Analogie zu „lotter" in der Bedeutung „locker, schlaff". *Oberd* seit dem 16. Jh.

ledrig *adj* ältlich; unmodern denkend; ungesellig. Vom faltigen Gesicht als Zeichen hohen Alters übertragen auf Ältlichkeit im Geistigen. 1955 *ff.*

leer *adj* zahlungsunfähig. 1970 *ff.*

Leeres *n* **1.** ins Leere dreschen = sich für eine nutz- oder sinnlose Sache einsetzen; Kraft und Worte zwecklos vergeuden. Seit dem frühen 20. Jh.

2. es geht (läuft) ins Leere = die Behauptung trifft nicht zu; die Sache findet keinen Anklang, scheitert. 1920 *ff.*

3. jn ins Leere laufen lassen = jm eine Absage erteilen; jn scheitern lassen. 1920 *ff.*

4. ins Leere stoßen = eine Absage erhalten. 1920 *ff.*

leergebrannt *adj* ~ ist die Stätte = die Flasche ist geleert; im Briefkasten steckt keine Post; die Wohnung ist geräumt. Entlehnt aus „Das Lied von der Glocke" von Schiller. 1900 *ff.*

Leerlauf *m* **1.** zweckloses Bemühen. Übernommen vom freien Lauf einer Motorwelle in unbelastetem Zustand. 1920 *ff.*

2. fortgesetztes Ausbleiben der Schwangerschaft. 1920 *ff, stud.*

3. schlechter Fußballspieler. 1950 *ff, jug.*

4. Dienstzeit bei der Bundeswehr. Man betrachtet die Monate als nutzlos, wie auch die leerlaufende Maschine nutzlos läuft. *BSD* 1960 *ff.*

leerlaufen *v* = a) jn ~ lassen = jn nicht zur Geltung kommen lassen; jn mit einer überflüssigen Arbeit beschäftigen. 1950 *ff.* – b) jn ausreden, zu Ende sprechen lassen. Fußt auf dem Bild vom auslaufenden Faß. 1950 *ff.*

Leerläufer *m* Versager; Mensch ohne innere Vorzüge. 1950 *ff.*

Lefti (Leffti, Lefty) *m* Leutnant. Deutsche kosewörtliche Form von „Lieutenant" in *engl* Aussprache. *BSD* 1960 *ff.*

Leftuti *m* Leutnant. Zusammengesetzt aus „Lieutenant" in der *engl* und der *anglo- amerikan* Aussprache mit kosewörtlicher Endung. *BSD* 1960 *ff.*

Legalität *f* **1.** Legefreudigkeit der Hühner. Angeblich eine ernsthafte Wortbildung zu „legen"; *vgl* ↗ Brutalität. 1933 *ff.*

2. etwas außerhalb (neben) der ~ = widerrechtlich; einen Übergriff darstellend. Fußt auf der als leichter Scherz gemeinten Äußerung des Bundesinnenministers Hermann Höcherl im November 1962: ein vermeintlicher Fall von Landesverrat durch das Nachrichtenmagazin „Der Spiegel" führte zur Verhaftung des Journalisten Conrad Ahlers unter Mißachtung rechtsstaatlicher Normen.

legefreudig *adj* beischlafwillig. Meint eigentlich, auf Hennen bezogen, „reichlich Eier legend". 1935 *ff.*

legen *v* 1. jn ~ = jn im Dienst schinden, rücksichtslos einexerzieren. Geht zurück auf den Ringsport: legen = besiegen. 1920 *ff.*
2. jn ~ = jds Verhaftung herbeiführen. Verkürzt aus „jn ins Gefängnis legen" oder „jn ins Eisen legen" oder „jdm das ↗Handwerk legen". 1950 *ff.*
3. jn ~ = den Gegenspieler unfair zu Fall bringen. *Sportl* 1950 *ff.*
3 a. jn ~ = jn besiegen. ↗legen 1. 1920 *ff.*
3 b. jn ~ = jn übertölpeln. ↗reinlegen. 1950 *ff.*
4. sich ~ = das Spiel ohne Kampf aufgeben. Aus dem Tierleben: der den Zweikampf scheuende Hund z. B. legt sich auf den Rücken (Demutsgebärde), was den Gegner vom Angriff abhält. Kartenspielerspr. 1950 *ff.*
5. sich hinter etw ~ = etw nachdrücklich betreiben. Mit vollem Körpergewicht drückt oder zieht man, um etw (einen schweren Gegenstand, einen Hebel o. ä.) zu bewegen. Seit dem 19. Jh.
6. sich in etw ~ = sich in etw einmischen. Man tritt zwischen zwei streitende Menschen. Seit dem 15. Jh.

Legionär *m* Berufsfußballspieler in einem ausländischen Verein. Eigentlich der Söldner in der Fremdenlegion. 1978 *ff.*

Lehm *m* 1. Brot. Fußt auf *jidd* „lechem = Brot". *Rotw* 1500 *ff.*
2. das geht einen feuchten ~ an = das geht ihn nichts an. „Feuchter Lehm" steht in Analogie zu „↗Dreck", vor allem zu „↗Scheißdreck". 1900 *ff.*
3. jn mit ~ beschmeißen = jn mit gemeinen Schimpfwörtern belegen. Anspielung auf die Lehmfarbe der Exkremente. Seit dem späten 19. Jh.

Lehmann *m* 1. ausgezeichnetes, leicht zu spielendes, unverbrüchlich sicheres Blatt beim Skat. ↗Lehmann 6. Kartenspielerspr. 1870 *ff.*
2. Sache ~ = allgemeinbekannte Sache; bemerkenswerter Vorgang. Lehmann war der Hehlname des Prinzen Wilhelm von Preußen 1848 bei seiner Flucht aus Berlin; der Name blieb an ihm haften, auch als er Kaiser Wilhelm I. hieß, und ging später auf seinen Enkel, Kaiser Wilhelm II., über. 1870 *ff.*
3. ein richtiger ~ = ein unverlierbares Spiel mit ausgezeichneten Karten. ↗Lehmann 1 und 6. 1870 *ff.*
4. ~s Quatsch = völliges Durcheinander; unerwünschte Sache; Fehlschlag. Mißverstandenes *engl* „lemon squash = Zitronenlimonade"; *gleichbed engl* „lemon". 1900 *ff.*
5. bei ~ dienen = der Wehrpflicht genügen. *Vgl* ↗Lehmann 2. 1910 bis 1945.
6. das kann ~s Kutscher auch = a) das ist sehr leicht; das können andere auch

(nicht nur du). ↗Lehmann 2. 1870 *ff.* – b) dieses Spiel ist leicht zu gewinnen. Kartenspielerspr. 1870 *ff.*

Lehmgeiger *m* Bettelmusikant. Lehm = Brot; im *Rotw* steht „Brot" auch für „Geld". *Rotw* 1862 *ff.*

Lehmkute *f* Schimpfwort. Lehm = Kot; Kute = Loch. Daher soviel wie „After" und also Analogie zu „↗Arschloch". *Sold* 1939 *ff.*

Lehnstuhl-Fußball *m* Fernsehübertragung eines Fußballspiels. 1960 *ff.*

Lehnstuhlstratege *m* hinsichtlich der Kriegsführung besserwisserischer Zivilist (Militärbeamter in der Etappe). 1914 *ff. Vgl gleichbed angloamerikan* „armchair strategist".

Lehrbrief *m* schriftliche Urteilsausfertigung mit Begründung. Aus diesem Brief kann der Verurteilte lernen, daß er sich beim nächsten Mal geschickter zu verhalten hat. *Rotw* seit dem 19. Jh.

Lehre *f* gähnende ~ = langweiliger Unterricht. Im sprachlichen Spaß, beruhend auf der Ausprachegleichheit von „Lehre" und „Leere". *Sold* und *stud* 1920 *ff.*

lehren *v* ich will dich ~, andere Leute zu bestehlen!: Drohrede. *Iron* in Parallele zu „ich werde dir ↗helfen". Seit dem 16. Jh.

Lehrer-Feuerwehr *f* Aushilfsdienst für erkrankte oder beurlaubte Lehrer; Not-, Hilfslehrer. ↗Feuerwehr. Etwa seit Januar 1973.

Lehrergesicht *n* strenge, mahnende, Gefügigkeit fordernde Miene. 1900 *ff.*

Lehrerhansel (-hansl) *m* bei den Lehrern beliebter Schüler. 1920 *ff.*

Lehrerliebchen *n* Schüler, der sich beim Lehrer einschmeichelt. 1900 *ff.*

Lehrerpoppele (-boppele) *n* bei den Lehrern beliebter Schüler. Poppele = Püppchen. *Österr* 1900 *ff.*

Lehrerschätzle *n* Klassenbester. *Schwäb* 1900 *ff.*

Lehrerschreck *m* unfolgsamer, aufbegehrender Schüler. 1950 *ff.*

Lehrgang *m* auf ~ sein = sich im Arrest befinden. Hehlausdruck, der die häufige Abkommandierung zu Lehrgängen aller Art zunutze macht. *BSD* 1965 *ff.*

Lehrgeld *n* 1. laß dir dein ~ wiedergeben!: Redewendung an einen Untauglichen oder Ungeschickten. Früher mußten die Eltern des Lehrlings eine Abgabe an den Lehrherrn zahlen. 1840 *ff.*
2. ~ zahlen = durch empfindlichen Schaden zur Einsicht kommen. Seit dem 16. Jh.

Lehrkörper *m* 1. weibliches Aktmodell in Kunsthochschulen o. ä. 1900 *ff.*
2. Prostituierte, die junge Männer im Geschlechtsverkehr unterweist. 1900 *ff.*
3. Frau, die sich für den ernsthaften Aufklärungsunterricht zur Verfügung stellt. 1970 *ff.*

Lehrkuli *m* für seine Lehrtätigkeit unzureichend bezahlter wissenschaftlicher Hochschulassistent. ↗Kuli. Gegen 1968 aufgekommen mit den Forderungen der Assistenten nach höherem Gehalt.

Lehrlingszüchterei *f* Betrieb mit mehr Lehrlingen, als nach der Zahl der Ausbildungsberechtigten vertretbar erscheint. 1920 *ff.*

Leib *m* 1. ~ und Seele = Unterzeug, bei dem Hose und Oberteil ein Stück sind. Leib = Unterleib; Seele = Oberkörper,

stellvertretend für Herz und Lunge. 1880 *ff.*
2. jm vom ~ bleiben = sich von jm fernhalten. 1750 *ff.*
3. jm mit etw vom ~ bleiben = jn mit etw nicht behelligen. 1750 *ff.*
4. jm ~ gehäkelt sein = enganliegend sein. 1950 *ff.*
5. einer Person oder Sache zu ~e gehen = jm arg zusetzen; die Bewältigung einer Sache in Angriff nehmen. Meint eigentlich den körperlichen Angriff auf einen Menschen; aus da weiterentwickelt im Sinne von „Inangriffnahme". 1700 *ff.*
6. auf den ~ geschneidert sein = der Wesensart völlig entsprechen. Übertragen vom Maßschneidern. Theaterspr. 1900 *ff.*
7. auf den ~ geschnitten sein = völlig zu jm passen (bezogen auf eine Tätigkeit o. ä.). 1500 *ff.*
8. jm auf den ~ geschrieben sein = völlig zu jds Eigenart passen (diese Bühnenrolle ist ihm auf den Leib geschrieben). Abwandlungen von ↗Leib 6. Theaterspr. 1900 *ff.*
9. Ausdrücke (Wörter o. ä.) am ~e haben = seltsame (ungehörige) Ausdrücke sich angewöhnt haben; einen derben Wortschatz bevorzugen. „Am Leibe" versinnlicht das hochsprachliche „an sich" im Sinne von „zu eigen". 1840 *ff.*
10. nichts am (auf dem) ~ haben = ärmlich gekleidet sein; arm sein. Seit dem 19. Jh.
11. nichts am und im ~ haben = ärmlich sein und Hunger leiden. 1800 *ff.*
12. sich jn vom ~ halten = sich in fernhalten. „Leib" steht als pars pro toto für den ganzen Menschen, wohl im Zusammenhang mit Rauferei, Duell, Nahkampf o. ä. Seit dem 19. Jh.
13. alles auf den ~ hängen = sein Geld für Putz ausgeben. Seit dem 19. Jh.
14. jm auf den ~ rücken = jm in drohender Haltung nahen. ↗Leib 5. Seit dem 19. Jh.
15. sich etw in den ~ schlagen = tüchtig essen. Schlagen = hastig, gehäuft in den Mund schieben. Seit dem 19. Jh.
16. jm etw auf den ~ schreiben = eine Bühnenrolle völlig der Besonderheit eines Schauspielers anpassen. ↗Leib 8. Theaterspr. 1900 *ff.*
17. jm den ~ voll Blei spucken = auf jn eine Maschinengewehrgarbe o. ä. abfeuern. ↗spucken. 1950 *ff.*
18. sich den ~ vollärgern = sich sehr ärgern. Seit dem 19. Jh.

Leibblatt *n* Lieblingszeitung. ↗Blatt 1. In dieser und ähnlichen Verbindungen meint „Leib-" soviel wie „persönlich zusagend; beliebt; geliebt". 1900 *ff.*

Leibbursche *m* älterer Verbindungsstudent, der sich eines jüngeren annimmt und ihm ein „Bierverhältnis" eingeht. „Leib-" meint hier „zu kleineren persönlichen Diensten verpflichtet", auch „für jn eintretend". Seit dem 19. Jh.

Leibesübung *f* Geschlechtsverkehr. Aus dem Sportlerdeutsch übernommen gegen 1950.

Leibfuchs *m* von einem älteren Verbindungsstudenten betreuter Neuling. ↗Fuchs 3; ↗Leibbursche. Seit dem 19. Jh.

Leibriemen *m* 1. Sicherheitsgurt für Autofahrer. Meint eigentlich den von einer

Schulter- zur anderen Hüftseite verlaufenden Riemen, an dem der Schäfer seinen Hund anleint. 1963 *ff.*
2. den ~ enger schnallen = sich Einschränkungen auferlegen. ↗ Riemen. Seit dem 19. Jh.
Leibspeise *f* Lieblingsspeise. 1800 *ff.*
Leibspezi (-spezel) *m* vertrauter Freund. ↗ Spezi. Seit dem 19. Jh.
Leib- und Magenblatt *n* Lieblingszeitung. Erweiterung von ↗ Leibblatt. 1870 *ff.*
Leib- und Magengetränk *n* Lieblingsgetränk. 1850 *ff.*
Leib- und Magenkomponist *m* Lieblingskomponist. 1900 *ff.*
Leib- und Magenschriftsteller *m* Lieblingsschriftsteller. 1900 *ff.*
Leib- und Magenwitz *m* Lieblingswitz. 1900 *ff.*
Leib- und Magenwort *n* Lieblingswort; vom Bezogenen bei jeder möglichen Gelegenheit zitiertes Sprichwort; persönlicher Leitsatz. 1900 *ff.*
Leib-und-Seelhose *f* aus einem Stück bestehende (Unter-)Hose mit Leibchen. ↗ Leib 1. 1880 *ff.*
Leiche *f* **1.** Begräbnis; Trauerfeier. 1500 *ff.*
2. Bezechter, der seinen Rausch ausschläft. Er liegt starr. 1800 *ff.*
3. nicht knusprig gebackenes Brötchen. Es hat ein bleiches Aussehen. 1920 *ff.*
4. menschlicher Körper. ↗ mhd Zeit.
5. in ein Laken eingeschlagenes Modellkleid beim Transport zur Stätte der Vorführung. 1920 *ff.*
6. fertig fotografierte (abgedrehte) Filmszene. ↗ sterben. 1920 *ff.*
6 a. ~ im Keller = Vertuschung von Tatsachen (aus der eigenen Vergangenheit). 1960 *ff.*
7. ~ mit Klavier und Geige = Beerdigung mit großem Gefolge und Prunk. ↗ Klavier 7 *ff.* 1910 *ff.*
8. ~ auf Urlaub = blaß, kränklich aussehender Mensch. Grimmiger Scherz, unter Soldaten im späten 19. Jh aufgekommen in Anlehnung an die abergläubische Vorstellung vom Wiedergänger.
9. ~ in Zivil = bleich, todkrank aussehender Mensch. 1920 *ff.*
10. alkoholisierte ~ = Volltrunkener. ↗ Leiche 2. 1920 *ff.*
11. angenehme ~ = a) toter Erbonkel; reicher Verstorbener. Die Hinterlassenschaft läßt keine Trauer aufkommen. 1900 *ff.* – b) toter Feind; Konkurrent o. ä., dessen Ableben einem willkommen ist. 1900 *ff.*
12. du angeschwemmte ~!: Schimpfwort (auf einen Untauglichen). 1930 *ff, jug.*
13. aufgewärmte ~ = a) energieloser Mensch; Schwächling; bleich aussehender Mensch. 1900 *ff.* – b) Mensch, der die Schaffenskraft seiner besten Jahre (trotz Anstrengung) nicht wieder erreicht. 1920 *ff.*
14. getünchte ~ = auf blaß geschminkte Frau. Getüncht = angemalt. 1920 *ff.*
15. große ~ = prunkvolle Bestattung; Begräbnis eines Erwachsenen. Seit dem 17. Jh.
16. halbe ~ = a) ärmliche Bestattung. ↗ Leiche 1. Die Hälfte der Kosten trägt das Wohlfahrtsamt. 1900 *ff.* – b) Schwerkranker; Krüppel. 1900 *ff.* – c) energieloser Mensch. 1900 *ff.*

17. kriminelle ~ = Leiche eines Verbrechers. 1960 *ff.*
18. lebende ~ = energieloser, kränklicher Mensch. 1870 *ff.*
19. politische ~ = einflußlos gewordener Politiker. 1900 *ff.*
20. schicke ~ = prunkvolles Begräbnis. 1910 *ff.*
21. schöne ~ = a) stimmungsvolle Beerdigung mit vielen Trauergästen. ↗ Leiche 1. Seit dem 19. Jh. – b) Mensch, der mit allen Ehren verabschiedet wird (auch *iron*). 1900 *ff.*
22. schwangere ~ = Soldat in unmilitärischer Haltung. Er streckt den Leib zu stark vor. *Sold* 1935 *ff.*
23. nur über meine ~!: Ausdruck der Ablehnung. Zu Lebzeiten verweigert man die Zustimmung. Geht zurück auf Schillers „Wallensteins Tod" (V 7). Seit dem 19. Jh.
24. eine ~ begießen = nach der Beerdigung zechen. ↗ begießen 1. Seit dem 19. Jh.
25. eine ~ einweichen = an einem Leichenschmaus teilnehmen. *Bayr* 1900 *ff.*
26. ~n fleddern = Leichen berauben. Seit dem ausgehenden 19. Jh.
27. über ~n gehen = kraß selbstsüchtig handeln; rücksichtslos vorgehen; vor dem Äußersten nicht zurückschrecken. ↗ Leiche 23. 1880 *ff.*
28. ich mache (schlage) dich zur ~!: Drohrede. 1900 *ff.*
29. die ~ versaufen = nach der Beisetzung zechen. ↗ Fell 31. Seit dem 19. Jh.
Leichenbegängnis *n* ~ erster Klasse = Amtsenthebung. Von Bismarck geprägt mit Bezug auf seine eigene Entlassung durch Wilhelm II. am 29. März 1890.
Leichenbittermiene (-gesicht) *f (n)* traurig- ernste Miene. Hergenommen vom Gesichtsausdruck des Leichenbitters, der den Todesfall mitteilt und zur Teilnahme am Begräbnis einlädt. 1700 *ff.*
Leichenfledderer *m* **1.** Berauber schlafender, betrunkener Personen; Beischlafdiebin. ↗ fleddern. 1870 *ff.*
2. Ausbeuter menschlichen Unglücks. 1920 *ff.*
Leichenhalle *f* Kirchengebäude von schlichter, kunstloser Gestaltung und Ausstattung. 1950 *ff.*
Leichenhuhn *n* Ersatzschauspieler; Stellvertreter eines erkrankten Schauspielers. Leichenhuhn heißt auch das Käuzchen, dem der Aberglaube nachsagt, es künde mit seinem Ruf den Tod an. Auf den Schauspieler bezogen, ist wohl gemeint, daß er für den Erkrankten gackere. Theaterspr. 1910 *ff.*
Leichenkammer *f* Ausnüchterungsraum. ↗ Leiche 2. 1850 *ff.*
Leichenrede *f* **1.** Unterhaltung am Skattisch über das soeben beendete Spiel. Kartenspielerspr. 1850 *ff.*
2. wiederholte Erörterung einer längst abgetanen Angelegenheit. 1870 *ff.*
3. scharfe Beurteilung eines Menschen, den man beruflich schädigen will; Rede anläßlich der Verabschiedung eines Abgewählten. Man betrachtet ihn schon jetzt als tot. 1900 *ff.*
4. Manöverkritik. Meistens fällt sie wenig freundlich aus, und für manche bedeutet sie das Ende der Laufbahn. 1890 *ff.*

5. lügen wie eine ~ = die Wahrheit schamlos entstellen. 1850 *ff.*
Leichensteinauftrag *m* auf einen fingierten Namen ausgestellter Lieferauftrag. Der Name ist von einem Grabstein abgeschrieben. 1950 *ff.*
Leichenwagen *m* **1.** schweres Geschoß; schweres Geschütz. Der rumpelnde Klang läßt an den Leichenwagen denken. *Sold* in beiden Weltkriegen.
2. ~ mit Troddeln = großes Glas Kornschnaps mit einem Schuß Rum. Mancher wird durch seinen Genuß eine „↗ Schnapsleiche". „Troddeln" (hier im Sinne von „Zugabe") sind die Verzierungsquasten an Leichenwagen. 1870 *ff.*
3. bestellt euch einen ~!: Zuruf an die Kartenspieler, die mit Sicherheit verlieren werden. 1870 *ff.*
Leichenwagenbremser *m* Versager; träger, langweiliger Mensch. Der Leichenwagen fährt ohnehin langsam, ein Bremser ist überflüssig. Spätestens seit 1900.
Leichenzehrer *m* Kunsterzieher. Scherzwort, durch Buchstabenumstellung aus „Zeichenlehrer" gewonnen. 1880 *ff.*
Leichnam *m* **1.** Körper eines Lebenden; Leib; Magen o. ä. ↗ Leiche 4. 1700 *ff.*
2. politischer ~ = entmachteter Staatsmann. 1900 *ff.*
3. totaler ~ = völliger Versager. Er ist nutzlos wie ein Toter. 1935 *ff, sold.*
4. aussehen wie ein lebendiger ~ = bleich aussehen. 1870 *ff.*
5. seinen kalten ~ in warmes Wasser hängen = ein warmes Bad nehmen. *Stud* 1920 *ff.*
6. seinen ~ pflegen = sich gütlich tun. ↗ Leichnam 1. 1800 *ff.*
leichter *adj* **1.** jm um etw ~ machen = jm Geld abnehmen, abgewinnen. ↗ erleichtern 1. 1870 *ff.*
2. ist dir nun ~?: *iron* Frage an den Erzähler eines altbekannten Witzes oder an den umständlichen Erzähler einer altbekannten Sache. 1910 *ff.*
Leichtfuß *m* leichtsinniger, leichtlebiger junger Mann. Seit dem 19. Jh.
leichtkurvig *adj* auffallend durch angenehm-sanfte Rundungen des Frauenkörpers. ↗ Kurve 1. 1955 *ff.*
Leichtöl *n* Bier. „Leicht" spielt auf den geringen Alkoholgehalt an. *Vgl* das Gegenwort „↗ Schweröl". 1960 *ff.*
Leichtsinn *m* das sagst du so in deinem jugendlichen ~ = das sagst du so leichthin, ohne die Sache genau zu überlegen. 1870 *ff.*
Leiden *n* **1.** langes ~ = großwüchsiger, schmächtiger Mensch. *Vgl* das Folgende. 1870 *ff.*
2. aussehen wie das ~ Christi = schwächlich, elend, kränklich aussehen. Im frühen 19. Jh aufgekommen im Hinblick auf alte Passionsbilder und Holzkruzifixe. „Das Leiden Christi" meint sowohl die Passion Christi als auch den leidenden Gesichtsausdruck des Gekreuzigten.
3. aussehen wie das ~ Christi zu Pferde = bejammernswert aussehen. Fußt auf Darstellungen Christi in Fronleichnamsprozessionen und sonstigen kirchlichen Umzügen. 1800 *ff.*
4. aussehen wie das ~ Christi in Zivil = leidend aussehen. Wohl von Soldaten geprägt; 1920 *ff.*
leiden *v* **1.** ich möchte ~, ich könnte ... =

ich wäre sehr froh, wenn ich ... könnte. „Leiden" führt über „erdulden" zur Bedeutung „sich gefallen lassen". Seit dem 18. Jh.
2. sich nicht ~ können = mit der eigenen Person unzufrieden sein. Man ist sich selber unerträglich. 1900 *ff.*
3. ihn mag ich so gut ~ sehen = ihn schätze ich überhaupt nicht. Hinter „leiden" wird meist eine kleine Pause gemacht, wodurch das nachfolgende Wort um so ironischer wirkt. 1950 *ff, stud.*
leider *adv* **1.** ~ Gott Dank!: Ausruf eingeschränkter Genugtuung. 1800 *ff.*
2. ~ sehr dufte = gut aussehend. Das gut aussehende Mädchen hat bedauerlicherweise bereits einen festen Freund. *Halbw* 1930 *ff,* Berlin.
Leidtragende *pl* wir sind mal wieder die ~n = wiederum sind wir die Verlierer. Kartenspielerspr. seit dem 19. Jh.
Leier *f* **1.** langweilige Erzählung; Sache, die sich bis zum Überdruß wiederholt. Hergenommen von der Drehorgelstück, das immer wieder gespielt wird. Seit dem 19. Jh.
2. Transistorgerät; Plattenspieler o. ä. *Halbw* 1950 *ff.*
3. die alte ~ (dieselbe ~) = die übliche Entwicklung; immer dasselbe; die unausbleibliche Folge. Hergenommen von einem antiken Saiteninstrument (Lyra) mit sehr beschränktem Tonumfang; es bietet nur geringe Variationsmöglichkeiten und wurde so im Lauf der Zeit zum Sinnbild der Eintönigkeit und der Wiederholung. Im 16. Jh aufgekommen, im 18. wiederaufgelebt.
4. sich nicht auf die ~ scheißen lassen = sich nicht der Zensur beugen; für die dichterische Freiheit eintreten; sich nicht zum Schweigen bringen lassen. 1838 (Nikolaus Lenau) *ff.*
leiern *v* **1.** *tr* = etw ausdruckslos vortragen, hersagen. Seit dem 16. Jh.
2. *tr* = etw erbetteln, entlocken, erreichen, veranlassen. Durch anhaltendes Einreden stimmt man den Betreffenden nachgiebig. 1700 *ff.*
3. *intr* = wehleidig sein; weinen. Versteht sich aus dem Vorhergehenden, verquickt mit Schallnachahmung. 1700 *ff.*
Leihdame *f* Prostituierte, Callgirl. 1958 *ff.*
Leihkavalier *m* **1.** Eintänzer. 1919 *ff.*
2. gewerbsmäßiger Begleiter einer alleinreisenden Frau. 1950 *ff.*
Leihkörper *m* Prostituierte. *Sold* 1939 *ff.*
Leihmaid *f* Callgirl o. ä. ↗ Maid. 1955 *ff.*
Leih-Oma *f* Familienhelferin. Lehnübersetzung aus dem *angloamerikan?* 1958 *ff.*
Leim *m* **1.** Trug; Anlockung zwecks Übertölpelung; Lüge. Hergenommen vom Vogelsteller, der die Vögel auf eine leimbestrichene Rute oder Stange lockt, an der sie kleben bleiben. Seit dem 19. Jh.
2. nicht auf den ~ fliegen = sich nicht übertölpeln lassen. 1850 *ff.*
3. jn auf den ~ führen = jn täuschen. Seit dem 19. Jh.
4. jm auf den ~ gehen (kriechen) = sich von jm betrügerisch verlocken lassen. 1700 *ff.*
5. aus dem ~ gehen = a) entzweigehen; sich auflösen (die Freundschaft geht aus dem Leim). Ursprünglich auf geleimte Gegenstände bezogen, dann auch auf zwi-

schenmenschliche Beziehungen. Spätestens seit 1700. – b) dicklich werden (vorwiegend auf Frauen bezogen). Seit dem 19. Jh. – c) unbegehbar werden. 1900 *ff.* – d) sittlich absinken; charakterlich haltlos werden. 1870 *ff.*
6. aus dem seelischen ~ gehen = die Beherrschung verlieren. 1920 *ff.*
7. ~ am Arsch haben = a) einen Besuch ungebührlich lange ausdehnen. Man scheint am Stuhl festzukleben. Seit dem 19. Jh. – b) in der Schule nicht versetzt werden. *Schül* 1950 *ff.*
8. ~ an den Fingern haben = mit der Arbeit nicht vorankommen. 1900 *ff.*
9. ~ in den Gehirnwindungen haben = a) dümmlich, denkfaul sein. 1960 *ff.* – b) an den Folgen des alkoholischen Ausschweifung leiden. 1960 *ff.*
10. ~ am Stuhl haben = den Besuch übergebührlich ausdehnen. 1900 *ff.*
11. auf den ~ hüpfen = den Betrug nicht durchschauen; sich übervorteilen lassen. ↗ Leim 1. 1900 *ff.*
12. jn auf den ~ kriechen ↗ Leim 4.
13. jn auf den ~ kriegen = jn erfolgreich betören. Seit dem 19. Jh.
14. jn auf den ~ locken = jn zu etw verlocken. Seit dem 19. Jh.
15. den ~ riechen = die Betrugsabsicht erkennen. 1920 *ff.*
leimen *v* **1.** *tr* = eine zwischenmenschliche Beziehung (Freundschaft, Verlöbnis, Ehe o. ä.) wieder verbessern, wiederherstellen. *Vgl* ↗ kitten. Seit dem 18. Jh.
2. was Gott zusammenfügt (zusammengefügt hat), braucht der Tischler nicht zu ~: Redewendung auf gutes Einvernehmen zwischen Eheleuten. Umgeformt aus der Redensart „was Gott zusammenfügt, soll der Mensch nicht trennen". 1840 *ff.*
3. jn ~ = jn betrügen, belügen. ↗ Leim 1. 1800 *ff.*
4. jn ~ = jn verhaften, überführen. 1970 *ff.*
Leimsieder *m* **1.** unbeholfener, langweiliger, stiller, verschlossener Mensch ohne Kraft zu selbständigem Vorgehen. Die Arbeit des Leimsieders ist langwierig und ohne Spannung. Auch kann von der Klebefähigkeit des Leims ausgegangen werden, übertragen auf den schwerfälligen, schwunglosen Menschen, wohl mit Einfluß von „lahm = langsam, langweilig". Seit dem frühen 19. Jh.
2. Erfinder (Verbreiter) von Gerüchten; Betrüger. ↗ Leim 1. 1840 *ff.*
Leine *f* **1.** Straßenbezirk der Prostituierten; Kundenfang durch Straßenprostituierte. Analog zu ↗ Strich. *Rotw* 1820 *ff.*
2. lange ~ = Zubilligung weitreichender Freiheit. Dem an der langen Leine geführten Pferd o. ä. gewährt man weiten Auslauf. Seit dem 19. Jh.
3. schlappe ~ = milde, nachgiebige Handhabung; Freizügigkeit ohne jeglichen Zwang. Läßt man Führungsleine oder Zügel locker durchhängen, kann das angeleinte Tier sich frei bewegen. 1900 *ff.*
4. jn an der langen ~ erziehen = jn in großer Freiheit erziehen. 1920 *ff.*
5. jn an der langen ~ führen = jm viel Freiheit lassen. Seit dem 19. Jh.
6. jm (einer Sache) die lange ~ geben = jn (eine Sache) nur geringfügig einschränken. 1900 *ff.*

7. an der ~ gehen = fügsam sein; gehorchen. 1900 *ff.*
8. auf der ~ gehen = Straßenprostituierte sein. ↗ Leine 1. *Rotw* 1860 *ff.*
9. jn an der langen ~ gehen lassen = einem (heimlich beobachteten) Verdächtigen scheinbar uneingeschränkte Bewegungsfreiheit gewähren. *Vgl* ↗ Leine 17. Polizeispr., durch Vermittlung von Kriminalromanen und -filmen heute allgemein geläufig. 1920 *ff.*
10. jn an der ~ haben = jm wenig Freiheit lassen; jn streng beaufsichtigen; einen Verdächtigen nicht aus den Augen lassen; sich auf jds Gehorsam verlassen können. 1840 *ff.*
11. jn an der ~ halten = jds Willen oder Temperament zügeln; jn beherrschen. 1900 *ff.*
12. jn an der kurzen ~ halten = jds Freiheitsdrang zügeln. 1920 *ff.*
12 a. jn an der langen ~ halten = jm viel, aber nicht alle Freiheit lassen. 1920 *ff.*
13. seine Hosen haben über Nacht auf der ~ gehangen = er ist krummbeinig. Die Krummbeinigkeit ist die Folge unzweckmäßigen Aufhängens der Hosen. 1840 *ff.*
14. ~ lassen = nachgiebig werden; Forderungen abschwächen. Man gibt mehr Länge der zuvor kurz gehaltenen Leine frei, so daß das angeleinte Tier mehr Spielraum erhält. 1920 *ff.*
15. jm (jn von der) ~ lassen = jm größere Freiheit gewähren. *Vgl* das Vorhergehende. 1920 *ff.*
16. sich von der ~ lassen = sich Ausschweifungen hingeben. 1950 *ff.*
17. jm die ~ lang lassen = a) jm freien Willen lassen. Seit dem 19. Jh. – b) jn unauffällig beobachten; jn insgeheim überwachen. *Vgl* ↗ Leine 9. Seit dem 19. Jh.
18. jn an langer ~ laufen lassen = jm ziemlich viel Freiheit lassen. Seit dem 19. Jh.
19. die ~ locker lassen = die Freiheitsbeschränkung lockern; jm mehr Handlungsfreiheit einräumen. 1920 *ff.*
20. jn an die ~ legen (nehmen) = a) jds Freiheitsdrang einschränken. 1920 *ff.* – b) einen Gegenspieler eng bewachen. *Sportl* 1950 *ff.* – c) als Prostituierte einen Dauerkunden zu erwerben verstehen. 1960 *ff.*
21. jn an die kurze ~ legen = jds Einwirkungsmöglichkeiten (Einfluß) stark beschränken. 1920 *ff.*
22. an der ~ liegen = vom Gegenspieler eng gedeckt werden. *Sportl* 1950 *ff.*
23. ~ werfen = flirten. Hergenommen vom Anlegemanöver des Schiffs oder vom Auswerfen der Angelschnur. *Halbw* 1955 *ff.*
24. ~ ziehen = a) als Prostituierte auf Männerfang gehen. ↗ Leine 1. 1820 *ff.* – b) verschwinden; Seit dem 19. Jh. Hergenommen vom ablegenden Schiff: es zieht die „Leinen = Taue" ein, mit denen es am Liegeplatz festgemacht war. Seit dem 19. Jh. – c) von der Schule verwiesen werden. 1955 *ff.*
Leinwand *f* **1.** tönende ~ = Tonfilm. 1930 *ff.*
2. zappelnde ~ = Film. In der Frühzeit des (Stumm-)Films bestimmten der Handkurbelbetrieb der Kamera die Aufnahme-, ein gleichmäßig (und meist schneller) laufender Motor jedoch die Wiedergabege-

schwindigkeit, so daß auch ganz normale Bewegungen auf der Leinwand als Zappelbewegungen erschienen. 1918 *ff.*

3. das ist ~ (leinwand; leiwand) = das ist gut, schön, fein, in Ordnung. Leinwand ist ein verhältnismäßig dauerhaftes, festes Gewebe. Wohl beeinflußt von der Filmleinwand, soweit auf ihr gute Filme vorgeführt werden. Ob die *rotw* Gleichung „Leinwand = Schnee" eingewirkt hat, bleibt fraglich. Vorwiegend *österr,* etwa seit 1910/20.

Leinwandadel *m* Gesamtheit der beliebtesten Filmschauspieler und -schauspielerinnen. 1955 *ff.*

Leinwand-Casanova *m* Filmschauspieler, der meist in der Rolle des Liebhabers auftritt. 1930 *ff.*

Leinwandfose *f* Filmschauspielerin in der Rolle der Prostituierten, der Ehebrecherin, des Vamps o. ä. ↗Fose. 1955 *ff.*

leinwandfüllend *adj* vollbusig. 1955 *ff.*

Leinwandhochzeit *f* Wiederkehr des Hochzeitstages nach 35 Jahren. Anspielung auf neue Bettwäsche-Garnitur? 1970 *ff.*

Leinwandhütte *f* Campingzelt. 1948 *ff.*

leinwandig *adj* fein, angenehm, lobenswert, günstig. ↗Leinwand 3. *Österr* 1920/30 *ff.*

Leinwandlöwe *m* erfolgreicher Filmschauspieler. Ein moderner Verwandter des „↗Salonlöwen". 1960 *ff.*

Leinwandnymphchen *n* junge Filmschauspielerin. Meint entweder zoologisch das Insekten-Entwicklungsstadium mit unvollkommener Verwandlung oder spielt auf sittliche Großzügigkeit an; *vgl* ↗Nymphe. 1960 *ff.*

Leinwand-Rosine *f* Erfolgsfilm; künstlerisch besonders wertvoller Film. Er ist die Rosine im Kuchen der gesamten Filmproduktion. 1960 *ff.*

Leinwandvilla *f* Campingzelt. 1948 *ff.*

Leipzig-Einundleipzig *n* **1.** Eintopfessen. Umschreibung von „Leipziger Allerlei". Zur Sache *vgl* ↗Anno 6. *Sold* 1939 *ff.* — **2.** ~ mitgemacht haben = als Soldat Schweres erlebt haben. 1945 *ff.*

leise *adj adv* **1.** untüchtig; ohne militärische Haltung. „Leise" kennzeichnet alles, was Sinne und Empfindungen nicht stark beeindruckt. Als *milit* ordentlich gelten die mit Geräusch verbundenen Verrichtungen wie Gewehrgriff, Hackenklappen, Exerziermarsch usw. *Sold* 1930 *ff.* — **2.** ~ weinend = still, unbemerkt, kleinlaut. Der „leise weinend" entweichende Dieb und der „leise weinend" zum Empfang einer Rüge erscheinende Mensch weinen durchaus nicht, verhalten sich aber still und leise. 1910 *ff.*

leisetreten *intr* vorsichtig zu Werke gehen; sehr zurückhaltend sein; alles tun, um keinen Unmut aufkommen zu lassen; einer harten Auseinandersetzung ausweichen; Forderungen zurückstellen oder mildern. Übertragen vom leisen Auftreten der Katze. Seit dem 19. Jh.

Leisetreter *m* **1.** vorsichtig, möglichst unbemerkt handelnder Mensch; ängstlicher, wenig selbstbewußter Mensch; Heimlichtuer; Heimtücker. *Vgl* das Vorhergehende. Seit dem 15. Jh. — **2.** *pl* = Schuhe mit Gummisohlen. 1900 *ff.*

Leisten *m* **1.** Prostituierte. Der Leisten ist

die Holzform, nach der der Schuster den Schuh arbeitet. Weiterentwickelt zum Sinnbild des Einheitlichen, des Immergleichen, auch der unpersönlichen Behandlungsweise. 1950 *ff.* — **2.** bei seinem ~ bleiben = das eigene Fachgebiet nicht überschreiten; seinen Angewohnheiten treu bleiben. Bekannt in der Aufforderung „Schuster, bleib' bei deinem Leisten!". Gemeint ist, daß man über sein Fachgebiet hinaus kein Urteil anmaßen soll. Seit dem 19. Jh. — **3.** nicht alle auf dem ~ haben = nicht recht bei Verstand sein. Hinter „alle" ergänze „Schuhe". Ohne den Leisten, auf gut Glück gearbeitete Schuhe sind unbrauchbar. 1920 *ff.* — **4.** etw auf den ~ hauen = a) etw zertrümmern. Bei zu starkem Schlagen auf den Leisten können Leisten und Schuh platzen. 1900 *ff.* – b) Geld durchbringen. Man macht es „klein". Veranschaulichung von „einen ↗draufhauen". 1920 *ff.* — **5.** etw (alles) über einen ~ schlagen = Verschiedenartiges gleichbehandeln. Der Schusterleisten ist die Paßform für einen bestimmten Fuß. 1500 *ff.* — **6.** über einen ~ geschlagen sein = von derselben Art (Denkweise, Güte o. ä.) sein. 1500 *ff.* — **7.** jn über den ~ schlagen = jm gutes Benehmen beibringen. Der Leisten meint hier die Gesamtheit der gängigen Anstandsregeln. 1900 *ff.*

Leistungssport *m* gleichzeitiger Umgang eines jungen Mannes mit mehreren Freundinnen, ohne daß die eine von der anderen weiß. Leistungssport betreibt, wer nach sportlichen Rekorden strebt. 1960 *ff.*

Leistungsterror *m* Zwang zur Höchstleistung. 1970 *ff.*

Leiter *f* **1.** Laufmasche. Verkürzt aus „↗Flohleiter" oder „↗Himmelsleiter". 1920 *ff.* — **2.** er hat auf der ~ geschlafen = seine Rippen zeichnen sich deutlich ab; er ist mager. 1900 *ff.* — **3.** die ~ rauffallen = sich beruflich (gehaltlich, ranglich) verbessern. *Vgl* ↗Treppe. Seit dem 19. Jh. — **4.** da gehst du die ~ rauf!: Ausdruck des Erstaunens, auch des Zorns. Veranschaulichung von ↗hochgehen. 1920 *ff.* — **5.** die ~ runterfallen = degradiert werden. 1900 *ff.* — **6.** von der ~ (die ~) runtersteigen = die Dünkelhaftigkeit ablegen. 1950 *ff.*

Leithammel *m* **1.** Unteroffizier; Vorgesetzter der Fähnriche. Er ist das Leittier einer Herde von „Schafen". *Sold* in beiden Weltkriegen. — **2.** Lagerleiter. 1935 *ff.* — **3.** Flugzeug, das die Führung einer Gruppe übernimmt. Fliegerspr. 1939 *ff.* — **4.** Schulleiter. 1945 *ff.*

Leitung *f* **1.** Auffassungsvermögen; Verstand. Hergenommen vom Telefondraht zwischen Steckdose und Apparat. 1900 *ff.* — **2.** kurze ~ = schnelles Auffassungsvermögen. 1900 *ff.* — **3.** lange ~ = Begriffsstutzigkeit. 1900 *ff.* — **4.** lange ~, dünner Draht = schlechte Auffassungsgabe. 1900 *ff.* — **5.** rote ~ = unmittelbare Telefonverbindung (Fernschreibverbindung) zwischen den Regierungen in Washington und Moskau. 1963 *ff.*

6. die ~ abstellen = a) das Harnen unterbrechen. Leitung = Wasserleitung. 1900 *ff.* - b) seine Rede abbrechen; ein Gespräch beenden; verstummen. 1910 *ff.* — **7.** die ~ aufdrehen = a) harnen. 1900 *ff.* – b) zu weinen beginnen. 1900 *ff.* — **8.** die ~ funktioniert = man versteht gut; man begreift den Zusammenhang. 1930 *ff.* — **9.** jn an der ~ haben = sich mit jm flüsternd unterhalten; jm etw zuflüstern. Leitung = Telefonleitung. 1930 *ff.* — **10.** er hat einen reichen Vater gehabt, der hat ihm eine lange ~ gebaut = er begreift nur langsam. 1930 *ff.* — **11.** eine lange ~ haben = begriffsstutzig sein. 1900 *ff.* — **12.** eine lausig lange ~ haben = sehr viel Zeit benötigen, ehe man etw begreift. ↗lausig. 1914 *ff.* — **13.** eine undichte ~ haben = a) das Wasser nicht halten können. Leitung = Wasserleitung. *Sold* 1939 *ff.* – b) nicht recht bei Verstand sein. Die Leitung zum Gehirn ist leck. *Sold* 1939 *ff.* — **14.** sich an die lange ~ hängen = sich zu einem langen Telefongespräch anschicken. 1971 *ff.* — **15.** die ~ melken = die Milch verwässern. Soll damit zusammenhängen, daß auf den Gütern des Landwirtschaftsministers v. Podbielski um 1890 die Wasserleitungen über den nach Berlin gelieferten Milchkannen undicht geworden waren. Berlin seit dem ausgehenden 19. Jh bis heute. — **16.** die ~ platzt = der Harndrang ist nicht länger zurückzuhalten. 1910 *ff.* — **17.** die ~ reinigen = a) eine Pause einlegen, um neue Kräfte zu sammeln. Hergenommen von der Bierleitung. 1920 *ff.* – b) eine Kur machen. 1920 *ff.* – c) harnen. 1920 *ff.* — **18.** bei ihm schließt die ~ kurz = er braust auf. ↗Kurzschlußhandlung. 1920 *ff.* — **19.** auf der ~ sitzen = schwer begreifen. Ursprünglich auf den Wasser- oder Gasschlauch bezogen; später auf die elektrische Leitung übertragen und verallgemeinert. 1950 *ff.* — **20.** auf der langen ~ sitzen = nur langsam begreifen. 1950 *ff.* — **21.** auf der ~ stehen = a) begriffsstutzig sein. ↗Leitung 19. 1920/30 *ff.* - b) eine Entwicklung stören. 1960 *ff.* — **22.** die ~ ist tot = wegen technischen Versagens ist die Fernsprechverbindung nicht herzustellen; nach dem Wählen ertönt kein Signalton. 1920 *ff.* — **23.** jn aus der ~ werfen = jds Fernsprechverbindung abbrechen. 1950 *ff.*

leiwand *adj adv präd* sehr gut; in Ordnung. Nebenform von ↗Leinwand 3. Wien 1920 *ff.*

Lektrische *f* Straßenbahn. Verkürzt aus „Elektrische" wegen Nichtbetonung des Eingangsvokals. 1900 *ff.*

Lenker *m* sich den goldenen ~ verdienen = sich einschmeicheln. Lenker ist die Lenkstange. Die Redensart fußt auf dem sehr volkstümlichen Radrennsport und bezieht sich auf den Begriff „↗Radfahrer", womit man den willfährigen Untergebenen meint, der seine eigenen Untergebenen um so schlimmer drangsaliert. Er schmeichelt sich dermaßen ein, als ginge es um die Trophäe der „goldenen Lenkstange". 1920 ff.

lens adj adv ↗lenz machen.

Lenz m **1.** angenehme Gelegenheit; leichte, bequeme Arbeit; bequemer Dienst; Sonntags-, Feiertagsruhe; Trägheit. „Lenz", die Kurzform des Vornamens Lorenz, hat auch die Bedeutung „Narr" und „Kerl" schlechthin. Der „faule Lenz" ist der faule Lorenz. Hieraus gekürzt. 1870 ff.
2. Spaß, Narretei. 1900 ff.
3. Mädchen von 18 ~en = achtzehnjähriges Mädchen. Nachklang des seit dem 18. Jh gebräuchlichen Wortschatzes der Dichter. Das Lebensalter des Menschen wird gern in Jahreszeiten ausgedrückt. Seit dem 19. Jh.
4. fauler ~ = a) träger Arbeiter. 1500 ff. ↗Lenz 1. – b) angenehmer Dienst. BSD 1960 ff.
5. langer ~ = lange Freudenzeit; angenehm lange Zeitspanne. 1950 ff.
6. ruhiger ~ = bequemer Dienst. BSD 1960 ff.
6 a. schlauer (schöner, sonniger) ~ = sorgloses Leben; angenehmes Nichtstun. 1870 ff.
7. er hat 'nen ~ = er braucht nicht schwer zu arbeiten; er hat arbeitsfrei; er ist ziemlich träge. 1910 ff.
8. 18 ~e auf dem Rücken haben = achtzehn Jahre alt sein. ↗Lenz 3. Vgl auch ↗Buckel 16. 1900 ff.
9. einen ~ schieben = bequemen Dienst haben. BSD 1960 ff.
10. einen ruhigen (faulen, schlauen, gescheiten, lauen) ~ schieben (machen) = sich mit der Arbeit nicht beeilen müssen; keinen anstrengenden Dienst haben. 1870 ff.

lenzen v **1.** intr refl = nichts zu arbeiten haben; träge sein; nachlässig Dienst tun. ↗Lenz 1. 1900 ff.
2. tr = leertrinken. Beruht auf seemannsspr „lenzen = auspumpen, leerpumpen". 1900 ff.
3. intr = harnen. 1900 ff, seemannsspr.

lenz machen tr = austrinken. Lenz, lens = leer vor eingedrungenem Wasser; trocken. 1700 ff, nordd.

lenz sein ausgetrunken sein. Nordd 1700 ff.

Lerche f **1.** Frau mit sehr lockerem Lebenswandel. Hergenommen vom Zugvogelcharakter der Lerche. Seit dem 19. Jh.
2. lebenslustiger Mensch. Wegen des Jubilierens der Lerche. 1900 ff.
3. Versager; Dummer; Tölpel. Vielleicht Andersschreibung für den Spitznamen „↗Lerge" des Schlesiers. Oberd und südostd seit dem 19. Jh.
4. schwangere ~ = a) Versager. 1939 ff, sold. – b) Reiter mit schlechter Haltung. 1950 ff.
5. wie eine schwangere ~ aussehen (wirken o. ä.) = einen lächerlichen Anblick bieten. Sold 1939 ff.
6. eine ~ schießen = jählings vornüber fallen; sich überschlagen (von Pferd und Reiter gesagt). Die Lerche fällt mit angelegten Flügeln. 1860 ff.

Lerchenfang m **1.** Stadtbezirk der Straßenprostituierten. ↗Lerche 1. 1950 ff.
2. Engagieren einer Straßenprostituierten. ↗Lerche 1. 1950 ff.

Lercherl n **1.** mannstolle Frau. ↗Lerche 1. Österr 1900 ff.

2. (unkontrollierte) Prostituierte. Österr 1900 ff.

lernen v **1.** mancher lernt es nie, und dann nur unvollkommen (mancher lernt es nie, und andere noch viel später): Redewendung zur Bezeichnung der Unbelehrbarkeit und Geistesbeschränktheit eines Menschen. 1860 ff.
2. gelernt ist gelernt: Ausdruck der Selbst- oder Fremdanerkennung einer Leistung. 1930 ff.

Lernzettel m selbstgefertigter Täuschungszettel des Schülers. Hehlwörtliche Ausrede. 1955 ff.

Lesbe f Lesbierin. Hieraus verkürzt. 1950 ff.

Lesbos pl Lesbierinnen. Aus „Lesbierin" umgewandelt nach dem Muster von „↗Homo". Zugleich Anspielung auf „Lesbos" (sg, On), die Insel der griech Dichterin Sappho. 1950 ff.

Lesefutter n Lesestoff. Er stillt den Hunger des Geistes. 1870 ff.

Leseknochen m Nackenkissen für Leute, die im Liegen oder angelehnt (zurückgelehnt) zu lesen pflegen. Es hat die Form eines großen Knochens mit Verdickungen an beiden Enden. 1959 ff.

Lese-Pille f Lesestoff vor dem Einschlafen. Er ersetzt ein Schlafmittel. 1950 ff.

Leser m **1.** erster Klasse = Leser, der seine Zeitung selbst bezieht und bezahlt. 1970 ff.
2. ~ dritter Klasse = Leser, der über kein eigenes Zeitungsexemplar verfügt. 1970 ff.

Leseratte f **1.** Mensch, der gern und viel liest, auch wahllos liest. In dieser Hinsicht ist er angeblich gefräßig wie ein Nagetier. Seit dem späten 19. Jh.
2. Hochschuldozent. Meint vorzugsweise einen, der seine Vorlesung streng nach Manuskript hält und wenig frei spricht. 1920 ff, stud.

Letschen f häßlicher Mund; Mund. ↗Lätsche. Bayr seit dem 19. Jh.

letschert adj energielos, schlaff; unausgebacken. ↗lätschert. Oberd seit dem 19. Jh.

letz adj **1.** verkehrt, falsch, irrig. Mhd „letze" bezeichnet das, was der rechten Seite entgegengesetzt ist. Die Bedeutung „links" meint auch soviel wie „nicht recht; nicht gut" und weiter „übel". Vgl ↗link. 1400 ff.
2. häßlich, schlecht. 1400 ff, vorwiegend bayr und schwäb.
3. nicht recht bei Verstand; verwirrt, benommen. 1400 ff.

Letztes n **1.** das Beste, Eindrucksvollste. Meint das Äußerste (auch das Neueste) in einer qualitativ sich steigernden Reihenfolge. In Varieté, Zirkus u. ä. ist die zuletzt gezeigte Darbietung meistens die zugkräftigste Nummer. Halbw 1950 ff.
2. das Allerschlechteste, Minderwertigste o. ä. Wohl hergenommen von der Bezeichnung für die niedrigste Güteklasse für den Platz bei sportlichen Wettkämpfen. Halbw 1950 ff.
3. das Letzte, was je gelaufen ist = das Unübertreffliche. ↗Letztes 1; ↗laufen 10. Halbw 1950 ff.

Leuchte f **1.** nettes, umgängliches Mädchen. Analog zu ↗Lampe 1. Halbw 1955 ff.
2. keine politische ~ = instinktloser Politiker. Vgl ↗Leuchte 4. 1920 ff.
3. ihm geht eine ~ auf = er beginnt zu

begreifen; er erkennt nun die Zusammenhänge. Parallel zu „ihm geht ein ↗Licht auf". 1920 ff.
4. eine ~ sein = sehr klug sein; sich klug dünken. Analog zu ↗Licht 1. 1900 ff.

Leuchter m armer ~ = dummer Mensch; Schimpfwort. Zwecks Tarnung entstellt aus ↗Armleuchter. 1960 ff.

Leuchtkäfer m **1.** Platzanweiserin im Kino. ↗Glühwürmchen 1. 1910 ff.
2. Scheinwerferabteilung. Sold in beiden Weltkriegen.
3. pl = Leuchtspurgeschosse. Sold 1939 ff.
4. sg = Klassenbeste(r). Sie (er) gibt den Mitschülern ein leuchtendes Beispiel. Vgl auch ↗Käfer 2. 1950 ff.

leugnen v ich kann es nicht anders ~ = anders kann ich es nicht sagen. Geht zurück auf das Witzblatt „Ulk" von Siegmund Haber (seit 1873). Berlin seit dem späten 19. Jh.

Leukoplastbomber m **1.** altes Auto. Scherzhaft behauptete man, seine Teile würden mit Leukoplast zusammengehalten. „Bomber" gibt dem Gefährt iron mehr Gewicht. 1940 ff.
2. Kleinauto mit stoffüberzogener Sperrholz- oder Kunststoffkarosserie. Vorzugsweise auf den Lloyd-Kleinwagen bezogen. 1948 ff.

Leuschnabel m Mensch, der gegen Entgelt als Zeuge für den angeblich guten Ruf des Angeklagten vor Gericht eintritt. Dem „Leumund" nachgebildet, jedoch mit der Einschränkung, daß der „Leuschnabel" nicht heikel mit der Wahrheit ist. Kurz nach 1945 aufgekommen.

Leut m Einzelmensch. Singularbildung zu „Leute". 1800 ff.

Leute pl **1.** Gesinde; Angehörige. 1800 ff.
2. ~ vom Bau = a) Fachleute. ↗Bau 18. Seit dem 19. Jh. – b) Familienmitglieder. Bau = Wohnung. 1910 ff. – c) Arrestanten; Häftlinge. ↗Bau 1. 1900 ff.
3. ~ von der Spritze = maßgebende Personen; Sachverständige. Meint eigentlich die Feuerwehrleute, vor allem den Leiter der Feuerwehr und den Einsatzleiter bei Löscharbeiten. 1870 ff.
4. feine ~, feine Sachen = wohlhabende Leute mit dem entsprechenden Zubehör, das ihre Wohlhabenheit zum Ausdruck bringt. 1960 ff.
5. kleine ~ = Angehörige der unvermögenden, sozial benachteiligten Bevölkerungsschicht. „Klein" meint hier „geringen Standes; arm" im Gegensatz zu „hoch = adlig; wohlhabend". Seit dem 18. Jh.
6. meine ~ = a) meine Eltern. Manche betrachten sie als Angehörige, andere als Untergebene. Jug 1955 ff. – b) meine Verwandten. Seit dem 19. Jh.
7. unsere ~ = das jüdische Volk. Seit dem 19. Jh.
8. so fragt man (die) ~ aus! = ich lasse mich nicht ausfragen! Zwischen „die" und „Leute" ist zu ergänzen „einfachen" oder „arglosen" oder „dümmlichen" (o. ä.) Leute, zu denen man selbst sich nicht zählt. 1870 ff.
9. es muß auch solche ~ geben: Redewendung nachsichtiger Art auf Leute, die sich unüblich oder anstößig benehmen. 1920 ff.
10. dazu habe ich meine ~! = das lehne ich für meine Person ab; mögen sich an-

dere damit abquälen! Leute = Untergebene. 1900 ff.

11. mit seinen ~ reden = sich eine Sache eingehend überlegen; sich nicht sofort entschließen wollen; Zeit zu gewinnen trachten. „Die Leute" sind nur vorgetäuscht. 1900 ff.

12. jetzt bin ich auch schon bei die ~: Redewendung, wenn ein Spieler nicht mehr ganz ohne Punkte ist oder ein Sportler bei den Olympischen Spielen zu den Medaillengewinnern gehört. „Leute" meint hier die vermögenden, die angesehenen Leute. Kartenspielerspr. 1920 ff; sportl 1936 ff, jug.

13. sie sind von feinen ~n nicht zu unterscheiden = sie tischen großzügig auf. Daß einer zu den feinen Leuten gehört, verrät sich hier ausschließlich in der freigebigen Bewirtung. 1945 ff, jug.

Leutnant m **1.** Junge, der die Kirchenglocken läutet. Wortspiel mit „läuten" wegen gleichlautender Aussprache. 1950 ff.

2. ~ hoch 3 = Hauptmann. Er hat die zweite Rangstufe nach dem Leutnant inne. BSD 1965 ff.

3. ein ~ bezahlt seine Schulden = in der allgemeinen Unterhaltung tritt plötzlich Stille ein. Daß – im späten 19. Jh – ein Leutnant seine Schulden bezahlte, war überaus verblüffend und machte die Leute sprachlos; ein Leutnant hatte damals nur sehr geringe Bezüge, war es aber seinem Ansehen schuldig, standesgemäß aufzutreten. 1870 ff.

4. ein ~ fliegt (geht) durchs Zimmer = plötzlich verstummt die Unterhaltung. Variante zu „ein ↗Engel fliegt durchs Zimmer". Im späten 19. Jh aufgekommen im Zusammenhang mit der Schwärmerei junger Damen für Leutnants.

Leviten pl jm die ~ lesen = jn streng zurechtweisen; jm sehr ernste Vorhaltungen machen. Leitet sich her vom 3. Buch Moses, Leviticus genannt: in ihm stehen Vorschriften für Priester; abschnittsweise wurden sie bei Priesterversammlungen vorgelesen. Seit dem 15. Jh.

Lexikon n **1.** ~ der Blaublütigen = Gothaer Adelskalender. ↗blaublütig. 1950 ff.

2. wandelndes ~ = sehr belesener Mensch; Vielwisser. 1920 ff.

3. zweibeiniges ~ = ausländische Freundin. 1955 ff.

4. das steht nicht in meinem ~ = das gibt es nicht für mich; das ist für mich nicht vorhanden; das halte ich für völlig unmöglich. 1850 ff.

5. er hat ein Gesicht wie ein ~, – immer nachschlagen = sein Gesicht reizt zum Ohrfeigen. 1970 ff.

Licht n **1.** Könner; Fachgröße; bedeutender Mensch. Stammt aus dem biblischen Sprachgebrauch, wo Gott und Christus „Licht" genannt werden; große Kirchenlehrer galten als „Licht der Kirche". Vgl auch ↗Leuchte. 1700 ff.

2. herabhängender Nasenschleim bei Kindern. Herzuleiten vom Wachstropfen an der Kerze. 1800 ff.

3. pl = Augen, Pupillen. Meint in der Jägersprache die Augen beim Schalen- und Auerwild. Seit dem 19. Jh.

4. gelbes ~ = bald zu Ende gehende Beschränkung der Handlungsfreiheit. Hergenommen vom Licht der Verkehrsampel, die auf Gelb steht und auf das Aufleuchten

des grünen Lichts zu warten zwingt. 1960 ff.

5. großes ~ = sehr dummer Mensch. Iron Ausdruck. Seit dem 19. Jh.

6. grünes ~ = volle Handlungsfreiheit. Von der Verkehrsampel übertragen. Vgl engl „green light". Etwa seit 1955.

6 a. kleines ~ = unbedeutender, leistungsschwacher Mensch; unbedeutender Rechtsbrecher. Seit dem 19. Jh.

7. rotes ~ = Versagung der Handlungsfreiheit; Untersagung eines Vorhabens. Vgl engl „red light". 1955 ff.

8. ~ aus – Messer raus – haut ihn!: scherzhafte Aufforderung zu einem Handgemenge. Hängt zusammen mit den Revolutionsmonaten 1918/19. Etwa seit 1920.

9. ~ aus – Messer raus – drei Mann zum Blutrühren!: scherzhafte Redewendung (der Unbeteiligten), wenn Streit im Verzug ist. 1914 ff.

10. ihm geht ein ~ auf = er begreift das Gesagte; er erkennt die Zusammenhänge. Wahrscheinlich biblischen Ursprungs (Hiob 25, 3; Psalm 97, 11 usw.). Mit „Licht" ist die plötzliche Verstandeserhellung gemeint. Vgl engl „to see a light". 1500 ff.

11. jm ein ~ aufstecken = jm zu einer Erkenntnis verhelfen; jn auf etw Wichtiges aufmerksam machen. „Licht" ist im ursprünglichen Sinn die Kerze, im übertragenen die Geisteserhellung. 1600 ff.

12. jm das ~ ausblasen = a) jn umbringen. ↗Lebenslicht. Seit dem 19. Jh. – b) jn politisch (beruflich o. ä.) unschädlich machen, wirtschaftlich zugrunderichten. 1920 ff.

13. das ~ geht aus = das Erinnerungs- und Denkvermögen setzt aus; man verliert die Beherrschung; man versteht nichts mehr; man wird knockout geschlagen. 1920 ff.

14. für ihn gehen die ~er aus = er erleidet geschäftlichen Mißerfolg; er muß seinen Beruf aufgeben; die Leistungskraft läßt nach. 1950 ff.

15. da wird das ~ mit dem Hammer ausgemacht = das ist eine ärmliche, zivilisationsferne Gegend; da wohnen grobe, barsche Leute. Soll ein Ostfriesenwitz sein. BSD 1970 ff.

16. jm das ~ auspusten = a) jn töten. ↗Lebenslicht. Seit dem 19. Jh. – b) jn besinnungslos schlagen. Stammt aus der Boxersprache. 1925 ff.

17. sich das ~ auspusten = Selbstmord verüben. 1900 ff.

18. er braucht kein ~ = er ist kahlköpfig. Für ihn ist dauernd „↗Vollmond". 1900 ff.

19. jn hinters ~ führen = jn täuschen, betrügen. Der Betreffende wird absichtlich in den Schatten, ins Dunkle geführt, wo man ihn leichter übervorteilen kann, sei es mit minderwertiger Ware, sei es mit Falschgeld o. ä. 1500 ff.

20. jm grünes ~ geben = jm volle Handlungsfreiheit zugestehen. ↗Licht 6. Vgl engl „to give green light". 1955 ff.

21. einer Sache grünes ~ geben = eine bisher verhinderte Angelegenheit nunmehr zulassen; die bisher versagte Zustimmung erteilen. ↗Licht 6. 1955 ff.

22. in schiefes ~ geraten = in Verdacht geraten. „Licht" meint hier die Art und Weise, wie man etwas sieht oder darstellt,

oder wie man gesehen wird. Das Ansehen ist „schief", wenn man einer anrüchigen Handlungsweise verdächtigt wird. Seit dem 19. Jh.

23. nicht alle ~er am Baum (auf dem Christbaum) haben = nicht recht bei Verstand sein. Die Lichter stehen hier stellvertretend für die Sinne. 1920 ff.

24. alles ~ auf der Brücke haben = die meistbeachtete Person sein. Gemeint ist die Beleuchterbrücke über der Theaterbühne, im Filmatelier oder im Fernsehstudio. Halbw 1955 ff.

25. ich habe nicht das ~ dazu gehalten = ich habe mit der Sache nichts zu tun; ich war an der Sache nicht beteiligt. Hergenommen vom Licht, das der Helfer dem Dieb oder Einbrecher hält. Seit dem 18. Jh.

26. jm hinters ~ kommen = jds heimliche Machenschaften oder Absichten aufdecken. Man erkennt, was der Betreffende im Dunkeln vorbereitet. 1900 ff.

27. grünes ~ kriegen = volle Handlungsfreiheit erhalten. ↗Licht 6. Vgl engl „to get green light". 1955 ff.

28. sein ~ leuchten lassen = seine Geistesgaben zur Geltung bringen (oft spöttisch angewendet). Geht auf die Bibel zurück: Markus 4, 21. 1500 ff.

29. kein ~ sein = dumm sein. ↗Licht 1. Seit dem 19. Jh.

30. sich in ein gutes ~ setzen (rücken) = sich für untadelig auszugeben suchen; sich jm angenehm machen. Vgl ↗Licht 22. Seit dem 19. Jh.

31. sich in ein schlechtes ~ setzen (rücken) = ungünstige Beurteilung selbst verschulden. Seit dem 19. Jh.

32. im blauen ~ sitzen = Unsinn reden; langweilig sprechen. Die Tageshelligkeit des Geistes ist der Dämmerung gewichen. Vielleicht von Filmen hergenommen, in denen blaues Licht (blau gefiltertes Licht) Nacht vortäuscht. 1955 ff, jug.

33. in schlechtem ~ stehen = keinen guten Ruf haben; verdächtigt werden. ↗Licht 22. Seit dem 19. Jh.

34. sich selber im ~ stehen = sich selber schaden; an ungünstiger Beurteilung selbst schuld sein; seine Geistesgaben aus Unverstand oder Schüchternheit nicht zur Geltung bringen. Man macht den anderen die richtige Betrachtungsweise unmöglich, weil man ihnen den Blick verstellt. Vgl engl „to stand in one's own light". 1500 ff.

35. ~ steht auf Grün = man darf uneingeschränkt handeln. ↗Licht 6. 1955 ff.

36. ~ tanken = ein Sonnenbad nehmen. ↗tanken. 1955 ff.

37. jm das rote ~ zeigen = jm etw verbieten. Vgl ↗Licht 7. 1955 ff.

38. ~er ziehen = Schleim aus der Nase herabhängen lassen. ↗Licht 2. 1800 ff.

Lichthemd n Nacktheit. Im 19. Jh von Anhängern der Freikörperkulturbewegung aufgebracht.

Lidschattengewächs n weibliche Person mit stark umflorten Augen. Ahmt das „↗Nachtschattengewächs" nach. 1960 ff.

Liebe f **1.** Beischlaf.

2. ~, Sex und Durst = Lysergsäurediäthylamid. Deutung der üblichen Abkürzung „LSD". 1960 ff, halbw.

3. ~, Jazz und Übermut = Freistunde der Schüler. Übernommen vom Titel eines

1957 gedrehten Films mit Peter Alexander. *Schül* 1959 *ff.*

4. ~, Tanz und tausend Schlager = Musikunterricht in der Schule. Geht zurück auf den Titel eines 1955 mit Peter Alexander gedrehten Films. *Schül* 1958 *ff.*

5. ~ an und für sich = Onanie. 1959 *ff*, *stud.*

6. ~ auf Bestellung = Callgirl-Wesen. 1959 *ff.*

6 a. ~ auf den zweiten Blick = Zweitehe. 1980 *ff.*

7. ~ vom Fließband = Prostitution; Bordellbetrieb. 1935 *ff.*

8. ~ für jedermann = Prostitution. 1930 *ff.*

9. ~ auf Krankenschein = Liebesverhältnis während eines von der Versicherung bezahlten Kuraufenthalts. 1955 *ff.*

10. ~ auf dem freien Markt = freie Liebe; Prostitution außerhalb des Bordells. 1955 *ff.*

11. ~ ohne Reue = Geschlechtsverkehr nach Einnahme eines empfängnisverhütenden Mittels. Der Zigarettenreklame „Genuß ohne Reue" nachgebildet. 1960 *ff.*

12. ~ auf Spesenzettel = Liebesabenteuer, dessen Kosten man als angebliche Betriebsspesen („Werbungskosten") die Firma bezahlen läßt. 1960 *ff.*

13. ~ von der Stange = Prostituiertenwesen. ↗ Stange. 1950 *ff.*

14. alles in ~ und Güte: entschuldigende Redewendung von Theaterleuten, wenn ein Kollege verulkende oder *iron* Bemerkungen als schieren Ernst auffaßt. Geht zurück auf „Der Freischütz" von Carl Maria von Weber. Theaterspr. seit dem 19. Jh.

15. ambulante ~ = Straßenprostitution; Geschlechtsverkehr außerhalb der Ehe und mit wechselnden Partnerinnen/Partnern. Versteht sich im Gegensatz zum Krankenhausbegriff „stationär". 1955 *ff.*

16. meine brüderliche ~ = mein Bruder *(iron)*. Scherzhaft oder spöttisch umgedeutet aus dem biblischen Begriff „Liebe der Glaubensgenossen". Seit dem 19. Jh.

17. platonische ~ = Gestattung des Beischlafs ohne Entgelt. Meint eigentlich die reingeistige Liebe. 1920 *ff.*

18. meine schwesterliche ~ = meine Schwester. ↗ Liebe 16. 1900 *ff.*

19. zweisprachige ~ = bisexuelle Veranlagung; bisexueller Geschlechtsverkehr. 1900 *ff.*

20. jn vor ~ aufessen (auffressen) mögen = jn überaus gernhaben. *Vgl* ↗ Liebe 23. Seit dem 19. Jh.

21. von Kopf bis Fuß auf ~ eingestellt sein = Prostituierte sein. Geht zurück auf das von Marlene Dietrich gesungene Lied in dem Film „Der blaue Engel" (1930). 1960 *ff.*

22. erzähl' mir lieber von ~, da habe ich mehr Ahnung von = erzähl' mir Interessanteres. *BSD* 1965 *ff.*

23. einander vor ~ fressen = einander herzlich lieben. So und ähnlich seit dem Mittelalter.

24. die ~ geht durch den Wagen = Kavaliere mit Auto finden bei den Mädchen leichter Anklang als solche ohne. Dem Sprichwort „die Liebe geht durch den Magen" nachgebildet. 1950 *ff.*

25. die ~ knistert (~) = eine nahe Verbindung (Verlobung, Heirat) bahnt sich an. Hergenommen vom Sprühen der (Lie-bes-)Funken. 1950 *ff.* – b) die Hochzeitsnacht beginnt. 1950 *ff.*

26. nicht für die ~ können = für seine Gefühle nicht bürgen können, nicht verantwortlich sein. Seit dem 18. Jh.

27. von der ~ und der Luft leben (von Luft und Liebe leben) ↗ Luft 61.

28. ~ machen = koitieren. Aus dem *Franz* („faire l'amour") übersetzt. Undatierbar. Wiederaufgelebt vor allem durch die Bewegung der Hippies mit ihrem *engl* Wahlspruch „make love, not war". 1965 *ff.*

29. in ~ machen = flirten; koitieren. Der Kaufmannssprache entlehnt: der Kaufmann „macht in Gemüse", wenn er Gemüsehändler ist. 1920 *ff.*

30. das macht der ~ kein Kind = das ist nicht ernst; das bleibt ohne schlimme Folgen. Seit dem 19. Jh.

31. muß ~ schön sein!: Redewendung beim Anblick eines engumschlungenen Liebespaars. Um 1900 aufgekommen.

31 a. das tut der ~ keinen Abbruch = das schadet nichts. 1920 *ff.*

32. ~ verhökern = Bordellbesitzer sein; Zuhälter sein. 1920 *ff.*

33. ~ verkaufen = Prostituierte sein. 1920 *ff.*

lieben v **1.** *intr* = intim tändeln (ohne ernste Absichten). 1840 *ff.*

2. *tr* = koitieren. ↗ Liebe 1. Undatierbar.

3. denn sie hat viel geliebt: Redewendung, wenn die Trumpffarbe einen Fehlfarbenstich macht. Bedeutungsumwandlung aus Lukas 7, 47. Kartenspielerspr. seit dem 19. Jh.

4. du kannst mich ~, aber nicht heiraten!: Ausdruck der Ablehnung. Variante zu „du kannst mich gernhaben" (↗ gern 2). 1900 *ff.*

liebend gern *adv* sehr gern. Verstärkender Ausdruck, ähnlich wie „von Herzen gern" u. ä. 1870 *ff.*

lieber *adv* **1.** ~ drei Tage den nackten Arsch in Schwefelsäure hängen, als . . .: Ausdruck energischer Abweisung. *Sold* 1939 *ff.*

2. ~ bohre ich mir ein Loch ins Knie (in die Kniescheibe)!: Ausdruck der Ablehnung; Redewendung eines Geizigen. Eher würde man sich schlimmsten Schmerz zufügen, als daß man sich zu dem Erwarteten/Gerforderten bereit fände. 1870 *ff.*

3. ~ in der Luft zerschellen als . . .: Ausdruck zur Abwehr einer Zumutung. 1935 *ff*, *sold.*

4. ~ scheintot im Massengrab als . . .: Ausdruck der Ablehnung, der Zurückweisung. *Sold* 1867 *ff.*

5. ~ furze ich durch den Nabel, als daß ich . . .: Ausdruck der Ablehnung. *Sold* 1940 *ff.*

6. ~ lasse ich mir den Nabel verchromen, als daß ich . . .: Ausdruck der Abweisung. 1955 *ff.*

7. ~ mit einem rostigen Nagel in der Kniescheibe!: Ausdruck strikter Ablehnung. ↗ lieber 2. 1900 *ff*, *sold.*

8. ~ einen toten Neger ins Bett!: Ausdruck der Ablehnung. 1900 *ff.*

9. ~ mache ich einen Rückzieher bei meiner Braut!: Ausdruck entschiedenster Abwehr einer Zumutung. „Rückzieher" bezieht sich auf den vorzeitigen Abbruch des Beischlafs. *Sold* 1935 *ff.*

10. ~ klopfe ich mir Steine auf dem Arsch!: Ausdruck der Ablehnung. *Sold* 1935 *ff.*

Liebesäpfel *pl* **1.** Hoden. 1920 *ff.*

2. Frauenbrüste. Seit dem 19. Jh.

Liebes-Avus *f* Straße, an der Prostituierte motorisierte Kundschaft suchen. „Avus" (in Berlin) ist seit 1921 Abkürzung für „Automobil-Verkehrs- und Übungsstraße". 1960 *ff.*

Liebesbombe *f* Frau, die sich in geschlechtlichen Dingen und Praktiken sehr gut auskennt. ↗ Bombe 1. 1960 *ff.*

Liebesbrief *m* **1.** unerwünschtes amtliches Schreiben; Rechnung o. ä. Ironie wie die folgenden Sinngebungen. 1900 *ff.*

2. Schulzeugnis mit schlechten Noten; schriftliche Mitteilung („blauer Brief") der Schule an die Eltern bezüglich der Versetzungsgefährdung ihres Schulkinds. 1900 *ff.*

3. Einberufungsbescheid. *BSD* 1960 *ff.*

Liebesbrücke *f* Polsterstück in/über dem Spalt zwischen nebeneinanderstehenden Betten. 1920 *ff. Vgl franz* „pont d'amour".

Liebesbunker *m* **1.** eigenes Zimmer eines (einer) Halbwüchsigen. *Halbw* 1955 *ff.*

2. Wohnhaus für Prostituierte. 1960 *ff.*

Liebesdienst *m* Beischlaf mit einer Prostituierten; Prostitution. Bezeichnet eigentlich die Dienstleistung aus Nächstenliebe, die humanitär-karitative Tat. 1955 *ff.*

Liebesflucht *f* Flucht des unehelichen Vaters vor der Geliebten, die von ihm ein Kind erwartet. 1966 *ff.*

Liebesgabe *f* **1.** Geschlechtskrankheit. Eigentlich das Geschenk aus der Heimat an einen Soldaten; später auch allgemein die Gabe an einen Bedürftigen. 1914 *ff.*

2. Orden, Ehrenzeichen. *Sold* 1939 *ff.*

3. Bestechungsgeschenk. 1955 *ff.*

4. Züchtigung eines Kindes. Fußt – in *iron* Auffassung – auf einer Briefstelle des Apostels Paulus: „Wen der Herr liebhat, den züchtigt er." 1915 *ff, jug.*

Liebesgabenpäckchen *n* Stich mit sehr vielen Augen. Kartenspielerspr. 1914 *ff.*

Liebesgeld *n* Prostituiertenentgelt. 1935 *ff.*

Liebesgondel *f* Kleinauto. Verliebte kommen sich darin so nah wie in der Enge einer venezianischen Gondel. *Halbw* 1950 *ff.*

Liebesgrotte *f* Vulva, Vagina. Grotte = Höhle. Spätestens seit 1900.

Liebesgrüße *pl* ~ aus Solingen = Dolch-, Messerstiche. ↗ Gruß 3. 1950 *ff.*

Liebeskarussell *n* **1.** Prostitution; oftmaliger Wechsel des Geschlechtspartners. Das Karussell dreht sich weiter und weiter. 1960 *ff.*

2. Ehepartnertausch. 1960 *ff.*

Liebesknochen *m* **1.** Penis. ↗ Knochen 8. Seit dem 19. Jh.

2. *pl* = Eclairs (Gebäck). Formähnlich mit einem Knochen. 1900 *ff.*

Liebeskunde *m* Prostituiertenkunde. 1960 *ff.*

Liebeslaube *f* fahrbare ~ (~ auf Rädern) = Auto, in dem man Intimitäten austauscht. 1950 *ff.*

Liebeslaufbahn *f* üblicher Weg der Straßenprostitution. 1960 *ff.*

Liebesleben *n* **1.** das ~ des Maikäfers = fingiertes Prüfungs-, Dissertationsthema. Geht wohl zurück auf das Buch von Wilhelm Bölsche „Das Liebesleben in der Natur" (1898 *ff*). Der Maikäfer ist in Studentenkreisen beliebter Gegenstand von Ulkvorträgen. 1930 ff.

2. das ~ der Tontauben = Titel einer fiktiven Doktorarbeit. *Stud* 1950 ff.

Liebesleistungsgewerbe n Prostitution. Dem „Dienstleistungsgewerbe" nachgebildet. 1960 ff.

Liebeslektion f Liebesstunde bei einer Prostituierten. 1960 ff.

Liebeslieschen n fleißiges ~ = eifrig tätige Straßenprostituierte. ↗Lieschen 4. 1960 ff.

Liebesmarkt m Ort/Platz mit starkem Zulauf von Prostituierten; Bordellstraße o. ä. 1900 ff.

Liebesmühe f Dienstleistung einer Prostituierten. 1960 ff.

Liebesnest n **1.** Zimmer (kleine Wohnung) für ein Liebespaar. Seit dem 19. Jh.

2. Bordell o. ä. 1900 ff.

Liebespaar n auf ~ machen = verliebt tun; Verliebtsein vortäuschen. 1920 ff.

Liebesprobe f Petting. *Halbw* 1960 ff.

Liebesroman m Beine wie ein ~ = nach außen gebogene (O-)Beine. Zur Erklärung vgl ↗Courths-Mahler-Beine. 1930 ff.

Liebesscheidung f Ehescheidung zum Zweck umgehender Verehelichung mit anderen Partnern. 1950 ff.

Liebesspalte f Vagina, Vulva. 1900 ff.

Liebesstätte f Liege; Sofa; Bett. *Halbw* 1960 ff.

Liebesstraße f von Prostituierten auf Männerfang begangene Straße. 1960 ff.

Liebessteuer f Einkommensteuer der Prostituierten. 1965 ff.

Liebestod m **1.** warme Damenunterwäsche. Sie verhüllt und entstellt die körperlichen Reize. 1930 ff.

2. lange Männerunterkleidung. 1930 ff.

Liebestöter m **1.** pl = reizlose Frauen-Unterwäsche; lange warme Damenschlüpfer. ↗Liebestod 1. 1940 ff.

2. pl = lange Männerunterhosen; wollene Unterkleidung. 1940 ff.

3. pl = knielange Mädchenhosen. 1970 ff.

4. sg = einteiliger Damenbadeanzug. 1953 ff.

5. sg = Strumpfhose. Männer sehen angeblich lieber Slip, Strümpfe und Strumpfhalter oder -bänder. 1969 ff.

6. sg = eifrig benutztes Fernsehgerät. Es stört angeblich das eheliche Einvernehmen. 1960 ff.

Liebeswiese f Bett, Liege o. ä. 1950 ff.

liebhaben v **1.** du kannst mich ~!: Ausdruck der Abweisung. Analog zu „du kannst mich gernhaben" (↗gern 2). Seit dem 19. Jh.

2. das habe ich lieb! = das gefällt mir durchaus nicht; das hasse ich! Ironie. 1920 ff.

Liebhaber m es hat einen ~ gefunden = es ist gestohlen worden. 1920 ff.

Liebkind n **1.** sich ~ machen = sich beliebt machen; sich einschmeicheln. Aus dem Kosenamen „liebes Kind" zusammengewachsen, schon im Mittelalter.

2. bei jm ~ sein = bei jm in hoher Gunst stehen. seit mhd Zeit.

lieblich adj das ist ja ~! = das ist unerhört! das ist eine böse Aussicht! das ist eine schwere Enttäuschung. *Iron* Ausdruck. 1910 ff.

Lieblingsspielzeug n intime Freundin. 1930 ff.

Lied n **1.** das alte ~ = die gewohnte Erscheinung; die übliche Entwicklung; immer dasselbe. Leitet sich her von einem Lied, das man so oft gehört hat, daß sich einem die Tonfolge fest eingeprägt hat. 1600 ff.

2. dasselbe (das gleiche) ~ = derselbe Vorgang. *Vgl* das Vorhergehende. Seit dem 19. Jh.

3. falsches ~ = Lüge; nicht stichhaltige Ausrede. Hängt zusammen mit einem Straftäter, den man zum „↗Singen" gebracht hat. 1950 ff.

4. davon kann er ein ~ (Liedchen) singen = das kennt er aus (schlimmer) eigener Erfahrung. Leitet sich her von allgemeinbekannten Vorgängen, die durch ein Lied (Bänkelgesang) verbreitet wurden. 1500 ff.

5. fromme ~er singen = koitieren. Fußt auf dem Kirchenlied-Bruchstück „freu' dich, du Christenheit", das man umgebildet hat zu „freu' dich, du kristen heut" (= du kriegst ihn heut). 1960 ff.

Liederian (Liederjan; Liedrian) m **1.** liederlicher Mensch. Zusammengesetzt aus „liederlich" und „Jan", der Kurzform des Vornamens Johann. 1800 ff.

2. sehr schlechter Sänger; Liederkrächzer. Aus dem Vorhergehenden in der Bedeutung abgewandelt durch Einfluß von „Lied". 1950 ff.

Liedrian m ↗Liederian.

liefern v **1.** ↗geliefert sein.

2. jn ~ = jn überlisten; jn zur Anzeige bringen; jm übel mitspielen. Meinte ursprünglich die Auslieferung an den Henker. 1800 ff.

3. sich etw ~ = einen Streich vollführen; töricht handeln; eine Straftat begehen. Liefern = darbringen, vollbringen. Seit dem 19. Jh.

liegen v **1.** auf etw ~ = etw mögen, meistern. Analog zu „auf etw ↗stehen". 1960 ff, halbw.

2. wo willst du ~?: Drohfrage eines Kraftmenschen. Der Angesprochene kann wählen, in welche Ecke er geworfen werden will. 1840 ff.

3. was liegt, liegt! = der Skat darf nach dem Weglegen nicht nochmals angesehen oder ausgetauscht werden; auch darf eine ausgespielte Karte nicht zurückgenommen werden. Kartenspielerspr. seit dem 19. Jh.

4. das liegt nicht drin (da liegt nichts drin) = das lohnt sich nicht; das kommt nicht in Betracht. Hergenommen von der Lostrommel. *Vgl* ↗drinsein 3. Seit dem späten 19. Jh.

5. das liegt bei ihm nicht drin = das kann er nicht; das kann man von ihm nicht erwarten. 1870 ff.

6. nichts ~ lassen können = diebisch sein. Seit dem 19. Jh.

7. es erledigt sich durch langes ~ = die Eingabe erledigt sich in der Zeitspanne, in der man sie nicht bearbeitet. 1930 ff, beamtensprachlich.

Lieschen n **1.** ~ Müller = fiktive Person mit (Inbegriff von) seichter, kritikloser, zu Rührseligkeit neigender Kunstauffassung; Durchschnittsbürger mit solchem Kunstgeschmack. Lieschen und Müller sind sehr häufige Vor- und Familiennamen, so daß sie stellvertretend den Rang der durchschnittlichen Deutschen annahmen konnten. Wahrscheinlich kurz vor 1945 aufgekommen, vielleicht als später

Rückgriff auf den Titel eines Romans, der 1879 erschienen ist. *Vgl* ↗Lumpenmüller. Bis heute geläufig.

2. Doktor ~ Müller = personifiziertes Sinnbild für gehobenen Durchschnittsgeschmack. 1955 ff.

3. feuriges ~ = leidenschaftliches, aber geistig unbedeutendes Mädchen. 1955 ff, halbw.

4. fleißiges ~ = a) fleißiges Mädchen; Mädchen, das gern Handarbeiten macht. Bezeichnung für eine fleißig blühende Zimmerpflanze. 1900 ff. – b) Prostituierte, die fleißig ihrem Gewerbe nachgeht. 1920 ff.

5. ach du liebes ~!: Ausdruck der Verwunderung. 1920 ff.

lifteln intr den Aufzug benutzen; mit dem Skilift fahren. Stammt aus engl „to lift = heben". 1955 ff, bayr und österr.

liften v **1.** tr = stehlen. Engl „to lift = heben"; ↗heben 4. 1960 ff.

2. tr = jn bestrafen. Analog zu ↗hochnehmen 5. 1955 ff.

3. tr = jn drangsalieren. ↗hochnehmen 1. 1955 ff.

4. tr = die Gesichtsfalten heben. 1965 ff.

5. tr = etw steigern, erhöhen. 1960 ff.

6. intr = fliegen. Engl „to lift = sich in die Luft erheben". 1955 ff.

lila adj adv **1.** adv = unwohl; mittelmäßig; einigermaßen. Lila ist weder blau noch rot, also farbensinnbildlich weder kalt noch heiß; es ist eine Mischfarbe, die daher leicht zu der Bedeutung „(ihm geht es) gemischt" führen kann. 1870 ff.

2. adj = homosexuell. Im Sinne vorhergehender Erklärung analog zu „↗warm". 1900 ff.

3. adj = weichlich. 1900 ff.

4. adj = charakterlich anrüchig. 1920 ff.

5. ~ bis aschgrau = mittelmäßig. Beides sind Mischfarben. 1920 ff.

6. ~ bis blaßblau = mittelmäßig; einigermaßen zufriedenstellend. 1920 ff.

6 a. ~ durchwachsen = mittelmäßig. ↗durchwachsen. 1920 ff.

Limburger m **1.** pl = Schweißfüße. Anspielung auf den durchdringenden Geruch des reifen Limburger Käses. 1870 ff, sold.

2. m = obszöner Witz; Zote. Beide sind „anrüchig". 1910 ff.

Limo f Limonade. Hieraus verkürzt. Kellnerspr. und jug 1960 ff.

Limonade f **1.** ~ im Blut haben = temperamentlos sein. Versteht sich nach dem Folgenden. 1950 ff.

2. matt wie ~ sein = a) sich äußerst erschöpft fühlen. Geht zurück auf Schillers Drama „Kabale und Liebe" (1784). 1920 ff. – b) energielos sein. 1920 ff.

3. das ist ~ (wie ~) = das ist kraftlos, schwunglos, substanzarm. 1950 ff.

limonadenfarbig adj rührselig. 1950 ff.

Limonadenlustigkeit f gespielte Heiterkeit. Man hat Limonade getrunken, aber tut so, als habe man Alkohol genossen. Anspielung auf vorfabrizierte Faschingssendungen im Fernsehen. 1960 ff.

limonadig adj temperamentlos, langweilig. ↗Limonade 2. 1900 ff.

Lindwurm m **1.** Faschingszug. Eigentlich Bezeichnung für ein schlangenartiges Untier der deutschen Sage. 1965 ff.

2. blecherner ~ = Autotouristenstrom; Kraftfahrzeug„schlange" in der Hauptreisezeit. 1965 ff.

3. närrischer ~ = Karnevalszug. 1965 *ff.*

Linie *f* **1.** auf der ganzen ~ = völlig, überall; ohne Ausnahme. Linie ist die Schlachtreihe. Der Ausdruck stammt aus Heeresberichten seit 1870.
2. jn auf ~ bringen = jn an Zucht, Sitte und Ordnung gewöhnen; jn zu gemeinsamem Vorgehen veranlassen; jn nach parteipolitischen Grundsätzen schulen. Linie ist das genaue Neben- und Hintereinanderstehen einer Gruppe, dann auch die Richtlinie des Handelns (Parteilinie). Analog zu „↗ausrichten 1" und „auf ↗Vordermann bringen". 1933 *ff.*
3. auf der ~ gehen = Straßenprostituierte sein. *Vgl* „↗Leine 1". 1900 *ff.*
4. der schlanken ~ huldigen = Anforderungen sich zu entziehen trachten. Die schlanke Körpergestalt steht hier wortspielerisch für „sich ↗schlank machen". *Sold* 1935 *ff.*
5. auf jds ~ liegen = jds (politische) Absichten teilen. 1933 *ff.*
6. die schlanke ~ verfolgen = zu verbrecherischem Lebenswandel neigen; unehrlich sein. 1. 1950 *ff.*

linientreu *adj* kritiklos der parteipolitischen Richtung folgend. Anspielung auf „Parteilinie = Richtung der Zielsetzung der Partei; parteipolitische Zielvorstellung". Um 1947 in der Deutschen Demokratischen Republik aufgekommen.

link *adj* **1.** hinterhältig, unzuverlässig, unaufrichtig, gewissenlos, selbstsüchtig; kriecherisch; feige. Seit dem 17. Jh im Sinne von „falsch" geläufig; hängt zusammen mit der Bevorzugung der rechten Hand im Alltagsleben.
2. jn ~ machen = jn bestehlen. *Rotw* 1900 *ff.*

linken *intr* **1.** lügen. ↗link 1. *Rotw* 1950 *ff.*
2. betrügen, täuschen. 1960 *ff* (Rauschgifthändler).

Linker *m* **1.** unaufrichtiger, unehrlicher Mann; angeblich unbekannter Haupt- oder Mittäter. ↗link 1. Seit dem 17. Jh.
2. Homosexueller. ↗link 2. 1900 *ff.*
3. Linksaußen der Ballmannschaft. *Sportl* 1950 *ff.*

links *adv* **1.** vertrauensunwürdig, heimtückisch. ↗link 1. Seit dem 19. Jh.
2. homosexuell. Erklärt sich aus der Beobachtung des linkischen, unüblichen Verhaltens und hängt mit der Bedeutung „links = verkehrt" zusammen („links" ist die verkehrte, die Innenseite des Mantels). Zur Erklärung *vgl* auch ↗link 1. Seit dem 19. Jh.
2 a. mit ~ = mühelos. ↗links 13. 1920 *ff.*
3. von ~ wegen = unrechtmäßig. Gegensatz zu „von Rechts wegen". 1920 *ff.*
4. ~ aufgeweicht = dem Sozialismus nahestehend. Die Abgeordneten der sozialdemokratischen/sozialistischen Parteien sitzen links im Parlament. Aufweichen = den Widerstand aufgeben; schwach werden. 1920 *ff.*
5. von ~ nach schräg = kreuz und quer. 1920 *ff.*
6. jn von ~ anquatschen = jn im unpassenden Augenblick um etw bitten; an den Unrechten geraten. Links gehen der Untergebene und der Jüngere. 1900 *ff.*
7. jn ~ drehen = a) jn einer gründlichen ärztlichen Untersuchung unterziehen. Hergenommen vom Wenden eines An-

zugs o. ä. 1930 *ff.* – b) jn gründlich ausfragen; jn einem strengen Verhör unterziehen. 1930 *ff.*
8. von ~ nach schräg fahren = in Schlangenlinien fahren. 1950 *ff.*
9. ~ gehen = diebisch sein; einbrechen o. ä. *Vgl* ↗link 2. 1950 *ff.*
10. ~ gepolt sein = sozialistisch eingestellt sein. Stammt aus der Elektrotechnik. *Vgl* auch „↗links 4". 1950 *ff.*
11. jn ~ liegen lassen = jn nicht beachten; jn vernachlässigen. Die Linke ist die weniger geschickte Hand, auch die weniger beachtete Seite. Seit dem 19. Jh.
12. etw ~ liegen lassen = etw nicht beachten, nicht besichtigen. Seit dem 19. Jh.
13. etw mit ~ machen = etw ohne Mühe bewerkstelligen. Die (meist) weniger geschickte und weniger starke linke Hand reicht für die Erledigung der Sache völlig aus. 1920 *ff.*
14. die Kasse ~ machen = die Kasse ausrauben. Man stülpt sie um. 1950 *ff.*
15. sich ~ machen = sich erbrechen. Man stülpt das Innere nach außen. 1900 *ff.*
16. nicht ~ sein = seinen Vorteil zu wahren wissen. ↗links 13. 1900 *ff.*
17. ~ ist, wo der Daumen rechts ist: Antwort auf die Frage, wo links sei. 1900 *ff.*
18. ~ treten = sozialdemokratisch/sozialistisch eingestellt sein. „Links" spielt auf die Sitzverteilung im Parlament an; vom Präsidentenpult aus gesehen, befinden sich die Plätze der Sozialdemokraten auf der linken Seite. 1950 *ff.*
19. etw ~ versuchen = ein anderes Mittel versuchen, wenn das gewohnte versagt. *Sold* 1935 *ff.*

Linksabweichler *m* Mensch, der sich vom bolschewistisch-internationalistischen Kommunismus ab- und einem national-kommunistischen Lehre zuwendet; Mensch, der von einer bürgerlich-konservativen Partei zur Sozialdemokratie überwechselt. 1950 *ff.*

Linksdrall *m* **1.** Hinwendung zum Sozialismus. Hergenommen von der Windung der Züge in Gewehrlauf und Geschützrohr. Da die Feuerwaffen Rechtsdrall haben, hat „Linksdrall" den Nebensinn des Unüblichen und Gefallenen. Zudem haben im Parlament die Sozialdemokraten die linke Seite inne. 1950 *ff;* aber wohl älter.
2. ~ haben = a) bezecht nach links schwanken. 1955 *ff.* – b) unlogisch denken. Links = linkisch. 1955 *ff.*

linksgestrickt *adj* **1.** sozialistisch. Verstärkung von *gleichbed* ↗links. 1950 *ff.*
2. homosexuell. ↗links 2. Analog zu „verkehrtrum". 1955 *ff.*

linksgewebt *adj* homosexuell, lesbisch. Zusammengesetzt aus „↗linksgestrickt" und „gewebt": eine in der Handarbeitspraxis unbekannte Verbindung. 1900 *ff.*

linksgewichst *adj* **1.** homosexuell, lesbisch. „↗links 2" mit Anspielung auf „↗wichsen". 1900 *ff.*
2. übellaunig, verdrossen. Linksgewichst = gegen den Haarstrich gebürstet. 1900 *ff.*

linksgewirkt *adj* sozialistisch. 1950 *ff.*
linksgläubig *adj* sozialistisch. 1950 *ff.*

Linkshänder *m* träger, arbeitsscheuer Mensch. Spöttische Beschönigung. 1900 *ff.*

linksherum *adv präd* **1.** homosexuell. ↗links 2. 1920 *ff*
2. ~ verheiratet sein = in gesetzlich nicht bestätigter Ehe leben. Fußt auf der alten Wendung „zur linken Hand angetraut sein = Nebenfrau eines Fürsten sein". 1900 *ff.*
3. ~ verliebt sein = gleichgeschlechtliche Neigung verspüren. 1900 *ff.*

linkslastig *adj* sozialistisch, prokommunistisch. 1950 *ff.*

linksrum *adv präd* ↗linksherum.

Linkstapper *m* Linkshänder. Tappen = tasten, greifen. Seit dem 18. Jh.

Linkstatsche *f* Linkshänder. Tatsche = ↗Tatze. 1600 *ff.*

linksverliebt *adj* sozialistenfreundlich. 1950 *ff.*

Linoleum *n* ~ schubbern = tanzen. Schubbern = kratzen. *Halbw* 1955 *ff*, Berlin.

Linoleumkosmetik *f* Fußbodenpflege. ↗Bodenkosmetikerin. 1955 *ff.*

Linse *f* **1.** Wanze. Wegen der Form- und Farbähnlichkeit. 1900 *ff.*
2. *pl* = Geld, Geldmünzen. Münzen sind flach und rund wie Linsen. Im 18. Jh gab es in Nürnberg und Regensburg linsengroße Goldmünzen, die sogenannten „Linsendukaten". Seit dem frühen 19. Jh.
3. *pl* = Augen, Pupillen. Verkürzt aus „Augenlinsen". 1800 *ff.*
4. ~ auf einem Brett (zwei ~n auf ein Brett genagelt) = Flachbusigkeit; flachbusige Frau. Seit dem 19. Jh.
5. ~n für die Plinsen = Geld. Plinse nennt man die dünnen flachen Eierkuchen. Der Ausdruck macht sich die Reimfreudigkeit zunutze. 1950 *ff.*
6. motorisierte ~ = Wanze. Die „↗Linse 1" bewegt sich selbsttätig fort. 1930 *ff*, *sold* und *ziv.*
7. jm die ~ färben = jm ein blaues Auge schlagen. 1920 *ff.*
8. friß (putz weg; stich'), Peter, es sind ~n!: Zuruf an den Spielpartner, eine verlockende Karte zu trumpfen. „Linsen = Augen" (= Punkte) der Spielkarte. Kartenspielerspr. seit dem 19. Jh.
9. in die ~ gucken = fernsehen. Anspielung auf die augapfelähnliche Form der Bildröhre, vielleicht auch auf das Fernsehen als „Auge der Welt". 1960 *ff.*
10. jn auf der ~ haben = a) jn scharf beobachten. Linse = Augenlinse. 1900 *ff.* – b) es jm gedenken; auf Vergeltung sinnen. 1900 *ff.*
11. einen auf der ~ haben = nicht recht bei Verstand sein. Meint wohl einen Fleck auf der Augenlinse. 1920 *ff.*
12. etw in die ~ kriegen = etw bemerken. 1900 *ff.*
13. in die ~ peilen = fernsehen. ↗Linse 9. 1960 *ff.*
14. die ~ spannen = scharf spähen. ↗spannen. 1920 *ff, schül.*

linsen *v* **1.** *intr* = spähen, äugen; blicken. Verbal aus „Augenlinse" im 18. Jh entwickelt; vorwiegend *rotw.*
2. *intr tr* = vom Mitschüler absehen, abschreiben. Wohl seit dem ausgehenden 19. Jh.
3. geniert ~ = vorsichtig Ausschau halten; schielen. *Sold* 1914 *ff.*

linzen *intr* ~ ↗linsen 1.

Lippe *f* **1.** die große ~ führen = prahlerisch reden; sich aufspielen. Nachahmung von „das große Wort führen". 1950 *ff.*

2. eine dicke ~ haben = aufdringlich, prahlerisch reden. 1930 ff.

3. schmale ~n kriegen = etw kritisch, unfreundlich, eifersüchtig wahrnehmen. Man kneift die Lippen zusammen. 1920 ff.

4. sich die ~n lecken = über Erreichtes hocherfreut sein. Wie man es nach einer leckeren Speise tut. 1950 ff.

5. einen auf die ~n nehmen. = ein Glas Alkohol zu sich nehmen. Seit dem 19. Jh.

6. sich die ~n fransig reden = ausdauernd auf jn einreden. ↗Fransen 6. 1920 ff.

7. eine ~ riskieren = Widerworte geben; sich in ein Gespräch einmischen. Man wagt ein Wort zu sagen, obwohl man einen Schlag auf den Mund befürchten muß. 1850 ff.

8. eine dicke ~ riskieren = überreichlich prahlen. 1870 ff.

9. eine freche (große) ~ riskieren = frech, dreist auftreten; aufbegehren. 1955 ff.

10. eine kesse ~ riskieren (wagen) = frech, vorlaut, schnippisch sein; unehrerbietig sich äußern. ↗keß. 1955 ff.

11. keine ~ wagen = keine Widerrede wagen; eine Unbill widerspruchslos hinnehmen. 1870 ff.

Lippenbekenntnis n **1.** falsche Beteuerung; Unaufrichtigkeit. Das Bekenntnis kommt nicht von Herzen, sondern nur von den Lippen. Seit dem ausgehenden 19. Jh.

2. Kuß. 1960 ff.

Lippengymnastik f **1.** Küssen. 1930 ff.

2. Bewegung der Lippen wie beim Singen, jedoch ohne Ton. 1960 ff.

liquidieren tr jn umbringen, töten. Weiterbildung der Bedeutung „ein unrentables Unternehmen auflösen". Seit etwa 1920 aus dem sowjetrussischen Wortschatz übernommen.

Liste f **1.** schwarze ~ = Liste mit Namen von Leuten, die aus irgendwelchen Gründen mißliebig sind. Schwarz als Sinnbildfarbe des Ungünstigen, Verhaßten und Verfemten. Seit dem späten 19. Jh. Vgl engl „the black list".

2. auf die ~ kommen = auf die Trinkerliste gesetzt werden. 1870 ff.

3. jn auf die schwarze ~ setzen = es jm gedenken; auf Vergeltung sinnen. 1870 ff.

4. auf der schwarzen ~ stehen = übelbeleumdet sein. 1870 ff.

Lita'nei f **1.** lange Liste; große Menge. Übernommen von der Länge der Litaneien im katholischen Gottesdienst. 1700 ff.

2. langes Strafregister. 1900 ff.

3. langes, langweiliges Gerede. Seit dem 19. Jh.

4. immer dieselbe ~ (die alte ~) = ewiges Einerlei. Seit dem 19. Jh.

Literaturpapst m Kritiker, der sein Urteil für unfehlbar hält. ↗Kulturpapst 1. Seit dem späten 19. Jh.

Litfaßsäule f **1.** schwatzhafter Mensch. Im ausgehenden 19. Jh aufgekommen im Zusammenhang mit dem vom Buchdrucker Ernst Litfaß am 1855 in Berlin errichteten Plakatsäulen.

2. ~ zu Fuß = schwatzhafte Frau. 1935 ff.

3. laufende ~ = Läufer, der vertraglich nur Sportschuhe eines bestimmten Herstellers tragen darf. Er macht laufend Reklame für die Firma. 1965 ff.

4. lebende (wandelnde) ~ = Sportler, der

mit seinem Trikot Werbung für die Herstellerfirma betreibt. 1965 ff.

5. Kreuz wie eine ~ = breiter Rücken; stark gewölbter Rücken. Berlin 1930 ff.

6. verschwiegen wie eine ~ = schwatzhaft. Berlin, spätestens seit 1900.

7. wie eine ~ sein = nichts geheimhalten können. 1900 ff.

Liti'ti m **1.** Delirium tremens; Rausch; Verrücktheit. Schallnachahmung für das helle, schrille Stottern mancher Geistesgestörter, wohl in Nachbildung des „Tirili", des Vogelgezwitschers, woduch sich Zusammenhang mit der Wendung „einen ↗Vogel haben" ergibt. Berlin, seit dem späten 19. Jh.

2. einen (den) ~ haben = nicht bei Verstand sein. 1870 ff.

3. einen ~ kriegen = närrisch werden. 1870 ff.

liti'ti (lüti'ti, lütti'ti) **sein** geistesgestört sein. Berlin 1870 ff.

'Loawe'doag m Testwort für Nichtbayern. Bayr Aussprache von „Laibteig". 1900 ff.

Lob n **1.** dickes ~ = große Anerkennung. Dick = schwerwiegend. 1900 ff.

2. faustdickes ~ = hohes Lob. 1920 ff.

3. öffentliches ~ = Eintragung ins Klassenbuch. Ironie. Schül 1960 ff.

4. sich mit ~ beklekern = mit viel Lob bedacht werden, ohne es in diesem Ausmaß verdient zu haben. ↗Ruhm. 1950 ff.

lobhudeln intr übertrieben, schmeichlerisch loben. ↗hudeln. Seit dem späten 18. Jh.

Loch n **1.** elende, verfallene Wohnung; kleiner Wohnraum. Ursprünglich soviel wie das Erdloch, in dem Menschen hausen. Seit dem 18. Jh. Vgl engl „hole".

2. elende Gastwirtschaft; Kellerlokal minderer Güte. 1900 ff.

3. Strafhaft, Arrest; Gefängnis-, Arrestzelle. Schon im Mittelalter geläufig, als Erd- und Felslöcher, auch unterirdische Gelasse als Kerker dienten.

4. eine Stunde ~ = eine Strafstunde. Schül 1900 ff.

5. Heimschule. In der Auffassung der Schüler ein Gefängnis. 1920 ff.

6. Klassenzimmer. Schül 1930 ff.

7. Kasernenstube. Übernommen von der Höhle, in der Tiere hausen. BSD 1960 ff.

8. Lagerstätte, Bett. Bezeichnet in der Jägersprache das Lager des Bären. BSD 1960 ff.

9. Platz im milit Glied. Analog zu „Lücke". Sold 1900 ff.

10. Tür, Hauseingang. ↗Zimmermann. Seit dem 17. Jh.

11. Abort, Abortgrube. Seit dem 16. Jh.

12. Grab. Seit dem 19. Jh.

13. Mund. 1500 ff.

14. gefräßiger Mensch. Er hat ein Loch im Magen. 1900 ff.

15. After, Gesäß. 1600 ff.

16. Schimpfwort. Verkürzt aus „↗Arschloch". 1700 ff.

17. Vagina. Seit mhd Zeit.

18. weibliche Person (abf). 1400 ff.

19. intime Freundin. Halbw 1955 ff.

20. Sprachstockung, Textunsicherheit des Schauspielers. Loch = Pause im Zusammenhang. Theaterspr. 1920 ff.

21. ~ in einer Sache = Irrtum, Fehler, Unwahrheit. 1500 ff.

22. das ~ des Zimmermanns = Tür, Hauseingang. ↗Zimmermann. 1600 ff.

23. Löcher mit Käse = Schweizer Käse.

In scherzhafter Auffassung ist der Käse nur eine Beigabe zu den Löchern. BSD 1960 ff.

24. gut ~! = a) Ausruf des Kegeljungen, wenn die Kugel zwischen den Kegeln durchläuft. Keglerspr. seit dem 19. Jh. – b) Zuruf an einen, der sich zum Stelldichein mit einem Mädchen anschickt. ↗Loch 17 und 19. 1910 ff.

24 a. irres ~ = Schimpfwort. ↗Loch 16. Jug 1960 ff.

25. käseumwobene Löcher = Schweizer Käse. Nachahmung der dichterischen Metapher von der sagenumwobenen Burg o. ä. ↗Loch 23. BSD 1960 ff.

26. das letzte ~ = gemeinste und älteste Prostituierte. ↗Loch 17. 1900 ff.

27. ungebohrtes ~ = After. 1940 ff.

28. versoffenes ~ = Trinker. ↗Loch 85. Seit dem 19. Jh.

29. finster wie in einem ~ = völlig dunkel. Seit dem 19. Jh.

30. sich ein ~ in den Bauch ärgern = sich heftig ärgern. Der Betreffende wird wohl vor Wut platzen. 1910 ff.

31. ein ~ aufmachen (aufreißen) und ein anderes zumachen (stopfen) = neue Schulden zur Deckung der alten machen. 1700 ff.

32. jn aus dem ~ beißen = jm seine intime Freundin abspenstig machen. Stammt aus der Jägersprache: der Hund vertreibt durch Beißen den Dachs oder Fuchs aus ihrem Bau. Hier Anspielung auf „Loch = Vagina". 1920 ff.

33. vor Wut möchte man sich ein ~ ins Knie beißen!: Redewendung in einem Zustand zorniger Erregung. 1930 ff.

34. ein eigenes ~ besitzen = verheiratet sein (auf den Mann bezogen). ↗Loch 17. 1900 ff.

35. blas' mir ins ~!: derber Ausdruck der Ablehnung. ↗Loch 15. 1600 ff.

36. einer ein ~ in den Bauch bohren (drehen) = einer Frau beischlafen. 1930 ff.

37. in ungebohrtem ~ bohren = sich homosexuell betätigen. ↗Loch 27. 1940 ff.

38. immer wieder in dasselbe ~ bohren = etw immer von neuem zur Sprache bringen. 1920 ff.

39. jm ein ~ ins Knie bohren = jm etw hartnäckig, gewaltsam abverlangen. Man macht ihn auf grausame Weise willfährig. 1920 ff.

40. jm ein ~ ins Fell brennen = auf jn einen Schuß abfeuern. ↗aufbrennen 1. Sold 1939 ff.

41. in etw kein ~ finden = keinen Ausweg wissen. Leitet sich her von der Suche nach einem Loch in einer Einfriedigung, auch von der Suche nach einer Lücke in den Gesetzesparagraphen. 1900 ff.

42. ins ~ fliegen = zur Verbüßung einer Freiheitsstrafe abgeführt werden. ↗Loch 3. 1900 ff.

43. jm ein ~ (ein zweites ~) in den Arsch fragen = jm Fragen über Fragen stellen; jn einem strengen Verhör unterziehen. 1840 ff.

44. jm Löcher in den Bauch (Leib) fragen = jm mit Fragen zusetzen; jn gründlich ausfragen. Die Fragen wirken wie Dolchstöße o. ä. Vgl ↗löchern 1. 1870 ff.

45. jm Löcher in den Kopf fragen = jm

mit Fragen lästig fallen. ↗löchern 1. 1900 ff.

46. sich ein ∼ in den Ärmel freuen = sich sehr freuen. „Ärmel" ist Hüllwort für „Arsch"; vgl das Folgende. 1850 ff.

47. sich ein ∼ (ein zweites ∼) in den Arsch freuen = sich überaus freuen. Scherzhaft bezogen auf einen lustigen Zecher oder Esser. 1840 ff.

48. sich ein ∼ in den Bauch freuen = sich sehr freuen. 1900 ff.

49. sich ein ∼ in die Mütze freuen = sich unbändig freuen. 1920 ff.

50. sich ein ∼ in den Strumpf freuen = sehr ausgelassen sein. Vgl ↗Loch 64 a. 1840 ff.

51. jetzt geht es aus einem anderen ∼ = jetzt wird es ernst; jetzt hört das angenehme Leben auf. Hergenommen vom „↗Wind", der „aus einem anderen Loch bläst". 1950 ff.

52. vor das ∼ gehen = aus der Haustür treten; ins Freie gehen. Übertragen vom Tier, das sein Loch verläßt. Vgl auch ↗Loch 10. 1900 ff.

53. guck mir kein ∼ in die Karten! Zuruf an einen Nichtmitspieler, der dem Spieler in die Karten blickt. Kartenspielerspr. 1920 ff.

54. ein ∼ in die Luft gucken (glotzen, sehen o. ä.) = gedankenlos, gedankenverloren aufwärtsblicken; verwundert blicken. Nachbildung von „ein ↗Loch in die Luft schießen". 1900 ff.

55. die Sache hat ein ∼ = man geht von einem Irrtum aus; die Sache läßt sich nicht verwirklichen; die Sache ist falsch geplant oder falsch ausgeführt worden. Die Sache ist undicht, wasserdurchlässig wie ein schadhaftes Gefäß oder Wasserrohr. 1920 ff.

56. Löcher in der Hand haben = viel Geld ausgeben. Vergröberung von „das Geld zerrinnt ihm zwischen den Fingern". 1950 ff.

57. Löcher im Heiligenschein haben = nicht untadelig sein. 1950 ff.

57 a. ein ∼ im Kopf haben = Gedächtnislücken haben. 1960 ff.

58. ein Loch im Magen (Bauch) haben = viel essen können. Groteske Physiologie. 1870 ff.

58 a. du hast wohl ein ∼ im Radarschirm? = du bist wohl nicht bei Verstand? Jug 1960 ff.

59. ein ∼ in der Raumhose haben = nicht recht bei Verstand sein. Raumhose = Hose des Weltraumfahrers. 1960 (Arno Schmidt).

60. ein ∼ im Tank haben = nicht wissen, was man sagt. Veranschaulichung von „↗dicht 1". 1935 ff, sold und ziv.

61. seine Logik hat Löcher = er denkt nicht streng logisch. 1920 ff.

62. auf ihr ∼ hält der Staatsanwalt den (die) Finger = sie ist noch nicht 16 Jahre alt. ↗Loch 17. Bezieht sich auf § 182 StGB. Im frühen 20. Jh aufgekommen mit dem berüchtigten Sternberg-Prozeß.

63. das haut ein ∼ in die Pauke = das hat schwerwiegende Folgen. Ein Loch in der Pauke macht das Instrument unbrauchbar. 1840 ff.

64. ein ∼ in den Strumpf jubeln = a) eifrig tanzen. 1870 ff. – b) ausgelassen leben; Ausschweifungen sich hingeben;

ausdauernd zechen o. ä. ↗Loch 50. 1890 ff.

65. aufs ∼ kommen = zur Einsicht kommen. Vom Flötenspieler hergenommen, der mit dem richtigen Finger das richtige Loch verschließt. 1900 ff.

66. ins ∼ kommen = sich eine Freiheitsstrafe zuziehen. ↗Loch 3. Seit dem 19. Jh.

67. vor das ∼ kommen = aus dem Haus treten. ↗Loch 52. 1900 ff.

68. jn vor das ∼ kriegen = jn aus der Wohnung herauslocken; jn zu einem Spaziergang veranlassen. ↗Loch 52. 1900 ff.

69. ein ∼ in den Anzug kriegen = von einer Kugel getroffen werden. 1935 ff.

70. sich ein ∼ in den Bauch lachen = herzlich, hellauf lachen. ↗Frack 6. 1910 ff.

71. sich ein ∼ ins Hemd lachen = unbändig lachen. Gemeint ist wohl, daß das Hemd aus den Nähten platzt. 1930 ff.

72. leck' mich am ∼! Ausdruck derber Abweisung. Analog zu „↗Arsch 169". Seit dem 19. Jh.

73. im ∼ liegen = das Haus nicht verlassen. ↗Loch 1. 1900 ff.

74. auf dem richtigen ∼ liegen = der Ehefrau beischlafen. ↗Loch 17. 1900 ff.

75. neue Löcher machen = neue Schulden machen. ↗Loch 31. Seit dem 19. Jh.

76. das ∼ offenhalten = für gute Verdauung sorgen. Seit dem 19. Jh.

77. das ∼ ölen = koitieren. ↗Loch 17. 1900 ff.

78. aus einem anderen ∼ pfeifen = härter, strenger, rücksichtsloser reden. ↗Loch 51. 1950 ff.

79. auf (aus) dem letzten ∼ pfeifen = a) am Ende sein; sein Geld ausgegeben haben; nicht weiterwissen; im Sterben liegen; entkräftet sein. Leitet sich von Blasinstrumenten her: das letzte Loch erzeugt den höchsten Ton. 1500 ff. – b) laut Darmwind entweichen lassen. 1900 ff.

80. jm ein ∼ in den Kopf pusten = jm in den Kopf schießen. Kriminalromanspr. 1950 ff.

81. jn aus (bei) einem ∼ rauskitzeln = jm ein Geheimnis entlocken. Übertragen vom Herauslocken eines Tieres aus seinem Bau. Seit dem 19. Jh.

82. jm ein ∼ (Löcher) in den Bauch (Kopf) reden (quasseln, quatschen, schwätzen o. ä.) = auf jn nachdrücklich und ausdauernd einreden; jm mit Geschwätz lästig fallen. In scherzhafter Auffassung trägt das Opfer einen Schaden davon wie etwa ein Gewebe, das auf die Dauer dünn und löcherig wird. 1600 ff.

83. sich ein großes ∼ in die Hose reißen = sich selber schaden. 1900 ff.

84. das reißt ein ∼ ins Portemonnaie = das ist eine große Geldausgabe. 1900 ff.

85. saufen wie ein ∼ = unersättlich trinken. Leitet sich her von einem Erdloch, in dem das Wasser rasch versickert. Spätestens seit 1800. Vgl franz „boire comme un trou".

86. sich ein ∼ in die Hose scheißen = überängstlich sein. Sold in beiden Weltkriegen.

87. ein ∼ schieben = die Kugel zwischen den Kegeln durchlaufen lassen, ohne einen einzigen umzuwerfen. Keglerspr. seit dem 19. Jh.

88. jm Löcher in den Bauch schießen = jm einen großen Schreck einjagen. 1900 ff.

89. Löcher in die Luft (in die Natur; in die Wolken) schießen = a) das Schußziel verfehlen. Aufgekommen im preußisch-dänischen Krieg von 1848–49. – b) den Fußball wahllos, ungezielt treten. Sportl 1950 ff.

90. ein ∼ in den Tag schlafen = lange schlafen. 1800 ff.

91. man kann sich auch ein ∼ in die Kniescheibe schlagen und heiße Milch reingießen! Redewendung, wenn einer diesen und jenen Vorschlag macht (er beginnt seine Rede mit „man kann ja auch . . .“). Sold 1935 ff, österr.

92. ein ∼ in die Luft schlagen = zur Ohrfeige ausholen, aber sein Ziel verfehlen. 1900 ff.

93. Löcher in die Luft schlagen = als Schlagballspieler den Ball verfehlen. 1900 ff.

94. damit kann man einem ein ∼ in den Kopf schmeißen: Redewendung auf alte (harte) Brötchen. 1900 ff.

95. er muß sich noch ein zweites ∼ in den Arsch schneiden lassen = er ist überaus gefräßig. 1920 ff.

96. ∼ ist ∼: Redewendung eines Mannes, der in Bezug auf Frauen nicht wählerisch ist. ↗Loch 17. 1800 ff.

97. ihr ∼ ist noch strafbar (strafwürdig) = sie ist noch nicht 16 Jahre alt. ↗Loch 62. 1900 ff.

98. da ist ein ∼ in der Socke = da stimmt etwas nicht; da wird uns irgendetwas verheimlicht. Sold 1939 ff.

99. im ∼ sitzen (hocken) = Gefängnisinsasse sein. ↗Loch 3. Seit dem 19. Jh.

100. sich am ∼ spielen = a) die Zeit unnütz vertun. ↗Loch 27. 1940 ff. – b) verlegen sein. 1940 ff.

101. jn ins ∼ stecken (führen, legen, werfen) = jn zu einer Freiheitsstrafe verurteilen. ↗Loch 3. 1500 ff.

102. sich ein ∼ in den Bauch stehen = lange stehen und warten. 1950 ff.

103. ein ∼ mit einem anderen stopfen = mit geliehenem Geld seine Schulden bezahlen. ↗Loch 31. 1800 ff.

104. das ∼ in der Kasse stopfen = den geschäftlichen Niedergang wieder wettmachen. 1950 ff.

105. jm ein ∼ in seine Fratze stoßen = jm heftig ins Gesicht schlagen. 1950 ff.

106. ich stoße dir ein ∼ in den Kopf, und wenn du dich nicht beruhigst, noch eins!: Drohrede. Auch in der Form: „Ihnen hat wohl lange keiner ein ∼ in den Kopf gestoßen?" 1920 ff, Berlin.

107. ein ∼ verbohren = ein Mädchen notzüchtigen. 1910 ff.

108. jm das ∼ versohlen = jn heftig prügeln. Loch = After = Gesäß. Seit dem 19. Jh.

109. einer das ∼ verzimmern = koitieren. ↗Loch 17; ↗vernageln. 1920 ff.

110. sich ein ∼ in die Hose wundern = sich sehr verwundern. Vor Spannung rutscht man auf dem Hosenboden hin und her und scheuert ihn durch. 1900 ff.

111. jm das ∼ zeigen (weisen) = jn barsch hinausweisen. Loch = Tür. Seit dem 19. Jh.

112. halt' dein ∼ zu! = a) verstumme! ↗Loch 13. 1920 ff. – b) laß keine Darmwinde entweichen! ↗Loch 15. 1920 ff.

113. das ~ zukneifen = sterben; im Krieg fallen. Analog zu „↗Arsch 251". Seit dem 19. Jh.

114. das ~ zumachen = die Tür schließen. ↗Loch 10. Seit dem 19. Jh.

115. ein ~ zurückstecken = a) nachgeben; die Ansprüche mildern. Hergenommen von den Löchern im Leibriemen, den man enger schnallt. 1800 ff. – b) wegen Alters in der Arbeit nachlassen; sich die Arbeit leichter machen. 1900 ff.

116. es zieht die Löcher in den Strümpfen zusammen = es schmeckt sehr sauer. ↗Strumpfwein. Seit dem 19. Jh.

117. ein ~ zustopfen = a) von mehreren Geldschulden eine bezahlen. ↗Loch 103. Seit dem 19. Jh. – b) einer Frau beischlafen. ↗Loch 17. 1900 ff.

löchern tr **1.** jn ausdauernd ausfragen; jm durch anhaltendes Fragen lästig fallen. ↗Loch 44. 1900 ff.

2. jn langweilen. 1900 ff.

Lochschwager m **1.** (scherzhafte Verwandtschaftsbezeichnung für) Männer, die mit derselben Frau geschlechtlich verkehren. ↗Loch 17; ↗Schwager. 1870 ff.

2. Homosexueller. ↗Loch 15. 1960 ff.

Lochtrine f Aufseherin im Frauengefängnis. Sie beobachtet durch das Guckloch in der Zellentür (vgl ↗Loch 3) die ihrer Aufsicht unterstellten „Löcher" (↗Loch 18). 1930 ff, polizeispr. und prost.

lochweise adv ~ zahlen = Kredit aufnehmen, um eine Geldschuld abzutragen. ↗Loch 31. 1923 ff.

Locke f **1.** Stimmungslied. Mit ihm lockt man Zuhörer an. Musikerspr. 1960 ff.

2. ~n im Streckhang = strähnig herabhängendes Haar. Scherzhaft hergenommen von einer Leibesübung an der Sprossenwand. 1955 ff, halbw.

3. gepustete ~n = Windstoß-Frisur. 1939 ff.

4. gußeiserne ~n = Naturlocken. Gußeisern = von fester Form; unveränderlich. 1950 ff.

5. zweite ~ = Toupet. 1970 ff.

6. da geht mir die ~ hoch = es ist unerträglich. Veranschaulichung von „haarsträubend". 1950 ff, jug.

locker adj **1.** unbeschwert; schwungvoll, sympathisch, umgänglich; aufgeschlossen; modern denkend. Halbw 1960 ff.

2. ~ vom Bock (vom Hocker)! = Redewendung, mit der man eine Sache als unbedeutend, als leicht zu meistern abtut. Hergenommen von der Behendigkeit und Gelenkigkeit des Kutschers beim Herabsteigen oder -springen vom Kutschbock. Die heute geläufigere Form „vom Hocker" ist eine Abwandlung aus reiner Reimfreude. Sold spätestens seit 1939.

3. nicht ~ lassen (nicht ~ geben) = nicht nachlassen; von etw keinesfalls Abstand nehmen. Anspielung auf den Reiter oder Fuhrmann, der die Zügel nicht nachläßt. Seit dem 19. Jh.

4. etw ~ machen = sich von etw trennen; freigebig sein; einen Betrag vom Bankkonto abheben; eine geldliche Bewilligung durchsetzen. Man löst ein(en) Teil aus dem Zusammenhang. Seit dem 19. Jh.

5. jm etw ~ machen = jm Geld abnötigen. 1950 ff.

6. einen ~ machen = koten. BSD 1960 ff.

7. das Geld ~ sitzen haben (ihm sitzt das Geld ~) = beim Geldausgeben nicht kleinlich sein. 1900 ff.

8. nimm's ~! = nimm's nicht so schwer! 1960 ff.

9. etw ~ sehen = etw nachsichtig beurteilen. 1960 ff.

Lockvogel m **1.** dem Gegner als Anreiz zum Stechen vorgesetzte Karte mit hoher Augenzahl. Kartenspielerspr. seit dem 19. Jh.

2. Ware zu stark herabgesetztem Preis; Sonderangebot; branchen- oder betriebsfremde Nebenware, die bei Einkäufen von bestimmtem Wert billiger abgegeben wird. 1920 ff.

Loddel m Zuhälter. ↗lottern. 1950 ff.

Lodder m ↗Lotter.

lodderig adj ↗lotterig.

Loden pl **1.** Kleider, Uniformstücke; Lumpen. Fußt auf mhd „lode = grober Wollstoff". 1870 ff.

2. lange, fettige Haare; ungekämmte Haare. 1850 ff.

3. chemische ~ = gefärbtes Haar. 1930 ff.

Löffel m **1.** pl = Menschenohren. Meint in der Jägersprache die Ohren des Hasen u. ä., beruhend auf „laff = schlaff herabhängend". Seit dem 18. Jh.

2. dicht beim silbernen ~! = beinahe gewonnen! Bei Schützenfesten war der silberne Löffel der Hauptpreis. Kartenspielerspr. 1870 ff.

3. den ~ abgeben = a) Selbstmord verüben; sterben. Wer den Löffel abgibt, schließt sich aus der Tischgemeinschaft aus. Halbw 1960 ff. – b) von der Schule verwiesen werden. Schül 1965 ff.

4. knöpf deine ~ auf! = hör genau zu! Hergenommen von der Mütze mit herunterklappbaren Ohrenschützern, die unter dem Kinn zusammengeknöpft werden. Seit dem späten 19. Jh.

5. seine ~ aufsperren (auftun) = aufmerksam zuhören. Seit dem 19. Jh.

6. jn über den ~ balbieren (barbieren) = jn übertölpeln. Leitet sich her vom alten Barbierbrauch, zahnlosen Männern einen großen Holzlöffel in den Mund zu schieben und über das hiermit künstlich gewölbte Wange zu rasieren. Daher ergibt sich Analogie zu „↗einseifen" im Sinne eines Betrugens. Vgl franz „faire la barbe à quelqu'un". Seit dem 18. Jh.

7. jn auf einen ~ Suppe bitten (einladen) = jn zu einem Festessen einladen. Ausdruck gespielter Bescheidenheit. 1850 ff.

8. jm etw mit dem ~ eingeben = jm etw schonend beibringen. Man gibt es ihm löffelweise, nach und nach zu verstehen, so wie man Kranken oder Kindern die Speise löffelweise eingibt. 1900 ff.

9. mit dem großen ~ essen = prahlen; sich aufspielen; Aufwand treiben. Bezieht sich eigentlich auf die Teilnahme an einem Festessen. Seit dem 19. Jh.

10. Jesus sprach zu seinen Jüngern: „wer keinen ~ hat, ißt mit den Fingern": Aufforderung, sich beim Essen auch ohne Löffel zu behelfen. Scherzhaft der Bibelsprache nachgebildet. 1870 ff.

11. jm eins hinter die ~ geben = jn ohrfeigen. ↗Löffel 1; ↗Ohr. Seit dem 19. Jh.

12. mit einem silbernen (goldenen) ~ geboren sein = aus reichem Hause stammen. Silberne Eßbestecke gab es früher nur bei sehr Wohlhabenden. Seit dem 19. Jh.

13. mit ~n gefressen = in großer Menge vereinnahmt; übergenug (auch iron gebraucht). Leitet sich her vom Suppenlöffel, der mehr faßt als die Gabel; auch ist der Löffel kulturgeschichtlich älter als die Gabel. 1600 ff.

14. etw mit ~n gefressen haben = a) von der Richtigkeit einer Sache überzeugt sein; etw gründlich gelernt haben; etw bestens beherrschen (auch iron). 1600 ff. – b) einer Sache überdrüssig sein. Vgl ↗gefressen haben. 1600 ff.

15. zum Arbeiten keinen ~ haben = zum Arbeiten keine Lust haben. Der Löffel als Eßwerkzeug steht hier sinnbildlich für den Appetit. Österr seit dem 19. Jh.

16. die ~ am (im) Arsch haben = a) schwerhörig sein. ↗Löffel 1; vgl „auf den ↗Ohren sitzen". 1870 ff. – b) etw absichtlich überhören. 1900 ff.

17. noch keinen warmen ~ im Leib haben = noch nichts Warmes gegessen haben. Seit dem 19. Jh.

18. wenn wir dich nicht hätten und keine(n) ~, müßten wir die Suppe trinken (oder: mit der Gabel essen): Redewendung an ein Kind, das sich (bei Tisch) ungebührlich aufspielt. Spätestens seit 1900.

19. jm ein paar hinter (um) die ~ hauen = jn ohrfeigen. Analog zu „jm ein paar hinter die ↗Ohren hauen". 1800 ff.

20. den ~ hinlegen = sich zum Sterben anschicken. Bei den Bauern hatte früher jeder seinen eigenen Löffel, der am Wandbrett seinen besonderen Platz hatte. Wer den Löffel aufsteckte, hatte seine Mahlzeit beendet. Zur Gleichung „essen = leben" gehört auch das Gegenstück „den Löffel niederlegen = sterben". Vgl ↗Löffel 3. Seit dem 19. Jh.

21. einen sauberen ~ kochen = ein Meister in der Kochkunst sein. 1930 ff.

22. ein paar hinter die ~ kriegen = geohrfeigt werden. ↗Ohr 49. Seit dem 19. Jh.

23. mit den ~n schlackern = mutlos sein. ↗Löffel 1; ↗Ohr 70. „Schlackern" ist Wiederholungsform von „schlagen": der Mut- und Ratlose schüttelt den Kopf. 1917 ff.

24. sich etw hinter die ~ schreiben = sich etw merken. ↗Ohr 75. Seit dem 19. Jh.

25. auf den ~n sitzen = unaufmerksam sein; nicht genau zuhören. ↗Löffel 16. 1700 ff.

26. die ~ spitzen = aufmerksam zuhören; lauschen. ↗Löffel 1. 1900 ff.

27. da steht der ~ drin = das ist ein besonders guter, starker Kaffeeaufguß. Ursprünglich auf steifen Brei bezüglich. 1900 ff.

28. silberne ~ stehlen = einen Grund zu fristloser Entlassung bieten. 1920 ff.

29. den ~ weglegen = sterben; den Soldatentod erleiden. ↗Löffel 20. Seit dem 19. Jh.

30. ich leg' den ~ weg!: Ausruf des Erstaunens. Man unterbricht das Essen, um sich kein Wort des Berichts entgehen zu lassen. Schül 1950 ff.

31. den ~ wegwerfen (wegschmeißen, schmeißen) = sterben; im Krieg fallen. ↗Löffel 20. Seit dem 19. Jh.

Löffeljournalisten pl Journalisten, deren

Hauptaugenmerk und -tätigkeit bei Presseempfängen dem Imbiß und den Getränken gilt. 1950 *ff.*

löffeln *v* **1.** *intr* = Suppe essen. Seit dem 19. Jh.

2. *tr* = jn ohrfeigen. ↗Löffel 11. Seit dem 19. Jh.

3. *tr* = etw begreifen. Man nimmt es mit dem Gehör wahr (↗Löffel 1). 1900 *ff,* *stud.*

4. *intr* = den Ball von unten schlagen. Tennissportl. 1920 *ff.*

4 a. *intr* = sich vom Mitschüler vorsagen lassen. ↗löffeln 3. *Schül* 1965 *ff.*

5. mit jm ~ = mit jm flirten; koitieren. Im 14. Jh war „Löffel" der Liebesnarr, zusammenhängend mit „↗Laffe". 1500 *ff.*

6. sich ~ = jm Genugtuung geben; seinen Fehler einsehen und wiedergutmachen; einen „Straftrunk" zu sich nehmen. Hängt zusammen mit „löffeln = um ein Mädchen freien"; von da erweitert zur Bedeutung „sich in Gunst zu setzen suchen". 1870 *ff,* *stud.*

Logierritze (Bestimmungswort *franz* ausgesprochen) *f* Spalt zwischen zwei nebeneinanderstehenden Betten. In beengten Verhältnissen wird dieser Platz dem Gast eingeräumt. ↗Besuchsritze. 1920 *ff.*

logo *adv* **1.** logisch. Hieraus lateinisierend abgewandelt. *Halbw* 1965 *ff.*

2. ~ = klar? verstanden? stimmt, nicht wahr? *Halbw* 1965 *ff.*

Lohengrinsuppe *f* Suppe mit unergründlichen, fragwürdigen Bestandteilen. Fußt auf der Textstelle des Titelhelden in Richard Wagners Oper „Lohengrin": „Nie sollst du mich befragen . . .". 1870 *ff.*

Lohn *m* **1.** Leistungsnote des Schülers. Sie ist nicht nur Lohn für gute Mitarbeit, sondern auch für Trägheit, Disziplinlosigkeit usw. 1920 *ff.*

2. ~ der Angst = a) Wehrsold. Fußt auf dem deutschen Titel des 1951/52 mit Yves Montand gedrehten Films „Le salaire de la peur" (Regie: Henri-Georges Clouzot). *BSD* 1960 *ff* = b) Fallschirmspringer-, Fliegerzulage. *BSD* 1960 *ff.* – c) Mitteilung der Schulleitung an die Eltern wegen gefährdeter Versetzung des Schülers. 1958 *ff.* – d) „Ausreichend" („mangelhaft") als Bewertungsstufe. *Schül* 1958 *ff.* – e) Schulzeugnis mit schlechten Noten. 1958 *ff.*

3. ~ der Liebe = Prostituiertenentgelt. 1920 *ff.*

löhnen *intr* zahlen; zahlender Gast sein. 1968 *ff.*

Lohnpause *f* befristeter Verzicht auf Lohnerhöhungen. 1967 *ff.*

Lohntüte *f* **1.** Schulzeugnis. ↗Lohn 1. 1950 *ff.*

2. magere ~ = Lohntüte mit geringem Inhalt. 1950 *ff.*

3. die ~ ausstauben = den Wochenverdienst leichtfertig ausgeben. 1950 *ff.*

4. sein Kopf gleicht einer ~ = er ist dumm. Der Kopf ist so kärglich gefüllt wie die Lohntüte. *Berlin* 1963 *ff.*

5. die ~n zusammenwerfen = heiraten. 1960 *ff.*

Lokal *n* **1.** Gesicht. Vom Geschäftslokal führt die Entwicklungsreihe über „Laden" zum „Bilderladen", einer umgangssprachlichen Bezeichnung für das menschliche Gesicht. Seit dem späten 19. Jh, Berlin.

2. Klassenzimmer. *Schül* 1950 *ff.*

3. saures ~ = Gaststätte mit wenigen

Besuchern; Lokal, in dem keine Stimmung aufkommt. ↗sauer. 1925 *ff.*

4. das ~ schinden = sich in einer Gastwirtschaft aufhalten, ohne viel zu verzehren. ↗schinden. 1900 *ff,* *stud.*

Lokalgröße *f* einflußreicher, angesehener Bürger einer Stadt, einer Gemeinde o. ä. 1920 *ff.*

Lokalkenntnisse *pl* ~ sammeln = Gastwirtschaften besuchen. Eigentlich soviel wie „Ortskenntnisse". 1930 *ff.*

Lokalrunde *f* Freigetränk für alle anwesenden Gäste einer Gastwirtschaft. 1900 *ff.*

Lokomotive *f* **1.** vorwärtsstürmende, mitreißende Kraft; Künstler mit zugkräftigem Namen; großer Könner; Anreger; Schrittmacher. Übertragen von der großen Zugkraft der Lokomotive. 1900 *ff.*

2. hervorragender Sportler. Übertragen vom Beinamen des tschechoslowakischen Weltrekordläufers Emil Zatopek, der in den Jahren 1948 und 1952 viermal Olympiasieger wurde. 1955 *ff.*

3. Hauptrollenträger. Theaterspr. 1900 *ff.*

Lokus *m* **1.** Abort (*pl* = Lokusse). Fußt auf dem *lat* „locus = Ort", vor allem auf „locus necessitatis = Ort der Notdurft(-verrichtung)". Seit dem 17. Jh. *Gleichbed engl* „locus".

2. kurz vor dem ~ in die Hosen (mit dem Deckel in der Hand) = knapp verloren. Bezogen auf ein Skatspiel, bei dem der Spieler nur 60 oder 59 Punkte erreicht. Kartenspielerspr. 1920 *ff.*

3. im ~ in die Hosen machen = das Skatspiel mit 60 Punkten verlieren. Kartenspielerspr. 1920 *ff.*

Lokusdeckel *m* **1.** Abortdeckel. Seit dem 19. Jh.

2. breite, plumpe Hand. ↗Abortdeckel. 1900 *ff.*

3. Augen wie ~ = sehr große, weitgeöffnete Augen. 1900 *ff.*

Lokusjahrgang *m* Geburtsjahrgang 1900. ↗Klo-Jahrgang. 1920 *ff.*

Lolita *f* frühreifes Mädchen von 13, 14 Jahren, das schon Erfahrung im Geschlechtsverkehr besitzt. 1959/60 aufgekommen nach der Titelheldin des 1959 ins Deutsche übersetzten Romans von Vladimir Nabokov.

Lolli *m* **1.** Süßigkeit am Stiel; Bonbon. Gehört zu ↗lullen. *Nordd* 1950 *ff.*

2. Leutnant. Meint wesewörtlich soviel wie „Süßer" oder ist abgeleitet vom Stern auf den Schulterklappen, der als „Bonbon" angesehen wird. *BSD* 1950 *ff.*

3. Gummiknüppel, Stahlrute. Gilt höhnisch als Süßigkeit am Stiel. 1967 *ff,* *halbw* und polizeispr.

4. Präservativ. „Stiel" (nach ↗Lolli 1) führt zur Bedeutung „Penis". 1960 *ff.*

Lollo *m* *f* **1.** (üppig entwickelter) Frauenbusen. Benannt nach der italienischen Filmschauspielerin Gina Lollobrigida, die um 1955 zu den „↗Kurvenköniginnen" gezählt wurde. 1955 *ff,* *halbw.*

2. Mädchen, dessen üppiger Busen sich in einem engliegenden Pullover drall abzeichnet. 1955 *ff.*

Look (*engl* ausgesprochen) *m* Modestil. Nach 1945 aus dem *Engl* übernommen.

Lorbas *m* **1.** ungeschickter, plumper, flegelhafter Bursche; grobschlächtiger Mann; Draufgänger. Ein vorwiegend in Ostpreußen heimisches, aus dem Litauischen stammendes, kräftiges Wort des 19. Jhs,

das vor allem durch den Zweiten Weltkrieg und die Vertreibung der Ostpreußen westwärts gewandert ist.

2. langer ~ = großwüchsiger Mensch. *Ostpreuß* seit dem 19. Jh.

Lorbeer *m* **1.** schmutziger ~ = a) das Abschreiben vom Mitschüler. *Dt* Titel des nach einem Buch von Budd Schulberg 1956 von Mark Robson mit Rod Steiger in den USA gedrehten Films „The Harder They Fall". *Schül* 1958 *ff.* – b) Sieg in anrüchiger Sache. 1960 *ff.*

2. auf seinen ~ ausruhen = von vergangenem Ruhm zehren; nach einem Erfolg müßiggehen. Mit dem Lorbeerkranz ehrte man Künstler und Sieger. Seit dem 18. Jh. *Vgl franz* „se reposer sur ses lauriers".

3. ~en ernten = gerühmt werden; vom Lehrer gelobt werden; vor der Kritik bestehen. 19. Jh.

Lord *m* **1.** Seemann; Marineangehöriger. Verkürzt aus *engl* „Seelord", dieses aus *engl* „sailor" entstellt. 1910 *ff.*

2. gutgekleideter Junge mit vornehmem Benehmen. Hängt zusammen mit der volkstümlichen Vorstellung von einem *engl* Lord. *Halbw* 1955 *ff.*

3. Klassenbester. *Schül* 1960 *ff.*

Lorelei *f* **1.** verführerische weibliche Person mit lang herabwallendem Haar. Übernommen von den Darstellungen der rheinischen Sagengestalt in der bildenden Kunst. 1900 *ff.*

2. unergründliche Suppe. Anspielung auf den Anfang des Gedichts von Heinrich Heine: „Ich weiß nicht, was soll es bedeuten". 1900 *ff.*

Loreleifrisur *f* lang herabfallendes Haar. ↗Lorelei 1. 1900 *ff.*

Lorke *f* dünner Kaffeeaufguß; gehaltloses Getränk. Verkleinerungsform von „Lauer = Nach-, Tresterwein". 1700 *ff.*

Los *n* das Große ~ gezogen haben = in sehr günstige Lebensverhältnisse gelangt sein; eine glückliche Ehe eingegangen sein. 1800 *ff.*

los I *adj* **1.** ungezogen, mutwillig. Übertragen vom Tier, das sich von der Kette losgerissen hat oder aus der Einfriedung ausgebrochen ist. Seit *ahd* Zeit.

2. leichtfertig, leichtsinnig. Seit *mhd* Zeit.

3. listig, arglistig, heimtückisch. Seit dem 15. Jh.

los II *präp* **1.** los dafür! = a) prost! Eigentlich ein Spielerausdruck, wenn der Bankhalter die Sätze halten will. ↗ab 1. 1900 *ff.* – b) vorwärts! 1910 *ff.*

2. denn man los (denn mal los)! = angefangen! frischauf! 1870 *ff.*

3. los von Rom! = spiel' endlich aus! entscheide dich, welche Karte du ziehen willst! Das seit 1848 bekannte Schlagwort „los von Rom" bezieht sich auf Bestrebungen zur Begründung katholischer Kirchen, die nicht dem Papst unterstehen. Kartenspielerspr. seit dem späten 19. Jh.

4. auf „los!" geht's los = auf das Kommando „los!" wird angefangen. 1920 *ff;* anfangs sportl.

losaasen *intr* **1.** schnell, überhastet abfahren, aufbrechen. ↗aasen. 1900 *ff.*

2. ungestüm mit der Arbeit beginnen. 1900 *ff.*

losbolzen *intr* ein Fußballspiel in schnellem Tempo beginnen; das Spiel rauh einleiten. ↗bolzen 6. 1920 *ff.*

losbringen *tr* schwerverkäufliche Ware absetzen. Man bringt sie von sich fort an den Käufer. 1870 *ff.*

löschen *v* **1.** einen ~ = ein Glas Alkohol zu sich nehmen. Hinter „einen" ergänze „↗Brand". Seit dem 19. Jh.
2. jm eine ~ = jm eine Ohrfeige, einen Hieb versetzen. Gehört wohl zu „Lusche, Lüsche = Scheuklappe" und meint in übertragener Bedeutung das Ohr. Seit dem 19. Jh.

Löschkumpane *pl* **1.** Mitzecher. Das Durstlöschen als Gemeinschaftsaktion. ↗Kumpan. 1920 *ff.*
2. Feuerwehrleute. 1920 *ff.*

Löschübung *f* Zecherei. Eigentlich die Feuerwehrübung. 1920 *ff.*

losdampfen *intr* mit dem Kraftfahrzeug starten. *Vgl* ↗abdampfen 1. 1920 *ff.*

losdreschen *v* **1.** *impers* = heftig zu regnen beginnen. Es klingt wie Dreschflegelschläge auf das Getreide. 1900 *ff.*
2. auf jn ~ = auf jn heftig einschlagen. ↗dreschen 1. Seit dem 19. Jh.

lose *adv* **1.** ~ gepackt = gereizt; in gereizter Stimmung. Übertragen von der nur leicht verpackten Ware, mit der man vorsichtig umgehen muß. 1930 *ff.*
2. welche sitzt ~? = welche Karte willst du anspielen? Nach dem Spieleraberglauben sitzt die für das Anspielen günstige Karte lose zwischen den anderen Karten in der Hand. Kartenspielerspr. 1870 *ff.*

loseisen *v* **1.** *intr* = weglaufen; sich eilig entfernen. ↗eisen. 1900 *ff.*
2. *tr* = jds Schulden bezahlen. Man löst den Betreffenden aus der Macht der Gläubiger wie ein im Eisen gefangenes Tier. 1700 *ff.*
3. *tr* = jn (etw) mit Mühen loslösen; jn seiner Familie entziehen. Seit dem 18. Jh.
4. *tr* = etw durch Bitten erlangen; Geld bewilligen. Seit dem 19. Jh.
5. sich ~ = sich freimachen; sich aus einer Bindung lösen; dem Arbeitgeber kündigen; seine Ehe scheiden lassen. 1900 *ff.*

Loser *m* **1.** du ~! = du Schelm! Gutmütiges Scheltwort. ↗los I. 1800 *ff.*
2. Homosexueller. Er gilt als einer, der sich von den gesellschaftlichen Durchschnittsnormen gelöst hat. 1920 *ff.*

losfangen *intr* anfangen. Zusammengewachsen aus „losgehen" und „anfangen". Spätestens seit 1900.

losgehen *intr* **1.** davongehen; aufbrechen; abmarschieren. Seit dem 19. Jh.
2. es geht los = es beginnt (wann geht das Theater los? = wann beginnt die Vorstellung?). Fußt auf „sich in Richtung auf ein Ziel entfernen" (der Schuß geht los, wenn die Treibladung die Kugel auf den Weg bringt). Seit dem 19. Jh.
3. bei dir geht's wohl los? = du kommst wohl von Sinnen? Die Verrücktheit setzt ein. 1960 *ff.*
4. ich glaube, es geht los = ich verliere die Geduld; es ist mir unerträglich. Der Zornesausbruch steht bevor. 1960 *ff.*
5. eine beischlafwillige Person suchen. *Stud* 1900 *ff.*
6. auf ein Mädchen ~ = um ein Mädchen freien. 1900 *ff.*
7. mit jm ~ = gegen jn auf Mensur antreten. *Stud* seit dem 19. Jh.

loshaben *tr* **1.** etw losgemacht (losgebun-

den; losgekauft usw.) haben. Hieraus verkürzt. Seit dem 19. Jh.
2. etw ~ = klug, geschickt, leistungsfähig sein. Verkürzt aus „losgemacht (gelöst) haben" (was man – als Teil eines Ganzen, aus einer Verbindung o. ä. – losmacht, macht man sich zu eigen). 1800 *ff.*
3. etw ~, und wenn's bloß eine Schraube ist = dumm, närrisch sein. *Vgl* „eine ↗Schraube loshaben". *Schül* 1950 *ff.*

loshitschen *intr* davonfahren. Stammt aus *engl* „to hitch = rücken, gleiten." *Halbw* 1955 *ff.*

losklotzen *intr* energisch beginnen. ↗klotzen, 1, 2 und 7. 1960 *ff*; wohl älter.

losknallen *intr* **1.** zu schießen beginnen. ↗knallen. Seit dem 19. Jh.
2. sich nicht beherrschen können; ausfallend werden. 1910 *ff.*

loskriegen (loskommen) *tr* **1.** etw lockern können. Seit dem 19. Jh.
2. etw (jn) ~ = sich von einer lästigen Sache oder Person befreien können. Seit dem 18. Jh.
3. etw ~ = etw verkaufen können. 1910 *ff.*

loskutschieren *intr* mit dem Kraftfahrzeug starten. Sprachlicher Rückgriff auf die Pferdekutsche. 1920 *ff.*

loslassen *v* **1.** etw ~ = einen Brief absenden; eine Verordnung erlassen. Man gibt das Gemeinte aus der Hand, läßt es frei. Seit dem 19. Jh.
2. *refl* = seine Ansicht rücksichtslos äußern. Man macht sich frei von allen Hemmungen und Rücksichten. Seit dem 19. Jh.
3. *refl* = freigebig, vergnügungssüchtig sein. Seit dem 19. Jh.

loslegen *intr* **1.** energisch beginnen. Hergenommen vom Lösen der Vertäuung, wenn das Schiff vom Kai ablegt. Seit dem 18. Jh.
2. seiner Erregung freien Lauf lassen; hemmungslos reden; sich sehr frei äußern. Seit dem 19. Jh.

losmachen *v* **1.** *intr* = anfangen. Versteht sich wie ↗loslegen 1. Seit dem 19. Jh.
2. *intr* = davongehen; abmarschieren; einen Ausflug unternehmen. Seit dem 19. Jh.
3. *tr intr* = beschleunigen; schneller arbeiten. Nach dem Befehlswort „los = vorwärts!". 1900 *ff.*
4. einen ~ = etw Schwungvolles bieten; sich ausgelassen amüsieren. Hinter „einen" ergänze „Hund" und *vgl* „↗Hund 136". *Halbw* 1950 *ff.*
5. etw ~ = einen Aufruhr entfachen. 1960 *ff.*
6. mit jm 'was ~ = flirten; koitieren. 1960 *ff.*

losmüssen *intr* aufbrechen, weggehen müssen. Verkürzt aus „losgehen müssen". 1900 *ff.*

losplatzen *intr* **1.** sich des Lachens nicht mehr erwehren können. Seit dem 18. Jh.
2. unzeitig reden; unpassend dreinreden; unbedacht ausplaudern. 1800 *ff.*

losrasseln *intr* **1.** mit dem Auto starten. ↗rasseln. 1920 *ff.*
2. davongehen. *Jug* 1955 *ff.*

losschieben *intr* **1.** weggehen; abmarschieren. ↗schieben. 1900 *ff.*
2. zu tanzen beginnen. 1900 *ff, halbw.*

losschießen *intr* zu erzählen anfangen; seine Rede beginnen. Die Worte kommen aus dem Mund hervor wie Geschosse aus dem Gewehrlauf o. ä. 1870 *ff.*

losschlagen *tr* etw billig hergeben, verkaufen. Hergenommen vom Zuschlag mit dem Hammer bei Versteigerungen. 1600 *ff.*

losschleichen *intr* sich auf den Weg machen. Eigentlich soviel wie „schleichend davongehen". *Halbw* 1965 *ff.*

lossein *intr* **1.** abmarschiert sein; auf Reise gegangen sein. Verkürzt aus „losgegangen, losgefahren sein". Seit dem 19. Jh.
2. etw ~ = etw verkauft, veräußert haben. 19. Jh.
3. es ist etwas los = ein besonderes Ereignis findet statt; ein Vorhaben läßt sich verwirklichen. ↗losgehen 2. 1800 *ff.*
4. hier ist etw los = hier herrscht lebhaftes Treiben, reger Geschäftsbetrieb, ausgelassene Stimmung; hier wird Sehens-/Hörenswertes geboten. Nachbildung von „hier ist der ↗Teufel los". 1800 *ff.*
5. da ist nichts los = da ist es langweilig; da kommt keine Stimmung auf. Seit dem 19. Jh.
6. was ist los? = was ist geschehen? was willst du von mir? „Los" meint, es habe sich etwas aus der gewohnten Ordnung gelöst. Die Frage wird scherzhaft beantwortet mit „was nicht angebunden (fest) ist". Seit dem 18. Jh.
7. was ist mit dir? = warum bist du (benimmst du dich) anders als sonst? was fehlt dir? Seit dem 19. Jh.
8. mit ihr ist etwas los = sie ist schwanger. Seit dem 19. Jh.
9. es ist nicht viel los mit ihm = a) er leistet nichts Besonderes; er taugt nicht viel. ↗loshaben 2. Seit dem 19. Jh. – b) er ist nicht bei guter Laune (nicht in guter Verfassung); er ist nicht freigebig; er kränkelt. *Vgl engl* „there is not much to him". Seit dem 19. Jh. – c) er ist nicht sehr zahlungskräftig; er führt ein eingeschränktes Leben. Seit dem 19. Jh.

losturnen *intr* weglaufen; sich auf den Weg machen. Anspielung auf sportlichen Geländelauf oder -marsch. 1910 *ff.*

loswerden *tr* **1.** etw einbüßen; für etw einen Käufer finden. 1500 *ff.*
2. etw zur Sprache bringen; eine Meinung nicht für sich behalten wollen. 1900 *ff.*
3. von jm frei werden; den Umgang mit jm abbrechen. Seit dem 18. Jh.

losziehen *intr* **1.** sich auf den Weg machen; abmarschieren. Man setzt sich in Bewegung in Richtung auf ein Ziel. Seit dem 19. Jh.
2. über jn ~ = über jn (eine abwesende Person) gehässig reden; auf jn schimpfen. *Vgl* „jn durch den ↗Kakao ziehen". 1600 *ff.*

loszwitschern *intr* **1.** abmarschieren, weggehen. ↗zwitschern. 1900 *ff.*
2. mit dem Flugzeug starten. Das Flugzeug (als ↗Vogel) fliegt mit „singenden" Motoren. Fliegerspr. 1935 *ff.*
3. mit dem Kraftfahrzeug abfahren. 1920 *ff.*

Lot *n* **1.** etw ins ~ bringen = etw in Ordnung bringen; einen Streit schlichten; Frieden stiften. Hergenommen vom Richtlot des Maurers und Zimmermanns. 1870 *ff.*
2. jn wieder ins ~ bringen = einen Betrunkenen ausnüchtern. Der Betrunkene kann nicht „senkrecht = lotrecht" stehen oder gehen. 1910 *ff.*
3. aus dem ~ geraten = a) aus der Ord-

nung kommen; von den geltenden Regeln abweichen. 1920 ff. – b) in seiner gewohnten Gemütsverfassung gestört werden; die gute Laune verlieren; sein Verhalten (in nachteiliger Weise) ändern. 1920 ff.
4. es kommt ins ~ = es kommt in die gewünschte Ordnung. 1900 ff.
5. mit etw ins ~ kommen = mit einer Sache fertigwerden; mit etw in Ordnung kommen. 1900 ff.
6. etw ins ~ kriegen = etw in die gewünschte Ordnung bringen; etw richtigstellen. 1900 ff.
7. im ~ sein = in Ordnung sein. Seit dem 19. Jh.
8. nicht gut im ~ sein = mißgestimmt sein; kränkeln. *Vgl* ↗ Lot 3 b. Seit dem 19. Jh.
9. jn ins ~ stellen = jn rügen, zur Rede stellen, zur Ordnung rufen. 1920 ff.
löten *v* **1.** *tr* = ein Glas Alkohol zu sich nehmen. Im *Rotw* aufgekommen im ausgehenden 19. Jh, so daß die Vokabel wohl dem älteren „↗ Lötkolben" nachgebildet ist und nicht umgekehrt.
2. koitieren. Durch Löten werden zwei getrennte Metalle verbunden. 1900 ff.
3. nicht zu ~ an einen Holzeimer (an eine Holzkiste)! = ausgeschlossen! Berlin, spätestens seit dem ausgehenden 19. Jh.
Lötkolben *m* **1.** Trinkernase; dunkel verfärbte Nase. Fußt auf der Farbverwandtschaft mit dem glühenden Lötkolben. Etwa seit 1840.
2. Penis. Anspielung auf die Kolbenform und auf „↗ löten 2". 1900 ff.
Lotse *m* **1.** Sanitätssoldat, Krankenpfleger. Er bringt die „Schiffe" (= Harn) aus den Krankenzimmern. 1920 ff.
2. Zivildienstleistender. Er wird im Krankenhaus u. ä. eingesetzt. *BSD* 1965 ff.
lotsen *tr* jn an den Tisch (ins Haus, durch eine Menschenmenge) führen. Übertragen von der Tätigkeit des Seemanns mit „Lotsen-Patent", der als Gast-Kapitän in bestimmten Gewässern die Führung des Schiffes übernimmt. Seit dem 18. Jh, *stud.*
Lottel *m* **1.** energieloser, gleichgültiger, langsamer Mensch; verkommener Mann. Fußt auf mhd „loter = locker, leichtsinnig" und „loter = Nichtsnutz". *Oberd* seit dem 19. Jh.
2. Zuhälter. 1900 ff.
Lotter (Lodder) *m* **1.** Taugenichts; unordentlicher, unsauberer Bursche. ↗ lottern. 1300 ff.
2. gutmütiges Scheltwort. *Österr* seit dem 19. Jh.
Lotterbett *n* **1.** Kanapee, Sofa o. ä. ↗ lottern. Seit dem 15. Jh.
2. sehr breites Bett; Liegestatt eines Müßiggängers, der Prostituierten mit ihren Kunden u. a. Seit dem 15. Jh.
Lotterich *m* eifriger Lottospieler. Entwickelt aus dem für 1880 gebuchten Verbum „lottern = Lotto spielen". 1955 ff.
lotterig (lodderig) *adj* **1.** nachlässig (in der Kleidung). ↗ lottern. Seit dem 16. Jh.
2. unsorgfältig hergestellt. Seit dem 19. Jh.
Lotterjan *m* nachlässiger Mann; Müßiggänger. Zusammengewachsen aus „↗ lottern" und „Jan", der Kurzform des Vornamens Johann. Seit dem 19. Jh.
Lotterkleid *n* strapazierfähiges, knitterfreies Kleid. 1950 ff.
Lotterleben *n* liederlicher Lebenswandel. Seit dem 19. Jh.

Lotterliege *f* französisches Bett. 1950 ff.
Lottermähne *f* wirre Frisur. ↗ Mähne. 1950 ff.
lottern *intr* müßiggehen; ein ausschweifendes Leben führen; sittlich verkommen. Fußt auf mhd „loter = locker, leichtsinnig" und ist mit „liederlich" verwandt. Etwa seit 1500.
Lotterstuhl *m* bequemer Polsterstuhl. Seit dem 19. Jh.
Lotterwiese *f* französisches Bett. 1950 ff.
Lotterwirtschaft *f* schlecht geführter Haushalt; (staatliche) Mißwirtschaft. 1880 ff.
Lottofee *f* Fernsehansagerin für die Lotto-Ergebnisse. ↗ Fee. 1965 ff.
Lottokönig *m* Hauptgewinner im Lotto. 1955 ff.
Lötwasser *n* Schnaps. ↗ löten 1. Seit dem ausgehenden 19. Jh.
Louis (Lui) *m* **1.** Zuhälter. Vermutlich im frühen 19. Jh zuerst in Berlin aus dem *Franz* übernommener Vorname Louis, vielleicht in Erinnerung an die französischen Könige gleichen Namens, die insgesamt auch wegen ihrer Maitressenwirtschaft abschätzig beurteilt wurden. Auch kann *ndl* „lui = faul, arbeitsscheu" eingewirkt haben.
2. Homosexueller. 1920 ff.
3. Stutzer. 1920 ff.
Löwe *m* **1.** General. In der Tiersage ist der Löwe der König der Tiere. In der Bundeswehr ist der General der Höchste der „hohen ↗ Tiere". *BSD* 1965 ff.
2. ~ der Gesellschaft = Mann, der gern an Geselligkeiten teilnimmt und sich und die anderen gut unterhält; beliebtester Gast einer Gesellschaft. Übersetzt aus *engl* „social lion". ↗ Gesellschaftslöwe. Etwa seit 1830.
3. ~ des Salons = Mann, der sich gern und mit Anstand in vornehmen Gesellschaftskreisen bewegt. ↗ Salonlöwe. Seit dem 19. Jh.
4. ~ des Tages = Tagesberühmtheit. Früher wurden Besuchern im Tower zu London die Löwen als besondere Sehenswürdigkeit vorgeführt. Hieraus soll gegen 1830 der Ausdruck entstanden sein, wohl beeinflußt vom gleichzeitig aufgekommenen Begriff „↗ Gesellschaftslöwe".
5. hungrig wie ein ~ = heißhungrig. Seit dem 19. Jh.
6. essen (fressen) wie ein ~ = großen Appetit entwickeln. Seit dem 19. Jh.
7. wie ein ~ kämpfen = erbittert, zäh um den Sieg kämpfen. *Sportl* 1920 ff.
8. wer sagt denn, daß der ~ kein Schmalz frißt? = Redewendung zur Bekräftigung der Tatsache, daß auch ein scheinbar Unmögliches möglich ist. Nimmt sich aus wie der Genugtuungsausspruch eines Jahrmarktausrufers. 1920 ff.
Löwenanteil *m* Hauptanteil bei einer Verteilung; selbstsüchtige Handlungsweise des Bevorrechtigten. Geht zurück auf eine Fabel des Äsop, in der erzählt wird, daß bei einer Verteilung der Löwe die gesamte Beute für sich behält. Das Wort gehört erst dem 19. Jh an.
Löwenhöhle *f* Amtszimmer des Vorgesetzten. ↗ Höhle 5 u. 7. 1920 ff.
Löwenhunger *m* Heißhunger; großer Hunger. ↗ Löwe 6. Seit dem 19. Jh.
Löwenmähne *f* Frisur mit zottelig langen

Haaren; dichter, ungepflegter Haarwuchs. ↗ Mähne. Seit dem 19. Jh.
Löwenmaul *n* Prahler, Großsprecher. 1500 ff.
Löwenzahn *m* **1.** Schwätzerin; Frau, die gern über andere lästert. Wie eine Löwin stürzt sie sich auf ihr Opfer und „zerreißt" es mit übler Nachrede. Vielleicht beeinflußt von „↗ Zahn 3". 1950 ff.
2. mutiges Mädchen. ↗ Zahn 3. 1955 ff, *halbw.*
3. Mädchen, das Umgang mit Jungen sucht. Die Jungen sind die „Löwen", das Mädchen ist der „↗ Zahn". 1955 ff.
Luchs *m* **1.** listiger Mensch. Dem Luchs wie dem Fuchs werden List und Schläue nachgesagt. *Vgl* ↗ luchsen 3. Seit dem 19. Jh.
2. Lehrer, dem keine Unbotmäßigkeit der Schüler entgeht. 1900 ff.
3. aufpassen wie ein ~ = scharf aufpassen. Der Luchs ist scharfsichtig. *Vgl* ↗ luchsen 1. Seit dem 19. Jh.
4. Augen haben wie ein ~ = gute, scharfe Augen haben. Seit dem 19. Jh.
5. Ohren haben wie ein ~ = sehr gut hören. Seit dem 19. Jh.
Luchsauge *n* **1.** scharfes Auge; Scharfsichtigkeit. 1600 ff.
2. Kriminalbeamter; Polizeibeamter in Zivil; Straßenverkehrspolizist. 1900 ff.
luchsen *v* **1.** *intr* = spähen; scharf aufpassen. ↗ Luchs 3. 1500 ff.
2. jm etw ~ = jm etw heimlich fortnehmen, abschwatzen. ↗ abluchsen 1. 1700 ff.
Lücke *f* er hinterläßt eine ~, die ihn vollkommen ersetzt: Redewendung auf einen Mitarbeiter, dessen Ausscheiden niemand beklagt. 1950 ff; wohl älter.
luckert *adj* ~er Heller (Sechser) = geringster Geldbetrag; wertlose Münze. Luckert = gelocht. *Österr* seit dem 19. Jh.
Lucki *m* Zuhälter; Münchener Vorstadtganove. Gehört vielleicht zu „lugen = spähen" oder/und zu „locker = sittenlos, liederlich". *Bayr* 1900 ff.
Lüddü'dü *m* Verrücktheit. ↗ Lititi.
Lude *m* **1.** Zuhälter. Abkürzung von Ludewig. *Vgl* ↗ Louis 1. Gegen 1870 von Berlin ausgegangen.
2. garstiger, schmutziger, unordentlicher, unflätiger, liederlicher Mann. 1900 ff.
3. unkameradschaftlicher, Unmut erregender Halbwüchsiger. *Halbw* 1955 ff.
Luder *n* **1.** Schimpfwort auf Personen, Tiere und Gegenstände. Parallel zu „↗ Aas"; denn „Luder" ist die Lockspeise für Fische, Falken usw., soweit sie aus rohem Fleisch besteht. 1500 ff.
2. liederliche („mannstolle") weibliche Person. 1900 ff.
3. armes ~ = bedauernswerter Mensch. 1800 ff.
4. blondes ~ = Blondine von ungutem Ruf. 1920 ff.
5. dämliches (blödes) ~ = dümmlicher Mensch. Seit dem 19. Jh.
6. dummes ~ = dummer Mensch. Seit dem 19. Jh.
7. falsches ~ = unaufrichtiger, heimtückischer Mensch. ↗ falsch 1. 1900 ff.
8. faules ~ = träger, arbeitsscheuer Mensch. Seit dem 19. Jh.
9. feines ~ = a) gutgekleideter Mensch; freigebiger Mensch; kameradschaftlicher Mensch. 1870 ff. – b) listiger, verschlagener Mensch. 1900 ff.

10. freches ~ = unverschämter Mensch. 1900 ff.

11. geiles ~ = sinnlich veranlagter Mensch. 1920 ff.

12. gescheites ~ = kluger Mensch. Seit dem 19. Jh.

13. kaltes ~ = gefühllos berechnend denkender und handelnder Mensch. Kalt = gefühlskalt. 1920 ff.

14. langes ~ = großwüchsiger, hagerer Mensch. 1900 ff.

15. schickes ~ = elegant gekleidetes, leichtlebiges Mädchen. 1920 ff.

16. spinnetes ~ = dummer Mensch; Mensch mit unsinnigen Einfällen. ↗spinnet. *Bayr* 1900 ff.

17. süßes ~ = verführerische weibliche Person. 1920 ff.

18. ulkiges ~ = spaßiger Mensch; Sonderling. 1880 ff.

19. unverschämtes ~ = dreist fordernder Mensch. 1900 ff.

20. verrücktes ~ = närrischer Mensch; Spaßmacher; lebenslustige, sich auffallend kleidende weibliche Person. 1900 ff.

21. verwöhntes ~ = verwöhnter, verzärtelter Mensch, der immer größere Ansprüche stellt. 1900 ff.

22. unter allem ~ (unterm ~) = überaus schlecht. Das Gemeinte ist noch schlechter und minderwertiger als Aas (↗Luder 1). 1800 ff.

23. im ~ liegen = a) ein ausschweifendes Leben führen. Seit dem 15. Jh. – b) einer Prostituierten beischlafen. 1800 ff.

Luderjan (Lüderjan, Ludrian) *m* liederlicher Mann. Im 18. Jh zusammengewachsen aus „↗ludern" und „Jan" (Kurzform von Johann). „Der dicke Lüderjan" war der volkstümliche Spottname des Preußenkönigs Friedrich Wilhelm II. (1786–1797).

Luderleben *n* ausschweifendes Leben; lasterhaftes Leben; Zusammenleben von Mann und Frau ohne standesamtliche Trauung. ↗ludern 1. 1700 ff.

Luderlook (Grundwort *engl* ausgesprochen) *m* absichtlich vernachlässigte Kleidung. ↗Look; *vgl* ↗Lumpenlook. 1980 ff.

ludern *intr* **1.** ausschweifend, lasterhaft leben. ↗Luder 1. Seit dem 15. Jh.

2. müßiggehen; arbeitsscheu sein. Seit dem 19. Jh.

Ludrian *m* ↗Luderjan.

Ludwig *m* Zuhälter. ↗Louis 1; ↗Lude 1. 1870 ff.

Luft *f* **1.** Bierschaum. Er besteht aus Luftbläschen. 1920 ff.

2. Hunger. Der Magen hat Luft, d. h. Platz. *Sold* seit dem späten 19. Jh.

3. ~ im Preis = Handelsspanne; Ermessensspielraum bei der Preisgestaltung. 1955 ff.

4. eine ~ zum Zerschneiden = verbrauchte, von Tabakrauch u. a. erfüllte Zimmerluft. ↗Luft 85, 86 und 102. 1900 ff.

4 a. blaue ~ = vom Rauchen geschwängerte Zimmerluft. Seit dem 19. Jh.

5. bleihaltige ~ = Umherfliegen von Geschossen, Granatsplittern usw. Von den Bleikugeln hergeleitet. Spätestens seit dem Zweiten Weltkrieg.

6. dicke ~ = a) Unfrieden; Verärgerung; ungemütliche Stimmung; gefahrvolle Lage; drohende Gefahr. 1870/71 bei den Soldaten aufgekommen im Zusammenhang mit heftigen Kampfhandlungen, bei denen

die Luft erfüllt war von Explosionsgasen, aufgewirbeltem Schmutz usw. – b) gefährliche Bedrängung des Fußballtors. *Sportl* 1920 ff. – c) verpestete Luft; Luftverunreinigung; verbrauchte Zimmerluft. ↗Luft 4. 1955 ff.

7. eisenhaltige ~ = a) Beschuß; gefährlicher Frontabschnitt mit Feindeinsicht. Vom heilkundlichen Begriff ist „eisenhaltig" übertragen auf die eisernen Granatsplitter; *vgl* ↗Luft 5. Sold in beiden Weltkriegen. – b) Gestank. ↗Luft 6 a. *Sold* 1939 ff.

8. frische ~ aus der Tüte = chemische Mittel zur Erzielung von Sonnenbräune. 1920 ff.

9 a. gesiebte ~ = Freiheitsentzug in einer Haftanstalt; Arrest. Anspielung auf die Fenstervergitterung. 1920 ff.

9 b. heiße (warme) ~ = Substanzloses. Aus der Physik: mit zunehmender Erwärmung verliert die Luft an spezifischem Gewicht, steigt auf und verflüchtigt sich rasch in kühlerer Umgebungs-Atmosphäre. *Vgl* auch ↗Luft 69 a. 1965 ff.

10. kalte ~ = Geschwätz. Luft = Atem. „Kalt" meint über „gefühlskalt" soviel wie „uninteressiert, uninteressant". *Sold* 1939 ff.

11. ungesiebte ~ = Lebensbedingungen außerhalb des Gefängnisgeländes. *Vgl* ↗Luft 9 a. 1920 ff.

12. ~ abblasen = Gestohlenes verkaufen und den Erlös rasch verleben. Leitet sich her entweder von der Dampflokomotive, die bei Überdruck Dampf abläßt, oder vom entweichenden Darmwind: die Diebesbeute „stinkt" (sie zu behalten, kann gefährlich werden), und man tut besser daran, sie möglichst rasch abzustoßen. 1950 ff.

13. jm die ~ abdrehen = jds Handlungsfreiheit (Lebensmöglichkeit o. ä.) stark beschränken; jn geschäftlich erledigen. Fußt auf der Vorstellung des Würgens und Erwürgens. 1930 ff.

14. dem Radio die ~ abdrehen = das Rundfunkgerät abschalten. 1925/30 ff.

15. jm die ~ abdrücken = jds wirtschaftliche Wettbewerbsfähigkeit lähmen. ↗Luft 13. 1930 ff.

16. ~ ablassen = a) ausatmen. 1920 ff. – b) sich aussprechen; seinem Zorn freien Lauf lassen; ein Geständnis ablegen. Aus der Technik übertragen: man öffnet ein Ventil. 1950 ff. – c) sich beruhigen; nicht länger übertreiben. Übernommen vom Überdruck der Dampfmaschine o. ä. 1950 ff. – d) die Preise senken. 1955 ff.

17. jm die ~ ablassen = jn erpressen. 1950 ff.

18. jm die ~ abstellen = jn würgen, erwürgen; Drohrede. Man will die Luftzufuhr drosseln. 1930 ff.

19. die ~ anhalten = verstummen. Luft = Atemluft. 1850 ff.

20. gesiebte ~ atmen (schnappen) = eine Freiheitsstrafe verbüßen. ↗Luft 9 a. 1920 ff.

21. wieder ungesiebte ~ atmen (schnuppern) = aus der Haftanstalt entlassen sein. ↗Luft 11. 1920 ff.

22. sich in ~ auflösen = spurlos verschwinden; davongehen (meist in der Befehlsform); nicht wiederzufinden sein. Wasserdampf löst sich in Luft auf; auch von Geistern/Gespenstern wird das berichtet. 1920 ff.

23. es löst sich in ~ auf = es erweist sich als völlig unbegründet, als leere Vermutung. 1920 ff.

24. ihm geht die ~ aus = a) er ist sprachlos. 1880 ff. – b) er läßt im Leistungsvermögen nach; er verliert den Mut. Aus dem Sportleben übernommen. 1920 ff.

25. ihm ist die ~ ausgegangen = a) er hat kein Geld mehr; er ist zahlungsunfähig; er meldet Konkurs an. Luft als Lebensodem ist durch Geld ersetzt. Es ist jedoch auch Herleitung vom Auto möglich: nichts „läuft" mehr, wenn die Luft aus den Reifen ist. 1920 ff. – b) er ist zeugungsunfähig geworden. 1920 ff.

26. die ~ auslassen (rauslassen) = das Glas füllen, nachfüllen. Scherzhafter Hehlausdruck. 1920 ff.

27. den Körper der ~ und der Liebe aussetzen = sonnenbaden. 1955 ff, *jug*.

27 a. jn an die (frische) ~ befördern = jn aus dem Haus weisen. Seit dem 19. Jh.

28. jn wie ~ behandeln (als ~ betrachten) = jn absichtlich nicht beachten. Seit dem 19. Jh.

29. etw in die ~ blasen = etw sprengen. Man erzeugt Luftdruck. *Sold* 1939 ff. *Vgl engl* „to blow up" = hochblasen".

30. die ~ aus den Gläsern blasen = zechen. 1920 ff.

31. mir bleibt die ~ weg (fort) = ich bin sehr erstaunt, bin sprachlos. Von Atembeschwerden übertragen. 1870 ff.

32. es gibt ~ = a) ein überfüllter Raum leert sich. Luft = Bewegungsfreiheit. Seit dem 19. Jh. – b) es schafft Erleichterung. Übertragen von hartnäckigen Blähungen. Seit dem 19. Jh.

33. in die ~ gehen = a) aus der Haftanstalt entlassen werden. Man gewinnt „Luft = Bewegungsfreiheit" (*vgl* ↗Luft 83). *Rotw* 1862 ff. – b) zornig werden; aufbrausen. Analog zu ↗hochgehen. 1840 ff. – c) mit dem Flugzeug (Ballon) aufsteigen; eine Flugreise unternehmen. 1950 ff. – d) ein Hochhaus bauen. 1950 ff. – e) ein Hochhaus beziehen; in einem Hochhaus wohnen oder arbeiten. 1950 ff.

34. ihm geht die ~ aus der Brieftasche = er gibt sein Geld aus. Die Börse wird immer dünner, wie ein Ballon, aus dem langsam die Luft entweicht. 1950 ff.

35. die ~ wird gesiebt = man verbüßt eine Freiheitsstrafe. ↗Luft 9 a. 1920 ff.

36. etw aus der ~ greifen (schnappen) = etw erdichten, erlügen. Zauberkünstler erwecken den Eindruck, sie könnten sie Gegenstände aus der Luft greifen. 1600 ff.

37. ~ haben = a) nicht mit Arbeit überhäuft sein. Luft = Bewegungsfreiheit. Seit dem 19. Jh. – b) Darmwinde entweichen lassen. Seit dem 19. Jh.

38. ~ unter den Flügeln haben = prahlen. Vom Vogel hergenommen, der sich mit dem Aufwind hochtragen läßt. 1920 ff.

39. keine ~ im Kalender haben = keinen Termin mehr freihaben. Luft = Bewegungsfreiheit = freie Zeit. 1950 ff.

40. ~ im Kopf (Gehirn) haben = dumm sein. 1910 ff.

41. ~ im Tank haben = den Heizöltank nicht gefüllt haben. 1960 ff.

42. ~ im (hohlen) Zahn haben = nicht recht bei Verstand sein. Von heftigen Zahnschmerzen übertragen, die einen zu unsinnigem Handeln verleiten können. 1930 ff.

43. jn an die ~ hängen = jn barsch hinausweisen. Übernommen von einem Kleidungsstück, das man zum Lüften vors Haus hängt. 1910 ff.

44. in der ~ hängen = a) im Ungewissen sein; keiner Mithilfe sicher sein; den Zusammenhang mit der Gruppe verloren haben. Modernisiert aus „in der Schwebe sein". 1920 ff. Vgl engl „to be in the air". – b) im Flugzeug fliegen. 1935 ff.

45. sich in die ~ hängen = mit dem Flugzeug aufsteigen. Fliegerspr. 1935 ff.

46. mit Geld in der ~ hängen = uneinbringliche Außenstände haben. 1920 ff.

47. jn in der ~ hängen lassen = jn in Ungewißheit lassen. 1920 ff.

48. ich darf nicht ~ holen = ich muß auf Gewaltanwendung verzichten. Wenn der Kraftmensch tief Luft holt, atmet er den Schwächling mit ein. 1935 ff.

49. etw in die ~ jagen = a) etw sprengen, in Brand stecken. Wie einen Schwarm Vögel läßt man es auffliegen. 1914 ff. - b) etw verschwenderisch ausgeben. 1930 ff.

50. ~ aus dem Tank jagen = Benzin einfüllen. 1960 ff.

51. ~ kneipen gehen = in die frische Luft gehen. ↗Natur kneipen. 1900 ff.

52. bei ihm kommt nur noch blaue ~ = er ist nicht mehr zeugungsfähig. Luft (aus dem Ventil) = Sperma. 1920 ff.

53. bei ihm kommt nur noch heiße ~ = er hat sich geschlechtlich verausgabt. ↗Luft 9 b. 1920 ff.

54. bei ihr kommt nur noch warme ~ = als (gealterte) Sängerin verfügt sie über keine gute Stimme mehr. Theaterspr. 1920 ff.

55. ~ lassen = ein Geständnis ablegen. ↗Luft 16. 1950 ff.

56. ~ aus den Gläsern lassen = die Gläser nachfüllen. ↗Luft 26. 1920 ff.

57. die ~ aus den Preisen lassen = unvertretbare Preiserhöhungen unterbinden. ↗Luft 16 d. 1955 ff.

58. ~ in das Glas (die Flasche) lassen = das Glas (die Flasche) leeren. 1950 ff.

58 a. jm ~ lassen = jm zur Begleichung einer Schuld Zeit lassen. 1950 ff.

59. Frauen sind für mich ~, ohne ~ kann ich nicht leben = eine Frau ist für mich lebensnotwendig. „Frauen sind für mich Luft" meint eigentlich „ich habe kein geschlechtliches Interesse an Frauen"; vgl ↗Luft 90. 1960 ff.

60. von der ~ leben = auf unbekannte Weise sein Leben fristen. 1840 ff.

61. von der ~ und der Liebe leben = a) keiner geregelten Arbeit nachgehen; bedürfnislos sein. Seit dem 19. Jh. Vgl franz „vivre d'amour et d'eau fraîche". - b) Straßenprostituierte sein. 1920 ff.

62. ein Ding in die ~ legen = in der Presse eine unwahre Behauptung verbreiten. 1950 ff.

63. waagerecht in der ~ liegen = wegeilen. Wohl auf dem Ausspruch eines Rekrutenausbilders beruhend. 1939 ff.

64. es liegt etwas in der ~ = Unangenehmes steht bevor. Vom Gewitter (Regen, Schnee usw.) sagt man, es liege in der Luft. 1800 ff. Vgl engl „something is in the air".

65. ~ lutschen = a) ein Sonnenbad nehmen; sich in einem Luftkurort erholen. Lutschen = saugen = zechen, „↗kneipen". 1950 ff, jug. - b) einen Spaziergang ins Freie machen. 1950 ff, jug.

66. die ~ aus dem Glas machen = das Glas nachfüllen, nochmals füllen. ↗Luft 26. 1920 ff.

67. ~ machen = den unordentlichen Arbeitsplatz aufräumen; Ordnung schaffen; Reste aufarbeiten. Luft = Bewegungsfreiheit. 1900 ff.

68. jm ~ machen = jn antreiben. Man sorgt für Rückenwind. 1920 ff, sold.

69. sich ~ machen = seinem Ärger aussprechen; seiner Erregung freien Lauf lassen. Seit dem 19. Jh.

69 a. heiße ~ machen = fehlschießen. Der Schuß erhitzt lediglich die Luft. Jägerspr. 1920 (?) ff.

70. einen Sack voll ~ in die Lungen nehmen = tief einatmen. Jug 1950 ff.

71. ~ pumpen = beim Tanzen den Arm, der nicht um die Taille der Tänzerin liegt, lebhaft auf- und abbewegen. Die Bewegung erinnert an die Betätigung eines Pumpenschwengels. 1920 ff.

72. in die Flasche pumpen = eine Flasche leertrinken. 1920 ff.

73. etw in die ~ pusten = a) ein Bauwerk sprengen. ↗Luft 29. Sold 1939 ff. - b) etw mit Leichtigkeit bewerkstelligen. Mit dem Mund macht man „pöh" oder „püh", als blase man sich nur Staub vom Ärmel o. ä. 1950 ff.

74. die ~ rauslassen = a) neu einschenken. ↗Luft 26. 1920 ff. - b) die Übertreibung dämpfen; sich mäßigen, beruhigen. Man hat tief Luft geholt, um sich ungehemmt aussprechen zu können, und läßt die Luft nun doch wortlos entweichen. 1950 ff. - c) ausgelassen feiern; ausschweifend leben. „Luft" kann sowohl die Atemluft als auch das Sperma meinen (↗Luft 25 b), ebenso die Luft in leeren Gläsern. 1920 ff.

75. kalte ~ rauslassen = Unsinn oder Belanglosigkeiten vorbringen; langweilig reden. ↗Luft 10. Sold 1939 ff.

76. die ~ ist raus = a) der Hauptandrang ist überstanden. 1950 ff. b) die Angriffskraft, das Erfolgsstreben ist erlahmt. Sportl 1950 ff. - c) die Wirkung ist verpufft; man hat die Lust verloren. 1950 ff.

77. jm die ~ reinhalten = jm unerwünschten Besuch fernhalten. ↗Luft 88. 1900 ff.

78. ~ schnappen = frische Luft einatmen; einen Spaziergang machen; Sommerfrischler sein. 1850 ff.

79. nach ~ schnappen = beinahe die Fassung verlieren. Die Erregung verursacht Atembeschwerden. Seit dem 19. Jh.

80. etw aus der ~ schnappen = etw erlügen. ↗Luft 36. 1600 ff.

81. gesiebte ~ schnappen = a) Häftling sein. ↗Luft 9 a. 1920 ff. - b) beim Fechten die Drahthaube tragen. 1920 ff.

82. bei ~ sein = bei Kräften sein. Sportl 1920 ff.

83. noch an der ~ sein = noch nicht verhaftet sein. 1920 ff.

84. die ~ ist voller Alteisen = hier wird heftig geschossen. ↗Luft 7 a. 1939 ff.

85. die ~ ist zum Schneiden dick = die Zimmerluft ist verbraucht und voller Tabaksqualm. ↗Luft 4. 1900 ff.

86. hier ist eine ~, daß man sie schneiden kann = hier herrscht schlechte, verräucherte Luft. 1900 ff.

87. wie ist die ~ da oben?: Frage an einen Großwüchsigen. 1950 ff.

88. die ~ ist rein = niemand wird stören; kein unerwünschter Beobachter ist zu erwarten; kein Polizeibeamter (Vorgesetzter) ist zu sehen; Ertapptwerden ist nicht zu befürchten. Gefahrlos kann man ins Freie treten. Seit dem 18. Jh.

89. hier ist trockene ~ = hier werden keine Getränke verabreicht. 1920 ff.

90. für jn ~ sein = von jm nicht beachtet werden. 1850 ff.

91. in der ~ sein = erbost sein. Verkürzt aus „in die Luft gegangen sein"; ↗Luft 33 b. 1840 ff.

92. jn an die (frische) ~ setzen = jn barsch hinausweisen. Luft = freie Luft vor dem Haus. 1800 ff. Vgl angloamerikan „to give someone the air".

93. im Preis steckt noch viel ~ = die Handelsspanne ist übergebührlich groß. ↗Luft 3. 1955 ff.

94. ~ tanken = frische Luft schöpfen. ↗tanken. 1930 ff.

95. ihm bleibt die ~ weg = er ist sprachlos. ↗Luft 31. 1870 ff.

95 a. jm die ~ wegdrehen = jn würgen. Vgl ↗Luft 13. 1930 ff.

96. die ~ wird dick = Verstimmung kommt auf. ↗Luft 6 a. 1930 ff.

97. um ihn wird die ~ dünn = enttäuscht wendet man sich von ihm ab. 1950 ff.

98. jn in der ~ zerfetzen = a) jn lynchen. 1920 ff. - b) jn vernichtend kritisieren; jm Böses zufügen. Seit dem 19. Jh.

99. etw in der ~ zerpflücken = etw als unwahr aufdecken. Übernommen vom Blättchenzupfen (Liebesorakel). 1950 ff.

100. etw in der ~ zerreißen = etw nicht anerkennen; etw ausmerzen. Man zerreißt es wie ein Stück Papier. 1955 ff.

101. jn in der ~ zerreißen = jm Böses zufügen; jn seelisch zutiefst verletzen; jn vernichtend kritisieren. 1850 ff.

102. hier kann man die ~ mit dem Messer zerschneiden = hier ist die Zimmerluft verbraucht und voller Tabakswolken. ↗Luft 4. 1900 ff.

Luftballon m **1.** Präservativ. ↗Ballon 6. 1930 ff.

2. üppiger Busen. 1920 ff.

2 a. Vorschlag, der sich nicht verwirklichen läßt. Er ist ebenso kurzlebig wie der Kinderluftballon. 1970 ff.

3. sich zum ~ aufblähen = sich brüsten. 1930 ff.

4. sich aufblasen (aufpusten) wie ein ~ = sich aufspielen. 1930 ff.

5. aufgeblasen wie ein ~ = dünkelhaft, dummstolz. 1930 ff.

6. explodieren wie ein ~ = jäh aufbrausen. 1950 ff.

7. ein Hirn haben wie ein ~ = gedankenarm leben; keine eigenen Überlegungen anstellen. Der Luftballon benötigt fremde Luft. Vgl ↗Luft 40. 1950 ff.

8. einen ~ steigen lassen = zwecks Irreführung (Übertölpelung) eine Unwahrheit verbreiten. 1950 ff.

9. laß dich nicht vom ~ überfahren!: scherzhafter Abschiedsgruß. Berlin 1870 ff.

10. du bist wohl vom ~ überfahren worden?: Frage an einen, der Unsinniges äußert. Berlin 1870 ff.

luftbereift adj wundgelaufen (auf die Füße bezogen). ↗Ballon 8. BSD 1960 ff; vermutlich seit 1935 geläufig.

Lüftchen n 1. angenehm mild warme Luft. 1900 ff.
2. schlechte, verbrauchte Zimmerluft. Iron Bezeichnung im Hinblick auf „dicke ↗Luft". 1920 ff.
3. ~ wie Seide = milde, windstille Luft. 1900 ff.
4. ein lindes ~ weht = Pik ist Trumpf. Auf der deutschen Spielkarte ist die Pikfarbe durch ein Lindenblatt dargestellt. Leit dem 19. Jh.

lüften v 1. jn ~ = jm hart zusetzen; jn umherhetzen, bestrafen, prügeln. In spöttischer Auffassung setzt man ihn lediglich der frischen Luft aus. Vgl auch ↗Arsch 177. 1840 ff.
2. jn ~ = jn ausführen, zu einem Spaziergang oder zu einer Vergnügung mitnehmen. 1870 ff.
3. jn ~ = jds Weggehen erzwingen. 1900 ff.

Luftheini m Flugzeugführer. ↗Heini 1. Sold 1935 ff.

Lufthupf m kurze Flugreise. ↗Hupf 2. 1960 ff.

luftig (lüftig) adj leichtlebig, leichtsinnig, unbeschwert. Geht zurück auf „der Luft = leichtsinniger Mensch". 1850 ff.

Luftikus m 1. leichtsinniger, leichtlebiger Mensch. In der ersten Hälfte des 19. Jhs von Studenten zusammengesetzt aus „↗luftig" und der lat Endung „-cus".
2. entweichender Darmwind. 1900 ff.
3. mit der Hand „zugeworfener Kuß". Scherzhafte Umdeutung der Vokabel im Sinn von „luftiger Kuß; Luftkuß". 1900 ff.
4. Luftwaffenangehöriger. Sold in beiden Weltkriegen.
5. Fallschirmspringer. 1955 ff.

Luftkampf m Versuch mehrerer Spieler, einen Steilball durch einen Sprung an sich zu bringen. Dem milit Begriff unterlegte neue Bedeutung. Sportl 1950 ff.

Luftkind n auf den Leib gebundenes, aufblasbares Kissen zwecks Vortäuschung von Schwangerschaft. Ein bekannter Bettlerinnen-Trick. 1920 (?) ff.

Luftkneipe f Sonnenbad; Luftkurort. ↗Natur kneipen. 1900 ff.

Luftkrieg m Streik der Fluglotsen. 1971 aufgekommene neue Bedeutung des milit Begriffs.

Luftkutsche f Luftschiff; Flugzeug. 1912 ff.

Luftkutscher m 1. Flugzeugführer. 1912 ff. Vgl engl „taxi driver".
2. Ballonfahrer. 1920 ff.
3. Luftwaffenangehöriger. BSD 1965 ff.

Luftlandeohren pl abstehende Ohren. Scherzhaft meint man, solche Ohren seien wie beim Flugzeug die Landeklappen geeignet, durch vermehrten Luftwiderstand Bremswirkung zu zeitigen. 1950 ff.

Lüftl-Maler m Maler, der Wandmalereien an Bauernhäusern gestaltet. Lüftl = Lüftchen. Bayr seit dem 18. Jh.

Luftloch n 1. Hosenschlitz, an dem ein Knopf nicht geschlossen ist; offener Hosenschlitz. In scherzhafter Auffassung dient er zur Ventilation. 1870 ff.
2. Loch im Strumpf. 1870 ff.
3. unfreiwillige Pause des Redners, wenn er „den Faden verloren" hat. Der Redner

sucht die Pause mit mehrmaligem Atemholen zu überbrücken. 1920 ff, stud.

Luftmasche f Falschmeldung; Schwindelnachricht; lügnerische Propaganda. Vom Stricken hergenommen; vgl aber auch ↗Masche 3. 1914 ff.

Luftpirat m 1. englisches Flugzeug, das, wie die NS-Propaganda behauptete, deutsche Kirchen und Krankenhäuser angreift. Das Wort bezeichnete bereits 1927 Bombenflugzeuge/Bomberpiloten und kam wieder in Gebrauch.
2. Düsenflugzeug, das starke bis unerträgliche Lärmbelästigung erzeugt. 1960 ff.
3. Flugzeugentführer. 1969 ff.

Luftpiraterie f Flugzeugentführung (nebst erpresserisch-verbrecherischen Begleitumständen). 1969 ff.

Luftpumpe f 1. Lunge. 19. Jh, vorwiegend sportl.
2. die ~ zur Hand haben = eine Sache aufbauschen. Beispiel für die Technisierung der Sprache. 1978 ff.

Luft-Rowdy (Grundwort engl ausgesprochen) m Flugzeugführer, der gegen die Luftverkehrsdisziplin verstößt. ↗Rowdy. 1950 ff.

Luftsäugling m Flugschüler; Flieger ohne Kampferfahrung. ↗Säugling. 1935 ff.

Luftschloß n Türschloß, das Einbrecher leicht öffnen können. Polizeispr. 1960 ff.

Luftschnapper m Erholungsuchender; Sommerfrischler. ↗Luft 78. 1850 ff.

Luftstraßenmädchen n Flugzeug-Stewardeß. Scherzhaft um 1960 zusammengesetzt aus „Luftstraße" und „Straßenmädchen".

Luftsünder m 1. Pilot (vornehmlich von Privat- oder Militärmaschinen), der gegen die Luftverkehrsordnung verstößt. ↗Sünder. 1950 ff.
2. luftverunreinigender Kraftfahrer. 1968 ff.

Lufttrott m ~ tanzen = (überhastet) mit dem Fallschirm abspringen und in der Luft hin- und herpendeln. Dem „Foxtrott" nachgebildet. 1935 ff, ziv und sold.

Luftveränderung f 1. Haft. Eigentlich der (ärztlich verordnete) Aufenthalt in einem Luftkurort. 1870 ff.
2. dienstliche Versetzung; Abtransport in einen anderen Kampfabschnitt. Sold 1914 ff; ziv 1920 ff.

Luftzahn m Flugzeug-Stewardeß. ↗Zahn 3. 1955 ff.

Luftzirkus m Luftkampf, -manöver o. ä. Anspielung auf Kunstflugfiguren. Fliegerspr. 1914 ff.

Lüge f 1. ~ auf dem Kopf = Perücke. 1860 ff.
2. faustdicke ~ = plumpe Lüge. ↗faustdick. 1930 ff.
3. aus lauter ~n zusammengesetzt sein = sehr lügnerisch sein. 1900 ff.

lügen intr 1. ja, liege ich denn?: Ausdruck des Entsetzens, der Verwunderung; Drohfrage. BSD 1960 ff.
2. ich glaube, ich lüge!: Ausdruck des Erstaunens. Gemeint ist, daß, wenn man den Worten des anderen Glauben schenken soll, man auch glauben muß, daß man selber lügt. Halbw 1965 ff.
3. ~ wie gedruckt = dreist, viel lügen. Gemeint ist, daß die Handschrift ihren Urheber verrät, während die Druckerpresse anonym arbeitet: sie druckt auch die schlimmsten Lügen aus, und niemand

kann sie dafür haftbar machen. Im 18. Jh aufgekommen.
4. ~ wie gefunkt = unverschämt lügen. Anspielung auf lügnerische Rundfunknachrichten, später auch auf die Wehrmachtberichte. Sold 1939 ff. Vorausgegangen ist das Wort „er lügt wie telegraphiert", das Bismarck 1869 im Herrenhaus des Preußischen Landtags sprach.
5. ~ wie der Wehrmachtbericht = dreist lügen; die Wahrheit vergewaltigen. 1939 ff.
6. schneller ~, als der Hase läuft = sehr lügnerisch sein. 1900 ff.

Lügenbold m Lügner. Dem „Trunken-, Witzbold" o. ä. nachgeahmt. Seit dem 19. Jh.

Lügengarn n ~ spinnen = lügen. ↗Garn 4. 1920 ff.

Lügenmaul n verlogener Mensch. 1500 ff.

Lugser pl spähende Blicke. Iterativum zu „lugen = äugen". 1900 ff.

Lui m Zuhälter. ↗Louis 1. Seit dem 19. Jh.

Lukas m 1. Kraftmesser mit Schlaghammer. Soll 1848 in Berlin aufgekommen sein im Zusammenhang mit der Redensart: „Haut ihn, Lukas, er hat den Magistrat jeschumpfen!"
2. Athlet; muskulöser Mann. 1900 ff.
3. haut den ~! = nimm den Stich! Kartenspielerspr. seit dem späten 19. Jh.

Luke f 1. Mund. Eigentlich die kreisrunde Fensteröffnung in der Schiffswand; verwandt mit „Loch". Verkürzt aus ↗Futterluke. Nordd 1900 ff.
2. pl = Augen. Nordd seit dem 19. Jh.
3. die ~n dichtmachen = die Augen schließen; sich schlafen legen. Marinespr 1900 ff.
4. jm eins in die ~n geben = jm einen Fausthieb aufs Auge versetzen. 1870 ff.
5. aus dieser ~ gucken = diese (eine bestimmte) Absicht verfolgen. 1840 ff.
6. einen auf der ~ haben = a) nicht bei Verstand sein. Luke = Bodenluke = Dach = Kopf. Nordd 1900 ff. – b) betrunken sein. 1900 ff.
7. jm die ~n schließen = jm auf die Augen schlagen. Durch einen heftigen Boxhieb schwillt die Augenumgebung an. 1920 ff.
8. aus der ~ sehen = heimlich beobachten. Nordd seit dem 19. Jh.

Lulatsch m 1. langsamer, träger, arbeitsscheuer Mann; Müßiggänger. Wahrscheinlich zusammengewachsen aus „loi = lau" oder „lui = faul, träge" und „↗Laatsch 1". Seit dem 19. Jh.
2. langer ~ = a) großwüchsiger Mann mit ungelenken Bewegungen. Seit dem 19. Jh. – b) Berliner Funkturm. Spätestens seit 1926.

Lull m Mann (Kosewort). ↗Lulle 2. Berlin 1920 ff, prost.

Lulle (Lülle) f 1. Schnuller, Saugstopfen. ↗lullen. Spätestens seit dem 19. Jh.
2. Penis. Anspielung auf Fellieren. 1850 ff.
3. Zigarette. Der „Schnuller" für Heranwachsende und Erwachsene. 1947 ff, halbw.
4. kastrierte ~ = Filterzigarette. ↗Kastrierte. Halbw 1950 ff.

Lullemann m Penis. ↗Lulle 2. 1950 ff, halbw.

lullen intr 1. saugen. Lautmalend hergenommen vom Begleitgeräusch der Säuglinge beim Saugen. 1500 ff.

2. rauchen. ↗Lulle 3. Seit dem 19. Jh.

3. harnen. ↗Lulle 2. 1850 *ff.*

4. Koseworte sprechen. Gehört zu „einlullen" und „lallen". 1920 *ff.*

lu'lu 1. ~ brauchen = Harndrang verspüren. ↗lullen 3. Kinderspr. 1920 *ff.*

2. ~ machen = harnen. 1920 *ff.*

Lumich (Lumig) *m* verkommener Mann; Taugenichts; Strolch; Flegel. Zusammengewachsen aus „lui = faul, träge" und dem beliebten Vornamen Michel. *Ostmitteld, mitteld* und *nordd* seit dem 19. Jh.

Lümmel *m* **1.** flegelhafter Halbwüchsiger; mutwilliger, frecher junger Mann. Substantiv zu dem untergegangenen Adjektiv „lumm = schlaff, locker", verwandt mit „lahm". Im 16. Jh als Schimpfwort aufgekommen.

2. (schlaffer) Penis. 1920 *ff.*

3. ~ von der ersten Bank = Schüler, der wegen oftmaliger Störung des Unterrichts in die vordere Sitzbank verwiesen ist. Steht im Zusammenhang mit den „Lümmel-Pauker-Filmen" nach 1966. *Schül* 1971 *ff.*

lümmeln *intr* **1.** müßiggehen; untätig stehen; träge und unlustig umhergehen. ↗Lümmel 1. 1800 *ff.*

2. koitieren. ↗Lümmel 2. 1900 *ff.*

3. sich ~ = sich ungesittet benehmen; flegelhaft liegen oder sitzen; sich flegeln. 1700 *ff.*

Lümmeltüte *f* Präservativ. ↗Lümmel 2. 1935 *ff.*

Lump *m* **1.** niederträchtiger, heimtückischer Mann; Schimpfwort. Meint ursprünglich den Menschen in zerschlissenen Kleidern; dann wegen der Gleichsetzung „Verwahrlosung = gemeine Gesinnung" übertragen auf den charakterlosen Menschen. 1600 *ff.*

2. Rufname des Hundes. Seit dem 19. Jh.

3. ~en unter sich = Lehrerkonferenz. Dem *dt* Titel „Gangster unter sich" des amerikanischen Spielfilms „Behave Yourself" um 1957/58 von Schülern nachgeahmt.

4. glatter ~ = überaus niederträchtiger Mann. ↗glatt 1. Seit dem 19. Jh.

5. tanzen wie der ~ am Stecken = unentwegt tanzen. „Lump am Stecken" ist die Vogelscheuche aus zwei gekreuzten Stöcken und darübergehängten Lumpen; sie „tanzt" im Wind. ↗Lumpen 5. Seit dem 19. Jh.

Lum'pazi (Lum'pazius) *m* niederträchtiger Mann. Latinisierung von „Lump", wodurch sich ein nachgemachter Heiligenname ergibt, oder zusammengewachsen aus „Lump" und „Bazi". Von Johann Nepomuk Nestroy volkstümlich mit dem Titel seiner Landstreicherposse „Der böse Geist Lumpazivagabundus" (1835). 1800 *ff.*

Lumpen *m* **1.** *pl* = Uniform. Verächtlich als abgetragene, zerschlissene Kleidung oder als wertlose Tuchfetzen aufgefaßt. 1870 bis heute.

2. ich haue dich, daß du ~ kotzt!: Drohrede. „Lumpen" sind hier wohl Fleischfetzen, Lungengewebe o. ä. 1900 *ff.*

3. jn aus dem ~ schütteln = a) in züchtigen, prügeln. Man schüttelt ihn so derb, daß die Kleiderfetzen fliegen. *Sold* 1910 *ff.* – b) jn sehr heftig zurechtweisen. Prügeln und Rügen ist in volkstümlicher Auffassung dasselbe. Spätestens seit 1900.

4. ~ schwenken = als Signalgast winken. Lumpen = Signalflaggen. *Marinespr* 1900 *ff.*

5. tanzen wie der ~ am Stecken = ausgelassen tanzen. Gemeint ist der an einen Stock gebundene Lappen, der sich im Wind hin- und herbewegt (Vogelscheuche). ↗Lump 5. *Südd* seit dem 19. Jh.

lumpen *v* **1.** *intr* = liederlich leben. ↗Lump 1. Seit dem 17. Jh.

2. sich nicht ~ lassen = sich nicht beschämen lassen; Freigebigkeit mit Freigebigkeit vergelten. Man will sich nicht „Lump" schimpfen lassen. 1600 *ff.*

Lumpenball *m* **1.** Tanzvergnügen von Leuten in absichtlich schäbiger Kleidung. 1870 *ff.*

2. Bekleidungsappell; Appell mit raschem Bekleidungswechsel. ↗Lumpen 1. *Sold* 1939 *ff.*

Lumpenbande *f* Gruppe niederträchtiger (unliebsamer, unsympathischer) Menschen. ↗Bande 1. Seit dem 19. Jh.

Lumpengeld *n* geringes Entgelt; geringe Kaufsumme. 1600 *ff.*

Lumpen-Hai *m* angeblich karitativ tätiger Altkleidersammler. ↗Hai 1. 1970 *ff.*

Lumpenhund *m* Schimpfwort. 1600 *ff.*

Lumpenkerl *m* **1.** Altkleiderhändler, Lumpensammler. 1700 *ff.*

2. Schimpfwort auf Mensch oder Hund. 1700 *ff.*

Lumpenlook (Grundwort *engl* ausgesprochen) *m* absichtlich löchrige Kleidung, die wie zerschlissen wirken soll. ↗Look. Vgl auch ↗Luderlook. 1980 *ff.*

Lumpenmüller *m* wie ~s Lieschen aussehen = im Äußeren vernachlässigt, ungepflegt aussehen. Geht zurück auf den Romantitel „Lumpenmüllers Lieschen" von Wilhelmine Heimburg (eigentlich Berta Behrens), 1879. Möglicherweise Urbild von „↗Lieschen Müller". Etwa seit 1900.

Lumpenpack *n* Gesindel; Leute *(abf)*. ↗Pack. 1700 *ff.*

Lumpenproletariat (-proletarier) *n (pl)* die Nichtseßhaften (Asozialen) ohne Klassenbewußtsein. ↗Marx und Engels.

Lumpensammler *m* **1.** letztes Verkehrsmittel (am Abend bzw. am frühen Morgen). In ihm sammelt man die auf, die „gelumpt" haben; (↗lumpen 1). Witzige Wortspielerei mit dem Lumpenhändler. Etwa seit dem späten 19. Jh; von Berlin ausgegangen.

2. Gefangenentransportwagen. Er macht Sammeltransporte von „Lumpen" (↗Lumpen 1). 1910 *ff.*

3. zweites Mittagessen im Speisewagen, Hotel o. a. Es ist für die eigentlich zu spät Gekommenen. Kellnerspr. 1920 *ff.*

Lumpenzeug *n* **1.** minderwertige Dinge; wertlose Sache. 1700 *ff.*

2. Gesindel; Leute *(abf)*. 1800 *ff.*

Lumpe'rei *f* **1.** geringfügige Sache; Belanglosigkeit. Seit dem 17. Jh.

2. Charakterlosigkeit; niederträchtige Handlungsweise; Gemeinheit. 1800 *ff.*

Lumpi *m* **1.** Rufname eines Hundes. Seit dem 19. Jh.

2. spitz (scharf) wie Nachbars ~ = sehr sinnlich veranlagt. ↗spitz; ↗scharf. *Sold* 1939 bis heute.

lumpig *adj* armselig, ärmlich; geringwertig; niederträchtig; nicht freigebig. ↗Lump 1. 1600 *ff.*

Lunge *f* **1.** halbe ~ = Gesangverein.

Scherzhaft nimmt man an, daß nicht aus voller Lunge, sondern nur mit einem Lungenflügel gesungen wird. 1900 *ff.*

2. sich die ~ aus dem Hals husten = einen heftigen und anhaltenden Hustenanfall haben. 1900 *ff.*

3. eine durch die ~ jagen = mit tiefen Lungenzügen eine Zigarette rauchen. 1930 *ff.*

4. sich die ~ aus dem Hals laufen (rennen o. ä.) = sehr schnell laufen; hetzen. Seit dem 14. Jh.

5. jm die ~ lüften = jn im Dienst hinund herhetzen. Die Schikane wird hier als gesundheitliche Maßnahme beschönigt. *Sold* 1935 *ff.*

6. auf den letzten ~ pfeifen = Asthmatiker sein. Abgewandelt aus der Redensart „auf (aus) dem letzten ↗Loch pfeifen". Vgl ↗Lungenpfeifer 1. *BSD* 1960 *ff.*

7. sich eine in die ~ quälen = eine Zigarette rauchen. Berlin, *schül* 1970 *ff.*

8. sich die ~ aus dem Hals reden = anhaltend sprechen; auf jn ausdauernd einreden; jn mit vielen Worten von einer Sache überzeugen wollen. 1850 *ff.*

9. sich aus der ~ (aus dem Leib) schreien = ausdauernd laut rufen. 1850 *ff.*

10. sich die ~ aus dem Leib strampeln = hastig radfahren. 1950 *ff.*

11. sich die ~ vollpumpen = den Tabakrauch inhalieren. 1950 *ff.*

Lungenbrötchen *n* Zigarette. Im Zweiten Weltkrieg aufgekommen, als man sich mit Zigaretten über den Hunger hinwegzutäuschen suchte. Wohl bei den Soldaten entstanden, wenn die Verpflegung ausblieb. 1900 *ff.*

Lungenflügel *m* **1.** weibliche Brust. Pointe eines seit dem späten 19. Jh bekannten Witzes: „Man hat zwei Lungenflügel, Herr Lehrer", sagt der Schüler; „denn ich habe heute morgen meine große Schwester unter der Brause gesehen".

2. eine durch die ~ stecken = mit tiefen Lungenzügen eine Zigarette rauchen. *BSD* 1960 *ff.*

Lungenknacks *m* Lungenentzündung. ↗Knacks 1. 1900 *ff.*

lungenkrank *adj* ~ auf den Zehen sein = nicht bei klarem Verstand sein. Berlin 1964 *ff.*

Lungenpfeifer *m* **1.** Schwindsüchtiger; Asthmatiker. Er pfeift aus der Lunge. Seit dem späten 19. Jh.

2. Zigarette. 1914 *ff.*

3. Schnaps. Er läßt den Trinkenden hechelnd atmen. 1900 *ff.*

Lungenpuster *m* tiefer Zug aus der Zigarette. *Sold* 1935 *ff.*

Lungenschinder *m* **1.** Zigarre mit schwerem Zug. Man muß den Rauch mit Anstrengung einsaugen. 1870 *ff.*

2. steiler Berg. 1890 *ff.*

Lungentorpedo *m* starke Zigarette; Zigarre. Angeblich zerstört sie die Lunge wie ein Torpedo das Schiff. 1910 *ff.*

Lungentöter *m* Zigarette. *Sold* 1900 *ff.*

Lungenvernichter (-verpester, -verseucher, -verstopfer) *m* Zigarette o. ä. *Halbw* 1965 *ff.*

Lungenwurm *m* Archibald, der ~ meldet sich: Redewendung, wenn ein Raucher einen Hustenanfall hat. Lungenwürmer sind schmarotzende Fadenwürmer, die Atemwege und Lungen von Weidevieh u. a. befallen. 1960 *ff, jug, österr.*

lungern *intr* **1.** untätig stehen, sitzen; mü-

ßiggehen; arbeitsscheu sein. Fußt auf einem Wurzelwort mit der Bedeutung „leicht in Bewegung und Gewicht". Dies ergab im Mittelalter das Adjektiv „lunger = schnell, flink"; von da verbal entwickelt über „lauern" zur Vorstellung müßigen Wartens. Seit dem 15./16. Jh.
2. nach etw ~ = auf etw begierig sein. Seit dem 19. Jh.

Lunte *f* **1.** Streichholz. Eigentlich die langsam fortglimmende Zündschnur oder der Lampendocht. *BSD* 1965 *ff*.
2. Zigarette, Zigarre. 1920 *ff*.
3. ~ merken = die Absicht durchschauen; aufmerksam werden. Wer das Glimmen und/oder den beißenden Geruch der Zündschnur wahrnimmt, ist vorgewarnt. 1800 *ff*.
4. ~ riechen (schmecken) = Gefahr wittern; Verdacht schöpfen. 1600 *ff*. *Vgl franz* „éventer la mèche".

Lupe *f* **1.** etw unter die ~ nehmen = etw genau betrachten, eingehend prüfen. Seit dem ausgehenden 19. Jh.
2. etw mit der ~ suchen = etw angestrengt suchen. 1900 *ff*.

lupenrein *adj* **1.** makellos; nicht anstößig; charakterlich einwandfrei; politisch unverdächtig. Fußt auf der Edelsteinprüfung und bezeichnet einen Edelstein, der frei von unedlen Beimengungen ist. 1920 *ff*.
2. unverfälscht, unverwässert. 1920 *ff*.

lupfen *tr* **1.** etw in die Höhe heben. Fußt auf einem urgermanischen Wurzelwort. Seit *mhd* Zeit; vorwiegend *oberd.*
2. einen ~ = ein Glas Alkohol zu sich nehmen. Analog zu „einen ↗ heben". 1800 *ff*.

Lurche (Lurke) *f* dünner Kaffeeaufguß. Nebenform zu ↗ Lorke. Seit dem 19. Jh.

luren *intr* spähen, äugen, zusehen; horchen. Nebenform zu „lauern" 1800 *ff*.

lurig *adj* **1.** sehnsüchtig, lüstern, mißtrauisch. ↗ luren. Seit dem 19. Jh.
2. energielos, arbeitsträge, müßiggängerisch. Berührt sich (wie ↗ lungern 1) mit der Vorstellung vom tatenlos abwartenden Eckensteher. Seit dem 19. Jh.

Lurke *f* ↗ Lurche.

Lusche *f* **1.** liederlicher Mensch; unordentliche, nachlässige, gemeine Frau. Meint eigentlich die Hündin. 1700 *ff*.
2. Vagina. Eigentlich das Geschlechtsorgan der Hündin und anderer Tierweibchen. Seit dem 19. Jh.
3. schlechtes Kartenblatt; nicht zählende Karte. Analog zu ↗ Fose 3. Kartenspielerspr. seit dem späten 19. Jh.
4. Versager. Bedeutungsentwicklung aus dem Vorhergehenden. 1890 *ff*.
5. einfältiges, unsympathisches Mädchen. 1800 *ff*.

luschen *intr* listig spähen; schielend blikken; blinzeln. Geht zurück auf *franz* „loucher = schielen". 1800 *ff*.

luschig *adj* liederlich. ↗ Lusche 1. Seit dem 19. Jh.

lustbetont *adj* immer ~ = höchst unerfreulich. *Iron* Erwiderung auf die Frage, wie die Stimmung sei. *Sold* 1939 *ff*.

Lustgefilde *pl* Gesamtheit aller die Geschlechtlichkeit erregenden Körperteile der Frau; der weibliche Körper schlechthin. 1900 *ff*.

Lustgreis *m* sinnlich veranlagter älterer Mann. Seit dem 19. Jh.

Lustgroschen *pl* Prostituiertenentgelt. 1910 *ff*.

Lustgrotte *f* Vagina. ↗ Liebesgrotte. 1900 *ff*.

Lusthase *m* junge Prostituierte. ↗ Häschen. Hasenähnlich „hoppelt" sie die Straßen auf und ab. 1920 *ff*.

lustig *adj* **1.** sinnlich veranlagt; Geschlechtslust empfindend. 1950 *ff*.
2. du bist schon ~! = welch eine unsinnige Bemerkung! 1930 *ff*.
3. tu, was du ~ bist = handle nach Gutdünken. „Lustig" meint hier „wozu man Lust hat". 1900 *ff*.

Lustlümmel *m* liebesgieriger Mann. ↗ Lümmel 1. 1900 *ff*.

Lustmatratze *f* Prostituierte. ↗ Matratze. Nachahmung der „Luftmatratze". 1960 *ff*.

Lustmieze *f* beschlafwilliges Mädchen; anziehende junge Prostituierte. ↗ Mieze. 1950 *ff*.

Lustmolch *m* sinnlicher, lüsterner Mann; liebesgieriger älterer Mann, der junge Mädchen begehrt; junger Mann, der häufig flirtet. Die Molche scheuen das Tageslicht und suchen feuchte Orte auf. Etwa seit dem ausgehenden 19. Jh.

Lustpfad *m* Straße, auf der die Prostituierten auf Kundenfang ausgehen. 1950 *ff*.

Lustrevier *n* von Prostituierten bevorzugtes Stadtviertel. 1950 *ff*.

Lustschwengel *m* Penis. ↗ Schwengel. 1920 *ff*.

Lustspiel *n* Geschlechtsverkehr. 1930 *ff*.

Lustspielkanone *f* beliebter Schauspieler in Komödien. ↗ Kanone 1. 1960 *ff*.

Luststreitkräfte *pl* Gesamtheit der Prostituierten. Nachahmung von „Luftstreitkräfte". 1965 *ff*.

Lustwald *m* Schamhaare der Frau. 1910 *ff*.

Lustwart *m* Verbindungsstudent, der mit der Vorbereitung von Festen beauftragt ist. Dem „Turn-, Sportwart" o. ä. nachgebildet. *Stud* 1960 *ff*.

Lustwurzel *f* **1.** Penis. Analog zu ↗ Genußwurzel. 1935 *ff*.
2. die ~ ausquetschen (auswringen) = harnen (auf Männer bezogen). 1935 *ff*.

Luther *Pn* als ~ noch katholisch war = a) vor langer Zeit. 1900 *ff*. – b) in friedlichen Zeiten; in der „guten alten" Zeit. 1900 *ff*. – c) früher hätte man es wohl geglaubt (Ausdruck des Nichtglaubens). 1900 *ff*.

lüti'ti ↗ litíti sein.

lutschen *tr* **1.** etw saugen, im Mund zergehen lassen. Schallnachahmend hergenommen vom kurzen, dumpfen Laut, der entsteht, wenn der Säugling einen zu starken Schluck aus der Flasche gesogen und das Saugen unterbricht. Seit dem 18. Jh.
2. trinken, zechen. Seit dem 18. Jh.
3. küssen. Seit dem 19. Jh.
4. fellieren. Seit dem 19. Jh.
5. elektrischen Strom verbrauchen. Technikerspr. 1955 *ff*.
6. Benzin ~ = a) Benzin verbrauchen. 1930 *ff*. – b) Benzin tanken. 1930 *ff*.

Lutscher *m* **1.** Schnuller. ↗ lutschen 1. Seit dem 19. Jh.
2. Bonbon auf einem Stäbchen. 1950 *ff*.
3. Zigarre. ↗ Lulle 3. 1950 *ff*.
4. Spargel. Eine alte Eßsitte lehrt, man solle den Spargel schlürfen oder einsaugen. 1950 *ff*.
5. Fellieren u. ä. Seit dem 19. Jh.

6. *pl* = Finger. Vom Daumenlutschen der kleinen Kinder übernommen. 1920 *ff*.
7. freu dich und kauf dir einen ~!: Erwiderung auf eine prahlerische oder dumme Äußerung; Aufforderung, einen (mit seinen Kindereien) in Ruhe zu lassen. *Jug* 1955 *ff*.

Lutschfleck *m* vom Küssen gerötete Stelle der Haut. ↗ lutschen 3. Seit dem 19. Jh.

Lutschknochen *m* Mundharmonika. Die Art Knochen, an dem man nicht nagt, sondern saugt. *Sold* in beiden Weltkriegen; auch *ziv* bis heute.

Lutschmund *m* Mund mit aufgeworfenen Lippen; Schmollmund. Er entsteht angeblich bei kleinen Kindern, wenn sie lange am Schnuller saugen. 1900 *ff*.

lütt *adj* klein. Fußt auf dem *germ* Wurzelwort „leut-" in der Bedeutung „klein". Seit dem 18. Jh, *nordd.*

lütti'ti ↗ litíti.

Lütü *f* Präservativ. Verkürzt aus ↗ Lümmeltüte. 1960 *ff*.

Luxus-Absteige *f* Luxushotel. ↗ Absteige. 1950 *ff*.

Luxusarche *f* Luxusdampfer. Eine Luxusausführung der „Arche Noah". 1960 *ff*.

Luxusartikel *pl* Arme und Beine eines Arbeitsscheuen. Luxusartikel sind teuer und werden geschont. *Sold* 1910 *ff*.

Luxusbiene *f* anspruchsvolle intime Freundin. ↗ Biene 3. 1950 *ff*.

Luxusboot *n* Luxus-Motorfahrzeug. „Boot" steht in Parallele zu „↗ Dampfer", der Bezeichnung für das breitgebaute Luxusauto. *Halbw* 1955 *ff*.

Luxusbude *f* Privatunterkunft eines Studenten. *Stud* 1960 *ff*.

Luxusdämchen *n* anspruchsvolle intime Freundin. ↗ Dämchen. 1920 *ff*.

Luxusdame *f* **1.** Schauspielerin in bemerkenswert eleganter Bühnengarderobe. Theaterspr., spätestens seit 1900.
2. Prostituierte, die in wohlhabenden Kreisen verkehrt. 1920 *ff*.

Luxusdampfer *m* Luxusauto. ↗ Dampfer. 1950 *ff*.

Luxusfetzen *m* vornehme Kleidung. ↗ Fetzen 1. 1975 *ff*.

Luxusfigur *f* Frau in auffallender Aufmachung; intime Freundin eines reichen Mannes. 1955 *ff*.

Luxusfrau *f* Prostituierte, die sich nur mit sehr wenigen (Dauer-)Kunden abgibt. 1920 *ff*.

Luxusfutteral *n* maßgeschneiderte, enganliegende (Ski-)Hose. ↗ Futteral 3. 1950 *ff*.

Luxusgammlerin *f* wohlhabende Müßiggängerin. ↗ gammeln. 1960 *ff*.

Luxusgeschöpf *n* Mensch, der sich mit viel Luxus umgibt; anspruchsvolle Geliebte. 1920 *ff*.

Luxusgespielin *f* kostspielige intime Freundin. ↗ Gespielin. 1960 *ff*.

Luxus-Herberge *f* Luxushotel, -wohnhaus. 1955 *ff*.

Luxushütte *f* Berghotel für verwöhnte Ansprüche. Hütte = Berg-, Schutzhütte. 1960 *ff*.

Luxuskahn *m* Yacht. 1965 *ff*.

Luxuskörper *m* menschlicher Körper. Scherzhafte oder *iron* Bezeichnung. 1945 *ff*.

Luxusmädchen *n* anspruchsvolle intime Freundin. 1960 *ff*.

Luxusnerven *pl* **1.** Überempfindlichkeit. 1930 *ff*.

2. eingebildetes Leiden wohlhabender, hysterischer Frauen. 1930 *ff.*

Luxusschiff *n* breitgebautes Luxusauto. ↗Dampfer. 1955 *ff.*

Luxustankstelle *f* Hausbar. ↗Tankstelle. 1960 *ff.*

Luxusverwahrlosung *f* (sittliche) Verwahrlosung wohlhabender Leute. 1963 *ff.*

Lynchjustiz *f* gemeinschaftliche Verprügelung eines Kameraden wegen unkameradschaftlichen Verhaltens. Meint eigentlich die außergesetzliche „Selbsthilfe" gewalttätiger Gruppen gegen (vermeintliche) Verbrecher. 1900 *ff, sold.*

Lysol *n* hochprozentiger Schnaps. Benannt nach dem Desinfektionsmittel (Kresolseifenlösung) wegen der scharfen Wirkung. 1900 *ff.*

Lysol-Engel *m* junge, hübsche, beliebte Krankenschwester. *Vgl* das Vorhergehende; ↗Engel II. *Sold* 1939 *ff.*

Lysolfähnrich *m* Feldunterarzt; Sanitätsunteroffizier. *Sold* 1914 bis heute.

Lysolmäuschen *n* junge nette Krankenschwester. ↗Maus. 1910 *ff.*

'Lyze *f* Schülerin eines Lyzeums o. ä. 1920 *ff.*

Lyzeum *n* **1.** Frauenhaftanstalt. Wo man die höhere Verbrecherkunst erlernt. 1920 *ff.*

2. hinten ~, vorn Museum = junges Mädchen mit unschönem Gesicht; bejahrte Frau in jugendlicher Kleidung. Nur von hinten meint man, eine Jugendliche vor sich zu haben. Der Spruch entstammt der Reimfreude. 1900 *ff.*

M

MG Mädchen. Abkürzung von „↗mausbares Gerät". *BSD* 1965 *ff.*

MG-Feuer *n* rasche Aufeinanderfolge von laut entweichenden Darmwinden. *Sold* 1939 *ff.*

MG-Schnauze *f* unüberbietbare Redefertigkeit. Anspielung auf die schnelle Schußfolge des MG (= Maschinengewehr). 1910 *ff.*

m.m. Zuruf, wenn man den Abort aufsuchen will. Abkürzung von „muß mal"; ↗müssen. 1930 *ff.*

MS Männerstärke. Dem „PS = Pferdestärke" nachgeahmt. *Sold* 1939 *ff.*

MTM mehr tun müssen. Deutung der Abkürzung von „methods-time-measurements" (Refa-Verfahren). 1965 *ff.*

M.v.D. 1. Prostituierte. Umdeutung der *milit* Abkürzung in „Mädchen vom Dienst". *Sold* 1939 *ff.*
2. stets nörgelnder Soldat. Abkürzung von „Meckerer vom Dienst". *BSD* 1970 *ff.*

M-Vitamin *n* Schnaps. „M" ist Abkürzung von „Mut"; Anspielung auf den vor dem Angriff ausgegebenen Schnaps. *Sold* 1939 *ff; ziv* 1950 *ff.*

m.w. Ausdruck der Bekräftigung. Verkürzt aus „machen wir!" im Sinne von „einverstanden! abgemacht!". Berlin seit dem späten 19. Jh.

m.W. 1. gern. Abkürzung von „mit Wonne". 1870 *ff*, Berlin.
2. mein Würmchen. Kosewörtliche Anrede seit dem ausgehenden 19. Jh.

m.w.m.W. machen wir mit Wonne! Im Sinn von „es wird gern erledigt". 1890 *ff.*

m.w.² (m.w. Quadrat) mathematisierte Abkürzung von „machen wir mit Wonne". 1920 *ff.*

m.w.m.W.m.W. Abkürzung von „machen wir mit Wonne, mein Würmchen". 1890 *ff.*

m.w.³ (m.w. hoch drei) mathematisierte Abkürzung von „machen wir mit Wonne, mein Würmchen". 1890 *ff.*

m.w.s.s.s. Abkürzung von „machen wir sogar sehr sauber". Berlin 1900 *ff.*

Ma *f* Mutter. Nach 1950 aus den USA übernommene Verkürzung.

Mach-2-Kaffee *m* dünner Kaffeeaufguß. ↗Kaffee 12. *BSD* 1969 *ff.*

Machart *f* 1. lieber bei der alten ~ bleiben = künstliche Befruchtung ablehnen. 1960 *ff.*
2. diese ~ kennen = diese Handlungsweise kennen; von jm kein anderes Verhalten erwarten können. *Sold* 1939 *ff.*
3. das ist meine ~ = das sagt mir sehr zu; das entspricht meinen Vorstellungen. 1930 *ff.*

machbar *adj* durchführbar, erreichbar. Nach 1965 wieder aufgekommenes Wort, vor allem bei Politikern und Journalisten sehr häufig. 1600 *ff.*

Mache *f* 1. Machen, Verfertigen; Bearbeitung. Ein im Mittelalter geläufiges Substantiv zu „machen"; im 17. Jh wiederaufgelebt.
2. Art und Weise; Regie. Theaterspr. 1930 *ff.*
3. Vorspiegelung; Täuschung; unechtes Benehmen; Prahlerei. Substantiv zu „ge-

macht" im Sinne von „nicht natürlich; künstlich; unecht". Seit dem 19. Jh.
4. jn in der ~ haben = a) jn in der Gewalt haben; ernst auf jn einreden; jn zu erziehen trachten. Man behandelt den Betreffenden wie ein Werkstück, das man in Bearbeitung hat. 1700 *ff.* – b) jn verprügeln. 1700 *ff.*
5. etw in der ~ haben = etw unter den Händen (in Arbeit) haben; etw durchsehen, studieren. Seit dem 19. Jh.
6. jn in die ~ kriegen (nehmen) = jn in seine Gewalt bekommen; jn einem Verhör unterziehen; sich jds Erziehung annehmen; jn drillen. 1700 *ff.*
7. in der ~ sein = in Arbeit sein. Seit dem 19. Jh.
8. bei jm in der ~ sein = von jm erzogen werden; von jm zur Rechenschaft gezogen werden. 19. Jh.
9. das ist seine ~ = das hat er verursacht; das ist seine typische Art und Weise. 19. Jh.

machen *v* 1. *intr* = einen bestimmten Laut von sich geben (der Hund macht „wauwau", die Katze „miau"). Machen = Stimmen (nach)machen. Kinderspr. seit dem 19. Jh.
2. *intr* = sich beeilen (mach' schon! mach' zu!). Verkürzt aus „voranmachen" oder aus „machen, daß man fertig wird". Seit dem 18. Jh.
3. lange ~ = a) zögern. Seit dem 19. Jh. – b) lange ausbleiben. Seit dem 19. Jh.
4. es nicht mehr lange ~ = bald sterben; im Sterben liegen. Seit dem 17. Jh.
5. das macht fragt gar nichts. ↗fast 1.
6. jn ~ = jn betrügen, täuschen, übertölpeln, veralbern. Man macht ihn zum Narren oder macht ihn „↗fertig". *Vgl* das Folgende. 1700 *ff.*
7. jn ~ = jn überwältigen; gegen jn gewalttätig werden; jn bezwingen; jm gewachsen sein. Man macht ihn zum Verlierer, zum Unterlegenen. 1400 *ff.*
8. eine Frau ~ = vergewaltigen; einer Frau beischlafen. Seit dem 15. Jh.
9. jn ~ = jn auf der Bühne darstellen (er macht den Wallenstein). Machen = mimen. Theaterspr. seit dem 19. Jh.
10. jn ~ = sich als Inhaber einer Amtsstellung aufspielen. Aus dem Vorhergehenden übertragen. *Sold* 1935 *ff.*
11. jn ~ = jn in einen bestimmten Posten berufen sein und dieses Amt wirklich ausüben. *Sold* 1935 *ff.*
12. jn ~ = ein Kind zeugen. 1200 *ff.*
13. jn ~ = jn zum Erfolg verhelfen; jn der Öffentlichkeit als Könner vorstellen. Man „macht" ihn, indem man ihm Ansehen verschafft. 1700 *ff.*
14. *tr intr* = die Notdurft verrichten. Verhüllende Kurzwendung. 1700 *ff;* aber wohl älter.
15. mach's gut!: Abschiedswunsch. Oft erwidert mit „mach's besser!". Seit dem 19. Jh.
15 a. da kannste ~ nix, da mußte gucken zu!: Ausdruck der Unabänderlichkeit. 1920 aufgekommen in Nachahmung des im Ausländern gesprochenen Deutsch.
16. wie habe ich das wieder gemacht?!: selbstironischer Ausdruck der Genugtuung über eine Leistung. 1920 *ff.*
17. etw ~ = stehlen, betrügen, falschspielen; aus einer unredlichen Handlungsweise Gewinn ziehen; Unterschlagung be-

gehen. Hinter „etwas" ergänze „Unredliches" oder „Strafwürdiges". 1900 *ff.*
18. etw ~ = etw rasch (oberflächlich) besichtigen; an einer Besichtigungsfahrt teilnehmen, die nur um der Schaulust willen Sehenswürdigkeiten aneinanderreiht. („den Kölner Dom haben wir in fünf Minuten gemacht"). „Machen" meint hier soviel wie „erledigen, als erledigt streichen"; *vgl* ↗abhaken 7. 1950 *ff.*
19. einen ~ = a) einen Berg ersteigen. 1920 *ff.* – b) koitieren. Hinter „einen" ergänze „Koitus", „Fick" o. ä. Seit dem 19. Jh.
20. noch einen ~ = ein weiteres Glas Alkohol trinken. 1900 *ff.*
21. es jm ~ = jn schlecht behandeln. 1900 *ff.*
22. es einer (mit einer) ~ = einer weiblichen Person beischlafen. Seit dem 19. Jh.
23. jm einen ~ = jn zur Anzeige bringen. Hinter „einen" ergänze „Schlag" oder „Streich" oder „Denkzettel". Polizeispr. 1965 *ff.*
24. da wollen wir keinen von ~: Redensart der Gleichgültigkeit. Gemeint ist wohl, daß man davon keinen Gebrauch machen will. *BSD* 1965 *ff.*
25. da kannst du nichts ~ = das ist unabänderlich; dagegen kann man nichts unternehmen; das muß man als Tatsache hinnehmen. Seit dem 19. Jh.
26. nur so ~ = vortäuschen. Vom Tierstimmenimitator oder aus der Theatersprache übertragen. 1900 *ff.*
27. sich ~ = sich aufspielen. Verkürzt aus „sich dick machen" o. ä. Seit dem 19. Jh.
28. sich ~ = sich zieren. Versteht sich im Sinne von „↗Mache 3". Seit dem 19. Jh.
29. sich ~ = sich vorteilhaft entwickeln; die Jugendtorheiten ablegen; sich bessern. Seit dem 19. Jh.
30. sich ~ = sehr erfolgreich werden. 1920 *ff.*
31. es macht sich = die Sache nimmt einen günstigen Verlauf; es gedeiht, nimmt zu, geht leidlich; das Wetter wird besser. Seit dem 19. Jh.
31 a. mach' was dran! = ändere es, wenn du kannst! ↗dranmachen 1.
32. auf ... ~ = sich gebärden; vortäuschen (er macht auf verrückt = er stellt sich verrückt; er macht auf modern = er gibt sich modern). Verkürzt aus „auf die Art und Weise machen". 1920 *ff.*
33. sich hinter jn ~ = sich an jn wenden; jds Hilfe (Vermittlung) anstreben; jn für eine Sache zu gewinnen trachten. Fußt auf der Vorstellung des Voranstrebens. Seit dem 19. Jh.
34. sich hinter etw ~ = mit einer Arbeit beginnen; etw zu bekommen suchen; etw tatkräftig vorantreiben. 1600 *ff.*
35. in ... ~ = a) mit etw handeln (er macht in Kaffee = er handelt mit Kaffee; er macht in Politik = er ist Politiker). Kaufmannssprachl. nach *franz* Vorbild („faire en étoffes") etwa seit 1830. – b) sich von einer Stimmung leiten lassen; eine Gestimmtheit zeigen (er macht in Trauer = er ist traurig gestimmt; er erweckt den Eindruck der Trauer). 1830 *ff.*
36. es mit jm ~ = koitieren. *Vgl* ↗machen 22. Seit dem 19. Jh.
37. mit uns können sie es ja ~ = uns

können sie ja kraft ihrer Macht so schlecht behandeln; wir haben uns zu fügen, weil sie die Mächtigeren sind. Um 1910 aufgekommen; meist bezogen auf die Vorgesetzten, die Sieger *(milit)*, die Regierung o. ä.

38. nach ... ~ = nach (Berlin, Köln) reisen. Seit dem 18. Jh.

Macher *m* **1.** Betrüger, Falschspieler. ↗machen 6. *Rotw* seit dem frühen 19. Jh. **2.** Unternehmer; Leiter, Anführer; maßgebende Person; einflußreicher Mann. Eigentlich die Berufsbezeichnung für einen Handwerker (Schuh-, Korbmacher); von da übergegangen in die Kaufmannssprache im Sinne von „Fabrikant, Händler". Gegen 1850 aus *franz* „faiseur = Drahtzieher" lehnübersetzt. **3.** Einbrecher. Er macht einen „↗Bruch". 1850 *ff.* **4.** ~ des Ganzen (~ vons Janze) = Verantwortlicher; Leiter. Berlin seit dem späten 19. Jh. **5.** kleiner ~ = unbedeutender Geschäftsmann. 1890 *ff.*

Macho *m* vom Männlichkeitswahn geprägter Mann; Gegner der Frauenemanzipation. Meint in Lateinamerika das männliche Tier und ist in erweitertem Sinn auch das Sinnbild für geschlechtliche männliche Potenz und Gewalttätigkeit. 1975 *ff.*

mächtig *adj* **1.** schnell sättigend; (all)zu kräftig; schwerverdaulich. Es ist reich an Gehalt und steht darin stark in der Wirkung. 1700 *ff.* Vgl *franz* „puissant". **2.** *adv* = sehr, überaus (er freut sich mächtig; es ist mächtig kalt). 1500 *ff.*

machtlos *adv* da stehst du ~ vis-à-vis (da stehst du ~ vis-à-vis gegenüber) = da ist kein Eingreifen möglich. Seit dem ausgehenden 19. Jh.

Machtwort *n* ein ~ sprechen (reden) = durch eine energische Äußerung eine Sache entscheiden; etw tatkräftig unterbinden; sehr streng, unerbittlich auftreten. Der Spruch des Mächtigen hatte einst Gesetzesgeltung. 1700 *ff.*

Mach'ulle *f* Bankrott. Fußt auf *jidd* „mechulle = schwach". Seit dem frühen 19. Jh.

mach'ulle *adj* **1.** bankrott. *Vgl* das Vorhergehende. Seit dem frühen 19. Jh. **2.** erschöpft, krank. *Rotw* 1800 *ff.* **3.** schwanger. 1900 *ff.* **4.** unschädlich. 1910 *ff*, *prost.* **5.** verkehrt. 1900 *ff.* **6.** verrückt, wahnsinnig. 1900 *ff.*

Machwerk *n* schlechte Arbeit; schlechtes Werk. Verallgemeinert aus dem Begriff der minderwertigen handwerklichen Arbeit; gern *iron* gemeint. 1700 *ff.*

Macke *f* **1.** Schlag, Hieb. Mehrzahl: Mackes. *Jidd* „makko = Schlag, Hieb, Stoß". 1700 *ff.* **2.** körperlicher Defekt; Krankheit, Gebrechen; Charaktermangel, Untugend. 1870 *ff.* **3.** schwerer geistiger Schaden; schwere Geistestrübung; Wunderlichkeit. Ein heftiger Schlag an den Kopf hat Geistesverwirrung hervorgerufen. 1900 *ff.* **4.** Fehlleistung; technischer Defekt; schlechte Leistungsnote. 1920 *ff.* **5.** Beule in der Karosserie, in Blechgefäßen o. ä. 1920 *ff.* **6.** falscher Stich im Kartenspiel. *Rotw* 1862 *ff.*

7. List, Streich. 1950 *ff.* **8.** stumpfe ~ = langweilige Sache. „Stumpf" als Gegenteil von „spitz" und „steil" bezeichnet einen Zustand ohne Höhepunkte, ohne Steigerung. *Halbw* 1955 *ff.* **9.** eine ~ haben = von Sinnen sein; merkwürdige Eigenheiten haben. ↗Makke 3. 1900 *ff.* **10.** eine ~ unterm Hut haben = nicht recht bei Verstand sein. 1900 *ff.* **11.** eine ~ kriegen = wunderlich, verrückt werden. 1900 *ff.* **12.** auf ~ machen = Geisteskrankheit vortäuschen. ↗machen 32. 1920 *ff.*

Macker (Maker, Makker) *m* **1.** Vor-, Mitarbeiter; Kamerad; Genosse; Mann; Freund eines Mädchens. Vielleicht aus dem *Ndl* übernommen, wo „makker" den Gesellen, Genossen und Kameraden meint; über die Seemannssprache im späten 18. Jh bei uns eingedrungen. Weiterverbreitet erst seit 1900; sehr häufig seit 1939. Beliebte Halbwüchsigenvokabel. **2.** Leiter; Unternehmer; Mann mit Führungsqualitäten. Gelegentlich *abf.* 1950 *ff.* **3.** Zuhälter. 1950 *ff*, *prost.* **4.** Dieb; Begünstiger der Gauner. 1920 *ff.* **5.** Partner beim Kartenspiel. 1900 *ff.* **6.** Sonderling. Hat mit den vorhergehenden Bedeutungen nichts zu tun, sondern fußt auf „↗Macke 3". 1950 *ff*, *jug.* **7.** dufter ~ = a) beliebter Kamerad; bei Mädchen sehr beliebter junger Mann. 1960 *ff*, *halbw.* - b) in Dingen der Ehrlichkeit zweifelhafter Kavalier. 1960 *ff.* **8.** geschaffter ~ = umgänglicher, unternehmungslustiger junger Mann. ↗geschafft 1. 1955 *ff*, *halbw.* **9.** großer ~ = tüchtiger Mann. 1950 *ff.* **10.** linker ~ = unsympathischer, nicht vertrauenswürdiger Mann. ↗link. 1950 *ff*, *halbw.* **11.** reicher ~ = wohlhabender Unternehmer. 1950 *ff.* **12.** schauer ~ = eleganter junger Mann. ↗schau. *Halbw* 1955 *ff.* **13.** schräger ~ = unzuverlässiger Kamerad. ↗schräg. *Halbw* 1955 *ff.* - b) Tunichtgut; Verführer. 1955 *ff.* **14.** zackiger ~ = besonders netter junger Mann. ↗zackig. *Halbw* 1955 *ff.*

Mackes *pl* Schläge, Prügel. ↗Macke 1. 1700 *ff.*

Ma'dam *f* **1.** rundliche ältere Frau, die ihre Bequemlichkeit über alles liebt. Aus dem *Franz* entlehnt, wohl zu Beginn des 19. Jhs während den *franz* Besatzung im Rheinland oder in Berlin. Anfangs Anredeform der Hausgehilfin an die Hausfrau, auch der Bürgersfrau an Höherstehende. **2.** vornehm gekleidete, dünkelhafte Frau. Seit dem 19. Jh. **3.** Bordellwirtin. 1846 *ff*, *prost.*

Mädchen *n* **1.** ~ auf Abruf = Callgirl. 1960 *ff.* **2.** ~ für alle = Prostituierte. 1955 *ff.* **3.** ~ für alles = a) Hausangestellte bei einem Junggesellen, dem sie die Hausarbeiten verrichtet und auch geschlechtlich zu Willen ist. Eigentlich die Hausangestellte für alle Hausarbeiten. 1900 *ff.* - b) Mann, der viele Tätigkeiten ausübt. 1920 *ff.* - c) Klassensprecher. *Schül* 1950 *ff.* - d) Feuerwehr. 1900 *ff.* - e) Wehrbeauftragter des Deutschen Bundestags. *BSD* 1965 *ff.* **4.** ~ auf Anruf = Callgirl. 1960 *ff.*

5. ~ vom Band = Mädchen mit einheitlicher Kleidung, einheitlichem Aussehen. Sie wirken wie Serienprodukte vom Fließband. 1955 *ff.* **6.** ~ vom Dienst = Prostituierte. ↗M.v.D. 1. *Sold* 1939 *ff.* **6 a.** ~ von Format = Mädchen mit vielen inneren und äußeren Vorzügen. ↗Frau 9. 1950 *ff.* **7.** ~ mit Gegenwart = leichtes Mädchen. Anrüchige Vergangenheit hat es noch nicht, wohl aber anrüchige Gegenwart. *Halbw* 1955 *ff.* **8.** ~ fürs (ums) Geld = Straßenprostituierte. 1900 *ff.* **9.** ~ mit h.w.G. = leichtlebiges Mädchen. ↗hwG- Frau. 1950 *ff*, polizeispr. **10.** ~ hinter Glas = Fernsehansagerin. 1960 *ff.* **11.** ~ der Liebe = Prostituierte. 1920 *ff.* **12.** ~ nach Maß = Modenvorführerin. 1945 *ff.* **13.** ~ für die Matinee = zurückhaltendes Mädchen. Man kann es zwar zu einer Vormittagsvorstellung mitnehmen, aber abendlichem Beisammensein weicht es aus. *Halbw* 1955 *ff.* **14.** ~ von der Stange = Durchschnittsmädchen. Es zeigt wenig eigene Persönlichkeit, kleidet und benimmt sich wie viele andere auch. ↗Stange. 1955 *ff.* **15.** ~ vom Strich = Straßenprostituierte. ↗Strich. 1950 *ff.* **16.** ~ von der leichtesten Tugend = Prostituierte. 1960 *ff.* **17.** ~ in Uniform = Flugzeug-Stewardeß; uniformierte Hosteß u. ä. Der Begriff wurde als Titel des Spielfilms von Leontine Sagan (1931; Remake 1958 von Géza von Radványi) stereotyp und ging von den dort gemeinten Internatsschülerinnen über auf uniformierte Mädchen schlechthin. 1955 *ff.* **18.** ~ ohne Unterleib = Fernsehansagerin. ↗Dame 18. 1950 *ff.* **19.** ↗ zwischen dreißig und höchste Zeit = ältlich werdendes Mädchen, das noch immer keinen Mann gefunden hat. 1920 *ff.* **20.** abgelaufenes ~ = verlassenes Mädchen. ↗abgelaufen. *Halbw* 1955 *ff.* **21.** allgemeingültiges ~ = Prostituierte. 1955 *ff.* **22.** altes ~ = a) ältliche Ledige. 1900 *ff.* - b) Koseanrede an die ältliche Ehefrau. 1920 *ff.* **23.** ambulantes ~ = Straßenprostituierte auf Männerfang. Bezieht sich sowohl auf das Hin- und Hergehen auf der Straße (*lat* „ambulare = auf und abgehen") als auch auf die polizeiärztliche Überwachung (sie erfolgt „ambulant", nicht „stationär"). 1955 *ff.* **24.** billiges ~ = Mädchen, das mühelos zum Beischlaf zu gewinnen ist. „Billig" entwickelt über „geringwertig" auch die Bedeutung „sittlich tiefstehend". 1920 *ff.* **24 a.** duftes ~ = nettes Mädchen. ↗dufte. 1950 *ff.* **25.** eindeutiges ~ = Mädchen, das dem bezahlten Geschlechtverkehr nicht abgeneigt ist. 1955 *ff.* **26.** errötendes ~ = roter Fruchtsaftpudding; rote Grütze. Anspielung auf Schamröte. 1870 *ff.* **27.** festes ~ = Mädchen, das nur mit einem bestimmten jungen Mann Umgang pflegt. 1930 ff.

28. flaches ~ = flachbusiges Mädchen. 1955 ff.

29. fliegendes ~ = Flugzeug-Stewardeß. 1955 ff.

30. frisches ~ = a) neue intime Freundin. Frisch = neu. 1900 ff. – b) unberührtes Mädchen. Frisch = rein, unbefleckt. 1870 ff.

31. gefälliges ~ = leichtes Mädchen. Es ist dem Mann gern zu Gefallen. 1920 ff.

32. halbschweres ~ = ziemlich leichtlebiges Mädchen. 1955 ff.

33. halbseidenes ~ = Prostituierte. ↗ Halbseide 1. 1920 ff.

34. hartes ~ = junges Mädchen, das Jungengesellschaft schätzt. „Hart" im Sinne von „jungenhaft, kameradschaftlich". Jug 1955 ff.

35. heißes ~ = a) liebesgieriges Mädchen. 1950 ff. – b) Pin-up-Foto eines leichtbekleideten Mädchens; Aktfoto. 1950 ff.

36. horizontales ~ = Prostituierte. ↗ horizontal. 1900 ff.

37. 120 kleine ~ = 120 Stundenkilometer Fahrgeschwindigkeit. „Kleine Mädchen" deutet spielerisch die Abkürzung „km". 1950 ff.

38. kunstseidenes ~ = Mädchen, dessen bürgerliche Tugendvorstellungen sich im Leben nicht aufrechterhalten lassen. Die sittlichen Grundsätze fasern aus wie Kunstseide. Fußt auf dem Titel des 1932 erschienenen Romans von Irmgard Keun. Seither ein geläufiger Begriff.

39. leichtes ~ = Prostituierte. 1900 ff.

40. maßgerechtes ~ = Modenvorführerin. 1950 ff.

41. maßvolles ~ = Modenvorführerin. 1950 ff.

42. schnelles ~ = a) leichtlebiges Mädchen. Zum Geschlechtsverkehr ist es schnell bereit. 1955 ff. – b) Flugzeug-Stewardeß. Anspielung auf die Fluggeschwindigkeit. 1955 ff.

43. schräges ~ = leichtlebiges Mädchen. ↗ schräg. 1945 ff.

44. schweres ~ = a) reiches Mädchen. Verkürzt aus „schwerreich" oder „geldlich schwerwiegend". 1870 ff. – b) mehrmals vorbestraftes Mädchen. Das weibliche Gegenstück zu „schwerer ↗ Junge". 1900 ff.

45. spätes ~ = a) ältliche Ledige. 1840 ff; wohl von Berlin ausgegangen. – b) Prostituierte, die spät in der Nacht auf Männerfang ausgeht. 1910 ff. – c) verspätet eintreffender weiblicher Abendgast. 1920 ff. – d) spätentwickeltes Mädchen. 1900 ff. – e) nach langer kinderloser Ehe geborenes Mädchen. 1920 ff. – f) Mädchen, das noch spät in der Nacht unterwegs ist (ohne jegliche Anzüglichkeit gemeint); Arbeiterin der Spätschicht (auf dem Heimweg). 1950 ff.

46. verschlossenes ~ = zurückhaltendes, beischlafunwilliges Mädchen. 1930 ff.

47. volles ~ = geschwängertes Mädchen; geschwängerte Braut. 1900 ff.

48. das ~ muß einen Mann haben = die ausgespielte Dame wird von einem König gestochen. Kartenspielerspr. seit dem 19. Jh.

49. zu etw kommen wie das ~ zum Kind = etw überraschend und unverdient er-

halten; ein unerwartetes Mißgeschick erleiden. ↗ Jungfrau 13. Seit dem 19. Jh.

50. ein ~ laufen haben = von den Einnahmen einer Prostituierten leben. 1920 ff.

51. ein ~ machen = ein Mädchen verführen, vergewaltigen. ↗ machen 7. 1400 ff. Vgl engl „to make a girl".

52. das macht dem ~ kein Kind = damit wird kein Schaden angerichtet; das ist nicht arg. Anspielung auf die Schande lediger Mutterschaft. Seit dem 19. Jh.

53. für (auf) kleine ~ müssen = den Abort aufsuchen müssen. Kleine Mädchen haben angeblich öfter Harndrang als ihre männlichen Altersgenossen. Oder ist hier „Mädchen" die Deutung des Buchstabens M auf der Tür der Männertoilette? 1920 ff.

54. sich ein ~ schönsaufen = ein unschönes Mädchen im Laufe von Stunden um so schöner finden, je mehr man trinkt. Stud 1900 ff.

55. seine ~ wechseln wie die Hemden = keinem Mädchen treu bleiben. 1930 ff.

Mädchenschmecker m Junge, der es mit Mädchen hält. Südd seit dem 19. Jh.

Mädchenspiel n Fußballspiel ohne scharfe Stöße. Sportl 1950 ff.

Mädchenvernascher m Mann, der kurzfristige Liebesabenteuer mit Mädchen sucht. ↗ vernaschen. 1960 ff.

Mädchenwinker m Ziertaschentuch des „Herrn" in der linken oberen Rockaußentasche. 1920 ff.

maddelig adj kraftlos, schlaff. „Maddel" (vgl ↗ Muddel; ↗ Modder) ist der weiche, breiige Schmutz. 1900 ff, nordd.

Made f 1. langsam fahrendes Gefährt. Maden kriechen langsam. 1955 ff.
2. er hat wohl die ~n? = er ist wohl nicht bei Verstand? In seinem Kopf treiben offenbar die Maden ihr Unwesen. 1930 ff.
3. leben (sitzen) wie die ~ im Speck = sehr gut, aus dem Vollen leben. Seit dem 19. Jh.
4. sich wohlfühlen wie die ~ im Speck = sich wohl fühlen. Seit dem 19. Jh.

Mädel n 1. kleines Mädchen (Kosewort). 19. Jh.
2. leichtes ~ = leichtlebiges Mädchen. Seit dem 19. Jh.

Mädelfetzer m junger Mann, der Mädchen nachstellt. ↗ fetzen. Bayr 1920 ff.

Madensack m Schimpfwort auf einen Menschen. Meint bei frommen Asketen, eifernden Predigern usw. eigentlich den menschlichen Leib. 1500 ff.

Mäderl n kleines Mädchen (Kosewort). Bayr und österr seit dem 19. Jh.

Mädi n Kosewort für ein kleines (junges) Mädchen. Weibliches Gegenstück zu „Bubi". Seit dem 19. Jh.

madig adj 1. unwirsch, hinterlistig; mißgünstig. Übertragen vom Nahrungsmittel mit Madenbefall zur Kennzeichnung eines schlechten Charakters. 1850 ff.
2. arbeitsunlustig, arbeitsscheu. Die sprichwörtliche „Made im Speck" erntet, ohne gesät zu haben. 1900 ff.
3. jn (etw) ~ machen = jn (etw) nachteilig darstellen („schlechtmachen"); jm verleiden. 1850 ff.
4. sich ~ machen = sich aufspielen; sich unbeliebt machen. 1920 ff.

Mafia-Torte f Pizza. „Mafia" spielt über den Namen der sizilianischen Geheimgesellschaft auf die ital Herkunft, „Torte" auf

die Tortenbodenform der Pizza an. Halbw 1980 ff.

Magazin n das ganze ~ verpulvern = Hilfsmittel leichtfertig verausgaben. Übertragen vom Patronenmagazin der Handfeuerwaffe. 1950 ff.

Magd f 1. zu etw kommen wie die ~ zum Kind = unerwartet ein Mißgeschick erleiden; unversehens etw bekommen. Vgl ↗ Jungfrau 13. Seit dem 19. Jh.
2. das macht der ~ kein Kind = das ist nicht schlimm; das ist kein arger Schaden. Vgl ↗ Mädchen 52. Seit dem 19. Jh.

Magen m 1. eiserner ~ = Magen, der alles verdauen kann. Eisern = widerstandsfähig, ausdauernd. Seit dem 19. Jh.
2. sich den ~ absaufen = mehr trinken als essen. 1920 ff.
3. es hebt einem den ~ aus = es ekelt einen an. Anspielung auf Brechreiz. 1920 ff.
4. ihm bellt der ~ = er hat Hunger. Magenknurren klingt wie Hundeknurren. Seit dem 19. Jh.
5. der ~ bellt wie eine Gerbertöle = man ist sehr hungrig. ↗ Gerbertöle. Seit dem 19. Jh.
6. der ~ hat sich wieder eingerenkt = die Magenbeschwerden haben aufgehört. Vgl ↗ Magen 43. 1900 ff.
7. jm auf den ~ gehen = jm lästig fallen; Widerwillen gegen jn empfinden. Anspielung auf Magenbeschwerden aus seelischen Gründen. 1900 ff.
8. jn im ~ haben (im ~ liegen haben) = jn nicht leiden können; auf jn wütend sein. Der Betreffende „liegt einem im Magen" wie eine un- oder schwerverdauliche Speise. Seit dem frühen 19. Jh. Vgl engl „I cannot stomach him".
9. für etw keinen ~ haben = zu etw keine Lust haben. Man verspürt keinen Appetit. 1900 ff.
10. einen großen ~ haben = a) unersättlich sein. 19. Jh. – b) hab-, raffgierig sein. Seit dem 19. Jh.
11. einen guten ~ haben = Unangenehmes leicht verwinden können. Seit dem 18. Jh.
12. einen hohlen ~ haben = hungrig sein. 1900 ff.
13. einen langen ~ haben = sehr hungrig sein; viel essen können. 1870 ff.
14. einen trockenen ~ haben = a) durstig sein. 1900 ff. – b) Hunger haben. 1900 ff.
15. einen ~ haben wie eine Heuscheune (Scheuer) = ein Vielesser sein. Heuscheunen müssen besonders groß sein, weil Heu locker gelagert wird. Seit dem 19. Jh.
16. das hat schon einer im ~ gehabt = das ist eine unschmackhafte Speise. Anspielung auf Erbrochenes. 1900 ff.
17. ihm hängt der ~ schief (auf einer Seite) = er ist sehr hungrig. 1900 ff.
18. mir fällt vor Hunger der ~ raus (weg) = ich bin sehr hungrig. 1900 ff.
19. mir hängt der ~ am Gaumen = mir ist speiübel. Sold 1939 ff.
20. den ~ in der Kniekehle hängen haben = Hunger haben. 1900 ff. Vgl franz „avoir l'estomac dans les talons".
21. es kommt alles in 'einen ~: Redewendung, wenn man viel durcheinander und in unüblicher Reihenfolge ißt. 1870 ff.
22. das kann ich nicht auf den leeren ~ = das kann ich nicht ohne weiteres tun

oder sagen; darauf muß ich mich erst vorbereiten. 1920 ff.

23. ihm kracht der ~ = er ist sehr hungrig. Übertreibende Anspielung auf Magenknurren. Seit dem 19. Jh, *österr.*

24. jn in den ~ kriegen = auf jn böse werden; auf jn nicht mehr gut zu sprechen sein. ↗ Magen 8. 1900 ff.

25. die Sache liegt mir im ~ = die Sache bedrückt, beschwert mich; ich kann es schlecht verwinden. ↗ Magen 8. 1700 ff.

26. den ~ links machen = sich erbrechen. Fußt auf der Vorstellung vom Umstülpen des Ärmels o. ä. 1920 ff.

27. der ~ macht Handstand = man erbricht sich. Der Magen dreht sich um wie ein Mensch beim Handstand. *Sold* 1939 ff.

28. ihm hängt der ~ halb raus = er ist sehr hungrig. *Vgl* das Folgende. 1920 ff.

29. der ~ hängt ihm zum Hals raus = er hat großen Hunger. 1920 ff.

30. ihm hängt der ~ runter, daß man drauftreten kann = er hat Heißhunger. 1920 ff.

31. jm auf den ~ schlagen = jm die Stimmung verderben; Mißstimmung erzeugen. 1900 ff.

32. das ist ihm auf den ~ geschlagen = das hat ihn verdrossen, erschüttert, aufgeregt o. ä. Seit dem 19. Jh.

33. das ist ein bißchen viel auf nüchternen ~ = das ist unzumutbar; das geht weit über das erträgliche Maß hinaus. 1920 ff.

34. den ~ auf Sparflamme setzen = hungern. Sparflamme ist die Gasflamme mit geringem Gasverbrauch. *Sold* 1939 ff.

35. da dreht es den besten ~ über = das ist höchst widerwärtig. Anspielung auf Erbrechen. 1930 ff.

36. der ~ geht (läuft) über = man erbricht sich; man fühlt sich angewidert. 1900 ff.

37. es dreht ihm den ~ um = es widert ihn an. *Vgl* ↗ Magen 35. 1900 ff.

38. den ~ veralbern = einen Imbiß einnehmen, der nicht sättigt. 1900 ff.

39. sich den ~ verbellen = sich den Magen verderben. Hat nichts mit „bellen" zu tun, sondern mit „ballen = aufschwellen". 1900 ff, *westd.*

40. den ~ verkleistern = viele Süßigkeiten, viel Kuchen essen. Dadurch klebt man sich den Magen gewissermaßen zu und hat für anderes keinen Appetit mehr. 1920 ff.

41. sich den ~ verkorksen = sich den Magen verderben. ↗ verkorksen. Seit dem 19. Jh.

42. sich den ~ verpamsen (verpansen) = sich den Magen überladen, verderben. ↗ Pamps = dicker Brei; ↗ pampsen = viel essen. 1900 ff.

43. sich den ~ verrenken = sich überreichlich sättigen. Meint wohl einen, der sich vor Magenschmerzen windet und krümmt. Seit dem späten 19. Jh. Dazu die gereimte Aufforderung: „lieber den Magen verrenken als dem Wirt was schenken!".

44. sich den ~ vollschlagen = viel, gierig essen. ↗ Bauch 40. 1800 ff.

Magenbügler *m* warme Suppe nach durchzechter Nacht. Sie wirkt regulierend auf den Magen. 1950 ff.

Magendoktor *m* scharfer Schnaps; Kräuterlikör o. ä. Er kuriert Magenbeschwerden. 1920 ff.

Magendreher *m* hochprozentiger Schnaps. Er dreht einem den Magen um. *Sold* in beiden Weltkriegen; auch *ziv* bis heute.

Magenfahrplan *m* Küchenzettel für einen bestimmten Zeitraum; Speisekarte. Es handelt sich um eine Art Kursbuch für den Magen. Im späten 19. Jh aufgekommen.

Magengesicht *n* **1.** Gesicht eines Magenleidenden. Angeblich ein Medizinerausdruck. 1920 ff.

2. ein ~ ziehen = verdrießlich, unmutig dreinschauen. 1920 ff.

Magengrube *f* jn hart in der (in die) ~ treffen = jm einen empfindlichen Schlag versetzen; jm eine schwere Niederlage beibringen. Übertragen vom Boxhieb. *Sold* 1939 ff; *sportl* 1950 ff.

Magenleerlauf *m* Hunger; Nahrungsmittelmangel. ↗ Leerlauf. *Sold* 1940 ff; *ziv* 1945 ff.

Magenquetsche *f* breiter, enggeschnallter Mädchengürtel. 1959 ff.

Magenschluß *m* letzter Gang der Speisenfolge. 1870 ff.

Magenwärmer *m* hochprozentiger Schnaps. 1900 ff.

Magenwäsche *f* Zecherei. Aufgefaßt als innerliche Waschung. *Sold* 1940 ff; auch *ziv.*

mager *adj adv* **1.** mittelmäßig. 1900 ff.

2. alkoholarm. *Schül* 1965 ff.

3. ~ bis durchwachsen = mittelmäßig; einigermaßen. ↗ durchwachsen. 1900 ff.

Mageres *n* **1.** ans Magere kommen = die Sache wird schmerzlich; die Rücklagen werden angegriffen. Meint eigentlich „durch Haut und Fett hindurch bis an die Magerschicht (Muskelfleisch)"; ist wohl auch beeinflußt von der Metapher „magere Jahre". 1900 ff.

2. ans Magere kommen = sich bescheiden müssen. 1900 ff.

3. jm ans Magere kommen = a) zudringlich werden; jn sehr empfindlich kränken; jn im Kern treffen. Seit dem 19. Jh. – b) Eindruck auf jn machen. Seit dem 19. Jh.

magern *v* es magerlt ihn = es ärgert ihn; er kann es nicht verwinden. Analog zu „das schlägt ihm auf den Magen" (↗ Magen 31). *Österr* 1850 ff.

maggeln *v* tauschhandeln; verbotenen Handel treiben. Durch Vokalkürzung aus „makeln" entstanden. Etwa seit 1900, *westd.* Sehr geläufig seit Kriegsende 1945.

Maggelware *f* Tauschware. *Vgl* das Vorhergehende. 1945 ff.

Magnetaugen *pl* ~ machen = lüsterne Blicke werfen. Es sind „anziehende" Blicke. 1925 ff.

Magnetfinger *pl* ~ haben = diebisch sein. An ihnen bleibt Metall haften. 1900 ff.

'magni'perb (meist „mangniperb" gesprochen) *adj* außerordentlich. Zusammengesetzt aus *franz* „magnifique" und *franz* „superbe". Seit dem 19. Jh; wiederaufgelebt nach 1955, *halbw.*

Maha'goni *n* wieso ~?: Rückfrage auf eine törichte Frage. „Mahagoni" ist die (ursprünglich indianische) Bezeichnung sehr teurer Edelhölzer. *Halbw* 1961 ff, Berlin.

Ma'halla *f* militärische Einheit, Gruppe o. ä.; Ansammlung. Soll aus dem Arabischen kommen: „mahâll, mahéll = Sitz, Ort, Lagerplatz"; „ism mahall = Stadtviertel, Quartier". *Sold* und *marinespr* 1939 ff.

Mählamm *n* Lamm. Kindersprachlicher Ausdruck in Nachahmung des Tierlautes „mäh". Seit dem 19. Jh.

Mahlzeit *f* **1.** ~! = a) Gruß zur Essenszeit. Verkürzt aus „Gesegnete Mahlzeit". Seit dem 19. Jh. – b) Ausruf, wenn einer aufgestoßen hat. 1900 ff. – c) Ausruf, wenn einer einen Darmwind laut entweichen läßt. 1900 ff.

2. ja, ~!: Ausdruck der Ablehnung oder Verneinung. Von „gesegnete Mahlzeit" weiterentwickelt in *iron* Sinn für „das magst du essen; aber ich bedanke mich dafür!". Seit dem späten 18. Jh.

3. prost (na) ~! = das läßt eine Entwicklung zum Schlimmen erwarten! Gott behüte! *Iron* Ausdruck. 1840 ff.

Mähne *f* **1.** üppiger, ungepflegter Haarwuchs. Von der Mähne des Pferdes, des Löwen usw. auf den Menschen übertragen. Spätestens seit 1800.

2. ~ aus der Schatulle = Langhaarperücke. 1955 ff.

Mährde *f* Langsamkeit; Langatmigkeit im Erzählen; inhaltloses Geschwätz; Aufbauschung einer Belanglosigkeit; unangemessenes Aufsehen. ↗ mähren 1 u. 2. Vorwiegend *ostmitteld*, seit dem 19. Jh.

Mähre *f* **1.** liederliche Frau; alte, träge Frau. Eigentlich Bezeichnung der Stute, von da erweitert zur Bedeutung „schlechtes Pferd". Seit dem 15. Jh.

2. lahme ~ = a) behindernder Umstand. Er beeinträchtigt das Vorhaben wie eine lahme Stute. 1940 ff. – b) langsames Fahrzeug. 1940 ff.

mähren *intr* **1.** lange und umständlich sprechen. Geht zurück auf *mhd* „mern" im Sinne von „tunken". Man tunkt Brot ein, um es zum Verzehr für zahnlose Leute weich zu machen. Von hier übertragen auf das umständliche Artikulieren mit zahnlosem Mund. Vorwiegend *ostmitteld*, seit dem 18. Jh.

2. sehr saumselig arbeiten; sich mit der Arbeit nicht beeilen; zögern. *Ostmitteld* seit dem 19. Jh.

3. widerwillig essen; im Essen stochern; gelangweilt essen. Seit dem 19. Jh.

Mähschaf *n* Schaf. ↗ Mählamm. Seit dem 19. Jh, kinderspr.

Mai *m* **1.** 17. Mai = Homosexualität. Verhüllend für § 175 StGB, dessen Nummer als 17. 5. ausgelegt wird. 1920 ff.

2. wie einst im Mai = wie früher; unverändert; gleichbleibend; in alter Frische. Stammt entweder aus dem Endreim des Gedichts „Allerseelen" von Hermann v. Gilm („Stell' auf den Tisch die duftenden Reseden", 1864), bekannt geworden in der Vertonung von Lassen (im letzten Drittel des 19. Jhs ein beliebtes Hausmusikstück), oder geht zurück auf den Titel der Operetten-Posse von Walter Kollo (1913 uraufgeführt). 1914 ff.

3. am 17. Mai geboren = homosexuell. ↗ Mai 1. 1920 ff.

Maid *f* Mädchen. Geht zurück auf „Magd" und ist anfangs in der Dichtersprache geläufig geworden; von dort in die Umgangssprache übergegangen mit einem leicht spöttischen Nebenton; durch die Sprache der Jugendbewegung und erst recht durch den Nationalsozialismus nahm das Wort einen unecht altertümelnden Klang an. 1900 ff.

Maikäfer *m* **1.** Querschläger eines Handfeuerwaffengeschosses. Wegen des summenden Geräuschs. *Sold* in beiden Weltkriegen; wahrscheinlich seit etwa 1900; auch *ziv.*

2. nettes Mädchen; kleines Mädchen (Kosewort). ↗Käfer 1. 1900 *ff.*

3. im Mai Geborene(r). 1920 *ff.*

4. Wanze. Beschönigung. *Sold* 1914 *ff; rotw* 1920 *ff.*

5. Kleiderlaus. Sie ist schmutziggelb bis bräunlich. *Sold* in beiden Weltkriegen.

6. Zigarrenendstück. Wegen der Farbähnlichkeit. 1920 *ff.*

7. buckliger (bucklerter) ~ = Schimpfwort. *Österr* 1930 *ff.*

8. vergnügt wie ein ~ = frohgestimmt; sehr lustig. 1900 *ff.*

9. wie ein ~ = umständlich. ↗maikäfern. 1900 *ff.*

10. die ~ in der Luft klistieren = mit Kenntnissen und Geschicklichkeiten prahlen; als Arzt mehr (besser) scheinen als sein. *Österr* seit dem 19. Jh.

11. über die Unsterblichkeit des ~s nachdenken = vor sich hinträumen. Die Sitte eines Vortrags über dieses Thema lebt alljährlich bei der Tagung der Nobelpreisträger in Lindau wieder auf. *Stud* seit dem späten 19. Jh.

12. jm einen ~ ins Bett praktizieren = jn mit einer beunruhigenden Sache behelligen. Übernommen aus den Bubenstreichen von Max und Moritz in der Bildergeschichte von Wilhelm Busch. 1962 *ff.*

13. den toten ~ spielen = sich unbeteiligt stellen; den Nichtbetroffenen heucheln; mit dem Täterkreis angeblich nichts zu tun haben. Maikäfer stellen sich bei Gefahr tot. *Sold* 1939 *ff.*

14. über die Unsterblichkeit des ~s sprechen = einen humoristisch-unsinnigen Vortrag halten. ↗Maikäfer 11. Seit dem späten 19. Jh, *stud.*

15. wie ein ~ strahlen = über das ganze Gesicht strahlen. Soll auf der Physiognomie des Maikäfers beruhen, der, von vorn gesehen, einen lächelnden Eindruck macht. 1900 *ff, schül* und *stud.*

maikäfern *intr* **1.** die zu haltende Rede überdenken; umständlich sich zu einer Rede anschicken; nachdenken. Hergenommen vom Maikäfer, der sorgsam seine Flügel richtet, bevor er auffliegt. Seit dem späten 19. Jh.

2. sich nicht entschließen können; zögern; still und ohne Eile vor sich hinwerkeln. 1910 *ff.*

3. eingehend beratschlagen. 1920 *ff.*

main (*franz* ausgesprochen) *f* nicht in die ~ = um keinen Preis. ↗Lamäng. Berlin seit dem 19. Jh.

Main-Metropole *f* Frankfurt am Main. Gehört zu den Wettbewerbsbemühungen, jeder größeren Stadt durch einen geographischen, baulichen, gewerblichen o. ä. Bezug eine Art Gütemarke zu verleihen. Nach 1950 aufgekommen.

Mainzelmädchen *n* Ansagerin des Zweiten Deutschen Fernsehens; im Zweiten Deutschen Fernsehen auftretende Künstlerin. Dem „↗Mainzelmännchen" nachgebildet. 1963 *ff.*

Mainzelmann *m* lustiger, belustigender Jugendlicher. Hergenommen von den von Wolf Gerlach gezeichneten, sich selbst ironisierenden Trickmännchen im Zweiten

Deutschen Fernsehen (Werbefernsehen). 1966 *ff, halbw.*

Mainzelmännchen *n* Mitarbeiter des Zweiten Deutschen Fernsehens. Den „Heinzelmännchen" nachgebildet unter Einfluß von Mainz, dem Sitz der Fernsehanstalt. *Vgl* auch das Vorhergehende. 1963 *ff.*

Maiskolben *m* großer Penis. 1955 *ff, prost.*

'Maithe'rese *f* außereheliche Geliebte. Scherzhaft aus „Maitresse" umgestaltet. 1870 *ff.*

Maizahn *m* erste Liebe; erste Geliebte. ↗Zahn 3. Anspielung auf den Mai als den Monat der Liebe. 1960 *ff, halbw.*

Major *m* **1.** ~ in Gold = Brigadegeneral. Wegen der Goldverzierung an den Schulterstücken und Kragenspiegeln. *BSD* 1965 *ff.*

2. Schulden haben wie ein ~ = hochverschuldet sein. Früher konnte ein von Hause aus nicht vermögender Offizier seinen Lebensunterhalt (zuzüglich für standesgemäß erachteter Mehrausgaben) nur durch Geldaufnahme bestreiten; erst mit dem Gehalt eines Majors konnte er seine Schulden zu tilgen beginnen. Etwa seit 1820/30.

Majorsecke *f* **1.** heikler Grad der Beförderung in der militärischen Laufbahn vom Hauptmann zum Oberstleutnant. Wegen der geringen Zahl von Planstellen für den Rang des Oberstleutnants gelangten die meisten Offiziere nur bis zum Major. Ecke = Marktstein. Scheint kurz nach 1860 aufgekommen zu sein, vielleicht durch den preußischen Abgeordneten Dr. Wilhelm Loewe.

2. entscheidende Wende im Kartenspiel. 1890 *ff.*

makeln *tr intr* tauschhandeln; mit verbotener Ware handeln. Nebenform zu ↗maggeln. *Westd* 1900 *ff.*

mäkeln *intr* **1.** nörgeln, kritteln, tadeln. Verkleinerungsform zu *ndl* und *niederd* „maken = Geschäfte machen". Meint im engeren Sinne „beim Verhandeln über ein Geschäft Mängel aufspüren, um einen niedrigeren Preis zu erzielen". Hieraus entwickelte sich gegen 1700 die Bedeutung „etwas auszusetzen haben".

2. am Essen etwas auszusetzen haben; lustlos essen. Seit dem 19. Jh.

Makkabäer *pl* **1.** **1.** Makkabäer 12, 18 = und bitten um Antwort. Den Theologen nachgemachte Verwendung von Bibelstellen, hier in scherzhafter Verwertung für untheologische Zwecke. Wohl von Theologen aufgebracht, etwa um 1900.

2. 2. Makkabäer 11, 28 = wenn es euch allen wohl ginge, das hörten wir gern; uns geht es noch wohl. 1900 *ff.*

3. 2. Makkabäer 11, 38 = hiermit Gott befohlen. 1900 *ff.*

Makkaroni *m pl* Italiener. Wegen der Vorliebe der Italiener für Makkaroni. Im zweiten Drittel des 19. Jhs aufgekommen.

Makkaroni-Mann *m* **1.** Italiener. ↗Makkaroni. 1960 *ff.*

2. Makkaronimänner staunen = sehr erstaunt blicken, ausschauen, dreinschauen; Augen, Nase(nflügel) und Mund vor Staunen aufreißen. Anspielung auf den Gesichtsausdruck des in eine ihm fremde Umwelt Versetzten und der Gast-Landessprache nicht Mächtigen. Ursprünglich auf

Italiener bezogen, später auf Ausländer (Südländer) allgemein erweitert. 1954 *ff.*

Makker *m* ↗Macker.

Makkes *pl* ↗Mackes.

Makulatur *f* **1.** minderwertiges Manuskript; Mißlungenes. Es ist nicht mehr wert als Altpapier. Seit dem 19. Jh.

2. in ~ machen = minderwertige schriftstellerische Leistungen vollbringen. Seit dem 19. Jh.

3. ~ reden (schwätzen) = Unsinn reden. Seit dem späten 18. Jh.

ma'lad *adj* müde, abgespannt, unpäßlich. Im 16. Jh aus dem *franz* „malade = krank" übernommen.

Male'fizbube *m* unsympathischer, niederträchtiger Mann. Hergenommen von Malefiz, dem Verbrechen, das vor dem Blutgericht abgeurteilt wurde; dient in Zusammensetzungen heute als Verstärkung des Grundworts; vorwiegend *oberd* 1800 *ff.*

Male'fizrausch *m* schwerer Rausch. *Oberd* 19. Jh.

Male'fizwetter *n* sehr unfreundliches Wetter. 1900 *ff.*

malen *v* **1.** mal' dir eins!: Ausdruck der Ablehnung. Was man ablehnt, soll sich der andere malen, damit er es wenigstens bildlich besitzt. Seit dem 19. Jh.

2. ich werde dir etwas ~ (laß dir etwas ~)!: Ausdruck der Ablehnung. *Vgl* das Vorhergehende. Seit dem 18. Jh.

3. er hat mir etwas gemalt = er hat es mir abgelehnt, hat mich abgewiesen. Seit dem 19. Jh.

4. sich ~ = sich schminken. 1900 *ff.*

ma'lerisch *adj* malerisch, hübsch. Tonverlagerung nach dem Muster von „ätherisch, cholerisch", vielleicht hervorgerufen durch „Malör = Maler". 1920 *ff.*

Ma'lesche *f* Unannehmlichkeit, Behinderung u. ä. Beruht auf *franz* „malaise = Unbehagen". Seit dem 18. Jh.

Ma'lesten (Ma'lessen) *pl* Schwierigkeiten, Unannehmlichkeiten. Beruht auf *franz* „malaise = Unbehagen", beeinflußt von „molestieren = belästigen". 1700 *ff.*

Malheur (*franz* ausgesprochen) *n* **1.** Mißgeschick ohne schwere Folgen; Unannehmlichkeit. Aus dem *Franz* um 1700 übernommen, aber mit starker Bedeutungsmilderung.

2. uneheliches Kind; geschwängerte Ledige. Seit dem 19. Jh.

3. ~ von der Tante = unehelich Geborene(r). Seit dem 19. Jh.

4. ~ de Kack = leichtes Unglück; schlimme (minderwertige) Sache. Meint eigentlich den Durchfall oder die innere Kotbeschmutzung der Hose. ↗kacken 1. Seit dem 19. Jh.

5. kurzes ~ = a) unglückliche Liebe. 1900 *ff.* – b) uneheliche Schwangerschaft. 1900 *ff.*

'Malklau *m* Gelegenheitsdiebstahl. Der Dieb klaut „mal", wenn die Gelegenheit „mal" günstig ist. 1920 *ff.*

mall (malle) *adj* geistesgestört, verrückt; wunderlich; unlustig. Im 14. Jh aus dem *Ndl* entlehnt, vielleicht beeinflußt von *franz* „mal, malle = schlecht".

mallerig *adj* benommen; nicht bei klaren Sinnen. Erweiterung von „↗mall". *Nordd* seit dem 19. Jh.

Mallheit *f* Wunderlichkeit, Verrücktheit; Geistesbeschränktheit. ↗mall. *Nordd* seit dem 19. Jh.

Ma'loche f 1. Schwerarbeit; schwerer, anstrengender Dienst. Fußt auf jidd „melocho = Arbeit". Rotw seit dem frühen 19. Jh; gemeindeutsch vorwiegend nach 1945 geläufig.
1 a. Klassenarbeit; häusliche Schularbeiten. Schül 1960 ff.
2. Arbeitsstätte, Fabrik o. ä. 1945 ff.
3. Diebstahl, Täuschung, Betrug o. ä.; Kunstgriff. Erklärt sich vielleicht als Vortäuschung schwerer Arbeit oder redlicher Arbeit. 1920 (?) ff.
ma'lochen intr 1. schwere körperliche Arbeit verrichten; schweren Dienst haben. ↗ Maloche 1. Rotw 1750 ff; Industriearbeitersprache 1900 ff, vorwiegend im Ruhrgebiet.
2. einen Kunstgriff anwenden. ↗ Maloche 3. 1920 ff.
Ma'locher m 1. Schwerarbeiter; Arbeiter. Rotw 1840 ff; Industriearbeitersprache 1900 ff.
2. pl = Mannschaften. BSD 1965 ff.
ma'lochern intr betrügen. ↗ Maloche 3. 1920 ff.
Ma'lör m Maler (abf). ↗ Kunstmalör. 1870 ff.
Maltechnik f Schminken. 1900 ff.
Mal-Utensilien pl Kosmetika. 1950 ff.
'Mama (Ma'ma) f 1. Mutter. Im 18. Jh aus franz „maman" entlehnt. Die Betonung auf der letzten Silbe bewahrt den franz Einfluß; hingegen hat „Mamme = Mutterbrust" auf die Betonung auf der ersten Silbe eingewirkt.
2. ~s Liebling = a) verzogener, unselbständiger Junge (auch: Ehemann). Halbw 1920 ff. – b) junger, hilfloser Soldat; einfältigster Angehöriger einer Kompanie; Soldat, der bei den Vorgesetzten stets unangenehm auffällt. Sold 1900 ff. – c) Soldat in der Schreibstube. Sold 1939 ff. – d) männliches Geschlechtsglied. Wird meist auf einen Witz zurückgeführt: Mangels einer Badehose leiht sich der Vater den Kinderlatz seines Jungen und bindet ihn vor die Scham; auf dem Latz steht „Mamas Liebling". 1900 ff. – e) Homosexueller im Verkehr mit einem ebenso veranlagten Vorgesetzten. Sold 1939 ff.
'Mamagei m f weibliger Papagei. In „Papagei" faßt man „Papa-" scherzhaft als männliches Gegenstück zu „Mama" auf. Seit dem späten 19. Jh.
Mamakind (-kindel, -kindl, -kindchen) n von der Mutter verwöhntes Kind. Seit dem 19. Jh.
Mamasöhnchen n unselbständiger Junge (junger Mann). Seit dem 19. Jh.
Ma'matschi f Mutter. Kosewort. Vgl das Schlagerlied „Mamatschi, schenk' mir ein Pferdchen". 1900 ff.
Mamikind n verzärteltes Kind. Seit dem 19. Jh.
Mamitschka f Mutter (Kosewort). Nebenform von ↗ Mamuschka. 1920 ff.
Mamma (Mamme) f Mutter (Kosewort). ↗ Mama 1. Seit dem 19. Jh.
Mammi f Ehefrau (Kosewort). Seit dem 19. Jh.
Mammon m ~ schinden = auf unredliche Weise Geld verdienen. ↗ schinden. 1930 ff.
Mammut- als erster Bestandteil einer Zusammensetzung hat die Geltung von „groß", „ausführlich", „langdauernd" o. ä. Das Wort bezeichnet eine ausgestorbene

Elefantenart von vermeintlichem Riesenwuchs. Im Alltagssprachgebrauch drang „Mammut-" seit den letzten Drittel des 19. Jhs vor; sehr häufig wurde es seit 1945.
Mammutarbeit f umfangreiche Arbeit. 1950 ff.
Mammut-Auflage f Großauflage eines Buches, einer Zeitung o. ä. 1955 ff.
Mammut-Bad n großes öffentliches Bad. 1955 ff.
Mammutbetrieb m Großbetrieb. 1920 ff.
Mammut-Erfolg m lang anhaltender Erfolg eines Theaterstücks; großer, weltweiter Erfolg eines Spielfilms o. ä. 1920 ff.
Mammut-Etat m außergewöhnlicher großer Staatshaushalt. 1955 ff.
Mammutfest n großes, mehrtägiges Fest. 1955 ff.
Mammutfirma f Großunternehmen. 1930 ff.
Mammutgage (Grundwort franz ausgesprochen) f sehr hohes Künstlerhonorar. 1950 ff.
Mammutgehalt n sehr hohes Gehalt. 1950 ff.
Mammutgeschäft n umfangreiches Handelsgeschäft. 1960 ff.
Mammutgespräch n vielstündiges Gespräch. 1955 ff.
Mammuthotel n Großhotel. 1960 ff.
mammu'tistisch adj hervorragend. 1950 ff.
mammu'tiv adj überaus bemerkenswert; außergewöhnlich gut. 1870 ff.
Mammutkauf m Großeinkauf. 1960 ff.
Mammutkonferenz f mehrwöchige Konferenz; Konferenz mit sehr vielen Teilnehmern. 1950 ff.
Mammutkongreß m langdauernder, vielköpfiger Kongreß. 1960 ff.
Mammutkosten pl überaus hohe Kosten. 1950 ff.
Mammutküche f Großküche. 1978 ff.
Mammutleistung f sich über viele Monate erstreckende Leistung; Arbeit ohne Unterlaß (mit erstaunlich gutem Ergebnis); große Erfolgsleistung. 1960 ff.
Mammut-Partei f politische Partei mit sehr vielen Mitgliedern. 1930 ff.
Mammutpreise pl sehr hohe Preise. 1960 ff.
Mammutprogramm n lange Folge von Darbietungen (Verhandlungspunkten u. ä.). 1950 ff.
Mammutprozeß m langdauernde Gerichtsverhandlung mit vielen Angeklagten und Zeugen. 1955 ff.
Mammutrede f vielstündige Rede. 1960 ff.
Mammutschau f großes Schaugepränge; aufwändige Darbietung des Schaugeschäfts; großräumige Ausstellung. 1955 ff.
Mammutsendung f vielstündige Fernsehsendung. 1958 ff.
Mammut-Spektakel n vielstündige Karnevalssitzung; Olympische Spiele; Internationale Messe; großräumige Sehenswürdigkeit. 1950 ff.
Mammuttanker m Öltankschiff mit sehr großem Fassungsvermögen. 1970 ff.
Mammuttournee f weite Vortragsreise (Gastspielreise) durch viele Städte und Länder. 1960 ff.
Mammut-Unternehmen n Großunternehmen, -betrieb; Konzern. 1930 ff.
Mammutverfahren(-verhandlung) n (f) n langwieriges Gerichtsverfahren mit gro-

ßem Aufgebot an Zeugen und Sachverständigen. 1965 ff.
Mampe sein um einen einzigen Punkt unterlegen sein. Der Mampe-Likör hat die Nebenbezeichnung „Halb und Halb". Jede Spielerpartei hat 60 Punkte bekommen: die Gesamtpunktzahl ist halbiert. Kartenspielerspr. 1900 ff.
Mampf m 1. dicke Suppe; dicker Brei. ↗ mampfen. Bay 1900 ff.
2. schlechtes, unschmackhaftes Essen. Bayr 1900 ff.
Mampfe f 1. Essen. BSD 1965 ff.
2. Imbißkiosk. 1975 ff.
mampfen v 1. intr = beim Essen kräftig zulangen; mit vollen Backen kauen; unappetitlich essen. Geht zurück auf „mumpfeln, mümpfeln" und fußt auf „Mundvoll". 19. Jh; vorwiegend jug seit 1920, sold seit 1935 bis heute.
2. impers = es schmeckt gut. 1950 ff.
Mams f Mutter (Kosanrede). 1900 ff.
Mamsch (Mämsch) f Mutter (Kosewort). 1900 ff.
mamsen intr 1. unverständlich reden; vor sich hinsprechen. Nebenform von „↗ mampfen", mehr im Sinne von „die Lippen wenig bewegen" nach Art der Hasen („nemmeln, mümmeln"). Seit dem 19. Jh.
2. nörgeln, schimpfen, aufbegehren, zanken. Seit dem 19. Jh.
Mamuschka f Mutter (Kosewort). Aus dem Tschech übernommen. 1900 ff.
Mamutsch f Mutter (Kosewort). ↗ Mutsch.
Mamutschka f Frau (Kosewort). 1900 ff.
man adv 1. nur, bloß. Fußt auf älterem „newan" in der Bedeutung „ausgenommen; nichts als". 1400 ff, mittelniederd und nordd.
2. ~ bloß so = unverbindlich; ohne Anzüglichkeit. „Man" und „bloß" stehen tautologisch nebeneinander. Berlin seit dem 19. Jh.
3. ~ tol (~ tau) = drauflos! vorwärts! Niederd Form von „nur zu". 1700 ff.
managen (engl ausgesprochen) tr etw geschickt bewerkstelligen. Aus England übernommen durch internationale Artisten, Kaufleute und Sportler. Spätestens seit 1900.
Manager-Kalesche f Luxusauto eines finanzkräftigen Unternehmers. Kalesche ist eigentlich die leichte einspännige Kutsche. 1960 ff.
Managerkrankheit f unentschuldigtes Fernbleiben vom Arbeitsplatz, vom Unterricht o. ä. Iron Ausrede, als sei man überarbeitet. Schül 1960 ff.
Manager-Meer n Gartenschwimmbecken. 1960 ff.
Managerzwirn m hochmoderner Herrenanzug. ↗ Zwirn 4. 1976 ff.
Mandarinchen pl kleine Brüste. Eigentlich die kleine Apfelsinenart. 1920 ff.
Mandel f 1. pl = Hoden. Wegen der Formverwandtschaft. 1900 ff.
2. bittere ~n = Hodenerkrankung. Bitter = sehr schmerzhaft. 1910 ff.
3. gebrannte ~n = a) geschwollene Hoden; Geschlechtskrankheit. 1930 ff. – b) schlechtes Straßenpflaster; Kopfsteinpflaster. Geht zurück auf rotw „Mantel = Dach, Straßendecke". 1900 ff.
4. einen an den ~n haben = nicht recht bei Verstand sein. 1910 ff.

5. eine morsche ~ haben = töricht reden. Von der Halsdrüsenerkrankung übertragen auf eine Geisteserkrankung. 1920 *ff.*
6. einen zwischen die ~n klemmen = ein Glas Alkohol trinken. 1950 *ff.*
7. etw durch die ~n schieben = essen. 1950 *ff.*
8. sich bis an die ~n vollgluckern = sich betrinken. ↗ gluckern. 1920 *ff.*
9. bis an die ~n vollsein = volltrunken sein. 1920 *ff.*
Manderl (Manndel) *n* Mann (Kosewort). *Österr* Form von „Männchen". Seit dem 19. Jh.
mang (mank) *präp* unter, zwischen. Verwandt mit „mengen"; *vgl engl* „among". 1400 *ff.*
Mangel I *m* ~ an Überfluß haben = arm sein. Scherzhaft beschönigende Umschreibung. 1900 *ff.*
Mangel II *f* **1.** jn durch die ~ drehen = jn hart behandeln; jn rücksichtslos plagen; jn einem strengen Verhör unterziehen. Die Mangel ist ein Walzgerät (z. B. Nudelholz) oder eine Wäschemangel. 1920 *ff.*
2. jn in der ~ haben = a) jn rücksichtslos behandeln; jn streng zurechtweisen. Sachverwandt mit „↗ bügeln 5". 1870 *ff.* – b) jm etw unter Mühen einlernen. 1920 *ff.*
3. einander in der ~ haben = miteinander streiten, kämpfen. 1925 *ff.*
4. jn in die ~ kriegen (nehmen) = jm hart zusetzen; jn bedrängen; jn scharf rügen. 1920 *ff.*
5. in der ~ sein = gymnastische Übungen machen. 1950 *ff.*
Mangelware *f* das ist ~ = das ereignet sich selten (ein Brief von ihm ist Mangelware). Aus dem Kaufmännischen verallgemeinert. 1955 *ff.*
Manichäer *pl* Gläubiger. Daß die Angehörigen der Sekte des Mani (3. bis 6. Jh) den Namen für die Gläubiger hergeben, beruht auf dem Anklang an „mahnen". Daher anfangs in der Schreibung „Mahnichäer". 1700 *ff, stud.*
Manier *f* **1.** auf gute ~ = glimpflich; gütlich. Seit dem 19. Jh.
2. vorchristliche ~en = sehr ungesittetes, rohes Benehmen. Fußt auf der irrigen Meinung, vor Einführung des Christentums habe es nur wilde, ungezügelte Sitten gegeben. 1940 *ff.*
manierlich *adv* zufriedenstellend; recht gut. Eigentlich soviel wie „sittsam"; von da weiterentwickelt zur blasseren Bedeutung „anständig", „erträglich" u. ä. 1920 *ff.*
mankeln *intr* heimlich verabreden; geheim handeln; betrügen. Nasalierte Nebenform von „↗ makeln", auch von „↗ maggeln". *Oberd* seit dem 19. Jh.
Manko *n* Mangel, Fehler, Verlust. Geht zurück auf *ital* „manco = Fehlbetrag". Gegen 1850 aus der Kaufmannssprache in die Umgangssprache eingedrungen, vor allem im Sinne einer fehlenden oder wenig ausgeprägten Charaktereigenschaft.
Mann *m* **1.** ~ (~, o ~)!: Ausruf des Staunens. Seit dem 19. Jh.
2. fester Freund eines Halbwüchsigen. 1900 *ff;* häufiger seit 1950.
3. Zuhälter einer Prostituierten. 1900 *ff.*
4. hallo, ~ (auch *engl* ausgesprochen: hallo, man)!: Begrüßungsformel Jugendlicher unter sich. 1950 *ff.*
5. ~ des Anstoßes = Fußballspieler, der

den Anstoßball tritt. *Sportl* 1950 *ff* (scherzhaft).
6. ~ vom Bau = Fachmann, Sachkenner, Sachverständiger. ↗ Bau 18. Seit dem 19. Jh.
7. ~ mit goldenen Beinen = erfolgreicher Fußballspieler. ↗ Bein 7. 1960 *ff.*
8. ~ mit breitem Daumen = Liebediener. Er ist ein „↗ Radfahrer": mit seinem breiten Daumen kann er die Fahrradklingel gut betätigen. *BSD* 1965 *ff.*
9. ~ mit dem Eßbesteck an der Schirmmütze = Grenadier. Anspielung auf das Mützenemblem: gekreuzte Klingen, von Eichenlaub umrahmt. *BSD* 1965 *ff.*
10. ~ von Format = a) beachtlicher, bedeutender Mann. ↗ Frau 9. 1900 *ff.* – b) beleibter Mann. 1930 *ff.*
11. ~ in Gelee = Fahrer im Kabinenroller mit Plexiglas-Kuppel. Er nimmt sich wie eingesülzt aus. 1956 *ff.*
12. ~ Gottes!: verwunderte oder mißbilligende Anrede. Eigentlich die Bezeichnung für Moses in der Bedeutung „von Gott Gesandter"; im 19. Jh umgewandelt zur Anrede an einen wunderlichen Menschen.
13. ~ Gottes in der Hutschachtel = einfältiger Mann. 1950 *ff.*
14. ~ mit Haken und Ösen = tatkräftiger Mann. ↗ Haken 4. 1950 *ff.*
15. ~ mit tausend Händen = Alleskönner; Allerweltskerl. 1935 *ff.*
16. ~ zum Herzeigen = stattlicher Mann. 1920 *ff.*
17. ~ im schwarzen Kittel = Schiedsrichter. Er ist schwarz gekleidet. *Sportl* 1950 *ff.*
18. ~ mit der Klingel = Liebediener. ↗ Mann 8. *BSD* 1965 *ff.*
19. ~ mit dem Koffer = Fahnenflüchtiger. Herzuleiten von der Fernsehserie um den Agenten McGild, dargestellt von Richard Bradford; ausgestrahlt an 18 Abenden des Jahres 1969; Wiederholung 1971. *BSD* 1970 *ff.*
20. ~ mit dem Kuckuck = Gerichtsvollzieher. ↗ Kuckuck. 1900 *ff.*
21. ~ mit dem goldenen Lenker = Liebediener. ↗ Lenker. *Sold* 1939 bis heute.
21 a. ~ im Ohr = a) Hörgerät. 1955 *ff.* b) Abhörer eines Telefongesprächs. 1960 *ff.* – c) Berater eines Politikers. 1975 *ff.*
22. ~ mit dem goldenen Pedalen = liebedienerischer Mann. ↗ Pedal. *Sold* 1939 bis heute.
23. ~ von Querformat = breitschultriger Mann. In übertreibender Darstellung ist er breiter als hoch. 1960 *ff.*
24. ~ mit Schein = Draufgänger. Er besitzt den ↗ Jagdschein: für die Folgen braucht er nicht einzustehen. *BSD* 1965 *ff.*
25. ~ aus dem Schrank = Mann in knitterfreier Kleidung. Er erweckt den Eindruck, als habe er die Kleidung soeben aus dem Schrank genommen. 1955 *ff.*
26. ~ in Schwarz = Schiedsrichter. ↗ Mann 17. *Sportl* 1950 *ff.*
27. ~ des Spatens = Heeresangehöriger. Zu seiner vollständigen *milit* Ausrüstung gehört der Spaten (das Schanzzeug). *BSD* 1965 *ff.*
28. ~ an (bei, von) der Spritze = maßgebender Mann; Ranghöchster; Fachmann; Tüchtigster. Meint eigentlich den Leiter der Feuerwehr oder der Löscharbeiten. 1840 *ff.*
29. ~ von der Stange = Durchschnitts-

mann ohne individuelle Züge. ↗ Stange. 1950 *ff.*
30. ~ von (auf) der Straße = Durchschnittsbürger. Meint den Mann außerhalb seines Privatlebens: er gibt sich auf der Straße wie jeder andere. 1920 *ff.*
31. ~ der ersten Stunde = Bürger, der kurz nach dem Zusammenbruch 1945 sich um die Wiedererrichtung des staatlichen Lebens und der Demokratie verdient gemacht hat. 1960 *ff.*
32. ~ mit goldenen Waden = erfolgreicher, hochbezahlter Fußballspieler. ↗ Mann 7. 1960 *ff.*
33. ~ in der Wanne = Eisenbahnbeamter an der Bahnhofs-, Bahnsteigsperre. Der Schalter ist wannenförmig gebaut. 1930 *ff.*
34. ~ mit einnehmendem Wesen = Dieb. Wortspiel mit zwei Bedeutungen des Wortes „einnehmend" = a) sympathisch; = b) diebisch; in die Tasche steckend. Seit dem 19. Jh.
35. ~ von der schwarzen Zunft = Schiedsrichter. ↗ Mann 17. *Sportl* 1950 *ff.*
36. der ~, den keiner kannte = a) idealer Lehrer. Fußt auf dem *dt* Titel des 1957 gedrehten Films „Pickup Alley" mit Anita Ekberg. *Schül* 1959 *ff.* – b) idealer Soldat. *BSD* 1960 *ff.*
37. der ~, der zuviel wußte = a) Lehrer. Übernommen vom *dt* Titel des amerikanischen Hitchcock-Films „The Man Who Knew Too Much" (1957); auch Titel eines Romans von Gilbert Keith Chesterton (1922; *dt* 1925 und 1960). *Schül* 1959 *ff.* – b) Vertrauensschüler. 1959 *ff.*
38. alter ~ = a) bläulich-grüner, zerfließender Stangenkäse; (kleiner) Käse. Anspielung entweder auf schrumpfende Körpergröße und Faltigwerden oder auf den durchdringenden Geruch ungepflegter (alleinstehender) alter Männer. 1870 *ff.* – b) Soldat im letzten Dienstjahr; Altgedienter; Nicht- Kriegsfreiwilliger. Seit den späten 19. Jh. – c) Klassenwiederholer. *Schül* 1920 *ff.* – d) Büchsenfleisch (faseriges Rindfleisch). Ursprünglich bezogen auf die aus *ital* Heeresbeständen übernommene Verpflegung mit den eingeprägten Buchstaben „A.M" für ‚amministrazione (oder: alimentazione) militare", was *dt* als Abkürzung für „alter Mann" gedeutet wurde. *Sold* 1941 *ff.*
39. alter ~ = ohne Knochen = weich, fließend gewordener Harzer-, Mainzer-, Limburgerkäse. ↗ Mann 38 a. 1900 *ff.*
40. alter ~ mit jungen Mädchen = von Maden befallener Käse. ↗ Mann 38 a. Mädchen = kleine Made. 1920 *ff.*
41. delikater ~ = Mann mit vielen Liebschaften. „Delikat" steht für „wohlschmeckend", aber auch für „heikel". Seit dem frühen 19. Jh, Berlin.
42. dritter ~ = Wehrbeauftragter des Deutschen Bundestags. Fußt auf dem Film „The Third Man" (1950) mit Orson Welles nach dem Roman gleichen Titels von Graham Greene. Nach Meinung der eines befragten Soldaten ist der Wehrbeauftragte der „große Unbekannte": niemand bekommt ihn zu Gesicht, und in der Öffentlichkeit veranlaßt er nichts. *BSD* 1965 *ff.*
43. der einfache ~ = Durchschnittsbürger ohne große Geistesbildung, aber mit gesundem Urteilsvermögen. 1920 *ff.*
44. einfältiger ~ = Mann mit sorgfältig gebügelter Hose. Scherzhafte Anspielung

auf die Bügelfalte(n); gemeint ist der Gegensatz zu „↗Mann 55". 1900 *ff.*
45. erster ~ am Drücker = sehr einflußreicher Mann. ↗Drücker 13 a. 1920 *ff.*
46. gemachter ~ = a) Wohlhabender, Reicher; Mann in beruflich gesicherten Verhältnissen; Mann, der (finanziell) sorglos leben kann. Gemacht = fertig, abgeschlossen. Seit dem 18. Jh. *Vgl engl* „he is a made man". – b) Schieber. Mit Hilfe seiner unlauteren Machenschaften ist er zu Wohlstand gelangt. Seit dem frühen 20. Jh.
47. gestandener ~ = erwachsener, bejahrter, gesetzter, zuverlässiger Mann. ↗gestanden. Seit dem 16. Jh.
48. der kleine ~ = a) durchschnittlicher Bürger mit geringem bis mittlerem Einkommen. Er lebt in sogenannt „kleinen" Verhältnissen und ist im Sinne des damaligen Standesdünkels unbedeutend. Gegen 1870 in Österreich aufgekommen. – b) Penis. 1900 *ff.* – c) kleiner Junge (Kosewort); kleinwüchsiger Heranwachsender. 1900 *ff.*
49. kleiner ~ ganz groß = Klassensprecher. Offenkundig übernommen vom Titel des 1956 mit Karin Dor gedrehten Films (Filmtitel von R. A. Stemmle schon 1938). *Schül* 1958 *ff.*
50. der kleine ~ im Ohr = Hörgerät. 1955 *ff.*
51. mein lieber ~!: Ausruf der Verwunderung. Vielleicht entstellt aus „mein lieber Gott!". Betonung stets auf „lieber". Geläufig auch in der grotesken Form: „mein lieber Mann, Frollein!". Spätestens seit 1900.
52. der schönste ~ im Staate = Soldat. Unter Kaiser Wilhelm II. aufgekommen, wahrscheinlich durch den Operettenschlager von Walter Kollo (1914) aus „Immer feste druff!" mit dem Text: „Der Soldate, der Soldate ist der schönste Mann im ganzen Staate".
53. schwarzer ~ = a) Geistlicher. Wegen der Farbe der Amtstracht; zugleich beeinflußt von der Bedeutung „Schreckgestalt". 1900 *ff.* – b) Schornsteinfeger. 1900 *ff.* – c) Schiedsrichter. ↗Sportl 1950 *ff.* – d) Kameradenjustiz. Anspielung auf die Kinderschreckgestalt. *BSD* 1965 *ff.* – e) Arbeiter, der seinen Nebenverdienst nicht versteuert (↗Schwarzarbeiter). 1965 *ff.*
54. starker ~ = Athlet (auch im übertragenen Sinn). 1920 *ff.*
55. vielfältiger ~ = Mann mit ungebügelter Hose; Mann, dessen Hose viele Knitterfalten aufweist. Aufgekommen mit König Ludwig III. von Bayern (1845–1921), der wegen des Querfaltenreichtums seiner Hosen den Beinamen „der Vielfältige" erhielt. *Vgl* das Gegenwort „↗Mann 44". Spätestens seit 1900.
56. wilder ~ = Penis. Wild = ungestüm. 1950 *ff.*
57. pro ~ einen Vogel = für jeden Gast nur ein einziges Stück. Herzuleiten von der Niederjagd: jeder Jagdteilnehmer erhält ein Stück Federwild. 1600 *ff.*
58. ein ~, ein Wort, eine Frau, ein Wörterbuch: Männer reden kurz und bündig, Frauen weitschweifig. Diese fragwürdige Volksweisheit rührt wohl mit der aufkommenden Frauen-Emanzipation zusammen, vor allem mit dem Suffragettenwesen. Seit dem 19. Jh.

59. wütend wie tausend ~ = überaus wütend. 1930 *ff.*
60. das hält der beste ~ nicht aus = das ist unerträglich. 1900 *ff.*
61. ~ beißt Hund: Musterbeispiel einer wichtigen Tagesneuheit. Soll von John Bogard, dem City- Editor der „New York Sun", stammen: daß ein Hund einen Mann beißt, hielt er nicht für eine mittelenswerte Nachricht, wohl aber den umgekehrten Sachverhalt. 1950 (?) *ff.*
62. am ~ bleiben = a) sein Ziel beharrlich verfolgen; jn hartnäckig bekämpfen. Man bleibt dem Verfolgten „auf den Fersen". *Sold* 1939 *ff.* – b) einen Unentschlossenen zu überzeugen suchen; ausdauernd auf jn einreden. 1940 *ff.*
63. etw an den ~ bringen = eine Ware verkaufen; die Tochter verheiraten; sein Wissen (einen Witz) beisteuern. Ursprünglich eine kaufmannssprachliche Redewendung im Sinne von „einen Käufer (Abnehmer) finden". 1700 *ff.*
64. sich an den ~ bringen = sich als Frau anziehend für den Mann (die Männer) kleiden, schminken usw. 1920 *ff.*
65. mein ~ dankt = mein Mann wünscht kein weiteres Glas Bier o. ä. (sagt die Frau, wenn sie nicht will, daß ihr Mann noch mehr trinkt). 1920 *ff.*
66. auf den ~ dressiert sein = nur dazu erzogen sein, auf Männer vorteilhaft zu wirken, um frühest- und/oder bestmögliche Verehelichung zu erreichen. Übertragen vom abgerichteten Hund. 1880 *ff.*
67. den kleinen ~ einkeilen = koitieren. ↗Mann 48 b; ↗Keil 2. 1900 *ff.*
68. einem nackten ~ in die Tasche fassen (greifen) = Unmögliches versuchen. 1920 *ff.*
69. faß' mal einem nackten ~ in die Tasche!: Erwiderung auf eine Bitte um Geld. 1920 *ff.*
70. du hast wohl einen kleinen ~ im Ohr? = a) du kannst wohl nicht gut hören? Mit dem „kleinen Mann" ist ursprünglich wohl der Schmalzpfropf im Ohr gemeint. 1900 *ff.* – b) du bist wohl nicht ganz bei Verstand? Hängt wohl mit dem Kopfwurm der Schafe zusammen (vgl ↗Drehwurm 1). 1900 *ff.*
71. den kleinen ~ im Ohr haben = beim Telefonieren abgehört werden. 1960 *ff.*
72. das haut den stärksten ~ vom Schlitten!: Ausruf großer Verwunderung. ↗Eskimo 2. 1950 *ff.*
73. das hilft dem alten ~ wieder aufs Fahrrad! = das kräftigt sehr. Geht zurück auf den Werbetext einer westfälischen Schnapsbrennerei. 1967 *ff.*
74. sich einen ~ kaufen = einen Mann durch Geld an sich ziehen, an sich binden. 1920 *ff.*
75. da müssen Männer mit Bärten kommen und keine Hampelmänner = nur Erwachsene und Erfahrene können darüber urteilen, können es bewerkstelligen. 1920 *ff.*
76. da müssen Männer kommen und keine aufgewärmten Leichen = nur kräftige Erwachsene können hier helfen, können es schaffen. 1930 *ff.*
77. starke Männer kriegen = geprügelt werden. Geht zurück auf eine Schulstrafe: man wurde „zu starken Männern verurteilt", d. h. zur Ausführung der Strafe be-

stimmte der Lehrer kräftige Jungen. *Schül* seit dem späten 19. Jh., *sächs.*
78. den dicken ~ machen = sich aufspielen. Variante zu „sich aufblasen wie ein ↗Frosch". 1920 *ff.*
79. den braven ~ markieren = durch gutes Benehmen schlechte Absichten verschleiern; Gefügigkeit vortäuschen. 1920 *ff.*
80. den feinen ~ markieren = sich bei entsprechender Gelegenheit (wider sonstige Gewohnheit) elegant kleiden und vornehm benehmen. ↗markieren 1920 *ff.*
81. den großen ~ markieren = sich aufspielen. 1920 *ff.*
81 a. den starken ~ markieren = die Mitmenschen (Leute) seine Macht spüren lassen; sich alles zutrauen. 1920 *ff.*
82. den toten ~ markieren = sich taub, geistesabwesend stellen. 1920 *ff.*
83. den wilden ~ markieren = erregt tun; sich zornig gebärden; Unfrieden stiften; sich geisteskrank stellen. Der „wilde Mann" ist eine überlebensgroße Sagengestalt, die in den Wäldern hauste. Gern übertragen auf Leute, die im Rausch Streit anfangen. 1840 *ff.*
84. einem nackten ~ die Hand schütteln = harnen (auf Männer bezogen). Anspielung auf ↗Mann 48 b. 1960 *ff.*
85. alter ~ ist kein Blitzzug = alte Leute können nicht schneller arbeiten. *Sold* 1914 *ff.*
86. alter ~ ist kein D-Zug (kein Schnellzug) = ich erledige den Auftrag, wünsche aber nicht, (zu besonderer Eile) getrieben zu werden. *Sold* in beiden Weltkriegen; auch *ziv.*
87. alter ~ ist keine Fliege = in meinem Alter kann man sich nicht noch mehr beeilen. *Sold* 1914 *ff.*
88. alter ~ ist kein Omnibus = schneller kann ich es nicht erledigen. 1950 *ff.*
89. alter ~ ist kein Orientexpreß = größere Geschwindigkeit (Eile, Eilfertigkeit) kannst du von mir nicht verlangen. „Orientexpreß" meint die *trad* D-Zug-Verbindung (Paris–)Wien-Istanbul. *Sold* 1939 *ff*, *österr.*
90. alter ~ ist kein Schnellboot = mich brauchst du nicht anzufeuern. *Marinespr* 1939 *ff.*
91. alter ~ ist kein Torpedoboot = ich tue (er tut) alles Erforderliche, so schnell es geht. *Marinespr* 1914 *ff.*
92. erster ~ an der Spritze sein = Hauptperson sein; an etw den entscheidenden Anteil haben. ↗Mann 28. „Erster" meinte denjenigen Bürger, der bei einem Schadenfeuer als erster bei der Spritze antrat. 1840 *ff.*
93. ~ und Frau sind eins = eine ausgespielte Dame wird mit dem König überspielt. Kartenspielerspr. Variante zu Matthäus 19, 5. Seit dem 19. Jh.
94. ein toter ~ sein = beruflich, moralisch, politisch erledigt sein; als verfemt gelten. Der Betreffende gilt gesellschaftlich für tot. 1930 *ff.*
95. ~s genug sein = seine Interessen mannhaft vertreten; auf keinen Helfer angewiesen sein. Seit dem 19. Jh.
96. der ~ ist des Weibes Haupt = eine ausgespielte Dame wird mit dem König überspielt. Fußt auf 1. Korinther 11, 3. Kartenspielerspr. seit dem 19. Jh.
97. hart am ~ sein = eine Sache auf-

merksam, beharrlich verfolgen und/oder gegen Widersacher verfechten. Übertragen von der Verfolgung eines Verdächtigen. 1950 ff.

98. blau sein wie tausend ~ = volltrunken sein. ↗blau 5. 1910 ff.

99. satt sein wie tausend ~ = völlig gesättigt sein. 1955 ff.

100. voll sein wie tausend ~ = a) volltrunken sein. Seit dem 19. Jh. – b) vollauf gesättigt sein. 1955 ff.

101. Hauptsache, der ~ ist gesund, und die Frau hat Arbeit: scherzhafte und spöttische Redewendung in Zeitläuften der „Gleichberechtigung" von Mann und Frau. 1955 ff.

102. den dicken ~ spielen = sich brüsten; überheblich sein. ↗Mann 78. 1920 ff.

103. den großen ~ spielen = über seine Verhältnisse leben, um auf die anderen einen (vermeintlich) vorteilhaften Eindruck zu machen. ↗Mann 81. 1890 ff.

104. den kleinen ~ spielen = sich leutselig geben; sich für unbedeutender ausgeben, als man ist. 1920 ff.

105. den scharfen ~ spielen = energisch durchgreifen. ↗scharf. BSD 1965 ff.

106. den schwarzen ~ spielen = grundlos Angst einflößen. Schwarzer Mann = Kinderschreckgestalt. 1840 ff.

107. toter ~ spielen = a) sich tot stellen. 1935 ff. – b) so tun, als ginge einen etw nichts an; wohlweislich, absichtlich nicht tätig werden. 1935 ff.

108. den wilden ~ spielen = a) sich wild gebärden; im Rausch Streit anfangen. ↗Mann 83. 1840 ff. – b) arbeitsversessen sein; ein strenger Ausbilder sein. 1870 ff.

109. ~ und Frau spielen = koitieren, ohne miteinander verheiratet zu sein; sich in Hotels o. ä. als verheiratet ausgeben. 1900 ff.

110. seinen ~ stehen (stellen) = sich bewähren; seine Pflicht erfüllen; sich als tapfer erweisen; seine Gesinnung nicht verleugnen. Hergenommen von der Schadenfeuerbekämpfung: Früher war jeder Bürger verpflichtet, nach einem monatlich umgehenden Wechsel zum Dienst bei der Feuerspritze entweder persönlich zu erscheinen oder einen Ersatzmann zu stellen. Seit dem 18. Jh.

111. auf etw stehen wie tausend ~ = treu zu einer Sache stehen. ↗stehen. Halbw 1955 ff.

112. das wirft einen gestandenen ~ nicht um = das erschüttert mich nicht; das bringt mich nicht aus der Fassung. ↗gestanden. 1920 ff.

113. das haut (wirft) den stärksten ~ um!: Ausdruck größter Überraschung. Vor Erstaunen oder Erschrecken verliert man das Gleichgewicht. 1930 ff.

114. die Männer wechseln wie das Hemd (die Kleider) = als Frau nur kurzfristige Männerbekanntschaften schließen. 1900 ff.

115. du willst wohl ein ~ werden?: Frage an einen, der sich einen Bart wachsen läßt, oder an einen, der schlecht rasiert oder unrasiert ist. 1920 ff.

116. dem kleinen ~ die große Welt zeigen = im Freien harnen (auf Männer bezogen). ↗Mann 48 b. 1930 ff.

Männchen n **1.** kleiner Junge (Kosewort). 19. Jh.

2. Penis. Vgl ↗Mann 48 b. Seit dem 19. Jh.

3. drohende Anrede. Seit dem 19. Jh.

3 a. Herrenabort. ↗Frauchen 2. 1960 ff.

4. ~ machen (bauen; sein ~ bauen) = soldatische Ehrenbezeugungen machen. Hergenommen von Tieren, die sich auf die Hinterbeine setzen und die Vorderbeine auf- und abbewegen. Sold seit dem späten 19. Jh.

5. ~ machen (Manderl machen) = a) Ausflüchte machen; Widerworte geben; aufbrausen. Seit dem 19. Jh. – b) sich fügen. Übertragen vom Hund, der um Friedfertigkeit bittet, oder vom Soldaten, der die Arme hebt, wenn er sich ergibt. 1950 ff. – c) eine Gliedversteifung haben. ↗Männchen 2. Sold 1935 ff. – d) koitieren. 1900 ff.

6. ~ sehen = dumm sein. Anspielung auf Gesichte des Phantasierenden. 1840 ff.

7. nicht mehr wissen, ob man ~ oder Weibchen (Manderl oder Weiberl) ist = völlig erschöpft sein; die klare Überlegung verloren haben. Die Erschöpfung oder Geistestrübung ist weit fortgeschritten, wenn man die früheren Erfahrungstatsachen nicht mehr weiß. 1600 ff.

Mannderl n ↗Manderl.

Männe (Männi) m **1.** Kosewort für einen kleinen Jungen, auch für den Ehemann. Verkleinerungsform von „Mann". Seit dem 19. Jh.

2. Penis. 1900 ff.

3. Rufname des Hundes. Seit dem 19. Jh.

4. kleinwüchsiger, krummbeiniger Mann. Hergenommen von „Waldmann", der Bezeichnung für den Dackel. 1900 ff.

Männeken n **1.** Männchen, Bürschchen (gern als drohende Anrede verwendet). Nordd, seit dem 19. Jh.

2. Penis. 1900 ff.

3. ~ machen = a) Unsinn treiben; Possen hinter dem Rücken des anderen vollführen. Übertragen von den „Männchen", die der Hase macht. Nordd, seit dem 19. Jh. – b) unbefriedigende Ausreden vorbringen. 1900 ff.

Männergeschichten pl Liebesabenteuer mit Männern. Seit dem 19. Jh.

Männerschreck m häßliche Frau. 1900 ff.

Männersilo m Junggesellenwohnheim. 1950 ff.

Männerstrich m auf den ~ gehen = Prostituierter sein. ↗Strich 2. 1900 ff.

Männertreu m Homosexueller. Dem Pflanzennamen gegen 1920 untergeschobene neue Bedeutung.

Männerverschleiß m Bedarf einer Frau an Männern für kurze erotische Abenteuer. 1930 ff.

Männerwinker m in die Stirn gekämmte Haarlocke einer weiblichen Person. ↗Herrenwinker. 1900 ff.

Mannheim On in ~ studieren = studieren, um einen Akademiker zum Mann zu gewinnen. Wortspiel auf der Grundlage von „Mann heim(bringen)". 1970 ff.

Männlichkeitstour f auf die ~ reisen = als Mann mit seiner geschlechtlichen Leistungskraft prahlen. 1960 ff.

Mannometer interj ↗Manometer

Mannsbild n **1.** Mann. Bild = lebende Gestalt. Seit mhd Zeit.

2. kräftiger Mann. Seit dem 19. Jh.

3. gestandenes ~ = Mann in reiferen Jahren. Bayr seit dem 19. Jh.

Mannsen pl Männer. Zusammengewachsen aus „Mannes Name". Seit dem 17./18. Jh.

Mannsgefallsamkeit f körperliche und/oder seelische Eigenschaften, mit denen eine Frau einem Mann gefällt. Seit dem 19. Jh.

Mannskerl m (kräftiger) Mann. Gelegentlich auch in abf Sinn verwendet. 1700 ff.

Mannsleute pl Männer. 1700 ff.

Mannsvolk n die Männer. 1700 ff.

ma'noli präd **1.** verrückt. Um 1890 in Berlin aufgekommen im Zusammenhang mit dem Namen der Zigarettenfirma Manoli: die Zigarette wurde durch eine Lichtreklame angepriesen, bei der nacheinander aufleuchtende Glühbirnen eine kreisende Bewegung vortäuschten. Eine solche Bewegung vollführt man als Gebärde mit dem Zeigefinger vor der Stirn, um anzudeuten, daß der andere ein Rad im Kopf habe.

2. ~ linksrum sein = a) völlig verrückt sein. Die von der Manoli-Lichtreklame vorgetäuschte Kreisbewegung lief entgegen dem Uhrzeigersinn. Berlin, 1900 ff. – b) homosexuell sein. 1920 ff bis heute, obwohl die Zigarettenfabrik nicht mehr besteht.

Manometer! (o Mann, o Manometer!; Mensch, Manometer!; Mannometer!): interj Ausruf der Verwunderung o. ä. Entstanden als Verlängerung des Ausrufs „Mann!" unter Herbeiziehung des Fremdworts für den Druckmesser; nach anderen Quellen ist auszugehen von „o Mann, o Meter" oder von „o Mann, o Männer". 1914 aufgekommen.

Manöver n Tun; Tätigkeus; aufgeregtes Benehmen; Umständlichkeit; Kunstgriff. Etwa um 1750 aus Frankreich entlehnt, anfangs auf das milit Gebiet beschränkt; die umgangssprachlichen Bedeutungen scheinen gegen 1870 aufgekommen zu sein.

Manöverkritik f **1.** Kunstkritik; kritischer Bericht o. ä. über eine Kunstausstellung. Eigentlich die Manöverschlußbesprechung. 1950 ff.

2. Besprechung nach einer Sportveranstaltung, nach einem Wahlkampf o. ä. 1950 ff.

Mansardengenie n karg lebender Künstler. 1960 ff.

Mansch m breiiges Durcheinander; Gemenge. ↗manschen. Seit dem 18. Jh.

Mansche f **1.** minderwertiges Getränk; verfälschter Wein. Seit dem 19. Jh.

2. mit Wasser verdünnte Milch. Seit dem 19. Jh.

3. Durcheinandergekochtes. Seit dem 19. Jh.

manschen (mantschen) v **1.** tr = etw durcheinandermengen, mischen. Nasalierte Form von „↗matschen". 1600 ff.

2. tr intr = Flüssigkeiten verwässern. Seit dem 19. Jh.

3. intr = appetitlos in der Speise stochern. Seit dem 19. Jh.

Manschette f **1.** Schaum auf dem Glas Bier. Er bildet eine Art weißer Krause. 1900 ff.

2. pl = Handfessel, -schellen. Eigentlich der Handüberschlag am Hemdsärmel, die gestärkten Ärmelstulpen. Hieraus seit dem frühen 19. Jh bei Gaunern zu beschönigender Bedeutung entwickelt.

3. eiserne (silberne; stählerne) ~n = Handfesseln. 1900 ff.

4. ~n haben = Klingenscheu haben. *Vgl* das Folgende. *Stud* seit dem 18. Jh.
5. vor etw (jm) ~n haben = vor etw (jm) Angst haben. Soll auf den Manschettenträger zurückzuführen sein, den beim Fechten die überfallende Manschette behinderte. Seit dem späten 18. Jh.
Manschettenfieber *n* Angst; erhöhte Temperatur aus Angst (vor dem Fronteinsatz o. ä.); Klingenscheu. 1800 *ff.*
Mantel *m* **1.** den ~ nach dem Wind drehen (hängen) = Opportunist sein. Leitet sich her von dem Wanderer, der seinen Umhang so dreht oder aufhängt, daß er ihm Schutz gegen den Wind gibt. Im Mittelalter ohne den Nebensinn des Charakterlosen gebräuchlich; die heutige Bedeutung scheint im 16. Jh aufgekommen zu sein, wohl im Zusammenhang mit den religiösen Wirren.
2. den ~ rollen können = etw zu bewerkstelligen wissen; sich einer Lage geschickt anzupassen wissen; es verstehen, sich den Dienst angenehm zu machen, ohne mißliebig aufzufallen. Der Mantel des Soldaten wird nach bestimmten Regeln in Falten gelegt und zusammengerollt; dies erfordert Übung und Geschick. 1900 *ff.*
3. etw mit dem ~ der Liebe zudecken = aus Nachsicht eine Verfehlung ungeahndet lassen, vertuschen. Fußt auf der Vorstellung vom deckenden Schutzmantel, der auch in der bildenden Kunst (Mantel-Madonna) ein sehr häufiges Motiv ist; in der frühen Rechtspraxis wurde das vorehelich geborene Kind durch Einhüllen in den Mantel der Mutter bei der Trauung als ehelich anerkannt. Auf dieses „Mantelkind" geht die heutige Bedeutung der Redensart unmittelbar zurück. Seit dem 19. Jh.
Mäntelchen *n* **1.** das ~ nach dem (in den) Wind hängen = sich der jeweiligen Lage aus Zweckmäßigkeitsgründen anpassen. ↗ Mantel 1. Seit dem 16. Jh.
2. einer Sache ein ~ umhängen (um etw ein ~ machen) = eine Sache beschönigen. ↗ Mantel 3. Seit dem 19. Jh.
Mantelwurst *f* gerollter Mantel. *Sold* 1900 *ff.*
mantschen *v* ↗ manschen.
Mao-Bibel *f* gedruckte Zusammenfassung der wichtigsten Lehrsätze Mao Tsetungs (1893–1976). 1965 *ff.*
Mao-Look (Grundwort *engl* ausgesprochen) *m* Arbeitsanzug. Mao Tsetung trat als Parteivorsitzender u. a. der Volksrepublik China vorwiegend im Arbeitsanzug auf. *Vgl* ↗ Look. BSD 1968 *ff;* auch *ziv.*
Mappenträger *m* Sekretär einer hochgestellten Persönlichkeit; einflußloser Minister o. ä. Er darf die Aktenmappe seines Vorgesetzten tragen. 1910 *ff.*
ma'rachen *intr refl* schwer arbeiten. ↗ abmarachen. 1700 *ff.*
Marand'josef *interj* Ausruf der Verwunderung, der Bestürzung o. ä. Zusammengewachsen aus der Anrufung „Maria und Josef". *Bayr* und *österr* seit dem 19. Jh.
'Marathon- hat in Zusammensetzungen die Geltung von „langdauernd", „unermüdlich" o. ä. Herzuleiten vom Sieg der Athener über die Perser bei Marathon im Jahr 490 v. Chr. Ein Läufer soll die Siegesnachricht nach Athen gebracht und bei seiner Ankunft tot zusammengebrochen sein.

Der Marathonlauf ist als Langstreckenwettlauf über 42,2 km seit 1896 (erste Olympische Spiele der Neuzeit in Athen) eine weltweit gepflogene sportliche Diziplin.
Marathondebatte *f* vielstündige Erörterung; mehrtägige Parlamentsdebatte. 1950 *ff.*
Marathondiskussion *f* langdauernde Erörterung. 1950 *ff.*
Marathonfahrt *f* weite Autofahrt ohne Unterbrechung. 1950 *ff.*
Marathonkonferenz *f* langdauernde Besprechung. 1950 *ff.*
Marathonkrampfer *m* Mann, der pausenlos arbeitet. ↗ Krampf. 1960 *ff.*
Marathonläufer *m* Landbriefträger. 1920 *ff.*
Marathonrede *f* vielstündige Rede. 1950 *ff.*
Marathonschlacht *f* sehr spannendes Fußballspiel mit Verlängerung(en). *Sportl* 1950 *ff.*
Marathonsendung *f* lange, aufwendige Rundfunk-, Fernsehsendung. 1950 *ff.*
Marathontanz *m* langer Tanz ohne Unterbrechung; Dauertanz. 1925/30 *ff.*
Marathon-Tour *f* lange, anstrengende Reise. 1950 *ff.*
Marathonverhandlung *f* vielstündige Verhandlung. 1950 *ff.*
Märchen *n* **1.** unwahre Erzählung; Unwahrheit; Lüge. Herzuleiten von den unwirklichen Vorgängen, den redenden Tieren usw., die den Märchen eigen sind. Seit dem 15. Jh.
2. Kosewort auf ein Mädchen oder eine Frau. Die Betreffende gilt als eine holde Gestalt aus der Märchenwelt. Seit dem 19. Jh.
Märchenbuch *n* **1.** Dienstvorschrift (ZDv 3/11). Nach Meinung der Bundeswehrsoldaten sind die Vorschriften zu schön; es sind Märchen für schlichtgemütliche Gemüter. 1965 *ff.*
2. Klassenbuch; Wochenbuch. In ihm steht, was in ihm stehen soll. 1930 *ff*, lehrerspr.
3. Lehrbuch. 1950 *ff.*
4. aus dem ~ (wie aus dem ~) = sehr schön; lieblich; traumhaft; unrealistisch. 1914 *ff.*
5. wie im ~ = überaus. 1950 *ff.*
6. ins ~ kommen = ins Klassenbuch eingetragen werden. ↗ Märchen 2. 1930 *ff.*
7. lügen wie ein ~ = dreist lügen. 1950 *ff.*
Märchenbuch-Karriere *f* sehr erfolgreiche Berufslaufbahn. 1950 *ff.*
Märchengage (Grundwort *franz* ausgesprochen) *f* sehr hohes Künstlerhonorar. 1955 *ff.*
märchenhaft *adj* besonders schön; wundervoll; unvorstellbar (märchenhafte Preise). 1900 *ff.*
Märchenhochzeit *f* prunkvolle Hochzeit in wohlhabendem Hause. 1950 *ff.*
Marder *m* Dieb. Der Marder ist als Räuber bekannt. 1870 *ff.*
mardern *v* **1.** *tr intr* = stehlen; diebisch sein. 1900 *ff.*
2. *tr* = jn erpressen, schröpfen. 1900 *ff.*
Mari *n* Marihuana. In derselben Verkürzung in England gebräuchlich. *Halbw* 1960 *ff.*
Maria *Vn* auf ~ getrimmt = schlicht frisiert (Mittelscheitel; glatt anliegende Haa-

re). Geht zurück auf Mariendarstellungen in der bildenden Kunst und hat zugleich den spöttischen Nebensinn von „unmodern" und „rückständig". 1955 *ff, halbw.*
Mariä Empfängnis *f* Zahltag, Löhnungsappell. Dem katholischen Feiertag (8. Dezember) unterlegte neue Bedeutung mit Anspielung auf „↗ Marie 1" und „empfangen = bekommen, entgegennehmen". Seit dem späten 19. Jh, wahrscheinlich aus der *österr* Soldatensprache übernommen.
Maria-Hilf-Suppe *f* Wassersuppe. Zu verstehen aus dem Hilferuf „Maria hilf, - was für eine Suppe!". *Westd* 1920 *ff.*
Maria-Schlunz *f* Wassersuppe. ↗ Schlunz. Verstümmelte Anrufung wie bei ↗ Maria-Hilf-Suppe. 1939 *ff.*
Marie *f* **1.** Geld. Geht zurück auf den Maria-Theresien-Taler, der seit 1753 geprägt und wichtigste Handelsmünze in weiten Teilen des Vorderen Orients und (Ost-)Afrikas wurde, z. T. heute noch in Umlauf. 1870 *ff.*
2. Gasmaske; ABC-Schutzmaske. Militärische Geräte werden von den Soldaten gern mit Frauennamen belegt. *Sold* 1939 bis heute.
3. dicke ~ = viel Geld; wohlgefüllte Brieftasche. 1910 *ff.*
4. dralle ~ = Brieftasche mit vielen Banknoten. Drall = ansehnlich gewölbt. 1950 *ff.*
5. linke ~ = Falschgeld; wertloses Geld. ↗ link 1. 1920 *ff.*
Mariechen *n* Margarine. Scherzhafte Verniedlichung auf der Grundlage der Gleichheit der drei ersten Buchstaben. 1910 *ff.*
Marille *f* **1.** Kopf, Gehirn; Denkvermögen. Von der kleinfrüchtigen Aprikose übertragen zur Kennzeichnung eines kleinen Kopfes. 1950 *ff.*
2. faule ~ = geistiger Defekt. 1950 *ff.*
3. du hast wohl einen Sprung in der ~?: Frage an einen, der Unsinniges äußert. 1950 *ff*, österr.
4. in der ~ faul sein = nicht recht bei Verstand sein. *Jug* 1950 *ff*, österr.
5. in der ~ hinsein = dumm, geistesgestört sein. ↗ hinsein. *Österr* 1950 *ff*, jug.
Marine *interj* Ausruf der Verkäufer beim Anblick von Personen, die Waren nur mustern und nicht kaufen wollen. Kalauernde Gleichstellung von „Seeleute" und „Sehleute". ↗ Sehmann. 1900 *ff*, kaufmannsspr.
Marinekundschaft *f* Warenbetrachter, Nichtkäufer. ↗ Marine. Kaufmannsspr. 1900 *ff.*
'Mariner (*engl* ausgesprochen) *m* **1.** Marineangehöriger. *Sold* in beiden Weltkriegen; *BSD* 1965 *ff.*
2. *pl* = besichtigendes, aber nicht kaufendes Publikum. ↗ Marine. 1900 *ff*, kaufmannsspr.
3. gewässerter ~ = U-Boot-Besatzungsmitglied. Gewässert = untergetaucht. *Sold* in beiden Weltkriegen.
Ma'rine'rees *m* Unterhaltung unter Seeleuten. ↗ Rees. *Marinespr* 1900 *ff.*
mari'nieren *tr* **1.** das kannst du dir ~ lassen!: Ausdruck der Ablehnung. Marinieren = einsalzen, um es lange haltbar zu machen. 1900 *ff.*
2. laß dich ~!: Redewendung an einen Dummen. *Vgl* ↗ einmachen 4. 1900 *ff.*
Mar'jellchen (Mar'jellke) *n* Ostpreußen; Mädchen aus Danzig; Mädchen. Geht zu-

rück auf litauisch „mergele = Mädchen". Seit dem 19. Jh.

Mark I *f* **1.** eine müde ~ = eine Mark (nur eine Mark). „Müde = matt, schlaff, wenig leistungsfähig" kennzeichnet hier die unbedeutende Summe. 1950 *ff.*
2. muntere ~ = Markstück(e). „Munter" spielt an auf das schnelle Ausgeben. Berlin 1900 *ff.*
3. rostige ~ = Markstück des (wirklich oder vermeintlich) Geizigen. Bei ihm setzen die Münzen Rost an. 1920 *ff.*
4. stramme ~ = Markstück(e). Die Deutsche Mark gilt als ansehnlich und „markig". 1950 *ff.*
5. keine müde ~ haben = mittellos sein. 1950 *ff.*
6. eine ~ machen = Geld verdienen. 1950 *ff.*
7. eine müde ~ machen = wenig verdienen. 1950 *ff.*
7 a. die schnelle ~ machen (verdienen) = schnell und ohne große Anstrengung viel Geld verdienen. 1960 *ff.*
8. dann ist die ~ nur noch fünfzig Pfennig wert: Antwort des Junggesellen auf die Frage, warum er nicht heirate. 1900 *ff.*
9. jede ~ ein paarmal rumdrehen = eingeschränkt leben; alle Ausgaben sorgfältig überdenken. 1900 *ff.*
10. die ~ teilen = heiraten. ↗Mark 8. 1960 *ff.*

Mark II *n* **1.** das geht einem durch ~ und Bein = das erschüttert einen sehr; das geht einem nahe; die schrillen Töne schmerzen im Ohr. „Mark und Bein" stehen formelhaft für das Innerste des Menschen. 1500 *ff.*
2. das geht einem durch ~ und Pfennig(e) = das macht einen tiefen Eindruck. Aus dem Vorhergehenden im späten 19. Jh scherzhaft entstellt, wobei „das Mark" als „die Mark" aufgefaßt wird und „Pfennig(e)" sinngemäß ergänzt ist.
3. kein ~ in den Knochen haben = kraftlos sein. Seit dem 19. Jh.

Marke *f* **1.** Narr; Dummer; Sonderling; auch: gemütliche Schelte. Aus der Bedeutung „Waren-, Gütezeichen" weiterentwickelt zu „Art, Gattung", vor allem zu „(von) wunderliche(r) Art". 1900 *ff.*
2. pfiffiger, anstelliger, betriebsamer Mensch. 1900 *ff.*
3. ~ Herzschlag = sehr starker Kaffeeaufguß. Koffein wirkt anregend, erregend. 1920 *ff.*
4. eine feine ~ = niederträchtiger, vertrauensunwürdiger Mensch. *Iron* Bezeichnung. 1920 *ff.*
5. das ist ~ = das ist fein, hervorragend, außerordentlich. Übertragen von der Güteklasse einer (Marken-)Ware. 1950 *ff.*
6. das ist meine ~ = das entspricht meinem Geschmack; das sagt mir zu; diese Frau entspricht meinen Wunschvorstellungen. 1950 *ff.*
7. eine ~ sein = ein Sonderling sein. ↗Marke 1. 1900 *ff.*
8. erste ~ = vorzüglich sein. ↗Marke 5. 1950 *ff.*
9. ganz große ~ sein = hervorragend sein. ↗Marke 5. 1935 *ff.*

Märker *pl* Mark (als Münzbezeichnung). Willkürliche Mehrzahlbildung nach dem Muster von „Ämter", „Täler" usw. 1870 *ff.*

markieren *tr* etw vortäuschen. Geht zurück auf *franz* „marquer = mit einem Zeichen

versehen". Von da ins *Iron* gewendet, etwa soviel wie „falsch ab-, an-, auszeichnen". 1830 *ff.*

Marks *n* ~ in den Knochen haben = stark, kräftig, energisch sein. „Marks" ist Genitiv von „↗Mark II", entstanden aus „viel (wenig) Marks". Seit dem 19. Jh.

Markt *m* **1.** grauer ~ = amtlich stillschweigend geduldeter (geförderter) Schleichhandel; Warenverkauf unter Umgehung der Preisbindung der zweiten Hand. Nach 1945 aufgekommen.
2. schwarzer ~ = a) heimlicher Handel mit bewirtschafteten Nahrungs- und Genußmitteln (u. a.). „Schwarz" meint hier „amtlich untersagt". 1945 *ff. Vgl franz* „marché noir"; *engl* „black market". – b) Show-Geschäft von und mit Dunkelhäutigen. 1960 *ff.*

Marktschreier *m* **1.** Schausteller. 1920 *ff.*
2. Schallplattenansager. 1965 *ff.*

Markus *m* ~ machen = als Fußballspieler eine Verletzung vortäuschen, um Mitleid zu erregen oder einen Vorteil für die Mannschaft zu erwirken. Entstanden aus „markieren". *Sportl* 1950 *ff.*

Marmel *f* eine saure ~ haben = nicht recht bei Verstand sein. ↗Murmel. 1950 *ff.*

Marmelade *f* **1.** Verkehrsgewühl. Vom zerkochten Obstgemisch übertragen; etwa seit 1957.
2. wer sagt denn, daß ~ keine Kraft gibt?: Frage, wenn jemand eine Leistung vollbracht hat, die man ihm nicht zugetraut hat. Stammt aus der Zeit des Ersten Weltkriegs, als Marmelade den Fettaufstrich ersetzte und scherzhaft „Kraftfutter" genannt wurde.

Marmeladebrüder *pl* die Deutschen. *Österr* Soldaten beobachteten bei ihren deutschen Kampfgenossen seit 1914 eine Vorliebe für Marmelade.

Marmeladenprozeß *m* Rechtsstreit mit so verwirrenden Zeugenaussagen usw, daß die Rechtslage kaum noch (nicht mehr) zu ergründen ist. Die Sache ist undurchsichtig wie Marmelade: die einzelnen Bestandteile sind kaum noch zu erkennen. Juristenspr. 1920 *ff.*

Marme'ladinger *m* Deutscher (aus österreichischer Sicht). ↗Marmeladebrüder. 1914 *ff.*

ma'rod (ma'rode, ma'rodi, ma'rodig) *adj* erschöpft; überanstrengt; leicht krank; marschunfähig. Fußt auf *franz* „maraud = Lump; plündernder Soldat". Die Plünderer blieben hinter der vormarschierenden Truppe zurück, galten den Fußkranken. Im 30jährigen Krieg aufgekommen.

Ma'roni (Ma'ronibrater) *m* Italiener. Seit dem späten 19. Jh.

Ma'rotte *f* törichter Einfall; Laune; Steckenpferd. Meint eigentlich den auf dem Narrenzepter befindlichen Puppenkopf, dann auch das Zepter selbst sowie die Narrenkappe. Im 18. Jh aus Frankreich übernommen.

Märs *m* ↗Mors.

Marsch *m* **1.** jm den ~ blasen (machen) = a) jn energisch zur Ordnung rufen; jn rügen und antreiben. Hergenommen vom milit Hornsignal „Sammeln"(zum Abmarsch): die Betreffenden haben sich in der jeweils befohlenen Kolonnenart aufzustellen. Seit dem 18. Jh. – b) jn wegjagen. Seit dem 19. Jh.

2. er kann mir den ~ blasen!: Ausdruck der Abweisung. Variante des Götz-Zitats. 1840 *ff.*
3. seinen ~ kriegen = zurechtgewiesen werden. Seit dem 19. Jh.
4. den ~ machen = als Prostituierte Kunden auf der Straße suchen. 1950 *ff.*

Marscherleichterung *f* **1.** Tragen leichterer Herrenkleidung in sommerlicher Hitze; Verzicht auf das Krawattentragen; Ablegen der Jacke; Tragen von Shorts. Aus dem *Milit* übertragen ins Zivilleben. 1950 *ff.*
2. Dekolleté; spärliches Bekleidetsein weiblicher Personen. 1950 *ff.*

marschieren *v* **1.** *intr* = sterben. Man marschiert zur Großen Armee. Seit dem 19. Jh.
2. *intr* = schimpflich entlassen werden. 1880 *ff.*
3. *intr* = sehr erfolgreich sein; leichtverkäuflich sein. Das Geschäft „läuft"; die Ware „geht ab". 1950 *ff.*
4. *intr* = die gegnerische Mannschaft angreifen. Vom Vorrücken der Soldaten übertragen. *Sportl* 1950 *ff.*
5. der Wagen marschiert 120 Sachen = das Auto erreicht 120 Stundenkilometer. 1950 *ff,* kraftfahrerspr.
6. gegen etw (jn) ~ = aufbegehren; sich gegen etw (jn) auflehnen. 1955 *ff, jug.*
7. hintenrum ~ = sich über jn beschweren. „Hintenrum" bezieht sich auf die Umgehung des unmittelbaren Vorgesetzten. 1925 *ff.*
8. jn ~ lassen = jn zur Verhaftung anzeigen; jn ins Gefängnis bringen. 1950 *ff.*

Marschroute *f* Plan, nach dem eine Sportmannschaft gegen den Gegner spielen soll. *Sportl* 1950 *ff.*

Marsmensch *m* **1.** Soldat; Bundeswehrangehöriger. Eigentlich der Mensch, den man auf dem Planeten Mars vermutet; hier bezogen auf den altrömischen Kriegsgott Mars. 1900 *ff.*
2. Motorradfahrer mit Sturzhelm und Lederbekleidung. Die angeblichen Bewohner des Planeten Mars werden in ähnlicher Weise dargestellt. Kraftfahrerspr. 1955 *ff.*

Martha *f* aus Untreue flüchtige Ehefrau. Geht zurück auf „Martha, Martha, du entschwandest" aus der Oper „Martha" von Friedrich von Flotow (1847). 1900 *ff.*

Marunke *f* Schimpfwort auf eine Versagerin. Bezeichnung für die Eierpflaume; analog zu „↗Pflaume = Nichtskönner". 1955 *ff, jug,* Berlin.

Mary Jane (*engl* ausgesprochen) *n* Marihuana. *Angloamerikan* Tarnwort. 1968 *ff.*

Marzipan-Armee *f* Heer, das harten Anforderungen nicht gewachsen ist. Marzipan, als Naschwerk beliebt, steht hier sinnbildlich für Verweichlichung o. ä. 1960 *ff.*

Marzipangesicht *n* blasses, ausdrucksloses Gesicht. 1920 *ff.*

Marzipan-Look (Grundwort *engl* ausgesprochen) *m* appetitliches Aussehen ohne individuelle Züge. ↗Look. 1960 *ff.*

Marzipanmädchen *n* nettes, reizendes Mädchen (Kosewort). Gilt als erlesene Leckerei. 1925 *ff.*

Marzipan-Puppe *f* stereotype Frauen-, Mädchengestalt in Heimatfilmen. Sie ist die Verkörperung von Lieblichkeit, Unschuld und Duldertum. 1950 *ff.*

marzipanzart *adj* überaus zart, sanft, feingliedrig. 1920 ff.

Masche *f* **1.** erfolgversprechendes Vorgehen; Kunstgriff, Trick; Lieblingsvorstellung. Das kurz vor dem Ersten Weltkrieg aufgekommene Wort vereinigt mehrere Bedeutungen. „Masche" ist die Schleife zum Vogelfangen; auch das Netz hat Maschen, ebenso das Gesetz, durch dessen Lücke der Täter schlüpft. Dem Wort haftet meist der Sinn listiger Handlungsweise an. **2.** glücklicher Zufall. Wohl vermischt mit *jidd* „massel = Glück". 1950 *ff*, *jug*. **3.** Lüge. 1910 *ff*. **4.** Maschineschreiben. Hieraus verkürzt. 1950 *ff*. **5.** *pl* = Fußballtor. Eigentlich der Maschendraht. *Sportl* 1920/30 *ff*. **6.** alte ~ = übliche, längst bekannte Handlungsweise. 1930 *ff*. **7.** dicke ~ = ausgezeichnete Sache. *Halbw* 1950 *ff*. **8.** große ~ = a) günstige Gelegenheit; erfolgreiche Sache. 1930 *ff*. – b) gute Qualität. Gaunerspr. 1930 *ff*. **9.** miese ~ = niederträchtige Handlungsweise. ↗mies. 1930 *ff*. 1971 Parole im nordbaden-württembergischen Metallarbeiterstreik. **10.** neue ~ = neuartiger Trick; ungewohnte Ausrede. 1950 *ff*. **11.** sanfte ~ = a) Einschmeichelung; gefühlsbetonte Heuchelei; Betörung. 1933 *ff*. – b) Milde, Gewaltlosigkeit. Steht wohl im Zusammenhang mit Mahatma Gandhis waffenlosem Kampf gegen die britische Herrschaft. 1925/30 *ff*. **12.** weiche ~ = Umgehung aller Unannehmlichkeiten. 1950 *ff*. **13.** weiße ~ = Fremdenverkehrsgeschäft um Wintersportler. 1960 *ff*. **14.** wüste ~ = aufreizende Schlagerrhythmik. 1955 *ff*. **15.** immer dieselbe ~ abstricken = stets dieselbe Art und Weise beibehalten. 1950 *ff*. **15 a.** eine ~ draufhaben = eine bestimmte Handlungsweise beibehalten. 1955 *ff*. **16.** eine ~ drehen = einen Kunstgriff anwenden; eine günstige Gelegenheit wahrnehmen. *Vgl* „ein ↗Ding drehen". 1939 *ff*. **17.** eine ~ fallenlassen = die eigene Unzurechnungsfähigkeit offenbaren. Hergenommen vom Fall einer Masche beim Stricken; analog zu ↗Webfehler. 1920 *ff*. **18.** die ~ finden = herausfinden, wie man erfolgversprechend vorgehen kann. 1935 *ff*. **19.** eine ~ im Netz finden = einen Ausweg finden; eine List anwenden. 1935 *ff*. **20.** aus der ~ gefallen sein = mißlungen sein. „Masche" in der Bedeutung „Maschenreihe" = Strickmuster". 1930 *ff*. **21.** durch die ~n gehen = entkommen; verlorengehen. Übertragen von den Maschen eines Netzes, besonders eines Wildzauns. 1940 *ff*. **22.** eine bestimmte ~ haben = stets auf die gleiche Weise handeln. 1950 *ff*. **23.** eine ~ häkeln = einen Trick anwenden. 1930 *ff*. **24.** mit dieser ~ haben schon Oma und Opa gehäkelt = diese Art des Vorgehens ist heute überholt. 1950 *ff*. **25.** die ~ rasch durch die Gehirnwindun-

gen jagen = schnell begreifen; eine gute Auffassungsgabe haben. *Schül* 1950 *ff*. **26.** in die ~n knallen = einen Erfolg erzielen. Hergenommen vom Tortreffer im Fußballspiel (↗Masche 5). 1920 *ff*. **27.** falsche ~n knüpfen = unlauter handeln. 1950 *ff*. **28.** die ~ raushaben = den Trick kennen; wissen, wie man vorgehen muß, um Erfolg zu haben. Raushaben = herausgefunden haben. 1935 *ff*. **29.** eine ~ (auf eine ~) reisen = eine bestimmte Handlungsweise beibehalten. 1930 *ff*. **30.** eine ~ reißen = einen Kunstgriff anwenden. ↗reißen. 1935 *ff*. **30 a.** eine ~ (auf einer ~) reiten = derselben Handlungsweise treu bleiben. 1955 *ff*. **31.** die ~ rennt = auf diese Weise gelingt die Sache hervorragend. ↗rennen. 1955 *ff*. **32.** eine (seine) ~ runterreißen = seine Handlungsweise nicht ändern; seinen eigenen Stil (als Musiker, Alleinunterhalter usw) beibehalten. Herunterreißen = ↗abreißen. 1950 *ff*. **33.** ~ schieben = einer unlauteren (illegalen) Sache das Aussehen der Redlichkeit (Rechtmäßigkeit) verleihen. 1930 *ff*. **34.** das ist «die ~ = das ist der rettende Gedanke, der richtige Vorschlag, die vernünftigste Art des Vorgehens, die beste Lösung. 1930 *ff*. **35.** eine (an einer) ~ stricken = sich an eine bestimmte Handlungsweise halten. 1930 *ff*. **36.** eine feine ~ stricken = vornehm handeln (auch *iron* gebraucht). 1930 *ff*. **37.** es mit einer anderen ~ versuchen = etw auf anderem, erfolgversprechenderem Weg versuchen. 1935 *ff*. **38.** eine ~ weiterstricken = eine erfolgreiche Sache fortsetzen. 1930 *ff*. **39.** die ~ zieht = der Trick ist erfolgreich. Ziehen = die Leute anziehen. 1950 *ff*.

Mascherl *n* Querbinder. Soviel wie „kleine Schleife". *Österr* 1900 *ff*.

Mascheur (Maschör) *m* trickreicher Mensch; Mensch, der stets einen Ausweg findet. ↗Masche 1. Wortbildung nach dem Muster von „Masseur" o. ä. 1939 *ff*.

Maschikseite *f* **1.** Kehr-, Gegenseite. Stammt aus *ung* „mašek = andere". *Österr* seit dem 19. Jh. **2.** Glücksfall. *Österr* 1930 *ff*.

Maschine *f* **1.** behäbige, schwerfällig gehende Frau. Übertragen von großen, umfangreichen Maschinen (↗Dampfmaschine). 1840 *ff*. **2.** geistlos tätiger, blind gehorchender, ohne innere Überzeugung tätiger Mensch. 1840 *ff*. **3.** Penis. Von der Kolbenmaschine übertragen. *Sold* in beiden Weltkriegen. **4.** Vagina. 1914 *ff*. **4 a.** Flugzeug. 1914 *ff*. **4 b.** Herd. Verkürzt aus ↗Kochmaschine. 1920 *ff*. **4 c.** Motorrad. 1955 *ff*. **4 d.** Maschineschreiben. *Schül* 1965 *ff*. **5.** ~ kaputt = Geschlechtskrankheit; Menstruation. *Sold* in beiden Weltkriegen. **6.** alte ~ = betagte (meist beleibte) Frau. ↗Maschine 1. Seit dem 19. Jh. **7.** hochgestochene ~ = auf Höchstge-

schwindigkeit eingestellte Maschine. ↗hochgestochen 2. 1950 *ff*. **8.** kranke ~ = angeschossenes Flugzeug. 1939 *ff*. **9.** schwere ~ = beleibte Frau. ↗Maschine 1. 1900 *ff*. **10.** die ~ springt an = der Penis wird steif. ↗Maschine 3; ↗anspringen 1. 1930 *ff*. **11.** jn durch die ~ drehen = jm rücksichtslos zusetzen; jn gründlich ausfragen. Analog zu „durch den ↗Wolf drehen". *Vgl* auch ↗Mangel II 1. 1930 *ff*. **12.** die ~ durchpusten = den Motor kurz in Gang setzen. 1930 *ff*. **13.** die ~ schmieren = ein Glas Alkohol zu sich nehmen. 1900 *ff*.

Maschinendoktor *m* Schlosser, Mechaniker o. ä., der Maschinen repariert. 1955 *ff*.

Maschinengewehr *n* **1.** an Durchfall leidender Soldat. Von der schnellen Schußfolge der Waffe übertragen auf den Kotabgang in rascher Folge. *Sold* 1935 *ff*. **2.** Schnellsprecher; Mensch, der pausenlos redet. 1914 *ff*. **3.** ~ Gottes = Massenprediger. 1955 *ff*. **4.** eine Fresse haben wie ein ~ = viel, gewandt, ausdauernd reden. ↗Fresse = Mund. 1914 *ff*, *sold*. **5.** wie ein ~ loslegen = in schneller Wortfolge zu sprechen beginnen. 1914 *ff*. **6.** wie ein ~ reden = pausenlos reden. 1914 *ff*. **7.** schimpfen wie ein ~ = unausgesetzt schimpfen. 1920 *ff*.

Maschinengewehrschnauze *f* Mensch, der eindringlich und pausenlos auf die Leute einredet. 1914 *ff*.

'Maschkera *f* Maskierung; Theaterspielen. Geht zurück auf *ital* „mascherata" und/oder *span* „mascarada". *Bayr* 1800 *ff*.

Ma'schör *m* ↗Mascheur.

Ma'schores *m* **1.** Diener, Knecht, Arbeiter. Fußt auf *jidd* „meschores = Diener". Seit dem frühen 19. Jh. **2.** Haftanstaltswachtmeister. Seit dem ausgehenden 19. Jh. **3.** Verantwortlicher; Leiter, Anführer. 1920 *ff*. **4.** unzuverlässiger, nicht vertrauenswürdiger Mann; Halbnarr. 1900 *ff*.

Maske *f* ~ in Blau = die Marineangehörigen. Das blaue Uniformtuch läßt an den Operettentitel (1937) von Fred Raymond denken. *BSD* 1965 *ff*.

Maskenball *m* **1.** Exerzieren mit der Gasmaske. Euphemismus. *Sold* in beiden Weltkriegen. **2.** mehrmaliger Uniformwechsel in kürzester Zeit. *Sold* 1935 bis heute. **3.** Ermittlung einer bestimmten unter mehreren, mit Gesichtsmasken versehenen Personen; Identifizierung eines maskierten Täters durch Augenzeugen. Polizeispr. 1950 *ff*.

Maß I *f* **1.** Maßkrug für 1 Liter Bier; 1 Liter Bier. Das *trad* Flüssigkeitsmaß stand für 1–2 Liter; 1868 durch das metrische Litermaß ersetzt. *Bayr* seit dem 19. Jh. **2.** ~ halten = Bier trinken. 1900 *ff*, *bayr*.

Maß II *n* **1.** jm (sein) ~ nehmen = a) jm mit dem Stock drohen; jn prügeln. Beschönigende Redensart unter Anspielung auf den Maßstock (die Elle) des Schneiders. Seit dem 19. Jh. – b) jn erpressen, schröpfen. Mit Prügelandrohung wird die Geldhergabe erzwungen. Seit dem 19. Jh.

2. bei jm ~ nehmen = jm den Arm um die Taille legen. 1950 ff.

Massage-Salon (*franz* ausgesprochen) *m* getarntes Bordell. 1920 ff.

Maßband (-bandl) *n* **1.** Gesamtlänge der Dienstzeit in der Bundeswehr. Für jeden Tag wird ein Zentimeter abgeschnitten. *BSD* 1968 ff.

2. er kann mit seinem ~ noch den Sportplatz (die Kaserne) ausmessen (noch das Zimmer tapezieren) = er hat noch eine lange Dienstzeit vor sich. *BSD* 1968 ff.

Masse *f* **1.** ~ Mensch = Menschenmenge. Geht zurück auf den gleichnamigen Titel des Dramas von Ernst Toller (1921). 1925 ff.

2. jede ~ = beliebig viel; äußerst; sehr. *Halbw* 1955 ff.

3. mangels ~ = mangels Geldes; mangels Frauen; mangels Soldaten u. ä. Hergenommen aus der Sprache der Konkursverwalter: Masse = Konkursmasse. 1935 ff.

4. mit ~ = mit allem Zubehör; mit massierten Truppenverbänden. Aus der Militärsprache übernommen. 1935 ff.

5. in rauhen ~n = in großer Anzahl. „Rauh" geht vielleicht zurück auf neu-*hebr* „rauw = viel" oder ist beeinflußt von *engl* „raw", das sowohl „roh" als auch „rauh" bezeichnet. Analog zu ↗ Menge II 4. 1914 ff.

5 a. in der ~ baden = die Nähe zur Menschenmenge suchen und genießen. ↗ Bad 4. 1970 ff.

6. die ~ bringt es (muß es bringen) = statt auf Wert wird nur auf Menge geachtet; wegen geringen Preises leichtverkäufliche Ware bringt einen ansehnlichen Umsatz. 1840 ff.

7. das ist nicht die ~ = das ist nicht besonders gut; das besagt wenig, ist unbedeutend. „Die Masse" umschreibt den Begriff „viel". 1950 ff.

Massel *m n* **1.** Glück. Geht zurück auf *jidd* „masol = Geschick, Glücksstern". Seit dem frühen 19. Jh, anfangs *rotw.*

2. Geld. Geldbesitz als Ergebnis (und Voraussetzung) glücklicher Umstände. 1900 ff.

3. ~ und Broche: Zuruf an den Glücksspieler vor Spielbeginn. *Jidd* „broche = Segen". 19. Jh.

4. einen ~ haben = törichte Einfälle haben; verrückt sein. „Masel" ist Variante zu „Maser" und bezeichnet die Verwachsung am Baum. Hieraus zu der übertragenen Bedeutung des geistigen Defekts entwickelt. 1900 ff.

masseln *intr* **1.** Glück haben. ↗ Massel 1. *Jidd* 1700 ff.

2. nörgeln, schimpfen. Entweder Nebenform von „↗ mosern" oder herzuleiten aus *jidd* „massem = schwatzen". Vorwiegend *bayr* 1900 ff.

Masseltopp (-toff) *m* großes Glück. Fußt auf *rotw* „Massel tof" im Sinne von „viel Glück!". Im *Dt* wohl beeinflußt von der Vorstellung des „Glückstopfes". 1840 ff.

Massematten pl (m) 1. Geschäftchen; allerlei kleine Beschäftigungen. Stammt aus *jidd* „masso umattan = Handelsbetrieb". Seit dem 18. Jh.

2. Diebstähle, Einbrüche; unredliche Geschäfte; Betrügereien. Aus dem Vorhergehenden weiterentwickelt im Gaunerdeutsch zur Bedeutung „Diebstahl; Hehlerei". Seit dem 18. Jh.

3. Ausflüchte, Ränke u. ä. Gemeint sind heimtückische Machenschaften. Seit dem 19. Jh.

4. Schwierigkeiten; Widersetzlichkeit o. ä. Seit dem 19. Jh.

5. linke ~ = anrüchige Geschäfte; Betrügereien ↗ link 1. *Rotw* seit dem frühen 19. Jh.

6. ~ machen = a) Mittäter benennen; Verräter sein. 1900 ff. – b) das große Wort führen; sich aufspielen. 1900 ff.

7. ~ schieben = eine strafbare Handlung begehen. 1900 ff.

8. einen ~ stehen haben = einen Diebstahl planen. 1800 ff.

Massenvater *m* kinderreicher Vater. 1955 ff.

Masseuse (*franz* ausgesprochen) *f* Prostituierte in einem „↗ Massage-Salon". 1920 ff.

maßgeschneidert sein jds Art (= persönlichen Eigenheiten) völlig angepaßt sein. Übertragen vom Maßanzug. *Vgl* ↗ Leib 6. Theaterspr. 1900 ff.

Maßhalten *n* Hochheben von (Zuprosten mit, Trinken aus) Bierkrügen. ↗ Maß I. 1900 ff, *bayr.*

massieren *tr* **1.** jn nachdrücklich zu etw bestimmen; ausdauernd auf jn einreden. 1920 ff.

2. jn verprügeln. Weiterführung vom Schlagen mit der Handkante auf die Muskelstränge. *Vgl* aber auch „↗ Maß II". 1930 ff.

3. jn in einem „↗ Massage-Salon" einer „Behandlung" unterziehen. 1920 ff.

4. *refl* = onanieren. 1920 ff.

-mäßig *adv adj* hinsichtlich; mit Bezug auf. Fußt auf „Maß" in der Bedeutung „Art und Weise" mit besonderer Hervorhebung einer Teilansicht oder Hinsicht (leistungsmäßig, verkehrsmäßig, witterungsmäßig o. ä.). Derlei Bezeichnungen setzen seit den dreißiger Jahren des 20. Jhs vor allem in der Amtssprache immer stärker auf im Zuge zunehmender Vereinheitlichung und Einebnung unserer Ausdrucksweise.

Massik *m* **1.** plumper, grober Kerl; unsympathischer Mensch, dem man nichts Gutes zutraut. Stammt aus *jidd* „masik = schädlicher Dämon; Unhold" und ist *gleichbed* mit „Teufel, Verräter, Schadenbringer" u. ä. Seit dem 19. Jh, vorwiegend *westd.*

2. störrisches, bissiges Pferd. Seit dem 19. Jh.

3. handfestes, draufgängerisches (dreistes) Mädchen; Mannweib. Seit dem 19. Jh, *westd.*

massiv *adj* grob, rücksichtslos, zudringlich. Fußt auf *franz* „massif = zusammenhängend, massig, gediegen" und gelangte im 18. Jh durch Studenten zur Bedeutung „plump, grob".

Maßkrug-Artist *m* **1.** Bayer am Bierstammtisch. 1920 ff.

2. urwüchsiger Bayer. 1920 ff.

Maßkrug-Olympiade *f* Münchner Oktoberfest. ↗ Olympiade. 1960 ff.

Massler *m* Nörgler. ↗ masseln 2. *Bayr* 1900 ff.

maßlos *adv* **1.** sehr (es ist maßlos traurig). Eigentlich soviel wie „über alle Maßen", daraus abgeschwächt zu neutralem „sehr". 1920 ff.

2. ich kann mich ~ beherrschen = dieser

Aufforderung komme ich unter keinen Umständen nach. 1920 ff.

Maß-Mieze *f* sympathisches Mädchen. Es entspricht den Vorstellungen des jungen Mannes. ↗ Mieze. *Halbw* 1955 ff.

Maßstäbe *pl* ~ setzen = richtungweisend handeln. Stammt aus dem Vermessungswesen: man stellt Meßlatten auf. Nach 1955 bei Politikern und Journalisten beliebt gewordene Redewendung.

Mastbaum *m* erigierter Penis. 1910 ff.

Mastdarm *m* den ~ vergolden (versilbern) = homosexuellen Verkehr gegen Entgelt wahrnehmen. Versilbern = zu Geld machen. 1900 ff.

Mastdarmsänger *m* Sänger, der seine Stimme unterhalb der Brust abzustützen scheint. Theaterspr. 1920 ff.

Mastschwein *n* dicker, gefräßiger Mensch. Seit dem 15. Jh.

Mast- und Schotbruch *interj* beschwörender Abschiedsgruß unter Seglern. Schot ist die Richtleine, die das Segel im gewünschten Winkel zur Windrichtung hält. Man wünscht einander selbstverständlich das Gegenteil; ein Aberglaube besagt jedoch, daß ein offener Glückwunsch böse Dämonen auf eine Gelegenheit zum Schadenstiften aufmerksam macht; wer den anderen Unglück wünscht, findet nicht das Interesse der Dämonen. 1920 ff.

Ma'summen *pl* Geld. ↗ Mesummen. 1920 ff, Ruhrgebiet.

Match (*engl* ausgesprochen) *m n* Geschlechtsverkehr. Der *engl* Wortbedeutung entsprechend soviel wie ein Wettkampf. 1960 ff.

matchen (*engl* ausgesprochen) *intr* angestrengt lernen. Fußt auf *engl* „to match a person = sich mit jm messen". *Schül* 1955 ff.

Mate'rial *n* Material. Durch Verschlucken des unbetonten „i" entstanden. Eine vorwiegend *schwäb* Eigentümlichkeit. 1900 ff.

Materialfehler *m* geistiger Defekt. 1910 ff.

Mathe (Mathi; Matte) *f* Mathematik; Mathematikarbeit; Mathematikunterricht. Schülersprachliche Verkürzung seit 1900. *Vgl engl* „matha"; *franz* „les mathes".

Mathematikfieber *n* ~ haben = unentschuldigt dem Unterricht fernbleiben. *Schül* 1910 ff.

Ma'these I (Ma'thes; Ma'thees) *f* Mathematik. Dem *Griech* entlehnt. *Schül* seit dem späten 19. Jh.

Ma'these II *m* Mathematiklehrer. 1900 ff.

Mathi *f* ↗ Mathe.

'Matka *f* Mädchen, Frau. Bezeichnet im Polnischen die Mutter, im Russischen das Weibchen. *Sold* in beiden Weltkriegen und nachher.

Matratze *f* **1.** kurzer, sehr dichter Bart; Vollbart. Er läßt an die Matratzenfüllung mit Roßhaar denken. 1900 ff.

2. dichter Haarwuchs eines stutzerhaften jungen Mannes. Nach 1950 wieder Mode geworden.

3. unvorschriftsmäßiger Haarschnitt eines Soldaten. *Sold* 1939–1945.

4. undurchsichtige Wolkendecke. Fliegerspr. 1939 ff.

5. kleines Schlauchboot. 1955 ff.

6. Plastonkrawatte. Sie dient als Vollbartersatz. 1955 ff.

7. Prostituierte; Maitresse, Konkubine. Sie dient dem Mann als Unterlage. 1900 ff.

8. Mädchen; intime Freundin. 1955 *ff,* *halbw.*

9. Radar; Funkmeßgerät. Die Antenne ist formverwandt mit der Sprungfedermatratze. *Marinespr* 1939 *ff.*

10. minderwertiger Tabak. Man raucht gewissermaßen das Seegras aus der Matratze. *Sold* 1914 bis heute.

11. aufgeplatzte ~ = hochtoupierte Damenfrisur. 1964 *ff.*

12. eingebaute ~ = Vollbart. 1930 *ff.*

13. zerrissene ~ = starke Brustbehaarung. Die Matratzenfüllung kommt zum Vorschein. 1930 *ff.*

14. an der ~ horchen = a) schlafen. 1910 *ff,* vorwiegend *sold. Vgl engl* „to consult the pillow". – b) Intimitäten anderer ausforschen. 1955 *ff.*

Matratzenball *m* **1.** geschlechtliche Vergnügung mit weiblichen Personen. Seit dem 19. Jh.

2. Bett. 1900 *ff.*

3. auf den ~ gehen = zu Bett gehen. 1900 *ff.*

Matratzenkundschaft *f* Bordellgäste. 1950 *ff.*

Matratzennahkampf *m* Liebesspiel, Beischlaf. ↗Nahkampf. 1939 *ff.*

Matratzenschoner *m* ausdauernder Zecher. Er findet nicht das Bett. 1925 *ff.*

Matratzensolist *m* Junggeselle. 1965 *ff.*

Matratzensport *m* Liebesspiel, Geschlechtsverkehr. 1930/40 *ff.*

Matronenspeck *m* Fettpolster älterer Frauen. 1920 *ff.*

Matrose *m* **1.** ~ Arsch = Rekrut beim seemännischen Personal. ↗Schütze. *Marinespr* 1939 *ff.*

2. ~ Arsch im letzten Glied = unterster Mannschaftsdienstgrad bei der Kriegsmarine. ↗Schütze. *Marinespr* 1939 *ff.*

3. ~n am Mast = Filzläuse. ↗Mast. *Sold* 1930 bis heute.

4. fluchen wie ein ~ = unflätig schimpfen. 1910 *ff.*

Ma'trosenpo'po *m* Matrose. Weniger derb als „Matrose Arsch". *Marinespr* 1939 *ff.*

Mats (Matz) *f* Mathematik. Vielleicht beeinflußt von *engl* „mathematics". 1900 *ff, oberd.*

matsch *präd* ~ sein = a) schlecht, krank, erschöpft sein (mein Magen ist matsch). Eigentlich ein Kartenspielerausdruck, beruhend auf *ital* „marcio = mürbe, faul" und von da weiterentwickelt zur Bedeutung „keinen Stich habend". Vorwiegend *oberd,* seit dem 19. Jh. – b) nicht bei klarem Verstand sein. 1900 *ff.*

Matsch *m* **1.** breiige Masse; weicher, nasser Straßenschmutz. ↗matschen 1. Seit dem 18. Jh, anfangs *nordd* und *mitteld.*

2. ~ am Paddel = Eis am Stiel. Im Umriß formähnlich mit einem Paddel. Nach 1945 aufgekommen.

3. ~ am Stecken (Stiel) = Eis am Stiel. 1950 *ff, schül.*

4. großer ~ = sportliches Meisterschaftsspiel. Eingedeutscht aus *engl* „match = Wettkampf". 1920 *ff, sportl.*

5. einen ~ anrichten = mit einem Wurf alle neun Kegel umwerfen. Es entsteht ein Durcheinander vom Kegeln. 1900 *ff.*

6. ~ in den Augen haben = begriffsstutzig sein. Der Schmutz im Auge verhindert den Durchblick. *Schül* 1925 *ff.*

7. jn zu ~ hauen = jn vernichtend schlagen. *Sold* 1939 *ff.*

Matschauge *n* **1.** durch Bindehautentzündung aufgedunsene Augengegend. ↗Matsch 1. Um 1920 aufgekommen, vielleicht im Zusammenhang mit dem Boxsport.

2. dummer Mann. Durch die aufgedunsene Umgebung der Augen erhält das Gesicht einen dümmlichen Ausdruck. *Vgl* auch ↗Matsch 6. 1920 *ff.*

3. Magisches Auge. Geht zurück auf die *engl* Aussprache von „magic eye". Technikerspr. 1955 *ff.*

4. Radar. Versteht sich wie das Vorhergehende. *BSD* 1965 *ff.*

5. Fernsehgerät. ↗Matschauge 3. 1960 *ff.*

6. du hast wohl lange kein ~ gehabt?: Drohfrage. ↗Matschauge 1. *Jug* 1930 *ff.*

Matschbirne *f* **1.** Geistesbeschränktheit. Weiterbildung von „weiche ↗Birne". 1920 *ff.*

2. Zustand nach durchzechter Nacht. *Sold* 1939 *ff.*

Matschbläke (-blöke) *f* Dummschwätzer. „Matsch" zielt auf den Festigkeitszustand des Gehirns, und „Bläke" oder „Blöke" spielt auf die schafsähnliche Stimme an oder meint die Zunge. ↗Matzbläke. 1910 *ff.*

Matsche *f* **1.** dicke, plumpe, träge Frau. Anspielung auf den weichlich-schwammigen Eindruck. 1900 *ff.*

2. Tomatentunke o. ä. Rocker, 1968 *ff.*

3. Töpfermasse. 1920 *ff.*

matschen *intr* **1.** in breiiger Masse (Schmutz) wühlen; Weiches zerdrücken. Schallnachahmender Natur. Seit dem 16. Jh.

2. das Tischtuch o. ä. beflecken; schmutzen. Seit dem 18. Jh.

3. es matscht = die Straße ist mit nassem Schmutz bedeckt; es regnet (schneit, taut), so daß Weg und Steg schmierig werden. Seit dem 19. Jh.

4. mit einer einzigen Kugel alle 9 Kegel umwerfen. ↗Matsch 5. 1900 *ff.*

5. fußballspielen (auf der Straße). ↗Matsch 4. *Jug* 1920 *ff.*

Mat'sches *f* Mathematik. *Vgl* ↗Mats. Wien 1950 *ff.*

matschig *adj* **1.** breiig, halb zergangen; kotig. 18. Jh.

2. regnerisch; auf das Tauwetter bezogen; durchnäßt. ↗matschen 3. Seit dem 18. Jh.

3. dumm. Anspielung auf Gehirnerweichung. 1950 *ff.*

4. abgearbeitet, erschöpft. ↗matsch. 1950 *ff.*

5. sehr minderwertig; häßlich. *Schül* 1965 *ff.*

6. ~ im Kopf = benommen; verwirrt; unter den Folgen einer Zecherei leidend. ↗matschig 3. 1950 *ff.*

Matschwetter *n* schmutziges Wetter (Straßenzustand!); Tauwetter. Seit dem 19. Jh.

Matte *f* **1.** lange Haare. Man faßt sie als eine Art Teppich auf. *Vgl engl* „mat = wirres Haar". *Halbw* 1955 *ff.*

2. Prostituierte. Hergenommen von der Unterlage bei Sportarten wie Bodenturnen, Ringen usw. 1950 *ff.*

3. Bett. Erweitert aus der Bedeutung „Fußdecke". *Nordd* 1955 *ff.*

4. Umhang (Poncho). Meint die grobe Decke (aus Bast oder Stroh), auch die Pferdedecke. *Halbw* 1955 *ff.*

4 a. ↗Mathe.

4 b. Geld (auch *pl*). Fußt auf *jidd* „matteno = Geschenk, Gabe". *Halbw* 1975 *ff.*

5. auf der ~ bleiben = sich nicht aufspielen; sachlich bleiben. Hergenommen von der Matte beim Ringsport: während des Kampfes darf die Matte nicht verlassen werden. 1920 *ff.*

6. einen an der ~ haben = nicht recht bei Sinnen sein. Man hat wohl einen heftigen Schlag an den Kopf (*vgl* ↗Matte 1) bekommen.. 1955 *ff.*

7. sich auf die ~ hauen = schlafen gehen. ↗Matte 3. *BSD* 1965 *ff.*

8. es haut ihn auf die ~ = er ist erschüttert; solchen Mißerfolg hat er nicht erwartet. Vom Ringsport übernommen. 1920/30 *ff.*

9. da kriegst du eine ~ = da mußt du lange warten. ↗Matte 1. *BSD* 1965 *ff.*

10. jn auf die ~ legen = a) jn besiegen, übertreffen, vernichten. Vom Ringkampf übertragen, etwa seit 1914. – b) jn heftig rügen. 1914 *ff.* – c) jn übervorteilen, betrügen, täuschen. *Vgl* ↗Kreuz 32 b. 1950 *ff.* – d) mit jm geschlechtlich verkehren.

11. auf der ~ stehen = als Interessent auftreten; Forderungen stellen. ↗Matte 5. 1960 *ff.*

Matthäi (Matthäus) 1. ~ am letzten = Geldmangel; letzte Barschaft. *Vgl* das Folgende. 1900 *ff.*

2. das ist ~ am letzten = das ist das Äußerste, das Ende, die letzte Frist. Geht zurück auf eine Stelle in Luthers Katechismus: „da unser Herr Jesus Christus spricht Matthäi am letzten: Gehet hin in alle Welt . . .". 1700 *ff.*

3. mit ihm ist es ~ am letzten = es steht schlecht um ihm; er ist seinem Bankrott oder Tod nahe. Seit dem 18. Jh.

Mattscheibe *f* **1.** Bewußtlosigkeit, Gedankenlosigkeit, Vergeßlichkeit, Begriffsstutzigkeit, Geistestrübung. Gegen 1930 der Fototechnik entlehnt: Mattscheibe ist die auf einer Seite feinkörnig aufgerauhte Glasscheibe, die nicht durchsichtig, nur noch durchscheinend ist.

2. Versager; langweiliger Mensch. 1930 *ff.*

3. Hunger. Er kann Geistestrübung bewirken. 1939 *ff.*

4. Bildschirm, Fernsehgerät. 1956 *ff.*

4 a. Sonnenbrille. 1974 *ff.*

5. über die ~ flimmern = im Fernsehen auftreten. Aus der Filmsprache („über die Leinwand flimmern") übernommen. 1960 *ff.*

6. ~ haben = a) benommen sein; nicht klar sehen können; einen leichten Rausch haben. ↗Mattscheibe . 1930 *ff.* – b) dumm, begriffsstutzig sein. 1930 *ff.*

7. ~ kriegen = trübsinnig werden. 1930 *ff.*

8. aus dir mache ich eine ~!: Drohrede. Der Betreffende soll bewußtlos geschlagen werden. *Schül* 1950 *ff.*

9. ~ sein = geistesbeschränkt sein. 1930 *ff.*

Mattscheibenbauch *m* Beleibtheit, angeblich verursacht durch zu langes Sitzen vor dem Bildschirm. 1968 *ff.*

Mattscheibenbesitzer *m* Besitzer eines Fernsehgeräts. *Iron* Anspielung auf „↗Mattscheibe 1". 1960 *ff.*

Mattscheibenmax *m* Verrückter, Irrsinniger. ↗Mattscheibe 1. 1965 *ff.*

Mattscheibenparagraph *m* § 51 StGB

(verminderte Zurechnungsfähigkeit). ↗Mattscheibe 1. 1960 *ff.*

Mattscheibenpolitiker *m* Politiker, der wiederholt (oft) im Fernsehen auftritt. 1965 *ff.*

Matz I *f* Mathematik. ↗Mats.

Matz II *m* **1.** einfältiger, alberner, eitler, weibischer Mann. Kurzform des männlichen Vornamens Matthias (Matthäus). Der beliebte Vorname steht stellvertretend für „Mann" (wie Peter, Michel u. a.). Die abwertende Geltung rührt vom üblichen Gebrauch der Kurzform als Rufname des Kindes her: der erwachsene Mann wird diesem gleichgestellt. Seit dem 17. Jh.
2. Versager. 1850 *ff.*
3. Schwein. Das Wort ahmt den Grunzlaut nach. Seit dem 19. Jh.
4. unreinlicher Mensch; Mensch, der beim Essen das Tischtuch verunreinigt. Analog zu ↗Schwein. Seit dem 19. Jh.
5. beleibter Mensch. In übertreibender Darstellung gilt er als „fettes Schwein". 1900 *ff.*
6. Singvogel. Verkürzt aus ↗Piepmatz. 1900 *ff.*
7. kleinwüchsiger Mensch. Er ist ein „Vögelchen". Seit dem 19. Jh.
8. kleiner Junge (Kosewort). *Vgl* ↗Hemdenmatz. Seit dem 19. Jh.
9. ich will ~ heißen, wenn . . .!: Beteuerungsformel. Versteht sich nach „↗Matz II 1". Seit dem 19. Jh.

Matz III *f* liederliche Frau. Meint in Bayern und Schwaben die Hündin. 1800 *ff.*

Matzbläke (Matzbleke) *f* **1.** dummer, unsympathischer Mensch. „Matz" ist der dumme Kerl (↗Matz II), und „Bläke" ist die Zunge. Zusammengenommen, ergibt sich die Bedeutung „dummes Maul". ↗Matschbläke. Seit dem 19. Jh.
2. bleich, krank aussehender Mensch. „Matz" ist mundartlich auch der Quark. 1930 *ff.*

Mätzchen *pl (n)* Kunstgriffe; Tricks, mit denen man Beifall heischt. Meint wohl Albernheiten, wie sie ein „Matz" vollführt (↗Matz II 1). 1800 *ff.*

mau *adj* **1.** dürftig, schwach, bedenklich; mangelhaft (als Leistungsnote). Soll auf das Wendische zurückgehen. Etwa ab 1850.
2. nicht vertrauenswürdig; kreditunwürdig. 1900 *ff.*

Maue *f* **1.** Hemdsärmel. *Niederd*, etwa seit 1300.
2. etw in der ~ haben = einen kräftigen Arm haben; stark sein. *Niederd* 1800 *ff.*

mauen *intr* zetern, murren, nörgeln. Übertragen vom Laut der Katze. 1900 *ff.*

Mauer *f* **1.** Abschirmen des Diebes gegen mögliche Beobachter; Mittäter, die den Dieb bei der Tat decken. 1900 *ff.*
2. tönende ~ = tosender Beifall bei Sportveranstaltungen. *Sportl* 1950 *ff.*
2 a. vor der ~ = vor dem Bau der Berliner Mauer (Stichtag ist der 13. August 1961). Nach 1961 aufgekommen.
3. bei mir ~, hier prallst du ab!: Ausdruck der Abweisung. 1920 *ff.*
4. ~ machen = a) den Dieb gegen Beobachter abschirmen. 1900 *ff.* – b) nichts verraten; die Mittäter nicht benennen. 1920 *ff.* – c) der angreifenden Fußballmannschaft den Weg zum Tor verstellen. *Sportl* 1920 *ff.*
5. ~ reißen = den Dieb gegen Beobachter

decken. Hängt wohl zusammen mit rüder Belästigung, um die Aufmerksamkeit vom (Taschen-)Dieb abzulenken. 1900 *ff.*

Mauerbauer *pl* **1.** die den Dieb gegen Beobachtung abschirmenden Mittäter. ↗Mauer 1 u. a. 1900 *ff.*
2. Fußballmannschaft, die das Tor durch Verstärkung der Verteidigerreihe abschirmt. ↗Mauer 4 c. *Sportl* 1920 *ff.*

Mauerblümchen *n* Mädchen, das nicht zum Tanz aufgefordert wird; unbeachtet bleibendes Mädchen; Einzelgängerin. Die betreffende Person sitzt im Tanzsaal an der Wand und „blüht im Verborgenen", wie eine Pflanze in der Mauerspalte leicht übersehen wird. Spätestens seit 1870. *Vgl engl* „wallflower".

Mauerbruder *m* zurückhaltend spielender Skatspieler. ↗mauern 1. 1920 *ff.*

Mauerleiche *f* zusammengesunken an einer Hauswand liegender Betrunkener. ↗Leiche. *Nordd* und *ostd* 1870 *ff.*

Mauermacher *m* Mittäter, der den Dieb gegen Beobachter deckt. ↗Mauer 4 a. 1900 *ff.*

Mauermann *m* **1.** Maurer. Seit dem 19. Jh.
2. Betrunkener, der sich an eine Mauer lehnt. 1870 *ff.*
3. zurückhaltend spielender Kartenspieler. *Vgl* ↗mauern 1. 1870 *ff.*
4. hinterhältiger Mann. Von den Kartenspielern übernommen. 1890 *ff.*

mauern *v* **1.** = trotz guter Karten das Spiel nicht wagen. Stammt entweder aus *jidd* „mora = Furcht" oder leitet sich her von den Maurern, die als langsam tätige Handwerker gelten. Kartenspielerspr. 1850 *ff.*
2. *intr* = sich nicht beteiligen; zurückhaltend sein. Erklärt sich aus dem Vorhergehenden. 1900 *ff.*
3. *intr* = Neuerungen sich widersetzen; sich sperren. 1900 *ff.*
4. *intr* = kein Geständnis ablegen. ↗Mauer 4 b. 1920 *ff.*
5. jn ~ = beim Wettlauf den gefährlichen Gegner so einkreisen, daß er sein Leistungsvermögen nicht voll entfalten kann. 1920 *ff, sportl.*
6. eine undurchdringliche Abwehrreihe aufbauen; sich völlig auf Verteidigung einstellen. *Vgl* ↗Mauer 4 c. Ballspielerspr. 1920 *ff.*

Mauerweiler *m* hohe Persönlichkeit des öffentlichen Lebens als Gast einer Stadt; gastierender Schauspieler. Gemäß schwülstiger Begrüßungsrede „weilt" der Betreffende „in den Mauern" der Stadt. Spätestens um 1850 in Theaterkreisen aufgekommen.

Mauerrunde *f* Skatrunde, bei der kein Spieler das niedrigste Spiel bieten kann. ↗mauern 1. 1900 *ff.*

Mauke *f* **1.** Gicht, Rheumatismus; Erkrankung; körperlicher Schaden. Eigentlich eine Fußkrankheit der Pferde (Hautentzündung mit Geschwulstbildung in der Fesselbeuge). Von der Kavallerie ins Umgangsdeutsch übernommen und verallgemeinert, etwa gegen 1840.
2. Leib. „Mauke" entweder im Sinne von Anschwellung oder als Vorratsraum (bei der Küche). 1900 *ff.*
3. *pl* = Füße; große, etwas verwachsene Füße. Übernommen aus dem Begriff „Fußanschwellung". 1850 *ff.*
4. *pl* = Schweißfüße. Hergenommen von

der üblen Geruch verbreitenden Klauenseuche. 1870 *ff.*

Maul *n* **1.** Mund; grobe, derbe Sprechweise. Vom Tier auf den Menschen übertragen mit dem Nebensinn des Ungesitteten. Seit dem 15. Jh.
2. Kuß. Seit dem 19. Jh.
3. böses ~ = gehässig über andere redender Mensch. 1500 *ff.*
4. freches ~ = frecher Mensch. Seit dem 19. Jh.
5. gottloses ~ = unflätige Ausdrucksweise. „Gottlos" hat hier die Bedeutung von „unehrerbietig". Seit dem 19. Jh.
6. koddriges ~ = freche Sprechweise. ↗koddrig. Seit dem 19. Jh.
7. loses ~ = unflätige, ungesittete Ausdrucksweise. ↗los I. 1600 *ff.*
8. ungewaschenes ~ = Lästerer. Eigentlich ein Mund, aus dem nur schmutzige Worte kommen. Seit *mhd* Zeit.
9. sich das ~ abwischen können = verzichten müssen; bei einer Verteilung leer ausgehen. Der Betreffende wischt sich den Mund ab, wie man es nach einer Mahlzeit tut; aber zu essen hat er nichts bekommen. Seit dem 19. Jh.
10. jm ein ~ anhängen = jn schmähen; sich über jn abfällig äußern. Man redet grob hinter dem Weggehenden her, als hefte man ihm einen Schandzettel an den Rücken. 1800 *ff.*
11. mit dem ~ arbeiten = schwatzen (statt zu arbeiten). 1900 *ff.*
12. jm das ~ aufknöpfen = jn zum Reden bringen; von jm ein Geständnis erwirken. Zugeknöpft = mundfaul, wortkarg. 1850 *ff.*
13. das ~ aufmachen = seine Meinung äußern; sich zum Reden anschicken. 1800 *ff.*
14. das ~ aufreißen = kräftig, derb reden; zornig sprechen; prahlen. Anspielung auf den weit geöffneten Rachen wilder Tiere. 1900 *ff.*
15. das ~ gewaltig aufreißen = großsprecherisch sein. Seit dem 19. Jh.
16. das ~ zu weit aufreißen (auftun) = zu offen reden; zuviel versprechen; übermäßig prahlen. Seit dem 17. Jh.
17. den Leuten das ~ aufreißen = den Leuten Anlaß zum Gerede geben. Seit dem 19. Jh.
18. die Mäuler aufreißen = verwundert, bestürzt über etw sich unterhalten. Seit dem 19. Jh.
19. das ~ aufsperren = über etw (jn) voller Erregung, Ärger oder Schadenfreude sprechen. Seit dem 19. Jh.
20. ~ und Nase aufsperren. ↗Nase.
21. der Stiefel sperrt (reißt) das Maul auf = das Oberleder hat sich vorn von der Sohle gelöst. 1840 *ff.*
22. das ~ dreschen = viel, lügnerisch reden. 1900 *ff.*
23. jm mit dem ~ erschlagen = jn verleumden, verunglimpfen. 1920 *ff.*
24. jm übers ~ fahren = jm heftig widersprechen; jn wegen einer Äußerung scharf zurechtweisen. Meint eigentlich einen Schlag auf den Mund. 1500 *ff.*
25. ihm fehlt ein halbes ~ = er soll schweigen. Gemeint ist, daß der Betreffende den Mund nicht schließen kann, weil ihm die Ober- oder Unterlippe fehlt. *Schül* 1950 *ff.*

26. das ~ fließen lassen = über etw unbedacht sprechen. 1900 ff.

27. nicht mit etw im ~ geboren sein = sich etw selbst erarbeitet haben. Andere haben es einfacher: sie werden mit „silbernem (goldenem) ↗Löffel" geboren. 1900 ff.

28. nicht aufs ~ gefallen sein = schlagfertig sein; um eine Antwort nicht verlegen sein. Der Betreffende hat beim Sturz Glück gehabt und ist beim Sprechen nicht behindert. Seit dem 19. Jh.

29. jm ums ~ gehen = jm zu Gefallen reden; jm schmeicheln. Übertragen von der Gebärde des Streichelns, indem man jm mit der Hand am Kinn oder Bart fährt. Seit dem 18. Jh.

30. das ~ gehen lassen = unbedacht reden; unvorsichtige Äußerungen tun. Man erlegt dem Mund keine Beschränkung auf, wie man etwa dem Pferd die Zügel locker läßt. 1900 ff.

31. wie aufs ~ geschlagen (gehauen) sein = keines Wortes mächtig sein. ↗Maul 24. 1900 ff.

32. ein ~ (ein ~ am Kopf) haben = viel, unflätig, zornig reden können. Seit dem 19. Jh.

33. hast du kein ~ am Kopf? = kannst du nicht reden? Seit dem 19. Jh.

34. ein böses ~ haben = gern lästern. 1500 ff.

35. ein freches ~ haben = frech, unverschämt, unehrerbietig reden. Seit dem 19. Jh.

36. ein großes ~ haben (führen) = viel reden können; sich aufspielen. Seit dem 15. Jh.

37. ein loses (lockeres) ~ haben = rücksichtslos sich äußern. ↗los I. 1600 ff.

38. über alles ein ~ haben = über alles seine Meinung äußern. 1800 ff.

39. das ~ auf dem rechten Fleck (an der richtigen Stelle) haben = schlagfertig sein. Übernommen von der schriftsprachlichen Redensart „das Herz auf dem rechten Fleck haben" im Sinne von „natürlich und vernünftig handeln". 1850 ff.

40. das ~ halten = schweigen; verstummen; verschweigen. Seit dem 19. Jh.

41. halt's ~ und sing' die Wacht am Rhein! = verhalte dich ruhig! halte keine aufrührerischen Reden! Soll auf die Aufforderung an einen Sozialdemokraten zurückgehen, das Singen der Marseillaise zu unterlassen. Etwa seit 1870/80.

42. halt' dein dreckiges ~! = verschone mich mit deinen unflätigen (frechen) Reden! 1900 ff.

43. sich das ~ sauberhalten = in etw nicht hineinreden; keine unvorsichtigen (unbedachten) Äußerungen von sich geben. Seit dem 19. Jh.

44. das ~ in alles hängen = sich in alles ungefragt einmischen. Übertragen vom Topfgucker, der sich tief über jeden Topf beugt, um zu schnuppern. 1900 ff.

45. das ~ hängenlassen = verdrießlich sein; schmollen; trotzen; ratlos sein. Anspielung auf die Hängelippe. 1500 ff.

46. ich haue dir aufs ~, daß dir die Zähne bataillonsweise (o. ä.) zum ~ (Arsch) rauskommen!: Drohrede. 1900 ff.

47. ich haue dir aufs ~, daß dir die rote Brühe zum Hals rausspritzt!: Drohrede. Rote Brühe = Blut. 1900 ff.

48. ich haue dir aufs ~, daß dir die Zähne

im Hals steckenbleiben!: Drohrede. 1900 ff.

49. dir juckt wohl das ~?: Drohfrage. Gemeint ist die Frage an einen lästerlich Redenden: „Du willst wohl auf den Mund geschlagen werden?" ↗jucken. 1920 ff.

50. in der Leute ~ kommen = Gegenstand der Unterhaltung der anderen werden; von den Leuten insgeheim gehässig kritisiert werden. 1700 ff.

51. das ~ nicht voll genug kriegen können = ein Vielesser sein. Seit dem 19. Jh.

52. jm ins ~ laufen = jm unerwartet begegnen. Seit dem 19. Jh.

53. er hat sein ~ daheim in der Schublade liegen lassen = er ist wortkarg, schweigt in angeregter Unterhaltung. 1900 ff.

54. ein ~ machen = verärgert oder beleidigt dreinschauen. Seit dem 19. Jh.

55. ein schiefes ~ machen (ziehen) = mürrisch, verdrießlich blicken. Seit dem 19. Jh.

56. jm das ~ machen = jm etw vorspiegeln. Man macht ein freundliches, harmloses Gesicht und verhehlt die Heimtücke. Seit dem 19. Jh.

57. jm das ~ lang machen = jn begierig machen; in jm Gelüste wecken. Der einen Genuß Erwartende senkt den Unterkiefer. 1800 ff.

58. jm das ~ wässerig machen = jm eine verlockende Aussicht eröffnen; jn begierig machen. Der Duft einer verlockenden Speise weckt Appetit und bewirkt Speichelabsonderung aus der Speicheldrüse. Seit dem 17. Jh. Vgl franz „faire venir à quelqu'un l'eau à la bouche" und engl „to make a person's mouth water".

59. um etw mit ~ und Klauen raufen = um etw heftig streiten. Aus der Tierwelt übernommen. 1900 ff.

60. jn aus dem ~ rauslassen = über jn nicht sprechen. 1900 ff.

61. sich das ~ dämlich reden = ausdauernd oder vergeblich auf jn einreden. ↗dämlich 1. 1900 ff.

62. sich das ~ fransig (franselig; in Fransen) reden = viel reden; eindringlich, aber vergeblich reden. ↗Fransen 6. Seit dem 19. Jh.

63. sich das ~ fusselig reden = ausdauernd auf jn einreden. ↗fusselig 3. 1830 ff.

63 a. sein ~ in etw reinhängen = sich in ein Gespräch einmischen. ↗Maul 44. Seit dem 19. Jh.

64. das ~ reißen = prahlen. ↗Maul 14. Seit dem 19. Jh.

65. jm aufs ~ scheißen = jn zum Schweigen bringen. Wohl als Drohrede gemeint. 1955 ff, Berlin.

66. hat dir einer ins ~ geschissen?: Frage an einen wortkargen Menschen. 1900 ff, bayr.

67. jm etw ins ~ schmieren = jm eine wünschenswerte Meinung eingeben. Hergenommen von einem Kind oder einem Kranken, dem man das Essen in den Mund schiebt. 1840 ff.

68. jm das ~ schmieren = jm schmeicheln; jn betrügerisch beschwatzen. Vgl ↗Maul 29. 1500 ff.

69. jm etw ums ~ schmieren = jm etw deutlich zu erkennen geben. Analog zu „jm etw unter die ↗Nase reiben". Seit dem 19. Jh.

70. sich das ~ schmieren lassen = sich

umschmeicheln lassen. Vgl ↗Maul 29. 1800 ff.

71. aus 'einem ~ schwatzen = übereinstimmen. Seit dem 19. Jh.

72. jm aufs ~ sehen (gucken, schauen) = a) jds Redeweise beobachten. 1500 ff. – b) darauf achten, wie einer (die Allgemeinheit) politische Neuerungen, wichtige Vorgänge o. ä. aufnimmt. 1950 ff.

73. das ist ihm nach dem ~ = das sagt ihm zu; das ist ganz nach seinem Geschmack. Bezieht sich eigentlich auf die zusagende Speise. Seit dem 19. Jh.

74. mit dem ~ gut zu Fuß sein = schlagfertig sein; frei zu reden wissen; viel reden. „Gut zu Fuß sein = ohne Beschwerden (unermüdlich, rastlos) gehen können"; Vgl „↗Mundwerk". Seit dem 19. Jh.

75. auf dem ~ sitzen = wortkarg sein; kein Wort äußern. 1920 ff.

76. sein ~ spazierenführen (spazierengehen lassen) = unbedacht reden, wie es einem gerade in den Sinn kommt. Seit dem 19. Jh.

77. jm das ~ stopfen = a) jn zum Schweigen bringen; jn zurechtweisen; jm die Lust zur Widerrede nehmen. Hergenommen vom Knebel, den man einem in den Mund steckt. Seit dem 15./16. Jh. Vgl franz „clouer le bec à quelqu'un". – b) jn bestechen; jds Verschwiegenheit durch Bestechung erkaufen. 1900 ff.

78. dem Radio das ~ stopfen = das Rundfunkgerät ausschalten. 1933 ff.

79. jm etw ums ~ streichen = jm etw deutlich machen. ↗Maul 69. Seit dem 19. Jh.

80. wenn er stirbt, muß man ihm das ~ extra totschlagen: Redewendung auf einen Vielschwätzer. Spätestens seit 1900.

81. jm das ~ verbieten = jn zum Verstummen auffordern (nötigen). Seit dem 19. Jh.

82. jm das ~ verbinden = jds Recht der freien Meinungsäußerung beschränken. Fußt auf der Vorstellung vom Maulkorb. Seit dem 19. Jh.

83. sich das ~ verbrennen (verbrühen) = sich durch Äußerungen schaden; unüberlegt sprechen. Hergenommen von heißer Speise, an der man sich den Mund verbrennt. 1500 ff.

84. sein ~ ist vermauert = er ist wortkarg. 1920 ff.

85. ihm ist das ~ vernäht = vor Überraschung oder Erschrecken ist er sprachlos. 1920 ff.

86. ein großes ~ verreißen = das große Wort führen; sich aufspielen. Vgl ↗Maul 14 und Maul 64. 1920 ff.

87. das ~ vollnehmen = zuviel versprechen; prahlen; auf gut Glück schwätzen. Entweder vom Vielesser übertragen oder von einem, der tief einatmet, um mehr und heftiger reden zu können. 1700 ff.

88. sich das ~ vollstopfen = prahlen. 1900 ff.

89. mit dem ~ voran sein (das ~ vorneweg haben; mit dem ~ vorneweg sein) = vorlaut sein. 19. Jh.

90. mit dem ~ wackeln = essen. 1940 ff.

91. das ~ wetzen = prahlen. ↗wetzen. Seit dem 19. Jh.

92. jm übers ~ wischen = jm grob entgegnen. Analog zu ↗Maul 24. Seit dem 19. Jh.

93. sich das ~ wischen können = bei der

Verteilung leer ausgehen. ↗Maul 9. Seit dem 19. Jh.

94. sich über etw (jn) das ~ zerreißen (zerfetzen, zerfransen) = über eine Sache oder Person gröblich lästern. Seit dem 19. Jh.

95. sich das ~ zerreißen = heftigen Einspruch einlegen; lautstark Klage führen; eine Sache unter allen Umständen zu verhindern suchen. Seit dem 19. Jh.

96. jn durchs ~ ziehen = über einen Abwesenden gehässig sprechen. Analog zu „jn durch die ↗Zähne ziehen". Seit dem 19. Jh.

97. das ~ zumachen = verstummen. Seit dem 19. Jh.

98. mach das ~ zu, dein Bandwurm erkältet sich = verstumme! schau' nicht so einfältig drein! Diese und die folgenden Redensarten beziehen sich auf den dümmlichen Gesichtsausdruck eines Menschen, der mit offenem Munde staunt, oder auf einen, der mit Geschwätz (vor allem mit unsinnigen Behauptungen) lästig fällt. Die Begründungen, warum der Betreffende den Mund schließen soll, lauten: „dein Bandwurm schielt"; „dein Charakter geht weg"; „dein Darm wird kalt"; „es gibt Durchzug"; „das Herz wird kalt"; „du verkühlst dir das Herz"; „sonst geht die Luft raus"; „sonst wird dir der Magen kalt"; „sonst erkältest du dir den Magen"; „deine Milchzähne werden sauer"; „die Mücken stechen in dein Herz"; „die Scheiße wird kalt" (sold); „die Scheiße wird sauer"; „sonst speib i dir nei (sonst spucke ich dir hinein)"; „sonst nimm i 's als Speibtrügerl her (sonst benutze ich es als Spucknapf)"; „die Spucke wird kalt"; „deine Stimmbänder rosten"; „es zieht". All diese Redensarten sind zwischen 1914 und 1930 aufgekommen.

Maulaffe m **1.** Schwätzer; neugieriger, dümmlicher Mann; Prahler. Geht zurück auf die Bezeichnung „Maulauf" für den aus Ton hergestellten Menschenkopf mit offenem Mund, in dem man den Kienspan (die Fackel) steckte. 1500 ff.
2. Klassensprecher. Schül 1950 ff.
3. alberner, eigensinniger Mensch. 1500 ff.
4. ~n feilhalten = offenen Mundes staunen; müßig herumstehen. 1500 ff.

Mäulchen n **1.** Kuß. Seit dem 19. Jh.
2. ~ haben = sehr redselig sein. Verniedlichung von ↗Maul 32. 1920 ff.

Maulchrist m **1.** Namenschrist (kein Tatchrist). Seit dem 16. Jh.
2. Prahler, Schwätzer; unzuverlässige Person. Sold 1910 ff.

Mauldiarrhöe f ~ haben (an ~ leiden) = des Redens kein Ende finden; sich in ununterbrochenem Redefluß äußern. Als Abart des Durchfalls aufgefaßt. 1870/80 ff.

maulen intr schmollen; nörgeln; launisch sein. Gehört zu „das ↗Maul hängenlassen". 1500 ff.

Maulesel m **1.** junger Mann zwischen Reifeprüfung und Studienbeginn. Übersetzung des gleichbed lat „mulus" im Sinne eines Mittelwesens zwischen Esel und Pferd. Ein „Esel" ist er nicht mehr, weil er durch Bestehen der Schulabschlußprüfung aus dem Kreis der Dummen ausgeschieden ist; aber ein „Pferd" ist er noch nicht, weil ihm noch die „Hohe Schule" (die Hochschule) fehlt. 1800 ff, stud.

2. launischer Mensch. ↗maulen. Seit dem 19. Jh.
3. Kraftfahrzeug mit Kettenantrieb; Raupenfahrzeug. Es ist verhältnismäßig langsam, aber kommt durch dick und dünn sicher voran: Eigenschaften, die Maultier und Maulesel zugeschrieben werden. Sold 1939 ff.
4. bepackt wie ein ~ = mit Paketen über und über beladen. ↗Packesel. 1950 ff.
5. bockig wie ein ~ = störrisch. 1920 ff.
6. störrisch wie ein (alter) ~ = widersetzlich, unfolgsam. 1920 ff.
7. stur (hartnäckig) wie ein ~ = unbeirrbar, unermüdlich. ↗stur. 1920 ff.
8. furzen wie ein ~ = anhaltend laute Darmwinde entweichen lassen. 1940 ff.

maulfechten intr dummschwätzen; auf gut Glück schwätzen. So handelt einer, der mit Heldentaten prahlt, aber im Ernstfall versagt. 1600 ff.

Maulficker m kinderloser Ehemann. Beim Geschlechtsverkehr versagt er offenbar, und er verdeckt dies durch prahlerische Redeweise. Sold 1939 ff.

'maulhän'cholisch ('maulhäng'kolisch) adj melancholisch. Hieraus um 1500 umgewandelt unter Einwirkung von „das Maul hängen" (↗Maul 45).

Maulheld m Schwätzer; Großsprecher. Ein Held mit dem Mund (= mit Worten), nicht mit der Waffe. Seit dem 18. Jh.

Maulhobel m **1.** Mundharmonika. Sie wird über den Mund bewegt nach Art eines Hobels. 1900 ff.
2. Zahnbürste. 1910 ff.

maulhobeln intr die Zähne putzen. Vgl das Vorhergehende. 1910 ff.

Maulhure f **1.** Frau, die sich erotischer Erfahrungen rühmt, aber den Beweis schuldig bleibt; Frau mit derb-erotischer Redeweise, aber ohne entsprechende Taten. Sie ist so wenig eine Hure, wie der „Maulheld" ein He022 ist. Seit dem 16. Jh.
2. Mensch, der gern obszöne Redewendungen gebraucht; Freund obszöner Zweideutigkeiten und Zoten. Er „hurt" nur mit Worten. 1900 ff.
3. großsprecherischer Mensch (außerhalb des geschlechtlichen Gebiets). Verallgemeinerung des Vorhergehenden. 1900 ff.

Maulhure'rei f **1.** Geschlechtslust, von der man spricht, ohne sie zu praktizieren. 1920 ff.
2. pathetisches Schwelgen in hohlen Imponiervokabeln. 1920 ff.

Maulkorb m **1.** Unterbindung der freien Meinungsäußerung; Beschränkung der Redefreiheit; Redeverbot. Bissigen Tieren legt man einen Maulkorb an. Seit dem späten 18. Jh.
2. Kopfverband, dessen Binden um das Kinn gelegt werden, so daß der Betreffende den Mund nicht öffnen kann. 1870 ff.
3. Tuch, das man bei Zahnschmerzen um Schädel und Kinn bindet. 1870 ff.
4. Gasmaske. Sold in beiden Weltkriegen.
5. Drahthaube des Fechters. 1920 ff.

Maulkorbgesetz n gesetzliche Beschränkung der (parlamentarischen) Redefreiheit, der Pressefreiheit. 1879 aufgekommen im Zusammenhang mit einem entsprechenden Gesetzesentwurf, der jedoch nicht die Zustimmung des Deutschen Reichstags fand.

Maulkrieger m Mann, der sich in der Heimat besseres strategisches Können an-

maßt. Ginge es nach ihm, gewänne er alle Schlachten mit dem Mund. Sold 1939 ff. Vgl engl „talky-fighty man".

Maulsalve f eingedrillter Schrei aller auf Kommando; gemeinsamer Begrüßungsruf. „Salve" meint das gleichzeitige Abfeuern mehrerer Schußwaffen. 1900 ff, sold; später auch schül.

Maulscheißer m Dummschwätzer; schwatzhafter Mensch. Gemeint ist der an „↗Mauldiarrhöe" Erkrankte. 1900 ff.

Maulschelle f **1.** Ohrfeige. Meint eigentlich den schallenden Schlag auf den Mund. 1500 ff.
2. Rüge. 1900 ff.

Maulsperre f **1.** Redeverbot; Untersagung freier Meinungsäußerung in der Öffentlichkeit. Eigentlich der Maulkrampf bei Pferden; hier im Sinne von „jm das Maul verbieten". (↗Maul 81) übertragen. Seit dem 19. Jh.
2. die ~ haben (kriegen) = vor Staunen sprachlos sein (werden). 1700 ff.
3. an ~ leiden = wortkarg sein; nichts äußern; kein Geständnis ablegen. 1920 ff.

Maulspitzen n da hilft kein ~, da muß gepfiffen werden = schöne Worte genügen nicht, man muß die Sache offen aussprechen. Gemeint ist, daß man den Mund nicht nur spitzen, sondern auch wirklich pfeifen soll. Seit dem 19. Jh.

Maultasche f Schwätzerin. Tasche = Vagina = Frau. Spätestens seit 1800.

Maultrommel f Mundharmonika. Eigentlich Vorläufer-Instrument der Mundharmonika. (Brummeisen). 1900 ff.

Maultrommler m Schwätzer, Hetzer, Aufwiegler, Volksverführer. ↗Trommler. 1920 ff.
2. Vorgesetzter, der zu schimpfen pflegt. 1920 ff.
3. Mundharmonikaspieler. 1900 ff.

Maul- und Klauenseuche f geschminkter Mund und gelackte Fingernägel. Der Viehkrankheit kurz nach 1920 unterlegte neue Bedeutung im Zusammenhang mit damals aufkommenden Modesitten.

Maulwurf m **1.** Tiefbau-, Erdarbeiter; Tunnelbauer. Die Tätigkeit erinnert an die des Maulwurfs. 1900 ff.
2. heimlicher Hetzer; im Hintergrund bleibender Aufwiegler. 1840 ff.
3. Pionier. Er legt tief in die Erde reichende Stollen an. 1870 ff, sold.
4. Soldat, der ein Deckungsloch aushebt; Panzergrenadier. Sold in beiden Weltkriegen und bis heute.
5. verkleideter Polizeibeamter. Er geht in den Untergrund. 1920 ff.
6. Archäologe. 1920 ff.
7. Mann, der mit anderen einen Fluchttunnel unter der „Berliner Mauer" gräbt. 1962 ff.

Maulzeitung f Nachrichtenübermittlung von Mund zu Mund. 1900 ff, ziv und sold.

Mau-Mau I m Obdachloser; Asozialer. Eigentlich Name der Rebellenbewegung gegen die britische Kolonialregierung in Kenia (1948 ff). Hier beeinflußt von „↗mau". 1957 ff.

Mau-Mau II f Obdachlosenasyl, -siedlung. 1965 ff.

Maunz f Rufname der Katze. Ahmt den Laut des Tieres nach. 1700 ff.

maunzen intr **1.** miauen. Vgl das Vorhergehende. 1700 ff.

2. schreien, wimmern (auf kleine Kinder bezogen). 1700 *ff.*

3. aufbegehren. *BSD* 1965 *ff.*

Maure I *f* Furcht. *Jidd* „mora = Furcht". *Rotw* seit dem frühen 19. Jh.

Maure II *m* ängstlicher Mensch. Vom Vorhergehenden auf die Person übertragen *Rotw* 1910 *ff.*

Maurer *m* **1.** zurückhaltender Kartenspieler. *↗* mauern 1. Seit dem 19. Jh.

2. bewaffnete ~ = Pioniere. *BSD* 1965 *ff.*

3. pünktlich wie die ~ = überaus pünktlich. Man sagt den Maurern nach, auf den Glockenschlag ließen sie ihr Handwerkszeug fallen und machten Feierabend. 1900 *ff.*

Maurerbrötchen *n* Flasche Bier. Maurer sollen das „flüssige *↗* Brot" dem gebackenen vorziehen. 1960 *ff.*

Maurerfrühstück *n* Stück Wurst mit Brötchen und einer Flasche Bier. 1920 *ff.*

Maurergeselle *m* *↗* Mauergeselle.

Maurerklavier *n* Zieh-, Mundharmonika. Wegen ihrer Verwendung bei Richtfesten. 1870 *ff.*

Maurerkotelett *n* Handkäse o. ä. Er steht angeblich im Rang eines Koteletts. 1880 *ff.*

Maurermeister *m* **1.** zurückhaltender Kartenspieler. *↗* Mauermann. 1870 *ff.*

2. auf Verteidigung spielende Fußballmannschaft. *↗* mauern 6. 1920 *ff.*

3. gehst du unter die ~?: Frage an einen Kartenspieler, der trotz guter Karten kein Spiel wagt. 1900 *ff.*

Maurerschweiß *m* **1.** billiger Schnaps. Stammt aus der Zeit, als man den Maurern nachsagte, sie hätten das Faulenzen erfunden, weswegen bei ihnen ein Tropfen Schweiß einen Taler koste. Spätestens seit 1900.

2. rar wie ~ = überaus selten; überaus kostbar. *Vgl* das Vorhergehende. 1840 *ff.*

Maus *f* **1.** Vulva. Vielleicht eine Nebenform von „*↗* Möse". 1500 *ff.*

2. junges Mädchen (Kosewort). Auch gern in der Verkleinerungsform gebraucht. Wohl wegen der kleinen Körpergestalt, der Zierlichkeit und Niedlichkeit. Seit dem 18. Jh.

3. *pl* = Hartgeld; Geld. Mäuse sind silbergrau wie auch die Silbermünzen. Wohl auch beeinflußt von „*↗* Moos". Etwa seit 1920; vorwiegend *halbw.*

4. *pl* = Wollflusen in der Tasche. Durch ihre Farbe und Weichheit erinnern sie an Mäuse. 1900 *ff.*

5. graue ~ = a) Soldat, der sich einer Straftat bezichtigt, um dem Fronteinsatz zu entgehen. Fußt auf der Farbensinnbildlichkeit: Weiß gilt als Farbe der Unschuld; Grau als Mischung zwischen Weiß und Schwarz ergibt den Begriff „verdächtig". *Sold* in beiden Weltkriegen. – b) Verhafteter, der sich einer Straftat bezichtigt, die er nicht begangen hat. 1950 *ff.* – c) grauer Herrenanzug; Mann in grauem Anzug. 1960 *ff.* – d) grau lackiertes Auto. 1960 *ff.* – e) unfrohe weibliche Person. 1950 *ff.* – f) unbedeutender, unauffälliger Mann. 1965 *ff.* – g) *pl* = Heeresangehörige. *↗* Mausgrauer. *BSD* 1965 *ff.*

6. keine ~ = niemand. Seit dem 19. Jh.

6 a. keine müde ~ = kein bißchen Geld. *↗* Maus 3. *Vgl* *↗* Mark I 5. 1950 *ff.*

7. rote ~ = Flakgeschosse mit Leuchtspur. Sie huschen am Himmel dahin. *Sold* 1935 *ff.*

8. spitze ~ = liebesgieriges junges Mädchen. *↗* spitz. 1955 *ff, halbw.*

9. stramme Mäuse = größere Geldstücke. *↗* Maus 3. 1960 *ff.*

10. süße ~ = Mädchen, Frau (kosewörtlich). *↗* Maus 2. Seit dem 19. Jh.

11. weiße ~ = a) Leuchtstreifen der Phosphormunition. *Vgl* *↗* Maus 7. *Sold* 1939 *ff.* – b) Verkehrspolizeibeamte; zur Verkehrsregelung eingesetzte Feldpolizei; Gendarmerie; amerikanische Militärpolizei. Sie tragen weiße Dienstmütze, weiße Handschuhe und weißen Gürtel. Vielleicht hat auch die Vorstellung von der schnellen Fortbewegung der Maus eingewirkt sowie das Verb „mausen = beschleichen, fangen". 1920 *ff.*

12. da beißt keine ~ den (einen) Faden ab = das ist unabänderlich. Hängt möglicherweise mit dem Gertrudentag zusammen, an dem die winterliche Spinnarbeit zu Ende ging; man erzählte sich, die Maus habe der Heiligen den Faden abgebissen. 1600 *ff.*

13. hör auf mit deinen Mäusen! = unterlaß den Unfug! Leitet sich her von weißen Mäusen, die der Phantasierende und Delirierende zu sehen glaubt. 1920 *ff.*

14. aussehen wie eine gebadete ~ = völlig durchnäßt sein. Früher hat man gefangene Mäuse meist ertränkt. 1600 *ff.*

15. er ist so dumm, daß ihn die Mäuse nicht mehr beißen = er ist überaus dumm. 1950 *ff, stud.*

16. das ist den Mäusen gepfiffen = das ist unnütz. Die Mäuse herbeipfeifen zu wollen, ist sinnlos. 1700 *ff.*

17. Mäuse haben = a) nicht recht bei Verstand sein. Versteht sich nach *↗* Maus 13. 1920 *ff.* – b) törichte Einwände machen. 1920 *ff.*

18. Mäuse im Kopf haben = lose Streiche planen; zu Unfug aufgelegt sein; wunderliche Eigenheiten zeigen. *↗* Maus 13. 1920 *ff.*

19. mit etw keine ~ hinter dem Ofen hervorlocken = mit etw keinerlei Anreiz ausüben. Variante zu „keinen *↗* Hund hinter dem Ofen hervorlocken", hier anspielend auf den Speck, den Mäuse nicht zu verschmähen pflegen. 1950 *ff.*

20. laß die Mäuse hüpfen! = gib mir Geld! *↗* Maus 3. *Halbw* 1950 *ff.*

21. da kommen die Mäuse mit Tränen in den Augen aus dem Kühlschrank = da lebt man überaus ärmlich. „Mäuse im Kühlschrank" ist mißverstanden aus „Mäuse im Küchenschrank". 1950 *ff.*

22. da muß sich die Maus Blutblasen im Kühlschrank = da lebt man in den dürftigsten Verhältnissen. *Vgl* das Vorhergehende. 1950 *ff.*

22 a. Mäuse machen = Geld verdienen, einbringen. *↗* Maus 3. 1920 *ff.*

23. mach' keine Mäuse! = a) mach' keine Umstände, Schwierigkeiten! lüge nicht! spiel' dich nicht auf! Spielt an entweder auf das Phantasiegesicht der weißen Mäuse oder auf die Maus als dem Menschen lästiges Tier. Seit dem 16. Jh. – b) treib' nicht solchen Scherz! *↗* Maus 18. Seit dem 19. Jh.

24. machen Sie Mäuse! = Ausdruck der Überraschung. 1900 *ff.*

25. Mäuse merken = einen verborgenen Schaden bemerken; Verdacht schöpfen.

Hergenommen vom strengen Geruch des Mäuseharns. Seit dem 18. Jh.

26. Mäuse riechen = Unrat wittern; nichts Gutes ahnen. Vorform des Vorhergehenden. 1500 *ff.*

27. Mäuse in den Keller schaffen = Geld verdienen. Ins Unanschauliche verdrehte Redensart: sinnfällig ist die Redewendung „Kohlen in den Keller schaffen". Die Bedeutungsgleichheit von „Kohlen = Geld" und „Mäuse = Geld" hat zu einer Fälschung des zugrundeliegenden Bildes geführt. 1969 *ff.*

28. mit toten Mäusen spielen = einem heiklen Thema ausweichen. 1950 *ff.*

29. tote ~ spielen = sich taub stellen. 1920 *ff.*

30. die Mäuse tanzen lassen = ausschweifend, ausgelassen leben. Fußt auf der Wendung „wenn die Katze aus dem Haus ist, tanzen die Mäuse über Tisch und Bänke". Hier ist mit den „Mäusen" das Geld gemeint. 1950 *ff.*

31. bei ihm laufen sich die Mäuse tot = er ist überaus geizig. 1920 *ff.*

mausbar *adj* leicht zugänglich; nicht abweisend; dem Flirt und Geschlechtsverkehr nicht abgeneigt. *↗* mausen 3. *Sold* 1939 bis heute.

mauscheln *intr* **1.** heimliche Abmachungen treffen; betrügerisch handeln. Fußt auf *hebr* „Mosche (gesprochen: Mausche) = Moses – Schimpfname für den (Schacher-)Juden". 1600 *ff.*

2. wie ein Jude reden. 1600 *ff.*

3. nörgeln; insgeheim aufbegehren; eine Verschwörung anzetteln. Seit dem 19. Jh.

4. Fachgespräche führen; an einem „Arbeitsessen" teilnehmen. 1960 *ff.*

5. unklar, undeutlich, mit jüdischen Wörtern durchsetzt sprechen. 1700 *ff.*

Mäuschen *n* **1.** kleines Kind (Kosewort). *↗* Maus 2. Seit dem 19. Jh.

2. junges Mädchen (Kosename). Seit dem 18. Jh.

3. leichtes Mädchen. Anspielung auf heimliches Naschen o. ä. Seit dem 18. Jh.

4. Anrede der Prostituierten an die Kunden. Etwa im Sinne von „Kindchen". 1700 *ff.*

5. Vulva, Vagina. *↗* Maus 1. 1500 (?) *ff.*

6. besonders reizempfindliche Stelle am Ellenbogen. Übersetzung von *lat* „musculus". Seit dem 19. Jh.

7. Student, der keiner farbentragenden Verbindung angehört. Grau als Sinnbild der Freudlosigkeit, des unfrohen Wesens. 1960 *ff.*

8. blaues ~ = Politesse; Parkuhr-Kontrolleurin. Sie trägt blaue Amtskleidung. 1960 *ff.*

9. gestiefeltes ~ = Straßenprostituierte. Sie macht Jagd auf den „gestiefelten Kater". Hohe Stiefel waren in den zwanziger Jahren Mode bei den (Berliner) Straßenprostituierten. 1925 *ff.*

10. leckeres ~ = reizendes Mädchen. In geschlechtlicher Hinsicht ist es appetitanregend. *↗* Mäuschen 2. 1900 *ff.*

11. ~ fangen (klingeln, spielen) = an den Haustüren läuten und weglaufen. Hergenommen vom Zugklingel-Holzgriff in Mäuschenform. 1800 *ff.*

12. da möchte ich ~ sein = das möchte ich insgeheim mitanhören (mitansehen). Seit dem 19. Jh. *Vgl franz* „je devrais être petite souris".

13. ~ spielen = heimlicher Ohren-, Augenzeuge sein. Seit dem 19. Jh.
14. totes ~ spielen = sich nicht rühren; eine Geldschuld wortlos schuldig bleiben. *Vgl* ↗Maus 29. 1920 *ff*.
15. ein ~ verbellen = ein Mädchen ansprechen zwecks Anknüpfung der Bekanntschaft. Der Jägersprache entlehnt: der Hund verbellt ein angeschossenes Stück Wild, um dem Jäger den Fundort anzuzeigen. 1900 *ff*.
Mäuschenjagd *f* Suche nach Mädchenbekanntschaften. ↗Mäuschen 2. 1900 *ff*.
'mäuschen'still *adj präd* sehr still und heimlich; völlig lautlos. Übertragen vom lautlosen Huschen der Mäuse. Seit dem 15. Jh.
mause *adj präd* **1.** tot. Verkürzt aus ↗mausetot. 1920 *ff*.
2. bankrott, mittellos. 1920 *ff*.
Mäusedreck *m* **1.** Winziges. Seit dem 19. Jh.
2. kleinwüchsiger Mensch. Seit dem 19. Jh.
3. aufgestellter (aufgerichteter) ~ = unbedeutender Prahler; Versager; Kleinwüchsiger. Vorwiegend *bayr* und *österr* seit dem 19. Jh.
Mausefalle *f* **1.** Haus mit mehreren heiratsfähigen Töchtern. In dieser Falle werden Junggesellen gefangen. *Vgl* ↗Männerfalle 1. 1870 *ff*.
2. Vulva, Vagina. *Vgl* ↗Maus 1; mausen 3 und 4. Seit dem 19. Jh.
3. anrüchiges Nachtlokal. *Vgl* ↗Falle 2. 1920 *ff*.
4. Bett. ↗Falle 4; ↗mausen 2 und 3. *Jug* 1960 *ff*.
4 a. polizeiliche Kraftfahrerkontrolle. *Vgl* ↗Maus 11 b. 1965 *ff*.
5. lebende ~ = a) Katze. 1870 *ff*. – b) weibliche Person, die einen arglosen Mann zwecks Heirat oder Ausbeutung umgarnt. ↗mausen 4. 1870 *ff*.
6. jn in eine ~ locken = jn in eine gefährliche, ausweglose Lage locken. 1870 *ff*.
7. in einer ~ sitzen = in einen Hinterhalt geraten sein, aus dem man sich ohne Hilfe von außen nicht befreien kann; sich in auswegloser Lage befinden. Seit dem 19. Jh.
Mausefallenhändler *m* **1.** liener. Eigentlich die mit selbstgefertigten Mausefallen in Deutschland hausierenden Italiener. Verallgemeinerung seit dem späten 19. Jh.
2. Hausierer. 1900 *ff*.
mauseflink *adj* sehr schnell. 1900 *ff*.
Mäusegebiß *n* Gebiß mit zierlichen Zähnen. 1920 *ff*.
mäuseln *intr* eine Frau intim betasten. ↗mausen 2. 1930 *ff*.
Mauseloch *n* **1.** jn ins ~ jagen = jn einschüchtern. Mauseloch = Schlupfwinkel. 1600 *ff*.
2. in ein ~ kriechen (sich verkriechen) mögen = aus Scham (Angst) sich verbergen mögen. 1600 *ff*.
Mäusemelken *n* es ist zum ~ = es ist unerträglich, zum Verzweifeln. Mäuse melken zu wollen, gilt als verzweifelt aussichtsloses Unterfangen. 1900 *ff*.
mausen *v* **1.** *tr* = etw stehlen; etw heimlich und listig entwenden. Meint eigentlich „Mäuse fangen"; von da weiterentwickelt zur Bedeutung „schleichen, um etwas zu erlangen". 1500 *ff*.

2. *intr* = Intimitäten austauschen. Seit dem 19. Jh.
3. *intr* = koitieren. ↗Maus 1. Seit dem 19. Jh.
4. *intr* = auf Männerfang gehen. Seit dem 19. Jh.
Mauseohr *n* ~en haben = hellhörig sein. Seit dem 19. Jh.
Mauser *m* **1.** Dieb. ↗mausen 1. 1600 *ff*.
2. Katze. Seit dem 19. Jh.
3. Frauenheld. ↗mausen 2. Seit dem 19. Jh.
mausern *refl* **1.** seine Gesinnung ändern. Übertragen vom jahreszeitlichen Federwechsel der Vögel. Seit dem 19. Jh.
2. sich vorteilhaft entwickeln. Sinnverwandt mit „↗flügge werden". Seit dem 19. Jh.
3. sich gemausert haben = sich neu eingekleidet haben. Seit dem 19. Jh.
Mausespatz *m* Kosename. 1920 *ff*.
'mause'tot *adj* **1.** (wirklich) tot. Stammt aus *niederd* „mu(r)sdot = ganz tot", wobei „murs, maus" aus „mors" den Sinn einer allgemeinen Verstärkung hat. 1600 *ff*.
2. ~ sein = mittellos sein; alles Geld im Spiel verloren haben. 1900 *ff*.
mausgrau *adj adv* **1.** mittelmäßig (bezogen auf den Gesundheitszustand, auf das Geschäftsleben usw.); nicht auffallend; unbedeutend; langweilig; einschläfernd. Grau als Mischton zwischen „weiß = gut" und „schwarz = schlecht". 1900 *ff*.
2. ~ gucken = betrübt, enttäuscht, unfroh dreinblicken. 1950 *ff*.
Mausi *f* **1.** Kosewort für eine weibliche Person. ↗Maus 2. Seit dem 19. Jh.
2. Rufname der Katze. 1900 *ff*.
mausig *adj* sich ~ machen = a) sich aufspielen; sich aus Eitelkeit vordrängen. Hergenommen vom Jagdvogel, der nach der Mauser frisch und kräftig ist. 1500 *ff*. – b) aufbegehren, widersetzlich sein. 1700 *ff*.
Max *m* **1.** Penis. 1920 *ff*.
2. billiger ~ = Geschäft mit sehr niedrigen Preisen. 1967 *ff*.
3. blecherner ~ = figürliche Schießscheibe. *Sold* 1930 *ff*.
4. feiner ~ = a) Stutzer. 1920 *ff*. – b) vornehm handelnder Mann. 1920 *ff*.
5. flotter ~ = Durchfall. 1950 *ff*.
6. schicker ~ = elegant gekleideter Herr. Berlin 1900 *ff*.
7. strammer ~ = a) kräftiger Mann. 1870 *ff*. – b) Athlet, der zwei anfahrende Autos hält. 1925 *ff*. – c) Schinken mit Spiegelei; rohes Hackfleisch mit Eiern, Zwiebeln und allerlei scharfen Zutaten. Anspielung auf angebliche geschlechtliche Leistungssteigerung u. ä. 1920 *ff*.
8. ~ am Kopf fassen = harnen. ↗Max 1. 1920 *ff*.
9. ~ die Hand geben = harnen. ↗Max 1. 1920 *ff*.
10. den feinen ~ spielen (machen, markieren, mimen) = sich stutzerhaft kleiden; sich gepflegt, vornehm geben; sich bedienen lassen. ↗Max 4. 1920 *ff*.
11. den strammen ~ machen = Ehrenbezeigungen straff ausführen. *Sold* 1935 *ff*.
12. den strammen ~ markieren = sich tatkräftig geben. 1935 *ff*.
13. auf feinen ~ mimen = vornehm tun (ohne es zu sein). 1950 *ff*.
14. den großen ~ mimen (machen, markieren, spielen) = sich aufspielen. 1920 *ff*.

15. wie sich das der kleine ~ vorstellt = in naiver Auffassung. 1900 *ff*.
Maxen (Maxn) *pl* Geld. Verkürzt aus der Bezeichnung „Maxd'or" für eine *bayr* Goldmünze des frühen 18. Jhs (geprägt unter Kurfürst Maximilian II. Emanuel). *Österr* 1800 *ff*.
maxen *intr* **1.** würfeln, um Geld spielen. *Vgl* das Vorhergehende. 1950 *ff*.
2. nix zu ~l: Ausdruck der Ablehnung. „Maxen" ist im *Nordd* scherzhaft aus „machen" umgeformt wegen des Binnenreims zu „nix". 1900 *ff*.
Maxi I *pl* Geld. ↗Maxen. *Bayr* seit dem 19. Jh.
Maxi II *m* knöchel- bis bodenlanger Mädchenrock (-mantel). Gegenwort zu „↗Mini" etwa seit 1967 in Verkürzung von „Maximum" oder „maximal".
Maxi-Look (Grundwort *engl* ausgesprochen) *m* Mode der knöchellangen Kleider. ↗Look. 1967 *ff*.
maximal *adj adv präd* hervorragend. Eigentlich auf ein Höchstmaß bezogen. *Halbw* 1950 *ff*.
Maximalverzichter *m* Normalverbraucher. Notgedrungen verzichtete er auf ein Maximum an Nahrungsmitteln usw. 1945–1948.
Maximum *n* Unüberbietbares. *Halbw* 1950 *ff*.
'maxist *adj* knöchel-, bodenlang (auf Rock oder Mantel bezogen). 1967 *ff*.
Maxn *pl* ↗Maxen.
mealen (*engl* ausgesprochen) *intr tr* essen. 1955 in der Bundeswehr aus dem *Engl* übernommen.
Mechanichtsnutz (Mechanixnutz) *m* **1.** nicht funktionierender Mechanismus. Zusammengesetzt aus „Mechanismus" und „Nichtsnutz". 1930 *ff*.
2. Mechaniker. 1930 *ff*.
Mechanismus *m* den ~ ölen = ein Glas Alkohol zu sich nehmen; wacker zechen. 1900 *ff*.
Meckerband *n* Tonband, auf dem Wünsche der Bürger gegenüber der Stadtverwaltung aufgenommen werden. ↗meckern 1. 1965 *ff*.
Mecker-Ecke *f* **1.** Zeitungsspalte für beschwerdeführende Leser. 1950 *ff*.
2. öffentlicher Platz, auf dem jeder laut seine Meinung sagen und Kritik üben kann. Nach dem Vorbild von „Speaker's Corner" im Londoner Hyde-Park eingerichtet. 1966 (Moorweide in Hamburg) *ff*.
Meckerkasten *m* öffentlicher Kasten zur Entgegennahme von Beschwerden der Bürger an die Verwaltung; Zeitungs-, Zeitschriftenseite mit Leserbriefen. 1950 *ff*.
Meckermeister *m* **1.** Meckerleiter. Er ist der oberste Kritiker der Schüler. 1950 *ff*.
2. Schulhausmeister. 1950 *ff*.
meckern *intr* **1.** nörgeln; (kleinliche) Kritik üben. Lautmalend für die Stimme des Ziegenbocks. Auf den Menschen übertragen wohl unter Einwirkung von „mäkeln = tadeln". Als politische Mißäußerung seit 1933 geläufig, aber hundert Jahre älter. Als unpolitisches Nörgeln im 18. Jh aufgekommen.
2. mit den Bordwaffen schießen. Wegen der Klangähnlichkeit mit dem Laut der Ziegen. Fliegerspr. 1939 *ff*.
3. Flakgranaten abfeuern. *Sold* 1939 *ff*.
4. der Motor meckert = der Motor läuft unregelmäßig. 1920 *ff*.

5. mecker' nicht soviel, Ziegenfutter ist knapp (teuer): Rat an einen Nörgler. 1920 ff.

6. beim Kommiß ~ und zu Hause den Kitt aus dem Fenster fressen = im Essen wählerisch sein. ↗Kitt 14. *Sold* 1939 bis heute.

Meckerphon *n* Megaphon. Hieraus abgewandelt unter Einfluß von „meckern". 1910 ff.

Meckerspalte *f* Zeitungsspalte mit Leserbriefen. 1950 ff.

Meckertag *m* Tag, an dem einer an allem und jedem zu nörgeln hat. 1960 ff.

Meckertüte *f* **1.** Mikrophon, Megaphon. *Vgl* ↗Meckerphon. 1920 ff.

2. Kommandotrichter des Ruderbootführers. 1930 ff.

Mecki (Meckifrisur) *m (f)* gleichmäßig kurzgeschnittenes, aufwärts gebürstetes Haar. Benannt nach „Mecki", der von der Firma Gebrüder Diehl (Grünwald bei München) für den Märchenfilm „Der Wettlauf des Hasen mit dem Swinegel" geschaffenen, seit Herbst 1949 zum Redaktionssymbol der Zeitschrift „Hör zu" gewählten Igelfigur; *vgl* ↗Erdmecki. 1950 ff.

Meck'meck *f* Ziege. Nachahmung des Blökens der Ziege. 1900 ff.

Medine *f* Landgemeinde; armseliger Ort. Fußt auf *jidd* „medina = Land, Gerichtsbezirk; Gegend". Seit dem 19. Jh.

Medizinmann *m* **1.** Arzt. Eigentlich der Zauberdoktor und Kultmeister, Heiler und Heilsmann. Seit dem 19. Jh.

2. ärztlicher Betreuer (Masseur o. ä.) einer Sportmannschaft. *Sportl* 1950 ff.

3. Sanitätssoldat. *BSD* 1965 ff.

Meeresfrüchte *pl* Fische. Mißglückte Nachahmung dichterisch gehobener Sprache oder von Mittelmeer-Urlaubern eingeführte Übersetzung aus *ital* „frutti di mare". 1967 ff.

Meerrettich *m* langer ~ = langes Gerede. Meerrettich = Kren (*vgl* ↗Kren). *Schül* 1900 ff.

Meerschweinchen *n* **1.** Seemannsliebchen, Matrosenbraut (nicht *abf*). 1900 ff.

2. umherziehende Theatertruppe. Hergenommen vom Kleintierzirkus, in dem auch Meerschweinchen vorgeführt wurden. 1900 ff.

Meeting (*engl* ausgesprochen) *n* **1.** Keller-Party; Treffen o. ä. Übertragen von *engl* „meeting = Begegnung, Sitzung, Zusammenkunft". *Schül* 1960 ff.

2. Schulfeier. 1960 ff.

Mehlpamp *m* dicker Mehlbrei. ↗Pamp. *Nordd* seit dem 19. Jh.

Mehlpampe *f* Mehlsuppe. ↗Pampe. Seit dem 19. Jh.

'Mehlspeis'tiger *m* Mensch, der gern Mehlspeisen ißt. ↗tigern. Wien 1935 ff.

Mehlwurm *m* **1.** Müller. Eigentlich die Larve des Mehlkäfers. Berufsschelte seit dem 18. Jh.

2. Bäcker. Seit dem 19. Jh.

3. gselchter ~ = Schimpfwort. Geselcht = getrocknet, geräuchert. *Österr* 1950 ff.

4. *pl* = Nudeln. Sie sind gelblich und schlank wie die Larven des Mehlkäfers. *BSD* 1965 ff.

mehr *adv* **1.** nach ~ schmecken = gut schmecken, noch weiteren Appetit machen. Seit dem 19. Jh.

2. er wird nicht ~ = a) er wird nicht wieder gesund. 1700 ff. – b) er ist überaus dumm; er ist hoffnungslos verblödet. Seit dem 19. Jh.

3. das ist nicht ~ als sie wert ist: Redewendung, wenn einer eine Karte mit einer nicht viel höheren sticht. Kartenspielerspr. seit dem 19. Jh.

4. ich kann nicht ~: Ausdruck der Überraschung. Vor Verwunderung oder Erschrecken schwinden die Kräfte, man fällt in Ohnmacht. 1900 ff.

5. ~ werden es nicht: Zuruf an den Skatspieler, der bei mehrmaligem Zählen nur 60 Punkte erreicht hat; Zuruf an einen, der seine Barschaft zählt. Seit dem 19. Jh.

meh'rerere *pl* mehrere. Scherzhaft erweiterte Mehrzahl, anzudeuten, daß es sich um sehr viel mehr als nur um zwei handelt. 1870 ff.

Mehrheit *f* **1.** schweigende ~ = nicht aufbegehrende Mehrheit der (wahlberechtigten) Bevölkerung, der Abgeordneten, der Parteimitglieder o. ä. Nach 1950 übernommen aus *engl* „silent majority".

2. unterdrückte ~ = die Schüler. 1960 ff.

Mehrwutsteuer *f* Mehrwertsteuer. Ihre Einführung erregte die Gemüter (weil die Umsatzsteuer vorher undurchsichtig – und für den Verbraucher nicht erkennbar – war). 1968 ff.

Mehrzahl *f* man muß sie in der ~ anreden = sie ist schwanger. 1920 ff.

Mehrzweckpapier *n* Briefbogen, der auch als Abort- oder Zigarettenpapier, zum Wursteinwickeln usw. verwendet werden kann; Spezialkrepp-Papier, mitzutragen im Behälter für die Lebensmittelkonzentrate. *Sold* 1939 ff; *BSD* 1965 ff.

Meier *m* **1.** betrügerischer Händler. ↗meiern. 1900 ff.

2. Betrogener. ↗meiern. 1900 ff.

3. Reichs-Luftfahrtminister Hermann Göring. 1939 sagte er in einer Rede, er wolle Meier heißen, wenn nur ein einziges feindliches Flugzeug die deutschen Landesgrenzen überfliege.

4. ~ mit einem weichen Ei = Maier, Mayer, Meier, Meyer. Scherzantwort, wenn einer gefragt wird, wie sein phonetisch „Meier" lautender Name geschrieben werde. Spätestens seit 1900.

Meie'rei *f* **1.** üppiger Frauenbusen. Eigentlich der Milchwirtschaftsbetrieb, die Molkerei. Anspielung auf die Milchdrüsen. Seit dem frühen 19. Jh.

2. Betrug; Übervorteilung. *Vgl* das Folgende. 1900 ff.

meiern *v* **1.** *tr* = jn übervorteilen. Fußt entweder auf *jidd* „mora = Einschüchterung" oder hängt zusammen mit dem Recht des Gutsherrn, Bauern, die eigene Güter besitzen, zum Verkaufen zu zwingen. Seit dem 19. Jh.

2. *intr* = sich einschmeicheln; eine Frau umwerben. Vielleicht übertragen von der Liebedienerei des Meiers gegenüber dem Gutsherrn. 1900 ff.

3. es meiert = feindliche Flugzeuge überfliegen die Reichsgrenze. ↗Meier 3. 1940 ff.

Meile *f* **1.** schmutzige ~ = Stadtgegend mit Vergnügungslokalen, Prostituiertenbetrieb und überhöhten Preisen, mit Rauschgifthändlern, Hehlern, Schlägern usw. „Meile" ist hier nicht Längenmaß, sondern verkürzt aus „Bannmeile = Schutzbereich

(im Umkreis einer Meile)". Nach 1950 aufgekommen.

2. sündige ~ (sündigste ~ der Welt) = Hamburgs Vergnügungsviertel in St. Pauli (Reeperbahn). 1950 ff.

mein *pron* **1.** es mit ~ und dein nicht genau nehmen = diebisch sein. Seit dem 19. Jh.

2. ~ und dein nicht unterscheiden können = diebisch sein. Seit dem 19. Jh.

3. ~ und dein vertauschen = diebisch sein. Seit dem 19. Jh.

meinen *m* **1.** ~ Sie mir oder ~ Sie mich?: Frage, anzudeuten, daß man keine Unterhaltung wünscht. Berlin seit dem ausgehenden 19. Jh.

2. das hast du gemeint: Ausdruck der Ablehnung oder Verneinung. 1900 ff.

Meinung *f* **1.** jm die ~ blasen = jn zur Rede stellen. „Blasen" ist übernommen aus der Redewendung „jm den ↗Marsch blasen". 1950 ff.

2. jm die ~ geigen = jm unumwunden die Meinung sagen; jn grob zurechtweisen. Ursprünglich auf Stockhiebe bezogen, mit denen man dem Betreffenden den Rücken „geigt". Seit dem 18. Jh.

3. die ~ mit dem Holzhammer auf den Kopf geschlagen kriegen = eine fremde Meinung auf derbe Weise vermittelt (aufgezwungen) bekommen. ↗Holzhammer. 1933 ff.

4. zu etw keine ~ haben = zu etw keine Lust haben. Meinung = Sinn. *Sold* 1939 ff.

5. keine ~ haben = kein Geld haben. Hehlausdruck. *BSD* 1965 ff.

6. jm die ~ sagen = jn ausschelten. Seit dem 16. Jh.

7. jm etw ~ stoßen = jm nachdrücklich beibringen, was er für richtig zu halten hat. Die Belehrung war ursprünglich von Stößen gegen die Brust oder von Tritten gegen das Schienbein begleitet. 1914 ff.

8. die ~ wie das Hemd wechseln = keine feste Gesinnung haben; wankelmütig sein. Seit dem 19. Jh.

Meinungsakrobat *m* Meinungsforscher. Seine Akrobatik besteht vorwiegend in der Auswertung der Umfrageergebnisse. 1950 ff.

Meinungsfabrik *f* **1.** Zeitung. 1920 ff.

2. Institut für Meinungsforschung. 1955 ff.

3. Bundespresseamt. 1960 ff.

Meinungsknopf *m* Knopf (*engl* „button") mit einer Aufschrift, durch die der Träger seine politische, weltanschauliche Meinung zum Ausdruck bringt („Atomkraft – nein danke"; „Schwerter zu Pflugscharen"); 1978 ff.

Meinungsmache *f* Beeinflussung der öffentlichen Meinung. 1960 ff.

Meinungsmacher *m* Beeinflusser der öffentlichen Meinung. 1960 ff.

Meise *f* **1.** Unzurechnungsfähigkeit; Geistesbeschränktheit. Analog zu „einen ↗Vogel haben". 1920 ff, von Berlin ausgegangen.

2. Vulva. Nebenform zu ↗Möse. 1800 ff.

3. intime Freundin. *Halbw* 1955 ff.

4. Zigarette. Herleitung unbekannt. 1935 ff.

5. eine (gutgefütterte) ~ haben (eine ~ im Gehirn haben; eine ~ unterm Pony haben) = nicht recht bei Verstand sein. ↗Meise 1. 1920 ff.

Meisenkasten *m* Kopf. In ihm wohnt die „↗Meise 1". 1950 *ff.*

Meister *m* 1. ~ Nadel (~ von der Nadel) = Schneider. 1800 *ff.*
2. ~ Pfriem = Schuhmacher. Pfriem = Schusterahle. Seit dem 18. Jh.
3. ~ von der Schere = Frisör. 1920 *ff.*
4. ~ im Seitensprung = chronischer Ehebrecher. 1936 *ff.*
5. ~ vom Stuhl = a) Abortwärter. Stuhl = Stuhlgang oder Abortsitz. 1910 *ff.* – b) Polizeiarzt, der die Prostituierten untersucht. Stuhl = Untersuchungsstuhl. 1920 *ff.* – c) Facharzt für Darmleidende. 1940 *ff.*
6. ~ Zwirn = Schneider. 1800 *ff.*

Meisterform *f* in ~ sein = höchstleistungsfähig sein. ↗Form 1. *Sportl* 1920 *ff.*

Meistermacher *m* Fußballtrainer. 1960 *ff.*

Meisterschuß *m* 1. hervorragender Tortreffer. ↗Schuß. *Sportl* 1920 *ff.*
2. treffsicherer Anklagepunkt. Er überführt den Beschuldigten unwiderleglich. 1920 *ff.*

Melancholiefransen *pl* 1. Schwermut; Niedergeschlagenheit; trübe Gedanken; seelische Erschütterung. Meint eigentlich eine Haartracht, die dem Gesicht einen schwermütigen Ausdruck verleiht. 1939 *ff.*
2. weinerliche Stimmung, Selbstvorwurfsstimmung des Bezechten. 1939 *ff.*

Melancholischer *m* einen (den) Melancholischen kriegen = in melancholische Stimmung geraten. 1920 *ff.*

melankatholisch *adj* 1. mißgestimmt, niedergeschlagen. Zusammengesetzt aus „melancholisch" und „↗katholisch 3". 1910 *ff.*
2. im Portemonnaie ~ sein = wenig Barschaft haben. ↗katholisch 10. 1910 *ff.*

melanklöterig (-klüterig) *adj* wehmütig. Zusammengesetzt aus „melancholisch" und „↗klöterig". *Nordd* 1870 *ff.*

melden *v* nichts zu ~ haben = einflußlos sein; eine untergeordnete Stellung bekleiden; nichts gelten. Parallel zu „nichts zu ↗sagen haben". Seit dem 19. Jh.

Meldung *f* dicke ~ = Meldung über einen schwerwiegenden Verstoß. 1930 *ff.*

melken *tr* 1. ausrauben, schröpfen, erpressen; Vorteil aus jm ziehen; jm hohe Steuern abverlangen; Beischlafdiebstahl begehen. Im 16. Jh aus der Milchwirtschaft übertragen.
2. jm beim Spiel viel Geld abgewinnen. Seit dem 19. Jh.
3. beim Kartenspiel die Karten einzeln austeilen. Seit dem 19. Jh.
4. einen Automaten aufbrechen und ausrauben. 1950 *ff.*
5. onanieren. 1900 *ff.*

Melkkuh *f* gute Einnahmequelle; Mensch, der geldlich ausgenutzt wird. Eigentlich die milchgebende Kuh. 1800 *ff.*

Me'loche *f* schwere Arbeit. Nebenform zu ↗Maloche. 1800 *ff.*

Melodie *f* 1. nach der ~ = in der üblichen Weise (es geht nach der Melodie „Maulhalten" = ob es uns paßt oder nicht, es ist immer dasselbe: wir haben zu schweigen). Variante ↗Lied 1. 1900 *ff.*
2. diese ~ kenne ich = der übliche Verlauf ist mir bekannt. 1930 *ff.*
3. ~n kotzen = ohne Noten (unsicher) musizieren (sehr *abf*). 1900 *ff.*

Melone *f* 1. steifer, runder, schwarzer (grauer) Herrenhut. Um 1850 von England

aus in Mode gekommen; ins Deutsche entlehnt aus *franz* „chapeau melon = melonenförmiger Hut".
2. Kopf, Glatzkopf. 1900 *ff.*
3. Gesäß. 1840 *ff.*
4. leck' mich an der ~ (leck' mir die ~)!: Ausdruck der Abweisung. Variante des Götz-Zitats. 1900 *ff.*

Memme *f* 1. furchtsamer, energieloser Mensch; Feigling. Meint eigentlich „mamme, memme = Mutterbrust", dann auch die stillende Mutter; von da verallgemeinert zur Vorstellung des von der Mutter verweichlichten Jungen. 1500 *ff.*
2. Nichtskönner, Versager. 1870 *ff.*
3. sich zur ~ saufen = durch Trunksucht energielos, untauglich, vertrauensunwürdig werden. 1950 *ff.*

Menage (*franz* ausgesprochen) *f* 1. Verpflegung. Meint im *Franz* die Haushaltung, den Hausrat. Im 18. Jh bei uns auf die Truppenverpflegung übertragen. Neu aufgelebt um 1950 in Halbwüchsigenkreisen.
2. eine ~ nehmen = etw essen. *Halbw* 1950 *ff.*

Menagerie (*franz* ausgesprochen) *f* Gewürzständer aus der Speisetisch. Kellnerspr. aus „Menage" abgewandelt; 1960 *ff.*

Menge I *m* Erwachsener; junger Mann. Geht wohl zurück auf „Manger, Menger = Händler". *Schül* 1950 *ff*, Graz.

Menge II *f* 1. eine ganze ~ = viel, viele. Seit dem 19. Jh.
2. in häßlichen ~n = in sehr großer Anzahl. Häßlich = unschön, unangenehm. 1920 *ff.*
3. jede ~ = viel; unbegrenzt viel. Stammt aus der Marktfrauen- und Kaufmannssprache: man verkauft sowohl in kleinen als auch in großen Mengen. Von da übertragen auf alle Bereiche des menschlichen Lebens (es gibt jede Menge Liebe, Sonne, Regen usw.). Vielleicht beeinflußt von *engl* „any amount". Gegen 1920 aufgekommen; vor allem durch Soldaten verbreitet.
4. in rauhen ~n = in großer Anzahl. ↗Masse 5. 1914 *ff.*
5. schwere ~ = viele. 1700 *ff.*
6. in der ~ baden = die Nähe zur Menschenmenge suchen und genießen. *Vgl* ↗Bad 4. 1970 *ff.*

mengelieren *v* 1. *tr* = etw mengen, mischen. Zusammengewachsen aus *dt* „mengen" und *franz* „mêler". Seit dem 19. Jh.
2. eine Sache ~ = eine Sache erledigen, meistern. Hergenommen vom Teig, der gründlich geknetet werden muß. 1910 *ff.*
3. sich in etw ~ = sich in eine Sache einmischen. Seit dem 19. Jh.

mengen *tr* 1. etw geschickt bewerkstelligen; etw auf fragwürdige Weise zustandebringen. Hergenommen vom „Vermengen = Zusammenbringen" der Bestandteile oder vom Vermischen eigentlich unvereinbarer Dinge. 1920 *ff.*
2. jm eine ~ = jn ohrfeigen. Vielleicht so zu verstehen, daß von dem Schlag die Gesichtszüge durcheinandergeraten. 1920 *ff.*

Mengenrabatt *m* Zusammenziehung mehrerer Freiheitsstrafen zu einer Gesamtstrafe, die wesentlich geringer ist als die Summe der Einzelstrafen; Herabsetzung des Strafmaßes. Meint im Kaufmän-

nischen die Preisermäßigung bei Abnahme größerer Mengen. 1920 *ff.*

Men'kenke (Men'kenken, Men'kenkes) *f n (pl)* Täuschung, Schwindel; Umschweife. Streckform zu „mengen" im Sinne von „Gemisch, Durcheinander". 1840 *ff.*

Mensch I *m* 1. ~!: gemütliche Anrede; Ausruf der Verwunderung. (z. B.: Mensch, du bist wohl verrückt?!; Mensch, was eine Menge Schnee!). 1750 *ff.*
2. ~ Meier!: Ausruf des Erstaunens. Meier ist ein weitverbreiteter Familienname und steht geradezu für „Mann". 1900 *ff.*
3. ~ in Aspik = Insasse eines Kabinenrollers. ↗Mann 11. 1950 *ff.*
4. ~ in innerer Emigration = Einzelgänger. Meint eigentlich den während der NS-Zeit in Deutschland verbliebenen Gegner des Nationalsozialismus. *Halbw* 1955 *ff.*
5. ~ von Format = Mensch von (innerer oder äußerer) Bedeutung. ↗Frau 9. 1900 *ff.*
6. ~ in Gelatine = Insasse eines Kabinenrollers. ↗Mann 11. 1956 *ff.*
7. ~ in Jus (*franz* ausgesprochen) = Insasse eines Kabinenrollers. *Franz* „jus = Saft, Gallert". ↗Mann 11. 1956 *ff.*
8. ~ ohne Zeitgefühl = Altgedienter. Man meint, er habe kein Gefühl dafür, daß er mittlerweile zu alt ist, oder daß sich die Zeitumstände wesentlich geändert haben. *BSD* 1965 *ff.*
9. ausgezogener ~ = Anhänger der Freikörperkultur. 1950 *ff.*
10. herzloser ~ = Kartenspieler, der wider Erwarten das Herz-As trumpft, weil er nicht bedienen kann. In eigentlicher Bedeutung ist er gefühllos, in übertragener ohne eine Herzkarte. Kartenspielerspr. seit dem 19. Jh.
11. kein ~, kein Tier, – ein Panzergrenadier: Spottausdruck auf die Panzergrenadiere. Vorgeformt in dem Neckvers „halb Mensch, halb Vieh, – aufs Pferd gesetzte Infanterie" auf das 1. bayr. Schwere-Reiter-Regiment Prinz Karl von Bayern in München. *BSD* 1965 *ff.*
12. kein ~, kein Tier, – ein Pionier: Spottwort auf die Pioniere. *Vgl* das Vorhergehende. *BSD* 1965 *ff.*
13. letzter ~ = Versager, Dummer. 1960 *ff.*
14. nachgemachter ~ = Mensch ohne jeden erkennbaren Vorzug; kräftiges Schimpfwort. Der Gemeinte ist kein Original, sondern eine (mißglückte) Imitation. *Sold* in beiden Weltkriegen; auch *ziv.*
15. zweigleisiger ~ = zwielichtiger Mensch; vertrauenswürdiger Mensch; einer, der es mit Freund und Feind hält. Dem Eisenbahnwesen entlehntes Adjektiv. 1950 *ff.*
16. wie der erste ~ = weltunerfahren, unwissend, unbeholfen, unmodern. Seit dem frühen 20. Jh.
17. sich wie der erste ~ benehmen = völlig unbeholfen sein. 1900 *ff.*
18. sich wie der letzte ~ benehmen = kein Gefühl für Sitte und Anstand haben; sinnlose Zerstörung anrichten. 1950 *ff.*
19. da frage ich einen ~en = da sage mir einer (da du tun ist oder was man davon halten soll). Seit dem 19. Jh.
20. nicht wissen, daß es zweierlei ~en

gibt = geschlechtlich noch nicht aufge-klärt sein. 1920 ff.

21. es geht den ~en wie den Leuten = dies ist der Lauf der Welt; an diesen Dingen kann niemand etwas ändern; davon ist niemand ausgenommen. 1900 ff.

22. dich haben sie wohl aus Versehen unter die ~en geschubst?: Redewendung angesichts des abstoßenden Äußeren eines Menschen. *Jug* 1930 ff.

23. was sagt der ~ 'dazu?!: Ausdruck der Verwunderung. Zu dem Gemeinten kann niemand etwas sagen; man ist sprachlos. 1890 ff, Berlin.

24. ich bin kein ~ mehr = ich bin völlig erschöpft. Der Betreffende hat nur noch das Bedürfnis zu ruhen und kann von den Geistesgaben, die ihn vom Tier unterscheiden, keinen Gebrauch mehr machen. Seit dem 19. Jh.

25. nur noch ein halber ~ sein = sich nicht wohlfühlen; sehr ermüdet sein. *Vgl* das Vorhergehende. 1900 ff.

26. wie die letzten ~en spielen = ein äußerst schlechtes Fußballspiel bieten. ↗Mensch 13 und 18. *Sportl* 1950 ff.

27. jetzt kommt der Moment, wo sich der ~ vom Tier unterscheidet = jetzt bezahle ich meinen Verzehr. 1920 ff.

Mensch II *n* weibliche Person. Mehrzahl: Menscher. Bis ins 17. Jh hinein als Neutrum auch ohne verächtlichen Nebensinn gebräuchlich im Sinne von „Dienstmagd, Weibsperson". Im 18. Jh vorwiegend auf „ehrlose weibliche Personen" bezogen (Huren, Konkubinen usw.).

menscheln (menscherln) *v* **1.** es menschelt = a) eine hochgestellte Persönlichkeit läßt erkennen, daß auch sie mit menschlichen Schwächen behaftet ist; unverstellte Allzumenschlichkeit wird offenbar. Vorwiegend *oberd* seit dem 16. Jh. - b) es riecht nach verbrauchter Zimmerluft, nach Schweiß, nach entwichenen Darmwinden. 1800 ff.

2. *intr* = koitieren. Seit dem 19. Jh.

Menschenflicker *m* Arzt, Chirurg. ↗Flikker. 1600 ff.

Menschenfreund *m* ein ~ sein = auf Gewaltanwendung verzichten. 1890 ff.

Menschenhandel *m* Vermittlung von Zeitarbeitskräften; gewerbsmäßige Arbeitnehmerüberlassung. 1965 ff.

Menschenmakler *m* Mann, der Fußballspieler an andere Vereine verhandelt. „Gemakelt" werden eigentlich nur Sachwerte. 1960 ff.

Menschenmaterial *n* Menschen (in ihrer Brauchbarkeit für berufliche, militärische o. ä. Zwecke). Dem „Kriegsmaterial" nachgebildet. Etwa seit 1860.

'menschen'möglich *adj* **1.** möglich. Eigentlich das, was einem Menschen möglich ist, vor allem das Äußerste des Erreichbaren. 1700 ff.

2. das kann doch nicht ~ sein!: Ausdruck des Zweifelns. 1900 ff.

Menschenmöglichkeit *f* **1.** Durchführbarkeit, Erreichbarkeit o. ä. 1800 ff.

2. ist es die ~?: Ausdruck des Zweifelns. 1800 ff.

Menschenschlange *f* lange Reihe hintereinander stehender Menschen. 1914 aufgekommen mit der Lebensmittelrationierung und dem Anstehen vor den Geschäften.

'Menschens'kind *n* ~!: Anrede aus Be-

oder Verwunderung, gelindem Erschrecken und/oder Besorgnis. 1600 ff.

Menschenspektakel *n* große Menschenmenge. Spektakel = Schauspiel. *Westd* seit dem 19. Jh.

Menschenspiel *n* große Menschenmenge. *Vgl* das Vorhergehende. 1800 ff.

Menschentraube *f* dichtgedrängte Menschenansammlung; von außen sich an überfüllte Eisenbahnwagen o. ä. anklammernde Menschenmassen. 1919 ff.

Menschheit *f* **1.** Menschenmenge. Aus „Gesamtheit aller Menschen" vermindert zur Bedeutung „große Anzahl von Menschen". 1800 ff.

2. jn auf die ~ loslassen = a) einen fertig ausgebildeten Menschen aus der Schule (Lehre, Kaserne) entlassen; einem Neuling den Führerschein aushändigen. Scherzhaft übertragen vom Freilassen eines wilden Tieres aus dem Käfig. 1900 ff. - b) jm kein Berufsverbot auferlegen; jn zu anderen Menschen gehen lassen; Rekruten den ersten Stadturlaub gewähren. 1920 ff.

3. jn wieder auf die ~ loslassen = einen (wegen eines Schwerverbrechens) zu langer Haftstrafe Verurteilten begnadigen. 1950 ff.

4. etw auf die ~ loslassen = etw veröffentlichen. 1950 ff.

Menschliches *n* **1.** ihm ist etw ~ passiert = er hat einen Darmwind entweichen lassen; er hat sich erbrechen müssen. 1870 ff.

2. 'was ~ aufreißen = ein Mädchen kennenlernen. ↗aufreißen 6. *Halbw* 1960 ff.

mentisch *adv adj* überaus; sehr groß. Im *Oberd* seit dem 19. Jh. verkürzt aus „↗sakramentisch".

Merke *f* Gedächtnis, Verstand. Substantiv zu „merken". 1500 ff.

Merks *m* Verstand, Erinnerungsvermögen. Wohl aus „merk' es" entstanden. Seit dem 19. Jh.

Merkwürden *m* **1.** wunderlicher Mensch. *Vgl* das Folgende. 1920 ff.

2. Seine (Euer) ~ = katholischer Geistlicher. Scherzhafte Beeinflussung der Anrede „Hochwürden" durch das Adjektiv „merkwürdig". 1920 ff.

merkwürdig *adv* sich ~ machen = a) sich sonderbar benehmen. 1930 ff. - b) sich bemerkbar machen. Scherzhafte Abwandlung unter Hervorkehrung des eigentlichen Wortsinns: „merkwürdig = würdig, be- und gemerkt zu werden". 1930 ff.

Merl *n* ↗Mirln.

Me'schinne *pl* Geld. Nebenform von ↗Mesummen. 1900 ff, rotw.

Me'schores *m* **1.** Diener, Knecht. Aus dem *Jidd* seit 1750.

2. unzuverlässiger Mann. 1900 ff.

me'schugge (me'schuggig) *adj* verrückt (flektiert der meschuggene Kerl). Stammt aus *gleichbed jidd* „meschuggo". 1800 ff.

Message *(engl* ausgesprochen) *f* Botschaft, Nachricht, Information für Gleich- und Andersgesinnte mittels Aufklebern, Bekenntnisknöpfen („Buttons") o. ä. 1975 ff, *jug.*

Messe *f* **1.** Party. Übernommen aus *engl* „mess = Tischgesellschaft, Offizierstafel, Kasino". *Halbw* 1955 ff.

2. schwarze ~ = Lasterorgie. Eigentlich eine Parodie auf die christliche Messe, verbunden mit obszönem Ritus u. ä. Seit *mhd* Zeit.

3. hinter die ~ gehen = den Gottesdienst umgehen. 1500 ff.

4. da ist die ~ gesungen = die Sache ist unwiderruflich erledigt. 1955 ff.

5. stille ~ halten = als Eheleute vor Zorn kein Wort miteinander wechseln. Stille Messe = katholischer Gottesdienst ohne Orgelspiel und Gesang. 1900 ff.

6. jm die ~ läuten = jn ausschimpfen, rügen. Wohl Anspielung auf die Strafrede des Geistlichen von der Kanzel. 1900 ff.

Messer *n* **1.** Penis. Messer und Scheide als zusammengehöriges Begriffspaar. 1800 ff.

2. da geht einem das ~ in der Tasche (im Sack) auf = man braust auf; wird zornig. Man ist so wütend, daß man zum Messer greifen möchte, das sich nachgerade schon selbsttätig in der Tasche öffnet. 1900 ff. - b) das ist unerträglich; das ist zum Verzweifeln; da muß man energisch eingreifen. 1900 ff.

3. etw bis aufs ~ durchfechten = sich für eine Sache bis zum äußersten einsetzen. Selbst vor dem Messerkampf scheut man nicht zurück. *Vgl* die Metapher „Kampf bis aufs Messer". 1950 ff.

3 a. ein großes ~ haben = prahlen. ↗Messer 10. 1600 ff.

4. an (vor) das ~ kommen = einer ärztlichen Operation entgegensehen Seit dem 19. Jh.

5. mir ist einer ins ~ gelaufen = ich habe jn mit dem Messer verletzt (niedergestochen, erstochen); die Wunde habe ich ihm nicht absichtlich beigebracht, es war vielmehr ein Unfall. 1920 ff.

6. aufs ~ = einer Straftat überführt werden. *Vgl* ↗anlaufen 2. Seit dem 19. Jh.

7. jm ins offene ~ laufen (rennen) = sich herausgefordert fühlen und unüberlegt handeln. 1950 ff.

8. jn ins (offene) ~ laufen lassen = jn in sein Verderben schicken; jn einer unsinnigen Tat nicht zurückhalten. 1950 ff.

9. jn ans ~ liefern = jn in die Vergeltung überantworten. Seit dem 18. Jh.

10. das große ~ nehmen (haben) = stark übertreiben, prahlen. Vorform von ↗aufschneiden. 1900 ff.

11. auf diesem ~ kann man nach Paris (Köln, Rom o. ä.) reiten = dieses Messer ist sehr stumpf. Die Wendung mit „Rom" scheint die ältere zu sein; sie hängt zusammen mit dem Streit zwischen der preußischen Regierung und der katholischen Kirche (1837/38).

12. das ~ in der Wunde rumdrehen = über abgetane Dinge sprechen; Unangenehmes erneut zur Sprache bringen. 1930 ff.

13. mit dem großen ~ schneiden = prahlen. ↗Messer 10. 1600 ff.

14. jm das ~ an die Kehle setzen = jm hart zusetzen; jn zu einer bestimmten Entscheidung zwingen. Im 18. Jh gemildert aus der ursprünglichen Bedeutung der unmittelbaren Lebensbedrohung.

15. das ~ sitzt ihm an der Kehle = er hat mit überaus strengen Maßnahmen zu rechnen; er steht kurz vor dem geschäftlichen Zusammenbruch. 1800 ff.

16. sich mit ~ und Gabel umbringen (das Grab graben; Selbstmord begehen) = ein Schlemmerleben führen (und an den Folgen sterben). 1920 ff.

17. ~ wetzen = sich auf ein unangenehmes Unterfangen vorbereiten; sich auf eine harte Auseinandersetzung einstellen. Hergenommen vom Metzger, der vor dem Schlachten das Messer schärft. 1920 *ff.*

Messerheld *m* **1.** Raufbold, der schnell zum Messer greift. 1900 *ff.*
2. Mann, der mit dem Messer ißt oder Speisen mit dem Messer zerkleinert, ohne sich um entgegenstehende Tischsitten zu kümmern. 1900 *ff.*

messerscharf *adj* **1.** unerbittlich urteilend. ↗scharf = streng. 1933 *ff.*
2. ~ kombinieren (schließen, schlußfolgern) = sehr genau, treffsicher kombinieren. 1950 *ff.*
3. auf etw ~ sein = begierig nach etw verlangen. Verstärkung von ↗scharf. 1920 *ff.*

Me'summen (Me'summes) *pl* **1.** Geld; abgezähltes Geld. Geht zurück auf *jidd* „mesumman = bar, zubereitet, bestimmt". *Rotw* 1750 *ff.*
2. linke ~ = Falschgeld. ↗link **1.** *Rotw* 1840 *ff.*

Me'tallalter *n* ins ~ kommen = altern. Man hat Silber in den Haaren, Gold in den Zähnen und Blei in den Gliedern. 1955 *ff.*

Metaller *pl* Metallarbeiter; Metallarbeitergewerkschaft. 1950 *ff.*

Meteorolüge *f* falsche Wettervorhersage. Wortspielerei. 1950 *ff.*

Meter *n m* **1.** Mark (Münze). Gleichsetzung von Längenmaß und Münze wegen desselben Abkürzungsbuchstabens „M" („m"). *Rotw* 1885 *ff.*
2. Monat Freiheitsstrafe. *Rotw* und juristenspr. 1900 *ff.*
3. Kubikzentimeter (als Maßeinheit des Inhalts einer Rauschgiftspritze). 1970 *ff.*

Me'thusalem *m* **1.** Treff-Bube im Skatspiel. Es ist dies die höchste Karte; der höchste Rang wird hier mit dem höchsten Alter angegeben. *Vgl* das Folgende. Kartenspielerspr. seit dem 19. Jh.
2. alt wie ~ = hochbetagt. Nach 1. Moses 5, 21 *ff* erreichte Methusalem ein Alter von 969 Jahren. 1900 *ff;* aber wohl erheblich älter.

Mette *f* **1.** lärmende, ausgelassene Gesellschaft; Lärm; Durcheinander. Meint eigentlich den katholischen Gottesdienst zur Mitternacht; früher verband man ihn gelegentlich mit Lärmen in der Kirche zwecks Vertreibung der bösen Geister, des Teufels und/oder des Verräters Judas. 1800 *ff.*
2. besoffene ~ = a) Stimmengewirr; wüstes Geschrei; lebhafte Auseinandersetzung. 1800 *ff.* – b) Übelsein nach dem Rausch. 1800 *ff.*
3. trunkene ~ = Zechgelage. 1500 *ff.*

Metze *f* Prostituierte. Entstanden aus der Kurzform des Vornamens Mecht(h)ild, verlängert um das Suffix „-iza" als weibliche Koseform. Scheint im Mittelalter ein häufiger Mägdename gewesen zu sein. Gegen 1400 setzte die Entwicklung zur heutigen Bedeutung ein.

Metzger *m* **1.** Arzt; grober Arzt; Militärarzt; Chirurg. 1870 bis heute, vorwiegend *sold.*
2. Sanitätssoldat. 1939 *ff.*

Metzgergang *m* fruchtlose Bemühung; vergeblicher Gang. Der Metzger machte zum Schlachtviehkauf beim Bauern manchen vergeblichen Weg; auch die Metzgerburschen, die früher vormittags zu den Hausfrauen gingen und Bestellungen ent-

gegennahmen, hatten nicht immer Erfolg. Seit dem frühen 18. Jh.

Metzgerhund *m* ein Gemüt haben wie ein ~ = roh, herzlos sein. Von der Gier nach Fleisch und Blut übertragen. 1920 *ff.*

Metzgerpalme *f* Schildblume. Eine recht widerstandsfähige Zimmerpflanze, bevorzugte Schaufensterzierpflanze von Metzgereien. 1910 *ff.*

Meute *f* **1.** Diebesbande. Eigentlich die Koppel abgerichteter Jagdhunde. Seit dem 19. Jh.
2. kleine militärische Einheit. 1840 *ff;* auch *ndl.*
3. Pfadfindergruppe. 1950 *ff.*
4. Schülergruppe, Clique. 1950 *ff.*

meuterig *adv* ihm ist ~ zumute = er schließt sich vom Vorhaben der Gruppe aus. Meutern = den Gehorsam verweigern. 1900 *ff.*

meutern *intr* **1.** widersprechen. 1925 *ff.*
2. über etw ~ = mit etw unzufrieden sein; laut seinen Unwillen bekunden. 1925 *ff.*

Mexikaner *m* Cola-Getränk. Anspielung auf die gelblich- bis rötlichbraune Tönung, die an die Hautfarbe von Indianern oder Mestizen erinnert. 1955 *ff.*

'Mezzie *f* guter Kauf; Schmuggelware; vorteilhafte Sache; Haupttreffer. Fußt auf *jidd* „mezio = Fund, Gewinn". Seit dem frühen 19. Jh.

'Mezzo'kini *m* Damenbadeanzug ohne Oberteil. Soviel wie ein „halber Bikini". 1964 *ff,* Zürich.

Mi'au *f* Katze. Substantivierung des Katzenlautes. Seit dem 19. Jh.

mi'auen *intr* Unwillen laut äußern; aufbegehren. Eigentlich Verbalisierung des Katzenlautes. 1900 *ff.*

Mi'auhase *m* Katzenbraten, als Hasenbraten aufgetischt. 1880 *ff.*

Michel *m* **1.** gutmütiger, tölpelhafter Mann. Fußt auf Michael, dem deutschen Nationalheiligen. Aus ihm wurde – spätestens um 1500 – der Deutsche Michel, die Sinnbildgestalt des Deutschen, dargestellt als Bauer mit Zipfelmütze. Er wurde zur Verkörperung der Einfalt, Gutmütigkeit und Schwerfälligkeit. Seit dem 19. Jh.
2. Angehöriger des Mannschaftsstandes. *BSD* 1960 *ff.*
3. Penis. Seit dem 19. Jh.
4. Turm von St. Michaelis in Hamburg. Seit dem späten 18. Jh.

Michelarbeit *f* deutsche Wertarbeit. *Vgl* ↗Michel **1.** 1955 *ff.*

mickern (miekern) *intr* kränkeln; im Wachstum zurückbleiben. ↗mickrig. 1700 *ff.*

Mickimaus *f* **1.** Kosewort. Mickey-mouse (Micky- Maus) ist eine von Walt Disney geschaffene Trickfilm- und Comicfigur (seit 1926). 1930 *ff.*
2. *pl* = Schüler der Unterstufe. 1950 *ff.*
3. *pl* = Ohrenschützer. Die Ohren der Micky-Maus sehen wie (hochgeklappte) Ohrenschützer aus. *BSD* 1960 *ff.*

mickrig (miekrig) *adj* schwächlich, kränklich, kleinwüchsig, im Wachstum zurückgeblieben; kümmerlich; unfroh. Beruht auf *germ* „muk = weich". Seit dem 18. Jh.

Midi *m* **1.** wadenlanger Rock (Mantel). Fußt entweder auf *franz* „midi" in der Bedeutung „Mitte zwischen Knie und Knöchel"

oder auf *engl* „mid = in der Mitte; mittellang". 1968 *ff.*
2. halblanger Haarschnitt. 1969 *ff.*

Mieder *n* Zwangsjacke. Euphemismus in Anlehnung an das im Rücken geschnürte Damenmieder (Korsett). 1920 *ff.*

Mief *m* **1.** verbrauchte Zimmerluft. Verwandt mit „↗muffen, müffen = faulig riechen". Im letzten Drittel des 19. Jhs aufgekommen, wahrscheinlich bei der Kriegsmarine.
2. stinkwarmer ~ = stickige Zimmerluft. 1939 *ff.*
3. warmer ~ = Gefechtsdunst. Es „geht heiß her", und es herrscht übler Geruch; *vgl* „dicke ↗Luft". *Sold* in beiden Weltkriegen.
4. lieber warmer ~ als kalter (kaltes) Ozon = lieber verbrauchte Zimmerluft als Eiseskälte im Freien. „Ozon" steht umgangssprachlich für „frische Luft". 1914 *ff.*
5. allen ~ auslüften = unfeine Vorkommnisse ausmerzen. 1955 *ff.*
6. lieber im warmen ~ ersticken als im kalten Ozon erfrieren! = lieber verbrauchte, aber warme Luft atmen, als sich der kalten Luft im Freien aussetzen. ↗Mief **4.** *Sold* in beiden Weltkriegen.
7. einen ~ haben = stinken. 1920 *ff.*
8. ~ verdünnen = frische Luft einlassen. 1910 *ff.*

Miefchaise *f* ↗Miefschäse.

miefen (miefeln) *intr* **1.** stinken. *Vgl* ↗Mief **1.** 1900 *ff.*
2. einen Darmwind entweichen lassen. 1910 *ff.*

miefig *adj* **1.** übelriechend; ungelüftet, stickig. *Vgl.* ↗Mief **1.** 1900 *ff.*
2. anrüchig, zotig o. ä. 1920 *ff.*
3. unsympathisch. 1930 *ff.*
4. kleinbürgerlich. 1920 *ff.*

Miefkiste *f* Bett. ↗Mief **1;** ↗Kiste **12.** 1900 *ff.*

Miefknödel *m* Harzer Käse. Er ist knödelförmig und riecht stark. 1910 *ff.*

Miefquirl *m* Ventilator. Er rührt die verbrauchte Luft um wie der Quirl den Teig. Bei der Kriegsmarine gegen 1880 aufgekommen, da damals die Schiffe Ventilatoren besaßen und die Kasernen sowie sonstige Gebäude sie erst später erhielten.
2. Hubschrauber. *BSD* 1965 *ff.*

Miefschäse *f* Jauchewagen; Fahrzeug der Stadtreinigung. ↗Schäse. Berlin 1960 *ff.*

Miefschlucker *m* Dunstabzugshaube. Sie „schluckt" die verbrauchte Luft wie der „Müllschlucker" den Abfall. 1975 *ff.*

Miege *f* **1.** Harn. ↗miegen. Seit dem 14. Jh, *niederd.*
2. nette kleine Freundin. Wohl hervorgegangen aus der Koseform „Mieke" für „Marie, Mariechen". *Sold* 1935 *ff.*
3. pfundige ~ = Mädchen, das man sich als Freundin nicht besser wünschen kann. ↗pfundig. *Halbw* 1955 *ff.*

miegen *intr* harnen. Verwandt mit *lat* „mingere = harnen". Seit dem 19. Jh.

Mieke *f* Mädchen (gelegentlich leicht *abf*). Koseform aus „Mariechen". Berlin 1930 *ff.*

miekern *intr* ↗mickern.

miekrig *adj* ↗mickrig.

mies (miese) *adj* **1.** schlecht, unfreundlich, armselig, übel, häßlich. Fußt auf *jidd* „mis = häßlich, verächtlich, abstoßend"; wohl beeinflußt von „miserabel". Spätestens seit 1800.

2. langweilig, unsympathisch. *Halbw* 1950 ff.
3. für etw ~ sein = gegen etw eingenommen sein. Seit dem späten 19. Jh, Berlin.
Miese *f* 1. langweilige Party. ↗mies 2. *Halbw* 1950 ff.
2. Geldmünze, Markstück. „Mies", weil sie weniger wert sind als Banknoten. Ganoven- und Gammlervokabel seit 1960.
3. *pl* = Minuspunkte beim Kartenspiel. 1870 ff.
4. *pl* = Debetziffern auf dem Kontoauszug. 1960 ff.
5. *pl* = schlechte Schulnoten. 1950 ff.
6. in den ~n sein = im Nachteil sein. ↗Miese 3. 1900 ff.
Miesepampel *m* unsympathischer Mensch. ↗mies 1; ↗Pampel. 1920 ff.
Miesepeter *m* mißgestimmter Mann. ↗mies 1. 1870 ff.
miesepetrig *adj* verdrießlich, übellaunig, kränklich. 1870 ff.
miesepieprig *adj* schwächlich, kraftlos. Zusammengewachsen im späten 19. Jh aus „↗miesepetrig" und „pieperig" (aus „piepen" in der Bedeutung „dünne, schwache Töne von sich geben nach Vogelart").
mieserig *adj* schwächlich, kränklich, unansehlich. Aus „mies" gelängt oder aus „miserabel" umgestaltet. 1870 ff.
Miesling *m* 1. unbeliebter, widerwärtiger Mensch. ↗mies 1. 1930 ff.
2. Klassenschlechtester. 1950 ff, schül.
miesmachen *tr* 1. jn schlechtmachen, verleumden. ↗mies 1. 1840 ff.
2. etw als ungünstig darstellen; etw verleiden. Kaufmannsspr. 1900 ff.
3. sich ~ = sich kleinlich zeigen; sich von der ungünstigsten Seite zu erkennen geben. 1840 ff.
Miesmacher *m* Pessimist; Nörgler; Defätist. Entstammt entweder der Börsensprache oder dem Wortschatz der Theaterkritiker. Seit dem späten 19. Jh. Am 2. Mai 1934 durch den Propagandaminister Dr. Goebbels zum politischen Schlagwort gegen die übliche Kritik am NS-Staats umgemünzt. Damals erdachte man sich die Zeitungsanzeige: „Meckerer sucht Miesmacherin zum Nörgeln."
Miesnick *m* 1. unbedeutender Mensch; träger Mann; Versager; dümmlicher Mann. Stammt aus *jidd* „misnick = schlecht, widerlich, unerfahren". Bekannt geworden als Witzblattfigur, geschaffen von David Kalisch als Verkörperung des ewigen Quartaners und verbreitet seit 1848 durch den „Kladderadatsch".
2. Ansichten wie Karlchen ~ = weltfremde, kindische Ansichten. 1900 ff.
Miete *f* 1. die halbe ~ = a) Stich mit 31 Augen. ↗Hausmiete. Kartenspielerspr. 1850 ff. – b) Hälfte der erforderlichen Punkte. *Sportl* 1960 ff.
2. kalte ~ = Mietpreis ohne Heizungskosten. 1960 ff.
3. warme ~ = Mietpreis einschließlich der Heizungskosten. 1960 ff.
4. da wird die ~ mit der Pistole kassiert = das ist ein sehr gefährlicher Ort, ein sehr ärmliches Dorf, eine Gemeinde der Geizigen. 1930 ff.
5. die ganze ~ riskieren = zu einer Sache volles Vertrauen haben; eine Wette für unbedingt sicher halten. Sogar den Mietzins wagt man als Einsatz. Berlin 1900 ff.

6. raus, was keine ~ zahlt: Redewendung, wenn einer Darmwinde entweichen läßt. 1920 ff.
7. ~ ziehen = um Geld betteln. Geht zurück auf die ursprüngliche Bedeutung „Miete = Lohn". Der Bettler betrachtet die Hergabe von Geld nicht als freiwillige Leistung, sondern als Pflichtabgabe. 1900 ff, kundenspr.
Mietkaserne *f* ↗Mietskaserne.
Mietkutsche *f* Taxi ↗Kutsche 1. 1920 ff.
Mietlöwe *m* Besitzer vieler Mietwohnungen. 1960 ff.
Mietmaul *n* Rechtsanwalt. Man mietet seine Redegewandtheit. 1960 ff.
Mietmutter *f* künstlich befruchtete Frau, die ihr Kind an eine unfruchtbare Frau abtritt. 1960 ff.
Mietsche *f* leichtes Mädchen; Prostituierte. Wohl auf „Mieze" beruhend, mit Einfluß von „Miete". 1930 ff.
Mietskaserne (Mietkaserne) *f* Wohnhaus für viele Mieter. Ein schmuckloser, einförmiger Zweckbau nach Art der Kaserne. Kurz vor 1870 aufgekommen.
Miez *f* Katze. ↗Mies 1. Seit dem 19. Jh.
Mieze *f* 1. Katze. ↗Mies 1. Seit dem 19. Jh.
2. Vulva, Vagina. ↗Kätzchen. 1800 ff.
3. Mädchen; intime Freundin; Bardame; Prostituierte. Meint einerseits eine Koseform des weiblichen Vornamens Marie (*vgl* ↗Mieke), andererseits auch die Katze wegen ihres anschmiegsamen Wesens, ihres Schnurrens vor Wohlbehagen und ihrer häufigen Läufigkeit. 1781 ff, stud; hiernach allgemeingebräuchlich geworden.
4. flotte ~ = lebenslustiges Mädchen. ↗flott 1. 1920 ff.
5. kesse ~ = sehr umgängliches, leicht burschikoses Mädchen. ↗keß. 1950 ff.
6. schnafte ~ = bei jungen Männern beliebtes, unternehmungslustiges Mädchen mit großzügiger Moralauffassung. ↗schnafte. 1955 ff, Berlin.
7. steile ~ = nettes Mädchen. ↗steil. 1955 ff, halbw.
8. ~n schleudern = tanzen. Vom akrobatischen „Rock'n'Roll"-Tanz aus verallgemeinert. *Halbw* 1955 ff.
Miezekatze *f* 1. Katze. Mit dem Laut „mi" lockt die Katze ihre Jungen. Seit dem 15./16. Jh.
2. Vagina, Vulva. Analog zu ↗Kätzchen. Seit dem 19. Jh.
3. Mädchen; intime Freundin, 1930 ff.
miezeln *intr* ein Mädchen umwerben. Man umschnurrt es nach Katzenart. 1870 ff.
miezen *intr* mit einem sehr leichten Mädchen verkehren; Kunde einer Prostituierten sein. ↗Mieze 3. 1930 ff.
Miezen-Schau *f* Vorführung leichtbekleideter Mädchen; Schönheitskonkurrenz; Beobachtung des Badelebens. 1950 ff.
Miezsteuer *f* Prostituiertenentgelt. 1930 ff.
Migränestift *m* Gummiknüppel. Trifft er den Kopf, gibt es Kopfschmerzen. Verniedlichung des Empfindens. 1925/30 ff.
Migränestock *m* Gummiknüppel. 1930 ff.
Mikrokini *m* äußerst knappe Mädchenbadehose mit zwei auf die Brüste geklebten blumenähnlichen Gebilden. Zusammengesetzt aus *griech* „mikros = klein" und „↗Bikini". 1972 ff.
Mikrophon-Biene *f* Sängerin im Rundfunk oder Fernsehen. ↗Biene 3. 1960 ff.
Mikrophonfieber *n* Angst, vor dem Mi-

krophon zu sprechen. Eine Abart des „Lampenfiebers". 1930 ff.
Mikrophonfresser *m* Schlagersänger. Er erweckt den Eindruck, als wolle er sich das dicht vor den Mund gehaltene Mikrophon gierig einverleiben. *Halbw* 1965 ff.
Mikrophongalgen *m* Mikrophonausleger. 1920 ff.
Mikrophonschönheit *f* Frau mit schöner Gesangsstimme, aber unansehnlich von Gestalt und/ oder Gesicht. 1930 ff.
Milch *f* 1. Sperma. Wegen der Farbähnlichkeit. 1920 ff.
2. ~ der Alten = Wein, Rotwein. *Vgl* Wilhelm Busch, „Abenteuer eines Junggesellen" (1875): „Rotwein ist für alte Knaben eine von den besten Gaben". 1900 ff.
3. ~ des Alters = Wein. 1920 ff.
4. ~ von der blauen Kuh = Magermilch; mit Wasser verdünnte Milch. Wegen der bläulichen Färbung. 1860 ff.
5. ~ von glücklichen Kühen = Milch von besonderer Güte. ↗Kuh 19. 1962 ff.
6. ~ mit Schaum = Bier. 1960 ff, BSD.
7. blaue ~ = verwässerte oder abgerahmte Milch. ↗Milch 4. 1850 ff.
8. gelbe ~ = Bier. BSD 1965 ff.
9. nasse ~ = mit Wasser vermischte Milch. 1900 ff.
10. saure ~ = unangenehmer Dienstbetrieb. Hängt zusammen mit der Redewendung „bei ihm ist die Milch sauer = man hat ihm etwas verleidet". *Sold* 1939 ff; ziv 1945 ff.
11. klar wie dicke ~ = völlig einleuchtend. Ironie. 1935 ff.
12. wie ~ und Blut aussehen = gesund, blühend aussehen. Gemeint ist die Hautfarbe bei guter Durchblutung (weiß + rot = rosa). Wohl aus der Dichtersprache hervorgegangen. 1600 ff.
13. aussehen wie gespiene (gekotzte) ~ = bleich aussehen. 1900 ff.
14. etw in die ~ zu brocken haben = wohlhabend sein; sein gutes Auskommen haben. Gemeint ist das Eintunken von Brotbrocken in die Milchsuppe. Seit dem 15. Jh.
15. mir schießt die ~ ein!: Ausruf der Überraschung, des Erschreckens. Kurz vor der Niederkunft füllen sich die Brustdüsen der Schwangeren; unter besonderen Umständen kann dies auch verfrüht geschehen. Die Redewendung wird auch von Männern gebraucht. 1910 ff.
16. ich schlage dich (in die Fresse), bis du ~ gibst!: Drohrede. BSD 1965 ff.
17. dicke ~ im Kopf haben = dumm, begriffsstutzig sein. Dicke Milch klumpt. Ähnlich verklumpt stellt man sich das Gehirn des Begriffsstutzigen vor. 1900 ff.
18. da kommt mir die ~ vom Stillen hoch = das widert mich sehr an. 1940 ff.
19. über vergossene ~ heulen = einen unbedeutenden Vorfall allzu wichtig nehmen. Seit dem 19. Jh.
20. über vergossene ~ reden = längst Entschiedenes besprechen. *Vgl engl* „to cry over spilt milk". 1920 ff.
21. gut in der ~ sein (stehen) = stark entwickelte Brüste haben. 1900 ff.
22. bei ihm ist die ~ sauer = a) man hat ihm etw verleidet; er verhält sich ablehnend. Bei Gewitterschwüle zersetzt sich die Milch rasch. Gewitter = Donnerwetter = Ärger. 1800 ff. - b) er ist mißmutig. Seit dem 19. Jh.

23. jetzt läuft mir aber die ~ über!: Ausdruck heftigen Unwillens. Die Wendung ergibt das Bild des Aufbrausens. 1870 ff.
24. ~ weihen = Milch verwässern. Übertragen von der kirchlichen Segnung mit Weihwasser. 1900 ff.
25. über verschüttete ~ weinen = sich über Bedeutungsloses aufhalten. ↗Milch 19 und 20. Seit dem 19. Jh.
26. wenn er (sie) in die ~ (in die süße ~) sieht, wird sie sauer: Redewendung auf einen Menschen mit häßlichem oder mürrischem Gesicht. 1800 ff.
27. wenn er (sie) hinsieht, wird einem die ~ in der Brust sauer: Redewendung angesichts einer unfrohen Miene. Seit dem 19. Jh.
28. da wird die ~ in der Brust sauer = a) das Wetter ist drückend schwül. Vgl ↗Milch 30. 1930 ff. – b) er prahlt allzu stark; sein Prahlen kann man nicht länger anhören. 1930 ff. – c) das ist eine sehr holprige Fahrstraße. 1930 ff.
29. da wird die ~ (im Haus) sauer!: Ausruf der Verzweiflung. 1800 ff.
30. da wird die ~ schon in den Kühen sauer = es ist unerträglich heiß (schwül). 1930 ff.
31. singen (musizieren o. ä.), daß die ~ sauer wird = mißtönend singen (musizieren). 1930 ff.
Milchbaby (Grundwort engl ausgesprochen) n verweichlichtes Kind. 1920 ff.
Milchbar f 1. Frauenbrust, -busen. Vgl ↗Milchwirtschaft. 1900 ff.
2. Zitzen eines Säugetiers. 1900 ff.
Milchbart m 1. Flaumhaare des werdenden Mannes; erster Bartflaum. 1600 ff.
2. unerfahrener junger Mann; vorlauter Junge. Seit dem 18. Jh.
Milchbrause f alkoholfreie ~ = alkoholfreies Getränk. 1930 ff.
Milchbubi m 1. Neuling; einfältiger Mann. Vgl ↗Bubi 3 und 4. 1900 ff.
2. unselbständiger Mann. BSD 1965 ff.
3. Alkoholgegner. 1920 ff.
Milchgebirge n üppiger Busen. 1925 ff.
Milchgesicht n bleich aussehender Mensch; Mensch mit auffallend heller Gesichtsfarbe; unmännliches Gesicht; Energieloser. 1700 ff.
Milchglasfahrer m Autofahrer mit vereister (verschmutzter) Windschutzscheibe. 1960 ff.
milchig adj 1. fade, temperamentlos. In der Auffassung der Alkoholiker ist Milch ein langweiliges Getränk. 1955 ff, halbw.
2. alkoholfrei. Halbw 1955 ff.
3. zurückhaltend, prüde. 1955 ff, halbw.
Milchkandln pl weibliche Brüste. Kandln = Kannen. Österr 1950 ff.
Milchkuh f 1. Öltanker, Versorgungsschiff; Tankschiff für Unterseebote. Entlehnung aus dem Engl? Marinespr 1939 ff.
2. Mensch, der schamlos ausgenutzt wird (sich ausnutzen läßt). ↗Melkkuh. 1920 ff.
3. lohnende Erwerbsquelle 1920 ff.
Milchmädchenrechnung f auf Trugschlüssen beruhende Rechnung mit günstigem Ergebnis. Geht zurück auf die Fabel „La laitière et le pot au lait" von Jean de La Fontaine (1621–1695); in Deutschland bekannt geworden durch die Übersetzung von Johann Wilhelm Ludwig Gleim (1757) und von Johann Benjamin Michaelis (1766). Nach anderer Deutung ist auszugehen von der geringen Rechenfertigkeit der

---

Dorfmädchen, die die Milch zu den städtischen Haushalten brachten. 1900 ff.
Milchmatrose m Milchhändler (abf). Er kann nicht vom Wasser lassen und verwässert die Milch. 1930 ff.
Milchpritschler m Milchhändler, -verfälscher. Gehört zu „pritschen = klatschend schlagen; in Flüssigkeiten rühren; Wasser einlaufen lassen". Bayr und österr 1870 ff.
Milchreisbubi m verzärtelter Junge; schmächtiger junger Mann; unselbständiger Mann. Statt eines gutbürgerlichen Essens bevorzugt er Milchreis. ↗Bubi 3 und 4. 1900 ff.
Milchsatten pl Büstenhalter; Oberteil des zweiteiligen Damenbadeanzugs. Eigentlich Bezeichnung für kleine Gefäße, in denen Milch aufbewahrt wird. 1950 ff.
Milchsuppe f 1. diesiges Wetter; von Nebelgranaten verursachter Nebel. Anspielung auf die weißliche Färbung. 1935 ff.
2. nicht auf der ~ dahergeschwommen sein = keinen ärmlichen Verhältnissen entstammen. Anspielung auf die Milchsuppe als Speise armer Leute. 1900 ff.
Milchwirtschaft f Frauenbusen. 1850 ff.
Milchzahn m 1. sehr junges Mädchen; Mädchen ohne Freund. Versteht sich nach ↗Zahn 3. 1950 ff, halbw.
2. neues Mädchen im Klub. Halbw 1950 ff.
3. Mädchen zwischen 16 und 18 Jahren mit Säugling. Halbw 1950 ff.
4. jm auf den ~ fühlen = jds Aufrichtigkeit prüfen. Das Ergebnis dürfte ziemlich unzuverlässig sein; denn solange die Prüfung nicht den bleibenden Zähnen gilt, ist keinerlei Gewißheit zu erwarten. 1920 ff.
Milchzentrale f Frauenbusen. 1955 ff.
Milchzeug (Millizeuch) n Frauenbusen. 1800 ff, oberd.
Milieu (franz ausgesprochen) n Lebenswelt der Prostituierten, Zuhälter usw. Verengung der Bedeutung „gesellschaftliche Umwelt". Etwa seit 1920.
Militär m Berufssoldat. 1900 ff.
Militärbullen pl Feldjäger. ↗Bulle 1. Sold 1939 ff bis heute.
Militärfimmel m Liebhaberbegeisterung für alles Militärische. ↗Fimmel. Sold in beiden Weltkriegen und später.
militärfromm adj das Wehrwesen bejahend; militärfreundlich. Eigentlich auf Pferde bezogen im Sinne guter Verwendbarkeit im Militärdienst. Fromm = brav, folgsam. 1860 ff.
Militärklamotte f Militärfilm (oder Soldatenposse auf der Bühne) mit anspruchsloser Komik. ↗Klamotte 1. 1955 ff.
Militärkopp m engstirniger Soldat; Soldat, den nur der Militärdienst interessiert. ↗Kommißkopp. 1930 ff.
Millianer m wegen Trunkenheit am Steuer bestrafter Kraftfahrer. ↗Promillionär. 1970 ff.
Millionarium n Luxushotel. Der Bau kostet viele Millionen und wird bevorzugt von Millionären besucht. Die Endung ist vielleicht angesichts moderner Glasfassaden von „Aquarium", „Terrarium" o. ä. übernommen. 1950 ff.
millionärrisch adj kostspielige Pläne hegend; überspannt. 1870 ff.
Millionenbruch m Einbruch, bei dem Millionen gestohlen werden. ↗Bruch 3. 1920 ff.

Millionending n 1. Millionenprojekt. 1950 ff.
2. Millionenraub. 1968 ff.
3. Erfolgsschlager. 1965 ff.
Millionenrausch m schwerer Rausch. 1920 ff.
millionensatt adj sehr reich; Milionen besitzend. 1950 ff.
millionenschwer adj sehr wohlhabend. 1900 ff.
Millioneser m sehr reicher Mann (iron); Neureicher. 1830 ff.
Millioneuse (Endung franz ausgesprochen) f Millionärin. 1870 ff.
Millizeuch n ↗Milchzeug.
mimen v 1. eine Sache ~ = eine Angelegenheit meistern, gut bewältigen. Übertragen vom Schauspieler, der eine Rolle hervorragend spielt. Stud 1880 ff; sold 1914 ff.
2. das mimt (das mimt sich) = das ist vorzüglich. Vgl das Vorhergehende. Halbw 1950 ff.
3. tr intr = heucheln; sich verstellen; Beschäftigtsein (Kranksein o. ä.) vortäuschen. In Ausübung seines Berufes gibt der Schauspieler vor, jemand anders zu sein; vgl die unter Schauspielern verbreitete, selbstironische Berufsschelte „Versteller". 1900 ff.
4. auf ... mimen = sich krank (harmlos, dümmlich, welterfahren o. ä.) stellen. 1920 ff.
Mimi f 1. Rufname der Katze (auch „Mimm" oder „Mimmi"). Nach dem Lockruf „mi" der Katze. Seit dem 19. Jh.
2. Vulva. Analog zu ↗Kätzchen. 1900 ff.
3. Mädchen. 1900 ff.
4. Straßenprostituierte. Wohl aus dem Franz übernommen, mit Einfluß der Bedeutungen „Katze" und „Vulva". 1920 ff.
Mimiker m Mechaniker. Hieraus entstellt seit 1914, vorwiegend in der Kriegsmarine.
Mimm (Mimmi) f ↗Mimi.
Mimose f sehr empfindsamer, leicht verletzlicher Mensch. Verschiedene Arten der Pflanzengattung „Mimosa" klappen bei der geringsten Berührung oder Erschütterung ihre Fiederblättchen zusammen. 1870 ff.
minderbemittelt adj 1. ohne große Geistesgaben (Begabungen); dumm. Vom Geldvermögen auf das geistige Leistungsvermögen übertragen; etwa seit 1900.
2. körperlich schwächlich; hager; schlaff (z. B. um Busen, Gesäß, Waden o. ä. bezogen). 1950 ff.
Minderheit f schweigende ~ = geduldige, nicht aufbegehrende Minderheit der Bevölkerung. „Silent minority" ist in England ein parlamentarischer Ausdruck für die Stimmenminderheit, die bei der Abstimmung unterliegt. 1950 ff.
Mine f 1. eine ~ hochgehen lassen = eine aufsehenerregende Tat aufdecken; einen schwerwiegenden Vorwurf erheben; Verdacht äußern. 1950 ff.
2. ~n legen (verlegen) = a) im Freien koten. Gemeint ist eigentlich das Auslegen von Sprengladungen dicht unter der Erdoberfläche. Ähnlich muß der Soldat den Kothaufen eingraben; ↗Spatengang. BSD 1965 ff. – b) Ränke spinnen. Journ 1960 ff.
3. alle ~n springen lassen = alle Kräfte aufbieten, in Bewegung setzen. Hergenommen von Pulverminen vor einem be-

lagerten Befestigungswerk: sie werden vor dem eigentlichen Angriff gemeinsam gezündet, um das Fort sturmreif zu machen. Springen = ↗ hochgehen 1. Etwa seit 1750.

Mini *m (n)* **1.** sehr kurzer Mädchenrock, der weit oberhalb des Knies endet. Verkürzt aus „Minimum, minimal = Mindestmaß; sehr klein; winzig". 1965 erfunden von der *engl* Modistin Mary Quant. Seitdem rasch international verbreitet. **2.** kleines Kind. 1965 ff. **3.** Einakter. 1968 ff.

mini *adj präd* **1.** sehr kurz (auf den Mädchenrock bezogen). 1965 ff. **2.** kleinwüchsig. 1965 ff. **3.** gering; geringfügig; knapp; kurz; niedrig. 1965 ff. **4.** ~ gehen = einen Rock tragen, der weit über den Knien endet. 1966 ff. **5.** ~ sein = verrückt, nicht recht bei Verstand sein. „Mini" spielt auf die minimalen Geisteskräfte an. 1966 ff.

Mini-Abitur *n* Schulaufnahmeprüfung. 1966 ff.

Miniatur-Papagei *m* Wellensittich. 1965 ff.

'Minibi'kini *m* **1.** Badeanzug ohne Oberteil. Die Bezeichnung „mini" für „oberteillos" ist 1964 (ein Jahr vor der Bedeutung „kniekurz") aufgekommen, aber (mit der „Oben-ohne-Mode") auch bald wieder untergegangen. **2.** sehr stoffarmer zweiteiliger Badeanzug. 1966 ff. **3.** scharfer ~ = zweiteiliger Damenbadeanzug mit geringstmöglichem Stoffaufwand. 1968 ff.

Minidampfer *m* Motorboot bis zu 15 Tonnen Wasserverdrängung. 1973 ff.

Mini-Demonstration *f* belanglose Protestkundgebung. 1968 ff.

Mini-Fasching *m* kurze Karnevalszeit. 1967 ff.

Mini-Fliege *f* sehr schmaler Querbinder. ↗ Fliege 3. 1975 ff.

Mini-Flitzer *m* **1.** Go-Kart. ↗ Flitzer. 1968 ff. **2.** Klein-Motorrad. 1968 ff. **3.** Miniaturrennwagen mit Benzinmotor und Fernsteuerung. 1982 ff.

Mini-Frau *f* Frau in einem Kleid, dessen unterer Saum oberhalb des Knies liegt. 1967 ff.

minigebildet *adj* halb-, ungebildet. ↗ mini 3. 1966 ff.

'miniger *adj* kürzer (auf den kniekurzen Mädchenrock bezogen). *Dt* Steigerung von „↗ mini". 1966 ff.

Mini-Hai *m* Hering. *BSD* 1968 ff.

Mini-Hemd *n* Damen-Nachthemd, das nur bis zu den Oberschenkeln reicht. 1966 ff.

Mini-Hirn *n* Dummer. 1970 ff.

Mini-Hose (-Höschen) *f (n)* Mädchenhose mit sehr kurz angeschnittenem Bein. 1968 ff.

Mini-Kapitalist *m* Mann mit kleinem Vermögen. 1967 ff.

Minikini *m* Damenbadeanzug ohne Oberteil. *Vgl* ↗ Minibikini 1. 1964.

Mini-Knutsche *f* (kleiner, kurzer) Flirt. ↗ knutschen. *Halbw* 1969 ff.

Mini-Lösung *f* kleine (vordergründige, vorübergehende) Lösung einer Schwierigkeit. 1968 ff.

Mini-Mädchen *n* Mädchen, dessen Rock die Knie nicht bedeckt. 1965 ff.

Mini'maler *m* Schüler der Unterstufe. Minimal = klein; mindest; niedrigst. 1960 ff, Berlin.

Minima'list *m* **1.** Pessimist, Defätist. Seine Erwartungen beschränken sich auf ein Minimum. 1930 ff. **2.** unterdurchschnittlich begabter Mensch. 1930 ff.

Mini'malscheißer *m* kleinwüchsiger, schmächtiger Mann. ↗ Scheißer. Ganovenspr. 1964 ff.

Mini-Mann *m* **1.** kleinwüchsiger Mann. *BSD* 1969 ff. **2.** Halbwüchsiger in kniefreiem Rock. 1967 ff.

Minimax *m* **1.** Feuerwehrmann. Übernommen vom Namen eines Feuerlöschgeräts und der Herstellerfirma. 1920 ff. **2.** junger Mann in sehr kurzer Hose. 1967 ff.

Mini-Mini-Rock *m* Rock, der hoch über den Knien endet. 1967 ff.

'mini'minist *adj* hoch über dem Knie endend (auf Rock oder Kleid bezogen). Superlativbildung zu „↗ mini 1" mit Verdoppelung. 1966 ff.

Mini-Mut *m* Mut zum Tragen kniefreier Röcke oder Kleider. 1966 ff.

Mini-Oper *f* Kurzoper. 1970 ff.

Mini-Panzer *m* Spähpanzer; Panzer. *BSD* 1968 ff.

Mini-Parlament *n* Ständiger Ausschuß zur Wahrnehmung der Parlamentsrechte zwischen zwei Wahlperioden. 1972 ff.

Mini-Partei *f* Partei mit geringem Wähleranhang. 1970 ff.

Minipolizist *m* Schülerlotse. ↗ mini 2. 1968 ff.

Mini-Radi *m n* Taschen-Rundfunkgerät. Radi = Radio. 1962 ff.

Mini-Rocker *m* jugendlicher Rocker; brutal handelnder Junge. 1974 ff.

Minis *pl* **1.** jüngere Geschwister; Kinder; kleinwüchsige Jugendliche. ↗ mini 2. 1960 ff. **2.** (Schüler der) Unterstufe des Gymnasiums. 1965 ff.

Mini-Sänger *m* jugendlicher Sänger. 1970 ff.

Mini-Schupo *m* Schülerlotse. ↗ Minipolizist; ↗ Schupo. 1968 ff.

Mini-Sommer *m* **1.** Sommer mit verhältnismäßig wenigen warmen Tagen. 1966 ff. **2.** Sommer, in dem kniefreie Röcke Mode sind. 1967 ff.

Mini-Spion *m* kleines Abhörgerät. 1966 ff.

'minist *adj* weit oberhalb des Knies endend. Superlativbildung zu „↗ mini 1". *Vgl* ↗ miniminist. 1966 ff.

Ministerbremse *f* Staatssekretär. 1950 ff.

Mini-Tank *m* Panzer. Ironie. *BSD* 1968 ff.

Mini-Wanze *f* sehr kleines Abhörgerät. ↗ Wanze. 1966 ff.

Mini-Zahn *m* kleines nettes Mädchen. ↗ Zahn 3. 1965 ff, *halbw*.

Minko *m* Minderwertigkeitskomplex. Der Begriff stammt von Alfred Adler (1870–1937), dem Begründer der Individualpsychologie. 1920 ff.

Minna *f* **1.** Hausangestellte, Köchin. Kurzform des Vornamens Wilhelmine. 1870 ff. **2.** Kaffeekanne. 1870 ff. **3.** Teewagen, Einkaufstasche u. ä. 1920 ff. **4.** dumme Frau. 1920 ff. **5.** dolle ~ = Frauenrechtlerin. Aus den Niederlanden übernommen. 1968/69 ff.

6. elektrische ~ = elektrisches Haushaltsgerät. 1960 ff. **7.** flotte ~ = Durchfall. ↗ Minna 10. 1939 ff. **8.** Grüne ~ = a) Gefängniswagen. Anspielung auf den dunkelgrünen Anstrich der Wagen in Preußen. 1870 ff. – b) Streifenwagen der Polizei. 1960 ff. **9.** jaulende ~ = Luftwarnsirene. Klangähnlich mit dem Jaulen der Hunde. 1937 ff. **10.** schnelle ~ = Durchfall. 1940 ff. **11.** zahnlose ~ = Schimpfwort. *Nordd* 1930 ff. **12.** jn zur ~ machen = jn hart behandeln; jn schikanös drillen; jn entwürdigend rügen; jm in einer Prüfung schwere Fragen stellen. Kann zusammenhängen mit „Minna = Hausgehilfin" in dem Sinne, daß man jn mit der Verrichtung schmutziger Arbeiten beauftragt, oder mit „Minna = Katze" (dem Betreffenden ergeht es wie einer Katze, die von Hunden gehetzt wird). *Sold* in beiden Weltkriegen und bis heute. **13.** ich werde zur ~!: Ausdruck höchster Verwunderung. *Schül* 1950 ff.

Minnedienst *m* Liebesverhältnis; Geschlechtsverkehr; Stelldichein. Wohl von Soldaten ausgegangen oder beeinflußt, weil ihnen jegliche Tätigkeit „Dienst" ist. 1920 ff.

Minnesold *m* **1.** Prostituiertenentgelt. 1910 ff. **2.** Unterhaltszahlung des Vaters für ein uneheliches Kind. 1910 ff.

Minse *f* **1.** Katze. Nach dem Lockruf benannt. Seit dem 19. Jh. **2.** Vulva, Vagina. Analog zu ↗ Kätzchen. 1900 ff.

minus *adv* etw ~ machen = etw verlieren, zertrümmern; sich etw verscherzen. Hergenommen aus dem Kaufmannsleben (einen Fehlbetrag in den Geschäftsbüchern haben) oder von der Leistungsbenotung in der Schule. 1900 ff.

Minus-Boy *m* Halbwüchsiger, der leicht zu übertölpeln ist. „Minus" nimmt dem Grundwort den positiven Wert. 1950 ff, *halbw*.

Minusdame *f* weibliche Person, die der Halbwelt zugehört. *Vgl* ↗ Minus-Boy. 1930 ff.

Minusgröße *f* Versager. *Schül* 1950 ff.

Minuskavalier *m* Mann ohne feines Benehmen. 1900 ff.

Minusprotz *m* Mensch, der mit seinem Nichtkönnen prahlt. ↗ Protz. *Schül* 1950 ff.

Minuspunkt *m* Mißerfolg; Charakter-, Verhaltensfehler; Verlust des guten Leumunds. Übernommen von der Wertung von sportlichen Leistungen nach Punkten. ↗ Pluspunkt. 1955 ff.

Minuten *pl* **1.** jn im bange ~: Antwort auf die Frage, was ein Gegenstand gekostet hat. Der Dieb hat zehn Minuten Angst ausgestanden. ↗ Angst 10. *Sold* in beiden Weltkriegen. **2.** seine fünf ~ haben = außer sich sein. Es geht um kurzfristige Launenhaftigkeit oder Verrücktheit. 1910 ff.

Mirabelle *f* junges (unberührtes) Mädchen. Die Mirabelle ist eine kleine „↗ Pflaume". 1920 ff.

Mirabellenetui *n* **1.** Büstenhalter für ein sehr junges Mädchen. Anspielung auf die Mirabellengröße der Brust. 1910 ff.

2. Schlüpfer. „Mirabelle" steht analog zu „Pflaume = Vulva". 1910 *ff.*

Mirln (Mirl, Merl) *pl (n)* Sommersprossen. Gehört wohl zu *bayr-öster* „mirlen, merlen = bunt färben"; vielleicht eine Nebenform zu „malern". Seit dem 14./15. Jh.

mirm *adj* kraftlos, ohnmächtig, übel. Nebenform von „mürbe". 1920 *ff.*

Mischehe *f* **1.** Liebschaft zwischen altem Mann und Jüngling. Meint eigentlich die Ehe zwischen Angehörigen verschiedener Bekenntnisse oder Rassen. 1960 *ff.* **2.** Große Koalition. 1966 *ff.*

mischen *tr* **1.** etw geschickt bewerkstelligen. Analog zu ↗mengen 1. 1920 *ff.* **2.** jm etw ~ = jn streng zurechtweisen. Hergenommen vom abergläubischen Kartenlegen mit anschließender Raterteilung oder Warnung. *Öster* 1900 *ff.* **3.** es ist schon mal einer beim ~ gestorben: a) Redewendung an einen, der übergebührlich lange die Spielkarten mischt. Spätestens seit 1900. – b) Redewendung an einen, der eine kleine, leichte Verrichtung nicht zustandebringt. 1910 *ff.*

Mischkulanz *f* Durcheinander, Unordnung. Aus *ital* „mescolanza". *Öster* seit dem 19. Jh.

Mischling *m* **1.** Kind aus einer konfessionellen Mischehe. Eigentlich ein Kind, dessen Eltern verschiedenen Rassen angehören. 1950 *ff.* **2.** ~ vom Dienst = Offizier (Feldwebel) vom Tagesdienst. Sie sind dafür bekannt, daß sie ihre Untergebenen gründlich „↗aufmischen". *Sold* 1935 bis heute.

Mischmasch *m* Durcheinandergemengtes; Durcheinander. Zusammengewachsen aus „mischen" und „manschen" im 16. Jh.

Mischpoke *f* Gruppe; Familie; Verbrecherbande. *Jidd* „mischpocho = Stamm, Genossenschaft". Seit dem frühen 19. Jh.

Mischpoke'rei *f* Günstlingswesen. 1920 *ff.*

miserabel *adj adv* **1.** erbärmlich, kläglich, elend, scheußlich; äußerst unwohl. Aus dem *Franz* entlehnt. Seit dem 18. Jh. **2.** ~ ist noch geschmeichelt = es ist überaus schlecht. Wer das Gemeinte als „miserabel" wertet, drückt eine Schmeichelei aus. 1960 *ff*, *halbw.*

Miss *f* Katze; Rufname der Katze. Ahmt den Lockruf „mi" der Katze nach. Seit dem 19. Jh.

Mißgeburt *f* bösartiger Mensch. Er ist charakterlich mißgebildet. 1950 *ff.*

Miß Gunst *f* Prostituierte. *Engl* „miss = Fräulein". Zu „Gunst" *vgl* „↗Gunstgewerblerin". 1960 *ff.*

missig *adj* jung, schön und elegant (auf ein Mädchen bezogen). Gemeint sind die äußeren Eigenschaften, die eine „Miss Germany" o. ä. auszeichnen. Doch *vgl engl* „missish = affektiert". *Halbw* 1955 *ff.*

Missionar *m* da haben wir vorige Woche den letzten ~ verspeist = das ist eine völlig unzivilisierte Gegend. Fußt wohl auf alten Erzählungen aus Kolonial-Missionsgebieten. *BSD* 1965 *ff.*

Missionsschuppen *m* Kirchengebäude, Gemeindesaal. ↗Schuppen. *Halbw* 1960 *ff.*

Mißrummel *m* Geschäftigkeit um die Wahl einer Schönheitskönigin. ↗Rummel. 1925 *ff.*

mißverstehen *v* er versteht mich miß = er mißversteht mich. Entgegen der Regel

werden hier die untrennbaren Partikel getrennt, wohl unter Einfluß von „falsch verstehen". Seit dem frühen 19. Jh (1840 Immermann).

mist *adj* (unveränderlich) schlecht (z. B.: ein mist Wetter; ein mist Mann). Aus den Zusammensetzungen mit „Mist-" entwickelt. *BSD* 1965 *ff.*

Mist *m* **1.** Nichtiges, Wertloses; falsches Ergebnis; Fehlleistung; Mißerfolg; Schaden; Unfug, Unsinn. Eigentlich der (tierische) Kot und die kotdurchtränkte Streu; für die Bauern als Düngemittel wertvoll, den Städtern ein ästhetisches Ärgernis. Schon im *Mhd* soviel wie „wertlos". Im 18. Jh wiederaufgelebt, wohl anfangs bei den Studenten im Sinne einer mit heftigem Unwillen verbundenen Wertung. *Vgl engl* „muck". **2.** Schimpfwort auf einen Versager, einen Dümmling o. ä. 1870 *ff.* **3.** Nebel; diesiges Wetter. Seit dem 18. Jh seemannsspr. verbreitet; stammt wohl aus *gleichbed* „mist" im *Ndl* und im *Engl.* **4.** allerletzter ~ = völlige Wertlosigkeit. ↗Allerletztes. 1950 *ff.* **5.** blöder ~ = unangenehme, lästige Sache. 1910 *ff.* **6.** doofer ~ = großer Unsinn; einfältiges Geschwätz. ↗doof. 1950 *ff.* **7.** erhabener ~ = Unsinn in gefälliger Form. 1933 *ff*; wahrscheinlich viel älter. **8.** eselsfürziger ~ = großer Mißstand. ↗Eselsfurz. 1930 *ff.* **9.** gediegener ~ = sehr Minderwertiges in ansprechender Aufmachung. 1910 *ff.* **10.** der letzte ~ = äußerste Wertlosigkeit; völlig Sinnloses. ↗Letztes 2. 1950 *ff.* **11.** schick garnierter ~ = Wertloses in hübscher Aufmachung. ↗schick. Verkäuferspr. 1950 *ff.* **12.** schöner ~ = üble Lage; große Widerwärtigkeit. Ironie. 1910 *ff.* **13.** faul wie ~ = überaus arbeitsträge. „Faul" meint sowohl „faulend, verrottet" als auch „träge". Seit dem 19. Jh. **14.** ~ abziehen = Unsinn äußern. ↗abziehen 1. 1950 *ff.* **15.** gegen eine Fuhre ~ nicht anstinken können = der Unterlegene sein. Seit dem 19. Jh. **16.** gegen einen Haufen ~ kann man nicht anstinken = mit solch guten Karten kann ich nicht wetteifern. Skatspielerspr. seit dem 19. Jh. **17.** ~ bauen = a) eine sehr schlechte Leistung vollbringen; eine sehr schlechte Klassenarbeit schreiben; eine schlimme Tat begehen. ↗bauen. 1920/30 *ff.* – b) geschmacklos, unzweckmäßig, unarchitektonisch bauen. 1950 *ff.* **18.** fahr' deinen ~ allein! = behellige mich nicht auch mit deinen unsinnigen Plänen! 1900 *ff.* **19.** er hat auf den ~ geschlagen = er ist reich geworden. Eine Aberglaubensregel besagt, es komme Geld ins Haus, wenn man auf den Dunghaufen schlägt. 1900 *ff.* **20.** das ist auf seinem eigenen ~ gewachsen = das ist sein geistiges Eigentum; das hat er selbst gestaltet. Hergenommen vom Bauern, der sein Land mit dem Mist seines Hofes düngt und kein weiteres Düngemittel hinzukaufen muß. Seit dem 18. Jh. **21.** da haben wir den ~ = das Unangenehme ist, wie erwartet oder befürchtet, eingetroffen. 1920 *ff.*

22. Geld wie ~ haben = viel Geld haben. Je größer der Misthaufen, desto mehr Vieh im Stall. Seit dem 19. Jh. **23.** Zeit wie ~ haben = viel Zeit (zu freier Verfügung) haben. 1900 *ff.* **24.** ~ im Kopf haben = unklar denken; Hirngespinste hegen. 1920 *ff.* **25.** ~ karren = Unsinn machen; Sinnloses äußern; verkehrt arbeiten. 1900 *ff.* **26.** sich um seinen eigenen ~ kümmern = sich um seine eigenen Angelegenheiten kümmern. Oft in der Befehlsform gebraucht. Seit dem 19. Jh. **27.** ~ machen = etwas Verkehrtes oder Strafbares tun; Unfug stiften. 1900 *ff.* **28.** ~ reden = Unsinn äußern. Seit dem 19. Jh. **29.** ~ verzapfen = Unsinn reden; etw falsch machen. Verzapfen = im Ausschank verabreichen; weiterentwickelt zur Bedeutung „von sich geben". Seit dem 19. Jh. **30.** einen ~ werde ich!: Ausdruck schroffer Ablehnung. Gemeint ist: „einen Mist werde ich tun!" im Sinn von „nichts dergleichen werde ich tun!"; *vgl* ↗Mist 1. 1920 *ff.*

Mistakademie *f* Landwirtschaftsschule. 1920 *ff.*

Mistbauer *m* **1.** Bauer *(abf).* Ursprünglich der Bauer, der den Mist aus der Stadt abfuhr und zur Düngung seiner Felder verwendete. Seit dem 19. Jh. **2.** Müllwerker. Aufgekommen mit der städtischen Müllabfuhr. 1900 *ff.*

Mistbiene *f* **1.** dummes Mädchen; Mädchen mit schlechtem Charakter; Hure übelster Art. Eigentlich Name der Schlammfliege (Eristalomyia); äußerlich ähnelt sie der Biene, aber es fehlt ihr deren Nützlichkeit. 1920 *ff.* **2.** Schimpfwort auf einen niederträchtigen Menschen. 1920 *ff.*

Mistbrühe *f* widerlicher Kaffeeaufguß. Eigentlich die Jauche. 1950 *ff, jug.*

Mistbube *m* **1.** unfolgsamer Junge; Taugenichts. Seit dem 19. Jh, vorwiegend *öster.* **2.** unerwünschter Bube im Kartenspiel. 19. Jh.

Mistding *n* minderwertiger, untauglicher Gegenstand; schadhaftes technisches Gerät. 1900 *ff.*

Mistdoktor *m* Diplomlandwirt. Er hat den Umgang mit dem Mist studiert. 1920 *ff.*

Miste *f* **1.** Bett. Eigentlich die Dunglege oder Düngergrube. *Bayr* seit dem 19. Jh. **2.** etwas Bettnässers. Im Strohsack als Unterlage kann man ~ „misten", ohne großen Schaden anzurichten. 1910 *ff.*

misten *intr* koten. Bezieht sich ursprünglich auf das Exkrementieren der Pferde; im 17. Jh von berittenen oder bespannten Truppengattungen auf den Menschen übertragen.

Mister *m* **1.** ~ Muskel = Catcher; Boxer; Ringer; muskulöser Mann. *Engl* „Mister = Herr". 1950 *ff.* **2.** ~ Tagesschau = Nachrichtensprecher im Fernsehen. „Tagesschau" ist der Titel der Nachrichtensendungen der ARD. 1965 *ff.* **3.** ~ 20 Uhr = Nachrichtensprecher im Fernsehen. 1965 *ff.* **4.** Mister X. = Penis. Verfremdete Umschreibung von „Herr Ungenannt" o. ä. 1950 *ff.* **5.** ~ Zehn Prozent = a) für Fußballvereine tätiger Makler, der von der Ablösesumme 10 % erhält. 1965 *ff.* – b) Theater-, Konzertagent. 1965 *ff.*

Mistgabel *f* 1. mit der ~ geimpft sein = dumm sein. Auswuchs des alten Städter-Aberglaubens, daß „die Leute vom Land" (die allein mit Mistgabeln in Berührung kommen) dumm seien. 1920 *ff.*
2. jn mit der ~ kitzeln = jn umbringen. Grimmiges Hehlwort. 1920 *ff.*

Mistgabelbaron *m* Landwirt. Eigentlich ein Spottwort auf den geadelten Großgrundbesitzer. 1870 *ff.*

Mistgefühl *n* böse Ahnung. Das Gefühl ist „↗mist = ungut", und es verheißt „Mist" = Mißerfolg, Schaden o. ä.". 1935 *ff.*

Misthaufen *m* 1. Schimpfwort auf eine Gruppe oder einen Einzelnen. ↗Mist 2. *Sold* spätestens seit 1939.
2. vor Faulheit stinken wie der frische ~ in der Morgensonne = überaus träge sein. Der Misthaufen stinkt infolge des Verrottungsvorgangs. „Faulheit" meint hier nicht das Faulen, sondern die Trägheit (*vgl* ↗Mist 13). *Jug* 1930 *ff.*

Misthupfer (-hüpfer, -hupper) *m* 1. Bauer; Großgrundbesitzer. 1870 *ff.*
2. Schimpfwort. 1900 *ff.*

mistig *adj* 1. unangenehm, widerlich, wertlos, schlecht, gefährlich. Analog zu ↗dreckig. 1800 *ff.*
2. schmutzig, besudelt. 1800 *ff.*
3. charakterlos, frech, unverschämt. 1920 *ff.*
4. neblig, regnerisch, diesig. ↗Mist 3. Seemannsspr. seit dem 17. Jh.

Mistiker *m* Student der Landwirtschaftlichen Hochschule; Eleve. Aus „Mystiker" umgewandelt unter Einfluß von „Mist" und „Studiker". 1800 *ff.*

Mistize *f* Landarbeiterin, Viehmagd. Durch Einfluß von „Mist" umgewandelt aus „Mestize" (= Abkömmling von Weißen und Indianern). Nach 1945 aufgekommen.

Mistkäfer *m* 1. Schimpfwort. Der Käfer lebt in Misthaufen. 1800 *ff.*
2. unreinlicher Mensch. 1800 *ff.*
3. unanständiger Mensch. 1900 *ff.*
4. Mensch, der einen schmutzigen (beschmutzenden) Beruf ausübt. 1920 *ff.*
5. Arbeiter der Müllabfuhr. 1920 *ff.*
6. strahlen wie ein ~ = über das ganze Gesicht „strahlen". Übernommen von „strahlen wie ein Maikäfer". 1920 *ff.*, *schül.*

'mist'kalt *adj* bitterkalt. Aus „mistig kalt" zusammengewachsen. 1900 *ff.*

Mistkerl *m* enttäuschender, vertrauensunwürdiger, niederträchtiger Mann. War ursprünglich eine Schelte auf den Bauern, der die Dunggruben in der Stadt entleerte (↗Mistbauer). Seit dem 19. Jh.

Mistkram *m* unbrauchbarer, minderwertiger Gegenstand; Gerümpel, Tand; leidige Angelegenheit. ↗Kram 1. 1900 *ff.*

Mistkratzer *m* Huhn, Hahn mit freiem Auslauf. *Rotw* 1755 *ff.*

Mistkutscher *m* 1. Fahrer bei der städtischen Müllabfuhr. *Vgl* ↗Mistbauer.1900 *ff.*
2. untauglicher Kraftfahrer. 1905 *ff.*

Mistlackel (Mistlackl) *m* Schimpfwort. ↗Lackel. *Bayr* 1900 *ff.*

Mistladen *m* 1. Geschäftsbetrieb (*abf*). ↗Laden 1. 1920 *ff.*
2. Schule (*abf*). 1950 *ff.*

Mistmacher *m* Mensch, der meistens alles verkehrt macht. ↗Mist 1. 1920 *ff.*

Mistmensch (-menscherl) *n* 1. liederliches Mädchen; gehässig-unverträgliche (jüngere) Frau. ↗Mensch II. *Bayr* und *österr* 1900 *ff.*
2. unkontrollierte Prostituierte. *Österr* 1900 *ff.*

Mistologe *m* Student der Landwirtschaftlichen Hochschule; Eleve. Nachahmung von Wissenschaftlerbezeichnungen mit Einwirkung von „Mist". 1920 *ff.*

Mistpfützenkrebs *m* Schimpfwort auf einen unbeliebten, unkameradschaftlichen Menschen. Vermutlich ein als unausstehlich empfundener Mensch, den man gern in der Dunggrube sähe. 1920 *ff.*

Mistschlitten *m* 1. Kraftfahrzeug mit (oftmaligem) Defekt. ↗Schlitten. 1920 *ff.*
2. liederliche Frau. ↗Schlitten. 1900 *ff.*

Mistschwinger *m* Bauer. Er schwingt die Mistgabel. 1950 *ff.*

Miststück *n* 1. Schimpfwort auf Mensch, Tier oder Gegenstand; ehrloser Mensch. ↗Stück. Spätestens seit 1900.
2. Kosewort. 1920 *ff.*

Misttier *n* unsympathischer, verachteter (verachtenswerter) Mensch. 1920 *ff.*

Mistvieh (-viech) *n* Schimpfwort auf Mensch, Tier oder Gegenstand. Seit dem 18. Jh.

Mistvogel *m* (Adler auf der) Siegelmarke des Gerichtsvollziehers. 1920 *ff.*

mit *präp* 1. eine Flasche ~ = eine Flasche Mineralwasser mit Geschmack. 1870 *ff.*
2. Kaffee ~ = Kaffee mit Schlagsahne (Schlagobers). Wien, kellnerspr. seit dem 19. Jh.
3. ~ ohne = ohne etwas; ohne Zubehör; frei von ... Das Butterbrot „mit ohne" ist ohne Belag. 1870 *ff.*
4. ~ ohne 'was an = unbekleidet. 1900 *ff.*
5. er hat ~ gekriegt = seine Strafe ist zur Bewährung ausgesetzt. Mit = mit Bewährungsfrist. 1970 *ff.*

mitbewohnt *adj* verwanzt (auf Wohnungen bezogen). 1900 *ff.*

mitdrehen *intr* entscheidenden Einfluß ausüben. ↗drehen 6. 1920 *ff.*

miteinander *adv* 1. ~ gehen = ein Liebespaar sein. ↗gehen 15.
2. etw ~ haben = in einem „Verhältnis" leben; ein Liebespaar sein. 1920 *ff.*
3. ~ können = miteinander gut auskommen; gute Arbeits-, Lebenskameraden sein. 1900 *ff.*
4. ~ laufen = ein Liebespaar sein. Seit dem 19. Jh.
5. es ~ treiben = außerehelich (unehelich) koitieren. Seit dem 19. Jh.

Mitesser *m* 1. *pl* = Ungeziefer. Nicht im Sinne von „Hautschmarotzer", sondern als üble Abart von „Kostgängern" aufgefaßt. Seit dem frühen 19. Jh.
2. *sg* = Teilnehmer an einem Essen; Besucher. 1800 *ff.*
3. *sg* = Pensionär. Angeblich ein scherzhafter Eindeutschungsvorschlag im Sinne der NS-Regierung. *Österr* 1938 *ff.*
4. *sg* = Genosse, Mitläufer. 1950 *ff.*
5. *sg* = intimer Freund. 1950 *ff.*
6. ~ aus dem Kranz (Kreuz) drücken = koten. Anspielung auf die Darmbakterien. *BSD* 1920 *ff.*

mitgeben *v* einen ~ = a) beim Skatspiel Kontra bieten. Man verdoppelt das Ge-

winn- oder Verlustrisiko. Kartenspielerspr. seit dem 19. Jh. – b) auf ein Pferd setzen, dem man Gewinnaussichten zutraut. Turfspr. 1880 *ff.*

mitgehen *v* 1. *intr* = den Ausführungen oder Darbietungen interessiert folgen. Soviel wie „begleiten"; gleichen Schritt halten". Theaterspr. 1900 *ff.*
2. etw ~ heißen (etw ~ lassen) = etw stehlen, gelegentlich entwenden. Hehlbezeichnung. Seit dem 16. Jh.

mitgeigen *intr* etw zur Unterhaltung beizutragen haben; mitmachen; kein Spielverderber sein. Analog zu „mitspielen". 1900 *ff.*

mitgewinnen *intr* an der Teilung der Beute teilhaben. Hergenommen von der Beteiligung an einem gemeinschaftlichen Lotterielos. 1910 *ff.*

mithaben *tr* etw mitgebracht, mitgenommen haben. Hieraus verkürzt. Seit dem 19. Jh.

mitkochen *intr* heiß ~ = bei entsprechender Musik temperamentvoll werden. Durch die „hot music" gerät man in Hitze. *Halbw* 1955 *ff.*

mitkommen *intr* 1. geistig folgen können; ebenso gut begreifen wie die anderen; ebenbürtig sein. Man hält mit den anderen Schritt. Seit dem 19. Jh.
2. in der Schule versetzt werden. 1900 *ff.*

mitkriegen *tr* 1. etw mitbekommen (Geld, Brief, Regenschirm, Aussteuer o. ä.). Seit dem 17. Jh.
2. etw verstehen; einer Erzählung zuhören; etw mithören. Man nimmt es geistig in sich auf. 1910 *ff.*

mitlaufen *v* 1. *intr* = teilnehmen; sich beteiligen. Hergenommen vom Schlittschuhlaufen oder anderem gemeinsamen Laufen. Seit dem 19. Jh.
2. etw ~ lassen = etw unterschlagen, stehlen. ↗mitgehen 2. Seit dem 19. Jh.

Mitleid *n* ~ schinden = Mitleid zu erwecken suchen. ↗schinden. 1920 *ff.*

mitlotsen *tr* jds Mitnahme geschickt bewerkstelligen; jn gegen sein anfängliches Sträuben mitnehmen (er lotste ihn mit in die Bar). ↗lotsen. Seit dem 19. Jh.

mitmachen *v* 1. bei etw ~ = sich an etw beteiligen. 1700 *ff.*
2. da machst du 'was mit (da machst 'was mit)!: *iron* Seufzer. Mitmachen = Schweres ertragen müssen. *Bayr* und *österr* 1920 *ff.*
3. nicht mehr lange ~ = dem baldigen Tod entgegensehen. ↗machen 4. 1700 *ff.*

mitmischen *intr* sich an etw beteiligen; entscheidend beim Mischen der Spielkarten. Übertragen vom Mischen der Spielkarten.

mitnehmen *tr* 1. etw ~ = etw auch noch besuchen (bei unserer Reise nach Kassel haben wir auch noch Göttingen mitgenommen). Meint soviel wie „zugleich mit anderem nehmen". 1600 *ff.*
2. etw durch berufliche (Neben-)Tätigkeit Geld erwerben, ohne auf die Summe angewiesen zu sein. 1920 *ff.*
3. etw ehrlich ~ = etw stehlen. 1910 *ff.*
4. jn ~ = jn bestehlen, schädigen, betrügen. Meint entweder jn *iron* Auffassung „jn an etw beteiligen" oder ist verkürzt aus „jn streng, hart, rücksichtslos mitnehmen" oder „etw beim Davongehen mitnehmen". Seit dem 19. Jh.
5. jn hart ~ = jn streng kritisieren. *Vgl*

„hart mitgenommen sein = arg in Mitleidenschaft gezogen sein". 1800 *ff*.

mitrutschen *intr* (mit knapper Not) in die nächsthöhere Klasse versetzt werden. Rutschen = gleiten. 1900 *ff*, *schül*.

mitscheißen *intr* ungefragt seine Meinung (zum Gesprächsgegenstand anderer) äußern. ↗ scheißen. *Sold* in beiden Weltkriegen.

mitschleppen *tr* jn (unter Mühen) mitnehmen. 1900 *ff*.

Mitschnacker *m* Sittlichkeitsverbrecher, der Kinder anspricht. ↗ schnacken. Hamburg 1950 *ff*.

Mitschwärmer *m* Zechgenosse. Dem „Nachtschwärmer" nachgeahmt. 1950 *ff*.

mitstricken *v* an etw ~ = sich an etw beteiligen; sich nicht ausschließen. Von der Handarbeit übertragen. 1950 *ff*.

Mittag I *n* Mittagessen. Hieraus verkürzt unter Beibehaltung des Geschlechts. 1860/70 *ff*.

Mittag II *m* ~ machen = die Mittagspause einhalten; zu Mittag essen. Seit dem 19. Jh.

Mittagessen *n* 1. zurückgeschobenes ~!: Schimpfwort. Der Betreffende ist so unsympathisch wie eine verweigerte Speise. 1940 *ff*.
2. ihm kommt das ~ hoch = er fühlt sich angewidert. 1920 *ff*.
3. da kann man auf das ~ verzichten: Redewendung angesichts eines schönen Mädchens. An ihm kann man sich sattsehen. 1955 *ff*, *halbw*.

Mittagstisch *m* fliegender ~ = fahrbarer Essenzubringerdienst für gehbehinderte Menschen. 1960 *ff*.

Mittelalter *n* 1. die Lebensjahre zwischen dreißig und fünfzig. Seit dem ausgehenden 17. Jh (bevor das Wort zum Begriff für das Zeitalter vom 5. bis zum frühen 16. Jh wurde).
2. die Schüler der Mittelstufe. 1950 *ff*.
3. im besten ~ = im fünften Lebensjahrzehnt. 1900 *ff*.
4. sich tief im ~ befinden = weit über 40 Jahre alt sein. 1870 *ff*.

Mitteleuropäer *m* scherzhafte Anrede. Wohl aufgekommen mit der Paneuropa-Idee. 1920 *ff*.

Mittelfeine *f* auf die ~ = ziemlich unverblümt; nahezu grob und barsch. Hinter „mittelfeine" ergänze „Art" oder „Tour". 1930 *ff*.

Mittelgebirge *n* 1. feister Bauch. Er wölbt sich in der Mitte des Menschen. 1920 *ff*.
2. Leib der Schwangeren. 1960 *ff*.

Mittelgewicht *n* Halbwüchsiger. Übertragen von der Gewichtsklasse beim Boxen, Ringen und Gewichtheben. 1960 *ff*.

mittelherrlich *adj* ziemlich mäßig; nicht sehr eindrucksvoll. *Jug* 1950 *ff*.

mittelleicht *adj* vollschlank. 1960 *ff*.

mittelleidlich *adv* mittelmäßig; einigermaßen; erträglich. 1920 *ff*.

Mittellinienbummler *m* Langsamfahrer auf der Mitte der Fahrbahn. ↗ Bummler 6. 1955 *ff*.

Mittelmeerindianer *m* europäischer Südländer. ↗ Indianer. *Halbw* 1960 *ff*.

Mittelmieser *m* ziemlich übler Mensch. ↗ mies 1. 1950 *ff*.

Mittelmist *m* Mittelmäßiges. ↗ Mist 1. *Schül* 1960 *ff*.

Mittelmumm *m* mittelmäßige Lust, Laune, Stimmung zu etwas. ↗ Mumm. 1900 *ff*.

mittelprächtig *adj adv* 1. mittelmäßig; erträglich; ausreichend; weder gut noch schlecht. Stammt aus dem Deutsch der Versteigerungskataloge: mit „mittelprächtig" bezeichnet man die gut-durchschnittliche Qualität. 1925/30 *ff*.
2. vierzigjährig. Man steht im mittleren Alter, ist aber noch stattlich anzusehen. *BSD* 1965 *ff*.

mittelprima *adv* weit über ~ = ausgezeichnet, hervorragend. ↗ prima. 1930 *ff*, *schül*.

mittelscheußlich *adj adv* mittelmäßig. 1960 *ff*, *jug* (Bregenz).

Mittelstandsparkett *n* Theater-, Kinoplatz in mittlerer Preislage. 1960 *ff*.

Mittelstürmer *m* 1. Penis. Aus dem Fußballsport übertragen. 1935 *ff*.
2. aufdringlicher, geiler Mann. 1935 *ff*.

'mitten'mang *adv präp* zwischen, unter, inmitten. ↗ mang. Berlin, *nordd*, seit dem 18. Jh.

Mitternachtsbowle *f* Nachtgeschirr. Wegen der Formähnlichkeit von Nachttopf und Bowlen-Gefäß. 1900 *ff*.

Mitternachtshyäne *f* nachts auf Männerfang ausgehende Prostituierte. Die Hyäne ist ein nachtaktives Raubtier. 1920 *ff*.

Mitternachtsjodler *m* Schnarchender. *Bayr* und *österr* 1950 *ff*.

Mitternachts-Knieschieber *m* Tango. 1965 *ff*, *halbw*.

Mitternachtspercht *f* sehr häßliche Frau. Die Percht ist die Anführerin des Geisterzuges; bei volkstümlichen Umzügen und Tanzspielen in Dämonenmasken bleibt sie dem Bewußtsein der Öffentlichkeit lebendig. *Österr* 1930 *ff*.

Mitternachtssport *m* Geschlechtsverkehr. Es handelt sich um Leibesübungen zu später Stunde. 1950 *ff*.

Mitternachtstüte *f* Präservativ. ↗ Tüte. 1930 *ff*.

Mitternachtsvase *f* Nachtgeschirr. 1900 *ff*. Vgl franz „vase de nuit"; ital „vasa da notte".

Mitternachtsveilchen *n* Nachtgeschirr. Gehört zu der Wendung vom „Veilchen, das im Verborgenen blüht". 1950 *ff*.

Mitternachtsvorlesung *f* auf 8 Uhr festgesetzte Vorlesung. *Stud* 1960 *ff*.

mittippeln *intr* 1. mitspielen. ↗ tippeln. *Rotw* 1900 *ff*.
2. Mittäter beim Diebstahl sein. *Rotw* 1900 *ff*.

mittun *intr* nicht mehr lange ~ = nicht mehr lange leben. 1700 *ff*.

mittwochs *adv* er schielt, daß er ~ beide Sonntage zugleich sehen kann = er schielt sehr stark. Hergenommen vom Blick auf die Wochenmitte im Kalender. 1950 *ff*.

Mitzi *f* 1. Katzenname. ↗ Mieze. Seit dem 19. Jh.
2. Mädchen. ↗ Mizzi. *Österr* seit dem 19. Jh.

mitziehen *intr* 1. sich beteiligen; geistig folgen können. Von der alten Sportart des Tauziehens übertragen. Seit dem 19. Jh.
2. sich am Zuprosten beteiligen. Seit dem 19. Jh.

Mizzi *f* 1. Rufname der Katze. ↗ Mieze. 19. Jh.
2. junge Prostituierte; junge intime Freundin. Analog zu ↗ Kätzchen. 1900 *ff*.

Möbel *n* 1. ungefüger, lästiger Gegenstand.

Verkürzt aus „großes, schweres Möbel(-stück)". Seit dem 19. Jh.
2. Mensch. In gemütlicher Anrede drückt man aus, daß der Betreffende einem vertraut ist wie ein Möbelstück. Seit dem 19. Jh.
3. ~ von der Stange = Einheits-, Anbaumöbel. ↗ Stange. 1930 *ff*.
4. altes ~ = vertrauliche Anrede. ↗ Möbel 2. Seit dem 19. Jh.
5. faules ~ (faules Stück ~) = träger Mann. Seit dem 19. Jh.
6. hochschwangere ~ = Möbel in barock-üppigen (bauchig geschwungenen) Formen. 1955 *ff*.
7. sauberes ~ = netter, sympathischer Mensch; auch *iron*. ↗ Möbel 2; ↗ sauber. *Österr* seit dem 19. Jh.
8. versenkbares ~ = Sarg, der im Krematorium benutzt wird. 1935 *ff*.
9. auf die ~ aufpassen = daheim bleiben. Nimmt sich aus, als wäre Diebstahl zu befürchten; scherzhaft umgewandelt aus „auf die Kinder aufpassen". 1920 *ff*.
10. jm die ~ graderücken (-stellen) = a) jm heftige Vorhaltungen machen; jn von seinem falschen (für falsch erachteten) Standpunkt abbringen wollen. Veranschaulichende Erweiterung der Vorstellung des Zurechtweisens und Richtigstellens. Seit den späten 19. Jh. – b) jn heftig prügeln. Der Begriff des Tadelns führt in der Umgangssprache auch zum Begriff des Prügelns, weil beiden die Vorstellung des Besserns zugrunde liegt. 1890 *ff*.
11. die ~ 'graderücken = rücksichtslos Ordnung schaffen. 1910 *ff*.
12. dem Gegner die ~ graderücken = den Gegner schwer unter Beschuß nehmen. *Sold* in beiden Weltkriegen.
13. wo sind hier die ~ zu rücken und die Klaviere zu stemmen?: scherzhaft Frage eines Unternehmungslustigen. 1930 *ff*.

Möbelwagen *m* 1. Transportflugzeug; großes Kampfflugzeug. *Sold* in beiden Weltkriegen.
2. schweres Geschoß. *Sold* in beiden Weltkriegen.
3. Panzerkampfwagen. *Sold* 1939 *ff*.
4. auf den ~ abonniert sein = alle paar Monate umziehen. 1900 *ff*.
5. auf drei Meter keinen ~ sehen = wesentliche Dinge übersehen. 1930 *ff*.

moben *v* 1. *intr* = schimpfen; sich aufregen; sich beschweren. Zusammenhängend mit „Mob = Pöbel; aufgebrachte Menschenmenge". 1920 *ff*.
2. sich ~ = sich zusammenrotten. 1955 *ff*.

mobil *adj* munter, regsam, gesund; gut aufgelegt. Aus *franz* „mobile" im 19. Jh übernommen.

Mo'bilchen *n* Kleinauto. Verkürzt aus „Automobilchen", beeinflußt von der Vorstellung „mobil". 1950 *ff*.

möbliert *adj* ↗ Dame; ↗ Herr; ↗ Wirtin.

Moby Dick *m* sehr dicker Mensch. Geht zurück auf den Namen eines weißen Wals: Romangestalt von Herman Melville (1851), verfilmt 1930 und 1956 (mit Gregory Peck in der Hauptrolle). *BSD* 1968 *ff*.

Möchtegern *m* ehrgeiziger Mensch. 1930 *ff*.

Mock *m* Mokka. Kellnerspr. 1900 *ff*.

Mocke *m* beleibter Mensch. Fußt entweder auf mhd „mocke = großer Brocken" oder auf „Mucke = junges Schwein; Zuchtschwein". *Südwestd* 1900 *ff.*

Mocker *m* politisch Unzufriedener; Nörgler. Fußt auf *engl* „mocker = Spötter" oder ist Nebenform zu „↗Mucker". Seit dem 19. Jh.

mockig *adj* trotzig, aufbegehrend. ↗Mocker. Seit dem 19. Jh.

Modder *m* **1.** Morast, Schlamm, Kot. *Niederd* Form von *hd* „Moder". Seit dem 18. Jh.
2. unschmackhafte Speise. 1900 *ff, sold* und *ziv.*
3. Stück ~ = widerwärtiger Mensch. Analogie zu „Stück Dreck". 1900 *ff.*

moddern *intr* im Schmutz, im Schlamm spielen. ↗Modder 1. Seit dem 19. Jh.

Modderwetter *n* unfreundliches, nasses Wetter. Es schafft „↗Modder 1". 1900 *ff.*

Mode *f* **1.** ~ von der Stange = Fertigkleidung. ↗Stange. 1920 *ff.*
2. was ist das für eine ~? = was ist das für eine üble Angewohnheit? Mode = Kleidermode = Sitte = Art und Weise. Seit dem 19. Jh.
3. nicht mehr ~ sein = gesellschaftlich nichts mehr gelten. 1920 *ff.*

Modebotschafterin *f* Modenvorführerin auf Auslandsreise. 1950 *ff.*

Modebummel *m* schlenderndes Spazierengehen an den Konfektionshäusern vorbei und über die Hauptstraßen, um die neue Kleidermode kennenzulernen. ↗Bummel 1. 1950 *ff.*

Modedämchen *n* nach der neuesten Mode gekleidete, gefallsüchtige weibliche Person. ↗Dämchen. 1900 *ff.*

Modefotze *f* Mädchen, das sich überelegant kleidet und dadurch geschmacklos wirkt. ↗Fotze. 1950 *ff.*

Modefritze *m* **1.** Stutzer. ↗Fritze. 1920 *ff.*
2. Modeschöpfer o. ä. 1950 *ff.*

Modefürst *m* bekannter Modeschöpfer. 1920 *ff.*

Modegott *m* Modeschöpfer. 1800 *ff.*

Modehaus X. *n* Kleiderkammer. Statt „X" ist der Name des zuständigen Feldwebels einzusetzen. *BSD* 1965 *ff.*

Modekarussell *n* Wiederaufleben vergangener Kleidermode. 1950 *ff.*

Modekönig *m* berühmter Damenschneider. 19. Jh.

'Model ('Moudel, 'Mudel) *n* Mädchen. Eigentlich *trad* Rufname der Katze (↗Kätzchen); es gilt aber auch „model, Model = Muster, Backfisch", woraus sich Anklang an „Backfisch" ergibt (die Fischform ist eine sehr alte Back- und Puddingform). *Schwäb* und *bayr* 1600 *ff, rotw.*

Modelatein *n* Wortschatz der Modegestalter. ↗Latein 1. 1950 *ff.*

Modelkiste *f* Ausübung einer Straftat, die Schule macht. Model = Schnittmuster; ↗Kiste 3. 1950 *ff.*

Modell *n* **1.** Prostituierte; Unterhaltungsdame o. ä. Verkürzt aus ↗Fotomodell. 1970 *ff.*
2. ~ stehen = a) sich der amtsärztlichen Untersuchung auf Geschlechtskrankheiten unterziehen. 1910 *ff, prost.* – b) militärärztlich zur Wehrtauglichkeit untersucht werden. 1910 *ff.*

Modellkugeln *pl* üppiger Busen mit freimütig zur Schau gestellten Rundungen. 1920 *ff.*

Modemädchen *n* Mädchen, das Modeneu-

heiten bevorzugt. Modenkatalogspr. 1970 *ff.*

Mode-Mix *m* Kleidermode, bei der verschiedene Materialien verwendet werden. *Engl* "to mix = mischen". 1983 *f.*

Modenfee *f* (stets) modisch gekleidete junge Dame. ↗Fee. 1920 *ff.*

Modenschau *f* **1.** Einkleidung. *BSD* 1965 *ff.*
2. Dienstappell mit raschem Uniformwechsel. *Sold* 1935 bis heute.

Modepapst *m* Leiter eines Modenhauses, eines führenden Unternehmens der Damenoberbekleidungs-Industrie oder des -Handels. 1920 *ff.*

modern *adj* nicht mehr ~ sein = gesellschaftlich nichts mehr gelten; die Achtung der Mitbürger verloren haben; von jüngeren Angehörigen o. ä. nicht mehr angehört werden. 1920 *ff.*

Modesalon (Grundwort *franz* ausgesprochen) *m* einen ~ spazieren tragen = hochelegant gekleidet gehen. 1920 *ff.*

Modeschmarren *m* unsinnige Mode; Modetorheit; unsinnige Neuerung. ↗Schmarren. *Bayr,* 1920 *ff.*

Modeschrei *m* **1.** Modeneuheit. ↗Schrei. 1900 *ff.*
2. letzter ~ = letzte Modeneuheit. 1900 *ff.*
3. neuester ~ = allerletzte Modeneuheit. 1960 *ff.*

Modeschröpfer *m* Modegestalter. Spöttisch aus „Modeschöpfer" umgewandelt. Soll 1966 von Elfie Pertramer geprägt worden sein.

Modeständer *m* **1.** modisch gekleidete weibliche Person. Seit dem 19. Jh.
2. Modenvorführerin. 1950 *ff.*

Modetrend *m* Entwicklungsrichtung des Zeitgeschmacks. 1970 *ff.*

Mode-Zicke *f* **1.** Fotomodell. ↗Zicke 1. 1970 *ff.*
2. hochmodisch gekleidete weibliche Person. 1970 *ff.*

Mofarocker *m* Mofafahrer. 1965 *ff.*

mofeln *intr* Mofa fahren. 1965 *ff.*

Moff *m* verbrauchte Zimmerluft; Gestank. Nebenform von ↗Muff. Seit dem 19. Jh.

moff sein 1. sich beleidigt fühlen. ↗Muff. 1870 *ff.*
2. mißgestimmt sein. 1870 *ff.*

Möge *f* Lust, Appetit. Neues Hauptwort zum Zeitwort „mögen". *Halbw* 1980 *ff.*

mogeln *intr* betrügerisch handeln; in der Schule unerlaubte Hilfsmittel benutzen. Scheint ohne *jidd* Einfluß zurückzugehen auf mundartlich „mauscheln = heimlich, hinterlistig handeln". Im späten 18. Jh aus der Studentensprache in die Alltagssprache vorgedrungen.
2. beim Kartenspiel (o. ä.) betrügen. 1780 *ff.*
3. empfängnisverhütende Mittel benutzen. 19. Jh.

Mogelpackung *f* **1.** kleine Dose (Tube) in erheblich größerer Packung; große Dose mit wenig Inhalt. 1960 *ff.*
2. nicht genormte Verpackung. 1960 *ff.*
3. Warengebinde mit einer Gewichtsangabe, die sich nach 50, 100 Gramm oder nach Viertel-, Halbpfund richtet. Man täuscht einen günstigen Preis vor, und der Preisvergleich mit der Kilo- oder Pfundpackung wird erschwert. 1960 *ff.*

Mogelzettel *m* selbstverfertigtes Täuschungsmittel des Schülers. 1900 *ff.*

mögen *v* **1.** das ~ wir! = das schätzen wir überhaupt nicht! das ärgert uns sehr! *Iron* Redewendung. 1900 *ff.*
2. sich selber nicht ~ = mit sich selbst unzufrieden sein. 1900 *ff.*

möglich *adv* er macht's ~ = ihm hat man das zu verdanken; ohne ihn wären wir noch nicht so weit; ohne seine Hilfe erginge es uns schlecht; mit Hilfe des Täuschungszettels schreibt man gute Klassenarbeiten usw. Fußt auf dem Werbespruch „Neckermann macht's möglich" des Großversandhauses Neckermann in Frankfurt am Main. 1950 *ff.*

Möglichkeit *f* **1.** aschgraue ~ = geringste Möglichkeit; völlige Aussichtslosigkeit. ↗Aschgraues 1. Seit dem 19. Jh.
2. bis in die aschgraue ~ = bis ins Unendliche; endlos. Seit dem 19. Jh.
3. ist das die ~!: Ausruf der Überraschung, ungläubigen Staunens. Seit dem 19. Jh.

Mohikaner *m* **1.** der letzte ~ (der letzte ~) = a) das letzte Geldstück. Geht zurück auf den Titel des vielgelesenen Romans „Der letzte der Mohikaner" von James Fenimore Cooper (*dt* 1826). 1850 *ff.* – b) der letzte Gast; der als letzter weggehende Gast; der letzte. 1850 *ff.* - c) letztgeborenes Kind einer Familie. 1900 *ff.* – d) Rest in der Flasche; letzter Schluck; letztes Stück eines Vorrats. 1900 *ff.*
2. die letzten ~ = die Reste einer Kompanie, die sehr viele Verluste erlitten hat. *Sold* 1939 *ff.*

Mohnkalb *n* dummer Mensch. Hat nichts mit dem Mohn zu tun, sondern fußt auf *niederd* „monkalf", womit man ein Kalb meint, das von Mon (einem Gespenst, Ungeheuer) verhext ist; auch meint man so die unzeitige Leibesfrucht sowie die Mißgeburt. Seit dem 18. Jh.

Mohr *m* **1.** Rufname des Hundes, der Katze o. ä. Wegen des schwarzen Fells. Seit dem 19. Jh.
2. einen ~en weiß waschen wollen = einen Schuldigen zu entlasten suchen; einen politisch (strafrechtlich) Belasteten ein Leumundszeugnis ausstellen. Unmögliches versuchen. Fußt auf Jeremias 13, 23. *Gleichbed* in der Antike „einen Äthiopier waschen". Seit dem 16. Jh.

Möhre *f* **1.** Penis. Wegen der Formähnlichkeit. 1935 *ff.*
2. Blockflöte, Klarinette. *Schül* 1955 *ff.*
3. verkümmerte ~ = Versager; Schimpfwort gegen einen Mann. Versteht sich nach ↗Möhre 1. 1950 *ff.*
4. schäl' keine ~! = werde nicht weitschweifig! Meint einen, der die gewachsene Möhre schält, ehe er hineinbeißt, oder ist Entstellung von „Märe = Märchen". *Jug* 1950 *ff, öster.*
5. ~n (Möhrchen) schrappen = mit dem Zeigefinger der Rechten über den der Linken reiben. Bekannt als Spottgebärde, bei der Zeigefinger der Linken auf den Verspotteten zeigt. Wahrscheinlich eine Aufforderung, sich zu entfernen. Der streichende und der gestrichene Finger bilden die Grundform des Kreuzes, das hier unheilabwehrende Geltung hat. 1800 *ff.*

Mohrenwäsche *f* **1.** Waschen sehr schmutziger Kinder; sehr schmutzige Wäsche. Beruht auf der scherzhaften Annahme, die dunkle Hautfarbe sei abwaschbar. 1900 *ff.*
2. (vergeblicher) Versuch der völligen Ent-

lastung eines Beschuldigten. ↗Mohr 2. Seit dem 19. Jh.

3. aussichtsloses Unterfangen. Seit dem 19. Jh.

Mohrrübe *f* **1.** Penis. ↗Möhre 1. 1935 *ff.*
2. ich knacke dich durch wie eine ~!: Drohrede. 1900 *ff.*
3. dich haben sie wohl mit einer ~ aus dem Urwald gelockt?: Frage an einen, der unsinnige Äußerungen tut. *Vgl* ↗Banane 8. Berlin 1920 *ff.*

Moin *interj* Begrüßungsruf am Morgen. Aus „Morgen" zusammengezogen. *Sold* 1900 *ff.*

Moire *f* Angst. Nebenform von ↗Maure. *Rotw* seit dem frühen 20. Jh.

Mok *m* Tasse Mokka. ↗Mock.

Molch *m* **1.** Gehilfe im Naturwissenschaftlichen Kabinett o. ä.. Wohl aus „Famulus" entstellt, mit Anspielung auf „Ekeltiere" in Spiritus. *Schül* 1900 *ff.*
2. alter ~ = alter Mann. 1945 *ff.*
3. trüber ~ = Versager; alter Mann. Anspielung auf den trüben Farbton des Spermas? 1900 *ff.*
4. verstaubter ~ = rückständiger Mensch. 1900 *ff.*
5. falsch wie ein ~ = heimtückisch, unzuverlässig. Der Molch hat eine Tarnfärbung, streift die Haut ab, huscht weg u. ä. 1850 *ff.*

molchen *intr* **1.** schlafen. Gehört zu ↗Molle. 1900 *ff,* Berlin.
2. sich Lust verschaffen; ausgelassen, ausschweifend leben. Molche leben an feuchten Orten; Anspielung auf Zecherei o. ä. 1935 *ff.*

Mo'lesten *pl* Unannehmlichkeiten, Schwierigkeiten, Beschwerden. Gehört zum Folgenden, beeinflußt von „Last" und *franz* „malaise = Unbehagen". Seit dem 19. Jh.

molestieren *tr* jn belästigen; jm lästig fallen. Fußt auf *gleichbed lat* „molestare". Seit dem 16. Jh.

Molle *f* **1.** Hängematte. Nebenform zu ↗Mulde. *Marinespr,* spätestens seit 1900.
2. Bett. 1870 *ff.*
3. Bauch. Eigentlich der Futtertrog. 1800 *ff.*
4. Flugzeug. Der Rumpf ist backtrogähnlich geformt. *Sold* in beiden Weltkriegen.
5. Kopf; dicker Kopf. Er ist aufgedunsen wie der Leib; ↗Molle 3. 1900 *ff.*
6. weitbauchiges, gestieltes Bierglas; Berliner Weißbier. Seit dem 18. Jh.
7. steifer schwarzer Herrenhut. 1900 *ff.*
8. ~ mit Kompott = ein Glas Bier und ein Gläschen Schnaps. Berlin 1870 *ff.*
9. es gießt mit (in) ~n = es regnet heftig. 1700 *ff.*
10. eine ~ jubeln lassen = ein Glas Bier trinken. ↗Molle 6. Berlin 1920 *ff.*

'Molleken-'Doof *n* **1.** dümmliches Mädchen. Moll = Dickes, Rundliches („-ken" = berlinische *dim*-Endung). Das Mädchen ist wohl drall, aber dumm. 1950 *ff.*
2. dasitzen wie ~ = dümmlich, ratlos, unbeholfen sein. 1950 *ff.*
3. auf ~ machen = sich unwissend stellen. 1950 *ff.*

mollen *intr* **1.** schlafen. ↗Molle 2. 1900 *ff.*
2. mit jm ~ = mit jm zärtlich tun, tändeln. 1900 *ff.*

Mollenbunker *m* dicker Bauch. Versteht sich nach ↗Molle 6. 1910 *ff.*

mollert *adj* rundlich, drall (auf Frauen bezo-

gen). *Südd* Form von „↗mollig". Seit dem 16. Jh.

Molli *m* **1.** Rufname des Hundes. Gemeint ist wohl einer, der sich gern streicheln und drücken läßt. ↗mollig 1. Seit dem 19. Jh.
2. Rufname der Katze. Seit dem 19. Jh.
3. dicker Mensch. ↗mollig 1. 1950 *ff.*
4. Arbeitsanzug. Anspielung auf „Moleskin", das dichte und feste Baumwollgewebe; eigentlich das Maulwurfsfell *(engl). BSD* 1965 *ff.*
4 a. Brandflasche. ↗Molly I.
5. gehackter ~ = Frikadelle; Deutsches Beefsteak; Hackbraten. Spöttisch aufgefaßt als Hundefleischkloß". ↗Molli 1. 1920 *ff.*
6. mein lieber ~!: Anrede verwunderter, leicht drohender Art. 1950 *ff,* Berlin.
7. jn zum ~ machen = jn heftig rügen. Wohl hergenommen vom Einschlagen auf Hund oder Katze. 1940 *ff.*

mollig *adj* **1.** fleischig, rundlich, dicklich; angenehm weichlich. Fußt auf *lat* „mollis = weich". Seit dem 16. Jh.
2. ~ schmecken = vortrefflich munden. Seit dem 19. Jh.
3. mit jm ~ sein = mit jm kameradschaftlich gut stehen; intime Beziehungen mit jm unterhalten. *Vgl* ↗Molle 2. 1930 *ff.*

molli machen *intr* schlafen; ein Schläfchen machen; sich ausruhen. ↗mollen 1. 1935 *ff.*

Molly I *m* **1.** Brandflasche. Verkürzt aus ↗Molotow-Cocktail. 1965 *ff.*
2. mit jm den ~ machen = einen Wehrlosen nach Belieben behandeln. ↗Molli 7. 1940 *ff.*

Molly II *f* **1.** Mädchen, Frau (Kosewort). Aus dem *Engl* übernommen. Beeinflußt von „↗mollig 1". 1950 *ff.*
2. fade ~ = einfältiges, langweiliges Mädchen. ↗fad. 1950 *ff.*

Molotow-Cocktail *m* **1.** Brandflasche (zur Panzerbekämpfung). 1941/42 in der Sowjetunion erfunden und nach dem damaligen Außenminister benannt; rasch in der *dt* Soldatensprache volkstümlich geworden; wiederaufgelebt seit Ende 1956 (Ungarn-Aufstand) und bis heute erhalten. *Gleichbed* in England und den USA.
2. hochprozentiger Wodka, in einem Schwenkglas flambiert und mit Sekt abgegossen. Kellnerspr. 1960 *ff.*

molsch (mulsch, mulschig) *adj* mürbe; edelfaul; faulig. Nebenform von ↗mollig. 1700 *ff.*

molschen (moltschen, mulschen, multschen) *intr* **1.** schlafen. Gehört zu „↗Molle 2" und „↗mollen 1". 1910, *nordd* und *nordostd.*
2. faulenzen. Etwa seit 1910, *nordostd.*

Molum *m* Rausch. Geht zurück auf *jidd* „mole = voll". 1800 *ff.*

Mo'mang *m* **1.** Augenblick. Schlecht gesprochenes *franz* „moment". Seit dem 19. Jh.
2. ~ mal! = gedulde dich einen Augenblick! dräng' dich nicht vor! 1870 *ff.*

momentan *adv* **1.** nicht ~ sein = a) nicht anwesend sein; unpäßlich sein. 1870 *ff.* – b) nicht verstanden haben; nicht recht bei Verstand sein. Momentan = geistesgegenwärtig; nicht momentan = geistesabwesend. 1870 *ff.*
2. es ist mir augenblicklich nicht ~ = es ist mir augenblicklich nicht gegenwärtig. 1900 *ff,* Berlin.

Monarch *m* **1.** Landstreicher, Saisonarbeiter. Vermutlich verkürzt aus „sie sind von allerhand Monarchen = sie kommen aus aller Herren Länder". Im ausgehenden 19. Jh aufgekommen.
2. Straßenbauarbeiter; Rottenarbeiter bei der Eisenbahn. 1880/90 *ff.*

Mönchen-Gladbach *On* aus ~ sein = flachbusig sein. Die Silbe „Glad-" wird als „glatt" gedeutet. 1900 *ff.*

Mond *m* **1.** Glatze. 1850 *ff.*
2. müder ~ = Schimpfwort auf einen Energielosen. Daß der Mond seine Bahn langsam zieht, wird als Zeichen von Müdigkeit gedeutet. 1920 *ff, sportl* und *sold.*
3. roter ~ = sowjetrussischer Erdsatellit. „Rot" spielt auf die rote Fahne der Kommunisten an. 1958 *ff.*
4. saurer ~ = unwilliger Rekrut; stark zivilistischer Soldat. Er blickt „sauer = mißmutig" drein. *BSD* 1965 *ff.*
5. trauriger ~ = Versager. Wohl übertragen von Mondphasen nahe am Neumond. 1900 *ff.*
6. weißer ~ = US-Erdsatellit. Als Gegensatz zu „↗Mond 3" gedacht. 1958 *ff.*
7. Gesicht wie ein ~ mit Henkeln = feistes Gesicht. Es ist ein Rundgesicht mit zwei Anfassern. 1950 *ff, jug.*
8. den ~ anbellen = a) sich unnötig ereifern. Hergenommen vom scheinbar sinnlosen Wolfsgeheul oder Hundegebell in der Nacht. 1500 *ff. Vgl franz* „aboyer à la lune". – b) gegen einen Befehl aufbegehren; über eine Anordnung murren. *Sold* in beiden Weltkriegen.
9. der ~ geht auf = a) es bildet sich eine Glatze. ↗Mond 1. 1850 *ff.* – b) in einer Gesellschaft erscheint ein Glatzköpfiger. 1850 *ff.*
10. er kann mir im ~ begegnen!: Ausdruck der Ablehnung. Euphemistisch für das Götz-Zitat *(vgl* ↗Mondschein 4). 1910 *ff.*
11. der ~ blakt = der Mann redet Unsinn. ↗Blak. *Nordd* 1870 *ff.*
12. vom ~ gebissen sein = nicht recht bei Verstand sein. 1920 *ff.*
13. vom ~ gefallen sein = unwissend sein; keinen Bescheid wissen. Der Gemeinte ist offenbar gerade „vom Himmel gefallen" und findet sich auf der Erde noch nicht zurecht. 1900 *ff.*
14. die Uhr geht nach dem ~ = die Uhr geht falsch. Sie richtet sich nicht nach dem Sonnentag, sondern nach dem Mondumlauf, der für die Zeitmessung untauglich ist. Seit dem 19. Jh.
15. geh' an den ~ und pflück' die Sterne!: Ausdruck der Abweisung. 1900 *ff, schül.*
16. geh' auf den ~ und pflück' Veilchen!: Aufforderung zum Weggehen. 1900 *ff, jug.*
17. am ~ genuckelt haben = nicht bei Sinnen sein. 1920 *ff.*
18. auf den ~ grasen = Hirngespinsten anhängen. 1900 *ff.*
19. dem ~ in die Rippen kitzeln können = großwüchsig sein. 1900 *ff.*
20. vom ~ kommen = weltfremd sein; sich nicht auskennen. ↗Mond 13. 1900 *ff.*
21. der ~ laatscht durch die Gurken = es ist spätabends. Spöttische Entpoetisierung. *Halbw* 1960 *ff.*
22. auf (hinter, in) dem ~ leben = sich um alltägliche Dinge nicht kümmern;

weltfremd urteilen. Veranschaulichung des Ferngerücktseins von der irdischen Wirklichkeit. Seit dem 19. Jh.

23. auf der anderen Seite des ~es leben = lebensunerfahren sein. Aufgekommen, als unbemannte Raumschiffe erstmals den Mond umkreisten. 1966 *ff.*

24. ihn hat der ~ gepeckt = er ist nicht recht bei Verstand. Pecken = koitieren. *Österr* 1930 *ff.*

25. in den ~ schauen (blicken, glotzen, gucken, sehen o. ä.) = bei einer Verteilung leer ausgehen; das Nachsehen haben. Beruht wahrscheinlich auf der abergläubischen Meinung, wer in den (Voll-) Mond sieht, werde ungeschickt und blöde. Seit dem 19. Jh.

26. jn auf den (zum) ~ schießen mögen = jn in weite Ferne wünschen. Um 1900 verbreitet unter Jahrmarktsausrufern als reine Phantasievorstellung; die Phantasie wurde durch die erste Mondlandung von Menschen (20. Juli 1969) von der Wirklichkeit eingeholt.

27. da möchte man sich selber auf den ~ schießen (sonst lasse ich mich auf den ~ schießen)!: Ausdruck der Verzweiflung. 1962 *ff.*

28. etw in den ~ schreiben = etw als unerreichbar aufgeben; etw als verloren betrachten. 1950 *ff.*

29. im ~ sein = geistesabwesend, zerstreut sein. ⌝Mond 22. Auch Beziehung zum geistesabwesenden Nachtwandler ist möglich. 1900 *ff.* Vgl franz „être dans la lune“.

30. hinter dem ~ daheim sein (wohnen) = rückständig sein; den Zusammenhang mit der Alltagswirklichkeit verloren haben. „Hinter dem Mond“ meint eigentlich ein Zeitliches (man hinkt eine gewisse Zeit hinter dem Mond nach) und erst später ein Räumliches. ⌝Mond 22. Seit dem 19. Jh.

Mondauto *n* geländegängiger Kleintransporter mit unabhängig voneinander beweglichen Rädern usw. Aufgekommen 1971 im Zusammenhang mit dem Mondauto von „Apollo 15“.

Mond-Bahnhof *m* Cape Canaveral (Cape Kennedy) in Florida, bekannt geworden als Startzentrum für Raketen und bemannte Mondflüge. 1968 *ff.*

monden *intr* **1.** sich Phantastereien hingeben; vor sich hinträumen. Hängt zusammen mit dem Buch „Die Reise zum Mond“ von Jules Verne. 1910 *ff.*

2. zum Mond fliegen wollen. Aufgekommen mit dem erfolgreichen Start der ersten Erdsatelliten, 1957 *ff.*

Mondfahrerstiefel *pl* Schuhe mit dicker Kunststoffsohle. (Damen-)Stiefel mit Plastikschaft. Anspielung auf das Schuhwerk der Mondfahrer. 1974 *ff.*

Mondkalb *n* **1.** dummer, einfältiger Mensch. Aus „Mohnkalb“ volksetymologisch umgeformt. Seit dem späten 18. Jh.

2. ~ mit Sonnenstich = Schimpfwort auf einen Dummen. *Jug* 1930 *ff.*

3. angestochenes ~ = Mensch, der von Sinnen ist. ⌝Kalb 10. 1950 *ff*, *schül.*

4. solche ~ = erste auf dem Mond gelandete Sonde sowjetrussischer Herkunft. Rot ist die Grundfarbe der Flagge der Sowjetunion. 1959 *ff.*

Mondkutscher *m* Astronaut. 1969 *ff.*

Mondnacht *f* Nacht der ersten bemannten Mondlandung (20./21. Juli 1969). Literarisch seit dem 5. August 1969 belegt.

Mondpreise *pl* überhöhte Preise; hoch angesetzte, empfohlene Richtpreise, die der Verkäufer unterschreitet, so daß der Kunde meint, die Angebote seien besonders preiswert. Anspielung auf „astronomische Zahlen“. 1963 *ff.*

Mondrakete *f* zielstrebig wie eine ~ = überaus zielstrebig; den Vorsatz unbeirrbar ausführend. 1965 *ff.*

Mondschein *m* **1.** Glatze. ⌝Mond 1. Seit dem späten 19. Jh.

2. nacktes Gesäß. 1900 *ff.*

3. ~ mit Pelzbesatz = von einem Haarkranz umgebene Glatze (Tonsur). 1920 *ff.*

4. er kann mir im ~ begegnen!: Ausruf der Abweisung. Euphemismus für „er kann mich im Arsch lecken!“ (⌝Mondschein 2). Seit dem späten 19. Jh.

Mondscheinbruder *m* Nachtschwärmer. 1950 *ff.*

Mondscheingesicht *n* feistes Gesicht. Seit dem 19. Jh.

Mondscheinkompanie *f* Kompanie, die viele Nachtmärsche oder nächtliche Übungsalarme durchführt. *BSD* 1965 *ff.*

Mondscheinschnitte (-stulle) *f* sehr dünne Scheibe Brot. Der Mond kann hindurchscheinen. 1870 *ff.*

Mondscheintarif *m* Fernsprechgebühr in der Zeit zwischen 22 und 6 Uhr. Wortprägung durch das Bundespostministerium. Der Tarif wurde am 1. Juli 1974 eingeführt.

mondsüchtig *adj* **1.** Phantastereien nachhängend; träumend. Soviel wie „nachtwandlerisch“. 1935 *ff.*

2. in gespannter Erwartung auf die erste Mondlandung; fasziniert von der ersten Mondlandung. Zum 20./21. Juli 1969 aufgekommen.

Mondsüchtiger *m* Nachtschwärmer. 1950 *ff.*

Moneten *pl* Geld. Stammt aus *lat* „moneta“, dem Beinamen der römischen Göttin Juno, in deren Tempel auf dem Kapitolinischen Hügel die Münzstätte eingerichtet war. Im späten 18. Jh durch Studenten eingebürgert.

Mongo *m* Dummer, Versager. Zusammenhängend mit Mongolismus. *Schül* 1970 *ff.*

Monika *f* **1.** Mund-, Ziehharmonika. Aus „Harmonika“ verkürzt. 1900 *ff.*

2. das spielt keine ~ = das ist gleichgültig, unwichtig. ⌝Handharmonika. 1920 *ff.*

Monni *n* Geld. Aus *engl* „money“. 1920 *ff.*

Monogramm *n* **1.** sich vor Wut ein ~ in den Bauch beißen (beißen mögen) = sehr wütend sein. 1920 *ff.*

2. beiß' dir ein ~ in den Bauch! = tu', was du willst, aber mich laß' in Ruhe! 1920 *ff.*

3. deswegen werde (kann) ich mir kein ~ in den Bauch beißen = dadurch lasse ich mich aus der Fassung bringen. 1920 *ff.*

4. man kann sich auch ein ~ in den Bauch beißen: Entgegnung auf eine mit „man kann ...“ beginnende Äußerung, deren Verwirklichung bezweifelt wird. 1920 *ff.*

5. ich beiße dir ein ~ in den Buckel!: scherzhafte Drohrede. Wien 1950 *ff.*

6. da möchte man sich am liebsten ein ~

in den Hintern beißen!: Ausdruck heftigen Unwillens. 1920 *ff.*

7. sein ~ in den Beinen haben = Otto heißen und nach außen gewölbte Beine haben. *Jug* 1930 *ff.*

Monokel *n* ich rotze dir ein ~ aufs Glasauge!: Drohrede. ⌝rotzen. *Jug* 1955 *ff.*

Monokelsuppe *f* Suppe mit einem einzigen Fettauge. 1890 *ff.*

Monokini *m* **1.** Frauenbadeanzug ohne Oberteil. Zusammengesetzt aus *griech* „monos“ = allein, ein“ und „⌝Bikini“. 1964 *ff.*

2. einteiliger Damenbadeanzug mit tiefem Rückendekolleté. 1978 *ff.*

Monopol-Hund *m* Unternehmen, das eine marktbeherrschende Monopolstellung einnimmt und jegliche Beeinträchtigung seiner Interessen scharf abwehrt. 1955 *ff.*

Mönsch *interj* Ausruf der Überraschung. Entstellt aus „Mensch!“. 1920 *ff.*

mönseln *intr* innerlich aufbegehren. Nasalierte Nebenform zu „⌝masseln 2“. *BSD* 1965 *ff.*

Monster-Einbruch *m* sehr schwerwiegender Einbruch. „Monster“ geht über die gleichlautende *engl* Form auf *lat* „monstrum“ = Ungeheuer“ zurück und kennzeichnet das Grundwort als „riesenhaft, riesig“, auch als „erschreckend“ o. ä. 1920 *ff.*

Monsterprozeß *m* Gerichtsverfahren mit großem Aufgebot von Zeugen und Sachverständigen. 1920 *ff.*

Montag *m* **1.** blauer ~ = a) arbeitsfreier Montag; Montag, an dem man aus Unlust der Arbeit fernbleibt. Herkunft unsicher. Die Handwerksgesellen hatten im späten Mittelalter Anspruch auf Arbeitsbefreiung an bestimmten Montagen. „Blau“ hat nichts mit der Bedeutung „betrunken“ zu tun, sondern geht vielleicht auf das Blau der Feiertagstracht zurück. Seit dem 17. Jh. – b) Montag, an dem der Soldat eigenmächtig dem Dienst fernbleibt. *BSD* 1965 *ff.*

2. geiler ~ = Fastnachtsmontag. „Geil“ hat hier den alten Sinn von „fröhlich, übermütig“. 1920 *ff.*

3. schwarzer ~ = Montag als der Arbeitstag mit den meisten (Betriebs-)Unfällen. 1975 *ff.*

4. blauen ~ haben = dem Schulunterricht unentschuldigt fernbleiben. ⌝Montag 1. *Schül* 1900 *ff.*

Montagsarbeit *f* schlechte, unsorgfältige Arbeit. Nach dem freien Wochenende ist die Arbeitskraft beeinträchtigt. 1960 *ff.*

Montagsgespräch *n* ~ am Arbeitsplatz = Unterhaltung über geschlechtliche Erlebnisse am Wochenende. 1920 *ff.*

Montagskater *m* Nachwehen des freien Wochenendes am Beginn der neuen Arbeitswoche. ⌝Kater 1. 1960 *ff.*

Montagskrüppel *m* Mensch, der den Übergang von der Wochenend-Freizeit zur üblichen Arbeitswoche nur unter Mühen vollzieht. 1965 *ff.*

Montagsproduktion *f* qualitativ und quantitativ unterdurchschnittliche Arbeitsleistung an Montagen (und deren Ergebnis, Ergebnisse). ⌝Montagsarbeit. 1965 *ff.*

Monte Carlo *On* **1.** ~ des Nordens = Zoppot (*poln* Sopot). Anspielung auf das Spielkasino. 1960 *ff.*

2. nordisches ~ = Travemünde. 1960 *ff.*

Monte Klamott *m* **1.** Trümmerschuttberg

in Berlin-Schöneberg. ↗Klamotte 3. Nach 1945 aufgekommen.
2. städtische Müllkippe. 1965 ff.

Monte Scherbellino (-belino) m Trümmerschuttberg; Müllabladeplatz. Um 1930 aufgekommene Italianisierung von „Scherbelberg", „Scherbelplatz" o. ä.

Monte Schlacko m Koksschlackenhalde. 1975 ff, Ruhrrevier.

Montezumas Rache f Durchfall; Darminfektion. Aufgekommen 1968 anläßlich der Olympischen Spiele in Mexiko mit Anspielung auf den letzten Aztekenherrscher Montezuma II. (um 1466 bis 1520).

Monturzauber m Anziehungskraft Uniformierter auf das weibliche Geschlecht. Seit dem letzten Drittel des 19. Jhs.

Monumentalschinken m mit erheblichem Aufwand gedrehter (Breitwand-)Film minderen künstlerischen Wertes. Seit 1920 ff.

Moorwasser n **1.** Kaffeeaufguß. Wegen der Farbähnlichkeit. BSD 1965 ff.
2. Cola-Getränk. BSD 1965 ff.
3. Teeaufguß. 1960 ff, halbw.

Moos n **1.** Geld, Löhnung. Jidd „moo = Pfennig; moos = Geld". 1750 ff, rotw; heute vorwiegend jug und sold.
2. dichtes kurzes, gekräuseltes Kopfhaar, Halbw 1960 ff.
3. ~ ansetzen = ein Langschläfer sein; sich nicht aufraffen; in Untätigkeit verharren; tatenlos zusehen. 1930 ff.
4. ~ auf dem Rücken haben = bejahrt sein; ein altgedienter Soldat sein. Übertragen vom bemoosten Rücken alter Karpfen o. ä. 1920 ff.

Mooshaupt n **1.** Student mit hoher Semesterzahl. ↗Haupt 1. 1955 ff.
2. Altgedienter. ↗bemoost 1. BSD 1965 ff.

Mooskiste f Geldkassette; Sparbüchse. ↗Moos 1. 1920 ff.

Moostapper m Kneippkurgast. Er geht barfuß über Moos. Tappen = flach auftreten. Bayr 1950 ff.

Mop m Beatle-Haartracht o. ä.; Perücke. Mop = langfransiger Stoffbesen. 1964 ff.

Mopedblase f Gruppe von Mopedfahrern. ↗Blase. 1957 ff.

Mopedbraut f Moped-Mitfahrerin. 1958 ff.

Mopedkutscher m Mopedfahrer. 1958 ff.

'Mopedler m Mopedfahrer. 1959 ff.

Moped-Proletarier m rücksichtsloser Mopedfahrer. 1958 ff.

Moped-Rowdy (Grundwort engl ausgeprochen) m rücksichtsloser Mopedfahrer. ↗Rowdy. 1958 ff.

Mopedschuster m Kraftfahrzeugschlosser. ↗Schuster. 1963 ff, jug.

Mopf m Militär-Oberpfarrer. Die militäramtliche Abkürzung „MOpf" als Wort gesprochen. BSD 1965 ff.

Mop-Frisur f Langhaartracht. ↗Mop. 1964 ff.

Mop-Kopf (-Kopp) m Langhaartracht. 1964 ff.

mopfköpfig adj langhaarig. 1964 ff.

Mop-Mähne f lang herabfallendes Kopfhaar. ↗Mop; ↗Mähne. 1964 ff.

Mopmaxe m **1.** Mopedfahrer. „Mop" ist aus „Moped" verkürzt. „Maxe" steht über „↗Max 1" (pars pro toto) für „Mann" schlechthin. 1955 ff.
2. rücksichtsloser Mopedfahrer. Mit dem Nebensinn von „Mob = Pöbel". 1955 ff.

Mopmode f Langhaartracht. ↗Mop. 1964 ff.

Möpp m **1.** unbeliebter Mensch. Meint im Westd den Mops und weiter den nicht reinrassigen Hund; auch Anspielung auf den mürrischen Gesichtsausdruck (vgl ↗moppern). 1900 ff.
2. fieser ~ (auch: „eine fiese ~", m) = widerlicher Mensch. ↗fies 1. 1900 ff.
3. den ~ haben = mißgestimmt sein; arbeitsunlustig sein. 1900 ff.

Moppe f Ohrfeige, Stoß. Fußt auf ndl „mop = Pfeffernuß". ↗Nuß = Schlag. Nordd seit dem 19. Jh.

Moppel (Mobbel) m dicklicher Mensch. Kosewörtliche Form von „Mops = dicker Hund"; soviel wie „Gedrungener, Untersetzter". Seit dem 19. Jh, westd, südwestd und mitteld.

moppelig (mobbelig) adj kurz und dick; von gedrungener Gestalt. Seit dem 19. Jh.

Moppelkotze f **1.** italienischer Salat. Eigentlich das vom Hund Erbrochene. Sold 1939 ff.
2. Haferschleimsuppe. Berlin 1965 ff, schül.

Moppelpinscher m nicht reinrassiger Hund. Moppel = Mops. 1920 ff.

Mopperl n **1.** untersetzte weibliche Person (kosewörtlich). Oberd dim zu „Moppel". Seit dem 19. Jh.
2. Kleinauto. Österr 1910 ff.
3. Motorrad, Moped. Österr 1950 ff.

moppern intr nörgeln, aufbegehren; widerspenstig sein. Gehört zu mittelniederd „moppen = das Gesicht verzerren". Seit dem 19. Jh.

Mops m **1.** unfreundlicher, mürrischer Mensch; Mensch mit feistem, aufgedunsenem Gesicht. Geht zurück auf das germ Grundwort „mup" mit der Bedeutung „Gesichterschneiden". Zunächst auf den Menschen, erst später auf den Hund bezogen. 1700 ff. Vgl engl „mop = schiefes Maul".
2. langweiliger Mensch. ↗mopsen 4. 1900 ff.
3. dicklicher Mensch. Vom Hund übertragen. Seit dem 19. Jh.
4. weiblicher Lehrling. Vgl ↗Moppel. 1870 ff.
5. versteifter Penis. 1900 ff.
6. Zeltpflock. Wegen der Formähnlichkeit übertragen aus dem Vorhergehenden. 1955 ff.
6 a. schwerer Fehler. Vgl ↗Hund 18. 1965 ff.
7. pl = Hartgeld; Mark. Münzen werden vielfach mit Tiernamen bezeichnet; Goldfüchse = Goldstücke; Mäuse = Silberstücke; Möpse = Groschenstücke. Gegen 1750 in der Studentensprache aufgekommen und von da ins Rotw und in die Soldatensprache übergegangen.
8. saurer ~ = a) unsympathischer, verdrießlicher, unfroher Mensch; Nörgler um des Nörgelns willen. Den Gesichtsausdruck hat er mit dem Mops gemeinsam. 1870 ff. – b) dienstlich befohlene Freizeitgestaltung; Kameradschaftsabend; Familienabend; Teeabend o. ä. Gehört zu ↗mopsen 4. 1900 ff.
9. wie der ~ im Paletot = lebhaft, munter, heiter, lebenslustig, sorglos. Geht wahrscheinlich auf einen in aller Eile „gedichteten" Albumvers zurück: „Lebe lustig, lebe froh wie der Mops im Paletot". 1870 ff.

10. in einem Kleid aussehen wie ein ~ im Paletot = ein viel zu weites Kleid tragen. Zur Erklärung vgl das Vorhergehende. 1910 ff.
11. sich freuen wie ein ~ = sich sehr freuen. 1870 ff.
12. einen ~ haben = (als Mann) geschlechtlich sehr erregt sein. ↗Mops 5. 1900 ff.
13. sich langweilen wie ein ~ = sich sehr langweilen. Vgl ↗mopsen 4. Seit dem 19. Jh.
14. schlafen wie ein ~ = fest schlafen. Hängt wohl zusammen mit „↗mopsen 4". Seit dem 19. Jh.

Mopsbeine pl S-förmig gebogene Beine. Formähnlich mit den Beinen des Mopses. 1870 ff.

Möpschen n Kosewort für Mann oder Frau. Wohl wegen einer als angenehm empfundenen Rundlichkeit (vgl ↗Mops 3). 1900 ff.

mopsen v **1.** tr = geringwertige Dinge stehlen. Kann auf jidd „meps = klein" fußen. Seit dem frühen 19. Jh.
2. tr = vom Mitschüler abschreiben. Als geistiger Diebstahl aufgefaßt. 1950 ff.
3. intr = koitieren, schwängern. Entweder Anspielung auf „↗Mops 5" oder aufzufassen als ein Naschen oder ein Rauben der Unschuld. 1930 ff.
4. sich ~ = sich langweilen. Wer sich langweilt, zeigt eine unfrohe Miene. ↗Mops 1. Spätestens seit 1800.
5. sich ~ = sich ärgern; schmollen; murren. ↗Mops 1. 1830 ff.
6. es mopst mich = es ärgert mich. Seit dem 19. Jh.

Mopser m Dieb. ↗mopsen 1. 1900 ff.

Mopse'rei f Diebstahl; Diebischsein. 1900 ff.

'mopsfi'del adj gutgelaunt; sehr gesund; lustig und zufrieden. ↗fidel; ↗Mops 9. 1900 ff.

Mopsgedackelter Windhundpinscher m nicht rassereiner Hund. Zusammengesetzt aus vier Hunde-Zuchtrassen. 1945 ff.

Mopsgesicht n mürrische Miene. ↗Mops 1. 1800 ff.

'mopsge'sund adj vollauf gesund. ↗mopsfidel. 1900 ff.

mopsig adj **1.** langweilig. ↗mopsen 4. 1800 ff.
2. mürrisch, verärgert. Mops 1. 1800 ff.
3. unbekümmert. Der Mops gilt als behäbig und genügsam. 1900 ff.
4. dicklich. Vgl ↗moppelig. 1920 ff.

Mopsigkeit f Unbekümmertheit. ↗mopsig 3. 1900 ff.

Möpsin f vollschlanke ältere Frau unfrohen Wesens. ↗Mops 1. 1900 ff.

Mopsjäger m Hundefänger von Amts wegen; Beamter, der streunende Hunde (Hunde ohne Steuermarke) auf den Straßen fängt. 1900 ff.

'mops'langweilig adj sehr langweilig; wenig unterhaltsam. ↗mopsig 1. 1900 ff.

Mopsnase f stumpfe Nase. Sie ähnelt der des Hundes. 1800 ff.

'mops'sauer adj unwirsch, mißvergnügt. ↗Mops 8. 1920 ff.

'mopsver'gnügt adj sehr vergnügt, lebenslustig. Vgl ↗Mops 9. 1900 ff.

'mops'wohl adv sehr wohl; heiter gestimmt. Vgl ↗Mops 9. 1900 ff.

Moral f **1.** saure ~ = unfrohe Moralistenmeinung. 1950 ff.

2. er hat seine ~ an der Garderobe abgegeben = er hat keinerlei sittliche Hemmungen. Er entledigt sich ihrer wie der behindernden Überkleidung. 1960 *ff.*
2 a. in ~ machen = sich zum Sittenrichter aufwerfen. ↗machen 35. 1900 *ff.*
3. ~ pauken = Mahnreden halten. ↗pauken. Seit dem ausgehenden 19. Jh.
4. ~ pinkeln = als Geistlicher ernste Vorhaltungen machen. Sie gehen wie ein Regen über die Gemeinde nieder. *Vgl* ↗pinkeln 2. 1900 *ff.*
5. jm ~ predigen = jm energisch ins Gewissen reden. Vom Geistlichen übertragen. Spätestens seit 1900.
Moralakrobat *m* in moralischer Hinsicht sehr anpassungsfähiger Mensch. 1920 *ff.*
Moralapostel *m* **1.** Sittenrichter. 1900 *ff.*
2. Kirchenaufseher, der auf züchtige Bekleidung der Kirchenbesucherinnen achtet. 1960 *ff.*
Moral-Athlet *m* strenger Sittenrichter gegenüber anderen; eifernder Geistlicher. 1870 *ff.*
Moraldogge *f* Erwachsener, der die großzügigen Moralansichten der jungen Leute nicht teilt. Anspielung auf den mürrischen Gesichtsausdruck nach dem Vorbild der Bulldogge. *Halbw* 1960 *ff.*
Moralfex *m* sittenstrenger Mensch. ↗Fex. 1870 *ff.*
Moralgigant *m* unüberbietbar moralgefestigter Mensch. 1950 *ff.*
Mora'lin *n* **1.** strenger, unnachsichtiger, prüder Moralbegriff. Bezeichnung für Arzneimittel nachgeahmt, wohl weil gewisse Leute die enge Auslegung des Moralbegriffs für das einzige Heilmittel einer niedergehenden Kultur halten. Seit Friedrich Nietzsches „Der Fall Wagner" (1888) gebräuchlich.
2. Stimme des Gewissens. 1920 *ff.*
3. es riecht nach ~ = man sieht sich engen Sittenbegriffen gegenüber. 1920 *ff.*
mora'linfrei *adj* **1.** frei von allzu enger Auslegung des Moralbegriffs. Seit 1888 (Nietzsche).
2. ohne moralische Gesichtspunkte. 1920 *ff.*
Mora'lingeschwätz *n* streng sittenrichterliche Äußerung(en). 1920 *ff.*
Mora'lin-Heuchelei *f* vorgetäuschte Sittenstrenge. 1950 *ff.*
mora'linsauer *adj* sittenstreng bis zu völliger Unduldsamkeit. 1920/30 *ff.*
mora'linsäuerlich *adj* aufdringlich sittenstreng; sittenstreng zu Lasten der Lebensfreude. 1920 *ff.*
Mora'linsäure *f* herbe Sittlichkeit; strenge sittliche Ermahnung. 1920 *ff.*
Mora'linspritze *f* sittliche Mahnrede; Besserungsversuch. 1920 *ff.*
Moralischer *m* einen Moralischen haben = sich Selbstvorwürfe machen; nach Ausschweifungen mit sich selbst hadern. Verkürzt aus „moralischer ↗Katzenjammer". Seit dem frühen 19. Jh, *stud.*
Moral-Mucker *m* lebensfeindlich sittenstrenger Mann. ↗Mucker. 1920 *ff.*
Moralmuffel *m* sittenstrenger Mensch. ↗Muffel. 1967 *ff.*
Moralpapst *m* anmaßender Sittenrichter. 1900 *ff.*
Moralpauke *f* sittliche Mahn-, Strafrede. ↗Pauke. 1870 *ff.*
Moralpauker *m* Sittenprediger. 1870 *ff.*

Moralpaukerei *f* Moralpredigt, Mahnrede o. ä. 1900 *ff.*
Moralpinkelei *f* **1.** Predigt des Geistlichen oder Religionslehrers. ↗Moral 4. 1900 *ff.*
2. Belehrung über Geschlechtskrankheiten durch den Truppenarzt. ↗pinkeln 1. 1915 *ff, sold.*
Moralpisser *m* Kanzelredner, Prediger. *Vgl* ↗Moral 4. „Pinkeln" und „pissen" stehen sowohl für „regnen" als auch für „harnen". 1900 *ff.*
Moralprediger *pl* die Erwachsenen. *Jug* 1955 *ff.*
Moralreiter *m* berittener Polizeibeamter, der auf Camping- und Badeplätzen über Ruhe, Ordnung und öffentliche Moral wacht. 1960 *ff.*
Moralschnüffelei *f* Aufstöbern von „Unsittlichkeit" (auch unter sittenwidriger Mißachtung der Intimsphäre). 1920 *ff.*
Moralspritze *f* Injektion gegen Geschlechtskrankheiten. *Sold* 1915 *ff; ziv* 1920 *ff.*
moralsteif *adj* in Sittenfragen unerbittlich bis zur Unduldsamkeit. 1950 *ff.*
Moraltante *f* sittenstrenger Mensch. 1900 *ff.*
moraltriefend *adj* moralisierend bis zum Überdruß. 1920 *ff.*
Moraltrompete *f* **1.** sittenstrenge Zimmervermieterin. Mit einer Art Trompetenstimme verkündet sie ihre moralischen Ansichten. 1920 *ff.*
2. in die ~ stoßen = seine moralische Entrüstung laut äußern. 1920 *ff.*
Moraltrompeter *m* Sittenprediger. Friedrich Nietzsche nennt 1888 Friedrich Schiller den „Moraltrompeter von Säckingen" nach dem Versepos „Der Trompeter von Säckingen" von Victor von Scheffel (1854).
moraltrompeterisch *adj* streng moralisierend. 1920 *ff.*
Moral-Wau'wau *m* Sittenwächter. ↗Wauwau. 1950 *ff.*
Moralzwangsjacke *f* durch das Moralgesetz bedingte Unfreiheit. 1950 *ff.*
Moratorium *n* ~ von Händel = Zahlungsaufschub für einen Geschäftsmann. Scherzhaft abgewandelt aus „Oratorium von Händel". 1920/1930 *ff.*
Morchel *f* **1.** unreinliche Frau. Verkürzt aus „↗Stinkmorchel". 1850 *ff.*
2. unsauberes Taschentuch. 1850 *ff.*
Mord *m* **1.** ~ im Keller = Mortadella-Wurst. Hieraus scherzhaft volksetymologisch umgewandelt. 1870 *ff.*
2. ~ mit Licht = gefährliche Blendung der Fahrer entgegenkommender Fahrzeuge durch volles Scheinwerferlicht. 1955 *ff.*
2 a. ~auf Raten = Rauschmittelverkauf. 1970 *ff.*
3. ~ am Schreibtisch = schriftlicher Befehl zur Tötung von Menschen; Organisation von Massentötungen o. ä. Aufgekommen gegen 1960 im Zusammenhang mit der Rechtsverfolgung von Massenmorden der NS-Zeit. ↗Schreibtischmörder.
4. ~ von der Stange = Mord nach der üblichen Art. ↗Stange. 1950 *ff.*
5. ~ am Teller (an Telle) = Mortadella-Wurst. *Vgl* ↗Mord 1. 1939 *ff, sold.*
6. ~ und Brand!: Ausruf heftigen Unwillens. Eigentlich der Hilferuf bei einem Mordfall oder einem Schadenfeuer. Seit dem 19. Jh.
7. ~ und Totschlag = sehr laute Ausein-

andersetzung; wüster Lärm (durch die dünne Wand hört man, daß es im Nebenhaus Mord und Totschlag gibt). Sehr volkstümliche Übertreibung seit dem 18. Jh.
8. auf ~ = mit Bestimmtheit; sehr; Ausdruck der Beteuerung. Sinngemäß Kurzform ausführlicher Beteuerungswendungen wie „ich will (auf der Stelle) tot umfallen, wenn nicht wahr ist, was ich sage". Seit dem 19. Jh.
9. auf ~ und Brand = mit allen Mitteln; mit größter Energie; heftig, tüchtig. 1800 *ff.*
10. auf ~ und Kaputt = unter allen Umständen; gewaltig; sehr. Über „↗kaputt 2" sinngleich mit dem Folgenden. 1920 *ff.*
11. auf ~ und Totschlag = gutwillig oder widerstrebend; unter allen Umständen. 1800 *ff.*
12. ~ und Brand fluchen (schimpfen, zetern) = heftig schimpfen. ↗Mord 6. Seit dem 19. Jh.
13. einen ~ machen = etw unabsichtlich zertrümmern; Unheil anrichten. Von der vorsätzlichen, gewaltsamen Tötung eines Menschen verallgemeinert. *Jug* 1950 *ff.*
14. ~ und Brand schreien = laut schreien. ↗Mord 6. Seit dem 18. Jh.
15. jm etw auf ~ versichern = die Richtigkeit einer Sache mit aller Bestimmtheit bezeugen. ↗Mord 8. Seit dem 19. Jh.
Mordbestie *f* Massenmörder. *Vgl* ↗Bestie 3. 1920 *ff.*
Mordbrenner *m* minderwertiger Schnaps; hochprozentiger Schnaps. Er brennt im Hals wie Feuer und wirft den Trinker um. 1920 *ff.*
mörderisch *adj adv* **1.** sehr groß; sehr. Bezieht sich ursprünglich auf die Art und Weise, wie der Mörder vorgeht; von da übertragen zur Bedeutung „tödlich" und wegen der Abscheulichkeit des Verbrechens zur Bedeutung „furchtbar". Von da aus weiterentwickelt zu allgemein verstärkender Geltung. Seit dem 18. Jh.
2. ~es Tempo = sehr hohe Fahrgeschwindigkeit. 1920 *ff. Vgl engl* „a killing pace".
mörderlich *adv* heftig; übermäßig; sehr. Seit dem 19. Jh.
'Mordha'lunke *m* Mörder. ↗Halunke. 1920 *ff.*
Mordinstrumente *pl* **1.** ärztliche (chirurgische) Instrumente. *Iron* als Mordwerkzeug aufgefaßt. *BSD* 1965 *ff.*
Mordkommission *f* **1.** militärärztliche Untersuchungskommission zur Feststellung der Kriegs- sowie der Frontdienstverwendungsfähigkeit. Eigentlich Bezeichnung der kriminalpolizeilichen Abteilung zur Klärung von Morden und zweifelhaften Todesfällen (seit 1902 in Berlin eingerichtet). Gehört zum Wortschatz der Kriegsgegner. *Sold* 1914 *ff.*
2. Schiedsrichter und Kritiker beim Manöver. Von ihrem Urteil hängt das Wohl und Wehe mancher Kommandeure ab. 1920 *ff.*
3. Prüfungskommission, die über die Einstellung von Beamten befindet. 1930 *ff.*
4. gleich kratzt dich die ~ von der Wand (ich schmeiße dich an die Wand, daß du kleben bleibst und die ~ dich abkratzen muß)!: Drohrede. 1914 *ff.*
Mordkutsche *f* Auto mit Spezialausrüstung

für die Mordkommission der Kriminalpolizei. 1925 ff.

mords adj (unflektiert) sehr groß; sehr schön (ein mords Blumenstrauß; ein mords Mädchen). Vgl das Folgende. 1910 ff.

Mords- (mords-) als erster Bestandteil einer meist doppeltbetonten substantivischen oder adjektivischen Zusammensetzung übt eine das Grundwort steigernde Wirkung aus. Die Verwendung ergibt sich aus der für jedes natürliche Empfinden selbstverständlichen Verabscheuung des Schwerverbrechens Mord. Vielleicht zusätzlich beeinflußt von „mort = Teufel", ebenfalls im Sinne einer superlativischen Verstärkung.

'Mords'angebot n überaus verlockendes Angebot.

'Mords'angst f sehr große Angst. Seit dem 19. Jh.

'Mords'anstrengung f sehr große Anstrengung. 1920 ff.

'Mordsapparat m sehr großer, ungefüger Gegenstand. ↗ Apparat. 1920 ff.

'Mords'arbeit f sehr langwierige, schwere, mühevolle Arbeit. Seit dem 19. Jh.

'Mords'ärger m heftiger Ärger. Seit dem 19. Jh.

'Mords'auftrag m große, gewinnverheißende Bestellung. Seit dem 19. Jh.

'Mords'auftrieb m sehr zahlreiche Besucherschaft; sehr bunt gemischtes Publikum. ↗ Auftrieb. 1920 ff.

'Mordsba'gage (Grundwort franz ausgesprochen) f unangenehme Gesellschaft; Gesindel. ↗ Bagage. Seit dem 19. Jh.

'Mords'bammel m sehr große Furcht. ↗ Bammel. 1870 ff.

'Mords'bauer m sehr ungesitteter, flegelhaft sich gebärdender, barscher Mann. ↗ Bauer 1. 1920 ff.

'Mordsbe'diene f die allergrößte ~ = ungemein beeindruckende, unübertreffliche Darbietung o. ä. ↗ Bediene 2. 1930 ff.

'Mords'beifall m sehr viel Beifall. Seit dem 19. Jh.

'Mords'beißer m sehr griesgrämiger Mensch. ↗ Beißer 4. Oberd 1920 ff.

'Mords'bengel m 1. tüchtiger Junge. Seit dem 19. Jh.
2. starker, großer Prügel. ↗ Bengel 1. 1900 ff.

'Mordsbe'trieb m große Betriebsamkeit; reiche Besucherzahl(en). Seit dem 19. Jh.

'Mords'beule f große Beule. 1900 ff.

'Mordsbe'ziehungen pl überaus gute Beziehungen zu einflußreichen Leuten. 1920 ff.

'Mords'biest n sehr schwerer, ungefüger Gegenstand. ↗ Biest 4. 1900 ff.

'Mordsbla'mage (Grundwort franz ausgesprochen) f sehr peinliche Bloßstellung. 1900 ff.

'Mords'bock m geschlechtlich ungewöhnlich leistungsfähiger (oder so eingeschätzter) Mann. ↗ Bock 1. 1920 ff.

'Mords'brand m 1. starker Rausch. ↗ Brand 2. Seit dem 19. Jh.
2. sehr starkes Durstgefühl; heftiger Nachdurst. ↗ Brand 1. Seit dem 19. Jh.

'Mords'brocken m breitschultriger, kräftiger Mann; kräftig entwickeltes Kind; wohlgenährter Säugling. ↗ Brocken 1. 1900 ff.

'Mords'brummer m 1. sehr eindrucksvol-les Mädchen. ↗ Brummer 10. Halbw 1955 ff.
2. großer Gegenstand ↗ Brummer 19. 1955 ff.

'Mords'bums m große Stoßkraft, Tretstärke (des Fußballspielers). ↗ Bums 9. 1920 ff, sportl.

'Mords'bursche m tüchtiger Mann. 1900 ff.

'Mords'busen m sehr üppiger Busen. 1955 ff.

'Mords'dackel m sehr dummer Mann. ↗ Dackel 1. 1900 ff, südwestd.

'mords'dämlich adj überaus dumm. ↗ dämlich 1. Seit dem 19. Jh.

'Mords'dampf m schwerer Rausch. ↗ Dampf 2. 1900 ff.

'Mords'ding n 1. aufsehenerregende Sache; Außergewöhnliches. 1920 ff.
1 a. unförmiger Gegenstand. 1900 ff.
2. übergroßer Penis. ↗ Ding II 3. 1900 ff.
3. ausgeweitete Vagina. 1900 ff.

'Mords'donnerwetter n 1. heftige Anherrschung. ↗ Donnerwetter 2. Sold in beiden Weltkriegen; ziv 1950 ff.
2. interj = Ausdruck heftigen Unwillens. ↗ Donnerwetter 1. Seit dem 19. Jh.

'Mords'dreck m viel Schmutz; beträchtliche Verschmutzung; übler Morast. 1900 ff.

'mords'dumm adj sehr dumm. Seit dem 19. Jh.

'Mords'durst m großer Durst. Seit dem 19. Jh.

'Mords'dusel m großer, unverhoffter Glücksfall; großes Glück im (bei einem) großem Unglück. ↗ Dusel 2. 1850 ff.

Mordsee f Nordsee im Winter; Hochwasser, Sturmflut an der Nordseeküste. Vgl Detlev von Liliencron, „Trutz, Blanke Hans". 1870 ff.

'Mords'eifer m große Emsigkeit. 1920 ff.

'Mords'eindruck m nachhaltiger Eindruck. 1900 ff.

'Mords'ende n sehr lange Wegstrecke. ↗ Ende 1. 1900 ff.

'Mordser'folg m sehr großer Erfolg; unerwartet günstiges Ergebnis. 1900 ff.

'Mords'essen n großes Diner mit vielen (feierlich gekleideten) Gästen. 1930 ff.

'Mords'fahrt f gefährlicher, anstrengender Flug. Fliegerspr. 1935 ff.

'Mords'fatzke m sehr eitler, hochmütiger Mann. ↗ Fatzke. 1870 ff.

'mords'faul adj sehr faul. 1900 ff.

'Mords'fest n Vergnügung voller Betriebsamkeit; bestens gelungene Veranstaltung. 1900 ff.

'Mords'fete f großartige Tanzveranstaltung mit vielen Leuten. ↗ Fete. 1900 ff.

'Mords'fetzen m 1. schwerer Rausch. ↗ Fetzen 4. Österr seit dem 19. Jh.
2. Prostituierte der untersten Rangstufe. ↗ Fetzen 12. Österr seit dem 19. Jh.

'Mords'feuer n schweres Schadenfeuer. 1900 ff.

'Mords'fez m großartige Vergnügung. ↗ Fez. 1900 ff, sold u. schül.

'mordsfi'del adj überaus lustig, ausgelassen. ↗ fidel. Seit dem 19. Jh.

'Mords'film m 1. mit großem Aufwand hergestellter Spielfilm. 1910 ff.
2. großer Aufwand; rege Geschäftigkeit. 1910 ff.

'Mords'freude f höchst freudiges Ereignis; jubelnde Freude. Seit dem 19. Jh.

'mords'fromm adj sehr fromm; frömmelnd. 1900 ff.

'Mords'gage (Grundwort franz ausgesprochen) f ungewöhnlich hohes Künstlerhonorar. 1920 ff.

'Mords'gaudi f großes Vergnügen; beschwingt-heiteres Menschengewühl. ↗ Gaudi. Bayr seit dem 19. Jh.

'Mordsge'dränge n sehr enges Gedränge. 1900 ff.

'Mordsge'lächter n langanhaltendes, schallendes Gelächter. 1900 ff.

'Mords'geld n sehr viel Geld; großes Vermögen; Hauptgewinn. 1870 ff.

'Mordsge'rät n staunenswerter Gegenstand. 1900 ff.

'mords'gern adv sehr gern. Oberd 1900 ff.

'Mordsge'schäft n 1. gewinnbringendes Unternehmen; erfolgreicher Vertragsabschluß. Seit dem 19. Jh.
2. schwieriges Amt. 1920 ff.

'mordsge'scheit adj sehr gescheit; sehr gebildet. Seit dem 19. Jh.

'Mordsge'schichte f aufsehenerregende Begebenheit; schlimme Sache. 1800 ff.

'Mordsge'schrei n großes Geschrei; vielstimmiges Lärmen. 1700 ff.

'mordsge'sund adj sehr gesund (kräftig). 1920 ff.

'Mordsge'witter n 1. sehr schweres Gewitter. Seit dem 19. Jh.
2. sehr heftige Zurechtweisung; sehr energische Strafrede. ↗ Gewitter 1. 1900 ff.

'Mords'glück n unerwartet großer Glücksfall. Seit dem 19. Jh.

'mords'groß adj unförmig groß. Seit dem 19. Jh.

'mords'gut adj sehr gut; von sehr guter Wesensart. Seit dem 19. Jh.

'Mordshal'lo n großes Aufsehen; freudige Begrüßung. ↗ Hallo. 1900 ff. Seit dem 19. Jh.

'mords'häßlich adj sehr abstoßend. Seit dem 19. Jh.

'Mordshaue'rei f schwere Prügelei. 1920 ff.

'Mords'haufen m sehr große Menge. Seit dem 19. Jh.

Mords'haus n sehr großes Haus. 1900 ff.

'mords'heiß adj sehr heiß; drückend heiß. 1900 ff.

'Mords'hetz f ausgelassenes Vergnügen; sehr lustige Unterhaltung. ↗ Hetz 1. 1800 ff.

'Mords'hiebe pl heftige Prügel. 1900 ff.

'Mords'hitze f drückende Hitze. 1900 ff.

'Mords'hunger m starkes Hungergefühl. Seit dem 19. Jh.

'Mordsi'dee f vortrefflicher Einfall; hervorragender Vorschlag. 1900 ff.

'Mordsidi'ot m sehr dummer Mensch. 1900 ff.

'Mords'ische f sehr eindrucksvolles Mädchen; intime Freundin, wie man sie sich nicht besser wünschen kann. ↗ Ische 1. Halbw 1955 ff.

'mords'jämmerlich adj sehr kläglich; ungestüm (er schreit mordsjämmerlich; wir haben ihn mordsjämmerlich verhauen). 1900 ff.

'Mords'junge m tüchtiger Junge. Seit dem 19. Jh.

'Mords'jux m ausgelassener Spaß. ↗ Jux 1. Seit dem 19. Jh.

'mords'kalt adj bitterkalt; eisig. Seit dem 19. Jh.

'Mords'kälte f eisige Kälte. Seit dem 19. Jh.

'Mordska'mel n sehr dummer Mensch. ↗ Kamel 1. Seit dem 19. Jh.

'Mordskarri'ere f ungewöhnlich schneller beruflicher Aufstieg. 1930 ff.

'Mordskar'toffel f großartige Sache. ↗Kartoffel 4. 1960 ff, halbw.

'Mords'kasten m **1.** großes Schiff. ↗Kasten 8. 1900 ff.
2. Frau mit üppigen Körperformen. ↗Kasten 12. 1920 ff.

'Mords'kater m heftige Nachwehen des Rausches. ↗Kater 1. 1850 ff.

'Mords'katzenjammer m heftige Folgen einer alkoholischen Ausschweifung. ↗Katzenjammer 1. Seit dem 19. Jh.

'Mords'kerl m **1.** hervorragender Mann; sehr großwüchsiger Mann. 1800 ff.
2. mutiger, tapferer Mann; Draufgänger. Seit dem 19. Jh.

'Mordskla'mauk m **1.** ohrenbetäubender Lärm. ↗Klamauk. 1900 ff.
2. sehr unliebsames Aufsehen. 1900 ff.

'Mords'knall m großer, lauter Knall. 1900 ff.

'Mords'kohldampf m sehr starkes Hungergefühl. ↗Kohldampf. Sold in beiden Weltkriegen; auch ziv.

'mords'komisch adj sehr komisch. 1900 ff.

'Mords'krach m großer Lärm; sehr lebhafte Auseinandersetzung. ↗Krach 1. Seit dem 19. Jh.

'Mordskra'keel m großer Lärm, Zank. ↗Krakeel. Seit dem 19. Jh.

'Mordskra'wall m großer Aufruhr; vielstimmiger Einspruch. ↗Krawall. Seit dem 19. Jh.

'Mords'kröte f frisches, aufgewecktes, schlagfertiges Mädchen. ↗Kröte 2. 1900 ff.

'Mords'kumpel m hervorragender Kamerad. ↗Kumpel. 1920 ff.

'Mords'lackel (-'lackl) m großwüchsiger, unbeholfener, stämmiger Mann. ↗Lackel. Bayr seit dem 19. Jh.

'mords'lang adj sehr lang; großwüchsig. Seit dem 19. Jh.

'mords'langweilig adj sehr langweilig. 1900 ff.

'Mords'lärm m sehr lauter, andauernder, vielstimmiger Lärm. Seit dem 19. Jh.

'Mords'mädchen (-'mädel) n großwüchsiges Mädchen; tüchtiges, charaktervolles Mädchen. 1800 ff.

'Mords'mann m tüchtiger, erfolgreicher Mann. Seit dem 19. Jh.

'Mords'masche f hervorragender Trick; erfolgreiche (Art und Weise der) Werbung. ↗Masche. 1900 ff.

'mordsmäßig adj adv sehr groß; sehr viel; sehr. Eigentlich „nach dem Maßstab, nach der Art eines Mordes" (vgl ↗Mords-). 1800 ff.

'Mords'mensch m Mensch (sehr anerkennend). 1900 ff.

'Mords'molli m **1.** sehr dicker Mann. ↗Molli 3. BSD 1965 ff.
2. guter Soldat; draufgängerischer Soldat; beliebter Vorgesetzter. BSD 1965 ff.

'Mords'pech n sehr großes Mißgeschick. ↗Pech. 1900 ff.

'Mords'pfund n ein ~ im Bein haben = den Fußball kräftig treten können. ↗Pfund. Sportl 1950 ff.

'Mords'platte f sehr gute (sehr gut verkäufliche) Schallplatte. 1960 ff.

'Mords'pratze f große, plumpe Hand. ↗Pratze. Seit dem 19. Jh.

'Mordspro'zeß m langwierige Gerichtsverhandlung o. ä. 1870 ff.

'Mordsra'dau m sehr lauter, anhaltender Lärm. ↗Radau. Seit dem 19. Jh.

'Mords'rausch m Vollrausch. Seit dem 19. Jh.

'mords'reich adj sehr wohlhabend. Seit dem 19. Jh.

'Mordsre'klame f sehr aufwendige, zugkräftige Warenwerbung. 1870 ff.

'Mordsre'spekt m sehr große Hochachtung (auch: Angst) vor etw oder jm. Seit dem 19. Jh.

'Mords'rindvieh n sehr dummer Mensch. ↗Rindvieh. Seit dem 19. Jh.

'Mords-'Ringeltebs m ausgelassenes Tanzvergnügen. ↗Tebs. 1920 ff.

'Mords'rummel m emsige, aufwendige Geschäftigkeit; großes Volksvergnügen. ↗Rummel. Seit dem 19. Jh.

'mordssacker'lot interj Ausruf heftigen Unwillens. ↗sackerlot. Seit dem 19. Jh.

'Mords'sau f **1.** großes Spielerglück. ↗Sau 4. Seit dem 19. Jh.
2. sehr sittenloser, unflätiger Mensch. ↗Sau 1. 1920 ff.

'Mordssau'rei f **1.** sehr unangenehme Begebenheit. ↗Sauerei. Seit dem 19. Jh.
2. großer Unflat. Seit dem 19. Jh.

'Mords'schaffe f **1.** Großveranstaltung; Menschengewühl. ↗Schaffe 2. Halbw 1955 ff.
2. Manöver. BSD 1965 ff.

'Mords'schiß m sehr große Angst. ↗Schiß 10. Sold in beiden Weltkriegen.

'Mords'schlachtschwert n unversiegliche Redefluß. ↗Schlachtschwert. 1920 ff.

'Mordsschla'massel n große Unordnung; völliges Durcheinander; sehr üble Lage. 1915 ff.

'Mordsschlampe'rei f grobe Nachlässigkeit; große Unordnung. ↗Schlamperei. Seit dem 19. Jh.

'Mords'schlauch m sehr schwere Anstrengung. ↗Schlauch. 1900 ff.

'Mords'schreck m heftiges Erschrecken. Seit dem 19. Jh.

'Mords'schuß m **1.** Schuß, der genau ins Ziel trifft. Sold in beiden Weltkriegen.
2. heftiger Fußballstoß. ↗Schuß. Sportl 1925 ff.

'Mords'schwein n sehr großes Glück. ↗Schwein. 1900 ff.

'Mordsschweine'rei f **1.** sehr viel Schmutz; grobe Verunreinigung. ↗Schweinerei. 1920 ff.
2. große Unannehmlichkeit; Unrühmlichkeit; Skandal. 1920 ff.

'Mords'simpel m sehr dummer Kerl. ↗Simpel. Seit dem 19. Jh.

'Mordsspek'takel n **1.** ohrenbetäubender Lärm. ↗Spektakel. 1800 ff.
2. Großveranstaltung; vielbesuchtes Volksfest. 1930 ff.

'Mords'spinner m sehr dummer (auch: sehr eigenartiger) Mensch. ↗spinnen. 1950 ff, schül.

'Mords'stern m einen ~ reißen = beim Skilaufen gefährlich stürzen. ↗Stern 8. Bayr und österr 1920 ff.

'Mords'stunk m heftige Auseinandersetzung; arge Verstimmung. ↗Stunk. 1920 ff.

'Mordsthe'ater n aufsehenerregender, geräuschvoller Vorfall; große Aufregung. ↗Theater. 1920 ff.

'Mords'tier n sehr großes, kräftiges Tier. 1900 ff.

'mords'trumm adj sehr groß. ↗Trumm. Oberd seit dem 19. Jh.

'Mords'trumm n besonders großes, schwe-

res Stück; Mensch von sehr kräftiger Gestalt. ↗Trumm. Oberd seit dem 19. Jh.

'mords'übel adv präd sehr unwohl; heftigen Brechreiz verspürend. 1900 ff.

'mordsver'gnügt adj sehr vergnügt; lebenslustig. 1900 ff.

'Mordsver'kehr m sehr starker Straßen-, Eisenbahn-, Flugverkehr. 1920 ff.

'Mords'viech n **1.** hochgestellte Persönlichkeit. ↗Viech. 1920 ff.
2. sehr dummer Mensch. Südd 1950 ff.

'Mordsvieche'rei f großartige Belustigung. ↗Viecherei. Bayr 1900 ff.

'Mords'vieh n **1.** sehr großes, kräftiges Tier. Seit dem 19. Jh.
2. sehr dummer Mann; Mann mit sehr schlechtem Benehmen; gewalttätiger Mann. Seit dem 19. Jh.

'Mords'weg m sehr schlechter Weg; sehr weiter Weg; beschwerlicher Weg. Seit dem 18. Jh.

'Mords'weib n großgewachsene, tüchtige, sehr verläßliche Frau. 1900 ff.

'Mords'wetter n **1.** sehr unfreundliches Wetter. Seit dem 18. Jh.
2. Wetter, wie man es sich günstiger nicht wünschen kann; herrliches Urlaubswetter. 1955 ff.

'Mords'zahn m **1.** sehr hohe Fahrgeschwindigkeit. ↗Zahn. 1930 ff.
2. sehr nettes Mädchen. ↗Zahn 3. Halbw 1955 ff.

'Mordszi'garre f **1.** lange, dicke, teure Zigarre. 1920 ff.
2. sehr strenge Rüge. ↗Zigarre. Sold in beiden Weltkriegen.

Mordwand f Eiger-Nordwand. An der fast senkrechten Nordwand des Eiger-Gipfels im Berner Oberland sind besonders viele Bergsteiger tödlich verunglückt. 1960 ff.

More f Angst. Nebenform von ↗Maure. Vgl auch das Folgende. Rotw 1822 ff.

Mores pl **1.** jm (jn) ~ beibringen (lehren, lernen) = jn zu gesittetem Verhalten erziehen; jn zurechtweisen. Stammt aus dem Lat der spätmittelalterlichen Klosterschulen (lat „mores = gute Sitten; Anstand"). 1500 ff.
2. vor etw ~ haben = vor etw Angst, Scheu, Respekt haben. Fußt auf jidd „mora = Angst". Seit dem 19. Jh.

morgen adv ~ (ja ~)!: Ausdruck der Abweisung. Soviel wie „jetzt nicht!" und „heute nicht!". Seit dem 19. Jh.

Morgen m den ~ miauen hören = nach alkoholischer Ausschweifung mit heftigem Unwohlsein erwachen. Anspielung auf ↗Katzenjammer. 1930 ff.

Morgenandacht f **1.** Aufenthalt frühmorgens auf dem Abort. Man hält sich dort mit einer Ausdauer und Vertiefung auf, als gelte es einem frommen Tun. 1910 ff.
2. Exerzieren am Vormittag. Sold 1914 ff.
3. Befehlsausgabe am Morgen. Sold 1939 ff.
4. Abteilungsleiterbesprechung am Vormittag. 1950 ff.

Morgenbrummer m Mensch, der frühmorgens schlechter Laune ist. Brummen = mürrisch sein. 1900 ff.

Morgen-Ei n frühmorgendlicher Gang zum Abort. ↗Ei 71 a. Dazu der Spruch: „Das Morgenei, es kommt gewiß, und wenn es erst am Abend is'." 1900 ff.

Morgengespenst n ungepflegte Frau am Morgen. 1920 ff.

Morgengymnastik *f* **1.** Geschlechtsverkehr nach dem Erwachen. 1900 *ff*.
2. Frühschoppen. Dabei werden die Gläser „gestemmt". 1900 *ff*.
3. eigener Angriff bei Tagesgrauen. *Sold* 1940 *ff*.

Morgenlage *f* regelmäßige Besprechung am Vormittag. Abgewandelt aus dem *milit* Begriff der „Lagebesprechung". 1960 *ff*.

morgenländern *intr* **1.** sich orientieren. Scherzhafte Verdeutschung nach „Orient = Morgenland". 1914 *ff*.
2. einem Spieler (Mitspieler) in die Karten sehen. Kartenspielerspr. 1920 *ff*.

Morgenlatte *f* durch Harndrang hervorgerufene Versteifung des männlichen Glieds. ↗ Latte 2. 1920 *ff*.

Morgenluft *f* **1.** in die ~ kommen = Erfolgsaussichten beim Kartenspiel bekommen. Frische Morgenluft hebt die Gemütsverfassung. Kartenspielerspr. 1920 *ff*.
2. ~ wittern (schnuppern) = gute Zukunftsaussichten ahnen. Geht zurück auf Shakespeares „Hamlet" (I 5), wo allerdings der Sinn ein anderer ist: „Der Morgen bricht an; als Geist muß ich jetzt verschwinden." 1920 *ff*.

Morgenmensch *m* Mensch, der schon am frühen Morgen frisch, munter und unternehmungslustig ist. Als Gegensatz *vgl* „↗ Abendmensch". 1920 *ff*.

Morgenmuffel *m* der am Morgen mürrisch und verdrossen ist; Mensch, der kein Frühaufsteher ist. ↗ Muffel. 1966 *ff*.

Morgenschiß *m* Darmentleerung am Morgen. ↗ Schiß. 1920 *ff*. Dazu der geläufige Spruch: „Der Morgenschiß kommt ganz gewiß, und wenn es erst am Abend is'." *Vgl* ↗ Morgen-Ei.

Morgenstunde *f* **1.** ~ hat Gold im Munde und Pech (Blei) am Arsch: Redewendung auf einen Spätaufsteher oder auf einen, der verspätet am Arbeitsplatz erscheint. 1850 *ff*.
2. ~ ist aller Laster Anfang: scherzhafte Lebensweisheit. Zusammengesetzt aus den *trad* Sprichwörtern „Morgenstunde hat Gold im Munde" und „Müßiggang ist aller Laster Anfang".

Morgenwaschung *f* Alkoholgenuß am Morgen. Es handelt sich um eine innere Waschung. Seit dem 19. Jh.

Morgenwasserlatte *f* morgens wegen Harndrangs erigierter Penis. ↗ Latte 2. 1920 *ff*.

Morgenwind *m* am frühen Morgen entweichender Darmwind. 1920 *ff*.

Moritz *m* **1.** jn ~ lehren = jn zurechtweisen. Volksetymologisch aus „↗ Mores" entstellt. Seit dem 18. Jh.
2. wie der kleine ~ sich das vorstellt (was sich der kleine ~ unter ... vorstellt) = wie sich das ein Laie (ein kleines Kind) vorstellt. Der „kleine Moritz" ist eine von dem Karikaturisten Adolf Oberländer (1845–1923) geschaffene Kunstfigur. Etwa seit dem ausgehenden 19. Jh.

Mors (Märs) *m* **1.** Gesäß. Entstanden aus „Arsch" mit vorangestelltem „M-" (wohl für „mein" oder für „mich", in freier Anspielung auf das Götz-Zitat). *Nordd* 1700 *ff*.
2. klei' di an'n ~!: derbe Abweisung. Kleien = kratzen; gehört wohl zu „Klaue". *Nordd* seit dem 19. Jh.

morsch *adj* **1.** energielos, schwächlich.

Weiterentwickelt aus den Bedeutungen „mürbe" und „faulend". Seit dem 19. Jh.
2. für das Liebesleben nicht mehr tauglich. Seit dem 19. Jh.
3. wehrdienstuntauglich wegen körperlicher oder gesundheitlicher Mängel. *Sold* 1935 *ff*.

Morse *Pn* System ~ tragen = je nach Gelegenheit einen langen oder kurzen Rock tragen. Anspielung auf das „Strich-Punkt-System" oder „Lang- Kurz-System" des Morse-Alphabets. 1970 *ff*.

morsen *intr* **1.** auf einen Schnaps ein Glas Bier folgen lassen (oder umgekehrt). Glas und Schluck(en) sind mal kurz, mal lang. *Vgl* das Vorhergehende. 1960 *ff*.
2. dem Mitschüler vorsagen. Anspielung auf Morse-Telegraphie. *Schül* 1950 *ff*.

mörsern *tr* du kannst mich mal ~!: Ausdruck der Abweisung. Gehört als Verbum zu „↗ Mors". 1935 *ff*.

Morsesalat *m* Durcheinander von Morsezeichen; unentzifferbare Morsenachricht. Verkürzt aus dem Folgenden. 1950 *ff*.

Morsezeichensalat *m* unentzifferbare telegraphische (gemorste) Mitteilung. ↗ Salat. 1950 *ff*.

Mörtel-Pappagallo *m* italienischer Bauarbeiter in der Bundesrepublik. ↗ Pappagallo. 1960 *ff*.

moschen (muschen) *tr intr* unsauber, unrichtig arbeiten; verschwenderisch mit Material umgehen; sich beim Kartenspiel verzählen. Entnasalierte Nebenform von „↗ manschen". *Nordd* und *ostmitteld* seit dem 19. Jh.

mose *präd* **1.** dümmlich, nicht ganz bei Verstand. Herleitung unsicher. Vielleicht verkürzt aus „↗ mause(tot) = erledigt" oder abgeleitet von „bemoost = alt, abständig" oder zusammenhängend mit „musich = angefault". Berlin 1955 *ff*.
2. ~ auf den Augen sein = dumm, geistesbeschränkt sein. Berlin 1955 *ff*, *jug*.
3. ich bin doch nicht ~ mit einem Klavier auf dem Rücken!: Beteuerung, daß man gewitzt sei. Berlin 1955 *ff*, *jug*.
4. ich bin doch nicht ~ mit einer Klingel am Bein!: Beteuerung, daß man keineswegs dumm sei. Berlin 1955 *ff*, *jug*.

Möse *f* **1.** Vulva. Kann zusammenhängen mit *mhd* „mutz = weibliches Geschlechtsteil" oder mit *gleichbed* „Muschel" oder beruht auf *niederd* „Möser = Mörser" (Stößel und Mörser als Zusammengehörigkeit von Penis und Vagina); vielleicht auch beeinflußt von den Katzennamen „Mis, Miss, Mieze" (gleich wie ↗ „Maus, Mäuschen, Mausi". Seit dem späten 18. Jh.
2. Frau *(abf)*; Prostituierte. Seit dem 19. Jh.

moseln *intr* Moselwein trinken. 1920 (?) *ff*.

Moser *m* Verräter. *Jidd* „mosser = Verräter". *Rotw* 1735 *ff*.

mosern *intr* **1.** nörgeln; sich mißmutig, halb beleidigt, halb streitlüstern äußern; aufbegehren. Hängt wahrscheinlich mit der Sprechweise des Bühnen- und Filmschauspielers Hans Moser (1880–1964) zusammen, sofern diese Sprechweise schon 1920 seine Eigenheit war; denn das Wort wurde umgangssprachlich erstmals 1920 vernommen. Wahrscheinlicher ist eine Sonderentwicklung des Folgenden anzunehmen.
2. insgeheim Verabredungen treffen; sich

heimlich verständigen; Verräter sein. Fußt auf *jidd* „mosser = Verräter". *Rotw* 1753 *ff*.
3. sich anbiedern, einschmeicheln. *Jug* 1955 *ff*.

Moses *m* **1.** Schiffsjunge; jüngster Matrose. Fußt über *franz* Vermittlung („mousse") auf *ital* „mozzo = Schiffsjunge". Doch kann auch die biblische Geschichte vom kleinen Moses im Binsenkorb eingewirkt haben. 1900 *ff*, seemannsspr.
2. langweiliger Junge; Junge, der wenig selbständig ist und handelt. Entweder vom Vorhergehenden weiterentwickelt oder verkürzt aus „↗ Kalb Moses". *Halbw* 1955 *ff*.
3. ~ und die Propheten = Geld. „Moses" ist wohl aus „↗ Moos 1" entstellt, und „Propheten" klingt an „↗ Moneten" an. Beeinflußt von der biblischen Erzählung vom reichen Prasser (Lukas 16, 29). *Stud*, etwa seit 1750.
4. jm/jn ~ (~ und die Propheten) lehren = jm gesittetes Betragen beibringen; jn streng zurechtweisen. Aus „↗ Mores lehren" abgeändert mit Einfluß der Vorstellung vom lehrenden Moses. Seit dem 18. Jh.

Mostrich *m* **1.** Kot. Wegen der Farbähnlichkeit (Mostrich = angemachter, angereicherter Senf). 1870 *ff*.
2. unangenehme Lage. Euphemistisch für „↗ Kacke" oder „↗ Scheiße". *Vgl* das Vorhergehende. 1870 *ff*.
3. Unsinn; Narrheit. *Vgl* „↗ Senf dazugeben". 1870 *ff*.
4. geistiger ~ = geschickt eingeflochtenes Beiwerk, um den Leuten (politische) Ideen „schmackhaft" zu machen. Gehört nicht nur zur Vorstellung „Scheiße", sondern auch zum Wortspiel mit „besänftigen" und „↗ besenftigen". 1935 *ff*.
5. scharf wie ~ = streng, rücksichtslos. Aus „scharf im Geschmack" übertragen zu „scharf im Handeln". 1939 *ff*, *sold*.
6. jn mit ~ bestreichen = jn übertölpeln. Analog zu „↗ bescheißen. 1930 *ff*.
7. nicht mit ~ zu genießen sein = überaus widerwärtig sein; sehr mißmutig sein. Die „Ungenießbarkeit" wird selbst bei Zugabe von Senf nicht behoben. 1920 *ff*.
8. du hast ja ~ auf der Pupille!: Redewendung an einen Dummschwätzer oder Begriffsstutzigen. *Vgl* ↗ Mostrich 2. Berlin 1920 *ff*.

Motivation *f* innerer Antrieb zu einem Verhalten; Beweggrund. 1970 *ff*.

motivieren *tr* jn zu einem bestimmten Verhalten beeinflussen; jm den Sinn, den Beweggrund seines Verhaltens klarmachen. 1970 *ff*.

motiviert sein nach innerem Antrieb handeln. 1970 *ff*.

Motor *m* **1.** Herz. 1900 *ff*.
2. Antreiber; strenger Vorgesetzter. 1935 *ff*.
3. bestimmender, antreibender Spieler einer Mannschaft. *Sportl* 1950 *ff*.
4. am laufenden ~ = unausgesetzt. Hergenommen von dem beim Halten nicht abgestellten Kraftfahrzeugmotor. Variante von „↗ Band II 2". 1955 *ff*.
5. den ~ abmurksen = den Kraftfahrzeugmotor durch Bedienungsfehler ruckartig zum Stillstand bringen. ↗ abmurksen 1. Kraftfahrerspr. 1920 *ff*.
6. den ~ abwürgen = den Motor durch

Bedienungsfehler plötzlich zum Stillstand bringen. 1910 ff.

7. den ~ langsam anlaufen lassen = nach dem Urlaub die Alltagsarbeit ohne übergroße Hast wieder aufnehmen; die volle Arbeitsleistung erst allmählich wieder erreichen. Von der Kraftfahrtechnik übernommen. 1950 ff.

7 a. den ~ anspringen lassen = der wirtschaftlichen Entwicklung Auftrieb geben. 1965 ff.

8. den ~ frisieren = die Motorleistung durch technische Manipulationen steigern. ↗ frisieren. Kraftfahrerspr. 1955 ff.

9. einen defekten ~ haben = nicht recht bei Verstand sein. 1920 ff.

10. der ~ hustet = a) der Motor arbeitet unregelmäßig; Zündung oder Brennstoffzufuhr sind nicht in Ordnung. 1925/30 ff, kraftfahrerspr. – b) das Allgemeinbefinden ist gestört; der körperliche Zustand läßt zu wünschen übrig. 1935 ff, sold und ziv.

11. der ~ läuft nicht mehr richtig = man ermüdet Flug schnell. ↗ Motor 1. 1930 ff.

12. den ~ ölen = ein Glas Alkohol zu sich nehmen. Sold 1914 ff; ziv 1920 ff.

13. der ~ ist verreckt ↗ verrecken 4.

Motorbraut f Beifahrerin im Auto; Motorradmitfahrerin. 1920 ff.

Motoresel m Moped, Motorrad. Ein motorisierter „↗ Drahtesel". 1955 ff.

Motorisierungswelle f zunehmendes Interesse weiter Bevölkerungskreise am Besitz eines eigenen Kraftfahrzeugs. ↗ Welle. 1957 ff.

Motorkatze f Motorradfahrerin; Motorradmitfahrerin. ↗ Katze 2. 1924 ff.

Motorknaller m Motorradfahrer, der ohne Schalldämpfer fährt. 1960 ff.

Motorrad n **1.** ~ mit Deckel = Kabinenroller. 1955 ff, jug.

2. ~ mit Kniegelenkzündung = Fahrrad. 1920 ff.

Motorradbraut f Motorradmitfahrerin; durch den Besitz eines Motorrades gewonnene Freundin. 1955 ff.

Motorradhunne m rücksichtsloser Motorradfahrer. ↗ Hunne. 1960 ff.

Motte f **1.** lebenslustiges, leichtlebiges Mädchen; unbeständiger Mann. Übertragen vom taumelnden, unsteten Flug der Motte, wobei zu beachten ist, daß „Motte" mundartlich auch den Schmetterling meint. 1800 ff.

2. Prostituierte. Seit dem 19. Jh.

3. freche, dreiste, junge weibliche Person; Streunerin. 1900 ff.

4. Sonderling. 1900 ff.

5. Flugzeug; Luftwaffenangehöriger. Sächlich in Anspielung auf den Schmetterling gemeint, persönlich wegen der Schwingen auf der Uniform. Sold 1939 ff.

6. pl = Polizeibeamte. Vom Nachtschmetterling übertragen auf die nächtlichen Streifendienste. Halbw 1940 ff.

7. pl = wunderliche Einfälle; unberechtigte Ansprüche. Übernommen vom ziellosen Umherflattern aufgescheuchter Falter o. ä.; auch wird in abergläubischer Sicht Wunderlichkeit durch Insekten im Kopf hervorgerufen. Berlin 1840 ff.

8. pl = Tuberkelbazillen. Bei fortgeschrittener Lungentuberkulose ähnelt das Organ einem von Motten heimgesuchten Stoffgewebe. 1900 ff.

9. dufte ~ = nettes, liebvolles Mädchen. ↗ dufte. 1950 ff.

10. flotte (kesse) ~ = lebenslustiges Mädchen. ↗ flott; ↗ keß. 1955 ff.

11. kleine ~ = kleines Mädchen (Kosewort). 1900 ff.

12. tolle (dolle) ~ = sehr umgängliches, schwungvolles, leidenschaftliches Mädchen. 1900 ff.

13. sich gegenseitig die ~n ausklopfen = a) sich mit jm prügeln. ↗ Motte 17. Euphemismus. Seit dem 19. Jh. – b) einander mit Beklopfen des Rückens herzlich begrüßen. Spätestens seit 1900.

14. jm die ~n austreiben = jn von seinen törichten, wirklichkeitsfremden Gedanken abbringen. ↗ Motte 7. 1900 ff.

15. ~n im Haar haben = durch Haarausfall kahle Stellen am Kopf haben. 1900 ff.

16. ~n im Kopf haben = undurchführbare Vorschläge machen; ungerechtfertigte Ansprüche stellen. ↗ Motte 7. 1840 ff.

17. jm die ~n aus dem Pelz klopfen = jn verprügeln. Euphemismus. Seit dem 19. Jh.

18. die ~n kriegen = verkommen; unbrauchbar werden (auf Personen und Sachen bezogen). Motten und ihre Larven zerstören Stoffgewebe, Pelzwerk usw. 1840 ff.

19. du kriegst die ~!: Ausdruck der Verwunderung, auch der Verzweiflung. Vgl das Vorhergehende. 1800 ff.

20. die ~n sind schon drin = es ist wertlos; er ist schon altersschwach o. ä. Übertragen vom mottengeschädigten Gewebe. 1900 ff.

Mottenbart m ungepflegter Bart. 1870 ff.

Mottenbruder m Tuberkulöser. ↗ Motte 8. 1920 ff.

Mottenburg f **1.** Lungenheilstätte. ↗ Motte 8. 1900 ff.

2. Pelzmantel; pelzgefütterter Mantel. Sold 1939 ff. Im frühen 19. Jh in Berlin soviel wie ein alter, von Motten zerfressener Pelz.

3. Bekleidungskammer. BSD 1965 ff.

Mottenkiste f **1.** Bekleidungskammer. BSD 1965 ff.

2. Sammlung von Altertümern. 1950 ff.

3. aus der ~ = veraltet (auf ein Theaterstück, einen Film o. ä. bezogen). Die Mottenkiste ist ein Behältnis, in dem man Kleidungsstücke vor den Motten schützt. Oft sind es Bekleidungsstücke älteren Datums, die man nicht mehr benötigt, aber von denen man sich auch noch nicht trennen mag. Vgl ↗ einmotten 1. Theaterspr. 1900 ff.

4. flatterbare ~ = sehr altes Auto. 1930 ff.

5. es gehört in die ~ = es ist völlig veraltet. 1900 ff.

mottenkrank adj lungenkrank. ↗ Motte 8. 1920 ff.

Motten-Look (Grundwort engl ausgesprochen) m Mode netzartiger (weiblicher) Badekleidung. ↗ Look. 1964 ff.

Mottenranch (Grundwort engl ausgesprochen) f Bekleidungskammer. Angloamerikan „ranch = Farm". BSD 1965 ff.

Mottenscheißer m Mann mit wirklichkeitsfremden Einfällen. ↗ Motte 7. 1910 ff.

Mottenschwester f tuberkulöse Frau. ↗ Motte 8. 1920 ff.

mottensicher adj **1.** gefeit gegen weibliche Verführungskünste. ↗ Motte 1 und 2. 1900 ff.

2. homosexuell. 1907 ff.

Mottentotten pl Kranke in Lungenheilstätten. Unter Einfluß von „↗ Motte 8" den „↗ Hottentotten" nachgebildet. 1970 ff.

Motz m **1.** Prahler; Mann, der sich aufspielt. Eigentlich Bezeichnung für den Hammel: der Betreffende spielt sich als Leithammel auf. 1900 ff.

2. vorlauter, neugieriger junger Mann. 1900 ff.

3. Spielverderber; schmollender Mensch. ↗ motzen 1. Halbw 1960 ff.

4. Tadel, Beanstandung, Beschwerde. Jug 1960 ff.

5. einen ~ hinlegen = nörgeln, rügen. 1960 ff, jug.

Motze f **1.** unschmackhafte Speise. ↗ motzen 1. Der Esser verzieht das Gesicht. Sold 1939 ff.

2. Tadel, Einspruch, Aufbegehren, Beanstandung. Jug 1960 ff.

motzen intr **1.** verdrießlich, mißgelaunt sein; nörgeln; schmollen. Nebenform von ↗ mucksen. 1600 ff.

2. langsam sein; zögern; sich mit einer Sache beschäftigen, ohne voranzukommen; verdrossen arbeiten. Seit dem 18. Jh.

3. sich aufspielen. ↗ Motz 1. Jug 1960 ff.

4. gegen jn ~ = Stimmung gegen jn verbreiten. 1920 ff.

motzig adj **1.** verdrießlich, nörglerisch. ↗ motzen 1. Seit dem 18. Jh.

2. frech, trotzig. Durch Nörgeln setzt man sich zur Wehr. 1900 ff.

3. prahlerisch. ↗ Motz 1. 1900 ff.

Motzknochen m nörglerischer Erwachsener. ↗ motzen 1; ↗ Knochen 5. Jug 1960 ff.

Motzkopf m verdrossener, nörglerischer, schmollender Mensch. ↗ motzen 1. 1900 ff.

Motzlöffel m Nörgler. Gemäß „↗ motzen 1" umgewandelt aus „↗ Rotzlöffel". Jugendliche geben so ein auf sie vielfach angewandtes Schimpfwort an die Erwachsenen zurück. Jug 1960 ff.

Moudel n ↗ Model.

Moufflon m n dummer, ungeschickter, schwungloser Mensch. Wohl französierend aus „↗ Muffel" umgebildet, mit Anspielung auf „Mufflon = Schaf". Österr 1960 ff.

moven (engl ausgesprochen) intr **1.** in Bewegung geraten; sich bewegen. Fußt auf engl „to move = bewegen". Seit dem 19. Jh.

2. fahren. Seemannsspr. 1900 ff.

mozärtlich adj zärtlich. Wortspiel mit „zärtlich" und „Mozart". 1920 ff.

Mozartschwanz m aufgebundener Zopf. Nachahmung der Haartracht von Wolfgang Amadeus Mozart (1756–1791). 1870 ff.

Mozartzopf m langes Nackenhaar, mit einem schlichten Band zusammengehalten. Vgl ↗ Mozartschwanz. 1900 ff.

Muck I f **1.** Gefäß, Kanne, Tasse. Auch in der Schreibung „Mug" oder „Mugg" verbreitet. Nach engl „mug = Kanne, Krug, Becher". Vorwiegend marinespr und seemannsspr. 1920 ff.

2. jn auf der ~ haben = jn scharf beobachten; jn nicht leiden können. „Die Muck" (Mucke = Fliege) ist das „Korn" der Zieleinrichtung am Gewehr. 1800 ff.

3. jn auf die ~ nehmen = es auf jn

absehen; gegen jn vorgehen. *Vgl* das Vorhergehende. 1900 *ff.*

Muck II *m* **1.** Widerrede. ↗mucken 1. 1700 *ff.*

2. ungeselliger, streitlüsterner, hetzerischer Mann. ↗mucken 2. 1900 *ff.*

3. der lahme ~ = Mameluck. Verdreht aus einer Zeile in Schillers Ballade „Der Kampf mit dem Drachen". Der Text lautet: „Mut zeiget auch der Mameluck; Gehorsam ist des Christen Schmuck." Daraus machen die Schüler: „Mut zeiget auch der lahme Muck; Gehorsam ist des Christbaums Schmuck". 1920 *ff.*

4. ~ haben = energisch handeln. Ablautende Nebenform von „Mark". 1870 *ff.*

5. ~ auf etw haben = Verlangen nach etw haben. *Vgl* das Vorhergehende. Seit dem ausgehenden 19. Jh.

Mücke *f* **1.** Fliege. Vorwiegend in *westd* und *südwestd* Mundarten seit 1500 geläufig.

2. (kleines) Flugzeug; Flieger. *Sold* in beiden Weltkriegen und bis heute.

3. Dienstgradabzeichen des Feldwebels. *BSD* 1965 *ff.*

4. Leichthubschrauber. *BSD* 1965 *ff.*

5. Einmarkstück; kleines Geldstück; Geld. Leitet sich her von der Geltung „Mücke = Kleinigkeit" und vielleicht von der spöttischen Deutung des Adleremblems als einer Mücke. 1900 *ff.*

6. nettes junges Mädchen; Kosewort für ein kleines Mädchen, für die Frau o. ä. Analog zu ↗Biene; ↗Hummel; ↗Motte. 1950 *ff*, *halbw.*

7. kleines Kraftfahrzeug. 1930 *ff.*

8. kleiner Ober-, Unterlippenbart. Analog zu ↗Fliege 1. 1900 *ff*; Verbreitungsgebiet wie bei „Mücke 1".

9. kleiner, schwächlicher Mensch. 1900 *ff.*

10. kleines Ungemach. Es ist kaum schlimmer als ein Mückenstich. 1910 *ff.*

11. harmlose, milde Zurechtweisung. 1920 *ff.*

12. kleine ~ = unbedeutender Mensch; Versager. Kleinwüchsigen Lebewesen traut man zu Unrecht nur geringes Können zu. 1950 *ff, jug.*

13. jm die ~n abharken = jm das Bargeld wegnehmen, rauben, beim Spiel abgewinnen. ↗Mücke 5. *Halbw* 1965 *ff.*

14. ihn ärgert die ~ an der Wand = er ist mißgestimmt. ↗Fliege 21. 1600 *ff.*

15. eine ~ zum Elefanten aufblasen = eine Belanglosigkeit aufbauschen. ↗Mücke 22. 1900 *ff.*

16. ~n fangen = a) müßiggehen. Seit dem 19. Jh. – b) keinen Tanzpartner haben. Sinnbildausdruck geistlosen Tuns. Seit dem 19. Jh.

17. die ~n gähnen = man langweilt sich sehr. 1910 *ff.*

18. ~n greifen = a) müßiggehen. ↗Mücke 16. Seit dem 19. Jh. – b) schwermütig, wehmütig sein. ↗Mücke 10. 1910 *ff.* – c) törichten Gedanken Raum geben. ↗Mucken. 1910 *ff.*

19. nicht mehr Verstand haben als eine ~ = sehr dumm sein. 1920 *ff.*

20. ~ machen (die ~ machen) = flüchten, davongehen; sich einer Aufgabe entziehen. Analog zu „↗Fliege machen". *Sold* 1939 bis heute; auch *halbw.*

21. eine schnelle ~ machen = eilen. *Vgl* das Vorhergehende. 1940 *ff.*

22. aus der ~ einen Elefanten machen =

eine Belanglosigkeit über Gebühr aufbauschen. ↗Fliege 31. 1500 *ff.*

23. jn zur ~ machen = jn entwürdigend drangsalieren. Analog zu „jn ↗klein machen". *Sold* 1939 *ff.*

24. ~ tief links nehmen = a) volle Deckung nehmen. Mücke = Visier der Handfeuerwaffe mit einem Einschnitt (Kimme), durch den über das Korn das Ziel anvisiert wird. Der Soldat wirft sich nach links zu Boden und hält rechts das Gewehr, dessen Lauf dabei nach „tief links = links unten" zielt. *Sold* 1939 bis heute. – b) schlafen gehen. 1960 *ff.*

25. die ~n scheu machen = die Leute einschüchtern. 1920 *ff.*

26. die ~n niesen (husten, prusten) hören = sich überaus klug dünken. 1600 *ff.*

27. es pißt ~n (die ~n pissen) = es regnet fein. ↗pissen 2 (1). 1900 *ff.*

28. jm eine ~ ins Ohr setzen = jn aufstacheln, mißtrauisch machen. ↗Floh 20. 1800 *ff.*

29. zisch' die ~n! = geh weg! laß uns in Ruhe! Der Betreffende soll die Mücken verscheuchen und nicht die Menschen stören. *Jug* 1955 *ff.*

Muckefuck *m* dünner Kaffee; Malzkaffee. Soll in der Gegend der Wupper aufgekommen sein; fußt entweder auf „Mucke = Mulm in hohlen, verfaulenden Baumstümpfen" und auf „fuck = faul" oder ist entstellt aus „Mutt (Mudd) = Moder", wozu „fuck" Reimwort ist. Etwa seit 1870.

Muckel *m* **1.** kleinwüchsiger Mensch; kleines Kind. Gehört zu dem Grunzlaut „Muck" und erweitert sich zu „Mucke = junges Schwein". Seit dem 19. Jh.

2. Kosewort auf Mann oder Frau. Seit dem 19. Jh.

3. Rufname eines (dicken) Hundes. Seit dem 19. Jh.

mucken *intr* **1.** halblaut aufbegehren. Schallnachahmend für einen (verhaltenen) Brummlaut: wer sich wortlos widersetzt, gibt ein Brummen von sich. Seit dem 16. Jh.

2. übelnehmen, schmollen, grollen. *Nordd* seit dem 19. Jh.

3. im Augenblick des Abschusses zucken. Widerspenstige Menschen machen kurze, knappe Bewegungen des Unmuts. 1700 *ff.*

4. sich nicht ~ = sich nicht bewegen. Seit dem 19. Jh.

Mucken *pl* **1.** wunderliche Einfälle; Launen, Tücken; Schwierigkeiten. Nicht umgelautete Form für „Mücken"; nach *trad* Meinung sind Launen Hervorbringungen von kleinen Insekten, die im Kopf des Menschen ihr Unwesen treiben. Seit dem 15. Jh.

2. jm die ~ aus-, vertreiben = jds Launenhaftigkeit bekämpfen. 1800 *ff.*

3. ~ haben = nicht störungsfrei funktionieren (von Apparaten und Maschinen gesagt). 1920 *ff.*

Mückenfriedhof *m* mit toten Insekten beschmutzte Windschutzscheibe. 1950 *ff.*

Muckepicke *f* Motorboot; Motorrad; Auto. Lautmalerisch nach dem Geräusch des Motors. Berlin, 1900 *ff.*

mucker *adj* **1.** lebhaft, munter. Hergenommen von den „tanzenden" Mücken. 1900 *ff.*

2. sinnlich veranlagt. Fußt entweder auf dem Bild der um das Licht schwärmenden

Mücken oder erklärt sich aus „muckern = schlafen". *BSD* 1960 *ff.*

3. auf etw ~ sein = etw begehren. 1960 *ff.*

Mucker *m* **1.** Frömmler, Sektierer, Scheinheiliger; Heimtücker. Gehört zu „↗mucken 1". Im frühen 18. Jh aufgekommen, anfangs als Spottwort auf die Pietisten.

2. Pfarrer. Seit dem 19. Jh.

3. hoher geistlicher Würdenträger (mit geheimem Einfluß auf den Staat). Seit dem 19. Jh.

4. Schütze, der beim Zielen zuckt oder die Augen schließt. *Vgl* ↗mucken 3. Seit dem 19. Jh.

muckern *intr* **1.** schlafen. „Muck" ahmt einen Schnarchlaut nach. *BSD* 1965 *ff.*

2. *impers* = ein wenig schmerzen; geringfügig wehtun. Gehört zu „mucken = halblaut aufbegehren". *Nordd* und *ostmitteld* seit dem 19. Jh.

Muckhengst *m* Schütze, der beim Abschuß zuckt. ↗mucken 3; ↗Hengst 1 und 6. Seit dem 19. Jh.

Mucki *n* künstlerisch wertloses Gemälde für den Massenbedarf; wertlose Imitation. Geht zurück auf *engl* „muck = Mist, Dreck". 1950 *ff.*

Mucks *m* **1.** einzelner Laut; Widerrede. ↗mucksen. 1800 *ff.*

2. kein ~ = kein Laut; keine Äußerung des Aufbegehrens; völliges Verstummen. 1800 *ff.*

3. keinen ~ mehr sagen = nicht länger funktionieren (auf den Motor bezogen). 1920 *ff.*

mucksch *adj* **1.** verdrießlich, schmollend, launisch, tückisch. Zusammengezogen aus ↗mucksig. Seit dem 19. Jh.

2. eigensinnig. Seit dem 19. Jh.

3. ~ wie ein Beamter = mißgestimmt, unwirsch. 1900 *ff.*

4. ~ wie ein Postbeamter = wortkarg, unhöflich. 1900 *ff.*

muckschen *intr* wortkarg, verdrossen sein; aus Übellaunigkeit keine Antwort geben. ↗mucksen. Seit dem 19. Jh, *niederd* und *ostmitteld.*

mucksen *intr* sich nicht ~ = keinen Laut von sich geben; nicht aufbegehren; sich nicht rühren. Wiederholungsform von „↗mucken 1". 1600 *ff.*

'mucks'mäuschen'still *adj adv* völlig lautlos; regungslos. Man hört keinen „↗Mucks" und kein huschendes Mäuschen. Seit dem 19. Jh.

Mudd (Mudder, Mutt) *m* **1.** Schlamm, Morast, Schlick. Nebenform zu „↗Moder 1". *Niederd* seit dem 18. Jh.

2. Kaffeesatz; trüber Bodensatz. *Westd* seit dem 19. Jh.

Muddel *m* **1.** Dreckpfütze; verschlammtes Wasser. ↗Mudd 1. Seit dem 19. Jh.

2. trüber Bodensatz. Seit dem 19. Jh.

3. Verwirrung, Unordnung; unordentliche Arbeit. ↗muddeln 4 und 5. Seit dem 19. Jh.

muddeln *intr* **1.** Schlamm, trüben Bodensatz aufwirbeln; in Pfützen spielen. Gehört zu „Modder" und „Mudd". *Vgl engl* „to muddle = Schlamm aufwühlen" (wie es Gänse und Enten mit dem Schnabel tun). Vorwiegend *niederd* seit dem 19. Jh.

2. betrügerisch zu Werke gehen. Berührt sich mit „im trüben fischen". Seit dem 19. Jh.

3. kartenspielen; betrügerisch die Karten mischen. Kartenspielerspr. 1830/40 *ff.*
4. unsauber arbeiten. Seit dem 19. Jh.
5. ziellos, unüberlegt arbeiten. 1840 *ff.*
6. koitieren. Bezieht sich auf unehelichen Geschlechtsverkehr mit Anspielung auf „unsittlich = unsauber = schmutzig". 1900 *ff.*

Mudder *m* ↗ Mudd.

muddig *adj* **1.** trübe (von Flüssigkeiten gesagt); schlammig. ↗ Mudd 1. 1700 *ff*, vorwiegend *niederd.*
2. faulig riechend; edelfaul. Seit dem 19. Jh.

müde *adj* **1.** kein Interesse weckend; nicht appetitanregend; anspruchslos; unbedeutend; langweilig. 1935 *ff*, *sold* und *schül.*
2. ~ und ab = erschöpft, matt. Zu „ab" *vgl* „↗ absein 2". 1900 *ff.*
3. ~ und matt und aller Arbeit satt = erschöpft und arbeitsunlustig. 1950 *ff.*
4. ~ von Beruf = a) arbeitsträge. Auf die Frage „was sind Sie von Beruf?" lautet die Scherzantwort „müdel". *Sold* 1910 *ff.* – b) nachlässig im Dienst; phlegmatisch. 1910 *ff.*

Mudel *n* ↗ Model.

mudeln *intr* saumselig tätig sein. Vokaldehnte Nebenform von „↗ muddeln". *Ostd* seit dem 19. Jh.

mudelsauber *adj* nett, hübsch, ordentlich. Mudel = Katze. *Oberd* seit dem 19. Jh.

müden *v* es müdet mich = ich bin müde, gelangweilt. *Schül* 1970, *bayr.*

mudicke *adj* angefault, überreif, edelfaul. Berliner Nebenform von „↗ muddig". Seit dem 19. Jh.

Müdigkeit *f* keine ~ vorschützen! = sei munter, frisch! stell' dich nicht müde! Freundlich-*iron* Aufforderung zum Arbeiten, zum Weitertrinken, Weiterspielen o. ä. 1870 *ff.*

Müdmann *m* energieloser, leidenschaftsloser, träger Mann; Mann, der klare Entscheidungen scheut; Faulenzer. 1870 *ff.*

mufen *intr* **1.** einen Darmwind entweichen lassen. Gehört zu „Muff = Gestank", vor allem in der Nebenform „↗ Mief". 1920 *ff*, Hamburg.
2. weggehen; Deckung suchen. Entweder Analogie zu „↗ verduften" oder übernommen aus *engl* „to move = sich fortbewegen". *Sold* in beiden Weltkriegen und bis heute.

Muff *m* **1.** verdrießliches (spöttisches) Verziehen des Mundes (der Mundwinkel). Gehört zum *germ* Wurzelwort „mup" im Sinne von „Gesichterschneiden". 1500 *ff.*
2. mürrischer Mensch. Vom Gesichtsausdruck übertragen. 1600 *ff.*
3. verbrauchte Zimmerluft; modriger Gestank; Schimmel. ↗ muffeln 1. 1830 *ff.*
4. Gegenwartsfremdheit; unfrohes, schwungloses Festhalten am Überkommenen; Absage an Neuerungen; Enggeistigkeit. Hier verbinden sich die Bedeutungen „Griesgram" und „Moder". Seit 1966/67 Schlagwort der aufsässigen Studierenden („unter den Talaren Muff von tausend Jahren"). Spätestens seit 1920.
5. unter allem ~ = überaus minderwertig. Berlin. 1900 *ff.*
6. ~ kriegen = Verdacht schöpfen. Man merkt, daß die Sache „faul" ist; Verdächtiges „stinkt". ↗ Muff 3. *Rotw* 1862 *ff.*

muff *adj* **1.** verärgert, mürrisch. ↗ Muff 1. *Südwestd* 1900 *ff.*

2. sich ~ machen = sich betrinken. Gehört wohl zu „muffen = übel riechen" und zu „stinkbesoffen". Schallnachahmung von Rülps- oder Schnarchlauten mag mitspielen. *BSD* 1965 *ff.*
3. nicht ~ sagen = keinen Laut von sich geben. *Vgl* ↗ Mucks 3. 1965 *ff.*
4. ~ sein = bezecht sein. ↗ muff 2. *BSD* 1965 *ff.*

Müffchen *n* ~ machen = a) die Hände in die Rockärmel stecken. Muff ist die nach beiden Seiten offene Pelzmanschette, in die man die Hände steckt. 1910 *ff.* – b) in Bauchlage die Pfoten unter die Brust stecken (wie es Katzen tun). 1910 *ff.* – c) außer Dienst sein; dienstfrei haben. 1910 *ff.*

Muffe *f* **1.** Vulva, Vagina. Meint technisch das über eine Röhre greifende Ansatzstück. Seit dem 19. Jh.
2. Mädchen. *Vgl* das Vorhergehende. 1920 *ff.*
3. After; Gesäßkerbe. Eigentlich das Verschlußstück am Rohr- oder Kabelende. Das Rohrende ist hier der Mastdarmausgang. 1840 *ff.*
4. ängstlicher Mann. ↗ Muffe 8. *Sold* seit 1914.
5. Feigheit; feiger Soldat. ↗ Muffe 8. 1914 *ff.*
6. jm die ~ andrehen = jm Angst einflößen. *Österr* 1960 *ff.*
7. ihm geht die ~ aus = er wird mutlos. „Muffe" steht hier lautmalerisch für „↗ Puste = Atem"; *vgl* ↗ muffeln 4. 1940 *ff.*
8. ihm flattert die ~ = er hat große Angst. Der Afterschließmuskel dehnt sich schnell und zieht sich rasch wieder zusammen. *Vgl* ↗ Arsch 104. 1940 *ff*, *sold.*
9. ihm geht die ~ = er hat Angst, ist feige. *Vgl* ↗ Arsch 110 *ff. Sold* in beiden Weltkriegen und heute.
10. ihm geht die ~ eins zu tausend (zu zehntausend; zu hunderttausend) = er hat sehr große Angst. „1 : 100 000" ist die Maßstabsangabe auf Generalstabskarten. *Vgl* ↗ Arsch 111. *Sold* seit 1914.
11. ihm geht die ~ eins zu tausend = bei körperlicher Anstrengung muß er schwer atmen, weil sich Herzschlag beschleunigt sich erheblich. *Vgl* ↗ Muffe 7. 1950 *ff.*
12. ihn haben sie mit der ~ gepufft = er ist nicht ganz bei Sinnen. „Puffen = stoßen, schlagen" bezieht sich auf einen heftigen Stoß gegen den Kopf mit Gehirnerschütterung zur Folge. „Muffe" ist aus dem Freude des Berliners am Binnenreim hinzugesetzt. Spätestens seit 1900.
13. ~ haben = ängstlich sein; Nachteile befürchten; vor Vorgesetzten ungern etwas zu tun haben wollen; feige sein. *Vgl* ↗ Muffe 8. 1950 *ff*, *halbw.*
14. ~ kriegen = ängstlich werden. 1950 *ff.*
15. ihm saust die ~ = er hat große Angst. *Vgl* ↗ Muffe 8. *BSD* 1960 *ff.*
16. jm die ~ schmieren = a) in heftig aufs Gesäß prügeln. 1900 *ff.* – b) in dienstlich plagen, schikanieren. *Sold* 1914 *ff.*
17. jm die ~ versilbern = mit jm homosexuell verkehren. Bezieht sich wohl auf homosexuelle Prostitution; denn „versilbern" meint „zu Geld machen". 1950 *ff.*

Muffel *m* **1.** mürrischer Mensch; Mensch, der ausschließt; Spielverderber. ↗ muffeln 2. 1800 *ff.*

2. Gegner von Veränderungen; Mensch, der eine Sache ablehnt, weil er sie nicht gewohnt ist. Als neue Bedeutung aufgekommen mit dem „↗ Krawattenmuffel". 1965 *ff.*
3. unter Alkoholeinfluß stehender Kraftfahrer; rücksichtsloser Kraftfahrer. Er verletzt die Spielregeln der Straßenverkehrsordnung. ↗ Muffel 1. 1965 *ff.*
4. Grenadier. *BSD* 1965 *ff.*
5. unkameradschaftlicher Soldat. Er hat an allem und jedem etwas auszusetzen. *BSD* 1965 *ff.*

muffelig *adj* **1.** faulig; faulig riechend. ↗ muffeln 1. 1700 *ff.*
2. mürrisch, unfroh. ↗ muffeln 2. 1800 *ff.*
3. veraltet. ↗ Muff 4. 1968 *ff.*
4. ängstlich, feige. ↗ Muffe 8. *BSD* 1965 *ff.*

muffeln (muffen, müffen) *intr* **1.** faulig, moderig riechen; Darmwinde entweichen lassen. Beruht auf *germ* „mup = Gesichter schneiden". Wohl weil der üblen Geruch Verbreitende dies am Gesichtsausdruck seiner Mitmenschen ablesen kann. Seit *spätmhd* Zeit.
2. mürrisch, unfroh sein; gern nörgeln; unwirsch sich äußern. 1700 *ff.*
3. essen, kauen, schmausen. Zusammengezogen aus „Mumpfel = Mundvoll". 1700 *ff.*
4. schlafen. Schallnachahmend für den blasenden Laut des Schlafenden. *BSD* 1965 *ff.*
5. gegen etw ~ = gegen etw aufbegehren; etw benörgeln. 1965 *ff.*

muffen (müffen) *intr* Unzufriedenheit äußern; mürrisch sein; trotzen; schmollen. ↗ muffeln 2. 1700 *ff*; heute stark verbreitet unter Halbwüchsigen.

Muffengang *m* ~ haben = ängstlich, feige sein. ↗ Muffe 9. *Sold* 1939 bis heute.

Muffensausen *n* Angstgefühl. ↗ Muffe 8. 1950 *ff*, *halbw.*

Muffer *m* **1.** verdrießlicher Mensch. ↗ muffen. 1700 *ff.*
2. Nase. Sie nimmt Gestank wahr. ↗ muffeln 1. *Rotw* seit dem 18. Jh.
3. Mensch, der üblen Geruch verbreitet. Seit dem 19. Jh.

Müffi *n* *m* ~, das Geruchsgespenst: Ausruf bei Gestank. Hängt zusammen mit der „air-fresh"-Reklame. *Schül* 1955 *ff.*

muffig *adj* **1.** fauligen Geruch ausströmend; schimmelig; stickig. ↗ Muff 3. 1700 *ff.*
2. mürrisch. ↗ Muff 2. 1700 *ff.*
3. feige, ängstlich. ↗ Muffe 8. *BSD* 1965 *ff.*
4. veraltet; langweilig, schwunglos, enggeistig. ↗ Muff 4. *Halbw* 1966 *ff.*

Mufflon *n* *m* unfroher Mensch. ↗ Moufflon. 1950 *ff.*

Mug (Mugg) *f* ↗ Muck I.

Mugel (Mugl) *m* Rausch. Eigentlich Bezeichnung für einen Klumpen oder Knollen, auch für einen beleibten Menschen. *Vgl* „↗ dick = betrunken". 1900 *ff*, *oberd.*

Muggi-Fuggi *m* dünner Kaffeeaufguß. Im *Österr* aus „↗ Muckefuck" gegen 1940 umgewandelt.

Mugl *m* ↗ Mugel.

muh *interj* nicht ~ und nicht mah sagen = kein Wort äußern; verstockt schweigen. „Muh" als Laut der Kuh, „mah" (mäh) als Laut des Schafs. Beide Tiere gelten als dumm. 1950 *ff.*

Muh (Mühlein) *f* (n) Kuh. Kinderspr. im

18. Jh aufgekommen in Nachahmung des Lauts der Kuh.

'**Muhagel ('Muhackel)** *m* ungesitteter, plumper Mann; Mensch, der Verdruß hervorruft. Fußt auf *mhd* „müe = Mühe, Verdruß" und *mhd* „hache = Bursche". *Bayr* 1900 *ff*.

Muhküken *n* albernes, dümmliches junges Mädchen. Verkleinerungsform von „Muhkuh", gekreuzt mit „Küken = junges, unerfahrenes Mädchen". *Halbw* 1955 *ff*.

Mühle *f* 1. Fahrrad; Motorrad; Moped. Anfangs nur auf das Fahrrad bezogen, und zwar verkürzt aus „Tretmühle". 1900 *ff*, *jug*.
2. Flugzeug (nicht *abf*). Anspielung auf die gewisse Ähnlichkeit der sich drehenden Luftschraube mit sich drehenden Windmühlenflügeln. Fliegerspr. 1914 bis heute.
3. Motorfahrzeug. Verkürzt aus „Knochenmühle" oder „Kaffeemühle". 1920 *ff*.
4. Panzerkampfwagen mit schwacher Armierung. *Sold* 1939 bis heute.
5. Hubschrauber. Wegen der Drehflügel. *BSD* 1965 *ff*.
6. Filmkamera. 1955 *ff*.
7. lahme ~ = langsam fahrendes Auto. 1920 *ff*.
8. halt' die ~ an! = schweig endlich still! Dem Schwätzer geht der Mund rastlos wie ein Mühlrad. 1900 *ff*.
9. jn durch die ~ drehen = a) jn drangsalieren. Parallel zu „durch den ↗Wolf drehen". 1920 *ff*. – b) jn einem strengen Verhör unterziehen. 1920 *ff*.
10. bei ihm geht die ~ = er ist ein Schwätzer. ↗Mühle 8. 1900 *ff*.
11. durch die ~ gehen = die übliche Beamtenlaufbahn durchlaufen; sich von Prüfung zu Prüfung hocharbeiten. *Vgl* ↗Tretmühle. 1900 *ff*.
12. etw auf der ~ haben = etw können; tüchtig sein. Hergenommen vom Müller: hat er Wasser auf der Mühle, kann er seine volle Leistungskraft entfalten. 1900 *ff*.
13. nicht mehr viel auf der ~ haben = a) an Lebenskraft verlieren; dem baldigen Tod entgegensehen. 1900 *ff*. – b) in schwierige Geldverhältnisse geraten sein. 1900 *ff*.
14. die ~ hinrotzen = das Flugzeug bei der Landung stark beschädigen. ↗Mühle 2; ↗hinrotzen. Fliegerspr. 1939 *ff*.
15. von jm in die ~ genommen werden = einem strengen Verhör unterzogen werden. ↗Mühle 9 b. 1920 *ff*.
16. die ~ offenhaben = gute Erfolgsaussichten haben. Herzuleiten vom Mühlespiel. 1900 *ff*.
17. die ~ rumreißen = das Flugzeug auf Gegenkurs steuern. ↗Mühle 2. Fliegerspr. 1939 *ff*.
18. seine ~ steht selten still = er ist ein übler Schwätzer. ↗Mühle 8. 1900 *ff*.
19. einem armen Mann die ~ treiben können = langbeinig sein (auf weibliche Personen bezogen). Anspielung auf den hohen „↗Wasserfall". 1900 *ff*.

Mühlein *n* ↗Muh.

Mulde *f* 1. Bett. Die Mulde ist ein längliches Holzgefäß (Backmulde, Fleischmulde). 1920 *ff*.
2. es gießt wie mit ~n = es regnet sehr heftig. *Vgl* ↗Eimer 22. Seit dem 19. Jh.

Muli I *n* Maulesel; Maultier. Aus *ital* „mulo". *Bayr* und *österr* seit dem 19. Jh.

Muli II *m* 1. Schimpfwort. Meint dasselbe wie „Esel". Seit dem 19. Jh.
2. Rekrut. Er ist noch ein „dummer Esel." 1900 *ff*.
3. Vollkettenfahrzeug (Typ R 50). Es war widerstandsfähig und ausdauernd, wie ein „↗Muli I". *Sold* 1939 *ff*.
4. Gebirgsjäger. Früher Bezeichnung für die Tiroler Kaiserjäger. Ihnen dienten Maulesel als Tragtiere. *Sold* 1939 bis heute.
5. dickköpfig (störrisch) wie ein ~ = unbeugsam, unnachgiebig. *Vgl* ↗Esel 11. 1910 *ff*.
6. ich glaube, mein (dein) ~ priemt = du bist wohl nicht bei Sinnen? Gemeint ist, daß die Behauptung des anderen ebenso (un)glaubwürdig ist wie etwa die, daß ein Muli Tabak kaue. *BSD* 1960 *ff*.
7. wie ein ~ rackern = sich heftig abmühen. ↗rackern. 1940 *ff*.

Müll *m* 1. schlechtes Wetter; Nebelwolken; vergebliches Bemühen; Mißerfolg. Meint im *Nordd* den Staub, dem *engl* „dust" entspricht; *engl* „dusting = stürmisches Wetter". Fliegerspr. 1939 *ff*.
2. Sold, Geld. Meint vor allem das Kleingeld; analog zu „↗Kies", „↗Schotter" u. ä. *Vgl engl* „dust = Staub; Geld". 1960 *ff*, *BSD*.
3. unschmackhaftes Essen. In gehässiger Auffassung ist es aus Lebensmittelabfällen hergestellt, die eigentlich in den Mülleimer gehören. *BSD* 1965 *ff*.
4. etw auf den ~ kippen = etw als unwirksam, als aussichtslos verwerfen. 1960 *ff*.

Müllabladeplatz *m* seelischer ~ = Mensch, dem man seinen Kummer anvertrauen kann. 1950 *ff*.

Mülle *f* auf die ~ fahren = Sperrmüll durchwühlen. Hamburg 1972 *ff*.

Mülleimer *m* seelischer ~ = Mensch, bei dem man Gehör für seine Kümmernisse findet. 1950 *ff*.

Müller *Pn* Lieschen Müller. ↗Lieschen 1.

Müllerschlaf *m* Schlaf, aus dem man sofort aufwacht, sobald ein bestimmtes Geräusch aufhört. Diese Gabe sagt man den Müllern nach. 1920 *ff*.

Müllerssohn *m* langbeiniger Mann. Mit seinem hohen „↗Wasserfall" kann er seines Vaters Mühle treiben. 1920 *ff*.

Müllerstochter *f* großwüchsiges Mädchen. Erklärt sich wie das Vorhergehende. 1920 *ff*.

Müllionär *m* Fuhrparkunternehmer, -leiter. Zusammengesetzt aus „Müll" und „Millionär". Seit dem späten 19. Jh.

Müllkasten *m* Allesesser. Wie der Abfalleimer „schluckt" er, was man ihm gibt. 1910 *ff*.

Müllkippe *f* 1. Mensch, der viel ißt, ohne wählerisch zu sein. Versteht sich ähnlich wie das Vorhergehende. 1935 *ff*.
2. quer durch die ~. ↗quer.

Müllschlucker *m* seelischer ~ = Mensch, dem man seinen Kummer anvertrauen kann. 1950 *ff*.

Müllsünder *m* Mann, der gifthaltige Stoffe an öffentlich zugänglichen Stellen ablagert. ↗Sünder. 1970 *ff*.

Mülltonne *f* 1. wahlloser Vielesser. 1910 *ff*.
2. seelische ~ = Beichtvater; Mensch,

der bekümmerten Menschen zu helfen sucht. 1950 *ff*.

Mulm *m* minderwertige Sache; Unbrauchbarkeit; Betrug o. ä. Ist über den Begriff „Staub" Analogie zu „↗Dreck" oder „↗Mist". 1900 *ff*.

mulmig *adj* 1. unbehaglich, ungut; heikel, unsicher. Analog zu „↗dreckig". Seit dem späten 19. Jh.
2. es riecht ~ = Gefahr kündet sich an. 1920 *ff*.

mulsch (mulschig) *adj* edelfaul. ↗molsch.

'**Mulscheister** *m* Lehrer. Verdreht aus „Schulmeister", mit Anspielung auf „Muul = Maul" und „scheißen". Seit dem späten 19. Jh.

mulschen (multschen) *intr* schlafen. ↗molschen.

Mulus *m* noch nicht immatrikulierter Abiturient. Meint eigentlich den Maulesel (= *lat* „mulus") als Lasttier: ältere Studenten beauftragten früher die Neuen mit Botendiensten. *Vgl* auch Emil Strauß, „Freund Hein" (1902): „Das Maultier sucht im Nebel seinen Weg". *Stud* seit dem 19. Jh.

Mumi *f* Großmutter. ↗Mummi.

Mumie *f* 1. alte Frau. Man setzt sie gleich mit einem ausgetrockneten, einbalsamierten Leichnam. 1900 *ff*.
2. hagerer Mensch. 1900 *ff*.
3. *pl* = die Eltern. Aus jugendlicher Sicht gelten sie leicht als überaltert und als geistig vertrocknet. 1960 *ff*.

Mumm *m* 1. Energie, Willenskraft, Mut, Tapferkeit. Verkürzt aus dem *lat* Akkusativ „animum" (sinngemäß „Beherztheit"). Gegen 1850 aufgekommen.
2. ~ unter der Kühlerhaube = hohe Motorleistung. 1955 *ff*.
3. müder ~ = schwacher Mut. 1920 *ff*.
4. jm den ~ abkaufen = jm die Lust, die Freude an etw nehmen. Analog zu „den ↗Schneid abkaufen". 1920 *ff*.
5. das gibt ~ in die Knochen = das stärkt die Widerstandskraft des Körpers. 1950 *ff*.
6. keinen ~ in den Knochen haben = energielos, schwunglos, feige sein. 1900 *ff*.
7. ~ im Leibe haben = körperliche Kraft, Durchsetzungsvermögen, Mut haben. 1900 *ff*.
8. ~ in die Knochen kriegen = erstarken; mannhaft werden; selbstbewußt werden. 1900 *ff*.

Mümmelchen *n* 1. Kaninchen; Häschen. ↗mummeln 2. 1900 *ff*.
2. Kosewort für Mann und Frau. Man ist weich anzufassen wie Kaninchen oder Hase oder auch wie eine Katze, die „mümm" oder „mimm" macht. 1900 *ff*.

Mummelgreis (Mümmelgreis) *m* alter, kraftloser Mann. ↗mummeln 1 und 2. Seit dem 19. Jh.

Mümmelmann *m* 1. Hase. ↗mummeln 2. Seit dem 19. Jh.
2. Mann (Kosewort). ↗Mümmelchen 2. 1900 *ff*.

mummeln (mümmeln) *intr* 1. undeutlich sprechen. Hervorgegangen aus der Nachahmung eines Brummlauts bei geschlossenen Lippen. 1500 *ff*. *Vgl engl* „to mumble".
2. langsam, zahnlos kauen; den Unterkiefer ständig (seitwärts) bewegen. Man öffnet den Mund nicht oder kaum, als rede man mit zahnlosem Mund; ähnlich ist die mahlende Mundbewegung beim Essen.

Den Mundbewegungen von Nagetieren abgesehen und besonders auf Hase und/ oder Kaninchen zurückgeführt. 1500 *ff.*
3. schlafen. *Vgl* ↗einmummeln. 1950 *ff.*
4. sich (jn) in etw ~. ↗einmummeln.
Mummi (Mumi) *f* **1.** Großmutter. Kindersprachliches Kosewort. 1900 *ff.*
2. Mutter. Wohl zusammenhängend mit „↗mummeln" im Hinblick auf das Säugen an der Brust. 1900 *ff.*
3. Braut, Geliebte. Verkürzt aus „↗Mümmelchen 2". 1920 *ff.*
Mumpfel *m* **1.** Mundvoll, Bissen. ↗mumpfeln 1. Seit dem 19. Jh, *oberd.*
2. verdrießlich verzogener Mund. *Südd* nasalierte Nebenform zu „↗Muffel". Seit dem 19. Jh.
3. wortkarger, verdrossener Mensch. Seit dem 19. Jh.
mumpfeln (mümpfeln) *intr* **1.** kleine Bissen langsam kauen. Zusammengezogen aus „Mundvoll" und verwandt mit „↗mummeln". Seit dem 19. Jh.
2. undeutlich sprechen; murmeln. Seit dem 19. Jh.
Mumpitz *m* **1.** törichtes Gerede; Unsinn; Schwindel. Zusammengewachsen aus „Mumme = Maske" und „Butze = Vogelscheuche, Schreckgestalt", also eigentlich ein Gerede, mit dem man schrecken oder einschüchtern will. Um 1870 aufgekommen.
2. ~ mit Sauce = völliger Unsinn; listige Vorspiegelung. 1920 *ff.*
3. höherer ~ = großer (ernsthaft vorgetragener, wissenschaftlich verbrämter) Unsinn. Analog zum „höheren ↗Blödsinn". 1890 *ff.*
Mund *m* wird in den meisten, unter „↗Maul" angeführten Redewendungen gebraucht, wenn die derbe Redeweise etwas abgeschwächt werden soll. Was man unter „Mund" nicht findet, suche man unter dem Stichwort „↗Maul".
1. geölter ~ = salbungsvolle Sprechweise; unversieglicher Redefluß. ↗ölig. 1900 *ff.*
2. sich etw vom ~e absparen = durch sparsame Ernährungsweise Geld erübrigen. 1900 *ff.*
3. den ~ ausleeren = sich aussprechen. 1950 *ff.*
4. spül' dir mal den ~ aus! Zuruf an einen Zotenerzähler o. ä. Von der Aufforderung des Zahnarztes übertragen. 1910 *ff.*
5. den ~ auf dem rechten Fleck haben = schlagfertig sein. *Vgl* ↗Maul 39. 1850 *ff.*
5 a. die hat schon mal jemand im ~ gehabt: Redewendung beim Essen von Zunge. 1900 *ff.*
6. reinen ~ halten = verschwiegen sein. Seit dem 19. Jh.
7. jm zum ~ reden = a) jm schmeicheln; jm zu Gefallen reden; ganz so reden, wie es der andere erwartet. Seit dem 19. Jh. – b) synchron sprechen. 1950 *ff.*
8. den ~ riskieren = unverblümt reden; vorlaut sein. *Westd* 1900 *ff.*
Mundfiedel *f* Mundharmonika. 1900 *ff.*
Mundfunk *m* **1.** unmittelbar mündliche Nachrichtenweitergabe. Dem Wort „Rundfunk" nachgebildet. 1920 *ff.*
2. Kußwechsel o. ä. 1930 *ff.*
Mundorgel *f* Mundharmonika. 1914 *ff, sold* und *ziv.*
Mundpropaganda *f* mündliche Nachrichtenübermittlung (Werbung). 1933 *ff.*

Mundreklame *f* mündliche Reklame. 1933 *ff.*
Mundstück *n* **1.** Penis. Anspielung auf Fellatio. 1900 *ff.*
2. böses ~ = frech, unflätig Redender. „Mundstück" meint im 15. Jh den unteren Gesichtsteil mit dem Mund. Seit dem 19. Jh.
3. breites ~ = derbe, unbekümmerte Sprechweise. 1900 *ff.*
4. ein gutes ~ haben = redegewandt sein. 1600 *ff.*
Mündungsschoner *m* **1.** kleinwüchsiger Mensch. Der Mündungsschoner, mit dem Gewehr (Modell 1898) nach 1901 eingeführt, diente am Korn am Gewehr als Schutz (Mündungsschutz). 1910 *ff.*
2. Versager. Zielt vor allem auf Beischlafträgheit. 1910 *ff.*
3. (Präservativ. *Sold* 1914 bis heute.
Mundwerk *n* **1.** unversieglicher Redefluß; Wortgewandtheit. „Werk" bezeichnet die Gesamtheit mechanischer Vorgänge (Orgel-, Uhrwerk). Seit dem 16. Jh.
2. (geschminkter) Mund. 1920 *ff.*
3. flottes ~ = Redseligkeit; Schnellredner. 1920 *ff.*
3 a. gottloses ~ = freche, unflätige Redeweise. ↗gottlos. Seit dem 19. Jh.
4. koddriges ~ = freche, schamlose Sprechweise. ↗koddrig. Seit dem 19. Jh.
5. loses ~ = unverblümte, dreiste Redeweise. ↗los. Seit dem 19. Jh.
6. jm ein ~ anhängen = jm freche Antworten geben. *Vgl* ↗Maul 10. *Halbw* 1960 *ff.*
7. sein ~ spazieren gehen lassen = schwätzen; unbedacht reden; auf gut Glück reden. Seit dem 19. Jh.
8. vor Öffnen des ~s Gehirn einschalten!: erst denken, dann reden! 1970 *ff.*
Mundwerker *m* **1.** Ansager; Schauspieler; Kabarettist. 1930 *ff.*
2. Schwätzer. 1930 *ff.*
Mund-zu-Mund-Beatmung *f* Kuß. 1950 *ff.*
Munition *f* **1.** Eßwaren. Eigentlich der Schießbedarf. *Sold* in beiden Weltkriegen.
2. Geld. Analog zu ↗Pulver. 1920 *ff. Vgl franz* „n'avoir plus de munitions".
3. beim Fastnachtszug in die Menge geworfene Bonbons. 1925 *ff.*
3 a. Geschlechtskraft des Mannes. Seit dem 19. Jh.
4. erotische ~ = Studentinnen. 1960 *ff.*
5. seine ~ verschossen haben = a) kein Geld mehr haben. ↗Munition 2. 1920 *ff.* – b) nicht mehr zeugungsfähig sein. ↗Munition 3 a. Seit dem 19. Jh. – c) keine weiteren Argumente vorzubringen haben; seine Gedanken vorschnell preisgegeben haben. 1920 *ff.*
munkeln *tr intr* **1.** heimlich reden; Vermutungen geheim aussprechen. Fußt auf *ndl* „monkelen = murmeln; das Gesicht verziehen". Schallnachahmenden Ursprungs. Seit dem 16. Jh.
2. beim Mitschüler vorsagen. 1920 *ff.*
3. beim Spiel täuschen (durch geheime Verständigung zum Schaden des Gegners). Seit dem 18. Jh.
4. es munkelt = a) das Wetter sieht bedrohlich aus; der Himmel bedeckt sich. Er ist so wenig offen wie Gemunkel. 1700 *ff.* – b) die Sache scheint sich unangenehm zu entwickeln. Seit dem 19. Jh.
5. im Dunkeln ist gut ~ = an unbeo-

bachteter Stelle kann man Ränke spinnen, Geheimnisse austauschen, eine Liebschaft unterhalten u. ä. 1600 *ff.*
munklig *adj* unfreundlich (auf das Wetter bezogen). ↗munkeln 4. 1700 *ff.*
Münze *f* **1.** etw für bare ~ ausgeben = etw für wahr ausgeben. Bare Münze = sichtbar daliegende Geldstücke. 1700 *ff.*
2. jn mit gleicher ~ bezahlen (jm mit gleicher ~ heimzahlen) = jm Gleiches mit Gleichem vergelten; auf grobe Rede grob erwidern. 1500 *ff. Vgl engl* „I paid him back in his own coin".
3. etw für bare ~ nehmen = Lügen für wahr halten; Scherz als Ernst auffassen; einer Äußerung unbedingt Glauben schenken. 1700 *ff. Vgl franz* „prendre quelque chose de l'argent comptant".
münzen *v* das ist auf ihn gemünzt = das spielt auf ihn an. Hergenommen vom Prägen von Münzen zur Erinnerung an bestimmte Personen. Seit dem 17. Jh.
murk *adj* verdrießlich. Kann zusammenhängen mit „murken = zerdrücken" in Anspielung auf die faltige, verdrossene Miene oder steht schallnachahmend für einen grunzenden oder murrenden Laut. 1700 *ff.*
Murk *m* **1.** unfreundlicher, mürrischer Mensch. *Vgl* das Vorhergehende. 1700 *ff.*
2. Mensch, der alles falsch macht. ↗murksen. *Jug* 1955 *ff.*
Murke *f* **1.** Katze. Soll aus der Zigeunersprache stammen. *Rotw* seit dem frühen 19. Jh.
2. Vulva, Vagina. Analog zu ↗Kätzchen. Seit dem 19. Jh.
3. unbrauchbarer Gegenstand. ↗murksen. Seit dem 19. Jh.
4. unerledigte Briefschaften. Meint eigentlich die Krume, das Restchen, Überbleibsel. Seit dem 19. Jh.
Murkel *m* **1.** kleinwüchsiger Mensch. Analog zu ↗Krümel. Seit dem 19. Jh.
2. Schüler der Unterstufe. 1950 *ff.*
murkelig (murklig) *adj* armselig, unansehnlich, kleinwüchsig. Murke = Krume. 1840 *ff.*
Murks *m* **1.** schlechte, fruchtlose Arbeit; Ausschußware. ↗murksen 1. 1800 *ff.*
2. Habe *(abf)*. Seit dem späten 19. Jh.
3. mürrischer Mensch. ↗murk. Seit dem 19. Jh.
4. unansehnlicher, hilfloser Mensch; Kleinwüchsiger. Murke = Krume. Seit dem 19. Jh.
murksen *v* **1.** *intr* = unordentlich, ohne Fachkenntnis, langsam arbeiten. Gehört zu „Murk = Brocken, Krümel" und ist wohl schallnachahmenden Ursprungs, z. B. hergenommen von dem Geräusch, das beim Zerbrechen von Holz ö. ä. entsteht. Seit dem 18. Jh.
2. *tr* = jn umbringen, ermorden. ↗abmurksen. Seit dem 19. Jh.
Murmel *f* **1.** Kopf. Rund wie die Spielkugeln der Kinder. 1900 *ff,* Berlin.
2. *pl* = Erbsen. 1935 *ff.*
3. *pl* = Geld. „Murmel" ist eigentlich der Marmelstein, und „Stein" ist Bezeichnung für „Geld", analog zu „↗Kies", „↗Bims" u. ä. 1860 *ff.*
4. *pl* = Kot der Schafe, Ziegen usw. 1900 *ff.*
5. *pl* = Hoden. 1900 *ff.*
6. *sg* = Fußball, der sehr langsam ins Tor

rollt und vom Torwart trotzdem nicht abgewehrt werden kann. *Sportl* 1950 ff.

7. eine saure ~ haben = nicht ganz bei Verstand sein. Der Inhalt des Kopfes ist „angesäuert"; ↗Murmel 1. Berlin 1910 ff.

8. dir haben sie wohl die ~ geklaut? = du bist wohl von Sinnen? Der Angesprochene ist seines Verstandes (↗Murmel 1 = Kopf) beraubt worden. Berlin 1910 ff.

9. jm die ~ runterreißen = den Kopf des Gegners so einzwängen, daß er den Kampf aufgeben muß. 1950 ff.

10. mit ihm kannst du ~n spielen = er ist überaus gutmütig. Murmeln = Klikker. 1870 ff, Berlin.

Murmeler *m* Mensch, der seine Unzufriedenheit nur verstohlen äußert. ↗murmeln. Seit dem 15. Jh.

murmeln *intr* **1.** nörgeln; sich unzufrieden äußern; aufbegehren. Der Nörgler äußert sich „murrend = brummend". Seit dem 15. Jh.

2. mit jm ~ = mit jm sprechen. Meint eigentlich die in tiefem Flüsterton geführte Unterhaltung. 1900 ff.

3. das kann ich dir ~! = darauf kannst du dich fest verlassen; das ist unbedingt wahr. 1900 ff.

4. unter uns gemurmelt = unter uns gesagt; im Vertrauen gesagt. 1920 ff.

Murmeltier *n* **1.** undeutlich sprechender Mensch. Dem Tiernamen untergeschobene neue Bedeutung, etwa seit 1800.

2. Lehrer, Dozent. Kann sich sowohl auf die undeutliche Aussprache als auch auf den einschläfernden Vortrag beziehen. 1950 ff.

3. schläfriger, langweiliger Mensch. ↗Murmeltier 6. Seit dem 18. Jh.

4. Beamter. Wohl Anspielung auf die schleppende Aktenbearbeitung. 1950 ff.

5. Lang-, Tiefschläfer. *Vgl* das Folgende. 1900 ff.

6. schlafen wie ein ~ = fest schlafen. Das Murmeltier hält Winterschlaf. Seit dem 18. Jh. *Vgl franz* „dormir comme une marmotte".

Murr I *f* Rufname der Katze. Fußt auf „Mohr", der Bezeichnung für die schwarze Katze, beeinflußt durch „murren = schnurren" (lautmalerisch). Literarisch 1821 durch E.T.A. Hoffmann, „Kater Murr, die Lebensansichten eines Katers".

Murr II *m n* ~ in den Knochen haben = stark, kräftig sein. Assimiliert aus „Murk = Mark in den Knochen". Seit dem 18. Jh. *Vgl engl* „marrow = Mark".

Mus *n* **1.** jn zu ~ hauen (machen; aus jm ~ machen) = jn heftig prügeln; jn moralisch erledigen. Meist Drohrede. Seit dem 19. Jh.

2. dich reibe ich zu ~! Drohrede. 1920 ff.

3. etw zu ~ schießen = etw durch Beschuß völlig zertrümmern. *Sold* in beiden Weltkriegen.

Musch *f* **1.** Rufname der Katze. Entwickelt aus dem Lockruf. 1800 ff.

2. Vulva. Analog zu ↗Kätzchen. Vielleicht auch beeinflußt von „↗Muschi". Spät-*mhd* „mucze = Vagina". *Rotw* 1862 ff.

Muschel I *m* Geheimnistuerei. ↗muscheln 1. Seit dem 19. Jh.

Muschel II *f* **1.** Vulva, Schamlippen. Übertragen von der klaffenden Öffnung der Seemuschel; vielleicht auch beeinflußt von „↗Möse" und „↗Musch" o. ä. 1700 ff.

---

2. eine unruhige ~ haben = geschlechtlich leicht erregbar sein (auf die Frau bezogen). Seit dem 19. Jh.

3. in die ~ rotzen = koitieren. 1900 ff.

4. darf ich mal an Ihrer ~ schnuppern? = darf ich mal Ihr Telefon benutzen? Anspielung auf die Sprechmuschel des Telefonapparats. Zweideutig, wenn die Frage an eine Frau gerichtet ist. 1950 ff.

'Muschel'bar *f* Stehabort für Männer. Die Abortbecken haben Muschelform und sind in einer Reihe angeordnet. *Österr* 1930 ff.

muscheln *v* **1.** *intr* = verdeckt zu Werke gehen; unlauter handeln; trügen, täuschen. Kann sich aus der Bedeutung „mengen, durcheinandermischen" entwickelt haben im Sinne der Ausnutzung einer Verwirrung oder ist Ablautform zu „mogeln"; *vgl* auch „↗mauscheln". Seit dem 19. Jh.

2. *intr* = in geheimem Einverständnis stehen; tuscheln. Seit dem 19. Jh.

3. *intr* = in der Schule ein unerlaubtes Hilfsmittel benutzen. 1900 ff.

4. *intr* = intim betasten; koitieren. ↗Muschel II. 1900 ff.

5. *intr* = die Spielkarten betrügerisch mischen; beim Kartenspiel betrügen. Seit dem 19. Jh.

6. *intr* = undeutlich sprechen. *Vgl* ↗nuscheln. Seit dem 19. Jh.

7. *intr* = unordentlich arbeiten. Seit dem 19. Jh.

8. er kann mich ~! = derbe Abweisung. Seit dem 19. Jh.

muschen *tr intr* ↗moschen.

Muschi *f* **1.** Rufname der Katze. ↗Musch 1. Seit dem 19. Jh.

2. Vulva. ↗Musch 2. Seit dem 19. Jh.

3. kleines Mädchen (Kosewort). ↗Musch 3. Seit dem 19. Jh.

4. Kosewort für die Ehefrau. Seit dem 19. Jh.

5. intime Freundin; Prostituierte. 1900 ff.

Muschko *m* Soldat ohne Rang. Verkürzt aus dem Folgenden. 1870 ff.

Muschkote *m* Soldat ohne Rang; Rekrut. ↗Muskote. 1870 bis heute.

Muse *f* **1.** Musikunterricht. 1950 ff, *schül.*

2. ~ (die ganze ~) = Geschlechtskrankheit. Verkürzt aus „türkische ↗Musik". 1900 ff.

3. ganz leichte ~ = Prostitution. „Leichte Muse" meint eigentlich die Muse des Tanzes. 1950 ff.

4. zehnte ~ = Muse des Brettls (Kleinkunst, Kabarett). Sie war im Chor der klassischen neun Musen noch nicht vorgesehen. 1902 aufgekommen durch Maximilian Bern.

5. von der ~ gebissen sein = sich für künstlerisch befähigt halten. Satirisch aus dem Folgenden entwickelt. 1950 ff.

6. von der ~ geküßt sein = Dichter sein. Der Musenkuß ist eine pseudo-dichterische Vorstellung des 19. Jhs, gefühlvollschwelgerisch verbreitet durch Liebesromane u. ä.

Musenbahnhof *m* Bahnhof Rolandseck. ↗Künstlerbahnhof. 1965 ff.

Musentempel *m* **1.** Theater. Seit dem 19. Jh.

2. Gymnasium. 1920 ff.

3. Musikzimmer in der Schule. ↗Muse 1. 1920 ff.

museumsreif *adj* veraltet, ausgedient; nicht mehr brauchbar; abständig. 1900 ff.

Museumsschlitten *m* altes, unmodernes Fahrzeug. ↗Schlitten. 1920 ff.

Museumsstück *n* **1.** ältliche Frau. 1870 ff.

2. altgewordener Schauspieler, der ehemals sehr beliebt war und an den man sich gern erinnert. 1920 ff.

3. lebende ~e = die Erwachsenen. *Halbw* 1960 ff.

Musi *f* **1.** Volksmusik; Musikkapelle. *Bayr* 1900 ff.

2. Musikunterricht. *Schül* 1950 ff.

'Musi-'Gaudi-'Radi-'Lo'kal *n* Bier- und Weinlokal mit Musikkapelle nach bayrischer Art. Gaudi = Spaß, Vergnügen; Radi = (Bier-)Rettich. 1960 ff.

Musik *f* **1.** leichte, seichte Unterhaltungsmusik; Marschmusik; Blasmusik; Musikkapelle; Tanzvergnügen. Das Wort wird in diesen Bedeutungen vorwiegend auf der ersten Silbe betont, wohingegen bei Betonung auf der zweiten Silbe „ernste Musik" gemeint ist. 1900 ff.

2. Zwiebeln. Anspielung auf Blähungen. 1900 ff.

3. Beschuß aus Salvengeschützen. Anspielung auf die „↗Stalinorgeln". *Sold* 1941 ff.

4. Schwung, Kraft, Nachdrücklichkeit (sprich „Musik"). ↗Musik 28. 1840 ff.

5. Geschlechtskrankheit. ↗Musik 23. 1900 ff.

6. ~ in der Bluse = üppiger Busen. 1955 ff.

7. ~ in Dosen = Schallplattenmusik. ↗Konservenmusik. 1920 ff.

8. ~ aus der Konserve(ndose) = Platten-, Tonbandmusik. ↗Konservenmusik. 1920 ff.

9. ~ im eigenen Saft = Mundharmonikaspiel. Dem „im eigenen Saft geschmorten Fleischgericht" nachgebildet mit Anspielung auf das Geifern des Harmonikaspielers. *Sold* 1939 ff.

10. ~ in Scheiben = (Musik von) Schallplatten. 1920 ff.

11. ~ in (aus) der Tüte = Schallplatte, Tonband. Man kauft die Schallplatte in einer Tüte wie fertig abgepackte Lebensmittel. 1950 ff.

12. ~ von der Walze = Drehorgelmusik. 1950 ff.

12 a. echte ~ = unmittelbar erlebte, von Hand gespielte (nicht über Tonträger vermittelte) Musik. 1974 (Reiseprospekt).

13. fleischige ~ = lüstern aufreizende Rhythmen. Nach 1920 aufgekommen, nach 1950 wiederaufgelebt.

14. die ganze ~ = das alles. Seit dem 19. Jh.

15. gepreßte ~ = (Musik von) Schallplatten; einzelne Schallplatte. 1960 ff.

16. handgemachte ~ = selbsterzeugte (ohne Tonträger vermittelte) Musik. 1950 ff.

17. heiße ~ = Jazz, Beat usw. Übernommen aus *engl* „hot music". 1950 ff.

18. konservierte ~ = Musik auf Schallplatte oder Tonband. ↗Konservenmusik. 1920 ff.

18 a. lebende ~ = original dargebotene (nicht über Tonträger vermittelte) Musik. *Schweiz* 1965 ff.

19. schräge ~ = a) Jazz; moderne (atonale) Musik. ↗schräg. 1933 aufgekommen im Sinne der „artfremden", „entarteten" Musik. – b) hinter der Kabine des Nachtjägers eingebaute 2-cm-Kanonen, mit denen der Jäger schräg nach oben schießen konnte, wenn er das feindliche Flugzeug unterflogen hatte. Fliegerspr. 1939 ff.

20. schwarze ~ = Tonstücke, deren (öffentliche) Wiedergabe unerwünscht oder verboten ist. Schwarz = heimlich gehandelt. 1945 ff.

21. schwüle ~ = erotisch anregende Musik; rührselig-sehnsuchtsvolle Musik. ↗schwül. 1950 ff.

22. tragbare ~ = Rundfunk-Kleingerät. 1950 ff.

23. türkische ~ = a) Geschlechtskrankheit. Die Janitscharenmusik kam im 18. Jh nach Deutschland; ihre bezeichnenden Instrumente sind der Schellenbaum und die Pauken. „Pauken" nennt man auch die syphilitischen Geschwüre; zum Schellenbaum *vgl* „↗Glocke 13". 1830 ff. – b) unnötiger Aufwand. Bezieht sich auf den Schellenbaum und andere klingelnde Instrumente, die für die Melodieführung bedeutungslos sind. 1930 ff.

24. jn mit ~ beriseln = jm Rundfunkmusik, Musik vom Tonband oder von Schallplatten vorspielen. ↗berieseln. 1925 ff.

25. wer die ~ bestellt, muß sie auch bezahlen = den Verzehr bezahlt, wer ihn bestellt hat; die Folgen seiner Handlungsweise muß jeder selber tragen. 1900 ff.

26. mit ~ boxen = a) den Musikautomaten ununterbrochen spielen lassen. Anspielung auf *engl* „music-box". *Jug* 1955 ff. – b) jm durch lärmende Musik das Verbleiben verleiden. Musik ersetzt die Boxhandschuhe. *Jug* 1955 ff.

27. ohne ~ gehen = ohne Höflichkeitsbegleitung davongehen. Bezieht sich eigentlich auf eine Beisetzung ohne Musikbegleitung. 1920 ff.

28. ~ haben = stark, kräftig sein. Von der musikalischen Begabung übertragen auf allgemeines Könnertum, vor allem auf Muskelkraft. 1900 ff.

29. ~ in den Knochen haben = sehr leistungsfähig sein. *Vgl* das Vorhergehende. 1900 ff.

30. guck' gradeaus, dann hörst du die ~ besser: Redewendung an einen Unmusikalischen. 1920 ff.

31. etw nach ~ können = in etw sehr geübt sein. Hergenommen vom Tanzen oder vom Pferd bei der Parade. 1950 ff.

32. ~ machen = lärmen; unschöne Laute von sich geben. Ironie. 1900 ff.

33. der falschen ~ nachlaufen = einer wertlosen Sache anhängen; einflußlosen Leuten sich anschließen. 1945 ff.

33 a. sich in die ~ schmeißen = Musik mit Arm- und Hüftbewegungen begleiten (sich rhythmisch hin- und mitreißen lassen). 1960 ff.

34. das ist mir ~ in den Ohren = das höre ich gern. 1920 ff.

35. da liegt ~ drin = das hat Schwung, mitreißende Kraft. 1840 ff.

36. in dem Wein ist ~ = der Wein ist vortrefflich. Seit dem 19. Jh.

37. da ist ~ drin (dahinter) = das hat Schwung, ist vortrefflich, funktioniert bestens, ist sehr erfreulich. 1840 ff.

38. im Bizeps steckt allerhand ~ drin = man hat sehr kräftige Muskeln. 1910 ff.

39. hier spielt die ~ = hier ist die zuständige Stelle. 1920 ff.

40. vorn spielt die ~ = zuständig sind die Vorgesetzten. 1920 ff.

41. ~ tanken = am Schallplattentisch Schallplatten abhören. ↗tanken. 1955 ff.

42. von dieser ~ verstehe ich nichts = von dieser Sache verstehe ich nichts. Aufgekommen mit dem Vordringen der Musik der Moderne. 1925 ff.

Musikanten *pl* **1.** Geldstücke. „Hier sitzen die Musikanten" sagt man und schlägt auf die Hosentasche mit dem Kleingeld; die Münzen machen „ping, ping" wie die Triangel. Soll von dem Berliner Possendichter und Schauspieler Louis Angely (1787–1835) geprägt worden sein. Berlin 1840 ff.

2. wer die ~ bestellt, muß sie auch bezahlen. ↗Musik 25.

Musikantenknochen (-knöchelchen) *m (n)* empfindlicher Reizpunkt am Ellenbogengelenk: stößt man sich daran, „hört man die ↗Engel im Himmel pfeifen". 1870 ff.

Musikdampfer *m* **1.** Luxusdampfer für Vergnügungsreisen; Passagierdampfer; Schiff mit singenden und tanzenden Fahrgästen. Etwa seit 1900.

2. unterhaltende Show mit Musik. 1950 ff.

Musikdieb *m* betrügerischer Nachpresser von Schallplatten. 1970 ff.

Musikfeldwebel *m* Dirigent. Er schwingt den Taktstock. Vielleicht eine entfernte Erinnerung an den Prügelstock, mit dem der militärische Ausbilder früher Faule, Widerspenstige oder Dumme schlug. 1900 ff.

Musikgarage (Grundwort *franz* ausgesprochen) *f* Konzerthaus. Anspielung auf den schmucklosen Zweckbau. 1920 ff.

Musikkasten *m* **1.** Klavier. ↗Klimperkasten. 1880 ff.

2. Konzerthaus; Musikhochschule. 1905 ff.

3. üppiger Busen einer Heldensängerin. Dem „Brustkasten" nachgebildet. 1920 ff.

4. Rundfunkgerät. 1925 ff.

Musikknochen *m* empfindliche Stelle am Ellbogengelenk. ↗Musikantenknochen. 1900 ff.

Musikkonserve *f* Schallplatte, Tonband o. ä. ↗Konservenmusik. 1920 ff.

Musikmache *f* Musikkapelle. *Jug* 1965 ff.

Musikmacher *pl* **1.** Hülsenfrüchte. Sie erzeugen Blähungen. ↗Musik 32. 1900 ff. *Vgl franz* „musiciens".

2. *m* Komponist, Musikverleger, Schallplattenfirma. 1965 ff.

Musikpest *f* Belästigung durch Kofferradios (in Cafés, im Eisenbahnabteil, beim Waldspaziergang, am Strand usw.). 1955 ff.

Musikpirat *m* Mann, der von Plattenaufnahmen Raubpressungen herstellt. Ein Seeräuber auf Schallwellen. 1970 ff.

Musikrolle *f* Harzer (Mainzer) Käse. Er hat die Form einer „Rolle = runde Scheibe, Walze" und läßt Darmwinde entstehen. (*vgl* ↗Musikmacher 1). *BSD* 1965 ff.

Musikschreck *m* Schlagersänger. *Jug* 1965 ff.

Musiksport *m* Dreinschlagen, Reiben und Klimpern auf selbstgebastelten oder zweckentfremdeten tönenden Gegenständen (Waschbrettern, Kochtöpfen, Gießkannen o. ä.) zwecks Erzeugung musikalischer Klänge und Rhythmen. 1955 ff.

Musiktatterich *m* einen ~ haben = im Übermaß musizieren, was sich allmählich

krankhaft auswirkt. Der ganze Körper vibriert im unterbewußten Takt. ↗Tatterich. 1900 ff.

Musiktruhe *f* **1.** Klavier. Eigentlich das Möbel mit eingebautem Rundfunkgerät und Plattenspieler. 1950 ff.

2. aussehen wie eine gepfändete ~ = einen niedergeschlagenen, mutlosen Eindruck machen. 1950 ff.

Musikwurzel *f* Zwiebel. Anspielung auf die Blähungen. ↗Musik 2. 1920 ff.

Musikzimmer *n* Zimmer, in dem Verhöre vorgenommen werden. Anspielung auf „↗singen = ein Geständnis ablegen". 1950 ff.

'Musi-'Schuppen *m* Diskothek. ↗Schuppen 1. 1970 ff.

Muskel *m* **1.** *pl* = Fettansatz, Beleibtheit. Euphemismus. 1957 ff.

2. ~n melken = körperliche Arbeit verrichten. *BSD* 1965 ff.

Muskel-Abitur *n* Ausgleich schlechter Abiturnoten durch gute sportliche Leistungen. 1969 ff.

Muskelbäckerei *f* Sportschule. Da werden die Muskeln geknetet wie Backteig. *BSD* 1965 ff.

Muskelduell *n* sportlicher Wettkampf. 1950 ff.

Muskelhypothek *f* körperliche Mitarbeit am Bau eines Eigenheims. 1955 ff.

Muskeljünger *m* Teilnehmer an den Olympischen Spielen. 1964 ff.

Muskelkater *m* **1.** Muskelschmerzen infolge starker körperlicher Betätigung. ↗Kater 1. 1900 ff.

2. ~ im Kehlkopf haben = viel getrunken haben. 1965 ff.

Muskelkrieg *m* sportlicher Wettkampf. 1964 ff.

Muskelküche *f* Turnhalle. ↗Muskelbäckerei. 1965 ff, schül.

Muskelmaus *f* Masseuse. Kosewörtliche Bezeichnung. 1950 ff.

Muskelmercedes *m* Fahrrad. Scherzhafte Wertsteigerung. 1960 ff.

Muskelpillen *pl* Anabolika. 1976 ff.

Muskelproduzent *m* Mann, der seine kräftig entwickelten Muskeln öffentlich vorführt. 1960 ff.

Muskelprotz *m* **1.** mit seiner Körperkraft prahlender Mann. ↗Protz. 1900 ff.

2. geistiger ~ = Mann, der mit seinem Wissen prunkt. *Schül* 1950 ff.

Muskelquetsche *f* Turnhalle. ↗Muskelbäckerei. *Schül* 1965 ff.

Muskelschüttler *m* Zittertanz o. ä. 1950 ff.

Muskiste *f* Plunderkiste. Mus = Maus (*norddt*). Eigentlich die Gerümpelkiste, die, selten geöffnet, Mäusen eine beliebte Wohnstätte ist. Seit dem 19. Jh.

Mus'kote *m* **1.** Infanterist. Geht zurück auf „Musketier" und ist beeinflußt von „Knote = rauher, ungebildeter Kerl". Spätestens seit 1900.

2. Rekrut. *BSD* 1960 ff.

'Mus'krücke *f* Regenschirm. Eigentlich das Rührholz, mit dem die eingekochten Zwetschgen in großen Kesseln umgerührt werden. Das Rührholz ähnelt einem zusammengefalteten Regenschirm. 1900 ff, vorwiegend Berlin.

Muß-Ehe *f* Eheschließung wegen Folgen des vorehelichen Verkehrs. 1920 ff.

müssen *v* **1.** *intr* = den Abort aufsuchen müssen (ich muß mal; unser Kind muß).

Hieraus hehlwörtlich verkürzt. Seit dem 19. Jh.

2. er hat zum Arzt ~ = er hat den Arzt aufsuchen müssen. Verkürzt durch Unterdrückung des Verbs der Bewegung. Seit dem 19. Jh.

3. keiner (kein Mensch) muß ~ = die Willensfreiheit ist unbegrenzt. Eine anfechtbare Lebensweisheit, am geläufigsten aus Lessings „Nathan der Weise" (I, 3). 1700 *ff.*

mußgeheiratet *adj* wegen des vorehelich gezeugten Kindes geheiratet. 1920 *ff.*

Muß-Hochzeit *f* Eheschließung mit Rücksicht auf die bevorstehende Geburt. 1920 *ff.*

Mußkind *n* Embryo, wegen dessen die Ehe geschlossen wird. 1920 *ff.*

Muß-Klamotten *pl* Kleidung, wie sie bei der Berufsarbeit üblich ist. ⁊ Klamotte 7. 1960 *ff.*

Mußpreuße *m* Bewohner der von Preußen einverleibten Gebiete (Rheinländer, Hesse, Frankfurter, Altonaer, Hannoveraner, Sachse). Kurz nach 1815 aufgekommen als Bezeichnung für die unfreiwillig Untertanen Preußens gewordenen, innerlich widerstrebenden Bürger: sie wurden Preußen aus Zwang, nicht aus Gesinnung.

Musspritze *f* **1.** Regenschirm. Herzuleiten von der gleichnamigen, aus Papier verfertigten Spritze, die man beim Garnieren von Torten verwendet: ihre Form ähnelt der des geschlossenen Regenschirms. Spätestens um 1870 in Berlin aufgekommen.

2. Gewehr. ⁊ Spritze. *Sold* 1935 bis heute.

3. Maschinengewehr. *Sold* 1935 bis heute.

4. Maschinenpistole. *BSD* 1965 *ff.*

5. Geschütz; Gebirgshaubitze. Im Ersten Weltkrieg Bezeichnung für die Feldkanone. *BSD* 1965 *ff.*

6. Flammenwerfer. *Sold* 1935 *ff.*

Muster *n* **1.** wunderlicher Mensch. *Iron* Bezeichnung seit dem 19. Jh.

2. freches, leichtfertiges Mädchen. Es ist ein Muster aller Untugenden. *Oberd* 1800 *ff.*

3. Klassenbester. 1950 *ff.*

4. jm ein ~ eingravieren = jm eine heftige Ohrfeige geben. Die Spuren des Schlages bleiben lange sichtbar. 1870 *ff.*

mustern *v tr refl* geschmacklos kleiden. Die Kleidung sieht aus wie ein Nebeneinander bunter Stoffmuster. 1700 *ff.*

Mustersarg *m* Musterkoffer. 1900 *ff,* kaufmannsspr.

Mustopf (-topp) *m* **1.** Veraltetes. Eigentlich der Topf, in dem Pflaumenmus eingemacht wird. Am Pflaumenmus naschen Kinder gern. Daher Sinnbild der Bindung an das Elternhaus, an das altväterlich Herkömmliche. 1900 *ff.*

2. in den ~ greifen = das Ungünstigere wählen; für eine gefährliche *milit* Aufgabe ausgesucht sein. „Mustopf" meint hier den Kübel mit den Exkrementen. *Sold* in beiden Weltkriegen.

3. aus dem ~ kommen = einfältig, begriffstutzig sein; Altbekanntes als Neuigkeit vorbringen; eine unerwartete Zwischenbemerkung machen. 1840 *ff.*

Mut *m* **1.** jm den ~ abkaufen = einem Mutigen (Kecken) beherzt entgegentreten. 1900 *ff.*

2. sich ~ ankippen = durch Alkohol mutig werden. ⁊ kippen. 1900 *ff.*

3. sich ~ kaufen = Alkohol trinken. 1870 *ff.*

4. seinen ~ kühlen = seine übermütige Laune an jm auslassen. Fußt auf 2. Moses 15, 9. Seit *mhd* Zeit.

Mütchen *n* sein ~ kühlen = seinem Übermut freien Lauf lassen; kleinliche Rache nehmen. ⁊ Mut 4. 1500 *ff.*

Mutsch *f* **1.** Mutter (Koseanrede). Aus „Mütterchen", „Muttchen" zusammengezogen. 1870 *ff.*

2. Frau (Kosewort). 1900 *ff.*

Mutt *m* ⁊ Mudd.

Muttchen *n f* **1.** Mutter (Kosewort). Seit dem 19. Jh.

2. Frau (Kosewort). Seit dem 19. Jh.

Muttel *f* Mutter (Kosewort). Seit dem 19. Jh.

Mutter *f* **1.** ~ der Kompanie = Kompaniefeldwebel. 1700 *ff.*

2. meiner ~ Sohn (Tochter) = ich. 1900 *ff.*

3. bei ~ Grün = in der freien Natur. Wahrscheinlich unter Kunden aufgekommen, im 19. Jh von Berlin aus volkstümlich geworden.

4. immergrüne ~ = jugendlich gebliebene Mutter. 1920 *ff.*

5. raus mit der ~ in die Frühlingsluft! = leg' endlich eine Karte auf den Tisch! Kartenspielerspr. 1900 *ff.*

6. immer drauf auf ~ (ruff uff Muttern)! = laß dich von deinem Vorhaben nicht abhalten! Vom Geschlechtsverkehr hergenommen. 1840 *ff.*

7. auf der ~ (Mutti) arbeiten = koitieren. *Halbw* 1955 *ff.*

8. das macht der ~ kein Kind = das ist nicht arg; damit wird kein Schaden angerichtet. 1920 *ff.*

9. noch ein einziges Mal, und ich bin die längste Zeit deine ~ gewesen!: mütterliche Drohrede. 1910 *ff.*

10. einmal hat's die ~ nicht verboten: Redewendung des Kartenspielers, wenn er einmal Trumpf oder eine bestimmte Farbe anzieht, weil jeder Mitspieler wahrscheinlich einmal bedienen muß, und danach ein anderes Verfahren einschlägt oder den weiteren Verlauf abwartet. Hängt wohl mit geschlechtlicher Aufklärung durch die Mutter zusammen, aber abgefälscht durch das Sprichwort „einmal ist keinmal". Kartenspielerspr. 1870 *ff.*

11. ich werde ~!: Ausruf der Überraschung. 1955 *ff.*

12. er wohnt bei ~ unterm Rock = er ist ängstlich, feige. 1910 *ff.*

13. zeigen, wo die ~ die Milch aufbewahrt = beim Kartenspiel den Gegner in die Enge treiben. Kartenspielerspr. 1870 *ff.*

14. zeigen, wo der ~ die Brust sitzt = dem Gegner im Kartenspiel hart zusetzen. Kartenspielerspr. 1870 *ff.*

Mutter-Grün-Bruder *m* Mann, der im Freien nächtigt. ⁊ Mutter 3. 1900 *ff.*

Mutterhansel *m* verweichlichter Junge. *Südd,* seit dem 19. Jh.

Mutterschutz *m* vorbeugende Maßnahme gegen Schwängerung. Bezeichnet eigentlich die gesetzlichen Schutzmaßnahmen für werdende oder junge Mütter. 1960 *ff,* prost.

'mutter'seelen'lein *adj* völlig allein. Zusammengewachsen aus „Mutterseele" und „mutterallein = ganz allein". Seit dem 18. Jh.

Muttersegen *m* Begrüßung des abends spät heimkehrenden Sohnes (Ehemannes) durch Mutter oder Ehefrau. 1960 *ff.*

Muttersöhnchen *n* **1.** von der Mutter verzärtelter Junge. 1600 *ff.*

2. unselbständiger, ratloser Soldat. 1900 *ff.*

3. Klassenbester. *Schül* 1950 *ff.*

Muttertier *n* streng mütterliche Frau. 1950 *ff.*

Muttertöchterchen *n* von der Mutter verzärtelte, unselbständige Tochter. Gegenstück zum „Muttersöhnchen". 1960 *ff.*

Mutti *f* **1.** Frau (Kosewort). Seit dem 19. Jh.

2. Freundin des Halbwüchsigen. 1955 *ff.*

3. Kompaniefeldwebel. ⁊ Mutter 1. *BSD* 1965 *ff.*

4. ~s Liebling = tadellos gekleideter Jugendlicher. 1950 *ff.*

5. kleine ~ = a) wie eine Erwachsene gekleidetes kleines Mädchen. 1950 *ff.* – b) junge Halbwüchsige mit Erwachsenen-Benehmen. 1950 *ff.*

Mutz *f* **1.** kurze Tabakspfeife. Gehört zu „mutzen = abschneiden, stutzen". Seit dem 19. Jh.

2. Katze. Benannt nach dem Lockruf. Vorwiegend *oberd,* seit dem 19. Jh.

Mütze *f* **1.** eine ~ voll Wind = wenig Wind; Brise. Seemannsspr. seit dem 19. Jh.

1 a. der Windleitschild bei Lastwagen mit hohen Aufbauten. 1978 *ff.*

2. ach (Herr) du meine ~!: Ausruf des Unwillens. Scherzhaft entstellt aus der frommen Anrufung Gottes: „Herr, du meine Hut!". Spätestens seit 1840.

3. knitterfreie ~ = Stahlhelm. ⁊ Knitterfreier. *BSD* 1965 *ff.*

4. eine ~ voll Seeluft einatmen = ein Seebad aufsuchen; eine Seereise unternehmen. 1920 *ff.*

5. etw (jn) mit der ~ einfangen = etw (jn) mühelos in seine Gewalt bringen. Hergenommen vom Fangen eines Schmetterlings mittels der Mütze. 1939 *ff.*

6. jm etw auf die ~ geben = auf jn einschlagen. Seit dem 19. Jh.

7. eine auf die ~ geben = eine Karte abtrumpfen oder überspielen. Kartenspielerspr. 1840 *ff.*

8. eine ~ voll Schlaf gönnen = ein Schläfchen halten. 1939 *ff.*

9. einen in (unter) der ~ haben = a) bezecht sein. Hinter „einen" ergänze „Rausch". *Nordd* 1900 *ff.* – b) nicht recht bei Verstand sein. 1900 *ff.*

10. zeigen, was man unter der ~ hat = seine Leistungskraft beweisen. 1935 *ff.*

11. jn um die ~ hauen = auf jn einschlagen. 19. Jh.

12. sich eine ~ voll Luft holen = frische Luft atmen. 1920 *ff.*

13. eins auf die ~ kriegen = a) heftig gerügt werden. Meint eigentlich den Schlag auf den Kopf, aber nach der volkstümlichen Gleichung „prügeln = rügen" auch die heftige Zurechtweisung. 1870 *ff.* – b) im Kartenspiel übertrumpft, besiegt werden. 1870 *ff.* – c) eine Niederlage erleiden. *Sold* 1914 *ff.*

14. eine ~ Schlaf kriegen = eine kurze Ruhepause einlegen. *Sold* 1939 *ff.*

15. viel (wenig) in die ~ kriegen = lange (kurz) schlafen. 1939 *ff.*

16. einen an die ~ legen = militärisch grüßen. *BSD* 1965 *ff.*

17. etw mit der ~ machen (schaffen) =

etwas Schwieriges leicht bewerkstelligen. ↗Mütze 5. 1950 *ff.*

18. eine ~ frischer Luft nehmen = ins Freie gehen. 1920 *ff.*

19. eine ~ Schlaf nehmen = ein Schläfchen halten. *Sold* 1939 *ff.*

20. es paßt ihm nicht in die ~ = es kommt ihm ungelegen. *Vgl* das Folgende. Seit dem 19. Jh.

21. das ist (geht) ihm nicht nach der ~ = das entwickelt sich nicht nach seinen Wünschen; das paßt ihm nicht „Mütze" steht hier stellvertretend für „Kopf", auch für „Sinn" (in der Edeutung von „Absicht, Interesse o. ä."). Seit dem 19. Jh.

22. unter der ~ nicht ganz richtig sein = nicht recht bei Verstand sein. Seit dem 18. Jh.

23. ihm sitzt die ~ schief (auf einem Ohr) = er ist schlechtgelaunt, streitlüstern. *Vgl* ↗Hut 57 u. 58. Seit dem 19. Jh.

24. das kannst du dir an die ~ stecken = das ist wertlos; darauf gebe ich nichts. *Vgl* ↗Hut 54. 1900 *ff.*

25. danach steht ihm nicht die ~ = das interessirt ihn nicht. ↗Mütze 21. Seit dem 19. Jh.

mützen *intr* im Schulunterricht, bei den Schulaufgaben schlafen. Gehört zu ↗Schlafmütze 1. *Schül* 1900 *ff.*

mythologisch *adj* unüberterfflich. Gegen 1969 modisch gewordene Variante zu „↗sagenhaft".

N

n.d.p. Zuruf beim Zutrinken. Verkürzt aus „na denn prost!". 1930 *ff.*

n.d.P. Redewendung über einen, der seinen Posten nicht durch Können erlangt hat. Abkürzung von „nur durch Protektion". 1933 *ff.*

n.v. Ausdruck der Verneinung. Abkürzung von „nicht vorrätig" (kaufmannsspr.). *Jug* 1930 *ff.*

n.z.m. Ausdruck der Ablehnung. Abkürzung von „nichts zu machen". Berlin 1920 *ff.*

n.z.p. Penis des Impotenten. Abkürzung von „nur zum Pissen". *Sold* 1935 *ff.*

n.z.p.-Fall (-Type) *m (f)* geschlechtlich abweisende weibliche Person. Versteht sich nach dem Vorhergehenden mit Bezug auf die Vagina. 1935 *ff.*

na 1. Ausdruck der Überraschung, Entrüstung usw. Einleitungspartikel einer Äußerung, bei der man sich oder dem Gegenüber Zeit zum Nachdenken läßt. Aus „nun" abgeschwächt. 1500 *ff.*
2. ~ also!: Ausruf, wenn sich bestätigt, was man gesagt hat. Seit dem 19. Jh.
3. ~ bitte!: Äußerung selbstgefälligen Wartens auf Bestätigung. Verkürzt aus „ich bitte um Bestätigung, um Beifall". 1920 *ff,* wenn nicht älter.
4. ~ 'ja!: Ausruf widerwilliger Bestätigung nach längerem Widerstand. Seit dem 19. Jh.
5. ~ 'nu!: Ausruf fragenden Erstaunens. Seit dem 19. Jh.
6. ~ 'nu 'nee!: Ausruf ungläubiger Verwunderung. Berlin, seit dem 19. Jh.
6 a ~ 'so was!: Ausdruck des Erstaunens, der Überraschung. Seit dem 19. Jh.
7. ~ 'und?: a) Aufforderung zum Weitererzählen. Etwa soviel wie „nun, und wie ging es weiter?". Seit dem 19. Jh. – b) warum auch nicht? Wie sollte es anders sein? Erklärt sich etwa aus der Frage: „nun, und was sagst du jetzt?". Seit dem 19. Jh.
8. „~ und?" sagen: Ausruf des Erstaunens, des Ärgers oder Mißfallens, wo es nicht am Platze ist. Seit dem 19. Jh.

Nabel *m* **1.** bis zum ~ dekolletiert sein = tiefdekolletiert sein. 1920 *ff.*
2. ich lasse mir den ~ bronzieren!: Ausdruck der Verwunderung. Vor Überraschung ist man zu einer Unsinnigkeit fähig. 1920 *ff.*
3. er ist leicht am ~ geritzt = nur der Mittelkegel vorne ist gefallen, ohne einen anderen mitzureißen. Keglerspr. 1900 *ff.*
4. fressen, bis der ~ glänzt = viel essen. „Nabel" ist scherzhaft wohl für „Nase" eingesetzt. 1920 *ff, stud.*
5. saufen, bis der ~ glänzt = viel trinken. 1920 *ff.*
6. sich für den ~ der Welt halten = sich überbewerten. Als „Nabel der Welt" wurde früher Delphi, dann Rom bezeichnet. 1920 *ff.*
7. den ~ herzeigen = ein tiefdekolletiertes Kleid tragen. 1920 *ff.*
8. am ~ leiern = sich langweilen. Hergenommen von einem, der die Hände über dem Leib faltet und dabei die Daumen dreht: Sinnbildgebärde des Nichtstuns. 1935 *ff.*

9. den ~ rausstrecken = prahlen. Vergrößert aus „die Brust herausstrecken". 1910 *ff.*
10. sich den ~ wund reiben = Twist tanzen. Man tanzt eng aneinandergeschmiegt. 1935 *ff.*
11. sich am ~ spielen = sich langweilen. ↗Nabel 8. 1935 *ff.*
12. den ~ als Brosche tragen = tiefdekolletiert sein. 1935 *ff.*

Nabelbeschau *f* Selbstanklage; Analyse der eigenen Lage. Übertragen von der Meditationsform ostkirchlicher Mönche. 1935 *ff.*

Nabelreiber *m* Tanz. ↗Nabel 10. 1935 *ff.*

Nabelsausen *n* ~ haben = Angst haben. Erfunden nach dem Muster von „↗Fracksausen", „↗Muffensausen" o. ä. 1920 *ff.*

Nabelschau *f* **1.** Selbstbetrachtung. ↗Nabelbeschau. 1935 *ff.*
2. Schönheitskonkurrenz. 1950 *ff.*

nachbarn *intr* **1.** mit dem Nachbarn plaudern. 1700 *ff.*
2. vom Banknachbarn abschreiben. *Schül* 1900 *ff.*

Nachbarschaft *f* außer der ganzen ~ weiß es keiner: Redewendung auf eine Sache, die öffentliches Geheimnis ist. 1920 *ff.*

Nachbarschaftshilfe *f* Vorsagen in der Schule. Eigentlich die gegenseitige Hilfe unter Hausnachbarn. 1940 *ff.*

nachbauen *tr* das Abitur (o. ä.) ~ = sich einem Nachexamen unterziehen; das Abitur nachholen. ↗bauen. 1920 *ff.*

nachbeten *tr* **1.** jm etw ~ = jm etw kritiklos nachsprechen. Übernommen vom Wechselgebet des christlichen Gottesdienstes. 1700 *ff.*
2. ein Spiel ~ = ein beendetes Kartenspiel ausführlich erörtern. 1900 *ff.*

nachbohren *intr* nachforschen; eine Sache nicht auf sich beruhen lassen. ↗bohren 2. 1920 *ff.*

Nachbörse *f* nach einer größeren Konferenz stattfindende Besprechung in kleinerem Kreise. Meint eigentlich die der Börsenzeit folgende inoffizielle Börse. 1920 *ff.*

nachbrennen *intr* am Tage nach einem Gelage weiterzechen. Eigentlich bezogen auf die Feuerbrunst, die man gelöscht glaubte und die erneut aufflammt. 1900 *ff.*

nachbrummen *intr* eine Strafstunde verbüßen. ↗brummen 5. Seit dem 19. Jh, *schül.*

nachdenken *intr* ~, daß der Schädel in den Nähten kracht = angestrengt überlegen. Beruht auf der scherzhaften Vorstellung von der Ausdehnungskraft des Denkens. 1870 *ff.*

Nachdenken *n* lautes ~ = inoffizielle Äußerung. 1960 *ff, journ* und Politikerspr.

Nachdenklicher *m* seinen Nachdenklichen haben = grüblerisch, nachdenklich sein. Hinter „nachdenklichen" ergänze „Tag". *Halbw* 1955 *ff.*

nachempfinden *intr* **1.** geistige Leistungen anderer verwenden; ein Plagiat begehen. Bezieht sich ursprünglich auf kongeniale Einfühlung. 1920 *ff.*
2. vom Mitschüler abschreiben. 1950 *ff.*

nachfassen *intr* **1.** eine weitere Essensportion entgegennehmen. ↗fassen. *Sold* in beiden Weltkriegen.
2. sich während der Dienstzeit weiterverpflichten. Analog zu ↗kapitulieren. *BSD* 1960 *ff.*

3. eine Sache weiter betreiben; etw nicht auf sich beruhen lassen; etw in Erinnerung bringen, anmahnen. Seit dem 19. Jh.

Nachfrage *f* danke der ~! = danke für die Frage nach dem Befinden. Meist eine leere Floskel, mit der man die Antwort umgeht. 1800 *ff.*

Nachgeburt *f* **1.** Blutwurst. Von Appetitverleidern aufgefaßt als Mutterkuchen. 1900 *ff.*
2. bei dir haben sie wohl das Kind weggeworfen und die ~ aufgezogen? (von dir ist wohl aus Versehen die ~ aufgezogen worden?): scherzhaft-*iron* Redewendung an einen Dummen. Etwa seit dem ausgehenden 19. Jh.
3. bei dir hätten sie gescheiter die ~ aufgezogen!: Redewendung auf einen Dummen. 1900 *ff.*
4. die ~ rausholen = Trumpf oder eine bestimmte Farbe solange spielen, bis die Gegner nichts dergleichen mehr in der Hand haben. Kartenspielerspr. seit dem 19. Jh.

Nachgeschmack *m* **1.** unangenehmes Nachgefühl; unangenehme Erinnerung. Meint eigentlich den Geschmack, den eine Speise oder ein Getränk zurückläßt. 1870 *ff.*
2. metallischer ~ = die leidigen Kosten für einen Genuß. 1870 *ff.*

nachgeschmissen sein überaus billig sein (das Stück Seife für 40 Pfennig ist nachgeschmissen). Die Ware wird dem Käufer gewissermaßen nachgeworfen, als er das Geschäft bereits verlassen hat. 1930 *ff.*

nachgrasen *intr* einer Sache nachforschen. Man grast ein abgeweidetes Grasland nochmals ab oder wählt das nach dem ersten Mähen neugewachsene Gras. 1920 *ff.*

nachhängen *intr* **1.** beim Wettlauf überflügelt worden sein; als Letzter die Ziellinie überschreiten. *Sportl* 1920 *ff.*
2. hinter den Mitschülern zurückbleiben. *Schül* 1930 *ff.*
3. eine Strafstunde absitzen. *Schül* 1930 *ff.*

Nachhilfestunde *f* Party. Entweder als Ausrede aufzufassen oder als Ergänzung der geschlechtlichen Aufklärung durch praktische „Übungen". *Halbw* 1960 *ff.*

nachhocken *intr* eine Strafstunde verbüßen. *Schül.* 1900 *ff.*

nachkarten *intr* **1.** ein beendetes Kartenspiel erörtern. 1870 *ff.*
2. in einer abgetanen Angelegenheit nachträglich Rat erteilen. 1900 *ff.*

Nachklapp *m* Widerhall, Nachwort; zusätzliche Bemerkung. 1960 *ff.*

nachklappen *intr* nach langem Wackeln schließlich umfallen (auf den Kegel bezogen). Seit dem 19. Jh.

nachkommen *intr* den Zutrunk erwidern. ↗kommen 5. *Stud* 1870 *ff.*

nachkuschen *intr* eine Strafstunde verbüßen. Durch sie soll der unfolgsame Schüler zum „↗Kuschen" erzogen werden. *Schül* seit dem späten 19. Jh.

nachlöschen *intr* nach einer Brandbekämpfung seinen Durst löschen. 1930 *ff.*

nachmachen *v* erst mal ~!: Redewendung an einen, der die Leistung anderen kritisiert. 1900 *ff.*

nachmessen *intr* **1.** sich erbrechen. Scherzhaft wird es so ausgelegt, als wolle man nachmessen, ob man für sein Geld auch die gehörige Menge bekommen hat. 1900 ff.

2. koitieren. Man mißt nach, ob die Geschlechtsteile zueinander passen. 1935 ff.

Nachmittag m **1.** angebrochener (angerissener) ~ = späte Abendstunde; kurz vor Mitternacht. Beschönigender Ausdruck seit dem ausgehenden 19. Jh.

2. ach du dicker ~!: Ausruf der Verwunderung. „Dicker Nachmittag" war um 1900 für die Kadetten der an Kaisers Geburtstag stattfindende Nachmittagskaffee mit Kuchen. Die Redewendung wurde 1955 ff erneut von Jugendlichen in Berlin gehört.

nachmünzen intr nach Ablauf der Parkzeit neue Groschen in die Parkuhr stecken. Kraftfahrerspr. 1960 ff.

nachpacken intr sich nachverpflichten. Packen = auf den Teller eine weitere Essensportion häufen. Analog zu ↗nachfassen 1 u. 2. BSD 1965 ff.

nachpullen intr jm nachrudern, nachschwimmen. ↗pullen. 1900 ff.

Nachquatsch m Nachwort. ↗Quatsch. 1880 ff.

nachreiten intr eine versäumte Arbeit nachholen. Hergenommen vom Reiter, der sich verspätet hat und den anderen nachreitet. Stud seit dem 19. Jh.

Nachricht f **1.** gepflanzte ~ = unrichtige Angabe, die scheinbar stimmt oder stimmen könnte. ↗pflanzen. Offiziersspr. 1939 ff (Spionageabwehr).

2. ~en verkaufen = Nachrichten im Fernsehen ansagen; Nachrichtensprecher sein. 1960 ff.

Nachrichtenblatt n wandelndes ~ = Mensch, der über die jüngsten Vorgänge im Leben der Leute Bescheid weiß und sein Wissen verbreitet. 1920 ff.

Nachrichtensalat m Durcheinander von Nachrichten. ↗Salat. 1950 ff.

Nachrichtenverkäufer m Nachrichtensprecher im Rundfunk und Fernsehen. „Verkaufen" im Sinne von „an den Mann bringen; anbringen". 1960 ff.

Nachruf m Schulzeugnis mit schlechten Noten. Aufgefaßt als geschriebene Grabrede. 1950 ff.

Nachsaison f Strafstunde nach Beendigung des Unterrichts. Eigentlich die Monate nach der Hauptreisezeit. 1960 ff, schül.

nachschauen intr nur noch ~ können = einen unhaltbaren Tortreffer hinnehmen müssen. Der Torwart kann sich nur noch umdrehen und dem Ball im Netz nachsehen. Sportl 1950 ff.

nachschießen intr **1.** die Kasse auffüllen; neu einzahlen. Den Begriffen „Vorschuß" und „Zuschuß" nachgebildet. 1800 ff, Glücksspielerspr.

2. etw abgewehrten (abgeprallten) Ball erneut aufs Tor zielen. Sportl 1950 ff.

nachschlagen intr einverstanden sein. Gegenwort zu „vorschlagen": man stimmt dem Vorschlag zu. 1910 ff, schül und sold.

nachschmeißen tr **1.** nachwerfen. ↗schmeißen. 1600 ff.

2. etw äußerst billig verkaufen. 1870 ff.

Nachschub m **1.** Herbeitragen weiterer Alkoholika, von Verpflegung o. ä. Aufgekommen im Zweiten Weltkrieg für die Gesamtheit des den kämpfenden Truppen nachzuführenden Bedarfs an Waffen, Verpflegung usw.

2. Geldüberweisung zum Urlaubsort, zum Studienort o. ä. 1950 ff.

Nachschuß m **1.** Nachzahlung auf Abschlagszahlungen. Gegenwort zu „Vorschuß". 1910 ff.

2. erneuter Torball nach Abwehr oder Abprall. Sportl 1950 ff.

nachschwärzen tr du mußt dein Hemd ~ lassen, an einigen Stellen kommt schon das Weiße durch: Redewendung an einen, der ein unsauberes Hemd trägt. Scherzhafte Umkehrung der Wirklichkeit. Sold 1939 ff.

Nachsehen n **1.** jm das ~ geben = den Torwart überwinden. ↗nachschauen. Sportl 1950 ff.

2. das ~ haben = als Tormann den Ball nicht abwehren können. Sportl 1950 ff.

nachsitzen intr **1.** eine Strafstunde verbüßen. Der Schüler sitzt länger im Klassenzimmer als die anderen. Schül seit dem 19. Jh.

2. nachexerzieren. Aus dem Schulleben übertragen ins Militärische. Sold 1935 ff.

3. die zur Bewährung ausgesetzte, aber schuldhaft verwirkte restliche Freiheitsstrafe verbüßen. 1965 ff.

nachsteigen intr jm ~ = einer weiblichen (männlichen) Person nachgehen. Eigentlich soviel wie „einem Steigenden folgen"; hieraus wohl in Studentenkreisen des 19. Jhs verengt.

Nächstenliebe f **1.** Vorsagen durch den Mitschüler. 1950 ff.

2. Prostitution. Dargestellt als Hingabe an einen geschlechtlich Notleidenden. 1950 ff.

3. ~, die bei sich anfängt = Selbstsucht. Wortreiche Umschreibung iron Art. 1820 ff.

4. ~ abkommandiert sein = Zivildienst leisten. Anspielung auf den Dienst im Krankenhaus. BSD 1965 ff.

5. in ~ machen = Prostituierte sein. 1950 ff.

6. ~ praktizieren = jn intim betasten. Halbw 1950 ff.

Nacht f **1.** ~ der langen Messer = a) umfangreiche U-Boot-Rudel-Aktion. Bezieht sich auf die Seeschlacht vom 15. Oktober 1940 südostwärts von Island. Wahrscheinlich hergenommen von blutigen Aufständen der Eingeborenenbevölkerung Afrikas gegen die weißen Kolonialherren. – b) Gemetzel; blutiger Aufstand. 1950 ff. – c) erregte Auseinandersetzung, die bis in die frühen Morgenstunden dauert. 1950 ff. – d) letzter Streckenabschnitt einer Sternfahrt. 1972 ff.

2. durchbummelte ~ = in Lokalen verbrachte Nacht. ↗bummeln. 1900 ff.

3. heiße ~ = leidenschaftliche Liebesnacht. 1950 ff.

4. italienische ~ = ausgelassene Abendveranstaltung mit Tanz, Bezechtheit und Schlägerei. Eigentlich die Abendgeselligkeit mit Lampions, bengalischem Feuer usw. 1910 ff.

5. scharfe ~ = anstrengende Nachtarbeit. ↗scharf. 1920 ff.

6. dann gute ~!: Ausruf der Resignation. Eigentlich der Abschiedswunsch vor dem Zubettgehen, vor dem Tagesende. 1700 ff.

7. dann gute ~, Marie! (oft mit dem Zusatz: das Geld liegt auf der Fensterbank) = dann ist das Ende gekommen; dann sind alle Erfolgsaussichten verloren. Vermutlich hervorgegangen aus der Äuße-

rung des Mannes, der nach dem bezahlten Geschlechtsverkehr weggeht. 1910 ff.

8. blau wie die ~ = betrunken. „Wie die Nacht" hat hier und in anderen Redewendungen steigernde Wirkung, fußend auf sachlich zutreffenden Vergleichen, wie „lang wie die Nacht", „schwarz wie die Nacht" o. ä. ↗blau 5. Sold 1935 ff.

9. dumm wie die ~ = sehr dumm. Von der Lichtlosigkeit der Nacht übertragen auf die Verstandesfinsternis. Seit dem 19. Jh.

10. dumm wie die ~ finster = sehr dumm. 1900 ff.

11. häßlich wie die ~ = überaus häßlich, abstoßend häßlich. „Häßlich" meint hier nicht „unschön", sondern „hassenswert". 1800 ff.

12. schlecht wie die ~ = überaus schlecht; charakterlich minderwertig. Hergenommen vom nächtlichen Treiben lichtscheuer Elemente. Seit dem 19. Jh.

13. schwarz wie die ~ = a) schlecht, schlimm; charakterlos; verbrecherisch. Analog zu ↗finster 1. Seit dem 19. Jh. – b) völlig mittellos. ↗schwarz. 1900 ff. – c) unerschütterlich an den katholischen Glaubensgrundsätzen festhaltend. ↗schwarz. 1900 ff.

14. mitten in der ~ = frühmorgens. Scherzhafte Auffassung eines Gernschläfers. 1920 ff.

15. eine lange ~ machen = das ausschweifende Leben bis tief in die Nacht ausdehnen. 1930 ff.

16. den haben Sie wohl erst heute nacht gemacht?: Redewendung, wenn ein ungebrauchter Geldschein gegeben wird. 1920 ff.

17. sich die ~ um die Ohren schlagen (hauen) = ausschweifend leben; über Nacht arbeiten; bis spät in die Nacht tätig, unterwegs sein. Um die Ohren schlägt man das Schlachtvieh zwecks Betäubung; daher soviel wie „totschlagen". Seit dem 19. Jh.

18. die ~ bei Tage sehen wollen = Unmögliches erhoffen, anstreben. 1920 ff.

19. bessere Nächte gesehen haben = für das Liebesleben nicht mehr geeignet sein; geschlechtlich keinen Anklang mehr finden (auf eine weibliche Person bezogen). Nachahmung von „bessere Tage (= günstigere Lebensumstände) gesehen haben". 1950 ff.

20. eine ~ totschlagen = eine Nacht durchplaudern o. ä. 1900 ff.

21. sonst wird's ~ = sonst ist Schluß; sonst ist der Untergang unvermeidlich. 1900 ff.

22. ohne dich wird es ~ = das Abschreiben vom Mitschüler bei einer Klassenarbeit; die Verwendung eines Täuschungsmittels. Übernommen vom Titel eines 1957 gedrehten Films. Schül 1959 ff.

Nachtaffe m Hotelangestellter, der den Nachtdienst versieht. Name einer südamerikanischen Affenart, die tagsüber schläft und bei einbrechender Dunkelheit lebhaft wird. 1920 ff.

Nachtarbeit f Geschlechtsverkehr. Vor allem im Zusammenhang mit Prostituierten gesagt. Seit dem 19. Jh.

Nachtarock m nachträgliche Erörterung einer abgeschlossenen Angelegenheit; Nachspiel. Hergenommen vom Tarockspiel, nach dessen Beendigung man das

„Wenn" und „Aber" lebhaft erörtert. Vorwiegend *bayr*, 1900 *ff.*

Nachtbums *m* Nachtlokal zweifelhafter Güte. ↗Bums 6. 1910 *ff.*

Nachtdame *f* Straßenprostituierte bei nächtlichem Kundenfang. 1910 *ff.*

Nachteimer *m* derbes Schimpfwort. Eigentlich das Nachtgeschirr oder der Nachtstuhl. 1910 *ff.*

Nachteule *f* 1. Nachtschwärmer(in). Übertragen vom nächtlichen Umherschweifen der Eule. 1700 *ff.*
2. nächtlicher Arbeitender; Mensch, der spät zu Bett geht. Seit dem 19. Jh.
3. Nachtwächter; Angestellter der Wach- und Schließgesellschaft. Spätestens seit 1900.
4. Polizeibeamter im nächtlichen Straßendienst. 1910 *ff.*
5. Nachtschwester im Krankenhaus. 1940 *ff.*
6. häßliche Frau. Nachteulen gelten als unschön. 1840 *ff.*
7. schläfriger, unaufmerksamer Mensch. Man nimmt an, er habe die Nacht nicht im Bett zugebracht. Seit dem 19. Jh.

Nachtfalter *m* 1. Mann, der das Nachtleben bevorzugt. Eigentlich Schmetterlingsart. Seit dem 19. Jh.
2. Teilnehmerin am Nachtleben; Straßenprostituierte, die abends auf Männerfang ausgeht. 1900 *ff.*
3. Bardame. 1910 *ff.*
4. Mensch, dessen beste Schaffenszeit nachts liegt. 1930 *ff.*

Nachtgeschirr *n* ein ~ darstellen mit zwei Anfassern = die Hände in die Seite stemmen. *Vgl* ↗Henkel 4. 1840 *ff.*

Nachtgesicht *n* sie hat ein ~ = nur bei Beleuchtung ist sie schön. 1850 *ff.*

Nachtgewächs *n* Mensch, der sich dem Nachtleben ergibt; Striptease-Vorführerin o. ä. 1920 *ff.*

Nachtgewerbe *f* Prostitution. 1910 *ff.*

Nachthupferl *n* Abendliedchen; Liedchen zur guten Nacht. *Vgl* ↗Betthupferl. 1950 *ff.*

Nachthyäne *f* nächtlich auf Übertölpelung ausgehende männliche oder weibliche Person; Prostituierte; Zuhälter; Bardame o. ä. Die Hyäne ist ein gefräßiges Raubtier. 1950 *ff.*

Nachtigall *f* 1. Nachtgeschirr. Euphemistische Wortspielerei wegen der Gleichheit des Wortanfangs. 1900 *ff.*
2. Uhr mit Schlagwerk. Uhr und Nachtigall schlagen. 1870 *ff.*
3. Koloratursängerin. 1850 *ff.* Beiname von Jenny Lind, Erna Sack u. a.
4. herrische Ehefrau. Nachtigall und Ehefrau schlagen, – die eine mit der Stimme, die andere mit dem Handfeger o. ä.1930 *ff.*
5. Kameradenverräter. Anspielung auf „↗singen = Täter benennen", noch dazu in der Dunkelheit (also insgeheim). 1950 *ff.*
6. Penis. Auch Name der Weidenflöte; ↗Flöte 5. 1870 *ff.*
7. ~, ich hör' dir trappsen (trampeln, singen, flöten o. ä.) = ich durchschaue deine Absicht. Gegen 1870 entstellt aus der Liedzeile „Nachtigall, ich hör' dich singen" aus „Des Knaben Wunderhorn".

Nachtisch *m* Geschlechtsverkehr nach dem Mittagessen. 1910 *ff.*

Nachtkastl *n* 1. Nachttisch. ↗Kasten 1. *Bayr* und *österr* seit dem 19. Jh.

2. Kleinauto. *Österr* 1955 *ff.*

Nachtklubmieze *f* Besucherin eines Nachtklubs; Angestellte eines Nachtklubs. ↗Mieze. 1955 *ff.*

Nachtlampe *f* Mensch, der spät zu Bett geht, bis in die tiefe Nacht hinein im Wirtshaus sitzt o. ä. Seit dem 19. Jh.

nachtleben *intr* das Nachtleben genießen. Flugurlaub-Prospekt 1974.

Nachtlicht *n* 1. Nachtschwärmer. 1900 *ff.*
2. Mensch, der spät zu Bett geht. 1930 *ff.*
3. ihm geht ein ~ auf = er beginnt zu begreifen. Variante zu „ihm geht ein ↗Licht auf". 1920 *ff.*

Nachtliege *f* Négligé. Hieraus scherzhaft umgebildet. 1870 *ff.*

Nachtligé (Nachtligée) (Endung *franz* ausgesprochen) *n* Morgenrock der Frau. Gegen 1870 aufgekommen.

Nachtmensch I *m* Mensch, der gern bis in die Nacht hinein arbeitet. 1900 *ff.*

Nachtmensch II *n* Prostituierte. ↗Mensch II. *Oberd* seit dem 19. Jh.

Nachtmusik *f* kleine ~ = Schnarchen in der Nacht. Dem Namen der Serenade von Wolfgang Amadeus Mozart entlehnt. 1950 *ff.*

Nachtpflanze *f* abends auf Männerfang ausgehende Straßenprostituierte. ↗Pflanze. 1910 *ff.*

Nachtpolter (-pölter) *m* Nachthemd (für Kinder). Im Mittelniederdeutschen ist „polter" der Lappen, auch das große Stück Tuch und schließlich das ohne Taille herabhängende Kleidungsstück. *Niederd* seit dem 19. Jh.

Nachtrabe (Nacht-Rabe) *m* Nachtschwärmer. ↗Rabe. 1500 *ff.*

Nachtrat *m* Angestellter der Wach- und Schließgesellschaft; Nachtwächter. Scherzhafte Rangerhöhung seit dem späten 19. Jh.

nachts *adv* 1. ~ sicher so kalt wie draußen: dümmlich-alberne Redewendung. *Jug* 1945 *ff.*
2. ~ ist es immer kälter als draußen: Redewendung, mit der man nichts sagt. *Jug* 1945 *ff.*

Nachtschatten *pl* dunkle Ringe um die Augen. Man führt sie auf geschlechtliche Ausschweifungen zurück. 1910 *ff.*

Nachtschattengewächs *n* 1. Straßenprostituierte, die in der Dunkelheit auf Männerfang geht; Striptease-Vorführerin in einer Bar o. ä. 1910 *ff.*
2. Nachtschwärmer(in). 1910 *ff.*

Nachtschwalbe *f* 1. Straßenprostituierte, die nur in der Dunkelheit Kunden zu fangen sucht. ↗Schwalbe. Seit dem 19. Jh.
2. Dieb, der abends vor dem Haustürschließen einschleicht und frühmorgens mit der Beute davongeht. *Rotw* 1840 *ff.*

'nacht'schwarz *adj* völlig verlogen; auf üble Schiebergeschäfte bezüglich. Steigerung von „↗schwarz". 1945 *ff.*

Nachtstrich *m* von männlichen und weiblichen Prostituierten abends begangene Stadtstraße. ↗Strich. 1900 *ff.*

Nachttopf *m* 1. Schimpfwort. Analog zu ↗Nachteimer. 1910 *ff.*
2. Stahlhelm. Wegen einer gewissen Formähnlichkeit. *Sold* 1914 bis heute.
3. ~ mit Henkeln = feistes, ausdrucksloses Gesicht. *BSD* 1970 *ff.*
4. damit ist kein ~ zu gewinnen = das lohnt sich nicht; das taugt nichts. Derbe

Variante zu „damit ist kein ↗Blumentopf zu gewinnen". 1960 *ff.*
5. strahlen wie ein polierter ~ = über das ganze Gesicht strahlen. 1955 *ff.*

Nachttopfschwenker *m* 1. Sanitätssoldat; Krankenpfleger. 1870 bis heute, *sold* und *ziv*.
2. Zivildienstleistender. *BSD* 1965 *ff.*

Nachtvogel *m* 1. Mensch, der bis in die späte Nacht hinein arbeitet. 1900 *ff.*
2. Nachtschwärmer. 1600 *ff.*
3. Straßenprostituierte, die nur nachts auf Männerfang ausgeht. Seit dem 18. Jh.
4. nächtlicher Einbrecher. Seit dem 16. Jh.

Nachtwächter *m* 1. Bier- oder Schnapsrest im Glas oder in der Flasche; über Nacht schal gewordenes Bier. 1900 *ff.*
2. schläfriger, benommener, energieloser Mensch. Der Nachtwächter schläft am Tage; schläfrig am Tage wie in der Nacht ist der schwunglose Mensch. 1870 *ff.*
3. Kothaufen (einem anderen nachts vor die Tür gesetzt). Seit dem späten 19. Jh.
4. ~ ohne Knochen = Kothaufen. 1900 *ff.*
5. wie ein ~ spielen = unaufmerksam beim Kartenspiel sein und Gewinnaussichten leichtfertig vergeben. Nachtwächter gelten als beschränkt und unwissend. 1870 *ff*, kartenspielerspr.
6. das ist unterm ~ = das ist völlig schlecht, gänzlich unbrauchbar. *Vgl* das Vorhergehende. 1800 *ff.*
7. es sind schon ~ bei Tage gestorben = auch das Unwahrscheinlichste kann geschehen. Seit dem 19. Jh.

Nachtwerk *n* 1. nächtliches Tun der Prostituierten. Dem „Tagwerk" entgegengesetzt. 1950 *ff.*
2. nächtlicher Einbruch. 1870 *ff.*

Nacht-Zug *m* Ausgehen zum Nachtleben. ↗Zug. 1950 *ff.*

nachziehen *intr* jm beipflichten; jds Vorgehen nachahmen. Hergenommen von der studentischen Trinksitte (wer einem Mitzecher zuprostet, hat Anspruch darauf, daß nach einer Weile der Mitzecher das Zuprosten erwidert) oder vom Kartenspiel, bei dem vom Mitspieler aufgespielte Farbe nochmals aufspielt. 1920 *ff.*

Nachzügler *m* Klassenschlechtester, -wiederholer. 1920 *ff.*

Nackedei I *m* 1. nacktes Kind; Unbekleideter. Um die Kosesilbe „-ei" erweitertes Adjektiv „nackend". 1800 *ff.*
2. Nackttänzerin. Seit dem 19. Jh.
3. Anhänger der Freikörperkulturbewegung. 1920 *ff.*
4. ~ vom Dienst = a) in Nacktszenen auftretende Filmschauspielerin. 1965 *ff.* – b) Striptease-Vorführerin. 1960 *ff.*
5. berufsmäßiger ~ = Striptease-Vorführerin. 1960 *ff.*
6. fleischechter ~ = völlig unbekleideter Mensch. 1960 *ff.*

Nackedei II *f* Nacktdarstellung; schauspielerische Nacktrolle. 1965 *ff.*

Nackedei-Mode *f* Mode durchsichtiger Kleider. 1965 *ff.*

Nackedei-Tänzerin *f* Nackttänzerin. 1900 *ff.*

Nackedonien (Nackeduhnien, Nackedunien) *n* Nacktbadestrand (in Duhnen bei Cuxhaven). Dem Ländernamen „Mazedonien" nachgebildet. 1925 *ff.*

Nackedusien *n* Nacktbadestrand. Nach dem Muster von „Andalusien". 1945 *ff.*

nackeln *intr* schnell hin- und herschaukeln; wackeln, rappeln, rütteln. Nebenform zu „nicken" und „neigen". *Oberd* seit dem 17. Jh.

Nacken *m* **1.** das hängt ihm im ~ = das haftet ihm als Makel an. Vorstellung von der Bürde, die man auf dem Rücken trägt. 1950 ff.
2. jm im (auf dem) ~ sitzen = jn verfolgen, bedrängen; jm keine Ruhe gönnen. 1800 ff.
3. den ~ steifhalten = Festigkeit zeigen. Seit dem 19. Jh.

Nackengymnastik *f* ~ treiben = zechen. *BSD* 1965 ff.

nackig *adj* **1.** nackt. Mundartlich weitverbreitete Nebenform. Seit dem 19. Jh.
2. ~ angezogen = spärlich, hauchdünn bekleidet. 1910 ff.

nackt *adj* **1.** mittellos. Man ist von allen Geldmitteln entblößt. Seit dem 19. Jh.
2. ungeschminkt. 1920 ff.
3. ohne Orden und Ehrenzeichen. *Sold* in beiden Weltkriegen bis heute.
4. ohne Schmuck. 1920 ff.
5. ohne Belag; ohne Milch und Zucker; ohne Gebäck; ohne Schnaps (Kaffee nackt; nackte Brotschnitte; nacktes Bier). Kellnerspr. 1920 ff.
6. unbewaffnet. 1950 ff.
6 a. unbedruckt, unbeschrieben. 1950 ff.
7. ~ im Gesicht = bartlos. 1960 ff.
8. ~ im Knopfloch = ohne Ordensband. 1914 ff.
9. ~ dastehen (o. ä.) = einen Knopf am Uniformrock nicht geschlossen haben; ohne Mütze zum Dienst antreten. Übertreibende Redewendung von Rekrutenausbildern. 1900 ff.
10. jn ~ machen = jn ausrauben. 1900 ff.
11. ~ tragen = Anhänger der Freikörperkultur sein. 1925 ff.

Nacktarsch *m* **1.** unbekleidetes Gesäß; nacktes Kind. Seit dem 18. Jh.
2. Besitzloser; Ehefrau ohne Aussteuer. In übertreibender Auffassung hat man kein Hemd auf dem Gesäß. Seit dem 19. Jh.
3. As. Kartenspielerspr. 1920 ff.

Nackter *m* jm mit dem Nackten ins Gesicht fahren (springen o. ä.) = jm wütend entgegentreten. Hinter „nackten" ergänze „Hintern". 1900 ff.

Nacktfrosch *m* nacktes Kind; Nacktbadender. 1800 ff.

nackto-blanko *adv* nackt. Italianisierung. 1910 ff.

Nacktschule *f* Gymnasium. Aus dem *Griech* übersetzt: gymnós = nackt. 1870 ff.

Nackttänzer *m* geistiger ~ = Einfältiger, Dummer. Er ist von allen Geistesgaben entblößt. *BSD* 1965 ff.

Nadel *f* **1.** Handarbeitsunterricht. *Schül* 1950 ff.
2. Dolch, Messer. 1950 ff.
3. nicht mehr alle ~n am Baum haben = ältlich sein. Hergenommen vom nadelnden Weihnachtsbaum. 1950 ff.
4. mit heißer ~ nähen = a) schlecht, flüchtig nähen. 1400 ff. – b) unsorgfältig arbeiten. 1900 ff.
5. auf der ~ sein (hängen) = sich Rauschgift spritzen. 1968 ff.
6. auf ~n sitzen = nicht still sitzen; voller Erwartung sein. Spätestens seit 1700. *Vgl engl* „to be on pins and needles".
7. etw mit heißer ~ zusammenstoppeln = etw übereilt und schlecht herstellen. ↗Nadel 4. 1920 ff.

Nadelarbeiter *m* Narkosearzt; Arzt, der Injektionsspritzen ansetzt. 1950 ff.

Nadelkratzer *m* Plattenspieler. *Jug* 1955 ff.

Nadelstiche *pl* jm ~ versetzen = jn durch kleine Bosheiten reizen. Seit dem 19. Jh.

Naderer *m* **1.** Geheimpolizist; Polizeispitzel; Verräter; Anzeigender. Hängt vielleicht zusammen mit „Natter = Schlange; doppelzüngiger Mensch" (*mhd* „nater") oder mit der *österr* Form „noder" aus „notarius". *Oberd* seit dem frühen 19. Jh.
2. Spion. 1940.

nadern *tr* jn verraten, anzeigen. *Österr* seit dem 19. Jh.

Nagel I *m* **1.** Penis. Dieser Nagel verschließt die Vagina. 1500 ff.
2. Zigarette. Verkürzt aus „↗Sargnagel". 1950 (?) ff.
3. Tabakspfeife. Verkürzt aus „↗Stinknagel". 1850 ff, vorwiegend *oberd.*
4. Prostituierte. Verkürzt aus „↗Notnagel = Aushelfer in der (geschlechtlichen) Not". 1870 ff.
5. *pl* = Finger, Hände. *Halbw* 1955 ff.
6. feiner ~ = schlauer Mensch. Versteht sich wohl nach „↗Nagel 1". *Österr* seit dem 19. Jh.
7. es brennt ihm auf dem (den) ~ (auf die Nägel) = es eilt ihm sehr; seine Bedrängnis ist groß. Wohl herzuleiten von Mönchen, die früher bei der Frühmette kleine Kerzen auf den Daumennagel klebten, um im Gebetbuch lesen zu können; solche Kerzchen brennen rasch nieder, weswegen Eile vonnöten ist. 1700 ff.
8. bei jm einen ~ eintreiben = sich bei jm beliebt machen. Vielleicht hergenommen von Hilfe beim Annageln. 1930 ff.
9. sich einen ~ eintreten = durch eigene Schuld in eine unangenehme Lage geraten; falsch vorausberechnen. Der Nagel, den man sich unversehens in den Fuß tritt, als anschauliches Sinnbild der Selbstschädigung durch Unachtsamkeit. 1900 ff.
10. einen ~ im Kopf haben = dünkelhaft, dummstolz sein. Der Eingebildete trägt den Kopf steif aufgerichtet, weswegen man annimmt, ein langer Nagel, der durch den Kopf hindurch bis in den Hals reicht, hindere an der Seitwärtsbewegung des Kopfes oder am Nicken. Seit dem 16. Jh.
11. einen dicken (großen, hohen) ~ im Kopf haben = überaus hochmütig sein. 1700 ff.
12. einen ~ haben = bezecht sein. Der Betrunkene ist geistig ebenso wenig normal wie der Dünkelhafte. Seit dem 19. Jh.
13. einen ~ im Zylinder haben = nicht recht bei Verstand sein. 1950 ff.
14. eine Sache an den ~ hängen = eine Sache aufgeben; eine Sache nicht weiterverfolgen. Der Schneider hängt das in Arbeit befindliche Kleidungsstück vorerst an den Nagel; man hängt den Arbeitskittel an den Nagel, wenn man die Werkstatt verläßt. 1500 ff. Neuerdings hängt man auch den Arzt an den Nagel, wenn man das ärztliche Studium vorzeitig aufgibt; ebenso kann man den Bürgermeister, den Lehrer oder den Minister an den Nagel hängen.
15. er kann keinen ~ gerade in die Wand hauen (schlagen) = er ist handwerklich völlig unbegabt. 1900 ff.
16. sich etw unter den ~ klemmen = etw mitnehmen (ohne diebische Absicht). Nagel = Fingernagel. 1950 ff.
17. einen ~ in den Kopf kriegen = überheblich werden. ↗Nagel 10. Seit dem 19. Jh.
18. die Nägel von etw lassen = sich in eine Sache nicht einmischen; sich von einer Sache fernhalten. ↗Finger 45. 1950 ff.
19. Nägel machen = prahlen. Mit „Nagel" ist hier wohl der Mittelpunkt der Zielscheibe gemeint: der Prahler sagt voraus, er werde soundsoviele Nägel machen. 1850 ff.
20. Nägel mit Köpfen machen = sich nicht mit Halbheiten begnügen. Die Nägel mit „Köpfen" gewährleisten besseren Halt als die einfachen Metallstifte. 1700 ff.
21. sich etw unter den ~ reißen (ritzen) = sich etw geschickt (hastig, bei passender Gelegenheit) aneignen. Nagel = Fingernagel. Sachverwandt mit „fassen", „krallen" o. ä. 1870 ff.
22. sich jn unter den ~ reißen = mit jm ein Liebesverhältnis eingehen. 1920 ff.
23. ein ~ zum Sarg sein = jm tödlichen Kummer verursachen; jds Tod beschleunigen; jm äußerst widerwärtig sein. 1700 ff.
24. ein ~ zur Urne sein = schweren Verdruß bereiten. 1870 ff.
25. die Nägel tragen Trauer = die Fingernägel sind unsauber. ↗Hoftrauer. 1870 ff.
26. den ~ auf den Daumen treffen = Mißerfolg erleiden. Scherzhaft weiterentwickelt aus dem Folgenden, allerdings mit verschiedener Bedeutung von „Nagel": beim Einschlagen des Nagels trifft man nicht den Nagelkopf, sondern den Daumen. 1920 ff.
27. den ~ auf den Kopf treffen = das Richtige äußern, erraten. „Nagel" meint hier die Zwecke im Mittelpunkt der Zielscheibe. 1700 ff.

Nagel II *n* Rest im Glas, in der Flasche; Bierneige. Gehört zu „neigen = schief stellen" und ist Verkleinerungsform von „die Neige". *Südd* 1800 ff.

'nagel'neu *adj* ganz neu; völlig ungebraucht. Eigentlich neu wie ein aus dem Schmiedefeuer geholter Nagel. Seit dem 15. Jh.

Nagelprobe *f* Probe, ob ein Trinkglas vollständig geleert ist. Man stellt es schief über den Nagel des Daumens. 1600 ff.

Nagetier *n* Mensch mit hauerartigen Zähnen. 1925 ff, *schül.*

Nahaufklärung *f* intimes Betasten. Eigentlich die Aufklärung durch einen Spähtrupp. *Sold* in beiden Weltkriegen.

nähen *v* **1.** jn ~ = jn prügeln. Von der ausholenden Bewegung des Arms beim Nähen übertragen. *Vgl* auch ↗Naht 3. Seit dem 18. Jh.
2. jn ~ = jn schikanös ausbilden. Es wird als ein Prügeln aufgefaßt. *BSD* 1965 ff.
3. *intr tr* = koitieren. Analog zu der mundartlichen Bedeutung von „nähen = stoßen = koitieren" oder Anspielung auf „vernähen = mit dem Penis schließen". Seit dem 18. Jh.
4. doppelt ~ = eine Schulklasse wiederholen. Fußt auf dem Sprichwort „doppelt genäht hält besser". 1920 ff.

Nahkampf *m* **1.** Flirt; Austausch von Zärtlichkeiten; Geschlechtsverkehr. Man sieht das Weiße im Auge des Gegners und kämpft Körper an Körper. *Sold* 1914 bis heute. **2.** Tanz in enger Anschmiegung. *Halbw* 1955 *ff.*

Nahkampfarena *f* Tanzfläche. 1955 *ff.*

Nahkampfausrüstung *f* sehr leichte Damenober- und -unterbekleidung. *Sold* und *ziv* 1939 *ff.*

Nahkampfbahn *f* Bordell. 1939 *ff.*

Nahkampfbiene *f* leichtes Mädchen. *Sold* 1939 bis heute.

Nahkampfbunker *m* Soldatenwirtshaus mit Mädchenbetrieb. *BSD* 1965 *ff.*

Nahkampfdiele *f* **1.** Tanzdiele, -fläche; Lokal minderer Güte. 1930 *ff.* **2.** Bordell. 1935 *ff* bis heute, *sold.* **3.** Nahkampfgelände (die Stellungen liegen nur 50 m voneinander entfernt). *Sold* 1939 *ff.* **4.** Schulabort. 1958 *ff.*

Nahkampfeinsatz *m* Geschlechtsverkehr. 1939 *ff.*

Nahkampfgewühl *n* Sommer-, Winterschlußverkauf. 1960 *ff.*

Nahkampfschuppen *m* Bordell, Tanzlokal minderer Güte o. ä. ↗ Schuppen. *Halbw* 1955 *ff.*

Nahkampfschutz *m* Präservativ. *Sold* 1939 *ff.*

Nahkampfsocken *pl* **1.** Boxhandschuhe. 1930 *ff.* **2.** Gamaschen des Infanteristen; Soldatenstiefel. *Sold* 1939 *ff.* **3.** Präservativs. Beruht auf der Vorstellung des Überstreifens. 1930 *ff, sold* und *stud.*

Nahkampfsofa *n* Couch, Liege. *Halbw* 1955 *ff.*

Nähkästchen (-körbchen) *n* **1.** aus dem ~ auspacken = Geheimgehaltenes verraten. Hergenommen vom Geplauder der Frauen während des Nähens. Seit dem 19. Jh. **2.** ins ~ greifen = Verheimlichtes ausplaudern. 1870 *ff.*

Nähmaschine *f* **1.** Maschinengewehr. Wegen der Geräuschähnlichkeit. *Sold* seit dem Ersten Weltkrieg bis heute. *Vgl franz* „machine à coudre". **2.** Schneiderin; Hausschneiderin. 1920 *ff.* **3.** altes Motorfahrzeug. Wegen des Ratterns. 1920 *ff.* **4.** Fahrrad. Nähmaschine und Fahrrad werden durch Pedal bewegt. *Sold* 1935 *ff.* **5.** feindliches Beobachtungsflugzeug (Rata; U-2- Doppeldecker). *Sold* 1939 *ff.* **6.** Mädchen; Prostituierte. ↗ nähen 3. 1935 *ff.* **7.** umgearbeitete ~ = a) altes, klapperndes Fahrrad oder Kleinauto. 1920 *ff.* – b) Fahrrad mit Hilfsmotor. 1950 *ff.* – c) Hubschrauber. *Sold* 1939 *ff.* **8.** auf der ~ nähen = den Takt unter Taillenhöhe schlagen. Musikerspr. 1950 *ff.*

Nährwert *m* **1.** praktischer ~ = höherer, sittlicher Zweck. Meint eigentlich den Gehalt an lebenswichtigen Nährstoffen für den Körper. 1920 *ff.* **2.** das hat keinen ~ = das hat überhaupt keinen Zweck, ist unwichtig. 1920 *ff.* **3.** das hat keinen praktischen (sittlichen, technischen) ~ = das ist zwecklos, ist verlorene Liebesmühe, lohnt nicht die Arbeit. Vorausgegangen ist gegen 1880 die

gleichbed Redewendung „das hat keinen sittlichen Wert". 1920 *ff.*

Naht *f* **1.** Vagina. Anspielung auf die „offene ↗ Wunde", die „↗ vernäht" werden muß. 1900 *ff.* **2.** große Menge. Leitet sich vielleicht her von der langen Naht, die eine gewisse Ansehnlichkeit darstellt, oder im engeren Sinne der großen Wundnaht; wer ohne Narkose eine Naht vertragen kann, kann viel aushalten. Etwa seit 1830. **3.** Tracht Prügel. Bezieht sich entweder auf die ausholende Bewegung des Arms beim Nähen wie beim Prügeln oder auf die vom Prügeln zurückbleibenden Striemen, die wie Nähte aussehen. 1870 *ff.* **4.** eine kleine ~ = ein bißchen. 1900 *ff.* **5.** die ~ auftrennen = deflorieren. ↗ Naht 1. 1930 *ff.* **6.** eine große (dolle, tolle) ~ draufhaben = sehr schnell fahren. ↗ Naht 2. 1920 *ff.* **7.** jm an (auf) die Nähte gehen = jm scharf zusetzen; jn genau beobachten. Naht = Kleidernaht: man dringt unmittelbar auf den Betreffenden ein. 1500 *ff.* – b) jn prügeln. Seit dem 19. Jh. **8.** jm auf die ~ gehen = jn nervös machen. 1900 *ff.* **9.** aus den Nähten gehen = a) die Fassung verlieren; aufbrausen. *Vgl* „aus dem ↗ Anzug gehen". 1900 *ff.* – b) an Leibesumfang zunehmen; für den engen Anzug zu dick sein. 1900 *ff.* **10.** einen auf der ~ haben = einen Darmwind entweichen lassen mögen. Naht = Gesäßspalte o. ä. 1850 *ff.* **11.** etw auf der ~ haben = vermögend sein. Hergenommen von den Nähten, die sich über dem Geldbeutel straffen. 1900 *ff.* **12.** jn auf den Nähten haben = jn scharf beobachten; jn nicht leiden können. ↗ Naht 7. 1870 *ff.* **13.** aus allen Nähten krachen = sehr muskulös sein. 1910 *ff.* **14.** etw auf die ~ kriegen = geprügelt werden. ↗ Naht 7. 1900 *ff.* **15.** aus allen Nähten platzen = überfüllt, überbelegt sein; die Zuschauermenge nicht fassen können. Vom Kleidungsstück übertragen, das viel zu eng wird. 1950 *ff.* **15 a.** schnell aus den Nähten platzen = aufbrausen, unbeherrscht sein. 1950 *ff.* **16.** eine ~ quasseln (reden o. ä.) = viel schwätzen. ↗ Naht 2. 1870 *ff.* **17.** jm auf die ~ (Nähte) rücken = auf jn eindringen. ↗ Naht 7. Seit dem 19. Jh. **18.** eine ~ (eine gute ~) saufen = sehr viel trinken können. ↗ Naht 2. 1900 *ff.* **19.** eine ~ (eine gute ~) schlafen = sehr tief schlafen und schnarchen. 1900 *ff.* **20.** eine ~ schnarchen = ausdauernd schnarchen. 1900 *ff.* **21.** jm auf der ~ sein = jn scharf beobachten; jn verfolgen; jm nachsetzen. ↗ Naht 7. Seit dem 19. Jh. **22.** aufeinander den Nähten sitzen = eng zusammenleben; in einer sehr engen Wohnung leben. 1920 *ff.* **23.** aus allen Nähten strahlen = freudig strahlen. *Vgl* ↗ Knopfloch 18. 1930 *ff.* **24.** jm eine ~ verabfolgen = jn heftig prügeln. ↗ Naht 3. 1870 *ff.* **25.** jm eine ~ verpassen = jn heftig schlagen. ↗ Naht 3. 1920 *ff.* **26.** sich eine ~ zurechtblasen (zusammenblasen) = schlecht blasen. 1870 *ff.*

27. sich eine ~ zurechtschlafen (zusammenschlafen) = lange schlafen. 1900 *ff.* **28.** sich eine ~ zusammenfahren = schlecht autofahren. 1920 *ff.* **29.** sich eine ~ zusammenlügen = dreist lügen. ↗ Naht 2. 1900 *ff.* **30.** sich eine ~ zusammenquasseln (-quatschen, -reden) = unüberlegt, auf gut Glück, wirr reden; schwätzen. 1920 *ff.* **31.** sich eine ~ zusammenschreiben = schlecht schreiben; einen schlechten Stil schreiben; vieles, aber wenig Gehaltvolles schreiben. 1870 *ff.* **32.** sich eine ~ zusammensingen = schlecht singen. 1900 *ff.* **33.** sich eine ~ zusammenspielen = schlecht musizieren. 1900 *ff.*

nahtlos *adv* ~ bräunen (braun werden) = nackt sonnenbaden. 1950 *ff.*

Nahverkehrsmittel *n* Präservativ. Eigentlich das im städtischen Nahverkehr eingesetzte Fahrzeug. 1960 *ff.*

Naivling *m* arglos-gutmütiger Mensch. 1920 *ff.*

Name *m* **1.** mein ~ ist Hase = ich weiß von nichts; in dieser Angelegenheit bin ich unwissend. Soll auf einem Heidelberger Vorfall um 1854/55 beruhen: Victor Hase hatte seinen Studentenausweis absichtlich verloren, um einem Studenten, der im Duell einen anderen erschossen hatte, die Flucht nach Frankreich zu ermöglichen; vor das Universitätsgericht zitiert, erklärte er: „Mein Name ist Hase, ich verneine die Generalfragen, ich weiß von nichts." Franz Lederer berichtet 1929 eine ähnliche Geschichte mit derselben Schlußfolgerung aus einer Berliner Gerichtsverhandlung aus dem Jahre 1840. **2.** mein ~ ist Hase, ich wohne im Walde (Busch) und weiß von nichts = die Sache ist mir völlig unbekannt. Hier wird die Erklärung einem Hasen ins Maul gelegt, wohl weil die Geschichte des hilfreichen Studenten dem Volksempfinden ferner liegt. 1920 *ff.*

nameln *tr* jn mit Spitznamen nennen; jn mit Schimpfnamen belegen. *Bayr* seit dem 19. Jh.

Namenlose *pl* Unterhosen. Die unumschriebene Bezeichnung galt früher als unschicklich. ↗ Unaussprechliche. 1830 *ff.*

Namensheirat *f* Heirat zwecks Legalisierung eines unehelichen Kindes. 1950 *ff.*

Napf *m* **1.** Trinkgefäß, Glas. Eigentlich das meist irdene, schüsselartige Gefäß. *BSD* 1965 *ff.* **2.** Sitzabort. *Schül* 1955 *ff.*

Napfkuchen (Nappkuchen) *m* Tölpel, unselbständiger Mensch. Hängt wohl zusammen mit den „↗ Rosinen", die einer im Kopf hat, und ist beeinflußt von *engl* „to nap = nicken, schlummern". 1900 *ff.*

Napfsülze (Nappsülze) *f* Schimpfwort auf einen Energielosen. „Sülze" ist das Sinnbild des Weichlichen, und „Napf" ist eine Schneckenart. *Vgl* auch das Vorhergehende. 1910 *ff.*

Nappkuchen *m* ↗ Napfkuchen.

Nappneger *m* unbeholfener, geistig zurückgebliebener Mensch. Vielleicht übertragen von einer Negerfigur mit Wackelkopf. Nappen = sich auf- und niederbewegen. *Jug* 1955 *ff.*

Nappsülze *f* ↗ Napfsülze.

Narkose *f* **1.** Gestank. 1930 *ff.* **2.** Bezechtheit. 1930 *ff.*

3. Prügelei; Verabreichung von Prügeln. Man prügelt den Betreffenden, bis er das Bewußtsein verliert. 1930 *ff.*

Narr *m* **1.** hundertelfprozentiger ~ = Fastnachtsgeck. Zusammengesetzt aus „↗hundertprozentig" und der Narrenzahl „↗elf". 1954 *ff.* Köln.

2. an jm (etw) einen (seinen) Narren gefressen haben = für eine Person oder Sache in törichter (lächerlicher) Weise stark eingenommen sein. Im didaktischen Schrifttum des Mittelalters wird nach alttestamentlichem Vorbild der Narr als Sinnbildfigur sittlicher Gebrechen und charakterlicher Mängel dargestellt. 1500 *ff.*

3. jn zum ~en haben (halten) = mit jm seinen Spott treiben. Man behandelt ihn wie einen Narren. Seit dem 15. Jh.

Narrenfreiheit *f* Erlaubnis, sich nach Belieben zu benehmen; geduldete Gesetzwidrigkeit. Seit dem 19. Jh.

Narrenkastl *n* ins ~ schauen = geistesabwesend sein; versonnen vor sich hinblicken. Kastl = Kästchen = Häuschen. *Österr* seit dem 19. Jh.

narrensicher *adj* sicher vor Beschädigung durch dumme Leute; sicher vor Verlust. Analog zu ↗idiotensicher. 1925 *ff.*

Narrenwurm *m* Rosenmontagszug. Als Heerwurm von Narren bewegt er sich durch die Straßen. 1950 *ff.*

narrisch (närrisch) *adv* sehr. *Bayr* und *schwäb* seit dem 19. Jh.

Narzi *m* eitler Jugendlicher. Verkürzt aus „Narziß": in der griechischen Mythologie wird erzählt, Narziß habe sein Spiegelbild geliebt, das er im Wasser gesehen hatte. *Halbw* 1960 *ff.*

naschen *intr tr* **1.** flirten, küssen; kurzlebige Liebesabenteuer eingehen. Eigentlich soviel wie „heimlich Leckereien genießen". 1920 *ff.*

2. gern Alkohol zu sich nehmen. 1920 *ff.*

Naschkater *m* naschhafter Mann. Männliches Gegenstück zu ↗Naschkatze. 1900 *ff.*

Naschkatze (-kätzchen) *f (n)* naschhafter Mensch. 1800 *ff.*

Naschmaul *n* naschhafter Mensch; Feinschmecker. 1600 *ff.*

Naschwerk *n* **1.** Liebelei, Flirt o. ä. 1930 *ff.*

2. eheförderndes ~ = dem Freund gestattete Intimitäten zwecks Erwirkung eines Heiratsantrags. 1930 *ff.*

Naschzahn *m* jm auf den ~ fühlen = ärztlich ermitteln, ob die Fettigkeit des Patienten auf übermäßigem Süßigkeitsgenuß beruht. 1950 *ff.*

Nase *f* **1.** Bug des Schiffes. 1700 *ff.*

2. Flugzeugkanzel. Fliegerspr. 1920 *ff.*

3. Tadel, Verweis. Entwickelt aus „jm eine lange Nase machen" = jn verspotten, höhnen, höhnisch rügen" oder verkürzt aus „↗Nasenstüber". 1700 *ff.*

4. goldene ~ = a) feine Witterung für künftige Erfolge. Solch eine Nase hat Goldwert. 1900 *ff.* - b) erfolgreiche Laufbahn; Reichtum. 1900 *ff.*

5. große ~ = strenger Verweis. ↗Nase 3. 1850 *ff.*

6. kleine ~ = milde Rüge. ↗Nase 3. 1850 *ff.*

7. kupfrige ~ = rote Nase; Trinkernase. 1700 *ff.*

8. lange ~ = Spreizung der Finger mit dem Daumen in Richtung auf den Gemeinten. Als Spottgebärde geläufig. Hergenommen von der langen wächsernen Nase, die sich früher die Narren aufsetzten. Seit dem 16. Jh.

9. alle ~ lang (alle nasen lang) = in kurzen Zeitabständen; fast ununterbrochen (alle Nase lang sieht sie nach den spielenden Kindern). Mit „Nasenlänge" bezeichnet man in der Turfsprache einen mehr oder minder großen Längenunterschied; in der Umgangssprache wird aus dem räumlichen Unterschied ein zeiträumlicher. 1830 *ff.*

10. schlimme ~ = Limonade. Hieraus zusammengestümmelt. *Schül* 1900 *ff.*

11. vergoldete ~ = Ministerposten. ↗Nase 4. 1900 *ff.*

12. waffenscheinpflichtige ~ = krumme Nase. Sie ist gekrümmt wie der Abzugshahn an Handfeuerwaffen. 1960 *ff.*

13. pro ~ = für den einzelnen. Ursprünglich wohl scherzhaft gemeint: man zählt die Teilnehmer an den Nasen. 1870 *ff.*

14. pro laufende ~ = für jeden einzelnen. Aus dem Vorhergehenden scherzhaft erweitert mit Anspielung auf die Schnupfennase, beeinflußt von der Längenangabe in „laufenden Metern". 1950 *ff.*

15. vor der ~ = ganz dicht vor einem. Ins Bildhafte gewendete räumliche Bestimmung. 1600 *ff. Vgl engl* „under one's very nose".

16. jm ~ und Ohren abfressen = sich bei jm überreichlich sättigen. Steigerung von „jm die ↗Ohren vom Kopf essen". 1800 *ff.*

17. mit langer ~ abziehen = getadelt, enttäuscht davongehen; bei einer Verteilung nicht berücksichtigt worden sein. Die „lange Nase" kann den Gesichtsausdruck der Niedergeschlagenheit wiedergeben oder auch die Hohngebärde meinen. 1600 *ff.*

18. sich bei jm eine goldene ~ anlachen (machen) = durch jn wirtschaftlichen Vorteil erringen. ↗Nase 4. 1900 *ff.*

19. es einem an der ~ ansehen, daß er Hunger hat (o. ä.) = jm etw untrüglich anmerken. Von der Färbung der Nase läßt sich auf den Gesundheitszustand schließen. 1500 *ff.*

20. sich die ~ anwärmen = rauchen. 1910 *ff.*

21. ~ und Maul (Mund) aufsperren (aufreißen) = sehr verwundert blicken. Zum Staunen mit offenem Mund wird umgangssprachlich die Nase hinzugenommen, um auszudrücken, daß das Gesicht mit all seinen Teilen Überraschung kundgibt. Seit dem 19. Jh.

22. jm etw auf die ~ bauen = etw dicht vor das Haus des anderen bauen. ↗Nase 15. Seit dem 19. Jh.

23. sich die ~ begießen = sich betrinken. Man steckt die Nase ins Glas oder befeuchtet sie bei hochgeschwungenem Glas. 1600 *ff.*

24. daß du die ~ im Gesicht behältst (dat du de Neese int Jesicht behältst)!: Ausdruck der Verwunderung. Bekannt geworden als Äußerung von Broesig bei Fritz Reuter. 1862 *ff.*

25. ich könnte mich in die ~ beißen!: Ausdruck des Unmuts, der Wut. 1900 *ff.*

26. hau' ab, oder ich beiß' dich in die ~!: Drohrede. 1900 *ff.* Berlin.

27. eine ~ beziehen = gerügt werden. ↗Nase 3. 1910 *ff.*

28. jm etw auf die ~ binden = a) mit jm seinen Spott treiben. Hergenommen von der Papp- oder Wachsnase, die man aus Schabernack dem anderen aufsetzt. 1600 *ff.* - b) jm ein Geheimnis anvertrauen; jn etw wissen lassen. Der Betreffende soll das Gemeinte stets vor Augen haben. Spätestens seit 1700.

29. die ~ blüht = a) man hat starken Schnupfen. Die Nase ist rot entzündet. 1900 *ff.* - b) man hat eine Trinkernase. 1900 *ff.*

30. dir hat wohl lange nicht die ~ geblutet?: Drohfrage. 1870 *ff.* Berlin.

31. in der ~ bohren, bis man auf Öl stößt = tief in der Nase bohren. Anspielung auf Erdölbohrungen. 1950 *ff.*

32. wer andern in die ~ bohrt, ist selbst ein Schwein: a) Kartenspielerrede, wenn die vom Gegner gestellte Falle rechtzeitig erkannt und in einen Nachteil für ihn verwandelt wird. Umgemodelt aus dem Sprichwort: „Wer andern eine Grube gräbt, fällt selbst hinein". 1900 *ff.* - b) die dem anderen zugedachte Schädigung trifft den Schädiger selbst. 1920 *ff.*

33. sich etw unter die ~ brummen = etw vor sich hinmurmeln. 1920 *ff.*

33 a. mit der ~ dabeisein = persönlich teilnehmen. 1900 *ff.*

34. jm eine ~ drehen = a) jn veralbern. ↗Nase 8. 1500 *ff.* - b) jn hintergehen. Seit dem 19. Jh.

35. sich eine ~ drehen = sich selbst in Nachteil bringen. Seit dem 19. Jh.

36. dem werde ich die ~ nach hinten drehen!: Drohrede. Dies setzt voraus, daß man ihm den Hals umdreht. 1920 *ff.*

37. die ~ platt drücken = gierig nach Schaufenster blicken. 1900 *ff.*

38. nach ~ fahren = ins Ungewisse, ohne Sicht fahren. Man fährt auf gut Glück geradeaus; man fährt nach Gefühl. *Marinespr* 1939 *ff.*

39. über die ~ fahren = ohne Peilung fahren. *Marinespr* 1939 *ff.*

40. auf die ~ fallen = aufs Gesicht fallen. Seit dem 19. Jh.

41. mit etw auf die ~ fallen = mit etw Mißerfolg erleiden; ertappt werden. 1850 *ff.*

42. auf der ~ auf etw fallen = etw überraschend gewahr werden. Seit dem 19. Jh.

43. sich an der (die) ~ fassen (kriegen, ziehen, zupfen o. ä.) = sich seine Schuld eingestehen; sich Selbstvorwürfe machen. Geht zurück auf altdeutsche Rechtspraxis: wer übler Nachrede für schuldig befunden wurde, hatte als Eingeständnis seiner Schuld vor den Richtern an die Nase zu fassen. Seit *mhd* Zeit.

44. die falsche ~ fassen = sich in der Suche nach dem Schuldigen irren, weil man die eigene Schuld übersieht. 1920 *ff.*

45. die ~ fegen = sich schneuzen. Zusammenhängend mit der Vorstellung von der Nase als einem Schornstein. Seit dem 19. Jh.

46. auf die ~ fliegen = aufs Gesicht fallen. ↗fliegen 6. 1900 *ff.*

47. jn mit langer ~ fortschicken (o. ä.) = jn abweisen; einem Ansinnen nicht nachkommen. ↗Nase 17. Spätestens seit dem 19. Jh.

48. jm eins auf die ~ geben (jm eine ~ geben) = a) jn empfindlich kränken. ↗Nasenstüber. Seit dem 19. Jh. – b) jn scharf zurechtweisen. Seit dem 19. Jh.
49. das ist ihm in die ~ gefahren = das hat ihn verbittert; das kann er nicht verwinden. Übertragen von der nachhaltigen Wahrnehmung üblen Gestanks. 1900 ff.
50. seine ~ gefällt nicht = er ist unwillkommen, ist unsympathisch, mißfällt aus unerklärlichen Gründen. Zusammenhang mit der Judennase ist nicht auszuschließen. 1800 ff.
51. auf die ~ gehen = mit dem Flugzeug „kopfüber" abstürzen. ↗Nase 2. Fliegerspr. 1935 ff.
52. sich etw aus der ~ gehen lassen = sich etw entgehen lassen; etw versäumen. Übertragen vom Hund, der die Witterung verliert. 1840 ff.
53. es ist mir aus der ~ gegangen = ich habe es nicht bekommen; habe es verloren, versäumt, vergessen. Seit dem 19. Jh.
54. sich einen auf die ~ gießen = trinken. ↗Nase 23. 1900 ff.
55. viel unter die ~ gegossen haben = betrunken sein. 1700 ff.
56. ~ haben = vermuten, ahnen. Nase = Witterung. Seit dem 19. Jh.
57. seine ~ in allem haben = sich in alles einmischen. Übertragen vom ↗Topfgucker. Seit dem 19. Jh.
58. etw in der ~ haben = die Entwicklung einer Sache, die Zusammenhänge ahnen; etw voraussehen. Übertragen von der Witterung des Spürhundes. Seit dem 19. Jh.
59. von etw die ~ plein (pleng, pläng) haben = einer Sache überdrüssig sein. Vgl ↗Nase 139. 1870 ff, Berlin.
60. für etw eine ~ haben = etw sofort merken, voraussehen. ↗Nase 58. Seit dem 19. Jh. Vgl engl „to have a flair for something".
61. die ~ mitten im Gesicht haben = ein normaler Mensch sein; wie ein normaler Mensch handeln. Seit dem 19. Jh.
62. eine erwartungsvolle ~ haben = neugierig sein. Man bläht die Nasenflügel. 1950 ff.
63. eine feine ~ haben = zutreffend ahnen. Seit dem 19. Jh.
64. eine goldene ~ haben = hervorragenden Spürsinn für kaufmännische Erfolge haben. ↗Nase 4. 1900 ff.
65. eine grüne ~ haben = a) dem Erbrechen nahe sein. 1910 ff. – b) verdächtig sein. Der Betreffende sieht „übel" aus. 1910 ff.
66. eine gute (richtige) ~ haben = zutreffend ahnen. Von der körperlichen Witterung übertragen. 1700 ff. Vgl franz „avoir du nez", „avoir du flair"; engl „to have a good nose for something".
67. viel ~ im Gesicht haben = eine lange Nase haben. 1920 ff.
68. seine ~ überall haben = überall spionieren. Vom Topfgucker hergenommen. Seit dem 19. Jh.
69. die ~ vorn haben = an der Spitze liegen; der Überlegene sein. Vom Pferderennen übertragen. 1900 ff.
70. jn auf der ~ haben = nicht frei entscheiden können; einen Vorgesetzten haben. „Auf der Nase" umschreibt anschaulich den Begriff „vorgesetzt": so den vor einem, daß man ihn nicht aus der

Augen verlieren kann, oder daß man sich unaufhörlich beaufsichtigt fühlt. 1900 ff.
71. die ~ im Buch haben = ins Lesen vertieft sein. 1900 ff.
72. er kann mich besuchen (lecken), wo ich keine ~ habe!: Ausdruck der Abweisung. Aufforderung im Sinne des Götz-Zitats. Seit dem 19. Jh.
73. jm etw vor die ~ halten = jm etw vorhalten, vorwerfen. Gemeint ist, daß man etwas Übelriechendes vor die geruchsempfindliche Nase hält. Veranschaulichung von „jm etw vorhalten". 1500 ff.
74. jm etw auf die ~ hängen = jm etw anvertrauen. ↗Nase 28. Seit dem 19. Jh.
75. wenn ich tief Luft hole, hängst du mir quer vor der ~!: Drohrede. Vgl ↗Luft 48. 1935 ff.
76. die ~ hängenlassen = kleinmütig sein; sich schämen. Man senkt den Kopf zu Boden. 1700 ff.
77. die ~ hochtragen (in der Luft tragen) = hochmütig sein. Der hochaufgerichtete Kopf ist das Sinnbild von Stolz und Dünkel. Seit dem 18. Jh. Vgl engl „to hold up one's nose".
78. jm etw unter die ~ jubeln = a) jm etw aufschwatzen; jn übertölpeln. Etwa soviel wie „jm etw unter Lachen in den Mund schieben". 1950 ff. – b) jm Vorhaltungen machen. Man „reibt" es ihm voller Schadenfreude unter die Nase; ↗Nase 104. 1950 ff.
79. jm etw aus der ~ kitzeln = jm etw abfragen; jm ein Geständnis entlocken. Variante zu „jm die ↗Würmer aus der Nase ziehen". 1940 ff.
80. mit der ~ über dem Buch kleben = beim Lesen das Buch sehr dicht vor die Augen halten. Kleben = starr haften. 1910 ff.
81. lesen, was einem unter die ~ kommt = wahllos alles lesen. 1920 ff.
82. es kommt ihm in die ~ = er erfährt von einer Sache. Er bekommt Witterung. 1900 ff.
83. die ~ kriegt Junge = a) auf der Nase bilden sich Auswüchse, Warzen; die Nase ist angeschwollen. Hergenommen vom Bild eines trächtigen Tieres. Seit dem 19. Jh. – b) der Nasenschleim tritt aus den Nasenlöchern hervor. Jug 1955 ff.
84. eine ~ kriegen = einen Verweis erhalten. ↗Nase 3. 1700 ff.
85. eins (was) auf die ~ kriegen = a) gerügt werden. Seit dem 19. Jh. – b) beschossen werden. Meint eigentlich den Schlag auf die Nase. Sold 1939 ff. – c) unterliegen; der Unterlegene werden; Schaden davontragen. 1950 ff. – d) narkotisiert werden. Die Narkosemaske wird auf die Nase gesetzt. Sold 1939 ff.
86. seine ~ von etw lassen = sich mit etw nicht befassen. Etwa soviel wie „nicht in die Kochtöpfe gucken". Seit dem 19. Jh.
87. die ~ unten lassen = in Deckung bleiben; den Kopf nicht aufrichten. Sold 1939 ff.
88. die ~ läuft = man ist geschlechtskrank (Tripper). Von der Schnupfennase übertragen auf das Geschlechtsteil mit eitrigem Ausfluß. ↗Schnupfen. 1910 ff, prost.
89. jn auf die ~ legen = jn übertölpeln. Eigentlich soviel wie „jn zu Fall bringen". 1950 ff.
90. sich etw aus der ~ leiern lassen =

eine Äußerung nur widerstrebend, nach und nach sich entlocken lassen. ↗leiern 2. 1920 ff.
91. mit der ~ lesen = den Lesestoff sehr nah an die Augen halten. Vgl ↗Nase 80. 1920 ff.
92. auf der ~ liegen = a) bettlägerig sein. Meint eigentlich „auf die Nase gefallen sein". 1850 ff. – b) unterliegen; gescheitert sein. 1950 ff.
93. eine ~ machen = enttäuscht dreinblicken. ↗Nase 17. 1920 ff.
94. eine goldene ~ machen (lachen) = sich bereichern; viel Geld oder Ansehen erwerben. ↗Nase 4. 1900 ff.
95. jm eine lange ~ machen = jn durch die Spottgebärde verhöhnen. ↗Nase 8. 1600 ff. Vgl engl „to make a long nose at someone".
96. jm ~ lang machen = jm eine schwere Enttäuschung bereiten. ↗Nase 17. 1900 ff.
97. der ~ nachgehen = geradeaus gehen. Die Nase zeigt immer geradeaus. Seit mhd Zeit. Vgl engl „follow your nose!".
98. ihm paßt meine ~ nicht = er kann mich nicht leiden. ↗Nase 50. 1900 ff.
99. jm die ~ polieren = jm ins Gesicht schlagen. Polieren = abreiben (↗abreiben 1). 1900 ff.
100. in der ~ popeln = in der Nase bohren. ↗popeln. Seit dem 18. Jh.
101. er muß sich noch die ~ putzen lassen = er ist noch sehr unselbständig. 1900 ff.
102. die ~ aus etw rauslassen (raushalten) = sich um etw nicht kümmern. ↗Nase 86. Seit dem 19. Jh.
103. es regnet ihm in die ~ = er hat eine aufwärtsgebogene Nase. 1870 ff.
104. jm etw unter die ~ reiben = jm etw derb vorhalten; jm etw unmißverständlich klarmachen. Was man dem Betreffenden unter die Nase reibt, stinkt: er soll daran riechen, damit ihm die Lust zur Wiederholung vergeht. Früher auch „jm etw in die Nase reiben" oder „jm etw in den Bart reiben". 1600 ff.
105. nicht weiter sehen, als die ~ reicht = einen engen Gesichtskreis haben. Seit dem 19. Jh.
106. jn an der ~ rumführen = seinen Spott mit jm treiben; jm falsche Hoffnungen machen. Hergenommen vom Tanzbären, der am Nasenring vorgeführt wurde. 1500 ff. Vgl engl „to lead someone by the nose"; franz „mener quelqu'un par le nez".
107. jm auf der ~ rumspielen (rumtanzen) = jds Gutmütigkeit mißbrauchen; jds Autorität nicht anerkennen. Wohl hergenommen von kleinen Kindern, die am Erwachsenen ungestraft das Gesicht betasten oder den Finger auf der Nase tanzen lassen. 1600 ff.
108. jm auf die ~ scheißen = sich gegenüber jm alles erlauben; jn wie ein willenloses Ding behandeln. 1920 ff.
109. sich nicht auf die ~ scheißen lassen = sich nicht alles bieten lassen; sich nicht einschüchtern lassen. Vgl das Vorhergehende. 1920 ff.
110. ich schlage dir die ~ nach innen!: Drohrede. BSD 1965 ff.
111. mit der ~ schreiben = beim Schreiben den Kopf zu dicht über das Papier halten. 1920 ff, lehrerspr.
112. ~ sein = leer ausgehen; bei einer

Verteilung nicht berücksichtigt werden; keinen Lotteriegewinn erzielt haben. Man hat lediglich den Geruch wahrgenommen, aber die Speise selbst nicht bekommen. Vorwiegend in der berlinischen Form „Neese sein", auch einfach „Neesel" (= Irrtum!). Dabei führt man den Zeigefinger unter der Nase hin und her. 1840 ff.

113. fix (o. ä.) unter der ~ sein = a) sehr schnell essen. 1900 ff. – b) redegewandt, schlagfertig sein. 1900 ff.

114. unter der ~ flott (gut) zu Fuß sein = a) ein guter Esser sein. 1900 ff. – b) redegewandt, schlagfertig sein; um eine Antwort nicht verlegen sein. 1900 ff.

115. er muß überall mit der ~ dabei sein = er ist überaus vorwitzig, neugierig. ↗Vorwitznase. Seit dem 19. Jh.

116. jm einen auf (vor) die ~ setzen = jds Arbeitsbereich durch einen Vorgesetzten beschränken; jm die Aussicht auf Beförderung vereiteln. ↗Nase 70. 1900 ff.

117. jm auf der ~ sitzen = jds Handlungsweise streng beaufsichtigen; jds Entscheidungsbefugnis eingrenzen. Vgl das Vorhergehende. 1900 ff.

118. ein Schlag, und die ~ sitzt hinten!: Drohrede. Spätestens seit 1900, Berlin.

119. egal, ob die ~ hinten sitzt oder vorne = unter allen Umständen; bedenkenlos. 1920 ff, Berlin.

120. es sticht ihm in der ~ = a) es reizt ihn zum Besitzen. Von gutem oder schlechtem Geruch sagt man, er steche in die Nase. 1600 ff. – b) es kränkt ihn sehr. 1900 ff.

121. seine ~ in alles stecken = sich ungefragt in alles einmischen. Vom Topfgucker hergenommen. Spätestens seit 1600. Vgl franz „fourrer son nez partout" und engl „he sticks his nose in everything".

122. die ~ aus dem Bau stecken = aus der Haustür treten. Den Tieren abgesehen, die vorsichtig wittern und sichern, ehe sie ihren Bau verlassen. 1920 ff.

123. die ~ ins Buch stecken = fleißig studieren; viel lesen. Beim Lesen ist die Nase dem Text am nächsten. 1700 ff.

124. seine ~ in jeden Dreck stecken = sich in jede Kleinigkeit einmischen. ↗Nase 121. 1600 ff.

125. seine ~ in fremden Dreck stecken = sich ungefragt in Angelegenheiten anderer einmischen. Vgl das Vorhergehende. 1900 ff.

126. die ~ in den Wind stecken = Lebenserfahrungen aller Art sammeln. Vgl „sich den ↗Wind um die Nase wehen lassen". Seit dem 19. Jh.

127. sich eine unter die ~ stecken = eine Zigarette in den Mund stecken. 1920 ff.

128. du mußt erst mal deine ~ da reinstecken, wo meine Kacke liegt!: Ausdruck zur Abweisung eines Prahlers. 1900 ff.

129. das steigt (fährt, kriecht) ihm in die ~ = das berührt ihn unangenehm; das macht ihn stutzig; diese Unbill vergißt er nicht leicht. Hergenommen von widerlichem Geruch. Vgl ↗Nase 120 b. 1600 ff.

130. jm mit der ~ auf etw stoßen (stippen) = jm etw unmißverständlich zu verstehen geben. Von einer Erziehungsmaßnahme übertragen, die bei noch nicht stubenreinen Katzen angewandt wird. 1700 ff.

131. sich die ~ stoßen = vor verschlossene Tür kommen. 1900 ff.

132. er wird mit der ~ noch an den Himmel stoßen = er wird immer überheblicher. ↗Nase 77. 1900 ff.

133. es taut in der ~ = man hat Schnupfen. Der Ausfluß wird als Tauwasser gedeutet. 1950 ff.

134. sich bis an die ~ gütlich tun = üppig leben; ein Schlemmerleben führen. 1870 ff.

135. sich mit jm bis an die ~ gütlich tun = mit jm in geschlechtlicher Beziehung leidenschaftlich verbunden sein. 1870 ff.

136. sich eine goldene ~ verdienen (gewinnen) = reich werden; einen großen Vorteil erzielen; sehr an Ansehen gewinnen. ↗Nase 4. 1900 ff.

137. jm eine ~ verpassen = jn rügen. ↗Nase 3. 1910 ff.

138. er ist gerannt (hat gut zugelangt; hat zweimal „hier!" gerufen), als die ~n verteilt wurden = er hat eine auffallend große Nase. Schuld daran soll die Besitzgier ihres Trägers sein. 1600 ff.

139. von etw (jm) die ~ vollhaben = von einer Sache oder Person angewidert sein. Man hat die Nase voll Gestank. Seit dem 19. Jh.

140. die ~ vollhaben = a) stark verschnupft sein. 1700 ff. – b) betrunken sein. ↗Nase 23. Seit dem 19. Jh.

141. von etw die ~ obenhin (gestrichen) vollhaben = einer Sache sehr überdrüssig sein. Gestrichen voll ist das bis zum Rand gefüllte Gefäß. 1900 ff.

142. von etw die ~ vollkriegen = etw sehr angewidert werden. ↗Nase 139. Seit dem 19. Jh.

143. es geht ihm an der ~ vorbei = er bekommt es nicht; bei der Verteilung geht er leer aus; auf seine Losnummer ist kein Gewinn gefallen. Vgl ↗Nase 112. Seit dem 18. Jh.

144. sich etw an der ~ vorbeigehen lassen = etw versäumen, verpassen. Seit dem 18. Jh.

145. jm etw vor der ~ wegschnappen = sich etw aneignen, bevor der andere zufassen kann. 1870 ff.

146. sich die ~ wischen = der Benachteiligte sein. ↗Nase 112. 1900 ff.

147. ~n zählen = eine statistische Erhebung. Vgl ↗Nase 13. 1950 ff.

148. jm etw aus der ~ ziehen = a) jm etw abgewinnen, abnehmen; jn schröpfen. Verallgemeinert aus „jm die ↗Würmer aus der Nase ziehen". Seit dem 19. Jh. – b) jn zu einem Geständnis bringen; jm etw abfragen. Vgl ↗Nase 79. 1900 ff.

Nasebohren n das nennt gleich nach dem ~ = dieses Kartenspiel ist leicht zu gewinnen. Kartenspielerspr. 1900 ff.

näseln intr **1.** nörgeln; die Nase rümpfen. Hergenommen vom Riechen am Essen. 1900 ff.
2. mit dem Geruchssinn prüfen; schnuppern. 1800 ff.
3. in Angelegenheiten anderer schnüffeln. 1945 ff.

nasen tr jn rügen. ↗Nase 3. 1800 ff.

Nasenbleiche f Trinkerheilanstalt. Man bleicht dort die rote Nase. Der „Rasenbleiche" nachgebildet. 1920 ff.

Nasenfahrrad n Brille, Kneifer. Wegen der Formähnlichkeit angesichts der runden Gläser. 1900 ff.

Nasenfutter n Schnupftabak. 1700 ff.

Nasenklemmer m Kneifer. Lehnübersetzt aus franz „pince-nez". Seit dem 19. Jh.

Nasenkönig m Mensch mit auffallend großer Nase. 1800 ff.

Nasenlänge f sehr kleine Entfernung; sehr kurzer Zwischenraum; knapper Vorsprung. Der Turfsprache entlehnt. Seit dem 19. Jh.

Nasenlöcher pl **1.** freundliche ~ machen = eine freundliche Miene zeigen. 1870 ff.
2. verliebte ~ machen = verliebt aussehen; weiblichen Reizen rasch erliegen; um jds Liebe werben. 1840 ff.
3. vornehme ~ machen = dünkelhaft sein. 1900 ff.

Nasenpopel m **1.** verhärteter Nasenschleim. ↗popeln. Spätestens seit 1840.
2. Wertlosigkeit; unbedeutender, niedrigstehender Mensch. 1840 ff.

Nasenquetscher (Nasenquetsche) m (f) **1.** niedriger Sarg mit flachem Deckel. Kurz nach 1750 in Preußen aufgekommen als „Sarg der Armendirektion" im Zusammenhang mit der Reform der Armenverwaltung durch Friedrich den Großen.
2. Kneifer. ↗Nasenklemmer. Seit dem 19. Jh.
3. Narkosemaske. Sold 1940 ff.

Nasenstüber m jm einen ~ geben = jm einen spürbaren Verweis erteilen; jn kräftig zurechtweisen. Meint eigentlich das Schnellen mit einem Finger an die Nase (stieben = schnellen). 1640 ff.

Nasenwärmer m **1.** kurze Tabakspfeife. In übertreibender Auffassung befindet sie sich so dicht unter der Nase, daß sie diese wie ein Ofen wärmt. Etwa seit 1850. Vgl engl „nosewarmer".
2. Zigarette, Zigarre. 1800 ff.
3. Halbschleier, der bis zur Oberlippe reicht. Berlin 1920 bis heute.

Nasenzähler m Statistiker. Vgl ↗Nase 13. 1950 ff.

Nasenzulage f auf Sympathie (nicht auf Leistung) beruhende Lohn-, Gehaltserhöhung. ↗Nase 50. Berlin 1975 ff.

nasern intr unbefugt, aus Neugierde in Dinge sehen, die einen nichts angehen. Man steckt die Nase in fremde Angelegenheiten. Österr 1950 ff.

naß adj **1.** betrunken. Man ist innerlich naß. Alkohol gilt als „nasse Ware". Seit dem 19. Jh.
2. liederlich; mittellos; arm. Fußt auf jidd „nossen, naussen sein = schenken" und „naß = geschenkt; ohne Bezahlung; ohne Geld". 1500 ff.
3. verschlagen, listig, unaufrichtig; diebisch; schmarotzend. Das fehlende Geld beschafft man sich durch Dieberei, oder man rechnet mit Bezahlung durch andere. 1500 ff.
4. liebesgierig. Anspielung auf Sekretion der Vagina wie auch des Penis bei geschlechtlicher Erregung. 1950 ff.
5. für (per) ~ = umsonst; unentgeltlich; mietfrei. Vgl ↗naß 2. Berührt sich in der Bedeutung mit der Tatsache, daß nach dem Dreißigjährigen Krieg in Berlin die ersten Mieter in einem neugebauten Haus „für naß" wohnten, d. h. in den ersten sechs Monaten hatten sie keine Miete zu zahlen (vgl ↗Trockenwohner). 1830 ff.
6. für ~ und unentgeltlich; vergeblich. Vgl das Vorhergehende. 1920 ff.
7. auf ~ einsteigen = es sich auf Kosten

anderer gutsein lassen; schmarotzen. 1950 ff.

8. ~ essen = trinken. Alkohol als flüssiges Nahrungsmittel. 1900 ff.

9. ~ futtern = beim Essen Alkohol trinken. Übernommen aus der Viehzucht, wo man neben der Trockenfütterung auch die nasse Fütterung kennt. 1900 ff.

10. jn ~ machen = a) jn anzeigen. Mildere Variante zu „↗anscheißen". 1950 ff, prost. – b) den Gegner mit List ausspielen; den Gegner überlegen besiegen. Vgl ↗anpinkeln 7. Sportl 1950 ff.

11. etw ~ machen = eine neue Wohnung, eine Beförderung, eine bestandene Prüfung alkoholisch feiern. ↗begießen 1. 1840 ff.

12. Geld ~ machen = Geld vertrinken. 1900 ff.

13. sich ~ machen = a) sich aufregen; sich aufspielen. Vor Aufregung kann man die Gewalt über den Schließmuskel der Harnröhre verlieren. 1900 ff. – b) dem Lehrer die Antwort schuldig bleiben. Vor Angst oder falschem Eifer harnt man sich ein. Schül 1930 ff. – c) abstürzen und ins Meer fallen. Fliegerspr. 1939 ff.

14. ~ quatschen = beim Reden Speichel versprühen. 1900 ff.

Nassauer m **1.** Schmarotzer; ungebetener Tischgenosse. Gegen 1830 in Berlin aufgekommen. Fußt wahrscheinlich auf „naß" in den beiden Bedeutungen „unentgeltlich" und „mittellos" und bezog sich anfangs auf den zahlungsunfähigen oder -unwilligen Prostituiertenkunden. Das Wort wurde aus Hehlgründen an „Nassau" angelehnt. **2.** Trinker. Vgl ↗naß 1. 1870 ff. **3.** Student, der an Vorlesungen und Übungen teilnimmt, ohne Kolleggeld zu entrichten. Seit dem 19. Jh. **4.** Tanzgroschenpreller. Berlin seit dem späten 19. Jh. **5.** Platzregen; Regenschauer; Wasserspritzer, überkommende Gischt der See. Zusammengewachsen aus „naß" und „Schauer" im 19. Jh.

nassauern intr sich auf Kosten anderer gütlich tun; sich freihalten lassen; schmarotzen. ↗Nassauer 1. 1850 ff.

Nasser m **1.** zahlungsunwilliger Prostituiertenkunde. Vgl ↗naß 2 u. 3. Verkürzt aus älterem „nasser Knabe". Vgl auch ↗Nassauer 1. 1900 ff, prost. **2.** geiziger Mensch. Er begehrt stets vor allem das Unentgeltliche. Spätestens seit 1900.

naßforsch adj unverfroren, keck; scheinbar tapfer; unecht energisch. Nur in „nassem" (= angetrunkenem) Zustand ist der Betreffende „↗forsch". 1870 ff.

Nationalpessimist m Angehöriger der parlamentarischen Opposition. Er sieht die Nation durch die Regierung in Gefahr; die politische Lage beurteilt er grundsätzlich pessimistisch. 1900 bis heute.

NATO f amtliche Abkürzung für engl „North Atlantic Treaty Organization = Nordatlantikpakt"; ist als Bestimmungswort in umgangssprachlichen Wortverbindungen (überwiegend sold) meist sinngemäß gleichzusetzen mit „↗Barras-" oder „↗Kommiß-".

NATO-Adler m Geflügel; Brathähnchen. ↗Bundesadler. BSD 1965 ff.

NATO-Arsch m **1.** Gesäß. BSD 1965 ff.

2. Gefreiter. Moderne Variante zu „↗Schütze Arsch". BSD 1965 ff.

3. demnächst kommt der ~ und scheißt hier alles zu: Redensart verdrossener Soldaten ohne Hoffnung auf eine Besserung der Verhältnisse. ↗Arsch 254. BSD 1965 ff.

NATO-B.H. m **1.** Koppeltragegestell. Eigentlich steht „B.H." für „Büstenhalter". BSD 1965 ff. **2.** Staub-, Sonnenschutzbrille. BSD 1965 ff.

NATO-Bibel f Dienstvorschrift. Vgl ↗Bibel. BSD 1965 ff.

NATO-Brei m Suppe. Anspielung auf dicke, sämige Beschaffenheit. BSD 1965 ff.

NATO-Bremse f **1.** Verschlußsperre des Maschinengewehrs. BSD 1965 ff. **2.** Truppenverwaltung. Bremsen = verlangsamen. BSD 1965 ff.

NATO-Brötchen n getarntes ~ = Frikadelle. Anspielung auf die überreichliche Weißbrotbeimengung. BSD 1965 ff.

NATO-Einheitsfraß m unschmackhaftes Essen. ↗Fraß. BSD 1965 ff.

NATO-Erotikdämpfer m Unterhose. ↗Liebestöter. BSD 1965 ff.

NATO-Evangelium n Dienstvorschrift. ↗Evangelium 2. BSD 1965 ff.

NATO-Feuerwehr f mobile NATO-Streitkräfte (Allied Mobile Forces). ↗Feuerwehr 1. 1958 ff.

NATO-Fischer m Angehöriger der Bundesmarine. Spöttisch behauptet man, er sei ein in Uniform gesteckter Fischer, aber kein Soldat. BSD 1965 ff.

NATO-Gärtner m Grenadier. Er hat grüne Kragenspiegel. BSD 1965 ff.

NATO-Geist m Kameradengericht mit Verprügelung. Moderne Variante zu „↗Heiliger Geist". BSD 1965 ff.

NATO-Hammer m **1.** Artillerierakete „Sergeant". BSD 1965 ff. **2.** Bestrafung; Bestrafung eines Stubengenossen wegen unkameradschaftlichen Verhaltens. BSD 1965 ff. **3.** gleich kreist der große ~!: Ausdruck heftigen Unmuts. BSD 1965 ff.

NATO-Hosenträger m Koppeltragegestell. Es besteht Form- und Funktionsähnlichkeit. BSD 1965 ff.

NATO-Jeans (Grundwort engl ausgesprochen) pl Arbeitsanzug. Angloamerikan „jeans = Arbeitskleidung des Farmers; Kleidung aus (blauem, genietetem) Baumwollköper". BSD 1965 ff.

NATO-Kelle f sich noch Tage reinhauen mit der großen ~ = sich zum Dienst in der Bundeswehr weiterverpflichten. Vgl ↗kapitulieren. BSD 1970 ff.

NATO-Kleister m Kartoffelbrei; Reis; Pudding. Hieß im Zweiten Weltkrieg „Preußenkleister". BSD 1965 ff.

NATO-Knäcke n Kommißbrot. BSD 1965 ff.

NATO-Knochen m Batteriehauptschalter; Autoschlüssel. BSD 1965 ff.

NATO-Longline (Grundwort engl ausgesprochen) f lange Unterhose. BSD 1965 ff.

NATO-Marlene f leicht zugängliches Mädchen; Prostituierte, die Bundeswehrsoldaten zu Kunden hat. Benannt nach Marlene Dietrich, die in dem Film „Der blaue Engel" (1930) sang: „Ich bin von Kopf bis Fuß auf Liebe eingestellt". Einfluß des von Lale Andersen gesungenen Soldatenliedes „Lili Marlen" ist möglich. BSD 1965 ff.

NATO-Nerz m Winter-, Postenmantel. Ironie: der Mantel besteht aus schwerem, filzähnlichem Stoff und ist unansehnlich grau. BSD 1960 ff.

NATO-Oliv n f **1.** Arbeits-, Kampfanzug. ↗Oliv. BSD 1965 ff. **2.** lange grüne Unterhose zum Kampfanzug; Leibwäsche. BSD 1965 ff. **3.** Konzentratbrot, Hülsenfrüchtesuppe, Einsatzverpflegung usw. Wegen seiner Häufigkeit bekommt „NATO-Oliv" allmählich die Geltung des früheren „Null-acht-fünfzehn". BSD 1965 ff.

NATO-Pause f Dienstunterbrechung zwecks allgemeinen Verschnaufens; Frühstückspause, die Instandsetzungseinheiten usw. zusteht. BSD 1965 ff.

NATO-Platten pl Dosen-, Knäckebrot. ↗Kupplungsplatten. BSD 1965 ff.

NATO-Pneus pl wundgelaufene Füße. ↗Ballons. BSD 1965 ff.

NATO-Rallye (Grundwort engl ausgesprochen) f Wochenendbeginn. Die Autos der Bundeswehrangehörigen streben wie bei einer Sternfahrt in allen Richtungen weg von der Kaserne. BSD 1965 ff.

NATO-Säge (MG, Marke NATO-Säge) (n) Maschinengewehr. ↗Säge. BSD 1960 ff.

NATO-Schaufel einfach f Hand. Dem Geräteverzeichnis nachgebildet. BSD 1965 ff.

NATO-Schreck m Furcht vor dem Musterungsergebnis; Einstufung als eingeschränkt Tauglicher. BSD 1968 ff.

NATO-Schweine pl Mannschaften. Dem ehemaligen „Frontschwein" und „Etappenschwein" nachgebildet. BSD 1965 ff.

NATO-Seil n Das ~ suchen = sich dem Dienst zu entziehen suchen. Vgl ↗abseilen 6. BSD 1960 ff.

NATO-Wanderpokal m Soldatenliebchen, -hure. Das Mädchen, das den Partner oft wechselt, nennt man „Wanderpokal", nachgebildet dem Siegespokal, der bei einer Mannschaft nur so lange verbleibt, bis sie von einer anderen besiegt wird. BSD 1960 ff.

NATO-Ziege f 3,5-Tonnen-Ford-Lastkraftwagen. BSD 1965 ff.

NATO-Zubringerhebel pl Hände. Weiterentwickelt aus der Zubringerfeder im Magazin der Pistole 38. Dem Soldaten ist alles ein „Gerät". BSD 1965 ff.

Natriumnitribitt n Natriumnitrit. Fast gleichzeitig mit der Aufdeckung von Lebensmittelverfälschungen mittels Nitrits machte der Mord an der Prostituierten Rosemarie Nitribitt in Frankfurt bundesweit Schlagzeilen. Hieraus ergab sich das Neuwort. 1958 ff.

Natur f **1.** Gegend, Umgebung; Gelände. Etwa im Sinne von „freier Natur". Seit dem 19. Jh. **2.** Geschlechtsorgan. Seit mhd Zeit. **3.** Spermaerguß. Seit mhd Zeit. **4.** die ~ bescheißen = im Freien koten. Bildhaft wörtlich verstandener Ausdruck. Sold in beiden Weltkriegen. **5.** die ~ nicht dämmen können = a) die Hose von innen beschmutzen. Natur = Kotdrang. 1900 ff. – b) nicht schweigen können. Natur = Redezwang. 1950 ff. **6.** die ~ erleichtern = harnen. Natur = Harndrang. 1900 ff. **7.** die ~ flaggt grün = es wird Frühling. 1925 ff.

8. seine ~ ist zu kurz (zu kurz geraten) = er ist kleinwüchsig. 1800 *ff.*

9. die ~ juckt = a) man wird übermütig. ↗jucken. 1950 *ff.* – b) die Lüsternheit regt sich. 1950 *ff.*

10. ~ kneipen = durch Wald und Feld wandern; sich im Grünen erholen. Man „trinkt" die Natur in vollen Zügen. Wahrscheinlich von Studenten aufgebracht, etwa um 1820.

11. die ~ kommt nicht = der Orgasmus stellt sich nicht ein. ↗Natur 3. Seit dem 19. Jh.

12. der ~ ihren Lauf lassen = a) harnen. 1910 *ff.* – b) ejakulieren. 1910 *ff.*

13. die ~ veredeln = in freier Landschaft koten. Der Kot als Düngemittel. 1910 *ff.*

Naturaliennutte *f* Prostituierte, die nur gegen Hergabe von Lebensmitteln zu Diensten bereit ist; weibliche Person, die statt Geld Geschlechtsverkehr wünscht. ↗Bezahlung; ↗Nutte. 1925 *ff.*

Naturbalkon *m* Busen. ↗Balkon 1. 1900 *ff.*

Naturbrosche *f* Kropf. Man sieht auf den ersten Blick, wo vorne ist. *Vgl* ↗Brosche 2. 1900 *ff.*

Naturbursche *m* Mann, der von Kultur und Zivilisation nicht viel hält. Aus der Theatersprache im 19. Jh übernommen.

naturdoof *adj* mit angeborener Dummheit behaftet. ↗doof 1. 1925 *ff.*

naturellemang (natürellemang) *adv* selbstverständlich. Eingedeutschte Aussprache von *franz* „naturellement". 1890 *ff.*

Naturereignis *n* Körperbau; gutes Aussehen; schöne körperliche Erscheinung. Absage an künstlich gestaltete Schönheit. 1972 *ff.*

Naturforscher *m* Duchstöberer der Mülleimer; Lumpensammler. Auch „~ im Ascheneimer, im Mülleimer, im Rinnstein" o. ä. genannt. 1840 *ff*, vorwiegend Berlin.

Naturgeschichte *f* da hört (sich) die ~ auf! = a) das ist unerhört, unerträglich, zum Verzweifeln! Analog zu „da hört (sich) ja die ↗Weltgeschichte auf!". 1870 *ff.* – b) da ist man in entlegener Gegend. Scherzhaft zählt man Steppe, Karstlandschaft, Einöde o. ä. nicht mehr zur Natur, als welche man nur die ganz offenkundig belebte gelten läßt. *Sold* in beiden Weltkriegen.

Na'turkneipe'rei *f* Genießen schöner Landschaften; Pflege des Wanderns u. ä. ↗Natur 10. 1820 *ff.*

Naturkranz *m* Wurf, bei dem alle Kegel außer dem Mittelkegel fallen. Keglerspr. 1900 *ff.*

Naturlaut *m* laut entweichender Darmwind. 1900 *ff.*

Naturloch *n* Fehlschuß. Scherzhaft heißt es dann, man habe ein Loch in die Natur geschossen. 1840 *ff.*

naturloch (natürloch) *adv* natürlich. Hieraus wortspielerisch abgewandelt. 1900 *ff.*

naturrein *adj* alkoholfrei. *Schül* 1960 *ff.*

Naturschärfe *f* gesunde ~ = geschlechtlich leichte Zugänglichkeit. ↗scharf = sinnlich veranlagt. 1960 *ff*, *halbw.*

Naturschutz *m* unter ~ stehen = a) für (intime) Liebesbeziehungen noch zu jung sein. Anspielung auf den Schutz minderjähriger Mädchen gemäß § 182 StGB.

1900 *ff.* – b) durch Eltern oder sonstige Erwachsene vor Annäherung von Männern behütet werden. 1900 *ff.* – c) geistig nicht voll zurechnungsfähig sein. *Vgl* ↗Jagdschein. 1920 *ff*, *ärztl.*

Naturviech *n* 1. Naturschwärmer; eifriger Wanderer. „Viech" ist hier gutmütige Schelte für „Vieh = Tier = Lebewesen". 1900 *ff.*

2. urwüchsiger Mensch voller Aufrichtigkeit und mit volkstümlicher Redeweise. 1900 *ff.*

Naturzahnbürste *f* nach den Hauptmahlzeiten gegessener Apfel. Geht zurück auf *engl* „the nature's toothbrush", aufgebracht durch die Gesundheitsbehörde von Liverpool. 1965 *ff.*

natzen *intr* 1. ein Schläfchen machen; einnicken. Häufigkeitsform von *gleichbed mhd* „nafzen". *Bayr* und *österr*, 1500 *ff.*

2. langsam arbeiten. 1930 *ff.*

Naupen *pl* 1. geheime Tücken; Launen; Unberechenbarkeiten. Verwandt mit „Noppe = Knoten im Gewebe". Seit dem 15. Jh.

2. geschlechtliche Gelüste. 1900 *ff.*

3. ~ im Kopf haben = törichte Einfälle haben; launisch, tückisch sein. Seit dem 19. Jh.

navi'gare *intr* 1. harnen. Das *lat* Wort wird vielfach mit „schiffen" übersetzt (sie schifften nach Kleinasien), woher sich der Nebensinn „schiffen = harnen" leicht einstellt. 1900 *ff*, *schül.*

2. ~ necesse est = ich verspüre Harndrang. Meint eigentlich „Seefahrt tut not". *Schül* und *stud* 1900 *ff.*

Nazi *m* 1. lächerlicher, dummer Mann; Tölpel; Schimpfwort. Verkürzt aus dem männlichen Vornamen Ignatius (Ignaz). *Oberd* 1800 *ff.*

2. österreichischer Soldat; Österreicher. *Sold* 1914 *ff.*

3. Nationalsozialist. Die Verkürzung „Nazi" bezog sich 1903 auf die „Nationalsozialen" unter Friedrich Naumann. Für den Nationalsozialismus erstmals (?) belegt bei Kurt Tucholsky 1923. Jedenfalls ist nicht NS-Propagandaminister Dr. Joseph Goebbels der Wortschöpfer. Einwirkung von „Sozi" und „Kozi" liegt nahe.

4. das haut am stärksten ~ aus der Bewegung! Ausdruck der Verwunderung, heftigen Unwillens o. ä. *Vgl* ↗Eskimo 2. 1935 (?) *ff.*

nebbich *interj* Ausdruck geringschätziger Ablehnung; Ausdruck verächtlichen Mitleids. Die Herkunft ist ungesichert. Vermutlich aus dem *Slaw* über das *Jidd* in die Umgangssprache eingewandert. Etwa seit 1830.

Nebbich *m* unbedeutender Mann; minderwertiger Mensch; Tölpel. Geht wohl zurück auf *mhd* „nebbig = Pferdejunge". 1820 *ff.*

Nebel *m* 1. Lüge, Täuschung. Von der Lufttrübung weiterentwickelt zur absichtlichen Unklarheit und zur absichtlichen Wahrheitsentstellung. Seit dem 18. Jh.

2. Rausch. 1800 *ff.*

3. faustdicker ~ = dichter Nebel. Vor lauter Nebel kann man die Faust nicht vor den Augen sehen. 1940 *ff.*

4. sich in ~ auflösen = davongehen; sich der Öffentlichkeit entziehen. Man verflüchtigt sich wie Nebelschwaden. 1930 *ff.*

5. das fällt aus wegen ~s = das findet

nicht statt. Entstammt der Seemanns- oder Kriegsmarinesprache: wegen schlechter Sicht findet eine Fahrt, eine Übung o. ä. nicht statt. 1914 *ff.*

6. der ~ ist zum Schneiden dick = der Nebel ist sehr dicht. *Vgl* ↗Luft 85. 1900 *ff.*

7. im ~ stochern = auf gut Glück handeln. Stochern = in Undurchsichtigem (mit dem Stock) „Stichproben machen". 1920 *ff.*

8. im ~ tappen = keine Gewißheit haben. 1920 *ff.*

9. jm einen blauen ~ vormachen = jn Unglaubhaftes (Unwahres) glauben machen (glauben lassen). Analog zu ↗Dunst 18. Seit dem 19. Jh.

Nebelküche *f* diesiges Wetter. Ähnlichkeit mit der Waschküche voller Wasserdampf. 1920 *ff.*

Nebelmann *m* 1. Lügner, Vorspiegler. ↗Nebel 1. 1900 *ff.*

2. Propagandaredner. Spätestens seit 1939.

Nebelsuppe *f* dichter Nebel. Verdeutlichung von „↗Suppe". 1850 *ff.*

neben *präp* einen ~ sich gehen haben = hochmütig, stolz sein. Der Betreffende benimmt sich, als habe er einen Diener an seiner Seite. 1900 *ff.*

nebenaus *adv* 1. ~ gehen (nebenaus gehen; neben hinaus gehen) = ehebrechen. „Nebenaus" im Sinne von „seitwärts hinaus" berührt sich mit „Seitensprung". 1850 *ff.*

2. ~ heiraten = eine unstandesgemäße Ehe eingehen. Seit dem 19. Jh.

nebendraus sein verwirrt, geistesgestört sein. Veranschaulichung von „außer sich sein = aus der Fassung geraten sein". 1900 *ff.* *Vgl engl* „to be beside oneself".

Nebengleis *n* 1. jn auf ein ~ schieben = jn auf einen weniger einflußreichen Posten versetzen. Dem Eisenbahnwesen entlehnt. *Vgl* ↗Abstellgleis. 1935 *ff.*

2. auf dem ~ stehen = einen untergeordneten Posten bekleiden. 1935 *ff.*

nebenher *adv* 1. ~ gehen = ehebrechen. ↗nebenaus. 1850 *ff.*

2. etw ~ haben = neben den amtlichen Lebensmittelzuteilungen sich noch auf andere Weise (meist wohl der unlautere) Weise Nahrungsmittel beschaffen. 1939 *ff.*

Nebelluft *f* ~ haben = die eheliche Treue nicht halten. Die Zigarre mit schadhaftem Deckblatt hat Nebenluft, auch der nicht sorgfältig gemauerte Kamin oder Ofen. 1900 *ff.*

Nebensache *f* schönste (wichtigste) ~ der Welt = Sport. 1950 *ff.*

Nebenseiter *m* Einzelgänger, Sonderling. Eigentlich der, der an der rechten Seite des Gespanns geht (der Gespannführer geht links). 1955 *ff*, *halbw.*

Neckermann *m* 1. Soldat ohne Rang; Rekrut. Hängt zusammen mit dem Frankfurter Versandhaus Neckermann, bekannt durch den Werbespruch „Neckermann macht's möglich". Mit Bezug auf die Bundeswehr ist spöttisch gemeint, die Bundeswehr mache es möglich, auch die Unfähigsten zu Soldaten auszubilden. *BSD* 1954 *ff.*

2. Soldat, der seinen Dienstgrad nicht Schritt für Schritt erworben hat. *BSD* 1965 *ff.*

neckisch *adj* niedlich, reizend, einschmeichelnd (auch *iron*). Weiterentwicklung der älteren Bedeutung „schelmisch, drollig, übermütig". 1900 *ff, halbw.*

Neger *m* **1.** Geld; Kupfermünze. Die Kupferpfennige und Groschenmünzen heben sich von den Silbermünzen dunkel ab. 1900 *ff.*
2. Kaffee ohne Milch. Wien, seit dem 19. Jh.
3. Cola-Getränk. 1950 *ff.*
4. unterbezahlter Arbeitnehmer. Anspielung auf die spärliche Entlohnung der dunkelhäutigen Einheimischen in Kolonialländern durch weiße Arbeitgeber. 1950 *ff.*
5. Mittelloser. Analog zu ↗ schwarz. *Österr* 1800 *ff.*
6. schlechteste Note. Schwarz als Farbe der Trauer und des Unheils. *Schül* 1950 *ff.*
7. Lehrling; Rekrut. Analog zu ↗ Kuli. 1910 *ff.*
8. Einzelgänger. Überheblich betrachtet man ihn als Angehörigen einer Rasse, mit der man nichts zu tun haben will. *Schül* 1950 *ff.*
9. schwarze Tafel mit Sprechtexten als Gedächtnisstütze für Filmschauspieler. Filmspr. 1920 *ff.*
10. schwarze Tafel zum Abdecken von unerwünschtem Scheinwerferlicht. Filmspr. 1920 *ff.*
11. durch Retusche oder Montage verfälschtes Foto. 1950 *ff.*
12. ungenannt bleibender Verfasser von Redemanuskripten für Politiker, auch von schriftstellerischen Manuskripten (Schlüsselromanen, Lebenserinnerungen, Doktorarbeiten usw.). Der wahre Verfasser bleibt im Dunkel. 1930 *ff.*
13. ~ im Tunnel = stark unterbelichtetes Foto (Diapositiv); völlig geschwärztes Filmnegativ. 1920 *ff.*
14. finster wie im Arsch eines ~s = völlig dunkel. Alles an und in einem Neger denkt man sich schwarz. 1920 *ff.*
15. scharf wie zehn nackte ~ = überaus wollüstig. ↗ scharf. Vgl ↗ angeben 42. 1950 *ff.*
16. abgebrannt sein wie ein ~ = nach einem Urlaub am Meer kein Geld mehr haben. Der Betreffende ist in doppelter Hinsicht „schwarz wie ein Neger": er ist von der Sonne gebräunt und „↗ schwarz = mittellos". ↗ abgebrannt 1 u. 3. 1950 *ff.*
17. einen ~ abseilen = koten. Neger = dunkler Körper; abseilen = herunterlassen. *BSD* 1960 *ff,* weitverbreitet unter Halbwüchsigen.
18. angeben wie zehn nackte ~ (wie ein Haufen nackter ~, wie tausend nackte ~, wie ein Dutzend nackte ~, wie sieben nackte ~) = sich übergebührlich aufspielen. Vgl ↗ angeben 42. 1900 *ff.*
19. arbeiten wie ein ~ = angestrengt arbeiten; Schwerarbeit leisten. Hergenommen von der Behandlung der Neger durch Weiße, vor allem durch die Kolonialherren; zudem sind Neger ausdauernd. 1900 *ff. Vgl franz* „travailler comme un nègre".
20. das zieht einem nackten ~ die Hose aus = das ist unerträglich; das kann man nicht länger mit anhören. Wer sich derartiges gefallen läßt, hält auch das Unmögliche für möglich. *BSD* 1965 *ff.*
21. sich freuen wie ein nackter ~, wenn er ein Hemd bekommt = sich freu-

en. Spott auf die sogenannte Zivilisierung der Afrikaner. Wien 1950 *ff.*
22. sich freuen wie zehn nackte ~ (wie ein Waggon nackter Neger) = sich übermäßig freuen. ↗ Neger 18. *Österr* 1938 *ff.*
23. das haut den stärksten ~ aus dem Busch = das ist überaus eindrucksvoll. 1935 *ff, sold.*
24. das haut den dicksten ~ aus dem Jeep!: Ausdruck der Überraschung. Leitet sich her von den schwarzen US-Soldaten. 1945 *ff.*
25. das haut den dicksten ~ von der Palme = das ist sehr beachtlich. Beruht auf dem Bild von Eingeborenen bei der Kokosnuß-Ernte. 1945 *ff.*
26. das haut den stärksten ~ aufs Parkett = das ist überaus erstaunlich; das löst höchste Überraschung aus. 1945 *ff.*
27. schuften wie ein ~ = angestrengt arbeiten. ↗ Neger 19. 1900 *ff.*
28. ~ sein = mittellos sein. ↗ Neger 5. *Österr* seit dem 19. Jh.
29. das ist unter den ~ = das ist sehr minderwertig, völlig unbrauchbar. Die schlechteste Leistungsnote nennt der Schüler „Neger"; vgl ↗ Neger 6. 1950 *ff.*
30. toben wie ein ~ = heftig schimpfen; ausgelassen herumtollen. ↗ Neger 18. 1900 *ff.*
31. toben wie zehn nackte ~ im Schnee = zügellos toben; heftig schimpfen. 1900 *ff.*
32. das haut (schmeißt, wirft) den stärksten ~ um = das macht einen sehr großen Eindruck, ist erschütternd, unfaßlich; das ist ein starkes, berauschendes Getränk. Umschreibung für „das ist umwerfend". 1939 *ff.*

neger *präd* mittellos. ↗ Neger 5. *Österr* 1800 *ff.*

Negerbaß *m* tiefer Baß. Analog zu „dunkler Baß". 1950 *ff.*

Negerbimmel *m* ↗ Negerpimmel.

Negerdorf *n* **1.** unansehnliches, wenig fortschrittliches Dorf; Vorort einer Großstadt. 1900 *ff.*
2. Winterfrische. Die Wintersonne färbt die Gesichter dunkel. 1955 *ff.*

Negerfahne *f* grellbuntes, auffallendes, geschmackloses Kleid von geringer Qualität. Laienhafte Anspielung auf farbenfrohe Trachten. ↗ Fahne. 1950 *ff.*

Negerkampf im Tunnel *m* **1.** Bild, auf dem die Schwärze nichts zu sehen ist. ↗ Neger 13. 1920 *ff.*
2. nächtliche Filmaufnahme; unterbelichteter Film. 1920 *ff.*

Negerkinder *pl* zugunsten armer ~ verzichten = Verzicht leisten. Spöttisch übertreibende Wendung, beruhend auf karitativen Sammlungen für Kinder in Entwicklungsländern. 1950 *ff, schül.*

Negerklöten *pl* Marzipan-Ostereier mit Schokoladenüberzug. Vgl ↗ Klöten = Hoden = Eier. *Jug* 1955 *ff.*

Negerkuß *m* halbkugelförmige Leckerei aus gesüßtem, geschlagenem Eiweiß mit Schokoladenüberzug (auch „Mohrenkopf" genannt). Gilt weitgehend als Warenname. 1920 *ff.*

negern *tr* Texte für andere schreiben und als Verfasser ungenannt bleiben. ↗ Neger 12. 1965 *ff.*

Negerpimmel (Negerbimmel) *m* **1.** Blutwurst. ↗ Pimmel. *Sold* 1914 bis heute.
2. Schwarzwurzel. 1955 *ff, BSD.*

3. schwarze Zigarre. *BSD* 1955 *ff.*

Negerschweiß *m* **1.** (schlechter) Kaffeeaufguß. Groteskerweise wird angenommen, auch der Schweiß des Negers sei schwarz. Im frühen 20. Jh. in der Kriegsmarine aufgekommen und von da vorwiegend in die allgemeine Soldatensprache bis heute vorgedrungen.
2. Kakao; Kakao ohne Milch. 1910 *ff.*
3. Coca Cola o. ä. 1935 *ff.*
4. dunkles Bier. 1950 *ff.*
5. Lakritze. 1920 *ff.*
6. Maggiwürze. 1930 *ff.*
7. schwarzer Kaffee ohne Milch. *Österr* 1939 *ff.*

nehmen *v* **1.** *tr* = jn zu behandeln wissen; jn hart behandeln. Übertragen von einem unhandlichen Gegenstand, den man zu bewegen hat. 19. Jh.
2. *tr* = jn täuschen, übertölpeln. 1940 *ff.*
3. *tr* = jn mit dem Auto überholen. Übertragen vom Hindernisrennen: Hindernisse werden „genommen". 1930 *ff.*
4. *tr* = (bei Rasenspielen) ein grobes „Foul" begehen. *Sportl* 1950 *ff.*
5. einen ~ = ein Glas Alkohol zu sich nehmen. 1800 *ff.*
6. eine ~ = koitieren (vom Mann gesagt). Seit dem 19. Jh.
7. *intr* = bestechlich sein. Man nimmt Bestechungsgelder oder -geschenke an. Seit dem 19. Jh.
8. *intr* = Schläge hinnehmen; viel aushalten können. Vom Boxsport übernommen. 1930 *ff.*
9. das ~ nicht lassen können = diebisch sein. Seit dem 19. Jh.
10. hart im ~ sein = a) rücksichtslos handeln; sich keinen Vorteil entgehen lassen. Der Ausdruck der Boxersprache ist hier umgangssprachlich in sein Gegenteil verkehrt: aus „Schläge hinnehmen" wurde sinngemäß „Schläge austeilen" (nachdem man welche hatte hinnehmen müssen). 1930 *ff.* – b) Mißerfolge, Zurücksetzungen o. ä. zu ertragen wissen. 1950 *ff.* – c) Verletzungen o. ä. nicht scheuen. 1950 *ff.* – d) strapazierfähig sein. Werbetexterspr. 1975 *ff.*
11. schlecht im ~ sein = Enttäuschungen o. ä. nur schwer verwinden können. 1930 *ff.*
12. woher ~ und nicht stehlen (woher ~, wenn nicht stehlen)?: Frage, wenn man geben soll, was man nicht hat. Seit dem 18. Jh.
13. wollen wir einstweilen den (die, das) ~?: Redewendung, wenn ein gesuchter Gegenstand plötzlich zum Vorschein kommt. 1900 *ff.*

Neid *m* **1.** gelber ~ = großer Neid. In der volkstümlichen Farbensymbolik gilt Gelb als die Farbe der Mißgunst. 1500 *ff.*
2. gelbster ~ = übergroßer Neid. 1955 *ff, jug.*
3. nur kein ~, wer hat, der hat = was einem naturgegeben ist oder was man rechtmäßig erworben hat, soll einem niemand neiden. Vgl ↗ haben 1. 1920 *ff.*
4. das muß ihm der ~ lassen = das muß sogar ein neidischer Mensch bei ihm anerkennen. Seit dem 18. Jh.
5. vor ~ (vor blassem ~) platzen = überaus neidisch sein. Hergenommen von der durch Phädrus belegten Fabel vom Frosch, der sich aus Neid aufbläst, bis er platzt. Seit dem 19. Jh.

Neidhammel *m* neidischer Mensch. Hergenommen vom Futterneid des Hammels gegenüber den Widdern. 1500 *ff.*

Neidkragen *m* **1.** neidischer Mensch. Dem „↗Geizkragen" nachgebildet. *Oberd* 1800 *ff.*
2. Geiziger. *Oberd* 1800 *ff.*

Neigerl *n* geringe Menge Flüssigkeit. ↗Nagel II. *Bayr* und *österr* seit dem 19. Jh.

Nekrolüge *f* lobende Grabrede auf einen Unwürdigen; verschönter Nachruf. Von „Lüge" überlagertes „Nekrolog". 1950 *ff.*

Nektarauslese *f* Trinkwasser. Gegen 1930 von Alkoholgegnern aufgebracht.

Nelke *f* **1.** Liebchen; Kosewort. Zusammengezogen aus „Nägelchen" (*niederd* „Negelken") mit Angleichung an das natürliche Geschlecht. „Nagel" ist die Mitte der Zielscheibe, also das erstrebenswerteste Ziel. 1900 *ff.*
2. Prostituierte. Anspielung auf aufdringliches Parfüm? 1920 *ff.*
3. Schimpfwort. Nelkenduft ist nicht nach jedermanns Geschmack; manch einem „stinkt" die Nelke. 1935 *ff.*
4. gefärbte ~n = aufdringliche Schmeichelei. 1955 *ff.*
5. gefüllte ~ = schwangeres Mädchen. ↗Nelke 1. 1900 *ff.*

Nenn-Onkel *m* Erwachsener, den man „Onkel" nennt, ohne mit ihm verwandt zu sein. 1900 *ff.*

Nenn-Tante *f* Bekannte, die man „Tante" nennt, ohne mit ihr verwandt zu sein. 1900 *ff.*

Nepp *m* Preisüberforderung; Betrug. ↗neppen. 1870 *ff.*

neppen *tr* jm überhöhte Preise abverlangen. Nach 1806 von Juden aus Posen nach Berlin eingeschleppt im Sinne von „mit falschen Pretiosen betrügen" und „unechte Sachen für echte verkaufen". Kann auch Nebenform zur mundartlichem „noppen = aus Wolltuch die Knoten herauszupfen" sein, mit Weiterentwicklung zu „rupfen = schröpfen".

Neppfrau *f* Bardame; sehr kostspielige Prostituierte o. ä. ↗neppen. 1920 *ff.*

Neppier (Endung *franz* ausgesprochen) *m* Wirt, der überhöhte Preise fordert. 1920 *ff.*

Nepplokal *m* Gaststätte mit stark überhöhten Preisen; Lokal, in dem der Gast stark geschröpft wird. ↗neppen. 1900 *ff.*

Neppring *m* angeblich echter Gold-, Silberring. *Vgl* ↗neppen. *Rotw* 1800 *ff.*

'Neppto'mane *m* Gastwirt mit Wucherpreisen. Dem sachverwandten Wort „Kleptomane" nachgeahmt. ↗neppen. 1920 *ff.*

Nepptun *m* **1.** scherzhaft erfundener Schutzheiliger der Schlemmerlokale. Dem altrömischen Meergott Neptun nachgebildet mit Einwirkung von „↗neppen". Spätestens seit 1920.
2. Inhaber eines Schlemmerlokals. 1920 *ff.*

Neptun *m* **1.** Schwimmeister; Schwimmsportler. Eigentlich der altrömische Meergott. 1955 *ff.*
2. ~ beschenken (opfern) = auf See (über die Reling) sich erbrechen. Euphemismus seit dem frühen 20. Jh.

Nerv *m* **1.** Geschlechtslust. Seit dem 19. Jh.
2. flatternde ~en = hochgradige Nervosität. Übertragen vom „flatternden" Puls. 1930 *ff.*

3. knitterfreie ~en = seelische Unerschütterlichkeit. „Knitterfrei" stammt aus der Sprache der Textilhersteller. 1950 *ff.*
4. poröse ~en = schwache Nerven. Porös = durchlässig; nicht widerstandsfähig. 1950 *ff.*
5. schicke ~en = gespieltes Unwohlsein, um Rücksichtnahme auf sich zu erwirken (um einen Grund zu einer Badereise zu schaffen). Schick = elegant, kostspielig, eindrucksvoll. 1955 *ff.*
6. zerfetzte ~en = hochgradige Nervosität. 1930 *ff.*
7. zerfranste (zerrupfte) ~en = hochgradige Nervenschwäche. 1930 *ff.*
8. seine ~en wieder abtöten = sich wieder beruhigen. 1950 *ff.*
9. die ~en abwetzen = die Nerven abnutzen. ↗wetzen. 1945 *ff.*
10. die ~en sind angekratzt = nervlich ist man nicht mehr sehr widerstandsfähig. 1950 *ff.*
11. das sägt meine ~en an = das schadet meinen Nerven sehr. *Vgl* ↗Nervensäge. 1950 *ff.*
12. die ~en aufladen = die Nerven stärken. Übertragen vom Akkumulator. 1920 *ff.*
13. die ~en ausrasten lassen = die Nerven zur Ruhe kommen lassen. 1950 *ff.*
14. auf einem ~ bohren = auf etw Unangenehmes anspielen. Vom Zahnarzt hergenommen. 1900 *ff.*
15. jm die ~en auf Zwirnsrollen drehen = jn hochgradig nervös machen. 1950 *ff.*
15 a. die ~en drehen durch = man verliert die Beherrschung. 1950 *ff.*
16. mit den ~en durcheinandersein = nervengestört sein. 1920 *ff.*
17. ihm gehen die ~en durch (die ~en gehen ihm durch) = er verliert die Beherrschung. Herzuleiten von durchgehenden Pferden. 1900 *ff.*
18. mit den ~en fertigsein = nervlich sehr abgespannt sein. 1900 *ff.*
19. das fetzt an den ~en = das setzt der Nervenkraft erheblich zu. Fetzen = zerren. 1930 *ff.*
20. nicht den ~ finden = nicht die Kraft aufbringen; sich nicht aufraffen, ermannen. „Nerv" meint hier etwa soviel wie „das Mark in den Knochen". *Sportl* 1930 *ff.*
21. die ~en flattern = man ist überaus nervös. ↗Nerv 2. 1930 *ff.*
22. jm auf den ~ fühlen = jds Gesinnung zu prüfen suchen; jn näher kennenlernen wollen. Vom Zahnarzt hergenommen; *vgl* „jm auf den ↗Zahn fühlen". 1930 *ff.*
23. es geht an den ~ = es raubt einem fast die Fassung. Nerv = Innerstes; Empfindlichstes. 1920 *ff.*
23 a. jm auf den ~ gehen = jn nervös machen. 1929 *ff.*
24. einen ~ haben = a) alles gleichmütig hinnehmen. Hinter „einen" ergänze „kräftigen". Seit dem 19. Jh. – b) wunderliche Vorstellungen haben. Vielleicht übertragen vom Geschmacksnerv. 1900 *ff.* – c) naivunverfroren sein; für etw kein Empfinden haben. *Sold* in beiden Weltkriegen.
25. den ~ haben = den Mut zu etw haben; sich etw zutrauen; sich etw anmaßen. Nerv = Kraft, Energie. 1900 *ff. Vgl engl* „to have a nerve".
26. der hat ~en! = der beharrt uner-

schütterlich auf seinem Irrtum! er täuscht sich sehr, will es aber nicht wahrhaben! 1930 *ff.*
27. für etw einen ~ haben = Sinn für etw haben. 1900 *ff.*
28. einen besseren ~ haben = jm an Wahrnehmungssinn und Ahnungsvermögen überlegen sein. 1920 *ff.*
28 a. eiskalte ~en haben = Angst nicht kennen; vor Gefahren nicht zurückschrecken. 1960 *ff.*
29. einen frechen ~ haben = frech, dreist auftreten. 1930 *ff.*
30. gußeiserne ~en haben = nervlich viel aushalten können. 1920 *ff.*
31. den richtigen ~ haben = das richtige Verfahren wählen; Sinn für die erfolgssichere Handlungsweise haben. 1930 *ff.*
32. für etw einen sauberen ~ haben = etw zutreffend erahnen. *Sold* 1939 *ff.*
33. einen sonnigen ~ haben = a) wunderliche Einfälle haben. ↗sonnig. 1920 *ff.* – b) viel Geduld aufbringen; sich nicht aus der Ruhe bringen lassen. 1920 *ff.*
34. ~en wie Bandnudeln (breite Nudeln) haben = widerstandsfähige Nerven haben. Man ist grobnervig statt feinnervig. 1940 *ff.*
35. ~en haben wie Batzenstricke = nervenstark sein. Batzenstrick = Strick, der einen Batzen (= 4 Kreuzer) kostet. 1900 *ff.*
36. ~en haben wie Draht (aus Draht) = kräftige Nerven haben. 1930 *ff.*
37. ~en haben wie Drahtseile = widerstandsfähige Nerven haben. 1920 *ff.*
38. ~en haben wie Kälberstricke = starke Nerven haben. Der Strick muß so kräftig sein, daß das ungebärdige Kalb ihn nicht zerreißen kann. *Bayr* 1920 *ff.*
39. ~en haben wie Nylonseile = seelisch viel aushalten können. 1950 *ff.*
40. ~en haben wie Saurier = stärksten seelischen Belastungen gewachsen sein. 1940 *ff.*
41. ~en haben wie Schiffsseile (Schiffstaue) = sehr starke Nerven haben. 1850 *ff.*
42. ~en haben wie (aus) Stacheldraht = keine Anlage zu Nervosität haben. 1930 *ff.*
43. ~en haben wie (aus, von) Stahl = nervlich widerstandsfähig sein. 1800 *ff.*
44. ~en haben wie Stahlseile (Stahltrossen) = in seelischer Hinsicht unerschütterlich sein. 1910 *ff.*
45. ~en haben wie Stricke = nicht schnell die Fassung verlieren. 1920 *ff.*
46. ~en haben wie T-Träger = unerschütterliche Nerven haben. 1950 *ff.*
47. ~en haben wie Überseekabel = gegenüber schweren seelischen Belastungen die Ruhe bewahren. 1950 *ff.*
48. mit ihr ein ~ gerissen = er hat die Beherrschung verloren. Der Nerv ist hier der „↗Geduldsfaden". 1920 *ff.*
49. mit den ~en hinübersein = dem Nervenzusammenbruch nahe sein. ↗rübersein. 1910 *ff.*
50. seine ~en kaputtmachen = sich ein Nervenleiden zuziehen. 1920 *ff.*
51. jm die ~en klauen = jm die Fassung rauben. 1930 *ff.*
52. ihm haben sie wohl einen ~ geklaut?: Frage angesichts eines, der unsinnige Behauptungen aufstellt. 1900 *ff.*
53. jm am ~ knabbern = jn durch an-

haltendes Geschwätz nervös machen; jn um seine Beherrschung bringen. 1910 *ff.*

54. auf den ~ kommen = a) auf das eigentliche Anliegen zu sprechen kommen; eine peinliche Sache zur Sprache bringen. Der Zahnarztpraxis entlehnt. 1920 *ff.* – b) dem Gegner alle möglicherweise gefährlichen Karten abfordern. 1920 *ff.*

55. es kostet den letzten ~ = es erfordert äußerste Beherrschung, hohe Konzentration. 1930 *ff.*

56. ~en kriegen = nervös werden. Gemeint sind „schwache Nerven". 1930 *ff.*

57. sechzig ~en kriegen = einen Nervenschock bekommen. Wortwitzelei: ein Schock = 60 Stück. Spätestens seit 1900.

58. mit den ~en parterre sein = mit den Nerven erschöpft sein. ↗parterre sein. 1950 *ff.*

59. jm den ~ rauben = jn nervös machen. 1930 *ff.*

60. jm den letzten (allerletzten) ~ rauben = jn fassungslos machen; jn mit Geschwätz, Dümmlichkeit o. ä. um die Beherrschung bringen. 1930 *ff.*

61. auf jds ~en rumklavieren = jds Geduld hart auf die Probe stellen. 1920 *ff.*

62. jm auf den ~en rumreiten = jn durch ständige Behelligung nervös machen. 1920 *ff.*

63. jm auf den ~en rumtrampeln = jds Geduld und Gutmütigkeit überbeanspruchen. 1900 *ff.*

64. jm auf den ~en rumtreten = jds Beherrschung auf eine harte Probe stellen. 1900 *ff.*

65. mit den ~en runtersein = nervlich erschöpft sein. ↗runtersein. 1900 *ff.*

66. die ~en neu schärfen = eine Erholungsreise unternehmen; sich einer Kur unterziehen. Beruht auf dem Vergleich mit dem abgenutzten Messer, das man wieder schärft. 1850 *ff.*

67. jm an den ~en sägen = jds Fassung ernstlich zusetzen; jn immer von neuem bedrängen. 1910 *ff.* ↗Nervensäge. 1910 *ff.*

68. das ist sein ~ = das ist sein Hauptinteressengebiet. Wer diesen Nerv berührt, findet sofort hellste Aufmerksamkeit. 1920 *ff.*

69. meine ~en sind total zu Fuß (mit den Nerven bin ich total zu Fuß) = ich bin nervlich völlig entkräftet. Analog zu ↗Nerv 65. 1940 *ff.*

70. jm auf den ~en sitzen = jn nervös machen. Spätestens seit 1900.

71. jm den ~ stehlen = jm die Initiative, den Mut oder die Angriffslust nehmen. *Sold* und *sportl* 1930 *ff.*

71 a. die ~en streiken = man verliert die Beherrschung. 1970 *ff.*

72. auf jds ~en tanzen = jn zur Wut (Wollust) reizen. 1900 *ff.*

73. jm an den ~ tippen = ein unliebsames Gesprächsthema berühren; einen für den Gesprächspartner peinlichen Vorgang erwähnen. 1920 *ff.*

74. jm den ~ (den letzten ~) töten = a) jn aus der Fassung bringen; jn immerfort belästigen. 1910 *ff.* – b) jn weit überflügeln; jds Leistungsvermögen übertreffen. 1920/30 *ff.*

75. das tötet mir den ~ = das erschöpft mich nervlich. 1910 *ff.*

76. jds ~ treffen (bei jm den richtigen ~ treffen) = jds Geschmack treffen; treffsi-

cher reden; auf jds Hauptinteressengebiet zu sprechen kommen. Kann sich von der zahnärztlichen Praxis herleiten oder auch vom „↗Musikantenknochen". 1920 *ff.*

77. jm die ~en zerfetzen = jm solange zusetzen, bis er die Geduld verliert. 1930 *ff.*

78. jds ~en zerknautschen = jm schwer zusetzen; jn zur Verzweiflung treiben. 1930 *ff.*

79. jm die ~en zersägen = jn zur Wut aufreizen. *Vgl.* ↗Nervensäge. 1930 *ff.*

80. jm den ~ ziehen = a) jds unlautere Handlungsweise unterbinden. Aus der Neurologenpraxis entlehnt. 1920 *ff.* – b) jds Kampfeseifer dämpfen. *Sportl* 1930 *ff.*

81. jm den letzten ~ ziehen = jm die Geduld rauben. 1900 *ff.*

82. jm an den ~en zurren = jds Beherrschung viel abverlangen. Zurren = zerren, zuschnüren. 1920 *ff.*

Nerve *f* nervenaufreibende Tätigkeit. *Halbw* 1980 *ff.*

nerveln *intr* leicht nervös sein. 1950 *ff.*

nerven *v* **1.** *tr* = jn nervös machen, entkräften. *Schül* 1950 *ff.*

2. *tr intr* = koitieren. ↗Nerv 1. 1800 *ff.*

Nervenbündel *n* **1.** hochgradig nervöser Mensch. 1890 *ff. Vgl engl* „a bundle of nerves".

2. feinnerviger Künstler. 1900 *ff.*

Nervenfloh *m* kleiner, nervös bedingter roter Fleck im Gesicht, am Hals usw. 1935 *ff.*

Nervenfraß *m* Aufregung; seelisch angreifendes Ereignis. Dem „Knochenfraß" nachgebildet; die Sache frißt an den Nerven. 1910 *ff.*

Nervengeier *m* nervös machender Mensch. Raubtierartig stürzt er sich auf die Nerven des Mitmenschen. 1930 *ff.*

Nervenjammer *m* Nervenzusammenbruch. Dem „↗Katzenjammer" nachgebildet. 1939 *ff.*

Nervenkitzel *m* Spannungseffekt. Dem „Gaumenkitzel" nachgeahmt. 1900 *ff.*

Nervenklau *m* nervös machende Person oder Sache. Gegen 1940 aufgekommen, wohl unter dem Einfluß des Schlagworts „↗Kohlenklau".

Nervenkostüm *m* **1.** Nervensystem; nervliche Festigkeit. Entweder entstellt aus „Nervensystem" oder auf der Vorstellung beruhend, daß die Nervenfasern alle Teile des Körpers wie ein Kostüm überziehen. Spätestens seit 1870.

2. das ~ aufbügeln = anregende Genußmittel zu sich nehmen. ↗aufbügeln 4. 1920 *ff.*

3. jm das ~ demolieren = jn nervös machen. 1920 *ff.*

4. das ~ platzt aus den Nähten = man verliert die Beherrschung. Übertragen von einem überdehnten Kleid, das an den Nähten aufreißt. 1950 *ff.*

Nervenkrieg *m* Auseinandersetzung, die den Streitenden äußerste Beherrschung und starke seelische Widerstandskraft abverlangt. 1933 (?) *ff.*

Nervenmühle *f* **1.** aufreibende Tätigkeit; Betrieb, der an die Nervenkraft der Arbeitnehmer hohe Anforderungen stellt; starke seelische Belastung. Der ↗Knochenmühle nachgeahmt. 1910 *ff.*

2. Schule. 1910 *ff.*

3. jn durch eine ~ drehen = jn einer tagelangen Hauptverhandlung vor Gericht

(einem tagelangen Verhör) aussetzen. 1933 *ff.*

Nervensäge *f* **1.** nervös machender Mensch; unangenehm laute, kreischende Stimme; kreischendes Musikinstrument; bis an die Grenze des Erträglichen gesteigerte Aufregung. 1900/10 *ff.*

2. aufreibende geistige Tätigkeit. 1910 *ff.*

3. Maschinengewehr. *BSD* 1960 *ff.*

4. Plattenspieler, Tonbandgerät. *Halbw* 1955 *ff.*

5. Fernsehgerät. 1960 *ff, jug.*

6. Klavier. *BSD* 1960 *ff.*

7. russische ~ = nächtlicher Störflieger der Roten Armee. Wegen des eigentümlich ratternden Motorengeräusches. *Sold* 1941 *ff.*

8. singende ~ = Sänger anspruchslosrührseliger Schlagerliedchen. Anspielung auf den eindringlich einschmeichelnden Klang des Musikinstruments „Singende Säge". 1955 *ff.*

9. jm die ~ spannen = jn nervös machen. Weiterentwickelt aus „jn auf die ↗Folter spannen". 1950 *ff.*

Nervenschocker *m* aufregende Vorführung. ↗Schocker. 1950 *ff.*

Nerventöter *m* **1.** Mensch, der andere nervös macht. 1950 *ff.*

2. laut funktionierender Mechanismus. 1950 *ff.*

Nerventröster *m* entkoffeinierter Kaffee. 1930 *ff.*

Nerve'rei *f* Nervösmachen; Nervöswerden. 1970 *ff.*

nerviös *adj* nervös. Nach dem Muster von „luxuriös", „ambitiös", „maliziös" o. ä. gebildet. Mancher hält „nerviös" für bedeutend vornehmer als „nervös". 1870 *ff.*

nervös *adj* aufregend, sensationell. Von „reizbar" weiterentwickelt zu „aufreizend". 1840 *ff.*

Nervtöter *m* **1.** Mensch, der seine Mitmenschen durch unsinnige Reden, kleinliche Betriebsamkeit o. ä. bis zur Unerträglichkeit belästigt. 1920 *ff.*

2. minderwertiger Rauchtabak. Die „passiven Raucher" werden durch ihn nervös. *Sold* 1939 *ff.*

3. Telefonapparat. 1930 *ff.*

4. einschmeichelnde Melodie, die einem nicht mehr aus dem Sinn geht. 1950 *ff.*

5. *pl* = Schulnoten. 1955 *ff, schül.*

6. *pl* = Zahnarzt. 1900 *ff.*

Nervus *m* **1.** Geld. Verkürzt aus ↗Nervus 4. 1870 *ff.*

2. ~ Peking = Geld. „Peking" ist entweder entstellt aus *lat* „pecunia = Geld" oder aus „↗Pinke". *Rotw* 1900 *ff.*

3. ~ Plenny = Geld. „Plenny" fußt auf *engl* „plenty = Fülle; viel; reichlich". *Rotw* 1900 *ff.*

4. ~ rerum = a) Geld. Entlehnt aus Cicero, der die Steuern als die „Nerven des Staates" bezeichnet („nervos rei publicae"). *Vgl* ↗Lebensnerv. Im 19. Jh aufgekommen, wohl durch studentische Vermittlung. – b) Kernpunkt; Hauptgesichtspunkt. 1950 *ff.*

Nerzkarnickel *n* Pelzimitation. Karnickel = Kaninchen. 1960 *ff.*

Nesseln *pl* **1.** in die ~ geraten = sich durch einen Irrtum schaden; in Not geraten. *Vgl* das Folgende. Seit dem 19. Jh.

2. sich in die ~ setzen = sich arg verneh-men; Mißerfolg selber verschulden. Hergenommen von einem, der sich bei eiliger

Notdurftverrichtung in die Brennnesseln setzt und den Schaden zu spät merkt. Seit dem 19. Jh.

3. in den ~ sitzen = in arger Verlegenheit sein. Seit dem 19. Jh.

Nest n **1.** unansehnliches Dorf; Klein-, Großstadt *(abf).* Hergenommen vom Nest der Vögel im Sinne einer engen Behausung. 1700 ff.

2. Wohnung. 1700 ff.

3. Zimmer, das man auf Stunden mieten kann; behagliche Ecke, in der man ungesehen intim sein kann. Verkürzt aus „↗Liebesnest". 1900 ff.

4. Bett, Schlafzimmer. 1700 ff.

5. Jugendheim; Wandervogelheim u. ä. Seit dem frühen 20. Jh.

6. Klassenzimmer. 1960 ff.

7. Vagina. „Nest" und „Vogel" sind sprachlich ein Paar wie Vagina und Penis. 1500 ff.

8. im Nacken aufgesteckte Zöpfe. Sie wirken wie ein vogelnestähnliches Gebilde. Seit dem 19. Jh.

9. jm das ~ anwärmen = jds Geliebte sein. 1900 ff.

10. das ~ ausnehmen = a) die Eierstöcke entfernen. 1900 ff. – b) die Hoden entfernen; kastrieren. 1937 ff.

11. sein ~ bauen (machen) = a) einen Hausstand gründen. Seit dem 19. Jh. – b) das Kasernenbett vorschriftsmäßig herrichten. *Sold* 1900 ff.

12. das eigene ~ beschmutzen (bekleckern) = Vorgänge enthüllen, die für die eigene Familie (Gemeinschaft o. ä.) peinlich sind; seinen Beruf verunglimpfen. Geht zurück bis in die Jahrhunderte des Mittelalters, wo man behauptete, der Wiedehopf kote in sein Nest.

13. neben das ~ legen = a) Mißerfolg selber verschulden. Hergenommen vom Verhalten der Hühner. Seit dem 19. Jh. – b) sich beim Kartenspiel (beim Zählen der Punkte) verrechnen. Seit dem 19. Jh.

14. ins eigene ~ scheißen = über seinen eigenen Stand schimpfen; Ungünstiges über die eigene Familie (o. ä.) äußern; Leute verunglimpfen, auf die man angewiesen ist. ↗Nest 12. 1500 ff.

15. da muß irgendwo ein ~ sein: Redewendung, wenn unerwartet einige gleichgekleidete Personen aus derselben Richtung kommen, oder wenn Leute unerwartet nacheinander auftauchen. Die Redensart scheint in den sechziger Jahren des 20. Jhs aufgekommen zu sein, und zwar im Zusammenhang mit einer Fülle von Witzen über Elefanten, die fliegen konnten.

16. sich ins gemachte ~ setzen = a) eine materiell vorteilhafte Ehe eingehen. *Vgl* ↗Bett 14. Seit dem 19. Jh. – b) eine wirtschaftlich gesunde Firma erben. 1920 ff.

17. sich ins warme ~ setzen = a) vorteilhaft einheiraten. Seit dem 19. Jh. – b) koitieren. *Vgl* ↗Nest 9. 1900 ff.

18. im warmen ~ sitzen = in angenehmer, wirtschaftlich sorgloser Lage sein. Seit dem 19. Jh.

19. sich ein warmes ~ suchen = eine gute Einheirat anstreben. Seit dem 19. Jh.

Nestbeschmutzer m Verleumder von Mitarbeitern, Familienangehörigen o. ä.; Vaterlandsbeschimpfer. ↗Nest 12. Spätestens um 1900 aufgekommen.

Nesthäkchen n **1.** jüngstes Kind einer Fa-

milie. Nebenform von „↗Nesthocker", beeinflußt von „sich haken = sich am Nestrand festhaken", *gleichbed* mit „nicht flügge werden können". 1600 ff.

2. Schüler der Unterstufe. 1920 ff.

3. Klassenwiederholer. 1950 ff, *schül.*

Nesthocker (-hockerl) m (n) **1.** jüngstes Kind in der Familie. Eigentlich das Vogeljunge, das im Nest hocken bleibt und nicht gleichzeitig mit den anderen flügge wird. Seit dem 18. Jh.

2. schwächliches, oft bettlägeriges Kind; Kind, das morgens als letztes aufsteht. Seit dem 19. Jh.

3. Mädchen, das keinen Ehepartner findet. Seit dem 19. Jh.

Nestkack m jüngstes Kind in einer Familie. Meint eigentlich das Vogeljunge, das noch „kack = federlos" ist. Seit dem 19. Jh.

Nestküken (-kücken, -kikel) n jüngstes Kind der Familie. Meint das zuletzt flügge werdende Vogeljunge. 1700 ff.

Nestquack, Nestquacker (-quackelchen) m (n) jüngstes Kind einer Ehe. ↗Nestkack. 1700 ff.

Nestscheißerl (-scheißerlein) n letztgeborenes Kind. ↗Nestkacker. *Oberd* 1800 ff.

Nestwärme f liebevoll-mütterliche Familienumwelt, in der die Kinder Geborgenheit und Verständnis finden. Vom Verhalten der Vögel übernommen, wahrscheinlich erst gegen 1950.

nett adj **1.** unangenehm, niederträchtig, charakterlos. Ironisierung. Etwa seit 1800.

2. etw ~ machen = etw völlig verderben, falsch aussprechen. Seit dem 19. Jh.

Netter m du bist mir ein ~!: Ausdruck der Enttäuschung. Ironie. Seit dem 19. Jh.

Netz n **1.** Charme, Koketterie, Flirt. Mit derlei knüpft man das Netz, in dem man einen Menschen zu fangen sucht. *Halbw* 1955 ff.

2. mit ~ und doppeltem Boden = mit besonderen Sicherheitsvorkehrungen. Stammt aus dem Zirkusleben: das Netz ist für den Trapezkünstler, und den doppelten Boden sagt man dem „Zauberer" nach. 1950 ff.

3. ohne ~ und doppelten Boden = ohne besondere Kunstgriffe; auf ganz einfache Weise; völlig aufrichtig. *Vgl* das Vorhergehende. 1950 ff.

4. hinter dem ~ angeln (fischen) = unzweckmäßig, unsinnig handeln; sich vergeblich abmühen. 1700 ff; wohl älter.

5. jm ins ~ gehen = von jm bei einem Vorgehen ertappt werden. Hergenommen vom Vogelsteller, mit dem der Polizeibeamte vieles gemeinsam hat. Seit dem 19. Jh.

6. ins ~ gehen = ein weitmaschig gehäkeltes Bekleidungsstück anziehen. Wortwitzelei. 1965 ff.

7. ins goldene ~ locken = jn durch hohe Vergütung zu gewinnen suchen; jm die verlockendsten Versprechungen machen. 1920 ff.

8. ein ~ vor den Kopf ziehen = die Stirn runzeln. Seit dem 19. Jh.

Netzfang m Razzia. ↗Netz 5. Kundenspr. 1840 ff.

Neuarmer m Mensch, der wirtschaftlich gescheitert ist. Scherzhaftes Gegenstück zum Wort „Neureicher". 1964 ff.

Neubau m **1.** im ~ wohnen (geboren sein) = die Türen hinter sich nicht schließen.

Der Neubau hat noch keine Türen; der Bewohner hat daher noch keine Erfahrung mit Türen. Seit dem frühen 20. Jh.

2. mach' mich fertig, ich bin ein ~!: Einladung zum Geschlechtsverkehr. ↗fertigmachen 1. 1950 ff.

Neues n **1.** auf ein ~!: Ausruf bei Beginn einer weiteren Runde Skat, bei Fortsetzung einer durch eine Pause unterbrochenen Arbeit, bei Beginn einer Wiederholung usw. Verkürzt aus „auf ein neues Spiel". Seit dem 16. Jh.

2. am besten nichts ~: Skatspielerregel, wonach man eine noch nicht aufgespielte Farbe nicht eher anrühren soll, bis man zu wissen glaubt, wie diese Farbe beim Gegner steht. Aufgekommen mit der üblichen Wendung in den Heeresberichten des Ersten Weltkriegs „im Westen nichts Neues", bekannt durch den gleichlautenden Titel des Antikriegsromans von Erich Maria Remarque (1929).

neugebacken adj kürzlich ernannt. Eigentlich vom Brotbacken; im 16./17. Jh auch auf Sachen und Personen bezogen.

neugeboren adj sich wie ~ fühlen (wie ~ sein) = a) sich gut erholt haben; bei besten Kräften sein. 1700 ff. – b) frische Wäsche angezogen haben. 1900 ff.

Neugier f **1.** von ~ geplagt sein = überaus neugierig sein. Seit dem 19. Jh.

2. vor ~ platzen = seine Neugier nicht mehr zügeln können. 1920 ff.

3. vor ~ umkommen = die Neugier nicht unterdrücken können. 1900 ff.

Neugierfenster n Sichtloch in (neben) der Haustür. 1950 ff.

Neujährchen n Neujahrsgeschenk. Im 16. Jh bezogen auf die Beschenkung der Familie und Verwandtschaft zu Neujahr; heute vorwiegend beschränkt auf das Geldgeschenk für die Zeitungsfrau, den Postboten, den Müllwerker u. ä. Seit dem 19. Jh.

Neumann m Sanitätssoldat. Fußt auf dem Versen, die unter dem Namen des Sanitätsgefreiten Neumann in Soldaten- und Zivilkreisen verbreitet sind. *BSD* 1965 ff; wahrscheinlich älter.

neun I adv nein. Gilt manchen Leuten als vornehmere Aussprache. 1920 ff.

neun II num **1.** alle ~ (e)l: Ausruf der Freude über einen Glücksfall (über einen Artillerievolltreffer o. ä.), wenn ein Gegenstand mit Geräusch entzweigeworfen wird, klirrend zu Boden fällt usw. Hergenommen vom Neunwurf des Keglers. Spätestens seit 1900.

2. alle ~ schieben = das meiste Geld verdienen. 1950 ff.

3. ach du grüne ~el: Ausruf der Verwunderung oder des Erschreckens. Hängt zusammen mit dem Berliner Vergnügungslokal „Conventgarten" in der Blumenstraße 9 mit dem Haupteingang am Grünen Weg (etwa seit 1850); die „Grüne Neune" war im Volksmund die Ersatzbezeichnung für das unvolkstümliche „Conventgarten". Nach 1882 wurde das Lokal ein billiges Tanzcafé und Stätte mancher Handgreiflichkeiten. Berlin 1890 ff.

Neungescheiter m Besserwisser. Hängt vielleicht zusammen mit der Sitte, bei verschiedenen Gelegenheiten neun sachverständige Schiedsrichter zu wählen. Seit dem 19. Jh.

Neunundfünfziger m hoch in den ~n

sein = ziemlich viele Stiche gemacht haben, aber nicht Sieger sein. Am Sieg fehlen nur 2 Punkte. Skatspielerspr. 1920 ff.

neunundneunzig num auf ~ sein = sehr erregt sein; seinen Zorn nur mühsam unterdrücken können. Gegen 1900 hergenommen von der Siedehitze, die man mit 100 Grad Celsius kennzeichnet.

Neunundvierzigerin f hohe ~ = Frau, die weit über 50 Jahre alt ist. Galant sagt man, Frauen würden nie 50 Jahre alt. 1900 ff.

neunundzwanzig num hoch (tief) in den ~ (etwas über ~) sein = im mittleren Lebensalter stehen. Eine scherzhaft-galante Bezeichnung für das Alter der Frauen, die ungern zugeben, daß sie das dreißigste Lebensjahr überschritten haben. Daher läßt man sie Jahr für Jahr den 29. Geburtstag feiern. Spätestens seit 1800.

neunzig num **1.** jn auf ~ bringen (kriegen) = jn erzürnen. Man bringt ihn nahe an den bei der Celsius-Skala auf 100 Grad liegenden Siedepunkt. 1930 ff.
2. auf ~ sein = sehr aufgebracht sein. 1930 ff.
3. zwischen ~ und scheintot sein = sehr alt sein. Sold 1935 ff.

nibbeln (nippeln) intr **1.** wenig und in Stückchen essen; in kleinen Schlucken trinken. Verkleinerungsform von „nippen". 1700 ff. Vgl engl „to nibble".
2. in kleine Stücke schneiden. 1850 ff.

Nichtchen (Nichtschen) n ein Nichts. Eigentlich dim Form von „Nichts" (n). Seit dem 18. Jh.

Nicht-Gespräch n erfolgloses Gespräch unter Staatsmännern. Wohl dem Engl nachgeahmt. 1961 ff.

Nicht-Papier n formlose inoffizielle Niederschrift einer Meinung. Übersetzt aus engl „non-paper". 1968 ff.

Nichtraucher m leidenschaftlicher ~ = Nichtraucher aus Überzeugung. Scherzhaftes Gegenstück zum „leidenschaftlichen Raucher". 1920 ff.

Nichts n **1.** duftiges ~ = Tüllkleid. 1950 ff.
2. durchsichtiges ~ = hauchdünnes Kleid; Tüllbluse. 1950 ff.

nichts pron **1.** ~ Komma Josef = nichts. Wien 1920 ff.
2. ~ dahinter und ~ davor = nichts Gediegenes. Hergenommen von einem Gegenstand, der weder auf der Rückseite noch auf der Vorderseite Gediegenheit zu erkennen gibt; kann sich auch auf eine weibliche Person beziehen, der die angenehmen Körperrundungen abgehen. Seit dem 19. Jh.
3. ~ wie ab! = schnell weg! „Nichts wie" = nur. 1900 ff.
4. ~ wie drauf! = rasch drauflos! rasch auf den Gegner einschlagen! 1900 ff.
4 a. ~ wie durch! = hindurch ohne Zögern! 1900 ff.
4 b. ~ wie fort! = rasch fort! 1900 ff.
5. ~ wie heim! = schnell nach Hause! 1900 ff.
5 a. ~ wie her damit! = gib es rasch her! 1920 ff.
6. ~ wie hin! = schnell hin! 1920 ff.
7. ~ wie los! = unverzüglich aufgebrochen! 1900 ff.
8. ~ wie nach! = rasch hinterdrein! rasch die Verfolgung aufnehmen! 1900 ff.
9. ~ wie ran! = tapfer, ohne Zögern

zugegriffen! setz dich zu uns an den Tisch und iß mit! 1900 ff.
10. ~ wie raus! = schnell hinaus! rette sich, wer kann! Spätestens seit 1900.
11. ~ wie rein! = schnell eintreten! 1900 ff.
12. ~ wie rin in den Bach! = schnellstens tauchen! Bach = Meer. Wortschatz der U-Boot-Leute, 1939 ff.
13. ~ wie weg! = schleunigst fort von hier! 1900 ff.
14. für (um, wegen) ~ und wieder ~ = vergeblich; umsonst; grundlos. 1700 ff.
15. mir ~, dir ~ = ohne weiteres; ohne Umstände; rücksichtslos; unversehens. Wohl verkürzt aus „es schadet mir nichts und dir nichts". Seit dem späten 17. Jh.
16. von mir ~, dir ~ ist ~ = ohne Einlage in die Spielkasse ist kein Gewinn zu erzielen. 1900 ff.
17. sonst ~ mehr!: Ausdruck entschiedener Ablehnung, empörter Zurückweisung. 1935 ff, bayr.
18. er hat zwar ~, aber das hat er sicher = er lebt sehr eingeschränkt. 1930 ff, öster.
19. von ~ kommt ~ = alles hat eine Ursache. Seit dem 19. Jh.
20. lügen wie ~ = dreist lügen. Seit dem 19. Jh.
21. für ~ ist ~ = ohne Einzahlung in die Spielkasse gibt es keinen Gewinn; ohne redliche Mühegabe erreicht man nichts; ohne Fleiß kein Preis. Seit dem 19. Jh.
22. ~ sein = berufslos, parteilos, konfessionslos sein. Seit dem 19. Jh.
23. ~ mehr sein = entkräftet, elend sein. Seit dem 19. Jh.
24. es geht wie ~ weg = es findet reißenden Absatz (wie nichts anderes). 1920 ff.

Nichtschwimmer m **1.** Matrose. Nur wenige Matrosen können schwimmen. Bei der Kriegsmarine wurde kein Schwimm-Unterricht erteilt. Seit dem frühen 20. Jh.
2. geistiger ~ = geistesbeschränkter Mensch; Mensch, von dem man keine geistigen Leistungen erwarten darf. 1950 ff.
3. leidenschaftlicher ~ = Nichtschwimmer. Scherzhaft übernommen von Bezeichnungen, in denen „leidenschaftlich" einem Hauptwort positiven Inhalts vorausgeht (leidenschaftlicher Musikfreund, Spieler, Vegetarier o. ä.). 1920 ff.

nichtsdestotrotz konj **1.** nichtsdestoweniger. Scherzhaft zusammengesetzt aus „nichtsdestoweniger" und „trotz alledem". Wahrscheinlich in Berlin aufgekommen um 1870.
2. ~ fließt aus der Nase doch ... die Tränel = trotzdem! Scherzhafter Spruch, dem man anmerkt, daß er eigentlich auf „der Rotz" reimen soll. 1950 ff.

Nichtser (Nixer = berlinische Aussprache) m **1.** Versager; dummer Mensch. Er leistet nichts, ist in geistiger Hinsicht ein Nichts. 1910 ff.
2. Lotterielos, auf das kein Gewinn fällt. 1920 ff.
3. nichtzählende Spielkarte. Kartenspielerspr. 1910 ff.

Nichtstun n vom ~ ausruhen = ein arbeits-, berufsloses Leben führen. 1900 ff.

Nickel m **1.** Geldmünze. Meint eigentlich das 1873 als deutsche Reichswährung eingeführte Zehnpfennigstück aus Nickel.

2. ausgelassener, mutwilliger, frecher Mensch; Taugenichts; bösartiger, eigensinniger Mensch. Kurzform des Vornamens Nikolaus. Neben dem Kinderbeschenker bezeichnet der Name auch vermummte Schreckgestalten, die an besonderen Tagen ihren Schabernack mit den Leuten treiben. Seit dem 16. Jh.
2 a. liederliche weibliche Person; Prostituierte. Wahrscheinlich übernommen vom Rufnamen „Nickel" für ein Pferd; hier im Sinne von „schlechtes Pferd; Stute". 1700 ff.

Nickel-Hochzeit f Wiederkehr des Hochzeitstages nach zwölfeinhalb Jahren. In der „Metallwertung" der Ehe stellt Nickel nur den halben Wert von Silber dar. 1920 (?) ff.

Nicker m **1.** einmaliges Kopfnicken. Seit dem 19. Jh.
2. Empfangschef in Restaurants. Er nickt den Gästen bei der Begrüßung zu und wünscht ihnen mit einem Kopfnicken guten Appetit. 1930 ff.
3. Liebediener; willenloser Untergebener. Die Worte seines Vorgesetzten begleitet er mit häufigem Kopfnicken zum Zeichen gespielten Einverständnisses. BSD 1965 ff.
4. Ölpumpe. Wegen ihrer charakteristischen Nickbewegungen beim Pumpen von Öl. 1950 (?).

Nickerchen n Schlaf von kurzer Dauer. ↗einnicken 1. 1600 ff.

Niederastheimer (Niedernastheimer) m Apfel-, Beerenwein. Namen edler Weine nachgebildet. 1900 ff.

niederbügeln tr **1.** etw ~ = etw durch Beschuß dem Erdboden gleichmachen. Wie mit einem Bügeleisen wird die „Unebenheit" geglättet. Sold 1914 ff.
2. etw (einen Antrag) ~ = etw ablehnen; einen Antrag überstimmen. 1920 ff.
3. jn moralisch vernichten; jn anherrschen, mundtot machen; jn übertrumpfen. 1870 ff.
4. jds Widerstand brechen; jn knockout schlagen. 1910 ff.

niedergehen intr da gehst du nieder!: Ausruf des Erstaunens. Vor Überraschung verliert man das körperliche Gleichgewicht. 1910 ff.

niederlegen v **1.** intr = ein Geständnis ablegen. Kann sich herleiten von „schriftlich niederlegen = aktenkundig machen" oder ist Analogie zu ↗ „kuschen". Vgl auch „die Waffen niederlegen = sich ergeben". Österr 1862 ff, rotw.
2. da legst du dich nieder (da legst di nieder, oft mit dem Zusatz: und stehst nimmer auf)!: Ausruf der Überraschung. Versteht sich wie ↗ niedergehen. Bayr und südostd, 1850 ff.

niederwalzen tr **1.** jn nicht zu Wort kommen lassen; jn überschreien. Wie mit einer Walze überfährt man ihn. Vgl ↗ überfahren 1. 1920 ff.
2. jn machtlos machen; jds Widerstand völlig brechen. Sportl 1920 ff.

niederzischen tr jn durch anhaltendes Zischen am Weiterreden hindern. 1920 ff.

niedlich adj **1.** sich bei jm ~ machen = sich jm angenehm machen; jm einschmeicheln; sich jm von der liebenswürdigsten Seite zeigen. Niedlich = klein und zierlich; nett, begehrenswert. 1900 ff.
2. mach' dich nicht ~! = mach' dich nicht lächerlich! 1900 ff.

3. ein bißchen doof ist ~; aber du bist zu ~: Redewendung auf einen Dummen. *Jug* 1930 *ff.*

4. das ist ja ~! = das ist äußerst unangenehm, hochgradig unwillkommen! *Iron* Redewendung. Seit dem 19. Jh.

5. das wäre ~!: Ausdruck der Ablehnung. Etwa so zu verstehen: „ginge ich auf diese Zumutung ein, das wäre ja niedlich!". Seit dem 19. Jh.

6. das kann ja ~ werden! = das läßt eine böse Entwicklung erwarten. Seit dem 19. Jh.

7. ~ werden = im Rausch heiter-beschwingt und friedfertig werden. 1920 *ff.*

niedriger *adv* etw ~ hängen = a) eine Sache allen sichtbar machen. Wird auf Friedrich den Großen (1781) zurückgeführt: eine gegen ihn gerichtete Spottzeichnung sollte auf seine Weisung hin niedriger gehängt werden, damit jedermann sie bequem sehen könne. Der Ausspruch lebte gegen 1900 erneut auf. – b) eine Sache nicht aufbauschen, weniger wichtig nehmen. 1920 *ff.* – c) jegliche Übertreibung vermeiden. 1950 *ff.*

niemand sein ein unbedeutender Mensch sein. Verkürzt aus „niemand von Rang und Namen, von Stand sein" o. ä. Seit dem 19. Jh.

Niere *f* **1.** Mädchen, Tanzpartnerin. Wohl verkürzt aus „Wanderniere" und bezogen auf ein Mädchen, das auch mit anderen Herren tanzt und es überhaupt mit mehreren hält. *Halbw* 1955 *ff.*

2. jn bis auf die ~n ausfragen = jn gründlich ausfragen, verhören. Analog zu „auf ↗Herz und Nieren prüfen". *Jug* 1950 *ff.*

3. die ~n ausschlenkern = a) harnen. 1900 *ff.* – b) koitieren. Im Mittelalter hielt man die Nieren für den Sitz des Geschlechtstriebs. *Sold* in beiden Weltkriegen.

4. die ~n erschrecken = zechen; eiskaltes Bier trinken. 1935 *ff.*

5. es geht einem an (auf) die ~n = es berührt einen empfindlich, ist überaus schmerzlich. Von der früheren Geltung der Niere als dem Sitz der Gemütsbewegungen verallgemeinert zur Bedeutung „Inneres". Seit dem 19. Jh.

6. jm an (auf) die ~n gehen = jm lästig fallen; jn nervös machen; jn um die Beherrschung bringen. Seit dem 19. Jh.

7. jm bis auf die ~n gucken = jn durchdringend, mit mißtrauisch forschendem Blick ansehen. Nieren = Inneres. 1935 *ff*, *sold.*

8. die ~n klatschen sich in die Hände = es wird kräftig gezecht. 1935 *ff.*

9. die ~n spülen = zechen. 1920 *ff.*

Nieselpriem *m* **1.** wunderlicher Mann; ungeschickter, energieloser Mann; Dummer; Schimpfwort. Aus der Grundbedeutung „nieseln = langsam regnen" entwickelt sich die Vorstellung „saumselig tätig sein" und „temperamentlos sein". „Priem" ist der Pfriem, die Schusterahle, und in übertragener Bedeutung die Penis. 1840 *ff, nordd* und *ostmitteld.*

2. saumseliger Zahler; Geiziger. 1920 *ff.*

3. kleinwüchsiger Mensch. Berlin 1910 *ff.*

4. heimtückischer Mensch. 1930 *ff.*

Niete *f* **1.** Versager; Klassenschlechtester. Aus dem *Ndl* übernommen, wo es den

---

Nichttreffer bei einer Verlosung bezeichnet. 1800 *ff.*

2. Blindgänger. *Sold* 1939 bis heute.

nieten *v* **1.** *tr* = prügeln. Übertragen vom Einhämmern der Verbindungsbolzen. Spätestens seit 1900.

2. *intr tr* = koitieren. Es wird ein „Loch" verschlossen. 1920 *ff.*

3. jn ~ = jn erschießen. 1950 *ff.*

4. jn ~ = jn niederboxen. 1920 *ff.*

Nietenhose (Niethose) *f* Blue Jeans. Auch Cowboyhose oder Texashose genannt. Anspielung auf die durch Nieten verstärkten Nähte. 1950 *ff.*

Niethosenmädchen *n* Mädchen in Blue Jeans. ↗Nietenhose. 1950 *ff.*

niet- und nagelfest *adv präd* gut befestigt. Meist in der Wendung „nehmen (stehlen), was nicht niet- und nagelfest ist". Es ist mittels Nieten und Nägeln festgemacht. 1700 *ff.*

Nikolaus *m* **1.** einfältiger Mann. *Vgl* ↗Nickel 1. 1900 *ff.*

2. *pl* (Nikoläuse) = Ungeziefer. Wortwitzelnde Mehrzahl des Vornamens Nikolaus, anklingend an „Läuse". *Sold* in beiden Weltkriegen, auch *ziv.*

3. *pl* = die Darsteller des Heiligen Nikolaus; Weihnachtsmänner. 1900 *ff.*

nikotinen *v* **1.** *intr* = rauchen. 1939 *ff.*

2. es nikotint mir = ich habe Verlangen nach einer Zigarette o. ä. 1939 *ff.*

Nikotinflöte *f* Zigarette, Zigarre. Wohl weil man sie wie eine Signalpfeife in den Mund steckt. *Vgl* auch ↗Flöte 1. 1914 *ff.*

nikotinfrei *adj* frei von Anstößigkeiten. Die nikotinarme Zigarette heißt auch „↗Kastrierte", wie „kastriert" bezeichnet soviel wie „frei von Anstößigkeiten". 1960 *ff.*

Nikotinist *m* stillgelegter ~ = vormaliger Raucher, der jetzt strenger Nichtraucher ist. Als Raucher ist er stillgelegt wie eine Kohlenzeche oder eine Eisenbahnstrecke. 1937 *ff.*

Nikotinothek *f* Zigarettenautomat. Zusammengesetzt aus „Nikotin" und „Diskothek" (o. ä.). Kellnerspr. 1960 *ff.*

Nikotintheater *n* **1.** Varieté mit Raucherlaubnis. Berlin seit dem ausgehenden 19. Jh.

2. Kino mit Raucherlaubnis. 1940 *ff.*

Nikotinvergiftung *f* ~ haben = heftig verprügelt worden sein. Wortwitzelnd zusammengebracht mit „vertobaken = verprügeln". 1930 *ff.*

Nille (Nülle) *f* **1.** Penis; Eichel des männlichen Glieds. Verwandt mit „Nibbe, Nipp, Niff = Nasenspitze; Ausguß an der Kanne"; *vgl* auch *mhd* „nel, nelle = Spitze". Im 18. Jh aus dem *Rotw* in die Umgangssprache eingewandert.

2. Fußball. Er hatte früher Eichelform (wie im amerikanischen Football). 1930 *ff*, *schül.*

3. offene ~ = „Null ouvert" beim Skatspiel. Wortwitzelei über die Verkleinerungsform von Null („Nulleken = Nülleken = Nilleken"). 1900 *ff.*

4. verbogene ~ = von Geschlechtskrankheit befallener Penis. *Sold* 1939 *ff.*

nillig *adj* dumm, unerfahren. Gehört zu „Nille" in der *ostpreuß* Bedeutung „herabhängender Nasenschleim" und ergibt also Analogie zu „rotzjungenhaft". *Jug* 1950 *ff.*

Nilpferd *n* **1.** ungeschickter Mensch. Nilpferde sind plump und schwerfällig. 1900 *ff.*

---

2. ich glaube, mein ~ bohnert!: Ausdruck des Erstaunens. *Vgl* „↗Hamster". *Halbw* 1967 *ff.*

3. gähnen wie ein ~ = stark gähnen. Das Nilpferd kann den Rachen weit aufreißen. 1939 *ff*, *sold.*

4. grunzen wie ein ~ = fest, unter lautem Schnarchen schlafen. Allgemeiner Steigerungsvergleich auf Grund der plumpen Körperform. *Sold* 1939 *ff.*

Nilpferd-Charme *m* gespielt-liebenswürdige Miene eines Breit-, Feistgesichtigen. 1955 *ff.*

Nimmerleins-Tag *m* am (bis zum) Sankt-~ = nie. Sankt Nimmerlein ist ein erfundener Kalenderheiliger. 1600 *ff.*

Nippel *m* **1.** Penis. Eigentlich das kleine Gewindestück an einem Rohrende. *Vgl* ↗Nille 1. 1910 *ff.*

2. Nase. 1910 *ff.*

3. Brustwarze. 1910 *ff.*

4. *pl* = Schamlippen. 1930 *ff.*

nippen *tr* **1.** zechen. Eigentlich „in kleinen Schlücken trinken", auch „mit den Lippen berühren". Seit dem 17. Jh.

2. küssen. 1900 *ff.*

3. Kleinigkeiten, Wertloses entwenden. 1935 *ff.*

Nippsache *f* **1.** Gläschen Schnaps; Schnapsflasche o. ä. ↗nippen 1. 1870 *ff.*

2. Mädchen, mit dem man flirtet, aber nicht koitiert. ↗nippen 2. 1900 *ff.*

Nische *f* Marktlücke; Freiraum, in dem sich Minderheiten betätigen; begrenzter Verhandlungsspielraum. Aus der Wirtschaftswissenschaft gegen 1966 übernommen.

Nischel (Nüschel, Nuschel) *m* **1.** Mund. Eigentlich der Schweinerüssel, das Maul. Fußt wohl auf Schallnachahmung: mit „nusch" lockt man das Schwein, weil der Grunzlaut wie „nusch" klingt. 1600 *ff.*

2. Kopf. Vorwiegend *ostmitteld.* 1600 *ff.*

3. unförmige, dicke Nase. Analog zu ↗Rüssel. Seit dem 19. Jh.

4. Eichel des Penis. 1930 *ff.*

5. einen verschnupften ~ haben = geschlechtskrank sein. 1930 *ff*, *prost.*

nischt *pron* nichts. Entstanden aus „ne ... ist", dann zusammengezogen zu „nist". 1600 *ff.*

nissig *adj* **1.** geizig, geldgierig. Nisse ist das Ei der Laus; daher verwandt mit „↗Lausknicker 2". 1600 *ff*, *oberd.*

2. eigensinnig, hartnäckig. Nissen sind nicht leicht zu entfernen. Seit dem 19. Jh.

nitsch *adj* häßlich, unfreundlich, heimtückisch, unangenehm (ein nitsches Wetter; ein nitscher Kerl). Im *Westd* zusammengezogen im 15. Jh aus „nidesch = grimmig", verwandt mit „Nied = Neid".

'nitschewo *adv* nichts; nein; Ausdruck der Ablehnung. Hat im Russischen die Bedeutung „macht nichts!" und wird dort auf der letzten Silbe betont. Spätestens um 1900 eingewandert; stark verbreitet unter den Soldaten beider Weltkriege.

Niveauwitz (*franz-dt* ausgesprochen) *m* fast unbegreiflicher Witz; Witz, der ohne Erläuterung nicht zu verstehen ist. Gemeint ist entweder, daß er soviel geistiges Niveau besitzt, daß nur geistig hochstehende Leute ihn begreifen können, oder man weiß „nie, wo" der Witz steckt. Wien 1950 *ff*, *stud.*

nix *pron* nichts. Durch Fortfall des „t" aus „nichts" entwickelt. Seit dem 17. Jh.

Nixe *f* Badende. Meint in der germanischen

Sagenwelt den weiblichen Wassergeist (oben Frau, unten Schlange oder Fisch); aus ihm machten Göttinger Hainbund und Romantik die Wasserfee. ↗ Badenixe; ↗ Strandnixe. 1900 *ff.*

Nixer *m* ↗ Nichtser.

Nixikini *m* einen ~ anhaben = nackt sein. Zusammengesetzt aus „↗ nix" und „↗ Bikini". 1965 *ff.*

nobel *adj* **1.** großzügig, freigebig. Eigentlich soviel wie „vornehm, fein, edelmütig". Seit dem 19. Jh.

2. immer ~, wenn dir (dich) auch friert: Redewendung auf einen Geltungssüchtigen, dem das Notwendigste fehlt. Berlin 1925/30 *ff.*

3. ~ geht die Welt zugrunde: Redewendung auf üppigen Aufwand oder auf eine Lebensweise, die mit den geldlichen Verhältnissen nicht zu vereinbaren ist. Dürfte kurz nach 1870 in den Gründerjahren aufgekommen sein.

Nobeldame *f* Prostituierte, die in vermögenden Kreisen verkehrt. 1960 *ff.*

Nobelherberge *f* Luxushotel. 1960 *ff.*

Nobelhund *m* rassereiner Hund, den Emporkömmlinge aus Geltungssucht halten. 1960 *ff.*

Nobelleiche *f* Beerdigung eines Prominenten, eines Wohlhabenden. ↗ Leiche. Wien. 1960 *ff.*

Nobelmann *m* Vornehmer; Wohlhabender. 1960 *ff.*

Nobel-Milieu (Grundwort *franz* ausgesprochen) *n* Lebensbereich der Begüterten. 1960 *ff.*

Nobeltenne *f* kostspielig hergerichtetes Tanzlokal. ↗ Tenne. 1960 *ff*, halbw.

Noblesse op (auf) Plüsch *f* Adel verpflichtet. Scherzhaft volksetymologisierende Halbeindeutschung von „noblesse oblige" mit *niederd* Einschlag. 1920 *ff.*

noblig (noblich) *adj* wohlhabend, vornehm. Nach dem Muster von „adlig" aus „nobel" umgestaltet. Seit dem 19. Jh.

noch *adv* **1.** ~ und ~ = unaufhörlich; immer weiter (noch und noch steigt sein Gehalt; er telefoniert noch und noch). „Noch" = hinzu, ferner" im Sinne des Addierens. Berlin 1920 *ff.*

2. ~ und nöcher = noch immer mehr. Scherzhafter Komparativ. 1935 *ff.*

2. „~ mal", sprach das Mädchen: Redewendung des Kartenspielers, wenn er dieselbe Farbe zum zweiten Mal ausspielt. Hergenommen vom Kuß oder Geschlechtsverkehr. Kartenspielerspr. 1900 *ff.*

Nockerlaquarium *n* Haushaltungsschule, Frauenoberschule o. ä. Nockerln = österreichische Mehlspeise. *Österr* 1945 *ff.*

nöckern *intr* laut aufbegehren, nörgeln. Schallnachahmung für den Laut der Ziegen; *vgl* ↗ meckern. Vielleicht auch beeinflußt von „↗ Nücken". *Nordd* seit dem 19. Jh.

nöhlen *intr* **1.** langsam tätig sein; träge im Arbeiten sein; zögern. Ursprünglich lautmalender Herkunft für ein Murren. *Niederd* 1700 *ff.*

2. sich mürrisch äußern; nörgeln; langweilig erzählen. 1700 *ff.*

3. langsam essen; langsam kauen. 1900 *ff.*

Nokixel *n* Nachschlagebuch. Umkehrung von „Lexikon" mit Anklang an *niederd* „nokieken = nachsehen". 1900 *ff.*

nolens Koblenz (noblenz-Koblenz; no-

lens Knoblens) *adv* widerwillig. Scherzhaft entwickelt aus *lat* „nolens volens = gern oder ungern"; etwa seit 1850.

Noli (Nolli) *m* Wermutwein, Rotwein o. ä. Gehört wohl zu „nollen = saugen = Alkohol trinken" oder zu „Nolle = Peitsche" im Sinne eines anfeuernden Getränks. Kundenspr. 1920 *ff.*

Nonne *f* **1.** nur in der Dunkelheit auf Männerfang ausgehende Prostituierte. Name eines Insekts, das nachts ausfliegt und als Forstschädling berüchtigt ist; auch Name eines bunt gefiederten Vogels. 1900 *ff.*

2. zeugungsunfähiger Mann. In der Viehzucht ist „Nonne" das verschnittene Schwein. 1910 *ff.*

3. Mädchen in knöchellangem Mantel oder Kleid. Schnitt und Länge erinnern an die Tracht der Klosterfrauen. 1967 *ff.*

Nonnenbauch *m* zart wie ~ = sehr zart; sehr weich. 1920 *ff.*

Nonnenfurz *m* **1.** leise entweichender Darmwind. 1910 *ff.*

2. Geschoß eines kleinen Geschützes. *Sold* 1939 *ff.*

Nonnenfürzchen *n* **1.** kleines Schmalzgebäck, hergestellt aus Pfannkuchenteig. Ein in Nonnenklöstern übliches Gebäck. Seit dem 14. Jh. *Vgl franz* „pet de nonne".

2. Frikadelle, Klops. *BSD* 1965 *ff.*

3. empfindsamer, prüder Mensch. 1900 *ff.*

Nonnenstraße *f* Straße, in der die Prostituierten auf Männerfang ausgehen. ↗ Nonne 1. 1900 *ff.*

noppeln *v* **1.** *tr* = etw entwenden, listig beschaffen. Geht zurück auf den *engl* Slang „to nobble = entwenden". 1950 *ff.*

2. *intr* = beten. Wohl Nebenform zu „nippeln = mit kurzem Öffnen der Lippen trinken"; weiterentwickelt zu „lautloser Lippenbewegung beim stillen Beten". *Rotw* 1793 *ff.*

Nordgermane *m* Norddeutscher. Eigentlich Bezeichnung für den Skandinavier. 1935 *ff.*

Nordlicht *n* **1.** Norddeutscher. Soll unter König Maximilian II. Joseph von Bayern aufgekommen sein mit Bezug auf die vielen Gelehrten, die er aus Norddeutschland nach München berief. Die Bezeichnung ist von Gehässigkeit nicht gänzlich frei. 1850 *ff.*

2. Mensch mit seltenen Anzeichen von Verstandeskraft. Das Nordlicht leuchtet nur sporadisch. *Sold* 1939 *ff*; *ziv* 1945 *ff.*

3. Kornschnaps; „Nordhäuser". Es ist ein „glasklarer = lichtheller" Kornbranntwein. 1850 *ff.*

Nordsee-Riesling *m* Meerwasser für Kurund Heilzwecke. 1950 *ff.*

Nordsee-Trachtengruppe *f* Bundesmarine. ↗ Trachtengruppe. *BSD* 1965 *ff.*

Nörge'litis *f* kleinliche Kritisierlust. Als eine krankheitsähnliche Veranlagung aufgefaßt. 1955 *ff.*

normal *adj* **1.** kameradschaftlich. *Jug* 1960 *ff.*

2. mittelmäßig. *Jug* 1960 *ff.*

3. nicht ~ sein = nicht ganz bei Verstand sein. 1920 *ff.*

Normalform *f* gewohntes Leistungsvermögen. ↗ Form 1. *Sportl* 1960 *ff.*

Normal-Sterblicher *m* Bundesbürger, der weder zu den Prominenten noch zu den Begüterten (Neureichen) gehört. 1965 *ff.*

Normalverbraucher *m* **1.** Durchschnittsmensch. Zu Beginn des Zweiten Welt-

kriegs aufgekommen mit der Einführung des Bezugscheinwesens: der Normalverbraucher erhielt keine Mehrzuteilung, wie sie etwa für die Schwerarbeiter vorgesehen war. Von hier aus verallgemeinert.

2. geistiger ~ = Mensch mit durchschnittlichen geistigen Ansprüchen. 1955 *ff, schül* und *stud.*

3. politischer ~ = Durchschnittsbürger, dessen Interesse nicht vorwiegend der Politik gehört und dem politischen Machtstreben fremd ist. 1955 *ff.*

Nostalgie *f* Rückwendung zum Lebensund Gefühlsstil des ausgehenden 19. Jhs. Bevorzugt wird das Wiederaufleben nebensächlicher Dinge aus dem Alltagsleben vergangener Zeit (alte Möbel; Kleiderstilnachahmung; weiße Hochzeitskutsche; Jugendstilverzierungen usw.). Im *Griech* soviel wie „Heimweh", auch wie „rückwärtsgewandte Sehnsucht". Um 1970 aufgekommen.

Not *f* wenn ~ am Mann ist = im äußersten Notfall. Not am Mann herrscht, wenn der Krieger sich einer erdrückenden Übermacht gegenübersieht und auf die Hilfe der Kameraden angewiesen ist. Von da verallgemeinert für den Zustand allgemeiner Bedrängnis. 1600 *ff.*

Notauto *n* Kleinauto. *Jug* 1957 *ff.*

Notbremse *f* **1.** Stück des Kleides o. ä., an dem man ein Kind vor einer Gefahr zurückreißt. Aus dem Eisenbahnwesen. 1960 *ff.*

2. regelwidrige Handbewegung, mit der ein Fußballspieler den Gegner zu Fall bringt; Foul. *Sportl* 1950 *ff.*

3. die ~ betätigen = als Kraftfahrer plötzlich scharf bremsen. 1950 *ff.*

4. die ~ ziehen = a) eine gefährliche Entwicklung hemmen; Einhalt gebieten. 1930 *ff.* – b) ein Foul begehen. *Sportl* 1950 *ff.*

Note *f* **1.** dreckige ~ = schlechte Bewertung. Dreckig = von niederer Gesinnung zeugend. *Schül* 1930 *ff.*

2. nach ~n = tüchtig, gründlich; geläufig; ohne Stockung (er bekommt Prügel nach Noten; er sagt das Gedicht auf nach Noten). „Note" meint hier die Musiknote im Sinne einer allgemeinverbindlichen Vorschrift im Gegensatz zum musikalischen Phantasieren. Hieraus im 18. Jh entwickelt zur Geltung einer allgemeinen Steigerung.

3. ~n kotzen = minderwertig komponieren. „Kotzen" steht derb für „von sich geben". 1910 *ff.*

4. hohe ~n pusten = hohe Töne blasen. 1950 *ff.*

5. ~n schinden = mittels Täuschung, Schmeichelei o. ä. gute Noten zu erreichen suchen. ↗ schinden. *Schül* 1950 *ff.*

Noten-Akrobat *m* Musiker. Musik. 1950 *ff.*

Noten-Arena *f* Musikhochschule. Als Stätte musikalischer Wettkämpfe aufgefaßt. *Stud* 1960 *ff.*

Notenfetischist *m* Mensch, der von den Zeugnisnoten auf die tatsächliche Leistung oder die berufliche Leistungsfähigkeit schließt. 1960 *ff.*

Notenkoller *m* Leistungsdruck mittels Bewertungsstufen. *Schül* 1975 *ff.*

Notenpapier *n* Schulzeugnis. In der Musik ist Note das Tonzeichen, in der Schule die Bewertungsstufe. 1950 *ff.*

Notenwechsel m Aushändigung eines Geldscheins. Eigentlich der Austausch diplomatischer Schriftstücke zwischen Staaten; hier meint „Note" die Banknote. 1950 ff.

Nothaken m Behelfsperson. Leitet sich her entweder von dem langgestielten Haken zur Bekämpfung einer Feuersbrunst oder von dem Haken, mit dem man eine gebrochene Kette verbindet. 1920 ff.

Nothelfer m fünfzehnter ~ = der „große Unbekannte" des Angeklagten. Hier wird die in der katholischen Kirche übliche Zahl von 14 Nothelfern um einen vergrößert. 1960 ff.

notig adj 1. armselig; Mangel leidend; verhärmt; mißmutig. Adjektiv zu „Not". Seit frühnhd Zeit; vorwiegend oberd.
2. sparsam; geizig; außerordentlich kleinlich. Seit dem 19. Jh.
3. minderwertig. Bayr und österr seit dem 19. Jh.
4. unangenehm; ekelhaft. 1800 ff.
5. ungesittet; roh, plump. Seit dem 19. Jh.

Notlandung f ~ machen = mangels besserer Gelegenheit mit einer wenig ansprechenden weiblichen Person intim zu werden suchen. Landung = Bekanntschaftsanknüpfung. Der Fliegersprache entlehnt. Sold in beiden Weltkriegen, auch ziv.

Notmutter f Frau, die in hilfsbedürftigen Familien vorübergehend die Mutter und Hausfrau vertritt. 1970 ff.

Notnagel m 1. letztes Rettungsmittel in der Not. Meint eigentlich den hölzernen Nagel als vorläufigen Ersatz für einen eisernen. 1700 ff.
2. Aushelfer in der Not; Ersatz für den untreuen Liebhaber, für die verreiste Ehefrau o. ä. 1700 ff.
3. Mensch, den man als Ausrede benennt, wenn man in Verlegenheit ist. Seit dem 19. Jh.

Notoffizier m wenig tauglicher junger Offizier. Nur aus Not hat man ihn einen Offizier gemacht. 1939 ff, offiziersspr.

Notorische f unter Gesundheitsaufsicht stehende Prostituierte. 1900 ff.

Notschlachtung f Eheschließung mit einer Geschwängerten. Eigentlich die Schlachtung eines verunglückten Schlachttiers. 1930 ff.

Notstopfen m Behelfsperson. Eigentlich die Vorrichtung zu notdürftiger Schließung eines Lochs. 1900 ff.

Notwehr f Schülerlist. Meint eigentlich das Abwehren eines rechtswidrigen Angriffs; die Schüler malen die List für einen Akt der Selbstverteidigung wider die Übergriffe der Lehrer. 1960 ff.

Notwehrspezialist m Gewalttäter, der sich angeblich nur verteidigt hat. Polizeispr. 1950 ff.

Nüchternheit f trunkene ~ = Nüchternheit des Schauspielers, dem statt Alkohol Limonade o. ä. auf der Bühne vorgesetzt wird. Theaterspr. 1920 ff.

Nucke f kleine Freundin (Kosewort). Gehört zu „nuckeln = saugen" und ist in substantivierter Form Analogie zu „Säugling" und „Baby". Mit dem Laut „nucke" lockt man auch Kleintiere zum Futtertrog. Jug 1955 ff, Berlin.

Nücke f ↗ Nücken.

Nuckel m 1. Schnuller. ↗ nuckeln. Seit dem 19. Jh.
2. Trinker. 1900 ff.

3. (kurze) Tabakspfeife, Zigarre, Zigarette. Seit dem 19. Jh.
4. langweiliger Mensch; langsam redender Mensch. ↗ nuckeln 5. 1900 ff.
5. heimtückischer, störrischer Mann. Gehört wohl zu ↗ Nücken. Berlin 1900 ff.
6. gegen einen ~ gelaufen sein = nicht recht bei Verstand sein. Meist in Frageform. 1950 ff.
7. mit einem ~ gepufft sein = sich nicht klarmachen, welche unsinnigen Behauptungen man aufstellt. 1950 ff.
8. über den ~ gestolpert sein = geistesbeschränkt sein. Meist in der Frageform. Schül 1950 ff.
9. da schlägt's dir den ~ aus dem Maul! Ausdruck der Überraschung. Vor Staunen öffnet man den Mund, so daß der Schnuller oder die Tabakspfeife herausfällt. 1950 ff.

nuckeln (nuckern) intr 1. saugen. Lautmalender Herkunft, ähnlich wie ↗ gluckern. „Nuckel" ist auch die Brust der stillenden Mutter. 1700 ff.
2. rauchen. 1900 ff.
3. zechen, trinken. Ursprünglich das Trinken aus der Flasche nach Säuglingsart. 1900 ff.
4. ein Schläfchen machen. Gehört zu „neigen" und „nicken": der Schläfer nickt ein. Seit dem 19. Jh.
5. langsam sein. Übernommen von der Langsamkeit, mit der der Säugling trinkt. Seit dem 19. Jh.

Nuckelpinne f Fahrzeug mit niedrigtourigem Motor. Ahmt entweder das Motorengeräusch bei langsamem Lauf nach oder hängt zusammen mit „nuckeln = langsam sein". Wegen „Pinne" (= Hebelarm des Steuerruders) darf angenommen werden, daß sich das Wort anfangs wohl auf ein langsames Motorboot bezog. Etwa seit 1900.

Nücken pl 1. Launen. Gehört zu „nucken = drohend den Kopf bewegen". 1500 ff.
2. jm die ~ austreiben = jds Launenhaftigkeit entgegentreten. 1900 ff.
3. ~ im Kopf haben = wunderliche Einfälle haben. Seit dem 19. Jh.

nuckern intr ↗ nuckeln.

nuddeln intr 1. schlecht, nachlässig, ohne Ernst arbeiten; langsam tätig sein; zögern; nicht vom Fleck kommen. Vokalgekürzte Form von „↗ nudeln"; vielleicht beeinflußt von „knuddeln" unter Wegfall des anlautenden Konsonanten. Auch Einwirkung von „nuckeln, nuggeln" ist möglich. Seit dem 19. Jh.
2. Kleinarbeit verrichten; seinen Lebensunterhalt mühsam verdienen. 1900 ff.
3. undeutlich, halblaut sprechen; ein eintöniges Geräusch hervorbringen. Wohl schallnachahmender Herkunft. Seit dem 19. Jh.

Nudel f 1. Penis. Anspielung auf die Walzenform. Seit dem 19. Jh.
2. Zigarre. Wegen der Formähnlichkeit. 1800 ff.
3. (Marihuana-)Zigarette. Verkürzung von „↗ Giftnudel". 1920 ff.
4. Mensch. Analog zu den verschiedenen Nudelformen und -arten paßt die Bezeichnung auf den schmächtigen wie auf den breitschultrigen sowie auf den drallen Menschen usw. 1800 ff.
5. dralles Mädchen. 1800 ff.
6. besondere ~ = Sonderling. 1900 ff.

7. dicke ~ = beleibter Mensch. Spätestens seit 1800.
8. doofe ~ = dümmlicher Mensch. 1900 ff.
9. freche ~ = frecher Mensch. 1900 ff.
10. kesse ~ = lebenslustiges, umgängliches, unternehmungslustiges Mädchen. 1920 ff.
11. komische ~ = seltsamer Mensch. ↗ komisch 1. 1870 ff.
11 a. lustige ~ = lebensfroher Mensch. 1920 ff.
12. putzige ~ = drolliger Mensch. ↗ putzig. 1870 ff.
13. schlappe ~ = energieloser Mensch. 1950 ff.
14. tolle ~ = lustiger Mensch; Spaßmacher; großartiger Unterhalter. 1900 ff.
15. überdrehte ~ = überspannte Frau. ↗ überdreht. 1920 ff.
16. ulkige ~ = lustiger Mensch; Spaßmacher; wunderlicher Mensch. 1920 ff.
17. verrückte ~ = Sonderling; lustiger Unterhalter. 1920 ff.
18. versoffene ~ = Trinker(in). 1910 ff.
19. wamperte ~ = beleibte, vierschrötige weibliche Person. ↗ wampert 1. Bayr 1900 ff.
20. weiche ~ = energieloser, nachgiebiger Mensch. 1935 ff.
21. aus jm breite ~n machen = jn heftig prügeln. 1939 ff.
22. jn auf die ~ schieben (nehmen) = jn veralbern; mit jm seinen Spott treiben. Herleitung unbekannt. 1910 ff.
23. sich eine ~ mang die Mandeln schieben = eine Zigarette zwischen die Lippen nehmen. 1935 ff.

Nudelbrett n 1. sehr kleine Bühne. Eigentlich das Brett, auf dem man daheim die Nudeln bereitet; es ist rechteckig und wird auf die Tischplatte gelegt. Theaterspr. 1850/60 ff.
2. zum Tanzen freigehaltener Raum in der Saalmitte. Auf der kleinen Fläche stoßen sich die Paare gegenseitig. 1910 ff.

nudelig adj dicklich, prall, drall. Seit dem 19. Jh.

Nudelkopf (-kopp) m 1. Eichel des Penis. ↗ Nudel 1. 1900 ff.
2. dumme, einfältige Person. 1950 ff.

nudeln v 1. intr = drehen, leiern. Hergenommen von der Hin- und Herbewegung des Nudelholzes. 1900 ff.
2. intr = Ziehharmonika spielen. 1900 ff.
3. intr tr = koitieren. ↗ Nudel 1. 1800 ff.
4. tr = jn herzhaft liebkosen, drücken o. ä. 1800 ff.
5. tr = jn reichlich beköstigen. Übertragen vom Mästen des Geflügels mit Nudeln o. ä. 1700 ff.
6. tr = etw lang und breit erzählen. Hergenommen vom Nudelteig, der breit ausgerollt wird. 1950 ff.

Nudelsuppe f auf der ~ dahergeschwommen sein = für arglos, ahnungslos gelten. Die Nudelsuppe gilt als Speise ärmlicher Leute, und von ihnen meint man, sie seien lebensunerfahren. Österr 1930 ff.

null adj präd 1. untüchtig, unbrauchbar. Adjektivbildung nach dem Substantiv. Jug 1955 ff.
2. absolut ~ = sehr minderwertig. Schül 1955 ff.

Null f 1. unbedeutender, einflußloser Mensch; Versager. Er ist ebenso wenig

wert wie die mathematische Ziffer für den Begriff „nichts". 1600 ff.
2. Klassensprecher. Im Grunde ist er bedeutungslos. *Schül* 1960 ff.
3. eine ~ für ... = eine Rüge für ... 1960 ff.
4. das Jahr ~ = 1945. Gemeint ist der Beginn des Wiederaufbaus nach dem Kriegsende. Es war der Aufbau aus dem Nichts. 1945 ff.
5. die Stunde ~ = Kriegsende 1945. Kurz danach erstmals gehört.
6. in ~ Komma fünf = im Handumdrehen. Soviel wie „in 0,5 Sekunden". 1950 ff.
7. ~ Komma Josef = nichts. 1920 ff.
8. ~ Komma nichts = durchaus nichts. Wiedergabe des Begriffs „nichts" in halbarithmetischer Form, wegen der Schreibung „0,0". 1850 ff.
9. in (Zeit von) ~ Komma nichts = in sehr kurzer Zeit; überaus schnell. Spätestens seit 1900.
10. in (Zeit von) ~ Komma ~ = sehr schnell. *Sold* 1914 ff.
11. ~ Komma plötzlich = sofort; sehr schnell. 1935 ff.
12. ~ aufs Gewehr = Null ouvert. Wortspielerischer Skatspielerausdruck, 1900 ff.
13. ~ mit Ohren = Versager. Anspielung auf das nullförmige Gesicht. 1955 ff.
14. ~ aufs Pferd = Null ouvert. Hieraus scherzhaft entstellt. Skatspielerspr. 1900 ff.
15. aufgeblasene ~ = eingebildeter Versager. *aufgeblasen 1. 1935 ff.
16. geistige ~ = Mensch mit geringen Geistesgaben. 1900 ff.
17. plus minus ~ = unentschieden; ohne Geschäftsgewinn. Der Mathematikersprache entlehnt. 1920 ff.
18. jn auf ~ bringen (drehen) = jds Einfluß völlig ausschalten; jn aus seinem Posten verdrängen. Null = Ruhestellung einer Maschine. *Vgl* *Nullpunkt 2. 1935 ff.
19. das ist unter ~ = das ist überaus minderwertig. 1950 ff.
20. jn auf ~ stellen = jm völlige Bettruhe und Besucherverbot auferlegen. *Null 18. 1950 ff.
Null-acht-fünfzehn (Null-acht-fuffzehn) 1. üblicher Verlauf; übliches Schema; veraltete Handlungsweise; sinnentleertes Herkommen. Hergenommen vom Maxim-Maschinengewehr, 1899 im deutschen Heer eingeführt, 1908 durch Veränderung des Schießgestells von 82 kg auf 57 kg vermindert, 1915 erneut verändert am Untergestell durch Verwendung der Gabelstütze, wodurch das Gesamtgewicht auf rund 20 kg sank. „Null-acht-fünfzehn" meint also eigentlich das im Jahre 1915 geänderte Maschinengewehr des Jahres 1908. In diesem Sinne seit 1920 geläufig in der Umgangssprache, sowohl *sold* als auch *ziv*. Hieraus entwickelte sich im Laufe der Zeit – wohl wegen der ständig wiederholten Instruktion am Maschinengewehr – die Bedeutung „Durchschnitt, Einerlei, Stumpfsinn".
2. Sportstunde in der Schule. Anspielung auf die Abwechslungslosigkeit der Übungen, auch auf die unmoderne Unterrichtserteilung. Unter Schülern aufgekommen im Anschluß an die Roman- und Filmtrilogie „08/15" von Hans Hellmut Kirst (1954). 1958 ff.

Null-acht-fünfzehn-Käse *m* abwechslungslose Sache; immer dasselbe. *Käse 1. 1950 ff.
Null-acht-fünfzehn-Masche *f* einheitliche Handlungsweise; unveränderter Trick. *Masche. 1950 ff.
Null-acht-fünfzehn-Methode *f* Vorgehen nach bekannter Art und Weise. 1955 ff.
Null-acht-fünfzehn-Welt *f* Militärdienst. *BSD* 1965 ff.
Nullachtpromiller *m* Kraftfahrer, der trotz geringen Alkoholgenusses noch fahrtüchtig ist. 0,8 Promille beim Alkoholtest ist die zulässige Höchstgrenze. 1961 ff.
Null-Bock *m* Lustlosigkeit. *Bock 17. 1978 ff, halbw.
Null-Bock-Generation *f* Halbwüchsigengeneration. Angeblich hat sie auf (zu) nichts Lust. 1981 ff.
Nulldiät *f* **1.** Schlankheitskur durch Hungern. 1972 ff.
2. Spielausgang ohne Tortreffer. *Sportl* 1975 ff.
Null-Durchblick *m* Mister ~ = unselbständiger, ratloser Soldat. *Durchblick. *BSD* 1965 ff.
Nulle *f* **1.** Zigarette. Nebenform zu „Nille = Penis"; der Penis heißt auch „Flöte", und „Flöte" ist ebenfalls die Zigarette. *Halbw* 1960 ff.
2. Stehbierhalle u. ä. Verkürzt aus „Null-Null = Stehabort"; der Stehabort heißt auch „*Stehbierhalle". *Halbw* 1964 ff.
Nülle (Nüllen-) *Nille (Nillen-).
nullen *intr* **1.** ein neues Lebensjahrzehnt beginnen. 1850 ff.
2. harnen. Fußt auf „Nille = Penis". Seit dem 19. Jh.
Nuller *m* **1.** nichtzählende Spielkarte. Kartenspielerspr. 1920 ff.
2. Klassenschlechtester. Er ist so unbedeutend wie eine Spielkarte, die keine Punkte bringt. *Schül* 1960 ff.
Nullerl *n* nicht beachteter und stets zurückgesetzter Mensch. *Null 1. *Österr* 1900 ff.
Nullkini *m* Nacktheit. *Bikini. 1978 ff.
Nullkommanichts *n m* Versager. *Null 8. 1950 ff.
Nullmännchen *n* **1.** von Ehefrau oder Wirtschafterin beherrschter Mann. *Null 1. 1940 ff.
2. Nichtskönner. 1940 ff.
Null-Null *m n* Abort. Zur Kennzeichnung, daß dieser Raum kein Zimmer sei, malten die Hotelbesitzer zwei Nullen auf die Aborttür. 1900 ff.
nullnullern *intr* den Abort benutzen. 1925 ff.
Null-Null-Sieben *m* Schulabort. Zu „Null-Null" ist „Sieben" hinzugetreten im Anschluß an die Verfilmung der Romane von Ian Fleming über James Bond, den „Geheimagenten 007". *Schül* 1968 ff.
Null-Null-Siebener *m* draufgängerischer Soldat. Er ist ebenso furchtlos wie der im Vorhergehenden genannte Geheimagent. *BSD* 1968 ff.
Nullpunkt *m* **1.** absoluter ~ = völlige Entzweiung. Eigentlich die tiefste mögliche Temperatur. 1950 ff.
2. auf dem ~ sein = zu jm keine Beziehung aufrechterhalten. Nullpunkt ist der Anfangspunkt einer Skala, auch der Stillstand einer Maschine. 1950 ff.

3. es sinkt auf den ~ = es läßt sich nicht verwirklichen. 1950 ff.
4. jn auf den ~ treiben = jds Widerstand völlig brechen; jn zu einem willenlosen Werkzeug machen. 1950 ff.
Nulltarif *m* **1.** unentgeltliche Benutzung. Von der kostenlosen Benutzung der öffentlichen Verkehrsmittel verallgemeinert. 1970 ff.
2. zum ~ einkaufen = Ladendiebstahl begehen. 1970 ff.
Nulp *m* Schnuller, Saugbeutel. Nebenform von *Nuppel. *Mitteld* seit dem 19. Jh.
Nulpe *f* **1.** Tabakspfeife. Mit dem Schnuller hat sie vieles gemeinsam. *Mitteld* seit dem 19. Jh.
2. Nase. Sie ähnelt dem Saugbeutel; analog zu *Riechkolben. 1900 ff.
3. dummer, energieloser, wunderlicher Mensch; Nichtskönner. In übertriebener Auffassung steht er geistig noch auf der Stufe des kleinen Kindes, das noch am Saugbeutel saugt. Wohl auch beeinflußt von „Null 1". Im späten 19. Jh im *Sächs* aufgekommen und vor allem in Berlin heimisch geworden.
4. komische ~ = sonderbarer Mensch. 1900 ff.
5. dastehen wie ~ = a) peinlich bloßgestellt sein. 1870 ff. - b) der Betrogene sein; Unrecht widerstandslos ertragen müssen. 1870 ff.
6. ~ tun = den Schuldlosen, Ahnungslosen spielen; sich unwissend stellen. 1870 ff.
Nummer *f* **1.** Mensch (neutral oder *abf*). Analog zu *„Marke" und *„Sorte" eigentlich Kennzeichnung von Handelswaren, Sortengrößen u. ä. Etwa seit dem späten 19. Jh. *Vgl engl* „a number".
2. Geschlechtsverkehr. Aus der Prostituiertensprache hervorgegangen, wohl herzuleiten von der Entgeltsberechnung der Bordellprostituierten, die nach der Zahl ihrer Kunden entlohnt werden, oder von der Nummer, die im stark besuchten Bordell jeder Besucher erhält und nach der sich die Reihenfolge der Abfertigung richtet. Auch Anspielung auf die Zirkusnummer ist möglich. 1850 ff.
3. ~ Null = Abort. *Null-Null. 1900 ff.
4. ~ Sicher = a) Gefängnis, Arrestlokal. Hergenommen von der Numerierung der Gefängniszellen. Sicher = gesichert (gegen weitere Straftaten, gegen Befreiung oder Flucht). 1830 ff. - b) sicherer Gewahrsam für Wertsachen u. ä.; Bankschließfach. 1830 ff. - c) Aktion zur Unfallverhütung. 1965 ff.
5. böse ~ = schlimme Sache. 1900 ff.
6. faule ~ = unangenehme Angelegenheit. *faul 1. 1930 ff.
7. feine ~ = a) Ware von guter Beschaffenheit. 1870 ff. - b) Könner(in). 1900 ff. - c) ehrenwerter, tapferer Mann. 1870 ff. - d) gewissenloser Mensch; unzuverlässiger Mensch; ehrloser Mensch. *Iron* Bezeichnung. 1870 ff.
8. gewöhnliche ~ = a) Straßenprostituierte ohne besondere Eigenart. 1900 ff. - b) Durchschnittsmensch. 1900 ff.
9. große ~ = Könner; zugkräftiger Künstler o. ä. 1900 ff.
10. kesse ~ = umgänglicher, leicht schnippischer Mensch mit freien Ansichten. *keß. 1900 ff.

11. kleine ~ = furchtsamer Mann; Feigling; unbedeutender Mensch. 1930 ff.

12. ruhige ~ = a) bequemer Dienst. Analog zu „ruhige ↗Kugel". 1914 ff. – b) ausgeglichener, leidenschaftsloser Mensch. 1920 ff.

13. steile ~ = eindrucksvoller, hervorragender Mensch. ↗steil. 1955 ff.

14. textilfreie (textillose) ~ = Nackttanz; Striptease. 1955 ff.

15. tolle (dolle) ~ = a) lebenslustiger, zu Streichen aufgelegter Mensch; Mensch, der ausgelassene Stimmung verbreitet. ↗toll. 1870 ff. – b) tüchtiger Mensch. 1920 ff.

16. traurige ~ = Versager; unzweckmäßig, unfachmännisch Arbeitender. Traurig = betrübt, ohne Sinn für Freude; schwunglos, energielos. 1930 ff.

17. üble ~ = charakterloser Mensch. 1900 ff.

18. ulkige ~ = a) Spaß-, Lustigmacher. 1920 ff. – b) Sonderling; wunderlicher Mensch. 1920 ff.

19. eine ~ zu groß = prahlerisch, übertreibend. Übertragen von einem Kleidungsstück, das für den Betreffenden zu groß ist. 1935 ff.

20. eine ~ kleiner = schlichtweg; bescheidner; ohne Übertreibung; ohne Selbstgefälligkeit. ↗Nummer 32. 1935 ff.

21. eine ~ abfeuern = zur allgemeinen Unterhaltung einen sehr eindrucksvollen Beitrag beisteuern. Hergenommen von der Folgenummer in einem Programm (Kabarett, Revue, Feuerwerk o. ä.). 1950 ff.

22. eine ~ abhopsen = koitieren. ↗Nummer 2. 1920 ff, prost.

23. eine ~ abziehen = a) eine Bühnenrolle hervorragend spielen. ↗abziehen 1. 1930 ff. – b) ein Musikstück wirkungsvoll vortragen. 1930 ff. – c) eine bestimmte Handlungsweise beibehalten. 1950 ff. – d) seiner Wut freien Lauf lassen; zetern, toben. 1950 ff. – e) koitieren. ↗Nummer 2. 1950 ff.

24. seine ~ abziehen = seine altbekannte Meinung nochmals äußern. 1950 ff.

25. die ~ fällt aus = das kommt nicht in Betracht; das läßt sich nicht verwirklichen. Hergenommen von einer Vorführungsnummer. 1910 ff.

26. eine ~ bauen = koitieren (vor allem mit einer Prostituierten). ↗Nummer 2. 1870 ff.

27. jn in (auf) ~ Sicher bringen = jn verhaften; jn zu einer Freiheitsstrafe verurteilen. ↗Nummer 4. Seit dem 19. Jh.

28. die falsche ~ erwischt (gewählt) haben = sich geirrt haben. Herzuleiten von der Nummer des Fernsprechteilnehmers. 1930 ff.

29. auf ~ Sicher gehen = a) verhaftet werden. ↗Nummer 4. 1830 ff. – b) sich Gewißheit verschaffen; Sicherheit verlangen; nur aussichtsreiche Angelegenheiten betreiben; jedem Mißerfolg vorbeugen. 1870 ff. – c) nur risikolose Spiele nehmen. Kartenspielerspr. 1900 ff. – d) auf dem Zebrastreifen die Fahrbahn überqueren. 1976 ff.

30. bei jm eine gute (dicke, hohe) ~ haben = bei jm viel gelten; sich jds Wohlwollen erfreuen. Beruht auf der Note, die der Schüler im Zensurenbuch des Lehrers hat. 1800 ff.

31. keine ~ haben = kein Ansehen ge-

nießen; einen einflußlosen Posten bekleiden. Seit dem 19. Jh.

32. haben (hätten) Sie es nicht eine ~ kleiner? = können Sie es nicht schlicht ausdrücken, so daß auch ich es verstehen kann? Übertragen von der Käuferin eines Kleidungsstücks, die nach einer kleineren Nummer fragt. 1935 ff.

33. die nächste ~ hängt vor der Ladentür: Redewendung angesichts sehr großer Schuhe. Anspielung auf die auffallend großen Reklameschuhe vor dem Schuhgeschäft. 1950 ff.

34. an die falsche ~ kommen = unversehens schlecht behandelt werden. Irrt man sich in der Telefon-, Haus- oder Zimmernummer, kann man barsch abgewiesen werden. 1950 ff.

35. eine ~ hinlegen = etw hervorragend vorführen. Übernommen von der Nummerungsnummer in einem Revueprogramm o. ä. ↗hinlegen. 1900 ff.

36. diese ~ läuft nicht mehr!: Ausdruck der Ablehnung. Dem Kaufmannsdeutsch entlehnt. 1950 ff; aber wohl älter.

37. geldlich eine ~ (zwei ~n) zu groß leben = über seine Verhältnisse leben. Anspielung auf zu großes Schuhwerk; dadurch analog zu „auf großem ↗Fuß leben". 1950 ff.

38. eine ~ machen = koitieren (vor allem mit einer Prostituierten). ↗Nummer 2. 1850 ff.

39. sich eine ~ unter den Nagel reißen = Bekanntschaft mit einem Mädchen beginnen. ↗Nagel I 21. 1955 ff.

40. eine ~ schieben = koitieren (vor allem mit einer Prostituierten). ↗Nummer 2. Vorwiegend sold, 1939 bis heute.

41. eine ruhige ~ schieben = bequemen Dienst haben. Analog zu „ruhige ↗Kugel". ↗Nummer 12. 1940 ff.

42. das ist eine ~ (mehrere ~n) zu groß für mich = das übersteigt meine Leistungskraft. 1935 ff.

43. eine große ~ sein = ein Könner sein; sehr leistungsfähig sein. 1900 ff.

44. eine ~ gescheiter sein = ein wenig gescheiter sein. 1950 ff.

45. eine ~ zu klein sein = nicht voll ausreichen; das übliche Maß nicht erreichen; den anderen nicht überflügeln können. 1935 ff.

46. auf (in) ~ Sicher sein (sitzen) = eine Freiheitsstrafe verbüßen; sich in einer Trinkerheilanstalt befinden. ↗Nummer 4. 1830 ff.

47. das ist genau meine ~ = das paßt mir ausgezeichnet, kommt mir äußerst gelegen. Hergenommen von der Größennummer eines Bekleidungsstücks. 1900 ff.

48. auf ~ Sicher sitzen = a) ↗Nummer 46. – b) in gesicherten Verhältnissen leben. 1950 ff.

49. die ~ steht = a) die Darbietung ist fertig einstudiert. Hergenommen von einer Zirkus- oder Revuedarbietung, die gründlich eingeübt und so recht beherrscht wird. 1910 ff. – b) der Einbruch ist hinreichend vorbereitet. 1920 ff.

50. eine dufte ~ stoßen = a) ein modernes Musikstück wirkungsvoll vorführen. Ursprünglich auf ein Blasinstrument bezogen. 1955 ff. – b) einem hübschen Mädchen beischlafen. Vgl ↗Nummer 2; ↗stoßen. Halbw 1955 ff.

51. seine gute ~ verloren haben = sich

das Wohlwollen verscherzt haben. ↗Nummer 30. 1920 ff.

52. seine ~ verschissen haben = sich um sein Ansehen gebracht haben. ↗verschissen haben. 1920 ff.

53. jm die ~ zerquatschen = jm das Konzept verderben; jds Vorhaben durchkreuzen. Theaterspr. 1940 ff.

Nunki I f amtlich verbotener Müllabladeplatz. Abgekürzt aus „Nacht- und Nebelkippe". 1965 ff.

Nunki II m Bürger, der im Schutz der Dunkelheit seinen Abfall an verbotener Stelle ablädt. 1965 ff.

Nuppel m **1.** Schnuller, Sauglappen. ↗nuppeln. Ostmitteld seit dem 19. Jh.

2. Zigarre. An der Zigarre wie am Schnuller saugt man. Ostmitteld seit dem 19. Jh.

3. kleinwüchsiger Mensch. Ostmitteld 1800 ff.

4. überhebliches Mädchen. Schimpfwörtlich etwa soviel wie „vorwitzig-freches, schnippisches Mädchen". Jug 1955 ff.

nuppeln intr **1.** saugen; am Finger saugen. Ostmitteld Nebenform von „↗nibbeln 1". Seit dem 19. Jh.

2. eine Zigarre rauchen. 1870 ff.

3. in kleinen Schlücken kosten. Seit dem 19. Jh.

nur so adv ohne Hintergedanken; mühelos; gehörig; tüchtig (das sagt er nur so; das Haus brannte nur so; er schlug zu, daß die Fetzen nur so flogen). Eigentlich Reststück eines Vergleichs, etwa im Sinne von „wie man es sich nicht schlimmer vorstellen kann" oder „wie man eine Äußerung tut, ohne sie vorher zu bedenken". 1700 ff.

Nuschel (Nüschel) m ↗Nischel.

nuscheln intr **1.** undeutlich sprechen; näseln. Gehört zu „Nase" und ist schallnachahmender Natur. 1700 ff.

2. krittelnd reden; nörgeln. 1950 ff.

nüsch pron nichts. ↗nischt. 1900 ff.

Nuß f **1.** Kopf, Schädel. Wegen der Formähnlichkeit. Die Nußschale ähnelt der Schädeldecke, und manche Nuß ist „taub", wie der Kopf „doof" ist. 1800 ff.

2. Nase. Zusammenhängend mit „↗nusseln". 1870 ff.

3. Hode. Wegen der Formähnlichkeit. 1800 ff.

4. Vulva. Jägersprachlicher Ausdruck für das weibliche Geschlechtsteil bei allen zur niederen Jagd gehörigen Tieren. 1600 ff.

5. Mädchen. Pars pro toto. Seit dem 19. Jh.

6. langsamer Mensch; Versager. Verkürzt aus „taube ↗Nuß". Seit dem 19. Jh.

7. eigensinniger Mensch; Schimpfwort. 1800 ff.

8. Faustschlag auf den Kopf; Schlag mit den Fingerknöcheln auf den Kopf. Die geballte Faust ähnelt der Nuß. Seit dem 16. Jh.

9. Fußball. Schül 1950 ff.

10. bittere ~ = schmerzliche, aber unvermeidliche Sache. Hergenommen von der vergällten bitteren Bittermandel. 1850 ff.

11. blöde ~ = dummer Mann. 1900 ff.

12. doofe ~ = a) dummer, geistesbeschränkter Mensch. Soviel wie „taube (hohle) Nuß". ↗doof. Die taube Nuß ist schon im 16. Jh das Sinnbild der Hohlheit. Seit dem 19. Jh. – b) Schwerhöriger. 1900 ff.

13. dumme ~ = dummer Mensch. 1930 ff.

14. freche ~ = frecher Mensch. 1930 *ff.*
15. gescherte (gscherte) ~ = Schimpf-wort. ↗ geschert 1. *Bayr* 1900 *ff.*
16. harte ~ = a) schwierige Arbeit. 1500 *ff.* – b) Begriffsstutzigkeit. ↗ Nuß 1. 1900 *ff.* – c) schwer umgänglicher Mensch. 1900 *ff.*
17. muffige ~ = Geistesbeschränktheit. Muffig = faulig riechend. 1910 *ff.*
18. schwere ~ = schwierige Aufgabe. *Sportl* 1950 *ff.*
19. taube ~ = a) Enttäuschung. 1900 *ff.* – b) Schwerhöriger. 1900 *ff.* – c) Dummer; Versager; Arbeitsscheuer; Wertlosigkeit. 1800 *ff.*
20. eine schwere ~ aufknacken = ein schweres Rätsel lösen; einer Schwierigkeit Herr werden. Seit dem 19. Jh.
21. in die Nüsse gehen = a) verloren gehen; sittlich sinken; sterben. Spielt an auf das Dickicht der Haselnußsträucher, in dem man leicht sich verirren kann. 1700 *ff.* – b) zur Liebsten gehen; vor der Ehe geschlechtlich verkehren. Hergenommen von heimlichem Geschlechtsverkehr im Haselnußdickicht. Wegen des reichen Vorkommens der Haselnuß wird sie zum Sinnbild der Fruchtbarkeit. Etwa seit dem 15./16. Jh.
22. eine harte ~ knacken (beißen) = eine schwierige Aufgabe lösen. 1500 *ff.*
nusseln *intr* **1.** undeutlich reden. Nebenform zu „näseln". *Vgl* auch ↗ nuscheln 1. Seit dem 15. Jh.
2. langsam arbeiten; langsam sein. 1800 *ff.*
Nußknacker *m* **1.** grämlich blickender Mensch; mürrischer Gesichtsausdruck. Hergenommen vom Nußknacker in Form einer grimmig dreinblickenden Holzfigur. Spätestens seit 1870.
2. dummer Mann. Der unförmige Mund der Nußknackerfigur verleiht dem Gesicht ein dümmliches Aussehen. 1870 *ff.*

3. schwierige Klassenarbeit. ↗ Nuß 22. *Schül* 1950 *ff.*
4. alter Mann. 1870 *ff.*
Nußknackergesicht *n* barsches, grimmiges Gesicht. 1920 *ff.*
Nutsch (Nutsche) *m (f)* **1.** Schnuller, Saugbeutel. ↗ nutschen. Seit dem 19. Jh.
2. Zigarre. Seit dem 19. Jh.
Nutschel I *m* Saugbeutel der kleinen Kinder. ↗ nutschen. Seit dem 19. Jh.
Nutschel II *n* junges Mädchen *(abf)*. Meint im *Nordd* das Ferkel, auch das Kälbchen, wohl wegen des Grunzlautes. 1800 *ff.*
nutscheln *intr tr* saugen. Häufigkeitsform zum Folgenden. 1600 *ff.*
nutschen *intr* **1.** saugen, schlecken. Schallnachahmend; *vgl* auch ↗ lutschen 1. Seit dem ausgehenden 17. Jh.
2. Alkohol aus der Flasche trinken. 1900 *ff.*
3. zechen. 1900 *ff.*
Nutte *f* **1.** junge Prostituierte ohne Entgeltsforderung; (nichtregistrierte) Prostituierte. Nach den ältesten Belegen zu schließen, ist von der Bedeutung „ganz junge Prostituierte mit noch kindlichem Aussehen" auszugehen. Geht wahrscheinlich zurück auf „Nut, Nute = Spalt, Fuge, Ritze", gekreuzt mit *nordd* „lütt = klein". Seit dem späten 18. Jh.
2. schiefe ~ = Beischlafdiebin. Schief = nicht gerade; unaufrichtig; nicht ehrlich. 1930 *ff.*
3. da wir grade von ~n reden, – was macht deine Schwester?: Redewendung, um einen plump herauszufordern. *BSD* 1965 *ff.*
4. wie eine ~ in Feuerstellung liegen = in Rückenlage mit gespreizten Beinen liegen (vom Mann gesagt). *Sold* 1930 *ff.*
5. sitzen wie eine (vollgeile) ~ in Lauerstellung = sehr unanständig sitzen. *Sold* 1935 *ff.*
6. stinken wie eine ~ = nach billigem Parfüm riechen. 1930 *ff.*

nutten (nutten gehen) *intr* als nichtregistrierte Prostituierte auf Kundenfang ausgehen. 1900 *ff, prost.*
Nuttenbluff *m* vorgetäuschte Liebesgefühle einer Prostituierten gegenüber einem vermögenden Kunden. ~ Bluff 1. 1920 *ff.*
Nuttenbouillon *f* Sekt ist für Prostituierte kein außergewöhnliches Getränk. 1950 *ff.*
Nuttendiesel *m n* **1.** Dünnbier. Prostituierte bevorzugen Dünnbier, weil starke alkoholische Getränke sie in der Berufsausübung beeinträchtigen. 1960 *ff.*
2. aufdringliches, billiges Parfüm. 1975 *ff.*
Nuttenfrühstück *n* Tasse starken Bohnenkaffees und eine Zigarette. 1960 *ff*, kellnerspr.
Nutteninspekteur *m* Leiter der Abteilung Sittenpolizei im Polizeipräsidium. 1920 *ff.*
Nuttenkoffer *m* **1.** Kosmetiktasche, Kulturbeutel. 1950 *ff.*
2. Kampftasche. *BSD* 1965 *ff.*
Nuttenparfüm *n* billiges, nicht sehr angenehm riechendes Parfüm. *Vgl* ↗ Nuttendiesel 2. 1955 *ff.*
Nutten-TÜV *m* Gesundheitskontrolle der zugelassenen Prostituierten. ↗ TÜV. 1965 *ff, ärztl.*
Nuttenwäsche *f* **1.** oberflächliche Körperwaschung. Gründliche Hygiene ist den Prostituierten angeblich fremd. 1935 *ff.*
2. durchbrochene Spitzenunterwäsche. *Vgl* ↗ Reizwäsche. 1930 *ff.*
nuttig *adj* **1.** kleinformatig, zierlich, winzig. Zur Herleitung *vgl* „↗ Nutte 1". Seit dem 18. Jh.
2. prostituiertenhaft. 1910 *ff.*
Nymphe *f* Prostituierte. Meint in Altgriechenland die (verschleierte) Braut; auch Bezeichnung für die Insektenpuppe. Am bekanntesten als weibliche Gottheiten des Wassers, der Bäume und der Berge. *Stud* seit dem 17./18. Jh.

O

O *n* **1.** Opium. Tarnende Abkürzung. 1920 *ff.*
2. Beine wie ein ~ haben = auswärtsgekrümmte Beine haben. Die nebeneinanderstehenden, auswärtsgekrümmten Beine formen den Buchstaben O. Seit dem 19. Jh.
OB (O.B) Oberbürgermeister. Gegen 1920/30 aufkommende Abkürzung.
O.G. ohne Gehirn. Spöttische Deutung der Abkürzung von „Obergefreiter". *BSD* 1965 *ff.*
o.I. Ausdruck der Ablehnung. Abkürzung von „ohne Interesse". 1900 *ff.*
o.k. (okej) *adv* einverstanden! in Ordnung! Stammt entweder aus dem *Angloamerikan* und meint die familiäre Schreibweise von „all correct" in der Form „oll correct" oder aus der berlinischen Interjektion der Zustimmung „ocke" oder aus der Umdrehung von „k.o.", wie es bei den Soldaten üblich war. Für 1924/25 als Abkürzung im Amateurfunk gemeldet.
Oachkatzlschwoaf *m* Testwort für Nichtbayern. Meint im *Hd* „Eichhörnchenschwanz". 1920 (?) *ff.*
ob *konj* **1.** und ~!: Ausdruck der Bejahung (A.: „Kennst du die Kläre?". B.: „Und ob ich die kenne!"). Wohl verkürzt aus dem Antwortsatz „und ob ich die kenne, fragst du noch?". 1800 *ff.*
2. ~ se Geld hat: Redewendung beim Aufstoßen. „Ob se" ist schallnachahmender Natur. 1900 *ff.*
3. obste warme Würstchen hättst: Redewendung beim Aufstoßen. Lautmalend. 1900 *ff.*
O-Bein *n* **1.** Mensch mit auswärtskrümmten Beinen. ↗O 2. Seit dem 19. Jh.
2. *pl* = auswärtsgebogene Beine. Seit dem 19. Jh.
3. O-Beine sind besser als keine: Trostspruch. 1950 *ff.*
oben *adv* **1.** die da ~ = a) die Regierenden; die Verantwortlichen; die herrschende Gesellschaftsschicht. 1920 *ff.* – b) die Vorstandsmitglieder. 1920 *ff.*
2. ~ halb ohne = dekolletiert mit einem Netzstück zwischen den Rändern des Ausschnitts. 1965 *ff.*
3. ~ hui, unten pfui ↗hui.
4. ~ mit = a) in einem Kleid mit Oberteil. 1964 *ff.* – b) mit festem Dach; mit Schiebedach. 1965 *ff.* – c) mit Sicherheitsgurt; mit Schutzhelm. 1975 *ff.*
5. ~ nichts = ohne Oberteil (auf die Frauenkleidung bezogen). 1964 *ff.*
6. ~ nichts und unten nichts und in der Mitte rosa gerafft = fast unbekleidet; überaus spärlich bekleidet. 1925 *ff.*
7. ~ nichts und unten nichts und in der Mitte Hohlsaum = fast nackt. 1925 *ff.*
8. ~ ohne = oberteilloses Kleid oder Badeanzug. Die Bezeichnung kam 1964 mit der von Rudi Gernreich „erfundenen" Mode auf. Die Bezeichnung war erfolgreicher als die Mode. „Oben ohne" meint seitdem auch „ohne Büstenhalter", „ohne Regenschirm über dem Kopf", „ohne Schiebedach", „ohne Maul-, Beißkorb" (auf Hunde bezogen), „ohne Hundesteuermarke am Halsband", „ohne Toupet", „ohne

geschminkte Lippen", „ohne Badekappe", „ohne Brille", „mit geöffnetem Hemdkragen", „ohne Krawatte", „ohne Kopfbedeckung" usw. usw. Mit „oben ohne" kennzeichnet man auch die Dummheit.
9. ~ ohne und unten ohne (~ und unten ohne; ~ wie unten ohne) = nackt. 1965 *ff.*
10. sich nach ~ boxen = die Mitbewerber überwinden und eine Spitzenstellung erringen. Vom Boxer hergenommen, der Stufe für Stufe Bezirks-, Landes-, Deutschlandmeister usw. wird. 1920 *ff.*
11. sich nach ~ schießen = durch Fotografieren zum Erfolg gelangen. Schießen = fotografieren. Etwa seit 1960.
12. sich nach ~ schlafen = durch Beischlafgewährung beruflich aufsteigen. 1965 *ff.*
13. er ist ~ = er ist zornig. Er ist auf die ↗Palme geklettert; *vgl* auch ↗ hochgehen. 1920 *ff.*
14. ~ nicht ganz richtig (nicht ganz in Ordnung) sein = geistesgestört sein. 1900 *ff.*
15. sich nach ~ singen = ein beliebter Sänger werden. 1920 *ff.*
16. es steht ihm bis ~ = es ekelt ihn an. Hergenommen von einer Speise, die man erbrechen möchte. 1870 *ff.*
obenauf *adv* **1.** ~ schwimmen = sich überaus wohlfühlen; sich überlegen fühlen. Man schwimmt auf der Woge, statt von ihr überrollt zu werden. Auch Rahm schwimmt auf der Milch. 1870 *ff.*
2. ~ sein = hoch in Gunst stehen; Herr der Lage sein; erfolgreich, gesund, vergnügt sein. Hergenommen vom siegreichen Ringkämpfer, der auf dem Gegner kniet, oder vom Schwimmer, der sich über Wasser hält, oder vom Reiter auf dem Pferd. 1700 *ff.*
obenaus *adv* ~ sein = a) überheblich sein. Vor Dünkel trägt man die Nase hoch, oder man sitzt auf hohem ↗Roß. Seit dem 19. Jh. - b) wütend sein. Man ist aus dem ↗Häuschen. Seit dem 16. Jh.
obenherab (obenherunter) von ~ = geringschätzig, herrisch; hochfahrend stolz (er behandelt uns von obenherab; er spricht von obenherab). Der Dünkelhafte oder Mächtige blickt auf die Unterlegenen (Untergebenen) herab wie der Reiter zu Pferde. Seit dem 19. Jh. *Vgl engl* „to look down on"; *franz* „le prendre de haut avec quelqu'un".
obenhin *adv* **1.** etw bis ~ haben = einer Sache sehr überdrüssig sein. Es steht bis zum höchsten Punkt der Speiseröhre. 1920 *ff.*
2. etw (jn) ~ kennen = etw (jn) flüchtig kennen. Seit dem 19. Jh.
3. etw ~ tun = etw flüchtig tun. Seit dem 19. Jh.
'Oben'ohne *m n* oberteilloses Kleid; oberteilloser Damenbadeanzug. ↗oben 8. 1964 *ff.*
Oben-ohne-Kleid *n* oberteilloses Kleid. 1964 *ff.*
Oben-ohne-Mode *f* busenfreie Damenmode. ↗oben 8. 1964 *ff.*
Oben-ohne-Welle *f* vorübergehende Mode des oberteillosen Frauenkleids. ↗Welle. 1964 *ff.*
obenraus *adv* **1.** ~ sein = wütend sein. *Vgl* ↗obenaus 2. Seit dem 16. Jh.
2. ~ wollen (obenhinaus wollen) = ehr-

geizig, hochfahrend sein. *Vgl* ↗hoch 6. 1600 *ff.*
obenrüber *adv* ~ arbeiten = oberflächlich arbeiten. Die Arbeit erstreckt sich nur auf die Oberfläche, wie man etwa die Unkrautspitzen beseitigt, ohne die Wurzeln auszugraben. 1900 *ff.*
Obenrum *m n* Busen; üppiger Busen; Brustweite. 1920 *ff.*
Ober *m* **1.** Kellner. Meint eigentlich die Kurzbezeichnung für den Oberkellner. 1870 *ff.*
2. Oberbürgermeister. 1920 *ff.*
3. Regierender Bürgermeister von Berlin. 1920 *ff.*
Oberaffe *m* Vorarbeiter. Er ist der „Affe", dem die anderen nachzuarbeiten haben. 1930 *ff.*
Oberalter *m* alter, abständiger Mann. 1960 *ff,* jug.
Oberarsch *m* Schimpfwort. ↗Arsch 2. 1914 *ff.*
Oberbau *m* **1.** Oberkörper; Busen. 1930 *ff.*
2. strammer ~ = üppiger Busen. 1930 *ff.*
Oberbonze *m* **1.** höherer Vorgesetzter; Würdenträger; leitender Partei-, Gewerkschaftsfunktionär. ↗Bonze. 1850 *ff.*
2. Schulleiter. 1910 *ff.*
Oberdeck *n* jm einen aufs ~ knallen = jm einen Schlag auf den Kopf versetzen. 1900 *ff.*
Oberdecke *f* Kleidung. Jägersprachlich ist „Decke" die Haut des Schalenwilds. 1920 *ff.*
oberdoof *adj* **1.** sehr dümmlich; geistesgestört. ↗doof. 1920 *ff.*
2. sehr langweilig. *Jug* 1920 *ff.*
oberdufte *adj* hervorragend. Steigerung von ↗dufte. *Halbw* 1950 *ff.*
oberfaul *adj* **1.** sehr träge. Seit dem 19. Jh.
2. sehr bedenklich (auf Witze bezogen: in der Pointe völlig überraschend). Entweder Verstärkung zu „↗faul" oder beeinflußt von *niederd* „aewerful = mehr als faul". Seit dem 19. Jh.
3. schlecht, geistlos. Seit dem 19. Jh.
4. völlig unzuverlässig. 1920 *ff.*
5. die Kiste stinkt ~ = die Sache ist überaus verdächtig, überaus bedenklich. 1930 *ff.*
Oberflächling *m* oberflächlicher, flüchtiger Mensch; Mensch mit seichten Ansichten. 1950 *ff.*
Oberförster *m* **1.** Vollbart. Solch einen Bart trug früher mancher Oberförster; durch Heimatfilme bleibt die Mode geläufig. 1850 *ff.*
2. Musiker, der falsch spielt. Anspielung auf „Bock = Fehler": der Betreffende schießt musikalisch mehrere Böcke. 1950 *ff,* halbw.
3. ich bin heute ~ geworden = in der Klassenarbeit habe ich heute zwei schwere Fehler gemacht. Vermutlich standen früher dem Oberförster zwei Böcke zum Abschuß zu. *Schül* 1960 *ff.*
4. „ach ja", seufzte der alte Oberförster und hüpfte von Geweih zu Geweih, um die neuen Tapeten zu schonen: Redewendung, wenn einer seufzt. Wohl Bruchstück aus einer studentischen Ulkerzählung. 1930 *ff.*
Oberförsterstochter *f* Mädchen mit üppig entwickeltem Busen. Der Oberförster hat viel Holz vor der Tür, und seine Tochter hat viel „↗Holz vor der Tür". 1900 *ff.*
Oberfuß *m* Hand. *Jug* 1960 *ff.*

obergeil *adj* unübertrefflich. ↗ geil 6. 1975 *ff, jug.*

obergescheit *adj* äußerst dumm. 1920 *ff.*

Obergeschoß *n* **1.** Schädel, Gehirn. Soviel wie Dachgeschoß, Mansardenstock. 1900 *ff.*
2. Busen. *Vgl* ↗ Oberbau. 1930 *ff.*

Obergestell *n* Oberkörper. ↗ Gestell. 19. Jh.

Obergröße *f* Parteiführer. Gelegentlich *abf.* 1946 *ff.*

Oberguru *m* beliebte Führerpersönlichkeit. „Guru" ist der indische Name für den geistlichen Vater (Sektenführer). *Halbw* 1977 *ff.*

Oberhäftling *m* vom Wachpersonal erkennbar bevorzugter Häftling. Die Vokabel drückt höchste Verachtung aus; denn die Bevorzugung ist verursacht durch Spitzeldienste übelster Art oder durch barsches Benehmen gegenüber unglücklicheren Kameraden. 1937 *ff.*

Oberhahn *m* **1.** Schüler der Oberstufe. Wohl Anspielung auf den zur Schau getragenen Wissensstolz. 1900 *ff.*
2. Mädchen-, Frauenheld. ↗ Hahn im Korb. 1950 *ff, jug.*

Oberhaus *n* Fußball-Oberliga; höchste Spielklasse. Dem *engl* parlamentarischen System entlehnt. *Sportl* 1950 *ff.*

Oberhitze *f* ~ haben = a) wütend sein. Gibt man dem Braten oder Kuchen Oberhitze, färbt er sich dunkel; ähnlich tritt dem Wütenden die Zornesröte ins Gesicht. 1920 *ff.*
2. nach Beischlaf verlangen (auf Frauen bezogen). *Vgl* ↗ heiß 2. 1920 *ff.*
3. schwitzen. 1920 *ff.*

Oberin *f* Kellnerin. ↗ Ober 1. 1920 *ff.*

Oberjeck *m* Präsident eines Karnevalsvereins. ↗ jeck. 1950 *ff.*

Oberkante *f* **1.** ihm steht es bis ~ Unterlippe = er ist dessen sehr überdrüssig. Anspielung auf Brechzwang. 1935 *ff.*
2. voll sein bis ~ Unterlippe (Unterkiefer) = volltrunken sein. 1935 *ff.*

oberklasse *adj* (unveränderlich) unübertrefflich. ↗ klasse. *Jug* 1960 *ff.*

Oberkrätze *f* höchst unsympathischer Mensch. Man meidet ihn wie einen, der von der Krätze befallen ist. 1920 *ff, österr.*

Oberkünstler *m* untauglicher Kraftfahrschüler. Spottbezeichnung. 1950 *ff.*

Oberkuttel *f* Wirtschaftsleiterin in einer Heimschule. ↗ Kuttel. 1950 *ff, schül.*

oberlastig *adj* vollbusig. Man hat oben Übergewicht. 1950 *ff.*

Oberleitungsaufseher *m* Arzt in einer Nervenheilanstalt. „Leitung" meint hier die Gesamtheit der Denk- und Bewußtseinsvorgänge, wortwitzelnd der Stromzufuhr von Straßenbahnen o. ä. angeglichen. 1910 *ff.*

Oberlicht *n* Busenausschnitt des Frauenkleids. Es ist eigentlich eine Öffnung, durch die das Licht von oben einfällt. 1700 *ff.*

Obermacher *m* Leiter; Unternehmensleiter; leitender Funktionär. ↗ Macher 2. 1920 *ff.*

Obermacker (-makker) *m* Tüchtigster. ↗ Macker 1. 1950 *ff, halbw.*

Obermann *m* Hut, Zylinderhut. Meint in der Handwerkersprache und im Rotwelsch den Dachspeicher. *Rotw* 1687 *ff.*

Obermimer *m* **1.** Soldat, der zu täuschen versteht, um guten Eindruck zu machen

und gleichzeitig das Soldatenleben sich so angenehm wie möglich zu machen. ↗ mimen. *Sold* 1935 *ff.*
2. Vorarbeiter, der Arbeitsamkeit vortäuscht. 1950 *ff*; wohl älter.

Obermolli *m* Unternehmensleiter. Molli als Hundename; hier vielleicht als scharfer Hund (↗ Hund 64) gemeint. 1925 *ff.*

Obermufti *m* Oberer; höchstrangiger Anführer. Mufti ist im Islam der Gelehrte des religiösen Rechts. 1950 *ff.*

Obernarr *m* Präsident eines Karnevalsvereins. 1950 *ff.*

Oberniederbumsbach *On* (fingierter Name für ein) abgelegenes Dorf. 1920 *ff.*

Ober¹postrat *m* Briefträger. Scherzhafte Rangerhöhung. 1920 *ff.*

oberprächtig *adj* ausgezeichnet. 1950 *ff.*

oberprima *adj präd* ganz vorzüglich. Steigerung von ↗ prima. *Jug* 1920 *ff.*

Oberpuppe *f* feste Freundin. *Jug* 1960 *ff.*

Oberscheich *m* **1.** Kommandeur, General, Heerführer. ↗ Scheich. *Sold* in beiden Weltkriegen.
2. Generaldirektor, Unternehmensleiter. o. ä. 1920 *ff.*

Oberscheiße *f* äußerst mißliche Lage; sehr widerwärtiger Vorfall; größte Wertlosigkeit. 1940 *ff.*

Oberschenkelschieber *m* Tango. *Halbw* 1955 *ff.*

oberschlau *adj* sehr schlau (auch *iron*). 1900 *ff*; wohl älter.

Oberschläue *f* vermeintliche Pfiffigkeit. 1900 *ff.*

Oberschter *m* höchster Vorgesetzter. Aus „Oberster" im *Niederd* und *Mitteld* entwickelt; hier seit dem späten 19. Jh.

Oberschütze *m* Mann, der für mehrere Kinder verschiedener Mütter Unterhalt zahlen muß. Schuß = Spermaerguß. *Sold* 1939 *ff.*

Oberspieß *m* Schulleiter, Rektor. Vom *milit* „Spieß = Kompaniefeldwebel" übertragen auf die *ziv* Geltung des „Verwaltungsleiters". 1920 *ff.*

Obersquaw (Grundwort *engl* ausgesprochen) *f* Leiterin einer Zeltlagergemeinschaft. Squaw = Indianerfrau. 1955 *ff.*

Oberstdorf *On* aus ~ sein = vollbusig sein. Scherzhafte Ortsnamenwahl mit Anspielung auf ↗ „Oberrum". 1967 *ff.*

Oberstock *m* im ~ nicht richtig sein = nicht bei Verstand sein. *Vgl* ↗ Oberstübchen. Seit dem 19. Jh.

Oberstübchen *n* **1.** Kopf; Gehirn; klarer Verstand. Von der Dachkammer scherzhaft übertragen im Sinne der Gleichsetzung von Mensch und Haus. 1700 *ff. Vgl engl* „upper storey".
2. jm das ~ fegen = jn heftig zur Rede stellen. Etwa seit Mitte des 19. Jhs.
3. es im ~ haben = nicht recht bei Verstand sein. 1860 *ff.*
4. etwas im ~ haben = a) betrunken sein. 1870 *ff.* – b) klug, pfiffig sein. 1950 *ff.*
5. bei ihm klappert es im ~ = er ist nicht bei Sinnen; er weiß nicht, welche unsinnigen Behauptungen er aufstellt. *Schül* 1950 *ff.*
6. nicht ganz richtig im ~ sein = a) nicht recht bei Verstand sein. 1700 *ff. Vgl engl* „to be wrong in the upper storey". – b) betrunken sein. 1700 *ff.*

Obertan *m* Vorgesetzter; hochgestellte Per-

sönlichkeit. Gegenwort zum „Untertan". 1910 *ff.*

Oberverdachtschöpfer *m* Staatsanwalt, Untersuchungsrichter; Kriegsgerichtsrat. Sie besitzen die unangenehme Eigenschaft, jedermann zu verdächtigen. Etwa seit 1870, *sold* und kundenspr.

Oberverteidiger *m* Bundesminister der Verteidigung. *BSD* 1965 *ff.*

Oberwasser *n* **1.** das gibt ihm ~ = das versetzt ihn in eine vorteilhafte Lage; dadurch gerät er in Vorteil. Hergenommen von der oberschlächtigen Wassermühle: das Triebrad der Mühle arbeitet bei Wasserzufluß von oben besser, als wenn das Rad durch das unten fließende Wasser in Drehung versetzt wird. Seit dem 19. Jh.
2. ~ haben = überlegen sein; sich in günstiger Lage befinden. 1800 *ff.*

oberweich *adj* ohne militärische Straffheit; leicht beeinflußbar. 1950 *ff.*

Oberweite *f* **1.** zu wenig ~ haben = geistesbeschränkt sein. Oberweite ist der Brustumfang; hier scherzhaft verallgemeinert zur Bedeutung „geistiger Gesichtskreis". 1900 *ff.*
2. die ~ nachmessen = den Busen betasten; eine Frau umarmen. 1955 *ff.*

Objekt *n* Mädchen. Verkürzt entweder aus „Zielobjekt" oder aus „Lustobjekt". Zu einem bloßen Gegenstand entwürdigt. *Halbw* 1960 *ff.*

Oblate *f* Beatle-, Gammlerhaartracht. Leitet sich vielleicht her von der Tonsur der Klosterzöglinge und Laienbrüder; hier spöttisch gemeint. 1965 *ff.*

Obmann *m* Klassensprecher. Eigentlich der Vorsitzende oder der Schiedsrichter. *Schül* 1950 *ff.*

Obrist *m* Oberst. Alte Form von „Oberst", wiederaufgelebt gegen 1960, *BSD*. Bezeichnet in der Mehrzahl neuerdings auch die Militärregierung.

Obst *n* **1.** Frauenbusen. Man vergleicht die Brüste mit Äpfeln, Mandarinen, Mirabellen usw. 1955 *ff.*
2. ~ mit Fremdkörper = wurmstichiges Obst. 1940 *ff.*
3. frisches ~ = Geschlechtsorgan des jungen Mädchens. Anspielung auf ↗ Pflaume. 1900 *ff.*
4. junges ~ = junges Mädchen. 1900 *ff.*
5. danke für ~ und Blumen!: Ausdruck der Ablehnung. Übertragen vom Mitbringsel für einen Kranken o. ä. *Vgl* das Folgende. 1950 *ff.*
6. danke für ~ und Südfrüchte (für ~; für Obstkuchen): Ausdruck der Ablehnung. Leitet sich her von einem Gesättigten, der den Nachtisch zurückweist. 1850 *ff*, wahrscheinlich in Berlin aufgekommen.
7. danke für ~ und Gemüse!: Ausdruck der Ablehnung. 1920 *ff.*
8. was riechst du nach ~! = was bist du dumm! Der Betreffende hat eine „faulige ↗ Birne" oder eine „↗ Matschpflaume". 1910 *ff.*
9. hier riecht es nach ~ = hier ist es nicht geheuer. Analog zu „↗ stinken", veranschaulicht durch die Vorstellung vom fauligen Obst. 1910 *ff.*

obsten *intr* einen Obsttag halten. 1955 *ff.*

Obstgenuß *m* Geschlechtsverkehr. Anspielung auf „Pflaume = Vulva". 1920 *ff.*

Obstiges *n* irgendwelches Obst. 1920 *ff.*

Obstkammer *f* **1.** Damenschlüpfer. ↗ Pflaume 8. 1900 *ff.*

2. Bikini-Unterteil. 1955 *ff.*

Obstschale *f* **1.** Damenschlüpfer. ↗Pflaume 8. 1900 *ff.*

2. Bikini-Unterteil. 1955 *ff.*

Obsttag *m* einen ~ halten = aus Obst destillierte Schnäpse trinken. *Vgl* ↗obsten. 1950 *ff.*

Obstverwertung *f* Geschlechtsverkehr (vom Mann gesehen). ↗Pflaume 8. 1920 *ff.*

Ochs (Ochse) *m* **1.** dummer, grober Mann. Der Ochse gilt als plump, schwerfällig und unbeholfen. 1500 *ff.*

2. schwerer Trecker; Schlepper für große Geschütze. Vom kräftigen Zugtier übertragen. 1940 *ff, sold.*

3. fleißiger Schüler. ↗ochsen. 1900 *ff.*

4. blöder (dämlicher) ~ = dummer Mensch. 1900 *ff.*

5. dummer ~ = sehr dummer Mensch. 1800 *ff.*

6. dumm wie ein ~ = sehr dumm. 1800 *ff.*

7. dunkel wie in einem ~n = völlig dunkel. Seit dem 19. Jh.

8. finster wie in einem ~n = sehr dunkel. Seit dem 19. Jh.

9. gesund wie ein ~ = sehr gesund. Kräftige Tiere gelten als gesund. 1930 *ff.*

10. stur wie ein ~ = unbeirrbar; unbeeinflußbar; eigenwillig. ↗stur. 1920 *ff.*

11. das hält kein ~ aus = das ist unzumutbar, unerträglich. Sogar dem kräftigen Ochsen wird es zuviel. Seit dem 19. Jh.

12. essen (fressen) wie ein ~ = gierig essen; gefräßig sein. 1900 *ff.*

13. das glaubt kein ~ = das kann man selbst dem Dümmsten nicht einreden oder vortäuschen. Seit Anfang des 20. Jhs.

14. Durst haben wie ein ~ = heftigen Durst haben. 1900 *ff.*

15. Talent für etw haben wie der ~ zum Seiltanzen = für etw völlig unbegabt sein. 1920 *ff.*

16. bei ihm kalben die ~n = er hat unwahrscheinliches Glück. In übertriebener Auffassung kann bei ihm sogar Unmögliches geschehen. 1800 *ff.*

17. einem ~n in die Hörner kneifen = Sinnloses tun. Seit dem 19. Jh.

18. bei ihm kommt wie beim ~n die Milch, alle sieben Jahre ein Tropfen: Redewendung auf einen Begriffsstutzigen. Seit dem 19. Jh.

19. ~n melken = Sinnloses tun oder planen. Seit dem 19. Jh.

20. dem ~n ins Horn petzen (pfetzen) = Aussichtsloses beginnen. Petzen, pfetzen = kneifen, zwicken. Seit dem 19. Jh.

21. saufen wie ein ~ = unmäßig trinken. Seit dem 19. Jh.

22. wie der ~ am (vorm) Berge stehen = überrascht, ratlos, unentschlossen sein. Vor einem Hindernis bleibt der Ochse zunächst stehen. 1500 *ff.*

23. wie der ~ vor dem neuen Scheunentor stehen = ratlos sein. Müßte eigentlich „Stalltor" heißen; denn das neugestrichene Stalltor sieht dem Ochsen fremd aus und hat für ihn auch einen ungewohnten Geruch. 1500 *ff.*

24. stehen wie ein ~, wenn es donnert = verwundert, ratlos stehen. Seit dem 19. Jh.

25. das wirft den stärksten ~n um = das ist außerordentlich, höchst eindrucksvoll. Veranschaulichung von „umwerfend". *Sold* 1939 *ff.*

26. vom ~n kann man nur Rindfleisch verlangen: Redewendung auf einen Dummen. 1800 *ff.*

Ochs-dreh-dich-um *n* ↗Oxtradium.

ochsen *intr* sehr eifrig, streberisch lernen. Meint eigentlich „hart arbeiten wie ein Ochse". Der Ochse arbeitet mit dem Kopf (Stirn, Nacken); auch der Lernende arbeitet mit dem Kopf. 1800 *ff, stud* und *schül.*

Ochsenakademie *f* Landwirtschaftsschule; Landwirtschaftliche Hochschule. Überlagert von der fest eingewurzelten Meinung, der Bauer oder Landwirt sei dumm. 1900 *ff.*

Ochsenauge *n* **1.** kleines Rundfenster; rundes Schiffsfenster. 1600 *ff. Vgl engl* „bull's eye" und *franz* „œil de bœuf".

2. *pl* = Spiegeleier. Das Eiweiß umgibt den Dotter wie das Weiße den Augapfel. 1500 *ff.*

3. *pl* = große, hervorstehende Augen. Seit dem 19. Jh.

Ochsenfiesel *m* **1.** derbe Peitsche; Zuchtrute. Eigentlich das getrocknete und gelängte Geschlechtsglied des Ochsen. 1800 *ff.*

2. grober, ungeschlachter Mann. Seit dem 19. Jh.

Ochsenmilch *f* dich hat man wohl mit ~ aufgezogen? Frage an einen, der törichte Behauptungen vorbringt. 1920 *ff*, Berlin.

Ochsenstall *m* Hosenlatz. *Vgl* ↗Bullenstall 4. 1900 *ff.*

Ochsenstunde *f* Nachhilfestunde. Da muß sogar der „Ochse" (= dummer Schüler) „ochsen" (= fleißig lernen). 1920 *ff.*

Ochsentour *f* **1.** Beamtenlaufbahn; vorgeschriebener Dienstweg; Offizierslaufbahn. Anspielung auf die vom Ochsen abgesehene Schwerfälligkeit und Langsamkeit, mit der Beamte und Offiziere planmäßig von Stufe zu Stufe befördert werden. Nach 1870 aufgekommen.

2. Laufbahn des Parteifunktionärs bis zum Bundestagsmandat. 1960 *ff.*

3. mühevolle Arbeit; herkömmliches, umständliches Verfahren; beschwerlicher Weg. 1920 *ff.*

Ochsentreiber *m* **1.** Lehrer an einer Schule für Unbegabte oder an einem Privatgymnasium. Er treibt die „Ochsen = Dummen". 1900 *ff.*

2. Rekrutenausbilder. 1910 *ff.*

3. Klassenwiederholer. Fußt auf der alten Gewohnheit, einen für keine andere Arbeit tauglichen Mann zum Dorfhirten zu machen. 1950 *ff.* Seit dem 19. Jh.

4. grober Mensch. Seit dem 19. Jh.

Ochsenziemer *m* mit dem ~ zwischenfuhrwerken = rücksichtslos vorgehen; keine Milde walten lassen. *Vgl* ↗Ochsenfiesel. 1939 *ff.*

ochsig *adj* **1.** plump, grob, schwerfällig, dumm. ↗Ochs 1. 1700 *ff.*

2. sehr stark; sehr groß; heftig. 1700 *ff.*

3. *adv* = sehr. 1700 *ff.*

öde *adj* langweilig, geistlos, gehaltlos; schwunglos. Meint ursprünglich „leer, verlassen" (auf Haus oder Gegend bezogen), dann übertragen auf innere, geistige Leere und weiter auf eine schwunglose Handlung; seit *mhd* Zeit; neuerdings stark in Halbwüchsigenkreisen verbreitet.

öden *v* **1.** jn ~ = jn langweilen, durch Geschwätz nervös machen. ↗öde. 1870 *ff.*

2. sich ~ = sich langweilen. 1870 *ff.*

oder *konj* verkürztes Teilstück einer Doppel-

frage (hast du Geld bei dir, oder? gehst du mit, oder?). Meist so fordernd gesprochen, daß Verneinung ausgeschlossen ist. 1800 *ff.*

Oderkähne *pl* große Schuhe; plumpe Stiefel; große, plumpe Füße. ↗Kahn 8. Seit dem späten 19. Jh.

odören (odeuren) *v* **1.** *intr* = einen Darmwind entweichen lassen. Bezieht sich eigentlich auf Wohlgeruch. 1900 *ff.*

2. *impers* = stinken. 1900 *ff.*

Odörs (Odeurs) *pl* die ~ machen = die Gäste bewillkommnen. Scherzhaft entstellt aus „die Honneurs machen", wahrscheinlich durch Studenten oder Kabarettisten. Spätestens seit 1900.

Öfchen *n* **1.** Tabakspfeife. Als Wärmespender aufgefaßt. 1920 *ff.*

2. Bettgenossin. Auch „Öfchen mit Ohren" genannt. 1935 *ff.*

Ofen *m* **1.** Auto. Wegen der Wärmeentwicklung. *Halbw* 1955 *ff.*

2. Kraftrad. *Halbw* 1955 *ff.*

3. Moped. *Halbw* 1955 *ff.*

4. Feuerzeug. *Halbw* 1955 *ff.*

5. intime Freundin; leicht zugängliches Mädchen. Sie spendet Wärme im Bett. ↗Öfchen 2. 1935 *ff, halbw.*

6. reizloses Mädchen. Meint wohl eines, das hinter dem Ofen sitzt, sich zurückhält und Geselligkeiten fernbleibt. Der Zimmerofen wird zum Sinnbild der Häuslichkeit. *Halbw* 1955 *ff.*

7. alter ~ = altes Auto. *Halbw* 1955 *ff.*

8. feister ~ = breitgebautes, bequemes Auto. Es ist bequem für dickleibige Insassen. *BSD* 1965 *ff.*

9. heißer ~ = a) Auto mit leistungsstarkem Motor; Renn-, Sportwagen. 1955 *ff.* – b) schnelles Motorrad; Motorrad über 500 ccm. 1960 *ff.* – c) Seifenkiste. 1965 *ff.* – d) liebesgieriges Mädchen. Heiß = sinnlich veranlagt. 1960 *ff, halbw.* – e) Grillgerät. 1970 *ff.*

10. praller ~ = a) vollbusiges Mädchen. 1955 *ff.* – b) Sache, die allgemein interessiert. Das Gemeinte ist prall voller Spannung, Interesse, Neuigkeit o. ä. 1955 *ff.*

11. schneller ~ = Rennwagen. 1955 *ff.*

12. ganz frisch aus dem ~ = ganz neu; soeben veröffentlicht. Von Backwaren übertragen. 1960 *ff.*

13. der ~ ist aus = a) der Plan ist gescheitert; die Hoffnung ist vergangen; die günstigen Aussichten sind zunichte geworden. 1939 *ff, sold* und *ziv.* – b) die Geduld ist erschöpft; die Lage ist nicht mehr zu retten; die Sache ist endgültig erledigt; für mich ist Schluß. *Sold* und *ziv* 1939 *ff.* – c) die Geschlechtskraft ist abhanden gekommen. 1910 *ff.* – d) der Tod ist eingetreten. 1920 *ff.*

14. dieser ~ ist ausgegangen = diese Sache ist erledigt und übt auf niemanden mehr einen Reiz aus. 1940 *ff.*

15. den ~ ausmachen = jn umbringen, ermorden. 1940 *ff.*

16. jetzt ist der ~ am Dampfen = a) jetzt ist die Geduld zu Ende; jetzt ist die Grenze des Erträglichen erreicht; jetzt kommt es zu einem Wutanfall. Der dampfende Ofen ist Sinnbild der Unerträglichkeit. 1920 *ff.* – b) jetzt wirft das Geschäft regelmäßigen Ertrag ab. Übertragen von der unter Dampf stehenden Lokomotive. 1920 *ff.*

17. der ~ fällt (bricht) ein (zusammen) = die Frau wird entbunden. Hergenommen

vom bauchigen Ofen, dessen einer Teil aus Lehm bestand; mit der Zeit sackte der Lehm ein. 1800 *ff.*
18. ihm geht der ~ = er hat Angst. Mit dem Ofen ist hier wohl das Herz gemeint. *Jug* 1955 *ff*, *österr.*
19. jn nicht hinter dem ~ hervorlocken = auf jn nicht anziehend wirken. Verkürzt aus „mit etw keinen ⁊ Hund (keine ⁊ Katze) aus (hinter) dem Ofen hervorlocken". 1950 *ff.*
20. es kommt nichts aus dem ~ = die Sache verläuft unergiebig, ohne befriedigendes Ergebnis. Hergenommen vom Backofen, der kalt bleibt. Ost-Berlin 1960 *ff.*
21. der ~ wird heiß = das Publikum begeistert sich mehr und mehr. Übertragen vom Ofen, den man schürt. 1960 *ff.*
Ofenpfeifenhosen *pl* enganliegende Hosen. Um 1850 aufgekommen mit der einschlägigen Mode.
Ofenrohr *n* **1.** Zylinderhut. Wegen der Form- und Farbähnlichkeit. 19. Jh.
2. Einmann-Raketenwaffe zur Panzerbekämpfung (Panzerfaust). *Sold* 1939 bis heute.
3. *pl* = dicke Beine; dicke Arme. 1900 *ff.*
4. *pl* = enge Hosenbeine. 1850 *ff.*
5. fliegendes ~ = Hubschrauber mit zwei Rotoren. Er ähnelt einem geknickten Ofenrohr. 1950 *ff.*
6. Beine wie ein ~ haben (gern mit dem Zusatz: nicht so dick, aber so dreckig) = schmutzige Beine haben. 1900 *ff.*
7. rauchen wie ein gelochtes ~ = viel rauchen; ein starker Raucher sein. Wortwitzelei. 1950 *ff.*
8. mit dem ~ ins Gebirge schauen = das Nachsehen haben. Erweiterung aus „durch die ⁊ Röhre gucken". *Oberd* 1925 *ff.*
Ofenröhrenhosen *pl* enganliegende Hosen. 1850 *ff.*
offenbaren *refl* dekolletiert sein. *Vgl* ⁊ Offenbarungseid. 1950 *ff.*
Offenbarungseid *m* **1.** Dekolleté, Marke ~ = tiefes Dekolleté. Eigentlich die eidliche Vermögensangabe eines fruchtlos Gepfändeten. Hier Anspielung auf die Offenlegung der Brust. 1950 *ff.*
2. einen ~ ablegen = einen Heiratsantrag machen. Man offenbart die Ernsthaftigkeit seiner Liebesgefühle. *BSD* 1965 *ff.*
Offenheit *f* **1.** Dekolleté. 1920 (?) *ff.*
2. schonungslose ~ = gewagtes Dekolleté. Meint eigentlich die freimütige Äußerung, bei der man sich keinerlei Zurückhaltung auferlegt. 1920 (?) *ff.*
offenherzig *adj* stark dekolletiert. Wortspiel mit „offenherzig = mitteilsam" und „offenherzig = offen, daß man bis zum Herzen sehen kann". Seit den späten 19. Jh.
Öffentliche *f* Prostituierte. Sie ist der Öffentlichkeit zugänglich und kein Privateigentum. Verdeutschung von *lat* „puella publica". 1960 *ff.*
Öffentlichkeitsrummel *m* betriebsame Öffentlichkeitsarbeit; Propagandatätigkeit über die Massenmedien. ⁊ Rummel. 1955 *ff.*
Offizielle *f* **1.** unter Gesundheitsaufsicht stehende Prostituierte. Als solche ist sie „offiziell" bekannt. 1920 *ff.*
2. auf die ~ = um den Anstandsregeln Genüge zu leisten; zwecks eines förmli-

chen Besuchs. Hinter „offizielle" ergänze „Tour". 1950 *ff.*
Offizierin *f* weiblicher Sanitätsoffizier. 1975 *ff.*
Offiziersbemme *f* dünne Brotschnitte. ⁊ Bemme 1. Um 1870 aufgekommen mit Anspielung auf das damals spärliche Gehalt.
Offiziersfabrik *f* Waffenschule; Kriegsschule für Offiziere; Offiziersschule. Dort werden Offiziere gewissermaßen serienmäßig (einheitlich) „fabriziert". *Sold* 1914 bis heute.
Offizierslehrling *m* Offiziersanwärter. 1914 bis heute.
Offiziersmieze *f* Liebchen eines Offiziers. ⁊ Mieze. 1960 *ff.*
Offiziersschnitte *f* dünne Brotscheibe. ⁊ Offiziersbemme. 1870 *ff.*
Offiziersskat *m* Liebesspiel. Bei diesem „Skat" wird mit aufgedeckten Karten gespielt. *Halbw* 1960 *ff.*
öfter *adv* ~ mal was Neues!: **1.** Redewendung angesichts eines ungewohnten Vorgangs. Übernommen vom Werbespruch des Handels, der die Kunden zu Neuanschaffungen ermuntert. 1955 *ff.*
2. Redewendung, mit der der Partnerwechsel, die eheliche Untreue verharmlost wird. 1965 *ff.*
o'ha *interj* Ausruf der Überraschung, des Erschreckens, des Zweifels; etwa soviel wie „nicht doch!". Wohl übertragen vom Zuruf an das Zugvieh zum Anhalten. 1900 *ff.*
Ohmfaß *n* ins ~ fallen = ohnmächtig werden. Wortspielerische Entstellung entweder aus „Ohnmacht" oder aus „Ahmfaß = Faß mit 160 Liter Inhalt". *Westd* seit dem 19. Jh.
ohne *präp* **1.** Strafurteil ohne Bewährungsfrist. 1950 *ff.*
2. ohne Lebensmittelmarken; ohne Bezugschein; ohne Gegengabe von begehrten Dingen. Diese Bezeichnung war unter Eingeweihten eine gängige Verkürzung. *Ziv* 1939–1948; *sold* 1939–1945.
3. ohne Geschlechtsverkehr. 1935 *ff.*
4. nackt. Verkürzt aus „ohne Bekleidung". 1920 *ff.*
5. ohne Bedienungsgeld (das macht 2 Mark 70 ohne). 1920 *ff.*
6. ~ Ahnung = Offiziersanwärter. Deutung der Abkürzung „OA". *Sold* 1939 bis heute.
7. ~ alles = nackt. 1920 *ff.*
8. ~ Gehirn = Obergefreiter. Deutung der Abkürzung „OG". *BSD* 1965 *ff.*
9. ~ mich = a) Ausdruck der Ablehnung. Verkürzt aus „das mag geschehen, aber ohne mich!". Parole der kriegsmüden Soldaten (1942 *ff*), später der politikmüden Wähler (1945 *ff*). – b) Ablehnung jeglicher politischen Betätigung; Aufgabe der politischen Mitverantwortung. Politisches Schlagwort seit 1945.
10. ~ was = a) nackt. 1910 *ff.* – b) mittellos. 1910 *ff.* – c) ohne irgendwelche Beimischung (Kaffee ohne was = Kaffee ohne Milch und Zucker). 1920 *ff.*
11. ~ was an = nackt. Verkürzt aus „ohne etwas an dem Körper". 1910 *ff.*
11 a. ~ was drunter = ohne Unterkleid, Büstenhalter usw.; auf der Haut zu tragen. Wohl schon vor 1900 aufgekommen.
12. ~ baden (gehen) = nackt baden. 1920 *ff.*

13. ~ gehen = ein oberteilloses Kleid tragen. ⁊ oben 8. 1964 *ff.*
14. das ist nicht ~ = das ist bedeutend, eindrucksvoll, beachtlich. Entweder Verschiebung der Gliederung „es ist nicht, ohne daß er das gesagt hat" zu „es ist nicht ohne, daß er das gesagt hat" oder Auslassung des Substantivs (es ist nicht ohne Grund, ohne Nutzen, ohne Recht o. ä.). 1500 *ff.*
15. er ist nicht ganz ~ = a) er ist klug, anstellig, ansehnlich. Seit dem 19. Jh. – b) er ist launisch, wenig zuverlässig. Seit dem 19. Jh.
Ohnemichel *m* **1.** Bürger ohne Interesse am politischen Leben. Zusammengesetzt aus „ohne mich" (⁊ ohne 9) und „Michel", der Sinnbildfigur des (einfältigen) Deutschen. 1950 *ff.*
2. Wehrdienstverweigerer. 1965 *ff.*
Ohnemichler *m* Bürger, der jegliche politische Mitverantwortung ablehnt. 1950 *ff.*
Ohne-Schläferin *f* Nacktschläferin. 1965 *ff.*
Ohnmachtsknochen *m* Schwächling; kümmerlicher Mensch. 1870 *ff.*
o'ho *interj* **1.** mit ~ = ausgezeichnet; sehr schmackhaft. „Oho" als Ausruf der Verwunderung, auch der Anerkennung und des Widerspruchs. 1950 *ff.*
2. ~ sein = ausgezeichnet sein. 1870 *ff.*
Ohr *n* **1.** umgekniffte Ecke einer Buchseite. Verkürzt aus „⁊ Eselsohr". Seit dem 19. Jh.
2. *pl* = Frauenbrüste. Längliche Brüste ähneln den Ohrmuscheln. 1950 *ff.*
3. ~ des Gesetzes = Lärmmeßtrupp der Verkehrspolizei o. ä. Dem „⁊ Auge des Gesetzes" nachgebildet. 1959 *ff.*
4. ~ am Soldaten = Wehrbeauftragter des Bundestags. Der Arztpraxis entlehnt und mit spöttischem Nebensinn ausgestattet. *Vgl* auch „das Ohr am Puls der Zeit = äußerste Gegenwartsnähe". *BSD* 1965 *ff.*
5. mit aufgeklappten ~en = mit größter Aufmerksamkeit. Dem Hund abgesehen. 1950 *ff.*
6. ich schneide dir die ~en ab!: Drohrede an Kinder. Seit dem 19. Jh.
7. ... oder ich schraube dir die ~en ab!: Drohrede. Etwa seit 1950.
8. jm ein ~ abschwätzen = ausdauernd auf jn einreden. Verkürzt aus „dem ⁊ Teufel ein Ohr abschwätzen". 1900 *ff.*
9. ~en anlegen! = stillgestanden! Scherzhaft erweitert aus „die Hände an die Hosennaht anlegen". *Sold* 1914 *ff.*
10. die ~en anlegen = a) nicht aufbegehren; keine Widerworte geben. Übertragen von der Demutsgebärde des Hundes. 1910 *ff.* – b) in steilem Sturzflug niedergehen. Fliegerspr. 1935 *ff.* – c) auf der Hut sein. 1920 *ff.*
11. sich einen neuen Satz ~en anschnallen = sich auf einen ungewohnten Wortschatz einstellen; sich zum Zuhören anschicken. Berlin 1955 *ff.*
12. die ~en aufknöpfen = genau zuhören. Meist in der Befehlsform. Übertragen vom Aufknöpfen der Taschen oder des Rocks als Sinnbildhandlung der Unförmlichkeit und Zugänglichkeit. 1800 *ff.*
13. er kann sich selber in die ~en beißen = er hat einen breiten Mund. 1900 *ff.*
14. sich vor Wut in die ~en beißen mögen = sehr wütend sein; aus Zorn zu unsinnigem Tun fähig sein. 1920 *ff.*

15. jm die ~en besäumen (umsäumen) = jm Ohrfeigen versetzen. Unter heftigen Schlägen schwellen die Ohrmuscheln an. 1900 ff. Vgl aber ↗Ohr 67.

16. jm etw ins ~ blasen = a) jm etw heimlich zu wissen geben; jm ein Geheimnis anvertrauen. Man flüstert es dem Nachbarn ins Ohr. 16. Jh. – b) jm gründlich die Meinung sagen. Vgl auch ↗anblasen. 1935 ff.

17. sich die ~en brechen = sehr ungeschickt zu Werke gehen. Ohren (Ohrmuscheln) können mangels Knochen nicht brechen; also muß einer besonders ungeschickt verfahren. 1930 ff.

18. die ~en bügeln = schlafen. 1920 ff.

19. gleich fehlt dir ein Satz ~en!: Drohrede. Beide Ohrmuscheln will man ihm vom Kopf reißen. Halbw 1960 ff.

20. jm die ~en fetzen = den Unaufmerksamen zur Aufmerksamkeit anhalten. Fetzen, pfetzen = kneifen. Schül 1900 ff.

21. jm die ~en vom Kopf fressen (essen) = sich bei jm reichlich sättigen; an fremdem Tisch kräftig zulangen. In übertreibender Darstellung ist gemeint, daß man sich nicht mit den vorgesetzten Speisen begnügt, sondern sogar zum Kannibalismus übergeht. 1850 ff.

22. jm ein paar hinter die ~en geben = jn ohrfeigen. Hinter die Ohren = in den Nacken. Seit dem 17. Jh.

23. von einem ~ zum andern grinsen = über das ganze Gesicht grinsen. 1935 ff.

24. ~en haben = vollbusig sein. ↗Ohr 2. 1950 ff.

25. ~en mit Reißverschluß haben = nach Belieben zuhören oder nicht. 1950 ff.

26. hast du die ~en im Sack? = kannst (willst) du nicht verstehen? Fußt auf der scherzhaften Vorstellung, daß man die Ohren abknöpfen und in die (Hosen-)Tasche stecken kann. 1935 ff.

27. dicke ~en haben = schlecht hören. Wohl Anspielung auf geschwollene Ohren und verengten Gehörgang. 1500 ff.

28. lange ~en haben = gute Beziehungen zu einflußreichen Leuten haben und durch sie Wissenswertes in Erfahrung bringen. Gemeint ist, daß man mit langen Ohrmuscheln mehr höre. 1930 ff.

29. ein ganz offenes ~ haben = zugänglich sein. 1900 ff.

30. zwei ~en haben = unbeteiligt zuhören. Vgl ↗Ohr 59. 1920 ff.

31. es (dick, faustdick, knüppeldick) hinter den ~en haben = sehr verschlagen, gewitzt sein; sich in jeder Lebenslage zu helfen wissen. Geht zurück auf die alte volkstümliche Meinung, daß das Organ der Verschlagenheit hinter den Ohren liege. Verkürzt aus „den Schalk hinter den Ohren (| im Nacken) haben". 1600 ff.

32. jn im ~ haben = jds Stimme am Fernsprecher hören. 1950 ff.

33. es im ~ haben = betrunken torkeln. Der Gleichgewichtsapparat im Ohr ist gestört. 1900 ff.

34. viel um die ~en haben = viel zu tun haben. Wohl Anspielung auf starken Arbeitslärm oder auf Stimmengewirr: dies zwingt bei besonders großer Konzentration bei der Arbeit. 1700 ff.

35. nichts zwischen den ~en haben = dumm sein; gedankenlos leben. Zwischen

den Ohren befindet sich normalerweise das Gehirn. 1950 ff.

36. die ~en hängen lassen = niedergeschlagen, mutlos sein. Dem gescholtenen Hund abgesehen. 1500 ff.

37. sich aufs ~ hauen = sich schlafen legen. Sich hauen = sich schlagen; sich werfen. 1830 ff.

38. jn übers ~ hauen = jn übervorteilen. Hergenommen vom Fechten: es galt als unerlaubter Hieb, dem Gegner einen solch festen Hieb auf das Ohr zu geben, daß er nicht mehr hören konnte. 1700 ff.

39. jm etw hinter (um) die ~en hauen = jm etw heftig vorwerfen. Der ergrimmte Vater schlägt dem Sohn das schlechte Zeugnis um den Kopf, die Mutter schlägt der Tochter die unordentliche Handarbeit um den Kopf: man ohrfeigt mit einem Gegenstand. 1950 ff.

40. auf diesem ~ hört er nicht (hört er schlecht) = diese Sache will er nicht zur Kenntnis nehmen. 1900 ff.

41. mit den ~en klauen = lauschen, belauschen. ↗klauen. 1920 ff.

42. ihm klingen (klingeln, läuten) die ~en = in seiner Abwesenheit wird von ihm gesprochen. Fußt auf der abergläubischen Meinung, daß Ohrenklingen etwas zu bedeuten haben muß. Der primitive Mensch meint, er und alle Menschen besäßen die Gabe der Fernwirkung. 1700 ff.

43. einander Schlagworte (o. ä.) um die ~en knallen = einander mit Schlagworten bekämpfen. 1930 ff.

44. er kommt bei seinen ~en zu Besuch = beim Gähnen oder Lachen öffnet er den Mund sehr weit. 1880 ff.

45. jm im ~ krabbeln = jm schmeicheln. 1910 ff.

46. die ~en kriegen Besuch = man verzieht das Gesicht zu einem breiten Grinsen; beim Lachen (Gähnen) reißt man den Mund sehr weit auf. Vgl ↗Ohr 45. 1880 ff.

47. jn an den ~en kriegen = jn verantwortlich machen. Man zieht (packt) ihn an den Ohren, wie man es gelegentlich mit unfolgsamen Kindern tut. 1900 ff.

48. ein paar hinter (um) die ~en kriegen = geohrfeigt werden. ↗Ohr 39. 1700 ff.

49. von ~ bis (zu) ~ lachen = breit grinsen. 1905 ff.

50. jm die ~en langziehen = jn heftig zurechtweisen. Man zieht ihn an den Ohren hin und her. Vgl ↗Ohr 48. 1900 ff.

51. auf ~en laufen = nicht auf dem laufenden sein; sich übertölpeln lassen. Vermutlich Teilstück eines Ostfriesenwitzes. 1971/72 ff.

52. sich aufs ~ legen = sich schlafen legen. 1600 ff.

53. auf dem ~ liegen = schlafen, ruhen. Seit dem 19. Jh; aber wohl älter.

54. jm in den ~en liegen = jn mit Bitten oder Klagen belästigen. Meint eigentlich, daß man seinem Gegenüber die Worte aus allernächster Nähe ins Ohr hineinspricht, damit er nichts anderes gleichzeitig hören kann. Seit mhd Zeit.

55. lange ~en machen = scharf achtgeben. Man vergrößert die Ohrmuschel durch den Handteller. 1910 ff.

56. langes ~ machen = sich vom Mitschüler vorsagen lassen. Schül 1930 ff.

57. in seinen ~en kann man Bohnen (o. ä.) pflanzen = er hat unsaubere Ohren. Seit dem 19. Jh.

58. es geht bei einen ~ rein, beim andern raus = es haftet nicht im Gedächtnis. Im Sinne volkstümlicher Physiologie besteht zwischen den Ohren eine unmittelbare Verbindung, so daß Gehörtes vom einen zum andern Ohr gelangen kann, ohne den Umweg über das Gehirn einschlagen zu müssen. Seit mhd Zeit. Vgl engl „to go in one ear and out the other". 1880 ff.

59. beim einen ~ alles rein-, beim andern alles rauslassen = von allem keine Notiz nehmen; überhaupt nicht zuhören. Seit dem 19. Jh.

60. essen, daß es bei den ~en rausstaubt (rausquillt) = übermäßig viel essen. Bildlich dargestellt 1872 von Wilhelm Busch im Kapitel „Die Zwillinge" in „Die fromme Helene".

61. es staubt ihm bei den ~en raus = er ist dieser Sache überdrüssig. Vgl ↗Ohr 83. 1950 ff.

62. es wächst (steht) ihm aus den ~en raus = es ekelt ihn an. Vergrößerung von „es wächst einem zum ↗Hals raus". 1955 ff.

63. in seinen ~en kann man Petersilie (o. ä.) säen = er hat sehr unsaubere Ohren. Seit dem 19. Jh.

64. sich ~en sagen = sich Guten Tag: Redewendung, wenn einer beim Gähnen den Mund sehr weit öffnet. 1880 ff.

65. sich selbst etw ins ~ sagen können = einen breiten Mund haben. 1800 ff.

66. die ~en säumen = einer Schwangeren beischlafen. Umschreibung für überflüssiges Tun. Seit dem 19. Jh. Vgl aber ↗Ohr 15.

67. jm etw ins ~ säuseln = jm etw zuflüstern; jm Schmeichelworte geben. Vgl ↗Ohr 16. 1920 ff.

68. die ~en auf Empfang schalten (stellen) = zuhören wollen. Der Funktechnik entlehnt. 1950 ff.

69. mit den ~en schlackern = a) die Ohren bewegen. „Schlackern" ist Wiederholungsform von „schlagen". Eigentlich vom Hund gesagt, der die Ohren schüttelt. Seit dem 19. Jh. – b) einem Ereignis ratlos gegenüberstehen; höchst verwundert sein. Analog zu „den Kopf schütteln". 1840 ff.

70. mir schlackern die ~en = ich bin bestürzt, wundere mich sehr. 1930 ff.

71. jn um die ~en schlagen = jn ohrfeigen. ↗Ohr 39. Seit mhd Zeit.

72. sich die Zeit (den Tag, die Nacht) um die ~en schlagen = die Zeit nutzlos verbringen; müßiggehen. Uhr schlagen = in den Nacken (wo man dem Schlachttier den betäubenden oder tötenden Schlag versetzt). Daher ist „um die Ohren schlagen" soviel wie „totschlagen". 1840 ff.

73. sich den Schlaf um die ~en schlagen = die gewohnte Schlafzeit nicht zum Schlafen benutzen. 1900 ff.

74. sich etw hinter die ~en schreiben = sich etw gründlich merken; etw beherzigen. Herzuleiten von einem mit Ohrfeigen verbundenen Schreibunterricht: dem unbegabten oder trägen Schüler wurde mit Ohrfeigen beigebracht, wie er richtig zu schreiben habe; sachverwandt mit „↗ einbleuen" und „↗ pauken". 1600 ff.

76. die ∼en segeln = die Ohren stehen ab. 1935 ff.

77. nicht bei ∼ sein = a) nicht zuhören. 1870 ff. – b) begriffsstutzig sein. 1870 ff. – c) (absichtlich) mißverstehen. 1900 ff.

78. ganz ∼ sein = aufmerksam zuhören. 1800 ff. Vgl franz „nous sommes tout oreilles".

79. noch naß (noch feucht; noch nicht trocken) hinter den ∼en sein = noch unreif, unerfahren sein. Man meint eigentlich das neugeborene Kind, dann auch die Tatsache, daß sich in der Ohrgrube die Feuchtigkeit am längsten hält. 1500 ff.

80. nun bin ich von den ∼en!: Ausdruck der Verwunderung. Der Redewendung „von den ↗ Socken sein" nachgebildet mit Einwirkung der Frage „ich höre wohl nicht richtig?". 1940 ff.

81. auf den ∼en sitzen = schwerhörig sein; nicht hören wollen; unzeitgemäß denken. Grotesk-physiologische Vorstellung. 1700 ff.

82. die ∼en spitzen = genau hinhören; aufmerken. Hergenommen von Pferden, Hunden, Hasen usw., die die Ohren aufrichten. 1500 ff.

83. das staubt aus den ∼en = das ist ein Essen ohne Getränke. Zu der bildhaften Vorstellung vgl ↗ Ohr 61. 1920 ff.

84. die ∼en in Arbeit stecken = mit Arbeit überhäuft sein. „Bis über die Ohren" veranschaulicht den Begriff „tief": man steckt bis über die Ohren im Wasser, im Sumpf, im Bett, im Mantel usw. 1700 ff.

85. bis über die (über beide) ∼en in Schulden stecken = tief verschuldet sein. 1600 ff. Vgl engl „to be debt up to the ears".

86. die ∼en steifhalten = standhaft bleiben; sich nicht verblüffen lassen; Unangenehmem nicht ausweichen; Anzüglichkeiten absichtlich überhören. Vom Tier (Hund, Pferd) auf den Menschen übertragen; Gegensatz: „die Ohren hängen lassen". 1600 ff.

87. die ∼en auf Durchfahrt (Durchmarsch, Durchzug) stellen (schalten) = sich eine Mitteilung (Mahnung) nicht zu Herzen nehmen. Vom Eisenbahnwesen übertragen. Vgl ↗ Ohr 59. 1920 ff.

88. jm etw in die ∼en tuten = jm etw mitteilen; jn laut rügen. Vgl ↗ Ohr16. 1900 ff.

89. bis über die (über beide) ∼en verliebt sein = sehr verliebt sein. Vgl ↗ Ohr 84. 1700 ff.

89 a. jm einen Satz heiße ∼en verpassen = jn ohrfeigen. Halbw 1960 ff.

89 b. über beide ∼en verschuldet sein = sehr tief verschuldet sein. ↗ Ohr 85. Seit dem 19. Jh.

90. jm mit etw die ∼en vollblasen (-schwatzen, -quasseln, -schreien o. ä.) = jm zu etw eindringlich zureden. ↗ Ohr 55. Seit dem 16. Jh.

91. jm die ∼en volldonnern = jm mit Getöse zusetzen. 1939 ff.

92. jm die ∼en volldudeln = jm mit Musik lästig fallen; jm mit übermäßigem Klagen belästigen. ↗ dudeln. 1900 ff.

93. jm die ∼en vollhängen = jm viel erzählen; jm ein Gerücht zutragen. Seit dem 19. Jh.

94. jm die ∼en vollheulen = in jds Gegenwart viel weinen. ↗ heulen. 1900 ff.

95. jm die ∼en volljammern = jn durch Jammerberichte mitleidig zu stimmen suchen; jn mit seinem Wehklagen belästigen. 1900 ff.

95 a. jm die ∼en vollklimpern = jm mit Klavierspielen lästig fallen. ↗ klimpern. Seit dem 19. Jh.

96. jm die ∼en volleiern (voll leiern) = jn mit langweiligem Gesprächsstoff behelligen. ↗ leiern. 1870 ff.

97. von etw jm die ∼en vollposaunen = jn mit einem Wortschwall überschütten. ↗ posaunen. 1900 ff.

98. jm die ∼en vollpumpen = auf jn einschwätzen. Fußt auf dem Vorbild von „jn mit Alkohol vollpumpen = jn betrunken machen". In volkstümlicher Rede kann man einen auch „besoffen reden". BSD 1965 ff.

99. jm die ∼en vollquasseln (vollquatschen) = jm mit albernem Geschwätz lästig fallen. ↗ quasseln. Seit dem 16. Jh.

100. jm die ∼en vollquengeln = jn in wehleidigem Ton unterhalten. ↗ quengeln. Seit dem 19. Jh.

101. jm die ∼en vollschimpfen = sich bei jm ausschimpfen. 1910 ff.

102. von etw jm die ∼en vollsingen = jm mit einer allzu ausführlichen Mitteilung lästig fallen. 1900 ff.

103. jm die ∼en volltönen = anhaltend auf jn einreden. ↗ tönen. 1920 ff.

104. jm die ∼en volltuten = auf jn nachdrücklich und ausdauernd einreden. Analog zu ↗ Ohr 90. Seit dem 19. Jh.

104 a. ihm wachsen lange ∼en = er hört aufmerksam zu; er schöpft Verdacht. 1960 ff.

105. mit den ∼en wackeln = einem Vorfall ratlos gegenüberstehen; überrascht sein. Analog zu ↗ Ohr 70. Seit dem 19. Jh.

106. lügen, daß einem die ∼en wackeln = dreist lügen. Vor Staunen über die Dreistigkeit schüttelt man den Kopf. 1930 ff.

107. Sie haben sich so in die Kurve zu legen, daß Sie mit dem ∼ einen Kontrollstrich ziehen: Redewendung im Munde eines Ausbilders zum Anfeuern eines zu langsam Marschierenden oder Laufenden. BSD 1965 ff.

108. mit halbem ∼ zuhören = kaum, uninteressiert zuhören. 1800 ff.

109. die ∼en zuknöpfen = etw nicht hören wollen. Gegensatz: ↗ Ohr 12. 1900 ff.

Öhr n Vagina. Aufzufassen als „↗ Loch" für den „↗ Stiel" der Axt. 1920 ff.

Ohrenbläser m Souffleur. Eigentlich der Zuträger. Vgl ↗ Ohr 16. Theaterspr. seit dem 19. Jh.

Ohrenprügel pl als störend empfundene Musik. Der Ausdruck wurde erstmals 1919 gehört im Zusammenhang mit den Besatzungstruppen im Rheinland und deren – für deutsche Ohren befremdlicher – „Neger"musik (etwa: Blues gegen Parademarsch …).

Ohrenstrafe f schlechte, atonale Musik. 1920 ff.

Ohrfeige f **1.** saftige ∼ = heftige Ohrfeige. ↗ saftig. Seit dem 19. Jh.

2. eine ∼ vom lieben Gott kriegen =

einen Schlaganfall erleiden. Seit dem 19. Jh.

Ohrfeigengesicht n Gesicht mit frecher, herausfordernder Miene; verkniffenes, feistes Gesicht. Ein solches Gesicht reizt unwillkürlich zum Ohrfeigen. Seit dem 19. Jh.

Ohrläppchen n **1.** sich ins ∼ beißen können (sich die ∼ abbeißen können) = einen breiten Mund haben. 1870 ff.

2. das ∼ säumen = a) Überflüssiges tun. Seit dem 19. Jh. – b) mit einer Schwangeren koitieren. Vgl ↗ Ohr 67. Seit dem 19. Jh.

Ohrwaschel (Ohrwaschl) n **1.** Ohr, Ohrmuschel. Oberd „Waschel = Läppchen". 1600 ff.

2. die ∼n einsäumen = einer Schwangeren beischlafen. ↗ Ohrläppchen 2. Seit dem 19. Jh.

3. die ∼n einsäumen = jn heftig zurechtweisen. Meint ursprünglich wohl die Austeilung von Ohrfeigen. ↗ Ohr 15. 1900 ff.

4. er rührt kein ∼ = er tut nicht, was man von ihm erwartet. Österr 1920 ff.

Ohrwatsche (Ohrwatschel) f Ohrfeige. ↗ Watsche. Seit dem 19. Jh.

Ohrwurm m **1.** Liebediener, Schmeichler. Vom Ohrwurm nahm man im Volk früher an, er krieche dem Menschen in die Ohren und belästige ihn dort mit seinem Krabbeln. Ein ähnlich lästiger Eindringling ist der Liebediener. 1800 ff.

2. einschmeichelnde, unvergeßliche Melodie. Stammt nach den einen von Paul Lincke, der 1897 die Melodien seiner Operette „Frau Luna" schuf (Bericht seines Librettisten Bolten-Baeckers); nach den anderen hat Franz Lehár den Ausdruck geprägt.

3. unermüdlicher Fragesteller. 1930 ff.

4. Ohrhörer, mit denen der Aufnahmeleiter drahtlos Weisungen des Regisseurs empfangen kann. 1955 ff.

'oi'joi'joi interj Ausruf des Erschreckens. Nebenform zu „↗ eijeijei". 1920 ff.

Oimel m ↗ Eumel.

oimeln intr ↗ eumeln.

Öko-Beet n Lebensbereich der Anhänger der Umweltschutzbewegung. „Öko" ist Abk von „Ökologie". 1978 ff.

Ökofaschisten pl Anhänger der Umweltschutzbewegung. 1980 ff.

Öko-Freak (Grundwort engl ausgesprochen) m Anhänger der Umweltschutzbewegung. ↗ Freak. 1980 ff.

Öko-Laden m Geschäft für Naturkost. 1978 ff.

Ökopaxe pl Umweltschützer und Anhänger der Friedensbewegung. Zusammengesetzt aus der Abk „Öko = Ökologie" und „Pax = Frieden". 1981 ff.

okulieren v koitieren. Meint eigentlich die Veredlung von Pflanzen durch Einsetzen einer Knospe in den Rindenschlitz des Wildlings. 1900 ff.

Öl n **1.** Bier. Es ist farbähnlich und „ölt" die Kehle. Wohl nicht aus dem gleichlautenden und gleichbed Dän entlehnt. 1950 ff.

2. Schnaps. Seit dem 19. Jh.

3. Geld. Mit ihm ist man „flüssig". 1950 ff.

4. salbungsvolle Redeweise. Vgl ↗ ölig. 1900 ff.

5. ∼e und Fette = Instandsetzungstruppe; Nachschubtruppe; Versorgungsbataillon. *BSD* 1965 *ff.*

6. ~ auf die Lampe! = schneller! *Vgl* „Öl auf die Lampe gießen = die Lebensgeister anfeuern"; von hier übertragen zu einem Anfeuerungsruf. *Sold* 1939 *ff.*

7. ~ an den Wänden = Ölgemälde an den Wänden. Kunsthändlerspr. 1920 *ff.*

8. wie ~ = glatt, mühelos, reibungslos. 1900 *ff.*

9. es geht ihm wie ~ ein = er empfindet es als sehr angenehm; es schmeichelt seiner Eitelkeit; die Anerkennung tut ihm wohl. Spätestens seit 1900.

10. ~ auf die Funzel geben = ein Glas Alkohol trinken. Hängt zusammen mit der Vorstellung vom Lebenslicht, allerdings in sehr starker Verweltlichung. Seit dem 19. Jh.

11. mehr ~ auf die Lampe geben = die Geschwindigkeit erhöhen. ↗Öl 6. *Sold* 1939 *ff.*

12. jn schlagen, daß (bis) er ~ gibt (pißt) = jn derb prügeln. Hängt zusammen mit der Tatsache, daß man vor Schmerzen und Angst die Gewalt über den Schließmuskel der Harnröhre verliert. 1700 *ff.*

13. ~ geben = sich für geschlagen erklären. *Vgl* das Vorhergehende. Seit dem 19. Jh.

14. der Schlag gab ~ = der Gegner hat eine schwere Niederlage erlitten. *Sold* in beiden Weltkriegen.

15. in ~ und Essig gemalt = geschmacklos gemalt. ↗Gemälde 1. Seit dem 19. Jh.

16. ~ auf die Ampel gießen = einen Schnaps trinken. ↗Lampe 14. Seit dem frühen 19. Jh.

17. ~ ins Feuer gießen (schütten) = die Erregung noch weiter steigern; die Leidenschaft noch mehr anfachen. Eine schon der Antike geläufige Metapher. 1500 *ff.* *Vgl franz* „verser de l'huile sur le feu"; *engl* „to add fuel to the fire".

18. ~ auf die Lampe gießen = zechen. ↗Lampe 14. Seit dem 19. Jh.

19. ~ auf die Wogen gießen = Leidenschaften zur Ruhe bringen. Seit dem 16./17. Jh.

20. ~ am Hut haben = stark betrunken sein. Das „Öl am Hut" rührt vom „↗Ölkopf" her. 1870 *ff.*

21. ~ pissen = sehr wütend sein. Derbere Variante zu „↗bebaumölen". 1900 *ff.*

22. ~ übernehmen = zechen. Stammt *marinespr* vom Tanken beim Versorgungsschiff. 1920 *ff.*

o la 'la *interj* Ausruf des Einspruchs, des Tadels. Vom gleichlautenden *franz* Ausruf der Verwunderung übernommen im Ersten Weltkrieg.

'Ola'la *m* Franzose; französischer Soldat. *Vgl* das Vorhergehende. *Sold* seit dem Ersten Weltkrieg.

Oldies *pl* die Erwachsenen; die Altengeneration. Aus dem *Engl* übernommen. *Halbw* 1965 *ff.*

ölen *v* **1.** *intr* = zechen. Mit Alkohol „ölt" man die Kehle. 1900 *ff.*

2. *tr* = jn bestechen. Analog zu „↗schmieren". 1900 *ff.*

3. *tr* = jn betrügen, übervorteilen. Da umgangssprachlich „Öl" auch den Harn meint (↗bebaumölen 1), ergibt sich Analogie zu „↗anpinkeln", „↗anschmieren" usw. 1930 *ff.*

4. *tr* = jn veralbern; mit jm seinen Spott

treiben. Nebenbedeutung des Vorhergehenden. 1900 *ff.*

5. *intr* = sich bei jm einschmeicheln. Öl ist das sprachliche Sinnbild charakterlicher Geschmeidigkeit, der Anpassungsfähigkeit um den Preis der Aufrichtigkeit. 1920 *ff.*

6. sich geölt fühlen ↗geölt.

7. *intr* = schwitzen. Die Schweißperlen werden als Öltropfen aufgefaßt. 1910 *ff.*

8. sich ~ = wieder zu Geld gelangen. ↗Öl 3. 1950 *ff.*

Ölgemälde *n* stark geschminkte Frau. 1920 *ff.*

Ölgötze *m* **1.** langweiliger, steifer Mensch. Fußt seit den Reformationstagen auf der bildlichen Darstellung der schlafenden Jünger Jesu im Garten Gethsemane. Wegen ihrer Regungslosigkeit nannte man sie „Ölberggötzen", woraus das Stichwort verkürzt ist. Die Bezeichnung ging später auch über auf schwerfällige, plumpe männliche Holzfiguren als Halter für die Öllampe.

2. dasitzen (dastehen) wie die ~n = regungslos, ungelenk stehen (sitzen); zur Unterhaltung nichts beitragen; sich unwissend stellen. 1700 *ff.*

Ölheizung *f* mit etw nicht hinter der ~ hervorzulocken sein = mit etw keinerlei Anreiz ausüben. Scherzhaft modernisierte Variante zu „mit etw nicht hinter dem ↗Ofen (Ofen 19) hervorlocken können". *Vgl* auch ↗Zentralheizung 3. 1950 *ff.*

ölig *adj* **1.** würdelos dienstbeflissen; charakterlich geschmeidig bis zur Charakterlosigkeit. Öl macht geschmeidig. 1870 *ff.*

2. salbungsvoll, pathetisch; widerlich rührselig. Sachverwandt mit „↗schmalzig". 1870 *ff.*

3. ~ sein = betrunken sein. ↗ölen 1. Beeinflußt vom „↗Ölkopf" des Zechers. *BSD* 1965 *ff.*

Olim *Pn* in (seit, zu) ~s Zeiten = vor langer Zeit. Im Sinne von Familiennamen scherzhaft-gelehrt entwickelt aus *lat* „olim = vor alters"; wohl studentischer Herkunft. 1600 *ff.*

Ölkopf (-kopp) *m* **1.** stark pomadisiertes Haar. 1900 *ff.*

2. dummer, langweiliger Mensch. Ursprünglich wohl der Feistgesichtige. Seit dem 19. Jh.

3. einen ~ haben = a) betrunken sein. Durch das Zechen nimmt der Kopf ein geölt glänzendes Aussehen an. Seit dem 19. Jh. – b) unter den Nachwehen des Rausches leiden. Seit dem 19. Jh. – c) benommen sein. Seit dem 19. Jh.

oll *adj* alt (auch *abfl*). Aus dem *Niederd.* 1700 *ff.*

Olle *f* **1.** Alte; Hausfrau, Ehefrau; Mutter. *Niederd* 1700 *ff.*

2. behäbige Frau gesetzten Alters. 1700 *ff.*

3. dufte ~ = moralisch großzügige Zimmervermieterin. 1900 *ff.*

Oller *m* **1.** Ehemann; Vater; Arbeitgeber. 1700 *ff.*

2. Kapitän. Seemannsspr. seit dem 19. Jh.

3. Schulleiter. 1900 *ff.*

4. intimer Freund einer Halbwüchsigen. *Halbw* etw seit 1955.

Ollsche *f* ↗Olsche.

Ölsardinenbüchse *f* **1.** Unterseeboot. ↗Sardinenbüchse. *Marinespr* 1939 *ff.*

2. Panzerkampfwagen; Spähpanzer o. ä. *Sold* 1939 bis heute.

Olsche (Ollsche) *f* Hausfrau, Ehefrau *(abfl).*

Stammt aus dem *Niederd* (oll = alt). Die Endung „-sche" tritt im *Niederd* als Bezeichnung der weiblichen Person gern an die Stelle der *hd* Endung „-in" (Müllersche statt Müllerin). 1700 *ff.*

Ölscheich *m* **1.** Stammeshäuptling eines ölproduzierenden Landes; Ölhändler. Aufgekommen im letzten Vierteljahr 1973 mit der Einsetzung des Öls als Waffe der arabischen Staaten.

2. Schimpfwort. 1973 *ff.*

Ölsünder *m* Mensch, der in seinem Dieselmotor Heizöl verbrennt. ↗Sünder. 1964 *ff.*

Ölung *f* letzte ~ = a) Kehraustrunk in einer Gesellschaft. Meint in der katholischen Kirche die Salbung eines Sterbenden; hier bezogen auf „↗ölen = zechen". 1900 *ff.* – b) letzter, gesteigerter Drill vor der Besichtigung durch den militärischen Vorgesetzten. Kann vergleichsweise „Prügel" meinen (*vgl* das Folgende) oder bezieht sich auf „↗ölen = schwitzen". *Sold* 1939 *ff.* – c) Prügel. Hängt zusammen entweder mit „↗schmieren = ohrfeigen" oder mit „jm den ↗Buckel schmieren" oder spielt an auf die Prügel als letztes Erziehungsmittel. 1939 *ff.* – d) Äußerstes, Eindrucksvollstes. *Schül* 1950 *ff.* – e) törichter Einfall. Gewissermaßen das Äußerste an Unsinnigkeit. *Schül* 1950 *ff.*

Ölwechsel *m* **1.** Menstruation. Der Kraftfahrersprache entlehnt. 1935 *ff.*

2. Bluttransfusion. 1960 *ff.*

3. Schulferien. Als Zeitspanne körperlicher und geistiger Erneuerung aufgefaßt. 1960 *ff.*

4. Übergang zu alkoholischen Getränken. ↗ölen 1. Berlin 1970 *ff, jug.*

5. ~ machen = die Haare waschen und erneut mit Haaröl (o. ä.) einfetten. *Sold* 1939 *ff.*

Olymp *m* **1.** die höchsten und billigsten Plätze im Theater. Scherzhafte Wertsteigerung, als thronten die Zuschauer als Götter auf dem heiligen Berg der alten Griechen. Etwa seit 1840.

2. Amtszimmer des Schulleiters. Letzterer heißt bei Gymnasiasten „Zeus" und thront also Rechtens im (auf dem) „Olymp". 1900 *ff.*

Olympia *n* Olympische Spiele. Eigentlich die alt*griech* Kultstätte des Zeus und der Hera; Ort sportlicher Wettkämpfe. 1933 *ff.*

Olympiade *f* **1.** Olympische Spiele. Bezeichnet eigentlich den Vier-Jahre-Zwischenraum zwischen zwei Spielen; obwohl die Gleichsetzung mit „Olympische Spiele" sachlich falsch ist, hat sie sich im Sprachgebrauch durchgesetzt, weil das Wort kürzer ist. 1936 *ff.*

2. mit viel Kräfteverbrauch verbundene Tätigkeit. 1970 *ff.*

2 a. ~ der Arbeit = Berufswettkampf. 1961 *ff.*

3. ~ der Einfälle = Brüsseler Weltausstellung 1958.

4. ~ der Feinschmecker = Allgemeine Nahrungs- und Genußmittel-Ausstellung (ANUGA). 1965 *ff.*

5. ~ der Gärtnerei = Bundesgartenschau. 1967 *ff.*

6. ~ der Köche = Internationale Fachausstellung für das Hotel- und Gaststättengewerbe; Fachschau für das Hotel- und Gaststättengewerbe. 1967 *ff.*

6 a. ~ der Landwirtschaft = Landwirtschaftsausstellung; „Grüne Woche" in Berlin. 1962 *ff.*
7. ~ der Maßkrüge = Münchner Oktoberfest. 1962 *ff.*
8. für die ~ sichten = Nachexerzieren befehlen. Wohl im Anschluß an die Olympischen Spiele Berlin 1936 aufgekommen. *Marinespr.*

olympiareif *adj* mit ~en Sprüngen abhauen = in höchster Eile sich entfernen. *Sold* 1939 *ff.*

'Oma ('Omma) *f* **1.** Großmutter. Kindersprachlich vereinfacht für „Großmama". Vorausgegangen ist „↗Omama". 1870 *ff.*
2. vierzigjährige Frau. Halbwüchsigenauffassung, nach der Vierzigjährige zu den alten Leuten zählen. 1960 *ff.*
3. Mädchen in knöchellangem Kleid oder Mantel. Solche Kleidung gilt als großmuttergemäß. 1967 *ff.*
4. Baßstimme; Baßgeige. Musikerspr. 1950 *ff.*
5. Ohren-, Kopfschützer. Nach Großmutterart. *BSD* 1965 *ff.*
6. elektrische ~ = Kleinmotor, der den Kinderwagen hin- und herbewegt. 1960 *ff.*
7. das kannst du deiner ~ erzählen! Aufforderung, wenn einer eine unglaubwürdige Behauptung aufstellt. Großmütter gelten als leichtgläubig und rückständig. 1939 *ff, sold.*
8. ich glaube, meine ~ geht mit Elvis Presley: Redewendung, wenn einer Unglaubwürdiges berichtet; Ausdruck der Unerträglichkeit. Zur Erklärung *vgl* „↗Hamster". *BSD* 1965 *ff.*
9. eine doofe ~ haben = dumm sein. Anspielung auf Erblichkeit der Dummheit. *BSD* 1965 *ff.*
10. ich glaube, meine ~ hängt in der Eigernordwand: Erwiderung auf eine unglaubwürdige Äußerung. ↗Oma 8. *BSD* 1965 *ff.*
11. ich glaube, meine ~ priemt: Ausdruck des Zweifels an der Glaubwürdigkeit einer Mitteilung. Zur Erklärung *vgl* „↗Hamster". *BSD* 1965 *ff.*
12. ich glaube, meine ~ priemt Stacheldraht auf Lunge: Erwiderung auf eine unwahrscheinliche Äußerung. *BSD* 1965 *ff.*
13. es schmeckt wie eine alte ~ unterm Arm = es schmeckt widerlich. 1960 *ff.*
14. das Spiel spielt meine ~ freihändig auf der Bettkante und gewinnt: Redewendung angesichts eines Kartenspiels, das normalerweise wird verloren werden kann. Skatspielerspr. 1970 *ff.*

Omabrille *f* Brille mit Nickeleinfassung. Wie es früher modisch war. 1950 *ff.*

Oma-Look (Grundwort *engl* ausgesprochen) *m* Mode der knöchellangen Jungmädchenkleider. ↗Look. 1967 *ff.*

Omama *f* Großmutter. Vorform von „↗Oma 1". 1800 *ff.*

Omaspiel *n* gewinnsicheres Kartenspiel. ↗Oma 14. Skatspielerspr. 1930 *ff.*

Omastübchen *n* Zimmer mit viel Häkel- und Strickarbeiten. 1960 *ff.*

Oma'torium *n* Erholungsstätte für alte Menschen; unmodern eingerichtete Heilstätte. Gekreuzt aus „Oma" und „Sanatorium". 1959 *ff.*

Oma-Verleih *m* Vermittlung von „Großmüttern", die Mütter entlasten und deren Kinder beaufsichtigen. 1970 *ff.*

Omi *f* **1.** Großmutter. Kosewörtliche Nebenform von „,↗Oma 1". 1900 *ff.*
2. alte Frau. *Halbw* 1970 *ff.*

'Omma *f* ↗Oma.

ömmeln *v* **1.** *tr intr* = koitieren. Nebenform von ↗eumeln. 1955 *ff.*
2. *refl* = sich vergnügen; freuen. 1955 *ff.*

Omnibus *m* **1.** Prostituierte. Der Omnibus ist ein „öffentliches ↗Verkehrsmittel", aus dem *Lat* übersetzt soviel wie „für alle". *Vgl* ↗Öffentliche. 1920 *ff.*
2. Flugzeug, Type Junkers 52. Es war ein geräumiges Transportflugzeug für Mensch, Tier und Gerät. Fliegerspr. 1939 *ff.*
3. Herr ~ = Anrede an einen Omnibusfahrer oder -schaffner. 1850 *ff.*
4. der ~ fährt ohne uns ab = auf diese Entwicklung können wir keinen Einfluß ausüben. 1940 *ff.*
5. ~ fahren = einer Prostituierten beischlafen. ↗Omnibus 1. 1930 *ff.*
6. im falschen ~ fahren = etw Verkehrtes getan, etw falsch gemacht haben. 1950 *ff.*
7. den falschen ~ haben = sich arg irren. 1950 *ff.*
8. den ~ verpassen = a) sich gröblich irren; zu spät richtig reagieren. Aufgekommen im Zusammenhang mit der Besetzung Dänemarks und Norwegens durch deutsche Truppen und der von Dr. Joseph Goebbels ausgegebenen Weisung an die *dt* Presse (10. April 1940), die Landung der Engländer in Norwegen als verspätete Aktion zu kennzeichnen. Vorausgegangen war die Äußerung des *engl* Ministerpräsidenten Arthur Neville Chamberlain vom 4. April 1940, Hitler werde bald merken, „daß er den Omnibus verpaßt hat". Erweiterung von „den ↗Anschluß verpassen". – b) den Anschluß an die Kompanie verlieren. 1941 *ff, sold.*

Omnibusspur *f* breite Skispur. 1920 *ff.*

Onkel *m* **1.** gemütlicher, umgänglicher älterer Mann. Seit dem 18. Jh.
2. Anrede des Kindes an einen Erwachsenen, der mit ihm nicht verwandt ist. Seit dem 19. Jh.
3. Handelsvertreter; Fachmann (Arzneimittelonkel; Gewürzonkel; Holzonkel; Sprachonkel). Nach „Onkel 2" der Kindersprache entlehnt. Seit dem 19. Jh, kaufmannsspr.
4. Betrogener. Meint eigentlich den geprellten Gutmütigen. 1790 *ff, prost.*
5. Geliebter einer Verheirateten; Geliebter einer Witwe, die ihn wegen des Rentenanspruchs nicht heiratet. *Vgl* ↗Onkelehe. Kurz nach 1945 aufgekommen.
6. Mann, der sich an Kindern vergeht. 1920 *ff.*
7. ~ Johannes = Penis. ↗Johannes. 1950 *ff.*
8. ~ Otto = Abort. Deutung der beiden nebeneinander stehenden Nullen auf der Aborttür. *Vgl* ↗Null-Null. 1950 *ff, schül.*
9. böser ~ = Mann, der Kindern sich in unsittlicher Absicht nähert. 1920 *ff.*
10. falscher ~ = Mann, der Sittlichkeitsverbrechen an Kindern begeht. 1950 *ff.*
11. gelber ~ = Rohrstock. Verniedlichende Umschreibung im Munde der Lehrer und der Schüler. „Gelb" spielt auf die Bambus-Farbe an. Seit dem späten 19. Jh.
12. grauer ~ = Mann, der mit freundlicher Miene Kinder an sich lockt, um sich an ihnen zu vergehen. 1950 *ff.*

13. großer ~ = der dicke Zeh. Wahrscheinlich eingedeutscht aus *franz* „ongle = Fußnagel". Etwa seit 1870, Berlin. Für das Aufkommen zur Zeit der *franz* Besetzung Berlins (1806 bis 1813) fehlt es noch an verläßlichen Buchungen.
14. guter ~ = Mann, der sich an Kindern sittlich vergeht. 1950 *ff.*
15. süßer ~ = Mann, der mit Süßigkeiten Kinder an sich lockt, um sich an ihnen zu vergreifen. 1950 *ff.*
16. der ~ aus Amerika ist da (auf Besuch da) = Besuch verhindert den Geschlechtsverkehr; die Frau menstruiert. Leitet sich her von beengten Wohnverhältnissen, weswegen der Besuch das Schlafzimmer der Eheleute teilen muß. 1920 *ff. Vgl franz* „l'oncle d'Amérique est venu".
17. über den (großen) ~ gehen (laufen; die Füße überm großen ~ haben) = mit einwärtsgerichteten Füßen gehen. ↗Onkel 13. 1870 *ff.*
18. ~ sein = ausgenutzt, übertölpelt werden. ↗Onkel 4. 1800 *ff.*

Onkelehe *f* Wohn-, Lebensgemeinschaft mit einer Witwe, die den Mann nicht heiratet, um ihren Pensionsanspruch nicht zu verlieren. Die Kinder der Witwe nennen den neuen Lebensgefährten der Mutter „Onkel". Kurz nach 1945 aufgekommen.

onkeln *intr* **1.** mit einwärtsgerichteten Füßen gehen. ↗Onkel 13. 1870 *ff.*
2. sich auf der Eisbahn ohne Schlittschuhe bewegen. 1890 *ff.*

'Opa ('Oppa) *m* **1.** Großvater. Kindersprachlich zusammengezogen aus „Großpapa". 1870 *ff.*
2. älterer Mann. 1930 *ff.*
3. Volkssturmmann. Zum Volkssturm wurden vorwiegend die älteren Männer eingezogen. *Sold* 1944 *ff.*
3 a. Klassenwiederholer. 1970 *ff.*
4. ~ in Lauerstellung = Vierzigjähriger. ↗Oma 2. Wohl Anspielung auf baldige Ankunft eines Enkels. 1960 *ff.*
5. ~ im Quadrat = etwas sehr Unmodernes. „Opa" wird – etwa seit 1960 – zum Kennwort für Veraltetes jeglicher Art, vor allem für Gegenstände sowie Erlebnis- und Verhaltensweisen, die vor 40, 50 Jahren zeitgemäß gewesen sein mögen.
6. ~s Fußball = veraltete Fußballspielweise. 1960 *ff.*
7. ~s Kampfbrigade = Volkssturm. ↗Opa 3. *BSD* 1960 *ff.*
8. ~s Kino = Filmwesen weit vor 1945. 1960 *ff.*
9. ~s letzte Nummer = Titel eines nichtbestehenden Buches. Nummer = Geschlechtsverkehr. ↗Nummer 2. 1940 *ff.*
10. ~s Protokoll = veraltete diplomatische Förmlichkeiten. 1960 *ff.*
11. ~s Tankstelle = Tankstelle ohne Selbstbedienung. 1969 *ff.*

O'panken *pl* Füße. Meint im *Slaw* die Sandalen oder die geflochtenen Damenschuhe. Kundenspr. 1960 *ff.*

'Opapa *m* Großvater. ↗Opa 1. 1870 *ff,* kindersprachlich.

Oper *f* **1.** aufregender Vorfall; Streit; Ulk o. ä. Anspielung auf die leidenschaftliche Handlung und den lauten Gesang in Opern. 1850 *ff.*
2. hysterische ~ = Rügerede der Ehefrau an ihren Mann. 1920 *ff.*
3. ~n auf dem Programm haben = zu-

viel reden. Wegen der Wiederholung von Textzeilen in Opernarien. 1960 ff.

4. die ganze ~ hören wollen = ein volles Geständnis verlangen. Gehört zu „singen" in der Bedeutung „ein Geständnis ablegen". 1950 ff.

5. mach' keine ~! = benimm dich natürlich! übertreibe nicht! sei vernünftig! 1900 ff.

6. ~n machen = lustige Sachen treiben. 1850 ff.

7. eine ~ quatschen (reden o. ä.) = von etw umständlich reden. Meist in der Form: „quatsch' keine Oper!". Anspielung auf die Länge der Opern, auf die unnatürliche Sprechweise usw. 1850 ff.

Operettenkrieg *m* unbedeutender Krieg; Kampfhandlungen wegen politischer Belanglosigkeiten. 1950 ff.

Operettenstaat *m* kleiner, politisch unbedeutender Staat. Meint ein Staatsgebilde, das den Schauplatz einer heiter-beschwingten Operette abgeben könnte und dessen Nöte daher eher zum Lächeln als zum Bemitleiden reizen. 1900 ff.

Opernsängerin *f* vollbusige Frau. Vor allem seit den Opern Richard Wagners üblich. 1880 ff.

opfern *intr* auf See sich erbrechen. ↗Neptun 2; ↗Fisch 21. 1900 ff.

Opferschale *f* **1.** Spielautomat. Man opfert Groschen um Groschen. 1950 ff, jug.

2. Speischüssel im Krankenhaus. 1960 ff.

Opferstock *m* **1.** Mülleimer. Wegen einer gewissen Formähnlichkeit. 1900 ff.

2. Musikautomat. Wie der Sammelbehälter in der Kirche sammelt er Groschen um Groschen. 1950 ff, jug.

'Opi *m* Großvater. Kosewörtliche Nebenform zu „↗Opa 1". 1900 ff.

Oppa *m* ↗Opa.

Optik *f* **1.** Blickfeld, Gesichtskreis; Erscheinungsbild; Betrachtungsweise; Wirksamkeit auf die Öffentlichkeit. Übertragen vom Begriff der fotografischen Optik. Beliebter Politiker- und Journalistenausdruck. 1933 ff.

1 a. visueller Eindruck. Spätestens seit 1970 bei den Werbetextern der Modebranche verbreitet.

2. Abort. Anspielung auf „↗Brille". BSD 1965 ff.

3. verbogene ~ = falsche, entstellte bzw. entstellende Betrachtungsweise. 1950 ff.

4. einen Fehler in der ~ haben = nicht recht bei Verstand sein. Betrifft eigentlich einen Sehfehler. Schül 1965 ff.

5. er (sie) paßt mir in die ~ = er (sie) ist mir sympathisch. Jug 1955 ff.

optimal *adj* maßgültig, bestmöglich. Gilt seit 1979 als modern durch die Fernsehwerbung für Monte-Maro-Kaffee.

Optimistfink *m* schönfärberischer Zeitungsschreiber. Gekreuzt aus „Optimist" und „↗Mistfink". 1920 ff.

optisch *adj* auf die Publikumswirksamkeit bezüglich. ↗Optik 1. 1933 ff.

orakeln *intr* Vermutungen äußern; wunderliche Vorschläge machen; an Äußerungen rätseln. 1900 ff.

Orchesterkeller *m* Orchestergraben im Opernhaus. Musikerspr. 1920 ff.

Orchestersauce (-soße) *f* **1.** Worcestersauce. Hieraus wortwitzelnd umgeformt. 1900 ff.

2. Hülsenfrüchtesuppe; Zwiebeltunke. An-

spielung auf die laut entweichenden Blähungen. 1920 ff.

Orchideenfach *n* Studienfach, das man in der Hoffnung studiert, später zum eigentlichen Wunschstudium überwechseln zu können. Anspielung auf die Exotik und Unüblichkeit solcher Fächer. 1975 ff.

Orden *m* **1.** einen ~ entschärfen = das Hakenkreuz von einem Orden entfernen. Munition wird entschärft, indem man sie unschädlich macht. 1945 ff.

2. sich in die ~ schmeißen = Gala anziehen. Von „sich in ↗Gala schmeißen". 1933 ff.

3. jm einen ~ verhängen = jm einen Orden verleihen, weil der Betreffende gerade an der Reihe ist. Scherzhaft der Verhängung einer Strafe nachgeahmt. 1870 ff.

4. sich einen ~ zuziehen = unverdientermaßen eine Auszeichnung erhalten. Man zieht sich den Orden zu wie eine Erkältung. 1957 ff.

ordensgeil *adj* ordenslüstern. ↗geil. BSD 1965 ff.

ordentlich *adj adv* **1.** tüchtig, heftig; sehr (er hat ordentlich Prügel gekriegt; ich habe ihn ordentlich reingelegt; er hat eine ordentliche Beule davongetragen). Entwickelt wie „↗anständig" über die Bedeutung „gebührend" zu einer allgemeinen Verstärkung. Seit dem 19. Jh.

2. außerordentlich ~ = überaus vorzüglich. 1900 ff.

Ordnung *f* **1.** deutsche ~ = Überorganisation; bürokratische Gründlichkeit. 1900 ff.

2. es geht in ~ = es ist in Ordnung, wird wunschgemäß erledigt; die Sache ist abgemacht. Wohl gekreuzt aus „es geht klar" (↗klar 2) und „es ist in Ordnung". 1920 ff.

3. es ist in ~ = es ist brauchbar, entspricht den Vorstellungen, den Vorschriften. 1920 ff.

4. er ist in ~ = er ist charakterlich einwandfrei, ist ein verläßlicher, umgänglicher Mensch. 1920 ff.

Ordnungshüter *m* sechsbeiniger ~ = berittener Polizeibeamter. 1960 ff.

Organisationsmeierei *f* übertriebenes Streben nach Organisation. Der „Vereinsmeierei" nachgebildet. 1960 ff.

organisieren *tr* **1.** etw listig beschaffen, beiseite schaffen. Man weiß die Umstände so zu nutzen, daß man Fehlendes dabei in den Griff bekommt. Euphemismus. Sold und ziv seit 1914 bis heute.

2. sich etw ~ = etw mit Beschlag belegen. Halbw 1955 ff.

Orgel *f* **1.** After. Verkürzt aus ↗Darmorgel. 1920 ff.

2. Vagina, Vulva. ↗orgeln 8. 1700 ff.

3. Rundfunkgerät. Meist bezogen auf ein ständig spielendes; daher als eine Art Drehorgel aufgefaßt. Wohl auch Anspielung auf den Tastensatz, der sich mit den Registern der Orgel vergleichen läßt. 1930 ff.

4. Tastensatz bei Rundfunk-, Fernsehgeräten. 1960 ff.

5. laut, viel redende weibliche Person. ↗orgeln. Seit Anfang des 20. Jhs.

orgeln *v* **1.** der Sturm orgelt = der Sturm heult heftig. Es klingt wie das Brausen einer mächtigen Kirchenorgel. Seit dem 19. Jh.

2. es orgelt = es nähert sich mit dumpfem Klang; es klingt dumpf. 1870 ff, sold.

3. *intr* = aus dem Musikautomaten dröhnen o. ä. Halbw 1960 ff.

4. *intr* = ausdruckslos reden, singen o. ä. Von der Drehorgel herzuleiten. Seit dem 19. Jh.

5. *intr* = weitschweifig sprechen; seinen Redefluß verströmen lassen; beständig reden. Drehorgelspieler können sehr ausdauernd sein und dieselbe Melodie oft wiederholen. Seit dem 19. Jh.

6. *intr* = sich erbrechen. Schallnachahmend den Würgelauten nachgebildet. Seit dem 19. Jh.

7. *intr* = schnarchen. 1930 ff.

8. *intr tr* = koitieren. Man behandelt den Körper des Partners wie die Klaviatur der Orgel; auch zieht man Register und stößt sie zurück. 1700 ff.

9. *intr* = onanieren. 1900 ff.

Orgelpfeifen *pl* **1.** enge, dreiviertellange Mädchenhosen. Sie sind langgezogen. Halbw 1955 ff.

2. Kinder wie die ~ = Kinder in jeder Größe. In den Orgelprospekten stehen die Pfeifen in Größenabstufungen nebeneinander. 1500 ff.

3. wie die ~ dastehen = der Größe nach neben-, hintereinander aufgestellt sein. Seit dem 18. Jh.

orientieren *refl* vom Mitschüler abschreiben. Hehlausdruck 1950 ff.

Originalkleid *n* völlige Nacktheit. Vgl ↗Evakostüm. 1950 ff.

Originalton *m* Wortlaut, Zitat. Im Rundfunk und Fernsehen gilt „Originalton" nur dann, wenn Textverfasser und Sprecher eine und dieselbe Person sind. Neuerdings soviel wie „wörtlich zitiert". Nach 1978 aufgekommen.

orkanisch *adj* gewaltig; äußerst heftig (~e Leistung = stürmisch gefeierte Leistung; ~ lieben = stürmisch lieben). Jug 1950 ff.

Orkus *m* Abort. Gleichklang mit „↗Lokus": die Exkremente wandern dort in die Unterwelt. 1900 ff, schül.

orndlich *adj adv* ordentlich. Volksüblich vereinfachte Aussprache wegen der Schwachtonigkeit der Mittelsilbe. Literarisch selten; mündlich täglich. Seit dem 19. Jh.

Ort *m* **1.** ~ des geringsten Widerstands = Abort. Dem Kot- oder Harndrang läßt sich auf die Dauer nicht widerstehen. 1960 ff, schül.

2. stiller (heimlicher) ~ = Abort. „Ort" übersetzt lat „locus". 1900 ff.

3. vor ~ = in der Praxis; unmittelbar am Arbeitsplatz; am Ort des Geschehens, des Entstehens. Der Bergmannssprache entlehnt. 1960 ff.

Örtchen *n* **1.** Abort. Unter Hinzufügung der Verkleinerungssilbe übersetzt aus lat „locus". Spätestens seit 1900.

2. geheimes (gewisses) ~ = Abort. 1900 ff. Vgl franz „les lieux secrets".

3. stilles ~ = Abort. 1900 ff.

4. verschwiegenes ~ = Abort. 1900 ff.

Öse *f* **1.** Vagina. Analog zu ↗Öhr. 1900 ff.

2. weibliche Person. 1900 ff.

3. bejahrte Stationsschwester. Verkürzt aus ↗Stationöse. 1920 ff.

Oskar *m* **1.** trockener ~ = trockenes Brot; Kommißbrot. Geht vielleicht zurück auf jidd „ossok koro = harter Bissen; altes Brotstück". Aus der Kundensprache (1900) im Ersten Weltkrieg in die Soldatensprache eingedrungen.

2. wie ~ = dreist, mutig. ↗Oskar 5. 1920 ff.

3. fesch wie ~ = elegant gekleidet. „Wie Oskar" hat hier die Geltung von „wie irgendeiner". Spätestens seit 1950.

4. forsch wie ~ = entschlossen, energisch. ↗forsch. 1950 ff.

5. frech wie ~ = frech, unverschämt, übermütig, bedenkenlos; ohne Zögern. In Leipzig gab es einen Jahrmarktsverkäufer Oskar Seifert, der wegen seiner derben Verkaufsweise allgemein bekannt war; der Sohn, der 1937 starb, stand seinem gleichnamigen Vater in nichts nach. 1870 ff.

Ossi m Ostfriese. (Kosewörtliche) Kurzform, aufgekommen 1970/71 mit den Ostfriesenwitzen.

'Oster'ei (Oster-Ei) n **1.** geschminktes, lebenserfahrenes Mädchen. Es ist bemalt und „↗hartgesotten". 1945 ff.

2. Ostergeschenk; unerwartete Gabe zur Osterzeit; bestandene Prüfung um Ostern. 1870 ff.

3. pl = Fliegerbomben. ↗Ei 2. Fliegerspr. in beiden Weltkriegen.

4. fröhliche (vergnügte) ~erl = fröhliche (vergnügte) Ostern! 1920 ff.

Osterhase m **1.** unselbständiger, einfältiger Mensch. Er glaubt noch an den Osterhasen. BSD 1965 ff.

2. war Ihr Vater ~?: Frage an einen eierköpfigen Menschen. 1930 ff.

Ostern n **1.** wenn ~ und Pfingsten auf einen Tag fallen = nie. Seit dem 19. Jh.

2. ich haue dir eine, daß du denkst, ~ und Pfingsten fällt auf einen Tag!: Drohrede. Seit dem 19. Jh.

Ostfriesennerz m Öljacke; gelber Regenumhang. ↗Friesennerz. 1975 ff.

Oswald-Kolle-Gemüse n Sellerie. Angeblich steigert Sellerie den Geschlechtstrieb. Oswald Kolle verfaßte in den sechziger Jahren dieses Jhs Bücher, Zeitschriftenserien, Drehbücher usw. zur geschlechtlichen Aufklärung. BSD 1967 ff.

Oswalt-Kolle-Geschwader n Aufklärungsverband. BSD 1967 ff.

Otto m **1.** neutrale Bezeichnung für irgendeinen Gegenstand oder irgendeine Angelegenheit; tüchtige Leistung; kräftige Handschrift usw. Hängt zusammen mit Otto Schmidt, dem Jockei und volkstümlichen Liebling auf der Rennbahn Hoppegarten bei Berlin (heute DDR); mit „Otto, Otto!"

soll der Filmschauspieler Hans Albers den Jockei angespornt haben. 1920 ff.

2. figürliche Schießscheibe. BSD 1965 ff.

3. Polizeibeamter. Geht vielleicht zurück auf ital „otto = acht", und „Acht" ist die Handfessel. 1950 ff.

4. Penis. 1935 ff.

5. künstlicher Haarteil; Toupet. 1960 ff.

6. Nörgler. Hängt vielleicht zusammen mit „Otto Normalverbraucher", dem von Gert Fröbe in dem Film „Berliner Ballade" dargestellten Menschen. Halbw 1950 ff.

7. bedenkliche, mißfallende Sache. Halbw 1955 ff.

8. ~, ~!: anspornender Zuruf. ↗Otto 1. 1920 ff.

9. besengter ~ = heikle Angelegenheit. ↗besengt. Halbw 1955 ff.

10. das ist ein dicker ~ = das ist eine schwerwiegende Sache. Halbw 1955 ff.

11. doller ~ = Draufgänger. ↗Otto 1. 1920 ff.

12. falscher ~ = künstlicher Haarteil. ↗Otto 5. 1960 ff.

13. flotter ~ = Durchfall. 1920 ff, vorwiegend sold.

14. schneller ~ = Durchfall. 1920 ff.

15. schräger ~ = a) verjazztes Musikstück. ↗schräg. 1925 ff. – b) nicht vertrauenswürdiger Mann. ↗schräg. 1910 ff.

16. toller ~ = großartige Sache. 1950 ff.

17. hinein, Onkel ~! = hinein! läßt uns eintreten! „Hinein!" ist in Sportlerkreisen (seit 1935) Abkürzung von „hinein mit dem Fußball ins Tor!". 1940 ff.

18. ~ Normalverbraucher = Durchschnittsverbraucher von Nahrungsmitteln; Deutscher mit durchschnittlichem Interesse an Kunst und Literatur; Deutscher im Sog der Massengesellschaft. ↗Normalverbraucher. Geht zurück auf den Film „Berliner Ballade" (1948).

19. einen ~ bauen = etw bewerkstelligen, einleiten. Halbw 1955 ff.

20. den ~ machen = a) nörgeln; sich zweiflerisch äußern. ↗Otto 6. Halbw 1955 ff. - b) sich beleidigt fühlen. Halbw 1955 ff. - c) unklug handeln; sich übertölpeln lassen. 1955 ff.

21. einen dicken (faulen) ~ machen = a) sich aufspielen. 1950 ff. - b) sich einer Verpflichtung (Verantwortung) entziehen. 1950 ff.

22. den feinen ~ machen = sich vornehm geben. 1950 ff.

23. den flachen ~ machen = sich flach auf den Boden werfen; in Deckung gehen. Sold 1939 ff.

24. großen ~ machen = einen Empfang geben. 1950 ff.

25. einen ganz großen ~ machen = sehr gut schlafen. 1935 ff.

26. jn zum ~ machen = jn heftig rügen; jn entwürdigend anherrschen. „Otto" meint hier irgendeinen Untergebenen. 1930 ff.

27. den dicken ~ markieren = sich aufspielen; freigebig tun. Halbw 1950 ff.

28. den feinen ~ markieren = sich vornehm benehmen (ohne es im Alltag zu sein). Halbw 1950 ff.

29. den flotten ~ markieren = übergebührlich prahlen; mehr scheinen wollen als sein; den vornehmen, wohlhabenden Mann spielen. 1910 ff.

30. den (einen) schrägen ~ markieren = sich den Lebensgenüssen hingeben; ausgelassen feiern. 1950 ff.

31. den dicken ~ mimen = sich aufspielen. 1950 ff.

32. ich bin kein (nicht dein) ~ = ich bin nicht dumm; ich lasse mich von dir nicht übertölpeln. ↗Otto 26. 1930 ff.

33. den bescheidenen ~ spielen = keine übermäßigen Geldansprüche stellen. 1920 ff.

34. den weichen ~ spielen = sich nicht ermannen; es an der nötigen Energie fehlen lassen. 1945 ff.

35. das ist ein ~ = das ist eine schwierige Sache. 1930 ff.

out sein (Adjektiv engl ausgesprochen) intr **1.** nicht ebenbürtig sein; einer anderen Gesellschaftsschicht angehören. Nach 1945 aus England übernommen, vor allem (anfangs) von Halbwüchsigen.

2. nicht mehr in Mode sein. 1950 ff.

3. sehr minderwertig sein. 1950 ff, halbw.

4. unsympathisch sein. Halbw 1950 ff.

Oxtradium n scherzhaft erfundenes Arzneimittel, um das man die Kinder zur Apotheke schickt. Im 19. Jh – vor allem im Oberd – mundartlich zusammengezogen aus „Ochs, dreh dich um!".

Ozon n (m) **1.** Gestank; verbrauchte Luft.

2. lieber warmer Mief als kalter ~. ↗Mief.

Ozonvergiftung f Sonnenbrand. 1960 ff.

P

P 1. die drei großen ~ = a) Pracht, Prunk und Pomp. Aufgefaßt als äußere Kennzeichen des aristokratischen Lebensstils des 19. Jhs. 1950 *ff.* – b) Pimmel, Punze und Penunzen. Gemeint sind „Penis, Vagina und Geld" als Zielvorstellungen menschlichen Strebens. 1960 *ff.*
2. einer Sache ein ~ vorsetzen (vorschreiben) = eine Sache unterbinden, vereiteln. „P" steht entweder für „Pest" oder für „schwarze Pocken". An die Tür des von der Seuche heimgesuchten Hauses schrieb man im 16. Jh ein „P". 1700 *ff.*
P.G. 1. Pech gehabt. Kurz nach der Kapitulation von 1945 aufgekommene Deutung der Abkürzung PG (Parteigenosse); in *franz* Kriegsgefangenenlagern bezogen auf die Abkürzung für „prisonnier de guerre".
2. Redewendung nach mißlungener Klassenarbeit. Meint „Pech gehabt". 1950 *ff.*
P.P. 1. Prostituierte. Abkürzung von *lat* „puella publica = öffentliches Mädchen". *Vgl* ↗Öffentliche. 1920 *ff, stud.*
2. Präservativ. Abkürzung von „↗Penis-Paletot". *Sold* in beiden Weltkriegen.
3. kurze Rast. Abkürzung von „Pinkelpause". 1910 *ff.*
PS *n* **1.** Pferd. Eigentlich Abkürzung von „Pferdestärke". 1920 *ff.*
2. ein PS mit Peitschenzündung = Pferd. Automobilisation durch Schüler seit 1920 *ff.*
PS-Hafermotor *m* **1.** Pferd. Verkürzt aus dem Folgenden. 1930 *ff.*
2. ~ mit Peitschenantrieb (mit Peitschenzündung) = Pferd. Etwa seit 1920. In Berlin ein 1930 bezogen auf das Pferd des Droschkenkutschers Gustav Hartmann, der unter dem volkstümlichen Namen „der eiserne Gustav" eine berlinische Berühmtheit war wegen seiner aufsehenerregenden Kutschfahrt (als 75jähriger) von Berlin nach Paris und zurück (1928) und die später durch Hans Fallada (1938) zu literarischem, durch Heinz Rühmann (1958) zu filmischem Ruhm gelangte.
3. ~ mit Peitschenzündung und Knallvergaser (Äppelauspuff) = Pferd. 1955 *ff*, Berlin.
PS-Hyäne *f* rücksichtsloser Kraftfahrer. Gegen die anderen Verkehrsteilnehmer benimmt er sich wie ein Raubtier. 1955 *ff.*
PS-Ritter *m* Kraftfahrer (mal auf den rücksichtsvollen, mal auf den rücksichtslosen bezogen). 1950 *ff.*
Pa *m* Vater, Großvater. Kosewörtlich verkürzt aus „Papa". Vielleicht aus dem *Engl* übernommen. 1920 *ff.*
paar *num* ein ~ kriegen = Ohrfeigen, Prügel bekommen. Seit dem 19. Jh.
Paar *n* **1.** eingefahrenes ~ = seit langem miteinander bekanntes Tanzpaar. „Eingefahren" ist vom Kraftfahrzeug übernommen. 1960 *ff.*
2. da freut sich das entmenschte ~ = die Gegner freuen sich über die Niederlage, die sie dem Skatspieler beigebracht haben. Hergenommen aus Schillers Ballade „Der Gang zum Eisenhammer" (1797). Kartenspielerspr. seit dem späten 19. Jh.
3. zu ~en treiben = a) in die Enge treiben; zum Gehorsam zwingen; in die Flucht schlagen. Geht möglicherweise zu-

rück auf *mhd* „bere = sackförmiges Fischernetz": in ein solches Netz trieb man die Fische mittels langer Stangen. Die heutige, auf einem Mißverständnis beruhende Schreibweise setzt gegen 1700 ein. – b) zum Tanz aufspielen. Auf das Tanzpaar bezogen. 1960 *ff.*
Pablatschen *f* ↗Pawlatschen.
pachten *tr* **1.** etw stehlen. Eigentlich soviel wie etw zur Nutzung „vertraglich erwerben". 1910 *ff.*
2. etw auf 99 Jahre ~ = Gefundenes behalten. *Sold* 1914 *ff.*
3. etw gepachtet haben = etw für sich beanspruchen; etw als sein Anliegen betrachten (er hat das Glück gepachtet; im Zugabteil er einen Sitzplatz ein, für den ein anderer die Platzkarte hat). 1900 *ff.*
Pack *n* **1.** Gesindel; Leute *(abf).* Meint eigentlich „Bündel, Ballen", dann deren Träger, insbesondere den Heerestroß. Bedeutungsentwicklung wie bei „↗Bagage". Seit dem 14. Jh.
2. das bessere ~ = die Neureichen. Wirtschaftlich sind sie besser gestellt als das Gesindel; aber „Pack" bleiben sie weiter. 1960 *ff* (1920?).
3. schmutziges ~ = niederträchtige Gesellschaft. Schmutzig = von niederer Gesinnung. 1870 *ff.*
4. ~ schlägt sich, ~ verträgt sich = in dieser Familie herrscht oft Streit; Leute mit niederer Gesinnung neigen zu Gewalttätigkeit, aber vertragen sich stets wieder mit Ihresgleichen. Eine sprichwörtliche Lebensweisheit, spätestens seit 1800.
Päckchen *n* **1.** Uniform; Garnitur der Uniformstücke; vollständiger Anzug. Etwa soviel wie „Wäschepaket, -bündel". *Sold* und *marinespr* 1914 *ff. Vgl engl* „parcel".
2. Arbeitskleidung. 1950 *ff.*
3. ~ Unglück = entmutigter Mensch. Analog zu ↗Häufchen. 1920 *ff.*
4. bejahrtes ~ = Frau in vorgerücktem Alter. 1950 *ff.*
5. leckeres ~ = nettes Mädchen. Etwa das hübsch verpackte Päckchen mit Leckereien. 1910 *ff.*
6. sein ~ zu tragen (zu Marke zu tragen) haben = kein leichtes Schicksal haben; viele Sorgen haben. Leid und Sorgen erscheinen nach hochdeutschem Vorbild auch umgangssprachlich als Bürde. 1600 *ff.*
packeln *v* **1.** *tr* = jn abschieben, hinausbefördern. Iterativum zu „packen = ergreifen". *Bayr* 1920 *ff.*
2. mit jm ~ = mit jm etw heimlich vereinbaren, verhandeln. Gehört zu „Pack = Schulterlast" in Anspielung auf Schmuggel; also eigentlich soviel wie „heimlichen Handel treiben", weiterentwickelt zu „Heimlichkeiten verabreden". *Bayr* und *österr* seit 1910 *ff.*
packen *v* **1.** etw ~ = etw erreichen, meistern; einer Sache Herr werden (wenn er sich beeilt, packt er den Zug noch; er packt das Examen). Packen = fassen, ergreifen. Seit dem 18. Jh.
2. jn ~ = jn besiegen. *Sportl* 1920 *ff.*
3. etw ~ = etw begreifen. Man nimmt es geistig in Besitz. 1700 *ff.*
4. jn ~ = jn der Musterung unterwerfen. *BSD* 1965 *ff.*
5. *tr intr* = koitieren. Hängt in übertragener Bedeutung zusammen mit „Packung

= schwerer Beschuß" und „vollpacken = ejakulieren" oder meint „packen" im Sinne von „be-, überwältigen". 1960 *ff.*
6. ~ wir's!: Aufforderung zum Anfangen, zum Weitermachen. *Vgl* „anpacken = etw in Angriff nehmen" und ↗packen 1. *Bayr* 1900 *ff.*
7. ihn hat's gepackt = er ist ernstlich erkrankt; es ist ihm seelisch nahegegangen; er hat sich verliebt o. ä. Seit dem 19. Jh.
8. sich einen ~ = ein Glas Alkohol zu sich nehmen. Packen = ↗fassen. 1870 *ff.*
9. *refl* = sich eiligst entfernen. Eigentlich soviel wie „sich bepacken, um wegzugehen". Spätestens seit 1500.
Packesel *m* **1.** ein mit Paketen bepackter Mensch; Mensch, dem viel Arbeit aufgebürdet wird. Hergenommen vom Esel als Lasttier, zugleich mit der Wertung „Esel = Dummer". 1700 *ff.*
2. Infanterist, beladen mit Waffen und Gerät. *Sold* in beiden Weltkriegen.
3. hochbeladener Personenkraftwagen. 1950 *ff.*
Packung *f* **1.** schwerer Beschuß. Eigentlich das Zusammengepackte; hier bezogen auf zusammengefaßtes Feuer. *Sold* 1910 *ff.*
2. sportliche Niederlage. *Sportl* 1910 *ff.*
3. jm eine ~ geben (verpassen) = jn besiegen. *Sportl* 1910 *ff.*
3 a. eine ~ heiße Ohren kassieren = geohrfeigt werden. *Vgl* ↗Ohr 89 a. *Schül* 1970 *ff.*
4. jm eine ~ verabreichen = jn prügeln. 1930 *ff.*
Padde *f* **1.** Frosch, Kröte. Im 12. Jh aus dem *Ndl* übernommen.
2. Brieftasche, Geld. Analog zu „↗Kröten = Geld". *Rotw* seit 1840 *ff.*
3. die ~ drücken (ziehen) = die Geldbörse oder Brieftasche stehlen. *Rotw* 1840 *ff.*
Paddel *n* **1.** *pl* = auswärtsgekrümmte Beine. Gehört über „paddeln = watscheln" zu „Padde = Frosch". Anspielung auf die Form der Froschbeine und -schenkel. 1900 *ff.*
2. *sg* = breite, plumpe Hand. In übertreibender Auffassung dem breiten Ruderblatt ähnlich. 1910 *ff.*
3. *sg* = Arm. 1910 *ff.*
4. *sg* = Fuß; breiter Fuß. 1910 *ff.*
paddeln *intr* **1.** gehen, laufen; ungeschickt gehen; watscheln. Anspielung auf die Gangart der Enten und Gänse, auch der Frösche. Seit dem 19. Jh.
2. schwimmen. Eigentlich „paddelnd sich bewegen". *Halbw* 1950 *ff.*
padden *intr* Taschendiebstahl begehen. ↗Padde 2. 1900 *ff.*
paff *interj* **1.** jn ~ machen = jn sehr in Erstaunen setzen. *Vgl* das Folgende. 1950 *ff.*
2. ~ sein = erstaunt, überrascht, sprachlos sein. Hergenommen von der Schallnachahmung des Schusses: der Überraschte ist „paff" wie beim Hören eines unerwarteten Schusses. Seit dem 17. Jh.
Paffe *f* Zigarette. ↗paffen. *Halbw* 1955 *ff.*
paffen *intr* schnell, unter starker Rauchentfaltung, viel rauchen. Lautnachahmung für das Geräusch, das entsteht, wenn man den Rauch kräftig aus dem Munde bläst. 1700 *ff.*
Pa'gari *pl* Geld. Fußt auf *ital* „pagare = zahlen". Kundenspr. 1920 *ff.*

Pagenkopf (-frisur) *m (f)* kurzgeschnittenes, streng und glatt anliegendes Haar. 1920 *ff.*

paje'chali machen *intr* fliehen. Phonetische Wiedergabe von russisch „poechali = wir (sie) sind ab-, losgefahren" (laut Prof. Dr. Roman Rössler, Dolmetscherinstitut Germersheim). *Sold* 1939 *ff.*

Paket *n* 1. die ganze Familie (vom Hausherrn aus betrachtet). Sie bildet ein Zusammengeschnürtes im Sinne der Verbundenheit durch Bande des Bluts. 1955 *ff, jug.* 2. die ganze Verwandtschaft. Wohl beeinflußt von ↗Pack 1. *Jug* 1955 *ff.* 3. Reformvorschlag, der mehrere Forderungen ineinanderschachtelt. 1950 *ff.* 4. bis in den Nacken reichendes Haar. *Österr* 1945 *ff.* 5. freßbares ~ = Lebensmittelpaket. Wohl im Ersten Weltkrieg aufgekommen in bezug auf die Liebesgabenpakete. 6. schwules ~ = Homosexueller. ↗schwul. Etwa seit 1920. 7. ein ~ machen = alle Stiche gewinnen. Paket = vollständiges Spiel Karten. Kartenspielerspr. 1870 *ff.*

Paketchen *n* 1. *pl* = Füße. Meint wohl solche Füße, die vom Gehen als schwer und schwerer empfunden werden. 1920 *ff.* 2. leckeres ~ = anmutiges, reizendes junges Mädchen. *Vgl* ↗Päckchen 5. 1910 *ff.* 3. reizendes erotisches ~ = geschlechtlich anziehende junge weibliche Person. 1930 *ff.*

Pa'laver *n* 1. Besprechung, Beratung, Auseinandersetzung; Verhör; Geschwätz. Geht zurück auf *portug* „palavra = Unterredung (mit den Eingeborenen)", das seinerseits auf *lat* „parabola = Bericht" fußt. Seit dem 18. Jh. 2. um etw ein ~ machen = um viele Umstände machen; eine Sache sehr aufbauschen. 1850 *ff.*

Palazzo Kitschi *m* Haus der Deutschen Kunst in München. Kurz nach 1933 aufgekommen mit Anspielung auf „Kitsch" unter Anlehnung an den römischen „Palazzo Chigi". In Künstlerkreisen noch heute geläufig.

Pallawatsch *m* 1. Durcheinander, Wirrwarr; Mißverständnis; Mißerfolg; Geschwätz. Geht zurück auf *slaw* „palovač = laufen, eilen; einen Wirrwarr anrichten". *Österr* 1820 *ff.* 2. Tölpel; Mensch ohne geistige Interessen. *Österr* seit dem 19. Jh.

pallisieren *intr* davonlaufen. Fußt auf *tschech* „paliti". *Österr* 1900 *ff.*

Palme *f* 1. jn auf die ~ bringen (jagen, treiben) = jn heftig erzürnen. Fußt auf der Grundvorstellung in höchster Erregung die Palme erkletternden und von dort herabzeternden (bildlich: mit Kokosnüssen werfenden) Affen. 1930 *ff.* 2. jn auf die allerhöchste ~ bringen = jn in höchste Wut versetzen. 1950 *ff.* 3. auf die ~ gehen (geraten) = aufbrausen. 1930 *ff.* 4. sich einen von der ~ holen (klopfen) = onanieren. ↗Palme 11. 1935 *ff.* 5. jn auf die höchste ~ jagen = jn überaus erbosen. 1950 *ff.* 6. auf die ~ klettern = aufbrausen. 1930 *ff.* 7. es ist, um auf die ~ zu klettern (stei-

gen)l: Ausdruck des Unmuts, der Verzweiflung. 1930 *ff.* 8. sich einen von der ~ locken = onanieren. *Vgl* ↗Palme 11. 1935 *ff.* 9. von der ~ runterkommen = a) sich nicht länger aufregen; sich beruhigen. 1930 *ff.* - b) sich nicht länger aufspielen. 1930 *ff.* 10. einander auf die ~ schaukeln = sich gegenseitig in Wut bringen. 1950 *ff.*

Pamp *m* dicker Brei. Nasalerweiterung von „↗Papp", lautmalend verwandt mit „mampfen" und „stampfen". 1600 *ff.*

Pampe *f* 1. dicker Brei. ↗Pamp. *Niederd* 1600 *ff.* 2. Schmutz, Unrat. Berlin 1870 *ff.*

Pampel *m* 1. großwüchsiger, leicht ungelenker junger Mann. Gehört zu „Pamp = Brei" und weiterentwickelt zur Bedeutung der unfesten Substanz oder zu „bammeln, baumeln = schlaff herabhängen; schlottern". 1900 *ff.* 2. unordentliche Person. 1900 *ff.* 3. Unentschlossener. Bei Entscheidungen gerät er ins Schlottern. *Jug* 1955 *ff.* 4. Glück. Analog zu ↗Torkel. 1955 *ff, jug.* 5. Mensch, der Glück hat. 1955 *ff, jug.* 6. den ~ machen = niedere Dienste verrichten; zu jeder (schmutzigen) Arbeit herangezogen werden. Versteht sich nach ↗Pampe 2. 1800 *ff.*

pampeln *intr* 1. unentschlossen sein. ↗Pampel 3. *Jug* 1955 *ff.* 2. Glück haben. ↗Pampel 4. 1955 *ff, jug.*

Pamperl *m* ↗Bamberl.

Pampf *m* dicker Brei. *Oberd* Entsprechung zu „↗Pamp". Spätestens seit 1800.

pampfen *intr* viel essen; mit vollen Backen essen. Meint eigentlich „Brei essen". *Vgl* ↗mampfen. *Südd* 1800 *ff.*

pampig *adj* 1. breiig, weich. ↗Pamp. *Niederd* 1800 *ff.* 2. dick, feist. Seit dem 19. Jh. 3. frech, vorlaut, anmaßend, herausfordernd. Geht wohl aus von einem, der viel Essen verlangt oder sich reichlich gesättigt hat und „sich ~ breitmacht". 1870 *ff.* 4. unwirsch, unfreundlich, barsch. 1900 *ff.* 5. sich mit etw ~ machen = sich mit etw brüsten; sich aufspielen. 1900 *ff.*

Pamps (Pams) *m* 1. dicker Brei; Kartoffelbrei. ↗Pamp. 17. Jh. 2. dickes Kind. *Vgl* auch ↗Bams 1. *Oberd* 1800 *ff.*

pampsen *intr* mit vollen Backen essen. Seit dem 19. Jh.

Pampuschen *pl* ↗Babuschen.

pamstig *adj* aufgedunsen; überheblich. ↗pampig 3. *Öster* seit dem 19. Jh.

Pängmädchen *n* 1. entjungfertes Mädchen. Das Jungfernhäutchen ist „päng" gemacht. Dazu der Spruch: „Päng", sagte die Jungfrau; da war sie es gewesen". 1930 *ff.* 2. ledige Mutter. 1930 *ff.*

Pani *n* Wasser. Gleichlautend und *gleichbed* aus der Zigeunersprache entlehnt. Kundenspr. 1726 *ff.*

Panje *m* 1. Russe; russischer Soldat. Fußt auf *poln* „pan = Herr"; die Anredeform ist „panie". *Sold* in beiden Weltkriegen. 2. Kamerad (in der Anrede). *Sold* 1939 *ff.*

Panne *f* 1. unliebsame Störung; plötzlich auftretender Schaden; Mißgeschick; Motor-, Reifenschaden am Auto. Stammt aus *franz* „panne = das (aus Tüchern beste-

hende) Segelwerk; Aufbrassen der Segel"; dazu „rester en panne = die Segel mit dem Wind gestellt haben, so daß das Schiff stillsteht"; von da übertragen zur Bedeutung „unterwegs liegenbleiben". Über die Pariser Bühnensprache (= im Text steckenbleiben; nicht mehr weiter können) in die Kraftfahrersprache übernommen und um 1900 bei uns aufgekommen. 2. eine ~ bewilligen = eine Schülerarbeit schlecht beurteilen. *Schül* 19503. 3. sie ist eine ~ = dieses Mädchen erregt Mißfallen. Panne = Versager. *Jug* 1950 *ff.*

Pannenschwindlerin *f* elegant gekleidete weibliche Person, die einen Motorschaden vortäuscht und den hilfsbereiten Kavalier erpreßt. 1959 *ff.*

Panorama-Blick *m* mißtrauischer Blick. Man blickt mißtrauisch rundum. 1935 (?) *ff.*

Panorama-Dekolleté *n* Dekolleté, das bis an den Brustansatz und auch im Rücken tief herabreicht. 1960 *ff.*

Pansch (Pantsch) *m* 1. Gemisch, Gemenge, Gebräu. ↗panschen 1. Spätestens seit 1800. 2. Schlag (mit der flachen Hand). ↗panschen 3. Seit dem 18. Jh. 3. regnerisches Wetter. Seit dem 19. Jh. 4. Bauch. ↗„Pansen = erster Magen der Wiederkäuer". Seit dem 19. Jh.

panschen (pantschen) *intr* 1. geräuschvoll im Wasser hantieren, wühlen; plätschern; plätschernd baden. Schallnachahmender Herkunft. Seit dem 15. Jh. 2. Getränken Wasser beimischen; Wein verfälschen. 18. Jh. als Übername gebucht; geläufig seit dem 18. Jh. 3. schlagen, hauen. Seit dem 18. Jh.

Pansen (Panzn) *m (f)* 1. (dicker) Leib. Meint den ersten Wiederkäuermagen. *Vgl franz* „panse = Bauch, Wanst". Seit dem 19. Jh. 2. den ~ umstülpen = sich erbrechen; seekrank sein. Aus dem Wiederkäuermagen gelangt die Nahrung ins Maul zurück. *Sold* 1939 *ff.*

Pantinen *pl* 1. aus den ~ kippen = a) niederstürzen; ohnmächtig werden. Pantinen sind grobe Lederschuhe mit Holzsohle und Oberleder ohne Fersenteil. Seit dem ausgehenden 19. Jh.; vorwiegend Berlin. - b) die Beherrschung verlieren; einen Nervenzusammenbruch erleiden. 1910 *ff.* - c) überrascht sein. Vor Überraschung verliert man sein Gleichgewicht. 1900 *ff.* - d) gegen die Anstandsregeln verstoßen. Berlin 1930 *ff.* 2. jn aus den ~ kippen (jn hauen, daß er aus den ~ kippt) = jn niederschlagen. 1900 *ff.* 3. das kippt ihn aus den ~ = dieses Ereignis raubt ihm die Beherrschung, läßt ihn das seelische Gleichgewicht verlieren. 1920 *ff.*

Pantinengymnasium *n* Schule in ärmlichem Wohnbezirk; Elementar-, Grundschule. Die Eltern können aus Armut ihren Kindern keine teuren Schuhe kaufen und schicken sie daher in Holzpantinen zur Schule. 1900 *ff.*

Pantoffel *m* 1. Herrschaft der Frau über den Ehemann, der Haushälterin über den Hausherrn. Pantoffeln galten früher als Fußbekleidung vornehmlich für Frauen. Älter als das Wort „Pantoffel" ist der Brauch, dem Gegner den beschuhten Fuß aufzusetzen, was als Zeichen völliger Niederwerfung galt; ähnlich suchten die Neuvermählten unmittelbar nach der Eheschließung dem Partner zuerst auf den Fuß zu treten, wodurch die Herrschaft im Hauswesen verbürgt sein sollte. 1700 *ff.*

2. mit fliegenden ~n = in größter Eile. Der Eilende verliert leicht die Pantoffeln, weil sie keine Ferse haben. 1955 *ff.*

3. jn unter den ~ bringen = die Herrschaft im Hause an sich reißen. Seit dem 19. Jh.

4. aus den ~n fallen = a) zu Boden fallen. 1900 *ff.* – b) sehr erstaunt sein. Vor Überraschung kann man das körperliche Gleichgewicht verlieren. 1920 *ff.*

5. jn unter den ~ haben = jn beherrschen. Seit dem 19. Jh.

6. aus den ~n kippen = heftig erschrekken; sehr erstaunt sein; die Fassung verlieren. Analog zu ↗ Pantinen 1. 1920 *ff.*

7. unter den ~ kommen (geraten) = die Herrschaft im Hause an die Frau oder Haushälterin verlieren. 1700 *ff.*

8. jn unter den ~ kriegen = den Ehemann oder Hausherrn willfährig machen können. Seit dem 19. Jh.

9. den ~ schwingen = im Haus herrschen (von der Ehefrau oder Haushälterin gesagt). Der geschwungene Pantoffel ist ein stehendes Requisit von Witzzeichnungen. 1870 *ff.*

10. unter dem ~ sein (stehen) = von der Ehefrau oder Haushälterin beherrscht werden. ↗ Pantoffel 1. 1700 *ff.*

Pantoffeldemokrat *m* Bürger, dessen politische Bildung sich auf Fernsehsendungen beschränkt. ↗ Pantoffelkino 2. 1970 *ff.*

Pantoffelheld *m* **1.** willenloser Ehemann oder Hausherr, beherrscht von Ehefrau oder Haushälterin. Der Pantoffel als einstmals der Frau vorbehaltenes Kleidungsstück wird hier zur Bezeichnung der Frau, weswegen „Pantoffelheld" dasselbe wie „Frauenheld" bezeichnet, – nur mit dem Unterschied, daß „Pantoffelheld" scherzhaft gemeint ist. 1800 *ff.*

2. intimer Freund. Hier ist „Pantoffel" Umschreibung für das weibliche Geschlechtsorgan, und als „Held" tritt der Penis in Erscheinung. *Halbw* 1960 *ff.*

3. Mann in Pantoffeln. 1977 *ff.*

Pantoffelkneipe *f* Gaststätte in nächster Nähe der Wohnung. In Pantoffeln kann man sie betreten. 1920 *ff.*

pantoffeln *tr* den Ehemann oder Hausherrn beherrschen. 1800 *ff.*

Pantoffelschule *f* Hilfsschule. Die Kinder armer Leute trugen Pantoffeln mit Holzsohle. Der Arme ist in landläufiger Meinung auch geistesbeschränkt. 1955 *ff, schül.*

Pantoffelstunde *f* Fernsehzeit daheim. Man macht es sich in Pantoffeln bequem. 1965 *ff.*

Pantoffeltierchen *n* Kleinauto. Pantoffeltierchen gehören zu den Infusorien und werden 0,2 mm groß. 1950 *ff, jug.*

Pantoffelwahl *f* Briefwahl zum Parlament. 1969 *ff.*

Pantsch *m* ↗ Pansch.

pantschen *v* ↗ panschen.

Pantscherl *n* Liebesverhältnis, Flirt. Geht zurück auf *franz* „penchant = Neigung". *Österr* 1900 *ff.*

Panz (Panze) *m n* ungezogenes, lästiges

Kind. Eigentlich der Bauch, Wanst. *Vgl* ↗ Balg 1. 1700 *ff.*

Panzer *m* **1.** Wanze, Laus. Anspielung auf den schildartigen Rücken und die Angriffslust. *Sold* 1939 *ff.*

2. Auto. *Halbw* 1960 *ff.*

3. Korsett. Hergenommen von der alten Bedeutung „Rüstung für den Leib". Zurückreichend bis in die Regierungszeit Kaiser Josephs II. (1765–1790), der neben vielen Mißständen auch das verunstaltende Korsett durch Verbote und Erlasse bekämpfte.

4. ~ zu Fuß = kugelsichere Ausrüstung der Polizei (Visierartiger Helm, Weste aus Nylongewebe mit eingearbeiteten Stahlplatten). 1962 *ff.*

5. sturer ~ = schwer erregbarer Mensch; phlegmatischer Kraftmensch. ↗ stur. 1950 *ff.*

6. stur wie ein ~ (wie ein Panzerwagen, wie eine Panzerfamilie) = unbeirrbar vorgehend. ↗ stur. 1940 *ff.*

7. ich glaube, mein ~ hat einen Knutschfleck: Redewendung, mit der man einer unglaubwürdigen Äußerung entgegentritt. Zur Erklärung *vgl* „↗ Hamster". *BSD* 1965 *ff.*

8. ich glaube, mein ~ humpelt: Ausdruck des Zweifels an einer Behauptung. ↗ Hamster. *BSD* 1965 *ff.*

9. ~ knacken = a) Panzer kampfunfähig machen. 1939 *ff.* - b) Läuse zerdrücken. ↗ Panzer 1. *Sold* 1941 *ff.*

Panze'rei *f* christliche ~ = Panzerwaffe. Der „christlichen ↗ Seefahrt" nachgebildet. *Sold* 1940 *ff.*

Panzerfaust *f* **1.** dunkle, starke Zigarette. *BSD* 1965 *ff.*

2. ~ des kleinen Mannes = selbsthergestellte Brandflasche. 1967 *ff.*

Panzergraben *m* Korsett- und Büstenhalterausbuchtungen für die Brüste; Tal zwischen den Brüsten. Eigentlich der breite, möglichst betonten Graben von mehreren Metern Tiefe als Panzerfalle. *Sold* 1935 *ff.*

Panzerknacker *m* **1.** Einzelkämpfer, der einen Panzerkampfwagen vernichtet. ↗ Panzer 9 a. *Sold* 1939 *ff.*

2. Panzerjäger. *BSD* 1960 *ff.*

3. Ausrauber eines Panzerschranks. 1950 *ff.*

4. Mann, der einer Frau das Korsett o. ä. öffnet. ↗ Panzer 3. 1940 *ff.*

5. Mann, der ausgediente Panzerkampfwagen verschrottet. 1960 *ff.*

Panzerkreuzer *m* abweisendes, zurückhaltendes Mädchen. Um Herz und Schoß hat es in übertragenem Sinne eine starke Panzerbewehrung. Eigentlich das gepanzerte Schlachtschiff. *Sold* 1935 *ff.*

Panzerplatte *f* **1.** Scheibe Hartwurst. Wegen der Härte. *BSD* 1965 *ff.*

2. *pl* = Knäckebrot. Wegen der geriffelten und höckrigen Oberfläche. *Sold* 1939 bis heute.

3. *pl* = Dosen-; Dauerbrot. *BSD* 1965 *ff.*

4. *pl* = geschnittene Kohlrabi. 1945 *ff.*

5. *pl* = Linsen. Kundenspr. 1960 *ff.*

6. *pl* = Markstücke. *Marinespr* modernisiert im Zweiten Weltkrieg aus „↗ Platten"; *halbw* 1955 *ff.*

Panzn *f* ↗ Pansen.

Pap *m* Vater (Kosewort). Aus „Papa" verkürzt. Gleichlautend im *Angloamerikan.* 1920 *ff.*

Pa'pa *m* **1.** Vater. Kindliches Lallwort; umgangssprachlich im 17. Jh aus *franz* „papa" entlehnt.

2. Mittelkegel. Keglerspr. 19. Jh.

3. Kompanie-Hauptmann. Analog zu „↗ Alter". 1914 *ff.*

4. Chefarzt. 1914 *ff, sold.*

5. ~ hat geheiratet = der Mittelkegel und ein weiterer sind gefallen. Keglerspr. seit dem 19. Jh.

6. der ~ wird's schon richten = der Vater wird es schon in die richtigen Wege leiten. Bekannt durch das Couplet von G. Bronner und Helmut Qualtinger. ↗ richten. *Österr* 1920 *ff.*

7. ~ hat sich übergeben = nur der Mittelkegel ist gefallen. Wortspiel mit den beiden Bedeutungen „sich erbrechen" und „sich ergeben". Keglerspr. seit dem 19. Jh.

Papagallo *m* ↗ Pappagallo.

Papagei *m* **1.** Nachplapperer; Vielschwätzer; Begleiter höherer Vorgesetzter. Der Papagei ist gelehrig und sprechbegabt. 1800 *ff.*

2. Klassenwiederholer. *Schül* 1950 *ff.*

3. stark geschminkte weibliche Person. Sie wetteifert mit dem bunten Gefieder des Papageis. 1920 *ff.*

4. auffällig gekleidete Frau. 1920 *ff.*

5. Schauspieler, der nur den Wortlaut des Textbuches zu sprechen versteht, aber nicht improvisieren kann. Theaterspr. 1920 *ff.*

Papageiendeckel *m* Couleurmütze der farbentragenden Studenten. ↗ Deckel. 1900 *ff.*

Papageienkrankheit *f* Schwatzsucht; unversieglicher Redefluß; Redezwang. 1925 *ff.*

Papageien-Look (Grundwort *engl* ausgesprochen) *m* vielfarbige Kleidung (Haartracht) junger Mädchen. ↗ Look. 1970 *ff.*

papeln *intr* reden, lallen. Nebenform mit Vokaldehnung zu „↗ babbeln". *Sächs* 19. Jh.

papen *v* **1.** *intr* = schlucken. ↗ Pape. 1890 *ff.*

2. etw nicht ~ können = etw mißfällig aufnehmen; etw als Zumutung auffassen. Man hat daran zu „↗ schlucken". 1890 *ff.*

Papi *m* **1.** Vater. Koseform zu „↗ Papa". Seit dem 19. Jh.

2. Heim-, Schulleiter; Klassenlehrer. 1930 *ff.*

3. Mädchenschelte auf einen vermeintlich reifen Halbwüchsigen. 1980 *ff, halbw.*

Papier *n* **1.** ~ für hinterlistige Zwecke = Abortpapier. ↗ hinterlistig. 1900 *ff.*

2. ~ deklamieren = textgetreu, unnatürlich sprechen. Theaterspr. 1920 *ff.*

3. wie aus (dem) ~ gewickelt = tadellos; wie neu. Es ist frisch aus dem Einwickelpapier genommen. 1950 *ff.*

4. nicht die richtigen ~e haben = nicht recht bei Verstand sein. Laut Personalausweis ist der Betreffende ein anderer als der, den man kennt. 1930 *ff.*

5. ~ quatschen = sich übertrieben streng an den Text halten (und dadurch unnatürlich sprechen). Theaterspr. 1920 *ff.*

6. jn aufs ~ schmeißen = jn rasch porträtieren. Mit raschen Strichen wird die Figur skizziert. 1920 *ff.*

7. nicht richtig in den ~en sein = von Sinnen sein. ↗ Papier 4. 1930 *ff.*

8. ~ sprechen = blutleeres Hochdeutsch sprechen. 1965 *ff.*

Papierform _f_ Beurteilung der Leistungsfähigkeit einer Fußballmannschaft nach dem Verhältnis der Tor- und Eckenzahlen. ↗Form 1. Die Wertung richtet sich ausschließlich nach mathematisch-statistischen Tatsachen. _Sportl_ 1920 _ff_.

Papiergeld _n_ ~ flattert langsam = man begreift langsam, ist begriffsstutzig. Zusammenhängend mit der Wendung „der Groschen fällt"; ↗Groschen 6. _Stud_ 1950 _ff_.

Papierkorb _m_ **1.** ~!: Ausdruck der Ablehnung, der Geringschätzung. Das Unwichtige oder Überflüssige gehört in den Papierkorb wie irgendein belangloses Schriftstück. 1920 _ff_. **2.** einen Plan in den ~ werfen = von einem Plan zurücktreten. 1920 _ff_.

papierkorbreif _adj_ völlig unwichtig; undurchführbar; nicht zu verwirklichen. 1920 _ff_.

Papierkram _m_ **1.** Personalausweis, Reisepaß o. ä. Abfällig gemeint. ↗Kram. 1930 _ff_. **2.** Vordruckvielfalt; Formularunwesen; unsinnig übermächtige Bürokratie; entpersönlichende Verwaltungsaufblähung. 1945 _ff_.

Papierkrieg _m_ **1.** (übermäßiger) dienstlicher Schriftverkehr. Ein zwar unblutiger, aber nicht minder bedrohlicher Krieg, dessen Opfer das Individuum wird. Beruht möglicherweise auf der Bedeutung „Abwurf von Flugblättern hinter der feindlichen Front". 1900 _ff_. **2.** kalter ~ = Notenwechsel zwischen der freien Welt und dem kommunistischen Block. _Vgl_ „Kalter ↗Krieg". 1950 _ff_.

Papierkrieger _m_ **1.** Beamter, der einen Vorfall nur bearbeitet, wenn ihm eine schriftliche Schilderung in der vorgeschriebenen Form vorliegt. 1930 _ff_. **2.** Zivilist im Dienste der Bundeswehr. 1955 _ff_.

papierln _tr_ jn veralbern, hintergehen, übertölpeln. Gemeint ist, daß man ihm zum Spott wertvolle Eigenschaften zuspricht, die er nicht besitzt: seine Vorzüge sind bloß papierner Art. _Bayr_ und _österr_, 1800 _ff_.

Papierschlacht _f_ dienstlicher Schriftverkehr; Notenwechsel zwischen Regierungen. 1950 _ff_.

Papiertiger _m_ **1.** Schwätzer; Mensch, der viel verspricht und wenig hält; Prahler, der in der Praxis versagt. Er gibt sich nach außen kraftvoll und gefährlich, ist aber inwendig weich und untauglich. Nach 1950 bekannt geworden als eine Kennzeichnung des Nordamerikaners durch Mao Tse-tung. Seitdem auch von Deutschen auf Deutsche bezogen. **2.** furchterregende Waffe ohne große militärische Bedeutung. 1960 _ff_. **3.** Maßnahme, die sich in der praktischen Auswirkung als fruchtlos erweist. 1965 _ff_. **4.** nur scheinbar wirkungsvolle Behauptung; Bluff. 1965 _ff_. **5.** Volk mit vorgeblichem Angriffswillen. 1960 _ff_.

Papp _m_ **1.** Brei, Mus. Kindliches Lallwort, klangnachahmend für den Laut, der beim Öffnen und Schließen des Mundes oder beim Aufklatschen des Löffels entsteht. 1500 _ff_. **2.** red' keinen ~ daher! = laß dein Dummschwätzen! _Bayr_ 1900 _ff_.

3. ~ im Hirn haben = dumm sein. _Österr_ 1920 _ff_.

papp _interj_ nicht mehr ~ sagen können = nichts mehr sagen können; völlig gesättigt sein. Mit übervollem Mund läßt sich schlecht „papp" sprechen. 1700 _ff_.

'Pappa _m_ Vater. Durch Betonung auf der ersten Silbe kenntlich als deutsche Form von _franz_ „↗Papa". Seit dem 19. Jh.

Pappa'gallo _m_ **1.** Italiener; italienischer Gastarbeiter. Meint im _Ital_ den Papagei. 1960 _ff_. **2.** Italiener, der deutschen Mädchen nachstellt. 1952 _ff_ seit Italien Mode-Reiseziel vieler Deutscher wurde.

Pappchinese _m_ Schimpfwort. Soll von einer Zielscheibe mit Chinesenkopf herleiten, die nach dem Boxeraufstand in China eingeführt wurde; sie entspricht unserem „↗Pappkameraden". Nach anderen ist von „pappig = kleisterig; nicht fest; schlaff" und in übertragenem Sinne von der Bedeutung „untüchtig" auszugehen, wobei die Aussprache „pappch, pappsch" die Erweiterung zu „Pappchinese" erleichtert haben könnte. Spätestens seit 1910.

Pappe _f_ **1.** dicker Brei. ↗Papp. 1600 _ff_. **2.** Geld. Wohl von „Papiergeld" gekürzt. 1960 _ff_. **3.** Führerschein (_abf_) ↗Pappendeckel. 1970 _ff_. **4.** nicht von ~ = handfest; gediegen; kräftig (seine Worte, seine Ohrfeigen waren nicht von Pappe). Leitet sich her entweder von der aus Pappdeckel hergestellten Fastnachtspritsche oder von Pappdeckelkulissen auf der Bühne. Seit dem 19. Jh.

Pappel I _m_ Schwätzer. ↗pappeln 1. Seit dem 19. Jh, _südd_.

Pappel II _f_ **1.** Schwätzerin. ↗pappeln 1. Seit dem 19. Jh, _südd_. **2.** jn auf die ~ bringen = jn in Wut versetzen. Analog zu „↗Akazien 1" und „↗Palme 1". 1930 _ff_.

pappeln _intr_ **1.** schwätzen, plaudern; viel reden. Nebenform zu „↗babbeln". 1800 _ff_. **2.** essen. ↗Papp. Seit dem 19. Jh.

päppeln _tr_ **1.** jn mit Brei speisen, füttern. _Mhd_ „peppe = Speise"; „pepeln = füttern". ↗Papp. **2.** jn großziehen. 1900 _ff_. **3.** jn verwöhnen, verzärteln. Seit dem 19. Jh.

Pappen (Pappn) _f_ Mund. Hergenommen von dem Laut, der entsteht, wenn man die Lippen öffnet und schließt. _Bayr_ und _österr_, 1800 _ff_.

pappen _v_ **1.** _tr_ = etw kleben. Leitet sich her von der Kleisterschicht zwischen den Papierlagen der Wellpappe o. ä. Seit dem 18. Jh. **2.** jn eine = jn ohrfeigen. ↗kleben. 1870 _ff_. **3.** _tr_ = etw schlecht löten; etw in flüchtiger Arbeitsweise herstellen. 1900 _ff_. **4.** _intr_ = essen; genüßlich essen. Anspielung auf die Art, wie kleine Kinder „↗Papp" essen. 1800 _ff_. **5.** _intr_ = (undeutlich) sprechen. ↗Pappen. _Österr_ seit dem 19. Jh.

pappenbleiben _intr_ in der Schule nicht versetzt werden. Analog zu ↗klebenbleiben. 1880 _ff_.

Pappendeckel _m_ **1.** Führerschein. 1970 _ff_. **2.** einen ~!: Ausdruck der Ablehnung.

Papp(en)deckel ist wenig haltbar, stellt keinen großen Wert dar und dient daher zum Vergleich mit einer Sache, die man für wertlos hält. 1920 _ff_.

Pappenheimer _m_ **1.** Buchbinder. Er klebt die Papp-Einbände zusammen. 1900 _ff_. **2.** seine ~ kennen = die Menschen der täglichen Umgebung mit all ihren Eigenheiten und Schwächen gründlich kennen; seine Untergebände oder Vorgesetzten ausreichend kennen und sie zu behandeln wissen. Stammt aus Schillers „Wallensteins Tod" (III, 15). Etwa seit 1820.

Pappenstiel _m_ **1.** für einen ~ = um ein Geringes; für wenig Geld. „Pappenstiel" kann aus „Pappenblumenstiel" (= Stiel des Löwenzahns) verkürzt oder aus „Pappelstiel" (= Stiel aus Pappelholz) entstellt sein: das Holz der Pappel ist zu weich für Werkzeugstiele. 1900 _ff_; wohl älter. **2.** das kein ~ = das ist keine Kleinigkeit; das ist ein ansehnlicher Betrag; das ist eine beachtliche Leistung. Seit dem 17. Jh. **3.** keinen ~ wert sein = minderwertig, völlig belanglos sein. 1900 _ff_.

papperla'papp _interj_ Ausruf, wenn einer unsinnige, inhaltsleere Behauptungen aufstellt; Ausdruck der Ablehnung. Zweimal gesetzte Interjektion „↗papp" mit Einfluß von „↗pappern" oder „↗pappeln". Seit dem frühen 18. Jh.

pappern _tr intr_ essen ↗Papp. _Österr_ 1920 _ff_.

pappern (päppern) _intr_ dumm schwätzen. Nebenform von „↗babbeln". 1500 _ff_, _südd_.

Pappi _m_ **1.** Vater. ↗Papi. 1900 _ff_. **2.** der ~ vom Ganzen = der Leiter; Hauptverantwortlicher. 1950 _ff_.

pappig _adj_ klebrig; feucht; breiig; ungar. ↗pappen 1. Seit dem 19. Jh.

Pappkamerad _m_ **1.** figürliche Schießscheibe. In Form einer Soldatensilhouette auf Pappdeckel (o. ä.). Etwa seit 1870. **2.** Reklamefiguren aus Pappe in den Straßen (Polizeibeamter, Politiker, Tankwart, Koch o. ä.). 1920 _ff_. **3.** nebensächliche, einflußlose Person; Mensch, der mangels Selbstbewußtseins wehrlos ist. Wie die Zielscheibe ist er eine Attrappe. 1920 _ff_. **4.** belanglose Sache; vorgetäuschte Erwartung. 1935 _ff_. **5.** Betrüger, der für vornehm und gesellschaftsfähig gehalten wird. 1950 _ff_. **6.** _pl_ = Erwachsene; Eltern; die älteren Leute. _Halbw_ 1960 _ff_.

Pappn _f_ ↗Pappen.

Pappsack _m_ feister Mann von zudringlicher Freundlichkeit. Er sieht aus, als nähre er sich von „↗Papp", und im Umgang mit den Leuten ist er zudringlich und lästig wie irgendein Klebendes. „Sack = Hodensack" steht (in _abf_ Sinn) für „Mann". 1900 _ff_.

'papp'satt _präd_ völlig gesättigt. Entweder ist man durch „↗Papp" gesättigt oder ist so satt, daß man nicht mehr „↗papp" sagen kann. 1900 _ff_.

Pappser _m_ Zivilist; unmilitärischer Mann. Aus Eisen geschmiedet dünkt sich der Soldat; aber das Material für den Zivilisten ist Pappe. _Sold_ seit dem späten 19. Jh.

Paprika _m_ **1.** temperamentvolle Frau. Paprika ist ein scharfes Gewürz. 1950 _ff_.

2. scharf wie ~ = liebesgierig. ↗scharf. 1950 ff.

3. ~ im Blut haben = sehr temperamentvoll sein. 1950 ff.

4. Temperament wie ~ haben = heftig nach Liebe verlangen. 1950 ff.

5. ~ im Hintern haben = unruhig sitzen; sehr lebhaft, temperamentvoll sein. 1950 ff.

Paps (Papsi; Papsilein) m Vater (Kosewort). Kurz nach 1945 aufgekommen.

Papst m **1.** Abort. Anspielung auf den Papststuhl oder „Heiligen Stuhl". Vielleicht kurz nach 1870 aufgekommen im Zusammenhang mit der Unfehlbarkeitserklärung.

2. Aschenbecher. Verkürzt aus „↗Aschenpapst". Seit dem frühen 20. Jh.

3. ich glaube, der ~ boxt!: Ausdruck des Zweifels. Zur Erklärung vgl „↗Hamster". BSD 1965 ff.

4. den ~ zum Vetter haben = gute Beziehungen zu einflußreichen Leuten haben. Sprichwörtlich heißt es: „Wer den Papst zum Vetter hat, hat gut Kardinal werden". Seit dem 19. Jh.

päpstlich adj ~er sein als der Papst = sehr unerbittlich sein; moralisch überstreng urteilen. Steht wohl im Zusammenhang mit der heftig angegriffenen Unfehlbarkeitserklärung des Papstes (1870) und mit dem Verhalten ihrer Verteidiger. 1900 ff.

paptus machen (einen Paptus machen) in der Schule nicht versetzt werden. Latinisierung von „↗pappenbleiben". 1920 ff.

Parade f **1.** schwarze ~ = Katholikentag. ↗schwarz = katholisch. 1950 ff.

2. jm in die ~ fahren (fallen) = jm energisch entgegentreten; jn treffend zurechtweisen. Stammt aus der Fechtersprache: Parade ist die Auslage beim Fechten; Deckung. Wohl seit dem späten 19. Jh.

Paradechrist m Mensch, dessen christliche Gesinnung nur äußerlich in Erscheinung tritt. Er stellt seine Christlichkeit zur Schau, wenn es für ihn von Vorteil ist. 1920 ff.

Paradehengst m **1.** begabter, vielseitiger Mensch; seiner Leistung wegen in den Vordergrund gerückter Mensch; Mensch, der aus Gefallsucht sein Leistungsvermögen geschickt zur Geltung zu bringen versteht. ↗Paradepferd. 1850 ff.

2. Mann, der im Männerkreis als geschlechtlich besonders leistungsfähig gilt; Frauenheld. 1910 ff.

Paradepferd n **1.** wegen seiner Leistungen in den Vordergrund gerückter Mensch; bester Könner. Seit dem späten 18. Jh.

2. Sache, die man am besten beherrscht; Sache, mit der man sich brüstet. Seit dem 19. Jh.

3. Muster-, Ausstellungsstück. Seit dem 19. Jh.

4. das ~ reiten = die am besten beherrschte Rolle (Glanzrolle) spielen. Theaterspr. 1770 ff.

Paradeschmiß m vom Ohr bis zur Nase verlaufende Mensurnarbe. Der solcherart Verunzierte ist darauf sehr stolz. Stud 1870 ff.

Paradestück n **1.** hervorragende Leistung. 1850 ff.

2. hervorragender Könner. 1850 ff.

Paradies n **1.** Schoß der Frau. Undatierbar. Gleichbed franz „le paradis".

2. höchste Sitzreihe im Theater; Galerie. Das Paradies wird in den Himmel verlegt. Im frühen 18. Jh theaterspr. wahrscheinlich aus Frankreich übernommen.

3. schwimmendes ~ = Luxusjacht. 1965 ff.

Paradiesäpfel pl Brüste der Frau. ↗Apfel 1. Seit dem 19. Jh.

Paradiesvogel m **1.** Prostituierte mit auffälligem, überbuntem Kleid; Transvestit. Paradiesvögel haben prächtige Schmuckfedern. 1920 ff.

2. Modenführerin. 1970 ff.

Paradiesvögelchen n umgängliches, lebenslustiges Mädchen, das noch unberührt ist. Wohl mit Anspielung auf „↗Paradies 1" und auf „↗vögeln". 1950 ff, halbw.

Paragraph m **1.** vollelastischer ~ = Gesetzes-, Vertragsparagraph, der die verschiedensten Auslegungen zuläßt. Vollelastisch = bis zu mehreren hundert Prozent dehnbar. 1950 ff.

2. den ~en kriegen = als vermindert zurechnungsfähig eingestuft werden. Bezieht sich auf § 51 StGB. 1920 ff.

Paragraphenfuchser m strengdienstlicher Bürokrat; Beamter, der sich eng an die Bestimmungen hält und diesen Halt als Stütze für sein amtliches und persönliches Selbstbewußtsein benötigt. ↗fuchsen. 1870 ff.

Paragraphenhakeln n Streit um die Textabfassung eines Vertrags, einer Verhandlungsniederschrift. ↗hakeln. 1950 ff.

Paragraphenlehrling m Student der Rechtswissenschaft; Gerichtsreferendar. 1870 ff.

Paragraphenmensch m enggeistiger Mensch, dessen Handlungsweise durch Paragraphen bestimmt wird, und der ohne solche Richtschnur ein Versager wäre. 1910 ff.

Paragraphenreiter m **1.** pedantischer Rechtsgelehrter. Sein Steckenpferd sind die Gesetzesparagraphen. 1900 ff.

2. Behördenbediensteter, der sich von Weisungen, Vorschriften, Erlassen usw. abhängiger macht, als es im dienstlichen Interesse liegt. 1950 ff.

Paragraphenschinder m Bürokrat, der den einschlägigen Gesetzesparagraphen zu Ungunsten des schlichten Bürgers auslegt. 1920 ff.

par'dauz (par'dautz, per'dautz) interj Ausruf, mit dem man einen dröhnenden Fall begleitet. Schallnachahmung. Seit dem späten 18. Jh, nachdem ähnliche Formen vorausgegangen sind.

par'dauzen intr niederstürzen. 1920 ff.

Parfüm n **1.** bei mir ~! = ich gehe weg; ich fliehe. Meint dasselbe wie „↗verduften". Sold in beiden Weltkriegen.

2. nur ~ anhaben (nur mit ~ bekleidet sein) = völlig nackt sein. 1920 ff.

3. das geht unter das ~ = das greift seelisch an. Analog zu „das geht unter die ↗Haut". 1950 ff.

4. da hört das ~ auf zu riechen!: Ausdruck der Verwunderung, der Ausweglosigkeit. 1950 ff.

Parfümbad n Parfümzerstäubung. 1955 ff.

parfümiert adj **1.** stilistisch gekünstelt. 1925 ff.

2. verschönt zu Ungunsten der Wahrheit. Journ 1950 ff.

Pa'ris On so spielt man in ~!: selbstgefällige

Äußerung des erfolgreichen Kartenspielers. Gemeint ist, daß man auf diese Weise unter erfahrenen Leuten spiele, die allen Schwierigkeiten gewachsen sind. 1900 ff.

Pariser m **1.** Präservativ. Verkürzt aus „Pariser Gummiwaren" (articles de Paris), die nach 1875 aus Paris nach Deutschland eingeführt wurden.

2. Mündungsschoner; Mündungsfeuerdämpfer (Schutzkappe) beim G 3. Man schiebt ihn über die Mündung des Gewehrlaufs. BSD 1965 ff.

Park-Amazone f Angehörige des weiblichen Verkehrsüberwachungsdienstes (Politesse). ↗Amazone. 1965 ff.

parken v **1.** intr = a) nicht in die nächsthöhere Klasse versetzt werden. Vom Parken des Fahrzeugs hergenommen im Sinne von Fahrtunterbrechung bzw. Stehenbleiben am Ort. Schül 1950 ff. – b) ein Ausweichstudium beginnen, bis man zum gewünschten Studienfach zugelassen wird. 1975 ff.

2. tr = eine Sache für spätere Verhandlung zurückstellen. 1950 ff, journ.

3. tr = etw vorübergehend unterstellen, anderen zu einstweiliger Betreuung übergeben. 1950 ff.

4. Geld ~ = Geld anlegen. 1975 ff.

Parker m **1.** Klassenwiederholer. ↗parken 1. Schül 1950 ff.

2. Windjacke. Geht zurück auf engl „parka = Eskimo-Felljacke" (Anorak, Schneehemd). 1960 ff.

Parkett n **1.** Startplatz, Flughafen. Anspielung auf das ebene Rollfeld. Fliegerspr. 1935 ff.

2. glattes ~ = heikles Problem. Dabei kann man leicht ausrutschen und stürzen. 1950 ff.

3. schräges ~ = moderne Tanzschule. Parkett = Tanzfläche. ↗schräg. 1925 ff.

4. weißes ~ = Skigelände. 1955 ff.

5. das ~ kratzen = ungestüm tanzen; moderne Tänze tanzen. 1950 ff, halbw.

6. jn aufs ~ legen = jn zu Fall bringen, niederwerfen. Stammt wohl aus der Ringer- oder Boxersprache. 1950 ff.

7. einen aufs ~ legen = tanzen; einen Tanz vorführen. ↗hinlegen. 1900 ff.

8. etw glatt aufs ~ legen = etw mühelos erledigen. Vom Tanzen übertragen. Sold in beiden Weltkriegen.

9. jn richtig aufs ~ setzen = jm richtiges Verhalten beibringen. 1950 ff.

10. das ~ streicheln = langsame Tänze tanzen. Halbw 1950 ff.

Parkettakrobatin f Putzfrau. Nach 1950 aufgekommen, scherzhafte Rangerhöhung im Sinne einer zirkus- oder sportreifen Leistung.

Parkettkosmetik f Bodenpflege; Revierreinigung. Nach 1950 wurde die Putzfrauenarbeit als eine Art Schönheitspflege entdeckt. BSD 1965 ff.

Parkettkosmetikerin f Putzfrau. 1959 ff.

Parkettlöwe m Mann, der gern an Geselligkeiten teilnimmt. Dem „↗Salonlöwen" nachgebildet. 1960 ff.

Parkett-Masseuse f Putzfrau. 1955 ff.

Parkettschleicher m **1.** Mann, der gern an Tanzgesellschaften teilnimmt; selbstgefälliger Geck. 1870 ff.

2. Mann, der langsame, ruhige Tänze bevorzugt. 1960 ff.

Parkettschleifer m unentwegter Tänzer. Eigentlich Bezeichnung für einen Mann, der Parkettfußböden berufsmäßig reinigt und glättet; auch Bezeichnung für ein entsprechendes Haushaltsgerät. 1955 *ff, halbw.*

Parkettwanze *f* Theaterbesucher, der lediglich aus Wohlhabenheit und Geltungsbedürfnis anwesend ist. Den Theaterfreunden erscheint er als ein lästiges Ungeziefer. 1870 *ff.*

Parkettzerstörer *pl* Damenschuhe mit hohen spitzen Absätzen. 1960 *ff.*

Parkkiste *f* Parkhochhaus. Ein kistenähnlich- schmuckloser Zweckbau. 1960 *ff.*

Parkplatz-Amazone *f* Angehörige des weiblichen Verkehrsüberwachungsdienstes. ↗Amazone; ↗Park-Amazone. 1965 *ff.*

Parkplatz-Hyäne *f* Berauber von Autofahrern; Ausrauber von parkenden Autos. 1960 *ff.*

Parkplatzschnorrer *m* Kraftfahrer, der seinen Wagen auf einem unüblichen Platz abstellt (um die Parkplatzgebühren zu sparen); Kraftfahrer, der sein Auto vor einem Lokal parkt, aber ein anderes Lokal besucht. ↗Schnorrer. 1965 *ff.*

Parkplatzzerberus *m* Parkplatzwächter. ↗Zerberus. 1955 *ff.*

Parkschani *m* **1.** Parkwächter. ↗Schani. *Österr* 1920 *ff.*

2. Parkplatzwächter. *Österr* 1950 *ff.*

Parkstudent *m* Student, der ein „↗Parkstudium" beginnt. Kultusministerwort. 1975 *ff.*

Parkstudium *n* Ausweichstudium vor Zulassung zum eigentlichen Studienfach. ↗parken 1 b. 1975 *ff.*

Parlament *n* Mutter. Vielleicht Anspielung auf die langen Debatten, die die Kinder mit der Mutter führen müssen, oder auf die „gesetzgebende" Funktion der Mutter. *Halbw* 1955 *ff.*

Parlamentsgekläff *n* erregte Debatte im Abgeordnetenhaus. Wie Hunde kläffen sich die Abgeordneten an. 1925 *ff.*

parlewudern *intr* französisch sprechen. Fußt auf *franz* „parlez-vous". 1900 *ff, österr.*

Parole *f* **1.** Gerücht. Eigentlich das Kenn-, Losungswort. *Sold* in beiden Weltkriegen.

2. ~ Heimat = Urlaub; Verlassen der Front infolge Schußverletzung oder Krankheit und Einweisung in ein Feldlazarett (zuweilen auch mit Verlegung in die Heimat). Hängt zusammen mit der Entlassung aus dem Heer (Marine) nach Erfüllung der Wehrpflicht: die Entlassenen pflegten einen derben Spazierstock, mit bunten Bändern geschmückt, zu tragen; die Bänder hatten eingestickte Aufschriften wie „Reserve hat Ruh'" oder „Parole Heimat". *Sold* seit Anfang des 20. Jhs.

Paroli bieten sich zur Wehr setzen. Fußt auf *franz* „paroli = Verdopplung des Einsatzes des Gegenspielers (beim Glücks-, Pharaospiel)". Seit dem frühen 19. Jh.

Partei *f* die ~ wechseln wie die Hemden = es abwechselnd mit dieser und jener politischen Partei halten; aus Nützlichkeitserwägungen die politische Gesinnung wechseln. ↗Hemd 51. 1960 *ff.*

Parteiabweichler *m* Parteimitglied, das die Parteirichtlinien nicht streng befolgt. Nach 1950 aufgekommen.

Parteiakrobat *m* dialektisch geschulter Parteifunktionär. 1935 *ff.*

Parteibrille *f* parteipolitisch bestimmte Sehweise. 1930 (?) *ff.*

Parteibuch *n* das falsche ~ haben = einer Partei angehören, die nicht an der Regierung ist. 1948 *ff.*

Parteibuchbonze *m* Parteifunktionär ohne Sachverstand. ↗Bonze. 1920 *ff.*

Parteibuchklüngel *m* Bevorzugung von Parteimitgliedern. ↗Klüngel. 1900 *ff.*

Parteichinesisch *n* schwülstige, phrasenreiche politische Redeweise; Funktionärsdeutsch; für Durchschnittsbürger mit gesundem Menschenverstand unverständlicher Wortschatz der politischen Funktionäre. ↗Chinesisch. 1933 *ff* bis heute.

Parteienverdrossenheit *f* Bürgerunmut über die Handlungsweise der Parteien. 1977 *ff.*

Parteifamilie *f* engster Kreis der führenden Parteipolitiker. 1978 *ff.*

Parteigeneral *m* Generalsekretär einer politischen Partei; Parteiführer. ↗General 2 c. 1880 *ff.*

Parteihut *m* **1.** Schirm-, Feldmütze. Eigentlich die Schirmmütze der Amtsträger der NSDAP. Die Soldaten erhoben die Mütze zu einem Hut und meinten mit „Partei" zunächst (1939 *ff*) die Wehrmacht, nach 1960 auch die Bundeswehr.

2. Stahlhelm. 1939 *ff.*

3. Haube der Krankenschwester. Partei = Berufsgruppe. 1960 *ff.*

4. Männer-Kopfbedeckung. Berlin 1973 *ff.*

Parteihutsimpel *m* einfältiger Parteifunktionär, -genosse. ↗Simpel. 1933 *ff.*

Parteiknochen *m* durch langjährige Erfahrung überzeugter Parteiführer. 1970 *ff.*

Parteikram *m* politische Parteiarbeit *(abf).* 1920 *ff.*

Parteilinie *f* jn an die ~ nehmen = jn auf die Grundsätze einer politischen Partei verpflichten. ↗linientreu. Die Redensart läßt auch an das Bild vom angeleinten Hund denken. 1960 *ff.*

Parteioberer *m* ranghoher Parteifunktionär; Partei-, Fraktionsvorsitzender. 1930 *ff.*

Parteiolymp *m* Parteivorstand. Der Gipfel, auf dem die „Götter" thronen. 1970 *ff.*

Parteipferch *m* kritiklos den Parteigrundsätzen folgende Denkweise eines Parteimitglieds. Es ist Stimmvieh im (Tier-)Gehege der Partei. 1920 *ff.*

Parteipferd *n* bewährtes Parteimitglied. 1970 *ff.*

Parteisuppe *f* Zusammenfassung aller Grundsätze einer politischen Partei, unergründliche Partei- Ideologie. 1920 *ff.*

Parteiszene *f* Betätigungsbereich der Parteimitglieder, vor allem der leitenden. ↗Szene. 1970 *ff.*

Parteitag *m* **1.** für gemeinschaftliche Unternehmungen tauglicher Sonnabend. *Stud* 1965 *ff.*

2. Elternbeiratssitzung. *Schül* 1965 *ff.*

3. es ist mir ein halber (geistiger, innerer) ~ = es freut mich sehr. ↗Reichsparteitag. 1933 *ff.*

Parteiverdrossenheit *f* Mitgliederunmut über ihre politische Partei. 1970 *ff.*

Parteiwitwe *f* Frau eines Parteifunktionärs. Nach dem Vorbild von „↗Fußballwitwe" um 1935 aufgekommen.

parterre *adj präd* **1.** geistig tiefstehend; pöbelhaft. *Franz* „par terre = zu ebener Erde"; weiterentwickelt im Sinne der menschlichen Niederungen. Um 1940 aufgekommen.

2. derb; rein animalisch. 1945 *ff.*

3. ~ fahren = mit dem Motorrad querfeldein fahren. *Sold* 1941 (Afrika-Feldzug).

4. ~ fliegen = a) zu Boden geschlagen werden. ↗fliegen 6. 1920 *ff.* – b) mit dem Flugzeug dicht über den Erdboden fliegen. Fliegerspr. 1935 *ff.*

5. ~ gehen = a) zu Boden fallen; stürzen. *Sportl* (Boxer) 1920 *ff.* - b) volle Deckung nehmen. *Sold* 1939 *ff.*

6. ~ sein = a) abgearbeitet, entkräftet, niedergeschlagen sein. 1870 *ff.* – b) mittellos sein. 1870 *ff.* – c) bezecht sein. 1920 *ff.*

7. ~ stehen = Straßenprostituierte sein. An ihrem üblichen Standplatz wartet sie auf Kunden. 1960 *ff, prost.*

Parterre-Akrobat *m* **1.** Verkehrspolizeibeamter an Straßenkreuzungen. Dem Kunstkraftsport entlehnt. Berlin 1930 *ff.*

2. Tänzer. 1920 *ff.*

3. geistiger ~ = dummer Mensch. *Schül* 1950 *ff.*

Partie *f* **1.** Geschlechtsverkehr. Soviel wie „Gang bei einem Spiel; Spielrunde". 1900 *ff.*

2. breites Gesäß. Verkürzt aus „↗Hinterpartie". 1900 *ff;* wohl älter.

3. gute ~ = vorteilhafte Heirat. Fußt auf *franz* „parti = Heirat". 1700 *ff.*

4. schwarze ~ = Herrenausflug ohne Ehefrauen. Wohl wegen der dunklen Anzüge. Man bildet keine „bunte" Reihe. 1960 *ff.*

5. weiße ~ = Damenausflug ohne Ehemänner. Die Damen sind weiß gekleidet. 1960 *ff.*

6. adjüs (adieu), ~! = verloren! aus! Ausruf des Verlierers beim Spiel. Seit dem 18. Jh.

Parti'sanen *pl* Ungeziefer. 1941 bei den Soldaten aufgekommen im Zusammenhang mit Überfällen und Sabotageakten der russischen Partisanen. Auch Ungeziefer überfällt einen unerwartet und stiftet Schaden.

Par'tite *f* Betrügerei. Fußt auf *ital* „barattare = täuschen, betrügen". *Oberd* seit dem 18. Jh.

par'tout (par'tu) *adv* durchaus. Stammt entweder aus *franz* „partout et toujours" (= durchweg) oder aus *franz* „par Dieu" (= bei Gott!). 1700 *ff.*

'Party *f* **1.** Tanzvergnügen junger Leute; gesellschaftliche Veranstaltung mit Unterhaltung, Tanz usw. Im späten 19. Jh aus den USA langsam in Deutschland bekannt geworden; aber heimisch hier erst nach 1945.

2. Tanz- und Unterhaltungsveranstaltung junger Leute mit anschließender geschlechtlicher Ausschweifung. 1965 *ff.*

3. Schulfeier. 1965 *ff.*

4. Stand-, Platzkonzert. *BSD* 1965 *ff.*

5. ~ mit Schleppe = Tanzerei ohne zeitliche Begrenzung. „Schleppe" meint in übertragener Bedeutung die Zeitverlängerung. 1968 *ff.*

6. heiße ~ = Party mit unsittlichem Einschlag. ↗heiß 1 u. 2. 1960 *ff.*

7. orthopädische ~ = Party mit Einlagen (Kunststücken, Tanzspielen usw.). Wortwitzelnd mit orthopädischen Schuheinlegesohlen. *Halbw* 1963 *ff.*

8. rosarote ~ = sittlich bedenkliche Veranstaltung. „Rosarot" spielt auf die Beleuchtung an und steht sinnbildlich für matte Leidenschaftlichkeit. 1964 ff.

Partyblümchen n Party-Teilnehmerin ohne Partner. Dem „↗Mauerblümchen" nachgebildet. 1960 ff.

Partybombe f sehr eindrucksvolle Party-Teilnehmerin. ↗Bombe. 1965 ff.

Partyferkel n junger Mann, der eine Party zu unsittlichen Handlungen ausnutzt oder ausnutzen möchte. ↗Ferkel. Halbw 1960 ff.

Party-Löwe m eifriger Partyteilnehmer. Moderne Variante zu „↗Salonlöwe". Halbw 1955 ff.

Party-Löwin f eifrige Partyteilnehmerin. Halbw 1955 ff.

Partymädchen n Callgirl. Tarnwort. 1965 ff.

Party-san m Partyteilnehmer. Wortspielerei. 1960 ff.

Party-Solistin f „Lebedame" (o. ä.), die eine Herrengesellschaft wirkungsvoll gestalten kann. Berlin 1962 ff.

Pasch m 1. Schmuggel. ↗paschen 1. 1800 ff.
2. unerlaubte Übersetzung. Schül 1870 ff.

Pascha m 1. Mann, der sich von weiblichen Personen bedienen läßt. Eigentlich der höchste türkische Titel für einen Zivil- oder Militärbeamten; Sinnbildgestalt des Herrschers über einen Harem. 1900 ff.
2. Chefarzt. 1920 ff.

Pascha-Allüren pl Benehmen eines Befehlsgewohnten, Herrischen und Umsorgten. 1920 ff.

paschen intr 1. schmuggeln. Stammt seit dem 18. Jh aus zigeun „paš = Teil" oder aus hebr „pasah = überschreiten" oder aus franz „passer = die Grenze überschreiten". Vgl auch poln „pracować w parze = paarweise, zu zweit arbeiten".
2. Hehler sein. Rotw 1820 ff.
3. Karten (betrügerisch) mischen. Ostpreuß 1800 ff.

pa'scholl interj vorwärts! geh weg! Fußt auf russisch „posel, pošelu" (Imperativ von „itti = gehen"). Seit dem 19. Jh.

päsern intr ↗pesern.

Passagier m 1. blinder ~ = Reisender, der kein Fahrgeld entrichtet hat. 1700 ff.
2. blinde ~e = Ungeziefer. Sold in beiden Weltkriegen; auch zohne.

Paßarbeit f Beischlaf. Die geschlechtliche Vereinigung wird volkstümlich gesehen unter dem Bild eines Deckels, der auf einen Topf paßt. 1910 ff.

passen intr 1. paßt = erledigt! Hergenommen von der Rekruteneinkleidung, bei der die Kammerunteroffiziere bei dem beliebig herausgegriffenen Uniformstück „paßt!" sagten, ohne Einspruch zu dulden. Spätestens seit dem Ende des 19. Jhs.
2. paßt und hat Luft! Redewendung auf zu weite Kleidungsstücke. Sold 1939 ff.
3. beim Kartenspiel auf die Führung verzichten. Geht zurück auf franz „passer = vorübergehen" mit der Weiterentwicklung zu „warten, bis etwas vorübergegangen ist", oder ist verkürzt aus franz „faire passer". 1600 ff.
4. verzichten; die Lust verloren haben. Aus der Kartenspielersprache übernommen. Seit dem 19. Jh.
5. das könnte dir so ~! = das möchtest du wohl? das gefällt dir! Ausdruck der Ablehnung (das könnte dir so passen,

wenn ich bei dem scheußlichen Wetter zum Briefkasten ginge). Seit dem 19. Jh.

passieren impers 1. sonst passiert 'was!: Drohrede. 1900 ff.
2. was muß bei uns eigentlich noch alles ~, ehe etwas passiert? = was alles muß sich bei uns noch ereignen, ehe die Verantwortlichen eingreifen? In den fünfziger Jahren des 20. Jhs geprägt von Ministerpräsident Reinhold Maier von Baden-Württemberg im Sinne einer Kritik an der untätigen Bundesregierung.

Passionsspieler m 1. pl = langhaarige Bundeswehrsoldaten. Aufgebracht im Februar 1972 von Minister Joseph Ertl bei der Verleihung des „Ordens wider den tierischen Ernst" in Aachen.
2. ~ von Oberammergau = leidenschaftlicher Kartenspieler. Er spielt aus Passion, nicht in der „Passion". 1950 ff.

passiv adj 1. ~er Raucher = Nichtraucher, der durch das Rauchen anderer belästigt wird. 1972 ff.
2. ~ rauchen = als Nichtraucher durch Raucher belästigt werden. Aufgekommen gegen 1972 mit den amtlichen Warnungen vor dem (übermäßigen) Genuß von Raucherwaren sowie mit den Grundsätzen der Reinhaltung der Luft.

'pastern intr predigen; salbungsvoll, wortreich sprechen; sittliche Ermahnungen erteilen. Nordd und ostmitteld „Paster = Pastor". 1870 ff.

Pastete f 1. ~ (schöne ~) = unangenehme Sache. Pastete ist eine hochwertige Delikatesse, zubereitet aus verschiedenen Zutaten; daher Sinnbild für ein verwickeltes Ganzes. Seit dem 18. Jh.
2. die ganze ~ = das Ganze. Seit dem 18. Jh.
3. da (nun) haben wir die ~! = jetzt ist das Unangenehme wie erwartet eingetroffen. 1820 ff.

Pastorentöchter pl unter uns ~n = unter Eingeweihten; ohne die Anwesenheit eines Fremden; unter uns. ↗Pfarrerstöchter. 1870 ff.

Patengroßmutter f ältere Frau, die bei der Nachbarschaft aushilft; Familienpflegerin. 1958 ff.

pa'tent adj fein, elegant; anstellig, tüchtig; vorzüglich. Während die amtliche Patentierung keine Bewertung enthält, nimmt in volkstümlicher Auffassung der patentierte Gegenstand die höchste Qualitätsstufe ein. 1800 ff, von Studenten ausgegangen.

Pa'tentfresse f künstliches Gebiß. ↗Fresse. 1900 ff.

Pa'tentkerl m tüchtiger, anstelliger, charakterlich einwandfreier Mann. ↗patent. 1920 ff.

Pa'tentmädchen (-mädel) n sehr umgängliches, charaktervolles Mädchen. 1870 ff.

Pa'tentpirat m Räuber von Patenten. 1945 ff.

Pa'tentquatsch m völliger Unsinn. ↗Quatsch. 1870 ff.

Pa'tentrezept n aussichtsreicher Besserungsvorschlag. 1920 ff.

Pa'tentschnauze f künstliches Gebiß. 1900 ff.

Pa'tentschwätzer m Mensch, der viel Unsinn schwätzt; Mensch, der allein sich für klug hält; Verbreiter ödester Gemeinplätze. 1890 ff.

Pater'noster m Vater mehrerer Kinder. 1950 ff, jug.

Pater'nosterga'rage (Grundwort franz ausgesprochen) f Kirche in modernem Baustil. Es ist ein „nüchterner" Zweckbau. 1950 ff.

Pati'ence (franz ausgesprochen) f ~ laufen = auf jds Kommen vergeblich warten. Hergenommen vom Geduldsspiel mit Karten; hier ist gemeint, daß der Betreffende geduldig wartet und dabei auf- und abgeht. 1955 ff, halbw.

'Patina-Teenager (Grundwort engl ausgesprochen) m ältliche Ledige. Wohl eine, die sich jugendlich kleidet und aufführt, aber trotzdem als erheblich älter eingestuft wird. 1960 ff.

Patron m 1. Mann (abf). Weiterentwickelt aus der Bezeichnung des Handwerkers für den Meister und Arbeitgeber, auch für den Herbergswirt. Seit dem 18. Jh.
2. unzuverlässiger, nicht vertrauenswürdiger Mann. Seit dem 19. Jh.
3. frecher ~ = frecher, herrischer Mann. Seit dem 19. Jh.
4. langsamer ~ = langsam Arbeitender. 1900 ff.
5. lustiger ~ = Spaßmacher. Seit dem 19. Jh.
6. rauher ~ = grober, barscher Mann. Seit dem 19. Jh.
7. sauberer ~ = niederträchtiger, liederlicher Mann. ↗sauber. Seit dem 19. Jh.
8. schlauer ~ = listiger, lebenserfahrener Mensch. Seit dem 19. Jh.
9. sonderbarer ~ = wunderlicher Mann. Seit dem 19. Jh.
10. trockener ~ = Mensch ohne geistige Interessen; in sich gekehrter, wenig umgänglicher Mann. In ihm herrscht geistige Dürre. 1900 ff.

patrouillieren intr als Straßenprostituierte auf- und abgehen. 1950 ff.

Patsch m 1. leichter Schlag; Sturz. Schallnachahmung für den Klang, der beim Auftreffen des Schlags entsteht. 1500 ff.
2. durch Regen und Schnee aufgeweichtes Erdreich; Straßenschmutz. Lautmalend. Seit dem 18. Jh.
3. ungeschickter Mensch. Verkürzt aus ↗Tollpatsch. Bayr 1800 ff.

Patsche f 1. Werkzeug zum Schlagen (Fliegen-, Feuerpatsche). Schallnachahmender Natur. Seit dem 18. Jh.
2. (breite, fleischige) Hand. Wegen des patschenden Klangs beim Handschlag. Den Kindern macht man das Handgeben beliebt, indem man ihnen erlaubt, kräftig in die Hand einzuschlagen. Seit dem 16. Jh.
3. böswillig schwatzhafte Person; Schwätzerin, Verleumderin. ↗patschen 4. Südd und westmitteld seit dem 18. Jh.
4. Verlegenheit, Notlage. Analog zu „↗Dreck", „↗Scheiße" u. a. Seit dem 17. Jh.
5. jn in die ~ bringen = jn in eine üble Lage versetzen. 1800 ff.
6. jm aus der ~ helfen = jm aus der Verlegenheit helfen. Spätestens seit 1800.
7. in die ~ kommen (geraten) = in üble Lage geraten. Seit dem 18. Jh.
7 a. aus der ~ kommen = sich aus mißlicher Lage befreien. Seit dem 19 Jh.
8. jn aus der ~ pauken = jm in bedrängter Lage aufhelfen. ↗rauspauken. 1920 ff.
9. jn aus der ~ reißen = jn aus einer Notlage befreien. 1800 ff.

10. jn in die ~ reiten = jn in eine üble Lage bringen. 1800 *ff.*

11. aus der ~ sein = die Notlage überwunden haben. 1700 *ff.*

12. in der ~ sein (sitzen, stecken) = a) sich in bedrängter Lage befinden. 1600 *ff.* – b) eine Ohrfeige erhalten haben. ↗Patsche 2. 1920 *ff.*

13. bis zum Hals in der ~ sitzen = in sehr arger Verlegenheit sein. 1920 *ff.*

14. knietief in der ~ sitzen = sich in sehr schlimmer Lage befinden. 1920 *ff.*

15. jn aus der ~ ziehen = jn aus einer bedrängten Lage befreien. 1800 *ff.*

Patschen *m* **1.** Pantoffel; alter Hausschuh. Fußt auf serbisch „papuca" und *türk* „papudz"; *vgl* auch „↗Babuschen". *Österr* und *bayr* 1800 *ff.*

2. luftleer gewordener Gummischlauch; Reifenschaden. Der Schlauch ist so flach wie ein bequemer Hausschuh. *Österr* 1900 *ff.*

3. Fuß. 1935 *ff.*

4. die ~ aufstellen = im Sterben liegen. *Österr* 1900 *ff*; wohl älter.

patschen *v* **1.** *intr* = in Wasser treten, waten; im Wasser spielen. Schallnachahmung; ↗Patsch 1. Seit *mhd* Zeit.

2. es patscht = es regnet heftig. Seit dem 18. Jh.

3. *tr* = jn schlagen, ohrfeigen. Seit dem 19. Jh.

4. *intr* = schwätzen, prahlen. Schallnachahmend für den Laut, der beim Öffnen und Schließen der Lippen entsteht. Seit dem 18. Jh.

'patsche'naß *adj adv* ↗patschnaß.

Patschenkino *n* **1.** nahegelegenes, kleines Filmtheater. ↗Patschen 1. Man kann es in Hausschuhen erreichen und betreten. *Österr* 1910 *ff.*

2. Fernsehgerät; Fernsehen daheim. *Österr* 1960 *ff.*

Patscher *m* **1.** Schlag mit der Hand. ↗Patsch 1. Seit dem 19. Jh.

2. Schwätzer. ↗patschen 4. Seit dem 19. Jh.

patschert *adj* dumm, ungeschickt. ↗Patsch 3. *Bayr* und *österr* seit dem 19. Jh.

Patschhand *f* **1.** füllig-weiche Hand. ↗Patsche 2. Seit dem 19. Jh.

2. Hand, Handschlag (gern in der Verkleinerungsform). ↗Patsche 2. Seit dem 19. Jh.

3. Kußhand. Geht wohl zurück auf *ital* „basciare = küssen". 1900 *ff.*

'patsch'naß ('patsche'naß) *adj adv* völlig durchnäßt. Die Kleidung ist dermaßen durchnäßt, daß sie bei Bewegungen einen patschenden Schall verursacht. Seit dem 18. Jh.

Patt *m (n)* Verhandlungserschwerung; Unmöglichkeit, einem eigenen Nachteil zu entgehen. Stammt aus *ital* „patto" und leitet sich vom Schachspiel her: der König kann nur ins Schach ziehen. Gegen 1967 als politisches Schlagwort aufgekommen.

Patte *f* ↗Padde.

Pattex *m n* pulverisierter Kartoffelbrei. Übernommen vom Markennamen eines Kontaktklebers. *BSD* 1965 *ff.*

patzen *v* **1.** *intr* = versagen; verderben; Fehler begehen; künstlerisch Unvollkommenes leisten. *Oberd* Nebenform zu „↗patschen". Vorwiegend *oberd,* seit dem frühen 19. Jh.

2. *tr* = aus einer weichen Masse (unför-

---

mige) Figuren herstellen. *Oberd* seit dem 19. Jh.

3. jm eine ~ = jn ohrfeigen. ↗Patsche 2. *Österr* seit dem 19. Jh.

Patzer *m* **1.** Fehler; Fehlleistung. ↗patzen 1. Seit dem 19. Jh.

2. Versager; Mensch, der eine Sache völlig verdirbt. *Österr* 1800 *ff.*

patzig *adj* **1.** anmaßend, schroff; frech sich vordrängend; übermütig, schnippisch. ↗batzig 1. 1500 *ff.*

2. pomphaft-unkünstlerisch. ↗patzen 1. *Österr* 1900 *ff.*

3. nicht durchgebacken. Die Backware ist klebrig- feucht. *Südd* 1900 *ff.*

4. sich ~ machen (~ tun) = sich hochmütig benehmen; sich aufspielen. ↗batzig 2. 1500 *ff.*

patzweich *adj* sehr weich. ↗baazweich. *Österr* seit dem 19. Jh.

Pau'kalien *pl* Lehrmittel. Latinisiertes Substantiv zu „↗pauken 4". 1900 *ff.*

Pauke *f* **1.** Mahnrede; öffentliche Rede; Vortrag; Predigt. Pauken = auf die Pauke schlagen; dann auch verallgemeinert für „schlagen". Der Prediger schlägt auf die Kanzelbrüstung, der Redner auf das Vortragspult, um seinen Worten Nachdruck zu verleihen. Man will den Zuhörern gewisse Kenntnisse „einpauken". 1770 *ff.*

2. Prügel. ↗pauken 5. Spätestens seit dem 19. Jh.

3. Klassenarbeit. Entweder weil man sich auf sie durch „↗pauken 4" vorbereitet hat, oder weil sie wie ein kräftiger Schlag auf die Pauke wirkt. *Schül* 1950 *ff.*

4. dicker Leib (der Hochschwangeren). Analog zum Begriff „Trommelbauch". 1900 *ff.*

5. Angriff. Versteht sich nach „auf die ↗Pauke hauen = energisch werden". *Sold* 1939 *ff.*

6. *pl* = Blasen an den Füßen. Sie ähneln den gleichnamigen Beulen oder Geschwüren. *Sold* 1939 *ff.*

7. *pl* = Geschlechtskrankheit (auch „Pauken und Trompeten" genannt). Gemeint sind die syphilitischen Geschwüre; sachverwandt mit „türkische ↗Musik". Seit dem 19. Jh, *stud* und *sold.*

8. mit ~n und Trompeten = a) mit allem Zubehör. Hergenommen von der Militärmusik als Blasorchester mit Pauke. Seit dem 19. Jh. – b) mit Glanz; prunkvoll. Seit dem 19. Jh. – c) völlig (mit Pauken und Trompeten im Examen scheitern, das Kartenspiel verlieren). Ironisierte Variante des Vorhergehenden. Doch läßt sich „mit Pauken und Trompeten" auch als „mit großem Lärm" auffassen: je stärker der Lärm, um so tiefer fällt der Scheiternde. *Schül, stud* und theaterspr. seit dem 19. Jh.

9. zuviel ~ = Aufbauschung einer Belanglosigkeit; stark übertreibende Darstellung. ↗Pauke 14 e. 1935 *ff.*

10. mit der ~ ~ gepiekt sein = nicht voll bei Verstand sein. Berlin 1910 *ff.*

11. da hast du die ~ = jetzt mußt du mit den Folgen fertigwerden; jetzt bist du der Übertölpelte. Vielleicht auf Schwangerschaft oder Geschlechtskrankheit anspielend. 1900 *ff.*

12. die ~ hat ein Loch = die Freundschaft ist entzwei. 1870 *ff.*

13. jm eine ~ halten = jn heftig rügen;

---

jm ernste Vorhaltungen machen. ↗Pauke 1. 1820 *ff.*

14. auf die ~ hauen = a) energisch werden; laut aufbegehren; Forderungen stellen; sich für etw einsetzen; allzu selbstbewußt auftreten. Hängt mit dem lauten Paukenschlag zusammen, der alles übertönt. Etwa seit 1920. – b) sich über jn beschweren; jn anprangern. 1920 *ff.* – c) den Beschuß eröffnen. *Vgl* auch ↗trommeln. *Sold* 1939 *ff.* – d) ununterbrochen angreifen; dem Gegner den Sieg zu entreißen suchen. *Sold* 1950 *ff.* – e) übertreiben; sich aufspielen. In der Militärkapelle gibt der Paukenschläger den Takt des Marschierens unüberhörbar an; analog zu „↗angeben 3". Etwa seit 1900. – f) laut, ausgelassen feiern; sich ausleben; verschwenderisch leben. Man lärmt und tobt nach Herzenslust. *Schül, stud* und *sold* 1910 *ff.*

15. einen auf die ~ hauen = eine Zecherei veranstalten; ein Glas Alkohol zu sich nehmen. *Vgl* ↗Pauke 14 f. 1910 *ff.*

16. auf die falsche ~ hauen = sich gröblich irren. 1940 *ff.*

17. die ~ kriegt ein Loch = die Sache scheitert; es bahnt sich ein Mißerfolg an. 1840 *ff.*

18. der ~ ein Loch machen = übertreiben; eine Sache barsch abtun. Der Betreffende schlägt zu fest auf die Pauke; *vgl* ↗Pauke 14. Seit dem 19. Jh.

19. an der ~ sitzen = maßgebend sein. Die Pauke übertönt die anderen Musikinstrumente. *Vgl* ↗Pauke 14 e. 1900 *ff.*

pauken *intr* **1.** eine Rede halten; predigen. ↗Pauke 1. 1770 *ff.*

2. schimpfen; barsch reden. Seit dem späten 18. Jh.

3. schießen, feuern. ↗Pauke 14 c. *Sold* 1939 *ff.*

4. angestrengt lernen; unterrichten. ↗Pauker 1. Seit dem 18. Jh.

5. auf jn ~ = auf jn einschlagen. 1770 *ff.*

6. Mensur fechten; sich duellieren. *Stud* seit dem 18. Jh.

7. mit Geschwätz übertäuben; unnütz schwatzen. Seit dem 18. Jh.

Pauker *m* **1.** Lehrer. Verkürzt aus „↗Hosenpauker" und „↗Arschpauker". Der Lehrer schlägt auf das Gesäß des unfolgsamen Schülers wie auf eine Pauke. Heute überlagert von der Bedeutung „einer, der den Schülern den Wissensstoff einpaukt, eintrichtert". Gemeindeutsch seit 1600; in Österreich erst seit 1950. *Vgl engl* „basher".

2. Erteiler von Nachhilfeunterricht; Examensvorbereiter; Repetitor. Seit dem 19. Jh.

3. strebsamer Schüler. ↗pauken 4. 1900 *ff.*

4. Fechter. ↗pauken 6. Seit dem 18./19. Jh.

Pauke'rei *f* **1.** angestrengtes Lernen; Auswendiglernen. Seit dem 19. Jh.

2. Mensur; Duell. ↗pauken 6. *Stud* seit dem 19. Jh.

3. Prügelei. ↗pauken 5. Seit dem 19. Jh.

Paukerin *f* Lehrerin. Seit dem 19. Jh.

Paukerklamotte *f* gefilmtes Lehrer-Schüler-Lustspiel. ↗Klamotte 1. 1967 *ff.*

Paukerschlacht *f* Lehrer-, Versetzungskonferenz. Aufgefaßt als Kampf um die Notenerteilung und um die Bewertung der Schüler. 1870 *ff.*

Paukerschreck m Schüler, der den Lehrern das Leben schwer macht. 1960 ff.

Paukeuse (Endung franz ausgesprochen) f Lehrerin. Nach dem Muster von „Masseuse, Frisöse" u. ä. gebildet. 1920 ff.

Pauk-Fan (Grundwort engl ausgesprochen) m Angehöriger einer schlagenden Studentenverbindung. ↗pauken 6; ↗Fan. 1960 ff.

Paukferien pl Ferien, die nichtversetzte Schüler dazu verwenden können, die Versetzungsprüfung zu wiederholen. 1966 ff.

pau'kös adj lehrerhaft belehrend. 1960 ff.

Paukschmiß m Mensurnarbe. ↗Schmiß. Seit dem 19. Jh.

Paukschule f 1. Schule, an der die Schüler mit Nachdruck auf die Abschlußprüfung vorbereitet werden. 1950 ff.
2. Ausleseschule; Schule, an der die lernehrgeizige Schüler herangebildet werden. 1966 ff.

Paukstudio n 1. Klassenzimmer. 1960 ff.
2. kommerzielles Nachhilfeunternehmen. 1975 ff.

Pauli m Panzergrenadier. ↗Spaten-Pauli. BSD 1965 ff.

Pausbackenaquarium n Kindergarten. Dem ↗Backfischaquarium nachgebildet. 1964 ff.

pausbusig adj vollbusig. Von den „Pausbacken" übertragen. 1960 ff.

Pause f 1. Schulfrühstück. Verkürzt aus „↗Pausebrot". Bayr 1930 ff.
2. Versager; dummer Mensch. Seine Intelligenz hat oft oder ständig Pause; vgl auch ↗Sendepause. Sold 1939 ff.
3. große ~ = Jahresurlaub. Von der großen Unterrichtspause übertragen. 1955 ff.
4. lebende und sprechende ~ = Conférencier. Er überbrückt die Pause zwischen zwei Darbietungen. 1970 ff.
5. schöpferische ~ = Arbeitsunterbrechung. 1920 ff.
6. wenn ich spreche, hast du ~! = unterbrich mich nicht! ↗Sendepause. 1940 ff.
7. mach' mal ~! = rede nicht soviel! laß auch mal die anderen zu Wort kommen! Geht zurück auf den Werbespruch für Coca Cola. 1955 ff.
8. jetzt mach' ~! = hör endlich auf zu reden! 1955 ff.
9. eine schöpferische ~ einlegen (machen) = sich ausruhen; müßiggehen; vom Arbeitslosengeld leben. Ironie. 1920 ff.

Pausebrot (**Pausenbrot**) n Schulfrühstück. Bayr 1930 ff.

Pausenbummel m Hin- und Hergehen im Foyer während der Theaterpause. ↗Bummel 1. 1920 ff.

pausieren intr unentschuldigt dem Unterricht fernbleiben. Hehlwort. Meint eigentlich „eine Pause machen". 1930 ff.

Pauxerl n ↗Bauxerl.

Paw'latschen f Bretterbühne; Stegreifkomödie o. ä. Stammt aus tschech „pavlač = offener Hauseingang", tschech „pavlačka = Balkon, Erker". Die bescheidene Wanderbühne kann man überall aufschlagen, wo gerade Platz ist. Seit dem 18. Jh, österr.

peccieren tr ↗pexieren.

Pech n 1. Mißgeschick, Unglück. Hergenommen vom Vogel, der am Vogelpech des Vogelstellers hängenbleibt. Vereinzelt schon im 15. Jh geläufig, häufiger seit dem 18. Jh.
2. ~ am Arsch haben = den Besuch übergebührlich lange ausdehnen. Seit dem 19. Jh.
3. ~ an den Fingern haben = a) ungern bezahlen. Der Betreffende kann die Finger wohl nicht voneinander lösen, um die Geldbörse zu ziehen oder die Münzen aufzuzählen. Seit dem 19. Jh. – b) diebisch sein. Die Gegenstände bleiben – ungewollt – an den Fingern kleben. Seit dem 19. Jh. – c) ungeschickt sein; zu handwerklicher Arbeit unbegabt sein. Seit dem 19. Jh.
4. du hast wohl ~ in den Haaren?: Frage an einen Jungen, der beim Gruß die Mütze auf dem Kopf behält. Seit dem 19. Jh.
5. ~ an den Händen haben = diebisch sein. ↗Pech 3 b. Seit dem 19. Jh.
6. ~ am Hintern haben = a) lange im Wirtshaus bleiben. ↗Pech 2. Seit dem 19. Jh. – b) seine Stellung nicht aufgeben; seinen Posten nicht freimachen. 1920 ff.
7. ~ an der Hose haben (am Hosenboden haben) = das Weggehen vergessen. 1600 ff.
8. jn ins ~ reiten = an jds Unglück schuld sein. Seit dem 19. Jh.
9. wie ~ und Schwefel zusammenhalten = fest zusammenhalten. In volkstümlicher Darstellung stehen in der Hölle große Kessel voll Pech, in denen die bösen Menschen gesotten werden; auch herrscht dort ein pestilenzialischer Gestank, herrührend vom Teufel, der Schwefelgestank hinterläßt. Hieraus entwickelte sich im 19. Jh der formelhafte Ausdruck „Pech und Schwefel" für engen Zusammenhalt. Vorausgegangen ist die folgende Redewendung.
10. wie Pech und Teer zusammenhalten = unzertrennlich zueinanderstehen. 1700 ff.
11. wie ~ und Schwefel zusammenkleben = einander treu sein. 1900 ff.

Pechhütte f 1. bis in die ~ = unendlich weit; sehr lange. Vgl das Folgende. Seit dem 19. Jh.
2. bis in die aschgraue ~ = bis zum Äußersten; sehr lange. Der Köhler errichtet seinen Meiler in der Tiefe des Waldes, von wo man das Holz schlecht wegschaffen kann. Aschgrau ist das Grau der Ferne, wo Himmel und Erde ineinander überzugehen scheinen. Seit dem späten 18. Jh.
3. schlafen bis in die aschgraue ~ = bis tief in den Tag hinein schlafen. 1900 ff.
4. in einer aschgrauen ~ sein (sitzen) = vom Unglück verfolgt sein; sich in Not befinden. „Aschgraue Pechhütte" verstärkt hier den Begriff „Pech". 1950 ff.

'pech'kohl'raben'schwarz adj tiefschwarz. ↗kohlpechrabenschwarz. Seit dem 19. Jh.

Pechmarie f 1. Mädchen, dem alles zum Unglück ausschlägt. Fußt rein äußerlich auf dem Märchen „Frau Holle" in den „Kinder- und Hausmärchen der Brüder Grimm" bzw. „Die Goldmarie und die Pechmarie" von Ludwig Bechstein. 1950 ff.
2. schwarzhaariges Mädchen. ↗pechschwarz 1. 1950 ff.
3. Klassenwiederholerin. ↗Pech 1. 1950 ff.
4. glücklose Fußballmannschaft. ↗Pech 1. 1970 ff.

Pechnelke f 1. weibliche Person, die ständig vom Unglück verfolgt wird oder Unglück bringt. Dem Pflanzennamen um

1900 untergeschobene neue Bedeutung wegen des Anklangs an „↗Pech 1".
2. Versicherungsvertreter. „Nelke" ist vielleicht substantivische Nebenform zu „↗nöhlen". Der Vertreter stellt die verschiedenen Unglücksmöglichkeiten eindringlich dar. 1920 ff.

'pech'raben'schwarz adj tiefschwarz. Vgl ↗kohlpechrabenschwarz. Seit dem 19. Jh.

'pech'schwarz adj 1. tiefschwarz. Zusammengewachsen aus dem Vergleich. Seit dem 17. Jh.
2. sehr pessimistisch. Versteht sich nach „↗schwarzsehen". 1941 ff.

Pechsträhne f 1. Aufeinanderfolge von Unglücksfällen, von Mißgeschick oder Mißerfolgen. Fußt auf der Vorstellung vom Haftenbleiben am Pech. Die „Strähne" versteht sich durch das unter „↗Gelegenheit" Gesagte. 1900 ff.
2. hartnäckige Wiederkehr einer schlechten Kartenzusammenstellung. Kartenspielerspr. 1900 ff.

Pechvogel m 1. Mensch, der stets Unglück hat oder den man für einen Unglücksbringer hält. Übernommen vom Vogel, der mit seinen Krallen oder Federn an der pechbestrichenen Rute des Vogelstellers hängen bleibt. Obendrein ist Pech schwarz, und Schwarz ist die Unglücksfarbe. 1800 ff.
2. Schuhmacher(lehrling). Seit dem 19. Jh.

peckenbleiben intr in der Schule nicht versetzt werden. Pecken = picken = kleben; analog zu ↗klebenbleiben. 1920 ff.

Pe'dal n 1. Bein, Fuß. Im 16. Jh aus neulat „pedale" entlehnt und auf den Menschen übertragen, wahrscheinlich durch Studenten.
2. Schulhausmeister. Aus „Pedell" umgemodelt. Schül 1930 ff.
3. um die ~e wird noch gekämpft = der Ausgang ist noch ungewiß. Geht zurück auf einen fingierten ital Wehrmachtbericht aus Afrika anläßlich der Eroberung eines englischen Fahrrads: „Sattel und Lenkstange befinden sich fest in unserer Hand. Um die Pedale wird noch gekämpft." Verspottung der stark euphemistischen oder lügenhaften ital, später auch der dt Wehrmachtberichte. 1939 ff. Dieser Ulk machte bis in die Gegenwart Schule. Beweis: Die „Soldatenkurier" (Koblenz 1970, Nr. 3): Ägyptischer Frontbericht aus dem Sechs-Tage-Krieg: „Am Suez gelang es uns gestern, einen israelischen Radfahrer zum Absteigen zu zwingen. Das Vorderrad wurde am Boden zerstört. Mit dem Verlust des Hinterrades ist zu rechnen. Die Lenkstange befindet sich fest in unserer Hand. Um den Rahmen wird noch erbittert gekämpft."
4. die goldenen ~e kriegen = sich erfolgreich einschmeicheln. Goldene Pedale sind die fiktive Auszeichnung für „↗Radfahrer". Sold 1939 ff.
5. aufs ~ laatschen = heftig bremsen. ↗laatschen. 1960 ff.
6. sich für etw (jn) mächtig in die ~e legen = sich für eine Sache oder eine Person nachdrücklich verwenden. Vom Radsport hergenommen: der Radler erhebt sich vom Sattel und verlagert sein Körpergewicht zusätzlich auf die Pedale, um kräftiger durchtreten zu können. 1925 ff.

pe'dalen *tr intr* **1.** jm auf den Fuß treten; jm einen Fußtritt geben. 1900 *ff.* **2.** *intr* = gehen. ↗Pedal 1. 1910 *ff.* **3.** *intr* = radfahren. *Schweiz* 1920 *ff.*

Pe'dallaatschen *pl* flache Schuhe der Autofahrerin. ↗Laatschen. 1962 *ff.*

Peda'lör *m* **1.** Radrennfahrer; Sechstagefahrer. 1930 *ff.* **2.** Fußpfleger; Hühneraugenoperateur. 1930 *ff.*

Peda'löse *f* Fußpflegerin. 1930 *ff.*

Pe'dalritter *m* Radfahrer, Radsportler. 1910 *ff.*

Pe'daltreter *m* **1.** Harmoniumspieler, Klavierspieler. 1960 *ff.* **2.** Radfahrer. 1970 *ff;* wohl älter.

pedden *tr* **1.** jn treten; jm einen Fußtritt versetzen. Gehört zur *niederd* Nebenform zu *hd* „↗Pfote". 1700 *ff.* **2.** jn mit (sanfter) Gewalt zur Herausgabe veranlassen; jn drängen, mahnen. Analog zu „↗treten". Seit dem 19. Jh, *niederd.*

Pedi'köse *f* Fußpflegerin. Der „Manikeuse" nachgeahmt. 1930 *ff.*

peekig *adj* wirr, ungepflegt (vom Haar gesagt). Gehört zu „Peek = Stachel"; adjektivisch „stachelig". *Niederd* 1900 *ff.*

peepen (*engl* ausgesprochen) *intr* **1.** in einer Peep-Show auftreten. *Engl* „peep = Guckloch". 1980 *ff.* **2.** eine Peep-Show besuchen. 1980 *ff.*

peesen *intr* **1.** lügen; Gerüchte erfinden oder ausstreuen. Gehört zu ↗peesern. Lügen oder Gerüchte verbreiten Qualm. 1870 *ff.* **2.** ↗pesen.

peesern (pesern, päsern) *intr* mit Feuer spielen; anbrennen; flämmen, glimmen. Herleitung unbekannt. Nordostd. seit dem 19. Jh.

Pegel *m* **1.** Bauch. Wohl als Wasserstandsmesser aufgefaßt. 1840 *ff.* **2.** Penis. Als Wasserstandsmesser verstanden. 1900 *ff.* **3.** genossene Alkoholmenge. 1950 *ff.* **4.** sich einen ~ antrinken = sich betrinken. Seit dem 19. Jh. **5.** einen guten ~ saufen = trinkfest sein. 1700 *ff.* **6.** sich einen netten ~ zurechtsaufen = viel trinken; ein starker Trinker sein. 1900 *ff.*

pegeln *intr* zechen. ↗Pegel 3. 1700 *ff.*

peilen *v* **1.** *intr tr* = spähen, blicken, kundschaften, merken. Stammt aus der Seemannssprache und bezeichnet die Kursbestimmung eines Schiffes (neuerdings auch eines Flugzeugs). Hieraus entwickelt zu „in eine bestimmte Richtung blicken". *Sold* in beiden Weltkriegen und *ziv* bis heute. **2.** vom Mitschüler absehen, abschreiben. 1940 *ff, schül.*

Peitsche *f* **1.** gute Spielkarte. Mit ihr kann man „auf die ↗Pferde hauen" im Sinne von „draufgängerisch spielen". Kartenspielerspr seit dem 19. Jh. **2.** Arroganz, Frechheit, Herausforderung. Aufgefaßt als aufstachelnde Handlung oder Äußerung. *Halbw* 1955 *ff.* **3.** Zigarette. Gemeint ist die „chemische Peitsche" im Sinne des aufmunternden Genusses. *BSD* 1965 *ff.* **4.** Penis. Über die Bedeutung „Schlangenfisch" ist wohl Analogie zu „↗Aal 2" gemeint, oder Verkürzung von „↗Urinpeitsche". *Halbw* 1960 *ff.*

5. liederliche weibliche Person. Sinnbildlich aufgefaßt als eine Geißel und Zuchtrute oder Anspielung auf die frühere Sitte, liederliche Personen auszupeitschen. Seit dem 19. Jh. **6.** wuchtig geschlagener Tennisball mit Drall. *Sportl* 1920 *ff.* **7.** chemische ~ = anregende Droge; Nervenaufputschmittel. *Vgl* ↗Peitsche 3. 1960 *ff.* **8.** koreanische ~ = Bürstenhaarschnitt. ↗Koreapeitsche. 1955 *ff, halbw.*

peitschen *intr* **1.** den Ball mit äußerster Kraft schlagen. *Sportl* 1920 *ff.* **2.** schnell fahren. 1965 *ff, jug.*

Peitschenlampen (-laternen, -leuchten) *pl* Straßenlampen mit Leuchtröhren. Wegen einer gewissen Formähnlichkeit. 1955 *ff.*

Peitschenstiele *pl* Straßenlampen mit Leuchtröhren. 1955 *ff.*

peksieren (pekzieren) *tr* ↗pexieren.

Pelle *f* **1.** Haut des Menschen. Soviel wie Schale (Pellkartoffel) oder Wursthaut. Fußt auf *lat* „pellis = Haut". 1700 *ff.* **2.** Anzug, Kleid. 1870 *ff.* **3.** Uniform. *BSD* 1965 *ff.* **4.** ~ von der Stange = Konfektionskleidung. ↗Stange. 1920 *ff.* **5.** besoffene ~ = Petticoat. Er schwankt hin und her wie ein Bezechter. 1955 *ff, jug.* **6.** eine ~ ausziehen = ein Kleidungsstück ablegen. 1920 *ff.* **7.** jm von der ~ bleiben = jn nicht behelligen. Seit dem 19. Jh. **8.** aus der ~ fahren = aufbrausen. Analog zu „aus der ↗Haut fahren". Seit dem 19. Jh. **9.** jm nicht von der ~ gehen = jn ständig begleiten und dadurch belästigen; jn nicht aus den Augen lassen. Seit dem 19. Jh. **9 a.** es geht ihm an die ~ = er wird bedrängt. Seit dem 19. Jh. **10.** aus der ~ gehen = aufbrausen. ↗Pelle 8. Seit dem 19. Jh. **11.** jn auf der ~ haben = von jm überwacht werden; durch jn behindert sein; nicht frei entscheiden können. Seit dem 19. Jh. **12.** einander auf der ~ hocken = ständig beisammen sein. 1900 *ff.* **13.** jm auf der ~ liegen = a) jm zur Last fallen. Seit dem 19. Jh. – b) koitieren. 1920 *ff.* – c) in jds nächster Nähe zelten. 1955 *ff.* **14.** jm auf die ~ rücken = jm energisch zusetzen; jn bedrängen. 1830 *ff.* **15.** jm die ~ schrubben = jn schlagen, verprügeln. Schrubben = scheuern, reiben. *Vgl* ↗Abreibung. 1920 *ff.* **16.** ganz aus der ~ sein = fassungslos, sehr aufgeregt sein. Analog zu „↗Anzug 11". 1920 *ff.* **17.** jm auf der ~ sitzen (hocken) = jm heftig zusetzen; jm lästig fallen; jn nicht frei entscheiden lassen. 1830 *ff.* **18.** einander auf der ~ sitzen = beengt wohnen. 1920 *ff.* **19.** jm nicht von der ~ weichen = jn nicht aus den Augen lassen, ständig behelligen. Seit dem 19. Jh.

Pelz *m* **1.** Haut des Menschen; menschlicher Körper. Vom Tier auf den Menschen übertragen. Seit dem 18. Jh. **2.** üppiger Haarwuchs. Seit dem späten 19. Jh.

3. weibliche Schamhaare. 1870 *ff.* **4.** fauler Schüler. Verkürzt aus „Faulpelz". 1950 *ff.* **5.** ~ aus der Retorte = Pelz aus Kunststoff-Fasern. *Vgl* ↗Retorte 1. 1955 *ff.* **6.** jm den ~ ausklopfen = jn prügeln. 1800 *ff.* **7.** jm eins auf den ~ brennen = auf jn einen Schuß abgeben; jn durch einen Schuß verletzen. Der Jägersprache entlehnt. 1700 *ff.* **8.** jm den ~ fegen = jn prügeln. 1700 *ff.* **9.** jm eins (einen) auf den ~ geben = jn verprügeln. 1700 *ff.* **10.** jm nicht vom ~ gehen = jm keine Ruhe gönnen; jm durch Anhänglichkeit lästig fallen. *Vgl* ↗Pelle 9. 1700 *ff.* **11.** jn auf dem ~ haben = mit jm belastet sein; für jn zu sorgen haben; von jm beaufsichtigt werden. *Vgl* ↗Pelle 11. 1900 *ff.* **12.** jm etw (jn) auf den ~ hetzen = jn mit etw (durch jn) bedrängen. Übertragen vom Jagdhund, der auf das Wild gehetzt wird. Seit dem 19. Jh. **13.** jm auf den ~ kommen = jn verprügeln; jn bedrohen; auf jn eindringen. Seit dem 18. Jh. **14.** etw auf den ~ kriegen = a) Prügel erhalten. Seit dem 18. Jh. – b) beschossen werden. *Sold* in beiden Weltkriegen. **15.** jn nicht vom ~ kriegen = sich eines lästigen Menschen nicht erwehren können. Seit dem 19. Jh. **16.** jm auf den ~ rücken = a) jn bedrängen; auf jn eindringen. *Vgl* ↗Pelle 14. 1800 *ff.* – b) sich jm nähern; an jn heranrücken. Seit dem 19. Jh. **17.** den ~ versaufen = nach der Beerdigung in einer Wirtschaft zechen. Analog zu „die ↗Haut versaufen". Seit dem 19. Jh. **18.** jm den ~ waschen = a) jn heftig zurechtweisen. Euphemismus seit 1500. – b) jm hohe Torverluste beibringen. *Sportl* 1970 *ff.* **19.** wasch' mir den Pelz, aber mach' ihn (mich) nicht naß! = abweisende Aufforderung zu etwas Unmöglichem; Redewendung an einen, der mit untauglichen Mitteln ein Vorhaben beginnen will. Seit dem 16. Jh.

pelzen *v* **1.** *intr refl* = ruhen; vor sich hinträumen; schlafen; untätig, arbeitsträge sein. Analog zu „auf der faulen ↗Haut liegen". Seit dem 19. Jh, vorwiegend *bayr.* **2.** *tr* = koitieren. Fußt auf *mittellat* „impeltare = propfen, okulieren". 1500 *ff.* **3.** *tr* = jn prügeln. Man kommt ihm auf den Pelz. 1800 *ff.* **4.** *tr* = jn antreiben. Man dringt ihm auf den Pelz, damit er tätig wird. Seit dem 19. Jh. **5.** einen ~ = ein Glas Alkohol zu sich nehmen. Man gießt es sich in den „Pelz" oder „okuliert" es sich ein. 1900 *ff.* **6.** *refl* = sich betrinken. 1900 *ff.*

pelzig (belzig) *adj* **1.** frech, widerspenstig, übellaunig. Analog zu ↗kotzgrob. *Bayr* 1900 *ff.* **2.** gefühllos, eingeschlafen (von Körperteilen gesagt). Seit dem 19. Jh.

Pelzjäger *m* Mann, der jungen Mädchen nachstellt. Er ist ein Jungtierjäger. *Halbw* 1960 *ff.*

Pelzkragen *m* Kornschnaps mit Boonekamp. 1950 *ff, westd.*

Pelzmantel *m* 1. Nachthemd, Pyjama. Gehört zu „↗pelzen 1" oder meint den „Mantel", den man unmittelbar auf dem „Pelz" trägt. 1920 *ff.*
2. Präservativ. ↗pelzen 2. 1920 *ff.*
3. ~ des Engländers = Hosentaschen mit beiden Händen in ihnen. Gilt in außerenglischen Kulturnationen als grobe Ungebührlichkeit. 1920 *ff.* Neu aufgekommen 1958 im Zusammenhang mit dem Benehmen Oxforder Studenten gegenüber Bundespräsident Theodor Heuss.

Pemperlschule *f* Grundschule o. ä. ↗Pimperlschule. *Österr* 1950 *ff.*

pempern (pempeln) *intr* koitieren. ↗pimpern. *Österr* 1800 *ff.*

Pendant (*franz* ausgesprochen) *n* Geschlechtspartner(in). Man ist einander das „Gegenstück". 1900 *ff.*

Pendel *n* Penis. Analog zu „↗Perpendikel". 1870 *ff.*

pendeln *intr* 1. öfter dieselbe Reisestrecke hin- und herfahren. 1900 *ff.*
2. koitieren. ↗Pendel. 1870 *ff.*

Pendeltitten *pl* schlaffe Hängebrüste. ↗Titte. 1910 *ff;* wohl älter.

Pendler *m* 1. Berufstätiger, der zwischen Arbeits- und Wohnstätte hin- und herfährt. 1900 *ff.*
2. Gewerbetreibender, der aus steuerlichen Gründen seinen Wohnsitz häufig wechselt. 1950 *ff.*
3. Wähler, der seine Stimme nicht immer derselben Partei gibt. 1960 *ff.*

Peng *n* (Deckname für) Einspritzung von Rauschmitteln. „Peng (päng)" gibt den Laut des Abfeuerns wieder. Die Einspritzung wird als „Schuß" aufgefaßt. 1969 *ff.*

peng *interj* Ausruf des Staunens, zur Begleitung eines Schusses oder Schlages o. ä. Oft in adverbialer Verwendung als „plötzlich, unerwartet". *Vgl* auch ↗Pängmädchen. 1910 *ff.*

Penis *m* 1. ~ mathematicus = Rechenstab. *Schül* 1950 *ff.*
2. ~ niger = Schwarzwurzeln. Eigentlich „schwarzer Schwanz"; vgl auch ↗Wurzel 1. *BSD* 1965 *ff.*
3. es per ~ erledigen = koitieren. Um 1920 in der Studentensprache aufgekommen und seit 1939 offizierssprachlich.

Pe'nise *f pl* Geld. Geht zurück auf *gleichbed* tschech „penize". *Österr* 1900 *ff.*

Penispaletot (Grundwort *franz* ausgesprochen) *m* Präservativ. Als „Überzieher" aufgefaßt. *Vgl* auch „↗P.P. 2". *Sold* in beiden Weltkriegen.

Pen'nal *n* Gymnasium, Schulgebäude. Geht zurück auf *mittellat* „pennale = Federbüchse"; im 17. Jh Bezeichnung für den Studenten, der die Vorlesungen mitschreibt oder dem älteren mit Schreibzeug aushilft. Weiterentwickelt zur Bedeutung „Gymnasiast" (um 1800) und „Gymnasium". 1820/30 *ff.*

Pennäler *m* 1. Gymnasiast. *Vgl* das Vorhergehende. Im 17. Jh ein Schimpfwort für Studenten. Die heutige Bedeutung setzt im frühen 19. Jh ein.
2. ~ mit Ehrenrunde = Klassenwiederholer. Beschönigung. ↗Ehrenrunde. 1930 *ff.*

Pennälergehalt *n* Ausbildungszulage für Schüler. 1965 aufgekommen.

Pennarium *n* Hochschule. Aus „↗Penne" gebildet nach dem Muster von „Aqua-

rium, Planetarium, Herbarium" o. ä. Berlin 1960 *ff.*

Pennbruder *m* 1. Landstreicher; Tagedieb, der in Männer-, Obdachlosenasylen oder im Freien nächtigt. ↗Penne 1. 1840 *ff.*
2. Langschläfer. ↗pennen. Seit dem frühen 19. Jh.
3. langsam, schwunglos Tätiger. Er arbeitet schläfrig. 1920 *ff.*
4. Gymnasiast, Schüler. ↗Penne 2. 1950 *ff.*
5. unzuverlässiger Arbeitnehmer. ↗Pennbruder 3. 1920 *ff.*

Penne *f* 1. Obdachlosenheim; Nachtquartier; Schlafstelle; Unterkunft für Gesindel. Geht vielleicht zurück auf *hebr* „pinnah = Winkel, Ecke"; der Obdachlose sucht eine Ecke zum Übernachten. 1750 *ff,* rotw.
2. Gymnasium. Verkürzt im späten 19. Jh aus „↗Pennal". Das Wort hatte bisher nur die Bedeutung „Gymnasium"; seit 1965 ist jede Schule eine „Penne", zusammenhängend mit den verschiedenen Schulreformen, die die Beseitigung der bisherigen Schranken anstreben.
3. Bett. ↗pennen. Aus „↗Penne 1" sonderentwickelt im Sinne eines primitiven Schlaflagers. 1914 *ff.*
4. langweiliger, schwungloser Mensch ohne besondere Interessen. Sein Geist schläft. *Vgl* ↗Pennbruder 3. 1890 *ff.*
5. verkommene Frau; Hure. Bei (mit) ihr kann jeder schlafen. 1960 *ff.*
6. ~ für alle = Hauptschule. ↗Penne 2. 1965 *ff.*
7. Allgemeine ~ = Grund-, Hauptschule. 1965 *ff.*
8. kalte ~ = a) Übernachtung im Freien. ↗Penne 1. 1850 *ff.* – b) Nachtlager im Freien (Biwak, Manöverzelt o. ä.). *Sold* 1910–1945.
9. kesse ~ = gute, sichere Unterkunft (wo man von der Polizei nicht behelligt wird). ↗keß. Seit dem frühen 19. Jh.
10. miese ~ = minderwertige, anrüchige Unterkunft. Kundenspr. 1870 *ff.*
11. platte ~ = Nachtquartier bei vertrauten Leuten. Man schläft zwar auf dem Fußboden, ist aber sicher vor einer Polizeistreife. *Rotw* 1910 *ff.*
12. stille ~ = Gefängnis. Geht zurück auf *zigeun* „stilepen = Gefängnis"; kundenspr. seit dem frühen 19. Jh.
13. wilde ~ = a) Unterkunft für Gesindel (nicht zu verwechseln mit dem Obdachlosenheim o. ä.). Seit dem frühen 20. Jh. – b) Quartier, das der Soldat sich selber gesucht hat. Wild = unerlaubt; außerhalb der Ordnung. 1914 *ff.*
14. eine ~ abschleppen = eine Umhertreiberin ins Zimmer mitnehmen. ↗Penne 5. 1960 *ff.*
15. platte ~ machen = im Freien nächtigen. Man liegt flach auf dem Erdboden. *Rotw* 1800 *ff.*

Penneboos *m* Leiter eines Obdachlosenheims; Herbergsvater; Inhaber einer Gaststätte, in der Landstreicher, Gauner usw. Unterschlupf finden. ↗Bost. Kundenspr. 1870 *ff.*

Penne-Bruder *m* Schulkamerad. ↗Penne 2. 1960 *ff.* Aber *vgl* ↗Pennbruder.

pennen *intr* schlafen, nächtigen. Im frühen 19. Jh verbal. ↗Penne 1" entwickelt.

Penner *m* 1. Landstreicher, Obdachloser. ↗Penne 1. Seit dem 19. Jh.

2. Mann, der auf Parkbänken (o. ä.) nächtigt. 1920 *ff.*
3. Arbeitsloser. 1930 *ff.*
4. unaufmerksamer, geistesabwesender, begriffsstutziger Mann; Lehrer mit langweiliger Lehrweise. ↗pennen. 1920 *ff.*
5. Soldat, der auf Posten schläft. *Sold* 1939 *ff.*
6. Schüler, Gymnasiast. ↗Penne 2. 1960 *ff.*
7. Studienrat. Er unterrichtet an einer „↗Penne 2". 1930 *ff.*
8. Klassenschlechtester. Sein Geist „pennt". 1960 *ff.*
9. Klassenwiederholer. 1960 *ff.*
10. *pl* = die Eltern. Sie gelten als Leute, die die Gegenwart verschlafen oder in der Vergangenheit eingeschlafen sind. *Jug* 1970 *ff.*

Pennerasyl *n* Übernachtungsheim der Bahnhofsmission o. ä. ↗Penner 1. 1870 *ff.*

Pennerbleibe *f* notdürftige Unterkunft eines Umhertreibers. ↗Bleibe. 1950 *ff.*

Pennerdienst *m* bequemer Dienst. Dazu genügt Halbwachsein, und auch ein Schläfchen ist möglich. *BSD* 1965 *ff.*

Pennerhotel *n* 1. zerbombtes Haus, in dem Obdachlose nächtigen; im Rohbau stehengebliebener Neubau, der mangels Geld unvollendet bleibt. 1950 *ff.*
2. Haftraum für Nichtseßhafte. 1975 *ff.*

Pennerkissen *n* lang in den Nacken fallendes Haar. Es macht das Kopfkissen entbehrlich. Obdachlose haben oft wüstes, langes Haar. *Halbw* 1955 *ff.*

Pennerwein *m* Rotwein von der billigsten Sorte. *Jug* 1970 *ff.*

Pennfraß *m* Imbiß vor dem Schlafengehen. ↗Fraß 1; ↗pennen. *Sold* 1935 *ff.*

Pen'nizium *n* Schulgebäude. Aus „↗Penne 2" erweitert mit Anlehnung an „Exercitium", „Maleficium" o. ä. Vielleicht hat auch *lat* „punitio = Bestrafung" eingewirkt. Berlin 1960 *ff.*

Pennposten *m* militärische Ruhestellung; bequemer Dienst. *Vgl* ↗Pennerdienst. *BSD* 1965 *ff.*

Pennschieter *m* geiziger, kleinlicher Mensch. „Penn-" geht auf „Pfennig" zurück. Hamburg 1900 *ff.*

Pennschwester *f* Landstreicherin, die im Obdachlosenheim übernachtet. Das weibliche Gegenstück zum „↗Pennbruder". 1900 *ff.*

Penntüte *f* langsamer, schläfriger, unaufmerksamer Mensch. Die „Tüte" spielt auf den tütenförmigen Zipfel der Schlafmütze an. ↗Schlafmütze. 1930 *ff.*

Penntype *f* Arbeitsscheuer. ↗Pennbruder 3; ↗Type. 1960 *ff.*

Penn'ulje *f pl* Geld. ↗Penunzen. Die Form „Penunje" ist für 1800 gebucht. Seit dem 19. Jh.

Pension *f* 1. Bordell. Tarnausdruck. 1900 *ff.*
2. ~ (staatliche ~) = Gefängnis(zelle); Arrest. Aufgefaßt als staatlich eingerichtetes und betriebenes Fremdenheim mit kostenloser Verpflegung. Kundenspr. seit dem frühen 19. Jh.
3. dicke ~ = sehr reichliches Ruhestandsgehalt. 1920 *ff.*
4. lebenslängliche ~ = lebenslange Freiheitsstrafe. 1920 *ff.*
5. etw in ~ geben = etw zur Pfandleihe bringen. Hehlausdruck. 1920 *ff.*

6. jn in ~ schicken = jm vorzeitig kündigen. 1950 ff.

Pensionär m Häftling. ↗Pension 2. 1900 ff.

Pensionärin f **1.** Bordellprostituierte. ↗Pension 1. 1900 ff. **2.** weiblicher Häftling. ↗Pension 2. 1900 ff.

pensionieren v laß dich ~ (mit vollem Gehalt)!: Ausdruck der Zurückweisung eines Dummen. Bei Pensionierung mit vollem Gehalt liegt oft Untauglichkeit vor. 1920/30 ff.

Pensionierungstod m Tod mangels sinnvoller Beschäftigung nach Erreichung der Altersgrenze. Geht zurück auf eine Äußerung von Prof. Arthur Jores auf dem Internistenkongreß in Wiesbaden, 1959.

Pensio'nopolis f Ruhesitz der Pensionierten. Gräzisierende Ortsnamenbildung. Etwa seit dem 19. Jh.

pensionsberechtigt adj ein Schlag, und du bist ~!: Drohrede. Durch den Schlag werden die Voraussetzungen zur Bewilligung der Arbeitsunfähigkeitsrente begründet. 1900 ff.

Pensionsehe f Heirat zwischen einem betagten Beamten und einer jungen Frau. Die Frau hofft auf das Ruhestandsgehalt nach dem Tod des Mannes. 1950 ff.

Pensionsschock m körperlicher Zusammenbruch bei Erreichen der Altersgrenze. 1960 ff.

Pensionstod m bald nach Erreichung der Altersgrenze eintretender Tod. ↗Pensionierungstod. 1959 ff.

Penta'bonn (Penta-Bonn) n Gebäude des Bundesverteidigungsministeriums in Bonn. Dem „Pentagon" in Washington nachgebildet. 1955 ff.

Pe'nunse (Pe'nunsen), Pe'nunze (Pe'nunzen) f (pl) Geld. Stammt aus dem Poln und ist im späten 18. Jh westwärts vorgedrungen mit Ernte- und Industriearbeitern aus Polen.

People (engl ausgesprochen) n **1.** Mannschaften. Meint im Engl das Volk; hier bezogen auf das „Fußvolk". BSD 1965 ff. **2.** pl = Leute, Zuschauer o. ä. Halbw 1970 ff.

Pep (Pepp) m **1.** Unternehmungsgeist; Schwungkraft; Schwung; Spritzigkeit. Übernommen aus dem angloamerikan „pep = Pfeffer", etwa seit 1930/40. **2.** ~ im Blut haben = temperamentvoll sein. 1955 ff. **3.** ~ in der Kniekehle haben = wildbewegte, leidenschaftliche Tänze tanzen. 1960 ff. **4.** ~ hinter den Ohren haben = geistigen Schwung besitzen. Vgl „es hinter den ↗Ohren haben". 1960 ff.

pep (pepp) adj schwungvoll. Halbw 1960 ff.

pepen (peppen) tr jn wieder munter machen. ↗Pep 1. Halbw 1960 ff.

pe'pita adv das ist ihm ~ = das ist ihm völlig gleichgültig. Pepita nennt man ein kleinkariertes Stoffmuster; hier Tarnausdruck für gedehntes „↗piepe". 1940 ff.

Pepp m ↗Pep.

pepp adj ↗pep.

peppen tr ↗pepen.

Pepperl m geh, ~, plausch'! netl: Redewendung, mit der man eine unglaubwürdige Behauptung ablehnt. Pepperl ist Koseform

des Vornamens Josef. ↗plauschen. Österr 1870 ff.

peppig adj schwungvoll. ↗Pep 1. Halbw 1960 ff.

per Arm gehen Arm in Arm gehen. „Per" stammt aus dem Kaufmannsdeutsch und meint (nach lat) „für, auf, durch". 1850 ff.

Percht f häßliche Frau. Eigentlich eine vorwiegend zwischen Weihnachten und dem Dreikönigstag umhergeisternde Gestalt der Volkssage; auch als Kinderschreck häufig, sowie als Frau in plumper Gebirglermaske. Österr 1900 ff.

perdautz interj ↗pardauz.

per du sein einander duzen. Seit dem 19. Jh.

Periode f blaue ~ = Trunksuchtsperiode. ↗blau 5. Vielleicht übernommen aus der Bezeichnung für einen Schaffensabschnitt (1901–1904) im Werk des Pablo Picasso. 1910 ff.

Periskop n Brille. Eigentlich das Sehrohr des Unterseeboots. Marinespr 1960 ff.

Periskopaugen pl gierige, lüsterne Blicke. 1920 ff.

periskopeln intr mit gestrecktem Hals Ausschau halten. 1910 ff.

Perle f **1.** Hausgehilfin, Putzfrau. Meint eigentlich die sehr beliebte und geschätzte Person, eine Kostbarkeit von Mensch. Vgl Maupassant, „Mademoiselle Perle". Seit dem 19. Jh. **2.** Kosewort für Mann oder Frau. Seit dem 19. Jh. **3.** intime Freundin. Halbw 1955 ff. **4.** hochbegabte Schauspielerin. 1840 ff. **5.** die ~ eines Mannes (eine ~ von einem Mann) = sehr tüchtiger, sehr verläßlicher Mann. 1920 ff. **6.** elektrische ~ = elektrisches Haushalts-, Küchengerät. Es ist Ersatz für „↗Perle 1". 1920 ff. **7.** die ~n in der Krone behalten = sich nichts vergeben. Vgl das Folgende. 1920 ff. **8.** ihm fällt keine ~ aus der Krone = er vergibt sich nichts. „Perle" bezieht sich auf die Perlenverzierung der Krone. In volkstümlicher Auffassung trägt der Dünkelhafte eine Krone, die es zu balancieren gilt, weswegen heftige Kopfbewegungen, leutselige Gesten mit dem Kopf unterbleiben müssen. 1870 ff. **9.** ~n vor die Säue werfen = einem Unwürdigen Wertvolles zuteil werden lassen. Geht zurück auf Matthäus 7, 6. 1200 ff.

Perlenfischer m **1.** Müllsortierer. Er sucht sich das Beste heraus. Seit 1900 ff. **2.** Frauenheld. ↗Perle 2. 1950 ff.

Perlenpest f Huschen von weißen Punkten über den Bildschirm. 1955 ff.

Perlenzucht f Ausbildungsstätte für Hausgehilfinnen; Haushaltungsschule. ↗Perle 1. 1960 ff.

Per'lico-Per'laco erscheine und verschwinde wieder! Geht zurück auf ital „far berliche e berlocche = Hokuspokus machen; den Teufel erscheinen und verschwinden lassen". 1900 ff.

pe'ronje (per'runje, pie'ronje, pie'runje) interj Ausruf heftigen Unwillens. Geht zurück auf poln „pjerunge = Donnerwetter!". Sold in beiden Weltkriegen.

per 'pedes aposto'lorum zu Fuß. Scherzhafte Wendung studentischer Herkunft. Die Apostel Jesu haben ihre weiten Reisen vor allem zu Fuß zurückgelegt. „Apostel-

pferde" nannte man im 18. Jh die Füße und Beine. 1750 ff.

Per-pedes-Rallye (Grundwort engl ausgesprochen) f Sternwanderung. 1975 ff.

Perpedes-Wagen m einen ~ haben = Fußgänger sein. Wortspiel mit „Mercedes", dem Markennamen des Autos der Daimler-Benz AG in Stuttgart. 1935 ff.

Perpel m **1.** schmutziges Taschentuch. Franz „parapluie" ergibt mundartlich „Perpel, Pärpel = Regenschirm". Das Taschentuch ist schwarz wie Regenschirmseide. 1900 ff. **2.** schmutziges, schmutzendes Kind. Jug 1955 ff. **3.** unordentliche weibliche Person. 1955 ff, jug.

Perpen'dikel m Penis. Er pendelt hin und her. Vgl ↗Pendel. 1900 ff.

per'plex adv ~ sein = erstaunt, verwirrt, sprachlos sein. Geht zurück auf lat „perplexus = verworren" und ist wohl über franz Vermittlung zu uns gelangt. 1600 ff.

persen intr sehr schnell laufen. Nebenform zu „preschen". 1930 ff, österr.

Per'senning f First ~ (Zahlwort engl ausgesprochen) = beste Uniform. Persenning ist geteertes Segeltuch. Marinespr 1965 ff.

per Sie sein einander mit „Sie" anreden. Seit dem 19. Jh.

per'silge'pflegt adj **1.** weiß, sehr sauber. Hergenommen von dem Waschmittel „Persil" der Henkel-Werke und deren Werbetexten. Jug 1950 ff. **2.** in weißer Uniform. 1960 ff.

Persilkarton m ~ des Wirtschaftswunders = umhergeschobener Lederkoffer. Er ersetzt den früher üblichen Persilkarton, mit dem die Rekruten in der Kaserne antraten. 1950 ff.

Persilschein m **1.** schriftliche Bestätigung der makellosen politischen Vergangenheit eines Mitglieds der NSDAP; Unschuldsbeteuerung aus fremdem Munde. 1945 mit der „Entnazifizierung" aufgekommen in Anlehnung das sehr volkstümliche Waschmittel „Persil". **2.** Empfehlungsschreiben einer Dienststelle; Unbedenklichkeitsbescheinigung. 1955 ff.

Person f Mensch (abf); weibliche Person (abf). Verkürzt aus „Manns-, Weibs-, Frauensperson"; vorwiegend auf Frauen angewendet. In Juristenkreisen ist „Kerl" der Straftäter und „Person" das weibliche Gegenstück. In verächtlichem Sinne etwa seit 1800 geläufig.

Personalsieb n Vorzimmer des Chefs. Dort wird „gesiebt", wer zum Chef zuzulassen ist. 1939 ff.

Perücke f **1.** (langes, ungepflegtes) Kopfhaar. Wohl von der Theaterperücke hergenommen. Seit dem 19. Jh. **2.** veraltete Ansicht; altertümliches Herkommen. Die Perücke gilt wie der Zopf als Sinnbild des Veralteten. 1870 ff. **3.** ~ auf dem Auge = künstliche Wimpern. 1965 ff. **4.** jn in die ~ fahren = a) jn bei den Haaren ergreifen. Seit dem 18. Jh. – b) jn barsch anreden, anherrschen. Vgl ↗Haar 16. Seit dem 18. Jh. – c) jds Überheblichkeit oder Heuchelei aufdecken. 1830 ff. **5.** einander in die ~ geraten = miteinander in Streit geraten. ↗Haar 16. Seit dem 18. Jh.

perückend sein eine „Zweitfrisur" tragen.

Wortspiel mit „berückend" und „Perücke". Beispielsweise ist „perückend schön" soviel wie „schön mit Perücke". 1955 *ff.*

pervers *adj* unübertrefflich. Aus dem Begriff „widernatürlich" ergibt sich die Bedeutung „unüblich", die zu „einmalig" und „hervorragend" überleitet. *Jug* 1950 *ff*, österr.

Pesel *m* Penis. Vom männlichen Glied bei Tieren auf den Menschen übertragen. *Niederd* 1700 *ff.*

pesen (peesen) *intr* eilen; schnell gehen; schnell fahren. Geht zurück auf *engl* „to pace = gehen", wohl mit Einfluß von *lat* „pes = Fuß". Seit dem späten 19. Jh.

pesern *intr* ↗ peesern.

Pe'seten *pl* Geld. Peseta ist die *span* Münzeinheit. Möglicherweise im Zusammenhang mit dem spanischen Bürgerkrieg (1936–1939) in Deutschland bekannt geworden durch Angehörige der „Legion Condor".

pessimal *adj* sehr minderwertig. Aus *lat* „pessimum" umgeformt nach dem Muster von ↗ „optimal". *Schül* 1965 *ff.*

Pest *f* 1. ~ am Hals = Erkältung. „Pest" steht übertreibend für jegliche leichtere Unpäßlichkeit. *BSD* 1965 *ff.*
2. braune ~ = Nationalsozialismus. „Braun" wegen der Grundfarbe der Hemden. 1933 *ff* (Bert Brecht).
3. ganz große ~ = sehr große Unannehmlichkeit. 1940 *ff.*
4. rote ~ = Kommunismus. „Rot" wegen der Farbe der Fahne. 1925 *ff.*
5. schwarze ~ = Heizer. Sie sind rußgeschwärzt. *Marinespr* 1910 *ff.*
6. wie die ~ = a) sehr; bitterlich. Aus der Vorstellung von der seuchenartigen Verbreitung hat sich ein Ausdruck allgemeiner Steigerung entwickelt. Seit dem 19. Jh. – b) ununterbrochen; ausdauernd. Verheerende Seuchen sind schwer zu bekämpfen und halten sich sehr lange. 1950 *ff*, halbw. – c) vortrefflich. *Halbw* 1950 *ff.*
7. wie die ~ abhauen = sich sehr rasch entfernen. ↗ abhauen 6. 1920 *ff.*
8. sich ärgern wie die ~ = sich sehr ärgern. 1930 *ff.*
9. etw fürchten wie die ~ = etw überaus fürchten. Seit dem 17. Jh.
10. etw (jn) hassen (scheuen, fliehen, meiden o. ä.) wie die ~ = etw (jn) unerbittlich hassen, verabscheuen. 1600 *ff.*
11. es klebt wie die ~ = es klebt unlösbar. Anspielung auf das hartnäckige Wüten der Pest. 1950 *ff.*
12. das ist die kleine ~!: Ausdruck heftigen Abscheus. *Jug* 1955 *ff.*
13. schwätz' mir nicht die ~ an den Mastdarm! = verschone mich mit deinem Geschwätz! *BSD* 1965 *ff.*
14. wie die ~ stinken = widerlich riechen. Seit dem 16./17. Jh.
15. jm die ~ an den Hals wünschen = jm Schlechtes anwünschen; jn zutiefst verachten. Seit dem 19. Jh.
16. es geht wie die ~ = es herrscht heftiger Durchzug. 1900 *ff.*

Pestbeule *f* 1. Kopf. Aufgefaßt als Anschwellung durch ungesunde Säfte. *BSD* 1965 *ff.*
2. Schimpfwort (harmloser Art). *BSD* 1965 *ff.*
3. ärgerniserregender Vorfall. 1930 *ff.*
4. *pl* = Furunkulose. Es sind beulenartige Anschwellungen. *BSD* 1965 *ff.*

Peter *m* 1. Rufname des schwarzhaarigen Katers. Geht zurück auf das Spiel „Schwarzer Peter". Seit dem 19. Jh.
2. langsamer ~ = langsam tätiger, träger Mann. Peter als sehr häufiger Vorname nimmt die neutrale Geltung von „Mann" an. 1900 *ff.*
3. langweiliger ~ = langweiliger Mann; umständlicher und ermüdend Erzählender. 1900 *ff.*
4. schwarzer ~ = a) katholischer Geistlicher. Anspielung auf die schwarze Amtstracht. 1900 *ff.* – b) Schuldiger. Im Kinderkartenspiel „Schwarzer Peter" ist er der Verlierer. Seit dem ausgehenden 19. Jh.
5. trockener ~ = langweiliger, schwungloser Mann. ↗ trocken. Seit dem 19. Jh.
6. den Schwarzen ~ haben = der Schuldige, der Letztverantwortliche sein. Bei dem Kinderkartenspiel verbleibt die Karte mit dem „Schwarzen Peter" als letzte bei ihm; er kann sie an keinen Mitspieler weitergeben und muß also erleiden, was dem Verlierer zugedacht ist. 1890 *ff.*
7. den Schwarzen ~ auf den Tisch legen = sich zur Verantwortung bekennen. 1930 *ff.*
8. jm den Schwarzen ~ in die Schuhe schieben = die Verantwortung auf jn abwälzen. Gekreuzt aus „jm den Schwarzen ~ zuschieben" und „jm etw in die ↗ Schuhe schieben". 1960 *ff.*
9. aus dem Schwarzen ~ sein = nach Verwundung endgültig frontdienstuntauglich sein. Der Betreffende ist von der gefahrbringenden Spielkarte freigekommen. *Sold* 1939 *ff.*
10. den Schwarzen ~ weiterreichen (weiterschieben) = die Verantwortung einem anderen aufbürden. 1930 *ff.*
11. den Schwarzen ~ zurückgeben = a) die Verantwortung auf den eigentlich Verantwortlichen abwälzen. 1925 *ff.* – b) die Entscheidung ablehnen und an den Unentschlossenen zurückverweisen. 1950 *ff.*
12. jm den Schwarzen ~ zuschieben; jn zu Unrecht bezichtigen. 1950 *ff.*

Petersilie *f* 1. ihm ist die ~ verhagelt = er ist mißgestimmt, bedrückt, niedergeschlagen. Das Hagelschlag getroffene Petersilienbeet steht sinnfällig für den Begriff „niedergeschlagen". Mensch und Petersilie sind niedergeschlagen, die Petersilie im eigentlichen, der Mensch im übertragenen Sinne. Seit dem 18. Jh.
2. aussehen, als hätte es einem die ~ verhagelt = eine bedrückte Miene machen. Seit dem 19. Jh.
3. er macht ein Gesicht wie verhagelte ~ = er blickt ratlos, bekümmert drein. 1900 *ff.*
4. jm die ~ verhageln = jds Hoffnungen vereiteln. 1950 *ff.*

Peterwagen *m* Funkstreifenwagen der Polizei. „Peter" kann im Buchstabenalphabet „Polizei" bedeuten. „Blauer Peter" heißt auch der Wimpel, der jedes auslaufende Schiff kurz vor seiner Abreise setzt, und die Uniformfarbe des Polizeibeamten ist blau. Nach anderer Deutung war Peter der Vorname eines Funkstreifenfahrers, nach dem das Kind benannt wurde, das auf der Fahrt zur Entbindungsstation in seinem Streifenwagen zur Welt kam. Wieder anderen Quellen zufolge hat sich ein *engl* Kontrolloffizier das Wort „Patrolcar" buch-

stabieren lassen, und als ihm „P wie Peter" gesagt wurde, nannte er den Wagen „Peter- Car". 1946 *ff.*

Petrijünger (Jünger Petri) *m* Angler. Nach dem Bericht des Neuen Testaments war Petrus von Beruf Fischer. Spätestens seit 1900.

Petronella (Petronilla) *f* Bordellbesitzerin. Herleitung unbekannt. *Sold* 1941 *ff; ziv* 1945 *ff*, Berlin.

Petrus *m* 1. großer Hausschlüssel. Hergenommen von der volkstümlich-katholischen Vorstellung von Petrus als Himmelspförtner; der Schlüssel ist in der bildenden Kunst Machtsinnbild des Petrus. 1900 *ff.*
2. Marke ~ = minderwertige Zigarre. Anspielung auf die Bibelstelle „er ging hinaus und weinte bitterlich" (Matthäus 26, 75). *Sold* in beiden Weltkriegen; auch *ziv.*
3. Marke ~ = Witz mit anspruchsloser Pointe. Die Pointe tut weh, weswegen man das Gesicht verzieht, als müsse man weinen. *Vgl* das Vorhergehende. 1914 *ff.*
4. bei ~ anklopfen = sterben; auf dem Schlachtfeld fallen. Anspielung auf Petrus als Himmelspförtner. 1940 *ff.*
5. sich mit ~ bekanntmachen = sterben; im Krieg fallen. *Sold* 1939 *ff.*
6. ~ blinzelt = es wetterleuchtet. Hier gilt Petrus als Wettermacher. 1960 *ff.*
7. sei bloß ruhig, oder hast du eine Verabredung mit ~?: Drohfrage. 1930 *ff*, jug.
8. ~ kegelt (spielt Kegel) = es donnert. Der rollende Donner klingt wie das Rollen der Kegelkugel. 1900 *ff.*
9. jetzt ist ~ der Sack geplatzt = Blitz, Donnerschlag und Wolkenbruch ereignen sich (fast) gleichzeitig. *Sold* 1910 *ff.*
10. ~ hat geschissen (gefurzt) = es donnert heftig. *Sold* in beiden Weltkriegen.
11. er hat einen Sondervertrag mit ~ = sein Wunsch nach gutem Wetter wird erfüllt. 1950 *ff.*
12. ~ haut auf die Kiste = es donnert. 1900 *ff.*
13. dem ~ die Sohlen kitzeln können = großwüchsig sein. 1900 *ff.*
14. ~ läßt Wasser = es regnet. 1900 *ff.*
15. mit ~ reden = auf gutes Wetter warten. Scherzhaft hofft man, der gutmütige und gütige Wettermacher werde sich erweichen lassen. 1920 *ff.*
16. ~ rückt Schränke = es donnert verhalten in der Ferne. 1900 *ff.*
17. ~ rülpst = es grummelt in der Ferne; Gewitterwolken ballen sich. 1920 *ff.*
18. ~ schiebt Kegel = es donnert. ↗ Petrus 8. 1840 *ff.*
19. ~ schifft = es regnet heftig. ↗ Petrus 14; ↗ schiffen. 1900 *ff.*
20. mit ~ Sechsundsechzig spielen = gestorben, als Soldat gefallen sein. 1938 *ff*, sold.
21. ~ zieht um = es donnert heftig. 1900 *ff.*
22. bei ~ wohnen = im höchsten Stockwerk wohnen. 1920 *ff.*

Petruslatein *n* lügenhafte Erzählungen von Fischern und Anglern. ↗ Petrijünger; ↗ Latein 2. 1900 *ff.*

Petrustränen *pl* schlechter Wein. Der Bezeichnung „Lacrimae Christi" nachgebildet als „Lacrimae Petri" in Anlehnung an den biblischen Bericht, wonach Petrus hinausging und bitterlich weinte. ↗ Petrus 2. 1870 ff, Berlin.

'Petschaft n 1. herzhafter Kuß. Eigentlich das Siegel oder der Stempel zum Versiegeln. 1910 ff.

2. Lippen-, Schminkstift. 1930 ff.

'Petti'köter m junger Mann, der jungen Mädchen unter den Rock greifen oder sonstwie intim werden möchte. 1957 zusammengesetzt aus „Petticoat" und „Köter", wobei letzteres auf Geilheit anspielt.

'petto 1. etw in ~ haben (halten) = etw noch zurückhalten, vorenthalten; etw für spätere Verwendung (Veröffentlichung) vorsehen. Stammt aus *lat* „in pectore" über *ital* „in petto" im Sinne von „in der Brust, im Herzen". Das Geheimnis verwahrt man in der Brust. Seit dem 18. Jh.

2. es ist in ~ = es steht zu erwarten. 1800 ff.

Petz m Meister ~ = Bär. Eigentlich Koseform des männlichen Vornamens Bernhard, dann auch Name des Bären; vielleicht weil Bernhard ursprünglich „bärenstark, bärenkühn" bedeutet. 1500 ff.

petzen tr 1. jn verraten, anzeigen, dem Lehrer melden. Wahrscheinlich schallnachahmender Herkunft: „petzen" verbalisiert einen kurzen (spitzen), schrillen Laut, wie ihn der Jagdhund ausstößt, der ein Stück Wild verbellt. Seit dem späten 18. Jh.

2. kneifen, zwicken. Nebenform zu „pitschen". Seit dem 19. Jh.

3. intr = betteln. Das Opfer wird mit Bitten um Geld oder Brot „gezwickt" (= belästigt). *Österr* 1920 ff.

pexieren (peccieren, peksieren, pekzieren) tr etw verschulden; etw verderben. Im 16. Jh aus *lat* „peccare = sündigen" entwickelt.

Pe'zet (PZ) f Polizei. Hieraus abgekürzt in Gaunerkreisen, etwa seit 1850.

Pfaff (Pfaffe) m 1. Geistlicher (Berufsschelte). Stammt aus der Kirchensprache und beruht auf *griech* „pappas = Vater". Eigentlich der Weltgeistliche als Gegenwort zum Ordenspriester. Die Schmähgeltung taucht im 13. Jh auf, vor allem in Schriften wider die Herrschaft des Klerus; sehr häufig seit dem 15. Jh und bis heute.

2. ~ studieren = Theologiestudent sein. Seit dem 19. Jh.

Pfaffen-Ari f Kirchenglocken. ↗ Ari. *Sold* 1914 ff.

Pfaffen-Artillerie f Kirchenglocken. *Sold* 1914 ff. Vorausgegangen ist „Artillerie der Geistlichkeit" als Ausspruch Kaiser Josephs II. (1765–1790).

Pfaffensack m 1. habgieriger Mensch. Meint eigentlich den Sack, in den der unersättliche Geistliche die Gaben der Gläubigen steckt. Seit dem 19. Jh.

2. immer rin in den ~l: Begleitruf des Kartenspielers, der Stich auf Stich einheimst. Kartenspielerspr. seit dem 19. Jh.

3. einen ~ haben = nie genug bekommen können. Das Sprichwort sagt: „Der Pfaffensack hat keinen Boden = die Kirche ist unersättlich". Seit dem 19. Jh.

Pfaffenschnitzel (-schnitzle) n saftigstes, wohlschmeckendstes Stück vom Gänseoder Entenbraten, auch von der Brust des Hahns. Anspielung auf den Sinn der Geistlichen für Tafelfreuden. 1700 ff.

Pfahl m 1. Penis. Übertragen von der Bezeichnung des Zeugungsglieds des Stiers. 1700 ff (wahrscheinlich älter).

2. ~ im Fleisch = ständig fühlbare Behinderung. Geht zurück auf 2. Korinther 12, 7. 1500 ff.

3. die vier Pfähle = Behausung, Wohnung, Daheim. Leitet sich her von den Eckpfeilern der Hofumfriedigung. Seit dem 13. Jh.

4. auf seinem Kopf kann man Pfähle anspitzen = er ist unempfindlich, dumm, begriffsstutzig. Die harte und dicke Schädeldecke hindert am normalen Begreifen und Empfinden. Seit dem 19. Jh.

Pfandhaus n die Uhr geht nach dem ~ = die Uhr geht falsch. Während ihres Aufenthalts im Versatzamt ist die Uhr abgelaufen und beim Einlösen nur aufgezogen, aber nicht neu gestellt worden. 1900 ff.

Pfandl n Pfandleihanstalt in Wien. Seit dem 19. Jh.

Pfandschein m kann ein ~ ticken?: verneinende Antwort, wenn einer nach der Uhrzeit gefragt wird. Umschreibend sagt er, seine Uhr befinde sich zur Zeit im Pfandhaus. Berlin 1920 ff.

Pfanne f 1. Vagina, Vulva. Versteht sich nach „↗ Wurst in der Pfanne braten", auch nach „Pulver auf die Pfanne schütten". 1500 ff.

2. Frau, Mädchen; intime Freundin eines Halbwüchsigen. Pars pro toto nach dem Vorhergehenden. 1900 ff.

3. Gesicht. Anspielung auf die Rundform. *BSD* 1965 ff.

4. Banjo in einer Jazzkapelle. Es ähnelt der Bratpfanne mit Stiel. *Halbw* 1955 ff.

5. breite Hand; Handteller. 1800 ff.

6. Bestrafung; Strafdienst. Entwickelt aus „jn in die ↗ Pfanne hauen". *BSD* 1965 ff.

7. Liege, Bett. Formverwandt mit der „↗ Mulde". *Halbw* 1960 ff, *schweiz.*

8. fiese ~ = häßliches Mädchen. ↗ fies 1. 1900 ff.

9. einen auf die ~ gießen = ein Glas Alkohol, einen Schluck aus der Schnapsflasche zu sich nehmen. Hängt zusammen mit der Pulverpfanne am Steinschloßgewehr. 1800 ff.

10. etw auf der ~ haben = a) etw vorhaben; etw sofort vorbringen können); einsatzbereit sein. Hergenommen von der Pfanne an alten Gewehren: auf die Pfanne wird ein kleiner Teil der Treibladung geschüttet, der größere Teil kommt in den Lauf und wird dort mit dem Ladestock festgestampft; durch das Pulver auf der Pfanne wird das im Lauf befindliche Pulver gezündet. Seit dem 19. Jh. – b) Besonderes leisten können; gewitzt sein. 1900 ff.

11. eins auf die ~ haben = a) bezecht sein. Verkürzt aus „einen auf die Pfanne gegossen haben"; ↗ Pfanne 9. Seit dem 19. Jh. – b) einen Darmwind zurückhalten; Stuhldrang haben. „Pfanne" ist weiterentwickelt aus der Zündpfanne am Gewehr. 1900 ff. – c) eine schlimme Sache beabsichtigen. 1900 ff.

12. eins auf der ~ haben = schwanger sein. Seit dem 19. Jh.

13. jn auf der ~ haben = auf jn zielen; seine Absicht auf jn richten. 1939 ff.

14. nichts auf der ~ haben = arm sein. „Nichts = kein Pulver" und „↗ Pulver = Geld". 1900 ff.

15. keinen Ton auf der ~ haben = unmusikalisch singen. 1950 ff.

16. rote ~n auf dem Dach haben = rötliches Haar haben. Von den Dachpfannen übertragen, die einer auf den „↗ Dach" hat. 1900 ff.

17. jn in die ~ hauen = a) jn niederschlagen, im Wortgefecht besiegen; jn moralisch anprangern; jn für unfähig erklären; jn vernichtend kritisieren. Hergenommen von der Koch- oder Bratpfanne, in die man ein Stück Fleisch wirft oder ein Ei schlägt. 1600 ff. – b) jn zur Anzeige bringen; an jm heimtückischen Verrat begehen; jn um das Wohlwollen anderer bringen. 1900 ff. – c) jn übertölpeln. 1900 ff.

18. einen in die ~ hauen = koten. Versteht sich nach dem Folgenden. *BSD* 1965 ff.

19. nicht auf die ~ kommen = nicht berücksichtigt werden. Pfanne = Stechbecken; daher analog zu „nicht zu ↗ Stuhl kommen". 1950 ff.

20. das kommt nicht in die ~ = das kommt nicht in Betracht. Pfanne = Bratpfanne. 1950 ff.

21. einen vor die ~ kriegen = Prügel bekommen. „Pfanne = Gelenkpfanne = Gesäß" oder „Pfanne = Gesicht = Kopf". 1920 ff.

22. gut in der ~ liegen = sich jds Wohlwollen erfreuen. Anspielung auf Geschlechtsverkehr oder eng aneinandergeschmiegtes Liegen. 1900 ff.

23. einen von der ~ rollen lassen = einen Darmwind entweichen lassen. ↗ Pfanne 11 b. 1930 ff.

24. von der ~ rutschen = Mißerfolg erleiden. Von der Bettpfanne o. ä. hergenommen. 1950 ff.

25. jn in die ~ schlagen = jn moralisch (geschäftlich o. ä.) erledigen. ↗ Pfanne 17 a. 1900 ff; wohl älter.

26. jn auf der ~ servieren = jn der Polizei übergeben. Man bringt ihn wie ein Pfannengericht dar. 1950 ff.

27. etw heiß auf der ~ servieren = etw gekonnt darbieten. *Halbw* 1960 ff.

28. einen auf die ~ setzen = ein Glas Alkohol zu sich nehmen. ↗ Pfanne 9. 1900 ff.

Pfannenjäger m Jäger ohne „saubere Jagdmoral". Er jagt nur um des Stücks Wild in der Bratpfanne willen. 1960 ff.

Pfannenschenkel pl Mädchenbeine; Mädchen. ↗ Pfanne 2. *Halbw* 1960 ff.

Pfannenstücke pl jn in ~ zerhauen = jn heftig verprügeln. ↗ Pfanne 17 a. Berlin 1900 ff.

Pfannkuchen m 1. Kuhfladen. Er ist flach wie der Eierpfannkuchen. 1870 ff.

2. Mütze der Panzerjäger. Formähnlich mit dem in schwimmendem Fett gebackenen Pfannkuchen („Berliner", „Krapfen"). *Sold* 1939 ff.

3. Barett der Fallschirmspringer. *BSD* 1970 ff.

4. weibliche Brust. ↗ Berliner. *Sold* 1935 ff.

5. ~ auf (mit) Beinen = kleinwüchsiger, dicklicher Mensch. Beruht auf dem Vergleich mit dem „Berliner Pfannkuchen". 1840 ff.

6. ein Gesicht wie ein ~ = rundes, ausdrucksloses Gesicht. Seit dem späten 19. Jh.

7. rollender ~ = untersetzter Mensch. Er ähnelt dem „Berliner Pfannkuchen" oder dem „Kartoffelpuffer". *Halbw* 1960 ff.

8. ausdruckslos wie ein ~ = nichtssagend. Das (der, die) Gemeinte ist flach wie ein Eierpfannkuchen. 1930 *ff*.
9. platt wie ein ~ = a) sehr überrascht. ↗platt sein. 1920 *ff*. – b) flachbusig. 1700 *ff*.
10. aufgehen wie ein ~ = dick werden. Hefeteig muß vor dem Backen „gehen" (aufgehen = an Umfang zunehmen). 1870 *ff*.
11. ~ machen = mit dem Flugzeug abstürzen und auf dem Erdboden aufprallen. Anspielung auf den flachen Eierpfannkuchen. Fliegerspr. 1935 *ff*. *Vgl engl* „to pancake".
12. aus jm ~ machen = jn niederwalzen, mit dem Panzerkampfwagen überfahren. 1939 *ff*.
Pfannkuchengesicht *n* gedunsenes Gesicht. ↗Pfannkuchen 6. 1870 *ff*.
Pfarrer *m* **1.** es wie ~ Assmann machen = nach Belieben verfahren. ↗Pfarrer 4. Etwa seit 1870.
2. es wie ~ Krause machen = nach Gutdünken handeln. 1900 *ff*.
3. es wie ~ Nolte machen = eigenmächtig vorgehen. Man erklärt: „Pfarrer Nolte machte es, wie er wollte", wohl wegen des Reims. 1870 *ff*.
4. es wie ~ Raßmann machen = nach Gutdünken handeln. Ein mit dem Namen Raßmann wird für die Amtszeit von 1734–1766 ein Pfarrer in Balhorn-Wolfhagen nachgewiesen, der ein oft eigenwilliger Seelenhirt gewesen sein soll; ebenfalls eigenmächtig soll Karl Christian Raßmann gewesen sein, der von 1849–1861 Pfarrer in Mecklar bei Hersfeld war. Geläufig etwa seit 1890.
5. der ~ predigt auch nur einmal: Redewendung, wenn einer aufgefordert wird, seine Äußerung zu wiederholen. Seit dem 19. Jh.
Pfarrerstöchter *pl* unter uns ~n (unter uns katholischen ~n; unter uns linksrheinischen katholischen ~n) = unter Eingeweihten; ohne fremde Zeugen; unverblümt. Anspielung auf die Kenntnis der Pfarrerstöchter von internen Angelegenheiten der kirchlichen Gemeinde. Die Hinzufügung „katholisch" bespöttelt die Ehelosigkeit der katholischen Geistlichen, und „linksrheinisch" spielt im Zusammenhang mit den Kölner Wirren und dem Kulturkampf auf ultramontane Gesinnung an. 1830 *ff*.
Pfau *m* **1.** blau wie ein ~ = volltrunken. Im Pfauengefieder kommt auch das Blau vor; aber hier geht es mehr um den Binnenreim. ↗blau 5. 1920 *ff*.
2. eitel wie ein ~ = sehr eitel, putzsüchtig. Das Spreizen der Schwanzfedern wird dem Pfau als Eitelkeit und Stolz ausgelegt. Seit dem 18. Jh.
3. stolz wie ein ~ = überheblich; unnahbar. Seit dem 18. Jh.
4. sich aufplustern wie ein ~ = sich brüsten; sich aufspielen. 1900 *ff*.
'pfauen'blau *adj* volltrunken. ↗Pfau 1. 1920 *ff*.
Pfeffer *m* **1.** Schießpulver; mittelstarke Schrotsorte. Von den Pfefferkörnern übernommen. *Rotw* 1733 *ff*.
2. Beschuß. ↗pfeffern. *Sold* 1914 *ff*.
3. Temperament, Schwung, Unternehmungslust, Angriffsgeist. *Vgl* ↗Pep 1. Spätestens seit 1900.

4. temperamentvolle Frau. 1920 *ff*.
5. Strafarbeit des Schülers. Sie ist „↗gepfeffert". 1950 *ff*.
6. ~ für die Augen = aufreizender Anblick. 1955 *ff*.
7. mehr ~ = höhere Motorleistung. 1960 *ff*.
8. infamer ~ = heftige Prügel. ↗pfeffern. 1900 *ff*.
9. langer ~ = Prügel. Eigentlich eine ostindische Pfefferart; hier bezieht sich „lang" wohl auf den Prügelstock (im Unterschied zur Hand). Berlin 1950 *ff, jug*.
10. jm ~ in den Arsch blasen (streuen) = jn antreiben, anfeuern, ermuntern; jn streng behandeln. Der Pferdehändlerpraxis entnommen. Der Pfeffer macht man die zum Verkauf vorgeführten Pferde vorübergehend „feurig". 1870 *ff*.
11. jm ~ unter das Hemd blasen = jn antreiben. Mildere Variante zum Vorhergehenden. *Sold* 1939 *ff*.
12. jm ~ geben = a) jn streng einexerzieren; *BSD* 1965 *ff*. – b) jn reizen. 1920 *ff*.
13. ~ geben = Gas geben; die Fahrgeschwindigkeit erhöhen. 1930 *ff*.
14. ~ im Arsch haben = ungeduldig stehen; temperamentvoll sein. 1890 *ff*.
15. ~ zwischen den Beinen haben = liebesgierig sein. 1950 *ff*.
16. ~ im Hintern haben = unruhig sitzen oder stehen; nervös hin- und hergehen. 1890 *ff*.
17. ~ kriegen = Prügel erhalten. 1900 *ff*.
18. ~ mahlen = eine enge Gangart haben; beim Gehen aufreizend das Gesäß hin- und herschwingen. 1920 *ff*.
19. ~ reiben = a) beim Radfahren seitwärts auf dem Sattel hin- und herrutschen. Im 19. Jh soviel wie „keine Minute stillsitzen können". Auf die kurzbeinigen Radfahrer seit 1920 bezogen. – b) eng aneinandergeschmiegt tanzen. 1920 *ff*.
20. ~ hinter etw setzen = eine Angelegenheit nachdrücklich vorantreiben. ↗Pfeffer 10. 1920 *ff*.
21. im ~ sitzen = in arger Verlegenheit sein. „Pfeffer" meint hier wohl die stark mit Pfeffer gewürzte Tunke; dadurch analog zu ↗Brühe 15. 1800 *ff*.
22. ich wünschte, du wärst, wo der ~ wächst!: Ausdruck heftigsten Unwillens gegen einen Menschen. Als „Pfefferland" galt ursprünglich „Ostindien" (Vorder- und Hinterindien sowie der Malaiische Archipel), in Europa bekannt geworden durch Vasco da Gamas Entdeckung des Seewegs nach Indien (1497/98); daher wußte man, daß der Pfeffer aus sehr weiter Ferne kommt. Seit dem frühen 16. Jh belegt.
Pfefferbüchse (-dose) *f* Vagina. ↗Büchse; ↗pfeffern 3. 1900 *ff*.
Pfeffergeschirr *n* billiges Küchenporzellan; Steingut o. ä. Es eignet sich zum Werfen; ↗pfeffern 1. 1900 *ff*.
pfefferig *adj* reich an aufregenden, aufreizenden Zusätzen; energiegeladen; hochdramatisch. 1950 *ff*.
Pfefferminzchen *pl* Geldmünzen; Geld. Wegen der Kreisform. Auch klingt „↗minzchen" an „Münzchen" an. *Westd* 1900 *ff*.
Pfeffermühle *f* **1.** Gesäß. *Vgl* ↗Pfeffer 19. *Sold* seit dem späten 19. Jh.
2. Fahrrad; Motorrad. ↗Pfeffer 19; ↗Reibe. 1930 *ff*.

pfeffern *v* **1.** *tr* = kräftig werfen. Fußt auf „gewürzt = scharf, kräftig, pikant". Seit dem 19. Jh.
2. *intr* = schießen; ein Gewehr laden. ↗Pfeffer 1. 1800 *ff*.
3. *intr* = koitieren. Analog zu „↗schießen". Auch gilt Pfeffer als erotisches Anregungsmittel. 1700 *ff*.
4. einen ~ = a) ein Glas Alkohol zu sich nehmen. Mit einem Ruck „wirft" man den Inhalt des Glases in den Mund. 1960 *ff*. – b) koten. Bezieht sich auf kräftigen Stuhlgang. 1870 *ff*.
5. *tr* = jn verweisen, verjagen; einen Schüler von der Schule entfernen. 1870 *ff*.
6. jm eins ~ = jm einen heftigen Schlag versetzen; jn heftig ohrfeigen; jn barsch zurechtweisen. 1800 *ff*.
Pfeffersack *m* **1.** Kaufmann. Im engeren Sinne der Gewürzhändler. *Vgl* auch ↗Pfeffer 22. Um 1500 aufgekommen.
2. Handelsschüler. 1950 *ff*.
3. Wohlhabender. 1900 *ff*.
Pfeffersprüche *pl* Zwei- oder Vierzeiler mit erotischem Text. Sie sind „pikant". 1900 *ff*.
Pfeife *f* **1.** Versager. Leitet sich her entweder von „alter Pfeife" im Sinne der Unbrauchbarkeit oder von der Windpfeife an der Orgel (der Betreffende „macht ↗Wind"). 1900 *ff*.
2. Penis. Entweder übertragen vom Ausguß an der Kanne, überhaupt von der Wasserröhre, oder Anspielung auf Fellieren. 1500 *ff*.
3. Verräter. ↗pfeifen 1. 1900 *ff*.
4. Verrat. 1900 *ff*.
5. enges Hosenbein. Hergenommen von „Ofenpfeife = Ofenrohr". ↗Ofenpfeifenhosen. 1850 *ff*.
6. Atemluft. Übernommen vom pfeifenden Atem. 1800 *ff*.
7. ~!: Ausruf der Ablehnung; Aufforderung zum Verstummen. Der Betreffende soll die gezeigte „Pfeife" (*vgl* das Vorhergehende) halten; analog zu „halt' die ↗Luft an!". 1900 *ff*.
8. alte ~!: gemütliches Scheltwort. 1900 *ff*.
9. laufende ~ = Tripper. Gemeint ist der tröpfelnde Penis. ↗Pfeife 2. 1910 *ff*.
10. verbogene ~ = von einer Geschlechtskrankheit befallener Penis. ↗Pfeife 2. 1950 *ff*.
11. zerbrochene ~ = venerisch infizierter Penis. ↗Pfeife 2. 1910 *ff*.
12. die ~ anlegen = ein Geständnis ablegen. ↗pfeifen 1. 1900 *ff*.
13. ihm geht die ~ aus = a) er bekommt keine Atemluft mehr; er wird kurzatmig. ↗Pfeife 6. 1800 *ff*. – b) er liegt im Sterben. 1800 *ff*. – c) er verliert die Geduld; ist am Ende seiner Langmut. Pfeife = Tabakspfeife. 1900 *ff*.
14. vor Schreck geht ihm die ~ aus = er ist sehr bestürzt. 1900 *ff*.
15. ihm ist die ~ ausgegangen = a) er hat kein Geld mehr. 1900 *ff*. – b) er hat seine Geschlechtskraft eingebüßt. 1900 *ff*; wohl älter (↗Pfeife 2).
16. die ~ ausklopfen (ausschlagen) = a) harnen (vom Mann gesagt). ↗Pfeife 2. Meint eigentlich das Reinigen des Ofenrohrs oder der Tabakspfeife. Seit dem 19. Jh. – b) koitieren. 1900 *ff*.
17. die ~ einziehen = kleinlaut werden; vom Aufbegehren ablassen. Pfeife = Pe-

nis; dadurch analog zu „den ↗Schwanz einziehen". 1600 *ff.*

18. jm die ~ halten = jn verulken; mit jm seinen Spott treiben; jm ein trügerisches Versprechen geben. Bezieht sich wohl auf die Tabakspfeife, die man für einen anderen hält und mit der man sich einen Schabernack erlaubt. Berlin 1900 *ff.*

19. jn für eine ~ halten = jn für dumm (töricht, untauglich) halten. ↗Pfeife 1. 1900 *ff.*

20. halt' die ~! = schweige, verstumme! *Vgl* ↗Pfeife 7. 1900 *ff.*

21. das haut einem die ~ aus der Schnauze (aus dem Maul)!: Ausdruck großer Überraschung, tiefer Erschütterung o. ä. 1925 *ff.*

22. die ~ juckt = man verlangt nach Geschlechtsverkehr. ↗Pfeife 2. 1900 *ff.*

23. eine ~ machen = Haschisch rauchen. *Halbw* 1965 *ff.*

24. ~ rauchen = fellieren. ↗Pfeife 2. 1900 *ff.*

24 a. dich rauche ich gleich in der ~!: Drohrede; Ausdruck der Abweisung. 1970 *ff.*

24 b. die kannst du in der ~ rauchen = diese Schularbeit hast du verfehlt. *Schül* 1975 *ff.*

25. ~n schneiden = koitieren. Fußt auf dem Sprichwort: „wer im Rohr sitzt, kann sich Pfeifen schneiden, soviel er will" im Sinne von „wem sich die günstige Gelegenheit bietet, der soll sie auch nutzen". 1800 *ff.*

26. ihm steht die ~ nicht mehr = a) er ist altersschwach, hat keine Geschlechtskraft mehr. Anspielung auf die Versteifung des Zeugungsglieds. 1910 *ff.* – b) er ist gestorben, als Soldat gefallen. *Sold* in beiden Weltkriegen; *ziv* 1914 bis heute.

27. nach jds ~ tanzen = jm willenlos gehorchen; den kleinsten Wink eines anderen befolgen. Stammt entweder aus dem Totentanz, bei dem der Tod Pfeifenspieler ist, oder von der Pfeife, zu deren Tönen der Bär des Schaustellers zu tanzen hatte, oder fußt auf der Bibel (Matthäus 11, 15 ff; Lukas 7, 32). Seit dem 15. Jh.

28. die nach ~ tanzen lassen = Schiedsrichter in einem sportlichen Wettkampf sein. Hier ist die Trillerpfeife gemeint. *Sportl* 1950 *ff.*

29. sich die ~ verbrennen = sich eine Geschlechtskrankheit zuziehen. ↗Pfeife 2. 1900 *ff.*

30. sich die ~ verkloppen = geschlechtskrank werden. Beim Ausklopfen der Pfeife (↗Pfeife 16 b) begeht man einen Fehler. 1900 *ff.*

31. dein Kopf auf einer ~, und man kann vor Lachen nicht ziehen: Redewendung angesichts eines sonderbar geformten Kopfes. 1900 *ff.*

pfeifen v **1.** *intr* = Verräter sein: Mitschuldige benennen; ein Geständnis ablegen. Übertragen vom Pfeifen der Tiere (die Spatzen pfeifen es von den Dächern); man verständigt sich durch Pfeiftöne oder ruft durch Pfeifen herbei. *Rotw* 1733 *ff.*

2. *intr* = befehlen. Nach den Melodien des Pfeifenspielers müssen die anderen tanzen. 1900 *ff.*

3. *intr* = koten; den Kot aus großer Höhe fallen lassen. 1800 *ff.*

4. *intr* = schlafen. Wohl wegen des

(mehr oder weniger) leise pfeifenden Atems. 1900 *ff.*

5. *intr tr* = in einem sportlichen Wettkampf Schiedsrichter sein. Hergenommen von der Trillerpfeife. *Sportl* 1950 *ff.*

6. jm etw ~ = a) jm etw vertraulich mitteilen. Leises Pfeifen läßt sich auch als Flüstern auffassen. Seit dem 19. Jh. – b) jm etw ablehnen, verweigern. Eine formulierte Sinnbildhandlung: wer, statt zu antworten, pfeift, drückt dadurch Geringschätzung aus. 1700 *ff.*

7. auf etw ~ = etw ablehnen; etw für minderwertig halten. *Vgl* das Vorhergehende. Seit dem 18. Jh.

8. auf jn ~ = jn mißachten; jn nicht leiden können; auf jn verzichten. ↗pfeifen 6 b. Seit dem 19. Jh.

9. jm einen ~ = fellieren. Analog zu ↗blasen 7. 1820 *ff.*

10. einen ~ = ein Glas Alkohol zu sich nehmen. Stammt aus einer alten Soldaten- und Knechtssitte: vor dem Trinken bläst man in die Feldflasche (Flasche, Kruke), weil man an der Höhe oder Tiefe des pfeifenden Tons hören kann, wieviel Flüssigkeit das Gefäß noch enthält. 1500 *ff.*

Pfeifendeckel m **1.** ja, ~!: Ausdruck der Verneinung und Ablehnung. Meint vielleicht, der Betreffende solle einen Deckel auf seine „Pfeife" (= Mund) tun, nämlich verstummen. Doch *vgl* auch das Folgende. Seit dem späten 19. Jh.

2. einflußloser Mensch; Dümmling; Mensch, der nicht ernstgenommen wird. 1870 *ff.*

Pfeifenhändler m Kuppler; Vermittler von jungen Männern für Homosexuelle. ↗Pfeife 2. 1920 *ff.*

Pfeifenheini m **1.** Versager. ↗Heini 1; ↗Pfeife 1. 1910 *ff.*

2. Schiedsrichter beim Fußballspiel. Anspielung auf die Trillerpfeife. *Sportl* 1930 *ff.*

3. Flötenspieler; Pfeifer im Spielmannszug. 1930 *ff.*

Pfeifenmann m Schiedsrichter. Wegen der Trillerpfeife. *Sportl* seit 1920/25.

Pfeifenmeister m erfahrener Schiedsrichter. *Sportl* 1930 *ff.*

Pfeifenstierer m Pfeifenreiniger. ↗stieren. *Oberd* seit dem 19. Jh.

Pfeiferlhose f enganliegende Hose. ↗Ofenpfeifenhosen. 1850 *ff,* österr.

Pfeiferlwasser n Mineralwasser. Wegen des Zischlauts, der beim Öffnen der Flasche entsteht. *Bayr* 1920 *ff.*

Pfeifkonzert n **1.** öffentliche Mißfallenskundgebung bei Wettspielen, Aufführungen usw. 1900 *ff.*

2. River-Kwai-Marsch. Gemeint ist die gepfiffene Marschmelodie aus dem 1957 von David Lean mit Alec Guinness gedrehten *engl* Spielfilm „Die Brücke am Kwai". 1958 *ff.*

'pfeil'grad *adv* genau; treffend; tatsächlich. Hergenommen vom geradeaus fliegenden Pfeil. *Bayr* 1900 *ff.*

Pfennig m **1.** nicht für fünf (zwei) ~ = überhaupt nicht; nicht (er hat nicht für zwei ~ Verstand). Zwei oder fünf Pfennige stellen einen geringen Wert dar; daher geeignet zur Bedeutung einer verstärkten Verneinung. Seit dem 19. Jh.

2. den ~ drücken, daß der Adler schreit = überaus geizig sein. 1950 *ff.*

3. wenn man ihn sieht, fehlen einem 99 ~ an der Mark: Redewendung auf einen unsympathischen Menschen. Der Betreffende ist bloß einen Pfennig wert. 1900 *ff.*

4. ~e haben = vermögend sein. Scherzhafte Wertminderung. Seit *mhd* Zeit.

5. für keine 5 ~ Ahnung haben = überhaupt nichts wissen. Seit dem 19. Jh.

6. den ~ plattdrücken = jede Ausgabe gewissenhaft bedenken; sparsam leben; geizig sein. 1920 *ff.*

7. auf die ~e rausein = geldgierig sein (vor allem in bezug auf Pfennigbeträge). Seit dem 19. Jh.

8. den ~ zweimal (dreimal) rumdrehen, ehe man ihn ausgibt = sehr sparsam, geizig sein; in bescheidenen Verhältnissen leben. Seit dem 19. Jh.

9. noch den ~ wechseln mögen = sehr geizig sein. 1950 *ff.*

10. keinen ~ wert sein = nichts taugen. Seit dem 19. Jh.

11. keinen müden ~ zahlen = nicht einen einzigen Pfennig beisteuern. ↗Mark I 1. 1960 *ff.*

Pfennigabsatz m hoher, dünner Absatz am Damenschuh. Der Absatz hat den Durchmesser einer Pfennigmünze. 1955 *ff.*

Pfennigfuchsen n Spiel, bei dem man Münzen zur Wand wirft in der Hoffnung, daß die Wappenseite oben zu liegen kommt (und man in Vorteil gerät). 1946 *ff.*

Pfennigfuchser m **1.** Geiziger; in geldlichen Dingen kleinlicher Mensch. Fuchsen = quälen, plagen. *Vgl* auch ↗Federfuchser. 1700 *ff.*

2. Zahlmeister, Rechnungsführer. Soldaten halten bürokratische Genauigkeit für einen Charakterfehler. 1920 bis heute.

3. Junge, der Münzen zur Wand wirft und darauf lauert, daß das Wappen oben zu liegen kommt. ↗Pfennigfuchsen. 1946 *ff.*

Pferd n **1.** dummer Mensch. ↗Roß. 1900 *ff.*

2. großer Hund (Deutsche Dogge). 1920 *ff.*

3. Frau, die geschlechtlichen Anschluß sucht. Anspielung auf „reiten = koitieren". 1910 *ff.*

4. fremdsprachige Übersetzung; Täuschungsmittel. Mit solch einem „Pferd" kann der Schüler das „Rennen" leichter gewinnen. 1910 *ff.*

5. ~ im Badeanzug = Zebra. Vom gestreiften Badeanzug hergenommen. Klingt wie die Pointe eines Kinderwitzes. 1920 *ff.*

6. abgerittenes ~ = bejahrte Frau. ↗Pferd 3. Seit dem 19. Jh.

7. altes ~ = gemütliche Schelte. Seit dem 19. Jh.

8. das beste ~ im Stall = a) die tüchtigste Arbeitskraft; bester Könner unter vielen. Seit dem 19. Jh. – b) die höchste Trumpfkarte im Skat. Kartenspielerspr., spätestens seit 1900. – c) das zugkräftigste Vortragsstück von vielen; Glanznummer des Programms. 1920 *ff.*

9. erstes ~ im Stall = erste von mehreren Prostituierten eines Zuhälters. ↗Pferdchen 1. 1900 *ff, prost.*

10. falsches ~ = Fehlspekulation. Vom Pferdewettrennen übernommen. *Vgl* ↗Perd 48. 1900 *ff.*

11. gefülltes ~ = mit Nudeln = sehr reichhaltige Mahlzeit. In Übergröße gesteigerte „gefüllte Gans" oder „gefüllte Kalbsbrust" o. ä. *BSD* 1965 *ff.*

12. sicherstes ~ = erfolgsichere Sache oder Person. Hergenommen vom Rennpferd, dem man Aussicht auf den Sieg gibt. 1900 ff.

13. langsam (sachte) mit den jungen ~en (mit die jungen Pferde)!: Aufforderung zu behutsamem Vorgehen; Warnung vor voreiligen Schlußfolgerungen. 1900 ff.

14. arbeiten wie ein ~ = angestrengt arbeiten; schwere körperliche Arbeit verrichten. Seit dem 16. Jh. Vgl engl „to work like a horse".

15. das ~ beim Schwanz aufzäumen = eine Sache am Ende beginnen; von einer Sache zuerst den Schluß berichten. 1500 ff. Vgl engl „to put the cart before the horse"; franz „brider son âne par la queue".

16. das hält kein ~ aus = das ist unerträglich. Was nicht einmal das Pferd aushält, kann auch der Mensch nicht ertragen. Seit dem 19. Jh.

17. es wird ein ~ begraben = es ertönt ernste Musik (Trauermusik). Die Musik empfindet man als derart „schwer", daß man sie allenfalls bei der Beerdigung eines (schwergewichtigen) Pferdes für angemessen halten würde. 1950 ff.

18. keine zehn ~e bringen mich dahin = durch nichts lasse ich mich dazu zwingen. 1700 ff.

19. daran denkt kein ~!: Ausdruck der Ablehnung. 1900 ff.

20. ihm gehen die ~e durch = er verliert die Beherrschung. Übertragen vom Kutscher, der die Gewalt über die Pferde verliert. 1900 ff.

21. jm einen vom ~ erzählen = jn veralbern; mit jm seinen Spott treiben. Zusammenhängend mit surrealistischen Witzen, in denen Mittelpunkt ein Pferd steht. BSD 1965 ff.

22. erzähl' mir keinen vom ~! = verschone mich mit deinem Geschwätz! Auch Ausdruck der Überraschung über eine unglaubwürdige Behauptung. Jug 1965 ff.

23. von hier bringen mich keine zehn (sechs, hundert) ~e wieder fort = hier bleibe ich unter allen Umständen; keine Gewalt bringt mich von hier wieder fort. 1600 ff.

24. schnell mal zu den ~en gehen = rasch den Abort aufsuchen. Als Ausrede gemeint. 1900 ff.

25. ~e, die so rasch aus dem Stall gehen, sind rasch müde: Redewendung unter Kartenspielern bei Spielerfolg im Anfang. 1900 ff.

26. vom ~ geküßt werden = a) einen Huftritt erhalten; von einem Pferd gebissen werden. 1870 ff. – b) eine Oberschenkelprellung erleiden. 1900 ff.

27. da ist wohl ein ~ gestorben?: Frage, wenn der Rundfunk ernste Musik überträgt. ↗Pferd 17. Berlin 1960 ff.

28. das glaubt kein ~ = das glaubt niemand; das ist ganz und gar unglaubwürdig. 1900 ff.

29. gucken wie ein ~ = verwundert blicken. Schül 1956 ff.

30. ... ~e unter der Haube haben = ... Stundenkilometer Geschwindigkeit fahren können. Pferde = Pferdestärken; PS. 1920 ff.

31. ~e im Hintern haben = einen Heckmotor haben. 1950 ff.

32. eine Natur haben wie ein ~ = sehr widerstandsfähig sein. 1920 ff.

33. ein zweites ~ im Stall haben = für

den Notfall eine zweite Erwerbsquelle besitzen. 1900 ff.

34. keine zehn ~e können ihn mehr halten = nichts hält ihn zurück. Vgl ↗Pferd 18 u. 23. Seit dem 19. Jh.

35. auf die ~e hauen = a) übertreiben; nicht sachlich bleiben. Hergenommen vom peitschenschwingenden Kutscher oder vom Reiter mit der Reitpeitsche. 1920 ff. – b) sich für einen Bewerber (Wahlkandidaten) nachdrücklich einsetzen. Wie einem Rennpferd will man ihm mit allen Mitteln zum Sieg verhelfen. 1925 ff.

36. jn klopfen wie ein altes ~ = jn plump betasten. Vom Viehhändler oder Tierarzt übernommen. 1960 ff.

37. vom ~ auf den Esel kommen = verarmen; wirtschaftlich zurückfallen; beruflich absteigen. Gegen 1600 aus dem Mittellateinischen übersetzt.

38. man hat schon ~e kotzen sehen (und das sogar direkt vor der Apotheke) = man hat schon anderlei Unglaubliches erlebt; auch Mahnung zur Vorsicht. Gemeint ist, daß das Betreffende sogar ein Pferd angewidert hat. Beim Pferd ist der Mageneingangsmuskel besonders stark ausgebildet und bleibt, so daß es im allgemeinen nicht zum Erbrechen des Mageninhalts kommen kann; bei Erschlaffen dieses Muskels (während einer Narkose) kann der Mageninhalt austreten, aber nur durch die Nase. Um 1900 aufgekommen, vorwiegend sold und stud.

39. ~e laufen lassen (laufen lassen) = Zuhälter sein. ↗Pferdchen 1. 1900 ff.

40. ich glaube, auf meinem Sofa liegt ein ~!: Ausdruck ungläubigen Staunens. Zur Erklärung vgl „↗Hamster". BSD 1965 ff.

41. die ~e scheu machen (kopfscheu machen) = die Leute einschüchtern, ängstigen. Seit dem 19. Jh.

42. das merkt ein ~ = das ist augenfällig. 1830 ff.

42 a. die ~e saufen schon = das Wirtschaftsleben erholt sich. Um 1966/7 in den Wortschatz eingeführt durch Bundeswirtschaftsminister Karl Schiller.

43. ich glaube mein ~ schielt!: Ausdruck ungläubigen Staunens. ↗Gaul 9. BSD 1965 ff.

44. schlagen wie ein ~ = heftige Boxhiebe versetzen. Übertragen vom Ausschlagen des Pferds. Sportl 1950 ff.

45. nach den ~en sehen = den Abort aufsuchen. ↗Pferd 24. 1900 ff.

46. auf seinem ~ sein = sich in gehobener Stimmung befinden. Meint entweder das Lieblingspferd oder das Steckenpferd: mit ihm fühlt man sich am wohlsten. 1870 ff.

47. jn aufs ~ setzen = jn auf einen einflußreichen Posten berufen. Um den Sieg laufen muß er selber. 1900 ff.

48. aufs falsche ~ setzen = a) sich irren; sich mit seinen Absichten verrechnen. Von der erfolglosen Wette beim Pferderennen übertragen. 1870 ff. – b) einen Abgeordneten wählen, der bei der Wahl unterliegt oder sich in der Mandatszeit als untauglich erweist oder mitsamt Mandat zu einer anderen Partei übergeht. 1900 ff.

49. auf das richtige ~ setzen = richtig spekulieren; eine zutreffende Voraussage machen; seine Stimme einem Abgeordneten geben, der in der Legislaturperiode alle Erwartungen erfüllt. 1870 ff.

50. sich aufs hohe ~ setzen = hochmütig, eingebildet sein. Aus der Fußgängerperspektive nimmt sich der Reiter hocherhaben und stolz aus: er wird zum Sinnbild der Überheblichkeit und Anmaßung. Seit dem 15. Jh.

51. auf dem falschen ~ sitzen = sich gröblich irren; geschäftlichen Mißerfolg selber verschulden; Abgeordneter einer Partei sein, die sich die Gunst der Wähler verscherzt. 1920 ff.

52. auf dem hohen ~ sitzen = unnahbar, anmaßend sein. ↗Pferd 50; ↗Roß 18. 1500 ff.

53. mit jm ~e stehlen können = jn zu allem anstellig finden; mit jm sehr schwierige (heikle) Unternehmen ausführen können; sich auf jn fest verlassen können. Hergenommen vom schlauen, umsichtigen und listigen Verhalten des Pferdediebs. 1600 ff.

54. aufs ~ steigen = aufbrausen. Veranschaulichende Variante zu „↗hochgehen 2". 1920 ff.

55. ich glaube, mich tritt ein ~!: Ausdruck unwilliger Überraschung oder ungläubigen Staunens. Meist schlägt das Pferd unerwartet aus. Halbw 1960 ff. Auch von Werbetextern aufgegriffen (Zahnpasta „Ultraweiß").

56. überlaß das Denken den ~en, sie haben den größeren Kopf!: Erwiderung auf eine Äußerung, die mit den Worten „ich denke, daß ..." beginnt; auch soviel wie „denk' nicht nach über Äußerungen von Vorgesetzten, Politikern o. ä.". Meist mit dem Nebensinn, daß sich bei Worten der Mächtigen das Denken des Machtlosen nicht verlohnt, weil Macht und Wahrheitsanspruch erhebt. Wohl aufgekommen im Zusammenhang mit den „denkenden Pferden" von Elberfeld, dem „klugen Hans" von Berlin usw. zu Anfang des 20. Jhs. 1910 ff.

57. ein ~ vorziehen, dem man beim Reiten in die Augen sehen kann: Redewendung eines, der am Rennsport kein Interesse hat. Anspielung auf den Geschlechtsakt: reiten = koitieren. 1930 ff.

58. die ~e wechseln = eine Personaländerung vornehmen; den Vorsitz wechseln. 1950 ff.

59. darüber wiehern die ~e = das sind lächerliche Behauptungen. ↗wiehern (= hellauf lachen). 1920 ff.

60. ein gutes ~ zieht zweimal = man spielt beim Kartenspiel dieselbe Farbe nach, in der man gerade einen Stich gemacht hat. Kartenspielerspr. seit dem späten 19. Jh.

61. jm zureden wie einem kranken (lahmen) ~ = jn gütlich ermuntern. ↗Gaul 14. 1950 ff.

Pferdchen n **1.** Prostituierte (im Verhältnis zum Zuhälter). Der Zuhälter ist der „↗Rennstallbesitzer", und die Prostituierten sind die „Pferdchen", die für ihn laufen. 1900 ff.

2. junge Filmschauspielerin in Abhängigkeit von einem Manager oder einer Managerin. 1955 ff.

3. ein ~ laufen haben (laufen lassen; traben lassen) = als Zuhälter von einer Straßenprostituierten unterhalten werden. 1900 ff.

Pferdearbeit f sehr schwere Arbeit. Eigentlich eine Arbeit, für die die Kraft eines

Pferdes vonnöten ist. ↗ Pferd 14. Seit dem 16. Jh.

Pferdearsch *m* Gulasch. ↗ Gaularsch. 1920 ff.

Pferdeauto *n* **1.** pferdebespannte Droschke. Aus der Zeit des frühen Automobilismus. 1905 ff. **2.** von Pferden gezogene Hochzeitskutsche. 1905 ff.

Pferdefrisur *f* zu beiden Seiten des Gesichts lang herabfallendes Haar. 1955 ff.

Pferdefrühstück *n* trockenes Gedeck. Pferde nehmen zum Futter keine Flüssigkeit. 1910 ff.

Pferdefuß *m* **1.** hinterlistige Bedingung; verborgenes Übel. *Vgl* das Folgende. 1800 ff. **2.** da kommt (schaut) der ~ (Pferdehuf) raus (da wird der ~ sichtbar) = plötzlich wird eine bisher verborgene Hinterlist (Unannehmlichkeit) erkennbar. Einen Pferdefuß hat in der volkstümlichen Vorstellung der Teufel, und der Teufel gilt als heimtückischer Urheber von Schaden aller Art. Seit dem 19. Jh.

Pferdehändler *m* **1.** Gebrauchtwagenhändler. Vom Viehhändler hat er die Geschäftstüchtigkeit und die Listigkeit übernommen. 1960 ff. **2.** mißtrauisch wie ein ~ = überaus mißtrauisch; den Mitmenschen nur Schlechtes zutrauend. Der Pferdehändler befürchtet stets, vom Verkäufer übervorteilt zu werden. 1900 ff.

Pferdekur *f* **1.** sehr anstrengender Heilversuch; Schwererträgliches. Meint eigentlich die ärztliche Behandlung des Pferdes; früher war sie den Schmieden überantwortet, die mit härtesten Mitteln zu Werke gingen. 1600 ff. **2.** einschneidende Sparmaßnahme; drastische Gehaltskürzung. 1920 ff. **3.** Thermalbad für Pferde. 1964 ff. **4.** Erholungsreise zu Pferde. 1955 ff.

Pferdekuß *m* **1.** Pferdebiß. 1870 ff. **2.** Oberschenkelprellung (kann von einem Huftritt herrühren). *Vgl* ↗ Pferd 26. 1900 ff.

Pferdenarr *m* leidenschaftlicher Pferdeliebhaber. 1800 ff.

Pferdenatur *f* eine ~ haben = von kräftiger Gesundheit sein; gegen körperliche Strapazen unempfindlich sein. Seit dem 18. Jh.

Pferdeoper *f* Wild-West-Film; Verbrecherfilm. Übersetzung des *angloamerikan* Hollywood-Begriffs „horse-opera". 1910/15 ff; vorwiegend seit 1955.

Pferdeparadies *n* fiktiver Aufenthaltsort der toten Pferde. Eine freundliche Erfindung von Pferdeliebhabern. 1920 ff.

Pferdeschnitte *f* dicke Brotschnitte. Seit dem 19. Jh.

Pferdeschwanz (Pferdeschwanzfrisur) *m f* Haartracht junger Mädchen, die die Haare am Hinterkopf zusammenbinden. Dadurch stehen die Haare vom Hinterkopf ab und wippen wie ein Pferdeschwanz. Um 1949/50 über *engl* Vermittlung aus den USA eingeführt. *Vgl engl* „horsetail", das wir vielleicht übersetzt haben.

Pferdestehlen *n* das kommt gleich hinter dem ~ = das ist eine höchst widerwärtige Sache voller Schwierigkeiten. Dagegen ist Pferdediebstahl noch ein Stück leichter. 1840 ff.

Pferdeverstand *m* **1.** geringfügige Geistes-

gaben. Pferde sind dümmlich, weil sie im allgemeinen gutartig sind und frei von Hinterlist. Seit dem 19. Jh. **2.** guter Verstand. Versteht sich nach „↗ Pferd 56". 1920 ff. **3.** ~ haben = Kenntnis von Pferden und Pferdebehandlung besitzen. „Pferdeverstand" ist hier nicht „Verstand von Pferden", sondern „Verstand (Verständnis) für Pferde". Seit dem 19. Jh.

Pfiff *m* **1.** List, Kunstgriff. Leitet sich her entweder vom Pfiff, mit dem der Jäger das Wild anlockt, oder vom Pfeifsignal, mit dem sich Diebe verständigen. 1750 ff. **2.** Hinweis, Wink, Tip. 1920 ff. **3.** kleines Glas Schnaps oder Bier; kleines Weinglas o. ä. *Vgl* ↗ pfeifen 10. Soll bei Studenten unter dem Zeremoniell eines gemeinschaftlichen Pfiffs getrunken worden sein. Kann auch zusammenhängen mit dem unter „↗ pfeifen 6" Gesagten. 1820 ff. **4.** Nichtigkeit, Belanglosigkeit. Versteht sich nach „↗ pfeifen 6". 1800 ff. **5.** ~ = Hiebe. Der Prügelstock pfeift durch die Luft. *Schül* 1920 ff. **6.** ~ aus (auf) dem letzten Loch = Bankrott; äußerster Mißerfolg. ↗ Loch 79. 1920 ff. **7.** letzter ~ = entscheidender Kunstgriff; das Charakteristische eines Aromas. 1920 ff. **8.** preußischer ~ = von Selbstsucht ausgehende, hinterlistige Klugheit. Hängt zusammen mit der Verketzerung alles Preußischen als eines undeutschen und dünkelhaften Wesens; alle Untugenden dichtet(e) man den Preußen an. 1818 ff. **9.** mit ~ = mit Schwung; mit einer wichtigen Besonderheit; mit gekonnten Spannungseffekten; tüchtig; ausgezeichnet. Gemeint ist hier der wirkungsvolle Kunstgriff. Etwa seit 1900; beliebter Ausdruck in Werbetexten. **10.** einen ~ abhalten = (unter freiem Himmel) schlafen. ↗ pfeifen 4. Kundenspr. 1910 ff. **11.** am ~ gehen = gehorchen. Leitet sich her entweder vom Hund, der auf den Pfiff seines Herrn gehorcht, oder von der Pfeife, nach der man zu tanzen hat. 1950 ff. **12.** es geht mit dem preußischen ~ = es muß besonders schlau und listig vorgegangen werden. ↗ Pfiff 8. Seit dem 19. Jh. **13.** einen ~ haben = eilen. Leitet sich her vom Pfeifsignal des Vorgesetzten oder des Jägers. *Öster* 1950 ff. **14.** einen ~ halten = schlafen. ↗ Pfiff 10. Kundenspr. 1910 ff. **15.** den ~ kennen = wissen, wie man seinen Zweck am vorteilhaftesten erreicht; wissen, wie man die Leute am leichtesten übertölpeln kann. ↗ Pfiff 1. 1750 ff. **16.** hinter den ~ kommen = erkennen, wie man am klügsten handelt; sich zu helfen wissen. ↗ dahinterkommen. 1920 ff.

Pfifferling *m* **1.** nicht einen ~ = nichts. Da der Pfifferling früher in Massen auftrat, gelangte er leicht zur Geltung des Gewöhnlichen und Minderwertigen. 1600 ff. **2.** nicht für einen ~ = auf keinen Fall. 1900 ff.

Pfiffikus *m* anstelliger, pfiffiger Mensch. Latinisiert aus „pfiffig" mit Anfügung der *lat* Endung „-cus", etwa wie „↗ Prakti-

kus". Seit dem späten 17. Jh, wahrscheinlich *stud* Herkunft.

Pfingsten *n* zu ~ auf dem Eise = nie. Die abstrakte Zeitbestimmung „nie" ist hier in eine nacherlebbare umgewandelt. 1500 ff.

Pfingstochse *m* **1.** putzsüchtiger Mensch. Früher trieb man den schönsten und kräftigsten Ochsen, reich geschmückt und bekränzt, zu Pfingsten als ersten auf die Gemeindeweide oder auf die Alm. Seit dem 19. Jh. **2.** aufgedonnert wie ein ~ = stutzerhaft, geschmacklos, allzu auffallend gekleidet. ↗ aufdonnern. Seit dem 19. Jh.

Pflanz *m* **1.** Verstellung, Lüge, Prahlerei; Vornehmtuerei. ↗ pflanzen. *Oberd* Seit dem 19. Jh. **2.** Schmuck, Pomp, Zier. 1500 ff; wiederaufgelebt im 19. Jh. **3.** *pl* = Umstände; unangebrachte Komplimente; närrische Einfälle. *Südwestd* 1900 ff. **4.** mach keinen ~! = laß den Ulk! 1900 ff. **5.** ~ reißen = prahlen; sich aufspielen. Seit dem 19. Jh, *öster.*

Pflänzchen *n* mißratener junger Mann; gemütliche Schelte an einen jungen Menschen. ↗ Pflanze 2. Spätestens seit 1800.

Pflanze *f* **1.** Herkömmling. Eigentlich einer, der an bestimmtem Ort aufgewachsen ist. Seit dem 19. Jh. **2.** Sonderling. Wohl hergenommen von einer seltenen Pflanze. Seit dem 19. Jh. **3.** Berliner ~ = a) Berlingebürtige(r). Seit dem 19. Jh. – b) aufgeweckte, lebenslustige junge Berlinerin. Dem „Preußischen Armeemarsch 113" war der Text unterlegt: „Denkste denn, du Berliner Pflanze, / denkste denn, ick liebe dir, / weil ick mit dir danze?". Seit dem 19. Jh. **4.** nette ~ = leichtlebige weibliche Person; Mädchen mit zweifelhaftem Ruf. *Iron* Bezeichnung. Seit dem 19. Jh.

pflanzen *v* **1.** *tr* = etw machen, herstellen. Übertragen vom Einpflanzen eines Setzlings als Beginn einer Tätigkeit. *Rotw* 1820 ff. **2.** *tr* = jn necken, narren, belügen, quälen. Geht zurück auf die Bedeutung „zieren, schmücken", die hier abgewandelt wird zu „ironisch ernst nehmen". Vielleicht beeinflußt von *franz* „planter = in Stich lassen; jn vergeblich warten lassen; den Ehemann betrügen". *Südd* seit dem 19. Jh. **3.** *tr* = etw fälschen. Verwandt mit dem Begriff „↗ Blüte = Falschgeldnote". *Öster* 1950 ff. **4.** *tr* = etw vortäuschen. *Rotw* 1900 ff. **5.** pflanz' deine Großmutter! = erzähl' das Dümmeren oder alten Leuten! laß mich damit in Ruhe! *Öster* 1900 ff. **6.** jm eine ~ = jm einen heftigen Schlag versetzen. Der Schlag „sitzt" wie ein Steckling im Erdboden. 1900 ff. **7.** *tr* = einen künstlerischen Beitrag geschickt unterbringen. Wohl Übersetzung von *engl* „to plant an article". *Journ* nach 1945. **8.** *refl* = sich steif, straff setzen (stellen). ↗ aufpflanzen. Seit dem 18. Jh.

Pflanztuchel (-tücherl) *n* Ziertaschentuch. Pflanz = Zier. *Öster* 1900 ff.

Pflaster *n* **1.** Schlag, Schläge; Prügel. ↗ pflastern. 1870 ff. **2.** günstiges ~ = erfolgversprechendes

Arbeitsfeld. Pflaster = Straßenpflaster. 1900 ff, kaufmannsspr.

3. hartes ~ = Lebens-, Arbeitsbereich, in dem man sich sehr anstrengen muß. 1800 ff.

4. heißes ~ = a) heikler, gefährlicher Aufenthaltsort; durch Schläger, Gangster usw. berüchtigte Stadt. ↗heiß 5. 1920 ff. Früher soviel wie „Ort mit hohen Lebensmittelpreisen" (1741). – b) gefährliches, anrüchiges Haus. 1920 ff.

5. teures ~ = Stadt mit teuren Lebensverhältnissen. Seit dem 18. Jh.

6. ein ~ kriegen = eine Entschädigung, eine Wiedergutmachung erhalten. Hergenommen vom Pflaster, das man dem Kranken zur Linderung und Heilung auf die Wunde legt. 1900 ff.

7. das ist kein ~ für ihn = diese Stadt bietet ihm keine Existenzgrundlage; diese Stadt wird seine Moral gefährden. Pflaster = Straßenpflaster. Seit dem 19. Jh.

Pflastergarten m Tische, Stühle und Pflanzen in Kübeln oder Kästen vor einer Gaststätte auf dem Bürgersteig. Berlin 1950 ff; wohl älter.

Pflasterhirsch m **1.** Pferd. Meint ein Pferd, dessen Fleisch sich nach dem Schlachten in „Hirschbraten" verwandeln wird. 1920 ff.

2. Auto. Österr 1950 ff.

Pflasterjuwelier m Mann, der auf dem Straßenpflaster (auf dem Bürgersteig, in der Fußgängerzone) Schmuck zum Verkauf auslegt. 1975 ff.

pflastermüde adj **1.** müde vom vielen Umhergehen, Marschieren o. ä. Übertragen vom Pferd, das beim Gehen auf Pflaster ermüdet. 1910 ff.

2. der Großstadt überdrüssig. 1920 ff.

pflastern v **1.** intr = auf der Straße nach Prostituiertenkunden suchen. Berlin 1945 ff.

2. tr = jn ohrfeigen, prügeln. Wie der Pflasterer Stein neben Stein setzt, trifft auf Rücken oder Gesicht Schlag auf Schlag. 1870 ff.

3. jm eine ~ = jm ins Gesicht schlagen. 1900 ff.

4. tr intr = schießen; Bomben gezielt abwerfen. Der Aufprall der Geschosse ähnelt klanglich dem Aufprall der Handramme des Pflasterers. Sold in beiden Weltkriegen. Vgl engl „to plaster".

Pflaster-Picasso m Maler, der Bürgersteige bemalt und Spenden von Schaulustigen erwartet. Anspielung auf den span Maler Pablo Picasso (1881–1973). (Günter Neumann und seine Insulaner), 1962 ff.

pflastertreten intr **1.** auf der Straße müßiggehen. 1700 ff. Vgl franz „battre le pavé".

2. auf Männerfang ausgehen. Seit dem frühen 19. Jh, prost.

Pflatsch- (pflatsch-) ↗flatsch-

Pflaume f **1.** anzügliche, spöttische Bemerkung; iron Anspielung. ↗pflaumen. 1870 ff.

2. Ohrfeige, Nasenstüber. Seit dem 19. Jh.

3. Beleidigung. Seit dem 19. Jh, stud.

4. witziger Unterhalter. Er macht anzügliche Randbemerkungen. 1900 ff, jug.

5. Versager, Dummer. Verkürzt aus „↗Matschpflaume". 1890 ff.

6. Schimpfwort allgemeiner Art. 1940 ff.

7. Fußball. Wegen Formähnlichkeit mit der Eierpflaume. 1920 ff.

8. Vulva. Wegen der Formähnlichkeit. Seit dem frühen 19. Jh.

9. Geliebte; intime Freundin. Pars pro toto nach dem Vorhergehenden. 1850 ff.

10. flatterhaftes, leichtlebiges Mädchen. 1950 ff.

11. derber Mensch; großwüchsige, dicke Person. Von der Form der Eierpflaume übernommen. Seit dem 19. Jh.

12. alte ~ = freundliche Anredeform. 1920 ff.

13. faule ~ = Energieloser; Nichtskönner. Analog zu „↗Matschpflaume". 1930 ff.

14. grüne ~ = Landpolizeibeamter. Wegen der grünen Uniform. Nach 1945 aufgekommen.

15. kalte ~ = Kornschnaps mit Himbeersirup. Berlin 1920 ff.

16. madige ~ = nicht vertrauenswürdiger Mensch. Vgl „da ist der ↗Wurm drin". 1950 ff.

17. reife ~ = heiratsfähiges Mädchen. ↗Pflaume 8. 1850 ff.

18. überreife ~ = a) Bemerkung, die schon längst fällig war. ↗Pflaume 1. 1920 ff. – b) alte Jungfer. 1850 ff.

19. unreife ~ = noch nicht heiratsfähiges Mädchen. ↗Pflaume 8. 1870 ff.

20. vermurkelte ~ = häßliche Frau. ↗murkelig. 1900 ff.

21. weiche ~ = energieloser Mensch. 1935 ff.

22. eine ~ madig machen = eine Frau in Verruf bringen; der Frau Ehebruch vorwerfen. ↗madig 3. 1925 ff.

23. mit ~n schmeißen = anzügliche Reden führen. ↗Pflaume 1. 1870 ff.

pflaumen intr anzügliche, spöttische Bemerkungen machen; anzüglich necken. Meint eigentlich „mit Pflaumen werfen" im Sinne einer Mißfallensbekundung; vgl ↗veräppeln. 1870 ff.

Pflaumenhandlung f Bordell; Prostituierte. Versteht sich nach „↗Pflaume 8". 1930 ff.

Pflaumenmus n **1.** weich wie ~ = gefühlvoll; leicht beeinflußbar. 1950 ff.

2. dir ist wohl lange kein ~ aus der Nase gelaufen?: Drohfrage. Pflaumenmus = Blut. 1900 ff, Berlin.

3. wer sagt's denn, daß ~ keine Kräfte macht? = warum soll das nicht möglich sein? Pflaumenmus gehörte bei den Soldaten zur Kategorie „↗Heereskraftfutter". 1870 ff.

Pflaumenpfingsten n zu ~ = nie. Veranschaulichung des abstrakten Begriffs „nie" durch Anspielung auf die Tatsache, daß die Pflaumen erst im Herbst reifen. Seit dem späten 19. Jh.

Pflaumensilo m Handelsschule. Wohl wegen der großen Zahl der Schülerinnen; ↗Pflaume 8. 1960 ff.

pflaumenweich adj **1.** nachgiebig; nicht charakterfest; nicht stichhaltig. Entstellt aus „flaumweich = weich wie eine Flaumfeder" (bis ins 18. Jh wird „Flaum" auch „Pflaum" geschrieben). Auch beeinflußt von der Vorstellung „weiche Pflaume". 1870 ff.

2. mittelmäßig. 1870 ff.

pflaumig adj **1.** charakterlich unfest; schwankend in der Gesinnung. ↗pflaumenweich. 1940 ff.

2. anzüglich. ↗Pflaume 1. 1920 ff.

pflegeleicht adj umgänglich, verträglich, anpassungsfähig. Aus dem Werbetexter-

deutsch von der mühelosen Behandlung von Textilien übertragen auf den Charakter eines Menschen. Gern in Bekanntschafts-Suchanzeigen. 1978 ff.

Pflicht f **1.** Geschlechtsverkehr zwischen Eheleuten. Hergenommen von dem gleichlautenden Begriff des Eiskunstlaufs zum Unterschied von der „↗Kür". Aufgekommen gegen 1960 mit den durch das Fernsehen beliebt gewordenen sportlichen Wettkampf-Übertragungen.

2. das ist seine verdammte ~ und Schuldigkeit = das muß er unter allen Umständen tun. Die geschichtliche Persönlichkeit, die diesen Ausspruch getan haben soll, ist bisher nicht nachgewiesen worden. Stammt vermutlich aus Soldaten- oder Offizierskreisen, etwa seit 1850.

Pflichtübung f **1.** Hausaufgaben für die Schule. Vom Eiskunstlauf übertragen. Schül 1965 ff.

2. unvermeidliche Alltagsarbeit. 1965 ff.

3. Höflichkeitsbesuch, -brauch; Unerläßlichkeit. 1965 ff.

4. ehelicher Geschlechtsverkehr. ↗Pflicht 1. Etwa seit 1960.

5. Kirchgang. BSD 1965 ff.

6. Gang zur Wahlurne. 1975 ff.

7. Hafen-, Stadtrundfahrt einer Reisegesellschaft. 1977 ff.

8. Mißmutäußerung eines gewohnheitsmäßigen Nörglers. 1965 ff.

Pflock m **1.** stämmiger Mann. Eigentlich der bolzenförmige Zapfen zum Eintreiben. 1940 ff, österr.

2. Penis. Vgl das Vorhergehende. 1900 ff.

3. Klassenschlechtester. Kann zusammenhängen mit dem Umstand, daß zum Schneiden von Pflöcken wenig Geschick benötigt; auch heißt „einen Pflock vorstekken" soviel wie „Halt gebieten". Der Stämmige ist oft auch der Träge. Schül Seit dem 19. Jh.

4. einen ~ einschlagen = a) Einhalt gebieten. Hergenommen vom Haustier, das auf der Wiese angepflockt wird. Seit dem 19. Jh. – b) koitieren. ↗Pflock 2. 1900 ff.

5. einen ~ zurückstecken = in seinen Ansprüchen bescheidener werden; seine Forderungen oder Erwartungen verringern. Leitet sich her vom Stellpflock des Pfluges: wird der Pflock zurückgesteckt, dringt der Pflug weniger tief ein und bewegt sich also leichter. 1870 ff.

pfopfern intr schimpfen; mißmutig vor sich hinreden. Eigentlich soviel wie „im Sieden aufwallen; sprudeln". Bayr 1900 ff.

Pforzheim n m After. Wortspielerische Überdeckung von „↗Furz". 1910 ff.

Pfostenschuß m Treffer gegen den Pfosten des Fußballtors. ↗Schuß. Sportl 1920 ff.

Pfötchen machen (geben) unter Abnehmen der Kopfbedeckung die Hand geben und sich verbeugen. 1910 ff.

Pfote f **1.** Hand. Vom Tierfuß auf den Menschen übertragen, etwa seit dem 17. Jh. Vgl engl „the paw".

2. Handschrift; schlechte, unleserliche Handschrift. Analog zu „↗Klaue 3", aber älter: 1700 ff.

3. Unterschrift. 1700 ff.

4. die ~ nicht bei sich behalten können = alles anfassen; einem Greifzwang unterliegen; diebisch sein. 1900 ff.

5. jm etw in die ~n drücken = jm etw zur Verantwortung übergeben. Man gibt es ihm bildlich in die Hand. 1900 ff.

6. überall die ~n drinhaben = überall sich einmischen; überall beteiligt sein. *Vgl* „die ↗Hand im Spiel haben". 1900 *ff*.

7. an den ~n saugen = untätig sein; hungern. Hängt zusammen mit der alten vorwissenschaftlichen Erklärung, wie der Bär seinen Winterschlaf übersteht: man behauptete, er sauge an seinen Pfoten und ernähre sich auf diese Weise. 1500 *ff*.

Pfragner (Fragner) *m* Kleinhändler, Kolonialwarenhändler. Geht zurück auf *ahd* „pfragana = Schranke", bezogen auf die Ladentheke. Seit *mhd* Zeit; heute fast ganz auf Österreich beschränkt.

Pfropfen (Proppen) *m* **1.** untersetzter Mensch. 1700 *ff*.

2. auf den ~ kommen = a) nicht berücksichtigt werden. Versteht sich nach „↗Pfropfen 3". Seit dem 19. Jh. – b) in Verlegenheit, Bedrängnis geraten. ↗Pfropfen 7. Seit dem 19. Jh.

3. am ~ riechen (riechen müssen) = bei einer Verteilung leer ausgehen; in einer Erwartung sich täuschen. Das Kind darf am Pfropfen riechen, bekommt aber nichts vom Inhalt der Flasche. Seit dem 19. Jh.

4. am ~ gerochen haben = betrunken sein. Euphemismus oder bezogen auf einen, der nicht viel Alkohol vertragen kann. 1900 *ff*.

5. jn am ~ riechen lassen = jn an etwas Angenehmem nicht beteiligen. Seit dem 19. Jh.

6. nach dem ~ schmecken = in sittlicher Hinsicht wenig taugen. Übertragen vom Wein, der nach dem Pfropfen schmeckt. 1910 *ff*.

7. jn auf den ~ setzen = jn in eine unangenehme Lage versetzen; jn in Verlegenheit bringen; jn im Stich lassen. Hergenommen vom Vorderlader, auf dessen Pulver man beim Laden einen Stopfen setzt; wer – bildlich gesprochen – auf diesem Stöpsel sitzt, kann jeden Augenblick in die Luft fliegen. 1840 *ff*.

'pfropfen'voll (proppenvoll) *adj adv* dichtbesetzt, überfüllt. Hergenommen von dem bis zum Pfropfen gefüllten Gefäß. 1700 *ff*.

Pfropfenzieherlocken *pl* Ringellöckchen. Etwa seit der Biedermeierzeit.

Pfründe *f* fette = mit reichlichen Einkünften verbundenes (kirchliches) Amt. 1900 *ff*.

pfui *interj* ~ sein = unanständig sein; Anstoß erregen; verboten sein. „Pfui" ist Ausruf des Ekels. 1920 *ff*.

Pfund *n* **1.** einjährige Freiheitsstrafe. Wohl als verhältnismäßig geringes Gewicht aufgefaßt. *Rotw* 1910 *ff*.

2. 20 Mark; Geld. Hergenommen vom *engl* Pfund, das früher den Gegenwert von rund 20 Mark hatte. Etwa seit der Mitte des 19. Jhs, *rotw*, *prost*, *halbw* und kellnerspr.

3. Karte 10 und As. Kartenspielerspr. 1900 *ff*.

4. wuchtiger Stoß oder Schlag; Stoßkraft des Fußballspielers. *Sportl* 1950 *ff*.

5. drei (fünf) ~ ohne Knochen = großer Kothaufen. Aus der Metzgersprache übernommen. *Sold* in beiden Weltkriegen; auch *ziv.*

6. ganzes ~ = Zwanzigmarkschein. 1900 *ff*, kellnerspr., *prost* u. a.

7. kleines ~ = Zehnmarkschein. 1900 *ff*.

8. volles ~ = Volltreffer. „Pfund" ist eine

Sache von Gewicht, und „volles Pfund" kann den heftigen Schlag ins Gesicht meinen, auch den kräftigen Boxhieb und weiter die schwere Niederlage. *BSD* 1960 *ff*.

9. jn mit ~en füttern = dem Mitspieler Karten mit hoher Wertzahl in den Stich werfen. ↗Pfund 3. 1900 *ff*.

10. ein ~ im Stiefel haben = ein stoßkräftiger Fußballspieler sein. ↗Pfund 4. *Sportl* 1950 *ff*.

11. ein ~ reintun = dem Mitspieler hohe Karten in den Stich geben. ↗Pfund 3. 1900 *ff*.

12. ~e runterhungern = sich einer Hunger-, Abmagerungskur unterziehen. 1960 *ff*.

13. ~e runterrackern = Fettleibigkeit abtrainieren. ↗rackern. 1960 *ff*.

14. ~e runterschaffen = (nach ärztlicher Vorschrift) an Gewicht abzunehmen suchen. 1960 *ff*.

14 a. ~e runterschwitzen = ein Saunabad nehmen. 1970 *ff*.

15. ein ~ schießen = jm einen schweren Schlag versetzen. Wahrscheinlich vom Boxsport übernommen. 1950 *ff*. *Vgl* ↗Pfund 4.

16. ein volles ~ verpaßt kriegen = schwer geschlagen werden. ↗Pfund 8. 1960 *ff*.

17. ein ~ wegdrücken = hochwertige Karten in den Skat legen. ↗Pfund 3. 1900 *ff*.

pfundig *adj* **1.** gewichtig, bedeutend; außerordentlich; schön. Etwa zu Anfang des 20. Jhs aufgekommen als lobendes Allerweltswort, beruhend auf der verhältnismäßig ansehnlichen Menge, die das halbe Kilo darstellt. Scheint aus Bayern und Österreich nordwärts gewandert zu sein.

2. vollschlank. In der Shakespeare-Übersetzung von Schlegel und Tieck (1818–1829) verwendet im Sinne von „schwerfällig, plump". 1950 *ff*.

pfunds *adv präd* hervorragend. Verselbständigt aus substantivischen und adjektivischen Zusammensetzungen mit „Pfunds-" als erster Silbe. *Gleichbed* mit der Geltung von „↗Mords-, (mords-)". Vorwiegend im *Bayr* verbreitet; etwa seit dem Ausgang des 19. Jhs.

'Pfunds'bursche (-'bursch) *m* kräftiger, stattlicher, geachteter junger Mann. 1920 *ff*.

'Pfunds'hammel *m* **1.** sehr dummer Mann. ↗Hammel. *Bayr* 1910 *ff*.

2. guter Kamerad. *Bayr* 1960 *ff*, *BSD*.

'Pfunds'hund *m* beliebter, anstelliger, umgänglicher, kameradschaftlicher Mensch. „Hund" ist hier sehr anerkennend gemeint im Gegensatz zur sonstigen abfälligen Geltung; wahrscheinlich ist von der Vorstellung „großer Hund" auszugehen. *Bayr* 1930 *ff*.

'Pfunds'kerl *m* charaktervoller, tüchtiger, zuverlässiger, geachteter Mann. *Bayr* und *schwäb* seit dem ausgehenden 19. Jh.

'Pfunds'mädel *n* umgängliches, charaktervolles, nettes Mädchen. ↗Mädel. 1920 *ff*.

'Pfunds'mann *m* hervorragender, tüchtiger Mann. 1930 *ff*, *sold*.

'pfundsmäßig *adv* sehr, überaus. -mäßig = -gemäß. 1900 *ff*.

'Pfunds'wetter *n* prächtiges Wetter. 1920 *ff*.

Pfusch *m* **1.** schlechte, unsorgfältige Arbeit. ↗pfuschen 1. Seit dem späten 19. Jh.

2. Schwindel, Betrug, Preisüberforderung. 1870 *ff*.

3. Betrug beim Kartenspiel. 1870 *ff*.

4. unerlaubtes Hilfsmittel des Schülers. 1920 *ff*.

5. unversteuerter Nebenverdienst. *Österr* 1950 *ff*.

Pfuscharbeit *f* minderwertige Arbeitsleistung. ↗pfuschen 1. 1800 *ff*.

Pfuschblättchen *n* selbsthergestellter Täuschungszettel für schriftliche Klassen- oder Prüfungsarbeiten. ↗pfuschen 3. 1870 *ff*.

pfuschen *intr* **1.** schlecht, unsorgfältig, oberflächlich arbeiten. Beruht auf der Interjektion „pfusch, pfutsch", schallnachahmend für ein Zischendes, rasch Dahinschießendes. Hieraus entwickelte sich im 15./16. Jh die Bedeutung „unberechtigt, entgegen (außerhalb) der Zunftordnung arbeiten". Seit dem 17. Jh.

2. minderwertige Ware als einwandfrei verkaufen; Milch, Wein o. ä. verwässern. 1900 *ff*.

3. in der Schule unerlaubte Hilfsmittel verwenden. ↗Pfuschzettel. Seit dem 19. Jh.

4. im Spiel betrügen. Der mit Absicht unsorgfältig Arbeitende ist ein Betrüger. 1700 *ff*.

5. die Empfängnis verhüten. Seit dem 19. Jh.

6. als Heilpraktiker tätig sein. Viele Schulmediziner betrachten die Tätigkeit des Heilpraktikers trotz amtlicher Zulassung als betrügerische Dienstleistung. *Österr* 1930 *ff*.

7. während der Arbeitszeit einen Gegenstand für den eigenen Gebrauch herstellen. 1900 *ff*.

8. nach Feierabend oder am arbeitsfreien Wochenende eine unversteuerte Nebenarbeit verrichten. *Österr* 1950 *ff*.

9. in etw ~ = unsachgemäß in etw eingreifen; ungebeten sich in etw einmischen. Verkürzt aus „jm ins ↗Handwerk pfuschen". 1920 *ff*.

Pfuscher *m* **1.** unsorgfältig Arbeitender. ↗pfuschen 1. Im 16. Jh der außerhalb der Zunftordnung handwerklich tätig ist. Die heutige Bedeutung setzte sich im 19. Jh. durch.

2. betrügerischer Kartenspieler. ↗pfuschen 4. Seit dem 19. Jh.

Pfuschzettel *m* selbstgefertigtes Täuschungsmittel. ↗Pfuschblättchen. *Schül* 1870 *ff*.

pfutsch sein weggegangen, verschwunden sein. ↗futsch sein. Seit dem späten 19. Jh.

Pfütze *f* **1.** Meer. Scherzhafte Bagatellisierung seit dem späten 19. Jh.

2. geringe Wassermenge in der Waschschüssel (Badewanne, im Glas o. ä.). 1900 *ff*.

3. Schluck Bier; Bierrest; kleines Bierglas; schlechtes, abgestandenes Bier. Wasser wird in Pfützen faulig. 1890 *ff*, *stud;* heute *BSD*.

4. Maßkrug. Gilt scherzhaft als kleine Menge. 1900 *ff*.

phänome'nal *adj* einzigartig; hervorragend. Fußt auf „Phänomen = außerordentlicher Vorgang". 1870 *ff*.

phanta'sabel *adj* hervorragend. Zusammengesetzt aus „phantastisch" und der *franz* Endung „-able" in der *dt* Form „-abel". 1920 *ff*, *schül* und *stud.*

Phantasie *f* **1.** ~ mit Schneegestöber =

Phantasie-Erzeugnis ohne praktische Brauchbarkeit; unsinnige, unglaubwürdige Meldung. „Schneegestöber" steht auch für Eierschaum o. ä., meint hier also wohl eine angenehme Beigabe, etwa im Sinne von „Unsinn in gefälliger Aufmachung". 1920 ff.
2. gib deine dreckige ~ in die Reinigung! = mäßige deine schmutzigen Hintergedanken! 1960 ff, Berlin.
3. seine ~ macht Überstunden = er redet Unsinn, ist allzu redselig. 1945 ff, schül.
4. seine ~ schlägt Wellen = er hat eine überschwengliche Phantasie. 1950 ff.

phantastisch adj unglaublich; großartig. 1920 ff.

Philister m **1.** pedantischer, engstirniger Mensch; Mensch, der keinen Sinn hat für höhere Werte, für freiere Meinung und fortschrittliche Neuerungen. Geht zurück auf den Bericht in 1. Moses 26, 15, worin erzählt wird, die Philister hätten die Brunnen Isaaks verschüttet; dies deutete der griech Kirchenschriftsteller Origines auf Verschließung des geistigen Erkenntnisvermögens. Seit dem 12./13. Jh.
2. Nichtstudent; Gegner des Studententums. Soll auf einen Vorfall im Jahre 1693 zurückgehen, als bei Händeln zwischen Studenten und Einwohnern von Jena ein Student erschlagen wurde.
3. Nichtverbindungsstudent. Seit dem 19. Jh.

Philo'doof m kluger, aber unbeholfener Schüler. Durch „↗doof" abgewandeltes „Philosoph". 1957 ff, schül.

Philo'sauf m Mann, der gern trinkt. Wortspielerisch umgeformt aus „Philosoph" mit Einwirkung von „saufen". Seit dem 19. Jh.

Philosuff m **1.** verkommener Student; Student, der die Meldung zur Abschlußprüfung immer erneut hinauszögert. Man nimmt an, daß bei ihm die Liebe zum Trinken größer ist als die Liebe zur Wissenschaft. 1890 ff.
2. Gewohnheitstrinker. 1920 ff.

Phi'olenschieber m Mann, der sich mit Leistungen brüstet, die er nie vollbracht hat; Simulant u. ä. ↗Viole. 1900 ff.

photo– ↗foto–.

Phrase n ~n dreschen = leere Redensarten machen; schwätzen. Entwickelt aus „leeres ↗Stroh dreschen" über „leere Phrasen dreschen" (1826) zur heutigen Redewendung. In der zweiten Hälfte des Jhs aufgekommen.

Phrasendrasch m ausführliche Erörterung einer überholten Sache; Geschwätz über Überflüssiges. Der Drasch = das Dreschen (↗Phrase). 1900 ff.

Phrasendrusch m Schwulst ohne Gehalt. 1900 ff.

Phrasenquetscher m Politiker; Abgeordneter. Er ringt sich mühsam zu leerem Geschwätz durch und sucht angestrengt nach gewundenen Redensarten. 1920 ff; nach 1955 wiederaufgelebt.

pi **1.** ~ mal Schnauze über Daumen (~ mal Daumen) = oberflächlich; auf gut Glück. „Pi" ist der sechzehnte Buchstabe des griech Alphabets und steht in der Mathematik für die irrationale Kreiszahl (Ludolphsche Zahl; π = 3,14 . . .). „Schnauze" meint die bekümmertnot in der Wahl der Worte, etwa soviel wie „Gutdünken; freie Entscheidung", „übern Daumen" beschreibt bildhaft das grobe Ab-

schätzen (vgl ↗Daumen 31). Ingenieurspr., etwa seit 1920/30.
2. ~ mal Schnauze arbeiten = oberflächlich arbeiten; sich um keinerlei Genauigkeit kümmern. Ingenieurspr. 1920/30 ff.

Pi m n Pi machen = harnen. Kindersprachliche Verkürzung aus „Pipi". 1900 ff, nordd.

piano adv langsam; nicht übereilt. Meint eigentlich „leise"; hier das langsame Gehen bei leisem Auftreten. 1890 ff.

Picasso-Busen m eckige, pyramidenförmige Milchtüte. Benannt nach dem span Maler und Bildhauer Pablo Picasso (1881–1973) in Anspielung auf seine kubistische Darstellungsweise. 1960 ff.

Picasso-Euter m pyramidenförmiger Papp-Milchbehälter; Tütenmilch. Berlin 1960 ff.

picheln intr **1.** trinken, zechen; gern trinken. Stammt entweder aus „Pegel = Wasserstandsmarke; Marke am Trinkgefäß" oder aus obersächs „bicheln = stark trinken" (im Zusammenhang mit „Bich = Bier"); vgl rotw „bacheln, pecheln, picheln = herunterfließen lassen". Seit dem 18. Jh, vorwiegend stud.
2. essen. Vgl ↗picken 1. 1920 ff.

pichen intr **1.** zechen; viel und gern trinken. ↗picheln 1. Seit dem 18. Jh.
2. kleben. Gehört zu „Pech". Seit dem 19. Jh.
3. sich anbiedern, einschmeicheln. Vgl ↗anpichen 2. Seit dem 19. Jh.

Pick I n Essen; gutes, reichliches Essen. ↗picken 1. 1900 ff.

Pick II m Groll. ↗Piek I.

Pickel m **1.** kleines Geschwür; Eiterbläschen. Verkleinerungsform zu mhd „pic = Stich"; soviel wie eine „pickende = jukkende" Eiterpustel. 1700 ff.
2. sehr kleinwüchsiger Mensch. Er ist bloß eine Beule hoch. 1900 ff.
3. Polizeibeamter. Erinnerung an die ehemalige Pickelhaube. 1946 ff.
4. Penis. Er gilt als Auswuchs. 1900 ff.
5. Abzeichen des Oberschützen. Vergleichsweise als spitze Erhebung der Haut sieht man seinen Stern auf dem linken Oberärmel an. Sold 1939 ff.
6. Offiziersstern. Sold 1930 ff bis heute.
7. Leutnant. Er hat einen silbernen Stern auf der Schulterklappe. BSD 1960 ff.
8. ~ (~ zwischen den Schulterblättern) = Kopf. Er gilt als Auswuchs. Verkürzt aus „↗Intelligenzpickel". BSD 1960 ff.
9. ~ mit Eichenlaub = Major. Er trägt eine silberne Eichenlaubverzierung unter dem Stern auf den Schulterstücken. BSD 1965 ff.
10. ~ am (auf dem) Hals = Kopf. ↗Pickel 8. BSD 1960 ff.
11. John ~ und seine Mitesser = Mann mit vielen Hautunreinheiten. Lustige Personifizierung. ↗Pickel 1. BSD 1965 ff.
12. den (einen; seinen) ~ ausdrücken = koitieren. ↗Pickel 4. 1900 ff.
13. jm einen ~ ausdrücken = jds Übermut dämmen; jm eine Absicht vereiteln; jm die Lust zu etw nehmen. Die Eiterpustel ist Sinnbild für schlechte Gewohnheiten oder Absichten. Sold 1935 ff.
14. einen ~ haben = a) dumm sein. Wo andere einen Kopf haben, hat er eine Eiterbeule. 1935 ff. – b) schwanger sein. Die Leibeswölbung wird als „kleines Geschwür" aufgefaßt. 1935 ff.

15. einen in den ~ hauen = sich betrinken. ↗Pickel 8. BSD 1965 ff.
16. ~ schmeißen = Anker werfen. Pickel = Spitzhacke; ihr ähnelt der Anker. Bundesmarine 1965 ff.

pickelig adj mit kleinen Geschwüren behaftet. ↗Pickel 1. 1600 ff.

pickeln **1.** intr essen, schmausen. Häufigkeitsform von „↗picken 1". 1900 ff.
2. intr = flirten. Vom Hacken mit dem Schnabel nach Vogelart übertragen auf das Küssen. Schweiz 1930 ff, halbw.

Picke'lomini (Picko'lomini, Pikko'lomini, Picco'lomini) m Mann mit kleinen Geschwüren im Gesicht. Den Figuren aus Schillers „Wallenstein" unterlegte neue Bedeutung. ↗Pickel 1. Seit dem späten 19. Jh.

Pickelwurst f grobe Leberwurst. Pickel (niederd: Pinkel) = kleine Speckstücke in der Wurst. 1900 ff.

picken v **1.** intr = essen; mit Behagen essen. Übertragen vom Zugreifen des Vogelschnabels. Rotw seit dem 18. Jh; sold seit dem späten 19. Jh.
2. intr tr = kleben. Nebenform zu „↗pichen 2". Bayr und österr seit dem 19. Jh.
3. jm eine ~ = jn ohrfeigen, prügeln. Analog zu „jm eine ↗kleben". Österr 1900 ff.
4. intr = Häftling sein. Er sitzt fest („klebt") oder ißt aus dem „↗Picknapf". Rotw 1900 ff.

pickenbleiben intr **1.** nicht in die nächsthöhere Klasse versetzt werden. Analog zu ↗klebenbleiben. Österr und bayr, seit dem 19. Jh.
2. im Wirtshaus sitzen bleiben; einen Besuch sehr lange ausdehnen. Österr seit dem 19. Jh.
3. den zufälligen Aufenthaltsort nicht aufgeben. Österr 1900 ff.
4. an jm ~ = jn heiraten, weil der Partner nicht mehr losläßt. Bayr und österr seit dem 19. Jh.

'picke'packe'voll adv bis oben gefüllt; dichtbesetzt; völlig gesättigt. Gehört wohl zu „peckevoll = dicht gefüllt nach Art von gepökelten Heringen im Faß" mit Einfluß von „packen". 1870 ff.

pickern intr **1.** essen; gut, reichlich essen. Iterativum zu „↗picken 1". 1900 ff.
2. mich pickert es = ich habe Hunger. 1900 ff.

pickfein adj ↗piekfein.

Picknapf m Eßnapf; Kochgeschirr(-deckel). Ursprünglich nannte man so den Eßnapf, wie er in Haftanstalten üblich ist. Rotw und sold seit dem späten 19. Jh.

Pickpfote f Hand mit überlangen Fingernägeln. Die Nägel sehen aus wie Vogelschnäbel. ↗Pfote 1. 1960 ff, Berlin.

Pickus m **1.** Essen; Eßbares; Gefangenenkost; Soldatenverpflegung. Latinisierung zu „↗picken 1". Rotw seit dem frühen, sold seit dem späten 19. Jh.
2. Haft. ↗picken 4. 1900 ff.

Pickzeug n Eßbesteck. Sold 1914 bis heute.

'pico'bello ('picco'bello, 'picko'bello, 'piko'bello, 'pikko'bello) adv sehr fein; sehr sauber. Kann ausgegangen sein aus ital „picco = Gipfel, Bergspitze" oder aus ndl „puik = auserlesen" (vgl ↗piekfein) und ital „bello = schön". 1900 ff.

piddeln intr an etw ~ = an einer Sache kleinlich (umständlich, mühselig) arbeiten; an etw kratzen, zupfen, zerren o. ä. „Piddel" ist der lange, spitze Holz- oder Metallstift, auch der Nagel und schließlich der Fingernagel. Vorwiegend *westd* seit dem 18. Jh.

piddlig *adj* kleinlich, übertrieben genau; Geduld und Feingeschick erfordernd. ↗piddeln. Seit dem 18. Jh, *westd*.

Piedel *m* Penis; Knabenpenis. Eigentlich der lange, spitze, pfriemartige Holz- oder Metallstift. Analog zu „↗Stift". 1840 *ff*.

Pief *m* Militärpfarrer. *Niederd* „Pief = Pfeife = Nichtskönner" (?). Kann auch Verkürzung von „↗Piefke" sein. In der Kadettensprache um 1870 geläufig; *sold* 1930 *ff*.

Piefke *m* **1.** einfältiger Mann; Kleinbürger; kleiner Junge. *Nordd* Form von „Pfeifchen", was hier soviel wie „kleiner Penis" meint. 1870 *ff*. **2.** Rekrut. Man hält ihn für einen kleinen Jungen oder für einen Dümmling. *Sold* 1910 *ff*. **3.** Deutscher; deutscher Soldat; Reichsdeutscher; Bundesdeutscher. Aufgekommen 1864 gelegentlich des Siegs der verbündeten Preußen und Österreicher über die Dänen; in der Nacht nach der Erstürmung der Düppeler Schanzen komponierte der preußische Musikmeister Piefke den „Düppeler Sturmmarsch". Seit 1866 war (und blieb) das Wort den Österreichern die Schelte auf die preußischen Soldaten. Einfluß von „↗Piefke 1" ist nicht auszuschließen, wenigstens nicht in der Folgezeit.

Pie-Gör *n* (*f*) kleines Mädchen. *Vgl* „pien = harnen". Das Geschlechtsorgan wird noch nicht benutzt. 1900 *ff*.

Piek I (Pick, Pik; Pieke) *m* (*m, m, f*) geheimer Groll. Stammt wahrscheinlich aus *franz* „pique = Spieß; Groll" (*vgl* mittel*niederd* „pik = Spieß, Lanze"). 1600 *ff*.

Piek II *m* Onkel ~ = Impfarzt. Pieken = stechen. Kinderspr. seit den späten 19. Jh (Reichsimpfgesetz von 1874).

piek *adv* sehr fein (mit Fingerbewegung zum Mund zwecks Andeutung eines Kusses). Geht zurück auf *niederd* „pik = auserlesen" und *ndl* „puik = auserlesen, best" als Gütebezeichnung im Handel der Hanse. Und um 1840 aufgekommen. Daß die Vokabel auf jüdischen (*jidd*) Quellen fußt, wie es die erste Buchungen behaupten, hat sich nicht bestätigt.

pieken *v* **1.** *tr* = stechen, sticheln. Nebenform von „picken = hacken" mit Vokaldehnung. Seit dem 19. Jh. **2.** *tr* = jn ärgern, reizen. Seit dem 19. Jh. **3.** bei ihm piekt es (dir piekt es wohl?) = er ist nicht recht bei Verstand. Anspielung auf den „↗Vogel" im Kopf. 1870 *ff*. **4.** es piekt mich = es ärgert mich; ich kann es nicht verwinden; es läßt mir keine Ruhe. Seit dem 19. Jh.

'piek'fein ('pick'fein, 'pik'fein, 'pique'-fein) *adj* sehr fein. ↗piek. 1840 *ff*.

'piek'nobel *adj* sehr vornehm, freigebig, großzügig. 1880 *ff*.

'piek'sauber *adj* sehr sauber; peinlich sauber. ↗piek. 1900 *ff*.

pieksen *v* **1.** *tr* = stechen, einstechen; prickeln. Häufigkeitsform zu „↗pieken 1". 1850 *ff*. **2.** *tr* = jn reizen, ärgern, sticheln. 1920 *ff*. **3.** es piekst mich = es ärgert mich, läßt mir keine Ruhe; ich kann es nur schwer verwinden. 1920 *ff*.

4. *tr intr* = eine Spritze Heroin (o. ä.) injizieren. 1950 *ff*.

'piek'süß *adj* entzückend. ↗piek. 1860 *ff*.

'piek'vornehm *adj* sehr vornehm; elegant-behaglich. ↗piek. 1900 *ff*.

'piek'weiß *adj* hellweiß. 1920 *ff*.

pien *intr* harnen. Verkürztes Verb zu „↗Pipi". 1900 *ff*.

piep *interj* **1.** nicht mehr ~ sagen können = kein Wort mehr äußern können; völlig entkräftet sein; verschüchtert sein; sprachlos sein. Mit „piep" gibt man den Laut von jungen Vögeln, von Mäusen u. ä. wieder. 1870 *ff*. **2.** nicht ~ und nicht papp sagen können = überaus schüchtern sein. 1920 *ff*.

Piep *m* **1.** Vogel. Substantiviert nach dem Vogellaut. 1840 *ff*. **2.** Kind. Zärtlich als „Vögelchen", „Spätzchen" u. ä. bezeichnet. 1900 *ff*. **3.** jeden ~ erzählen = jede unbedeutende Äußerung berichten. 1920 *ff*. **4.** einen ~ haben = nicht ganz bei Verstand sein. Analog zu „einen ↗Vogel haben". 1840 *ff*. **5.** keinen ~ sagen = schweigen; vor Schüchternheit kein Wort hervorbringen. ↗piep 1. 1870 *ff*.

piepe *adv* das ist ihm ~ = das ist ihm gleichgültig. Ein *niederd* Ausdruck, wahrscheinlich zusammenhängend mit der Weidenpfeife, wie Kinder sie sich schneiden: auf ihr kann man nur einen einzigen Ton hervorbringen. Wohl beeinflußt von „auf etw ↗pfeifen". Im frühen 19. Jh aufgekommen.

'piepe'gal *adv* gleichgültig. Tautologische Verstärkung des Vorhergehenden. 1920 *ff*.

Piepel *m* **1.** Penis. Dasselbe wie „↗Pfeife 2", auch wie „↗Spatz". 1840 *ff*. **2.** Vögelchen. Nach dem Laut „piep". 1900 *ff*.

Piepeline *f* Mädchen mit häufig wechselndem Freund. Anspielung auf „↗Piepel 1" mit Einfluß von (*dt* ausgesprochen) „pipeline". 1950 *ff, halbw*.

Piepels *pl* Leute, Männer, Mannschaften. *Dt* Aussprache und Schreibung von *engl* „People. *Marinespr* 1935 *ff*.

Piepen *pl* **1.** Geld, Groschen-, Markstücke. Verkürzt aus „Piepmatz = Adler auf der Münze", auch wohl beeinflußt von „Piep = Ei (Ei des Piephuhns)"; dadurch analog zu „↗Ei 9". Seit dem späten 18. Jh. **2.** die ~ im Sack halten = Geheimnisse bewahren. Soviel wie „Geld nicht her-, preisgeben". 1920 *ff*. **3.** ~ hopsen lassen = Geld ausgeben. Man wirft die Münzen auf die Tischplatte, daß sie springen. 1920 *ff*.

piepen *v* **1.** ihm (bei ihm) piept es = er ist nicht recht bei Verstand. Anspielung auf „einen ↗Vogel haben". 1870 *ff*. **2.** wo piept es bei dir? = in welcher Art bist du verrückt? 1920 *ff*. **3.** es ist zum ~ = es ist sehr erheiternd, sehr zum Lachen. Man pfeift vor Vergnügen. 1870 *ff*. **4.** auf etw ~ = auf etw verzichten, keinen Wert legen; etw ablehnen. *Niederd* Form von „auf etw ↗pfeifen". 1900 *ff*.

Pieper *m* **1.** Falschspieler, Betrüger. Fußt entweder auf jägerspr. „piepen = das Wild mit der Pfeife anlocken" oder ist entlehnt aus *franz* „piper = im Spiel betrügen". 1900 *ff*.

2. winziges Funkgerät. Wegen der schwachen Piep-Töne. 1967 *ff*.

'piepe'schnurz *adv* gleichgültig. ↗piepe; ↗schnurz. 1900 *ff*.

'piepe'schnurze'gal *adv* gleichgültig. ↗schnurzegal. 1920 *ff*.

'piepe'wurschte'gal *adv* völlig gleichgültig. ↗wurscht. 1900 *ff*.

'piepe'wurste'gal *adv* völlig gleichgültig. 1900 *ff*.

Piephahn *m* Penis; Knabenpenis. Meint eigentlich den jungen Hahn, der noch nicht krähen kann. Doch *vgl* auch „Pfeife = Penis" und „Hahn = Wasserkran". 1700 *ff, niederd*.

Piephans *m* Penis. In der kindertümlichen Aufzählung der Fingernamen ist „Piephans" der kleine Finger. *Westd* 1900 *ff*.

Piepmatz *m* **1.** Vogel, Singvogel. „Matz" bezeichnet in der Kindersprache ein kleines Lebewesen. Seit dem frühen 19. Jh. **2.** Sonderling. Er hat einen „↗Vogel im Kopf". 1920 *ff*. **3.** Sängerin mit schwacher Sopranstimme. 1920 *ff*. **4.** kleiner Finger. *Vgl* ↗Piephans. *Westd* 1900 *ff*. **5.** Penis. Analog zu „↗Spatz" und „elfter ↗Finger". 1900 *ff*. **6.** Orden. Aus dem Hoheitsadler machte man spöttisch einen Allerwelts-Vogel. Anfangs auf den Roten Adlerorden bezogen. 1840 *ff*. **7.** Gerichtssiegel; Siegel des Vollzugsbeamten. Analog zu „↗Kuckuck". 1900 *ff*. **8.** schwächlicher Mensch. Vergleich mit einem kleinen, zarten Vogel. Seit dem 19. Jh. **9.** *pl* = Frauenbrüste. Hängt zusammen mit der Vorstellung vom Büstenhalter als zwei Schwalbennestern. *Sold* 1939 *ff*. **10.** einen ~ fangen = eine Ordensauszeichnung erhalten. ↗Piepmatz 6. Berlin 1873 *ff*. **11.** einen ~ haben = nicht ganz bei Verstand sein. Analogiebildung zu „einen ↗Vogel haben". 1830/40 *ff*.

Pieps *m* **1.** einen ~ haben = verrückt sein. Pieps = Vogel. 1920 *ff*. **2.** keinen ~ sagen = kein Wort äußern; schweigen. *Vgl* ↗Piep 1. 1900 *ff*. **3.** keinen ~ tun = nichts äußern. 1900 *ff*.

piepsen *v* bei ihm piepst es = er ist nicht bei Verstand. Häufigkeitsform von „↗piepen 1". 1900 *ff*.

piepstengeln *v* koitieren. „Piepe" (= Pfeife 2) wie „Stengel" bezeichnen den Penis. 1900 *ff*.

piepstriegeln *v* koitieren. Striegeln = bürsten; bürsten = koitieren. *Nordd* seit dem 19. Jh.

Piepvogel *m* **1.** (Sing-)Vogel. 1700 *ff*. **2.** schwächlicher, kränklicher, wehleidiger Mensch. ↗Piepmatz 8. Seit dem 19. Jh. **3.** Orden. ↗Piepmatz 6. 1840 *ff*. **4.** einen ~ haben = nicht bei Verstand sein. ↗Piepmatz 11. Seit dem 19. Jh.

Piepvögelchen *n* Berühren der Stirn oder Schläfe mit dem Zeigefinger mit Blick auf einen Verkehrsteilnehmer, der sich unvorschriftsmäßig verhält. *Vgl* „den ↗Vogel zeigen". 1950 *ff*.

'piep'wurscht *adv* gleichgültig. ↗piepe; ↗wurscht. 1900 *ff*.

pieronje (pierunje) *interj* ↗peronje.

'piesacken ('pisacken, 'pissacken) *tr* plagen, quälen, schikanieren. Leitet sich her von *niederd* „Ossenpesek = Ochsenziemer". 1750 *ff.*

Piese I *m* Feigling; Versager; unsympathischer Mensch; Schimpfwort auf einen engstirnigen, am Herkommen unbeirrbar haftenden Menschen. Verkürzt aus „↗ Piesepampel". 1900 *ff.*

Piese II *f* kleines Wirtshaus. ↗ Piesel 4. 1950 *ff.*

Piesel *m* 1. Penis. Stammt aus *nordd* „Pesel = Zeugungsglied bei Stier und Eber". 1900 *ff.*
2. kleines Kind. Verkürzt aus „↗ Piesepampel". *Halbw* 1950 *ff.*
3. schwächlicher, dümmlicher Mann. 1950 *ff.*
4. kleine Gaststätte. Meint im *Niederd* den großen, im hinteren Teil des Bauernhauses gelegenen Raum, der bei größeren Festlichkeiten benutzt wurde. 1900 *ff.*
5. Gastwirt. Verkürzt aus „↗ Pieselwirt". *Nordd* 1900 *ff.*

pieseln *intr* harnen. Schallnachahmender Natur, wohl auch beeinflußt von „↗ Piesel 1". 1900 *ff.*

Pieselotten *pl* ↗ Piselotten.

Pieselwirt *m* Inhaber einer kleinen Gaststätte. ↗ Piesel 4. *Nordd* 1900 *ff.*

Piesepampel *m* 1. dummer, unbedeutender, unansehnlicher, ungeschickter, kleinlicher Mann. Meist im Sinne eines Allerweltsschimpfworts verwendet. Falls „Pampel" aus „bammeln = schlaff herabhängen" entstanden ist, kann „Piese" aus Gründen der Aussprecheerleichterung verkürzt sein aus „Piesel = Penis", so daß sich Analogie zu „↗ Schlappschwanz" ergäbe. 1900 *ff.*
2. Schwächling. 1900 *ff.*

pietern *intr* harnen. Wohl schallnachahmender Herkunft. *Nordd* 1920 *ff.*

Pietistenzwiebel *f* Haarknoten; Frau mit Haarknoten. Die „↗ Zwiebel" gilt als Zeichen strenger, strenggläubiger Lebensauffassung. 1950 *ff.*

pietschen (pitschen) *tr* einen ~ = ein Glas Alkohol zu sich nehmen. Stammt aus *poln* „pič" oder aus *tschech* „piči = Blechkanne" und meint also eigentlich das Trinken aus der Kanne. Diese Entwicklung kann beeinflußt sein von „pitschen = kneifen, zwicken"; das Verb „kneifen" führt unmittelbar zu „kneipen = im Wirtshaus zechen"; *vgl* ↗ Kneipe 1. Wohl schon im 18. Jh geläufig.

Pieze (Pietz, Pitz) *f* 1. weibliche Brust; Brustwarze. Pitz = Spitze. Etwa seit 1650.
2. Mädchen; junge Frau; intime Freundin. Pars pro toto. *Halbw* 1950 *ff.*
3. Schülerin der Unterstufe. Hier beeinflußt von „pien = harnen" im Sinne des Nichteintritts der Geschlechtsreife. *Österr* 1960 *ff.*
4. ~ des Hauses = Klingelknopf in Gaststätten, um die Bedienung herbeizuschellen. Der Klingelknopf erinnert an die Brustwarze. 1920 *ff, stud.*

Piffchen *n* ein Achtel Wein. ↗ Pfiff 3. Seit dem 19. Jh.

'piff'paff *adv* plötzlich. Schallnachahmend für den abgefeuerten Schuß. Seit dem 19. Jh.

Pi-Junge *m* Sextaner. ↗ Pipijunge. 1920 *ff.*

Pike *f* 1. Spitze des Fußballschuhs. *Sportl* 1950 *ff.*
1 a. ↗ Pieke.
2. von der ~ auf = von der untersten

Stufe an (z. B.: von der ~ auf dienen, lernen, sich hocharbeiten o. ä.). Pike ist der Spieß, mit dem der Soldat früher als erstes umzugehen lernte; von da verallgemeinert. Etwa seit 1650.
3. auf jn eine ~ haben. ↗ Piek I.

piken *intr* den Fußball mit der Schuhspitze treten. ↗ Pike 1. *Sportl* 1950 *ff.*

Pikkolo *m* Kellnerlehrling; kleiner Kellner; jüngster Kellner. Aus *ital* „piccolo = klein". 1870 *ff.*

Pikko'lomini *m* ↗ Pickelomini.

'piko'bello ('pikko'bello) *adv* ↗ picobello.

Pik-Sieben *f* 1. wie ~ = untätig, müßig; ratlos; zwecklos. Die Pik-Sieben ist im Skatspiel eine niedrige Karte, die keine Punkte zählt. Sie kann kaum etwas ausrichten, es sei denn, daß Pik Trumpf ist. *Vgl* aber auch „Pik = Schippe", dazu ↗ „Schippe 2 = herabhängende Unterlippe". 1900 *ff.*
2. gucken wie ~ = verwundert, ratlos blicken. 1900 *ff.*
3. dasitzen (dastehen) wie ~ = mit verblüfftem Gesichtsausdruck sitzen (stehen); ratlos sein; sich in arger Verlegenheit befinden; sichtlich nicht beachtet werden; der Übertölpelte sein. ↗ Pik-Sieben 1. 1900 *ff.*
4. ich stehe hier wie ~ auf Urlaub = ich stehe hier vergeblich; ich warte hier umsonst. 1930 *ff.*
5. die ~ ziehen = die geringste Erfolgsaussicht wählen; Mißerfolg anbahnen. 1930 *ff.*

Pille *f* 1. Frau *(abf)*. Geht zurück auf den Lockruf „pille, pille" für Ente und Gans; mit „Gans" bezeichnet man die dumme weibliche Person. 1920 *ff.*
2. Pistolenkugel. Übertragen von dem kugelförmigen Arzneimittel. 1700 *ff.*
3. Ball; Hand-, Fuß-, Rugbyball. *Sportl* 1920 *ff.*
4. Miniaturkondensator in Kugelform; Transistor. *Technikerspr.* 1955 *ff.*
5. niedrige Trumpfkarte, mit der ein Fehlfarbenstich eingeheimst wird. Diese Karte ist eine „bittere Pille". Kartenspielerspr. seit dem 19. Jh.
6. Penis, Knabenpenis. Geht zurück auf „pile = spitzer Pfahl; Zapfen". 1800 *ff.*
7. Fallsucht. Wörtlich aus „Epilepsie" entwickelt. *Rotw* 1910 *ff.*
8. ~ danach = nach dem Geschlechtsverkehr eingenommene empfängnisverhütende Pille. 1964 *ff.*
9. bittere ~ = unvermeidliche Unannehmlichkeit. Dem Arzneiwesen entnommen. 1600 *ff.*
10. schnelle ~ = Aufputschmittel; Rauschdroge. 1960 *ff.*
10 a. süße ~ = erfreuliche Mitteilung. *Vgl* ↗ Pille 22. 1960 *ff.*
11. eine bittere ~ drehen = ein Urteil zu Ungunsten der Kläger fällen. 1960 *ff.*
12. da helfen keine ~n = das ist unverbesserlich; das läßt sich nicht ändern. 1920 *ff.*
13. da helfen keine ~n und kein Krankenhaus (da helfen keine ~n, selbst Aspirin versagt; da helfen keine ~n und keine kalten Umschläge; da helfen keine ~n und keine Warmwasserquellen) = dagegen ist nichts zu machen; das muß man hinnehmen, wie es ist. Gegen 1920 aufgekommen; sehr beliebt unter den Soldaten

des Zweiten Weltkriegs. *Vgl* auch „↗ d.b.d. d.h.k.P.".
14. ~ merken (sich die ~ merken) = aus einem Vorfall sich eine Lehre ziehen; etw beherzigen. ↗ Pille 9. 1840 *ff.*
15. eine ~ (eine bittere ~) schlucken = eine schmerzliche Erfahrung zu verwinden suchen. Seit dem 17. Jh. *Vgl franz* „avaler la pilule"; *engl* „to swallow the bitter pill".
16. jm eine ~ zu schlucken geben = jn empfindlich kränken; jm sehr schwere Vorhaltungen machen. Seit dem 17. Jh.
17. auf die ~ schnorren = mit angeblicher Fallsucht oder Schwangerschaft betteln gehen. ↗ Pille 7. *Rotw* 1910 *ff.*
18. eine ~ vergolden = eine unangenehme Mitteilung in schöne (mildernde) Worte kleiden; einer Bosheit durch liebenswürdige Form das Verletzende nehmen. Seit dem 19. Jh. *Vgl franz* „dorer la pilule à quelqu'un"; *engl* „to gild the pill".
19. eine ~ verordnen = eine Karte abtrumpfen. ↗ Pille 5. Kartenspielerspr. seit dem 19. Jh.
20. jm ~n verordnen = jm Strafexerzieren auferlegen. *Sold* 1935 *ff.*
21. eine ~ verpaßt kriegen = verwundet werden; im Krieg von einer Kugel tödlich getroffen werden. ↗ Pille 2. *Sold* 1939 *ff.*
22. eine ~ versüßen (verzuckern, überzuckern) = eine unvermeidliche Unannehmlichkeit zu mildern suchen. Anspielung auf den süßlichen Geschmack der Dragee-Schicht. 1740 *ff.*

pillen *intr* Pillen einnehmen. Aufgekommen nach 1945 mit der Steigerung des allgemeinen Tablettenverbrauchs.

Pillendreher *m* 1. Apotheker; Stabsapotheker. 1700 *ff.*
2. Sanitätssoldat; *pl* = Sanitätstruppe. *Sold* 1914 bis heute.

Pillendrisser *m* ↗ Pillenschieter.

Pillenmuffel *m* Verweigerer von Arzneimitteln (der empfängnisverhütenden Pille). ↗ Muffel. 1970 *ff.*

Pillenpanne *f* Schwängerung, weil die empfängnisverhütende Pille versagt. ↗ Panne. 1965 *ff.*

Pillenschachtel *f* runder Damenhut in Schachtelform und ohne Krempe. Stammt aus *engl* „pillbox" oder „pillbox-hat". 1958 *ff.*

Pillenschieter (-drisser, -schisser, -scheißer) *m* kleinlicher Mensch. Analog zu „↗ Korinthenkacker". 1920 *ff.*

'Pill-'Ente ('Pill'ente) *f* Ente. Kindersprachlich, beruhend auf dem Lockruf „pille pille". Seit dem 18. Jh.

Pillenträgerin *f* Landstreicherin, die Schwangerschaft vortäuscht. „Pille" meint hier soviel wie „Beule, Geschwulst". *Vgl* ↗ Pille 17. *Rotw* 1500 *ff.*

Pils *n* Pilsener Bier; helles Bier. Kellnerspr. 1900 *ff.*

pilsblond *adj* goldblond. Wegen Farbähnlichkeit mit dem Vorhergehenden. 1930 *ff.*

Pilsfriedhof *m* dicker Leib. Er rührt vom reichlichen Biergenuß her. *BSD* 1960 *ff.*

Pilskur *f* Urlaub mit reichlichem Biergenuß. 1950 *ff.*

Pilsvergiftung *f* Trunkenheit infolge unmäßigen Biergenusses. Der „Pilzvergiftung" scherzhaft nachgebildet; gegen 1930/40.

Pilz *m* 1. Kopf. Er ist formähnlich mit Knollenpilzen. *BSD* 1960 *ff.*

2. Penis. Formähnlich mit der Morchel. *1900 ff.*
3. Kothaufen im Freien. *Sold 1939 ff.*
4. gleich haue ich dir den ~ abl: Drohrede. Bedroht werden Kopf oder Penis. *BSD 1960 ff.*
5. aufgepumpter ~ = beleibter, anmaßender Mensch. *Vgl* ⁊ aufgeblasen. *1960 ff.*
6. in die ~e gehen = a) verlorengehen. Man verirrt sich beim Pilzesuchen. Seit dem 17. Jh. – b) zugrunde gehen. Seit dem 19. Jh.
7. wie ~e aus dem Boden (der Erde) schießen = plötzlich in Menge zum Vorschein kommen. Pilze wachsen bei Regenwetter sehr schnell. Seit dem 19. Jh.
8. ich schieße in die ~el: Ausdruck der Überraschung. Anspielung auf eine unsinnige Handlungsweise. *Schül 1950 ff.*
9. ~e suchen = einen (anstrengenden) Waldlauf machen. Scherzhafter Hehlausdruck. *Sold 1935 ff.*
Pimädchen *n* kleines Mädchen vor der Geschlechtsreife. ⁊ Pipimädchen. *1900 ff.*
Pimann *m* Mann (Kosewort). Eigentlich Bezeichnung für einen kleinen Jungen, fußend auf der Bedeutung „Knabenpenis". *1920 ff.*
Pimme *f* **1.** Zigarette. Wahrscheinlich verkürzt aus „Pimmel = Penis" wegen einer gewissen Formähnlichkeit oder wegen des Fellierens. *Halbw 1955 ff.*
2. jm eine ~ ins Gesicht stürzen = jm eine Zigarette in den Mund stecken. *Halbw 1955 ff.*
Pimmel *m* **1.** Penis. Entweder Nebenform zu „Bimmel = Glocke" (wegen der Hin- und Herbewegung) oder zu *niederd* „Pümpel = Stößel im Mörser". Stößel und Mörser entsprechen Penis und Vagina. Etwa seit 1870.
2. Mann *(abfl)*. Pars pro toto nach dem Vorhergehenden. *1930 ff.*
3. Windrichtungsanzeiger auf Flugplätzen. Luftgefüllt oder schlaff herabhängend, ähnelt er dem Penis. Fliegerspr. *1935 ff.*
4. Bockwurst. *1960 ff, sold.*
Pimmelchen *n* Mann (Kosewort). ⁊ Pimmel 2. *1920 ff.*
pimmeln *intr* **1.** mühselige Kleinarbeit verrichten. Verwandt mit ⁊ piddeln. *Niederd 1870 ff.*
2. koitieren. ⁊ Pimmel 1. *1900 ff.*
3. onanieren. *1900 ff.*
4. unentschuldigt dem Schulunterricht fernbleiben. Gehört wohl als Nebenform zu „⁊ pimpeln = kränklich sein". Der Schüler schützt Unwohlsein vor. *1900 ff, schül.*
Pimmeltüte *f* Präservativ. ⁊ Pimmel 1; ⁊ Tüte. *Halbw 1955 ff.*
'Pimock *m* **1.** Zugewanderter; Ortsfremder; Heimatvertriebener; politischer Flüchtling. Meint ursprünglich den aus dem Gebiet östlich der Elbe zugewanderten Land-, Saisonarbeiter. Wohl ein slawisches Wort (?). *1870 ff.*
2. überheblicher, unsympathischer Mann. *1870 ff.*
'Pimpel *m* Penis. ⁊ Pimmel 1. *Niederd* „Pümpel = Stößel im Mörser". *1900 ff.*
Pimpe'lei *f* Verweichlichung. ⁊ pimpeln. *1900 ff.*
Pimpelgicht *f* die ~ kriegen = ungeduldig warten. Gehört vielleicht zu „⁊ Pimpel" und meint das ungeduldige Treten vom

einen Bein auf das andere, wenn man Harndrang verspürt. Etwa seit 1890.
pimpeln *intr* kränklich, schwächlich, wehleidig sein; gegen Witterungseinflüsse sehr empfindlich sein; wehleidig tun. Gehört ablautend zum Wortstamm „Pamp, Pampe = Brei" und entnasaliert zu „Papp" und „⁊ päppeln". *1600 ff. Vgl engl* „to pamper".
Pimper (Pümper, Pumper) *m* Penis. ⁊ pimpern. Seit dem 19. Jh.
Pimpergroschen *pl* **1.** Beischlafentgelt. *1930 ff.*
2. Kleingeld. *1930 ff.*
Pimperl *n* Knabenpenis. ⁊ Pimper. *Österr* seit dem 19. Jh.
Pimperlgeschäft *n* unbedeutendes Geschäft mit geringem Umsatz. Nebenform von ⁊ Bamberlgeschäft; *vgl* ⁊ Bamberl. *1900 ff.*
Pimperliese *f* **1.** Prostituierte. ⁊ pimpern. *1900 ff.*
2. Barfrau. *1900 ff.*
3. überempfindliche, wehleidige weibliche Person. Seit dem 19. Jh.
'Pimper'line *f* Frau, die auf Männerfang ausgeht, ohne Entgelt zu fordern. *1910 ff.*
'Pimperlinge *pl* Geldmünzen. Schallnachahmung für den hellen Klang, der beim Aufwerfen von Münzen, beim Klimpern mit den Münzen entsteht. Seit dem späten 19. Jh.
Pimperlschule *f* Grundschule. Nebenform zu ⁊ Bamberl. *Österr 1900 ff.*
Pimperltheater *n* Theater minderen Ranges. *Österr* seit dem 19. Jh.
Pimperlwasser *n* gehaltloses Getränk; Limonade. *Österr 1920 ff.*
'pimperl'wichtig *adj* überaus (übertrieben) wichtig. Wohl so wichtig, wie dem Kind seine Puppe erscheint. ⁊ Bamberl. *Bayr 1920 ff.*
pimpern *tr intr* **1.** koitieren, schwängern. Gehört zu *niederd* „pümpeln = stoßen"; „Pümpel" ist der Stößel, die Mörserkeule. *Vgl* ⁊ Pimmel 1. *1850 ff.*
Pimper'nelle *f* **1.** Prostituierte. Durch „⁊ pimpern = koitieren" umgemodelter Name einer Gewürzpflanze. *1960 ff.*
2. die ~ kriegen = die Geduld verlieren; der Verzweiflung nahe sein. Pimpernelle (Bibernelle) galt im 17. Jh als Mittel gegen die Pestilenz, gegen hitziges Fieber usw. Dem Betreffenden wird Pimpernelle als Heilmittel verabreicht. Seit dem 19. Jh.
Pimpf *m* **1.** Rekrut; frontunerfahrener Soldat. Meint eigentlich schallnachahmend den halblaut entweichenden Darmwind als Zeichen eines Menschen, der weder in dieser noch in anderer Hinsicht füllige Leistungen vollbringt. *Sold 1935 bis heute.*
2. einfältiger Mensch; Versager. Für 1905 als „das jüngste Wiener Schimpfwort" gebucht.
3. kleiner Junge. Seit 1920 in der Jugendbewegung üblich; später von der Hitler-Jugend übernommen.
Pi'nausen *pl* Geld. Nebenform zu „⁊ Penunse". *1900 ff.*
pingelig *adj* **1.** übergenau, kleinlich, heikel. Eine *rhein* Vokabel; bezeichnet dasselbe wie „peinlich". *Hd* „Pein" ergibt über „Ping"; entsprechend „peinlich = pingelig". Das dem 19. Jh angehörende Wort ist durch Bundeskanzler Konrad Adenauer gemeindeutsches Eigentum geworden, und zwar durch seinen Ausspruch, man

solle „im Gebrauch der Macht gar nicht so pingelig" sein (1959).
2. wählerisch im Essen. *1900 ff.*
Pingpong-Diplomatie (-Politik) *f* Politik, bei der die Maßnahme der einen Seite eine Maßnahme der anderen Seite auslöst. Aufgekommen 1971 im Zusammenhang mit dem Besuch der amerikanischen Tischtennismannschaft bei den Chinesen.
Pinie *f* **1.** schlank-, großwüchsige weibliche Person. *1950 ff.*
2. jn auf die ~ bringen = jn erzürnen. Analog zu „jn auf die ⁊ Palme bringen". *1900 ff.*
3. auf die ~ klettern = aufbrausen. *1900 ff.*
4. auf der ~ sein = hochgradig wütend sein. *1900 ff.*
Pink *m* **1.** Penis. Bezeichnet im *Niederd* den kleinen Finger. ⁊ Finger 1. Seit dem 18. Jh.
2. übler Bursche; unehrlicher Mensch; Rohling. Das Vorhergehende ergibt als „Pars pro toto" (Teil der Ganzes) den Mann, hier allerdings in *pejorat* Hinsicht. Seit dem 18. Jh, *rotw.*
Pinke *f* **1.** Spielkasse. Lautmalend für den Klang der Münzen. Seit dem 19. Jh.
2. Geld, Geldmünzen. *1840 ff.*
3. Skatspiel, bei dem jeder Geber einen festgesetzten Betrag auf einen Teller legt. Kartenspielerspr. *1900 ff.*
4. ~ husten = Geld gezwungen hergeben. *1900 ff.*
5. schwach auf der ~ sein = kein Geld haben. *1870 ff.*
Pinkel *m* **1.** Penis. ⁊ Pink. *Niederd* seit dem 19. Jh.
2. Harn; Harngeruch. ⁊ pinkeln. Seit dem 19. Jh.
3. Mann *(abfl)*. Pars pro toto aus „⁊ Pinkel 1". *1900 ff.*
4. gut aussehender Jugendlicher. Wohl verkürzt aus dem Folgenden. *Halbw 1960 ff.*
5. feiner ~ = a) elegant gekleideter Mann; Stutzer; mit Trinkgeldern freigebiger Mann; Mann, der sich keinem Lebensgenuß versagt. Etwa seit 1900. Im Ersten Weltkrieg nannte man so auch den „Einjährigen", die Soldaten in maßgeschneiderter Eigentumsuniform und auch den Husaren. – b) Mann, der sich aufspielt. *1900 ff.* – c) Rassehund. Er schnuppert nicht an allen Bäumen und hebt dort auch nicht das Bein, sondern bevorzugt „gewählte" Orte. *1955 ff.*
5 a. kleiner ~ = unbedeutender Mann. ⁊ Pinkel 3. *1900 ff.*
6. müder ~ = energieloser Mann. *1910 ff.*
7. reicher ~ = Wohlhabender. *1910 ff.*
8. vornehmer ~ = Vornehmtuer. *1900 ff.*
9. etw im ~ haben = etw im Gefühl haben; etw wissen. *Vgl* „etw im ⁊ Urin haben". *Sold 1939 ff.*
Pinkelbeine *pl* nach außen gekrümmte Beine („O- Beine") des Mannes. Vor dem Becken des Stehaborts braucht er die Beine nicht zu spreizen. *1910 ff.*
Pinkelbudenlude *m* Zuhälter, der in öffentlichen Bedürfnisanstalten Bekanntschaft mit Homosexuellen sucht. ⁊ Lude. *1840 ff.*
Pinkelbudentunte *f* Homosexueller, der in öffentlichen Bedürfnisanstalten Partner sucht. ⁊ Tunte. Seit dem 19. Jh.

Pinkelecke f Männerstehabort. 1900 ff.

pinkelfein adj vornehm; vornehmtuerisch. ⤢Pinkel 5. Sold 1939 ff.

Pinkelgroschen pl 1. Entgelt für Benutzung des öffentlichen Aborts. 1900 ff. **2.** Kleingeld. 1900 ff.

pinkeln intr 1. harnen. Schallnachahmender Natur; vgl auch „⤢Pink 1" und „⤢Pinkel 1". 1500 ff. **2.** impers = leicht regnen. Seit dem 19. Jh. **3.** es pinkelt = ein umfallender Kegel reißt langsam andere Kegel mit. Die Kegel fallen „tröpfelnd". Keglerspr. 1870 ff.

Pinkelpause f 1. Pause zur Verrichtung der (kleinen) Notdurft. ⤢P.P. 3. 1900 ff. **2.** kurze Beratungspause. 1900 ff.

Pinkelsechser m Benutzungsgebühr in öffentlichen Bedürfnisanstalten. Sechser = 6 Pfennig; später im Wert von 5 Pfennig. Berliner Vokabel seit 1870 bis heute.

Pinkelwasser n Dünnbier o. ä. Wegen der Farbähnlichkeit. 1920 ff.

Pinkelwinkel m Bedürfnisanstalt für Männer. Ein freundliches, mit Binnenreim ausgestattetes Wort für ein notwendiges Übel. 1900 ff.

pinken tr intr zahlen, bezahlen. ⤢Pinke 2. 1910 ff.

Pinkepank n Gemisch, Durcheinander, Verworrenheit. Nach dem Klang der gleichzeitig, aber in verschiedenem Takt geschlagenen Hämmer. Berlin 1870 ff.

'Pinke'pinke f Geld. Lautmalend für den Klang von Münzen. Vgl „⤢Pinke 2". Seit dem 19. Jh.

Pinkerlinge pl Geld. Schallnachahmend wie bei „⤢Pimperlinge". 1930 ff, sold.

Pinkulative f die ~ ergreifen = harnen. Euphemistisch angepaßt an „die Initiative ergreifen". 1900 ff, sold und stud.

Pinkulatorium n Männerabort. Zusammengesetzt aus „pinkeln" und der lat Endung „-orium" (Sanatorium, Auditorium u. ä.). Stammt aus der Schüler- und Studentensprache seit dem ausgehenden 19. Jh.

Pinn m 1. Penis. Eigentlich der Zapfen, Pflock, Holzstift. Analog zu „⤢Pflock 2", „⤢Stift" usw. Seit dem 19. Jh, niederd. **2.** Kegel. Übernommen aus engl „pin". 1920 ff. **3.** etw auf den ~ bringen = etw leisten. Stammt aus der Ruhrbergmannssprache: „Pinn" ist der Holzpflock des Anschlägers beim Zählen der Förderwagen. 1920 ff. **4.** einen ~ im Kopf haben = eingebildet, überheblich sein. Analog zu „einen ⤢Nagel im Kopf haben". Niederd seit dem 19. Jh. **5.** einen ~ in die Fotze treiben = koitieren. ⤢Pinn 1; ⤢Fotze 1. Halbw 1955 ff. **6.** auf den ~ treten = die Fahrgeschwindigkeit erhöhen. „Pinn" meint hier das Pedal. 1930 ff.

Pinnchen (Pinneken) n 1. kleines Schnapsglas; Schnäpschen. Formähnlich mit einem kleinen Zapfen. Rhein und westfäl 1900 ff. **2.** ~ verstecken spielen = koitieren. ⤢Pinn 1. Westfäl 1900 ff. **3.** einer Sache ein ~ vorstecken = eine Sache vereiteln. „Pinnchen" meint hier den Türriegel. Westfäl 1900 ff.

Pinne f 1. kleiner Nagel; Stift. ⤢Pinn 1. Berlin, seit dem 19. Jh.

2. unwahrscheinliche Erzählung; Lüge. ⤢pinnen 3. Berlin 1850 ff. **3.** die ~ hackt = die Lüge ist durchschaut. 1850 ff. **4.** leben wie Graf ~ = ein genußreiches Dasein führen; keinen Lebensgenuß auslassen. „Graf Pinne" ist die Sinnbildgestalt des Schlemmers, vielleicht zusammenhängend mit dem „Pinn", den einer im Kopf hat (⤢Pinn 4). Berlin 1900 ff.

pinnen v 1. tr = etw mit Heftzwecken befestigen; etw mit kleinen Nägeln anschlagen. Pinn = Holznagel, Heft-, Schuhzwecke. Niederd seit dem 19. Jh. **2.** tr = schreiben. Gehört zu lat „penna = (Schreib-)Feder". Schül 1870 ff. **3.** intr = lügen. Gehört vielleicht zu „einen ⤢Pinn im Kopf haben = eingebildet, überheblich sein". Wer eingebildet ist und sich aufspielt, ist ein naher Verwandter des Lügners. Berlin 1840 ff.

Pinscher m 1. unbedeutender Mensch; kleiner Geschäftsmann; kleinlicher Mensch; Schimpfwort allgemeiner Art. Gemeint ist der kleine Hund, der es mit den großen nicht aufnehmen kann; sein Gesichtskreis ist begrenzt; aber er möchte überall hineinschnüffeln. Paßt zu dem Bild vom Hunde, der den Mond anbellt. Etwa seit 1870. **2.** Studienreferendar in Ausbildung. Er hat noch keine selbständige Lehrberechtigung und läuft wie ein kleiner Hund hinter dem Ausbildungsleiter drein. 1920 ff, schül. **3.** unbedeutender, einflußloser Bürger, der Kritik an der Regierung übt; Bürger, dessen Kritik an der Regierung zu Unrecht als Aufsässigkeit und Umstürzlertum angeprangert wird. 1964 ff. **4.** Rekrut. BSD 1965 ff. **5.** Rauschgifthändler, der den Verbraucher unmittelbar beliefert. Er ist ein Kleingewerbetreibender. 1970 ff. **6.** geleckter ~ = eitler Geck; Stutzer; Modenarr. 1910 ff.

Pinsel m 1. Schreibgerät, Füllfederhalter o. ä. Eigentlich das Malergerät. Man „malt" die Buchstaben, wenn man langsam und sorgfältig schreibt. Vielleicht auch beeinflußt von engl „pencil = Pinsel, Griffel, Schreibstift". 1920 ff, schül. **2.** Penis. Wohl übertragen für die Bezeichnung für die Brunftrute des Wildes. Bei Stieren, Böcken usw. umgibt ein pinselähnliches Fellfutteral das Zeugungsglied. Etwa seit 1840. **3.** Gashebel, -pedal. Wohl übernommen von der Funktion des Penis beim Geschlechtsverkehr. 1920 ff. **4.** Mann. Pars pro toto nach „⤢Pinsel 2". 1850 ff. **5.** einfältiger Mensch. Zusammengewachsen aus „Pinn = hölzerner Schuhnagel" und „Sul = Schusterahle". Anfangs eine Berufsschelte des Schusters; dann Scheltwort auf den Geizigen und später auf den niederträchtigen Menschen. Die heutige Bedeutung setzte gegen 1740 unter Studenten ein. **6.** übersorgfältiger Mensch; Geiziger. Seit dem 17. Jh. **7.** Rekrut. Man hält ihn für einfältig. 1910 ff. **8.** Kopf. Geht wohl vom Haarschopf aus oder von den gleichmäßig geschnittenen Haaren. Sold seit dem späten 19. Jh bis heute.

9. widerlicher Mann; Feigling. Seit dem 17./ 18. Jh. **10.** Maler. Vom Arbeitsgerät auf den Berufstätigen übertragen. 1900 ff. **11.** alter ~ = Schimpfwort. 1935 ff. **12.** blöder ~ = dümmlicher, eingebildeter Mann. 1935 ff. **13.** eingebildeter ~ = überheblicher Mann. 1935 ff. **14.** feiner ~ = Vornehmtuer. Vgl ⤢Pinkel 5. 1910 ff. **15.** reicher ~ = Wohlhabender. 1910 ff. **16.** trauriger ~ = impotenter Mann. ⤢Pinsel 2. 1910 ff. **17.** mit vollem ~ = mit hoher Fahrgeschwindigkeit. ⤢Pinsel 3. 1950 ff. **18.** auf den ~ drücken = das Gaspedal niederdrücken. ⤢Pinsel 3. 1920 ff. **19.** auf den ~ fallen = a) auf den Kopf fallen. ⤢Pinsel 8. 1920 ff. – b) mit dem Flugzeug abstürzen; beim Flugzeugabsturz umkommen. 1925 ff. **20.** jm auf den ~ fallen = jn nervös machen. ⤢Pinsel 8. 1920 ff. **21.** nach dem ~ fliegen = blind fliegen. Pinsel = Kopf; hier identisch mit „Gutdünken", „Eigensinn" o. ä. Fliegerspr. 1935 ff. **22.** sich auf den ~ legen = zu Fall kommen. ⤢Pinsel 8. 1920 ff. **23.** auf den ~ legen = die Fluggeschwindigkeit zu steigern suchen. ⤢Pinsel 3. Fliegerspr. 1935 ff. **24.** der ~ stinkt = die Sache ist gefährlich, heikel. Geht von „⤢Pinsel 2" aus. 1945 ff. **25.** auf den ~ treten = die Fahrgeschwindigkeit erhöhen. ⤢Pinsel 3. 1920 ff. **26.** tritt auf den ~! = geh weg! Vom Autofahrer übertragen. Schül 1925 ff.

Pinsel-Heinrich m Heinrich Zille (1858–1929). Berlin 1890 ff.

pinselig adj 1. vornehmtuerisch; zimperlich. ⤢Pinsel 14. Seit dem 18. Jh. **2.** wählerisch im Essen. 1900 ff. **3.** übersorgfältig; geizig. ⤢Pinsel 6. 1800 ff.

pinseln v 1. tr = streichen, kalken, tünchen. Seit dem 19. Jh. **2.** tr intr = malen. 1700 ff. **3.** intr = schminken; Make-up auflegen. 1920 ff. **4.** intr = koitieren. ⤢Pinsel 2. Seit dem 19. Jh. **5.** intr = schießen, feuern. Übertragen vom Ejakulieren. Sold 1939 ff. **6.** intr = fliegen. ⤢Pinsel 3. Fliegerspr. 1935 ff. **7.** intr = die Fahrgeschwindigkeit erhöhen. ⤢Pinsel 3. 1920 ff. **8.** tr = jn überlegen besiegen. Sportl 1950 ff. **9.** tr = schreiben. ⤢Pinsel 1. 1920 ff. **10.** einen ~ = ein Glas Alkohol zu sich nehmen. Über die Bedeutung „kalken, tünchen" analog zu „⤢verputzen". 1920 ff. **11.** jn ~ = jn ohrfeigen, prügeln. Der Abdruck der Hand bleibt als Farbfleck zurück; im Zusammenhang mit „⤢pinseln 1" vgl auch „⤢Backenstreich". 1900 ff. **12.** intr = dirigieren. Der Dirigent bewegt den Taktstock auf und ab und hin und her wie der Anstreicher den Pinsel. Theaterspr. 1920 ff. **13.** intr = in bezug auf die Gesundheit schnell wehleidig sein; zimperlich sein. ↗ Pinsel 14 u. ↗ pinselig 1. Seit dem 18. Jh.

Pinselquäler *m* Anstreicher, Maler. Im späten 19. Jh aufgekommen.

Pinsler *m* 1. schlechter Kunstmaler. ↗ pinseln 2. 1800 *ff*.
2. mittelmäßiger Dirigent. ↗ pinseln 12. 1920 *ff*.

Pint *m* Penis. Eigentlich soviel wie „Pflock, Bolzen"; *vgl* diese Stichwörter. *Nordd* 1700 *ff*.

Pinte *f* kleine Gaststätte; Lokal zweifelhaften Rufs. Stammt aus *mittellat* „pincta = Gemaltes" (gemeint ist wohl das gemalte Eichzeichen); ursprünglich ein Flüssigkeitsmaß, dann auch das Wirtshauszeichen. Im 19. Jh von Südwestdeutschland ausgegangen, wahrscheinlich *stud* Herkunft.

Pintenkehr *m* Besuch mehrerer Gastwirtschaften. ↗ Pinte. *Schweiz* 1950 *ff*.

Pin-up-Bombe (Bestimmungswort *engl* ausgesprochen) *f* auf Männer wirkende Titelblattschönheit. ↗ Bombe 3. 1950 *ff*.

Pionierschweinerei *f* versteckt eingebaute Minen o. ä. *Sold* 1939 bis heute.

'Pipan *m* Penis. Entstellt aus „↗ Piephahn". 1910 *ff*.

Pipa'po I *n* das (der) übliche Zubehör; das gesamte Beiwerk; der übliche Vorgang; Nebensächliches; Gleichgültiges. Wahrscheinlich hervorgegangen aus der Abkürzung „p.p." für „perge, perge" im Sinne von „und so weiter" und der Vokabel „piepe" im Sinne von „gleichgültig". Vielleicht hat auch *franz* „pipeau = Trick" eingewirkt. Daß der Filmregisseur Richard Eichberg (1888–1952) den Ausdruck erfunden habe, ist ein Irrtum; die Vokabel taucht erstmals 1843 in Berlin auf und scheint schon damals nicht neu gewesen zu sein.

Pipa'po II *m* 1. Hampelmann, Kasperlpuppe. 1930 *ff*.
2. Gesäß. Aus „↗ Popo" scherzhaft entstellt. 1965 *ff*.

pipa'po *adv* 1. hervorragend gestaltet; gekonnt. 1950 *ff*.
2. vorgetäuscht, unecht. 1950 *ff*.
3. gleichgültig. ↗ Pipapo I. 1920 *ff*.
4. Ausdruck der Ablehnung; Ausruf als Entgegnung auf eine unsinnige Äußerung. Etwa im Sinne von „↗ papperlapapp". 1950 *ff*.

Pipeline (*engl* ausgesprochen) *f* 1. Penis. Aufgefaßt als Rohr-, Wasserleitung; beeinflußt von „↗ Piepel 1". *Halbw* 1960 *ff*.
2. ~ im Glas = Trinkhalm im Glas. 1950 *ff*.

'piperln *intr* trinken, zechen. ↗ biberln. Wien, seit dem 19. Jh.

'Pipi (Pi'pi) *m* 1. Harn. Wohl schallnachmender Herkunft in der Kindersprache. 1700 *ff*.
2. ~ machen = harnen. 1700 *ff*. *Vgl franz* „faire pipi".
3. das ist ~ = das ist Unsinn, wertlos o. ä. Analog zu „↗ Piß", „↗ Scheiße" u. ä. 1900 *ff*.

'Pipifax *m* 1. Penis. Latinisierte Form nach dem Muster von „Scribifax" u. ä. Seit dem 19. Jh.
2. kleiner Junge. Seit dem 19. Jh.

'Pipi-Gör *f* *n* kleines Mädchen. ↗ Pie-Gör. 1900 *ff*.

'Pipijunge *m* kleiner Junge. Er ist noch nicht geschlechtsreif. 1840 *ff*.

'Pipilatte *f* Gliedversteifung wegen Harndrangs. ↗ Latte 2; ↗ Wasserlatte. 1960 *ff*; wohl älter.

Pipi'lette *f* Stehabort. Zusammengesetzt aus „Pipi" und „Toilette". 1960 *ff*.

Pi'pima'dam *f* Abortwärterin. 1930 *ff*.

Pipimädchen (Pi'pimädchen) *n* 1. noch nicht geschlechtsreifes Mädchen; zurückhaltendes, abweisendes Mädchen. 1840 *ff*.
2. Mädchen, das abends den Hund auf die Straße führt. 1900 *ff*.

pipi'nieren *intr* harnen. Überlagert von „urinieren". 1950 *ff*.

Pippel *m* Penis. Vokalgekürzte Nebenform zu „↗ Piepel 1". Seit dem 19. Jh, *südd*.

pippeln *intr* 1. harnen. ↗ Pippel. Seit dem 19. Jh.
2. trinken. ↗ piperln. *Öster* seit dem 19. Jh.

pipperln *intr* trinken. ↗ biberln. *Öster* seit dem 19. Jh.

Pippn *m* unartiger Junge. Verkürzt aus „↗ Rotzpippn". *Öster* 1930 *ff*.

Piprikaschnatzel *n* Paprikaschnitzel. Scherzhafte Vokalvertauschung, etwa seit 1920. Dazu erzählt Leo Slezak: „Der alte Knaak vom Karltheater ... konnte das Wort ‚Paprikaschnitzel' auf 36 Arten so verdrehen, daß die Leute wieherten." Ähnliche Variationsleistungen vollbrachte um 1930 Max Pallenberg auf der Berliner Bühne.

Pips *m* 1. Erkältung mit Schnupfen. Wird allgemein in Zusammenhang gebracht mit *mittellat* „pipita = Verschleimung" (aus *lat* „pituita = zähe Flüssigkeit"), bekannt als Vogelkrankheit. Etwa um den späten 17. Jh; außerhalb des *oberd* Raumes geläufig.
2. Geistesbeschränktheit; leichte Geistesstörung. Wohl Überlagerung von „einen ↗ Piep haben". 1900 *ff*, *nordd*.
3. nicht ~ noch Paps sagen = kein Wort äußern; schweigen. ↗ piep 1. 1960 *ff*.

Pi-Quadrat mal Daumen sehr ungenau berechnet; ohne Meßinstrumente bestimmt. ↗ pi. Ingenieurspr. 1920/30 *ff*.

Pirat *m* 1. Marineangehöriger. Scherzhaft als Seeräuber aufgefaßt. *BSD* 1965 *ff*.
2. unerlaubter Rundfunksender. 1960 *ff*.
3. *pl* = Ungeziefer. Es „kapert" oder „entert" Menschen. *Sold* 1914 bis heute.
4. ~en im Frack = Lehrerkollegium. Fußt auf den *dt* Titel des 1955 gedrehten *franz* Spielfilms „Alerte aux Canaries". *Schül* 1958 *ff*.
5. ~ auf den Straßen = Kraftfahrer, der gegen die Straßenverkehrsordnung verstößt; rücksichtsloser Kraftfahrer. 1960 *ff*.

Piratenschiff *n* 1. Schiff mit einem amtlich nicht zugelassenen Rundfunksender. 1960 *ff*.
2. Schiff, auf dem zollfreie Ware an Ausländer verkauft wird. 1974 *ff*.

Piratensender *m* unerlaubter nicht genehmigter Rundfunksender auf einem außerhalb der Hoheitszone ankernden Schiff. 1958 *ff*.

Pirsch *f* auf die ~ gehen = auf Liebesabenteuer ausgehen; Mädchen nachstellen. Meint eigentlich den Weidgang des Jägers. 1900 *ff*.

Pisa *interj* Zuruf der Mutter an die Tochter, die eine Herrenbekanntschaft gemacht hat. Gemeint ist etwa: „benimm dich wie der Turm zu Pisa: sei geneigt, aber falle nie!". 1930 *ff*.

Pisatolle *f* Damenfrisur in Form eines

---

schiefen Turmknotens. *Vgl* „↗ Pagode". 1961 *ff*.

Pische *f* Mädchen *(abf)*. *Vgl* das Folgende. 1950 *ff*.

pischen *intr* harnen. Lautmalender Herkunft. Seit dem 19. Jh.

Pischer *m* 1. Penis. *Niederd* seit dem 19. Jh.
2. Mann (Kosewort). 1900 *ff*.

Pischmaus *f* weibliche Person. ↗ pischen. 1960 *ff*, *halbw*.

pischpern *intr* ↗ pispern.

Piselotten (Pieselotten) *pl* 1. Habseligkeiten. Gehört vielleicht zu „püsseln = geschäftig hantieren" und „Klamotten", beeinflußt von „Pisse = Wertloses". 1930 *ff*.
2. militärische Ausrüstungsgegenstände. *Sold* 1939 *ff*.
3. Geld. Hängt vielleicht zusammen mit *zigeun* „biš = zwanzig". 1935 *ff*.

pispern (pischpern) *intr* flüstern. Schallnachahmender Herkunft. Seit dem 15. Jh.

Piß *m* 1. Harn; Harnlassen. ↗ pissen 1. 1400 *ff*.
2. Penis. Undatierbar.
3. Geschlechtsorgan des Mädchens. Kinderspr. Seit dem 19. Jh.
4. fades Getränk. Es ist dünn wie Harn und schmeckt auch wohl nicht gut. 1900 *ff*.
5. Wertlosigkeit, Unsinn. 1900 *ff*.
6. ~ mit Lehm = schales Bier. 1900 *ff*.
7. der letzte ~ = sehr Minderwertiges. *Jug* 1955 *ff*.

Pißbecken *n* 1. Schwimmbecken in der Schule; Schwimmbad. Es dient vielen als eine Art Stehabort. 1960 *ff*, *schül*.
2. Maßkrug. Er ist umfangreich, und der Inhalt hat Harnfärbung. *BSD* 1965 *ff*.

Pißbombe *f* Urinflasche, -glas. Wegen der Formähnlichkeit. *Sold* 1914 bis heute.

Pißbude *f* öffentliche Bedürfnisanstalt. 1820 *ff*.

Pißbudenhengst *m* Abortwärter. ↗ Hengst. 1900 *ff*.

Pißding *n* verwünschte Sache. ↗ Piß 5. 1920 *ff*.

Pisse *f* 1. Harn. ↗ pissen 1. Seit *mhd* Zeit.
2. große Wasserfläche; Meer. *Sold* 1914 *ff*.
3. Dünnbier. ↗ Piß 4. 1900 *ff*.
4. niederster Alltagsvorgang. *Halbw* 1955 *ff*.
5. ja, ~! : Ausdruck der Ablehnung. ↗ Piß 5. 1920 *ff*.
6. ~ im Gehirn haben = dumm sein. 1930 *ff*.
7. jn in die ~ jagen = jn ins Meer treiben. ↗ Pisse 2. *Sold* in beiden Weltkriegen.
8. kalte ~ kriegen = lange, vergeblich auf etw (jn) warten. Kalte Pisse = Harnverhaltung. 1914 *ff*.
9. mir läuft die ~ weg!: Ausdruck der Überraschung, des Erschreckens oder Unwillens. Man verliert die Gewalt über den Schließmuskel der Harnröhre. 1920 *ff*.
10. bis die ~ dick wird = bis zur Besiegung des Gegners. Kartenspielerspr. 1900 *ff*.

pisse *adj präd* (unveränderlich) sehr minderwertig. *Jug* 1955 *ff*.

pisselig *adj* umständlich, langsam. ↗ pusseln. Seit dem 19. Jh.

pisseln *intr* 1. harnen. Schallnachmender Natur. Seit dem 14. Jh.
2. miteinander Heimlichkeiten haben.

Lautmalend für Flüstern, Wispern, Pispern o. ä. *Nordd* 1900 *ff.*

pissen *intr* 1. harnen. Lautmalerei: Kindern macht man mit „ps, ps" das Geräusch des Harnens vor. Seit dem 14. Jh.
2. *impers* = regnen. 1840 *ff.*
3. auf etw ~ = etw gründlich verachten; sich gegenüber einer Sache völlig gleichgültig verhalten. Seit dem 19. Jh (wohl erheblich älter).
4. sie schreit noch beim ~ aua = sie ist noch nicht geschlechtsreif. 1950 *ff, halbw.*

Pisser *m* 1. Penis. Undatierbar.
2. Schulabort. Wohl Eindeutschung von *franz* „pissoir". 1950 *ff.*
3. Einzelgänger. Gemeint ist wohl der Bettnässer. 1950 *ff, schül.*
4. Erwachsener; Schimpfwort. *Vgl* ⁊ Scheißer. *Jug* 1960 *ff.*
5. kleiner ~ = a) kleiner Junge. 1920 *ff.* – b) unbedeutender Mann. 1920 *ff.*

Pißkarre *f* Kinderwagen. Bezeichnet in der Landwirtschaft den Jauchewagen. 1900 *ff.*

Pißkeule *f* 1. Penis. Wegen der Formverwandtschaft bei Gliedversteifung. 1930 *ff.*
2. geschwungene ~ = erigierter Penis. 1930 *ff.*

Pißkind *n* kleiner Junge. Er ist noch nicht geschlechtsreif. 1930 *ff.*

Pißknüppel *m* Penis. ⁊ Knüppel 3. 1900 *ff.*

Pißlorke *f* Getränk, das schnell Harndrang hervorruft. ⁊ Lorke. 1900 *ff.*

Pißmaschine *f* Harnorgan. 1900 *ff.*

Pißnelke *f* 1. kleines Mädchen (sehr *abf*); zurückhaltende weibliche Person. „Nelke" meint das langweilige Mädchen. „Piß-" spielt wohl darauf an, daß es noch nicht geschlechtsreif ist oder sich wenigstens so benimmt. 1910 *ff.* Der Ausdruck war 1955 Gegenstand einer Beleidigungsklage der Filmschauspielerin Christiane Maybach gegen den Schauspieler Adrian Hoven.
2. langweiliges, schwungloses, nicht unternehmungslustiges Mädchen. 1955 *ff, halbw.*

Pisso'lin *n* Dünnbier; schales Bier. Zusammengesetzt aus „pissen" und der im Chemie geläufigen Endung „-lin" (Gasolin, Kaolin, Naphtalin u. ä.). 1920 *ff.*

'Piß'ort *m* öffentliche Bedürfnisanstalt für Männer. Volksetymologisch eingedeutscht aus *franz* „pissoir". 1920 *ff.*

Pißpott *m* 1. Nachtgeschirr. ⁊ Pisse 1; ⁊ Pott. 1500 *ff, niederd.*
2. Stahlhelm. Wegen der Formähnlichkeit. 1935 *ff.*
3. großes Bierglas. Entweder meint man den Umfang oder wertet den Inhalt ab. 1939 *ff, sold.*
4. Kochgeschirr. *Sold* 1939 *ff.*
5. umgedrehter ~ = Damenhut in hoher Topfform. 1920 *ff.*
6. Pißpötte schwenken = Zivildienst leisten. Bezieht sich auf den Einsatz in Krankenhäusern. *BSD* 1960 *ff.*
7. dastehen wie ein ~ mit zwei Henkeln = die Hände in die Seite stemmen. 1830 *ff.*

Pißpottschwenker *m* 1. Sanitätssoldat im Lazarett. Im späten 19. Jh aufgekommen und bis heute geläufig.
2. Zivildienstleistender. *BSD* 1960 *ff.*

Pißrieke *f* kleines Mädchen *(abf)*. „Rieke" ist aus dem weiblichen Vornamen Friederike verkürzt. Anspielung auf Nichteintritt der Geschlechtsreife. 1935 *ff.*

Piß- und Puste-Pause *f* kurze Notdurft-

und Rauchpause während des Marsches, während der Arbeitszeit o. ä. 1900 *ff.*

'piß'warm *adj* lauwarm. 1900 *ff, niederd.*

Pißwetter *n* Regenwetter. 1910 *ff.*

Pißwinkel *m* Stehabort für Männer; öffentliche Bedürfnisanstalt. Seit dem 19. Jh.

Pißzaster *m* Benutzungsgebühr in öffentlichen Bedürfnisanstalten o. ä. ⁊ Zaster. 1900 *ff.*

Piste *f* von Prostituierten vielbegangene Straße. Es ist ihre „Rennstrecke". 1950 *ff.*

Pisten-As *n* hervorragender Skiläufer. ⁊ As. 1955 *ff.*

Pistenbiene (-braut) *f* Begleiterin eines Autorennfahrers. 1960 *ff.*

Pistenbummler *m* Skisportler ohne leistungssportlichen Ehrgeiz. ⁊ bummeln. 1955 *ff.*

Pisten-Drahtesel *m* Skibob. ⁊ Drahtesel. 1950 *ff.*

Pistenfeger *m* Angehöriger des Bodenpersonals der Luftwaffe. Anspielung auf die Landpiste. *BSD* 1965 *ff* (1939 *ff*²).

Pistenflitzer *m* kühner Skiläufer. ⁊ flitzen. 1950 *ff.*

Pistenfuchs *m* erfahrener Skiläufer. An Erfahrung kommt er dem Fuchs der Tiersage gleich. 1955 *ff.*

Pistenhirsch *m* 1. Fahrrad. ⁊ Hirsch 10. 1950 *ff.*
2. Skiläufer (sowohl der hervorragende als auch der ungeübte). *Bayr* und *österr* 1960 *ff.*

Pisten-Kanone *f* ausgezeichneter Skiläufer. ⁊ Kanone. 1955 *ff.*

Pisten-Latein *n* übertriebene bis unwahre Berichte aus dem Skisport. ⁊ Latein 2. 1960 *ff.*

Pistenlöwe *m* Skisportler. Dem Wort „Salonlöwe" nachgebildet mit Anspielung auf die Bewunderung der größten Könner. 1960 *ff.*

Pistenmädel *n* jugendliche Autorennfahrerin. Piste = Rennstrecke. 1960 *ff.*

Pistennutte *f* leichtlebige weibliche Person (Prostituierte), die an den Austragungsorten der Olympischen Winterspiele Männerbekanntschaften sucht. ⁊ Nutte 1. 1956 *ff.*

Pistenrummel *m* Geschäftigkeit im Skigebiet. ⁊ Rummel. 1950 *ff.*

Pistensau *f* rücksichtsloser Skiläufer. ⁊ Sau. 1955 *ff.*

Pistenschreck *m* draufgängerischer Skiläufer oder Autorennfahrer. 1950 *ff.*

Pistenveilchen *n* Straßenprostituierte. ⁊ Piste. 1950 *ff.*

Pistole *f* 1. Penis. Gehört zur Gleichung „ejakulieren = schießen". 1870 *ff.*
2. heiße ~ = geladene und entsicherte Pistole. 1950 *ff.*
3. wie aus einer geölten ~ = überaus schnell. 1950 *ff.*
4. jn mit der ~ ansehen (o. ä.) = jn mit vorgehaltener Pistole erpressen. 1960 *ff.*
5. mit der ~ betteln gehen = einen Raubüberfall ausführen. Nach 1945 aufgekommen.
6. wie aus der ~ geschossen = sehr schnell; umgehend (auf rasche Erwiderung bezogen). Der Schuß vertritt hier die Schnelligkeit. 1700 *ff.*
7. gespannt sein wie eine ~ = voll gespannter Erwartung sein. „Gespannt" bedeutet hier „straffgezogen" und „erwartungsvoll". 1920 *ff.*
8. mit der ~ kassieren = einen Raub-

überfall auf ein Kreditinstitut begehen. 1955 *ff.*
9. jm die ~ auf die Brust setzen = jm keine Wahl mehr lassen; jm energisch zusetzen. Hergenommen vom Räuber, der mit den Worten „Geld oder Leben!" seinem Opfer entgegentritt. 1870 *ff.*

Pistolenkiste *f* Duell auf Pistolen. ⁊ Kiste 2. Seit dem 19. Jh.

Pitsche *f* Vagina, Vulva. Rührt her von schallnachahmendem „pitschen = harnen". Seit dem 19. Jh.

pitschen *tr* ⁊ pietschen.

'pitsche'patsche *adv* völlig durchnäßt. Ablautende Formel. Sowohl „patschen" als auch „pitschen" bezeichnen ein Wühlen in Feuchtem und beziehen sich schallnachahmend auch auf den Regen. Seit dem 19. Jh.

'pitsche'patsche'naß *adj* völlig durchnäßt. ⁊ patschnaß. Seit dem 19. Jh.

'pitschig *adj* 1. feucht (auf die Wohnung bezogen). Nebenform von „⁊ patschig". *Nordd* 1900 *ff.*
2. nicht ausgebacken. 1900 *ff.*

'pitsch'naß *adj* völlig durchnäßt. Ablautende Variante zu „⁊ patschnaß". Seit dem 19. Jh.

Pitz *f* ⁊ Pieze.

pitzeln *v* 1. *intr* = übersorgfältig zu Werke gehen. *Hd* Form von „⁊ piddeln". 1920 *ff.*
2. *tr* = etw zerkleinern, zerschneiden. Eigentlich soviel wie „mit einem Schneide- oder Stechwerkzeug zerstückeln". 1800 *ff.*
3. *intr* = prickeln. ⁊ bitzeln.

Pitzelwasser *n* ⁊ Bitzelwasser.

'pi'warm *adj* lauwarm; unangenehm warm. Verkürzt aus „⁊ pißwarm" oder (sinngemäß) „warm wie ⁊ Pipi". 1900 *ff.*

Pix *m* Revolver, Pistole o. ä. Schallnachahmend für den Laut, der beim Schießen mit Schalldämpfer entsteht. *Sold* 1914 *ff.* Gleichlautend und *gleichbed* im *Engl.*

pixen *intr* mit Revolver (Pistole) schießen. *Sold* 1914 *ff.*

Pla'cebo *n* wirkungslose Maßnahme. Aus dem *Lat* (ich werde gefallen) übernommene Apothekerbezeichnung für ein wirkungsloses Präparat. 1970 *ff.*

Plack *m* 1. Fleck; Schmutzkruste. Aus dem *Niederd* in *mhd* Zeit volkstümlich geworden; *vgl franz* „plaque".
2. mühselige Arbeit; Qual. Vokalgekürzte Nebenform zu „Plage". Seit dem 19. Jh.

placken *v* 1. *intr* = Flecken machen. ⁊ Plack 1. Seit dem 17. Jh.
2. *impers* = fleckig werden. Seit dem 17. Jh.
3. *refl* = sich abmühen. Intensivform zu „plagen". Seit dem 15. Jh.

plackern *refl* sich abmühen. ⁊ placken 3. Seit dem 19. Jh.

plackig *adj* fleckig. ⁊ Plack 1. Seit dem 17. Jh.

Pladder *m* 1. strömender Regen. ⁊ pladdern. Seit dem 19. Jh, *niederd.*
2. dünner Kaffeeaufguß; dünne, gehaltlose Suppe. Seit dem 19. Jh.
3. Schmutzfleck von verschüttetem Essen. Etwa die Stelle, auf der der „Regenguß" niedergegangen ist. Seit dem 19. Jh.

pladdern *v* 1. *intr* = Wasser von oben herabfallen lassen; plätschern. Lautmalenden Ursprungs: *mhd* „plodern = rauschen". Vorwiegend *niederd*, 1700 *ff.*
2. *impers* = stark regnen. 1700 *ff.*

'pladder'naß *adj* völlig durchnäßt. 1700 *ff.*

Plagegeist *m* lästiger Mensch; Mensch, der einem sehr lästig fällt; Mensch, der keine Ruhe gibt. Er steht im Ruf des schadenstiftenden Geistes, eines Dämons, der Menschen zu quälen versteht. Seit dem 18. Jh.

Plakat *n* großer Fleck. Erweitert aus „Plack 1" in Anlehnung an die großformatigen Werbeblätter auf Litfaßsäulen und Reklametafeln. 1900 *ff.*

Plakate'ritis *f* übertriebene Propaganda mittels Plakaten, Schriftbändern u. ä. Als Sache etwa 1918 aufgekommen, als Vokabel spätestens seit 1933.

Plan *m* 1. grüner ~ = törichtes Vorhaben. Eigentlich die Gesamtheit der von der Regierung eingeführten Maßnahmen zur Gesundung der Landwirtschaft; hier beeinflußt von „grün = unerfahren". 1960 *ff.*
2. auf dem ~ erscheinen = in Erscheinung treten. „Plan" ist das große Stück Land, die Fläche, der Platz, insbesondere der Tanzplatz, auch der Turnierplatz. 1700 *ff.*
3. ~ geändert, Bett geschissen: Redewendung, wenn man seine Absicht geändert hat. Wird erzählt als Ausspruch eines bettlägerigen Generals, der wegen Harndrangs seinem Burschen befiehlt, die Bettflasche herbeizubringen, und als ihm dies zu lange dauert, seinen Kot ins Bett abgehen läßt. *Sold* in beiden Weltkriegen und nachher.
4. das ist kein ~ für Deutschlands Söhne = das ist undurchführbar, unzumutbar. Scherzhaft gestelzte Nachahmung der Ausdrucksweise von Nationalisten. Etwa seit 1900.
5. auf den ~ treten = in Erscheinung treten; eingreifen; zur Hilfe kommen. ↗Plan 2. 1700 *ff.*

Planer *m* listiger, lebenserfahrener Mann; Ränkeschmied. 1920 *ff.*

planfahren *intr* fahrplanmäßig verkehren. Eisenbahnerspr. 1900 *ff.*

Plankenpedder *m* Seemann. ↗pedden 1. 1870 *ff.*

plankommen *intr* fahrplanmäßig, ohne Verspätung ankommen. Eisenbahnerspr. 1900 *ff.*

Plansch (Plantsch) *m* 1. schlechtes Getränk. ↗planschen 2. Seit dem 19. Jh.
2. Nässe, Pfütze. Seit dem 19. Jh.

Planschbecken *n* 1. Becken, in dem Kinder im Wasser spielen. Seit dem 19. Jh.
2. Schwimmbad, -halle. *Schül* 1950 *ff.*
3. Teilglatze. 1920 *ff.*
4. Mundhöhle. 1910 *ff.*
5. Vagina. 1910 *ff.*
6. Magen des Biertrinkers. 1900 *ff.*

Planschbeckenmatrose *m* Marineangehöriger. Entweder Anspielung auf die Matrosen als Nichtschwimmer oder scherzhafte Wertminderung und Bagatellisierung. *BSD* 1965 *ff.*

Planschbude *f* minderwertige Gaststätte. ↗planschen 2. 1900 *ff.*

planschen (plantschen) *intr* 1. in Flüssigkeiten wühlen; plätschern, regnen. Schallnachahmender Herkunft; Nasalerweiterung von „↗platschen". 1700 *ff.*
2. verwässern, fälschen; Getränken Wasser beimischen. Seit dem 19. Jh.

'planschi-'planschi machen sich im Wasser bewegen; wassertreten (Kneippkur). Der Kindersprache nachgeahmt. 1930 *ff.*

Planschkuh *f* dickliches Mädchen. *Jug* 1960 *ff.*

Planstellenjäger *m* Vorgesetzter, der sich bei seinen höheren Vorgesetzten einzuschmeicheln sucht. Durch Dienstbeflissenheit sucht er eine höhere Rangstufe zu erreichen. *BSD* 1965 *ff.*

planten *tr* unrechtmäßig erworbenes Gut verstecken. Fußt auf *lat* „plantare = einpflanzen, versenken". *Sold* und *rotw* 1910 *ff.*

Plantsch *m* ↗Plansch.

plantschen *intr* ↗planschen.

Plapperer I *m* Lehrer. Plappern = unnütz schwätzen. *Österr* 1920 *ff.*

Plapperer II *f* Mund, Lippen. *Österr* 1920 *ff.*

Plapperkasten *m* 1. Fernsprecher. *Sold* 1914 *ff.*
2. Kleinauto mit schnell laufendem Motor. Lautmalende Herkunft. 1950 *ff.*
3. Rundfunk-, Transistorgerät. 1965 *ff, jug.*

Plappermäulchen *n* 1. Mund. Seit dem 19. Jh.
2. Kind (Kosewort). Seit dem 19. Jh.

Plapper'ment *n* Parlament. Anspielung auf nichtssagende Redseligkeit. 1848 *ff.*

Plärr I *m* dünner Kaffeeaufguß. Zusammengezogen aus „↗Pladder 2". Seit dem 19. Jh.

Plärr II *n* Geschrei. ↗plärren. 1500 *ff.*

Plärre *f* 1. Mund *(abf).* Seit dem 19. Jh.
2. weinerliche, klagende Person. Seit dem 19. Jh.
3. Rundfunkgerät o. ä. *Jug* 1965 *ff.*
4. Schlagersängerin. *Halbw* 1970 *ff.*

Plärremann *m* Schlagersänger. *Vgl* das Folgende. 1978 *ff.*

plärren (plarren) *intr* schreien, zetern, weinen (nach Kinderart). Schallnachahmend für den Laut der Schafe, auch der Kälber. *Vgl mhd* Zeit („bleren, blerren"). *Vgl engl* „to blare" und *franz* „pleurer".

Plärrliese *f* weibliche Person, die leicht weint. Seit dem 19. Jh.

Plärrmaul *n* 1. schreiendes Kind. Seit dem 19. Jh.
2. weinerlicher, wehleidiger Mensch. Seit dem 19. Jh.
3. Schlagersänger (sehr *abf).* 1965 *ff, schül.*

Pläsiervergnügen *n* überaus großes Vergnügen; laute Vergnügung. Scherzhafte Tautologie; die Vokabel ist wohl studentischer oder Berliner Herkunft. 1820 *ff.*

plästern *v* 1. *impers* = in dicken Tropfen regnen. Lautmalender Ursprung. 1700 *ff, niederd.*
2. einen ~ = ein Glas Alkohol zu sich nehmen. *Niederd* 1900 *ff.*
3. *tr* = werfen, schleudern. *Niederd* seit dem 19. Jh.

Plastikfraß (-fressen) *m n* auf Plastikgeschirr serviertes Essen. 1975 *ff.*

Plastikfresser *m* Besucher von Schnellimbißrestaurants. 1975 *ff.*

Plastikgeld *n* Kundenkreditkarte. 1975 *ff.*

Plastikklappen *m* Führerschein. 1975 *ff.*

Plateaufüße (Bestimmungswort *franz* ausgesprochen) *pl* Senkfüße und auswärtsgebogene Beine. Scherzhaft zusammengesetzt aus „Plattfüße" und „O-Beine". *Österr* 1965 *ff.*

platinblond *adj* silbrig-blondhaarig; künstlich blond. Verursacht durch Bleichen mit Wasserstoffsuperoxyd oder anderen Chemikalien. Zwischen 1920 und 1930 aufgekommen.

Platinhochzeit *f* Wiederkehr des Hochzeitstages nach 70 Jahren. Platin ist kostbarer als Gold. *Vgl* „goldene Hochzeit (↗Hochzeit 6)". 1970 *ff.*

Platinzahn *m* wohlhabendes Mädchen. ↗Zahn 3. Anspielung auf Platin als hochwertigen metallischen Grundstoff. *Halbw* 1955 *ff.*

pla'tonisch lieben 1. den Beischlaf unentgeltlich gestatten. Fußt auf dem Begriff der platonischen Idee und meint im Alltag eigentlich soviel wie „Liebe ohne Geschlechtsverkehr". 1920 *ff.*
2. das Beischlafentgelt schuldig bleiben. *Stud* 1959 *ff.*

Plat'schari *m* 1. Hut mit großem, breitem Rand; großer flacher Gegenstand. Meint etwas, was sich über eine große Fläche ausbreitet; verwandt mit „platt" und „↗Pletsche". *Bayr* seit dem 19. Jh.
2. großer Orden; großes Abzeichen. 1939 *ff, sold.*

platschen *intr* 1. plätschern; mit Händen oder Füßen im Wasser wühlen. Lautmalenden Ursprungs. 1700 *ff.*
2. *impers* = stark regnen. 1700 *ff.*
3. viel reden; schwätzen; predigen. Seit dem 19. Jh.

plätschern *intr* trinken, zechen. Weiterentwickelt aus der Bedeutung „platschend eingießen". 1914 *ff.*

'platsch'naß *adj adv* völlig durchnäßt. Eigentlich „naß vom Platschregen", aber auch gültig für „naß vom Sturz ins Wasser". 1700 *ff.*

platt *adj adv* 1. ~ gehen = a) im Spiel alles verloren haben. Kann aus der Ringersprache stammen (im Ringen überwunden worden sein) oder auf die flache Geldbörse anspielen. 1900 *ff.* – b) einen Reifenschaden erleiden. Die Luft entweicht aus dem Reifen. 1920 *ff.*
2. ~ haben = im Fahrradschlauch keine Luft mehr haben. 1920 *ff.*
3. ~ liegen = bettlägerig sein; im Bett liegen. *Vgl* „↗flach liegen". 1900 *ff.*
4. ein Fahrrad ~ machen = die Luft aus dem Fahrradschlauch entweichen lassen. 1920 *ff.*
5. jn ~ machen = jm beim Spiel alles abgewinnen. ↗platt 1. 1900 *ff,* kartenspielerspr.
5 a. dich machen wir gleich ~! | Drohrede. Der Betreffende soll niedergeschlagen werden. *Halbw* 1980 *ff.*
6. jn ~ schlagen = ↗plattschlagen.
7. ~ sein = a) verblüfft, sprachlos sein. In volkstümlicher Auffassung äußert sich hochgradige Verwunderung in einem Zu-Boden-Fallen: der Vorfall wirkt niederschmetternd („umwerfend") oder wie eine einschlagende Bombe. Seit dem 19. Jh. – b) mittellos sein. Anspielung auf die flache Brieftasche. 1900 *ff.* – c) im Spiel alles verloren haben. Kartenspielerspr. 1900 *ff.*

Plättbrett *n* 1. flachbusige weibliche Person. Sie ist so flach wie das mit Tuch umwickelte Brett, auf dem man Wäsche bügelt. 1830/40 *ff. Vgl engl* „a washboard figure".
2. ~ mit zwei Erbsen (Korinthen, Rosinen) = flachbusige Frau. 1900 *ff.*

Plattdeutsche *f* flachbrüstige weibliche Person. Ein sprachlicher Spaß. 1930 *ff.*

Plattdeutscher *m* ungesitteter Mensch. Platt = niedrig = gewöhnlich. 1930 *ff.*

Platte *f* 1. Bauch. Meint die Fläche eines Tafelbergs, aber vor allem den Ersatz für die Tischplatte beim Kartenspielen. 1950 *ff.*

2. flachbusige Frau. Bezeichnet in der Landwirtschaft die magere Kuh. 1920 *ff.*

3. Tonsur; Glatze; Kopf. Hervorgegangen aus der Bezeichnung für einen abgeholzten Hügel. Die Bedeutung „Tonsur" gehört dem 11./12. Jh an; die anderen Bedeutungen treten vom 17. Jh an auf.

4. Verbrecherbande. Gehört wohl zu *jidd* „polat = Flucht": Verbrecher sind fast stets auf der Flucht. Seit dem 19. Jh.

5. ~ mit Kratzern = oftmals wiederholte Behauptung, die mittlerweile an Berechtigung eingebüßt hat. Hergenommen von der schadhaft gewordenen Schallplatte. 1950 *ff.*

6. abgespielte ~ = durch fortwährende Wiederholung wirkungslos gewordene Sache. Die Schallplatte ist zum Sinnbild der Wiederkehr alles Gleichen geworden. 1930 *ff.*

7. alte ~ = Altbekanntes; immer wiederkehrende Äußerung. Man hört es sich leid wie eine immer von neuem aufgelegte Schallplatte. 1910 *ff.*

8. doppelseitig bespielbare ~ (beiderseitig spielbare ~) = Bisexueller. 1935 *ff.*

9. immer dieselbe ~ (immer die gleiche ~) = die bei jeder Gelegenheit wiederholte Meinung; immer derselbe Gedankengang; immer derselbe Gesprächsstoff. 1920 *ff.*

10. falsche ~ = Heuchelei; Unwahrhaftigkeit. 1930 *ff.*

11. heiße ~ = a) Schallplatte mit moderner Tanzmusik. Heiß = leidenschaftlich; wildbewegt. 1955 *ff.* – b) audiovisuelle Schall- und Bildplatte. „Heiß" meint hier soviel wie „hoch favorisiert" mit Anspielung auf die letzte Neuheit. 1971 *ff.*

12. kalte ~ = Prahlerei; Lüge. Analog zu „kalter ↗Aufschnitt". 1930 *ff.*

12 a. neue ~ = überraschende Neuigkeit; Ungewohntes. 1930 *ff.*

13. richtige ~ = erfolgversprechende Handlungsweise. 1930 *ff.*

14. soziale ~ = gemeinnützige Bestrebungen. 1950 *ff.*

15. alte verkratzte ~ = zum Überdruß wieder und wieder erörtertes Altbekanntes. 1950 *ff.*

16. die ~ ist abgelaufen (abgespielt) = die Sache ist veraltet, unwirksam; für diese Sache übt man keinen Anreiz mehr aus. 1930 *ff.*

16 a. die ~ abspulen = altbekannte Behauptungen wiederholen. 1970 *ff.*

17. die ~ abstellen = den Gesprächsstoff fallen lassen. 1950 *ff.*

18. sich die ganze ~ anhören = den Ausführungen bis zum Ende zuhören. 1930 *ff.*

19. eine ~ auflegen = Stimmung machen; sich amüsieren; koitieren. 1950 *ff.*

20. die alte ~ auflegen = Altbekanntes wiederholen. 1910 *ff.*

21. seine ~ auflegen = seine altbekannten Parolen verkünden; ein bestimmtes Verfahren einhalten. 1930 *ff.*

22. eine neue (andere) ~ auflegen = das Unterhaltungsthema wechseln; eine Veränderung vornehmen. 1910 *ff.*

23. eine falsche ~ auflegen = jm etw vorspiegeln; jm etw betrügerisch einzureden versuchen. ↗Platte 10. 1930 *ff.*

24. die falsche ~ auflegen = dem Lehrer eine falsche Antwort geben. 1950 *ff.*

24 a. die lange ~ aufgelegt haben = eine lange Rede (Predigt) halten. 1970 *ff.*

25. jn auf die ~ bannen = jn fotografieren. Platte = Fotografenplatte. 1930 *ff.*

26. ~n bauen = Schallplattenaufnahmen gestalten. ↗bauen. 1950 *ff.*

27. sich auf die ~ begeben = sich für Schallplattenaufnahmen zur Verfügung stellen. Nachahmung von „sich auf die Bühne, auf das Konzertpodium begeben". 1960 *ff.*

28. etw auf der ~ haben = a) etw gerade erörtern. Platte = Plattenteller. 1950 *ff.* – b) einen vernünftigen Einfall haben. Platte = (Glatz-)Kopf; allerdings kann auch die Kochplatte gemeint sein; vgl „etw auf der ↗Pfanne haben". *Halbw* 1955 *ff.*

29. die ~ hat einen Kratzer = die Behauptung trifft nicht mehr in vollem Umfang zu. ↗Platte 5. 1950 *ff.*

30. die ~ hat einen Sprung = die Sache ist nicht einwandfrei; man macht schwerwiegende Bedenken geltend. 1950 *ff.*

31. jm eins (einen) vor die ~ hauen (klopfen, kloppen) = jm einen kräftigen Schlag auf den Schädel versetzen. Platte = Glatze. 1900 *ff.*

32. die ~ kenne ich = diese Äußerung kenne ich zur Genüge; daß diese Sache eine solche Entwicklung nimmt, ist mir nichts Neues. 1930 *ff.*

33. das kommt nicht auf die ~ = das geschieht unter keinen Umständen. Kann zusammenhängen mit der Servierplatte, auch mit der Fotografenplatte o. ä. 1920 *ff.*

34. die ~ kratzt = der Gesprächsstoff ist oft genug behandelt worden. ↗Platte 5. 1950 *ff.*

35. die ~ läuft und läuft: Redewendung, wenn einer ununterbrochen spricht. 1950 *ff.*

36. die ~ laufen lassen = eine Rede halten. Der Ausdruck kann neutral aufgefaßt werden, aber auch im Sinne enger Anlehnung an das Manuskript oder eintöniger Vortragsweise. 1950 *ff.*

37. ~ machen = unentschuldigt dem Unterricht fernbleiben; ↗plattmachen = faulenzen. *Schül* 1920 *ff.*

38. eine ~ machen = nächtigen. ↗plattmachen 1. 1900 *ff.*

39. einen unter die ~ nageln = ein Glas Alkohol trinken. Platte = Glatze. 1920 *ff.*

40. jm die ~ polieren = a) jn ins Gesicht schlagen. ↗Platte 3. 1920 *ff.* – b) beim Kartenspiel dem Gegner keinen Stich überlassen. Beim Besiegten wird die Tischplatte blank. Kartenspielerspr. 1900 *ff.*

41. die ~ putzen = a) den Rest einer Schüssel (o. ä.) aufessen. Die Speiseplatte wird „geputzt" (= geleert). 1920 *ff.* – b) sich davonmachen. Geht zurück auf *jidd* „polat = entwischen" und „puz = er hat zerstreut". Vielleicht von „Pleite" beeinflußt. Seit dem frühen 19. Jh. – c) von der Schule verwiesen werden. 1960 *ff.*

42. jn von der ~ putzen = jn vernichten, abschießen. *Sold* 1939 *ff.*

43. ~ reißen = im Freien nächtigen; obdachlos sein. ↗Penne 11 u. 15. Anscheinend kurz nach 1900 in der Wander-

vogelbewegung aufgekommen; *rotw* 1907 *ff.*

44. jm etw vor die ~ sagen = jm schonungslos die Meinung sagen. Platte = Kopf. 1910 *ff.*

45. ~ schieben = im Freien nächtigen. ↗Penne 15; ↗schieben. Kundenspr. 1910 *ff.*

46. hell auf der ~ sein ↗hell 2.

47. diese ~ spielt nicht mehr = diese Sache ist längst abgetan. 1930 *ff.*

48. die ~ umdrehen = den Gesprächsstoff wechseln. Man legt die Rückseite der Schallplatte auf. 1950 *ff.*

49. eine ~ verleiern = immer dieselben Behauptungen vorbringen. 1950 *ff.*

50. es mit der sanften ~ versuchen = Schmeicheleien vorbringen; sich gütig, nachgiebig, leutselig geben. Platte = Handlungsweise; *vgl* auch ↗Tour. 1939 *ff.*

51. sich eine ~ wachsen lassen = eine Glatze bekommen. ↗Platte 3. 1850 *ff.*

Platten *pl* 1. Geldstücke; Banknoten; Löhnung o. ä. Übernommen von den runden „Rohlingen" zum Ausprägen von Münzen. *Rotw* 1733 *ff.*

2. (gefälschte) Ausweispapiere. ↗Blüte 1. Seit dem 19. Jh.

plätten *v* 1. jm eine (ein Ding) ~ = jm eine Ohrfeige verabreichen. Gemeint ist der flache Schlag mit der Hand statt der Faust. Berlin 1900 *ff.*

2. jm einen (eine) ~ = auf jn einen Schuß abfeuern. Hinter „einen" ergänze „Schuß", und hinter „eine" ergänze „Kugel". *Sold* 1939 *ff.*

Plattenberger *m* Glatzköpfiger. Er kommt aus dem fiktiven Ort Plattenberg; ↗Platte 3. *Bayr* 1910 *ff.*

Plattenbruder *m* 1. Landstreicher. ↗Penne 15. 1900 *ff.*

2. Zeltler. 1950 *ff.*

3. Raufbold, Tunichtgut. ↗Platte 4. 1900 *ff.*

Plattengammler *m* junger Mann, der seine Zeit mit dem Abhören von Schallplatten verbringt. ↗Gammler. 1960 *ff.*

Plattenhupf *m* Tanz nach Schallplattenmusik. Hupf = das Hüpfen. 1950 *ff.*

Plattenkratz machen alle aufgetischten Speisen verzehren. ↗Platte 41 a. 1930 *ff.*

Platten-Pirat *m* rechtswidriger Nachpresser von Schallplatten. 1960 *ff.*

Platten-Pott *m* staatlich nicht genehmigter Rundfunksender vor der Küste. ↗Pott. 1960 *ff.*

Plattenputzer *m* Gesäß. Beim Sitzen auf dem Tisch reinigt der Hosenboden die Tischplatte. *BSD* 1968 *ff.*

Plattenriß *m* Übernachtung im Freien. ↗Platte 43. Wandervogelspr. seit dem frühen 20. Jh.

Plattenschieber *m* Mann, der im Freien nächtigt und tagsüber Gelegenheitsarbeit verrichtet oder müßiggeht. ↗Platte 45. 1910 *ff.*

Plattensimmerl *m* Glatzköpfiger. „Simmerl" ist Koseform des männlichen Vornamens Simon. *Bayr* 1930 *ff.*

Plattenspieler *m* 1. Mensch, der stets dasselbe vorzubringen pflegt. ↗Platte 20. 1935 *ff.*

2. Schallplattenvorführer. 1960 *ff.*

Plattenträger *m* da gehen sogar einem ~ die Haare hoch = das ist ein überaus ungewöhnlicher Vorfall. ↗Platte = Glatze. Das Gemeinte ist „haarsträubend". *Jug* 1955 *ff*.

Platter *m* luftleer gewordener Schlauch. ↗ platt 2 und 4; ↗ Plattfuß 1. 1920 *ff*.

platterdings *adv* ohne weiteres; unbedingt; völlig; eigentlich. Platt = niedrig, gewöhnlich. Nach dem Muster von „allerdings, schlechterdings" o. ä. gebildet. Spätestens seit 1700.

plattert *adj* glatzköpfig. ↗ Platte 3. *Bayr* seit dem 19. Jh.

Plattform *f* 1. schwach entwickelter Busen. Er hat eine flache Form. 1910 *ff*.
2. schmächtiges Gesäß. 1910 *ff*.
3. Grundsatzprogramm für politische Wahlen; Verhandlungsgrundlage; Grundgemeinsamkeiten zwischen politisch (ideologisch) unterschiedlichen Partnern. ↗ Wahlkampfplattform. 1965 *ff*.

Plattfuß *m* 1. Schlauch, dem die Luft entwichen ist. Erweiterung des *ärztl* Begriffs „Senkfuß". 1914 *ff* bei den Soldaten aufgekommen.
2. ~ haben = ohne Geld sein. Die Geldbörse hat „Plattfuß", wenn sie flach ist. *BSD* 1965 *ff*.
3. Plattfüße kriegen = lange stehen und warten. 1920 *ff*.

plattfüßig *adj* 1. plump. 1920 *ff*.
2. luftleer geworden (auf Radschläuche bezogen). 1920 *ff*.

Plattfußindianer *m* 1. Schimpfwort. Verderbt aus dem in Indianergeschichten vorkommenden Namen des Stammes der Schwarzfußindianer. 1900 *ff*.
2. Mensch mit Senkfüßen. 1920 *ff*.
3. Infanterist, Panzergrenadier. 1900 bis heute.
4. Verkehrspolizeibeamter. Man nimmt an, er bekomme vom vielen Stehen Senkfüße. *Jug* 1950 *ff*, Berlin.

plattgefahren sein geistig ~ = für geistige Anliegen nicht mehr aufnahmefähig sein; arm an neuen Gedanken sein. Der Betreffende ähnelt dem Autofahrer, der wegen Reifenschadens nicht weiterfahren kann. 1920 *ff*.

platt gehen *intr* ↗ platt 1.
platt haben *intr* ↗ platt 2.
platt liegen *intr* ↗ platt 3.

plattmachen *v* 1. *intr refl* = flach auf dem Boden liegend nächtigen; im Freien nächtigen; obdachlos sein. Verkürzt aus „platte ↗ Penne machen". Kundenspr. seit dem späten 19. Jh.
2. *intr* = zu Bett gehen. *Sold* in beiden Weltkriegen.
3. *intr* = faulenzen, müßiggehen; eigenmächtig der Schule fernbleiben. 1920 *ff*, *schül*.

Plattnase *f* sich eine ~ holen = Mißerfolg erleiden. Beim Sturz auf das Gesicht drückt man sich die Nase ein. 1920 *ff*.

plattreißen *intr* im Freien nächtigen. ↗ Platte 43. Kundenspr. 1920 *ff*.

plattschlagen *tr* 1. jn überreden. Analog zu ↗ breitschlagen. Seit dem 19. Jh.
2. etw unterschlagen, vertuschen. Weiterentwickelt aus der Vorstellung „verkleinern, bagatellisieren". Seit dem 19. Jh, *westd*.

plattwalzen *tr* 1. etw zu ausführlich, umständlich erzählen, ausmalen; etw zerreden. ↗ auswalzen. 1910 *ff*.
2. etw als unbedeutend abweisen; etw bagatellisieren. 1950 *ff*.

Platz *m* 1. ~ für den Landvogtl = macht

Platzl tretet auseinander. Geht zurück auf Schillers „Wilhelm Tell". Seit dem 19. Jh.
1 a. ~ an der Sonne = aa) Gleichberechtigtsein mit anderen Nationen. 1897, Reichskanzler Fürst Bülow (*vgl* Büchmann, Geflügelte Worte). – bb) Wohlhabenheit; gesicherte Lebensstellung. 1900 *ff*. – cc) allgemeine Hochschätzung eines Künstlers. 1970 *ff*. – dd) Tabellenspitze. *Sportl* 1970 *ff*. – ee) Ort, an dem man seinen Urlaub verbringt. 1970 *ff*.
2. einen ~ *raufl*: anerkennende Erwiderung auf eine Äußerung. Aus dem Schulwesen übernommen: die bessere Leistung wird durch einen ranghöheren Sitzplatz belohnt. 1890 *ff*.
3. den ~ drücken = seinen Sitzplatz beharrlich beibehalten. Man macht sich schwerer, um nicht weggedrückt zu werden. 1950 *ff*.
4. jn vom ~ schießen = einer Sportmannschaft eine schwere Niederlage beibringen. „Platz" ist die Reihenfolge in der Bewertung. *Sportl* 1950 *ff*.
5. laß es nur liegen, am Boden ist noch viel ~: Redewendung, wenn einem ein Gegenstand auf den Boden fällt. 1920 *ff*.
6. jn vom ~ stellen = a) jn degradieren. Der Sportsprache entlehnt: der unsportlich spielende Hand-, Fußballspieler wird vom Spielfeld verwiesen. 1960 *ff*. – b) jn verhaften. Rocker 1970 *ff*.
7. jn auf die Plätze verweisen = jn überflügeln. Hergenommen vom Rennsport: wer hinter dem Sieger ins Ziel läuft, ist auf die Plätze verwiesen. 1955 *ff*.

Plätzchen *pl* Geldmünzen. Von dem kleinen, flachen, dünnen Gebäck übertragen. *Westd* nach 1945.

Platze *f* 1. sich die ~ ärgern (anärgern) = sich sehr ärgern. Gemeint ist, daß man vor Ärger bersten möchte. 1830/40 *ff*.
2. die ~ kriegen = bersten, zerbrechen, explodieren. 1830/40 *ff*.
3. du kriegst die ~!: Ausdruck heftigsten Unwillens. 1830 *ff*.
4. und wenn du die ~ kriegst!: Ausdruck der Beteuerung. 1900 *ff*.

platzen *v* 1. *intr* = scheitern (die Heirat, der Strafprozeß platzt). Hergenommen von Alltagsdingen, die durch Platzen entzweigehen (Seifenblasen, Kinderluftballon, Gummireifen, Gummiball usw.). 1900 *ff*.
2. *intr* = die Prüfung nicht bestehen. 1900 *ff*.
3. *intr* = ertappt, verhaftet werden. 1910 *ff*.
4. *intr* = sich sehr ärgern; aufbrausen. Analog zu ↗ explodieren. Seit dem 19. Jh.
5. und wenn du platzt!: Ausdruck der Beteuerung (die gleichviel zum Tanzabend, und wenn du platzt!). *Vgl* ↗ Platze 4. 1920 *ff*.
6. ~ Siel = ärgern Sie sich getrost, mich berührt das nicht! 1920 *ff*.
7. bis zum ~ = bis zur Verzweiflung; bis zum Wutausbruch. 1920 *ff*.
8. es ist zum ~ = es ist überaus ärgerlich. Seit dem 19. Jh.
9. es ist zum ~ komisch = es ist überaus erheiternd. 1920 *ff*.
10. in ein Zimmer (o. ä.) ~ = unversehens hereinkommen. ↗ reinplatzen. Seit dem 19. Jh.
11. etw zum ~ bringen = etw zum Scheitern bringen. ↗ platzen 1. 1900 *ff*.
12. etw ~ lassen = etw vereiteln, scheitern lassen. ↗ platzen 1. 1900 *ff*.

---

13. jn ~ lassen = a) jn verraten, zur Anzeige bringen. 1920 *ff*. – b) jn die Prüfung nicht bestehen lassen. 1900 *ff*. – c) jds Kandidatur zum Scheitern bringen. 1920 *ff*.
14. *intr refl* = Platz nehmen; sich niedersetzen (witzig in der Aufforderung: „platzen Siel"). Scherzhaft weitergebildet zu „Platz" nach dem Muster von „sich setzen" zu „Sitz" und unter Einfluß von *franz* „se placer". 1840/50 *ff*.
15. *intr* = rauchen. Nebenform von „↗ plotzen". *Sächs* seit dem 19. Jh.

Platzregen *m* 1. ~ im Bauch = rasches Leeren eines Glases Bier. Seit dem 19. Jh.
2. ducke dich, Seele, es kommt ein ~: Redewendung, bevor man einen kräftigen Schluck zu sich nimmt. 1575 *ff*.
3. freue dich, liebe Seele, jetzt kommt ein ~!: – a) Ausruf des Trinkers, bevor er das Glas an den Mund setzt. Seit dem 19. Jh. – b) Ausruf des Kartenspielers, der sich seines Sieges sicher ist. Gegen einen „Platzregen" von guten Karten können die Mitspieler nichts ausrichten. Seit dem 19. Jh.

Platzverweis *m* 1. Amtsenthebung, Kündigung. Aus der Ballsprache um 1970 übernommen.
2. Freiheitsstrafe. 1970 *ff*.
3. Schulverweisung. 1973 *ff*.

Plausch *m* gemütliche Unterhaltung; „Schwätzchen". *Oberd* seit dem 18. Jh.

plauschen *intr* 1. sich gemütlich unterhalten; miteinander plaudern. Urverwandt mit „plaudern", beeinflußt von Lautmalerei. *Oberd* seit dem 18. Jh.
2. übertreiben, lügen. *Österr* 1900 *ff*.

Plauze *f* 1. Lunge. Stammt aus *poln* „pluca = Lunge". Im 17. Jh über Ostpreußen und Ostmitteldeutschland westwärts gewandert.
2. Magen, Bauch. Das *poln* Wort bezeichnet auch die Eingeweide von Tieren. Seit dem 19. Jh.
3. Gesicht. Wohl mit „Schnauze" verwechselt. 1900 *ff*.
4. auf die ~ fallen = aufs Gesicht fallen. 1900 *ff*.
5. es auf der ~ haben = erkältet sein. Seit dem 19. Jh.
6. eine dicke ~ haben = vollauf gesättigt sein. ↗ Plauze 2. Berlin 1920 *ff*.
7. die ~ halten = schweigen, verstummen. ↗ Plauze 3. 1900 *ff*.
8. eins vor die ~ kriegen = a) einen Schlag vor die Brust, vor den Magen erhalten. ↗ Plauze 2. 1910 *ff*. – b) verwundet werden. 1914 *ff*.
9. auf der ~ liegen = bettlägerig krank sein. ↗ Plauze 3. 1910 *ff*.
10. sich die ~ vollschlagen = viel essen. ↗ Plauze 2. 1870 *ff*.

plauzen *intr* krachend zuwerfen; laut fallen. Schallnachahmend für ein lautes Geräusch. *Sächs* seit dem 19. Jh.

Playbiene (Bestimmungswort *engl* ausgesprochen) *f* junges, vergnügungssüchtiges Mädchen, das sich wohlhabenden Müßiggängern anschließt. ↗ Biene 3. 1960 *ff*.

Playboy-Häschen *n* „↗ Playbiene". Die Hostessen in Hugh Hefners Playboy-Club sind als Häschen (↗ Häschen 5) ausstaffiert. 1965 *ff*.

Playboy-Sprudel *m* Sekt. Laut Berichten der Illustriertenpresse ist Sekt das alltägliche Getränk der reichen Nichtstuer. *BSD* 1965 *ff*.

plebsen *intr* einen Mitschüler dem Lehrer melden. Es gilt als Handlungsweise eines (charakterlich) niedrigstehenden Menschen. 1930 *ff*.

pledern *v* 1. *impers* = regnen. Nebenform zu „↗ pladdern". *Österr* seit dem 19. Jh. 2. *tr* = klatschend schlagen. *Österr* und *bayr* 1800 *ff*. 3. *intr* = flattern, laufen, flüchten. Spielt ursprünglich lautmalend auf eine rauschende Bewegung an. *Österr* und *bayr* seit dem 19. Jh. 4. *intr* = schnell fahren. *Österr* 1930 *ff*. 5. *intr* = schießen. *Bayr* und *österr* 1900 *ff*.

Pleite *f* 1. Bankrott, geschäftlicher Zusammenbruch; Geldmangel; Übertölpeltsein; Unglück. Geht zurück auf *jidd* „pleto = Flucht, Entrinnen, Bankrott". *Vgl* das Folgende. 1840 *ff*. 2. Flucht. Meint eigentlich die Flucht vor den Gläubigern. *Rotw* 1847 *ff*. 3. gesunde ~ = a) betrügerischer Konkurs. 1920 *ff*. – b) Bankrott, auf den der Aufstieg folgt. 1950 *ff*. 4. die nackte ~ = allegorische Figur in der Berliner Börse, an der Stirnwand der Hamburger Börse. Sie „bedeckt ihre Blöße mit der Treuhand". 1920 *ff*.

pleite *adv* 1. ~ gehen = a) bankrottieren. ↗ Pleite 1. 1840 *ff*. – b) weggehen; verlorengehen. *Jidd* „pleto = Entrinnen". *Rotw* 1820 *ff*. – c) sterben. 1900 *ff*. 2. jn ~ machen = jds Bankrott herbeiführen. 1870 *ff*. 3. ~ machen (sich ~ machen) = davongehen. Seit dem 18. Jh, *rotw*. 4. ~ sein = a) bankrott sein; kein Geld mehr haben. Seit dem 19. Jh. – b) weggegangen, geflohen sein. Seit dem 19. Jh. – c) keinerlei Aussicht haben, das Kartenspiel zu gewinnen. Seit dem 19. Jh.

Pleitegeier *m* 1. Bankrotteur. „-geier" (-geiher) ist die *judd* Aussprache für „-geber". 1840 *ff*. 2. drohende Bankrott. Hier ist das Vorhergehende beeinflußt von der Vorstellung vom Greifvogel, vor allem von der sprichwörtlichen Lebensweisheit: „wo ein Aas ist, sammeln sich die Geier". 1870 *ff*. 3. Adler der Weimarer Republik; Reichsadler; Hoheitsadler der NS-Zeit; Stempel des Gerichtsvollziehers. Der Adler wurde von Emil Döpler, einem Professor an der Kunsthochschule Berlin, dem Adler des Kaiserreichs nachgebildet; der einst prächtige Adler wirkte nun armselig und gerupft, was frühe NS-Demagogen auf den Niedergang der Volkswirtschaft auslegten. 1919 *ff*. 4. Adler der Bundesrepublik Deutschland. 1949 *ff*. 5. Adler im österreichischen Staatswappen. 1930 *ff*. 6. Geflügel. Dieses Geflügel ist „pleite gegangen" (↗ pleite 1 c). *BSD* 1965 *ff*. 7. gefüllter = Staatsbankrott; Hochinflation. Nach 1918 aufgekommen, nach 1945 wiederaufgelebt. 8. der ~ kräht = der Bankrott steht bevor. 1950 *ff*. 9. über dem Haus kreist (schwebt) der ~ (der ~ sitzt auf dem Dach) = der Bankrott steht nahe bevor. 1870 *ff*. 10. der ~ sitzt im Nacken (steht ins Haus)

(beißt zu) = der Bankrott steht bevor. 1975 *ff*.

Pleitesse oblige vorgeschützte Mittellosigkeit zwingt zum Verhalten eines Verarmten. Der Metapher „Noblesse oblige" nachgebildet. 1930 Kurt Tucholsky; 1960 *ff*.

Pleitier (Endung *franz* ausgesprochen) *m* Bankrotteur. 1870 *ff*.

Plempe (Plempel, Plempl) *f* 1. dünnes Getränk; dünne Suppe; schales Bier. Gehört zu „plampen = schaukeln, schleudern" und weiterentwickelt zu „schütten" (= mit Wasser verdünnen). Seit dem späten 17. Jh. 2. Soldatenkneipe. *BSD* 1965 *ff*. 3. Säbel; Seitengewehr; breiter Degen; Schwert; Flinte. Plampen = baumeln. Seit dem 17. Jh. 4. Gewehr. *Sold* 1870 bis heute. 5. Pistole. 1950 *ff*. 6. Penis. Wegen des Hin- und Herbaumelns. 1870 *ff*; wohl älter. 7. Polizeibeamter. Benannt nach dem früher üblichen Säbel. 1880 bis heute. 8. Polizei. *Vgl* das Vorhergehende; wohl auch beeinflußt von „↗ Polente". 1900 bis heute. 9. in die ~ pusten = einen Schuß abfeuern. 1950 *ff*.

Plempel I *f n* ↗ Plempe 1.

Plempel II *m* 1. kraftloser Mann. Plampen = schaukeln. Er schwankt hin und her, ist unfest auf den Beinen. Wien 1900 *ff*. 2. Unwichtiges; nutzloses Zeug. ↗ Plempe 1. Seit dem 19. Jh.

plemperig *adj* gehaltlos, dünn (auf Getränke bezogen). ↗ Plempe 1. Seit dem 19. Jh.

plempern *v* 1. *tr* = etw verschütten, durch unzweckmäßige Behandlung vertun; etw vergeuden. ↗ verplempern. Seit dem 19. Jh. 2. *intr* = zechen. *Bayr* und *österr* seit dem 19. Jh.

Plempl *f* ↗ Plempe.

plem'plem (plemm-plemm) *adj präd* geistesgetrübt; gestört; verrückt. Schallnachahmender Herkunft: wahrscheinlich Wiedergabe des Geräusches eines Schusses (*vgl* „peng"). „Schuß" steht volkstümlich auch für den Schlag oder Stoß (gegen den Kopf), wodurch Gehirnerschütterung entstanden ist. 1914 *ff*.

pleschen *v* 1. *tr* = jn schlagen, prügeln. Lautmalend wie „klatschen", „platschen" u. ä. *Bayr* und *österr* seit dem 19. Jh. 2. es plescht = a) es regnet. *Südd* seit dem 19. Jh. – b) es gibt Prügel. Seit dem 19. Jh. 3. die Sonne plescht = die Sonne brennt. Analog zu „die Sonne ↗ knallt". *Bayr* 1900 *ff*.

Pletsche *f* 1. großes Kohlblatt. Es dient als Sinnbild für etw Breites, Großflächiges. *Oberd* seit dem 19. Jh. 2. Gemüse. *Österr* 1900 *ff*. 3. Beule, Fleck. *Österr* seit dem 19. Jh. 4. Tischtennisschläger. 1960 *ff*. 5. Orden. Meint vor allem den großen, auffallenden. *Österr* 1914 *ff*. 6. unförmige Brosche. *Österr* 1940 *ff*. 7. breiter, herabhängender Mund; Hängelippe; Gesicht. *Oberd* seit dem 19. Jh.

Plexiglasbomber *m* Kabinenroller. Die Kuppel besteht aus Plexiglas. „Bomber" steigert das Fahrzeug zu einem Bombenflugzeug. 1954 *ff*.

Pli *m* ~ haben = in etw geschickt sein; Geschick haben. Im 18. Jh entwickelt aus

franz „prendre un pli = eine Gewohnheit annehmen"; *vgl* auch *franz* „donner un bon pli à quelque chose = einer Sache eine gute Wendung geben".

Plieraugen *pl* Triefaugen; Leute mit blinzelnden Augen. ↗ plieren. *Nordd* 1700 *ff*.

plieren *intr* 1. zwinkernd blicken; blinzeln; verschlafen blicken. Verkürzt aus *gleichbed* „plinkern". *Nordd* 1700 *ff*. 2. triefen (von den Augen gesagt). Hier ist „plinkern" beeinflußt von „pliddern = regnen"; „Pliert" ist die wässrig dünne Flüssigkeit. *Nordd* 1800 *ff*; vorwiegend Berlin.

plietsch *adj* schlau, listig, pfiffig; tüchtig. Im 18. Jh im *Niederd* zusammengezogen aus „politisch".

plinken *intr* blinzeln, zwinkern. *Niederd* Form zu „blinzen", entstanden aus „blinkezen" und verwandt mit „blitzen". Seit dem 14. Jh.

plinkern *intr* die Augenlider häufig auf- und zuklappen. ↗ plinken. *Niederd* 1700 *ff*.

plinsen *intr* 1. äugen, spähen. Nebenform zu „↗ plinken". *Nordd* seit dem 19. Jh. 2. weinen, wimmern. Schallnachahmend wie „winseln". *Nordd* 1700 *ff*.

'plitsche'naß *adj adv* triefend naß. Ablautende Nebenform von „↗ platschnaß". *Niederd* seit dem 19. Jh.

'plitsch'platsch *adv* ohne ein weiteres. Lautmalend für das Geräusch wiederholten Platschens und Klatschens. *Vgl* auch „↗ piffpaff". 1900 *ff*.

Plombenkiller *pl* Karamell-Bonbons. Killer *(engl)* = Mörder. Sie schädigen die Zahnplomben. 1950 *ff*.

Plombenreißer *m* Rahmbonbon, Kaugummi o. ä. *Vgl* ↗ Plombenkiller. 1920 *ff*.

plopp *interj* Ausruf, mit dem man das Auftreffen eines Schlages oder das Abfeuern eines Schusses begleitet. Schallnachahmung. 1930 *ff*.

ploppen *intr* 1. mit kurzem Geräusch abgefeuert werden. *Sold* 1900 *ff*. 2. sich mit einem kurzen Knall öffnen lassen (auf Sektflaschen o. ä. bezogen). 1930 *ff*.

Plör *m* dünnes Getränk. Nebenform zu „↗ Plärr I". Seit dem 19. Jh.

plören *intr* beim Eingießen Flecken machen. *Vgl* „↗ Pladder 3". 1900 *ff*.

Plörre (Plorre, Plurre) *f* fades Getränk; dünner Kaffeeaufguß; Dünnbier; Wassersuppe. ↗ Plör. 1900 *ff*.

Plotte *f* schlechter, unsorgfältig hergestellter Film; veralteter Film, der seine Zugkraft mittlerweile eingebüßt hat. Fußt auf *jidd* „blote = Schmutz, Straßenkot". 1950 *ff*.

plotzen *intr* 1. rauchen; in starken Zügen rauchen; den Tabaksrauch einziehen. Beim raschen Öffnen und Schließen der Lippen entsteht ein Geräusch wie „plotz". 1800 *ff*. 2. ein Kraftfahrzeug fahren. Anspielung auf den Auspuff. *Jug* 1955 *ff*.

plötzlich *adv* etwas (ein bißchen) ~ = rasch; sofort. Vorwiegend in Befehlssätzen. Seit dem späten 19. Jh.

Plumpe *f* 1. Pumpe; Brunnen mit Schwengel. Lautmalenden Ursprungs wie „Pumpe". Die Einfügung des „-l" ist wohl durch das allgemein vordringende Schallwort „plumps" verursacht. 1600 *ff*, *ostmitteld*, Berlin u. a.

2. Gesundbrunnen. Leipzig und Berlin, seit dem 19. Jh.

3. Herz; Lunge. Analog zu „↗Pumpe". *Halbw* 1960 *ff.*

Plumps *m* Sturz ins Wasser; beim Fall ins Wasser entstehendes Geräusch. Seit dem 19. Jh.

Plumps-Abé *n* Abort ohne Wasserspülung. Die Exkremente treffen mit dumpfem Klang auf. 1900 *ff.*

Plumpsack *m* **1.** ungeschickter, schwerfälliger Mensch. Er macht den Eindruck eines plumpen Sacks; doch *vgl* ↗Sack = Mann. Seit dem 19. Jh. **2.** gemütsroher, rücksichtsloser Mensch. Seit dem 19. Jh. **3.** ungesitteter Mensch. Seit dem 19. Jh. **4.** Hodenbruch, -anschwellung. Plump = dick; Sack = Hodensack. 1910 *ff.*

plumpsen (plumpssen) *intr* **1.** mit Geräusch ins Wasser fallen; dumpf fallen. Schallnachahmend. Früher *gleichbed* „plumpen". Seit dem 17. Jh. **2.** baden. *Jug* 1930 *ff.* **3.** nicht versetzt werden; in der Prüfung scheitern. ↗durchplumpsen. *Stud* 1820 *ff.* **4.** ich höre es ∼ = ich merke, wie unsicher das Geschäft, wie gewagt die Geldspekulation ist. Verkürzt aus „ich höre das Geld ins Wasser plumpsen". 1870 *ff.*

Plumpsklo (-klosett, -toilette) *n (f)* Abort ohne Wasserspülung; Soldatenlatrine. ↗Plumps- Abé. 1900 *ff.*

Plunder *m* **1.** wertlose Sachen; alte, abgenutzte Sachen. Herkunft unsicher. Seit *mhd* Zeit. **2.** geschmacklose Kleidung. 1800 *ff.*

Plunderkammer *f* fiktiver Aufbewahrungsort für veraltete Theaterstücke, die man bei Bedarf erneut hervorholt. Theaterspr. nach 1920 aufgekommen in Anlehnung an die Bedeutung „Vorratskammer".

plündern *intr* die Wohnung wechseln. Bezieht sich eigentlich auf den Raub fremder Habe, auch auf den listigen Diebstahl fremden Hausrats; von da übertragen zur Bedeutung „den eigenen Hausrat an einen anderen Ort bringen". Vorwiegend *oberd, seit dem* 19. Jh.

Plünnen *pl* **1.** Kleider; Sachen; Habe. Im 14. Jh aus dem Mittelniederdeutschen aufgekommen; wohl mit „Plunder" verwandt; *vgl ndl* „plunje". **2.** Uniform. *Sold* 1939 bis heute. **3.** Wäschestücke. *BSD* 1965 *ff.* **4.** jn bei den ∼ kriegen = a) jn fest anfassen und nicht freigeben; jn prügeln. *Niederd* 19. Jh. – b) jn gefangennehmen. *Niederd* 1900 *ff.* **5.** die ∼ zusammenschmeißen = heiraten. *Niederd* 1700 *ff.*

Plünnensack *m* **1.** Sack mit Zeugabfällen, unbrauchbaren Kleidungsstücken usw. *Niederd* seit dem 19. Jh. **2.** Wiederaufführung (Neubearbeitung) eines veralteten Theaterstücks. Man zieht es wieder aus dem Sack mit der alten Habe hervor. Theaterspr. 1930 *ff.*

Plunze (Plunzen) *f* ↗Blunze.

Plurre *f* fades Getränk; Wassersuppe; dünner Kaffeeaufguß. Variante zu „↗Plärr I". Seit dem 19. Jh.

Plüsch *m* **1.** gleichmäßig kurzgeschnittenes Haar. 1920 *ff.* **2.** Tiefsinnigkeit; Schwermut. Vom Samtgewebe übergegangen zu einem Sinnbildwort für eine Epoche, in der Plüsch sehr

beliebt war. „Plüsch", schon seit 1920 Scheltwort auf das gutbürgerliche Milieu der Jahrhundertwende (stellvertretend gekennzeichnet durch das Plüschsofa), ist bei den Halbwüchsigen seit 1955 das Kennwort für unzeitgemäßes Seelenleben.

Plüschapfel *m* Pfirsich. 1920 *ff.*

Plüschhäschen *n* Kosewort unter Verliebten. Man ist angenehm anzufassen wie ein plüschbezogenes Spielzeugtier. 1920 *ff.*

plüschig *adj* altmodisch. ↗Plüsch 2. 1920 *ff.*

Plüschliteratur *f* bürgerliches Schrifttum des ausgehenden 19. und beginnenden 20. Jhs. Plüschgarnituren gehörten damals zur Wohnungseinrichtung einer gutbürgerlichen Familie. 1920 *ff.*

Plüschmoral *f* veralteter Sittlichkeitsbegriff; Prüderie. 1920 *ff.*

Plüschromantik *f* Baustil um 1900. 1920/30 *ff.*

Plusmacher *m* gewinnsüchtiger Finanzmann; Ausbeuter; Wucherer. Er sucht durch rücksichtslose Härte ein Mehr an Kapitaleigentum zu erzielen. 1750 *ff.*

plus minus *adv* mittelmäßig; einigermaßen. Der Sprache der Mathematiker entlehnt. 1920 *ff, stud.*

Pluspunkte *pl* **1.** Vorteile; entlastende Zeugenaussagen o. ä. Stammt aus der Sportlersprache und bezieht sich auf die Wertung nach Punkten. 1955 *ff.* **2.** ∼ sammeln (gewinnen) = das Ansehen mehren. 1955 *ff.*

Plutokratensessel (-stuhl) *m* Klubsessel. Hinter der vorgehaltenen Hand nannte man 1933 *ff* „Plutokrat" einen Mann, der durch Geld zu hoher Staatsstellung gekommen war; sein Gegenteil war der damals häufigere „Kratoplut", nämlich einer, der durch eine hohe Staatsstellung zu Geld gekommen war. 1933 *ff.*

Plutzer *m* **1.** Kopf. Bezeichnet im *Oberd* den Kürbis und die Melone; also analog zu „↗Kürbis". Seit dem 19. Jh. **2.** Fehler; Unsinn; dummer Streich. Im 19. Jh in Österreich aufgekommen als Entlehnung aus *tschech* „blud = Irrtum". **3.** Betrogener; Dummer. *Österr* 1920 *ff.*

Po *m* **1.** Gesäß. Verkürzt aus „Podex" oder „Popo" oder „posteriora". Seit dem 19. Jh. **2.** Po Quadrat (Po²) = Gesäß. Arithmetische Schreibung von „Popo". 1915 *ff, schül* und *sold.*

Po-Backen *pl* seine ∼ zusammenkneifen = sich ermannen. Mildere Variante zu „↗Arschbacke 6". *Ziv* 1950 *ff.*

Pöbe'lei *f* **1.** Unsauberkeit. Wer zum Pöbel gerechnet wird, gilt ohne weiteres auch als schmutzig, niederträchtig und listig. 1900 *ff.* **2.** Beschimpfung; Anherrschung. *Vgl* das Folgende. 1900 *ff.*

pöbeln *v* **1.** *tr intr* = anherrschen, ausschimpfen; Schimpfwörter verwenden; sich pöbelhaft benehmen. Man führt sich auf wie einer, der dem niederen Volk zugerechnet wird. Scheint im ausgehenden 19. Jh in Berlin aufgekommen. **2.** *intr* = die breite Masse aufhetzen. 1910 *ff.*

pochen *intr* **1.** marschieren. Die Stiefel klopfen stampfend auf die Landstraße. *Sold* 1935 *ff.* **2.** leise ∼, hier wohnen alte Knochenl = Altgediente wollen vorsichtig behandelt werden! Aufgefaßt als eine wirkliche oder

fingierte Inschrift an einer Kasernenstube o. ä. ↗Knochen 13. Unteroffiziersspr. 1939 *ff.*

Podex *m* Gesäß. Aus *gleichbed lat* „podex" in den Lateinschulen des 17. Jhs entstanden.

Poesiealbum *n* Verbrecheralbum. Eigentlich das Jungmädchenbuch mit lyrischen Ergüssen von Freundinnen und Freunden. 1966 *ff.*

Poet *m* Verfasser von Lebenserinnerungen anderer. Man nimmt an, seine Darstellung enthalte mehr Dichtung als Wahrheit. 1920 *ff.*

Pofel *m* **1.** Pöbel, Schar, Bande o. ä. Seit *mhd* Zeit. **2.** Schund. Nebenform zu „↗Bafel 1". *Bayr* und *österr,* 1800 *ff.*

pofen *intr* ↗poofen.

poinzen *intr tr* bezahlen. Fußt auf *engl* „points = Punkte", etwa im Sinne von Berechtigungsscheinen o. ä. *Jug* 1960 *ff.*

Pojatz *m* **1.** dummer, alberner Mensch. Fußt auf *ital* „bajazzo". *Ostmitteld* und Berlin, 1900 *ff.* **2.** den ∼ machen = sich albern benehmen. 1900 *ff.*

Pokal *m* aus einem ∼ fliegen = in einem Pokalspiel scheitern. *Sportl* 1950 *ff.*

Pokalschreck *m* Fußballmannschaft, die wider Erwarten gegen einen Pokalsieger gewinnt. *Sportl* 1950 *ff.*

Pöker (Pöks) *m* Gesäß. „Pöks" ist aus „Podex" zusammengezogen, wohingegen die Vokabel „Pöker" die Endung von „Hinterer" aufgreift. 1870 *ff, niederd.*

Pokergesicht *n* undurchdringliche Miene. Übernommen aus *engl* „pokerface". Der Pokerspieler darf den Besitz guter oder schlechter Karten nicht im Gesichtsausdruck zu erkennen geben. Seit dem späten 19. Jh.

pokern *intr* **1.** den Gegner im Ungewissen lassen. 1950 *ff.* **2.** etw aushandeln. Vom Pokerspiel übertragen. 1950 *ff.*

Pöks *m* ↗Pöker.

poku'lieren *intr* **1.** zechen. Geht zurück auf *lat* „poculum = Trinkbecher". Seit dem 18. Jh. **2.** seine Notdurft verrichten. Hehlwort, zusammenhängend mit ↗Po 1. *Sold* 1920 *ff.*

'pokurz (po-kurz) *adj* kaum das Gesäß bedeckend. ↗Po 1. Aufgekommen 1964/65 mit der Mode der äußerst kurzen Mädchenröcke.

Polen *Ln* **1.** da herrscht ∼ offen = jetzt geht es ausgelassen zu; da kann man sich auf allerlei gefaßt machen; da herrscht grenzenlose Unordnung; heute haben wir freie Bahn. Leitet sich her von der Metapher „polnische Wirtschaft = großes Durcheinander" sowie von den vielen Aufständen, die zur Wiederherstellung des polnischen Nationalstaates führen sollten. Etwa seit 1850. **2.** ∼ ist in Not = es ist einer in Not; man weiß keinen Ausweg mehr. Verwechslung mit „↗Holland in Not". 1960 *ff.* **3.** noch ist ∼ nicht verloren = noch ist die Sache nicht gescheitert; noch ist Grund zur Hoffnung. Geht zurück auf den Text zu einem *poln* Marsch (Dombrowski-Marsch), der 1796 für die polnische Legion in Italien komponiert wurde. Mit „noch ist Polen nicht verloren" antworteten die Polen auf das Schlagwort „Finis Poloniae", das man ihrem Führer Kosziusko in Deutschland in den Mund gelegt hatte. Seit dem 19. Jh.

Po'lente f Polizei. Hieraus hehlwörtlich entstellt, vielleicht mit Einfluß von „↗ Plempe 3" (die Polizisten trugen früher Säbel). Etwa seit 1830/40, möglicherweise von Berlin ausgegangen.

'Poli'quetsch m Polizeibeamter; vernehmender Kriminalbeamter. Zusammengesetzt aus „Polizist" und „quetschen" im Sinne von „Aussagen erzwingen". *Rotw* 1840 ff; vorwiegend in Wien verbreitet.

Polit-Chinesisch n dem Laien schwerverständlicher Wortschatz der Politiker. ↗ Chinesisch. 1970 ff.

Polit-Clown m Mann, der in politischer Hinsicht nicht ernst genommen wird. 1970 ff.

Po'litidi'ot m Student der Politologie *(abf)*. 1968 ff.

Politik f 1. Schlauheit; Verschlagenheit. Meint eigentlich die Art und Weise des Handelns, dann auch in verengter Bedeutung die listige Handlungsweise. *Vgl* ↗ plietsch; ↗ politisch. 1900 ff.
2. ~ der starken Hand = Prügel als Mittel der Erziehung zu Folgsamkeit. Den Politikern und Militärs seit 1915 nachgesprochen.
3. faule ~ = schlechte, anrüchige Politik. 1870 ff.
4. dümmer, als die ~ erlaubt = in politischer Hinsicht sehr töricht. 1970 ff.

Politi'kaster m Politiker ohne ausreichende Sachkenntnis. Dem „↗ Kritikaster" nachgebildet. Etwa seit 1920.

politisch adj 1. schlau, pfiffig; ränkesüchtig, heimtückisch. *Vgl* ↗ Politik 1. Seit dem 17. Jh.
2. eigensinnig; störrisch. Seit dem 19. Jh.

Polit-Muffel m Bürger, der an Politik uninteressiert ist. „Polit" ist nach 1945 über die Ostblockstaaten in die Bundesrepublik eingewandert. ↗ Muffel. 1965 ff.

Polit-Reisender m Politiker auf Auslandsreise. 1975 ff.

Polit-Schmonzes m parteiideologischer Wortschatz. ↗ Schmonzes. 1972 ff.

Poli'tur f 1. Gesittung eines Menschen; Anstand. Meint eigentlich den äußeren Glanz und steht in Analogie zu „↗ Lack". Wien seit dem 19. Jh.
2. jm die ~ abkratzen = jn verprügeln; jn durch Kratzer verletzen. 1920 ff.
3. jm die ganze ~ abstoßen = jn im Gesicht verletzen. *Sold* 1940 ff.
4. sich in ~ werfen (schmeißen) = sich elegant kleiden. Ahmt die Wendung „sich in Positur werfen" nach. 1920 ff.

Po'litze f Polizei. 1850 ff.

Po'lize f Beamtin der Kriminalpolizei; weibliche Angehörige des Sittendezernats. 1930 ff, Berlin.

Polizei I m Polizeibeamter. Verkürzt aus der ehemaligen Bezeichnung „Polizeisoldat". Seit dem frühen 19. Jh.

Polizei II f 1. schwarze ~ = Geistlichkeit. „Schwarz" wegen der Farbe der Amtstracht; als „Polizei" achtet sie auf die Befolgung der Gebote Gottes und der Kirche. 1920 ff.
2. dümmer sein, als die ~ erlaubt = überaus dumm sein. Die Redensart, etwa seit 1820 geläufig, sucht scherzhaft den Anschein zu erwecken, als sei durch Poli-

zeiverordnung das duldbare Höchstmaß von Dummheit festgelegt; wer diese erlaubte Grenze überschreitet, handelt strafbar. Vom „Nürnberger Trichter" heißt es: „Wer dümmer ist, als die Polizei erlaubt, dem wird dieser Trichter in den Kopf geschraubt."

Polizeibulle m Polizeibeamter. ↗ Bulle 1. Spätestens seit 1900.

Polizeier m Polizeibeamter. Seit dem 19. Jh.

Polizeifinger m 1. Mohrrübe. Das Wort „Polizist" hat im Gaunerdeutsch zu der Vokabel „Mohrrübe" geführt, und zwar in volksetymologisierender Abwandlung von *jidd* „meriwa", das „Zank" bedeutet (der Polizist heißt auch „↗ Zänker"). Zur Verdeutlichung des Unterschieds von *rotw* „Mohrrübe" und *hd* „Mohrrübe" hat man das Wort „Finger" angefügt wegen der Formähnlichkeit mit einer Möhre. Kundenspr. und *sold* seit dem späten 19. Jh.
2. Stangenkäse. 1900 ff.
3. Tubenkäse. *Sold* 1939 ff.

Polizeihund m Polizeispitzel. 1930 ff.

Polizeileiche f Toter, der keines natürlichen Todes gestorben zu sein scheint. Es ist die von der Kriminalpolizei beschlagnahmte Leiche. 1960 ff.

Polizeistunde f mütterliche ~ = von der Mutter dem Sohn oder der Tochter vorgeschriebene Uhrzeit des Heimkommens. 1960 ff.

polizeiwidrig adv ~ dämlich (dumm) = überaus dumm, töricht. *Vgl* ↗ Polizei II 2. Seit dem frühen 19. Jh, Berlin.

Polizist m 1. Spieler, der einen Spieler der gegnerischen Mannschaft eng deckt. Er bewacht ihn wie ein Polizeibeamter und sucht seinem Eingreifen zuvorzukommen. *Sportl* 1950 ff.
2. eiserner ~ = a) mit Kamera versehener Roboter, der belebte Großstadt-Straßenkreuzungen überwacht und den vorschriftswidrig fahrenden Wagen im Bild festhält. 1960 ff. – b) Polizei-Notrufsäule. 1960 ff.
3. vierbeiniger ~ = Polizeihund. 1920 (?) ff.
4. sechsbeiniger ~ = berittener Polizeibeamter. 1920 (?) ff.

polken intr mit dem Finger hervorholen; mit dem Finger kratzen. Durch Buchstabenumstellung aus *niederd* „plücken = pflücken" im 18. Jh entstanden oder fußt auf „pulgen, pulken" im Sinne von „herumstochern".

Poll m 1. Schallplattenvorführung. Geht zurück auf *engl* „poll = Papagei". Wie ein Papagei wiederholt die Schallplatte ihren Text. *Halbw* 1955 ff.
2. es im ~ haben = verrückt sein. „Poll" ist der Haarschopf und pars pro toto für Kopf. 1900 ff.
3. bei ihm stimmt es nicht unter dem ~ = er ist nicht recht bei Verstand. 1900 ff.

Poller m Kopf. Grob formähnlich mit dem Klotz o. ä. zum Festmachen von Tauen und Trossen. *Marinespr* 1939 bis heute.

Polli m Polizeibeamter. Unter 10 000 Hörervorschlägen, die bei „Radio Luxemburg" eingingen, wurde 1972 der Name „Polli" am häufigsten genannt; diesen Namen sollen nach dem Willen des Innenminister von Nordrhein-Westfalen und Rheinland-Pfalz sowie von Polizeibeamten, Journalisten usw. die deutschen Polizisten tragen. Man will auf diese Weise die Bezeichnun-

gen „Bulle", „Udel" und „Schupo" tilgen. „Polli" für den Polizeibeamten ist bereits seit 1950 als Jugendvokabel geläufig.

polnisch adj 1. sich auf ~ empfehlen (sich ~ drücken; ~en Abschied nehmen) = sich unauffällig entfernen. Die Redewendung hat keinen besonderen Bezug zu Polen; ebenso gut heißt es „sich französisch (englisch o. ä.) empfehlen". Die Völker scheinen anzunehmen, daß ihre Nachbarn sehr schlechtes Benehmen haben; *vgl* die *gleichbed* Redensarten: *franz* „se filer à l'anglaise" und *engl* „to take French leave". 1870 ff.
2. ~ zusammenleben = ohne standesamtliche Trauung zusammenwohnen. ↗ Ehe 7. 1820 ff.

Polster n 1. geldliche Rücklagen; Waren-, Auftragsbestand. Übertragen von der weich federnden Füllung in Matratzen, Sesseln, Verpackungen usw. Solch ein Polster mildert Stöße. 1955 ff.
2. Punkte-Vorsprung einer Sportmannschaft. *Sportl* 1955 ff.
3. ~ für die alten Tage = geldliche Alterssicherung. 1960 ff.
4. finanzielles ~ = Geldreserve. 1960 ff.
5. ein fettes ~ haben = nicht aus der Ruhe zu bringen sein. ↗ dickfellig. 1940 ff.

Polsterzipf m sich nach dem ~ sehnen = müde sein. „Zipf" meint den Zipfel des Kopfkissens. *Österr* 1900 ff.

Poltergeist m 1. für Anherrschungen bekannter *(milit)* Vorgesetzter. Eigentlich ist es ein in alten Bauwerken spukender Unhold, der mit seinem Lärmen die Bewohner erschreckt. *Sold* und *ziv* 1910 bis heute.
2. laut auftretende Hausgehilfin; ungeschickter Mensch. 1920 ff.

'Polter'jan ('Poltri'an) m Polterer. Zusammengewachsen aus „poltern" und der Koseform Jan des männlichen Vornamens Johann. 1800 ff.

poltern intr Polterabend feiern. 1950 ff; wahrscheinlich älter.

Po'lyp m 1. Polizeibeamter. Aus „Polizist" entstellt unter Einfluß der Vorstellung von den Greifarmen der Qualle. Seit dem 19. Jh.
2. Feldjäger. *Sold* 1939 bis heute.
3. heimlicher ~ = Polizeibeamter in Zivil. 1900 ff.

Po'lypin f Polizeibeamtin. 1960 ff, *halbw*.

Po'made f Schmeichelei. Vom wohlriechenden Haarfett übertragen zu einem Mittel, mit dem man sich angenehm macht. *Halbw* 1955 ff.

po'made adv 1. langsam, gemächlich. Soll auf *poln/tschech* „pomalu = gemächlich, allmählich" beruhen, woraus sich die Form „pomale" (1707) in Ostmitteldeutschland entwickelte; im ausgehenden 18. Jh mit „Pomade" zusammengeworfen. Die ursprüngliche Bedeutung tritt heute immer mehr hinter die im Folgenden genannte zurück.
2. das ist mir ~ = das ist mir gleichgültig. Seit dem späten 18. Jh, wahrscheinlich bei Studenten aufgekommen.

Po'maden'bengel m Stutzer; Junge mit stark pomadisiertem Haar. *Schül* 1950 ff.

Po'maden'engel m übertrieben auffrisierte weibliche Person. 1920 ff.

po'madig adj adv 1. langsam, gemächlich, phlegmatisch, lässig, langweilig, lustlos.

Im frühen 19. Jh aus „↗pomade 1" adjektivisch entwickelt.

2. gleichgültig, unbekümmert. 1900 ff.

3. dünkelhaft. Überhebliche Leute tragen gern eine lustlos-selbstgefällige Miene zur Schau. 1900 ff.

Po'madiker m Beamter, der mit (aufreizender) Langsamkeit und Übergenauigkeit seine Dienstpflichten erfüllt. Berlin 1920 ff.

po'mali adv langsam, bedächtig. ↗pomade 1. 1700 ff.

Po-Masche f Mode der weit über dem Knie endenden Jungmädchenröcke. ↗Po 1; ↗Masche 1. 1966 ff.

Pommesbude f Verkaufsstand für Pommes frites. 1965 ff.

Pomp auf Pump m geliehene Festtagskleidung; Entfaltung eines aufwendigen Lebensstils mittels geliehenen Geldes. ↗Pump. 1960 ff aufgekommen mit den Auswüchsen des gesellschaftlichen Mehrgeltungsstrebens.

Pompad'our (franz ausgesprochen) m Euter. Formähnlich mit der beutelförmigen Damenhandtasche. Nach 1950 mit der Mode aufgekommen.

Po'muchel m unzugänglicher, schweigsamer, unbelehrbarer Mann. Stammt aus dem Kaschubischen und meint dort den Dorsch. Dadurch analog zu „↗Stockfisch". 1800 ff.

pönen (pöhnen) v 1. tr intr = anstreichen. Geht zurück auf nordd „pünnen = schmücken"; vgl „pen = sauber" (Schleswig). Marinespr seit dem frühen 20. Jh.

2. intr = auffällig schminken. Nordd 1920 ff.

Ponies pl ↗Ponnies.

Ponim (Ponem, Ponum) n Gesicht, Mund. Fußt auf jidd „ponim = Gesicht". Kundenspr. seit dem späten 18. Jh; im Schrifttum seit 1841 (Niebergall).

Ponnies (Ponnys) pl 1. in die Stirn gekämmte, gekürzte Haare. Der Haartracht kleiner Pferde nachgebildet. Seit dem späten 19. Jh.

2. dir jucken wohl die ∼? = a) Drohfrage eines jungen Jungen an ein junges, freches Mädchen. Jug 1950 ff, Berlin. - b) du bist wohl nicht recht bei Verstand? Jug 1950 ff, Berlin.

Pons m gedruckte Übersetzung eines fremdsprachlichen Textes. Verkürzt seit dem 19. Jh aus dem schul-lat Vokabel „pons asinorum = ↗Eselsbrücke".

ponsen intr ↗ponzen.

Pontius m 1. ∼ Pilatus = fremdsprachliche Übersetzung. Tarnwort für ↗Pons. 1940 ff, schül.

2. von ∼ zu Pilatus gehen (kommen, laufen o. ä.) = überflüssige Wege machen. Daß der röm Landpfleger Pontius Pilatus in zwei Personen gespalten wurde, hängt wohl mit der Vorliebe für Alliteration zusammen. Nach dem biblischen Bericht wurde Jesus von Kaiphas zu Pontius Pilatus oder von Pontius Pilatus zu Herodes geschickt. Passionsspiele mögen die Vertauschung sinnfällig gemacht haben. 1800 ff. Vgl franz „courir de Ponce à Pilate".

3. wie der ∼ ins Credo kommen = in eine Sache zufällig hineingeraten. Bezieht sich auf das Glaubensbekenntnis in der lat Liturgie mit der Stelle „ich glaube ... an Jesus Christus, der gelitten hat unter Pontius Pilatus ...". Der römische Prokurator

erkannte Jesus für unschuldig, aber überlieferte ihn trotzdem dem Tod, und darum wundern sich Theologen und Laien, warum ein subalterner Militärbeamter mit solch einer politischen Entscheidung im Glaubensbekenntnis erwähnt wird. Seit dem 19. Jh.

4. jn von ∼ zu Pilatus schicken = jn von der einen Stelle zur anderen Stelle verweisen; jm vergebliche Gänge zumuten. ↗Pontius 2. Seit dem 18. Jh. Vgl franz „envoyer quelqu'un de Ponce à Pilate".

Ponyfransen pl über die Stirn gekämmte Haare. Übernommen von der Stirnmähne der Ponys. Aufgekommen gegen 1880 mit der Mode.

Ponyscheibe f dicke Brotschnitte. Analog zu „↗Pferdeschnitte". 1900 ff.

Ponyschweif m Haartracht junger Mädchen, die die Haare am Hinterkopf zusammenbinden. ↗Pferdeschwanzfrisur. 1950 ff.

ponzen (ponsen) intr in der Schule eine unerlaubte Übersetzung benutzen. ↗Pons. 1920 ff.

Poofbeutel m Schlafsack. BSD 1965 ff.

Poofchen n kurzes Schläfchen. ↗poofen 1. 1920 ff.

Poofdienst m bequemer Dienst. Er erfordert wenig Aufmerksamkeit und läßt Zeit zu einem Schläfchen. ↗poofen 1. BSD 1965 ff.

Poofe f 1. Bett; Liege; Schlafstelle. ↗poofen 1. Halbw 1955 ff; sehr gebräuchlich in der Bundeswehr.

2. Zigarette. Wohl von „↗paffen" beeinflußt. Oder ist die Zigarette vor dem Einschlafen gemeint? BSD 1965 ff.

3. Nichtstun; Freizeit. ↗poofen 2. Halbw 1960 ff.

3 a. Geschlechtspartnerin. Halbw 1960 ff.

4. ∼ bauen = das Kasernenbett vorschriftsmäßig herrichten. BSD 1965 ff.

5. einen in die ∼ hauen = schlafen. „Einen" meint entweder „sich selber" oder ist durch „Arsch" oder „Schlaf" zu ergänzen. BSD 1965 ff.

6. eine ∼ machen = koitieren. 1960 ff.

poofen (pofen, boofen, boofeln, bofeln, bofen) intr 1. schlafen; nächtigen. Geht zurück auf „puffen = schlafen". „Puff" ist sowohl „Bordell" als auch „kurzer Schlaf". Gegen 1840 in der Kundensprache aufgekommen; seit 1870 unter den Soldaten bis heute verbreitet und allgemein eine beliebte Jugendlichenvokabel.

2. müßiggehen. Der Faulenzer wird dem Schläfer gleichgesetzt. Halbw 1960 ff.

Pooferchen n Schläfchen. BSD 1965 ff.

Poofke m langweiliger, geistesbeschränkter Mann. Zusammengesetzt aus „↗poofen 1" und der niederd Endung „-ke" (= -chen). Von „↗Boofke" beeinflußt. 1914 ff.

Poofmolle (-mulde) f Bett. ↗Mulde. BSD 1965 ff.

Pooftime (Grundwort engl ausgesprochen) f militärischer Unterricht. BSD 1965 ff.

Pool m mit jm ∼ halten = jm standhalten; mit jm aushalten. „Pool" ist in westd Mundarten der Pfahl. „Pfahl halten" steht für „standhalten; nicht nachgeben". Seit dem 19. Jh.

pop adj hochmodern, hochmodisch. Verkürzt übernommen aus engl „popular = volkstümlich". Um 1960 zum Kennwort geworden für modische Kleidung, moder-

ne Musik, überhaupt für den modernen Lebensstil.

Pope m (Militär-)Geistlicher. Eigentlich der Geistliche der Ostkirchen. Sold 1939 bis heute.

Popel (Pöpel) m 1. verhärteter Nasenschleim. ↗popeln. Seit dem 19. Jh.

2. Minderwertiges. 1900 ff.

3. kleinwüchsiger Mensch. Eigentlich bezogen auf den kleinen Jungen, der in der Nase bohrt; doch vgl ↗Mäusedreck 2. Seit dem 19. Jh.

4. einflußloser, armseliger Mensch; Untergebener; Schimpfwort allgemeiner Art. Seit dem späten 19. Jh.

5. Hochfrisur. Die Trägerin sieht aus wie eine Schreckfigur (Popanz). 1960 ff, halbw.

6. feiner ∼ = eleganter Mann. Mit leicht abfälligem Nebensinn wie „feiner ↗Pinkel". 1900 ff.

7. mieser ∼ = niederträchtiger Mensch. ↗mies. 1900 ff.

8. jn mit ∼ beschmeißen = a) jm Ehrenrühriges nachreden. Bezieht sich eigentlich auf eine Handlungsweise, mit der man Geringschätzung zum Ausdruck bringt. 1900 ff. - b) jn unflätig beschimpfen, entwürdigend anherrschen. 1900 ff.

Popelfahne f Taschentuch. ↗Fahne. 1900 ff.

Popelfirma f kleine, kleinliche Firma. 1900 ff.

Popelgeschäft n kleines Geschäft; geringfügiger Gewinn. 1900 ff.

popelig (poplig) adj dürftig; elend; nicht freigebig; von kleinlicher Gesinnung. Gehört zu „↗popeln 2" und kann auch von „Pofel = Schund" beeinflußt sein. Seit dem 19. Jh.

Popelkram m Kleinigkeit, Belanglosigkeit. ↗popelig. 1900 ff.

Popelmatz m ärmlicher, bedauernswerter Mensch. Eigentlich der „↗Matz", der in der Nase bohrt. 1900 ff, Berlin.

popeln intr 1. in der Nase bohren. Gehört mit Vokaldehnung wohl zu „Poppe, Puppe" in der Bedeutung „Puppe aus Teig (Gebildbrot)". Scherzhaft ist gemeint, daß man aus dem Nasenschleim Puppen oder Kügelchen formt. Seit dem 18. Jh.

2. an etw unfachmännisch hantieren; sich mit etw ohne Können abmühen; kleinlich zu Werke gehen; ohne Fortgang arbeiten. Verallgemeinernde Entwicklung aus dem Vorhergehenden. Seit dem 18. Jh.

3. koitieren. Betrifft vorwiegend den heimlichen Beischlaf, etwa ohne Wissen der Eltern o. ä. Auch der Nasenbohrer geht heimlich zu Werke. Vgl auch ↗poppen. Seit dem 19. Jh.

Popelprobe f sehr genaue Ausarbeitung einer Aufführung mit einer großen Zahl von Proben, Wiederholungen usw. ↗popelig. Theaterspr. 1890 ff.

popfi'del adj lustig, heiter. Wohl aus „puppenfidel" abgewandelt durch „„↗pop". 1960 ff.

popgesund adj kerngesund. 1960 ff.

popig adj schwungvoll, sympathisch. Fußt auf der Pop-Musik. ↗pop. 1965 ff, jug.

poplig adj ↗popelig.

Po'po m 1. Gesäß. Kindersprachliche Verdopplung von „↗Po 1". Ende des 18. Jhs aufgekommen.

2. dir juckt wohl der ∼?: Drohfrage. 1900 ff.

3. den ~ wetzen = einen sitzenden Beruf haben; Beamter sein. 1900 *ff.*

Po'pochen *n* **1.** zierliches Gesäß. 1900 *ff.*
2. homosexueller junger Mann. 1920 *ff.*
3. knuspriges ~ = reizendes Frauengesäß. ↗knusprig. 1900 *ff.*

popo'gen *adj* ein gutgepolstertes, ansehnliches Gesäß vorweisend. Nach dem Muster von „fotogen, telegen" o. ä. entwickelt. Vermutlich in den fünfziger Jahren des 20. Jhs entstanden, als die Formen des Frauenkörpers von Geschäftemachern wiederentdeckt wurden.

Popographie *f* **1.** Homosexualität. Um 1900 von Studenten zusammengesetzt aus „↗Popo 1" und „↗Topographie".
2. Gesäßgegend.

popographieren *intr* sich homosexuell betätigen. ↗Popographie 1. 1900 *ff.*

'Popo'klatsche *pl* **1.** Schläge auf das Gesäß. ↗Klatsch 1. 1900 *ff.*
2. ~ mit Anlauf = handfeste Schläge auf das Gesäß. 1900 *ff.*

Po'pomanschette *f* sehr kurzer Mädchenrock. 1970 *ff.*

Po'popolyp *m* Angehöriger des Sittendezernats auf Fahndung nach Homosexuellen. ↗Polyp. Berlin 1935 *ff.*

Po'poscheitel ('Popscheitel) *m* bis in den Nacken gezogener Mittelscheitel. Der Hinterkopf sieht wie das Gesäß aus mit deutlichem Einschnitt. Der „Popscheitel" war Mode bei den preußischen Offizieren der Biedermeierzeit. Um diese Zeit ist auch die Vokabel aufgekommen.

Po'po-Sex *m* Hervorhebung des Frauengesäßes durch die Mode. ↗Sex 1. 1965 *ff.*

popo'sieren *intr* das Gesäß eindrucksvoll zur Geltung bringen. Man posiert mit dem „Popo". 1960 *ff.*

Po'potasche *f* Gesäßtasche. 1900 *ff.*

Popp *m* Koitus. ↗poppen. 1900 *ff.*

Pöppchen *n* Geschlechtsverkehr. Vgl das Folgende. 1900 *ff*, *westd.*

poppen *intr tr* koitieren. Meint eigentlich „gebären", „eine Puppe (ein kleines Kind) bekommen", aber auch soviel wie „mit der Puppe spielen". Eine vorwiegend *westd* und *niederd* Vokabel, etwa seit 1850. Dazu die alliterierende Parodie auf den Werbespruch für die Weinbrandmarke Dujardin: „Peter poppt Paula. Pariser platzt – peng! Darauf einen Dujardin!"

Popper *m* **1.** strenger Ausbilder. Versteht sich als Parallele zu „Ficker" im Sinne von „↗ficken 2". *BSD* 1965 *ff.*
2. ordentlich gekleideter Halbwüchsiger; Nicht- Rocker. Meint entweder das männliche Gegenstück zu „Puppe" oder ist beeinflußt von „↗pop = hochmodern". 1967 *ff.*
3. ~ interviewen (ticken) = Nicht-Rocker provozieren, schlagen und berauben. ↗ticken = schlagen. Rockerspr. 1967 *ff.*

Popperl *n* **1.** kleinwüchsiger Mensch; kleines Kind. Soviel wie „Püppchen". *Südd* seit dem 19. Jh.
2. Liebchen. *Südd* seit dem 19. Jh.

poppig *adj* **1.** von der Pop-Art beeinflußt. 1965 *ff.*
2. hervorragend. ↗popig; ↗pop. *Jug* 1965 *ff.*

Pops (Poppes, Bobbes) *m* Gesäß, Kindergesäß. Verkürzt aus der scherzhaften Latinisierung „Popus". Kinderspr. seit dem späten 19. Jh.

Popus *m* Gesäß. Von Lateinschülern im

späten 19. Jh erfundenes lateinähnliches Scherzwort.

Poquadrat *n* **1.** Gesäß. ↗Po 2. 1915 *ff.*
2. Scheltwort. Etwa soviel wie „du Arsch!". 1915 *ff.*

Porno-Welle *f* in der Öffentlichkeit geschäftemacherisch geweckte Interesse an Pornographischem. ↗Welle. 1969 *ff.*

porös *adj adv* **1.** dumm, dümmlich. Analog zu „↗dicht 1 e". 1920 *ff.*
2. ~ gucken = a) schielen. Schielen verleiht dem Gesicht einen dümmlichen Ausdruck. 1920 *ff.* – b) erstaunt blicken. 1920 *ff.*

Portal *n* mit dem ~ in die Villa fallen = eine wichtige Sache vorbereitungslos berichten. Ins Großartige gesteigerte Variante zu „mit der ↗Tür ins Haus fallen". 1956 *ff.*

Portemonnaie (*franz* ausgesprochen) *n* **1.** Hosenlatz. Man sagt: „mach das Portemonnaie zu, ich zahle", wenn einer seinen Hosenschlitz nicht geschlossen hat. 1900 *ff.*
2. ~ auf Beinen = Ehemann (oder Liebhaber), der bei Einkäufen der Frau die Rechnungen zu bezahlen hat. 1950 *ff.*
3. ~ mit Mensch = Kurgast. Hämische Anspielung darauf, daß in Kurorten das Geld des Kurgastes wertvoller ist als der Kurgast. 1950 *ff.*
4. gläsernes ~ = Geldbeutel unselbständiger Arbeitnehmer. Von allen Einkommensarten sind die Löhne und Gehälter durch Gesetze, Verordnungen und Richtlinien steuerlich am stärksten erfaßt: für den Fiskus haben die Lohn- und Gehaltsempfänger ein durchsichtiges Portemonnaie. 1970 *ff.*
5. sein ~ hat die Schwindsucht = er ist mittellos. ↗Schwindsucht. Seit dem 19. Jh, Berlin.
6. ein großes ~ haben = sehr wohlhabend sein. 1800 *ff.*
7. jm ins ~ scheißen = jn um Geld prellen. Statt mit Geld füllt man ihm den Geldbeutel mit Exkrementen. Fußt möglicherweise auf einem studentischen Ulkgedicht. Seit dem 19. Jh.

Portepee *n* **1.** jn am ~ fassen (packen) = an jds Ehr- und Pflichtgefühl appellieren. Das „Portepee" war im 18. Jh. das Standesabzeichen der Offiziere. Seit dem 19. Jh.
2. sich nicht am ~ fassen lassen = keine Einmischung (Kränkung) dulden. Seit dem 19. Jh.

Portierzwiebel (Bestimmungswort *franz* ausgesprochen) *f* Haarknoten; im Nacken aufgedrehter Frauenzopf. ↗Zwiebel. Diese Haartracht war früher üblich bei Portiersfrauen. Seit dem späten 19. Jh, Berlin.

Portion *f* **1.** Menge (du kriegst gleich eine Portion Ohrfeigen; der Sturm hat eine Portion Bäume entwurzelt). „Portion" ist eigentlich die Menge, die zu einer Mahlzeit gehört; von da weiterentwickelt zu den Bedeutungen „gehörige Menge" und „zustehender Anteil". 1870 *ff.*
2. eine ~ dümmer = ein gut Teil dümmer. 1870 *ff.*
3. doppelte ~ Mensch = breitschultriger, dickschädliger, großwüchsiger Mann. 1930 *ff.*
4. große ~ = a) Großwüchsiger. 1920 *ff.* – b) beträchtliches Strafmaß. Kundenspr. 1920 *ff.*

5. halbe ~ = a) kleinwüchsiger Mensch; leistungsschwacher Mann; Schwächling. Er benötigt nur die halbe Essensportion eines normalen Essers. 1914 *ff*, *sold* und *schül.* – b) unbedeutender Mensch. 1920 *ff.* - c) Rentner mit Seniorenkarte. Er zahlt nur den halben Fahrpreis. 1980 *ff.*
6. knappe halbe ~ = kleinwüchsiger, schmächtiger Mensch. 1945 *ff.*
7. kleine ~ = a) Kleinwüchsiger. 1920 *ff.* – b) geringes Strafmaß. Kundenspr. 1920 *ff.*
8. sich von etw (jm) eine ~ abschneiden = sich etw oder jn zum Vorbild nehmen. Analog zu „sich eine ↗Scheibe abschneiden". 1950 *ff.*

Portionshandlanger *m* Kellner. Dem Bauhandlanger ähnlich bringt er die Portionen herbei. 1900 *ff.*

Portjuch'he *n* Geldbörse. Umgebildet aus *franz* „portemonnaie", wohl weil das Geld „juchhe geht" (= leicht, für Wohlleben ausgegeben wird). Gegen 1900 aufgekommen, wahrscheinlich bei den Studenten.

Portmariechen *n* Geldbörse. ↗Marie = Geld. Seit Ende des 19. Jhs.

Portokassenbubi *m* unerfahrener junger Mann; Büroanfänger. Er verwaltet die Portokasse (und vergreift sich an ihr, um wie die Kollegen auftreten zu können). 1900 *ff.*

Portokassenkavalier *m* unerfahrener junger Mann, der seine untergeordnete Stellung als einen leitenden Posten darstellt. 1910 *ff.*

Porum *m* gesamtes Diebeshandwerkszeug. Geht zurück auf *jidd* „pur, porar = er hat zerbrochen". *Rotw* 1840 *ff.*

Porzellan *n* **1.** ~ zerschlagen = eine mühsam eingeleitete Entwicklung zum Besseren rücksichtslos zerstören; schwierige geistig-seelische Vorgänge roh stören. Fußt auf der Vorstellung von der Leichtzerbrechlichkeit des Porzellans, das daher behutsam behandelt werden muß. Vgl auch die Metapher vom Elefanten im Porzellanladen (↗Elefant 6). 1930 *ff.*
2. ~ kitten = ein Zerwürfnis beheben. 1950 *ff.*

Porzellanbranche (Grundwort *franz* ausgesprochen) *f* nicht aus der ~ sein = nicht empfindlich sein. Von der sächlichen Leichtzerbrechlichkeit übertragen auf seelische Leichtverletzlichkeit.

Porzellanfahrt *f* Droschkenfahrt, während der die Insassen koitieren. Der Kutscher fährt so vorsichtig, als beförderte er Porzellan. Seit dem frühen 19. Jh.; Großstadtdeutsch.

Porzellanhaut *f* zarte Haut. 1920 *ff.*

Porzellan-Hochzeit *f* Wiederkehr des Hochzeitstages nach zwanzig Ehejahren. ↗Hochzeit 11. 1950 *ff.*

Porzellanpuppe *f* zierliches, elegantes junges Mädchen. Berlin 1870 *ff.*

Posaune *f* **1.** Klassensprecher. Er ist die „laute Stimme" der Klasse. *Schül* 1960 *ff.*
2. ~ von Jericho = Frau mit lautem Sprechorgan. Nach dem Bericht im Buch Josua (6) sollen die Mauern der Stadt Jericho durch Posaunenstöße eingestürzt sein. 1925/30 *ff.*
3. für jn in die ~ blasen = jn überschwenglich loben. Mit Posaunenschall verkündet man sein Lob. 1870 *ff.*
4. die ~ von Jericho ist nichts dagegen = er benimmt sich überaus geräuschvoll; er

spricht mit Stentorstimme, arbeitet polternd o. ä. 1925 ff.

Posaunenengel *m* Mensch mit dicken, runden Wangen; gern auf Kinder und junge Mädchen bezogen. Hergenommen von den posaunenblasenden Engelsfiguren der kirchlichen Kunst. 1820 ff.

posch *adj* ausgezeichnet, hervorragend. Nach 1945 von Jugendlichen übernommen aus *engl* „posh = elegant, prächtig, fein".

Posche *m* Pfennig. Fußt auf *jidd* „poschut = Pfennig". Kundenspr. 1910 ff; wohl älter.

Poscher *m* Pfennig. Vgl das Vorhergehende. Kundenspr. 1850 ff.

Poseidon *m* 1. ~s Brotgeber = sich erbrechender Seereisender. Poseidon heißt in der *griech* Mythologie der Gott des Meeres. *Sold* 1940 ff.
2. dem ~ opfern = seekrank sein. 1900 ff.

pöseln *intr* unter Mühen Kleinarbeit verrichten; sich mit einer Sache sehr abmühen. Nebenform von ↗ pusseln. *Niederd* 1700 ff.

'Pose'muckel *On* abgelegenes, ärmliches Dorf; Kleinstadt *(abf)*. Hergenommen vom gleichnamigen Dorf im Kreis Bomst (Provinz Posen). 1840 ff, Berlin.

Posen *pl* 1. Bett. Pose = Federkiel, Schreibfeder, Bettfeder. *Nordostd* und *nordd,* 1830 ff.
2. sich nicht von den ~ trennen können = gern lange schlafen. 1830 ff.

posen *intr* 1. zu Bett gehen. ↗ Posen 1. Seit dem ausgehenden 19. Jh.
2. eine Pose einnehmen; posieren. Pose = gekünstelte Stellung. 1950 ff.

Position *f* auf ~ gehen = nach einem Mädchen Ausblick halten. Stammt aus der Seemannssprache: Position ist die Lage (Ortsbestimmung) eines Schiffes. *Marinespr* 1900 ff.

Positionslichter *pl* ~ setzen = Schnäpse so auf den Tisch setzen, daß ihre Färbung den Positionslichtern entspricht. Seemannsspr. 1950 ff.

Post *f* 1. dicke ~ = böse Überraschung; starke Zumutung. „Dick" entspricht „schwerwiegend" mit dem Übergang von der eigentlichen zur übertragenen Bedeutung. 1950 ff.
2. ab geht die ~ (die ~ geht ab) = a) man startet, fährt ab. Leitet sich her von der Abfahrt der Postkutsche von früher. Zum 30. Oktober 1838 bekannt geworden durch ein Lied der Berliner Leierkastenmänner auf die Eröffnung der Berlin-Potsdamer Bahn; seitdem gemeindeutsch geworden. – b) die Sache ist erledigt; bekräftigende Schlußformel zu einer Handlungsweise. 1900 ff.

Postbulle *m* Postbediensteter; Angehöriger der Feldpostverwaltung. ↗ Bulle 1. *Sold* 1914 bis heute.

Postbüttel *m* Postbote. Büttel ist eigentlich der Gerichtsdiener, hieraus weiterentwickelt zu den allgemeinen Bedeutungen „Bediensteter" und „Beamter". 1930 ff.

Pöstchen *n* 1. Beschäftigungsverhältnis, Anstellung; angenehme Beamtenstellung o. ä.; Ehrenamt. 1870 ff.
2. am ~ kleben = seine Amtsstellung beizubehalten suchen. 1870 ff.

Pöstchenangst *f* Angst, die Dienststellung zu verlieren (durch Untauglichkeit, Verdrängung oder Verwaltungsvereinfachung). 1920 ff.

Pöstchenjäger *m* Mann, der eine Anstellung oder ein Ehrenamt anstrebt. 1870 ff.

Posten *m* 1. schlauer ~ = bequeme, angenehme, ungefährliche Dienststellung. Seit dem 19. Jh.
2. am ~ kleben = sich in seiner Amtsstellung zu halten suchen. Seit dem 19. Jh.
3. ~ schieben = Wache stehen. „Schieben" hat hier den Sinn von „langsam, schwerfällig gehen". 1900 ff bis heute, *sold*.
4. auf dem ~ sein = a) gesund sein; seine Pflicht erfüllen; seine Arbeit pünktlich leisten. Aus den *milit* Begriffen „Wache stehen" und „aufpassen" übertragen ins Zivile. 1870 ff. – b) seinen Vorteil zu wahren wissen; seine Sache verstehen; klug handeln. 1900 ff.

Postenjäger *m* Mensch, der eine begehrte Stellung rücksichtslos und beharrlich zu erringen strebt; Mann, der ohne ein öffentliches Amt sich nicht für gesellschaftsfähig hält. 1870 ff.

Postille *f* Tageszeitung mit Millionenauflage. Meint eigentlich das religiöse Erbauungsbuch für den Hausgebrauch; hier auch das Druckwerk für den täglichen Lesestoff. 1955 ff.

Postkartenhimmel *m* unecht bunter Himmel. Solch ein Himmel „lacht" auf den bunten Ansichtskarten. „Postkarte" steht fälschlich für „Ansichtskarte". 1950 ff.

Postkartenlandschaft *f* verschönte Landschaft auf Ansichtskarten, Reiseprospekten u. ä. 1950 ff.

Postkartenwetter *n* sehr schönes, sonniges Wetter. 1950 ff.

postlagernd *adv* ~ schlafen (wohnen) = keine feste Unterkunft haben. Nachrichten erreichen einen nur unter „Postlagernd". 1900 ff.

Postler *m* Postbeamter. 1900 ff.

Postrat *m* Briefträger. Scherzhafte Rangerhöhung zur unteren Stufe des höheren Postdienstes. 1890 ff.

Postschachtel *f* Postangestellte. ↗ Schachtel. 1950 ff.

Postschnüffel *m* Stöberer in Briefschaften anderer. ↗ schnüffeln. 1950 ff.

Posttag *m* einen ~ zu spät kommen = etw zu spät merken. Posttag meint hier denjenigen Wochentag, an dem früher der Postwagen verkehrte. 1850 ff.

postwendend *adv* sofort. 1900 ff.

Pot *m n* Marihuana; Rauschgift. Dem *anglo-amerikan* Slang entlehnt. 1955/60 ff.

Pöt *m* Dichter. Scherzhafte Aussprache (Lautschrift) von „Poet". 1900 ff.

Po'tacken *pl* Kartoffeln. Entstellung von ostfränkisch „Pataken" durch *engl* „potato". *Sold* 1914 bis heute.

Pö'täter (Pö'täterchen, Pö'täterle) *n* unzuverlässiges Taschenfeuerzeug. Im Ersten Weltkrieg bei den Soldaten entstanden aus *franz* „peut-être = vielleicht" mit Anspielung darauf, daß das Feuerzeug „nur vielleicht" funktioniert.

Po'temkinsche Dörfer *pl* (angebliche) Vorspiegelung von Ansehnlichkeit. Potemkin war ein russischer Fürst (1739–1791), der der Geliebten und Herrscherin, der Zarin Katharina II., Dörfer mit frisch angestrichenen Häusern vorführte, um ihr einen Beweis seiner erfolgreichen Verwaltung in den kürzlich eroberten süd-

russischen Gebieten zu liefern. Der Ausdruck, im Zusammenhang mit einer Besichtigungsreise im Jahre 1787 stehend, geht zurück auf eine Artikelreihe in der Zeitschrift „Minerva" in den Jahren 1797 bis 1799. Der anonyme Verfasser war G. A. W. von Helbig, sächsischer Gesandtschaftssekretär am Petersburger Hof (1787 bis 1796); seine Schilderungen wurden inzwischen als Irrtümer und Lügen entlarvt. 1850 ff.

potent *adj* ~ sein = bei Geld sein. Von der geschlechtlichen Leistungsfähigkeit übertragen auf das geldliche Leistungsvermögen. *BSD* 1965 ff.
2. das ist ~ = das ist unübertrefflich, schwungvoll o. ä. *Jug* 1965 ff.

Poten'taten *pl* 1. Füße. Wortspielerei, entstanden auf *nordd* Boden im Zusammenhang mit „Poot = Pfote". 1850 ff.
2. Hände. 1900 ff.

Potenzanreger *m* Sellerie. Angeblich steigert die Wurzelknolle den Geschlechtstrieb. 1955 ff.

Potenzhammel *m* sehr dummer Mensch. Er ist ein in die arithmetische Potenz erhobener „↗ Hammel". 1870 ff.

Potenzprotz *m* Mann, der sich seines geschlechtlichen Leistungsvermögens rühmt; Frauenheld. ↗ Protz. 1960 ff.

Pöter *m* Gesäß. ↗ Pöker. *Niederd* 1920 ff.

pötisch *adj* dichterisch. ↗ Pöt. 1900 ff.

Poto'loge *m* Haschischraucher. ↗ Pot. 1968 ff.

Pot-Raucher *m* Marihuana-Raucher. ↗ Pot. 1965 ff.

Potschamper (Potschamberl) *m (n)* Nachttopf. Geht zurück auf *franz* „pot de chambre". Seit dem 19. Jh.

Potschen (Botschen) *pl* Hausschuhe; niedergetretene Pantoffeln. Nebenform zu „↗ Patschen 1". *Oberd* 1800 ff.

'pots'dämlich *adj* sehr töricht. Kann als Adjektiv zu „Potsdam" aufgefaßt werden und spiegelt dann unter Einfluß von „dämlich = dümmlich" die Schelte überheblicher Berliner auf die Potsdamer wider. Hierauf dürfte die Interjektion „potz" eingewirkt haben. 1830/40 ff.

Pott I *m* 1. Topf. Im 12. Jh am Niederrhein entlehnt aus *franz* „pot".
2. Trinkglas, Pokal, Maßkrug. Analog zu ↗ Topf. *Niederd* 1700 ff.
2 a. Siegespokal. *Sportl* 1970 ff.
3. Abort. Verkürzt aus „Nachttopf". 1700 ff.
4. Nachtgeschirr. 1700 ff.
5. Helm, Stahlhelm. Formähnlich mit einem Kochtopf. *Sold* 1914 bis heute.
6. Schutz-, Sturzhelm. 1930 ff.
7. Zylinder des Verbrennungsmotors. Analog zu ↗ Topf. 1930 ff.
8. Spielkasse, -einsatz. Seit dem 19. Jh.
9. Gefängnis. Versteht sich nach den Vorhergehenden im Zusammenhang mit „↗ kassieren". 1900 ff.
10. Geschlechtsakt. Gehört entweder zu dem sexuellen Zusammengehörigkeitspaar „Topf und Deckel" oder meint im Sinne von „↗ Pott I 8" den Geschlechtsverkehr als „Spieleinsatz". 1955 ff.
11. Schiff, Ozeandampfer, Kriegsschiff o. ä. Geht zurück auf die Grundbedeutung „Gefäß", die auch den Schiffsbezeichnungen anderer Länder zugrunde liegt; *vgl engl* „vessel", *franz* „vaisseau", russisch

„sudno" usw. Seit dem letzten Drittel des 19. Jhs.

11 a. Ruhrgebiet. Verkürzt aus ↗ Ruhrpott. 1920 *ff.*

12. *pl* = Schuhe. Parallel zu „↗ Kahn 8". Seit dem 19. Jh, *niederd.*

13. dicker ~ = a) großer Dampfer; Flugzeugträger; großes Motorboot. 1914 *ff.* - b) Großtankschiff 1970 *ff.*

14. schneller ~ = schneller Dampfer. 1920 *ff.*

15. einen ~ knacken = einen Dampfer versenken. *Marinespr* in beiden Weltkriegen.

16. mit etw zu ~ kommen = etw begreifen, bewerkstelligen, zum Abschluß bringen. Parallel zu „mit etw zu ↗ Stuhl kommen". Von der Exkrementierung übertragen auf die Meisterung schwieriger Dinge. 1700 *ff, niederd.*

17. mit jm zu ~ kommen = mit jm zu einer Einigung, zu einem Abschluß kommen. Seit dem 19. Jh.

18. zu ~ kommen = a) zum Thema kommen; seine Ansicht vortragen. *Niederd* Seit dem 19. Jh. - b) die Spielfarbe nennen (meist in der Befehlsform). Kartenspielerspr. Seit dem 19. Jh.

19. einen ~ machen = a) einen Skat anlegen. Der Einsatz liegt im „↗ Pott I 8". Seit dem 19. Jh. - b) koitieren. ↗ Pott I 10. 1955 *ff.*

19 a. ~ und Deckel sein = miteinander geschlechtlich verkehren. ↗ Pott I 10; ↗ Pott I 22. Undatierbar.

20. ab vom ~ sein = ausgeschaltet sein; bei einer Verteilung leer ausgehen. Pott = Spielkasse, auch Gesamtheit der zur Aufteilung vorgesehenen Bestände. *Sold* in beiden Weltkriegen; auch *ziv.*

21. von den Pötten sein = sehr verwundert, sprachlos sein. Pott = Schuh (↗ Pott I 12). Der Erstaunte verliert das Gleichgewicht und stürzt zu Boden. *Vgl* „von den ↗ Laatschen sein". 1930 *ff.*

22. das ist ~ wie Deckel = das ist dasselbe. Hängt zusammen mit der sprichwörtlichen Wendung „wie der Pott, so der Deckel" im Sinne von „wie der Herr, so der Knecht" (zum Ausdruck der wechselseitigen Abhängigkeit und Untrennbarkeit). ↗ Pott I 19 a. Seit dem 19. Jh, *niederd.*

23. jn auf den ~ setzen = a) jn zurechtweisen. Hergenommen von dem Kind, das man zur Notdurftverrichtung auf das Töpfchen setzt, und hieraus verallgemeinert zu der Grundvorstellung „in die gehörige Ordnung bringen". 1900 *ff.* - b) jn in Verlegenheit bringen. Notdurftverrichtung in Gegenwart anderer kann ein Verlegenheitsgefühl hervorrufen. 1900 *ff.* - c) jn übervorteilen, betrügen. 1900 *ff.*

24. auf dem ~ sitzen = in Verlegenheit sein; sich in einer Notlage befinden. *Vgl* das Vorhergehende. 1900 *ff.*

25. zweierlei in einen ~ werfen = Verschiedenartiges gleichbehandeln. Analog zu „alles in einen ↗ Topf werfen". Seit dem 19. Jh.

Pott II *m n* Rauschgift. ↗ Pot. 1960 *ff.*

'potte'gal *adv* völlig gleichgültig. Hergenommen von zwei gleichen Kochtöpfen o. ä. *Niederd* 1870 *ff.*

pötten *intr* trinken, zechen. ↗ Pott I 2. *Niederd* seit dem 19. Jh.

Pöttenkieker (Pottkieker) *m* neugieriger Mensch, der sich unangebracht um anderer Leute Verhältnisse kümmert. *Niederd* Form von „↗ Topfgucker". 1700 *ff.*

'pott'häßlich *adj* sehr häßlich, unansehnlich. Übertragen vom Aussehen eines alten, abgenutzten Topfes, dessen Email abgestoßen ist. 1920 *ff.*

Pottkieker *m* ↗ Pöttenkieker.

Pottsau *f* 1. Mensch mit üblem Charakter; auch freundliche Schelte. Meint eigentlich das in der Suhle sich wälzende Schwein. Vom äußerlichen Schmutz auf den unsauberen Charakter übertragen. 1840 *ff.*

2. schmutziger Mensch. 1840 *ff.*

'pott'schwarz *adj* tiefschwarz. Von der Farbe des gußeisernen Kochtopfes übertragen. 1900 *ff.*

potz *interj* Ausdruck heftigen Unwillens, auch starker Überraschung. Im 15. Jh euphemistisch entstellt aus „Gottes" als Bestandteil von frommen Anrufungen.

Potz Blitz *interj* Verwünschung; auch Ausruf der Überraschung, der Anerkennung. 1600 *ff.*

Potz Donner *interj* Ausruf des Unwillens. 1800 *ff.*

Potz Donnerknall *interj* Ausruf des Unmuts. 1960 *ff.*

Potz Himmel Sapperment *interj* Fluch. ↗ Sapperment. Seit dem 19. Jh.

'Potz'oberschte *pl* die Vorgesetzten. Verstärkung von „↗ Oberschter". 1900 *ff.*

Potz Sakrament *interj* Ausdruck heftigen Unmuts. ↗ Sakrament. Seit dem 18. Jh.

Potz Sapperment *interj* Ausruf des Unwillens. Verkürzt aus „Potz sieben Sapperment" mit Bezug auf die sieben Sakramente. ↗ Sapperment. Seit dem 18. Jh.

potz tausend (potztausend) *interj* Ausruf des Erstaunens. „Tausend" ist verhehlende Steigerung der Siebenzahl der Sakramente. Früher hieß es auch „Gotts tausend sacrament" und „Potz tausend sacker" und „potz tausend Teufel". Seit dem 16. Jh.

Poussade *f* ↗ Pussade.

Poussage *f* ↗ Pussage.

Poussier- ↗ Pussier-.

Povel *m* Schund. ↗ Pofel. 1800 *ff, schwäb* und *nordd.*

pover (power) *adj* ärmlich, dürftig, armselig. Aus *franz* „pauvre = arm" spätestens im 18. Jh entlehnt.

Pover'tee (Power'tee) *f* 1. Ärmlichkeit. Aus dem *Franz* eingeführt durch Fritz Reuter. 1862.

2. Ärmlichsein; Geiz; Kleinlichkeit in geldlichen Dingen. *Nordd* 1870 *ff.*

3. die Armut kommt von der ~. ↗ Armut 1.

Power (*engl* ausgesprochen) *f* 1. Energie, Willensstärke. *Jug* 1975 *ff.*

2. Ausdruckskraft; spannende Handlung. 1970 *ff.*

power (*engl* ausgesprochen) *adj* unübertrefflich. *Jug* 1975 *ff.*

Powertee *f* ↗ Povertee.

Pozwicker *m* Mann, der weiblichen Personen gern in das Gesäß kneift. ↗ Po 1. 1975 *ff.*

Prä I *m* Leiter. Behördensprachlich verkürzt aus „Präsident". 1945 *ff.*

Prä II *n* 1. ein (das) ~ haben = den Vorrang, das Vorrecht, den Vorzug haben. Substantivierung der *lat* Präposition „prae", wohl gekürzt aus „prae aliis = vor den andern". 1600 *ff.*

2. sich aus etw ein ~ machen = auf etw stolz sein. Wien seit dem 19. Jh.

praatschen (praatjen) *intr* prahlen. Schallnachahmend für lautes, breites Sprechen. Mittel-*niederd* „praten", *engl* und *dän* „prate". 1800 *ff.*

prachen *intr* betteln. Geht über die Nebenform „prechen" wahrscheinlich zurück auf *lat* „precari = bitten". Seit dem 16. Jh.

Pracher *m* Bettler. *Vgl* das Vorhergehende. 1500 *ff.*

Pracht *f* 1. wunderschöner Anblick; Schönheit. Seit dem 19. Jh.

2. kalte ~ = unbewohntes, daher ungeheiztes Wohn-, Schlafzimmer; ungemütliche Wohnungseinrichtung. Meint vorwiegend das auf Repräsentation eingerichtete Zimmer, den Salon o. ä. Seit dem 19. Jh.

3. eine wahre ~ = eine hervorragende Leistung; sehr lobenswerter Zustand. 1850 *ff.*

4. weiße ~ = Schneefall; Winterlandschaft o. ä. Seit dem 19. Jh.

5. daß es eine ~ ist = tüchtig, heftig; vollkommen u. ä. (du bekommst gleich ein paar Ohrfeigen, daß es eine Pracht ist; ein Wetter, daß es eine Pracht ist). 1850 *ff.*

Pracht- als erster Bestandteil der meist doppelt betonten Vokabel drückt Anerkennung aus, besonders Anstelligkeit, Umgänglichkeit, Charakterfülle, Schönheit u. ä. Vor allem seit 1800.

'Prachtexem'plar *n* hervorragendes Exemplar; tüchtiger, charaktervoller Mensch. 1830 *ff.*

'Pracht'form *f* hervorragendes Leistungsvermögen. ↗ Form 1. *Sportl* 1920 *ff.*

'Prachti'dee *f* großartiger Vorschlag. 1900 *ff.*

'Pracht'kerl *m* 1. charaktervoller Mann; zuverlässiger, hilfsbereiter Mann. Seit dem 19. Jh.

2. starker, kräftiger Mann; schöner Mann. Seit dem 19. Jh.

3. gut entwickelter Hund. 1870 *ff.* Mit der Werbung für Hunde-Fertignahrung („Chappi") um 1965 erneut aufgekommen.

'Pracht'kind *n* gesundes, kräftiges Kind. Seit dem 19. Jh.

'Pracht'mädchen *n* körperlich (charakterlich) hervorragendes Mädchen. 1830 *ff.*

'Pracht'mädel (-'madel) *n* Mädchen mit ausgezeichneten charakterlichen (körperlichen) Vorzügen. 1830 *ff.*

'Pracht'mensch *m* Mensch mit hervorragenden Eigenschaften. 1830 *ff.*

Prachtparade *f* hervorragend abgewehrter Torball. *Sportl* 1960 *ff.*

'Pracht'scheißer *m* Mann, der mit jeder Kleinigkeit prahlt. ↗ Scheißer. 1870 *ff.*

'Pracht'schlitten *m* Luxusauto. ↗ Schlitten. 1950 *ff.*

'Pracht'schuß *m* sehr gut gezielter, heftiger Ballstoß. ↗ Schuß. *Sportl* 1920 *ff.*

'Pracht'stück *n* Mensch mit hervorragenden Charaktereigenschaften; Mensch, der sich großartig bewährt hat (auch *iron*). ↗ Stück. 1900 *ff.*

'Pracht'tor *n* ausgezeichneter Tortreffer. *Sportl* 1920 *ff.*

'Pracht'weib *n* äußerlich und/oder charakterlich hervorragende Frau. 1870 *ff.*

Prahlhans *m* Prahler. 1650 *ff.*

2. da ist ~ Küchenmeister = da spielt man sich auf. Umgewandelt aus „da ist ↗ Schmalhans Küchenmeister". 1900 *ff.*

Prahlhansküchenmeister *m* Prahler; Wichtigtuer. *Vgl* das Vorhergehende. 1900 *ff.*

'Praktikus *m* praktisch veranlagter Mensch. Im 18. Jh unter Studenten aufgekommen.

praktisch *adv* in Wirklichkeit; eigentlich; nur; tatsächlich; fast völlig (der Schneesturm brachte den Verkehr praktisch zum Erliegen; praktisch hat er schon jetzt verloren; praktisch ist die Mark nur noch 80 Pfennig wert; praktisch hat er keine überragende Gesangsstimme). „Praktisch" ist, was Wirklichkeit geworden und nicht Theorie geblieben ist, also soviel wie „tatsächlich" und „nicht theoretisch", zuweilen mit der einschränkenden Bedeutung „nahezu". Gegen 1930 aufgekommen und immer stärker zu einem Flickwort verblaßt.

'Prali'né *n* steifer Hut mit gewölbtem Kopf. Formähnlich mit halbkugeligen Pralinen. Nördlich der Mainlinie seit dem frühen 20. Jh.

'Prali'né-Soldat *m* Soldat mit zivilistischem Gehabe. Geht zurück auf das Bühnenstück „Arms and The Man" (1894) von George Bernard Shaw, *dt* unter dem Titel „Helden" (1903): in ihm gewinnt Bluntschli, ein Schweizer Soldat, mit Schokolade in der Patronentasche der Braut. Die Bezeichnung wurde bei uns vorwiegend nach 1955 gehört.

prali'nös *adj* hervorragend. Likör- oder weinbrandgefüllte Schokoladekügelchen gelten als eine erlesene Leckerei. *Stud* 1920 *ff*.

prallen *intr* einen Darmwind laut entweichen lassen. Wie mit Preßluft geht er ab. *Österr* 1920 *ff*.

Prämienklau *m* Versager im Fußballtor. Er bringt seine Kameraden um die für den Siegesfall ausgesetzte Prämie. *Sportl* 1960 *ff*.

Prämienschlucker *m* Längerdienender. Er erhält eine Verpflichtungsprämie. *BSD* 1967 *ff*.

Prängel (Prangel, Prengel) *m* **1.** Prügelstock. Geht zurück auf mittel-*niederd* „prange = Pfahl, Stange". Nördlich der Mainlinie seit dem 18. Jh. **2.** Penis. Analog zu „↗ Pfahl 1". Seit dem 19. Jh.

Pranke *f* breite, unförmige Hand. Übertragen von der Bezeichnung für die Tatze des Raubtiers. Spätestens seit 1900.

pransen (pranzen) *intr* prahlen. Meint eigentlich „lärmen; das große Wort führen"; *vgl engl* „to prance = to make a show". Verwandt mit „prunken". 1900 *ff*, *sächs*, *stud*.

präparieren *tr* einen Zeugen oder Mittäter zu einer abgesprochenen (falschen) Aussage veranlassen. Präparieren = vorbereiten, haltbar machen, herrichten. 1880 *ff*.

präpeln (prepeln, preepeln) *intr* eine Kleinigkeit essen; behaglich essen; umständlich kochen. Gehört zu „pröbeln = probieren"; „pröben, pröwen, präuben = prüfend schmecken". 1840 *ff, nordd, nordostd, ostmitteld* u. a.

Prasch *m* Prahlerei. Schallnachahmend für Lärmen und Poltern, auch für vieles und lautes Reden. Wird auch mit langem Vokal gesprochen. 1955 *ff, jug*.

Präsentierteller *m* **1.** Erster Rang im Theater. Hergenommen vom Tablett, auf dem der Diener Besuchskarten, Briefe u. ä. hereintrug; in vornehmen Kreisen war es Sitte, Besuchskarten auf dem Präsentierteller aufzubewahren, so daß jeder Besucher

sie sehen und auf den Besucherkreis schließen konnte. Seit dem 19. Jh. **2.** jn auf dem ~ haben = jn in offenem Gelände vor sich haben. *Sold* 1935 *ff*. **3.** auf dem ~ liegen = a) ohne Deckung Zielscheibe der feindlichen Geschosse sein. *Sold* 1935 *ff*. – b) klar vor Augen liegen; unübersehbar sein. 1950 *ff*. **4.** jn auf dem ~ reichen = jn den übrigen Gästen vorstellen. Berlin 1840 *ff*. **5.** sich auf den ~ setzen = sich allen Blicken aussetzen. Seit dem 19. Jh. **6.** auf dem ~ sitzen = a) allen Blicken ausgesetzt sein; im Lokal am Fenster sitzen; im Blickpunkt der Öffentlichkeit stehen. 1800 *ff* (1824 Goethe). – b) Modell sitzen. 1900 *ff*. **7.** auf dem ~ stehen = unerwünschten Zuschauern ausgesetzt sein; zur Schau stehen; sich als Bewerberin um den Titel der Schönheitskönigin vorstellen. 1930 *ff*. **8.** sich vorkommen wie auf dem ~ = a) allen Blicken wehrlos ausgesetzt sein. 1900 *ff*. – b) dem Beschuß deckungslos ausgesetzt sein. *Sold* 1939 *ff*.

Präser (Präserl) *m (n)* **1.** Präservativ. Hieraus verkürzt. 1930 *ff*. **2.** Kopfschützer. Aufgefaßt als Präservativ für den Kopf. *BSD* 1965 *ff*.

prasseln *intr* prahlen, übertreiben; viel und laut reden. Eigentlich soviel wie „lärmen". 1930 *ff*.

praten *intr* schwätzen; töricht reden. Gibt lautlich das laute Reden wieder. ↗ praatschen. *Niederd* 1700 *ff*.

Pratze *f* (plumpe) Hand. Meint eigentlich die Raubtiertatze. Auf den Menschen übertragen seit 1800.

pratzeln *tr* jn übervorteilen, übertölpeln. Gehört wohl über die Form „pratseln" als Häufigkeitsform zu „praten" im Sinne von „jn betrügerisch zu etw überreden; jn beschwatzen". *Bayr* 1950 *ff*.

Praxisfee *f* Arzthelferin. ↗ Fee. 1950 *ff*.

predigen *v* **1.** etw ~ = etw erneut anraten, anempfehlen, zu beherzigen geben. Vom Geistlichen hergenommen, dessen Sittenlehren sich stets wiederholen. Vermutlich schon in *mhd* Zeit geläufig; sehr verbreitet seit dem 18. Jh. **2.** *intr* = schimpfen. Übertragen von der Rügepredigt des Geistlichen. 1900 *ff*.

Predigt *f* Zurechtweisung, Rüge. ↗ predigen 1. 1700 *ff*.

Preis *m* **1.** ~ mit Haarschnitt = überteuerter Preis. „Haarschnitt" versteht sich nach „↗ haarig 1". Wien 1955 *ff*. **1 a.** ~ zum Anbeißen = verlockender Kaufpreis. ↗ anbeißen 1. 1970 *ff*. **2.** brüderlicher ~ = herabgesetzter Preis. ↗ Bruder 5. 1930 *ff*. **3.** christlicher ~ = annehmbarer Preis. 1930 *ff*. **4.** gepfefferter ~ ↗ gepfeffert. **5.** gesalzener ~ ↗ gesalzen. **6.** geschmalzener ~ ↗ geschmalzen. **7.** haariger ~ ↗ haarig 1. **8.** happiger ~ ↗ happig. **9.** knallharter ~ ↗ knallhart 1. **10.** krummer ~ = nicht volle Preiszahl (z. B. 2,98 DM statt 3 DM). Kaufmannsspr. 1900 *ff*. **11.** magerer ~ = niedriger, herabgesetzter Preis. Man hat ihn „entfettet". Werbetexterspr. 1965 *ff*. **12.** schlankgeschwitzter ~ = stark herabgesetzter Preis. Werbetexterspr. 1965 *ff*.

13. torkelnde ~e = schwindelerregende Preise. 1958 *ff*. **14.** unchristlicher ~ = überhöhter Preis. 1930 *ff*. **15.** vernebelter ~ = Kaufpreis mit schwer erkennbaren Nebenbedingungen. Der Käufer wird eingenebelt, so daß er sich im kleingedruckten Text nicht mehr zurechtfindet. 1965 *ff*. **16.** weicher ~ = Preis, der unter der üblichen Höhe liegt. 1955 *ff*. **17.** ~e abkühlen = stark angestiegene Preise senken. Sie waren heißgelaufen wie ein überbeanspruchter Motor. 1960 *ff*. **18.** ~e absägen = die Preise senken. Absägen = verkleinern, kürzen. 1960 *ff*. **19.** die ~e laufen davon = die Preise steigen zu rasch. Sie flüchten wie durchgehende Pferde oder Verbrecher. 1970 *ff*. **20.** den ~ drücken = den Preis herabsetzen. Kaufmannsspr. 1830 *ff*. **21.** ~e einfrieren = Preissteigerungen unterbinden; die Höhe der Preise vorerst beibehalten. ↗ einfrieren 1. 1925 *ff*. **22.** die ~e in die Pfanne hauen = die Preise der Konkurrenz unterbieten. ↗ Pfanne 17. Burschikoses Werbetexterdeutsch, 1972 *ff*. **23.** die ~e hochschaukeln = die Preise durch betrügerische Maßnahmen erhöhen. ↗ hochschaukeln. 1965 *ff*. **24.** die ~e purzeln = die Preise fallen; man unterbietet einander in den Preisen. 1964 *ff*. **25.** die ~e stehen Kopf = die Preise sind erstaunlich niedrig. ↗ Kopf 140. Werbetexterspr. 1972 *ff*. **26.** die ~e verderben = allzu dienstfertig sein. Stammt aus dem Kaufmannsleben: man bietet die Ware billiger an und schadet dadurch der Konkurrenz. Ähnlich schadet der Dienstfertige Kameraden mit weniger strenger Dienstauffassung. *Sold* 1939 *ff*. **27.** ~, der einem das Hemd vom Hintern zieht = ein überaus hoher Preis. Durch diesen Preis wird man all seiner Geldmittel „entblößt". 1965 *ff*.

Preisbombe *f* erstaunlich günstiges Preisangebot. ↗ Bombe 5. 1960 *ff*.

Preisbomber *m* sehr günstiger Kaufpreis. Dem „Preisboxer" nachgebildet; *vgl* ↗ Bomber 2. Werbetexterspr. 1960 *ff*.

Preisbonbon *n* verlockender Preis. Werbetexterspr. 1970 *ff*.

Preisboxer *m* **1.** breitschultriger Mann. Eigentlich der Teilnehmer an einem Preisboxen. 1920 *ff*. **2.** Kämpfer wider überhöhte Preise; Kaufmann, der die Konkurrenz unterbietet. Er führt einen Boxkampf gegen die Preise der Konkurrenz. 1925 *ff*. **3.** ein Kinn haben wie ein ~ = ein breites, kräftig entwickeltes Kinn haben. 1920 *ff*.

Preisbremse *f* auf die ~ treten = Preissteigerungen untersagen. Stammt aus der Kraftfahrt: man untersagt gewissermaßen die Geschwindigkeitserhöhung. 1957 *ff*.

Preisdrückerei *f* Unterbietung des geforderten Preises; Preissenkung. Seit dem späten 19. Jh.

preiser *adv* je preiser ein Werk, desto durcher der Fall (je preiser gekrönt, desto durcher fällt er) = trotz überschwenglichen Lobs durch die Fachleute wird das Werk vom Publikum völlig abgelehnt. Die Redewendung soll Hans von Bülow um 1880 geprägt haben; nach anderen stammt sie von Oskar Blumenthal. 1964 wird sie als „Wiener Theaterbonmot" gekennzeichnet.

Preisklasse f Besoldungsstufe. Von Beamten aus der Kaufmannssprache um 1970 übernommen.

Preislage f **1.** in dieser ~ = von dieser Art; von dieser Gesinnung. Stammt aus der Kaufmannssprache und bezeichnet eine gewisse Spanne, in der sich der Preis bewegt. 1935 ff. **2.** in allen ~n = in jeder Art und Weise (er hat mich in allen Preislagen belogen). 1935 ff.

Preislied n das ~ singen = bezahlen; den Kellner zwecks Begleichung der Zeche herbeirufen. Scherzhaft der Oper „Die Meistersinger von Nürnberg" von Richard Wagner entlehnt. 1920 ff.

Preisschießen n Fußballspiel, bei dem die eine Mannschaft weit überlegen ist. Übernommen von der gleichnamigen Veranstaltung von Schützenvereinen o. ä. Sportl 1950 ff.

Preisschild n das ~ ist noch dran = es ist noch völlig neu; es weiß noch keiner. Hergenommen von der Preisauszeichnung der Waren: normalerweise wird das Preisschild nach getätigtem Kauf entfernt. 1960 ff, halbw.

Preiswelle f **1.** allgemeiner Preisanstieg. ↗ Welle. 1960 ff. **2.** Anschwellen der Zahl der Ehrenpreise und Auszeichnungen. 1965 ff.

preiswert adv etw ~ beschaffen = etw listig beschaffen, entwenden. Beschönigende Bezeichnung, im Ersten Weltkrieg bei den Soldaten aufgekommen.

prekeln intr Kleinarbeit verrichten; an kleinen Gegenständen arbeiten. Gehört zu „prick = genau". Jug 1955 ff, Berlin.

Prellbock m Mensch, der immer und für alles herhalten muß und allem standhalten soll. Übertragen vom Eisenbahnwesen im Sinne eines Hindernisses am Ende des Gleises. 1870 ff.

Premierentiger m Theaterbesucher, der keine Erstaufführung ausläßt. ↗ tigern. Theaterspr. um den späten 19. Jh.

Premierleutnant m Zuhälter. In der Reihenfolge der Prostituiertenkunden steht er an erster Stelle. 1960 ff, Berlin.

Prengel m ↗ Prängel.

prepeln v ↗ präpeln.

pressant adj eilig, dringend. Dem gleichbed franz „pressant" entlehnt. Oberd seit dem 19. Jh.

Preßarbeit f **1.** mühsame Einlernung von Wissensstoff in eigens hierfür vorgesehenen Bildungsanstalten. Das Wissen wird in den Kopf gepreßt, wie man Gegenstände in einen Behälter preßt. 1870 ff. **2.** mit Mühe und Nachhilfe bestandene Abschlußprüfung. Schül 1870 ff.

Presse f **1.** private höhere Lehranstalt, in der möglichst viele Schüler zur Abschlußprüfung gebracht werden. Das Unterrichtsziel wird mit Hoch- und Nachdruck angestrebt. Etwa seit 1850. **2.** Kriminalpolizei. Sie sucht Geständnisse herauszupressen. 1933 ff. **3.** heiße ~ = Gesamtheit von Zeitungen und Zeitschriften, die heikle Vorgänge erörtern und auch vor Aufdeckungen nicht zurückschrecken. Da geht es „heiß" her

(nämlich sowohl leidenschaftlich als auch gefährlich). 1950 ff. **4.** in die ~ gehen = Beschwerden der Öffentlichkeit in der Zeitung vortragen. 1950 ff. **5.** von der ~ sein = Kriminalbeamter sein. ↗ Presse 2. 1933 ff.

Pressebengel m Journalist (abf). Seit dem späten 18. Jh (Jean Paul).

Presse-Cäsar m Leiter eines Zeitungskonzerns. Anspielung auf Axel Cäsar Springer sowie auf „Cäsar" im Sinne von „unumschränkter Herrscher" und „Machtmensch". ↗ Pressezar. 1960 ff.

Pressefrömmigkeit f Glaube an die Wahrheit der Pressemeldungen. 1900 ff.

pressegeil adj begierig auf Erwähnung des eigenen Namens in der Zeitung. ↗ geil. 1965 ff.

Pressekosak m Zeitungsschreiber, der falsche politische oder milit Nachrichten verbreitet. Kosaken waren Angehörige von tatarischen Reiterregimentern. Dadurch Zusammenhang mit „↗ Tatarennachricht". Spätestens seit 1900.

Presselord m Journalist. ↗ Lord 2. Kann auch mit „Lord = Seemann" zusammenhängen und auf „↗ Seemannsgarn" anspielen. 1965 ff.

Pressemann m Kriminalbeamter. ↗ Presse 2. 1933 ff.

pressen v jn ~, bis Öl kommt = jn zu einem Geständnis zwingen. Beruht auf der Vorstellung von der Ölpresse. 1910 ff.

Presserummel m Betriebsamkeit der Journalisten um irgendein Ereignis. ↗ Rummel. 1950 ff.

Presseschmus m journalistische Aufbereitung von Nachrichten; schön klingendes Zeitungsgeschwätz. ↗ Schmus. 1935 ff.

Presseschwanz m journalistische Aufmachung eines Vorfalls. „Schwanz" meint die Gesamtheit alles dessen, was Journalisten zu einem Bericht hinzugeben. 1960 ff.

Pressezar m Leiter eines Zeitungsgroßverlags. Anspielung auf den Zaren als unumschränkten Herrscher. ↗ Presse-Cäsar. Wohl schon gegen 1920 entstanden.

preßfrisch adj ganz neu. Hergenommen von der frisch gepreßten Schallplatte. Halbw 1960 ff.

pressieren impers eilen; eilig sein. Nach franz „presser" entwickelt; vgl ↗ pressant. 1800 ff.

Preßkohle f **1.** noch eine ~ auflegen = die Fahrgeschwindigkeit noch mehr erhöhen. Preßkohle = Brikett. Auf die Fahrgeschwindigkeit bezogen, rührt der Ausdruck von der Dampflokomotive her. 1930 ff. **2.** da staunst du ~n! = da bist du verblüfft! Ursprünglich wohl soviel wie „da staunst du, Preßkohlen habe ich erwischt!" Aufgekommen in der zweiten Hälfte des Ersten Weltkriegs, als der Besitz von Briketts eine Seltenheit war.

Preßluftatmosphäre f stickige, rauchige, nach Alkohol riechende Zimmerluft. Diese Luft ist sehr „dick". 1930 ff.

Preßluftschuppen m **1.** Baracke mit schlechter Entlüftung. ↗ Preßluftatmosphäre. 1939 ff. **2.** enges Lokal mit Mädchenbetrieb; Tanzcafé mit schlechter Entlüftung; Beatkeller; Party-Keller; Nachtlokal, -klub. Sold und ziv 1939 ff. **3.** Schulgebäude. 1955 ff, schül.

4. Kantine. BSD 1960 ff.

Preßlusthammer m Prostituierte. Aus „Preßlusthammer" abgewandelt. 1965 ff.

'Pressor mon'tanus m Soldat, der sich dem Dienst zu entziehen sucht. Scherzhafte Latinisierung von „Drückeberger": pressor = Drücker; montanus = bergig. Lazarettspr. 1939 ff.

Preßsack m **1.** sehr enger Frauenrock. Eigentlich eine Bezeichnung des Schwartenmagens; hier soviel wie „einpressender Sack". 1955 ff. **2.** schleichender ~ = dicker, ungelenker Turner. Schül 1950 ff.

Preßwanst m Bauch eines Vielessers. Der Betreffende preßt sich den Wanst voll. 1910 ff.

Preßwurst f **1.** Mensch in zu enger Kleidung. Er nimmt sich aus wie eine gestopfte Wurst. 1920 ff. **2.** ~ machen = sich (jn) zwischen zwei Personen einklemmen. Schül 1870 ff.

Prestige-Brause (Bestimmungswort franz ausgesprochen) f Sekt. Zusammenhängend mit dem gesellschaftlichen Mehrgeltungsstreben. 1960 ff, jug.

Preuße m **1.** Schimpfwort. In Bayern gegen einen Bayern angewendet, ist der Tatbestand der Beleidigung erfüllt. Als Preuße faßt man in Bayern vor allem die Norddeutschen, weniger die Westdeutschen auf. Der Groll rührt her aus der Zeit, als Bayern an der Seite Österreichs 1866 besiegt wurde, Preußen die Vorherrschaft im Norddeutschen Bund besaß und der König von Preußen deutscher Kaiser wurde. **2.** ~ mit mildernden Umständen = Rheinländer. Anspielung auf die Tatsache, daß das Rheinland nicht freiwillig zu Preußen kam. Nach 1945 aufgekommen. **3.** letzter ~ = deutscher Kriegsgefangener, der bis zuletzt soldatische Haltung bewahrt. Hier ist der Preuße die Sinnbildperson des unverbrüchlichen Soldatengeistes, des Pflichtgefühls, des Korpsgeistes usw. Sold 1942 ff.

Preußen I Ln ~s Gloria = Soldatenstand; Wehrdienst; Wehrmacht. Der von Kapellmeister Gottfried Piefke komponierte Armeemarsch „Preußens Gloria" wurde 1911 der Parademarsch der Infanterie-Regiments Generalfeldmarschall Prinz Friedrich Karl von Preußen (8. Brandenburgisches Nr. 64). Sold 1914 bis heute.

Preußen II pl **1.** Wehrdienst, Soldatenstand o. ä. Aufgekommen nach der Gründung des Deutschen Reiches im Zusammenhang mit der politischen und milit Vorherrschaft Preußens. Entgegen weitverbreiteter Meinung ist die Vokabel heute keineswegs veraltet. **2.** bei den ~ (bei ~s) = beim Militär. 1880 bis heute. **3.** so scharf (so schnell) schießen die ~ nicht = das ist nicht so gefährlich, wie es den Anschein hat. Hängt zusammen mit der preußischen Taktik, nicht schnell sich zum Zuschlagen zu entschließen. Spätestens 1850 aufgekommen; von sächs Soldaten 1866 auf das preußische Zündnadelgewehr zurückgeführt, an dessen Wirkung man zweifelte. **4.** bei den ~ sein = a) den Wehrdienst ableisten. 1880 ff. – b) sich in strenger Zucht befinden. 1900 ff.

Preußengemüse n Kartoffeln. Sie gelten als nordd Lieblingsspeise. Bayr 1939 ff.

preußisch *adj* 1. rasch erzürnt; aufgeregt; mißmutig. 1850 *ff.*
2. wortkarg. 1850 *ff.*
3. widerspenstig; aufsässig. 1850 *ff.*
4. nicht vertrauenswürdig. 1870 *ff.*
5. ~ daherreden = hochdeutsch (unverständlich) reden. *Bayr* und *österr* 1900 *ff.*
6. jn ~ machen = jn erzürnen. 1870 *ff.*
7. mit jm nicht ~ sein = mit jm entzweit sein. 1900 *ff.*
8. ~ tun = überheblich, großsprecherisch sein; sich aufspielen. 1900 *ff.*

prick *adj* 1. peinlich sauber und ordentlich. Gehört zu „prickeln = stechen, sticheln"; „Prick" ist der Stich, der Punkt. Das Gemeinte ist „wie gestochen". 1700 *ff, nordd.*
2. munter, frisch, rege. Seit dem 19. Jh.
3. drall, kräftig. Seit dem 19. Jh.
4. *adv* = genau. 1700 *ff.*

Prickel *m* einen ~ haben = eingebildet sein. „Prickel" ist das spitze Hölzchen, mit dem man die Wurstenden zusteckt. Demnach analog zu „einen ↗ Pinn haben" oder „einen ↗ Nagel haben". Vorwiegend *nordd* und *mitteld* seit dem 19. Jh.

Prickelschlabber *m* Sekt. Die aufsteigenden Kohlensäurebläschen „prickeln". ↗ Schlabber. 1900 *ff, nordd.*

Prickelstelle *f* erogene Stelle. Psychiater Albert Moll 1891 mit der Bemerkung: „wie der Volksmund sie nennt".

Prickelwasser *n* 1. Mineralwasser. Anspielung auf das Prickeln der Kohlensäurebläschen. 1920 *ff.*
2. Sekt. ↗ Prickelschlabber. 1910 *ff.*

priemen *intr* langsam tätig sein; schlecht arbeiten. Vielleicht übertragen von der Langsamkeit, mit der man den Kautabak genießt, oder herzuleiten von „Priem = Pfriem = Stechwerkzeug" mit Anspielung auf die mühselige, Geduld erfordernde Arbeit mit dem Stichel. *Niederd* und Berlin, 1870 *ff.*

Priemwaren *pl* Tabakwaren. *Jug* 1960 *ff.*

Priepsel *m* 1. sehr kleines Stück; Bröckchen. Nebenform zu „↗ Pritzel". Berlin 1900 *ff.*
2. kleinwüchsiger Mensch. 1900 *ff,* Berlin.

Pries *m* 1. Ahnung. Eigentlich die Prise Schnupftabak; daraus entwickelt zur Vorstellung „kleine Menge"; wohl auch verquickt mit „riechen = ahnen". *Österr* 1940 *ff.*
2. keinen ~ haben = etw nicht verstehen. *Österr* 1940 *ff.*
3. einen ~ nehmen = den Blick auf etw richten. *Österr* 1940 *ff.*

priestern *intr* 1. salbungsvoll sprechen; moralisieren. Übertragen von Form und Inhalt der Predigten. Seit dem 19. Jh.
2. schimpfen, zetern. Übernommen von der Strafpredigt des Geistlichen. ↗ predigen 2. 1870 *ff.*

'prima *adj adv* 1. ausgezeichnet, hervorragend; sehr gut. Meistens unflektiert im Gebrauch; doch gibt es gelegentlich auch flektierte Formen (ein primanes Zeugnis; ein primarer Kuchen). Herkommen von der aus dem *Ital* stammenden Kennzeichnung der besten Ware. Seit dem 19. Jh.
2. *adv* = sehr gut; sehr. Seit dem 19. Jh.
3. einen ~ = unübertrefflich. Die adverbiale Steigerungsgeltung von „elend" erklärt sich aus „jn elend verhauen = jn heftig prügeln", oder: der Großwüchsige, der ein „langes Elend" ist, ist „elend lang". *Halbw* 1935 *ff.*

'Prima'kerl *m* hervorragender Mann. 1920 *ff.*

Pri'maner'blase *f* schwache Harnblase; oftmaliger Harndrang. 1930 *ff.*

'prima'prächtig *adj adv* ausgezeichnet. 1920 *ff, jug.*

'prima'prima *adj adv* sehr vorzüglich. 1920 *ff.*

'primapri'missima *adv* unübertrefflich. 1920 *ff, jug.*

Prima'tonne ('Prima 'Tonne) *f* vollbusige Bühnenkünstlerin. Entstellt aus „Primadonna" mit Anspielung auf „Tonne = beleibter Mensch". Soll von Hans von Bülow (1830–1894) geprägt sein mit Bezug auf die Heldensängerinnen in den Opern von Richard Wagner.

Primel *f* 1. Taschenuhr. Herleitung unbekannt. *Sold* 1939 *ff.*
2. unscheinbares, unerfahrenes junges Mädchen. Die Primel ist die erste Frühlingsblume, sie kommt reichlich vor und wird in der allgemeinen Gunst von den später blühenden Blumen verdrängt; daher soviel wie „erstes Liebchen". *Halbw* 1920 *ff.*
3. Schüler(in) der Unter-, Oberprima. Dem Blumennamen untergeschoben wegen des Anklangs an „Prima". 1960 *ff, schül.*
4. eingebildeter Mensch. Er leidet vielleicht an der Primelkrankheit: seine Allergie wird nicht ernstgenommen. 1920 *ff.*
5. Niederlage beim Kartenspiel. Versteht sich nach dem Folgenden. *Österr* 1960 *ff.*
6. eingehen wie eine ~ = a) unaufhaltsam verfallen; abmagern. Das Verblühen der Schlüsselblumen geht dem Menschen wohl besonders nahe, weil sie für ihn die ersten Frühlingsboten sind und ihr Verwelken nicht zu seiner hoffnungsfreudigen Frühlingsstimmung paßt. 1920 *ff.* – b) im Karten-, Schachspiel o. ä. verlieren. *Österr* 1960 *ff.*
7. eingehen wie eine ~ ohne Wasser = verkümmern. *Vgl* das Vorhergehende. 1930 *ff.*
8. da gehst du ein wie eine ~! : Ausdruck der Verzweiflung, der Unerträglichkeit. 1920 *ff.*

pri'mief *adj* das stinkt ja ~! = das riecht ja ausgesprochen übel! Zusammengesetzt aus „primitiv = einfach, ärmlich" und „↗ Mief = Gestank"; vielleicht unter Einfluß von „prima" im Sinn von „besonders". *Vgl* ↗ primief. *Schül* um 1955.

pri'missima *adv* ganz vorzüglich. Zweite Steigerungsstufe von „prima", dem *Ital* nachgebildet. 1900 *ff, jug.*

Primi'tivling *m* geistig anspruchsloser Mensch. Um die Endung „-ling" (wie Jüngling, Hübschling, Naivling) verlängertes Adjektiv. 1950 *ff.*

pri'miv *adj* äußerst primitiv. Hieraus verkürzt, wohl mit Anklang an „Mief = verbrauchte Zimmerluft", übertragen auf den Modergeruch des Veralteten. *Vgl* ↗ primief. *Halbw* 1950 *ff.*

'primstens *adv* sehr vorzüglich. Zweite Steigerungsstufe von „prima" nach dem Muster von „schönstens, bestens" o. ä. 1920 *ff, schül* und *stud.*

'Primus *m* von hinten = klassenschlechtester Schüler. Unter den schlechten Schülern ist er der erste. 1900 *ff.*

Prinz *m* 1. neugeborener Sohn; Stammhalter. Verkürzt aus dem Begriff „Kronprinz" der monarchischen Zeit. Seit dem 19. Jh.
2. Penis. Aufgefaßt als „junger Herr" oder „kleiner Mann" vielleicht sogar als „Prinzipal". 1955 *ff.*
3. Rufname des Hundes. Seit dem 19. Jh.
4. Rufname der Katze. Seit dem 19. Jh.
5. ~ auf der Erbse = hochempfindlicher Mann. Das männliche Gegenstück zur „↗ Prinzessin auf der Erbse". 1920 *ff.*

Prinzessin auf der Erbse *f* überempfindlicher Mensch; Mensch, den man sehr behutsam behandeln muß. Stammt aus dem gleichnamigen Märchen von Andersen, in dem eine Prinzessin durch viele Federbetten hindurch die Erbse auf der Unterlage spürt. Etwa seit 1860/70.

Prinz-Heinrich-Mütze *f* Schiffermütze, deren Schirm mit Eichenlaubband besetzt ist. Benannt nach Prinz Heinrich, einem Bruder Kaiser Wilhelms II. Der Prinz war Großadmiral, Generalinspekteur der Marine und trug gelegentlich eine solche Mütze. 1909 *ff.*

Prinzipien *pl* ~ reiten = feste Grundsätze verfechten. 1900 *ff.* Seit dem 19. Jh. *Vgl franz* „être à cheval sur ses principes".

prinzi'pipel *adv* grundsätzlich. Verdreht aus „prinzipiell", wohl mit Anlehnung an „Piepel = Penis". *Schül* und *stud* 1920 *ff.*

Prise *f* 1. Mensch mit seltsamen Gewohnheiten; schwer zu behandelnder Mensch. Kann aus „Kaprize = Laune" verkürzt sein oder geht zurück auf *mhd* „briezen = anschwellen, knospen", wodurch sich Analogie zu „↗ Früchtchen" und „↗ Pflänzchen" ergibt. 1700 *ff, stud.*
2. langweilig-sittsame Person; empfindliches Mädchen; hochmütiges Mädchen. 1700 *ff.*
3. bösartige, unverträgliche weibliche Person. 1800 *ff.*
4. eine ~ Qualm = ein Zug aus der Zigarette. Eigentlich soviel, wie man zwischen zwei Fingern fassen kann; von der Schnupftabakmenge übertragen. *Sold* 1935 *ff.*
5. ~ kapern = ein Mädchen kennenlernen. Prise = Seebeute; kapern = Seeräuberei treiben. *Marinespr* seit dem frühen 20. Jh.

Pritsche *f* 1. Schlag auf das Gesäß. ↗ pritschen. 1800 *ff, bayr.*
2. Vagina, Vulva. Bezeichnet die von Kindern aus Holunder hergestellte Spritzbüchse und gehört zu „pritschen = herumspritzen". Anspielung auf das Harnorgan. Seit *mhd* Zeit.
3. Prostituierte. Anspielung auf das Vorhergehende im Sinne von „pars pro toto" sowie auf das einfache Bettgestell, hier im Sinne der „Unterlage" des koitierenden Mannes. Seit dem 19. Jh.
4. freches Mädchen. Vorwiegend *bayr,* seit dem 18. Jh.
5. schlechter Wein. Hier als Harn aufgefaßt. *Österr* 1920 *ff.*
6. Bett, Sofa, Liege. Meint die hölzerne Lagerstätte. 1900 *ff;* heute *halbw* und *BSD.*
7. alte ~ = weibliche Person *(abf).* ↗ Pritsche 2 u. 3. *Bayr* 1900 *ff.*
8. flotte ~ = schnelles Auto. „Pritsche" ist hier Analogie zu „Chassis" und „↗ Untersatz". 1950 *ff.*
9. es reißt mich von der ~ = es regt mich auf, geht mir nahe. Analog zu „es reißt mich vom ↗ Stuhl". 1935 *ff.*
10. auf der ~ verfaulen = regungslos liegen, um den Kalorienverbrauch zu be-

schränken. Kriegsgefangenenspr. seit 1941 (Rußland).

pritschen *tr* 1. jn schlagen. Lautmalend für Schnellen oder geräuschvolles Spritzen u. ä. *Vgl* das Folgende. Seit dem 16. Jh. 2. jn narren. Leitet sich her vom Schlag mit der Narrenpritsche. 1800 *ff.*

pritscht *adj präd* affektiert, zimperlich. Eine Wiener Vokabel, zusammenhängend mit „pritschen = schlagen": der Schlag hat den Kopf getroffen, das Gehirn erschüttert und dadurch das „nicht normale" Verhalten verursacht. 1920 *ff.*

Pritzel *m* 1. kleiner Junge; kleinwüchsiger Mensch; unbedeutender Mensch; Schwächling. Meint im *Nordd* soviel wie „Krümel; ein bißchen". 1900 *ff.* 2. Penis des Knaben. 1900 *ff.*

privat *adj adv* auf ~ schalten = von dienstlichem Gespräch zu privater Unterhaltung übergehen. ⤢ schalten. 1920 *ff.*

Privatdozentin *f* unter Kontrolle stehende Prostituierte ohne Bordellabhängigkeit. Sie lehrt Geschlechtsverkehrskunde. Seit dem späten 18. Jh.

Private *f* bordellunabhängige Prostituierte. 1870 *ff.*

Privatier (*franz* ausgesprochen) *m* 1. Arbeitsloser. Er privatisiert, indem er „Rente" (= Arbeitslosenunterstützung) bezieht. *Österr* 1910 *ff.* 2. dummer Mensch. Dasselbe wie „Idiot"; denn im *Griech* ist „idios" soviel wie „privat". 1955 *ff, jug.*

privatisieren *tr* etw für private Zwecke sich aneignen; etw entwenden. Zusammenhängend mit den politischen Begriffen „Verstaatlichung" und „Reprivatisierung". 1955 *ff.*

Privatkino *n* Traum. ⤢ Kino 2. 1940 *ff.*

Privatmäuse *pl* Phantasiegebilde; unerfüllbare Wunschvorstellungen. Hängt zusammen mit den weißen Mäusen, die der Phantasierende zu sehen glaubt. 1950 *ff.*

Privatmesse *f* heftige Zurechtweisung ohne Zeugen. Stammt aus der katholischen Gottesdienstpraxis und bezeichnet eigentlich den nichtöffentlichen Gottesdienst. Seit dem ausgehenden 19. Jh.

Probe *f* 1. heiße ~ = Funk-, Fernsehprobe mit Aufnahmeapparatur. 1920 *ff.* 2. kalte ~ = Lese-, Stellprobe im Funk- oder Fernsehstudio. 1920 *ff.* 3. warme ~ = Generalprobe. 1920 *ff.*

Probebombe *f* Nachricht, durch die man vor Einführung einer Neuerung die Meinung der Öffentlichkeit erkunden will. Parallel zum „⤢ Versuchsballon". 1939 *ff.*

probeliegen *intr* 1. er ist auf dem Friedhof ~!: Antwort auf die Frage, wo jemand ist. 1955 *ff, BSD.* 2. ich hau dir eine, daß du 14 Tage ~ gehst am Zentralfriedhof!: Drohrede. 1962 *ff, Graz.*

Probierfräulein *n* 1. Modenvorführerin. Eigentlich das Mädchen, das auf Ausstellungen Waren-, Speisen-, Getränkeproben unentgeltlich verteilt. 1900 *ff.* 2. erste intime Freundin eines jungen Mannes. 1920 *ff.*

Problem *n* 1. technische Schwierigkeit. Eigentlich die schwierige wissenschaftliche (philosophische) Fragestellung; von hier verallgemeinert für jegliche Schwierigkeit. 1920 *ff.* Oft zu hören aus dem Munde von US-Astronauten.

2. dickes ~ = erhebliche Schwierigkeit (auch nichttechnischer Art). 1920 *ff.* 3. das ist kein ~ = das ist keine Schwierigkeit; das ist leicht zu bewerkstelligen. 1920 *ff.* 4. ~e knacken = schwierige Aufgaben meistern. Man knackt sie wie eine Nuß. 1920 *ff.*

Problem-Eltern *pl* schwierige Eltern. *Jug* 1955 *ff.*

Problem-Familie *f* sozial schwach angepaßte Familie. 1955 *ff.*

Problem-Figur *f* vom Üblichen abweichender Körperbau. Modenkatalogspr. 1955 *ff.*

Produzent *m* Vater. Er „produziert" Kinder wie der Unternehmer Waren, Filme o. ä. *Jug* 1945 *ff.*

produzieren *v* 1. etw ~ = eine gute Kehrtwendung, eine Ehrenbezeugung vollführen. Gemeint ist hier nicht nur das einfache Hervorbringen, sondern auch die Bedeutung „seine Künste zeigen". *Sold* 1930 *ff.* 2. *refl* = sich ausgelassen aufführen; sich auffallend benehmen, um Aufsehen zu erregen und Eindruck zu machen. Spöttelnd hergeleitet vom beifallheischenden Auftreten gewisser Künstler und Künstlerinnen. 1920 *ff.*

Profax *m* Studienrat; Gymnasial-, Universitätsprofessor; stellvertretender Direktor. Zusammengesetzt aus „Professor" und „Fax" (= Schulhausmeister), vielleicht auch beeinflußt von „⤢ Faxen". *Stud* und *schül* 1830/40 *ff.*

Professeuse *f* ⤢ Professöse.

Professionelle *f* Prostituierte. Sie ist keine Amateurin: sie betreibt ihr Gewerbe beruflich und gegen Entgelt. 1950 *ff.*

Professor *m* 1. Besserwisser. Gymnasial- und Hochschulprofessoren gelten vielfach als besserwisserisch und überheblich. 1920 *ff.* 2. Brillenträger. Viele Dozenten tragen eine Brille. 1930 *ff.* 3. Klassenschlechtester. Spottwort. 1960 *ff, schül.*

Professöse *f* zum Professor ernannte Frau; Professorin. Weibliche Form zu *franz* „professeur". 1960 *ff.*

Profi I *m* 1. Berufssportler. Verkürzt aus *engl* „professional". Nach 1920; sehr häufig seit 1950. 2. Berufssoldat. *BSD* 1960 *ff.* 3. Studienrat. Aus „Professor" kosewörtlich verkürzt. 1960 *ff.* 4. Universitätsprofessor. 1960 *ff, stud.* 5. Schüler der Oberstufe. Da er bisher den Anforderungen der Schule genügt hat, gilt er als Schüler der Reife. 1960 *ff.* 6. Klassenbester. Er hält seinen Platz wie berufsmäßig. 1960 *ff.* 7. ~ im Notstand = Witwer. *BSD* 1960 *ff.*

Profi II *f* 1. Prostituierte. ⤢ Professionelle. 1950 *ff.* 2. im Notstand = Witwe. *BSD* 1960 *ff.*

Profi-Katze *f* Prostituierte. ⤢ Katze. 1950 *ff.*

Profil *n* 1. Gesicht. Eigentlich die Seitenansicht. 1920 *ff.* 2. vermanschtes ~ = Schimpfwort. ⤢ vermanschen. 1920 *ff*, Berlin.

Profi-Lager *n* ins ~ überwechseln = heiraten. Aus dem Sportlerdeutsch übertragen. Eigentlich soviel wie „den Amateur-

Status aufgeben und Berufssportler werden". 1950 *ff.*

profiliert *adj* hervorstechend; durch besondere Leistungen bekannt. Leitet sich her von der Betrachtung der Umrißlinien und meint soviel wie „auffallend geprägt" (markiges Kinn; scharf geschnittene Nase o. ä.). Nach 1945 aufgekommen.

Pro'fit *m* fetter ~ = großer Gewinn. ⤢ fett. 1917 *ff.*

Pro'fitchen *n* gewinnsüchtiger Mensch. 1900 *ff.*

Pro'fitgeier *m* gewinnlüsterner Mensch. 1917 *ff.* Name der von „Floh de Cologne" verfaßten, „ersten deutschen Rock-Oper", uraufgeführt am 12. Dezember 1970 in Essen.

Pro'fitjäger *m* Mensch, der nur nach materiellem Gewinn strebt. 1870 *ff.*

pro forma zum Schein; dem Schein nach. Von Studenten im frühen 19. Jh dem *Lat* entlehnt.

Programm-Ärgernis *n* mißbilligte Fernsehsendung. 1955 *ff.*

Programm-Eintopf *m* Einheitsprogramm für alle Funkwellen eines Senders. 1955 *ff.*

Programmhahn *m* Programmgestalter. Seinem Krähen folgen die Nachbarhähne. 1960 *ff.*

programmieren *v* 1. jn auf etw ~ = jds Interesse auf etw richten; jn zu etw erziehen. Aus der Computertechnik übernommen. 1960 *ff.* 2. sich auf etw ~ = sich zu einem bestimmten Zweck ausbilden (lassen). 1960 *ff.*

programmiert sein 1. sich wie geplant entwickeln; sich wie voraussehbar verhalten. 1960 *ff.* 2. auf etw ~ = auf etw vorbereitet, eingestellt sein. 1960 *ff.* 3. falsch ~ = a) durch falsche Erziehungs- und Ausbildungsgrundsätze in der individuellen Entwicklung gestört sein. 1960 *ff.* – b) nicht recht bei Verstand sein. *Jug* 1965 *ff.*

Programmzettel *m* lächelnder ~ = Fernsehansagerin. Mit stereotypem Lächeln verliest sie die Sendefolge. 1958 *ff.*

Proletari'at *n* akademisches ~ = Akademikerschaft in wirtschaftlicher Notlage. Anspielung auf die materielle Verelendung der Akademiker seit dem ausgehenden 19. Jh.

Pro'letarier *m* ~ mit Krawatte = Mensch, der bessere Zeiten erlebt hat, gesellschaftlich abgestiegen ist und Schlips und Kragen noch beibehält. Schlips und Kragen gelten als äußere Kennzeichen des vornehmen, in gesicherten Verhältnissen lebenden Mannes; neuerdings wiederaufgelebt im Schlagwort vom „⤢ Krawattenmuffel". Aufgekommen zur Zeit der größten Arbeitslosigkeit um 1932.

Proletarierauto *n* Fahrrad. Was dem Vermögenden das Auto, ist dem Proletarier das Fahrrad. *Jug* 1930 *ff.*

Proletarierbank *f* Pfandleihe, Versatzamt. 1870 *ff.*

Proletarierschinken *m* Leberkäs. *Bayr* 1900 *ff.*

Proletariersekt (Proletensekt) *m* Mineralwasser. 1910 *ff.*

Proletarierwhisky *m* Bier. 1955 *ff.*

pro'leten *tr intr* eine unflätige, unanständige Bemerkung machen; sich ungesittet benehmen. Spätestens seit 1900.

Proletenbagger *m* **1.** Paternosteraufzug. Den Höhergestellten steht der Ein-Kabinen-Aufzug zur Verfügung. Gegen 1920 aufgekommen im Behörden- und Industriellenjargon. **2.** Rolltreppe. Nach 1950 aufgekommen.

Proletenbutter *f* Margarine. 1914 *ff.*

Proletenforelle *f* Hering. 1900 *ff.*

Proleten-Look (Grundwort *engl* ausgesprochen) *m* Mode der ausgefransten Blue-Jeans. ⁊ Look. 1955 *ff.*

Proletenporsche *m* Arbeiterbus. 1960 *ff*, Ruhrgebiet.

Proleten-Riviera *f* **1.** Adria. Aufgekommen mit der zunehmenden tariflichen Besserstellung und der dadurch geweckten Reiselust der Arbeitnehmer in der Wohlstandsgesellschaft. 1958 *ff.* **2.** Donaukanalufer in Wien; Strandbäder der „Alten Donau". Wien 1958 *ff.*

Proletenschaukel *f* Straßenbahn. Anspielung auf schaukelnde Bewegung infolge geringer Spurweite. Wien 1955 *ff.*

Proletensekt *m* ⁊ Proletariersekt.

Proletenspargel *m* **1.** Schwarzwurzel. Wegen der Formähnlichkeit mit dem (teureren) Spargelgemüse. 1955 *ff.* **2.** Rhabarber. *BSD* 1960 *ff.*

Proleten-Tennis *n* Federballspiel. 1955 *ff*, *stud.*

Proletentunke *f* **1.** Mehltunke; billige Tunke. 1900 *ff.* **2.** in minderen Gaststätten zu allen Fleischspeisen gereichte Einheitstunke. 1910 *ff.*

proli (**prolli, prolo**) *adj* proletarisch. 1970 *ff.*

Proli (**Prolli, Prollo**) *m* Proletarier. 1970 *ff.*

Promenadenmischung *f* **1.** Hund ohne Stammbaum. Ist er auch nicht reinrassig, so doch von höherer Abkunft, weil er zu „feinen" Leuten gehört, die auf Promenaden lustwandeln. 1910 *ff.* **2.** arges Schimpfwort auf einen Menschen. 1950 *ff.*

Promiblock *f* „gewaltfreie" Sperrung der Zufahrtswege zu wichtigen öffentlichen Einrichtungen: Aus „Prominentenblockade" verkürzt 1983 im Sprachgebrauch der „Friedensbewegung".

Promille *pl* **1.** ~ aushauchen = einen alkoholisierten Atem haben. 1955 *ff.* **2.** ~ haben = als Betrunkener Auto fahren. 1955 *ff.*

Promille-Brecher *m* Getränk, das den Promille-Wert des Alkohols angeblich senkt. 1960 *ff.*

Promille-Bremse *f* Getränk, das die Wirkung des vorher genossenen Alkohols angeblich herabsetzt. 1960 *ff.*

Promille-Fahrer *m* betrunkener Autofahrer. 1958 *ff.*

promillegefüllt *adj* bezecht. 1960 *ff.*

promille-geladen *adj* bezecht. 1960 *ff.*

Promillekiller *m* den Alkoholgehalt des Blutes angeblich herabsetzendes Mittel. *Engl* Killer = Mörder. 1975 *ff.*

Promille-Leiche *f* Volltrunkener. 1960 *ff.*

Promille-Pegel *m* Alkoholspiegel im Blut. 1960 *ff.*

Promille-Sünder *m* Kraftfahrer, der trotz Trunkenheit Auto fährt. ⁊ Sünder. 1960 *ff.*

Promille-Unschuld *f* Blutalkoholnachweis unterhalb der Höchstgrenze. 1960 *ff.*

Promillionär *m* Kraftfahrer in trunkenem Zustand. 1958 *ff.*

promilli'siert *adj* betrunken. 1963 *ff.*

prominentengeil *adj* versessen auf den Umgang mit der Prominenz. ⁊ geil 7. 1970 *ff.*

Prominentenhasch *n* Valium-Tabletten. Psychopharmaka als Rauschgiftmittel aufgefaßt. ⁊ Hasch. 1970 *ff.*

Prominenten-Herberge *f* Luxushotel; Gästehaus der Bundesregierung. 1960 *ff.*

Prominentenhügel *m* Hügel, an dessen Abhang Reiche, Minister, Botschafter usw. wohnen. 1960 aufgekommen in bezug auf Kitzbühel, Bonn usw.

Prominentenschleuder *f* Fernschnellzug „Gambrinus" u. a. ⁊ Schleuder. 1965 *ff.*

Prominentenschuppen *m* Luxushotel. ⁊ Schuppen. 1965 *ff.*

Prominentensprudel *m* Sekt. Für Leute, die in der Öffentlichkeit eine angesehene Rolle spielen, hat er die Geltung eines billigen Alltagsgetränks. 1950 *ff.*

Prominenz *f* dicke ~ = Gesamtheit hochgestellter Persönlichkeiten des öffentlichen Lebens. „Dick" spielt an sowohl auf Beleibtheit als auch auf Einflußreichtum und Vermögen. 1960 *ff.*

Promis *pl* prominente Leute. 1980 *ff.*

Propagandaknüller *m* publikumswirksamer Propagandaerfolg. ⁊ Knüller. 1960 *ff.*

Propagandaküche *f* Werbebüro; Sprecher eines Ministeriums o. ä.; Bundespressekonferenz. 1960 *ff.*

Propagandamärchen *n* propagandistische Lüge. 1933 *ff.*

Propagandarummel *m* Geschäftigkeit der Propagandisten. ⁊ Rummel. 1933 *ff.*

Propeller *m* **1.** Querbinder. Formähnlich mit der waagerecht stehenden Luftschraube. 1920 *ff.* Sehr beliebte *BSD*-Vokabel. **2.** Haarschleife. 1920 *ff.* **2 a.** ⁊ Propellerschleife 1. **3.** *pl* = Ohren, Ohrmuscheln. Berlin 1905 *ff*, *schül.* **4.** *pl* = Arme. Sie können propellerähnlich kreisen. *Sold* in beiden Weltkriegen. **5.** *pl* = große Schuhe. Sie gelten den Jugendlichen 1960 *ff* als Bewegungsgerät. **6.** am ~ aufhängen = das Flugzeug steil steigen lassen. Fliegerspr. 1914 *ff.* **7.** einen ~ im Arsch haben = es stets sehr eilig haben. *Sold* in beiden Weltkriegen, auch *ziv* nach 1945. **8.** jn an die ~ kriegen (jn bei den ~n packen) = jn zur Rechenschaft ziehen; jn zur Ordnung rufen. Man ergreift ihn an den Ohren und gibt ihn nicht mehr frei, bis die Strafrede beendet ist. ⁊ Propeller 3. 1910 *ff.* **9.** bei dir hat sich wohl ein ~ gelöst?: Frage an einen, der eine unsinnige Behauptung aufgestellt hat. Sachverwandt mit „bei ihm ist eine ⁊ Schraube locker". 1920 *ff.*

Propellerputzer *m* Mechaniker bei der Luftwaffe; Bodenpersonal der Luftwaffe. Fliegerspr. 1935 bis heute.

Propellerschleife *f* **1.** breite Schürzenschleife am Rücken der Kellnerin. 1920 *ff.* **2.** Haarschleife. 1920 *ff.*

Propeller-Zepp *m* Propeller-Zug der Deutschen Reichsbahn. Zepp = Zeppelin. 1931 *ff.*

Prophet *m* **1.** Studienrat, Klassenlehrer. Entweder entstellt aus „Professor" oder Anspielung auf seine Prophezeiung drohender Nichtversetzung o. ä. 1900 *ff.*

2. Meteorologe. Er weissagt das Wetter. Fliegerspr. 1935 *ff.* **3.** kleiner Löffel oberhalb des Suppentellers. Er „prophezeit" die Nachspeise. 1900 *ff.*

proportional *adj* außerordentlich. Übertragen von Größen, die zueinander in einem bestimmten Verhältnis stehen, wobei die eine die andere überragt. *Jug* 1958 *ff.*

Pro'portius (Proporz) *m* Sankt (Heiliger) ~ = erfundener Heiliger, der zuständig sein soll für die richtige Verteilung der Ministerposten und wichtigen Staatsämter proportional zum Wahlergebnis. Diesen scherzhaften Zuwachs des katholischen Heiligenkatalogs riefen nach 1950 vor allem die Österreicher an, ab 1960 auch die Deutschen.

'proppen'voll ('proppe'voll) *adj adv* dicht besetzt; überfüllt. *Niederd* Entsprechung zu *hd* „⁊ pfropfenvoll". 1700 *ff.*

propper *adj* **1.** gut, tüchtig, brauchbar, anstellig. Fußt auf *franz* „propre = rein, sauber, anständig". Seit dem 19. Jh. **2.** draufgängerisch. *BSD* 1965 *ff.*

Prosa *f* ~ reden = sich unumwunden äußern. In volkstümlicher Sicht erscheint Prosa als die gerade, aufrichtige und unverstellte Form der Meinungsäußerung, wohingegen man mit „lyrisch" die gewundene, verblümte und hintersinnige Redeweise kennzeichnet. 1920 *ff.*

Prosak *m* protestantischer Geistlicher. Verkürzt aus „protestantische Sündenabwehrkanone". ⁊ Sak. *Sold* 1914 *ff.*

prost *interj* **1.** ja, ~!: Ausdruck der Verwunderung über ein Fehlverhalten. Vom Zuruf beim Zutrinken ins *Iron* entstellt. 1830 *ff.* **2.** wenn es so ist, dann ~! = a) Ausruf unwilliger Verwunderung. Gemeint ist etwa „wir können es nicht ändern; trinken wir also weiter!". *Sold* in beiden Weltkriegen. – b) Zuruf zwecks Unterbrechung einer langweiligen Unterhaltung. 1900 *ff.* **3.** na, dann ~ (na, dann ~)!: Ausruf bei Anhören einer unangenehmen Nachricht. *Iron* Redewendung. Seit dem ausgehenden 19. Jh, *stud* und *sold.*

Prostata *interj* **1.** Zuruf zum Mittrinken. Von Medizinstudenten entstellt aus „prost" unter Anlehnung an „Prostata = Vorsteherdrüse". 1914 *ff.* **2.** ~ communis! = Zuruf an die Verbindungsstudenten zum Mittrinken. Scherzhaft latinisiert für „prost, Gemeinde!". 1950 *ff*, Bonn.

Prostemahlzeit *f* **1.** *interj* = Ausdruck der Ablehnung. Zusammengewachsen aus „prost (prosit) die Mahlzeit!" im Sinne eines Abschiedsgrußes beim Verlassen der Tafel. Seit dem 18. Jh. **2.** dann ~! = dann ist alles zu Ende! dann rette sich, wer kann! Spätestens seit 1900. **3.** die ganze ~ = a) das Ganze; die unangenehme Überraschung. Spätestens seit 1800. – b) die gesamte Verwandtschaft. Seit dem 19. Jh. **4.** da haben wir die ~ = das Unangenehme ist wie erwartet eingetroffen; es ist genau so gekommen, wie ich es vorausgesagt habe. Seit dem 19. Jh.

prosten *v* jm etw ~ = jm etw ablehnen. Verbal aus der Interjektion „prost" entwickelt. ⁊ „prost 1". Seit dem 19. Jh.

Prösterchen I *interj* Zuruf zum Mittrinken. Verniedlichung. 1900 *ff.*

Prösterchen II *n* **1.** Zutrunk; Trinkfreudigkeit. 1900 *ff.*
2. ~ machen = a) einander zuprosten; zechen. 1900 *ff.* – b) den Schluckauf haben. Es „gluckst" wie beim Trinken. Kinderspr. 1930 *ff.*
pröstern *intr* Alkohol trinken. 1920 *ff.*
Protektionskind *n* Mensch, der seine berufliche (politische) Laufbahn einflußreichen Gönnern verdankt. Seit dem ausgehenden 19. Jh.
Prothese *f* **1.** Auto. Es gilt als künstlicher Ersatz für die Beine, vor allem für das Marschieren. *BSD* 1965 *ff.*
2. Perücke, Toupet. 1975 *ff.*
3. eine ~ im Hirn haben = geistesbeschränkt sein. *Österr* 1950 *ff.*
4. jm etw aus der ~ leiern = a) jn zu einer Äußerung veranlassen, zum Sprechen bringen. Prothese = Zahnprothese. ↗leiern. *Halbw* 1955 *ff.* – b) jn zu einem Geständnis zwingen. *Halbw* 1955 *ff.*
5. ~n verhaken = Küsse tauschen. 1980 *ff, jug.*
Protoknoll (Protoknüll) *n* gebührenpflichtige Verwarnung; polizeiliche Strafverfügung. „Protokoll" ist entstellt aus „Protokoll", ↗Knolle 5; bei „Protoknüll" hat man sich vorzustellen, daß der Verwarnte die Quittung wütend in der Hand zerknüllt. 1930 *ff.*
Prött *m* ↗Prütt.
Protz *m* **1.** Prahler; Mensch voller Einbildung; Effekthascher. Im *Oberd* soviel wie „Kröte". Zusammenhängend mit „sich aufblasen wie ein ↗Frosch". Das Wort, das im 16. Jh den stolzen und hoffärtigen Menschen bezeichnete, kam im frühen 19. Jh aus der Mode und wurde in der Mitte des 19. Jh erneut volkstümlich, vielleicht im Zusammenhang mit dem zunehmenden Einfluß der Militärs und der Verkennung der demokratischen und sozialen Strömungen durch die konservativen Kräfte.
2. Abort. ↗abprotzen. *BSD* 1965 *ff.*
3. bei Herrn ~ von (und) Neureich eingeladen sein = bei reicht sehr feinen Leuten zu Gast sein. *Jug* 1950 *ff,* österr.
protzen *intr* **1.** prahlen; stolz tun. ↗Protz 1. Seit dem 17. Jh. Wiederaufgelebt im 19. Jh.
2. koten. ↗abprotzen. *BSD* 1965 *ff.*
3. *tr* = ein plumpes, mit heldisch-pathetischem Anspruch gestaltetes Denkmal errichten. 1982 *ff.*
Protzerei *f* selbstgefällige Prahlerei mit dem Vermögen, mit aufwendiger Wohnungseinrichtung, mit Original-Ölbildern usw. 1870 *ff.*
protzig *adj* prahlerisch, eingebildet. ↗Protz 1. 1850 *ff.*
Protzklotz *m* unförmiges, mit viel Zierat versehenes Gebäude. 1930 *ff.*
Protzmaschine *f* schweres Motorrad; Motorrad mit starker Lärmentwicklung. 1970 *ff.*
Protzmobil *n* breitgebautes Luxusauto. 1950 *ff.*
Protzsalon *m* Gesellschaftszimmer. 1950 *ff.*
Protzschlitten *m* Luxusauto. ↗Schlitten. 1960 *ff.*
Protzschrank *m* Schrank, in dem sich eine Hausbar mit Spiegelglas befindet. 1949 *ff.*
Protztitten *pl* üppig entwickelter Busen. ↗Titte. 1950 *ff.*
Protztüchelchen *n* Ziertaschentuch in der

linken oberen Außentasche der Herrenjacke. 1950 *ff.*
Provinz-Ei *n* engstirniger Mensch. Er ist in der Provinz „ausgebrütet". 1966 *ff.*
Provinzfußball *m* grobe Spielweise mit geringem technischen Können. *Sportl* 1950 *ff.*
Provinzmief *m* kleinstädtische Kleingeisterei. ↗Mief. 1950 *ff.*
Provinznest *n* unbedeutender, rückständiger Ort. ↗Nest 1. Seit dem 19. Jh.
Provinznudel *f* Kleinstädterin. ↗Nudel 4. 1960 *ff.*
Provinzonkel *m* Provinzler. ↗Onkel. 1900 *ff.*
Provinzpflanze *f* aus der Provinz (vom Lande) zugewanderter Großstädter. ↗Pflanze 1. 1880 *ff.*
Provision *f* **1.** Anteil an der Diebesbeute. Eigentlich der geldliche Anteil am Lieferungsauftrag. 1950 *ff.*
2. dicke ~ = hohe Umsatzvergütung. 1920 *ff.*
3. fette ~ = sehr ansehnliche Umsatzvergütung. 1920 *ff.*
'Provos *pl* organisierte Halbwüchsigenbande: man will die für die derzeitigen Zustände verantwortlichen Leute provozieren und durch Protestaktionen aufstören. Die Bezeichnung soll von einem Universitätsprofessor stammen. 1966 *ff.*
Provotari'at *n* Gesamtheit der provozierenden Halbwüchsigen. Dem „Proletariat" nachgebildet. 1966 *ff.*
Provo'tarier *m* provozierender Halbwüchsiger. Ahmt „Proletarier" nach. 1966 *ff.*
Prozent *n* **1.** dicke ~e = hohe Umsatzvergütung. 1950 *ff.*
2. meine besseren 50 ~ = meine Frau. Scherzhafte Parallele zu „meine bessere ↗Hälfte". 1958 *ff.*
3. zu den zehn ~ gehören = die Reifeprüfung bestehen. Gemeint ist, daß von den Sextanern nur 10 Prozent zum Abitur gelangen. 1955 *ff, schül.*
4. ~e schlucken = Alkohol zu sich nehmen. Meint eigentlich den Anspruch des Kellners auf Bedienungsgeld. *Jug* 1955 *ff.*
Pro'zente'geier *m* Kellner. Wie ein gefräßiger Raubvogel stürzt er sich gierig auf das Bedienungsgeld. 1960 *ff.*
Pro'zenter *m* Kellner. 1920 aufgekommen mit der Einführung des Bedienungsgeldes.
Prozentiges *n* alkoholisches Getränk. 1960 *ff.*
Prozeß *m* kurzen ~ machen = eine Sache rasch entscheiden; ohne Rücksicht auf Ein- oder Widerspruch handeln; rücksichtslos vorgehen. Hergenommen vom rasch entscheidenden Rechtsverfahren (Standgericht). Seit dem 18. Jh.
Prozeß-Bandwurm *m* langwierige Gerichtsverhandlung. 1900 *ff.*
prozessen *intr* einen Rechtsstreit führen; in einen Rechtsstreit eintreten. Aus „prozessieren" verkürzt. Seit dem 19. Jh.
Prozeßhansel *m* Mann, der in einem Rechtsverfahren sein Recht ertrotzen will; prozeßwütiger Mann. Im 19. Jh vom *Oberd* aus aufgekommen.
Prozeßkatechismus *m* Strafprozeßordnung. 1960 *ff.*
Prozeßkrämer *m* Mensch, der gern und häufig prozessiert. Seit dem 18. Jh.
Prozeßkulisse *f* Zuhörerschaft bei Gerichtsverhandlung. Seit 1960 *ff.*

Prozeßmuffel *m* Mann, der Rechtsstreitigkeiten unter allen Umständen zu vermeiden sucht. ↗Muffel. 1968 *ff.*
Prozeßstudent *m* Studienbewerber, der nach Abweisung im normalen Zulassungsverfahren durch gerichtliche Entscheidung einen Studienplatz in den Numerus-clausus-Fächern anstrebt. 1980 *ff.*
Prudel (Pruddel) *m* **1.** Fehler in einer Handarbeit. ↗prudeln. 1700 *ff.*
2. Schmutz. Seit dem 19. Jh.
3. einen ~ machen = einen Irrtum begehen. 1900 *ff.*
prudeln (pruddeln, prutteln) *intr* Fehler beim Handarbeiten machen; unsorgfältig arbeiten. Nebenform zu „brodeln = aufwallen; Blasen bilden". Blasen sind substanzlos. Die Gleichzeitigkeit von kleinen und großen Blasen ergibt das Bild eines Durcheinanders. 1700 *ff,* vorwiegend nördlich der Mainlinie.
Prüfstand *m* Gesundheitsbesichtigung. Übertragen vom Prüfstand für Autos u. ä. Berührt sich mit „TÜV". *BSD* 1965 *ff.*
Prügel *m* **1.** derber Stock. Seit spät-*mhd* Zeit.
2. erigierter Penis. Spätestens seit dem 19. Jh.
3. Gewehr(kolben). Verkürzt aus ↗Schießprügel. 1920 *ff.*
4. ein ~ (ein ~ von Mensch) = kräftiger, handfester junger Mann. Seit dem 19. Jh.
5. *pl* = heftige Boxhiebe. 1920 *ff.*
6. einem) ~ zwischen die Beine (Füße; in den Weg) werfen = jm Hindernisse bereiten. Analog zu ↗Knüppel 16. Seit dem 19. Jh.
Prügelhitze *f* sehr große Hitze. Prügel ist das walzenförmige Brennholz; ihm schreibt man große Hitzeentwicklung zu. *Bayr* und *südwestd,* spätestens seit 1900.
Prügeljunge (-knabe) *m* Mensch, der statt eines anderen leiden muß; Mensch, der für Verfehlungen (Versäumnisse) eines anderen zur Rechenschaft gezogen wird. Hergenommen von der im 16. Jh bezeugten Sitte, daß Knaben aus dem Volk wegen einer Tat geprügelt wurden, die der junge Fürstensohn begangen hatte. Die Vokabel scheint gegen 1850 durch Schriftsteller wie Gustav Freytag und Theodor Storm aufgekommen zu sein.
Prügelknabe *m* **1.** ↗Prügeljunge.
2. prügelnder Mann. 1950 *ff.*
'Prügel'mannsbild *n* kräftig gebauter Mann. ↗Prügel 4; ↗Mannsbild. *Bayr* 1900 *ff.*
prügeln *intr* das Auto so fahren, daß es (der Motor, das Getriebe usw.) Schaden nehmen kann. Übertragen vom Einschlagen auf das Pferd. Kraftfahrerspr. 1950 *ff.*
Prüll *m* Abfall; alte, wertlose Sachen. Ein *niederd* Wort unsicherer Herkunft. Seit dem 14. Jh.
Prunk *m* bescheidener (schlichter) ~ = prahlerisch- stolzer Lebensstil; üppigster Aufwand. *Iron* Ausdruck, aufgekommen zur Zeit des letzten deutschen Kaisers; wiederaufgelebt 1917 *ff* mit Bezug auf die Neureichen sowie auf die Prunkentfaltung von Hermann Göring zur NS-Zeit.
Prunkfrau *f* in Wesen und Aussehen hervorragendes Mädchen. Mit ihm kann man prunken. *Schül* 1959 *ff.*
Prunkkasten *m* Villa eines Neureichen o. ä. ↗Kasten. 1950 *ff.*
Prüntje *m* Kautabak. Geht zurück auf *ndl*

„pruim = Priem" mit Verkleinerungssilbe. *Niederd* 1900 *ff.*

prüntjern *intr* Tabak kauen. *Niederd* 1900 *ff.*

pruschen *intr* in Gelächter ausbrechen; niesen, prusten. Seit dem 18. Jh, *niederd.*

Prütt (Prutt, Prött) *m* Kaffeesatz; zweiter Kaffeeaufguß. Stammt aus *ndl* „prut = dicker Brei". Von Westdeutschland um 1800 ausgegangen und nord- und ostwärts gewandert.

Psalmenmangel (-orgel) *f* Harmonium im Gemeindesaal o. ä. Auf ihm werden die Psalmen „gemangelt" wie auf einer Wäschemangel. 1950 *ff.*

Psalmenpumpe *f* Orgel, Harmonium. „Pumpe" spielt auf den Blasebalg an. *Schweiz* 1940 *ff.*

Psycho-Bulle *m* dialektisch und politisch geschulter Polizeibeamter. ↗Bulle 1. Er tritt ohne Helm, Knüppel und Pistole auf und soll durch Diskussion mit den Demonstranten aufrührerische Zusammenrottungen auflösen. 1969 *ff*, Berlin.

pubertäterig *adv* **1.** geschlechtlich erregt. Zusammengesetzt aus „Pubertät" und „Täter". 1910 *ff.*
2. ihm ist ~ zumute = er möchte geschlechtlich verkehren. 1910 *ff.*

Pubertätigkeiten (-tätlichkeiten) *pl* Ausschreitungen Halbwüchsiger. Gekreuzt aus „Pubertät" und „Tätigkeiten" oder „Tätlichkeiten". 1965 *ff.*

Pubertätsdampf *m* ~ ablassen = als Pubertierender koitieren. Bei Überdruck läßt die Lokomotive Dampf ab. *Vgl* ↗Dampf 15. *Halbw* 1960 *ff.*

Pubertätsgeröhre *n* jaulender Gesangsvortrag eines Jugendlichen oder Heranwachsenden. Übernommen vom Röhren brünstiger Hirsche. Die Vokabel scheint 1959 von Dr. Eugen Kogon geprägt worden zu sein.

Pubertätsgetränk *n* Coca Cola. *Jug* 1960 *ff.*

Pubertätshummel *f* Moped. Anspielung auf den Klang der Maschine sowie auf das Alter des Fahrers. 1955 *ff.*

Pubertätsschatten *pl* Augenringe bei Halbwüchsigen infolge ausschweifenden Lebenswandels oder durch Schminke erzeugt zwecks Vortäuschung leichter bis mittlerer Verworfenheit. 1960 *ff*, Berlin.

Pubertäts-Star *m* quäkender und jaulender Schlagersänger. 1959 *ff.*

Publikümer (Publikümmer) *pl* Zuschauerschaft. Scherzhafte Mehrzahlbildung nach dem Muster von Herzogtümer, Besitztümer o. ä. Berlin, 1830 *ff.*

Publikumsmagnet *m* beliebter, zugkräftiger Schauspieler, Film o. ä. Er übt eine starke Anziehungskraft auf das Publikum aus. 1920 *ff.*

Publikums-Renner *m* sehr beliebte Ware; Ware mit sehr großer Nachfrage. ↗Renner. 1960 *ff.*

Publikumsseele *f* die ~ kocht = die Zuschauer sind empört. Nach dem Vorbild der „↗Volksseele" gebildet. 1960 *ff.*

Publizitätsrummel *m* Betriebsamkeit, um in der Öffentlichkeit bekannt zu werden oder jn bekannt zu machen. ↗Rummel. 1960 *ff.*

puckeln *v* **1.** *intr tr* = auf dem Rücken tragen. ↗buckeln 1. Seit dem 18. Jh.
2. *refl* = sich heftig anstrengen; schwer arbeiten. 1800 *ff.*

3. *tr* = jm den Rücken waschen. ↗bukkeln 2. Ruhrgebiet 1900 *ff*, bergmannsspr.

puddeln (putteln) *intr* **1.** Schmutzarbeiten verrichten; die Latrine reinigen. „Puddel" ist die Stalljauche, zurückgehend auf *lat* „puteus = mit Wasser gefüllte Grube; Pfütze"; verwandt mit „↗Pütt". Seit dem 19. Jh.
2. unsorgfältig arbeiten. *Vgl* auch ↗pudeln. Seit dem 19. Jh.

Pudding *m* **1.** Frauenbusen. Entweder wegen des Festigkeitsgrads oder wegen der Formähnlichkeit mit gestürztem Pudding aus Tassen oder Portionsformen. 1920 *ff.*
2. hin- und herschwingendes Frauengesäß. 1920 *ff.*
3. gehaltloses Bühnenstück; anspruchsloses Liedchen. Hergenommen vom Gelatinepudding als Sinnbild der Substanzarmut. 1920 *ff.*
4. Sentimentalität. 1920 *ff.*
4 a. energieloser, schwächlicher, geschlechtlich unreifer Mensch. 1910 *ff.*
5. Stich, der viele Augen zählt. Er ist ein hochwillkommenes „Fressen". Kartenspielersprl. 1900 *ff.*
6. wippender ~ = wogender Busen. 1920 *ff.*
7. hart wie ~ = leicht nachgebend. 1920 *ff.*
8. um den ~ gehen = um den Wohnblock gehen. 1900 *ff.*
9. ~ in den Armen (Beinen) haben = schwache Arme haben; wenig Bizeps haben; knieweich sein; die Arme (Beine) schlenkern. „Pudding" meint hier den Gegensatz zu kräftig entwickelten, festen Muskeln. 1910 *ff*, *schül* und *sold*, auch *sportl.*
10. ~ unter der Glatze haben = dumm sein. Das Gehirn ist durch Pudding ersetzt. 1950 *ff.*
11. ~ in den Knien haben = weiche Knie haben. 1910 *ff.*
12. auf den ~ hauen = a) ausgelassen sein. Da *gleichbed* mit „auf die ↗Pauke hauen", ist mit „Pudding" wohl die Kesselpauke gemeint. 1935 *ff.* – b) prahlen. 1935 *ff.*
13. sonst mache ich aus dir ~!: Drohrede. 1930 *ff.*
14. meine Knie sind ~ = meine Knie zittern. 1910 *ff.*
15. das ist ~ = das gefällt mir sehr. 1920 *ff.*
16. das ist der ~ vom Tage = das ist die Hauptsache; das ist die Besonderheit. *Stud* und *schül* 1920 *ff.*
17. auf ~ treten = keine feste Zusage erhalten; auf Ausweichen stoßen. 1950 *ff.*
18. der ~ wippt = der Busen wogt. 1920 *ff.*
19. zittern wie ein ~ = heftige Angst verspüren. *Schül* 1950 *ff.*

Puddingabitur *n* Abschlußprüfung an einer Frauenoberschule. Anspielung auf den hauswirtschaftlichen Unterricht, auch auf die Meinung, dem Unterricht gehe die Ernsthaftigkeit ab. 1920 *ff* (ohne Bayern).

Puddingschule *f* Haushaltungsschule o. ä. 1935 *ff.*

Pudel I *m* **1.** Fehlwurf, -schuß; Versehen; Irrtum. ↗pudeln 1. Beliebter Keglerausdruck. 1700 *ff.*
2. Schulhausmeister, Universitätsdiener usw. Übertragen vom apportierfreudigen

Pudelhund und beeinflußt von „Pedell". 1800 *ff*, *stud* und *schül.*
3. Motorrad, Moped. Das Fahrzeug ist wie ein Pudel „getrimmt". Spiel mit zwei Wortbedeutungen: „trimmen = sauber herrichten" und „trimmen = frisieren = in der Motorleistung steigern; schneller machen". *Jug* 1950 *ff.*
4. aufgefrischter Gebrauchtwagen. 1966 *ff.*
5. unordentliches (unordentlich gekleidetes) Mädchen; Mädchen mit struppigem Haar. ↗pudeln 1. Seit dem 19. Jh.
6. Hausgehilfin; Mädchen für alles. ↗pudeln 1. Seit dem 19. Jh.
7. leichtlebiges Mädchen; liederliche Frau. Von „Pudel = Dreckpfütze" (*vgl* ↗pudeln 1) übertragen auf sittlichen Schmutz. 1700 *ff.*
8. des ~s Kern = das Wichtigste, Wesentliche, Entscheidende einer Sache. Stammt aus Goethes „Faust", Erster Teil. Seit dem 19. Jh.
9. begossener ~ = bestürzter, schuldbewußter Mensch. Hergenommen von der Geilheit des Pudels: zu seiner Ernüchterung dient am besten ein Eimer kalten Wassers. 1800 *ff.*
10. bepißter ~ = kleinlauter, ratloser Mensch. 1860 *ff.*
11. närrischer ~ = lustiger Mensch. Pudel sind gern ausgelassen und spielen gern. 1700 *ff.*
12. naß wie ein ~ (wie ein gebadeter ~) = völlig durchnäßt. ↗Pudel I 9. 1800 *ff.*
13. abhauen (abziehen) wie ein begossener ~ = davonlaufen. 1910 *ff.*
14. etw abschütteln wie ein ~ (wie ein ~ das Wasser) = sich etw nicht zu Herzen nehmen. Hergenommen vom Pudelhund, der aus dem Wasser kommt und sich schüttelt. Seit dem 19. Jh.
15. aussehen (gucken) wie ein bepißter ~ = schuldbewußt, ratlos dreinschauen. 1860 *ff.*
16. einen ~ machen (schieben) = einen Fehler machen; beim Kegeln fehlwerfen. ↗pudeln 1. 1700 *ff.*
17. für jn den ~ machen = für jn Schmutzarbeiten verrichten; niedrige Dienste tun. ↗pudeln 1. Seit dem 19. Jh.
18. sich schütteln wie ein nasser ~ = etw nicht beherzigen. ↗Pudel I 14. Seit dem 19. Jh.

Pudel II *f* Wirtshaus-, Verkaufstheke. ↗Budel.

'pudelge'sund *adj* kerngesund. Übertragen vom munteren Umherspringen des Pudels. 1920 *ff.*

Pudelkopf *m* Kopf mit gelocktem Haar. Seit dem 19. Jh.

'pudel'lustig (-'munter) *adj* ausgelassen lustig. Pudel sind muntere Hunde. 1920 *ff.*

Pudelmütze *f* Mütze mit Ohrenklappen. Sie ähnelt dem Pudelkopf. Seit dem 19. Jh.

pudeln *intr* **1.** einen Fehler machen; beim Kegeln fehlwerfen; beim Stricken Maschen fallen lassen; vorbeischießen. *Niederd* „Pudel" entspricht *hd* „Pfudel = Pfütze". Aus der Bedeutung „im Wasser plätschern" entwickelt sich der Sinn „unsauber arbeiten", „schlecht arbeiten", „Schmutzarbeiten verrichten" u. ä. 1700 *ff.*
2. einem Mädchen schöntun; intim betasten; koitieren. Hergenommen vom anhänglichen und liebebedürftigen Pudelhund. 1800 *ff.*
3. beim Schwimmen mit dem linken Fuß

und der rechten Hand (und umgekehrt) von oben nach unten ins Wasser schlagen. Der Schwimmgewohnheit des Pudels abgesehen. Berlin 1870 *ff.*
4. sich wohlfühlen. 1920 *ff.*
'pudel'närrisch *adj* übermütig, ausgelassen o. ä. Pudel können sehr possierlich sein. 1700 *ff.*
'pudel'naß *adj* völlig durchnäßt. Im 16. Jh auf „Pfudel" bezogen im Sinne von „wie aus der Pfütze gezogen"; im 18. Jh auf den Pudelhund übertragen, weil man ihn zur Wasserjagd abrichtete.
'pudel'wohl *adv* wohlauf, gesund, guter Laune. 1850 *ff.*
pudern *v* **1.** *tr* = jn prügeln. Aus der Nebenbedeutung „herumstoßen" entwickelt. 1900 *ff.*
2. *intr tr* = koitieren. Weiterführung von „stoßen, wälzen". Im frühen 19. Jh von Österreich ausgegangen und vorwiegend westwärts gewandert, später auch rheinaufwärts.
Puderzucker *m* **1.** jm ~ in den Arsch blasen = a) jn umschmeicheln. Anspielung auf die Bereitschaft, auch die sonderbarsten Wünsche zu erfüllen. 1930 *ff.* – b) jn antreiben. Diese Bedeutung wird meist mit „jm Pfeffer in den Arsch blasen" wiedergegeben; aber hier sind Schmeichelworte vonnöten, damit der Betreffende schneller handelt. *Sold* 1939 *ff.*
2. ihre Stimme klingt sanft wie ~ = sie hat eine weiche, milde Stimme. 1960 *ff.*
Puff I *m* **1.** Stoß. Schallnachahmend für den dumpfen Laut, wie er beim Blasen und Schlagen entsteht. Seit *mhd* Zeit. Vgl *engl* „buff", *ndl* „pof", *ital* „buffo".
2. rundes Sofakissen; Schlummerrolle; gepolsterter Hocker; gepolsterter Wäschebehälter; marokkanisches Sitzkissen. Beim Draufschlagen gibt es ein kurzes, dumpfes Geräusch. Puffen = bauschen, anschwellen; schwammig-weich machen. ⁊ puffen 6. Seit dem 19. Jh.
3. Bett. Vgl das Vorhergehende; ⁊ poofen. *BSD* 1965 *ff.*
4. Schlaf. Der Puff als dumpfer Laut bezieht sich hier auf Atmen und Schnarchen. *Rotw* 1862 *ff*; *BSD* 1965 *ff.*
5. Geschlechtsverkehr. ⁊ puffen 4. *Rotw* 1862 *ff.*
6. Borg. ⁊ puffen 5. Seit dem 19. Jh.
7. auf ~ leben = auf Borg leben. 19. Jh.
8. ~ machen = Darmwinde laut entweichen lassen. koten. Schallnachahmender Natur. 1900 *ff.*
Puff II *m n* **1.** Bordell. Hergenommen von „puffen = stoßen"; denn „stoßen" meint „koitieren". Spätestens seit 1700.
2. anrüchiges Lokal. Seit dem 19. Jh.
3. 4 Damen in einer Hand. Bei Kartenspielern scherzhaft als Bordell aufgefaßt. 1900 *ff.*
4. Kasernenbereich. *BSD* 1960 *ff.*
5. Kasernenstube. *BSD* 1960 *ff.*
6. Kantine. *BSD* 1960 *ff.*
7. Schule. Meint entweder die Schule mit Koedukation oder die Mädchenschule. 1955 *ff*, *schül.*
8. Handelsschule. Sie wird von Jungen und Mädchen besucht. 1955 *ff.*
9. Privatunterkunft eines Studenten; eigenes Zimmer. *Halbw* und *stud* 1955 *ff.*
10. Party-Keller. 1960 *ff*, *halbw.*
11. toller (tolles) ~ = breitgebautes Auto.

Anspielung auf seine Eignung zum Geschlechtsverkehr. *Halbw* 1955 *ff.*
12. es geht wie im ~ = es herrscht lebhaftes Kommen und Gehen; es geht in schneller Aufeinanderfolge vor sich. 1910 *ff.*
13. keine Haare am Sack, aber im ~ sich vordrängen!: Redewendung auf einen Versager, der sich gleichwohl Können zutraut. *BSD* 1965 *ff.*
Puffbahn *f* Eisenbahn. Lautmalend für das Ausströmen des Rauchs und des Dampfes. 1920 *ff.*
Puffbiene *f* Bordellprostituierte. ⁊ Puff II; ⁊ Biene 3. 1910 *ff.*
Püffchen *n* sehr kleines Glas Wein. ⁊ Piffchen. Kellnerspr. Seit dem 19. Jh.
puffen *v* **1.** *tr* = jn stoßen (mit der Faust, in die Seite o. ä.). ⁊ Puff I 1. Seit *mhd* Zeit (buffen).
2. *tr* = jn rügen; jn zu schnellerem Handeln anhalten. 1900 *ff.*
3. du kannst mich ~!: Ausdruck des Nichtwissens. Analog zu „du kannst mich totschlagen!"; denn „puffen, buffen" meint auch „totschlagen, totschießen". 1920 *ff.*
4. *tr intr* = koitieren, schwängern. Analog zu „⁊ stoßen". 1900 *ff*; wohl älter.
5. *tr intr* = borgen. Analog zu „pumpen"; denn „puffen" und „pumpen" meinen sowohl „stoßen" als auch „borgen". Beim Wasserschöpfen aus der Pumpe wird der Pumpenschwengel gestoßen und gezogen. 1910 *ff.*
6. *intr* = aufbauschen, übertreiben. Eigentlich soviel wie „bauschen", so daß ein kleiner dumpfer Laut entsteht, wenn man draufschlägt. 1910 *ff.*
7. *intr* = schlafen. ⁊ Puff I 4. *BSD* 1965 *ff.*
8. *intr* = ein Bordell aufsuchen. ⁊ Puff II 1. 1910 *ff.*
Puffer *m* **1.** Pistole; kleines Gewehr. Lautmalend für den Klang beim Abfeuern des Schusses. 1600 *ff.*
2. *pl* = Frauenbrüste. Formähnlich mit den stoßmildernden Vorrichtungen an Eisenbahnwagen. 1920 *ff.* Vgl *engl* „puffer".
3. kalter ~ = schwungloser Halbwüchsiger. Meint entweder den untauglichen Koitierenden (den Impotenten) oder ist Parallele zu „kalter ⁊ Bauer". 1966 *ff*, *halbw.*
4. den ~ abgeben = Rügen empfangen, die andere verdient haben; zwischen anderen vermittelnd, versöhnend eingreifen. Von der Eisenbahntechnik übertragen. 1910 *ff.*
5. zwischen die ~ kommen = in eine gefährliche Lage geraten; von zwei Seiten gefährdet sein. Puffer = Stoßdämpfer zwischen Eisenbahnwagen. 1860 *ff.*
6. dir haben sie wohl einen kalten ~ auf die Brust gelegt? = du bist wohl nicht recht bei Verstand? Puffer = Pfannkuchen aus geriebenen Kartoffeln. 1950 *ff.*
Puffe'rei *f* Prügelei. Puffen 1. 1900 *ff.*
Pufferer *m* Stoß. ⁊ puffen 1. *Bayr* 1900 *ff.*
Puffernase *f* eingedrückte Nase. Die Eindrückung rührt von einem heftigen Stoß her. 1960 *ff*, Berlin.
Pufferzeit *f* Hauptgeschäftszeit. Im Gedränge wird man hin- und hergestoßen. 1970 *ff.*
Pufflampen *pl* rote Zusatzbremsleuchten eines Personenkraftwagens. Rote Laternen

waren früher Kennzeichen der Bordellbetriebe. 1981 *ff.*
Pufflouis (-luis) *m* Bordellgehilfe, der unmanierlichen oder zahlungsunwilligen Gästen energisch entgegentritt. ⁊ Louis 1. 1910 *ff.*
puffmachen *intr* koitieren. ⁊ Puff I 5. *Rotw* 1900 *ff.*
Pufforgel *f* **1.** Kino-Orgel. Ihre „schmelzenden" Töne ähneln der „schwülen" Musik in Bordellen. 1920 *ff.*
2. Musikautomat in Gaststätten. 1955 *ff*, *halbw.*
Puffpuff *m* *f* Eisenbahnzug; Dampflokomotive. Kindersprachlich verdoppelt aus „Puff = Rauchstoß; Dampfausstoß". 1870 *ff.*
Puffrobe *f* **1.** angedeutete Prostituiertengewand, das den Busen weitgehend entblößt und unter dem noch weniger Wäsche getragen wird. 1910 *ff.*
2. gewagte Frauenkleidung. 1920 *ff.*
Puffschatten *pl* umflorte Augen. 1910 *ff.*
Puffschnute *f* aufgeworfene Lippen. Gehört zu „puffen = bauschen". ⁊ Schnute. *Nordd* 1900 *ff.*
Puffviertel *n* Stadtviertel mit vielen Bordellen. 1920 *ff.*
Puffwirt *m* Bordellbesitzer. Seit dem späten 19. Jh.
Püh *m* *f* verbrauchte Zimmerluft; schlechter Geruch. Ein Schallwort; es entsteht, wenn man die Luft durch die gering geöffneten Lippen ausstößt; auch als Ausdruck des Ekels gebräuchlich. 1900 *ff.*
puhlen (pulen) *intr* **1.** mit den Fingern an etw arbeiten; klauben; zupfen, zerren; etw herauszuholen suchen. Gehört zu *niederd* „pule = Schote" und ist also soviel wie „entschoten, enthülsen". Seit dem 14. Jh.
2. koitieren; intim betasten. *Niederd* 1900 *ff.*
Pülcher *m* Landstreicher; Müßiggänger; Strolch; ungesitteter Halbwüchsiger; Zuchthäusler. Wienerische Form von „Pilger": Pilger zogen oft in abgetragenen Kleidern und in großer Ärmlichkeit durch die Lande. *Österr* 1850 *ff.*
Pülcherkappel *f* Sport-, Reisemütze in breiter Form mit Schirm. Ursprüngliche Kopfbedeckung der Wiener Eckensteher. Wien 1940 *ff.*
pulen *intr* ⁊ puhlen.
Pull *m* **1.** Pullover. Hieraus verkürzt gegen 1950/55.
2. voll eingeschenkter ~ = Pullover, der die Umrisse eines üppigen Busens erkennen läßt. „Voll eingeschenkt" ist er wie ein Glas Bier, das bis an den Rand gefüllt ist. *Halbw* 1950 *ff.*
Pulle *f* **1.** Flasche. Stammt über *niederd* „pulle" aus *lat* „ampulla = kleine Flasche". Seit dem frühen 18. Jh.
2. Gashebel, -pedal. Geht zurück auf *engl* „pull = Griff, Schwengel". Flieger- und Kraftfahrerspr. seit 1914.
3. Versager. Analog zu „⁊ Flasche 1". 1920 *ff.*
4. Feigling. Er ist militärisch oder kameradschaftlich ein Versager. 1920 *ff*, *sold.*
5. Elektronenröhre. Sie ist flaschenförmig. Rundfunk- und Fernsehtechnikerspr. 1950 *ff.*
6. Mikrofon. 1960 *ff.*
7. dicke ~ = Sektflasche; Sekt. Kellnerspr. 1960 *ff.*
7 a. lahme ~ = langweiliger Mensch. ⁊ Pulle 3. *Jug* 1960 *ff.*

8. schnelle ~ = a) Schnapsflasche, die reihum von Hand zu Hand geht und rasch geleert ist. 1914 *ff.* – b) Flasche mit hochprozentigem Inhalt. Die Wirkung des Inhalts zeigt sich schnell. 1920 *ff.* – c) schnell wirkendes Doping; Rauschgiftdroge; Flasche Sekt für Rennpferde. *Sportl* 1920 *ff.*

9. volle ~ = a) Vollgas; Höchstgeschwindigkeit. ↗Pulle 2. 1914 *ff.* – b) größte Leistungskraft. *Sportl* 1920 (?) *ff.* – c) größte Lautstärke. 1960 *ff.*

10. mit voller ~ = mit frischer Kraft; draufgängerisch. 1950 *ff.*

11. ~ drin bis zum Stehkragen = Vollgas. Fliegerspr. 1935 *ff.*

12. mit voller ~ arbeiten = Leistungssport treiben. *Sportl* 1950 *ff.*

13. ~n in den Keller bringen = harnen. Hehlausdruck. 1960 *ff.*

14. auf ~ drehen = zu lautem, schnellem Musizieren übergehen. ↗Pulle 9 c. *Halbw* 1960 *ff.*

14 a. halbe ~ fahren = mit halber Geschwindigkeit fahren. 1920 *ff.*

15. volle ~ fahren (geben) = mit höchster Geschwindigkeit fahren. ↗Pulle 9 a. Kraftfahrerspr. 1920 *ff.*

16. volle ~ laufen = Höchstgeschwindigkeit entwickeln. *Marinespr* 1939 *ff.*

17. ~ machen = die Fahrgeschwindigkeit erhöhen. Unter Radrennsportlern gebräuchlich. 1920 *ff.*

18. jetzt platzt die ~ = jetzt ist die Geduld zu Ende; jetzt wird energisch eingegriffen. Hängt wohl mit der platzenden Sektflasche zusammen. 1920 *ff.*

19. die ~ reinhauen = die Fahrgeschwindigkeit erhöhen. ↗Pulle 2. Kraftfahrerspr. und *halbw* 1950 *ff.*

20. die ~ reinschieben = a) den Gashebel des Flugzeugs einschieben; Vollgas geben. ↗Pulle 2. Fliegerspr. 1935 *ff.* – b) den Dampfhebel der Lokomotive nach unten drücken. 1950 *ff.*

21. die ~ bis zum Stehkragen (bis ins Herz) reinschieben = Vollgas geben. ↗Pulle 11. *Sold* 1935 *ff.*

22. auf volle ~ schalten = sich mit aller Kraft einsetzen. *Sportl* 1950 *ff.*

22 a. aus der vollen ~ schlucken = sehr gut verdienen. 1970 *ff.*

23. volle ~ spielen = a) Tatmenschenrollen spielen. Theaterspr. 1950 *ff.* – b) Angriffsfußball spielen. ↗Pulle 9 b. *Sportl* 1970 *ff.*

24. zu lange die ~ getrunken haben = kindisch sein. Pulle = Trinkflasche des Säuglings. 1900 *ff.*

Pulleken (Pülleken) *n* kleine Flasche; Flasche. ↗Pulle 1. *Niederd* seit dem 19. Jh.

pullen *intr* **1.** zechen. ↗Pulle 1. *Niederd* 1700 *ff.*

2. rudern. Fußt auf *engl* „to pull = rudern". Seemannsspr. und *marinespr* seit dem späten 19. Jh.

3. vorankommen; scharf vorwärtsdrängen. Vom Rudersport übertragen. 1920 *ff.*

4. harnen. Schallnachahmender Herkunft. ↗Pulle 13. Spätestens seit 1800.

Pullengrube *f* Altglas-Sammelbehälter. ↗Pulle 1. Berlin 1975 *ff.*

Pulli I *m* **1.** kurzärmeliger Pullover. Nach 1950 aufgekommen.

2. schlabbriger ~ = Mädchen mit schlaffem Busen. ↗schlabbrig. 1955 *ff*, *halbw.*

Pulli II *f* **1.** Viertelliterflasche o. ä.. ↗Pulle 1. 1950 *ff.*

2. Vagina. *Halbw* 1955 *ff.*

Pullover *m* **1.** Mädchen mit besonders reizvoller Büste. Der Pullover zeichnet die Umrisse der Brüste ab. *Halbw* 1950 *ff.*

2. Zwangsjacke. Euphemismus. 1950 *ff.*

3. ~ auf der Brust = starke Brustbehaarung beim Mann. 1958 *ff.*

4. voll (gut) eingeschenkter ~ = Mädchen mit üppigem Busen. ↗Pull 2. *Halbw* 1950 *ff.*

5. kleiner ~ = Präservativ. Analog zu ↗Überzieher. 1935 *ff.*

6. plastischer (scharfer) ~ = Pullover, der einen üppigen Busen erkennen läßt. ↗scharf 5. 1965 *ff.*

7. toller ~ = Mädchen mit beeindruckenden äußeren Reizen. *Halbw* 1950 *ff.*

8. wüster ~ = draufgängerisches Mädchen. 1960 *ff.*

8 a. jm unter den ~ gehen = jn intim betasten. 1960 *ff.*

9. jm hinter den ~ gucken = die moralischen Ansichten eines Mädchens zu ergründen suchen. 1955 *ff.*

Puls *m* jm den ~ fühlen = a) feststellen, ob einer noch bei Verstand ist. Von der ärztlichen Untersuchung übertragen. 1700 *ff.* – b) jds Wesensart (Gesinnung) zu ergründen suchen. 1870 *ff.* – c) jds Körperkraft prüfen. 1900 *ff.* – d) jn ausfragen, vernehmen. 1900 *ff.*

Pult *n* unter dem ~ = nur für die Stammkundschaft vorgesehen. Pult = Schreibpult in Geschäften, auch den Ladentisch. 1939 aufgekommen mit dem Beginn der Lebensmittelbewirtschaftung.

Pulver *n* **1.** Geld. Weiterentwickelt aus der Redewendung „sein ganzes Pulver verschossen haben = keine Munition mehr haben" zur Bedeutung „nichts mehr leisten können" und „kein Geld mehr haben". Etwa seit 1830/40.

2. Sperma; Zeugungskraft. Versteht sich ähnlich wie das Vorhergehende. 1700 *ff.*

3. Temperament, Widerstandskraft. Von anregenden Medikamenten übertragen. 1955 *ff.*

4. Rauschgift. 1950 *ff.*

5. loses ~ = Kleingeld, das man lose in der Tasche hat. 1910 *ff.*

6. ihm geht das ~ aus = ihm kommt die Geschlechtskraft abhanden. ↗Pulver 2. Seit dem 19. Jh.

7. ~ bunkern = Löhnung empfangen. Übernommen vom Einladen der Kohlen; auch „Kohlen" bedeutet „Geld". *BSD* 1960 *ff.*

8. das ~ nicht erfunden haben = dumm, geistesbeschränkt sein. Die Erfindung des Schießpulvers galt als eine außergewöhnliche Leistung. 1700 *ff. Vgl franz* „ne pas avoir inventé la poudre".

9. ~ in den Beinen haben = Rekordläufer sein; kräftige Fußballstöße treten. *Sportl* 1920 *ff.*

10. ~ unter der Haube haben = einen leistungsstarken Motor besitzen. Haube = Kühlerhaube. 1960 *ff.*

11. ~ auf der Pfanne haben = a) schlagfertig sein. ↗Pfanne 10. Seit dem 19. Jh. – b) über wichtiges Beweismaterial verfügen. 1920 *ff.*

12. sein ~ trocken halten = a) stets zum Handeln bereit sein. Bei den alten Steinschloßgewehren konnte das Pulver auf der

Pfanne bei Regenwetter leicht naß werden. Seit dem 19. Jh. – b) geschlechtlich enthaltsam sein. ↗Pulver 2. 1870 *ff.*

13. er hat während der Erfindung des ~s im Nebenzimmer gesessen = er ist dumm, geistesbeschränkt. ↗Pulver 8. 1910 *ff.*

14. ~ auf die Pfanne schütten = Alkohol zu sich nehmen. ↗Pfanne 9. 1800 *ff.*

15. sein ~ vor der Zeit verknallen = seine Trümpfe zu früh ausspielen; sich vorzeitig verausgaben. Aus dem *Milit* übergegangen in den Wortschatz der Kartenspieler und weiter in die allgemeine Umgangssprache. 1850 *ff.*

16. jn zu ~ verreiben = jn gründlich prügeln. 1950 *ff.*

17. sein ~ verschießen = a) sich zur Unzeit, unüberlegt verausgaben. ↗Pulver 1. Seit dem 19. Jh. – b) heftige Kritik üben. 1920 *ff.*

18. sein ~ verschossen haben = a) nicht mehr leistungsfähig sein; seine Geldmittel erschöpft haben; erledigt sein; ratlos sein. ↗Pulver 1. Seit dem 19. Jh. – b) nicht mehr zeugungsfähig sein. 1700 *ff.*

19. keinen Schuß ~ wert sein = nichts taugen. Der Betreffende ist so minderwertig, daß der Tod durch Erschießen noch eine Auszeichnung wäre. 1700 *ff.*

Pulve'rei *f* Schlägerei. ↗pulvern 1. 1920 *ff.*

Pulverfaß *n* **1.** Chemiesaal. 1950 *ff.*

2. Munitionslager. *BSD* 1960 *ff.*

3. wie ein ~ sein = leicht aufbrausen; schnell jähzornig werden. 1800 *ff.*

4. auf dem ~ sitzen = sich in sehr gefährlicher Lage befinden. Seit dem 19. Jh.

Pulverhuber *m* Kriegshetzer. Huber als verbreiteter Familienname in Bayern wird zum Nomen agentis. 1870 *ff.*

Pulverkopf *m* **1.** leicht aufbrausender Mensch. ↗Pulverfaß 3. 1900 *ff.*

2. *pl* (Pulverköppe) = Artilleristen. Spätestens seit 1870 bis heute.

pulvern *intr* **1.** schlagen, prügeln. Die Hiebe treffen wie Geschosse auf. Seit dem 19. Jh.

2. schimpfen, zanken, toben. Das Opfer wird mit heftigen Worten „unter Beschuß" genommen. 1800 *ff.*

Pulverschuppen *m* Soldatenkneipe. Für sein „Pulver" (= Geld) erhält der Soldat dort „Pulver" (= anfeuernde Getränke). *BSD* 1960 *ff.*

Pummel *m* **1.** untersetztes Kind; dralles Mädchen. Abgeschliffen aus „Pummel, Pümpel = Stößel im Mörser"; der Stößel ist am unteren Ende verdickt und im ganzen gedrungen. 1700 *ff.*

2. kleines Mädchen (Kosewort). Seit dem 19. Jh.

3. Rufname des Hundes. Seit dem 19. Jh.

Pump *m* **1.** Borg, Kredit. ↗pumpen 1. *Stud* seit dem 18. Jh.

2. halblaut entweichender Darmwind. Schallnachahmend für den kurzen, dumpfen Laut. 1500 *ff.*

3. geistiger ~ = Plagiat. 1930 *ff* (wenn nicht älter).

4. einen ~ anlegen (aufnehmen) = sich Geld leihen. 1800 *ff*, *stud.*

5. etw auf ~ holen = etw entleihen; etw beim Kaufmann anschreiben lassen. Seit dem 19. Jh.

6. einen ~ landen = jn erfolgreich um

Geld ansprechen; einen Borg aufnehmen. 1900 ff.

7. auf ~ leben = von erborgtem Geld leben. 1840 ff.

8. etw auf ~ nehmen = etw auf Borg nehmen, entleihen. 1700 ff.

Pumpe f **1.** Lunge. Als Luftpumpe aufgefaßt. 1870 ff.

2. Herz. Fußt auf der Vorstellung der Blutpumpe, gelegentlich auch der Schnaps-, Whisky- oder Kognakpumpe. 1850 ff.

3. Penis. Hergenommen von der Bewegung des Pumpenkolbens im Zylinder. Seit dem 19. Jh.

4. Vagina. Im Sinne des Vorhergehenden der Pumpenzylinder. Seit dem 19. Jh.

5. Spritzbesteck eines Rauschgiftsüchtigen. 1969 ff.

6. es geht auf die ~ = es ist sehr angreifend, sehr spannungsreich. ↗Pumpe 2. 1950 ff.

Pumpel I n f Vagina. ↗pumpeln; ↗Pumpe 4. 1800 ff, vorwiegend oberd.

Pumpel II m **1.** beleibter, untersetzter Mensch. ↗Pummel 1. Seit dem 19. Jh.

2. unbeholfener, langsamer Mensch. 1800 ff.

pumpeln intr stampfen, stoßen; dröhnen. „Pumpel" ist der Stößel im Mörser; hier auch beeinflußt vom Schallwort „pumm, bumm" für einen dumpfen Ton. 1700 ff.

pumpen v **1.** tr = etw leihen, borgen, erborgen. Leitet sich her von „pumpen = Wasser schöpfen", vor allem an der öffentlichen Straßenpumpe. Wie man durch die Pumpe Wasser hervorpumpt, so pumpt man aus seinem Opfer Geld. Für 1687 als rotw bezeugt; da die über die Studentensprache in die Umgangssprache gelangt.

2. intr = einen Darmwind laut entweichen lassen. Nasalierter Nebenform zu lautmalendem „↗pupen". 1500 ff.

3. intr = im Liegestütz den Körper heben und senken. Übertragen von der Bewegung der von zwei Männern bedienten Feuerwehr-Handpumpe. Sold 1939 ff.

4. intr = das Gewehr in Vorhalte strecken und gleichzeitig eine Kniebeuge machen. Übertragen vom mühseligen Arbeiten am Schwengel der Pumpe. Seit dem späten 19. Jh.

5. intr = koitieren. ↗Pumpe 3 u. 4. Seit dem 19. Jh.

5 a. intr = das Gaspedal wiederholt betätigen. 1950 ff.

6. langsam ~ = eine größere Geldsumme in kleineren Beträgen zusammenborgen. 1950 ff.

7. etw in jn ~ = jn durch Propaganda u. ä. zu einer bestimmten Ideologie zu beeinflussen suchen. 1933 ff.

8. Alkohol in jn ~ = jn betrunken machen; jn immer von neuem zum Trinken auffordern. Seit dem späten 19. Jh.

9. sich voll Alkohol ~ = sich betrinken. 1870 ff.

Pumper m **1.** Borgender. ↗pumpen 1. 1900 ff.

2. laut entweichender Darmwind. ↗pumpen 2. 1500 ff.

3. Prahler. Er pumpt (bläst) sich auf wie der ↗Frosch in der Fabel. BSD 1965 ff.

Pumpe'rei f **1.** Borg. ↗pumpen 1. Seit dem 19. Jh.

2. Liegestützübungen. ↗pumpen 3. Sold 1939 ff.

3. Gewehrübungen in Verbindung mit Kniebeugen. ↗pumpen 4. 1914 ff.

Pumperer m **1.** dumpfer Fall; Gepolter; Fahrzeugzusammenstoß. Schallnachahmender Herkunft. Österr seit dem 19. Jh.

2. dummer Mensch. In seinem Kopf ist Leere: klopft man gegen den Schädel, hallt es dumpf. Österr 1900 ff.

Pumperl n **1.** Vagina. Bayr-österr Verkleinerungsform zu „↗Pumpe 4". Seit dem 19. Jh.

2. gutmütiges, nettes, dralles Mädchen. ↗Pummel 1. Wohl beeinflußt von ↗Pupperl. 1900 ff.

'pumperlge'sund ('bumperl'gsund) adj kerngesund. ↗Pumperl 2. Bayr und österr seit dem 19. Jh.

'pumperl'munter adj adv wohlauf. Bayr und österr seit dem 19. Jh.

pumpern intr **1.** klopfen, pochen, beben. Nachahmung eines dumpfen Geräuschs. Oberd seit dem 19. Jh.

2. angestrengt lernen. Analog zu „↗pauken"; auch „pauken" meinte ursprünglich „schlagen". Schwäb seit dem 19. Jh.

3. koitieren. ↗Pumpe 3 u. 4. Seit dem 19. Jh.

4. einen Darmwind laut entweichen lassen. ↗Pumpe seit dem 16. Jh.

Pumpernickel m **1.** Mann, der Darmwinde laut entweichen läßt. ↗pumpern 4; ↗Nickel 2. Westfäl 1600 ff.

2. kleinwüchsiger, dicklicher Mensch. „Pumper-" ist wegen Aussprecheerleichterung umgeformt aus „↗Pumpel II". Schwäb und bayr seit dem 19. Jh.

Pumpgenie n Mensch, der sich aufs Geldentleihen versteht. Stud 1900 ff.

Pumpier (Endung franz ausgesprochen) m **1.** Geldverleiher. Stud 1800 ff.

2. leichtsinniger Schuldenmacher. 1870 ff.

Pumpkundschaft f Kundschaft, die beim Kaufmann anschreiben läßt. 1920 ff.

Pump-Paß m Kreditausweis für Inhaber von Bankkonten. 1966 ff.

Pumps (Pums) m hörbar entweichender Darmwind. ↗pumpen 2. Seit dem 19. Jh.

'pump'satt adj adv völlig gesättigt. Man ist so satt, als wäre man vollgepumpt. Seit dem 18. Jh.

pumpsen intr Darmwinde laut entweichen lassen. ↗pumpen 2. Seit dem 19. Jh.

Pumpwerk n Herz. ↗Pumpe 2. 1850 ff.

Pums m ↗Pumps.

puncto in ~ puncti = in geschlechtlicher Hinsicht. Im 18. Jh von Studenten (der Theologie) abgewandelt aus lat „in puncto sexti", nämlich hinsichtlich des sechsten der Zehn Gebote Gottes.

Püngel m Bündel; kleines Gepäckstück. Geht zurück auf mittel-niederd „punge = Beutel". 1700 ff.

püngeln tr etw schultern, schleppen. Niederd 1700 ff.

Punkt m **1.** der ~ auf dem i = das Entscheidende, das Bezeichnende. Erst der Punkt auf dem „i" vollendet den Buchstaben: ihn macht man zuletzt, als Abschluß. Vgl auch „↗I-Tüpfelchen". Seit dem 19. Jh.

2. ~ sechs = Geschlechtsleben, Geschlechtlichkeit o. ä. Anspielung auf das einschlägige sechste der Zehn Gebote Gottes. Im Hintergrund beeinflußt von „sexuell". 1920 ff.

3. dunkler ~ = a) uneheliches Kind. Sittenstrenge halten es für einen Makel auf der weißen Weste: seine Existenz wirft einen Schatten auf die Mutter. 1900 ff. –

b) Schimpfwort. Wahrscheinlich Umschreibung für „↗Arschloch". 1920 ff.

4. kitzliger ~ = a) Körperstelle, an der man besonders empfindlich ist. ↗kitzlig. 1800 ff. – b) Gefahrenstelle; heikler Gesprächsstoff; Thema, das man vorsichtshalber meiden sollte. 1900 ff.

5. neuralgischer ~ = a) Geldmangel. Meint eigentlich eine Stelle des menschlichen Körpers, an der sich Nervenschmerzen bemerkbar machen. Der Nervenschmerz des Mittellosen äußert sich beim „↗nervus rerum". 1930 ff. – b) schwache Stelle in der Frontlinie. Sold 1900 ff. – c) Verhandlungsgegenstand, über den am schwierigsten eine Verständigung zu erzielen ist. 1945 ff. – d) viel begangener Straßenverkehr o. ä. Solche Stellen waren 1945 die Grenzstationen Remagen und Unkel an der Demarkationslinie der französischen und der britischen Besatzungszone. – e) schwache Stelle in einem sportlichen Wettkampf. Sportl 1950 ff.

6. schwarzer ~ = Klassenschlechtester. 1960 ff, schül.

7. springender ~ = Wichtigstes; Kernpunkt einer Verhandlung. Geht zurück auf die Humanistenauslegung eines aristotelischen Lehrsatzes: daß nämlich der Blutfleck im Eiweiß das Herz des werdenden Vogels anzeige und als Punkt wie ein Lebewesen springe. 1900 ff.

8. toter ~ = Entwicklungshemmung; Zeitpunkt, an dem das Geschäft keinen Fortgang nimmt. Der Maschinentechnik entlehnt: Techniker sprechen von „totem Punkt", wenn die Schubstange in der Waagerechten den äußersten Punkt eines Rades erreicht und ohne zusätzliche Kraft (etwa von einem Schwungrad) die Bewegung nicht fortsetzen kann. 1870 ff.

9. wunder ~ = kritische Stelle; verletzbare Stelle; Schwierigkeit, die man behutsam angehen muß. Meint eigentlich die noch nicht verheilte Wunde, an der man besonders empfindlich ist. 1850 ff.

10. ein ~ für mich = ein Vorteil für mich (im Verhältnis zur Unterlegenheit eines anderen). Stammt aus der Sportlersprache und bezieht sich auf die Wertung nach Punkten. 1950 ff.

11. ohne ~ und Komma = ohne Pause. Hergenommen von eintöniger Rede, in der es keine Ruhepunkte gibt, oder von einem Stenogramm. 1930 ff.

12. auf dem toten ~ angekommen sein = ohne wesentliche Änderung oder neue Anregung keinen Fortschritt mehr erzielen. ↗Punkt 8. 1870 ff.

13. ~e begraben = die Hoffnung auf Erringung von Wertungspunkten aufgeben. Sportl 1950 ff.

14. ~e gewinnen = an Einflußmöglichkeiten zunehmen. Der Sportlersprache entlehnt. 1950 ff.

14 a. ~e gutmachen = eine Fehlleistung wettmachen; sein Ansehen wiederherstellen. 1950 ff.

15. bei jm ~e haben = bei jm viel gelten. 1950 ff.

16. einen ~ machen = mit etw Schluß machen; ein Liebesverhältnis aufgeben; die Stellung kündigen. Übertragen vom Punkt am Ende eines Schriftsatzes. 1840 ff.

17. nun mach' aber einen ~! = hör' endlich auf! laß' mich mit dem Geschwätz endlich in Ruhe! ich mag es nicht länger hören! 1840 ff.

18. ~e sammeln = Erfolgsaussichten gewinnen; als Künstler die Publikumsgunst erringen; als Kandidat sich Wahlaussichten verschaffen; als Schüler gute Leistungsnoten erzielen. Aus dem Wortschatz der Sportler übertragen; 1930 ff.

19. an (in) ~ sechs scheitern = geschlechtlichen Mißerfolg erleiden; ein voreheliches Kind gebären. ↗Punkt 2. 1920 ff.

20. ~e schinden = nach guten Noten streben; sich jds Wohlwollen zu verschaffen suchen. Hergenommen von der Bewertung der Schülerleistung nach Punkten. ↗rausschinden. *Schweiz* 1930 ff.

21. ohne ~ und Komma sprechen = viel und schnell sprechen; Satz an Satz reihen, ohne dem Zuhörer einen Ruhepunkt zu gönnen. ↗Punkt 11. 1930 ff.

Pünktchen *n* **1.** Kosewort auf die Ehefrau, Geliebte o. ä. Geht zurück auf das beliebte, auch verfilmte Jugendbuch „Pünktchen und Anton" von Erich Kästner (1930). 1935 ff.

2. ~ auf dem i = das Entscheidende; das Wertvollste; Vervollkommnung. ↗Punkt 1. Seit dem 19. Jh.

Punkte-Kassierer *pl* erfolgreiche Sportmannschaft. Punkt = Wertungspunkt. *Sportl* 1950 ff.

Punkteklau *m* siegreiche Sportmannschaft. Sie „stiehlt" dem Gegner die Wertungspunkte. ↗klauen. *Sportl* 1950 ff.

punkten *tr* **1.** jn impfen. Anspielung auf den Einstich der Impfnadel. 1935 ff.

2. jn warnen. Analog zu „jm etw ↗stecken". *Vgl* auch ↗impfen 4. 1935 ff.

3. jn beeinflussen. Man „impft" ihm beispielsweise eine Ideologie ein. ↗impfen 4. 1935 ff.

4. *intr* Pluspunkte erzielen. *Sportl* 1970 ff.

Punkteschinder *m* Schüler, der durch Wohlverhalten gute Noten zu erreichen sucht. ↗Punkt 20; ↗rausschinden. *Schweiz* 1930 ff.

Punktestreß *m* Leistungsansporn. *Engl* „stress = Druck, Anspannung". *Schul* 1975 ff.

punktgenau *adv* sehr genau; völlig zutreffend. Übertragen vom genauen Treffen auf der Zielscheibe, auch vom Landen des Fallschirmspringers im Zielpunkt o. ä. 1950 ff.

Punschlabbe *f* dicklippiger Mund. ↗Labbe. „Punsch-" meint wohl die *engl* Vokabel „punch" für den harten, sicheren Schlag des Boxers. 1920 ff.

Punschlippen *pl* volle, wulstige; aufgeworfene Lippen („↗Schmollmund"). 1920 ff.

Punz (Punze) *f* **1.** Vagina. Herzuleiten von „Punze = Grabstichel" (Meißel für Metallarbeit), vor allem in der engeren Bedeutung „Matrize = Hohl-, Gußform". Seit dem späten 18. Jh.

2. Mädchen. Pars pro toto. 1900 ff.

punzen *intr* **1.** harnen (auf weibliche Personen bezogen). ↗Punz 1. 1900 ff.

2. koitieren. 1900 ff.

Pup *m* **1.** hörbar entweichender Darmwind. Lautmalend. Seit dem 14. Jh.

2. einen ~ im Gehirn haben = dumm daherreden; törichte Gedanken hegen. ↗Furz 27. Seit dem 19. Jh.

3. einen ~ hört man im ganzen Haus = das Haus ist hellhörig. 1930 ff.

4. aus jedem ~ einen Donnerschlag machen = jede Belanglosigkeit aufbauschen. Analog zu ↗Furz 32. Seit dem 19. Jh.

5. mach' dir keinen ~ ins Hemd! = bilde dir nichts ein! übertreibe nicht! 1940 ff.

6. er riecht den ~ im Dunkeln = er dünkt sich überaus klug. 1900 ff.

7. das ist unterm ~ = das ist wertlos, völlig unbrauchbar. Das Gemeinte ist noch substanzloser als der Darmwind. 1900 ff, *ziv und sold.*

'Pup'arsch *m* **1.** Gesäß. 1700 ff; wohl älter.

2. leichtes dunkles (obergäriges) Bier. Es löst Blähungen aus. Seit dem 19. Jh nördlich der Mainlinie verbreitet.

3. ~ mit Knall = Braunbier. Seit dem 19. Jh.

Pupe I *f* **1.** Gesäß, After. ↗pupen 1. Seit dem 19. Jh.

2. leichtes dunkles Bier. ↗Puparsch 2. 1900 ff.

3. du kannst mir mal an der ~ schlabbern!: Ausdruck der Abweisung. Schlabbern = schlüpfend lecken. Gemeint ist das Götz-Zitat. 1950 ff.

Pupe II *m* Homosexueller; Junge, der sich Homosexuellen gegen Entgelt zur Verfügung stellt. Vokalgelängte Nebenform zu „Puppe": der Betreffende benimmt sich – auch in der Sprechweise – weibisch. *Vgl* aber auch „Bube" mit Einfluß von „↗Pupe I 1". Seit dem frühen 19. Jh, Berlin u. a.

pupen *v* **1.** *intr* = einen Darmwind hörbar abgehen lassen. Lautnachahmend. Seit dem 14. Jh. *Vgl engl* „to poop", *ndl* „poepen".

2. *intr* = sich homosexuell betätigen. ↗Pupe II. 1900 ff.

3. jm etw ~ = jm etw ablehnen. Über „↗Pupe I" analog zu „jm etw ↗pfeifen" wie auch zu „jm etw ↗scheißen". 1900 ff.

4. aus der Schnauze ~ = a) Aufstoßen haben. Berlin 1950 ff. – b) prahlen. Vergleich mit der Substanzlosigkeit des Darmwinds. Berlin 1950 ff.

Puper *m* **1.** Homosexueller. ↗Pupe II. 1900 ff.

2. einfältiger, schläfriger Mensch. Sein Hauptleistungsvermögen beschränkt sich auf das Entweichenlassen von Darmwinden. ↗pupen 1. 1920 ff.

3. Prahler; Mensch, der sich aufspielt. Er ist ein „↗Windmacher". *Vgl* ↗pupen 4 b. 1920 ff.

Pupille *f* **1.** ~! = sieh mir in die Augen! Berlin 1950 ff.

2. ~! = prost! Beim Zuprosten oder beim Anstoßen mit den Gläsern soll man einander in die Augen sehen. 1950 ff.

3. geistige ~ = Überlegung, Einsicht, Gedankengang, Vorstellung. Etwa soviel wie „geistiger Gesichtskreis". 1910 ff.

4. verlängerte ~ = Brille, Fernglas. Berlin 1900 ff.

5. zwei ~n voll = flüchtiges Hinsehen; Augenblick. 1910 ff.

6. die ~ bibbert = man wagt einen Blick auf Aufreizendes. ↗bibbern. 1950 ff.

6 a. die ~ auf Null drehen = sich schlafen legen. „Null" zeigt auf der Skala den Stillstand der Maschine an. *Sold* 1939 ff.

6 b. die ~ enthüllen = die Augen öffnen; aufwachen. 1975 ff.

7. es gerät ihm (er kriegt es) in die falsche ~ = er sieht es falsch; er faßt das Bild unrichtig auf. Nachahmung von „etw in die falsche ↗Kehle kriegen". 1950 ff.

8. jm in die ~ gucken = jm in die Augen sehen. 1950 ff.

9. jn in der ~ haben = sich jn genau merken; jn sofort wiedererkennen. 1920 ff.

10. eine ~ hinschmeißen = etw beobachten. Variante zur schriftsprachlichen Redewendung „auf etw ein Auge werfen". 1900 ff.

11. jm die ~ kreuzen = mit jm Blicke tauschen; mit Blicken flirten. *Vgl* schriftsprachlich „die Blicke kreuzen sich". 1950 ff.

12. bedürftige ~n kriegen = lüstern blicken. 1950 ff.

13. jn nicht mehr aus den ~n lassen = jn unablässig beobachten, überwachen. Umgangssprachliche Entsprechung zu „jn nicht mehr aus den Augen lassen". 1950 ff.

14. sich die ~ putzen = sich die Augen reiben (waschen), damit man genauer sieht. Nach dem Muster von „die Brille putzen". Berlin 1910 ff.

15. eine ~ riskieren = einen Blick wagen. 1920 ff.

16. ich rotze dir auf die ~, dann siehst du drei Tage Farbfilm!: Drohrede unter Jugendlichen. Berlin 1955 ff.

17. ihm bleibt die ~ stehen = er blickt starr, höchst verwundert. 1950 ff.

18. sich die ~ verstauchen = schlecht Entzifferbares zu lesen versuchen. Von der Bänderzerrung scherzhaft übertragen. 1950 ff.

19. die ~n wärmen = schlafen. *Sold* 1935 ff.

20. eine ~ auf etw werfen = sein Augenmerk auf etw richten. Analog zu *hd* „ein Auge auf etw werfen". 1900 ff.

Puppchen (Püppchen, Pupperl) *n* **1.** Koseanrede an ein kleines Mädchen. Vom Spielzeug des Puppenmütterchens übertragen. Seit dem 19. Jh.

2. junges Mädchen; Liebchen. Man wertet es als eine Art Spielzeug; wohl auch Anspielung auf die Putzsucht (Zierpuppe). *Vgl* das Folgende. 1700 ff. Sehr geläufig durch den Schlager „Puppchen, du bist mein Augenstern" aus der Operette „Puppchen" von Jean Gilbert, um 1910.

Puppe (Poppe) *f* **1.** nettes Mädchen; zierliches Mädchen; intime Freundin; leichtes Mädchen. Auch bei den alten Römern war „pupa" sowohl die Spielzeugpuppe als auch das Mädchen. Seit dem 18. Jh.

2. dünkelhafte, gezierte weibliche Person. Hergenommen von der Zierpuppe auf dem Sofa oder in der Vitrine. Seit dem 19. Jh.

3. einflußloser Mensch im Abhängigkeitsverhältnis. Übertragen von der Marionette. 1920 ff.

4. Homosexueller; Prostituierter. Seine Gesichtszüge sind ausdruckslos-unmännlich, und er ist der passive Partner. *Vgl* ↗Pupe II. 1900 ff.

5. hallo, ~! : Begrüßungsruf eines Halbwüchsigen an ein junges Mädchen. 1955 ff.

6. wie ~ (einfach ~) = tadellos, hervorragend. 1900 ff.

7. doofe ~ = hübsches, aber dümmliches Mädchen. 1900 ff.

8. dufte ~ = nettes, anziehendes, lebenslustiges Mädchen. ↗dufte. 1955 ff, *halbw.*

8 a. feste ~ = feste Freundin eines Halbwüchsigen. 1955 ff, *halbw.*

9. flotte ~ = umgängliches, munteres junges Mädchen. ↗flott. 1955 ff, halbw.

10. frische ~ = junges Mädchen. 1955 ff.

11. grüne ~ = nette, aber unreife Halbwüchsige. ↗grün. 1960 ff.

12. kesse ~ = reizvolles, recht selbständiges Mädchen. ↗keß. 1955 ff, halbw.

13. müde ~ = wenig anziehendes, schwungloses, langweiliges Mädchen. Es ist temperamentlos, von einschläfernder Lebensart und zeigt sich uninteressiert. 1955 ff, halbw.

13 a. scharfe ~ = liebesgieriges Mädchen. ↗scharf 4. Halbw 1955 ff.

14. steile ~ = nettes, sehr anziehendes, liebevolles Mädchen. ↗steil. Halbw 1955 ff.

15. bis in die ~n = sehr, übergebührlich lange; sehr weit (er schläft bis in die Puppen; bis in die Puppen sind wir gewandert). Die in Berlin aufgekommene Redewendung wird allgemein auf die Götterstatuen am „Großen Stern" in Berlin zurückgeführt; der Berliner nannte sie zur Zeit Friedrichs des Großen „Puppen", weil sie steif waren. Man behauptet, vom Stadtmittelpunkt der Friedrichstraße bis zu diesen Statuen sei es ein weiter Spaziergang gewesen. Die ersten Sammler des Berlinischen, C. Kollatz und Paul Adam, führen den Ausdruck auf „Puppe = Getreidegarbe auf dem Feld" zurück: bis in die Puppen geht der Regen, wenn er in die Garben eindringt, während leichter Regen von den Schutzgarben aufgesogen wird. Erst später ist die Redewendung von den Getreidepuppen auf die Götterstandbilder übertragen worden. 1840 ff.

16. das geht mir über die ~ = das übersteigt meine Geduld; das geht über das Erträgliche (Erlaubte) hinaus; das übertrifft die Erwartung, ist skandalös, unfaßlich, übertrieben u. ä. 1840 ff.

17. die ~ kotzt = man ejakuliert. Mit „Puppe" bezeichnet man gelegentlich auch den Schnuller sowie den Penis. 1900 ff.

18. laß dem Kind seine ~! = laß ihn bei seiner törichten Ansicht! Der Betreffende hat seinen Einfall lieb wie eine Puppe. 1920 ff.

19. ~n laufen haben = Zuhälter sein. 1950 ff, Berlin.

20. da tanzen die ~n = da geht es lustig zu. Seit dem 19. Jh.

21. die ~n tanzen (sind am Tanz; sind am Tanzen) = Aufregung breitet sich aus; plötzlich entsteht Geschäftigkeit. Hergenommen vom Puppentheater, wo (besonders in den Hanswurstiaden) den Schlußtanz der Puppen eine handfeste Prügelei vorausgeht. 1800 ff.

22. die ~n tanzen lassen = a) Geld für Belustigung ausgeben; fröhlichen Betrieb machen; leichte Mädchen zum Tanzen bringen; Mädchen zum Mitverzehr einladen; eine Tanzparty geben. 1850 ff. – b) die Leute antreiben, hetzen, zur Aktivität veranlassen; Alarm auslösen. Spätestens seit 1920. – c) die Handlungsweise von Menschen selbstherrlich bestimmen. Vgl „nach jds ↗Pfeife tanzen". 1920 ff.

puppe adv vorzüglich; sehr hübsch. ↗Puppe 6. Vorwiegend Berlin, 1900 ff.

puppen v 1. refl intr = sich neu einkleiden; Bekleidungsstücke kaufen. Bezieht sich vorwiegend auf Kleiderkauf für Frau-

en und leitet sich her von dem Aus- und Anziehen der Spielpuppe. Seit dem 19. Jh.

2. refl intr = sich geckenhaft kleiden. 1600 ff.

3. intr = flirten. Übertragen vom Spielen mit der Puppe. ↗Puppe 1. 1900 ff.

4. tr intr = koitieren. ↗poppen. 1900 ff.

Puppenfänger m Luxusauto, mit dem man Mädchen anlocken kann. ↗Puppe 1. 1960 ff.

Puppengesicht n hübsches, aber ausdrucksloses Gesicht mit regelmäßigen Zügen. 1800 ff.

Puppenjunge m junger Mann (Junge), der gegen Bezahlung homosexuelle Dienste leistet. ↗Pupenjunge; ↗Puppe 4. 1900 ff.

Puppenlappen pl 1. zu ~ frieren = vor Frost zittern. „Zu Puppenlappen" hat aus dem Folgenden superlativische Geltung angenommen. Berlin und mitteld 1900 ff; auch sold.

2. jn zu ~ schlagen (verarbeiten) = jn wehrlos schlagen. Man schlägt so heftig auf den Betreffenden ein, daß seine Kleidung zu Fetzen wird; aus ihr kann man nur noch Puppenkleidchen machen oder Puppen ausstopfen. Berlin und südostd 1840 ff.

3. etw zu ~ schlagen = etw zerfetzen, zerstören. Sold 1939 ff.

4. sich die ~ wiedergeben lassen = sich nicht länger beteiligen; sich von einem gemeinsamen Vorhaben zurückziehen. 1870 ff, Berlin.

5. gib mir meine ~ wieder!: Ausdruck scherzhafter Entzweiung unter Frauen. 1870 ff, Berlin.

'puppen'lustig adj sehr lustig; sehr munter; wohlauf. Hergenommen von den lebhaften und lustigen Vorgängen des Puppentheaters oder überhaupt von der Lust, unbeschwert mit Puppen zu spielen. 1850 ff.

Pupperl n 1. kleines Mädchen; junges Mädchen. Verkleinerungsform von „Puppe". Öster seit dem 19. Jh.

2. gesundgestelltes = Mädchen mit körperlichen Reizen und Anmut. „Gesund" meint hier „ganz so, wie es sein soll"; „gesundes Gestell" ist die hübsche Gestalt. Öster seit dem 19. Jh.

Pupperlhutsche f Mitfahrersitz auf dem Motorrad. „Hutsche" ist die Fußbank, der kleine Sitz. Öster 1920 ff.

puppern (poppern) intr zittern, beben, pochen. Ablautform zu ↗bibbern. Seit dem 17. Jh.

Püppi f n 1. Kosewort für ein kleines Mädchen, für die Geliebte o. ä. Seit dem 19. Jh.

2. Freund des Homosexuellen. Aufzufassen als der „passive" Partner. ↗Puppe 4. 1900 ff.

puppig adj 1. reizend, entzückend. Von der hübsch geputzten Puppe aus verallgemeinert seit 1870.

2. durch Puder und Schminke „verschönt". Bezieht sich im allgemeinen auf ein kosmetisch mit Mitteln hergestelltes „↗Puppengesicht". 1920 ff.

3. fein; nett; ausgezeichnet. Halbw 1920 ff.

'Pup'ritze f 1. Gesäßkerbe, After. ↗pupen 1. 1840 ff.

2. kleine Gastwirtschaft minderer Güte. Wohl Anspielung auf die schmale Form des Lokals. Berlin 1920 ff.

Pups m hörbar abgehender Darmwind. ↗Pup 1. Seit dem 19. Jh.

'pup'satt sein vollauf gesättigt sein. Man ist so satt, daß man nicht mehr „pup" sagen kann; vgl ↗piep 1. 1900 ff.

pupsen intr Darmwinde laut entweichen lassen. Häufigkeitsform zu „↗pupen 1". Seit dem 19. Jh.

'pup'voll sein übersatt sein. Man kann nicht mehr „pup" sagen; vgl ↗piep 1". 1900 ff.

pur adj nicht ~ sein = a) charakterlich unzuverlässig sein. Weiterentwickelt aus „pur = unverfälscht". 1920 ff. – b) geistesbeschränkt sein; unsinnige Behauptungen aufstellen. 1920 ff.

purren v 1. tr intr = drängen, zusetzen, mahnen, stochern. „Purr" (burr) ist ein Schallwort und wird gern auf das Summen fliegender Insekten bezogen, auch auf das Fauchen der Katze. Also etwa soviel wie „aufscheuchen" u. ä. 1500 ff.

2. intr = lärmend eilen; sausen. Seit mhd Zeit.

3. tr intr = wecken. Im 18. Jh im Seemannsdeutsch aus ndl „porren" übernommen.

Purzel m 1. kleines Kind (Kosewort). Purzeln = mutwillig springen. Seit dem 19. Jh.

2. Mann, Frau (Kosewort). Seit dem 19. Jh.

3. Rufname des Hundes, auch der Katze. Seit dem 19. Jh.

Purzelhang m Ski-Übungshang. Purzeln = stürzen; sich überschlagen. 1920 ff.

Purzeltag m Geburtstag. Hieraus scherzhaft entstellt. Seit dem 19. Jh.

Pusch f 1. Vagina. ↗puschen 1. 1900 ff.

2. vor jm ~ haben = vor jm Scheu, Achtung, Ehrfurcht, Angst haben. Gehört vielleicht zu „Pus = Kinderschreck". Niederd und nordostd 1900 ff.

Puschel m 1. Quaste, Troddel. Nebenform von „Büschel". Seit dem 19. Jh, vorwiegend nördlich der Mainlinie.

2. verrückter Einfall; mäßige Geistesbeschränktheit. Entweder ist der Troddel an der Kopfbedeckung als Ausdruck wunderlicher Eigenheiten aufgefaßt, oder man hat von einem störrischen Haarbüschel auszugehen, das sinnbildlich für geistige Abwegigkeit steht. 1840 ff.

3. Vorliebe, Hang, Neigung. 1890 ff.

puschen (puscheln, püschen) intr 1. harnen. Schallnachahmender Natur. Seit dem 19. Jh; wahrscheinlich älter.

2. impers = regnen. 1920 ff.

Puschen m 1. Pantoffel. Verkürzt aus ↗Babuschen. Niedersächsisch seit dem 19. Jh.

2. sehr kleines Boot; Paddelboot. Beruht auf der Gleichsetzung „Kahn = Schuh" und umgekehrt. Niedersächsisch seit dem 19. Jh.

3. aus den ~ fallen = sehr erstaunt sein. Analog zu ↗Pantinen 1 c. 1900 ff.

4. einen in den ~ haben = betrunken sein. Der Bezechte torkelt. 1920 ff.

Puscher m Händler, der Rauschgift (grammweise) verkauft. Geht zurück auf die angloamerikan Slangvokabel „pusher = illegaler Drogenhändler". 1969 ff.

Puschka f Gewehr. Geht zurück auf zigeun und tschech „puška" = Flinte". Rotw 1726 ff; sold 1870 ff.

Püschopathin f Psychopathin. Hieraus entstellt mit Anspielung auf „Pusch = Vagina". 1950 ff.

Puse f Vulva, Vagina. Hervorgegangen aus dem Lockruf für die Katze oder fußend auf „Pus, Puss = Beutel", das auf *ahd* „phoso" zurückgeht, von wo nach Meinung mancher Etymologen „Fotze" ausgegangen ist. 1700 ff.

pusen intr tr koitieren. *Vgl* ↗Puse. Seit dem 19. Jh.

Puß I m 1. Kuß. Schallnachahmender Herkunft. 1600 ff.
2. weibliches Geschlechtsorgan. ↗Puse. *Niederd* seit dem 19. Jh.

Puß II f Katze. Vom Lockruf übertragen. 1700 ff. Gleichlautend in England.

Pus'sade f Liebelei. ↗pussieren. Seit dem frühen 19. Jh, *schül* und *stud*.

Pussage (Endung *franz* ausgesprochen) f Schülerliebschaft; Mädchen. ↗pussieren. Seit dem frühen 19. Jh, *schül* und *stud*.

Pusse f Vagina, Vulva. ↗Puse. Seit dem 19. Jh.

Pussel I n nettes, liebevolles Mädchen; Kosewort (vor allem in der Verkleinerungsform). Kann zusammenhängen mit „pussen = küssen", auch mit „Pusse = Vagina", mit „Puß = Katze" sowie mit „pussieren". 1800 ff.

Pussel II f Vulva, Vagina. ↗Puß I. Seit dem 19. Jh.

'Pusselchen n Kosewort auf ein nettes Mädchen, auch auf den Geliebten. ↗Pussel I. 1800 ff.

'pusselig adj 1. viel Kleinarbeit und Sorgfalt erfordernd. ↗pusseln. 1800 ff.
2. anschmiegsam, reizend. ↗Pussel I. 1900 ff.

pusseln intr Kleinarbeit verrichten; in Kleinigkeiten emsig sein; sich an kleinen Dingen aufhalten. *Niederd* und *ostd* Nebenform von „↗bosseln". 1700 ff.

pussen tr intr küssen. Schallnachahmender Herkunft. ↗Puß I 1. 1400 ff.

Pussi I f 1. Katzenname. Wegen des Lockrufs. Seit dem 19. Jh. *Vgl engl* „pussy = Katze".
2. intime Freundin. Analog zu ↗Katze; vielleicht auch verkürzt aus „↗pussieren". 1920 ff.
3. Vagina. ↗Pusse. Seit dem 19. Jh.

Pussi II m 1. Kuß. Verkleinerungsform von ↗Puß I. *Österr* seit dem 19. Jh.
2. Homosexueller. Er gilt zwar als Mann, ist aber der passive Partner und erhält eine weibliche Bezeichnung; ↗Pussi I 2. 1920 ff.
3. Rufname des Hundes. 1900 ff.
4. da verreckt der ~l: Ausdruck des Unwillens und der Überraschung. 1955 ff.

pussieren v 1. intr = mit einem jungen Mädchen (Mann) eine Liebschaft unterhalten; flirten. Stammt aus *franz* „pousser = stoßen, treiben, bedrängen" und nahm im frühen 19. Jh den heutigen Sinn an; vielleicht beeinflußt von „Puß = Kuß". Vorwiegend *schül* und *stud*.
2. tr = etw nachdrücklich betreiben; etw fördern. 1700 ff.
3. tr = eine einflußreiche Person umschmeicheln; sich bei jm in Gunst zu setzen suchen; nach jds Wohlwollen und Begünstigung streben. Seit dem 18. Jh.

Pussierknick (-kniff) m Knick (Kniff) im oberen Rand der Gymnasiastenmütze. Der Knick nimmt der Mütze die Förmlichkeit

und verleiht dem Träger ein keckes Aussehen. Seit dem 19. Jh.

Pussierlappen (-läppchen) m (n) Ziertaschentuch in der linken oberen Außentasche der Jacke. Angeblich gehört es zur stutzerhaften Aufmachung eines Flirtenden. 1870 ff.

Pussiermädchen n Mädchen, das gern flirtet; Stundenliebchen. ↗pussieren. 1900 ff.

Pussierstengel m flirtender Mensch; junger Mann, der gern den Mädchen den Hof macht. „Stengel" meint entweder den groß- oder halbwüchsigen Menschen oder spielt auf den Penis an. Seit dem 19. Jh.

Pussierwimpel m aus der äußeren linken Brusttasche herabhängendes Ziertaschentuch. Es kündigt Bereitschaft zum „↗Pussieren" an. 1870 ff.

Pussy f Vagina. ↗Pussi I. 1920 ff.

Pussycat (*engl* ausgesprochen) f Geliebte (Kosewort). Aus dem *Engl* nach 1945 übernommen; identisch mit „Katze".

Pussykatze f nettes, liebevolles Mädchen. Halbübersetzt aus dem *Engl*; *vgl* das Vorhergehende. 1945 ff.

Puste f 1. Atem. Gehört zu „pusten = blasen, schnauben". Seit dem 18. Jh.
2. Lunge. 1910 ff.
3. Motorleistung. 1950 ff.
4. Zigarette; Tabakwaren. *Halbw* 1955 ff.
5. Handfeuerwaffe *(sold)*; Pistole (verbrecherspr. und polizeispr.). *Sold* 1900 bis heute.
6. eine ~ Qualm = ein Zug aus der Zigarette des Kameraden. Puste = Atemzug. *Sold* 1939 ff.
7. die ~ anhalten = nicht weitersprechen. Meist in der Befehlsform. 1870 ff.
8. ihm geht die ~ aus = a) er hat Atemnot. 1840 ff. – b) er liegt im Sterben. 1840 ff. – c) er ist wirtschaftlich nicht mehr wettbewerbsfähig; er bedrängt sich in Geschäfts-, Zahlungsschwierigkeiten; seine Geldmittel gehen zur Neige. 1870 ff. – d) der Motor bleibt stehen. 1950 ff. – e) seine sportliche Leistungskraft läßt nach. *Sportl* 1965 ff.
9. jm die ~ aus dem Anzug knallen = jn heftig prügeln, niederschlagen. 1930 ff.
10. aus der (außer) ~ kommen = in Atemnot geraten. 1840 ff.
11. jm die ~ nehmen = jn geschäftlich vernichten. 1900 ff.
12. aus der (außer) ~ sein = außer Atem sein. 1840 ff.
13. da bleibt einem die ~ weg!: Ausdruck großer Verwunderung. Der Atem stockt, man wird sprachlos. 1900 ff.
14. ihm bleibt die ~ weg = er ist geschäftlich zusammengebrochen; er hat sich mit Kreditaufnahme übernommen. 1900 ff.
15. jm die ~ wegnehmen = jn im wirtschaftlichen Wettkampf niederzwingen. ↗Puste 11. 1900 ff.

Pusteblume f 1. Löwenzahn (Taraxacum officinale). Kindern macht es Spaß, seine Samenfäden wegzublasen. 1800 ff.
2. ja ~l: Ausdruck der Ablehnung. Erweiterung von „jm etw ↗pusten". 1930 ff.

Pustekuchen m ja ~l: Ausdruck der Ablehnung. Ebenfalls Erweiterung von „jm etw ↗pusten". „Pustekuchen" ist auch Bezeichnung für ein Lockergebäck; vielleicht möchte also der Angesprochene Pu-

stekuchen haben, aber man verweigert es ihm. Spätestens seit 1900.

Pustematratze f Luftmatratze. 1920 ff.

pusten v 1. intr = atmen; hörbar ausatmen. Seit dem 19. Jh.
2. intr = sich einem Alkoholtest unterwerfen. Man bläst in ein Teströhrchen. 1960 ff.
3. intr tr = rauchen. Man pustet den Rauch in die Luft. 1900 ff.
4. intr = schießen. Vom Blasrohr auf Feuerwaffen übertragen. 1700 ff.
5. jm etw ~ = jm etw ablehnen. Analog zu ↗blasen 2. 1700 ff.
6. darauf puste ich!: Ausdruck der Ablehnung. Analog zu ↗pfeifen 7. 1700 ff.

'Puste'rohr n 1. Blasrohr. 1700 ff.
2. Rohrpost. Kurz nach Eröffnung des ersten Rohrpostamts 1876 in Berlin aufgekommen.
3. Gewehr. ↗pusten 4. 1900 ff, *sold*.
4. Alkohol-Teströhrchen. ↗pusten 2. 1960 ff.

'Puste'test m Feststellung, ob ein Kraftfahrer Alkohol getrunken hat, mittels Ausatmung in einen mit doppelkohlensaurem Kali gefüllten Ballon. ↗pusten 2. 1960 ff.

'Puste'tüte f Alkohol-Testtüte. *Vgl* das Vorhergehende.

Pute (Put) f (n) 1. Mädchen, Frau *(abf)*. Pute ist die Truthenne; mit „put, put" lockt man auch Enten und Hühner. Wie die Hühner gelten auch die Puten als dumm. Das Neutrum bezieht sich meist auf ein lästiges, freches Kind. 1700 ff.
2. alberne ~ = albernes Mädchen. 1900 ff.
3. dumme ~ = dummes Mädchen. Seit dem 19. Jh.

putig adj schnippisch. ↗Pute 1. 1930 ff.

Putje-Putje (Puttje) n Geld, Geldmünzen. Geht zurück auf *ndl* „botje = kleine Münze". *Nordd* und *mitteld*, seit dem 18. Jh.

pütschern intr ↗püttjern.

Pütt m n Bergwerk, Bergwerksbezirk. Stammt aus *lat* „puteus = Pfütze; mit Wasser gefüllte Grube; Brunnen". Meinte ursprünglich den Ziehbrunnen mit tiefem Schacht, dann auch die kleine Schachtanlage einer Kohlenzeche. Vorwiegend auf das rheinisch-westfälische Kohlengebiet beschränkt. Seit dem 19. Jh.

Puttchen n 1. Huhn. Vom Lockruf hergenommen. Seit dem 19. Jh.
2. dümmliches Mädchen. Analog zu ↗Puthn 9. Seit dem 19. Jh.
3. ~ abholen = den Mitspielern das Geld abgewinnen. ↗Putje-Putje. Kartenspielerspr. 1870 ff.

'putte'gal adv völlig gleichgültig. Nebenform zu „↗pottegal", beeinflußt von *franz* „tout égal". *Niederd* 1870 ff.

putteln intr ↗puddeln.

Püttgermanisch n Wortschatz der Ruhrbergleute. ↗Pütt. 1950 ff.

Puttje n ↗Putje-Putje.

Püttjer m kleinlicher Mann; kleinlich tätiger Mann; unbedeutender Geschäftsmann. Meint in Norddeutschland den Töpfer. Etwa seit 1870.

püttjern (pütschern) intr kleinlich, übergenau arbeiten. ↗Püttjer. 1870 ff.

Püttmann m Bergmann. ↗Pütt. *Westfäl*, spätestens seit 1900.

Püttologe m Bergmann. Scherzhaft verwissenschaftlichende Wertsteigerung der Berufsbezeichnung. 1930 *ff.*

Puttputt *n* 1. Huhn, Hühnchen. Kinderwortschatz nach dem Lockruf. Bekannt in der Strophe: „Putt, putt, putt, mein Hühnchen – putt, putt, putt, mein Hahn, – möcht' so gerne wissen, wie man Eier legen kann." Seit dem 19. Jh.
2. Geld. Entweder entstellt aus „↗ Putje-Putje" oder zusammenhängend mit dem Lockruf für Hühner: hierbei macht man mit der Hand eine Bewegung, die der des Geldzählens ähnelt. 1840 *ff.*

Putz I *m* 1. Polizeibeamter, Wachmann. ↗ Butz 1. Seit dem frühen 19. Jh.
2. Frisör. *Vgl* ↗ Balbutz. *Nordd* seit dem 19. Jh.
3. Haarschnitt; überlanges Kopfhaar. Weiterentwickelt aus der Bedeutung „Zierat, Haarzierde". *Halbw* 1955 *ff.*
4. übermäßiges Schminken. 1920 *ff.*
5. Ausrede, Lüge. Wie Ausrede und Lüge die Wahrheit verdecken, so bedeckt Putz (Verputz) den Rohbau. Doch *vgl* auch „Putz" im Sinne von Streich, Schabernack; *ndl* „poets = Posse". *Rotw* spätestens seit 1840.
6. Aufregung; Streit; Handgemenge; Schlägerei; Protestaktion; Straßentumult. ↗ Putz I 11. 1940 *ff.*
7. auf (bei) ~ und Stingel = völlig; ohne Rest. „Putz" oder „Butz" bezeichnet das Kerngehäuse, und „Stingel" ist der Stengel. Man ißt die Birne mitsamt Stengel und Kerngehäuse. *Österr* 1800 *ff.*
8. auf (zum) ~ arbeiten = a) angestrengte Tätigkeit vortäuschen, sobald der Vorgesetzte in Sicht ist. „Putz" im Sinne von „Zierat, Schmuck" entwickelt sich hier zur Bedeutung „Beschönigung, Vorwand"; *vgl* auch ↗ Putz I 5. Seit dem frühen 19. Jh. – b) scheinbar einer geregelten Arbeit nachgehen, um über den eigentlichen verbrecherischen Erwerb zu täuschen. *Rotw* 1847 *ff.*
9. etw mit ~ und Stingel aufessen = etw völlig verzehren. ↗ Putz I 7. *Österr* 1800 *ff.*
10. der ~ fällt von der Decke = es prahlt (lügt) einer. Hängt zusammen mit der scherzhaften Redewendung von den Balken, die sich biegen, sobald einer dreist lügt. 1945 *ff.*
11. auf den ~ hauen (klopfen) = a) prahlen; großsprecherisch sein. Gemeint ist wohl, daß einer auf den Ordensschmuck auf seiner Brust schlägt, um mit dieser Gebärde darzutun, was für ein tüchtiger Kerl er sei. Oder er prahlt, er könne auf den Mauerputz hauen, daß die Wände wackeln. *Sold* 1939 *ff*; *halbw* 1950 *ff.* – b) sehr ausgelassen sein; ausgelassene Stimmung verbreiten; sich ausleben. *Sold* 1939 bis heute; auch *ziv.* – c) aufbegehren; energisch auftreten; Forderungen stellen. Im Sinne des Vorhergehenden wohl als Analogie zu „mit der ↗ Faust auf den Tisch schlagen" aufzufassen. *Sold* 1939 *ff.* – d) Unfrieden stiften; durch rohes Verhalten die Leute (zu Unbesonnenheiten) aufreizen. *Rocker* 1967 *ff.*
12. ~ machen = a) etw vortäuschen; Ausreden vorbringen. ↗ Putz I 4. Seit dem frühen 19. Jh. – b) sich auflehnen; Streit anfangen; Aufregung verbreiten; einen Streich vollführen. ↗ Putz I 11 c. 1950 *ff, halbw.*

13. mach' keinen ~! = a) rede keinen Unsinn! 1930 *ff.* – b) ziere dich nicht! übertreibe nicht! gib dich natürlich! 1945 *ff, halbw.*
13 a. der ~ ist runter = das Make-up ist vergangen. = Putz I 4. 1920 *ff.*
14. auf ~ stehen = streitlüstern sein. ↗ Putz I 6; ↗ stehen 4. 1950 *ff.*
15. jm einen ~ vormachen = a) sich herauszulügen suchen. ↗ Putz I 5. 1870 *ff.* – b) jm etw vortäuschen. *Sold* in beiden Weltkriegen.

Putz II *f* Polizei. Versteht sich nach ↗ Putz I 1. 1920 *ff.*
Putzarbeit *f* Scheinarbeit. ↗ Putz I 8. *Rotw* 1847 *ff.*
Putze *f* 1. Putzfrau. Berlinische Verkürzung seit 1920.
2. Vagina. Fußt auf der Gleichung „putzen = fegen = koitieren". *Vgl* aber auch „↗ putzen gehen". 1900 *ff.*
Putzemännchen *n* Mann, der Hausarbeit verrichtet. Aus dem Namen des Hauskobolds „Butzemann" umgewandelt durch Einfluß von „putzen". 1955 *ff.*
putzen *v* 1. *tr* = jn stoßen, prügeln. In volkstümlicher Auffassung ist das Prügeln im Grunde ein Reinigen und auch ein Tadeln: man will verbessern, säubern, in die gehörige schöne Ordnung bringen. Seit dem 15. Jh.
2. *tr* = jn rügen. *Vgl* das Vorhergehende. 1700 *ff.*
3. *tr* = alles aufessen. Man putzt die Schüssel. 1700 *ff.*
4. *tr* = etw stehlen, entwenden. Analog zu „↗ fegen 5" und „↗ abstauben 2". 1900 *ff.*
5. *tr* = jm das Geld abnehmen (durch Diebstahl, Raub, Betrug o. ä.). 1900 *ff.*
6. *tr* = jn übertreffen, besiegen, im Rennen überholen = jm (mit unfairen Mitteln) eine Niederlage bereiten. Weiterentwickelt aus der Bedeutung „aufessen, fressen" zum eigentlichen Sinn „erledigen". *Vgl* auch ↗ abservieren 3. Den gleichen Sinn ergibt die Vorstellung „etw vom Tisch wischen". 1920 *ff.*
7. das putzt = das hebt den vorteilhaften Eindruck, das Ansehen. Bezieht sich ursprünglich auf elegante Kleidung. Seit dem 19. Jh.
8. *refl* = eine gute Ausrede finden. ↗ Putz I 5. 1900 *ff, rotw.*
9. *refl* = davongehen. Analog zu „sich aus dem ↗ Staub machen". *Österr* 1900 *ff.*
putzen gehen *intr* Straßenprostituierte sein. Analog zu „↗ fegen 3" und zu „↗ abstauben". 1950 *ff.*
Putzer *m* 1. Herrenfrisör. Verkürzt aus „Bartputzer" um 1900.
2. Verweis. ↗ putzen 2. 1700 *ff.*
3. überstrammer ~ = liebesgierige Frau. Analog zu „↗ Feger 3"; *vgl* auch „↗ fegen 3". 1945 *ff, stud.*
Putzerl *n* 1. Säugling; nettes Kind. ↗ Butzerl. *Südd* seit dem 19. Jh.
2. Vagina, Vulva. ↗ Putze 2. *Österr* 1930 *ff.*
Putzfimmel *m* übertriebener Reinlichkeitssinn. ↗ Fimmel. 1900 *ff.*
Putzfrauenküste *f* Costa Brava; Mallorca o. ä. Um 1960 aufgekommen, als der Lohn der Putzfrauen erheblich stieg und auch sie sich einen Erholungsurlaub an fremden Küsten leisten konnten. Fußt vielleicht auf einem zeitgenössischen Witz:

Auf die Frage, ob jemand wieder an die Costa Brava reisen werde, erwidert er: „Nein, in diesem Jahr nicht; im vorigen haben wir dort unsere Putzfrau getroffen."
Putzfrauentest *m* Laienbefragung über die Wirksamkeit einer Werbung. Wortschatz der Werbefachleute. 1950 *ff.*
'putz'frisch *adj* unberührt (auf ein junges Mädchen bezogen). Bezieht sich eigentlich auf den soeben fertiggestellten und frisch verputzten Neubau. 1910 *ff.*
Putzi *m f n* 1. Kosewort für ein Kind, die Geliebte oder den Geliebten. ↗ Buzzi 1. Wohl beeinflußt von „↗ putzig". 1900 *ff.*
2. Rufname des Hundes. Meist auf den kleinwüchsigen Hund bezogen. 1900 *ff.*
3. Rufname der Katze. *Vgl* auch ↗ Pussi. 1900 *ff.*
putzig *adj* spaßig, possierlich, drollig; sonderbar, seltsam. Hergenommen von *mhd* „butze = Schreckgestalt"; von da übertragen auf vermummte Personen sowie auf deren Possen. Etwa seit 1700, vorwiegend nördlich der Mainlinie.
Putzikätzchen *n* Kosewort für ein junges Mädchen oder eine Frau. ↗ Putzi 1. 1900 *ff.*
Putzimaus *f* kleines Mädchen (Kosewort). ↗ Putzi 1; ↗ Maus. 1900 *ff.*
Putzischnucki *n m* Kosewort für Mann und Frau. ↗ Schnucki. 1900 *ff.*
Putzlappen *m* 1. Taschentuch. 1950 *ff.*
2. *pl* = Kopfsalat u. ä. Anspielung auf die Größe der Salatblätter. *BSD* 1965 *ff.*
3. Familienmitglied, dem alle Schmutzarbeiten übertragen werden. 1920 *ff.*
4. wann habe ich mit dir ~ gefressen?: Frage, mit der man Vertraulichkeiten abwehrt. Der Putzlappen als Sinnbild niederer Dienstleistungen. *Sold* 1939 *ff.*
5. jn wie einen ~ behandeln = jn entwürdigend behandeln. 1935 *ff.*
Putzlumpen *m* 1. energieloser, unselbständiger Mensch. Variante zu ↗ Waschlappen. 1920 *ff.*
2. liederliche Frau. 1920 *ff.*
'putz'lustig *adj* sehr vergnügt. „Putz" meint hier soviel wie „Streich, Schabernack"; ↗ Putz I 5. Seit dem 19. Jh.
Putzmann *m* 1. Ehemann, der Hausfrauenarbeit verrichtet. Männliches Gegenstück zur Putzfrau. 1955 *ff.*
2. Mann, der gegen Entgelt Büros säubert. o. ä. 1968 *ff.*
'putz'munter *adj* sehr lebhaft, rege; wohlauf. ↗ putzlustig. 1900 *ff.*
Putzpomade *f* Lippenstift, Schminke. Eigentlich ein Mittel zum Blankmachen metallener Gegenstände; hier bezogen auf „Putz = Kosmetik"; ↗ Putz 4. 1920 *ff.*
Putzteufel *m* 1. jn, der sich putzt. Übertriebenes Interesse an Kleider- und Haarputz wird auf die Einwirkung eines Teufels zurückgeführt. 1910 (?) *ff.*
2. Frau, die unablässig putzt und Staub wischt; Frau, die einem übersteigerten Säuberungsdrang nicht widerstehen kann. Seit dem 19. Jh.
3. vom ~ besessen (geritten) sein = unablässig, unwiderstehlich saubermachen. Seit dem 19. Jh.
Putz- und Flickstunde *f* seelische ~ = Stunde sittlicher Unterweisung. Polizeispr. 1955 *ff.*
Putzwolle *f* 1. unordentlich herabhängendes Haar; dickes, dichtes Haar. Es sieht aus

wie zusammengefaßte Wollabfälle. 1900 *ff.*

2. starke Brustbehaarung bei Männern. 1900 *ff, stud.*

3. Kilo ~ = kleiner langhaariger Hund; Scotchterrier. 1920 *ff.*

4. die ~ muß runter = die Haare müssen geschnitten werden. 1900 *ff.*

Putzzettel *m* gefälschte Arbeitsbescheinigung. ↗ Putz I 5. *Rotw* 1847 *ff.*

Puuch *f* ↗ Puch.

Puze *f* Junge (junger Mann), der Homosexuellen gegen Bezahlung willfährig ist. Vokaldehnung aus „↗ Putze 2" (der Betreffende ist der passive Partner). *Vgl* auch „Arschputze = breiter Rückenmuskel". 1900 *ff.*

pyrami'dal *adj* **1.** höchst eindrucksvoll; mustergültig; umwälzend; epochemachend; riesengroß. Spätenstens um 1850 aufgekommenes Allerweltwort der Anerkennung, steht ursächlich im Zusammenhang mit Ägytenreisenden, die über die Pyramiden immer wieder Staunenswertes zu berichten wußten.

2. ~ gletscherhaft = außerordentlich. Seit dem späten 19. Jh.

Pyramiden *pl* so 'was haben sie bei der Erbauung der ~ als alt (veraltet) zurückgewiesen!: Ausdruck der Abweisung. Gern auf altbekannte Witze bezogen, auch auf veraltetes Gerät o. ä. 1900 *ff.*

Pyramidenwitz *m* längst bekannter Witz. Ihn haben sich die Ägypter schon beim Bau der Pyramiden erzählt. 1930 *ff.*

Q

q.m.w. Aufforderung, getrost weiterzusprechen (auch wenn keiner auf die Rede Wert legt). Abkürzung von „quatsch" man weiter!" ↗quatschen. Berlin seit dem ausgehenden 19. Jh.

Quaatsche f wehleidige, bei kleinstem Anlaß weinerliche weibliche Person. 1800 ff.

quaatschen intr über geringe körperliche Schmerzen schnell klagen; jammern, weinerlich reden. Lautmalenden Ursprungs wie „↗knaatschen". Westd und westmitteld seit dem 19. Jh.

Quabbel m herabhängendes fettes Fleisch; Fettklumpen. ↗quabbeln. 1700 ff.

quabbeln (quappeln) intr sich fett und weich bewegen; gallertartig wackeln; schlottern. In der Lautsinnbildlichkeit kennzeichnet „-abb-" das Weichliche und Unfeste; vgl „babbeln, wabbeln" usw. Verwandt mit „Quebbe = mooriger Boden; Schlammboden". Vorwiegend niederd und mitteld, seit dem 17. Jh.

Quack m 1. unsinniges Gerede. ↗quakkeln. Seit dem 19. Jh.
2. unmündiges Kind; Tölpel; Rekrut u. ä. Nebenform zu „kack = federlos", bezogen auf das Vogeljunge. Seit dem 18. Jh.

Quackbüdel m wehleidiger Dummschwätzer. Niederd „Büdel" = hd „Beutel"; Anspielung auf den Hodensack. Nordd 1900 ff.

Quacke f geschwätziger Mensch. 1900 ff.

Quacke'lei f 1. törichte Rede; Wertlosigkeit; Belanglosigkeit. ↗quackeln. Seit dem 18. Jh.
2. unsauberes Geschreibsel. Seit dem 19. Jh.

quackeln intr 1. schwatzen; über Belangloses reden. Verkleinerungsform von „quaken", schallnachahmend für den Froschlaut. Vorwiegend niederd, seit dem 14. Jh.
2. nörgeln; wehleidig tun; sich kranker stellen, als man ist. Seit dem 19. Jh.
3. unschlüssig sein; zögern; wankelmütig sein. Vgl „wackeln = standunsicher sein". Niederd 1700 ff.
4. schlecht, unleserlich schreiben. Herzuleiten vom Schreiben mit zitternder Hand. Seit dem 19. Jh, niederd und mitteld.

quacken intr tr 1. ein Geständnis ablegen; Mittäter verraten. Vom Froschlaut hergenommen. 1920 ff.
2. tadeln. 1920 ff.

Quaddel f 1. rötlicher Hautfleck; Pustel. Geht zurück auf ahd „chuadilla = Hautbläschen". Niederd 1600 ff.
2. pl = syphilitischer Ausschlag. 1910 ff.

Quaddelkram m unsinnige Rede oder Handlung. 1900 ff.

quaddeln intr 1. schwatzen; Unsinn reden. Fußt auf mittel-niederd „queden = sprechen" und ist in der Wurzel mit „quatschen" verwandt. Seit dem 19. Jh.
2. quaddel' in den Eimer, morgen ist Waschtag! = belästige mich nicht weiter mit deinem Geschwätz! Der Betreffende soll sein „Gewäsch" in den Eimer tun; morgen wird es mit der anderen Wäsche gewaschen. Niederd 1950 ff, schül.

Quadderbacke f Schwätzer. Er nimmt die Backen voll Geschwätz; er „bläst sich auf wie ein ↗Frosch". Sächs seit dem 19. Jh.

quaddern intr schwätzen. Nebenform zu ↗quaddeln 1. Seit dem 19. Jh, Berlin, mitteld.

Quadrat- als erster Bestandteil von Zusammensetzungen kennzeichnet den Inhalt des Grundworts entweder als plump, breit und groß (in Anlehnung an die mathematischen Begriff des gleichseitigen Vierecks) oder als außerordentlich groß im Sinne des algebraischen Begriffs „Quadrat = zweite Potenz einer Zahl". Etwa seit 1840/50.

Quadratdackel m dummer, unanstelliger Mensch. ↗Dackel. Schwäb seit dem 19. Jh.

Quadratflasche f sehr großer Versager. ↗Flasche. Sold 1939 ff.

Quadratfresse f 1. breiter Mund. ↗Fresse 1. 1870 ff.
2. hochgradige Beredsamkeit; unversieglicher Redefluß. Nach 1888 auf Kaiser Wilhelm II. bezogene Bezeichnung der Sozialdemokraten; nach 1930 in Berlin und anderswo von Gegnern der NS- Herrschaft auf Joseph Goebbels bezogen.

Quadratlackel m dummer, ungeschickter Mann. ↗Lackel. Bayr seit dem 19. Jh.

Quadratmeterdekolleté n sehr tiefes Dekolleté; rechtwinklig geschnittener Busenausschnitt des Kleides. 1955 ff.

Qua'drat'ratsche f Schwätzerin, Verleumderin. ↗Ratsche. 1900 ff.

Quadratsau f 1. sehr niederträchtiger, gemein handelnder Mensch. ↗Sau. Sold 1939 ff.
2. unreinlicher Mensch. 1900 ff.

Quadratschädel m großer, breiter Schädel; schwerfälliger, starrsinniger Mensch. 1850 ff.

Quadratscheiße f außerordentlich große Unannehmlichkeit; sehr üble Notlage. ↗Scheiße. Sold in beiden Weltkriegen; auch ziv.

Quadratschnauze f 1. breiter Mund. ↗Quadratfresse. 1870 ff.
2. unversieglicher Redefluß. 1870 ff.
3. freche, prahlerische Redeweise. 1870 ff.

Qua'drat'tango m Schachspiel. Die Figuren bewegen sich in Vierecken. 1950 ff.

Qua'drat'tratsche f Schwätzerin. ↗tratschen. 1920 ff.

Quäke f 1. Transistorgerät o. ä. Die Töne werden wie im Quaken von Fröschen und Enten aufgefaßt. Halbw 1950 ff.
2. olle ~ = wehleidig jammernder Mensch. ↗quäken. 1850 ff.

quakeln intr schwätzen. ↗quackeln 1. Schallwort für die Laute des Froschs, der Krähe, der Ente und der Gans. Seit dem 16. Jh.

quaken intr 1. reden; dummschwätzen; jammern. Vgl das Vorhergehende. Seit dem 16. Jh.
2. nörgeln. Seit dem 19. Jh.

quäken intr jammern; sich schrill-klagend äußern; breit weinen. Nebenform zu ↗quaken. Seit dem 15. Jh.

Quake'rei f unsinniges Gerede. ↗quaken 1. Seit dem 19. Jh.

quakig adj quarrend; wehleidig. Seit dem 19. Jh.

Quäks I m halb-schriller, jammernder Laut. Schallnachahmend. Nordd seit dem 19. Jh.

Quäks II n kleines Kind. ↗Quack 2. Nordd seit dem 19. Jh.

quäksen intr ↗quecksen.

Quälarsch m zudringlicher, mit Bitten belästigender Mensch. Seit dem 19. Jh.

Quäle'rei f Haus-, Klassenarbeit. Schül 1920 ff.

Quälgeist m 1. Mensch, der einen anderen durch Bitten und Fragen beharrlich belästigt; Mensch, der dem anderen keine Ruhe gönnt. Eigentlich Bezeichnung für den Aufhocker, der als vermeintliche Ursache des Alb-, Alptraums (-drucks) den Schläfer quält. 1700 ff.
2. Lehrer. Schül 1900 ff.
3. pl = zu enge Schuhe. 1920 ff.
4. pl = die Erwachsenen; die Eltern. 1970 ff, jug; wahrscheinlich älter.

Qualitätskaugummi n du dreimal durchgewickeltes ~! Schimpfwort. Anspielung auf völlige Substanzlosigkeit. Schül 1950 ff.

Qualitätssünder m Geschäftsmann, der minderwertige Ware zu hohen Preisen liefert. ↗Sünder. 1968 ff.

Qualkampf m Wahlkampf. Er ist für viele Wähler eine arge Qual. 1965 ff.

Qualle f 1. weichlicher Mensch. Übertragen vom gallertartigen Meerestier. 1950 ff.
2. lästiger, würdeloser Liebediener. 1950 ff.

quallen intr unförmig beleibt sein. 1880 ff.

quallig adj ungreifbar, substanzlos, vage. 1950 ff.

Qualm m 1. Täuschung, Lüge, Schwindel, leeres Gerede. Variante zu „blauer ↗Dunst": Geschwätz ist substanzlos wie Rauch, der in der Luft vergeht. 1700 ff.
2. Zerwürfnis; durch Geschwätz entstandene Spannung. Parallel zu „dicke ↗Luft". 1900 ff.
3. Ursache von Unlust und Verwirrung. 1700 ff.
4. entweichender Darmwind. 1900 ff.
5. Geld. Steht wohl im Zusammenhang mit gleichbed „Kohlen" und fußt vor allem auf der umgangssprachlichen Wendung „der Schornstein muß rauchen = Geld muß verdient werden". Etwa seit dem frühen 19. Jh.
6. Freiheitsstrafe. ↗Qualm 3. 1950 ff.
7. Tabakwaren. BSD 1960 ff.
8. Hunger. Variante zu ↗Dampf 1. Sold in beiden Weltkriegen.
9. ~ in der Bude = feindselige Stimmung; Unfrieden; Zerwürfnis. ↗Qualm 2. 1900 ff.
10. ~ in der Hütte = häuslicher Zwist. 1920 ff.
11. ~ ist in der Küche (Stube) = es herrscht Aufregung, Durcheinander, Ratlosigkeit o. ä.; in der Ehe herrscht Unfrieden. Verdeutlichung von ↗Qualm 2. 1900 ff.
12. ~ auf der Lampe = Bezechtheit. Man hat zuviel „auf die Lampe gegossen" (↗Lampe 14), und nun rußt sie. 1950 ff.
13. viel ~ und wenig Feuer = substanzlose Rede; Mensch, der leere Worte macht. 1950 ff.
14. ~ machen = a) lügen, täuschen; leere Worte machen. ↗Qualm 1. 1700 ff. – b) von einer Sache viel Aufhebens machen; etw übergebührlich aufbauschen. 1800 ff. – c) etw nachdrücklich betreiben. Analog zu „↗Dampf hinter etw machen". Sold 1935 ff.
15. hier ist ein ~, daß man ihn schneiden kann = hier herrscht sehr dichter (Tabaks-)Qualm. Vgl ↗Luft 4. 1900 ff.

16. ~ verzapfen = Unsinn reden. ↗Qualm 1. 1920 *ff.*

qualmen *v* **1.** *intr tr* = rauchen; stark rauchen. Meint eigentlich die starke Rauchentwicklung. Seit dem 18. Jh.
2. *intr* = die Luft durch unangenehme Gerüche verpesten (durch abgehende Darmwinde, durch Schweißfußgeruch o. ä.). 1900 *ff.*
3. *intr* = Unsinn reden; leere Worte machen. ↗Qualm 1. Spätestens seit 1900; nördlich der Mainlinie.
4. sonst qualmt's = sonst wird rücksichtslos vorgegangen. ↗Qualm 2. 1935 *ff.*
5. ihm qualmt der Kopf (Schädel o. ä.) = er hat sich geistig sehr angestrengt; er ist stark beschäftigt. Analog zu ↗Kopf 107. Seit dem 19. Jh.
6. es qualmt in der Küche (zu Hause; in der Stube) = daheim (im Kameradenkreis o. ä.) herrscht Unfrieden. ↗Qualm 11. 1900 *ff.*

Qualmkopf *m* Schwätzer. ↗Qualm 1. 1940 *ff.*

Qualmling *m* Zigarette. *Halbw* 1965 *ff.*

Qualmstift *m* **1.** Zigarette. Aufgefaßt als qualmender Kautabak. *Sold* 1914 *ff;* auch *ziv.*
2. Schornsteinfegerlehrling. ↗Stift. 1930 *ff.*

Qualmtute *f* **1.** Vielschwätzer; Prahler. Meint eigentlich die alte, qualmende Öllampe; hier bezogen auf „↗Qualm = Geschwätz". 1840 *ff, niederd,* Berlin u. a.
2. langweiliger Mensch. Wohl einer, der sein Gegenüber mit inhaltsleerem Gerede langweilt. Seit dem 19. Jh.

Qualster *m* **1.** dicker Hustenschleim; Schleimauswurf; Schleimklumpen aus Lunge oder Rachen. Gehört zu Qualle, dem gallertartigen Meerestier. Seit dem 17. Jh, nördlich der Mainlinie.
2. Mensch mit dickem Bauch; feister Mensch. Er ist aufgedunsen wie eine Qualle. 1600 *ff.*

qualstern *intr* **1.** aus Lunge oder Rachen Schleimklumpen ausscheiden. ↗Qualster 1. Seit dem 17. Jh.
2. sich erbrechen. 1900 *ff.*

Quängel- ↗Quengel-.

Quant *m* kleiner Junge. Eigentlich soviel wie „kleine Menge". *Westd* seit dem 19. Jh.

Quante *f* **1.** *pl* = Füße. Ursprünglich soviel wie dicke Fausthandschuhe; von da übertragen auf plumpe Hände und Füße. Zusammenhängend mit „Quantum = Größe". *Sold* seit dem späten 19. Jh.
2. *pl* = Hände; plumpe Hände. 1900 *ff.*
3. *pl* = große, breite Schuhe. 1900 *ff.*
4. ~ weg vom Gaspedal! = übertreibe nicht! unterlaß' das Prahlen! Von der Kraftfahrt hergenommen im Sinne von Verlangsamung der Fahrgeschwindigkeit. *Sold* 1914 *ff.*

quanteln (quantern) *intr* tauschhandeln. Geht zurück auf *ndl* „quanten = Waren heimlich umsetzen, aber unter Wahrung des Anscheins einer redlichen Handlung". Seit dem 18. Jh.

Quappe *f* Ohrfeige. Schallnachahmend für den Laut, der entsteht, wenn man auf eine fleischige, feiste Wange schlägt. Berlin 1840 *ff.*

quappeln *intr* ↗quabbeln.

quappen *tr* jn ohrfeigen. ↗Quappe. *Vgl* auch „↗quabbeln". Berlin 1840 *ff.*

Quark *m* **1.** wertlose Sache; Belanglosigkeit; Unsinn; nichts. Übertragen vom Quarkkäse; er ist ein billiges und volkstümliches Nahrungsmittel und kann daher leicht die Bedeutung „Nichtigkeit" annehmen: in volkstümlicher Auffassung ist geringwertig, was reichlich vorkommt. *Vgl* ↗Käse 1. Seit dem 16. Jh.
2. Lüge. 1900 *ff.*
3. widrige Angelegenheit. ↗Käse 6. Seit dem 19. Jh.
4. alter ~ = Wertlosigkeit; Unsinn; längst Überholtes, Veraltetes; nichts. 1800 *ff.*
5. der ganze ~ = das alles; das Ganze. ↗Käse 19. Seit dem 19. Jh.
6. das geht ihn einen ~ an = das geht ihn nichts an. *Vgl* ↗Käse 27 a. 1800 *ff.*
7. du hast wohl ~ im Schädel?: Frage an einen, der Unsinn schwätzt. Das Gehirn ist durch Quark ersetzt. 1900 *ff.*
8. sich um etw ~ kümmern = sich um etw überhaupt nicht kümmern. 1800 *ff.*

quarken *intr* töricht reden; nörgeln. ↗Quark 1. 1900 *ff.*

Quarkkopf *m* Dummschwätzer. ↗Quark 1. 1900 *ff.*

Quarksack (-schädel) *m* Dummschwätzer. ↗Quarkkopf. 1900 *ff.*

Quarkspitzen *pl* unhaltbare Versprechungen; unsinnige Reden; nichts. Spitze = anzügliche Bemerkung. Seit dem 19. Jh.

Quarkstube *f* **1.** Damensalon; Raum für Damenkaffeegesellschaften. Man meint, dort werde nur Unsinn geredet. 1900 *ff.*
2. Lehrerzimmer; Raum für Elternversammlungen. Berlin 1950 *ff.*

Quarre *f* weinerliches Kind; (schreiender) Säugling. Eigentlich Bezeichnung für ein Musikinstrument, das quarrende, schnarrende Geräusche hervorbringt. Seit dem 17. Jh.

quarren *intr* knarren, knurren; anhaltend weinen; weinerlich schreien. Schallnachahmend für einen heiseren Schrei, für das Quaken der Frösche u. ä. Seit dem 17. Jh.

quarrig *adj* **1.** weinerlich; zum Weinen geneigt. Seit dem 19. Jh.
2. gereizt; reizbar; mürrisch; ungeduldig. 1800 *ff.*

Quarrkopf *m* eigensinniger, unzufriedener, mürrischer Mensch. Angelehnt an „↗Querkopf". Seit dem 19. Jh.

Quarrpuppe *f* unzufriedene, nörglerische Frau. Eigentlich wohl die Spielzeugpuppe, die „sprechen" kann. 1900 *ff.*

Quarta *f* in der ~ das Abitur gemacht haben = in der Quarta mangels Leistung vom Gymnasium abgegangen sein. *Schül* seit dem späten 19. Jh.

Quartal *n* das ~ haben = für eine bestimmte Zeitspanne dem Alkohol verfallen sein. *Vgl* ↗Quartalsäufer. 1870 *ff.*

Quartalarbeiter *m* Schüler, der drei Vierteljahre faulenzt und erst drei Monate vor der Versetzung Fleiß entwickelt. 1930 *ff.*

Quartalfresser *m* Mensch, der eine bestimmte Zeitlang Appetit auf eine Leckerei hat. 1900 *ff.*

Quartallump *m* Mensch mit unvermeidlichen Trinkperioden. ↗lumpen. 1870 *ff.*

Quartalnutte *f* Prostituierte, die nur in geldlichem Notfall ihrem Gewerbe nachgeht. 1930 *ff,* Berlin.

Quartalsäufer *m* Mann, der nicht ständig, sondern nur zeitweilig und dann kräftig trinkt; Trunksüchtiger mit Nüchternheitsperioden. 1870 *ff.*

quarzen *intr* stark rauchen. Geht vielleicht zurück auf *gleichbed poln* „kurzyć". Gegen 1900 wahrscheinlich von polnischen Bergleuten nach Sachsen eingeschleppt und von dort nordwärts gewandert.

'Quasimann *m* intimer Freund einer Verheirateten. *Lat* „quasi" = „sozusagen". 1925/30 *ff,* hotelgewerbespr.

Quassel *m* (mit weichem s gesprochen) **1.** Schwätzer; Mann mit unversieglichem Redefluß. ↗quasseln. Seit dem 19. Jh.
2. Flirt. *Jug* 1955 *ff.*

Quasselbrühe *f* Alkohol; hochprozentiger Schnaps. Er macht redselig. 1910 *ff.*

Quasselbude *f* Parlament(sgebäude). Nach gängiger Volksmeinung erfüllt sich die Tätigkeit der Abgeordneten im Schwätzen. Im ausgehenden 19. Jh aufgekommen und bis heute geläufig.

quasselig *adj* ohne Überlegung sprechend; redselig. Seit dem 19. Jh.

Quasselkasten *m* **1.** Fernsprechapparat. Das Gerät war früher kastenförmig. 1900 *ff.*
2. Rundfunkgerät. 1925 *ff.*
3. Fernsehgerät. 1960 *ff.*

Quasselkiste *f* **1.** Fernsprechgerät. 1925 *ff.*
2. Rundfunkgerät. 1925 *ff.*

Quasselkopf (-kopp) *m* Schwätzer; Mensch, der des Redens kein Ende findet. 1870 *ff.*

Quasselmeier *m* Schwätzer. Meier als sehr häufiger Familienname ist zum Nomen agentis geworden. 1850 *ff.*

quasseln (mit weichem s gesprochen) *intr* ohne Überlegung sprechen; viel und unnütz reden. Geht zurück auf *niederd* „dwas = töricht; *niederd* „quasen = schwätzen". Gegen 1800 aufgekommen.

Quasselrunde *f* Gesprächsrunde (im Fernsehen o. ä.). 1965 *ff.*

Quasselstrippe *f* **1.** Fernsprechleitung; Fernsprecher. ↗Strippe. Seit dem späten 19. Jh.
2. Vielschwätzer(in). Gegen Ende des 19. Jhs aufgekommen, ursprünglich mit Anspielung auf die Redseligkeit, die mancher am Telefon entwickelt.

Quasselthema *n* Thema, über das sich Allgemeinplätze äußern lassen. *Schül* 1930 *ff.*

Quasseltüte *f* Schwätzer; Rundfunk-, Fernsehsprecher. ↗Tüte 3. 1960 *ff.*

Quasselwasser *n* **1.** Schnaps o. ä. Er macht geschwätzig. Seit dem späten 19. Jh.
2. der hat wohl ~ getrunken?: Frage angesichts eines, der viel und ohne Unterbrechung redet. 1890 *ff.*

quasselwütig *adj* unaufhaltsam redselig. 1900 *ff.*

Quaste *f* **1.** Penis. Gehört zu „Quast = breiter Pinsel des Anstreichers"; *vgl* ↗Pinsel 2. 1900 *ff.*
2. ~ raufmachen = Make-up auflegen. Quaste = Puderquaste. *Halbw* 1960 *ff.*

quatern *intr* reden, schwätzen. Geht zurück auf *niederd* „quat = schlecht, böse"; mit diesem Wort kennzeichnen Hochdeutschsprecher im 16. Jh das Niederdeutsche. 1900 *ff, niederd, sächs* u. a.

Quatsch *m* **1.** unsinniges Geschwätz; Unsinn. Fußt wie „↗quatern" auf *niederd* „quat = schlecht, böse". Bezieht sich ursprünglich auf die Binnenländern unverständliche Sprache der Niederdeutschen, dann auch auf den unverständlichen Inhalt der Rede. Spätestens seit 1800.

2. Dreck, Schmutz, Kot; breiige Masse. Lautmalend für das Geräusch, das entsteht, wenn man in weichfeuchter Masse watet. Seit dem 16. Jh.

3. Limonade. Gegen 1900 umgeformt aus engl „lemon's squash = Zitronenlimonade". *Vgl* Quetsche 5.

4. ~ mit Anlauf = völliger Unsinn. Mit Anlauf springt man höher als aus dem Stand. *Jug* 1955 *ff*, Berlin.

5. ~ im Großformat = sehr großer Unsinn. 1960 *ff*.

6. ~ mit Sauce (Soße) = unsinniges Gerede. „Sauce" meint vielleicht die Senftunke: sie macht die Speise pikanter, aber nicht gehaltvoller. Kann auch von der Ankündigung auf der Speisekarte „Pudding mit Tunke" herrühren. Seit dem späten 19. Jh.

7. dicker ~ = großer Unsinn. 1930 *ff*.

8. gequirlter ~ = Unsinn; unsachliche Bemerkung. 1950 *ff*.

9. höherer ~ = törichte Meinung, mit höheren Gesichtspunkten verbrämt. 1950 *ff*.

10. wundervoller ~ = Unsinn in gefälliger Form. 1955 *ff*, *jug*, Berlin.

quatsch *adj* unsinnig, albern, kindisch, sinnlos. ↗Quatsch 1. 1850 *ff*.

Quatschbude *f* **1.** Parlament(sgebäude). ↗Quasselbude. 1890 bis heute.

2. Lehrerzimmer. 1950 *ff*.

Quatsche *f* **1.** geschwätzige Frau. ↗Quatsch 1. 1900 *ff*.

2. schwerfällig gehende Frau. ↗Quatsch 2. Seit dem 19. Jh.

3. schallende Ohrfeige. Schallnachahmend für den Laut, der beim Schlagen mit der flachen Hand auf etwas Weiches entsteht. Berlin 1870 *ff*.

quatschen *intr* **1.** in weichfeuchter Masse waten, wühlen o. ä. ↗Quatsch 2. 1500 *ff*.

2. töricht, bedeutungslos reden; schwätzen. ↗Quatsch 1. Im 18. Jh in Niederdeutschland aufgekommen und seit dem 19. Jh südwärts vorgedrungen.

2 a. dem Mitschüler vorsagen. Seit dem 19. Jh.

3. geheimzuhaltende Dinge ausplaudern; Dinge mitteilen, die den anderen nichts angehen; über Abwesende reden; Schuldige verraten; einen Übeltäter dem Lehrer melden. 1870 *ff*.

4. quatsch' nicht, Krausel: Redewendung, mit der man einen zum Verstummen bringen will. Verkürzt aus dem Spruch: „Quatsch' nich, Krause, geh' nach Hausel". Etwa seit 1860; in Berlin durch Roderich Bendix (1811–1873) verbreitet.

5. dämlich ~ = töricht, dumm reden. ↗dämlich. 1900 *ff*.

Quatscher *m* **1.** Schwätzer. Seit dem 19. Jh.

2. Schüler, der einen Mitschüler beim Lehrer anzeigt. ↗quatschen 3. 1900 *ff*.

Quatsche'rei *f* **1.** Geschwätz; unsinniges Gerede; unsinnige Sprechweise. 1800 *ff*.

2. Verleumdung; üble Nachrede. 1870 *ff*.

quatschig *adj* **1.** weichfeucht; sumpfig, kotig; triefend. ↗Quatsch 2. Seit dem 18. Jh.

2. inhaltslos; nichtssagend. ↗Quatsch 1. 1800 *ff*.

Quatschkasten *m* **1.** Schwätzer. 1880 *ff*.

2. Fernsprechgerät; (tragbares) Feldtelefon. 1914 bis heute, *sold*.

3. Rundfunkgerät, Grammophon o. ä. 1933 aufgekommen bei Gegnern der NS-Herrschaft, die sich in bisher ungewohnter Weise über den Rundfunk Gehör zu verschaffen wußte.

4. Fernsehgerät. 1960 *ff*.

Quatschkommode *f* Rundfunkgerät, Grammophon, Musikschrank o. ä. 1915 *ff*.

Quatschlied *n* Schlagerlied. Anspielung auf den dürftigen Text. 1955 *ff*, *halbw*.

Quatschmacher *m* Spaßmacher; spaßiger Unterhalter; Witzeerzähler. 1930 *ff*.

'quatsch'naß *adj* völlig durchnäßt. ↗Quatsch 2. 1800 *ff*.

Quatscho'fon *n* **1.** Sprechmuschel; Fernsprechgerät. Dem Mikrofon, Megafon o. ä. nachgeahmt. 1950 *ff*.

2. Rundfunkgerät; Plattenspieler. 1960 *ff*.

Quatschrede *f* unsinnige, gehaltlose Rede. 1900 *ff*.

Quatschtest *m* mündliche Prüfung. In der Meinung von Berliner Studenten um 1960 wird dabei getestet, wie gut der Prüfling zu schwätzen versteht.

Quautsche *f* Mund-, Ziehharmonika. Zusammengesetzt aus den *gleichbed* Wörtern „quetschen" und „knautschen" in Anspielung auf das Zusammendrücken des Blasebalgs. Wandervogelspr. seit dem frühen 20. Jh.

quecksen (quäksen) *intr* jammern; wehleidig reden. Intensivum zu ↗quäken. Seit dem 19. Jh.

Quecksilber *n* **1.** unruhiger Mensch; sehr lebhafte Person. Geht zurück auf „queck, quick = lebendig, frisch, munter". 1700 *ff*.

2. ~ im Arsch (im Hintern, in der Hose, im Leibe) haben = nicht ruhig sitzen können. Übertragen von der Beweglichkeit des Quecksilbers. 1700 *ff*.

3. ihm macht das ~ im Blut = er kann (mag) nicht stillsitzen (-liegen). 1930 *ff*.

Quellbirne *f* dicker Kopf. ↗Birne 1. *Jug* 1955 *ff*.

Quelle *f* **1.** an die richtige ~ kommen = an eine einflußreiche Stelle geraten. Seit dem 19. Jh.

2. an der ~ sitzen = von einflußreichem Posten aus einen Vorteil wahrnehmen können; mit begehrten Dingen zunächst sich selber versorgen. Übertragen von der Wasserquelle auf eigenem Gelände, wodurch man von den anderen unabhängig ist. Spätestens seit dem 19. Jh.

3. an der ~ saß der Knabe = ihm war es leicht, zunächst sich selber zu bedenken (seinen Vorteil oder Anteil vorwegzunehmen). Geht zurück auf Schillers Romanze „Der Jüngling am Bache" (1803). Um 1830 Titel eines Holzschnitts von Theodor Hosemann.

quellen *intr* Penisversteifung bekommen; Erektion verspüren. Soviel wie „anschwellen". 1910 *ff*.

Quellmann *m* **1.** versteifter Penis. ↗quellen. 1910 *ff*.

2. *pl* = Pellkartoffeln. Quellen = abkochen; aufquellen lassen. Vorwiegend *westd*, seit dem 19. Jh.

Quengel (Quängel) *m* wehleidiges Bitten. ↗quengeln. Seit dem 19. Jh.

Quengelarsch *m* unzufriedener, mißmutiger Mensch. Seit dem 19. Jh.

quengeln (quängeln) *intr* unzufrieden,

mißmutig sich äußern; wehleidig sein; weinerlichen Tons nach etw verlangen; durch Nörgeln lästig fallen. Geht zurück auf *mhd* „twengen = drücken; Gewalt antun". 1700 *ff*.

Quengelpott *m* mißmutiger, nörglerischer Mensch. *Westd* seit dem 19. Jh.

quer *adv* **1.** ~ durch den Garten = a) Gemüsesuppe, -eintopf. Man ist durch den Gemüsegarten gegangen und hat von allen Sorten etwas genommen. 1930 *ff*. – b) mit wenig Sorgfalt und Liebe zusammengestellter Buntes, Allerlei; nicht rassereine Kreuzung. 1950 *ff*.

2. ~ durch den Gemüsegarten (das Gemüsebeet) = a) Gemüsesuppe. 1930 *ff*. – b) reichhaltiges Sortiment; Potpourri. 1950 *ff*. – c) Spielkarten von allen vier Farben. Kartenspielerspr. 1950 *ff*.

3. ~ durch die Last = durcheinandergekochtes Gemüse; undefinierbares Essen. Last = Vorratskammer an Bord. *Marinespr* seit dem frühen 20. Jh.

4. ~ durch die Müllkippe = Gemüsesuppe. Auf der Müllkippe findet wahllos alles Platz. *BSD* 1965 *ff*.

5. ~ durch den Obstmarkt = Obstsalat. 1920 *ff*.

6. ~ über das Rollfeld = Gemüsesuppe; Samstagssuppe. 1935 *ff*, fliegerspr.

7. ~ durch den Schrebergarten = Gemüsesuppe. 1940 *ff*.

8. ~ durch den Übungsplatz = Gemüsesuppe. *BSD* 1965 *ff*.

9. ~ durch den Gemüsegarten reden = von allem Möglichen reden. ↗quer 2 b. 1950 *ff*.

10. ~ durch den Gemüsegarten spielen = jede erste beste Bühnenrolle annehmen. 1960 *ff*.

11. ~ davor stehen = machtlos sein; eine Entwicklung nicht ändern können. 1900 *ff*.

querbeet *adj adv* **1.** von allem etwas; durcheinandergemischt. Eigentlich soviel wie „quer über die Gartenbeete", in der Bedeutung angeglichen an „querfeldein". 1950 *ff*.

2. ~ fragen = Fragen aus allen Einzelbereichen des Prüfungsgebiets stellen. 1950 *ff*.

querficken *intr* Anordnungen anderer abändern. Etwa soviel wie „störend dazwischentreten". *Sold* in beiden Weltkriegen; *ziv* nach 1945 (vor allem in Verwaltung und Industrie).

Querficker *m* Mensch, der Anordnungen anderer durchkreuzt oder Befehle rückgängig macht. *Sold* in beiden Weltkriegen; im Zweiten Weltkrieg vorzugsweise Offizierssprache, und zwar auf Hitler bezogen.

Querfurz *m* **1.** Darmwind, der nicht abgehen will. Er scheint sich im Mastdarm quergestellt zu haben. 1910 *ff*.

2. militärischer Vorgesetzter, der um des eigenen Ansehens willen sinn- und zwecklos sich einmischt. *Sold* in beiden Weltkriegen; Offiziersausdruck für Hitler.

querfurzen *intr* sich sinnlos einmischen; Befehle abändern; Verwirrung stiften. „Furzen" hier soviel wie „laut befehlen". *Sold* 1910–1945.

querköpfig *adj* nicht umgänglich; halsstarrig. 1800 *ff*.

querlegen *refl* sich widersetzen; ein Vorhaben vereiteln, untersagen. Vielleicht hergenommen vom Schiff, daß sich quer zur

Fahrrinne legt, oder von einem schadhaften Torpedo, der sich parallel zum Zielobjekt legt. 1900 *ff.*

querlesen *intr tr* oberflächlich lesen; nicht Seite für Seite lesen; einen Text „überfliegen". Analog zu ↗diagonal. Gegen 1920 aufgekommen bei Buchhändlern, Bibliothekaren u. ä.

querliegen *intr* **1.** mit jm ~ = mit jm uneins sein; sich jds Wohlwollen verscherzt haben. 1900 *ff.* **2.** mit etw ~ = eine abweichende, unerwünschte Ansicht vertreten. 1900 *ff.*

querschießen *intr* Hindernisse in den Weg legen; Pläne durchkreuzen; Vorhaben vereiteln. Stammt aus dem *Milit* und leitet sich her von einem plötzlich von der Seite einsetzenden (Flanken-)Beschuß. 1939 *ff.*

Querschläger *m* **1.** militärischer Vorgesetzter, der aus Besserwisserei überall Änderungen befiehlt. Meint eigentlich das Projektil, das von einem harten Hindernis abprallt und in unbeabsichtigter Richtung weiterfliegt. *Sold* in beiden Weltkriegen. **2.** Mann, der Pläne anderer durchkreuzt. 1920 *ff.* **3.** unkameradschaftlicher Mensch; Einzelgänger. 1950 *ff.* **4.** uneheliches Soldatenkind. Der „↗Schuß" ist von der ehelichen Bahn abgelenkt. *Sold* 1900–1945. **5.** Bier. Es ist harntreibend und zwingt den Marschierenden zu seitlichem Austreten. *Sold* 1939 *ff.* **6.** scharfe Zwischenbemerkung. 1950 *ff.* **7.** *pl* = Haare in Ohren und Nasenlöchern. Frisörspr. 1960 *ff.*

querschneiden *tr* jm zwecks einer Meinungsumfrage Fragen stellen. Gehört zum demoskopischen Begriff des (repräsentativen) Querschnitts. 1960 *ff.*

Querschnittkopf *m* Durchschnittsbürger im Sinne der Demoskopie. *Vgl* das Vorhergehende. 1960 *ff.*

querstehen *intr* mit jm ~ = mit jm uneins sein. 1900 *ff.*

querstellen *refl* etw zu vereiteln suchen. ↗querlegen. 1900 *ff.*

Quertorpedo *m* **1.** Vereitelung; Herbeiführung einer Störung. Eigentlich der Torpedo, der sich quer zur Schußrichtung stellt. 1905 in der Kriegsmarine aufgekommen; *Sold* in beiden Weltkriegen. **2.** einen ~ abfeuern (abschießen) = Pläne vereiteln, zum Scheitern bringen; die Ausführung eines Vorhabens stören und mit Gegenmaßnahmen durchkreuzen. 1905 *ff.*

quervögeln *intr* in einer „Kommune" (Wohngemeinschaft) leben. ↗vögeln 1. 1967 *ff.*

Quese *f* **1.** Haut-, Blutblase. Meint eigentlich die Quetschwunde. Mittel-*niederd* „quessen = quetschen". Seit dem 14. Jh. **2.** die ~ haben = nicht bei klarem Verstand sein. „Quese" ist in Norddeutschland um 1800 die Drehwurmkrankheit der Schafe. Seit dem 19. Jh, *mitteld* und *nordd.*

quesen *intr* wehleidig sein; nörgeln; seinen Mißmut in der Miene oder mit Worten zum Ausdruck bringen. Gehört zu ↗Quese 2. *Niederd* seit dem 18. Jh.

Quetsch *m* vernehmender Polizei-, Kriminalbeamter. Beruht auf „quetschen = einzwängen, pressen"; hier weiterentwickelt zur Bedeutung „ein Geständnis erzwingen". *Vgl* ↗Poliquetsch. 1840 bis heute.

Quetschbude *f* kleines Ladengeschäft. Es

ist zwischen größeren eingezwängt oder die Kunden drängen sich auf engem Raum. *Vgl* ↗Quetsche 4. Wien 1920 *ff.*

Quetsche *f* **1.** Presse (technikerspr.). Seit dem 19. Jh. **2.** Ziehharmonika. Seit dem späten 19. Jh. **3.** Gymnasium, an dem möglichst viele Schüler bis zum Abitur geführt werden. Analog zu ↗Presse 1. Vorwiegend *westd,* 1880 *ff.* **4.** kleines Speiselokal minderer Güte. Man sitzt dichtgedrängt. Seit dem ausgehenden 19. Jh, Berlin. **5.** Zitronenlimonade. Um 1900 aus *engl* „lemon's squash" entstellt. *Vgl* ↗Quatsch 3. **6.** unbedeutendes Geschäft; kleine Fabrik; kleine Druckerei. Anspielung auf räumliches Beengtsein. ↗Quetschbude. Seit dem 19. Jh. **7.** Vulva. „Quetsche" ist mundartlich dasselbe wie „Zwetsch(g)e = Pflaume", und „↗Pflaume" bezeichnet die Vulva. Spätestens seit 1900. **8.** alter, schlechter Fußball. Analog zu ↗Pflaume 7. 1920 *ff.* **9.** jn in die ~ nehmen = a) jn einem strengen Verhör unterwerfen. *Vgl* ↗Quetsch. 1930 *ff.* – b) jn fesseln. Quetsche = Handfessel. 1940 *ff.* – c) jn von mehreren Seiten bedrängen; jn einem Kreuzverhör unterwerfen; jn streng ausfragen. 1930 *ff.*

quetschen *v* **1.** *tr* = jn zu Äußerungen drängen; jn streng vernehmen, verhören. 1800 *ff.* **2.** *tr* = jn einem mündlichen Examen unterwerfen. 1900 *ff, schül* und *stud.* **3.** *tr* = jn verhaften. ↗Quetsche 9 b. 1940 *ff.* **4.** *refl* = davongehen. Analog zu ↗drücken 10. 1800 *ff.* **5.** *refl* = sich einer Verpflichtung zu entziehen suchen. ↗drücken 10. 1800 *ff.*

Quetscher *m* **1.** Arbeitgeber, der die Arbeitnehmer übergebührlich ausnutzt. Möglicherweise aufgekommen mit den Auseinandersetzungen zwischen Bismarck und den Sozialdemokraten (1878 *ff*). **2.** Arbeitgeber, der die Löhne möglichst niederhält. 1878 *ff.* **3.** Geschäftsmann, der die Preise der Konkurrenz unterbietet. 1920 *ff.* **4.** vernehmender Polizei-, Kriminalbeamter. ↗Quetsch. 1920 *ff.*

Quetschkasten *m* Akkordeon. Der Blasebalg wird hin- und hergedrückt. Aus der Seemannssprache (um 1900) übergegangen in die Soldatensprache beider Weltkriege; auch *ziv.*

Quetschkommode *f* Ziehharmonika. „Kommode" ist wohl von „↗Drahtkommode" übernommen. Im späten 19. Jh aufgekommen. *Vgl engl* „squeeze-box".

Quetschtenor *m* lyrischer Tenor mit sehr gutturaler Stimme. 1870 *ff.*

quick *adj* munter, lebhaft, aufgeweckt. *Niederd* Nebenform von „keck". *Ahd* und *mhd* „quec". 1850 *ff.*

quicken *intr* **1.** schnell, unsorgfältig arbeiten. Fußt wohl auf *engl* „to quicken". *Sold* 1939 *ff; jug* 1950 *ff.* **2.** weggehen; weglaufen. *Sold* 1939 *ff.* Gleichbed *engl* „to quicken".

'quickle'bendig *adj* sehr lebhaft; gutgelaunt; frisch; kerngesund. ↗quick. 1850 *ff.*

'quickver'gnügt *adj* sehr munter; völlig unbeschwert. ↗quick. 1930 *ff.*

Quicky *m* kurzer Geschlechtsverkehr. Aus dem *Engl* nach 1950 übernommen im Sinne eines schnell Gemachten.

Quiddje (Quietje) *m* **1.** in Hamburg ansässig gewordener Zugereister; Binnenländer (Spottwort im Munde von Seeleuten und Küstenbewohnern). Fußt auf *mhd* „quitteln = schwatzen" und meint, vor von Geburt in Hamburg Heimische seien bloße Schwätzer oder redelustiger als die Einheimischen. 1900 *ff.* **2.** Hochdeutschsprechender. *Nordwestd* 1900 *ff.* **3.** ahnungsloser, ziemlich dümmlicher Mann. Redseligkeit wird als Zeichen von Naivität und Einfalt aufgefaßt. 1900 *ff.*

quieken *v* es ist zum ~ = es ist sehr zum Lachen, ist überaus erheiternd. Quieken = hell auflachen; schrill lachen. 1870 *ff.*

Quiese *f* **1.** Jugendlichen-Tanzlokal (auch *abf*). Wahrscheinlich verunstaltete Entlehnung aus *engl* „to squeeze = pressen, drücken" und *engl* „the squeeze = Gedränge". *Vgl* ↗Quetschbude. In Berlin um 1950 aufgekommen als Halbwüchsigenvokabel. **2.** minderwertige Gaststätte. Berlin 1950 *ff.*

Quietje *m* ↗Quiddje.

'quietsch'bunt *adj* grellbunt. Quietschen = hell und laut auflachen; schrill schreien. Gehört zur schriftdeutschen Metapher „schreiende Farben". 1950 *ff* aufgekommen im Gefolge der aus den USA eingeführten Textilien mit ungewohnt grellen Farben.

Quietschen *n* **1.** Musikunterricht. Entweder Anspielung auf die Proben des Schülerchors oder auf die schrille Singstimme der Lehrkraft. *Schül* 1960 *ff.* **2.** es ist zum ~ = es ist sehr lustig, sehr zum Lachen. 1840 *ff.*

'quietschfi'del *adj* sehr vergnügt; sehr lustig. ↗fidel. 1900 *ff.*

'quietschge'sund *adj* kerngesund. 1900 *ff.*

'quietsch'komisch *adj* überaus komisch. 1920 *ff.*

'quietschle'bendig *adj* sehr munter; wohlauf. 1920 *ff.*

'quietsch'lotte *f* Mädchen, das sich ziert oder übertrieben benimmt. Es lacht schrill bei der einfachsten Bemerkung und kreischt auf, wenn man ihm zu nahe rückt. 1900 *ff.*

'quietschver'gnügt *adj* **1.** sehr vergnügt; völlig unbeschwert; nichtsahnend. Seit dem 19. Jh. **2.** ~ und puppenlustig = sehr vergnügt; ausgelassen. ↗puppenlustig. 1920 *ff.*

quillen *intr* **1.** wehleidig; jammern; wehleidig sein. Fußt auf *mhd* „quitteln = schwatzen" und ahmt die anhaltend hohen Klagetöne nach, wie sie Kinder in der Wiege von sich geben. 1900 *ff.* **2.** durch unsinniges Schwätzen nervös machen. *Vgl* ↗Quiddje 1. 1930 *ff.*

Quinte *f* **1.** Diebstahl. Fußt auf *ndl* „kwint = Kniff, Streich". *Rotw* 1822 *ff.* **2.** dummer Streich. „Quinte" ist bei den Fechtern die fünfte Stoßweise; dieser Stoß gilt als besonders listig. 1800 *ff.* **3.** mir reißt (springt) die ~ = ich verliere die Geduld; ich kann mich nicht länger beherrschen; mich packt die Wut. Die Quinte als höchste Saite der Geige (E-Saite) reißt am leichtesten, weil sie die feinste und dünnste ist. Seit dem 18. Jh.

Quirl *m* **1.** sehr beweglicher, lebhafter, rastloser Mensch; unruhiges Kind. Hergenommen vom gleichnamigen Rührlöffel, der rasch zwischen den Händen gedreht wird. 1800 *ff.*
2. Propeller. Fliegerspr. 1935 *ff.*
3. Steuerrad des Kraftfahrzeugs. 1910/15 *ff.*
4. Hubschrauber. *BSD* 1965 *ff.*
5. nimm den ~ aus dem Mund! = sprich nicht so pathetisch! Dazu gehört der ursprüngliche Zusatz: „du sprichst so gerührt!". Wortspiel mit den beiden Bedeutungen von „gerührt" (mal „gewirbelt", mal „seelisch bewegt"). Berlin 1955 *ff.*

quirlig *adj* ruhelos, unstet, nervös, lebhaft, temperamentvoll. Spätestens seit 1900.

Quisling *m* Landesverräter; Verräter, Ohrenbläser; Verleumder o. ä. Auf Grund eines vorher abgeschlossenen Geheimvertrags stellte sich Vidkun Quisling 1940 nach der Besetzung Norwegens der NS-Herrschaft zur Verfügung und übernahm die politische Leitung des Landes. Da er Hitler vor der bevorstehenden Besetzung Norwegens gewarnt hatte, galt er in England und Amerika schon bald als Verräter. Sein Name ging mit dieser unrühmlichen Bedeutung auch in den deutschen Wortschatz ein, vermutlich im Gefolge der in Deutschland vorrückenden alliierten Truppen. 1940 *ff.*

Quissel (mit weichem s gesprochen) *f* frömmelnde ältliche Frau. Wahrscheinlich aus den Niederlanden eingeführt: „kwezel" ist dort die Scheinheilige; hierauf scheint *rhein* „quiseln = sich unruhig bewegen" zurückzugehen, wohl mit der Weiterentwicklung zur Bedeutung der Kirchenläuferin. 1700 *ff*, vorwiegend *westd.*

'quitsch'naß (**'quitsche'naß; 'quitsche'-quatsche'naß**) *adv* völlig durchnäßt. Wohl aus „quetschnaß" entstanden im Sinne von „so naß, daß man die Kleider auswringen muß". 1840 *ff.*

quitt *adv* **1.** etw ~ sein = etw verloren haben; etw erledigt haben; von etw befreit sein (ich bin mein Geld quitt; ich bin mein Rheuma quitt). Stammt aus *lat* „quietus = ruhig" und ergibt über *franz* „quite = los, frei" das *mhd* „quit = los, frei, ledig". 1500 *ff.*
2. mit jm ~ sein = a) mit jm alle schwebenden Angelegenheiten erledigt haben; bei jm keine Schulden mehr haben. 1500 *ff.* – b) sich mit jm verfeindet haben; mit jm nichts mehr zu tun haben wollen. Seit dem 19. Jh.
3. etw ~ werden = etw verlieren, hergeben. ↗quitt 1. 1700 *ff.*

Quivive (*franz* ausgesprochen) *n* auf dem ~ sein = wachsam sein; seinen Vorteil zu wahren wissen. Hergenommen vom Anruf „Qui vive? = wer da? (wörtlich: wer lebt?)" des *franz* Wachpostens. In Berlin aufgekommen während der *franz* Besetzung 1806–1813.

Quizbold *m* Mann, der (lustige) Scharfsinnsfragen stellt. Dem „Witzbold" nachgebildet. Gegen 1950/55 durch Rundfunk und Fernsehen aufgekommen.

quizen *intr* Scharfsinnsfragen(-aufgaben) stellen oder zu lösen suchen. 1950 *ff.*

Quizer *m* Mann, der Ratespiele veranstaltet oder gern an ihnen teilnimmt. 1950 *ff.*

Quizerich *m* Mann, der Scharfsinnsfragen stellt oder sich gern an ihrer Lösung versucht. 1952 *ff.*

Quizling *m* Teilnehmer an Ratespielen. Nicht verwandt mit „↗Quisling". 1955 *ff.*

quosen *v* **1.** an etw ~ = a) lange an einem Bissen kauen; einen Bissen mühsam hinunterwürgen; genüßlich essen. Geht zurück auf *mhd* „quazen = schlemmen" mit der Grundbedeutung „zermalmen". *Nordwestd* 1700 *ff.* – b) sich lange mit einer Sache beschäftigen. Hamburg 1900 *ff.*
2. *intr* = dumm daherreden; leere Worte machen. Nebenform zu *niederd* „quasen = schwatzen"; *vgl* ↗quasseln. Seit dem 18. Jh.

Quot *m* sehr dummer Mensch. Verkürzt aus ↗Quadratidiot. 1910 *ff.*

R

r³ (r hoch 3) Spottwort auf Politiker. Die drei „r" stehen für: reden, reisen, repräsentieren. 1955 *ff.*

Ra'banter *m* mutwilliges, lärmendes, unartiges Kind. Schallnachahmend für Gepolter, Donner o. ä. *Nordd* und *nordostd* seit dem 19. Jh.

ra'bastern *intr* überstürzt, unordentlich, angestrengt arbeiten. Wohl lautmalend für geräuschvolles Arbeiten in Verbindung mit „rabotten". 1900 *ff.*

Ra'batt *m* 1. Herabsetzung des Strafmaßes; Erlaß einer Reststrafe; Strafaussetzung auf Bewährung. Vom Preisnachlaß übertragen. Verbrecherspr. 1920 *ff.*
2. ~ schinden = einen Preisnachlaß erwirken. ↗ schinden. 1950 *ff.*

Rabattenbeine (-füße) *pl* sehr große, breite, plumpe Füße; sehr große Schuhe. Sie eignen sich zum Festtreten der Beeteinfassung (Rabatte = Beet). 1870 *ff,* Berlin u. a.

Rabattmarke *f* häßliche Briefmarke. Sie ist unkünstlerisch plump gestaltet. 1955 *ff.*

Ra'batz *m* 1. Getümmel, Rauferei; schweres Gefecht; schwerer Luftkampf; Ausgelassenheit; lautes Fest; geräuschvolle Begebenheit;   energisches   Aufbegehren. Stammt vielleicht aus *poln* „rabac = hauen" und vergleicht sich mit den schallnachahmenden Substantiven „Klamauk, Radau, Randal" o. ä., die sämtlich auf der letzten Silbe betont werden. Die erste Silbe (mit dem typischen „a") kennzeichnet das einsetzende schwächere Geräusch, wohingegen die letzte Silbe das volle Geräusch wiedergibt. Etwa gegen 1870 aufgekommen; erster literarischer Beleg für 1888 bei Ernst von Wildenbruch (1845–1909).
2. großer ~ = schwerer Feuerwechsel. *Sold* in beiden Weltkriegen.
3. ~ machen = Streit beginnen. 1920 *ff.*

ra'batzen *intr* 1. Unruhe stiften; Unheil anrichten. 1900 *ff.*
2. (im Scherz) raufen. 1900 *ff.*
3. wild umherspringen auf Sitz oder Lager. Berlin 1840 *ff.*
4. koitieren. 1840 *ff, prost.*
5. aufpassen; auf der Lauer liegen. Geht zurück auf *jidd* „robaz = er hat sich gelagert" und hat sich weiterentwickelt zu „den Beobachtungsposten beziehen". *Rotw* 1840 *ff.*
6. schwer arbeiten. Nebenform zu ↗ rabastern. 1840 *ff.*

Ra'bau *m* Rohling; Raufbold. Stammt aus *franz* „ribaud = Bube". *Niederrhein* seit dem 16. Jh.

Ra'bauke *m* 1. plumper, ungesitteter, grober Mann. Um die berlinische Endung „ke" erweiterte „↗ Rabau". Etwa seit 1900.
2. ~ der Autobahn = rücksichtsloser Autobahnbenutzer. 1960 *ff.*

Ra'bautz (Ra'bauz) *m* grober, plumper Mann; Rohling. Nebenform von ↗ Rabau. 1900 *ff.*

ra'bauzen *intr* barsch auftreten; unflätig reden. 1900 *ff.*

Rabe *m* 1. junger Verbrecher; jugendlicher Häftling. Bezieht sich entweder auf die Stehlsucht der Raben (*Vgl* ↗ Rabe 11) oder

auf ihr Kreischen bei Annäherung von Menschen. *Rotw* um 1820/40 *ff.*
2. Mittäter des Taschendiebs. Er warnt laut vor unerwünschten Augenzeugen oder eilt mit der Beute davon. 1900 *ff.*
3. kleiner frecher Junge; Tunichtgut. 1920 *ff.*
4. Prostituierte; Beischlafdiebin o. ä. Hergenommen vom gierigen Stürzen auf die Opfer und vom Ausrauben. 1950 *ff.*
5. großer ~ = reicher Mann; einflußreicher Geschäftsmann. 1950 *ff.*
6. kesser ~ = a) frecher Junge. ↗ Rabe 1. *Rotw* 1840 *ff.* – b) Junge, der Homosexuellen gegen Bezahlung zu Diensten ist und sie bestiehlt. 1820/40 *ff, prost.* – c) Junge, der ein vorteilhaften Eindruck macht. 1900 *ff,* Berlin.
7. schwarzer ~ = Gesetzesübertreter; Geldbetrüger; Wucherer. Schwarz = unheilvoll. 1950 *ff.*
8. weißer ~ = a) große Seltenheit. Die naheliegende Metapher (es gibt keine weißen Raben) war schon den alten Römern geläufig. Seit *mhd* Zeit. – b) Mensch, der anders als die anderen ist. Nach altrömischem Vorbild im 19. Jh aufgekommen.
9. schimpfen wie die ~n = unflätig schimpfen. Das Kreischen und Krächzen der Raben wird als Schimpfen gedeutet. Seit dem 19. Jh.
10. wie die ~n sind siel: Redewendung, wenn die Gegenspieler Stich um Stich einheimsen. Kartenspielerspr. seit dem 19. Jh.
11. stehlen (o. ä.) wie die ~n = sehr diebisch sein. 1500 *ff.*

raben *tr* etw stehlen, entwenden. ↗ Rabe 11. 1900 *ff.*

'Raben'aas *n* starkes Schimpfwort. Man denkt sich den Betreffenden als Rabenfutter, nämlich als Gehenkten. 1600 *ff.*

Rabeneltern *pl* herzlose Eltern. Angeblich handeln die Raben hart und grausam gegen ihre Jungen: man sagt ihnen nach, sie würfen die Brut aus dem Nest, wenn sie des Fütterns überdrüssig seien. Die wissenschaftlich unhaltbare Behauptung geht zurück auf die Bibel, wo gesagt wird, die Raben kümmerten sich nicht um ihre Jungen. *Vgl* Hiob 38, 41; Psalm 146, 9. 1600 *ff.*

'raben'finster *adj* völlig dunkel. Übernommen von der Schwärze der Rabenvögel. Seit dem 16. Jh.

Rabenjunge *m* krimineller Halbwüchsiger. ↗ Rabe 1. 1920 *ff.*

'raben'schwarz *adj* tiefschwarz. Seit *mhd* Zeit.

Rabi *m* Kopf. Verkürzt aus ↗ Kohlrabi. *Halbw* 1955 *ff.*

rabi'at *adj* wütend, frech, bösartig. Im 17. Jh adjektivisch zu *lat* „rabies = Wut" gebildet.

'rabig *adj* raffiniert, listig. Gehört wohl zu ↗ Rabe 1. *Halbw* 1955 *ff.*

ra'botten *intr* schwere körperliche Arbeit verrichten; schwer, angestrengt arbeiten. Geht zurück auf *poln* „robota = Arbeit". 1930 *ff;* wahrscheinlich älter.

Ra'busche (Rap'puse, Ra'puse) *f* 1. Unordnung. Fußt auf *tschech* „rabusche = Wirrwarr, Verlust". Im 16. Jh im *Ostmitteld* aufgekommen.
2. in die ~ gehen (kommen) = verlorengehen; in Verlust geraten. 1500 *ff.*
3. etw in die ~ werfen = Geld (Bonbons, Nüsse o. ä.) unter die Leute werfen. Beim

Aufraffen gibt es Zank und Rauferei. 1500 *ff.*

Rache *f* 1. ~ der letzten Bank = Unfug der klassenschlechtesten Schüler. Sie nehmen Rache am Lehrer, weil er sie auf die letzte Bank verwiesen hat. *Schül* 1960 *ff.*
2. die ~ des Kanalarbeiters = fiktiver Buchtitel. 1940 *ff.*
3. ~ des kleinen Mannes = Rache, die sich oft offen vorwagt und sich kleinlicher Mittel bedient. ↗ Mann 48. 1900 *ff.*
4. schlappe ~ = kleinliche Rache eines Unterlegenen. Schlapp = energielos, schwächlich, kraftlos. 1910 *ff.*
5. vor ~ kochen = überaus rachgierig sein. Nachgeahmt der Redewendung „vor ↗ Wut kochen". 1950 *ff.*
6. ~ ist süß = Rachenehmen ist ein Hochgenuß. Auch Redewendung, wenn einer ankündigt, daß er sich erkenntlich zeigen werde. 1870 *ff.*
7. ~ ist Blutwurst: scherzhafte Androhung der Vergeltung. Entstellung des Vorhergehenden, weil Blutwurst mit Zucker angemacht wird, oder Verkehrung von „Blutrache" ins Lustige. 1870 *ff.*

Rachen *m* 1. Mund; weit aufgesperrter Mund. Übernommen vom Rachen der wilden Tiere. 1700 *ff.*
2. den ~ aufreißen (aufsperren) = a) prahlen; wortreich sich aufspielen. Analog zu „das ↗ Maul aufreißen". Seit dem 19. Jh. – b) lautstark Kritik üben. 1900 *ff.*
3. noch nicht genug im ~ haben = noch nicht gesättigt sein. 1800 *ff.*
4. alles in seinen (seinem) ~ haben wollen = überaus gierig und selbstsüchtig sein. Seit dem 19. Jh.
5. den ~ halten = schweigen, verstummen (meist in der Befehlsform). 1700 *ff.*
6. etw in den falschen ~ kriegen = etw falsch auffassen; aus einer Bemerkung falsche Schlüsse ziehen. ↗ Hals 40. Seit dem 19. Jh.
7. den ~ putzen = ein Glas Alkohol zu sich nehmen. Den Mund und Schlund mit Wasser auszuspülen, ist dem eingefleischten Alkoholiker höchst widerwärtig. Seit dem 19. Jh.
8. jm etw in den ~ schmeißen (werfen) = a) einem Vermögenden noch mehr Geld geben; jds Gier nachgeben. Der Rachen als Sinnbild der Unersättlichkeit. 1800 *ff.* - b) jm etw zu teuer bezahlen; überhöhte Preise zahlen. Seit dem 19. Jh.
9. ich spucke dir in den ~, daß deine Seele verrostet! Drohrede. 1900 *ff.*
10. jm den ~ stopfen = jds Gier befriedigen. Seit dem 19. Jh.
11. den ~ nicht vollkriegen = unersättlich, habgierig sein. 1800 *ff.*
12. den ~ nicht voll genug kriegen können = überaus viel essen; überaus besitzgierig sein. Seit dem 19. Jh.

Rachenputzer *m* schlechter, saurer Wein; hochprozentiger Schnaps; frühmorgens genossener Alkohol. Scherzhaft seit der Mitte des 19. Jh.

Rachenspüler *m* alkoholisches Getränk. 1920 *ff.*

Rachenwäsche *f* Zecherei. ↗ Rachen 7. *Sold* in beiden Weltkriegen.

ra'chullen *tr* etw an sich raffen, durch List (o. ä.) an sich bringen. Aus dem *Slaw* im 19. Jh nach Nordostdeutschland vorgedrungen. Wohl beeinflußt von der mundartlichen Geltung von „Rache = Habgier, Geiz".

Racker *m* **1.** mutwilliges Kind. Gehört zu *niederd* „racken = zusammenfegen; Kot wegschaffen"; ursprünglich auf den Abdecker und Schinder bezogen, auch auf den Scharfrichter. Bedeutungsverbesserung seit dem 19. Jh.
2. Taugenichts; Bösewicht. Seit dem 18. Jh.
3. Lehrer. Seine Berufsauffassung empfinden die Schüler als ein Schinden, oder sie wissen, daß „Racker" auch ein Hehlwort für den Teufel ist. 1950 *ff.*
4. Rufname des Hundes. Seit dem 19. Jh.
5. Schwerarbeiter. ↗ rackern. Seit dem 19. Jh, *österr.*

Rackerer *m* Mann, der angestrengt arbeitet; unermüdlich Tätiger. Seit dem 19. Jh.

rackerig *adj* leicht aufbrausend; erzürnt. Aus „Racker 1" weiterentwickelt: Mutwille und Temperamentsausbruch gehören psychologisch eng zusammen. Seit dem 19. Jh.

rackern *v* **1.** *intr* = angestrengt arbeiten; Schwerarbeit leisten. ↗ Racker 1. 1700 *ff.*
2. *refl* = sich abmühen. Seit dem 18. Jh.

racksen *intr* schwer arbeiten. Intensivum zu „rakken = zusammenfegen". Berlin 1840 *ff.*

Rad *n* **1.** Geldstück. Geht zurück auf *jidd* „rat = Taler" als Abkürzung von „Reichstaler" oder ist Verkürzung von „Radergulden", einer im 17. Jh eingeführten mainzischen Münze mit dem Mainzer Rad, dem Mainzer Wappenbild. *Rotw* 1700 *ff.*
2. *pl* = Beine. Aufgefaßt als ↗ Fahrwerk. *BSD* 1965 *ff.*
3. ein leeres ~ drehen = sich einer erfolglosen Sache annehmen. „Leeres Rad" nennt man ein Rad, das kein anderes in Bewegung setzt. 1950 *ff.*
4. ein hartes (riskantes) ~ fahren = schnell, gewagt autofahren. 1950 *ff.*
5. bei ihm fehlt ein ~ = er ist nicht ganz bei Verstand. Fußt auf der Auffassung vom Gehirn als einem Mechanismus. Spätestens seit 1900.
6. ein ~ zuviel haben = geistesgestört sein. 1800 *ff.*
7. wenn meine Tante (Großmutter) Räder hätte, wäre sie ein Omnibus: Erwiderung auf einen „Wenn-Satz". Auch in den Formen: „wenn meine Großmutter Räder hätte und gelb angestrichen wäre, dann wäre sie noch lange keine Postkutsche" oder „wenn meine Großmutter Räder hätt' und ihren Sitze as Leder hätt', wär' sie ein Omnibus". Spätestens seit 1900.
8. unter die Räder kommen = a) in sittlicher Hinsicht sinken; sittlich oder wirtschaftlich verkommen; verarmen; sich häufig betrinken. Hergenommen vom Verunglücken unter den Rädern eines Gefährts. Etwa seit 1850. – b) überflügelt werden; eine Wahlniederlage erleiden. 1920 *ff.* – c) eine schwere Niederlage erleiden. *Sportl* 1950 *ff.*
9. nicht unter die Räder!: Abschiedsgruß. Spielt eigentlich auf Überfahrenwerden an, meint aber im scherzhaften Nebensinn einen sittlichen „Unfall". 1870 *ff.*
10. er hat ein ~ los (ab) = er ist verrückt. ↗ Rad 5. 1870 *ff.*
11. das ~ machen = sich aufspielen. Vom Pfau übertragen. 1930 *ff.*

12. ~ schlagen = sterben. Bezieht sich eigentlich auf die Nachahmung eines rollenden Rades mit Händen und Füßen; hier Anspielung auf einen, der, vom Schlag getroffen, mit den Händen ins Leere greift und tot zusammenbricht. Auch vom Bodenturnen her ergibt sich die gedankliche Verbindung zu „alle Viere von sich strekken"; *vgl* ↗ verrecken. 1870 *ff.*
13. das fünfte ~ am Wagen sein = als Ersatzperson vorgesehen sein; überflüssig, einflußlos sein. Das fünfte Rad ist das Reserverad: man benutzt es nur im Notfall. Seit früh-*mhd* Zeit. *Vgl franz* „être la cinquième roue d'un carrosse"; *engl* „to be the fifth wheel to the cart".
14. etw auf die Räder stellen = eine große Leistung hervorbringen. Wahrscheinlich vom Sechstagerennen hergenommen oder vom Etappenrennen der Berufsfahrer. 1950 *ff.*

radaren *intr* mit Blicken flirten. Radarschirme kreisen ununterbrochen; beim Radarverfahren werden elektromagnetische Wellen ausgestrahlt und von den getroffenen Körpern reflektiert. 1945 *ff, halbw.*

Radarfalle *f* Radar-Überwachungsanlage des Straßenverkehrs. 1974 *ff.*

Radarmixer *m* Radargast. ↗ Mixer. *Marinespr* 1965 *ff.*

Ra'dau *m* Lärm. Schallnachahmend, etwa wie ↗ Rabatz. Gegen 1840 in Berlin aufgekommen und rasch in allen Landschaften verbreitet.

Ra'daubude *f* Musikzimmer; Diskothek o. ä. *Jug* 1965 *ff.*

ra'dauen *intr* Lärm machen; laut aufbegehren. 1870 *ff.*

Ra'dauflöte *f* **1.** lärmender Halbwüchsiger. Eigentlich Name eines lauten Jahrmarktsinstruments. Berlin 1900 *ff.*
2. Alarmsirene. 1935 *ff.*
3. nörglerischer Mensch; Mann, der seinen Unmut laut äußert. 1900 *ff.*
4. Hund, der viel bellt. 1920 *ff.*

Ra'daukino *n* Kino, in dem Kriminal-, Wild-West- Filme u. ä. vorgeführt werden. 1955 *ff.*

Ra'dauler *m* aufsässiger, zerstörungssüchtiger Halbwüchsiger. 1957 *ff.*

Ra'daumacher *m* **1.** Lärmender; streitsüchtiger Mensch; Aufbegehrender. Spätestens seit 1880.
2. Weckeruhr. 1920 *ff.*

Ra'daumaschine *f* Plattenspieler o. ä. 1955 *ff.*

Ra'daumütze *f* **1.** Mütze mit sehr hoher Kopfform. Von Arbeitern getragen und aufgekommen um 1870/80 im Zusammenhang mit den Arbeiterunruhen.
2. Stahlhelm. *Sold* 1939 *ff.*
3. streitlüsterner Mensch; Lärmender. 1939 *ff.*

Ra'daupolitiker *m* für Gewaltanwendung o. ä. eintretender Politiker. 1950 *ff.*

Ra'dauschuppen *m* Lokal mit moderner Tanzmusik o. ä. ↗ Schuppen. 1955 *ff.*

Rädchen (Radl) *n* **1.** runde Scheibe Wurst. Spätestens seit 1900.
2. ein ~ im Kopf haben = nicht bei Sinnen sein. Entstellt aus dem Folgenden. 1920 *ff.*
3. ein ~ zuviel (zu wenig) haben = nicht ganz bei Verstande sein. Beruht auf der Vorstellung vom Gehirn als einem vielrädrigen Mechanismus. 1800 *ff.*
4. bei ihm ist ein ~ locker (los) = er stellt

unsinnige Behauptungen auf, vertritt die wunderlichsten Ansichten. Seit dem 19. Jh.

Raddampfer *m* häßliches, unsympathisches Mädchen. Analog zu ↗ Schraubendampfer. Raddampfer gelten heute als altmodisch. *Halbw* 1960 *ff.*

Radehacke *f* **1.** fahren wie eine ~ = schlecht autofahren. Meint die eiserne Hacke zum Roden. Sie ist schwer zu handhaben. 1930 *ff.*
2. voll (o. ä.) sein wie eine ~ = volltrunken sein. Die mit Erde, Unkraut und kleinen Wurzeln gefüllte Rodehacke herauszureißen, erfordert großen Kraftaufwand. Sie ist ebenso „voll" wie der Bezechte. 1850 *ff.*

radeln *intr* würdelos liebedienern. ↗ radfahren 1. 1920 *ff.*

rädern *v* **1.** jn von unten auf ~ = die Trümpfe von unten nach oben aufspielen; dem Gegner beim Kartenspiel solange zusetzen, bis er das Spiel verloren hat. Für ihn ist es eine Art Folter. 1860 *ff*, kartenspielerspr.
2. ich lasse mich ~!: Ausdruck der Beteuerung. Zum Beweis der Wahrheit will man die schlimme Folterstrafe über sich ergehen lassen. 1900 *ff.*
3. wie gerädert sein ↗ gerädert.

radfahren *intr* **1.** gegenüber Vorgesetzten unterwürfig, aber gegenüber Seinesgleichen oder Untergebenen herrisch sein. Beruht auf der Vorstellung, daß der Radfahrer oben sich bückt, aber unten tritt. Spätestens seit 1890.
2. ~ mit goldenem Lenker (Pedal) = würdelos unterwürfig sein. ↗ Lenker. 1920 *ff.*
3. was hat das mit dem ~ zu tun?: Einwurffrage, wenn einen das Gesprächsthema nicht paßt. Stammt aus der Zeit um die Jahrhundertwende, als die Radfahrer „an allem schuld" waren. Man empfand sie als Verkehrsbehinderung.

Radfahrer (Radlfahrer) *m* **1.** Mensch, der seinen Vorgesetzten (unterwürfig) schmeichelt, aber Seinesgleichen oder Untergebene niederträchtig behandelt. ↗ radfahren 1. 1890 *ff, schül, sold,* beamtenspr. u. a.
2. des ~s Lohn = Dienstauszeichnung. Sie ist eine Belohnung für übertriebenen Diensteifer, auch für geheuchelten Diensteifer. *BSD* 1965 *ff.*
3. Benehmen wie ein ~ = sehr schlechtes Benehmen. ↗ radfahren 3. 1900 *ff.*
4. daran sind die ~ schuld = das haben harmlose, unbeteiligte Leute verschuldet. Um 1900 aufgekommen.

radibutz *adv* ↗ ratzeputz.

radieren *v* **1.** *intr* = so schnell bremsen, daß die Räder eine Spur auf der Fahrbahn hinterlassen. Die Spur sieht wie radiert aus, und der Kraftfahrer radiert beim schnellen Bremsen das Profil der Reifen ab. Kraftfahrerspr. 1925 *ff.*
2. *tr* = jn ohrfeigen. Die Hand hinterläßt auf der Wange eine Spur. 1950 *ff.*

Radiergummi *m* **1.** zäher (sehr harter) Käse. Er besitzt die Stoffbeschaffenheit eines Radiergummis. *Sold* in beiden Weltkriegen; auch *ziv.*
2. zähes Fleisch. 1940 *ff.*
3. Gummiknüppel. Er besteht aus Gummi und kann den Widerstand des Täters ausschalten. Polizeispr. 1945 *ff.*

4. er kann sich mit dem ~ rasieren = er hat nur spärlichen Bartwuchs. 1950 ff.

Radierung f Buch-, Bilanzfälschung. Wortwitzelei mit dem Radieren in den Geschäftsbüchern. 1926 ff.

Radieschen n **1.** Radiergummi. Spielerisch erweitert aus „radieren". Schül 1945 ff. **2.** Schimpfwort. Etwa analog zu ↗ Rübe. 1920 ff. **3.** kleinwüchsiger, untersetzter Mensch. Er wirkt eher kugelig als länglich. 1910 ff. **4.** pl = Blasen an den Füßen; wundgelaufene Füße. Es sind rötliche Schwellungen. Sold in beiden Weltkriegen; auch ziv. **5.** sg = Nase. Sie ist wohl knollenähnlich geformt. 1900 ff. **6.** sg = rote Leuchtkugel. Sold und fliegerspr. 1939 ff. **7.** sg = Mensch, der sich nur äußerlich zum Kommunismus (Sozialismus) bekennt. Nur außen ist er „rot". Nach 1945 aufgekommen. **8.** sg = Radargast. Spielerisch aus „Radar" verändert. Marinespr 1965 ff. **9.** sich die ~ von unten ansehen (die ~ von unten wachsen sehen) = im Grab liegen. Sold Entpathetisierung in beiden Weltkriegen; auch ziv. Vgl franz „allez manger des pissenlits par la racine" und engl „to push up the daisies". **10.** 'was am ~ haben = nicht recht bei Verstand sein. „Radieschen" ist über „Rübe" dasselbe wie „Kopf". 1920 ff.

Radika'linski m Vertreter des Radikalismus in politischen, nationalen usw. Angelegenheiten; Aufrührer, der zu keinem Kompromiß bereit ist. Soll im Zusammenhang stehen mit dem kompromißlosen Auftreten der polnischen Partei im Preußischen Landtag sowie im Deutschen Reichstag. 1870/80 ff. Nach 1918 übertragen auf politische Aufständische, auf Links-Radikale und Rechts- Radikale; schließlich auch auf die Außerparlamentarische Opposition usw.

Radio I m Rundfunkgerät. Verkürzt aus „Radioapparat". 1930 ff.

Radio II n **1.** kostenloses ~ = Mensch, der den ganzen Tag singt. 1950 ff. **2.** im ~ sein = im Rundfunk sprechen oder singen. 1930 ff.

Radiobier n Dünnbier. Bezieht sich auf die übliche Rundfunkmeldung, daß der Sender sich gleich wieder meldet; ähnlich meldet sich das Bier nach einer Weile in Form von Harndrang wieder. 1945 ff.

Radio-Essen n Hülsenfrüchteessen. Vgl das Vorhergehende. 1930 ff.

Radiohörer pl Ohrenklappen, -schützer. 1928 ff.

Radio'ritis f pausenlose Begleitung der privaten Alltagsarbeit mit Rundfunksendungen. Man empfindet es als Krankhaftigkeit. 1950 ff.

Radi'ot m **1.** leidenschaftlicher Rundfunkhörer. Zusammengesetzt aus „Radio" und „Idiot". 1925 ff. **2.** Mensch, der stets sein Kofferradio mitnimmt und spielen läßt. 1957 ff. **3.** Rundfunkbastler. 1924 ff. **4.** Mensch, der kulturell zurückgeblieben ist. Er besitzt zwar ein Rundfunkgerät, aber kein Fernsehgerät. 1960 ff.

Radi'otis f Rundfunkhören bei der Arbeit daheim, beim Waldspaziergang, am Strand usw. 1950 ff.

radi'putz adv völlig; bis auf den letzten Rest. Zusammengewachsen aus „radikal" und „putzen = essen; den Teller leeren", vielleicht beeinflußt von der Vorstellung der gefräßigen Ratte. 1914 ff.

Radl n ↗ Rädchen.

Radler m gegen Untergebene herrischer, gegenüber Vorgesetzten unterwürfiger Mensch. ↗ radeln. 1920 ff.

Radlermaß f Bier mit Zitronenlimonade o. ä. In einen Maßkrug werden je ein halber Liter Limonade und Bier zusammengeschüttet. Beliebt als durststillendes Getränk, vor allem bei Radfahrern, die früher für enthaltsame Leute gehalten wurden. ↗ Maß. Bayr seit den zwanziger Jahren des 20. Jhs; vereinzelt auch österr.

Radschlägerei f Betrug, Vorspiegelung. Hergenommen vom Pfau, der mit seinem Gefieder ein Rad schlägt. 1920 ff.

Raffe f **1.** zusammengeraffte Gegenstände; unrechtmäßig Erworbenes. Meint eigentlich eine Menge, die man in den Schoß des Frauenkleides nehmen kann. „Raff" ist der schnelle Griff. 1920 ff. **2.** verschobenes Heeresgut. Sold 1939 ff.

Raffel f **1.** Mund, Gebiß. Übertragen von der Bezeichnung für die Hechel, mit der man die Heidelbeeren abstreift; auch die Raspel und die Reibeisen werden so genannt. Seit dem 18. Jh. **2.** gehässig, verleumderisch sprechende Frau; Schwätzerin. Gehört zu ↗ durch die ↗ Hechel ziehen". Seit dem 18. Jh.

raffen tr etw verstehen. Parallel zu „begreifen". Man macht es sich zu eigen; vgl ↗ Raffe 1. Schül 1945 ff.

Raffke m Schleichhändler; Emporkömmling; Kriegsgewinnler; Wucherer; ungebildeter Neureicher. Gehört zu „raffen = gierig an sich reißen"; „Raffer = Habgieriger". Umgeformt in Berlin mit der für dort typischen Endung „-ke". Aufgekommen erst durch die „Berliner Illustrirte Zeitung" und gegen Ende des Ersten Weltkriegs, sondern bereits im späten 19. Jh, vermutlich in der Gründerzeit. Allerdings wurde die Vokabel gegen 1917 und vor allem seit 1918/19 sehr gebräuchlich.

Raffzahn m besitzgieriger Mensch; Vielesser. Meint eigentlich den Schneidezahn; in der Bedeutung überlagert von „raffen = an sich reißen". 1800 ff.

Rahm m **1.** den ~ abschöpfen = sich das Beste nehmen; den Hauptnutzen haben. 1600 ff. **2.** von ihr ist der ~ ab = sie hat die besten Lebensjahre hinter sich. 1950 ff.

raisonnieren intr ↗ räsonieren.

Raiffeisensmoking m gesellschaftsfähiger Trachtenanzug. Benannt nach Friedrich Wilhelm Raiffeisen, dem Begründer des landwirtschaftlichen Genossenschaftswesens. 1960 ff.

Raka'dele n Aufsässigkeit, Aufruhr, Zerstörungssucht. Herleitung unbekannt. Vielleicht zusammengewachsen aus Vokabeln wie „↗ Randale" und „↗ Krakeel" unter Einfluß von „↗ Bambule" o. ä. Gefängnisjargon 1970 ff.

Räkel m ↗ Rekel.

räkeln refl ↗ rekeln.

Rakete f **1.** leicht aufbrausender Mensch. Beim geringsten Anlaß wird er „↗ hochgehen" und „↗ explodieren". Um 1900 vom Feuerwerk hergenommen.

2. schnelles Auto. Es bewegt sich mit Raketenschnelligkeit. Halbw 1955 ff. **3.** höchst eindrucksvolle, außerordentliche Sache. Analog zu ↗ Bombe" und erweitert in Anlehnung an die modernen Raketengeschosse. Halbw 1955 ff. **4.** lange ~ = großwüchsiger, hagerer Mensch. 1870 ff. **5.** steile ~ = sehr anziehendes Mädchen. ↗ steil. Halbw 1960 ff. **6.** voll wie eine ~ = schwer bezecht. Übertragen von dem mit Sprengstoff gefüllten Flugkörper. BSD 1965 ff. **6 a.** eine ~ abfeuern = schwerwiegende Kritik üben. 1970 ff. **7.** eine ~ abschießen = flüchten, davoneilen. Man verschwindet mit Raketengeschwindigkeit. 1950 ff. **8.** da hilft nur noch eins, ~ in den Hintern und anzünden!: Redewendung auf einen äußerst mißbiebigen Menschen. 1950 ff. **9.** wie eine ~ hochgehen = aufbrausen. ↗ Rakete 1; ↗ hochgehen. 1900 ff. **10.** losgehen wie eine ~ = temperamentvoll werden. 1950 ff. **11.** eine ~ machen = flüchten, davoneilen. ↗ Rakete 7. 1950 ff. **12.** reinplatzen wie eine ~ = stürmisch eintreten. 1950 ff. **13.** ~ spielen = aufbrausen. ↗ Rakete 1; ↗ hochgehen. 1970 ff. **14.** wegsein wie eine ~ = schleunigst verschwunden sein. 1950 ff.

Raketenbahnhof m Abschußstelle für Weltraumraketen. 1960 ff.

Raketenfahrt f sehr erfolgreicher Aufstieg einer Sportmannschaft. Sportl 1960 ff.

Raketenstart m sehr schnelle Erringung der Publikumsgunst o. ä. 1965 ff.

Rallye-Bier (Bestimmungswort engl ausgesprochen) n helles Malzbier mit 0,5 Prozent Alkohol. Dieses Getränk taugt selbst für Kraftfahrer. 1972 ff.

'Rama'dama Ruf zum Anfassen bei der Beseitigung von Schuttmassen. Bayr für „räumen tun wir". Von Oberbürgermeister Thomas Wimmer nach 1945 an die Münchener gerichteter Aufruf zur Trümmerbeseitigung.

Rama'suri (Rema'suri, Remi'suri) f Durcheinander, ungeordnete Zustände; ärgerliche Vorkommnisse; Hast; geschäftiges Treiben. Fußt wahrscheinlich auf ital „rammassare = sammeln, häufen". Österr und bayr seit dem 18. Jh.

Ram'baß ('Rambes) m saurer Wein. Fußt wohl auf franz „rames basses = niedrige Stangen" mit Einfluß von „Rapp = entbeerte Traube". Geläufig seit 1800 in den Weinbaugebieten von Mosel, Rhein und Main.

ra'menten (ra'mentern) intr lärmen, toben, heftig schelten. Zusammengezogen aus „Regiment" im Sinne von „Herrschaft" und anspielend auf lautes Herrschen und Anherrschen. Niederd seit dem 18. Jh.

rammdösig adj benommen, verwirrt. Ram (Ramm) ist der Widder, der unverschnittene Schafbock. Schafe können lange Zeit regungslos stehen und wirken dann wie betäubt. Vgl ↗ dösen. Vorwiegend nördlich der Mainlinie, etwa seit dem 18. Jh.

Rammel m **1.** schmutziger Mann; ungeschlachter Mensch; Tunichtgut; Schimpfwort. Eigentlich der unförmige Handstock (zu „Ramme = Rammklotz" gehörig), aber verwischt mit der Bedeutung „Männchen bei Hasen und Kaninchen; Schafbock; Eber; Kater; Hund". Vorwiegend *oberd*, 1800 *ff*.

2. dummer Mann; Bauer. Vom derben Stock auf den Träger übertragen. *Oberd* seit dem 19. Jh.

3. Schmutzfleck. Hängt zusammen mit „Rahm = Ruß, Schmutz". *Oberd* seit dem 19. Jh.

3 a. Tadel. Die Rüge wird als Makel aufgefaßt. *Jug* 1960 *ff*.

4. verschmierter Mund. *Österr* 1950 *ff*.

5. gscherter ~ (~, gscherter) = verschlagener Bauer; verschlagener Mann; starkes Scheltwort. ↗geschert 1. *Bayr* seit dem 19. Jh.

Ramme'lei *f* **1.** Geschlechtsverkehr. ↗rammeln 1. Seit dem 19. Jh.

2. Zwist, Zank, Streit, Prügelei. ↗rammeln 3. 1900 *ff*.

Rammelferien *pl* Heirats-, Familienurlaub. ↗rammeln 1. *Sold* 1910 bis heute.

Rammelhütte *f* Bordell. ↗rammeln 1. *BSD* 1960 *ff*.

rammelig *adj* **1.** geschlechtlich erregt; manns-, weibstoll. 1900 *ff*.

2. schmutzig; voller Schmutzflecken. ↗Rammel 3. *Oberd* seit dem 19. Jh.

rammeln *intr* **1.** koitieren. Bezieht sich eigentlich auf die Begattung bei Hasen und Kaninchen. 1500 *ff*.

2. schmutzig werden. ↗Rammel 3. *Oberd* seit dem 19. Jh.

3. raufen, tollen, prügeln. Rammel ist der derbe Stock, der Knotenstock. Seit dem 19. Jh.

4. heftig rütteln; lärmen. Verwandt mit „rumpeln". Seit dem 19. Jh.

'rammel'voll *adv präd* dichtbesetzt; vollgedrängt. Übertragen vom Sack, den man mehrmals heftig staucht und schüttelt, damit möglichst viel in ihn hineingeht. 1900 *ff*.

Rammerl *n* Kruste; Angebratenes. Gehört zu „Rahm = Ruß"; übertragen vom anbackenden Ruß. *Bayr* seit dem 19. Jh.

Rammler *m* **1.** geschlechtlich sehr aktiver Mann. Eigentlich das männliche Tier bei Hasen, Kaninchen u. a. ↗rammeln 1. 1600 *ff*.

2. Penis. Seit dem 19. Jh.

3. Geschlechtsverkehr. Seit dem 19. Jh.

4. rauflüsterner Junge. ↗rammeln 3. Seit dem 19. Jh.

Ra'mona *f* „~" singen nach der Melodie „Ein Männlein steht im Walde" = völlig unmusikalisch; sehr falsch singen. Der Schlager „Ramona" (komponiert von Mabel Wayne, Text von L. Wolfe, *dt* von Franz Baumann) kam 1928 auf. Berlin 1930 *ff*.

Ram'pasch *m* minderwertiger Wein. ↗Rambaß. *Österr* 1900 *ff*.

Rampe *f* **1.** über die ~ gehen = beim Publikum beliebt sein. Der Schauspieler tritt vor den Theatervorhang, weil Beifall gespendet wird. Theaterspr. 1920 *ff*.

1 a. es ist über die ~ gegangen = es ist erledigt, abgetan. *Vgl* ↗Bühne 3. 1920 *ff*.

2. nicht über die ~ kommen = einer Bühnenrolle o. ä. nicht gewachsen sein und daher nur geringen Erfolg haben. Theaterspr. 1920 *ff*.

3. sich an die ~ spielen = sich vordrängen. Vom Theaterleben auf das allgemeine Berufsleben übertragen; vor allem unter

Beamten, Politikern, Funktionären usw. geläufig. 1950 *ff*.

Rampenrotwelsch *n* Theatersprache. 1920 *ff*.

Rampenrutscher *m* Schauspieler. 1920 *ff*.

Rampensänger *m* Sänger mit guter Stimme, jedoch geringerer schauspielerischer Begabung. Theaterspr. 1920 *ff*.

Rampenschwein *n* Schauspieler. Meist einer, der sich an die Rampe drängt und den Beifall, der den anderen gilt, für sich einheimst. Theaterspr. 1920 *ff*.

Rampenvogt *m* strenger, rücksichtsloser Regisseur. Der „Schirmherr, Verwalter) meint hier den herrischen Mann. Das Wort soll von Alfred Kerr geprägt sein; etwa seit dem frühen 20. Jh.

Ramsch *m* **1.** zurückgesetzte und billig verkaufte Ware; Schleuderware; wegen geringer Nachfrage billig abgesetzte Bücher o. ä. Stammt aus *franz* „ramas = aufgesammelter Haufen wertloser Dinge" oder aus mittel-*niederd* „ramp = Menge bunt zusammengewürfelter Sachen". Etwa seit 1800.

2. Kartenspiel, bei dem der Verlierer die meisten Augen erhält. 1870 *ff*.

3. Beleidigungsverhandlung zwischen Studenten; Kontrahage. *Franz* „ramasser = den Fehdehandschuh vom Boden aufheben". Seit dem 19. Jh.

Ramschbruder *m* Student vor dem Ehrengericht. ↗Ramsch 3. Seit dem 19. Jh.

Ramschbude *f* Einheitspreisgeschäft; Warenhaus; minderwertiges Kaufhaus. ↗Ramsch 1. Etwa seit 1880.

ramschen *v* **1.** *tr* = minderwertige Ware in größerer Menge billig erwerben und weiterverkaufen; Reste aufkaufen. ↗Ramsch 1. 1800 *ff*.

2. *tr* = etw hastig an sich reißen; etw zusammenraffen. 1900 *ff*.

3. *intr* = einen Mitstudenten beleidigen; es auf einen Ehrenhandel anlegen. ↗Ramsch 3. Seit dem 19. Jh.

4. *intr* = eine Spielrunde spielen, bei der verliert, wer die meisten Punkte erhält. ↗Ramsch 2. Kartenspielerspr. 1870 *ff*.

5. *intr* = in der Schule täuschen; eine Arbeit aus mehreren zusammenschreiben. ↗ramschen 2. *Schül* 1900 *ff*.

6. *intr* = sich bereichern. Leitet sich her vom Verkauf minderwertiger Ware zu hohem Preis. *Rotw* 1910 *ff*.

Ramscher *m* **1.** Habgieriger. ↗ramschen 2. 1900 *ff*.

2. Betrüger. ↗ramschen 6. *Rotw* 1900 *ff*.

Ramschfänger *m* vereidigter ~ = Spieler, der bei einer „Ramschrunde" alle drei Spiele bezahlen muß. Die schadenfrohen Gewinner sagen ihm zum Spott, er sei auf Mißerfolg vereidigt. 1900 *ff*.

ran *adv* **1.** ~ an die Buletten! = angepackt! zugegriffen! ↗Bulette 1. 1930 *ff*.

2. ~ an die Buletten wie Blücher an den Speck! = beherzt zugegriffen! Nach 1950 unter Halbwüchsigen verquickt aus „ran an die Buletten", „ran wie Blücher" und „ran an den Speck".

3. ~ an den Feind! = tapfer zugegriffen! angepackt! angefangen! Meint eigentlich den Befehl zum Angriff auf den militärischen Gegner. Soll aufgekommen sein am 31. Mai oder 1. Juni 1916 als Befehl von Vizeadmiral Reinhard Scheer in der Seeschlacht vor dem Skagerrak.

4. ~ an die Gewehr! = vorwärts! ange-

faßt! nicht gezögert! hoch die Gläser! Hergenommen vom Befehl an die weggetretene Truppe, wieder an die in Pyramiden aufgestellten Gewehre heranzutreten. 1870 *ff*.

5. ~ an die Ramme! = mit angefaßt! Gemeint ist die schwere Handramme mit zweiseitigen oder gekreuzten Griffstangen für zwei oder vier Mann (Straßenbau). Berlin 1840 *ff*.

6. ~ an den Speck! = vorwärts! Keine Angst! Leitet sich her vom Speck als Köder, mit dem man Mäuse fängt; hier aufgefaßt als eine unverdächtige Sache. 1870 *ff*.

ranblühen *intr* herbeikommen; sich nähern. ↗ranwachsen. 1900 *ff*.

ranbraten *impers* da brät 'was ran = da bereitet sich etw vor. Der Duft verrät den Braten. 1940 *ff*.

Rand *m* **1.** Mund. Aus „Lippenrand" verkürzt. Seit dem frühen 19. Jh.

2. außer ~ und Band = Pause zwischen zwei Unterrichtsstunden. Geht zurück auf den Titel eines Films. *Schül* 1959 *ff*.

3. den ~ aufreißen = laut sprechen; aufbegehren; Widerworte geben. Analog zu „das ↗Maul aufreißen". 1930 *ff*.

4. jm aus (außer) ~ und Band bringen = jds Übermut herausfordern; mit jm ausgelassen toben. Gehört der Böttchersprache an und bezieht sich eigentlich auf auseinanderfallende Fässer. Mit „Band" sind die eisernen Faßreifen gemeint, und „Rand" ist die Randeinfassung. Seit dem 19. Jh.

5. aus (außer) ~ und Band geraten = übermütig, ausgelassen werden; sich herzhaft amüsieren. Seit dem 19. Jh.

6. einen ~ haben = ausgiebig reden; redselig sein. Rand = Mund = Beredsamkeit. Seit dem 19. Jh.

7. einen großen ~ haben = großsprecherisch sein. 1890 *ff*.

8. den ~ halten = verstummen, schweigen. Analog zu „den Mund halten". „Rand" bezeichnet aber auch die Ackergrenze; wer den Rand nicht (ein)hält und also über das eigene Ackergrundstück hinauspflügt, kann sich – im übertragenen Sinne – nicht beherrschen. 1900 *ff*.

9. es interessiert mich nur am ~e = es interessiert mich nur nebenbei. Leitet sich her von Randnotizen auf einem Bogen Papier oder auf einer Buchseite. 1900 *ff*.

10. mit etw zu ~e kommen = etw bewerkstelligen. „Rand" meint ursprünglich das Ufer und bezieht sich hier also auf ein Schiff, das das Ufer erreicht. Von hier etwa seit 1750 verallgemeinert.

11. mit jm zu ~e kommen = mit jm einig werden. 1800 *ff*.

12. einen ~ riskieren = frech antworten; prahlen. ↗Rand 1. Analog zu „eine ↗Lippe riskieren". 1900 *ff*.

13. einen (den) großen ~ riskieren = sich sehr aufspielen. 1900 *ff*.

14. auf den ~ scheißen = a) gröblich gegen den Anstand verstoßen. Beruht auf der Vorstellung vom beschmutzten Abortsitz. 1910 *ff*. – b) etw gründlich falsch machen; etw verfehlen. 1910 *ff*.

15. am ~ sein = verloren sein; sich in auswegloser Lage befinden. Hergenommen von der Metapher „Rand des Abgrunds". 1900 *ff*.

16. aus (außer) ~ und Band sein = ausgelassen, übermütig sein; ungezügelt sein. ↗Rand 4. Seit dem 19. Jh.

17. das versteht sich am ~e = das ist selbstverständlich; das bedarf keiner Erläuterung. Leitet sich her von den Randbemerkungen des Vorgesetzten, die für den Sachbearbeiter Richtlinien sind. 1800 ff.

18. den ~ vollnehmen = prahlen. Analog zu „das ↗Maul vollnehmen". 1900 ff.

Ran'dal m Lärm, Aufruhr. Gekreuzt aus „Rant = Auflauf" und „Skandal". Eine *stud* Vokabel, etwa seit 1815; wohl mit der freiheitlich eingestellten Burschenschaft aufgekommen.

Ran'dale f Entfesselung der Angriffslust; Aufruhr von Menschenmassen; Gewalttätigkeit. Neuwort seit 1970, *halbw.*

randgenäht *adj* gediegen, dauerhaft. Dem Schuhmacherhandwerk entlehnt. 1935 ff.

Randgenäther m bis an den Rand gefülltes Glas Alkohol. 1945 ff.

Randi n Stelldichein. Geht zurück auf *franz* „rendezvous". *Österr* 1920 ff.

Randsteindame f Straßenprostituierte. Sie wartet am Straßenrand auf Autofahrer. 1950 ff.

Randsteinsirene f Straßenprostituierte. ↗Sirene. 1950 ff.

Randsteinwuisler m Kleinauto. Wuiseln = winseln, wehleidig weinen. Es fährt an den rechten Straßenrand, um größeren Wagen nicht hinderlich zu sein. *Bayr* 1955, kraftfahrerspr.

'rand'voll *präd* volltrunken. 1900 ff.

ranfinden *v* das hat sich rangefunden = das ist durch Diebstahl erworben. Finden = stehlen *(iron)*. 1900 ff.

Ranft m abgeschnittenes Brotende; Brotanschnitt; Brotrinde. Geht zurück auf *mhd* „ranft = Rand, Einfassung". 1600 ff.

Rang m jm den ~ ablaufen = jn überflügeln. Fehlschreibung für „Rank = Krümmung, Biegung, Kurve": wer den Rank abläuft, nimmt den gekrümmten Weg auf der kürzesten Strecke, er „schneidet die Kurve" und drängt den anderen auf einen weiteren Bogen ab (*vgl* ↗Kurve 17 a). Seit dem 16. Jh.

Range f **1.** mutwilliger Junge; mutwilliges Mädchen. Eigentlich das Mutterschwein; wegen der Analogie zu „Sau" ein Schimpfwort geworden; dann wertverbessert, soweit es Heranwachsende meint. *Vgl* ↗rangeln 1. 1600 ff.

2. Rufname des Hundes. 1900 ff.

3. wilde ~ = ausgelassenes, ungezügeltes Mädchen. 1900 ff.

rangehen *intr* unerschrocken, draufgängerisch sein. Seit dem 19. Jh.

rangeln *intr* **1.** streiten, raufen, ringen; heftig hin- und herwerfen. Intensivum zu „rangen" und ablautende Nebenform von „ringen". Seit dem 18. Jh.

2. koitieren. Meint in der Viehzucht soviel wie „bocken, bespringen". 1900 ff.

ranhalten *refl* sich nicht überflügeln lassen; im Eifer nicht nachlassen. Man hält sich an die Arbeit, an die Vordermänner usw. 1870 ff.

ranhauen *v* **1.** *intr* = schwere körperliche Arbeit verrichten; angestrengt, fleißig arbeiten. Mit kräftigen Schlägen arbeitet man sich an das Ziel heran. 1930 ff.

2. *intr* = sich beteiligen; sich ein erfolgversprechendes Geschäft nicht entgehen lassen. 1930 ff.

ranholen *tr* jn streng, hart behandeln. Man

---

holt ihn an die Arbeit, an den Exerzierdienst, oder man ergreift ihn an der Jacke und zieht ihn zur Rechenschaft. 1910 ff, *sold.*

rankarren *tr* etw herbeifahren. 1910 ff.

rankern *intr* sich unruhig bewegen; nicht stillsitzen. Gehört zu „Rank = schnelle Wendung" und ist verwandt mit „↗rangeln". *Sächs* seit dem 19. Jh.

ranklotzen *v* **1.** an etw ~ = sich unter Mühen auf etw schwieriges annehmen. ↗klotzen. 1910 ff.

2. sich an jn ~ = bei jm plumpe Annäherungsversuche machen. 1950 ff.

3. *intr* = körperliche Arbeit verrichten; gewissenhaft Dienst tun; sich viel Mühe geben; übertriebenen Diensteifer entwickeln. 1930 ff.

4. bei etw ~ = keine Bescheidenheit, keine Schüchternheit o. ä. walten lassen. 1930 ff.

rankommen *intr* **1.** vom Geschlechtsverkehr nicht zurückgewiesen werden. 1900 ff.

2. an jn nicht ~ = jds Leistung nicht erreichen. *Sportl* 1920 ff.

rankönnen *v* an jn ~ = jm ebenbürtig sein; jm gewachsen sein; hinter jm nicht zurückstehen müssen. 1850 ff.

rankriegen *tr* jn zur Arbeit anhalten; jn zur Verantwortung ziehen. ↗ranholen. Seit dem 19. Jh.

ranlassen *tr* in den Geschlechtsverkehr einwilligen (von der Frau gesagt). 1800 ff.

ranlavieren *refl* sich einschmeicheln. ↗lavieren. 1900 ff, *schül.*

ranlotsen *tr* jn herbeilocken; jn zu sich bitten. ↗lotsen. 1900 ff.

ranmachen *v* **1.** sich an etw ~ = eine Sache in Angriff nehmen; mit einer Sache beginnen. 1870 ff.

2. sich an jn ~ = sich jm geschickt nähern; jn umwerben, umschmeicheln. 1870 ff.

ranmüssen *intr* schwer arbeiten müssen; auf keine Nachsicht rechnen können. 1900 ff.

rannehmen *tr* jn streng behandeln; große Anforderungen an jn stellen. 1900 ff, *sold und sportl.*

ranpinkeln *refl* sich jm liebedienerisch, unterwürfig, würdelos nähern. Gemeint ist wohl, daß man im Stehabort jds Bekanntschaft zu machen sucht. 1920/30 ff.

ranschießen *refl* nach mehrmaligem Versuch sein Ziel erreichen. Hergenommen von der Artillerie, die das Feuer immer näher an das Zielobjekt legt. 1950 ff.

Ranschmeiße f Anbiederung. *Vgl* das Folgende. 1950 ff, *jug.*

ranschmeißen *refl* sich an jn ~ = sich anbiedern; jn umwerben. ↗anschmeißen 2. 1840 ff.

ranschmieren *v* sich an jn ~ = sich bei jm einschmeicheln. ↗schmieren. 1900 ff.

ranspielen *v* sich an jn ~ = sich jm immer mehr nähern. Stammt aus dem Sportlerdeutsch (Fußball). 1950 ff.

rantragen *tr* etw (ein Anliegen) ~ = etw zur Sprache bringen. Übernommen von der Akte, die man zum Beratungstisch trägt. 1950 ff.

ranwachsen *v* **1.** sich zu anderen an den Tisch setzen; herbeikommen. Der Nahende wird für das Auge größer und größer. Seit dem späten 19. Jh.

---

2. laß mir mal den Zucker (o. ä.) ~! = reich' mir mal den Zucker! *Jug* 1955 ff.

ranwetzen *intr* herbeieilen; nachdrücklich schmeicheln. ↗wetzen. *Halbw* 1960 ff.

ranwimmeln *intr* sich in großer Menge nähern. Übernommen von der Vorstellung wimmelnder Vogelscharen, Ameisen o. ä. 1850 ff.

ranwollen *intr* nicht ~ = nicht einwilligen; sich einer Sache nicht annehmen wollen. Die Vokabel ist verkürzt aus „an eine Sache nicht herantreten wollen". 1900 ff.

Ranzen m **1.** Bauch; dicker Bauch; Magen. Eigentlich soviel wie „Sack, Brotsack, Reisebündel". Seit dem 17. Jh.

2. voller ~ = Zustand der Hochschwangeren. Seit dem 19. Jh.

3. sich einen ~ anfressen = beleibt werden. Seit dem 19. Jh.

4. du kannst mir an den ~ hangen und am Säckel trommeln!: Ausdruck der Ablehnung. Ranzen = Bauch; Säckel = Hodensack; Penis. *Schweiz* 1960 ff.

5. den ~ vollhaben = a) satt sein. Seit dem 19. Jh. – b) schwanger sein. Seit dem 19. Jh.

6. sich den ~ vollschlagen (vollfressen, vollstopfen, füllen o. ä.) = sehr viel essen; gierig essen. 1700 ff.

ranzen *intr* **1.** nach Geschlechtsverkehr Verlangen haben. Stammt aus der Jägersprache: Füchse, Hunde, Katzen, Kaninchen „ranzen = sind brünstig". 1700 ff.

2. schlafen, schnarchen. Wohl schallnachahmend für die Schnarchlaute. 1940 ff.

Ranzenjunge m Volksschüler. Ranzen = Schülertornister. 1910 bis heute.

ranziehen *intr* eiligst nahen. ↗ziehen. 1900 ff.

ranzig *adj* **1.** geil. ↗ranzen 1. 1700 ff.

2. mürrisch. Übertragen von verdorben schmeckender Butter o. ä. Analog zu ↗sauer. *Rhein* 1920 ff.

Rappel m Anfall von Torheit, Unbeherrschtheit, Zorn u. a.; vorübergehende Laune. Meist mit den Verben „haben" oder „kriegen" verbunden. Fußt auf „rappeln = sich klappernd bewegen" und meint in engerem Sinne die Begleit- und Folgeerscheinungen eines Schlags gegen den Kopf (Geistesgestörtheit, Aufbrausen o. ä.). Seit dem 17. Jh.

Rappelchen n ein ~ machen = harnen. ↗rappeln 4. Frankfurt am Main und weitere Umgebung, 1900 ff.

Rappelkasten m **1.** klapperndes Fahrzeug. 1850 ff.

2. Rundfunkgerät. Gehört vielleicht zu „rabbeln = reden, schwatzen". 1930 ff.

3. Plattenspieler. Die Musik wird als ein Rasseln empfunden. *Jug* 1960 ff.

'rappelka'tholisch *adj* verdreht, verrückt. ↗katholisch. *Nordd* seit dem 19. Jh.

Rappelkiste f **1.** klapperndes Auto oder Fahrrad; ratternder Zug, in dem man hin- und hergerüttelt wird. 1920 ff.

2. Spielautomat. 1960 ff.

rappelköpfig *adj* aufgeregt, verstört, reizbar, eigensinnig; verrückt. Anfangs möglicherweise auf kollerige Pferde bezogen. 1600 ff.

rappeln *intr* **1.** bei ihm rappelt es (ihm rappelt es) = er ist nicht ganz bei Verstand. ↗Rappel. 1700 ff.

2. sich verrückt gebärden. *Österr* 1800 ff.

3. dann rappelt es = dann ist die Geduld

zu Ende; dann wird rücksichtslos vorgegangen. „Rappeln" nannte man früher das Lärmen vor einem Haus, dessen Bewohner sich gegen die Ehrbegriffe vergangen hatten. Analog zu „jetzt hat's geschellt" (↗ schellen). 1920 ff.

4. harnen. Wohl schallnachahmender Herkunft. Frankfurt am Main und weitere Umgebung. *Vgl* ↗ Rappelchen. 1900 ff.

5. daß es nur so rappelt = heftig, tüchtig (es friert, daß es nur so rappelt; er wird verhauen, daß es nur so rappelt). *Vgl* ↗ krachen 2. 1900 ff.

6. sich ~ = sich beeilen. Man bewegt sich geräuschvoll. Seit dem 19. Jh.

7. sich ~ = sich ermannen; sich aufraffen. *Vgl* ↗ aufrappeln. 1930 ff.

Rappelwasser *n* **1.** Sekt. Er gibt den Trinkern übermütige Einfälle ein. 1910 ff, ziv und offizierspr.

2. Schnaps. 1935 ff.

Rappler *m* Dummheit; Anfall von Verrücktheit. ↗ Rappel. *Österr* 1920 ff.

Rap'puse *f* ↗ Rabusche.

Raps *m* Anfall von Wut, von Geistesverwirrung o. ä. Aus „↗ Raptus" zusammengezogen. 1700 ff.

rapschen *intr* gierig greifen; hastig an sich nehmen. Intensivum zu „raffen", wohl von „↗ grapschen" beeinflußt. Seit dem 16. Jh.

Rapscher *m* Anfall von Verrücktheit. ↗ Raps. *Österr* 1920 ff.

rapsen *intr tr* stehlen, diebisch sein. ↗ rapschen. *Oberd* seit dem 18. Jh.

Raptus *m* **1.** Anfall von (harmloser) Verrücktheit; närrischer Einfall. Geht zurück auf *lat* „raptus" = heftiger Ruck; Zuckung"; von da übertragen auf das Geistige. 1700 ff.

2. Rausch. Seit dem 19. Jh.

Ra'puse *f* ↗ Rabusche.

rar *adj* **1.** besonders, gut, gediegen. Aus *lat* „rarus" = selten" über die Niederlande im 16. Jh nach Niederdeutschland eingewandert mit Bedeutungswandel: das Seltene ist im allgemeinen kostbarer als das Häufige.

2. sich ~ machen = selten kommen. Der seltene Besucher gewinnt in der Abwesenheit an Wertschätzung. *Vgl* „durch ↗ Abwesenheit glänzen". 1700 ff.

ra'sant *adj* **1.** sehr heftig; sehr schnell; zügig, pausenlos. Wird meist als voller tönende Form von „↗ rasend" aufgefaßt; bezieht sich eigentlich auf die flache Flugbahn eines Geschosses. Soll gegen Ende des 19. Jhs aufgekommen sein.

2. ausgezeichnet; sehr eindrucksvoll; rassig. Weiterentwickelt als Schülern, Studenten und Soldaten im Sinne einer Superlativgeltung. 1914 ff.

Ra'sanz *f* Schwung, Schnelligkeit. ↗ rasant. 1930 ff.

rasch *adj* nett, umgänglich, lebenslustig, sympathisch. Analog zu „↗ schnell". *Halbw* 1955 ff.

Rasen *m* **1.** sich den ~ von unten begucken = im Grab liegen. Vorform von „die ↗ Radieschen von unten wachsen sehen". 1870 ff (Theodor Fontane, „Der Stechlin").

2. ihn deckt der feuchte (der grüne) ~ = er liegt im Grab. Aus der Dichtersprache (Detlev von Liliencron) 1920 ff in die Umgangssprache übernommen.

rasend *adv* sehr (rasend viel Geld; rasend verliebt sein). „Rasen" meint „sich vernunftlos aufführen"; dann adjektivisch im Sinne von „unsinnig, stürmisch" (rasender Beifall). Hieraus zu einem Adverb der Steigerung und Verstärkung entwickelt, spätestens seit 1800.

Rasenmäher *m* **1.** Tiefflieger. *Sold* 1939 ff. *Vgl gleichbed engl* „grass cutter".

2. Leichthubschrauber. *BSD* 1965 ff.

3. Maschinengewehr. *BSD* 1965 ff.

4. Go-Cart. Wegen der Formähnlichkeit. 1960 ff.

5. Herrenfrisör. 1945 ff.

6. Rasierapparat. 1960 ff.

7. Schaf. 1960 ff.

Rasenmäherfrisur *f* gleichmäßig kurzgeschnittenes Haar. 1945 ff.

Rase'ritis *f* Schnellfahrtrieb; Geschwindigkeitsrausch. Nachahmung von Krankheitsbezeichnungen. *Kraftfahrerspr.* 1950 ff.

Rasierapparat *m* Handmikrofon. Wegen der Formähnlichkeit. 1960 ff.

rasieren *tr* **1.** etw beenden, ausmerzen, kampfunfähig machen; eine Mauer schleifen. Im Dreißigjährigen Krieg (1618–1648) aus dem *Franz* übernommen.

2. die Gegend ~ = geländebeherrschende Aussichtspunkte dem Erdboden gleichmachen. *Sold* in beiden Weltkriegen.

3. Skitorstangen beim Slalom umwerfen (zerbrechen). 1950 ff.

4. jn im Fahren streifen. 1950 ff.

5. jn erledigen; jm energisch entgegentreten. 1950 ff.

6. jn übertölpeln, betrügen; jm das Geld abgewinnen, abnehmen. Moderne Variante zu „über den ↗ Löffel balbieren". 1850 ff.

7. einen Augenblick, du wirst gleich rasiert = einen Augenblick, du kommst gleich an die Reihe. Im ausgehenden 19. Jh aus der Redeweise der Herrenfrisöre übernommen; häufig in der Kellnersprache. Für 1898 ausdrücklich als „Modewort" gekennzeichnet.

Rasierklinge *f* **1.** etw auf der (einer) ~ abmachen (absitzen) = eine Freiheitsstrafe leichtnehmen. Verharmlosender Ausdruck: als sei der Freiheitsentzug so kurz, daß man mit einer unüblich unbequemen Sitzgelegenheit vorliebnehmen könne. 1950 ff.

2. jn scharf machen wie eine ~ = jn aufhetzen, anstacheln, (geschlechtlich) erregen. 1920 ff.

3. auf etw scharf sein wie eine ~ (ein Rasiermesser) = eine Sache heftig begehren. ↗ scharf. 1920 ff.

4. scharf sein wie eine ~ = a) heftig nach geschlechtlicher Befriedigung verlangen. ↗ scharf. 1920 ff. – b) scharf aufpassen; unnachsichtig durchgreifen; eifrig fahnden. 1920 ff.

Rasierloge (Grundwort *franz* ausgesprochen) *f* vordere Plätze im Kino. Man reckt den Hals, als werde man rasiert. 1920 ff.

rasiermesserscharf *adj* **1.** schneidend (auf die Stimme bezogen). 1920 ff.

2. sehr deutlich veranlagt. 1920 ff.

Rasierpinsel *m* Gamsbart auf dem (Trachten-)Hut. 1900 ff.

Rasierpinseltennis *n* Federballspiel. Der Federball ähnelt dem Rasierpinsel. 1951 ff.

Rasierschliff *m* besonders scharfer Drill. ↗ Schliff. *Sold* 1920 ff.

Rasiersessel *m* erste Sitzreihe im Kino. ↗ Rasierloge. 1920 ff.

Rasiersitz *m* vordere Plätze im Kino. ↗ Rasierloge. 1920 ff.

Rasierstellung *f* in ~ blicken = steil nach oben schauen. 1935 ff.

Rasierwitz *m* altbekannter Witz. Er kann getrost beim Rasieren erzählt werden; denn man kann über ihn nicht lachen und läuft also keine Gefahr, sich zu schneiden. 1950 ff.

Rasierzeug *n* Musterkoffer. Mit seiner Hilfe will der Handelsvertreter den Kunden „↗ einseifen". *Kaufmannsspr.* seit dem ausgehenden 19. Jh.

'Rasmus die See im Unwetter. Verkürzt aus Erasmus. Ein Heiliger dieses Namens ist Patron der Seeleute. Aus dem Schutzgeist ist bei uns die wilde Naturgewalt geworden, wohl bewirkt durch „rasen = toben". *Seemannsspr.*, etwa seit 1850.

Rä'son *f* **1.** keine ~ annehmen = sich nicht belehren lassen. *Franz* „raison = Vernunft". Seit dem 18. Jh.

2. jm ~ beibringen (jn zur ~ bringen; jn ~ lehren) = jn zur Vernunft bringen; jm richtiges Verhalten beibringen. Seit dem 18. Jh.

räso'nieren (raison'nieren) *intr* nörgeln; kritisieren; widersprechen. Stammt aus *franz* „raisonner = seinen Verstand gebrauchen; denken", auch mit der gelegentlichen Nebenbedeutung „debattieren; Einwendungen machen". 1700 ff. Herzog Ernst-August von Sachsen-Weimar verbot 1736 „das vielfältige Raisonieren der Unterthanen . . . bey halbjähriger Zuchthausstrafe".

Rasse *f* **1.** minderwertige Gesellschaft; Gesindel. Im 18. Jh. anfangs soviel wie „Sorte, Gruppe"; dann verengt auf „üble Gruppe". 1830 ff.

2. Menge, Haufen. 1830 ff.

Rassel *f* **1.** Mund. Meint den geschwätzigen Mund im Sinne von „Klapper". 1900 ff.

2. schnellsprechende, laute Frau. 1900 ff.

3. Asthma. Übertragen vom rasselnden Geräusch beim Atemholen. 1900 ff.

4. 'was an der ~ haben = nicht recht bei Verstand sein. Bezieht sich auf die Vorstellung vom Gehirn als einem Mechanismus, der in diesem Fall wegen eines Schadens am Räderwerk rasselt. 1950 ff.

Rasselbande *f* lärmende, mutwillige Kinderschar (Titel einer Jugendzeitschrift); Gesindel. Rasseln = lärmen. Etwa seit 1830.

Rasselbock *m* **1.** polternder Mensch; barscher, überheblicher Vorgesetzter. Vom Namen eines Schreckgespenstes übertragen; gelegentlich auch Bezeichnung für ein störrisches Pferd. 1900 ff.

2. dummer Mensch. Wohl einer, der an die Existenz eines so genannten Fabeltiers glaubt. *Vgl* das Folgende. 1900 ff.

3. mit jm Rasselböcke fangen können = jn für dumm halten. Leitet sich her von einem Neckspiel: Um „Rasselböcke" zu fangen, muß man im Dunkel einen Sack aufhalten und sie mit Licht anzulocken versuchen; schließlich muß der Geneckte den Sack heimtragen, in den ein anderer gekrochen ist. Seit dem 19. Jh.

rasseln *intr* **1.** lärmend fahren. Seit *mhd* Zeit.

2. in der Prüfung scheitern; nicht in die nächsthöhere Klasse versetzt werden. ↗ durchrasseln. 1870 ff.

3. eilen. 1900 ff.

4. schnarchen. Vom Geräusch der Kinderrassel oder Schnarre übertragen. 1910 *ff.*

5. jetzt hat's gerasselt = jetzt ist die Geduld zu Ende; jetzt hört die Tatenlosigkeit auf; jetzt wird unnachsichtig vorgegangen. Hergenommen vom Rasseln der Weckeruhr. 1940 *ff, schül.*

6. daß es nur so rasselt = nachdrücklich, heftig. Vom lauten Geräusch weiterentwickelt zur Geltung einer allgemeinen Steigerung. 1900 *ff.*

rassig *adj* hervorragend, lebenslustig, schwungvoll u. ä. *Jug* 1965 *ff.*

Raßler *m* Asthmatiker. ↗ Rassel 3. 1950 *ff.*

Ra'sur *f* Abrechnung zu überhöhten Preisen. ↗ rasieren 6. 1960 *ff.*

Rate *f* **1.** auf ~n schlafen = mit Unterbrechungen schlafen. Rate = Abzahlungsbetrag. 1950 *ff.*

2. in ~n sprechen = stottern. Umgekehrt bezieht „↗ Stottern" sich auf Ratengeschäfte. 1925 *ff.*

raten *v* dreimal darfst du ~ = es ist ganz offensichtlich; es bedarf nur wenig Nachdenkens und Kombinierens. Den drei Rätselfragen in den Märchen nachgebildet und übertragen auf Zusammenhänge, die so leicht einzusehen sind, daß man sie unschwer erraten kann. 1920/30 *ff.* Vgl *engl* „three guesses!".

'Raten'esser *m* Kriegsgefangener, der seine Rationen sorgsam einteilt. 1941 *ff.*

Ratenkater *m* peinliches Erwachen dessen, der sich bei Ratenkäufen übernommen hat. Die Stimmung ist kaum anders als bei einem, der unter den Nachwehen einer alkoholischen Ausschweifung leidet; ↗ Kater 1. 1930 *ff.*

Rathaus *n* **1.** einen Kopf wie ein ~ haben = a) ein gutes Gedächtnis haben; viel wissen. Anspielung auf das weite Arbeitsgebiet der Stadtverwaltungen. 1900 *ff.* - b) Kopfdröhnen haben. 1930 *ff.*

2. er kommt vom ~ = er ist besonders klug; er kennt sich in dieser Sache aus. Hängt zusammen mit der sprichwörtlichen Redensart: „wer aus dem Rathaus kommt, ist klüger als vorher". 1920 *ff.*

ratschen (rätschen) *intr* **1.** schwatzen, plaudern, ausplaudern. Ratsche ist die Klapper oder Rassel. *Oberd* 1500 *ff* und langsam nordwärts vorgedrungen.

2. kartenspielen. Gehört entweder zu der Interjektion „ratsch" als Nachahmung eines knatternden oder reißenden Geräuschs oder geht zurück auf sorbisch „hrac = spielen". *Rotw* 1800 *ff.*

3. den Reißverschluß öffnen oder schließen. Schallnachahmend. 1930 *ff.*

rätschen *intr* ärgerlich aufbegehren. Stammt aus der Jägersprache und bezieht sich dort auf die Schrei-, Quäk- und Schrecktöne des Flugwilds. 1870 *ff.*

Ratschkathl (-katt, -katharina) *f* geschwätzige Person. Vorwiegend *bayr*, seit dem 19. Jh.

Ratschmühle (Rätschmühle) *f* Geschwätzigkeit. Der „Gebetsmühle" nachgeahmt. Seit dem 19. Jh.

Ratt *m* Geld, Markstück. ↗ Rad 1. *Rotw* 1700 *ff.*

Ratte *f* **1.** gewissenloser Mensch; Mensch, der kein Vertrauen verdient; niederträchtiger Mann; Feigling. Vom schädlichen Verhalten der Ratten auf den Menschen übertragen. 1870 *ff.*

2. lästiger Fragesteller. Er „nagt" an Geduld und Beherrschung. 1920 *ff.*

3. leichtes Mädchen; Prostituierte o. ä. Wie die Ratte gilt sie als schädlich und lebt im Verborgenen. 1870 *ff.*

4. junge Ballett-Tänzerin. Verkürzt aus ↗ Ballettratte. 1900 *ff.*

5. Fehlwurf beim Kegeln; von der Kegelbahn abgekommene Kegelkugel. Der Begriff „mißglücken" wird gern wiedergegeben mit „ins Wasser gehen". Die Ratte ist ein Wassertier. *Vgl* auch „↗ Pudel". 1800 *ff.*

6. *pl* = Gesindel; asoziale Leute; Halb-, Unterwelt. Die Ratte als Nagetier und Allesfresser fügt dem Menschen großen Schaden zu; sie lebt im Verborgenen und Unterirdischen, bevölkert die Müllablagerungsplätze und gilt als Vorbotin der Pest (die sie einst tatsächlich verbreitete). 1870 *ff.*

7. die ~n = die Lehrerschaft. Von den Schülern aufgegriffen aus dem Titel des nach Gerhart Hauptmanns gleichnamigem Drama 1955 gedrehten Films. 1958 *ff.*

8. graue ~n = Straßenkontrollbedienstete der Bundesanstalt für den Güterfernverkehr. Analog zu den „weißen ↗ Mäusen" in Anspielung auf die graue Farbe der Uniform. 1955 *ff.*

9. hagere ~ = hagerer Mensch. 1920 *ff.*

10. kleine ~ = Mensch, der sich von niedrigen Beweggründen leiten läßt. 1920 *ff.*

10 a. miese ~ = charakterlich widerwärtiger Mensch. ↗ mies. 1950 *ff.*

11. schleimige ~ = widerlicher Einschmeichler. ↗ schleimig. 1950 *ff.*

12. schmierige ~ = Schimpfwort. 1920 *ff.*

13. davon beißt keine ~ etwas ab = das ist unabänderlich. ↗ Maus 12. 1950 *ff.*

14. wie eine nasse ~ aus dem Ausguß gucken = traurig dreinblicken. 1945 *ff.*

15. ~n im Kopf haben = wunderliche Einfälle haben. Vergrößerung und Vergrößerung von „↗ Grillen im Kopf haben". Man geht von der Vorstellung aus, daß die Nagetiere das Gehirn anfressen und also weit mehr Schaden anrichten als die Grillen. 1800 *ff. Vgl franz* „il a des rats" „un rat lui trotte dans la tête"; *engl* „he has rats in his garret".

16. du hast wohl ~n im Stuhlgang? = Frage an einen, der Unsinn schwätzt. 1950 *ff, jug.*

17. so eine ~ nennen wir Maus: Redewendung, wenn man die ausgespielte Karte stechen kann. 1900 *ff,* kartenspielerspr.

18. pennen wie eine ~ = tief, schnarchend schlafen. ↗ Ratte 20. 1900 *ff.*

19. eine ~ schieben = a) keinen Kegel treffen; die Kegelkugel von der Bahn abgleiten lassen. ↗ Ratte 5. Keglerspr. seit dem 19. Jh. - b) ein unvorteilhaftes Geschäft machen; einen überhöhten Preis zahlen müssen. 1950 *ff.* - c) von einem Mädchen abgewiesen werden. 1920 *ff.*

20. schlafen wie eine ~ = tief schlafen. „Ratte" ist entstellt aus „↗ Ratz I". 1500 *ff.*

21. für die ~ sein = vergebens, unnütz, schlecht sein. Was man den Ratten anheimgibt, ist das Minderwertigste und ist verloren. Seit dem 19. Jh.

22. auf die ~ (~n) spannen (aufpassen) = scharf aufpassen; jede kleine Nachlässigkeit streng rügen. Hergenommen vom

Hund oder der Wildkatze, die vor dem Loch der Ratte sitzen und ihr auflauern. 1900 *ff.*

23. die ~n verlassen das (sinkende) Schiff = die Gegner im Kartenspiel haben nur noch unbedeutende Karten beizugeben. Übernommen aus der Geltung des Unheil ankündigenden Vorfalls. Seit dem 19. Jh.

Rattenfänger *m* **1.** schlechter Kegler. Ihm rollt die Kugel von der Bahn. ↗ Ratte 5. 1900 *ff,* keglerspr.

2. Abwerber. Hergenommen von der Sage vom Rattenfänger von Hameln, der die Kinder entführt haben soll. Nach 1945 aufgekommen.

3. nicht vertrauenswürdiger Mann; Mensch, der andere zu übertölpeln sucht. 1945 *ff.*

Rattenkönig *m* unentwirrbare Mengen von Irrtümern o. ä. Zoologen nennen so eine Anzahl jüngerer Ratten, deren Schwänze während des Zusammenlebens im Nest durch Schorfbildung oder Schmutz miteinander verklebt sind. Von der fettesten Ratte, die als Rattenkönig gilt, ist die Bezeichnung auf das ganze Gewirr übertragen worden. In der übertragenen Bedeutung ist die Vokabel im späten 18. Jh aufgekommen.

Rattenkopf *m* zottelige Frisur. 1970 *ff.*

Rattenpack *n* Schar ungezogener, lästiger Kinder. ↗ Pack. 1950 *ff.*

Rattenschiß *m* Schattenriß. Durch Buchstabenumstellung entstanden im ausgehenden 19. Jh.

Rattenschwanz *m* **1.** Folge zwangsläufig zusammenhängender Vorfälle. Verdeutlichend aus „↗ Rattenkönig" entwickelt. 1900 *ff.*

2. Gefolge eines Ministers o. ä. 1900 *ff.*

3. *pl* (auch in der Verkleinerungsform) = zu beiden Seiten des Gesichts herabhängende Zöpfe; dünne Zöpfe. 1890 *ff.*

Rattenzopf *m* dünner Zopf. ↗ Rattenschwanz 3. 1890 *ff.*

rattern *intr* **1.** laut schimpfen. Schallnachahmender Herkunft. 1910 *ff,* sold und *ziv.*

2. schnell, ohne Schwierigkeit, fließend reden. ↗ Maschinengewehr. 1920 *ff.*

3. koitieren. Hergenommen von der Schußfolge des Maschinengewehrs, überhaupt von Schießen; denn „Schuß" meint die Ejakulation. *Halbw* 1955 *ff.*

Rattler *m* Hund. Gemeint ist der Hund, der Ratten fängt; auch „Rattenfänger" genannt. *Österr* 1900 *ff.*

Ratz (Ratze) *m* **1.** Radiergummi. Verkürzt aus ↗ Ratzefumm. *Schül* 1900 *ff.*

2. schlafen wie ein ~ = sehr fest schlafen. „Ratz" meint hier das Murmeltier, den Siebenschläfer; diese Tiere gelten volkstümlich als Langschläfer, weil sie Winterschlaf halten. 1500 *ff. Vgl franz* „dormir comme une marmotte".

3. schnarchen wie ein ~ = laut, anhaltend schnarchen. 1920 *ff.*

Ratze *f* **1.** von der Bahn abgekommene Kegelkugel. ↗ Ratte 5. Keglerspr. Seit dem 19. Jh.

2. Bett. ↗ Ratz 2. *BSD* 1965 *ff.*

'Ratze'fallis *pl* Italiener. Übertragen von den mit Fallen hausierenden Slowaken, Bosniaken usw. ↗ „Ratzifalli-Mausefalli" nannte man um 1900 die mit Drahtwaren umherziehenden Händler. *Sold* in beiden Weltkriegen.

Ratzefumm (-fummel) *m* Radiergummi.

Ratzen = kratzen; fummeln = hantieren. *Schül* 1880 *ff.*

'ratze'kahl *adv* völlig kahl; völlig leer; völlig. Entweder volksetymologisch eingedeutscht aus „radikal" oder hergenommen von „kahl wie eine soeben geborene Ratte"; daher auch die veralteten Schreibungen „rattenkahl" und „rattekahl". Seit dem 18. Jh.

ratzen *intr* **1.** eilen, weglaufen. Fußt auf *jidd* „razen = laufen". *Rotw* 1900 *ff.* **2.** schlafen. Verbal aus „↗Ratz 2". 1870 *ff.* **2 a.** miteinander ~ = koitieren. 1900 *ff.* **3.** schnarchen. *BSD* 1960 *ff.*

Ratzenjagd *f* Fahndung nach Gesindel und unkontrollierten Prostituierten. Ratz = ↗Ratte 6. Vielleicht von „Razzia" beeinflußt. 1850 *ff*, *prost.*

'ratze'putz (**'ratzi'butz**, **'radi'butz**) *adv* völlig; ohne Rest. „Putzen = den Teller leeren", verquickt mit der Vorstellung von der Gefräßigkeit der „Ratzen = Ratten". 1900 *ff.*

Raub *m* **1.** auf ~ ausgehen = in einer Gaststätte einen Mann suchen, der einen vergnügten Abend finanziert. Eigentlich soviel wie „stehlen gehen", gemildert zur Bedeutung „auf Kosten anderer leben". 1920 *ff.* **2.** den ~ unter sich teilen = den dem Verlierer abgejagten Gewinn untereinander teilen. Fußt auf der Bibel: Josua 22, 8 und Richter 5, 30. Kartenspielerspr. Seit dem 19. Jh. **3.** nun teilt euch in den ~, ihr Brüder!: Redewendung des Verlierers im Kartenspiel, wenn er seinen Gegnern das Geld hinwirft. Geht in leichter Abwandlung zurück auf das Gedicht „Der Esel und die drei Herren" von Ludwig Heinrich Freiherrn von Nicolay (1737–1820). Kartenspielerspr. 1870 *ff.*

Raubautz (**Rauhbautz**, **Raubauzer**) *m* derber, grober, lärmender Mann. Zusammengewachsen aus „rauh" und „bauzen = bellen, zanken". Seit dem 19. Jh, vorwiegend *südd* und *südwestd* mit Ausstrahlung ins *Hess* und *Rhein.*

Räuber *m* **1.** Wildfang; gemütliche Schelte. Im 19. Jh übertragen vom Wilddieb oder vom Raubvogel. **2.** Rufname des Hundes. Häufig im Munde von Jägern. Seit dem 19. Jh. **3.** ~ und Gendarm = Manöver. Eigentlich Name eines beliebten Kinderspiels. *BSD* 1960 *ff.* **4.** pensionierter ~ = Verbrecher, der zu lebenslanger Haftstrafe verurteilt ist. 1830 *ff.* **5.** unter die ~ gefallen sein = a) ungepflegt sein; abgetragene Kleidung tragen. Geht zurück auf das Gleichnis vom barmherzigen Samariter (Lukas 10, 30). 1500 *ff.* – b) von jm um sein Geld gebracht werden. 1900 *ff.* – c) im Kartenspiel verlieren und viel bezahlen müssen. *Vgl* ↗Raub 3. Kartenspielerspr. 1900 *ff.* **6.** sich etw vorstellen wie Fritzchen die ~ = von etw keine richtige Vorstellung haben. 1870 *ff.*

Räubergeschichte *f* unglaubwürdige Geschichte; nicht wahrheitsgemäß berichteter Vorfall. Seit dem 19. Jh.

Räuberhöhle *f* **1.** unaufgeräumtes Zimmer; Studentenzimmer. Einfluß der Räuberromane des 19. Jhs. 1880 *ff.*

2. Klassenzimmer. 1930 *ff.* **3.** hier sieht es aus wie in einer ~ = hier liegt alles durcheinander; hier ist nicht aufgeräumt worden. 1880 *ff.*

Räuberleiter *f* die ~ machen = jm auf die Schultern steigen und sich aufrichten. 1950 *ff.*

Räuberpistole *f* **1.** übertrieben geschilderte Begebenheit; lügenhafte Erzählung. Wohl verdreht aus „Räuberhistorie". 1870 *ff.* **2.** anspruchslose Kriminalgeschichte. 1920 *ff.*

Räuberzivil *n* **1.** Zivilanzug (im Gegensatz zu Uniform oder Festtagskleid); Mischung von Uniformrock und Zivilhose. Um 1850 aufgekommen. **2.** alte Kleider, wie man sie im Haus, bei der Gartenarbeit o. ä. trägt; bequemer Hausanzug. 1920/30 *ff.*

Räubiger *m* Schuldner, der gutmütige Geldgeber betrügt, Kreditware weiterverkauft oder verpfändete Wertsachen dem Zugriff des Gläubigers entzieht. Dem „Gläubiger" nachgebildet um 1900.

Raubritterpreise *pl* stark überhöhte Preise. 1965 *ff.*

Raubsau *f* wie eine ~ starten = unfliegerisch starten. Die „Raubsau" ist eine Kreuzung von Raubvogel und Wildsau. Fliegerspr. 1960 *ff.*

Raubtierfütterung *f* Beköstigung. Das Raubtier ist hier der heißhungrige Mensch. *Sold* 1910 bis heute; auch *ziv.*

Raubvogel *m* nächtlicher ~ mit sieben Buchstaben = Bardame. Umschreibung nach dem Muster von Kreuzworträtseln. Berlin 1958 *ff.*

Rauch *m* **1.** Raucherwaren. Wohl dem *angloamerikan* „to have a smoke" gegen 1920 nachgebildet. **2.** Tadel. Zusammenhängend mit „Zigarre = Rüge". 1935 *ff.* **3.** Unfrieden, Zank. Wohl vom Qualm und Dampf des Schlachtfelds übertragen. 1650 *ff.* **4.** ~ im Haus (in der Küche, in der Stube) = häuslicher Unfrieden; Zwist innerhalb einer Gruppe o. ä. *Vgl* ↗rauchen 7. 1900 *ff.* **5.** ~ von der Ruhr = übelriechender Tabak. Anspielung auf die üblen Luftverhältnisse des Industriebezirks. Vielleicht dem Titel des Romans „Rauch an der Ruhr" von Felix Wilhelm Beielstein (1932) nachgebildet. 1900 *ff.* **6.** ~ fangen (schnappen) = leer ausgehen; nichts erbeuten. Anspielung auf den Rauch als Sinnbild der Nichtigkeit und Vergänglichkeit. Seit dem 19. Jh. **7.** einen schweren ~ haben = heftigen Hunger verspüren. Analog zu „↗Dampf 1". 1920 *ff.* **8.** ~ in der Stimme haben = eine dunkle, leicht heisere Stimme haben. 1900 *ff.* **9.** nach ~ riechen = a) verdächtig sein. Übertragen von einem, der sich durch den Geruch als Raucher verrät. Beeinflußt vom Sprichwort „wo Rauch ist, muß auch Feuer sein". 1900 *ff.* – b) Unheil ahnen lassen. 1914 *ff.* **10.** etw in den ~ schreiben = etw verloren geben; mit der Begleichung einer Geldschuld nicht mehr rechnen. Rauch = Rauchfang; dort macht der Rauch die Schrift bald unleserlich. Seit dem 19. Jh.

Rauch-du-sie *f* minderwertige Zigarette oder Zigarre. Berlin 1850 *ff.*

Rauche *f* Zigarette. 1930 *ff.*

rauchen *v* **1.** ich glaube, du rauchst! = das kommt mir sehr verdächtig vor! „Rauchen" berührt sich hier mit „↗Wind machen" im Sinne von „die Unwahrheit sagen". Rauch verdeckt die klare Sicht. Berlin seit dem 19. Jh. **2.** das raucht! = das ist geprahlt! Die Behauptung riecht brenzlig: sie läßt Täuschung vermuten. Berlin 1840 *ff.* **3.** es raucht hinter dir = du hast gerade gelogen. In volkstümlicher Rede spricht man von „stinkiger Lüge". 1900 *ff.* **4.** arbeiten, daß der Kopf raucht = sehr angestrengt arbeiten. Von dampfenden Pferdeleibern übertragen auf den angestrengt arbeitenden Menschen. 1700 *ff.* **5.** daß es nur so raucht = tüchtig; mit großem Eifer. Versteht sich nach dem Vorhergehenden. Seit dem 19. Jh. **6.** es raucht = es herrscht Unfrieden, Streit. ↗Rauch 3. 1700 *ff.* **7.** es raucht in der Küche (im Haus) = es herrscht eheliche Zwietracht. 1700 *ff.* **8.** sonst raucht es = sonst gibt es Prügel; sonst ist es mit meiner Gutmütigkeit (Geduld) vorbei; sonst greife ich rücksichtslos ein. Seit dem 19. Jh. **9.** es raucht mir (mir raucht er) = ich bin wütend; es ärgert mich. Gemeint ist wohl, daß der Kopf raucht, weil „↗Feuer im Dach" ist. 1900 *ff,* vorwiegend *bayr.* **10.** eine ~ lassen = sich fellieren lassen. 1920 *ff.* **11.** Marke „rauche ohne Furcht" = Filterzigarette. Anspielung auf verminderte Gesundheitsschädlichkeit. 1950 *ff.*

Räucher-Alt *m* weibliche Alt-Stimme. 1963 *ff.*

Raucherbeine *pl* Krampfanfällige Beine eines Kreislaufgestörten. Der Gefäßkrampf soll auf übermäßigen Tabakgenuß zurückzuführen sein. 1920 *ff.*

Räucheriges *n* **1.** Geräuchertes. *Südd* 1900 *ff.* **2.** Raucherware. 1910 *ff.*

Räucherkammer *f* **1.** Zuchthaus, Zuchthauszelle. Gleich einer Wurst oder einem Schinken wird die der Häftling für lange Zeit konserviert. 1920 *ff.* **2.** Chemiesaal in der Schule. 1900 *ff.* **3.** Prüfraum für Gasmasken. 1915–1945, *sold.* **4.** Tabakspfeife. *Sold* 1939 *ff.*

Rauchermuffel *m* Nichtraucher. ↗Muffel. Im Dezember 1973 wurden im Bundesgesundheitsministerium Aufkleber verteilt mit der Aufschrift: „Hier sitzt ein Rauchermuffel" als Aufforderung an die Raucher, auf den Nichtraucher Rücksicht zu nehmen.

rauchern *v* es rauchert ihn = er möchte gerne rauchen. Entwickelt nach dem Muster von „schläfern" zu „schlafen", von „lächern" zu „lachen" u. ä. Etwa seit 1860. Berlinisch vorwiegend in der Form „es roochert ihn".

Räucherware *f* Tabakware. *Halbw* 1955 *ff.*

Rauchfang *m* etw in den ~ schreiben = auf Rückerhalt des Geldes nicht mehr rechnen. ↗Rauch 10. Seit dem 19. Jh.

rauchig (**räuchig**) *adj* dunkel (auf die Stimme bezogen). Raucherfüllte Zimmerluft nimmt der Stimme den klaren Klang. 1900 (?) *ff.*

Rauchkater *m* Unwohlsein nach reichlichem Nikotingenuß. ↗Kater 1. 1920 *ff.*

Räuchlinge *pl* Zigaretten, Zigarren. Seit dem späten 19. Jh, *rotw* und *stud.*

Rauchloch *n* 1. After. Rauch = Abgas. 1600 *ff.*
2. Schimpfwort. Analog zu „⁊Arschloch". *Sold* in beiden Weltkriegen.

Rauchopfer *n* (dem Herrgott) ein ~ darbringen (bringen) = tabakrauchen. Rauchopfer, in der Antike ein kultischer Brauch, bestanden aus Weihrauch. 1920 *ff, stud.*

Rauchröllchen *n* Zigarette. 1950 *ff.*

Rauchsalon *m* Abort. Eigentlich eine Bezeichnung auf Fahrgastschiffen für den Raum, der den Rauchern vorbehalten ist. Manch einer raucht auf dem Abort, und die Exkremente rauchen. 1900 *ff.*

Rauchschwalbe *f* 1. unreinliche Frau. Die Rauchschwalbe ist oben schwarz, und ihre weiße Unterseite ist an der Kehle schmutzbraun gefärbt. Seit dem 19. Jh.
2. Schornsteinfeger. Berlin 1870 *ff.*

Rauchsopran *m* Mezzosopran. 1920 *ff.*

Rauchstimme *f* dunkle, leicht heisere Stimme. 1900 *ff.*

Rauchtheater *n* Varieté. Dort darf geraucht werden. Seit dem späten 19. Jh.

Rauchzinken *m* 1. Nase. ⁊Zinken. Aufzufassen als rauchfangähnlicher Vorsprung über der Feuerstelle des Tabakrauches. 1900 *ff*, Berlin.
2. Zigarre, Zigarette, qualmende Tabakspfeife. 1900 *ff.*

Raudi *m* 1. Vagabund, Raufbold. Deutsche Schreibung für *engl* „rowdy". 1800 *ff.*
2. Rufname des Hundes. 1900 *ff.*

raufbaggern *tr* jn mit dem Schlepplift auf die Höhe befördern. Übertragen vom endlos fördernden Becherwerk des Baggers. 1955 *ff.*

raufbrummen *intr* jm ~ = einen Fahrzeugzusammenstoß verursachen. 1950 *ff, kraftfahrerspr.*

Raufe *f* zur ~ gehen (schreiten) = zum Essenempfang gehen. Übertragen von der Futter- oder Heuraufe im Stall. *Sold* 1900 *ff.*

raufen *intr* essen. *Vgl* das Vorhergehende. 1900 *ff, sold.*

rauffallen *intr* beruflich, gehaltlich aufsteigen. Verkürzt aus „die ⁊Treppe rauffallen". 1920 *ff.*

raufhauen *tr* die Preise ~ = die Preise erhöhen. Analog zu „aufschlagen". 1920 *ff.*

raufkatapultieren *v* einen Künstler durch eine einzige Rolle überaus schnell zum Publikumsliebling werden lassen. Übertragen vom Start des Flugzeugs mittels Startschleuder. 1960 *ff.*

raufkommen *v* eins ~ = gehaltlich (beruflich) befördert werden. In der Schule gelangt man wegen guter Leistung einen Platz höher hinauf, und auf der Stufenleiter der beruflichen Laufbahn erklettert man eine weitere Sprosse. 1880 *ff.*

raufkrabbeln *intr refl* beruflich in den vorgeschriebenen Zeitspannen aufsteigen; durch Eifer in bessere Lebensumstände kommen. 1870 *ff.*

raufpacken *intr* an Gewicht und Umfang zunehmen. 1950 *ff.*

raufreden *tr* einer Sache durch viele Worte besondere Wichtigkeit beimessen. 1950 *ff.*

raufrücken *intr* wegen einer Leistung besser als bisher bewertet werden. Stammt aus dem Schulleben: in der Hierarchie der Sitzplätze gelangt der fleißige Schüler einen Platz weiter. 1870 *ff.*

raufschaukeln *tr* etw kräftig, nachdrücklich vorantreiben. Hergenommen von der Schiffsschaukel. 1900 *ff.*

raufschießen (naufschiaßn) *tr* jn necken, verspotten. Analog zu „jn ⁊aufziehen" oder „jn auf die ⁊Palme treiben". *Bayr* 1900 *ff.*

raufschrauben *tr* Preise oder Bezüge erhöhen. Leitet sich her von Präzisionsgeräten, die mittels Schrauben erhöht werden, oder vom Flugzeug, das in Schrauben-, Schlangenlinien aufsteigt. 1900 *ff.*

raufsetzen *refl* setz dich einen rauf!: Ausdruck des Lobes. Versteht sich wie „⁊raufrücken". 1870 *ff.*

rauftauschen *refl* durch Tausch (und Zuzahlung) eine bessere Ware erwerben. Werbetexterspr. 1960 *ff.*

rauh *adj* 1. ausgezeichnet. Parallel zu „⁊knallhart". *Österr* 1950 *ff, schül.*
2. ~, aber herzlich = derb gesagt, aber ehrlich gemeint. 1900 *ff.*
3. mit etw ~ umgehen = nicht kleinlich sein. Weiterentwickelt aus der Bedeutung „ungeschlacht; ohne Sinn für Feinheiten". 1880 *ff, sold.*
4. das ist zu ~ = das ist eine Zumutung, eine Dreistigkeit. *Jug* 1960 *ff.*

Rauhbein *n* 1. ungesitteter, streitsüchtiger Mann; grober, roher Bursche. Volksetymologisch eingedeutscht aus *engl* „rawboned = dürr, fleischlos". Ursprünglich Spitzname der fahrenden Artilleristen seit dem Ersten Schlesischen Krieg (1740/42); von da übergegangen auf die Berliner Bürgergardisten wegen ihrer rauhen Gamaschen (1800–1840); dann in *ziv* Kreisen zur heutigen Bedeutung entwickelt. 1850 *ff.*
2. Spieler mit grober, unfairer Spielweise. *Sportl* 1950 *ff.*
3. das ~ rauskehren = sich barsch, streitlüstern aufführen. 1930 *ff.*

Rauhe *f* in der ~ sein = in der beginnenden Geschlechtsreife sein (auf Mädchen bezogen). Rauhe = Mauser. 1870 *ff.*

Raum *m* 1. die Räume pflegen = Putzfrau sein. Aufgekommen im Zusammenhang mit der Vokabel „⁊Raumpflegerin". 1955 *ff.*
2. frei im ~ schwimmen = auf gut Glück eine Unterhaltung führen. Wohl von den Astronauten (in der Schwerelosigkeit) hergenommen. 1970 *ff.*
3. es steht im ~ = es ist noch unentschieden. Parlamentierdeutsch; wohl beeinflußt von *engl* „the motion stands = der Antrag ist eingebracht (aber noch nicht entschieden worden)". Mit „Raum" ist das Parlament gemeint. Lieblingswendung von Bundeskanzler Ludwig Erhard. Nach 1950 aufgekommen.
4. es bleibt nicht im ~ stehen = es wird geklärt, berichtigt, ausgeräumt. 1950 *ff.*
5. etw in den ~ stellen = etw andeuten, äußern, zur Debatte stellen. ⁊Raum 3. 1950 *ff.*

räumen *v* es räumt = die Arbeit geht rasch vorwärts. Hergenommen vom Arbeitstisch, der sich schnell leert. 1900 *ff.*

Raumfahrerhelm *m* Kappenhut nach Raumfahrerart. 1965 *ff.*

Raumfahrer-Mädchen *n* junges Mädchen im „⁊Astronauten-Look". 1965 *ff*, Modendeutsch.

raumgreifend *adj* beleibt. Wird in der Sportlersprache auf Langpässe bezogen und fußt auf *engl* „ground-gaining". 1955 *ff.*

Raumkosmetikerin *f* Putz-, Reinmachefrau. Gegen 1955 aufgekommen mit der beruflichen Rangerhöhung der Putzfrau: sie betreibt Schönheitspflege.

Raumpflege *f* Sauberhaltung von Räumen; Putzfrauentätigkeit. *Vgl* ⁊Raumpflegerin.

raumpflegen *intr* als Putzfrau tätig sein; putzen. 1955 *ff.*

Raumpflegerin *f* Putzfrau. Aufgekommen mit dem „Wirtschaftswunder", als Putzfrauen immer seltener wurden und man zur Abhilfe nach einem anfangs scherzhaft, hernach mehr ernsthaft gemeinten Neuwort gesellschaftlicher Mehrgeltung suchte. Die um 1950 bekannte Bezeichnung soll von Oberregierungsrat Dr. Fritz Molle („Handbuch der Berufe") geprägt worden sein.

Räumungsparagraph *m* Abtreibungsparagraph (§ 218 StGB). Meint eigentlich den Räumungsparagraphen des Mietrechts. ⁊ausräumen 2. 1900 *ff.*

Räumungsrummel *m* Sommer-, Winterschlußverkauf. ⁊Rummel. 1950 *ff.*

Raunze (Raunzn) *f* Nörglerin. ⁊raunzen. Vorwiegend *oberd*, seit dem 19. Jh.

raunzen *intr* nörgeln, kritteln, zanken. Schallnachahmung für das Schreien der Katze und beeinflußt von „raunen = flüstern". *Oberd*, spätestens seit 1800.

Raunzer *m* Mann, der mit allem und jedem unzufrieden ist; Mann, dem man nichts recht machen kann; unverbesserlicher Nörgler. *Oberd* seit dem 19. Jh.

Raunzn *f* ⁊Raunze.

Raupe *f* 1. träger, langweiliger, langsamer Mensch. Er bewegt sich mit der Geschwindigkeit einer Raupe. 1950 *ff.*
2. die ~n absuchen = Obst von den Bäumen stehlen. Halbwüchsigem. 1940 *ff.*
3. fressen wie eine ~ (wie sieben ~n, wie eine sieben-, neunköpfige ~) = sehr viel essen. Die Gefräßigkeit der Raupen ist allgemeinbekannt. „Neunköpfig" ist der Lernäischen Schlange der Herakessage nachgeahmt. 1900 *ff.*
4. im Kopf haben = wunderliche Einfälle haben. Hängt vielleicht mit der abergläubischen Vorstellung zusammen, daß Wunderlichkeit durch Insekten im Kopf verursacht wird. Man denkt sich, daß diese Tiere langsam das Gehirn auffressen. Seit dem späten 18. Jh, wohl von Medizinstudenten aufgebracht. *Vgl engl* „to have a bee in one's bonnet".
5. jm die ~n aus dem Kopf hauen = jm die törichten Pläne mittels Hieben austreiben. 1900 *ff.*
6. jm ~n in den Kopf setzen = jm unvernünftige Gedanken eingeben. Seit dem 19. Jh.

Raupensammlung *f* 1. Verwaltungsabteilung mit besonders seltsamen, auffallenden oder eigenwilligen Leuten. ⁊Raupe 4. Wien 1940 *ff.*
2. Gesamtheit der Mädchen, zu denen einer in Beziehung gestanden hat. ⁊Schmetterlingssammlung. 1935 *ff.*
3. das fehlt mir noch in meiner ~ = das habe ich noch nicht; das besäße ich noch gern; auch Ausdruck der Ablehnung. 1910 *ff* (ohne Oberdeutschland).

raus *adv* **1.** nun aber ~!: Zuruf, wenn einer einen gewagten Witz erzählt. Scherzhafte Aufforderung, den Raum zu verlassen. 1900 ff.
2. ~ aus Metz! = weg von hier! Leitet sich her von der Einschließung und Belagerung der *franz* Armee unter General François Achille Bazaine in Metz (1870). Seit dem ausgehenden 19. Jh geläufig.
3. ~ aus der Scheiße, rein in die Scheiße!: Redewendung, wenn Soldaten aus einer gefährlichen Stellung abgezogen und in eine nicht viel anders geartete Stellung überführt werden. Derbe Variante von „raus aus die Kartoffeln, rin in die Kartoffeln!" (↗rin 1) und von der Metapher „vom Regen in die Traufe kommen". *Sold* 1939 ff.
4. ~ und gewonnen!: Redewendung des gewinnsicheren Kartenspielers. Vom ersten Aufspielen an bleibt er am Spiel. 1900 ff.
5. ~ mit der wilden Katze! = a) sag' endlich, was du haben möchtest! Vgl „die ↗Katze aus dem Sack lassen". 1850 ff. – b) spiel' endlich auf! Kartenspielerspr. 1850 ff.
6. ~ mit der Wildsau! = spiel' endlich aus! Kartenspielerspr. 1850 ff.
rausbegleiten *tr* jm, der sein Glas leert, zuprosten und mithalten. Eigentlich „gleichzeitig mit einem anderen austrinken und mit ihm aus der Tür gehen". 1900 ff.
rausbeißen *v* **1.** jn ~ = jn aus seiner Stellung verdrängen. Hergenommen von Tieren, die durch Beißen einander zu verdrängen suchen, vor allem vom gemeinsamen Freßnapf. Seit dem 16. Jh.
2. sich ~ = a) sich vor anderen hervortun. 1800 ff. – b) sich aus einer Notlage befreien. 1800 ff.
3. etw ~ = den Leuten zu verstehen geben, daß man einen höheren Rang bekleidet; auf seinen hohen Rang unverkennbar sehr großen Wert legen (er beißt den Offizier raus; er beißt den Bürgermeister raus). Man macht nach außen kenntlich, was man unter Mühen erreicht hat: als „hohes ↗Tier" beansprucht man den besten Platz am Freßnapf, und wenn man ihn sich auch mit Beißen erkämpfen muß. 1850 ff.
rausboxen *v* **1.** jn ~ = a) jn verdrängen. Vom Boxsport übernommen. 1920 ff. – b) jm aus bedrängter Lage aufhelfen. 1920 ff.
2. sich ~ = sich aus einer Notlage befreien; wirtschaftlich gesunden. 1920 ff.
rausbringen *tr* **1.** etw ergründen, in Erfahrung bringen. Man lockt es aus dem Versteck, aus der Geheimhaltung. 1800 ff. Vgl engl „to get out".
2. jn zum Publikumsliebling machen. Man bringt ihn hinter dem Theatervorhang hervor und stellt ihn an die Rampe. Theaterspr. 1920 ff.
3. jn groß ~ = jn mit großem Aufwand, mit kostspieliger Werbung an die Öffentlichkeit bringen; einen Verfasser und sein Werk in den Rang eines Bestsellers zu heben suchen. 1920 ff.
Rauschebart *m* **1.** langer Vollbart. Bekannt als Barttracht des Grafen Eberhard von Württemberg (1315–1392), der den Beinamen „der Rauschenbart" trug. Die Schreibung „Rauschebart" ist seit der Ballade

von Ludwig Uhland üblich. Seit dem 19. Jh.
2. Mann mit Vollbart. Seit dem 19. Jh.
rauschen *v* **1.** *intr* = eilen. Übertragen vom Rauschen des Windes, von den auffliegenden Vogelschar oder von weiten, rauschenden Gewändern. Seit dem 19. Jh.
2. *intr* = in der Prüfung versagen; nicht in die nächsthöhere Klasse versetzt werden. Verstärkung von „↗fliegen 2". 1945 ff.
3. es rauscht bei ihm = er versteht schnell. *Halbw* 1950 ff.
4. es rauscht = es findet eine heftige Auseinandersetzung statt; man wird heftig gerügt; es gibt Ohrfeigen und Prügel. 1910 ff.
5. jetzt hat's gerauscht = jetzt ist die Geduld zu Ende; jetzt lasse ich keine Nachsicht mehr walten. 1910 ff.
6. hier hat es gerauscht = hier sind viele Bomben gefallen. Übertragen vom Geräusch des Bombenfalls. *Sold* und *ziv* 1939 ff.
7. daß es nur so rauscht = heftig, nachdrücklich, anstrengend. Von der Kraft, die eine geräuschvolle Bewegung auslöst, weiterentwickelt zur Geltung einer allgemeinen Verstärkung. 1920 ff.
Rauscher I *m* Halbwüchsiger mit frühzeitiger Liebelei. Meint entweder den halbvergorenen Most oder fußt auf „rauschen = brünstig sein" (vom Schwein gesagt). 1900 ff.
Rauscher II (Rauschert) *m* Stroh. Wegen des Raschelns. *Rotw* 1500 ff.
Rauschhändler *m* Gastwirt. 1920 ff.
rausdividieren *tr* **1.** etw unter Mühen ergründen, ersinnen. Hergenommen von schwieriger Teilung (mathematisch). 1900 ff.
2. einen Gegenstand heraussuchen. 1900 ff.
rausdrücken *tr* jn aus seiner Stellung verdrängen. 1920 ff.
rausekeln *tr* durch unfreundliches Betragen jn zum Weggehen veranlassen. Man verekelt ihm das Bleiben. 1870 ff.
rausfahren *v* es ist ihm rausgefahren = er hat es unbedacht geäußert. Seit dem 19. Jh.
rausfeuern *tr* **1.** jm unsanft die Tür weisen. ↗feuern 2. 1800 ff.
2. aus der Arbeitsstelle entlassen; jm fristlos kündigen. 1900 ff.
rausfischen *tr* etw heraussuchen. 1800 ff.
rausfuttern *refl* dicklich werden. 1900 ff.
rausfüttern *tr* **1.** jn reichlich beköstigen. Seit dem 19. Jh.
2. sich ~ lassen = sich reichlich beköstigen; durch reichliches Essen wieder zu Kräften kommen. Seit dem 19. Jh.
rausgeben *intr* jm ~ = jm die Antwort nicht schuldig bleiben; schlagfertig antworten; grob werden. Vom Geldwechseln übertragen. Seit dem 19. Jh.
rausgehen *v* **1.** dieser Fleck wird ~ = dieser Fleck wird durch Waschen zu entfernen sein. Seit dem 19. Jh. *Vgl engl* „to come out".
2. er ging raus und weinte Buttermilch = der Kartenspieler hat das scheinbar sichere Spiel verloren. Entstellt aus „er ging hinaus und weinte bitterlich" (Matthäus 26, 75). Kartenspielerspr. 1900 ff.
3. aus sich ~ = a) lebhaft werden. Man geht aus sich heraus, wie man aus der

Haustür ins Freie tritt. 1900 ff. – b) zum Angriff vorrücken; angreifen. *Sold* 1939 ff. – c) durch enganliegende Kleidung Busen und Gesäß in ihrer üppigen Gestaltung offenbaren. 1955 ff.
rausgraulen *tr* jn durch unfreundliches, abweisendes Benehmen zum Weggehen veranlassen. Man verleidet ihm das Verbleiben, indem man ihn Grauen empfinden läßt oder ihn abergläubisch ängstigt. 1860 ff.
raushaben *tr* **1.** etw erraten, ergründet haben. Verkürzt aus „herausgefunden haben". Seit dem 18. Jh.
2. etw gründlich beherrschen; etw gut können. Seit dem 18. Jh.
3. etw ~ wollen = bei einem Kauf- oder Tauschgeschäft die Aushändigung des Unterschiedsbetrags verlangen. Seit dem 19. Jh.
raushalten *refl* sich enthalten; sich nicht beteiligen. Seit dem 19. Jh.
raushängen *v* **1.** was hängt dabei raus? = wieviel ist dabei zu verdienen? Beruht auf der Vorstellung, daß das, was über den Rand hinaushängt, dem Geber zusteht. 1840 ff.
2. etw ~ lassen = etw erkennen lassen. Zur Erklärung *vgl* ↗hängen 17. Es kann auch der Penis als Machtsinnbild gemeint sein. Seit dem 19. Jh.
raushauen *tr* **1.** jm aus einer Notlage aufhelfen. Mit Hilfe eines Stocks o. ä. befreit man ihn aus der Menge der Gegner. Seit dem 19. Jh.
2. jn hinausweisen, verjagen. Man schlägt auf ihn ein, bis er die Weite sucht. 1920 ff.
rausholen *tr* an einer Sache Geld verdienen. 1900 ff.
rauskanten *tr* jn rücksichtslos hinausweisen. Man wirft ihn „↗achtkant" oder „↗hochkant" aus dem Haus. 1900 ff.
rauskatapultieren *tr* jn mit Nachdruck, überlegen entfernen; jn fristlos entlassen. Katapult = Startschleuder oder Wurfmaschine. Wahlkampfdeutsch der Christlich-Demokratischen Union 1969 gegen die Freie Demokratische Partei.
rauskitzeln *tr* **1.** jn hervorlocken. Etwa soviel wie „zum Herauskommen reizen". 1900 ff.
2. etw jm (aus jm) ~ = a) jm etw nachdrücklich abgewinnen, abnehmen. Stammt aus dem Wortschatz der Kellner und Hotelangestellten: man entwickelt Übereifer, um ein Sonderbedienungsgeld zu erhalten. 1870 ff. – b) jm eine Äußerung oder Andeutung entlocken; von jm ein Geständnis (durch Mißhandlungen) erzwingen. 1933 ff.
3. einer Sache viel Leistungsfähigkeit abverlangen; aus einem Motor eine Leistung herausholen, die er normalerweise nicht aufbringt. 1930 ff.
4. hundert ~ = 100 Kilometer Stundengeschwindigkeit erreichen. Kraftfahrerspr. 1930 ff.
rausknüppeln *tr* jm zu einem Freispruch oder zu einem günstigen Urteil verhelfen. Bezieht sich eigentlich auf Gewaltanwendung oder -androhung. 1930 ff.
rauskommen *intr* **1.** auf Reisen gehen. Man kommt aus der Enge des Alltags hinaus in die weite Welt. Seit dem 19. Jh.
2. beim Kartenspiel ausspielen. Kartenspielerspr. seit dem 19. Jh.
3. über 31 Punkte erzielen. Man kommt

aus dem „↗Schneider". Skatspielerspr. Seit dem 19. Jh.

4. groß ~ = mit großem Aufwand an die Öffentlichkeit gebracht werden; berühmt gemacht werden; berühmt werden. ↗rausbringen 2 und 3. 1920 ff, theaterspr., *sportl* u. ä.

rauskrabbeln *v* sich wieder ~ = wieder gesund werden; seine Schulden abtragen; sich emporarbeiten. „Krabbeln" meint ein mühsames Kriechen, hier auch die mühselige Befreiung aus einer ungünstigen Lage. Seit dem 19. Jh.

rauskriegen *tr* **1.** etw aus einem Gegenstand hervorholen können; etw herausziehen können. Seit dem 19. Jh.

2. eine Ohrfeige erhalten. Verkürzt aus „aus der ↗Armenkasse kriegen". Nach 1850 aufgekommen.

3. beim Geldwechseln den Mehrbetrag zurückerhalten. Seit dem 19. Jh.

4. etw ergründen, herausfinden, in Erfahrung bringen. Seit dem 18. Jh.

rausleiern *tr* jn etw ~ = jn zum Reden oder Spenden bewegen. ↗leiern. *Halbw* 1950 ff.

rausloben *tr* durch unberechtigtes Loben dazu beitragen, daß ein unliebsamer Kollege an einen anderen Posten versetzt wird. 1870 ff.

rauslotsen *v* **1.** jn ~ = jn aus einer Gesellschaft (aus dem Hause; aus einem Gedränge o. ä.) befreien. ↗lotsen. Seit dem 19. Jh.

2. etw aus jm ~ = jm ein Geheimnis entlocken; von jm ein Geständnis erzwingen. 1900 ff.

rausmachen *v* **1.** *intr* = ausreisen. ↗machen 38. 1800 ff.

2. *refl* = nach draußen gehen; spazierengehen. 1800 ff.

3. *refl* = sich erholen; sich kräftig entwickeln. Etwa soviel wie „aus kleinen Anfängen groß und größer werden", wie eine Blume sich „herausmacht", die anfangs nicht recht gedeihen wollte. Seit dem 19. Jh. Vgl engl „to blossom out".

4. *refl* = erfolgreich werden. Man löst sich von den bisherigen Mißerfolgen, kommt (metaphorisch) aus dem Tal auf die Höhe. Seit dem 19. Jh.

rausmelken *v* jm etw ~ = jn ausbeuten; einen Widerstrebenden zur Hergabe eines Gegenstandes oder Geldbetrags nachdrücklich veranlassen. ↗melken. 1900 ff.

rausmüssen *intr* den Abort aufsuchen müssen. Der Abort lag früher außerhalb des Hauses. 1800 ff.

rausnehmen *v* **1.** sich viel ~ = sehr anmaßend sein; unverschämt sein. Leitet sich her von der gemeinsamen Schüssel, aus der jeder nach Appetit und Anstand nimmt. Der Dreiste nimmt sich mehr als der Bescheidene. 1600 ff.

2. nimm dir nicht zuviel raus, es ist einem schon mal der Finger in der Nase abgebrochen!: Scherzrede an einen, der intensiv in der Nase bohrt. 1930 ff.

rausöden *tr* jn durch Anzüglichkeiten vertreiben. ↗öden. Seit dem 19. Jh.

rauspauken *tr* **1.** jn aus einer unangenehmen Lage befreien; jds Freispruch erwirken. Wahrscheinlich vom Fechtboden hergenommen: pauken = fechten. Auch wird die Pauke geschlagen, und so ergibt sich über „schlagen = hauen" die Ent-

sprechung „rauspauken = ↗raushauen 1". 1900 ff.

2. etw erzwingen. 1950 ff.

räuspern *v* **1.** das kann ich dir ~ = das kann ich dir versichern; darauf kannst du dich unbedingt verlassen. Analog zu ↗flüstern 2 c. 1930 ff.

2. *refl* = Unmut äußern. Erst räuspert man sich, um eine freie Kehle zu haben, und dann beginnt man zu reden. 1920 ff, *ziv* und *sold*.

rauspicken *v* sich etw ~ = sich das Beste aussuchen; sich etw widerrechtlich aneignen. Übertragen vom hackenden Vogelschnabel. Doch *vgl* ↗rausnehmen 1. 1900 ff.

rausplatzen *v* **1.** *intr* = das Lachen nicht unterdrücken können. 1800 ff.

2. mit einer Mitteilung ~ (etw ~) = ohne Vorbereitung, überraschend eine Äußerung von sich geben. Seit dem 18. Jh.

rausquetschen *v* **1.** etw ~ = etw mühsam, widerwillig hervorbringen; sich eine Rede abringen. Seit dem 19. Jh.

2. aus jm Geld ~ = jm Geld abnötigen. Man preßt es aus ihm heraus; man erpreßt ihn. 1900 ff.

3. etw aus jm ~ = jn unter Mühen zu einer bestimmten Äußerung veranlassen; jm mühsam ein Geständnis entlocken. 1900 ff.

rausrappeln *refl* einer Schwierigkeit Herr werden. ↗aufrappeln. 1900 ff.

rausrauschen *intr* einen Raum in hoheitsvoller Haltung verlassen. Spielt eigentlich auf das Rauschen der Gewänder an. 1900 ff.

Rausreder (Rausrederer) *m* Sprechanlage an der Haustür. Mit ihr kann man unerwünschte Besucher (Vertreter u. a.) mühelos abweisen. 1935 ff.

Rausreißer *m* **1.** unerwarteter Glücksfall, der alle Not behebt; guter Geschäftsgang nach anfänglicher Aussichtslosigkeit. 1840 ff.

2. Rechtsanwalt. *Österr* „Außreißer". 1900 ff.

3. mit Geld gedungener Entlastungszeuge. *Österr* „Außreißer". 1900 ff.

rausrenovieren *tr* wegen Hausrenovierung und künftiger Mietsteigerung den Mieter zum Ausziehen zwingen. 1980 ff.

rausrücken *v* **1.** *tr* = etw widerstrebend geben. Hier meint „rücken" die langsame Bewegung, mit der der Gegenstand bewegt wird, vor allem die Langsamkeit, mit der man Geld hergibt. Seit dem 18. Jh.

2. mit etw ~ = nach langem Zögern etw äußern, ein Geständnis ablegen. Vgl die gegenteilige Redewendung „mit etw hinter dem ↗Berg halten". Seit dem 18. Jh.

rausrutschen *v* **1.** es rutscht ihm raus = er plaudert es unüberlegt aus. Es entgleitet (entfährt) seinen Lippen. Seit dem 19. Jh.

2. ihm rutscht eine raus = er läßt sich zu einer Ohrfeige hinreißen. 1920 ff.

raussanieren *tr* wegen Modernisierung des Hauses dem Mieter kündigen. Vgl ↗rausrenovieren. 1982 ff.

rausschauen *v* dabei schaut nichts raus = das führt zu keinem Erfolg, zu keinem Verdienst. Gemeint ist, daß kein Vorteil zu erblicken ist. Vorwiegend *bayr* und *österr*, seit dem 19. Jh.

rausschießen *v* **1.** *intr* = nach draußen stürzen. Schießen = heftig hervortreten. Seit dem 18. Jh.

2. *tr* = gegen einen Zeugen sehr belastendes Material vorbringen. 1950 ff.

rausschinden *v* etw bei einer Sache ~ = sich bei einer Sache mühsam einen Vorteil verschaffen; bei einem Geschäft einen Vorteil herauswirtschaften; sich einen kleinen Nutzen sichern. Schinden = enthäuten; grausam plagen. 1870 ff.

rausschlagen *tr* etw (Geld) ~ = bei etw viel Geld verdienen; eine große Geldsumme einheimsen. Zusammenhängend mit dem Prägen von Münzen: die Münzen wurden früher aus dem Metall herausgeschlagen; je dünner das Metall gewalzt war, um so mehr Metall ließen sich herausschlagen. Kaufmannsspr. 1850 ff.

Rausschmeißer *m* **1.** letzter Tanz; Kehraus. Nach dem letzten Tanz werden die Gäste „rausgeschmissen". 1870 ff.

2. letzter Trunk zum Abschluß einer Geselligkeit. 1920 ff.

3. warme Suppe vor Antritt des Heimwegs im Winter. 1955 ff.

4. schwungvoller Schlußsatz eines Werks der ernsten Musik. Musikerspr. 1955 ff.

5. letzte Inszenierung der Spielzeit am Theater. 1960 ff.

6. Schlußstück eines Programms. 1960 ff.

7. hochprozentiger Schnaps. Den Ungeübten verursacht er Brechreiz. *Stud* 1950 ff.

8. Schallplatte mit unerträglichem Musikstil. 1955 ff.

9. Freund einer Prostituierten, der Kunden, die ohne Bezahlung gehen wollen, gewaltsam das Entgelt abnötigt. Berlin 1840 ff.

Rausschmiß *m* **1.** Hinauswurf; fristlose Amtsenthebung; Schulverweisung; schlichter Abschied vom Regiment. 1900 ff.

2. gehässige Bemerkung; verletzende Anzüglichkeit. Man faßt sie als Aufforderung zum Weggehen auf. 1950 ff.

rausschwitzen *tr* **1.** etw verlernen. ↗verschwitzen. Seit dem 19. Jh.

2. einen überraschenden Gedanken äußern. „Schwitzen" gilt hier als mühsam bewerkstelligter Ausfluß. 1900 ff.

rausschwören *tr* für jn einen zweifelhaften Entlastungseid leisten. 1900 ff.

raussein *intr* **1.** es ist raus = es ist entschieden, bekannt, veröffentlicht. Hergenommen von der Bekanntmachung oder vom Lotterielos, das gezogen worden ist. 1900 ff.

2. mehr als 31 Punkte erreicht haben. Man ist „aus dem ↗Schneider". Kartenspielerspr. 1870 ff.

3. fein (schön) ~ = sich in günstiger Lebenslage befinden; in Gunst stehen; Glück gehabt haben. Einer Gefahr, Not oder Beschränkung ist man glücklich entronnen. In der verdeutlichenden Form „fein raussein wie der Pferdeapfel". 1840 ff.

4. auf etw ~ = nach etw eifrig verlangen. ↗aussein 6. Seit dem 16. Jh.

raussortieren *tr* jn hinauswerfen. Unter vielen sondert man ihn aus. 1950 ff.

rausspringen *v* dabei springt etwas raus = a) die Sache lohnt sich; der Plan erscheint vorteilhaft. Gehört wohl zur Vorstellung vom Geldautomaten. 1920 ff. – b) die Sache hat etwas zur Folge. 1950 ff.

raussprudeln *tr* etw unbedacht, temperamentvoll äußern. Die Mitteilung bricht wie in einem Wasserwirbel hervor. Seit dem 19. Jh.

rausstauchen tr **1.** jn heftig prügeln. Stauchen = Gegenstände kräftig gegeneinanderstoßen. 1910 ff.
2. jn aus dem Haus weisen. 1910 ff.
rausstecken tr etw deutlich zu erkennen geben. Übertragen von der Fahne, die man zum Fenster hinaussteckt, oder vom Innungszeichen, das man vor den Laden hängt. Seit dem 19. Jh.
rausstinken v dabei stinkt 'was raus = a) das hat böse Folgen; das zieht Unannehmlichkeiten nach sich. Eine Sache „stinkt", wenn sie gefährlich oder unlauter ist. 1935 ff, ziv und sold. – b) bei diesem anrüchigen Geschäft erleidet man eine sehr empfindliche Einbuße. Verbrecherspr. 1960 ff.
rausstreichen tr jn loben, rühmen; jds gute Charaktereigenschaften in den Vordergrund rücken. Leitet sich her vom Striegeln, wodurch die Pferde ansehnlicher werden und sich leichter verkaufen lassen. 1500 ff. Vgl engl „to play up".
raustrommeln tr **1.** jn zum Mitkommen veranlassen; jn zur Hilfe herbeiholen; jn wecken (man trommelt den Arzt raus). Hergenommen vom Alarmieren mit der Trommel, vom lauten Pochen an die verschlossenen Türen oder Fenster usw. Seit dem 19. Jh.
2. jn vertreiben, verweisen, verjagen. Hängt zusammen mit dem Aufscheuchen des Wilds durch Trommeln. Seit dem 15. Jh.
raustun tr einen ~ = eine Runde Freibier spenden. Man entnimmt der Geldbörse einen Geldschein. 1930 ff.
Raus- und Reinzähne pl künstliches Gebiß. 1910 ff.
rauswerfen tr eine Fernsehsendung jäh abbrechen, sobald die Sendezeit überschritten wird. 1975 ff.
Rauswurf m fristlose Entlassung; Schulverweisung. 1900 ff.
rauszwingen tr etw zu weichen zwingen. Für das Waschmittel „Cascade" gab es einen Werbespruch: „Cascade zwingt Grau raus, zwingt Weiß rein." Dieser um 1966 aufgekommene Satz wurde rasch volkstümlich, vor allem in Journalistenkreisen. Man behauptete z. B.: „Notstandsgesetze zwingen Demokratie raus, zwingen Diktatur rein", oder „der Politiker zwang bei den Wahlen die eine Partei raus, die andere rein", oder „Gewichtheben zwingt den Bauch rein und die Muskeln raus".
Razzia-Schieber m Mann, der bewirtschaftete oder Schmuggelware zu billigem Preis anbietet, auf die Lieferung einen Vorschuß nimmt und später erklären läßt, bei einer Razzia habe er seinen gesamten Vorrat eingebüßt. 1919 aufgekommen, 1945 wiederaufgelebt.
re adv zurück, wieder. Verkürzt aus franz „retour". Seit dem 19. Jh.
Reagenzglasbaby (Grundwort engl ausgesprochen) n durch künstliche Befruchtung erzeugtes Kind. Gegen 1930 in Medizinerkreisen aufgekommen; nach 1950 in den allgemeinen Wortschatz vorgedrungen. Vgl angloamerikan „test-tube-baby".
Reaktionär m Geschlechtskranker. Bezieht sich auf die Wassermannsche Reaktion: sie ist positiv ausgefallen. 1910 ff. Vgl engl „positive man".
realisieren tr etw begreifen, erfassen. Übernommen nach 1945 aus engl „to rea-

lize = verwirklichen; sich etw vergegenwärtigen; klar erkennen; einsehen".
Realitätenkino n Zuhörerraum im Gerichtssaal. Dort erlebt man die Tatsächlichkeit des Alltagslebens ohne Entstellung. Berlin 1950 ff.
'Rebbach ('Reibach, 'Rewach) m Gewinn, Verdienst, Nutzen; Gewinn aus Unterschlagung oder Betrug. Fußt auf jidd „rewach = Zins". Rotw seit dem frühen 19. Jh.
Rebbes m geschäftlicher Gewinn. Geht zurück auf jidd „ribbis = Zins". 1600 ff.
Rebeller m Aufrührer, Aufwiegler. Seit dem 19. Jh.
Rebensaft m Wein. Bis zu scherzhaft-erhabener Geltung verblaßte Dichtersprache. 1600 ff.
Rebensprudel m Sekt. Sprudel = Mineralwasser. 1960 ff.
Rechenzentrum n Gehirn. Eigentlich Bezeichnung für die elektronische Datenverarbeitungsanlage. Technisierung des Menschen. 1960 ff.
Rechnung f **1.** dicke ~ = hohe Rechnung. 1920 ff.
2. elektrische ~ = Stromrechnung. 1950 ff.
3. gepfefferte ~ = hohe Rechnung. ↗ gepfeffert. 1600 ff.
4. gesalzene ~ = hohe Rechnung. ↗ gesalzen. 1700 ff.
5. geschmalzene ~ = hohe Rechnung. ↗ geschmalzen. Oberd seit dem 19. Jh.
6. eine ~ frisieren = dem Gast mehr anschreiben, als er verzehrt hat; in einer Rechnung falsche Warenposten angeben, um steuerliche Vorteile zu erzielen. ↗ frisieren. 1920 ff, kaufmannsspr., kellnerspr. u. a.
7. jn nicht auf der ~ haben = auf jn keine Absichten haben, keine Hoffnungen setzen; mit jm nicht rechnen. 1920 ff.
8. mit der ~ hängenbleiben = den Verzehr der anderen bezahlen müssen. ↗ hängenbleiben. 1920 ff.
9. mit jm noch eine ~ offen haben = etw mit jm noch zu bereinigen haben; mit jm einen Streit noch auszutragen haben. Von der unbeglichenen Rechnung übertragen. 1920 ff.
10. die ~ ohne den Wirt machen = Wesentliches nicht berücksichtigen; sich bei einer Sache verrechnen; sich irren. Wer den Verzehr nach Gutdünken einschätzt, wird in den meisten Fällen falsch rechnen. 1900 ff. Vgl engl „to recken without one's host" und franz „compter sans son hôte".
recht adv **1.** er ist nicht ~ (ihm ist es nicht ~) = er ist nicht bei Sinnen. Recht = richtig. 1900 ff.
2. wenn mir ~ ist = wenn ich mich nicht irre. 1500 ff.
Rechter m Rechtsaußen. Ballspielerspr. 1920 ff.
rechts adv **1.** jn von ~ anquatschen = jn ungehörig ansprechen. Die Respektsperson geht rechts; wer sie von rechts anspricht, begeht eine grobe Taktwidrigkeit. 1905 ff.
2. ~ äugeln = mit der politischen Rechten sympathisieren. 1955 ff.
3. ~ ist, wo der Daumen links ist: Redewendung, wenn einer fälschlicherweise die linke Seite wählt, die Seiten verwechselt. Bezieht sich auf die Handhaltung mit dem Handrücken nach oben; scherzhaft,

da die Erklärung das zu Erklärende (die Kenntnis der Seitenunterscheidung) voraussetzt. 1900 ff.
Rechtsaußen m Vertreter der nationalen Belange in einer demokratischen Partei. Übernommen von der Bezeichnung für den Fußballspieler in der rechten äußeren Anordnung der Stürmerreihe. 1920 ff.
rechtschaffen adv gehörig, sehr, richtig (ich bin rechtschaffen müde). Rechtschaffen = wahrhaft, redlich. Hieraus weiterentwickelt über „vollkommen" zur Geltung einer Verstärkung. 1600 ff.
rechtser adv weiter nach rechts (das Bild mußt du ~ hängen). 1800 ff.
rechtsgestrickt adj nationalistisch. Von einem Handarbeitsbegriff übertragen. 1960 ff.
rechtsgetrimmt adj nationalistisch. ↗ trimmen. 1960 ff.
rechtsgewebt adj geschlechtlich normal veranlagt. Rechts gilt mehr als links, wegen der Rechtshändigkeit der meisten Menschen; Linkshänder sind in der Minderheit. 1900 ff.
Rechtsverdreher m Rechtsgelehrter; Rechtsanwalt; Rechtsbeistand ohne juristisches Studium. Eine im 18. Jh aufgekommene Berufsschelte. Die Paragraphen des Gesetzbuches werden so geschickt hin- und hergedreht, bis sich die erwünschte Auslegung einstellt.
rechtsverkehrt adj rechtsgelehrt. 1700 ff.
Reck n langes ~ = großwüchsiger, schlanker Mensch. Reck = Stange, Latte. Analog zu „lange ↗ Latte". Nordd und mitteld seit dem 19. Jh.
Recke m tüchtiger Schüler. Eigentlich der Held, der starke Kämpfer. Nach 1945 wiederbelebte Vokabel, gern auch auf Sportler angewandt.
Rede f **1.** meine ~! = das meine auch ich! das ist ganz meine Ansicht! habe ich es nicht vorhergesagt? 1900 ff.
2. parfümierte ~ = Rede voller Freundlichkeit und Rücksichtnahme gegenüber den Zuhörern; Rede, die niemandem wehtut und allen möglichen Unannehmlichkeiten vorbeugt. 1960 ff.
3. eine ~ reden = eine Rede halten. Dem Lat nachgebildet („pugnam pugnare" o. ä.). Stud 1900 ff.
4. eine ~ schwingen = eine Rede halten. Fußt auf lat „orationem vibrare" im Sinne einer kraftvollen, schwungvollen Rede, in der es bildlich von Gedanken blitzt. Stud seit dem späten 19. Jh.
5. vergiß deine ~ nicht!: Redewendung, wenn man einen unterbricht. Seit dem 19. Jh.
6. ihm hat es die ~ verschlagen = er findet keine Worte mehr, ist sprachlos. Verschlagen = versperren, verwehren. Vorwiegend oberd, seit dem 19. Jh.
reden v **1.** jn tot und lebendig ~ = jm im Reden weit überlegen sein; auf jn anhaltend, beschwörend, eindringlich einreden. 1900 ff.
2. zum ~ eingenommen haben = redselig sein; unaufhörlich reden. Der Betreffende hat entweder eine gesprächig machende Arznei eingenommen, oder der Alkohol hat seine Zunge gelöst. Berlin 1850 ff.
3. mit sich selber ~ = angestrengt nachdenken. Man führt Selbstgespräche. 1900 ff.

4. sich gern ~ hören = genüßlich, blumenreich reden. 1900 ff.

5. er redet viel, wenn der Tag lang ist = er schwätzt und schwätzt; er prahlt stark. 1850 ff.

6. mit sich ~ lassen = willig (beischlafwillig) sein. 1920 ff.

Redensarten pl **1.** jn mit ~ beschädigen = jn mit Stichelreden ärgern; jn grob beschimpfen. 1870 ff.

2. jn mit ~ besoffen machen = jn mit leeren Worten betäuben; schwülstig reden; auf jn einreden, bis er nicht mehr klar denken kann. 1870 ff.

3. freche ~ am Leibe haben = derb, grob, frech reden. „Am Leibe" verdeutlicht „an sich; zu eigen". 1900 ff.

Rede'ritis f Redesucht. Witzelnd als Krankheit aufgefaßt nach endungsgleichen Krankheitsbezeichnungen. 1900 ff.

Redeschnellfeuer n Redeschwall. 1935 ff.

Redetatterich m Stottern. ↗ Tatterich. Berlin 1900 ff.

Reeder m Inhaber einer öffentlichen Bedürfnisanstalt. Er besitzt sämtliche „↗ Schiffe", die die Benutzer zurücklassen. 1900 ff.

Rees m Rede, Erzählung; Prahlerei; Lüge. ↗ reesen. 1900 ff, marinespr und fischerspr.

reesen intr reden, erzählen; prahlerisch, lügenhaft berichten. Marinespr und fischerspr., spätestens um 1900 aus engl „to raise = zur Sprache bringen" entstanden.

Reff n **1.** Gebiß; künstliches Gebiß; lückenhaftes Gebiß; Raffzähne. Übertragen vom formähnlichen Flachsreff, einem kammartigen Gerät, durch das der Flachs gezogen wird. 1900 ff.

2. altes ~ = alte, zänkische Frau. Fußt auf niederd „rif = Kadaver", analog zum Schimpfwort „↗ Aas". 1600 ff.

3. dürres ~ = hagere Frau. 1700 ff.

4. langes ~ = großwüchsiger, hochaufgeschossener Mensch. Seit dem 19. Jh.

Reformhuberei f Gesamtheit von (Festhalten an) unsinnigen Reformbestrebungen. Vgl ↗ Geschaftelhuber. 1960 ff.

regelmäßig adv jeden Tag besoffen ist auch ~ gelebt: Redewendung zwecks Verharmlosung des Alkoholmißbrauchs. 1920 ff.

Regen m **1.** Trübung des Fensehbilds. Wie durch Regen hindurch sieht man das Bild unscharf und getrübt. 1960 ff.

2. ~ und Schnee = schlechte Spielkarten in der Hand. Sie sind so unwillkommen wie garstiges Wetter oder Schmutz. Kartenspielerspr. 1900 ff.

3. warmer (frischer, goldener) ~ = a) nach langem Warten eingetretener erfreulicher Vorfall; unverhoffter Geldeingang; Vordringen von Nachsicht nach Härte. Warmer Regen beschert Fruchtbarkeit. 1900 ff. – b) gutes Kartenspiel nach etlichen schlechten. 1900 ff, kartenspielerspr. – c) Sieg nach einer Reihe von Niederlagen. Sportl 1920 ff. – d) Brandstiftung; Feuersbrunst. Euphemismus, wohl in Anspielung auf die zu erwartende (erhoffte) Versicherungsleistung. 1900 ff.

4. das ist warmer ~ = das ist wohltuend. 1940 ff.

4 a. es läuft an ihm ab wie ~ = es berührt ihn innerlich nicht. 1900 ff.

5. das wäscht kein ~ ab = dieser Makel ist untilgbar. 1870 ff.

6. da haben wir den ~! = das Unange-

nehme ist wie erwartet eingetroffen. Hier ist der zur Unzeit fallende Regen gemeint. 1900 ff.

7. vom ~ in die Traufe kommen = einer Unannehmlichkeit entgehen und in eine schlimmere geraten. Übernommen von einem Menschen, der vor dem Regen Schutz unter der Dachtraufe sucht und da noch nässer wird. 1600 ff.

8. vom ~ unter Umgehung der Traufe in die Scheiße (in den Morast) kommen = ungünstigen Stellungswechsel vornehmen; beim Stellungswechsel sich erheblich verschlechtern. Sold in beiden Weltkriegen.

9. im ~ stehen = keinerlei Schutz genießen; dem Untergang schutzlos entgegensehen. 1965 ff.

10. jn im ~ stehen lassen = jm keinen Schutz gewähren; jds Handlungsweise nicht unterstützen. 1965 ff.

11. jn in den ~ stellen = jn bloßstellen; jn vor die Öffentlichkeit anprangern. 1965 ff.

Regenbogen m bunt wie ein ~ = von jeder Spielfarbe ein paar Karten in der Hand. Kartenspielerspr. 1840 ff.

Regenbogenblatt n Wochenzeitung für den Massengeschmack. Anspielung auf die Unwirklichkeit und Schnellvergänglichkeit des Regenbogens; wohl auch wegen des Buntdrucks. 1960 ff.

Regenbogenpresse f (Gesamtheit der) Wochenzeitung(en), die anspruchslose Unterhaltungsbeiträge rührselig-gefärbter Art bietet (bieten). 1960 ff.

Regenbogenzeitschrift f Zeitschrift für den angeblichen Geschmack einer breiten, wenig kritischen Leserschaft. 1960 ff.

Regenkanone f Beregnungsanlage. 1955 ff.

Regenklappe f Regenschirm. Er ist auf- und zuklappbar. Berlin 1900 ff.

Regenmacher m Meteorologe. Ironie; eigentlich der Regenzauberer. 1920 ff.

Regenschirm m **1.** gespannt wie ein ~ = äußerst erwartungsvoll. Wortspiel mit zwei Bedeutungen von „gespannt": „gestrafft" und „neugierig". 1870 ff.

2. rumstehen wie ein nasser ~ = unfroh sein. Der nasse Regenschirm ist ein eindrückliches Bild der Betrübtheit und Verlassenheit. 1950 ff.

3. jn stehen lassen wie einen alten ~ = sich rücksichtslos, kalten Sinnes von jm abwenden. 1920 ff.

4. jn stehen lassen wie einen vergessenen ~ = jn aus Unhöflichkeit (absichtlich) nicht beachten. 1920 ff.

Regenwetter n er macht ein Gesicht wie 14 (3, 7, 8, 9, 10) Tage ~ = er blickt mürrisch drein. Lang anhaltender Regen beeinträchtigt die Stimmung. Spätestens seit 1700.

Regenwurm m **1.** Wurst, Bratwurst. Wahrscheinlich ist ursprünglich eine sehr dünne Wurst gemeint. Rotw seit dem 15. Jh.

2. pl = Band-, Röhrennudeln. Wegen der Formähnlichkeit. Sold seit dem frühen 19. Jh.

3. nach Regenwürmern schnappen = einen Tiefstflug ausführen. Scherzhafte Übertreibung. Fliegerspr. 1935 ff.

4. musikalisch sein wie ein ~ = völlig unmusikalisch sein. 1964 ff.

5. im Hirn einen ~ haben = verrückt sein. Vgl ↗ Raupe 4. 1910 ff.

Regiefehler m Schwängerung vor der Ehe-

schließung. Hergenommen von der Theatereinstudierung. Schweiz 1960 ff.

Regierung f **1.** Ehefrau eines energieschwachen Mannes. 1900 ff.

2. Lehrer. Er bestimmt die Unterrichtsgestaltung und hat nach dem Vorbild der Bundesregierung seine „Kraft dem Wohle der Schüler zu widmen, ihren Nutzen zu mehren und Schaden von ihnen zu wenden". (Vgl Grundgesetz, Art. 56.) 1955 ff.

3. Elternbeirat. 1955 ff.

4. ~ zu Hause = die Eltern. Jug 1955 ff.

5. meine ~ = meine Eltern. Jug 1955 ff.

Regierungsehe f Koalitionskabinett. 1960 ff.

regierungsfromm adj regierungsfreundlich. Fromm = folgsam (wie ein Pferd). 1960 ff.

Regiment n das ~ im Hause haben = daheim herrschen. Seit dem 19. Jh.

Regimentsunkosten pl auf ~ = auf fremde Rechnung; auf Vereinskosten o. ä. 1840 ff.

Register n **1.** altes ~ = bejahrte Frau. Fußt auf der Vorstellung eines fiktiven Verzeichnisses der alten Leute. Seit dem 17. Jh.

2. langes ~ = großwüchsiger Mensch. Meint eigentlich das unter König Friedrich Wilhelm I. eingerichtete Register der bei der Rekrutierung auftretenden Männer, die ein Mindestkörpermaß von 1,90 m (später: 1,76 m) besaßen. 1750 ff.

3. ins alte ~ gehen (kommen) = altern; veralten. ↗ Register 1. Seit dem 17. Jh.

4. ins schwarze ~ kommen = in Ungnade fallen. Vgl „schwarze ↗ Liste". Seit dem 19. Jh.

4 a. im alten ~ sein = älter als 40 Jahre sein. ↗ Register 1. 1800 ff.

5. im schwarzen ~ stehen = in Ungnade gefallen sein. ↗ Register 4. Seit dem 19. Jh.

6. alle ~ ziehen = a) sich einer Sache mit voller Kraft widmen; sich für etw nachdrücklich einsetzen. Hergenommen von den Registern der Orgel. 1850 ff. – b) sämtliche verfügbaren Rohren und Läufen feuern. Sold 1870 ff.

7. ein anderes ~ ziehen = in schärferem Ton reden; schroffer vorgehen. 1900 ff.

8. ein falsches ~ ziehen = eine falsche Andeutung machen; eine irrige Ansicht vertreten. Stud 1950 ff.

9. ein strengeres ~ ziehen = unnachsichtiger vorgehen. 1950 ff.

Registerdame f amtlich überwachte Prostituierte. Sie ist polizeilich registriert. 1950 ff.

regnen v **1.** es regnet Geld (Ohrfeigen, Schimpfwörter, Medaillen, Orden usw.) = es gibt Geld usw. in großer Menge; es kommt Geld usw. in großer Menge herbei. Seit dem 15. Jh. Vgl engl „to cascade".

2. es regnet aktiv = es regnet aus den Wolken. Vgl das Folgende. Pfadfinderspr. 1960 ff.

3. es regnet passiv = es tropft von den Bäumen. Pfadfinderspr. 1960 ff.

4. heute regnet es bloß einmal = heute regnet es ununterbrochen. 1900 ff.

Rehfüße pl auf ~n gehen = trotz Bejahrtheit einen Ehepartner suchen. Den „Freiersfüßen" nachgeahmt. 1870 ff.

Reibach m geschäftlicher Gewinn. ↗ Rebbach. 1900 ff.

Reibe (Reibn) f **1.** Biegung, Kurve. Meint

soviel wie „Drehung; Abweichung von der Geraden". *Bayr* und *österr.* 1500 *ff.*

2. Fahrrad, Motorrad, Moped. Wohl übernommen von der Bezeichnung für den Bockschlitten, auf dem man rittlings sitzt, oder – ursprünglich auf das Fahrrad bezogen – zusammenhängend mit „↗Pfeffer reiben". 1920 *ff.*

3. die ~ kriegen = einer Schwierigkeit mit knapper Not Herr werden. Analog zu „die ↗Kurve kriegen". 1920 *ff*, bayr.

4. auf (in) die ~ geraten = hart mitgenommen werden; üble Behandlung erfahren. Reibe = Gerät zum Zermahlen. 1950 *ff.*

Reibeisen *n* **1.** unverträgliche, widerspenstige Frau. Übertragen vom Reibeisen bei der Flachszubereitung. Seit dem 16. Jh.
2. versteifter Penis. *Vgl* ↗reiben 3. 1900 *ff.*
3. Gesicht wie ein ~ = rauhe Gesichtshaut; Unrasiertheit. Von der Kartoffelreibe übertragen. Seit dem 19. Jh.

Reibekuchen *m* flacher Damenhut; flache Mütze. Formverwandt mit dem Pfannkuchen (Puffer) aus rohen, geriebenen Kartoffeln. 1925/30 *ff.*

reiben *v* **1.** sich an jm ~ = mit jm Streit suchen. Man streift ihn im Vorbeigehen. 1500 *ff.*
2. jm eine ~ = jn ohrfeigen. Eigentlich reibt man sich die Wange nach dem Schlag. Vorwiegend *österr,* seit dem 19. Jh.
3. einen ~ = onanieren. 1920 *ff.*

Reiber *m* Stoß, Schlag. ↗reiben 2. *Österr* 1920 *ff.*

Reibe'rei *f* Streit, Zank, Tätlichkeit. ↗reiben 1. Seit dem 19. Jh.

Reibn *f* ↗Reibe.

Reiche-Leute-Geruch *m* Wohlhabenheit. *Vgl* ↗Arme-Leute-Geruch. Die Reichen „stinken" nach Geld. 1955 *ff.*

reichen *v* **1.** mir reicht's = ich will davon nichts mehr wissen; das habe ich bis zum Überdruß erfahren. Reichen = das gehörige Maß haben. 1900 *ff.*
2. es reicht bis unter die Decke = man ist bis zum Überdruß angewidert. 1920 *ff.*
3. es reicht hinten nicht und vorn nicht = es reicht überhaupt nicht; es ist viel zu wenig für soviele Leute. ↗hinten 2. 1900 *ff.*
4. es reicht nicht her und nicht hin = es ist zu wenig. 1920 *ff.*
5. es reicht hin und zurück = man ist der Sache sehr überdrüssig. 1920 *ff.*

Reichsjungfrau *f* Germania. Entstanden im Zusammenhang mit den 1900 von der Reichspost ausgegebenen Briefmarken mit dem Bild der Germania; auch auf das Niederwalddenkmal bezogen. Vielleicht Anlehnung an die gleichfalls in Kampfrüstung dargestellte Jungfrau von Orléans.

Reichskristallnacht *f* Zerstörung und Plünderung jüdischer Geschäfte und Synagogen in Verbindung mit der Ermordung von Juden am 9. November 1938.

Reichsparteitag *m* es ist mir ein innerer (seelischer) ~ = es freut, bewegt mich sehr; es ist mir eine große Genugtuung. Nach 1933 unter Schülern, Studenten und Soldaten aufgekommen im Zusammenhang mit den Parteitagen der NSDAP.

Reichtum *m* **1.** Herr, bewahre uns vor plötzlichem ~!: scherzhafter Ausruf, wenn

das Telefon oder die Haustürklingel läutet. 1960 *ff.*
2. ~ schändet nicht, und Armut macht auch nicht immer glücklich: Redewendung zur Rechtfertigung der Wohlhabenheit. Entstellt aus „Armut (Arbeit) schändet nicht" und „Geld macht nicht glücklich". *Vgl* ↗Armut 2. Seit dem ausgehenden 19. Jh.
3. nach ~ stinken = reich sein. Analog zu ↗Geld 39. Seit dem 19. Jh.

reif *adj* **1.** fein, zusagend, einwandfrei. Weiterentwickelt aus der Bedeutung „in seiner Entwicklung vollendet". *Schül* 1950 *ff*, österr.
2. zwanzig Jahre ~ = zwanzig Jahre alt. 1960 *ff.*
3. reif sein = a) verrückt sein. Man ist reif für die Irrenanstalt. 1900 *ff.* – b) in den Anklagezustand versetzt werden. 1920 *ff.*
4. jn ~ werden lassen = die Gelegenheit abwarten, an jm abrechnen. 1900 *ff.*

Reifen *m* **1.** *pl* = Füße, Beine. *Vgl* ↗Bein 3. *BSD* 1965 *ff.*
2. heißer ~ = a) Rennwagen. 1965 *ff.* – b) Motorrad, -roller. *Halbw* 1965 *ff.*
3. einen heißen ~ fahren = besonders gewagt fahren. *Halbw* 1960 *ff.*
4. in die ~ husten = die Reifen aufpumpen. Kraftfahrerspr. 1950 *ff.*
5. mit einem ~ im Gefängnis stehen = als Kraftfahrer leicht gegen die Straßenverkehrsordnung verstoßen können. Gebildet nach dem Muster von „mit einem ↗Fuß im Grab stehen". 1966 *ff.*
6. sich die ~ in die Karosserie stehen = als Autofahrer lange warten müssen. Nachahmung von „sich die ↗Beine in den Leib stehen". 1955 *ff.*

Reifenmörder *m* Kraftfahrer, der die Winterreifen nicht pfleglich behandelt. 1965 *ff.*

Reifenmuffel *m* Kraftfahrer, der ohne Rücksicht auf die Jahreszeit sein Auto auf denselben Reifen laufen läßt. ↗Muffel. 1966 *ff.*

Reifenschaden *m* einen ~ im Gehirn haben = nicht recht bei Verstande sein. Die Geistesstörung wird als technischer Defekt aufgefaßt. 1920 *ff.*

Reifentöter *pl* krummgebogene, zusammengeschweißte große Nägel; „Krähenfüße". Zollbeamtenspr. 1950 *ff.*

Reigen *m* **1.** Luftkampf zwischen mehreren Flugzeugen. Vom Rundtanz übertragen auf den Rundflug. Fliegerspr. 1939 *ff.*
2. schwuler ~ = a) Tanz unter männlichen Homosexuellen. ↗schwul. 1920 *ff.* – b) langweiliger, langsamer Tanz; langweilige Party. Schwul = schwül. Schwüle beeinträchtigt die Leistungsvermögen, auch das Bewegungstempo. *Halbw* 1960 *ff.*

Reihe *f* **1.** bunte ~ = Sitzordnung bei Tisch, so daß jeweils ein Herr neben einer Dame sitzt. Wird auch auf dieselbe Anordnung beim Rundtanz bezogen. Der Brauch ist älter als der späten 17. Jh. aufgekommene Redensart.
2. westfälische bunte ~ = Sitzordnung, bei der die Herren an der einen Seite des Tisches, die Damen an der anderen sitzen. Seit dem 19. Jh.
3. sich aus der ~ abmelden = während des Wehrdienstes sterben. *BSD* 1965 *ff.*
4. jm die ~ ansagen = jm befehlen. Reihe = Ordnung. 1920 *ff.*

5. etw in die ~ bringen = etw wieder in Ordnung bringen; etw wiederinstandsetzen; jn heilen. Seit dem 18. Jh.
6. aus der ~ geraten = ausarten. Reihe ist das geordnete Neben- oder Hintereinander. 1900 *ff.*
7. etw in der ~ haben = etw in Ordnung haben. Seit dem 18. Jh.
8. nicht alle in der ~ haben = geistesbeschränkt sein. Seit dem 18. Jh.
9. in die ~ kommen = genesen. Seit dem 18. Jh.
10. es kommt in die ~ = es kommt in Ordnung, kehrt zum gewohnten Zustand zurück. 1800 *ff.*
11. ihr könnt mich mal der ~ nach!: Ausdruck der Abweisung, an mehrere gerichtet. Verkürzung des Götz-Zitats. *Sold* in beiden Weltkriegen.
12. in der ~ sein = in Ordnung sein. 1800 *ff.*
13. nicht in der ~ sein (aus der ~ sein) = nicht gesund sein; matt, mißgestimmt sein. 1800 *ff.*
14. aus der ~ tanzen = es nicht wie alle anderen machen; sich nicht einordnen; kein Dutzendmensch sein. Hergenommen vom Tanzen, bei dem sich der Strom der Tanzpaare einfügt, vor allem vom Reigen, von der Polonäse o. ä. 1900 *ff.*

Reiher *m* **1.** kotzen wie ein ~ = sich heftig erbrechen. Reiher würgen unverdauliche Nahrungsreste (Fischgräten, Häute) wieder aus. 1840 *ff.*
2. scheißen wie ein ~ = Durchfall haben. Seit dem 19. Jh.
3. speien wie ein ~ = sich ausgiebig erbrechen. 1900 *ff.*

reihern *intr* sich erbrechen. ↗Reiher 1. 1860/70 *ff.*

Reim *m* **1.** sich auf etw keinen ~ machen können = sich etw nicht erklären können. Leitet sich her vom Verbinden von Verszeilen durch ein Reimwort; hier soviel wie „kein passendes Reimwort finden" und weiterentwickelt zur Bedeutung „etw gedanklich nicht vereinen können". Etwa seit dem 15. Jh.
2. sich auf etw den falschen ~ machen = aus einem Vorgang den falschen Schluß ziehen. 1900 *ff.*

reimen *v* **1.** reim' dich, oder ich freß' dich! = geht es nicht gütlich, so geht es mit Zwang! Titel einer Satire von Gottfried Wilhelm Sacer (1673); in ihr zieht der Verfasser gegen die Unsitten der damaligen Poeterei zu Felde. Anfangs auf ungeschicktes, unreines Reimen bezogen, dann auf Handlungen, bei denen auf äußere Schönheit und Sauberkeit nicht geachtet wird. 1700 *ff.*
2. es reimt sich nicht = es paßt nicht zueinander. Seit dem 19. Jh. *Vgl franz* „ne pas rimer ensemble".

Reimschmied *m* Versemacher, Reimer. Das Wort „Schmied" deutet darauf hin, daß mit Feinheiten nicht zu rechnen ist. 1700 *ff.*

rein *adj* **1.** völlig. In übertragener Bedeutung meint „rein" das Unverfälschte und Echte (reines Gold), dann auch soviel wie „richtig", „wahrhaftig". Umgangssprachlich kann man sagen „er ist ein reines Ferkel", womit nicht gemeint ist, daß er so sauber sei wie ein Schweinchen, sondern daß er überaus verschmutzt ist. Seit dem 19. Jh.

2. sich ~ brennen = sich von einer Verdächtigung reinigen; seine Schuldlosigkeit beweisen. Parallel zu „sich ↗ weiß brennen". 1800 ff, rotw.

reinbeißen v zum ~ = attraktiv, appetitanregend. Vgl ↗ anbeißen. Werbetexterspr. 1970 ff.

reinbuttern v 1. tr = Geld an ein Geschäft wenden (meist ohne Aussicht auf Rückerhalt). ↗ zubuttern. Seit dem 19. Jh.

2. intr = Energie zusetzen; viel Mühe auf eine Sache verwenden. 1900 ff.

3. intr = gierig essen. Bezieht sich vor allem auf das Verzehren von Butterbroten. ↗ buttern 2. BSD 1960 ff.

4. refl = sich in eine ausweglose Lage bringen; einen folgenschweren Irrtum begehen. 1900 ff.

5. den Fußball ins Tor ~ = mit kräftigem Stoß einen Tortreffer erzielen. Sportl 1950 ff.

reindackeln v in etw ~ = aus Unvorsichtigkeit oder Ahnungslosigkeit in eine schlimme Lage geraten. Vom Dackelhund übernommen, der unbeirrbar vor sich hintrollt. 1914 ff, sold und ziv.

Reindl n 1. kleiner flacher Kochtopf. Verkleinerungsform von „die Rein", fußend auf ahd „rina". Bayr und österr, 1500 ff.

2. steifer Herrenhut. Wegen der Ähnlichkeit mit dem flachen Kochtopf. 1920 ff.

3. Vulva, Vagina. Analog zu ↗ Pfanne 1. 1900 ff.

reindrehen tr jn in etw ~ = jn in eine Sache verwickeln; jn beschuldigen. Wien 1920 ff.

reinekeln v sich etw ~ = sich etw trefflich munden lassen. Meint eigentlich das Gegenteil, nämlich „eine unschmackhafte Speise essen". Berlin 1840 ff.

Reines n 1. im Reinen sein = einig sein; gegenseitig keine Schulden mehr haben; Unstimmigkeiten bereinigt haben. Rein = schuldlos, schuldenfrei. Seit dem 19. Jh.

2. mit sich im Reinen sein = wissen, was man will; selbstsicher sein. 1800 ff.

3. eine Rolle ins Reine spielen = eine Bühnenrolle von Mal zu Mal besser spielen. Übertragen vom Schulleben: der Aufsatz wird zunächst entworfen und dann ins Reine geschrieben. Theaterspr. 1920 ff.

4. ins Reine heiraten = die standesamtliche Trauung nachholen; mit Trauschein heiraten. 1977 ff.

reineweg adv durchaus, geradezu, völlig (es ist reineweg zum Verrücktwerden; er ist in sie reineweg verschossen). Zusammengewachsen aus „reinen Wegs = geraden Wegs = geradezu". 1800 ff.

Reinfall m Übertölpelung; Schaden infolge Nichterkennens eines Nachteils, einer betrügerischen Anpreisung. Vgl das Folgende. 1850 ff.

reinfallen intr übervorteilt, übertölpelt werden; Verlierer werden. Hergenommen von der Vorstellung der Fallgrube. 1850 ff.

reinfetzen tr 1. den Ball ~ = den Ball unhaltbar ins Tor treten. ↗ fetzen. Sportl 1950 ff.

2. koitieren. 1960 ff.

3. impers das fetzt rein = das ist mitreißend. 1975 ff, jug.

reinfliegen intr übertölpelt werden; mitbelastet werden; ertappt werden; in der Prü-

fung versagen. Fliegen = fallen; dadurch analog zu ↗ reinfallen. 1850 ff.

reinflippen v in eine Gruppe ~ = sich einer Gruppe anschließen. ↗ Ausflipp 1. Halbw 1970 ff.

reinfummeln v sich in etw ~ = sich geduldig in eine Sache einarbeiten. ↗ fummeln. 1920 ff.

Reingeflickter m Zugezogener. Er ist in die einheimische Bevölkerung hineingeflickt wie ein Flicken in die Hose o. ä. 1920 ff.

reingehen intr 1. den Gegenspieler vom Ball zu trennen suchen. Bezieht sich auf den Stoß von rückwärts zwischen den Beinen hindurch. Sportl 1950 ff.

2. sich einer Sache annehmen. 1950 ff.

3. voll ~ = alle Körperkräfte aufbieten. Sportl 1950 ff.

Reingeschmeckter m Zugewanderter, Heimatvertriebener, Flüchtling; Neuling. Reinschmecken = flüchtig kennenlernen; eine Kostprobe nehmen. 1700 ff.

reinhaben tr etw hereingebracht haben (hast du den Wagen rein? = hast du den Wagen in die Garage gefahren?). Hieraus verkürzt. Seit dem 19. Jh.

reinhängen v 1. jn ~ = jn übertölpeln; jn einer Straftat bezichtigen; jn vor Gericht (o. ä.) belasten. Man zieht ihn in eine Sache hinein und läßt ihn „↗ hängen". Bayr 1920 ff.

2. refl = um etw werben. Wohl hergenommen vom Reigentanz, in den man sich eingliedert. Halbw 1950 ff.

3. sich in etw ~ = sich in etw einmischen; sich etw zunutze machen; sich heftig bemühen. 1910 ff.

4. einen ~ = koitieren. 1930 ff.

reinhauen v 1. intr = beim Essen stark zulangen; mit Appetit und viel essen. ↗ einhauen 2. 1700 ff.

2. intr = schwere körperliche Arbeit verrichten. BSD 1965 ff.

3. intr = grob, unsportlich spielen. Fußballerspr. 1950 ff.

4. intr = unter Beschuß nehmen. Sold 1914 ff.

5. einen ~ = a) die Zielscheibe in der Mitte treffen. 1900 ff. – b) in Mittelhand eine hochwertige Karte aufspielen. Kartenspielerspr. 1900 ff. – c) koitieren. 1900 ff.

6. jm eine ~ = jm ins Gesicht schlagen. Seit dem 19. Jh.

7. jm einen ~ = auf jn einen Schuß abfeuern. Seit dem 19. Jh.

8. sich einen ~ = einen Schnaps zu sich nehmen; sich betrinken. 1920 ff.

9. es haut voll rein = es trifft einen hart, zeitigt ernste Folgen. 1975 ff.

reinhäufeln intr gut, viel essen. Man „häufelt" mit dem Löffel wie der Gärtner mit der Handschaufel. 1920 ff, österr.

reinheben v einen ~ = koitieren. 1950 ff.

reinhupfen (einihupfen) intr übertölpelt werden; ins Unglück rennen. Analog zu ↗ reinfallen. Österr 1900 ff.

reinigen tr jn prügeln. Hiebe sollen eine charakterliche Säuberung bezwecken. 1800 ff.

Reinigung f 1. Tracht Prügel. 1800 ff.

2. moralische ~ = Rüge wegen ausschweifender Lebensweise. 1800 ff.

reinkicken v einen ~ = koitieren. Meint bei den Fußballspielern das Erzielen eines Tortreffers. 1950 ff.

reinkloppen intr gierig essen. Analog zu ↗ reinhauen 1. BSD 1960 ff.

reinklotzen intr tr 1. gierig essen. ↗ klotzen. BSD 1965 ff.

2. intr = sich angestrengt bemühen. 1940 ff.

reinkommen intr kommen Sie ruhig rein, meine Frau wäscht sich gerade: Scherzhafte Redewendung an einen Anklopfenden. BSD 1965 ff.

reinkrachen (einikrachen) intr rücksichtslos, ohne Anmeldung eintreten. Österr 1920 ff.

reinkriegen tr 1. etw hineinbekommen (den Nagel in die Wand, den Fuß in den Schuh). Seit dem 19. Jh.

1 a. jn zum Betreten veranlassen. Seit dem 19. Jh.

2. beschlafen werden; vergewaltigt werden. 1900 ff.

3. du kriegst ihn gar nicht rein!: Ausruf der Überraschung. Übertragen vom untauglichen Geschlechtspartner. 1900 ff.

4. etw wieder ~ = etw nochmals bekommen; eine Nachlieferung erwarten. 1900 ff.

reinkullern tr einen ~ = einen Schnaps trinken. Man läßt ihn über die Zunge „kullern" (= rollen). 1920 ff.

reinlegen tr 1. jn übervorteilen, beim Kartenspiel besiegen; in der Schule täuschen. Man legt eine Fallgrube an, in die das Opfer hineinstürzt. 1850 ff. Vgl engl „to take in" und franz „mettre quelqu'un dedans".

2. viel von einer Speise essen. (Berlinisch: rinlegen.) 1900 ff.

3. eine Telefonverbindung auf einen anderen Teilnehmer umstellen. Büroangestelltenspr. 1920 ff.

4. alles ~ = sich aufs äußerste anstrengen. Hergenommen vom Zugtier, das sich ins „↗ Geschirr" (ins Zeug) legt. 1935 ff.

Reinlichkeit f der ~ wegen: unsinnige Äußerung zur Begründung irgendeiner Maßnahme, bei Abrundung eines Rechnungsbetrags o. ä. 1900 ff.

reinpacken tr ein starker Esser sein. Er packt viel in den Mund. 1900 ff.

Reinpauker m Repetitor. ↗ Einpauker. Berlin 1900 ff.

reinpfuschen intr jm ~ = störend in jds Vorhaben eingreifen. Vgl „ins ↗ Handwerk pfuschen". 1900 ff.

reinplatzen intr bei jm (ins Haus) ~ = überraschend bei jm eintreten. Soviel wie „plötzlich, geräuschvoll eindringen" mit der Wirkung einer platzenden Bombe. 1500 ff.

reinplumpsen intr getäuscht, übervorteilt werden. Analog zu ↗ reinfallen. Seit dem 18. Jh.

reinpowern (Grundverbum engl ausgesprochen) intr voll ~ = sich ausleben; tatendurstig sein. ↗ Power 1. Halbw 1975 ff.

reinpulvern v Geld in etw ~ = Geld an ein Unternehmen wenden. Soviel wie „einschießen" im Sinne von „beisteuern, einzahlen". Pulver = Geld. Seit dem 19. Jh.

reinrasseln intr 1. in etw ohne Willen hineingeraten; in eine unglückliche Lage geraten. Beruht auf dem Bild der Fallgrube. 1850 ff.

2. getäuscht, ertappt werden; die Frage des Lehrers (Prüfers) nicht beantworten können. 1850 ff.

3. beim Verhör überführt werden. 1900 ff.

4. sich gründlich irren; Mißerfolg selbst verschulden. 1900 ff.

reinrassig *adj* unverfälscht (das ist die reinrassige Wahrheit). Von der Rassenlehre übernommen. 1950 ff.

reinrauschen *intr* **1.** übertölpelt, getäuscht werden. Analog zu „↗reinfallen" mit akustischer Verstärkung. 1920 ff.
2. ~ (reingerauscht kommen) = laut eintreten; hoheitsvoll, mit gespielter Würde eintreten. Anspielung auf rauschende Gewänder. 1900 ff.

reinreißen *tr* **1.** jn in eine schlimme Sache verwickeln; jn ins Unglück bringen. Beim Sturz in eine Fallgrube zerrt man den anderen mit hinein. 1850 ff.
2. jn bezichtigen, verraten. 1850 ff.

reinreiten *v* **1.** *tr* = jn in eine unangenehme Lage, in Ungelegenheiten bringen. Man weist den Reiter auf einen Weg, der in Morast o. ä. führt. 1830 ff.
2. *tr* = jn hinterhältig bezichtigen, als Mittäter benennen. 1870 ff.

reinrudern *v* **1.** in etw ~ = in Bedrängnis geraten. Hergenommen vom Ruderboot, das in einen Strudel gerät. 1830 ff.
2. jn ~ = jn in eine schlimme Lage bringen. 1830 ff.
3. sich ~ = sich schlecht verteidigen; durchschaubare Ausreden vorbringen; plump lügen; sich selbst durch Aussagen belasten. Verbrecherspr. 1870 ff.

reinrutschen *intr* **1.** übertölpelt werden. Variante zu „↗reinfallen" 1870 ff.
2. unehelich schwanger werden. 1870 ff.

reinsausen *intr* **1.** betrogen werden; an einer Fangfrage scheitern. Analog zu „↗reinfallen". 1870 ff.
2. das Kartenspiel verlieren. 1870 ff.

reinschaffen *v* **1.** *tr* = fleißig lernen. Man schafft den Wissensstoff ins Gedächtnis wie die Ernte in die Scheune. 1950 ff, *schül.*
2. *refl* = sich heftig anstrengen; sich einarbeiten; ausgelassen sich amüsieren. 1930 ff; heute vorwiegend *halbw.*

reinschicken *tr* jn zu einer Freiheitsstrafe verurteilen. Man schickt ihn ins Gefängnis. 1920 ff.

reinschieben *v* **1.** *intr* = eintreten. Schieben = gehen. 1900 ff.
2. *intr tr* = dem Gast mehr auf die Rechnung setzen, als er verzehrt hat. Kellnerspr. 1955 ff.

reinschießen *intr* schnell, unangemeldet eintreten. Wie mit der Schnelligkeit eines Geschosses betritt man den Raum. 1900 ff.

Reinschiff machen **1.** aufräumen. Aus der Seemannssprache übernommen. 1900 ff.
2. seine Verhältnisse ordnen. 1900 ff.

Reinschiß *m* Fehlschlag, Mißerfolg. Gemeint ist, daß eine Sache durch Kot unbrauchbar gemacht wurde. 1900 ff, *sold* und *ziv.*

reinschlittern (-schliddern) *intr* in eine unangenehme Lage langsam und unwiderstehlich geraten. *Niederd* „schliddern = auf dem Eis dahingleiten; rodeln". 1870 ff.

reinschmecken *intr* in etw ~ = etw flüchtig kennenlernen; nur kurzen Aufenthalt nehmen. ↗Reingeschmeckter. *Schwäb* und *bayr,* 1700 ff.

reinschneien *intr* **1.** unerwartet eintreten. Hergenommen von unerwartetem Schneeschauer. 1800 ff. Vgl engl „to blow in".

2. bei ihm hat's reingeschneit = er ist nicht bei Verstand. Der Betroffene hat einen „↗Dachschaden". *Jug* 1955 ff.

reinschwitzen *intr* sich in etw ~ = sich mit einer mühseligen Arbeit langsam vertraut machen. 1910 ff.

reinsegeln *intr* **1.** in eine üble Lage geraten; aus Achtlosigkeit einen Nachteil erleiden; einer Fangfrage nicht gewachsen sein. Analog zu ↗reinrudern. 1840 ff.
2. ohne Einladung in einer Gesellschaft erscheinen. *Vgl* ↗aufkreuzen. 1900 ff.

reinsein *intr* herein-, hineingefahren sein (das Auto ist rein = ist in der Garage). Seit dem 19. Jh.

reinsenken *tr* **1.** jm Fragen stellen, auf die er die Antworten schuldig bleibt; jm eine unlösbare Aufgabe stellen; jn die Prüfung nicht bestehen lassen. Leitet sich von der Fallgrube her, in die man einen geraten läßt. 1870 ff, *stud, schül* und *sold.*
2. jm beim Kartenspiel viel Geld abgewinnen. Kartenspielerspr. 1870 ff.
3. jn zu einer Freiheitsstrafe verurteilen. 1890 ff.
4. jn anzeigen, als Täter (Mittäter) benennen; einen Mitschüler dem Lehrer melden. 1890 ff.
5. jn bei einem Kauf übervorteilen. 1920 ff.

reinspritzen *intr* einen kurzen Besuch abstatten. ↗spritzen. Seit dem ausgehenden 19. Jh.

reinstecken *tr* es jm hinten (hinten und vorn) ~ = jn mit Gaben überhäufen; jn bevorzugen. Übernommen vom Mästen der Gänse und Enten. ↗hinten 2. 1900 ff.

reinstellen *v* sich hinten ~ = Abwehrfußball spielen. *Sportl* 1950 ff.

reinstinken *intr* jm mit einem unerwarteten Besuch lästig fallen. Der Besucher ist so unwillkommen wie unangenehmer Geruch. 1900 ff.

reinstopfen *intr* jm hinten ~ = jm jeden Wunsch erfüllen; jn wahllos verwöhnen. ↗reinstecken. 1840 ff.

Reintour *f* Besuch verschiedener Kneipen. Beruht auf der Aufforderung „rein in die Kneipe!". 1970 ff.

reintreten *v* **1.** in etw ~ = sich an etw beteiligen; eine Verbindung eingehen; einem Verein beitreten. 1920 ff.
2. er hat wo reingetreten = er hat Glück, Erfolg. Nach abergläubischer Vorstellung bringt es Glück, wenn man unabsichtlich in einen Kothaufen tritt. 1900 ff.
3. das muß man gesehen haben, da muß man reingetreten haben = Aufforderung zu näherer Inaugenscheinnahme. Hergenommen vom Jahrmarktsausrufer, der die Leute zum Betreten der Schaubude einlädt. 1910 ff.
4. er soll erst mal da reintreten, wo ich schon hingeschlossen habe: Redewendung angesichts eines vorlauten Unerfahrenen. 1910 ff.

reintrotten *intr* blind ins Verderben laufen; eine drohende Gefahr verkennen, zu gering einschätzen. Trott = Trab; träge Gangart. 1900 ff.

reintun *v* **1.** einen ~ = a) ein Glas Alkohol zu sich nehmen; einen Bissen in den Mund stecken. 1950 ff. – b) koitieren. 1900 ff.
2. sich etw ~ = etw lesen, lernen. 1980 ff, *jug.*

reintunken *tr* **1.** jn zur Anzeige bringen,

verleumden. Entweder analog zu „↗eintauchen" oder zusammenhängend mit „Tunke = Brühe = Patsche = Scheiße usw.". 1900 ff.
2. jn überführen, verhaften, mit Freiheitsentzug bestrafen. 1920 ff.

reinwaschen *refl* einer Verdächtigung entgegentreten; eine Schuld von sich abwälzen; seine Schuldlosigkeit nachweisen. Analog zu ↗weißwaschen. Beeinflußt von der Redewendung „seine ↗Hände in Unschuld waschen". Seit dem 19. Jh.

reinweichen *tr* jn auf Rührseligkeit und Harmlosigkeit einstimmen. Die Metapher „weich stimmen" ist hier überlagert von dem Reklamespruch für das Waschpulver „Ariel" der Firma Procter & Gamble. 1969 ff.

reinwürgen *v* jm einen ~ = a) jn heftig rügen. An der Rüge würgt der Getadelte wie an widerwärtiger Kost. 1870 ff, vorwiegend *sold.* – b) koitieren. 1930 ff.

reinziehen *v* **1.** sich ~ = sich betrinken. Hinter „einen" ergänze „↗Dampf". *BSD* 1965 ff.
2. sich etw ~ = etw in sich aufnehmen, lesen, lernen. 1980 ff, *jug.*

reinzwängen *refl* beschlafen; deflorieren. 1910 ff.

Reis *m* bitterer ~ = a) üppiger Frauenbusen; vollbusige Frau. Hergenommen vom Titel eines 1949 bei den Filmfestspielen in Cannes vorgeführten italienischen Spielfilms; dessen Hauptdarstellerin Silvana Mangano trug einen sehr engen Pullover, der die Formen ihres Busens voll zur Geltung brachte; in dieser Hinsicht deutlich war auch das Kinoplakat. Ein Kölner Karnevalslied 1950/51 machte den Ausdruck volkstümlich. – b) Balkon mit großzügigem Formenschwung. *Vgl* auch ↗Balkon 1. 1955 ff. – c) Schulspeisung. *Schül* 1957 ff. – d) Verpflegung. *Sold* 1960 ff, *österr.* – e) Verkehrsstoß im Gedränge. Es nimmt sich aus wie der Busenumriß einer liegenden Frau. 1955 ff.

Reise *f* **1.** Rauschgifttrausch. Gegen 1965 übersetzt aus *gleichbed engl* „trip = Reise".
2. ~ in die Schweiz = Arrest. Ein Tarnausdruck. „Verreisen" steht *ziv* für den Antritt einer Freiheitsstrafe. *Sold* 1935 ff.
3. ~ von der Stange = von der Fremdenverkehrsorganisation zusammengestellte Reise. ↗Stange 8. 1960 ff.
4. glückliche ~ = Lysergsäurediäthylamid (LSD). Tarnausdruck. *Vgl* ↗Reise 1. *Halbw* 1960 ff.
5. die (große) ~ antreten = sterben. In vielen alten Mythen liegt das Totenreich eine weite Wegstrecke vom Reich der Lebenden entfernt. Seit dem 19. Jh.
6. auf die ~ gehen = sich in einen Rauschgifttrausch versetzen. ↗Reise 1. 1965 ff.
7. wohin ~ geht = wie sich die Dinge weiterentwickeln, welchen Fortgang die Sache nimmt. 1900 ff.
8. da kriegst du von mir einen mit auf die ~!: Kontra ansagen, nachdem sich der Spielmacher für eine Farbe entschieden hat. Kartenspielerspr. 1965 ff.
9. sich auf die ~ machen = sterben. ↗Reise 5. Seit dem 19. Jh.
10. jn auf die ~ schicken = a) einer Sportmannschaft das Startzeichen geben. *Sportl* 1930 ff. – b) einem Mitspieler eine

weite Vorlage geben. *Sportl* (Fußball) 1950 *ff*. – c) jm Rauschgift verabreichen, einspritzen. ↗ Reise 1. 1965 *ff*.

11. auf der ~ sein = a) im Sterben liegen; gerade gestorben sein. ↗ Reise 5. Seit dem 19. Jh. – b) unter Rauschgifteinfluß stehen. ↗ Reise 1. 1965 *ff*. – c) Straßenprostituierte sein. 1970 *ff*.

12. mit seinen Gedanken auf ~n sein = geistesabwesend sein. 1920 *ff*.

13. sein Verstand ist auf ~n = er ist nicht ganz bei Sinnen. *Schül* 1920 *ff*.

14. von der ~ zurückkommen = a) aus dem Gefängnis entlassen werden. Tarnausdruck; *vgl* ↗ Reise 2. 1920 *ff*. – b) wieder nüchtern werden (auf einen Rauschgiftsüchtigen bezogen). ↗ Reise 1. 1965 *ff*.

Reisefabrik *f* großes Reisebüro. 1960 *ff*.

Reise-Ganove *m* Fahrgeldhinterzieher. ↗ Ganove. 1960 *ff*.

Reisehirt *m* Fremdenführer. Die Reisegesellschaft ist seine Herde (*vgl* ↗ Hammelherde 5). 1960 *ff*.

Reisekaiser *m* Mensch, der gern und viel reist. Hergenommen von Kaiser Wilhelm II., der sehr viel auf Reisen war. 1900 *ff*.

Reisemuffel *m* **1.** Mensch, der keine Urlaubsreise unternimmt. ↗ Muffel. 1967 *ff*. **2.** Mensch, der die von den Reiseunternehmen zusammengestellten Reisen ausschlägt. 1967 *ff*.

reisen *v* **1.** auf etw ~ = sich auf etw verlegen; auf eine Sache immer wieder zurückkommen; Gehörtes als geistige Eigenleistung ausgeben. Übernommen von der Tätigkeit des Geschäftsreisenden oder des Hausierers. ↗ hausieren. 1700 *ff*. **2.** es ist ~ gegangen = es ist gestohlen worden. 1900 *ff*.

Reise'ritis *f* weitverbreitete Reiselust (vor allem ins Ausland). Durch die Wortbildung als Krankheit gekennzeichnet. 1965 *ff*.

Reisespesen *pl* verbotene Zuwendungen. Tarnwort. 1920 *ff*.

Reisewelle *f* nach langer Entbehrung aufkommendes allgemeines Bedürfnis nach Befriedigung der Reiselust. ↗ Welle. Um 1950 entstanden.

Reißaus nehmen weglaufen, entweichen, fliehen. Ausreißen = entfliehen. Das Verbum „nehmen" ist übernommen von älterem „die Flucht nehmen". Seit dem 16. Jh.

reißen *v* **1.** jn ~ = jn vernichtend kritisieren. Übernommen von den wilden Tieren und Raubvögeln, die ihr Opfer reißen. Seit dem 19. Jh. **2.** jn ~ = koitieren. 1920 *ff*. **3.** es reißt mich = a) ich bin betroffen; es nimmt mich innerlich stark mit; es läßt mir keine Ruhe. Übertragen vom Rheumatismus. 1935 *ff*. – b) ich schrecke hoch. Verkürzt aus „es reißt mich vom Stuhl". 1935 *ff*. **4.** *intr* = schweren Dienst haben; hart einexerziert werden. Man „reißt" die Gliedmaßen auf Befehl hoch, „reißt sich zusammen". *BSD* 1965 *ff*. **5.** etw ~ = etw meistern, bewerkstelligen; etw verdienen, erwerben; etw zur Schau stellen, zu Gehör bringen. Weiterentwickelt aus „reißen = an sich reißen; sich einer Sache bemächtigen". Seit dem 19. Jh. **6.** sich etw ~ = sich etw widerrechtlich aneignen; etw stehlen, unterschlagen. Man reißt es an sich. Seit dem 18. Jh.

7. jm eine ~ = jn ohrfeigen, prügeln. Übertragen von einer durch Schläge bewirkten Verletzung (Haut-, Muskelriß o. ä.). 1900 *ff*.

8. das reißt ins Geld = das ist teuer. Durch die Anschaffung reißt man ein Loch in die Kasse. Seit dem ausgehenden 19. Jh.

9. sich mit jm ~ = sich mit jm streiten, raufen. Seit 1500 *ff*.

10. sich um etw ~ = sich um etw heftig bemühen; Lust auf etw haben. Wilde Tiere reißen sich um ihr Opfer, Hunde um einen Knochen. 1500 *ff*.

Reißer *m* **1.** gut verkäufliche Ware; Ware mit großer Gewinnspanne. Sie „reißt" die Käuferscharen unwiderstehlich herbei und reizt die Kauflust. ↗ Anreißer. 1830 *ff*. **2.** zugkräftiges Theaterstück o. ä. 1830 *ff*. **3.** spannender Film. 1925 *ff*. **4.** beliebter Schlagersänger. 1955 *ff*. **5.** sehr tüchtiger Mitarbeiter; starker Arbeiter. ↗ reißen 5. 1900 *ff*. **6.** elektrischer Schlag. Man zuckt unter ihm zusammen. 1920 *ff*. **7.** netter junger Mann, der auf Mädchen einen vorteilhaften Eindruck macht. *Halbw* 1955 *ff*. **8.** Durchbrecher der gegnerischen Abwehr. *Sportl* 1950 *ff*. **9.** kraftvoller Skiläufer. 1950 *ff*. **10.** Betrüger. ↗ reißen 6. Seit dem 18. Jh. **11.** Dieb. ↗ reißen 6. 1900 *ff*. **12.** Mann, der Leute in anrüchige Lokale lockt, wo man falschspielt und prostituiert. 1920 *ff*. **13.** heißer ~ = erfolgreiche Schallplatte im modernen Musikstil. ↗ heiß 8 a. 1960 *ff*.

Reißmatismus *m* Rheumatismus. Volksetymologisch-wortspielerisch eingedeutscht unter Einfluß von „Reißen in den Gliedern". 1860 *ff*.

Reißmatthias (Reißmattheis) *m* Rheumatismus. Seit Ende des 19. Jhs.

Reißmirtüchtig (Reißmatüchtig, Reißmantüchtig, Reißmichtüchtig, Reißmich) *m* Rheumatismus. In Berlin gegen 1840 aufgekommene Eindeutschungen.

Reißnägel *pl* **1.** mit ~n gegurgelt haben = heiser sein. Reißnagel = Heftzwecke. 1900 *ff*. **2.** man kann auch mit ~n gurgeln: Redewendung, mit der man eine Unentschlossenheit abweist. Der Betreffende sagt „man kann dies" und „man kann das", woraufhin man ihm als weitere Möglichkeit das Gurgeln mit Heftzwecken empfiehlt. Berlin 1920 *ff*.

Reißteufel *m* Mensch, der seine Kleidung schnell verschleißt. Um 1850 aufgekommen nach dem Muster von „Hosenteufel" und ähnlichen Wörtern, mit denen man im 16. Jh die verschiedensten Unsitten geißelte.

Reißverschlußprinzip (-system) *n* Einmünden der Kraftfahrzeuge in die Fahrzeugkolonne, indem mal der Fahrer von links, mal der von rechts die Vorfahrt erhält. Dieses Verfahren der gegenseitigen Rücksichtnahme ähnelt dem Schließen eines Reißverschlusses. 1967 *ff*.

reiten *v* **1.** auf etw ~ = stets dasselbe als wichtig bezeichnen; stets dieselben Grundsätze verfechten, dieselben Ansichten vertreten. Hergenommen vom Steckenpferd der Kinder. 1800 *ff*.

2. auf jm (auf jn) ~ = jn schikanieren. Seit dem 19. Jh.

3. *intr* = koitieren. Seit dem 18. Jh (wohl älter).

4. jn ins Unglück (in die Patsche o. ä.) ~ = jn unglücklich machen; jn in eine mißliche Lage bringen. ↗ reinreiten. 1800 *ff*.

Reithoffer-Brust *f* Gummi-Einlage im Büstenhalter. Reithoffer heißt eine *österr* Gummiwarenfabrik. Wien 1950 *ff*.

Reithose *f* **1.** Präservativ des Mannes. Es ist das Bekleidungsstück beim „↗ Reiten 3". 1910 *ff*. **2.** *pl* = Fettansammlungen an Gesäß und Oberschenkeln (vor allem bei Frauen). Formähnlich mit den Bauschen der Reithosen. 1960 *ff*.

Reitpferd *n* **1.** liederliches Mädchen. ↗ reiten 3. 1920 *ff*. **2.** intime Freundin. 1920 *ff*. **3.** Prostituierte. 1920 *ff*. **4.** dem lieben Gott sein ~ = a) Esel. Nach dem Neuen Testament (Matthäus 21, 7) ist Christus auf einem Esel in Jerusalem eingezogen. Dieser Bericht wird am Palmsonntag durch das Umführen des Palmesels in einer Prozession mancherorts noch bis heute verlebendigt. Seit dem 19. Jh; aber wohl älter; denn schon Hans Sachs (1553) kennt *gleichbed* „unseres Herrgotts Pferd". – b) zu seinem Schaden gutmütiger, allzu nachsichtiger (freigebiger) Mensch. ↗ Esel 1. Seit dem 19. Jh.

Reituntersatz *m* jedes sattelbare Tier. 1914 *ff*.

Reitzeug *n* weibliche Personen. Eigentlich die Ausrüstung des Reitpferds; hier ist „reiten = koitieren". 1910 *ff*.

reizbar sein *m* in Vorhand reizen. Eigentlich soviel wie „leicht erregbar sein"; hier bezogen auf das Folgende. 1900 *ff*, Kartenspielerspr.

reizen *intr* **1.** den Zahlenwert des Skatspiels aushandeln. Die Spieler fordern einander heraus bis zum Höchstwert des vom Einzelnen zu erreichenden Spiels. Seit dem 19. Jh. **2.** hoch ~ = gewichtige Forderungen stellen. Vom Skatspiel übertragen. 1920 *ff*.

reizend *adj* **1.** unerwünscht, unangenehm; hochgradig widerlich. *Iron* gemeintes Adjektiv. 1900 *ff*. **2.** ich bin ~ = ich reize (beim Skatspiel). ↗ reizen 1. Kartenspielerspr. 1900 *ff*.

Reizwäsche *f* **1.** durchbrochene, mit Spitzen versehene Damenunterwäsche. 1900 *ff*; wohl älter. **2.** Männerunterkleidung. Ironie. *Sold (marinespr)* 1910 bis heute.

Reizwellen *pl* **1.** üppig entwickelter Busen. Der wogende Busen reizt erotisch. Berlin 1960 *ff, halbw*. **2.** normal entwickelter Busen unter zu engem Pullover. Berlin 1960 *ff, halbw*.

Rekel (Räkel) *m* **1.** Mensch mit ungesittetem Benehmen; faul sich streckender und gähnender Mann. Hergenommen von mittel-*niederd* und *ndl* „rekel = großer Bauernrüde von unedler Rasse; Dorfköter". Seit dem 15. Jh. **2.** langer ~ = ungeschlachter, großwüchsiger Mann. Seit dem 19. Jh.

rekeln (räkeln) *refl* sich faul strecken und recken; sich flegelhaft setzen; anstandswidrig sitzen. ↗ Rekel 1. Seit dem 15. Jh.

Reklame *f* **1.** für etw ~ lächeln = mit

gleichbleibend lächelndem Gesichtsausdruck Warenwerbung betreiben. 1960 ff.
2. ~ laufen = a) auf Grund von Verträgen Sportschuhe o. ä. einer bestimmten Firma tragen. 1960 ff. – b) mit bedruckten Tragetaschen unterwegs sein. 1970 ff.
3. ~ schieben = Reklame machen. 1920 ff.
4. mit etw ~ schieben = werbend sich für ein Vorhaben einsetzen. 1920 ff.
Reklameberieselung f ausgedehnte Beeinflussung durch Werbung. ↗ berieseln 1. 1955 ff.
Reklamefriedhof m Reklamespalten und -seiten einer Zeitschrift. Anspielung auf die uneinheitliche Größe und Form der Reklame nach Art der unterschiedlich angelegten Grabstätten. 1950 ff.
Reklamegaul m Propagandafigur; Könner, mit dem man Reklame macht; beliebter Schauspieler, der gegen Entgelt sich für Werbezwecke zur Verfügung stellt. 1950 ff.
Reklame-Lokomotive f zugkräftiger Künstler im Dienste der Warenwerbung. ↗ Lokomotive 1. 1960 ff.
Reklame-Masche f listig-geschickter Einfall eines Werbefachmanns. ↗ Masche 1. 1960 ff.
Reklame-Mime m Schauspieler, der gegen Entgelt für eine bestimmte Ware Reklame betreibt. 1960 ff.
Reklamenudel f für eine Werbefirma sich zur Schau stellende Person. ↗ Nudel 4. 1970 ff.
Reklame'ritis f überhandnehmendes Werbewesen. Es wird als krankhafte Erscheinung charakterisiert. 1950 ff.
Reklamerummel m Geschäftigkeit der Werbefachleute; Geschäft mit der Reklame. ↗ Rummel. 1950 ff.
Reklamesäule f Sportler im Dienst der kommerziellen Werbung. Der „↗ Litfaßsäule 3" nachgeahmt. 1950 ff.
Reklametrommel f **1.** auf die ~ hauen = nachdrücklich für etw werben. Die Trommel war früher das übliche Instrument, um Aufmerksamkeit für nachfolgende Bekanntmachungen zu erwecken. 1955 ff.
2. die ~ rühren = Werbe-, Propagandamittel einsetzen; Wahlkampfredner sein. 1955 ff.
Reklametrommler m Werbefachmann, Propagandist. 1955 ff.
Rekord m **1.** gute Schallplatte. Gleichbed engl „record". Halbw 1960 ff.
2. einen ~ demolieren = eine Höchstleistung überbieten. Sportl seit 1936 (Olympische Spiele Berlin).
3. ~ klopfen (kloppen) = ein Übersoll leisten. DDR 1955 ff.
Rekrutenball m Einexerzieren des Parademarsches. Wie in der Tanzstunde werden Schritte geübt, Beine geschwenkt und die Soldaten zu vorbildlicher Körperhaltung gedrillt. Sold 1920 ff.
Rekrutendompteur m Rekrutenausbilder. Er dressiert die ihm Anvertrauten wie wilde Tiere. Sold 1939 bis heute.
Relais (franz ausgesprochen) n da fiel bei mir das ~ = da habe ich endlich verstanden, worum es ging. Der Fernmeldetechnik entlehnt: der Anker im elektromagnetischen Apparat betätigt bei Erregung der Spule Kontakte. Sold 1935 ff.
Release-Mann (Bestimmungswort engl ausgesprochen) m Kämpfer gegen Aus-

breitung der Drogensucht. Engl „to release = aufgeben, befreien, erlösen". 1970 ff.
Religion f **1.** Gesinnung, Benehmen; Herkunft; Gesellschaftsschicht, Beruf, Truppengattung usw. Meint eigentlich das Bekenntnis zu einer Glaubensgemeinschaft; früher auch soviel wie Gewerbe. Kundenspr. seit dem 19. Jh.
2. Geld. Gilt im Sinne moderner Abgötterei als das Wichtigste für den Menschen. 1870 ff.
3. keine ~ im Leib haben = unreligiös, ungesittet, sittenlos sein. „Religion" hat hier den Sinn von Moral. Seit dem späten 19. Jh.
Religionskommode f Harmonium im Gemeindesaal. Zu „Kommode" vgl „↗ Drahtkommode". Nordd 1940 ff.
Remasuri f ↗ Ramasuri.
re'menten (re'mentern) intr lärmen; Unruhe stiften. Nebenform zu ↗ ramenten. Nordd 1700 ff.
Remisuri f ↗ Ramasuri.
'Remmi'demmi n **1.** Durcheinander, Massenveranstaltung; Lärm; ausgelassenes Treiben; Streit; hin- und herwogender Kampf. Wahrscheinlich weiterentwickelt aus der schallnachahmenden Bezeichnung „Rammerdammer" für den Steinsetzer und Pflasterer, unter Einfluß von „↗ rementen". Mit „Ramma-damma" (= rammen tun wir) gibt man in München den Lärm der Pflasterer mit ihren Rammen wieder. 1900 ff.
2. Appell mit raschem Uniformwechsel. Sold 1935 ff.
Re'monte f **1.** Rekrut. Eigentlich Bezeichnung für das neu eingestellte Pferd. 1900 ff.
2. ungebärdiger junger Mensch. 1900 ff.
3. junges Mädchen. Anspielung auf ↗ reiten 3. Junge Pferde müssen eingeritten werden. 1920 ff.
Rempe'lei f **1.** absichtliches Stoßen gegen einen Entgegenkommenden. o. ä. ↗ rempeln. Seit dem 19. Jh.
2. kleinerer Zwist; einfacher Ehrenhandel. Seit dem 19. Jh.
rempeln tr **1.** jn im Begegnen anstoßen; jn drängen und stoßen. „Rämpel" ist der Baumstamm (-klotz) und dient sinnbildlich als Schelte auf den groben, ungesitteten Menschen. Im frühen 19. Jh bei den Studenten aufgekommen und im Laufe der Zeit veraltgemeinert.
2. jn rügen. Meint ursprünglich die mit Handgreiflichkeiten verbundene Rüge. 1900 ff.
Rennbahn f **1.** von Prostituierten begangene Straße. Sie ist die Rennbahn der „↗ Pferdchen". 1920 ff.
2. Abendspaziergangstraße; Promenade. 1930 ff, stud.
3. Hauptgeschäftsstraße in Städten. 1930 ff.
4. Exerzierplatz, Kasernenhof. Sold seit 1935.
5. ~en um die Augen (Augen wie eine ~) = umflorte Augen. Rennbahn = Ring. 1920 ff.
6. Großdeutsche ~ = a) Vormarschweg der deutschen Wehrmacht bis 1942 (Ostfront). Sold. – b) Rückmarschweg der deutschen Truppen seit 1943. Sold.
Rennen n **1.** ~ gegen die Zeit (Uhr) = äußerste Beeilung. Der Läufer oder Fahrer bei sportlichem Rennen sucht nicht nur

den Konkurrenten zu überflügeln, sondern auch den augenblicklichen Rekord zu verbessern. 1960 ff.
2. dunkles ~ = Rennen, dessen Ausgang völlig ungewiß ist. 1920 ff.
3. heißes ~ = heftiger sportlicher Wettkampf. Sportl 1950 ff.
3 a. letztes ~ = Schulabschlußprüfung. 1970 ff.
4. das ~ aufgeben = eine Sache nicht weiter verfolgen; von einem Unternehmen zurücktreten. 1950 ff.
5. aus dem ~ ausscheiden = keinen Einfluß mehr haben; unterlegen sein. 1950 ff.
6. im ~ bleiben = nicht zurückstehen müssen. 1920 ff.
7. aus dem ~ fliegen = a) im sportlichen Wettkampf unterliegen. ↗ fliegen 1. 1920 ff. – b) als Bewerber (Mitarbeiter) abgelehnt werden. 1950 ff.
8. für ihn ist das ~ gelaufen = für ihn ist die Sache erledigt; für ihn ist es zu spät. 1920 ff.
8 a. ins ~ gehen = seine Kandidatur für einen Posten (Bundespräsident, Fraktionsvorsitzender, Behördenleiter usw.) anmelden. 1960 ff.
9. das ~ (große ~) haben = Durchfall haben. Rennen = zum Abort laufen. 1890 ff.
10. im ~ liegen = Konkurrent sein. Kaufmannsspr. 1900 ff.
11. gut im ~ liegen = Erfolgsaussichten haben (im Beruf, bei Frauen o. ä.). 1910 ff.
12. im toten ~ liegen = keine Erfolgsaussichten haben. Als „tot" gilt ein Wettrennen, bei dem keine Entscheidung fallen kann und gefallen ist. 1920 ff.
13. das ~ machen = im Wettbewerb siegen; die Prüfung bestehen; beliebter sein als ein anderer. 1900 ff.
14. jn aus dem ~ werfen = jn nicht länger als Bewerber ansehen. 1920 ff.
14 a. jn ins ~ schicken = einen Wahlkandidaten benennen. ↗ Rennen 8 a. 1960 ff.
15. im ~ sein = Erfolgsaussichten haben. 1920 ff.
16. aus dem ~ sein = seine Erfolgsaussichten eingebüßt haben; entlassen worden sein; aus der Schule verwiesen worden sein. 1920 ff.
17. das ~ ist offen = der Wettbewerb ist noch nicht entschieden. 1930 ff.
18. jn aus dem ~ werfen = jn verdrängen, überflügeln. 1920 ff.
rennen intr Durchfall haben. Man eilt oft zum Abort. 1890 ff.
Renner m **1.** heftiger Rippenstoß. Es ist der im Anrennen gegebene Stoß. Vorwiegend bayr und österr seit dem 19. Jh.
2. Renn-, Sportwagen. Eigentlich das flotte Pferd. 1955 ff.
3. schnelle Yacht. 1955 ff.
4. Fahrrad. Halbw 1955 ff.
5. (heißer ~) = gut verkäufliche Ware; Verkaufsschlager. Gegen 1960 aus engl „runner" übernommen.
6. zugkräftige Leistung. 1960 ff.
Rennfahrersuppe f aus Konserven schnell bereitete Suppe; Reis-, Erbsen-, Graupen-, Milch-, Wassersuppe. Um 1925 aufgekommen mit Anspielung auf die Rennfahrer, die unterwegs keine Rast einlegen und sich im Fahren beköstigen.
Rennfuchs m alter ~ = alterfahrener Teil-

nehmer an Pferde- oder Autorennen. ↗Fuchs 9. 1920 ff.

Rennkrankheit f Durchfall. ↗rennen. 1914 ff.

Rennmaschine f Fahrrad. Meint eigentlich das Rennmotorrad. 1950 ff.

Rennpferd n **1.** für einen Zuhälter tätige Prostituierte. ↗Pferdchen 1. 1900 ff.
2. ~ des kleinen Mannes = Brieftaube. ↗Mann 48. 1920 ff.
3. nervös wie ein ~ = hochempfindlich. 1920 ff.
4. jn ~ laufen lassen = jn zur Straßenprostitution anhalten (zwingen). ↗Pferdchen 3. 1900 ff.

Rennstall m **1.** Bordell. Vgl ↗reiten 3. 1900 ff.
2. Lokal mit Prostituiertenverkehr. 1900 ff.
3. ~ des kleinen Mannes = Taubenschlag. ↗Mann 48. 1920 ff.

Rennstallbesitzer m Zuhälter, der mehrere Prostituierte für sich arbeiten läßt. ↗Pferdchen 1. 1920 ff.

Rennstrecke f **1.** langer Flur in der Wohnung. Hausfrau und Hausgehilfin müssen ihn täglich viele Male entlanglaufen. 1920 ff.
2. beliebter Urlaubsreiseweg, besonders für Gesellschaftsreisen. 1955 ff.

Renntier n **1.** Rentner. Gemeint ist eigentlich die skandinavische Hirschart „Rentier", hier sprachlich bezogen auf „Rentier" (franz ausgesprochen). 1840 ff.
2. auf ~ lernen (studieren) = unüberbietbar faul sein. Spätestens seit 1900.

Renommierakademiker m Akademiker, auf den eine Gruppe von Nicht-Akademikern sich viel zugute hält. 1920 ff.

Renommierbleibe f Luxushotel; Hotel, mit dessen Luxus der Gast Eindruck machen will. ↗Bleibe. 1960 ff.

Renommierbrummer m **1.** angesehener Bassist. 1960 ff.
2. eindrucksvoller Baßgesang. 1960 ff.
3. Sportwagen. ↗Brummer 12. 1960 ff.

Renommierbummel m Sonntagsspaziergang der (farbentragenden) Verbindungsstudenten auf den Hauptstraßen. ↗Bummel. 1890 ff.

Renommierganove m angesehener Häftling. ↗Ganove. 1960 ff.

Renommiergips m Gipsverband des Skiläufers, der Skiläuferin. Einen solchen Verband zu tragen, gilt in Skisportorten als modisch und auszeichnend, weswegen mancher Gipsverband kein verletztes Bein umhüllt. 1955 ff.

Renommierpulle f kunstvoll („kitschig") gestaltete Schnapsflasche für Fremde. ↗Pulle. 1965 ff.

Renommierstube f Salon (o. ä.), der nur bei Besuch benutzt wird. 1870 ff.

Rente f **1.** Löhnung. Eigentlich die regelmäßige Geldeinnahme auf Grund einer Versicherung. BSD 1965 ff.
2. in (auf) ~ gehen = in den Genuß einer Rente gelangen; die Erwerbstätigkeit aufgeben. 1920 ff.
3. die ~ verjubeln = den Sold vertrinken. ↗verjubeln. BSD 1965 ff.

Rentenbengel m Spazierstock des Rentners. ↗Bengel 1. 1920 ff.

Rentenehe f eheähnliche Lebensgemeinschaft zweier Rentenempfänger. Dabei bleiben den der Frau auch die (Hinterbliebenen-)Rentenansprüche aus früherer Ehe erhalten, die bei neuerlicher Verheiratung verlorengingen. ↗Rentenkonkubinat. 1955 ff.

Rentenentzieher m Vertrauensarzt. Von seinem Gutachten hängt es ab, ob der Rentenbezieher im Genuß der Rente bleibt, oder ob die Berufs- und Arbeitsunfähigkeit niedriger zu veranschlagen ist. 1920 ff.

Rentenkonkubinat n eheähnliche Lebensgemeinschaft, in der der weibliche Teil nicht auf die Hinterbliebenenrente aus früherer Ehe verzichtet. Vgl ↗Rentenehe. 1954 auf dem Deutschen Katholikentag aufgekommen.

Rentner m **1.** Erwachsener ab 25 Jahren. Im Sinne der Halbwüchsigen hat er seine Jugendzeit beendet und lebt nun von den Rentner-Erinnerungen an die verflossene Zeit. 1960 ff.
2. Altgedienter. Anspielung auf sein verhältnismäßig hohes Alter. BSD 1965 ff.
3. energieloser Soldat. Er wirkt wie nicht voll arbeitsfähig. BSD 1965 ff.

Rentnerknick m 65. Geburtstag. Mit diesem Tag beginnt das rentenfähige Alter. Dieser Tag markiert einen tiefen Einschnitt im Leben des Berufstätigen. 1969 ff.

Rentnerstolz m kleiner Garten. Halbw 1965 ff.

Rentnerwein m billiger Wermut- oder Obstwein. Für Bezieher niedriger Renten ist er erschwinglich. 1948 ff.

Reparatur f Heilbehandlung. Der Mensch als Maschine. 1910 ff.

Reparatur-Nepp m überhöhter Preis für Reparaturen. ↗Nepp. 1965 ff.

Repertoire (franz ausgesprochen) n **1.** jn vom ~ absetzen = a) jn aus Amt und Würden entlassen. Meint in der Theatersprache die Streichung einer Aufführung vom Spielplan. 1900 ff. – b) jn verhaften. 1910 ff.
2. ein kolossales ~ haben = einen überaus üppigen Busen haben. 1955 ff.

Reporterschwalbe f Reporter(in). Vergleichsweise ist er (sie) kein Stand-, sondern ein Zugvogel. 1950 ff.

Repräsentationskutsche f Luxusauto. 1960 ff.

repsen intr die Schulklasse wiederholen. Eingedeutscht aus „repetieren". 1900 ff.

Reptilienfonds m Geheimfonds der Regierung für undurchsichtige Zwecke (nur einer beschränkten Kontrolle unterworfen). Fußt auf einer Äußerung Bismarcks aus dem Jahre 1869 im Zusammenhang mit der Verwendung des Welfenfonds, des Privatvermögens des Königs Georg V. von Hannover und des Kurfürsten von Hessen („Ich glaube, wir verdienen Dank, wenn wir uns dafür hergeben, bösartige Reptilien zu bekämpfen"). Ein solcher Fonds existiert auch seit Bestehen der Bundesrepublik. Das Wort ist seit Otto von Bismarcks Tagen ein gängiger Ausdruck im politischen Alltag.

requirieren tr etw listig-diebisch beschaffen. Bezieht sich ursprünglich auf Zwangsbeitreibung. Sold 1914 bis heute.

resch adj **1.** keck, behende, energisch; temperamentvoll; unbändig. Fußt auf mhd „roesch = flink, munter, wacker". Vorwiegend oberd und mitteld, seit dem 19. Jh.
2. knusprig, hart, ausgetrocknet. Seit dem 19. Jh.
3. frisch, anziehend, liebreizend. Analog zu ↗knusprig. Vorwiegend oberd und mitteld, seit dem 19. Jh.

Reserve f **1.** Gelegenheitsfreund(in). Man hält sich die Person in Reserve für den Fall der Verhinderung der festen Freundin oder des festen Freundes. Halbw 1960 ff.
2. stille ~ = vom Haushaltsgeld eingesparter Betrag. Meint eigentlich den unzulässigen (verheimlichten) Bestand an Geld oder Ware. 1870 ff.

Reserveapostel m Passionsspieler. 1960 ff.

Reservebank f jn auf die ~ schicken = jn vorerst nicht (nicht mehr) zu einem einflußreichen Posten zulassen. Aus der Sportlersprache (Fuß-, Handball, Eishockey) übernommen. 1960 ff.

Reservechristus m **1.** falscher Prophet. Anspielung auf Barttracht, Sandalen, Wanderpredigen und naturgemäße Lebensweise. Seit den frühen 20. Jh; anfangs auf den „Naturaposteln" Gustav Nagel bezogen.
2. Militärpfarrer; Geistlicher für die seelsorgerische Truppenbetreuung im Kriege. Sold in beiden Weltkriegen.
3. Mann mit lang herabfallendem Haar o. ä. Übernommen von der Darstellung des bärtigen Jesus Christus in der bildenden Kunst. 1955 ff.
4. widerlicher Mann. Er verdiente es wohl, statt Jesus Christus ans Kreuz geschlagen zu werden. 1960 ff.

Reservejesus m einfältiger, wohltätiger Mensch. 1965 ff, schül.

Reservekanister m flache Taschenflasche für Schnaps. 1970 ff.

Reservekopf m **1.** Adjutant, Ordonnanzoffizier. Er hilft seinem Vorgesetzten denken. Sold 1940 ff.
2. Perücke. 1970 ff.
3. Stahlhelm. Sold, schweiz 1950 ff.

Reserveonkel m **1.** zur Reserveübung Eingezogener; Reserve-Offizier. „Onkel" im Sinne von älterem Mann. Seit dem späten 19. Jh.
2. intimer Freund einer Ehefrau oder Witwe. ↗Onkelehe. 1950 ff.

Reservetarzan m Mensch, der mit seiner Körperkraft protzt. ↗Tarzan" ist der Name eines Affenmenschen mit großen Körperkräften. Jug 1955 ff.

Reservist m **1.** zur Entlassung anstehender Soldat. Im letzten Vierteljahr seiner Dienstzeit gilt er bereits als Angehöriger der Reserve. BSD 1965 ff.
2. pl = restliche Naturzähne. 1950 ff.

'Resex'taner m Unsinnschwätzer. Er fällt auf die geistige Stufe des Sextaners wieder zurück. 1955 ff, jug.

Resi f handfeste Bedienerin (Bierkellnerin). Koseform des früher weitverbreiteten Vornamens Therese. Bayr 1900 ff.

Rest m **1.** der ~ vom Schützenfest = der Rest vom Ganzen; das Übriggebliebene. Leitet sich von vom letzten Stück des Kuchens, den man aus Anlaß des Schützenfestes gebacken hat. Zum Schützenfest erwartet man immer viele Gäste, und entsprechend viel Kuchen wird gebacken. Seit dem 19. Jh.
2. jm den ~ geben = a) jn vollends zugrunde richten. Leitet sich her vom letzten Schlag, mit dem man das Tier tötet. Seit dem 17. Jh. – b) jn beim Kartenspiel besiegen. Seit dem 19. Jh. – c) jn betrunken machen. Seit dem 17. Jh.
3. sich den ~ holen = nach anfänglich leichter Erkrankung sich eine ernsthafte,

lebensgefährliche Krankheit zuziehen. Seit dem 19. Jh.

4. der ~ ist für die Gottlosen: a) Redewendung, wenn einem bei einer Verteilung der Rest zufällt. Scherzhafte Weiterentwicklung von Psalm 75, 9: „Der Herr hat einen Becher in der Hand und mit starkem Wein voll eingeschenkt und schenkt aus demselben; aber die Gottlosen müssen alle (= leer) trinken und die Hefen aussaufen." Seit dem 19. Jh. – b) Redewendung, wenn über die erforderliche Punktzahl hinaus, die der Spieler erreicht hat, alle weiteren Stiche an die Gegner fallen. Kartenspielerspr. seit dem 19. Jh.

5. der ~ ist für die Kommandantur = die Gegner im Kartenspiel können keine weiteren Stiche mehr erzielen. Leitet sich her von der Bestimmung, daß die *milit* Kommandantur diejenigen Bestände zu übergeben sind, die bei der Truppe erübrigt werden. Kartenspielerspr. *1870 ff.*

6. der ~ ist für Papi = alle weiteren Stiche sind mir sicher. Skatspielerspr. *1930 ff.*

7. der ~ ist Schweigen = darüber redet man am besten nicht; weiteres ist darüber nicht zu sagen (wohl aber zu denken). Übernommen aus Hamlets letzten Worten „the rest ist silence" im letzten Auftritt des letzten Aufzugs von Shakespeares Drama. *1830 ff.*

8. der ~ wurde am Boden vernichtet (zerstört) = das Übrige ist in Scherben gegangen. *Vgl* ↗ Boden 22. *1939 ff.*

9. den ~ am Boden zerstören = jm das seelische Gleichgewicht rauben. *1939 ff.*

Resteverwertungskommando *n* letzte Esser in der Jugendherberge. *1947 ff.* pfadfinderspr.

restlos *adv* völlig (sie ist restlos glücklich). Ein in den Heeresberichten des Ersten Weltkriegs häufig vorkommendes und durch sie geläufig gewordenes Modewort, fußend auf dem rechnerischen Begriff „Rest": wo kein Rest bleibt, geht die Rechnung „ohne Rest" auf.

Retorte *f* 1. Sinnbild künstlicher Herstellung. Von den Glas- oder Metallkolben der Chemiker übernommen. *1930 ff.*

2. Schauspieler (o. ä.) aus der ~ = künstlich typisierter Filmschauspieler. *1960 ff.*

Retortenbaby (Grundwort *engl* ausgesprochen *n* durch künstliche Befruchtung erzeugtes Kind. *1930 ff.*

Retortenland *n* künstlich geschaffenes Land. *1950 ff.*

Retortenschick *m* Eleganz durch Chemiefaser-Kleidung. *1960 ff.*

Retortenstadt *f* nach einem Plan gebaute, nicht organisch gewachsene Stadt. *1950 ff.*

retour (*franz* ausgesprochen) *adv* ~ frühstücken (vespern o. ä.) = sich erbrechen. *1920 (?) ff.*

Retourkutsche (-chaise) *f* Erwiderung mit denselben oder ähnlichen Worten; Vergeltung einer Handlungsweise durch eine gleichwertige Handlungsweise. Leitet sich her von der Kutsche, die man für die Hin- wie auch für die Rückfahrt benutzte. (*Franz* „chaise = Stuhl, Sänfte, Kutsche".) Etwa seit 1830.

retten *v* 1. nicht mehr zu ~ sein = unbelehrbar sein (gern in Frageform). Hergenommen von tödlich verlaufender Krankheit oder von unheilbarer Geistesstörung. *1920 ff.*

2. bist du noch zu ~?: Ausdruck der Verwunderung, auch des Entsetzens über eine unsinnige Behauptung oder Handlungsweise. *1920 ff.*

Rettich *m* 1. Kopf. Analog zu ↗ Rübe. *BSD 1960 ff.*

2. Rekrut. Analog zu „Rübe = Dummer; Sonderling". *BSD 1960 ff.*

3. scharf wie ein achtziger ~ = sehr geil. ↗ scharf. „Achtziger" bezieht sich wohl auf entsprechend hochprozentigen Alkohol. *BSD 1965 ff.*

4. spitz wie ein achtziger ~ = ziemlich hübsch. ↗ spitz. *Halbw 1965 ff.*

Rettichfrisur *f* strähnig-wirre Frisur. Sie hat Ähnlichkeit mit geraspeltem Rettich. Aufgekommen 1954 mit dem *ital* Spielfilm „La Strada", in dem die Schauspielerin Giulietta Masina eine solche Frisur trug.

Rettichjodler *m* kräftiges Aufstoßen. Rettichgenuß verursacht Aufstoßen. *Bayr 1900 ff.*

Rettungsring *m* 1. Speckfalte am Bauch; dicker Bauch. *1955 ff.*

2. hohler, schlauchähnlicher Kleidergürtel. *1958 ff.*

3. selbstgefertigter Täuschungszettel des Schülers. *1930 ff.*

4. Augen wie zwei ~e = große, weitgeöffnete Augen. *1955 ff.*

5. jm einen ~ zuwerfen = jm aus der Notlage aufhelfen; dem Prüfling zur richtigen Antwort verhelfen. *1930 ff.*

Rettungsschwimmerin *f* Frau, die nur deshalb berufstätig ist, um ihrem dem Existenzkampf nicht gewachsenen Mann durchzuhelfen; Frau, die das Studium ihres Mannes finanziert. Eigentlich die weibliche Angehörige der Deutschen Lebensrettungs-Gesellschaft. Nach 1955 aufgekommen.

Reue *f* 1. mit (ohne) ~ = mit (ohne) Filter (auf die Zigarette bezogen). Aufgekommen 1951 durch den Werbespruch „Genuß ohne Reue" für die Zigarettenmarke „Gloria".

2. etw ohne ~ genießen = etw ohne Beeinträchtigung der Gesundheit, der Fahrtüchtigkeit o. ä. zu sich nehmen. *1955 ff.*

Revier *n* 1. das ~ abtreiben = im Wohnbereich nach Mädchen suchen. Stammt aus der Jägersprache und meint dort das Durchkämmen des Jagdreviers nach jagdbarem Wild. *1900 ff.*

2. jm ins ~ kommen = jds Kundenkreis durchkreuzen. *1950 ff.*

Revierförster *m* Kräuterschnaps, Marke „Jägermeister". Kellnerspr. *1960 ff.*

Revolution *f* 1. Name eines Skatspiels, bei dem der Spieler sich verpflichtet, keinen Stich zu machen, die Karten offen aufzulegen, und die beiden Gegner ihre Karten austauschen dürfen. Kartenspielerspr. *1870 ff.*

2. ~ in den Niederlanden = Leibschmerzen; Unterleibskolik; Brechreiz. Niederlande = Unterleib. *1930 ff.*

Revoluzzer *m* politisch aufsässiger Bürger; Umstürzler. *1848 ff.*

Revolver *m* mit dem ~ (ab)kassieren = Geldraub begehen. Euphemismus. *1965 ff.*

Revolverautor *m* Skandaljournalist. Nach verleumderischer Meinung deckt er Skandale nur auf, falls die Betroffenen sich nicht freikaufen: mit der Drohung der Veröffentlichung setzt er ihnen gewisser-

ßen die Pistole auf die Brust. Nach anderer Lesart handeln seine Geschichten meist von Verbrechen, wobei Handfeuerwaffen im Spiel sind. *1900 ff.*

Revolverblatt *n* 1. Zeitung für die breite Masse; Skandalzeitung. „Aus jeder Zeile ... hörte ein einigermaßen geübtes Ohr deutlich das Knacken des Revolvers" (Paul Lindau, „Spitzen", 1888). *Vgl* das Vorhergehende. *1870 ff.*

2. Schulzeugnis mit schlechten Noten. Die Schüler werten es als Skandalzeugnis. *1955 ff.*

Revolvergosche *f* freche Redeweise; unversiegliche Beredsamkeit. Aus der „↗ Gosche" kommen die Worte hervor wie die Schüsse aus dem Revolver, nämlich serienweise, schnell und hart. *1900 ff, südd.*

Revolverjournalismus *m* auf die breite Masse eingestellte Berichterstattung aus dem Leben der Prominenten, aus der Welt des Verbrechens. *1870 ff.*

Revolverjournalist *m* Tagesschriftsteller; Skandalautor der „Enthüllungspresse"; Polizeireporter. ↗ Revolverautor. Seit dem späten 19. Jh.

Revolverkiste *f* Duell mit Schußwaffen. ↗ Kiste. *1910 ff.*

Revolverpresse *f* Skandalpresse. *Vgl* ↗ Revolverblatt. Um 1870 aufgekommen.

Revolverschnauze *f* freche, schamlose Redeweise; frech redender Mensch; unversieglicher Redestrom. ↗ Revolvergosche; *vgl* ↗ Schnauze. Etwa seit 1870.

Revuekörper (Bestimmungswort *franz* ausgesprochen) *m* schöner Körper. *1920 ff.*

Revuemännchen (Bestimmungswort *franz* ausgesprochen) *n* schöner Mann ohne jegliche innere Werte. *1920 ff.*

'Rewach *m* Geschäftsgewinn. ↗ Rebbach. *Rotw* seit dem frühen 19. Jh.

Rex (Rexi) *m* 1. Leiter einer Mädchenschule. Der Leiter ist ein Rektor; seine Amtsbezeichnung wandelt man nach dem Muster von „Direx" für den Oberstudiendirektor. Vorwiegend *oberd, mitteld* und *westd,* seit dem späten 19. Jh.

2. Heimschulleiter. *1900 ff.*

3. Rufname des Hundes (Schäferhund). Seit dem 19. Jh.

Rez *m* sehr unbeliebter Vorgesetzter. Abgekürzt von „r" (= reinschmeißen in eine möglichst tiefe Grube) und „e" (= einscheißen; die Grube als Abort benutzen) und „z" (= zuschmeißen; die restliche Grube mit Erde anfüllen). *Sold 1941 ff; ziv* nach 1945.

Rhabarber *m* 1. Rabatt. Hieraus verquatscht. *1970 ff.*

2. ~, ~ = Volksgemurmel auf der Bühne. Schallnachahmung, wohl vor 1850 in der Theatersprache aufgekommen.

3. ~ machen = in der Menge laut protestieren. *1880 ff.*

4. quatsch' keinen ~! = rede keinen Unsinn! Von der Unverständlichkeit des Volksgemurmels auf der Bühne übertragen zur Unverständigkeit. *1910 ff.*

Rhein *m* 1. Wasser als Fälschungsmittel von Rheinwein. Wortwitzelnd ist gemeint, daß in der Flasche Rheinwein dem Kenner zuviel Rhein und zu wenig Wein ist. *1960 ff.*

2. über den ~ ziehen = koitieren. Hehlwörtlich entstellt aus *gleichbed* „einen reinziehen". *1935 ff.*

Rheinfall _m_ **1.** Übertölpelung; schwere Enttäuschung infolge blinden Vertrauens auf eine Anpreisung. Wortspiel mit „↗Reinfall" und „Rheinfall" (= Wasserfall des Rheins bei Schaffhausen/Schweiz). Seit dem ausgehenden 18. Jh. **2.** ~ bei Schaffhausen = sehr schwere Übertölpelung; betrügerische Beschönigung eines Nachteils. Verstärkung des Vorhergehenden. 1870 _ff._

Rhein-Metropole _f_ **1.** Düsseldorf als Sitz der Landesregierung von Nordrhein-Westfalen. 1965 _ff._ **2.** Koblenz. Aufgefaßt als größte Stadt am Mittelrhein. 1965 _ff._ **3.** Köln. 1970 _ff._ **4.** Mannheim. Die größte badische Industriestadt am Rhein hat einen der größten Rangierbahnhöfe Europas und (zusammen mit Ludwigshafen/Rhein) den zweitgrößten Binnenhafen Deutschlands. 1975 _ff._

Rheumagruft _f_ feuchte Wohnung. Wohl der „Matratzengruft" Heinrich Heines nachgebildet. 1955 _ff._

Rheumalächeln _n_ gequältes Lächeln. 1950 _ff._

Rheumaschlitten _m_ Zweiradfahrzeug. Kraftfahrerspr. 1950 _ff._

Rheumatismus _m_ **1.** ~ zwischen Daumen und Zeigefinger = Geldmangel. Der Rheumatiker kann das Vorderglied des Daumens nicht am Vorderglied des Zeigefingers reiben, kann also nicht die Gebärde des Geldzählens machen. Seit dem 18. Jh. **2.** anhänglich wie ~ = a) aufdringlich. 1880 _ff._ – b) treu, dienstbeflissen. 1880 _ff._

Rheumatismus-Farm _f_ Campingplatz. 1950 _ff._

Rheumatismus-Haus _n_ Campingzelt. 1950 _ff._

Rheumatismus-Orgie _f_ wildbewegtes Tanzen. 1960 _ff._

Rheumatismuswiese _f_ Campingplatz. 1950 _ff._

Rheumazüchter _m_ Zelt-Urlauber; Campingzelt. 1950 _ff._

'Rhino _n_ dummer Mensch. Verkürzt aus dem Folgenden. 1950 _ff._

Rhi'nozeros _n_ **1.** dummer Mensch. Daß das Rhinozeros (Nashorn) zum Schimpfwort auf den Dummen wurde, hängt nicht mit den Eigenschaften des Tieres zusammen, sondern mit dem Anklang an „Rind" und an „Roß", welche beide den dummen Menschen meinen. 1750 _ff._ **2.** Takt haben wie ein ~ = kein Taktgefühl besitzen. 1960 _ff._

'Ri'a'lo _n_ Schimpfwort. Abkürzung von ↗Riesenarschloch. 1920 _ff._

ribbeln _intr_ **1.** reiben. Frequentativum von „reiben". Seit dem 19. Jh. **2.** onanieren. 1920 _ff._

richten _v_ **1.** es sich ~ (es ~) = es so einrichten, daß man keinen Nachteil erleidet; sein auf seinen Vorteil bedacht sein. Das Gemeinte bringt man in eine bestimmte Richtung, etwa wie man das Wasser auf ein Mühlrad leitet. _Oberd,_ spätestens seit 1800. **2.** es sich gerichtet haben = sich einen günstigen Vorwand zunutze gemacht haben; sich einer Ungelegenheit entzogen haben. _Österr_ 1900 _ff._

richtig _adv_ **1.** sich ~ legen = vorteilhaft zu Werke gehen. _Vgl_ das Folgende. 1900 _ff._ **2.** ~ liegen = von richtigen Vorausset-

zungen ausgehen; wegen angenehmer Charaktereigenschaften erwünscht sein. Stammt aus der Börsensprache und bezieht sich auf das richtige Spekulieren, wobei „liegen" auf den Notierungswert des angelegten Geldes anspielt. 1920 _ff._ **3.** es ist nicht ganz ~ mit ihm (er ist nicht ganz ~) = er ist nicht recht bei Verstand. „Nicht richtig" meint eigentlich soviel wie Unordnung und Unstatthaftigkeit; hier bezogen auf eine Geistesstörung. 1500 _ff._ **4.** ~ sein = in charakterlicher Hinsicht den Erwartungen entsprechen; Charakterstärke besitzen; sich den Notwendigkeiten anzupassen wissen. 1900 _ff._ **5.** Sie sind ~, Sie können so bleiben: Redewendung auf einen Menschen mit „gesunden" (für opportun erachteten) Ansichten. 1920 _ff._ **6.** hier ist's ~ = hier gefällt es mir; dies entspricht völlig meinen Erwartungen. 1900 _ff._ **7.** hier ist's ~, bei euch Schweinen bleibe ich = hier fühle ich mich wohl; in eurem Kreis bin ich gerne. Oft mit dem Zusatz: „und wenn die Schweinerei nicht größer wird, gehe ich wieder". 1900 _ff._

Richtiger _m_ du bist mir der Richtige! = dir traue ich nicht! auf dich ist kein Verlaß! du meinst das doch wohl nicht im Ernst? _Iron_ Redewendung; 1900 _ff._

richtiggehend _adj_ richtig, echt, unverfälscht; ernstlich, ernsthaft. Eigentlich von der Uhr gesagt, die richtige Zeit angibt; von da übertragen auf alles Echte (ein „richtiggehender" Löwe ist der nicht ausgestopfte Löwe; „richtiggehende" Blumen sind nicht aus Kunststoff gefertigt; wer „richtiggehend verliebt" ist, hat sich ernstlich verliebt). 1900 _ff._

Richtung _f_ **1.** die ganze ~ paßt uns nicht = derlei lehnen wir grundsätzlich ab; diese Entwicklung dulden wir nicht. Soll 1890 aufgekommen sein als Äußerung des Berliner Polizeipräsidenten Frhr. v. Richthofen im Zusammenhang mit dem Aufführungsverbot für Hermann Sudermanns Schauspiel „Sodoms Ende". **2.** so stimmt die ~ = so ist es richtig; so herrscht die schönste Ordnung. Dem Exerzierdienst entlehnt: ist die Kompanie in Linie aufgestellt, darf keine Nasenspitze vor- oder zurückstehen; sobald man dieses Ziel erreicht hat, erklärt der Vorgesetzte: „jetzt (oder: so) stimmt die Richtung". _Sold_ 1935 _ff._

Ricke _f_ Frau, Mädchen. Eigentlich das weibliche Reh, auch die Ziege. Wohl beeinflußt von „Rieke", der gängigen Abkürzung des früher beliebten Vornamens Friederike. 1800 _ff._

Riechbesen _m_ Blumenstrauß. „Besen" bezieht sich salopp wohl auf die zusammengefaßten Blumenstengel. 1900 _ff._

Rieche _f_ **1.** Nase. Neuwort zu „riechen". _Jug_ 1950 _ff._ **2.** Duft, Gestank. 1950 _ff._

riechen _v_ **1.** etw wittern, merken, spüren. Hergenommen vom Wittern des Jagdhundes. 1800 _ff._ **2.** das kann ich nicht ~ = das kann ich nicht wissen, wenn es mir nicht gesagt wird. 1500 _ff._ **3.** jn nicht ~ können = jn nicht leiden können. Im 18. Jh bei Studenten aufgekommen. _Vgl franz_ „ne pouvoir sentir quelqu'un".

4. da kann er dran ~ = das soll er sich zur Warnung dienen lassen. Versteht sich nach „↗Nase 104". 1840 _ff._ **5.** an etw ~ = etw flüchtig kennenlernen. Übertragen vom Schnuppern in den Kochtöpfen. Seit dem 19. Jh. **6.** das riecht = die Sache ist gefährlich, läßt keinen guten Ausgang erwarten. Berührt sich mit dem Sprichwort „wo Rauch ist, ist auch Feuer". 1900 _ff._ **7.** es riecht nach Lüge (Schwindel, Bestechung usw.) = es erweckt den Verdacht der Lüge. 1900 _ff._ **8.** du kannst mal dahin ~, wo ich hingeschissen habe ↗hinriechen 1.

Riecher _m_ **1.** Nase; Witterungssinn; Orientierungssinn. 1700 _ff._ **2.** einen guten (den richtigen) ~ haben = richtig ahnen; zutreffend wittern. Seit dem 18. Jh. _Vgl franz_ „avoir du flair".

Riechhorn _n_ Nase. Horn = Vorsprung, Auswuchs. 1870 _ff._

Riechknolle _f_ dicke, wulstige Nase. Formähnlich mit einer Knolle; _vgl_ ↗Rübe. 1840 _ff._

Riechkolben _m_ (breite, plumpe) Nase. Sie ist nach unten verdickt wie ein Kolben. 1840 _ff._

Riechzinken _m_ Nase. ↗Zinken. Seit dem 19. Jh.

Riegel _m_ **1.** großes, längliches Stück (Schokolade, Seife o. ä.). Eigentlich soviel wie Querholz, Leiste. Seit dem 19. Jh. **2.** großwüchsiger Mensch; breitschultriger Mann. _Österr_ 1900 _ff._ **3.** der ~ geht auf = eine Erleichterung bahnt sich an. Übertragen vom Zurückschieben des Türriegels. 1950 _ff._ **4.** den ~ knacken = die gegnerische Abwehr durchbrechen. Riegel = Riegelstellung = Sperrlinie. _Sportl_ 1950 _ff._ **5.** hinter dem ~ sein = inhaftiert sein. 1920 _ff._ **6.** einer Sache einen ~ vorschieben (zwischenschieben) = etw verhindern, vereiteln. Übertragen vom Sperr-Riegel der Tür. 1800 _ff._

Riegel-Otto _m_ Rigoletto. Scherzhafte Umgestaltung durch Theaterleute und Kritiker. 1920 _ff._

riegelsam _adj_ rührig, schaffensfroh. Gehört zu „riegeln = lockern; rege machen". _Bayr_ und _österr,_ seit dem 19. Jh.

Rieke (Ricke, Rike) _f_ weibliche Person (mal Kosewort, mal Schimpfwort). ↗Rikke. Seit dem 19. Jh.

Riemen _m_ **1.** Zeitungsaufsatz; langes Schreiben. Übertragen von der Bezeichnung für einen Lederstreifen, auch für einen schmalen Ackerstreifen oder eine lange Reihe gemähten Grases. 1910 _ff._ **2.** erigierter Penis. Eigentlich die Zuchtrute des Hengstes. Seit dem 19. Jh. **3.** Film, der die normale Länge übersteigt. Fernsehtechnikerspr. 1960 _ff._ **4.** langer ~ = a) großwüchsiger Mensch. Seit dem 19. Jh. – b) lange Reisestrecke. 1950 _ff._ **5.** sich in die ~ legen (in die ~ greifen) = sich heftig anstrengen. „Riemen" hat hier die Bedeutung „Ruder". Seit dem 19. Jh. **6.** sich am ~ reißen = sich ermannen; sich sehr anstrengen. Hergenommen vom Leibriemen oder Koppel. 1900 _ff._ **7.** seinen ~ runterspielen = den üblichen Stil produzieren. 1950 _ff._ **8.** den ~ auf die Orgel schmeißen = den

Fahrzeugmotor anlassen; mit dem Auto starten. Leitet sich vom Transmissionsriemen her. *BSD 1965 ff.*

9. schmeiß' den ~ auf die Orgel! = beeile dich! *BSD 1965 ff.*

10. den ~ enger schnallen = sich Einschränkungen auferlegen; sich auf Hungern einrichten. Riemen = Leibriemen. Seit dem 19. Jh.

11. sich aus anderer Leute Leder ~ schneiden = sich an anderen schadlos halten. Gehört zu dem Sprichwort „aus anderer Leute Leder ist gut Riemen schneiden". Seit dem 19. Jh.

Riemenschneider *m* **1.** Arzt für männliche Haut- und Geschlechtsleiden. ↗ Riemen 2. *1900 ff.*

2. Verfasser langer Zeitungsaufsätze. ↗ Riemen 1. *1910/20 ff.*

3. Mensch, der in heiklen Lagen andere eigennützig vorschiebt. ↗ Riemen 11. *1900 ff.*

Riese I *m* **1.** Tausendmarkschein, Tausendkronenschein; großer Geldschein. Im frühen 20. Jh wahrscheinlich aus dem *anglo-amerikan* Slangvokabel für die Tausenddollarnote übernommen.

2. Schüler der Oberstufe. Wohl Anspielung auf die Körpergröße. *1955 ff.*

3. abgebrochener (abgehackter, abgesägter) ~ = kleinwüchsiger Mensch. Eine harmlos-spöttelnde Bezeichnung: von Natur ist auch der Kleinwüchsige ein Riese; nur ist ihm ein Stück von seiner Länge abgebrochen, abgehackt oder abgesägt. Fußt wohl auf dem Bild vom wipfellosen Baum. *1840 ff.*

4. brauner ~ = Tausendmarkschein. Wegen der braunen Grundfarbe. *1960 ff.*

5. eiserner ~ = Elektronenrechner, Computer o. ä. Versteht sich nach ↗ Riese II. *1950 ff.*

6. flüsternder ~ = a) Kampfflugzeug „Atlantic"; Großraumflugzeug. Zwei Propellerturbinen erzeugen ein summendes Geräusch. *BSD 1970 ff.* – b) Hubschrauber CH-53. Wegen des tiefen Brummens. *BSD 1970 ff.*

7. halber ~ = Fünfhundertmarkschein. ↗ Riese I 1. *1960 ff.*

8. müder ~ = Hundertmarkschein. *1970 ff.*

9. weißer ~ = a) Großwüchsiger. Hergenommen von der Reklamefigur für das gleichnamige Waschmittel der Firma Henkel, Düsseldorf. *BSD 1965 ff.* – b) Chefarzt. Er trägt einen weißen Kittel und übt große Macht aus. *1970 ff.*

Riese II *Fn* **1.** nach Adam ~ = richtig gerechnet; genau nach den Rechenregeln; normalerweise. Bezieht sich auf Adam Ryse, Bergbeamter in Annaberg (1492–1559), Verfasser einer Reihe von sehr verbreiteten Rechenbüchern, die, entgegen der Sitte der Zeit, in deutscher Sprache abgefaßt waren. *1600 ff. Vgl engl* „according to Cocker" (Edward Cocker, Rechenmeister im 17. Jh.).

2. nach Adam ~ und Eva Zwerg = völlig einleuchtend, wenn man richtig nachdenkt. Jugendliche haben nach 1945 dem „Adam" eine „Eva" zur Seite, und als Gegenstück zu „Riese" bot sich ihnen „Zwerg" an.

3. nimm mal bei Adam ~ Nachhilfeunterricht!: Rat an einen Kartenspieler, der

sich beim Zusammenrechnen der Punkte irrt. Seit dem 19. Jh.

'Riesen'arschloch *n* Schimpfwort. ↗ Arschloch. *1920 ff.*

Riesenbaby (Grundwort *engl* ausgesprochen) *n* **1.** Großwüchsiger. *1920 ff.*

2. unförmig dicker Junge; unförmig dickes Mädchen. *1920 ff.*

3. einfältiger Erwachsener. Übertreibend hält man ihn in geistiger Hinsicht für einen großen Säugling. *1920 ff.*

'Riesen'bombener'folg *m* sehr großer Erfolg. ↗ Bombenerfolg. *1900 ff.*

'Riesen'bomben- und -ka'nonenrausch *m* Volltrunkenheit. ↗ Kanonenrausch. *1870 ff, stud* und *sold.*

Riesengeweih *n* Makel des betrogenen Ehemannes. ↗ Horn 6. *1950 ff.*

Riesenkähne *pl* Schuhe in Übergröße. ↗ Kahn 8. *1920 ff.*

'Riesenka'mel *n* sehr dummer Mensch. ↗ Kamel. *1900 ff.*

'Riesen'kater *m* heftige Nachwehen ausschweifender Lebensweise; heftige Selbstvorwürfe wegen leichtsinnigen Wirtschaftens (übermäßiger Abzahlungskäufe usw.). ↗ Kater. *1920 ff.*

Riesenknüller *m* sehr erfolgreiche Darbietung. ↗ Knüller. *1965 ff.*

'Riesen'kunstkiste *f* großes Museum; große Gemäldegalerie. *1870 ff.*

Riesenmaulwerk *n* ein ~ haben (führen) = sehr frech, unflätig reden. ↗ Maulwerk. *1920 ff.*

'Riesen'miststück *n* sehr charakterloser Mensch. ↗ Miststück. *1920 ff.*

Riesenohr *n* Radioteleskop. Es horcht auf Funksignale aus dem Weltraum. *1965 ff.*

Riesenpavian *m* sehr dummer Mensch. Der Betreffende ist ein besonders großer „↗ Affe". *1950 ff.*

'Riesen'pferd *n* sehr dummer Mensch. ↗ Roß. *1900 ff.*

'Riesen'rindvieh *n* sehr dummer Mensch. ↗ Rindvieh. *1900 ff.*

'Riesen'roß *n* **1.** sehr dummer Mensch; Schimpfwort. ↗ Roß. Seit dem ausgehenden 19. Jh.

2. ~ mit Eichenlaub und Schwertern = sehr unwissender Rekrut. ↗ Eichenlaub 1. Der Betreffende ist ein ausgezeichneter Esel o. ä. *1914 ff.*

'Riesensaue'rei *f* **1.** sehr große Unannehmlichkeit. ↗ Sauerei. *1900 ff.*

2. große Unflätigkeit; ärgerniserregendes Verhalten. *1900 ff.*

'Riesen'scheiße *f* sehr große Unerträglichkeit; höchst unerwünschte Lage. ↗ Scheiße. *1914 ff.*

Riesenschinken *m* **1.** künstlerisch minderwertiges Gemälde von ungewöhnlichem Ausmaß. ↗ Schinken. *1900 ff.*

2. kostspieliger Großfilm ohne Tiefgründigkeit; künstlerisch anspruchsloser Groß-, Ausstattungsfilm. *1955 ff.*

'Riesen'schlitten *m* sehr geräumiges Auto. ↗ Schlitten 8 a. *1950 ff.*

Riesenschnauze *f* unversieglicher Redestrom; Prahlerei; Mensch, der über alles redet und jeden Gesprächspartner mundtot zu machen sucht. ↗ Schnauze. *1920 ff.*

'Riesen'schwein *n* **1.** sehr großer Glücksfall. ↗ Schwein. *1870 ff.*

2. sehr niederträchtiger Mensch. *1920 ff.*

3. sehr unanständiger, Zoten bevorzugender Mann. *1920 ff.*

'Riesen'typ *m* sehr kameradschaftlicher Mensch. ↗ Typ 1. *Halbw 1955 ff.*

Riesenvogel *m* Großraumflugzeug mit Strahltrieb („Jumbo Jet"). *1950 ff.*

riesig *adj* **1.** ~ in die Rinnel (meist: „in diesem Sinne, – rin in die Rinnel") = prost! Rinne = Speiseröhre. *1930 ff.*

1 a. großartig; sehr hübsch. *1950 ff.*

2. ~ = sehr, überaus (es ist riesig gemütlich, riesig billig; man freut sich riesig). Wohl *stud* Herkunft seit dem 18. Jh.

Rififi *m n* Rauferei, Prügelei; Aufstand; Handgreiflichkeiten u. ä. Geht auf den *franz* Soldatenjargon zurück: „rif = Feuer"; „prendre le rif = mit Gewalt nehmen"; „faire du rif = Streit suchen". Aus der Pariser Unterwelt im Zweiten Weltkrieg aufgestiegen. In Deutschland sehr bekannt geworden durch den gleichnamigen Film des amerikanisch- französischen Regisseurs Jules Dassin (1954) mit der halbstündigen, wort- und musiklosen Schilderung des Einbruchs in ein Juweliergeschäft.

Rike *f* ↗ Rieke.

Rille *f* **1.** Schallplatte. *1930 ff.*

2. beschädigte ~ = immer gleiche Wiederholung des Gesagten. Übernommen von der schadhaften Schallplatte, auf der die Nadel in einer Kratzfurche zurückspringt. *Halbw 1955 ff.*

Rillenschinder *m* Schallplattenansager, der um der Bezahlung willen möglichst lange spricht. Er ist verwandt mit dem „↗ Zeilenschinder". *1930 ff.*

Rillenweibchen *n* Schallplattensängerin. *1960 ff.*

Rillenwerk *n* Schallplatte. *1955 ff.*

rin *adv* **1.** ~ in die Rinnel (meist: „in diesem Sinne, – rin in die Rinnel") = prost! Rinne = Speiseröhre. *1930 ff.*

2. ~ in die Buletten! = a) zugelangt! genötigt wird hier nicht! ↗ Bulette 1. *1900 ff,* Berlin. – b) vorwärts! abmarschiert! *1900 ff.*

3. ~ in die Kartoffeln, raus aus die (den) Kartoffeln = erst so, dann genau umgekehrt (sagt man beispielsweise, wenn eine Arbeitsanweisung durch eine völlig entgegengesetzte abgelöst wird). Geprägt von Friedrich Wülfing 1881 (Fliegende Blätter, Nr. 1885): nacheinander befehlen verschiedene *milit* Vorgesetzte den Soldaten, einen Kartoffelacker zu betreten und wieder zu verlassen.

4. ~ mit Sack und Flöte! = a) Ausruf vor dem Angriff. „Sack" meint den Hodensack, und „Flöte" bezeichnet den Penis. Umgewandelt aus „mit Sack und Pack". *Sold 1939 ff.* – b) viel Vergnügen beim Geschlechtsverkehr, beim Tanzen o. ä. *Sold 1939 ff.*

5. ~ in die gute Stube! = treten Sie ein! Die gute Stube ist der besser ausgestattete Raum, den man sich nur zum Empfang von Gästen benutzt. Mit der Aufforderung „kommen Sie rein in die gute Stube!" soll eine Leipzigerin während des Kaisermanövers 1876 den Prinzen Friedrich Carl von Preußen empfangen haben. Kollatz und Adam, die Verfasser der ersten Berlinischen Vokabelsammlung, behaupten 1840, die Redewendung sei 1833 in Berlin aufgekommen durch die Parodie des Komikers Beckmann auf eine beliebte Melodie aus der Oper „Die Stumme von Portici" (1828) von Daniel François Esprit Auber.

6. ~ ins Vergnügen! = munter drauflos! tritt ein! Hergenommen vom Zuruf eines

Schaustellers an die Jahrmarktsbesucher. Stammt vielleicht aus einer Berliner Posse von Eduard Jacobson (1833–1897). 1870 ff.

7. ~ ins Vergnügen mit Sack und Flöte! = viel Vergnügen beim Geschlechtsverkehr! ↗ rin 4 b. *Sold* 1939 ff.

Rindfleisch n **1.** Ehefrau, Braut o. ä. 1920 ff.

2. ich glaube nur eines: aus 5 Kilo ~ läßt sich eine gute Suppe kochen (sieben Pfund ~ geben eine gute Brühe) = Redewendung, wenn einer den Behauptungen des anderen nicht glaubt. Aufgekommen in der zweiten Hälfte des 19. Jhs.

Rindsknochen m dummer Mensch. Zusammengesetzt aus „Rindvieh" und „Aasknochen". 1800 ff.

Rindvieh n **1.** dummer, ungeschickter Mensch. Ochse, Kuh usw. gelten wegen ihrer Schwerbelehrbarkeit als dumm. 1700 ff.

2. ~ mit Eichenlaub = sehr dummer Mensch. Vom Zierat höherer Ordensstufen hergenommen. 1870 ff, Berlin.

3. ~ von Gottes Gnaden = sehr dummer Mensch. Übernommen vom Titel, den sich Kaiser und Könige beilegten, um ihre angebliche Berufung und Einsetzung von Gott zum Ausdruck zu bringen. Hieraus in verweltlichter Auffassung weiterentwickelt zur Geltung einer bloßen Verstärkung. 1920 ff.

4. ~ im eigenen Saft = sehr dummer Mann. Übernommen von einem Verfahren der Konservierungstechnik. 1930 ff.

5. dummes ~ = dummer Mensch. Seit dem 19. Jh.

5 a. staatlich geprüftes ~ = sehr dummer Mensch. Das Ausmaß seiner Dummheit ist amtlich festgestellt worden. *Schül* 1970 ff.

6. intelligentes ~ = Geistesgröße ohne Lebensklugheit. 1910 ff.

7. charmantes ~ = dummer, aber netter Mensch. *Jug* 1955 ff.

Ring m **1.** alles im ~ = alles in Ordnung. Hergenommen vom Boxsport. 1930 ff.

2. in den ~ fallen = sich verloben. Vom Ringen oder Boxen übertragen: wer in den Ring fällt, ist auf mehr oder minder lange Dauer bewegungsunfähig. 1920 ff.

3. ~e unter den Augen haben = heimlich verlobt sein. Anspielung auf vorehelichen Geschlechtsverkehr. 1920 ff.

4. er kann mich um den ~ pfeifen! = Ausdruck der Abweisung. Ring = Afteröffnung. *Sächs* 1930 ff.

5. im ~ stehen = wütend sein. 1950 ff.

6. in den ~ steigen = a) mit jm eine Auseinandersetzung beginnen. 1930 ff. – b) sich als Gegenkandidat bewerben. 1950 ff.

7. für jn in den ~ steigen = sich für jn tatkräftig einsetzen. 1950 ff.

8. laß dir einen ~ durch die Nase ziehen! = Redewendung, mit der man einen törichten Vorschlag zurückweist. Leitet sich her vom Ring, dem man Ochsen, Bullen usw. durch die Nase zieht, um sie regieren zu können. Versteckte Anspielung auf „Ochs = dummer Mensch". 1840 ff.

9. man kann sich auch einen ~ durch die Nase ziehen: Erwiderung auf eine Äußerung, die mit „man kann dies" und „man kann das" beginnt. Seit dem ausgehenden 19. Jh.

Ringel m **1.** Tanz. Eigentlich der Ringelreihen, der Rundtanz. *Rotw* 1840 ff.

2. einen ~ machen = alle Wirtshäuser besuchen, an denen man vorbeikommt. Ringel = Bewegung im Kreis; Rundgang. 1930 ff.

ringeln intr **1.** tanzen. ↗ Ringel 1. *Rotw* seit dem frühen 19. Jh.

2. altmodisch tanzen. Anspielung auf Reigentänze. *Halbw* 1955 ff.

Ringelpiez (Ringelpietz) m **1.** Tanzvergnügen; Ball (oft mit dem Zusatz: mit Anfassen). „-pie(t)z" stammt aus dem *Slaw* (Wendischen) und meint „singen"; „Ringel" ist der Ringelreihen, „Ringelpiez" also eigentlich soviel wie Tanz mit Gesang. Seit dem ausgehenden 19. Jh.

2. Rundflug, Kurvenfliegen; Luftkampf. *Sold* 1935 ff.

3. Krieg; Nahkampf o. ä. Euphemismus. 1935 ff.

4. lautstark angekündigtes Unternehmen. 1950 ff.

5. laufend sich wiederholende Verrichtungen. *BSD* 1965 ff.

6. ~ fahren = um etw fahren; rundfahren; vorwärts- und rückwärtsfahren. 1920 ff.

7. mit jm ~ machen = jn unnachsichtig einexerzieren. Es geht „↗ rund". *Sold* 1939 ff.

8. mit einer einen ~ machen = koitieren. 1935 ff.

Ringelspiel n **1.** handfester Flirt. Man ringelt sich umeinander. *Jug* 1955 ff.

2. politische Verhandlungen, die sich im Kreis drehen. Früher soviel wie „Karussell". 1950 ff.

Ringeltaube f Seltenheit; Zufallstreffer; Gelegenheitskauf. Name der Waldtaube (Columba palumbus); sie ist graufarbig und hat einen weißen Ring um den Hals. Ringeltauben sind seltener als Haustauben (und werden von Feinschmeckern sehr geschätzt). 1900 ff.

Ringfinger m jn um den ~ wickeln = einen Mann heiratswillig machen. Fußt auf „jn um den ↗ Finger wickeln". 1960 ff.

Ringkampf m **1.** heftiges Wortgefecht. 1920 ff.

2. ~ im Pudding = ergebnisloser Streit; vergebliches Bemühen um Wahrheit und Klarheit. 1960 ff.

Ringstaub m den ~ küssen = beim Boxkampf zu Boden gehen; den Wettkampf verlieren. 1950 ff.

Ringverein m Verbrecherbande. Getarnter Klubname. Der Verein gehört dem „Ring Groß-Berlin" an. Erstmals gegen 1880 in Berlin geläufig; wiederaufgelebt 1920 und kurzfristig nach 1945.

Rinnstein m du hast wohl lange nicht im ~ gelegen?: Drohfrage. Berlin 1870 ff.

Rinnstein-Engel m Straßenprostituierte, die am Straßenrand auf Kunden wartet, vor allem auf Autofahrer. ↗ Bordsteinschwalbe. 1960 ff.

Rinnsteingrabbler m Stöberer in Abfalltonnen; Lumpensammler. 1840 ff.

Rinnsteinpfleger m Angestellter der Straßenreinigung. Im Gefolge der „↗ Raumpflegerin" aufgekommen; 1960 ff.

Rinnsteinpresse f Zeitungspresse niedrigster Art. Der Rinnstein dient als Sinnbild von Unflat und Unrat, von Unbildung und niederen Instinkten. 1920 ff.

Rippe f **1.** Frau. Fußt auf der Schöpfungsgeschichte nach dem Alten Testament. 1700 ff, (wohl älter).

2. liederliches Mädchen. 1900 ff.

3. hagerer Mensch. Seine Rippen zeichnen sich deutlich ab. 1900 ff.

4. kesse ~ = hübsche, umgängliche weibliche Person. ↗ keß. 1920 ff.

5. ihm kann man durch die ~n blasen = er ist sehr mager, unterernährt. Seit dem 19. Jh.

6. es brennt auf den ~n = es ist vordringlich, sehr eilig. Analog zu „es fällt mir heiß auf die ↗ Seele". 1950 ff.

7. nichts auf den ~n haben = hager sein. Seit dem 19. Jh.

8. nichts in den ~n haben = hungrig sein. Seit dem 19. Jh.

9. nichts an (auf) den ~n haben = arm sein. Seit dem 19. Jh.

9 a. ich haue dich aus den ~n!: Drohrede. *Halbw* 1970 ff.

10. hast du schon etwas von silbernen ~n und Zahnersatz gehört?: Drohfrage. 1920 ff.

11. etw durch die ~n husten = etw vorweisen, vorführen. *Halbw* 1955 ff.

12. etw hinter (in) die ~n kriegen (packen, stecken) = (nach längerem Hungern) etw essen. Seit dem 19. Jh.

13. jm etw aus den ~n leiern = jm etw abnötigen. 1950 ff.

14. ich werde dir die ~n numerieren!: Drohrede. 1920 ff.

15. jm Geld aus den ~n quetschen = jm Geld abnötigen. 1950 ff.

16. scheißt du durch die ~n? = kannst du es anders (besser) machen als die anderen? *Sold* 1940 ff.

17. sich etw in die ~n schieben = Nahrung zu sich nehmen. 1900 ff.

18. ich schlage dir die ~n kaputt!: Drohrede. Seit dem 19. Jh.

19. jm etw in die ~n schmeißen = jm etw zukommen lassen; jn bestechen; jm schmeicheln. Hergenommen von der fetten Sau, der man noch Speck zugibt. Seit dem 19. Jh.

20. es sich nicht aus den ~n schneiden können = es unmöglich beschaffen können. Hergenommen sich der Geschichte von der Erschaffung Evas aus einer Rippe Adams: der Betreffende kann die Gott zugeschriebene Tat nicht nachvollziehen. 1830/40 ff.

21. jm etw aus den ~n schneiden = jn scharf verhören; jn mit unerlaubten Mitteln zu einem Geständnis bringen. 1900 ff.

22. etw durch die ~n schwitzen = etw vergessen, nicht beachten. ↗ verschwitzen. Dazu die Weisheit: „Wer seinen Arsch verleiht, muß durch die Rippen scheißen". 1840 ff.

23. etw nicht durch die (aus den) ~n schwitzen können = a) etw nicht besitzen. 1840 ff. – b) schwere Arbeit nicht mühelos verrichten können. 1900 ff.

24. es sich nicht durch die ~n schwitzen können = es nur auf natürlichem Wege abgehen lassen können. Die Redewendung enthält eine Anspielung auf die Unfähigkeit zu geschlechtlicher Enthaltsamkeit. 1800 ff.

25. man kann ihm durch die ~n sehen = er ist sehr hager, stark unterernährt. Seit dem 19. Jh.

26. auf seinen ~n kann man Klavier spielen = er ist sehr mager und hat vorstehende Rippen. 1900 ff.

27. jm etw aus den ~n stoßen = jm etw abnötigen. 1950 ff.

28. jm etw in die ~n stoßen = jn bestechen (mit einem guten Mittagessen; mit Banknoten, die man ihm in die Brieftasche steckt o. ä.). Seit dem 19. Jh.

29. bei ihm kann man alle ~n zählen = er ist überaus mager. 1200 ff.

Rippenstück n intime Freundin. Geht zurück auf die biblische Geschichte von Adam und Eva. 1870 ff.

Rippentriller m Rippenstoß; (unfairer) Stoß vor die Brust. Gehört zu „drillen = drehen", dann auch soviel wie „einexerzieren" und daraus weiterentwickelt zur allgemeinen Bedeutung „plagen". 1900 ff.

'rips'raps adv **1.** auf einen Griff; schnell, hastig. ↗ rapschen. Etwa seit 1500, vorwiegend oberd.

2. ~ machen = diebisch sein; einen diebischen Griff tun. 1500 ff.

Riß m **1.** Beute, Erlös. ↗ reißen 6. Österr seit dem 19. Jh.

2. Bekanntschaftsanknüpfung mit einem Mädchen. Vgl ↗ aufreißen. Österr 1900 ff.

3. pl = Hiebe, Prügel. Die Haut reißt, wenn man sie kräftig schlägt. Seit dem 18. Jh.

4. pl = Späße, Streiche, Witze. Gehört zu „↗ Witze reißen". 1840 ff.

5. es gibt einem einen ~ = man zuckt zusammen, schreckt hoch. Etwa wie dem Hexenschuß, beim Seitenstechen, bei unbeabsichtigtem Anstoßen mit dem „↗ Elektrisierknochen". 1930 ff.

6. einen ~ im Karton (Hirn) haben = nicht recht bei Verstand sein. ↗ Karton 1. 1925 ff.

7. Risse im Kopf haben = törichte Behauptungen aufstellen. Riß = Defekt. 1910 ff.

8. einen ~ im Wirsing haben = nicht recht bei Sinnen sein. ↗ Wirsing. 1920 ff.

9. einen ~ kitten = eine Wunde vernähen; eine Verwundung ausheilen. Übertragen vom Riß im Mauerwerk o. ä. Sold in beiden Weltkriegen.

10. einen ~ machen = a) einen Diebstahl begehen; straffällig werden. ↗ Riß 1. Österr 1900 ff. – b) das Große Los ziehen. Tirol 1900 ff.

Ritt m **1.** Geschlechtsverkehr. ↗ reiten 3. Meint in der Viehzucht den Begattungsakt des Stiers. Seit dem 19. Jh.

2. Flug. Von der Fortbewegung zu Pferde übertragen auf die Fortbewegung mittels PS. BSD 1960 ff.

3. alle ~ = alle Augenblicke; fortwährend. Vom „Ritt = kurzer Ausflug zu Pferde" verallgemeinert zum Begriff „kurze Abwesenheit". 1800 ff.

4. in einem (auf einen) ~ = ohne Unterbrechung. Hergenommen vom Reiter, der keine Rast einlegt und auch das Pferd nicht wechselt. 1800 ff.

5. auf den ~ gehen = a) den Geschäften, Vergnügungen o. ä. nachgehen. Soviel wie „ausgehen". Seit dem 19. Jh. – b) mit einem gestohlenen Gegenstand zwischen den Oberschenkeln davongehen. Es ist wie ein Reiten auf der Beute. Rotw 1880 ff.

6. einen ~ machen = koitieren. ↗ Ritt 1. Seit dem 19. Jh.

7. sich auf ~ (auf den ~) machen = weggehen. Seit dem 19. Jh.

8. auf dem ~ sein = unterwegs sein. Seit dem 19. Jh.

9. mit seinen Gedanken auf ~ sein = geistesabwesend sein. 1920 ff.

Ritter m **1.** geschlechtskranker Patient. ↗ Ritterburg. 1870 ff.

2. ~ vom hohen C = Tenor. 1950 ff.

3. ~ von der Elle = a) Schneider. Seit dem 19. Jh. – b) Textilkaufmann. Seit dem 19. Jh (gleichbed im 17. Jh „Junker von der Ellen").

4. ~ von der traurigen Gestalt = Mensch von kleinem Aussehen; Mißvergnügter; Ratloser. Übersetzung von span „caballero de la triste figura" aus dem Roman „Don Quixote" von Miguel de Cervantes. Etwa seit 1800.

5. ~ von der Landstraße = Landstreicher. 1900 ff.

6. ~ der Landstraße = Fernfahrer. 1953 ff.

7. ~ des Pedals (der Pedale) = Radfahrer. ↗ Pedalritter. 1910 ff.

8. ~ von den goldenen Pedalen = Liebediener, Einschmeichler; Mensch, der gegenüber Vorgesetzten unterwürfig, gegenüber Untergebenen herrisch ist. ↗ Pedal 4. 1939 ff.

9. ~ vom goldenen Reif = Ehemann. Anspielung auf den Ehering. 1960 ff.

10. ~ vom öligen Scheitel = Italiener. Anspielung auf die Vorliebe für stark pomadisiertes Haar. 1967 ff.

11. ~ vom Steuer = (rücksichtsvoller) Autofahrer. 1950 ff.

12. ~ der Straße = hilfsbereiter Autofahrer. 1960 ff.

13. ~ am Volant = (rücksichtsvoller) Autofahrer. 1950 ff.

14. fahrender ~ = Frauenheld mit Auto. 1960 ff.

15. blau wie ein ~ = betrunken. Kreuzung von „↗ blaublütig" und „blau = bezecht". 1930 ff.

16. zum ~ geschlagen werden = geschlechtskrank werden. ↗ Ritter 1. 1900 ff.

Ritterburg f Genesungsstation für geschlechtskranke Männer. Entstellt aus „Tripper(burg)". 1870 ff.

Rittmeister m **1.** Frauenheld; intimer Freund eines Mädchens oder einer Ehefrau. ↗ Ritt 1. 1900 ff.

2. mannstolle Frau. 1900 ff.

3. lieber als Zahlmeister = lieber koitieren als Alimente zahlen. 1900 ff.

4. fünf Minuten ~ und achtzehn Jahre Zahlmeister = Mann, der achtzehn Jahre hindurch Unterhaltszahlungen für das uneheliche Kind aufzubringen hat. 1900 ff; auch ndl.

Ritze f **1.** Gesäßkerbe. Seit dem 19. Jh.

2. Vagina. Seit dem 19. Jh.

3. junges Mädchen; Frau. Pars pro toto. 1900 ff.

4. kleine, schmale Gaststätte. Der enge Raum wird hier als enger Spalt aufgefaßt. 1800 ff.

5. kleines, ärmliches Wohngemach. 1900 ff.

6. Gefängnis-, Arrestzelle. 1900 ff.

7. Schallplatte; Plattenspieler. Vgl ↗ Rille 1. Halbw 1955 ff.

8. solide ~ = sittlich einwandfrei lebende Frau. Solide = fest, ausdauernd, verläßlich usw.; ↗ Ritze 3. In der Sicht der Prostituierten hurt sie nicht und prostituiert

sie nicht. Als Inbegriff des Unsoliden gilt die Prostitution. 1967 ff.

9. nicht auf der ~ gehen können = betrunken torkeln. Ritze = Dielenfuge. 1850 ff.

10. ihm schaut die Blödheit aus jeder ~ = ihm steht die Dummheit im Gesicht geschrieben. 1935 ff.

11. auf der ~ schlafen = zwischen dem Ehepaar nächtigen. Ritze ist der Spalt zwischen nebeneinanderstehenden Betten. 1900 ff.

12. eine ~ verkitzen = koitieren. Nordd „verkitzen = mit Mörtel ausfüllen". ↗ Ritze 2. 1900 ff.

ritzen v **1.** ein Ding (eine Sache) ~ = a) eine Angelegenheit meistern. Hergenommen von den Anreißwerkzeugen, mit denen man Bearbeitungslinien auf Werkstücken anbringt. 1910 ff. – b) eine Straftat begehen. Geht zurück auf die Einbruchsvorbereitung: der Täter ritzt die Fensterscheibe mit einem Glasschneider. 1910 ff.

2. wir werden die Sache schon ~ = wir werden (ich werde) die Sache wunschgemäß erledigen. 1910 ff.

Ritzenschieber m **1.** Schienenreiniger der Straßenbahn.

2. Kulissenschieber beim Theater; Bühnenarbeiter. 1900 ff, theaterspr.

Ritzenspringer m Bordellbesucher. ↗ Ritze 2. 1965 ff.

Rizinus m ~ der Schnelle = Durchfall. 1920 ff.

robben intr auf dem Bauch liegend sich mit den Ellenbogen vorwärtsbewegen. Hergenommen von der Fortbewegungsart der Robben mit ihren flossenartigen Gliedmaßen. Sold 1914–1945.

'robotten intr schwer arbeiten. Geht zurück auf tschech und poln „robota = arbeiten". Seit dem 19. Jh.

röcheln intr **1.** schlafen, schnarchen. Schallnachahmung für das von raschelndem, rasselndem Geräusch begleitete Schlafen. Sold 1914 bis heute.

2. und du röchelst noch?: Drohfrage, um jn zum Schweigen zu bringen. Sold 1914 ff.

Röcheltasche f Speitüte im Flugzeug. Die Würgelaute ähneln dem Röcheln. 1925 ff.

Roches (Rochus) m Groll, Zorn, Rachegefühl. Fußt auf jidd „roges = Zorn". Seit dem ausgehenden 19. Jh.

Rock m **1.** ~ mit offener Flanke = Schlitzrock. 1960 ff.

2. ~ des Vaterlands = Uniformrock. Iron schwülstige Bezeichnung. BSD 1965 ff.

3. abgesägter ~ = Frack. Er ist ein Gehrock, dem man das untere Vorderteil „abgesägt" hat. 1870 ff.

4. tanzender ~ = Rock, der beim Gehen hin- und herschwingt. 1920 ff.

5. den kurzen ~ anhaben = unfreundlich, barsch, wortkarg sein. In scherzhaftiron Auffassung der Wortkargheit durch die Kleidung bedingt. 1900 ff.

6. den ~ drehen = die Gesinnung ändern. Vom Schneider hergenommen, der das Kleidungsstück wendet. Seit dem 19. Jh.

7. aus dem ~ fallen = abmagern. ↗ Kleid 8. Seit dem 19. Jh.

8. jm unter den ~ gucken = jds Gesinnung zu ergründen suchen. Sold und ziv in beiden Weltkriegen.

9. einen ~ hinlegen = tanzen. Gemeint ist der Tanz „Rock'n'Roll". Halbw 1955 ff.

10. man könnte sich vor Wut die Röcke hochheben (oft mit dem Zusatz: und einen heißen Käse durch den Bauch schießen) = man ist sehr verärgert. 1920 ff, offiziersspr.

11. man könnte sich die Röcke hochheben und blutige Tränen weinen!: (Jungmädchen-)Ausruf der Verzweiflung, des Ärgers o. ä. *Halbw* 1955 ff.

12. das ist ~ wie Hose = das ist einerlei. ↗Jacke 14. Seit dem 19. Jh.

13. das ist ~ wie Weste = das ist dasselbe. 1920 ff.

Röckchen n **1.** Dienstanzug. *Iron* Verniedlichung. 1920 ff.

2. freigebiges ~ = mehr ent- als verhüllender kurzer Rock. 1955 ff.

3. heißes ~ = äußerst kurzer Mädchenrock. Sachverwandt mit „heißes ↗Höschen". 1970 ff.

rocken *intr* tanzen. Bezieht sich ursprünglich nur auf den „Rock'n'Roll". *Halbw* 1955 ff.

Rocker m **1.** Anhänger ungestüm-leidenschaftlicher Tanzmusik. ↗rocken. *Halbw* 1955 ff.

2. organisierter Halbwüchsiger in Lederkleidung auf Motorrad oder Moped; Angehöriger einer jugendlichen Schlägerbande. Aus den USA übernommen, etwa seit 1967.

Rockerpfanne f weibliches Mitglied einer Rockergruppe. ↗Pfanne 2. 1967 ff.

Rockkind n Begünstigter. Er wird verwöhnt wie ein Kind, das sich an den Röcken der Mutter festhält. 1920 ff.

Rock'n'Roll'mops m **1.** Rock'n'Roll-Sänger. Scherzhafte Kreuzung von „Rock'n'-Roll" und „Rollmops". *Halbw* 1955 ff.

2. Anhänger des Rock'n'Roll. *Halbw* 1955 ff.

Rockpolizist m Polizeibeamtin. Zu ihrer Dienstkleidung gehört der Rock. (1920 ?) 1960 ff.

Rockschöße pl sich jm an die ~ hängen (heften) = sich jm aufdrängen; jm mit seiner Unselbständigkeit lästig fallen. ↗Rockkind. Seit dem 19. Jh. *Vgl franz* „être toujours pendu aux jupes de quelqu'un".

Rocktasche f etw kennen wie die eigene ~ = etw genau kennen. Meist von weiblichen Personen gesagt. 1920 ff.

Rödeldienst m schwerer Dienst. ↗Gerödel. *BSD* 1965 ff.

roglig *adj* leichtbeweglich; temperamentvoll. Gehört zu „riegeln, rigeln = lockern; anregen". *Bayr* und *österr*, 1600 ff.

Rohkost-Apostel m Werber für naturgemäße Lebensweise. 1920 ff.

Rohr (Röhrl) n **1.** Penis; Vagina. Als Endstück der Wasserleitung aufgefaßt. Spätestens seit 1400.

2. Enddarm. 1900 ff.

3. Flasche Bier (o. ä.); hohes Glas ohne Stiel. Flasche wie Glas sind rohrförmig. Wohl beeinflußt von *engl* „pipe = Rohr" im Zusammenhang mit „pipeline". *Halbw* 1955 ff.

4. Auto. Entweder hergenommen von einer gewissen Formähnlichkeit mit dem Rennwagen oder verkürzt aus „Auspuffrohr", wie ja auch „Loch" (verkürzt aus „Arschloch") für „Mensch" steht. *Halbw* 1960 ff.

5. voll ~ = mit äußerster Kraft; mit

voller Wucht (voll Rohr stießen die Fahrzeuge zusammen). ↗Rohr 13. 1960 ff.

6. ein ~ anbrechen = eine Flasche öffnen. ↗Rohr 3. *Halbw* 1955 ff.

7. ein ~ brechen = eine Flasche leeren. ↗Rohr 3. *Halbw* 1955 ff.

8. mit vollem ~ fahren = mit Höchstgeschwindigkeit fahren. ↗Rohr 13. 1960 ff.

9. aus allen ~en feuern = heftige Kritik vorbringen. Meint eigentlich das Feuern aus sämtlichen Kanonenrohren. 1930 ff.

10. etw (jn) auf dem ~ haben = Ungünstiges gegen jn beabsichtigen; eine Sache nicht leiden können. Rohr = Flintenlauf. *Vgl* „jn auf dem Korn (↗Korn 4) haben". 1500 ff.

11. etw im ~ haben = mit etw zurückhalten. Man feuert die Flinte nicht ab oder läßt den Darmwind nicht entweichen. 1935 ff.

12. einen im ~ haben = einen Darmwind noch zurückhalten. 1900 ff.

13. volles ~ haben = gut schießen. ↗Rohr 5. *BSD* 1960 ff.

14. ich kriege ein ~!: Ausdruck des Erstaunens. Anspielung auf Versteifung des Penis infolge geschlechtlicher Erregung oder wegen Harndrangs. ↗Rohr 1. Rokker 1968 ff.

15. laber' mir kein ~! = hör auf mit deinem (obszönen) Geschwätz! ↗Rohr 1. *BSD* 1960 ff.

16. ein ~ legen = koitieren. ↗Rohr 1. 1920 ff.

17. gegen jn aus vielen ~en schießen = jn von verschiedenen Gesichtspunkten her befehden. 1930 ff.

18. aus allen ~en schießen = a) großen Humor entwickeln; Pointen auf Pointen vortragen. 1930 ff. – b) sich energisch einschreiten; sich energisch zur Wehr setzen. 1930 ff. – c) das gegnerische Fußballtor heftig bedrängen. *Sportl* 1950 ff.

19. was ist im ~? = was geht vor? Rohr = Röhricht. *Vgl* „es ist etw im ↗Busch". 1900 ff.

20. da ist etwas im ~ = da bahnt sich etwas an. *Vgl* das Vorhergehende. 1900 ff.

21. da ist etw auf dem ~ = da bereitet sich ein Ereignis vor. „Auf dem Rohr" ist das Zielobjekt, wenn es sich genau in der verlängerten Linie des Flintenlaufs befindet. ↗Rohr 10. 1900 ff.

22. im ~ sitzen = in guten Verhältnissen leben. Fußt auf dem Sprichwort „wer im Rohr sitzt, hat gut Pfeifen schneiden". Rohr = Röhricht; Schilfdickicht. Seit dem 15. Jh.

22 a. sich das ~ verbiegen = sich als Mann eine Geschlechtskrankheit zuziehen. ↗Rohr 1. 1900 ff.

23. ein ~ verlegen = koitieren. ↗Rohr 16. 1920 ff.

24. aus allen ~en zurückfeuern = Beschimpfung mit Beschimpfung erwidern; sich sehr energisch zur Wehr setzen. 1930 ff.

Röhrchen (Röhrl) n **1.** Penis. ↗Rohr 1. Seit dem 19. Jh.

2. Trinkhalm. 1920 ff.

3. ins ~ blasen = sich dem Alkoholtest unterziehen. ↗Pusterohr 4. 1960 ff.

Röhre f **1.** Mund. Anspielung auf Luft- und Speiseröhre. *Vgl* auch ↗röhren 1. Vorwiegend *oberd*, seit dem 19. Jh.

2. Hosenbein; enganliegende Hose. Ver-

kürzt aus „↗Ofenrohr". Etwa seit 1850. *Vgl engl-angloamerikan* „drainpipe".

3. Zylinderhut (des akademischen Prüflings). Vorform von ↗Angströhre. Seit dem frühen 19. Jh.

4. Tabakspfeife 1920 ff.

5. Unterseeboot. Es ist langgezogen und eng. *Sold* 1939 ff.

6. Fernsehgerät. Eigentlich die Bildröhre. 1955 ff.

7. Penis; Vagina. ↗Rohr 1. 1900 ff.

8. Darm. ↗Rohr 2. 1900 ff.

9. Flasche. ↗Rohr 3. *Halbw* 1955 ff.

10. blonde ~ = helles Bier im Glas oder in der Flasche. Zu „blond" *vgl* „kühle ↗Blonde". *Halbw* 1955 ff.

11. ~ frei! = die Fernsehsendung kann ausgestrahlt werden. 1960 ff.

12. bunte ~ = Farbfernsehgerät. 1968 ff.

12 a. kanische ~ = Blue Jeans. ↗kanisch. *Jug* 1955 ff.

13. die ~ aufreißen = schreien; laut reden; prahlen. ↗Röhre 1. *Oberd* seit dem 19. Jh.

14. eine ~ brechen = eine Flasche leeren. ↗Rohr 7; ↗Röhre 9. *Halbw* 1955 ff.

15. durch (in) die ~ gucken (kieken, schauen o. ä.) = a) leer ausgehen; übergangen werden; verwundert zusehen. Leitet sich her entweder vom Fernrohr, durch das man „in den Mond guckt" (was dieselbe Bedeutung hat), oder von der Abtrittsröhre, in die man blickt (was Analogie zu „in den ↗Eimer sehen" ergibt). 1840 ff. – b) Fernsehansagerin sein; im Fernsehen auftreten. Röhre = Bildröhre. 1960 ff. – c) fernsehen. 1955 ff.

16. eine ~ haben = über eine gewaltige Stimme verfügen. ↗Röhre 1. Seit dem 19. Jh.

17. für etw keine ~ haben = für etw kein Verständnis haben. Hergenommen von der Röhre des Rundfunkgeräts, vielleicht auch vom Fernrohr, wodurch sich Berührung mit „↗Durchblick" ergibt. 1950 ff.

18. sich jn in der ~ halten = es mit jm nicht verderben. Röhre = Bratröhre, in der man Speisen warmhält. *Vgl* „sich jn ↗warm halten". 1920 ff.

19. einen durch die ~ jagen = koten. Röhre = Darm, After. *BSD* 1960 ff.

20. aus der ~ lächeln = im Fernsehen auftreten. 1965 ff.

21. die ~ putzen = zechen. Röhre = Speiseröhre. 1920 ff.

22. in die ~ reden = umsonst reden. Röhre = Abtrittsröhre. Wer da hineinredet, den hört niemand zu, und keiner antwortet. 1930 ff.

23. aus der ~ gucken (schauen o. ä.) = im Fernsehen auftreten. 1960 ff.

24. durch die hohle ~ sehen = nicht berücksichtigt werden. ↗Röhre 15 a. 1950 ff.

25. was ist in der ~? = was bringt das Fernsehen? 1960 ff.

26. an der ~ sein = fernsehen. 1970 ff.

röhren *intr* **1.** schreien, brüllen, weinen. Geht zurück auf *gliechbed ahd* und *mhd* „reren". Wohl lautmalender Natur. 1400 ff.

2. unartikuliert singen; mit verlangendem Ausdruck singen. 1930 ff.

3. mit tiefer Stimme laut schallend sprechen (musizieren). Nachahmung des Röhrens der Hirsche in der Brunft. 1930 ff.

4. schnarchen. *BSD* 1960 *ff.*

5. auffällig flirten; nach Geschlechtsverkehr verlangen. Vom röhrenden Hirsch hergenommen. *Vgl* ↗Hirsch. *Halbw* 1955 *ff.*

6. nach jm ~ = geschlechtlich nach jm verlangen. 1900 *ff.*

Röhrenmensch *m* Bürger, der seine gesamte Freizeit mit Fernsehen zubringt. ↗Röhre 6. 1958 *ff.*

Röhrenrock *m* gleichmäßig geschnittener, enger Frauenrock. ↗Röhre 2. 1958 *ff.*

Röhrenseuche *f* **1.** unwiderstehliches Verlangen (vieler) nach einem Fernsehgerät. ↗Röhre 6. 1958 *ff.*

2. unwiderstehlicher Trieb, jede freie Minute fernzusehen. 1958 *ff.*

Röhrer *m* **1.** Schlagersänger. ↗röhren 2. *Jug* 1965 *ff.*

2. Plattenspieler. *Jug* 1965 *ff.*

Rohrkrepierer *m* **1.** während des Beischlafs geplatztes Präservativ. Eigentlich das Explosivgeschoß, das beim Abfeuern noch innerhalb des Geschützrohrs detoniert. 1910 *ff.*

2. Bezichtigung, mit der man sich selber schadet; übereilte Äußerung von aufsehenerregender Wirkung; Mensch, der seine eigene Arbeit verdirbt; Versprecher; wirkungslose Sache. 1910 *ff.*

3. verfehlter Trick; Irrtum; Versager. 1910 *ff.*

4. übereilt handelnder Mensch. 1910 *ff.*

5. Geschlechtskrankheit. ↗Rohr 1. 1920 *ff.*

6. Homosexueller. 1950 *ff.*

7. psychologischer ~ = Maßnahme von psychologisch negativer Wirkung. 1970 *ff.*

Röhrl *n* ↗Rohr; ↗Röhrchen.

Rohrschoner *m* Präservativ. ↗Rohr 1. 1960 *ff.*

Rohrspatz *m* **1.** frecher Junge; freches Mädchen. Seit dem 19. Jh.

2. frech wie ein ~ = unverschämt, dreist, rücksichtslos. *Vgl* das Folgende. Seit dem 19. Jh.

3. schimpfen wie ein ~ (Rohrsperling) = heftig, unflätig schimpfen. Der Rohrspatz (Drosselrohrsänger o. ä.) nistet im Röhricht und warnt durch sein Schilpen das Wildgeflügel. Leute mit musikalischem Gehör empfinden seine Stimme angeblich als unangenehm. Seit dem 18. Jh.

Rokokobeine *pl* krumme Beine. Übertragen von der Bezeichnung für die Tische und Stühle in der Rokokozeit. 1900 *ff.*

'Rokokoko'kotte *f* bejahrte Prostituierte. Wohl wegen krummer Beine, aber auch wegen des Reizes eines zungenbrechenden Wortes. 1920 *ff.*

Rollade (Rolladen) *f (m)* **1.** Augendeckel. 1920 *ff.*

2. *pl* = aufwärts geschobene Stirnfalten. 1920 *ff.*

3. *pl* = Rouladen. 1920 *ff.*

4. die Rolläden fallen = man verstummt, zeigt sich abweisend. ↗Rollade 1. 1950 *ff.*

Rollbahn *f* Fahr-, Autobahn. Hergenommen von der Bezeichnung für die Start- und Landebahn von Flughäfen oder von der *milit* Aufmarsch- bzw. Nachschubstraße (Fernverkehrsstraße in Rußland). *Halbw* 1955 *ff.*

Rollbahnbiene *f* Straßenprostituierte. Ihr Standplatz befindet sich an den Ausfallstraßen der Städte. ↗Biene 3. 1960 *ff.*

Rollbahnfahrer *m* Kraftfahrer mit schlech-

ter Fahrweise. Die russischen Rollbahnen machten gute Fahrweise überflüssig. 1955 *ff*, kraftfahrerspr.

Rollbahnfeger *pl* Bodenpersonal der Luftwaffe; Luftwaffenangehörige. *Sold* 1939 bis heute.

Rolle *f* **1.** Handkäse. Er ist rollenförmig. 1950 *ff.*

2. Penis. 1900 *ff.*

3. zugeteilte Arbeit; Einteilung der Besatzung zu den einzelnen Dienstverrichtungen. Übernommen von der Bühnenrolle. *Marinespr* 1900 *ff.*

4. ausgezogene ~ = Bühnenrolle, in der die Darstellerin stark entblößt auftreten muß. 1955 *ff.*

5. fette ~ = dankbare Bühnenrolle. Sie ist schauspielerisch „nahrhaft". *Theaterspr.* 1920 *ff. Vgl engl* „a fat part".

6. intime ~ = Abortpapierrolle. *BSD* 1965 *ff.*

7. tragende ~ = Schwangerschaft. Die werdende Mutter trägt ein Kind unter dem Herzen. 1950 *ff.*

8. in tragender ~ = beim Herbeitragen von Gegenständen. ↗Rolle 16. 1950 *ff.*

8 a. von der ~ abkommen: ↗Rolle 11 a.

9. eine ~ abziehen = lange Zeit hindurch täglich dieselbe schauspielerische Rolle spielen. ↗abziehen 1. 1955 *ff.*

10. aus der ~ fallen = gegen die Anstandsregeln verstoßen; sehr grob werden. Übernommen von der Schauspielerrolle: der Schauspieler „fällt aus der Rolle", wenn er sich nicht an den Text hält oder mehr sich selber spielt, als den vom Stück geforderten Charakter zu verkörpern. Seit dem späten 18. Jh.

11. eine ~ hinlegen = eine Rolle überragend, fehlerlos spielen. ↗hinlegen. 1870 *ff.*

11 a. von der ~ kommen = im Leistungsvermögen nachlassen. ↗Rolle 18. 1970 *ff.*

12. eine ~ machen = koten. Rolle = Wurst. 1910 *ff.*

13. die ~ machen = Ausflüchte vorbringen; sich einer Sache geschickt entwinden. Vom Fallschirmspringen hergenommen: beim Aufprall auf dem Boden macht der Springer eine Rolle, indem er sich geschickt überschlägt, um Verletzungen zu vermeiden und sich nicht im Fallschirm zu verfangen. 1940 *ff.*

14. jn auf die ~ nehmen = a) jm heftig zusetzen; jn derb und grob behandeln. Analog zu ↗triezen. 1900 *ff.* – b) jn veralbern, übertölpeln. 1900 *ff.*

15. auf der ~ sein = a) unangenehm aufgefallen sein und deswegen zu unerfreulichen Verrichtungen herangezogen werden. ↗Rolle 14 a. 1900 *ff.* – b) ohne Geld und Unterkunft sein. Analog zu „auf der ↗Walz sein". 1970 *ff, prost.*

16. eine tragende ~ spielen = etw herbeitragen; Kellner, Postbote sein. Wortspielerei mit dem theaterspr. Ausdruck im Sinne von „eine Hauptrolle spielen". 1950 *ff.*

17. waagerechte ~n spielen = der gewerblichen Unzucht nachgehen. *Vgl* ↗Horizontale 3 a. 1940 *ff.*

18. von der ~ sein = unterlegen, geschwächt sein. Vom Steherrennen übertragen: am hinteren Gestänge des Schrittmacherfahrzeugs befindet sich eine bewegliche, waagerechte Rolle, an der der

Bahnrennfahrer möglichst dicht bleiben soll, damit ihm der vom Schrittmacher verursachte Windschutz voll zustatten kommt. Wenn der Rennfahrer von der Rolle kommt, verringert sich seine Fahrgeschwindigkeit. 1970 *ff*, vorwiegend in der Fußballsprache.

rollen *v* **1.** *intr tr* = koitieren. Übertragen vom Ausdruck für den Begattungsakt von Fuchs, Dachs, Schwarzwild u. a. Seit dem 19. Jh.

2. *intr* = onanieren. 1920 *ff.*

3. *intr* = schnarchen, schlafen. Übernommen vom rumpelnden und polternden Geräusch eines rollenden Fuhrwerks. *Sold* 1914 bis heute.

4. *intr* = koten. ↗Rolle 12. 1910 *ff.*

5. *intr* = tanzen. Eigentlich bezogen auf den „Rock'n'Roll". *Halbw* 1955 *ff.*

6. *tr* = jn übervorteilen, veralbern. ↗Rolle 14. 1900 *ff.*

7. den Lehrer ~ = in der Schule täuschen. *Bayr* und *österr* 1920 *ff.*

8. einen ~ = ein Glas Alkohol zu sich nehmen. Man läßt das Getränk über die Zunge „rollen". 1910 *ff.*

9. jn ~ = jn prügeln. ↗Rollkommando. Seit dem 16. Jh, *sold.*

10. eine Sache ~ = etw bewerkstelligen; eine Straftat begehen. „Rollen" hat hier den Sinn von „etw rundbringen; sorgen, daß es rund geht". 1950 *ff.*

11. etw ins ~ bringen = eine Entwicklung anbahnen. Verkürzt aus „den ↗Stein ins Rollen bringen". 1920 *ff.*

12. ins ~ kommen = aktuell werden. 1950 *ff.*

13. *refl* = davongehen. Leitet sich her von einer beleibten Person, die wälzend sich bewegt. 1920 *ff.*

14. *refl* = sich mit jm raufen, prügeln. 1900 *ff.*

Rollerbraut *f* Mitfahrerin auf dem Motorroller. 1954 *ff.*

Rolle'rei *f* Prügelei. ↗rollen 9. 1900 *ff.*

Rolling *f n* Besuch mehrerer Gastwirtschaften. Meist bezogen auf eine größere Gruppe von Kameraden, die von Lokal zu Lokal ziehen. Gegen 1900 in der Marinesprache aufgekommener Ausdruck; er bezeichnet eigentlich die wildbewegte See, deren Wellen heranrollen (aus dem *engl*).

Rollkommando *n* **1.** Gruppe von Raufbolden; Exekutive der Lynchjustiz. Stammt aus einer Tradition der Bundesheere des 19. Jhs: die frisch eingezogenen Rekruten wurden von den Älteren nachts „verrollt" (= verprügelt); die Prügelnden nannte man „Rollkommando", obwohl sie von den Vorgesetzten nicht hierzu abkommandiert waren. Die Prügelung der Rekruten kam schon im 16. Jh vor; die Verprügelten mußten sich mit dem „Rollbatzen" loskaufen, einer Silbermünze, auf der ein Wagen eingeprägt war. 1920 *ff.*

2. Werbekolonne, deren Mitglieder arglose Leute überrumpeln. 1965 *ff.*

Rollmops *m* **1.** kleinwüchsiger, dicklicher Mann. Eigentlich die Bezeichnung des sauer eingelegten, um Gurken- und Zwiebelstückchen gerollten, mit Holzspießchen zusammengesteckten Heringsfilets. 1900 *ff.*

2. feister Mops (Hund). 1920 *ff.*

3. zwei Buben und von jeder Farbe zwei Karten. Zusammenhang unbekannt. *Westd* 1930 *ff*, kartenspielerspr.

4. Trommler. Er hat zwei Stöcke wie der Rollmops. Theaterspr. 1920 *ff.*
5. in den Hüften sich wiegender Rock'n'-Roll-Sänger. 1955 *ff, halbw.*
6. Anhänger des Rock'n'Roll. *Halbw* 1955 *ff.*
7. Rollkragenpullover. 1960 *ff.*
8. ~ auf Beinen = beleibter Mensch. 1910 *ff.*
9. den sauren ~ mimen = sich verdrossen stellen; mißmutig sein. *Vgl* ↗ sauer. *Halbw* 1960 *ff.*

rollmopsen *refl* sich in eine Decke einwickeln und schlafen legen. 1950 *ff, sold* und *ziv.*

Rollsalve *f* **1.** Ablassen von Darmwinden in bedecktem Raum durch mehrere Personen. Meint eigentlich das zusammengefaßte Feuer von Schußwaffen, besonders von vielen Geschützen, die gemeinsam ein bestimmtes Ziel beschießen; bei solch schneller Schußfolge sind die einzelnen Abschüsse und Einschläge nicht mehr voneinander zu unterscheiden: es ist nur noch ein einziges dumpfes Rollen. *Sold* in beiden Weltkriegen.
2. starkes Publikumsgelächter. Nach 1914 in die Theatersprache eingegangen.
3. lauter, anhaltender Beifall. Theaterspr. 1920 *ff.*

Rollwagenkapitän *m* elektrischer ~ = Straßenbahnführer. Wien 1920 *ff.*

Rollwasser *n* **1.** Benzin, Kraftstoff. Dieser Treibstoff bringt das Kraftfahrzeug zum Rollen. 1960 *ff.*
2. Aphrodisiakum; Aufputschdroge. ↗ rollen 1. 1960 *ff.*

rolzen (rölzen) *intr* raufen; tollen; spielend sich streiten. Intensivbildung zu „rollen". Seit dem 18. Jh.

Roman *m* **1.** leeres Gerede; Weitschweifigkeit; Schwindelbericht. Die Romanschilderung gilt volkstümlich als breites Geschwätz und als erlogen, weil erfunden. 1700 *ff.*
2. ~ mit O-Beinen = Roman mit glücklich beginnender, unglücklich verlaufender und wieder glücklich endender Liebesgeschichte. ↗ Courths-Mahler-Beine. 1930 *ff.*
3. ~ mit X-Beinen = Roman, in dessen Mitte die Liebenden vereint werden, sich danach aber wieder trennen. Die Schicksalskurve dieses Liebespaars verläuft ähnlich wie die Umrißlinie der nach innen gekrümmten Beine. 1930 *ff*, Buchhändlerausdruck.
4. hautnaher ~ = fesselnder Roman. ↗ hautnah. 1960 *ff.*
5. knisternder ~ = erotisch spannender Roman. In ihm herrscht knisternde Spannung. 1960 *ff.*
6. verkinoter ~ = nach einem Roman gedrehter Film. 1950 *ff.*
7. erzähl' mir keinen ~! = belüge mich nicht! ↗ Roman 1. Seit dem ausgehenden 19. Jh.

Romanbeine *pl* nach außen gekrümmte Beine. Variante von „↗ Courths-Mahler-Beine". 1900 *ff.*

Romantik *f* Flucht in eine Welt des schönen Scheins; Gefühligkeit; neumodische Innerlichkeit, die sich zu den Maßstäben der Vergangenheit flüchtet; versponnen-rührselige Altertümelei; Neigung zu gefühlsbetonter Illusion als Abwehr der rauhen Alltagswirklichkeit. Spätestens gegen Ende

des Ersten Weltkriegs aufgekommen und vor allem in Schlagern und Filmen gestaltet; nach 1945 wiederaufgelebt als sehnsüchtiges Streben auf die heile Welt inmitten der Trümmerlandschaft; nach 1960 erneut vorgedrungen unter den jungen Leuten, die nach den Jahren der Gefühlsernüchterung ihren Gefühlen neuen Betätigungsraum zu schaffen suchen.

romantisch *adj* altertümelnd in Lebensstil und Gefühlserlebnis. 1920 *ff.*

Romanze *f* **1.** Flirt; kurzfristiges, gefühlseliges Liebesverhältnis. Meint eigentlich die lyrisch-epische Dichtung; hier verengt und pseudodichterisch aufgefaßt als ein gefühlvolles Liebeserlebnis, dem, wie die Illustrierten zu schildern wissen, keine Dauer beschieden ist. 1955 *ff, journ.*
2. ~ in doll = Theater- oder Filmstück über einen Liebesskandal. Der musikalischen Bezeichnung „Romanze in Moll" nachgebildet mit Einfluß von „doll = närrisch". 1920 *ff.*
3. ~ in Seide = lieblich-zartes Seidenkleid. Um 1900 nannte man derlei ein „↗ Gedicht". 1960 *ff.*

Römer *m* **1.** Lateinlehrer. 1950 *ff.*
2. Schüler mit Lateinisch als Wahlfach. 1950 *ff.*
3. auf sowas hätten die alten ~ geschossen = das ist höchst minderwertig; das ist gänzlich unerträglich. 1930 *ff, jug.*
4. das wußten schon die alten ~ = der Befolgung dieser selbstverständlichen Kartenspielerregel braucht du dich nicht zu rühmen. Gehört – wiewohl scherzhaft – zur Lehre von der kulturellen Vormachtstellung der *röm* Antike, wie sie vor der Erschließung älterer Kulturräume gang und gäbe war. Kartenspielerspr. Seit dem 19. Jh.

Rommelspargel *m* Strandhindernis in Form von Balkenwerk mit Minen an der Spitze der Balken. Der im Ersten Weltkrieg geläufige Ausdruck „Spargel" für getarnte Sprengladung wurde im Zweiten Weltkrieg durch Hinzufügung des Namens Rommel (Oberbefehlshaber über den Atlantikwall) erweitert: der Feldmarschall war bei den Soldaten dermaßen beliebt, daß man seinen Namen mit allem und jedem in Verbindung brachte. *Sold* 1944.

röntgen *tr* jn scharf beobachten; jds Treiben zu ergründen suchen; jds Charakter und Gesinnung streng prüfen. *Vgl* ↗ durchleuchten. 1935 *ff.*

Röntgenbild *n* hagerer Mensch. Er ist nur ein Skelett. 1940 *ff.*

Röntgenkleid *n* Chiffonkleid, getragen über einem Mindestmaß von hautfarbener Unterkleidung. 1920 *ff.*

rosa *adj* **1.** leicht sozialistisch beeinflußt. ↗ rot 1. 1920 *ff.*
2. nicht ~ = mittelmäßig. Farbsinnbildlich verwandt mit „↗ lila". 1920 *ff.*
3. homosexuell. 1920 *ff.*

rosarot *adj* **1.** rührselig. Farbsinnbildlich soviel wie „matt leidenschaftlich; matt feurig". 1920 *ff.*
2. dem Sozialismus zuneigend. ↗ rot 1. 1920 *ff.*

Röschen *n* Kosewort für eine weibliche Person. Die Rose gilt als Königin der Blumen; als Gegenstand der Dichtung nimmt sie seit langem einen bevorzugten Platz ein. Seit dem 19. Jh.

Rose *f* **1.** Frau (kosewörtlich). *Vgl* das Vorhergehende. So auch im *Lat.* Seit dem 19. Jh.
2. vielen Dank (danke) für die ~n!: Redewendung als Antwort auf eine anzügliche Bemerkung. Ironie; denn Rosen sind eine Höflichkeits-, Freundschafts- und Liebesgabe. 1920 *ff.*
3. mit einer ~ im Auge und einer Träne im Knopfloch: ↗ Träne.
4. auf ~n gebettet sein = in günstigen Verhältnissen leben. Geht zurück auf die *röm* Antike: Bei Seneca steht „in rosa jaceat", was sich auf Wollust und stetes Vergnügen bezieht. Seit dem 16. Jh.
5. auf goldene(n) ~n gebettet sein = sich jeden Wunsch erfüllen können. 1900 *ff.*
6. in den ~n sitzen = sorglos, ohne Ungemach leben. Wohl durch den Humanismus um 1500 aufgekommen als Entlehnung aus dem *Lat.*
7. sich seine ~n verdienen = sich Anerkennung erwerben. Man bekommt ein Blumengebinde als Anerkennung. 1955 *ff.*

Rosenhochzeit *f* Wiederkehr des Hochzeitstags nach zehn Jahren. 1955 *ff.*

Rosenknospe *f* unberührtes Mädchen. Als „Rose" oder „Röschen" bezeichnet man auch das Jungfernhäutchen. 1920 *ff.*

Rosenkranz *m* **1.** Handfessel. Geht zurück auf den katholischen Volksbrauch des Rosenkranzbetens. *Rotw* seit dem frühen 19. Jh.
2. Bund Dietriche (Nachschlüssel). *Rotw* 1930 *ff.*
3. den ~ beten = Handschellen tragen; angekettet sein. *Rotw* 1900 *ff.*
4. den freudenreichen ~ beten = mit Kameraden mindestens 10 Glas oder 10 Flaschen leeren. Zu jedem Rosenkranzgesätz werden „10 Ave Maria" gebetet. 1900 *ff, stud.*
5. sie werden wohl auch nicht den ~ gebetet haben = die unbeaufsichtigten Stunden werden sie wohl nicht in geschlechtlicher Enthaltsamkeit verbracht haben. 1900 *ff.*

Rosette *f* **1.** After. Eigentlich die Verzierung in Form einer Rose. *Vgl* auch „Rose = Schmutz; Exkremente". *Sold* 1900 bis heute.
2. knuspriges Gefühl um die ~ = Stuhldrang. ↗ Gefühl 12. *Sold* in beiden Weltkriegen.
3. ihm geht die ~ = er hat Angst. Anspielung auf die Dehnung und Zusammenziehung des Afterschließmuskels. *Sold* 1914 bis heute.
4. ihm ist flau um die ~ = er hat Angst, Bedenken. 1950 *ff.*
5. ihm ist knusprig um die ~ = er hat Stuhldrang. ↗ Gefühl 12. *Sold* in beiden Weltkriegen.
6. ihm ist mulmig um die ~ = er hat Angst, bekommt Bedenken. ↗ mulmig. *Sold* 1914–1945; *ziv* nach 1945.

rosig *adj* **1.** angenehm, unbeschwert, sorglos; ohne gefährliche Vorgänge; erträglich. Übernommen vom rosigen Antlitz als dem Sinnbild ausgeglichener Schönheit. 1920 *ff.*
2. nicht ~ = wenig erfreulich. 1920 *ff.*
3. es sieht nicht ~ aus = es steht schlecht; man muß sich auf Unannehmlichkeiten gefaßt machen. 1920 *ff.*

Rosinante *f* Pferd (scherzhaft oder *abf*). Eigentlich Name des Pferdes von „Don

Quijote" in dem Roman von Miguel de Cervantes. Die Grundbedeutung ist hiernach „alter Klepper". 1800 ff.

Rosine f **1.** reizlose Frau vorgerückten Alters. Von der eingetrockneten Traube übertragen auf das faltige Gesicht. 1900 ff.

2. Kot von Schafen und Ziegen. Wegen der Form- und Farbähnlichkeit. 1700 ff.

3. Pistolenkugel; Munition für Handfeuerwaffen. *Sold* 1939 bis heute; auch *ziv.*

4. Hauptgewinn einer Lotterie. Die Rosine ist das Leckerste im Kuchen. 1850 ff.

4 a. sehr günstiger Kauf; Vergünstigung, Annehmlichkeit. 1950 ff.

5. ~ im Kuchen = Annehmlichkeit, Anreiz; Wertvollstes; Wichtigstes. Seit dem 19. Jh.

6. dicke ~ = schwerwiegendes Ereignis. 1950 ff.

7. dicke ~n = große Geldscheine (ab 50 Mark). 1950 ff.

8. große ~ = bedeutendes Ereignis. 1950 ff.

9. mit ~n gepokert haben = Mißgeschick erlitten haben. ↗ Rosine 11. Rocker 1967 ff.

10. dicke (große) ~n im Kopf (Sack) haben = große Ansprüche stellen; große Hoffnungen hegen. Die „großen Rosinen im Sack" können sich auf den Kaufmann beziehen, der besonders große Rosinen zum Kauf anzubieten hat; doch können mit den „Rosinen" auch die Hoden gemeint sein. 1840 ff.

11. mit ~n handeln = ein schlechtes Geschäft machen; sich verkalkulieren; Mißerfolg erleiden. Bezieht sich im Sinne des Vorhergehenden auf einen, der unberechtigt große Hoffnungen hegt und schwer enttäuscht wird. 1900 ff.

12. die ~n aus dem Kuchen (Teig, Guglhupf o. ä.) picken (rauspicken, raussuchen) = den anderen das Beste vorwegnehmen; sich das Beste aussuchen. 1850 ff.

13. sich die ~n aus dem Lebenskuchen puhlen = nur die Annehmlichkeiten des Lebens wählen. ↗ puhlen. 1920 ff.

14. jm ~n in den Kopf setzen = jm große Hoffnungen machen; jn überheblich machen. Um 1920 aufgekommen in Anlehnung an „↗ Rosine 10" nach dem Muster von „jm ↗ Flausen in den Kopf setzen".

15. große ~n spucken = übermäßig prahlen. Zusammengewachsen aus „große Rosinen im Kopf haben" und „große ↗ Bogen spucken". *Schül* 1959 ff.

Rosinenbomber m **1.** Lebensmittel-Transportflugzeug. Aufgekommen 1941 an der Afrikafront als Bezeichnung für ein Hilfsflugzeug, das in der Wüste abgestürzte oder notgelandete Soldaten des Afrikakorps suchte und ihnen vorab Lebensmittel am Fallschirm abwarf.

2. Flugzeug der „Luftbrücke" nach Berlin. 1948 ff.

Rosinenpicker m Mensch, der nur das Erfolgversprechende bevorzugt. ↗ Rosine 12. 1950 ff.

Roß n **1.** dummer, tölpelhafter Mensch. „Roß Gottes" nennt man den Esel, auf dem Jesus in Jerusalem einritt. Vielleicht auch Verkürzung von „↗ Rhinozeros". 1900 ff.

2. unmilitärischer Soldat. Er gilt als „↗ Esel. *Sold* in beiden Weltkriegen.

3. Klassenbester. Abgewandelt aus „↗ Paradepferd". 1955 ff.

4. ~ Gottes = dummer Mensch. ↗ Roß 1. 1850 ff.

5. altes ~ = a) alterfahrener Fachmann. 1920 ff. – b) kameradschaftliche Anrede. Wohl aus „↗ Schlachtroß" verkürzt. *Sold* 1935 ff.

6. dämliches ~ = Dummer. 1900 ff.

7. gelehrtes ~ = studierter, aber ziemlich weltfremder Mann. 1920 ff.

8. knatterndes ~ = Motorrad, Moped. Eine höhere Form von „↗ Drahtesel". 1955 ff.

9. das hohe ~ besteigen = überheblich werden. ↗ Roß 17. 1900 ff.

10. vom hohen ~ fallen = Überheblichkeit ablegen (müssen). 1900 ff.

11. die Rosse sind gesattelt = die Spielkarten sind ausgeteilt; ermittelt nun den Grundwert des Spiels! Eigentlich soviel wie „man kann ausreiten". Kartenspielerspr. Seit dem 19. Jh.

12. da muß ja ein ~ lachen!: Ausdruck der Ablehnung. *Schweiz* 1900 ff.

13. ~ und Reiter (be-)nennen = den Gewährsmann benennen. Die Formel „Roß und Reiter" stammt wohl aus „Wallensteins Tod" (II 3) von Schiller. 1965 ff.

14. jn vom hohen ~ runterholen = jds Dünkelhaftigkeit dämpfen. 1900 ff.

15. vom hohen ~ runterkrabbeln (runterklettern) = eine Einbildung (Anmaßung) aufgeben. 1900 ff.

16. vom hohen ~ runtermüssen = sich an Bescheidenheit gewöhnen müssen. 1920 ff.

16 a. vom hohen ~ runtersein = nicht länger hochfahrend sein. 1920 ff.

17. sich aufs hohe ~ setzen = dünkelhaft, hochfahrend werden. Aus der Froschperspektive des Fußgängers nimmt sich der Reiter als erhaben und stolz aus. Daher schon im 15. Jh „hohe Rosse reiten".

18. auf dem hohen ~ sitzen (hoch zu ~ sitzen) = hochmütig, eingebildet, unnahbar sein. Seit dem 19. Jh.

19. aufs hohe ~ steigen = hochfahrend werden. 1900 ff.

20. vom hohen ~ steigen = den Hochmut aufgeben. 1900 ff. Vgl engl „come off your high horse".

21. jm zureden wie einem lahmen (kranken) ~ = auf jn ermunternd einreden. ↗ Gaul 14. 1900 ff, bayr und österr.

Roßarbeit f schwere Arbeit. Analog zu ↗ Pferdearbeit. 1500 ff.

Roßhaar n **1.** Sauerkraut. Es ist wirr durcheinandergeschlungen wie Roßhaar in der Matratze. 1910 ff.

2. ~ auf den Zähnen haben = schlagfertig sein; zänkisch sein. Steigerung von „↗ Haare auf den Zähnen haben". 1920 ff.

Roßkur f **1.** übermäßig anstrengender Heilversuch. ↗ Pferdekur 1. 1800 ff.

2. strenge Maßnahme zur Gesundung der (wirtschaftlichen, sozialen) Verhältnisse. 1920 ff.

Roßmucken pl Sommersprossen. Entstanden aus „Rosem-Muggen" als Bezeichnung für die Mistfliegen; „Rosem" gehört zu „Rose = Kot, Mist". *Bayr* und *schwäb,* 1500 ff.

Roßnatur f widerstandsfähige Gesundheit; kräftiger, unverwüstlicher Mann. Analog zu ↗ Pferdenatur. Seit dem 18. Jh.

Roßtäuscher m **1.** Blender, Heuchler, Lügner, Betrüger. Pferdehändler gelten als listig und mißtrauisch: sie suchen den Pferdekäufer zu prellen. 1900 ff.

2. betrügerischer Händler mit Gebrauchtwagen. 1965 ff.

Rost m **1.** ~ im Hemd = Angst. Anspielung auf Kotspuren. *Sold* in beiden Weltkriegen.

2. an etw den ~ abklopfen = Veraltetes ausscheiden. 1950 ff.

2 a. durch den ~ fallen = bei der Auswahl scheitern. Rost = Waagerechtgitter im Ofen; Sieb. 1960 ff.

3. ~ im Getriebe haben = nicht recht bei Verstand sein. Analog zu „↗ Sand im Getriebe". 1935 ff.

4. ~ an den Zähnen haben = a) stottern. Rost macht brüchig; der rostbefallene Gegenstand bröckelt. Der Stotterer bringt seine Worte nur brockenweise hervor. 1920 ff. – b) kein Geständnis ablegen wollen. „Rost" meint hier eine geistige Hemmung, die Beeinträchtigung des guten Willens und der Einsicht. 1935 ff. – c) nicht recht bei Verstand sein. 1935 ff.

5. jm den ~ runtertun (runtermachen) = jn heftig zurechtweisen. Rost wird mit Drahtbürsten abgekratzt; daher Analogie zu „↗ abreiben 2". Seit dem 19. Jh.

6. den ~ aus der Flinte schießen = nach Ablauf der Schonzeit wieder auf die Jagd gehen. Jägerspr. 1920 ff.

7. der ~ ist aus den Knochen = man ist wieder gelenkig. *Marinespr* 1939 ff.

rosten v **1.** die Gelenke ~ = die Gelenke schmerzen. 1950 ff.

2. das Geld nicht im Kasten ~ lassen = sein Geld ausgeben (statt es zu sparen); nicht geizig sein. 1900 ff.

rösten v **1.** *intr* = ein Sonnenbad nehmen. Man brät gewissermaßen auf dem Rost. *Vgl* ↗ grillen 3. 1960 ff.

2. jn ~ = einen Kartenspieler gründlich besiegen. Man nimmt ihm Stich um Stich, bis er „schwarz" (↗ schwarz 4) wird. Kartenspielerspr. 1940 ff.

3. jn ~ lassen = jn im Ungewissen lassen. Analog zu ↗ schmoren. 1920 ff.

rostfleckig adj **1.** mit Kot verunreinigt (auf die Unterwäsche bezogen). 1900 ff.

2. unangenehm, gefährlich; verwünscht. Im Sinne des Vorhergehenden analog zu „↗ beschissen". 1920 ff.

Rostlaube f sehr altes Auto; Gebrauchtwagen. Aus dem *Engl* ? 1967 ff.

rot adj **1.** sozialistisch. Geht zurück über die rote Fahne auf die rote Jakobinermütze der *franz* Revolution von 1789. Etwa seit 1840.

2. angehaucht = dem Kommunismus zuneigend. Hauch = leichter Anflug. 1920 ff.

3. ~ eingefärbt = sozialistisch. 1950 ff.

4. etw (im Kalender) ~ anstreichen = etw besonders kenntlich machen. Hergenommen vom Kalender, in dem man die Sonn- und Feiertage rot kennzeichnet. Seit dem 18. Jh. Vgl engl „red-letter day".

5. sie hat die ~e Fahne (Flagge) aufgezogen = sie menstruiert. 1920 ff.

6. sie hat ~ geflaggt = sie menstruiert. 1920 ff.

7. die ~e Woche haben = menstruieren. Gegenstück zur „weißen Woche" der Wäschegeschäfte; hier wohl auch Anspielung auf den Eisenbahnverkehr: steht das Signal auf Rot, hat der Zug keine Einfahrt. 1910 *ff.*

8. auf ~ schalten = zornig werden; die Beherrschung verlieren. Vom Zornigen heißt es, er sehe nur noch rot. *Vgl* ↗ schalten 1 a. 1960 *ff.*

9. ~ sehen = sehr erregt sein; in seiner Erregung keine Grenzen mehr kennen. Angeblich macht ein rotes Tuch den Stier wütend (in Wirklichkeit reizt ihn nicht die Farbe, sondern das Flattern des Tuches). Seit dem 19. Jh. *Vgl engl* „to see red"; *franz* „voir rouge".

Rot *n* **1.** Herz als Spielfarbe. Kartenspielerspr. Seit dem 19. Jh.

2. bei ~ über die Kreuzung gehen = infolge Geistestrübung (seelischer Zermürbung) zu unsinniger Handlungsweise fähig sein. *BSD* 1965 *ff.*

3. das Signal steht auf ~ = die Erlaubnis ist rückgängig gemacht worden. 1950 *ff.*

4. auf ~ schalten = ein Verbot aussprechen; etw untersagen. Von der Verkehrsampel übertragen. *Vgl* ↗ Licht 7. 1955 *ff.*

Ro'tel *n* Omnibus mit Schlafkabinen. Verkürzt aus „rollendes Hotel". Vorausgegangen ist „Motel". 1970 *ff.*

Roter *m* Sozialist, Sozialdemokrat. ↗ rot 1. Seit dem 19. Jh.

rötern *intr* schimpfen, aufbegehren, nörgeln. Gehört zu *nordd* „Röter = Rassel, Schnarre" und weiterentwickelt zu „Mund". Hamburg 1950 *ff.*

Rotfahrer *m* Kraftfahrer, der bei Rot der Ampel startet oder weiterfährt. 1960 *ff.*

Rotfuchs *m* **1.** Mensch mit rötlichem Haar. Seit dem 16. Jh.

2. Goldstück. 1600 *ff.*

Rotglut *f* jn auf ~ bringen = jn heftig erzürnen. Der Grad des Zorns ist etwas niedriger als bei „zur ↗ Weißglut bringen". 1920 *ff.*

ro'tieren *intr* **1.** angestrengt tätig sein; lebhaft in Bewegung sein; übertrieben Dienst tun (angesichts einer Inspektion). Man dreht sich um die eigene Achse und gelangt zu hoher Drehzahl. *BSD* 1960 *ff.*

2. ängstlich sein; die Übersicht verlieren. Vor lauter Dienstbeflissenheit ist man ratlos, und man entwickelt mehr Eifer als Verstand. *BSD* 1960 *ff.*

3. ohne Unterbrechung tagen. Man verhandelt „rund um die ↗ Uhr". 1968 *ff.*

4. er rotiert schon lange: Redewendung, wenn eine Sache zur Sprache kommt, die einen Menschen sehr erzürnen müßte, wenn er sie noch erlebt hätte. Bezieht sich auf einen Toten, dessen Mißfallensbekundung man sich als ständiges Drehen im Grab vorstellt. *Vgl* ↗ „er dreht sich im ↗ Grab rum"; hieraus verstärkt. 1950 *ff.*

5. ins ~ kommen = sich beeilen. *BSD* 1960 *ff.*

Rotjacke *f* Mann, der vom Militärgericht zum Tode verurteilt ist; Todeskandidat. Man bekleidete ihn mit einer roten Jacke oder einem langen roten Hemd. Nach 1945 bekannt geworden. *Vgl franz* „rouge-camisole".

Rotkäppchen *n* **1.** Rothaarige(r). Hergenommen von der Märchengestalt, die zwar ein rotes Käppchen trägt, aber nicht rothaarig ist. 1920 *ff.*

2. Fahrdienstleiter, Stationsvorsteher. Er trägt eine rote Dienstmütze. 1900 *ff.*

3. französischer Soldat. Seit Napoleon III.

trägt er das „képi", eine leichte rote Kopfbedeckung. 1870 *ff.*

4. Lufthansa-Damen für die Betreuung hilfsbedürftiger Fluggäste. Wegen der roten Kappe. 1971 *ff.*

Rotköpfchen *n* Mädchen mit rötlichem Haar. 1920 *ff.*

rötlich *adv* ~ angehaucht (gefärbt) sein = unter leichtem Einfluß der sozialistischen Ideologie stehen. ↗ rot 2. 1920 *ff.*

Rotlicht *n* **1.** Versagung der Handlungsfreiheit. Vom Verkehrswesen nach 1945 übernommen.

2. Bordell. Herzuleiten von der *trad* roten Laterne am Eingang, auch vom roten Schummerlicht in den Salons. 1900 *ff. Vgl engl* „red light".

Rotlichtsünder *m* Kraftfahrer oder Fußgänger, der bei Rot die Kreuzung überquert. ↗ Sünder 1. 1960 *ff.*

Rotschwanz *m* Rothaarige(r). Eigentlich (vor allem in der Verkleinerungsform) Name eines Drosselvogels mit rötlichem Schwanz. 1920 *ff.*

Rotstiftpreis *m* herabgesetzter Verkaufspreis. Werbetexterspr. 1970 *ff.*

Rotsüchtiger *m* Kraftfahrer, der bei Rot nicht anhält oder schon startet. 1960 *ff.*

Rotsünder *m* Kraftfahrer oder Fußgänger, der bei Rot eine Kreuzung überquert. ↗ Sünder. 1960 *ff.*

Rotte *f* Schülergruppe. 1960 *ff.*

Rotz *m* **1.** feuchter Nasenschleim. Gehört zu *germ* „rutan = schnauben". Seit *ahd* Zeit.

2. Hals-, Rachenschleim. Seit dem 19. Jh.

3. Sperma. Seit dem 19. Jh.

4. Feuersalve. ↗ rotzen. *Sold* 1939 *ff.*

5. Geldinhalt der Bank beim Spiel; Gesamtheit der Geldeinsätze. 1900 *ff.*

6. Eile. ↗ rotzen. *Kundenspr* 1900 *ff.*

6 a. Minderwertiges. 1900 *ff.*

7. ~ für die Galerie = Sentimentalität in einem frechen Chanson. Theaterspr. 1950 (?) *ff.*

8. ~ und Hurendreck!: Ausruf heftigen Unwillens. *Sold* 1939 *ff.*

9. der ganze ~ = das alles *(abf)*; Verzehrrechnung; Geschoßgarbe. 1900 *ff.*

10. ganzer ~ = Zuruf des Glücksspielers an den Bankhalter, daß er aufs Ganze geht. 1900 *ff.*

11. gefrorener ~ am Marterpfahl = Eis am Stiel. Der Marterpfahl ist Indianerromanen entnommen. *Schül* 1930 *ff.*

12. wie ~ am Ärmel = unangenehm anhaftend; ekelhaft klebig. 1900 *ff.*

13. Benehmen wie ~ am Ärmel = sehr schlechtes Benehmen; Aufdringlichkeit. 1900 *ff;* wohl älter.

14. Baron ~ (Graf ~; Graf ~ von der Backe; Graf Rotz v. d. Backe) = Mann mit aristokratisch anmaßendem Benehmen; Dummschwätzer mit weltmännischem Auftreten; überheblicher Parteibuchbeamter (Parteifunktionär). Vergeblich spielt sich der Betreffende als vornehmer Mann auf: er gilt als so schmierig wie Nasenschleim. Im frühen 20. Jh aufgekommen.

15. Baron ~ auf Arschlochshausen = dümmlicher Emporkömmling. Am Ausgang des Ersten Weltkriegs aufgekommen als arger Schimpf auf die Neureichen.

16. Graf ~ von Hohenschnoddern = eitler, eingebildeter Mann. „Hohenschnoddern" ist eine Nachahmung von „Hohenzollern". *Schül* 1950 *ff.*

17. frech wie ~ am Ärmel = äußerst frech und unverschämt. ↗ Rotz 12. 1870 *ff.*

18. treu wie ~ = anhänglich bis zur Aufdringlichkeit. *Sold* 1914 *ff.*

19. sich ~ an den Ärmel ärgern = sich sehr ärgern. Vor Wut wischt man den Nasenschleim am Ärmel ab und macht sich nicht die Mühe, das Taschentuch hervorzuziehen. 1950 *ff.*

20. jn behandeln wie ~ am Ärmel = jn entwürdigend behandeln. *Sold* 1939 *ff.*

21. sich benehmen wie ~ am Ärmel = sich sehr ungesittet, dreist und pöbelhaft benehmen. 1900 *ff;* wohl älter.

22. ~ und Dreck heulen = heftig weinen. ↗ heulen. 1850 *ff.*

23. ~ und Wasser heulen (flennen, schreien, weinen) = heftig weinen. Kinder sondern beim Weinen leicht auch Nasenschleim ab. 1600 *ff.*

24. jm ~ um (auf) die Backe schmieren = a) jn in niederträchtiger Weise lächerlich machen. Man putzt ihm wohl die Nase und schmiert dabei Nasenschleim versehentlich (absichtlich) an die Wange. 1900 *ff.* – b) jm würdelos schmeicheln. 1900 *ff.*

25. ~ und Zorn schnauben = hochgradig wütend sein. 1920 *ff.*

26. ~ am Ärmel sein = höchst widerwärtig sein. Bezieht sich wohl auf einen Menschen, der den Rockärmel als Taschentuch verwendet. 1500 *ff.*

27. wie ~ am Ärmel sein = den Besuch übergebührlich ausdehnen. Der Besucher „klebt". 1900 *ff.*

28. es sitzt wie ~ am Ärmel = die Spielkarten sind für den Spielmacher ungünstig verteilt. Kartenspielerspr. 1900 *ff.*

Rotzbengel *m* frecher, dreister Junge. 1840 *ff.*

Rotzbippn *f* ↗ Rotzpippe.

Rotzbremse *f* **1.** Oberlippenbart. *Vgl* auch ↗ Rotzfänger 1. 1925 *ff.*

2. Taschentuch. *Halbw* 1950 *ff.*

Rotzbube *m* frecher, unverschämter Junge. 1800 *ff.*

Rotze *f* Speichel, Halsschleim. Seit dem 19. Jh.

rotzeln *intr* Schnupfen haben. Frequentativum zu ↗ rotzen. 1950 *ff.*

rotzen *intr* **1.** sich schneuzen; den Nasenschleim auswerfen; den Nasenschleim ausfließen lassen. ↗ Rotz 1. 1500 *ff.*

2. schlafen; schnarchen. Anspielung auf die Schnarchlaute. 1960 *ff, BSD.*

3. heftig, haltlos weinen. ↗ Rotz 23. 1700 *ff.*

4. feuern, schießen. Vom Auswerfen des Nasenschleims übertragen auf das Auswerfen der Munition. *Sold* 1820 bis heute.

5. herrisch, den Widerspruch ausschließend sprechen. Man schnaubt laut. *Sold* 1935 *ff.*

6. eilen, weglaufen. Fußt auf *jidd* „ruzen = laufen". *Rotw* 1900 *ff; sold* in beiden Weltkriegen.

7. *intr tr* grob, rücksichtslos werfen. Weiterentwickelt aus „rotzen = schießen". 1920 *ff.*

8. *refl* = sich flach auf den Boden werfen. Anspielung auf die Art, wie ausgeworfener Nasenschleim liegt. *Sold* 1939 *ff.*

9. wohin man rotzt = überall. ↗ spukken 9. 1700 *ff.*

Rotzer *m* **1.** kleiner, frecher Junge; Halbwüchsiger. Eigentlich einer, der sich die Nase noch nicht mit dem Taschentuch putzt. *Vgl* ↗ rotzfrech. 1700 *ff*.

2. Schüler der Unterstufe (in den Augen der älteren Schüler). 1930 *ff*.

Rotzfahne *f* Taschentuch. ↗ Fahne 2. 1830 *ff*. *Vgl engl* „nose-rag" und „snot rag".

Rotzfänger *m* **1.** Oberlippenbart. *Vgl* ↗ Rotzbremse 1. 1905 *ff*.
2. Taschentuch. 1920 *ff*.

'rotz'faul *adj* überaus träge. Als Steigerung allgemeiner Art ist „rotz-" übernommen aus „↗ rotzfrech". 1920 *ff*.

'rotz'frech *adj* sehr frech, dreist und unverschämt. Nasenschleim ist „frech", weil er klebrig anhaftet und als Zeichen von mangelndem Anstand gilt. ↗ Rotz 12 und 13. 1900 *ff*.

Rotzglocke *f* **1.** herabhängender Nasenschleim. Glockenförmig hängt er zum Nasenloch heraus. Vorwiegend *oberd*, seit dem 19. Jh.
2. freches, unverschämtes Kind. *Oberd*, seit dem 19. Jh.

Rotzgöre *f* freches, schnippisches Mädchen (Schimpfwort). ↗ Göre 1. Das weibliche Gegenstück zu „↗ Rotzbube", „↗ Rotzjunge", „↗ Rotzkerl" usw. 1840 *ff*.

Rotzhobel *m* Mundharmonika. Mit ihr kann man durch Hin- und Herbewegung den austretenden Nasenschleim weghobeln. Vielleicht *nordd* und *mitteld* Entsprechung zum älteren *südd* Wort „↗ Fotzhobel". Seit dem ausgehenden 19. Jh.

rotzig *adj* **1.** mit Nasenschleim beschmiert. Schon in *ahd* Zeit.
2. frech, dreist, unverschämt. 1800 *ff*.
3. anrüchig, gefährlich. Parallel zu ↗ beschissen. 1930 *ff*.

Rotzig *n* *m* ungezogenes Kind; ungezogener Junge. ↗ rotzig 2. 1880 *ff*, *westd*.

Rotzjunge *m* Schimpfwort auf einen Jungen. 1800 *ff*.

Rotzkerl *m* Schimpfwort auf einen Mann. 1900 *ff*.

Rotzkind *n* kleines Kind. 1920 *ff*.

Rotzkocher *m* Tabakspfeife. Das Gurgeln des Tabaksaftes klingt wie das Brodeln des Wassers. 1900 *ff*, vorwiegend *sold*.

Rotzlaffe *m* Schimpfwort auf einen jungen Mann. ↗ Laffe. Seit dem 19. Jh.

Rotzlappen *m* Taschentuch. 1600 *ff*. *Vgl engl* „snot rag".

Rotzlöffel *m* **1.** Schimpfwort auf einen unerfahrenen, vorlauten und dreisten jungen Mann. Geht vermutlich zurück auf „löffeln = um Frauengunst buhlen". 1500 *ff*.
2. Kind, dem der Schleim aus der Nase hängt. Wohl beeinflußt von „↗ Rotzlaffe". Seit dem 19. Jh.

Rotzlümmel *m* frecher, dreister, flegelhafter junger Mann. ↗ Lümmel. 1800 *ff*.

rotzmäulig *adj* frech, unverschämt. Seit dem 19. Jh.

Rotzmichel *m* Mensch, der überlaut die Nase putzt oder lautstark sich räuspert oder spuckt. Seit dem 19. Jh.

Rotznase *f* **1.** ungeputzte Nase. 1600 (?) *ff*.
2. vorlauter, frecher junger Mann. Seit dem 16. Jh.

Rotzpippe (-bippn, -pippn, -piepn, -pipn) *f* dreister Dummschwätzer. „Pipe" ist soviel wie der Faßhahn, dann auch der Mund, die Tabakspfeife und die Röhre. *Österr* und *bayr*, seit dem 19. Jh.

Rotztrompete *f* Nase. Mancher schnaubt

die Nase mit einem trompetenartigen Laut aus. 1900 *ff*.

rotzverdächtig *adj* gefährlich, heikel. Rotz ist eine gefährliche Pferdekrankheit; sie ist auf den Menschen übertragbar und verläuft bei ihm fast immer tödlich. *Sold* in beiden Weltkriegen.

Rotzzinken *m* **1.** Nase. ↗ Zinken. 1900 *ff*.
2. dreckiger ~ = Schimpfwort. 1900 *ff*.

Roulette (*franz* ausgesprochen) *n* **1.** ~ des kleinen Mannes = Spielautomat. 1950 *ff*.
2. amerikanisches ~ = Kettenbriefe nach dem Schneeballsystem. 1920 *ff*.
3. französisches ~ ↗ Französisch Roulette.
4. römisches ~ = Empfängnisverhütungsmethode nach Knaus-Ogino. „Römisch" spielt auf die Billigung der katholischen Kirche an. 1967 *ff*.
5. russisches ~ = lebensgefährliche „Mutprobe". Der Trommelrevolver wird mit einer einzigen Kugel geladen, die Trommel blind gedreht und die Waffe an die Schläfe gesetzt. Die Überlebensaussicht ist fünf (sechs, acht, neun – je nach Modell der Waffe) zu eins. Dieses Verfahren soll früher bei russischen Offizieren als „Mutprobe" sehr beliebt gewesen sein. 1960 *ff*.

Routinekram *m* immer wiederkehrender Bestandteil der Arbeitsleistung. 1920 *ff*.

Rowdy (*engl* ausgesprochen) *m* Rohling, Raufbold. Das Wort kam 1819 in den USA für den Hinterwäldler auf und meinte ursprünglich einen lärmenden Menschen, dann auch den New Yorker Straßenpöbel. Um 1850 in Deutschland bekannt geworden.

Ruach *m* ↗ Ruch.

rubbeln *tr intr* **1.** reiben, scheuern. Leitet sich her von „Ruffel (*niederd* „Rubbel") = Waschbrett", dem geriffelten oder mit Wellblech beschlagenen Brett, auf dem die Wäsche gerieben wird. Seit dem 19. Jh.
2. koitieren. 1900 *ff*.
3. onanieren. 1900 *ff*.

Rübchen *n* **1.** Knabenpenis. ↗ Rübe 2. 1840 *ff*.
2. nettes ~ = jugendlicher Dieb. *Iron* Bezeichnung. ↗ Rübe 3. 1900 *ff*.
3. ~ schaben = jn verspotten; jm einen Streich spielen und das Opfer schadenfroh auslachen; sich an jm für eine Unbill rächen. Beruht auf einer Spottgebärde: man richtet den linken Zeigefinger auf den Verspotteten und streicht mit dem rechten darüberhin wie beim Schaben einer Rübe. Seit dem 18. Jh (wahrscheinlich älter).

Rübe *f* **1.** Kopf. Wegen der Formähnlichkeit mit der Runkelrübe. Spätestens seit 1900, anfangs kundenspr., dann *sold* bis heute; auch *ziv*.
2. Penis. Wegen der Formähnlichkeit mit dem Wurzelstück der Rübe. Auch Bezeichnung für den Schwanzknochen bei Pferd und Rind. 1900 *ff*.
3. Tunichtgut; ausschweifend lebender Mann; Versager; Dummer. Die Rübe ist in der Volksmeinung eine wenig geachtete Feldfrucht, vor allem seit Einführung der Kartoffel. 1870 *ff*.
4. Schelt-, Schimpfwort auf einen Menschen mit wunderlichen Ansichten oder Angewohnheiten. *Stud* 1900 *ff*.
5. plumpe, dickliche Nase. Formverwandt mit der kleinen Rübe, die beim Schneemann an die Stelle der Nase gesteckt wird. 1870 *ff*.

6. altmodische große Taschenuhr; Uhr. Sie war ehemals knollenförmig. 1900 *ff*.
7. Fußball. Formverwandt mit der Runkelrübenknolle. 1920 *ff*, *jug*.
8. Rugbyball. 1950 *ff*.
9. freche ~ = frecher, vorlauter Mensch. 1900 *ff*.
9 a. gelbe ~ = Blockflöte. Sie ist aus hellgelblichem Holz gedrechselt. *Schül* 1950 *ff*.
10. kesse ~ = munterer, lebensfroher, gelegentlich auch schnippischer Mensch. ↗ keß. 1920 *ff*.
11. nette ~ = ungesitteter Bursche; Tunichtgut. *Iron* Bezeichnung. 1900 *ff*.
12. ruppige ~ = freches, schlagfertiges Mädchen von der Straße. ↗ ruppig. 1870 *ff*.
13. ulkige ~ = Sonderling; Mensch mit wunderlichen Ansichten und Angewohnheiten. ↗ ulkig. 1900 *ff*.
14. jm die ~ abhacken (abhauen) = jn enthaupten. ↗ Rübe 1. 1900 *ff*.
15. jm die ~ einkerben (einhauen) = jm auf den Kopf schlagen. Anspielung auf Schädelbruch. *Sold* in beiden Weltkriegen; auch *ziv*.
16. die ~ einziehen = a) volle Deckung nehmen. Analog zu „den Kopf einziehen". *Sold* in beiden Weltkriegen. - b) nachgiebig werden; nicht länger aufbegehren. 1920 *ff*.
17. einen in die ~ gießen = ein Glas Alkohol zu sich nehmen; sich betrinken. ↗ Rübe 1. *BSD* 1960 *ff*.
18. jn auf der ~ haben = jn nicht leiden können; gegen jn auf Rache sinnen. Hängt zusammen mit „↗ Rübchen schaben". Man lauert auf den Augenblick der Schadenfreude. 1910 *ff*.
19. die ~ hinhalten = sich einer Lebensgefahr aussetzen. Analog zu „den ↗ Kopf herhalten". *Sold* 1914 *ff*.
20. jm die ~ runterhauen (runterkratzen) = a) jn enthaupten. 1920 *ff*. - b) jn knockout schlagen. Boxerspr. 1920 *ff*.
21. jm eins über die ~ zittern = jm mit einem Gegenstand auf den Kopf schlagen. 1935 *ff*.

Rubel *m* **1.** Geld. Eigentlich die russische Währungseinheit. 1920 *ff*.
2. den ~ machen = viel Geld verdienen. 1920 *ff*.
3. der ~ rollt = es wird Geld verdient. 1920 *ff*.
4. da rollt der ~ = da herrscht ausgelassene Stimmung; da gibt man viel Geld aus. 1920 *ff*.

Rübenschwein *n* **1.** Schimpfwort auf einen Tunichtgut, Müßiggänger, Versager o. ä. Eigentlich das mit Rüben gefütterte (gemästete) Schwein; hier Verbindung der beiden Schimpfwörter „Schwein" und „Rübe". Etwa seit 1870.
2. schmutziger, schmutzender Mensch. 1920 *ff*.

Rubensfigur *f* breithüftige weibliche Person. Wie sie Peter Paul Rubens (1577–1640) gemalt hat. Künstlerspr. 1900 *ff*.

rüberfallen *intr* bald oben ~ = dünkelhaft sein. Der Betreffende trägt die Nase so hoch, daß er das Gleichgewicht verliert und auf den Rücken fallen wird. 1900 *ff*.

rübergehen *intr* **1.** sterben. Man geht ins Jenseits hinüber. Seit dem 19. Jh.
2. besinnungslos werden. 1920 *ff*.

rüberhelfen *v* jm ~ = jn umbringen. Euphemismus. Seit dem 19. Jh.

rüberjubeln *tr intr* koitieren. 1930 *ff.*

rüberkommen *intr* komm gut rüber!: Neujahrsglückwunsch, den man am Tag vorher ausspricht. 1920 *ff.*

rübermachen *intr* **1.** hinüberreisen. ↗machen 38. 1900 *ff.* **2.** aus der Deutschen Demokratischen Republik in die Bundesrepublik überwechseln. 1948 *ff.*

rüberrutschen *intr* **1.** hinübergleiten. ↗rutschen. Seit dem 19. Jh. **2.** koitieren. 1930 *ff.*

rüberschauen *intr* bei jm einen kurzen Besuch machen. Man kommt hinüber und schaut zur Tür hinein. 1920 *ff, südd.*

rübersein *intr* **1.** tot sein. Verkürzt aus „rübergegangen sein". 1500 *ff.* **2.** entzwei sein. Seit dem 19. Jh. **3.** bankrott sein. Seit dem 19. Jh. **4.** betrunken sein. Seit dem 19. Jh. **5.** eingeschlafen sein. Seit dem 19. Jh.

rübersteigen *intr* koitieren. 1930 *ff.*

rüberwachsen *v* etw ~ lassen = etw herüberreichen (hinüberreichen). Wachsen = langsam größer werden (auf Nahendes bezogen). 1955 *ff, halbw.*

rüberwinken *intr* der Kirchturm (Berg o. ä.) winkt rüber: pseudodichterische Redeblume im Munde von Urlaubsreisenden, Verfassern der Reiseprospekte u. ä. 1920 *ff.*

rüberziehen *v* eine ~ = koitieren. 1900 *ff.*

Rübezahl *m* **1.** ~!: Ausruf bei Anhören eines altbekannten Witzes. Rübezahl, der in Märchen und Sagen geschilderte naturdämonische Herr des Riesengebirges, wird meist mit einem langen Bart abgebildet; einen „langen ↗Bart" (in übertragener Bedeutung) hat auch der alte Witz. 1930 *ff.* **2.** gebrächlicher alter Mann. Meint eigentlich den alten Mann mit Vollbart; hieraus wertverschleichternd weiterentwickelt um 1930, als Bärte nur von alten Männern getragen wurden.

Ru'bin-Hochzeit *f* Wiederkehr des Hochzeitstags nach 40 Jahren. 1965 *ff.*

Ruch (Ruach) *m* **1.** Geiziger, Habgieriger, Nimmersatt. Geht zurück auf *mhd* „ruochen = seine Gedanken auf etw richten; etw begehren". *Oberd* seit dem 16. Jh. **2.** Hehler. *Rotw* 1900 *ff.*

ruchen (ruachen) *intr* **1.** gierig, habgierig, gefräßig sein. ↗Ruch. *Oberd* seit dem 16. Jh. **2.** sich schnell bewegen. Weiterentwickelt aus der Bedeutung „übermäßig besorgt und bemüht sein, immer mehr zu bekommen". *Öster* 1950 *ff, jug.*

Ruck *m* mit hörbarem ~ einschnappen = übelnehmen und seinen Unmut deutlich äußern. ↗einschnappen; ↗einrasten 2. 1930 *ff.*

Rücken *m* **1.** verlängerter ~ = Gesäß. Witzweise gelegentlich auch auf den Hals bezogen. 1900 *ff.* **2.** jm in den ~ ansehen (anglotzen, anstieren) = jm absichtlich übersehen; jm Nichtbeachtung bekunden. 1750 *ff.* **3.** er möchte sich am liebsten in den ~ beißen = er ist überaus wütend. Vor lauter Wut drängt es ihn, Unsinniges oder Unmögliches zu vollbringen. 1900 *ff.* **4.** ein schöner ~ kann auch entzücken = a) Redewendung, wenn jemand einem den Rücken zukehrt. 1900 *ff.* – b) auch ein

Rückendekolleté kann hübsch sein. 1920 *ff.* **5.** auf den ~ fallen = sehr überrascht sein. Vor Staunen verliert man das Gleichgewicht. 1850 *ff.* **6.** sich den ~ freihalten = sich nicht bindend entschließen. Wer den Rücken frei hat, kann den Rückzug antreten. 1900 *ff.* **7.** einen breiten ~ haben = viel aushalten können; sich an nichts kehren. Der breite Rücken steht stellvertretend für den kräftigen Körperbau, verbunden mit der Vorstellung vom Lastentragen. Seit dem 16. Jh. *Vgl franz* „avoir bon dos". **8.** etw im ~ haben = für den Notfall vorgesorgt haben; Ersparnisse, Rücklagen haben. Seit dem 19. Jh. **9.** sechzig auf dem ~ haben = 60 Jahre alt sein. *Vgl* ↗Buckel 16. 1800 *ff.* **10.** jn auf den ~ legen = jn einer Tat überführen. Hergenommen von den Ringern. 1920 *ff.* **11.** eine auf den ~ legen = koitieren. Seit dem 19. Jh. **12.** sich auf den ~ legen = beischlafwillig sein (von der Frau gesagt). Seit dem 19. Jh. **13.** er kann mir am ~ (den ~) rauflaufen (runterrutschen)!: Ausdruck der Abweisung. ↗Buckel 31. 1800 *ff.* **14.** jm den ~ schmieren = jn prügeln. ↗schmieren. 1700 *ff.* **15.** den ~ schneuzen = koten. Anlehnung an die Redewendung von der Nase, die man ausschnaubt. 1914 *ff, sold.* **16.** mit dem ~ zur Wand stehen = hart bedrängt werden. Der Betreffende hat keine Rückzugsmöglichkeit und kann nur nach vorn fliehen. 1900 *ff.* **17.** jm den ~ steifen (stärken) = jn in seinen Forderungen bestärken; jds Vorhaben gutheißen; jn ermutigen; für jn eintreten. Rücken und Rückgrat stehen metaphorisch für die aufrechte Haltung, vor allem für aufrichtige Gesinnung und unerschütterliche Zielstrebigkeit. 1700 *ff.* **18.** den ~ steifhalten = nicht nachgeben. Die Verneigung gilt als Gebärde der Unterwürfigkeit. Seit dem 19. Jh. **19.** Geld auf dem ~ verdienen = Prostituierte sein. ↗Horizontale 3 a. Seit dem 19. Jh. **20.** wo der ~ seinen anständigen (ehrlichen) Namen verliert (wo der ~ aufhört, einen anständigen Namen zu führen) = im Gesäß. Weitschweifige Umschreibung als Verspottung vokabulärer Zimperlichkeit. ↗Rücken 1. 1900 *ff.* **21.** jm den ~ zukehren = ein tiefes Rückendekolleté tragen. ↗Rücken 4. 1920 *ff.*

rücken (rücken gehen) *intr* **1.** fliehen; entweichen. ↗ausrücken. *Rotw* 1862 *ff.* **2.** fahnenflüchtig werden. *Sold* seit dem späten 19. Jh. **3.** die Wohnung heimlich aufgeben und die rückständige Miete schuldig bleiben. Seit dem letzten Drittel des 19. Jhs.

Rückenmarkentziehungsapparat *m* liebesgierige, mannstolle Frau. 1920 *ff.*

Rückenwind *m* **1.** Entweichen von Darmwinden. 1935 *ff.* **2.** mit ~ abhauen (o. ä.) = schleunigst davongehen; fliehen. 1935 *ff, sold.* **3.** mit ~ heiraten = heiraten, weil die Partnerin schwanger ist. 1960 *ff, halbw.*

Rückgrat *n* **1.** ~ der Armee = a) Unteroffizier. Geht zurück auf eine Äußerung des preußischen Generalfeldmarschalls Gottlieb Graf von Haeseler (1836–1919). Seit dem ausgehenden 19. Jh. – b) Obergefreiter. *Sold* 1939 bis heute. **2.** verlängertes ~ = Gesäß. ↗Rücken 1. 1900 *ff.* **3.** das ~ ausschnauben (ausschneuzen) = a) koten. ↗Rücken 15. 1914 *ff, sold.* – b) koitieren. 1914 *ff.* **4.** jm das ~ brechen = jn wirtschaftlich oder moralisch zugrunde richten. Die Wirbelsäule als Sinnbild der Festigkeit, Aufrichtigkeit und Lebenskraft. 1900 *ff.* **5.** jm das ~ steifen = jn in seinem Vorhaben bestärken. 1900 *ff.* **6.** ~ zeigen = a) für seine Überzeugung eintreten; sich nicht umstimmen lassen. 1900 *ff.* – b) ein Rückendekolleté tragen. ↗Rücken 4. 1920 *ff.*

Rücklicht *n* **1.** Letzter in einer Folge; Schlußmann. ↗Schlußlicht. 1950 *ff.* **2.** Klassenschlechtester. 1950 *ff.*

Rückpfiff *m* Widerruf einer Anordnung; Verbot, eine Absicht oder Ansicht weiterzuverfolgen. Hergenommen vom Jagdhund, den der Jäger zurückpfeift. 1950 *ff.*

Rucksack *m* **1.** Sicherungsverwahrung. Sie ist eine schwere Bürde und hindert am freien Ausschreiten. 1960 *ff.* **2.** Schmarotzer. Wie der Rucksack getragen wird, ohne selber zu tragen, so nimmt der Schmarotzer, ohne selber zu geben. 1965 *ff.* **3.** geflickter ~ = Versager. *Schül* 1950 *ff.* **4.** er hat einen Kopf wie ein Rucksack: wenn man ihn sieht, denkt man ans Wandern (Weggehen) = er sieht unsympathisch aus. *Schül* 1950 *ff.*

Rucksackbauer *m* Arbeiter, der am Wochenende seine Landwirtschaft besorgt. 1945 *ff.*

Rucksackbild *n* unscharfes Fernsehbild. Es weist doppelte Konturen auf. Technikerspr. 1955 *ff.*

Rucksackdeutscher *n* zugewanderter Deutscher. Wie ein Wandersmann ist er zugewandert mit dem Rucksack. In und nach dem Zweiten Weltkrieg war der Ausdruck sehr gängig, teils im Zuge der Evakuierung der Städte, teils wegen Vertreibung aus der ostdeutschen Heimat. Damals trugen viele ihre ganze Habe in einem Rucksack.

Rucksackindianer *m* **1.** Urlaubsreisender mit Rucksack. 1920 *ff.* **2.** Wandervogel *(abf.)*. *Halbw* 1955 *ff.*

Rucksackpirat *m* Urlauber mit Rucksack. Reiseleiterspr. 1950 *ff.*

Rucksackrücken *m* gebauschter Rückenteil eines Jackenkleides. 1958 *ff.*

Rucksacktourist (-zigeuner) *m* Urlaubsreisender, der seinen Proviant im Rucksack mitbringt und nichts am Ort einkauft. *Öster* 1930 *ff.*

rucksen *intr* **1.** schlafen, schnarchen. Rucksen nennt man das Gurren der Tauben, auch das Krächzen ungeschmierter Karrenräder. Hier auf die Schnarchgeräusche bezogen. *Marinespr* 1910 *ff.* **2.** salutieren. Hergenommen von dem „Ruck", der bei Ehrenbezeigungen vorgeschrieben ist. *Sold* 1935 *ff.*

Rücksicht *f* ohne ~ auf Verluste = um jeden Preis; unbekümmert gegenüber möglichen Nachteilen; großzügig, freigebig. Stammt aus den Wehrmachtberichten des Zweiten Weltkriegs: „ohne Rücksicht auf Verluste griffen feindliche Truppen bei XY an; sie wurden blutig abgewiesen". „Ohne Rücksicht auf Verluste!" war auch die Losung beim Angriff auf Polen, 1939. Daß der Ausdruck bereits in der zweiten Hälfte des Ersten Weltkriegs bekannt war, wird zwar behauptet, aber nicht bewiesen.

rücksichtsvoll *adj* im Rücken dekolletiert. Ein scherzhaft-bildhafter Ausdruck. 1950 *ff*.

Rücktritt *m* auf dem ~ stehen = sich vergeblich bemühen. Hergenommen von der Rücktrittbremse des Fahrrads. 1930 *ff*.

rückversichern *refl* sich doppelt sichern. Übernommen aus dem Versicherungsgewerbe: Rückversicherung ist eine Versicherung, die von einer Versicherungsgesellschaft gegen das von ihr übernommene Risiko aufgenommen wird. 1920 *ff*.

Rückversicherung *f* Ausschluß persönlichen Risikos. 1920 *ff*.

rückwärts *adv* ~ frühstücken (essen, vespern) = sich übergeben. Zu Anfang des 20. Jhs in der Seeschiffahrt aufgekommen und schon bald darauf von Schülern und Studenten aufgegriffen.

Rückwärtsgang *m* den ~ einschalten = a) eine Behauptung zurücknehmen. Aus der Kraftfahrerspr. übernommen; 1935 *ff*. – b) fliehen, flüchten. *Sold* 1941 (Italienfront).

Rückzieher *m* 1. Abbruch des Geschlechtsakts kurz vor dem Spermaerguß. Seit dem 19. Jh.
2. Zurücknahme einer Äußerung, mit der man sich oder anderen geschadet hat; unter dem Zwang der Verhältnisse zustandegekommene Abmilderung einer Forderung o. ä. 1900 *ff*.

'Ruck-'Zuck *m* strammes Verhalten; Drill; rasche Auffassungsgabe. Eigentlich ein Arbeitsausruf: „ruck" (von „rücken") bezieht sich auf schnelle Hin- und Herbewegung, und „zuck" (von „ziehen") meint das kräftige Ziehen. 1900 *ff*, vorwiegend *sold* und handwerkerspr.

'ruck'zuck *adv* sehr schnell; sofort; ohne lange Vorbereitung; ohne langes Nachdenken; militärisch straff. *Vgl* das Vorhergehende. 1900 *ff*.

'Ruck-'Zuck-'Ehe *f* eilige Eheschließung. 1920 *ff*.

Rückzug *m* den ~ antreten = den Abort aufsuchen. Scherzhaft für „sich zurückziehen". 1920 *ff*.

Rudel *n* Schüler-, Pfadfindergruppe. Eigentlich die großfamilienähnliche Lebensgemeinschaft von (Hoch-)Wild, von Wölfen usw. 1955 *ff*.

Ruder *n* 1. *pl* = Arme. Rudern = ein Boot mit Rudern vorwärtsbewegen; von da umgangssprachlich übertragen auf das Schlenkern mit den Armen; ⁊ rudern 1. *Sold* 1935 *ff*.
2. aus dem ~ gehen (geraten) = die gewohnte Ordnung verlassen; Gepflogenheiten aufgeben. Ein Boot geht (läuft) aus dem Ruder, wenn es dem Steuer nicht mehr gehorcht. 1950 *ff*.
3. aus dem ~ laufen = a) abtrünnig werden; den Gehorsam verweigern; eigenmächtig handeln. 1950 *ff*. – b) die Fassung, die Beherrschung verlieren. 1950 *ff*. – c) scheitern. 1950 *ff*.

rudern *intr* 1. beim Gehen mit den Armen schlenkern. ⁊ Ruder 1. 1900 *ff*.
2. gehen, marschieren. *Sold* 1914 *ff*.

3. unsicher sein; sich unsicher fühlen. Übernommen in die Theatersprache um 1920 von den rudernden Armbewegungen beim Gehen über eine Eisfläche.
4. koitieren. Übernommen von der Hin- und Herbewegung des Ruders. 1900 *ff*.

rüffeln *tr* in derb tadeln. Hängt zusammen mit „Ruffel = Rauhhobel". Die Bearbeitung mit dem Rauhhobel veranschaulicht die rücksichtslose Behandlung des Menschen. Auch kann *mhd* „riffeln = den Flachs durch den Kamm ziehen" eingewirkt haben; *vgl* ⁊ durchhecheln. Seit dem 17. Jh.

Rufmord *m* Verleumdung, Ehrabschneidung. Ruf = Leumund. Etwa seit 1950.

Ruhe *f* 1. ~ im Beritt = völlige Ruhe; nächtliche Ruhe. ⁊ Beritt. 1920 *ff*.
2. ~ im Puffl = Ruhel ⁊ Puff II 1. 1914 *ff*, vorwiegend *sold*.
3. ~ im Schiffl = Ruhel 1880 *ff*.
4. himmlische ~ = völlige Ungestörtheit; größte Lautlosigkeit. Der Himmel gilt als das Unübertreffliche in jeder positiven Hinsicht, obwohl er in volksreligiöser Vorstellung von Gesängen zum Lobpreis Gottes erfüllt ist.
5. immer mit die (!) ~! = nur keine Aufregung! bewahrt Fassung und Geduld! Berlin 1870 *ff*.
6. immer mit der ~ und dann mit 'nem Ruck! = überlege gründlich und handle dann schnell! 1900 *ff*.
7. immer mit der ~ und einer guten Zigarre: Redewendung an einen Hastigen, Aufgeregten o. ä. Übernommen aus dem seit 1953 aufkommenden Werbespruch der deutschen Zigarrenindustrie.
8. jm die ~ abkaufen = jn nervös machen. 1930 *ff*.
9. keine ~ im Arsch (Hintern, Sterz o. ä.) haben = nicht stillsitzen können; nervös hin- und hergehen. 1900 *ff*.
10. sich zur ~ setzen = bei Erreichung ausreichender Wertungspunkte im Lerneifer nachlassen. *Schül* 1965 *ff*.
11. die ~ weghaben = unerschütterlich sein; nicht nervös werden. ⁊ weghaben. 1900 *ff*.

Ruhestandsknacks *m* geistig-seelisches (körperliches) Altern nach Erreichen der Altersgrenze. ⁊ Knacks. 1965 *ff*.

Ruhestellung *f* 1. in ~ gehen = in den Ruhestand versetzt werden. Mit der „Ruhestellung" meint man im *milit* Bereich die einer Truppe zum Ausruhen angewiesene Stellung hinter der Front. 1955 *ff*.
2. sein Geld in ~ verdienen = Prostituierte sein. 1960 *ff*.

Ruhm *m* 1. grüner ~ = Ruhm eines Neulings. 1960 *ff*.
2. sich mit ~ bekleckern = reichliche Ehrungen über sich ergehen lassen, ohne sie in diesem Ausmaß verdient zu haben. Scherzhaft-iron umgewandelt aus der Redewendung „sich mit Ruhm bedecken". 1840 *ff*.
3. sich mit ~ bekleckert = da bist du nicht erfolgreich gewesen = das war keine große Leistung von dir; da hast du gründlich versagt. 1870 *ff*.

rühmen *v* ... werde zu ~ wissen = ich werde es lobend erwähnen (diese zehn Mark werde zu rühmen wissen; daß du mir die Schuhe geputzt hast, werde zu rühmen wissen). *Stud* und leutnantsspr. 1920 *ff*.

Ruhmesgemüse *n* Lorbeerkranz; Blumengabe für den gefeierten Bühnenkünstler. Theaterspr., etwa seit der Mitte des 19. Jhs, als die Sitte solcher Auszeichnungen aufkam. „Gemüse" spielt auf Lorbeer als Küchengewürz an.

ruhmredig sein in betrunkenem Zustand Unsinniges äußern. Wortspiel mit „⁊ rumredig". 1935 *ff*.

ruhmvoll *adj* auf Rum versessen. Wortspiel mit „rumvoll". 1935 *ff*.

Ruhr-Baron *m* Großindustrieller an der Ruhr. Manch einer von ihnen wurde in der Kaiserzeit in den Freiherrenstand erhoben. 1920 *ff*.

Rührei *n* 1. Durcheinander. Beim Rührei werden Eiweiß und Dotter verrührt. 1700 *ff*.
2. rührselige Stelle in einem Bühnenstück oder Film, in einem Roman o. ä. Wortspielerei mit zwei Bedeutungen von „rühren": mal soviel wie „drehen, vermengen" und mal soviel wie „seelisch ergreifen". 1925 *ff*.
3. verlängertes ~ = Rührei, bestehend aus einem Ei, viel Mehl und viel Wasser. Verlängern = strecken = verdünnen. 1940 *ff*.
4. das Herz gerührt wie lauter ~er = innerlich bewegt. Wortspielerei wie bei „⁊ Rührei 2". 1925 *ff*.
5. ~ machen = a) alles durcheinanderwirbeln; die Leute durcheinanderhetzen. *Sold* in beiden Weltkriegen. – b) bei der Landung das Flugzeug zertrümmern oder stark beschädigen. *Sold* 1914–1945. – c) beim Autofahren Totalschaden verursachen. *Sold* 1914–1945.
6. ~er machen = die Hand in der Hosentasche halten. Anspielung auf Betasten der Hoden. 1930 *ff*.

Rühren *n* ein menschliches ~ fühlen = a) Hunger verspüren. *Iron* Entlehnung aus Schillers Ballade „Die Bürgschaft" (1798), wo die Regung mitmenschlichen Empfindens gemeint ist. 1870 *ff*. – b) Stuhldrang (Harndrang) verspüren. 1870 *ff*.

rührend *adj* es ist ~, wie man dran wackelt (wenn man's umrührt) = man muß künstlich nachhelfen, um seelisch erschüttert zu werden. Umgestellt aus „es ist wacklig, wenn man daran rührt". 1840 *ff*.

Rührfetzen *m* rührseliges Theaterstück o. ä. Analog zu ⁊ Gemütsfetzen. 1930 *ff*.

Rührkiste *f* Film mit rührseligen Effekten. *Vgl* ⁊ Kiste 1. 1958 *ff*.

Rührklamotte *f* anspruchsloser, ganz auf Rührung abgestellter Bühnen- oder Filmstoff. ⁊ Klamotte 1. 1950 *ff*.

Ruhrkumpel *m* Ruhrbergmann. ⁊ Kumpel. 1920 *ff*.

Rührmätzchen *pl* rührseliges Beiwerk. ⁊ Mätzchen. 1950 *ff*.

Ruhr-Metropole *f* die Stadt Essen. 1965 *ff*.

Ruhrpott *m* Ruhrrevier. ⁊ Pütt. 1920 *ff*.

Rührstück *n* 1. altes Möbel, an das sich rührende Familienerinnerungen knüpfen. 1870 *ff*.
2. weibliche Person, die einen Mann zu rühren versteht. ⁊ Stück. 1920 *ff*.
3. rührseliges Theaterstück. 1920 *ff*.

Ruhrvolkswagen *m* breitgebautes Luxusauto. Für die Großindustriellen an der Ruhr hat es dieselbe Bedeutung wie der Volkswagen für Leute mit mittlerem Einkommen. 1950 *ff*.

Rührwerk *n* 1. rührseliger Roman. Ein lite-

rarisches Werk, das seelische Rührung hervorruft. „Rührwerk" meint eigentlich eine Teigrührmaschine o. ä. 1960 *ff*.
2. Trauerspiel. Theaterspr. 1880 *ff*.

Ruine *f* **1.** gealterte Bühnenkünstlerin. Theaterspr., gegen 1910 aufgekommen als Entstellung aus „Heroine".
2. aufgetakelte ~ = jugendlich hergerichtete ältere Frau. ↗auftakeln. 1920 *ff*.

Ruinenratte *f* alte Straßenprostituierte. Das ehemalige „Mäuschen" hat sich in eine „↗Ratte" verwandelt. Die Wortbildung ist wohl auch beeinflußt von dem Umstand, daß in den Nachkriegsjahren Prostitution in den Ruinen der zerbombten Städte stattfand. Um 1950 *ff*.

ruiniert *adv* ruiniert aussehen = übernächtigt aussehen; vom Laster gezeichnet sein. 1830 *ff*.

Rülps *m* **1.** hörbares Aufstoßen. ↗rülpsen 1. Um 1400 *ff*.
2. frecher, ungesitteter Mensch. Wer seine Magenblähungen nicht verhält, gilt als ungesittet (Ärzte sind anderer Ansicht). Um 1400 *ff*.
3. unkameradschaftlicher Schüler. 1960 *ff*.

rülpsen *intr* **1.** aufstoßen. Schallnachahmender Natur; vielleicht beeinflußt von spät-*mhd* „rülz" = roher Mensch; Bauer". 1400 *ff*.
2. sich flegelhaft benehmen. ↗Rülps 2. 1900 *ff*.
3. zotige Reden führen. 1900 *ff*.
4. auf etw ~ = etw ablehnen, verachten. Hörbares Aufstoßen gilt vielen als Zeichen der Ungesittetheit und als Sinnbildhandlung der Minderachtung. Seit dem 19. Jh.

rum *adv* es ist rum wie num = es ist einerlei, ob man es so oder anders macht. „Rum und num" ist verkürzt aus „herum und hinum" im Sinne von „hin und her". Seit dem 19. Jh.

Rum *m* **1.** ~ ist kein Arrak (kein Kognak): Redewendung, wenn das Skatspiel verlorengeht. Wortspielerei mit „es ist Rum" und „es ist rum = es ist vorbei". Skatspielerspr. 1870 *ff*.
2. ~ muß, Zucker kann, Wasser braucht (darf) nicht: Redewendung bei Bestellung eines Glases Grog. Geläufig unter Rumtrinkern als *nordd*, vor allem als Hamburger Redensart. 1900 *ff*; wohl älter.

'rumarschen *intr* träge sitzen. 1950 *ff*.

'rumballern *intr* **1.** Schüsse hierhin und dorthin abfeuern. ↗ballern 1. 1900 *ff*.
2. ungezielt den Fußball treten 2. 1930 *ff*.

'rumbeißen *refl* ständig scharfe Kritik üben. Übernommen von Hunden und wilden Tieren. *Sold* 1930 *ff*.

'Rumblöde'lei *f* albernes Gewitzel o. ä. ↗blödeln. 1900 *ff*.

'rumbohren *v* **1.** an jm ~ = jn mit einem Wunsch plagen. ↗bohren 1. 1900 *ff*.
2. an etw ~ = sich mit einer Sache viel Mühe geben; eine Sache ungeschickt, unzweckmäßig angehen. 1900 *ff*.

'rumbolzen *intr* unsportlich Fußball spielen. ↗bolzen 6. 1920 *ff*.

'rumbringen *tr* **1.** jn überreden, für etw gewinnen: einen Widerstrebenden umstimmen. Der Betreffende wendet sich nicht länger ab. Seit dem 19. Jh.
2. etw in aller Leute Mund bringen; etw weitererzählen. 1800 *ff*.
3. den wollen wir mal ~ = ihn wollen wir mal zum Verlierer machen. Der an-

fängliche Gewinner wird allmählich zum Verlierer. Kartenspielerspr. seit dem 19. Jh.

Rum'bum *m* Lärm o. ä. Lautmalend für tiefen Klang. 1900 *ff*.

'rumbutschern *intr* umherschweifen. ↗Buttjer. *Nordd*, seit dem 19. Jh.

'Rumbutte *f* Trinker; Trunkenbold. Rum = Zuckerrohrschnaps. Butte = Faß. *Österr* 1920 *ff*.

'rumbuttern *intr* ungeschickt, planlos, zwecklos zu Werke gehen; Tätigsein vortäuschen. ↗buttern 6. Seit dem 19. Jh.

'rumdoktern *intr* **1.** ohne Arzt und nur mit Hausmitteln eine Krankheit zu kurieren suchen. Seit dem 19. Jh.
2. an etw (jm) ~ = sich mit einer Sache oder Person viel Mühe machen, um sie zu bessern (verbessern). Seit dem 19. Jh.
3. Symptome zu beseitigen suchen, ohne die Wurzel des Übels anzugehen. 1950 *ff*.

'rumdrücken *v* **1.** sich an (um) etw ~ = sich einer Arbeit oder Verpflichtung zu entziehen trachten. ↗drücken 10. Seit dem 19. Jh.
2. sich (in den Ecken) ~ = ziellos seine Zeit verbringen; langsam arbeiten. Seit dem 19. Jh.

rumdrucksen *v* **1.** an etw ~ = mit etw zögern; sich nicht äußern wollen; zwischen Geständnis und Schweigen schwanken. ↗drucksen 1. Seit dem 19. Jh.
2. *refl* = sich der Arbeit zu entziehen trachten. 1900 *ff*.

'Rumfaß *n* Rumtrinker; Trunkenbold. Wien 1930 *ff*.

'rumfegen *intr* **1.** umherrennen. ↗fegen 1. Seit dem 19. Jh.
2. tanzen. Seit dem 19. Jh.
3. einen schlechten Lebenswandel führen. Seit dem 19. Jh.

'rumferzeln *intr* störend kommen und gehen; hier und da hantieren und überall im Wege stehen. ↗ferzeln. Seit dem 19. Jh.

'rumfieseln *intr* in etw ~ = in einem Buch ein wenig lesen. Fieseln = nagen. *Südd* 1900 *ff*.

'rumfingern *intr* an etw ~ = etw wiederholt betasten; sich an einem Gegenstand versuchen. ↗fingern. Seit dem 18. Jh.

'rumflachsen (-flaxen) *intr* mit jm ~ = mit jm albern. ↗flachsen 2. 1900 *ff*.

'rumflacken *intr* sich umhertreiben. ↗flacken. *Bayr* 1900 *ff*.

'rumflattern *intr* **1.** Straßenprostituierte sein. Gehört zur Vorstellung vom Schmetterling. 1920 *ff*.
2. als Frau mehrere Liebesverhältnisse gleichzeitig unterhalten. 1935 *ff*.

'rumfliegen *intr* **1.** abwechselnd an verschiedenen Orten tätig sein; Handelsvertreter sein. Übernommen von den Vögeln und Insekten. Seit dem 19. Jh, kaufmannsspr.
2. unordentlich umherliegen (von Gegenständen gesagt). Die Sachen sind „geflogen = geworfen worden". Seit dem 19. Jh.

'rumfosen *intr* Prostituiertenkunde sein; ein Hurenfreund sein. ↗fosen. 1900 *ff*.

'rumfretten *refl* verärgert an einer Sache arbeiten. ↗fretten. *Bayr* 1900 *ff*.

'rumfuchteln *intr* die Hand hin- und herbewegen. ↗fuchteln. 1800 *ff*.

'rumfuhrwerken *intr* **1.** hin- und herfliegen. Übernommen vom Umherfahren mit einem Wagen. Fliegerspr. 1935 *ff*.
2. mit etw ~ = etw (die Hände) hin- und herbewegen. ↗fuhrwerken. 1800 *ff*.

'Rumfutsch *m* Suppe aus den Speiseresten der Woche; unschmackhaftes, mißratenes Essen. Zusammengewachsen aus „Rumfordsche Suppe". Der Amerikaner Benjamin Rumford (1753–1814) trat 1784 in bayerische Dienste und regte unter anderem eine Einheitssuppe für Strafanstaltsassen an. Sie bestand aus Gerstengraupen, Kartoffeln, Erbsen, Weizenbrotschnitten, Weinessig, Salz und Wasser. 40 Lot (= 600–700 Gramm) von dieser Suppe galten als ausreichende Mahlzeit für einen erwachsenen Mann. Gegen 1870 in der verkürzten Form aufgekommen.

'rumgammeln *intr* **1.** müßiggehen; tatenlos vor Anker liegen; auf den militärischen Einsatzbefehl warten; ohne Ernst seine Zeit vertreiben. ↗gammeln. Aufgekommen 1939/40 in der Zeit des Wartens auf die Eröffnung der Angriffshandlungen.
2. lässig gekleidet gehen. 1955 *ff*.
3. ziel-, planlos fahren. *Halbw* 1955 *ff*.
4. ungebraucht liegen und verkommen. ↗gammeln 11. 1950 *ff*.

'Rumgegrüble *n* Grübeln. 1900 *ff*.

'rumgeistern *intr* umherschleichen; sich lässig fortbewegen. So denkt man sich die Fortbewegung von Geistern (Gespenstern). Seit dem 19. Jh.

'rumgezeigt werden (eine Truppe) besichtigen. Aus dem „Besichtigen" wird ein „Besichtigtwerden". Nicht die Truppe wird besichtigt, sondern der Besichtigende. *Sold* in beiden Weltkriegen.

'rumgiften *v* sich mit jm ~ = sich mit jm zanken. ↗giften. Seit dem 19. Jh.

'rumhaben *tr* **1.** jn überredet, beschwatzt haben. Verkürzt aus „rumgebracht (rumgekriegt) haben". Seit dem 19. Jh.
2. eine Zeit verbracht haben (1 Jahr Freiheitsstrafe rumhaben). Seit dem 19. Jh.

'rumhampeln *intr* umherspringen; ausgelassen hin- und herspringen; zuckend tanzen. Hampeln = sich hin- und herbewegen; sich närrisch aufführen. Beeinflußt von „↗Hampelmann". 1920 *ff*.

'rumhängen *intr* **1.** tatenlos, untätig, schlaff sitzen; in schlaffer Haltung stehen; sich ziellos beschäftigen. Man nägt gleichsam in den Gelenken, statt herzhaft auf den Beinen zu stehen. 1900 *ff*. *Vgl engl* „to hang about".
2. unentschlossen aufhalten. 1900 *ff*.
3. um jn ~ = jn umstehen. 1930 *ff*.
4. mit jm ~ = flirten. *Jug* 1955 *ff*.

'rumjachtern *intr* ausgelassen hin- und herspringen. ↗jachten. Seit dem 19. Jh.

'rumjumpen (Grundwort *engl* ausgesprochen) *intr* sich hier und da abwechselnd aufhalten. Fußt auf *engl* „to jump" in der Bedeutung „springen". Fliegerspr. 1935 *ff*.

'rumkäfern *intr* sich langsam, mühsam bewegen; keinem festen Beruf nachgehen. 1900 *ff*.

'rumkaspern (-kasperln, -kaschperln) *intr* **1.** sich albern benehmen; ausgelassen spielen. ↗kaspern. Seit dem 19. Jh.
2. mit wenig Aussicht auf Erfolg tätig sein. 1920 *ff*.
3. sich diensteifrig geben; Diensteifer heucheln. *Sold* 1935 *ff*.

'rumkauen *intr* an etw ~ = etw schwer verwinden; etw mühsam zu verstehen suchen. ↗kauen. Seit dem 19. Jh.

'rumklatschen *tr* Gerüchte weitererzählen. ↗klatschen. 1800 *ff*.

'rumklotzen *intr* **1.** schwerfällig tanzen. ↗klotzen. 1920 *ff.*
2. Kraftausdrücke verwenden. 1955 *ff.*

'rumklüngeln *intr* **1.** mit der Arbeit nicht vorankommen; schwunglos arbeiten. ↗klüngeln. Seit dem 19. Jh, *westd.*
2. untätig stehen. Seit dem 19. Jh.
3. sich auf geheime Fürsprache verlegen. Seit dem 19. Jh.

'rumknuddeln *intr* an jm ~ = jn liebkosen, an sich drücken. ↗knuddeln. Seit dem 19. Jh.

'rumknutschen *intr* liebkosen. ↗knutschen. Seit dem 19. Jh.

'rumkommen *intr* **1.** mit seinen Mitteln auskommen. Man überwindet eine bestimmte Zeitspanne. Seit dem 19. Jh.
2. Lebenserfahrungen sammeln; viel unterwegs sein. Gemeint ist, daß man durch Reisen die verschiedensten Menschen, Orte und Länder kennenlernt. Seit dem 18. Jh.
3. zu jm ~ = jn besuchen (vom Nachbarn gesagt). 1800 *ff.*
4. da kommt nicht viel bei rum = dabei ist nicht viel zu verdienen. Gemeint ist, daß man bei diesem Geschäft nur knapp sein Auskommen hat. Seit dem 19. Jh.
5. an (um) etw nicht ~ (an etw nicht drumrumkommen) = einer Unannehmlichkeit nicht entgehen können. 1800 *ff.*
6. an (um) etw ~ (drumrumkommen) = sich (unfreiwillig) einen Genuß entgehen lassen. Seit dem 19. Jh.
7. mit jm ~ = in Eintracht mit jm leben. 1920 *ff.*

'rumkotzen *intr* Rügereden halten. ↗kotzen 3. 1900 *ff.*

'rumkrampfen *intr* sich unnatürlich, unfrei benehmen. ↗Krampfbruder 2. 1920 *ff.*

'rumkrautern *intr* schlecht und recht wirtschaften; langsam und unter Mühen arbeiten. ↗Krauter 1. Seit dem 19. Jh.

'rumkriegen *tr* **1.** einen Widerstrebenden erfolgreich beschwatzen. Man erreicht es, daß er seinen Sinn ändert. Seit dem 18. Jh.
2. jn zum Geschlechtsverkehr verführen. 1900 *ff.*
3. den Tag (die Zeit) ~ = den Tag mehr schlecht als recht verbringen. 1900 *ff.*

'rumkruschteln *intr* herumstöbern; (sinnlos) geschäftig sein. ↗Kruscht. 1900 *ff.*

'rumkugeln *intr* in der Welt ~ = viel auf Reisen sein. Kugeln = rollen. 1920 *ff.*

'rumkurven *intr* **1.** viel umherfahren. 1930 *ff.*
2. hin- und herfliegen; rundfliegen. 1935 *ff.*

'rumliegen *intr* untätig sein; arbeitslos sein; auf den Zuganschluß warten. 1900 *ff.*

'rummachen *intr* **1.** in etw ~ = in etw tätig sein. ↗machen 35. 1900 *ff.*
2. mit jm ~ = sich mit jm abgeben. Seit dem 19. Jh.
3. um etw ~ = von etw viel Aufhebens machen; etw aufbauschen. 1960 *ff.*

'rummähren *intr* **1.** seine Zeit vertun; sich an verschiedenen Dingen zu schaffen machen, ohne Brauchbares zustandezubringen. ↗mähren 2. Vorwiegend *ostmittel* seit dem 19. Jh.
2. in etw wühlen, ohne das Gesuchte zu finden. Seit dem 19. Jh.
3. sich mit einer Sache ohne Fachkenntnis abgeben. *Sächs* seit dem 19. Jh.

Rummel *m* **1.** Lärm, Gedränge, Zusammenlauf, Betriebsamkeit, Gepränge. Beruht

auf „rummeln = lärmen, toben"; ursprünglich wohl schallnachahmender Natur (rumpeln). Seit dem 18. Jh.
2. Jahrmarkt, Kirmes, Volksfest. 1900 *ff.*
3. der ganze ~ = das Ganze; das alles; Sache; Betrieb. Seit dem 19. Jh.
4. das geht in einem ~ = das läßt sich in einem bewerkstelligen. Seit dem 19. Jh.
5. dann ist ~ im Karton = dann wird rücksichtslos Ordnung geschaffen. ↗Karton 9. 1935 *ff.*
6. den ~ verstehen (kennen; etw von dem ~ verstehen) = eine Sache gründlich kennen; die richtigen Mittel kennen, die man anwenden muß, um erfolgreich zu sein; Fachmann sein. Seit dem 19. Jh.

Rummelbude *f* unaufgeräumtes Zimmer. 1920 *ff.*

Rummelfabrik *f* Großgaststätte, Massenlokal. 1960 *ff.*

rummelig *adj* auf Touristenbetriebsamkeit angelegt. 1970 *ff.*

Rummelkampf *m* Freistilringer-Turnier; Frauenringkampf; Ringkampf im Schlamm. 1955 *ff.*

rummeln *v* **1.** *intr* = Jahrmarkttreiben entfalten. ↗Rummel 2. 1900 *ff.*
2. Fastnacht (o. ä.) ~ = Fastnacht ausgelassen feiern. 1950 *ff.*

Rummelnutte *f* Prostituierte niedrigster Art. ↗Nutte 1. Unter Besuchern von Volksfesten (↗Rummel 2) sucht sie ihre Kunden. Berlin 1920 *ff.*

Rummelplatz *m* Kirmesplatz; Platz für Volksbelustigung mit Schießbuden, Karussells usw.; Vergnügungspark. ↗Rummel 2. 1900 *ff.*

Rummel-Tourismus *m* Reiseveranstaltung mit viel Geschäftssinn und Geschäftigkeit (Fremdenabend, Tanzereien, Besichtigungen usw.). 1960 *ff.*

Rummel-Tourist *m* Urlaubsreisender, der sich nur in Massenbetriebsamkeit wohlfühlt. 1960 *ff.*

Rummel-Urlaub *m* Urlaub mit Massenveranstaltungen usw. ↗Rummel 1. 1960 *ff.*

'rummenscheln *intr* mit liederlichen Frauenspersonen geschlechtlich verkehren. ↗Mensch II. *Bayr* seit dem 19. Jh.

'rumnutten *intr* mit Prostituierten geschlechtlich verkehren. ↗Nutte 1. 1920 *ff.*

'rumölen *intr* hier und dort schmeicherisch schwätzen. ↗ölig. 1920 *ff.*

rump *adv* ~ und stump = völlig; ohne Rest. Meint eigentlich „Rumpf und Stumpf", beispielsweise bezogen auf das Fällen eines Baums, dessen Wurzelstock man ebenfalls entfernt. Seit dem 19. Jh.

Rumpelbude *f* unordentliches Zimmer. Rumpeln = oberflächlich, unordentlich arbeiten. Gerümpel ist alter Plunder. Seit dem 19. Jh.

Rumpelkammer *f* **1.** Abstellraum. Gemeint ist die Kammer zum Lagern von Gerümpel. 1700 *ff.*
2. Spind. Anspielung auf unaufgeräumten Zustand. *BSD* 1960 *ff.*
3. unordentliches, unaufgeräumtes Zimmer. 1900 *ff.*
4. Physiksaal. 1950 *ff, schül.*
5. altes, schrottreifes Auto; geschlossenes Auto (Limousine) sehr alter Bauart. 1925 *ff.*

Rumpelkasten *m* **1.** altes Auto; alter Eisenbahnwagen o. ä. Rumpeln = lärmen, poltern. Seit dem 19. Jh.

2. minderwertiges Klavier; (schadhafte) Orgel o. ä. Seit dem 19. Jh.

rumpeln *intr* **1.** mit dumpf klingendem Geräusch fahren; polternd sich fortbewegen. Lautmalender Herkunft. Seit *mhd* Zeit.
2. unsanft stürzen. Seit dem 19. Jh.
3. mit der Faust in den Rücken stoßen. 1900 *ff.*

Rumpelstilzchen *n* **1.** Versager. Im Märchen erkundet die Königin den Namen des Rumpelstilzchens, und damit ist die Macht des Kobolds gebrochen. 1950 *ff, schül.*
2. Rumpsteak. Scherzhafte Eindeutschung. Kellnerspr. 1960 *ff.*

'rumpicken *intr* auf jm ~ = an jm etw auszusetzen haben. Hergenommen von den Vögeln, die auf ihresgleichen mit dem Schnabel einhacken. Seit dem 19. Jh.

'rumpimpern *intr* wahllos Geschlechtsverkehr suchen und finden. ↗pimpern. 1925 *ff.*

'rumpöbeln *intr* **1.** sich ungesittet benehmen; unflätig anherrschen. ↗pöbeln 1. 1900 *ff.*
2. umherschweifen. 1950 *ff.*

rumpsen *v* ↗rumsen.

rümpsen *intr* schmollen; abfällig urteilen. Gehört zu „die Nase rümpfen = Verachtung bekunden". 1935 *ff.*

'rumpütjern (-pütschern) *intr* kleinlich tätig sein; sich erfolglos an etw zu schaffen machen. ↗Püttjer. *Nordd* 1870 *ff.*

'rumra'batzen *intr* ausgelassen spielen. ↗Rabatz. 1900 *ff.*

'rumrangeln *intr* mit jm ~ = mit jm zum Spiel raufen. ↗rangeln. Seit dem 19. Jh.

'rumredig sein in trunkenem Zustand Unsinn sprechen. ↗ruhmredig. 1935 *ff.*

'rumreichen *tr* jn nach dem Bekanntenkreise einzeln vorstellen. Hergenommen von der unguten Sitte, kleine Kinder von Schoß zu Schoß weiterzureichen. 1870 *ff.*

'Rumreise'rei *f* Tätigkeit eines Geschäftsreisenden. 1900 *ff.*

'rumreißen *tr* **1.** das Spiel ~ = das schon verloren geglaubte Spiel für sich entscheiden. Hergenommen vom Steuer, das man herumreißt, wenn man den Kurs des Schiffes (etwa vor einer spät erkannten Sandbank, einem Riff) völlig ändert. 1840 *ff.*
2. jn entschieden umstimmen. 1950 *ff.*

'Rumreißer *m* der den Sieg sichernde Stich. ↗rumreißen 1. 1840 *ff,* kartenspielerspr.

'rumreiten *intr* **1.** auf etw ~ = auf eine Sache (ein Gesprächsthema) immer von neuem zurückkommen. Hergenommen vom Steckenpferd der Kinder. Seit dem 19. Jh. *Vgl franz* „être à cheval sur ses principes".
2. auf jm ~ = jm immer wieder zusetzen; jn fortwährend plagen. Seit dem 19. Jh.
3. auf den Weibern ~ = ein geschlechtlich ausschweifendes Leben führen (vom Mann gesagt). 1900 *ff.*

'rumröhren *intr* schimpfen. ↗röhren 1. *Halbw* 1955 *ff.*

'rumrühren *intr* in etw ~ = etw gründlich zu klären suchen. Aus der Küchenpraxis übernommen. 1920 *ff.*

'rumrunksen ('rumrunkschen) *intr* sich flegeln; unordentlich, ungesittet sitzen. ↗Runks. *Niederd* und *mittel*, seit dem 19. Jh.

'**rumrutschen** *intr* **1.** viel auf Reisen sein. ↗rutschen. Seit dem 19. Jh.

2. auf einer ~ = koitieren (vom Mann gesagt). 1900 *ff*; wohl älter.

Rums *m n* Erregung von Aufsehen. ↗rumsen; analog zu ↗Bums. 1920 *ff*.

'**rumsabbeln** *v* **1.** *intr* = von diesem und jenem sprechen; anzügliche Bemerkungen machen. ↗sabbeln. 1900 *ff*.

2. *tr* = jn umzustimmen suchen. 1920 *ff*.

'**rumsäbeln** *intr* an etw ~ = Stücke von etw ungeschickt abschneiden. ↗säbeln. Seit dem 18. Jh.

'**rumsal'badern** *intr* albern schwätzen. ↗salbadern. 1900 *ff*.

'**rumsäuseln** *intr* um jn ~ = gewinnend auf jn einreden; jn zu beschwatzen suchen. ↗säuseln. 1920 *ff*.

'**rums'bums** *adv* schnell, hastig. „Rums" und „bums" sind Schallwörter für ein tiefes, dumpfes Fallen. 1900 *ff*.

'**rumschar'wenzeln** *intr* um jn ~ = jn umwerben. ↗scharwenzeln. Seit dem 19. Jh.

'**rumscheißen** *intr* **1.** Unregelmäßigkeiten zu entdecken suchen; nichts gelten lassen; an allem etw auszusetzen haben; übermäßig laut rügen. Der Betreffende bedient sich grober Ausdrücke und wird auf niederträchtige Weise tätig. *Sold* 1939 *ff*.

2. mühsam arbeiten; sich an Unwichtigkeiten aufhalten. 1920 *ff*, *bayr*.

'**rumschesen** *intr* hierhin und dorthin gehen, -fahren. ↗schesen. 1900 *ff*.

'**rumschlagen** *refl* **1.** sich mit jm ~ = sich mit jm plagen; mit jm viel Mühe haben. Bezieht sich eigentlich auf eine Prügelei. Seit dem 19. Jh.

2. sich mit etw ~ = sich mit etw abmühen. Seit dem 19. Jh.

'**rumschlampen** *intr* nachlässig gehen; nachlässig tätig sein. ↗schlampen. 1800 *ff*.

'**rumschlegeln** *intr* mit den Händen hin- und herfahren. Es sieht aus, als schlage man mit dem Dreschflegel. *Bayr* 1900 *ff*.

'**rumschleimen** *intr* liebedienern. ↗schleimen 1. 1900 *ff*.

'**rum'schlumm** *adv* ungenau; unsorgfältig; unterschiedslos; ungewogen, (auch: unausgewogen), ungemessen (auch: unabgemessen). Zusammengewachsen aus den beiden *gleichbed* Redewendungen „im ↗Rummel kaufen" und „auf den ↗Schlump kaufen" im Sinne von „zusammengerafft kaufen" (auf gut Glück; nach Schätzung; ohne Prüfung der einzelnen Stücke). *Niederd* 1700 *ff*.

'**rumschlunzen** *intr* nachlässig sein; ungepflegte Kleidung tragen. ↗schlunzen. Seit dem 19. Jh.

'**rumschmeißen** *tr* umherwerfen. ↗schmeißen 1. 1600 *ff*.

'**rumschmökern** *intr* in Büchern stöbern. ↗schmökern. Seit dem 19. Jh.

'**rumschmusen** *v* **1.** *intr* = flirten; sich einschmeicheln; Zärtlichkeiten suchen. ↗schmusen. Seit dem 19. Jh.

2. *tr* = jn mit Schmeichelworten beschwatzen. 1900 *ff*.

'**rumschnarchen** *intr* die Stimmung hier und dort zu ergründen suchen. Schnarchen = im Schlaf schnauben; schnauben, schnaufen = wittern. 1920 *ff*.

'**rumschnauzen** *intr* schimpfend umhergehen. ↗schnauzen. 1900 *ff*.

'**rumschnipfeln (-schnippeln)** *intr* an etw ~ = regellos an etw schneiden; ärztlich operieren. ↗schnippeln. Seit dem 19. Jh.

'**rumschnökern** *intr* in Dingen stöbern, die einen nichts angehen. ↗schnökern. *Nordd* und Berlin, seit dem 19. Jh.

'**rumschnorren** *intr* bettelnd umhergehen. ↗schnorren. 1700 *ff*.

'**rumschnüffeln** *intr* spionierend umhergehen; kleinlich nach Unregelmäßigkeiten suchen. ↗schnüffeln. Seit dem 18. Jh.

'**rumschupsen ('rumschubsen)** *tr* jn hin- und herstoßen. ↗schupsen. Seit dem 19. Jh.

'**rumschwadro'nieren** *intr* schwatzen; sich aufspielen. ↗schwadronieren. 1900 *ff*.

'**rumschwänzeln** *intr* **1.** geziert, mit schwingendem Rock gehen. ↗schwänzeln. 1900 *ff*.

2. um jn ~ = jn umschmeicheln, umwerben; jds Interesse (Wohlwollen) zu erringen suchen. Seit dem 19. Jh.

'**rumschwimmen** *intr* keinen festen Beruf haben. Gehört zu der Vorstellung, daß man keinen festen Boden unter den Füßen hat. 1920 *ff*.

'**rumsdi'bumsdi** *interj* Ausruf bei einem Sturz. ↗rumsbums. 1900 *ff*.

'**rumsein** *intr* **1.** um die Ecke, um den Platz gegangen sein. Verkürzt aus „herumgegangen sein". Seit dem 18. Jh.

2. es ist rum = es ist allgemein bekannt geworden. Verkürzt aus „es hat sich herumgesprochen". Seit dem 19. Jh.

3. mit (um) Mädchen ~ = sich mit Mädchen abgeben. Meint „unterwegs sein". 1800 *ff*.

4. bei jm ~ = jds Achtung eingebüßt haben. 1900 *ff*.

rumsen (rumpsen) *intr* **1.** lärmen, poltern, krachen. Lautmalerisch für den anschwellenden Lärm von entferntem Geschützfeuer, Detonationen o. ä., auch für einen tiefen, dumpfen Fall. ↗Rums. Seit dem 19. Jh.

2. koitieren. Analog zu ↗bumsen. Meint in der Viehzucht soviel wie „brünstig sein". 1900 *ff*, *prost*.

3. es hat gerumst = die Geduld ist zu Ende; Nachsicht ist nicht länger zu erwarten (nicht länger angebracht). 1920 *ff*.

'**rumsitzen** *intr* **1.** auf einer Ware ~ = für eine Ware keinen Käufer finden. Hergenommen von Händler und/oder Marktfrau, die sich erschöpft auf nicht verkaufter Ware niederlassen. 1900 *ff*.

2. untätig, arbeitslos sein. 1920 *ff*.

'**rumsprechen** *v* es hat sich rumgesprochen = es ist allgemein bekannt geworden. ↗rumsein 2. 1900 *ff*.

'**Rumsteh-'Anstand** *m* Stehen vor Beginn eines Festessens. 1950 *ff*.

'**Rumsteherle** *n* einstaubendes Erinnerungsstück. 1900 *ff*.

'**rumstinken** *intr* **1.** durch Verbreitung üblen Geruchs auffallen. 1900 *ff*.

2. beim Hantieren anderen im Wege stehen. 1900 *ff*.

3. üble Nachrede führen (deren Opfer steht dann „in üblem Geruch"). 1910 *ff*.

'**rumstochern** *intr* an jm ~ = jn schikanös, übermäßig streng behandeln; ständig an jm herumkritteln. Stochern = schüren, stoßen. 1900 *ff*.

'**rumstreben** *intr* gegenüber allen Vorgesetzten würdelos unterwürfig sein, um befördert zu werden und Mitbewerber auszuschalten. ↗Streber. 1933 *ff*.

'**rumstreichen** *intr* **1.** ziellos durch die Straßen wandern. Von den Vögeln übernommen. *Vgl* auch „Landstreicher, Stadtstreicher". 1800 *ff*.

2. nach günstiger Gelegenheit für einen Einbruch o. ä. Ausschau halten. 1900 *ff*.

3. Straßenprostituierte sein. 1900 *ff*.

'**rumstrolchen** *intr* sich umhertreiben. Gehört zu *südwestd* „strolen = vagabundieren". Seit dem 19. Jh.

'**Rumsucht** *f* Alkoholismus. Wortspielerei mit „Ruhmsucht". *Vgl* das Folgende. Seit dem 19. Jh.

'**rumsüchtig** *adj* auf Rum (Zuckerrohrschnaps = Alkohol) versessen; trunksüchtig. Seit dem 19. Jh.

'**rumtanzen** *intr* **1.** auf jm ~ = jn veralbern; mit jm seinen Spott treiben; an jm seine Laune auslassen. Verkürzt aus „jm auf der ↗Nase rumtanzen". 1900 *ff*.

2. um etw ~ = in einer Sache ausweichen; sich dem Geständnis zu entwinden suchen. 1920 *ff*.

'**Rumtata** *n* Nachahmung des Walzertakts. Seit dem 19. Jh.

'**rumteufeln** *intr* schimpfend umhergehen; mit Schimpfen zur Arbeit anhalten. ↗teufeln. Seit dem 19. Jh.

'**rumtigern** *intr* ruhelos im Zimmer auf- und abgehen. Wie der Tiger im Käfig. ↗tigern. 1900 *ff*.

2. sich umhertreiben. 1900 *ff*.

'**rumtingeln** *intr* mal hier, mal dort auf Kleinkunstbühnen auftreten. 1900 *ff*.

'**rumtrampeln** *intr* auf jm ~ = an jm etw (vieles) auszusetzen haben; jn heftig rügen. ↗trampeln. Seit dem 19. Jh.

'**rumtreiben** *refl* müßiggehen. Seit dem 19. Jh.

'**Rumtreiber** *m* Müßiggänger, Herumtreiber. 1800 *ff*.

'**Rumtreibe'rei** *f* **1.** Müßiggang; Lebensweise ohne festen Wohnsitz. Seit dem 19. Jh.

2. unerlaubtes Sichentfernen von der Truppe. 1939 *ff*.

'**Rumtreiberfri'sur** *f* Glatze. Angeblich fallen durch ausschweifende Lebensweise die Haare. Seit dem 19. Jh.

'**Rumtreiberin** *f* Müßiggängerin; Frau mit anrüchigem Lebenswandel. Seit dem 19. Jh.

'**rumtrielen** *intr* **1.** sich lärmend herumtreiben. ↗trielen. 1900 *ff*.

2. zögern. 1900 *ff*.

'**rumtrommeln** *intr* auf jm ~ = jn ständig ausschimpfen. 1900 *ff*.

'**rumtun** *intr* mit jm ~ = sich mit jm abgeben. *Bayr* und *österr* seit dem 19. Jh.

'**rumturnen** *intr* **1.** klettern. ↗turnen. 1900 *ff*.

2. sich ziellos herumtreiben. Berlin 1900 *ff*.

3. häufig koitieren; wahllos koitieren. 1900 *ff*.

'**rumwepsen** *intr* vielerlei gleichzeitig, aber ohne Nachdruck betreiben; sich verzetteln. Die „Wepse" (Wespe) fliegt ruhelos von einer Stelle zur anderen. 1950 *ff*, *bayr*.

'**rumwerkeln** *intr* sich lebhaft bewegen; rumoren. ↗werkeln. *Bayr* 1900 *ff*.

'**rumwieseln** *intr* flink hin- und herlaufen. ↗Wiesel. 1900 *ff*.

'rumwimmeln *intr* sich aufhalten; sich umhertreiben. Seit dem 19. Jh.

'rumwohnen *intr* mal hier, mal dort wohnen. 1870 *ff.*

'rumwürgen *intr* an etw ~ = an etw unzweckmäßig arbeiten; sich vergeblich bemühen. Übertragen von einem Bissen, an dem man zu würgen hat. 1800 *ff.*

'rumwuseln *intr* **1.** (aufgeregt) umherlaufen; jm im Weg stehen. ↗ wuseln. 1920 *ff.*
2. keine feste Beschäftigung haben; Gelegenheitsarbeiten ausführen. 1920 *ff.*

'rumzackern *intr* mit jm ~ = sich mit jm abmühen. Zackern = pflügen. *Südwestd* 1900 *ff.*

'rumzigeunern *intr* **1.** überall und nirgendwo zu Hause sein; ziellos gehen, fahren; die Arbeitsstelle oft wechseln. ↗ zigeunern. Seit dem 19. Jh.
2. die Sportmannschaft mehrmals wechseln. *Sportl* 1950 *ff.*

rund *adj* **1.** tüchtig; in allem gut. Herzuleiten von der Kugel oder dem Kreis als Sinnbildformen des Vollkommenen. Seit dem 19. Jh.
2. es geht ~ = es herrscht große Betriebsamkeit; es wird streng gedrillt; ein schweres Gefecht ist im Gange; es findet eine erregte Auseinandersetzung statt; es ist viel zu arbeiten; es wird keine Rücksicht genommen. Hergenommen vom rundlaufenden Karussell, vom Rundlaufen um den Kasernenhof usw. 1900 *ff*, vorwiegend *sold*.
3. ich mache dich gleich ~!: Drohrede. Schikaneandrohung des Ausbilders: er will den Betreffenden so lange rundum „schleifen", bis sich die Kugelform ergibt. 1965 *ff.*
4. ~ sein = betrunken sein. Hängt wohl zusammen mit „runde ↗ Füße haben" oder mit dem Gefühl des Bezechten, daß sich alles dreht. *BSD* 1965 *ff.*
5. mein Geld ist genau so ~ wie das anderer Leute = mein Geld ist genau soviel wert wie das der bevorzugten Kunden. 1900 *ff.*
6. das ist mir zu ~ = das begreife ich nicht; das ist mir zu arg. Das Gemeinte ist zu glatt, als daß man es (be-)greifen könnte. Seit dem 19. Jh.
7. das ist zu ~ für meinen eckigen (kantigen) Kopf = das ist mir unbegreiflich. 1920 *ff.*

Rundbügelfalte *f* Hose mit mexikanischer ~ = Hose ohne Bügelfalte. In scherzhafter Auffassung eine quer zum Bein „gebügelte" Hose, also eine Hose mit lauter Querfalten. Steht im Zusammenhang mit den Olympischen Spielen in Mexiko 1968. *BSD* 1969 *ff.*

Runde *f* **1.** etw über die ~ bringen = etw unter Mühen meistern. Hergenommen von der Runde im Sechstagerennen, im Box- oder Ringkampf, auch im Kartenspiel o. ä. 1920 *ff.*
2. jn über die ~n bringen = jm bei der Erreichung eines Ziels behilflich sein; jm Nachhilfeunterricht erteilen. 1920 *ff.*
3. sich über die ~n bringen = ein Ziel mühsam erreichen; knappe Zeiten zu überstehen haben; Monat für Monat mit dem Wirtschaftsgeld auszukommen suchen. 1920 *ff.*
4. eine ~ für sich buchen = einen Vorteil davontragen. Aus dem Sport übernommen. 1920 *ff.*

5. eine ~ drehen = a) eine Runde fahren. Hergenommen vom Rad- oder Automobilrennen. 1920 *ff.* – b) rundfliegen. 1930 *ff.* – c) von Lokal zu Lokal gehen. 1930 *ff.*
6. noch eine ~ drehen = in der Schule nicht versetzt werden. *Schül* 1950 *ff.*
7. seine ~n drehen = a) im Kreis durch den Tanzsaal tanzen. 1920 *ff.* - b) im Gefängnishof im Kreis gehen. 1920 *ff.*
8. eine ~ um den Kasernenhof drehen = rund um den Kasernenhof laufen. 1935 *ff*, *sold.*
9. die nächste ~ drehen = nicht in die nächsthöhere Klasse versetzt werden. *Schül* 1950 *ff.*
10. eine ~ um den Block drehen = einmal um den Häuserblock gehen. 1920 *ff.*
11. eine ~ durch die Gemeinde drehen = mehrere Wirtshäuser besuchen. 1920 *ff.*
12. die nächste ~ einläuten = die nächste Verhandlungsphase beginnen. Vom Sechstagerennen oder vom Boxsport übernommen. 1950 *ff.*
13. in die nächste (letzte o. ä.) ~ gehen (eintreten) = in weitere Verhandlungen eintreten. 1950 *ff.*
14. eine ~ mehr schlecht als recht durchstehen = eine Sache mehr schlecht als recht durchstehen. Hangeln = sich im Hang fortbewegen (Turnerausdruck). 1960 *ff.*
15. jm über die ~ helfen = jds Lebensweg zu erleichtern suchen; jm geldlich helfen. 1920 *ff.*
16. sich über die ~n helfen = mit dem Monatsgeld auszukommen suchen; seine Lebensjahre durchstehen. 1920 *ff.*
17. über die ~n kommen = der Schwierigkeiten Herr werden; durchhalten. 1920 *ff.*
18. mit etw über die ~n kommen = mit einer Geldsumme auskommen; sein Auslangen haben. 1920 *ff.*
19. ~n kurbeln (runterkurbeln) = Rennrunden fahren. ↗ kurbeln. 1920 *ff.*
20. sich über die ~ quälen = ein Programm mühsam durchstehen. 1950 *ff.*
21. eine ~ schlafen = eine Weile schlafen. Hier ist wohl die Runde des Uhrzeigers auf dem Zifferblatt gemeint. 1930 *ff.*
22. eine ~ schmeißen = die Zechgenossen freihalten. Die Runde ist die Tischgesellschaft (Tafelrunde), dann auch das im Kreis umhergereichte Trinkgefäß und schließlich das für jeden Gast am Tisch bestimmte Trinkgefäß. „Schmeißen = werfen" bezieht sich auf das auf den Tisch geworfene Geldstück, das zur Bezahlung der Bestellung dient. 1900 *ff.*

runderneuert werden an vielen Körperteilen ärztlich behandelt werden; sich einer gründlichen Kur unterziehen. Übertragen von der Erneuerung der Autoreifen. 1955 *ff.*

Rundes *n* sie hat nichts ~ als ihren Hintern = sie ist sonst gut aus, hat aber kein Vermögen. Rundes = Geldstück. 1920 *ff.*

Rundfunk *m* regelwidrige Verständigung der Spielpartner untereinander. Kartenspielerspr. 1925 *ff.*

Rundfunksuppe *f* Hülsenfrüchtesuppe. Am Schluß einer Sendung teilt der Sprecher mit, der Sender werde sich nach kurzer Pause wieder melden; ähnlich melden sich die Hülsenfrüchte nach einer Weile in Form von Blähungen wieder. *Vgl* ↗ Radiosuppe. 1930 *ff.*

Rundgänger *m* Klassenwiederholer. Er

kehrt zum Ausgangspunkt zurück wie einer, der an einem Besichtigungsgang teilgenommen hat. *Schül* 1960 *ff.*

Rundgebügelte *f* schlecht gebügelte lange Hose. Bundeswehrsoldaten erklären, es sei fast unmöglich, in sie eine Bügelfalte einzubügeln. *Vgl* ↗ Rundbügelfalte. *BSD* 1969 *ff.*

rundheraus *adv* ohne Umschweife. Soviel wie „geradenwegs". 1600 *ff.*

rundherum (rundum) *adv* **1.** völlig; in jeder Hinsicht (man ist rundherum satt; man fühlt sich rundherum belogen). Seit dem 19. Jh.
2. überall am Körper. 1900 *ff.*
3. bei ihr stimmt alles ~ = sie ist von untadeliger Gestalt. 1920 *ff.*

rundkommen *intr* **1.** mit der Arbeit ~ = die Arbeit bewältigen. ↗ Runde 17; ↗ Runde 18. 1920 *ff.*
2. mit dem Geld ~ = sein Auskommen haben. 1920 *ff.*

Rundlauf *m* **1.** Häftlingsweg im Gefängnishof. ↗ Runde 7 b. 1920 *ff.*
2. Schulhof. *Schül* 1950 *ff.*

Rundschau *f* Deutsche (deutsche) ~ = vorsichtiges Spähen nach allen Seiten, ehe man eine regimefeindliche Äußerung wagt. Dem Namen der von Julius Rodenberg (Julius Levy aus Rodenberg/Dillkreis; 1831–1914) 1874 begründeten Zeitschrift in der NS-Zeit unterlegte neue Bedeutung.

Rundschlag *m* **1.** gierige Eßweise. ↗ Schlag 1. *Sold* 1960 *ff.*
2. Verteidigung gegen viele Angreifer. Man schlägt mit dem Stock im Kreis um sich, damit von keiner Seite ein Angreifer vordringen kann. 1965 *ff.*

Rundschnitt *m* keinen Arsch in der Hose, aber ~!: Redewendung auf einen eitlen Kameraden, auf einen vorlauten Rekruten o. ä. „Kein Arsch in der Hose" spielt auf ein kaum entwickeltes Gesäß an; „Rundschnitt" meint die Frisur. *BSD* 1965 *ff.*

rundsprechen *v* es hat sich rundgesprochen = es hat sich gerüchtweise verbreitet. 1920/30 *ff.*

Rundstück *n* **1.** Brotschnitte; Brötchen. *Nordd* seit dem 19. Jh.
2. ~ mit Fleischeinlage = Frikadelle mit viel Weißbrotbeimischung. *Nordd* 1900 *ff.*

rundum *adv* **1.** in jeder Hinsicht; völlig. ↗ rundherum. Seit dem 19. Jh.
2. ~ gesagt = im allgemeinen; im großen und ganzen. 1930 *ff.*

Rund-um-die-Uhr-Kleid *n* Kleid, das zu jeder Tageszeit passend ist. ↗ Uhr. Werbetexterspr. 1970 *ff.*

Rundumschlag *m* heftige Kritik an allem und jedem. ↗ Rundschlag 2. 1965 *ff.*

rundweg *adv* völlig; radikal. Etwa soviel wie „geradenwegs; ohne Umschweife". Seit dem 19. Jh.

rungenieren *tr* etw verderben. Entstellt aus „ruinieren". Seit dem 19. Jh.

Runkelrübe *f* (unförmiger) Kopf; Wasserkopf. ↗ Rübe 1. 1924 *ff*, *sold.*

Runks *m* **1.** grober, roher Mann; ungeschlachter Flegel. Geht zurück auf *lat* „truncus = Baumstamm, Klotz"; von der Unförmigkeit übertragen auf die Unförmigkeit des Benehmens. 1700 *ff.*
2. großes, dickes Brotstück. Seit dem 16. Jh, anfangs im Schülerlatein.
3. regelwidrig spielender Fußballspieler. 1925 *ff.*

runksen *intr* **1.** sich ungesittet setzen; sich faul dehnen und strecken; sich grob benehmen. ↗Runks 1. 1700 *ff.*
2. angestrengt arbeiten. Ursprünglich auf grobe Arbeit bezogen. 1900 *ff.*
3. regelwidrig, grob Fußball spielen. *Vgl* ↗Runks 3. 1925 *ff.*
4. koitieren. 1900 *ff.*
5. nach dem Aufwachen noch kurze Zeit im Bett liegenbleiben und vor sich hinträumen. Berlin 1950 (?) *ff.*

runterbeten *tr* etw ausdruckslos hersagen. Von der eintönigen lauten Verrichtung von Gebeten übertragen. 1900 *ff.*

runterdreschen *tr intr* laut musizieren. Es ist ein Lärm wie von Dreschflegeln. 1920 *ff.*

runterfallen *intr* nicht in die nächsthöhere Klasse aufrücken. Gegenwort „steigen". 1920 *ff.*

runterfetzen *tr* **1.** etw herunterreißen. ↗fetzen. 1900 *ff.*
2. etw schwungvoll vortragen ↗fetzen 8. *Jug* 1960 *ff.*

runterfliegen *intr* **1.** hinunterfallen. ↗fliegen. 1900 *ff.*
2. mit dem Flugzeug abgeschossen werden. *Sold* in beiden Weltkriegen.
3. von der Schule verwiesen werden. 1900 *ff.*

runtergammeln *intr* **1.** als Gammler südwärts reisen. ↗gammeln. 1960 *ff, halbw.*
2. seine Monate ~ = in den Monaten der Militärdienstzeit nutzlos beschäftigt werden. *BSD* 1960 *ff.*

runtergehen *intr* **1.** die Geschwindigkeit verlangsamen. Die Tachometernadel geht auf niedrigere Kilometerzahlen herunter. 1930 *ff.*
2. es geht ihm runter = er begreift es leicht; er kann es sich geistig aneignen. Übertragen von der leichtverdaulichen Speise. 1900.
3. von der Freundin nicht ~ = von der intimen Freundin nicht ablassen. 1950 *ff, halbw.*

runtergurgeln *tr* etw trinken. Man schickt es durch die Gurgel abwärts. 1910 *ff.*

runterhaspeln *tr* etw ausdruckslos, schnell hersagen. ↗abhaspeln. Seit dem 19. Jh.

runterhauen *v* **1.** *intr* = mit dem Flugzeug abstürzen. Man schlägt heftig auf dem Erdboden auf. Fliegerspr. 1939 *ff.*
2. jm eine ~ = jn ohrfeigen. Man hebt die Hand hoch und schlägt zu. Seit dem 19. Jh.
3. etw ~ = etw ohne Unterbrechung (flüssig, hastig) schreiben. ↗hauen 2. 1900 *ff.*
4. sich einen ~ = onanieren. 1900 *ff.*

runterhungern *v* sich auf eine (Kleider-)Größe ~ = sich einer Schlankheitskur unterziehen. 1960 *ff.*

runterjodeln *tr* **1.** einen ~ = ein Glas Alkohol zu sich nehmen. Man tut es mit einem Freudenjauchzer. 1920 *ff.*
2. sich einen ~ = onanieren. 1950 *ff.*

runterkanzeln *tr* jn ausschimpfen. ↗abkanzeln. Seit dem 19. Jh.

runterkapiteln *tr* jn scharf rügen. ↗abkapiteln. 1900 *ff.*

runterkegeln *intr* die Treppe abwärtsfallen. Kegeln = kollern, rollen. 1870 *ff.*

runterklappern *tr* ein Musikstück ausdruckslos vortragen. „Klappern, kleppern, klimpern" bezeichnen (lautmalend) geräuschbildenden, jedoch wenig musikali-

schen Umgang mit Musikinstrumenten; „runter = herunter" meint das Ablesen des eigenen Instrumentalsatzes aus der Partitur. *Vgl* ↗runterleiern. 1920 *ff.*

runterklopfen (-kloppen) *tr* **1.** etw gierig essen. Klopfen = (ein)hauen = kräftig zulangen. *BSD* 1965 *ff.*
2. Briefe, Tabellen o. ä. in die Maschine schreiben. 1920 *ff.*
3. zwei Jahre ~ = zwei Jahre Wehrdienst ableisten. Bezieht sich wohl auf „↗Griffe kloppen" oder auf den Marschtritt. *Sold* 1935 *ff.*

runterkommen *intr* **1.** gesundheitlich, gesellschaftlich, wirtschaftlich oder moralisch absinken. In volkstümlicher Auffassung stellt sich die Abwärtsentwicklung stets rückläufig (wie ein Herunterkommen von einer Treppe) dar. Seit dem 19. Jh.
2. die Überheblichkeit ablegen. Verkürzt aus „vom Pferd runtersteigen". 1920 *ff.*

runterleiern *tr* etw eintönig, ausdruckslos, ohne innere Beteiligung hersagen. ↗leiern. 18. Jh.

runterlumpen *tr* ein Kleidungsstück abnutzen. Man geht mit ihm so unsorgfältig um, daß es schließlich nur mehr zum Putzlumpen taugt. 1900 *ff.*

runtermachen *v* **1.** *intr* = treppab gehen; stromabwärts fahren; abwärts wandern; südwärts reisen. Seit dem 19. Jh.
2. *tr* = eine Freiheitsstrafe ohne Besserungsvorsatz verbüßen. ↗abmachen 3. 1900 *ff.*
3. *tr* = jn heftig ausschimpfen; jn entwürdigend rügen; jds Verdienste schmälern. Soviel wie „herabsetzen" und „↗runterreißen". 1600 *ff.*

runtermampfen *tr* etw ohne Appetit verzehren. ↗mampfen. 1920 *ff.*

runternudeln *tr* **1.** etw ausdruckslos hersagen. ↗nudeln. 1900 *ff.*
2. Filmaufnahmen machen. Nudeln werden industriell in Form eines langlaufenden Bandes hergestellt, geschnitten und gedreht. 1920 *ff.*

runterpreisen *tr* eine Ware mit großem Preisnachlaß anbieten. Üblich anläßlich der Schlußverkäufe sowie der Ausverkäufe. 1965 *ff.*

runterputzen *tr* **1.** jn scharf rügen, ausschimpfen. Tadeln erscheint auch hier unter dem Bilde eines Reinigens und ist in *trad* volkstümlicher Vorstellung auch mit dem Prügeln identisch. „Runter" kann auf die Bewegung des erhobenen Prügelstocks anspielen, auch auf die moralische Erniedrigung. Seit dem 19. Jh.
2. etw verzehren. ↗wegputzen. 1910 *ff.*

runterrappeln *tr* etw ausdruckslos hersagen oder herspielen. *Vgl* ↗runterklappern. 1920 *ff.*

runterrasseln *v* **1.** *intr* = abstürzen (mit dem Flugzeug, im Gebirge, vom Hochseil o. ä.). Mit rasselndem Geräusch geht man nieder. 1900 *ff.*
2. etw ~ = ein Musikstück ausdruckslos vortragen. ↗runterklappern. 1870 *ff.*
3. etw ~ = etw fehlerlos hersagen ohne Betonung und ohne Empfindung; etw hastig diktieren. 1870 *ff.*

runterreißen *tr* **1.** jn heftig kritisieren, schmähen, ausschimpfen. Gröbere und sinnfälligere Variante zu „herabsetzen": man reißt die Statue vom Piedestal, den Lorbeer von der Stirn, die Maske vom Gesicht. *Vgl* auch ↗verreißen. Ursprüng-

lich auf die Kunstkritik bezogen. Seit dem 18. Jh.
2. ein Ding ~ = ein Musikstück mehr schlecht als recht vortragen. 1900 *ff.*
3. 400 Kilometer ~ = 400 Kilometer fahren. Zu „runterreißen" *Vgl* ↗„abreißen 6 und 7". 1950 *ff.*
4. eine Strecke ~ = eine Strecke durcheilen, eiligst durchfahren. *Vgl* das Vorhergehende. 1950 *ff*, kraftfahrerspr.
5. seinen Unterricht ~ = seiner Unterrichtspflicht (ohne innere Beteiligung, ohne Überzeugung) nachkommen. 1950 *ff.*
6. eine Zeit ~ = eine Zeit verbringen (Wehrdienst, Freiheitsstrafe o. ä.). ↗abreißen 6. Spätestens seit 1900.
7. sich einen ~ = onanieren. *Österr* „si an obireiß". 1900 *ff.*
8. jm eine ~ = jn ohrfeigen. ↗runterhauen 2. Seit dem 19. Jh.

runterrotzen *tr* etw unordentlich, nachlässig niederschreiben. 1920 *ff.*

runterschalten *intr* langsamer, weniger arbeiten. Von der Schalttechnik übernommen. 1950 *ff.*

runterschlafen *v* 10 Stunden ~ = 10 Stunden lang schlafen. Im Sinne von „↗runterreißen 6" ist soviel gemeint wie „das vorgeschriebene Schlafpensum absolvieren". *Sold* 1939 *ff.*

runterschnattern *tr* etw ausdruckslos vortragen. Gänse und Enten schnattern unartikuliert. 1900 *ff.*

runterschnoddern *tr* etw seelenlos hersagen. Schnodder = Nasenschleim; schnodderig = unehrerbietig; unfein. 1950 *ff.*

runterschrauben *tr* Erwartungen (Ansprüche o. ä.) ~ = seine Erwartungen verringern; bescheidener werden; etw niedriger ansetzen. Wohl hergenommen vom Herunterschrauben des Lampendochts. 1920 *ff.*

runterschwimmen *intr* geschäftlichen Rückgang erleiden; Bankrott machen. Wohl übertragen vom Bild der flußabwärts davonschwimmenden Felle (↗Fell 36). 1920 *ff.*

runtersegeln *intr* hinabfallen. ↗runterfliegen. 1930 *ff.*

runtersein *intr* sehr ~ = abgearbeitet, matt, nicht mehr widerstandsfähig sein. Gegenausdruck „obenauf sein". Abwärtsbewegung = Kräfteverfall. Seit dem 18. Jh.

runtersetzen *refl* setz' dich einen runter!: Ausdruck des Tadels. Hergenommen von der Sitzordnung in der Schule. ↗raufrücken. 1900 *ff.*

runterspielen *tr* etw als unwichtig, unzweckmäßig darstellen; etw verharmlosen, abschwächen. Gegensatz „↗hochspielen". 1950 *ff.*

runtersprechen *v* ein Flugzeug ~ = einem Flugzeug geringere Flughöhe befehlen; einem Flugzeug Landeerlaubnis erteilen. Übernommen vom Funksprechverkehr zwischen Flugleitung (am Boden) und Flugzeugführer (in der Luft). 1950 *ff.*

runterspulen *tr* etw hersagen. Analog zu ↗runterhaspeln. 1920 *ff.*

runterspülen *tr* einen ~ = ein Glas Alkohol zu sich nehmen. Seit dem 19. Jh.

runterstopfen *tr* soviel essen, wie man kann. Berührt sich mit „mästen". 1870 *ff.*

runterstreichen *v* sich einen ~ = onanieren. 1920 *ff.*

runterstürzen *tr* etw hastig trinken, essen;

sich beim Essen keine Zeit gönnen. Seit dem 19. Jh.

runterwischen *v* 1. *intr* = geschmeidig, leicht abwärtsgleiten. Meist von Skiläufern o. ä. gesagt. Wischen = leicht streifen. 1920 *ff, bayr.*
2. jm eine ~ = jn ohrfeigen. ↗wischen 1. Seit dem 19. Jh.

runterwürgen *tr* 1. einen Tadel widerspruchslos hinnehmen. Würgend schluckt man ihn hinab wie einen unschmackhaften Bissen. 1840 *ff.*
2. den Preis ~ = einen niedrigeren Preis erzwingen. 1960 *ff.*

runterziehen *v* jm eine ~ = jm eine Ohrfeige geben. Anspielung auf die zum Schlag erhobene Hand. *Bayr* 1900 *ff.*

Runzel *f* jm die ~n ausbügeln = jn heftig ins Gesicht schlagen. Durch den heftigen Schlag schwellen die Wangen, und die Gesichtszüge straffen sich. 1900 *ff.*

Runzelkarte *f* Seniorenpaß der Deutschen Bundesbahn. 1980 *ff.*

Runzelkopf (-kopp) *m* Pessimist, Nörgler. Zu allem legt er die Stirn in Unmutsfalten. 1910 *ff.*

Rüpel (Rüppel) *m* grober, ungesitteter Mann. Eigentlich die *oberd* Koseform des Vornamens Ruprecht. Der Knecht Ruprecht ist die übliche Begleitgestalt des Kinderbischofs Nikolaus; während Nikolaus ganz Würde ist, gibt sich Ruprecht volkstümlich-rauh und derb; er streicht die Kinder mit der Rute (und tut es gern heftig) und jagt ihnen Angst ein. Seit dem 16. Jh.

rüpeln *intr* sich grob benehmen oder äußern; unflätig reden. Ursprünglich transitiv im Sinne von „jn einen ↗Rüpel schelten". 1950 *ff.*

rupfen *tr* 1. jm Geld abnötigen; jm hohe Steuern abverlangen; jm überhöhte Preise fordern; jn zum Freihalten nötigen; jn erpressen. Hergenommen vom Federrupfen. „Die Federn rupfen" bedeutet schon früh „berauben". 1500 *ff.*
2. jn ~ (jm eine ~) = jn ohrfeigen, prügeln. Eigentlich soviel wie „zerren, zausen". 1900 *ff.*
3. jn überlegen besiegen. Die Niederlage (ob militärisch oder sportlich) ist in volkstümlicher Auffassung identisch mit Verprügelung. *Sportl* 1950 *ff.*

Rüppel *m* ↗Rüpel.

ruppen *intr* hart, regelwidrig spielen. Übernommen aus *engl* „to rub", aber überlagert von „↗ruppig". *Sportl* 1950 *ff.*

Rupper *m* harter, unfairer Spieler. *Sportl* 1950 *ff.*

ruppig *adj* grob, schroff, barsch (ruppiger Kerl = grober Mann; ruppiges Wetter = unfreundliches Wetter). Leitet sich her vom Aussehen eines gerupften Vogels. Der Gerupfte sieht zerlumpt aus und gilt als ärmlich wie auch als ungesittet. 1700 *ff.*

Ruppigkeit *f* Grobheit, Unhöflichkeit; barsches Benehmen; Regelwidrigkeit eines Fußballspielers. *Vgl* das Vorhergehende sowie „↗ruppen". Seit dem 19. Jh.

Rupps (Rups) *m* 1. in (mit) einem ~ = hastig; ohne abzusetzen (auf das Leeren eines Glases bezogen). „Rups" (aus „rupfen") meint die schnell zugreifende, hastig an sich reißende Bewegung. 1700 *ff.*
2. mit ~ und Stupps = völlig; ohne Rest. „Stups" ist der „Stoß". 1700 *ff.*

rupps *interj adv* schnell, hastig. *Vgl* das Vorhergehende. 1700 *ff.*

Ruppsack *m* barscher, ungezogener Bursche. Zusammengesetzt aus „ruppig" und „Sack" im Sinne von Leib, Körper und Mensch. Nördlich der Mainlinie, etwa seit 1800.

Ruschelkopf *m* 1. Mann mit oberflächlicher, nachlässiger Arbeitsweise; hastiger Mensch. Seit dem 19. Jh.
2. un- oder durcheinandergekämmte Haare. Angelehnt an „Wuschelkopf". Seit dem 19. Jh.

ruscheln *intr* flüchtig arbeiten; übereilt handeln; Wirrwarr stiften. Ablautform zu „rauschen" im Sinne von „eilig wehen" (vom Wind gesagt) und von „in rauschendem Kleid einherschreiten", wohl verwandt mit „rasch". Seit dem 18. Jh.

ruschig *adj* hastig, unaufmerksam, unkonzentriert. *Mhd* „ruschen = eilig und mit Geräusch sich bewegen". *Bayr* 1900 *ff.*

ruschlig *adj* 1. hastig, übereilt, nachlässig, leichtfertig. ↗ruscheln. Seit dem 18. Jh.
2. wirr, ungekämmt. Seit dem 19. Jh.

rusen (ruseln) *intr* ↗russen.

Ruski *m* ↗Russki.

Ruß *m* mach keinen ~! = laß das Geschwätz! laß das Beschwatzen! Hergenommen vom rußenden Petroleumlampe. Ruß vergleicht sich mit dem Qualmen und Vernebeln, wohl auch mit dem „blauen ↗Dunst"; man will die Sinne trüben, um übertölpeln zu können. 1900 *ff.*

Russe *m* 1. ungestümer, ungeschlachter Mensch; Taugenichts. Hergenommen vom niedrigen Stand der Zivilisation im zaristischen Rußland. Man hielt die Russen für tölpelhafte Bauern. 1800 *ff.*
2. Rekrut; Soldat ohne Fronterfahrung. Der Rekrut gilt allgemein als unerfahren, plump und erziehungsbedürftig. *Sold* seit dem späten 19. Jh.
3. Laus; Ungeziefer. *Sold* 1914 *ff.*
4. geschroppter ~ (Ruß, g'schroppter) = Frontsoldat. „Geschroppt" gehört zu „Schrubber, Schrupper = Besen mit kurzen harten Borsten" und spielt auf die Unrasiertheit an. *Sold* 1914 *ff, bayr.*
5. einen ~n haben (einen Ruß im Gesicht haben) = betrunken sein. Gehört möglicherweise zu „rußig" und bezieht sich auf die Sitte, sich zur Fastnacht mit Ruß zu bestreichen; beruht durch die Vorstellung von der Trinkfestigkeit (Trunksucht) der Russen. (↗Russe 7). 1920 *ff.*
6. spitz (scharf o. ä.) wie tausend ~n = geil. 1900 *ff.*
7. voll wie hundert (tausend) ~n = volltrunken. *Sold* 1941 *ff; ziv* 1945 *ff.* Daß der Vieltrinker „säuft wie ein Russe", ist 1544 in der „Niederdeutschen Tischzucht" belegt.
8. jm einen ~n aufbinden = jn dreist belügen. In Leipzig kurz nach 1945 aufgekommene Variante zu „jm einen ↗Bären aufbinden"; der Bär ist das Sinnbildtier Rußlands.
9. fluchen wie zwanzig ~n = kräftig fluchen. Die Russen sollen besonders wüst fluchen können. 1945 *ff.*
10. saufen wie ein ~ = viel trinken. *Vgl* ↗Russe 7. 1500 *ff;* nach 1945 in Berlin wiederaufgelebt.

Rüssel *m* 1. große Nase, Mund. Hergenommen von der Bezeichnung für die Schnauze des Schweins. Seit *mhd* Zeit.
2. Kopf. 1920 *ff.*
3. Sauerstoffmaske. Sie verleiht dem Gesicht das Aussehen der Schweineschnauze. *Sold* 1935 *ff.*
4. ABC-Schutzmaske. *BSD* 1965 *ff.*
5. Penis. Formverwandt mit dem Elefantenrüssel. 1935 *ff.*
6. Note 6. Sie ähnelt dem zum Maul geführten Rüssel des Elefanten. 1950 *ff, schül.*
7. Rüge. Entstellt aus „↗Rüffel". 1940 *ff.*
8. den ~ hängenlassen = sich beleidigt fühlen; traurig sein. Analog zu ↗Nase 76. 1930 *ff.*
9. den ~ putzen = sich rasieren. Seit dem späten 19. Jh.
10. sich einen hinter den ~ schütten = ein Glas Alkohol zu sich nehmen. 1935 *ff.*
11. jm auf den ~ treten = jn kränken. Über „Rüssel 5" analog zu „jm auf den ↗Schwanz treten". 1935 *ff.*

rußen *v* es rußt bei ihm = er ärgert sich. Rußen = qualmen. Berührt sich mit „↗Qualm (in der Küche)". 1935 *ff.*

russen (rusen, ruseln, rüsseln) *intr* schlafen, schnarchen. *Gleichbed mhd* „ruzen", verwandt mit „rauschen". Vorwiegend *sold* und *bayr,* seit dem 19. Jh, bis heute.

Rußkater (Ruaßkoda) *m* schmutzverschmierter Mann. Zusammengewachsen aus „Ruß" und „↗Dachhase = Katze, Kater" sowie „= Schornsteinfeger". *Bayr* 1900 *ff.*

Russki (Ruski) *m* 1. der Russe. Von der russischen Selbstbezeichnung seit dem Ersten Weltkrieg übernommen.
2. Russisch als Unterrichtsfach. *Schül* 1950 *ff.*

Rüstung *f* Korsett. ↗Panzer 3. Seit dem 19. Jh.

Rute *f* 1. Penis. Übernommen von der jägersprachlichen Bezeichnung für Schwanz und Penis bei Schalenwild, Haarraubwild und Hund. Seit *mhd* Zeit.
2. sich eine ~ aufbinden (binden, ziehen) = eine schwere, unangenehme Last auf sich nehmen; Kummer selbstverschulden. Leitet sich her von der Rute als Züchtigungsmittel. Der Leibeigene, der sich den Unwillen seines Herrn zugezogen hatte, mußte die Rute binden, mit der der Herr ihn schlug. Seit dem 16. Jh.

Rütlischwur *m* 1. Elternbeirat. Seine Mitglieder betrachtet man als eine verschworene Gemeinschaft, ganz im Sinne von Schillers „Wilhelm Tell": „Wir wollen sein ein einig Volk von Brüdern." 1950 *ff.*
2. Einigkeitsbeteuerung der Koalitionspartner. 1970 *ff.*
3. den ~ üben = sich wechselseitig und immer von neuem herzhaft umarmen und drücken. 1950 *ff.*

Rutsch I *m* 1. Geburt. 1950 *ff.*
2. kurze Reisestrecke. Substantiv zu „rutschen = gleiten"; meint besonders das gemächliche Dahingleiten auf glatter Bahn (Schlittenfahrt); von da übertragen auf die Eisenbahnfahrt. Seit dem 19. Jh.
3. guten (glücklichen) ~! = gute Reise! 1820 *ff.*
4. guten ~ ins neue Jahr! = guten Übergang ins neue Jahr! Man gleitet mühelos hinüber wie auf einem Schlitten. 1900 *ff.*

5. in einem (auf einen) ~ = a) ohne Unterbrechung; ohne Rast; ohne Halt; zusammenhängend. 1900 *ff.* – b) ohne das Glas abzusetzen. 1900 *ff.*

6. das geht in einem ~ = das läßt sich gleichzeitig erledigen. 1920 *ff.*

7. einen ~ machen (sich auf den ~ machen) = eine kleinere Reise antreten. ↗ Rutsch I 2. Seit dem 19. Jh.

8. etw auf einen (etw in einem) ~ verkaufen = einen Warenposten geschlossen verkaufen. 1900 *ff.*

Rutsch II *f* **1.** Reise; Fahrt. 1800 *ff.*

2. mit der ~ fahren = mit der Eisenbahn, mit dem Auto o. ä. fahren. Mit der „Rutsch" ist wohl ursprünglich die „Rutschbahn" gemeint. 1870 *ff.*

3. auf ~ gehen = auf Reisen gehen. Seit dem 19. Jh.

Rutschbahn *f* **1.** Glatze in Scheitelrichtung. Die Phantasie macht aus ihr eine Schlittenbahn. *Schül* 1950 *ff.*

2. russische ~ = russische Landstraße (Rollbahn) ohne festen Steinuntergrund. *Sold* 1941 *ff.*

3. auf die ~ kommen = moralisch abgleiten. 1920 *ff.*

4. auf der ~ sein = moralisch oder wirtschaftlich absinken; sich dem Bankrott nähern. 1920 *ff.*

Rutsche *f* **1.** kleiner hölzerner Einsitzerschlitten. Seit dem 19. Jh.

2. kleine Fußbank. Berlin, seit dem 19. Jh.

3. altes Auto. Analog zu ↗ Schlitten 1. 1930 *ff.*

4. Schlitter-, Rodelbahn. 1900 *ff.*

5. gemeinschaftliche Verprügelung. Die

Prügel gleiten auf den Betreffenden nieder, und meistens geht das flink vonstatten. 1900 *ff.*

6. liederliche Frau. Analog zu ↗ Schlitten 7. 1800 *ff.*

7. auf die ~ geraten = straffällig werden; moralisch abgleiten. Beruht auf dem Bild von der schiefen Bahn. 1920 *ff.*

8. auf jn eine ~ haben = Zuneigung zu jm haben. Rutschen = geneigt sein. *Österr* 1900 *ff.*

rutschen *v* **1.** das rutscht noch = das geht noch in den Magen; das gelingt noch. Die Speise wird die Speiseröhre hinabgleiten können. Seit dem 19. Jh.

2. *intr* = eine kurze, rasche Reise unternehmen. *Vgl* ↗ Rutsch I 2. Seit dem 17. Jh.

3. *intr* = im Schlitten, in der Eisenbahn, im Auto fahren. Seit dem 19. Jh.

4. *intr* = versetzt werden. *Schül* 1900 *ff.*

5. durch eine Prüfung ~ = eine Prüfung unter Mühen bestehen. 1870 *ff.*

6. bei jm ~ = jds Zuneigung (Gefallen) finden. Man findet reibungslos Eingang. *Vgl* ↗ Rutsche 8. 1920 *ff.*

7. bei jm (über jn) ~ = koitieren. 1900 *ff.*

8. ins ~ kommen = mehrere schlechte Noten bekommen; im Examen scheitern; versagen. Man gerät auf die schiefe Bahn und gleitet unaufhaltsam abwärts. 1870 *ff, schül* und *stud.*

9. etw ~ lassen = etw versäumen; Eintrittskarten verfallen lassen. 1900 *ff.*

10. jn ~ lassen = a) einem Bedürftigen nicht helfen. 1910 *ff.* – b) jn verraten, durch die Aussage belasten. 1910 *ff.* – c)

(als weibliche Person) in den Geschlechtsverkehr einwilligen. 1900 *ff.*

Rutscher *m* **1.** Schlitten. Seit dem 19. Jh.

2. kleiner Ausflug; Landpartie. *Oberd* seit dem 19. Jh.

3. Kübelwagen; Jeep. ↗ Schlitten. *Sold* 1939 *ff.*

4. Geschlechtsakt. ↗ rutschen 7. 1900 *ff.*

5. flotter ~ = schnittiger Sportwagen. ↗ Schlitten. 1950 *ff.*

6. einen ~ machen = ausschweifend leben. 1900 *ff.*

Rutschparkett *n* spiegelglatter Parkettfußboden. 1920 *ff.*

Rutschpartie *f* **1.** Ausgleiten; Sturz zu Boden bei Glätte; Hinabgleiten an einem Abhang im Winter. Nach den Angaben in der bisher unveröffentlichten Sammlung Kollatz-Adam ist der Ausdruck gegen Ende der zwanziger Jahre des 19. Jhs in Berlin volkstümlich geworden, und zwar im Zusammenhang mit „Rutschbergen" *(franz* „montagnes russes"), künstlichen Eisbergen, auf denen man in kleinen, niedrigen Schlitten oder Wagen pfeilschnell hinabfuhr. Ähnliche „Rutschpartien" gab es in Paris, Dresden und andernorts.

2. kleiner Ausflug; Vergnügungsfahrt. 1840 *ff.*

3. Autofahrt auf Straßen mit Schneematsch und Glätte. 1920 *ff.*

4. Geschlechtsverkehr. ↗ Rutscher 4. 1900 *ff.*

S

S 1. die drei S = a) Sensationslust, Sentimentalität, Sexualität. Sie gelten als Kennzeichen des durchschnittlichen Publikumsgeschmacks, etwa seit 1955. – b) sauber, sicher, sparsam. Losungswort der Automobilindustrie. 1975 ff. – c) Sonne, Strand, Sex (Südseetourismus). 1980 ff. – d) schenken, schweigen, schlucken. Schwiegermütterliche Lebensweisheit. 1979 ff.
2. das große ~ = Syphilis. 1900 ff.
S.d.H.-Kur f Ernüchterungskur. „S.d.H." ist Abkürzung von „sauf die Hälfte" nach dem Muster von „↗f.d.H.". 1955 ff.
S.F.G. prüdes, abweisendes Mädchen. Abkürzung von „schwer fickbarer Gegenstand". Vgl „↗l.f.G.". Sold 1935 ff.
S.M. 1. der Kaiser. Amtliche Abkürzung von „Seine Majestät". 1888 ff.
2. Schwiegermutter. Hieraus scherzhaft abgekürzt. 1930 ff.
S.MG. sprödes, abweisendes Mädchen. Deutung der militäramtlichen Abkürzung von „schweres Maschinengewehr" als „schwer mausbarer Gegenstand"; ↗mausbar. BSD 1965 ff.
S.O.S. 1. nach hinten durchgebogene und zugleich nach außen gewölbte Beine. Der Seenotruf „S.O.S." wurde 1912 eingeführt. Hier gedeutet als „Säbel- und O-Stelzen". Sold 1914 ff.
2. Schimpfwort auf einen Dummen. Abgekürzt aus „Sie Ochse, Sie!"; ↗Ochs. 1914 ff.
3. auf diese oder jene Weise. Abgekürzt aus „so oder so". Seemannsspr. nach 1912.
4. Zuruf beim Zuprosten. Gemeint ist „sauf oder stirb" oder „Sause oder sauf ab". Seemannsspr. nach 1912.
5. frei herausgeredet! Abkürzung von „sag's ohne Schmus!". ↗Schmus. 1930 ff.
6. Ermunterungszuruf. Gemeint ist „sei ohne Sorge!". Sold 1939 ff.
7. Gutenachtwunsch. Abkürzung von „schlaf ohne Sirene!" Berlin 1940 ff.
8. Frage an einen, der auf dem Erdboden sucht. Gemeint ist (berlinisch) „suchste ooch Splitter?". Berlin 1940 ff.
9. weibliche Angehörige der Verkehrspolizei. Abkürzung von „Schutzmann ohne Säbel" (Säbel = Penis) oder „Schutzmann ohne Sack" (Sack = Hodensack). 1965 ff. Als Abkürzung von „Soldat ohne Sack" 1935 auf den weiblichen Arbeitsdienst, das weibliche Wehrmachtgefolge und auf den „Bund deutscher Mädel" bezogen. Vgl ndl „K.L.I. = Klootloze Infanterie".
S.O.S.-Bescherung f übliche Weihnachtsgeschenke für den Mann (wenn man in Verlegenheit ist). Abkürzung von „Schlips, Oberhemd, Socken". 1950 ff.
SS 1. rücksichtslos fahrender, prahlsüchtiger Besitzer eines Luxusautos. Abkürzung von ↗Stromlinienstrolch. 1950 ff.
2. Mann, der im Urlaub Liebesabenteuer sucht. Abkürzung von „Saison-Schmuser". 1958 ff.
3. sonnigen Sonntag (wünsche ich Ihnen)! Berlin 1960 ff.
s.v.K. begriffsstutzig. Abgekürzt aus „schwer von ↗Kapee". Schül 1950 ff.
s.z.w. Trinkspruch. Abkürzung von „sehr zum Wohle!". 1950 ff.
Saal m **1.** eigenes Zimmer. Halbw 1960 ff.

2. es findet im ~ statt (findet bei schlechtem Wetter im ~ statt): abwertende Voraussage erwarteter Ereignisse. Gegen 1927 aufgekommen im Zusammenhang mit den sogenannten Saalschlachten, den tätlichen Auseinandersetzungen in Versammlungslokalen zwischen Angehörigen entgegengesetzter Parteien.
3. den ~ werfen = die Zuhörer im Saal hochgradig begeistern. Werfen = schmeißen = meistern. 1955 ff.
Saale-Athen n Jena; Halle. Beide Städte liegen an der Sächsischen Saale. Abwandlung von „↗Spree-Athen = Berlin". Stud 1650 ff.
Saalstärke f durchdringende Kraft eines Lautes. Gebildet nach dem Muster „Zimmerlautstärke" für Rundfunkbenutzung nach 22 Uhr. 1930 ff.
Sabbat m **1.** Wochenende. Eigentlich der Ruhetag der jüdischen Woche (nach 2. Moses 20, 10/11), d. h. Freitag- bis Samstagabend. Halbw 1955 ff.
2. Entlassung aus dem Wehrdienst. Versteht sich nach dem Folgenden. BSD 1960 ff.
3. jetzt ist ~ = jetzt ist Schluß! jetzt hat die Geduld ein Ende! 1960 ff.
Sabbel m **1.** Speichel, Geifer. ↗sabbeln 1. 1700 ff, niederd.
2. Mund; Mund des Schwätzers. Seit dem 19. Jh.
3. den ~ halten = schweigen; verstummen; nichts verraten. Seit dem 19. Jh.
sabbelig adj begeifert; geiferig. ↗sabbeln 1. Niederd 1700 ff.
Sabbelkasten m Telefonapparat. 1910 ff.
Sabbelmaul n anmaßender Schwätzer ↗sabbeln 2. Seit dem 19. Jh.
sabbeln intr **1.** geifern. Ein niederd Wort, verwandt mit „↗sabbern", „↗seibern", auch mit „Saft". 1700 ff.
2. schwätzen; viel reden. 1700 ff.
Sabbelwasser n **1.** Schnaps. Er macht redselig. 1920 ff.
2. dünnes Getränk. 1920 ff.
Sabber m **1.** auslaufender Speichel. ↗sabbern 1. Vorwiegend niederd und ostmitteld, 1700 ff.
2. Tabakssaft in der Pfeife. 1900 ff.
Sabberbart m Vollbart. 1920 ff.
Sabberfritze m Schwätzer. ↗Fritze 1. 1840 ff, Berlin.
Sabberkopf m Schwätzer. 1900 ff.
Sabberlappen m **1.** Mundtuch bei Tisch (vor allem bei Kindern; gern in der Verkleinerungsform gebraucht). 1800 ff.
2. Jabot. 1890 ff.
Sabberlätzchen n den kleinen Kindern beim Essen vorgebundenes Mundtuch. 1800 ff.
Sabbermaul n Schwätzer. Vgl ↗Sabbelmaul. Seit dem 19. Jh.
sabbern intr **1.** den Speichel fließen lassen; geifern. Geht mit „Saft" zurück auf lat „sapere = schmecken". 1700 ff, niederd und mitteld.
2. schlürfend essen. 1900 ff.
3. schwätzen; viel reden. Seit dem 19. Jh.
4. undeutlich reden. 1920 ff.
Sabberwetter n Regenwetter. Mitteld seit dem 19. Jh.
Säbel m **1.** Messer. ↗säbeln. Seit dem 19. Jh.
2. Penis. Säbel und Scheide sind im eigentlichen Sinn und in geschlechtlicher

Bedeutung zusammengehörig. Seit dem 16. Jh.
3. schartiger ~ = venerisch infizierter Penis. 1900 ff.
4. den ~ blankziehen = sich zum Geschlechtsverkehr anschicken (vom Mann gesagt). Seit dem 19. Jh.
5. den ~ einhängen = koitieren (vom Mann gesagt). Bis 1945 wurde die Säbelscheide an einem Gehänge befestigt. 1920 ff.
6. mit dem ~ rasseln = Kriegsdrohungen ausstoßen; sich mit seiner milit Stärke brüsten. Gegen 1850 aufgekommen.
7. den ~ schleifen = koitieren. „Schleifen = hin- und herbewegen". 1920 ff.
8. seinen ~ schleifen = sich zum Kampf rüsten; sich auf eine milit Auseinandersetzung einstellen; sich auf eine schwere Prüfung o. ä. vorbereiten. 1890 ff.
Säbelbeine pl nach hinten durchgebogene Beine; krumme Beine. Durch häufiges und langes Stillstehen mit durchgedrückten Knien nehmen die Beine Säbelform an. Seit dem späten 18. Jh.
Säbelherrschaft f Militärdiktatur. Gegen 1850 aufgekommen.
säbeln intr ungeschickt schneiden; mit langem Messer schneiden. Mit dem Säbel läßt sich keine dünne, gleichmäßige Scheibe abschneiden. Seit dem 18. Jh.
Säbelrasseln n **1.** Kriegsdrohung. 1850 ff. Vgl engl „sabre-rattling".
2. Demonstration militärischer Macht. 1935 ff.
Säbelraßler m kriegslüsterner Mann; Chauvinist. ↗Säbel 6. 1850 ff. Schweizer Soldaten bezeichneten 1914 so den Offizier.
Säbelschleifer m Militarist. ↗Säbel 8. 1890 ff.
Saccharin n süß wie ~ = übertrieben freundlich; heuchlerisch freundlich. Saccharin ist süßer als Zucker. 1930 ff.
Sache f **1.** Geschlechtsverkehr. Neutralisierendes Tarnwort. Seit dem 19. Jh.
2. Sperma. Seit dem 19. Jh.
3. ~! = einverstanden! ja! selbstverständlich! Verkürzt aus „die Sache ist abgemacht". 1870 ff.
4. pl = törichte Handlungen; Streiche. Seit dem 19. Jh.
4 a. pl = Genitalien. Seit dem 19. Jh; wohl älter.
5. pl = Stundenkilometer Geschwindigkeit. Neutrale Kurzbezeichnung aus der Kraftfahrerspr. 1920 ff.
6. ~ mit Bart = altbekannte Sache. ↗Bart 8. 1930 ff.
7. ~ von Format = großartige, eindrucksvolle, geglückte Sache. Vgl ↗Frau 9. 1920 ff.
8. ~ in der Luft = Flugzeug. Im Zweiten Weltkrieg wurde „Sache" zur Allweltsbezeichnung des Soldaten für Apparate, Geräte, Fahrzeuge usw.
9. ~ von Wucht = schwerwiegende Angelegenheit. ↗Wucht. 1880/90 ff.
10. ~, Maxl = selbstverständlich! das ist ganz sicher! ↗Sache 3. 1870 ff.
11. dicke ~ = a) Schwerverbrechen o. ä. 1900 ff. – b) gefährliche Sache; Angriff o. ä. Sold 1914 ff. – c) schweres Geschoß. Sold 1914 ff. – d) einbringliches Geschäft. 1920 ff.
12. dumme ~ = unangenehmes Vor-

kommnis; peinliches Versehen. Seit dem 19. Jh.

13. faule ~ = a) anrüchiges, unredliches Vorhaben; verlorener Rechtsstreit. ↗faul 1. 1500 ff. – b) Brief mit ungenauer Anschrift. Man faßt ihn als verdachterregend auf. 1920 ff.

14. feuchte ~n = alkoholische Getränke. Sie vervollständigen das „trockene" Gedeck. 1900 ff.

15. geistreiche ~n = hochprozentige Alkoholika. Geist = Weingeist. 1700 ff.

16. große ~ = wichtiges Unternehmen; Hauptereignis. 1900 ff.

17. haarige ~n = a) Genitalien. ↗Sache 4 a. Seit dem 19. Jh. – b) schlimme Vorfälle. ↗haarig 1. Seit dem 19. Jh.

18. hängende ~ = schwebendes Gerichtsverfahren. 1920 ff.

19. harte ~n = hochprozentige Alkoholika (im Gegensatz zum Likör). 1900 ff.

20. heiße ~ = a) gefährliche, anrüchige Angelegenheit. ↗heiß 5. 1870 ff. – b) kurz bevorstehender Großangriff. Sold in beiden Weltkriegen. – c) Fußballspiel, dessen Ausgang vorher völlig ungewiß ist. 1950 ff, sportl.

21. hübsche ~n = angenehme Rundungen des weiblichen Körpers. 1920/30 ff.

22. klare ~ = a) wasserheller Schnaps. 1900 ff. – b) sehr erfreuliche Angelegenheit; unerwarteter Glücksfall. Diese Sache ist durch nichts getrübt. 1930 ff. – c) eindeutige Abmachung; Selbstverständlichkeit. 1920 ff.

23. krumme ~ = unlautere Machenschaft; Straftat. Krumm = sittlich anfechtbar. Seit dem 19. Jh.

24. kurze ~n = Schnäpse, Liköre. Das Glas ist schnell geleert im Gegensatz zu Bier, Wein usw. 1890 ff.

25. lange ~n = Bier, Wein, Bowle o. ä. 1890 ff.

26. linke ~ = unredliche, strafbare Handlungsweise. ↗link 1. 1920 ff.

27. morsche ~ = unerfreuliche, langweilige Angelegenheit. ↗morsch 1. 1930 ff.

28. hundert muntere ~n = hundert Kilometer Stundengeschwindigkeit. Munter = rege, beschwingt. 1920/30 ff.

29. nasse ~ = a) Mord, Bluttat. 1920 ff. – b) Zecherei. 1950 ff.

30. runde ~ = geglückte Angelegenheit; Erfolg; Vollkommenes. ↗rund 1. 1920 ff.

31. scharfe ~ = liebesgierige weibliche Person. ↗scharf 4, 11 usw. 1920 ff.

32. scharfe ~n = a) Granaten. Zusammenhängend mit „Scharfschießen". Sold in beiden Weltkriegen. – b) Waffen jeder Art. ↗scharf 4. – c) hochprozentige Schnäpse und sonstige alkoholische Getränke. 1920 ff. – d) Gewürze; stark gewürzte Speisen. 1950 ff. – e) sehr moderne Tanzschlager. 1960 ff. – f) in erotischer Hinsicht gewagte Erzählungen oder Handlungen. ↗scharf. 1910 ff. – g) leidenschaftliche Liebesszenen. 1955 ff. – h) geschlechtlich aufreizende Körperformen. 1955 ff. – i) gewagte Kleidung. 1920 ff.

33. schiefe ~ = bedenkliche, gefährliche, unredliche Angelegenheit. ↗schief. Juristenspr. 1920 ff.

34. schnelle ~ = Kurzbesuch bei einer Prostituierten. ↗Sache 1. 1920 ff.

35. schräge ~ = Straftat; Unmoralität. ↗schräg. 1940 ff.

36. schwere ~ = schwere Straftat. 1920 ff, kundenspr.

37. steile ~ = sehr eindrucksvolle Sache; schönes, aufregendes Erlebnis. ↗steil. 1955 ff, halbw.

38. stramme ~ = hochprozentiger Schnaps. 1930 ff.

39. trockene ~ = Mahlzeit ohne alkoholische Getränke. 1870 ff.

40. weiße ~n = alkoholfreie Getränke; Milchgetränke. In alkoholischer Hinsicht sind sie unbescholten gleich dem Weiß als Farbe der Unschuld. 1955 ff.

41. ~n abgeben! = Zuruf des Gewinners, wenn die anderen Kartenspieler mit den restlichen Karten keinen Stich mehr machen können. Übertragen vom Militär: der Soldat gibt seine „Sachen auf Kammer" ab, wenn er entlassen wird. 1870 ff.

42. faule ~ drehen = straffällig werden. ↗Ding 33. 1900 ff.

43. eine miese ~ drehen = unlauter handeln. ↗mies. 1920 ff.

44. schräge ~n drehen = sich strafbar machen. 1940 ff.

45. ~n gibt's, die gibt's ja gar nicht!: Ausruf des Erstaunens. 1900 ff.

45 a. zur ~ gehen = sich voll einsetzen; hart kämpfen; ein Foul begehen; tätlich werden. 1950 ff, sportl.

46. zur ~ kommen = a) koitieren; heiraten. Eigentlich soviel wie „auf den Kernpunkt zu sprechen kommen; sachlich werden"; hier bezogen auf ↗Sache 1". Volkstümlich geworden durch den dt Spielfilm „Zur Sache, Schätzchen" (1966) mit Uschi Glas; aber wohl älter. – b) prostituieren. 1966 ff.

47. ihre ~ haben (kriegen) = menstruieren. Seit dem 19. Jh.

48. ~ machen = ein Liebesverhältnis unterhalten; mit einem Mädchen intim werden. ↗Sache 1. Stud seit dem 19. Jh.

49. seine ~ machen (abmachen) = a) seine große Notdurft verrichten. Seit dem 19. Jh. – b) seine schriftlichen Schularbeiten anfertigen. Seit dem 19. Jh.

50. ~n machen = straffällig werden. Vor „Sachen" ergänze „dumme" oder „unerlaubte". Seit dem 19. Jh.

51. mach' ~n!: Ausruf der Verwunderung. Meint eigentlich sinngemäß „du machst (berichtest) ja unerhörte (staunenswerte) Sachen!". 1900 ff.

52. mach' keine ~n! = a) tu' nichts Unerlaubtes! handle nicht unüberlegt! mach' keine Umstände! übertreibe nicht! erzähle keine Lügen! Seit dem 19. Jh. – b) Ausruf der Verwunderung. 1900 ff.

53. krumme ~n machen = anrüchig handeln; sich strafbar machen. ↗Sache 23. Seit dem 19. Jh.

54. keine langen ~n machen = kurzentschlossen handeln. Bezieht sich eigentlich auf einen langwierigen Rechtsstreit. 1920 ff.

55. linke ~n machen = straffällig werden. ↗link. 1920 ff.

56. schiefe ~n machen = Betrügereien begehen. 1920 ff.

57. zehn ~n machen = zehn Liegestütze machen. Sold 1930 ff.

58. zweihundert ~n machen = 200 Kilometer in der Stunde fahren (oder fliegen). ↗Sache 5. 1950 ff.

59. die ~ in die Hand nehmen und sehen, wie es abläuft (und die Dinge laufen lassen) = harnen (auf Männer bezogen). ↗Sache 4 a. 1920 ff.

60. mal sehen, was sich aus der ~ machen läßt = harnen. Sache = ↗Ding II 3. 1920 ff.

61. zwanzig ~n pumpen = zwanzig Liegestütze machen. ↗pumpen 3. Sold 1939 ff.

62. das ist eine ~ = das ist etwas Gutes. Elliptisch für „gute, angenehme Sache". Berlin 1840 ff.

63. das ist so eine ~ = das ist schwer zu entscheiden; darüber läßt sich streiten; das kommt auf die Umstände an. Verkürzt aus „das ist so eine Sache, über die man verschiedener Ansicht sein kann" o. ä. 1830 ff.

64. was ist jetzt ~? = was ist da jetzt zu tun? worum geht es eigentlich? Sold 1939 ff.

65. das sind ~n = das sind erstaunliche, bemerkenswerte Vorgänge. Seit dem 19. Jh.

66. das sind doch keine ~n! = das gehört sich nicht! das ist ungebührlich, taktlos o. ä. Seit dem 18. Jh.

67. man soll nicht sagen, was ~ (eine ~) ist = man kann nicht wissen, wie es sich entwickeln wird. Berlin 1870 ff.

68. Sie werden mir nicht sagen, was eine ~ ist! = von Ihnen lasse ich mir keine Vorschriften machen; meine Handlungsweise ist Ihrer Kritik nicht unterworfen. Ihre Belehrung benötige ich nicht. Berlin 1870 ff.

69. das ist ~ = das ist großartig, unübertrefflich. Vor „Sache" ergänze „anerkennenswerte, staunenswerte" o. ä. 1830 ff.

70. das ist ~ mit Ei = das ist hervorragend. Von einer Speise hergenommen, die durch ein Ei noch schmackhafter wird. 1900 ff, vorwiegend jug und sold. Ohne Nachweis für Bayern.

71. das ist ~ mit Rührei = das ist ausgezeichnet. Jug 1920 ff.

72. die ~ ist die, und der Umstand ist der: Äußerung vor Beginn eines ausführlichen Berichts. Kathederblüte eines Redners, der eine Kunstpause zu überbrücken sucht. Geht wahrscheinlich zurück auf die Posse „Hunderttausend Taler" von David Kalisch (1847). Unter Soldaten verbreitet war die Parodie: „Die Sache ist die und der Umstand der, daß, wenn einem eine Kuh ins Auge scheißt, das ganze Gesicht davon bedeckt ist."

73. die ~ ist der: Äußerung vor Beginn einer ausführlichen Stellungnahme. Verkürzt aus dem Vorhergehenden. Berlin 1900 ff.

74. merken, was ~ ist = seinen Vorteil erkennen; merken, was wirklich vorgeht. 1840 ff.

74 a. sagen, was ~ ist = die wirkliche Lage mitsamt ihren möglichen Folgen unmißverständlich klarmachen. Seit dem 19. Jh.

75. wissen, was ~ ist = sich zu helfen wissen. Seit dem 19. Jh.

76. man kann nicht wissen, was eine ~ ist = man kann nicht wissen, wie sich eine Sache entwickelt. Seit dem 19. Jh.

77. zeigen, was eine ~ ist = sich nichts gefallen lassen; forsch auftreten. Seit dem 19. Jh.

sache adj das ist eine ~ Sache = das ist

vortrefflich. Aus „Sache" entwickeltes unveränderliches Adjektiv. Berlin 1870 *ff.*

Sachkenntnis *f* von (durch) keinerlei ~ getrübt (von ~ ungetrübt) = ohne jegliche Sachkenntnis. *Iron* Redewendung aus Universitätskreisen. 1870 *ff.*

'sachteken ('sachtchen) *adv* gemächlich; ruhig. *Dim* zu „sachte". Seit dem 19. Jh, *niederd* und *mitteld.*

Sack *m* 1. schlechtsitzendes Kleid. 1840 *ff.*

2. taillenloses Kleid. 1957/58 *ff.*

3. schlechtsitzende Uniform. *Sold* 1840 *ff.*

4. Uniform. *BSD* 1965 *ff.*

5. Mann (Kraftwort). Hergenommen von „Sack = Hodensack"; Pars pro toto. Schon bei Martin Luther steht „Sack" für den menschlichen Körper. 1900 *ff.*

6. Nichtskönner; Schwächling. Entweder übertragen von der Vorstellung des schlechtgefüllten Sacks oder des schlaffen Hodensacks (im Sinne von Impotenz). 1840 *ff.*

7. Rekrut; junger Soldat ohne Fronterfahrung. Verkürzt aus „nasser ⌐Sack". 1900 *ff.*

8. liederliche Frau. Geht zurück auf die im 14./15. Jh übliche Gleichsetzung des menschlichen Körpers mit einem Sack (voller Würmer und Maden). Schon damals ein grobes Schimpfwort.

9. lästiger Mensch. Seit dem 19. Jh.

10. Hodensack. Hieraus verkürzt. Seit dem 18. Jh.

11. Bett. Aus „Strohsack" verkürzt. Im frühen 19. Jh in der Kundensprache aufgekommen und bei den Soldaten bis heute geläufig.

12. ein ~ voll (ein ganzer ~ voll) = große Menge. Seit dem 15. Jh.

13. ~ und Asche: Redewendung, wenn eine Sache mißglückt ist. Reststück der biblischen Redensart „in Sack und Asche Buße tun". *BSD* 1965 *ff.*

14. mit ~ und Pack = mit aller Habe. „Sack" meint hier den Besitz, den man in einen Sack stecken kann; „Pack" bezieht sich auf das, was man in ein Bündel schnüren kann. 1700 *ff.*

15. alter ~ = alter Mann; alter Junggeselle; Altgedienter. ⌐Sack 5. 1900 *ff.*

16. armer ~ = bedauernswerter Mann; hilfloser Mensch. 1900 *ff.*

17. blöder ~ = dummer Mensch. 1900 *ff.*

18. doofer ~ = Dümmling. ⌐doof 1. 1900 *ff.*

19. dummer ~ = dummer Mann. 1900 *ff.*

20. fauler ~ = träger Mensch. 1900 *ff.*

21. feiger ~ = Feigling. *Sold* und *ziv* 1910 *ff.*

21 a. fetter ~ = beleibter Mann. *Halbw* 1960 *ff.*

21 b. fieser ~ = unsympathischer Mann. ⌐fies 1960 *ff, halbw.*

22. geschwollener ~ = Überheblichkeit. Kann auf Bauch oder Hodensack anspielen; *vgl* auch ⌐geschwollen 1. 1900 *ff.*

23. großer ~ = Dummer; Versager. ⌐Sack 6. 1920 *ff.*

24. lahmer ~ = energieloser, langsamer Mann. Spielt auf Impotenz an. 1900 *ff.*

25. loser ~ = mutwilliges, leichtfertiges Mädchen. ⌐los I. 1700 *ff.*

26. müder ~ = schwungloser, energieloser Mann. 1900 *ff.*

27. nasser ~ = a) Rekrut; Soldat ohne Kriegserfahrung; Berufsanfänger. Der Betreffende ist noch „naß hinter den ⌐Ohren". *Vgl* auch ⌐Sack 32. 1870 *ff.* – b) plumper Mensch. Er ist so schwerbeweglich wie ein nasser Sack. 1920 *ff.* – c) energieloser, haltloser Mann. 1900 *ff.* – d) Bezechter. 1920 *ff.*

28. schlapper ~ = energieloser Mann; Mann, der sich von einem gemeinsamen Unternehmen ausschließt. 1900 *ff.*

29. sturer ~ = hartnäckiger, unbeirrbar sein Ziel verfolgender Mann. ⌐stur. 1930 *ff, sold* und *ziv.*

30. trauriger ~ = Versager; Schwächling. 1900 *ff.*

31. vollgefressener ~ = Vielesser; beleibter Mann. *Sold* in beiden Weltkriegen; auch *ziv.*

32. wie ein nasser ~ = ohne straffe Haltung; energielos; ohne Halt. Spätestens seit 1870.

33. dunkel (finster) wie in einem ~ = völlig dunkel; ohne jegliches Licht. Seit dem 19. Jh.

34. voll wie ein ~ = schwerbezecht. Hergenommen vom bis oben gefüllten Sack. Seit dem 18. Jh.

35. Benehmen wie ein nasser ~ = sehr schlechtes, plumpes Benehmen. 1920 *ff.*

36. jm den ~ abfingern = durch Ausspielen bestimmter Karten die Kartenzusammenstellung beim Gegner zu ermitteln suchen. Soll auf die Untersuchung auf Wehrdiensttauglichkeit zurückgehen: Hierbei überzeugt sich der Militärarzt davon, daß beide Hoden an der normalen Stelle vorhanden sind. 1870 *ff.*

37. jn anschreiben wie einen nassen ~ = jn grob anherrschen. ⌐anschießen 1 b. 1870 *ff, sold.*

38. jm einen ~ voll Lügen aufbinden = jn dreist belügen. ⌐aufbinden. Seit dem 19. Jh.

39. jm den ~ aufknöpfen = a) jn zu einer Geldhergabe veranlassen; jn erpressen; jm Geld abnötigen. Sack = Geldsack oder Hosentasche. 1935 *ff.* – b) jn gefügig machen; jn streng zurechtweisen. Man zeigt ihm den Sack, in den man ihn stecken will. 1935 *ff.* – c) jn warnen. Man öffnet den Sack, aus dem man „die ⌐Katze lassen" will. 1935 *ff.* – d) jm die volle Wahrheit nicht vorenthalten. 1935 *ff.*

40. jm auf den ~ fallen = a) jm lästig fallen. Anspielung auf Geldsack oder Hosentasche oder Hodensack. 1900 *ff.* – b) jm Unkosten machen. *Vgl* auch „auf der ⌐Tasche liegen". 1900 *ff.*

41. jn (etw) fallen lassen wie einen nassen ~ = an einer Person oder Sache nicht länger interessiert sein. 1900 *ff.*

42. jn fertigmachen wie einen nassen ~ = jn entwürdigend anherrschen (behandeln). 1935 *ff, sold.*

43. jm den ~ geben = jn aus dem Haus weisen; jn entlassen. Sack = Bündel mit den Habseligkeiten. Seit dem 17. Jh. *Vgl engl* „to give someone the sack".

44. daheim hast du wohl einen ~ an der Tür?: Frage an einen, der die Tür nicht hinter sich schließt. 1900 *ff.*

45. einen ~ voll Wünsche (Hoffnungen o. ä.) haben = viel wünschen; viel erhoffen. Seit dem 19. Jh.

46. jn im ~ haben = jn beherrschen; jm überlegen sein; jds sicher sein. Verkürzt aus „in den ⌐Sack gesteckt haben" (⌐Sack 72). Seit *mhd* Zeit.

47. es im ~ haben = Erfolg eingeheimst haben. „Es" ist das Geld, das der Gewinner an sich nimmt. Sack = Geldsack, Tasche. Seit dem 19. Jh.

48. Säcke unter den Augen haben = Hautfalten unter den Augen haben. Die Wülste sehen wie Säckchen aus. Seit dem 19. Jh.

49. einen dicken ~ haben = sich aufspielen; überheblich sein. Kann sich vom Hodensack herleiten oder vom Bauch; denn füllige Leute neigen zu gewichtigem Auftreten. Es gilt aber auch „Sack = Geldsack". 1900 *ff.*

50. einen prallen ~ haben = a) nach Geschlechtsverkehr verlangen (vom Mann gesagt). ⌐Sack 10. 1900 *ff.* – b) dünkelhaft sein. *Vgl* ⌐Sack 49. 1900 *ff.*

51. sich auf den ~ hauen = sich zu Bett legen. ⌐Sack 11. *Sold* in beiden Weltkriegen.

52. in den ~ hauen (den ~ hauen; ~ hauen) = davongehen; flüchten; desertieren; abmustern; sich zurückziehen; die Arbeit niederlegen. Hergenommen von dem Bündel, in das man die persönliche Habe packt; in Diebeskreisen auch der Sack, in den man die Beute steckt. Kundenspr. 1820 *ff,* sold 1900 *ff.*

53. jn in den ~ hauen = jn überwältigen, unschädlich machen. Man steckt ihn in den Sack, wie das in früherer Zeit mit Übeltätern geschah. 1930 *ff.*

54. jn aus dem ~ holen = den Namen einer bisher verheimlichten Person nennen. Leitet sich her vom Gabensack des Weihnachtsmanns oder vom Sack des Zauberkünstlers. 1920 *ff.*

55. mir juckt der ~, - zack!: Ausdruck des Erstaunens. Sack = Hodensack. Rokker 1967 *ff.*

56. den ~ kriegen = die Kündigung erhalten. ⌐Sack 43. Seit dem 19. Jh.

57. etw auf den ~ kriegen = a) geprügelt werden. Sack = Leib. 1920 *ff.* – b) mit Bomben belegt werden. *Sold* 1939 *ff.*

58. einen auf den ~ kriegen = disziplinarisch bestraft werden. Meint eigentlich die Prügelstrafe. *BSD* 1960 *ff.*

59. einen geschwollenen ~ kriegen = ungehalten, wütend werden. 1900 *ff.*

60. sich auf den ~ legen = sich auf die erste beste Liegemöglichkeit legen und schlafen. ⌐Sack 11. 1900 *ff.*

61. jn auf den ~ legen = jn bestrafen. Meint wohl die Pritsche in der Arrestzelle. *Vgl* ⌐Sack 11. 1930 *ff.*

62. jm auf den ~ liegen = jm lästig fallen; jm Kosten machen. ⌐Sack 40. 1900 *ff.*

63. ein Gesicht machen wie ein ~ ohne Eier = griesgrämisch, lustlos blicken. Gemeint ist der Hodensack, aus dem die Hoden entfernt wurden. 1955 *ff, jug.*

64. auf den ~ niesen (husten) = gegenüber jm seine Meinung beherzt vertreten. Sack = Mann. Analog zu ⌐anrotzen. *Sold* 1920 *ff.*

65. jn in den ~ und wieder raus reden = jn beschwatzen; jm im Reden überlegen sein. Geht auf einen Zaubertrick zurück. Seit dem 19. Jh.

66. jm etw in den ~ schieben = jn bezichtigen. Dem Schuldlosen steckt man

Gestohlenes in das Bündel. Seit dem 19. Jh.

67. schlafen wie ein ~ = sehr fest schlafen. Der Schläfer bleibt regungslos wie ein Sack. 1850 ff.

68. das schlägt mir auf den ~!: Ausdruck des Unmuts. Anspielung auf die hochempfindlichen Hoden. 1960 ff.

69. die Sache ist im ~ = die Sache ist erledigt; die Entwicklung der Sache ist vorauszusehen. Verkürzt aus „die Sache ist in den Sack gesteckt". 1910 ff.

70. es ist noch im ~ = es ist noch völlig ungewiß. Hergenommen vom Sack des Weihnachtsmanns. ↗ Sack 54. 1920 ff.

70 a. damals warst du noch im ~ deines Vaters = damals warst du noch nicht gezeugt. ↗ Sack 10. 1920 ff.

71. es steckt in weiten Säcken = bis dahin vergeht noch viel Zeit. In einem weiten Sack hat man lange zu suchen. 1900 ff.

72. jn in den ~ stecken = a) jm überlegen sein; jn verdrängen. Scheint auf alte Ringkampfsitten zurückzugehen: Der Besiegte wurde in einen Sack geschoben, gesteckt oder gestoßen, danach auch wohl ertränkt. Seit *mhd* Zeit. – b) jn gefangennehmen. *Sold* in beiden Weltkriegen.

73. jm auf den ~ treten = a) jn rücksichtslos behandeln, schikanös einexerzieren. Sack = Hodensack. *Sold* seit dem späten 19. Jh. – b) jn derb zurechtweisen; jm schroff die Meinung sagen. *Sold* 1870 ff. – c) jn zur Eile antreiben. Rohe Knechte treten dem trägen Bullen von hinten in den Hodensack. 1870 ff, sold.

74. auf den ~ treten = die Fahrgeschwindigkeit erhöhen. „Sack" ist hier das Gaspedal, das ebenso empfindlich ist wie der Hodensack. Möglich ist auch Rückgriff auf den „Luftsack = Blasebalg", auf den man tritt, um das Feuer in der Schmiedeesse anzufachen. 1935 ff.

75. der ~ ist voll = die Geduld ist endgültig erschöpft. Parallel zu *hd* „das Maß ist voll". Spätestens seit 1900.

76. mit dem ~ wippen = koitieren (auf den Mann bezogen). ↗ Sack 10. 1850 ff.

77. den ~ zubinden = a) zu essen aufhören. Übernommen vom Futtersack des Pferdes. 1700 ff. – b) Schluß machen. Seit dem 19. Jh. – c) ein Unternehmen abschließen; die Einkreisung des Gegners beenden. *Sold* in beiden Weltkriegen; auch *ziv.*

78. das bindet den ~ zu = dieser Stich entscheidet das Spiel. Kartenspielerspr. seit dem 19. Jh.

79. jn zusammenscheißen wie einen nassen ~ = jn entwürdigend anherrschen. ↗ zusammenscheißen. *BSD* 1965 ff.

Säckel m 1. Geschlechtsteile des Mannes. ↗ Sack 10. *Südwestd* seit dem 18. Jh.

2. Mann (gutmütige Schelte oder kräftiges Schimpfwort). *Oberd* seit dem 19. Jh.

3. fader ~ = langweiliger Mann. Seit dem 19. Jh.

4. müder ~ = langweiliger, energieloser Mann. Seit dem 19. Jh.

sackeln (säckeln) *intr tr* raffen, einheimsen; etw auf nicht rechtmäßige Weise an sich nehmen. Man steckt es in den Sack. 1400 ff.

sacken v 1. *intr* = schlafen. ↗ Sack 11 und 67. 1900 ff.

2. *refl* = sich senken; sinken. ↗ absacken 1. 1800 ff.

sacker *interj* Ausruf des Unmuts. Verkürzt aus „↗ sakrament". Seit dem 19. Jh.

sackera'di *interj* Verwünschung. Fußt entweder auf *lat* „sacramentum domini" oder auf *franz* „sacré (nom de) Dieu". *Bayr* 1900 ff.

sacker'di *interj* Ausruf des Unwillens. *Vgl* das Vorhergehende. Seit dem 19. Jh.

sacker'lot (zacker'lot) *interj* Fluch. Im 17. Jh dem *franz* „sacrelote" entlehnt, das auf „sacré nom (de Dieu)" zurückgeht. Seit dem 16. Jh.

sacker'ment *interj* Ausruf des Unwillens. Geht zurück auf *lat* „sacramentum". Man beteuerte bei der geweihten Hostie. Seit dem 16. Jh.

Sacker'menter m Strolch; niederträchtiger Mann o. ä. Aus dem vorhergehenden Fluchwort entwickelt. Seit dem 16. Jh.

sackermen'tieren *intr* schimpfen, zetern. Seit dem 16. Jh.

sacker'mentisch *adj adv* 1. *adj* = höchst widerwärtig; verwünscht. 1800 ff. – **2.** *adv* = sehr. 1800 ff.

Sacker'mentskerl m tüchtiger, kräftiger, anstelliger Mann; sehr übler Bursche. Mit „Sackerment" beteuert und flucht man. Seit dem 19. Jh.

Sackgasse f sich in der ~ verlaufen = lebensunerfahren, weltfremd, dumm sein. 1930 ff.

Sackgreifer m Taschendieb. Sack = Geldtasche, Jackentasche. 1700 ff, rotw.

'sack'grob *adj* sehr barsch, unhöflich. Zur Herstellung von Säcken nimmt man grobes Gewebe (Sackleinen). 1800 ff.

Sack-Kleid n taillenlos geschneidertes Kleid. ↗ Sack 2. 1957 ff.

Sacklaus f Filzlaus. ↗ Sack 10. 1900 ff, sold und *ziv.*

Sackl Zement ↗ Sack Zement.

Sacknaht f sich die ~ geradeziehen = seine Zeit vergeuden; Unnützes tun. Gemeint ist die „Naht" des Hodensacks. *Sold* in beiden Weltkriegen.

Sackpolyp m Beamter des Sittendezernats auf Fahndung nach Homosexuellen. ↗ Polyp. 1950 ff.

Sackratte f 1. Filzlaus. ↗ Sack 10. 1816 bis heute, vorwiegend *sold* und seemannsspr. – **2.** Schimpfwort. Der Betreffende ist lästig wie eine Filzlaus. 1935 ff.

Sackrenner m Filzlaus. ↗ Sack 10. Seit dem 19. Jh.

Sackschlag m unangenehmes Ereignis; sehr üble Widerwärtigkeit. Hergenommen vom Schlag auf den hochempfindlichen Hodensack. *Sold* 1914 ff.

Sackschoner m Badehose. *BSD* 1965 ff.

'sack'siede'grob *adj* sehr barsch, ausfallend, zornig. „Sacksied" ist die „Sackseide", das grobe Garn zum Nähen von Säcken. 1870 ff.

'sack'siede'sau'grob *adj* sehr wütend; barsch, schroff. *Vgl* das Vorhergehende. 1920 ff.

Sackstil m Mode der untaillierten Damenoberbekleidung. ↗ Sack 2. 1957 ff.

Sackträger m 1. Suspensorium. 1890 ff. – **2.** Mann *(abf)*. *Vgl* ↗ Sack 5. 1900 ff. – **3.** breitschultriger Mann. Er eignet sich besonders zum Tragen von Säcken. *BSD* 1960 ff.

Sacktuch n Taschentuch. Sack = Hosentasche. Seit dem 18. Jh.

Sack Zement (Sackl Zement; Sack Ze-

ment nochmal) *interj* Ausruf des Unmuts. Entstellt aus „Sakrament". Vorwiegend *oberd,* Hessen und Rheinland; 1850 ff.

Saft m 1. elektrischer Strom. Dieser Strom „fließt" wie die Flüssigkeit in organischen Körpern. *Gleichbed angloamerikan* „juice". 1910 ff, technikerspr., handwerkerspr., *sold* u. a.

2. Kraft-, Betriebsstoff. Kraftfahrerspr. und fliegerspr. 1920 ff. *Vgl angloamerikan* „juice", *engl* „gravy".

3. Blut. Verkürzt aus „roter Saft" (16. Jh). Am bekanntesten in der Form „Blut ist ein ganz besonderer Saft" (Goethe, Faust I. 1808).

4. Stoßkraft, Energie, Temperament. 1950 ff.

5. Sperma. 1900 ff.

6. Schnaps. 1900 ff.

7. Geld. 1800 ff.

8. Bedienungsgeld. 1920 ff.

9. streberischer Mitschüler. Verkürzt aus „↗ Saftheini". *Schül* 1955 ff.

10. roter ~ = Blut. ↗ Saft 3. Seit dem 16. Jh.

11. ohne ~ und Kraft = matt, energielos. „Saft (= Blut) und Kraft (= Muskelkraft)" diente im 17. Jh zur Kennzeichnung der Gesundheit.

12. den ~ abgeben = koitieren (vom Mann gesagt). ↗ Saft 5. 1900 ff.

13. ihm ist der ~ ausgegangen = er hat kein Geld mehr. ↗ Saft 7. 1900 ff.

14. jn (den ~) auspressen = a) jn blutig schlagen. ↗ Saft 3. Seit dem 19. Jh. – b) jn schröpfen. Seit dem 19. Jh.

15. in ~ einen ~ braten lassen = jn hinhalten. Meint eigentlich das Braten von Fleisch auf dem Grill ohne Zugabe von Fett. 1925 ff.

16. jn im eigenen ~ dünsten lassen = jn im Ungewissen halten. 1925 ff.

17. ~ geben = a) die Fahrgeschwindigkeit erhöhen. ↗ Saft 2. 1920 ff. – b) den Tonverstärker auf laut drehen. ↗ Saft 1. 1965 ff.

18. in ~ gehen = aufbrausen; sich ärgern. Man „geht hoch" wie der Saft in Pflanzen und Bäumen. Seit dem 19. Jh.

18 a. ~ in den Knochen haben = viel leisten können. ↗ Saft 4. 1950 ff.

19. sich im eigenen ~ kochen lassen = sonnenbaden. 1950 ff.

20. in ~ kommen = wütend werden; sich ereifern. ↗ Saft 18. Seit dem 19. Jh.

21. im eigenen ~ schmoren = a) in Ungewißheit sein; sich selbst überlassen sein; über die eigene Lage nachdenken; für Selbstverschuldetes einstehen müssen. ↗ Saft 15. 1920 ff. – b) lange ohne Geschlechtsverkehr auskommen müssen. ↗ Saft 5. *Sold* 1939 ff. – c) wenig Umgang haben. 1920 ff.

22. in ~ schmoren (kochen, rösten) lassen = a) jn in Ungewißheit lassen. ↗ Saft 15/16. 1925 ff. *Vgl engl* „let him stew in his juice". – b) jn vorübergehend festnehmen, in Beugehaft nehmen. Berlin. 1933 ff.

23. im ~ sein = aufgeregt sein. ↗ Saft 18. Seit dem 19. Jh.

24. im zweiten ~ sein (stehen) = zum zweiten Mal heiraten. Aus der Botanik übernommen. 1920 ff.

25. da ist ~ hinter = das hat Schwung, weckt Interesse o. ä. ↗ Saft 4. 1950 ff, jug.

Saftarsch *m* Versager; mutloser, feiger Mann. Ihm geht Dünnflüssiges ab, weil er vor Angst die Gewalt über den Afterschließmuskel verloren hat, oder er ist triefend schweißnaß am ganzen Körper. Vorwiegend *sold* und *jug;* 1910 *ff.*

safteln *intr* zechen. ↗ Saft 6. *Österr* 1930 *ff.*

saften *intr* gefühlvoll reden. *Vgl* ↗ ölig. *Sold* 1940 *ff.*

Saftheini *m* Versager; Schimpfwort auf einen Nichtskönner, auf einen Feigling, einen Energielosen o. ä. ↗ Saftarsch; ↗ Heini 1. 1910 *ff.*

saftig *adj* 1. zotig, derb. Eigentlich „Saft enthaltend" im Sinne von „kräftig" („Saft und Kraft") oder von „erfrischend". 1700 *ff.*
2. sehr kostspielig. ↗ Saft 7. 1900 *ff.*
3. (durch Gewagtheit) eindrucksvoll. 1920 *ff.*
4. lebenserfahren, listig. 1900 *ff.*
5. schwungvoll. ↗ Saft 4. 1950 *ff, jug.*

Saftladen *m* 1. Apotheke. Wegen des Verkaufs von Kräutersäften u. ä. 1850 *ff.*
2. Likörstube, Gastwirtschaft, Bar. „Saft" spielt an auf „↗ Gerstensaft" und „↗ Rebensaft", nicht zuletzt auf „↗ Saft 6". Seit dem frühen 20. Jh in Berlin u. a. bekannt.
3. Kantine. *Sold* in beiden Weltkriegen.
4. Unternehmen, Betrieb *(abfj)*; schlecht geführte *milit* Einheit. Um 1920 entstanden im Zusammenhang mit der Verschlechterung des Rufs von Likörstuben und Bars.

saftlos *adj* gleichgültig, langweilig, matt (bezogen auf Menschen, Veranstaltungen, Witze usw.). *Vgl* ↗ Saft 4. 1950 *ff.*

Saftnase *f* Schimpfwort. Wohl soviel wie „↗ Rotznase 2". 1870 *ff.*

Saftneger *m* 1. Schimpfwort auf einen Mann, auf einen Einzelgänger. Wahrscheinlich ist er ein Feind des Alkohols (↗ Saft 6); *vgl* auch ↗ Neger 8. Oder er ist ein naher Verwandter des „↗ Saftarsch". *Halbw* 1950 *ff.*
2. langsamer Autofahrer. 1950 *ff.*

Saftsack *m* Versager; dummer Bursche. Analog zu ↗ Saftarsch. 1910 *ff,* vorwiegend *sold, schül* und *stud.*

Saftschwester *f* Kellnerin. Sie bringt den „↗ Gerstensaft" herbei, auch den Schnaps (= Saft 6). Berlin 1950 *ff, stud.*

Saftspritze *f* 1. Sendeantenne. ↗ Saft 1. Technikerspr. 1955 *ff.*
2. Penis. ↗ Saft 5. *BSD* 1960 *ff.*

saft- und kraftlos *adj* ↗ Saft 11.

Saftverein *m* schwunglose Gruppe. Zusammengesetzt aus „Saftladen" und „Verein". *Schül* 1965 *ff.*

Säge *f* 1. wenig nettes, unbeliebtes Mädchen. Verkürzt aus ↗ Nervensäge. *Halbw* 1955 *ff.*
2. Geige. Von der „singenden Säge" hergenommen. 1900 *ff, schül.*
3. unsympathischer Mensch; Mensch, der durch sein Wesen andere nervös macht. Er „sägt" an den Nerven seiner Mitmenschen. 1950 *ff.*
4. Maschinengewehr. Verkürzt aus „↗ Hitlersäge". *BSD* 1965 *ff.*
5. dumme ~ = dummer, ungeschickter Mensch. 1955 *ff.*
6. miese ~ = unangenehme Frau. ↗ mies. 1955 *ff.*
7. singende ~ = a) Rennmotorrad. Zwischen der Singenden Säge und dem Rennmotorrad besteht angeblich Klangähnlich-

keit. 1925 *ff.* – b) Schlagersänger. Eine Deutung besagt, daß er die Töne stufenlos ineinander übergehen läßt wie der Geigenbogen, der über die ungezähnte Seite eines Sägeblatts gestrichen wird; andere halten ihn wegen seines Gesangsvortrags für eine „↗ Nervensäge". 1955 *ff.* – c) zänkische, keifende Frau. 1930 *ff.*
8. sich eine ~ aufreißen = Umgang mit einem reizlosen (unfreundlichen) Mädchen beginnen. ↗ Säge 1; ↗ aufreißen. *Halbw* 1955 *ff.*

sagen *v* 1. *intr* = beim Skatspiel den Grundwert des Spiels aushandeln. Kartenspielerspr. seit dem 19. Jh.
2. zu ~ haben = zu befehlen haben; unumschränkt herrschen; das bestimmende Wort sprechen. Wer „zu sagen hat", besitzt das Recht, das Wort zu erteilen oder zu entziehen. Auch meint „sagen" soviel wie „eine gewisse Bedeutung haben". Der Betreffende sagt z. B., auf welche Weise ein Vorhaben verwirklicht werden soll. 1800 *ff.*
3. nichts zu ~ haben = einflußlos sein; einen untergeordneten Posten bekleiden. *Vgl engl* „to have nothing to say around here". Seit dem 19. Jh.
4. jm etw ~ = jm nachdrücklich die Meinung sagen; jn zurechtweisen. Seit dem 19. Jh.
5. wer sagt's denn?!: Ausdruck selbstgefälligen Wartens auf Zustimmung, Bestätigung o. ä. 1930 *ff.*
6. sag' bloß!: Ausdruck des Erstaunens. Etwa soviel wie „nun sag' bloß, daß es sich tatsächlich so verhält". 1950 *ff, schül.*
7. das hat dir jemand gesagt!: Erwiderung, wenn einer Längstbekanntes als vermeintlich letzte Neuigkeit vorbringt. *Iron* Redewendung. 1870 *ff.*
8. einer sagt's dem anderen = die von der Kugel getroffenen Kegel reißen die anderen an, bis alle neun liegen. Keglerspr. seit dem 19. Jh.
9. was sagst du nun? = das wird dich erstaunen bzw. das hattest du wohl nicht erwartet?! 1900 *ff.*
10. das kann man wohl ~: Ausdruck der Bestätigung. 1920 *ff.*
11. nein, ich kann Ihnen ~, wie spät es ist: Redewendung, wenn man einen gewünschten Gegenstand nicht besitzt. 1920 *ff.*
12. wem sagst du das?!: (keine Antwort heischende) Frage an einen, der zu vergessen scheint, daß der andere besser Bescheid weiß, sich besser auskennt. 1900 *ff.*
13. das ~ haben = zu bestimmen haben. 1950 *ff.*
14. es liegt am ~ = a) es hängt davon ab, wie man einem eine böse Nachricht mitteilt, oder wie man ihn vorsichtig eines Besseren belehrt. 1890 *ff.* – b) es liegt daran, wie man eine Sache behandelt, damit sie glückt. 1890 *ff.*

sägen *intr* 1. schnarchen. Beruht auf der Ähnlichkeit von Säge- und Schnarchgeräuschen. Gern in Verbindung mit dem gebraucht, was man sägt: Bretter schneiden; einen ganzen Wald absägen; einen Urwald abholzen usw. Spätestens seit 1800.
2. ungeschickt schneiden. Sachverwandt mit „↗ säbeln". Meist bezogen auf ein schartiges oder stumpfes Messer. Seit dem 18. Jh.

3. geigen. ↗ Säge 2. 1960 *ff.*
4. das Steuerrad kurz und schnell einschlagen und die Räder sofort wieder geradestellen. 1920 *ff,* kraftfahrerspr.
5. koitieren. Wegen der Hin- und Herbewegung. 1900 *ff.*
6. es ist gesägt = es ist abgemacht; es bleibt bei der Vereinbarung. Was gesägt ist, läßt sich nicht rückgängig machen. 1960 *ff.*

sagenhaft *adj adv* 1. ausgezeichnet; unvorstellbar. Verdrängt seit dem ausgehenden 19. Jh. immer mehr das *gleichbed* „märchenhaft". Um 1850 meinte man mit „sagenhaft" das Unwirkliche und Unwahrscheinliche, leicht mit dem kritischen Nebensinn des geschickt Erlogenen.
2. außergewöhnlich teuer (billig). 1950 *ff.*

Sägewerk *n* 1. Schnarchgeräusche; Schnarcher. ↗ sägen 1. *Sold* 1914 bis heute.
2. Kasernenstube; Kaserne bei Nacht. 1930 *ff.*

sägig *adj* unsymphatisch. ↗ Säge 1. *Halbw* 1955 *ff.*

Sahne *f* 1. Sperma. Wegen ähnlicher Farbe und Beschaffenheit. 1900 *ff.*
2. einsame (erste) ~ = hervorragend. Sahne ist eine ganz besondere Leckerei und nimmt superlativischen Charakter an. *Halbw* 1960 *ff.*
3. weich wie ~ = anschmiegsam, nachgiebig. 1920 *ff.*
4. die ~ abschöpfen = das Beste für sich nehmen. Analog zu „den ↗ Rahm abschöpfen". Seit dem 19. Jh.
5. auf die ~ hauen = großsprecherisch sein. Sachverwandt mit „auf den ↗ Pudding hauen". *BSD* 1965 *ff.*
6. voll in die ~ klopfen = stark und laut schlagen (auf Schlagzeug u. a. bezogen). Anspielung auf den Schlagbesen. *Halbw* 1960 *ff.*
7. jm die ~ vom Kuchen nehmen = jm vorgreifen und sich den Vorteil sichern. 1920 *ff.*
8. jm ~ um den Mund schmieren = jn beschwatzen, betrügerisch für etw einnehmen. Analog zu „jm ↗ Honig um den Mund schmieren". 1950 *ff.*
9. das ist ~ = das ist vortrefflich, findet meinen vollen Beifall. ↗ Sahne 2. *Halbw* 1955 *ff.*
10. das ist erste ~ = das ist ausgezeichnet. *Halbw* 1955 *ff.*
11. die ~ ist weg = das Beste ist dahin. 1950 *ff.*

Sahnebonbon *n* große Kostbarkeit; außergewöhnliches Erlebnis. 1950 *ff.*

Sahneschnitte *f* nettes, hübsches Mädchen. ↗ Schnitte 1. *Jug* 1980 *ff.*

sahnig *adj* angenehm, erfreulich, wohlgefällig, in Ordnung; von guter Beschaffenheit. ↗ Sahne 2. *Sold* in beiden Weltkriegen; *jug* 1950 *ff.*

Saisonarbeiter (Bestimmungswort *franz* ausgesprochen) *m* Schüler, der erst kurz vor Schuljahresende Fleiß entwickelt. Meint eigentlich einen Arbeiter, der nur zu bestimmten Jahreszeiten geregelter Arbeit nachgeht. *Schül* 1910 *ff.*

Saite *f* 1. die alten ~n aufziehen = die frühere Handlungsweise wiederholen. 1950 *ff.*
2. andere ~n aufziehen (aufspannen, anschlagen) = die Behandlungsweise, die Redeweise ändern; schärfer vorgehen.

Hergenommen vom Aufziehen neuer Saiten bei der Gitarre o. ä. 1700 ff.

3. gute ~n aufziehen = einlenken; die Versöhnung anbahnen. Seit dem 19. Jh.

4. du hast wohl nicht mehr alle ~n auf der Zither? = du bist wohl nicht recht bei Sinnen? 1930 ff.

5. die dicke ~ spannen = jm grob entgegentreten. 1910 ff.

Sak f Militärgeistlicher. Abkürzung von ↗Sündenabwehrkanone. 1915 ff bis heute, sold.

'sakra interj Ausruf des Unmuts, des Erstaunens o. ä. Verkürzt aus ↗Sakrament. Seit dem 16. Jh, vorwiegend bayr und schwäb.

'Sakra m Schimpfwort auf Mensch, Tier oder Gegenstand. Vgl das Vorhergehende. 1800 ff.

sakra'di interj Ausruf des Unwillens. ↗sackeradi. Oberd 1900 ff.

Sakra'ment interj Verwünschung. Von der Beteuerung bei der heiligen Hostie weiterentwickelt zu einem Fluch. 1500 ff.

Sakra'menter m widerwärtiger Mann; lästiger Mann. Meint eigentlich einen, auf den man „Sakramentl" schimpft. Bei Martin Luther ein Scheltwort auf die Gegner seiner Lehre vom Altarssakrament. Seit dem 16. Jh.

sakra'mentisch adj adv **1.** höchst widerwärtig; verwünscht. Seit dem 19. Jh.

2. adv = sehr. Seit dem 19. Jh.

'sakrisch adj **1.** höchst unangenehm; verwünscht. Aus „↗sakramentisch" gekürzt. Seit dem 18. Jh, oberd.

2. adv = heftig, tüchtig; überaus; sehr. Seit dem 19. Jh, oberd.

3. in ~ machen = jn aufstacheln, nervös machen. Man treibt es so weit, daß der Betreffende zu fluchen beginnt. Bayr 1900 ff.

Salamander m studentische Ehrenbezeigung an der gemeinsamen Kneiptafel. Man reibt mit dem Bierglas über die Tischfläche, bis auf ein Kommando die Gläser geleert werden. Die heutige Trinksitte ist ein völlig verblaßtes Nachspiel eines sehr viel älteren Trinkgebrauchs: Vom (Feuer-)Salamander nahm man vorwissenschaftlich an, daß er im Feuer lebe; Studenten führten Schnaps brennend an den Mund. 1840 ff.

Salami f um etw viel ~ machen = eine Sache ausführlich, rühmend besprechen; etw aufbauschen. Mit Einfluß von „Salami = Dauerwurst" weiterentwickelt aus „um etw einen ↗Salm machen". 1910 ff, vorwiegend sold; auch beamtenspr.

Salami-Bruder m italiener; italienischer Gastarbeiter. Die Salami-Wurst gilt als italienische Spezialität. Schweiz 1970 ff.

Salami-Taktik f Vorgehen, bei dem man das Ziel in kleinen Einzelerfolgen anstrebt. Man geht Stück für Stück vor, wie man Scheibe für Scheibe von der Wurst abschneidet. Soll um 1946 von Mátyás Rákosi, dem Generalsekretär der Kommunistischen Partei Ungarns, geprägt worden sein.

Salat m **1.** Durcheinander, Wirrnis, Gewirr; Widrigkeit; Widerlichkeit. Übertragen vom Fleisch-, Obst-, Krautsalat als einem Gemenge von Allerlei. 1840 ff.

2. Nichtübereinstimmung von Filmstreifen und Tongabe. Filmspr. 1920 ff.

3. Eichenlaub zum Ritterkreuz des Eiser-

nen Kreuzes. Das Eichenblatt wird zum Salatblatt degradiert. Sold 1939 ff.

4. flüssiger ~ = alkoholisches Mischgetränk. 1930 ff.

5. der ganze ~ = das alles (abf). Seit dem ausgehenden 19. Jh.

6. italienischer ~ = wüstes Durcheinander. Italienischer Salat ist ein Gemisch von Fleisch, Salzgurken, Äpfeln, Kartoffeln, Ei u. a. (alles in Streifen geschnitten), dazu Mayonnaise. Sold in beiden Weltkriegen.

7. schöner ~ = große Unannehmlichkeit. 1910 ff.

8. der übliche ~ = das Übliche. 1910 ff.

9. den ~ anrühren = eine Widerwärtigkeit verursachen. 1900 ff.

10. da haben wir (hat er) den ~ = das Unangenehme ist wie erwartet eingetroffen. 1840 ff.

11. ~ in (auf) den Ohren haben = etw nicht verstehen; etw geflissentlich überhören. Zu Leuten, die Schmutz in den Ohren haben, sagt man, sie könnten Salat in den Ohren säen. 1920 ff.

12. ~ machen = a) die Spielkarten falsch (betrügerisch) mischen. 1900 ff, rotw. – b) unzweckmäßig zu Werke gehen; einen normalen Vorgang stören. Filmspr. 1920 ff.

13. ~ reden (schwätzen o. ä.) = Unsinn reden; ohne Zusammenhang reden. 1870 ff.

14. jetzt ist der ~ da = jetzt ist das Durcheinander vollständig; jetzt müssen wir zusehen, wie wir mit dieser Widrigkeit fertig werden. 1900 ff.

15. das ist mir ~ = das übersteigt mein Auffassungsvermögen. Das Gemeinte erscheint dem Betreffenden als ein unergründliches Durcheinander. 1900 ff.

16. damit ist es ~ = das ist minderwertig, untauglich. Analog zu „damit ist es ↗Essig". 1900 ff.

17. im ~ sitzen = sich in Not befinden; Mißerfolg erlitten haben. Parallel zu „in den ↗Brennesseln sitzen". 1950 ff, schül.

sa'laten intr Unsinn schwätzen; Gerüchte verbreiten. ↗Salat 13. 1940 ff, sold.

Salathund-Komplex m Mensch in der Wahl zwischen zwei Möglichkeiten. Gemeint ist: allein hätte der Hund nie Salat gefressen; erst als er sah, daß der andere ihn fraß, bekam er Komplexe. Journ 1960 ff.

Sala'torium n Rohkostsanatorium; vegetarisches Restaurant. Zusammengesetzt aus „Salat" und „Sanatorium". Wahrscheinlich von Kurt Tucholsky 1930 geprägt.

Salatschnecke f **1.** unreifes, schnippisches Mädchen; leichtes Mädchen von derber Wesensart. ↗Schnecke. Seit dem ausgehenden 19. Jh.

2. Schimpfwort auf eine unsympathische, reizlose Frau. 1900 ff.

3. langweiliges Mädchen. Es ist langsam wie eine Schnecke und empfindlich gegen Ungebühr. 1945 ff.

Salatschuß m Geschoß, das das Ziel nicht trifft. Es beschädigt nur die Natur. 1900 ff, jägerspr. und sold.

Salatschüssel f **1.** flacher Stahlhelm der englischen Soldaten. Wegen der flachen Form. Sold in beiden Weltkriegen.

2. Davis Cup. 1900 ff.

3. Siegespreis für den deutschen Fußballmeister. 1960 ff.

4. Hände wie ~n = breite, plumpe Hände. 1930 ff.

Sal'bader m **1.** dummes, langweiliges, gehaltloses Geschwätz. Herkunft ungesichert. Vielleicht Streckform zu niederd „sladern = schwatzen" oder über „salmatern" fußend auf ital „salmo = Psalm". Wahrscheinlich beeinflußt von der Vorstellung des geschwätzigen Baders. 17. Jh.

2. Schwätzer. 17. Jh.

Salbe f **1.** mit allen ~n geschmiert (gerieben, gesalbt) sein = verschlagen, listig sein. Wahrscheinlich iron Umschreibung für „geprügelt worden sein". 19. Jh.

2. ~ kriegen = Prügel erhalten. 19. Jh.

salben v **1.** intr = schmieren; schmutzig machen; schlecht schreiben. Hergenommen vom dicken Auftragen von Salbe (o. ä.), woraus sich die Bedeutung „unordentlich hantieren" entwickelt hat. 1700 ff.

2. tr = jn betrügen, bestechen. Analog zu ↗schmieren. 1500 ff.

3. tr = jm ein leitendes Amt anvertrauen. Übernommen von der Salbung für ein kirchliches Amt. 1920 ff.

4. tr = jn prügeln, ohrfeigen. Im katholischen Ritus ist die Firmung verbunden mit Salbung und einem gelinden Backenstreich. 1800 ff.

Salberin f Frömmlerin; weibliche Angehörige einer Sekte. Vgl das Folgende. 1950 ff.

salbern intr salbungsvoll reden; in feierlicher Form dummschwätzen. Mit Betonungsverschiebung aus „↗salbadern" erleichtert. 1850 ff.

salfern intr geifern. Geht zurück auf lat „saliva = Speichel". Vgl ↗seibern. Oberd seit dem 19. Jh.

Salm m langatmige, feierliche Äußerung; Geschwätz. Stammt aus „Psalm" und meint die Predigt des Geistlichen mit Anspielung auf die Länge und die Psalmenzitate. Seit dem 18. Jh.

salmen intr salbungsvoll sprechen. 1900 ff.

Salonkater junger Mann, der sich als Frauenliebling dünkt und sich erobern läßt. 1920 ff.

Salonkatze verführerische Teilnehmerin an Geselligkeiten. 1920 ff.

Salonkommunist m durch seine Parteizugehörigkeit wohlhabend gewordener Kommunist. Man sagt ihm beispielsweise nach, er spreche über die Wohnungsnot und besitze eine Zwölfzimmerwohnung. 1920 ff.

Salonliterat m Schriftsteller, der mehr halbe als ganze Wahrheiten gefällig darzustellen versteht; Unterhaltungsschriftsteller, der den Niederungen des Lebens ausweicht. 1900 ff.

Salonlöwe m **1.** Mann, der sich gern und mit Anstand in vornehmen Gesellschaftskreisen bewegt (auch iron). Wie der Löwe der König der Tiere ist, so spielt er sich zum beherrschenden Mittelpunkt der Gesellschaft auf. Der Ausdruck folgt dem älteren „↗Gesellschaftslöwen", der auf engl „a social lion" zurückgeht. Seit dem späten 19. Jh.

2. Hauskatze. 1920 ff.

Salonlöwin f ehrgeizige Teilnehmerin an Geselligkeiten in vornehmen (wohlhabenden) Kreisen. 1900 ff.

Salonnixe f (verführerische) Teilnehmerin an Geselligkeiten wohlhabender Leute. ↗Nixe. 1870 ff.

Salonschlange f Frau, die sich den Geselligkeiten wohlhabender Leute aufdrängt; verführerische Frau. 1920 ff.

Salonschwachsinn m Ersatz mangelnder Intelligenz durch gewandtes Benehmen und liebenswürdige Redseligkeit. 1960 ff.

Salonschwätzer m Mann, der schmeichlerisch und phrasenreich redet. 1920 ff.

Salontigerin f weibliche Person, die gern an Gesellschaften teilnimmt. ↗Salonlöwin. 1900 ff.

Salontiroler m stutzerhafter Städter in Älplertracht; Sommergast im Gebirge. Etwa seit 1850.

Salon-Tour f (verdachterregend) vornehme Handlungsweise. ↗Tour. 1935 ff.

Salontrachtler m Urlauber, der die Tracht seines Urlaubsorts anlegt. 1955 ff.

Salontrittchen pl 1. Soldatenstiefel. ↗Trittchen. Ironische Bezeichnung bei den Soldaten beider Weltkriege.
2. gefütterte Winterschuhe von unförmiger Gestalt. Sold 1914–1945.
3. Lack-Halbschuhe. 1920 ff.

Salz n 1. ~ der Erde = Reserveoffizieranwärter. Eigentlich Bezeichnung Jesu für seine Jünger (Matthäus 5, 13). BSD 1965 ff.
2. das ~ in der Suppe = Hauptanziehungspunkt; das entscheidend Wichtige; das Eigentliche; aufstachelndes Ereignis. 1950 ff.
3. mit jm viel ~ gegessen haben = jn genau kennen. Wer Salz ißt, bekommt Durst. Anspielung auf ein ausgiebiges Zechgelage, bei dem einer den anderen genau kennengelernt hat. Seit mhd Zeit übernommen aus dem Altgriechischen.
4. jm nicht das ~ auf dem Brot gönnen = mißgünstig sein. Seit dem 19. Jh.
5. nicht das ~ aufs Brot (auf die Kartoffeln) haben = ärmlich leben. Seit dem 19. Jh.
6. an etw nicht das ~ haben = an einer Ware nichts verdienen. Man erzielt keinerlei Reingewinn, so daß man sich nicht einmal Salz kaufen kann. Salz ist das notwendige und billigste Gewürz. 1800 ff.
7. jn ins ~ hauen = jn üble Nachrede führen; jn verleumden. Zum Einsalzen (Einpökeln) wird das Fleisch in Stücke gehauen; hieraus weiterentwickelt zur Bedeutung „jn kleinmachen". Seit dem 16. Jh.
8. sein ~ kriegen = geprügelt werden. Prügel „schmecken" bitter. 1900 ff.
9. bei jm etw im ~ liegen haben = jm etw gedenken; sich jn gemerkt haben, damit man ihm Vergeltung übt. Eingepökeltes ist lange haltbar, – ähnlich der Vergeltung, die man aufgehoben hat. Seit dem 19. Jh.
10. an ihr ist ~ und Pfeffer = sie sieht gut aus, hat Schwung und ist von angenehmem Wesen. Salz und Pfeffer kennzeichnen sinnbildlich Unternehmungsgeist, Temperament und spritzigen Geist. 1950 ff.
11. bei jm etw nicht das ~ (~ in der Suppe; ~ aufs Brot) verdienen = bei etw keinerlei Verdienst erzielen; nur wenig leisten. Seit dem 19. Jh.
12. nicht das ~ für die Suppe wert sein = nichts wert sein. 1900 ff.

salzen tr 1. jn prügeln. Salz „beißt", und die Prügel schmerzen. 1900 ff.
2. jn strafen. 1900 ff.

Salzfässer pl 1. Vertiefungen zwischen

Hals und Schlüsselbein. Wegen der Formähnlichkeit mit den Salznäpfchen auf dem Eßtisch. Seit dem 19. Jh.
2. Augen wie ~ (Salzbüchsen) = große runde Augen. Seit dem 19. Jh.

salzlos adj gehalt-, schwunglos; ohne Temperament. 1900 ff.

Salzsäule f 1. zur ~ erstarren = vor Schreck wie starr sein; überrascht tun. Geht zurück auf die biblische Geschichte von Lots Weib (1. Moses 19, 26). Seit dem 16. Jh.
2. wie eine ~ sitzen (stehen) = unbeweglich, wie erstarrt sitzen (stehen). Seit dem 16. Jh.

Salzsäure f 1. scharf wie ~ = sehr geil. ↗scharf. 1950 ff.
2. sich durchfressen wie ~ = a) alle Speisen verzehren. Salzsäure ist ätzend. 1950 ff. – b) rücksichtslos sich Vorteile verschaffen; Sozialleistungen voll beanspruchen; sich einer Gruppe aufdrängen. 1950 ff.

Salzstangerlabsätze pl hohe, dünne Absätze am Damenschuh. Bayr und österr 1955 ff.

Salzwasserheini m Matrose. ↗Heini. BSD 1965 ff.

Samen m 1. ~ sammeln = geschlechtlich enthaltsam leben. Stud 1920 ff.
2. ~ streuen = koitieren (vom Mann gesagt). Seit dem 19. Jh.

Samenbank f Bordell. Eigentlich der Aufbewahrungsort für Sperma-Konserven. 1960 ff.

Samenfänger m Präservativ. 1950 ff.

Samengehäuse n Hodensack. Aus der Fachsprache der Botaniker übernommen. 1900 ff.

Samenhülse f Präservativ. Der Botanik entlehnt. 1900 ff.

Samenkoller m besonders starke geschlechtliche Gier nach langer Zeit unfreiwilliger Enthaltsamkeit. Der tierärztlichen Praxis entlehnt: bleibt der Geschlechtstrieb bei Hengsten unbefriedigt, so verursacht dies einen krankhaften Zustand. Spätestens seit 1900.

Samenräuber m intime Freundin; Prostituierte. 1900 ff.

Samenstechen n an (unter) ~ leiden = nach Geschlechtsverkehr verlangen (vom Mann gesagt). Dem „Seitenstechen" nachgebildet. 1920 ff.

Samentüte f Präservativ. 1950 ff.

Samiel Vn ~ hilf! = a) Notausruf des in seinen Gewinnaussichten gefährdeten Kartenspielers beim Aufnehmen des Skats. Stammt aus dem Textbuch von Johann Friedrich Kind zur Oper „Der Freischütz" von Carl Maria von Weber (Erstaufführung 1821). Kartenspielerspr. seit dem 19. Jh. – b) Ausruf der Angst oder Verzweiflung.

Sammeldrasch m allgemeine Prügelei. ↗dreschen. 1900 ff.

Sammelklo n auf halber Treppe befindlicher Abort in Miethäusern. ↗Klo 1. 1900 ff.

Sammelsurium n Mischmasch. Meint im Niederdeutschen eigentlich ein saures Gericht aus gesammelten Speiseresten (Sammelsur); dieses Wort wurde – wohl von Studenten – mit der lateinischen Endung versehen und gegen 1640 geläufig.

Sammlung f das fehlt noch in meiner ~ =

das fehlt mir noch (meist iron gebraucht). 1930 ff.

Samstag m 1. goldener ~ = Samstag in der Vorweihnachtszeit mit sehr gutem Umsatz. Dem „goldenen ↗Sonntag" nachgebildet, als die verkaufsoffenen Sonntage abgeschafft wurden. (Ladenschlußgesetz von 1956 in der Fassung von 1960). 1960 ff.
2. kurzer ~ = Samstag, an dem die Geschäfte nur bis 14 Uhr geöffnet sind. 1960 ff.
3. langer ~ = a) Samstag, an dem die Geschäfte erst um 18 Uhr schließen. 1960 ff. – b) großwüchsiger Mensch. Im Scherz sagt man, er blicke bereits in die nächste Woche. 1900 ff.

Samstag-Sonntag-Bauer m Arbeiter, der am Wochenende seine Landwirtschaft besorgt. 1965 ff.

Samtauge n vom Faustschlag getroffenes Auge; entzündetes, rotgerändertes Auge. Eigentlich das Auge mit weichem Ausdruck. 1900 ff.

Samtdame f zierliche, anschmiegsame weibliche Person. 1955 ff.

Samthandschuhe pl 1. jn mit ~n anfassen = jn ohne Strenge, rücksichtsvoll behandeln. 1900 ff.
2. die ~ ausziehen = die Milde aufgeben. 1920 ff.

Samtheini m weichlicher, weibischer Mann. 1920 ff.

Samtpfötchen n 1. Katzenname. Seit dem 19. Jh.
2. Kosewort für eine weibliche Person. Seit dem 19. Jh.
3. jn mit ~ anfassen = jn behutsam behandeln. 1900 ff.

Samtstimme f weiche Stimme. 1920 ff.

Sand m 1. Kleingeld; Geld. Analog zu ↗Kies. 1925 ff.
2. Ungeziefer. Soll mit der Bedeutung „Parasit, Blutsauger" zurückgehen auf neuhebr „sandig" im Sinne von „Mitwisser, der seinen Teil an der Beute verlangt". 1850 ff, rotw.
3. Kegel-Fehlwurf. Die Kugel gerät in den Sand, der früher neben der Bahn lag. Seit dem 19. Jh.
4. ~ im Getriebe = technischer Defekt; verborgenes Hindernis; Störung des normalen Ablaufs; Sabotage. Der Maschinentechnik entlehnt. 1900 ff.
5. wie ~ am Meer = überreichlich. Geht zurück auf die Bibel (1. Moses 22, 17 u. a. m.). 1500 ff.
6. das geht ihn einen nassen ~ an = das geht ihn nichts an. Nasser Sand = Dreck. Analog zu „das geht ihn einen ↗Dreck an". 1960 ff.
7. ~ ins Getriebe bringen = eine Stockung herbeiführen. ↗Sand 4. 1920 ff.
8. auf ~ gebaut haben = sich getäuscht haben. Geht zurück auf Matthäus 7, 26. 1500 ff.
9. es geht in den ~ = das Kartenspiel geht verloren. Übernommen von der Keglersprache (↗Sand 3) oder vom Verfehlen der Schießscheibe. 1900 ff.
10. es gerät ~ ins Getriebe = die Sache gerät ins Stocken. 1920 ff. ↗Sand 4.
11. ~ in den Augen haben = schläfrig sein. Anspielung auf die wie Sand getrocknete Augenflüssigkeit. Seit dem 19. Jh.
12. ~ im Gehirn haben = begriffsstutzig

sein. Das Auffassungsvermögen funktioniert nicht reibungslos. 1850 *ff.*

13. ~ im Getriebe haben = nicht recht bei Verstand sein; langsam oder falsch auffassen. Im Mechanismus des Gehirns ist ein technischer Defekt entstanden. 1935 *ff.*

14. du hast wohl ~ im Radar? = du bist wohl nicht bei Sinnen? Berlin 1960 *ff.*

15. ~ im Triebwerk haben = geschlechtskrank sein. ↗Triebwerk. 1930 *ff.*

16. ~ im Uhrwerk haben = nicht recht bei Verstand sein. 1920 *ff.*

17. ~ im Wecker haben = geistesgetrübt sein. 1920 *ff.*

18. auf dem ~ liegen = a) aus Amt und Würden verjagt sein. Der Betreffende liegt da wie ein mit der Flut angeschwemmter Fisch. 1870 *ff.* – b) arbeitslos sein. 1920 *ff.*

19. da ist ~ im Getriebe = der normale Ablauf ist gestört. 1920 *ff.*

20. am ~ sein = a) mittellos sein. ↗Sand 18. 1920 *ff.* – b) wirtschaftlich, moralisch abgesunken sein. 1920 *ff.*

21. auf dem ~ sein = a) niedergeschlagen, schwunglos sein. Seit dem 18. Jh. – b) körperlich oder geldlich erschöpft sein. 1920 *ff.*

22. etw in den ~ setzen = a) ein gewagtes Kartenspiel verlieren. ↗Sand 9. Kartenspielerspr. 1920 *ff.* – b) eine schlechte Schularbeit abliefern; schlecht arbeiten; Geld nutzlos aufwenden; fehlkalkulieren. 1920 *ff.*

23. jm ~ in die Augen streuen = jm die Wahrheit entstellt berichten; jn täuschen. Geht zurück auf einen alten, schon in der Antike bekannten Trick beim Fechten: man wirft dem Gegner Sand in die Augen, damit er geblendet und kampfunfähig wird. *Vgl franz* „jeter de la poudre aux yeux de qn" und *engl* „to throw dust in someone's eyes". Seit dem 18. Jh.

24. jm ~ ins Getriebe streuen (schmeißen, schütten) = a) eine erfolgversprechende Entwicklung heimtückisch zu behindern suchen. ↗Sand 4. 1920 *ff.* – b) üble Nachrede führen. 1940 *ff.*

25. es verläuft im ~ = es bleibt erfolglos; es gerät in Vergessenheit. Übertragen von einem im Sand verlaufenden Fluß. 1800 *ff.*

Sandelei *f* Lokal mit „↗Animierdamen". ↗sandeln 3. 1972 *ff.*

sandeln *intr* **1.** im Sand spielen; behaglich im Sand liegen und seine Gliedmaßen rekken und strecken. Ursprünglich nur auf das im Sand spielende Kind bezogen. 1900 *ff.*

2. langsam tätig sein; immer hintenan sein. Meint eigentlich „ein Schriftstück mit Sand trocknen". Aus diesem umständlichen Verfahren entwickelte sich die Vorstellung eines zeitraubenden und veralteten Vorgehens. *Österr,* spätestens seit 1900.

3. wohlhabende Gäste betrunken machen und ihnen eine weit überhöhte Rechnung vorlegen. Geht zurück auf *rotw* „Sand = Ungeziefer". Für Betrüger hat das Betrugsopfer Überfluß an Geld, wie der Verlauste Überfluß an Ungeziefer hat. Die Gleichsetzung „Geld = Ungeziefer" ist sehr alt. Sie schlägt sich nieder in den Verben „↗flöhen" und „↗lausen", die beide „jdn abnötigen; erpressen" bedeuten. Hierzu ist „sandeln" eine Analogie, wahrscheinlich

beeinflußt von „Sand in die Augen streuen". 1972 *ff.*

Sandhase *m* **1.** Infanterist; Grenadier. Ausgangspunkt dieses Worts ist der für 1801 bezeugte volks tümliche Spitzname für mehrere märkische Infanterieregimenter (die Mark = Streusandbüchse des Heiligen Römischen Reiches Deutscher Nation); seitdem bis heute geläufig.

2. Fehlwurf beim Kegeln. Früher befand sich außerhalb der Kegelbahn Sand. *Vgl* ↗Pudel; ↗Ratte. Keglerspr. seit dem 19. Jh.

3. Kosename (leicht ironisch). *Halbw* 1955 *ff.*

Sandkasten *m* **1.** Exerzierplatz; Truppenübungsplatz. Anspielung auf den Überfluß an Sand. *BSD* 1965 *ff.*

2. mit jm im ~ gespielt haben = sich gegenüber jm Vertraulichkeiten erlauben. 1950 *ff.*

Sandkastenliebe *f* Kinderliebe. 1900 *ff.*

Sandkastenrocker *m* **1.** Mann, der sich aufspielt. *Jug* 1970 *ff.*

2. Moped-, Mofafahrer. *Jug* 1970 *ff.*

Sandlaatscher *m* Infanterist, Grenadier. ↗laatschen. 1870 *ff, sold.*

Sandler *m* **1.** langsamer, ungeschickter Mensch; Student mit hoher Semesterzahl. ↗sandeln 2. *Österr* 1900 *ff.*

2. Arbeitsscheuer. ↗sandeln 1. *Österr* 1920 *ff.*

3. Mann, der Anweisung gibt, wohlhabende Gäste durch „↗Animierdamen" betrunken zu machen und ihnen eine weit überhöhte Rechnung vorzulegen. ↗sandeln 3. 1972 *ff.*

Sandlerin *f* weibliche Person, die zahlungskräftige Männer in Lokale lockt und sie gründlich schröpfen läßt. ↗sandeln 3. 1972 *ff.*

Sandmann *m* **1.** dem ~ gehorchen = schlafen gehen. Der Sandmann ist eigentlich der Sandverkäufer, eine Figur, die allen vertraut war, so man als die Zimmerböden noch scheuerte. Aus ihm hat man für die kleinen Kinder eine freundliche Gestalt gemacht, mit dessen Namen man die Kinder zu Bett schickt. 1800 *ff.*

2. Sandmänner in den Augen haben = müde sein. Die Augenflüssigkeit trocknet zu kleinen Körnern, und man sagt, der Sandmann habe sie in die Augen gestreut. Seit dem 19. Jh.

3. der ~ (das Sandmännchen) kommt = Müdigkeit stellt sich ein. Seit dem 18. Jh.

Sandmännchen *n* **1.** langweiliger Redner. 1925 *ff.*

2. ~ vom Dienst = Gutenachtsendung des Rundfunks oder des Fernsehens. 1960 *ff.*

Sandpapierstimme *f* rauhe Stimme. 1955 *ff.*

Sandsteingebirge *n* Hotelhochhaus. 1960 *ff.*

Sandstreuer *m* **1.** Betrüger. Er streut den Leuten „Sand in die Augen". 1945 *ff.*

2. Mann, der ständig Schwierigkeiten macht. Er streut „↗Sand ins Getriebe". 1935 *ff.*

3. Saboteur. 1939 *ff.*

Sandwich-Mann *m* Mann, der mit Werbeplakaten auf Brust und Rücken durch die Straßen geht. Das Sandwich besteht aus zwei butterbestrichenen Weißbrotscheiben, zwischen die Fleisch gelegt ist. Kurz nach 1920 aus dem *Engl* entlehnt.

Sanfte *f* auf die ~ = durch gütliches Zureden; vorsichtig-anzüglich. Hinter „Sanfte" ergänze „↗Tour". 1930 *ff.*

sanftgekurvt *adj* ohne üppige Körperformen. ↗Kurve. 1955 *ff.*

Sang *m* ohne ~ und Klang (sang- und klanglos) = schlicht, unauffällig, bescheiden. Hergenommen vom Leichenbegängnis: Sang ist der Gesang eines Liedes am Grabe, und Klang meint das Glockenläuten. Seit dem 18. Jh.

Sänger *m* **1.** Mann, der die Namen der Mittäter nennt. ↗singen. 1920 *ff.*

2. ~ vom finstren Walde = Männersangverein; Männer, die unschön singen. Leitet sich her von Finsterwäldern (Niederlausitz), die von einem Cottbuser Infanterieregiment 52 eingezogen, im Krieg 1870/71 in Reims im „Café Voltaire" deklamierend und singend auftraten. Am Ende des 19. Jhs verfaßte Wilhelm Wolff in Berlin ein Lustspiel „Die Sänger von Finsterwalde", wozu Robert Bachhofer die Musik schrieb; Uraufführung 1899 mit dem Lied „Wir sind die Sänger von Finsterwalde". Kurz danach bekannt geworden durch das Berliner Kabarett „Stettiner Sänger". In der entstellten Form in ganz Deutschland geläufig.

3. gefiederte ~ = Singvögel. Pseudodichterische Bezeichnung, wahrscheinlich durch die rührseligen Geschichten der Johanna Spyri (1827–1901) volkstümlich geworden.

4. darüber schweigt (das verschweigt) des ~s Höflichkeit = über diese peinliche (geheimzuhaltende) Sache redet man nicht. Stammt entstellt aus dem um 1800 gedichteten Lied eines unbekannten Verfassers; die Strophen enden mit dem Kehrreim „das verschweigt des Sängers Höflichkeit". Wohl von Studenten gegen 1820 aufgegriffen und weiter verbreitet.

5. kein großer ~ vor dem Herrn sein = nicht viel leisten. Nachahmung der schriftsprachlichen Redewendung „kein großer Nimrod vor den Herrn sein". 1920 *ff.*

Sängerhalle *f* Kehlkopf, Gurgel. 1870 *ff.*

Sangesbruder *m* Nörgler; Mann, der sich nur wohlfühlt, wenn er seiner Unzufriedenheit Ausdruck geben kann. Eigentlich der Angehörige eines Gesangvereins; hier meint „singen" soviel wie „jammern, klagen". 1900 *ff.*

Sangtöse *f* Kabarettsängerin o. ä. Aus *franz* „chanteuse" halb eingedeutscht. 1900 *ff.*

sang- und klanglos ↗Sang.

Sanität *f* **1.** Abort mit vielerlei Bequemlichkeiten. *Österr* 1910 *ff.*

2. Feldlatrine mit Sitzstange. *Sold* 1914 *ff.*

Sanitätsverkäufer *m* weniger ethisch, mehr aufs Verdienen eingestellter Arzt. 1959 *ff.*

Sankt Adelheim *n* Münchener Gefängnis Stadelheim. Tarnwörtlich umgebildet aus der Schreibung „St. Adelheim". 1960 *ff.*

Sanktus *m* **1.** Alkohol, Schnaps. Verkürzt aus „Sanctus Spiritus = Heilger Geist", wobei „Spiritus" weiterführt zu „Sprit = Alkohol" und „Geist" als „Weingeist" ausgelegt wird. 1900 *ff.*

2. jm ~ geben = jn prügeln. Entstellt und latinisiert aus „↗Senge". 1900 *ff.*

3. zu etw seinen ~ geben = etw genehmigen, billigen. Analog zu „↗Segen". 1920 *ff.*

4. jm ~ klingeln = jn prügeln. Dem

katholischen Ritus entnommen; aber umgeformt aus „↗Senge". 1900 ff.

5. seinen ~ kriegen = gescholten, geprügelt werden. ↗Sanktus 2. 1900 ff.

6. jm zum ~ läuten = jn verprügeln. ↗Sanktus 4. 1900 ff.

Santa Fu Justizvollzugsanstalt Hamburg-Fuhlsbüttel. Hieraus zu einem Tarnwort entwickelt, wohl beeinflußt von Santa Fé, dem Namen des Staatsgefängnisses im amerikanischen Bundesstaat Neu-Mexiko. 1960 ff.

sappera nochmal! *interj* Ausruf des Unwillens. Entstellt aus „↗sakra". *Bayr* 1920 ff.

sapperadi *interj* Verwünschung. Entstellt aus „↗sackeradi". *Bayr* 1900 ff.

sapper'lot *interj* Ausruf heftigen Unmuts. ↗sackerlot. 1700 ff.

Sapper'lot (Sapperloter) *m* niederträchtiger, heimtückischer, listiger Bursche. Substantiviert aus der vorhergehenden Interjektion. Seit dem 19. Jh.

Sapper'lotskerl *m* verwegener Bursche; tapferer Mann; Könner. Aus dem Fluchwort zu einem Achtungsruf entwickelt. 1900 ff.

sapper'ment *interj* Ausruf des Unwillens. Entstellt aus „↗Sakrament"; seit dem 17. Jh.

Sapper'ment *m* tüchtiger Bursche. Seit dem 18. Jh.

Sapper'menter *m* verschlagener Mann. Seit dem 19. Jh.

sapra!i machen Fehlendes geschickt zu beschaffen wissen; stehlen. *Vgl* das Folgende. *Sold* 1941 ff.

sapralisieren *tr* Benötigtes listig zu beschaffen wissen. Fußt auf gleichbedeutend *russ* „zabrat'" (dank freundlicher Mitteilung von Professor Dr. Rössler vom Dolmetscherinstitut Germersheim). *Sold* 1941 ff. Bei den *österr* Soldaten des Ersten Weltkriegs gab es in derselben Bedeutung das Wort „sabralieren".

sapra'ment *interj* Ausruf des Unmuts. Entstellt aus ↗Sakrament. Seit dem 17. Jh.

sa'pristi *interj* Verwünschung. Zusammengezogen aus *lat* „sakramentum Christi"; nach 1800 aus Frankreich übernommen.

'Saras (Sarraß) *m* **1.** roher, grober, draufgängerischer Mann. Meint eigentlich den schweren Säbel, den Haudegen. 1700 ff. **2.** großwüchsige, stämmige Frau. 1700 ff.

Sardelle *f* **1.** kleinwüchsiger oder hagerer Mensch. Übertragen vom Aussehen des Fischs. Seit dem 19. Jh, *österr*. **2.** *pl* = von der Seite über die Glatze gelegte spärliche Haarsträhnen. Im Aussehen erinnert es an die Sardellen auf dem Brötchen. 1870 ff. **3.** wie eine ~ aussehen = sehr mager sein. *Österr*, seit dem 19. Jh. **4.** sich ~n auf die Semmel legen = die Haare von der Seite über die Glatze kämmen. 1870 ff.

Sardellenbrötchen (-semmeln) *pl* über die Glatze gekämmte Seitenhaare. ↗Sardelle 2. 1870 ff.

Sardinenbüchse *f* **1.** Straßenbahn. Die Fahrgäste sitzen und stehen gedrängt, wie die Sardinen in einer Dose liegen. 1920 ff. **2.** engbesetztes Strandbad. Berlin 1920 ff. **3.** Unterseeboot. *Marinespr* 1939 ff. **4.** Panzerkampfwagen. *Sold* 1939 ff. **5.** Kleinauto. 1920 ff allgemein; um 1908

auf das Kaiserliche Hofautomobil bezogen. *Vgl engl* „sardine box".

6. Massengrab. *Sold* 1939 ff.

7. fliegende ~ = Flugzeug. *Sold* 1939 ff; *ziv* 1950 ff.

Sarg *m* **1.** Flugzeug. *Sold* 1914 ff. **2.** Panzerkampfwagen. *Sold* 1939 ff. **3.** Unterseeboot. *Marinespr* 1914 ff. **4.** enges Zimmer. *Halbw* 1955 ff. **5.** ~ aus Eisen = Unterseeboot. 1914 ff. **6.** ~ mit Metalleinsatz = a) Unterseeboot. 1914 ff. – b) Truppentransporter; bewaffnetes Handelsschiff. *Sold* 1939 ff. **7.** alter ~ = altes, leckes, nicht mehr betriebssicheres Schiff. 1900 ff. **8.** blecherner ~ = Auto. 1950 ff. **9.** eiserner ~ = a) Unterseeboot. *Sold* 1914 ff. – b) Kampfpanzer. *BSD* 1965 ff. **10.** fahrbarer ~ = Panzerkampfwagen. *Sold* 1939 bis heute. **11.** fahrender ~ = Schützenpanzerwagen. *Sold* 1939 ff. **12.** fliegender ~ = schlechtkonstruiertes Flugzeug; durch Abstürze berüchtigte Flugzeugtype; Flugzeug mit geschlossener Kabine; Dreidecker usw. *Sold* 1914; Spanienkrieg; 1939 ff. **13.** gepanzerter ~ = Kampfpanzer. *Sold* 1939 ff. **14.** rollender ~ = a) Panzerkampfwagen. Der Aufbau ist sargähnlich. *Sold* 1939 ff. – b) Kabinenroller. 1955 ff. **15.** schwimmender ~ = a) altes, dem Untergang geweihtes Schiff. 1900 ff. – b) Unterseeboot. *Sold* 1914 ff. **16.** stählerner ~ = a) Unterseeboot. 1939 ff. – b) Panzerkampfwagen. 1939 ff. **17.** immer ran an den ~ und mitgeweint! = schließe dich nicht aus und mach's wie die anderen! Berlin 1930 (?) ff. **18.** jm einen ~ hinstellen = einer Sportmannschaft die unabwendbare Niederlage voraussagen. *Sportl* 1950 ff. **19.** im ~ liegen und nichts tun, das könnte die passen! = Redewendung auf einen Trägen. 1920 (?) ff. **20.** ich haue dich, daß du in keinen ~ mehr paßt!: Drohrede. Berlin 1840 ff. **21.** wenn das mein Großvater wüßte, er drehte sich im ~ rum! = wüßte dies mein toter Großvater, er würde sehr unwillig sein! ↗Grab 3. 1900 ff. **22.** laß den ~ zu! = laß das Vergangene ruhen! 1920 ff.

Sargnagel *m* **1.** Zigarette; starke Zigarre. Die Zigarette oder Zigarre gilt wegen ihrer Gesundheitsschädlichkeit als Nagel zum Sarg. *Vgl engl* „coffin-nail". 1900 ff, vorwiegend *sold* und *halbw*. **2.** Sache, die viel Arbeit und Kummer bereitet. ↗Nagel 23. 1900 ff. **3.** Mensch, der anderen das Leben schwer macht; Sorgenkind. 1900 ff.

Sarrasani-Frack *m* Waffenrock für Parade, Urlaub und Sonntag. Anspielung auf die großen Ärmelaufschläge usw. des Personals des Zirkus Sarrasani. *Sold* 1939 bis heute.

Satanorium *n* Sanatorium. Im frühen 20. Jh. aufgekommen. Die Kurgäste, vor allem die Raucher und Trinker, empfinden den Zwang zur Aufgabe ihrer liebgewordenen Gewohnheiten als satanisch, und die Leiterin erscheint ihnen als Satan.

Satansbraten *m* **1.** Schimpfwort; auch halbgemütliche Schelte. Man wünscht

dem Betreffenden, der Teufel möge ihn in der Hölle braten. Seit dem 17. Jh.

2. Kosewort für die Geliebte, Ehefrau o. ä. 1930 ff.

Satanskerl *m* **1.** sehr niederträchtiger Kerl. Seit dem 19. Jh. **2.** sehr tüchtiger Mann. Seit dem 19. Jh.

Satansmädel *n* tüchtiges, flinkes, anstelliges, pfiffiges Mädchen. Es hat den „↗Teufel im Leibe". Seit dem 19. Jh.

Satellit *m* **1.** einflußloser Politiker; Staatsmann in Abhängigkeit von einem anderen. Vom Begleitplaneten weiterentwickelt zum willenlosen Gefolgsmann. 1848 ff. **2.** Angehöriger des Gefolges. 1957 ff.

Satellitchen *n* intime Freundin eines jungen Mannes; Mädchen, das stets in Begleitung desselben Mannes gesehen wird. 1957 ff.

satt *adj* **1.** reichlich, viel. 1500 ff. **2.** außerordentlich, eindrucksvoll. Der Gesättigte hat den Höchstgrad der Sättigung erreicht. Künstler sprechen von „satter" Farbe, wenn sie dick aufgetragen ist. 1900 ff. **3.** kraftvoll, wuchtig. *Sportl* 1950 ff. **4.** volltrunken. Seit dem 19. Jh. **5.** sich ~ gaffen (sich sattgaffen) = die Neugierde ausgiebig befriedigen. ↗ gaffen. 1870 ff. **6.** etw (jn) ~ haben = einer Sache oder Person überdrüssig sein. Sättigung benimmt einem den Appetit auf Fortsetzung. 16. Jh. **7.** es bis obenhin (bis zum Halskragen ~ haben = einer Sache völlig überdrüssig sein. 1900 ff. **8.** ~ Geld (Zeit) haben = reichlich Geld (Zeit) haben. Seit dem 16. Jh. **9.** etw ~ kriegen (es ~ werden) = von einer Sache angewidert werden. Seit dem 16. Jh. **10.** ~ auf der Straße liegen = schleuderfest fahren. Kraftfahrerspr. 1950 ff. **11.** jn ~ machen = jn heftig prügeln; jn k. o. boxen. Man schlägt so heftig zu, daß der Betreffende keinen Appetit auf weitere Prügel hat. 1920 ff. **12.** ~ schlafen (sich ~ schlafen) = ausgiebig schlafen. 1700 ff. **13.** sich etw ~ sehen (sattsehen) = etw nicht länger sehen mögen; einen Anblick nicht länger ertragen können (dieses Kleid habe ich mir satt gesehen). 19. Jh. **14.** ~ sein = a) bezecht sein. Seit dem 18. Jh. – b) noch genug Vorrat haben. Vertretenspr. 1920 ff. – c) im sportlichen Wettkampf besiegt sein. *Sportl* 1950 ff. – d) bei Geld sein; sich reichlich mit Geld versehen haben. 1950 ff. **15.** etw ~ sein (es ~ sein) = einer Sache überdrüssig sein. Seit dem 18. Jh.

Sattel *m* **1.** unerlaubter Übersetzungstext. Solch ein „Sattel" verleiht dem Schüler Festigkeit und ermöglicht ihm bequemes Vorankommen. Der Schüler wird „↗sattelfest". 1950 ff. **2.** Dame im Kartenspiel. *Vgl* ↗Reiter 2. Kartenspielerspr. 1850 ff. **3.** in allen Sätteln gerecht sein = Erfahrungen auf allen Gebieten haben; zu allem zu gebrauchen sein. Übertragen vom geschickten Reiter. 1500 ff. **4.** in vielen Sätteln gerecht sein = vielseitiger Fachmann. 1920 ff. **5.** jn aus dem ~ heben = jn verdrängen, besiegen, zum Verlierer machen. Stammt aus dem mittelalterlichen Turnierwesen: der Gegner wurde durch den Lanzenstoß aus dem Sattel gehoben und in den Sand geworfen. 1600 *ff.*

6. im ~ sitzen = eine gute Stellung haben. Seit dem 16. Jh.

7. gut (fest) im ~ sitzen = eine sichere Stellung haben; seiner Sache gewiß sein. Seit dem 16. Jh. *Vgl franz* „être ferme sur ses étriers".

8. in den ~ steigen = koitieren. ↗reiten 3. 1500 *ff.*

9. jn aus dem ~ werfen (schmeißen) = jn aus seiner Stellung verdrängen. ↗Sattel 5. 1800 *ff.*

sattelfest *adj* seiner Sache gewiß; schlagfertig; unerschütterlich; von widerstandsfähiger Gesundheit. Bezieht sich eigentlich auf einen Reiter, der nicht aus dem Sattel fällt. Seit dem 18. Jh.

satteln *refl* sich ausgehfertig machen. Vom Satteln der Pferde übertragen. 1900 *ff.*

Satteltasche *f* Vagina. Versteht sich nach ↗reiten 3. Sattel = Frauenschoß. 1955 *ff.*

sattgaffen. ↗satt 5.

Sattmacher *m* schneller ~ = Imbißbetrieb. 1960 *ff.*

sattsehen. ↗satt 13.

Satz *m* **1.** einen ~ machen = verschwinden; entweichen. Satz = kräftiger Sprung. 1910 *ff.*

2. jm einen ~ heiße Ohren ansagen = jm mit einer Ohrfeige drohen. *Jug* 1970 *ff.*

3. einen ~ heiße Ohren holen = ungestüm tanzen. *Halbw* 1980 *ff.*

4. einen ~ heiße Ohren kassieren = geohrfeigt werden. *Jug.* 1970 *ff.*

Sau *f* **1.** unreinlicher, schmutzender Mensch; unflätiger Mensch; liederliche Frau. Die Schweine gelten sinnbildlich als unsauber und geil. 1500 *ff.*

2. Klecks, Tintenklecks. Wer einen Flekken macht (beispielsweise aufs Tischtuch), wird familiär „Ferkel", „Schwein" usw. tituliert. 1600 *ff, vorwiegend oberd.*

3. Fehler, Verstoß. Die Sau war früher der Trostpreis für den schlechtesten Schützen. 1600 *ff, schül, sold* und keglerspr.

4. unverdientes, zufälliges Glück. ↗Schwein 36. Seit dem 18. Jh.

5. ~ mit Roßhaar = Schweinefleisch mit Sauerkraut. Anspielung auf wirre Verfilzung. 1910 *ff.*

6. alte ~ = a) erfahrene Prostituierte. Seit dem 19. Jh. b) Zotenerzähler; amoralisch lebender Mann. Seit dem 19. Jh.

7. arme ~ = bedauernswerter Mensch; armer Mensch. 1900 *ff.*

8. barmherzige ~ = Prostituierte ohne Entgeltsforderung. 1930 *ff.*

9. besengte ~ = sehr dummer Mensch. ↗besengt. 1930 *ff.*

10. blöde (dämliche) ~ = dumme Person; kräftiges Schimpfwort. 1900 *ff.*

11. dicke ~ = beleibte, schwerfällige, unordentliche Frau. Seit dem 19. Jh.

12. dumme ~ = dummer Mensch. 1700 *ff.*

13. faule ~ = a) träger Mensch. Seit dem 19. Jh. – b) unfairer Fußballspieler. ↗faul 1. *Sportl* 1950 *ff.*

14. feige ~ = Feigling. 1900 *ff.*

15. fette ~ = beleibter Mensch. 1900 *ff.*

15 a. geile ~ = liebesgieriger Mensch. 1950 *ff; wohl älter.*

16. gemeine ~ = sehr niederträchtiger Mensch. 1900 *ff.*

17. grobe ~ = verkommene weibliche Person; Hure. 1870 *ff.*

18. gute ~ = gutmütiger, hilfsbereiter, freigebiger Mensch. *Bayr* 1900 *ff.*

19. keine ~ = niemand. Gemeint ist eigentlich „keine Sau im Stall". 1800 *ff.*

19 a. lahme ~ = träger Mensch. 1960 *ff.*

19 b. lasche ~ = Versager. ↗lasch 1. 1960 *ff, jug.*

19 c. linke ~ = unsympathischer, niederträchtiger Mensch. ↗link 1. 1960 *ff, jug.*

20. schwule ~ = Homosexueller. ↗schwul. 1920 *ff.*

21. solide ~ = sich nicht prostituierende Frau. 1967 *ff, prost.*

22. träge ~ = langsam fahrendes Auto. 1930 *ff.*

23. trichinenfreie ~ = von Geschlechtskrankheiten freie Prostituierte. 1900 *ff.*

24. verfressene ~ = gefräßiger Mensch. 1920 *ff.*

25. volle ~ = Bezechter. 1600 *ff.*

26. vollgefressene ~ = beleibter Mensch. 1900 *ff.*

27. wilde ~ = a) Angriff von Flugzeugen, wobei jedem Jäger die Wahl seines Ziels überlassen ist; Luftkampf ohne Trennung der Einsatzbereiche für Abwehr und Nachtjäger. Wilde Sau ist das Wildschwein; gereizte Wildschweine können blindlings angreifen, sind in ihrer Wut hemmungslos. Fliegerspr. 1939 *ff.* – b) schweres Gefecht; Bewegungsgefecht. *Sold* 1939 *ff.* – c) schreiender Vorgesetzter. *BSD* 1965 *ff.*

28. zahme ~ = Luftkampf, bei dem die Einsatzbereiche für die Flak und die Nachtjäger der Höhe nach voneinander getrennt sind. Fliegerspr. 1939 *ff.*

29. unter aller ~ = sehr schlecht; unter aller Kritik. Die Leistung ist noch schlechter als die des untauglichsten Schützen, der als Trostpreis eine Sau erhält. Studenten latinisieren „sub omne su". Seit dem späten 19. Jh.

30. kalt wie eine ~ = sehr kalt. Hergenommen von dem erkalteten Schlachttier. Seit dem 19. Jh.

31. voll (o. ä.) wie eine ~ = schwerbezecht. Schweine saufen und fressen viel. Seit dem 19. Jh.

32. wie eine wilde ~ = wütend; vor Zorn uneinsichtig. ↗Sau 27. 1900 *ff.*

33. wie eine gesengte ~ = a) sehr schnell. Hat nichts mit „sengen" zu tun (es sei denn in der Bedeutung „prügeln"), sondern mit „senken = kastrieren". Kleinlandwirte nahmen diese Operation früher eigenhändig vor; dabei mußte das Tier sehr große Schmerzen erdulden, weswegen es hinterher seinen Peinigern wie wild davonrannte. 1850 *ff.* – b) überaus schlecht (er fährt Auto wie eine gesengte Sau; er spielt Klavier wie eine gesengte Sau). Vom schreiend davonlaufenden Tier übertragen auf eine ungestüme, draufgängerische Handlungsweise. 1870 *ff.*

34. Benehmen wie eine gesengte ~ = überaus schlechtes Benehmen; grobe Anstandswidrigkeit. 1910 *ff.*

35. die ~ abgeben = sich schlecht, ungesittet, unflätig benehmen; Zoten erzählen. Abgeben = darstellen. 1900 *ff.*

36. ankommen wie eine ~ ins Judenhaus = ungelegen kommen. Juden ist der Ge-

nuß von Schweinefleisch verboten. 1800 *ff.*

37. sich wie eine gesengte ~ benehmen = sich höchst ungesittet aufführen; ungestüm handeln. ↗Sau 33. 1910 *ff.*

38. sich benehmen wie fünfhundert Säue = sich völlig anstandswidrig benehmen. Abgewandelt aus Goethes „Faust I" („Uns ist ganz kannibalisch wohl / Als wie fünfhundert Säuen"). Im frühen 20. Jh aufgekommen; *sold* 1915 *ff.*

39. sich benehmen wie eine wildgewordene ~ = sich hemmungslos, dreist-herausfordernd benehmen. 1900 *ff.*

40. bluten wie eine ~ = viel Blut vergießen. Seit dem 16. Jh.

41. nicht auf der ~ dahergeritten sein = von achtbarer Abkunft sein. Seit dem 19. Jh.

42. fahren wie eine gesengte ~ = undiszipliniert, draufgängerisch fahren. ↗Sau 33. 1920 *ff.*

43. Herr, gestatte mir, daß ich in diese Säue reite! = Verwünschungsausruf des unterliegenden Kartenspielers. Geht zurück auf die Bibel (Matthäus 8, 31 *ff*). Seit dem 19. Jh.

44. nicht der ~ vom Arsch gefallen sein = nicht von schlechter Abkunft sein. Seit dem 19. Jh.

45. das fühlt eine blinde ~ mit dem Arsch = das ist für jedermann eindeutig klar. 1900 *ff.*

46. mit etw eine ~ füttern können = über etw in großer Menge verfügen. Seit dem 19. Jh.

47. von der tollen (wilden) ~ gebissen sein = von Sinnen sein. 1900 *ff.*

48. da hat eine ~ gefrühstückt = Mißgeschick häuft sich auf Mißgeschick; die Erfolgsaussichten sind geschwunden. Gemeint ist, daß Unreinlichkeit und Unordnung sich ausbreiten. 1900 *ff, sold* wird kartenspielerspr.

49. vor die Säue gehen = verkommen, umkommen, untergehen, sterben. Geht zurück auf die biblische Geschichte vom verlorenen Sohn (Lukas 15, 11 *ff*). Seit dem Ende des 19. Jhs.

50. mit jm nicht die Säue gehütet haben = keinen Anlaß zu plumpen Vertraulichkeiten haben; mit jm nicht auf gleicher gesellschaftlicher Stufe stehen. Schweinehüten galt als niedrige, geringgeachtete Tätigkeit. ↗Schwein 35. 1500 *ff.*

51. die falsche ~ geschlachtet haben = einen schwerwiegenden Fehler gemacht haben und ihn nicht wiedergutmachen können. Zur Herleitung *vgl* ↗Schwein 44. 1945 *ff.*

52. das kannst du der ~ vor den Arsch gießen = Ausdruck, mit dem man eine minderwertige Leistung zurückweist. 1800 *ff.*

53. da könnte einer ~ grausen (da kommt einer ~ das Grausen an) = das ist schrecklich, sehr schlecht, sehr schmutzig, sehr unansehnlich. *Bayr* und *österr*, 1900 *ff.*

54. ~ haben = großes Glück haben. ↗Sau 4. Seit dem 18. Jh.

55. wie eine ~ auf den Apfelbaum hokken = eine sehr schlechte Körperhaltung haben. Seit dem ausgehenden 19. Jh.

56. das imponiert keiner ~ = das macht auf niemanden Eindruck. ↗Sau 19. Seit dem 19. Jh.

57. etw in die ~ jagen = etw schlecht ausführen; etw verderben, entzweimachen. Wohl vom Schlachtmesser hergenommen. Seit dem 19. Jh.

58. wie die ~ vom Trog laufen (weglaufen) = ohne Dank vom Essen aufstehen. Seit dem 19. Jh.

59. das kann keine ~ lesen = das ist unleserlich. ↗Sau 19. Seit dem 19. Jh.

60. die wilde ~ loslassen (rauslassen) = etw Besonderes tun, veranstalten, vorführen; sich ausleben; keine Hemmungen mehr kennen. Verstärkende Analogie zu „einen ↗Hund losmachen". *Halbw* 1950 *ff;* auch *sportl.*

61. jn zur ~ machen = a) jn entwürdigend anherrschen; jn beschimpfen, moralisch vernichten, stark kritisieren. Der Betreffende wird moralisch so zugerichtet, daß er einer geschlachteten Sau gleicht. Seit dem späten 19. Jh; vor allem *sold* und handwerkerspr. – b) jn erschießen; dem Gegner schwere Verluste zufügen. *Sold* 1939 *ff.*

62. etw zur ~ machen = etw völlig vernichten. 1939 *ff.*

63. jn zur kalten ~ machen = jn moralisch erledigen. 1920 *ff.*

64. mit jm wilde ~ machen = jn schikanös drillen. ↗Sau 27. *Sold* 1939 *ff.*

65. das merkt keine ~ (keine alte ~) = das wird nicht aufgedeckt. ↗Sau 19. 1900 *ff.*

66. das paßt wie die ~ ins Judenhaus = das kommt sehr ungelegen, ist völlig unpassend. ↗Sau 36. Spätestens seit 1700. Ähnlich schon in den Fastnachtspielen des 15. Jhs.

66 a. die ~ rauslassen = sich unbeherrscht aufführen; ungestüm handeln. Gemeint ist der „innere ↗Schweinehund" *Vgl* ↗Sau 60. 1950 *ff.*

67. aus dem Hals riechen wie die ~ aus dem Arschloch = sehr üblen Mundgeruch ausatmen. 1900 *ff.*

68. schießen wie eine gesengte ~ = schlecht schießen. ↗Sau 33. 1870 *ff.*

69. wie die ~ schreiben = schlecht, unleserlich schreiben. Seit dem 19. Jh.

70. schreien wie eine gesengte ~ = laut schreien. ↗Sau 33. 1920 *ff.*

71. schwitzen wie eine ~ = sehr stark schwitzen. Leitet sich her von der toten Sau, die beim Braten „schwitzt". 1900 *ff.*

72. das sieht eine blinde ~ mit dem linken Hinterbein = das leuchtet jedermann ein. 1900 *ff.*

73. eine ~ ist satt (ist voll)!: Ausruf, wenn einer nach dem Essen laut aufstößt. 1840 *ff.*

74. das ist unter der gesengten ~ = das ist außerordentlich schlecht. ↗Sau 29. 1900 *ff.*

75. eine gebrannte ~ sein = schlechte Erfahrungen gemacht haben. Derbe Variante zu „gebranntes ↗Kind". 1920 *ff.*

76. wie eine gesengte ~ spielen = sehr schlecht spielen. ↗Sau 33. 1900 *ff,* kartenspielerspr., *sportl* u. a.

77. die wilde ~ spielen = a) wütend sein; toben; Untergebene gröblichst schikanieren. ↗Sau 23. 1925 *ff.* – b) sich undiszipliniert benehmen; Verkehrsregeln nicht beachten. 1925 *ff.*

78. jn zur ~ stempeln = jn moralisch vernichten. 1930 *ff.*

79. da wird schon morgen wieder eine

andere ~ durchs Dorf getrieben = das gerät schon bald in Vergessenheit. 1930 *ff.*

80. sich vorkommen wie die ~ im Judenhaus = sich nicht am rechten Platz fühlen; sich überflüssig vorkommen. ↗Sau 36. 1840 *ff.*

81. zur ~ werden = a) völlig vernichtet, aufgerieben werden. ↗Sau 61. *Sold* 1939 *ff.* - b) wütend, grob werden; unflätige Worte gebrauchen. Meint entweder die Sau als Sinnbildtier des Unflats oder das angriffslüsterne Wildschwein. 1943 *ff.*

82. ich werde zur ~!: Ausdruck der Verwunderung. Vor Überraschung verliert man das Gleichgewicht und fällt zu Boden wie eine getötete Sau. 1900 *ff.*

83. etw vor die Säue werfen = Wertvolles Unwürdigen zuteil werden lassen. ↗Perle 9. 1700 *ff.*

84. jm zureden wie einer kranken ~ = jn nachdrücklich zu überreden suchen. 1910 *ff.*

Sau- als erster Bestandteil einer meist doppelt betonten Zusammensetzung gibt dem Grundwort die Bedeutung „sehr schmutzig", „sehr schlecht", „sehr minderwertig", „charakterlich tiefstehend", überhaupt die Geltung einer vorwiegend geringschätzigen Verstärkung. Die Sau gilt als unreinlich, als geil und geradezu als Sinnbild des Unflats.

'Sau'arbeit *f* **1.** mühselige Arbeit. Seit dem 19. Jh.

2. schlechte, unsaubere Arbeit. Seit dem 19. Jh.

'Sau'bär *m* unreinlicher Mensch; charakterloser Mann; Lüstling; Wüstling; Zotenreißer; Rohling. Bezeichnung für den Eber, das männliche Wildschwein. Vorwiegend *bayr,* seit dem 19. Jh.

sauber *adj* **1.** tüchtig. Hergenommen von einem, der eine saubere Arbeit liefert. Seit dem 19. Jh.

2. sehr angenehm; hochwillkommen; sehr fein; ausgezeichnet. Im ausgehenden 19. Jh aufgekommenes Modewort zur Kennzeichnung eines positiv Superlativischen im Sinne von „reinlich = mustergültig".

2 a. nicht mehr im Besitz des Diebesguts. 1960 *ff.*

3. ~, ~!: Ausdruck des Erstaunens über eine unangenehme Sache. *Iron* Äußerung. 1920 *ff, jug.*

4. schmutzig, schlimm, schlecht, vertrauensunwürdig, gemein. *Iron* gemeint seit dem 17. Jh.

5. nicht ~ = nicht ehrlich; nicht aufrichtig. Seit dem 19. Jh.

6. jn ~ machen = jn völlig ausrauben. Diebische Naturen betrachten die widerrechtliche Wegnahme als ein Reinigen ihres Opfers vom Überfluß. 1930 *ff.*

7. nicht ~ sein = nicht recht bei Verstand sein. Sauber = klar. Der Betreffende kann nicht klar denken. 1930 *ff.*

8. jn ~ waschen = jn für schuldlos erklären. Analog zu ↗reinwaschen. Seit dem 19. Jh.

Saubermann *m* **1.** Mann, der Putzfrauenarbeit verrichtet. Geht zurück auf die von der Putzmittelindustrie (Omo) geschaffene Werbefigur gleichen Namens. 1965 *ff.*

2. Sittenwächter; untadeliger Mann; Moralist. 1970 *ff.*

3. Gegner chemischer Zusätze in Nahrungsmitteln. 1970 *ff.*

4. Angehöriger einer städtischen Reinigungskolonne. 1970 *ff.*

5. Frau ~ = Reinmachefrau. 1970 *ff.*

6. Sprachreiniger, Fremdwortfeind. 1976 *ff.*

7. Verfechter der Parteigrundsätze. 1978 *ff.*

8. Umweltschützer. 1979 *ff.*

Saubetrieb *m* Bordell. ↗Sau 1. Seit dem 19. Jh.

'Sau'beutel *m* **1.** schmutziger Mann; schmutzender Mann. Beutel = Hodensack. Seit dem 19. Jh.

2. verschlagener, listiger Mann; Mann, dem man nicht trauen kann. 1920 *ff.*

Saubohnenstroh *n* grob wie ~ = grob, rücksichtslos, ohne Mitgefühl. ↗Bohnenstroh. Seit dem 18. Jh.

Sauce (*franz* ausgesprochen) *f* **1.** unangenehme Lage; Gefahr; Not; Unannehmlichkeit. Analog zu „↗Brühe 4". Seit dem 18. Jh.

2. aufgeweichter Weg. Seit dem 19. Jh.

3. Sperma. 1920 *ff.*

4. ~! (Soßl): warnender Zuruf des Kellners im Gedränge. *Bayr* und *österr* seit dem 19. Jh.

5. fade ~ = langweilige Sache. 1900 *ff.*

6. die ganze ~ = das Ganze; das alles *(abf).* Vielleicht beeinflußt von „↗Schose 3". 1900 *ff.*

7. lange ~ = umständliche, weitschweifige Erzählung. Hergenommen von der Tunke, die um so gehaltloser ist, je mehr sie verdünnt wird. 1840 *ff.*

8. rote ~ = a) Blut. Seit dem 19. Jh. – b) Menstruation. 1920 *ff.*

9. seichte ~ = weitschweifiger, aber nichtssagender Bericht (Vortrag). 1900 *ff.*

10. danke, dito mit ~!: Erwiderung eines Wunsches. 1920 *ff.*

11. in eine ~ fallen = in eine üble Lage geraten. ↗Sauce 1. Seit dem 19. Jh.

12. in die ~ kommen = in Verlegenheit kommen. Seit dem 19. Jh.

13. das macht die ~ nicht fett = das bessert die Sache nicht. 1920 *ff.*

14. eine ~ machen = weitschweifig erzählen; das Beiwerk herrichten. 1820 *ff.*

15. eine ~ reden = umständlich reden. Seit dem 19. Jh.

16. das ist dieselbe ~ = das ist dasselbe; das macht keinen Unterschied. Hergenommen von der Einheitstunke, die in Kantinen und kleinen Restaurants wahllos zu jedem Essen serviert wird. 1820 *ff.*

17. in der ~ sein (sitzen) = sich in Not befinden. ↗Sauce 1. *Vgl franz* „être dans la sauce". Seit dem 18. Jh.

'Sau'dackel *m* **1.** sehr dummer Mensch. ↗Dackel. 1900 *ff.* 1956 in Schwaben in einer Beleidigungsverhandlung mit 100 DM geahndet.

2. starkes Schimpfwort. 1900 *ff.*

'Sau'ding *n* schmutziges Kind. ↗Ding II 1. 1920 *ff.*

'sau'dumm *adj* sehr dumm. 1800 *ff.*

sauen *intr* **1.** klecksen, schmutzen; schlecht arbeiten. ↗Sau 2. Seit dem 17. Jh.

2. unflätige Reden führen; Zoten erzählen. ↗Sau 1. 1800 *ff.*

3. rennen, eilen, springen; schlecht oder zu schnell fahren. Hergenommen vom ungestümen Lauf des Schweins, vor allem des Wildschweins. ↗Sau 27. 1920 *ff.*

4. es saut = es regnet ausgiebig; es regnet kalt. ↗sauen 1. 19. Jh.

sauer *adj* **1.** mißgestimmt, verärgert, wütend. Herzuleiten von der „sauren Miene", die der Mürrische aufsetzt, als hätte er Essig getrunken. 1500 *ff.*
2. unausstehlich, widerlich. 1920 *ff.*
3. langweilig, unangenehm, schlecht, unsicher, mißlungen o. ä. Hergenommen von Speisen, die säuern. Seit dem frühen 20. Jh.
4. erschöpft. *Sportl* 1920 *ff.*
5. mühsam, beschwerlich. Herzuleiten vom sauren Schweiß. Spätestens seit 1500.
6. es kommt ihm ~ an = es strengt ihn sehr an; er tut es ungern. 1500 *ff.*
7. jn ~ anschielen = jn mißgünstig anblicken. 1500 *ff.*
8. das stößt ihm ~ auf = das erweckt seinen Unmut. Hergenommen vom säuerlichen Aufstoßen aus dem Magen. 1800 *ff.*
9. es sieht ~ aus = Bedenken und Befürchtungen stellen sich ein. 1920 *ff.*
10. ein Kraftfahrzeug ~ fahren = durch übermäßige Beanspruchung einen Motorschaden herbeiführen. Vermenschlichung der Technik: das Auto ist verdrossen und erschöpft wie ein Mensch. 1920 *ff.*
11. ~ gucken (blicken, sehen o. ä.) = ungehalten, mürrisch dreinsehen. ↗ sauer 1. 1500 *ff.*
12. die Maschine ~ haben = am Kraftfahrzeug einen Motorschaden verschuldet haben. ↗ sauer 10. Kraftfahrerspr. 1920 *ff.*
13. das kann er sich ~ kochen!: Ausdruck der Abweisung. Sauer kochen = in Essig kochen (damit es länger haltbar bleibt). 1800 *ff.*
14. jn ~ kochen = jn zurückweisen, heftig kritisieren. 1900 *ff.*
15. ein saures Gesicht machen = verdrießlich dreinblicken. ↗ sauer 1. 1500 *ff.*
16. jn ~ machen = a) jn verärgern, vergrämen. Seit dem 19. Jh. – b) einen Schüler, einen Verdächtigen gründlich ausfragen. Das verdrießt beide. Seit dem 19. Jh.
17. jm etw ~ machen = jm etw beschwerlich machen; jm etw verleiden. ↗ sauer 5; ↗ Leben 25. 1500 *ff.*
18. etw ~ nehmen = etw übelnehmen. 1910 *ff.*
19. auf etw ~ reagieren = über etw unwillig werden; etw abweisen; eine Zumutung zurückweisen. Stammt aus der Fachsprache der Chemiker: man spricht von saurer Reaktion, wenn blaues Lackmuspapier in gelöster Substanz sich rot färbt. Seit dem ausgehenden 19. Jh.
20. es riecht ~ = es steht bedenklich um diese Sache; man hat schlimme Ahnungen, Befürchtungen. Übernommen vom Geruch faulender oder schimmelnder Lebensmittel. 1910 *ff.*
21. ~ sehen = pessimistisch sein. ↗ sauer 1. 1500 *ff.*
22. zu etw ~ sehen = etw nicht mögen; über etw ungehalten sein. Anspielung auf die unfreundliche Miene. Seit dem 19. Jh.
23. auf etw (jn) ~ sein = eine Sache oder Person nicht leiden können; Abneigung gegen bestimmte Dinge oder Personen haben. Mißfallen spiegelt sich im Gesichtsausdruck wider. 1945 *ff.*
24. ~ sein = a) wütend sein; sich benachteiligt fühlen; gekränkt sein; schmollen. ↗ sauer 1. 1945 *ff.* – b) müde, abgespannt, überanstrengt sein. 1920 *ff.*
25. die Kiste (der Motor) ist ~ = das

Auto hat einen Motorschaden. ↗ sauer 10. Kraftfahrerspr. 1920 *ff.*
26. sich ~ tun = sich hart anstrengen. ↗ sauer 5. Seit dem 19. Jh.
27. sein Geld (Brot) ~ verdienen = seinen Lebensunterhalt mühsam verdienen. 1800 *ff.*
28. es kommt ihm ~ vor = es erscheint ihm heikel. ↗ sauer 3. 1920 *ff.*
29. es wird ihm ~ = es wird ihm beschwerlich. ↗ sauer 5. Seit *mhd* Zeit.
30. ~ werden = a) die Lust verlieren. 1900 *ff.* – b) verärgert reagieren; sich gekränkt fühlen. Vgl engl „to get sour". *Stud* 1950 *ff.* – c) ermüden. 1920 *ff.* – d) im Wettrennen zurückfallen; den Kampf aufgeben. *Sportl* und kraftfahrerspr. 1920 *ff.*
31. es wird ~ = a) es mißglückt. Übertragen von faulenden oder schimmelnden Lebensmitteln. 1935 *ff.* – b) es verliert an Neuigkeitswert. Journalistenspr. 1935 *ff.*
32. sich etw ~ werden lassen = sich mit etw viel Mühe geben. ↗ sauer 5. Seit dem 15. Jh.
Sauer *n* **1.** laß es dir in ~ einkochen!: Ausdruck der Ablehnung. ↗ sauer 13. 1800 *ff.*
2. laß dich in ~ einkochen!: Redewendung auf einen Versager. Seit dem 19. Jh.
3. jn in ~ einwecken = jn bewußtlos schlagen. Der Betreffende liegt lange Zeit in Ohnmacht. 1920 *ff.*
4. leg ihn dir in ~! = halte du zu ihm, ich will mit ihm nichts zu tun haben! Seit dem 19. Jh.
Sauer'bier *n* ↗ Bier 6.
Saue'rei *f* **1.** grobe Unreinlichkeit; wüstes Durcheinander. Kraftwort für Verwünschtes aller Art, fußend auf „↗ Sau 1". 1600 *ff.*
2. Unflätigkeit; grobe Unmanierlichkeit; Unsittlichkeit; Orgie. 1600 *ff.*
3. regnerisches, unfreundliches Wetter. Seit dem 19. Jh.
4. sehr widerwärtige Unannehmlichkeit. Seit dem 19. Jh.
Sauerkohl *m* **1.** struppiger Vollbart; erster Bartflaum; schlechtes Rasiertsein. Übertragen vom strähnigen Sauerkraut. 1900 *ff.*
2. Schamhaare. 1920 *ff.*
Sauerkohlstampfer *pl* **1.** große, breite Füße oder Schuhe. Sie sind verwendbar beim Einstampfen des Sauerkrauts in Fässer. 1914 *ff.*
2. dicke Waden. Sauerkraut wurde früher mit einem Rundholz eingestampft. 1920 *ff.*
Sauerkraut *n* **1.** Deutscher. Diesen Namen verdanken wir im Ausland unserer Vorliebe für Sauerkraut. Die Bezeichnung scheint im 19. Jh aufgekommen zu sein. Dazu der Spruch: „Der Deutsche nehme lieber kaut als Bratwurst und Sauerkraut" oder „will man keine Prügel han, muß man dem Deutschen Knödel und Sauerkraut lan".
2. ungepflegter Vollbart; Stoppelbart; unrasiertes Gesicht. ↗ Sauerkohl. 1900 *ff.*
3. erster Bartflaum. 1910 *ff.*
4. dünnes, zotteliges Haar bei Frauen. 1930 *ff.*
5. bronziertes ~ = Lametta. 1933 *ff.*
sauerkrautblond *adj* fahlgelb bis gelbrötlich. 1900 *ff.*
säuerlich *adj* leicht mißmutig; lebensunfroh; prüde. Seit dem 19. Jh.
Sauerstoff *m* ~ tanken = am offenen Fenster tief atmen. ↗ tanken. 1950 *ff.*

Sauerstoff-Tankstelle *f* Sommerfrische mit waldreicher Umgebung; freie Natur. 1950 *ff.*
Sauertopf (-pott) *m* griesgrämischer Mensch. Meint eigentlich das Gefäß mit gestockter Milch; ihre Oberfläche ähnelt dem Gesicht eines Mürrischen. Vgl engl „sour pan". 1500 *ff.*
Sauf *m* Gesamtheit der Getränke. *Jug* 1950 *ff*, bayr.
'Saufahre'rei *f* beschwerliches Fahren auf schlechten oder verstopften Straßen; sehr schlechte Fahrweise. 1920 *ff.*
'Sauf'aus *m* Zecher. 1500 *ff.*
Saufbähnle (-bähnchen) *n* Moseltalbahn. Die Strecke führt durch bekannte Weinorte. 1903 *ff.*
saufbar *adj* trinkbar. Vergröberung seit dem 19. Jh.
Saufbruder *m* Trinkgenosse; Zecher; Trunkenbold. „Bruder" tritt früh an die Stelle von „Genosse" (Skat-, Kegelbruder u. a.). 1600 *ff.*
saufen *tr intr* **1.** trinken; viel trinken; trunksüchtig sein; ungesittet trinken. Seit *mhd* Zeit.
2. sauf' wieder een! = auf Wiedersehen! Hieraus schüttelreimerisch entstanden, im Sinne einer Aufforderung zum Trinken. 1914 *ff.*
3. sauf qui peut!: Aufforderung zum Mittrinken. Umgeformt aus *franz* „sauve qui peut = rette sich, wer kann". 1920 *ff.*
4. sich blöde ~ = durch übermäßigen Alkoholgenuß verblöden. 1900 *ff.*
5. jn ~ lassen = a) jn belasten. Vgl ↗ eintauchen. 1900 *ff*, rotw. – b) jm in der Not nicht helfen. Anspielung auf den Tod durch Ertrinken. 1920 *ff.*
Säufer *m* **1.** Trinker; Trunksüchtiger. Seit *mhd* Zeit.
2. Auto mit sehr großem Kraftstoffverbrauch. 1920 *ff.*
Sauferei *f* **1.** fortgesetztes Trinken von Alkohol; Trinklust. Seit *mhd* Zeit.
2. Trinkgelage. Seit dem 15. Jh.
3. alkoholische Getränke (auch „Säuferei"). 1850 *ff.*
Säuferiges *n* alkoholisches Getränk. Säuferig = trinkbar. 1935 *ff.*
Saufflecke *pl* dunkle Stellen auf der Gesichtshaut, angeblich herrührend von übermäßigem Alkohol- Dauergenuß. 1870 *ff.*
Saufgeschirr *n* Siegespokal. *Sportl* und schützenvereinsspr. 1950 *ff.*
Saufigel *m* Trunksüchtiger. Zu „Igel" vgl ↗ „Schweinigel". 1700 *ff.*
Saufjodel *m* Trinker, Trunksüchtiger. ↗ jodeln. Kärnten 1950 *ff.*
Saufknoten *m* Adamsapfel. ↗ Bierknoten. 1870 *ff.*
Saufknubbel *m* Adamsapfel. ↗ Knubbel. 1870 *ff.*
Saufkram *m* Getränke. *Halbw* 1960 *ff.*
Saufladen *m* kleine Schenke; Bar o. ä. 1920 *ff.*
Saufleine *f* Couleurband. Farbentragende Verbindungsstudenten gelten als trinkfeste Leute. 1920 *ff.*
Saufnickel *m* Trinker. ↗ Nickel. 1900 *ff.*
Saufochse *m* Trinker. ↗ Ochs 21. Seit dem 19. Jh.
'Sau'foto *n* obszönes Foto. 1960 *ff.*
Saufpatron *m* Trinker. Seit dem 19. Jh.
'Sau'fraß *m* schlechtes, unschmackhaftes, ungenießbares Essen. ↗ Fraß. Ohne Dop-

pelton ist das Schweinefutter gemeint. 1850 ff.

'sau'frech *adj* sehr frech. Seit dem 19. Jh.

'sau'froh *adj* sehr zufrieden, glücklich. *Bayr* 1900 ff.

Saufstengel *m* Trinker. ↗ Stengel. 1920 ff.

Saufstrippe *f* Burschen-, Couleurband. ↗ Strippe. *Vgl* ↗ Saufleine. 1920 ff, stud.

Sauftour *f* 1. Reise oder Wanderung, die mit dem Besuch vieler Wirtschaften verbunden ist. ↗ Tour. 1900 ff.
2. von Zeit zu Zeit wiederkehrende Trunksucht. 1900 ff.

'Sauf'futter *n* minderwertiges Essen. Analog zu ↗ Saufraß. 1900 ff.

Sauffüttern *n* zum ~ haben = im Überfluß besitzen. ↗ Sau 46. *Österr* seit dem 19. Jh.

Saufzeug *n* 1. Getränke. *Halbw* 1960 ff.
2. kleines ~ = gestreifte Hose zum schwarzen Jackett. 1960 ff, Bonn.

'sauge'mütlich *adj* sehr gemütlich. 1900 ff.

Säugling *m* 1. Versager; Neuling. Analog zu ↗ Baby. 1900 ff.
2. Schüler der Unterstufe. 1920 ff.
3. Rekrut. *BSD* 1965 ff.
4. *pl* = jüngere Geschwister. *Halbw* 1950 ff.
5. *sg* = trinkfester Zecher. Mit dem Kind im ersten Lebensjahr hat er das Trinken aus der Flasche gemeinsam. ↗ Flaschenkind. 1920 ff.
6. kuhwarmer ~ = Neugeborener. 1920 ff.

Säuglingskneipe *f* Frauenbrust. 1850 ff, Berlin.

Sauglocke *f* 1. Obszönität. Mit der Sauglocke werden die „Schweine" zusammengerufen, so wie man mit der „Gebetsglocke" die Frommen zusammenruft. 1400 ff.
2. Zotenreißer. Seit dem 19. Jh; wohl älter.
3. unreinliche weibliche Person. 1900 ff.
4. die ~ läuten (an die ~ ziehen) = unanständige Witze erzählen; sich sehr unmanierlich benehmen. 1400 ff.

'Sau'glück *n* großes Glück. Leitet sich her vom alten deutschen Kartenspiel, in dem seit Ende des 16. Jhs das Schellen-As „Sau" hieß, weil auf der Karte eine Sau abgebildet war; wer mit dieser Karte gewann, hatte Glück. Also Tautologie oder Verstärkung im Sinne von „↗ Sau-". 1800 ff.

Saugnapf *m* Kußmund. Eigentlich der Schröpfkopf. 1900 ff.

'sau'gut *adj* sehr gut; hochherzig, großzügig; sehr kameradschaftlich. Seit dem 19. Jh.

Sauhatz *f* 1. sittenpolizeiliche Fahndung auf nichtregistrierte Prostituierte oder auf solche, die auf verbotenen Straßen ihrem Gewerbe nachgehen oder der amtsärztlichen Untersuchungspflicht nicht nachgekommen sind. Meint eigentlich die Jagd mit Hunden auf Wildschweine. 1910 ff.
2. Nachexerzieren. *BSD* 1965 ff.

'Sau'haufen *m* 1. Gruppe ohne Ordnung, ohne Angriffsgeist, ohne Kameradschaftlichkeit. ↗ Haufen 2. Im späten 19. Jh unter Soldaten und Kadetten aufgekommen.
2. sehr große Menge Geld o. ä. 1920 ff.
3. Kreis von Leuten, die sich an Obszönitäten weiden. 1935 ff.

Sauhund *m* 1. tüchtiger, gewitzter Mann. Eigentlich der bei der Jagd auf Wildschweine angesetzte Hund. 1870 ff.

2. Aschenbecher. Wohl Anspielung auf den Geruch des ungereinigten Gefäßes. 1890 ff.
3. Hund (sehr *abf*). 1900 ff.

'Sau'igel *m* unreinlicher Mann; perverser Lüstling; Zotenerzähler. Analog zu ↗ Schweinigel. Seit dem 18. Jh.

sauisch (säuisch) *adj* 1. unreinlich; sittlich anstößig; unflätig; obszön. ↗ Sau 1. 1500 ff.
2. sehr minderwertig; unkameradschaftlich. 1960 ff, schül.

'sau'kalt *adj* 1. bitterkalt. Dazu die unter Jugendlichen verbreitete Redewendung: „mir ist saukalt; ist dir Sau auch kalt?" Seit dem 19. Jh.
2. gefühlsroh. 1900 ff.

'Sau'kerl *m* 1. unreinlicher Bursche. Seit dem 18. Jh.
2. Schimpfwort auf einen niederträchtigen Mann. 1500 ff.

'sau'komisch *adj* 1. überaus komisch. 1920 ff.
2. sehr seltsam. ↗ komisch. 1920 ff.

Saukopf (-kopp) *m* Schimpfwort auf einen störrischen Menschen, auf einen groben Burschen o. ä. Meint mit dem „Schweinskopf" den dicken Kopf und dann den eigensinnigen Menschen. Vorwiegend *südd* und *mitteld*, seit dem 19. Jh.

'Sau'kram *m* 1. unliebsame Angelegenheit. ↗ Kram. 1900 ff.
2. schwere Unsittlichkeit. 1900 ff.

'Sau'krieg *m* schlimmer, verfluchter Krieg. *Sold* und *ziv* 1914 bis heute.

Säule I *n* junge, nette Prostituierte. Verkleinerungsform von „↗ Sau 1". 1920 ff.

Säule II *f* 1. Klassenbester. Er gilt als Hauptstütze der Klasse. 1920 ff.
2. Rekordinhaber. *Sportl* 1936 ff.
3. *pl* = sehr kräftig entwickelte Frauenbeine. 1900 ff.

'sau'leicht *adj* unschwer zu meistern. 1970 ff, jug.

Säulenheiliger *m* 1. an (bei, hinter) einer Säule stehender Besucher des Gottesdienstes. Eigentlich ein frommer Mann, der auf einer Säule fastet; hier der „Heilige" an einer Säule. 1900 ff, westd.
2. Tankwart. Die Säule dieses „Heiligen" ist die Tanksäule. Berlin 1955 ff.

Sauliebe *f* schlechte Behandlung der Kinder durch die Mutter. Bei den Schweinen kommt es vor, daß das Muttertier sogar die eigenen Ferkel auffrißt. 1900 ff.

'Saumagen *m* 1. Magen, der alles verträgt. Seit dem 19. Jh.
2. Allesesser; eßgieriger Mensch. Seit dem 19. Jh.

'Sau'magen *m* unreinlicher, unflätiger, geiler Mann. 1600 ff.

'sau'mäßig *adj adv* sehr schlecht; sehr unerquicklich; überaus (ihm geht es saumäßig; er verdient saumäßig viel Geld; die saumäßige Musik macht einen wie taub). Eigentlich „nach Art einer Sau"; dann in allgemein verstärkender Bedeutung mit abfälliger Bewertung. 1800 ff.

'sau'müde *adj* sehr müde. 1900 ff.

Saunagel *m* Eckkegel. Eigentlich der Hauer des Ebers. Keglerspr. Seit dem 19. Jh.

saunen *intr* ein Saunabad nehmen. Nach 1955 aufgekommenes Neuwort zu „Sauna".

'sau'nett *adj* sehr liebenswürdig; urgemütlich. 1950 ff.

'sau'nobel *adj* 1. sehr elegant gekleidet. *Bayr* seit dem 19. Jh.
2. vornehm, großzügig. *Bayr* 1900 ff.

'Sau'preuße ('Sau'preiß) *m* Schimpfwort auf Nord-, Westdeutsche, auf die Berliner o. ä. Eine in Bayern gegen 1850/70 aufgekommene, unausrottbare Schimpfvokabel (*vgl* ↗ Preuße 1).

'sau'preußisch *adj* norddeutsch, berlinisch, (westdeutsch). Seit dem 19. Jh.

säurefest *adj* unbestechlich. 1955 ff.

Sauregurkenzeit *f* Geschäftsstille im Sommer. Herzuleiten von den Gurken, dem Lieblingsessen der Berliner in den Sommermonaten. Aufgekommen im späten 18. Jh. Parallel zu dieser Bezeichnung liegen *engl* „cucumbertime" und „season of the very smallest potatoes". Andere Erklärer gehen zurück auf *rotw* „zarot", *jidd* „zoress" im Sinne von „Sorgen" und auf *rotw* „jakrut", *jidd* „jokress" soviel wie „Teuerung". „Sauregurkenzeit" wäre also die „Zeit der Sorgen und der Teuerung".

Saures *n* 1. jm ~ geben = a) jn prügeln. Hergenommen von der Vorstellung der scharfen Säure im Gegensatz zu der Geltung von „süß" als „angenehm" (süßer Kuß; süße Schmeichelei). 1840 ff. – b) jn beschießen, niederkämpfen. Beschuß und Niederlage sind in volkstümlicher Auffassung Prügel. *Sold* in beiden Weltkriegen; *sportl* 1950 ff. – c) jn schikanös behandeln. 1914 ff. – d) jn beschimpfen, entwürdigend anherrschen; gegen jn schwere Vorwürfe erheben. 1914 ff. – e) jm heftige Boxhiebe versetzen. 1920 ff. – f) den Kartenspieler gründlich besiegen. 1900 ff.
2. es gibt ~ = es kommt zum Angriff, Gefecht usw. *Sold* in beiden Weltkriegen.
3. ~ kriegen = a) Prügel erhalten. Seit dem 19. Jh. – b) beschossen werden. *Sold* 1914–1945.

Saurüssel *m* 1. Mund. Eigentlich die Schweineschnauze. 1900 ff.
2. Gasmaske; ABC-Schutzmaske. *Sold* 1914 bis heute. *Vgl gleichbed franz* „museau de cochon".

Saus *m* in ~ und Braus leben = sorgenlos, üppig leben. Erweitert aus *mhd* „in dem suse leben" unter Hinzunahme von „Braus" aus Reimgründen. Wind und Wellen sausen und brausen ohne Hindernis. 1600 ff.

'Sau'schnauze *f* derbe, unflätige Ausdrucksweise. ↗ Schnauze. 1900 ff.

'sau'schön *adj* sehr schön. *Schweiz* 1940 ff.

Sauschwänzchen *n* umgekehrtes ~ = Note 6. *Südwestd* 1955 ff.

'sau'schwer *adj* sehr schwer von Gewicht; schwierig; mühselig. 1900 ff.

Sause *f* 1. alkoholische Ausschweifung leichterer Art; Besuch verschiedener Wirtschaften; fröhlich- ausgelassenes Treiben. ↗ Saus = üppiges Leben. 1920 ff.
2. tiefer Sturz. Man saust abwärts. 1970 ff.
3. Schulverweisung. 1970 ff.
4. große ~ = sehr hohe Fahrgeschwindigkeit. 1970 ff.
5. feuchte (nasse) ~ = ausgedehnter Besuch mehrerer Wirtshäuser. 1920 ff.

säuseln *intr* 1. gewinnend reden; Schmeicheleien sagen; flirten. Meint soviel wie „leicht wehen"; von da übertragen auf eine angenehme, sanft eingehende Sprechweise. 1870 ff.
2. dummschwätzen; sich mißvergnügt

äußern. Das Nörgeln geschieht vorsichtig, wie flüsternd. 1955 ff, halbw.

sausen v 1. intr = eilen. Man bewegt sich so schnell, daß man die Luft sausen hört. Seit dem 19. Jh.

2. intr = in der Prüfung versagen. Immer schneller nähert man sich dem negativen Endergebnis. 1900 ff, schül und stud.

3. was ist in dich gesaust? = warum bist du so verändert? Verstärkung von ↗ fahren 4. 1930 ff.

4. jn ~ lassen = den Umgang mit jm abbrechen; jn freigeben; auf jds Verbleiben verzichten. Den Davoneilenden hält man nicht zurück. 1870 ff.

5. etw ~ lassen = etw verabsäumen; einen Termin unbeachtet verstreichen lassen; eine Gelegenheit ungenutzt vorübergehen lassen. 1870 ff.

6. eine Karte ~ lassen = eine Spielkarte nicht stechen. Kartenspielerspr. 1870 ff.

7. den Beruf (o. ä.) ~ lassen = den Beruf (o. ä.) aufgeben. 1920 ff.

8. einen ~ lassen = einen Darmwind laut entweichen lassen. 1870 ff.

Sauser m 1. junger Wein; gärender Most. Wegen der stürmischen Gärung. Vorwiegend südwestd, seit dem 19. Jh.

2. Rausch, Weinrausch. ↗ Saus. Seit dem 19. Jh.

3. einen ~ machen = an einer Zecherei teilnehmen. 1900 ff, stud.

Sauspieler (Sauschpieler) m schlechter Schauspieler. Wortspielerischer Buchstabentausch. 1870 ff.

Sausprache f derbe Ausdrucksweise. 1930 ff.

Saustall m 1. unreinlicher Raum; verwahrloste Wohnung; Unordnung; Mißstand jeglicher Art; grobe Disziplinlosigkeit. Leitet sich her vom Aussehen der Schweineställe. 1500 ff. Vgl engl „pigsty".

2. Klassenzimmer. Schül 1950 ff.

3. Gruppe, in der Obszönitäten geäußert werden. 1900 ff.

4. den ~ ausmisten (ausräuchern) = einen Mißstand gründlich beseitigen. Geht zurück auf die griechische Sage von Herakles und dem Augiasstall. 1800 ff.

'sau'stark adj hervorragend; sehr eindrucksvoll. ↗ stark 1. Jug 1960 ff.

'Sau'thema n schwieriges Aufsatzthema. Schül seit dem späten 19. Jh.

'sau'toll adj unübertrefflich. ↗ toll. Halbw 1950 ff.

Sautreiber m 1. Zuhälter. Eigentlich der Schweinehirt; ↗ Sau 1. 1800 ff.

2. Soldatenausbilder. Er treibt die Rekruten über den Kasernenhof usw. BSD 1965 ff.

3. Beamter der Sittenpolizei im Außendienst. Er verscheucht die Prostituierten von solchen Straßen, auf denen ihnen die Ausübung ihres Gewerbes verboten ist. Berlin 1920 ff.

4. Schimpfwort auf einen Dümmling, auch auf einen Mann mit derber Ausdrucksweise.

5. grob wie ein ~ = sehr grob; unflätig. Seit dem 19. Jh.

'sau'wohl adv 1. äußerst behaglich; kerngesund. Übernommen von der Sau, die sich wohlig wälzt. Seit dem 18. Jh.

2. mir ist ~, ist dir Sau auch wohl?: Scherzfrage nach dem Befinden. Schül 1920 ff.

Sauzahn m 1. kurze Tabakspfeife. Form-

verwandt mit dem Hauer des Ebers. 1850 ff.

2. kleiner Penis. 1900 ff.

'Sau'zahn m 1. Mensch, der Freude an zotigen Redewendungen hat. 1910 ff.

2. einer hohe Fahrgeschwindigkeit. ↗ Zahn. Kraftfahrerspr. 1930 ff.

'Saxen'di ('Saxen'die) interj Ausruf des Unwillens, auch der Be- und Verwunderung. „Sachsen, saxen" ist aus „↗ sacker" entstellt, und „di" fußt auf lat „domini" oder „dei". Bayr 1900 ff.

'Saxendi'bix interj Verwünschung. „-bix" ist aus „Kruzifix" entstellt. Bayr 1900 ff.

'Saxi'fix interj Verwünschung. Entstellt aus „↗ sacker" und „Kruzifix". Bayr 1900 ff.

Schab m 1. Anteil an der Diebesbeute, am Prostituiertenentgelt. Vgl ↗ schaben 3. Rotw 1850 ff (wenn nicht älter).

2. einen ~ machen = an einem Geschäft viel verdienen; auf Gewinn arbeiten. Österr 1940 ff.

Scha'bau m Schnaps; alkoholisches Getränk. Geht zurück auf lat „vinum sabaudum = Savoyer Wein". Westd seit der zweiten Hälfte des 17. Jhs.

Schabbes m sich aus etw einen ~ machen = sich einen guten Tag machen; etw gut verwerten. Jidd „Schabbes = Sabbat". 1900 ff.

Schabbesdeckel m 1. Zylinderhut; steifer schwarzer Hut. An Feiertagen gehen die Juden im Zylinder oder steifen Hut. Seit dem 18. Jh.

2. Hut, Sonntagshut; schlechter, abgetragener Hut. Beeinflußt von „schäbig" und franz „chapeau". Seit dem 19. Jh.

schaben v 1. intr = betteln. Schaben = durch Kratzen an sich bringen. Hunde, Katzen, Pferde und andere Tiere machen sich durch Kratzen oder Scharren bemerkbar, wenn sie Hunger haben. Kundenspr. Seit dem 19. Jh.

2. intr = liebedienern; sich einschmeicheln. Leitet sich her entweder vom Kratzen der Haustiere an der Tür, an der Kleidung des Menschen, oder ist über „↗ schaben 10" Variante zu „jm um den ↗ Bart gehen". 1910 ff.

3. intr = die Beute teilen; dem Zuhälter seinen Anteil an der Einnahme der Prostituierten geben. Schaben = die obere Schicht durch Kratzen entfernen; hieraus weiterentwickelt im Sinne der Wegnahme des zustehenden Anteils. Rotw seit dem 19. Jh.

3 a. intr = das gemeinsam erarbeitete Bedienungsgeld aufteilen. Wien 1910 ff.

4. tr = jm Geld abnötigen; jn erpressen. Variante zu „über den ↗ Löffel balbieren". Seit dem 19. Jh.

5. tr = jn übertölpeln, betrügerisch schädigen. Seit dem 19. Jh.

6. tr = jm beim Spiel viel Geld abgewinnen. Seit dem 19. Jh.

7. tr = etw entwenden. 1900 ff.

8. tr = jn ärgern, veralbern. Verkürzt aus „↗ Rübchen schaben". Halbw 1955 ff.

9. das schabt mich mächtig = das ärgert mich sehr. Analog zu „es ↗ kratzt mich". Halbw 1955 ff.

10. refl = sich rasieren. Die Vokabel verdrängt mehr scherzhaft als ernsthaft das franz „rasieren", das seinerseits an die Stelle von „den Bart schaben" getreten ist. 1820 ff.

schäbig adj armselig, geizig. Gehört zu

„Schabe = Räude". Räudige Tiere werden gemieden und verachtet. 1500 ff.

Scha'bracke f 1. altes Pferd (alte Kuh). Meint eigentlich die Satteldecke, die man auf den Pferderücken legt. Wohl unter dem Einfluß von „schäbig" und „Racke = Kot" weiterentwickelt zur Bezeichnung für alte, mindergeachtete Lebewesen. Seit dem 19. Jh.

2. alte (häßliche) Frau. Seit dem 19. Jh.

3. veraltetes Theaterstück. Theaterspr. 1920 ff.

'schach'matt adj sehr abgespannt, abgearbeitet, erschöpft. Dem Schachspiel entlehnt: persisch „esch-schah mat = der König ist gestorben". In übertragener Bedeutung wird der erste Silbe als Verstärkung aufgefaßt. Seit dem 16. Jh.

Schacht pl Prügel. Meint im Nordd die Stange und den Prügelstock. Seit dem 19. Jh.

Schachtel f 1. kleines Haus; kleines Schiff. Eigentlich das kleine Behältnis. 1930 ff.

2. Kleinauto. 1925 ff.

3. Kasten Bier. Dosenbier wird im Karton geliefert. BSD 1965 ff.

4. Gehäuse des Rundfunk-, Fernsehgeräts. Technikerspr. 1950 ff.

5. Frau (abf). Eigentlich Bezeichnung für die Vagina. Seit dem ausgehenden 15. Jh.

6. alte ~ = alte Frau. 1500 ff.

7. wie aus der ~ (wie aus dem Schächtelchen; wie aus dem Schachterl) = sauber gekleidet. Hergenommen von der Schachtel, in der die Spielpuppe verkauft wird. 1840 ff.

Schachtelhalme pl 1. schütteres Kopfhaar einer älteren Frau. Hier ist der bot Name überlagert von „↗ Schachtel 6". 1920 ff.

2. falsche Haare einer älteren Frau. 1920 ff.

3. es rauscht in den ~n = a) es bahnt sich eine Entwicklung an. Übernommen von den Anfangsworten des Gedichts „Der Ichthyosaurus" von Joseph Victor von Scheffel (1854). Durch studentische Vermittlung in die Umgangssprache eingegangen; seit spätestens 1900. – b) hier geht es ausgelassen zu. 1920 ff. – c) die Geschäfte gehen gut. 1920 ff. – d) es wird hart durchgegriffen. Sold 1939 ff.

schade adv du bist zu ~ für diese Welt = du bist überaus dumm, viel zu wenig welterfahren. Iron Ausdruck. 1900 ff.

Schädel m 1. ihm brummt der ~ = er hat Kopfschmerzen. ↗ Kopf 25. Seit dem 17. Jh.

2. jm etw über den ~ brummen = jm die Kosten aufbürden. Eigentlich „einen heftigen Schlag auf den Kopf versetzen". 1935 ff.

3. das geht ihm nicht in den ~ = das kann (will) er nicht begreifen. 1900 ff.

4. einen dicken ~ haben = a) eigensinnig sein. ↗ Dickkopf. Seit dem 19. Jh. – b) begriffsstutzig sein. ↗ Kopf 50 b. Seit dem 19. Jh. – c) unter den Nachwehen des Rausches leiden. Seit dem 19. Jh.

5. seinen eigenen ~ haben = eigensinnig sein. ↗ Kopf 48. Seit dem 17. Jh.

6. einen harten ~ haben = eigensinnig sein. Seit dem 18. Jh.

7. ihm platzt der ~ = a) er hat heftige Kopfschmerzen. 1870 ff. – b) er ist mit Sorgen, mit Arbeit überhäuft. 1870 ff.

8. ihm raucht der ~ = a) er hat sehr viel zu arbeiten. ↗ Kopf 107. Seit dem 19. Jh.

– b) er ist hochgradig wütend. 1900 *ff.* – c) er ist betrunken. 1900 *ff.*

Schädelbruch *m* er kann einen ~ nicht von einem Dezimalbruch unterscheiden = er ist ein unfähiger Arzt; zum ärztlichen Beruf hat er kein Talent. 1900 *ff.*

Schädelbrummen *n* Kopfweh (als Folge alkoholischer Ausschweifung). Seit dem 19. Jh.

Schaden *m* **1.** fort (weg) mit ~! = unter allen Umständen fort damit! Stammt aus der Kaufmannssprache: man muß einen Verkaufsstand räumen und gibt daher die Ware billiger ab. 1820 *ff.*
2. tu dir bloß keinen ~ an! = a) Zuruf, wenn einer einen zerbrechlichen Gegenstand fallen läßt. 1830 *ff.* – b) ist dir nicht zuviel ein! Der Betreffende trägt die Nase sehr hoch; hebt er sie noch weiter, ist zu befürchten, daß er auf den Rücken fällt. 1830 *ff.*
3. wer den ~ hat, spottet jeder Beschreibung = wer den Schaden hat, braucht für den Spott nicht zu sorgen. Hieraus entstellt durch die Wendung „das spottet jeder Beschreibung" im Sinne von „das ist unbeschreiblich". 1950 *ff.*

Schadenfreude *f* ~ ist die reinste (schönste) Freude: scherzhafte Redewendung, wenn einer (sich selbst) einen Schaden verursacht hat und die anderen ihn verulken. 1920 *ff*, *schül.*

Schädlingsbekämpfungsmittel *n* heftige Prügel wegen unkameradschaftlichen Verhaltens. 1910 *ff; sold* in beiden Weltkriegen.

Schaf *n* **1.** dummer Mensch. Das Schaf gilt international als einfältig, gutmütig und dumm. 1500 *ff.*
2. Untertan. Fußt auf dem durch die Bibel bekannten Verhältnis zwischen Hirt und Herde, wobei die Herde vielfach als unkritische und willenlose Masse aufgefaßt wird. 1500 *ff.*
2 a. dummes ~ = dummer Mensch. ↗Schaf 1. Seit dem 16. Jh.
3. ehrliches ~ = zu seinem Schaden aufrichtiger Mensch. Ehrlichkeit wird hier als Dummheit gewertet. 1870 *ff.*
4. geduldiges ~ = gutmütiger Mensch, der sich ausnutzen läßt. *Vgl* ↗Lamm 2. Seit dem 19. Jh.
5. gutmütiges ~ = ein zu seinem Schaden gutmütiger Mensch. *Vgl* das Vorhergehende. 1870 *ff.*
6. schwarzes ~ = a) Einzelgänger. Geht zurück auf 1. Moses 30, 32, wo vom Aussondern der schwarzen Schafe die Rede ist. Schwarze Schafe wurden in der Antike den Gottheiten der Unterwelt geopfert; Schwarz galt als unheilvolle Farbe. 1920 *ff.* – b) Mensch, der seinen Berufsstand schädigt. 1920 *ff.*
7. schwarzes ~ in der Familie = Familienmitglied, das sich durch seine Lebensweise unvorteilhaft von den anderen abhebt und ihnen viel Kummer und Sorgen bereitet. Seit dem 19. Jh.
8. zweibeiniges ~ = dummer Mensch. Seit dem 19. Jh.
9. du bist wohl vom ~ gebissen?: Frage an einen, der törichte Ansichten vertritt. 1900 *ff.*
10. dich hat wohl ein ~ gepackt? = du bist wohl nicht bei Verstand? 1900 *ff.*
11. ein ~ scheren = einen Dummen

oder Gutmütigen ausnutzen. Seit dem 18. Jh.
12. sich wie ein ~ scheren lassen = widerstandslos sich fügen; aus Gutmütigkeit nachgeben. Seit dem 19. Jh.
13. kein weißes ~ sein = nicht unbescholten sein. Weiß als Sinnbildfarbe der Unschuld. 1920 *ff.*

schaf *adj adv* dumm; sehr geistesbeschränkt. Aus dem Substantiv gegen 1900 entstandenes Adjektiv.

Schäfchen *n* **1.** Schaumwelle der See. Wegen der Ähnlichkeit mit den „Wolkenschäfchen" oder „Schäfchenwolken". Seemannsspr. Seit dem 19. Jh.
2. Mädchen. Jungschafe sind zutraulich, arg- und harmlos und angenehm anzufassen. 1920 *ff.*
3. *sg pl* = Geld; Geldmünzen. Fußt auf der Redewendung „das Schäfchen geschoren haben" (*Vgl* ↗Schaf 11.) Kann auch zusammenhängen mit der Gleichung „Weiß = Silber" (eine ostfriesische Silbermünze wurde 1554 „Schäfchen" genannt). 1840 *ff.*
4. *pl* = die Untergebenen. ↗Schaf 2. 1500 *ff.*
5. *pl* = Sportmannschaft (im Verhältnis des Trainers zu ihr). ↗Schaf 2. *Sportl* 1920 *ff.*
6. *sg* = Mensch, der leicht auszubeuten ist. ↗Schaf 1. 1600 *ff.*
7. Kosewort auf eine weibliche Person. ↗Schäfchen 2. 1920 *ff.*
8. sein ~ aufs (ins) Trockene bringen = a) sich seinen Gewinn, seinen Vorteil sichern. Hängt zusammen mit der Infektionsgefahr: auf trockenen, hochgelegenen Weiden bleiben die Schafe gesund, wohingegen in sumpf- und wasserreichen Niederungen die Leberegel den Tieren sehr schwer zusetzen. 16. Jh. – b) eine vermögende Frau heiraten. 1920 *ff.*
9. alle ~ beisammen haben = alle Familienmitglieder (alle anvertrauten Personen) um sich versammelt haben. Hergenommen von Schäfer, der die Tiere um sich schart. 1900 *ff.*
10. sein ~ im Trockenen haben = a) seinen Gewinn in Sicherheit gebracht haben; sein Vermögen gut angelegt haben. 1700 *ff.* ↗Schäfchen 8. – b) sein Geld verdient haben; seinen Lebensunterhalt erworben haben. Seit dem 19. Jh.
11. sein ~ scheren = seinen Vorteil wahrnehmen. ↗Schaf 11. 1700 *ff.*
12. ~ spielen = sich unschuldig stellen; nichtbeteiligt tun. *Sold* in beiden Weltkriegen.

Schäferstellung *f* Stellung eines Mannes, der die Hände auf sein gestieltes Arbeitsgerät (Hacke, Spaten o. ä.) entsprechend dem Hirtenstab) stützt und sich ausruht. 1935 *ff.*

Schaffe *f* **1.** Verdienstmöglichkeit; Arbeitsstelle; Arbeitspensum.
2. sehr eindrucksvolle Sache; Höchstleistung. Neues Substantiv zu „schaffen = leisten". 1950 *ff, halbw.*
2 a. harte Anstrengung. ↗schaffen 7. 1960 *ff.*
3. dufte ~ = sympathische Sache. ↗dufte 1. *Halbw* 1950 *ff.*
4. saure ~ = minderwertige Leistung. ↗sauer 3. *Halbw* 1950 *ff.*

5. spitze ~ = großartige Sache. ↗spitz. *Halbw* 1950 *ff.*
6. trübe ~ = minderwertige Leistung; Sache, die keinen Beifall findet. Sie reizt ebensowenig wie trüber Wein. *Halbw* 1950 *ff.*
7. eine dufte schau ~ = Sache, die ausgezeichnet gefällt. ↗dufte; ↗schau. *Halbw* 1950 *ff.*
8. eine ganz miese ~ sein = ein völliger Versager sein. ↗mies. *Halbw* 1950 *ff.*
9. auf die ~ gehen = zur Arbeit gehen. ↗Schaffe 1. 1950 *ff.*

schaffe *adj adv* (unflektierbar) sehr eindrucksvoll; sehr nett; unübertrefflich. Aus dem Substantiv entwickeltes Adjektiv. *Halbw* 1955 *ff.*

schaffen *v* **1.** *intr* = fleißig arbeiten. Seit *mhd* Zeit.
2. *intr* = viel, hemmungslos essen. Schaffen = bewältigen. Gehört zur Vorstellung des Einbringens der Ernte. 1600 *ff.*
3. *tr* = etw befehlen, anordnen, bestimmen, vermachen. Seit *mhd* Zeit; vorwiegend *oberd.*
4. *tr* = jn bezwingen, im Wettkampf besiegen; bei jm seinen Willen durchsetzen; bei jm erreichen, was man sich vorgenommen hat. *Südd* 1930 *ff.*
5. *tr* = jn zum Geschlechtsverkehr bewegen; jds Orgasmus herbeiführen. 1900 *ff.*
6. *tr* = jn übertölpeln, betrügen. *Südd* 1930 *ff.*
6 a. *tr* = jn nervös machen; jm die Fassung rauben. 1930 *ff, südd.*
7. es schafft ihn = a) es erschöpft ihn. 1950 *ff.* – b) es ärgert ihn. *Halbw* 1950 *ff.*
8. *refl* = sich ärgern. Beruht wohl auf der Gleichung „schaffen = gären" (der Wein gärt); „schaffen" heißt auch „steigen" wie im Saft steigen". *Vgl* ↗Saft 18. *Halbw* 1950 *ff.*
9. *refl* = hemmungslos sein; in Ekstase geraten; sich verausgaben; sich in etw hineinsteigern. Aus der Musikersprache gegen 1950 in den Halbwüchsigenwortschatz übergegangen.

schafig *adj* dumm. ↗Schaf 1. Seit dem 19. Jh.

Schafleder *n* ausreißen wie ~ = davonlaufen, entweichen. Wortspiel mit zwei Bedeutungen von „ausreißen": einmal soviel wie „löcherig werden" und zum anderen „wegeilen". 1600 *ff.*

Schafschinken *m* **1.** Geige. Wegen einer gewissen Formähnlichkeit. Seit dem späten 19. Jh.
2. Mandoline. Im frühen 20. Jh in der Wandervogelbewegung aufgekommen.

'schafs'dämlich *adj* überaus dümmlich. ↗dämlich 1. 1800 *ff.*

'schafs'dumm *adj* sehr dumm. Seit dem 19. Jh.

'Schafs'dussel *m* unaufmerksamer, geistesbeschränkter Mensch. ↗Dussel. Seit dem 19. Jh.

'Schafsge'duld *f* übergroße Langmut. ↗Schaf 4. Spätestens seit 1800.

Schafsgesicht *m* dümmlicher, harmloser, argloser Gesichtsausdruck. 1800 *ff.*

Schafsidee *f* törichter Einfall. 1960 *ff.*

Schafsinn *m* Dummheit. Dem „Scharfsinn" nachgebildet. 1800 *ff.*

Schafskälte *f* Kälteeinbruch im Juni. Er ist bedenklich für die im Mai geborenen Schafe. Seit dem 19. Jh.

Schafskopf (-kopp) *m* einfältiger, dummer Mensch. Analog zu „Dummkopf". Seit dem 17. Jh.

schafsmäßig *adv* dümmlich. 1800 *ff.*

Schafsnase *f* dummer Mensch. Eigentlich die bei Pferden gelegentlich vorkommende auswärtsgebogene Nase, die dem Tier ein ungewöhnlich dummes Aussehen verleiht. 1840 *ff.*

Schaft *m* **1.** Penis. Meint eigentlich die Stange oder den Stiel. 1500 *ff.*
2. ~ geben = prügeln. Von der Bedeutung „Prügelstock" übertragen. 1870 *ff.*
3. ~ kriegen = Prügel erhalten. 1870 *ff.*
4. mit dem ~ schaffen = koitieren; Kinder zeugen. ↗Schaft 1. 1900 *ff.*

Schafzähler *m* gut als ~ zu verwenden sein = nach außen gebogene Beine haben. Wer mit solchen Beinen im Tor des Stalls oder des Pferchs steht, kann die zwischen seinen Beinen hereinströmenden Schafe bequem zählen. *Vgl* die Sage von Odysseus und Polyphem. 1920 *ff.*

Schäker *m* **1.** kosender Liebhaber; Komplimentemacher. ↗schäkern. Seit dem 19. Jh.
2. kleiner ~ = listiger Fragesteller; gemütliches Scheltwort. Seit dem 19. Jh.

schäkern *intr* **1.** kosen, flirten. Schallnachahmender Herkunft, bezogen auf die Zischlaute des Flüsterns. Doch *vgl* ↗schäkern 3. 1700 *ff.*
2. spaßen; mutwillig scherzen; sich einen Scherz erlauben. Seit dem 18. Jh.
3. falsch reden; lügen. Geht zurück auf *jidd* „scheker = Lüge". Seit dem frühen 19. Jh.

Schale (Schaln) *f* **1.** Anzug, Kleidung, Uniform. Schale ist eigentlich die Fruchthülle, Hülse, Rinde (Eierschale). Etwa seit 1840; anfangs *rotw*, später auch *sold, prost* und *halbw.*
2. Tasse. Aus „Trinkschale" verkürzt. Seit dem 17. Jh.
3. ~ Gold = ziemlich heller Kaffee mit (ohne) Sahne. Wien seit dem 19. Jh.
4. in feiner ~ (fein in ~) = gut, vorschriftsmäßig gekleidet. 1840 *ff.*
5. flotte ~ = elegante Kleidung. 1900 *ff.*
6. über Land nach ~n fahren = Hamsterfahrten unternehmen. Meint scherzhaft die Kartoffelschalen mit ihrem Inhalt. 1917 *ff.*
7. aus der ~ fahren = aufbrausen. Parallel zu „aus der ↗Haut fahren". 1930 *ff.*
8. sich in ~ schmeißen (werfen) = sich festlich kleiden. 1900 *ff.*
9. in ~ sein = gut, tadellos, vorschriftsmäßig gekleidet sein. *Vgl* ↗Schale 4. Seit dem 19. Jh.
10. sich in seine ~ zurückziehen = ein zurückgezogenes Leben führen. Vom Schneckenhaus o. ä. übertragen.1950 *ff.*

schalen *v* **1.** *tr refl* = anziehen, kleiden. ↗Schale 1. 1930 *ff.*
2. *tr intr* = Begehrtes zu beschaffen wissen; etw erbetteln. „Schalen gehen" meint „Müllkästen o. ä. nach Abfällen durchstöbern". *Vgl* ↗Schale 6. Berlin 1918 *ff.*

schälen *refl* (*österr*: schölln) sich entfernen; sich fernhalten. Geht zurück auf *mhd* „scheln = spalten, schälen, trennen"; man trennt sich von den anderen. *Oberd* 1500 *ff.*

Schallgrenze *f* **1.** Höchstgrenze. ↗Schallmauer 1. 1960 *ff.*
2. Pensionsalter. 1970 *ff.*

3. an eine ~ stoßen, eine unerträgliche Lage schaffen. 1970 *ff.*
4. unter der ~ sein = geringes Einkommen haben. 1965 *ff.*

Schallkonserve *f* Schallplatte, Tonband. ↗Konserve. 1950 *ff.*

Schallmauer *f* **1.** die persönlichen Referenten von Ministern und hochgestellten Beamten. Übertragen von der Stauung komprimierter Luft bei Erreichen der Schallgeschwindigkeit. 1955 *ff.*
2. Leistungs-, Preishöchstgrenze. 1960 *ff.*
3. die ~ durchbrechen = a) einen neuen Weltrekord aufstellen. *Sportl* 1960 *ff.* – b) den bisherigen Höchststand übersteigen (Goldpreis, Inflationsrate o. ä.). 1960 *ff.*

Schallplatte *f* **1.** Mensch, der stets dasselbe schwätzt. ↗Platte 9. 1950 *ff*, *jug.*
2. Abortdeckel. Wegen der Formähnlichkeit; auch dämpft er das Geräusch des Wassers. 1930 *ff.*
3. Gesicht wie eine ~ = rundliches, dümmliches Gesicht. 1920 *ff.*
4. mit der ~ telefonieren = die Schallplatte mittels Kopfhörer abhören. 1950 *ff.*

schallplatteln *intr* Schallplatten vorführen. Dem „Schuhplatteln" nachgebildet. *Bayr* 1955/60 *ff.*

Schalltrichter *m* **1.** Mund. Als Megafon aufgefaßt. 1960 *ff.*
2. Ohr. Hergenommen vom Schalltrichter auf Grammophonen, gegen 1910.
3. jm eine vor den ~ feuern = jm eine heftige Ohrfeige geben. 1960 *ff.*

Schalltüte *f* **1.** Schalltrichter. Er sieht tütenförmig aus. 1930 *ff.*
2. Ohr. ↗Schalltrichter 2. 1930 *ff.*

Schallwelle *f* Prahlerei. Prahler. ↗tönen 4. 1930 *ff.*

schalten *intr* **1.** erkennen, begreifen. In den zwanziger Jahren dieses Jhs übernommen aus dem Wortschatz der Elektro- bzw. Kraftfahrttechniker.
1 a. auf sauer (unmutig, zornig, stur o. ä.) ~ = mißmutig (zornig, stur o. ä.) werden. *Vgl* das Vorhergehende. 1920 *ff.*
2. falsch ~ = mißverstehen. 1930 *ff.*
3. nicht richtig ~ = falsch verstehen. 1930 *ff.*
4. schnell (langsam) ~ = schnell (langsam) begreifen; sich rasch (langsam) umstellen. 1925/ 30 *ff.*
5. blitzschnell ~ = sehr schnell begreifen und entsprechend handeln. 1930 *ff.*
6. zu spät ~ = zu spät begreifen. 1930 *ff.*
7. und drinnen schaltet die züchtige Jungfrau: Redewendung auf eine junge Autofahrerin. Scherzhaft umgeformt aus Schillers „Das Lied von der Glocke" mit der Zeile: „und drinnen waltet die züchtige Hausfrau". 1965 *ff.*

Schaltjahre *pl* alle ~ einmal = selten. Nachgebildet der Metapher „alle ↗Jubeljahre einmal". 1910 *ff.*

Schaltpause *f* **1.** geistige Ausspannung; Unaufmerksamkeit. Dem Rundfunkwesen entlehnt: Schaltpause ist die Pause zum Umschalten auf einen anderen Sender. 1930/35 *ff.*
2. eine ~ einlegen = sich Zeit zum Überlegen oder Antworten nehmen. 1950 *ff.*
3. ~ haben = sprachlos sein. 1935 *ff.*

Scha'mäle *n* ↗Jamäle.

Schäme *f* **1.** Prüderie; Schämigsein. Substantivische Nebenform von „Scham". Seit dem 19. Jh.
2. weibliches Geschlechtsorgan. 1900 *ff.*

Schamgürtel *m* Papierstreifen einer (minderwertigen) Zigarre. 1914 *ff.*

Schammerl *n* Moped, Kleinauto. *Österr* Verkleinerungsform von „↗Schemel". *Halbw* 1950 *ff.*

Schammes *m* Gehilfe; (Kirchen-, Gerichts-)Diener. Geht zurück auf *jidd* „schammesch = Synagogendiener; Schulhausmeister". Seit dem frühen 19. Jh, vorwiegend *rotw.*

Scha'mott *m* **1.** Bauschutt; Trümmer. Eigentlich steht „Schamotte" (*f*) für gebrannte, feuerfeste Tonerde; hier der zerkleinerte Stein. Seit dem 19. Jh.
2. Geld. Analog zu „↗Kies", „↗Bims", „↗Schotter" usw. 1900 *ff.*
3. das alles; alte Restbestände; alte Ware; Wertloses; Essen *(abf)*. 1840 *ff.*

schampern *intr* zotige Reden führen. Geht zurück auf „schandbar". 1955 *ff*, *halbw.*

Schampus *m* Schaumwein. Aus „Champagner" entstellt unter Verwendung einer *lat* Endung. 1850/60 *ff.*

schandbar *adj* schändlich (er hat eine schandbare Schnauze; der Preis ist schandbar hoch). Eigentlich soviel wie „schandebringend". Seit dem 19. Jh.

Schande *f* **1.** Ausruf des Entsetzens, der Verwunderung o. ä. „Schande" meint hier weniger die Unehre als vielmehr den Jammer und das Bedauern. Zuweilen auch verhüllend für „ach du Scheißel". 1930 *ff.*
2. sich zu ~n fressen = sehr großen Appetit entwickeln. 19. Jh.
3. sich zu ~n graulen = sich sehr ängstigen. Seit dem 19. Jh.

schandflecken *v* über jn ~ = über jn üble Nachrede führen. Seit dem 19. Jh.

'Schand'geld *n* großer Geldbetrag, den man unwillig hergibt. Eigentlich das schändlich erworbene Geld; dann soviel wie „unmäßig viel Geld". 1600 *ff.*

Schandi (Schanti) *m* Polizeibeamter. Geht auf „Gendarm" zurück oder auf „Sergeant". *Bayr* und *österr*, spätestens seit 1900.

Schandmauer *f* **1.** Berliner Mauer. 1961 *ff.*
2. Rückwand der Fernsehgeräte. Technikerspr. 1961 *ff.*

schandmaulen *intr* lästern; üble Nachrede führen. Seit dem 19. Jh.

Schandnickel *m* geiziger Mensch. ↗Nickel. 1900 *ff.*

Schandschnauze *f* **1.** freche, unehrerbietige, verleumderische Ausdrucksweise. 1900 *ff.*
2. schmähsüchtiger Mensch. 1900 *ff.*
3. die ~ aufreißen = sehr lästerlich reden. 1900 *ff.*

Schandtat *f* zu jeder ~ aufgelegt (bereit, fähig) sein = unbedenklich mitmachen. Scherzhaft gemeint. 1850 *ff.*

schanghaien *tr* **1.** jm falsche Versprechungen machen; jn mittels Alkoholverabreichung beschwatzen. Hergenommen von einer rohen Seemannssitte: in der chinesischen Hafenstadt machte man Arbeitskräfte betrunken, brachte sie kurz vor der Ausfahrt aufs Schiff und zwang sie zu Matrosendiensten. 1910 *ff.*
2. jn für den Kriegsdienst mustern. *Sold* 1939 bis heute.

Schani *m* **1.** leichtlebiger junger Mann; Zuhälter. Geht zurück auf den Vornamen Jean. Seit dem 18. Jh, *prost.*
2. Kellner. Seit dem 19. Jh, *österr.*

3. unterwürfiger Mann. 1900 *ff.*

4. Wiener; Österreicher. Berlin 1900 *ff,* *rotw.*

Schanigarten *m* Gasthausgarten mit Kübelpflanzen o. ä. *Österr* 1920 *ff.*

Schanti *m* ↗Schandi.

Schantinger *m* Landgendarm. ↗Schandi. *Österr* 1900 *ff.*

Schanz *m* Gewinn, Verdienst. Übernommen aus *franz* „chance = Glücksfall". *Rotw* seit dem 19. Jh.

schanzen *v* 1. *intr* = angestrengt lernen, arbeiten. Hergenommen vom Aufrichten einer militärischen Schutzbefestigung (Wall; Wehrbau). 1820.
2. *tr intr* = essen. Man füllt in sich hinein wie in einen Schanzkorb. 1750 *ff,* *rotw* und *sold* bis heute.

Schanzenhupser *m* Skispringer. Hupsen = springen. 1955 *ff, sportl.*

Schanzer *m* ehrgeiziger Schüler; starker Arbeiter. ↗schanzen 1. Seit dem 19. Jh.

Schanzzeug *n* Eßbesteck, -geschirr; Kochgeschirr. Meint eigentlich die Klapphacke oder den Feldspaten. Um 1850 im *Rotw* aufgekommen; etwa seit 1870 *sold* bis heute.

Schappi *n* ↗Chappi.

scharf *adj* 1. überaus streng; peinlich genau. Von dem, was man beim Tasten als schneidend empfindet, übertragen auf das Geistige. 1500 *ff.*
2. militärisch. Vom strengen Drill übertragen auf militärische Straffheit und Zucht. 1910 *ff.*
3. angriffslustig; rasch zur Gewalttat bereit. Hergenommen vom bissigen Hund. 1920 *ff.*
4. sinnlich veranlagt; geil. Man ist auf etw scharf, wenn man seine Sinne darauf schärft. 1900 *ff.*
5. gewagt gekleidet. 1920 *ff.*
5 a. unübertrefflich, schwungvoll, hochinteressant. *Jug* 1960 *ff.*
6. hochprozentig (auf alkoholische Getränke bezogen). Eigentlich soviel wie „scharfschmeckend". 1900 *ff.*
7. ~ angezogen = a) elegant, auf Taille gekleidet (auf Männer bezogen). Die Umrisse des Körpers werden hervorgehoben. 1910 *ff.* – b) gewagt gekleidet (auf weibliche Personen bezogen). 1920 *ff.*
8. ~ arbeiten = angestrengt, ohne Unterbrechung arbeiten. 1920 *ff.*
9. etw ~ bleiben = Schulden nicht zurückzahlen. „Scharf" steht hier im Gegensatz zu „glatt = schuldenfrei". 1900 *ff.*
10. etw zu ~ finden = etw für unpassend, ungehörig halten. 1900 *ff.*
11. ~ haben = nach geschlechtlicher Befriedigung verlangen. ↗scharf 4. 1900 *ff.*
12. es ~ auf jn haben = es auf jn abgesehen haben (in gutem oder schlechtem Sinne). Hergenommen vom Schützen, der mit geladenem Gewehr auf den Betreffenden anlegt. Seit dem 19. Jh.
13. es auf etw ~ haben = begierig nach etw fragen. Seit dem 19. Jh.
14. jn ~ haben = jn nicht mögen; jn hassen. Übernommen vom scharfen Hof- oder Jagdhund. 1935 *ff.*
15. ~ einen nehmen = sich betrinken. 1900 *ff.*
16. ~ schießen = a) rücksichtslos vorgehen; schwerwiegende Ansprüche stellen. Aus dem Militärischen übernommen: man schießt mit „scharfer" Munition,

nicht nur mit Platzpatronen. 1870 *ff.* – b) schwängern. 1900 *ff.*
17. so ~ schießen die Preußen nicht. ↗Preußen II 3.
18. etw (für etw) ~ sein = etw schulden; mit etw im Rückstand sein. ↗scharf 9. 1900 *ff,* anfangs *österr;* gegen 1950 mit der Halbwüchsigensprache nordwärts gedrungen.
19. auf (nach) etw ~ sein = etw gern besitzen wollen; lebhaftes Interesse an einer Sache zeigen; auf die Festnahme einer Person drängen. Wie in den Wendungen „scharfer Angriff", „scharfer Ritt" o. ä. meint „scharf" hier soviel wie „heftig, angestrengt, erbittert". 1900 *ff.*
20. auf ~ sein = jn geschlechtlich begehren. 1900 *ff.*
21. auf etw ~ sein wie der Teufel auf eine arme Seele = etw eifrig verlangen. 1900 *ff.*
22. ~ hinter jm hersein = jn rücksichtslos verfolgen. 1920 *ff.*
23. ~ tanzen = mit wilden Körperverrenkungen tanzen. Scharf = leidenschaftlich; geschlechtlich aufreizend. 1955 *ff.*
24. ~ verkaufen = mit Überpreis verkaufen. 1930 *ff.*
25. jn ~ weghaben = jn grob verulken. Man treibt mit ihm seinen schneidenden Spott. 1920 *ff.*

schärfen 1. *intr* = Hehler sein. Herleitung unbekannt. *Rotw* seit dem frühen 19. Jh.
2. es schärft mich = es interessiert mich lebhaft; es macht mich begierig. ↗Scharfmachen. 1980 *ff, halbw.*

scharfmachen *v* 1. jn ~ = jn aufhetzen, aufwiegeln. Dem Wortschatz des Hundezüchters entlehnt: er richtet den Hund auf den Mann ab. Im späten 19. Jh als politisch-soziales Schlagwort aufgekommen. – b) jn geschlechtlich aufreizen. ↗scharf 4. 1900 *ff.* – c) jds Angriffswillen steigern. *Sportl* 1950 *ff.*
2. jn auf etw ~ = jn auf etw aufmerksam machen. Man rät ihm scharfes Beobachten an. 1935 *ff.*

Scharfmacher *m* 1. Aufwiegler, Aufhetzer. ↗scharfmachen 1. 1870 *ff.*
2. Gewalttäter. *Rotw* 1920 *ff.*
3. strenger Vertreter der Anklage; Urteilsverschärfer in der Berufungsinstanz; strenger Vorgesetzter. 1900 *ff.*
4. schikanöser Ausbilder. *BSD* 1965 *ff.*
5. Koch, der gern scharf würzt. 1955 *ff.*
6. geschlechtlich aufreizender Mensch; Frauenheld. ↗scharfmachen 1 b. 1900 *ff.*
7. Sellerie, Paprika, Senf, Pfeffer o. ä. Angeblich regen sie den Geschlechtstrieb an. 1955 *ff.*
8. Büstenhalter, Damenslip o. ä. 1955 *ff.*

Scharfrichter *m* strenger Punktrichter. Eigentlich der Henker. *Sportl* 1970 *ff.*

Scharfschuß *m* 1. strenges Vorgehen. ↗scharf 16. 1920 *ff.*
2. heftig getretener Fußball. ↗Schuß. *Sportl* 1920 *ff.*

scharren *intr* 1. betteln. Analog zu „↗schaben 1". 1900 *ff.*
2. Fehlendes listig zu beschaffen verstehen. *Sold* 1939 *ff.*
3. ein Mädchen umwerben. Vom Verhalten des Hahns übernommen. *Halbw* 1955 *ff.*

Schar'teke *f* 1. altes Buch; Buch *(abf).* Verkleinerungsform von mittel-*niederd* „scarte = Urkunde" mit Betonungsverlage-

rung, etwa in Anlehnung an „Apotheke". 1500 *ff.*
2. beliebiger Gegenstand *(abf).* Seit dem 19. Jh.
3. alte ~ = ältliche Frau. 1800 *ff.*

scharwenzeln *intr* 1. um jn ~ = sich jm dienstbeflissen zeigen; jm würdelos schmeicheln. Im 17. Jh drang mit dem Kartenspiel das *tschech* „schervenek = Herzbube" in Österreich ein und wurde dort durch „Wenzel" zu „Scharwenzel" umgebildet. Aus der Bedeutung „Trumpfkarte" ergab sich die Bedeutung „Allerweltsdiener". Seit dem 18. Jh.
2. geziert-anmutig durch die Straßen gehen, um jungen Männern aufzufallen. Wohl verquickt mit „schwänzeln". Seit dem 19. Jh.
3. streunen. 1930 *ff, österr.*

Schas *m* abgehender Darmwind. Nebenform von ↗Scheiß. *Österr* und *bayr,* seit dem 19. Jh.

Schaschlik *n* 1. Dienstgradabzeichen des Humanmediziners und des Zahnarztes sowie der in diesen Bereichen eingesetzten Soldaten. Die Äskulapschlange wird zeitgemäß als Fleischstückchen am Spieß gedeutet. *BSD* 1965 *ff.*
2. ich mache ~ aus dir!: Drohrede. 1965 *ff.*

Schäse *f* 1. Fahrzeug, Kutsche. Mit den mundartlichen Varianten „Schäsn", „Schesn", „Tschesn" usw. im ausgehenden 19. Jh aus *franz* „chaise de poste = Postwagen" entwickelt, anfangs im Sinne von „Pferdefuhrwerk".
2. veralteter Flugzeugtyp. *Sold* 1944/45; *ziv* 1950 *ff.*
3. Kinderwagen. Verkürzt aus ↗Kinderschäse. 1900 *ff.*
4. alte ~ = alte Frau. Vorwiegend *bayr* und *österr,* 1920 *ff.*
5. unter die ~ kommen = sittlich sinken; verkommen. Analog zu „unter die ↗Räder kommen". 1900 *ff.*

schaskeln *tr intr* trinken. Geht mit ähnlichlautenden Vokabeln zurück auf *jidd* „schasjenen = trinken". Seit dem 19. Jh.

schaskenen (schasken) *tr intr* zechen. *Vgl* das Vorhergehende. Seit dem frühen 19. Jh; anfangs *rotw.*

schaskern *tr intr* trinken. ↗schaskeln. 1900 *ff.*

schassen *tr* 1. jn schimpflich entlassen, wegjagen. Im späten 18. Jh von Studenten aus *franz* „chasser = fortjagen" entlehnt.
2. jn hetzen, jagen. *Sold* 1939 *ff.*

Schatten *m* 1. Sicherheitsbeamter, der eine möglicherweise gefährdete Person zu ihrer Sicherheit begleitet; Leibwächter. 1933 *ff.*
2. Kriminalpolizeibeamter in Zivil beim Beobachten eines Verdächtigen. 1935 *ff.*
3. Fußballspieler, der den Gegenspieler eng deckt. *Sportl* 1950 *ff.*
4. weiblicher Kurgast, der Männerbekanntschaft sucht. Verkürzt aus ↗Kurschatten. 1955 *ff.*
5. ~ im Bauch (Magen, Ranzen) = Hunger. Übernommen von der Röntgenaufnahme, die „einen Schatten in der Lunge" o. ä. erkennen läßt. 1935 *ff.*
6. ewiger ~ = Adjutant o. ä. *Sold* 1939 *ff.*
7. ständiger ~ = Mensch, der stets in Begleitung desselben Menschen gesehen wird. 1960 *ff.*
8. im ~ fechten = von anderen errungene Vorteile nutzen, ohne selber zum Ge-

winn beigetragen zu haben. Dem „↗Schattenboxen" nachgebildet. 1955 ff.

9. du hast einen ~ = du redest töricht. Vom Röntgenbild übernommen. 1950 ff, halbw.

10. keinen ~ einer Ahnung haben = unwissend sein. Verstärkung von „nicht den ↗Schimmer einer Ahnung haben". 1950 ff.

11. einen langen ~ haben = überall zugegen sein oder seinen Einfluß spüren lassen. 1955 ff.

12. willst du den (deinen) ~ messen?: Scherzfrage an einen, der zu Boden gefallen ist. 1930 ff.

13. im ~ sein (hocken, wohnen) = sich im Gefängnis befinden. Beruht auf der Vorstellung vom (dunklen) „↗Loch". Rotw 1850 ff.

14. über seinen ~ springen = sich über eigene Bedenken hinwegsetzen; seine Wesensart zu ändern suchen (ohne es zu können). Eigentlich Umschreibung für eine Unmöglichkeit, für ein sinnloses Tun. 1920 ff.

15. seinen ~ zurückkaufen = seinen guten Ruf wiedererlangen; für schuldlos erklärt werden. Fußt auf Adelbert von Chamissos Geschichte von „Peter Schlemihl". 1950 ff.

Schattenboxen n heftige Äußerung gegen Leute, die man persönlich nicht kennt; verdeckte Bekämpfung untereinander. Stammt aus der Boxersprache und meint im Training den Kampf gegen einen nur gedachten Gegner. 1955 ff.

Schattenkabinett n von der Opposition einstweilen aufgestelltes Regierungskollegium. Aus England übernommen. 1955 ff (etwa schon 1944?).

Schattenmorelle f Mädchen, das mangels geschlechtlicher Reize keine (nur geringe) Beachtung findet. Man will sagen, daß es im Schatten der anderen Mädchen verbleibt, und meint, das Wort hinge mit „Schatten" zusammen; in Wirklichkeit heißt die Frucht nach „Château Morelle". 1950 ff, halbw.

Schattensprecher m Synchronsprecher. Nach vorgeführtem Bild spricht er einen festgelegten Text lippensynchron. 1955 ff.

schätterig adj elend, ärmlich, alt, unansehnlich, schlecht. Gehört ablautend zu niederd „schieten = scheißen": wer an heftigem Durchfall leidet, fühlt sich elend und schwach. Seit dem 19. Jh.

schättern intr **1.** koten. Nebenform zu niederd „↗schieten". Seit dem 19. Jh.

2. schwatzen. Schallnachahmend für Hühnergackern, Enten- und Gänseschnattern, Elsternkreischen usw. Niederd 1900 ff.

3. üble Nachrede führen. 1900 ff.

schattieren tr jn heftig schlagen. Die Prügel schaffen Farbenübergänge und werfen wortwitzelnd einen „Schlagschatten". 1955 ff, jug.

Schatz m **1.** Geliebte(r); Kosewort. Die betreffende Person ist eine Kostbarkeit besonderer Art. Seit dem 15. Jh.

2. ~, mach' Kasse! = bezahle! Im ausgehenden 19. Jh in der Prostituiertensprache aufgekommen; um 1920 durch die „Stettiner Sänger" bekannt geworden als Couplet: „Schatz, mach' Kasse, du bist zu schade fürs Geschäft".

schätzeln intr flirten. Schweiz 1920 ff.

schätzen v **1.** sich ~ = mit sich zufrieden sein. Verkürzt aus „sich glücklich schätzen". Österr 1930 ff.

2. ich habe mich sehr geschätzt (es hat mich geschätzt) = es hat mir sehr gut gefallen. Österr 1930 ff.

Schatzkästchen n **1.** hübsches, gemütliches Wohnhaus. 1900 ff.

2. Motorrad-Beiwagen. Er ist klein und eng, aber hat Platz für den „↗Schatz". 1930 ff.

Schätzler m bei den Lehrern beliebter Schüler. 1940 ff.

Schau f **1.** prächtiges Ereignis; Schaugepränge. Stammt aus England und den USA, wo „show" die Aufführung, vor allem die Revue meint. Im Dt spätestens gegen 1930 aufgekommen, vor allem in Verbindung mit „Modenschau" u. a.

2. Sache, mit der man Aufsehen erregt. Halbw 1955 ff.

3. eitle, auffällige Selbstdarstellung. Halbw 1955 ff.

4. hervorragender Soldat. BSD 1965 ff.

5. einsame ~ = bisher unerreichte Leistung. Halbw 1960 ff.

6. die letzte ~ = a) das Allerbeste. 1955 ff. – b) sehr Minderwertiges. 1955 ff, jug.

7. steile ~ = hervorragende Darbietung. ↗steil. Halbw 1960 ff.

8. eine ~ abreißen = etw darbieten. ↗abreißen 4. Halbw 1950 ff.

9. eine ~ abziehen (aufstellen, aufziehen) = a) etw eindrucksvoll vorführen (auf der Bühne, auf dem Laufsteg o. ä.). ↗abziehen 1. Wahrscheinlich seit 1930; geläufiger seit 1950/55. – b) sich sehr stark aufspielen; sich zur Schau stellen; sich sehr elegant kleiden; in betrügerischer Absicht einen vorteilhaften Eindruck hervorrufen. 1955 ff. – c) die Soldaten vorexerzieren lassen. BSD 1960 ff.

10. die große ~ abziehen = mit äußerlichen Mitteln eine wirkungsvolle Leistung vollbringen; etw geräuschvoll vorführen; Lärm schlagen; aufsässig werden. Halbw 1950 ff.

11. eine ~ bringen = etw gekonnt vorführen. Halbw 1950/55 ff.

11 a. eine ~ draufhaben = sich übertrieben benehmen; sich aufspielen. 1965 ff.

12. auf ~ fahren = den anderen zeigen, was der Motor des eigenen Autos leisten kann. 1955 ff.

13. diese ~ läuft bei mir nicht = dieses selbstgefällige Verhalten macht auf mich keinen Eindruck; diese Tränen rühren mich nicht. 1955 ff.

14. auf ~ machen = a) eine künstlerisch wertlose Darbietung vorführen, deren äußere Aufmachung auf anspruchslose Gemüter wirken soll. 1955 ff. – b) sich wirkungsvoll kleiden; die große Dame spielen (ohne eine zu sein). 1955 ff. – c) durch Prahlerei arglose Leute betören. 1950 ff.

15. ~ machen = durch Ausschreitungen auffallen wollen; durch Ausschreitungen auf Mißstände aufmerksam machen. 1965 ff.

16. mach' keine ~! = ziere dich nicht! benimm dich natürlich! 1950 ff.

17. das ist eine ~ = das ist eine sehr eindrucksvolle Sache. Schül 1950 ff.

18. sie ist eine ~ = sie ist eine wundervolle Erscheinung. 1960 ff.

19. jm die ~ stehlen (klauen) = a) den

Hauptbeifall ernten, der eigentlich einem anderen gebührte; jm zuvorkommen, den Erfolg streitig machen; jn aus dem Vordergrund verdrängen. Übersetzt aus angloamerikan „to steal someone's show". 1950 ff. – b) als jüngere vor der älteren Schwester heiraten. 1964 ff. – c) jn eines schönen Anblicks berauben; jm die Sicht versperren. Schau = ungetrübte Sicht. 1960 ff.

schau I adj präd ausgezeichnet, großartig; wirkungsvoll; gut aussehend. Adjektiv zu „↗Schau 1". Halbw spätestens seit 1945.

schau II interj auf Wiedersehen! Stammt aus ital „ciao". ↗tschau. Jug 1950 ff.

Schauboxer m Fernsehzuschauer. 1955 ff.

schauderbar adj schauderhaft. Analog gebildet wie „sonderbar" zu „sonderlich" u. a. 1850 ff.

schaude'rös adj schauderhaft, fürchterlich, häßlich. Von Studenten im ausgehenden 18. Jh zusammengesetzt aus „schauderhaft" und der franz Endung „-euse" („-ös"). Bekannt geworden durch das Schwanklied „Der schauderöse Ferdinand".

Schauderschinken m Gruselroman o. ä. ↗Schinken 7.

Schauerklamotte f Gruseldrama. ↗Klamotte 1. 1955 ff.

Schaufel f **1.** plumpe, breite Hand. Der Handteller läßt an das Schaufelblatt denken. 1920 ff.

2. langer Fingernagel. 1910 ff.

3. Löffel. Seit dem 19. Jh.

4. jn auf die ~ nehmen = jn veralbern; mit jm seinen Spott treiben. Analog zu „jn auf die ↗Schippe nehmen". 1920 ff.

schaufeln v **1.** tr intr = stark essen; große Bissen in den Mund stecken. 1700 ff.

2. es ist geschaufelt (auch: „ist geschaufelt" oder „geschaufelt") = es ist abgemacht; die Abmachung gilt. Dabei schlägt man Hand in Hand (↗Schaufel 1). 1950 ff.

3. Geld ~ = viel Geld einnehmen. Versteht sich nach ↗schaufeln 1. 1920 ff.

Schaufenster n **1.** Fernglas, Scherenfernrohr o. ä. 1910 ff.

2. Brille. 1920 ff.

3. tiefes Dekolleté. Analog zu ↗Auslage. 1920 ff.

4. wie aus dem ~ = sehr reinlich gekleidet. 1930 ff.

Schau-Fenster pl ungewöhnliche Brille. Man trägt sie zur Schau, um aufzufallen. 1960 ff.

Schaufensterbummel m Entlangschlendern an den Schaufenstern. ↗Bummel 1. 1900 ff.

schaufensterbummeln intr ziellos schlendern und dabei die in den Schaufenstern ausgestellten Waren besehen. 1950 ff.

Schaufensterkrankheit f schwere Kreislaufstörung. Bei einem Anfall stellen sich die Kranken vor das erste beste Schaufenster, um nicht auf sich aufmerksam zu machen. 1950 ff; wohl älter.

schaufensterln intr Schaufensterauslagen betrachten. Scherzhaft dem „↗Fensterln" nachgebildet. 1850 ff.

schaufenstern intr durch die Geschäftsstraßen schlendern und die Auslagen betrachten. 1850 ff.

Schaufenstersendung f Fernsehsendung, an der sich die Zuschauer daheim beteiligen können. 1972 ff.

Schau-Frau *f* gutaussehendes Mädchen. Halbw 1960 *ff.*

schauig *adj* hochmodern, schwungvoll. ↗schau I. *Halbw* 1955 *ff.*

Schaukasten *m* sehr tiefes Dekolleté. Analog zu ↗Auslage. 1900 *ff.*

Schaukel *f* 1. Auto, Motorrad o. ä. Wegen der Schaukelbewegung, die das Kopfsteinpflaster hervorruft. 1914 *ff.*
2. (schwankendes) Flugzeug. 1914 *ff.*

Schauke'lei *f* 1. schwankendes Vorgehen; Wankelmütigkeit. 1870 *ff.*
2. Autofahren. 1920 *ff.*

schaukeln *v* 1. *intr* = autofahren; fahren. ↗Schaukel 1. 1920 *ff.*
2. *intr* = im Flugzeug reisen. ↗Schaukel 2. 1950 *ff.*
3. eine Sache ~ = eine schwierige Angelegenheit gut erledigen. Beim Schaukeln ist anfangs eine größere Kraftanstrengung vonnöten, bis der gewünschte Schwung erreicht ist; danach muß nur noch wenig Kraft aufgewandt werden, um den Schwung beizubehalten. 1900 *ff.*
4. jm etw ~ = jm etw eindeutig klarmachen. 1920 *ff.*
5. sich nach oben ~ = erfolgreich, berühmt werden. 1950 *ff.*
6. jn nach vorn ~ = jn zum Publikumsliebling machen. „Nach vorn" bezieht sich eigentlich auf die Bühnenrampe vor dem Vorhang. 1950 *ff.*
7. jn ins ~ bringen = jds Machtstellung gefährden. Hier gilt „schaukeln = schwanken, wanken". 1950 *ff.*

Schaukelpolitik *f* wankelmütige Politik. Im späten 19. Jh aufgekommen.

Schauleute *pl* Männer, die weniger durch Leistung und mehr durch ihr Äußeres vorteilhaft wirken. ↗Schau 3. 1960 *ff.*

Schaum *m* 1. ~ auf den Ätherwellen = interessantes, wertvolles Rundfunk-, Fernsehprogramm. Übertragen vom Bild der Schaumkrone auf den Wellen. 1961 *ff.*
2. gebremster ~ = gedämpftes Temperament. Geht zurück auf die Werbung der Waschmittelindustrie mit dem Werbespruch: „Dixan mit gebremstem Schaum für die moderne Waschmaschine". 1965 *ff.*
3. ~ schlagen = a) etw vortäuschen; sich brüsten; lebhaft schwätzen ohne ernstliches Anliegen. Hergenommen vom Eierschaumschlagen in der Küche: das Volumen nimmt zu, aber die Substanz bleibt dieselbe. Seit dem späten 19. Jh. – b) Claqueur sein. 1910 *ff.*

Schaumänner *pl* Zuschauer; Betrachter von Waren ohne Kaufabsicht. 1960 *ff.*

Schaumlöffel *m* 1. Kommandoscheibe des Aufsichtsbeamten bei der Eisenbahn. Wegen der Formähnlichkeit mit dem Küchengerät. 1910 *ff.*
2. den Anstand mit dem ~ gegessen haben = keinen gesellschaftlichen Anstand besitzen. Der Schaumlöffel entfernt lediglich den Schaum und läßt die eigentlich wertvolle Substanz durch die Löcher zurückfließen. Seit dem 19. Jh.
3. den Verstand mit dem ~ gegessen haben = dumm sein. 1850 *ff.*

Schaumschläger *m* 1. Herrenfrisör. Seit dem 19. Jh.
2. Prahler; Mann, der leere Worte macht. ↗Schaum 3. Seit dem späten 19. Jh.
3. Schlagersänger. 1950 *ff.*
4. Hersteller von Waschmitteln. 1960 *ff.*

Schaupackung *f* hübsche Bekleidung. Ei-

gentlich die unverkäufliche Ansichtsware, die Attrappe. 1960 *ff.*

schaurig *adv* 1. sehr. Eigentlich soviel wie „schaudererregend"; hieraus weiterentwickelt nach dem Muster von „fürchterlich", „furchtbar" o. ä. zu einer allgemeinen Verstärkung. Seit dem ausgehenden 19. Jh.
2. es geht ~ rund = es geht ausgelassen, schikanös zu; es herrscht heftiger Beschuß. ↗rund 2. 1939 *ff.*

Schauseite *f* jm die ~ zeigen = mit vorzüglichem Benehmen einen vorteilhaften Eindruck zu erwecken suchen. *Vgl* ↗Schokoladenseite. 1930 *ff.*

Schauspiel *n* ein ~ für Götter = ein herrlicher Anblick. Stammt aus Goethes Singspiel „Erwin und Elmire" (1775): „Ein Schauspiel für Götter, zwei Liebende zu sehen!". Im 19. Jh verallgemeinert, oft auch in *iron* Bedeutung angewandt.

Schauspielerei *f* Vortäuschung einer Unpäßlichkeit, einer Verletzung o. ä. In volkstümlicher Auffassung ist das Theater unwahr, der Bühnenkünstler ein Schwindler. 1900 *ff.*

Schaustück *n* 1. unwichtiger Mensch; Mensch, den man vorschiebt, um von der eigentlichen Person abzulenken. In seiner Bedeutung ähnelt er dem unverkäuflichen Muster einer Ware. 1900 *ff.*
2. mustergültiger Soldat. Er ist einer zum Vorzeigen. *BSD* 1960 *ff.*

Schaute *m* 1. lächerlicher Mensch; dummer, unfähiger, widerlicher Mensch. Stammt aus *jidd* „schote = Narr". Seit dem 16. Jh.
2. ~ mit vergnügten Sinnen = stillvergnügter Dümmling; Mensch, der nicht ernst zu nehmen ist. Stammt aus der zweiten Zeile von Schillers Ballade „Der Ring des Polykrates" und ist vom Vorhergehenden beeinflußt. Um 1900 von Schülern aufgebracht, zu deren Lesestoff die Ballade zählt.

Scheck *m* 1. dicker ~ = Scheck über eine hohe Summe. 1900 *ff.*
2. fauler ~ = ungedeckter Scheck. 1920 *ff.*
3. fetter ~ = Scheck über einen großen Betrag. 1920 *ff.*
4. der ~ heiligt die Mittel = a) bringt ein Geschäft viel ein, ist jedes Mittel erlaubt. Umgeformt aus „der Zweck heiligt die Mittel" (= ist der Zweck gut, haben auch die Mittel zu seiner Erreichung für gut zu gelten). 1920 *ff.* – b) mit einer hohen Bestechungssumme erhält man einen Staatsauftrag. Aufgekommen um 1958 im Zusammenhang mit Bestechungsprozessen gegen führende Angehörige der Ministerialbürokratie.
5. der ~ platzt = der Scheck wird mangels Deckung nicht eingelöst. ↗platzen. 1920 *ff.*

Scheckbuch *n* 1. dickes ~ = großes Bankguthaben. 1920 *ff.*
2. das ~ hat keine Falten = bei einer sichtlich bejahrten, aber reichen Dame sieht der Geliebte über die Alterserscheinungen hinweg. 1930 *ff.*

schecken *tr* ↗checken.

scheckig *adv* 1. sich ~ kränken = a) sich schwer beleidigt fühlen. Scheckig = „gefleckt, gescheckt": man wechselt die Gesichtsfarbe (erbleicht oder läuft rot an).

1870 *ff.* – b) sich große Sorgen machen. 1920 *ff.*
2. sich ~ lachen = heftig lachen. Das Gesicht des Lachers wird fleckig. 1600 *ff.*
3. ~ reden = unverständlich, töricht reden. Analog zu ↗kariert. 1900 *ff.*

Scheecks *m* ↗Scheks.

scheesen *intr* ↗schesen.

Scheffel *m* etw unter den ~ stellen = etw bescheiden verdecken. Fußt auf der schriftsprachlichen Wendung „sein Licht unter den Scheffel stellen" (Matthäus 5, 15). 1930 *ff;* wohl erheblich älter.

Scheibe *f* 1. Teller. Wegen der Formähnlichkeit. *Rotw* seit dem frühen 19. Jh.
2. Schallplatte. Übersetzt aus *engl* „disk", das sowohl die Scheibe als auch die Schallplatte meint. Nach 1950 von der Schallplattenindustrie eingeführt und seitdem eine sehr beliebte Halbwüchsigenvokabel im gesamten deutschen Sprachgebiet.
3. Frau *(abf).* Gehört zu „scheiben" in der Bedeutung „spalten" und spielt auf die Vulva an. „Scheibe" bezeichnet auch das Geschlechtsteil der Kuh. 1920 *ff.*
4. leichtere Geistesstörung. Verkürzt aus ↗Mattscheibe. 1950 *ff.*
5. Treffpunkt. Hergenommen vom Begriff „Drehscheibe des Verkehrs". *Halbw* 1955 *ff.*
6. Bordell. Versteht sich nach dem Vorhergehenden, nur mit dem Unterschied, daß „Verkehr" hier den Geschlechtsverkehr meint. 1955 *ff.*
7. beliebter Mensch. Fußt auf der Vorstellung der kreisrunden Platte. *Österr* 1945 *ff, jug.*
8. eine ~ Lokuspapier = ein Blatt Abortpapier. Hergenommen von der Blockform des Papiers. 1900 *ff.*
9. ~ (ja, ~)! *interj* Irrtum! Ausdruck der Verneinung. Stammt aus der militärischen Schießlehre: trifft bei der Ringscheibe (12 Ringe) ein Schuß außerhalb der Ringe, so wird das Ergebnis durch den Ruf „Scheibe!" zum Schützenstand gemeldet; dieser Treffer der Ringscheibe wird nicht bewertet. Daraus entwickelte sich „Scheibe" zum Hehlwort für ↗„Scheiße" 1840 *ff,* Berlin.
10. ~, mein Herzchen! = du irrst dich! 1870 *ff.*
11. ~ blau! = Irrtum! mißglückt; ausgeschlossen! Beim Fehlschuß meldet der Soldat „Scheibe links blau". 1870 *ff.*
12. ~ hoch links! = mißglückt! 1900 *ff, sold.*
13. ~ links (~ rechts; ~ linksrum): Redewendung, wenn eine Sache fehlgeschlagen ist; große Unannehmlichkeit. Mit diesen Worten wird beim Übungsschießen angegeben, nach welcher Richtung der Fehlschuß ging. „Scheibe links" besagt, daß die Zielscheibe links außerhalb der Ringe getroffen wurde. *Sold* 1870 *ff.*
14. ~ matt! = Irrtum! alles verkehrt! Verdreht aus ↗„Mattscheibe" unter Einwirkung der drei vorhergehenden Ausdrücke. *Stud* 1955 *ff,* Berlin.
15. au ~! = Ausruf des Entsetzens. Hehlausdruck für „ach du Scheiße!". *Sold* 1939 *ff.*
16. alles ~ (so eine ~)!: kräftiger Ausdruck der Unerträglichkeit, des Unmuts, der Verzweiflung o. ä. Aus „Scheiße" entstellt. *Sold* 1939 *ff.*
17. flotte ~ = Schallplatte mit Tanzmusik. *Halbw* 1950 *ff.*

18. geile ~ = sehr beliebte Schallplatte. ↗geil 6; ↗Scheibe 20. *Halbw* 1950 *ff.*
19. große ~ = große Unannehmlichkeit. Hehlausdruck für „große Scheiße". 1939 *ff.*
20. heiße ~ = Schallplatte mit hochmoderner Tanzmusik. Heiß = leidenschaftlich, temperamentvoll. 1950 *ff, halbw.*
20 a. absolut höchste ~ = allerbeste Schallplatte. 1960 *ff.*
20 b. kalte ~ = Schallplatte mit ernster Musik. 1960 *ff, jug.*
21. scharfe ~ = Schallplatte mit rhythmisch stark akzentuierter Schlagermusik. 1955 *ff, halbw.*
22. schwarze ~ = Schallplatte. *Halbw* 1950 *ff.*
23. dabei fällt für ihn eine ~ ab = an dem Gewinn wird er beteiligt. Hergenommen von der Scheibe Brot oder Wurst, die man dem Beteiligten zukommen läßt. 1920 *ff.*
24. sich von etw eine ~ abschneiden (abschnippeln, runterschneiden) können = sich an eine im Beispiel nehmen können; sich etw zu Herzen nehmen sollen. Von der Wurst- oder Brotscheibe übernommen. 1900 *ff.*
25. einer die ~ einschmeißen = deflorieren. Analog zu ↗Fenster 8. 1910 *ff.*
26. laß dir eine ~ einsetzen!: Ausruf an einen, der dem Sprecher im Licht steht oder die Aussicht versperrt. Spätestens um 1900.
26 a. eine ~ haben = Verständnisschwierigkeiten haben. ↗Mattscheibe 1. 1970 *ff.*
27. ~n klauen = ein guter Schütze sein. Er „stiehlt" den Kameraden die „Schau". *BSD* 1960 *ff.*
28. die ~ knacken = die Fensterscheibe einschlagen. ↗knacken. 1950 *ff.*
29. es ist ~ = es ist minderwertig, übel, widerlich. Hehlwörtlich für „Scheiße". 1900 *ff.*
30. das ist mir ~ = das ist mir völlig gleichgültig. Entstellt aus „Scheiße". 1920 *ff.*
31. auf der ~ sein (auf ~ sein) = schlagfertig, gewitzt, lebenserfahren, rührig sein. Hergenommen vom Schützen, der immer die Zielscheibe trifft. 1900 *ff.*
Scheibenhonig m **1.** üble Lage. Euphemismus für „Scheiße". Eigentlich Bezeichnung des in Scheiben zu schneidenden türkischen Honigs. *Sold* in beiden Weltkriegen.
2. Lüge. Gehört zu „↗bescheißen = übertölpeln". 1950 *ff.*
3. ~!: Ausdruck der Abweisung. Hehlwort für „Scheiße", wobei „Honig" auf die Färbung des Kots anspielt. 1914 *ff.*
Scheibenkleister m **1.** zähe Milchspeise; Mehlsuppe. Gemeint ist, man könne sie als Scheibenkitt oder als Kleister verwenden, mit dem man die Einschüsse auf der Zielscheibe verschließt. *Sold* und kundenspr. 1870 *ff.*
2. Minderwertiges, Unsinniges; auch Ausdruck der Ablehnung. Hehlwörtlich für „Scheiße". *Sold* in beiden Weltkriegen; auch *ziv.*
3. heikle, gefährliche Lage. *Sold* 1914–1945.
Scheibenschneiden n Luft, dick zum ~ = stark verbrauchte, von Tabakwolken erfüllte Zimmerluft. ↗Luft 85. 1900 *ff.*
Scheich m **1.** hoher Offizier; hochmütiger Offizier. Stammt aus dem Arabischen und

meint dort wörtlich „(Stammes-)Ältester, Greis", in übertragener Bedeutung soviel wie „Unterbefehlshaber". Durch die Romane von Karl May bekanntgeworden. *Sold* in beiden Weltkriegen.
2. Anführer, Könner. 1920 *ff.*
3. arabischer Student. *Stud* 1950 *ff, österr.*
4. Bräutigam; Liebhaber; Partner; intimer Freund. Etwa seit 1920.
5. Mann mit viel Geld. 1950 *ff.*
6. Schimpfwort auf einen Mann mit ungewohntem Benehmen. 1900 *ff.*
7. mieser ~ = unsympathischer Mann. 1920 *ff.*
8. trüber ~ = unzuverlässiger Mann. Bei ihm sieht man nicht klar. 1920 *ff.*
Scheidewasser n wie ~ = sehr sauer oder scharf (auf Wein bezogen). Scheidewasser ist Salpetersäure; es löst Metalle auf und dient chemisch zur Trennung von Gold und Silber. Seit dem 19. Jh.
Schein m **1.** Hundertmarkschein. 1950 *ff, prost* und *rotw.*
2. Scheinwerfer. 1955 *ff, halbw.*
3. Leistungsnachweis an den Hochschulen. Er ist die Bescheinigung über die erfolgreiche Teilnahme an einer Übung. *Stud* 1920 *ff.*
4. brauner ~ = Tausendmarkschein. Wegen der Grundfarbe. 1965 *ff.*
5. fauler ~ = gefälschte (nicht mehr gültige) Banknote. ↗faul 1. 1850 *ff.*
6. ganzer ~ = Hundertmarkschein. 1955 *ff, prost* und *rotw.*
7. grüner ~ = Zwanzigmarkschein. Wegen der Grundfarbe. 1950 *ff.*
8. halber ~ = Fünfzigmarkschein. 1950 *ff, prost* und *rotw.*
9. heißer ~ = aus einer Erpressungssumme herrührende Banknote. ↗heiß. 1965 *ff.*
scheinbar adj es ist alles schei ... nbar = es ist alles überaus verwünscht, widerwärtig, schlimm o. ä. Verhüllend ist „Scheiße" gemeint. 1900 *ff.*
Scheinheiligenschein m scheinheiliges, heuchlerisches Wesen. Zusammengewachsen aus „scheinheilig" und „Heiligenschein". 1900 *ff.*
Scheinwerfer m **1.** runde Deckeldose; kleiner Kochtopf. Wegen der Formähnlichkeit. *Marinespr* 1914 *ff.*
2. Zahlmeister, Rechnungsführer. Wortspiel mit „Lichtschein" und „Geldschein". *Sold* 1914 bis heute.
3. wohlhabender Mann; Geldgeber. Er wirft mit Geldscheinen um sich. 1939 *ff.*
4. Kassierer. 1960 *ff.*
5. üppiger Busen. Wegen der Formähnlichkeit; *vgl* ↗Scheinwerfer 1. 1920 *ff.*
6. Glatze. 1920 *ff.*
7. *pl* = große Augen. *Halbw* 1955 *ff.*
8. sie haben wohl mit schwarzen ~n ausgeleuchtet: Redewendung, wenn es auf der Bühne zu dunkel ist. Theaterspr. 1920 *ff.*
Scheiß m **1.** hörbar entweichender Darmwind. Seit dem 15. Jh.
2. Kot. Vorwiegend *oberd,* seit dem 15. Jh.
3. das Ganze *(abf)* Wertlosigkeit; Belanglosigkeit; Unannehmlichkeit. 1500 *ff.*
4. kein ~ = nichts. Seit dem 19. Jh.
5. aus lauter ~ = aus lauter Spaß; aus einer Laune heraus. 1950 *ff.*
6. ~ bauen = unsinnig handeln. Rocker 1967 *ff.*
7. ~, ich glaub's!: Redewendung, wenn

man eine Behauptung nicht glaubt, aber eine fruchtlose oder in Streit ausartende Erörterung beenden (vermeiden) will. Meint etwa soviel wie „es ist zwar Unsinn, aber um des lieben Friedens willen glaube ich deinen Worten". Berlin 1950 *ff.*
8. mach' keinen ~ = benimm dich natürlich, kameradschaftlich! mach' uns keine Ungelegenheiten! *BSD* 1965 *ff.*
9. red' keinen ~! = rede keinen Unsinn! 1950 *ff.*
10. in einen ~ treten = sich vergeblich bemühen; nichts erreichen. Scheiß = Kothaufen. Wien 1920 *ff.*
Scheiß- (scheiß-) mit nachfolgendem Substantiv (Adjektiv) kennzeichnet das Grundwort als überaus schlecht, minderwertig und unangenehm. Das Kraftwort verleiht dem Ganzen eine sehr verächtliche Bedeutung. Die Wörter tragen in der Regel zwei Akzente.
'Scheiß'angst f sehr große Angst. Meint ursprünglich und ohne Doppelbetonung die Befürchtung, daß man den Kot nicht länger zurückhalten kann. Der Bezug auf die Notdurftverrichtung ist heute meist verlorengegangen. 1700 *ff.*
'Scheiß'apparat m Gesäß. Es gilt als eine technische Konstruktion zum Koten. *BSD* 1965 *ff.*
'Scheiß'appa'rat m Schimpfwort auf einen Apparat, der den Erwartungen nicht entspricht. 1900 *ff.*
'Scheiß'arsch m blöder ~ = Schimpfwort. 1972 in einem Mainzer Kindergarten aus dem Munde eines Dreijährigen gehört.
'Scheiß'bürger m Bürger ohne revolutionäre Gesinnung; Bürger, der den politischen Reformbestrebungen der jungen Leute ablehnend gegenübersteht. 1965 *ff.*
Scheißdreck m Kothaufen. 1800 *ff.*
'Scheiß'dreck m **1.** wertloser, unbrauchbarer Gegenstand; Wertlosigkeit. Seit dem 19. Jh.
2. das geht ihn einen ~ an = das geht ihn überhaupt nichts an. Seit dem 19. Jh.
3. das interessiert ihn einen ~ = das interessiert ihn überhaupt nicht. 1900 *ff.*
4. sich um jeden ~ kümmern = sich um jede Belanglosigkeit kümmern. Seit dem 19. Jh.
5. sich um etw einen ~ kümmern = sich um etw überhaupt nicht kümmern. 1900 *ff.*
Scheiße f **1.** Kot, Durchfall. Seit dem späten Mittelalter.
2. Abort. *Schweiz* 1900 *ff.*
3. große Unannehmlichkeit; üble Lage. 1500 *ff.*
3 a. sehr Minderwertiges. 1900 *ff.*
4. nichts; Ausdruck derber Abfertigung. Seit dem spän Mittelalter.
5. ~ hoch drei (Scheiße³) = allerschlimmste Lage; Unannehmlichkeit sehr großen Ausmaßes. *Sold* 1939 *ff.*
6. ~ am Baum = vergebliche Mühegabe; Mißerfolg. Kot am Baum nützt dem Baum nichts; ihn dahin zu praktizieren, ist verlorene Liebesmühe. 1910 *ff.*
7. ~ auf der ganzen Linie = sehr große Widerwärtigkeit; Mißerfolg in jeder Hinsicht. ↗Linie 1. 1900 *ff.*
8. ~ im Quadrat = außerordentliche, große Unannehmlichkeit. *Sold* in beiden Weltkriegen.
9. ~ mit Reis = a) sehr schlimme Lage. „Scheiße" meint hier vielleicht den zu

„↗Gaularsch" entstellten „Gulasch", den es bei den Soldaten gar zu oft zu essen gab. 1914 *ff.* – b) Unsinn; Ausdruck der Mißbilligung. 1914 *ff.* – c) unschmackhaftes, schlechtes Essen. *Sold* 1939 *ff.* Für 1914/18 war bisher kein Zeugnis zu finden.

10. ~ im Teich!: Ausdruck heftigen Unwillens. Sollte „Teich" hier den „Teig" meinen? 1973 *ff.*

11. ~ im Trompetenrohr = sehr große Widerwärtigkeit. Scheint vor 1900 aufgekommen zu sein, wahrscheinlich im Zusammenhang mit folgender Reimerei: „Scheiße, ins Gewehr geschossen,/gibt die schönsten Sommersprossen./Scheiße in der Kuchenform/vollendet den Geschmack enorm./ Scheiße in der Lampenschale/gibt gedämpftes Licht im Saale./ Scheiße im Trompetenrohr/ kommt bestimmt ganz selten vor."

12. ach du ~ (ach du große ~)!: Ausdruck des Entsetzens, der Verzweiflung o. ä. *Sold* 1939 *ff.*

12 a. ach du gepflegte ~!: Ausdruck der Verwunderung. *Jug* 1960 *ff.*

12 b. ach du liebe (meine) ~: Ausdruck des Erstaunens, des Entsetzens o. ä. 1910 *ff.*

13. klar wie dicke ~ = völlig einleuchtend. *Iron* Ausdruck. *Stud* 1960 *ff.*

14. blanke ~ = große Widerwärtigkeit; barer Unsinn. *Sold* 1939 *ff.*

15. dicke (dickste) ~ = überaus heikle Lage; Lage, aus der es kein Entrinnen gibt. *Sold* 1939 *ff.*

16. ganze ~ = Gesamtheit von Mißliebigkeiten. 1900 *ff.*

17. große ~ = a) sehr übles Vorkommnis. *Sold* 1939 *ff.* – b) Krieg. 1938 *ff.*

18. liebliche ~ = sehr böse Unannehmlichkeit. *Iron* Ausdruck. 1935 *ff.*

19. verdammte ~!: Fluch. 1920 *ff.*

20. alles ~ = alles unbrauchbar, wertlos, vergeblich. Seit dem 18. Jh.

21. alles ~, deine Elli (Erna, o. ä.): Ausruf der Enttäuschung über das Mißlungene. Wird gedeutet als Schluß eines Feldpostbriefs der Frau an den Mann. Die Frau hat „alles Gute!" gemeint, aber „alles Scheiße!" geschrieben. *Sold* 1939 *ff.*

22. du siehst ~ aus!: Äußerung, mit der man einen herausfordern will. *Rocker* 1967 *ff.*

23. ~ bauen = einen Unfall verursachen; ungeschickt, unzweckmäßig vorgehen; schlechte Arbeit leisten; Ungelegenheiten verursachen; Unsinniges tun. 1914 unter den Soldaten aufgekommen; seitdem allgemein verbreitet, vor allem unter Schülern und Kraftfahrern.

24. ~ unter das Volk bringen (mischen) = Gerüchte in Erfahrung bringen und verbreiten. *Sold* in beiden Weltkriegen; auch Politiker- und Journalistendeutsch.

25. die ~ dampft (ist am Dampfen) = a) es wird unerträglich; die Lage ist hoffnungslos. *Sold* 1939 *ff.* – b) es wird heftig gestritten. 1950 *ff.*

26. die eigene ~ fressen = sehr geizig sein. 1700 *ff.*

27. du hast wohl ~ gefressen?: Frage an einen, der unsinnige Behauptungen aufstellt. *Sold* 1939 *ff.*

28. ~ am Bein haben = nicht unbescholten sein; nicht schuldlos sein. Analog zu „↗Dreck am Stecken haben". 1950 *ff.*

29. ~ im Blut haben = feige sein. *Sold* in beiden Weltkriegen; auch *Jug.*

30. ~ im Gehirn haben = sehr dumm sein. 1910 *ff.*

31. ~ im Kopf haben = den Kopf voll Dummheiten haben; nicht ernst sein können. 1910 *ff.*

32. du hast wohl ~ in den Ohren? = kannst du nicht hören? willst du nicht gehorchen? 1900 *ff*, *sold.*

33. ~ an den Pfoten haben = kein Glück haben; etw unbeabsichtigt zum Scheitern bringen. Analog zu „↗Pech an den Fingern haben". 1900 *ff.*

34. du hast wohl ~ an den Pfoten?: Frage an einen, der einen Gegenstand zu Boden fallen läßt. 1900 *ff.*

35. du hast wohl ~ im Schalltrichter? = das hast du wohl überhört? das kannst du wohl nicht begreifen? 1900 *ff.*

36. jn aus der ~ holen = jn aus arger Notlage befreien. 1940 *ff.*

37. jn durch die ~ holen (schleifen, ziehen) = jn grob verhöhnen; mit jm seinen Spott treiben. Analog zu „jn durch den ↗Kakao ziehen". 1900 *ff*, vorwiegend *sold, schül* und *stud.*

38. ~ kehren = Ersatzdienst leisten. Anspielung auf den Dienst in Krankenhäusern. *BSD* 1965 *ff.*

39. daran klebt ~ = das ist eine gefährliche Sache. *Sold* 1939 *ff.*

40. ihm kocht die ~ im Hintern = er ist sehr wütend; vor Zorn weiß er nicht, was er als nächstes tun soll. *Sold* 1939 *ff.*

41. in der ~ liegen = sich in unheilvoller Lage befinden; im Granatfeuer, in schlechter Frontstellung liegen. *Sold* in beiden Weltkriegen.

42. dicke ~ liegt in der Luft = Unangenehmes steht zu erwarten; man hat sich auf Verschlimmerung der Lage einzustellen. *Sold* 1939 *ff.*

42 a. ~ machen = versagen. 1914 *ff.*

43. ~ zu Geld machen = alles meistern; Mißlingen nicht kennen. 1930 *ff.*

44. die ~ qualmt (ist am Qualmen) = die Lage ist äußerst unerquicklich. ↗Scheiße 25 a. *Sold* 1939 *ff.*

45. ~ quatschen (reden o. ä.) = sich unsinnig äußern. 1930 *ff.*

46. Sie reden einen ganz schönen Eimer ~, wenn der Tag lang ist: Redewendung auf einen Dummschwätzer. *BSD* 1960 *ff.*

47. und wenn es ~ regnet = auch bei schlechtestem Wetter; unter allen Umständen. *Sold* 1939 *ff.*

48. jn in die ~ reiten = jn in große Unannehmlichkeit bringen. ↗reiten 4. 1939 *ff.*

49. in der ~ rühren = Anrüchiges zur Sprache bringen. 1950 *ff.*

50. jn in (durch) die ~ schicken = jm einen gefährlichen Auftrag geben; jm einen undurchführbaren Auftrag erteilen (um ihn wegen Unfähigkeit entlassen oder herabsetzen zu können). *Vgl* ↗Scheiße 37. *Sold* 1939 *ff.*

51. ~ schleudern = Aborteimer leeren. ↗Honig 5. Haftanstaltsvokabel 1950 *ff.*

52. ~ schreiben = Lügen zu Papier bringen. 1933 *ff.*

53. ich schreie ~!: Ausdruck höchsten Unwillens. *Sold* 1939 *ff.*

54. ich könnte ~ schreien!: Ausdruck höchsten Vergnügens. 1950 *ff.*

55. in die ~ segeln = in schlimme Lage geraten. *Sold* in beiden Weltkriegen.

56. sich in die ~ setzen = Ungelegenheiten selber verschulden. *Sold* in beiden Weltkriegen.

57. in der ~ sitzen (stecken) = in Not, in sehr übler Lage sein. 1900 *ff.*

58. heute steht ~ im Kalender = heute mißlingt mir alles. 1920 *ff.*

59. da hört die ~ auf zu stinken!: Ausdruck sehr heftigen Unwillens. *Sold* 1940 *ff.*

60. mir stockt die ~!: Ausdruck größter Verwunderung. 1930 *ff.*

61. ~ wittern = eine böse Ahnung haben. *Sold* in beiden Weltkriegen.

62. etw durch die ~ ziehen = etw verächtlich machen. ↗Scheiße 37. 1900 *ff.*

63. eine dicke ~ braut sich zusammen = Verschlimmerung bahnt sich an. ↗zusammenbrauen. *Sold* 1939 *ff.*

64. eine ganz schöne ~ zusammenreden = dummschwätzen. *Vgl* ↗Scheiße 45. 1930 *ff.*

scheiße *adj adv* (unflektierbar) **1.** schlecht, minderwertig, ungünstig. Aus dem Substantiv entwickelt. *Halbw* 1960 *ff.*

2. es ist mir ~ = es ist mir gleichgültig. Verkürzt aus ↗scheißegal. 1910 *ff.*

'scheiße'gal *adv* gleichgültig. Derbe Verstärkung von „egal". 1900 *ff.*

Scheißelon'gü *f* Sofa, Liege. Aus *franz* „chaiselongue" scherzhaft eingedeutscht. 1920 *ff*, *schül.*

scheißen *v* **1.** *tr intr* = koten. Seit dem späten Mittelalter.

2. *tr intr* = einen Darmwind abgehen lassen. Seit dem 15. Jh.

3. *intr* = dummschwätzen; sich ungebeten in anderer Leute Angelegenheiten einmischen; ohne Sachverstand über alles und jedes reden. Das Gesagte ist nicht mehr wert als Kot. 1900 *ff.*

4. lieber scheiße ich mir selbst in die Fresse, als daß ich ...: kräftige Abweisung eines unzumutbaren Ansinnens. 1930 *ff.*

5. jm etw ~ = jm etw ablehnen. Seit dem 19. Jh.

6. auf etw ~ = etw gründlich verachten. 1500 *ff. Vgl engl* „to shit on something".

7. scheiß' drauf! = laß es nicht wichtig! nimm es dir nicht zu Herzen! 1600 *ff.*

8. sich um etw nicht (nichts) ~ = sich um etw nicht scheren; sich nicht einschüchtern lassen. *Bayr* und *österr*, seit dem 19. Jh.

9. hoch ~ = a) sehr großwüchsig sein. Der Kot fällt aus größer Höhe. 1930 *ff.* – b) sich aufspielen; schwülstig reden. 1930 *ff.*

10. immer noch besser als in die hohle Hand geschissen = es hätte schlimmer kommen können. ↗Hand 36. 1900 *ff.*

11. da möchte man vor Wut kerzengerade in die Luft ~!: Ausdruck größter Wut. 1920 *ff.*

12. jetzt scheißte Beweid = jetzt weißt du Bescheid. Wortspielerei, um eine Verbindung mit „scheißen" herzustellen. 1900 *ff.*

13. so was scheiße ich in den Schnee bei Nacht!: Redewendung angesichts eines künstlerisch wertlosen Bildes. Steht im Zusammenhang mit dem *lat* Spruch „cacatum non est pictum" (= gekackt ist nicht gemalt). 1900 *ff.*

14. geh ~! = geh fort! *Wien* 1900 *ff.*

Scheißen *n* **1.** das große ~ = Durchfall. 1900 ff.
2. zum ~ zu blöde (dümmlich, dumm o. ä.) sein = überaus dumm sein; zu nichts tauglich sein. 1900 ff.
3. zum ~ schön = scheußlich. 1950 ff.
Scheißer *m* **1.** Gesäß. 1920 ff.
2. Mann *(abf)*; unsympathischer Vorgesetzter. *Vgl* ↗ scheißen 3. 1900 ff.
3. Feigling; ängstlicher Mann; Schimpfwort. Vor Angst verliert er die Gewalt über den Schließmuskel des Afters. *Vgl* ↗ Scheiße 29. 1500 ff.
4. kleines Kind. Seit dem 19. Jh.
5. autoritärer ~ = anmaßende Autoritätsperson. 1965 ff, halbw.
6. kleiner ~ = a) kleines Kind. Seit dem 19. Jh. – b) unbedeutender Mann; Mann in untergeordneter Stellung. 1920 ff.
7. liberaler ~ = Liberalgesinnter *(abf)*; Mensch, der Radikalismus ablehnt. *Halbw* 1965 ff.
scheißerig *adj* **1.** Kotdrang verspürend. 1800 ff.
2. feige. ↗ Scheißer 3. Seit dem 19. Jh.
Scheißerl (Scheißerle) *n* **1.** kleines Kind (Kosewort). Verkürzt aus ↗ Nestscheißerl. Seit dem 19. Jh, vorwiegend *oberd.*
2. Kosewort für Mann oder Frau. Die Umfrage unter den Hörern des Westdeutschen Rundfunks ergab 1971, daß diese Vokabel häufiger vorkommt als alle anderen Kosewörter. Seit dem 19. Jh, *oberd.*
'scheiß'faul *adj* sehr müde; sehr arbeitsunlustig. 1900 ff.
'scheiß'fein *adj* vornehmtuend; zimperlichfein. Auf die Vornehmheit des Betreffenden „scheißt" man (man gibt nichts auf sie). Auch ist anzunehmen, daß der Betreffende bei der Notdurftverrichtung übertrieben vornehm und prüde handelt. Seit dem späten 19. Jh, vorwiegend *stud* und *schül.*
'scheiß'freundlich *adj* heuchlerischfreundlich. Seit dem 19. Jh, stark in Österreich verbreitet.
'Scheiß'friede *m* Friede unter aufgezwungenen Bedingungen. 1919 ff. (Jakob Wassermann, 1928).
'scheiß'fürnehm *adj* unecht-vornehm; vornehmtuend. ↗ fürnehm. 1900 ff.
Scheißgasse *f* **1.** in die ~ kommen = in Bedrängnis geraten. Scheißgasse ist entweder die Jaucherinne im Stall oder eine enge Gasse, in der man seine Notdurft verrichten kann. Seit dem 19. Jh, vorwiegend *oberd.*
2. in der ~ sein (sitzen) = sich in übler Lage, in höchster Verlegenheit befinden. *Oberd* Seit dem 19. Jh.
Scheißgeld *n* Benutzungsgebühr in öffentlichen Bedürfnisanstalten. 1870 ff.
'Scheiß'geld *n* Geld *(abf)*; unwillig gezahlter Betrag. 1900 ff.
Scheißhaufen *m* Kothaufen. Seit dem 19. Jh.
'Scheiß'haufen *m* **1.** Schimpfwort auf einen Menschen. 1930 ff.
2. militärische Einheit ohne Zucht und Ordnung. ↗ Haufen 2. *Sold* 1914 bis heute.
Scheißhaus *n* **1.** Abort (auch in den Formen „Scheißhaisl; Scheißhäuslein" o. ä.). Seit dem 15. Jh.
2. gemeiner, niederträchtiger Mensch. 1920 ff.
3. langes ~ = großwüchsiger, hagerer Mann. *Oberd* seit dem 19. Jh.

4. mach' dein ~ zu! = halt' endlich deinen Mund! hör endlich auf mit deinen unflätigen Reden! *Sold* 1939 ff.
'Scheiß'haus *n* Haus *(abf)*. 1900 ff.
'scheiß'höflich *adj* unecht-höflich; übertrieben höflich. 1920 ff; wohl älter.
'Scheiß'hund *m* **1.** Schimpfwort auf einen Hund. Seit dem 19. Jh.
2. Feigling; charakterloser Mann. ↗ Hund 3. 1900 ff.
3. höchst widerwärtiger Mann. 1930 ff.
Scheißjob *m* Zivildienst. Man leistet ihn z. B. im Krankenhaus ab, wo man Abortkübel, Bettflaschen usw. entleert und reinigt. *BSD* 1965 ff.
'Scheiß'job *m* verwünschte Arbeit. 1965 ff.
Scheißkerl *m* Ruhrkranker. *Sold* 1939 ff.
'Scheiß'kerl *m* Schimpfwort auf einen ängstlichen, feigen, charakterlich minderwertigen Mann. Seit *mhd* Zeit.
'scheiß'klar *adj präd* bis zur Peinlichkeit deutlich. 1935 ff.
'scheiß'klug *adj* so klug, daß es die anderen unsicher macht. 1920 ff.
Scheißkorb *m* Bett. Abgeleitet vom Kinderkörbchen, in das der Säugling auch seine Notdurft verrichtet. *Vgl* aber auch „↗ scheißen 2". *Sold* seit dem frühen 20. Jh bis heute.
'Scheiß'krieg *m* verhaßter Krieg. Spätestens seit Anfang des 20. Jhs.
'Scheiß'leben *n* verhaßte Lebensumstände. 1920 ff.
Scheißleithen *n* kleines primitives Provinztheater. Die Leitha ist ein Fluß im Südosten des Wiener Beckens. Der Ausdruck bezieht sich auf die kleineren Theater in der Umgebung Wiens. Theaterspr. 1920 ff, *österr.*
'scheißlibe'ral *adj* liberal *(abf)*. *Vgl* ↗ Scheißer 7. 1965 ff.
scheißlich *adj* scheußlich. Wortspielerei um des fäkalistischen Bezugs willen. 1935 ff.
'Scheißmu'sik *f* unerwünschte, störende Musik. 18. Jh (Mozart).
'scheiß'nobel *adj* vornehmtuend. 1920 ff.
Scheißpulver *n* Abführmittel. 1900 ff.
'Scheiß'spiel *n* ungutes, unschönes, unerfreuliches Spiel; hochgradige Widerwärtigkeit; üble Machenschaft. 1930 ff.
'Scheiß'typ *m* sehr widerwärtiger Mensch. 1955 ff, *jug.*
'scheißver'gnügt *adj* sehr lustig, ausgelassen. 1920 ff.
'scheiß'voll *adj* volltrunken. Seit dem 19. Jh.
'scheiß'vornehm *adj* auf unangenehme Weise vornehm; steif-förmlich. 1900 ff.
'Scheiß'wurst ('scheiß'wurst) *f (adv)* das ist mir ~ = das ist mir völlig gleichgültig. Derbe Steigerung von „das ist mir ↗ Wurst". 1939 ff.
Scheitel *m* **1.** breiter ~ = Mittelkopfglatze. Euphemismus. 1910 ff.
2. totaler ~ = Vollglatze. 1920 ff.
3. jm über den ~ bügeln = jm einen derben Schlag auf den Kopf versetzen; jn niederschlagen. 1910 ff.
4. einen breiten ~ haben (lieben) = eine Teilglatze haben; kahlköpfig sein. 1910 ff.
5. jm den ~ nachziehen (ziehen) = jn auf den Kopf schlagen. 1870 ff.
6. jm den ~ mit's Beil ziehen = jm einen kräftigen Schlag auf den Kopf versetzen. Gern in der Form: „lang" (reich) mir das Beil von der Kommode, ich will dem

Herrn einen Scheitel ziehen!". Seit dem späten 19. Jh, Berlin.
Scheitelschoner *m* Kopfbedeckung für Männer; Stahlhelm; „Schiffchen". 1920 ff.
Scheks (Scheeks) *m* flegelhafter Halbwüchsiger. Fußt auf *jidd* „schekez = Abscheu vor dem Unreinen"; von da weiterentwickelt zur Bedeutung „nichtjüdischer Bursche". *Rotw* 1753 ff.
schellen *intr* **1.** es hat bei ihm geschellt = er hat endlich begriffen. Hergenommen vom Spielautomaten: der Groschen fällt durch den Schlitz nach unten und löst ein Klingelzeichen aus. Analog zu „der ↗ Groschen ist gefallen". 1900 ff.
2. jetzt hat es geschellt = jetzt hat die Geduld ein Ende; jetzt ist's genug. Hergenommen vom Schellen als Zeichen der Beendigung einer Pause o. ä. Seit dem 19. Jh.
3. es hat geschellt = die Frau ist schwanger geworden. Versteht sich nach ↗ schellen 1. 1900 ff.
Schellenfahrer *m* Mann, der an den Türen fremder Leute klingelt, um Diebstahlsmöglichkeiten zu erkunden. ↗ Klingelfahrer. *Rotw* 1910 ff.
Schellfischaugen *pl* große, hervortretende Augen; Augen mit dümmlich-erstauntem Ausdruck. 1870 ff.
Schema *n* nach ~ F = nach starrer Form; nach gleichem Muster; ohne Nachdenken; unpersönlich; förmlich; mechanisch. Leitet sich her von der seit 1861 durch Verfügung des preußischen Kriegsministeriums vorgeschriebenen Stärkenachweisungen und Frontrapporten (daher der Buchstabe F); die ersten nach Buchstaben geordneten Vordrucke wurden in Berlin von der Druckerei des Ernst Litfaß (gest. 1874) hergestellt. Seit dem ausgehenden 19. Jh.
Schemel *m* **1.** Kegelwurf, bei dem nur der vordere und die beiden Eckkegel gefallen sind. Fußt auf der Vorstellung vom dreibeinigen Schemel. Keglerspr. Seit dem 19. Jh.
2. Moped. Es gilt als (motorisierter) Hocker. *Halbw* 1955 ff.
Sche'nier (Sche'nierer) *m* Scheu, Befangenheit, Schamgefühl. Fußt auf *franz* „se gêner = verlegen sein". Seit dem 19. Jh, vorwiegend *österr.*
schenkeldick *adj* ↗ Aufschnitt 3.
Schenkelschau *f* **1.** Revue; Schönheitskonkurrenz. 1955 ff.
2. Mode der kurzen Mädchenröcke, der „Hot Pants". 1967 ff.
3. eine ~ abziehen = eine Revue oder Schönheitskonkurrenz veranstalten. ↗ abziehen 1. 1960 ff.
Schenkelschieber *m* Tango. *Halbw* 1960 ff.
schenken *tr* **1.** auf ein Spiel, einen Stich verzichten. Man schenkt es den Mitspielern. Kartenspielerspr. 1900 ff.
2. sich (jm) etw ~ = sich (jm) etw erlassen (ich habe mir Bremen geschenkt = ich habe Bremen nicht besucht). Seit dem 18. Jh.
3. sich etw ~ lassen = etw unredlich zu beschaffen wissen; etw entwenden. Hehlausdruck. *Sold* 1914 ff.
4. ↗ geschenkt.
schepp *adj* **1.** schief. Hierzu eine mundartliche Nebenform. Vorwiegend *südwestd* und *fränk.* Seit dem 18. Jh.

2. sich ~ lachen = heftig lachen. *Vgl* „sich ↗schief lachen". 1800 *ff.*

Scheppermänner *pl* Leute, die Verkehrsunfälle herbeiführen und die Versicherungsprämien kassieren. ↗scheppern 4. 1970 *ff.*

scheppern *intr* **1.** blechern klingen; klappern, klirren. Lautmalender Natur. Seit dem 17. Jh.
2. trinken, zechen. Hergenommen vom Anstoßen der Gläser. 1900 *ff.*
3. laut lachen. *Österr* 1940 *ff.*
4. es scheppert = zwei Kraftfahrzeuge stoßen zusammen. 1920 *ff.*
5. sonst scheppert esl: Drohrede. Man droht Dreinschlagen an. 1935 *ff.*

scheps *adj adv* schief, schräg, krumm. ↗schepp 1. *Südwestd* und *fränk*, 1800 *ff.*

Scherbe (Scherbn) *f* **1.** irdener Topf; Nachtgeschirr. Vorwiegend *oberd* Bezeichnung für das Tongeschirr. 1500 *ff.*
2. kleines Weinglas. 1950 *ff, österr.*
3. alter, abgenutzter Gegenstand; Wertlosigkeit. 1500 *ff, oberd.*
4. Monokel. Eigentlich das abgebrochene Stück einer Glasscheibe. Leutnants- und Studentensprache seit dem späten 19. Jh.
5. Spiegel in der Schauspielergarderobe. Theaterspr. 1900 *ff.*
6. vervielfältigtes Vorlesungsmanuskript. Es enthält nur die wichtigsten „Bruchstükke" der Vorlesung. 1967 *ff, stud.*
7. weibliche Person *(abf)*. Aus der Bedeutung „Bruchstück, Trümmer" übernommen zur Kennzeichnung einer alten, verlebten Frau. Seit dem 19. Jh, *südd* und *fränk*.
8. *pl* = Geldmünzen. Analog zu ↗Schamott. 1920 *ff.*

scherbeln *intr* tanzen. Wohl zusammengewachsen aus „sich scharen = sich zusammenfinden" und „scharren" nach Art des Hahns, wenn er sich dem Huhn nähert. „Scherbeln" sagt man auch, wenn man Scherben so über das Wasser wirft, daß sie wiederholt aufhüpfen. Nördlich der Mainlinie, etwa seit 1850.

Scherben *m* **1.** Nachtgeschirr. ↗Scherbe 1. *Oberd* 1800 *ff.*
2. abgenutzter Gegenstand; Wertlosigkeit. 1500 *ff.*
3. Taschenuhr. Anspielung auf das Uhrglas im Sinne von „Scherbe = Monokel". 1950 *ff.*

Scherbn *f* ↗Scherbe.

Schere *f* **1.** scharf wie eine ~ = liebesgierig. ↗scharf 4. 1950 *ff.*
2. jn in der ~ haben = jm hart zusetzen. Analog zu „jn in der ↗Zange haben". Seit dem 19. Jh.
3. sich in die ~ legen = koitieren. Anspielung auf die Beinstellung. 1930 *ff.*
4. ~ machen = mit scherenartig gehaltenen Zeige- und Mittelfingern Taschendiebstahl begehen. *Rotw* 1687 *ff.*
5. jn in die ~ nehmen = a) jm hart zusetzen; jn von zwei Seiten bedrängen. ↗Schere 2. Seit dem 19. Jh. – b) jn einem strengen Verhör (Kreuzverhör) unterziehen. 1920 *ff.*

scheren *tr* jm Geld abgewinnen, abnötigen; jn erpressen. Hergenommen vom Scheren des Schafs; *vgl* ↗Schaf 11. Verwandt auch mit „über den ↗Löffel barbieren". Seit dem 16. Jh.

Scherenschleifer *m* **1.** Dieb, Taschendieb, Betrüger. Hängt sowohl mit dem schlech-

ten Ruf der landfahrenden Scherenschleifer zusammen, als auch mit „↗Schere 4". 1900 *ff.*
2. Versager; unordentlicher Mann; Mann, dem man kein Vertrauen schenken kann. Wegen der Ausübung eines Wandergewerbes steht der Scherenschleifer in ebenso schlechtem Ruf wie der Landstreicher, Müßiggänger u. a. 1900 *ff.*
3. Radfahrer. Er setzt sein Fahrzeug ähnlich in Bewegung wie der Scherenschleifer den Schleifstein. Seit dem ausgehenden 19. Jh.
4. verbrauchtes Fahrrad. 1920 *ff.*
5. altes Auto. Wegen der quietschenden und knarrenden Geräusche. 1960 *ff.*
6. Hund ohne reinen Stammbaum. Das Streunen des Hundes ähnelt dem Umherziehen des Scherenschleifers. 1870 *ff.*
7. einen Mund (ein Mundwerk) haben wie ein ~ = redegewandt sein; die Leute beschwatzen können. Seit dem 19. Jh.

Scherenschnitt *m* **1.** Eröffnung einer Verkehrsstraße mittels Zerschneidens des an ihrem Anfang angebrachten Bandes. Wortwitzelnd dem Begriff „Silhouette" unterlegt. 1960 *ff.*
2. einen ~ zelebrieren = eine Straße amtlich für den Verkehr freigeben. Anspielung auf das zeremonielle Gehabe, mit dem der Minister die theatralische Handlung vollzieht. 1960 *ff.*

Schere'rei *f* **1.** Verdrießlichkeit, Beschwerlichkeit. Versteht sich nach „sich um etw scheren = um etw Kummer haben". 1700 *ff.*
2. Hantieren mit der Schere; lästiges Scheren. 1930 *ff.*

Scherz *m* **1.** Eintragung ins Klassenbuch. Beschönigende Vokabel. *Schül* 1955 *ff.*
2. oder (und) ähnliche ~e = oder (und) Ähnliches. Im ausgehenden 19. Jh unter Studenten aufgekommen.

Scherzbold *m* Spaßmacher. Dem „Witzbold" nachgebildet. 1930 *ff.*

Scherzl *n* **1.** Anfangs-, Endstück des Brotlaibs, von Käse u. ä. Geht zurück auf *ital* „scorza = Rinde". Das Brot- oder Käsestück hat mehr Rinde als die anderen Stücke. *Oberd* seit dem 15. Jh.
2. Gesäßhälfte, Gesäß. Meint beim Rind den Fleischteil zwischen den Hinterbeinen und Hüften. *Bayr* und *österr,* seit dem 19. Jh.
3. Verweis, Strafe. Meint eigentlich die Prügel auf das Gesäß. *Österr* 1930 *ff.*
4. davon kann er sich ein ~ abschneiden = daraus kann er lernen; das sollte er beherzigen. Analog zu „sich von etw eine ↗Scheibe abschneiden". 1900 *ff, österr* und *bayr.*

schesen (scheesen) *intr* eilen; gehen. Da dieses Wort gegen 1830/40 aufgekommen ist und damit etliche Jahrzehnte älter ist als „↗Schäse", ist für die Herleitung *engl* „to chase = jagen" heranzuziehen.

Scheuch *m* langweilige Sache (Veranstaltung o. ä.). Sie verscheucht die Besucher. *Halbw* 1960 *ff,* Berlin.

scheuchen *tr* **1.** jn im Laufschritt über den Kasernenhof oder das Übungsgelände hetzen; jn streng, schikanös drillen. Übertragen vom Hund, der das Wild scheucht. *Sold* 1914 bis heute.
2. jn antreiben; jm Arbeit auferlegen. *Stud* und *sportl* 1920 *ff.*

3. jn vertreiben; jm das Verbleiben verleiden. 1930 *ff.*

scheuern *v* **1.** *tr* = jn prügeln, ohrfeigen. Parallel zu ↗reiben, zu ↗abreiben. Seit dem frühen 19. Jh.
2. jm eine ~, daß er meint, vom Pferd getreten worden zu sein = jn heftig ins Gesicht schlagen. 1935 *ff.*
3. das scheuert mich nicht = das betrifft mich nicht; das berührt mich nicht. Analog zu „das ↗kratzt mich nicht". 1900 *ff.*
4. *intr* = wild tanzen; keinen Tanz auslassen. Der Tänzer scheuert gewissermaßen den Tanzboden. 1960 *ff.*
5. sich an jm ~ = mit jm Streit suchen; jn herausfordern. Analog zu „sich an jm ↗reiben". 1890 *ff.*

Scheuklappe *f* **1.** Augenlid. Es ist hochempfindlich und schließt sich bei geringster Berührung. 1910 *ff.*
2. Sonnenbrille. Sie schützt vor grellen Sonnenstrahlen und vor dem Erkanntwerden. 1935 *ff.*
3. kleiner Balkon an der Vorderfront eines Wohnhochhauses. Er ist so angeordnet, daß man nur ein begrenztes Blickfeld hat. 1948 *ff.*
4. *pl* = Ohrenschützer. *BSD* 1965 *ff.*
5. ~n haben = das Naheliegende nicht sehen; einen beschränkten Gesichtskreis haben. Übertragen von den Klappen, mit denen man das Scheuen der Pferde verhindert. Seit dem späten 19. Jh.

Scheune *f* **1.** Konzerthaus, Theater. Analog zu ↗Schuppen. 1955 *ff.*
2. Filmtheater. *Halbw* 1955 *ff.*
3. Schulgebäude. 1950 *ff.*
4. Klublokal. *Halbw* 1955 *ff.*
5. alte ~ = bejahrte Frau mit heftigen Liebesgefühlen. Versteht sich nach der sprichwörtlichen Redensart: „Wenn alte Scheunen brennen, sind sie schwer zu löschen." Seit dem 19. Jh.
6. große ~ = Plenarsaal des Bundestags in Bonn. Entweder läßt sie an eine „Scheuer" denken, oder man spielt auf die Bedeutung „Theater" an. 1960 *ff.*
7. trübe ~ = Party-Keller. Anspielung auf das gedämpfte Licht. *Halbw* 1955 *ff.*
8. vor der ~ abladen = die Empfängnis verhüten. Die Ernte wird nicht eingefahren. Seit dem 19. Jh.
9. eine ~ in Brand stecken = eine Frau liebestoll machen. ↗Scheune 5. Seit dem 19. Jh.

Scheunendrescher *m* **1.** hungrig wie ein ~ = heißhungrig. Scheunendrescher droschen in der Scheune das Getreide mit dem Dreschflegel; sie verrichteten schwere Arbeit und verlangten entsprechende Verpflegung. 1800 *ff;* wohl älter *(vgl* das Folgende).
2. essen (fressen, reinhauen o. ä.) wie ein ~ = sehr viel essen. 1500 *ff.*
3. fluchen wie ein ~ = unmäßig fluchen. 1950 *ff.*

Scheunentor *n* **1.** Mund des Hungrigen oder Vielessers. 1900 *ff.*
2. lächeln wie ein ~ = breitmundig lächeln. 1950 *ff.*
3. mit einem (mit dem) ~ winken = jm etw plump, unmißverständlich zu verstehen geben. Solch ein Wink ist angesichts der Größe des Scheunentors nicht zu übersehen. 1900 *ff.*

'schiach *adj* ↗schiech.

schibbelig *adv* sich ~ lachen = heftig

lachen. Schibbelig = rund. Analog zu „sich ↗kugelig lachen". Vorwiegend *niederd*, seit dem 19. Jh.

schibbeln *v* **1.** *tr* = rollen, wälzen. *Niederd* Wiederholungsform zu „schieben". Seit dem 18. Jh.
2. sich vor Lachen ~ = heftig lachen. Parallel zu „sich vor Lachen ↗kugeln". Seit dem 19. Jh.
3. es ist zum ~ = es ist überaus erheiternd. Seit dem 19. Jh.

Schicht *f* **1.** blaue ~ = Feiertschicht. Gehört zu ↗blaumachen. 1965 *ff*.
2. eine vierte ~ einlegen = auf Diebstahl gehen o. ä. Der Arbeitstag hat drei Schichten zu je 8 Stunden; der Dieb macht also Überstunden. 1965 *ff*.
3. ~ machen = eine Arbeitspause machen; die Arbeit niederlegen; streiken. Meint eigentlich „am Ende der Schicht den Arbeitsplatz verlassen". 1600 *ff*.

Schichtl *m* auf geht's beim ~!: Aufforderung zum Anfangen. Hergenommen von August Schichtl, einem volkstümlichen Schaubudenbesitzer (Attraktion der Guillotine, erstmals 1872) auf dem Münchner Oktoberfest.

schick *adj* **1.** ausgezeichnet, schön. Von der Bezeichnung für elegante Kleidung übertragen auf alles, was man eindrucksvoll und begehrenswert findet. 1900 *ff*, vor allem unter jungen Mädchen verbreitet.
2. nett, umgänglich (besonders auf junge Mädchen bezogen). 1900 *ff*.

Schick *m* **1.** etw in (zu) ~ bringen = etw in Ordnung bringen. „Schick" meint „was sich schickt", „die schickliche Ordnung". Seit dem 19. Jh.
2. zu etw einen ~ haben = zu etw Talent haben. Schick = worin man geschickt ist. Seit dem 19. Jh.
3. einen ~ machen = ein gutes Geschäft machen. Schick = Ordnung, willkommene Fügung; weiterentwickelt zur Bedeutung „vorteilhafte Lage", „Glücksfall". *Südwestd* 1900 *ff*.
4. gut im ~ (auf seinem ~) sein = gesund, wohlauf sein. Der Begriff „Ordnung" bezieht sich hier auf den guten Gesundheitszustand. 1700 *ff*.

schicken (schickern) *intr* Tabak kauen. Fußt auf *franz* „chiquer". Seit dem 19. Jh.

schicker *adj* betrunken. Stammt aus *jidd* „schickern = trinken; sich betrinken". *Rotw* 1750; von da in die Mundarten vorgedrungen.

Schicke'ria *f* modebestimmende Gesellschaftsschicht; die oberen Zehntausend. Zusammengesetzt aus „schick = elegant" und der *ital* Endung von Sammelbezeichnungen (menageria). 1955 *ff*.

Schicke'ritis *f* Bestreben, den eleganten Gesellschaftskreisen ebenbürtig zu sein. Die Nachbildung medizinischer Krankheitsbezeichnungen läßt dieses Bestreben als krankhaft und ansteckend erscheinen. 1965 *ff*.

schickern *intr* trinken, zechen. ↗schicker. 1800 *ff*, vorwiegend *westfäl*.

'schicko'bello *adv* äußerst elegant gekleidet. Nach dem Muster von „↗picobello" gebildet. 1955 *ff*.

Schicksalsspiel *n* Fußballspiel, das über den Verbleib der Mannschaft in der Bundesliga oder über den Abstieg entscheidet. *Sportl* 1964 *ff*.

Schickse (Schicks, Schicksel, Schicksl)
f **1.** Frau *(abf)*. Stammt aus *jidd* „schekez = Greuel" und meint in der Form „schickzo, schickzel" die junge Christin, auch überhaupt das Mädchen. Seit dem 17. Jh.
2. Prostituierte. Seit dem 19. Jh.
3. junges Mädchen; geliebtes Mädchen. Seit dem 18. Jh.
4. schicke ~ = elegant gekleidete Dame. 1920 *ff*.

Schiebebrot *n* ~ essen = auf größeren Brotschnitte ein kleines Stück Wurst essen, das bei jedem Bissen weiter nach hinten geschoben wird. 1910 *ff*.

Schiebedach *n* Perücke. Von der Autokarosserie übernommen. 1960 *ff*.

schieben *v* **1.** *tr* = etw tun, machen (man „schiebt" Arrest, Knast, Dienst, Kohldampf usw.). Fußt auf „schaffen" und ist überlagert von *rotw* „scheften = sein, sitzen, liegen, machen". Seit dem 18. Jh.
2. *intr* = gehen, lässig gehen; weggehen. Meint eigentlich ein schwerfälliges Sichbewegen, als schöbe man ein Fahrzeug vor sich her. Man schiebt Fuß vor Fuß. Schon in *mhd* Zeit.
3. *intr* = unlautere Handelsgeschäfte betreiben. Kurz nach 1870 aufgekommen in Börsenkreisen: der Spekulant wartet auf einen besonders günstigen Kursstand, um erst dann sein Geschäft abzuwickeln. Beeinflußt von „↗schieben 1" im Sinne einer heimlichen Machenschaft, die das Tageslicht scheut. Vielleicht ist außerdem gemeint, daß das Geld, durch die Hand verdeckt, über den Tisch geschoben wird.
4. *tr* = einen Erfolg oder Mißerfolg (für den Gegner) im geheimen vorbereiten. Hergenommen von Brettspielen, bei denen man die Figuren hin- und herschiebt. 1890 *ff*.
5. eine gesetzwidrige Handlung begehen. 1890 *ff*.
6. *tr intr* = koitieren. Hergenommen von der Hin- und Herbewegung. *Vgl* ↗Schieber 4. 1600 *ff*.
7. jm eine ~ = jm eine Ohrfeige versetzen. Schieben = stoßen (man stößt die Hand oder Faust ins Gesicht). 1910 *ff*.

Schieber *m* **1.** unlauterer Geschäftsmann; Schleichhändler; Betrüger. ↗schieben 3. Nach 1870 aufgekommen.
2. Mann, der Erfolg oder Mißerfolg (für andere) im geheimen vorbereitet. ↗schieben 4. 1890 *ff*.
3. parteiischer Schiedsrichter. *Sportl* 1920 *ff*.
4. Penis. ↗schieben 6. 1600 *ff*.
5. Beischlaf. ↗schieben 6. 1900 *ff*.
6. Schiebetanz, Foxtrott, Onestep. 1920 *ff*.

Schiebermütze *f* Sport-, Reisemütze mit Schirm und breiter Form. Verkürzt aus ↗Wolkenschiebermütze. 1900 *ff*.

Schiebung *f* unlautere Machenschaft; heimlich verabredete Täuschung; Intrige; unredliche Begünstigung; parteiische Entscheidung des Schiedsrichters. ↗schieben 3. Kurz nach 1870 aufgekommen, wahrscheinlich in Berlin.

schiech ('schiach) *adj* **1.** widerwärtig, häßlich; scheel; schief. Geht zurück auf *mhd* „schiech = scheußlich" und „schiec = schief, verkehrt". 1400 *ff*. Heute vorwiegend *bayr* und *österr*.
2. mit jm ~ sein = jn nicht leiden können; mit jm entzweit sein. Seit dem 19. Jh.

Schiedsrichter *m* ~ ans (zum) Telefon!:
Zuruf, mit dem die Entscheidung des Schiedsrichters bespöttelt wird. Man unterstellt dem Unparteiischen, daß er parteiisch entschieden hat. Deswegen soll er das Spielfeld verlassen, zu welchem Zweck man einen Telefonanruf erfindet. *Sportl* 1945 *ff*.

Schiedsrichterheini *m* Schiedsrichter *(abf)*. ↗Heini. *Sportl* 1950 *ff*.

Schiedunter *m* Unterschied. Scherzhafte Vertauschung der Wortbestandteile. Im 18. Jh von Studenten ausgegangen.

schief *adj* **1.** charakterlich minderwertig; unaufrichtig, unzuverlässig. Der Betreffende ist kein „gerader" Charakter; er ist auf die „schiefe Bahn" geraten im Sinne eines sittlichen Sinkens. Seit dem 19. Jh.
2. in veralteten Anschauungen befangen; Neuerungen ablehnend; reformfeindlich; verständnislos gegenüber den Auffassungen und Ansprüchen der Jugend. ↗schief liegen. *Halbw* 1950 *ff*.
3. gefälscht (auf Geld o. ä. bezogen). 1950 *ff*.
4. ~ und scheel = völlig schief; schlecht gearbeitet. Schief = bucklig; scheel = schielend. 1700 *ff*.
5. ~ ankommen = sich eine Abfuhr holen. Schief = nicht gerade; von der Seite her. Fußt auf der Vorstellung vom Turnier: die Lanze (o. ä.) trifft den Gegner seitlich und gleitet ab. Seit dem 19. Jh.
6. bei jm ~ anlaufen = von jm abgewiesen werden. Versteht sich wie das Vorhergehende. Seit dem 19. Jh.
7. jn ~ ansehen = jn verächtlich, mißbilligend, mißtrauisch anblicken; jn in moralischer Hinsicht gering einschätzen. Der seitliche Blick drückt Verachtung und Mißtrauen aus. Seit dem 19. Jh.
8. sich ~ ärgern = sehr unwillig sein. Kummer und Ärger bereiten empfindlichen Menschen Magenbeschwerden, weswegen sie leicht vornübergeneigt gehen. Seit dem 17. Jh.
9. etw ~ auffassen = etw falsch auffassen, mißverstehen. Seit dem 19. Jh.
10. es geht ~ = es mißlingt; es nimmt eine ungünstige Entwicklung. Hergenommen vom Schuß, der sein Ziel verfehlt, oder von der Fechtwaffe, die vom Gegner abgleitet. 1700 *ff*. *Vgl franz* „aller de travers".
11. nur Mut, die Sache wird schon ~ gehen!: Redewendung, mit der man einen ermutigen will. Die Ermunterung ist ehrlich gemeint, aber *iron* eingekleidet. Spätestens seit 1870, Berlin.
12. ~ geladen haben = bezecht torkeln. Fußt auf dem Bild vom unausgewogen beladenen Erntewagen oder Schiff. 1700 *ff*.
13. du hast wohl ~ gelegen?: Frage an einen Mißgestimmten. 1900 *ff*.
14. ~ gewickelt sein = a) von falschen Voraussetzungen ausgehen; sich gröblich irren. Wohl hergenommen von der falsch gewickelten Zigarre, vielleicht auch vom Garn, das schief auf der Spule liegt. Seit dem frühen 19. Jh. – b) mißgestimmt sein; sich unbehaglich fühlen. Hier ist vom falsch gewickelten Säugling auszugehen. 1900 *ff*. c) homosexuell sein. 1920 *ff*.
15. sich ~ lachen = kräftig lachen. Vor Lachen biegt und krümmt man sich. Spätestens seit 1800.
16. es läuft ~ = es scheitert. ↗schief 10.

Vielleicht von der Kegelkugel hergenommen oder vom schiefen Radstand. 1920 *ff.*
17. sich ~ legen = sein Leben verderben. Hängt zusammen mit der Metapher „schiefe Bahn". 1910 *ff.*
18. ~ liegen = a) von falschen Voraussetzungen ausgehen; sich irren. Übernommen von der börsensprachlichen Bedeutung „falsch spekulieren". Etwa seit 1900. – b) im Verdacht stehen. 1935 *ff.*
19. etw ~ nehmen = etw übelnehmen. Analog zu „etw ↗krumm nehmen". Seit dem 18. Jh.
20. etw ~ sehen = etw falsch beurteilen; etw verkennen. Seit dem 19. Jh.
21. ~ ist englisch: Redewendung, wenn man darauf aufmerksam gemacht wird, daß ein Gegenstand schief sitzt, hängt oder steht. Leitet sich her entweder allgemein von der englischen Sitte, den Hut schief aufzusetzen, oder im besonderen von der den englischen Matrosen erteilten Erlaubnis, ihre Mützen schief zu tragen. Gern in der Form „schief ist englisch, und Englisch ist modern". 1840 *ff.*
22. ~ sein = mißgestimmt, verärgert sein. Der Mißvergnügte „zieht einen schiefen Mund". 1930 *ff.*
Schiefer *m* **1.** Geld, Kleingeld. Analog zu ↗Kies, ↗Schamott usw. 1870 *ff.*
2. Holzsplitter unter (in) der Haut. Mhd „schiver = Holz-, Steinsplitter". 1500 *ff.*
3. sich bei jm einen ~ eintreten (einziehen) = von jm abgewiesen werden; es mit jm verderben. *Bayr* 1900 *ff.*
Schieflachen *n* es ist zum ~ = es ist überaus belustigend. ↗schief 15. Seit dem 19. Jh.
Schielauge *n* Brillenträger. Wohl weil er über den oberen Brillenrand hinweg „schielt". 1945 *ff.*
Schielsystem *n* Absehen, Abschreiben vom Mitschüler. ↗schielen. 1950 *ff.*
Schiene *f* **1.** *pl* = Geld, Sold. Hergenommen von dem Stützgerät, mit dem gebrochene Glieder gerichtet werden. Ähnlich gibt das Geld dem Menschen Halt. *BSD* 1965 *ff.*
2. *pl* = Frauenbeine. Vor allem in der Redewendung: „wenn so die Schienen sind, wie muß da (erst) der Bahnhof sein?!". Mundartlich steht „Schiene" auch für „Schienbein". 1930 *ff.*
3. es geht (läuft wie) auf ~n = es geht reibungslos vor sich; kein Hindernis taucht auf. *Sold* 1939 *ff.*
4. auf der richtigen ~ laufen = in jeder Hinsicht denken und empfinden wie alle anderen. Hergenommen vom Eisenbahnzug, der auf ihm vorausbestimmten Schienenwegen läuft, ohne von der normalen Spurweite der Eisenbahnschienen. Umgangssprachlich gilt „Schiene = Schienenpaar = Gleis". *BSD* 1965 *ff.*
5. auf dieser ~ läuft nichts mehr = auf diese Weise ist kein Vorankommen mehr. Leitet sich her von einer stillgelegten Eisenbahnstrecke. 1950 *ff.*
schienen *intr* betrügen, falschspielen. Fußt auf *jidd* „schin", wie man die Buchstabenverbindung „sch" nennt. Vielleicht Abkürzung von „↗scheißen" oder von „↗(be)scheißen". 1955 *ff,* Berlin.
Schienenschaukel *f* Straßenbahn. 1950 *ff.*
Schienenwanze *f* Straßenbahn. Sie kriecht langsam und belästigt den Autoverkehr. 1950 *ff.*

Schießbude *f* **1.** Schlagzeug in Jazzkapellen. Der Schlagzeuger erzeugt mit seinen Instrumenten Geräusche, die wie Schüsse klingen. *Halbw* 1950 *ff.*
2. Entziehungsanstalt für Rauschgiftsüchtige. Schießen = Rauschgift einspritzen. 1961 *ff.*
3. Firma, in der einer den anderen zu verdrängen sucht. Abschießen = verdrängen. 1965 *ff.*
Schießbudenfigur *f* **1.** massiger, plumper Mensch; steifer, ungeschickter Mensch. Auf den Zielscheiben in den Jahrmarktsbuden waren (sind) Figuren grob und plump und in drastischen Stellungen dargestellt. Etwa seit 1880.
2. widerwärtiger Mensch; schlechter Soldat. Ihr Verhalten weckt keine Sympathie: auf einer Schießscheibe in einer Kirmesbude wären sie besser angebracht. 1890 *ff.*
3. bunt wie eine ~ = geschmacklos bunt. 1920 *ff.*
Schießeisen *n* **1.** Gewehr, Pistole, Revolver. Ein Stück Eisen, mit dem man schießt. *Sold* seit dem späten 19. Jh bis heute.
2. Penis. Schießen = ejakulieren. 1950 *ff.*
schießen *v* **1.** wer zuerst schießt, hat mehr vom Leben (wer schneller schießt, hat bedeutend mehr vom Leben; lebt länger) = der (Überraschungs-)Angriff ist die beste Verteidigung. *Sold* 1939 *ff.*
2. *tr intr* = den Fußball heftig treten. *Sportl* 1920 *ff.*
3. *intr* = Rauschgift einspritzen. Übersetzt aus *angloamerikan* „to shoot". 1968 *ff.*
4. *tr* = jn fotografieren. *Vgl* den Begriff „Schnappschuß". 1920 *ff.*
5. auf jn ~ = jn fotografieren. 1950 *ff.*
6. *tr* = jn verprügeln, ohrfeigen. Der Schlag trifft wie ein Schuß. 1930 *ff,* *österr.*
7. jm eine ~, daß die Zähne Klavier spielen = jn heftig ohrfeigen. 1950 *ff.*
8. auf jn ~ = jn mit Worten angreifen. 1920 *ff.*
9. jn aus seinem Amt ~ = jn aus seiner Stellung verdrängen, entfernen. ↗abschießen 3. 1948 *ff.*
10. etw ~ = listig sich etw aneignen; Gelegenheitsdiebstahl verüben. Leitet sich vom Wilderer her. Seit dem 18. Jh.
11. *intr* = koitieren. *Vgl* ↗Schuß = Ejakulation. Seit dem 19. Jh.
12. scharf ~ = schwängern. 1920 *ff.*
13. zum ~ aussehen = lächerlich aussehen. Bei Gemüsepflanzen spricht man von „schießen", wenn sie hervor- oder auswachsen (der Salat schießt). Ähnlich bekommt einen Auswuchs, wer sich vor Lachen biegt und krümmt: er sieht dann aus wie ein Buckliger. Zur Herleitung kann auch „Kobolz schießen" herangezogen werden, nicht zuletzt die Ähnlichkeit mit der ↗Schießbudenfigur. 1900 *ff.*
14. etw zum ~ finden = etw sehr erheiternd finden. *Vgl* das Vorhergehende. 1900 *ff.*
15. es ist zum ~ komisch = es ist überaus komisch. 1900 *ff.*
16. es ist zum ~ = a) es wirkt sehr belustigend. ↗schießen 13. 1880 *ff.* – b) Ausruf der Verzweiflung. Man möchte zum Gewehr greifen oder auch zum Prügelstock. 1900 *ff.*
17. etw (jn) ~ lassen = etw absichtlich unterlassen, absichtlich übersehen; etw

mit Verlust abstoßen; den Umgang mit jm aufgeben. „Schießen" drückt hier die schnelle Bewegung aus (der Bach schießt; die Wolken schießen am Himmel). Seit dem 18. Jh.
Schießer *m* **1.** nicht waidgerechter Jäger. Ihm geht es um Wildbret, nicht um Hege. Seit dem 19. Jh.
2. schnelles Auto. Analog zu ↗Flitzer. *Halbw* 1955 *ff,* *österr.*
3. Mann, der sich Rauschgift spritzt. ↗schießen 3. 1968 *ff.*
Schießhund *m* **1.** aufpassen wie ein ~ = scharf aufpassen. Schießhund ist der Vorstehhund des Jägers; er spürt das angeschossene Wild auf. 1700 *ff.*
2. hinter jm hersein wie ein ~ = jn verfolgen, nicht aus den Augen lassen. Seit dem 19. Jh.
3. wie ein ~ warten = gespannt warten. 1900 *ff.*
Schießkrieg *m* **1.** Krieg (im Gegensatz zum Manöver in Friedenszeiten). 1938 *ff.* *Vgl engl sold* „shooting war".
2. Krieg an der Front (nicht in Etappen- oder Heimatdienststellen). 1940 *ff.*
3. Krieg mit Schußwaffen (im Gegensatz zur Verwendung bakteriologischer oder chemischer Kampfmittel). 1965 *ff.*
Schießstand *m* **1.** Kamerastand. ↗schießen 4. 1960 *ff.*
2. Latrine. „Schießen" steht hehlwörtlich für „scheißen". *BSD* 1965 *ff.*
Schiet *m* **1.** Kot; entweichender Darmwind. *Niederd* Form von „Scheiße". Seit dem 14. Jh.
2. Schmutz, Schlamm. Seit dem 14. Jh.
3. minderwertige, unbrauchbare Sache; Belanglosigkeit. Seit dem 19. Jh.
4. Widerwärtigkeit. Seit dem 19. Jh.
5. nichts; Ausdruck der Ablehnung. 1700 *ff.*
6. ~ an Boom!: Ausdruck der Ablehnung. Analog zu ↗Scheiße 6. 1910 *ff.*
Schiete *f* Kot. ↗Schiet 1. Seit dem 14. Jh.
'schiete'gal *adv* völlig gleichgültig. Analog zu ↗scheißegal. 1900 *ff.*
schieten *intr* koten. ↗Schiet 1. 14. Jh, *niederd.*
Schieter *m* **1.** Säugling; kleiner Junge (Kosewort). ↗Scheißer 4. *Niederd* seit dem 19. Jh.
2. Mann (Kosewort). 1900 *ff.*
3. Freundin, Frau (Kosewort). 1900 *ff.*
'Schiet'kerl *m* Feigling. ↗Scheißkerl. 14. Jh.
Schiff I *n* **1.** Flugzeug. Verkürzt aus „Luftschiff". Fliegerspr. 1935 *ff.*
2. breitgebautes Auto. Analog zu ↗Dampfer. 1950 *ff,* *halbw.*
3. Liebesgabenpäckchen; Paket aus der Heimat; Sendung an einen Häftling. Wohl aufgefaßt als Rettungsschiff für einen Hungernden. Seit dem späten 19. Jh, *sold* und *rotw.*
4. Gymnasium. Im letzten Drittel des 19. Jhs in Südwestdeutschland aufgekommen, wohl weil man das Schiff auch das „Kasten" nennt und „Kasten" auch das Schulgebäude meint.
4 a. Zehnmarkschein. Wegen der Abbildung auf der Rückseite. 1970 *ff, schül.*
5. ~ der Wüste = dummer Mensch. „Schiff der Wüste" steht für „Kamel", und den Dummen schimpft man „↗Kamel". 1920 *ff.*
6. dickes ~ = Kriegs-, Schlachtschiff.

„Dick" bezieht sich sowohl auf die Panzerung und Bestückung als auch auf den Umfang (Wasserverdrängung). *Marinespr* 1914 bis heute.

7. schnelles ~ = schnelles Flugzeug. 1935 *ff.*

8. klar (rein) ~ machen = a) putzen, scheuern, Ordnung schaffen. Seemannsspr. 19. Jh. – b) eine Angelegenheit bereinigen; eine unumwundene Erklärung abgeben; ein volles Geständnis ablegen; abrechnen; den Verzehr begleichen. 1920 *ff.*

Schiff II *m* Harn. ⁊ schiffen 1. Seit dem 19. Jh.

Schiffbruch *m* ~ erleiden = mit etw scheitern. Seit dem 15. Jh.

Schiffchen *n* **1.** großes, stattliches Schiff. 1950 *ff, schül.*

2. Feldmütze; schirmlose Kappe (*bayr:* Schifferl). Die länglich-ovale Form hat sie mit dem Schiff gemeinsam. 1935 bis heute.

3. *pl* = Halbschuhe; lange, weite Schuhe. Analog zu ⁊ Kahn 8. 1920 *ff.*

4. ich erschlage dich mit meinem ~!: Drohrede. ⁊ Schiffchen 2. *BSD* 1965 *ff.*

5. ~ machen = harnen. Kinderspr. Seit dem 19. Jh.

Schiffe *f* **1.** Harn. ⁊ schiffen 1. Seit dem 19. Jh.

2. öffentliche Bedürfnisanstalt. *Südwestd* 1900 *ff.*

schiffen *intr* **1.** harnen. Beruht auf „Schiff = Wasserbehälter" (beispielsweise auf dem Küchenherd); dann verengt auf das Nachtgeschirr, wobei Schallnachahmung eingewirkt haben mag. Anscheinend von Studenten ausgegangen. 1750 *ff.*

2. es schifft = es regnet (in Strömen). 1840 *ff.*

Schifferfräse *f* von Ohr zu Ohr reichender Bartkranz. ⁊ Fräse. 1900 *ff, sold.*

Schifferklavier *n* Akkordeon; Ziehharmonika. Wertsteigerung: das Instrument ersetzt dem Seemann das Klavier. Berlin 1860 *ff.*

Schifferkrause *f* Seemannsbart. ⁊ Schifferfräse. 1935 *ff, marinespr.*

Schifferl *n* ⁊ Schiffchen.

schiffern *v* mich schiffert es = ich habe Harndrang. *Mitteld* 1920 *ff.*

Schiffernachricht *f* unverbürgte Seemannsmitteilung. Derlei Gerüchte gehen in Schifferschenken von Mund zu Mund. 1850 *ff.*

Schifferscheiße *f* **1.** dumm wie ~ = sehr dumm. Die Steigerung hat sich aus „⁊ Schifferscheiße 3" entwickelt. 1900 *ff.*

2. frech wie ~ = sehr frech, dreist, unverschämt, herausfordernd. 1900 *ff.*

3. geil (scharf) wie ~ = wollüstig. Hat vermutlich nichts mit „Schiffer" zu tun, sondern ist entstellt aus „die Schiffe = Harn" oder aus „Schafscheiße". „Scharf" bezieht sich eigentlich auf den strengen Geruch. 1900 *ff.*

4. klar wie ~ = völlig einleuchtend (*iron*). 1900 *ff.*

Schiffo'drom *n* Stehabort. Dem „Hippodrom" nachgebildet gegen 1920 unter Einwirkung von „⁊ schiffen 1". *Bayr* und *österr.*

Schiffoir (Endung *franz* ausgesprochen) *n* Stehabort. Aus „Pissoir" umgeformt durch „⁊ schiffen 1". 1870 *ff.*

Schiffsfriedhof *m* Hafenbecken voller aus-

gedienter Schiffe. Dem „⁊ Autofriedhof" nachgebildet. 1945 *ff.*

Schiffsmettwurst *f* Taue(nde) zum Verprügeln der Schiffsjungen; Lederkarbatsche. Wegen der Formähnlichkeit mit einer Wurst. Seemannsspr. seit dem 18. Jh.

Schiffsschaukelbremser *m* Versager. Zum Bremsen der Schiffsschaukel ist keine Geisteskraft erforderlich. 1939 *ff.*

Schikanen *pl* **1.** moderne ~ = moderne technische Errungenschaften; technische Neuerungen. Schikane ist eigentlich die Behinderung aus Mißgunst, auch die kleinliche Belästigung und die Quälerei. Durch den Exerzierdienst nahm das Wort den Sinn einer mit dem Dienst unlöslich verbundenen mißbräuchlichen Ausnutzung der Macht an. Hieraus entwickelte sich die Bedeutung des leidigen, aber untilgbaren Zubehörs und schließlich die der Gesamtheit alles dessen, was zu einer Sache gehört. In technischer Hinsicht sind es alle erdenklichen Mittel zur Bequemlichkeit und zur Leistungssteigerung. 1920 *ff.*

2. mit allen ~ = mit allem, was dazu gehört; ganz so, wie es sich gehört; heftig; kräftig; unübertrefflich. Am Übergang von der im Vorhergehenden skizzierten eigentlichen Bedeutung zur übertragenen steht die Stelle in Fontanes Roman „Cécile": „Die Nürnberger henken keinen nicht, sie hätten ihn denn zuvor, und dieser Milde huldigten auch die Quedlinburger. Aber wenn sie den zu Henkenden hatten, henkten sie ihn auch gewiß, und zwar mit allen Schikanen." Gegen 1840 in Berlin aufgekommen.

Schild *m* etw im ~e führen = etwas Unredliches beabsichtigen; einen unehrenhaften Plan verbergen. Bezog sich ursprünglich auf die Abzeichen, die der Ritter auf dem Schilde führte, später auch auf die hinter dem Schild verborgen gehaltenen Waffen. Seit dem 16. Jh.

Schildersalat *m* unübersichtliche Häufung von Hinweisschildern an einem einzigen Mast; Nebeneinander von (einander widersprechenden) Verkehrsschildern. ⁊ Salat 1. 1950 *ff.*

Schilderwald *m* **1.** wirre Gesamtheit von Verkehrsschildern. 1950 *ff.*

2. den ~ abholzen (lichten) = die Zahl der Verkehrsschilder deutlich verringern. 1950 *ff.*

Schildkröte *f* halbkugelige Bodenlampe auf einer Verkehrsinsel. Wegen der Formähnlichkeit. 1960 (?) *ff.*

Schiller *Pn* **1.** Gedanke von ~ ⁊ Gedanke.

2. Idee von ~ ⁊ Idee.

3. frei nach ~ = a) Redewendung zur Begleitung für jede beliebige Gebärde, für vorbereitungsloses Handeln. Mit „frei nach Schiller" kennzeichnet man ein nicht wörtliches Schillerzitat, die Anlehnung an ein Schillerzitat. Schiller wird viel zitiert, aber gern in abfälligem Sinne. 1920 *ff.* – b) Wegschleudern des Nasenschleims mit der Hand (ohne Taschentuch). 1920 *ff.* – c) unverblümt, aufrichtig. 1920 *ff.*

4. so was lebt, und ~ mußte sterben: Redewendung angesichts eines Menschen, der eine unsinnige Äußerung getan hat. ⁊ Goethe 1. 1920 *ff.*

Schimmel *m* **1.** weißes Kopfhaar; hellblonder Mann. Vom weißen Pferd übertragen. Seit dem 19. Jh.

2. Schablone, Schema, Lernbehelf. Geht

zurück auf die *österr* Bezeichnung „simile" für die amtlichen Vordrucke; *vgl* ⁊ Amtsschimmel. 1920 *ff.*

3. unerlaubter Übersetzungsbehelf für träge Schüler. Entweder Nebenbedeutung des Vorhergehenden oder Analogie zu „⁊ Pferd 4". *Österr* 1910 *ff.*

4. ~ ansetzen = a) graue Haare bekommen. Übernommen vom Schimmelbelag auf Speisen. 1900 *ff.* – b) veralten (auf Literaturwerke bezogen). 1920 *ff.*

5. jn warten lassen, bis er ~ ansetzt = jn lange warten lassen. 1930 *ff.*

6. den ~ halten = nicht zum Tanz aufgefordert werden. Gemeint ist, daß das Mädchen das Pferd betreut, während der Reiter tanzt. Seit dem 19. Jh.

schimmeln *intr* **1.** keinen Tänzer haben; nicht zum Tanz aufgefordert werden. ⁊ Schimmel 6. Entfernt beeinflußt von der Vorstellung „schimmeln = ältlich werden; reizlos werden". Seit dem 19. Jh.

2. eine unerlaubte Übersetzung benutzen. ⁊ Schimmel 3. *Österr* 1910 *ff.*

3. graues Haar bekommen. ⁊ Schimmel 4. Seit dem 19. Jh.

Schimmer *m* **1.** blasse Vorstellung; unklarer Gedanke. Vom blassen Lichtschein übertragen auf geringe Geistesklarheit. Seit dem 19. Jh.

2. ungefährer ~ = undeutliche Vorstellung. 1900 *ff.*

3. keinen (nicht den geringsten) ~ haben = keine Ahnung haben; nichts vermuten; unwissend sein. 1800 *ff.*

4. nicht den ~ einer Ahnung haben = nichts wissen. Seit dem 19. Jh.

5. nicht den ~ der Ahnung einer Idee haben = nicht die geringste Ahnung haben; gänzlich unwissend sein. Seit dem 19. Jh.

6. keinen ~ von einer Idee haben = nichts wissen. Seit dem 19. Jh.

7. keinen ~ von einer Spur haben = nicht das mindeste wissen. Seit dem 19. Jh.

8. keinen blassen ~ haben = völlig unwissend sein. Seit dem 19. Jh.

9. nicht den blassen ~ einer Ahnung (nicht den ~ einer blassen Ahnung) haben = etw sich nicht vorstellen können; die Zusammenhänge nicht erkennen. Seit dem 19. Jh.

10. nicht den blassesten (leisesten) ~ einer Ahnung haben = nicht die leiseste Ahnung haben. 1900 *ff.*

Schimpfe *f* das Gescholtenwerden; Beschimpfung. Spätestens seit 1900.

schimpfen *refl* sich ~ heißen; heißen (er schimpft sich Meier). Der Familienname oder der Titel wird hier scherzhaft oder *iron* als Schimpfname aufgefaßt. 1800 *ff.*

Schimpfkanonade *f* anhaltendes Beschimpfen. Kanonade = anhaltender heftiger Beschuß. 1910 *ff.*

Schimpfkonzert *n* vielstimmiges Beschimpfen. 1950 *ff.*

Schimpf-Schlacht *f* von heftigen persönlichen Angriffen begleitete Auseinandersetzung. 1960 *ff.*

Schimpfwort *n* sechs-etagiges ~ = schweres, unflätiges Schimpfwort. 1940 *ff, sold;* 1955 *ff, halbw.*

Schi'nakel (Schin'ackel, Schin'agel) *m* **1.** Kahn, Schiff, Ruderboot. Stammt aus *ung* „csonak" oder serbokroatisch „čunak", beide in der Bedeutung „kleiner Kahn". Im späten 17. Jh als Vokabel der Donauschiffer aufgekommen.

2. großer Schuh. Schuhwerk gilt volkstümlich allgemein als „↗Kahn". *Österr* 1900 ff.

'Schind'aas *n* niederträchtiger, heimtückischer Mensch; auch Kosewort. Verkürzt aus „Schinderaas", dem für den Schinder bestimmten, verendeten Stück Vieh. Nach 1740 aufgekommen, anfangs Vokabel des Sturms und Drangs.

schinden *v* **1.** etw ~ = etw ohne Bezahlung (auf Rechnung anderer) genießen (der Student schindet Kollegs, der Bettler schindet Wärme). Eigentlich soviel wie „enthäuten", dann auch „mißhandeln", „bedrücken" und schließlich soviel wie „prellen". Unter Studenten in der ersten Hälfte des 19. Jhs aufgekommen.

2. *intr* = eine gute Karte zurückhalten, um sie später zu verwenden. Dadurch kann man den Spielern hart zusetzen. Kartenspielerspr. Seit dem 18. Jh.

3. auf jugendlich ~ = durch kosmetische Mittel das wirkliche Alter verbergen. 1960 ff, halbw.

4. *refl* = sich abmühen; schwer arbeiten. Seit dem 18. Jh.

Schinder *m* **1.** grob und rücksichtslos handelnder Mensch; Leutepeiniger. Seit dem 19. Jh.

2. Arzt; Militärarzt; Arzt für Geschlechtskranke. Anspielung auf primitive Heil- und Hilfsmittel, auch auf den gelegentlich rohen Umgang mit den Patienten. Kundenspr. und *sold* 1870 ff.

3. rücksichtsloser, schikanöser Soldatenausbilder. Spätestens seit 1900.

Schinderei *f* **1.** harte Behandlung durch rücksichtslose Herren (Arbeitgeber o. ä.). Schinden = die Haut abziehen; mißhandeln. Seit dem späten Mittelalter.

2. schwere Arbeit. Seit dem 18. Jh.

3. Exerzierdienst. 1900 ff.

schindern *intr* **1.** schlecht arbeiten. Hergenommen von schwerer Arbeit, die man mit unzweckmäßigen Mitteln meistern will (soll). 1900 ff.

2. schlittern (ohne Schlittschuhe). *Ostmitteld* 1900 ff.

Schindluder *n* **1.** Schimpfwort. Meint eigentlich das verendete Tier, das dem Abdecker überantwortet wird. Seit dem 18. Jh.

2. mit jm ~ treiben (spielen) = jm übel mitspielen; jn grob verhöhnen. Abgeschwächt aus der Grundbedeutung „mit jm umgehen wie mit einem verendeten Tier". In Mundarten bezeichnet man mit „Schindluder" die ungestüme Fröhlichkeit, auch das ausgelassene, übermütige Treiben. Seit dem 18. Jh.

3. mit etw ~ treiben = etw völlig unsachgemäß betreiben. Seit dem 19. Jh.

Schinken *m* **1.** Oberschenkel des Menschen; Gesäßhälfte. Seit mhd Zeit.

2. Geige. Wegen der Formähnlichkeit. *Vgl* ↗Schafschinken. Seit dem späten 19. Jh.

3. Buch; großes, umfangreiches Buch. Im frühen 18. Jh unter Studenten aufgekommen mit Anspielung auf den Schweinsledereinband.

4. (abgenutztes dickes) Schulbuch. Seit dem späten 19. Jh.

5. minderwertiges Gemälde; großformatiges Bild; unverkäufliches Bild. Im Anschluß an die verächtliche Bezeichnung für

das Buch gegen 1870/80 in Wien aufgekommen mit Bezug auf die Gemälde von Hans Makart.

6. künstlerisch wenig wertvoller Großfilm. 1950 ff.

7. minderwertige Kolossalskulptur. 1890 ff.

8. umfangreicher Roman von geringem Wert. 1900 ff.

9. dickes Aktenstück; langdauernder schwieriger Rechtshandel. 1890 ff.

10. alter, abgenutzter Gegenstand. 1880 ff.

11. Leichtmotorrad, Moped, Kleinauto o. ä. Bezeichnet ursprünglich wohl das alte Kraftfahrzeug. 1935 ff.

12. Prostituierte. Wohl aufzufassen als Schinken vom ↗Schwein. „Schwein" und „Sau" stehen für das liederliche Weib. Seit dem späten 18. Jh.

13. ~ in Öl = minderwertiges Ölgemälde, mit dem der Maler hohen künstlerischen Ansprüchen gerecht werden möchte. Spätestens seit 1900.

14. alter ~ = a) altes Buch; veraltetes Theaterstück. Dieser „Schinken" hat wohl zu lange im Rauch gehangen. Etwa seit dem frühen 19. Jh, *stud* und theaterspr. – b) altes, unbrauchbares Gerät. 1880 ff. – c) altes Kraftfahrzeug; altes Flugzeug. 1935 ff. – d) wertloses Gemälde. 1880 ff. – e) alte Sache; seit langem schwebender Rechtsstreit. 1890 ff.

15. müder ~ = altes Flugzeug. Fliegerspr. 1935 ff.

16. uralter ~ = Theaterstück aus vergangener Zeit. Theaterspr. 1920 ff.

17. den ~ ~ im Salz haben = mit jm etw noch zu bereinigen haben. Man hat von der Hausschlachtung einen Schinken verschenkt und wartet nun auf die Gegenleistung; aber dieser Schinken liegt noch in der Lake, kann also noch nicht „auf den Tisch kommen". Seit dem 16. Jh.

18. den ~ im Salz halten = eine Sache unentschieden lassen. *Vgl* das Vorhergehende. 1930 ff.

Schinkenklopfen *n* Schlagen auf das Gesäß von einem Burschen, der in der Beuge gehalten werden und den Schlagenden erraten müssen. Gehört wohl dem 19. Jh an.

schinschen *intr* vom Mitschüler abschreiben. Geht zurück auf *engl* „to change = wechseln". Im Zweiten Weltkrieg ergab sich hieraus die Bedeutung „tauschhandeln" und „halblautere Geschäfte machen". ↗tschinschen. *Schül* 1950 ff.

Schippe (Schüppe) *f* **1.** Kartenfarbe Pik. Das Kartenzeichen ähnelt der Schaufel. Seit dem 19. Jh.

2. mißmutiges Gesicht; herabhängende Unterlippe. Die vorgeschobene Unterlippe ähnelt dem Schaufelblatt. Spätestens seit 1800.

3. ~n an den Fingern = lange Fingernägel. Sie sehen wie Schaufeln aus. Seit dem 19. Jh.

3 a. sich an der ~ festhalten = träge arbeiten. *Vgl* ↗Arbeiterdenkmal. 1900 ff.

4. jn auf die ~ haben = jn verulken; mit jm seinen Spott treiben. ↗Schippe 6. 1900 ff.

5. eine ~ machen = schmollen; mißmutig blicken. ↗Schippe 2. 1800 ff.

6. jn auf die ~ nehmen (laden) = jn verulken, grob verhöhnen; jn geheuchelthöflich behandeln. Was man auf die Schippe nimmt, kann Kehricht sein: der

Betreffende wird gewissermaßen wie Dreck behandelt. Vgl auch ↗Besen 15. Etwa seit 1900, vorwiegend *schül* und *sold*.

7. jn (etw) auf die leichte ~ nehmen = eine Person oder Sache nicht ernst nehmen; sich über eine Person oder Sache lustig machen. Hier ist das Vorhergehende mit der Redewendung „etw auf die leichte ↗Schulter nehmen" gekreuzt. 1950 ff.

8. nach der ~ riechen = dem Tod nahe sein. Anspielung auf die Schaufel des Totengräbers. Seit dem 19. Jh.

9. mit der ~ winken (~n winken) = eine verneinende Gebärde machen; etw heftig abweisen, abwehren. Hergenommen vom Anzeiger auf dem Schießstand. 1830 ff.

Schipper *m* **1.** Schanz-, Armierungssoldat. ↗schippen 1. 1900 ff

2. Marineangehöriger. ↗schippern 1. *BSD* 1965 ff (wohl viel älter).

Schippermütze *f* ↗Prinz-Heinrich-Mütze.

schippern *intr* **1.** auf dem Wasser (vor allem auf Binnengewässern) fahren. Gehört zu *niederd* „Schipper = Schiffer". Seit dem 18. Jh.

2. fliegen. Hängt zusammen mit dem „Luftschiff" und dem Umstand, daß Flieger „fahren" (nicht „fliegen"). 1935 ff.

Schiri *m* Schiedsrichter. Hieraus verkürzt. *Sportl* 1950 ff.

Schirm *m* **1.** einen ~ aufspannen müssen: Redewendung, wenn einer einen übelriechenden Darmwind hat abgehen lassen. *Sold* 1935 ff.

2. über den ~ gehen = im Fernsehen gesendet werden. Schirm = Bildschirm. 1957 ff.

3. einen alten ~ in die Ecke stellen (stehen lassen) = einen Darmwind entweichen lassen. Der alte (feuchte) Schirm erzeugt einen unangenehmen Geruch. 1930 ff.

4. es ohne ~ tun = ohne Präservativ koitieren. Regen = Ejakulation. 1920 ff.

5. den ~ zuklappen = den Umgang mit einem Mädchen abbrechen. Leitet sich her von dem großen Schirm, unter dem der Jahrmarkthändler seine Waren verkauft; schließt er den Schirm, erklärt er sein Geschäft für geschlossen. *Halbw* 1950 ff.

6. den ~ zumachen = a) überflügelt werden und daher nicht mehr konkurrenzfähig sein. *Vgl* das Vorhergehende. 1960 ff, *schül*. – b) sterben. 1960 ff.

Schi'schi *pl* **1.** überflüssige, übertriebene Umstände. Kommt aus *franz* „chichi = Lärm" und meint die geräuschvolle Betriebsamkeit. Wahrscheinlich über die Schweiz und Österreich ins *Dt* vorgedrungen, etwa seit 1920.

2. sinnloser, unnützer Tand; unechter Schmuck. „Chichis" nennt man in Frankreich die falschen Haarlocken. 1950 ff.

3. ~ machen = eindrucksvolle Fotowirkung erzielen. Filmspr. 1920/30 ff.

Schiß *m* **1.** Kot; Kothaufen. ↗scheißen 1. 1700 ff.

2. abgehender Darmwind. 1700 ff.

3. Durchfall. 1700 ff.

4. Abort. 1900 ff.

5. Betrug. ↗bescheißen. 1900 ff.

6. ein ~ = Kleinigkeit; Belanglosigkeit; Ausdruck der Ablehnung und Verneinung. Seit dem 19. Jh.

7. ~ vor der eigenen Courage = Bedenken wegen der eigenen Beherztheit. ↗Angst 1. 1939 ff.

8. ~ aus 2 Meter in die Flasche = Durchfall. Der Ausdruck veranschaulicht die Vorstellung „äußerst dünn". *BSD* 1965 *ff.*
9. alle ~ = jeden Augenblick; immer von neuem; fast ständig. 1900 *ff.*
10. vor etw ~ haben = vor etw Angst haben; feige sein. Der Ängstliche verspürt heftigen Stuhldrang. 1700 *ff,* vorwiegend *stud* und *sold.*
11. ~ in der Hose haben = ängstlich, feige sein. Vor Angst verliert man die Kontrolle über den Afterschließmuskel. 1900 *ff.*
12. im ~ sein = sich in übler Lage befinden. 1900 *ff.*
Schißchen *n* **1.** leise Bänglichkeit. 1900 *ff.*
2. ein ~ = ein bißchen. 1900 *ff.*
Schisser *m* **1.** in Verruf geratener Student. ↗Verschiß. Seit dem 18. Jh.
2. ängstlicher, feiger, energieloser Mensch. Seit dem 18. Jh.
3. kleines Kind (Kosewort). Seit dem 19. Jh.
4. Kosewort auf Frau und Mann. *Vgl* ↗Scheißerle. Seit dem 19. Jh.
schissig *adj* **1.** mit Kot beschmutzt. Seit dem 19. Jh.
2. ängstlich, feige. 1910 *ff.*
'Schiß'kerl *m* **1.** Feigling. Analog zu ↗Scheißkerl. Seit dem 19. Jh.
2. energieloser Mann. Seit dem 19. Jh.
'schißko'jenno *adv* **1.** gleichgültig. Fußt auf *poln* „wszystko jedno = gleichgültig". Volkstümlich geworden durch den Anklang an „Scheiße" und durch die Bedeutungsgleichheit mit „scheißegal". Im späten Jh aufgekommen.
2. *interj* = Ausdruck heftigen Unwillens. 1910 *ff.*
Schißla'weng *m* Schwung; Kniff; Trick. ↗Cislaweng. Seit dem späten 19. Jh.
Schißmoll *n* unmusikalischer Gesang; mißtönende Musik. Entstellt aus „cis-moll". Seit dem späten 19. Jh.
Schissoir (Endung *franz* ausgesprochen) *n* öffentliche Bedürfnisanstalt. Durch „Schiß" umgeformtes „Pissoir". *Stud* 1960 *ff, schweiz.*
schittebön *adv* bitteschön. Scherzhafte Buchstabenumstellung um der Derbheit willen. 1920 *ff.*
Schlaaks *m* ↗Schlacks.
Schlabbe (Schlappe) *f* Mund; Mund mit herabhängender Unterlippe. Analog zu ↗Labbe. 1900 *ff.*
Schlabber (Schlabberchen) *m (n)* **1.** um den Hals gebundenes Mundtuch für kleine Kinder. ↗schlabbern 1. Seit dem 19. Jh.
2. dünner Kaffeeaufguß. 1900 *ff.*
3. Pudding. Wegen seiner schlaffen, unfesten Beschaffenheit. 1920 *ff.*
4. Kartoffelbrei. 1920 *ff.*
5. Mund. ↗schlabbern = schwätzen. 1900 *ff.*
Schlabberhose *f* sehr weit geschnittene Hose. 1925 *ff.*
schlabberig *adj* **1.** geräuschvoll essend. ↗schlabbern 2. Seit dem 18. Jh.
2. schwächlich, kraftlos, unfest, weichlich; wässerig; stark verdünnt. Seit dem 18. Jh.
3. füllig; zu weit geschneidert. Soviel wie „schlaff herabhängend". 1900 *ff.*
4. geschwätzig. 1500 *ff.*
Schlabberkasten *m* Prahler; Dummschwätzer. 1900 *ff.*
Schlabberkleid *n* weitgeschnittenes Kleid aus dünnem, weichem Stoff. 1900 *ff.*

Schlabberkörper *m* weichlicher, feister Körper. 1950 *ff.*
Schlabberkram *m* alkoholfreie Getränke. ↗schlabberig 2. *Jug* 1950 *ff.*
Schlabberlätzchen *n* **1.** Latz, der kleinen Kindern beim Essen vorgebunden wird. Seit dem 19. Jh.
2. Halstuch. *BSD* 1965 *ff.*
Schlabberlook (Grundwort *engl* ausgesprochen) *m* Mode der weitgeschnittenen Kleider. ↗Look. 1970 *ff.*
schlabbern *v* **1.** *intr* = geräuschvoll essen und trinken; schlürfen. Schallnachahmender Herkunft seit dem 15. Jh. *Vgl engl* „to slabber" und dänisch „slabre".
2. *intr* = sich beim Essen beschmutzen; etw auf die Kleidung oder das Tischtuch fallen lassen, verschütten. Bei gierigem Essen fällt leicht etwas neben den Teller. *Niederd* seit dem 15. Jh.
3. einen ~ = ein alkoholisches Getränk zu sich nehmen. Man „schlürft" es genüßlich. 1800 *ff.*
4. *intr impers* = hin- und herschwanken; unfest, weichlich sein. Gehört zu „schlapp" und „schlaff". Seit dem 19. Jh.
5. etw ~ = etw unterlassen, weglassen, vergessen, verlieren. Das Gemeinte entfällt dem Gedächtnis, wie die Speise von der Gabel des hastigen Essers fällt. Seit dem 19. Jh, *westd.*
6. *intr* = schwätzen; viel reden; hastig und undeutlich sprechen. Aus der Vorstellung vom hastigen Essen übertragen auf hastiges Reden, zugleich mit dem Nebensinn der Substanzlosigkeit des Gesagten. 1500 *ff.*
Schlabbersau *f* Mensch ohne feine Eßgewohnheiten. ↗schlabbern 1 und 2. 1950 *ff.*
Schlabberschnauze *f* unversieglicher Redeschwall ohne Substanz; Schwätzer(in). ↗schlabbern 6. Seit dem 19. Jh.
Schlabberwasser *n* **1.** gehaltloses Getränk; Limonade; Mineralwasser. ↗schlabberig 2. 1870 *ff.*
2. Bier. *BSD* 1965 *ff.*
Schlabu *m* Mann, der bei jedem wichtigen Fußballspiel anwesend ist. Verkürzt aus ↗Schlachtenbummler. *Sportl* 1950 *ff.*
Schlachtbemalung *f* starkes Geschminktsein. Analog zu ↗Kriegsbemalung. 1910 *ff, österr.*
schlachten *v* **1.** *tr* = jn operieren. Vom Töten der Schlachttiere auf die ärztliche Operation am menschlichen Körper übertragen. *Sold* 1900 bis heute.
2. *tr* = einen Gegenstand auseinandernehmen. 1920 *ff.*
3. *tr* = Großgrundbesitz in viele Einzelanwesen aufteilen. Seit dem 19. Jh.
4. *tr* = jn entwürdigend, vernichtend anherrschen. *Sold* in beiden Weltkriegen.
5. *tr* = jn aus seinem Posten verdrängen. 1900 *ff.*
6. *tr* = jm viel (alles) Geld abgewinnen. 1920 *ff.*
7. nach jm ~ = jm sehr ähnlich sein; jm gleichen. Fußt auf *ahd* „slahan = nacharten"; „Schlacht" ist auch „Rasse, Artung". 1600 *ff.*
Schlachtenbummler *m* **1.** Zeitungsberichterstatter ohne militärische Stellung im Gefolge des Hauptquartiers. Bummler = Müßiggänger. Schelte der Soldaten auf die Zivilisten beim Heer. 1870 aufgekommen.
2. von Spiel zu Spiel reisender

Fußballfreund. *Vgl* ↗Schlabu. *Sportl* 1950 *ff.*
Schlachter (Schlächter) *m* **1.** nicht weidgerechter Jäger. Er ist kein Heger, sondern ein Metzger, dem es nur um das Wildbret geht. 1900 *ff.*
2. Militärarzt, Chirurg. *Sold* 1914 bis heute.
Schlachterhund (Schlächterhund) *m* **1.** ein Gemüt haben wie ein ~ = gefühllos, gefühlsroh sein. Vom angeblich rohen Metzger übertragen auf seinen Hund wegen der Gier nach Fleisch. 1917 *ff.*
2. ein Gewissen haben wie ein ~ = gewissenlos sein; niederträchtig, ehrlos handeln. 1870 *ff.*
Schlachtfeld *n* **1.** Gesicht mit vielen Schnittwunden nach der Rasur. 1930 *ff.*
2. Schularbeit, vom Lehrer mit vielen roten Strichen versehen. 1900 *ff.*
3. nicht abgedeckter Eßtisch. Seit dem 19. Jh.
4. unaufgeräumtes Zimmer. 1900 *ff.*
5. Klassenzimmer. 1950 *ff.*
6. in wüstem Zustand zurückgelassener Picknick- oder Campingplatz. 1950 *ff.*
Schlachtfest *n* **1.** ärztliche Operation. Eigentlich die Geselligkeit nach der Hausschlachtung. *Sold* 1914 bis heute.
2. Lehrer-, Zensurenkonferenz. Hier werden die Schüler „abgeschlachtet", d. h. sie werden nicht in die nächsthöhere Klasse versetzt oder gar von der Schule verwiesen. *Schül* seit dem 19. Jh.
3. Verprügelung eines Mitschülers wegen unkameradschaftlichen Verhaltens. 1900 *ff.*
4. heftige Prügelei, verbunden mit Messerstecherei usw.; Handgemenge mit der Polizei. 1925 *ff* (als die Straßen- und Saalschlachten aufkamen).
5. Mensurtag. *Stud* seit dem 19. Jh.
6. Gesichtsrasur, bei der viele Schnittwunden entstehen. 1930 *ff.*
7. Untersuchung, durch die man Schuldige moralisch erledigt. 1910 *ff.*
8. Fußball-Entscheidungsspiel. *Sportl* 1950 *ff.*
9. Aufbrechen des Sparschweins. 1950 *ff.*
10. es ist mir ein ~ = es freut mich sehr. Die Geselligkeit anläßlich der Hausschlachtung ist sehr beliebt, und es gilt als Vorzug, zu ihr eingeladen zu werden. 1920 *ff.*
11. mit jm ein ~ veranstalten = jn vor eine unlösbare Aufgabe stellen, um ihn zu erledigen und von seinem Posten zu verdrängen. Der Betreffende wird beruflich oder ranglich „geschlachtet". 1910 *ff.*
Schlachtopfer *n* Mensch, der für die Verfehlungen (Versäumnisse) anderer zur Verantwortung gezogen wird. Eigentlich das kultische Opfertier. 1950 *ff.*
Schlachtplan (Schlachtenplan) *m* Plan eines Vorgehens, Einkaufszettel. Vom *Milit* übertragen auf zivile Alltagsgegebenheiten. 1830 *ff.*
schlachtreif *adj* **1.** sehr beleibt (auf Personen bezogen). 1920 *ff.*
2. zur Amtsenthebung vorgesehen. ↗schlachten 5. 1910 *ff.*
3. zur Ausführung hinreichend vorbereitet (auf ein Vorhaben bezogen). 1950 *ff.*
Schlachtschwert *n* **1.** scharfe Lästerzunge. 1700 *ff.*
2. unversieglicher Redefluß. Seit dem 19. Jh.

3. Penis. Er ist eine „Waffe" beim „Kampf der Geschlechter": das „Schwert" wird in die „Scheide" gesteckt. 1955 ff, halbw.
4. ein Maul (eine Zunge) haben wie ein ~ = anzüglich, verletzend reden; gut, schlagfertig reden können. Seit dem 19. Jh.

Schlacke f **1.** Kot. Aufgefaßt als Verbrennungsrückstand. 1920 ff.
2. die ~n aus den Knochen schütteln = sich körperliche Bewegung verschaffen. 1960 ff.

schlackenfrei adj moralisch nicht anstößig; politisch unbedenklich. Meint im Zusammenhang mit der Ernährung soviel wie „frei von Stoffwechselrückständen im Organismus". 1930 ff.

Schlacker m **1.** aufgeweichter Straßenschmutz; mit Schnee vermischter Regen. ↗ schlackern 1. 1700 ff, nordd und mitteld.
2. Feigling; Mann, der sich Anforderungen zu entziehen sucht. ↗ schlackern 2. Sold in beiden Weltkriegen.

schlackern v **1.** impers = durcheinander regnen und schneien. Gehört zu germ „slak = matt, schlaff" und bezieht sich auf die aufgeweichten Wege. Nordd und mitteld, 1700 ff.
2. intr = schlenkern, schlottern, wackeln. 1700 ff.

Schlacks (Schlaaks, Schläks) m großwüchsiger, ungeschickter Mann ohne straffe Haltung. Germ „slak = schlaff" ergibt im Niederd und Mitteld „slaks (schlacks) = nachlässig, träge, unbeholfen". Seit dem 18. Jh.

schladdern intr schwätzen, plaudern. Schallnachahmend für das Geräusch des auf- und zuklappenden Mundes. Niederd 1700 ff.

Schlaf m **1.** nasser ~ = Traum geschlechtlichen Inhalts, der einen unfreiwilligen Samenerguß auslöst. 1910 ff.
2. sich im ~ bescheißen = a) unverdientes Glück haben. Das Sprichwort lehrt: „Wer Glück hat, bescheißt sich im Schlaf." In volkstümlich abergläubischer Vorstellung wehrt Kot die schadenstiftenden Dämonen ab. Seit dem 19. Jh. – b) trotz schlechter Karten gewinnen; beim Kartenspiel Fehler machen, die sich im weiteren Verlauf als günstig erweisen. Seit dem 19. Jh.
3. das fällt mir nicht einmal im ~ ein (das hätte ich mir nicht im ~ träumen lassen)!: Ausdruck der Ablehnung. Seit dem 19. Jh.
4. den Seinen gibt's der Herr im ~: Redewendung auf einen Kartenspieler, der im unwahrscheinlich viel Glück hat, obwohl er schlecht spielt. Geht zurück auf Psalm 127, 2. Kartenspielerspr. Seit dem 19. Jh.
5. das kann man im ~ = das leistet man mühelos; das kann man auswendig. Seit dem 19. Jh.
6. den ~ aus den Knochen (Haxen) treiben = Morgengymnastik treiben. Übertragen von der Redewendung „sich den Schlaf aus den Augen reiben (wischen)"; wahrscheinlich aufgekommen gegen 1930/35 im Zusammenhang mit den morgendlichen Gymnastiksendungen im Rundfunk.
7. sich den ~ um die Ohren schlagen. ↗ Ohr 74.
8. aus dem ~ sagen (sprechen) = töricht reden. Seit dem 19. Jh.

9. jn aus dem ~ trommeln = jn unsanft wecken. Geht zurück auf das Trommelsignal, mit dem die Soldaten früher geweckt wurden. Seit dem 19. Jh.

schlafen intr **1.** du wirst bald ~ gehen = du redest töricht. Der Gemeinte gilt als kleines Kind, das früh zu Bett gehen muß. 1960 ff. jug.
2. alles schläft, und einer spricht, – das nennt sich Unterricht: Redewendung auf die einseitige Art der Unterrichtserteilung. Nachgeahmt der Zeile „alles schläft, einsam wacht" aus dem Weihnachtslied „Stille Nacht, heilige Nacht." 1900 ff.
3. und so was schläft in einem Bett!: Ausruf der Verwunderung über einen Dummschwätzer. Von einem, der in einem Bett schläft, erwartet man wohl, daß er ausgeruht ist und klare Gedanken äußert. Sold 1939 ff.
4. er schläft am Tage und will nachts seine Ruhe haben = er ist überaus arbeitsscheu. Sold in beiden Weltkriegen; ziv 1945 ff.
5. ~ gehen = a) bewußtlos werden; knockout geschlagen werden. Übernommen aus dem Engl „to put to sleep = bewußtlos machen". 1920 ff, mit dem Boxsport aufgekommen. – b) Bankrott machen. 1920 ff.
6. jn ~ legen = jn bewußtlos schlagen; einen Wehrlosen zu Boden schlagen. Aus der Boxersprache wie „↗ schlafen 5". 1920 ff.
7. sich ~ legen = bewußtlos zu Boden sinken. 1920 ff.
8. jn ~ schicken = jn bewußtlos schlagen. 1920 ff.

Schlaffi m energieloser Mensch. Kosewörtliches Substantiv nach „schlaff = antriebslos, träge". Berlin, 1965 ff, jug.

Schlafgerät n Fernsehgerät. Dazu die Frage: „haben Sie auch ein Fernsehgerät?" mit der Witzantwort „nein, wir schlafen so (wir schlafen fest)". 1955 ff.

Schlafittchen n jn am (beim) ~ kriegen (packen o. ä.) = jn ergreifen, festnehmen. „Schlafittchen" ist aus „Schlagfittich" zusammengezogen und bezeichnet eigentlich die Schwungfedern des Gänseflügels. 1700 ff.

Schlafkatze f weibliche Person mit großem Schlafbedürfnis; verschlafener Mensch. 1920 ff.

Schlafkonzert n Schnarchen. Euphemismus. 1900 ff.

Schlafkranker m unaufmerksamer Mensch. 1920 ff.

Schlafläuse pl die ~ kommen (beißen) = ein Ermüdeter kratzt sich am Kopf; man wird schläfrig. Bei starker Ermüdung juckt die Kopfhaut, was man scherzhaft auf die Tätigkeit von Läusen zurückführt. 1700 ff.

Schlafleute pl Personen, die mangels eigener Wohnung in fremden Haushalten (ärmlicher Leute) gegen Entgelt eine Schlafstelle beziehen. Nach 1813/15 in Berlin aufgekommen, als die Aufhebung des Zunftzwanges im volkreichen Berlin schlimme Folgen zeitigte.

Schlafloch n **1.** ärmliche Schlafstelle. ↗ Loch 1. 1820 ff.
2. beliebige Stelle an der Front, wo man ein Schläfchen machen kann und vor Granatsplittern und Vorgesetzten sicher ist. Sold in beiden Weltkriegen.

Schlafmäuschen n Kosewort für eine

weibliche Person. Mundartlich geläufig als Verkleinerungsform von „Siebenschläfer". ↗ Mäuschen. 1900 ff.

schlafmuffig adj morgens schlechtgelaunt. ↗ muffig. 1920 ff.

Schlafmutter f Schlafstellenvermieterin o. ä. Vgl ↗ Schlafleute. 19. Jh.

Schlafmütze f **1.** unachtsamer, energieloser Mensch. Von der Kopfbedeckung im Bett übertragen auf ihren Träger. 1700 ff.
2. Langschläfer. Seit dem 19. Jh.
3. letztes Glas Alkohol vor dem Heim- oder Zubettgehen. 1910 ff.
4. Präservativ. 1920 ff.

Schlafpulver n geballtes ~ = sehr langweilige, einschläfernde Darbietung. Übernommen vom milit Begriff der geballten Handgranaten. 1950 ff.

Schlafratte (-ratz) f (m) Mensch mit großem Schlafbedürfnis; Langschläfer. Zur Erklärung vgl ↗ „Ratz I 2". 1600 ff.

Schlafsack m **1.** Mensch mit großem Schlafbedürfnis. 1900 ff.
2. Bettgenosse ohne geschlechtliches Verlangen. 1920 ff.

Schlafsofa n Holzpritsche in der Arrestzelle oder im Wachlokal. Euphemismus. 1900 ff.

Schlafspiel n schwungloses Fuß-, Handballspiel. 1970 ff.

Schlafsuse f unaufmerksamer, energieloser Mensch. ↗ Suse 1. 1950 ff.

Schlaftier n **1.** Mensch mit großem Schlafbedürfnis. ↗ Schlafratte. 1920 ff.
2. Stofftier, das man beim Schlafen in den Arm nimmt. 1950 ff.

Schlaf- und Bummeltag m arbeitsfreier Feiertag ohne kirchlichen Anlaß. ↗ bummeln. 1950 ff.

Schlafvater m Schlafstellenvermieter; Herbergsvater. Vgl ↗ Schlafleute. Seit dem 19. Jh.

Schlafwagen m **1.** Gruppe ohne inneren Schwung, ohne Unternehmungsgeist. 1950 ff.
2. Klassenzimmer. 1960 ff.
3. ~ fahren = sich nicht anstrengen. Sportl 1920 ff.

Schlafwagen-Fußball m Fußballspiel ohne herausragende Angriffsleistung. Sportl 1950 ff.

Schlafwagenschaffner m **1.** Versager. 1920 ff.
2. Soldat, der als einziger wacht, während die Kameraden schlafen. Sold 1939 ff.

Schlafzimmer n **1.** Klassenzimmer. 1930 ff.
2. Musikzimmer in der Schule. 1950 ff.
3. (Unterrichtsraum im) Abendgymnasium. 1950 ff.
4. breitgebautes Luxusauto (für Geschlechtsverkehr geeignet). Halbw 1955 ff.
5. Kompanie-Geschäftszimmer. Bürotätigkeit erscheint in volkstümlicher Auffassung als Untätigkeit. BSD 1965 ff.
6. politische Untätigkeit der Regierung. 1965 ff.

Schlafzimmeraugen (-blick) pl (m) geschlechtlich lüsterner Blick. 1925 ff.

Schlafzimmergeschichten pl Berichte über das geschlechtliche Verhalten. 1950 ff.

Schlag m **1.** Essensportion. Sie wird mit der Schlöpfkelle in den Eßnapf, in das Kochgeschirr oder auf den Teller geschlagen. Sold seit dem späten 19. Jh bis heute; auch ziv geläufig unter Kantinenessern.

2. Schlagsahne. Kellnerspr. Verkürzung in Österreich seit dem 19. Jh.

3. Hosenschlitz. Verkürzt aus ↗Taubenschlag. 1900 *ff.*

4. Privatunterkunft, Zimmer. Verkürzt aus „Taubenschlag": zu ihm kehren die Tauben immer wieder zurück. *Schweiz 1930 ff.*

5. ~ in die Erbse = Schlag auf den Kopf. ↗Erbse 1. 1930 *ff.*

6. ~ ins Gesicht = empfindliche Kränkung. Seit dem 19. Jh.

6 a. ~ unter die Gürtellinie = hämischer Angriff mit Worten. ↗Gürtellinie 5. 1950 *ff.*

7. ~ in die Knie = plötzlicher Schreck. Hergenommen vom Schlag mit der Handkante in die Kniekehlen: dadurch knickt man ein und sinkt zusammen. 1920 *ff.*

8. ~ ins Kontor = a) sehr unliebsame Überraschung. Hergenommen vom empfindlichen geschäftlichen Verlust. Vielleicht in Frankfurt am Main aufgekommen. 1830 *ff.* – b) wider Erwarten verlorenes Spiel; ein entscheidender Stich mit hoher Punktzahl zugunsten des Gegners. Kartenspielerspr. 1850 *ff.*

9. ~ ins Leere = erfolglose Bemühung. Seit dem 19. Jh.

10. ~ in den Porzellanladen = große Überraschung; schwere Enttäuschung. 1900 *ff.*

11. ~ ins Wasser = wirkungslose Anstrengung; Mißerfolg; viel Aufsehen um nichts. Metapher für zweckloses Tun. Seit dem 19. Jh.

12. alle ~ = alle Augenblicke. Schlag = Glockenschlag. Seit dem 19. Jh.

13. harter ~ = schwerer Verlust. Schlag = Schicksalsschlag. Kartenspielerspr. seit dem 19. Jh.

14. kalter ~ = Kegelwurf, bei dem die Kugel das Vordereck stehen läßt. Hergenommen vom „kalten Blitzschlag." Keglerspr. Seit dem 19. Jh.

15. sich den ~ an den Hals ärgern = sich sehr ärgern. Schlag = Schlaganfall. Seit dem 19. Jh.

16. ein ~, und deine Familie ist ausgerottet!: Drohrede. 1925 *ff.*

17. du hast eine seltsame Art, um Schläge zu betteln!: Drohrede. Der Betreffende redet trotz Einspruchs so töricht weiter, daß man ihn offenbar nur mit Prügeln zum Verstummen bringen kann. *BSD* 1965 *ff.*

17 a. leichte Schläge auf den Hinterkopf erhöhen das Denkvermögen: ↗Hinterkopf 3.

18. der ~ gab Öl = dieser Stich zählt viele Augen. Kartenspielerspr. 1870 *ff,* Berlin.

19. wie vom ~ gerührt = steif, empfindungslos; regungslos entsetzt. Schlag = Schlaganfall. 1900 *ff.*

20. bei jm ~ haben = sich jds Wohlwollens erfreuen. Leitet sich her vom Essenausteiler, der dem begünstigten Soldaten einen Schlag Essen mehr gibt, oder vom Barlaufspiel, bei dem der Gefangene von einem Spieler seiner Partei durch Handschlag befreit werden kann. *Sold* seit dem späten 19. Jh; *jug* 1900 *ff.*

21. ~ haben = Erfolgsaussichten haben; Glück im Spiel haben. Meint eigentlich soviel wie „maßgebend sein", bezogen auf den Mann, der im Ruderboot die Kom-

mandos gibt und das Tempo bestimmt. 1910/20 *ff.*

22. einen ~ haben = betrunken sein. Analog zu ↗Hieb 3. 1900 *ff.*

23. einen ~ im Gesicht haben = bezecht sein. Betrunkene haben oft einen verkrampft-verzogenen Gesichtsausdruck, wie nach einer heftigen Ohrfeige. *Halbw* 1955 *ff.*

24. einen ~ an der Mütze haben = nicht bei Verstand sein. *Halbw* 1960 *ff.*

25. einen ~ mit der Wichsbürste haben = töricht reden oder handeln. ↗Hau 2. 1900 *ff.*

26. einen ~ hacken = koitieren. *Sold* 1939 bis heute.

27. mit etw nicht zu ~ kommen = mit einer Sache nicht zurechtkommen; gegenüber einer Sache ratlos, hilflos sein. Vielleicht herzuleiten vom Drescher, der sich nicht dem Takt der anderen anpaßt. 1700 *ff.*

28. einen ~ machen = a) zechen, schlemmen; sich dem Vergnügen hingeben. Fußt wohl auf derselben Vorstellung wie „auf die ↗Pauke hauen". Seit dem frühen 20. Jh.

29. einen (seinen) ~ machen = a) ein gutes Geschäft machen; großes Glück haben. Hängt zusammen entweder mit dem Mähen des Getreides oder mit dem Handschlag zum Abschluß eines Kaufs oder geht zurück auf *franz* „faire son coup". Seit dem 19. Jh. – b) beim Kartenspiel durch Trumpf gewinnen. Kartenspielerspr. Seit dem 19. Jh.

30. keinen ~ machen können = den Gegner gewinnen lassen müssen. *Vgl* das Vorhergehende. Kartenspielerspr. Seit dem 19. Jh.

31. einen tollen ~ machen = beim Kartenspiel viel wagen. Kartenspielerspr. Seit dem 19. Jh.

32. einen ~ putzen = Essen erbetteln. ↗Schlag 1; ↗putzen 3. 1935 *ff.*

33. einen ~ reinhauen = a) prahlen; auf gut Glück behaupten. Hergenommen von einem, der sich rühmt, eine große Essensmenge verzehren zu können. 1910 *ff.* – b) übermäßig loben. 1910 *ff.*

34. vom alten ~ sein = von den Gewohnheiten und Anschauungen früherer Zeit beherrscht sein. Schlag = Artung. Seit dem 19. Jh.

35. der erste ~ ist Katzengewinn = der erste Spielgewinn hält nicht an. Er ist „für die ↗Katze". Kartenspielerspr. 1900 *ff.*

36. ~ stauen = essen, viel essen. Stauen = die Schiffsladung gehörig einordnen. *Marinespr* 1939 *ff.*

37. der ~ soll dich treffen (rühren)!: Ausdruck des Unmuts über einen Menschen. Mit dem Schlag ist wohl der Blitzschlag gemeint oder der Schlagfluß. Seit dem 19. Jh.

38. mich trifft (rührt) der ~!: Ausdruck des Entsetzens oder der Überraschung. Seit dem 19. Jh.

39. der ~ soll mich treffen, wenn . . .!: Ausdruck der Beteuerung. 1900 *ff.*

40. keinen ~ tun = nichts arbeiten. Meint den Schlag mit der Axt, mit dem Hammer, dem Dreschflegel o. ä. Seit dem 19. Jh.

41. keinen ~ mehr tun = aufhören zu arbeiten; die Arbeit niederlegen; streiken. Seit dem 19. Jh.

42. einen ~ warten = eine kurze Zeit warten. „Schlag" meint hier den Glockenschlag, in der Schiffahrt auch die kurze Strecke. Seit dem 19. Jh.

43. einen ~ weghaben = a) einen Schlaganfall erlitten haben. ↗weghaben. 1900 *ff.* – b) betrunken sein. ↗Schlag 22. 1900 *ff.* – c) geistesbeschränkt sein. Analog zu ↗Hau. 1900 *ff.*

Schlagabtausch m Streitgespräch; Darstellung und Gegendarstellung. Nach 1950 aus der Sprache der Boxer übernommen.

Schlaganfall m **1.** nettes, begehrenswertes Mädchen. Sein Anblick bringt das Blut in Wallung. *Halbw* 1955 *ff.*
2. nicht vor dem ersten ~!: Redewendung, mit der der jüngere eine Hilfeleistung zurückweist (sich nicht in den Mantel helfen läßt). 1920 *ff.*
3. einen ~ kriegen = sehr überrascht sein. 1955 *ff.*
4. auf ~ trainieren = ein Schlemmerleben führen. 1955 *ff.*

schlagen v **1.** wissen, was (wieviel) es (die Glocke) geschlagen hat = wissen, wie man sich zu verhalten hat; die Folgen einer Handlungsweise kennen. Stammt aus der Zeit, als nur die Turmuhren mit ihrem Glockenschlag die Uhrzeit angaben. 1500 *ff.*
2. ehe ich mich ~ lasse!: Redewendung, mit der man auf eine (freundliche) Nötigung zum Essen einwilligt. 1870 *ff.*

Schlager m **1.** bedeutende Darbietung; marktbeherrschendes Produkt. Übertragen von der Wirkung einer einschlagenden Bombe. 1950 *ff.*
2. aufregendes Vorkommnis; aufsehenerregende Neuigkeit. 1950 *ff.*

Schlägerkappe f flache Schirmmütze. Sie wurde seit der ersten Hälfte des 19. Jhs von Rauflustigen getragen.

Schlagerkasten m Musikautomat. 1950 *ff.*

Schlagerkrähe f Schlagersängerin, die keine einschmeichelnde Stimme hat. Krähen haben eine krächzende Stimme. 1955 *ff.*

Schlagerl (Schlagl) n **1.** Schlaganfall. *Bayr* und *öster* seit 1900 *ff.*
2. ihn hat ein ~ gestreift = er hat einen leichten Schlaganfall erlitten. Übertragen vom Streifschuß. 1900 *ff.*

Schlagermacher m Texter, Komponist und Vortragender eigener Schlager. 1950 *ff.*

Schlägermütze f **1.** tief in den Kopf gezogene, fest auf dem Kopf sitzende Mütze. Seit dem frühen 19. Jh Bezeichnung für eine Mütze, die gern von Raufbolden getragen wurde, weil mit ihrem Verlust kaum zu rechnen war.
2. Sportmütze. 1950 *ff.*

Schlägerpfanne f **1.** Sturzhelm des Motorradfahrers. Die Kopfbedeckung ähnelt einem halbhohen Brattopf ohne Stiel, und zu Träger vgl das Vorhergehende *Halbw* 1955 *ff.*
2. Freundin eines Rockers. ↗Pfanne 2. 1970 *ff.*

Schlagerstöhner m mit Stöhn- und Schluchzlauten vortragender Schlagersänger. 1955 *ff.*

Schlagerwimmerer m Schlagersänger, der mehr wimmert und schluchzt als singt. 1955 *ff.*

schlagfertig adj schnell bereit zur Verabreichung von Ohrfeigen und Prügeln. Meint eigentlich „schnell bereit zu einer treffenden Antwort". 1920 *ff.*

'schlagka'putt sein völlig erschöpft sein. Man ist wie zerschlagen, gliederlahm. 1920 ff.

Schlagkraft f rasche Bereitschaft zur Verabreichung von Prügeln und Ohrfeigen. Übernommen aus dem Militärischen oder aus der Boxersprache. 1950 ff.

Schlagl n ↗ Schlagerl.

Schlaglochsucher m Kleinauto; BMW-Isetta. Die Räder stehen so dicht, daß ihnen kein Schlagloch entgehen kann. Scherzhaft stellt man es so dar, als könne man mit diesem Fahrzeug die Schlaglöcher am besten ausfindig machen. Halbw 1955 ff.

Schlagsahne f 1. weiche, rührselige Töne. Musikerspr. 1920 ff.
2. die ~ auf dem Kuchen = die Hauptsache; die entscheidende Wichtigkeit; das Verlockende. 1950 ff.
3. einfach ~!: = unübertrefflich! 1950 ff.

Schlagschuß m mit großer Kraft ausgeführter Stoß auf das Hockeytor. Sportl 1950 ff.

Schlagseite f 1. linke Wange. Normalerweise wird die linke Gesichtshälfte geschlagen; sie hat soviel auszuhalten wie die Wetterseite des Hauses. 1900 ff.
2. ~ haben = a) betrunken torkeln. Stammt aus der Seemannssprache: Schlagseite ist die Seite, nach der sich das Schiff bei falsch gestauter Ladung, schlecht gesetzten Segeln oder infolge eines Lecks im Rumpf neigt. Etwa seit 1910. – b) nicht unbescholten sein. Das sittlich-gesellschaftliche Gleichgewicht ist gestört. 1920 ff.
3. geistig ~ haben = geistesgestört sein. Etwa seit 1910/20 ff.
4. eine linke ~ haben = Sozialist sein. Man neigt zur linken Partei. 1950 ff.

Schlagwechsel m 1. gegenseitiger Beschuß. Dem Wortschatz der Boxsportler entlehnt. Sold 1939 ff.
2. Rede und Antwort; Brief und Antwortbrief; Behauptung und Gegenbehauptung. 1950 ff.

Schla'massel (Schlam'massel) n (m) Mißgeschick; Notlage; große Unordnung; widriges Gemenge. Zusammengewachsen aus dt „schlimm" und jidd „masol = Stern, Gestirn". Die Bedeutung „Gemengsel" ist wohl von „Masse" und „↗ Schlampamp" beeinflußt. Seit dem zweiten Drittel des 18. Jhs, anfangs rotw.

Schlamm m 1. minderwertiger Kaffeeaufguß. Man wertet ihn als Bodensatz in stehenden Gewässern. Sold seit dem späten 19. Jh.
2. feuchter Rückstand in der Tabakspfeife. 1900 ff.
3. Sperma. 1900 ff.
4. ~ haben = wohlhabend sein. Gehört wohl zu „schlemmen". 1970 ff.
5. ~ auf dem Kopf haben = verdächtig sein; nicht unbescholten sein. Falls „Schlamm" auf jidd „chemmoh = Butter" zurückzuführen ist, ergibt sich Analogie zu „↗ Butter auf dem Kopf haben". 1920 ff, Berlin.
6. ~ auf der Pfeife haben = nach Geschlechtsverkehr verlangen. ↗ Pfeife 2. 1900 ff.
7. keinen ~ mehr auf der Pfeife haben = keinen Mut mehr haben. Vgl das Vorhergehende. Kartenspielerspr. 1900 ff.

Schlammkreuzer m 1. Unterseeboot. Es legt sich oft auf Grund in den Modder. Marinespr in beiden Weltkriegen.
2. Segelboot, Paddelboot; kleines Wasserfahrzeug. Unsicher, ob gegen 1930 aufgekommen oder erst nach 1945.

Schlammschlacht f Fußballspiel auf aufgeweichtem Spielfeld. Sportl 1950 ff.

Schlampagner (Schlampanjer) m Sekt. Scherzhaft gekreuzt aus „Champagner" und „↗ schlampampen". Seit dem späten 19. Jh; vielleicht bei deutschen Truppen in Frankreich 1870/71 aufgekommen.

Schlam'pampe f 1. nachlässig gekleidete, unordentliche Frau. Streckform zu ↗ Schlampe. Seit dem späten 17. Jh.
2. aufgeweichter Boden; Straßenschmutz. 1800 ff.

schlam'pampen intr 1. schwelgen; genüßlich speisen; genüßlich trinken. Streckform zu ↗ schlampen. Seit dem 14./15. Jh.
2. vielerlei zu einer Speise zusammenmischen. Von der Vielzahl der Speisen, die der genüßlich Speisende zu sich nimmt, weiterentwickelt zur Bedeutung eines Gemischs und Durcheinanders. Seit dem 18. Jh.
3. nachlässig gehen; schlendern; müßiggehen. Schlemmer und Müßiggänger sind nahe Verwandte. Seit dem 19. Jh.

Schlampe f 1. nachlässig gekleidete, unordentliche Frau. ↗ schlampen 1. Seit dem 17. Jh.
2. in bezug auf Männer bedenkenlose Frau; Prostituierte. 1900 ff.
3. dünnes, gehaltloses Getränk; Mischgetränk. Meint eigentlich das flüssige Fressen für das Vieh, auch das ekelhafte Gemenge. Seit dem 14. Jh.

Schlampen m verwahrloste, sittlich tiefstehende weibliche Person; leichtes Mädchen; Prostituierte. Oberd Nebenform zu „↗ Schlampe 1 u. 2". Seit dem 17. Jh.

schlampen intr 1. lässig umhergehen; sich in nachlässiger Kleidung bewegen; der Unordnung frönen. Geht zurück auf mhd „slampen = schlaff herabhängen" und meint anfangs wohl den nachlässig hängenden Frauenrock. Seit dem 17. Jh.
2. ein Schlemmerleben führen; sich keinen Lebensgenuß versagen. Erweitert aus „schlemmen" durch Schallnachahmung des Schlürf- und Schmatzgeräuschs. Seit dem 14./15. Jh.
3. wenig arbeiten; müßiggehen. Seit dem 19. Jh.
4. unsorgfältig arbeiten; unordentlich sein. Seit dem 19. Jh.

Schlamperei f Unordnung, Nachlässigkeit, Vergeßlichkeit, Unachtsamkeit. ↗ schlampen 1. Seit dem 18. Jh. Gilt zu Unrecht als österr Vokabel.

Schlamperl n leichtsinniges junges Mädchen. Bayr und österr, seit dem 19. Jh.

schlampig (schlampicht, schlamperig, schlampet, schlampert) adj 1. liederlich; unordentlich gekleidet; von Natur unordentlich. ↗ schlampen. 1500 ff.
2. genial ~ = bewußt nachlässig im Äußeren, aber sauber; ohne Sinn für Ordnungszwänge. 1920 ff.

Schlange f 1. listige, heimtückische Frau. Geht zurück auf die biblische Geschichte von Adam und Eva, wo die Schlange das böse Prinzip verkörpert. Undatierbar.
2. Reihe hintereinanderstehender Personen. Wohl gegen 1915 aufgekommen mit der Verschlechterung der Lebensmittelversorgung der Bevölkerung.
3. Kette; Uhrkette. Rotw 1687 ff.
4. falsch wie eine ~ = sehr heimtückisch; nicht vertrauenswürdig. 1500 ff.
5. jn anstarren wie ~ das Kaninchen = jn starr, unablässig anblicken. 1950 ff.
6. ~ sitzen = a) in einer Gruppe, einer Reihe wartend sitzen, um vorgelassen zu werden, um Einlaßkarten zu erhalten usw. 1920 ff. – b) wegen Straßenverstopfung mit dem Auto nicht weiterkommen. 1960 ff.
7. ~ stehen (in der ~ anstehen) = in langer Reihe hintereinander stehen und warten. ↗ Schlange 2. 1915 ff.

schlängeln refl 1. sich durchwinden. Man geht in Schlangenlinien. Seit dem 19. Jh.
2. nach Entwendbarem Ausschau halten. Sold in beiden Weltkriegen.

Schlangenbassin (Grundwort franz ausgesprochen) n Zusammenkunftsort von schwatzhaften Frauen; Warteraum der Schauspielerinnen. ↗ Schlange 1. Anspielung auf „giftige" Reden über Abwesende. 1920 ff, theaterspr.

Schlangenschiß m Schimpfwort auf einen Ängstlichen. Der Betreffende hat „↗ Schiß" vor Schlangen. Rocker 1967 ff.

Schlangenschlich m heimtückisches Verhalten. 1910 ff.

Schlangenzug m Schlittschuhläufer, die sich an den Händen gefaßt halten und in Schlangenlinien über das Eis gleiten. 1900 ff.

Schlank m 1. unaufrichtiger, unzuverlässiger, unkameradschaftlicher Mensch. Er macht sich „schlank" (↗ dünnmachen), um sich der Arbeit zu entziehen und andere für sich arbeiten zu lassen. 1900 ff.
2. knapp bemessene Ration; Mahlzeit, von der niemand satt werden kann. Sie dient der Schlankheit. Sold 1939 ff.

schlank adj adv 1. nicht vertrauenswürdig. ↗ Schlank 1. 1920 ff.
2. adv = ohne Hindernis; mühelos; völlig. Analog zu ↗ glatt. 1900 ff.
3. sich ~ machen = sich allen Anforderungen entziehen; weggehen. Parallel zu „sich ↗ dünnmachen". 1910 ff.

Schlankel (Schlankl) m 1. Dieb. ↗ Schlanger. Österr seit dem 19. Jh.
2. Schelm, Taugenichts. Österr seit dem 19. Jh.

schlänkeln intr Unliebsamkeiten ausweichen; Verpflichtungen sich listig entziehen. ↗ schlank 3; ↗ schlängeln 1. 1930 ff.

Schlankster m du bist mir der Schlanke = du verstehst es, allen Anforderungen und Erschwerungen dich zu entziehen. ↗ Schlank 1. 1910 ff.

schlankweg adv kurz und bündig; ohne Umschweife; mühelos. Vgl ↗ schlank 2. Seit dem 19. Jh.

Schlanz m guter Geschäftsgang; Wohlgelingen; Schwung; gehörige Ordnung. Gehört zu „schlenzen = müßiggehen" und meint hier die ohne eigenes Dazutun entstandene, angenehme Lebenslage; auch im Sinne von positiver Lässigkeit. Seit dem 19. Jh, vorwiegend südd.

Schlapfen m 1. Mund. Ist wie „↗ schlabbern" schallnachahmenden Ursprungs und bezieht sich entweder auf das Auf- und Zuklappen der Lippen oder auf das Schlürfen. Österr 1900 ff.
2. Pantoffel; alter ausgetretener Schuh.

Analog zu ↗Schlappen. *Bayr* und *österr* seit dem 19. Jh.
3. leichtes Mädchen; Prostituierte. Gehört entweder zu „schlapp, schlaff" im Sinne von lockerer Moral oder wertet die Person als abgenutzten Schuh. *Österr* 1900 *ff.*
Schlapfenstadion *n* Fernsehübertragung eines Fußballspiels. Sachverwandt mit ↗Pantoffelkino. *Österr* 1960 *ff.*
schlapp *adj* **1.** schwunglos, haltlos, energielos; unmilitärisch; untüchtig; ängstlich. *Niederd* Lautform für *hd* „schlaff". Seit dem 16. Jh.
2. sich ~ ärgern = sich sehr ärgern. Der Ärger ist so heftig, daß er der Gesundheit zusetzt. 1930 *ff.*
3. sich ~ lachen = herzhaft lachen. 1900 *ff.*
4. ~ machen ↗schlappmachen.
5. ~ sein = nicht bei Geld sein. *BSD* 1965 *ff.*
Schlapparsch *m* **1.** energieloser Mensch. 1870 *ff.*
2. Feigling, 1870 *ff.*
Schlappen *pl* **1.** bequeme Hausschuhe; Pantoffeln; niedergetretene Schuhe. Gehört zu *niederd* „slappen = hängen lassen". Meint eigentlich Schuhwerk, an dem das Fersenstück niedergetreten ist, dann auch Schuhe ohne Fersenstück. Beim Gehen in solchen Schuhen entsteht der Laut „schlapp". Seit dem 17. Jh.
2. abgenutzte Autoreifen. Analog zu ↗Laatschen. 1950 *ff.*
3. jm auf die ~ treten = jn kränken. Analog zu „jm auf den ↗Fuß treten". 1900 *ff.*
schlappen *intr* **1.** schleppend gehen; schlurfen. ↗Schlappen 1. Seit dem 19. Jh.
2. zechen; gierig trinken. Schallnachahmender Natur, etwa für das Geräusch, das entsteht, wenn ein Hund Wasser aufschleckt. Seit dem 19. Jh.
Schlappenkino *n* **1.** einfaches Kino; nahegelegenes Kino. Man kann in Pantoffeln hingehen. 1920 *ff.*
2. Fernsehgerät daheim. Parallel zu ↗Pantoffelkino. 1960 *ff.*
schlappern *intr* **1.** klappern, schlottern; schwätzen; schnell reden. Nebenform zu ↗schlabbern 6. Seit dem 19. Jh.
2. schlaff hängen; zu weit geschneidert sein. Die Kleider schlottern um den Leib. Seit dem 19. Jh.
3. gierig essen, trinken; schlürfen. ↗schlappen 2. Seit dem 19. Jh.
Schlappheit *f* Energielosigkeit; Mangel an militärischer Straffheit. ↗schlapp 1. 1870 *ff.*
Schlappi *m* Energieloser. 1980, *halbw.*
Schlappier (Endung *franz* ausgesprochen) *m* energieloser Mensch. Um die *franz* Endung erweitertes „schlapp". 1870 *ff.*
schlappmachen *intr* **1.** müde, kraftlos, ohnmächtig werden; langen Märschen nicht gewachsen sein. ↗schlapp 1. Seit dem frühen 19. Jh, anfangs *rotw*, später *sold* und *jug.*
2. das Auto macht schlapp = es kommt zu einem Motorschaden. 1925 *ff.*
Schlappmann *m* **1.** energieloser Mann; Soldat, der keine Strapazen aushält. *Sold* 1939 *ff.*
2. nicht erigierender Penis. *Sold* 1939 *ff.*
3. dünner schwarzer Tee; Kräuteraufguß. Man verspürt keine anregende Wirkung. *BSD* 1965 *ff.*

Schlappmaul *n* **1.** Schwätzer; Mensch, der zu allem eine Meinung hat; unversieglicher Redestrom; Schlagfertigkeit. Schallnachahmend wie „↗schlappen 2". Vorwiegend west-*mitteld;* 1800 *ff.*
2. ungebildete Ausdrucksweise; unüberlegtes Schwätzen. 1900 *ff.*
3. verdrießlicher Mensch. Er läßt die Unterlippe hängen. West-*mitteld* seit dem 19. Jh.
Schlappohr *n* Schwächling, Feigling o. ä. Hängt zusammen mit „die ↗Ohren hängen lassen". 1900 *ff.*
Schlapps *m* **1.** energieloser, schwächlicher Mensch. ↗schlapp 1. Seit dem 19. Jh.
2. frecher, ungesitteter Mensch mit derber, unflätiger Redeweise. 1800 *ff.*
Schlappsau *f* **1.** energieloser Mensch. 1900 *ff.*
2. unordentlicher, unreinlicher Mensch; Mensch ohne Bedürfnis nach Ordnung. 1900 *ff.*
Schlappscheißer (-schisser) *m* **1.** Schwächling. 1900 *ff.*
2. Feigling; ängstlicher Mann. 1900 *ff.*
Schlappschwanz *m* **1.** erschlaffter Penis. ↗Schwanz. Seit dem 19. Jh.
2. schlaffer, energieloser Mann. Seit dem 19. Jh, vorwiegend *sold* und *jug.*
3. temperamentloser Liebhaber. 1920 *ff.*
schlappsig *adj* **1.** schlaff, kraft-, energielos. Adjektiv zu ↗Schlapps 1. Seit dem 19. Jh.
2. nachlässig; unordentlich in der Kleidung; liederlich. Seit dem 19. Jh.
Schlaraffenacker *m* kaltes Büffet mit erlesenen Delikatessen und Getränken. Schlaraffe = Schlemmer. Die Vokabel war früher Beiname des Weinrestaurants F. W. Borchardt in Berlin. 1960 *ff.*
Schlaraffenleutnant *m* Kellner, Geschäftsführer, Koch in einem Schlemmerlokal. Wohl wegen der Tressen am Frack. Seit dem ausgehenden 19. Jh.
Schlattenschammes *m* **1.** Regievolontär, -assistent; Hilfsregisseur; Faktotum. ↗Kaffeeholer o. ä. Geht zurück auf *jidd* „schliach = Geschickter" und „schammesch = Diener". Meint im *Rotw* den Gefängniskalfaktor, bei den Kaufleuten den Lehrling und Laufburschen. Theaterspr. 1900 *ff.*
2. untergeordneter Berufstätiger, der sich und seine Arbeit für überaus wichtig hält. 1920 *ff.*
Schlatz *m* Speichel, Schleim. Eigentlich soviel wie ein kleiner Schwall Wasser oder ein Schluck. *Bayr* und *österr* seit dem 19. Jh.
schlatzig *adj* weichlich, halbfest, wasserhaltig. *Bayr* und *österr* seit dem 19. Jh.
schlau *adj adv* **1.** es ~ haben = in angenehmen, bequemen Verhältnissen leben. Verkürzt aus „es sich schlau gemacht haben". „Schlau" im Sinne von „klug und listig zugleich" bezieht sich hier auf die Wahrung des eigenen Vorteils und auf die Gabe, unliebsamen Lebenslagen auszuweichen. Seit dem 19. Jh.
2. etw ~ kriegen = etw ergründen, begreifen, erkennen. 1900 *ff.*
3. es sich ~ machen (sich einen schlauen Tag machen) = sich sein Leben bequem, sorglos gestalten; andere für sich arbeiten lassen. Seit dem 19. Jh.
4. aus etw nicht ~ werden = etw nicht verstehen; den Sinn nicht erfassen. 1900 *ff.*
5. aus jm nicht ~ werden = nicht wis-

sen, wie man jds Handlungsweise aufzufassen hat; jds Verhalten nicht enträtseln können. 1900 *ff.*
Schlau *n* aus etw kein ~ kriegen = etw nicht verstehen, nicht ergründen können. *Westfäl* 1920 *ff.*
Schlauberger *m* pfiffiger, listiger Mensch. Scherzhaft läßt man ihn in dem fiktiven Ort „Schlauberg" geboren sein. 1840 *ff.*
Schlauch *m* **1.** große körperliche Anstrengung; mühevoller An-, Abstieg; strenger Drill; anstrengende Prüfung o. ä. ↗schlauchen 2. Seit dem späten 19. Jh, vorwiegend in Süddeutschland.
2. lange Arbeitszeit; sich lang hinziehende Arbeit. Kellnerspr. 1950 *ff.*
3. Sache ohne Aufhören. *Südd* 1950 *ff.*
4. langer schmaler Flur. 1900 *ff.*
5. schmales längliches Zimmer. 1900 *ff.*
5 a. enganliegendes (Häkel-)Kleid. 1960 *ff.*
6. Darm. Seit dem 19. Jh.
7. Bauch. 1400 *ff.*
8. Penis. Meint eigentlich das Zeugungsglied von Hengst und Bulle. Seit *mhd* Zeit.
9. *pl* = Beine. Meint vor allem die röhrenähnlichen, die keine ausgeprägten Waden haben. 1930 *ff.*
10. *pl* = Hängebusen. 1920 *ff.*
11. *pl* = Stiefel, Schuhe. Meint vor allem die Rohrstiefel mit engem Schaft, in den der Fuß schlüpft wie in einen Schlauch. 1900 *ff.*
12. Dr. ~s Gesundheitshosen (Dr. ~s Gesundheitshosen von der Kneipp'schen Tretkur) = enge Hosenbeine. Schlauch = enge Röhre. Angelehnt an die Markenzeichnung „Dr. Lahmanns Gesundheitswäsche". Heinrich Lahmann (1860–1905), Gründer des Sanatoriums „Weißer Hirsch" bei Dresden, trat auch für eine Kleidungsreform ein. 1900 *ff.*
13. unerlaubte fremdsprachliche Übersetzung. Berührt sich in der Grundvorstellung mit dem „Nürnberger Trichter": mittels des Schlauches wird der Wissensstoff aus fremder Quelle in den eigenen Kopf umgefüllt. Vorwiegend *oberd* seit dem späten 19. Jh.
14. Schimpfwort auf einen Trinker oder Trunksüchtigen. „Schlauch" steht schon im 15. Jh für „Schlund, Gurgel", auch für den dickleibigen Menschen. „Weinschlauch" nannte man damals den Weintrinker. 1800 *ff.*
15. ein Schein nach redlicher, im Grunde heimtückischer Mensch; schlechter Kamerad; erbärmlicher Bursche. Vielleicht ist er mit dem Schlauch geprügelt worden und also „verschlagen"; oder das Wort ist zu „schlau" zu stellen. 1800 *ff.*
16. leichtes Mädchen. Versteht sich nach dem Vorhergehenden. *Österr* Schülervokabel, etwa seit 1950.
17. *pl* = Feuerwehrleute (Berufsschelte). Benennung nach dem Arbeitsgerät. 1900 *ff.*
18. gut ~l: Prost! *Vgl* ↗Schlauch 14. 1920 *ff.*
19. hohler ~ = leerer Magen. ↗Schlauch 7. 1900 *ff.*
19 a. am ~ hängen = zwangsernährt werden. 1970 *ff.*
20. saufen wie ein ~ = viel trinken; trunksüchtig sein. ↗Schlauch 14. 1920 *ff.*
21. es ist ein elendiger (o. ä.) ~ = es ist sehr anstrengend. ↗Schlauch 1. 1900 *ff.*
22. er steht auf dem ~ = a) er hat

Schwierigkeiten; er ist ratlos; bei ihm funktioniert es nicht. Schlauch = Wasserschlauch. 1935 *ff.* – b) er ist nicht bei Geld. Umschreibung für „er ist nicht ↗ flüssig". *BSD* 1965 *ff.*

23. sich den ~ vollschlagen = sich gründlich sättigen. ↗ Schlauch 7; ↗ Bauch 40. 1900 *ff.*

schlauchen *v* **1.** *tr* = jn verprügeln. Meint wörtlich „mit dem Schlauch schlagen". Seit dem 19. Jh.

2. *tr* = jn sehr anstrengen, überanstrengen; jn einexerzieren; jn im Unterricht heftig plagen. Weiterentwicklung der Bedeutung „prügeln". Seit dem späten 19. Jh.

3. es schlaucht = es schwächt, entkräftet, strengt übermäßig an. Seit dem ausgehenden 19. Jh ein beliebter Ausdruck bei Alpinisten, Soldaten, Schülern und Studenten.

4. es schlaucht ihn = es ärgert ihn. 1900 *ff.*

5. *intr* = aufs Schmarotzen ausgehen; Geld erbetteln. Meint entweder „sich den Bauch füllen" (↗ Schlauch 7) oder ist weiterentwickelt aus der Bedeutung „plagen" zu „lästig fallen". 1910 *ff.*

6. *intr* = unerlaubt eine fremdsprachliche Übersetzung benutzen. ↗ Schlauch 13. *Oberd* seit dem späten 19. Jh.

7. *intr* = trinken, zechen. ↗ Schlauch 14. 1500 *ff.*

8. *intr* = wählerisch im Essen sein. Nebenform zu „schlucken, schlecken". 1900 *ff.*

9. *intr* = harnen. ↗ Schlauch 8. 1900 *ff.*

Schlaucher *m* **1.** überstrenger, schikanöser Soldatenausbilder. ↗ schlauchen 2. *Sold* 1935 bis heute.

2. Ausgeh-, Tuchhose. Sie hängt ohne Bügelfalte wie ein Schlauch. *BSD* 1965 *ff.*

3. Trinker, Trunksüchtiger. ↗ Schlauch 14. 1900 *ff.*

Schlaucherl *n* schlauer, verschlagener Mensch (auch *iron*). ↗ Schlauch 15. *Bayr* und *österr* seit dem 19. Jh.

Schlauchhose *f* **1.** Hose mit engen Beinen. Schlauch = enge Röhre. Etwa seit 1820.

2. ungebügelte Hose. Ohne Bügelfalten hängen die Hosenbeine wie schlaffe Schläuche nieder. *Sold* in beiden Weltkriegen.

schlauchig *adj* **1.** wählerisch im Essen. ↗ schlauchen 8. Seit dem 19. Jh.

2. enganliegend. 1960 *ff.*

Schläue *f* Schlauheit. Seit dem 19. Jh.

Schlauer *m* ein ganz ~ = ein besonders raffinierter Mann (auch *iron*). 1900 *ff.*

Schlaumeier *m* schlauer, pfiffiger Mensch. Zu „Meier" *vgl* „↗ Angstmeier". 1850 *ff.*

schlaunen *intr* **1.** schlafen. Kundensprachliche Nebenform zu „schlummern" seit dem späten 18. Jh.

2. eilen. Seit *mhd* Zeit. Im Schriftdeutschen noch in „schleunig" erhalten.

3. nachdrücklich zu Werke gehen; tatkräftig vorgehen. 1930 *ff.*

schläunen *refl* ↗ schleunen.

Schla'wak *m* unordentlicher Mensch; Taugenichts. Geht zurück auf „Slowak". Im 19. Jh waren Arbeitnehmer und Landstreicher aus der Slowakei häufig in Deutschland. Seit dem 19. Jh.

Schla'winer *m* listiger, schlauer, verschlagener Mann; Taugenichts. Meint eigentlich den Slowenen oder Slawonier, Angehörige eines südslawischen Volks, dessen Siedlungsgebiet heute den Nordwe-

sten Jugoslawiens sowie Teile Süd- Kärntens *(österr)* und Nordost-Italiens umfaßt. Die mit Mausefallen u. a. hausierenden Slowenen – wie übrigens auch die Slowaken – galten als listig und geschäftstüchtig. Etwa seit dem späten 19. Jh.

schlecht *adj adv* **1.** egal, wovon es einem ~ wird: Redewendung eines Viel- oder Allesessers; zustimmende Erwiderung auf das Angebot eines Schnapses o. ä. 1840 *ff.*

2. du bist wohl ~?: Frage an einen, der unsinnige Behauptungen aufstellt. „Schlecht" spielt auf den Gesundheitszustand an, hier auf Geisteskrankheit. 1900 *ff.*

3. danke, auch ~!: Erwiderung auf die Frage nach dem Befinden. Man setzt stillschweigend voraus, daß es dem Fragesteller schlecht geht. Die Frage ist meistens ebenso bloße Förmlichkeit wie die Antwort. 1945 *ff.*

Schleck *m* **1.** Leckerbissen, Naschwerk. ↗ schlecken. Seit *mhd* Zeit.

2. gutes Essen. Seit dem 19. Jh.

3. Berührung des Geschlechtsteils mit der Zunge. 1900 *ff.*

4. das ist kein ~ = das ist eine unangenehme Sache, eine schwierige Angelegenheit. *Südwestd* und *bayr* seit dem 19. Jh.

schlecken *tr* **1.** lecken, naschen; wählerisch essen; schlürfend essen. Durch ein Vorschlag-„s" erweitertes „lecken". Seit *mhd* Zeit, vorwiegend *südd*.

2. das Geschlechtsteil mit der Zunge berühren. 1900 *ff.*

Schleckerli *f* Leckerei; Speise-Eis o. ä. *Südwestd* 1900 *ff.*

Schleckermaul *n* Feinschmecker; Mensch, der gern Naschwerk verzehrt. 1700 *ff.*

Schleckhafen *m* das ist kein ~ = das ist eine schwierige, mühselige Sache. Schleckhafen ist der Topf mit einer Leckerei. *Oberd* seit dem 19. Jh.

Schlecks *m* ↗ Schlicks.

Schleiche *f* **1.** heimtückische, verleumderische weibliche Person. Verkürzt aus „Blindschleiche" und irrtümlich mit der „↗ Schlange" gleichgesetzt. 1900 *ff.*

2. heimliche Flucht; Aufsuchen eines Verstecks, um der Verhaftung o. ä. zu entgehen. *Sold* 1914 *ff.*

3. Schülerlist. Verwandt mit ↗ Schlich. 1960 *ff.*

4. die große ~ = langsames Kolonnenfahren auf der Autobahn. 1981, Berlin.

schleichen *v* **1.** *intr* = Schleichhandel treiben. 1920 *ff.*

2. ~ mit hundert = a) übertrieben vorsichtig fahren. Stammt aus der Sicht des Autofahrers, der mit einer Geschwindigkeit von deutlich mehr als hundert Stundenkilometern fährt. Kraftfahrerspr. 1950 *ff.* – b) sehr schnell und rücksichtslos fahren. Ironie. Kraftfahrerspr. 1950 *ff.*

3. *refl* = weggehen. Man entfernt sich schleichend. Vorwiegend *südd* seit dem 19. Jh.

4. einen ~ lassen = einen Darmwind unhörbar abgehen lassen. Seit dem 19. Jh.

Schleicher *m* **1.** *pl* = Hausschuhe, Pantoffel. Auf ihnen geht man fast lautlos. Seit dem 19. Jh.

2. *pl* = Schuhe mit Gummi-, Filzsohlen o. ä. Seit dem 19. Jh.

3. *pl* = militärische Spezialschuhe mit Gummi- oder Kreppsohlen für nächtlichen

Spähtrupp oder lautlose Annäherung an den Feind. *Sold* in beiden Weltkriegen.

4. *sg* = langsamer Tanz. *Halbw* 1955 *ff.*

5. *sg* = langsamer Autofahrer. 1930 *ff.*

6. *sg* = heimtückischer Mensch; Liebediener. Er geht lautlos umher wie ein Diener oder Dieb. Auf die Vokabel hat auch die Vorstellung von der Fortbewegung der Schlangen eingewirkt. 1700 *ff.*

7. *sg* = lautlos entweichender Darmwind. Seit dem 19. Jh.

Schleichpatrouille *f* **1.** behutsame Suche nach Ungeziefer. Eigentlich die Truppenabteilung, die durch Anschleichen die feindlichen Stellungen erkunden soll. *Sold* 1914 *ff.*

2. Nachtschwester. Auf leisen Sohlen taucht sie unerwartet im Krankensaal auf. *Sold* 1914 *ff.*

3. leise und vorsichtige nächtliche Heimkehr des Ehemannes. 1915 *ff.*

4. aufsichtführende Lehrperson. 1920 *ff.*

Schleich-Urlaub *m* amtlich geduldete Dienstbefreiung um Weihnachten und Neujahr. 1965 *ff.*

Schleichwerbung *f* Nennung von Firmen- und/ oder Markennamen im Rundfunk- oder Fernsehprogramm außerhalb der bezahlten Werbezeiten, im redaktionellen Teil von Presseerzeugnissen. Wortprägung von Schriftleiter Eduard Rhein 1955.

Schleierblick *m* Blick unter den ins Gesicht gekämmten Haaren hindurch. 1955 *ff.*

Schleiereule *f* **1.** Kurzsichtiger. Beruht auf der vermeintlichen Tagblindheit der Eule. Spätestens seit 1900.

2. begriffsstutziger Mensch. Vom vorhergehenden weiterentwickelt in geistiger Richtung. Oder der Betreffende hat einen Schleier vor dem geistigen Auge. 1910 *ff.*

3. Frau mit Hutschleier. 1900 *ff.*

4. unansehnliche weibliche Person; liederliche Frau. Sie ist lichtscheu und/ oder hat einen verschleierten Blick. 1500 *ff.*

5. Polizeibeamter. Er geht nachts auf Streife. ↗ Eule. Seit dem 19. Jh.

6. langsam tätige Frau. 1920 *ff.*

7. mürrischer, barscher Mensch. Den Gesichtsausdruck der Eule deutet man als streng, abweisend und unzugänglich. 1920 *ff.*

8. Frau mit Lidschatten. 1975 *ff.*

schleierhaft *adj präd* rätselhaft, unklar, unverständlich. Das Gemeinte ist wie mit einem Schleier verhangen. Gegen 1850 in Studentenkreisen aufgekommen.

Schleif *m* beschwerliche, weite Strecke. Meint die abwärts geneigte Fläche, die Gleitbahn, auf der man beispielsweise Holz talwärts befördern kann. In umgekehrter Richtung ist es ein beschwerlicher Anstieg. Seit dem 19. Jh.

Schleife *f* **1.** Handfessel. Formähnlich mit der Schleife über einem Knoten. 1920 *ff.*

2. Umweg; Eigenmächtigkeit; unerlaubte Handlung; Ablenkungsversuch. Meint vom Bild der Windung oder Kehre einer Straße her im Vorgehen, das gerade aus führt, in übertragener Bedeutung also „↗ krumm" verläuft. 1910 *ff.*

3. eine ~ machen = a) eine Dienstreise unerlaubt unterbrechen; wegen einer privaten Erledigung einen Umweg wählen. 1910 *ff.* – b) sich dem Dienst, der Verantwortung entziehen. *Sold* 1935 *ff.* – c) entweichen. 1920 *ff.*

schleifen *v* **1.** *tr* = jn zu gesittetem Betra-

gen erziehen; jn scharf einexerzieren; einen Lehrling streng ausbilden; jn zu Ordnung, Zucht, Pflichtbewußtsein u. ä. erziehen. Schleifen = Unebenheiten beseitigen, eine glatte Fläche herstellen. In Frankreich ist der Höfliche „poli". Bei der Freisprechung der Handwerkslehrlinge oder bei der Gesellentaufe wurde den Anwärtern die Untugend mit den verschiedensten Werkzeugen scherzhaft ausgetrieben, wozu man – auch in Studentenkreisen – Scheren, Messer, Feilen usw. benutzte. Die für das 18. Jh im *ziv* Bereich bezeugte Vokabel gelangte in der zweiten Hälfte des 19. Jhs in den *milit* Bereich. Wie gängig der Ausdruck ist, ergibt sich aus den folgenden Erweiterungen:
2. jn ~, daß die Blümchen weinen (daß das Blut in den Stiefeln steht; bis ihm der Dampf aus allen Knopflöchern fährt; daß ihm das Wasser im Hintern kocht; daß ihm das Kaffeewasser im Arsch kocht; bis der Schweiß wie Kaffee in der Arschkerbe runterläuft; bis ihm der Schwanz nach hinten steht; daß ihm der Arsch tropft usw.) = jn sehr streng, rücksichtslos, roh, schikanös drillen. Die Wendung „daß die Blümchen weinen" geht zurück auf „Das Buch der Lieder" von Heinrich Heine (Lyrisches Intermezzo): „Und wüßten's die Blumen, die kleinen, / Wie tief verwundet mein Herz, / Sie würden mit mir weinen, / Zu heilen meinen Schmerz." Die vorgenannten Wendungen stammen aus der Zeit von 1900 bis 1945.
3. jn ~ = jn unter Mühen zu etw führen, bringen; jn heimbegleiten. Die betreffende Person sträubt sich und läßt die Füße über den Boden schleifen, oder es handelt sich um einen Betrunkenen, der sich allein nicht mehr auf den Beinen halten kann. Seit dem frühen 19. Jh.
4. etw ~ = etw mühsam schleppen. Seit dem 19. Jh.
5. jn ~ = jn verhaften. ↗Schleife 1. 1920 *ff.*
6. eine Sache geht ~ = eine Sache scheitert. Hier meint „schleifen" soviel wie „abwärtsgleiten". 1900 *ff.*
7. etw ~ lassen = etw ohne Energie betreiben; in eine bedenkliche Entwicklung nicht eingreifen; eine Sache nicht weiter berücksichtigen. Hergenommen von den Zügeln, die Reiter oder Kutscher nicht straff halten. 1900 *ff.*
8. sich ~ lassen = den (moralischen) Halt verlieren. 1900 *ff.*
Schleifer *m* **1.** (strenger, schikanöser) Soldatenausbilder. ↗schleifen 1. *Sold* 1900 bis heute.
2. strenger Lehrer. 1950 *ff.*
3. Trainer, der mit seinen Leuten streng verfährt. *Sportl* 1950 *ff.*
4. Mensch, dem nicht zu trauen ist. Hergenommen vom Scherenschleifer, der in keinem hohen Ansehen stand. 1900 *ff.*
Schleifmühle *f* **1.** strenger Drill; Kasernengelände; militärische Einheit, in der übermäßig gedrillt wird. *Sold* 1900 *ff.*
2. Gymnasium mit strenger Zucht. 1535 für Zwickau bezeugt.
Schleifplatz *m* Kasernenhof, Truppenübungsplatz u. ä. *BSD* 1965 *ff.*
Schleifspur *f* **1.** eine ~ hinterlassen = eine unerwünschte Nachwirkung verursachen. „Schleifspur" nennt man beispielsweise die Spur eines Körpers, der über den

Boden geschleift wurde: sie verrät die Wegstrecke von Anfang bis Ende. 1965 *ff.*
2. eine ~ legen = würdelos liebedienern. Man entfernt sich mit so tiefer Verbeugung, daß auf dem Boden eine Schleifspur verbleibt. *BSD* 1965 *ff.*
Schleim *m* auf jn ~ haben = auf jn wütend sein. Der Zornige hat Schleim (= Schaum) vor dem Mund. *Oberd* und *westmitteld* seit dem 19. Jh.
schleimen *v* **1.** *intr* = liebedienern; sich anpassen; mit möglichst geringem Aufwand möglichst gute Zensuren anstreben. Fußt auf dem Bild von der jn ihrem Schleim kriechenden Schnecke. In übertragener Bedeutung ist Schleim das Sinnbild der bedenkenlosen und würdelosen Anpassungsfähigkeit. 1900 *ff.*
2. *intr* = salbungsvoll reden. Wie Schleim sondert der Redner seine Worte ab, und sie kommen langsam und langgedehnt hervor. 1910 *ff.*
3. *intr* = koitieren. Schleim = Sperma. 1930 *ff.*
4. *refl* = sich ärgern. ↗Schleim. Seit dem 19. Jh.
Schleimi *m* **1.** widerlicher Schmeichler. ↗schleimen 1. *Halbw* 1950 *ff.*
2. Klassensprecher, -bester. 1960 *ff.*
Schleimlecker *m* würdelos Ergebener; anpassungsfähiger Nützlichkeitsmensch. ↗schleimen 1. 1910 *ff.*
Schleimling *m* Mann, der sich um das Wohlwollen der Vorgesetzten würdelos bemüht. *BSD* 1965 *ff.*
Schleimscheißer *m* **1.** Liebediener; Mann mit salbungsvoller Rednergabe; Feigling. Der Betreffende ist dermaßen schleimig, daß er sogar auf dem Abort nur Schleimiges zu Tage fördert. *Vgl* ↗schleimen 1. 1900 *ff.*
2. ängstlicher, energieloser Mann; Feigling. 1914 *ff.*
3. jugendlicher ~ = jugendlicher Liebhaber. Theaterspr. 1900 *ff.*
schleißig *adj* **1.** zerlumpt, abgetragen, verkommen. Gehört zu „verschleißen". Seit dem 19. Jh.
2. schlecht, unerfreulich, höchst bedenklich; anrüchig; ablehnenswert. Zerlumptes ist unansehnlich und widerwärtig. *Österr* seit dem 19. Jh.
Schle'mihl *m* **1.** Mensch, dem nichts gelingt. Fußt auf *hebr* „Shê-lô-mô = der nichts taugt; Pechvogel". Bekannt durch „Peter Schlemihls wundersame Geschichte" von Adelbert von Chamisso (1814): der Mensch ohne Schatten ist sinngemäß nur ein „halber Mensch." Kundenspr. seit dem frühen 19. Jh.
2. pfiffiger Mensch. *Vgl* das Vorhergehende: „Peter Schlemihl" gelang es, seinen Schatten zu verkaufen. Seit dem 19. Jh.
'Schlendrian *m* **1.** gedankenlos ausgeübte Tätigkeit; altgewohnte Lässigkeit; langsamer, schleppender Geschäftsgang. Zusammengewachsen aus „schlendern" und „Jan = Reihe gemähten Grases; Arbeitsgang". Seit dem späten 17. Jh.
2. saumselig tätiger Arbeiter. Hier ist die Endung aufgefaßt als Kurzform des männlichen Vornamens Johann. Also eigentlich „Schlender-Jan". Seit dem ausgehenden 18. Jh.
3. Arbeitsscheuer; müßiggängerischer Lebenskünstler. 1920 *ff.*
schlenken *tr* **1.** jn entlassen. Gehört zu

„schlingen" in der Bedeutung „schwenken, schleudern". *Bayr* seit dem 19. Jh.
2. jn übervorteilen, betrügen. Leitet sich wahrscheinlich vom Kaufmann her, der „Schleuderware" als hochwertige Ware absetzt. *Bayr* seit dem ausgehenden 19. Jh.
Schlenker *m* **1.** kurzer Spaziergang. Fußt auf „schlenkern = die Gliedmaßen hin- und herbewegen". Seit dem 19. Jh.
2. Umweg, Abstecher. 1930 *ff.*
3. Straßenbiegung. 1950 *ff.*
4. Abweichung vom Üblichen und Gewohnten; Abschweifung; Neuerung; Reform. 1950 *ff.*
5. unmißverständlicher Wink; knappe Hand-, Kopfbewegung; deutlich vorgetragene Nutzanwendung. 1900 *ff.*
schlenkern (sich) hin- und herbewegen; schlendern. Seit dem 16. Jh.
Schlenkertempo *n* Lebensweise ohne Hast. 1950 *ff.*
schlenzen *v* **1.** *intr* = schlendern; müßiggehen; nichts arbeiten. *Hd* Entsprechung zu *mitteld* und *nordd* „schlendern". Seit dem 17. Jh.
2. *tr* = schleudern. Im Sinne von „schwingen machen; hin- und herschleudern". *Bayr* und *schwäb*, 1800 *ff.*
3. *tr* = jn übervorteilen. ↗schlenken 2. Seit dem 19. Jh, *bayr.*
4. *intr tr* = in der Schule täuschen. *Bayr* 1920 *ff.*
5. den Fußball ~ = den von rückwärts kommenden Ball ohne ganze Körperdrehung aufnehmen und unter schwacher Richtungsänderung weitergeben. *Sportl* 1950 *ff.*
Schlepp *m* **1.** Anhang, Gefolge, Begleitung. Stammt aus der Binnenschiffersprache: Schlepp = Schlepptau. „Im Schlepp" fährt der Kahn ohne eigene Antriebskraft. Seit dem 19. Jh.
2. jn im ~ haben (jn am ~ hängen haben) = durch jn behindert sein; ständig von jm begleitet sein. Seit dem 19. Jh.
3. jn in ~ nehmen = jn mitnehmen; bei jm einhaken. Seit dem 19. Jh.
Schleppe *f* **1.** Gefolge; Gesamtheit von Pressefotografen, die einer bestimmten Persönlichkeit des öffentlichen Lebens auf Schritt und Tritt folgen. Sie ähneln dem auf dem Fußboden nachschleifenden Teil eines Kleids. *Vgl* ↗Schlepp 1. 1930 *ff.*
2. liederliche Frau. Sie dient als Zubringerin zu anrüchigen Lokalen. *Vgl* ↗Abschleppe. Seit dem 18. Jh.
3. Penis. Als „Anhängsel" aufgefaßt. Seit dem 19. Jh.
3 a. Ausdehnung einer Nachmittagsgesellschaft bis in die späten Abendstunden. 1920 *ff.*
4. jm auf die ~ treten = jn empfindlich kränken; jn herausfordern. Analog zu „jm auf den ↗Schwanz treten". Seit dem 19. Jh.
5. tritt dir nur nicht auf die ~! = tu nicht so übereifrig! sei nicht so albern-geziert! 1900 *ff.*
schleppen *v* **1.** sich mit was ~ = schwanger sein. Seit dem 19. Jh.
2. sich miteinander ~ = ein Liebespaar sein. 1870 *ff.*
3. *intr tr* = den Prostituierten, Falschspielern usw. Kunden (Opfer) zuführen. *Rotw* 1847 *ff.*
4. jn ~ = jn führen, aus Freundschaft

oder Gefälligkeit mitnehmen. Seit dem 19. Jh.

5. jn ~ = jn geschlechtlich verführen (von einer Prostituierten gesagt). Eigentlich soviel wie „mühsam (ins Zimmer, aufs Bett) tragen"; doch ergibt sich auch Zusammenhang mit „↗Schleppe 3". 1950 ff.

Schleppenträger m **1.** unterwürfiger Schmeichler. ↗Schleppe 1. Seit dem 19. Jh.
2. untergeordneter Begleiter einer hochgestellten Persönlichkeit. 1900 ff. Vgl franz „porte-queue".

Schlepper m **1.** Zubringer zu Falschspielern, Prostituierten u. ä. ↗schleppen 3. Rotw 1840 ff.
2. Zubringer zu Abtreibungsärzten u. ä. 1960 ff.
3. Mann, der vorgeblich sehr billige Händler kennt und Kauflustige wirbt. 1950 ff.
4. Aufkäufer von Antiquitäten. 1950 ff.
5. Fremdenführer. Er zieht die „Schleppe" (↗Schleppe 1) der Besucher hinter sich her. 1930 ff.
6. Klassenbester. Die Kameraden halten ihn wohl für einen „↗Schleppenträger", oder er zieht sie hinter sich her. 1955 ff.
7. Kellner. 1930 ff.
8. Einschleuser illegal einreisender Ausländer. 1967 ff.

Schlepptau n **1.** in jds ~ geraten = in jds Abhängigkeit geraten; jds bestimmendem Einfluß unterliegen. Stammt aus der Schiffersprache: der Kahn ohne eigene Antriebskraft wird von einem Dampfer (o. ä.) an einem Tau gezogen. Vgl ↗Schlepp 1. Seit dem 19. Jh.
2. jn ins ~ nehmen = jn zu einem Unternehmen zulassen; für einen Schwächeren sorgen. Seit dem 18. Jh.

Schleuder f **1.** Flugabwehrgeschütz. Sold 1939 bis heute.
2. Gewehr. BSD 1960 ff.
3. Fernschnellzug; Trans-Europ-Express. Wahrscheinlich beeinflußt von der Startschleuder in der Fliegerei. 1955 ff.
4. schnelles Auto. Halbw 1955 ff.
5. Kraftrad. BSD 1960 ff.

Schleudergefahr f bei ihr ist ~ = sie besitzt ausgeprägte Körperformen. Der Kraftfahrersprache entlehnt mit Anspielung auf die hin- und herschwingenden Körperteile. Halbw 1955 ff.

Schleudern n **1.** das große ~ bekommen = Angst bekommen. Die wuchtige Schleuderbewegung des Kraftfahrzeugs löst leicht einen Angstzustand aus. 1950 ff.
2. ins ~ kommen (geraten) = a) in eine Krise oder Notlage geraten. 1950 ff. – b) vor lauter Arbeitsanfall die Übersicht verlieren. BSD 1965 ff. – c) unsicher werden; sich keinen Rat mehr wissen. 1960 ff.

Schleudersitz m **1.** von Entlassung (Verdrängung) bedrohter Dienstposten. Hergenommen vom katapultierbaren Pilotensitz. 1965 ff.
2. auf dem ~ sitzen = jederzeit mit (plötzlicher) Entlassung rechnen müssen. 1965 ff.

schleunen (schläunen) refl sich beeilen. ↗schlaunen 2. Seit mhd Zeit. Heute vorwiegend bayr und österr.

Schleuse f **1.** Kupplerin; Frau, die Zimmer stundenweise vermietet; Prostituierte. Eigentlich die Vorrichtung zur Regulierung des Wasserstands eines Wasserlaufs. Vgl ↗Schleusenkammer. 1900 ff.
2. militärärztliche Untersuchung. Vom Verkehrswasserbau übertragen zur Vorstellung der unumgänglichen Kontrollstelle. 1939 ff, sold.

schleusen tr jn einer Überprüfung unterwerfen; jn einem Prüfverfahren unterziehen. In der NS-Zeit aufgekommen, allgemein geläufig seit 1945 mit den Maßnahmen zur Überprüfung der politischen Vergangenheit.

Schleusenkammer f Vagina. 1900 ff.

Schleuser m Organisator der illegalen Einwanderung von arbeitsuchenden Ausländern. 1960 ff.

Schlich m **1.** Heimlichkeit; heimliches Unternehmen; Hinterhältigkeit. Eigentlich die Fährte des Wilds, dann auch der Schleichweg. Seit mhd Zeit.
2. fauler ~ = Täuschung, Betrug, List; üble Handlungsweise. 1920 ff.
3. alle ~e kennen = in allen Kunstgriffen und Ungesetzlichkeiten bewandert sein. 1700 ff.
4. jm auf die ~e kommen (hinter jds ~e kommen) = jds heimliche Absichten und Machenschaften erkennen. 1700 ff.
5. einen ~ machen = heimlich mit einem Mädchen zusammen sein. Halbw 1950 ff.

schlicht adv ~ und doch so ergreifend = **1.** schwülstig, effekthascherisch (iron). Hergenommen vom Urteil über eine Ansprache, Predigt, Grabrede usw. 1920 ff.
2. unumwunden; offen gesagt. 1920 ff.

Schlickrutscher m **1.** Schiff (abf). Eigentlich der Kahn mit plattem Boden. Das Schiff wird nur in der Nähe der Küste und im Hafendienst verwendet. Marinespr 1900 ff.
2. Unterseeboot. ↗Schlammkreuzer. BSD 1965 ff.
3. Landungsboot. Marinespr 1940 bis heute.
4. Marineangehöriger. BSD 1965 ff.

Schlicks (Schlecks) m Schluckauf. Rhein und west-mitteld Nebenform zu „Schlucken". Seit dem 19. Jh.

Schlicktown (Grundwort engl ausgesprochen) n Wilhelmshaven. Auch „Schlicktau" geschrieben. Anspielung auf den Schlickgrund des Hafens. Marinespr 1900 bis heute.

schliefeln intr **1.** umherstreunen. Nebenform von hd „schleifen = schlendern, müßiggehen". Man schleift die Füße, d. h. man zieht sie nach. Bayr und österr, 1500 ff.
2. heimtückisch handeln; unverschämt sein. Bayr und österr, 1500 ff.

Schlieferl m n **1.** Nichtstuer; verkommener Bursche; Zuhälter. Bayr und österr seit dem 19. Jh; wohl älter.
2. Schmeichler, Liebediener, Frauenbetörer. Bayr und österr seit dem 19. Jh.

schlierig adj gedämpft, gedeckt (von der Stimme gesagt). „Schliere" ist die schleimige, zähe Masse. Nordd und ostmitteld seit dem 19. Jh.

schließen v von sich auf andere ~ = die Menschen für heimtückisch, selbstsüchtig usw. halten. 1900 ff.

Schließfach n Gefängniszelle. Eigentlich das verschließbare Fach (Bank, Post). 1970 ff.

Schliff m **1.** Drill. ↗schleifen 1. 1900 bis heute.

2. ~ haben = gute Umgangsformen besitzen. Seit dem 19. Jh.

schlimm adj **1.** krank, schmerzend (der schlimme Finger). Von „übel, schlecht, böse" eingeschränkt auf den Begriff „krank". Seit dem 19. Jh.
2. für ~ beischmeißen = mit einer schlechten Karte bedienen. Kartenspielerspr. 1900 ff.
3. auf etw sein (~ hinter etw sein) = begierig nach etw verlangen. Berlin 1850 ff.
4. das ist nicht ~ = das ist kein großer Nachteil; das ist unbedeutend. Seit dem 19. Jh.
5. das ist nur halb so ~ = das ist ungefährlich, unbedeutend. Seit dem 19. Jh.

Schlimme f übermütige, mutwillige weibliche Person. Der Ausdruck hat die Geltung einer gemütlichen Schelte. 1900 ff.

Schlimmer m Frauenschmeichler (scherzhaft). Etwa seit 1850.

Schlimmes n immer wieder rauf aufs Schlimmel = ein Unglück kommt selten allein; stets dieselbe Widerwärtigkeit. Übertragen von der schmerzenden Berührung einer körperlichen Wunde. Berlin 1900 ff.

Schlinge f **1.** jm eine ~ legen = jn übertölpeln. Wilddiebe legen Schlingen aus. Seit dem 19. Jh.
2. jn in der ~ zappeln lassen = einen Überführten in Ungewißheit lassen. 1900 ff.
3. sich aus der ~ ziehen = einer schwierigen Lage zu entgehen wissen. Verkürzt aus „den ↗Kopf aus der Schlinge ziehen". 1500 ff. Vgl franz „se tirer d'un piège".

Schlingel m **1.** halbwüchsiger Tunichtgut. Schlingen = sich in Windungen bewegen; schlendern. Vom Begriff „Müßiggänger" weiterentwickelt. Seit dem 15. Jh.
2. kleiner Junge (Kosewort). Seit dem 19. Jh.
3. Rufname des Hundes. 1900 ff.

schlingen tr intr hastig, gierig essen; widerwillig verzehren. Meint eigentlich das heißhungrige Fressen nach Art der Tiere. Seit dem 19. Jh.

Schlingpflanze f **1.** gieriger Esser. 1900 ff.
2. anschmiegsames Mädchen. Eigentlich die sich windende Kletterpflanze. 1925 ff.

Schlips m **1.** Penis. Wegen des Niederhängens in Normalhaltung. 1900 ff.
2. ~ mit Flaschenzug = vorgeformter Einhängeschlips. ↗Flaschenzugkrawatte. 1920 ff.
3. armer ~ = bedauernswerter Mann. ↗Schlips 1. 1940 ff.
4. eiserner ~ = vorgeformte Krawatte mit kleinem Metallstück als Einlage. 1900 ff.
5. gelöteter ~ = vorgeformter Schlips, bei dem ein Metallstück in den Kragenknopf greift. 1900 ff.
6. gemauerter ~ = vorgeformte Krawatte. 1910 ff.
7. gußeiserner ~ = Einhängeschlips. 1910 ff.
8. junger ~ = junger Mann; Neuling; Lehrling; Rekrut; Seekadett; Soldat ohne Fronterfahrung. ↗Schlips 1. 1900 ff.
9. kuhscheißerner ~ = Einhängeschlips. „Kuhscheißern" ist aus „gußeisern" entstellt. 1900 ff.
10. sich vor Freude in den ~ beißen mögen = sich überaus freuen. Vor Freude

möchte man sich zu etwas Unsinnigem hinreißen lassen. ↗Schlips 1. 1900 ff.

11. jm den ~ binden = jn erwürgen. Euphernismus. „Schlips" kann auch den Henkerstrick, die Schlinge am Galgen meinen. 1900 ff.

12. sich nicht an den ~ fassen lassen = sich nicht herausfordern lassen. Der Griff an die Krawatte gilt als Handgreiflichkeit. 1920 ff.

13. du hast wohl lange keinen blutigen ~ getragen?: Drohfrage. 1910 ff.

14. einen hinter den ~ gießen = ein Glas Alkohol zu sich nehmen. 1900 ff.

15. einen auf dem ~ haben = betrunken sein. 1950 ff.

15 a. jn beim ~ haben = jn dingfest gemacht haben. ↗ Schlips 18 b. Seit 1900.

16. das haut einen auf den ~ = das ist unerhört, ist eine schwere Zumutung. Hergenommen vom Schlag gegen die Brust im Sinne eines tätlichen Angriffs. 1900 ff.

17. einen hinter den ~ kippen = trinken, zechen. ↗kippen. 1900 ff.

18. jn beim ~ kriegen = a) jn zur Verantwortung ziehen; jn energisch zur Ordnung rufen. 1900 ff. - b) jn verhaften. 1900 ff.

19. einen hinter den ~ rauschen = ein Glas Alkohol trinken. 1900 ff.

20. sich am ~ reißen = sich ermannen; sich Mühe geben. Veranschaulichung des Rucks, den man sich innerlich gibt. 1950 ff.

21. spuck' dir nicht auf den ~! = bilde dir nichts ein! sei nicht so überheblich! Zusammengewachsen aus „sich auf den ↗Schlips treten" und „große ↗Bogen spucken". 1900 ff.

22. jm auf den ~ treten = a) jn empfindlich kränken. „Schlips" meint hier den Rockzipfel, den Rockschoß, verwandt mit „Schleppe". 1900 ff. - b) jn energisch mahnen. Veranschaulichung des einfachen „↗treten". 1900 ff.

23. tritt (pedd') dir nicht auf den ~! = sei nicht so geziert! bilde dir nicht soviel ein! leg' dein hochfahrendes Gehabe ab! Schlips = Rockzipfel, -schoß. 1900 ff.

24. bind' dir einen ~ um!: scherzhafter Rat an einen Frierenden. 1900 ff.

Schlipssoldat m Angehöriger der Luftwaffe. Zu Parade- und Ausgehanzug gehört ein Schlips. Sold 1935 bis heute.

Schlipsträgerweg m Promenadenweg; bequemer Weg (kein Wanderweg). Schlipsträger sind für die Einheimischen alle Kurgäste, die keine Wanderungen unternehmen. 1930 ff.

Schlitten m 1. Fahrzeug, Flugzeug (zuweilen abf). Anspielung auf die geringe Rutschfestigkeit der Autoreifen, beim Flugzeug auf Gleitkufen o. ä. 1900 ff.

2. Panzerkampfwagen. Sold 1939 bis heute.

3. Schiff. 1900 ff.

4. Tablett. Kellnerspr. 1920 ff.

5. vorragende Theaterloge. Sie ähnelt einem Bobschlitten. 1957 ff.

6. Ehefrau. Anspielung auf den Geschlechtsverkehr; ↗Schlitten 17. Seit dem 19. Jh.

7. liederliche Frau; Prostituierte. Seit dem 19. Jh.

8. alter ~ = ältliche Frau. Südd seit dem 19. Jh.

---

8 a. dicker ~ = Luxusauto. 1950 ff.

9. dufter ~ = elegantes Auto. ↗dufte. 1950 ff.

10. eingefahrener ~ = erfahrene Prostituierte. Sie ist „eingefahren", wie man ein Auto einfährt. 1920 ff.

11. flotter ~ = Auto mit hoher Motorleistung. 1950 ff.

12. heißer ~ = a) Auto mit hoher Stundengeschwindigkeit. Heiß = hoch favorisiert. 1960 ff. - b) Rennwagen. 1960 ff.

13. rascher ~ = schnelles Auto. 1950 ff.

14. schneller ~ = Auto mit hoher Motorleistung; Luxusauto. 1950 ff.

15. schwerer ~ = Luxusauto. 1955 ff.

16. toller ~ = sehr eindrucksvolles Auto im Hinblick auf Motorleistung und Innenausstattung. ↗toll. Halbw 1955 ff.

17. ~ fahren = koitieren. Anspielung auf die Normalstellung beim Geschlechtsakt. Seit dem 19. Jh.

18. mit jm ~ fahren = jn rücksichtslos behandeln; jn grob zurechtweisen. Leitet sich her entweder vom Rodeln, bei dem es nicht zimperlich zugeht, oder auch vom Bobsport oder von der Holzabfuhr mittels Hörnerschlitten. 1900 ff.

19. der Hund fährt ~ = der Hund rutscht auf dem Gesäß. Diese Angewohnheit haben manche Hunde nach dem Koten und auch, wenn sie Würmer haben. 1850 ff.

20. jm den ~ fahren = jm zu nahe treten; jn zurechtweisen; jn zur Verantwortung ziehen. Parallel zu „jm an den ↗Wagen fahren". 1920 ff.

20 a. das haut einen vom ~! : Ausdruck der Verwunderung. 1970 ff.

21. unter den ~ kommen = verkommen; übervorteilt werden; in Nachteil geraten. Analog zu „unter die ↗Räder kommen". Seit dem 19. Jh.

22. paß auf, daß du nicht unter den ~ kommst! : scherzhafter Abschiedsgruß an den Davongehenden. Seit dem 19. Jh.

23. unter den ~ liegen = sich in Not befinden. 1900 ff.

Schlitterbahn f 1. auf die ~ geraten = verkommen. Schlitterbahn ist die Eisbahn; auf ihr kommt man leicht ins Straucheln. 1900 ff.

2. sich eine ~ heulen = ausgiebig weinen und die Tränen samt Nasenschleim am Ärmel abwischen. Berlin 1900 ff.

Schlittschuhstar m Eiskunstläufer(in). 1960 ff.

Schlitz m 1. Vulva, Vagina. Eigentlich die lange schmale Einschnitt, die Spalte. Seit dem 17. Jh.

2. weibliche Person. Seit dem 19. Jh.

3. einen ~ im Charakter haben = einen Charakterfehler haben; unzuverlässig, nicht vertrauenswürdig sein. Analog zu ↗Knacks. 1930 ff.

4. einen ~ im Ohr haben = listig, verschlagen sein. Vgl ↗Schlitzohr. 1900 ff.

schlitzen intr heimlich, schnell weggehen. Man zwängt sich durch einen schmalen Spalt; analog zu „sich ↗dünnmachen". Seit dem späten 19. Jh.

schlitzig adj hinterhältig, heimtückisch. Solche Untugenden sagt die Volksmeinung dem Mongolen, vor allem den Japanern nach. Verquickt mit ↗schlitzohrig. 1900 ff.

Schlitzohr n 1. listiger, hinterhältiger Bursche; Mann, der kein Vertrauen verdient;

Betrüger. Betrüger wurden früher mit Ohrschlitzen bestraft. Seit dem 19. Jh.

2. Spürsinn, Pfiffigkeit, Schlauheit. 1900 ff.

schlitzohrig (-öhrig) adj listig, betrügerisch, verschlagen; unaufrichtig. Seit dem 19. Jh.

schlodderig adj ↗schlotterig.

Schlorch m jm den ~ nach hinten drehen = a) jn geschäftlich zugrunde richten. „Schlorch" ist die Nase (wohl lautmalend für das Geräusch, das beim Einziehen des Schleims in die Nase oder beim Schnauben entsteht). Gemeint ist eigentlich „jm den Hals umdrehen". Berlin 1900 ff. - b) jn sehr rücksichtslos behandeln. 1900 ff.

schlorchen intr schlurfen. ↗schlorgen. Vorwiegend fränk und schwäb, 1800 ff.

schlorgen intr schlurfend gehen. Nebenform von „schlurren, schlorren = schlurfen". Schwäb und fränk, 1800 ff.

Schlorger m 1. Mann mit schlurfendem Gang. 1800 ff.

2. Pantoffel; alter, ausgetretener Schuh. 1800 ff.

Schlorren (Schlurren) m 1. pl = Pantoffeln; Hausschuhe; schlechtes Schuhwerk. Nebenform von „schlurfen = die Schuhe nachziehen". Nordd und ostpreuß, 1800 ff.

2. sg = altes Schiff. Das Schiff ist so abgenutzt wie lange getragenes Schuhwerk. Zudem nennt man ein Schiff geringschätzig auch „Kahn", und „Kähne" sind ebenfalls ausgetretene Schuhe. Marinespr 1900 ff.

Schlorrengymnasium n Volksschule; Grundschule. Anspielung auf das schlechte Schuhwerk der Schüler armer Leute; zugleich scherzhafte Erhöhung zum Rang einer höheren Schule. Ostpreuß seit dem 19. Jh.

Schloß n 1. hinter ~ und Riegel = im Gefängnis. Seit dem 19. Jh.

2. ein ~ knacken = ein Türschloß aufbrechen. ↗knacken. 1900 ff.

Schloßhund m heulen (weinen, jaulen) wie ein ~ = heftig weinen. Leitet sich her vom angeketteten Hund, der langgezogene, klagende Laute von sich gibt. Seit dem frühen 19. Jh.

Schlot m 1. ungesitteter Mann; Flegel; Mann ohne Sinn für Hygiene und Sauberkeit; unvorschriftmäßig gekleideter Soldat. Fußt wahrscheinlich auf niederd „slut = nachlässiger Mensch", verwandt mit engl „slut = plump, massig". Seit dem späten 19. Jh.

2. Versager. Von einem nachlässigen Menschen ist keine vollwertige Arbeitsleistung zu erwarten. 1870 ff.

3. Taugenichts; Tagedieb; leichtsinniger Mann. 1900 ff.

4. alberner, dummer Bursche. 1940 ff, schül.

5. erigierter Penis. Schlot = Schornstein. 1900 ff.

6. Zylinderhut. Wie ein Schornstein überragt er die Träger anderer Kopfbedeckungen. Seit dem 19. Jh.

7. starker Raucher. Vgl das Folgende. 1900 ff.

8. rauchen (qualmen, dampfen) wie ein ~ = stark rauchen. Übertragen vom rauchenden Fabrikschornstein. Seit dem ausgehenden 19. Jh. Vgl engl „he smokes like a chimney".

9. etw in den ~ schreiben = etw verloren geben; auf Rückerhalt nicht rechnen. ↗Kamin 2. Seit dem 19. Jh.

Schlotbaron *m* (sehr reicher) Gruben-, Zechenbesitzer. Nach Erwerb großer wirtschaftlicher Macht wurden Leute wie er gelegentlich geadelt. Schmähwort der Sozialdemokraten seit dem letzten Drittel des 19. Jhs.

Schlotter I *f* geschwätziger Mund; Schwätzerin. Schlottern = sich schnell hin- und herbewegen; bezogen auf die Lippen. Seit *mhd* Zeit.

Schlotter II *m* Angst. Schlottern = zittern. *Südwestd* 1900 *ff*.

Schlotterbuxe *f* **1.** schlotterige Hose. 1870 *ff*.
2. ~n anhaben = vor Aufregung zittern; Angst haben. *Sold* in beiden Weltkriegen; auch *ziv.* Wahrscheinlich älter.

schlotterig (schlodderig) *adj* nachlässig in Kleidung und Benehmen. Bezieht sich eigentlich auf weitgeschneiderte Kleidung; von da weiterentwickelt zur Bedeutung „unfest, nicht straff". Parallel zu ↗locker. Seit dem 18. Jh, *niederd.*

schlottern *intr* in den Kleidern ~ = völlig erschöpft sein. Man zittert vor Schwäche. 1900 *ff*.

schlotzen *intr* **1.** saugen; genießerisch im Mund zergehen lassen. Schallnachahmender Natur, ursprünglich auf das Saugen an der Mutterbrust bezogen. *Oberd*, 1600 *ff*.
2. genüßlich essen. 1920 *ff*.
3. sich einladen lassen; auf Kosten eines anderen feiern. 1920 *ff*.

Schlotzer *m* **1.** Schnuller; Saugflasche. ↗schlotzen 1. 1700 *ff*, *oberd*.
2. Zigarre o. ä. Sie ist der „Schnuller" der Erwachsenen. 1900 *ff*.

schlubbern *v* **1.** schlürfen. Lautmalend für geräuschvolles Saugen, für geräuschvolles Hineinziehen der Speisen in den Mund. 1700 *ff*.
2. schlendern. Schlubbern = schlürfen = schlurfen. 1700 *ff*.
3. einen ~ = ein Glas Alkohol genüßlich zu sich nehmen. *Niederd* 1900 *ff*.

Schluck *m* **1.** alkoholisches Getränk; Schnaps. Tarnwort unter Halbwüchsigen. *Nordd* 1950 *ff*.
2. ~ Tabak = ein Zug aus der Zigarette. „Zug" ist auch der Schluck aus der Flasche oder aus dem Glas. *Sold* 1939 *ff*.
3. ~ aus der Buddel = ansehnlicher Spielgewinn. Er tut wohl wie der Schluck aus der Schnapsflasche. Seit dem 19. Jh.
4. ~ aus der Flasche = unverhoffter Glücksfall. Seit dem 19. Jh.
5. ~ aus der Pulle = freudige Überraschung; ermutigender Anfang; großartiger Erfolg; Spielgewinn. ↗Schluck 3. 1840 *ff*, kartenspielerspr., *sold*, *stud* usw.
6. guter ~ = hervorragender Trunk. 1950 *ff*.
7. warmer ~ aus einer kalten Pulle = freudige Feststellung. 1900 *ff*.
8. gut ~! = Prosit! 1900 *ff*.
9. einen ~ frische Luft nehmen = ins Freie gehen. 1930 *ff*.

Schluckanzeiger *m* Adamsapfel, Kehlkopf. Analog zu ↗Bierzähler. 1930 *ff*.

Schluckaufgesang *m* Vortrag eines Schlagerlieds mit Grunz-, Schlucklauten o. ä. 1955 *ff*.

schlucken *v* **1.** *tr intr* = Alkohol zu sich nehmen. Seit dem 16. Jh; neuerdings sehr verbreitet unter Halbwüchsigen, Bundeswehrsoldaten usw.
2. *intr* = Rauschgiftdrogen nehmen. 1965 *ff*.
3. etw ~ = einen Gewinn einstreichen; unverhofft Erfolg haben; unverhofft erben. Seit dem 18. Jh.
4. etw ~ = etw widerspruchslos hinnehmen; etw ohne Widerstand ertragen; auf einen Vorwurf schweigen. Man schluckt es wie eine Arznei, wie eine „bittere ↗Pille". 1700 *ff*.
5. etw ~ = eine bittere Medizin = gegen eine Kränkung oder Vorhaltung nicht aufbegehren. Seit dem 19. Jh.
6. an etw schwer ~ (schwer zu ~ haben) = etw ungern, widerwillig ertragen; etw nicht leicht verwinden. 1900 *ff*.
7. jm etw zu ~ geben = a) jn heftig tadeln, etw ohne daß der Betreffende Widerworte gibt (geben darf). 1900 *ff*. – b) jm böse mitspielen; jn in arge Verlegenheit bringen. 1900 *ff*.
8. einen ~ gehen = ein Wirtshaus aufsuchen. 1950 *ff*.

Schlucker *m* **1.** Trinker, Trunksüchtiger. ↗schlucken 1. 1500 *ff*.
2. Rauschgiftsüchtiger. ↗schlucken 2. 1965 *ff*.
2 a. Häftling, der gefährliche Metallgegenstände o. ä. verschluckt, um aufs Krankenrevier verlegt zu werden. 1920 *ff*.
3. armer ~ = bedauernswerter Mensch. „Schlucker" war im 15./16. Jh der Schlemmer; daraus entwickelte sich der „arme Schlucker" als einer, der kein Schlemmerleben führt und aus Not mit allem vorliebnimmt, was man ihm vorsetzt. Heute vorwiegend eine mitleidige Bezeichnung für einen Armen, Bedürftigen und Hilfeheischenden.

schluckern (schlückern) *intr* genüßlich trinken. 1930 *ff*.

Schluckimpfung *f* Alkoholgenuß; Zecherei. Hergenommen von der Schutzimpfung gegen spinale Kinderlähmung: das Serum wird nicht mehr gespritzt, sondern geschluckt. 1963 *ff*.

schluck'schluck machen trinken, zechen. 1900 *ff*.

Schluckser *m* Schluckauf. Iterativum zu „schlucken". Seit dem 19. Jh.

Schluckspecht *m* **1.** Vielesser, Vieltrinker; Raffer. Der Specht ist ein sehr eifriger Insektensammler. 1840 *ff*.
2. Auto mit hohem Benzinverbrauch. 1979 *ff*.

schluckzes'sive *adv* schluckweise; nach und nach; nacheinander. Scherzhaft dem *lat* „successive = nacheinander" nachgebildet und zugleich auf das „Schlucken" (= Trinken) bezogen. Wohl seit dem späten 19. Jh.

Schluderarbeit *f* unordentliche, nachlässige Arbeit. ↗schludern. Seit dem 19. Jh.

Schluderer *m* **1.** hastig, unsorgfältig tätiger Mann. Seit dem 19. Jh.
2. Vieltrinker. ↗schludern 3. Seit dem 19. Jh.

schluderig *adj* nachlässig, ungepflegt, unordentlich. ↗schludern 1. Seit dem 17. Jh.

Schluderjan (Schludrian) *m* nachlässig arbeitender Mann; ungepflegt Gekleideter. Zusammengewachsen aus „↗schludern 1" und der Kurzform Jan des Vornamens Johann; Einfluß von „↗Schlendrian 2" ist möglich. 1700 *ff*.

schludern *intr* **1.** unordentlich, nachlässig arbeiten. Geht zurück auf *mhd* „sludern = sich unruhig hin- und herbewegen"; von da bezogen auf einen, der bei der Arbeit unruhig und flüchtig handelt. Verwandt mit „schlottern" und „schleudern". Seit dem 17. Jh.
2. schwatzen; leichtfertig sich zu einer Sache äußern; ausplaudern. Von der oberflächlichen Arbeitsweise weiterentwickelt zum unüberlegten Reden. Seit dem 17. Jh.
3. zechen; trunksüchtig sein. Weiterentwickelt aus der Bedeutung 1 in Richtung auf liederliche Lebensweise. Wien, seit dem 19. Jh.

Schludrian *m* ↗Schluderjan.

Schluff *m* guter ~ = harmloser, gutmütiger, leicht energieloser Mann. Gehört zu „schluffen = schlurfen; schleppend, nachlässig gehen" und berührt sich über das Folgende eng mit der Vokabel „↗Pantoffelheld". Seit dem 19. Jh.

Schluffe (Schluppe) *f* Pantoffel. ↗schluffen. 1700 *ff*.

schluffen *intr* schlurfen; schleppend sich bewegen; die Füße nachziehen. *Mhd* „slupfen = schleifend gehen" ergibt im *Niederd* die Parallele „sluupen" und im *Westf* „sluffen". *Niederd* „sluf = träge, faul". 1700 *ff*.

Schlummerkasten *m* **1.** Bett. ↗Kasten 3. 1900 *ff*.
2. Fernsehgerät. *Vgl* ↗Schlummerkiste 2. 1960 *ff*, *jug.*

Schlummerkiste *f* **1.** Bett, Hängematte o. ä. ↗Kiste. *Sold* 1900 *ff*.
2. Fernsehgerät. Anspielung auf langweilige Sendungen. 1955 *ff*.

Schlummerkopf *m* dümmlicher, träger, schläfriger Mensch. 1850 *ff*.

Schlummerkuhle *f* eingelegene (eingesessene) Stelle auf dem Sofa o. ä. ↗Kuhle. 1930 *ff*.

Schlummermutter *f* Schlafstellenvermieterin. ↗Schlafmutter. Seit dem 19. Jh.

Schlummerrolle *f* **1.** feister Nacken. Auf ihm kann man auch ohne Kissenunterlage bequem ruhen. 1900 *ff*.
2. Bauchfalte beleibter Menschen. 1955 *ff*.
3. träger, langweiliger Mensch. 1920 *ff*.
4. Mops. 1920 *ff*.
5. Katze. 1920 *ff*.

Schlump *m* **1.** unverhoffter Glücksfall; Zufallstreffer. Geht zurück auf mittel-*niederd* „slumpen = zufällig Glück haben; zufällig treffen". Seit dem 17. Jh.
2. Versager; schlechter Schütze. Der Betreffende schießt, ohne genau zu zielen, weswegen er einen Treffer nur durch Zufall erreicht. Jägerspr. und *sold* 1900 *ff*.
3. unkameradschaftlicher Bursche. Gemeint ist der Versager im Charakterlichen; hier beeinflußt von „↗Lump". 1910 *ff*.
4. an Körper und Kleidung unsauberer Mensch. 1910 *ff*.
5. Taugenichts; Flegel. 1910 *ff*.

Schlumpe (Schlumpen) *f* (*m*) nachlässig gekleidete Frau; unordentliche Frau. ↗schlumpen. 1500 *ff*.

schlumpen *intr* **1.** nachlässig gehen. Ablautende Nebenform von „↗schlampen". *Nordd* seit dem 19. Jh.
2. schlaff herabhängen. ↗schlampen 1. *Nordd* seit dem 16. Jh.
3. Glück haben; aus Zufall gut schießen;

im allgemeinen ein schlechter Schütze sein. ↗ Schlump 1 und 2. Seit dem 17. Jh.

Schlumper *m* unordentlicher, leichtsinniger, leichtlebiger Mann. ↗ schlumpen 1. Seit dem 19. Jh.

schlumpen *intr* **1.** müßiggehen; arbeitsscheu sein. Iterativ zu ↗ schlumpen 1. Seit dem 16. Jh.
2. gehen; schlendern. Seit dem 16. Jh.
3. unsorgfältig arbeiten. 1900 *ff.*

Schlumpf *m* **1.** allgemeines Schimpfwort. Geht zurück auf den Namen einer Figur der „Fix und Foxi"-Comic-Hefte und -Zeichentrickfilme. *BSD* 1965 *ff.*
2. kleiner Junge (Kosewort). 1965 *ff.*

schlumpfen *refl* wegeilen. Gehört zu „Schlumpf", der Figur aus den Bildergeschichten um „Fix und Foxi". ↗ Schlumpf 1. 1972 *ff.*

schlumpfig *adj* ausgezeichnet. 1972 *ff.*

schlumpig (schlumpicht, schlumpet) *adj* unordentlich in der Kleidung. ↗ schlumpen 2. Seit dem 16. Jh.

Schlumpschuß *m* Zufallstreffer. ↗ Schlump 1 und 2. 1700 *ff.*

Schlumpschütze *m* **1.** schlechter Schütze. ↗ Schlump 1/2. Seit dem 19. Jh, *sold* und *jägerspr.*
2. Fußballspieler, der das gegnerische Tor verfehlt oder nur Zufallstreffer erzielt. *Sportl* 1950 *ff.*

Schlund *m* **1.** den ~ anfeuchten = ein Glas Alkohol trinken. 1900 *ff. Vgl franz* „se rincer le gosier".
2. den ~ aufweichen = Alkohol zu sich nehmen. 1950 *ff.*
3. etw in den falschen ~ kriegen = eine Äußerung falsch auffassen und auf sich selber beziehen. ↗ Hals 3 und 40. 1920 *ff.*
4. den ~ gestrichen vollhaben = einer Sache oder Person sehr überdrüssig sein. Bezieht sich eigentlich auf den übersatten Menschen. 1900 *ff.*
5. den ~ waschen = zechen. 1900 *ff.*

schlunen *intr* schlafen. Nebenform zu ↗ schlaunen. Etwa seit den fünfziger Jahren des 19. Jhs, anfangs *rotw,* später *sold.*

Schlung (Schlunk) *m f* **1.** Kehle, Gurgel. Gehört zu ↗ schlingen. *Mitteld* und *niederd* seit dem 14. Jh.
2. Taugenichts. Fußt auf „slunk = schlaff, locker"; *vgl* „ ↗ Schlingel". Seit dem 19. Jh.
3. auf einen (in einem) ~ = auf einmal; im Nu. Etwa soviel, wie man auf einmal durch die Kehle befördern kann. Seit dem 19. Jh.

Schlunte *f* liederliche, ungepflegte, unordentlich gekleidete Frau. Fußt auf *niederd* „Slunte = zerlumptes Kleidungsstück". 1700 *ff.*

Schlunz *m* **1.** minderwertiges Essen; Wassersuppe; Gefängniskost; fades Getränk. Aus „ ↗ schlunzen = schlendern" ergibt sich die Vorstellung von Schlaffheit und Kraftlosigkeit. Seit dem späten 19. Jh, *sold* und *rotw.*
2. Lazarett; Krankenstube in der Kaserne o. ä. Anspielung auf die unschmackhafte, kraftlose Verpflegung. *Sold* 1900 bis heute.
3. Arrestanstalt, Gefängnis. *Vgl* das Vorhergehende. *Sold* und *rotw* 1920 *ff.*
4. zerlumptes, durchlöchertes, verschmutztes Kleid; abgetragene Uniform. Fußt über die mit „-s-" erweiterte Form auf ↗ schlumpen = schlaff herabhängen". Seit dem 19. Jh.
6. Schlaf. ↗ schlunzen 2. 1920 *ff.*

schlunzen *intr* **1.** nachlässig gehen; schlendern; unordentlich tätig sein. Geht zurück auf „ ↗ schlumpen 2" mit s-Erweiterung. 1700 *ff.*
2. schlafen; in der Sonne liegen und vor sich hinträumen. Aus der vorhergehenden Bedeutung weiterentwickelt zu „müßiggehen". 1920 *ff.*

schlunzig *adj* unordentlich, ungepflegt, nachlässig. ↗ schlunzen 1. Seit dem 19. Jh.

Schlüpfe *f* List, Trick. Im besonderen eine List, mit deren Hilfe man durch die „Maschen" der Gesetze schlüpft. *Sold* 1935 *ff.*

Schlüpfer *m* **1.** am ~ rütteln = ein Mädchen intim betasten. 1930 *ff.*
2. das zieht einem den ~ aus = das ist ein hochprozentiges alkoholisches Getränk. Anspielung auf geschlechtliche Enthemmung. 1930 *ff;* vielleicht älter.

Schlüpferstürmer *m* süßer Likör; süßer Sekt o. ä. Er kann den geschlechtlichen Widerstand der Mädchen brechen. 1914 *ff.*

Schluppe *f* Bandschleife. Ablautform zu „Schlippe = Zipfel", auch *niederd* Parallelform zu *hd* „Schlupf = Schlinge". 1600 *ff.*

schluren *v* **1.** *intr* = nachlässig arbeiten; säumig sein. ↗ schludern 1. Vorwiegend *südd* seit dem 19. Jh.
2. etw ~ lassen = etw vernachlässigen, versäumen. Seit dem 19. Jh.

Schlurf *m* **1.** Müßiggänger. Gehört zu „schlurfen = die Füße nachziehen". Eine *österr* Vokabel des 19. Jhs, vereinzelt auch in Deutschland geläufig.
2. Halbwüchsiger mit langen Haaren und in enganliegenden Hosen. Zum mindesten im Äußeren ähnelt er dem Müßiggänger. *Österr* 1939 *ff.*
3. Stutzer, Geck. Wohlhabende Nichtstuer sind meistens auch Modenarren. *Wien* 1935 *ff.*
4. gutmütiger, harmloser Mann. Von „ ↗ Schluff" überlagertes „Schlurf". 1950 *ff.*
5. Herrenfrisur, bei der die Haare bis tief in den Nacken reichen. *Österr* 1950 *ff.*

schlürfen *intr* zechen. Eigentlich soviel wie „schlürfend trinken"; dann auch „genießerisch kosten". 1870 *ff.*

Schlurffrisur *f* bis in den Nacken reichende Haartracht. ↗ Schlurf 5. *Österr* 1950 *ff.*

Schlurfrakete *f* **1.** Moped, Motorrad. Um der Mehrgeltung willen entwickeln die jungen Leute eine hohe Fahrgeschwindigkeit und ein Übermaß an Lärm. ↗ Schlurf 2. *Österr* 1950 *ff.*
2. Halbwüchsiger. Das Fahrzeug ist dermaßen zum Halbwüchsigengefährt geworden, daß vom Gegenstand der Name auf den Benutzer übergegangen ist. *Österr* 1962 *ff.*

Schluri *m* benommen, gedankenlos tätiger Mensch; Vergeßlicher; Müßiggänger. ↗ schluren. Seit dem 19. Jh, vorwiegend *fränk.*

Schlurren *m* **1.** Schiff. ↗ Schlorren 2. *Marinespr* 1900 *ff.*
2. Auto. ↗ Schlorren 3. *BSD* 1965 *ff.*

schlurren *intr* gleiten; auf dem Eis schleifen. Mit Vokalkürzung aus „ ↗ schluren" entstanden. Seit dem 19. Jh.

Schlusen *pl* **1.** Falschgeld; entwertetes Geld. Fußt entweder auf der Bedeutung „Hülsen, Pellen" (für den Geprellten ist das Falschgeld die schöne Hülle um eine Wert-

losigkeit) oder meint die Hagelkörner, die kein wirklicher Schnee sind; „Schnee" bezeichnet auch „Geld". Berlin 1945 *ff.*
2. Unechtes, Gefälschtes. 1945 *ff.*

Schluß *m* **1.** Oberstufe des Gymnasiums. Meint eigentlich den Schluß des Aufsatzes, so wie „Einleitung" die Unterstufe und „Hauptteil" die Mittelstufe bezeichnen. 1960 *ff.*
2. ~! Ausl Amen!: Redensart zum Abschluß einer Sache. 1930 *ff.*
3. ~ im Dom! = ausl laß mich damit in Ruhe! daraus kann nichts werden! meint ist nicht zu erwarten! Leitet sich her von der abendlichen Ankündigung der Domschließung durch die Domschweizer. 1840 *ff.*
4. ~ der Vorstellung! = Schluß! Ende! nichts weiter! 1920 *ff.*

Schlüssel *m* **1.** Penis. Fußt auf der Vorstellung von der Zusammengehörigkeit von Schloß und Schlüssel. 1500 *ff.*
2. den ~ abziehen = den Penis zurückziehen. 1900 *ff.*
3. das paßt wie der ~ ins Loch = das trifft genau zu, paßt zueinander. 1900 *ff.*

Schlüsselfotze *f* Gefängnisaufseherin. Sie hat die „Schlüsselgewalt". ↗ Fotze 1. Häftlingsspr. 1970 *ff.*

Schlüsselgewalt *f* Hausschlüsselverwahrung durch die Ehefrau. Meint eigentlich die Berechtigung der Ehefrau zur Geschäftsführung in ihrem häuslichen Wirkungskreis. 1900 *ff.*

Schlüsselkind *n* Kind, das den Wohnungsschlüssel um den Hals trägt, weil die Mutter tagsüber berufstätig ist. Angeblich mit Ausbruch des Zweiten Weltkriegs aufgekommen.

Schlüsselrolle *f* tragende Bühnenrolle. Dem verwaltungstechnischen Begriff der „Schlüsselstellung" nachgebildet. *Vgl* das Folgende. Theaterspr. 1950 *ff.*

Schlüsselstellung *f* eine ~ einnehmen = a) Portier, Hauswart sein. Meint eigentlich die Amtsstellung, mit der eine Entscheidungsbefugnis verbunden ist; hier Anspielung auf den Hausschlüssel. Berlin 1950 *ff.* – b) Schlosser sein. 1950 *ff.* Berlin.

Schlußlicht *n* **1.** Letzter in marschierender Kolonne. Hergenommen vom Schlußlicht am Fahrzeug. Der Letzte trägt in der Dunkelheit eine rote Laterne. 1920 *ff.*
2. Klassenschlechtester. 1920 *ff.*
3. Kleinwüchsiger einer Klasse. 1940 *ff.*
4. Verlierer bei Wettkämpfen; Tabellenletzter der Fußball-Liga; schlechteste Sportmannschaft. 1950 *ff, sportl.*
5. Letzter in einer Aufzählung; Letzter unter vielen. 1950 *ff.*
6. Rothaariger als letzter Marschierender in einer Kolonne. 1940 *ff, sold.*
7. Soldat, der beim Antreten (zum Appell) gewöhnlich als letzter erscheint. 1940 *ff.*
8. letztgeborenes Kind einer Familie. 1950 *ff.*
9. Trinkernase. Ihre rote Färbung ersetzt das rote Licht. 1940 *ff.*
10. Benachteiligter unter allen. 1950 *ff.*
11. Kamerad ~ = Kahlköpfiger. Als Letzter in einer marschierenden Kolonne wäre er von Nutzen. 1930 *ff.*
12. das ~ machen = als Letzter hinterdreingehen. 1940 *ff.*
13. die ~er zeigen = ein Kraftfahrzeug überholen. Kraftfahrerspr. 1955 *ff.*

Schmacht *m* **1.** Hunger, Durst. Meinte im Mittelalter das Verschmachten. 1700 *ff*.
2. auf ~ machen = etw entbehren müssen; sich in Enthaltsamkeit üben. 1940 *ff*.
Schmacht-Atoll *n* verträumtes Café mit heimeligen Nischen; Tanzcafé mit gemütlichen Ecken. Atoll ist eine Koralleninsel, die eine Lagune umschließt, und „Lagune" meint hier die Tanzfläche. *Halbw* 1955 *ff*.
Schmachter *m* Appetit, Gelüst. Neuwort zu „schmachten". *Halbw* 1955 *ff*.
Schmachtfetzen *m* **1.** schmachtender Liebhaber; energieloser Mann. Analog zu ↗Schmachtlappen. *Schül* und *stud* seit dem ausgehenden 19. Jh.
2. rührseliges Musikstück oder literarisches Machwerk; rührseliger Film o. ä. Fetzen = abgerissenes Stück Papier oder Stoff. Kann auch das Taschentuch meinen, zum Abwischen der Tränen der Rührung. Scheint um 1900 von Österreich ausgegangen zu sein.
Schmachtlappen *m* **1.** Hungerleider. Meint eigentlich das ↗Hungertuch. 1700 *ff*.
2. schmachtender Liebhaber; energieloser, weibischer Mann; Schwächling. Aus dem Vorhergehenden weiterentwickelt unter Einfluß von „schmachten = sich verzehrend sehnen". Seit dem 19. Jh.
3. rührseliger Schlagertext. 1910 *ff*.
Schmachtlocke *f* **1.** seitliche Haarlocke am Frauenkopf; Stirnlocke; Haarschopf bei Männern. Um 1820 (in der Biedermeierzeit) als Mode aufgekommen. Bei den Frauen sollten die Locken dem Gesicht einen schmachtenden Ausdruck verleihen.
2. *pl* = kümmerliche Locken. Meint eigentlich die schmächtigen Locken. 1920 *ff*.
Schmachtriemen *m* **1.** Leibriemen, Leib-, Ledergürtel. Eigentlich der in Hungerzeiten enger geschnallte Gürtel. ↗Schmacht 1. 1700 *ff*.
2. Koppel des Soldaten. *Sold* seit dem späten 19. Jh bis heute.
3. den ~ enger schnallen (anziehen; zusammenschnüren) = das Hungergefühl zu unterdrücken suchen; hungern; sich auf Entbehrungen einrichten. Seit dem 19. Jh.
Schmackes *m pl* Schläge; Hiebe; Schwung. Schallnachahmender Herkunft. *Niederd* „smakken = laut werfen; prügeln; mit der Peitsche knallen". Berührt sich mit der Vokabel „↗Schmiß" als Bezeichnung für etwas Wohlgelungenes. 1900 *ff*.
schmackhaft *adv* jm etw ~ machen = jm etw als günstig, erwünscht darstellen. Von der Erregung der Eßlust übertragen auf die Weckung des Besitzinteresses. 1870 *ff*.
Schmadder (Schmatter) *m* **1.** nasser Schmutz; aufgeweichter Erdboden. ↗schmaddern 1. *Nordd* und *mitteld* 1800 *ff*.
2. dummes Gerede; Geschwätz. Es ist so viel wert wie Schmutz. 1900 *ff*.
schmaddern *v* **1.** *intr tr* = beschmutzen; mit schmutzigen Sachen hantieren. Nebenform zu „↗schmieren" und ablautend zu „↗schmuddeln". *Nordd* und *mitteld* seit dem 18. Jh.
2. *impers* = anhaltend regnen. Seit dem 19. Jh.
3. *intr* = unsauber schreiben. Seit dem 18. Jh.
schma'fu *präd* geringschätzig; minderwertig; geizig, neidisch. Fußt auf *franz* „je

m'en fous = ich mache mir nichts daraus". *Österr* und *bayr* 1800 *ff*.
Schmäh *m* **1.** Lüge, charmante Lüge; Täuschung; Vortäuschung von Gediegenheit; Nörgelrede; Trick; Übertreibung. *Jidd* „schema = Gehörtes" ergibt *rotw* „Schmee = Lüge". *Österr*, spätestens seit 1900.
2. Verhöhnung. *Österr* 1900 *ff*.
3. Unsinn, Witz. *Österr* 1920 *ff*.
4. jn am ~ halten = jn veralbern, übertölpeln. *Österr* 1920 *ff*.
5. einen ~ machen = a) lügnerisch erzählen; die Leute anlügen. *Österr* 1920 *ff*. – b) beim sportlichen Wettkampf den Gegner täuschen. *Sportl* 1930 *ff*, *österr*.
6. jn mit ~ übernehmen = jn belügen, betrügen. *Österr* 1920 *ff*.
schmähen *intr* **1.** lügen. ↗Schmäh 1. *Österr* 1900 *ff*.
2. plaudern (wobei man nicht bei der Wahrheit bleibt). *Österr* 1900 *ff*.
Schmähtandler *m* Erzähler von Lügengeschichten; Mensch, der sich in Tricks versucht. *Österr* 1920 *ff*.
Schmai (Schmei) *m* Schnupftabak. Geht zurück auf die Schnupftabaksmarke „Schmalzler". Der Buchstabe „l" ist vokalisiert. Zum guten Schnupftabak verwendet man Butterschmalz. *Bayr* seit dem 19. Jh.
schmalmachen *v* **1.** *intr* = betteln. *Rotw* „Schmal = Weg, Straße" ergibt die Vorstellung des Bettelns am Weg. Vielleicht auch liegt dem Bettler „schmal" (im Sinne von „dünn, schlank"), wenn er um Speise bettelt. Kundenspr. seit dem 19. Jh.
2. *refl* = sich unbemerkt entfernen. Analog zu „sich ↗dünnmachen". 1920 *ff*.
3. *refl* = sich fügen. Man duckt sich wie ein Hase o. ä. 1940 *ff*.
Schmalspur *f* **1.** Flachbrüstigkeit. Hergenommen von der Spurweite der Kleinbahn. 1955 *ff*.
2. unbedeutender Mensch; Mensch in untergeordneter Stellung. 1930 *ff*.
3. jn auf ~ ausbilden = jn nur für einige Teilgebiete eines Berufs ausbilden; jn anlernen. 1955 *ff*.
4. auf ~ laufen = a) nicht zugkräftig, langweilig, unbedeutend sein. 1960 *ff*. – b) keinen weiten Entwicklungsspielraum haben. 1960 *ff*.
Schmalspur-Abiturient *m* Schüler mit dem Abgangszeugnis der Wirtschaftsoberschule. Das Zeugnis berechtigt in einigen Bundesländern nur zum Studium der Wirtschaftswissenschaften. Dieser und die folgenden Ausdrücke sind hergenommen von der Bezeichnung für die Spurweite der Kleinbahnen und spielen teils *iron*, teils *abf* auf den Unterschied zur normalen Spurweite der Eisenbahn an. Seit dem ausgehenden 19. Jh.
Schmalspurakademiker *m* **1.** nicht vollwertiger Akademiker; Hochschüler, der nur sechs Semester studiert hat; Mensch ohne übliche akademische Vorbildung in einem gewöhnlich nur von Akademikern bekleideten Amt. 1920 *ff*.
2. Fachschulingenieur. 1920 *ff*.
3. Hilfsschullehrer. 1920 *ff*.
4. Volkswirtschaftler. *Vgl* das Folgende. Basel 1900 *ff*.
5. Jurist. Juristen und Volkswirtschaftler werfen einander vor, kein vollwertiges akademisches Studium zu absolvieren: für die einen fehlt es an volkswirtschaftlichen,

für die anderen an juristischen Kenntnissen. Basel 1900 *ff*.
6. staatlich geprüfter Betriebswirt. 1960 *ff*.
Schmalspurbett *n* Junggesellenbett. 1950 *ff*.
Schmalspur-Dämchen *n* Sekretärin ohne ausreichende fachliche Vorbildung, aber mit entsprechend anmaßendem Auftreten. 1955 *ff*.
Schmalspurganove *m* unerfahrener Verbrecher; Straftäter mit geringem Vorstrafenregister. ↗Ganove. 1950 *ff*.
Schmalspurhochschule *f* Hochschule mit nur wenigen Fakultäten. 1955 *ff*.
schmalspurig *adj* unbedeutend; inhaltsarm. 1955 *ff*.
Schmalspurigkeit *f* mangelnde Breite der Berufsausbildung (Berufserfahrung). 1960 *ff*.
Schmalspurkanone *f* **1.** Gewehr, Karabiner. *Sold* 1940 *ff*, *schweiz*.
2. Revolver. 1950 *ff*, *schweiz*.
Schmalspurkino *n* Fernsehgerät. 1955 *ff*.
Schmalspurrocker *m* Mann, der sich aufspielt. *Jug* 1970 *ff*.
Schmalspurstudium *n* **1.** juristisches, volkswirtschaftliches Studium. ↗Schmalspurakademiker 5. Basel 1900 *ff*.
2. engbegrenztes Fachstudium jeglicher Art. 1920 *ff*.
Schmalspurtheologe *m* Theologe mit Berechtigung zur Erteilung von Religionsunterricht, aber ohne geistliche Würde; Laientheologe. 1930 *ff*.
Schmalspur-Universität *f* Hochschule, auf der keine akademischen Grade erworben werden können. 1945 *ff*.
Schmalspurwissen *n* engbegrenztes Fachwissen. 1950 *ff*.
Schmaltier *n* **1.** junges Mädchen in heiratsfähigem Alter. In der Jägersprache meint man „schmal" soviel wie „ungedeckt; bis zur ersten Brunft". 1900 *ff*.
2. Tanzschülerin. 1920 *ff*.
Schmalz *n* **1.** Körper-, Muskelkraft. Schmalz macht stark. 1500 *ff*, vorwiegend *oberd*.
2. mehrjährige Freiheitsstrafe; Strafausmaß. ↗schmalzen. *Österr* 1900 *ff*.
3. Geld, Sold. Dadurch gewinnt man Energie und Unternehmungslust. *Sold* 1935 *ff*.
4. Rührseligkeit; übertrieben Gefühlvolles; Sache, die einen innerlich rührt. Gehört zu „schmelzen = zerfließen machen"; übertragen auf echte oder geheuchelte, tränenreiche seelische Rührung. Wohl schon seit der ersten Hälfte des 19. Jhs, da für 1847 in Wien „Schmalzel" in der Bedeutung „Lieblingslied" vorkommt.
5. Verstand. Von der Muskelkraft ausgedehnt auf die Geisteskraft. 1900 *ff*.
6. etw mit ~ ausbraten = einen Vorfall stimmungsvoll, rührselig schildern. 1950 *ff*.
7. sein ~ kriegen = seine Strafe erhalten. Analog zu „sein ↗Fett kriegen". 1900 *ff*.
7 a. auf ~ machen = rührselig musizieren. ↗Schmalz 4. Etwa seit 1900.
8. wie ~ schmelzen = von einem Augenblick zum anderen eitel Liebenswürdigkeit an den Tag legen; unvermittelt liebesgierig werden. 1900 *ff*.
Schmalzartikel *m* widerlich gefühlvoller Zeitungsaufsatz. 1950 *ff*.
Schmalzbauch *m* vorstehender, dicker Bauch. 1930 *ff*.

Schmalzbohrer *m* Miniaturmikrofon im Ohr. Es bohrt im Ohrenschmalz. 1930 *ff.*

schmalzen *intr* **1.** rührselig singen. ↗ Schmalz 4. 1900 *ff.*

2. einem Mädchen liebe Worte sagen; zärtlich flüstern. 1910 *ff.*

3. sich durch Geschenke und Gefälligkeiten beliebt machen; eine Bestechungsgabe anbieten. Analog zu ↗ schmieren. 1910 *ff.*

4. rührselig schauspielern. 1910 *ff,* theaterspr.

5. strafen. ↗ Schmalz 7. 1900 *ff,* österr.

6. prügeln. 1900 *ff,* österr.

7. eine Melodie ins Rührselige abändern. 1955 *ff.*

schmalzgebacken *adj* rührselig. 1920 *ff.*

schmalzgelockt *adj* mit pomadisierten Locken. 1955 *ff.*

Schmalzgesicht *n* breites, feistes Gesicht. 1920 *ff.*

Schmalzgondel *f* zu Spazierfahrten vermietetes Boot. Es wird vor allem von Liebespaaren bevorzugt. 1910 *ff.*

Schmalzhafen *m* **1.** beleibter Mensch. Eigentlich der Schmalztopf. ↗ Hafen I. *Bayr* und *österr* 1900 *ff.*

2. Schlagersänger. *Südd,* 1965 *ff, jug.*

3. im ~ hocken = gut leben; ein Schlemmerleben führen. 1900 *ff.*

schmalzig *adj* **1.** rührselig; übertrieben gefühlvoll. ↗ Schmalz 4. 1870 *ff.*

2. aufdringlich liebevoll; Liebesgefühle vortäuschend. 1910 *ff.*

3. kostspielig. Parallel zu ↗ geschmalzen. *Österr* 1900 *ff.*

Schmalzkopf (-kopp) *m* **1.** reichlich pomadisiertes Haar. 1920 *ff.*

2. feistes Gesicht. 1920 *ff.*

3. Schlagersänger. *Jug* 1965 *ff.*

Schmalzlächeln *n* auf Erregung von Rührung berechnetes Lächeln. 1955 *ff.*

Schmalzlappen *m* lyrischer Tenor; Sänger mit gefühlvollem Ausdruck in der Stimme. Dem „↗ Schmachtlappen" nachgebildet. 1950 *ff.*

Schmalzlawine *f* **1.** sehr beleibter Mensch. 1920 *ff.*

2. überaus rührseliger Text. 1950 *ff, halbw.*

Schmalzler *m* **1.** Schnupftabak. ↗ Schmai. *Bayr* und *schwäb* seit dem 19. Jh.

2. Tabakschnupfer. *Bayr* seit dem 19. Jh.

3. Schlagersänger. ↗ Schmalz 4. 1965 *ff, jug.*

Schmälzling *m* Sänger gefühlvoller Lieder. 1955 *ff.*

Schmalzmolle *f* Rundfunksender; Senderaum. *Niederd* „Molle" (= *hd* „Mulde") meint den Trog, vor allem den Futtertrog für das Vieh. Aus solch einem Trog voller Schmalz schöpfen die Sender und ihre Künstler wohl die Rührseligkeit für ihre Sendungen. Ursprünglich bezogen auf den ersten Berliner Senderaum (1923); später verallgemeinert.

Schmalznudel *f* **1.** rührseliges Lied. Eigentlich das Schmalzgebackene. Es „trieft vor Schmalz". 1920 *ff.*

2. gefühlvoller Mensch. 1920 *ff.*

Schmalzorgel *f* Wurlitzer-, Kinoorgel. In Berlin 1929 aufgekommen im Zusammenhang mit der Kinoorgel im Ufa-Palast am Zoo.

Schmalzpfanne *f* Ohr des Menschen. Die Ohrmuschel ist pfannenförmig. Schmalz = Ohrenschmalz. 1900 *ff.*

schmalzschmierig *adj* auf gefühlvolle

Weise liebedienerisch. ↗ schmierig; ↗ schmalzen 3. 1960 *ff.*

Schmalzstube *f* unsauberes Ohr. Anspielung auf das Ohrenschmalz. 1910 *ff.*

Schmalzstulle *f* **1.** mit Schmalz bestrichene Brotschnitte. ↗ Stulle. Seit dem 19. Jh.

2. weißer Kragen; Stehkragen. Berlin 1900 *ff.* Älter ist die Bedeutung „Chemisette".

3. Geld. Es verleiht Kraft wie die Schmalzschnitte. Berlin 1910 *ff,* kartenspielerspr.

Schmalzstullentheater *n* Vorstadtbühne. Der Name rührt angeblich von den sehr volkstümlichen Büffets her. 1840 *ff,* Berlin.

Schmalztopf (-pott) *m* **1.** Ohr des Menschen. Anspielung auf das Ohrenschmalz. 1900 *ff.*

2. tief in den ~ greifen = eine mehrjährige Freiheitsstrafe verhängen. ↗ Schmalz 2. *Österr* 1920 *ff.*

Schmalztour *f* auf die ~ reisen = sich bei einem Mädchen durch nette Worte einschmeicheln. ↗ Schmalz 4. 1910 *ff.*

schmalztriefend *adj* überaus rührselig; widerlich gefällig. 1920/30 *ff.*

Schmand (Schmant) *m* **1.** Schaum auf dem Glas Bier. Übertragen von der Sahne auf der gekochten oder ungekochten Milch. 1900 *ff.*

2. Verzierung an Uniformstücken (Litzen, Schnüre, Stickereien o. ä.); Tressen. Hergenommen von der Tortenverzierung mit Schlagsahne. 1910 *ff.*

3. (klebriger) Schmutz; Bodensatz. Analog zu „Rahm", was sowohl die Sahne als auch den Ruß bezeichnet. 1900 *ff.* Vorwiegend *ostmitteld* und *niederd.*

4. den ~ abschöpfen = das Beste vorwegnehmen. Analog zu „den ↗ Rahm abschöpfen". 1600 *ff.*

Schmandhosen *pl* weiße (Sommer-)Hosen. *Ziv* und *sold,* 1870 *ff.*

Schmankerl *n* **1.** Leckerbissen; Leckerei. Meint ursprünglich wohl das, was von Mus oder Brei im Topf anbrät; sodann die Kruste, das Knusprige. Von da weiterentwickelt zur Bedeutung „was Appetit macht". Beeinflußt von „Gschmackerl" mit Nasal-Infix. *Bayr* und *österr* seit dem 19. Jh.

2. Liebling. Sachverwandt mit dem „↗ knusprigen Mädchen". *Österr* 1920 *ff.*

3. liebenswürdig ausgeschmücktes Geschichtchen. *Österr* 1920 *ff.*

Schmant *m* ↗ Schmand.

Schmarren *m* **1.** Belangloses; Geringwertiges; Unsinn; Nichts. Meint im *Oberd* die in der Pfanne gebackene und zerstückte Mehlspeise. Es ist ein sehr beliebtes, aber einfaches Gericht und hat wegen der Nationalgültigkeit die Bedeutung der Alltäglichkeit und Durchschnittlichkeit angenommen; von hier ist nur ein kleiner Schritt zur Bedeutung der Nichtigkeit. 1600 *ff.*

2. rührseliges Theaterstück von geringem künstlerischen Wert; altes, nicht mehr zugkräftiges Bühnenstück. Theaterspr. 1870 *ff.*

3. aufgelegter ~ = völliger Unsinn. 1920 *ff, südd.*

4. ja, ~!: Ausdruck der Verneinung oder Ablehnung. 1900 *ff.*

5. das geht ihn einen ~ an = das geht ihn nichts an. Seit dem 19. Jh.

6. sich um etw einen ~ kümmern = sich

um etw überhaupt nicht kümmern. Seit dem 19. Jh.

7. es kümmert ihn einen ~ = das ist ihm völlig gleichgültig. Seit dem 19. Jh.

schmarren *intr* dummschwätzen. ↗ Schmarren 1. 1900 *ff, bayr.*

Schmarting *m* Bootsmann. Eigentlich Bezeichnung für altes Segeltuch, mit dem man die Taue umkleidet, damit das Abwetzen verhütet wird; hier Name für den Matrosen, der diese Arbeit verrichtet. *Marinespr* 1900 *ff.*

Schmatt (Schmattes) *m n* Geld. Vielleicht aus *gleichbed* „↗ Schamott" umgebildet unter Einwirkung von *jidd* „schmate = Lumpen, Lappen". Frühes 20. Jh, *österr.*

Schmatz *m* (laut schallender) Kuß. ↗ schmatzen. Seit dem 15. Jh.

schmatzen *intr* **1.** laut küssen. Fußt mit s-Erweiterung auf „schmacken", einer Nebenform zu „schmecken", und auf Lautmalerei. Seit dem 15. Jh.

2. mit Geräusch essen; schlürfen. Seit dem 15. Jh.

3. plaudern, schwätzen. Lautmalend wie „klatschen", „quatschen", „tratschen" usw. *Bayr* seit dem 15. Jh.

Schmatzkrawatte *f* Halsbinde des evangelischen Geistlichen. Anspielung auf genüßliches Essen, wobei das „Beffchen" als vorgebundenes Mundtuch dient. 1930 *ff.*

schmecken *v* **1.** *tr* = etw riechen. Von den Geschmacksnerven auf die Geruchsnerven übertragen. Vorwiegend *oberd,* 1500 *ff.*

2. *tr* = etw ahnen, wittern, bemerken, erraten. *Oberd* seit dem 19. Jh.

3. schmeck's! = merk' dir's! lege es dir selber zurecht, ich sage nichts dazu; auch Ausruf, wenn man keine Antwort geben will. Der Betreffende soll selber nachdenken oder raten, ohne auf fremde Hilfe zu rechnen. *Oberd* seit dem 19. Jh.

4. es schmeckt geschluckt wie gekotzt gleich = es schmeckt widerlich. Im Geschmack ist es von Erbrochenem nicht zu unterscheiden. 1900 *ff.*

5. es schmeckt rauf wie runter (es schmeckt rauf wie runter gleich) = es ist ein widerliches Essen. 1900 *ff.*

6. runterzu schmeckt's besser: *iron* Redewendung an einen, der sich erbricht. 1920 *ff.*

7. es schmeckt nicht = es behagt nicht, ist zu anstrengend. Von unschmackhafter Speise verallgemeinert. Seit dem 19. Jh.

8. es schmeckt ihm = das ist ihm willkommen; das hat er gern (auch *iron*). Seit dem 19. Jh.

9. es schmeckt mir nicht = es erweckt mein Mißtrauen; ich halte die Sache für bedenklich. Seit dem 19. Jh.

10. es schmeckt nach Ozean = es schmeckt ausgezeichnet; davon möchte man noch mehr essen. Fußt wortwitzelnd auf „es schmeckt nach mehr", wobei in der Aussprache „mehr" nicht von „Meer" zu unterscheiden ist. 1920 *ff, jug.*

11. jn nicht ~ können = jn nicht leiden können. Analog (über die Bedeutung 1) zu „jn nicht ↗ riechen können". *Oberd* 1700 *ff.*

12. die Arbeit (der Beruf o. ä.) schmeckt nicht = man findet an der Arbeit keinen Gefallen. 1500 *ff.*

13. es schmeckt nicht nach ihm und nicht nach ihr = es schmeckt nach nichts, ist unschmackhaft, fade. Bezogen auf ungewürzte oder zu schwach gewürzte Speisen. 1870 *ff.*

14. es schmeckt nicht nach Mein und nicht nach Dein = es schmeckt fade. 1920 *ff.*

Schmecker *m* **1.** Mund, Zunge. Seit dem 18. Jh.

2. Kuß. 1800 *ff.*

3. Nase. ↗ schmecken 1. *Oberd* 1700 *ff.*

Schmeck'lecker *m* **1.** Feinschmecker; Liebhaber von gutem Essen und Trinken. Zusammengesetzt aus *gleichbed* „Schmecker" und „lecken = naschen, schmausen". Seit dem späten 19. Jh.

2. Mann, der hübsche Frauen zu schätzen weiß. 1870 *ff.*

Schmei *m* ↗ Schmai.

Schmeiße *f* **1.** Kot, Schmutz; mißliche Lage. Gehört zu „schmeißen = Kot absondern". In der Geltung bei den Soldaten beider Weltkriege durch *gleichbed* „Scheiße" beeinflußt.

2. Party o. ä. Substantiviert aus „ein Fest ↗ schmeißen". *Halbw* 1955 *ff.*

schmeißen *v* **1.** *tr* = werfen. *Mhd* „smizen = streichen, schmieren; schlagen". Fußt auf dem *indogerm* Wurzelwort „smid = werfen". Seit dem 15. Jh.

2. *tr* = jn von der Schule weisen. Seit dem 19. Jh, *schül.*

2 a. *intr* = das Studium abbrechen. 1960 *ff.*

3. das hat mich geschmissen = das hat mich erledigt; daran bin ich gescheitert. Seit dem 19. Jh.

4. es hat ihn geschmissen = er wurde schimpflich aus der Schule oder Stellung entfernt. *Öster* seit dem 19. Jh.

5. etw ~ (ein Faß Bier, eine Runde, eine Lage ~) = etw auf eigene Kosten auftischen lassen; jn mit etw freihalten. Wohl weil man das Geld dazu auf den Tisch wirft. 1850 *ff.*

6. einen ~ = a) ein Glas Alkohol zu sich nehmen. Man wirft den Inhalt in den Mund. Meist bezogen auf einen Schnaps, den man mit einem Zug trinkt. Seit dem späten 19. Jh. – b) Rauschgift injizieren. *Halbw* 1970 *ff.*

7. jn ~ = jn prügeln. Im Mittelalter war „smiz" der Streich mit der Rute. Seit dem 15. Jh.

8. eine Sache ~ = eine Sache gut ausführen, meistern. „Schmeißen" bedeutet auch „besiegen", beruhend auf der Vorstellung, daß der Sieger seinen Gegner zu Boden wirft oder zu Boden streckt. 1910 *ff.*

9. einen ~ = eine Straftat begehen. Versteht sich nach dem Vorhergehenden. 1910 *ff.*

10. einen Akt (eine Szene; eine Rolle; eine Aufführung) ~ = einen Auftritt verderben; eine Aufführung zum Scheitern bringen. Durch eine Ungeschicklichkeit o. ä. macht man aus der vorgesehenen Ordnung eine Unordnung: man „wirft" die Szene „über der ↗ Haufen". Theaterspr. seit dem späten 19. Jh.

11. schmeiß' freiwillig!: Zuruf an einen Kartenspieler, das aussichtslos gewordene Spiel aufzugeben. Kartenspielerspr. seit dem 19. Jh.

12. *intr* = koten. Als Hüllwort im 15. Jh aufgekommen.

13. sich auf etw ~ = etw eifrig betreiben; sich auf etw verlegen; sich einer be-

stimmten Erwerbsart zuwenden. Berlin 1850 *ff.*

14. jn nach vorn ~ = jn der Öffentlichkeit vorführen; jn berühmt zu machen suchen. Meint das angestrengte Bemühen, den Betreffenden an die Rampe vor dem Theatervorhang zu bringen. 1933 *ff.*

15. sich nach vorn ~ = sich vordrängen; sich zu einer aussichtsreichen öffentlichen Tätigkeit drängen. 1933 *ff.*

Schmeißer *m* **1.** Straftäter. ↗ schmeißen 9. 1910 *ff.*

2. Komiker, der den Zuschauern Beifallsstürme entlockt. Gehört zu ↗ schmeißen 8. 1920 *ff.*

3. grober, rücksichtsloser Bursche. ↗ schmeißen 7. Seit dem 19. Jh.

4. *pl* = Soldaten, die bei Besichtigungen im ersten Glied stehen und durch Aussehen und Drill angenehm auffallen. Die Besichtigung wird von ihnen „geschmissen" (↗ schmeißen 8). *Sold* 1900 *ff.*

Schmeißküche *f* **1.** Jahrmarktstand, ausgestattet mit Keramik- und Porzellangegenständen, nach denen man gegen Entgelt werfen kann. 1940 *ff.*

2. Kriegsschauplatz. *Sold* 1940 *ff.*

Schmeling *Pn* Max ~ = Brotschnitte mit rohem Schinken und Spiegelei. Um 1960 aus der Bezeichnung „strammer Max" (↗ Max 7 c) in der Kellnersprache umgeformt mit Anspielung auf Max Schmeling, den volkstümlichen deutschen Boxer.

schmelzen *intr* = harnen, koten. Eigentlich soviel wie „flüssig machen; (Fett) auslassen". Im 18. Jh im *Rotw* aufgekommen; seit dem 19. Jh auch in anderen Kreisen geläufig, vorwiegend *oberd.*

Schmelzer *m* **1.** After; Gesäß. *Rotw* seit dem 19. Jh.

2. Abort. *Schweiz* 1950 *ff.*

Schmerz *m* **1.** auch 'der ~ noch!: Redewendung, wenn zu allem sonstigen Mißgeschick ein neues tritt. 1870 *ff.*

2. ~, laß nach!: Redewendung, wenn man wünscht, daß ein Dummschwätzer endlich verstummt, oder daß ein unliebsames Gesprächsthema verlassen wird. 1870 *ff.*

3. hast du sonst noch ~en (sonst hast du keine ~en)? = möchtest du sonst noch etwas? Stammt aus dem verbesserten *dt* Text des W. Viol (Breslau 1858) zu Mozarts Oper „Don Juan" als Übersetzung des *ital* „E poi non ti duol altro?". Etwa seit 1860.

Schmerzensgeld *n* Sold. Aufgefaßt als Entschädigung für erlittene Schmerzen. *Sold* 1939 bis heute.

Schmetter *m* **1.** Rausch. ↗ schmettern 7. Zürich 1930 *ff.*

2. Durcheinander, Wirrwarr; Widerwärtigkeit. Fußt auf „↗ schmettern 10". 1900 *ff.*

Schmetterball *m* heftig geschlagener Tennisball; heftiger Fußballstoß. ↗ schmettern 1. 1900 *ff.*

Schmetterling *m* **1.** Flieger. *Sold* in beiden Weltkriegen.

2. Leichthubschrauber. *BSD* 1965 *ff.*

3. unsteter Liebhaber. Er flattert von Blume zu Blume. 1800 *ff.*

4. flatterhaftes, leichtlebiges Mädchen. Seit dem 19. Jh.

5. schallende Ohrfeige. Schmettern = heftig schlagen. *Jug* 1950 *ff.*

6. Mann, der laut zu singen pflegt. Seit dem 19. Jh.

7. weggeworfener Fahrschein eines öffentlichen Verkehrsmittels, von einem anderen aufgelesen und benutzt. 1920 *ff.*

8. Banknote. Sie verbleibt nirgends lange. 1950 *ff*

9. Trinker, Trunksüchtiger. ↗ schmettern 7. 1900 *ff.*

10. Schnaps. Kaum serviert, ist das Glas geleert. 1920 *ff.*

11. Querbinder. Analog zu ↗ Fliege 3. 1900 *ff.*

Schmetterlingssammlung *f* er fehlt mir noch in meiner ~ = er ist mir unsympathisch. Den Betreffenden möchte man wohl aufspießen wie einen Schmetterling. 1920 *ff.*

schmettern *v* **1.** *tr* = heftig werfen oder treten; wuchtig schlagen. Seit *frühnhd* Zeit schallnachahmend für ein klatschendes Werfen.

2. *tr* = die Spielkarten auf den Tisch schlagen. Kartenspielerspr. seit dem 19. Jh.

3. *intr* = schwatzen. Parallel zu ↗ posaunen. Seit *mhd* Zeit.

4. *intr* = prahlen; sich lautstark aufspielen. Vorwiegend *österr,* 1900 *ff.*

5. jm etw ~ = jn dreist belügen. Die Lüge wird ihm gewissermaßen „an den Kopf geworfen", wie man ja auch ein Schimpfwort jm „an den Kopf werfen" kann. 1950 *ff.*

6. *tr* = jn freihalten. Parallel zu ↗ schmeißen 5. 1850 *ff.*

7. einen ~ = ein Glas Alkohol zu sich nehmen. Man wirft seinen Inhalt mit einem Schwung in die Kehle. Andererseits ist „zechen" auch soviel wie „musizieren" (*vgl* ↗ dudeln; ↗ zwitschern). Auch gemeint sein, daß man aus der Flasche trinkt, was aussieht, als bliese man Trompete. *Vgl* „einen ↗ blasen". Seit dem frühen 19. Jh.

8. *intr* = laut singen. Dem Trompetenschmettern nachgebildet. Seit dem 19. Jh.

9. ~, daß der Putz von den Wänden fällt = laut singen. 1920 *ff.*

10. *intr* = koten. Die Exkremente treffen geräuschvoll in der Abortgrube auf. 1800 *ff.*

11. *intr* = Schmetterlingsstil schwimmen. 1960 *ff,* österr.

Schmettertante *f* **1.** Schwätzerin. ↗ schmettern 3. 1900 *ff.*

2. laut singendes weibliches Chormitglied. ↗ schmettern 8. 1950 *ff.*

3. Frau, die gern ein Gläschen Alkohol zu sich nimmt. ↗ schmettern 7. 1900 *ff.*

Schmied *m* besser zum ~ als zum Schmiedchen gehen = lieber den Könner als den Nichtkönner aufsuchen. 1500 *ff.*

Schmiede *f* **1.** Küche, Kombüse. Verkürzt aus ↗ Fraßschmiede. *Vgl* auch ↗ Suppenschmied. Die Vokabel läßt sich auf die Arbeit am offenen (Schmiede-)Feuer und läßt über „Suppenkessel" auch an die Kesselschmiede denken. *Sold* in beiden Weltkriegen; auch *BSD.*

2. vor die rechte ~ gehen (kommen) = sich an die richtige Stelle, an den Fachmann wenden (auch *iron*). 1600 *ff.*

Schmier *m* **1.** Polizeibeamter; Polizei. ↗ Schmiere 13. Vorwiegend *österr,* 1930 *ff.*

2. polizeiliche Strafverfügung. Parallel zu ↗ Wisch. 1950 *ff.*

3. der ganze ~ = das alles *(abf).* Vom

unsorgfältigen Schreiben oder Malen übertragen auf Widerlichkeit aller Art. 1930 ff.

Schmierage (Endung *franz* ausgesprochen) *f* **1.** unsorgfältige Niederschrift. Um die *franz* Endung „-age" erweitertes Verbum „schmieren". Seit dem 19 Jh.
2. künstlerisch wertloses Bild. Gegen 1870 aufgekommen.
3. Brotaufstrich. Französierte Form von ↗ Schmiere 2. 1870 ff.
4. Schminke. Theaterspr. 1900 ff.
5. minderwertiges Zeug; unbrauchbare Ware. 1945 ff.
6. Bestechung; Bestechungsgeld. ↗ schmieren 11. Seit dem 19. Jh.

Schmie'rakel *n* **1.** schmutzender Mensch; Mensch mit unsauberer Handschrift. Zusammengewachsen aus „schmieren" und „Mirakel". Seit dem 19. Jh.
2. schlechte Handschrift; Schmutz; minderwertiges Gemälde o. ä. Seit dem 19. Jh.

Schmiere *f* **1.** unangenehme, anrüchige Sache; üble Lage; Unannehmlichkeit; Übertölpelung. Parallel zu „↗ Dreck", „↗ Patsche", „↗ Scheiße" u. ä., alle ausgehend von der Vorstellung des fettig- klebrigen Schmutzes, in den einer gerät. 1840 ff.
2. minderwertiges Speisefett; Brotaufstrich *(abf)*. Meint eigentlich das Schmierfett. Berlin 1840 ff.
3. in den Stich gegebene hochwertige Karten. Dadurch wird der Stich „fetter". ↗ schmieren 6. Kartenspielerspr. 1900 ff.
4. unsaubere, unleserliche Handschrift. ↗ schmieren 1. Seit dem 19. Jh.
5. fettig-klebriger Schmutz am Kleidungsstück (Kragen, Hutrand). Seit dem 19. Jh.
6. Sperma. Seit dem 19. Jh.
7. Schaum auf dem Glas Bier. *Nordd* 1925 ff.
8. widerliches Machwerk. ↗ schmieren 1. 1920 ff.
9. kleine Wanderbühne; Vorstadttheater. Um 1600 Bezeichnung für eine kleine Provinzdruckerei; von hier auf die Wanderschauspielertruppe übertragen, wohl weil sie Texte solcher Druckereien benutzte. Auch kann sich das Wort vom „Zusammenschmieren" der Theaterstücke herleiten. *Jidd* „semirah = Gesang, Spiel" wird für 1840 in Berlin als „smire = Gesang" bezeugt. Dieses Zeugnis entspricht dem Alter der Vokabel.
10. Bestechungsmittel, -geld. ↗ schmieren 11. Seit dem 19. Jh.
11. fremdsprachliche Übersetzung für Schüler. Aufzufassen als Schmiermittel für den Denkmechanismus. 1960 ff.
12. Tracht Prügel. ↗ schmieren 12. Seit dem 18. Jh.
13. Polizei; Polizeistreife; nicht uniformierter Polizeibeamter. Geht zurück auf *jidd* „schmiro = Bewachung". Seit dem frühen 18. Jh, *rotw*.
14. die ganze ~ = Sammelbezeichnung für Unerwünschtes, Schlechtes, Widerwärtiges o. ä. Seit dem 19. Jh.
15. teure ~ = kostspieliger Rechtsstreit; aufwendige Sache. ↗ Schmiere 1. 1900 ff, Berlin.
16. ~ fahren = mit Funkwagen die Verbrecher vor der Polizei warnen. Modernisierung von „Schmiere stehen". 1965 ff.
17. es ist alles eine ~ = es ist alles gleichgültig. ↗ Schmiere 1. Seit dem 19. Jh.
18. ~ stehen = a) bei einem Diebstahl

Aufpasserdienste leisten. Im *Rotw* im frühen 18. Jh aufgekommen auf der Grundlage von *jidd* „schmiro = Bewachung". - b) Posten stehen. *Sold* 1939 bis heute.
19. die ~ strecken = a) den Brotaufstrich längen. ↗ Schmiere 2. Im Ersten Weltkrieg aufgekommen im Zusammenhang mit der ungenügenden Lebensmittelzuteilung. - b) mit der Munition sparsam umgehen. *Sold* 1917 ff.
20. ~ sitzen = vom Auto aus für einen Einbrecher o. ä. Aufpasserdienste leisten. 1970 ff.

schmieren *v* **1.** *intr* = unordentlich, unreinlich schreiben. Seit dem 16. Jh.
2. *intr* = jm schmeicheln; sich anbiedern; um des eigenen Vorteils willen unterwürfig tun. Verkürzt aus „↗ Honig um den Mund schmieren". Seit dem 15./16. Jh.
3. *intr* = unordentlich musizieren (meist auf das Geigenspiel angewandt). Die „Handschrift" eines solchen Musikers ist unsauber. 1900 ff.
4. *intr* = schlechtes Theater spielen; die Regieanweisungen nicht beachten. Diese Spielweise ist unsauber. 1920 ff.
5. *intr* = j-m schmiert die ↗ Kehle, die ↗ Gurgel. Seit dem 19. Jh.
6. *intr* = dem Stich des Mitspielers Karten mit vielen Punkten beigeben. Dadurch wird die Punktzahl „fetter". Kartenspielerspr. seit dem 19. Jh.
7. *intr* = eine Kurve mit zu großer Verwindung fliegen und dadurch an Höhe verlieren. Diese Flugweise gilt als unsauber. Fliegerspr. 1935 ff.
8. *intr* = koitieren (vom Mann aus gesehen). ↗ Schmiere 6. Seit dem 19. Jh.
9. mit jm ~ = mit jm flirten; intim betasten. Seit dem 19. Jh.
10. *intr* = aufpassen; bei einer Straftat den Täter vor der Polizei warnen. ↗ Schmiere 18. *Rotw* seit dem frühen 19. Jh.
11. *tr* = jn bestechen. Dem Betreffenden werden die Hände mit Geld o. ä. geschmiert. Übertragen vom Fuhrwerk, das besser vorankommt, wenn man die Achsen gründlich schmiert. Seit dem 14. Jh. *Vgl franz* „graisser les pattes" und *engl* „to grease; to oil someone's palm".
12. *tr* = jn prügeln, ohrfeigen. Verkürzt aus „das ↗ Leder schmieren". Seit dem 16. Jh.
13. eine Sache ~ = auf das Gelingen eines Vorhabens trinken. 1840 ff.
14. es jm ~ = jm etw zu verstehen geben; jm ernste Vorhaltungen machen. Verkürzt aus „jm etw unter die ↗ Nase reiben". Seit dem 19. Jh.
15. es geht wie geschmiert. ↗ geschmiert.

Schmierendirektor (-häuptling) *m* Direktor eines Wandertheaters. ↗ Schmiere 9; ↗ Häuptling. Seit dem ausgehenden 19. Jh, theaterspr.

Schmierentheater *n* Wanderbühne; Provinztheater. ↗ Schmiere 9. Seit dem 19. Jh.

Schmierer *m* **1.** Streber, Einschmeichler, Liebediener. ↗ schmieren 2. Seit dem späten 19. Jh, vorzugsweise *schül* und *sold*.
2. unerlaubter Übersetzungsbehelf fauler Schüler; Musterübersetzung. Der Schüler „schmiert ab" (= schreibt ab). Spätestens seit 1900.
3. gesinnungsloser Zeitungsschreiber; unredlicher Schriftsteller. Entweder hat er ei-

ne „↗ schmierige" Gesinnung, oder er verfaßt seine Beiträge unsorgfältig, oder er schreibt von anderen ab, ohne es kenntlich zu machen. 1700 ff.
4. Mann auf der Suche nach Mädchenbekanntschaften. ↗ schmieren 9. Vorwiegend *oberd* seit dem 19. Jh.
5. Aufpasser beim Diebstahl oder Einbruch. ↗ Schmiere 18. Im Laufe des 19. Jhs aufgekommen.
6. Polizeibeamter. ↗ Schmiere 13. 1900 ff, *rotw*.
7. Bestechung. ↗ schmieren 11. *Österr* 1900 ff.
8. Mann, der Bestechungsgelder anbietet. ↗ schmieren 11. 1900 ff.
9. Kugelschreiber. *Schül* 1960 ff.
10. Mann, der Wände, Denkmäler u. ä. mit aufreizenden Parolen beschmiert. 1968 ff.

Schmieresteher *m* Aufpasser beim Diebstahl o. ä. ↗ Schmiere 18. Seit dem 19. Jh.

Schmierfink *m* **1.** schmutziger Mensch; Mensch, der Schmutz macht. „Fink" bezeichnet im allgemeinen einen Mann, der sich im sittlichen Schmutz wohl fühlt. Von daher verallgemeinert, etwa seit 1800.
1 a. schlechter Kunstmaler. 1870 ff.
2. Skandaljournalist; gewissenloser Zeitungsschreiber; böswilliger Kritiker. 1850 ff.
3. Zotenerzähler. 1900 ff.
4. anonymer Schreiber obszöner Briefe; Pornograf. 1960 ff.
5. Schänder von Gotteshäusern, Ehrenstätten und Gräbern durch Anbringung von Zeichen und Inschriften der NS-Zeit; Farbattentäter 1959 ff.

Schmierhammel *m* **1.** schmutziger Mensch. Eigentlich der Hammel, der im Liegen mit der Wolle Exkremente aufnimmt. 1700 ff.
2. Schüler, der die schriftlichen Schularbeiten nachlässig erledigt. 1900 ff.

schmierig *adj* **1.** niederträchtig; geizig; liebedienerisch (bis zur Würdelosigkeit). Von der eigentlichen Bedeutung übertragen auf charakterliche Minderwertigkeit im 18. Jh.
2. anrüchig; nicht unbescholten; vorbestraft; sittenlos. 1900 ff.
3. bestechlich. ↗ schmieren 11. Seit dem 19. Jh.
4. ~ lachen = schadenfroh lachen. Analog zu „↗ dreckig 7". Seit dem 19. Jh.

Schmieriger *m* Polizeibeamter. ↗ Schmiere 13. *Österr* 1930 ff.

Schmie'rist *m* schlechter Schauspieler. Er taugt nur für die „↗ Schmiere 9". 1920 ff.

Schmierlappen *m* **1.** unsauberer, unordentlich schreibender Mensch. Eigentlich der Putzlappen und Aufnehmer; dann übertragen auf die Person, die Schmutzarbeit verrichtet, und schließlich weiterentwickelt unter Einfluß von „↗ schmieren 1". 1800 ff.
2. Schmeichler; würdeloser liebedienerischer Mensch. Von der eigentlichen Bedeutung übertragen auf charakterliche Minderwertigkeit unter Einwirkung von „↗ schmieren 2". 1900 ff.
3. Polizeibeamter. Hehlwörtlich entstellt aus „↗ Schmiere = Polizei". *Sold* 1935 ff.

Schmiermaxe *m* **1.** Monteur bei Automobilrennen. Schmieren = fetten, ölen. Berlinische Bezeichnung seit 1920.
2. Mitfahrer im Motorrad-Beiwagen; Beifahrer im Motorradrennen. 1920 ff.

3. Bordwart, -monteur; Mechanikergast. Fliegerspr. und *marinespr* 1935 *ff.*
4. *pl* = Technische Truppe. Wegen der Verwendung technischer Öle und Fette. *BSD* 1965 *ff.*
Schmiermichel *m* **1.** schmutziger, schmutzender Mann. 19. Jh.
2. Polizeibeamter. ↗Schmiere 13. *Rotw* 1900 *ff.*
Schmierpinsel *m* geschminktes Mädchen *(abf).* Eigentlich der breite Pinsel zum Anstreichen großer Flächen. *Halbw* 1955 *ff.*
Schmierseife *f* **1.** Bestechungsmittel. ↗schmieren 11. Seit dem 19. Jh.
2. Betrug, Übertölpelung. Gehört zu ↗anschmieren 1. 1950 *ff.*
3. den habe ich gefressen wie 3 Pfund ~ = dieser Bursche ist mir äußerst unsympathisch. 1930 *ff.*
Schmierseifenstrecke *f* schlüpfrige Wegstrecke. 1940 *ff,* sold.
Schmiertopf *m* Polizeigewahrsam. ↗Schmiere 13. „Topf" fußt vielleicht auf *jidd* „tophus = Gefangener"; doch entspricht *hd* „Topf" dem *niederd* „Pott", und „Pott" meint auch das Gefängnis (↗Pott I 9). *Rotw* 1900 *ff.*
Schminke *f* **1.** Gesamtheit der darstellenden Künstler. Weil sie sich für Bühnenaufführungen schminken. Theaterspr. 1900 *ff.*
2. Täuschungsmittel; Vorspiegelung; Heimtücke. 1930 *ff.*
3. Hausanstrich. *Vgl* umgekehrt „↗Fassadenanstrich = Make-up". 1950 *ff.*
4. viel ~ auflegen = die Wahrheit gröblich entstellen. 1930 *ff.*
schminken *tr* etw ins Gefällige verändern. 1930 *ff.*
Schminkjule *f* Theaterfriseuse u. ä. ↗Jule. Theaterspr. (u. ä.), 1920 *ff.*
Schminkmaxe *m* Theaterfrisör; Maskenbildner. Theaterspr. (u. ä.), 1920 *ff.*
Schmirgel *m* **1.** Koch. ↗schmirgeln 1. *Sold, marinespr,* seemannsspr. und *rotw* 1900 *ff.*
2. *pl* = Prügel. Parallel zu ↗Abreibung. 1900 *ff.*
schmirgeln *v* **1.** *intr tr* = braten, schmoren. Nebenform von ↗schmurgeln. 1900 *ff.*
2. *intr* = das Gesäß reinigen. Beruht auf einem Witz: auf die Frage des Kunden nach Toilettenpapier erklärt der einfältige Verkäufer, mit Toilettenpapier könne er augenblicklich nicht dienen, wohl aber mit Schmirgelpapier. 1900 *ff.*
3. *intr tr* = koitieren. Anspielung auf die Hin- und Herbewegung. 1900 *ff.*
4. *intr* = onanieren. 1900 *ff.*
5. *intr* = schlurfend gehen. Es klingt, als werde der Fußboden gescheuert. 1910 *ff.*
6. *intr* = schleifend tanzen. *Halbw* 1955 *ff.*
7. jm eine ~ = jm eine Ohrfeige geben; jn prügeln. Parallel zu „↗abreiben", zu „↗scheuern" usw. 1920 *ff.*
Schmiß *m* **1.** Hieb-, Fechtwunde; Narbe. ↗schmeißen 7. Meint eigentlich den Schlag mit der Waffe, dann auch die hierdurch erzeugte Wunde. Spätestens seit 1800, *stud.*
2. Genauigkeit der Ausführung; wohlgefälliger, vorschriftsmäßiger Schwung. Hergenommen vom künstlerischen „Schmiß" oder „Wurf", womit man ursprünglich den Faltenwurf auf einem Gemälde bezeichne-

te; von daher weiterentwickelt zur Bedeutung „künstlerisch hervorragend gemeistert" und zum *milit* Begriff der Straffheit. 1850 *ff.*
3. gut ~!: Abschiedsgruß an den Angehörigen einer schlagenden Studentenverbindung. Anspielung auf „↗Schmiß 1". 1950 *ff,* stud.
4. Fehler auf der Bühne; falscher Ton des Sängers. ↗schmeißen 10. Theaterspr. 1900 *ff.*
5. Hinauswurf. ↗Rausschmiß. Seit dem 19. Jh.
6. ~ haben = eine gefällige Form haben; vortrefflich sein; schwungvoll dargestellt, vorgeführt sein. ↗Schmiß 2. 1850 *ff,* künstlerspr.
schmissig *adj* **1.** voller Duell-, Mensurnarben. ↗Schmiß 1. Seit dem 19. Jh.
2. künstlerisch hervorragend; mitreißend gespielt; schwungvoll; vortrefflich. ↗Schmiß 2. Etwa seit 1850, künstlerspr., *schül* und *stud.*
3. militärisch-straff; dienststeifrig. ↗Schmiß 2. *Sold* 1935 *ff.*
Schmock *m* **1.** gesinnungsloser Zeitungsschreiber. Geht zurück auf das *Slaw* in der Bedeutung „Narr" und gilt in Prag für den verschrobenen (jüdischen) Phantasten. Bei uns geläufig durch Gustav Freytags Drama „Die Journalisten" (1854), wo die Vokabel durch den Dichter ihren jetzigen Sinn erhalten hat.
2. schlechter Koch. Gehört wohl zu *engl* „to smoke = rauchen, qualmen, dampfen". 1910 *ff,* wandervogelspr. und *sold.*
schmoken (schmöken) *intr tr* rauchen; genießerisch rauchen. Ein *niederd* Wort, dem *hd* „schmauchen" entsprechend. Seit dem 14. Jh.
Schmöker *m* **1.** altes Buch; Schulbuch; Buch *(abf);* Groschenheft. *Niederd* „smöken = räuchern". Fußt auf der Erfahrung, daß sich die Buchseiten mit zunehmendem Alter bräunen. Seit dem 18. Jh.
2. gedruckte Übersetzungshilfe. *Schül* seit dem 19. Jh.
3. Nachschlagewerk; Konversationslexikon. Leitet sich wohl von der Dicke des Bandes her. 1900 *ff.*
schmökern *intr* **1.** lesen; viel lesen; genüßlich lesen; stichprobenweise lesen; Groschenhefte lesen. ↗Schmöker 1. Seit dem späten 19. Jh.
2. im Musikgeschäft sich Schallplatten vorführen lassen. Man spricht heute von „Schallplatte = Album", wohl hergeleitet von *engl* „volume = Band, Einband; Platte(nhülle)". 1955 *ff.*
3. rauchen. ↗schmoken. Seit dem 19. Jh.
Schmollis *n* **1.** Zuruf unter Studenten beim Zutrinken. Ursprünglich möglicherweise Name eines nicht mehr bekannten Getränks. Hängt vielleicht zusammen mit „smullen = schmausen". Gegen Mitte des 18. Jhs aufgekommen, *stud.*
2. jm ~ anbieten = jm Brüderschaft anbieten. Seit dem 19. Jh.
3. ~ machen = Brüderschaft schließen. Seit dem 19. Jh.
4. mit jm ~ machen = mit jm gemeinsame Sache machen. Seit dem 19. Jh.
5. ~ trinken = Brüderschaft trinken. Seit dem 18. Jh.
Schmontius *n* leeres Gerede. Latinisierend aus ↗Schmonzes. *Österr* 1920 *ff.*
Schmonzes *m* **1.** Geschwätz; unnützes, be-

langloses Gerede; Vorspiegelungen; Worte, die rühren und nachgiebig stimmen sollen. Fußt auf *jidd* „schmuoth = Gerücht" (↗Schmus). Etwa seit dem ausgehenden 19. Jh; vorwiegend *journ.*
2. wertlose Ware; Tand. 1920 *ff.*
3. *pl* = jüdische Witze. 1900 *ff.*
4. ~ Berjonzes = Weibergeschwätz; nichtige Worte. „Berjonzes" soll auf *jidd* „barjonios = leichtsinnige weibliche Person" zurückgehen. Berlin, seit dem 19. Jh.
5. ~ mit Lakritzen = Schmeichelrede mit Täuschungsabsicht. „Lakritzen" spielt auf „süßlich" im Sinne von „schmeichlerisch" an. 1900 *ff.*
Schmonzette *f* **1.** Stilnachahmung; unechter künstlerischer Stil; echtes Gefühl vortäuschendes Machwerk. ↗Schmonzes 1. *Journ* 1900 *ff.*
2. lange Ausführung über Belangloses; langer Zeitungsbeitrag ohne Gehalt; Zeilenfüllsel. *Journ* 1900 *ff.*
Schmor *m* Feldküche; Feldkoch. Schmoren = dämpfen, dünsten. *Sold* seit dem 19. Jh bis 1945.
schmoren *v* **1.** *intr* = unter großer Hitze leiden; ein Sonnenbad nehmen. Eigentlich soviel wie „dämpfen, dünsten", auch „braten". Seit dem 19. Jh.
2. *intr* = Untersuchungshäftling sein; sich in Polizeigewahrsam befinden; in der Schule eine Strafstunde absitzen. ↗schmoren 4. 1920 *ff.*
3. einen ~ = ein Glas Alkohol zu sich nehmen. Geht vielleicht zurück auf *jidd* „schmorem = starker Wein; Hefenwein" oder hängt zusammen mit *niederd* „smoren = ersticken" (man erstickt den Durst oder den Alkohol). Kundenspr. und *sold* seit dem späten 19. Jh.
4. jn ~ lassen = jn im Ungewissen lassen; durch Hinauszögern der Entscheidung jn mürbe machen. 1900 *ff.*
5. etw ~ lassen = eine Sache sich selbst überlassen; in eine Entwicklung nicht eingreifen. 1920 *ff.*
6. eine ~ = eine Zigarette rauchen. Anspielung auf die Rauchentwicklung; anfangs wohl nur auf Pfeifenrauchen beschränkt. Seit dem 19. Jh.
7. ~ = das männliche Glied mit dem Mund berühren. Seit dem 19. Jh.
8. sich ~ lassen = sonnenbaden. 1900 *ff.*
9. es schmort = es ist noch nicht entschieden, ist noch nicht spruchreif. 1900 *ff.*
Schmu (Schmuh) *m* **1.** unrechtmäßiger Gewinn; Gewinn durch Anschreiben höherer Ausgaben; Gewinn beim Haushaltseinkauf. Stammt entweder aus „↗schmusen" und meint das geldliche Ergebnis ablenkenden Schwatzens oder hängt zusammen mit *rotw* „schmu = Tasche", in die man den Geldgewinn steckt. Andere halten das Wort für eine Schwundform von „schmuggeln". 1700 *ff.*
2. Täuschung, Betrug, Lüge, Übertölpelung. Seit dem späten 19. Jh.
3. Täuschungszettel der Schüler; unerlaubte Übersetzungshilfe. *Schül* 1870 *ff.*
4. ~ treiben = in der Schule täuschen. 1950 *ff.*
schmu (schmuh) *adv* **1.** etw ~ machen = etw auf unlautere Weise beschaffen; etw heimlich einbehalten, veruntreuen. ↗Schmu 1. 1700 *ff.*
2. ~ laufen = ohne Arbeitspapiere bezahlter Arbeit nachgehen. 1970 *ff.*

Schmucke *f* nettes Mädchen. „Schmuck" kann „hübsch; erotisch anziehend" meinen; „Schmuck" ist auch die biegsame Gerte (das Mädchen ist also gertenschlank), und „schmucken" steht auch für „schmiegen". *Halbw* 1955 *ff.*

Schmuckkästchen *n* **1.** saubere, gemütliche Wohnung. 1900 *ff.*
2. altes, auf neu hergerichtetes Auto. 1950 *ff.*
3. Spind. Ausbilder wünschen, daß es wie ein Schmuckkästchen aussieht. *BSD* 1965 *ff.*
4. Vagina. Parallel zu anderen Bezeichnungen mit der Grundbedeutung „Behältnis". 1900 *ff.*

Schmucknarbenträger *m* Student einer schlagenden Verbindung mit einem von einer Hiebwunde gezeichneten Gesicht. Meint eigentlich Neger und Indianer mit Narbenzier. 1920 *ff.*

Schmuddel I *m* **1.** (klebriger) Schmutz; Unreinlichkeit. ⤢schmuddeln 1. 1700 *ff, niederd.*
2. schmutziger, schmutzender Mann. Seit dem 19. Jh.

Schmuddel II *f* schmutzige weibliche Person; liederliche Frau. Seit dem 19. Jh.

schmuddelig *adj* **1.** schmutzig. ⤢schmuddeln 1. 1700 *ff.*
2. sittlich sehr anrüchig; obszön. 1900 *ff.*
3. ~ warm = feuchtwarm, schwülwarm. Seit dem 19. Jh.

Schmuddelkind *n* schmutziges Kind; Straßenkind. 1900 *ff.* Weitverbreitet durch die Liedersammlung „Spiel' nicht mit den Schmuddelkindern" von Franz Josef Degenhardt (1967).

schmuddeln *intr* **1.** unreinlich verfahren; schmutzen, verunreinigen. Verkleinerungsform von *niederd* „smudden = schmutzen", verwandt mit „⤢muddeln"; *vgl* „⤢Modder". 1700 *ff.*
2. es schmuddelt = es regnet fein. 1700 *ff.*

schmuen (schmuhen) *v* **1.** *intr* = vom Mitschüler abschreiben. ⤢Schmu 1. *Schül* seit dem späten 19. Jh.
2. *tr* = jn betrügen. ⤢Schmu 2. 1900 *ff.*

Schmugeld (Schmuhgeld) *n* **1.** bei betrügerischem Handel erlangtes Geld. ⤢Schmu 1. Seit dem 19. Jh.
2. vom Haushaltsgeld ersparter Betrag; verheimlichtes Spargeld. 1900 *ff.*
3. vom Kellner dadurch erworbenes Geld, daß er dem Gast mehr auf die Rechnung setzt, als dieser verzehrt hat. Kellnerspr. 1920 *ff.*

Schmugroschen (Schmuhgroschen) *pl* Nebenverdienst; betrügerisch zurückgehaltenes Geld; veruntreutes Geld. ⤢Schmu 1. 1840 *ff.*

Schmuh *m* ⤢Schmu.
schmuh *adv* ⤢schmu.
schmuhen *v* ⤢schmuen.
Schmuhgeld *n* ⤢Schmugeld.
Schmuhpfennige *pl* ⤢Schmupfennige.
Schmuhzettel *m* ⤢Schmuzettel.

schmulen *intr* **1.** schachern. Geht zurück auf „Schmul (Schmuel)" als Kurzform des Namens Samuel und gleichgesetzt mit „Jude". Seit dem 18. Jh.
2. verstohlen blicken; lüstern blicken; vom Mitschüler abschreiben. 1900 *ff.*
3. tändeln, flirten; zudringlich werden. Wahrscheinlich schallnachahmend für den Laut der Katze. Seit dem 18. Jh, *südd.*

Schmunzelbrühe *f* dünner Kaffeeaufguß. Wie Schmunzeln nur ein behagliches Lächeln ist und kein herzhaftes Lachen, so ist der dünne Kaffeeaufguß kein herzhaftes Getränk. Kann auch *iron* gemeint sein: der Kenner schmunzelt über das gute Getränk. 1900 *ff.*

Schmupfennige (Schmuhpfennige) *pl* Pfennigbeträge, die man dem rechtmäßigen Eigentümer vorenthält oder vom Haushaltsgeld einspart. ⤢Schmu 1. Seit dem späten 19. Jh.

schmurgeln *intr* **1.** kochen, braten. Schallnachahmend für „brutzeln, glucksen" u. ä. 1840 *ff.*
2. aus unreiner Pfeife rauchen. Anspielung auf das gurgelnde Geräusch. Seit dem 19. Jh.

Schmus *m* **1.** Geschwätz; Schmeichelrede; Lüge. Geht zurück auf *jidd* „schmuo = Gehörtes, Erzählung, Geschwätz" („Schmus" ist eigentlich Mehrzahl). Seit dem 18. Jh.
2. Tätigkeit (Lohn) des Heiratsvermittlers. ⤢schmusen 3. *Südd* seit dem 19. Jh.
3. Flirt. 1900 *ff.*
4. Geliebter. ⤢schmusen 1 und 2. 1900 *ff.*
5. (unrechtmäßiger) Gewinn. ⤢Schmu 1. 1920 *ff.*
6. ~ mit Fransen = aufdringliche Schmeichelei. „Fransen" meint hier etwa die blumenreiche Verbrämung. 1900 *ff.*
7. ~ mit Löckchen = aufdringliche Schmeichelei. Aus den im Vorhergehenden genannten „Fransen" sind hier „Löckchen" geworden: die Schmeichelei hat sich zu gewundener Zierlichkeit entwickelt. 1900 *ff.*
8. ~ mit Schmonzes = anspruchslos-rührseliges Geschwätz. ⤢Schmonzes 1. 1960 *ff.*
9. fauler ~ = leeres Geschwätz; widerliche Lobeserhebung. ⤢faul 1. Seit dem späten 19. Jh.
10. lauwarmer ~ = heuchlerische Worte; würdelose Schmeichelei. Lauwarm = fade, schwächlich. *Sold* 1910 *ff* (Kritik der Soldaten am hohlen Pathos der höchsten Vorgesetzten).
11. bei jm einen ~ anlegen = sich bei jm einzuschmeicheln suchen. 1950 *ff.*
12. den ~ bringen = flirten. *Schül, schweiz* 1960 *ff.*
13. jn mit ~ besoffen machen = auf jn gewinnend einreden; jm mit heuchlerischem Geschwätz die klare Überlegung rauben; jm so verlockende Zukunftsaussichten vorgaukeln, daß ihm der Sinn für die Gegenwart abhanden kommt. *Sold* in beiden Weltkriegen; auch *ziv* (auf politische Redner bezogen).
14. jn auf den ~ nehmen = jm durch freundliches Wesen ein Geständnis zu entlocken suchen. 1910 *ff, rotw.*

Schmusbacke (Schmusebacke) *f* sich einschmeichelnder Mensch. Er sitzt gerne Wange an Wange. 1900 *ff.*

Schmusbude *f* Party-Keller o. ä. ⤢Schmus 3. *Halbw* 1955 *ff.*

Schmuse-Einheiten *pl* Bedarf an Zärtlichkeiten. *Vgl* ⤢Streicheleinheiten. 1980 *ff.*

Schmusegemeinschaft *f* Liebesverhältnis. 1975 *ff.*

Schmusekatze *f* **1.** Katze, die Zärtlichkeit liebt. 1900 *ff.*

2. zärtlichkeitsbedürftiger Mensch. Gern in Heiratswunschanzeigen. 1900 *ff.*

schmusen *intr* **1.** sich anbiedern; vertraulich, einnehmend reden; liebkosen; flirten; einander drücken und betasten. ⤢Schmus 1. Seit dem 18. Jh, anfangs *rotw,* seit dem ausgehenden 18. Jh *stud.*
2. leidenschaftlich küssen. *Österr* 1900 *ff.*
3. Heiraten vermitteln. *Bayr* seit dem 19. Jh.
4. Unsinn reden; merkbar Unwahres erzählen. 1900 *ff.*

Schmusepuppe *f* **1.** junge Schmeichlerin; anschmiegsames Mädchen. 1920 *ff.*
2. weiche Stoff-, Schaumgummipuppe. 1920 *ff.*

Schmuser *m* **1.** Schmeichler. ⤢Schmus 1. 1800 *ff.*
2. zärtlichkeitsbedürftiger Mensch; Kosewort. Seit dem 19. Jh.
3. Heiratsvermittler; Makler; Zwischenhändler; aufdringlicher Händler. ⤢schmusen 3. 1800 *ff.*

Schmuserle *n* kleines Mädchen (Kosewort). *Schwäb* 1900 *ff.*

Schmusewolle *f* flauschig-weiche Wolle. 1975 *ff,* werbetexterspr.

Schmusfeier (-fest; -fete) *f (n)* Party. ⤢Schmus 3. *Halbw* 1950 *ff.*

schmusig *adj* schmeichlerisch; aufdringlich sich anbiedernd; zärtlichkeitsbedürftig. 1900 *ff.*

Schmusilein *n* Geliebte (Kosewort). 1900 *ff.*

Schmuskasten *m* heißer ~ = liebesgieriges Mädchen. 1955 *ff, halbw.*

Schmuslappen *m* Schmeichler; Mann, der salbungsvoll redet. ⤢Lappen 7. Spätestens seit 1900.

schmustern *intr* stillvergnügt vor sich hinlachen. Vorwiegend *niederd* Nebenform zu „schmunzeln". 1700 *ff.*

Schmutt *m* Koch. ⤢Smutje. *Marinespr* 1900 *ff.*

Schmuttel *m* ⤢Schmuddel.
schmutteln *intr* ⤢schmuddeln.

Schmutz *m* **1.** Geiz. In volkstümlicher Meinung ist Geiz nicht nur unschön, sondern auch Zeichen einer sehr tiefstehenden Moral. Das Schmutzige, Schmierige, Dreckige usw. ist zugleich das Niederträchtige und Sittenlose. Seit dem 18. Jh.
2. das geht ihn einen ~ an = das geht ihn nichts an. Analog zu „das geht ihn einen ⤢Dreck an". 1800 *ff.*
3. das geht ihn einen feuchten ~ an = das betrifft ihn nicht. *Vgl* ⤢Kehricht. 1900 *ff.*
4. das interessiert (kümmert) ihn einen feuchten ~ = das interessiert ihn überhaupt nicht. 1900 *ff.*
5. sich um etw einen feuchten ~ kümmern = sich um etw überhaupt nicht kümmern. 1900 *ff.*
6. sich aus etw einen großen ~ machen = sich etw nicht zu Herzen nehmen; einer Sache überhaupt keine Bedeutung beimessen. Großer Schmutz = großer Dreck = große Belanglosigkeit. 1920 *ff.*
7. das ist kein feuchter ~ = das ist keine Kleinigkeit; das ist eine ernste Angelegenheit; das ist ansehnlicher Geldbetrag. 1900 *ff.*
8. sich keinen ~ ins Haus tragen lassen = nichts Ehrenrühriges dulden. 1900 *ff.*

Schmutzarbeit *f* regelwidriges Abwehrspiel eines Fußballspielers. Das Foul gilt als

Zeichen verwerflicher Gesinnung. *Sportl* 1950 ff.

Schmutzfinkerei f Pornografie. 1955 ff.

Schmutzian m **1.** unreinlicher Mann. Zusammengewachsen aus „schmutzen" und der Kurzform Jan des Vornamens Johann. Seit dem 19. Jh.

2. Mensch mit minderwertigem Charakter. Seit dem 19. Jh.

3. geiziger Mensch. ↗Schmutz 1. *Österr* seit dem 19. Jh.

schmutzig adj **1.** geizig. ↗Schmutz 1. Seit dem 18. Jh.

2. unwürdig, unehrenhaft, charakterlos. Analog zu ↗dreckig. Seit dem 19. Jh.

Schmutzkübel m einen ~ umkippen = ehrenrührige Behauptungen aufstellen. 1918 ff.

Schmuzettel (Schmuhzettel) m selbstverfertigtes Täuschungsmittel des Schülers. ↗Schmu 3. Seit dem späten 19. Jh.

schnabbelig adj geschwätzig, vorlaut. Adjektiv zu „Schnabel" mit Vokalkürzung und Konsonantenverdopplung. *Vgl* das Folgende. Seit dem 19. Jh.

schnabbeln intr **1.** vorlaut, hastig sprechen. Nebenform zu ↗schnabeln; beeinflußt von ↗babbeln, ↗schwabbeln u. ä. Seit dem 19. Jh..

2. essen; eilig essen. Seit dem 19. Jh.

schnabbern intr schwätzen; vorlaut reden; Ohrenbläserei betreiben. Gehört zur lautmalenden Wortgruppe „schnattern" mit Anlehnung an „Schnabel". Vorwiegend Berlin, seit dem 19. Jh.

Schnabel m **1.** Mund. Vom Tier auf den Menschen schon in *mhd* Zeit übertragen.

2. vorlauter, geschwätziger Mund; lebhaft plaudernder Mensch. Spätestens seit 1700.

3. Penis des kleinen Jungen. Vergleichbar mit dem Kannenausguß. Seit dem 19. Jh.

4. den ~ aufreißen = großsprecherig sein. Seit dem 19. Jh.

5. den ~ aufsperren = zu reden beginnen. Seit dem 19. Jh.

6. ihm bleibt der ~ sauber = er bekommt nichts, hat das Nachsehen. Der Betreffende wird nicht zum Essen eingeladen. 1900 ff.

7. dabei bleibt einem der ~ trocken = dabei kommt man keinen Schritt weiter; das ist verlorene Liebesmühe. 1900 ff.

8. jm über den ~ fahren = jm das Wort verbieten; jn streng zurechtweisen. ↗Maul 24. Seit dem 19. Jh.

9. reden, wie einem der ~ gewachsen ist = unumwunden sprechen. Leitet sich her vom Singvogel, weswegen es ursprünglich nicht „reden", sondern „singen" hieß (Hans Sachs u. a.). Die heutige Wendung scheint gegen 1700 aufgekommen zu sein.

10. den ~ halten = schweigen, verstummen. Seit dem 19. Jh.

11. ihm juckt der ~ = er hat das Bedürfnis, sich über etw zu äußern; er kann nicht länger schweigen. 1900 ff.

12. jn über den ~ legen = jn niederschlagen. Der Betreffende stürzt vornüber. 1920 ff.

13. einen über den ~ nehmen = etw verzehren. 1900 ff.

14. etw über den ~ nehmen = sich etw aneignen. 1900 ff.

15. jn über den ~ nehmen = a) jn nicht zu Wort kommen lassen; jn beschwatzen, übervorteilen. 1900 ff. - b) jn verhaften, gefangennehmen. 1920 ff.

16. sich den ~ verbrennen = sich durch Äußerungen schaden; unüberlegt sprechen. ↗Maul 83. Seit dem 19. Jh.

17. mit dem ~ vorneweg sein = vorlaut sein. Seit dem 19. Jh.

schnabeln intr **1.** viel schwatzen; vorlaut, schnippisch reden; schnell reden. 1800 ff.

2. essen. Seit dem 19. Jh.

3. diebisch sein. *Rotw* 1900 ff.

schnäbeln intr tr **1.** küssen, kosen. Seit *mhd* Zeit, fußend auf dem Verhalten der Turteltauben.

2. gegenseitig das Geschlechtsteil mit der Zunge berühren. 1900 ff.

Schnabelweide f festliche Schlemmerei; gutes, reichliches Essen; wohlhabende Manövergegend. Meint eigentlich das gute Futter für Vögel und andere Tiere. 1500 ff.

schnabu'lieren intr genüßlich essen; schmausen. Verbal zu dem um die romanische Endung „-ieren" verlängerten Substantiv „Schnabel". Im 16. Jh in Studentenkreisen aufgekommen.

Schnabus m Schnaps. Scherzhafte Latinisierung mit Vokaldehnung. 1820 ff, *stud.*

schnack adv gerade; unumwunden. Gehört zu „schnell = schnellen". Man erreicht das Ziel schnellend, nämlich geradlinig. 1800 ff.

Schnack m **1.** Erzählung, Geplauder; törichtes Geschwätz; üble Nachrede. ↗schnakken. 1500 ff.

2. publikumswirksamer Werbespruch. 1960 ff.

3. das ist ein anderer ~ = so nimmt sich die Sache freundlicher aus; diese Äußerung kann man gelten lassen. *Nordd* 1900 ff.

schnackeln intr **1.** es schnackelt = die Sache entwickelt sich günstig. Gehört ursprünglich dem Oberd an. „Schnackeln" heißt „schnalzen und mit den Fingern schnellen", wie es als Begleitgeräusch bei Volkstänzen üblich ist. 1900 ff.

2. es hat geschnackelt = a) es hat Lärm gegeben; man geht rücksichtslos vor. 1900 ff. - b) Liebe hat sich eingestellt. *Bayr* 1920 ff. - c) die Frau ist schwanger geworden. *Bayr* 1920 ff. - d) man hat sich eine Geschlechtskrankheit zugezogen. 1920 ff.

3. jetzt hat's geschnackelt = jetzt ist die Geduld zu Ende; jetzt ist das Erwartete (Befürchtete) eingetroffen. *Südd* 1900 ff.

4. bei ihm hat's geschnackelt = er hat endlich begriffen. 1900 ff, *bayr.*

schnacken intr **1.** schwatzen, plaudern. Lautmalende Herkunft; mit Vokalkürzung auf *mitteld* und *niederd* „snaken = schwatzen" beruhend. 1600 ff.

2. keck reden. Seit dem 19. Jh.

Schnackerl n **1.** Schluckauf. Schallnachahmender Herkunft. *Bayr* und *österr* seit dem 18. Jh.

2. Ruck. *Bayr* und *österr* seit dem 19. Jh.

3. Leichtmotorrad. Der Klang des Motors ähnelt dem Schluckauf. *Österr* 1920 ff.

4. Belanglosigkeit. Das Gemeinte ist so unwichtig wie der Schluckauf. 1900 ff, *bayr* und *österr.*

'Schnackerlaf'färe f unbedeutende Angelegenheit. ↗Schnackerl 4. 1900 ff.

'schnackerlfi'del adj munter, wohlauf. ↗fidel. „Schnackerl" ist hier Verkleinerungsform von „Schnack = lustiger Einfall". *Bayr* 1900 ff.

Schnackerlgesellschaft f unbedeutender

Produktionsbetrieb. ↗Schnackerl 4. 1900 ff.

schnackerln intr den Schluckauf haben. ↗Schnackerl 1. *Bayr* und *österr* seit dem 18. Jh.

Schnädderä'täng m n ↗Schnätterätäng.

schnafte adj adv hervorragend. Ein berlinisches Wort dunkler Herkunft, etwa seit 1900/10. Dazu die Sprüche: „dreimal knorke ist einmal schnafte" und „wenn ick ne Zigarre paffte, sage ick: det Ding is schnafte".

Schnake f lustige Erzählung; lustiger Einfall; Witz. Geht mit Vokaldehnung zurück auf „↗Schnack 1". *Vgl* auch die auf Schallnachahmung beruhende *mitteld* und *niederd* Vokabel „snaken = schwatzen". 1700 ff.

Schnalle f **1.** Suppe, Wassersuppe. Geht zurück auf „schnallen" im Sinne von „geräuschvoll schlürfen"; schallnachahmend. 1600 ff, rotw 1733 ff.

2. Vulva, Vagina. Aus der Jägersprache entlehnt, wo das Wort das Geschlechtsteil des weiblichen Wilds bezeichnet. Seit dem frühen 19. Jh, *rotw* und *prost.*

3. leichtes Mädchen; feste Freundin eines Halbwüchsigen; liederliche Frau; Prostituierte. Pars pro toto nach dem Vorhergehenden. Seit dem frühen 19. Jh, *rotw, sold* und *halbw.*

4. Schülerin. *(abfl)* 1900 ff.

5. Täuschung, Unwahrheit, Betrug. Geht zurück auf „schnallen, schnellen" im Sinne von „mit den Fingern schnippen". *Vgl* „jm ein ↗Schnippchen schlagen". *Rotw*, spätestens seit 1840.

6. ~ am Schuh = intime Freundin. Wortspielerischer Tarnausdruck; sachverwandt mit „↗Klotz am Bein". *Halbw* 1955 ff.

7. alte ~ = alte Frau; alte Prostituierte. Seit dem 19. Jh.

8. vergammelte ~ = unansehnliches Mädchen. ↗vergammelt. *Halbw* 1955 ff.

9. eine ~ belegen = sich zieren. Das scheue Mädchen legt die Hände schützend auf die Schamgegend (↗Schnalle 2) oder vor die Brüste. Angeblich *halbw* 1955 ff.

10. ~n drücken gewesen sein = viel Kleingeld haben. Schnalle = Türklinke. Hier also eigentlich auf den Bettler bezogen, der an den Haustüren gebettelt hat. *Vgl* ↗Klinkenputzer 1. *Österr* Seit dem 19. Jh.

schnallen v **1.** koitieren. ↗Schnalle 2. *Rotw*, spätestens seit 1840.

2. tr = etw merken, ahnen, wittern, begreifen. Leitet sich vielleicht her vom männlichen Wild, das das weibliche Tier wittert; ↗Schnalle 2. Doch ist Schnalle auch die Verschlußklappe. *Sold* in beiden Weltkriegen. *halbw* 1955 ff.

3. tr = jn prellen, übervorteilen. ↗Schnalle 5. Seit dem 19. Jh.

4. intr = viel essen; schmausen. Schallnachahmend für das Schlürfen. Seit dem 19. Jh.

5. intr = (an den Haustüren) betteln. ↗Schnalle 10. Seit dem 19. Jh, *bayr* und *österr.*

Schnallentreiber m **1.** Zuhälter. ↗Schnalle 3. *Oberd* seit dem 19. Jh.

2. Mann, der weiblichen Personen gern nachstellt. *Oberd* 1900 ff.

Schnallpille f **1.** keine ~ haben = kein Verständnis haben. „Schnallpille" ist ein fiktives Medikament, mit dem man „↗schnallen" (schnallen 2) kann. *Halbw* 1980 *ff.*

2. jm eine ~ verpassen = jm etw erklären, klarmachen. *Halbw* 1980 *ff.*

Schnapp *m* **1.** vorteilhafter Kauf; Gelegenheitskauf. Schnappen = erhaschen. Seit dem 19. Jh.

2. im ~ = sehr rasch. 1500 *ff.*

3. mit einem ~ = mit einem einzigen raschen Griff. 1700 *ff.*

4. einen guten ~ machen (tun) = vorteilhaft einkaufen; durch einen Zufall jn dingfest machen. Seit dem 19. Jh.

Schnäppchen *n* vorteilhafter Gelegenheitskauf. *Dim* zu ↗Schnapp 1. Seit dem 19. Jh.

Schnäppchenjagd *f* Suche nach günstigen Warenangeboten; Einkauf bei Schluß- oder Räumungsverkäufen. 1955 *ff.*

schnappen *v* **1.** *tr* = jn ergreifen, verhaften, gefangennehmen; jn auf frischer Tat ertappen. Meint eigentlich die ruckartige Bewegung, mit der ein Geöffnetes sich schließt. Spätestens seit 1900.

2. *tr* = jn überfallen und verprügeln; Straßenraub begehen. Fußt auf *mhd* „snap = Straßenraub". Seit dem 15. Jh.

3. sich etw ~ = nach etw fassen; sich etw aneignen. 1900 *ff.*

4. ihn hat es geschnappt = er ist verwundet worden. Parallel zu ↗erwischen. *Sold* in beiden Weltkriegen.

5. *intr* = schwanger werden. Fußt im allgemeinen auf „↗schnappen 1", im besonderen auf der Vorstellung vom Schnappschloß. 1900 *ff.*

6. *intr* = hinken; ein steifes Bein haben. Gemeint ist, daß man mit dem gesunden Bein das Gewicht des Körpers auffängt; wohl auch schallnachahmend. 1700 *ff.*

7. *intr* = sich entfernen; flüchten. Wohl ebenfalls lautmalender Herkunft für die klappernden Sohlen oder Hufe. Kann auch verkürzt sein aus „frische Luft schnappen = ins Freie gehen". 1900 *ff.*

8. es ~ = eine Sache richtig auffassen, begreifen. Man eignet es sich geistig an. 1920 *ff.*

9. jetzt hat es geschnappt = jetzt ist die Geduld zu Ende! länger ist Nachsicht nicht zu erwarten! Hergenommen von der Flinte, deren Hahn schnappt, oder vom Türschloß, das beim ↗einschnappen. 1850 *ff.*

10. bei mir bist du geschnappt!: Ausdruck der Abweisung. Der Sprecher hat den Betreffenden bereits einmal „auf frischer Tat" ertappt. *Bayr* 1920 *ff.*

Schnapper (Schnäpper) *m* **1.** schwatzhafter Mund; Schwätzer(in). Der Mund schnappt auf und zu. Seit *mhd* Zeit.

2. Mann, der Falschspielern o. ä. Opfer zuführt. Er greift sie auf wie ein Wegelagerer. 1920 *ff.*

3. Straßenräuber. ↗schnappen 2. 1900 *ff.*

4. Polizeibeamter. ↗schnappen 1. 1920 *ff.*

schnappschießen *intr* eine Momentaufnahme machen. Verbal zu „Schnappschuß" nach dem *engl* Verb „to snapshot". 1930 *ff.*

Schnaps *m* **1.** Kraftstoff. Parallel zu Sprit. 1920 *ff.*

2. Hochspannung; elektrischer Strom. Technikerspr. 1950 *ff.*

3. Rüge. In ähnlicher Weise ein Hehlwort wie „↗Zigarre". Von der Hochprozentigkeit des Getränks übertragen auf die

Schärfe der Zurechtweisung. *Sold* 1900 bis heute.

4. christlicher ~ = verwässerter Schnaps. Man hat ihn „getauft"; ↗taufen. 1920 *ff.*

5. frommer ~ = Klosterlikör. Seit dem 19. Jh.

6. harter ~ = Kornbranntwein. „Hart" steht im Gegensatz zu „mild; süß". 1910 *ff.*

7. minderjähriger ~ = schwachprozentiger Branntwein. Zum normalen Schnaps muß er erst noch „heranwachsen". 1910 *ff.*

8. schwarzer ~ = heimlich gebrannter Schnaps. ↗schwarz. 1945 *ff.*

9. weißer ~ = klarer Branntwein. 1950 *ff.*

10. welker ~ = Schnaps mit geringem Alkoholgehalt. Welk = schlaff; ohne Frische. 1940 *ff, sold.*

11. du hast wohl ~ gefrühstückt?: Frage an einen Unsinnschwätzer. 1920 *ff.*

12. ~ kriegen = getadelt werden. ↗Schnaps 3. 1900 *ff.*

13. ~ ist gut für die Cholera: Redewendung, wenn man einen Schnaps bestellt oder trinkt. Aufgekommen um 1830/40 im Zusammenhang mit einer Cholera-Epidemie, als man Alkohol als Vorbeuge- und Heilmittel empfahl.

14. jm einen ~ verpassen = jn heftig rügen. ↗Schnaps 3. 1914 *ff, sold.*

Schnaps-Brille *f* Sichttrübung des Betrunkenen. Seit 1950 *ff.*

Schnapsdatum *n* Datum mit auffallender Zahlenfolge (7. 7. 77 o. ä.). 1960 *ff.*

Schnapsdrossel *f* **1.** Schnapstrinker(in); Trunksüchtige(r). Dem Namen der Wacholderdrossel (Turdus pilaris) im späten 19. Jh nachgeahmt.

2. Mensch, der für ein paar Schnäpse Verdächtige oder Täter verrät. 1920 *ff.*

schnapseln (schnäpseln) *intr* gern, genießerisch Schnaps trinken. Wiederholungsform zum Folgenden. 1900 *ff.*

schnapsen *intr* **1.** Schnaps trinken. 1700 *ff.*

2. trunksüchtig sein. Seit dem 19. Jh.

3. „Sechsundsechzig" spielen. Gilt vermutlich als einfaches Spiel, vergleichbar mit der Leichtigkeit, mit der man einen Schnaps trinkt. *Österr* seit dem 19. Jh.

Schnäpser (Schnapser) *m* Gefreiter. Bezüglich der Herleitung besteht Unsicherheit. Nach den alten Sachkennern bezog der Gefreite täglich 5 Pfennig mehr Löhnung als der Soldat ohne Rang, und dieser Betrag reichte damals gerade für einen Schnaps. Nach anderen Gewährsleuten hängt das Wort mit dem Einsteherwesen zusammen: man konnte sich vor Einführung der allgemeinen Wehrpflicht vom Wehrdienst loskaufen, indem man einen freiwilligen Stellvertreter benannte; diese „Einsteher" bekamen eine so geringe Löhnung, daß sie sich höher nicht leisten konnten, wohl aber die entsprechende Menge Schnäpse. *Sold* 1870 bis heute.

Schnapsfahrer *m* Kraftfahrer mit Alkohol im Blut. 1955 *ff.*

Schnapsfahrt *f* ↗Butterfahrt.

Schnapsglasklasse *f* Kleinauto (Motorrad) mit geringem Hubraum und entsprechend geringem Kraftstoffverbrauch. 1955 *ff.*

Schnapsglasmotor *m* Motorrad der 50-ccm-Klasse. 1955 *ff.*

Schnapsidee *f* närrischer Einfall; verrückter Plan. Von diesem Gedanken nimmt

man an, er stelle sich nach reichlichem Schnapsverzehr ein. Seit dem späten 19. Jh. Die Strafkammer des Landgerichts Stendal faßte 1907 das Wort als beleidigend auf und verurteilte den angeklagten Schriftleiter zu einer Geldstrafe von 30 Mark.

Schnapsinsel *f* Helgoland. Die Insel ist Zollausland. *Marinespr* und *ziv* 1930 *ff.*

Schnapskind *n* im Alkoholrausch gezeugtes Kind. 1900 *ff.*

Schnapsklaps *m* Säuferwahn. ↗Klaps. 1900 *ff.*

Schnapsklinik *f* Trinkerheilanstalt. Seit dem letzten Drittel des 19. Jhs.

Schnapslage *f* den Zechern gestiftete Runde Schnaps. ↗Lage 1. 1900 *ff.*

Schnapsleber *f* Leberzirrhose. 1920 *ff.*

Schnapslord *m* Barmixer, Barkeeper. Er vornehm gekleidet wie ein „↗Lord 2". 1935 *ff.*

Schnapsmixer *m* Brennstoffmischer beim Automobilrennen. ↗Mixer. 1930 *ff.*

Schnapsnase *f* **1.** gerötete Nase des Trinkers. Seit dem 19. Jh. *Vgl engl* „brandy nose" oder „whisky nose".

2. Schnapstrinker; Trinker. Seit dem 19. Jh.

Schnapsnummer *f* auffallende Reihenfolge von Ziffern (333, 1001, 45678 o. ä.). Meint eigentlich die doppelt oder dreifach vorkommende Ziffer (der Bezeichnete sieht doppelt). Bei Keglern und Kartenspielern kann sie dazu führen, daß der Betreffende die Mitspieler freihalten muß. 1900 *ff.*

Schnaps-Oase *f* zollfreier Bereich. 1930 *ff.*

Schnapso'thek *f* **1.** hinter Büchern oder in einem Aktenordner versteckte Schnapsflasche. Zusammengezogen aus „Schnaps" und „Bibliothek". 1960 *ff.*

2. Hausbar. Spätestens 1960 *ff.*

Schnapsspegel *m* Blutalkoholspiegel. Kraftfahrerspr. und polizeispr. 1950 *ff.*

Schnapsregister *n* Kartei der wegen Fahrens in bezechtem Zustand bestraften Autofahrer. 1955 *ff.*

Schnapsreise *f* Besuch mehrerer Branntweinkneipen. 1900 *ff.*

Schnapsroute *f* Schiffsweg zwischen Deutschland und Dänemark, zwischen Schweden und Norwegen u. ä. Diese Strecken sind bekannt für hohen Umsatz von zollfreien Spirituosen. 1950 *ff.*

Schnapssprößling *m* im Alkoholrausch gezeugtes Kind. 1900 *ff.*

Schnapstanke *f* Alkoholausschank; Wirtshaus, Kantine o. ä. Tanke = Tankstelle. 1940 *ff.*

Schnapswolke *f* Schnapsgeruch im Zimmer; nach Schnaps riechender Atem. Der „Duftwolke", „Tabakswolke" o. ä. nachgebildet. 1920 *ff.*

Schnapszahl *f* **1.** Zahl mit auffallender Ziffernfolge. ↗Schnapsnummer. 1900 *ff.*

2. doppelte ~ = viermal dieselbe Ziffer. 1950 *ff.*

Schnarche *f* **1.** das Schnarchen. Seit dem 19. Jh.

2. Bett. Seit dem späten 19. Jh, *halbw* und *sold.*

schnarchen *intr* **1.** schlafen. Seit dem späten 19. Jh.

2. ~, daß sich die Balken biegen = sehr laut schnarchen. Entstanden nach dem Muster von „lügen, daß sich die ↗Balken biegen". Seit dem 19. Jh.

3. der Motor schnarcht = der Motor schnarrt (läuft im Leerlauf). 1920 ff.

Schnarcher m **1.** Müßiggänger, Tunichtgut. 1870 ff. **2.** Moped. Wegen des Motor- oder Auspuffgeräuschs. 1955 ff.

Schnarchkasten m Mund, Gesicht. Marinespr in beiden Weltkriegen; auch ziv.

Schnarchkonzert n Schnarchgeräusche einer Gruppe Schlafender. Seit dem letzten Drittel des 19. Jhs.

Schnarre f Privatunterkunft des Studenten. „Schnarren" und „schnarchen" gehen auf dasselbe indogerm Wurzelwort mit der Bedeutung „knurren, knarren" zurück; daher Analogie zu „↗Schnarche 2". Kann auch auf engl „snare = Falle" beruhen; denn auch „Falle" bezeichnet das Bett. 1950 ff.

schnasseln intr tr Alkohol zu sich nehmen. Umgebildet aus gleichbed jidd „schasjenen", das zu einer Vielzahl von ähnlich klingenden dt Vokabeln gleicher Bedeutung geführt hat. 1900 ff.

Schnatter I m jegliches Wassergeflügel. Wegen des Schnatterlauts. Sold in beiden Weltkriegen.

Schnatter II (Schnätter) f Mund des Geschwätzigen; Schwätzer(in). Übertragen vom Schnattern der Enten und Gänse. Seit dem 16. Jh.

Schnätterä'täng m n freche Ausdrucksweise; unversieglicher Redefluß. Der erste Bestandteil geht auf „schnattern" zurück; der zweite ahmt das Zusammenschlagen der Becken (Blechmusik) nach. 1900 ff.

Schnattergans f schwatzhafte Frau. ↗Gans; ↗schnattern 1. 1500 ff.

Schnatterkälte f grimmige Kälte. ↗schnattern 2. Seit dem 19. Jh.

schnattern intr **1.** hastig, laut reden; kreischend schwätzen; plappern. Hergenommen von den Lauten von Frosch und Storch; später auch auf die Laute von Enten und Gänsen bezogen. Schallnachahmender Natur. Seit mhd Zeit. **2.** vor Kälte ~ = vor Kälte mit den Zähnen klappern. 1700 ff.

Schnatternudel f zungenfertige Komikerin. ↗Nudel. 1920 ff.

schnatz adj ausgezeichnet. Gehört zu mhd und mittel-niederd „snatzen = putzen, frisieren". Hieraus entwickelte sich das Adjektiv in der Bedeutung „geputzt, hübsch, schmuck". Die heutige, verallgemeinernde Bedeutung setzt gegen 1900 ein.

schnatzig adj hervorragend, fein, elegant. Vgl das Vorhergehende. 1900 ff.

Schnauber m Nase. Gehört zu „schnauben = hörbar atmen". 1900 ff.

schnauen tr jn anherrschen. Gehört zu „schnauben". Vgl niederd „snau = Schnabel". Niederd seit dem 18. Jh.

Schnaufer m Aufpasser. Rotw 1650 ff.

Schnauferl n **1.** Motorrad; Kleinauto; altes Auto. Schnaufen = schwer Atem holen; asthmatisch sein. Anspielung auf die nur unter „Schnaufen" mühsam bewältigte Überwindung einer auch nur mäßigen Steigung. Kurz vor 1900 aufgekommen, vielleicht durch Richard Braunbeck, einen Sportberichterstatter der „Münchner Zeitung". Schon 1900 wurde der „Allgemeine Schnauferl-Club" gegründet und 1902 die Zeitschrift „Das Schnauferl". **2.** Lokomotive. 1910 ff.

Schnauferlprotz m Mensch, der mit seinem hochmodernen Auto prunkt. ↗Protz 1. 1920 ff.

schnausen intr **1.** unbefugt in fremder Leute Sachen stöbern; in fremden Briefen lesen. Zusammenhängend mit „schnauben = schnüffeln". Seit dem 19. Jh. **2.** wählerisch essen. Vorwiegend südd, seit dem 19. Jh. **3.** naschen; Leckereien an sich bringen. Seit dem 19. Jh.

Schnauz (Schnäuz) m Schnurrbart. Verkürzt aus „Schnauzbart" (zum Unterschied vom Kinnbart). Seit dem 19. Jh.

Schnauze f **1.** Mund. Von der Hundeschnauze gegen 1500 auf den Menschen übertragen. **2.** Flugzeugkanzel. 1914 ff. **3.** Bug des Schiffes. 1935 ff. **4.** Mundschutz des Chirurgen bei der Operation. Ärztl 1939 ff. **5.** Motorhaube des Autos. 1920/30 ff. **6.** freche Redeweise. 1850 ff. **7.** Kannenausguß; Ausgußstelle an Gefäßen. 1900 ff. **8.** ~!: Aufforderung zum Verstummen. Verkürzt aus „halt' die Schnauze!". Wer der Aufforderung nicht nachkommt, erwidert „selber Schnauze!", woraufhin das Wortgefecht erst richtig einzusetzen pflegt. Spätestens seit 1900; wahrscheinlich von Berlin ausgegangen. **9.** ~ mit Freilauf = unversieglicher Redefluß. 1920 ff. **10.** ~ mit Hund = Boxerrüde. Sein grimmig-bissiges Aussehen erweckt den Anschein, als sei bei ihm die Schnauze vorherrschend. 1920 ff. **11.** ~ mit Universalgelenk = unüberbietbare Schlagfertigkeit; wendiger Schmeichler. 1933 ff. **12.** dreckige ~ = derbe Redeweise. ↗dreckig. 1900 ff. **13.** freche ~ = unverschämte Ausdrucksweise. 1900 ff. **14.** frisierte ~ = gezierte Redeweise; geheuchelt vornehme Ausdrucksweise; unecht höfliche Sprache. Berlin 1920 ff. **15.** große ~ = Redefertigkeit; großsprecherisches Wesen. 1870 ff. **16.** künstlich große ~ = Sprechtrichter, Megafon. Berlin 1910 ff. **17.** große ~ und nichts in den Muscheln = Großsprecher; Mann, der viel verspricht und wenig hält. „Muschel" kann entweder den Muskel oder den Hoden meinen. BSD 1965 ff. **18.** koddrige ~ = freche, grobe, unflätige Ausdrucksweise. ↗koddrig. 1800 ff. **19.** kolorierte ~ = geschminkte Lippen. Koloriert = angemalt, gefärbt. 1920 ff. **20.** liebevolle ~ = zärtlicher Frauenmund; küssende, kußbereite Lippen. 1955 ff. **21.** plombierte ~ = Redeverbot. Übernommen vom verplombten Güterwagen o. ä. 1900 ff. **22.** saure ~ = a) Schmollen. ↗sauer 1. 1920 ff. – b) Wortkargheit. 1920 ff. – c) Sprachhemmung; Stottern; Mundspasmus. 1920 ff. **23.** scharfe ~ = a) ausfallende, grobe Sprache. Scharfer = bissig, beißend. 1900 ff. – b) cholerisch, zänkisch reagierender Mensch. 1900 ff. **24.** unfrisierte ~ = unflätige, grobe Ausdrucksweise. 1930 ff. **25.** nach ~ (frei nach ~; frei ~) = nach

Gutdünken; dem eigenen Gefühl nach; oberflächlich, ungenau. Hergenommen vom Schwätzer, der mit dem Mund mehr leistet als mit der Hand, oder von einem, der unüberlegt, auf gut Glück redet. Seit dem späten 19. Jh; vermutlich in Berlin aufgekommen.

26. freiweg von der ~ = unvorbereitet; ohne Rücksicht auf die Wahl der Worte. 1920 ff. **27.** alles eine ~ = Gesichtsausdruck eines demagogischen Redners. 1900 ff, Berlin. **28.** eine kalte ~ anschlagen = gefühllos, ungerührt sprechen. „Anschlagen" ist vom Hund oder vom Klavierspiel hergenommen, vielleicht auch vom „Gewehr im Anschlag". Gebildet nach dem Muster von „eine Lache anschlagen = auflachen". 1930 ff. **29.** die ~ weit aufreißen = prahlen; sich mehr zutrauen, als man leisten kann. Seit dem 19. Jh. **30.** einen in die ~ beziehen = ins Gesicht, auf den Mund geschlagen werden. 1920 ff. **31.** die ~ dichtmachen = verstummen. Gern in der Befehlsform gebraucht. 1900 ff, sold und jug. **32.** dir drehe ich die ~ ins Genick!: Drohrede. Man droht, jdm den Hals umzudrehen wie einem Huhn o. ä. Sold 1939 ff. **33.** nach ~ fahren = sich nicht an die Verkehrsregeln halten; fahren, wie es einem beliebt. ↗Schnauze 25. Kraftfahrerspr. 1925 ff. **33 a.** jn voll auf die ~ fallen lassen = jn in sein Unglück laufen lassen. 1900 ff. **34.** auf die ~ fallen = a) mit dem Gesicht zu Boden fallen. Seit dem späten 19. Jh. – b) erkranken. Vgl „auf ↗Nase fallen". 1900 ff. – c) geschäftlichen Rückgang erleiden; Mißerfolg ernten. Seit dem 19. Jh. – d) straffällig werden. 1920 ff. – e) mit dem Flugzeug abstürzen. Fliegerspr. 1939 ff. **35.** auf die ~ fliegen = a) aufs Gesicht fallen. ↗fliegen 6. 1900 ff. – b) Mißerfolg erleiden. Seit dem 19. Jh. **36.** jm die ~ frisieren = jm heftig ins Gesicht schlagen. 1930 ff. **36 a.** jm eins (was) in (über) die ~ geben = jm auf den Mund schlagen; jn grob behandeln. 1920 ff. **37.** zuviel ~ geben = zu rasch steigen (auf das Flugzeug bezogen). Schnauze = Flugzeugkanzel. Fliegerspr. in beiden Weltkriegen. **38.** auf die ~ gehen = zum Sturzflug ansetzen. Fliegerspr. 1935 ff. **39.** ~ haben (eine ~ haben) = beredt, großsprecherisch sein. Seit dem 19. Jh. **40.** die ~ auf dem rechten Fleck haben = redegewandt sein; wissen, wie man etwas zu sagen hat; das treffende Wort äußern. Nachahmung von „das ↗Herz auf dem rechten Fleck haben". 1920 ff. **41.** eine große ~ haben = redegewandt, großsprecherisch sein; eine energische Sprache führen. 1870 ff. Vgl franz „avoir une grande gueule". **42.** eine saure ~ haben = üblen Geschmack im Mund haben; unter den Nachwehen der alkoholischen Ausschweifung leiden. 1920 ff. **43.** eine verfaulte ~ haben = a) unflätige Reden führen. Verfault = moderig, stinkend, anrüchig. *Sold* in beiden Weltkriegen. – b) für die Überbringung schlechter Nachrichten bekannt sein. *Sold* in beiden Weltkriegen.

44. die ~ halten = verstummen; nichts verraten; verschwiegen sein. 1600 *ff*.

45. die ~ tief halten = in Deckung gehen. *Sold* in beiden Weltkriegen.

46. für jn die ~ hinhalten = sich für andere opfern. Nachahmung von „den ↗Kopf hinhalten". *Sold* 1914–1945.

47. auf die ~ geknallt sein = unterlegen sein; Mißerfolg erlitten haben. Knallen = laut stürzen. 1920 *ff*.

48. jm die ~ lackieren = jm ins Gesicht schlagen. Parallel zu ↗Fresse 28. 1920 *ff*.

48 a. sich auf die ~ legen = beim Motorradrennen verunglücken. 1920 *ff*.

49. auf der ~ liegen = a) auf dem Gesicht liegen. – b) bettlägerig sein. Analog zu „auf der ↗Nase liegen". 1900 *ff*. – c) schwer beschuldigt sein. 1920 *ff*.

50. die ~ zum Abtritt machen = Tabak kauen. Anspielung auf den bräunlichen Tabaksaft. 1900 *ff*.

51. eine saure ~ machen = mißvergnügt blicken. ↗Schnauze 22. 1920 *ff*.

52. die ~ in den Dreck nehmen = den Kopf dicht an den Erdboden legen. *Vgl* ↗Schnauze 45. *Sold* in beiden Weltkriegen.

53. ihm müßte man mal die ~ plombieren = ihm sollte man Redeverbot erteilen. ↗Schnauze 21. Gegen 1900 aufgekommen mit Anspielung auf Kaiser Wilhelm II.

54. jm die ~ polieren = jm ins Gesicht schlagen. Parallel zu „jm die ↗Fresse polieren". 1920 *ff*.

54 a. eine ~ riskieren = freimütig reden. 1900 *ff*.

55. eine dicke (große) ~ riskieren = übermäßig prahlen. 1900 *ff*.

56. jm etw vor die ~ sagen = jm etw unverblümt sagen. Vergröberung von „jm etw ins Gesicht sagen". 1900 *ff*.

57. jm auf die ~ singen = lautlos synchron „singen". (1920?) 1957 *ff*.

58. sich (das Flugzeug) auf die ~ stellen = zum Sturzflug ansetzen. ↗Schnauze 2. Fliegerspr. 1935 *ff*.

59. dem muß die ~ extra totgeschlagen werden = Redewendung auf einen Menschen mit unversieglichem Redefluß. Gemeint ist, daß der Betreffende auch als Leiche weitersprechen würde, schlüge man ihm nicht den Mund entzwei. Spätestens seit 1900.

60. jm die ~ verbinden (luftdicht verbinden) = jn am Sprechen hindern; jn mundtot machen. Gegen 1900 aufgekommen mit Bezug auf den redefreudigen Kaiser Wilhelm II.

61. die ~ verbrennen = a) unbedacht sprechen. *Vgl* ↗Maul 83. Seit dem 19. Jh. – b) als Angreifer abgeschlagen werden. *Sold* 1939 *ff*.

62. von etw ~ vollhaben = einer Sache überdrüssig sein. Hergenommen von einer Speise, von der man angewidert ist. 1900 *ff*.

63. von etw die ~ gestrichen vollhaben = heftigen Widerwillen gegen etw haben. 1914 *ff*.

64. von etw die ~ vollkriegen = einer Sache überdrüssig werden. 1920 *ff*.

65. die ~ vollnehmen = heftig prahlen; zuviel versprechen. Parallel zu „das ↗Maul vollnehmen". Seit dem 19. Jh.

66. mit der ~ vorneweg sein = redegewandt sein; vorlaut sein. Seit dem 19. Jh.

67. dir haue ich die halbe ~ weg!: Drohrede. 1950 *ff*.

schnauzen v **1.** *intr* = laut schimpfen; grob reden. ↗Schnauze 1. 1500 *ff*.

2. sich ~ = einander küssen. 1900 *ff*.

Schnauzenappell m gemeinsame Einnahme einer Mahlzeit. *Sold* und polizeispr. 1920 *ff*.

Schnauzenficker m Prahler. Meint ursprünglich wohl den Kenner von Obszönitäten aller Art, der jedoch beim Geschlechtsverkehr versagt. *Vgl* ↗Maulficker. 1935 *ff*.

Schnauzengeige f Mundharmonika. Seit dem frühen 20. Jh.

Schnauzenhobel m Mundharmonika. Analog zu ↗Maulhobel 1. 1900 *ff*.

Schnauzenklavier n Mundharmonika. 1910 *ff*.

Schnauzenlack m Lippenstift, Schminke. 1925 *ff*.

Schnauzenpinsel m Lippenstift. 1920 *ff*.

Schnauzenschinder m **1.** Herrenfrisör. 1900 *ff*.

2. Zahnarzt. *Sold* 1914 bis heute.

Schnauzentatterich m **1.** Sprechen mit lockeren Zähnen. ↗Tatterich. Berlin, seit dem späten 19. Jh.

2. Stottern. 1870 *ff*, Berlin.

Schnauzer (Schnäuzer) m **1.** Schnurrbart. Die Bezeichnung betont den Unterschied zum Kinnbart. Seit dem frühen 19. Jh.

2. vorzugsweise schimpfender Vorgesetzter. ↗schnauzen 1. 1900 *ff*.

3. Prahler. ↗Schnauze 29. 1900 *ff*.

schnauzig adj **1.** schimpfend, anherrschend. ↗schnauzen 1. Seit dem 19. Jh.

2. prahlerisch. ↗Schnauze 29. 1900 *ff*.

Schneck m **1.** Mädchen (Kosewort). *Mhd* „der snecke = die Schnecke". Wohl übernommen von dem schneckenförmigen Haargeflecht, wie es früher bei jungen Mädchen üblich war; auch Anspielung auf Empfindlichkeit: bei Zudringlichkeit wird das Mädchen unnahbar wie die Schnecke, die sich in ihr Haus zurückzieht. *Oberd* seit dem 19. Jh.

2. hübsches, auffällig gekleidetes Mädchen. *Oberd* seit dem 19. Jh.

3. Lieblingsschüler; bester Freund. *Bayr* 1900 *ff*.

4. alter, langsamer Mann. Er bewegt sich mit Schneckengeschwindigkeit. *Oberd* seit dem 19. Jh.

Schnecke f **1.** kleines Mädchen; junges Mädchen; Frau (Kosewort). ↗Schneck 1. Seit dem 18. Jh.

2. Vulva, Vagina. Wegen einer gewissen Formähnlichkeit. Seit dem 19. Jh.

3. langsames Verkehrsmittel. 1914 *ff*. *Vgl franz* „limaçon".

4. Langsamfahrer. Kraftfahrerspr. 1920 *ff*.

5. Versager; Mann, der langsam handelt. Seit dem 19. Jh.

6. um das Ohr gewickelter Zopf. Seit dem 19. Jh.

7. lahme ~ = langweiliges Mädchen. ↗lahm 1. *Halbw* 1955 *ff*.

8. miese ~ = unschöne, unsympathische Frau. ↗mies. *Halbw* 1955 *ff*.

9. müde ~ = Langsamfahrer. 1930 *ff*, kraftfahrerspr.

10. tolle ~ = nettes Mädchen. ↗Schneck 1; ↗toll. 1955 *ff*, *halbw*.

11. ja, Schnecken!: Ausdruck der Ablehnung. Im 19. Jh im *Oberd* aufgekommen. Wahrscheinlich verkürzt aus „ja, Schnecken in der Buttersauce", nämlich in Butter gebratene Weinbergschnecken, eine Speise für wohlhabende Feinschmecker. Oder auf eine unwahrscheinliche Behauptung erwidert man noch ein Grad unwahrscheinlicher mit „ja, Schnecken hat's geregnet".

11 a. eine ~ angraben = ein Mädchen angraben. Hier meint „angraben" soviel wie „sich in intimer Absicht nähern"! *Halbw* 1980 *ff*.

12. eine ~ machen = nicht Rede und Antwort stehen. Man zieht sich ins Schneckenhaus zurück. 1930 *ff*.

13. jn zur ~ machen = a) jm übel mitspielen; jn rücksichtslos behandeln; jn moralisch vernichten, schmähen, drangsalieren. Auf dem Kasernenhof entstanden: die Soldaten werden dermaßen streng und anhaltend gedrillt, daß sie am Ende nur noch wie Schnecken am Boden kriechen können. Von da verallgemeinert zur Bedeutung allgemeinen Unterlegenseins. Im Ersten Weltkrieg bei den Soldaten aufgekommen; später *schül* und *stud*. – b) jn lächerlich machen; mit jm seinen Spott treiben. 1920 *ff*. – c) aus jm den Verlierer machen. Kartenspielerspr. und *sportl* 1920 *ff*.

14. ~n hat's geregnet!: Erwiderung auf eine Unglaubwürdigkeit. ↗Schnecke 11. *Oberd* seit dem 19. Jh.

15. auf eine ~ treten = a) ausschweifend leben. Parallel zu ↗ausrutschen. 1935 *ff*. – b) gegen die Anstandsregeln verstoßen. 1935 *ff*. – c) beim Reden zu weit gehen. 1935 *ff*.

16. die ~ vollhaben = schwanger sein. ↗Schnecke 2. Seit dem 19. Jh.

17. die ~ vollmachen = schwängern. ↗Schnecke 2. Seit dem 19. Jh.

18. zur ~ werden = unterliegen. ↗Schnecke 13 a. 1920 *ff*.

19. ich werde zur ~!: Ausdruck der Verzweiflung, des Erstaunens. 1930 *ff*.

Schneckenfahrplan m Geschwindigkeitsbegrenzung für Kraftfahrzeuge. 1960 *ff*.

Schneckenhaus n **1.** Bordell. ↗Schnecke 1 und 2. 1920 *ff*.

2. Wohnwagen. 1955 *ff*.

3. sich in sein ~ zurückziehen = sich gekränkt zurückziehen; schmollen; unverstanden sein. ↗Schnecke 12. 1900 *ff*.

Schneckenpost f **1.** Briefzustellung, die lange auf sich warten läßt. Meint eigentlich die durch viele und lange Rastpausen verzögerte Fahrt mit der Postkutsche. Von da übertragen zum Sinnbildbegriff der Langsamkeit. *Vgl* das Folgende. Wiederaufgelebt 1960.

2. mit der ~ = überaus langsam. Für 1637 bezeugt.

Schneckentempo n Langsamkeit. Seit dem 19. Jh.

Schnee m **1.** weiße Wäsche; Leinwand. *Rotw* 1733 *ff*.

2. Kokain; Heroin. Es handelt sich um weißes Pulver. Vor nordamerikanischen Soldaten im Ersten Weltkrieg nach England eingeschleppt und von dort über

Frankreich kurz nach 1918 in Deutschland verbreitet.

3. Geld. Meint vor allem die Silbermünzen und die silberähnlichen Münzen. *Rotw* 1850 *ff; sold* 1915; *halbw* 1948 *ff.*

4. Trübung des Fernsehbilds. 1955 *ff.*

5. ~ von gestern = Altbekanntes ohne Bezug zur Gegenwart. *Vgl* das Folgende. 1950 *ff.*

6. ~ vom vergangenen (vorigen) Jahr (vom Vorjahr) = längst erledigte Angelegenheit. Im späten 19. Jh aufgekommen, wohl unter Einfluß von François Villon: „où sont les neiges d'antan?".

7. ~ auf Klee: Redewendung, wenn die ausgespielte Karte gestochen oder überspielt wird. Die Bauernregel sagt: fällt Schnee auf Klee, geht die Pflanze ein. Kartenspielerspr. seit dem 19. Jh.

8. im Jahr ~ = vor langer Zeit; irgendwann. ↗ Anno 9. 1920 *ff.*

9. das ist alter ~ = das sind altbekannte, längst abgetane Tatsachen. 1900 *ff.*

10. giftiger ~ = Rauschgift. ↗ Schnee 2. 1960 *ff.*

11. heißer ~ = radioaktiver Schnee. 1955 *ff.*

11 a. den ~ küssen = im Schnee stürzen. 1920 *ff.*

12. wo kein ~ liegt, darf gelaufen werden: Redewendung vom Anfeuern eines zu langsam Marschierenden oder Laufenden. *BSD* 1965 *ff.*

13. er ist zu dumm, um ein Loch in den ~ zu pinkeln = er ist überaus dumm; er ist nicht einmal zu einfachsten Dingen zu gebrauchen. *Sold* 1939 bis heute.

14. wie es der kleine Junge in den ~ pissen kann = unvollkommen, wenig formschön. Kinder formen mit dem Harnstrahl Umrisse in den Schnee. 1840 *ff.*

15. ~ saufen = unentgeltlich zechen. Die Zeche ist ebenso kostenlos wie der Schnee. 1920 *ff.*

16. jn zu ~ schlagen = jn heftig prügeln. Hergenommen von der Köchin, die das Eiweiß mit dem Besen schlägt. 1890 *ff.*

17. das ist allerhand ~! = a) Ausruf des Unwillens über eine Zumutung. Bezieht sich eigentlich auf heftigen Schneefall. 1930 *ff.* – b) das ist sehr wesentlich; das sind schwere Vorwürfe, Verdächtigungen o. ä. 1930 *ff.*

18. das ist auch nicht mehr der ~ wie früher = auch dies hat sich sehr verändert; auch dies ist nicht mehr von der gewohnten Qualität. 1930 *ff.*

19. und wenn der ganze ~ verbrennt = trotzdem; unter allen Umständen. Meist mit dem Zusatz: „die Asche bleibt uns doch!" Seit dem späten 19. Jh.

20. nun wird der ganze ~ verbrennt: Redewendung, wenn einer das Skatspiel gründlich verliert. Scherzhafte Abwandlung des Vorhergehenden. Kartenspielerspr. 1900 *ff.*

Schneebüffel *m* Skiläufer. Dem Büffel ähnelt er durch seine Kraftanstrengung. 1950 *ff.*

Schneefanger *m* Wäschedieb. ↗ Schnee 1. *Rotw* 1900 *ff.*

Schneeflocke *f* geöffneter Fallschirm. Wegen der Formähnlichkeit. *Sold* 1935 *ff.*

Schneegans *f* **1.** unsympathische weibliche Person; überhebliches Mädchen. Verstärkung von „Gans = dumme Frau" oder hervorgegangen aus dem Vergleich „alt

wie eine Schneegans". Überheblichkeit ist auch in volkstümlicher Auffassung ein Zeichen von Dummheit. Seit dem frühen 19. Jh.

2. junge Skiläuferin. 1925 *ff.*

Schneehäschen (-haserl) *n* nette, junge Wintersportlerin. ↗ Häschen. 1955 *ff.*

Schneehase *m* **1.** Wintersportler(in). 1955 *ff.*

2. *pl* = Gebirgsjäger. Im Ersten Weltkrieg Bezeichnung für die Infanterie. *BSD* 1960 *ff.*

Schneekavalier *m* Mann, für den der Wintersport nur Vorwand zur Anknüpfung von Liebesabenteuern ist. 1905 *ff.*

Schneekönig *m* **1.** Wäschedieb. ↗ Schnee 1. *Rotw* 1930 *ff.*

2. Organisator von Schneeräumtrupps. 1960 *ff.*

3. hervorragender Wintersportler. 1955 *ff.*

4. sich wie ein ~ amüsieren = sich köstlich amüsieren. *Vgl* das Folgende. Seit dem 19. Jh.

5. sich freuen wie ein ~ = sich sehr freuen. Schneekönig ist ein anderer Name des Zaunkönigs; dieser ist kein Zugvogel, sondern bleibt im Land; er zeigt ein munteres Wesen und hat einen hübschen Gesang, auch bei Eis und Schnee. Seit dem 19. Jh.

Schneemann *m* **1.** energieloser, weichherziger Mann; Versager. Sein Widerstand schmilzt rasch dahin, vor allem angesichts heißer Frauentränen. 1920 *ff.*

2. Wintersportler. 1955 *ff.*

Schneematsch *m* durch Tauwetter aufgeweichter Schnee. ↗ Matsch. Seit dem 19. Jh.

Schneemensch *m* **1.** Bergführer. 1920 *ff.*

2. Wintersportler. 1955 *ff.*

3. Mann mit menschenfreundliche Regungen. Er ist gefühlskalt. 1950 *ff.*

Schneeriecher *m* Wäschedieb. ↗ Schnee 1. 1870 *ff,* rotw.

Schneeschuhbraut *f* Skiläuferin. 1910 *ff.*

Schneeschuhhäschen *n* Skiläuferin. ↗ Häschen. 1910 *ff.*

Schneeverhältnis *n* Liebesverhältnis am Wintersportort. 1925 *ff.*

Schneewittchen *n* **1.** nettes Mädchen. Im Märchen der Brüder Grimm ist Schneewittchen lieblich, anmutig, arglos und reinen Herzens. *Halbw* 1955 *ff.*

2. rückständige Frau. Entweder lebt sie in einer Märchenwelt oder läßt sich von raffinierten Frauen leicht übertölpeln. *Halbw* 1955 *ff.*

3. ~, kein Arsch kein Tittchen = weibliche Person ohne ausgeprägte Körperformen. ↗ Titte. *Halbw* 1955 *ff.*

4. ~ und die dreißig Zwerge = Lehrerin vor dreißig Schülern. Im Märchen hat es Schneewittchen nur mit sieben Zwergen zu tun. *Schül* 1955 *ff.*

Schneewittchensarg *m* **1.** Kleinauto mit Plexiglashaube; Kabinenroller. Im Märchen wird Schneewittchen in einem gläsernen Sarg aufgebahrt: ähnlich viel Einsicht erlaubt die Plexiglashaube. 1953 *ff, halbw* und kraftfahrerspr.

2. Ausstellungsvitrine auf einer Fußgängerstraße. 1950 *ff.*

Schneid *f (m)* **1.** Tatkraft, Mut. Eigentlich die Schneidefähigkeit einer Waffe; von da verallgemeinert zum Begriff „Wirkungsfähigkeit", „Energie". Meint gelegentlich auch die Sexualkraft des Mannes. Vorwie-

gend *bayr* und *österr,* seit dem späten 18. Jh. Das Wort wird gelegentlich (und sehr zum Ärger der Bayern und Österreicher) als Maskulinum behandelt.

2. jm die (den) ~ abgewinnen (abkaufen) = jn entmutigen. Seit dem späten 19. Jh.

schneiden *v* **1.** *tr* = jn nicht grüßen; jn absichtlich übersehen. Im späten 19. Jh aus *engl* „to cut someone" übersetzt.

2. *tr* = jn übervorteilen, schröpfen. Von der Verwundung, die man einem beibringt, übertragen auf materielle Schädigung. 1500 *ff.*

3. *tr* = so spielen, daß der andere Spieler keine 30 Augen bekommt. ↗ Schneider 13. Kartenspielerspr. seit dem 19. Jh.

4. *intr* = ein Glas voll einschenken. Hängt zusammen mit „schneiden 2" unter Einwirkung von „Geld schneiden = Geld unredlich erwerben". Seit dem späten 19. Jh.

5. sich ~ = sich falsche Hoffnungen machen; sich irren; sich verrechnen. Verkürzt aus „sich in den ↗ Finger schneiden". 1700 *ff.*

6. *refl* = einen Darmwind hörbar entweichen lassen. Die Blähung sollte eigentlich lautlos abgehen: man hat sich geirrt. 1900 *ff.*

Schneider *m* **1.** schwächlicher Mann. Hergenommen vom sprichwörtlichen Hagerkeit der Schneider. 1600 *ff.*

2. Jagdgast, der zu keinem Schuß kommt; erfolgloser Jäger. Vom Kartenspielerausdruck „↗ Schneider 13" übertragen. Seit dem 19. Jh.

3. Sportfischer ohne Beute. Wie das Vorhergehende. Seit dem 19. Jh.

4. rücksichtslos überholender Kraftfahrer. Er „schneidet" dem anderen die Fahrbahn. Kraftfahrerspr. 1925 *ff.*

5. Einbrecher, der ein Stück aus der Fensterscheibe schneidet. 1920 *ff.*

6. dem ~ ist der Zwirn ausgegangen = die Sache nimmt keinen Fortgang. 1900 *ff.*

6 a. im ~ bleiben = eine Niederlage nicht wettmachen. ↗ Schneider 13. 1900 *ff.*

7. das bringt ihn aus dem ~ = das hilft ihm aus der Notlage auf. ↗ Schneider 13. 1900 *ff.*

8. frieren wie ein ~ = heftig frieren, frösteln. In der volkstümlichen Spottmeinung sind alle Schneider hager und dünn und haben nur geringe Körperwärme. 1700 *ff.*

9. jn im ~ halten = jn nicht zu vollem Erfolg kommen lassen. ↗ Schneider 13. 1950 *ff.*

10. es kommt ein ~ in den Himmel = a) in einer Gesellschaft stockt plötzlich die Unterhaltung. Über den Schneider, der in den Himmel kommt, muß man nach volkstümlicher Meinung ehrfürchtig staunen; denn Schneider sind als diebisch verschrien, weswegen für sie normalerweise kein Platz im Himmel ist. Seit dem 19. Jh. – b) zufällig sagen zwei Leute dasselbe. Seit dem 19. Jh.

11. aus dem ~ kommen = eine geschäftliche, gesundheitliche, familiäre (o. ä.) Krise überstehen. ↗ Schneider 13. 1900 *ff.*

12. nicht aus dem ~ kommen = in einem Tischtennis-Satz nur elf Punkte erreichen. Der Kartenspielersprache nachgeahmt; ↗ Schneider 13. *Sportl* 1950 *ff.*

13. jn zum ~ machen = den Spieler weniger als 30 Augen bekommen lassen. Die Punktzahl 30 bezeichnet der Skatspieler mit „Schneider"; denn zum Spott sagt man dem Schneider nach, er wiege höchstens 30 Lot. Seit dem 19. Jh.

14. jn ~ (zum ~) machen = den Tischtennisgegner nur elf Punkte erreichen lassen. ↗Schneider 12. *Sportl* 1950 *ff.*

15. ~ sein = nicht mehr als 30 Punkte bekommen. ↗Schneider 13. Kartenspielerspr. seit dem 19. Jh.

16. aus dem ~ sein = a) mehr als 30 Punkte erhalten. ↗Schneider 13. Kartenspielerspr. seit dem 19. Jh. – b) älter als 30 Jahre sein. 1850 *ff.* – c) die Notlage überwunden haben; Erfolgsaussichten haben; einer lästigen Sache enthoben sein. 1900 *ff.* – d) nicht verantwortlich gemacht werden können; wegen Verjährung gerichtlich nicht mehr belangt werden können. 1920 *ff.* – e) nicht länger in Verdacht stehen. 1920 *ff.*

17. zweimal aus dem ~ sein = älter als 60 Jahre sein. ↗Schneider 16 b. 1950 *ff.*

18. herein, wenn es kein ~ ist! = tritt ein! Leitet sich her vom Schneider, der auf Kredit arbeitet und seine Forderungen einzutreiben sucht. Seit dem 19. Jh.

19. ~ sind auch nette Leute (Menschen): Trostrede an den Spieler, der knapp 30 Punkte erreicht hat. ↗Schneider 13. Skatspielerspr. seit dem 19. Jh.

20. ~ werden = a) keine 30 Punkte erreichen. ↗Schneider 13. Kartenspielerspr. seit dem 19. Jh. – b) als Schauspieler vor leerem Zuschauerraum stehen. Theaterspr. seit dem 19. Jh, Wien. – c) keine Bestellung erhalten; unterliegen, erfolglos werden. Seit dem 19. Jh.

Schneiderfett *n* Schulterauflage im Herrensakko. Wien 1925 *ff.*

Schneiderforelle *f* Hering. Anspielung auf die kärgliche Lebensweise der Schneider. Seit dem 19. Jh.

Schneidergang *m* vergebliche Vorsprache. Hergenommen vom vergeblichen Bemühen des Schneiders, die Außenstände einzutreiben. Seit dem 19. Jh.

Schneiderkarpfen *m* Hering. Was den Wohlhabenden der Karpfen, ist dem als Hungerleider geltenden Schneider der Hering. 1600 *ff.*

Schneiderkotelett *n* Stück Schweizerkäse. Erklärt sich wie das Vorhergehende. Seit dem 19. Jh.

Schneiderschultern *pl* reichlich wattiertes Achselpolster. Wien 1925 *ff.*

Schneidersitz *m* Sitz mit gekreuzten Beinen zu ebener Erde. Übernommen von der *trad* Sitzweise des Schneiders auf dem Tisch. 1900 *ff.*

schneidig *adj* **1.** straff, schwungvoll, energisch, militärisch. ↗Schneid 1. Gegen 1850 im *Oberd* aufgekommen und nordwärts gewandert.

2. *adj adv* = mit großer Fahrgeschwindigkeit. 1920 *ff.*

schneien *v* **1.** es schneit Briefe (o. ä.) = es kommen sehr viele Briefe (ö. ä.) ins Haus. Vom starken Schneefall übertragen. 1900 *ff.*

2. bei ihm schneit es eher (schneit es oben) = er ist sehr großwüchsig. 1940 *ff.*

3. jm ins Haus ~ (geschneit kommen) = jn überraschend besuchen. Beruht auf der Vorstellung vom unerwarteten Schneefall. 1870 *ff.*

schnell *adj* **1.** vorzüglich; elegant; schön; ansprechend o. ä. Die Bezeichnung für hohe Geschwindigkeit hat sich schon im Ersten Weltkrieg zu einem allgemeinen Superlativ entwickelt: durch die Vervollkommnung hochleistungsfähiger Fahrzeugmotoren sowie durch sportliche Schnelligkeitsrekorde ist das Erlebnis der Schnelligkeit immer weiter zu einem superlativischen Erleben geworden. *Sold* und fliegerspr. in beiden Weltkriegen; *halbw* 1945 *ff.*

2. etw ~ und schmerzlos erledigen = sich über eine Sache keine Gedanken machen; eine Angelegenheit mit ein paar Worten abtun. Parallel zu „↗kurz und schmerzlos". Seit dem 19. Jh.

Schnellbleiche *f* sehr rasche berufliche Ausbildung; Kurzlehrgang. Hergenommen von der Kunstbleiche im Unterschied zur Rasenbleiche. Etwa seit 1820.

Schnelle *f* **1.** Durchfall. Verkürzt aus „schnelle Kathrine"; (*vgl* ↗Schnellkathrine). 1914 *ff.*

2. Schnelligkeit. Seit dem 19. Jh.

3. auf die ~ = ohne besondere Umstände; ungenau; nach Gutdünken; in kürzester Zeit. 1920 *ff.*

schnellen *v* **1.** *intr* = in der Prüfung versagen; nicht versetzt werden. Eigentlich soviel wie „mit Schnellkraft fortbewegen". *Österr* 1900 *ff*, *schül.*

2. *tr* = jn betrügen, übervorteilen; mit jm seinen Spott treiben. Schnellen = mit den Fingern schnalzen. Sachverwandt mit „jm ein ↗Schnippchen schlagen". 1700 *ff.*

Schnellfeuer *n* **1.** Durchfall. Eigentlich die schnelle Schußfolge. *Sold* in beiden Weltkriegen.

2. rasches Fotografiertwerden durch mehrere Personen. 1950 *ff.*

Schnellfeuerhose *f* Kinderhose mit herunterklappbarem Hinterteil. Besonders bei heftigem Durchfall leistet sie gute Dienste. Etwa seit 1900.

Schnellfeuerkonversation *f* gleichzeitiges Sprechen aller Anwesenden. 1935 *ff.*

Schnellfickerhosen *pl* **1.** Reithose mit weiten Ausbuchtungen oberhalb der Knie; Hose mit Vorderklappe; Seemannshose. Die Weite der Oberschenkelpartien bzw. die Vorderklappe macht bei raschem Geschlechtsakt das Auskleiden überflüssig. Etwa seit 1900.

2. Damenkunsthose mit sehr weiten Beinlingen. 1910 *ff.*

Schnellfunk *m* **1.** Liebe auf den ersten Blick. Zwischen beiden hat es schnell gefunkt; ↗funken 3. 1935 *ff.*

2. Geschlechtsverkehr am Abend des Kennenlernens. 1935 *ff.*

Schnelligkeitsteufel *m* Kraftfahrer mit sehr hoher Fahrgeschwindigkeit. 1950 *ff.*

Schnellkacke *f* Durchfall. ↗Kacke 1. *Sold* 1914 bis heute.

Schnellkathrine (schnelle Kathrine; schnelle Kathi) *f* Durchfall. „Kathrine" ist unter Einfluß von „Katarrh" aus *griech* „katharma = Reinigung, Auswurf" entstellt. Wohl von Studenten ausgegangen. 1600 *ff.*

schnellmerkend *adj* du kommst zur ~en Truppe: Redewendung auf einen Menschen mit rascher Auffassung (auch *iron*).

Militarisierte Form des Folgenden. *Sold* 1939 *ff.*

Schnellmerker *m* **1.** Mensch, der rasch begreift. (auch *iron*). 1900 *ff.*

2. Besserwisser. 1900 *ff.*

Schnellquassel-Maschinengewehr *n* überaus redegewandter Schnellsprecher. ↗quasseln. 1950 *ff.*

Schnellschalter *m* Mensch mit rascher Auffassungsgabe. Oft *iron* gemeint. Das Gehirn erscheint hier unter dem Bilde eines elektronischen Apparats mit Drucktasten, Drehknöpfen und -schaltern, mit deren Hilfe der Geistesstrom gelenkt werden kann. ↗schalten. 1920 *ff.*

Schnellschuß *m* **1.** sehr eilige Bestellung; Schnellveröffentlichung. Druckerspr. 1920 *ff.*

2. rasch zustande gekommene Schallplatte. 1955 *ff.*

3. nicht reiflich überlegte Äußerung. 1950 *ff.*

4. überhastet verabschiedetes Gesetz. 1970 *ff.*

Schnellsieder *m* **1.** Auto. Anspielung auf das schnell kochende Kühlerwasser. *Österr,* 1900 *ff.* Für 1905 als „neuester Scherzausdruck" bezeugt.

2. rasche Berufsausbildung mit Hilfe eines Sonderlehrgangs. 1920 *ff.*

Schnellstarter *m* **1.** Mensch, der beruflich sehr rasch aufsteigt. Aus der Motortechnik übernommen. 1960 *ff.*

2. Mann, der mit Mädchen rasch zum Ziel kommt. 1960 *ff.*

3. politischer ~ = Politiker, der rasch Minister wird. 1960 *ff.*

Schnell-Umsteiger *m* Mensch, der nach der Scheidung rasch eine neue Bindung eingeht. Er wechselt das „Verkehrsmittel". 1960 *ff.*

Schnepfe *f* **1.** Straßenprostituierte. Fußt auf der Beobachtung des Verhaltens der Schnepfenvögel: in der Balzzeit befliegt das Männchen im Schutz der Abenddämmerung regelmäßig eine etliche Kilometer lange Strecke, vorzugsweise über (entlang von) Waldschneisen. „Schnepfe" kann auch den Mund bezeichnen und von den Lippen auf die Schamlippen übertragen werden; auch die Vorstellung „Schneppe = Fangende" mag eingewirkt haben (sie „schnappt" die Männer). 1600 *ff.*

2. Topfausguß. Verwandt mit *gleichbed* „Schnabel". 1600 *ff.*

3. unsympathisches Mädchen. Es bewegt wohl zuviel den „Schnabel", schwätzt zuviel. *Halbw* 1960 *ff.*

schnepfen *v* **1.** *intr* = von Prostitution leben. ↗Schnepfe 1. Seit dem 19. Jh.

2. *tr* = stehlen. Nebenform zu ↗schnipfen. *Österr* seit dem 19. Jh.

Schnepfenstrich *m* von Prostituierten begangene Straße; Arbeitsbezirk der Straßenprostituierten. ↗Schnepfe 1. 1800 *ff.*

Schnepferei *f* Diebstahl; Stehlsucht. ↗schnepfen 2. *Österr* seit dem 19. Jh.

schnicken *tr* **1.** prügeln. Eigentlich soviel wie „mit dem Finger schnellen" und „schnell bewegen". Seit dem 19. Jh.

2. jn mit Arbeit überhäufen; jn quälen; jn rücksichtslos drillen. Seit dem 19. Jh, *ziv* und *sold.*

3. jn wegjagen. 1900 *ff.*

schnicker *adj* hübsch, munter. Ein *niederd* Wort mit Varianten im Dänischen, *Engl* und *Ndl.* Wahrscheinlich verwandt mit „↗geschniegelt". 1700 *ff.*

Schnickschnack *m* **1.** leeres Geschwätz. Verdoppelung von „↗schnacken" nach dem Muster von „Klingklang", „Singsang" u. ä. 1700 *ff.*
2. Beiwerk; wertlose Verbrämung. 1920 *ff.*

schniefen *intr* **1.** leise vor sich hinweinen. Nebenform zu „schnauben, schnaufen". 1920 *ff.*
2. zu ergründen suchen, ob Gefahr droht. Nebenform zu „schnüffeln = riechen, wittern". *Sold* 1939 *ff.*
3. leise über etw ~ = sich leicht verwundern; vorsichtig eine gegenteilige Ansicht äußern. 1955 *ff, jug.*
4. Kokain schnupfen. 1970 *ff.*

Schniefer *m* kleiner Junge; Rekrut; sehr junger Soldat. Gehört zu „schnüffeln": er zieht den Nasenschleim ein, statt ins Taschentuch zu schneuzen. *Sold* 1900 bis heute.

Schniegel *m* Stutzer; elegant Gekleideter. Geht wohl auf „↗geschniegelt" zurück. *Vgl* auch ↗schnicker. 1900 *ff.*

schnieglig *adj* nett, reizvoll; zärtlich. Hängt zusammen mit der Haartracht junger Mädchen (schneckenförmig um das Ohr gelegter Zopf). *Vgl* aber auch „↗schnukkelig". 1850 *ff.*

schnieke (schnicke) *adj* hübsch, elegant. Scheint gegen 1900 in Berlin aufgekommen zu sein, beruhend auf „↗schnieke" mit Vokaldehnung, die wohl durch „↗geschniegelt" hervorgerufen ist.

Schniepel *m* **1.** Frack, Cut. Gehört zu *niederd* „sniepeln = abschneiden". Etwa seit 1820.
2. Penis. ↗Schnippel. Seit dem 19. Jh.

schniffen *tr* **1.** stehlen, stibitzen. Gehört zu „↗schnippen = mit schneller Bewegung erhaschen; listig entwenden". *Rotw* 1687 *ff.*
2. vom Mitschüler abschreiben. Im Sinne des Vorhergehenden als geistiger Diebstahl aufgefaßt. Seit dem späten 19. Jh, *sächs.*

schnipfen *tr* schnippen, listig entwenden. ↗schniffen 1. 1600 *ff*, vorwiegend *oberd.*

Schnippchen *n* jm ein ~ schlagen = jm einen Streich spielen; jm einen Plan vereiteln. Beruht auf „schnippen = den Mittelfinger gegen den Daumenballen schnellen" (schallnachahmend); dies gilt als Gebärde der Verachtung und Geringschätzung. Wer mit den Fingern schnalzt, bekundet dem Gegenüber Überlegenheit: nicht soviel wie ein Schnippchen gibt er um ihn. Seit dem späten 17. Jh.

Schnippel *m* **1.** Penis; Knabenpenis. Eigentlich das abgeschnittene Stück; dann Stückchen überhaupt; spitzes Stück; Zipfel. Seit dem 19. Jh.
2. unreifer, unerfahrener Mann. Der geringen Größe des Penis entspricht die geringe Menge an Lebenserfahrung. 1920 *ff.*

schnippeln *intr* **1.** schneiden, schnitzeln. Frequentativum zu „schnippen = schnellen; kleine flinke Bewegungen mit der Schere machen". Seit dem 19. Jh.
2. beim Kartenspiel dem Gegner eine Karte mit hoher Augenzahl abnehmen. Seit dem 19. Jh.
3. auf den Mann ~ = in Mittelhand eine hohe Karte zurückhalten, um mit ihr eine beim Gegner vermutete Karte bei anderer Gelegenheit zu überspielen. Dadurch scha-

det man dem „Mann" (= Partner). Seit dem 19. Jh.

Schnipsgummi *m* kleine Schleuder aus Gummiband. Schnipsen = schnellend schleudern. 1900 *ff.*

Schnitt *m* **1.** kleines Glas Bier. Es ist Teilstück des größeren Maßkruges o. ä. ↗schneiden 4. Seit dem 19. Jh.
2. Durchschnitt. Hieraus verkürzt. Gehört dem Wortschatz der Kraftfahrer, Statistiker, Meinungsforscher usw. an. 1920 *ff.*
3. kalter ~ = mißglückter Versuch des Kartenspielers, eine hohe Karte abzufordern oder einen Trick anzuwenden. ↗schnippeln 2. „Kalt" meint wohl „nicht zündend", wie man es beispielsweise vom Blitzschlag sagt oder auch vom Blindgänger. Kartenspielerspr. Seit dem 19. Jh.
4. der zweite ~ = die heranwachsende Jugend. Vom Mähen nachgewachsener Pflanzen übertragen (Gras, Klee o. ä.). 1900 *ff.*
5. einen ~ haben = ein Mädchen sein. Schnitt = Schlitz = Vulva. Seit dem 19. Jh.
6. auf seinen ~ kommen = sein Geld machen. *Vgl* das Folgende. 1920 *ff.*
7. bei etw seinen ~ machen = bei etw ein gutes Geschäft machen; bei etw Vorteil haben; durch List zu Gewinn kommen. Hergenommen von „Schnitt = Getreideschnitt, Ernte", vielleicht auch beeinflußt von der List des Taschendiebs, der in den Geldsäckel seines Opfers im Gedränge einen Schnitt macht, um das Geld (die Geldbörse) in die Hand zu bekommen. 1500 *ff.*
8. einen ~ machen = beim Kartenspiel gewinnen. Seit dem 19. Jh, kartenspielerspr.

Schnitte *f* **1.** hübsches Mädchen. Es gilt analog zu ↗Sahneschnitte und zu ↗Torte – als eine Leckerei. *Halbw* 1980 *ff.*
2. ausführliche ~ = reich belegte Brotscheibe. 1920 *ff*, kellnerspr.

schnittig *adj* vorzüglich; straff; ganz genau. Meint soviel wie „maßgeschneidert; hervorragend geschneidert" und berührt sich in der Vorstellung mit „↗schmissig". 1910 *ff.*

Schnittkopf (-kopp) *m* gleichmäßig kurzgeschnittenes Haar. Verkürzt aus „Bürstenschnittkopf". 1945 *ff.*

Schnittlauchfransen *pl* strähnig herabgekämmtes Haar. 1920 *ff;* nach 1945 erneut in Mode gekommen.

Schnittlauchlocken *pl* in gerade Strähnen gelegtes, in Strähnen herabhängendes Haar. 1920 *ff.*

Schnittmuster *n* etw nach ~ entwickeln = etw genau nach Plan und Berechnung durchführen. Man richtet sich streng nach der Vorlage zum Selbstschneidern. 1935 *ff.*

schnittreif *adj* **1.** mannbar. Bezieht sich eigentlich auf das Korn, das gemäht werden kann. 1900 *ff*, *nordd.*
2. zur Amtsenthebung vorgesehen. 1900 *ff.*

Schnitzeljagd *f* **1.** Fahndung nach einem Erpresser, der seine Forderungen auf Zettel schreibt, von denen der eine auf den folgenden verweist. Meint eigentlich das Jagdreiten, bei dem die Fährte durch Papierschnitzel gekennzeichnet wird. 1967 *ff.*
2. aus Teilstücken der Reklamespalten zusammengesetztes Illustriertenrätsel. 1960 *ff.*

Schnitzer *m* Fehler. Leitet sich her vom Bildschnitzer oder Holzbildhauer, der durch einen fehlerhaften Schnitt sein Werk verdirbt. 1500 *ff.*

Schnockes *pl* **1.** wertlose Sachen. Geht zurück auf *jidd* „schnok = wertloses Zeug". 1900 *ff.*
2. Scherz, Unsinn. 1900 *ff.*

Schnodder *m* **1.** flüssiger Nasenschleim. Geht zurück auf *mhd* „snuder" und weiter auf das *germ* Wurzelwort von „Schnupfen". Seit dem 15. Jh.
2. Schimpfwort. Eigentlich auf einen, der sich nicht die Nase putzt; von daher auch allgemein auf einen Unreinlichen. 1900 *ff.*

Schnodderkopf *m* junger, vorlauter Mann; dummdreister Bursche. Bei ihm tritt der Nasenschleim aus, und es wird nicht zum Taschentuch gegriffen. 1900 *ff.*

Schnoddermasche *f* nachlässige Ausdrucksweise. Sie paßt zu Leuten, die den anständigen Umgang mit Nasenschleim nicht kennen. ↗Masche 1. 1965 *ff.*

schnoddern *intr* frech, dreist, unflätig, anstandswidrig reden. ↗schnoddrig 2. 1900 *ff.*

schnoddrig (schnodderig) *adj* **1.** mit Nasenschleim beschmiert. ↗Schnodder 1. 1700 *ff.*
2. *adj adv* = unverschämt, frech im Reden; unehrerbietig. Seit dem frühen 19. Jh.

schnöden *intr* gehässig reden. Gehört zum Adjektiv „schnöde = verächtlich; boshaft". *Sold* und *ziv* 1933 *ff.*

schnodern *intr* plaudern, schwätzen. Gehört zu „Schnute = Mund" und ist beeinflußt von „Schnuder = Nasenschleim". *Bayr* seit dem 19. Jh.

Schnodern *f* Mund. *Bayr* seit dem 19. Jh.

schnofeln *intr* **1.** durchstöbern; ausspähen. Nebenform zu ↗schnüffeln. *Österr* seit dem 19. Jh.
2. näseln. *Österr* seit dem 19. Jh.

Schnokus *pl* **1.** überflüssiges Beiwerk; auffälliges Gehabe. Latinisierung von ↗Schnockes. 1900 *ff.*
2. unsinnige Sachen. 1900 *ff.*
3. kunstähnliche Gegenstände von geringem Wert. 1900 *ff.*

Schnorchel *m* **1.** Nase. Nebenform zu *ostpreuß* „↗Schnorgel = Nase". 1900 *ff.*
2. Atemmaske, Höhenatemgerät. Meint eigentlich den Hohlmast beim Unterseeboot zur Versorgung mit Frischluft. Fliegerspr. 1939 *ff.*
3. Gasmaske; ABC-Schutzmaske. *Sold* 1939 *ff; BSD* 1955 *ff.*
4. Plastikluftröhre des Tauchsportlers. 1955 *ff.*
5. Luftpumpe. 1950 *ff*, *schül.*
6. Schnarchender 1900 *ff.*

schnorcheln *intr* **1.** schlafen; schnarchen. *Vgl* ↗Schnorchel 1. 1900 *ff.*
2. schnaufen. *Sold* 1939 *ff.*
3. trinken. Kann zusammenhängen mit „die Nase ins Glas stecken" oder „an der Mutterbrust saugen". *BSD* 1960 *ff.*
4. Tauchsport treiben. ↗Schnorchel 4. 1955 *ff.*
5. aus ungereinigter Pfeife rauchen. 1935 *ff.*

Schnöre *f* albernes, überhebliches Mädchen; unsympathisches Mädchen. *Vgl* das Folgende. *Halbw* 1955 *ff.*

schnoren (schnören) *intr* schwatzen; prahlen. Nebenform zu „schnarren" im Sinne von „mit schnarrender Stimme sprechen" oder „ausdruckslos, inhaltsleer plappern". 1900 ff.

Schnorgel (Schnurgel) f Nase. Gehört zu „schnarchen" und „schnauben". Seit dem 19. Jh, ostpreuß.

schnorpsen intr ↗ schnurpsen.

Schnor'rant (Schnur'rant) m **1.** Bettler; Bettelmusikant. ↗ schnorren 1. Seit dem 19. Jh.
2. umherziehender Schauspieler, Komödiant; schlechter Schauspieler. Seit dem 19. Jh.

schnorren (schnurren) intr **1.** betteln; bettelnd umherziehen. Gehört zu „schnurren = summen, brummen" und meint anfangs das bettelnde Umherziehen mit schnurrenden Musikinstrumenten (Schnurrpfeifen, Knarren), später auch das Betteln ohne Musik. Etwa seit 1700, kundenspr.
2. vom Mitschüler, vom Täuschungszettel o. ä. abschreiben. 1900 ff.
3. schmarotzen. Der Schmarotzer und der Bettler haben gemeinsam, daß sie sich unentgeltlich einen Vorteil verschaffen. Seit dem späten 19. Jh.
4. ohne Berechtigung in der Mensa essen; ohne Gebührenentrichtung eine Vorlesung besuchen. Stud seit dem späten 19. Jh.

schnorren gehen intr **1.** bettelnd umherziehen. Seit dem 19. Jh.
2. sichere Karten ausspielen, um Augen zu sammeln. Kartenspielerspr. seit dem 19. Jh.

Schnorrer (Schnurrer) m **1.** Bettler. ↗ schnorren 1. 1700 ff.
2. Mann, der Autofahrer um unentgeltliche Mitnahme bittet. 1930 ff.
3. Schmarotzer. 1870 ff.
4. Mann, der mit einer erlogenen Geschichte leichtgläubige Leute zur Hergabe von Geld bewegt. 1930 ff.
5. übermäßig sparsamer Mensch. Österr 1930 ff.
6. Klassenbester. In der Meinung der Mitschüler hat er sich diesen Platz gewissermaßen „erbettelt", nämlich nicht durch Fleiß erworben, sondern durch Einschmeichelung beim Lehrer. 1950 ff.

Schnösel m **1.** unerfahrener, vorlauter Junge; dünkelhafter, unbescheidener Mann. Hängt zusammen mit niederd „snot = Nasenschleim" und meint also einen, der sich die Nase nicht putzt. Analog zu „↗ Schnodder 2" und „↗ Rotzjunge". 1700 ff.
2. gelackter ~ = überheblicher junger Mann in eleganter Kleidung. 1920 ff.

Schnubbelchen n Kosewort für die Freundin, die Ehefrau, den Ehemann. ↗ schnubbeln. Niederd 1900 ff.

schnubbeln intr schlafen. Nebenform zu „schnuppern = hörbar atmen", auch zu „schnauben". Niederd 1900 ff.

Schnuck m **1.** Kosewort. Gehört zum Verb „schnucken = saugen, naschen, küssen" und ist wohl beeinflußt von „↗ Schnukke". Seit dem 19. Jh.
2. Rufname des Hundes. 1900 ff.

Schnucke f nettes, reizendes Mädchen. Eigentlich Name einer kleinen Schafrasse (Heidschnucken der Lüneburger Heide), schallnachmend fußend auf „schnuck", dem Laut der Lämmer und Schafe. Schäfchen sind angenehm anzufassen. Vgl aber auch „↗ schnucken". Herr Dr. Majut weist den Verfasser brieflich darauf hin,

daß Fürst Hermann von Pückler-Muskau (1785–1871) seine Frau Lucie „Schnucke" genannt hat. 1800 ff.

Schnuckel m nettes Mädchen; Kosewort für ein Mädchen, für einen kleinen Jungen, für einen Mann o. ä. ↗ schnuckelig. Seit dem 19. Jh.

Schnuckelhäppchen n kleiner Imbiß; Kosthappen, -probe. ↗ schnucken. 1930 ff.

schnuckelig adj nett, reizend, liebevoll, anschmiegsam. Gehört einerseits zu „↗ Schnucke", andererseits zu „↗ schnucken = Naschwerk verzehren"; also soviel wie „nach Art einer Leckerei". Das nette, reizende Mädchen nennt man auch „lecker". Nördlich der Mainlinie, seit dem späten 19. Jh.

schnuckeln intr **1.** saugen. Lautmalend für das Schnalzen mit der Zunge. Vgl ↗ nukkeln. Seit dem 19. Jh.
2. naschen. Seit dem 19. Jh.
3. Alkohol zu sich nehmen. Seit dem 19. Jh.

Schnuckelputz m Kosename. ↗ Putzi. 1900 ff.

schnucken tr intr lecken, saugen, naschen, küssen. Schallnachahmender Natur wie „schlucken". Seit dem 19. Jh.

Schnucke'rei f Naschwerk, Leckerei. ↗ schnucken. Seit dem 19. Jh.

Schnuckerl (Schnuckerle) n Kosewort. Seit dem 19. Jh.

schnuckern intr **1.** naschen. ↗ schnucken. 1700 ff.
2. kosen. 1700 ff.

Schnucki m n **1.** Kosewort. ↗ schnucken; ↗ Schnucke. Seit dem 19. Jh.
2. Rufname der Katze, des Hundes. Seit dem 19. Jh.

schnuckig adj **1.** naschhaft; wählerisch im Essen. ↗ schnucken. Seit dem 19. Jh.
2. ausgezeichnet, lustig, nett, reizend. 1900 ff.

Schnuckilein n Kosewort. ↗ Schnucki 1. Seit dem 19. Jh.

Schnuckiputzi m n **1.** Kosewort (auch in der Verkleinerungsform). ↗ Putzi 1. 1900 ff.
2. junger Homosexueller. 1945 ff.

schnuckrig adj lieb, nett; anschmiegsam. ↗ schnuckern 1. Seit dem 19. Jh. Studentenlied 1855: „A Busserl is a schnuckrig Ding."

Schnuddel (Schnudel) m **1.** Nasenschleim. Statt mhd Zeit; analog zu „↗ Schnodder 1".
2. Kosewort für eine Frau. ↗ schnuddeln = küssen. 1920 ff.
3. Kosewort für den Geliebten. 1920 ff.

schnuddelig adj **1.** unordentlich, unsauber; hastig arbeitend. ↗ schnuddeln 2. Seit dem 18. Jh.
2. niedlich, reizend, nett. ↗ schnuddeln 3. Berlin 1840 ff.

schnuddeln intr **1.** schwätzen; nörgeln. Gehört zu „Schnute = Mund" und ist parallel zu „↗ schnoddern". Die Worte sind nicht mehr wert als der Nasenschleim, den einer ausschneuzt. Seit dem 19. Jh.
2. nachlässig sprechen; nachlässig arbeiten; anstatt. Geht von der ungepflegten Ausdrucksweise übertragen auf unordentliche Arbeitsweise. Seit dem 19. Jh.
3. küssen. Gehört zu „Schnute = Mund". Seit dem 19. Jh.

Schnuddelwetter n trübes, unfreundliches

Wetter. Kann zusammenhängen mit niederd „schnuddeln = schmutzen" oder spielt auf Erkältung an (↗ Schnuddel 1). 1900 ff.

Schnuff m **1.** Ahnung, Vorgefühl. Gehört zu „schnüffeln = Witterung haben". 1950 ff.
2. Schnupftabak; Prise Tabak. 1900 ff.

Schnuffel (Schnüffel) m **1.** Nase (Mund; Gesicht). Schnüffeln = schnauben. Seit dem 19. Jh.
2. Mensch, der etw auszuforschen sucht. ↗ schnüffeln = stöbern. Seit dem 19. Jh.
3. vorlauter Halbwüchsiger. Versteht sich nach „↗ schnüffeln 1". Seit dem 19. Jh.

Schnüffelheini m Spion; Mann, der eine Sache auszuspionieren sucht. ↗ Heini 1. 1920 ff.

Schnüffelhund m Detektiv; Spion. 1920 ff.

schnüffelig adj unerfahren, vorlaut. ↗ schnüffeln 1. BSD 1965 ff.

schnüffeln intr **1.** den Nasenschleim einziehen. 1700 ff.
2. Chemikaliendämpfe einatmen, die Rauschzustände erzeugen. Übersetzt aus engl „to sniff". 1973 ff.
3. stöbern, spionieren. Eigentlich soviel wie „schnauben, beriechen, wittern". Seit dem 19. Jh.

Schnüffelnase f **1.** Spion, Spitzel, Detektiv. Seit dem 19. Jh.
2. Mensch, der sich um Dinge kümmert, die ihn nichts angehen. Seit dem 19. Jh.
3. Abhörmikrofon. 1970 ff.

Schnüffler m **1.** Interviewer, Reporter. ↗ schnüffeln 3. 1920 ff.
2. Zollbeamter. Er war als „Kaffeeriecher" verschrien. 1800 ff.
3. Kriminalkommissar; Detektiv. 1900 ff.
4. Mann, der die Angelegenheiten anderer Leute ausspioniert; Spion. 1800 ff.
5. pl = ABC-Abwehrtruppe. BSD 1965 ff.
6. sg = Jugendlicher, der durch Einatmen von Chemikaliendämpfen sich in einen Rauschzustand versetzt. ↗ schnüffeln 2. 1973 ff.

schnuff-schnuff interj Kinderausdruck, wenn sie über einen traurigen Vorfall Mitleid heucheln. Geht zurück auf die „comic strips", in denen in den Sprech-Blasen „schnuff" steht, wenn „das tut mir von Herzen leid" gemeint ist. Schallnachahmung eines Schnaubens. 1955 ff.

schnull (schnulle) adj hübsch, nett, lieb. Zusammengezogen aus ↗ schnuddelig. Berlin 1920 ff.

schnullen intr **1.** saugen (am Saugbeutel, an der Mutterbrust). Lautmalend. Seit dem 17. Jh.
2. genießerisch trinken. 1900 ff.
3. an der Zigarre ziehen. 1900 ff.
4. intr (tr) = küssen. 1900 ff.

Schnuller m **1.** Sauger für Säuglinge. Seit dem 19. Jh; wohl älter.
2. Penis. Seit dem 19. Jh.
3. Zigarre, Tabakspfeife. Seit dem 19. Jh.

Schnuller-Schupo m Schülerlotse. 1955 ff.

Schnulze f wirkungsvoll aufgemachtes, problemloses und rührseliges musikalisches oder literarisches Machwerk; rührseliges Schlagerlied; Rührstück. Verhochdeutscht aus niederd „snulten = überschwenglich reden; gefühlvoll tun"; verwandt mit „↗ schnull". Bekannt geworden um 1948; manche wollen das Wort schon 1939/45 im Zusammenhang mit den Wehrmachtwunschkonzerten gehört haben.

2. bunte ~ = Potpourri aus rührseligen Melodien. 1950 ff.

3. religiöse ~ = religiöser Inhalt in Schlagerform. 1959 ff.

4. saure ~ = böswillig-tendenziöse Darstellung. ↗ sauer 1. 1960 ff.

5. süße ~ = verschönende Darstellung; übermäßige Anpreisung. 1960 ff.

schnulzen *intr* **1.** rührselige, erfolgssichere Lieder vortragen oder komponieren; gefühlvolle Rollen spielen. ↗ Schnulze 1. 1950 ff.

2. über etw ~ = über einen Vorfall rührselig berichten. 1950 ff.

Schnulzenbunker *m* Filmtheater. 1955 ff, Berlin.

Schnulzendiesel *m* Musikautomat. „Diesel-" spielt auf das mechanisch betriebene Gerät an. *Halbw* 1955 ff.

schnulzenfreudig *adj* auf gefühlvolle Darbietungen versessen. 1955 ff.

Schnulzengeiger *m* rührselig spielender Geiger. 1955 ff.

schnulzenhaft *adj* gefühlsselig. 1955 ff.

Schnulzenheld *m* sehr beliebter Schlagersänger. 1955 ff.

Schnulzenheuler *m* Sänger, der seine Schlagerlieder mehr heult als singt. 1965 ff.

Schnulzenjauler (-jodler) *m* Schlagersänger. 1960 ff, schül.

Schnulzenkäse *m* anspruchslos-rührseliges Machwerk für den Durchschnittsgeschmack des Publikums. ↗ Käse. 1960 ff.

Schnulzenkönig *m* vorübergehend beliebtester Schlagersänger; sehr erfolgreicher Hersteller und Verbreiter von anspruchslos-gefühlvollen Schlagern. 1950 ff.

Schnulzenkönigin *f* beherrschende Leiterin eines Verleihs rührseliger Filme. 1956 ff.

Schnulzenküche *f* Schallplattenfabrik. 1960 ff.

Schnulzenlatein *n* Gemeinplätze Erwachsener im erzieherischen Umgang mit Jugendlichen. ↗ Latein 1 u. 2. Derlei Kernsätze fassen die Heranwachsenden als unverständlich oder unwahr auf. *Halbw* 1955 ff.

Schnulzenmieze *f* Schlagersängerin. ↗ Mieze. 1960 ff.

Schnulzenorgel *f* Musikautomat, -truhe; Plattenspieler. 1955 ff.

Schnulzenpianist *m* Klavierspieler, der sich auf übermäßig gefühlvollen Vortrag verlegt. 1959 ff.

Schnulzenplärrer *m* Schlagersänger. ↗ plärren. 1955 ff.

Schnulzenplatte *f* Schallplatte mit rührseligen Schlagerliedern. 1955 ff.

Schnulzenreißer (-reiter) *m* Schlagersänger 1960 ff.

Schnulzensänger *m* Sänger rührseliger Schlager. 1950 ff.

Schnulzensängerin *f* Schlagersängerin. 1950 ff.

Schnulzenschmalz *n* Rührseligkeit wirkungsvoll aufgemachter Schlager. ↗ Schmalz. 1955 ff.

Schnulzenseele *f* Hang zur Rührseligkeit; Gefühligkeit. 1955 ff.

schnulzenselig *adj* für anspruchslos-rührselige Liedchen schwärmend. 1955 ff.

Schnulzenstimme *f* rührselig-anheimelnde Gesangsstimme. 1955 ff.

Schnulzenton *m* rührselig-gewinnende Redeweise. 1955 ff.

Schnulzen-Troubadour *m* Schlagersänger. 1955 ff.

Schnulzenvitrine *f* Musikautomat. 1955 ff.

Schnulzerich *m* Schlagersänger. 1960 ff.

Schnul'zier (Endung *franz* ausgesprochen) *m* Sänger anspruchslos-gefühlvoller Schlager. 1955 ff.

schnulzig *adj* **1.** rührselig; unecht gefühlvoll; übermäßig empfindsam. 1950 ff.

2. langweilig. *Jug* 1965 ff.

schnulzigsüß *adj* rührselig-einschmeichelnd. 1955 ff.

Schnul'zist *m* Sänger seichter Schlagerlieder. 1955 ff.

Schnul'zistin *f* Sängerin seicht-gemütvoller Schlagerliedchen. 1955 ff.

Schnulzo'mat *m* **1.** Musikautomat. Zusammengesetzt aus „Schnulze" und „Automat". 1955 ff.

2. Gesamtheit der von einem Sänger beherrschten Schlagerlieder seicht-gemütvoller Art. 1960 ff.

Schnul'zör *m* Schlagersänger. Französierende Abwandlung von „↗ Schnulzer". 1960 ff.

Schnupf *m* Schnupftabak. Seid dem 19. Jh.

schnupfen *v* **1.** *intr* = Rauschgift nehmen. Ursprünglich auf Kokain beschränkt. 1920 ff.

2. *tr* = jn gefangennehmen. Vom Einziehen des Tabaks in die Nase übertragen. *Sold* 1914 ff.

3. *tr* = einen Sportler überflügeln. Geht wohl zurück auf *angloamerikan* „to snuff = töten, umbringen". *Sportl* 1950 ff.

4. er wird geschnupft = mit ihm wird man leicht fertig. 1950 ff.

Schnupfen *m* **1.** Tripper. Wegen des Tröpfelns nach Art der „verkühlten" Nase. Spätestens seit 1900.

1 a. Gefühlsabkühlung, Verstimmung, Enttäuschung. 1950 ff.

2. weißer ~ = Rauschgift-, Kokainrausch. ↗ schnupfen 1. Kokain ist ein weißes Pulver. 1920 ff.

3. einen ~ haben = nichts merken. Bei verstopfter Nase hat man keine Witterung. 1500 ff.

4. den (einen) ~ haben = dumm sein. Die Redewendung wird oft von einer Hindeutung (Fingerzeig) auf die Stirn begleitet. Seit dem 19. Jh.

5. sich einen ~ holen = angewidert, abgestoßen, abgewiesen werden; Mißerfolg erleiden. 1900 ff.

6. einen ~ kriegen = in wirtschaftlicher Hinsicht Rückschlag erleiden. Anspielung auf leichte wirtschaftliche Unpäßlichkeit. 1957 ff, journ.

7. den ~ merken (riechen) = die Absicht, den Nachteil erkennen. Seit dem 19. Jh.

Schnupfenwetter *n* feucht-kalte Witterung. 1900 ff.

Schnupfer-Olympiade (Schnupf-Olympiade) *f* Wettbewerb im Tabakschnupfen. ↗ Olympiade. 1966 ff, bayr.

schnuppe *adv* gleichgültig. „Schnuppe" meint entweder den abfallenden verkohlten Teil des Dochts oder das Ausgeschneuzte. Aus beiden ergibt sich die Vorstellung der Wertlosigkeit. Berlin 1840 ff.

schnuppen *intr* naschen; leckermäulig sein. Gehört zu „schnuppern, schnupfen = Ge-

rüche durch die Nase einziehen". Seit dem 18. Jh.

schnuppepiepe *adv* völlig gleichgültig. ↗ piepe. 1900 ff.

Schnupperkunde *m* Kunde, der ohne eigentliche Kaufabsicht das Warenangebot prüft. 1967 ff.

Schnupperkurs *m* Einführungslehrgang. 1965 ff.

Schnupperlehre *f* mehrwöchige Betriebsbesichtigung durch Jugendliche unter fachmännischer Führung und Anleitung; Kurzaufenthalt eines vor der Berufswahl stehenden Schülers in einem Betrieb. 1930 ff.

schnuppern *intr* **1.** nach jm ~ = jn suchen, ausfindig zu machen suchen. 1850 ff.

2. kurz vor oder nach der Schulentlassung einen Geschäftsbetrieb kennenlernen. 1930 ff.

Schnupperpreise *pl* Niedrigpreise, die beim Angebotsvergleich das Kaufinteresse wecken. Kaufmannsspr. 1975 ff.

Schnupperstudium *n* Teilnahme von Schülern der Gymnasialoberstufe an Lehrveranstaltungen der Universität zwecks Erleichterung der Studien- und Berufswahl. 1976 ff.

Schnuppertage *pl* sechstägiger Aufenthalt in einem Kurbad, um die Kuranwendungen mitsamt der Unterbringung und Verpflegung kennenzulernen. 1975 ff.

Schnupperurlaub *m* mehrtägiger Aufenthalt in einem Kurbad oder in einer Sommerfrische, um die Erholungsmöglichkeiten zu erproben. 1976 ff.

Schnuppi *f m* **1.** Kosewort. ↗ schnuppen. Seit dem 19. Jh.

2. Rufname des Hundes. Seit dem 19. Jh.

3. Rufname der Katze. Seit dem 19. Jh.

schnuppig *adj* wählerisch im Essen; naschhaft. ↗ schnuppen. Seit dem 18. Jh.

Schnur *f* **1.** über die ~ hauen = a) das zulässige Maß überschreiten. Stammt aus der Zimmermannssprache: der Zimmermann zieht über den zu behauenen Balken o. ä. eine Schnur, über die er nicht hinaushauen darf. Seit dem 15. Jh. *Vgl engl* „to kick over the traces". – b) übermütig, ausgelassen sein; sich austoben. 1800 ff.

2. etw nach der ~ machen = etw sorgfältig bewerkstelligen. Seit dem 19. Jh.

Schnürchen (Schnürl) *n* **1.** es geht (klappt, kommt, läuft) wie am ~ = es geht reibungslos vonstatten. Leitet sich her entweder von der Richtschnur der Maurer und Zimmerleute oder von den Schnüren, an denen der Puppenspieler die Puppen bewegt. 1800 ff.

2. es am ~ haben = eine Sache völlig beherrschen. Geht auf das Puppenspiel zurück. Seit dem 18. Jh.

3. jn am ~ haben = jn beherrschen. *Österr* seit dem 19. Jh.

4. etw am ~ aufsagen (hersagen, erzählen o. ä.) = etw fließend, ohne zu stocken, hersagen. Hier ist wohl von der Gebetsschnur auszugehen. Seit dem 19. Jh.

schnürln *refl* er soll sich ~!: Ausdruck der Abweisung. Der Betreffende soll sich wohl an einer Schnur aufhängen. Auch bezeichnet „schnüren" in der Jägersprache die Gangart des Fuchses, so daß hier gemeint sein kann: „er soll sich trollen = sich davonmachen". 1900 ff, bayr.

Schnürlregen *m* lang anhaltender, gleichmäßiger Regen; Landregen. Schnürl = Bindfaden. Analog zu „es regnet ↗Bindfäden". *Bayr* und *österr* seit dem 19. Jh. Vor allem für Salzburg „berüchtigt".

schnurpsen *intr* **1.** hörbar kauen; nagen; schmausen; schlechte Eßsitten besitzen. Schallnachahmend für den dumpf knirschenden Laut beim Zerbeißen von scharf Gebackenem, auch beim Kauen der Kühe, Ziegen usw. Seit dem 19. Jh, vorwiegend *mitteld.* **2.** ein kurzes summendes Geräusch hervorrufen (Summerton eines Signalgebers statt einer Klingel). 1900 *ff*. **3.** es schnurpst = es geht reibungslos vonstatten. Hergenommen vom knirschenden Geräusch, das beim Treten auf Schnee mit verharschter Oberdecke entsteht. 1900 *ff*.

schnurpsig *adj* **1.** frisch, kroß, resch. ↗schnurpsen 1. Seit dem 19. Jh. **2.** zart, liebreizend (auf ein Mädchen bezogen). Analog zu ↗knusprig. Seit dem 19. Jh.

Schnur'rant *m* ↗Schnorrant.

Schnurrbartbinde *f* Regelbinde. 1900 *ff*.

Schnurrdiburr *m f* **1.** Katzenname. Übernommen aus der Geschichte „Schnurrdiburr oder die Bienen" von Wilhelm Busch (1869) und auf die Katze übertragen wegen ihres Schnurrens. 1900 *ff*. **2.** Kosename der Frau. 1900 *ff*.

Schnurre *f* **1.** lustige Erzählung; Schwank; Posse; ulkiger Einfall. Schnurren = rauschen, brausen, brummen. Lautmalende Bezeichnung für ein Lärmgerät (Knarre, Brummkreisel, Dudelsack), wie es die Bettelmusikanten verwendeten (↗schnorren). Aus den Bettelmusikanten wurden Possenreißer und aus der „Schnurre" die Posse. Seit dem 16. Jh. **2.** Mund. Eigentlich lautmalend für schnarrenden Ton; danach verallgemeinert. 1700 *ff*. **3.** zänkische Frau; Ohrenbläserin. 1700 *ff*.

Schnürriemen *m* schmaler gewirkter Langbinder. 1955 *ff, halbw.*

schnurrig *adj* lustig, spaßig, kauzig. ↗Schnurre 1. Seit dem 16. Jh.

Schnürsenkel *m* **1.** schmächtiger, hagerer Mann. 1900 *ff*. **2.** sehr schmales Tonband. Technikerspr. 1950 *ff*. **3.** schmaler gewirkter Langbinder. 1955 *ff*. **4.** *pl* = Fadennudeln. *Sold* 1939 bis heute. **5.** ihm gehen die ~ auf = er braust auf. Dem Zornigen schwillt die Ader. 1930 *ff*. **6.** ihm platzt der ~ = er ist erregt, hochgradig verwundert. 1930 *ff*.

schnurstracks *adv* geradenwegs, sofort. „Stracks" gehört zu „strecken". Hier soviel wie „der gestrafften Schnur entlang". 1600 *ff*.

schnurz *adv* **1.** gleichgültig. Scheint schallnachahmender Herkunft zu sein und vor allem auf den laut entweichenden Darmwind anzuspielen. Aus Bremen sind für 1770 „Snart, Snirt, Snurt" für den hörbar abgehenden Darmwind bezeugt. Die heutige Form und Bedeutung kamen gegen 1820 in Studentenkreisen auf. **2.** ~ und piepe = völlig gleichgültig. ↗piepe. 1870 *ff*.

3. ~ und schnuppe = völlig gleichgültig. ↗schnuppe. 1860 *ff*.

schnurze'gal *adv* völlig gleichgültig. Tautologie zwecks Verstärkung. 1900 *ff*.

schnurzen *intr* vom Mitschüler, aus einer unerlaubten Übersetzung, vom selbstverfertigten Täuschungszettel abschreiben. Nebenform zu ↗schnorren 2. *Schül* 1900 *ff*.

schnurzig *adj adv* gleichgültig, uninteressiert. ↗schnurz 1. 1920 *ff*.

'schnurz'piepe *adv* völlig gleichgültig. Verstärkende Tautologie. ↗piepe. 1870 *ff*.

'schnurz'piepe'gal *adv* völlig gleichgültig. 1900 *ff*.

Schnute (Schnut, Schnüß) *f* **1.** Mund; spöttisch oder beleidigt verzogener Mund. *Niederd* Entsprechung zu *hd* „Schnauze". Seit dem 16. Jh. **2.** große ~ = Großsprecher; Redegewandtheit. 1870 *ff*. **3.** süße ~ = hübsches, liebes Mädchen. 1700 *ff*. **3 a.** einander ~ geben = einander küssen. *Jug* 1970 *ff*. **4.** eine große ~ haben = das Wort führen; sich brüsten. 1870 *ff*. **5.** eine ~ ziehen (machen, aufsetzen) = den Mund zum Schmollen verziehen; beleidigt sein. Seit dem 19. Jh.

Schnuteken *n* **1.** Mund, Mündchen. *Niederd* Verkleinerungsform. Seit dem 19. Jh. **2.** Kosewort. Seit dem späten 19. Jh.

Schnutenhobel *m* Mundharmonika. Analog zu ↗Maulhobel. 1900 *ff*.

Schnutenklavier *n* Mundharmonika. 1910 *ff*.

Schnutenorgel *f* Mundharmonika. 1850 *ff*, bei Seeleuten aufgekommen.

Schnutentunker *m* Teilnehmer an einer Weinprobe. Rheingau 1900 *ff*.

Schnutzekuß *m* Kosewort für eine weibliche Person. „Schnutzen" (= Nebenform zu „schnauzen") steht für „küssen". 1900 *ff*.

Schnutzelchen *n* Kosewort. *Vgl* das Vorhergehende. 1900 *ff*.

schoberweise *adv* in großer Menge. Schober = Getreidehaufen; Scheune. Seit dem 19. Jh.

Schock *m* Jahrmarkt; Jahrmarktstreiben. Fußt auf *jidd* „schuck = (Jahr-)Markt". *Rotw* seit dem frühen 18. Jh.

schock *adj präd* hervorragend. ↗schocken 3. *Jug* 1900 *ff*.

schockeln *intr* ↗schuckeln.

schocken *v* **1.** *tr* = jn schockieren, durch Tätlichkeit oder freche Rede herausfordern. Stammt aus dem *gleichbed engl* „to shock". 1950 *ff*. **2.** es schockt = es kostet, ist teuer. Beruht auf *jidd* „schuck = Mark, Geldstück". Kundenspr. Seit dem 19. Jh. **3.** es schockt (es schockt sich) = es ist sehr eindrucksvoll. *Jug* 1970 *ff*.

Schocker *m* **1.** Filmhandlung, die den Zuschauer abstößt; Gruselfilm. ↗schocken 1. 1950 *ff*. **2.** enttäuschendes Ereignis; angsterregender Zwischenfall; Vorfall, der als Warnung zu dienen hat. *Sportl* 1949 *ff*. **3.** Sache, an der man Anstoß nimmt. 1950 *ff*.

Schockfreier *m* Jahrmarktsausrufer. ↗Schock. „Freier" ist über die Bedeutung „Brautwerber" der „(werbende) Mann" schlechthin. Kundenspr. 1900 *ff*.

'Schock'schwere'brett *interj* Ausruf heftigen Unwillens. „Schwerebrett" ist entstellt aus „↗Schwerenot". „Schock", eigentlich soviel wie „60 Stück", kann Hehlwort für „Gott" sein. Seit dem 19. Jh.

'Schock'schwere'not *interj* Ausdruck heftigen Unmuts. *Vgl* das Vorhergehende und „↗Schwerenot". Seit dem 19. Jh.

schofel *adj* **1.** minderwertig, niederträchtig; kleinlich; nicht freigebig. Stammt aus *jidd* „schophel = gering, niedrig, schlecht". Seit dem 18. Jh. **2.** langweilig. *Jug* 1965 *ff*.

schoflig *adj* **1.** niederträchtig, geizig. Seit dem 19. Jh. **2.** unkameradschaftlich. *Sold* 1939 bis heute.

Schokolade *f* **1.** Kautabak. Wegen der Farbähnlichkeit. Kautabak ist Ersatz für andere Raucherwaren, die auf Kriegsschiffen nicht allenthalben gestattet oder – wie im Unterseeboot – ganz verboten sind. *Marinespr.* seit dem ausgehenden 19. Jh. **2.** Lysergsäurediäthylamid (LSD). Tarnwort der Halbwüchsigen, 1960 *ff*. **3.** ~!: derber Ausdruck des Unwillens. Hinter dem „Sch" wird eine kleine Pause gemacht, wodurch man zu verstehen gibt, daß eigentlich „Scheiße" gemeint ist. 1930 *ff*. **4.** reine ~ = sehr große Unannehmlichkeit; üble Widerwärtigkeit. Rein = unverfälscht. *Sold* 1939 *ff*. **5.** saure ~ = sehr unangenehme Sache. 1930 *ff*. **6.** jn mit ~ begießen = jn durch freundliche Redensarten übertölpeln. Übertragen vom Schokoladenguß auf die Torte. 1850 *ff*, Berlin. **7.** da schreist du ~!: Ausdruck der Verwunderung. Analog zu ↗Scheiße 53. *Sold* 1939 *ff*. **8.** in der ~ sitzen = sich in Not befinden. Als Milderung aufgefaßt für „in der ↗Scheiße sitzen". Seit dem späten 19. Jh. **9.** jn durch die ~ ziehen = jn grob verhöhnen. Parallel zu „jn durch den ↗Kakao ziehen". Seit dem 19. Jh.

Schokoladenbein *n* trittbesseres (trittschlechteres) Bein des Fußballspielers. Der „↗Schokoladenseite" nachgebildet. *Sportl* 1900 *ff*.

Schokoladenform *f* vorteilhafteste Erscheinungsform. ↗Schokoladenseite 1. 1960 *ff*.

Schokoladengesicht *n* verfälschte geistige Sicht. ↗Schokoladenseite. 1960 *ff*.

Schokoladenjustiz *f* milde Rechtsprechung. ↗Schokoladenrichter. 1955 *ff*.

Schokoladenlächeln *n* gewinnendes Lächeln. 1950 *ff*.

Schokoladenrichter *m* Richter, der milde Urteile fällt. Aufgekommen im Zusammenhang mit dem Jugendrichter Karl Holzschuh in Darmstadt (1954/55): er verurteilte eine sechzehnjährige Hausgehilfin, die ihrem Arbeitgeber einen Zehnmarkschein zum Süßigkeitenkauf gestohlen hatte, dazu, ein Vierteljahr lang den Kindern des Darmstädter Waisenhauses für die Hälfte ihres Taschengelds Schokolade mitzubringen.

Schokoladenseite *f* **1.** vorteilhaftere Seite; Schau-, Ehrenseite. Leitet sich her vom Gebäck, das oben mit Schokolade bestrichen ist: diese Seite ist die Schauseite. Seit dem ausgehenden 19. Jh. **2.** unvorteilhafte, ungünstige Seite; Seite, die bei seitengleichen Übungen weniger gut beherrscht wird. Hergenommen von Gebäck, das auf die Schokoladenseite gefallen ist und Unsauberkeit verursacht hat. Seit dem ausgehenden 19. Jh.

3. vorteilhaftere Gesichtshälfte. 1920 *ff.*

4. Abendspaziergang durch die Straßen. Von den Schülern besonders geschätzt wegen der leichteren Bekanntschaftsanknüpfung mit Mädchen. 1930 *ff.*

5. auf der ~ gehen = den bequemeren Weg wählen. Berlin 1930 *ff.*

6. auf die ~ kommen = in Unglück geraten. ↗ Schokoladenseite 2. 1930 *ff.*

schokola'desk *adj* ausgezeichnet (mit leicht *iron* Nebenton). Schokolade ist eine beliebte Leckerei; in Anführungszeichen gesetzt, ist sie über „Kakao" Tarnwort für „↗ Kakke". Wortbildung nach dem Muster von „pittoresk" o. ä. *Stud* 1920 *ff.*

Scholli *m* 1. Rufname des Hundes. Fußt auf *franz* „joli" = niedlich". Seit dem 19. Jh.

2. mein lieber ~!: Ausdruck der Verwunderung, auch der Warnung. *Franz* „joli" wird auch in *iron* Sinne gebraucht. *Vgl* „Tscholi" = dummer, gutmütiger Mensch" (Elsaß). 1910 *ff.*

schon *adv* wenn ~, denn ~! = wenn überhaupt, dann großzügig! (Wenn wir überhaupt in Urlaub fahren, dann richtig und nicht zu bescheiden.) Bedingende Verkürzung. Seit dem 19. Jh.

schön *adj adv* 1. schlecht, übel, unangenehm, höchst widerwärtig. Ironisierung. 1600 *ff.*

2. *adv* = sehr (er hat schön geflucht; er ist schön reingefallen). Seit dem 19. Jh.

3. ~ ist das!: blasiert-ironischer Ausdruck der Anerkennung. 1940 *ff, halbw.*

4. ~ ist anders = es ist sehr unangenehm, äußerst widerwärtig. Seit dem späten 19. Jh.

5. ~ ankommen = auf heftigen Widerstand stoßen. 1800 *ff.*

6. jn ~ empfangen = jn barsch abweisen. 1870 *ff.*

7. wie heißt es so ~ (wie es so ~ heißt) = sogenannt (Vater Rhein, wie es so schön heißt; Liebeskummer lohnt sich nicht, wie es so schön heißt). Aufzufassen als leichte Bespöttelung stehender Ausdrücke und Redewendungen. 1900 *ff.*

8. wie man so ~ sagt = wie man das üblicherweise ausdrückt (der Minister weilte in der Stadt, wie man so schön sagt). 1900 *ff.*

9. der Hund macht ~ = der Hund setzt sich auf die Hinterbeine und bewegt die Vorderbeine bettelnd auf und ab. Mit menschlichen Augen gesehen, gilt dies als gesittet. Seit dem 19. Jh.

10. es ist zu ~, um wahr zu sein = es ist überaus angenehm; derlei Erfreuliches sollte man nicht für möglich halten. 1900 *ff.*

11. ~ ist Dreck dagegen = es ist überaus schön. Gemeint ist, daß die Bezeichnung „schön" viel zu niedrig gegriffen ist. 1900 *ff, schül.*

12. es ist schon nicht mehr ~ = es steht ernst, bedenklich, läßt wenig Hoffnung. Seit dem 19. Jh.

schönchen *adv* schön, gut. Verkleinerungsform zu „schön". 1850 *ff.*

Schöne I *f* 1. Frau (Kosewort). Seit dem 19. Jh.

2. ~ von Beruf = nicht berufstätige,

schöne weibliche Person. Es ist ihr „Beruf", schön zu sein. 1920 *ff.*

3. ~ der Luft = Flugzeugstewardeß. 1960 *ff.*

4. ~ der Nacht = Prostituierte o. ä. 1920 *ff.*

Schöne II *pl* ihr ~n!: scherzhafte Anrede an weibliche oder männliche Personen. Analog zu ↗ Hübsche. 1900 *ff.*

Schöner *m* du bist mir ein ~! = auf dich kann man sich nicht verlassen. *Iron* Redewendung. Seit dem 19. Jh.

schöner *präd* 1. das wäre ja noch ~!: Ausdruck der Ablehnung oder des Schuldens eines anderen aufkommen?, – das wäre ja noch schöner!). 1840/1850 *ff.*

2. das wird ja immer ~!: Ausdruck der Unerträglichkeit. 1900 *ff.*

Schongang *m* 1. auf ~ arbeiten = langsam arbeiten; sich beim Arbeiten nicht besonders anstrengen. Der Maschinentechnik entlehnt. 1920 *ff.*

2. sich im ~ bewegen = sich möglichst wenig bewegen. Kriegsgefangenenspr. 1941 *ff.*

3. den ~ einlegen (einschalten) = sich nicht anstrengen. 1920/30 *ff, sold* und *sportl*, auch *schül.*

Schönheit *f* 1. ~ aus der Tüte = kosmetische Artikel; mittels Kosmetik erzielte Schönheit. 1955 *ff.*

2. beleidigte ~ = Mensch, der sich gekränkt fühlt und dies durch seinen Gesichtsausdruck oder durch Verstummen deutlich zu erkennen gibt. Spottausdruck. 1900 *ff.*

3. zur ewigen ~!: Zuruf an einen Niesenden. Man antwortet mit „danke, aber du hast es nötiger!". Wien 1950 *ff, stud.*

4. fliegende ~ = Flugzeugstewardeß. *Vgl* ↗ Schöne I 3. 1960 *ff.*

5. genormte ~ = einheitliche Gesichtsgestaltung. Nach 1945 aufgekommen mit den amerikanischen Pin-up-Girls und ihren Einheitsgesichtern.

6. versteckte ~ = unbestreitbare Häßlichkeit. 1920 *ff.*

7. in ~ sterben = ohne Aufhebens davongehen. Fußt auf dem altgriechischen Schönheitsideal und ist unmittelbar übernommen aus Henrik Ibsens Drama „Hedda Gabler", wo allerdings tatsächlich der Tod gemeint ist. 1930 *ff.*

Schönheitsmehl *n* Gesichtspuder o. ä. 1950 *ff.*

Schönheitsmuffel *m* Mensch ohne Sinn für Kosmetik. ↗ Muffel. 1968 *ff.*

Schönheitsschlaf *m* 24 (36, 48) Stunden in der Ausnüchterungszelle. 1970 *ff.*

Schonkost *f* 1. karge Verpflegung; unfreiwilliges Hungern. *Sold* 1939 *ff.*

2. Arrest; Strafverschärfung (Fasten bei Wasser und Brot). 1950 *ff.*

3. Gemüse. *BSD* 1960 *ff.*

Schönlebe machen sich keinen Lebensgenuß entgehen lassen; schlemmen. ↗ Lebeschön machen. Seit dem späten 19. Jh.

Schönling *m* schöner Mann ohne sonstige Vorzüge. Seit dem 19. Jh.

Schönlingsgesicht *n* schönes Männergesicht ohne männlichen Ausdruck. 1900 *ff.*

schönmachen *intr* 1. militärisch grüßen; straffe Haltung annehmen; Front machen; den Hut lüften; sich untertänig verneigen. Vom Hund hergenommen; ↗ schön 9. *Sold* seit dem späten 19. Jh; auch *ziv.*

2. die Waffen strecken; sich ergeben. Man

hebt die Arme zum Zeichen der Übergabe. *Sold* 1939 *ff.*

schönsaufen *tr* ↗ Mädchen 54.

Schönste *f* Frau (Kosewort). Undatierbar.

Schönster *m* du bist mir der Schönste! = ich traue dir nicht! du bist unzuverlässig! *Iron* Redewendung seit den späten 19 Jh.

schöntun *v* jm ~ = jm schmeicheln; jn umwerben. Schön = freundlich, liebenswürdig. 1600 *ff.*

Schönwetterbrief *m* Brief, der Besorgnisse ausräumt und Krisen leugnet. 1950 *ff.*

Schönwetterdemokratie *f* Demokratie, die keinen Pessimismus duldet. 1967 *ff.*

Schönwetterflieger *m* Sportflieger. Er fliegt nur bei gutem Wetter. Fliegerspr. 1935 *ff.*

Schönwettermacher *m* Optimist. 1935 *ff.*

Schönwetterpartei *f* politische Partei, die mit optimistischen Ausblicken Wähler fangen will. 1975 *ff.*

Schönwetterpolitiker *m* Politiker, der in Krisenzeiten versagt. 1965 *ff.*

Schönwetterprediger *m* Geistlicher, der sich in salbungsvollen Sprüchen ergeht; milder, vermittelnder Geistlicher. 1950 *ff.*

Schönwetterredner *m* Redner, der Mißstände und Krisen unerwähnt läßt und Optimismus zu verbreiten sucht. Seine beliebteste Wendung lautet: „ich freue mich, sagen zu dürfen, daß . . .". 1960 *ff.*

Schönwettersprüche *pl* optimistische Äußerungen. 1960 *ff.*

Schopf *m* 1. die Gelegenheit beim ~ ergreifen ↗ Gelegenheit.

2. sich am ~ nehmen = sich ermannen; der schlechten Laune Herr zu werden suchen. Fußt auf der Lügengeschichte von Münchhausen, der sich am eigenen Schopf aus dem Sumpf zog. 1920 *ff.*

Schöpf *m* 1. anstrengende Arbeit. ↗ schöpfen. *Österr* 1920 *ff.*

2. Arbeit muß sein, soll aber nie in ~ ausarten = arbeiten will ich ja, aber mich nicht anstrengen. *Österr* 1920 *ff.*

schöpfen *intr* angestrengt arbeiten; sich abmühen. Gehört zu „schaffen", gekreuzt mit „erschöpft sein". *Österr* 1920 *ff.*

Schöpfer *m* da kannst du deinem ~ danken: Redewendung, wenn einer unverdient oder wider Erwarten Glück gehabt oder ohne eigenes Zutun einen Vorteil eingeheimst hat. 1800 *ff.*

Schöpflöffel *m* den Verstand mit dem ~ gegessen haben = klug, schlau sein. Der Schöpflöffel faßt eine große Menge. 1900 *ff.*

schöppeln *intr* trinken. Der Schoppen als Hohlmaß faßt 1/2 Liter. Seit dem 18. Jh.

schoppen *tr* 1. mästen. *Oberd* Nebenform zu „schupfen = schieben". Man schiebt die Speise in den Mund. „Schopper" nennt man die Teignudeln für die Mast. 1700 *ff.*

2. stoßen, hineinstopfen. *Oberd* 1700 *ff.*

3. jm eine ~ = jm einen heftigen Schlag versetzen. *Oberd* seit dem 19. Jh.

4. *intr* = ausgiebig zechen. ↗ schöppeln. Seit dem 18. Jh.

Schoppen *pl* ~ stechen = zechen. Meint eigentlich „mit dem Stechheber Schoppen aus dem Faß ziehen"; von da weiterentwickelt zu „austrinken". Seit dem 19. Jh.

Schoppenschwenker (-stecher) *m* Weintrinker; Trinker; eifriger Stammtischler. ↗ Schoppen. Seit dem 19. Jh.

Schöps *m* 1. einfältiger, dummer Mann; Betrugsopfer. Meint eigentlich den verschnittenen Schafbock; vgl ↗Hammel 1. 1500 ff.

2. alter Verliebter. Analog zu ↗Bock 22. Seit dem 19. Jh.

Schöpsernes n Hammelfleisch. Österr seit dem 19. Jh.

schoren v **1.** intr = auf Männerfang ausgehen. In Westdeutschland soviel wie „ernten". 1920 ff.

2. tr = stehlen. Im 19. Jh aus der Zigeunersprache übernommen.

3. tr = vom Mitschüler abschreiben. Gilt im Sinne des Vorhergehenden als geistiger Diebstahl. Mitteld seit dem späten 19. Jh.

Schorle n Mischgetränk aus Weißwein und kohlensäurehaltigem Mineralwasser (saurer ~) oder Limonade (süßer ~); „Gespritzter"; „Achtel gespritzt". . Verkürzt aus dem Folgenden. Österr 1930 ff.

'Schorle'morle n Weißwein mit kohlensäurehaltigem Mineralwasser. Fußt auf südd „schuren = sprudeln" und „Schurimuri = jäh aufbrausender Mensch; lebhaftes Kind". Wohl durch Studenten verbreitet. Etwa seit dem frühen 18. Jh.

Schornstein m **1.** Zylinderhut. Anspielung auf Form und Farbe (rußschwarz). Seit dem 19. Jh.

2. den ~ fegen = koitieren. 1900 ff.

3. den richtigen ~ finden = eine gewinnbringende Industrieaktie erwerben. 1955 ff.

4. das Geld fliegt aus dem ~ = das Geld wird vergeudet. 1930 ff.

5. durch den ~ gehen = verbrannt werden (auf Leichen im Krematorium oder im Konzentrationslager bezogen). 1920 ff.

6. durch den ~ geraucht werden = im Krematorium verbrannt werden. 1920 ff.

7. jn durch den ~ jagen = jds sterbliche Überreste im Krematorium verbrennen. 1920 ff.

8. wie ein ~ rauchen = ein starker Raucher sein. Seit dem 19. Jh.

9. der ~ raucht = das Geschäft geht gut. 1700 ff.

10. der ~ muß rauchen = ohne Geld läßt sich nicht leben. 1700 ff.

11. wovon soll der ~ rauchen? = wie soll man sein Auskommen haben? Seit dem 19. Jh.

12. etw in den ~ schreiben = etw verloren geben; auf Rückzahlung nicht mehr rechnen. ↗Rauch 10. Seit dem 18. Jh.

13. den ~ umlegen = koitieren. Schornstein = erigierter Penis. 1900 ff.

14. der ~ zieht nicht = man hat Stockschnupfen. 1930 ff.

Schorzettel m Täuschungsmittel des Schülers. ↗schoren 3. Mitteld seit dem späten 19. Jh.

Schose f **1.** Sache, Angelegenheit. Eingedeutschte Schreibweise für franz „chose". Seit dem 18. Jh.

2. flaue ~ = langweilige, mißlungene Veranstaltung. 1930 ff.

3. die ganze ~ = das alles. Seit dem 19. Jh.

4. wir werden die ~ schon schaukeln = wir werden die Sache bestens bewerkstelligen. Variante zu „wir werden das ↗Kind schon schaukeln". Zehrt von der Freude am Stabreim. 1930 ff.

5. das ist tutte wie ~ = das ist einerlei. Entstellt aus franz „toute la même chose". 1910 ff.

Schote f **1.** gute sportliche Leistung; Tor-

treffer beim Fuß-, Handballspiel. Stammt aus der Botanik: Schoten brechen mit einem Knall auf. Daraus weiterentwickelt zu einer Analogie zu „↗Knaller", auch zu „↗Bombe 5". 1936 ff.

2. Geistesblitz, Glanzstück. 1955 ff, halbw.

3. Anzüglichkeit. Als Kern einer Bemerkung ähnelt sie der Hülse, die den Samen birgt. 1930 ff.

4. fingierter Befehl. Als Glanzstück ist er ein „↗Knaller". BSD 1960 ff.

5. Aussichtslosigkeit. Wohl von der leeren Hülse hergenommen. 1940 ff.

6. Vulva. Formähnlich mit der Schote von Hülsenfrüchten; in Westdeutschland Bezeichnung für das Geschlechtsteil des Mutterschweins. 1920 ff.

6 a. weibliche Person. Vgl das Vorhergehende. 1920 ff.

7. Feldmütze. Tarnausdruck. Sie ähnelt der Vulva. ↗Fotze 5. Sold 1939 ff.

8. pl = Prügel, Ohrfeigen. ↗Knallschote. 1920 ff.

9. unerhörte ~ = sehr sympathisches Mädchen. Versteht sich nach „↗Schote 6 a", vielleicht auch mit Anspielung auf die hübsche Kleidung (Schote = Hülse = Schale = Kleidung). Halbw 1955 ff.

10. das bringt ~n = das ist eine großartige Sache. BSD 1960 ff.

Schott n **1.** pl = Augenlider. Meint eigentlich die Innenwände auf Schiffen zwecks wasserdichter Abtrennung einzelner Teile. Marinespr 1890 ff.

2. ~ dicht! = Tür zu! Sold 1935 ff.

3. die ~en biegen sich = es lügt oder prahlt einer. Analog zu „lügen, daß sich die ↗Balken biegen". Marinespr 1900 ff.

4. die ~en dichtmachen = a) schlafen gehen. ↗Schott 1. Marinespr 1890 ff. – b) kapitulieren. Sold 1939 ff. – c) verstummen; keine Auskunft erteilen. 1950 ff. – d) den Betrieb einstellen. 1955 ff.

5. jm vor das ~ hauen = jm ins Gesicht schlagen. Von den Augenlidern erweitert auf das ganze Gesicht. Marinespr 1935 ff.

5 a. die ~en öffnen = ein Geständnis ablegen. 1950 ff.

6. einer Sache ein ~ vorsetzen = einer Sache Einhalt gebieten. 1920 ff.

Schottenpreise pl niedrige Preise. Anspielung auf die Schotten, die als sehr sparsam gelten. 1970 ff.

Schotter m Kleingeld. Analog zu „↗Kies", „↗Bims" u. ä. Österr seit dem frühen 20. Jh; seit dem „Anschluß" Österreichs (1938) nordwärts vorgedrungen; sehr verbreitet in der Bundeswehr.

schräg adj **1.** unehrlich, verdächtig, verbrecherisch; anrüchig; leichtlebig; prostituierend. Beruht auf der Vorstellung von der schiefen Bahn als Sinnbild des Verkommens, des sittlichen Abgleitens; auch die Vorstellung des unaufrichtigen, verstohlenen Blicks mag eingewirkt haben. 1910 ff.

2. homosexuell, lesbisch. 1910 ff.

3. musikalisch außerhalb des Gewohnten. Aufgekommen im Zusammenhang mit Fritz Schulz-Reichel, der mit seinem Schallplattenproduzenten das Pseudonym „schräger Otto" aushandelte: Schulz-Reichel spielte seine ersten Melodien auf einem verstimmten Klavier und ging später dazu über, Klaviere zu verstimmen, um ihnen die gewünschte Klangfarbe zu geben (laut Auskunft des Hessischen Rundfunks). 1925 ff.

4. halb zutreffend; halbrichtig; oberflächlich. 1950 ff.

5. betrunken. Der Bezechte torkelt, geht schräg. Etwa seit 1830.

6. schräg-à-vis = schräg gegenüber. Halb eingedeutscht aus franz „vis-à-vis = gegenüber". Seit dem späten 19. Jh.

7. jn ~ anquatschen = jn unhöflich ansprechen. Analog zu ↗links 6. 1930 ff.

8. ~ denken = nicht folgerichtig urteilen; unsinnige Ansichten vertreten. Der Betreffende ist „schräg = betrunken" oder denkt „schief". 1870 ff.

9. jm von der Seite kommen = jn heimtückisch verleumden, beim Vorgesetzten in Mißkredit bringen. 1930 ff.

10. ~ liegen = unzuverlässig sein; kein Vertrauen verdienen. ↗schräg 1. 1920 ff.

11. ~ spielen = Jazzmusik spielen; zu modernen Tänzen aufspielen. ↗schräg 3. 1925 ff.

12. ~ werden = verrückt werden. Der Verrückte ähnelt dem Betrunkenen. 1930 ff.

Schrägschuß m von der Seite ausgeführter Torball. ↗Schuß. Sportl 1920 ff.

Schramme f **1.** sehr schwere Verwundung. Meint eigentlich die Kratz- oder Streifwunde; hier tapfer bagatellisiert. Sold in beiden Weltkriegen.

2. Eintragung ins Klassenbuch. Dieser Tadelsvermerk streift nur die Oberfläche: der Schüler nimmt ihn sich nicht zu Herzen. 1960 ff.

3. häßliches Mädchen. Kann zu „schrammen = abstoßen" gehören, auch zu „Schramme = Ritz" mit Anspielung auf die Vulva. Halbw 1955 ff.

Schrank m **1.** großwüchsige, breitschultrige männliche Person. ↗Kleiderschrank. 1930 ff.

2. ein ~ von Kerl (ein Kerl wie ein ~) = breitschultriger Mann. 1930 ff.

3. breitgebautes Auto. Von der Breitschultrigkeit übertragen. 1930 ff.

4. wo soll der ~ hin?: Scherzfrage angesichts eines kraftstrotzenden Mannes. 1950 ff.

5. er ist vor den ~ gelaufen = er ist kurz-, flachnasig. Der Stoß mit dem Gesicht gegen einen Schrank hat ihm wohl die Nase eingedrückt (das Nasenbein gebrochen). BSD 1960 ff.

6. du bist wohl vor den ~ gelaufen?: Frage an einen, der unsinnige Ansichten vertritt. Bei dem Stoß gegen den Schrank hat der Kopf einen Schaden erlitten. 1955 ff.

schrankeln intr unruhig sitzen; wankend gehen. Fußt auf dem Adjektiv „schräg" mit Nasal-Infix. Seit dem 14. Jh.

schränken tr Türen (Behältnisse) zwecks Einbruchs gewaltsam öffnen. ↗Schränker. Rotw 1687 ff.

Schränker m Dieb, Einbrecher. Er feilt zwei Gitterstäbe unten durch, biegt sie dann nach rechts und links kreuzweise (=verschränkt) über die nächsten Stäbe und kriecht durch die Öffnung. Rotw 1687 ff.

Schranktyp m Mann mit breiten Schultern. ↗Schrank 1. 1950 ff.

Schrannenfurzer m Bürgerausschußmitglied. Schranne = Holzbank. Der Betreffende sitzt auf solch einer Holzbank an der Wand und ist nicht gleichberechtigt mit den Gemeinderäten. Schwäb 1900 ff.

Schranzenstall *m* höhere Beamtenschaft. 1910 ff.

Schrapnell *n* 1. ältere Frau; betagte Prostituierte. Meint eigentlich das dünnwandige, mit Kugeln gefüllte Explosivgeschoß der Artillerie; hier (analog zu ↗Schachtel, ↗Dose usw.) aufgefaßt als Behältnis zur Aufnahme des Penis. Vielleicht gekreuzt mit „Schabelle = Schemel, Fußbank; auch = weibliche Person". 1900 ff. – 2. häßliches Mädchen. *BSD* 1960 ff.

schrappen *v* 1. *tr* = schaben, kratzen. Ein *niederd* Wort, wohl lautmalerischen Ursprungs, verwandt mit *engl* „to scrape". 1500 ff. – 2. *tr intr* = geizen. Man kratzt sein Geld zusammen. Seit dem 16. Jh. – 3. *tr* = stehlen, rauben. Durch Kratzen bringt man einen Gegenstand an sich. 1500 ff. – 4. *intr* = schlecht rasieren. Seit dem 19. Jh. – 5. *intr* = schlecht Geige spielen. Seit dem 19. Jh. – 6. *intr* = tanzen. Man schabt (scheuert) über den Tanzboden. 1840 ff, Berlin.

schrappig *adj* sparsam aus Geiz. Seit dem 19. Jh.

Schratz *m* (ungezogenes) Kind. Geht zurück auf *jidd* „scherez = Wurm"; *vgl* ↗Wurm. *Rotw* 1750 ff, vorwiegend *oberd*.

Schraube *f* 1. Frau *(abf)*. Meist in der Verbindung „alte, (olle) Schraube". Fußt wahrscheinlich auf der Vorstellung der ausgeleierten Schraube. Etwa seit 1820/30. – 2. Jugenderzieherin *(abf)*. Sie ist wohl ältlich oder von unsympathischen Wesen. *Schül* 1950 ff. – 3. sportliche Niederlage in Mannschaftswettkämpfen. Gehört zu „schrauben = überfordern". *Österr* 1920 ff. – 4. ~ ohne Ende = a) Vorgang, dessen Abschluß sich immer weiter hinausschiebt. Meint eigentlich den mit einem Schraubengewinde versehenen Zylinderschaft, der durch seine Drehung ein Zahnrad in stete Umdrehung bringt. Technisches Sinnbild einer endlosen Sache. 1870 ff. – b) sehr großwüchsige Frau. ↗Schraube 1. *Halbw* 1950 ff, Berlin. – 5. dolle (tolle) ~ = verrückter, übermütiger, leichtlebiger Mensch. „Doll" ist eine Schraube, die keinen Halt hat. 1870 ff. – 6. hoffnungslose ~ = ältliche Frau ohne Heiratsaussichten. 1900 ff. – 7. kleine ~ = Mensch, der nur Gelegenheitsdiebstähle ausführt und sich auch mit geringwertiger Beute begnügt. ↗schrauben. 1945 ff. – 8. rostige ~ = verwelkte Frau. 1920 ff. – 9. verdrehte ~ = Frau mit verstiegenen Ansprüchen; Frau mit wunderlichen Angewohnheiten. ↗verdreht. 1840 ff. – 10. die ~ andrehen (anziehen) = rücksichtslos gegen jn vorgehen; jm arg zusetzen; ein scharfes Verhör abhalten. Lange bewahrte Erinnerung an die Daumen- und Beinschraube der mittelalterlichen Folter. 1900 ff. – 11. ihm (bei ihm) fehlt eine ~ = er ist nicht recht bei Verstand. Beruht auf der weitverbreiteten Vorstellung vom Gehirn als einem uhrwerkähnlichen Mechanismus. 1900 ff. – 12. bei ihm ist eine ~ los (bei ihm hat

sich eine ~ gelockert; bei ihm ist eine ~ locker; er hat eine ~ locker) = er redet Unsinn. *Vgl* das Vorhergehende. Seit dem 19. Jh. – 13. auf ~n stellen = a) sich vorsichtig ausdrücken; zweideutige Ausdrücke verwenden. Man stellt eine Briefwaage, ein physikalisches Gerät o. ä. auf Schrauben, indem man mit äußerster Vorsicht die Waagrechte einstellt. 1500 ff. – b) sehr strenge Maßnahmen ergreifen; strenge Maßstäbe anlegen. Seit dem 19. Jh.

schrauben *v* 1. *tr* = von jm immer bessere Leistungen verlangen; jn überfordern. Geht in abgeschwächter Bedeutung auf die Folterschraube zurück. 1700 ff. *Vgl engl* „to put the screw on". – 2. jn um etw ~ = jn erpressen; jm einen überteuerten Preis abverlangen. Man setzt ihm sinngemäß die Daumenschrauben an. 1800 ff. – 3. jn ~ = jn necken, ärgern; anzügliche Bemerkungen machen. 1600 ff. – 4. jm eine Zigarre in den Mund ~ = jm eine Zigarre in den Mund stecken. 1900 ff. – 5. jn geistig höher ~ = jm im Fach- und Sachkenntnisse beibringen. 1920 ff. – 6. sich ~ = sich einer Arbeit entziehen; davongehen. Man entwindet sich der Anforderung. *Österr* seit dem 19. Jh. – 7. sich in etw ~ = ein enges Kleidungsstück anziehen. 1955 ff.

Schraubendampfer *m* 1. ältliche Frau; beleibte, wuchtige Frauengestalt. Eigentlich der durch eine Schiffsschraube angetriebene Dampfer. „Dampfer" spielt auf den breiten Körperbau an. Im übrigen eine Weiterführung von „↗Schraube 1". Seit dem späten 19. Jh. – 2. Lehrerin. ↗Schraube 2. 1950 ff, *schül*.

Schraubenpenne *f* Technische Hochschule. ↗Penne. Schraube und Rad sind gängige Sinnbilder der Technik. *Stud* 1960 ff.

Schraubenschlüssel *m* 1. Mittel, um einem Notstand o. ä. abzuhelfen. 1933 ff. – 2. du brauchst wohl einen ~?: Frage an einen, der nicht bei Verstand zu sein scheint. Im Gehirn das Betreffenden fehlt eine Schraube locker" (↗Schraube 12). 1900 ff, lehrerspr. und *schül*.

Schraubenzieher *m* 1. *pl* = Schläfenlöckchen der orthodoxen Juden. *Vgl* ↗Korkenzieherlocken 2. Spätestens seit 1900, *österr*. – 2. *sg* = Wodka mit Fruchtsaft. Er zieht sogar „alte Schrauben" (↗Schraube 1) an. 1939 ff, *sold* und *ziv*. – 3. *sg* = unsympathisches Mädchen. Wohl Verstärkung von „↗Schraube 1". 1955 ff, *halbw*.

Schraubstock-Handschlag *m* sehr kräftiger Händedruck. 1920 ff.

Schraufen *f* 1. verlebte, verwahrloste, liederliche Frau. *Oberd* Nebenform zu „↗Schraube 1". 1900 ff. – 2. sportliche Niederlage. ↗Schraube 3. *Österr* 1920 ff.

schraufen *refl* sich einer Sache entziehen; sich zurückhalten. *Oberd* Variante zu „↗schrauben 6". Seit dem 19. Jh.

Schrebergarten *m* quer durch den ~. ↗quer 7.

Schrebergärtner *m* geistiger ~ = geistesbeschränkter Mensch; Halbgebildeter. Der Schrebergärtner ist Amateurgärtner und besitzt nur einen kleinen Garten. 1930 ff.

Schreck *m* 1. ach du ~ (du mein; du lieber

~)!: Ausruf des Erschreckens bei unliebsamer Feststellung. Fußt auf dem Schlagertext „ach mein Schreck, meine liebe Hulda ist weg". Berlin, etwa seit 1880. – 2. ~ in der Abendstunde (Morgenstunde): Redewendung angesichts eines unangenehmen Vorfalls, einer schlechten Nachricht. Stammt wahrscheinlich aus dem Deutsch der Kartenlegerinnen. 1940 ff. – 3. ~ in der Morgenstunde = Wecken. *BSD* 1960 ff. – 4. jm einen schönen ~ unters Hemd brausen (o. ä.) = jm Schrecken einjagen. *Vgl* ↗schön 1 und 2. 1930 ff. – 5. einen gelinden ~ kriegen = sich sehr wundern. 1900 ff. – 6. ~ (o~), laß nach!: Ausruf der Unerträglichkeit, der Verzweiflung. ↗Schmerz 2. 1910 ff. – 7. ihm sitzt der ~ noch in den Knochen = er hat den Schreck noch nicht überwunden. 1900 ff.

schreckbar *adj* schreck-, furchterregend. Das Adjektiv verhält sich zu „schrecklich" wie „furchtbar" zu „fürchterlich". Seit dem 19. Jh.

schrecklich *adv* sehr. ↗furchtbar. 1600 ff.

Schreckschraube *f* 1. unbeliebte Frau. Sie ist eine „↗Schraube 1" von furchteinflößender Wesensart. Seit dem späten 19. Jh. – 2. häßliche Frau. 1890 ff.

Schreckschuß *m* 1. warnende Maßnahme; Äußerung, über die man erschrickt. Eigentlich der Warnschuß. 1930 ff. – 2. unsympathisches Mädchen. Es wirkt abschreckend. *Halbw* 1955 ff. – 3. jm einen ~ vor den Bug setzen = jn unter Androhung von Nachteilen warnen. Der Seekriegsführung entlehnt. *Vgl* ↗Schuß 16. 1900 ff.

Schrei *m* 1. allerletzter ~ = allerjüngste Modeneuheit; allerjüngste Neuerung. ↗Schrei 3. 1950 ff. – 2. erster ~ = morgendlicher Weckruf in der Kaserne. 1900 ff. – 3. letzter ~ = letzte Modeneuheit; jüngste Neuerung. Gegen 1870 lehnübersetzt aus *franz* „le dernier cri" (*engl* „the latest cry"), wohl wegen der in den Straßen von Paris schreiend ihre Waren anpreisenden Verkäufer. – 4. neuester ~ = letzte Modeneuheit. 1950 ff.

Schreibe *f* 1. Schreibgerät. *Schül* seit dem frühen 20. Jh. – 2. Schreibweise; Stil im schriftlichen Ausdruck. Vielleicht von Friedrich Theodor Vischer (1807–1887) geprägt: „eine Rede ist keine Schreibe". – 3. Zeitungsartikel; Schriftstück. 1900 ff. – 4. Spielstand beim Skat o. ä. Meint das Angeschriebene. 1930 ff, *österr*. – 4 a. flotte ~ = a) schwungvoller Schreibstil. 1910 ff. – b) Kurzschrift. 1970 ff. – 5. nach der ~ sprechen = Schriftdeutsch sprechen. *Schül* 1940 ff, *österr*. – 6. bei jm in der ~ stehen = bei jm Schulden haben. Schreibe = Schreibklade, Schuldnerliste. Parallel zu „bei jm in der ↗Kreide stehen" (↗Kreide 13). *Österr* 1950 ff. – 7. es ist nicht der ~ wert = es ist unbedeutend. Nachgebildet der Redewendung „es ist nicht der Rede wert". 1960 ff.

schreiben *v* 1. wer schreibt, der bleibt: Redewendung, mit der man beim Kartenspiel den Anschreibenden scherzhaft der

Unehrlichkeit bezichtigt, zumal wenn er Endsieger wird. Meint eigentlich „Schriftliches bindet rechtlich". Kartenspielerspr. 1900 ff.

2. dir haben sie wohl geschrieben?: Frage an einen, der unsinnig redet oder handelt. Anspielung auf einen Strafbefehl o. ä., der dem Betreffenden die Fassung geraubt hat. 1920 ff.

3. in der I. Kompanie gibt's einen, der kann ~!: Redewendung an einen, der sich gegen eine Niederschrift der Meldung sträubt. Geht wahrscheinlich auf einen Ostfriesenwitz zurück. 1971 ff, BSD.

4. wie schreibt er sich? = wie heißt er? Seit dem 19. Jh.

5. es schreibt sich „von" = es ist ausgezeichnet. Von der Schreibweise der Adelsnamen hergenommen: Adel gilt als hervorragend. 1900 ff.

Schreibeschrift f Handschrift. Zum Unterschied von der Druckschrift. Wien 1945 ff, schül.

Schreibgalopp m Kurzschrift. Um 1900 wahrscheinlich als Witzwort im „Simplizissimus" aufgekommen.

Schreibklavier n Schreibmaschine. 1910 ff.

Schreibkram m **1.** Briefwechsel; Niederschrift; amtlicher Schriftverkehr. ↗ Kram. 1900 ff.

2. Schreibzeug. Schül 1920 ff.

Schreibmaschine f **1.** unbeliebte, diensteifrige Stenotypistin. Ihr Verhalten ist unpersönlich und förmlich. 1920 ff.

2. Schreibgerät (Bleistift, Kugelschreiber usw.). 1920 ff.

3. Maschinengewehr. Wegen der schnellen Schußfolge und des ratternden Klangs erinnert es an die Schreibmaschine. Sold 1914 bis heute.

4. Maschinenpistole. BSD 1960 ff.

5. die ~ kitzeln = vor der Schreibmaschine sitzen und nicht wissen, was man schreiben soll. Gemeint ist, daß man sie wie einen Menschen streichelt und kitzelt, damit sie Ersprießliches von sich gebe. 1920 ff.

Schreibmaschinenverbrecher m Journalist. Dem „↗ Schreibtischtäter" nachgebildet. 1960 ff.

Schreibmuffel m Mann, der nicht mit der Hand schreibt; säumiger Briefbeantworter. ↗ Muffel. 1969 ff.

Schreibtischathlet m Bürokrat. 1930 ff.

Schreibtischfett n Dicklichkeit infolge sitzender Tätigkeit. 1960 ff.

Schreibtischgangster (Grundwort engl ausgesprochen) m Wirtschaftsstraftäter. ↗ Weiße-Kragen-Kriminalität. 1965 ff.

Schreibtischherz n **1.** Herzverfettung infolge sitzender Tätigkeit und geringen Arbeitseifers. 1950 ff.

2. Mangel an Einsicht in Notwendigkeiten des praktischen Alltagslebens. 1950 ff.

Schreibtischler (Schreib-Tischler) m Journalist, Vielschreiber. 1920 ff.

Schreibtischle'rei f Arbeitszimmer eines Vielschreibers. 1920 ff.

Schreibtischmord m Massenmord, der vom Schreibtisch aus organisiert wird. Aufgekommen gegen 1955/60 im Zusammenhang mit den Schwurgerichtsverhandlungen gegen verantwortliche Organisatoren und Gehilfen der Massenvernichtungen in der NS-Zeit.

Schreibtischmörder m Mann, der durch

einen Verwaltungsakt (Massen-)Mord anordnet oder dazu Beihilfe leistet. 1955/60 ff.

Schreibtischprolet m untergeordneter Büroangestellter. 1920 ff.

Schreibtischschule f Logistikschule der Bundeswehr. Vorwiegend wird Theorie gelehrt. BSD 1960 ff.

Schreibtisch-Seelsorger m Militärpfarrer, der nie Wehrdienst geleistet hat. BSD 1965 ff.

Schreibtischsoldat m zu Geschäftszimmerdiensten abkommandierter Soldat. Sold 1939 ff bis heute.

Schreibtischspeck m Beleibtheit infolge sitzender Tätigkeit. 1960 ff.

Schreibtisch-Stratege m **1.** Großunternehmer; Leiter eines Konzerns. 1955 ff.

2. Dienstgrad im Geschäftszimmer einer Kompanie. 1960 ff, BSD.

3. Sendeleiter; Intendant einer Fernsehanstalt. 1960 ff.

Schreibtischtäter m **1.** Behördenbediensteter, der innerhalb seines Aufgabenbereichs schwere Schuld auf sich lädt; für den Krieg verantwortlicher Minister; für Massenmorde verantwortlicher Funktionär. ↗ Schreibtischmord. 1955/60 ff.

2. Bürokrat. 1970 ff.

3. Journalist, der Meldungen manipuliert. 1970 ff.

Schreibtischverbrecher m **1.** Organisator von Massenmorden. Vgl ↗ Schreibtischmörder. 1955/60 ff.

2. Wirtschaftsverbrecher. 1965 ff.

Schrei-Büchse f Rundfunkgerät. 1955 ff.

Schreie f Art des Schreiens. 1950 ff.

schreien v **1.** es ist zum ~ = es ist überaus erheiternd. Vom Freudenschrei verallgemeinert. 1870 ff.

2. wenn hier jemand schreit, bin ich es!: parodistische Äußerung auf einen, der sich das Schreien verbittet. Sold 1939 ff.

3. die Wände ~ nach Farbe = die Wände benötigen dringend einen (neuen) Anstrich. 1920 ff.

schreiend adj grellbunt. Die Farbe tut dem Auge weh wie das Schreien dem Ohr. Seit dem 19. Jh.

Schreifritz m **1.** „Der Freischütz", Oper von Carl Maria v. Weber. Buchstabenumstellung ohne herabsetzende Absicht. Seit dem späten 19. Jh.

2. Sänger, der mehr laut als wohlklingend singt. Theaterspr. 1920 ff.

Schreihals m **1.** schreiendes Kind; Schreier. 1600 ff.

2. Klassensprecher. Schül 1950 ff.

3. lautstarker Sänger; Renommiersänger. 1955 ff.

Schreikuchen m Kuchen mit sehr wenigen Rosinen. Wenn die Rosinen sich unterhalten wollen, müssen sie schreien. 1930 ff.

Schreinerstochter f Mädchen ohne ausgeprägte sekundäre Geschlechtsmerkmale. Scherzhaft sagt man, vorn sei es glatt und hinten gehobelt. 1950 ff.

Schreistil m aufpeitschender Reporterstil. 1920 ff.

Schreiteufel m sehr oft und ausdauernd schreiendes Kind; Kind, das bei geringstem Anlaß schreit. Seit dem 19. Jh.

schrems adv schräg, schief, quer. Gehört zu mhd „schraemen = biegen, krümmen". Oberd seit dem 19. Jh.

Schrepfer m Klassenschlechtester. Übertragen von der Bezeichnung für die Bremse

am Wagen. Parallel zu ↗ Bremser 1. 1920 ff, österr.

Schrieb m Schreiben, Schriftstück, Brief (abf). Gekürzt aus „Geschriebenes". Seit dem 19. Jh.

Schriftkram m amtlicher Schriftverkehr; Verwaltungsarbeit. ↗ Kram. 1920 ff.

schriftlich adv ich gebe es dir ~ = darauf kannst du dich fest verlassen; Ausdruck der Beteuerung. Seit dem 19. Jh.

Schriftstehler m Plagiator. 1800 ff.

schrill adj **1.** hochmodisch, überelegant; überspannt. Von der Akustik übertragen. Halbw 1980 ff.

2. unerträglich, unfaßbar. 1980 ff.

Schrille f keifende Frau. Schrill = grelltönend. 1955 ff, halbw.

Schrippe f **1.** Weißbrötchen, Semmel. Fußt ablautend auf „↗ schrappen = kratzen" und spielt an auf die länglich aufgerissene Kruste (Kratzer). Seit dem späten 18. Jh; beliebte Berlin-Vokabel.

2. Vulva. Anspielung auf die Ähnlichkeit mit den länglichen Brötchen. 1870 ff.

3. ~ im eigenen Saft = Frikadelle. Anspielung auf reichliche Weißbrotbeimengung. 1930 ff, berlin.

4. alte ~ = alte Frau; alte Prostituierte. ↗ Schrippe 2. 1870 ff.

5. aufgewärmte ~ = Frikadelle, Fleischklößchen. 1930 ff.

6. blonde ~ = a) helles Brötchen. Berlin 1840 ff. – b) Dame gesetzten Alters mit hellgefärbtem Haar. 1930 ff.

7. gebratene ~ = deutsches Beefsteak. 1900 ff, Berlin.

8. scharfe ~ = mannstolle Frau höheren Alters. ↗ scharf 4. 1920 ff.

9. verzauberte ~ = Frikadelle. Der Zauber besteht darin, daß dieses Brötchen nach Fleisch schmeckt. Berlin 1950 ff.

Schrippengesicht n längliches Gesicht. 1920 ff.

Schritt m **1.** 23 ~e bis zum Abgrund = Stimmung der Schüler vor Erhalt des Zeugnisses. Fußt auf dem deutschen Titel des 1956 unter der Regie von Henry Hathaway gedrehten amerikanischen Films „23 Paces to Baker Street". Schül 1958 ff.

1 a. ~ in die richtige Richtung = erfolgversprechende Entscheidung. Geprägt von Bundeswirtschafts- und Finanzminister Karl Schiller (1966–1972).

2. einen guten ~ am Leibe haben = lange Schritte machen; ausdauernd marschieren. „Am Leibe" veranschaulicht das „an sich". Spätestens seit 1900.

3. in drei ~ vom Leibe halten = einen unsympathischen Menschen auf Abstand halten; sich von jm fernhalten. 1900 ff.

Schrittling m Fuß. Dem rotw ↗ Trittling nachgebildet, vielleicht schon in der Wandervogelbewegung des frühen 20. Jhs. Jug 1955 ff.

Schrittmacher m Herz. Das Wort stammt aus dem Engl (pacemaker) und wurde über den Radrennsport volkstümlich. Die Bedeutung „Herz" scheint erst nach 1950 aufgekommen zu sein.

schröcklich adj schrecklich (scherzhaft gemeint). Tritt im späteren Sinn im 17. Jh neben „schrecklich", fußend auf „schröcken" als Nebenform zu „schrekken".

schroh adj böse, schlecht, widerlich, häßlich. Geht zurück auf mhd „schrach, schroch = mager, dürr, rauh, grob". Daraus *gleichbed niederd* „schra". Seit dem 15. Jh.

schröpfen *tr* jm Geld abnehmen; jn ausbeuten. Hergenommen von „jn zur Ader lassen". Durch Schröpfen wird überflüssiges Blut, durch „Schröpfen" überflüssiges Geld entzogen. Seit dem 16. Jh.

Schröpfius *m* Sankt ~ = Schutzheiliger der Steuerbehörde. Ein unkanonischer Heiliger scherzhafter Erfindung. 1920 *ff*.

Schropp *m* kleiner Junge. Eigentlich Bezeichnung für eine kleine Erhebung. *Österr* 1900 *ff*.

Schrot *n m* 1. Kleingeld. Analog zu ↗ Pulver. Seit dem 19. Jh, kundenspr. 2. Linsen. Formähnlich mit Bleikörnern für Jagdpatronen. *BSD* 1960 *ff*. 3. Mann von altem (echtem) ~ und Korn = Mann von aufrechter, gediegener Gesinnung. Schrot ist das Münzgewicht, Korn der Feingehalt. Spätestens seit 1700. 4. *pl* = Graupen. ↗ Schrot 2. *BSD* 1960 *ff*.

Schrotspritze *f* 1. Schrotflinte. Jägerspr. 1900 *ff*. 2. Gewehr. *BSD* 1960 *ff*.

Schrott *m* 1. Kriegsschiff veralteter Bauart. Es hat nur noch Alteisenwert. *Marinespr* 1939 *ff*. 2. betagter Mensch. Er gehört zum „alten ↗ Eisen". 1950 *ff, halbw*. 2 a. Versager. 1950 *ff, sportl*. 3. ~ auf Rädern = altes, betriebsunsicheres Auto. 1950 *ff*. 4. letzter ~ = a) liederliche, sittenlose weibliche Person. *Halbw* 1950 *ff*. – b) kläglicher Versager. 1950 *ff*. 5. ~ bauen = ein Werkstück verderben. 1900 *ff*. 6. ~ im Körper haben = Geschoßsplitter im Körper haben. *Sold* 1940 *ff*. 7. kein ~ sein = noch bei besten Kräften sein. 1950 *ff*.

Schrottbaron *m* wohlhabend gewordener Schrotthändler. Dem „↗ Schlotbaron" nachgebildet. 1960 *ff*.

schrotteln *tr* tauschhandeln. Gehört zu „schroten = zermahlen, zerkleinern". 1930 *ff*.

Schrottlaube *f* zur Verschrottung vorgesehenes Auto. 1960 *ff*.

Schrottmühle *f* Gebrauchtwagen. ↗ Mühle. 1925 *ff*.

schrubben *tr* 1. scheuern. Ein *niederd* Wort, ablautende Variante zu „↗ schrappen 1". Seit dem 16. Jh. 2. koitieren. Übertragen von der Hin- und Herbewegung der Scheuerbürste. 1900 *ff*. 3. Gitarre ~ = Gitarre spielen. „Schrubben" meint in Bezug auf ein Musikinstrument eigentlich „den Baß streichen"; auch lautmalender Natur wie „↗ schollern". 1955 *ff, schül*. 4. jn prügeln. Analog zu ↗ abreiben. Seit dem 19. Jh.

Schrubber *m* 1. Scheuerbesen. ↗ schrubben 1. 1700 *ff*. 1 a. Jazzbesen. *Jug* 1955 *ff*. 2. gleichmäßig kurzgeschnittenes Haar. 1950 *ff*. 3. geiziger, raffgieriger Mensch. Er „schrappt" sein Eigentum zusammen. Seit dem 19. Jh. 4. häßliche Frau. Vergröberung von ↗ Besen 3. 1900 *ff*. 5. alter ~ = alte Frau. 1900 *ff*.

6. mit dem ~ gebürstet sein = nicht recht bei Sinnen sein. Analog zu „↗ bescheuert sein". 1950 *ff*. 7. du bist wohl vom ~ gesaust?: Frage an einen, der töricht schwätzt oder handelt. 1950 *ff, schül*.

Schrubberfee *f* Putzfrau. Scherzhafte Rangerhöhung. 1960 *ff*.

Schrub'bistin *f* Putzfrau. 1960 *ff*.

Schrulle *f* 1. wunderliche Gewohnheit; seltsamer Einfall. Ein *nordd* Wort, schon im Mittelalter als „Anfall von toller Laune" geläufig. Im 18. Jh wiederaufgelebt. 2. ältliche Frau; wunderliche weibliche Person. 1840 *ff*.

schrum (schrumm) *interj* und damit ~! = und damit Schluß! Hergenommen vom kräftigen Schlußstrich mit dem Bogen auf einem Saiteninstrument. 1910 *ff*, Berlin.

Schrumme *f* wuchtige ~ = hervorragende sportliche Leistung; heftiger Boxhieb; unhaltbarer Tortreffer. „Schrumm" steht lautmalend für einen rauhen, plötzlichen Laut. *Sportl* 1950 *ff*.

Schrump *f* Baßgeige. Schrumpen = auf einer Saite tiefe Klänge hervorrufen. 1900 *ff*.

Schrumpel *f* 1. Runzel, Gesichtsfalte. ↗ schrumpeln. 1500 *ff*. 2. alte Frau. Seit dem 19. Jh.

schrumpeln *intr* Falten bekommen. *Niederd* und *mitteld* Variante zu *hd* „schrumpfen". Seit dem 16. Jh.

schrumpen *intr* (schlecht) geigen. ↗ Schrump. 1900 *ff*.

Schrumpfgermane *m* 1. kleinwüchsiger Mensch. Nach dem Muster der indianischen Schrumpfköpfe gebildet, zugleich mit Spott auf den Rassenwahn. Galt seit 1926 als Hohnbezeichnung für Dr. Joseph Goebbels, angeblich von Reichsorganisationsleiter Gregor Strasser geprägt. Vor diesem Jahr war bisher kein Beleg zu finden. 2. Deutschtümler, der äußerlich nicht nordisch wirkt; Schimpfwort. 1930 *ff*. 3. Gartenzwerg. 1967 *ff*.

Schrumpfprinzessin *f* Mumie einer weiblichen Person. 1960 *ff*.

Schrupp *m* ungebärdiger Junge; Flegel. Entweder analog zu „↗ Schropp" oder über „Schrupp = Spatz" anspielend auf „frech wie ein ↗ Rohrspatz". 1945 *ff*.

Schub 1. Verhaftung; Zwangsentfernung über die Landesgrenze. Gehört zu „schieben, abschieben". 1700 *ff*. 2. auf den ~ gehen = zwangsweise landesverwiesen werden. Seit dem 18. Jh.

Schubbjack *m* ↗ Schubiak.

schubben (schuppen) *v* 1. *tr* = stoßen, reiben. Eine *niederd* und *mitteld* Variante zu *hd* „schieben". Seit dem 17. Jh. 2. *refl* = sich reiben, kratzen. Seit dem 17. Jh.

schubbern *v* 1. *tr* = kratzen, scheuern. ↗ schubben 1. Seit dem 19. Jh. 2. eine Sache bewerkstelligen. Analog zu ↗ ritzen 1. 1945 *ff*. 3. sich an jm ~ = Streit mit jm suchen; jn durch anzügliche Bemerkungen reizen. Analog zu ↗ reiben 1. 1800 *ff*. 4. einen ~ = engumschlungen tanzen. Kann meinen, daß Körper an Körper reibt, aber auch daß man den Tanzboden „scheuert". 1935 *ff*.

Schubert-Brille *f* Krankenkassenbrille mit

Nickelrand. Solch eine Brille trug der Komponist Franz Schubert. 1950 *ff*.

'Schubiak ('Schubjack, 'Schubbejack) *m* 1. niederträchtiger Mann; Betrüger. Zusammengesetzt aus „↗ schubben = reiben" und „Jak = Jakob; Bezeichnung für den auf der Weide eingeschlagenen Pfahl, an dem sich das Vieh reiben kann". Vorwiegend *niederd* und *mitteld*, seit dem 17. Jh. 2. Müßiggänger. 1930 *ff*.

Schubkarre *f* 1. Auto. Vermutlich eines, das man schieben muß, ehe der Anlasser funktioniert. *Halbw* 1955 *ff*. 2. jn auf die ~ laden = jn veralbern; mit jm seinen Spott treiben. Hergenommen von der Schubkarre, in die man eine Person setzt und die man nach einer Weile umstürzt. „Schubkarre" nennt man auch ein beliebtes Kinderspiel: ein Kind im Liegestütz wird von einem zweiten an den Fußgelenken gefaßt und vorwärtsgeschoben. Spätestens seit 1900.

Schublade *f* 1. Mund (des Vielessers). Dort schiebt man die Speisen ein wie das Gebäck in den Backofen. 1900 *ff*. 2. Vagina. *Rotw* 1840/50 *ff*. 3. sich die ~ füllen = sich sattessen. 1900 *ff*. 4. ein Kind in der ~ haben = schwanger sein. 1900 *ff*. 4 a. etw in der ~ haben = etw vorbereitet, aber noch nicht an die Öffentlichkeit gebracht haben. *Vgl* ↗ Schubladengesetz. Politikerspr. 1960 *ff*. 5. das ist nicht meine ~ = dafür bin ich ungeeignet; das ist nicht meine Angelegenheit; Ausdruck der Ablehnung. 1960 *ff*. 6. die ~ sprengen = vergewaltigen. Seit dem 19. Jh.

Schubladenakademiker *m* Apotheker. Die Fertigpräparate bewahrt der Apotheker in einer Fülle von Schubladen auf: die Schublade wird zum Sinnbild seines peinlich genauen Ordnungssinns. Der Ausdruck fußt auch auf der Vorstellung, daß der Apotheker kaum noch Arzneimittel herstellt, sondern vor allem Verkäufer ist. 1900 *ff*.

Schubladengedächtnis *n* Gedächtnis, das sich von Fall zu Fall wieder erinnert; Gedächtnis für alles Mögliche. 1930 *ff*.

Schubladengesetz *m* noch geheimgehaltenes Gesetz. Es ruht noch in der Schublade. ↗ Schublade 4 a. 1965 aufgekommen im Zusammenhang mit den Notstandsgesetzen.

Schubs *m* ↗ Schups.

schubsen *v* ↗ schupsen.

schüchtern *adj* 1. ~ auf den Augen sein = schielen. „Schüchtern" meint im allgemeinen „scheu, ängstlich"; hier beschränkt auf einen, der eine Sache nicht beherrscht. Berlin 1860/70 *ff*. 2. ~ auf der Grammatik (auf dem Kasus) sein = a) „mir" und „mich" verwechseln. Berlin, spätestens seit 1900. – b) unehrlich, diebisch sein. Der Betreffende verwechselt „mein" und „dein". 1900 *ff*. 3. ~ in Mathematik sein = mathematisch unbegabt sein. 1920 *ff*. 4. ~ in der Rechtschreibung sein = die Rechtschreiberegeln nicht beherrschen. 1920 *ff*.

Schuck *m f* eine Mark. Stammt *gleichbed* und gleichlautend aus dem *Jidd* seit dem 19. Jh.

schuckeln (schockeln) *intr* schaukeln, wackeln; schwanken; mit wiegendem Gang gehen. Nebenform zu „schaukeln". Seit dem 17. Jh.

Schuckeln *n* Petting. Soviel wie „schütteln", rütteln", auch wie „naschen". *Halbw* 1960 *ff.*

schucken *v* 1. *intr* = in der Schule ein Täuschungsmittel verwenden. Gehört zu *jidd* „chokar = er hat gespäht". Von da weiterentwickelt zur Bedeutung „schmuggeln". 1900 *ff.*
2. *tr* = jn bestechen. Fußt auf *jidd* „schuck = Mark (Währungseinheit)". 1920 *ff.*
3. *tr* = werfen, schnellen. Fußt auf „schocken = schaukeln", vor allem mit der Vorstellung „einen Schwung nehmen". Seit dem 19. Jh.

Schucker *m* Polizeibeamter; Haftanstaltsaufseher. Geht zurück auf *jidd* „chokar = er hat gespäht, geforscht". *Rotw* seit dem frühen 19. Jh.

schuckern *intr* 1. schaukeln. ↗schuckeln. Seit dem 19. Jh.
2. autofahren. *Vgl* ↗Schaukel = Auto. *Halbw* 1965 *ff.*

Schucks *pl* Geld. ↗Schuck. Seit dem 19. Jh.

Schucksen *m* 1. überhastet, unsorgfältig arbeitender Mensch. Gehört zu „↗schucken 3". 1900 *ff,* bayr.
2. *pl* = Schularbeiten. Auch in der Schreibung „Schuxen" und „Schuksen". Entweder werden sie im Sinne des Vorhergehenden nicht gewissenhaft erledigt, oder man verwendet unerlaubte Hilfsmittel; ↗schucken 1. *Bayr* 1900 *ff.*

Schuckzettel *m* selbstverfertigtes Täuschungsmittel des Schülers. ↗schucken 1. 1900 *ff.*

Schudder *m* Schauder; Frösteln. ↗schuddern. *Niederd* seit dem 14. Jh.

schuddern *intr* schaudern; frösteln. *Niederd* Form von *hd* „schaudern". Seit dem 14. Jh.

Schuft *m* niederträchtiger Mensch. Die Herleitung ist ungesichert. Es kann auf dem Ruf des Uhus beruhen, den man als „schuf ut" auffaßte und als „schieb ab" deutete; auch Zusammenhang mit „↗schofel" ist möglich. Anfangs als Schelte auf den lichtscheuen Raubritter, später auf den heruntergekommenen Edelmann bezogen. Die heutige Bedeutung setzte im 18. Jh. ein.

schuften *v* 1. *intr* = angestrengt arbeiten; mühsam lernen. Geht auf „schaffen" zurück, vor allem auf *niederd* „schuft = Vierteltagwerk". Im 19. Jh von Studenten ausgegangen.
2. in ~ = jn plagen, schikanieren. Man behandelt ihn niederträchtig; ↗Schuft. *Österr* 1930 *ff.*

Schuh *m* 1. ~ mit 5-Pfennig-Hacken = Damenschuh mit hohem, dünnem Absatz. ↗Pfennigabsatz. 1955 *ff.*
2. ~ mit Notausgang = zerrissenes Schuhwerk. Dem Notausgang im Theater oder Konzertsaal scherzhaft angeglichen. 1920 *ff.*
3. ~ mit Waffenschein = vorn spitz zulaufender Schuh. Man könnte ihn als Waffe benutzen. 1955 *ff.*
4. abgelatschter ~ = altbekannte Sache, die unwichtig geworden ist. ↗latschen. 1950 *ff.*

5. drückender ~ = schwerer Kummer. ↗Schuh 21. 1920 *ff.*
6. heiße ~e = Jungmädchenschuhe in flacher, ballettschuhartiger Form. Angeblich ein vom Deutschen Modeausschuß Schuhe geprägter Ausdruck. 1960 *ff.*
7. schnelle ~e = Damenschuhe mit niedrigen Absätzen. Sie ermöglichen rasche Gangart. 1950 *ff.*
8. schwarz wie ein ~ = sehr schmutzig. Seit dem 19. Jh.
9. sich etw an den ~en abgelaufen (verrissen) haben = über eine Sache längst Bescheid wissen; etw längst abgetan haben. Geht zurück auf das Gesellenwandern: bevor man Meister wurde, mußte man drei Jahre auf Wanderschaft gewesen sein und bei tüchtigen Meistern gearbeitet haben. 1500 *ff.*
10. sich an jm die ~e abputzen = jn als minderwertig behandeln. 1900 *ff.*
11. die ~e abstauben = wegeilen. Durch die Geschwindigkeit wird der Staub von den Schuhen weggefegt. *Sold* 1939 *ff.*
12. die guten ~e anhaben = gutgelaunt sein. Die „guten" Schuhe sind die Sonn- und Feiertagsschuhe. Seit dem 19. Jh.
13. sich einen ~ anziehen = eine Äußerung auf sich selber beziehen. Hängt mit der sprichwörtlichen Redensart zusammen: „wem der Schuh paßt, der zieht ihn (sich) an". Seit dem 19. Jh.
14. ihm geht der ~ auf = er verliert die Geduld, er braust auf. Auszugehen ist von der Zornesader, die anschwillt; hier erstreckt sie sich groteskerweise bis zum Fuß. Der sprichwörtliche Geduldsfaden wird hier zum Schnürband. Seit dem 19. Jh.
15. der ~ sperrt das Maul auf = das Oberleder hat sich von der Sohle gelöst. 1900 *ff.*
16. da fallen einem die ~e von selbst aus!: Ausdruck der Verwunderung. Berührt sich mit der Vorstellung, daß man vor Staunen und Erschrecken aus den Schuhen fällt. 1900 *ff.*
17. das zieht ihm (damit zieht man ihm) die ~e aus = damit bringt man ihn zur Verzweiflung. Meint eigentlich „es bringt ihn um Hab und Gut"; denn der Schuh versinnbildlicht den persönlichen Besitz, die Unverwechselbarkeit des Eigentums. 1870 *ff.*
18. ihm kann man beim Laufen die ~e besohlen = er ist schwung-, energielos. Übernommen von den Kunstfertigkeitsproben im Märchen. 1960 *ff, BSD.*
19. er hat seine ~e noch nicht bezahlt = seine Schuhsohlen knarren. Eine scherzhafte Redewendung auf alter abergläubischer Grundlage: der Schuster mahnt durch das Knarren die Bezahlung an. Seit dem 19. Jh.
20. blas' mir in die ~e!: Ausdruck derber Ablehnung. Hehlwörtlich für „blas' mir in den ↗Arsch". 1920 *ff.*
21. ihn drückt der ~ = er hat Schmerzen, Sorgen, Kummer. Der drückende Schuh ist eine aus jedermanns Alltagserfahrung geläufige Veranschaulichung der bitteren Plage. Seit dem 15. Jh. *Vgl engl* „the shoe pinches".
22. neben den ~en gehen = a) zerlumpt, ärmlich, niedergeschlagen sein. Hergenommen von völlig verschlissenem Schuhwerk. 1930 *ff.* – b) betrunken sein. Anspielung auf den Torkelgang. 1935 *ff.*

23. jm in die ~e helfen = jn barsch hinausweisen; jn streng zurechtweisen. Verdeutlichung von „jm in den Mantel helfen". 1910 *ff.*
24. aus den ~en kippen = a) die Beherrschung verlieren; sehr überrascht sein. Vor Verwunderung und Erschrecken verliert man das Gleichgewicht und stürzt zu Boden. *Vgl* ↗Schuh 16. Spätestens seit 1900. – b) jn aus den ~en kippen = jds Widerstand brechen. 1920 *ff.*
25. er kommt mit ~en und Strümpfen in den Himmel = um sein Seelenheil nach dem Tode braucht niemand zu bangen. „Mit Schuhen und Strümpfen" veranschaulicht den Begriff „gut vorbereitet" oder „wohlhabend". *Vgl* ↗Schuh 38. 1900 *ff.*
26. sich für jn nicht die ~e dreckig machen = sich für jn nicht verwenden. 1960 *ff.*
27. nimm das Maß nicht von deinen ~en! = schließe nicht von dir auf andere! 1900 *ff.*
28. in keinen ~ mehr passen = die Beherrschung verlieren; außer sich sein. Weiterführung von ↗Schuh 14. 1950 *ff.*
29. in die ~e rausstellen = jn überflügeln. Umschreibung für „jn zum Davongehen bewegen (zwingen)". *Sportl* 1950 *ff.*
30. das reißt einem aus den ~en!: Ausdruck der Entrüstung. Man ist dermaßen empört, daß man beim Aufspringen aus den Schuhen gerät. 1950 *ff.*
31. die ~e rinnen = die Schuhe sind undicht. 1955 *ff.*
32. jm in die ~e scheißen = jm eine Schlechtigkeit unterstellen; jn zum Schuldigen machen; jn verleumden. Meint eigentlich einen drastischen Scherz; hier als Veranschaulichung des Folgenden aufzufassen. 1910 *ff.*
33. jm etw in die ~e schieben = die Schuld auf einen anderen abwälzen. Leitet sich wahrscheinlich her von wandernden Gesellen, die gestohlene Gegenstände in der Herberge heimlich anderen in die Schuhe schoben, damit bei amtlicher Durchsuchung die Falsche belangt wurde. 1700 *ff.*
34. jn aus den ~en schmeißen = jn aus dem seelischen Gleichgewicht bringen. 1950 *ff.*
35. das sind zwei verschiedene ~e (zwei Paar ~e) = das sind zwei völlig verschiedene Dinge. Seit dem 19. Jh.
36. nicht in jds ~en stecken mögen = nicht in jds Lage sein mögen. Hängt wohl mit der Vorstellung von Schmutz an den Schuhen zusammen, womit man den Begriff der Bescholtenheit veranschaulicht. 1800 *ff.* *Vgl engl* „I would not like to be in his shoes".
37. jm auf den ~en stehen = jn scharf überwachen; jn nicht aus den Augen lassen. 1950 *ff.*
38. ~e und Strümpfe verlieren = um Hab und Gut gebracht werden; einen schweren Verlust erleiden. Barfußgehen steht sinnbildlich für Ärmlichkeit. *Vgl* ↗Schuh 25. Seit dem 19. Jh.
39. da wird kein ~ draus = das läßt sich nicht verwirklichen. Anspielung auf einen untauglichen Schuhmacher oder auf zu wenig Leder. 1950 *ff.*
40. umgekehrt wird ein ~ draus. ↗umgekehrt.

41. das zieht einem die ~e von den Füßen = das ist unerhört, unerträglich, eine unüberbietbare Zumutung. ↗Schuh 17. 1900 ff.

Schuhauszieher m Likör. Er bahnt wohlig-gelöste Stimmung an. In geschlechtlicher Hinsicht Anspielung auf den Beginn der Entkleidung. Halbw 1955 ff.

Schuhgröße f **1.** das ist meine ~ = das sagt mir sehr zu. 1920 ff. **2.** sie hat meine ~ = sie gefällt mir außerordentlich. 1920 ff.

Schuhkarton m Kleinauto. 1925 ff.

Schuhleder n zähes Fleisch. Fußt auf einem Vergleich. Seit dem 19. Jh.

Schuhlöffel m er braucht einen ~ zum Einsteigen = als Beleibter fährt er ein Kleinauto. 1930 ff.

Schuhnummer f **1.** das ist deine ~ = das paßt ihm sehr; das kommt ihm gelegen. Schuh- und Fußgröße müssen zueinander passen. 1910/20 ff. **2.** das ist für ihn einige ~n zu groß = das übersteigt seine Mittel, seine Begabung. 1960 ff.

Schuhsohle f **1.** unsympathischer Mensch. Er ist „↗ungenießbar". BSD 1955 ff. **2.** zähe Bratenscheibe; Rindfleisch. Vgl ↗Schuhleder. BSD 1955 ff. **3.** sich die ~n ablaufen = viele Wege machen. Seit dem 19. Jh. **4.** etw an den ~n abgelaufen haben = lange und genau mit einer Sache vertraut sein. Die abgelaufenen Schuhsohlen lassen auf lange Benutzung schließen. Vgl ↗Schuh 9. 1500 ff.

Schularbeiten pl seine ~ machen = im Geschäft Routinearbeiten erledigen. 1950 ff.

Schulaufgaben pl Hausaufgaben, die erst in der Schule angefertigt werden. 1920 ff.

Schulbank f **1.** die ~ drücken = Schüler sein. Seit dem späten 19. Jh. **2.** seit wann haben wir zusammen auf der ~ gesessen?: Frage an einen, der sich plumpe Vertraulichkeiten erlaubt. 1920 ff. **3.** auf der ~ rumrutschen = lange in der Schule sein. 1900 ff. **4.** die ~ wetzen = Schüler sein. Wetzen = glätten, schleifen. 1900 ff.

Schulden pl **1.** haben ~ haben als Haare auf dem Kopf. ↗Haar 23. **2.** ~ haben wie ein Major. ↗Major.

Schule f **1.** Straf-, Erziehungsanstalt. Was der Eingewiesene vor Betreten dieser Anstalten noch nicht wußte, lernt er dort gewiß. Seit dem 19. Jh. **2.** ~ der Blauen = Schule der Technischen Truppe. Die Grundfarbe der Kragenspiegel ist blau. BSD 1965 ff. **3.** ~ für Inneres Gewürge = Schule für Innere Führung. ↗Gewürge 2. Spottwort. BSD 1960 ff. **4.** ~ für Internisten = Schule für Innere Führung der Bundeswehr. Internist ist eigentlich der Facharzt für innere Krankheiten. BSD 1960 ff. **4 a.** ~ der großen Kacker (der feinen Leute) = Gymnasium. ↗Kacker 5. 1960 ff, schül. **5.** ~ der späten Mohikaner = Kampftruppenschule Hammelburg. Anspielung auf die Ausbildung zum Einzelkämpfer. Vgl ↗Mohikaner. BSD 1970 ff. **6.** ~ der Nation = a) Bundeswehr. Diese von Bundeskanzler Kurt Georg Kiesinger am 27. Juni 1969 vor dem Deutschen Bundestag gewählte Bezeichnung entfachte einen Sturm der Entrüstung. Man erblickte hierin eine Verunglimpfung und Zurücksetzung der allgemeinbildenden Schulen der Bundesrepublik Deutschland. Der Ausdruck fußt auf der preußischen Militärauffassung seit den Tagen der Befreiungskriege und hatte ursprünglich einen rein positiven Bedeutungsinhalt ohne jegliche Anspielung auf das allgemeine Schulwesen. Nach preußischer Auffassung war jeder Soldat ein Lehrer und Erzieher des Volkes im Hinblick auf die Stärkung der moralischen Kräfte. – b) Deutsches Fernsehen. Es vermittelt Allgemeinbildung und hat viele Millionen Schüler und Schülerinnen. 1970 ff. **7.** ~ für Normalverbraucher = Grundschule. Aufgekommen um 1960 im Zusammenhang mit schulreformerischen Bestrebungen. **8.** ~ für Stehkragenproletarier = Handelsschule. ↗Stehkragenproletarier. Seit dem frühen 20. Jh. **9.** hohe ~ = a) Gefängnis, Zuchthaus. ↗Schule 1. Seit dem 19. Jh. – b) vierzigjährige Frau. Eigentlich ein Fachwort der Reitkunst; hier bezogen auf „reiten = koitieren". Halbw 1955 ff. **10.** die hohe ~ besucht haben = lebenserfahren, listig sein. ↗Schule 9 a. 1900 ff. **11.** in der ~ gefehlt haben = unwissend sein. 1900 ff. **12.** neben (hinter) die ~ gehen = a) den Schulunterricht absichtlich versäumen. Seit dem 16. Jh. – b) ehebrechen. Seit dem 19. Jh. **13.** aus der ~ plaudern (schwatzen) = geheimzuhaltende Dinge erzählen; Vertraulichkeiten preisgeben. Geht über humanistische Vermittlung zurück auf die antiken Philosophenschulen, in denen die Zugelassenen zum Schweigen gegenüber Nichteingeweihten verpflichtet waren. Später bezogen auf die Aufklärung von Laien über ärztliches Wissen. 1500 ff. **14.** auf der hohen ~ sein = a) überheblich sein. Akademiker gelten weithin als dünkelhaft. Seit dem 19. Jh. – b) hohe Preise fordern. 1920 ff. **15.** durch alle ~n sein = gewitzt, schlau sein. 1840 ff.

Schülerklau m Firmennachwuchswerbung unter Schulpflichtigen. ↗Klau. 1960 ff.

Schulfett n Hiebe für den Schüler. Fußt auf „sein ↗Fett haben". Dieses „Fett" soll das Triebwerk für Zucht und Ordnung ölen. 1900 ff. Vgl engl „schoolbutter".

Schulfreund m unerlaubte fremdsprachliche Übersetzung. Derlei gedruckte Übersetzungen in Kleinformat tragen als Verfasservermerk „von einem Schulmann" oder „von einem Schulfreund". 1900 ff.

Schulfuchs m **1.** Pedant; engstirniger Einzelgänger. Er lebt in der Verborgenheit wie der Fuchs in seinem Bau und ahmt anerkannte Vorbilder übergenau nach. 1600 ff. **2.** welt- und menschenfahrener Mann. Er ist ein in seine Stube und seine Bücher vergrabener Gelehrter. 1600 ff. **3.** Lehrer. Das Wort verspottet die Pedanterie. 1700 ff. **4.** übereifriger Schüler; Gymnasiast. ↗fuchsen = quälen. Seit dem 18. Jh.

Schulgalopp m „Überspringen" einer Schulklasse. 1920 ff.

Schulgeld n **1.** er hat sein ~ umsonst ausgegeben (verloren) = er hat in der Schule nichts gelernt. Seit dem 19. Jh. **2.** laß dir dein ~ wiedergeben!: Rat an einen Dummen. Seit dem 19. Jh.

Schuljungenstreiche pl vom Gegner vereitelte Kartenspielertricks. Kartenspielerspr. seit dem 19. Jh.

Schulkram m Lehrmittel, Lernmittel; häusliche Schularbeiten. Seit dem 19. Jh.

Schulkrankheit f vorgespiegeltes Unwohlsein, um dem Schulunterricht fernbleiben zu können. Seit dem 18. Jh.

Schulmann m unerlaubte fremdsprachliche Übersetzung. ↗Schulfreund. 1900 ff.

Schulmotzer (-muffel) m Lehrer. ↗Motzer 2; ↗Muffel 1. Schül 1900 ff.

Schulsack m einen guten ~ haben (mitbringen) = in der Schule das für das praktische Leben Notwendige gelernt haben. „Schulsack" ist die Schulmappe, der Tornister des Schülers. Weiterentwickelt zur Bedeutung „die in der Schule erworbenen Kenntnisse". Seit dem 19. Jh.

Schulschnee m **1.** Schulwissen. Anspielung auf die Vergänglichkeit des Schulwissens, das dem Gedächtnis entschwindet wie der Schnee. 1900 ff. **2.** alter ~ = altbekanntes Wissen. 1900 ff.

schulschwanzen (schulschwänzen) intr den Schulunterricht absichtlich versäumen. ↗schwänzen. Österr seit dem 19. Jh.

Schulstürzen n eigenmächtiges Fernbleiben vom Unterricht. Gehört wahrscheinlich zu „störzen = umherstreunen". Österr seit dem 19. Jh.

Schulter f **1.** elektrische ~n = reichwattierte Schultern. Dasselbe wie ↗Kilowatt. Österr 1940 ff, jug. **2.** kalte ~ = a) abweisendes Verhalten. ↗Schulter 11. 1920 ff. – b) geschlechtliche Leidenschaftslosigkeit; geschlechtliche Unnahbarkeit. 1920 ff. **3.** jn über die ~ ansehen = jn hochmütig behandeln. Es gilt als unhöflich, sich einem nicht zuzukehren. Seit dem 19. Jh. **4.** die kalte ~n einhandeln = auf allgemeine Ablehnung stoßen. 1930 ff. **5.** geschwollene ~n haben = a) Offizier vom Major an aufwärts sein. Anspielung auf die dicken, geflochtenen Schulterstücke. Sold 1900 bis heute. – b) überheblich auftreten. 1920 ff, ziv. **6.** die kalte ~ hervorkehren = sich abweisend verhalten. ↗Schulter 11. 1920 ff. **7.** sich selbst auf die ~ klopfen = sich loben; sich brüsten. 1920 ff. Vgl engl „to pat oneself on the back". **8.** jn auf die ~ legen = jn überwältigen. Stammt aus der Ringersprache. 1920/30 ff. **9.** etw auf die leichte ~ nehmen. ↗Achsel 2. **10.** auf beiden (auf zwei) ~n tragen = es mit zwei Parteien halten. Hergenommen von einem, der an der Wassertrage auf beiden Seiten je einen Eimer trägt. 1700 ff. **11.** jm die kalte (kühle) ~ zeigen = jn abweisend behandeln. Stammt wohl aus engl „to show someone a cold shoulder" und „to cold-shoulder a person". Spätestens seit 1900. – b) ein schulterfreies Kleid tragen. 1958 ff; wohl erheblich älter. **12.** jm die warme (leicht gewärmte) ~

zeigen = jm geneigt sein. Warm = herzlich, mitfühlend. 1910 ff.

13. jm die warme ~ zeigen = mit jm homosexuellen Verkehr suchen. Warm = homosexuell. 1910 ff.

Schulterschluß *m* Herstellung guten Einvernehmens; einträchtiges Zueinanderstehen; enge Gemeinschaft. Wohl hergenommen von der Reihe dicht nebeneinander stehender Soldaten oder Sportler, die die Arme auf die Schultern des rechten und linken Nachbarn zur Bildung einer geschlossenen Kette legen. „Schulterschluß" gibt es auch bei Demonstrationen sowie bei der Polonaise, bei der die Teilnehmer dem jeweiligen Vordermann beide Hände auf die Schultern legen. Nach 1970 aus der Schweiz eingebürgert.

Schulze *Pn* **1.** Gottlieb ~ = Durchschnitts-, Normalbürger. Die Identifizierung ist bisher gescheitert. Der Ausdruck macht sich den weitverbreiteten Personennamen Schulze zunutze. 1900 ff.
2. das ist mir Gottlieb ~ = das ist mir völlig gleichgültig. 1920 ff.

Schumm *m* **1.** Rausch. Geht wohl zurück auf *jidd* „schemen = Fett". Der Betrunkene ist „↗ fett". 1900 ff.
2. Sekt. Gehört zu *niederd* „Schum = Schaum"; hier verkürzt aus „Schaumwein". Seit dem frühen 20. Jh.

Schummel I *m* **1.** Täuschung; Betrug; Übertölpelung leichterer Art. ↗ schummeln 1. 1920 ff.
2. Schmuggelware. 1920 ff.

Schummel II *f* **1.** unordentliche Frau. Gehört wahrscheinlich zu „schommeln = scheuern", hier bezogen auf schlurfende Gangart. Seit dem 19. Jh.
2. Zuhälterin; Bordellwirtin. ↗ schummeln 3. *Rotw* 1850 ff.
3. Vagina. *Rotw* 1850 ff.

schummeln *v* **1.** *intr* = trügen, täuschen, betrügen. Fußt auf *rotw* „Schund = Kot"; der Begriff „trügen" erscheint in volkstümlicher Auffassung unter dem Bilde des Beschmierens mit Exkrementen; *vgl* ↗ bescheißen. Seit dem 16. Jh.
2. *intr* = beim Kartenspiel betrügen. Seit dem 19. Jh.
3. *tr intr* = liebkosen, tändeln; koitieren. Fußt auf dem mundartlich verbreiteten Verb „schummeln = hin- und herschieben", auch in der Bedeutung „kramen" geläufig; *vgl* ↗ kramen. 1850 ff.
4. *tr* = jn antreiben, hetzen; jn listig zum Weggehen veranlassen. Fußt wie im Vorhergehenden auf der Bedeutung „hin- und herschieben". Seit dem 19. Jh.
5. sich ~ = sich listig davonschleichen; sich schlau einer Sache entziehen. Analog zu ↗ schieben 9. Seit dem 19. Jh.

Schummelrecht *n* Recht der Frauen, sich für jünger auszugeben. ↗ schummeln 1. 1965 ff.

Schummer *m* Dämmerung. Ablautende Nebenform zu „Schimmer". 1700 ff.

schummerig *adj* **1.** dämmerig. *Nordd* und *mitteld* seit dem 19. Jh.
2. ihm wird ~ = ihm wird übel; ihm schwinden die Sinne. Seit dem 19. Jh.

schummern *impers* dämmern. ↗ Schummer. Seit dem 14. Jh.

Schummernische *f* lauschige Nische in einem Lokal. 1920 ff.

Schummler *m* **1.** Betrüger, Schwindler;

Spielbankbetrüger. ↗ schummeln 1. Seit dem 19. Jh.
2. betrügerischer Kartenspieler. Seit dem 19. Jh.
3. täuschender Schüler. Seit dem 19. Jh.

Schund *m* **1.** Lehrling. Er gilt als wertlos wie unbrauchbare Ware; auch wird er „geschunden" (= überanstrengt). *Rotw* „Schund = Kot". 1900 ff.
2. Rekrut. *Sold* 1900 ff.
3. rohes, niederträchtiges Volk. Von minderwertiger Ware auf minderwertigen Charakter übertragen. 1850 ff.
4. Unsinn, Geschwätz. 1920 ff.
5. erstklassiger ~ = Wertlosigkeit in gefälliger Aufmachung. 1920 ff.

Schundier (Endung *franz* ausgesprochen) *m* geiziger Mensch. Gehört zu der aussterbenden Redewendung „die Laus um den Balg schinden = geizig sein". *Bayr* 1920 ff.

schundig *adj* **1.** minderwertig, niederträchtig. ↗ Schund. *Bayr* und *österr* seit dem 19. Jh.
2. geizig; habgierig. *Bayr* und *österr* seit dem 19. Jh.
3. ärmlich gekleidet. Seit dem 19. Jh.
4. schmarotzerisch. *Vgl* ↗ schinden 1. Seit dem 19. Jh.

schunkeln *intr* **1.** schaukeln. Nasalierte Form nach „Schuckel = Schaukel". *Nordd* und *mitteld* seit dem 19. Jh.
2. im Walzertakt untergefaßt hin- und herschwingen; sich wiegen. Es ist eine Schaukelbewegung. Seit dem 19. Jh.

Schunkelwalzer *m* Walzermusik, zu der man im Sitzen oder Stehen in langer Reihe untergefaßt hin- und herschwingt und singt. Durch den rheinischen Karneval im späten 19. Jh aufgekommen.

Schupo I *f* Schutzpolizei. 1921 aufgekommenes Kurzwort.

Schupo II *m* **1.** Beamter der Schutzpolizei. 1921 ff.
2. eiserner ~ = Notrufsäule. 1960 ff.

Schuppe *f* **1.** *pl* = Haut des Menschen. Eigentlich die natürliche Bedeckung der Fische. 1920 ff.
2. motorisierte ~ = Kopflaus o. ä. Sie ist die Kopfschuppe beweglicher Art. *Sold* 1939 ff.
3. es fällt ihm wie ~n von den Augen = es wird ihm klar; endlich erkennt er die Zusammenhänge; er kommt zur Einsicht. Geht zurück auf die Apostelgeschichte (9, 18), wo erzählt wird, wie der blinde Saulus sehend wird. Seit dem 19. Jh.
4. es fällt ihm wie ~n aus den Haaren = er erkennt plötzlich die Zusammenhänge; er versteht endlich, worum es geht. Schuppen = Kopfschuppen. 1980 ff, jug.

Schüppe *f* ↗ Schippe.

Schüppel *m* **1.** Schopf; auf dem Kopf mit einer Ringklammer o. ä. zusammengehaltenes Haar eines Mädchens. Nebenform von „Schopf" im Sinne von „Büschel". Vorwiegend *oberd*, 1800 ff.
2. unleidlicher Mann. Vermutlich verkürzt aus „Grindschüppel"; *vgl* ↗ Grindkopf. 1900 ff, *oberd*.
3. alter ~ = alter Mann. Seit dem 19. Jh, *bayr* und *österr*.

schüppeln *tr* jn am Schopf ziehen. ↗ Schüppel 1. *Bayr* und *österr*, seit dem 19. Jh.

schuppen *tr* **1.** jn betrügen. Nebenform zu

„schupfen = narren, übertölpeln". Seit dem späten 17. Jh.
2. etw stehlen. Der Fisch wird geschuppt; ähnlich ergeht es dem Menschen, dem man etwas wegnimmt. 1800 ff.

Schuppen *m* **1.** kleines Tanzlokal mit gemütlichen Ecken; Klublokal; Party-Keller o. ä. Eigentlich die Scheune (nach 1945 wurden manche Scheunen zu Tanzlokalen umgebaut)! Einfluß von *engl* „shop" ist wahrscheinlich. *Halbw* 1950 ff.
2. Kino. *Halbw* 1955 ff.
3. Schulgebäude. 1955 ff.
4. Kaserne. *BSD* 1960 ff.
5. Wirtshaus. *BSD* 1960 ff.
6. Kantine. *BSD* 1960 ff.
7. Soldatenheim; Kasino. *BSD* 1960 ff.
8. Wohnhaus; Geschäftslokal; Laden; Unternehmen. 1950 ff.
9. billiger ~ = kleines Theater. 1964 ff.
10. dufter ~ = ausgezeichnete Unterkunft; angenehmer Aufenthaltsraum. ↗ dufte 1. 1960 ff.
11. flotter ~ = Lokal mit Stimmungsbetrieb. ↗ flott. 1960 ff.
12. großer ~ = Einkaufszentrum o. ä. 1965 ff. *Vgl angloamerikan* „shopping center".
13. heißer ~ = Lokal, in dem ausgelassene Stimmung herrscht. 1960 ff.
14. schwuler ~ = Lokal, in dem Homosexuelle verkehren. ↗ schwul. 1960 ff.
15. vornehmer ~ = Luxusvilla. 1955 ff.

Schupper *m* **1.** Betrüger. ↗ schuppen 1. Seit dem 18. Jh, *rotw*.
2. Falschspieler. Seit dem 18. Jh.
3. Dieb. ↗ schuppen 2. 1800 ff.

Schups (Schupps, Schubs) *m* **1.** gelinder Stoß; absichtlicher Stoß. ↗ schupsen. Seit dem 18. Jh.
2. auf einen ~ = für kurze Zeit; vorübergehend. 1900 ff, *nordd*.

schupsen (schuppsen, schubsen) *tr* stoßen. Intensivum zu „schupfen". Vor allem *niederd* und *mitteld*, 1800 ff.

Schur *f* **1.** Verhör; Gerichtsverhandlung. Stammt aus dem Verbum „scheren" und meint wie „Schererei" die Plage. Seit dem 19. Jh.
2. Betrug; Falschspiel. Seit dem 19. Jh.
3. jm eine ~ antun = sich an jm rächen. Seit *mhd* Zeit, wiederaufgelebt im 19. Jh.

'schuriegeln *tr* jn plagen, quälen. Iterativum zu „schurgen = stoßen, schieben", wohl in Anlehnung an „Schur = Plage". 1600 ff.

Schurl *m* **1.** junger Mann, der sich nicht zu benehmen weiß. „Schurl" ist wienerische Form von „Georg". Hier vielleicht überlagert von „Schur = Plage". *Österr* seit dem 19. Jh.
2. Versager. 1900 ff, *österr*.

'Schurr'murr *m* Durcheinander; Allerlei; altes Zeug; das alles *(abfl)*. Gehört zu „schurren" als ablautender Nebenform von „scharren" und meint das Zusammengekratzte. Seit dem 19. Jh.

Schürze *f* **1.** Frau. Die Schürze war früher das typische weibliche Kleidungsstück. Dann auch Bezeichnung für das (von der Schürze bedeckte) weibliche Geschlechtsorgan. In der Jägersprache ist „Schürze" die Scheide der Ricke. Seit dem ausgehenden 18. Jh.
2. dicke ~ = Schwangere. 1900 ff.
3. jm an der ~ hängen = jm auf Schritt und Tritt folgen; jm durch Anhänglichkeit

lästig fallen; sich jm aufdrängen. Übernommen von den Kindern, die sich an der Schürze der Mutter festhalten. Seit dem 19. Jh.

4. jeder ~ nachlaufen = jeder Frau nachschauen, nachstellen; rasch in Liebe entbrennen. 1800 ff.

5. aus der ~ steigen = sich für den Besucher hübsch herrichten, zurechtmachen. Die Frau legt die Schürze ab, wenn die Hausarbeit getan ist. ↗ steigen = gehen. 1930 ff.

6. etw unter der ~ tragen (haben) = schwanger sein. 1800 ff.

Schuß m **1.** kleine Menge; Prise. Meint die kleine Flüssigkeitsmenge, die man mit einer raschen Bewegung einer anderer Flüssigkeit hinzugibt. Seit dem 19. Jh.

2. Essenszuteilung aus der fahrbaren Feldküche; Essensportion. Gemeint ist der „Schuß" aus der „Gulaschkanone". 1914 ff.

3. Ejakulation. Rotw 1840 ff.

4. Homosexueller; junger Freund eines Homosexuellen. Versteht sich entweder aus dem Vorhergehenden oder spielt über Amors Liebespfeil auf intime Freundschaft an. Seit dem späten 19. Jh.

5. Unüberlegtheit; launiger Anfall. Mit „Schuß" bezeichnet man die plötzlich auftretende Krankheitserscheinung (Hexenschuß). 1800 ff.

6. Geld, Vorschuß. Aus diesem verkürzt, 1850 ff.

7. Einstandsbewirtung. Analog zu ↗ Lage 1. 1900 ff.

8. Stoß, Schlag. Übertragen vom Rückprall des Gewehrs beim Abfeuern. 1920 ff.

9. heftig getretener Fußball; Tortreffer. Aus dieser Vokabel hat sich die Auffassung vom Fußballspiel als einem Kriegsspiel entwickelt. Gleichbed engl „shot". Sportl 1920 ff.

10. Injektion; Rauschgifteinspritzung. Gegen 1970 aus angloamerikan „shot" übersetzt.

11. häßliches Mädchen. Hängt wohl zusammen mit „Schuß! – ich will von dir nichts mehr wissen!" im Sinne von „schieß weg! = geh weg!". 1935 ff.

12. abfällige Kritik. 1920 ff.

13. ~ durch beide Backen, Gesicht unverletzt = Volltreffer. Hier ist mit „Backe" die Gesäßhälfte gemeint. BSD 1965 ff.

14. ~ ins Blaue = a) nicht gezielt abgefeuerter Schuß. Seit dem 19. Jh. – b) Maßnahme auf gut Glück; unverbindlicher Test. Nachgebildet der „Fahrt ins Blaue". 1950 ff.

15. ~ in die Botanik = Fehlschuß. BSD 1965 ff.

16. ~ vor den Bug = ernste Warnung. Stammt aus der Seekriegsführung: durch einen Schuß vor den Bug zwingt man ein Schiff zur Rückschaltung der Maschinen (zum „Anhalten"), zur Kursänderung oder gegebenenfalls zur Übergabe. 1900 ff.

17. ~ ins Hemd = a) plötzlicher Spermaerguß infolge heftiger geschlechtlicher Erregung. 1935 ff. – b) unerwartetes Ereignis. 1940 ff.

18. ~ aus der Hüfte. ↗ Hüftschuß.

19. ~ im (in den) Ofen = a) sehr modisch gekleidetes Mädchen; Mädchen von sehr ansprechendem Äußeren. Meint eigentlich die auf einmal in den Backofen geschobene Menge (Gebäck); hier Anspie-

lung auf „↗ knusprig". Halbw 1955 ff. – b) aufregende Sache. 1955 ff. – c) Fehlleistung; Übertölpelung. Wohl eine Machenschaft, über die große Aufregung herrscht. BSD 1960 ff. – d) Blindgänger. BSD 1960 ff.

20. ~ ins Schwarze = treffende Bemerkung; geglückte Maßnahme. „Das Schwarze" ist der Mittelpunkt der Zielscheibe. 1900 ff.

20 a. ~ in den Teich = Fehlschuß. BSD 1960 ff.

21. ~ in die Unterhose (-wäsche) = a) plötzlicher Spermaerguß infolge geschlechtlicher Erregung. 1935 ff. – b) unerwartetes Ereignis. 1940 ff.

22. absoluter ~ = großartige Leistung. Hergenommen vom Treffer auf der Zielscheibe. 1960 ff.

23. billiger ~ = Prostituierte mit niedriger Entgeltsforderung. 1920 ff.

23 a. goldener ~ = tödliche Rauschgifteinspritzung. Mangels engl und angloamerikan Entsprechungen ist der Ausdruck wahrscheinlich vom Titel der dt Fernsehsendung „Der Goldene Schuß" übernommen. In dieser Sendung mußte der auf die gespannte Standardarmbrust gelegte Bolzen einen Faden treffen, an dessen Ende ein Geldsack hing. Im Zusammenhang mit Rauschgift meint „golden" das Äußerste und Letzte, nämlich die Dosis, mit der man sich das Leben nimmt. 1970 ff.

24. harter ~ = a) schwerwiegende, verletzende Bemerkung. 1950 ff. – b) sehr heftiger Fußballstoß. Sportl 1950 ff.

25. satter ~ = kräftiger Fußballstoß. Satt = gekräftigt, vollwertig. Sportl 1950 ff.

26. scharfer ~ = schwerer verbaler Angriff auf eine Person. 1920 ff.

27. starker ~ = großartige Sache. 1950 ff.

28. stummer ~ = unmißverständliche Drohgebärde. 1930 ff.

29. trockener ~ = genau gezielter, heftig getretener Fußball. ↗ trocken. Sportl 1950 ff.

30. im ~ = in Eile; im Eifer. Vgl „dahinschießen = vorwärtsstürmen" (das Wasser hat Schuß, wenn es Gefälle hat). Seit dem 19. Jh.

31. einen ~ abfeuern (reinfeuern) = ejakulieren. ↗ Schuß 3. Seit dem 19. Jh.

32. gegen einen ~ abfeuern = gegen etw Einspruch erheben. 1920 ff.

33. in ~ bleiben = gesund, heil bleiben. „Schuß" meint hier „Emporschießen" (= rasches Wachsen) der Pflanzen. 1900 ff.

34. etw in ~ bringen = etw in Ordnung bringen, ordnungsgemäß herrichten. Hergenommen entweder vom Geschütz, das für den Abschuß vorbereitet wird, oder von der Bezeichnung „Schuß" für die Querfäden eines Gewebes, die mit dem „Schützen" (= Schiff) in das „Fach" eingetragen werden. Vgl auch ↗ Schuß 38. Seit dem 19. Jh.

35. sich in ~ bringen = sich elegant frisieren, kleiden usw. 1920 ff.

36. jm einen ~ vor den Bug geben = jn unter Androhung von ernstlichen Nachteilen warnen. ↗ Schuß 16. 1900 ff.

37. einen ~ haben = a) betrunken sein; betrunken torkeln. ↗ angeschossen 3. 1700 ff. – b) verliebt sein. Man ist von Amors Liebespfeil getroffen. Seit dem

19. Jh. – c) nicht recht bei Verstand sein. Seit dem 18. Jh.

38. etw im (in) ~ haben = etw in Ordnung haben. Leitet sich vom richtigen Gefälle des Mühlbachs her. Seit dem 19. Jh.

39. sich weit vom ~ halten = sich fernhalten. Schuß = Schußwechsel, Gefecht. 1900 ff.

40. etw in ~ halten = etw in Ordnung halten; etw pflegen. ↗ Schuß 34 und 38. Seit dem 19. Jh.

41. einen rostigen ~ aus dem Lauf jagen = nach langer Unterbrechung koitieren. Der lange Zeit nicht geputzte Gewehrlauf wird rostig. ↗ Lauf 1; ↗ Schuß 3. 1940 ff.

42. in ~ kommen = in Gang kommen; in die gewünschte Ordnung kommen. Schuß = Gedeihen; ↗ Schuß 33. Seit dem 18. Jh.

43. jm vor den ~ kommen = jm gelegen kommen. Stammt aus der Jägersprache: das lang erwartete Wild kommt dem Jäger „vor den Schuß = vor die Büchse". Auf den Menschen übertragen, ist vor allem die lang ersehnte Begegnung mit einer Person gemeint, mit der man eine Sache zu bereinigen hat. Seit dem 18. Jh.

44. ~ kriegen = geprügelt werden. ↗ Schuß 8. 1920 ff.

45. der ~ geht nach hinten los = ein Vorhaben, das gegen einen anderen gerichtet war, wirkt sich nachteilig auf einen selber aus. 1920 ff.

46. einen ~ machen = koitieren. ↗ Schuß 3. Seit dem 19. Jh.

47. einen ~ rausrotzen = einen Kanonenschuß abfeuern. ↗ rotzen. 1900 ff.

48. den ersten ~ reinzittern = zum ersten Mal koitieren. ↗ Schuß 3. 1910 ff.

49. im ~ sein = a) im Gang, in Ordnung, im Schwung sein; munter, gesund sein. „Schuß" meint hier entweder das Gedeihen der Pflanzen oder das Schießen des Wassers auf das Mühlrad. Seit dem 19. Jh. – b) betrunken sein. Anspielung auf den Torkelgang des Bezechten; ↗ angeschossen 3. Seit dem 19. Jh.

50. gut im (in) ~ sein = leistungsfähig sein; gepflegt sein (sein Auto ist gut im/in Schuß). 1900 ff.

51. mit jm ~ sein = mit jm verfeindet sein. Versteht sich ähnlich wie „↗ Schuß 11" oder spielt in Kurzform an auf die (unerklärte) Bereitschaft zum Duell. 1870 ff, vorwiegend Berlin.

52. weit (fern) vom ~ sein = a) fern der Front sein. Sold seit dem 19. Jh. – b) nicht betroffen werden; nicht in der Nähe sein. Seit dem späten 19. Jh. – c) von den tatsächlichen Gegebenheiten (Umständen, Vorfällen usw.) nichts wissen. 1950 ff, schül.

53. einen ~ setzen = Rauschgift spritzen. ↗ Schuß 10. 1970 ff.

54. einen ~ töten = einen Torball abwehren. ↗ Schuß 9. Sportl 1950 ff.

Schussel I f Schlitterbahn. ↗ schusseln 3. Mitteld seit dem 19. Jh.

Schussel II m **1.** Unüberlegtheit. ↗ schusseln 1. Seit dem 19. Jh.

2. unüberlegt handelnder, nachlässiger, einfältiger Mensch. Seit dem 18. Jh.

schusselig adj nachlässig, übereilt, zerstreut, oberflächlich. ↗ schusseln 1. Seit dem 18. Jh.

schusseln intr **1.** unbesonnen arbeiten; übereilt handeln; sich unsorgfältig kleiden;

Iterativum zu „schießen = schnell hin- und hergehen". Seit dem 18. Jh.

2. ungelenke Bewegungen machen. 1900 *ff.*

3. auf der Eisfläche schlittern. Seit dem 19. Jh.

Schüsseltreiben *n* Essen nach der Treibjagd. Jägerspr. 1900 (?) *ff.*

Schusser *m* **1.** Murmel, Schnellkügelchen der Kinder. Gehört zu „schießen = auf ein Ziel zuschnellen". Seit dem 15. Jh.

2. *pl* = weitgeöffnete Augen. 1900 *ff.*

Schüsserlgreisler *m* Kleinkaufmann, Lebensmitteleinzelhändler. ↗ Greisler 1. Die Kunden bringen Gefäße mit zum Einkauf von Marmelade, Sauerkraut usw. Wien 1930 *ff.*

schussern *intr* **1.** mit Schnellkügelchen (= Murmeln, Klicker) spielen. ↗ Schusser 1. Seit dem 18. Jh.

2. habe ich mit dir schon geschussert?: Frage an einen, der unangebrachte Vertraulichkeiten sich erlaubt. Gemeint ist, daß derlei Vertraulichkeiten nur statthaft sind, wenn man schon im Kindesalter miteinander gespielt hat. Seit dem 19. Jh, *bayr.*

Schußfeld *n* **1.** voraussichtlicher Weg eines heftig getretenen Balls. Eigentlich der Bereich, der von der Schußwaffe bestrichen wird. ↗ Schuß 9. *Sportl* 1950 *ff.*

2. aus dem ~ gehen = beiseite treten; sich den Kritikern entziehen. 1900 *ff.*

3. ins ~ geraten = heftiger Kritik ausgesetzt sein. 1900 *ff.*

4. jn aus dem ~ nehmen = jn den Angriffen der Kritiker entziehen. 1900 *ff.*

5. im ~ stehen = heftiger Kritik ausgesetzt sein. 1900 *ff.*

schußgewaltig *adj* den Fußball sehr kräftig tretend. *Sportl* 1950 *ff.*

Schußglück *n* Glück bei Tor-, Korbtreffern. Aus der Jägersprache übernommen. *Sportl* 1950 *ff.*

schussig *adj* hastig, oberflächlich. Nebenform zu ↗ schusselig. Seit dem 19. Jh.

Schußlinie *f* **1.** in die ~ geraten = harter Kritik ausgesetzt werden. Schußlinie ist die gedachte Linie zwischen Gewehrmündung und Ziel. 1900 *ff.*

2. in jds ~ kommen = jds Interessen durchkreuzen. 1920 *ff.*

3. jn aus der ~ nehmen (ziehen, bringen) = einem Kritisierten beispringen; einen Angegriffenen seinen Angreifern entziehen. 1900 *ff.*

4. in der ~ sein (sitzen, stehen) = von vielen Seiten kritisiert werden; dauernd unter Beobachtung stehen; einen verantwortungsvollen Posten bekleiden. Seit dem 19. Jh.

Schußposition *f* **1.** günstige Stellung für einen Torball. *Sportl* 1950 *ff.*

2. günstiger Stellplatz für die Fernsehkamera. ↗ schießen 4. 1955 *ff.*

Schußrichtung *f* Ziel, das man sich gesetzt hat. 1900 *ff.*

Schuster *m* **1.** untüchtiger Handwerker; untüchtiger Mann. Im 19. Jh aufgekommen als Verkürzung von „Flickschuster" und vor allem als Bezeichnung für einen, der als Ungelernter das Schuhmacherhandwerk ausübt.

2. ungeschickter, geistesbeschränkter, langweiliger Mann. Seit dem 19. Jh.

3. Liebediener. ↗ schustern 2. Seit dem 19. Jh.

---

4. gewerbsmäßiger Ausweisfälscher. 1945 *ff.*

5. auf (per) ~s Rappen = zu Fuß. Im 17. Jh wurden die Schuhe als die „Rappen des Schusters" bezeichnet. Der Rappen ist eigentlich das schwarze Pferd.

6. ~s Rappen satteln = sich zum Spaziergang rüsten. 1920 *ff.*

7. dein Vater ist wohl ~?: Frage an einen Stotternder. Der Betreffende spricht in „Absätzen". Wortwitzelei mit der doppelten Bedeutung von „Absatz", einmal als „Schuhteil unter der Ferse" und zum andern als „Stück eines Textes, einer Rede". 1930 *ff.*

Schusterbuben *pl* **1.** es regnet ~ = es regnet stark. Schusterjungen gab es früher in sehr großer Zahl. Seit dem 19. Jh.

2. und wenn es ~ regnet = unter allen Umständen; Ausdruck der Beteuerung. Seit dem 19. Jh.

Schusterer *m* Liebediener. ↗ schustern 2. 1870 *ff.*

Schusterjunge *m* **1.** Roggenbrötchen. Berlinischer Ausdruck mit Anspielung auf den niedrigen Preis. 1900 *ff.*

2. *pl* = schlechte Spielkarten. *Vgl* ↗ Schuster 1. Kartenspielerspr. 1900 *ff.*

3. es regnet ~n. ↗ Schusterbuben.

Schusterkarpfen *m* Hering. Dem armen Flickschuster galt (gilt?) Hering mit Pellkartoffeln als Festessen. 1640 *ff.*

Schustermagen *m* einen ~ haben = alles essen können. 1950 *ff.*

Schustermahlzeit *f* kärgliche Mahlzeit; billiges, minderwertiges Essen. 1870 *ff.*

schustern *intr* **1.** schlecht, unfachmännisch arbeiten. ↗ Schuster 1. Seit dem 19. Jh.

2. *intr (refl)* = liebedienern; sich beim Lehrer oder Vorgesetzten einschmeicheln. Von der Herstellung der Paßform durch den Schuster übertragen auf Anpassungsfähigkeit. 1870 *ff, sold* und *schül.*

3. koitieren. Analog zu ↗ nähen 3. Doch *vgl* auch *rotw* „Schosa = Vulva". *Oberd* seit dem 19. Jh.

4. schlecht Schlittschuh laufen. Seit dem 19. Jh.

Schusterpalme *f* anspruchslose Blattpflanze (Aspidistra). Scherzhafte Wertsteigerung. 1910 *ff.*

Schusterpunsch *m* fades Getränk. 1900 *ff.*

Schustersteuer *f* Prostituiertenentgelt. ↗ schustern 3. *Österr* 1900.

Schutenjule *f* weibliche Angehörige der Heilsarmee. „Schute" ist der Kiepenhut. ↗ Jule. Berlin 1900 *ff.*

Schutt *m* komm gut aus dem ~! = bleib' am Leben, auch wenn die Wohnung zerstört wird! Wunsch unter Berlinern im Zweiten Weltkrieg.

Schütt *m* kräftiger Wasserguß; Platzregen. Substantiv zu „schütten". Seit dem 19. Jh.

schütte *been* bitte schön! Hieraus sprachspielerisch umgeformt. 1880 *ff, stud* und *schül.* Für 1898 ausdrücklich als „Modewort" gebucht.

schütteln *v* **1.** jn ~ = jm Geld abverlangen. So wie man einen Obstbaum schüttelt. Polizeispr. 1965 *ff.*

2. sich einen ~ = onanieren. ↗ Palme 11. 1900 *ff.*

3. *intr* = tanzen. *Halbw* 1948 *ff.*

4. er hat sich geschüttelt = er ist abgemagert. Übertragen vom Baum, dessen Früchte oder Blätter abgeschüttelt wurden. Spätestens seit 1900.

Schüttelorgie *f* langanhaltendes, häufiges Händeschütteln. 1960 *ff.*

Schüttelpinguin *m* Tanz in langsamem Rhythmus mit ekstatischen Bewegungen. Die Bewegungen ähneln denen des flügelschlagenden Pinguins. *Halbw* 1955 *ff.*

schütten *v* **1.** einen ~ = ein Glas Alkohol zu sich nehmen. 1930 *ff.*

2. es schüttet = es regnet heftig. Seit dem 18. Jh.

Schütze *m* **1.** Spieler, der einen Tortreffer erzielt hat. Gehört zur Vorstellung „↗ Schuß 9". *Sportl* 1950 *ff*; vermutlich älter. *Vgl engl* „shooter".

2. ~ Arsch = Soldat ohne Rang. „Arsch" ist hier entehrend als Familienname aufgefaßt zur Kennzeichnung der Bedeutungslosigkeit. Vielleicht Weiterentwicklung des für 1840 in Berlin gebuchten „Hans Arsch" im Sinne von „einer, der ohne Einfluß ist". *Sold* 1939 bis heute.

3. ~ Arsch im dritten (letzten) Glied = unterster Mannschaftsdienstgrad. Im dritten Glied (bei der Aufstellung die hintere Reihe) standen diejenigen Soldaten, die befürchten ließen, daß durch sie der Vorgesetzte eine schlechte Meinung über die ganze Mannschaft bekommen werde. *Sold* 1939 bis heute.

4. ~ Arsch mit der Ölkanne = Schütze bei der Technischen Truppe. *BSD* 1965 *ff.*

5. ~ Hülsensack = schlechter Schütze; dummer Soldat. Er sammelt die leergeschossenen Hülsen auf. *Sold* 1939 bis heute.

6. ~ Kuchenzahn = Soldat ohne Rang. „Kuchenzahn" als „Gelüsten nach Kuchen" spielt auf verwöhnte Lebensweise an und läßt vermuten, daß der Betreffende sich noch nicht an die Härte des Dienstes gewöhnt hat. *Sold* 1939 *ff.*

7. ~ Nervenklau = Soldat, der durch törichtes Verhalten, Unbeholfenheit und andere nervös macht. ↗ Nervenklau. *Sold* 1939 *ff.*

8. ~ Nieselpriem = Soldat ohne Rang. ↗ Nieselpriem. *Sold* 1939 *ff.*

9. ~ Piesepampel = unbedeutender Soldat. ↗ Piesepampel. *Sold* 1939 *ff.*

10. ~ Pumpelmus = Soldat ohne Rang. „Pumpel" ist der beleibte, untersetzte Mensch, auch der langsame Mensch; spielt hier wohl zugleich an auf laut abgehende Darmwinde (pumpeln = ein dumpfes Geräusch hervorrufen). Das Wort kann auch aus „Pampelmus" entstellt sein, wobei „pampeln" soviel wie „schlottern" meint und „Mus" einen Brei oder Pudding bezeichnet. Hieraus ergäbe sich die Vorstellung „Wackelpudding" im Sinne eines schlaffen, energielosen (vor Angst zitternden) Menschen. *Sold* 1939 *ff.*

11. ~ Schließmuskel = unterster Mannschaftsdienstgrad. Anspielung auf Ängstlichkeit (der Schließmuskel des Afters versagt). *BSD* 1960 *ff.*

schutzen *v* **1.** werfen, schleudern. Intensivum von „schießen". Vorwiegend *oberd*, seit dem 13. Jh.

2. jn im Gedränge stoßen. Vorwiegend *oberd*, seit dem 19. Jh.

3. Fußball spielen. *Bayr*, 1920 *ff.*

Schutzengel *m* **1.** Zuhälter. Er gilt als Beschützer der in seinen Diensten stehenden Prostituierten. Berlin 1920 *ff*, *ziv* und polizeispr.

2. Geheimpolizist. Er beschützt seine Auftraggeber. 1920 ff.

3. da hast du einen guten ~ gehabt = da hast du wider Erwarten Glück gehabt; da bist du einer ernsten Gefahr entronnen. Schon 1548 steht bei Agricola in den „Sprichwörtern" gleichbed „einen guten Engel gehabt haben".

Schutzfrau f Polizeibeamtin. Scherzhaftes Gegenstück zum „Schutzmann". 1927 ff.

Schutzfräulein n nette, junge Polizeibeamtin. 1927 ff.

Schutzmann m **1.** Fußballspieler, der einen bestimmten Gegenspieler deckt. Er paßt auf, daß der Gegenspieler nicht „gefährlich" wird. Sportl 1950 ff.

2. Erwachsener als Anstandsbegleiter eines heranwachsenden Mädchens. Halbw 1955 ff.

2 a. ~ an der Ecke = Polizeibeamter eines Ortsbezirks. 1975 ff.

3. ~ mit dem Lippenstift = Polizeibeamtin. 1965 ff.

4. eiserner ~ = a) Signalmast im Straßenverkehr. 1920 ff. – b) polizeiliche Notrufsäule. Vgl ↗ Schupo II 2. 1960 ff.

5. ein ~ geht durch die Stube = die Unterhaltung stockt plötzlich. Hängt scherzhaft zusammen mit der Regung des schlechten Gewissens und der Angst bei Erscheinen eines Polizeibeamten in der Wohnung. Berlin 1840 ff.

schwabbelig adj **1.** schwammig-dicklich; weichlich; ohne festen Kern; rührselig. ↗ schwabbeln 2; vgl gleichbed ↗ quabbelig. 1700 ff.

2. schwindlig; im Magen unwohl. 1700 ff.

3. zum Schwätzen aufgelegt. ↗ schwabbeln 1. Seit dem 19. Jh.

4. verschwommen. 1965 ff.

schwabbeln (schwappeln) intr **1.** schwätzen. Ein niederd Wort, parallel zu hd „schwappen = zitternd sich hin- und herbewegen". Wer „schwabbelt", erzeugt ein plätscherähnliches Geräusch und gibt nichts Gediegenes von sich. Vgl aber auch „↗ schwafeln". 1500 ff.

2. schlottern; erzittern; im Wasser auf- und abschaukeln; auf den Wellen tanzen. 1500 ff.

3. trinken, zechen. Rotw 1600 ff.

Schwabbeltante f Gummiflasche mit warmem Wasser. ↗ schwabbeln 2. 1930 ff, Berlin.

Schwabber m Scheuer-, Putztuch; Aufnehmer. Vgl engl „to swab = aufwischen, reinigen, scheuern". Marinespr 1900 ff.

Schwabenalter n **1.** fünftes Lebensjahrzehnt. Nach der Volksmeinung kommt den Schwaben der Verstand erst mit 40 Jahren. Seit dem späten 18. Jh.

2. ins ~ kommen = 40 Jahre alt werden. 1770 ff.

Schwabylon (Schwabylonien) n München- Schwabing. Aufgekommen gegen 1920 in Anlehnung an Babylon, das Sinnbildwort für Sittenlosigkeit.

schwach adj **1.** schlecht, unvollkommen, unbrauchbar (auf Gegenstände bezogen). Weiterentwickelt aus der Grundbedeutung „kraftlos, elend". Seit dem 19. Jh.

2. man ~ (adv) = kaum. ↗ man 1. Berlin 1900 ff.

3. reden Sie mich nicht so ~ an! = erzählen Sie nichts Unglaubwürdiges! Schwach = geistesschwach, schwachsinnig. Bayr 1900 ff, jug.

4. etw ~ bleiben = etw schuldig bleiben. Versteht sich aus „schwach werden = in Zahlungsschwierigkeiten geraten". Der Zahlungsunfähige „kränkelt". Wer wenig Geld besitzt, ist schwach bei Kasse. Etwa seit 1900, vermutlich stud Herkunft.

5. ~ daherreden = Unsinn schwätzen. ↗ schwach 3. Bayr 1900 ff, jug.

6. jn ~ machen = a) jn zu etw verleiten; jds Widerstand brechen; jn bestechen. Schwach = willensschwach. 1900 ff. – b) jn fassungslos machen. 1900 ff. – c) jn weichherzig stimmen. 1900 ff. – d) jn geschlechtlich verführen. 1900 ff.

7. mach mich nicht ~!: Ausdruck der Überraschung oder des Entsetzens. Versteht sich nach „↗ schwach 6 b". Schül und stud 1920 ff.

8. sich ~ machen = sich entfernen. Meist in der Befehlsform. Gegenausdruck zu „sich stark machen = Widerstand leisten". Wer den Widerstand aufgibt, zieht sich zurück. Oder der Betreffende erklärt sich für unpäßlich. Seit dem ausgehenden 19. Jh; anfangs sold, später auch schül und stud.

9. sich nicht ~ machen lassen = seine Gefühle beherrschen. 1900 ff.

10. jm etw ~ sein = jm etw schuldig sein. ↗ schwach 4. 1900 ff.

11. ~ im Bezahlen sein = verspätet, nur nach und nach zahlen; mit der Zahlung zögern. Kaufmannsspr. 1950 ff.

12. du bist wohl ~?: Frage an einen, der törichte Vorschläge macht. Berlin seit Ende des 19. Jhs.

13. ~ werden = a) ohnmächtig werden. 1900 ff. – b) nachgiebig werden; seine Meinung ändern. 1900 ff. – c) in Zahlungsschwierigkeiten geraten. ↗ schwach 4. 1900 ff. – d) den Widerstand gegen den Geschlechtsverkehr aufgeben. 1900 ff.

14. ich werde ~!: Ausdruck des Erstaunens. Vor Verwunderung oder Entsetzen schwinden einem die Sinne. ↗ schwach 6b. 1920 ff, jug.

schwächen v **1.** jn verführen, deflorieren. Man macht eine(n) willensschwach. 1500 ff.

2. etw aufbrechen, erbrechen. Rotw 1930 ff.

3. trinken, zechen. Stammt entweder aus jidd „schophach = er hat ausgegossen" oder ist verkürzt aus „Geld schwächen = Geld vertrinken". Kundenspr. 1650 ff.

Schwachheiten pl bilde dir keine ~ ein! = mach' dir keine törichten Hoffnungen! Schwachheit = geistige Schwäche; Unverstand; Irrtum. 1840 ff.

Schwachmatiker m **1.** schlechter Mathematikschüler; wenig begabter Mensch. Im ausgehenden 19. Jh zusammengewachsen aus „schwach" und „Mathematiker".

2. schlechter Schüler; unbegabter Student. Nicht auf mangelhafte mathematische Begabung beschränkt. 1950 ff.

Schwachmatikus m Schwächling. Scherzhaft erweitert aus „schwach" unter Anlehnung an Asthmatikus, Rheumatikus u. ä. Von Studenten im späten 18. Jh ausgegangen.

schwachsinnig adj anspruchslos, rührselig, einfältig. 1950 ff.

Schwachstrombeize f alkoholfreies Restaurant. ↗ Beize. Vorwiegend südd, 1950 ff.

Schwade f **1.** Redseligkeit, Redegewandtheit. Aus „Suada" eingedeutscht, spätestens seit 1800.

2. geschwätzige Frau. Seit dem 19. Jh.

3. ~n in die Sauce ziehen = unsinnig, einschläfernd reden. Schwaden = Brodem, Streifennebel. Schül 1955 ff.

schwadern intr schwätzen. Schallnachmung für das Geräusch bewegter Flüssigkeiten; verwandt mit „schwatzen". Seit dem 15. Jh.

schwadronieren intr laut und viel reden; sich aufspielen. Scherzhaft weitergebildet aus „↗ schwadern" mit Anlehnung an „Schwadron": Berittene gelten als überheblich (vgl „sich aufs hohe ↗ Roß setzen"). Seit dem 18. Jh, anfangs eine Studentenvokabel.

schwafeln intr schwätzen; töricht reden; unüberlegt sprechen; sich aufspielen. Von „schwadern" oder „schwatzen" oder „fabeln" überlagertes „schwefeln". Vgl aber auch „↗ schwabbeln 1". Seit dem 18. Jh.

Schwalbe f **1.** Ohrfeige. Hergenommen vom Nest, das die Schwalben an die Hauswand kleben; daraus scheinögend zu in Anspielung auf „jm eine kleben = jn ohrfeigen". Seit dem späten 18. Jh, anfangs stud.

2. Deserteur, Überläufer. Anspielung auf „↗ Zugvogel". Sold 1939 ff.

3. Dienstgradabzeichen des Feldwebels. Das sonst „Winkel" genannte Abzeichen ähnelt den Schwalbenflügeln. BSD 1960 ff.

4. Feldwebel. BSD 1960 ff.

4 a. Versuch des Fußballspielers, im Strafraum oder unmittelbar davor einen Elfmeter zu provozieren, indem er sich nach einem harmlosen Rempler fallen läßt oder in den Strafraum zu „fliegen" beginnt, wobei er den Anschein zu erwecken versucht, das Foul sei innerhalb der Markierung geschehen. Übertragen von den in Erdbodennähe fliegenden Schwalben. Vgl ↗ Schwan 3 a. 1980 ff, sportl.

5. Straßenprostituierte. Parallel zu ↗ Zugvogel. Seit dem 19. Jh.

schwalben tr jn ohrfeigen. ↗ Schwalbe 1. Seit dem 19. Jh, vorwiegend schül; nordd und mitteld.

Schwalbennest n **1.** kleiner Balkon. 1870 ff.

2. Kanzel in der Kirche. Sie befindet sich hoch über der Gemeinde, wie auch die Schwalben ihre Nester hoch an Gesimsen bauen. 1900 ff.

3. kleine Proszeniumsloge in den oberen Rängen. Theaterspr. seit dem frühen 20. Jh.

4. Loge im Varieté (Tanzlokal o. ä.). 1920 ff.

5. Haus am Berg-, Felshang. 1900 ff.

6. hochgesteckte Frisur. 1920 ff.

Schwalbenparterre n **1.** Mansardenwohnung. Die Schwalbe baut ihr Nest hoch am Haus, so daß für sie „Parterre" ist, was der Mensch „Mansardenstock" nennt. 1920 ff.

2. Galerie im Theater. 1920 ff, stud.

schwalbieren tr jn ohrfeigen. Fremdwörtelnde Variante zu „↗ schwalben". Seit dem 19. Jh.

Schwall m seichte Rede; Geschwätz. Hergenommen vom Bild einer sich heftig ergießenden Flüssigkeit oder eines aufbrodelnden Wassers. 1978 ff, jug.

Schwamm m **1.** saurer Wein. Aufzufassen

als Rachenputzmittel (↗Rachenputzer). Kann auch auf den biblischen Bericht von Christus am Kreuz zurückgehen: dem Dürstenden wurde auf einer Lanze ein mit Essig getränkter Schwamm gereicht. 1843 ff.

2. Sammelbezeichnung für nicht felddienstfähige Soldaten; Ersatztruppen. Diese Einheiten saugten immer mehr Leute auf. Auch galten „Schwämme = Pilze" als geringwertig. Sold 1860 bis 1945.

3. Gesamtheit der Soldaten, die bei Besichtigungen usw. abgeschoben wurden, damit sie den Gesamteindruck nicht schädigten. Sold 1800 ff.

4. energieloser Mensch. Er ist weichlich wie ein Schwamm. 1900 ff.

5. Aufbauschung, Gehaltlosigkeit; leeres Geschwätz. 1950 ff, journ.

6. guter ~ = Vieltrinker. 1900 ff.

7. voll (vollgesogen) wie ein ~ = volltrunken. 1900 ff.

8. ~ drüber! = es soll vergessen sein! reden wir nicht weiter darüber! Leitet sich her von der auf dem schwarzen Brett angekreideten Zechschuld, die mit dem Schwamm ausgewischt wird. Gegen 1830 aufgekommen.

9. aufgesaugt werden wie von einem trockenen ~ = leichtverkäuflich sein. Kaufmannsspr. 1950 ff.

10. sich mit dem ~ frisieren (kämmen) können = glatzköpfig sein. Spätestens seit 1900; in Berlin aufgekommen.

11. einen ~ im Magen haben = ein starker Trinker sein. Der Schwamm im Magen saugt alle Flüssigkeit auf. ↗Schwamm 6. Seit dem 19. Jh.

12. saufen wie ein ~ = viel trinken. Seit dem 19. Jh.

Schwammerl n **1.** Pilz. Verkleinerungsform von „Schwamm". Oberd seit dem Mittelalter.

2. Penis. Analog zu ↗Pilz 2. 1900 ff.

3. narrische ~n gegessen haben = närrische Einfälle haben. Anspielung auf Halluzinationen infolge Fliegenpilzvergiftung. Bayr und österr, 1900 ff.

4. es schießt wie ~ aus dem Boden = es tritt plötzlich vielfältig in Erscheinung. ↗Pilz 7. Seit dem 19. Jh.

5. ich werde ein ~!: Ausdruck der Verwunderung. Österr 1915 ff, schül.

Schwampf m unangebrachte Übersteigerung. Theaterspr. Zusammensetzung aus „Schwindel" und „↗Krampf". 1950 ff.

Schwan m **1.** kluger ~ = kluger, pfiffiger Mensch. Versteht sich aus „↗schwanen". 1950 ff.

2. mein lieber ~! = a) iron oder drohende Anrede. Hergenommen aus Richard Wagners Oper „Lohengrin" (1846/48). Etwa seit 1900; vorzugsweise unter jungen Leuten verbreitet. – b) Ausdruck der Verwunderung, des Entsetzens o. ä. 1900 ff.

3. dann nicht, lieber ~!: Entgegnung auf eine Ablehnung. 1920 ff, jug.

3 a. Sterbender ~ = Fußballspieler, der, ohne Opfer eines Fouls zu sein, sich knapp vor dem Strafraum fallen läßt. Vgl ↗Schwalbe 4 a; ↗Schwan 4 und 6. 1980 ff, sportl.

4. Marke sterbender ~ = ältliche, blaß geschminkte weibliche Person mit unverkennbar erotischen Bemühungen. Leitet sich her von dem Solotanz „Der sterbende Schwan" mit der Musik von Camille

Saint-Saëns, vor allem durch Anna Pawlowa bekannt geworden (1905). 1950 ff.

5. wann geht der nächste ~? = wann fährt der nächste Zug (Omnibus o. ä.)? Geht zurück auf den Stoßseufzer des Opernsängers Leo Slezak (1873–1946), als bei einer „Lohengrin"-Aufführung der New Yorker Metropolitan Opera in den zwanziger Jahren ein Bühnenarbeiter den Schwan ohne den Slezak über die Bühne zog.

6. auf sterbender ~ machen = zu Boden sinken. 1950 ff.

schwanen v es schwant mir = ich ahne, sehe voraus; Schlimmes steht zu erwarten. Im frühen 16. Jh aufgekommen und meist mit der Vorstellung des „Schwanengesangs" verbunden, der in der Antike als Vorankündigung der Seligkeit im Jenseits gedeutet wurde. Wahrscheinlich ist zurückzugehen auf lat „olet mihi = es ahnt mir", was mit lat „olor = Schwan" in Verbindung gebracht wurde. Andere vermuten Zusammensetzung aus „wanen" = „wähnen" und „Schwan", wegen der ihm zugeschriebenen prophetischen Gaben.

Schwank m **1.** einen ~ aus seinem Leben erzählen = Selbsterlebtes erzählen. Gern in der Befehlsform gebraucht. Schwank = Erzählung einer lustigen Begebenheit. 1920 ff.

2. mach' keine Schwänke! = lüge nicht! mach' keine Ausflüchte! 1920 ff.

Schwanz m **1.** der letzte bei irgendeiner Sache; der Klassenschlechteste. 1900 ff.

2. Penis. Aus dem Lat übersetzt; 1500 ff.

3. Mann. Pars pro toto. Seit dem 18. Jh.

4. Schlingel. Gehört wohl zu „schwanzen = müßiggehen". Oberd seit dem 19. Jh.

5. der nichtbestandene Teil eines Examens; Nachexamen. Schwanz = Endstück; meint in der Landwirtschaft auch das Reststück, das noch zu mähen ist. Stud seit dem späten 19. Jh.

6. Vorlesungsversäumnis; durch Kollegversäumen entstandene Lücke im Kollegheft. Seit dem späten 18. Jh, stud.

7. unentschuldigtes Fernbleiben vom Schulunterricht. ↗schwänzen. 1950 ff; wohl älter.

8. dünner Zopf; herabhängende Haarsträhne. Seit dem 19. Jh.

8 a. kräftiger Nachgeschmack des Weins. Schwäb seit dem 19. Jh.

9. ~ von Leuten = hinterdreingehende Leute; Gefolge; anstehende Leute (vor einem Geschäft, vor der Theaterkasse o. ä.). 1870 ff.

10. Fräulein ~ = junger Mann, der sich wie eine Dame aufführt; junger Mann, der Homosexualität vortäuscht. 1948 ff, Berlin. Vorher sovie wie „Dame mit männlichem Glied; Zwitter".

11. und der ganze ~ = und der ganze Rest. 1900 ff.

12. kein ~ = niemand. Entweder verkürzt aus „kein Schwanz im Stall = kein Stück Vieh im Stall" oder fußend auf der Gleichung „Schwanz = Mann". Seit dem 19. Jh.

13. kein ~ am Steuer = Kraftfahrerin. ↗Schwanz 3. Kraftfahrerspr. 1950 ff.

14. den ~ abhacken = das Nachexamen bestehen. ↗Schwanz 5. Stud 1930 ff.

15. den ~ ausbügeln = den nichtbestandenen Teil einer Prüfung erfolgreich nachholen. ↗Schwanz 5; ↗ausbügeln. Stud 1950 ff.

16. sich den ~ ausreißen = überaus diensteifrig sein. Übertreibend ist gemeint, man gäbe auch den Penis her, wenn es dienstlich gefordert würde. Sold und rotw 1900 ff.

17. jm den ~ ausreißen = jn energisch zurechtweisen. Man entmannt ihn sinngemäß. 1900 ff.

18. sich vor Freude den ~ ausrenken = sich überaus freuen. Hergenommen vom Hund, der heftig mit dem Schwanz wedelt. 1950 ff.

19. den ~ auswringen = a) harnen (vom Mann gesagt). Seit dem frühen 20. Jh, nordd. – b) koitieren. Sold in beiden Weltkriegen.

20. einen ~ bauen = a) in einer Prüfung teilweise versagen. ↗Schwanz 5; ↗bauen 1. 1920 ff, stud. – b) eine schlechte Arbeit schreiben. Schül 1950 ff.

21. ich könnte mir vor Freude in den ~ beißen!: Ausdruck großer Freude. Hergenommen vom verspielten Hund, der seinen Schwanz zu ergreifen sucht. 1900 ff.

22. sich vor Wut in den ~ (ins Schwänzchen) beißen = sehr wütend sein. 1900 ff.

23. dreh deinen ~ nach hinten und geh als Affe!: Ausdruck der Ablehnung. Abwandlung von „↗Schwanz 31" um der geschlechtlichen Anspielung (↗Schwanz 2) willen. Marinespr 1939 ff.

24. den ~ einkneifen (einklemmen, einziehen) = a) nachgiebig werden; sich kleinlaut fügen; feige zurückweichen. Vom Hund hergenommen, wenn er schuldbewußt zu sein scheint. 1500 ff. Vgl franz „filer la queue entre les jambes", engl „to tuck one's tail between one's legs". – b) die Waffen strecken. Sold 1918 bis heute.

25. den ~ entstauben = nach längerer Pause wieder koitieren. Sold in beiden Weltkriegen.

26. einen verbrannten ~ haben = geschlechtskrank sein. ↗Schwanz 2. Sold seit dem späten 19. Jh; auch prost.

27. den ~ hängen lassen = a) schuldbewußt sein. Vom Verhalten des Hundes übernommen. 1500 ff. – b) mißmutig, verängstigt sein; den Mut sinken lassen. Seit dem frühen 20. Jh. – c) geschlechtlich enthaltsam leben. 1910 ff.

28. den ~ heben = harnen (auf Männer bezogen). Übernommen vom Verhalten der Kühe und anderer weiblicher Tiere, verquickt mit „↗Schwanz 2". 1920 ff.

29. ihm kommt der ~ nicht mehr hoch = in geschlechtlicher Hinsicht ist er unbrauchbar. 1900 ff.

30. den ~ hochtragen = a) sehr eingebildet sein. Die Katze, die man streichelt, richtet den Schwanz auf. 1700 ff. – b) in geschlechtlicher Hinsicht sehr wählerisch sein. Der Wendung „den Kopf hochtragen" (↗Kopf 80 a) nachgebildet. 1910 ff.

31. kauf dir einen ~ und geh als Affe!: Ausdruck der Ablehnung. Berlin 1927 ff.

32. sich jm unter den ~ klemmen = einem höher fliegenden Flugzeug dicht folgen. Schwanz = Flugzeugheck. Fliegerspr. in beiden Weltkriegen.

33. über den ~ kommen = a) auch die kleinere Schwierigkeit bewältigen. Fußt auf dem Sprichwort „kommt man über den Hund, kommt man auch über den Schwanz". 1900 ff. – b) koitieren (von der Frau gesagt). 1900 ff.

34. jm den ~ lecken = jm auf widerliche Weise liebedienern. Schwanz = Penis. 1900 *ff*, *ziv* und *sold*.

35. einen ~ machen = ein Studiensemester vertun. ↗Schwanz 5. *Stud* 1950 *ff*.

36. den ~ rauslocken = den Kartenspieler veranlassen, einen „Buben" zu opfern. Schwanz = Mann = Bube. Kartenspielerspr. seit dem 19. Jh.

37. den ~ ringen = beischlafwillig sein, aber bei der Partnerin auf Widerstand stoßen. Übertragen von der Metapher „die Hände ringen". 1930 *ff*.

38. der ~ guckt (sieht) ihm aus den Augen = er blickt lüstern. Seit dem 19. Jh.

39. so lang ist sein ~ auch nicht = so überheblich und machtlüstern sollte er lieber nicht sein. Übertragen vom Prahlen mit der Größe des männlichen Glieds. 1920 *ff*.

40. am ~ sein = unter den Klassenschlechtesten sein. ↗Schwanz 1. *Schül* 1900 *ff*.

41. jm auf den ~ spucken = jn energisch zur Rechenschaft ziehen; jn sehr heftig zusetzen. Die im Zweiten Weltkrieg aufgekommene fliegerspr. Vokabel kann mit „Schwanz" das Flugzeugheck des tiefer fliegenden Flugzeugs meinen und auf Beschuß anspielen.

42. ihm steht der ~ auf Alarm = a) er verlangt nach geschlechtlicher Befriedigung. *Sold* seit dem frühen 20. Jh. – b) er sucht Streit. *Sold* seit dem frühen 20. Jh.

43. jn schlauchen (o. ä.), daß ihm der ~ nach hinten steht = jn rücksichtslos drillen. *Vgl* ↗schleifen 2. *Sold* 1900 *ff*.

44. jm den ~ stutzen = jn zur Ordnung bringen. Leitet sich her vom Kupieren junger Hunde o. ä. *Sold* 1930 *ff*.

45. jm auf den ~ treten = a) jn beleidigen; jm zu nahe treten. „Schwanz" kann den Hundeschwanz meinen oder den Zipfel des Hemds oder Rocks (vgl ↗Schwalbenschwanz 1). 1900 *ff*. – b) jn drillen. Hier spielt auch die Gleichung „Schwanz = Penis" hinein. *Sold* 1900 *ff*.

46. sich auf den ~ getreten fühlen = sich gekränkt fühlen. Seit dem 19. Jh.

47. sich den ~ verbiegen = sich eine Geschlechtskrankheit zuziehen. 1900 *ff*.

48. sich den ~ verbrennen = sich mit Tripper (o. ä.) infizieren. Seit dem 19. Jh, *sold*, *prost* und *stud*.

49. jm den ~ verdrehen = einen Mann liebestoll machen. Übertragen von „jm den ↗Kopf verdrehen", wobei hier auf „Nillkopf" = Eichel angespielt wird. Berlin 1925 *ff*.

50. jm den ~ vergolden = passiver Homosexuellenpartner sein. 1900 *ff*.

51. sich den ~ verklopfen = geschlechtskrank werden (auf den Mann bezogen). *Vgl* ↗Pfeife 30. 1900 *ff*.

52. mit dem ~ wedeln = liebedienerisch sein. Vom Verhalten des Hundes übertragen. Spätestens seit 1870, vorwiegend *schül* und *sold*.

53. den ~ zwischen die Beine ziehen = schuldbewußt, beschämt weggehen. ↗Schwanz 24. 1500 *ff*.

Schwanzausreißen *n* **1.** es ist zum ~!: Ausdruck der Verzweiflung. Vor Unerträglichem möchte man eine unsinnige Tat begehen. 1900 *ff*.

2. Sache, die den Teufel zum ~ bringen

könnte = empörende Angelegenheit. 1900 *ff*.

schwanzdoll *adj* nymphoman. ↗Schwanz 2 und 3; ↗doll 5. Berlin 1910 *ff*.

Schwänze'lenz *f* absichtliches Fernbleiben von der Schule (als Krankheit getarnt). *Vgl* das Folgende; hier vielleicht beeinflußt von „↗Lenz = Müßiggang". Gotha 1900 *ff*.

Schwänze'lenzia *f* geheuchelte Schülerkrankheit. Zusammengesetzt aus „↗schwänzen 3" und „Influenza"; vgl ↗Faulenza 1. Gotha 1900 *ff*.

Schwänzelgeld *n* von Hausgehilfinnen einbehaltene kleine Beträge, die sie bei Einkäufen durch Anrechnung höherer Preise einbehalten. ↗schwanzen 8. Seit dem 19. Jh.

schwänzeln *intr* **1.** sich einschmeicheln. Im 18. Jh vom schwanzwedelnden Hund übertragen.

2. hüftwackelnd gehen; sich in den Hüften wiegen; geziert einhergehen. Iterativum zu „schwänzen = schwenken; stolzieren". Seit dem 19. Jh.

3. koitieren. ↗Schwanz 2. 1966 *ff*, *jug*.

schwanzen (schwänzen) *v* **1.** *intr* = sich in den Hüften wiegen; geziert gehen. Aus dem Intensivum zu „schwanken" entstanden. 1500 *ff*.

2. *intr* = müßiggehen. Geht zurück auf die untergegangene Form „schwankezen = hin- und herschwanken", woraus um 1500 im *Rotw* die Bedeutung „umherschlendern" aufgekommen ist.

3. *tr* = eine Unterrichtsstunde, den Gottesdienst o. ä. absichtlich versäumen. Aus dem Vorhergehenden im 18. Jh unter Schülern und Studenten geläufig geworden.

4. *tr intr* = der Arbeit eigenmächtig fernbleiben. 1900 *ff*.

5. *tr intr* = dem Grundwehrdienst schuldhaft fernbleiben; die Dienstverrichtung verweigern. *BSD* 1973 *ff*.

6. *intr* = koitieren. ↗Schwanz 2. 1800 *ff*.

7. *intr* = harnen (vom Mann gesagt). 1800 *ff*.

8. *tr* = jn betrügen; jm etw schuldig bleiben. Aus „↗Schwanz 3, 4 und 5" ergibt sich die Bedeutung „Pflichten absichtlich versäumen", was sich auch auf die Nichteinhaltung von Zahlungsverpflichtungen beziehen läßt und den Sinn von „unterschlagen, betrügen" annimmt. Es kann allerdings auch von der Bedeutung „entlaufen" ausgegangen werden, woraus sich der Sinn „sich den Gläubigern entziehen; hintergehen" entwickelt. 1700 *ff*.

9. *tr* = jn rücksichtslos behandeln; jn streng drillen. Meint eigentlich das Prügeln mit dem Ochsenschwanz. Vorwiegend *westd*, 1920 *ff*.

10. es schwanzt mich = es ärgert mich. Von der Bedeutung „prügeln" in Österreich im 19. Jh weiterentwickelt.

11. sich ~ = sich ärgern. *Österr* seit dem 19. Jh.

Schwänzer *m* **1.** Schüler, der den Unterricht unentschuldigt fernbleibt oder jede Gelegenheit nutzt, sich dem Schulbesuch zu entziehen. ↗schwänzen 3. Seit dem 19. Jh.

2. Mann, der sich dem Dienst (der Arbeit, den Verpflichtungen) zu entziehen sucht. ↗schwänzen 4. 1900 *ff*.

Schwanzgeld *n* Entgelt für den Bordellbesuch. Eigentlich der zu leistende Betrag beim Ankauf eines Pferdes, einer Kuh o. ä.; hier bezogen auf „↗schwanzen 6". *Sold* und *rotw* 1900 *ff*.

schwänzig *adv* ~ leben = geschlechtlich oft verkehren. Etwa seit 1900.

Schwanzlandung *f* Flugzeuglandung mit herabgedrücktem Heck. Fliegerspr. seit dem Ersten Weltkrieg.

Schwänzler *m* Liebediener. ↗schwänzeln 1. Seit dem 19. Jh.

Schwanzparade *f* **1.** militärärztliche Untersuchung auf Geschlechtskrankheiten. ↗Schwanz 2. *Sold* seit dem späten 19. Jh bis heute.

2. ~ mit Lausenachweis = militärärztliche Untersuchung auf Geschlechtskrankheiten und Ungeziefer. *Sold* 1910 *ff*.

schwappeln *intr* ↗schwabbeln.

schwappen *v* jm eine ~ = jn ohrfeigen. Schallnachahmender Herkunft. *Nordd* 1870 *ff*.

Schwapptür *f* in gummiverkleidetem Rahmen bewegliche Tür. Beim Zufallen oder Zuschwingen entsteht der Laut „schwapp". 1920 *ff*, handwerkerspr.

schwärmen *intr* als Straßenprostituierte nach Kunden Ausschau halten. Hergenommen von den in Scharen umherfliegenden Bienen. *Vgl* auch ↗Biene 4. 1900 *ff*.

Schwarte *f* **1.** altes Buch; dickes Buch; Buch mit überholtem Inhalt; Schulbuch. Im 17. Jh unter Studenten aufgekommen im Zusammenhang mit dem Einband aus Schweinsleder.

2. unerlaubte fremdsprachliche Übersetzung für Schüler. *Schül* seit dem 19. Jh.

3. großflächiges Gemälde von geringem künstlerischem Wert. Parallel zu ↗Schinken 5. Etwa seit 1870/80.

4. Haut des Menschen. 1500 *ff*.

5. schlechter, abgefahrener Reifen. Kraftfahrerspr. 1930 *ff*.

6. grober, unmanierlicher Mann; Flegel. Er hat eine „dicke Schwarte", d. h. „ein dickes ↗Fell". 1900 *ff*.

7. dralles Mädchen. *Nordd* seit dem späten 19. Jh.

8. alte ~ = alte Frau. *Vgl* auch ↗Haut 1. Seit dem 19. Jh.

9. eine gute ~ haben = gut reden können. Entstellt aus „↗Schwade 1". *Schül* 1920 *ff*.

10. daß die ~ knackt = sehr angestrengt; tüchtig. *Vgl* das Folgende. Seit dem 19. Jh.

11. dreinhauen (o. ä.), daß die ~ knackt (kracht) = kräftig zuschlagen. Gemeint ist ein so starkes Schlagen, daß die Haut platzt. 1500 *ff*.

12. jm etw vor die ~ sagen = jm etw ins Gesicht sagen. Von der ursprünglichen Bedeutung „Kopfhaut" verengt auf Kopf und Gesicht. Seit dem 19. Jh, *westd*.

Schwarteln *pl* Skier. Spottwort; denn „Schwarteln" sind eigentlich dünne Abfallbretter. Etwa seit 1920 in *bayr* und *österr* Wintersportgebieten.

schwarten *v* **1.** *intr* = in Büchern lesen. ↗Schwarte 1. 1950 *ff*.

2. *tr* = jn prügeln. ↗Schwarte 4. Seit dem 19. Jh.

Schwartling *m* Ski. ↗Schwarteln. *Bayr* und *österr* 1918 *ff*.

Schwarz *n* Spielfarbe „Pik". Kartenspielerspr. Seit dem 19. Jh.

schwarz *adj* **1.** katholisch; der katholischen Partei angehörend; sehr fromm; orthodox. Leitet sich von der schwarzen Amtstracht der katholischen Geistlichen her. Seit dem frühen 19. Jh.
2. einer nichtfarbentragenden oder konfessionellen Studentenverbindung angehörend. Seit dem späten 19. Jh.
3. mittellos. Vermutlich weil es in der Geldbörse mangels schimmernder Münzen sehr dunkel aussieht. *Rotw* und *stud,* 1850 *ff.*
4. im Spiel ohne Gewinn, ohne Stich. Kartenspielerspr. seit dem 19. Jh.
5. unter Umgehung der behördlichen Handelsvorschriften; amtlich nicht zugelassen; im Schleichhandel; unerlaubt; betrügerisch. Anspielung auf „dunkle" oder nächtliche Geschäfte. Wohl von „↗schwärzen" beeinflußt. Etwa seit dem letzten Drittel des 19. Jhs, vielleicht von Bayern ausgegangen.
6. ohne Zahlung von Eintrittsgeld, von Kolleggeld o. ä. 1900 *ff.*
7. ohne Paß; ohne Ausweispapiere. Kundenspr. 1870 *ff.*
8. bezecht. Wohl Anspielung auf Geistestrübung. 1700 *ff. Vgl franz* „être noir".
9. unheilvoll. Schwarz ist seit alter Zeit die Farbe der Trauer, des Elends und des Bösen. Spätestens seit 1500.
10. vorbestraft. Wohl Anspielung auf Dunkelhaft. *Rotw* 1900 *ff.*
11. sich ~ ärgern = sich sehr ärgern. Verhüllende Parallele zu „sich zu Tode ärgern"; denn „schwarz" bezieht sich auf die Farbe der in Verwesung übergehenden Leiche. Seit dem 18. Jh.
12. ~ über die Grenze gehen = ohne Paß die Grenze überschreiten. ↗schwarz 7. 1870 *ff.*
13. deine Mutter ist wohl lange nicht mehr in ~ gegangen?: Drohfrage. *Sold und ziv* 1910 *ff.*
14. jn für ~ halten = jn für dümmlich halten. Umschreibung für „jn für einen ↗Kaffer halten". Berlin 1950 *ff.*
15. die Nummer klingt ~ = das Musikstück enthält Spuren des Blues. Der Blues wurde ursprünglich nur von Negern gespielt und gesungen. Musikerspr. und *halbw,* 1950 *ff.*
16. jn ~ machen = a) jn ausplündern. ↗schwarz 3. *Rotw* 1850 *ff.* – b) jn zu keinem Stich kommen lassen. Kartenspielerspr. seit dem 19. Jh. – c) jn verleumden. *Vgl* ↗anschwärzen. Schwarz als Sinnbildfarbe des Bösen. Seit dem 19. Jh.
17. er hat sich ~ gemacht = er ist betrunken. ↗schwarz 8. 1700 *ff.*
18. wenn es ~ schneit (wenn schwarzer Schnee fällt) = nie. 1500 *ff.*
19. ~ umziehen = ohne Genehmigung des Wohnungsamts umziehen. ↗schwarz 5. 1920 *ff.*
20. etw ~ verkaufen = etw verkaufen, ohne den Betrag in die Registrierkasse aufzunehmen. ↗schwarz 5. 1920 *ff.*
21. und wenn er dabei ~ wird = bis zum Äußersten. Schwarz = mittellos. 1900 *ff.*
22. jn anlügen, daß er ~ wird = jn dreist belügen. ↗schwarz 11. Seit dem 19. Jh.
23. du kannst reden, bis du ~ wirst = du redest vergeblich. ↗schwarz 11. Seit dem 18. Jh.

24. suchen, bis man ~ wird = lange, vergeblich suchen. Seit dem 19. Jh.
25. auf etw warten, bis man ~ wird = lange, vergeblich auf etw warten. ↗schwarz 11. Seit dem 19. Jh.
26. zahlen, bis man ~ wird = lange zahlen. Seit dem 19. Jh.
Schwarzarbeit *f* **1.** unerlaubte bezahlte Arbeit eines Empfängers von Arbeitslosengeld, eines Berufstätigen nach Feierabend, während der Beurlaubung wegen vermeintlicher Erkrankung o. ä.; gegenüber der Arbeitsverwaltung oder dem Finanzamt unterschlagener Nebenverdienst. ↗schwarz 5. 1920 *ff.*
2. Arbeit, ausgeführt im Namen eines anderen, der dafür seinen Namen gibt. 1957 *ff.*
schwarzarbeiten *intr* trotz Arbeitslosenunterstützung, Krankschreibung usw. bezahlte Arbeit heimlich verrichten; den Nebenverdienst betrügerisch nicht versteuern. 1920 *ff.*
Schwarzarbeiter *m* **1.** krankgeschriebener Berufstätiger, Empfänger von Arbeitslosenunterstützung (o. ä.), der heimlich erwerbstätig ist und seine Nebeneinkünfte dem eigentlichen Arbeitgeber, den Behörden o. ä. verschweigt. 1920 *ff.*
2. Schornsteinfeger. 1920 *ff.*
3. farbiger Hausfreund der verheirateten Frau. 1965 *ff.*
Schwarzarbeitstag *m* der sich an die Fünf-Tage-Woche anschließende Samstag. 1956 *ff.*
schwarzbauen *intr* ohne behördliche Genehmigung bauen. ↗schwarz 5. 1950 *ff.*
Schwarzbauer *m* **1.** nachts tätig werdender Dieb. ↗bauen 1. *Rotw* seit dem späten 17. Jh.
2. Bürger, der ohne behördliche Genehmigung ein Haus baut. 1950 *ff.*
Schwarzbestände *pl* nicht amtlich beschaffte, nicht ordnungsgemäß eingekaufte und verbuchte Warenbestände. 1939 *ff.*
schwarzbrennen *intr* = unerlaubt Schnaps brennen. ↗schwarz 5. 1916 *ff.*
schwärzen *v* **1.** *tr intr* = schmuggeln; Zoll hinterziehen. Beruht auf Schwarz als Farbe der Nacht und spielt an auf nächtlichen Warentransport über die Grenze. Ausgangspunkt für die Vokabel „↗schwarz 5". Seit dem späten 18. Jh.
2. *tr* = anschuldigen, verleumden. ↗anschwärzen. 1600 *ff.*
Schwarzer-Peter-Spiel *n* gegenseitige Abwälzung der Verantwortung. ↗Peter 6. 1920 *ff.*
Schwarzes *n* **1.** großes ~ = elegantes schwarzes Abendkleid. 1900 *ff.*
2. kleines ~ = kurzes dunkles Besuchs-, Abendkleid. 1900 *ff.*
3. jm nicht das Schwarze unter dem Nagel gönnen = jm nichts gönnen. Das „Schwarze unter dem Nagel" steht hier sinnbildlich für „Dreck", also für Wertloses. 1800 *ff.*
4. ins Schwarze treffen = das Richtige sagen oder tun. Das Schwarze ist der Mittelpunkt der Zielscheibe. Spätestens seit 1900. *Vgl franz* „mettre dans le noir".
schwarzfahren *intr* **1.** schmuggeln. ↗schwärzen 1. 1915 *ff.*
2. ohne Urlaubsschein (Urlaubsbewilligung) wegfahren. ↗schwarz 5. *Sold* 1914 *ff.*
3. ohne Paß reisen. Kundenspr. 1900 *ff.*

4. ohne Fahrschein fahren. 1900 *ff.*
5. ohne Führerschein fahren. 1920 *ff.*
6. ein Auto ohne Wissen des Besitzers fahren; mit gestohlenem Führerschein fahren. 1920 *ff.*
7. ohne Erlaubnis unter Tage fahren. 1920 *ff.*
8. ohne Sonntagsfahrerlaubnis fahren. Aufgekommen mit dem Sonntagsfahrverbot im Zeichen der Ölkrise im November 1973.
Schwarzfahrer *m* **1.** Schmuggler. ↗schwärzen 1. Kundenspr. 1850 *ff.*
2. Handwerksbursche ohne Ausweispapiere. 1900 *ff.*
3. Kraftfahrer ohne Führerschein. 1920 *ff.*
4. Autofahrer ohne Fahrerlaubnis. ↗schwarzfahren 8. Seit November 1973.
5. Soldat, der ohne Urlaubsbewilligung eine Fahrt unternimmt. *Sold* 1914 *ff.*
6. Benutzer eines Autos ohne Wissen des Besitzers. 1920 *ff.*
7. Fahrpreispreller. 1900 *ff.*
8. Nichtmitglied der Gewerkschaft, aber trotzdem Nutznießer ihrer Erfolge. 1955 *ff.*
schwarzfernsehen *intr* ohne Gebührenentrichtung fernsehen. ↗schwarz 5. 1955 *ff.*
schwarzfischen *intr* ohne Angelschein fischen. ↗schwarz 5. 1900 *ff.*
Schwarzgänger *m* Landstreicher ohne Ausweispapiere. 1900 *ff.*
schwarzgehen *intr* **1.** ohne Ausweispapiere sein. Kundenspr. seit dem späten 19. Jh.
2. wildern. 1900 *ff.*
Schwarzhandel *m* Schleichhandel. ↗schwarz 5. Im Ersten Weltkrieg aufgekommen.
schwarzhandeln *intr* schleichhandeln. 1914 *ff.*
schwarzhören *intr* **1.** Rundfunk hören ohne Gebührenentrichtung. ↗schwarz 5. 1924 *ff.*
2. verbotene Sender abhören. 1935 *ff.*
3. für den Besuch einer akademischen Vorlesung keine Gebühren bezahlen. 1920 *ff.*
Schwarzjäger *m* Wilderer. ↗schwarz 5. 1900 *ff.*
Schwarzkacker *m* Mann, der die Benutzungsgebühr in der Bedürfnisanstalt nicht entrichtet. 1934 *ff,* Berlin.
Schwarzkittel *m* **1.** Wildschwein. Jägerausdruck mit Anspielung auf das „schwarze" Fell. Seit dem 19. Jh.
2. Geistlicher. Wegen der schwarzen Amtstracht. Seit dem 19. Jh.
3. Schiedsrichter. Er ist schwarz gekleidet. *Sportl* 1950 *ff.*
4. *pl* = Pioniere. Wegen der schwarzen Grundfarbe der Kragenspiegel. *BSD* 1965 *ff.*
Schwarzkünstler *m* **1.** Schornsteinfeger. Eigentlich der „Zauberer, Magier". Scherzbezeichnung seit dem 19. Jh, vorwiegend *rotw.*
2. Schiffsheizer. *Marinespr* seit dem ausgehenden 19. Jh.
3. Drucker. Wegen der Druckerschwärze. Seit dem 19. Jh.
schwarzmalen *intr tr* sich pessimistisch äußern. *Vgl* das Folgende. 1900 *ff.*
Schwarzmalerei *f* pessimistische Prognose. Schwarz = düster, freudlos, unheildrohend. 1900 *ff.*
Schwarzpreis *m* vom Kaufmann willkürlich festgesetzter, überhöhter Preis. 1945 *ff.*

Schwarzpressung *f* Raubpressung einer Schallplatte. ↗ schwarz 5. 1965 *ff.*

Schwarzpulver *n* dem Finanzamt verheimlichtes Geld. ↗ Pulver 1. Finanzamtsdeutsch 1950 *ff*, Berlin.

Schwarzreiter *m* Floh. Kundenspr. seit dem frühen 19. Jh.

Schwarzrock *m* **1.** Schornsteinfeger. Seit dem 18. Jh.
2. Geistlicher. Seit dem 18. Jh.

schwarzschlachten *intr* ohne behördliche Genehmigung schlachten. ↗ schwarz 5. 1914 *ff.*

schwarzschneidern *intr* ohne Gewerbeanmeldung gegen Entgelt schneidern. 1950 *ff.*

Schwarzschwein *n* dem Viehzähler vorenthaltenes Schwein. 1950 *ff.*

schwarzsehen *intr* **1.** Unheil voraussehen; Pessimist sein. Schwarz = unheildrohend, freudlos. *Vgl* ↗ schwarzmalen. Seit dem 19. Jh. *Vgl engl* „I see very dark", *franz* „voir tout en noir".
2. fernsehen ohne Gebührenentrichtung. 1955 *ff.*
3. kein Farbfernsehgerät besitzen. 1969 *ff.*

schwarzsenden *intr* mit einem amtlich nicht zugelassenen Sendegerät Nachrichten verbreiten. 1930 *ff.*

schwarzverdienen *intr tr* eine Geldeinnahme nicht versteuern. ↗ schwarz 5. 1920 *ff.*

Schwarzware *f* Schmuggelware. ↗ schwarz 5. 1914 *ff.*

schwarzwohnen *intr* ohne polizeiliche Anmeldung wohnen. 1920 *ff.*

Schwarzwurzel *f* **1.** Penis eines Negers. ↗ Wurzel. 1945 *ff.*
2. farbiger Soldat der US-Streitkräfte. 1945 *ff.*
3. Klarinette. Formverwandt und farbengleich mit der Schwarzwurzel. Musikerspr. und *halbw* nach 1950.
4. *pl* = schmutzige Füße. 1940 *ff.*

Schwasser *m* alter, lebensgenießerischer Schlemmer und Mädchenfreund. ↗ schwassern. *Österr* seit dem 19. Jh.

schwassern *intr* das Beste beanspruchen; ein Genießer sein; zechen. Mundartliche Nebenform zu „schweißen, schwitzen". *Österr* seit dem 19. Jh.

schwatteln *intr* schwimmen. Schallnachahmend für die Gluckslaute des Wassers. *Österr* seit dem 19. Jh, *schül.*

Schwatzbase *f* Schwätzer(in). Seit dem 19. Jh.

Schwatzbude *f* Parlament. Möglicherweise eine Wortprägung von Kaiser Wilhelm II. Geläufig seit 1900 bis heute. (Schon 1848?)

Schwätze'ritis *f* Redesucht. Krankheitsbezeichnungen nachgebildet zur Kennzeichnung einer als krankhaft empfundenen Veranlagung. *Westd* 1930 *ff.*

Schwatz-Picknick *n* ergebnislose Diplomatenbesprechung. 1920 aufgekommen mit Anspielung auf die Sitzungen des Völkerbunds; Vorform des heute üblichen „Arbeitsessens". *Vgl engl* „natter party".

Schwatztante *f* Schwätzer(in). Seit dem 19. Jh.

Schwebe *f* eine ~ machen = mehr oder minder höflich zum Weggehen veranlaßt werden. ↗ schweben. 1930 *ff*, sold und kaufmannspr.

schweben *intr* **1.** gehen; kommen; sich nähern; eilen. Von der Bewegung in der Luft weiterentwickelt zur Bedeutung „her-

beifliegen", „geflogen kommen". 1935 *ff*, sold.
2. tanzen. Der Boden wird nur leicht berührt. 1900 *ff.*

Schwebewäsche *f* Mindestunterbekleidung der Frau. 1960 *ff.*

Schwede *m* **1.** alter ~ = gemütliche Anrede (alter Freund!). Meinte ursprünglich den altgedienten *schwed* Soldaten, der in den siebziger Jahren des 17. Jhs nach dem Einfall der Schweden in die Kurmark gefangengenommen wurde und nach Zerschlagung des *schwed* Heeres in brandenburgische Dienste übertrat. Wegen des treuen Kampfes dieser Schweden an der Seite ihrer neuen Waffenbrüder nahm der Ausdruck „alter Schwede" schon bald die Bedeutung „Kamerad" und „alter Freund" an. Etwa seit 1690, Berlin.
2. hausen wie die ~n = zerstören, verwüsten, einäschern. Anspielung auf die schweren Verwüstungen, die die *schwed* Truppen im Dreißigjährigen Krieg in Deutschland angerichtet haben. 1800 *ff.*

Schweden-Gardinen *pl* Gitterstäbe am Gefängnisfenster. *Vgl* „schwedische ↗ Gardinen". 1960 *ff.*

Schwefelbande *f* **1.** Gesindel; üble Gesellschaft. Für 1770 bezeugt als Schimpfwort auf die übelbeleumundete Organisation der Nichtverbindungsstudenten „Sulphuria" in Jena. Nach anderen Deutungen ist das Wort volksetymologisch eingedeutscht aus *jidd* „chabolo" = Verbrechen, Verderben" oder aus *jidd* „chewel" = Strick". In der heutigen Bedeutung zuerst gebucht für Berlin (kurz nach 1815) in einer unveröffentlichten Sammlung.
2. Kinderschar (gemütliche Schelte). 1900 *ff.*

schwefeln *intr* schwätzen; gedankenlos, lügnerisch reden; sich aufspielen. Da Schwefel mit bläulicher Flamme verbrennt, liegt möglicherweise Analogie zu „blauer ↗ Dunst" vor. Seit dem 18. Jh.

Schwefler *m* Lügner, Prahler. ↗ schwefeln. Seit dem 19. Jh, vorwiegend *österr.*

Schweif *m* **1.** Gefolge. Analog zu ↗ Schwanz 9. 1870 *ff.*
2. Penis. Parallel zu ↗ Schwanz 2. Seit dem 19. Jh.
3. den ~ einziehen = nachgeben. ↗ Schwanz 24. Seit dem 19. Jh.

Schweifling *m* ausschweifend lebender Mann. ↗ Schweif 2. Überlagert von „umherschweifen" und „ausschweifend". 1900 *ff.*

Schweigen *n* **1.** Kompaniebelehrung. Übernommen vom *dt* Titel des *schwed* Films „Tystnaden" von Ingmar Bergman (1962). *BSD* 1970 *ff.*
2. ~ im Walde (es herrscht ~ im Walde) = keine Erwiderung. Soll auf dem Gemälde gleichen Namens von Arnold Böcklin beruhen oder auf dem gleichnamigen Roman von Ludwig Ganghofer. Seit dem ausgehenden 19. Jh, vorwiegend *schül* und *stud.*
3. gefräßiges ~ = Verstummen der Unterhaltung während der Mahlzeit. *Vgl* ↗ „Stille der Gefräßigkeit". Seit Ende des 19. Jh.
4. unter lautem ~ = ablehnend; Beifall versagend. Seit dem 19. Jh, *journ.*

schweigen *intr* **1.** jeder schweigt mit jedem = a) keiner äußert ein Wort. Nachbildung von „jeder spricht mit jedem". Sold

1939 *ff.* – b) alle sind verstimmt. Sold 1939 *ff.*
2. ~ wir von etwas anderem!: Redewendung auf eine wortkarge Gesellschaft; Redewendung, wenn man einen Gesprächsgegenstand ablehnt. Scherzhaft nach dem Muster von „reden wir von etwas anderem!" gebildet. 1945 *ff.*
3. sie redet, als hätte sie sieben Jahre geschwiegen = sie redet unaufhaltsam. 1920 *ff.*

Schweigestunde *f* Arztsprechstunde ohne Patienten. Scherzhaftes Gegenstück zur „Sprechstunde". Seit dem ausgehenden 19. Jh.

Schweigetod *m* Verdrängung eines Menschen aus der allgemeinen Wertschätzung, indem man ihn nicht mehr erwähnt. ↗ totschweigen. 1950 *ff.*

Schwein *n* **1.** verschmutzter, schmutzender Mensch. Schweine wühlen im Schmutz und legen sich in den Schmutz. 1500 *ff.*
2. liederlicher, unsittlicher, niederträchtiger Mensch; Zotenerzähler. Seit dem 16. Jh.
3. ~, schwarzes: gemütliche Schelte. Meint eigentlich das Wildschwein. 1900 *ff.*
4. angesengeltes ~ = Schimpfwort. 1930 *ff*, *jug.*
5. armes ~ = bedauernswerter Mensch. Sold 1939 *ff.*
6. besoffenes ~ = Betrunkener. Schweine saufen viel. ↗ Schwein 20. 1500 *ff.*
7. selten blödes ~ = besonders dummer Mensch. *Stud* 1950 *ff.*
8. dickes ~ = beleibter Mensch. Seit dem 19. Jh.
9. doofes ~ = dümmlicher Mensch. ↗ doof 1. 1900 *ff.*
10. dreckiges ~ = niederträchtiger, charakterloser, unsittlicher Mensch. ↗ dreckig. ↗ Dreckschwein. Seit dem 19. Jh.
11. dummes ~ = dummer Bursche. 1900 *ff.*
12. faules ~ = arbeitsscheuer Mensch. 1920 *ff.*
13. feiges ~ = Feigling. 1930 *ff.*
14. fettes ~ = beleibter Mensch. Seit dem 19. Jh.
15. gemeines ~ = Schimpfwort auf einen charakterlosen Menschen. Seit dem 19. Jh.
16. kein ~ = niemand. Herzuleiten von „kein Schwein im Stall haben"; *vgl* ↗ Sau 19. 1800 *ff.*
16 a. linkes ~ = Heimtücker. ↗ link. *Jug* 1970 *ff.*
17. schwules ~ = Homosexueller (sehr *abf*). ↗ schwul. 1900 *ff.*
18. versoffenes ~ = Trunksüchtiger. Seit dem 16. Jh.
19. vollgefressenes ~ = widerlich dicker Mensch. Seit dem 19. Jh.
20. besoffen wie ein ~ = volltrunken. 1500 *ff.*
21. dumm wie ein ~ = sehr dumm. 1900 *ff.*
22. nackt wie ein ~ = völlig unbekleidet. 1900 *ff.*
23. voll wie ein ~ = volltrunken. 1500 *ff.*
24. besser ein ~ auf dem Tisch als unter dem Tisch = lieber Aufstoßen als laut abgehende Darmwinde. *Stud* 1900 *ff.*
25. das ~ abgeben = sich unmanierlich benehmen. Abgeben = darstellen. Seit dem 19. Jh.
26. das hält kein ~ aus = das ist unerträglich. Seit dem 19. Jh.

27. er ist so dumm, daß ihn die ∼e beißen = er ist überaus dumm. 1900 ff.

28. du bist wohl vom bösen ∼ belullt? = du weißt wohl nicht, welchen Unsinn du redest? Lullen = saugen. *Stud* 1930 ff.

29. vom wilden ∼ benagt sein = nicht bei klarem Verstand sein. *Schül* 1930 ff.

30. bluten wie ein ∼ = stark bluten; viel Blut verlieren. Seit dem 16. Jh. *Vgl engl* „to bleed like a stuck pig".

31. fressen wie ein ∼ = unmäßig, unmanierlich essen. Seit dem 19. Jh.

32. ein gutes ∼ frißt alles = der Kenner (der Gesunde) verschmäht keine Speise. Seit dem 19. Jh.

33. damit kann man ∼e füttern = das ist in Menge vorhanden. Seit dem 19. Jh.

34. vom ∼ gebissen sein = von Sinnen sein. ↗Sau 47. 1900 ff.

35. wann haben wir zusammen ∼e gehütet? = Frage an einen, der sich plumpe Vertraulichkeiten erlaubt. Unter Hütejungen gibt es kein Herr- Knecht-Verhältnis. 1500 ff. *Vgl franz* „avoir gardé les cochons ensemble".

36. ∼ haben = unverdientermaßen, unerwartet Glück haben. *Vgl* ↗Sauglück. Früher gab es bei Wettspielen, Schützenfesten usw. für den letzten Gewinner als Trostpreis ein Schwein. 1800 ff.

37. mehr ∼ als Verstand haben = unverdientermaßen Glück haben. ↗Glück 2. Seit dem 19. Jh.

38. ich glaube, mein ∼ jodeltl: Ausdruck des Erstaunens. Schülersprachliche Variante zum Folgenden. Berlin 1973.

39. ich glaube, mein ∼ pfeiftl: Ausdruck der Verwunderung, des Unwillens. Erwiderung auf eine Behauptung, die so unsinnig ist wie die Vorstellung, daß Schweine pfeifen. *Sold, schül* u. a. 1965 ff.

40. ich glaube, mein ∼ priemtl: Erwiderung auf eine törichte Ansicht. *Vgl* das Vorhergehende. *BSD* 1965 ff.

41. saufen wie ein ∼ = unmäßig trinken. Seit dem 16. Jh.

42. wir werden das ∼ schon schaukeln = ich werde die Sache bestens erledigen. Aus Gründen des Stabreims umgeformt aus „wir werden das ↗Kind schon schaukeln". *Schül* 1920 ff.

43. er denkt so weit, wie ein ∼ scheißt = er kann nicht denken. 1935 ff.

44. das falsche ∼ schlachten = einen nicht mehr gutzumachenden Mißgriff tun. Soll kurz nach der Kapitulation des Deutschen Reiches 1945 von Winston Churchill geprägt worden sein im Hinblick auf die Entwicklung der sowjetischen Politik.

45. wir werden das ∼ schon töten = diese Sache werden wir gut erledigen. Um 1900 aufgekommen *(schül?)*. Steht wohl im Zusammenhang mit der Notschlachtung eines Schweins durch nichtberufliche Metzger.

46. ∼e waschen = unnütze Arbeit verrichten. 1900 ff.

Schweinchen Schlau n untersetzter, gewitzter Mann. Geht zurück auf eine Walt-Disney-Figur in den „Micky-Maus"-Heften. *BSD* 1965 ff.

Schweine- (Schweins-; schweine-; schweins-) *Vgl* die Bemerkungen unter „↗Sau-".

Schweinearsch m trockener ∼ = geräucherter Schinken. *Sold* in beiden Weltkriegen; auch *ziv.*

Schweineäugelchen pl kleine, lustig blickende Augen. Seit dem 19. Jh.

Schweinebande f Gesindel; üble Gesellschaft. ↗Bande 1. Seit dem 19. Jh.

Schweineberg m Überangebot von Schweinefleisch. Aufgekommen 1957 mit dem unter Bundeslandwirtschaftsminister Dr. Heinrich Lübke eingeleiteten Propaganda-Unternehmen zum Abbau der „Schweineschwemme".

'Schweine'blatt n Skandalzeitung; Hetzpresse. ↗Blatt 1. Seit dem 19. Jh.

Schweinebraten m Schimpfwort; auch gemütliche Schelte. Verlängertes Schimpfwort „Schwein" (womit – zum Unterschied von „Saubraten" – das Hausschwein gemeint ist). 1840 ff.

'Schweine'brühe f minderwertige Suppe. 1916 ff.

'Schweine'foto n pornografisches Foto. 1900 ff.

'Schweine'fraß m minderwertiges Essen. Ohne Doppelton ist das Futter für Schweine gemeint. Seit dem 19. Jh.

'Schweine'futter n minderwertige Beköstigung. *Vgl* das Vorhergehende. *Sold* 1914 bis heute.

Schweinefüttern n etw zum ∼ haben = etw im Überfluß besitzen. Abfall für Schweine ist stets reichlich vorhanden. *Vgl* ↗Saufüttern. Seit dem 19. Jh, *nordd* und *österr.*

Schweinegalopp (Schweinsgalopp) m im ∼ = sehr schnell. Schweine können gut laufen, wenn auch nicht ausdauernd. 1870 ff, *sold* und *jug.*

'Schweine'geld n viel Geld *(abf)*. Seit dem 19. Jh.

'Schweine'hitze f drückende Hitze. 1900 ff.

Schweinehund (Schweinhund) m 1. unflätiger, niederträchtiger Mann. Verstärkung von „Hund". Seit dem 18. Jh.

2. innerer ∼ = Angst vor dem eigenen Mut; Mangel an Selbstbewußtsein; feige, energielose Gesinnung; Mangel an „gesundem Volksempfinden" (1933–1945); Nachgiebigkeit gegenüber Süchten und Lüsten; heimliche Freude an Pornografie. Im Ersten Weltkrieg aufgekommen; von den Nationalsozialisten aufgegriffen; 1932 von Dr. Kurt Schumacher in einer Reichstagsrede gegen Dr. Joseph Goebbels verwendet.

3. mieser ∼ = unzuverlässiger, charakterloser Mann. ↗mies. 1930 ff.

4. den inneren ∼ kleinkriegen (unterkriegen, überwinden, bekämpfen, besiegen o. ä.) = die selbstsüchtigen, nicht-idealistischen Gefühle zähmen. 1914 ff.

5. dem inneren ∼ einen Tritt geben = kleinliches Wesen, Selbstsucht o. ä. ablegen. 1933 ff.

6. jm einen ∼ machen = jn heftig schelten. *Stud* 1970 ff.

'Schweine'kerl m schmutziger, unflätiger Mann. Seit dem 19. Jh.

'Schweine'kram m 1. Schmutz. ↗Kram. 1900 ff.

2. große Widerwärtigkeit. 1900 ff.

3. Unsittlichkeit; Obszönität; pornografisches Schrifttum usw. 1900 ff.

'Schweine'krieg m verwünschter Krieg. *Sold* und *ziv* 1914 bis heute.

'Schweine'leben n Leben unter widerlichen (widrigen) Umständen. Seit dem 16. Jh.

Schweinemagen m Magen, der alles verträgt. Seit dem 19. Jh.

'schweine'mäßig adj adv 1. sehr schmutzig; äußerst schlecht; minderwertig; völlig unbrauchbar. ↗saumäßig. Seit dem 19. Jh.

2. sehr groß; außerordentlich (er hat ein schweinemäßiges Glück). 1900 ff.

3. adv sehr; sehr viel. Seit dem 19. Jh.

'Schweinemo'ral ('Schweinemoral) f Unsittlichkeit; unzüchtige Gesinnung. 1870 ff.

schweinen tr jn mit gemeinen Ausdrücken belegen. Gemeint sind alle mit „Schwein-" gebildeten Schimpfwörter. 1940 ff, *sold* und *ziv.*

'Schweine'pack n Gesindel; verkommene Leute; üble Gesellschaft. ↗Pack. Seit dem 19. Jh.

'Schweine-'Party f Party mit obszönem Charakter. 1950 ff.

'Schweine'pech ('Schweins'pech) n großes Unglück; großer Mißerfolg. ↗Pech. Spätestens seit dem 19. Jh.

'Schweine'presse f Skandalpresse. Seit dem späten 19. Jh.

Schweinepriester m 1. schmutziger Mensch. Meint eigentlich den in klösterlichen Diensten stehenden Schweinehirten, der auch die Kastration der Ferkel vornahm. Seit dem 19. Jh.

2. Schimpfwort. Seit dem 19. Jh.

Schweinerei f 1. großer Schmutz; große Unordnung. 1600 ff.

2. große Unannehmlichkeit. Seit dem 19. Jh.

3. Niedertracht, Charakterlosigkeit. 1600 ff.

4. unzüchtiges Verhalten; Pornografie. 1600 ff.

5. Schweinehaltung, -zucht, Schweineschlachtfest (scherzhaft). 1900 ff.

6. geträumte ∼ = wollüstiger Traum. 1910 ff.

7. die ∼ muß eine andere werden = es muß Ordnung geschaffen werden. Kreuzung von „es muß anders werden" und „die Schweinerei muß aufhören". 1920 ff.

8. eine ∼ bauen = eine Unannehmlichkeit verschulden. ↗bauen 1. 1920 ff.

Schweinernes n Schweinefleisch. Die Zuordnung dieser Vokabel zum Umgangsdeutsch ist umstritten. Seit dem 19. Jh, vorwiegend *oberd.*

Schweinestall m 1. schmutziger, unaufgeräumter Raum; wüste Unordnung; Gruppe ohne Zucht; sittlich bedenkliche Gemeinschaft. ↗Saustall 1. 1500 ff.

2. den ∼ ausmisten = einen Mißstand tilgen. ↗Saustall 4. Seit dem 19. Jh.

Schweinestück n 1. schlechtes, unsittliches Theaterstück. 1890 ff.

2. ehrloser Mensch; Schimpfwort. 1920 ff.

'Schweine'tempo n hohe Fahrgeschwindigkeit. 1920 ff.

Schweinetrab (Schweinstrab) m schnelle Gangart. ↗Schweinegalopp. Seit dem 19. Jh.

Schweinevesper f 1. Imbiß zwischen Nachmittagskaffee und Abendessen. Man nimmt ihn etwa zur selben Zeit, zu der die Schweine in den Stall getrieben werden. *Nordd* 1820 ff.

2. üppige Gasterei. 1870 ff.

'Schweine'wetter n sehr schlechtes Wetter. Seit dem 19. Jh.

'Schweine'wirtschaft *f* große Unordnung; Disziplinlosigkeit. Seit dem 19. Jh.

Schweinhund *m* ↗Schweinehund.

Schweinigel (Schweinnickel) *m* Mann von sittenlosem Lebenswandel; Zotenerzähler; unreinlicher, schmutzender Mann. Der Igel hat eine schweineähnliche Schnauze und galt schon im Mittelalter als unrein. Zu „Schweinnickel" *vgl* „↗Nikkel". 1600 *ff.*

schweinisch *adj* **1.** höchst unreinlich. 1600 *ff.*
2. unsittlich, obszön, unflätig. 1600 *ff.*
3. charakterlos, unkameradschaftlich. 1920 *ff.*

Schweinnickel *m* ↗Schweinigel.

Schweins- (schweins-) ↗Schweine-(schweine-).

Schweiß *m* **1.** ~ fassen = schweren Dienst haben. ↗fassen 1. *Sold* 1965 *ff.*
2. sich im ~e seiner Füße sein Brot verdienen = Infanterist sein. Umgeformt aus dem Bibelwort „im Schweiße deines Angesichts sollst du dein Brot essen" (1. Moses 3, 19). *Sold* 1939 *ff.*

Schweißbrenner *m* **1.** Feuerzeug. Eigentlich das Gerät zum autogenen Schweißen. *BSD* 1960 *ff.*
2. Sonne im Sommer. *Stud* 1960 *ff.*
3. anstrengender Kuß. 1965 *ff, prost.*

schweißen *intr* eine Zigarette an der anderen anzünden. Es nimmt sich aus wie der technische Vorgang des Schweißens. *Österr* 1920 *ff.*

Schweißer *pl* (Schweiß-)Füße. *Österr* 1930 *ff, jug.*

Schweißfuß *m* ein ~ kommt selten allein = auf das erste Unglück folgt meist rasch das zweite. Scherzhaft nachgebildet dem Sprichwort „ein Unglück kommt selten allein". *Stud* 1920 *ff.*

Schweißfußindianer *m* **1.** Mann, der unter Fußschweiß leidet. Der Bezeichnung „Schwarzfußindianer" nachgebildet. *Sold* 1910 bis heute.
2. Schimpfwort. 1920 *ff.*
3. Fußpfleger. 1950 *ff.*

Schweißfußkäse *m* Harzer Käse. *Vgl* ↗Käse 8 a. *Stud* 1920 *ff.*

Schweißmauken *pl* **1.** Schweißfüße. ↗Mauke 4. *Sold* 1900 bis heute.
2. Socken, Strümpfe. 1900 *ff.*

schweißtreibend *adj* **1.** sehr aufregend; Angst erzeugend. 1920 *ff.*
2. ~e Mittel = Laufschritt; Kniebeuge mit vorgestrecktem Gewehr; Kriechen auf den Ellenbogen usw. *Sold* 1939 *ff.*

Schweißtropfenbahn *f* Lauf- und Turngelände für Feriengäste; Trimmpfad. 1965 *ff.*

Schweißwiese *f* militärisches Ausbildungsgelände. *Sold* 1930 bis heute.

Schweißwunde *f* stark blutende, aber ungefährliche Schußverletzung. Schweiß = Blut des Wildes (jägerspr.). 1600 *ff.*

Schweizer Käse *m* **1.** Kleid mit Lochmuster. 1964 *ff.*
2. Damenbadeanzug mit mehreren rundlichen Ausschnitten. 1964 *ff.*
3. Loch im Gußstück. Industriearbeiterspr. 1920 *ff.*
4. ein Gehirn haben wie ein ~ = schlechte Merkfähigkeit besitzen. Das Wissen entschwindet durch die Löcher. 1960 *ff.*
5. die Deckung ist löcherig wie ein ~ = die Deckung ist mangelhaft. *Sportl* 1950 *ff.*

Schwelles *m* Kopf. Meint vor allem den aufgedunsenen mit feistem Gesicht. Seit dem 19. Jh, *westd.*

Schwellkopf *m* dicker Kopf des Menschen. Geläufig als Requisit bei Rosenmontagsumzügen. *Westd* seit dem 19. Jh.

Schwellkörper *m* Penis. Meint das durch Aufnahme von Blut anschwellende Organ. *Sold* 1935 *ff.*

Schwellkurven *pl* harte ~ = überaus üppig entwickelter Busen. ↗Kurve 1. 1955 *ff.*

Schwemme *f* **1.** Stehbierhalle; einfaches Bierlokal. Eigentlich der Badeplatz für Tier und Mensch (schwemmen = schwimmen machen). Von da übertragen zur Bezeichnung einer auf Massenbetrieb eingestellten Wirtschaft. Seit dem 16. Jh.
2. Schwimmbecken, -bad. 1920 *ff.*
3. Wannenbad. 1920 *ff.*
4. überreichliches Warenangebot; übergroße Zahl von Anwärtern. In übertragener Bedeutung kann man darin „schwimmen". 1910 *ff.*

Schwengel *m* **1.** Penis. Einerseits wegen des Herabhängens wie ein Glockenklöppel, andererseits wegen der Zugehörigkeit zu „↗Pumpe 4". 1900 *ff.*
2. Bursche; Umhertreiber; Tunichtgut. Von der Vorstellung des herabhängenden Glockenklöppels oder Pumpenschwengels übertragen zur Bedeutung „schlaff, lässig". 1700 *ff.*
3. Zuhälter. Übernommen von der Bedeutung „Umhertreiber, Müßiggänger". 1700 *ff.*

Schwenk *m* einen ~ machen = eine neue Liebschaft beginnen. Von der bisherigen Freundin schwenkt man zur neuen. Berlin 1960 *ff.*

schwenken *v* **1.** *tr* = eine strafbare Handlung begehen. Über die Grundbedeutung „ins Schwingen bringen" analog zu „↗schaukeln 3". Berlin 1870 *ff*, verbrechersspr.
2. *tr* = jn von der Schule verweisen. Schwenken = schwingen machen. Gehört zur Vorstellung „wegfliegen". *Schül* seit dem späten 19. Jh.
3. *tr* = jn aus Amt und Würden entlassen; jn aus der Gruppe ausschließen. 1870 *ff.*
4. *tr* = jn einexerzieren. Die Soldaten führen auf dem Kasernenhof Schwenkungen aus. *Sold* 1935 *ff.*
5. *tr* = jn im Tanz drehen, im Tanz führen. Seit dem 19. Jh.
6. ~ gehen = Straßenprostituierte sein. Anspielung auf das übliche Schwenken der Handtasche, auch auf die Hin- und Herbewegung der Hüften, des Gesäßes. 1950 *ff.*
7. eine ~ gehen = zum Tanz gehen. Man bringt das „↗Tanzbein" in schwingende Bewegung. 1900 *ff.*

Schwenker *m* **1.** Frack, Cut, Gehrock. Wegen der schwingenden Rockschöße. Seit dem 19. Jh.
2. weitgeschneiderter Mantel. 1920 *ff.*
3. Urinflasche. Eigentlich der Schüttelbecher (Kognakschwenker). Schwenken = mit Wasser ausspülen. *BSD* 1960 *ff.*
4. Parteiwechsler. Schwenken = die Richtung ändern. 1950 *ff.*
5. Kellner. Bezieht sich einerseits auf die schwingenden Rockschöße des Fracks, andererseits auf „↗Serviettenschwenker". 1900 *ff.*
6. Gläserspüler. 1920 *ff.*

7. Sanitätsdienstgrad im Lazarett. Versteht sich nach ↗Schwenker 3. *Vgl* auch ↗Pißpottschwenker. 1900 *ff.*

schwer *adj* **1.** reich. Verkürzt aus „millionenschwer" o. ä. 1700 *ff.*
2. bezecht. Man spricht von „schwerem Rausch" und „schwer geladen haben". 1800 *ff.*
3. *adv* = sehr; sehr viel; sehr stark (er ist schwer reich; er irrt sich schwer). Seit dem 19. Jh.
4. ~ gut = ausgezeichnet. Gebildet nach dem Muster von „schwerkrank", „schwerbewaffnet" o. ä. Hessen 1945 *ff.*
5. sich ~ hüten = sich zurückhalten; auf ein Angebot nicht eingehen; etw abwehren. Seit dem 19. Jh.
6. zwanzig Millionen ~ sein = zwanzig Millionen (Mark o. ä.) besitzen. 1700 *ff.*
7. ~ verheiratet sein = von der Ehefrau beherrscht werden. 1870 *ff.*
8. ~ (was) von etw verstehen = von einer Sache viel verstehen. 1950 *ff.*
9. ~ zahlen = viel zahlen. Seit dem 19. Jh.

Schwerathlet *m* geistiger ~ = Hochschullehrer; Nobelpreisträger. Aus der Sportsprache gegen 1930 übernommen.

Schwerdonnerstag *m* Donnerstag vor Fastnacht. ↗Donnerstag 4. Seit dem 19. Jh.

'Schwere'brett *interj* Ausruf des Unwillens. Schwer = drückend. Entstellt aus dem Folgenden. 1800 *ff*, nördlich der Mainlinie.

'Schwere'not *interj* Unmutsausruf. Meint eigentlich die Fallsucht. Reststück des argen Wunsches „die Schwerenot sollst du kriegen". Seit dem 18. Jh.

Schwerenöter *m* Frauenschmeichler. Eigentlich einer, dem man die Fallsucht wünscht; weiterentwickelt zur Bedeutung „verschlagener Mann", vor allem mit Bezug auf liebenswürdig-listigen Umgang mit Frauen. Er hat eine Art „Fallsucht" auch insofern, als er vor Frauen einen „Kniefall" macht, ihnen „zu Füßen liegt". 1850 *ff.*

Schwerer *m* Schwerverbrecher. Verkürzt aus „schwerer ↗Junge". Seit dem 19. Jh.

Schwergewicht *n* ~ = volltrunken sein. Aus dem Sportlerdeutsch im frühen 20. Jh übernommen.

Schwergewichtler *m* Mann mit großem politischen oder weltanschaulichen Einfluß. 1920 *ff.*

schwerhörig *adj* **1.** ~ sein = Bitten um Geld absichtlich überhören. Seit dem 19. Jh.
2. ~ auf der Nase sein = nichts riechen. Berlin 1950 *ff.*

schwermütig *adv* ~ blicken = schielen. Berlin 1840 *ff.*

Schweröl *n* Schnaps. *Vgl* das Gegenwort „↗Leichtöl". 1960 *ff, halbw.*

Schwert *n* **1.** ein Maul haben wie ein ~ = sehr abfällig über andere sprechen. Seit dem 19. Jh.
2. eine Zunge haben wie ein ~ = verletzend sprechen. Seit dem 19. Jh.
3. das ~ ziehen = sich zum Harnen (zum Geschlechtsverkehr) anschicken (vom Mann gesagt). Fußt auf dem Zusammengehörigkeitspaar „Schwert und Scheide", 1920 *ff.*

Schwerterkaffee *m* dünner Kaffeeaufguß. Auf dem Boden der Tasse werden die

Schwerter des Meißner Porzellans sichtbar. *Sächs* 1900 *ff.*

schwertun *refl* es schwer haben; es sich schwer machen; mit einer Sache seine Schwierigkeiten haben. Schwer = beschwerlich. Im 19. Jh von Bayern ausgegangen.

schwerverdaulich *adj* schwerverständlich; ungerechtfertigt. Seit dem 19. Jh.

Schwester *f* 1. Lesbierin. 1900 *ff.*
2. Homosexueller. Als Tarnausdruck aufzufassen für den „weiblich" fixierten Partner; vielleicht mit Anspielung auf mädchenhafte Gesichtszüge oder auf weibisches Auftreten. 1900 *ff, rotw* und *sold.*
3. Freundin des Halbwüchsigen. *Halbw* 1955 *ff.*
4. barmherzige ~ = Prostituierte. Eigentlich die geistliche Krankenschwester. Im frühen 18. Jh unter Studenten aufgekommen und ins *Rotw* gewandert.
5. flotte ~ = Lesbierin; weibliche Person, die, ohne lesbisch veranlagt zu sein, gleichgeschlechtliche Betätigung gegen Entgelt vornimmt. 1950 *ff.*
6. mitleidige ~ = Prostituierte. *Stud* 1750 *ff.*
7. warme ~ = Lesbierin. ↗warm. Gegenstück zu „warmer ↗Bruder". Seit dem 19. Jh.

Schwesterherz *n* mein ~ = meine Schwester. ↗Bruderherz 2. 1700 *ff.* Wiederaufgelebt 1950 *ff, halbw.*

schwiegergeil *adj* mütterlich-begierig nach einem Schwiegersohn. ↗geil. Berlin seit dem frühen 20. Jh.

schwiegerlüstern *adj* mütterlich-begierig nach einem Schwiegersohn. 1900 *ff.*

Schwiegermama *f* Schwiegermutter. ↗Mama. Seit dem 19. Jh.

Schwiegermutter *f* 1. Mutter der Tanzstundendame. *Schül* 1950 *ff.*
2. pump' mir mal deinen Kopf, ich will meiner ~ einen Schrecken einjagen!: Redewendung auf einen Menschen mit abstoßend häßlichem Gesicht. 1950 *ff,* Berlin.
3. Stimmung in einem Haus, das die ~ erwartet = friedfertige Stimmung. 1950 *ff.*

Schwiegermutterbegräbnis *n* es war mir ein ~ = es war mir eine sehr große Freude. Um 1900 aufgekommen in Referendar- und Leutnantskreisen, in Anlehnung an die volkstümlich schlechte Geltung der Schwiegermutter.

Schwiegermutterkrankheit *f* durch die Schwiegermutter verursachte Nervenbelastungen, Spannungen usw. 1950 *ff.*

Schwiegermutterloser *m* Junggeselle. Um 1870 in Berlin aufgekommen. Den Ball der Unverheirateten nannte man damals „Ball der Schwiegermutterlosen".

Schwiegerpapa *m* Schwiegervater. ↗Papa. Seit dem 19. Jh.

Schwiele *f* 1. ~n im Gehirn = geistige Überanstrengung. Von den Hornhautschwielen der Handfläche eines Schwerarbeiters übertragen. 1920 *ff.*
2. sich eine ~ anfressen = durch reichliches Essen beleibt werden. 1914 *ff.*
3. ~n an den Händen haben = reichlich onanieren. 1965 *ff, prost.*
4. ~n auf den Ohren haben = a) nicht zuhören; unaufmerksam sein; etw absichtlich nicht zur Kenntnis nehmen. 1935 *ff, sold.* – b) unempfindlich sein für quäkende Musikgeräusche. 1955 *ff.*

Schwielenarsch *m* Angehöriger des Schreibstubenpersonals; Truppenverwaltungsbeamter; Zahlmeister o. ä.; ziviler Beamter. Die sitzende Tätigkeit läßt Schwielen am Gesäß entstehen. Gegen 1910 *sold* aufgekommen; 1920 *ff ziv.*

Schwiemel *m* 1. Taumel, Ohnmacht; Rausch. ↗schwiemeln 1. Seit dem 15. Jh.
2. ausschweifend lebender Mann. ↗schwiemeln 2. Seit dem 19. Jh.
3. liederliches Leben. Seit dem 19. Jh.
4. Lügner, Betrüger, Hochstapler. ↗schwiemeln 3. 1820 *ff.* Berlin, Leipzig u. a.

schwiemelig *adj* 1. ohnmächtig; taumelnd; kraftlos; an Kopfschmerz oder Brechreiz leidend. ↗schwiemeln 1. 1700 *ff.*
2. ~ gucken = übernächtigt aussehen. 1900 *ff.*

schwiemeln *intr* 1. schwanken, torkeln. Gehört zu *mhd* „sweimen = schweben" (*niederd* „swimen"); weiterentwickelt zur Bedeutung „unfest auf den Beinen sein". 1500 *ff.*
2. liederlich leben; zechen. Anspielung auf den Torkelgang des Bezechten. 1600 *ff.*
3. dreist lügen; stark übertreiben. Analog zur Nebenbedeutung „trügen" des Verbs „schwindeln = torkeln". Seit dem 19. Jh.

Schwimm *m* das Schwimmen. 1950 *ff.*

Schwimmbad *n* textliche Unsicherheit einer Schauspielergruppe. ↗schwimmen 1. 1920 *ff, theaterspr.*

schwimmen *v* 1. *intr* = sich nicht sicher fühlen; den Text nicht beherrschen. Man hat „keinen festen Boden unter den Füßen" und will „sich über Wasser halten". Man ersetzt die fehlenden Worte durch schwimmartige Armbewegungen. Theaterspr. seit dem 19. Jh.
2. *intr* = im Wissensstoff unsicher sein; kein sicheres Wissen besitzen. *Stud* 1900 *ff,* auch *schül.*
3. *intr* = als Mannschaft nicht geschlossen spielen. *Sportl* 1920 *ff.*
4. *intr* = mittellos sein. Man macht verzweifelte Schwimmbewegungen, um „sich über ↗Wasser zu halten". 1920 *ff.*
5. *intr* = gehen. Von der Fortbewegung im Wasser übertragen auf die Fortbewegung auf festem Boden. *Österr* 1945 *ff, jug.*
6. um etw ~ = etw holen (schwimm um die Wäsche = hole die Garderobe!). *Österr* 1945 *ff, jug.*
7. obenauf ~ = tüchtig, erfolgreich sein; Glück haben. ↗obenauf 1. 1870 *ff.*
8. jmd ins ~ bringen = jn in Zucht und Ordnung gewöhnen. Vom Schwimmlehrer übertragen. 1930 *ff.*
9. jn ins ~ bringen = a) jn rühren, mitleidig stimmen. Anspielung auf den Tränenerguß. 1920 *ff.* – b) den Gegner beim Kartenspiel in die Enge treiben. Seit dem 19. Jh. – c) die Geschlossenheit einer Sportmannschaft auflockern. *Sportl* 1920 *ff.*
10. ins ~ geraten (kommen) = unsicher werden. Seit dem 19. Jh.
11. etw ~ lassen = auf etw verzichten; sich etw absichtlich entgehen lassen. Hängt vielleicht zusammen mit dem Bild von den davonschwimmenden Fellen; ↗Fell 36. Seit dem 19. Jh.
12. jn ~ lassen = jm in der Not nicht helfen; sich von einem Menschen abwenden. Seit dem 19. Jh.
13. ~ lernen = sich der jeweiligen Lage anzupassen suchen. 1930 *ff.*

Schwimmer *m* 1. Mensch, der sich an keine geregelte Lebensweise gewöhnt; Mann, der neue Schulden macht, um alte zu begleichen. 1920 *ff.*
2. *pl* = Beine, Füße. 1930 *ff, sold.*

Schwimmling *m* Fisch; Hering o. ä. Kundenspr. seit dem späten 19. Jh.

Schwimm-Matratze *f* Schlauchboot. 1955 *ff.*

Schwimmoper *f* Hallenbad mit aufsteigendem Zuschauerraum. 1958 *ff* (Wuppertal-Elberfeld, Hamburg u. a.).

Schwimmschisser *m* ängstlicher, wasserscheuer Schwimmschüler. ↗Schisser 1. 1900 *ff, jug.*

Schwimmunterricht *m* ~ nehmen = a) kopfüber in den Graben oder Teich stürzen. Turfspr. 1900 *ff.* – b) unfreiwillig ins Wasser fallen. 1900 *ff.* – c) mit dem Flugzeug ins Meer stürzen. Fliegerspr. in beiden Weltkriegen.

Schwindel *m* 1. Angelegenheit, Unternehmen, Dienstbetrieb *(abf).* Eigentlich soviel wie „Täuschung, Irreführung". Seit dem späten 19. Jh, *sold* und *ziv.*
2. aufgelegter ~ = große Täuschung; schwere Übertölpelung. Auflegen = mit einer dünnen Schicht überziehen. Anspielung auf das verlockende Aussehen einer wertlosen Sache. 1900 *ff.*
3. der ganze ~ = das alles; das Ganze *(abf).* Seit dem 18. Jh.
4. den ~ kennen = eine Sache gründlich kennen einschließlich aller zweckdienlichen Tricks. 1900 *ff.*
5. an ~ leiden = gewerbsmäßiger Betrüger sein. „Schwindel" bezeichnet sowohl „Taumel" als auch „Trug". Seit dem 19. Jh.
6. im ~ sein = Angst haben; ratlos sein; sich in arger Verlegenheit befinden. Schwindel = Taumel, Standunsicherheit. 1914 *ff.*

Schwindelanfälle *pl* an ~n leiden = vom Betrug leben. ↗Schwindel 5. Seit dem 19. Jh.

Schwindelfieber *n* geheuchelte Krankheit. *Schül* und *sold* 1910 *ff.*

Schwindelkrankheit *f* geheuchelte Krankheit. 1910 *ff, schül* und *sold.*

Schwindelmache *f* Betrug, Übertölpelung. ↗Mache 3. Seit dem späten 19. Jh.

Schwindelmajor *m* Betrüger, Lügner. Wohl aus „↗Schwindelmeier" entstellt. Seit dem späten 19. Jh.

Schwindelmaschine *f* Würfelbecher. 1935 *ff.*

Schwindelmeier *m* lügnerischer Mann. „Meier" als sehr häufiger Familienname ist zum nomen agentis geworden. 1840 *ff.*

schwindeln *intr* lügen, betrügen. Von der Bedeutung „taumeln" übertragen auf unfeste, unzuverlässige Behauptungen. Analog zur Bedeutungsentwicklung von „↗schwiemeln". Etwa seit 1750.

Schwindelo'gie *f* Unterweisung in der Kunst des Lügens, Betrügens und Täuschens. Für 1864 (Glaßbrenner) in Berlin belegt.

Schwindeltemperatur *f* mit künstlichen Mitteln betrügerisch erzeugtes Fieber. *Sold* 1939 *ff.*

Schwindler *m* Täuschungszettel. *Schül* 1900 *ff,* österr.

schwindlig *adj* sehr schlecht; minderwertig. Eigentlich soviel wie „taumelig, der Ohnmacht nahe". *Schül* 1950 *ff*, *österr.*

Schwindsucht *f* 1. sich die ~ an den Hals (Kragen) ärgern = sich sehr ärgern. 1700 *ff*.

2. ~ im Portemonnaie (im Beutel; in der Geldbörse) haben = kein Geld haben. 1650 *ff*.

3. der Geldbeutel hat die ~ (leidet an der ~) = die Barschaft nimmt immer weiter ab; das Geld wird immer weniger. Seit dem 17. Jh.

schwindsüchtig *adj* 1. mittellos. *Vgl* das Vorhergehende. Seit dem 17. Jh.

2. dürftig. 1950 *ff*.

3. trübe leuchtend. 1950 *ff*.

4. alkoholarm. 1950 *ff*.

schwingen *v* 1. *tr* = die Kopfbedeckung zum Gruß lüften. Anspielung auf die eckigen Bewegungen, mit denen der farbentragende Student die Couleurmütze abnimmt und wieder aufsetzt. 1920 *ff*, *schül* und *stud.*

2. jm eine ~ = jn eine heftige Ohrfeige o. ä. versetzen. Man schwingt den Prügelstock oder holt zum Schlag weit aus. Seit dem 15. Jh.

3. *intr* = tanzen. Man schwingt das „↗Tanzbein"; auch die Röcke schwingen. *Vgl* auch ↗ schwenken 5. 1900 *ff*.

4. *intr* = prahlen. Man schwingt prahlerische Reden; ↗ Rede 4. 1900 *ff*.

5. *refl* = davoneilen; sich beeilen. Nach Art der Vögel breitet man die Schwingen aus und fliegt weg. *Bayr* 1900 *ff*.

6. das Examen ~ = die Prüfung bestehen. Auszugehen ist wohl von einem, der sich über einen Abgrund schwingt; von da weiterentwickelt zur Bedeutung „eine Schwierigkeit meistern". Spätestens seit 1900, *schül* und *stud.*

Schwinger *m* 1. Prahler. ↗ schwingen 4. 1900 *ff*.

2. jm einen ~ versetzen (verpassen) = jm eine Niederlage beibringen; jn in eine gefährliche Lage bringen. Beim Boxsport ist „Schwinger" der weit ausholende Schlag. *Sold* 1939 *ff*.

3. jm einen ~ winken = a) jm einen derben Schlag, eine heftige Ohrfeige versetzen. ↗ winken 1. 1925 *ff*. - b) jm eine Niederlage bereiten; jn übertölpeln. Der heftige Schlag trübt den Geist des Opfers und erleichtert die Übervorteilung. 1925/30 *ff*.

Schwippschwager *m* Bruder von Schwager oder Schwägerin; Schwager von Bruder oder Schwester o. ä. Gehört zu „schwippen = schaukeln" mit Anspielung auf Verwandtschaft durch Heirat, nicht durch Blutsbande. Der Schwippschwager gilt als unfest und schwankend. Seit dem 19. Jh.

Schwippschwägerin *f* Schwester von Schwager oder Schwägerin; Schwägerin von Bruder oder Schwester o. ä. Seit dem 19. Jh.

Schwippvetter *m* angeheirateter Vetter. Seit dem 19. Jh.

Schwips *m* Rausch; leichte Bezechtheit. Gehört zu „schwippen = schwanken": leichter Torkelgang macht sich bemerkbar. Seit dem 18. Jh.

Schwipslaune *f* durch Alkohol herbeigeführte, beschwingte Laune. 1900 *ff*.

Schwipsprobe *f* Alkoholtest. 1950 *ff*.

schwirbelig *adj* unbehaglich, schwindlig. *Oberd* seit dem 18. Jh.

schwirbeln *intr* taumeln. Fußt auf *mhd* „swerben = wirbeln, wimmeln". Seit dem 18. Jh.

schwirren *intr* eilen. Hergenommen von der schwirrenden Bewegung einer Vogelschar. 1900 *ff*.

Schwitz *m* 1. Schwerarbeit. Neues Substantiv zu „schwitzen". 1900 *ff*.

2. gut ~!: Zuruf an einen, der zur Sauna geht. 1960 *ff*.

Schwitzbude *f* 1. Fabrik oder Werkstatt, in der die Arbeitnehmer übermäßig beansprucht werden. 1920 *ff*. *Vgl engl* „sweatshop".

2. Sauna. 1960 *ff*.

3. Klassenzimmer. 1960 *ff*, *österr.*

schwitzen *intr* 1. das Bett nässen. Euphemismus. 1700 *ff*.

2. Angst haben; erregt sein. 1900 *ff*.

3. zahlen. In der Jägersprache ist „Schweiß" das Blut; umgangssprachlich ist „↗ bluten" soviel wie „zahlen". *Oberd* 1600 *ff*.

Schwitzhändchen *pl* ~ machen (spielen) als Liebespaar mit verschlungenen Händen sitzen. 1900 *ff*.

Schwitzkasten *m* 1. Schulgebäude. Anspielung auf den Schweiß, den die Schüler vor Anstrengung oder Angst vergießen. 1930 *ff*.

2. Klassenzimmer. 1930 *ff*.

3. Turnhalle; Sportschule. *Schül* 1930 *ff*; *BSD* 1960 *ff*.

4. Omnibus. Anspielung auf die übliche Überfüllung. Berlin 1870 *ff*.

5. Untergrund-, Straßenbahn. Berlin 1910 *ff*.

6. Panzerkampfwagen. *Sold* 1939 *ff*.

7. heiß gelegenes (oder überheiztes) Zimmer. 1910 *ff*.

7 a. Stadt während hochsommerlicher Temperaturen. 1870 *ff*.

7 b. Sauna. 1950 *ff*.

8. enger Raum (für viele); Gefängniszelle. 1910 *ff*. *Vgl engl* „sweat box".

9. Telefonzelle. 1910 *ff*.

10. Einzwängung des Kopfes des Gegners unter den Arm. Eigentlich der Kasten, aus dem der Schwitzende nur mit dem Kopf hervorsieht. Stammt seit dem späten 19. Jh entwede unmittelbar aus der Schülersprache oder ist aus der Sprache der Ringer übernommen.

11. Kreuzverhör. 1920/30 *ff*.

12. jn in den ~ nehmen = jn zum Nachgeben zwingen. 1890 *ff*.

Schwitzober *m* Pullover. Fußt auf dem älteren „Schwitzer", das aus *engl* „sweater" übersetzt ist. 1930 *ff*, *jug* und handwerkerspr.

Schwof (Schwoof) *m* 1. Tanz, Tanzveranstaltung. Gekürzt aus „Kuhschwof = Gesindeball; niederes Tanzvergnügen". „Schwof" ist *ostmitteld* und meint „Schweif". Ursprünglich wahrscheinlich obszön, da „Schweif = Penis" (etwa im Sinne von „unehelicher Beischlaf mit einer Dienstmagd"). *Stud* 1825 *ff*.

2. Klassenschlechtester. Parallel zu ↗ Schwanz 1. 1900 *ff*.

3. ~ mit Weinzwang = elegantes Tanzlokal. Berlin 1900 *ff*.

4. mit dem ~ wackeln = sich freundlich zeigen. ↗ Schwanz 52. Seit dem 19. Jh.

Schwofbude (Schwoofbude) *f* minderwertiges Tanzlokal. 1915 *ff*.

schwofen (schwoofen) *intr* 1. tanzen. ↗ Schwof 1. 1825 *ff*.

2. phantasieren. Man läßt die Gedanken schweifen. Seit dem 19. Jh.

3. sich umhertreiben. Seit dem 19. Jh.

schwögen *intr* 1. klagend reden; mitleidig beseufzen; überaus rührselig reden. Geht zurück auf ein altgermanisches Wort (*got* „swögjan = seufzen"). *Nordd* 1700 *ff*.

2. in Worten schwelgen; prahlen; viel reden. *Nordd* seit dem 19. Jh.

schwören *v* 1. kalt ~ = einen Falscheid leisten, an den man sich nicht gebunden fühlt. *Vgl* ↗ Eid 1 und 4. *Bayr* 1900 *ff*.

2. leicht und angenehm ~ = ohne Gewissensbisse einen mehr oder minder fragwürdigen Eid leisten. 1910 *ff*.

3. es ist nicht hoch geschworen = es ist nichts Besonderes. Beim Eid beruft man sich auf Dinge oder Personen, die einem heilig und wert sind; wer hingegen belanglose Dinge benennt, gibt zu erkennen, daß er der Sache keinen sonderlichen Wert beimißt. Seit dem 16. Jh.

Schwuchtel *f* 1. Mädchen. ↗ schwuchteln. 1920 *ff*.

2. weiblicher Homosexueller. Berlin 1920 *ff*.

Schwuchtelball *m* Tanzabend Homosexueller. Berlin 1920 *ff*.

schwuchteln (schwuchten) *intr* 1. sich in den Hüften wiegen; leidenschaftlich tanzen. Gehört zu mundartlich „schwuchten = schwanken, schaukeln; ausgelassen sich hin- und herbewegen". *Ostmitteld* und Berlin, seit dem 19. Jh.

2. ausschweifend leben. Seit dem 19. Jh.

schwul *adj* 1. homosexuell; lesbisch. *Niederd* Form von *hd* „schwül" im Sinne von „drückend heiß; beklemmend heiß", wohl in Anspielung auf die Atmosphäre in einschlägigen Lokalen. Seit dem zweiten Drittel des 19. Jhs.

2. lüstern; aufdringlich geil. 1840 *ff*.

schwül *adj* 1. anrüchig. Von beklemmender Hitze übertragen auf eine beklemmende Lage. Seit dem 19. Jh.

2. langweilig. Schwüle lähmt die körperliche und geistige Schwungkraft. *Halbw* 1950 *ff*.

3. ihm wird ~ = ihm wird es ungemütlich; er bekommt Angst. Seit dem 19. Jh.

schwulen *intr* 1. sich homosexuell betätigen. ↗ schwul 1. 1870 *ff*.

2. verstohlen, lüstern blicken. ↗ schwul 2. 1840 *ff*.

Schwuletto *m* Homosexueller. Zusammengesetzt aus „↗ schwul 1" und *ital* „maledetto = verflucht". 1960 *ff*.

Schwuli *m* Homosexueller. Eines der neuerdings beliebten, kosewortähnlichen Kurzwörter auf -i. *Jug* 1970 *ff*.

schwulibus in ~ = in Bedrängnis, Verlegenheit, Not sein. Nach den Regeln der *lat* Formenlehre durch Studenten aus „schwül, schwul = beklemmend" entwickelt. Sachverwandt mit „ihm brennt der ↗ Boden unter den Füßen". 1840 *ff*.

Schwu'linski *m* Homosexueller. Um eine *slaw* Endung verlängertes „↗ schwul 1". 1920 *ff*.

Schwuli'tät *f* 1. Unannehmlichkeit, Verlegenheit, Bedrängnis, Not. Von Studenten im 18. Jh scherzhaft entwickelt aus „schwül, schwul" und der Endung „-tät"

nach dem Muster von „Kalamität, Rarität"
o. ä.

2. an (unter) ~ leiden = homosexuell
sein. Scherzhafter Hehlausdruck. 1920 ff.

3. in ~en sein (sitzen) = in Verlegenheit,
bedrängter Lage sein. Seit dem 18. Jh.

Schwumm m Bedrängnis. Gehört zu
„schwimmen", hier im Sinne von „keinen
festen Halt haben". Wien 1910 ff.

schwummelig adj **1.** schwindlig.
„Schwummeln" ist Iterativum zu
„schwimmen" = keinen festen Halt haben", wohl beeinflußt von „↗schwie-
meln". 1900 ff.

2. ungemütlich, verstimmt. 1900 ff, bayr
und österr.

schwummerig adj **1.** übel, elend; zum Erbrechen elend; unwohl; unbehaglich. Ablautform zu „↗schwiemelig 1". Seit dem
19. Jh.

2. betrübt. Seit dem 19. Jh.

3. ängstlich, beklommen. Seit dem 19. Jh.

4. unsicher; heikel; gefahrdrohend. Seit
dem 19. Jh.

schwummerlich (schwummerlig) adj
ängstlich; beklommen; unklarer Sinne.
Österr Nebenform zu „schwiemelig".
1900 ff.

Schwund m Minderwertiges, Unsinn. Leitet
sich vielleicht her vom An- und Ab-
schwellen der Lautstärke im Rundfunkgerät oder meint die Einbuße an Verstand
(Verständlichkeit). Berlin 1970 ff, jug.

Schwung m **1.** Lehrling, Praktikant; Kauf-
mannsgehilfe. Analog zu ↗Schwengel 2.
Seit dem frühen 19. Jh.

2. Lüften der Kopfbedeckung zum Gruß.
↗schwingen 1. 1920 ff, stud und schül.

3. ein ganzer ~ = eine große Menge;
viele. Übernommen von der Gabelladung
Heu. 1900 ff.

4. jn auf (in) ~ bringen = jn anfeuern;
antreiben, im Dienst schikanieren, scharf
zurechtweisen; jn erzürnen. Schwung =
Antrieb; Bewegung; lebhafte Wirksamkeit
(man denke an die Schaukel). Seit dem
19. Jh.

5. etw in (auf) ~ bringen = eine Sache in
Gang bringen; etw beschleunigen; einen
technischen Defekt in Ordnung bringen.
Seit dem 19. Jh.

6. ~ in die Bude (den Laden) bringen =
für Ordnung und Fortgang sorgen; bele-
bend einwirken. 1900 ff.

7. am ~ gehen = tanzen gehen.
↗schwingen 3. Wien 1950 ff.

8. es hat ~ = die Sache geht gut vonstatten; das Geschäft gedeiht bestens. 1900 ff.

9. etw in ~ haben = etw in Ordnung
haben; einen Betrieb überlegen leiten.
1900 ff.

10. jn in ~ halten = jn nicht zur Ruhe
kommen lassen. 1900 ff.

11. in ~ kommen = a) zu gedeihen
anfangen; kräftig sich entwickeln. Seit
dem 18. Jh. – b) genesen. 1900 ff. – c) sich
eilig entfernen. Gern in der Befehlsform
gebraucht. Seit dem 19. Jh.

12. es kommt ~ in die Bude = das
Geschäftsunternehmen belebt sich.
↗Schwung 6. 1900 ff.

13. es kommt ~ in den Laden = eine
Gruppe gewinnt an Ordnung und Disziplin. Sold in beiden Weltkriegen.

14. auf dem ~ sein = klare Sinne haben;
gründlich aufpassen; seinen Vorteil zu

wahren wissen. Sold in beiden Weltkriegen.

15. aus dem ~ sein = aus der Übung
sein. 1920 ff.

16. in ~ sein = lebhaft tätig sein; kräftig
gedeihen. 1700 ff.

Schwupp m kleine Menge flüssiger Masse.
Steht verbal im Ablaut zu „schwippen =
hin- und herbewegen". Daraus „Schwupp"
im Sinne von „kleine herausschwappende
Menge". 1900 ff.

Schwuppdig m Auftrieb, Aufmunterung.
Schwuppen = schnellend vorwärtsbewegen. Vgl auch ↗Wuppdich. Seit dem
19. Jh.

'schwuppdi'wupp adv im Handumdrehen.
„Schwuppen" meint wie „wuppen" soviel
wie „schaukeln". Seit dem 19. Jh.

schwups interj zur Bezeichnung einer
schnellen Bewegung, eines plötzlich eintretenden Ereignisses. Schwuppen =
schnellend bewegen. Niederd 1700 ff.

Schwups m plötzliche schnelle Bewegung.
Niederd 1700 ff.

Schwurfingerathlet m Eideshelfer, der bedenkenlos jeden gewünschten Schwur leistet. 1950 ff.

sechs num halb ~ = völlig ruhig; bewegungslos; verträglich. Hergenommen von
der Stellung des Penis: in völliger Ruhe
zeigt er nach unten wie die Uhrzeiger um
halb sechs; von da übertragen auf die Ru-
helage an der Front und weiter auf friedli-
che, verträgliche Stimmung. Sold in beiden Weltkriegen.

Sechs pl **1.** die goldenen ~ = die Leistungsnoten des Schülers von 1 bis 6.
1960 ff.

2. alle ~en schmeißen = sehr großes,
unwahrscheinliches Glück haben. Hergeleitet vom höchsten Wurf beim Würfeln.
1870 ff.

Sechsenschreiber m Klassenschlechtester,
-wiederholer. 1955 ff.

Sechser I m **1.** Fünfpfennigstück. Die trad
Münze hatte anfangs den Wert von 6
Pfennigen, später von einem halben Gro-
schen. Seit dem 19. Jh.

2. nicht für einen ~! = um keinen Preis!
1920 ff.

3. bei ihm ist der ~ gefallen = er hat
endlich begriffen. Analog zu ↗Gro-
schen 6. 1920 ff.

4. keinen ~ auf der Hose haben = völlig
mittellos sein. 1920 ff.

5. keinen ~ wert sein = nichts wert sein.
1900 ff.

Sechser II f Stirn- oder Schläfenlocke in
Form der Ziffer 6. 1870 ff.

Sechserabé m öffentliche Bedürfnisanstalt.
Die Benutzung kostete früher einen „Sechser", später einen Groschen. Die Bezeichnung gilt noch heute, trotz Gebührenerhö-
hung. Berlin seit dem ausgehenden 19. Jh.

Sechserladen m kleines, unbedeutendes
Geschäft. Nordd und ostd 1910 ff.

Sechserlocken pl Haarlocken in Form einer „6". 1870 ff.

Sechserrentner (-ren'tier) m Kleinrentner; Mann, der im Ruhestand von seinem
kleinen Kapital samt geringen Zinsen lebt.
Berlin 1840 ff.

Sechserschreiber m Klassenschlechtester.
Seine Klassenarbeiten werden mit der Note 6 bewertet. 1955 ff.

Sechsersoldat m Soldat mit schlechten mi-

litärischen Leistungen. Sold in beiden
Weltkriegen.

Sechserzettel m selbstverfertiger Täuschungszettel des Schülers. Wird der Schüler ertappt, erhält er die Note 6. 1955 ff.

Sechs-Tage-Gekurbel n Sechstagerennen
der Radsportler. ↗kurbeln. 1920 ff.

Sechstagerennen n **1.** Sechstagewoche;
Arbeitswoche. Vom Hallenradsport übernommen gegen 1920. Die Bezeichnung
gilt weiter trotz Einführung der Fünftagewoche.

2. heftiger Durchfall. Sold 1935 ff.

Sechs-Uhr-Mensch m gerader, aufrechter
Charakter. Hergenommen vom Stand der
Uhrzeiger um 6 Uhr. 1960 ff.

Sechter m **1.** große Damenhandtasche.
Meint ein Gefäß mit geradem Griff, meist
aus Holz (Milchsechter = Melkeimer).
Wien 1940 ff.

2. beleibter Mensch. Meint eigentlich ein
Hohlmaß, fußend auf lat „sextarius".
Österr und westmitteld, 1900 ff.

sechzig num ~!: humorvoller Warnruf.
Sechzig Stück heißen auch „ein Schock".
Mit „Schock" ist wortwitzelnd hier die
Nervenerschütterung gemeint, die droht,
wenn man die Warnung nicht beachtet.
Berlin 1920 ff.

Sechzigtalerpferd (-gaul) n (m) einen
Arsch haben wie ein ~ = ein breites
Gesäß haben. Sechzig Taler für ein Pferd
waren ein hoher Preis, der nur für ein sehr
gutes und in vortrefflichem Futterzustand
befindliches Pferd gezahlt wurde. Nordd
1840 ff.

See m **1.** ~ auf dem Fußboden (im Zimmer
o. ä.) = Stelle auf dem Fußboden, wo der
Hund geharnt hat (wo der Regenschirm
gestanden hat o. ä.). 1840 ff.

2. o du himmelblauer ~!: Ausruf der Verwunderung. Österr 1960 ff.

Seeadvokat (-anwalt) m Mitglied der
Schiffsbesatzung auf See, wohlvertraut mit
dem Seemannsgesetz (der Seemannsord-
nung); Schiffsheizer. In der alten Dampf-
schiffahrt war das Heizen die schwerste
und unangenehmste Arbeit; die Besatzung
der Heizräume bestand aus ziemlich rauhen Gesellen; man sagte ihnen nach, sie
seien besonders scharf und unnachgiebig
gegen die Schiffsleitung eingestellt (laut
Wolfgang Büttner). 1920 ff.

Seebär m **1.** befahrener Seemann. Der Name ist übernommen von einer Bärenrob-
be. Spätestens seit 1800.

2. Admiral. Sold 1935 ff.

3. jm einen ~ aufbinden = jm eine
Seemannslügengeschichte erzählen. ↗Bär
12. Seit dem 19. Jh.

Seebeine pl **1.** ~ haben = ein erfahrener
Seemann sein; seediensttüchtig sein. An-
spielung auf die Notwendigkeit sicheren
Stands bei starkem Seegang. 1850 ff.

2. sich ~ holen = seemännische Erfahrungen sammeln. 1900 ff.

3. sich ~ wachsen lassen = ein erfahrener Seemann werden. 1870 ff.

Seefahrt f Christliche ~ = Schiffahrt auf
hoher See. Aufgekommen im ausgehenden Mittelalter im Gegensatz zu den Ka-
perfahrten maurischer Korsaren als Bezeichnung für das Seewesen „Ihrer Aller-
christlichsten Apostolischen Majestät" von
Spanien.

Seeger m ↗Seger.

Seegras n **1.** (schlechter) Tabak. Eigentlich

Bezeichnung für tangähnliche Laichkrautgewächse, die getrocknet, als Polstermaterial verwendet werden. Seemannsspr. 1914 bis heute.

2. ins ~ beißen = versenkt werden und ertrinken. ↗Gras 6 a. *Marinespr* in beiden Weltkriegen.

3. ~ in der Stimme haben = Lieder nach Seemannsart singen. 1960 *ff.*

Seegrasmatratze f **1.** starke Brustbehaarung bei Männern. *Marinespr* in beiden Weltkriegen.

2. hochtoupierte Frisur. 1964 *ff.*

3. Seemannsbart; bärtiger Seemann. 1970 *ff.*

4. angeknabberte ~ = Versager. Gehört zu der Vorstellung vom „↗Stroh im Kopf". *Schül* 1950 *ff.*

Seegurke f von Wind, Wetter und Alkohol gerötete Nase; Stulpnase. ↗Gurke 1. Seemannsspr. seit dem ausgehenden 19. Jh.

Seehändler m Allerweltskaufmann. Er handelt mit allem, was er sieht. Wortwitzelei mit „See" und „sehen". 1914 *ff.*

Seehund m **1.** alter Seemann; langjähriger Angehöriger der Kriegs-, Bundesmarine. *Marinespr* 1914 bis heute.

2. heißer Weißwein mit Zucker; Glühwein von Weißwein. Von Matrosen sehr geschätzt. Kellnerspr. 1930 *ff.*

3. *pl* = Unterseebootwaffe; Besatzung eines Unterseeboots. *Marinespr* 1910 *ff.*

4. großer ~ = Ölzeug und Südwester. *Marinespr* 1939 *ff.*

Seehundsschnauzbart (-schnurrbart) m Oberlippenbart, dessen Enden rechts und links vom Mund herabhängen. 1890 *ff.*

Seeklotz m Schlachtschiff. Klotz = plumpes Stück Holz. 1914 *ff.*

Seekraft f Kriegs-, Bundesmarine. Übernommen von *engl* „sea-forces". 1915 bis heute.

Seelchen n **1.** verinnerlichter, leicht wirklichkeitsfremder Mensch. So heißt die Hauptfigur in dem Roman „Die Heilige und ihr Narr" von Agnes Günther (1913), einem Roman, der mehr als hundert Auflagen erlebte und 1957 auch verfilmt wurde unter der Regie von Gustav Ucicky. Schon im 18. Jh üblich.

2. zur Rührseligkeit neigende oder in rührseligen Rollen auftretende Schauspielerin. 1950 *ff.*

3. Frau (Kosewort). 1920 *ff.*

4. ~ mit Plüsch und Troddeln = Mädchen mit altmodischen Ansichten. Plüsch und Troddeln sind Sinnbilder des Möbelstils um die Jahrhundertwende. 1950 *ff.*

Seele f **1.** Frau (Kosewort). 1900 *ff.*

2. Hauptsache; das Wichtigste. Seit dem 19. Jh.

3. die ~ vom Buttergeschäft = die Hauptperson; die Hauptsache. Berlin 1870 *ff.*

4. die ~ vons Geschäft (des Geschäfts) = die bestimmende Person. Berlin 1870 *ff.*

5. die ~ vons Janze = Hauptperson; Mittelpunkt der Familie. Berlin 1900 *ff.*

6. eine ~ von einem Kamel = gutmütig-harmloser bis dümmlicher Mensch. *Vgl* das Folgende.

7. eine ~ von einem Menschen (von Mensch) = a) empfindsamer, gutmütiger, charaktervoller Mensch. Seele als Gesamtheit der besten, einem Menschen möglichen Eigenschaften entwickelt sich hier

zur Bedeutung „Pracht-, Glanzstück". 1700 *ff.* – b) gefühlsroher, herzloser Mensch. Bittere Ironie. 1935 *ff.*

8. eine ~ von Pferd = gutmütiger Mensch. ↗Roß 1. *Sold* 1939 *ff.*

9. durstige ~ = durstiger Mensch; Trinker. Scherzhaft entlehnt aus Psalm 107, 9, wo mit „durstiger Seele" die nach geistlicher Erbauung und frommer Erhebung dürstende Seele gemeint ist. Seit dem 18. Jh, wohl von Studenten (der Theologie) ausgegangen.

10. treue ~ = treuer Mensch. Seit dem 19. Jh.

11. sich die ~ aus dem Leib ärgern = sich sehr ärgern. 1900 *ff.*

12. die ~ auflanden = sich seelisch erholen. Übernommen vom Aufladen eines Akkumulators. 1950 *ff.*

13. jm die ~ ausbügeln = jds Gemüt wieder in die richtige Verfassung bringen; jn psychologisch, psychotherapeutisch behandeln. 1920 *ff.*

13 a. die ~ auskotzen = sich heftig erbrechen. *Vgl* ↗Seele 27. 1920 *ff.*

14. jm die ~ ausquetschen = den Gegner beim Kartenspiel zum Stechen reizen, bis er keinen Trumpf mehr hat. 1900 *ff.*

14 a. die ~ baumeln lassen (mit der ~ baumeln) = sich seiner Stimmung überlassen; Natur und Freiheit genießen. 1931 Kurt Tucholsky („Schloß Gripsholm"). Wiederaufgelebt um 1980 in Reiseprospekten.

15. jm etw auf die ~ binden = jm etw dringlich anbefehlen, einschärfen, anmahnen. Verpflichtung und Anmahnung erscheinen vielfach unter dem Bilde einer Bürde, die dem Menschen aufgeladen wird. Seit dem 17. Jh.

16. die ~ aus dem Leib fahren = angestrengt, ausdauernd, schnell fahren. 1930 *ff.*

17. es fällt mir heiß (schwer) auf die ~ = ich erinnere mich plötzlich an eine Unterlassung. Spätestens seit 1900.

18. jm die ~ aus dem Leibe fragen = jn gründlich ausfragen. 1910 *ff.*

19. sich die ~ freihusten = sich aussprechen. 1935 *ff.*

20. jm in den Himmel freischießen = am Grab Salven abfeuern. Freischießen = jm durch Schießen den Weg freimachen. *Sold* 1939 *ff.*

21. seiner ~ einen Stoß geben = sich zu einer Tat ermannen; Geld widerstrebend hergeben. 1600 *ff.*

22. jm geht die ~ mit Grundeis = er hat Angst. Verfeinerte Variante zu „ihm geht der ↗Arsch mit Grundeis". 1950 *ff.*

23. nun (dann) hat die liebe (arme) ~ Ruhe = nun (dann) ist er endlich befriedigt; nun (dann) fällt er uns nicht länger lästig. Scherzhaft übernommen von der christlichen Fegefeuervorstellung: die armen Seelen im Fegefeuer finden erst Ruhe, wenn sie durch Fürbitte oder Gnade erlöst werden. Seit dem 19. Jh.

24. jm die ~ kneten = jm ins Gewissen reden. Beruht auf der Vorstellung von Massage oder Teigkneten. 1870 *ff.*

25. jm etw aus der ~ kneten = jm ein Geheimnis oder Geständnis entlocken. 1870 *ff.*

26. jm auf der ~ knien = jm heftig zusetzen; jn bedrängen. ↗beknien. 1910 *ff.*

27. sich die ~ aus dem Leib kotzen = heftig sich erbrechen. *Vgl* ↗Seele 13 a. 1920 *ff.*

28. sich die ~ aus dem Leib kreischen = langanhaltend rufen, schreien. 1920 *ff.*

29. jds ~ massieren = auf jn hartnäckig einreden; jn beschwatzen. ↗Seele 24; ↗Seelenmassage 1. 1910 *ff.*

30. es massiert die ~ = es berührt seelisch sehr stark. 1910 *ff.*

31. einen auf die ~ nehmen = ein Glas Alkohol trinken. 1900 *ff.*

32. jm auf die ~ pinkeln = jn rügen; moralisierend auf jn einreden. ↗Gewissen 9; ↗anpinkeln 3. 1910 *ff.*

33. sich die ~ aus dem Leib reden (schwätzen o. ä.) = eindringlich, bis zur Erschöpfung auf jn einreden. Seit dem 19. Jh.

34. sich etw aus der ~ reißen = widerstrebend etw hergeben. 1930 *ff.*

35. sich die ~ aus dem Leib rennen = sich abhetzen. Seit dem 19. Jh.

36. jm die ~ aus dem Leib (Hals) ~ = jm auf die Nerven fallen. Geigenspiel (in hohen Tonlagen) kann Schmerzempfindung bewirken. *Sold* 1940 *ff.*

37. jm die ~ – der ~ rummanschen = jm ernstlich ins Gewissen reden. ↗manschen. *Jug* 1955 *ff.*

38. sich die ~ aus dem Leib (Hals) schreien = laut schreien; mehr laut als musikalisch singen. 1900 *ff.*

39. sich die ~ aus dem Leib schuften (schaffen) = angestrengt, bis zur Erschöpfung arbeiten. ↗schuften. Seit dem 19. Jh.

40. sich die ~ aus dem Leib schwitzen = sich abmühen; mühsam bergauf steigen. Seit dem 19. Jh.

41. die ~ sehen wollen = ein volles Geständnis zu erzwingen suchen. Die Seele wird hier als im Gegenständliches aufgefaßt. *Sold* in beiden Weltkriegen.

42. sich die ~ aus dem Leib spielen = sich in einer Bühnenrolle stark verausgaben. Theaterspr. 1920 *ff.*

43. jm die ~ streicheln = jn trösten, in gefühlvolle Stimmung versetzen. 1950 *ff.*

44. die einsame ~ streicheln = traurige Lieder singen o. ä. 1950 *ff.*

45. die ~ trimmen = sich ermannen; neuen Mut fassen. ↗trimmen. 1940 *ff.*

46. jm die ~ umkrempeln = jn einem Test unterziehen. 1930 *ff.*

47. jds ~ zerfasern = jn psychoanalytisch behandeln. 1920 *ff.*

Seeleiche f Fisch. *Sold* 1935 bis heute.

Seelenakrobatik f **1.** rascher Stimmungswechsel; Geschmeidigkeit hinsichtlich des Parteiwechsels. 1950 *ff* (1933 *ff*?).

2. geistliche Übungen. Man faßt sie auf als Akrobatenkunststücke mit der Seele. *Sold* 1965 *ff.*

Seelenaspirin n Beruhigungstablette; Psychopharmakon. 1955 *ff.*

Seelenaufkäufer m Geistlicher. Moderne Deutung der Abkürzung „Sak" (früher als „Sündenabwehrkanone" aufgefaßt). ↗Sak. *BSD* 1970 *ff.*

Seelenausbruch m heftige Gefühlsäußerung. Dem „Zornesausbruch" nachgebildet. 1950 *ff.*

Seelenbader m Psychotherapeut. Bader = Bademeister. 1930 *ff.*

Seelenberieselung f geistliche Ermahnung zu sittlichem Lebenswandel. ↗berieseln 1. 1935 *ff.*

Seelenblähung f lyrische Anwandlung; pathetische Stimmung; elegische Gefühlslage u. ä.; seelisches Aufbegehren. Spöttisch gleichgesetzt mit einem „Wind" aus dem Körperinneren. *Journ* 1900 *ff.*

Seelenbunker m Kirche in moderner Bauweise. Anspielung auf den bunkerähnlichen Baustil mit Beton. Gegen 1930/40 aufgekommen; häufiger seit 1950.

Seelendetektiv m 1. Psychologe. 1955 *ff.* 2. Meinungsforscher. 1960 *ff.*

Seelendoktor m 1. Psychiater, Psychologe. 1920 *ff.* 2. Schriftleitungsmitglied, das Zeitungslesern Rat in persönlichen Kümmernissen erteilt. 1955 *ff.*

Seelendramolett n Theater- oder Filmstück voller Rührseligkeit und Kitsch. Dramolett = kurzes Bühnenstück. Berlin 1955 *ff.*

Seelendroge f Psychopharmakon. 1960 *ff.*

Seelenerfrischung f Prügelstrafe. Euphemismus. 1860 *ff.*

Seelenfänger m 1. Geistlicher; Wander-, Massenprediger. 1914 *ff.* 2. Künstleragent. 1960 *ff.* 3. Werbefachmann. 1960 *ff.*

Seelenfett n ~ ansetzen = bei wenig anstrengender Arbeit den Gleichmut bewahren. 1955 *ff.*

Seelenflicker m 1. Psychiater, Neurologe o. ä. ↗ Flicker. 1930 *ff.* 2. Geistlicher. *BSD* 1968 *ff.*

Seelenfloh m von Zeit zu Zeit wiederkehrender Kummer. 1955 *ff.*

Seelengarage f Kirche in moderner Bauweise. Sie ist ein nüchterner Zweckbau ohne Verzierungen. Nach 1930 aufgekommen; geläufiger seit 1955.

Seelengasometer m Rundbaukirche. Ihr Aussehen erinnert an einen Gaskessel. 1950 *ff.*

Seelengespräch n Beschwörung; eindringliche Mahnrede. 1950 *ff.*

Seelengreifer m 1. eifernder Geistlicher; Militärpfarrer. Greifer = Häscher; Polizeibeamter. 1910 *ff.* 2. Angehöriger der Heilsarmee. 1910 *ff.*

'seelen'gut *adj* dümmlich wegen allzu großer Gutmütigkeit. Eigentlich bezogen auf einen in der Seele guten Menschen; dann ironisiert. 1914 *ff.*

Seelenhack m Sache, die zu Herzen geht; Sache, die Gemüt und Tränen erregt. Hack = Kleingehacktes. Berlin 1950 *ff.*

Seeleningenieur m Psychiater, Psychologe o. ä. Gegen 1920 aufgekommen als Bezeichnung für Sigmund Freud (1856–1939).

Seelenjäger m eifernder Geistlicher. 1900 *ff.*

Seelenjongleur m Werbepsychologe. 1955 *ff.*

Seelenkatarrh m Verstimmung; Schwermut. 1900 *ff.*

Seelenkater m Verstimmung, Selbstmitleid. ↗ Kater. 1920 *ff.*

Seelenkitsch m Gefühligkeit. 1950 *ff.*

Seelenklempner m 1. Psychologe, Psychotherapeut; Psychiater. Er repariert seelische Schäden. 1930 *ff.* 2. Militärgeistlicher. *Sold* 1939 bis heute.

Seelenknaatsch m auf das Gemüt abzielende Roman- oder Filmhandlung. ↗ Knaatsch. 1955 *ff.*

Seelenknick m große Kümmernis. 1920/30 *ff.*

Seelenkonfekt n 1. geistliche Versprechungen; Schilderungen vom Leben im Jenseits. Man reicht sie den Gläubigen wie Naschwerk. 1950 *ff.* 2. politische Versprechungen vor Parlamentswahlen. Mit ihnen ködert man die Wähler. 1950 *ff.* 3. süßes ~ = anspruchsloses schriftstellerisches Werk für biedere Durchschnittsbürger ohne kritischen Verstand. 1960 *ff.*

Seelenkostüm n seelische Veranlagung. *Vgl* ↗ Nervenkostüm. 1950 *ff.*

Seelenkrüppel m charakterloser Mensch. Er ist in seelischer Hinsicht mißgestaltet. 1830 *ff* (Glaßbrenner).

Seelenkuh f heulende ~ = leicht zu Tränen geneigtes, einfältiges Mädchen. ↗ Kuh 1. 1950 *ff*, stud.

Seelenleben n 1. angeknackstes ~ = leichte charakterliche Verdorbenheit. ↗ angeknackst. 1955 *ff.* 2. verrutschtes ~ = seelische Verwirrung. 1955 *ff.*

Seelenlotse m Geistlicher. Er ist der Lotse zum Himmelreich. 1960 *ff.*

Seelenmassage (Endung *franz* ausgesprochen) f 1. Appell an das Gewissen; nachdrückliche seelische Beeinflussung; Kirchgang; Predigt; geistliche Übungen. Ins Seelische übertragene Körpermassage zwecks Beseitigung von Verhärtungen und zur Herbeiführung besserer Durchblutung. 1910 *ff*, sold und ziv. 2. Einflußnahme des Psychiaters. 1930 *ff.* 3. Verhör; Interview. 1950 *ff.* 4. seelische Beeinflussung mittels Alkohols. 1950 *ff.* 5. Androhung von empfindlichen Nachteilen zwecks Durchsetzung der eigenen Meinung. 1960 *ff.*

Seelenmasseur m 1. Trostspender; Geistlicher. 1910 *ff.* 2. Psychiater, Psychotherapeut. 1920 *ff.* 3. gefühlvoller Schriftsteller, Sänger o. ä. 1930 *ff.* 4. Vermittler von Selbstvertrauen, Kampfgeist, Sportgeist usw.; Trainer. *Sportl* 1950 *ff.*

Seelenmüll m seelische Kümmernisse. Aufgekommen nach 1920 im Zusammenhang mit der Psychoanalyse von Sigmund Freud.

Seelennotausgang m Illusion, mit der man etwas Unangenehmes zu überbrücken sucht. Berlin 1961 *ff.*

Seelenpamps m Gemisch von Rührseligkeit, Herzeleid und vermeintlich verinnerlichter Wesensart. ↗ Pamps. 1950 *ff* (aufgekommen im Gefolge der „Schnulze").

Seelenpopler m 1. Kriminalpolizeibeamter, der einem Beschuldigten das Geständnis abzuringen sucht; Gerichtsoffizier. Popeln = in der Nase bohren. Hier im Sinne von „ans Tageslicht bringen; zu Tage fördern". 1930 *ff.* 2. Nervenarzt, Psychiater o. ä. 1930 *ff.*

Seelenputzer m 1. Schnaps. Er reinigt die Seele vom Staub des leidigen Alltags. *Sold* in beiden Weltkriegen. 2. Geistlicher. *Sold* 1914 bis heute.

Seelenrülpser m 1. Stoßseufzer; Fluch. Eine Art Schluckauf der Seele. 1939 *ff.* 2. ihm fällt ein ~ vom Herzen = er stößt eine kräftige Verwünschung aus. *Sold* 1939 *ff.*

Seelenschinderei f Niedertracht; falsche

Unterstellung; absichtliches Mißverständnis. 1930 *ff.*

Seelenschmalz n Rührseligkeit; einfühlsame, beruhigende Worte; rührseliger Gesang; anspruchslose Innerlichkeit. ↗ Schmalz 1. 1950 *ff.*

Seelenschmus m Raterteilung der Schriftleiter in persönlichen Kümmernissen. ↗ Schmus. 1955 *ff.*

Seelenschnupfen m Mißgestimmtheit. 1920 *ff.*

Seelenschuppen m Kirchengebäude. ↗ Schuppen. *BSD* 1965 *ff.*

Seelenschutt m Kummer, seelische Bedrängnis. 1920 *ff.*

Seelensilo m moderner Kirchenbau. Gegen 1930 aufgekommen in Basel mit Bezug auf die Sankt-Antonius-Kirche; allgemein seit 1950.

Seelenspeck m seelische Widerstandskraft; gekräftigtes Innenleben. 1960 *ff.*

Seelenspiegel m 1. Fragebogen. Nach 1945 aufgekommen mit der Entnazifizierung. 2. ~ mit Persil = Fragebogen, der die Schuldlosigkeitserklärung dringend erforderlich macht. ↗ Persilschein. 1945 *ff.*

Seelenspucknapf m Mensch, dem man alle Kümmernisse anvertrauen kann. 1920 *ff*, Berlin.

Seelen-Striptease (Grundwort *engl* ausgesprochen) n Offenbarung der seelischen Nöte und Strebungen; moralische Enthüllung; Memoirenschreiberei. 1955 *ff.*

Seelensuchgerät n Harmonium. Nach 1945 aufgekommen, wahrscheinlich unter Studenten der Theologie.

Seelentröster m 1. Schnaps; Alkohol. 1870 *ff.* 2. Kellner, Barkeeper. 1960 *ff.* 3. Mann, der sich alleinreisender Mädchen (vorzugsweise in erotischer Absicht) annimmt; Tröster einer Verlassenen oder Entlobten. 1920 *ff.* 4. Mann, der bekümmerten Leuten (in der Presse) Trost spendet. 1955 *ff.* 5. intime Freundin. 1955 *ff.* 6. Valium. 1970 *ff.*

Seelen-TÜV m medizinisch-psychologische Untersuchung auf Fahrtauglichkeit. ↗ TÜV. 1978 *ff.*

'seelenver'gnügt *adj* heiter; unversehrt. 1900 *ff.*

Seelenverkäufer m 1. Sklavenhändler; Matrosenwerber; Auswanderungsagent. Geht wahrscheinlich auf ein *ndl* Muster zurück. Seit dem ausgehenden 17. Jh. 2. Reeder, der seine Passagiere nicht vorschriftsmäßig befördert. Seit dem 19. Jh. 3. altes, nicht bestriebssicheres Schiff. Auswanderer im 19. Jh mußten aus geldlichen Gründen meist schlechte Schiffe benutzen, stets mit der Gefahr vor Augen, unterzugehen: die verkauften gewissermaßen ihre Seele für die Überfahrt. Oder der Reeder hat den Schiffbruch vorgesehen, um die Versicherungssumme einzustreichen; d. h. er hat die Seele von Mannschaft und Passagieren an die Versicherungsgesellschaft verkauft. 1850 *ff.* 3 a. alter, nicht betriebsicherer Omnibus. 1940 *ff.* 4. Anwerber (Vermittler, Vermieter) von Arbeitskräften. 1900 *ff.* 5. ungestümes Pferd. Seit dem 19. Jh. 6. Charterflugzeug, das wegen schlechter Wartung abstürzt. 1965 *ff.*

7. Geistlicher. 1950 ff.

Seelenwärmer m **1.** wollener Brustwärmer; Wolljacke; Strickweste u. ä. 1840 ff.

2. Schnaps. 1870 ff.

3. sentimentales Musikstück; gefühlvolle Dichtung. 1920 ff.

4. intime Freundin. 1920 ff.

Seelenzwicken n Gewissensbisse. 1950 ff.

Seeleute pl **1.** Nichtkäufer; Leute, die die Waren nur betrachten. Wortwitzelei mit „See" und „sehen". ↗ Sehmann. Seit dem ausgehenden 19. Jh, kaufmannspr.

2. ~ auf Zeit = Urlaubsreisende an Bord eines Schiffes; Kreuzfahrt-Touristen. 1960 ff.

Seelord m Matrose. Entstellt aus engl „sailor = Seemann". 1910 ff, marinespr bis heute.

Seelöwe m **1.** Matrose, Seemann. Aufgefaßt als Steigerung zu „Seebär". 1900 ff.

2. hoher Dienstgrad der Kriegs- oder Handelsmarine; Admiral. 1900 ff.

Seemann m **1.** milit Marineangehöriger. Eigentlich der Angehörige der ziv Handelsmarine. BSD 1965 ff.

2. blau wie ein ~ auf Landurlaub = schwer bezecht. 1920 ff.

3. das kann doch einen ~ nicht erschüttern = das raubt einem Lebenserfahrenen nicht die Fassung; das macht mir nichts. Textzeile aus dem Kehrreim des Liedes „Es weht der Wind mit Stärke zehn" von Bruno Balz (Musik von Michael Jary); bekannt geworden ab August' 1939 durch den Tonfilm „Paradies der Junggesellen", auch durch die Wehrmachtwunschkonzerte.

4. pack' (faß') mal einem nackten ~ in die Tasche!: Redewendung eines Mittellosen. 1920 ff.

5. du kannst einem nackten ~ doch nicht in die Tasche pinkeln!: Redewendung, mit der man einen Dummen abwehrt. Schül 1950 ff.

6. das wirft den stärksten ~ um = da erlahmt jeglicher Widerstand. 1939 ff, sold.

Seemannsgarn n **1.** Lügengeschichten von Seeleuten. ↗ Garn 4. 1850 ff.

2. ~ spinnen = lügenhafte Seemannsgeschichten erzählen. 1850 ff.

Seemannsklavier n Ziehharmonika, Akkordeon. Seemannspr. 1900 ff.

Seemannsschnulze f rührselige Seemannsgeschichte (Schlager, Film o. ä.). ↗ Schnulze 1. 1955 ff.

Seematratze f Schlauchboot. 1920 ff.

Seenixe f hübsche Badende am Strand. ↗ Nixe. 1920 ff.

Seenot f in ~ sein = heftigen Harndrang verspüren. ↗ See 1 und 3. 1900 ff.

Seenplatte f Pfütze neben Pfütze auf einer Straße ohne feste Decke. 1945 ff.

Seesack m Matrose. Von der Sache auf die Person übertragen. Sold in beiden Weltkriegen.

Seesoldat m Hering; Fisch. 1900 ff, fischerspr., sold, kundenspr. u. a.

Seetang m **1.** übelriechender Tabak. Vgl ↗ Seegras 1. BSD 1968 ff.

2. Gemüsesuppe. BSD 1968 ff.

seetoll adj seekrank. Seemannspr. 1870 ff.

Seeziege f Marineangehöriger. Vielleicht wegen der Unzufriedenheit (Ziegen „mekkern"). Marinespr 1965 ff.

Sefel m Kot. Fußt auf gleichbed jidd „sewel". 1500 ff, rotw.

Sege I m Bursche, Mann (sehr abf). ↗ Seger. 1900 ff, Berlin.

Sege II f weibliche Person (sehr abf). ↗ Seger. 1900 ff, Berlin.

Segel n **1.** sich in die ~ geraten = a) sich ein Seegefecht liefern. Geht zurück auf die Zeit Horatio Viscount Nelsons (Seeschlacht bei Trafalgar, 1805). 1850 ff. – b) mit jm Streit bekommen. Beeinflußt von „sich in die ↗ Haare geraten". 1900 ff.

2. mit vollen ~n segeln = betrunken sein. Anspielung auf schräge Haltung und schwankenden Gang. 1700 ff.

3. die ~ streichen = sich geschlagen geben; den Widerstand aufgeben; die Produktion einstellen. Holte in einem Seegefecht ein Schiff die Segel ein, wurde es manövrierunfähig und kündigte damit seine Übergabe an. Seit dem 16. Jh.

Segelflieger m **1.** Klassenwiederholer. Man hat ihn „↗ segeln" und „↗ fliegen" lassen. Schül 1955 ff.

2. Heeresflieger. Spöttisch hält man sie mehr für Sportflieger als für Militärflieger. BSD 1965 ff.

Segelfliegerlöffel pl abstehende Ohren. Solche Ohren sollte man einem Segelflieger wünschen: sie tragen zur Gleichgewichtslage bei und bremsen beim Niedergleiten. Vgl ↗ Löffel 1. Sold 1935 ff.

segeln intr **1.** mit rudernden Armbewegungen gehen; torkeln. Seit dem 19. Jh.

2. in der Prüfung scheitern; nicht in die nächsthöhere Klasse versetzt werden. Man „segelt" durch die Prüfung. 1900 ff.

3. von der Schule verwiesen werden. 1900 ff.

Segen m **1.** Zustimmung, Bewilligung. Hergenommen von der Segnung mit dem Kreuzzeichen: man erteilt den Segen vor wichtigen Lebensabschnitten. 1870 ff.

2. reiches Vorkommen; große Menge. Segen = reiche Beglückung; kräftiges Wachstum. 1900 ff.

3. zahlreicher Bombenabwurf; Artilleriebeschuß. Sold in beiden Weltkriegen.

4. Rüge; Wutausbruch des Vorgesetzten. Spöttisch der „Segen von oben" (vgl Schiller, „Das Lied von der Glocke", 1800). 1850 ff.

5. ~ von oben = Kotabwurf von Tauben. 1965 ff.

6. blauer ~ = reiche Blaubeeren-Ernte. 1955 ff.

7. der ganze ~ = das Ganze; das alles; das wertlose Zeug (iron). 1900 ff.

8. kein ~ bei Cohn = keine Gewinnaussicht. Hergenommen von der Reklame des Berliner Lotterie-Einnehmers Cohn „Gottes Segen bei Cohn". Spätestens seit 1900.

9. ~ abladen = Fliegerbomben abwerfen. Sold 1939 ff.

10. das braucht einen ~ = das braucht viel Zeit bis zur Erledigung. Gemeint ist, daß man die Sache mit einem kirchlichen Segen wohl beschleunigen könnte. Österr 1920 ff.

11. einer Sache (zu etw) den ~ erteilen (geben) = eine Sache billigen. 1870 ff.

12. jm den ~ geben = a) jn prügeln. ↗ Sanktus 2. 1920 ff. – b) jn ausschelten. 1920 ff.

13. vor dem ~ aus der Kirche gehen = den Beischlaf vorzeitig abbrechen. 1920 ff.

14. meinen ~ hast du = ich wünsche dir viel Glück für dein Vorhaben. 1870 ff.

15. mit gezücktem ~ kommen = a) den

beim zärtlichen Beisammensein überraschten Liebhaber zum Verlöbnis zwingen. Scherzhafte Nachahmung von „mit gezücktem Dolch, mit gezücktem Degen kommen". 1870 ff. – b) einen geschickt eingefädelten Plan mehr oder weniger gegen den Willen der Beteiligten durchführen. 1920 ff.

16. ~ kriegen = gerügt werden. 1920 ff.

17. einer Sache den ~ versagen = etw nicht gutheißen, untersagen, vereiteln. 1900 ff.

Seger (Seecher; Seeger; Seejer) m **1.** Mann (abf). Nebenform von „Seicher = Harnender". Gemeint ist wahrscheinlich die Fähigkeit des Harnens bei Unfähigkeit des Koitierens. 1900 ff, kundenspr.; auch halbw und sold.

2. linker ~ = verschlagener, unzuverlässiger Mann. ↗ link 1. 1950 ff.

segnen v **1.** refl = seinen Vorteil vorwegnehmen; sich gut versorgen; Vorteil einbringen. ↗ Segen 2. Dazu das Sprichwort „wer das Kreuz hat, segnet sich selbst zuerst". 1700 ff.

2. tr = mit Harn verunreinigen. Meint eigentlich die Benetzung mit Weihwasser. 1920 ff.

Sehbad n Seebad, in dem es allerhand Schönheiten zu sehen gibt; Seebad, das man aufsucht, um gesehen zu werden. Wortspiel mit „See" und „sehen". 1920 ff.

sehen v **1.** hast du nicht gesehen? = im Handumdrehen; sehr schnell. Adverbiale Verwendung eines Fragesatzes. Wohl Anspielung auf „Zauberkünstler". Spätestens seit 1800.

2. sieh mal einer guck! = sieh mal einer an! Ausdruck der Überraschung. Schül 1920 ff.

3. sich ~ lassen können = vor den Leuten bestehen können; ansehnlich sein; die Fachleute nicht scheuen müssen. Bezieht sich auf eine hervorragende Leistung, auf ein modisches Kleid o. ä. Man braucht sich also nicht zu verstecken. Seit dem 18. Jh.

4. und ward nicht mehr gesehen: bedauernde Redewendung, wenn eine aussichtsreiche Spielkarte vom Gegner abgetrumpft oder überspielt wird. Kann auf die Bibel zurückgehen (1. Moses 5, 24) oder auf die Klassiker des 18. Jhs. Kartenspielerspr. seit dem 19. Jh.

Seher m **1.** Beobachter von Personen, gegen die ein Verbrechen geplant ist; Auskundschafter. Verbrecherspr. 1840 ff, Berlin.

2. pl = Augen. 1910 ff.

3. lichte ~ = schöne, helle Augen. Halbw 1960 ff.

Sehersatzgerät n Glasauge. Spottwort. 1950 ff.

Sehfrau f neugierige Zuschauerin. Weibliches Gegenstück zum „↗ Sehmann". 1920 ff.

Sehmann m (pl= Sehleute) **1.** neugieriger Zuschauer; Besucher von Geschäften, nur um sich die Waren anzusehen; neugieriger, auch schadenfroher, nicht bietender Besucher von Zwangsversteigerungen. Seit dem späten 19. Jh, kaufmannspr. Berlin.

2. Fernsehzuschauer. 1955 ff.

3. Auskundschafter von Diebstahlsgelegenheiten. 1900 ff.

4. Schiedsrichter bei sportlichen Wettkämpfen. Sportl 1920 ff, Berlin.

5. Voyeur. 1925 ff.

Sehnsucht f der Chef hat ~ nach dir = der Chef will dich sprechen. 1930 ff.

Sehnsuchtsbratpfanne f Mandoline, Gitarre (Geige). „Bratpfanne" beruht auf der Formähnlichkeit, und „Sehnsucht" spielt auf die Stimmung der Lieder an. Vielleicht in der Wandervogelbewegung des frühen 20. Jhs aufgekommen; sold 1914 ff.

Sehreise f 1. Stadtspaziergang zwecks Besichtigung der Schaufensterauslagen. Wortspiel mit „See" und „sehen". 1900 ff, Berlin.
2. Reise, auf der man viel zu sehen bekommt. 1960 ff.

Sehscheune f Kino. Auf dem Lande waren Kinos häufig in Scheunen eingerichtet. 1920 ff.

Sehschlange f Kundin, die sich viele Waren vorlegen läßt und keine kauft. Wortspiel mit „See" und „sehen". Berlin 1920, kaufmannspr.

Sehzunge f jm eine ~ servieren = jm die Zunge herausstrecken. Wortspiel mit „See" und „sehen"; nur in der Schreibweise zu unterscheiden. Berlin 1925 ff.

Seibel m 1. Schmutz, Kot, Schleim. Nebenform von ↗ Sefel. 1800 ff.
2. Minderwertigkeit. Seit dem 19. Jh.
3. Geschwätz. Seit dem 19. Jh.
4. Beschwatzung. 1800 ff.

Seibelbrühe f Bier. Analog zu ↗ Pisse. BSD 1965 ff.

Seibelfreier m übler Bursche; Mann, der kein Vertrauen verdient. Seibel = Schmutz; Freier = Prostituiertenkunde. 1950 ff.

seibeln intr 1. Unsinn schwätzen; breit und langweilig erzählen. ↗ Seibel 3. 1900 ff.
2. kurz und klein ~ = sich in ausführliche Besprechung sogar der unsinnigsten Kleinigkeiten einlassen. 1900 ff.

Seiber m 1. Speichel, Geifer. ↗ sabbern 1. 1700 ff.
2. langweiliges, dummes Geschwätz. Seit dem 19. Jh.

seibern intr 1. den Speichel fließen lassen; geifern. ↗ sabbern 1. 1700 ff.
2. langweilig, gehaltlos reden. Seit dem 19. Jh.

Seich m 1. Harn. ↗ seichen 1. Seit dem Mittelalter.
2. fades Geschwätz; seichte Rede. Man gibt das Geschwätz von sich wie den überflüssigen Harn. Im Volksempfinden angelehnt an „seicht". Seit dem 19. Jh.
3. Wertlosigkeit. 1920 ff.
4. kalter ~ = dummes, gehässiges Gerede über eine längst abgetane Sache. Eigentlich soviel wie „Harnstrenge". 1900 ff.
5. warmer ~ = lauwarmes, unschmackhaftes Getränk. Seit dem 19. Jh.

Seichbock m 1. Bettnässer. ↗ seichen 1. Jug 1890 ff.
2. ängstlicher, feiger Mann. Ziegen- und Schafböcke harnen bei Schreck oder Angst. Sold in beiden Weltkriegen.

Seiche f 1. Harn. ↗ seichen 1. Seit dem Mittelalter.
2. abgestandenes, minderwertiges Bier; fades Getränk. Anspielung auf Färbung und Wärmegrad. 1900 ff.

seichen intr 1. harnen. Geht zurück auf ahd „sihan = leise tröpfelnd fließen". Seit dem Mittelalter.
2. langweilig reden; dummschwätzen. Vom Ablassen des Harns übertragen auf die Abgabe überflüssiger, wertloser Äuße-

rungen. Wohl beeinflußt von „seicht = untief, unbedeutend". Seit dem 19. Jh.
3. impers = es regnet. Seit dem 19. Jh.

Seicher m 1. Versager; ungeschickter Mann. Meint den Mann, der den Harn nicht halten kann; (vgl Bettseicher, Hosenseicher). Seit dem 19. Jh, vorwiegend oberd.
2. Dummschwätzer; Mann, der über Belangloses redet. Seit dem 19. Jh.

Seicherl m 1. ängstlicher, feiger Mensch. ↗ Seicher 1. Wien seit dem 19. Jh.
2. Schmeichler. ↗ seichen 2. Wien seit dem 19. Jh.

seicherln intr schmeichlerisch reden. Wien seit dem 19. Jh, schül.

Seichpippen (Soachpippn) f junges Mädchen. „Pippen, Pippn = Röhre" spielt auf die Harnröhre an und deutet darauf hin, daß das Mädchen noch nicht geschlechtsreif ist. Bayr und österr 1900 ff.

Seide f 1. mit einer Stimme aus ~ und Samt (wie Samt und ~) reden = schmeichlerisch reden. Die Formel „Samt und Seide" steht für besonders Weiches und Sanftes. 1920 ff.
2. ~ spinnen = gute Geschäfte machen; viel verdienen; eine schlechte Sache nutzbringend gestalten. Von der feinen, sorgfältigen Seideherstellung übertragen gegen 1600 auf geschickte, umsichtige Handlungsweise.
3. keine ~ spinnen = ärmlich leben; bei etw keinen Nutzen, keinen Erfolg haben; nichts verdienen. Seit dem 16. Jh.
4. ~ zupfen = freundlich zureden; schmeicheln; liebedienern. 1910 ff.

Seidenhase m hübsches junges Mädchen; Kosewort. Übertragen vom Hasen mit seidenweichem Fell. ↗ Hase 2. 1800 ff.

seidenweich adj würdelos anpassungsfähig. 1920 ff.

Seidenzuckerl n Seidenbonbon. Die Außenschicht wirkt wie Seide. Österr 1900 ff.

Seier m Rausch. Gehört wohl zu „seiern = unartikuliert jammern", wie es der lallende Zecher tut. Bayr 1950 ff.

Seife f 1. üble Lage. Meint vor allem eine Lage, in der man leicht zu Fall kommen kann wie auf Schmierseife. Wohl entfernt beeinflußt von „↗ Scheiße". 1900 ff.
2. Gruppe, Clique. Verkürzt aus „Schmierseife" im Sinne von geringerwertiger Seife und sinnbildlich auf minderwertige Personen bezogen. 1920 ff.
3. ja, ~!: Ausdruck der Ablehnung. Wohl verkürzt aus „ja, Seife wäre jetzt gut; aber wir haben keine!". Berlin seit dem ausgehenden 19. Jh.
4. grüne ~ = sexuelle Verirrung eines Jugendlichen; homosexuelle Betätigung eines Jungen, der nicht homosexuell veranlagt ist. Eigentlich soviel wie „Schmierseife". Berlin 1960 ff.
5. ohne ~ = auf unlautere, anrüchige Weise. Meint dasselbe wie „dreckig, unsauber". 1950 ff.
6. in die ~ gehen = a) dem Tode nahe sein. Meint wohl die Haltlosigkeit auf abschüssig-schlüpfriger Bahn. 1920 ff. – b) scheitern. 1920 ff.
7. wie auf ~ gehen = ohne Kraft, wie mechanisch gehen. Man tritt unsicher, ohne Festigkeit auf. 1930 ff.
8. ~ haben = Glück beim Kartenspielen haben. Es verläuft ohne Widerstand, als

habe man die Hände geseift. Kartenspielerspr. 1920 ff.
9. in die ~ kommen = in Ungelegenheiten geraten. 1900 ff.
10. ein Gesicht machen wie zehn Pfund grüne ~ = bleich, elend aussehen. 1910 ff.
11. jm den Bart ohne ~ machen = jn derb zurechtweisen. Gemeint ist die Rasur ohne vorheriges Einseifen. 1920 ff.
12. jn ohne ~ rasieren = jn übervorteilen. ↗ rasieren 6. 1920 ff.
13. aus der ~ rauskommen = aus einer Notlage freikommen. 1900 ff.
14. über grüne ~ reden = a) eine sehr törichte Äußerung tun. Berlin 1870 ff. – b) sich unverständlich ausdrücken. 1955 ff.
15. ihm ist alles ~ = ihm ist es völlig gleichgültig. Parallel zu „es ist ihm ↗ pomade", aber beeinflußt von „Scheiße". Berlin 1900 ff.
16. in der ~ sitzen = in Not, Verlegenheit sein. 1900 ff.

Seifenblase f 1. schnell durchschaute Vorspiegelung; Äußerung, der man nicht trauen darf. Die Seifenblase ist ein bunt schillerndes Gebilde von kurzem Bestand. Seit dem 19. Jh.
2. entlarvter Prahler; Versager, der sich aufgespielt hat. Seit dem 19. Jh.
3. charakterloser Mensch. Seit dem 19. Jh.
4. die ~ platzt = ein Schwindelunternehmen scheitert; verlockende Behauptungen werden als unwahr enthüllt. 1900 ff.
5. eine Illusion (o. ä.) platzt (zerplatzt) wie eine ~ = eine trügerische Vorstellung erweist sich als nichtig. 1800 ff.

Seifengeld n Bedienungsgeld. Meint eigentlich das Geldstück, das man dem Abortwärter auf den Teller legt, nachdem man sich die Hände gewaschen hat. 1925 ff.

seifenglatt adj charakterlich geschmeidig. 1960 ff.

Seifenoper f rührseliges Hörspiel (in Fortsetzungen) o. ä. Übersetzt aus engl „soap opera", weil derlei Produktionen früher häufig von Waschmittelherstellern in Auftrag gegeben wurden. 1965 ff.

Seifenreklame f nicht vertrauenerweckendes Versprechen; unwirksames Bündnis. Es vergeht wie eine Seifenblase und erweist sich als „↗ Schaumschlägerei". 1960 ff.

Seifensack m Versager. Meint eigentlich den Waschlappen in Beutelform; analog zu „↗ Waschlappen". 1920 ff, stud und sold.

Seifensieder m 1. Nichtskönner; langsam Tätiger. Die Herstellung von Seife (wie auch von Kerzen) geht langsam vor sich. 1930 ff.
2. langsamer Kraftfahrer. 1930 ff.
3. unliebsamer Mensch. 1930 ff.
4. Taschendieb. Seife = Fett, Talg (rotw); „-sieder" soll aus „-zieher" entstellt sein. Rotw seit dem frühen 19. Jh.
5. ihm geht ein ~ auf = er beginnt plötzlich (endlich) zu begreifen. „Seifensieder" meint hier nicht den Seifen- oder Kerzenhersteller, sondern die Kerze, analog zum Licht, das einem aufgeht. Im frühen 19. Jh in Studentenkreisen entstanden.

seifig adj 1. schmeichlerisch; nicht zuverlässig (auf Äußerungen bezogen). Seifig = schmierig, glitschig. 1935 ff.
2. langweilig; unnahbar; steif. Charakter-

liche Sauberkeit wirkt auf manche Menschen abstoßend. Berlin 1935 *ff.*

Seil *n* **1.** Langbinder, Krawatte. Analog zu ↗Strick. *BSD* 1965 *ff.*
2. das lange ~ abwickeln = nicht am Dienst teilnehmen. ↗abseilen 6. *BSD* 1960 *ff.*
3. das lange (große) ~ greifen (in die Hand nehmen) = sich dem Dienst entziehen. ↗abseilen 6. *BSD* 1960 *ff.*
4. am ~ hängen = sich dem Dienst entziehen; nachlässig Dienst tun. *BSD* 1960 *ff.*
5. nur noch in den ~en hängen = völlig erschöpft sein. Hergenommen von den Seilen, die den Boxring eingrenzen. 1945 *ff.*
6. auf dem ~ hüpfen = etw tadellos vorführen. Übernommen vom Seiltänzer. 1930 *ff.*
7. durch die ~e plumpsen = einen Mißerfolg erleiden; sich verrechnen. Vom Boxsport übernommen. 1920 *ff,* Berlin.
8. jn am ~ runterlassen = jn betrügen, veralbern, abweisen. Gehört zu der Vorstellung „jm einen ↗Korb geben". *Südwestd* 1900 *ff.*
9. am falschen ~ ziehen = etw verkehrt machen. Bezieht sich auf das Glockenseil. 1900 *ff.*
10. jm ein haariges ~ durch den Arsch ziehen = jn umständlich für eine Sache interessieren müssen. 1920 *ff.*
11. da möchte man sich ein haariges ~ durch den Arsch ziehen lassen!: Ausdruck der Unerträglichkeit, der Verzweiflung. 1920 *ff.*

Seilschaft *f* **1.** Gesamtheit der Bekannten, mit denen man sich in derselben Lage befindet; Mannschaft; Regierung. Hergenommen von der durch das gemeinsame Kletterseil verbundenen Bergsteigergruppe. Aufgekommen nach 1955 mit der wiederaufgelebten Hochgebirgstouristik.
2. Gesamtheit derer, die vor derselben Beförderung stehen. *BSD* 1965 *ff.*
3. gesamte Familie mit Anhang. 1958 *ff.*

sein *v* **1.** is nich (ist nicht)!: Ausdruck der Ablehnung (Geld von mir kriegen is nich). Verkürzt aus „es ist nicht, wie du denkst". In der ersten Hälfte des 19. Jhs von Berlin ausgegangen.
2. sie ist waschen (arbeiten, einkaufen o. ä.) = sie ist weggegangen, um zu waschen (o. ä.). Mit dieser volkstümlichen Konstruktion wird eine noch nicht beendigte Tätigkeit ausgedrückt. 1500 *ff.*
3. ist nach einem Bier = er möchte gern ein Glas Bier trinken. 1900 *ff.*
4. ist dir was? = bist du krank? Seit dem 19. Jh.
5. es gewesen sein = der Schuldige sein. Seit dem 19. Jh.
6. etw ~ lassen = etw nicht tun; etw absichtlich unterlassen. Man läßt es so, wie es ist, und verändert nichts. Seit dem 19. Jh.
7. und so war es denn auch, die Mannschaft schrie ein donnerndes Heil, und der alte Herr hatte seinen Hut wieder: Redewendung, wenn eine Sache wieder in die gewohnte Ordnung zurückgefunden hat. Vermutlich Reststück eines studentischen Ulkvortrags oder Parodie auf einen Zeitungsbericht. 1920(?) *ff.*

Seite *f* **1.** die drübere ~ = die gegenüberliegende Seite. *Oberd* 1900 *ff.*

2. faule ~ = schlechter Charakterzug. Hergenommen von der angefaulten Seite eines Apfels o. ä. Seit dem 19. Jh.
3. die grüne ~ = die rechte Körperseite. Hängt mit der dichterischen Sinnbildsprache zusammen. Grün als Farbe des Frühlings ist die Sinnbildfarbe des Lebens, auch der Hoffnung auf Glück. Dadurch wird die grüne Seite zur glückbringenden Seite. 1500 *ff.*
4. scheele ~ = der Stadt gegenüberliegende Flußseite. Vielleicht Anspielung auf den Neid gegenüber der bedeutenderen Stadt oder auf das Schielen hinsichtlich der Eingemeindung. Seit dem 19. Jh.
5. schwache ~ = a) Lieblingsgegenstand, -angewohnheit, -beschäftigung o. ä. Gegenüber dieser Seite ist man „schwach = willensschwach, widerstandslos". Seit dem 19. Jh. – b) Untauglichkeit; geringes Leistungsvermögen. Diese Seite beherrscht man schwächer als die andere. Bezogen auf die übergeordnete Rechts- und die unterlegene Linkshändigkeit. Seit dem 19. Jh.
6. starke ~ = Könnerschaft. Seit dem 19. Jh.
7. quatschen Sie mich nicht von der ~ an! = machen Sie keine anzüglichen Bemerkungen! So verbittet man sich Äußerungen, die einem nicht gerade ins Gesicht gesagt werden. *Vgl* ↗Flanke. 1910 *ff.*
8. du hast auch noch nichts auf die ~ gebracht außer deiner Krawatte: Redewendung zu einem, dem bei der Suche nach einem Seitensprung etw auf die Seite gerutscht ist. Wortwitzelei mit „etw auf die Seite bringen = Ersparnisse machen". 1930 *ff, stud.*
9. etw über die ~ bringen = etw verschwinden lassen; sich etw aneignen. Soviel wie „beiseite schaffen". 1920 *ff.*
10. auf die große (kleine) ~ gehen = zum Koten (Harnen) austreten. „Auf die Seite gehen" sagt man, wenn man im Freien die Notdurft verrichtet. Scheint im 19. Jh in Österreich aufgekommen und nordwärts gewandert zu sein.
11. eine leichte ~ haben = Neigung zum Leichtsinn haben. Seit dem 19. Jh.
12. das hat seine 2 bis 24 ~n = das ist sehr schwierig; das kann man auf sehr verschiedene Weise betrachten. 1925 *ff.*
13. auf der breiten ~ liegen = gestorben sein. Übertragen von den toten Fischen, die breitseits im Wasser liegen. Fischerspr. und *sold* 1900 *ff.*
14. alles auf die leichte ~ schlagen = leichtsinnig sein. Seit dem 19. Jh.
15. ~n schreiben = eine Strafarbeit anfertigen. Der Lehrer schreibt die Zahl der Seiten vor. *Schül* 1960 *ff.*
16. auf der leichten ~ sein = leichtlebig sein. Seit dem 19. Jh.
17. nach allen ~n offen sein = sich keinem versagen (auf weibliche Personen bezogen). Übertragen von der Politikersprache: eine Partei ist „nach allen Seiten offen", wenn sie mit jeder anderen Partei zu Koalitionsverhandlungen bereit ist. *BSD* 1968 *ff.*
18. zur ~ springen = ehebrechen. 1900 *ff.*
19. jm mit etw in die ~ treten = jm mit etw unterstützen; jm beipflichten. Scherzhaft entstellt aus „jm mit etw zur Seite treten". Hier aufgefaßt als Tätlichkeit (man tritt ihm in die Flanke). Seit dem ausgehenden 19. Jh.

seitenlang *adv* ~ mit Begeisterung = andauernd; ohne Unterbrechung. Wohl hergenommen von einer langen, vom Blatt abgelesenen Rede. 1920 *ff.*
seitenspringen *intr* ehebrechen. 1900 *ff.*
Seitenspringer *m* Ehebrecher. 1900 *ff.*
Seitensprung *m* Ehebruch. 1900 *ff.*
seitensprungfest *adj* dem Ehepartner unbeirrbar treu. 1900 *ff.*
Seitenstechen *n* **1.** ~ in der Brieftaschengegend bekommen = über hohe Preise unwillig werden. 1960 *ff.*
2. ~ haben = nach dem Eisernen Kreuz erster Klasse verlangen. Es wird auf der linken Brustseite getragen. *Sold* in beiden Weltkriegen.
3. das ~ haben = nach Geld in der Tasche greifen. 1900 *ff.*
Seitenwagen *m* Ehefrau. Meint den Seitenwagen des Motorrads. 1960 *ff,* Graubünden.
sek'kant *adj* lästig, zudringlich; nervös machend. ↗sekkieren. *Österr* seit dem 18. Jh.
Sekka'tur *f* Zudringlichkeit; Quälerei. *Bayr* und *österr* seit dem 18. Jh (Goethe, Brief vom 10. März 1781).
sek'kieren *tr* **1.** jn plagen, quälen, sticheln, nervös machen. Geht zurück auf *ital* „secare = belästigen; beschwerlich fallen". Vorwiegend *oberd,* seit dem 18. Jh.
2. jn necken. *Österr* seit dem 18. Jh.
Sek'kierhansel *m* Mensch, der andere gern quält und ärgert. *Österr* seit dem 19. Jh.
Sekret *n m* Abort. Soviel wie „heimliches Gemach". Seit dem 15. Jh.
Sekretärin *f* Gelegenheitsfreundin. Meint die Privatsekretärin, die den Chef auf Dienstreisen begleitet. *Halbw* 1960 *ff.*
Sekt *m* **1.** ~, Kaviar und schöne Frauen: sprachliches Sinnbild für Wohlhabenheit. Das Gegenstück der Durchschnittsbürgerlichkeit heißt im Rheinland „Bier, Bloodwoosch (= Blutwurst) un de Mutti". 1950(?) *ff.*
2. ~ ohne Alkohol = Mineralwasser. An Sekt erinnern lediglich die Kohlensäurebläschen. *BSD* 1965 *ff.*
3. ~ des kleinen Mannes = a) Mineralwasser; Brauselimonade. 1920 *ff.* – b) Bier. *BSD* 1965 *ff.*
4. ~ in Zivil = Mineralwasser; Brauselimonade. Die Uniform verleiht einen höheren Rang als die Zivilkleidung. 1900 *ff,* vorwiegend *sold.*
5. einfacher ~ = Mineralwasser. 1910 *ff.*
6. ~ einfach = Mineralwasser. Kellnerspr. 1910 *ff.*
7. ~ in der Hose haben = sportlich gewandt sein. 1920 *ff.*
Sektansprache *f* schwülstige Rede ohne Geist. Die Kohlensäurebläschen versinnbildlichen die Substanzlosigkeit. 1933 *ff.*
Sektflöte *f* Sektkelch. Entweder Anspielung auf die schlanke Form des Glases oder auf die Fingerhaltung beim Heben und Neigen des Glases. 1965 *ff.*
Sektfrühstück *n* es ist mir ein halbes ~ = es freut, ehrt mich sehr. 1955 *ff,* arbeiterspr.
Sektierer *m* **1.** Chirurg, Anatom. Wortspielerisch umgeformt aus „Sezierer" mit Anspielung auf „Sektion = Leichenöffnung". *Stud* 1910 *ff.*
2. Schaumweinvertreter. Zu „Sekt" entstandenes Wortspiel. 1920 *ff.*

3. Sekttrinker. *Vgl* das Vorhergehende. 1955 *ff.*

Sektlaune *f* frohe, unternehmungslustige Stimmung (mit oder ohne Sektgenuß). Man ist temperamentvoll und spritzig wie Sekt. 1870 *ff.*

Sektler *m* Sekttrinker. 1960 *ff.*

Sektpulle *f* 1. Sektflasche. ⭧ Pulle. Seit dem 19. Jh.
2. Mädchenbein mit dicker Wade. Seit dem 19. Jh.

Sektschalen *pl* Büstenhalter; Oberteil des zweiteiligen Damenbadeanzugs. Wegen der Formähnlichkeit. Berlin 1950 *ff.*

Sekunde *f* es kann sich nur noch um ~n handeln = es ist demnächst zu erwarten. 1900 *ff.*

selbständig *adj adv* 1. sich ~ bedienen = in einem Selbstbedienungsladen stehlen. 1955 *ff.*
2. sich ~ machen = a) vom Arm, aus der Hand gleiten und zu Boden fallen; aus dem Sattel, aus dem Omnibus fallen; schadhafter Verpackung entfallen. 1910 *ff.* – b) sich in seine Bestandteile auflösen (die Perlenkette hat sich selbständig gemacht). 1910 *ff.* – c) verlorengehen; gestohlen werden; verschwinden. 1910 *ff.*
3. es ist ~ geworden = es ist gestohlen worden. *Schül, stud,* handwerkerspr. u. a. 1920 *ff.*

Selbstbedienung *f* 1. Ladendiebstahl; Raub; diebische Selbsthilfe; finanzieller Amtsmißbrauch. 1950 *ff.*
2. ~ spielen = a) Ladendiebstahl begehen. 1950 *ff.* – b) an der Straßenkreuzung die Fußgängerampel bedienen. 1955 *ff.*

Selbstbedienungsgeschäft *n* 1. Diebstahl; Diebischsein. 1955 *ff.*
2. Kreditinstitut (in der Auffassung des Bankräubers). 1965 *ff.*

Selbstbedienungsladen *m* 1. Druckknopfampel, die von den Fußgängern auf Grün geschaltet werden kann. 1955 *ff.*
2. Parlament. Wegen der selbstverordneten Diätenerhöhungen und Ruhestandsbezüge der Parlaments-Abgeordneten. *Vgl* ⭧ Selbstversorger 4. Bonn 1965 *ff.*
3. stummer ~ = Warenautomat. 1955 *ff.*

Selbstbefriediger *m* 1. Banane, Möhre o. ä.; auch Kerze. Es sind phallusähnliche Gegenstände. 1910 *ff.*
2. Kartenspieler, der seine ausgezeichneten Karten mit hoher Augenzahl in die eigenen Stiche gibt und dabei die Zugaben der Gegner die erforderliche Punktzahl erreicht. 1900 *ff.*

Selbstbildnis *n* geschminkte weibliche Person. Sie hat sich selbst gemalt. 1920 *ff.*

Selbsteinlader *m* Mensch, der aufdringlich, rücksichtslos und wie selbstverständlich sich zum Besuch ansagt oder unerwartet zu Besuch kommt. 1900 *ff.*

Selbsterhaltungstrieb *m* Feigheit vor dem Feind. Beschönigende Vokabel (?). *Sold* 1942 bis heute.

selbstflüsternd *adv* selbstverständlich. Scherzhafte Variante zu „selbstredend". 1920 *ff.*

selbstgehäkelt *adj* selbstverfertigt. 1950 *ff.*
selbstgelegt *adj* aus eigener Produktion. Hergenommen von selbstgezogenen Kartoffeln (Saatkartoffeln werden in die Furche gelegt) und scherzhaft übertragen auf „selbstgelegte Eier"; von da verallgemeinert. 1840 *ff,* Berlin.

selbstgeschneidert *adj* selbsternannt; ei-

genmächtig (betrügerisch) gestaltet. 1950 *ff.*

selbstgestrickt *adj* 1. selbstverfertigt, selbstgebastelt o. ä. 1950 *ff.*
2. hausbacken. *BSD* 1960 *ff.*
3. nicht völlig fehlerfrei. 1950 *ff.*

Selbstgestrickter *m* 1. „wuschelhaariger" Hund; Scotch-Terrier. 1930 *ff.*
2. Hund ohne Stammbaum. 1950 *ff.*
3. Mensch, der der eigenen Kraft die derzeitige Stellung verdankt. 1950 *ff.*
4. Bundeswehroffizier, der vorher nicht aktiv war. *BSD* 1960 *ff.*

selbstgezimmert *adj* selbstverfertigt. 1950 *ff.*

Selbstherrscher *m* ~ aller Reussen = überheblicher Mensch. Eigentlich der Zar von Rußland. ⭧ Herrscher. 1820 *ff.*

Selbstläufer *m* 1. reifer, durchgeweichter Käse. 1920 *ff.*
2. Ware, die ohne sonderliche Werbung reichen Absatz findet. 1960 *ff.*
3. unaufhaltsame (organische) Entwicklung. 1960 *ff.*

Selbstmord *m* 1. ~ mit Messer und Gabel = kalorische Überernährung. 1967 von Medizinern aufgebrachtes, sehr geläufig gewordenes Schlagwort.
2. ~ auf Zeit = Rauschgiftsucht. Im Verband der niedergelassenen Ärzte Deutschlands 1971 aufgekommene Bezeichnung.

Selbstmordgerät (-instrument) *n* Zigarette. *Jug* 1965 *ff.*

Selbstmordkandidat *m* 1. Soldat, der sich freiwillig zu einem Stoßtruppunternehmen meldet. *Sold* 1939 *ff.*
2. Student, der sich für einen überfüllten naturwissenschaftlichen oder medizinischen Fachbereich entscheidet. 1955 *ff.*

selbstmurmelnd *adj adv* selbstverständlich. Scherzhafte Parallelbildung zu „selbstredend" durch Studenten des späten 19. Jh. *Vgl* ⭧ selbstflüsternd.

selbstnatürlich *adv* selbstverständlich. Zusammengesetzt aus „selbstverständlich" und „natürlich". 1920 *ff.*

Selbstporträt *n* lebendes ~ = (aufdringlich) geschminkte weibliche Person. ⭧ Selbstbildnis. 1920 *ff.*

selbstredend *adv* selbstverständlich. Im 17. Jh geläufig im Sinne von „offenbar". In der heutigen Bedeutung 1878 als „Modewort" gebucht. 1850 *ff.*

Selbstschutzleitfaden *m* Regelbuch für Kartenspieler. Eigentlich eine Druckschrift mit Anweisungen, wie man sich vor Verbrechern und Verbrechen zu schützen hat. Kartenspielerspr. 1920 *ff.*

Selbsttor *n* 1. Selbstverschuldung eines Schadens. Der Sportlersprache entlehnt; etwa seit 1955.
2. ein ~ schießen = einen Nachteil selbst verschulden. 1955 *ff.*

selbstverfreilich *adv* selbstverständlich. Aus „selbstverständlich" und „freilich" gekreuzt. 1920 *ff.*

Selbstversorger *m* 1. Dieb, Ladendieb. Euphemismus, aufgekommen im Ersten Weltkrieg, als es hinsichtlich der Lebensmittelversorgung der Zivilbevölkerung Karteninhaber und Selbstversorger gab.
2. Mann, der schwer beschaffbare Gegenstände listig zu besorgen weiß. *Sold* in beiden Weltkriegen.
3. selbstsüchtiger Mensch. *BSD* 1965 *ff.*
4. Mitglied des Deutschen Bundestags. Anspielung auf die selbstbewilligten Ruhe-

standsbezüge und Diätenerhöhungen. *Vgl* ⭧ Selbstbedienungsladen 2. 1965 *ff.*

selig *adj* 1. betrunken. Der Bezechte gerät in seiner Vorstellung in die fröhlich-unbeschwerten „Gefilde der Seligen". Etwa seit 1750.
2. soll er damit ~ werden: Redewendung angesichts einer Sache, die man einem anderen überläßt. 1900 *ff.*
3. ~ sind, die nach rückwärts Boden gewinnen; denn sie werden die Heimat schauen: *sold* Seligpreisung im Stil der Bergpredigt Christi. 1939 *ff.*

Seligmachersmaat (Seligmachers Maat) *m* Marinegeistlicher o. ä. Maat = Genosse, Kamerad; Gehilfe an Bord. *Marinespr* 1900 bis heute.

Selle'rabie *f* 1. undefinierbares Gemüse. Zusammengesetzt aus „Sellerie" und „Kohlrabi". *Sold* 1910–1945.
2. Unsinn. Verstärkung von „,⭧ Kohl 1". 1914 *ff.*

selten *adv* ~ blöde = besonders dumm, dümmlich. „Selten" im Sinne von „nicht häufig" entwickelt sich zur Bedeutung „kostbar" und weiter zur Geltung einer allgemeinen Steigerung. Seit dem 19. Jh.

Selterswasseraugen *pl* große, hervortretende Augen. Hergenommen vom gläsernen Kugelverschluß der Selters-, Mineralwasserflaschen. 1930 *ff.*

Semester *n* 1. altes ~ = a) Student mit (nach) vielen Studienhalbjahren. Seit dem 19. Jh, *stud.* – b) ältlicher Mensch. 1920 *ff.* – c) altes Gerät. 1950 *ff.*
2. älteres ~ = bejahrter Mensch; Mensch zwischen 40 und 50 Jahren. 1920 *ff.*
3. hohes ~ = Student mit (nach) vielen Studienhalbjahren. 1900 *ff.*
4. acht ~ auf dem Buckel haben = acht Semester studiert haben. Die Bürde dieser Semester krümmt den Rücken. *Stud* 1870 *ff.*
5. im zweiten ~ Examen machen = das Studium vorzeitig (ohne Examen) beenden. *Stud* 1960 *ff.*

Semesterpferd *n* Studentin mit häufig wechselnden Geschlechtspartnern; Studentin, mit der die meisten Kommilitonen ihres Semesters koitiert haben. ⭧ Pferd 3. *Stud* 1950 *ff.*

Seminar *n* Strafanstalt. Analog zu „hohe ⭧ Schule". *Rotw* seit dem frühen 19. Jh.

Seminarist *m* Sträfling. *Rotw* 1930 *ff.*

Semmel *f* 1. frische ~ = bleichgesichtiger Mensch. 1950 *ff.*
2. gebackene ~ = Frikadelle. Wegen der allzu reichlichen Weißbrotbeimengung. *BSD* 1960 *ff.*
3. getarnte ~ = Frikadelle; Hackbraten. *Vgl* das Vorhergehende. *BSD* 1965 *ff.*
4. knusprige ~ = nettes, anziehendes junges Mädchen. ⭧ knusprig. 1900 *ff.*
5. weiche ~ = energieloser Mensch. 1950 *ff.*
6. so sicher wie alte ~n in der Bulette = völlig sicher; unbedingt zuverlässig. ⭧ Bulette. 1950 *ff.*
7. das geht ab (weg) wie warme ~n = das ist leichtverkäuflich. Semmeln, frisch dem Ofen entnommen, schmecken besonders gut und sind daher sehr begehrt. 1700 *ff. Vgl* franz „se vendre comme des petits pains".
8. etw wie heiße (warme) ~n verkaufen = etw mühelos verkaufen. *Vgl* das Vorhergehende. 1900 *ff.*

9. etw verschlingen (essen o. ä.) wie warme ~n = etw gierig zur Kenntnis nehmen. *1920 ff.*

Semmelbeine *pl* nach innen gewölbte Beine. Hängt unmittelbar nicht mit der Semmel zusammen, wohl aber mit dem Bäkker, der von seiner stehenden Tätigkeit Beinschäden bekommt. *Nordd 1850 ff.*

Semmelgreis *m* platterter ~ = Schimpfwort. Meint eigentlich den glatzköpfigen, weißhaarigen Mann. *Bayr 1920 ff.*

Semmelkopf (-kopp) *m* Mensch mit strohblondem (weißem) Haar. *1870 ff.*

semmeln *v* **1.** *intr* = reden. Wohl eine mundartliche Nebenform zu „simpeln = einfältig reden". *1920 ff.*
2. jm eine ~ = auf jn einen Schuß abfeuern. Meint eigentlich wohl soviel wie „jn semmelweich schlagen = jn windelweich prügeln". *Sold* in beiden Weltkriegen.

Semperer *m* **1.** Bettler, der mit seinem Klagen lästig fällt. ↗ sempern. *Bayr* und *österr 1900 ff.*
2. Nörgler. *Österr 1920 ff.*

Sempe'ritlollo *f* Mädchen, das einen Büstenhalter mit Schaumgummieinlage trägt. Semperit = österreichisch-amerikanische Gummiwerke AG. ↗ Lollo. Wien *1960 ff*, *jug.*

sempern *intr* nörgeln; schimpfen; wehklagen; fortwährend reden. Geht zurück auf schallnachahmendes Verbum „semmern = wimmern, winseln". *Österr* seit dem 19. Jh.

Sendefrequenz *f* Wirkung einer Persönlichkeit. Von der Radiotechnik hergenommen im Sinne der modischen Vokabel „Ausstrahlungskraft". *1960 ff.*

senden *intr* dem Mitschüler vorsagen. Von der Rundfunktechnik übernommen. *1960 ff.*

Sendepause *f* **1.** Ruhetag; Ereignislosigkeit. Übertragen von der Pause in der Programmfolge der Rundfunksender. *Sold* 1939 bis heute.
2. vorübergehende geistige Unzurechnungsfähigkeit. *1940 ff.*
3. eine ~ einlegen = zu sprechen aufhören; verstummen. *1950 ff.*
4. ~ haben = nichts äußern; schweigen müssen; die Antwort schuldig bleiben; sprachlos sein. *Sold, schül* und *stud* seit 1940.

Sender *m* für etw einen ~ haben = Sinn für etw haben; als charaktervoller Mensch anderen Vorbild sein. Berührt sich mit dem Begriff „Ausstrahlungskraft". *1960 ff.*

Sendestörung *f* ~ kriegen = verstummen; am Weitersprechen gehindert werden. Dem Wortschatz der Rundfunksprecher entnommen. *1950 ff.*

Sendung *f* **1.** eine ganze ~ = eine große Menge. Von der Warensendung übernommen (eine ganze Sendung Schnee kam vom Dach herunter). *1920 ff.*
2. schwarze ~ = Rundfunksendung eines amtlich nicht zugelassenen Senders. ↗ schwarz 5. *1965 ff.*

Senf *m* **1.** Meinungsäußerung; lange Rede. Übertragen von der mehr oder weniger gelängten Senfbrühe zu einem Fleisch- oder Eiergericht. *1700 ff.*
2. Kot. Wegen der Ähnlichkeit der Farbe und der Konsistenz. *1900 ff.*
3. Lüge. Gehört zu der volkstümlichen

Vorstellung, wonach Lügen und „Bescheißen" identisch sind. *1900 ff.*
4. Rauschgift. Entweder weil es besänftigt (↗ besänftigen) oder weil Rauschgift Wahnvorstellungen erzeugt, die mit Lügen gleichzusetzen sind. *Halbw 1960 ff.*
5. alter ~ = altbekanntes Geschwätz; überfällige Argumente. *1900 ff.*
6. langer ~ = langes Geschwätz. *1700 ff.*
7. scharf wie ~ = a) in Dingen der militärischen Ausbildung überaus streng. Scharf = beißend. *1900 ff.* – b) streng, unerbittlich, rücksichtslos. *1930 ff.*
8. in ~ kann man seine Schwiegermutter essen = Senf mildert manches oder macht es schmackhaft. *1920 ff.*
9. seinen ~ dazu geben (dreingeben) = seine Ansicht zu etw äußern (meist: überflüssigerweise). Meint eigentlich „Speisen durch Senf würzen"; von da übertragen auf entbehrliche Zutaten (zur Unterhaltung). ↗ Senf 1. *1700 ff.*
10. nicht mit ~ zu genießen sein = sehr mißgestimmt sein. ↗ Senf 8. *1920 ff,* Berlin.
11. seinen ~ kriegen = zurechtgewiesen werden. „Senf" als Meinungsäußerung meint hier vor allem die Standrede. *1910 ff.*
12. einen langen ~ über etw machen = sich über eine Sache weitschweifig äußern. ↗ Senf 1. *1700 ff.*
13. das paßt wie ~ auf Sahneschnitten = das paßt überhaupt nicht zusammen. *1960 ff.*
14. ~ reden = törichte Ansichten äußern. ↗ Senf 9. *1900 ff.*
15. ~ verzapfen = Unsinn schwätzen. *1900 ff.*
16. seinen ~ weghaben = grob behandelt worden sein; eine Zurechtweisung entgegengenommen haben. ↗ Senf 11. *1910 ff.*
17. er schwätzt sich einen ~ zusammen = redet wortreich über Belangloses. *1900 ff.*

Senfpott *m* **1.** Abortbecken; Nachtgeschirr. ↗ Senf 2. *1900 ff.*
2. Mensch, der es nicht unterlassen kann, zu allem und jedem seine Meinung zu äußern. Aus diesem Topf kommen lauter entbehrliche Ansichten. ↗ Senf 1 und 9. *1920 ff.*

Senge *pl* **1.** Prügel. Gehört zu „sengen" in der Doppelbedeutung „anbrennen" und „in der Haut prickeln". Senge sind also brennende Hiebe. *Nordd, mitteld* und *westd,* seit dem 19. Jh.
1 a. schwere sportliche Niederlage. Geprügeltwerden und Besiegtwerden sind umgangssprachlich *gleichbed. 1950 ff.*
2. gesalzene ~ = derbe Tracht Prügel. ↗ gesalzen. *1900 ff.*
3. ~ beziehen = a) geprügelt werden. Seit dem 19. Jh. – b) eine sehr schwere militärische Niederlage erleiden. *Sold* in beiden Weltkriegen.

sengen *v* **1.** jm eins ~ = jm einen heftigen Schlag versetzen. ↗ Senge 1. *1900 ff.*
2. sich mit jm ~ = sich mit jm prügeln. *1900 ff.*

sengerig *adj* **1.** heikel, bedenklich, verdächtig, unheilbringend. Die Sache riecht angebrannt, nach Brand. Analog zu ↗ brenzlig. *1850 ff.*
2. ~ riechen = verdächtig, unheildrohend sein. *1850 ff.*

Senkel *m* **1.** auf den ~ dreschen (hauen) = großsprecherisch sein; dreist lügen. Senkel ist der Riemen oder Gürtel. Zur Beteuerung schlägt man auf ihn. *BSD 1965 ff.*
2. etw auf dem ~ haben = etw leisten. Senkel = Senklot. *1950 ff.*
3. etw in den ~ kriegen = eine Sache in die gewünschte Ordnung bringen. Senkel = Senklot. *1950 ff.*
4. sich am ~ reißen = sich ermannen. Senkel = Gürtel. Analog zu „sich am ↗ Riemen reißen". *1950 ff.*
5. nicht mehr im ~ sein = betrunken sein. Man geht nicht mehr lotrecht. *1950 ff.*
6. jn in den ~ stellen = jn zurechtweisen. Senkel = Senkblei. Stammt aus dem Kreis der Bauhandwerker. *1910 ff.*

senken *tr* einen Schüler nicht in die nächsthöhere Klasse versetzen. Sonderbedeutung von „sinken lassen". Gegenwort ist „steigen". *Schül 1900 ff.*

Senker *m* **1.** Nachkömmling; Sohn, Knabe. Eigentlich der Rebableger. *Nordd* und *mitteld,* seit dem 19. Jh.
2. tiefe Verbeugung. Kopf und Oberkörper werden tief gesenkt. *Jug 1950 ff,* Berlin.

senkrecht *adj* **1.** charakterfest, lebenstüchtig. Gehört zur Vorstellung des „aufrechten" Charakters. *1950 ff.*
2. unbestechlich. *1950 ff.*
3. bleiben Sie ~l: Zuruf an einen Stolpernden oder Stürzenden. *Sold* und *jug 1900 ff.*
4. ~ bleiben = sich keinen Phantastereien hingeben. *Sold* und *ziv 1900 ff.*
5. nicht ~ bleiben = bezecht torkeln. *1920 ff.*
6. ~ haben = ganz bestimmt recht (Recht) haben. „Senkrecht" wird hier als Steigerung von „recht" empfunden. *1880 ff.*
7. sich ~ halten = gesund, mannhaft, aufrichtig bleiben; sich nicht entmutigen lassen. Senkrecht = stehend; waagerecht = bettlägerig. *1900 ff.*
8. ~ = das ist ordentlich, tadellos, angebracht. Analog zum Begriff „lotrecht" aus dem Bauhandwerk. Seit dem frühen 20. Jh, vorwiegend *jug.*
9. ~ stellen = jn aufmuntern, zurechtweisen. Parallel zu „jn in den ↗ Senkel stellen". *1900 ff.*

Senkrechte *f* man (das) hat mich aus der ~n gerissen! Ausdruck der Verwunderung. Vor Erstaunen oder Erschrecken hat man das Gleichgewicht verloren. *Halbw 1960 ff.*

Senkrechtes *n* das einzig Senkrechte = das unbedingt Richtige; das einzig Notwendige; das Maßgebende. ↗ senkrecht 8. *1900 ff.*

Senkrechtstarter *m* **1.** Politiker, der schneller als andere in eine führende Stellung gerät; beruflich sehr schnell aufsteigender Könner. Eigentlich ein Kampfflugzeug, das wie ein Hubschrauber senkrecht starten und landen kann. *1960 ff.*
2. rasch beliebt gewordener Markenartikel. *1965 ff.*
3. schnell zu Reichtum gelangter Unternehmer. *1965 ff.*
4. schnell an die Tabellenspitze gelangende Fußballmannschaft. *Sportl 1965 ff.*
5. hochprozentiges alkoholisches Getränk. Seine Wirkung macht sich schnell bemerkbar. *1965 ff.*

6. rasch aufbrausender Mensch. *Vgl* ↗ hochgehen 2. *Halbw* 1965 *ff.*

Sennetörtli *n* Kuhfladen. Aufgefaßt als kleine Torte für den Senn (Almhirt). *Schweiz* 1920 *ff.*

Sense *f* **1.** Seitengewehr; Hiebwaffe. Verglichen mit dem langstieligen Mähwerkzeug. *Sold* seit dem späten 19. Jh bis 1945.
2. ~ (dann ist ~)! = Schluß aus! Irrtum! Unsinn! aufhören! Formuliert vielleicht die Gebärde der Ablehnung und Abweisung, indem man den Arm rasch seitwärts bewegt wie beim Mähen von Hand; oder Schnitterzuruf, die Sense wegzulegen, also die Arbeit einzustellen; oder verkürzt aus „geh aus der Sense!" im Sinne von „geh zur Seite, damit ich dich nicht mit der Sense schneide!". Kinder rufen beim Rodeln „Sense!" im Sinne von „Bahn frei!". Seit dem späten 19. Jh, vor allem *schül, stud* und *sold,* auch arbeiterspr.
3. Entlassung mit Ablauf der Dienstzeit. *BSD* 1965 *ff.*
4. Zapfenstreich. *BSD* 1965 *ff.*
5. alte ~ = energieloser Mensch; Versager. Er ist unbrauchbar wie eine abgenutzte Sense. 1910 *ff.*
6. scharf wie sieben ~n = sehr sinnlich veranlagt. ↗ scharf 4. 1960 *ff.*
7. eine wüste ~ übers Parkett hauen = a) ungestüm tanzen. Es erinnert an ein ungestümes Mähen mit weit ausholenden Schwüngen. 1950 *ff.* – b) ausschweifend leben. Vom Vorhergehenden verallgemeinert. 1950 *ff.*
8. ~ machen = a) Schluß machen; das Handwerkszeug beim Arbeitsende niederlegen. ↗ Sense 2. 1939 *ff.* – b) verloren, tot sein. 1939 *ff.*
9. jn mit der ~ rasieren = a) jn kräftig übertölpeln. Verstärkung von „↗ rasieren 6". 1910 *ff.* – b) jn mit einer Hiebwaffe verwunden. ↗ Sense 1. *Sold* 1939 *ff.* – c) jm übel mitspielen. *Sold* 1939 *ff.*
10. seine Oma ist mit der ~ rasiert = er ist nicht ganz bei Verstand. *Schül* 1950 *ff.*
11. ~ sein = tot sein. *Sold* 1939 *ff.*

Sensibelchen *n* hochempfindlicher, gefühlvoller Mensch. 1980 *ff.*

Sentimentalschnulze *f* übertrieben gefühlvolles Schlagerlied oder Bühnen-, Filmstück usw. ↗ Schnulze 1. 1960 *ff.*

Separatl *n* Chambre séparée. *Bayr* und *österr,* 1900 *ff.*

Seppel (Seppl) *m* **1.** Bayer. Verkürzt aus dem Vornamen Joseph (Giuseppe). Eine in Bayern unübliche Bezeichnung. Seit dem späten 19. Jh.
2. dummer Mensch. 1900 *ff.*
3. Rufname von Hund und Katze. 1900 *ff.*

Seppelhose (Sepplhose) *f* kurze Lederhose mit vorderem Klappenverschluß. Als Tracht zwischen 1880 und 1890 aufgekommen. Keine *bayr* Bezeichnung.

Seppelhut (Sepplhut) *m* kleiner Filzhut mit Gamsbart. Unter eingesessenen Bayern unübliche Bezeichnung. 1880 *ff.*

Septoberfest *n* Münchener Oktoberfest, dessen Beginn in den Monat September fällt. 1960 *ff.*

serbisch *adv* schlecht (als Antwort auf die Frage nach dem Wohlergehen). Abkürzung von „sehr beschissen" mit Einwirkung von „serblich = kränklich". Berlin 1930 *ff,* kaufmannsspr.

Serum *n* Schnaps. Eigentlich der Impfstoff; hier aufgefaßt als alkoholisches Vorbeuge-

mittel gegen Grippe, Erkältung usw. 1930 *ff.*

serumselig *adj* schnapstrunken. ↗ selig 1. 1930 *ff.*

Service (*franz* ausgesprochen) *n* **1.** ewiges ~ = stets ergänzbares Einheits-Tafelservice; unzerbrechliches Tafelgeschirr. 1960 *ff.*
2. sein ~ nicht vollhaben = nicht ganz bei Verstand sein. Parallel zu „nicht alle ↗ Tassen im Schrank haben". *Schül* 1950 *ff.*

Servierbrett *n* wie auf dem ~ liegen = ohne Deckung sein. Speisen auf dem Servierbrett sind allen Augen zugänglich. ↗ Präsentierteller 3 a. *Sold* 1939 *ff.*

servieren *v* **1.** jm eine ~ = jm eine Ohrfeige versetzen. Der Betreffende wird mit einer Ohrfeige „bedient". 1920 *ff.*
2. jm etw ~ = jm etw (lügnerisch) erzählen. Man tischt es ihm auf oder setzt es ihm vor. 1920 *ff.*

Servier-Ordonnanz *f* Kellnerin. Aus der Offizierssprache im ausgehenden 19. Jh in die Studentensprache gewandert (Mensa-Kellnerin).

Serviertablett *n* auf dem ~ sitzen = allen Blicken ausgesetzt sein. ↗ Präsentierteller. 1920 *ff.*

serviert werden Glück haben. Analog zu „↗ bedient sein". *Halbw* 1955 *ff.*

Serviettenschwenker *m* Kellner. Spätestens seit Ende des 19. Jhs.

Servus *m* **1.** ~ machen = militärisch grüßen. Übernommen vom *österr* Gruß „Servus" (im Sinne von „Diener; ergebenster Diener"). *Österr* 1939 *ff.*
2. einen ~ machen = ein Kompliment machen. Eigentlich eine Höflichkeitsfloskel. *Oberd* 1900 *ff.*
3. einen ~ reißen = a) sich schwungvoll verbeugen. *Bayr* und *österr,* spätestens seit 1900. – b) militärisch grüßen. *Österr* 1939 *ff.*
4. unter etw seinen ~ setzen = etw unterschreiben. *Bayr* und *österr,* 1950 *ff.*

Sessel *m* **1.** Note „Genügend" (vier). Das Zahlzeichen 4 ähnelt einem Sessel. 1950 *ff, schül.*
2. ~ mot. = Kabinenroller. Aufgefaßt als motorisierter Lehnstuhl. 1959 *ff,* Berlin.
3. den ~ drücken = Beamter sein. *Österr* 1950 *ff.*
4. nicht alle ~ im Stübchen haben = nicht recht bei Verstand sein. 1920 *ff.*
5. jn aus dem ~ heben = jds Amtsenthebung betreiben. 1950 *ff.*
6. am ~ kleben = seine Amtsstellung möglichst lange zu behalten suchen; keine andere Tätigkeit ins Auge fassen. *Vgl* ↗ Stuhl 16. 1920 *ff.*
7. das reißt (hebt, haut) mich aus (von) dem ~ = das regt mich auf; das begeistert mich, raubt mir die Fassung. Vor Erregung springt man aus dem Sessel auf. *Vgl* ↗ Stuhl 13 und 21. 1920 *ff.*
8. am ~ sägen = jn aus der Amtsstellung zu verdrängen suchen. *Vgl* ↗ Stuhl 23. 1920 *ff.*
9. zwischen zwei ~n sitzen = mit zwei Plänen (o. ä.) scheitern; eine unsichere Verbindung gelöst und keine sichere gefunden haben. ↗ Stuhl 28. 1500 *ff.*
10. sein ~ wackelt = der Amtsposten ist ihm nicht länger sicher. *Vgl* ↗ Stuhl 32. 1920 *ff.*

11. jds ~ wackeln lassen = jds weitere Amtstätigkeit in Frage stellen. 1950 *ff.*

Sesselbumser *m* Beamter; Bürotätiger. Bumsen = Darmwinde laut abgehen lassen. 1920 *ff.*

Sesselkleber *m* spät aufbrechender Gast. *Vgl* ↗ Stuhl 16. 1960 *ff.*

Sesselpuper *m* Bürobediensteter. ↗ pupen. 1920 *ff.*

Sesselrücken *n* Ministerwechsel. Dem „Tischrücken" nachgebildet. 1955 *ff.*

Sesselrutscher *m* Beamter, Büroangestellter. 1910 *ff.*

seßhaft *adj* **1.** seßhafter Mensch = Mensch, der sich nur schwer zum Weggehen entschließen kann. Eigentlich soviel wie „ansässiger Mensch". Seit dem 19. Jh.
2. ~ werden = zu einer Freiheitsstrafe verurteilt werden. ↗ sitzen 1. 1960 *ff.*
3. erotisch ~ werden = eine Ehe eingehen. 1955 *ff.*

setzen *v* **1.** es setzt etwas (welche) = es gibt Prügel, Zank. Setzen = Platz greifen; plötzlich ausbrechen. Seit dem späten 17. Jh.
2. einen ~ = koten. Man setzt („pflanzt") einen Kothaufen. 1900 *ff.*
3. mich hat's erst mal gesetzt!: Ausdruck des Erstaunens. 1920 *ff, bayr.*
4. jn ~ lassen = jn in Haft nehmen. Seit dem 19. Jh.

setzkopfig (setzköpfig) *adj* eigensinnig. *Schweiz* und *bayr,* seit dem 19. Jh.

Seuche *f* **1.** Rausch. Entweder Nebenform von „↗ Siech" oder zusammenhängend mit „seichen = harnen". *Österr* 1930 *ff.*
2. die ~ haben = beim Spiel der geschäftlichen Unternehmen langanhaltend Unglück haben. Hergenommen von der hartnäckigen Epidemie. 1900 *ff, nordd.*
3. da ist die ~ drin = das will nicht glücken. 1900 *ff.*

Seufz *m* Seufzer. Übernommen von den „Blasentexten" der Bildergeschichten (Comic strips). 1960 *ff.*

seufzen *v* **1.** *tr intr* = trinken; viel trinken. Euphemistisch aus „saufen" entstellt. 1900 *ff.*
2. still ~ = heimlich einen unhörbaren Darmwind entweichen lassen. 1840 *ff.*

Seufzerallee *f* **1.** beliebter Spazierweg der Liebespaare. Seit dem 19. Jh. 1837 von Heinrich Heine für den Düsseldorfer Hofgarten bezeugt.
2. abgelegene Korridore der Ballsäle. Wien seit dem 19. Jh.
3. Straße mit hypothekarisch hoch belasteten Häusern. 1920 *ff.*

Seufzerbrücke *f* Kommandobrücke. Übersetzt aus *ital* „ponte di sospiri", wobei „Seufzer" allerdings euphemistisch für Schimpfen und Fluchen steht. *Marinespr* 1900 *ff.*

Seufzerspalte *f* Zeitungsspalte mit Anfragen ratloser Menschen oder mit Heiratswünschen. 1955 *ff.*

Sex *m* **1.** Anziehungskraft auf das andere Geschlecht; Geschlechtlichkeit (rein körperlicher Natur); Zurschaustellung weiblicher Körperreize; Liebreiz. Aus dem *Engl* 1945 entlehnt.
2. Motorleistung des Kraftfahrzeugs. Übernommen vom Begriff „(Geschlechts-)Kraft", zugleich im Sinne von „Anzugsmoment". 1955 *ff.*
3. ~ aus der Tube = Hautcreme. 1955 *ff.*

4. ~ im Rücken = Rückendekolleté. 1955 ff.

5. geistfreier ~ = Besitz verführerischer weiblicher Körperformen ohne entsprechende Geistesgaben. 1955 ff.

6. harter ~ = Zurschaustellung von Intimitäten; Geschlechtsverkehr mit Peitsche u. ä. 1965 ff.

7. kühler ~ = in Benehmen und Bekleidung zum Ausdruck kommende geschlechtliche Unnahbarkeit. 1960 ff.

8. unterkühlter ~ = Verhüllung der Reize des Frauenkörpers. 1960 ff.

9. zärtlicher ~ = Erotik. 1960 ff.

10. in ~ baden = geschlechtlich aufreizende Rollen genüßlich spielen. 1960 ff.

11. auf ~ frisiert sein = auf Darbietung körperlicher Reize hergerichtet sein. 1955 ff.

12. auf ~ gehen = sich so kleiden, schminken und bewegen, daß man geschlechtlich reizt. 1960 ff.

13. mit ~ geladen sein = geschlechtlich voller Anziehungskraft sein. Man ist geladen wie ein Akkumulator. 1955 ff.

14. auf ~ getrimmt sein = auf die Zurschaustellung geschlechtlicher Reize ab- und/oder hergerichtet sein. 1955 ff.

15. vom ~ leben = Filmschauspielerin in Nackt-, Halbnacktszenen sein; der Pornografie dienen. 1960 ff.

16. ~ machen = koitieren. *Schül* 1965 ff.

17. ~ verkaufen = sich in raffinierten Halbnackt-, Nacktstellungen zur Schau stellen. 1960 ff.

sexaltiert *adj* übermäßig auf „Sex" versessen. Zusammengesetzt aus „Sex" und „exaltiert". Derlei Zusammensetzungen gibt es in großer Menge. Die meisten von ihnen sind kurzlebig gewesen. 1960 ff.

Sexartikel *m* Filmschauspielerin, bei der nur die geschlechtliche Wirkung von Bedeutung ist. Ihre Geschlechtlichkeit ist eine Handelsware. 1960 ff.

Sexathlet *m* geschlechtlich sehr leistungsfähiger Mann. 1950 ff.

Sexbombe *f* **1.** Filmschauspielerin mit stark sinnlich erregender Wirkung. Beeinflußt von der Vorstellung der einschlagenden Bombe. ↗ Bombe 1. 1950 ff.

2. geschlechtlich anziehende weibliche Person, die sich ihrer körperlichen Reize bewußt ist und auf Männerfang ausgeht. 1965 ff.

3. ~ vom Dienst = zur Zeit in Mode stehende Filmschauspielerin mit freigebig zur Schau gestellten körperlichen Reizen. Dem „Unteroffizier vom Dienst" nachgebildet. 1955 ff.

4. eine ~ entschärfen = die sinnlich erregende Wirkung einer Filmschauspielerin einschränken. Übernommen vom Entschärfen der Minen und Blindgänger. 1955 ff.

Sexbombenrolle *f* Film- oder Bühnenrolle, bei der die Darstellerin die Reize ihres Körpers zur Geltung bringen kann. Zusammengesetzt aus „Sexbombe" und „Bombenrolle". 1955 ff.

Sexbomber *m* **1.** Frau mit üppigen Körperformen. ↗ Bomber 8. 1950 ff.

2. Mann mit geschlechtlich aufreizendem Auftreten; Mann mit starker geschlechtlicher Anziehungskraft. ↗ Bomber 5. 1955 ff.

Sexbraten *m* nettes, anziehendes Mädchen. „Braten" gehört zu der Vorstellung

„knusprig = appetitreizend". ↗ Braten 1. 1960 ff.

Sexbulle *m* Mann, der nur für die körperliche Geschlechtlichkeit Sinn hat. ↗ Bulle 1. 1965 ff.

sexen *intr* **1.** in geschlechtlich aufreizender Pose auftreten. 1960 ff., *journ.*

2. geschlechtlich verkehren. 1960 ff.

Sexerle *n* *f* Frau (Kosewort). 1960 ff.

Sex-Firma *f* kaufmännisches Unternehmen unter Leitung einer Frau. Verallgemeinernd übertragen von dem „Sexartikel"-Handelsunternehmen der Beate Uhse, Flensburg. 1960 ff.

Sexfummel *m* geschlechtlich aufreizendes Kleid. ↗ Fummel I 1. 1960 ff.

Sexfutter *n* **1.** Lebensgefährtin eines Mannes, der nur die körperliche Geschlechtlichkeit schätzt. 1950 ff.

2. weibliche Person, die durch Entblößung (Striptease) die Sinnlichkeit der Zuschauer wachruft. 1955 ff.

Sexgeschäft *n* **1.** Geschäftemacherei mit der Geschlechtlichkeit. 1955 ff.

2. Prostitution. 1955 ff.

Sexgewerblerin *f* Prostituierte. Der „↗ Gunstgewerblerin" nachgebildet. 1960 ff.

Sexgymnastik *f* Geschlechtsverkehr. 1960 ff.

Sexhappen *m* Filmschauspielerin, die ihre körperlichen Reize aufreizend zur Schau stellt. Happen = kleiner Bissen; Imbiß; Kostprobe. 1960 ff.

sexig *adj* geschlechtlich aufreizend. Aus *engl* „sexy" eingedeutscht. 1960 ff.

Sexindustrie *f* Geschäftemacherei mit der rein körperlichen Geschlechtlichkeit. 1960 ff.

sexisch *adj* auf den Geschlechtstrieb bezogen. 1965 ff.

Sexival *n* Filmfestspiele, bei denen die Filmschauspielerinnen ihre geschlechtlichen Reize wirkungsvoll zur Geltung bringen. Zusammengesetzt aus „Sex" und „Festival". 1957 ff, Berlin.

Sexkätzchen *n* **1.** Nachwuchs-Filmschauspielerin, die ihre körperlichen Reize wirkungsvoll zur Schau stellt. ↗ Kätzchen 1. 1955 ff.

2. jugendliche Prostituierte. 1965 ff.

Sexklamotte *f* Posse (Schwank) mit anspruchslosen Einfällen aus dem Bereich der körperlichen Liebe. ↗ Klamotte. 1960 ff.

Sexknüller *m* publikumswirksame Darstellung der körperlichen Liebe (o. ä.). ↗ Knüller. 1960 ff.

Sexkrankheit *f* Geschlechtskrankheit. 1950 ff.

Sexkuchen *m* am ~ naschen = sich am Geschäft mit dem „Sex" beteiligen. 1965 ff.

Sexkuh *f* Schauspielerin, die den Mangel an schauspielerischem Können durch Zurschaustellung ihrer schwellenden Körperformen zu überspielen sucht. ↗ Kuh 1. 1950 ff.

Sexkumpel *m* Geschlechtspartner. ↗ Kumpel. 1960 ff.

Sexladen *m* **1.** Geschäft für sexfördernde Mittel. *Vgl* ↗ Sexfirma. 1960 ff.

2. Klublokal. 1965 ff, jug.

sexlastig *adj* das Hauptgewicht auf geschlechtlich aufreizende Körperformen legend (unter Vernachlässigung anderer Werte). 1960 ff.

Sex-Literat *m* Schriftsteller, der über die geschlechtlichen Beziehungen schreibt. 1960 ff.

Sexmagnet *m* Mädchen, von dem eine große geschlechtliche Anziehungskraft ausgeht. 1960 ff.

Sexmanager *m* Mann, der mit der körperlichen Geschlechtlichkeit Geschäfte macht; geschäftstüchtiger Pornograf. 1965 ff.

Sexmarkt *m* Geschäftemacherei mit der Liebe und dem, was man dafür ausgibt. 1960 ff.

Sexmaschine *f* **1.** Prostituierte. 1955 ff.

2. stark geschlechtlich wirkender Mann. 1960 ff.

3. schweres Motorrad. ↗ Sex 2. 1960 ff.

sexmüde *adj* der Zurschaustellung weiblicher Reize, die nur körperlichen Liebe überdrüssig. 1955 ff.

Sexmuffel *m* **1.** überaus sittenstrenger Mensch; Mann, der seiner Frau (Freundin) treu ist; Mann, der in Dingen des Geschlechtsverkehrs phantasielos ist; Striptease-Gegner. ↗ Muffel 2. Unmittelbar nach Erfindung des Worts „Krawattenmuffel" 1965 aufgekommen.

2. Mann, der sich dem Geschlechtsverkehr weitgehend entzieht. 1970 ff.

Sexnudel *f* weibliche Person mit auf- und eindringlich zur Schau gestellten, prallen (drallen) Körperformen. Übertragen von der gequollenen (Dampf-)Nudel. 1960 ff.

Sex-Party *f* **1.** Party mit geschlechtlicher Annäherung der Paare. 1960 ff.

2. Jugendlichen-Party im Kellerlokal o. ä. 1960 ff.

Sexperimente *pl* Liebesspiele. Zusammengewachsen aus „Sex" und „Experimente". 1960 ff.

Sexpresse *f* Zeitung voller Berichte über geschlechtliche Vorgänge im großstädtischen Alltagsleben; pornografische Presse. 1968 ff.

Sexprotz *m* Mann, der sich seines geschlechtlichen Leistungsvermögens rühmt. ↗ Protz. 1950 ff.

Sexproviant *m* Motorrad-, Automitfahrerin; Lebens-, Reisebegleiterin eines Mannes. Nach 1945 zusammengezogen aus „↗ Sexualproviant". 1950 ff.

Sexrummel *m* Geschäftemacherei mit der körperlichen Liebe. ↗ Rummel. 1955/60 ff.

Sex-Salon *m* Bordell, als Wohnwagen getarnt; elegantes Bordell. 1960 ff.

Sex-Schuppen *m* Tanzlokal. ↗ Schuppen 1. *Jug* 1950 ff.

Sexsilo *m* Bordell; Prostituiertenwohnhaus. 1965 ff.

Sexstimme *f* lüstern verlangende, dunkle, schwingende Stimme. 1965 ff.

sext *adj* körperlich-geschlechtlich. Adjektiv zu „↗ Sex 1". 1955 ff.

Sextaner *m* politischer ~ = Politiker ohne Erfahrung. 1920 ff.

Sextanerblase *f* schwache Harnblase. Sextaner müssen angeblich häufiger als die älteren Schüler den Abort aufsuchen. 1900 ff, schül.

Sextechnikerin *f* sehr erfahrene, raffiniert tätige Prostituierte. 1960 ff.

'Sextern *m* mit „Sex" durchsetzter Wildwestfilm. Zusammengesetzt aus „Sex" und „Western". 1965 ff.

sextoll *adj* auf körperliche Liebe versessen. 1970 ff.

Sextöter *m* Unterhose o. ä. Parallel zu ↗Liebestöter. *BSD* 1960 *ff.*

Sextourismus *m* Gruppenreisen, deren Teilnehmer Sex-Erlebnisse im Fernen Osten o. ä. erwarten. 1980 *ff.*

sextraordinär *adj* mit weiblichen Körperreizen plump prunkend. Zusammengesetzt aus „Sex" und „extraordinär". 1957 *ff.*

Sextube *f* auf die ~ drücken = sexuelle Reize in den Vordergrund rücken. ↗Tube 1. 1955 *ff.*

Sexualdemokrat *m* Mann, der es mit vielen Frauen hält. Dem Begriff „Sozialdemokrat" äußerlich nachgebildet. Wahrscheinlich von Fred Endrikat („Höchst weltliche Sündenfibel") 1940 geprägt.

Sexualdemokratin *f* Prostituierte. 1955 *ff.*

sexualfröhlich *adj* wollüstig. 1935 *ff.*

Sexualgepäck *n* Motorradmitfahrerin. ↗Sexualproviant. 1930 *ff.*

Sexualgymnastik *f* Reiten. 1955 *ff*, halbw.

Sexualhelferin *f* Prostituierte; beischlafwilliges Mädchen ohne Entgeltsforderung. Entstanden nach dem Muster von „Fürsorge-, Familien-, Pfarr-, Schwesternhelferin" u. ä. 1955 *ff.*

Sexualprotz *m* mit seinem geschlechtlichen Leistungsvermögen prahlender Mann. ↗Protz. 1950 *ff.*

Sexualproviant *m* Reisebegleiterin eines Mannes. Sie stellt die geschlechtliche Reisekost dar. *Vgl* ↗vernaschen; ↗Sexproviant. 1930 *ff.*

Sexualschieber *m* Tanz, bei dem die Partner einander eng umfassen. *Österr* 1950 *ff*, halbw.

Sexualtier *n* Mensch mit ungezügelter Geschlechtsgier. Er ist insofern ein Tier, als sein Triebleben nicht vom Geist beherrscht wird. Seit dem frühen 20. Jh.

se'xüll *adj* geschlechtlich abartig. Aus „sexuell" entstellt mit Einwirkung von „schwül". 1925 *ff*, stud.

sexunterbelichtet *adj* geschlechtlich abweisend; unnahbar. Von der Fototechnik übernommen. 1955 *ff.*

Sex-Wasser *n* Sellerieschnaps. Angeblich fördert er die Geschlechtslust. 1968 *ff.*

Sex-Weideplatz *m* Badestrand. 1960 *ff.*

Sexwunder *n* schöne weibliche Person mit geschlechtlich aufreizenden Körperformen. 1955 *ff.*

sexy *adj* geschlechtlich aufreizend; voller geschlechtlicher Reize. Gegen 1950/55 aus dem *Engl* übernommen.

Sexy-Hose *f* enganliegende Hose. Werbetexterspr. 1965 *ff.*

Sexy-Kini (Sexi-Kini) *m* zweiteiliger Damenbadeanzug, dessen Teile so schmal wie (eben noch) schicklich geschnitten sind. ↗Bikini 1. 1965 *ff.*

Seziberbesteck *n* Eßgeschirr, Eßbesteck. Vom Chirurgenbesteck übernommen. *BSD* 1960 *ff.*

shaken (engl ausgesprochen) *intr* tanzen. *Engl* „to shake = schütteln". *Halbw* 1950 *ff.*

shanghaien *tr* ↗schanghaien.

Sheriff *m* 1. Heimleiter. Der angloamerikan Bezeichnung für den Vollzugsbeamten mit einigen richterlichen Aufgaben (Ortspolizeibeamten) entlehnt. Volkstümlich geworden durch Wild-West- Romane und -Filme. 1935 *ff.*

2. Schulleiter. 1935 *ff.*

3. Klassensprecher. Er muß sich auch als Ordnungshüter betätigen. 1950 *ff.*

4. Klassenbester. 1950 *ff.*

5. Schulhausmeister. 1955 *ff.*

6. Polizeibeamter. 1960 *ff.*

7. Feldjäger. *BSD* 1960 *ff.*

Sherlock *m* Tabakspfeife. Benannt nach der Detektivgestalt „Sherlock Holmes" des englischen Schriftstellers Conan Doyle: das untrügliche Kennzeichen des Detektivs ist neben der karierten Mütze die Tabakspfeife. *Halbw* 1955 *ff.*

Shit *m* Haschisch. Übernommen aus *angloamerikan* „shit = Dreck, Scheiße". 1965 *ff.*

shoppen *intr* einkaufen. Übernommen von *gleichbed engl* „to shop". 1960 *ff.*

shrupping *n* Reinigung der Räume. Anglisiertes Deutsch auf der Grundlage von „schruppen = scheuern". *BSD* 1965 *ff.*

Sibirien *n* entlegener Standort. Sibirien gilt Deutschen als weit abgelegene, unzivilisierte, unzivilisierbare Landschaft. *BSD* 1960 *ff.*

Sichel *f* Note 2. Das Zahlzeichen ähnelt einer Sichel. *Österr* 1960 *ff.*

Sichellinie *f* gebauschtes Rückenteil der Damenkleidung. Im Profil ergibt es den Umriß einer Sichel. 1958 *ff.*

sicher *adj* 1. so ~, wie 2 mal 2 vier ist = unbedingt zu erwarten; völlig zuverlässig. Seit dem 19. Jh.

2. ~ laufen = meisterhaft musizieren; ein Musikinstrument meistern. 1950 *ff.*

3. nicht ~ sein = nicht in gesicherten Verhältnissen leben. Seit dem 19. Jh.

Sicherheit *f* ~ produzieren = 1. Wehrdienst leisten. Werbespruch der Bundeswehr. 1969 *ff.*

2. sich eine zukunftssichere Existenz aufbauen; für Verkehrssicherheit sorgen. 1978 *ff.*

Sicherheitsfußball *m* vorsichtige Spielweise; Fußballspiel ohne jegliche Spannung, ohne Risiko. *Sportl* 1960 *ff.*

Sicherheitskommissar (-kommissarius) *m* Mensch, der nie ein Risiko einzugehen wagt. 1920 *ff.*

Sicherheitsventil *n* 1. After. Eigentlich in der Technik ein Ventil, das sich bei Überdruck selbsttätig öffnet. 1920 *ff*, sold.

2. das ~ öffnen = koten; einen Darmwind entweichen lassen. *Sold* 1920 *ff.*

sicherstellen *v* 1. etw ~ = etw entwenden. Euphemismus. Eigentlich soviel wie „amtlich beschlagnahmen". *Sold* 1914 bis heute.

2. sich jn ~ = sich verloben. Man belegt eine Person mit Beschlag und schließt Mitbewerber aus. *BSD* 1965 *ff.*

Sicherung *f* 1. türkische ~ = Versperrung des Wegs zur Brieftasche durch eine Sicherheitsnadel. Vielleicht türkischen Gastarbeitern abgesehen. 1972 *ff.*

2. bei ihm brennt (haut) die ~ durch = er verliert die Beherrschung; er wird wütend. Aus der Elektrotechnik übernommen. 1920 *ff.*

3. bei ihm ist die ~ durchgebrannt (rausgejagt) = er ist geistesgestört. 1920 *ff.*

4. bei ihm ist (hat es) die ~ durchgehauen = er hat Durchfall. Sicherung = Schließmuskel des Afters. 1935 *ff*, sold und stud.

5. bei ihm glüht die ~ durch = er verliert die Fassung, braust auf. 1920 *ff.*

6. eine ~ einbauen = sich gegen Rückschläge (Vertrauensbruch o. ä.) absichern. 1950 *ff.*

7. bei ihm ist die ~ raus = er ist fassungslos, sprachlos, ratlos. 1920 *ff.*

8. mir springen die ~en raus!: Ausdruck der Überraschung o. ä. 1920 *ff.*

Sichtmuffel *m* Kraftfahrer, der trotz verschmutzter (vereister) Windschutzscheibe die Fahrt fortsetzt. ↗Muffel 2. 1969 *ff.*

Sidolring *m* unechter Trauring. Er muß mit „Sidol" geputzt werden. 1930 *ff*, nordd und westd.

Sie *pron* 1. *f* = weibliches Tier. Seit dem Mittelalter.

2. dazu kann man ~ sagen = davor muß man Achtung haben; das ist höchst vortrefflich (zu dieser Tasse Kaffee kann man Sie sagen). Die Anrede „Sie" drückt im allgemeinen Hochachtung aus. Seit dem 19. Jh.

3. vor dem Spiegel zu sich selber ~ sagen = vor sich selbst Achtung haben. Gern auch *iron* gebraucht. 1920 *ff.*

4. per ~ sein = einander siezen. Seit dem späten 19. Jh.

5. mit jm wieder per ~ sein = sich mit jm entzweit haben. Hier betont „Sie" die Förmlichkeit. 1900 *ff.*

Sieb *n* 1. Mädchenpensionat, -schule. Das Sieb besteht sinngemäß aus Löchern, und „Loch = Vulva". 1900 *ff.*

2. Mensch, der anhaltend Fragen ausgesetzt ist. Man „löchert" ihn mit Fragen; ↗löchern. 1950 *ff.*

3. dummer, gedankenloser Mensch; Mensch mit geringer Merkfähigkeit. Er hat ein „Gedächtnis wie ein ↗Sieb 7". 1950 *ff*, schül.

4. ihn haben sie durch das ~ angeschissen = er hat Sommersprossen. Die Sommersprossen werden hier als Kotspritzer gedeutet. 1930 *ff*, jug. Die Vorstellung ist jedoch älter (spätes 19. Jh) und macht den Teufel zum Schuldigen.

5. im ~ bleiben = bei der Überprüfung der Bewerber Erfolgsaussichten haben. Der aussichtsreiche Kandidat fällt nicht durch das Sieb hindurch. 1900 *ff.*

6. durch das ~ fallen = nicht anerkannt werden; Mißerfolg erleiden. *Vgl* das Vorhergehende. 1900 *ff.*

7. ein Gedächtnis haben wie ein ~ = ein schlechtes Gedächtnis haben; sich nichts merken können. Seit dem 18. Jh.

8. einen Kopf haben wie ein ~ = ein schlechtes Gedächtnis haben. Seit dem 19. Jh.

9. aus jm ein ~ (jn zum) machen = auf jn viele Schüsse abgeben. *Sold* 1939 *ff.*

10. jn durchs ~ rühren = jn einem strengen Verhör unterwerfen; von jm eine Aussage zu erpressen suchen. Hergenommen von der Küchenpraxis im Sinne von „feinrühren". 1920 *ff.*

11. dicht wie ein ~ sein = nicht verschwiegen sein. 1920 *ff.*

sieben *num* 1. auf drei Viertel ~ hängen = a) energielos, impotent sein. Von der Uhrzeigerstellung übertragen auf „Soll" (= Minutenzeiger) und „Haben" (= Stundenzeiger) der Penisstellung. 1910 *ff.* – b) schief hängen. 1920 *ff.*

2. halb ~ sein = a) betrunken sein. Bei der Zeigerstellung um „halb 7" (6.30 Uhr) deckt der große Zeiger noch den kleinen: die Abweichung steht sinnbildlich für leichtes Verrücktsein (Verrückt- Sein), auch für torkelnde Gangart. 1700 *ff.* – b) hinken; ein steifes Bein haben. 1920 *ff*,

schül. – c) energielos sein. *Vgl* „halb
↗ sechs". *Sold* 1935 *ff.*
3. auf halb ~ sitzen = auf der vorderen
Stuhlkante sitzen. 1950 *ff.*
Sieben *f* **1.** Riß im Stoff in Form der Ziffer
7 (Winkel). Seit dem 19. Jh.
2. böse ~ = unverträgliche Frau. Hergenommen von der Sieben als Trumpfkarte
des Karnöffelspiels; auf ihr war noch im
16. Jh das Bild eines bösen Weibs dargestellt. 1600 *ff.*
sieben *v tr intr* = nach strengen Grundsätzen auswählen (Prüflinge werden gesiebt).
Hergenommen vom Getreidesieben. Von
hier übertragen auf Prüfung und Läute-
rung des Menschen, vor allem auf die
Wissensprüfung von Schülern und Studenten. 1830/40 *ff.*
Siebenachtelhose *f* etwas zu kurze lange
Hose; zu hoch gezogene Hose. 1958 *ff.*
Siebenachtelmantel *m* nicht ganz bodenlanger Mantel. 1958 *ff.*
Siebenachtelstarker *m* unreifer, dümmlicher Halbwüchsiger. Durch die Sprache
der Modeschöpfer umgeformt aus „Halb-
starker". 1958 *ff.*
siebengescheit *adj* (vermeintlich) über-
klug; besserwisserisch. Man ist (vermeint-
lich) siebenmal so gescheit wie andere.
1700 *ff.*
Siebenmonatskind *n* sehr beleibter
Mensch. Mit sieben Monaten nimmt die
Schwangere sichtlich an Umfang zu.
1930 *ff.*
Siebensachen *pl* Hab und Gut. Wohl unter
Einfluß der Bibel dient die Zahl 7 zur
Bezeichnung zusammengehöriger Dinge.
Das Wort ist auch ein Tarnausdruck für die
Schamteile und den Geschlechtsverkehr.
Seit dem 17. Jh.
Siebenschläfer *m* **1.** Langschläfer. Geht
zurück auf die Legende von den sieben
Jünglingen, die vor den Christenverfolgern
in eine Höhle flohen und 200 Jahre später
schlafend aufgefunden wurden. Seit dem
17. Jh.
2. Berufssoldat. Spöttelnd behauptet man,
er habe einen bequemen Dienst und sei
obendrein träge. *BSD* 1960 *ff.*
siebensinnig *adj* verrückt. Zu den normalen 5 Sinnen kommen noch der Unsinn
und der Blödsinn (oder Wahnsinn) hinzu.
1930 *ff.*
Siebung *f* **1.** Aufnahme-, Zwischen-, Abschlußprüfung. ↗ sieben (*v*). Seit dem
19. Jh, *schül* und *stud.*
2. strenge Prüfung vor einer Beförderung.
1930 *ff.*
siebzehn *num* **1.** zwischen ~ und siebzig
= ungefähre Altersangabe einer Frau. Seit
dem ausgehenden 19. Jh, Berlin u. a.
2. bei ~ passen = vor der Entscheidung
zurückschrecken. Hergenommen vom
Skatspiel: das Aushandeln des Zahlen-
werts des einzelnen Spiels beginnt mit 18.
1950 *ff.*
siebzig *num* **1.** dann kann's kommen wie
~ = dann mag geschehen, was will.
Anspielung auf den Krieg 1870/71.
1900 *ff.*
2. wie ~ laufen = angestrengt laufen;
weite Märsche zurücklegen. Geht zurück
auf die Strapazen des Krieges von
1870/71. Im Zweiten Weltkrieg verbreitet
im Munde von Teilnehmern des Ersten
Weltkriegs.
Siech *m* **1.** Rausch. Meint eigentlich die

Krankheit, dann auch die Seuche und vor
allem die schleichende Seuche verheeren-
den Ausmaßes. Hieraus entwickelte sich
die Geltung eines allgemeinen Superlativs,
sowohl im positiven als auch im negativen
Sinne. 1920 *ff*, *schweiz.*
2. angenehmer, lebenslustiger Partner.
Schweiz 1945 *ff.*
3. Mann (*abfl*). Man wünscht ihm eine
schwere Krankheit an, oder er gilt bereits
als „siech = altersschwach(sinnig)". *Bayr*
1945 *ff.*
Siechen *n* Geliebte. Verkleinerungs-, Koseform von „die Sie". Eigentlich das Vogel-
weibchen. 1920 *ff.*
sieden *intr* in Wut geraten. Man gerät in
Siedehitze. 1950 *ff.*
Siedepunkt *m* **1.** knapp vor dem ~ sein
= kurz vor einem Zornesausbruch stehen. 1920 *ff.*
2. jn auf den ~ treiben = jn heftig erzürnen, verärgern. 1920 *ff.*
Siedlerstolz *m* selbstangebauter Tabak;
übelriechender Tabak. Parodistisch aus der
Zigarettenmarke „Overstolz" entwickelt.
Im Zweiten Weltkrieg aufgekommen, verbreitet vor allem in den Jahren bis zur
Währungsumstellung wegen der knappen
amtlichen Rauchwarenzuteilung, als viele Leute zum Eigenanbau übergingen.
Sieg *m* **1.** ~ mit Pauken und Trompeten =
sehr überlegener Sieg. ↗ Pauke 8. *Sportl*
1950 *ff.*
2. dicker ~ = hervorragendes Ergebnis.
Sportl 1950 *ff.*
Sieger *m* **1.** ~ nach Punkten = Person, die
dem Gesprächspartner überlegen ist und
Recht behält. Dem Boxsport entlehnt: der
„Sieg nach Punkten" beruht auf der Wertung der einwandfreien Treffer, der Vertei-
digungs- und Nahkampfhandlungen usw.
1920 *ff.*
2. letzter ~ = Letzter in der sportlichen
Wertung. Trost- und Spottwort. Meint in
der Turfsprache das den Zielpfosten zuletzt
passierende Pferd. 1920 *ff.*
3. zweiter ~ bei einer Schlägerei werden
= bei einer Schlägerei unterliegen.
1920 *ff.*
Siegesstraße *f* auf der ~ sein = dem Sieg
nahe sein. Übernommen aus dem phra-
senreichen, schwülstigen Wortschatz der
Propagandaredner und der Wehrmachtberichte aus den ersten Jahren des Zweiten
Weltkriegs. *Sportl* 1950 *ff.*
Siegheil *interj* ~ und fette Beute (Sieg und
Heil und fette Beute; Heil und Sieg und
fette Beute): ermunternder Zuruf an einen
Abmarschierenden o. ä. Die Bezeichnung
„Siegheil" wurde unter Hitler und seinen
Funktionären um 1939 umgewandelt aus
„Heil und Sieg", welch letztere Wendung
aus „Heil und Segen" entstellt ist. „Heil"
meint „Unverletztheit, Gesundheit", und
mit „Segen" ist „Gottes Segen" gemeint.
Die Worte „und fette Beute" stammen aus
der Vorstellungswelt des Soldaten, der
nicht nur „Heil" und „Segen" (oder „Sieg")
benötigen, sondern auch die Aussicht auf
materiellen Gewinn; denn die materiellen Anteil lohnt es sich für unfreiwillige Krieger
nicht, das Leben aufs Spiel zu setzen. Im
späten 19. Jh bei den Soldaten aufgekommen; später auch *ziv.*
Sielen *pl* jn in die ~ treiben = jn zur

Arbeit anhalten, an den Arbeitsplatz treiben. Sielen = leichtes Zuggeschirr der
Pferde. 1920 *ff.*
sielen *refl* sich wohlig wälzen; ungesittet
liegen. Nebenform zu „suhlen = sich in
Pfütze oder Morast wälzen" (jägerspr.).
Seit dem 19. Jh.
Siemandl (**Simandl, Siemann**) *m n* **1.**
von der Frau beherrschter Ehemann. Er ist
das „Mandl" (= Männchen) der „Sie" (=
Frau). Vorwiegend *oberd*, 1500 *ff.*
2. energieloser, unselbständiger Soldat.
1914 *ff.*
Siemann *m* **1.** unselbständiger Ehemann.
Vgl ↗ Siemandl 1. 1500 *ff.*
2. Mannweib. 1600 *ff.*
siepen (**siepern**) *intr* träufeln, tröpfeln, sik-
kern, saften; regnen. *Niederd* Nebenform
zu „↗ sabbern". 1700 *ff.*
sierig *adj* **1.** schmerzhaft. Gehört zu „seren,
sehren = versehren, verwunden". *Südd*
1400 *ff.*
2. empfindlich, unwillig. Vom Vorhergehenden übertragen auf seelische Verletzung. *Südd* seit dem 15. Jh.
3. lüstern, geil; begierig, verlangend. Heftiges Verlangen kann schmerzen. Seit dem
19. Jh.
siezen *v* sich mit jm wieder ~ = sich mit
einem bisher Befreundeten entzweit haben. Vom „Du" ist man zum „Sie" zurückgekehrt. *Vgl* ↗ Sie 5. 1900 *ff.*
Siff *m f* Geschlechtskrankheit. Verkürzt aus
„Syphilis". 1900 *ff.*
Siffi'list *m* Zivilist; für den Wehrdienst unabkömmlicher Mann. Wortspielerei mit
„Syphilist". 1900 *ff.*
Signal *n* **1.** ~e setzen = „richtungweisen-
de" Erklärungen abgeben. Vom Eisenbahnwesen übernommen und seit 1950 in
der Sprache der Politiker und Journalisten
üblich.
2. ein ~ setzen = eine unmißverständliche Andeutung machen, Erkärung abgeben. 1950 *ff.*
3. das ~ steht auf Halt = eine Sache wird
in ihrer normalen Entwicklung gehindert.
1950 *ff.*
Sike *f* Musik. Aus berlinisch „Musike" gekürzt. 1900 *ff.*
Silbe *f* keine müde ~ = nicht die geringste
Äußerung. 1950 *ff.*
Silberblick *m* **1.** leichte Andeutung zeit-
weiligen Schielens; Schielen. Meint eigentlich den Glanz des geschmolzenen Silbers
beim Erstarren. 1900 *ff.*
2. treuherziger, naiver Blick. 1900 *ff.*
Silberling *m* **1.** Marinebeamter im Offi-
ziersrang; uniformierter Beamter (bis
1945). Wegen der silbernen Rangabzeichen. *Sold* 1939 *ff.*
2. *pl* = Münzen im Wert von 50 Pfennig
bis 5 Mark. 1950 *ff.*
3. *pl* = Offiziere. *BSD* 1960 *ff.*
Silbermädchen *n* Sportlerin, die eine Silbermedaille errungen hat. 1960 *ff.*
Silbermann *m* Mond. Wegen des silbrigen
Mondscheins. 1900 *ff.*
Silbermond *m* ergrauter Mann mit
Teilglatze; Glatzköpfiger mit weißem
Haarkranz. 1910 *ff.*
Silberpaar *n* langverheiratetes Ehepaar.
Anspielung auf die „silberne Hochzeit"
und auf das Ergrautsein. 1900 *ff.*
Silberpappel *f* **1.** weißhaariger Herr.
1900 *ff.*

2. schwatzhafte alte Frau. ↗pappeln 1. 1920 ff.

Silberpott m Silberpokal als Siegespreis für Sportler. 1900 ff.

Silberstreifen m ~ am Horizont = ermunternde Entwicklung nach langem Harren; Anlaß zu Hoffnungsfreude; Anzeichen kommender Völkerverständigung. Geht zurück auf die Rede, die Außenminister Gustav Stresemann am 17. Februar 1924 in Elberfeld gehalten hat.

Silberwölkchen n ~ sehen = eine zuversichtliche Prognose stellen. Das Wort „Silberwölkchen" ist dem Gedicht „Der Postillon" von Nikolaus Lenau (1833) entlehnt. 1970 ff.

Silhouettentitten pl sehr üppiger Busen. ↗Titte 1. 1950 ff.

Silikosemantel m Lodenmantel. Lodenmäntel werden wegen ihres verhältnismäßig niedrigen Preises und ihrer Haltbarkeit von Berginvaliden im Ruhrgebiet gern getragen, und viele dieser Leute leiden unter Silikose. 1930 ff.

Simmerl m dümmlicher Mensch; Mensch, den man leicht betrügen kann; Betrugsopfer; Narr. Verkleinerungsform des Vornamens Simon. Vgl ↗Simon. Bayr 1900 ff.

simmern intr leise kochen, sieden (vom Wasser gesagt). Schallnachahmend; Variante zu „summen". 1900 ff.

Simon Vn ~, schläfst du?: Zuruf an den unaufmerksamen Kartenspieler. Entnommen der Passionsgeschichte nach Markus 14, 37. Kartenspielerspr. seit dem 19. Jh.

Simpel m **1.** einfältiger Mensch; Schwachsinniger; Dummer. Geht zurück auf lat „simplus = einfach"; weiterentwickelt im späten Mittelalter (vielleicht nach franz Vorbild) zur Bedeutung „einfältig".
2. pl = „↗Simpelfransen". Gegen 1880 aufgekommen.

simpel adj **1.** einfältig, dümmlich. ↗Simpel 1. Seit dem 15. Jh.
2. anspruchslos. Seit dem 19. Jh.

Simpe'lei f törichter Einfall; Dummheit; geistige Anspruchslosigkeit. 1600 ff.

Simpelfransen pl Stirnlocken mit waagerechter Schnittlinie oberhalb der Augenbrauen. Angeblich verleihen sie dem Gesicht einen einfältigen Ausdruck. 1880 ff.

simpeln intr **1.** töricht handeln; Unsinn reden. Vgl auch ↗fachsimpeln. Seit dem 19. Jh.
2. keiner geregelten Beschäftigung nachgehen. Gilt als geistige Unfähigkeit. 1840 ff.

Simsenkrebsler m schlechter Wein; schlechter Most o. ä. Anspielung auf die am Haus von Sims zu Sims kletternden Ranken; gemeint ist selbstgezogener Wein. Schwäb seit dem 19. Jh.

'Sing'assel f Sängerin (abf). Entstellt aus „Singdrossel". Asseln sind Ungeziefer. 1950 ff.

singeln intr ohne Partner leben. Engl „single = allein, einzeln". Um 1975 aus England eingebürgert.

singen v **1.** das kannst du ~ (das kann ich dir ~) = darauf kannst du dich fest verlassen. Parallel zu „davon kann ich ein ↗Lied singen". 1900 ff.
2. der Dichter singt = der Dichter sagt; bei dem Dichter steht geschrieben. Gilt heute ironisierend als Redeweise ver-

meintlich gebildeter, kunstinteressierter Leute. 1920 ff.
3. bei dir singt er wohl? = du bist wohl nicht recht bei Verstand? Vgl „einen ↗Vogel haben". 1900 ff.
4. zum ~ eingenommen haben = ununterbrochen, sehr ausdauernd singen. Man führt es auf die Einnahme eines gesangfördernden Medikaments zurück. Berlin 1920 ff.
5. intr = harnen. Wohl schallnachahmender Natur. Schül 1950 ff.
6. intr = verraten; ausplaudern; ein Geständnis ablegen; Mittäter benennen. Entweder einfaches Tarnwort für „anzeigen" oder herzuleiten von den schrillen Schmerzenslauten der Gefolterten. 1900 ff, rotw, polizeispr., kriegsgefangenenspr. u. a. Vgl engl „to sing" und franz „faire chanter quelqu'un".
7. intr = schimpfen; Vorhaltungen machen. Beschönigend für „schreien". 1920 ff.
8. intr = betteln. Von bettelnden Straßenmusikanten hergenommen (vgl ↗schnorren) oder von Kindern, die um eine Gabe singen. Rotw seit dem frühen 19. Jh.
9. intr = jm sein Leid klagen. Anspielung auf den wehleidigen Ton. 1840 ff, rotw und sold.
10. er ist ~ gewesen = er hat viel Kleingeld. Vgl ↗singen 8. Seit dem ausgehenden 19. Jh.
11. da geht er hin und singt nicht mehr: Redewendung, wenn einer wortlos weggeht. Geht zurück auf die Posse „Die Sängerin und die Näherin" von Louis Angely (dort heißt es: „da geht sie hin und singt nicht"). Etwa seit 1840, Berlin.
12. das kann ich singen = das kann ich auswendig; das beherrsche ich. Wohl hergenommen von volkstümlich gewordenen Liedern oder Schlagern. 1920 ff.

Singen n **1.** blindes ~ = Zusammenkunft der Mitglieder eines Gesangvereins ohne gemeinsames Singen. 1960 ff.
2. mit ~ und Beten gewinnen = mit knapper Not gewinnen. Aus der Religiösen übertragen in die Kartenspielersprache des 19. Jhs.

Singerl n **1.** Küken. Geht zurück auf den Lockruf „sing, sing" für junge Hühner. Bayr seit dem 19. Jh.
2. sehr naiver, unerfahrener Mensch. Er ist unerfahren wie ein gerade ausgeschlüpftes Küken. Bayr 1900 ff.

Singfunzel f Sängerin (abf). ↗Funzel. Musikerspr. 1955 ff.

Single (engl ausgesprochen) m f Alleinlebende(r). ↗singeln. 1975 ff.

Singsang m **1.** musikalische Darbietung minderwertiger Art; unbedeutender Gesang. 1700 ff.
2. hoher ~ = helle, „singende" Sprechstimme. 1960 ff.

Singschwanz m Mitglied des Gesangvereins. ↗Schwanz 3. 1910 ff, österr, stud.

Sing-'Sing n **1.** Gefängnis, Zuchthaus; Arrestlokal. Übernommen vom Namen des Staatsgefängnisses im Staate New York. Spätestens seit 1900.
2. Schule. 1950 ff.
3. Berliner Funkhaus an der Masurenallee. Wegen der baulichen Ähnlichkeit mit einer modernen Strafanstalt; auch weil es dort den ganzen Tag singt und klingt. Berlin 1930 ff.

4. moderner Hochhausbau. Der Eindruck ist düster wie der eines Gefängnisses, und die vielen kleinen Fenster legen den Vergleich noch näher. 1955 ff, Berlin.
5. Musikzimmer in der Schule. Wegen der Proben des Schülerchors. 1950 ff.

Sing-'Sing-Bürste f gleichmäßig kurzgeschnittenes Haar. Sträflinge wurden kurzgeschoren. ↗Bürste. 1950 ff.

Sing-'Sing-Socken pl Ringelsocken; Sokken mit Streifenmuster. Die Sträflingskleidung ist quergestreift. 1950 ff.

Singstunde f **1.** Vernehmung. ↗singen 6. 1920 ff.
2. Kirchgang. BSD 1960 ff.

Sinn m **1.** ~ der Übung = Zweck des Vorgehens. 1930 ff.
2. sechster ~ = a) Geschlechtstrieb. Die Zahl der Sinne wird hier um einen erweitert unter Einfluß des sechsten Gebots der Bibel. 1800 ff. – b) Unsinn. 1910 ff. – c) sicheres Ahnungsvermögen. Seit dem 19. Jh. – d) mütterliche Witterung für zusagende Schwiegersöhne. Seit dem 19. Jh. – e) Eigensinn. 1920 ff.
3. sexter ~ = Geschlechtstrieb. Nach „Sex" gebildet. 1955 ff.
4. siebter ~ = Unsinn. 1910 ff.
5. einen ~ zuviel (zu wenig) haben = sehr klug (sehr albern) sein. 1910 ff.
6. welch ~ ist deiner weisen Rede Inhalt? = was meinst du? drück' dich verständlicher aus! Nachahmung von „was ist der langen Rede kurzer Sinn?" aus Schillers Drama „Die Piccolomini" (1800). Schül 1955 ff.

Sinte (Sinto) m (pl: Sinti) Zigeuner. Im 18. Jh im Rotw bekannte Selbstbezeichnung der Zigeuner; wiederaufgelebt im 20. Jh in der Häftlingssprache.

Sinus m Busen. Vom Lat übernommen. Halbw 1950 ff.

Sinusbeine pl krumme Beine. Lat „sinus = Krümmung, Bogen". 1950 ff, schül.

Sinuskurve f Frauenbusen. Dem mathematischen Begriff entlehnt. Vorform von „↗Kurve 1". Schül 1900 ff.

Siph f Syphilis. Hieraus phonetisch verkürzt seit 1900.

Sippschaft f Gruppe von Leuten (abf). Im späten Jh aufgekommen und zu unfreundlicher Auffassung der Verwandtschaft.

Sir (engl ausgesprochen) m **1.** Schimpfwort. Hat mit dem Engl nur die Aussprache gemeinsam. Hehlwörtlich gemeint ist die Abkürzung von „Sie Rindvieh!". 1920 ff, Berlin.
2. Schüler der Oberstufe. Man wird mit „Herr" angeredet. Österr 1950 ff.

Sirene f verführerische weibliche Person. Geht zurück auf Homers „Odyssee": Sirenen sind Meerfrauen, die mit betörendem Gesang Seeleute ins Verderben locken. Seit dem 18. Jh.

Sirenen-Engel m Fahrerin eines mit einer Sirene versehenen Wagens des Unfallkommandos. 1950 ff.

Sire'nitis f Panikstimmung bei Fliegeralarm. Sold und ziv 1939 ff. Dasselbe Wort gibt es gleichbed auch im engl Slang.

Sirup m **1.** ~ auf der Zunge haben = undeutlich reden. Sirup klebt. 1935 ff.
2. ~ reden = zärtliche Worte sagen. Vgl das Folgende. 1930 ff.
3. jm ~ um den Mund schmieren (streichen) = jn beschwatzen; jm schmeicheln.

Sirupjüngling Parallel zu „jm ↗Honig um den Mund schmieren". Seit dem frühen 20. Jh, Berlin.

Sirupjüngling *m* junger Verkäufer im Lebensmittelgeschäft. Sirup als beliebter, billiger Brotaufstrich. Seit dem 19. Jh.

Sirupprinz *m* Lebensmittelhändler. „Prinz" ist aus „Prinzipal" gekürzt. Seit dem 19. Jh.

Sit-in *m n* 1. Sitzstreik. 1968 aus dem *Engl* übernommen.
2. Dienstzeit in der Bundeswehr. Als Haftzeit aufgefaßt (↗sitzen 1). *BSD* 1968 *ff.*

Sitsch *f* Zitronenlimonade. ↗Zitsch. 1910 *ff.*

Sitt *m* du hast wohl einen ~? = du bist wohl nicht bei Verstand? Die Interjektion „sitt" bezeichnet das rasche Vorbeistreifen, etwa eines Schlags. Hier bezogen auf den leichten Schlag, der den Kopf getroffen und Geistesstörung hervorgerufen hat. 1920 *ff.*

Sitte *f* 1. Sittendezernat der Kriminalpolizei. In Berliner Kundenkreisen gegen 1800 als Abkürzung aufgekommen.
2. ohne ~ = außerhalb der Beaufsichtigung durch die Sittenpolizei (bezogen auf nicht kontrollierte Prostitution). Spätestens seit 1900, Berlin.
3. unter der ~ sein = unter der Kontrolle des Sittendezernats stehen. 1900 *ff*, großstadtspr.

Sittenbulle *m* Polizeibeamter, der das Gaststätten- und Beherbergungsgewerbe kontrolliert. ↗Bulle 1.

Sittenkuh *f* Beamtin des Sittendezernats der Kriminalpolizei. ↗Kuh 1. Berlin 1961 *ff, prost.*

Sittenmuffel *m* sehr sittenstrenger Mensch. ↗Muffel 1 und 2. 1966 *ff.*

Sitten-Persilschein *m* amtliche Unbescholtenheitserklärung. ↗Persilschein 1. 1955 *ff.*

Sittenschnüffler *m* Mann, der die öffentliche Moral für gefährdet hält; Mann, der sich zum Sittenrichter aufwirft; Moralprediger; Angehöriger des Sittendezernats der Kriminalpolizei. ↗Schnüffler 3. 1920 *ff.*

Sittenstrolch *m* Sittlichkeitsverbrecher. ↗Strolch. 1920 *ff.*

Sitten-TÜV *m* Staatliches Gesundheitsamt. ↗TÜV. Anspielung auf die ärztliche Kontrolle der Prostituierten. 1968 *ff.*

Sittenwächter *m* Heimleiter. Er wacht über Ordnung und Sitte. *Schül* 1955 *ff.*

Sittlichkeiter *m* Mann, der wegen eines Sittlichkeitsverbrechens eine Freiheitsstrafe verbüßt. Berlin 1920 *ff.*

Sitz *m* 1. auf einen ~ (in einem ~) = pausenlos; auf einmal; ohne aufzustehen; ohne das Glas abzusetzen. Hergenommen von ausgiebigem Verzehr, bei dem man weder eine Pause einlegt noch sich vom Sitz erhebt. 1500 *ff.*
2. bequemer ~ = feistes Gesäß. 1900 *ff,* Berlin.
3. kein besetzter ~ ist mehr zu bekommen = alle Plätze sind besetzt. Eine scherzhafte „Fehlleistung" im Sinne von Sigmund Freud: die Redewendung ist gekreuzt aus „kein freier Platz ist mehr zu bekommen" und „alles ist besetzt". Theaterspr. 1930/40.
4. jn vom ~ reißen = jn hellauf begeistern. *Sportl* 1950 *ff.*
5. es reißt mich vom ~ = es regt mich sehr auf. Vgl ↗Sessel 7; ↗Stuhl 13. 1950 *ff.*

6. es reißt einen vom ~! Ausdruck der Überraschung. ↗Sessel 7. 1950 *ff.*

sitzen *v* 1. *intr* = eine Freiheitsstrafe verbüßen. Aus Hehlabsicht verkürzt aus „gefangen sitzen" oder „im Gefängnis sitzen". Seit dem 17. Jh.
2. *intr* = mit einer Strafstunde belegt sein. Dieses Los teilt der Schüler mit dem Verbrecher. Seit dem 19. Jh.
3. das sitzt = diese Bemerkung trifft das Wesentliche; dieser Vorwurf bleibt haften; dieses Gedicht ist gut auswendig gelernt. Sitzen = haften (der Schuß sitzt im Ziel; der Nagel sitzt in der Wand). Seit dem 19. Jh.
4. sitzt, paßt und hat Luft = es stimmt; damit hat es seine Richtigkeit. Hergenommen von der typischen Redewendung des Unteroffiziers bei der Einkleidung eines Rekruten. Kellnerspr. 1960 *ff.*
5. sitzt, paßt, hat Luft und klemmt sich: Ausdruck der Zustimmung. 1930 *ff,* handwerkerspr.
5 a. sitzt, paßt, wackelt und hat Luft: Ausdruck der Befriedigung, der Zustimmung. 1930 *ff,* handwerkerspr.
6. auf etw ~ = a) Ware nicht verkaufen können. Hergenommen von der Markthändlerin. Seit dem 14. Jh, kaufmannsspr. - b) sparsam sein; sich von einer Sache nicht trennen. 1920 *ff.*
7. hinter etw ~ = etw eifrig betreiben, vorantreiben; an etw heimlich beteiligt sein. Hergenommen vom peitschenden Kutscher. Seit dem 19. Jh.
8. hinterher ~ = sich heftig bemühen. *Jug* 1950 *ff.*
9. einen ~ haben = a) betrunken sein. Verkürzt aus „einen ↗Affen sitzen haben". Seit dem 19. Jh. - b) nicht recht bei Sinnen sein. Kann sich beziehen (wie im Vorhergehenden) auf den Affen oder aber auf den Vogel; *vgl* „einen ↗Vogel haben". 1900 *ff.*
10. viel ~ haben = viel Geld besitzen. 1900 *ff.*
11. jn ~ lassen = a) jn im Stich lassen; ohne Gruß weggehen; jm die Hilfe versagen. Man läßt ihn sitzen in der Not, in der „↗Patsche", in der „↗Scheiße", in der „↗Tinte" o. ä. 1500 *ff.* - b) einen Schüler nicht in die nächsthöhere Klasse versetzen. Seit dem 19. Jh.
12. jn ~ lassen = a) gegenüber einem Mädchen das Heiratsversprechen nicht einlösen; sich von der Geschwängerten trennen. ↗sitzen 11 a. 1500 *ff.* - b) ein Mädchen nicht zum Tanz auffordern. Seit dem 17. Jh. - c) in einem Kartenspiel, in dem die Damen die höchsten Trümpfe sind, eine Dame versehentlich nicht abfordern. Kartenspielerspr. seit dem 19. Jh.
13. etw ~ lassen = sich im Wirtshaus freigebig zeigen. Man läßt sein Geld beim Wirt sitzen (gibt es dem Wirt zu verdienen). Seit dem 19. Jh.
14. etw nicht auf sich ~ lassen = eine Beleidigung nicht hinnehmen; einen Vorwurf nicht widerspruchslos hinnehmen. Hergenommen vom Schandfleck oder Makel, den man zu entfernen sucht. 1700 *ff.*
15. laß ~! = zieh nicht den Portemonnaie, ich bezahle! Seit dem 19. Jh.
16. laß sie ~! = a) kratz' dich nicht! Anspielung auf Ungeziefer. Seit dem 19. Jh. - b) benimm dich gesittet! Seit dem 19. Jh.

sitzenbleiben *intr* 1. keinen Mann zum Heiraten finden; nicht geheiratet werden. Übernommen vom Ausbleiben des Tänzers. Vgl ↗sitzen 12 b. 1600 *ff.*
2. mit einem unehelichen Kind nicht geheiratet werden; als verlassene Geschwängerte keinen Mann finden. ↗sitzen 12 a. 1600 *ff.*
3. nicht zum Tanz aufgefordert werden. ↗sitzen 12 b. 1600 *ff.*
4. in der Schule nicht versetzt werden. Analog zu „↗backenbleiben" oder „↗klebenbleiben": der Teig, der nicht „geht" (= aufgeht), bleibt sitzen. 1800 *ff.*
5. mit Nachsitzen bestraft werden. Seit dem 19. Jh.
6. auf (mit) etw ~ = für eine Ware keinen Abnehmer finden. Hergenommen von der Marktfrau, die neben ihrer Ware sitzt und auf Käufer wartet. Seit dem 14. Jh.

Sitzfleisch *n* 1. Gesäß. Seit dem 19. Jh; wohl älter.
2. Ausdauer im Sitzen; hartnäckiges Verbleiben in der Amtsstellung. 1600 *ff.*
3. ~ haben = a) beim Arbeiten ausdauernd sein; zu sitzender Tätigkeit neigen. 1600 *ff.* - b) einen Besuch lange ausdehnen; lange im Wirtshaus sitzen. Seit dem 19. Jh. - c) eine mehrjährige Freiheitsstrafe verbüßen. 1920 *ff.*

Sitzfleischorden *m* Bundesverdienstkreuz am Band für 50jährige Amtstreue. Mit der Stiftung 1951 aufgekommen.

Sitzgelegenheit *f* 1. Gefängnis, Zuchthaus. ↗sitzen 1. 1900 *ff.*
2. Gesäß. Meint eigentlich das Möbelstück, auf dem man sitzen kann; hier die „Vorrichtung", mit der man sitzen kann. 1890 *ff.*

Sitzgröße *f* kurzbeiniger Mensch mit vergleichsweise langem, breitem Oberkörper. Im Sitzen erscheint er als Mensch von normaler Körpergröße. 1920 *ff.*

Sitzjule *f* Prostituierte, die vom Fenster aus Männer anlockt. ↗Jule. Berlin seit dem 19. Jh.

Sitzkasten *m* Gesäß. Hergenommen von der Bezeichnung für ein Teil der Protze (zweirädriger Karren). *Sold* seit dem ausgehenden 19. Jh.

Sitzlandschaft *f* Sitzmöbelgarnitur. Werbetexterspr. 1970 *ff.*

Sitzmaschine *f* Stuhl. Technisierung, wohl weil man die Sitzfläche mittels einer Kurbel heben und senken kann. 1920 *ff.*

Sitz-Mensch *mot.* *m* Kraftfahrer, der mangels Bewegung dickleibig und dünnbeinig wird. 1958 *ff,* kraftfahrerspr.

Sitzpartie *f* 1. Gesäß. Seit dem späten 19. Jh.
2. ausgedehntes Zechgelage. 1890 *ff.*

Sitzpflaster *n* ~ haben = nicht den schicklichen Zeitpunkt zum Weggehen finden. Parallel zu ↗Klebpflaster. 1900 *ff.*

Sitzriese *m* kurzbeiniger Mensch mit vergleichsweise langem, breitem Oberkörper. Analog zu ↗Sitzgröße. Gegenwort zu „↗Sitzzwerg". Seit dem späten 19. Jh.

Sitztätiger *m* Mensch, der seinen Beruf vorwiegend im Sitzen ausübt. 1960 *ff.*

Sitzung *f* 1. das Sitzen auf dem Abort, auf dem Nachtgeschirr. 1800 *ff.*
2. Zechgelage. Von Versammlungen in kleinerem Kreis (als Hehlbezeichnung) übertragen auf kleinere Zechereien. 1800 *ff.*

3. Verteilung der Spielkarten in der Hand. Kartenspielerspr. seit dem 19. Jh.

4. dolle ~ = so ungünstige Spielkartenverteilung, daß der Gegner alles übertrumpfen kann. Seit dem 19. Jh.

5. feuchte ~ = ausgedehntes Zechgelage. Seit dem 19. Jh.

6. lange ~ = a) ausdauernde Abortbenutzung. 1800 *ff.* – b) langanhaltendes Zechgelage. Seit dem 19. Jh. – c) mehrjährige Freiheitsstrafe. ↗ sitzen 1. 1920 *ff.*

7. scharfe ~ = vielstündiges Zechgelage. Seit dem 19. Jh.

8. schwere ~ = ausgedehntes Zechgelage. Seit dem 19. Jh.

9. trockene ~ = Karnevalssitzung, zu der man Getränke und Gläser mitbringen muß. 1969 *ff.*

Sitzungsgesicht *n* geheuchelt interessierte Miene eines Uninteressierten. 1950 *ff.*

Sitzungsperiode *f* **1.** wiederholter Arrestaufenthalt eines Unverbesserlichen. Eigentlich die Arbeitszeitsspanne eines Parlaments zwischen den jaheszeitlichen Pausen o. ä. 1940 *ff.*

2. Dauer der Freiheitsstrafe. 1940 *ff.*

Sitzzwerg *m* langbeiniger Mensch mit kurzem, gedrungenem Oberkörper. Gegenstück zu „↗ Sitzriese". 1960 *ff;* wohl älter.

Skalp *m* Perücke. Eigentlich die abgezogene Kopfhaut. 1900 *ff.*

skalpieren *tr* **1.** einem Mädchen die langen Haare (Zöpfe) abschneiden. In den zwanziger Jahren des 20. Jhs aufgekommen (Bubikopf).

2. jn kahlscheren. 1920 *ff.*

3. jn betrügen, übervorteilen. Variante zu „jm das ↗ Fell über die Ohren ziehen". 1920 *ff.*

4. skalpiert sein = glatzköpfig sein. 1950 *ff, jug.*

Skandalanzeiger *m* **1.** Zeitung, die vor allem die Aufdeckung von Skandalen in der führenden Gesellschaftsschicht o. ä. veröffentlicht. Seit dem ausgehenden 19. Jh, Berlin.

2. Lokal-, Generalanzeiger. Gegen 1900 aufgekommen als Spottbezeichnung für den im Scherl- Verlag erscheinenden „Lokalanzeiger".

Skandalknipser *m* Fotograf, der Frauen in peinlichen Augenblicken fotografiert. ↗ knipsen 1. 1960 *ff.*

Skandalnudel *f* **1.** durch aufreizende geschlechtliche Bloßstellung unliebsames Aufsehen erregende weibliche Person. ↗ Nudel 4. Gegen 1959 aufgekommen mit einer „Femme fatale" des deutschen Films. Wortprägung angeblich von Hannes Obermaier, „Klatschkolumnist" der Münchner „Abendzeitung". Was eine „Skandalnudel" ist, hat das Münchner Landgericht am 30. April 1961 nicht klären können.

2. in der Öffentlichkeit Ärgernis erregender Mensch. 1965 *ff.*

Skat *m* **1.** der ~ brüllt = im Skat liegen hervorragende Karten. Kartenspielerspr. seit dem 19. Jh.

2. ~ dreschen = Skat spielen. Man schlägt die Karten geräuschvoll auf den Tisch. Spätestens seit 1850.

3. ~ kloppen = Skat spielen. *Vgl* das Vorhergehende. Seit dem 19. Jh.

4. es liegt alles drin im ~ = der Ausgang der Sache ist völlig ungewiß. 1930 *ff.*

5. einen trockenen ~ spielen = ein Spiel ohne jegliche Spannung spielen; beim Skatspielen nichts trinken. 1920 *ff.*

6. jn in den ~ werfen = jn abkommandieren, an entscheidender Stelle einsetzen. Der Betreffende ist so wichtig wie die in den Skat abgelegten zwei Spielkarten mit ansehnlich zählenden Augen. 1939 *ff, sold.*

Skatdrescher *m* Skatspieler. ↗ Skat 2. Seit dem 19. Jh.

skaten *intr* Skat spielen. 1920 *ff.*

Skater *m* Skatspieler. 1920 *ff.*

Skatklopper (-klopfer) *m* Skatspieler. ↗ Skat 3. Seit dem 19. Jh.

Ska'tör *m* leidenschaftlicher Skatspieler. 1900 *ff.*

Skatratte *f* Skatspieler. Nachahmung von „↗ Spielratte" o. ä. 1900 *ff.*

Skatwanze *f* lästiger Zuschauer und Raterteiler bei einem Skatspiel. ↗ Wanze 1. 1900 *ff.*

Skatwitwe *f* Frau, die zum dritten Mal eine Ehe eingehen möchte. Zum Skatspiel braucht man einen dritten Mann. Scherzwort. 1950 *ff.*

Skelett *n* **1.** Körperbau. Meint eigentlich nur das Knochengerüst, das Gerippe. 1930 *ff.*

2. ~ in Uniform = bleich aussehender Soldat. *Sold* 1935 *ff.*

3. aussehen wie ein ~ auf Urlaub = bleich sein. Parallel zu „↗ Leiche auf Urlaub". 1930 *ff.*

Ski *m* ~ fallen = beim Skilaufen (immer wieder) stürzen. 1900 *ff.*

Ski-Amazone *f* Skisportlerin. ↗ Amazone. 1955 *ff.*

Skifahrerlatein *n* übertriebene (lügenhafte) Skiläuferberichte. ↗ Latein 2. 1960 *ff.*

Ski-Fex *m* leidenschaftlicher Skiläufer. ↗ Fex. 1920 *ff.*

Skihase (-haserl, -häschen) *m (n)* Skiläuferin; Skianfängerin. ↗ Hase = Mädchen. 1910 *ff,* vorwiegend *bayr* und *österr.*

Skihasenjäger *m* Mann, der mit jungen Skiläuferinnen zu flirten sucht. 1955 *ff.*

Ski-Hexe *f* sehr schnelle Skiläuferin. 1960 *ff.*

Ski-Kanone *f* ausgezeichneter Skisportler. ↗ Kanone 1. 1920 *ff.*

Skilehrer *m* schwarzer ~ = amtlich nicht zugelassener Skilehrer. ↗ schwarz 5. 1960 *ff.*

Skiliftzirkus *m* Gesamtheit der Beförderungsanlagen für Wintersportler. ↗ Skizirkus. 1960 *ff.*

Skilöwe *m* Skisportler, der jungen Wintersportlerinnen nachstellt. Nachahmung des „↗ Salonlöwen". 1960 *ff.*

Ski-Luder *n* weibliche Person, für die der Skisport nur Vorwand für Männerfang ist. ↗ Luder 2. 1960 *ff.*

Skipilot *m* Skiläufer. Moderne Skisportanzüge erinnern an die Ausstattung von Kampffliegern o. ä. 1970 *ff.*

Ski-Quanten *pl* Senkfüße. ↗ Quanten. Sie sind platt und breit wie Skier. 1930 *ff,* Berlin.

Ski-Rakete *f* sehr schneller Skiläufer. 1957 *ff.*

Skis (Sküs) *m* Schulleiter. Hergenommen von der Bezeichnung für die höchste Figur beim Tarock. *Österr* 1900 *ff.*

Skiwasser *n* Himbeersaft (heiß oder kalt) mit Zitrone; alkoholfreies Heißgetränk; Orangeade; Getränk aus Tee, Zitrone und Weinbrand. Wintersportlerspr. 1910 *ff.*

Skizirkus *m* **1.** geschäftstüchtige Betriebsamkeit um die Wintersportler; geselliges Nebenbei des Skisports. ↗ Zirkus. 1960.

2. Skigelände mit Seilbahn, Sessel-, Skilift usw. ↗ Skiliftzirkus. 1960 *ff.*

Sklavenhalter *m* **1.** Soldatenausbilder. *Sold* 1939 *ff.*

2. Unternehmer, der seine Arbeitnehmer an andere Firmen verleiht. 1960 *ff.*

Sklavenhandel *m* unbefugte Vermittlung von Arbeitskräften; mißbräuchliche Vergabe von Leiharbeitern. 1965 *ff.*

Sklavenhändler *m* **1.** unbefugt handelnder Arbeitsvermittler, der für seine Tätigkeit einen Teil des Lohns der Vermittelten einbehält. 1965 *ff.*

2. Lehrer. 1950 *ff.*

3. Theater-, Künstleragent. 1960 *ff.*

Sklaventreiber *m* **1.** Rekrutenausbilder. *Sold* 1900 bis heute.

2. übermäßig strenger Vorgesetzter. 1920 *ff.*

3. strenger Lehrer. 1950 *ff.*

4. unnachsichtiger Fußballtrainer. *Sportl* 1950 *ff.*

Sklavenwächter *pl* Eltern; Erwachsene. 1945 *ff.*

Skribifax *m* Schreibzeug des Schülers. Eigentlich der Vielschreiber. *Österr* 1900 *ff.*

Slalom *m* ~ fahren = mit schleuderndem Auto fahren; in Schlangenlinien fahren. Übertragen vom Torlauf des Skisports. 1958 *ff,* kraftfahrerspr.

Smoke (*engl* ausgesprochen) *f* **1.** Zigarette. *Engl* „to smoke = rauchen". *BSD* 1965 *ff.*

2. Marihuana o. ä. *Stud* 1950 *ff.*

smoken *intr tr* rauchen. 1900 *ff.*

Smokerette *f* Zigarette. Zusammengesetzt aus „smoken" und „Zigarette". 1950 *ff, schül.*

Smutje (Schmuttje) *m* Koch, Schiffskoch; Küchenjunge. Fußt auf *nordd* „Smutt = große Hitze" und ist überlagert von „Smuttje = schmutziger, schmutzender Mensch" (↗ schmuddeln). Im späten 19. Jh in der Seemannssprache aufgekommen und gegen 1900 in das Kriegsmarinedeutsch eingedrungen.

snacken *intr* am Tage mehrere kleinere Mahlzeiten einnehmen. Fußt auf *engl* „snack = kleiner Imbiß". 1960 *ff.*

sniefen *intr.* ↗ schniefen 4.

Snoblesse *f* **1.** Dünkel der Neureichen. Zusammengewachsen aus *engl* „snob" und *franz* „noblesse". Etwa seit 1949.

2. ~ oblige (*franz* ausgesprochen) = Neureichtum muß zur Schau gestellt werden; wozu neureich, wenn die Leute es nicht sehen? Den modernen gesellschaftlichen Gegebenheiten angepaßt in Umformung aus *franz* „Noblesse oblige = Adel verpflichtet". 1949 *ff.*

so *pron* **1.** ohne das Übliche, das eigentlich zu Erwartende, das schon Gesagte, das vorhin Angesprochene (ich bin so gegangen = ohne zu zahlen; er ist so davongekommen = ohne Bestrafung; sie stand so da = nackt; das spielt er so = auswendig; das kann er so = ohne Anleitung, ohne Hilfsmittel; das kriege ich so = ohne Lebensmittelmarken; ohne Ausweis). Seit dem 19. Jh.

2. überaus; überzeugend (er hat ja so recht; er spricht ja so wahr; er sieht es ja so richtig). Seit dem 19. Jh.

3. auch so = ohnehin (er wäre auch so

gekommen = ohne Aufforderung). Seit dem 19. Jh.

4. und so = und ähnlich; und so weiter (20 Mark und so habe ich zu kriegen). Seit dem 19. Jh. *Vgl engl* „or so".

5. so so = einigermaßen; mittelmäßig; noch gerade ausreichend. Verkürzt aus „es geht mal so, mal so", womit ein neutrales Unterscheiden ausgedrückt wird; auch hat „so" die Bedeutung „ungefähr" (ich erwarte dich so um 5 Uhr). 1700 *ff.*

6. so so la la = einigermaßen, mittelmäßig. Mit „la la" wird eine unartikulierte Tonfolge wiedergegeben. Seit dem 18. Jh.

7. heute so und morgen so = unbeständig, wankelmütig. „So = auf diese Weise" und „= auf jene Weise". 1900 *ff.*

8. das so wie noch = das ohnehin. Berlin 1920 *ff.*

9. so man hat = sofern vorhanden ist. „So" ersetzt hier das Relativpronomen. Seit spät-*mhd* Zeit.

10. nur so = ohne besonderen Anlaß; ohne Anspielung auf einen besonderen Fall; unverbindlich (ich habe nur so gefragt; er hat das nur so gesagt). Seit dem 19. Jh.

11. so leben = unverheiratet zusammenleben. Seit dem 19. Jh.

12. das sagt er so = das äußert er, ohne sich etwas dabei zu denken. 1900 *ff.*

13. dem ist nicht so = das ist ein Irrtum. 1920 *ff.*

14. nicht so sein = entgegenkommend, nicht nachtragend, nicht abweisend sein; freigebig sein. Verkürzt aus „nicht so sein, wie es den Anschein hat oder wie andere es behaupten". Seit dem 19. Jh.

15. das steht sol = das ist in Ordnung; darauf kann man sich fest verlassen; das ist in jeder Hinsicht in Ordnung. Bei „so" wird der Unterarm erhoben und mit dem Ellenbogen auf den Tisch geklopft. Diese Gebärde versinnbildlicht den Begriff „aufrecht; gerade; auf festen Füßen; wie eine Eins". 1930 *ff.*

'sochen *interj* Redewendung des Kaufmanns (o. ä.), wenn er die Ware übergibt. Entstanden aus „so = da; bitte" und der Verkleinerungssilbe „-chen". 1900 *ff.*

Socke *f* ↗ Socken II.

Socken I *m* **1.** Präservativ. Analog zu ↗ Strumpf 2. 1950 *ff.*

2. schlechter, abgenutzter Autoreifen. Parallel zu ↗ Laatschen 3. 1930 *ff.*

3. unsauberes Mädchen; liederliche Frau; Mädchen *(abf).* Fußt auf „suck", dem Lockruf für Schweine. Umschreibung für „Schwein = schmutziger, liederlicher Mensch". Auch geläufig in der Form „Socke" als Maskulinum und als Femininum. Seit dem 19. Jh.

3 a. alter ~ = Schimpfwort auf einen alten Menschen. 1970 *ff.*

4. blöder ~ = Schimpfwort. *Bayr* 1900 *ff.*

5. geiler ~ = a) sinnlich veranlagtes Mädchen. *BSD* 1960 *ff.* – b) strenger Vorgesetzter. ↗ geil 2. *BSD* 1960 *ff.*

6. lahmer ~ = müder, energieloser Mann. 1920 *ff.*

7. mieser ~ = unsympathischer Mann. 1920 *ff.*

8. scharfer ~ = sinnlich veranlagtes Mädchen. ↗ scharf 4. *BSD* 1960 *ff.*

9. schlapper ~ = energieloser Soldat. *BSD* 1960 *ff.*

10. du bist wohl mit dem ~ geschlagen?:

Frage an einen, der unsinnige Behauptungen aufstellt. Man hat ihm den Schuh (↗ Socken II 2) um die Ohren geschlagen und dadurch eine leichte Geistestrübung hervorgerufen. Seit dem 19. Jh.

Socken II *pl* **1.** keine ~, aber Gamaschen!: Redewendung auf einen Prahler, der hinter einem glänzenden Auftreten seine materielle und geistige Armut verbirgt. Er trägt die Gamaschen auf der bloßen Haut. 1920 *ff.*

2. sich für etw die ~ ablaufen = sich um etw heftig bemühen. Socke = niedriger Schuh; Schlüpfschuh. Seit dem 19. Jh.

3. dicke ~ (zwei Paar ~) anhaben = schlecht hören; absichtlich nicht hören. 1920 *ff.*

4. jm die ~ aufribbeln = zu einem leidenschaftlichen Tanz aufspielen. Aufribbeln = Gestricktes auflösen. *Halbw* 1955 *ff.*

5. wenn er die ~ auszieht, wird es dunkel im Saal: Redewendung auf einen Schweißfüßigen. Die Gestankswolke verdunkelt die Stube, und den Kameraden vergehen vor dem Gestank die Sinne. *BSD* 1965 *ff.*

6. jn aus den ~ beuteln = jn handgreiflich züchtigen, verprügeln. ↗ beuteln 1. *Sold* 1940 *ff*; *jug* 1955 *ff.*

7. jn aus den ~ bringen = jn verscheuchen, zum Aufbruch veranlassen. Man treibt ihn dazu, „sich auf die Socken zu machen"; ↗ Socken II 20. 1900 *ff.*

8. jn von den ~ bringen = jn überanstrengen. Vor Erschöpfung fällt der Betreffende aus den Schuhwerk. *Sold* 1915 *ff.*

9. das bringt mich von den ~ = das verwirrt mich sehr; das macht mich bestürzt. Man verliert das Gleichgewicht und stürzt zu Boden. 1910 *ff.*

10. aus den ~ fallen = sehr überrascht sein. *Vgl* das Vorhergehende. 1920 *ff.*

11. auf den ~ gehen = Löcher in den Schuhsohlen haben; sehr heruntergekommen sein. 1900 *ff.*

12. dreckige ~ haben = ein schlechtes Gewissen haben. 1930 *ff.*

13. nasse ~ haben = betrunken sein. Naß = betrunken. Anspielung auf den Torkelgang. 1940 *ff.*

14. schnelle ~ haben (auf schnellen ~ laufen) = schleunigst davongehen. In scherzhafter Auffassung ist nicht der Mensch schnell, sondern das Schuhwerk oder seine Strümpfe schaffen die Beschleunigung. 1910 *ff.*

15. ihn haut's von den ~ (da haut's dich aus den ~) = er verliert die Geduld; Ausdruck heftigen Unwillens. Vor Erregung verliert man das Gleichgewicht. 1920 *ff.*

16. es hebt mich aus den ~ = es raubt mir die Fassung; es macht mich wütend. *Sold* 1940 *ff.*

17. jm auf die ~ helfen = jm aufhelfen; jn zum Aufbruch veranlassen. ↗ Socken II 7. 1900 *ff.*

18. aus den ~ kippen = die Beherrschung verlieren. 1920 *ff.*

19. von den ~ kommen = sehr in Erstaunen geraten. 1910 *ff.*

20. sich auf die ~ machen = weggehen, abmarschieren. Socken sind entweder niedrige, weiche Schuhe oder Kurzstrümpfe. ↗ Socken II 2. Seit dem späten 18. Jh, vorwiegend *stud* und *sold.*

21. auf ~ phantasieren = nicht ganz bei Verstand sein. *Schül* 1950 *ff.*

22. jm die ~ zum Platzen bringen = jn umherhetzen; jm mit Aufträgen keine Ruhepause gönnen. *Sold* 1935 *ff.*

23. jn prügeln (o. ä.), daß ihm die ~ in den Schuhen platzen = jn heftig schlagen. Meist als Drohrede gebraucht. 1950 *ff.*

24. ihm qualmen die ~ = er marschiert sehr angestrengt; er macht viele Wege; er eilt, so rasch er kann; er tanzt ausgelassen. Die Socken „dampfen" vom langen Marsch, sind „heißgelaufen". Weiterentwickelt aus „er läuft sich warm". 1939 *ff.*

25. mich reißt's von den ~ = ich bin überaus erstaunt. *Vgl* ↗ Socken II 15. *Österr* 1920 *ff*, *jug.*

26. die ~ schärfen = davoneilen. Durch die Eile werden die Eisen unter den Schuhen geschliffen. *Sold* 1939 *ff.*

27. die ~ scharfmachen = sich eilig entfernen; flüchten. *Vgl* das Vorhergehende. *Sold* 1939 *ff.*

28. jm die ~ scharfmachen = jn antreiben, aufstacheln; jds Verdacht erregen. *Sold* 1935 *ff.*

29. das schmeißt einen aus den ~ = das bringt einen aus der gewohnten Ordnung; das strengt sehr an; darüber ist man sprachlos. *Österr* 1920 *ff.*

30. auf den ~ sein = körperlich (seelisch, geldlich) erschöpft sein. ↗ Socken II 11. 1900 *ff.*

31. jm auf den ~ sein (folgen) = unmittelbar hinter jm gehen; jn verfolgen. 1500 *ff.*

32. schwer in den ~ sein = an den Folgen alkoholischer Ausschweifung leiden. Die Füße sind einem so schwer, daß man torkelt; *vgl* auch ↗ Socken II 13. *Sold* 1935 *ff.*

33. von den ~ sein = sehr überrascht sein. Überraschtsein stellt sich volkstümlich als ein Fallen aus den Schuhen dar. 1920 *ff.*

34. aus den ~ springen = aufbrausen. 1920 *ff.*

35. es ist, um aus den ~ zu springen = es ist zum Verzweifeln. 1920 *ff.*

36. jm auf den ~ stehen = einen gegnerischen Fußballspieler decken und dadurch in seinem Können behindern. *Sportl* 1950 *ff.*

37. die ~ auf Halbmast tragen (auf Halbmast flaggen) = die Socken über den Schuhrand herabhängen haben. 1870 *ff.*

38. da fliegen einem die ~ weg!: Ausdruck heftigen Staunens. 1965 *ff.*

39. die ~ wetzen = schnell laufen. ↗ Socken II 26. *Sold* 1939 *ff*; *schül* 1950 *ff.*

40. es zieht einem die ~ zusammen = das ist ein brennend scharfes alkoholisches Getränk, ein sehr saurer Wein. *Vgl* ↗ Strumpfwein. 1930 *ff.*

socken *intr* sich aufmachen; davongehen; eilen. ↗ Socken II 20. Seit dem 19. Jh.

Sockenhops *m* Tanz auf Strümpfen. ↗ hopsen. *Südwestd* 1930 *ff.*

Sodawasser *n* minderwertiger Sekt; Obstschaumwein. 1950 *ff.*

Sofa *n* **1.** intime Freundin. Sie ist vorwiegend ein Schlummerliebchen und fühlt sich auf dem Sofa am wohlsten. 1955 *ff.*

2. rasches ~ = schnelles Auto mit vielerlei technischen Bequemlichkeiten. 1960 *ff.*

3. rollendes (fahrendes) ~ = Auto. 1960 ff.

4. schnelles ~ = a) Sport-, Rennwagen. 1955 ff. - b) breitgebautes Auto (in dem man auch den Geschlechtsverkehr ausüben kann). 1955 ff. - c) Motorroller. 1955 ff.

Sofafahrer m Langsamfahrer. Manche fassen „Sofa" als Abkürzung von „Sonntagsfahrer" auf. Kraftfahrerspr. 1955 ff.

Sofaknacker m Fahrzeug der Müllabfuhr, vorgesehen zur sofortigen Zerkleinerung von sperrigem Hausrat. 1963 ff.

Sofa-Sportler m Fernsehzuschauer bei Sportübertragungen. 1960 ff.

soft adj **1.** weich geschnedert. Aus der engl Werbetextersprache gegen 1968 übernommen.

2. weichlich, fade, temperamentlos. Jug 1970 ff.

3. alkoholfrei. Jug 1970 ff.

Softi m verweichlichter, femininer Mann. 1970 ff.

Sohle f **1.** zähe Bratenscheibe. Man hält sie für ebenso zäh wie eine lederne Schuhsohle. 1920 ff.

2. Unwahrheit; Prahlerei; Lüge. ⤢ sohlen 2. Berlin und mitteld seit dem späten 19. Jh.

3. ältliche, unschöne Frau. Ihre Haut sieht wie ledern aus; vgl „alte ⤢ Haut". Bayr 1900 ff.

4. auf flotter ~ = sehr lebens- und unternehmungslustig. Vom Tanzen hergenommen. 1920 ff.

5. heiße ~ = leidenschaftlich bewegter Tanz. 1920 ff.

6. müde ~ = Tanz, bei dem man nicht von der Stelle kommt. Halbw nach 1950, Berlin.

7. sich etw an den ~n abgelaufen haben = etw genau kennen. Meint eigentlich „sich eine Gegend an den Sohlen ablaufen = eine Gegend (als Wanderer) gründlich kennenlernen". Vgl ⤢ Schuh 9. Seit dem 19. Jh.

8. bis auf die ~n ausgeschnitten sein = a) sehr tief dekolletiert sein. Seit dem 19. Jh. - b) in voller Nacktheit dastehen (auf weibliche Personen bezogen). 1880 ff.

9. eine heiße ~ drehen = leidenschaftlich, ausgelassen tanzen. ⤢ Sohle 5. 1960 ff, halbw.

10. eine kesse ~ drehen = gut tanzen. ⤢ keß. Berlin 1920/30 ff.

11. sich die ~n durchtraben = durch vieles Gehen löcherige Schuhsohlen bekommen. ⤢ traben. 1945 ff.

12. eine flotte ~ aufs Parkett heften = schwungvoll tanzen. Halbw 1955 ff.

13. eine flotte ~ aufs Parkett legen = schwungvoll tanzen. Halbw 1955 ff.

14. eine heiße ~ aufs Parkett legen = leidenschaftlich, ungestüm tanzen. ⤢ Sohle 5. 1960 ff, halbw.

15. eine kesse ~ aufs Parkett legen = schwungvoll tanzen. ⤢ Sohle 10. Berlin 1910 ff.

16. sich auf die ~n machen = sich davonmachen; fliehen. Seit dem 19. Jh.

17. tanzen, daß die ~n rauchen (qualmen) = ausdauernd, ausgelassen tanzen. Vgl ⤢ Socken II 24. 1955 ff; wohl älter.

18. eine saubere ~ schleifen = gut tanzen. 1925 ff, jug, Berlin.

19. eine gute (dolle) ~ tanzen = gut tanzen. Berlin seit dem frühen 20. Jh.

sohlen v **1.** tr = jn prügeln. Hergenommen vom Schuhmacher, der heftig auf das Sohlenleder schlägt oder die Sohle heftig aufschlägt. Seit dem 18. Jh.

2. intr = lügen. Hängt zusammen mit der Vorstellung „Philosoph auf den Schusterschemel", wie man den Schuhmacher und Flickschuster nennt; man hält sie für nachdenklich und grüblerisch und traut ihnen zu, daß sie während der Arbeit Lügengeschichten erfinden. Seit dem 19. Jh, vorwiegend mitteld und Berlin.

3. viel reden; einfältig schwätzen. Versteht sich nach dem Vorhergehenden. Seit dem 19. Jh.

Sohn m **1.** Junge (gönnerhafte Anrede). Halbw 1950 ff.

2. am ~es = in der Nabelgegend. Gemeint ist jene Stelle, bei der beim Schlagen des Kreuzzeichens das Wort „Sohnes" ausgesprochen wird. 1900 ff, westd.

3. bis zum ~es = tief dekolletiert. Versteht sich nach dem Vorhergehenden. 1920 ff, westd.

4. hat dein Vater noch mehr so schlaue Söhne?: Frage an einen Dummen. 1920 ff.

5. mein ~, warum hast du das getan?: Frage des Kartenspielers an seinen Partner, der unbedacht gehandelt hat. Geht zurück auf die biblische Geschichte vom zwölfjährigen Jesus im Tempel (Lukas 2, 48). Kartenspielerspr. seit dem 19. Jh. Wohl von Theologiestudenten aufgebracht.

Sohnemann m Sohn; kleiner Junge (Kosewort). Seit dem 19. Jh.

solche pl **1.** es gibt ~ und ~ = die Menschen sind verschieden. Sinngemäß: es gibt Menschen von dieser und von jener Art. 1900 ff.

2. ~ und sone = Leute der verschiedensten Art. Vgl ⤢ sone. Berlin seit dem späten 19. Jh.

Solchene I f Prostituierte. Aus „solch eine" zusammengezogen. Wien seit dem 19. Jh.

solchene II pl solche. Bayr und österr seit dem 19. Jh.

Soldat m **1.** in den Skat abgelegte Karte. Diese Karte wird wie der Soldat „eingezogen": sie zählt mit, aber spielt nicht mit. Kartenspielerspr. seit dem späten 19. Jh.

2. ~ aus ehemaligen Heeresrestbeständen = Altgedienter in Diensten der Bundeswehr. Beim Ausverkauf der Wehrmacht hat man ihn eingehandelt. BSD 1960 ff.

3. ~ des Himmels = Angehöriger der Heilsarmee. Der Ausdruck betont die Waffenlosigkeit dieser Armee. Sold 1935 ff.

4. ~ in Lauerstellung = Reservist. BSD 1965 ff.

5. ~ ohne Sack = Angehörige des weiblichen Arbeitsdienstes, des weiblichen Wehrmachtgefolges. Sack = Hodensack. Vgl ⤢ S.O.S. 9. Sold 1939 ff.

6. ~ Servus = österreichischer Soldat. ⤢ Servus. Sold 1939 ff.

7. ~ am grünen Tisch = Angehöriger des Generalstabs. Der „grüne Tisch" ist das Sinnbild der wirklichkeitsfernen Theoretisierens. BSD 1965 ff.

8. angefangener ~ = Rekrut. Sold 1935 ff.

9. ewiger ~ = Soldat, der seinen Dienst bis zum äußersten einwandfrei versieht. Weniger dienstbeflissene Soldaten meinen, diese Art Soldat sei unverwüstlich und unsterblich. 1920 ff.

10. wie die ~en liegen = sauber ausge-

richtet liegen (bezogen auf die Hemden im Schrank). 1930 ff.

11. zehn „ich bin gerne ~" machen = zehn Kniebeugen mit dem Gewehr in Vorhalte machen und dazu im Rhythmus „ich bin gerne Soldat" sagen. Sold 1939 ff.

12. ~ spielen = den Wehrdienst ableisten; Berufssoldat sein. Man spielt die Rolle des Soldaten, entweder nach Art des Kinderspiels aus Spaß, oder man meint nach Schauspielerart, was man nicht eigentlich ist. Etwa seit 1800 ff.

13. dieses Geld wird ~ = dieses Geld wird verspielt, ausgegeben. Es verschwindet aus dem Besitz wie der Soldat aus dem Zivilleben. Kartenspielerspr. 1870 ff.

14. der wird ~, und der geht ins Kloster: Redewendung beim Ablegen der beiden Karten in den Skat. Wer Soldat oder Mönch wird, verläßt die bürgerliche Welt. ⤢ Soldat 1. Kartenspielerspr. 1870 ff.

Soldatenbibel f Dienstvorschrift. ⤢ Bibel 2. Sold 1900 bis heute.

Soldatengarn n ~ spinnen = (mehr oder weniger wahrheitsgemäß) aus dem Soldatenleben erzählen. ⤢ Garn 4. BSD 1960 ff.

Soldatengold n Rost an Handwaffen. Spottwort. Sold 1910 bis heute.

Soldatenhonig m Rizinusöl. Beide sind farbähnlich und leicht dickflüssig. Iron Bezeichnung seit 1900 bis heute.

Soldatenkram m lästige Begleiterscheinungen des Wehrdienstes; alles, was mit dem Wehrdienst zusammenhängt. 1920 ff.

Soldatenkuchen m Kommißbrot. Sold 1914 bis heute.

Solei (Sol-Ei; Sohl-Ei) n absichtlich unterschobene Falschmeldung. Sie nimmt sich unter den vielen Richtigmeldungen wie ein Kuckucksei aus. ⤢ sohlen 2. 1914 ff.

Solingen On **1.** halb ~ = sinnlich veranlagtes Mädchen. Hergenommen von Solingen als Stadt der Schneidwarenindustrie, der Messer-, Rasierklingenherstellung. Verstärkende Anspielung auf „scharf wie ein ⤢ Rasiermesser". 1950 ff.

2. scharf wie ~ = liebesgierig. 1950 ff.

Solist m **1.** Einzelgänger. Meint eigentlich den einzeln auftretenden Künstler. Halbw 1950 ff.

2. Lediger. 1960 ff.

3. Spieler, der Alleingänge unternimmt. Sportl 1950 ff.

Soll n sein ~ erfüllen = a) die zugewiesene Arbeit verrichten. Gehört dem Wortschatz der DDR an im Sinne der Erfüllung des planmäßig vorgeschriebenen Arbeitspensums. 1950 ff. - b) seinen ehelichen Pflichten nachkommen. 1950 ff.

Solo n Durchbruchsversuch eines einzelnen. Vgl ⤢ Solist 3. Sportl 1950 ff.

solo adv **1.** er geht ~ = er ist ein Einzelgänger. 1900 ff.

2. ~ sein = selbstsüchtig, unkameradschaftlich sein. BSD 1960 ff.

Solonummer f Straftat eines einzelnen. Eigentlich der Darbietung eines einzelnen im Zirkus o. ä. 1960 ff.

Solotänzer m Einzelgänger. 1960 ff, jug.

Sommer m **1.** australischer ~ = großwüchsiger, hagerer Mensch. Der Sommer in Australien dauert lange und verursacht Dürre. BSD 1965 ff.

2. trockener ~ = Essen, zu dem keine Alkoholika gereicht werden. Seit dem frühen 20. Jh.

Sommerfrische f 1. (staatliche) ~ = Strafanstalt; Arrestlokal. Dort verbringt man Monate bezahlter Erholung vom anstrengenden Berufsleben. Seit dem späten 19. Jh.
2. Truppenübungsplatz. Ironie. *Sold* seit dem ausgehenden 19. Jh.
3. militärische Stellung ohne Beschuß. *Sold* in beiden Weltkriegen.
4. Manöver. *BSD* 1960 *ff.*

Sommerfußball m 1. Fußballspiel ohne spannende Szenen. Im Sommer finden keine Bundesligaspiele statt. *Sportl* 1960 *ff.*
2. matte, schwunglose Sache. 1960 *ff.*

Sommerkarneval m karnevalähnliches Treiben am Mittelrhein und in der Umgebung während der Sommermonate; Winzerfest u. ä. 1961 *ff.*

Sommerleutnant m zur Reserveübung eingezogener Offizier; Leutnant der Reserve. *Sold* seit dem späten 19. Jh bis heute.

Sommerloch n 1. Rückgang der Anzeigenaufträge in den Sommermonaten. Zeitungsspr. 1960 *ff.*
2. Parlamentsferien im Sommer. 1970 *ff.*
3. unzureichende Krankenversorgung während der Urlaubszeit. 1980 *ff.*

Sommermuffel m Mensch, den die Sommermonate gleichgültig lassen. ↗ Muffel 2. 1970 *ff,* werbetexterspr.

Sommernixe f sonnenbadendes Mädchen. ↗ Nixe. 1920 *ff.*

Sommerregen m warmer ~ = unerwartete Wohltat. ↗ Regen 3. 1950 *ff, nordd, stud.*

Sommersause f Fest der Schrebergärtner. ↗ Sause. Berlin 1920 *ff.*

Sommerschlitten m offenes Auto. ↗ Schlitten 1. 1920 *ff,* Berlin.

Sommertheater n anspruchsloses Unterhaltungstheater. Meint vor allem die Inszenierungen, mit denen die Schauspieler während der Theaterferien in Kurorten u. ä. auftreten. Theaterspr. 1900 *ff.*

Sonderklasse f etwas Unübertreffliches. Steigerung von ↗ Klasse. Vor allem aus der Lebensmittelbranche als Gütestufe geläufig. 1920 *ff.*

Sondermeldung f überraschender Fleischfund in der Suppe oder im Gemüse. Hergenommen von den Rundfunk-Sondermeldungen über einen militärischen Erfolg im Zweiten Weltkrieg. 1939 *ff,* vorwiegend *sold; ziv* bis lange über 1945 hinaus.

sone I f solch eine. Hieraus zusammengezogen. Vorwiegend *nordd* und *westd,* 1870 *ff.*

sone II pl 1. solche (pl). „Sone" ist Mehrzahl von „son", das aus „so ein" kontrahiert ist. 1870 *ff.*
2. es gibt ~ und solche (solcherne) = die Menschen sind verschieden. Stammt aus „Graupenmüller", einer Berliner Lokalposse von Hermann Salingré (1870). *Vgl* ↗ solche 1. Etwa seit 1880.

Sonnabend m 1. kleiner ~ = Tag vor einem Feiertag, der auf einen Wochentag fällt. 1950 *ff.*
2. langer ~ = („verkaufsoffener") Samstag mit Ladenschlußzeit erst um 18.30 oder 21 Uhr. Berlin seit dem 26. August 1967.
3. langer ~ ↗ Samstag 3.

Sonnabendkönige pl Bundesliga-Fußballspieler. 1964 *ff.*

Sonne f 1. Wäschetrockner mit halbkreisförmig angeordneten Streben. Sieht aus wie die Nachbildung der Sonne mit einem Strahlenbündel auf Toren. Erinnert bildhaft an die auf- oder untergehende Sonne mit Strahlenkranz. 1920 *ff.*
2. ~ aus der Hosentasche = Foto-Blitzgerät. 1970 *ff.*
3. ~ aus der Tube = mit chemischen Mitteln erzeugte „Sonnenbräune"; chemisches Bräunungsmittel. 1950 *ff.*
4. in der ~ braten = sonnenbaden. Seit dem 19. Jh.
5. sich in (von) der ~ braten lassen = ein Sonnenbad nehmen. Seit dem 19. Jh.
6. der ~ entgegenreifen = untätig sich der Sonne aussetzen. Vom Obst übertragen. 1933 übergekommen im Zusammenhang mit dem NS-Touristikunternehmen „Kraft durch Freude".
7. ~ hamstern = sonnenbaden. ↗ hamstern. 1920 *ff.*
8. ich haue dir eine runter, daß du die ~ für einen garnierten Käse hältst! Drohrede. Breslau 1928 *ff.*
9. du hast wohl zu lange in der ~ gelegen?: Frage an einen, der unsinnige Reden hält. Der Betreffende scheint einen Sonnstich davongetragen zu haben. 1950 *ff.*
10. sich die ~ auf den Pelz scheinen (brennen) lassen. = sonnenbaden. Seit dem 19. Jh.
11. schlafen, bis einem die ~ in den Arsch scheint = bis tief in den Tag hinein schlafen. 1900 *ff.*
12. die ~ scheint bei ihm zu heiß, seine Grütze ist eingetrocknet = er ist nicht recht bei Verstand; er ist begriffsstutzig. ↗ Grütze. 1950 *ff, schül.*
13. ihm scheint die ~ durch die Backen = er ist mager im Gesicht. Seit dem 19. Jh.
14. ~ tanken = ein Sonnenbad nehmen. ↗ tanken. 1950 *ff.*

Sonnenanbeter (-in) m (f) 1. Person, die ein Sonnenbad nimmt. Eigentlich einer, der die Sonne kultisch, als Gottheit verehrt. 1950 *ff.*
2. Anhänger der Freikörperkultur. 1955 *ff.*

Sonnenbeschwörer m Meteorologe. Meint eigentlich einen, der einen Wetterzauber zu praktizieren versucht (verstehen). 1920 *ff.*

Sonnenbrand m 1. Hitzedurst. ↗ Brand. *Sold* 1940 *ff.*
2. einen ~ kriegen = erröten. Scherzausdruck. 1935 *ff, prost* und *sold.*
3. du kriegst ~ auf die (der) Zunge!: Warnung an einen, der beim Sonnenbaden o. ä. ununterbrochen redet. 1955 *ff.*

Sonnenbrater m Müßiggänger, der den ganzen Tag in der Sonne liegt. Bezeugt für 1838 bei Glaßbrenner.

Sonnenbruder m 1. Müßiggänger. 1500 *ff.*
2. Eckensteher, Dienstmann. 1800 *ff.*
3. Landstreicher; Umhertreiber, der im Freien nächtigt. Seit dem 16. Jh.
4. Sonnenbadender. 1920 *ff.*

Sonnenbummeln n Spazierengehen im Sonnenschein. ↗ bummeln. 1960 *ff.*

sonnenklar adj völlig einleuchtend. Seit dem 19. Jh.

Sonnenknicker m zusammenklappbarer (einknickbarer) Sonnenschirm. Seit dem späten 19. Jh.

Sonnenpeile f Sonnenbrille. ↗ peilen. 1965 *ff.*

Sonnenschein m 1. Kosewort. Gern in der Verkleinerungsform gebraucht. Seit dem 19. Jh.

2. ~ in Flaschen (eingefangener ~) = Wein. 1930 *ff.* (Werbetexterspr.?)
3. flüssiger ~ = anhaltendes Regenwetter im Sommer. 1930 *ff.*
4. gepullter ~ = Wein. Pulle = Flasche. 1930 *ff. Vgl engl* „bottled sunshine".
5. ~ schlucken (tanken) = sich in der Sonne aufhalten. 1950 *ff.*

Sonnenstich m 1. Stich mit unerwartet hoher Augenzahl. Es ist ein „sonniger" Stich. Kartenspielerspr. 1900 *ff.*
2. einen ~ haben = verrückt sein. Der Sonnenstich als Folge übermäßiger Sonneneinwirkung auf den bloßen oder ungenügend bedeckten Kopf äußert sich unter anderem in Form von Bewußtseinsstörungen. 1840 *ff.*
3. vom ~ geplagt sein = verrückt sein. 1900 *ff.*

Sonnentankstelle f Sommerfrische; Strand; Liegewiese. 1950 *ff.*

sonnig adj wunderlich; weltfremd. Eigentlich „sonnenbeschienen"; weiterentwickelt zu „freundlich, heiter, hell". Hierzu als Ironie aufzufassen oder beeinflußt von ↗ Sonnenstich 2". 1920 *ff.*

Sonntag m 1. goldener ~ = letzter Adventssonntag. Er bringt den Geschäften erfahrungsgemäß den größten Umsatz in der Weihnachtszeit. 1900 *ff.*
2. silberner ~ = zweitletzter Sonntag vor Weihnachten. 1900 *ff.*
3. seinen ~ haben = dienstfreien Sonntag haben. Seit dem 19. Jh.

Sonntägin f Mädchen, das nur am Wochenende Männerbekanntschaften sucht. *Halbw* 1960 *ff.*

Sonntagsbeilage f weibliche Person, mit der der Mann nur sonntags geschlechtlich verkehren kann. Eigentlich die Beilage zur Wochenendausgabe einer Zeitung. Hier gilt „beiliegen = beischlafen". *Sold* 1935 *ff.*

Sonntagsblatt n sehr günstige Kartenzusammenstellung. Kartenspielerspr. seit dem 19. Jh.

Sonntagsbraut f Mädchen, mit dem man an arbeitsfreien Tagen ausgeht. 1950 *ff.*

Sonntagschrist m Christ, der nur sonntags seinen kirchlichen Pflichten nachkommt. 1920 *ff.*

Sonntagsfahrer m 1. Kraftfahrer mit wenig Fahrpraxis. *Vgl* ↗ Sofafahrer. Kraftfahrerspr. 1920 *ff.*
2. unerfahrener Motorbootführer. 1950 *ff.*
3. Skifahrer, der wenig Übung hat. 1950 *ff.*
4. Dieb, der an Sonn- oder Feiertagen die von den Bewohnern verlassenen Wohnungen ausraubt. ↗ Fahrt 3. 1900 *ff,* großstadtspr.

Sonntagsfreund m (intimer) Freund, mit dem man die Sonntage verbringt. 1955 *ff.*

Sonntagsgesicht n 1. freundliche Miene. Seit dem 19. Jh.
2. Gesäß. Sein „Ausdruck" ist unabhängig von Sonn- und Werktag, nämlich immer gleichmäßig. 1900 *ff.*

Sonntagsgurgel f Luftröhre. Vermutlich weil man sonntags die Kirche besucht und fromme Lieder singt. Familiäre Vokabel seit dem 19. Jh.

Sonntagshals m 1. Luftröhre. *Vgl* das Vorhergehende. Seit dem 19. Jh.
2. etw in den ~ kriegen = sich verschlucken. Seit dem 19. Jh.

Sonntagsjäger m schlechter Jäger. Er geht

nur sonntags zur Jagd und hat daher wenig Übung und Erfahrung. Seit dem 19. Jh.

Sonntagskapitän m Mann, der nur am Sonntag mit dem eigenen Boot ausfährt. Vgl ↗Sonntagsfahrer 2. 1950 ff.

Sonntagskehle f 1. Luftröhre. ↗Sonntagsgurgel. Seit dem 19. Jh.
2. es gerät ihm in die ~ = er verschluckt sich. Seit dem 19. Jh.

Sonntagslaune f besonders gute, unbeschwerte Stimmung. 1900 ff.

Sonntagsmanieren pl gelegentliches höfliches Benehmen. 1910 ff, nordd.

Sonntagsnachmittagsausgehanzug m 1. feiner Sonntagsanzug. Seit dem 19. Jh.
2. Paradeuniform. 1935 ff.

Sonntagsnachmittagsausgehkleid n Sonntagskleid. 1870 ff.

Sonntagsnachmittagsausgehrock m Sonntagsrock. 1830 ff.

Sonntagsnachmittagshut m Sonntagshut. 1870 ff.

Sonntagsnachmittagskleid n Sonntagskleid. 1870 ff.

Sonntagsfotograf m Amateurfotograf. 1955 ff.

Sonntagsrede f Rede eines Abgeordneten sonntags in seinem Wahlkreis o. ä.; Rede, in der die Tatsachen verschönt dargestellt werden. 1950 ff.

Sonntagsredner m Parlamentarier (Politiker), der sonntags eine Rede hält; Redner, der die Wirklichkeit ins Angenehmere entstellt. 1950 ff.

Sonntagsreiter m Mann, der nur gelegentlich reitet; schlechter Reiter. 1830 ff.

Sonntagsröhrl n Luftröhre. Analog zu ↗Sonntagsgurgel. Österr 1900 ff.

Sonntagsschuß m 1. Schuß, der mitten im Ziel liegt. Sold 1939 ff.
2. unhaltbarer Tortreffer. ↗Schuß 9. Sportl 1950 ff.

Sonntagsstaat m Festtagskleidung. ↗Staat. Seit dem 18. Jh. Vgl engl „the Sunday best".

Sonntagsstraße f Luftröhre. Vgl mhd „strozze" = Luftröhre. Vgl auch ↗Sonntagsgurgel. Seit dem 19. Jh.

Sonntagsvater m Vater, der nur an Sonntagen bei seiner Familie ist. 1965 ff.

Sonntagswetter n schönes, warmes Wetter. 1800 ff.

Sonntagswitwe f Ehefrau, deren Mann sonntags Sportveranstaltungen besucht. 1930 ff.

Sonntagszwirn m Ausgehuniform. ↗Zwirn. BSD 1965 ff.

Sonny m 1. freundlicher, beliebter Halbwüchsiger. Meint im familiären Engl soviel wie „mein Söhnchen; Kleiner". Beeinflußt von dt „sonnig = freundlich; heiteren Gemüts". Halbw 1955 ff.
2. heulender ~ = Tonbandgerät o. ä. Halbw 1950 ff.

Sonnyboy (Sonny Boy) m 1. netter, allgemein beliebter junger Mann. Das Wort geht zurück auf das von Al Jolson im ersten Tonfilm „The Jazz- Singer" 1927 gesungene Schlagerlied. Bei uns wahrscheinlich auf der Grundlage von „↗Sonny 1" nach 1950 entwickelt.
2. kleiner, netter Junge (Kosewort). 1950 ff.

sonst adv 1. ~ noch was?: Ausdruck der Ablehnung. Meint eigentlich die Frage, ob

der Betreffende noch in anderer Hinsicht etwas wolle. 1900 ff.
2. ~ geht dir's doch wohl gut? (~ geht's dir noch gut?): Frage an einen, der wunderliche Ansichten äußert. Man hält ihn für geisteskrank und hofft, daß dies seine einzige Krankheit ist. Seit dem ausgehenden 19. Jh.

sonstwas n 1. ich werde dir ~!: Ausdruck der Ablehnung. „Sonstwas" ist hier Verhüllung für irgendetwas Unziemliches. Berlin 1860 ff.
2. du kannst mich ~!: Ausdruck geringschätziger Abweisung. Hehlausdruck für das Götz-Zitat. 1890 ff.
3. ich hätte bald ~ gesagt = beinahe hätte ich eine Bemerkung gemacht, die ich lieber nicht näher bezeichnen möchte. 1920 ff.

Sonstwo On fiktiver Ort. 1920 ff.

sonstwo adv 1. jm ~ reinkriechen = jm würdelos schmeicheln. „Sonstwo" verhüllt „in den Hintern". 1920 ff.
2. er kann mich ~ lecken!: Ausdruck der Ablehnung. Verhülltes Götz-Zitat. 1920 ff.
3. ich möchte mich am liebsten ~ hinbeißen!: Ausdruck der Verzweiflung, der Wut o. ä. 1930 ff.

Sopherl Vn f 1. das begreift auch die Frau ~ = das begreift auch ein Ungebildete. „Frau Sopherl" ist ein von Vincenz Chiavacci 1884 in „Eine, die's versteht" geschaffenes Original vom Wiener Naschmarkt; sie wird geschildert als rundlich und klein, aber von großer Beredsamkeit und mit gesundem Menschenverstand. Wien 1900 ff.
2. sich benehmen wie Frau ~ = sich grob benehmen. Wien 1900 ff.
3. schimpfen wie die Frau ~ = unflätig schimpfen. Wien 1900 ff.

Sophie (Sopherl) f 1. ~ mit dem kalten Arsch = 15. Mai; Eisheilige. Der Namenstag der Sophie am 15. Mai schließt die Tage der „Eisheiligen" ab; oft erfolgt in dieser Zeit nochmals ein Frosteinbruch. 1900 ff.
2. kalte ~ = 15. Mai. 1900 ff; wohl älter.

Sore f 1. Diebesgut. Fußt auf jidd „sechoro = Ware". Rotw seit dem 18. Jh.
2. heiße ~ = gefährliche Sache. ↗heiß 5. 1900 ff.
3. die ~ köpfen = Diebesgut verkaufen und den Erlös rasch verleben. Juristenspr. 1920 ff.

Sorgen pl 1. deine ~ auf eine Stulle, keine Fliege würde satt: Redewendung zu einem, der über kleine Sorgen übermäßig klagt. ↗Stulle. Berlin 1920 ff.
2. deine ~ möchte ich haben! = wie gut ginge es mir, wenn ich nur deine unbedeutenden Sorgen hätte! 1920 ff.

Sorgenbrecher m 1. Wein; jegliches alkoholisches Getränk. 1700 ff.
2. Briefkasten für Bittschreiben Hilfsbedürftiger. 1955 ff.
3. Karnevalist, der für kurze Zeit Frohsinn verbreitet. 1960 ff.

Sorgentöter m Schnaps. Seit dem 19. Jh.

Sorte f 1. Menschenart; Mensch, Leute (abf). Meint eigentlich die Warenart; dann wie „↗Marke", „↗Nummer" auf den Menschen übertragen, vorwiegend in geringschätzigem Sinne. Seit dem 18. Jh.
2. kesse ~ = Polizeibeamtin(nen). Halbw 1967 ff.

sortieren v 1. jn ~ = jn der Musterung

unterziehen. Die Männer werden in Tauglichkeitsgrade eingeteilt. BSD 1960 ff.
2. sich ~ = sich geschmacklos, auffällig kleiden. Analog zu „sich ↗mustern". 1900 ff.
3. sich ~ = über sich selber nachdenken. Man unterwirft sich innerlich einer Musterung. 1950 ff.
4. seine Gedanken ~ = sich geistig sammeln; überlegen; mit Überlegung sprechen. 1950 ff.

soßig adj künstlerisch wertlos. Das Gemeinte ist gewissermaßen mit einer Einheitstunke übergossen; es ist dem üblichen Stil nachgeahmt. 1950 ff.

sottern intr brummeln; mürrisch, nörglerisch sein. Meint eigentlich „im Kochen wallen und überfließen"; von da übertragen zur Bedeutung „aufbrausen". Seit dem 19. Jh.

Sott-Ewer m Elbdampfer. Sott = Ruß. „Ewer" war eigentlich ein Segelschiff für küstennahe Gewässer. 1900 ff.

Sottneger m verschmutztes Kind. Nordd soviel wie Schornsteinfeger. 1900 ff.

Souffleur m Schüler, der seinem Kameraden vorsagt. Aus der Theatersprache übernommen. Spätestens seit 1900, schül.

soufflieren tr intr dem Mitschüler vorsagen. Spätestens seit 1900, schül.

soulig (engl ausgesprochen) adj schwungvoll o. ä. Fußt auf engl „soul = Seele" und bezieht sich im engeren Sinne auf die sehr ausdrucksstarke Musik der amerikanischen Neger. Halbw 1965 ff.

sowas n ~ kommt von ~ = das sind die unausbleiblichen Folgen. 1920 ff.

sowieso adv 1. doch; auf jeden Fall; auch ohne das; ohnehin (ich wollte euch sowieso besuchen; das Glas ist sowieso entzwei). Eigentlich „so oder so = auf diese oder jene Weise"; weiterentwickelt zu „auf irgendeine Weise" und zu „auf jeden Fall; unter allen Umständen". Seit dem 19. Jh.
2. das ~ = das ist selbstverständlich; das ohnehin. 1900 ff.

Sowieso m f n Herr (Frau, Fräulein; Stadt, Fluß usw.) = Person oder Sache, deren Namen einem entfallen ist. 1900 ff.

sowohl adv leben Sie ~ als auch! = leben Sie wohl! Wortspielerei mit „sowohl" und „so wohl". Seit dem späten 19. Jh, wahrscheinlich Berliner Ursprungs.

Soz I m Sozialdemokrat. (Mehrzahl: die Sozen). Hieraus verkürzt im späten 19. Jh.

Soz II f Sozialkunde. Hieraus verkürzt. Schül 1950 ff.

Sozi I m Sozialdemokrat (abf). Hieraus verkürzt. Im späten 19. Jh von den Parteigegnern aufgebracht.

Sozi II f 1. Sozialkunde. Schül 1950 ff.
2. Sozialhilfe, Unterstützungsgeld. 1975 ff.

Sozia f Motorradmitfahrerin. Weibliches Gegenstück zum „Sozius". 1925 ff.

sozial adj 1. kameradschaftlich. 1960 ff, jug.
2. das ist ~ von dir = das ist nett von dir. Berlin 1970 ff, jug.

Sozialbremse f Einschränkung der Gemeinnützigkeit. 1963 ff.

Sozialfraß m Volksküchenessen; Armen-, Kirchen-, Studentenspeisung; Mensa-Essen. ↗Fraß. Spätestens seit 1917.

Sozialhilfe f selbstverfertigtes Täuschungsmittel des Schülers; dem Mitschüler bei der Klassenarbeit zugespielter Zettel. Dergleichen gilt als Notleidenhilfe. 1960 ff.

Sozialist m Minderbemittelter, der seinen

Vorteil wahrzunehmen sucht. Er macht sich die gemeinnützigen Hilfen in großem Umfang zunutze. 1948 *ff.*

Sozialistin *f* Motorradmitfahrerin. Aus „Sozia" scherzhaft erweitert. 1930 *ff.*

Sozialleiche *f* Beerdigung auf städtische Kosten. ↗Leiche. 1900 *ff.*

Sozialnassauer *m* Bürger, der alle Möglichkeiten der Sozialgesetzgebung ausschöpft, auch wenn er nicht zu Notleidenden zählt. ↗Nassauer 1. 1960 *ff.*

Soziusbraut *f* Motorradmitfahrerin. 1930 *ff.*

sozuflüstern *adv* gewissermaßen. Witzig gemeinte Variante zu „sozusagen" unter Einfluß von „das kann ich dir ↗flüstern". 1935 *ff.*

spachteln *v* 1. *intr tr* = essen; viel essen. Stammt aus der Sprache der Anstreicher: mittels des Spachtels werden Löcher mit Füllstoff geschlossen; ähnlich schließt der Esser Löcher im Magen. Seit dem späten 19. Jh, kundenspr., *sold, halbw* und arbeiterspr.
2. *intr tr* = koitieren. Analog zu „↗stopfen 2"; „↗nähen 3". 1950 *ff.*

spack *adj* 1. dürr, mager, hinfällig. Ein *niederd* Wort im Sinne von „ausgedörrt, ausgetrocknet". *Mhd* „spach". Seit dem 19. Jh.
2. enganliegend; straff sitzend (auf Kleider bezogen). Von der Bedeutung „ausgetrocknet" weiterentwickelt zu „eingelaufen, verengt". Seit dem 19. Jh.

'Spadi'fankerl (Sparifankerl, Spirifankerl) *m* 1. Teufel. „Spadi" ist der Säbel, fußend auf *ital* „spada = Degen, Schwert". „Fankerl" kann auf „Fant" fußen und durch „↗Gankerl" entstellt sein. *Bayr* und *österr*, 1800 *ff.*
2. lebhaftes Kind. *Österr* seit dem 19. Jh.
3. *pl* = geheimnisvolle Zeremonien; unverständliche Handlungen. Man betrachtet sie als Teufelswerk oder Teufeleien. *Österr* 1900 *ff.*

Spa'gat *m* 1. Schnur, Bindfaden. Geht zurück auf *ital* „spaghetto = Bindfaden". *Oberd* 1600 *ff.*
2. Falschgeld; Geld. Analog zu ↗Zwirn. *Rotw* 1920 *ff., österr.*
3. Männerfang durch Straßenprostituierte. Parallel zu „↗Leine 1" und „↗Strich". *Rotw* 1920 *ff., österr.*
4. Angst. Fußt auf *ital* „spaghetto = Furcht". *Rotw* 1920 *ff, österr.*
5. an = reißen = Straßenprostituierte sein. ↗Spagat 3. *Österr* 1920 *ff.*

Spaghetti *pl* Italiener. Wegen der in Italien beliebten Teigware. 1948 *ff.*

Spaghetti-Haare *pl* lang und ungepflegt (in Strähnen) herabhängendes Haar. 1955 *ff.*

Spaghettiträger *pl* schmale Bänder oder Schnüre für das ärmellose Kleid oder für das Oberteil des Badeanzugs. 1965 *ff.*

Spaghetti-Vorhang *m* lang in die Stirn herabreichende Haare. ↗Spaghetti-Haare. 1960 *ff.*

Spaghetti-Western *m* in Italien gedrehter Wild- West-Film. Soll aus den USA stammen. 1967 *ff.*

Spähtrupp *m* 1. Auftauchen einiger Läuse. Sie erkunden wohl für die Nachkommenden die Lage. *Sold* 1939 *ff.*
2. auf ~ gehen = Mädchenbekanntschaft suchen. *Sold* 1930 *ff.*

Spalte *f* Vagina, Vulva. Seit dem 19. Jh.

Spaltpilz *m* 1. Unfriedenstifter, Störenfried.

Eigentlich veraltete Bezeichnung für „Bakterium" (wegen der Fortpflanzung durch Teilung); hier Anspielung auf Spaltung im Zusammenleben. 1955 *ff, jug,* Berlin u. a.
2. Plan, durch den die Partner uneins werden; Uneinigkeit. 1960 *ff.*

Spalttierchen *n* Frau (Kosewort). ↗Spalte. 1900 *ff.*

Span *m* 1. Hader, Groll, Uneinigkeit; Streit; Streitgegenstand. Gehört zu *mhd* „span = Spannung, Zerwürfnis". Seit dem 14. Jh, vorwiegend *oberd*.
2. Torheit, Unvernunft. Analog zu „↗Nagel 10". Seit dem 19. Jh.
3. Streichholz. Meint eigentlich den Holzspan zum Anzünden von Feuer; Kienspan, Fidibus. 1900 *ff, BSD.*
4. Zigarette. ↗Spangerl. *Österr* 1900 *ff, stud, schül, rotw* und arbeiterspr.
5. sich einen ~ anheizen = sich eine Zigarette anzünden. *Sold* 1935 *ff.*
6. zieh dir keinen ~ ein! = bilde dir nichts ein! sei nicht dünkelhaft! *Vgl* „↗Nagel 10". *Vgl rhein* „haut nich zu hoch, dann springt euch kein Span ins Auge = seid nicht hochmütig". 1900 *ff.*
7. es gibt Späne = es gibt Prügel. Span = Kerbholz = Prügelstock. Seit dem 19. Jh.
8. Späne haben = Geld haben. Fußt auf „Span = Kerbholz zur Abrechnung" (*vgl* ↗Kerbholz); daraus weiterentwickelt zu „Geldforderung" und weiter zu „Geld". Seit dem 19. Jh.
9. Späne im Kopf haben = dünkelhaft, dumm sein. ↗Nagel 10. Seit dem 19. Jh.
10. mit jm einen ~ haben = mit jm eine Sache nicht auszumachen haben. Versteht sich entweder nach „↗Span 1" oder meint über die Gleichsetzung „Span = Kerbholz" die Geldschuld. 1400 *ff.*
11. Späne machen = Umstände machen; Widerworte geben; Widerstand leisten. Meint entweder „Span = Uneinigkeit" oder leitet sich her von dem Span, den sich bei der Holzbearbeitung hochstellt und leicht Verletzungen verursacht. *Vgl* ↗Span 6. Seit dem 19. Jh, *mitteld* und Berlin.
12. mit jm über dem ~ sein = mit jm entzweit sein. Seit dem 19. Jh.

Spange'letto *m (f)* Zigarette. Geht zurück auf *ital* „spagnoletta = spanische Zigarette". *Österr* 1910 *ff.*

Spangerl (Spangele) *n (f)* Zigarette. Herleitung wie im Vorhergehenden. *Österr* seit dem späten 19. Jh; vorwiegend *sold, rotw* und *schül.*

Spanier *m* stolz wie ein ~ = sehr stolz, selbstbewußt. In international weitverbreiteter Wertung hat der Spanier ein Übermaß an Stolz. Seit dem 18. Jh.

spanisch *adj adv* 1. jm ~ kommen = jn mit dem Stock prügeln. Der Schlagstock besteht aus spanischem Rohr. Berlin 1900 *ff, schül.*
2. das ist mir ~ = das ist mir unverständlich. Stammt aus der Zeit, als Karl V. König von Spanien war und spanische Trachten und Gebräuche auch im deutschen Sprachraum einführte; man empfand sie als fremdartig und gekünstelt. *Vgl* auch ↗Baselmanes. 1600 *ff.*
3. das sind ihm ~e Dörfer = das sind ihm unverständliche Dinge. Unter Einfluß des Vorhergehenden umgeformt aus „das sind ihm ↗böhmische Dörfer". 1600 *ff.*

4. das kommt mir ~ = das mutet mich seltsam an; das kann ich kaum glauben. Hängt vielleicht zusammen mit den Komödien, die bis 1765 in Wien in *span* Sprache aufgeführt und von den Wienern nicht verstanden wurden. *Vgl* auch ↗spanisch 2. 1600 *ff.*

Spannemann *m* 1. Beobachter von Personen, auf die ein Verbrechen geplant ist; Aufpasser; Angehöriger eines Spähtrupps; Feindbeobachter. ↗spannen 1. Seit dem frühen 20. Jh, *mitteld* und Berlin; vor allem verbrecherspr. und *sold.*
2. ~ machen = Leute beobachten; heimlich äugen; Voyeur sein. Seit dem frühen 20. Jh.

spannen *v* 1. *intr* = gespannt auf etw warten; belauern; vom Klassenkameraden absehen, abschreiben. Leitet sich her vom Spannen des Schlosses bei Schußwaffen, auch vom Spannen des Bogens und der gespannten Aufmerksamkeit auf ein Ziel. Schon seit *mhd* Zeit.
2. *tr* = etw erraten, merken, vermuten; Verdacht schöpfen. Seit dem 19. Jh.
3. *intr* = ein Liebespaar belauschen. Seit dem 19. Jh.

spannend *adv* mach's nicht so ~! = erzähle rascher! halte dich nicht so lange bei Nebensächlichkeiten auf! 1935 *ff, sold* und *jug.*

Spanner *m* 1. Voyeur; Belauscher eines Liebespaars. ↗spannen 3. Seit dem 19. Jh.
2. Helfershelfer von Einbrechern; Aufpasser, der bei Annäherung unerwünschter Personen warnt; Polizeispitzel; Detektiv. ↗spannen 1. 1900 *ff.*
3. Falschspieler. Er „spannt" (↗spannen 1) auf das Geld seiner Opfer. 1900 *ff.*
4. Anlocker zu anrüchigen Nachtlokalen, Spielsalons o. ä. 1920 *ff.*

Sparbrot *n* Geiziger; sparsam lebender Mensch. Er spart sogar am Brot. 1900 *ff.*

Sparbuch *n* dickes ~ = großes Sparguthaben. 1950 *ff.*

Sparbüchse *f* 1. weibliche Person. ↗Büchse = Vagina. 1900 *ff.*
2. Prostituierte, die einen Zuhälter aushält. *Prost* 1960 *ff.*
3. ~ auf Rädern = a) Kleinauto. 1955 *ff.* – b) Auto mit geringem Kraftstoffverbrauch. 1955 *ff.*

sparen *intr* 1. wenig arbeiten. Man spart Anstrengung. 1950 *ff, schül.*
2. spare in der Not; da hast du Zeit dafür: scherzhafte Aufforderung zur Sparsamkeit. Verdreht aus dem Sprichwort „spare in der Zeit; dann hast du in der Not". 1939 in Berlin aufgekommen, als weniger Ware vorhanden war als Geld.

Sparflamme *f* 1. Taschenfeuerzeug. Eigentlich die Flamme mit geringem Brennstoffverbrauch. 1950 *ff.*
2. Gelegenheitsfreundin. ↗Flamme 1. *Halbw* 1950 *ff.*
3. auf ~ = mit Unkostensenkung; mit Einsparungen; mit Kraftersparnis. Die Sparflamme ermöglicht sparsamen Gasverbrauch. 1955 *ff.*
4. auf (mit) kleiner ~ = ohne Kraftanstrengung; schwunglos. 1920 *ff.*
5. auf ~ bleiben = geldlich beengt bleiben. 1960 *ff.*
5 a. auf ~ fahren = ein benzinsparendes Auto fahren. 1970 *ff.*
6. etw auf ~ garwerden lassen = etw

langsam, unter Ausnutzung aller Erleichterungen verwirklichen. 1955 ff.

7. etw auf ~ halten = mit etw behutsam (vorsorglich) umgehen. 1960 ff.

8. auf ~ kochen = sich größter Zurückhaltung befleißigen; gefühlskalt sein; sich nicht engagieren. 1955 ff.

9. etw auf ~ kochen = etw hinhaltend betreiben; mit dem Geld sparsam haushalten. 1955 ff.

10. auf ~ leben = bescheiden, eingeschränkt leben. 1955 ff.

11. auf ~ schalten = sich Einschränkungen auferlegen. 1955 ff.

12. jn auf ~ setzen = jn seltener als bisher in der Öffentlichkeit auftreten lassen. 1960 ff.

13. etw auf ~ setzen = eine Gewohnheit einschränken; Kurzarbeit einführen. 1960 ff.

14. auf ~ stehen = eingeschränkt sein; nur in geringem Umfang betrieben werden. 1960 ff.

Spargel m **1.** Sehrohr; Periskop. Wie der Spargelkopf über die Erdoberfläche, so ragt das Periskop ein kleines Stück über die Wasseroberfläche. *Marinespr* 1939 bis heute.

2. großwüchsiger, hagerer Mensch. 1920 ff.

3. Zahnstocher. Wien, seit dem 19. Jh.

4. Fabrik-, Schiffsschornstein. Seit dem 19. Jh.

4 a. Fernmeldeturm; Fernsehturm. 1975 ff.

5. Penis. Seit dem 19. Jh.

6. pl = lange, dürre Beine. 1900 ff.

7. ~ des kleinen Mannes = Schwarzwurzeln. Sie sind billiger als Spargel. 1920 ff.

8. sprießender ~ = erigierender Penis; heftige Geschlechtsgefühle eines Knaben. ↗Spargel 5. 1920 ff.

9. den ~ abgießen = harnen (vom Mann gesagt). Die Wendung meint eigentlich das Ausgießen des Kochwassers aus dem Spargeltopf. Hier vgl ↗Spargel 5. 1900 ff.

10. den ~ quer essen können = a) einen breiten Mund haben. 1900 ff. – b) ein Prahler sein. 1930 ff.

11. eine Stange ~ setzen = koten. *Schül* 1948 ff.

12. ihn sticht der ~ = er verlangt heftig nach Geschlechtsverkehr. ↗Spargel 5. Seit dem 19. Jh.

Spargroschenmund m schmaler, dünnlippiger Mund. Er ähnelt dem Schlitz in der Sparbüchse. 1950 ff.

Sparifankerl m ↗Spadifankerl.

Sparkasse f **1.** Buckel. Parallel zu „↗Kriegskasse". Seit dem späten 19. Jh.

2. dicker Bauch. 1920 ff.

3. sparsamer, geiziger Mensch. 1920 ff.

4. Musikautomat in Gaststätten. Für Lieferfirma und Pächter ist er eine Art Sparkasse. Auch muß der Benutzer Geld einwerfen wie in ein Sparschwein. *Halbw* 1955 ff.

Sparkostüm n sehr spärliche Frauenbekleidung. 1960 ff.

spärlich gesät adj nicht zahlreich. Übertragen von der in großen Abständen vorgenommenen Aussaat. Seit dem 19. Jh.

Sparpolster n Sparguthaben. 1965 ff.

Sparpreis m niedriger Preis. Werbetexterspr. 1970 ff.

Sparren m **1.** einen ~ haben (im Kopf

haben) = leicht verrückt sein. Auf der Grundlage des Folgenden im 17. Jh aufgekommen.

2. einen ~ zuviel (zu wenig) haben = nicht recht bei Verstand sein. Im Vergleich der Hirnschale mit dem Dach des Hauses sind die Gedanken die Sparren. Wer einen Sparren zuviel oder zu wenig hat, hat einen Hirnschaden. 1500 ff.

sparsam schauen intr = a) mißtrauisch, mißgünstig, verschlossen blicken. Man engt den Blick ein. 1950 ff. – b) müde dreinschauen. 1950 ff.

Sparschnitt m gleichmäßig kurzgeschnittenes Kopfhaar. Mit ihm spart man manchen Besuch beim Frisör. *Halbw* 1950 ff.

Sparschwein n **1.** Auto, das nur geringe Betriebskosten erfordert. Parallel zu ↗Sparbüchse 3. 1955 ff.

2. das ~ schlachten = die Sparbüchse zertrümmern. 1955 ff.

Sparstrumpf m Gesamtheit der Ersparnisse. Früher versteckte man seine Ersparnisse in einem Strumpf. 1910 ff.

Spaß m **1.** ~ an der Freude (Freud') = Ausgelassenheit, Munterkeit; Freude über die Unbeschwertheit. *Rhein* 1900 ff.

2. diebischer ~ = boshafter Spaß; Schadenfreude. ↗diebisch. 1830 ff.

3. der ganze ~ = das alles; das Ganze. Meint eigentlich „die ganze Freude"; aus der Wendung „jm den ganzen Spaß verderben" entwickelt sich „der ganze Spaß" zur Bedeutung „das alles", meist mit geringschätzigem Nebensinn. Seit dem 18. Jh.

4. ein runder ~ = eine gelungene Sache. ↗rund 1. 1950 ff.

5. ein teurer ~ = eine kostspielige Sache. 1900 ff.

6. ~ beiseite, Ernst komm her! = in vollem Ernst gesprochen! 1920 ff.

7. da hört der ~ auf = das ist nicht länger zu ertragen. 1900 ff.

8. was kostet der ~? = was kostet das zusammen? Vgl ↗Spaß 3. Seit dem 19. Jh.

9. ein bißchen ~ machen = flirten. Flirt gilt als unernsthaft. 1920 ff.

10. das ist kein ~ = das ist eine wichtige Sache; das ist keine Kleinigkeit; das erfordert viel Mühe. 1800 ff.

11. ~ muß sein bei der Beerdigung (Leiche) = Spaß ist ebenso notwendig wie Ernst; Ernst allein hilft zu nichts. Steht wohl im Zusammenhang mit dem Schmaus, der nach der Beisetzung stattfindet, oder mit dem Einkehr ins Wirtshaus. Zur Begründung dieser sprichwörtlichen Redensart setzt mancher hinzu: „sonst geht keiner mit". Wohl seit dem 19. Jh.

Spas'setteln pl Scherze, Späße. Meint „kleine Späße". *Bayr* und *österr*, seit dem 19. Jh.

Spaßlaberln pl Frauenbrüste. Laberln = Rundbrötchen. 1920 ff.

Spaßvergnügen n Ausgelassenheit, Unbeschwertheit. *Nordd* 1900 ff.

Spaßvogel m Spaßmacher; lustiger, zu Streichen und drolligen Bemerkungen neigender Mensch. Im frühen 18. Jh nach dem Muster von „↗Spottvogel" aufgekommen.

Spasti m **1.** Spastiker. *Jug* 1970 ff.

2. Klassenschlechtester. 1970 ff.

3. Lehrer. 1970 ff.

4. unsympathischer Mensch. 1970 ff, jug.

spastisch adj geistesbeschränkt. 1970 ff, schül.

spät adj **1.** ich komme noch früh genug zu ~: Redewendung, wenn man zu Pünktlichkeit gedrängt wird. 1900 ff.

2. ~ dran sein = a) sich verspäten. Verkürzt aus „spät an der Reihe der Eintreffenden sein". 1930 ff. – b) etw nicht merken; etw nicht ahnen. *Sold* 1939 ff.

Spätberufener m Student mit hoher Semesterzahl. *Stud* 1955 ff.

Spaten m **1.** den ~ quälen = Schanzarbeit verrichten. *BSD* 1965 ff.

2. mit dem ~ spazierengehen = zum Koten gehen. ↗Spazierengang. *BSD* 1965 ff.

Spatengang m Vergraben des Kots mittels eines Spatens; Notdurftverrichtung im Freien. Das Verfahren war in der Wehrmacht vorgeschrieben; aber nicht in der Wehrmacht ist der Befehl erstmals formuliert worden, sondern von Moses (vgl 5. Moses 23, 13 u. 14). *Sold* 1939 ff.

spatengehen intr im Freien koten. *BSD* 1965 ff.

Spaten-Pauli (Spaten-Paule) m **1.** Grenadier. Geht zurück auf Pauli, eine Figur aus der Bilderheftgeschichte „Fix und Foxi" (Kauka-Verlag, Grünwald bei München); die Figur hat Ähnlichkeit mit einem Maulwurf und wurde als Figur mit Spaten entwickelt. *BSD* 1967 ff.

2. pl = Pioniere. *BSD* 1967 ff.

spätentwickelt adj noch unerfahren; mit langsamer Auffassung. Der Betreffende reift geistig und geschlechtlich erst spät. *Halbw* 1955 ff.

Spätgelbfahrer m Kraftfahrer, der startet, während die Ampel noch Gelb zeigt. Kraftfahrerspr. 1960 ff.

Spätheimkehrer m **1.** Zecher, der erst in später Nachtstunde das Wirtshaus verläßt. Aufgekommen mit der späten Heimkehr der Kriegsgefangenen aus Rußland gegen 1948 und gehäuft seit 1955.

2. aussehen wie ein ~ = zerlumpt, verwahrlost aussehen. 1950 ff.

Späthübsche f älteliches Fräulein. 1920 ff.

Spätlese f **1.** die Erwachsenen. Eigentlich die spät vorgenommene Traubenlese. 1950 ff, halbw.

2. Oberprimaner, der die Reifeprüfung im Sommer nicht bestanden hat und sie im Herbst oder Frühjahr wiederholt. *Österr* 1950 ff.

3. Schüler des Abendgymnasiums. 1965 ff.

4. Student mit hoher Semesterzahl. *Stud* 1960 ff.

5. bejahrte Heiratslustige; ältliche Ledige. 1920 ff.

6. diebische Traubenlese in den Nachtstunden. 1960 ff.

7. reife ~ = Dame gesetzten Alters, noch recht ansehnlich und der Liebe gern zugeneigt. 1920 ff.

Spät-Lolita f kniekehlenfreie ~ = Fünfzigerin, die sich wie ein Teenager kleidet und benimmt. ↗Lolita. Berlin 1960 ff, halbw.

Spätmerker m begriffsstutziger Mensch. Er merkt erst spät, was andere viel früher begriffen haben. 1930 ff.

Spätstück n spät eingenommenes Frühstück; Mahlzeit, bei der Frühstück und Mittagessen zusammengelegt sind. Dem „Frühstück" nachgeahmt. 1930 ff.

Spät-Teen (Grundwort engl ausgesprochen)

m Jugendliche(r) zwischen 16 und 20 Jahren. ↗Teen. 1960 *ff.*

Spät-Teenager (Grundwort *engl* ausgesprochen) *m* Jugendliche(r) gegen Ausgang des zweiten Lebensjahrzehnts. ↗Teenager. 1960 *ff.*

Spät-Twen *m* Mensch zwischen 30 und 40 Jahren. ↗Twen 1. 1960 *ff.*

Spatz *m* **1.** kleinwüchsiges, schmächtiges Kind; Kind (Kosewort). Seit dem späten 19. Jh.
2. Mädchen. Dem *lat* „passercula" nachgeahmt. 1900 *ff.*
3. Schüler der Unterstufe; Schulanfänger. Er ist klein, aber auch frech; *vgl* „frech wie ein ↗Rohrspatz". Spatzen wirken wenig verträglich. 1920 *ff.*
4. frecher, dreister Bursche. 1900 *ff.*
5. kleine Fleischportion; Stück Fleisch in der Suppe. *Sold* seit dem späten 19. Jh; kundenspr. 1906 *ff.*
6. Knabenpenis. Spätestens seit 1900.
7. geschlechtlich leistungsfähiger Mann. Spatzen gelten als unersättlich in geschlechtlicher Hinsicht. 1920 *ff.*
8. Geflügel. Anspielung auf eines, das zu klein ist für einen starken Esser. *Vgl* ↗Spatz 5. *BSD* 1965 *ff.*
9. Luftwaffenangehöriger; Pilot. Wegen der „Schwingen" an der Uniform. *Sold* 1914 bis heute.
10. schlecht essendes Kind; Mensch, der auffallend wenig ißt. Im Vergleich mit dem Menschen ist der Spatz ein bescheidener Esser, im Vergleich mit anderen Vögeln ein Vielesser. Spätestens seit 1800.
11. kein heuriger ~ = erfahrener Mensch. *Bayr* und *österr,* 1900 *ff.*
12. magerer ~ = Stich mit wenigen Augen. Kartenspielerspr. seit dem 19. Jh.
13. süßer ~ = nettes, reizendes Mädchen. ↗süß 1; ↗Spatz 2. 1920 *ff.*
14. frech wie ein ~ = dreist, unverschämt, rücksichtslos. ↗Rohrspatz. Seit dem 19. Jh.
15. wie ein ~ essen = wenig essen. ↗Spatz 10. Seit dem 19. Jh.
16. da fliegen die ~n im Rückenflug, damit sie das Elend nicht sehen = das ist eine ärmliche Gegend. Von den Möwen eines Ostfriesenwitzes übertragen auf die Spatzen um 1970.
17. du hast wohl einen ~ gefrühstückt? = du weißt wohl nicht, was du sagst? Ein ungewöhnliches Frühstück zeigt ungewöhnliche Einfälle. 1900 *ff.*
18. ~en haben = Muskelschmerzen haben. Herleitung unbekannt. *Österr* 1920 *ff, sold, schül* und *sportl.*
19. ~en unterm Dach haben = verrückt sein. *Vgl* ↗Vogel 53 a; ↗Dach 1. Seit dem 19. Jh.
20. ~en unterm Hut haben = vor jm den Hut nicht abnehmen. Man vermutet, der Unhöfliche habe Spatzen unterm Hut und befürchte, sie flögen weg, wenn er den Hut abnehme. ↗Vogel 54. Seit dem 17. Jh.
21. ~en im Kopf haben = a) dumm sein; wunderlichen Gedanken nachgeben. Sachverwandt mit „einen ↗Vogel haben". Seit dem 19. Jh. – b) überheblich sein. Auch in volkstümlicher Auffassung ist Dünkel ein Zeichen von Dummheit. Seit dem 19. Jh.
22. ein Hirn haben wie ein ~ = dumm sein; ein schlechtes Gedächtnis haben. Seit dem 19. Jh.

23. Muskeln haben wie der ~ Krampfadern = ein Schwächling sein. *BSD* 1965 *ff.*
24. den ~ melken = harnen (auf Männer bezogen). ↗Spatz 6. 1930 *ff.*
25. die ~en pfeifen es von den Dächern = es ist allgemein bekannt. Weiterbildung von Prediger Salomo 10, 20 („fluche dem Könige nicht in deinem Herzen und fluche dem Reichen nicht in deiner Schlafkammer; denn die Vögel des Himmels führen die Stimme fort"). 1600 *ff.*
26. die ~en verjagen = den Gegnern die kleinen Trümpfe abfordern. Kartenspielerspr. seit dem 19. Jh.

Spätzchen *n* Mädchen, Frau (Kosewort) ↗Spatz 2. 1900 *ff.*

Spatzhirn *n* **1.** kleines Gehirn; geringer Verstand. Seit dem 19. Jh.
2. geistesbeschränkter Mensch; Mensch mit schlechtem Gedächtnis. Seit dem 19. Jh.

Spatzenkuchen *m* Pferdekot. 1900 *ff.*

Spatzenrecht *n* Berechtigung, als Zaungast an einer Veranstaltung teilzunehmen, solange man nicht verscheucht wird. 1930 *ff.*

Spatzenschreck *m* aussehen wie ein ~ = ungepflegt, grämlich, abstoßend aussehen. Spatzenschreck = Vogelscheuche. Seit dem 19. Jh.

Spätzünder *m* **1.** Späterwachsener; begriffsstutziger Mensch; spät entschlossener Mensch. Hergenommen von Sprengladungen mit Verzögerungszünder. Etwa seit 1910, *sold, schül, stud* und arbeiterspr.
2. Kind, das sich langsamer entwickelt als die anderen; Mensch, dessen Lerneifer erst spät erwacht. 1950 *ff.*
3. Mensch, der erst spät zu seinem eigentlichen Beruf findet. 1950 *ff.*
4. Mensch, der geschlechtlich später reift. 1950 *ff.*
5. Mann, der spät heiratet. 1950 *ff.*
6. sehr spät ertappter Straftäter. 1950 *ff.*
7. spät aufgeklärtes Verbrechen. 1950 *ff.*
8. späte Folge einer Tat. 1950 *ff.*
9. spät zur Anerkennung gelangte künstlerische Leistung. 1950 *ff.*
10. Feuerzeug, das erst nach wiederholten Versuchen zündet. 1950 *ff.*

Spätzündung *f* **1.** langsame Auffassung; Begriffsstutzigkeit. ↗Spätzünder 1. 1910 *ff, sold, schül* und *stud.*
2. mit ~ = a) mit Wirksamkeit nach geraumer Zeit; mit spätem Bekanntwerden; verspätet. 1950 *ff.* – b) zögernd. 1950 *ff.*

spazieren *intr* **1.** eine bestimmte Geschwindigkeit erreichen; fehlerfrei funktionieren (das Auto ist brav spaziert). *Österr* 1955 *ff, jug.*
2. ~ denken = seine Gedanken wandern lassen. 1965 *ff.*

spazierengehen *intr* **1.** es geht spazieren = es geht verloren, wird gestohlen. Seit dem 19. Jh.
2. zum Abort gehen. 1900 *ff.*

spazierengucken *intr* den Wolken nachsehen; vom Fenster aus dem Straßenverkehr o. ä. zusehen. 1920 (?) *ff.*

Spazierhölzer *pl* Beine. Von den hohen Stelzen, auf denen Kinder gehen, scherzhaft übertragen auf lange Beine. 1800 *ff.*

Spazierstock *m* **1.** des Herrgotts (dem lieben Gott sein) ~ = sehr großwüchsiger, hagerer Mensch. *Mitteld* 1950 *ff.*

2. mit dem ~ gehen = Rentner sein. 1920 *ff.*
3. einen ~ verschluckt haben = ungelenk sein; eine Verbeugung machen. Moderne Variante zu der veralteten (veraltenden) Redewendung „einen ↗Ladestock verschluckt haben". 1930 *ff, jug.*

spazifizieren (spazifizieren gehen) *intr* spazierengehen. Hieraus scherzhaft gestreckt nach dem Muster von „spezifizieren". 1600 *ff.*

spa'zoren *part* (auch *inf*) = spaziert; spazieren. *Stud* Scherzbildung nach dem Muster von „blamoren". Seit dem 19. Jh.

speanzeln (spenzeln, speanzen) *intr* liebäugeln, flirten. Geht zurück auf „spenen = anreizen, anlocken" und ist beeinflußt von „sponsieren = verloben; zärtlich sein". *Oberd* 1800 *ff.*

spechten *intr* **1.** genau beobachten; auflauern; spähen. Kann sich herleiten vom Specht, der am Baum hackt, um Würmer, Käfer o. ä. ausfindig zu machen, oder versteht sich als Ableitung von „spähen". Auch „spicken" ist heranzuziehen. Vorwiegend *bayr* und *österr,* 1800 *ff.*
2. vom Mitschüler absehen, abschreiben. *Bayr* 1900 *ff.*

Speck *m* **1.** Lockmittel. Vom Mäusefang hergenommen. „Mit Speck fängt man Mäuse" gilt wörtlich und sprichwörtlich. Seit dem 19. Jh.
2. Geld, Löhnung. Speck ist hier sowohl als Lockmittel aufgefaßt als auch als kräftigende Zutat zu einer Speise. *Sold* in beiden Weltkriegen.
3. glänzender Schmutz an Kleidern; (nasser, öliger) Straßenschmutz. Speck glänzt. Seit dem 19. Jh.
4. Angst. Entweder gekürzt aus „Respekt" oder fußend auf der Gleichung „Speck = Lehm". Wegen seiner halbweichen Beschaffenheit und seiner Farbe ergibt „Lehm" die Bedeutung „Kot". Furchtsame leiden leicht an Stuhldrang. Wien, seit dem 19. Jh, *schül* und *stud.*
5. ~ ansammeln = für Notzeiten eine geldliche Rücklage ansammeln. Man setzt in geldlicher Hinsicht Speck an. 1900 *ff.*
6. ~ ansetzen = a) dick werden. 1900 *ff.* – b) wohlhabend werden. 1900 *ff.*
7. ~ in Butter braten = üppig leben; in Überfluß schwelgen. 1830 *ff.*
8. auf diesen ~ gehe (fliege) ich nicht = ich lasse mich nicht übertölpeln. Hergenommen vom Speck in der Mausefalle. Seit dem 19. Jh.
9. ~ haben (in der Kammer haben) = wohlhabend sein; in gesicherten Verhältnissen leben. Seit dem 19. Jh.
10. ~ in der Tasche haben = überall beliebt sein; eine große Anziehungskraft ausüben. Hergenommen vom Speck als Lockmittel in der Mausefalle. Seit dem 19. Jh, *nordd* und *mitteld.*
11. das macht den ~ nicht fett = das macht wenig aus; das ändert an der Sache nichts. *Vgl* „das macht den ↗Kohl nicht fett". 1960 *ff.*
12. sich den ~ nicht vom Butterbrot nehmen lassen = sich nicht übertölpeln lassen. 1920 *ff.*
12 a. an den ~ nicht ranwollen = auf eine verlockende Sache nicht eingehen, weil unbekannte Nachteile zu befürchten sind. ↗Speck 1. Seit dem 19. Jh.
13. seinen ~ runternudeln = an einem

Gymnastiklehrgang teilnehmen, um schlank zu werden. Nudeln = mästen; runternudeln = abspecken. 1920 ff.

14. im (auf dem) ~ sitzen = reich sein; einen einträglichen Posten bekleiden. Von reichen Vorräten wird auf Geldreichtum geschlossen. 1900 ff.

Speckdeckel *m* **1.** abgegriffene, verschwitzte, schmierige Mütze; Feld-, Arbeitsmütze. *Vgl* ↗ Speck 3. *Sold* 1910 bis heute; auch *ziv.*

2. Zylinderhut. Anspielung auf den glänzenden Seidenbezug. *Halbw* nach 1950.

Speckgang *m* Beute-, Bettelgang. Man bettelt um Speck. Kundenspr. 1920 ff.

speckig *adj* **1.** schmutzig; voller Fettflekken. ↗ Speck 3. Seit dem 19. Jh.

2. fett und fest (bezogen auf eine mißlungene Mehlspeise). *Oberd* seit dem 19. Jh.

Speckjäger *m* **1.** Landstreicher; Bettler; Müßiggänger. Er bettelt um Speck; *vgl* auch „Speck = Geld". Kundenspr., spätestens seit 1900.

2. Feldgendarm. Dem „↗ Hamsterer" nimmt er den Speck weg. 1915 ff; 1940 ff.

3. wohlgenährter, vermögender Bürger. 1900 ff.

4. Nutznießer, der andere für seinen Vorteil sorgen läßt; schmarotzender Mensch. Er erschleicht sich Eßbares; er geht auf Speck aus, aber hält sich selber kein Schwein. 1900 ff.

5. Mitgiftjäger; Frauenheld; Heiratsschwindler. ↗ Speck 2. 1920 ff.

Speckkäfer *m* **1.** schmarotzender Mensch. Die Larven des Gemeinen Speckkäfers schmarotzen in Pelzwerk, Speck und Schinken. 1900 ff.

2. nettes, dralles Mädchen. ↗ Käfer 1 u. 2. 1900 ff.

Speckmesser *n* Seitengewehr. Es eignet sich auch gut zum Speckschneiden. *Sold* seit dem späten 19. Jh bis heute.

Speckrand *m* fettig-schmutziger Rand (am Kragen o. ä.). ↗ Speck 3. 1900 ff.

Speckschwarte *f* glänzen wie eine ~ = a) fettig glänzen. 1900 ff. – b) sehr sorgfältig gereinigt sein (auf das Gewehr o. ä. bezogen); gut eingefettet sein. *Sold* 1914 bis heute.

Speckseite *f* **1.** glänzend gewordene Tuchseite. Sie glänzt wie Speck. Seit dem 19. Jh.

2. vorteilhafte Seite. Seit dem 19. Jh.

3. Glück. 1900 ff.

4. ~ des Lebens = Leben voller Annehmlichkeiten. *Sold* in beiden Weltkriegen.

spedieren *tr* jn fortjagen. Über Italien im 17. Jh aus *lat* „expedire = abfertigen" übernommen; durch die Kaufmannssprache volkstümlich geworden.

Speed (*engl* ausgesprochen) *m* Anregungsdroge. *Engl* „speed = Geschwindigkeit; Beschleunigung". Gegen 1970 aufgekommen mit der zunehmenden Rauschgiftsucht.

Speer *m* Penis. Analog zu „↗ Lanze" und anderen Bezeichnungen für Stichwaffen. 1500 ff.

speiben *intr* ein Geständnis ablegen. ↗ speien. Wien 1920 ff, verbrechersspr. und polizeispr.

Speiche *f* **1.** *pl* = Beine. Von der Verbindung zwischen Radnabe und Felge übertragen zur Bedeutung „Rad des Fuhr-

werks" und weiter zu „Fortbewegungsmittel". 1850 ff.

2. die ~n drehen = schnell davongehen; flüchten, fliehen. *Sold* 1920 ff.

3. nicht alle ~n am Rad haben = nicht recht bei Verstand sein. 1920 ff.

Speichensalat *m* zertrümmertes Fahrrad; Fahrzeugunfall. ↗ Salat 1. 1910 ff.

Speicherratte *n* vielerfahrener Mensch; vermeintlich überkluger Mann. Speicherratten gehen äußerst selten in die Falle und nehmen den Giftköder nicht an. Seit dem 19. Jh, *nordd.*

speien *intr* ein Geständnis ablegen. *Gleichbed* mit „↗ kotzen", „↗ spucken" u. ä. *Rotw* 1920 ff.

Speiseanstalt *f* Mund. Gegen 1870 in Berlin aufgekommen; wird immer stärker durch „Speiselokal" verdrängt.

Speisekammer *f* **1.** Magen. Eigentlich die Vorratskammer der Küche. *Sold* in beiden Weltkriegen; auch *ziv.*

2. elektrische ~ = Kühlschrank. 1955 ff.

Speisekarte *f* **1.** Fahrplan; Programmfolge. 1880 ff.

2. Vorstrafenregister. 1950 ff.

3. umgekehrte ~ = Erbrechen. 1900 ff.

4. ~ rückwärts = Erbrechen. 1900 ff.

Speiselokal *n* **1.** Mund. ↗ Speiseanstalt. 1920 ff.

2. das ~ schließen = endlich verstummen. 1920 ff.

Speisezettel *m* **1.** Wochenspielplan des Theaters. Theaterspr. seit dem späten 19. Jh.

2. Vorstrafenregister. ↗ Speisekarte 2. 1950 ff.

3. Liste der anberaumten Vernehmungen o. ä. 1950 ff.

Speisezimmer *n* **1.** Mundhöhle, Mund. 1920 ff.

2. ambulantes ~ = künstliches Gebiß. Es ist nicht „stationär". 1950 ff.

3. künstliches ~ = Zahnprothese. 1950 ff.

4. das ~ renovieren lassen = sich in Zahnbehandlung begeben; sich ein künstliches Gebiß anfertigen lassen. 1920 ff.

Spek'takel *m* *n* **1.** Lärm. Meint eigentlich das Schauspiel; von da weiterentwickelt zur Bedeutung „geräuschvolle Szene" und weiter zu „Lärm; wüster Lärm". Spätestens seit 1800.

2. Großveranstaltung, um die lange vorher und mit großen Geldsummen rege Betriebsamkeit entfaltet wird. 1930 ff.

spek'takeln *intr* lärmen; Aufruhr stiften. ↗ Spektakel 1. 1800 ff.

Spek'takler *m* **1.** Lärmender. Seit dem 19. Jh.

2. politischer Aufhetzer; Agitator. 1928 ff.

spektaku'lär *adj* aufsehenerregend; Schaugepränge entfaltend. 1930 ff.

spektaku'lieren *intr* sich künstlich aufregen; gemeinsam über eine Sache grundlos Lärm schlagen. 1900 ff.

Spekulati'onshyäne *f* rücksichtsloser Spekulant. Wie ein Raubtier stürzt er sich auf Spekulationsgewinne. 1960 ff.

Speku'liereisen *n* Brille, Fernglas, -rohr; Feldstecher; Opernglucker o. ä. ↗ spekulieren. Seit dem späten 19. Jh, *schül* und *sold.*

speku'lieren *tr* **1.** etw bemerken, entdecken, auskundschaften. Fußt über *franz* „spéculer" auf *lat* „speculari = spähen; ins Auge fassen". 1900 ff.

2. vom Mitschüler absehen, abschreiben. 1920 ff.

Speku'lierer *m pl* Brille. 1900 ff, *österr.*

spellen *tr intr* vom Mitschüler, aus einer unerlaubten Übersetzung, vom Täuschungszettel abschreiben. Spellen = schreiben. Ein anderes „spellen" hat die Bedeutung „spalten"; von daher ergibt sich leicht die Geltung „abspalten" und das umgangssprachliche „abzweigen" im Sinne von „für sich einbehalten; vorwegnehmen". Auch kennt man „spellen gehen" für „freundnachbarliche Besuche machen". *Ostmitteld* seit dem späten 19. Jh.

Spe'lunke *f* **1.** ärmliche Wohnung; minderwertiges Wirtshaus; Haus von zweifelhaftem Ruf. Stammt aus *lat* „spelunca = Höhle"; sachverwandt mit „↗ Loch". 1500 ff.

2. eigenes Zimmer. Es ist vermutlich nicht aufgeräumt. *Halbw* 1950 ff.

spendabel *adj* freigebig. Geht zurück auf „spenden, spendieren" und ist im 18. Jh mit einer *franz* Endung versehen worden.

Spen'daschi *n* Geschenk; großzügige Gabe. *Österr* Nebenform für das veraltete Wort „Spendage". Seit dem 19. Jh.

Spender *m* der edle ~ = der freigebige Spender; der Gebende. Gern bezogen auf einen älteren Herrn, der junge Leute zum Essen einlädt. Meint eigentlich den hochherzigen Spender aus humanitären Beweggründen. *Stud* seit dem späten 19. Jh.

spendieren *tr* etw freigebig ausgeben. Romanisierende Form zu *hd* „spenden". 1600 ff.

Spendierhosen (-buxen) *pl* **1.** Mensch mit ~ = freigebiger Mensch. In scherzhafter Auffassung hängt die Großzügigkeit nicht mit gelockerter Gestimmtheit zusammen, sondern mit dem Zuschnitt der Hose (der Hosentaschen). Kleider machen Leute. Seit dem 19. Jh.

2. die ~ anhaben (angezogen haben) = in Geberlaune sein. 1700 ff.

spe'renzeln *v* mit jm ~ = mit jm flirten. Aus „↗ speanzeln = liebäugeln" umgeformt unter Einfluß von *ital* „speranza = Hoffnung". „Das Speranzl" ist im *Österr* der Liebling. *Österr* seit dem 19. Jh.

Spe'renzen (Sperrentzien, Sperrenzchen, Sperranzien, Spirenzchen) *pl* = unnötige Schwierigkeiten; vermeidbare, überflüssige Umstände; Widersetzlichkeit o. ä. Geht zurück auf *mittellat* „sperantia", *ital* „speranza", beides soviel wie „Hoffnung"; weiterentwickelt zur Bedeutung „hinhaltende Hoffnung" und volksetymologisch angelehnt an „sperren" im Sinne von „sich sträuben". Wie die Formen zeigen, wird das Wort auch als Diminutivum aufgefaßt. Seit dem 17. Jh.

Sperk *m* Kleinwüchsiger; Zwerg. Meint mundartlich den Sperling. Zirkusspr. 1920 ff.

Sperling *m* **1.** Schimpfwort. Zielt entweder auf „frech wie ein Spatz" oder auf das „Spatzenhirn"; *vgl* auch „↗ Dreckspatz 2". *Jug* 1950 ff.

2. freilich hat der ~ Waden!: zustimmender Ausruf des Kartenspielers, wenn eine Karte ausgespielt wird, die ihm gelegen kommt. Kartenspielerspr. 1900 ff.

Sperlingskopf *m* vergeßlicher Mensch. Er hat ein „↗ Spatzenhirn". Berlin 1870 ff.

Sperlingslust *f* **1.** Mansardenwohnung. 1900 ff, Berlin.

2. durch Bombeneinschlag stark beschädigte (völlig ausgebrannte) Wohnung. 1944 ff.

'sperr'angel'weit *adv* ~ aufstehen = sehr weit, ganz offenstehen. Übereinanderlagerung der beiden selbständig auftretenden, *gleichbed* Wörter „sperrweit" und „angelweit". Etwa seit 1750.

Sperrballon *m* **1.** hohe Trumpfkarte, mit der man in Mittelhand einsticht und die vom dritten Mann nicht übertrumpft werden kann. Mit Sperrballons will man feindlichen Flugzeugen den Anflug auf ein bestimmtes Ziel erschweren oder unmöglich machen. Kartenspielerspr. 1914 ff.
2. einen ~ aufsteigen lassen = durch eine hohe Trumpfkarte vereiteln, daß den Stich an die Gegner fällt. Kartenspielerspr. 1914 ff.

sper'renzig *adj* umständlich, widersetzlich. Adjektivbildung zu „↗Sperenzien", wobei das Doppel-r durch „sperren" beeinflußt ist. Seit dem 19. Jh.

Sperrfeuer *n* Bekämpfung eines Vorhabens gleichzeitig durch mehrere Personen oder Gruppen. Aus dem Militärischen übernommen. 1950 ff.

Sperrgroschen *m* Trinkgeld für den Hausmeister, der nach einer bestimmten Stunde die Hausbewohner oder Hotelgäste einläßt. Österr seit dem 19. Jh.

Sperrklinke *f* Regelbinde. Meint eigentlich die mechanische Hemmung, mit der man ein Zahnrad am Rücklauf hindert. 1920 ff.

Sperrmüller (Sperrmüllgeier, -marder) *m* Durchwühler von Sperrmüll; Altwaren-, Schrotthändler. 1972 ff.

Sperrzone *f* Schamteile des Mädchens. Um 1900 aufgekommen, vielleicht im Zusammenhang mit dem Boxeraufstand in China, als in Peking das Diplomaten- und Palastviertel für Soldaten aller an der Auseinandersetzung beteiligten Nationen zur Sperrzone erklärt wurde.

spesen *intr* auf Spesen sehr teuer speisen. 1950 ff.

Spesen *pl* **1.** Küsse. Auf die Frage „wie war es mit dem Mädchen?" wird geantwortet: „Außer Spesen nichts gewesen!". *Halbw* 1955 ff.
2. außer ~ nichts gewesen = viel hat sich nicht ereignet; es ist recht langweilig gewesen. Stammt aus dem Geschäftsleben: manche Geschäftsreise bringt außer Spesenrechnungen nichts ein. Auch bekannt als Kehrreim eines Schlagerliedes. 1950 ff.

'Spesen'adel *m* wohlhabende Geschäftsleute, die die Kosten für die Bewirtung ihrer Geschäftsfreunde (wie auch für private Vergnügungen) als Spesen verrechnen. 1960 ff.

Spesenkavalier *m* Geschäftsmann, der alle Unkosten privater Natur auf Geschäftskonto bucht. 1965 ff.

Spesenreiter (-ritter) *m* Geschäftsmann, der seine Unkosten höher angibt als der Wirklichkeit entsprechend; Geschäftsmann, der Unterbringungs-, Verpflegungs- und sonstige Unterhaltungskosten (nicht nur) für Geschäftsfreunde von der Steuer absetzt. 1950 ff.

Spesenrubel *m* Aufwand, der auf Geschäftsunkosten verbucht wird. Dazu der Spruch: „Lasset uns genießen und fröhlich sein; denn (solange) der Spesenrubel rollt". 1950 ff.

Spezel (Spezi) *m* guter Freund. Verkürzt aus ↗Spezial. Vorwiegend *bayr* und *österr* seit dem 19. Jh.

Spezi *m* **1.** vertrauter Freund; Kamerad. Verkürzt aus ↗Spezial. *Oberd* 1800 ff.
2. Penis. *Österr* 1900 ff.
3. Fachmann. Verkürzt aus „Spezialist", wohl nach dem Muster von „Profi". 1965 ff.
4. Mischung von Coca Cola und Bluna (o. ä.). Es ist eine „Spezialmischung". 1965 ff.

Spezial *m* naher Freund. *Vgl ital* „lo speciale". 1850 ff, westd.

spezial *adv* mit jm ~ sein = mit jm befreundet sein. Seit dem 19. Jh.

Spezialschaffe *f* Sonderdarbietung; erlesener Genuß. ↗Schaffe. 1960 ff.

speziell *adv* mit jm ~ sein = mit jm eng befreundet sein. *Bayr* und *rhein*, seit dem 19. Jh.

Spezielles *n* **1.** auf Ihr ganz ~! = auf Ihr Wohl! Gemeint ist das Wohl des einzelnen, das aus der Trinkgemeinschaft. *Stud* seit dem 19. Jh.
2. aufs Spezielle trinken = jm zutrinken. *Stud* seit dem 19. Jh.

Spick *m* Täuschungszettel des Schülers. ↗spicken. *Schweiz* 1900 ff.

spickeln *intr* durch die Finger sehen; durch Astlöcher spähen; vom Mitschüler absehen. Durch Einführung eines „l" erweitertes „↗spicken". Vorwiegend *südwestd* seit dem ausgehenden 19. Jh.

spicken *v* **1.** *intr* = vom Mitschüler (Mitstudenten) absehen; vom Täuschungszettel oder aus einer unerlaubten Übersetzung abschreiben. Fußt auf *lat* „spicere = sehen". Seit dem 17. Jh, *schül* und *stud*.
2. *intr* = heimlich blicken; dem Kartenspieler in die Karten blicken; anderen Leuten ins Fenster sehen. Seit dem 19. Jh.
3. *intr* = in der Prüfung versagen. Weiterentwickelt aus der in der Schweiz verbreiteten Bedeutung „schnellen, stoßen, laufen". *Schweiz* 1950 ff, *schül.*
4. auf etw ~ = etw heimlich anstreben. Man faßt es ins Auge. *Österr* 1900 ff.
5. *tr* = jn bestechen; jn durch Geschenke zu gewinnen suchen. Geht zurück auf die Bedeutung „mästen, bereichern", vor allem „jm die Taschen füllen". *Vgl* auch ↗Speck 1. 1700 ff.

Spicker *m* **1.** selbstverfertigtes Täuschungsmittel; unerlaubtes Hilfsmittel. ↗spicken 1. Seit dem 19. Jh.
2. Schüler, der vom Nebenmann oder vom Täuschungszettel absieht, abschreibt. Seit dem 19. Jh.
3. Plagiator. 1600 ff.

Spickzettel *m* **1.** Täuschungszettel der Schüler (Studenten) bei Klassenarbeiten, Klausurübungen usw. ↗spicken 1. Seit dem 19. Jh.
2. Handzettel des Redners; Programmzettel des Quizmasters. 1950 ff.
3. Merkzettel. 1950 ff.

spiddelig (spittelig) *adj* schmächtig, kümmerlich. Gehört wohl zu „Spital = Krankenhaus". *Niederd* seit dem 19. Jh.

Spiegel *m* **1.** Glatze. Sie ist blank wie ein Spiegel. Als „Spiegel" bezeichnet man auch einen hellen, glänzenden Fleck. *Schül* 1945 ff.
2. Gesäß. Stammt aus der Jägersprache als Bezeichnung für das weiße Hinterteil beim Rehwild. Seit dem 19. Jh.

3. sprechender ~ = Bildschirm. 1955 ff.
4. da beschlägt einem ja der ~!: Ausruf des Erstaunens und des Unwillens. Der beschlagene Spiegel verliert seinen Zweck. 1950 ff.
5. den ~ blank machen = alles verzehren; den Teller leer essen. Von der Bezeichnung für die Mitte der Schießscheibe übertragen auf den Mittelteil des Tellers. *Halbw* 1955 ff.
6. etw hinter (etw nicht an) den ~ stecken = etw nicht jedermann sehen lassen; sich einer Sache schämen; etw beherzigen müssen. Zwischen Glas und Rahmen, also an den Spiegel steckte man früher Einladungs-, Glückwunschkarten, Bilder, überhaupt angenehme Post; was man nicht auf diese Weise aufhob, waren unerfreuliche Briefschaften u. ä. Seit dem 19. Jh.
7. etw hinter den ~ stecken = etw aufgeben, verloren geben; mit Rückerhalt des Geldes nicht rechnen. Seit dem 19. Jh.

'spiegel'blank *adj* glatzköpfig. ↗Spiegel 1. 1945 ff.

Spiegelfläche *f* Glatze. ↗Spiegel 1. 1945 ff.

Spiel *n* **1.** Geschlechtsverkehr. Verkürzt aus „Liebesspiel"; *gleichbed mhd* „minnespil" und „bettespil". Seit dem Mittelalter.
2. ~ mit offenen Karten = Offenlegung geschäftlicher Pläne; unumwundene Aussprache. Dem Kartenspielerdeutsch entnommen. ↗Karte 19. Etwa seit 1900.
3. ~ mit verdeckten Karten = Geheimhaltung geschäftlicher Interessen; Verheimlichung bestimmter Absichten. 1920 ff.
4. abgekartetes ~ = heimlich zum Schaden eines anderen verabredete Sache. ↗abkarten. Seit dem 18. Jh.
5. faules ~ = Verbrechen; Sabotage o. ä. ↗faul 1. 1960 ff.
6. haushohes ~ = Kartenspiel, das einen hohen Gewinn bringt. ↗haushoch. Kartenspielerspr. 1900 ff.
7. kaltes ~ = Fußballspiel mit wenigen Tortreffern und geringer Spannung. Man spielt ohne Temperament, und die Zuschauer läßt es „↗kalt". *Sportl* 1955 ff.
8. kindliche ~e im Freien = Felddienstübung. Meint eigentlich Kinderspiele wie Nachlaufen, Verstecken, Räuber und Gendarm o. ä. *Sold* 1920 ff.
9. neckisches ~ = Striptease. ↗neckisch. 1960 ff.
10. scharfes ~ = Spiel um Geld. Bei dieser Spielart ist jegliche Rücksichtnahme ausgeschlossen. 1900 ff.
11. schmutziges ~ = a) verantwortungsloses Vorgehen; bewußte Irreführung; niederträchtige Handlungsweise. Schmutzig = charakterlos. 1920 ff. – b) absichtlich klangunreine Tonwiedergabe. Die Töne klingen nicht „rein". Nach 1945 mit dem neuen Gesangsstil aufgekommen.
12. schräges ~ = Jazzmusik. ↗schräg 3. 1925 ff.
13. etw ins ~ bringen = a) etw zur Sprache bringen. 1900 ff. – b) etw in den Handel bringen. 1950 ff.
14. jn ins ~ bringen = jn als Mittäter benennen. Seit dem 19. Jh.
15. das ~ geht um die Ecke = das Spiel geht verloren. ↗Ecke 21. Kartenspielerspr. 1900 ff.
16. das geigt kein ~ = das spielt keine Rolle; das ist gleichgültig; Ausdruck der

Ablehnung. Verdreht aus „das spielt keine ↗Geige". 1920 ff.

17. gewonnen (gewonnenes) ~ haben = um den Erfolg nicht mehr bangen müssen. Der Kartenspielersprache entlehnt. Seit dem 15. Jh.

18. ein ~ haben wie ein Haus = ein gutes Spiel auf der Hand haben. Die Gewinnaussicht steht so fest wie ein Haus. ↗Spiel 6. Kartenspielerspr. seit dem 18. Jh.

19. jn aus dem ~ lassen = jn in eine Sache nicht verwickeln. 1700 ff.

20. das ~ machen = das Kartenspiel gewinnen. Kartenspielerspr. seit dem 19. Jh.

21. jn aus dem ~ nehmen = a) jds Einfluß (vorübergehend) schwächen; jn abberufen. Vom Brett- oder Fußballspiel übertragen. 1930 ff. – b) jn von der Front abziehen. Sold 1939 ff. – c) jn verhaften. 1950 ff.

22. das ~ geht rum = das Spiel geht verloren. Übertragen vom Wein, der „rumgeht", wenn er stark säuert. Kartenspielerspr. seit dem 19. Jh.

23. das ~ geht den Bach runter = das Spiel geht verloren. ↗Bach 8. Kartenspielerspr. 1900 ff.

24. ein ~ schmeißen = ein Kartenspiel verloren geben. Der Verlierer wirft die Karten auf den Tisch zum Zeichen seiner Niederlage. Vgl ↗schmeißen 10 u. 11. Kartenspielerspr. seit dem 19. Jh.

24 a. das ~ überreizen = in einer Sache zu weit gehen; ungebührliche Forderungen stellen. Eigentlich soviel wie „nach Aufnahme des Skats den angesagten Spielwert nicht halten können". 1920 ff.

25. das ~ verdirbt den Charakter: Ausruf des Spielers, wenn ihm die Gegner mit List und Können den Sieg vereitelt haben. Kartenspielerspr. seit dem 19. Jh.

26. ein gutes ~ kommt wieder: schadenfrohe Trostrede an den Verlierer. Kartenspielerspr. seit dem 19. Jh.

Spielbauer m Bauer ohne Freude an der Landwirtschaft. 1950 ff.

Spielbein n (erigierter) Penis. Eigentlich das bevorzugte Bein des Sportlers. 1950 ff.

spielen v **1.** was wird hier gespielt? = was geht hier vor? wie habe ich die Zusammenhänge zu verstehen? 1900 ff.

2. wer spielt hier was? = was geht hier vor? was gibt es Neues? Vielleicht hervorgegangen aus der Frage an Kartenspieler, die sich über den Spieler und die Farbe noch nicht geeinigt haben. 1900 ff, sold und stud.

3. bei dir ~ sie wohl? = du bist wohl nicht recht bei Verstand? Die Grillen oder Mücken spielen im Kopf. 1900 ff.

4. intr = koitieren. ↗Spiel 1. Seit mhd Zeit.

5. spiel' mit dir selbst! = laß mich in Ruhe! Eigentlich Redewendung an ein lästiges Kind. 1950 ff.

6. mit sich selbst ~ = onanieren. 1920 ff.

7. sich mit etw ~ = sich mit etw ohne Ernst beschäftigen. Österr 1900 ff.

8. einer spielt falsch = Heeresmusikkorps. Anspielung auf musikalisches Falschspiel. Der Ausdruck fußt in Abwandlung auf dem Filmtitel „Ein Herz spielt falsch" (1953). BSD 1970 ff.

Spieler m scharfer ~ = Schauspieler mit großem Können. Er verleiht den von ihm verkörperten Gestalten scharfe Umrisse. Theaterspr. seit 1860/70, Berlin (Mutter Gräbert).

Spieler-Material n Gesamtheit der Spieler; Leistungsfähigkeit einer Sportmannschaft. Vgl ↗Menschenmaterial. Sportl 1950 ff.

Spielführer m Ministerpräsident; Partei-, Fraktionsvorsitzender. Aus der Sportsprache um 1970 übernommen.

Spielgefährtin f **1.** intime Freundin. Halb eingedeutscht aus engl „playgirl". 1960 ff. **2.** aufblasbare Nachbildung einer weiblichen Figur in Lebensgröße. 1970 ff.

Spielhans m **1.** verspieltes Kind. Seit dem 19. Jh. **2.** dem Spiel sehr ergebener Erwachsener. Seit dem 19. Jh.

Spielhölle f **1.** Spielbank. 1830 ff. **1 a.** Geldspielautomatenhalle. 1975 ff. **2.** Krankenstube in der Kaserne. Dort vertreibt man sich die Zeit mit Kartenspielen. BSD 1960 ff. **3.** dilettantische Hausmusik. Die Zuhörer stehen „Höllenqualen" aus, und in der Hölle soll schrecklicher Lärm herrschen. 1880 ff.

Spieljunge m intimer Freund eines Mädchens; Frauenheld. Lehnübersetzung von angloamerikan „playboy". 1955 ff.

Spielkätzchen n Mädchen, das die Geschlechtspartner sehr häufig wechselt; Prostituierte, die in Kreisen wohlhabender Leute Eingang gefunden hat. ↗Spiel 1. 1960 ff.

Spielknabe m intimer Freund eines Mädchens; Frauenheld. ↗Spieljunge. 1955 ff.

Spielmädchen n intime Freundin eines jungen Mannes; leichtes Mädchen; jugendliche Prostituierte. Lehnübersetzung von angloamerikan „playgirl". 1955 ff.

Spielmaterial n absichtlich ausgestreutes Gerücht. 1965 ff.

Spielmops m Militärmusiker; Angehöriger eines Spielmannszuges. „Mops" spielt wohl auf Dicklichkeit an sowie auf die Geltung des Mopses als Schoß- und Spielhund. Sold seit dem späten 19. Jh; auch ziv.

Spielplan m Verzeichnis der zur Gerichtsverhandlung anstehenden Fälle. Eigentlich der Spielplan eines Theaters; hier mit Anspielung auf das „Theater" der Verhandlung. 1950 ff.

Spielplatz m **1.** Glatze. Eigentlich die den Kindern vorbehaltene Fläche, auf der sie spielen dürfen. Schül 1920 ff. **2.** Exerzierplatz; Kasernenhof; Truppenübungsgelände. BSD 1965 ff. **3.** fester ~ = intime Freundin. Halbw 1960 ff.

Spielratte (Spielratz) f (m) verspieltes Kind; leidenschaftlicher Spieler. Hergenommen von den verspielten Murmeltieren. Seit dem 18. Jh.

Spieltaufe f Spielansage. Der Spieler „tauft" das Spiel „Treff" oder „Karo" o. ä.: er gibt ihm einen Namen. Kartenspielerspr. 1900 ff.

Spielwiese f **1.** Glatze. Analog zu ↗Spielplatz 1. 1920 ff. **2.** Truppenübungsgelände o. ä. BSD 1965 ff. **3.** Ehebett; breites Bett; Liege. Anspielung auf ↗Spiel 1. 1950 ff, halbw. **4.** Schambehaarung der Frau. 1900 ff. **5.** Ehefrau; intime Freundin. o. ä. 1950 ff, halbw.

6. polizeilich geregelter Bereich für die Betätigung der Straßenprostituierten. 1960 ff. **7.** Betätigungsfeld; Handlungsspielraum. 1970 ff.

Spielwitz m abwechslungsreiche, von der jeweiligen Lage bestimmte Handlungsweise eines Fußballspielers. Sportl 1960 ff.

Spielzeug n **1.** Handwerksgerät. Von den Spielsachen der Kinder spöttelnd und verniedlichend übertragen auf das Arbeitsgerät, vor allem auf das Diebeswerkzeug. Rotw seit dem 19. Jh. **2.** Gesamtheit der militärischen Ausrüstung eines Soldaten. Sold 1939 ff. **3.** Pistole, Handfeuerwaffe. Euphemismus. Seit dem 19. Jh. **4.** Handgranate. Euphemismus. Sold 1939 ff. **5.** Lehrmittel. 1920 ff, schül. **6.** intime Freundin. Analog zu „Puppe", hier mit Anspielung auf „↗Spiel 1". Halbw 1955 ff. **7.** Penis. Prost 1950 ff.

spienzeln intr durch die Finger sehen; äugen; spähen. Nebenform zu „↗speanzeln". Oberd seit dem 19. Jh.

Spieß m **1.** etatsmäßiger Feldwebel (bis 1918); Oberfeldwebel (1919–1938); Hauptfeldwebel (1938–1945); Kompaniefeldwebel (1955 ff). Feldwebel trugen im 17./18. Jh einen Spieß. Sold seit dem späten 19. Jh bis heute. **2.** Lehrer. Im ausgehenden 19. Jh in der Schülersprache aufgekommen. **3.** Kriminalpolizeibeamter, Landjäger. Wohl wegen des Säbels, den er früher trug. 1930 ff. **4.** Staatsanwalt. Kundenspr. 1900 ff. **5.** parlamentarischer Geschäftsführer der Bundestagsfraktion. 1960 ff. **6.** Penis. Analog zu „↗Lanze", „↗Speer" usw. 1500 ff. **7.** warmer ~ = erigierter Penis. 1900 ff. **8.** brüllen (schreien o. ä.) als ob man am ~ stäke (steckte; brüllen wie am ~) = laut schreien. Hergenommen vom barbarischen Kriegsbrauch der plündernden Soldateska, Kinder an den Spieß zu stecken und hoch über der Schulter zu tragen. Seit dem späten 16. Jh. **9.** brüllen wie ein ~ = sehr laut sprechen. Hergenommen von der Eigenart des „↗Spieß 1". Sold 1935 ff, auch ziv. **10.** den ~ umdrehen (umkehren) = eine Sache am anderen Ende anfassen; sich gegen eine Rüge zur Wehr setzen, indem man dem Tadler Vorhaltungen macht; streng vorgehen, nachdem Gutmütigkeit nichts gefruchtet hat. Stammt aus der Landsknechtszeit: der Angegriffene entreißt dem Angreifer den Spieß, dreht ihn um und geht zum Angriff über. 1800 ff.

Spießbürger m **1.** engherziger Bürger mit kleinem geistigem Blickfeld. Hergenommen von den Bürgern, die mit dem Spieß die Stadt mit dem Spieß verteidigten; hieran hielten sie auch nach Einführung der Feuerwaffen fest. Deswegen wurden sie zur Zielscheibe des Spotts, zuerst durch Studenten um die Mitte des 17. Jhs. **2.** Mensch, der die gegrillte Speisen genießt. Wortspielerei 1975 ff.

spießen v **1.** jn ~ = jn beobachten. Mit den Blicken spießt man ihn gewissermaßen auf. 1920 ff. **2.** jn ~ = jn mit der Spritze impfen. Sold in beiden Weltkriegen.

3. jn ~ = jn verulken. Gehört zu „Spitze = anzügliche Bemerkung". *Halbw* 1950 *ff.*

4. *intr* = sich in Haft befinden. Aus „brüllen wie am ↗Spieß" abgemildert zu einer Variante von „↗brummen 4". *Rotw* 1920 *ff.*

Spießer *m* **1.** kleinlicher, engherzig denkender, fortschrittsfeindlicher Mensch. Gegen 1830 aus „↗Spießbürger 1" verkürzt. **2.** junger Mann, der sich keinem Lebensgenuß versagt. Stammt aus der Jägersprache, wo „Spießer" der junge Hirsch ist. *Vgl* „↗Hirsch 1". 1920 *ff,* Berlin.

Spießerschreck *m* junger Mann, der es darauf anlegt, politisch unfortschrittliche Leute herauszufordern. 1960 *ff.*

spießig *adj* **1.** hausbacken; schwunglos; allen Neuerungen abhold. ↗Spießer 1. Seit dem 19. Jh.
2. widerspenstig; ungesellig; schroff. Man macht „spitze" (= verletzende) Bemerkungen. *Österr* seit dem 19. Jh.

Spießruten *pl* **1.** ~ laufen = im Vorbeigehen spöttischen Blicken und Bemerkungen ausgesetzt sein. Geht zurück auf die Bestrafung eines Soldaten, der mit Rutenschlägen auf den entblößten Rücken durch eine Doppelreihe von Kameraden getrieben wird. Seit dem 19. Jh.
2. ~ fahren = das Auto an vielen Hindernissen vorbeisteuern. 1965 *ff.*

Spießrutenlauf *m* **1.** Vorfall, bei dem man von allen Seiten hämischen Blicken und Bemerkungen ausgesetzt ist. Seit dem 1900 *ff.*
2. Vorstelligwerden bei verschiedenen Behörden. 1965 *ff.*

spillerig (spillrig) *adj* hager, dürr; dürftig. Gehört zu *niederd* „Spill = Spindel" und meint dasselbe wie „spindeldürr". Spätestens seit 1800.

Spinat *m* **1.** Orden und Ehrenzeichen. Anspielung auf die Eichenlaubverzierung, die man als „Blattgemüse" abtut. *Sold* 1939 *ff.*
2. ~ mit Ei = farbentragender Verbindungsstudent. Erklärt sich her von der Farbenzusammenstellung der Couleurmützen, -bänder usw. Die Bezeichnung übernimmt wohl von der Soldatensprache den gleichlautenden Ausdruck der Ablehnung, wobei „Spinat" 1939/45 die Kuhexkremente meinte. *Stud* 1960 *ff.*
3. chinesischer ~ = Kuhfladen. Meint eigentlich das derbe „Kuhkacke" in der ans Chinesische anklingenden Sprechweise „ka-ka-ké". 1920 *ff.*
4. der ganze ~ = das alles *(abf)*. *Österr* 1900 *ff.*
5. höchster ~ = a) unübertreffliche Prahlerei. Gehört wohl zu „spinnen = prahlen". *Vgl* auch „spinat (spinnert) = überspannt; Traumvorstellungen anhangend". *Österr* seit dem 19. Jh. – b) Unübertreffliches; Entscheidendes. *Vgl* „so ein Walzer im Sechstakt ist der höchste Spinat" (Operette „Ein Walzertraum" von Oscar Straus). *Österr* seit dem 19. Jh.
6. ~ haben = kraftlos sein. „Spinat" meint hier den Durchfall. Hartnäckiger Durchfall schwächt körperlich. *Bayr* seit dem 19. Jh.
7. ~ auf dem Kopf haben = nicht unbescholten sein; ein schlechtes Gewissen haben. *Nordd* 1880 *ff.*
8. wie kommt (denn der) ~ aufs Dach?: *iron* Frage, wenn man sich über eine Sa-

che sehr verwundert. Gern mit dem Zusatz: „die Kuh kann doch nicht fliegen". „Spinat" ist Euphemismus für Kuhexkremente. *Vgl* „↗Kuhscheiße 3". Seit dem späten 19. Jh.
9. ~ schieben = a) kraftlos, ohnmächtig werden. Fußt auf der Beobachtung, daß man vor Kraftlosigkeit „grün" im Gesicht wird; hieraus hehlwörtlich entwickelt mit Anlehnung an die Farbe des Spinats. 1920 *ff.* – b) Hunger verspüren. Der Wendung „↗Kohldampf schieben" nachgeahmt. 1920 *ff.*
10. das ist ~ = das ist unerheblich. Vielleicht weil Spinat als häufiges Gericht die Geltung einer geringwertigen Sache annimmt. *Österr* seit dem 19. Jh.
11. in ~ treten = a) gröblich gegen den Anstand verstoßen. ~ = Kuhexkremente. *Nordd* 1910 *ff. Vgl* dänisch „traede i spinaten". – b) in eine unangenehme (gefährliche) Lage geraten; sich gründlich verrechnen. 1910 *ff.*

Spinathengst *m* Schimpfwort auf einen Mann. Meint wahrscheinlich „Spinat = Kot" und steht in Analogie zu „Scheißkerl". *Vgl* ↗Hengst 1. 1950 *ff.*

Spinatorgel *f* Klavier. Aus „Spinett" umgewandelt. 1920 *ff, stud.*

Spinatwachtel *f* hagere Frau in vorgerückten Jahren; ältliche Ledige; ältliche ledige Lehrerin. Geht zurück auf die *südd* Form „spinnte Wachtel", wobei „spinnet" sowohl auf „verrückt" als auch auf „dürr" anspielt. „Wachtel" meint das Feldhuhn und in übertragenem Sinne auch die Frau. Etwa seit 1850, *schül, stud* und *sold.*

'spindel'dürr *adj* sehr hager. Aus der Spinnerei übernommen: die *trad* Spindel ist ein längliches Holz, das oben und unten zugespitzt ist. Seit dem 19. Jh.

Spindmädchen *n* Pin-up-Girl. 1950 *ff.*

Spinn *m* Grübelsinn. ↗spinnen 1. *Südd* seit dem 19. Jh.

Spinne *f* **1.** magere, dürre weibliche Person. Verallgemeinert von den langen, dünnen Beinen der Spinnen. 1500 *ff.*
2. Lehrerin. Spinnen erregen im allgemeinen Abscheu und gelten als Sinnbild der Häßlichkeit, was beim Menschen auch auf den Charakter übertragen wird. *Schül* seit dem späten 19. Jh.
3. langbeiniger Mensch. Seit dem 19. Jh.
4. Polizeifunkwagen. Mittels des Funknetzes sucht er den Verdächtigen zu fangen. 1950 *ff.*
5. Hubschrauber. Er hat ein spinnenbeiniges Fahrwerk oder Stützgestell. *BSD* 1965 *ff.*
6. Untergestell der Fernsehkamera; Stativ. Wegen der langen, gespreizten Beine. 1955 *ff.*
7. Mondlandegerät. Lehnübersetzung aus dem *Angloamerikan.* 1969 *ff.*
8. Gefängniswachtmeister, der vom Mittelpunkt des Gefängnisses aus alle Zellenflure überblicken kann. Fußt auf der Vorstellung von dem Spinnennetze. 1960 *ff.*
9. Straßenprostituierte. Die Spinne saugt ihre Opfer aus. 1900 *ff.*
10. wunderlicher Einfall; Verrücktheit. ↗spinnen 1. Berlin 1967 *ff.*
11. pfui, ~!: Ausdruck des Abscheus. Spinnen gelten als Ekeltiere; von da aus verallgemeinert. Seit dem 19. Jh.
12. wütend wie eine ~ = überaus wütend. Wohl vom kannibalischen Ge-

schlechtsverhalten mancher Spinnenarten übertragen. 1950 *ff.*
13. die ~n husten hören = sich für sehr klug halten; zutreffend ahnen. Analog zu „die ↗Flöhe husten hören". 1950 *ff.*

'spinne'feind *adv* jm ~ sein = mit jm unversöhnlich verfeindet sein. Manche Spinnenarten fallen auch ihresgleichen an und saugen sie aus. Seit dem 15. Jh.

spinnen *intr* **1.** wunderliche Gedanken hegen; nicht recht bei Verstand sein. Entweder verkürzt aus „Gedanken spinnen = Gedanken aneinanderreihen, verknüpfen" oder herzuleiten von den Zucht- und Arbeitshäusern, in denen früher auch die Geisteskranken untergebracht waren, die wie die Häftlinge mit Spinnarbeiten beschäftigt wurden. Seit dem späten 18. Jh, vorwiegend *südd* und *westd.*
2. ich glaube (denke), ich spinne!: Ausruf der Verwunderung. Man ist dermaßen erstaunt, daß man sich wie von Sinnen vorkommt. 1960 *ff.*
3. einer spinnt immer = in einer Gruppe gibt es stets einen, der unsinnig handelt oder redet. Der Ausdruck wird auch als „geistvoller" Wandschmuck geschätzt. 1920 *ff.*
4. übertreibend berichten; prahlen. 1900 *ff.*
5. eine Arrest-, Zuchthausstrafe verbüßen; mit einer Strafstunde bestraft worden sein. *Vgl* ↗spinnen 1. Spätestens seit dem ausgehenden 19. Jh.
6. zur Strafe eine bestimmte Menge Bier trinken müssen. Aus dem Vorhergehenden weiterentwickelt zur Bedeutung „eine Strafe erleiden". *Stud* seit dem späten 19. Jh.
7. viel essen. Vom Fleiß beim Spinnen übertragen auf Fleiß beim Essen. *Sold* und *rotw* seit dem ausgehenden 19. Jh.
8. ununterbrochen reden. ↗Garn 4. Seit dem 19. Jh.

Spinner *m* **1.** Phantast; Mann, der nicht bei Verstand ist; Irrer. ↗spinnen 1. Seit dem 19. Jh.
2. Mensch, der sich närrisch stellt. *Sold* 1939 *ff.*

Spinne'rei *f* **1.** Phantasiegebilde; Hirngespinste; unsinnige Gedanken; Torheit. ↗spinnen 1. Seit dem 19. Jh.
2. Nervenheilanstalt. 1900 *ff.*

spinnert (spinnat, spinnet) *adj* überspannt; wunderlich; halbverrückt. *Bayr* und *österr,* seit dem 19. Jh.

spinnig *adj* närrisch, wunderlich, geistesverwirrt. Seit dem 19. Jh.

Spinnweben *pl* **1.** sitzen, bis man ~ ansetzt = auf etw lange und vergeblich warten. 1900 *ff.*
2. ~ auf den Augen haben = ungenau wahrnehmen; Naheliegendes nicht erkennen. Spinnweben behindern den freien Blick. 1920 *ff. Vgl span* „tener telarañas en los ojos".

spinti'sieren *intr* **1.** nutzlos grübeln; Falsches denken. Streckform zu „spinnen", vielleicht beeinflußt von „phantasieren" oder „simulieren". Seit dem 16. Jh.
2. erlogenes erzählen. 1900 *ff.*

spinxen (spingsen, spinksen) *intr* spähen, äugen, gucken. Aus „↗spicken 1" entstanden mit Nasal-Infix und Aussprache-Erleichterung. Doch *vgl* auch „↗spitzen 2." Vorwiegend *westd,* seit dem 19. Jh.

Spio'nitis *f* **1.** weitverbreitetes Bestreben der ungesehenen Beobachtung. Im frühen 20. Jh. aufgekommen im Sinne einer krankhaften Handlungsweise. **2.** Einsetzung von Spionen in Behörden. 1968 *ff.*

Spirafankerl *n* ↗ Spadifankerl.

Spiralaugen *pl* kreisender, geschlechtlich erregender Blick. 1960 *ff.*

Spiralsülze *f* Magazinsendung des Hörfunks. Sie bringt substanzlose Beiträge und Schallplattenmusik. Funkreporterspr. 1960.

Spirifankerl *n* ↗ Spadifankerl.

Spirituskocher *m* Leichtmotorrad; Moped; Kleinauto. In spöttischer Auffassung wird es mit Spiritus betrieben. Etwa seit 1910.

Spirituskommode *f* **1.** Gaststättenregal mit Schnapsflaschen. ↗ Sprit. Berlin 1930 *ff.* **2.** Hausbar. Berlin 1930 *ff.* **3.** Trinkermagen. *Sold* 1935 *ff.*

Spiritus rector *m* Schnapsfabrikant. Meint eigentlich den belebenden Geist, die treibende Kraft. Wortwitzelei. 1890 *ff, stud.*

Spirkel (Spürkel) *m* schmächtiger Mensch. ↗ Sperk. 1920 *ff.*

Spitalwachtel *f* **1.** ältere Krankenpflegerin. „Wachtel = Feldhuhn" steht geringschätzig für „Frau"; spielt hier wohl auch auf Wachdienst (Nachtwache) an. *Sold* in beiden Weltkriegen; *ziv* bis heute. **2.** unansehnliche ältere Frau. Wohl beeinflußt von „↗ Spinatwachtel". 1920 *ff.*

Spitz *m* **1.** Penis. Aufzufassen als spitzer Auswuchs. Seit dem 19. Jh. **2.** leichter Rausch. Mit „Spitze" wird eine kleine Menge angegeben (eine Messerspitze Salz). Kann auch als Analogie zu „↗ Zacken" (= spitzer Auswuchs) aufgefaßt werden. 1500 *ff.* Vgl *gleichbed franz* „pointe". **3.** Mensch, der einen anderen mit der Fußspitze tritt (um ihn auf etw aufmerksam zu machen). Verkürzt aus „Spitzschuh". *Schül* 1930 *ff, österr* und *bayr.* **4.** Freund. Geht auf „Spezial" zurück. *Oberd* und *westd,* 1900 *ff.* **5.** mein lieber ~!: vertrauliche Anrede, zuweilen mit leicht verwundertem oder drohendem Klang. *Vgl* das Vorhergehende. 1900 *ff,* vorwiegend *schül, stud* und *sold;* auch arbeiterspr. **6.** mein lieber ~ und Bogenpisser (Spitzund Bogenpisser)!: freundliche Anrede unter männlichen Personen. Aus dem Vorhergehenden weiterentwickelt in Anlehnung an die verschiedenen Kurven des Harnstrahls. 1920 *ff.* **7.** jm einen ~ geben = jn mit der Fußspitze treten. ↗ Spitz 3. *Schül* 1930 *ff, bayr* und *österr.* **8.** einen ~ kriegen = mit der Fußspitze (ins Gesäß) getreten werden. 1930 *ff, schül, bayr* und *österr.* **9.** auf ~ und Knopf stehen = zur äußersten, letzten Entscheidung stehen. Gemeint ist „auf Degenspitze und Degenknauf". 1600 *ff.* **10.** sich den ~ verbrennen = sich eine Geschlechtskrankheit zuziehen (vom Mann gesagt). ↗ Spitz 1. 1900 *ff.* **11.** sich den ~ vergoldet haben = geschlechtskrank geworden sein (vom Mann gesagt). Anspielung auf gelb-eitrigen Ausfluß. Vgl ↗ Spitz 1. *Sold* 1935 *ff.*

spitz *adj* **1.** schmächtig, dünn; kränklich. Hergenommen von der schmalen Form des Gesichts, der Nase o. ä. Seit dem 19. Jh. **2.** hervorragend; besonders geglückt. Mit „spitz" und „steil" betont man den Gegensatz zu „stumpf" und „flach". *Halbw* 1955 *ff.* **3.** sinnlich veranlagt; geschlechtlich erregt. Versteht sich nach dem Vorhergehenden. *Vgl auch* ↗ Spitz 1. *Sold* 1939 *ff; halbw* 1950 *ff.* **4.** etw ~ haben = etw ergründet haben; etw wissen. Vgl das Folgende. Seit dem 19. Jh. **5.** etw ~ kriegen = etw ergründen, begreifen. „Spitz" hatte früher auch die Bedeutung „übermäßig fein ausgeklügelt" (heute noch in „spitzfindig" erhalten). Das Spitze hebt sich deutlich von seiner Umgebung ab. Hieraus weiterentwickelt zur Vorstellung „deutlich; greifbar; genau". Vgl auch die Metaphern „geschärfte Sinne", „scharfer Verstand" und „gespitzte Ohren". 1700 *ff.* **6.** jn ~ kriegen = jn durchschauen, ausfindig machen. 1900 *ff.* **6 a.** jn ~ machen = jn geschlechtlich erregen. ↗ Spitz 3. 1939 *ff.* **7.** auf etw ~ sein = etw besitzen wollen. Die Sinne sind auf das Ziel der Wünsche „gespitzt = geschärft". 1920 *ff.* **8.** auf jn ~ sein = a) jn nicht leiden können. Spitz = unfreundlich, wortkarg, sichtlich abweisend. 1920 *ff, sold* und *ziv.* – b) jn geschlechtlich begehren. ↗ spitz 3. 1935 *ff.*

Spitzbogen *m* erfolgsichere List; glaubwürdige Ausrede. „Bogen" deutet auf Umschweife hin, und „spitz" ist soviel wie „gut ersonnen". *Sold* und *ziv* 1940 *ff.*

Spitze *f* **1.** hervorragender Könner. Der Sportsprache entlehnt im Sinne von „Bester im Wettrennen"; „Spitzenkönner". 1920 *ff.* **2.** Note „sehr gut". *Schül* 1930 *ff.* **3.** kameradschaftlicher Mann. 1930 *ff.* **4.** prahlender Schüler. Er spielt sich als Spitzenkönner auf. *Sächs* 1900 *ff.* **5.** Sieben oder die Trumpfkarte. Ist sie auch die niedrigste Karte, ist sie doch „spitz" genug, um einen „Stich" zu machen. Auch ist sie gewissermaßen die Spitze eines Eisbergs. Kartenspielerspr. 1920 *ff.* **6.** absolute ~ = das Allerbeste; Spitzenkönner. Absolut = unüberbietbar. ↗ Spitze 1. 1840 *ff* (Mendelssohn-Bartholdy). **7.** einsame ~ = Unüberbietbarkeit; Hauptkönner. 1950 *ff.* **8.** halbe ~ = unvollkommene Leistung. Gegen 1920 in der Theatersprache aufgekommen, wohl mit Bezug auf eine Tänzerin, die bei niedrigen Eintrittspreisen nicht ihr volles Leistungsvermögen entfaltet. *Sold* 1935 *ff.* **8 a.** irre ~ = Hervorragendes. ↗ irr 1. 1970 *ff, Jug.* **9.** untere ~ = die Klassenschlechtesten. *Schül* 1960 *ff.* **10.** einer Sache die ~ abbrechen = der sicheren Wirkung einer Sache zuvorkommen. Der Fechtersprache entlehnt: der Degen, dessen Spitze abgebrochen ist, ist zum Kampf unbrauchbar. 1800 *ff* (3. 1. 1862 Mörike). **11.** ~n abschießen = anzügliche, treffsi-

chere Bemerkungen machen. Spitze = spitzige Rede = verletzende Rede. 1950 *ff.* **12.** das hat keine sittliche ~ = das nutzt nichts; das ist zwecklos. Bezieht sich eigentlich auf eine moralische Nutzanwendung. Sinnverwandt mit *franz* „pointe". Berlin 1900 *ff.* **13.** du kannst dir deine ~n an die eigene Hose (Buxe) nähen = die Sticheleien auf uns beziehe getrost dich selber! Wortspielerei mit „Spitze = Anzüglichkeit" und „Spitze = Borte". Hamburg 1930 *ff.* **14.** das (er) ist ~ = das (er) ist hervorragend, unübertrefflich. 1920 *ff;* vorwiegend seit 1950, *halbw.* Sehr volkstümlich durch die ZDF-Sendung „Dalli-dalli". **15.** etw auf die ~ treiben = die äußerste Entscheidung anstreben. Spitze = Schwertspitze: eigentlich will man es zum offenen Kampf kommen lassen. 1800 *ff.*

spitze *adj* (unveränderlich) hervorragend, unübertrefflich. *Halbw* 1960 *ff.*

spitzeln *intr* **1.** mit Worten sticheln. Gehört zu „Spitze = Anzüglichkeit". 1920 *ff.* **2.** den Fußball geschickt mit der Schuhspitze treten. *Sportl* 1950 *ff.* **3.** beim Sturz die Spitzen der Skier abbrechen. *Bayr* und *österr* 1950 *ff.*

spitzen *v* **1.** etw ~ = etw übermäßig fein ausklügeln; einen erfolgsicheren Trick ersinnen; eine glaubwürdige Ausrede finden. *Vgl* ↗ spitz 5. *Halbw* 1950 *ff.* **2.** *intr* = spähen, lauern, lauschen; zu erfahren, zu ergründen suchen. Man „spitzt" die Sinne und hat ein „scharfes, stechendes" Auge. ↗ spitz 5. Seit *mhd* Zeit; im 19. Jh wiederaufgelebt im *Oberd* und *Westd.* **3.** *intr tr* = vom Mitschüler abschreiben; sich vom Mitschüler vorsagen lassen. Seit dem 19. Jh, vorwiegend *westd.* 1930 *ff.* **4.** *intr* = koitieren. ↗ spitz 1. 1900 *ff.* **5.** *intr* = staunen. *Bayr* 1870 *ff.* **6.** auf etw ~ (sich auf etw ~) = auf etw gespannt sein; auf etw lauern. ↗ spitzen 2. Seit *mhd* Zeit. **7.** auf jn ~ = auf jn sticheln. Spitze = Anzüglichkeit. 1920 *ff.* **8.** über jn ~ = über eine Sache anzügliche Bemerkungen machen. Seit dem 19. Jh.

Spitzenklasse *f* **1.** ~ sein = eine hervorragende, unüberbietbare Leistung zeigen. *Sportl* 1950 *ff.* **2.** einsame (totale) ~ sein = der unüberbietbare Hauptkönner sein. 1950 *ff.*

spitzenmäßig *adj* unübertrefflich. Umgangssprachlich steht „mäßig" für „gemäß". *Schül* 1975 *ff.*

Spitzkopf (-kopp) *m* **1.** Polizeibeamter. Fußt wahrscheinlich auf „spitze Kappe = Dienstmütze, Tschako" und meint insbesondere die früher übliche Pickelhaube. Kundenspr. seit 1850. **2.** spitzfindiger Mensch. ↗ spitz 5. 1500 *ff.*

Spitzmarke *f* **1.** Überschrift eines Zeitungsartikels. Marke = Orientierungspunkt. 1900 *ff, journ.* **2.** Fettgedrucktes unter einem Bild in einer Illustrierten. *Journ* 1900 *ff.* **3.** Spitzname eines Verbrechers. 1920 *ff.*

Spitznase *f* vorlautes, schnippisches Kind. Analog zu „↗ Vorwitznase". 1920 *ff.*

'spitz'nüchtern *adj* völlig nüchtern. „Spitze" als „Äußerstes" entwickelt sich zum höchsten Steigerungsgrad schlechthin. Seit dem 19. Jh.

Spitzwegerich-Expreß *m* Lokalbahn; kleine Eisenbahn durch ein Ausstellungsgelände. Sie fährt so langsam durch begrünte Auen, daß man unterwegs bequem Spitzwegerich pflücken kann. 1960 *ff.*

Spleen (*engl* ausgesprochen) *m* wunderliche Wesensart; eigentümliche Laune, an der man eigensinnig festhält. Im ausgehenden 18. Jh aus dem *Engl* übernommen. Lieblingswort der Sophie von La Roche (1731–1807).

Spleenidee (Bestimmungswort *engl* ausgesprochen) *f* festeingewurzelte, unsinnige Idee; törichtes Vorhaben. 1890 *ff.*

Splitt *m* Kleingeld. Analog zu ↗Schotter. Gegen 1930 aufgekommen.

Splitter *m* **1.** langer ~ = Penis. Berlin seit dem frühen 19. Jh, *prost.*
2. sich einen langen ~ einreißen = einen Freier finden. Berlin 1820 *ff, prost.*
3. sich einen ~ in die Hand einreißen (reißen) = einen Baumstumpf (o. ä.) stehlen. Berlin 1840 *ff.*

'splitter'faser'nackt *adj* völlig unbekleidet. Eigentlich soviel wie „von Holzsplittern und -fasern befreit" im Sinne von „ohne Baumrinde". „Rinde", „Schale", „Hülse" u. ä. stehen umgangssprachlich für „Kleidung". 1600 *ff.*

Spok (Spök, Spöks) *m* Ulk, Streich, Spaß, Lärm, Unruhe. Nebenform zu „Spuk = Gespenst; Gespenstertreiben". *Niederd* 1700 *ff.*

Spökenkieker *m* Spuk-, Hellseher. *Niederd* Wort, vor allem auf Leute mit dem „Zweiten Gesicht" bezogen. Vorwiegend in Westfalen und Ostfriesland beheimatet. 1700 *ff.*

Spompa'nadeln (Spomper'nadeln) *pl* überflüssige Umstände; Widersetzlichkeiten; unnötiges Beiwerk; Prahlerei. *Österr* Wort seit dem frühen 19. Jh, fußend auf *ital* „spompanata = Aufschneiderei".

Spontis *pl* spontane Demonstranten; Anhänger einer unorganisierten, undogmatischen Gruppe, voller Mißtrauen gegen Ideologien jeglicher Art. 1974 *ff.*

Sporen *pl* **1.** sich bei jm goldene ~ verdienen = sich bei jm bewähren. Beim Ritterschlag wurden die Sporen als Zeichen der Würde verliehen. 1920 *ff.*
2. ~ verlieren = degradiert werden. 1920 *ff.*

Sport *m* **1.** Liebhaberei. Gegen 1850 im *Dt* landläufig geworden; anfangs nicht auf turnerische Betätigung bezogen.
2. immer von neuem und listig betriebene Handlungsweise; Mutprobe. 1900 *ff.*
3. (internationaler) ~ = Geschlechtsverkehr. Aus der Liebhaberei ist „Liebe" geworden. 1910 *ff.*
4. sich aus etw einen ~ machen = etw leidenschaftlich gern tun. 1900 *ff.*

Sportabzeichen *n* **1.** bayerisches (Südtiroler, Tegernseer) ~ = Kropf. Meint eigentlich die seit 1913 übliche Auszeichnung für gute, vielseitige körperliche Leistungsfähigkeit; hier Anspielung auf den in Gebirgsländern dermaßen häufigen Kropf, daß er als ein landsmannschaftliches Ehrenzeichen gilt. 1935 *ff.*
2. goldenes ~ = Ehering. Eigentlich das Abzeichen in Gold für Amateursportler, die in 15 Kalenderjahren die geforderten Leistungen erfüllt haben. 1920 *ff.*

Sportbier *n* Limonade o. ä. Aktive Sportler sollen keinen Alkohol trinken. 1920 *ff.*

Sport-Charmeur (Grundwort *franz* ausgesprochen) *m* Sportreporter im Fernsehen. 1960 *ff.*

sporten *intr* Sport treiben. 1955 *ff.*

Sportfreund (Sportsfreund) *m* Anrede freundschaftlicher Art unter Männern. Spätestens seit 1945.

Sportkabriolet *n* zweisitziges ~ mit Energieschaltung = Tandem. *Jug* 1955 *ff.*

Sportkrähe *f* langsam fliegendes Privatflugzeug. 1930 *ff.*

Sportmolle *f* im Bierglas aufgetischter, schäumender Apfelsaft. ↗Molle. *Vgl* ↗Sportbier. Berlin 1950 *ff.*

Sportpalastwalzer *m* von Translateur komponierter Walzer „Wiener Praterleben". 1920 bekannt geworden im Zusammenhang mit dem Berliner Sportpalast und dem Berliner Original „Krücke": die Anwesenden begleiten die Klänge mit rhythmischem Klatschen und Pfeifen.

Sportplatz *m* Glatze. 1920 *ff.*

Sportrummel *m* dem Sport in seinem Wesen fremde, geschäftstüchtige Betriebsamkeit bei Großveranstaltungen; Kommerzialisierung des Sports. ↗Rummel. 1960 *ff.*

Sportsfreund *m* ↗Sportfreund.

Sportunfall *m* Geschlechtskrankheit. ↗Sport 3. Es ist ein Unfall beim „Liebessport", bei „Liebesübungen". 1955 *ff.*

'spott'billig *adj* sehr billig; äußerst preiswert. Es ist so billig, daß die Leute zum Spotten reizt, oder daß es wie ein Spott auf den gewohnten Preis wirkt. Seit dem 18. Jh.

Spottdrossel *f* Spötter(in); Mensch, der mit den gesanglichen oder stimmlichen Eigenheiten eines anderen seinen Spott treibt. Die Drossel ahmt Tierstimmen und Geräusche nach. 1840 *ff.*

spotten *v* sich nicht ~ lassen = großzügig, freigebig sein. Man läßt sich nicht als geizig oder kleinlich verspotten. Seit dem 19. Jh.

'Spott'geld *n* geringer Preis; sehr niedrige Geldsumme. ↗spottbillig. Seit dem 17. Jh.

'spott'günstig *adj* sehr preiswert. Werbetexterspr. 1965 *ff.*

'spott'leicht *adj* sehr leicht; unschwer; mühelos. Seit dem 18. Jh.

'Spott'preis *m* sehr niedriger Preis. Kaufmannsspr. 1700 *ff.*

'spott'schlecht *adj* sehr schlecht; überaus minderwertig. Seit dem 18. Jh.

'spott'wenig *adj adv* sehr wenig. 1800 *ff.*

Sprache *f* **1.** kosmetische ~ = gezierte, unnatürliche Sprechweise. 1960 *ff.*
2. nicht mit der ~ rausrücken (rauswollen) = kein Geständnis ablegen; etw geheimhalten; die Antwort schuldig bleiben; stumm bleiben. 1700 *ff.*
3. in allen ~n schweigen = kein Wort sagen. Entstellt aus „in sieben Sprachen schweigen" (Ausspruch von Friedrich August Wolf auf den Philologen Immanuel Bekker; frühes 19. Jh). Berlin 1955 *ff.*
4. ihm bleibt die ~ weg = dem Rundfunk-, Fernsehsprecher wird der Ton abgeschaltet. 1965 *ff.*

sprachlos *adv* ~ vis-à-vis stehen = einer Sache ratlos gegenüberstehen. ↗Vis-à-vis. *Stud* 1878 *ff.*

Sprachrülpser *m* Versprecher. Aufgefaßt als eine Art anstandswidrigen Schluckaufs. 1955 *ff.*

Sprachsalat *m* mit Fremdwörtern durchsetztes Deutsch. ↗Salat 1. 1955 *ff.*

Sprachschlamperei *f* mangelhafte Sprachsorgfalt. ↗Schlamperei. 1950 *ff.*

Sprachschluderei *f* Unbekümmertheit im Umgang mit der Sprache. ↗schludern. 1950 *ff.*

Sprachwasser *n* **1.** Schnaps, Alkohol. Er macht redselig. 1870 *ff.*
2. ~ haben = betrunken sein. 1900 *ff.*

spraddeln (spratteln) *intr* zappeln; sich spreizen; im Wasser spielen. Verwandt mit *nordd* „spranteln, spranzen = spreizen, strampeln". Seit dem 19. Jh.

sprageln *v* **1.** *tr* = spreizen. Geht zurück auf *mhd* „sprenzen = spreizen; einherstolzieren". *Bayr* und *österr,* 1800 *ff.*
2. *refl* = sich zieren. *Bayr* und *österr,* 1800 *ff.*

spranzen *tr intr* vom Mitschüler, aus einer Übersetzung, vom Täuschungszettel abschreiben; plagiieren, nachzeichnen. Spranz = Spalt. *Vgl* ↗spellen. *Österr* 1900 *ff, schül* und *stud.*

Sprechanismus *m* Redseligkeit; Geschwätzigkeit. Zusammengesetzt aus „sprechen" und „Mechanismus". Technisierung des Menschen. Berlin 1850 *ff.*

Sprechautomat *m* **1.** Mensch mit unversieglichem Redefluß. 1910 *ff.*
2. Rundfunksprecher(in). 1925 *ff.*

Sprechdurchfall *m* uneindämmbare Redseligkeit. Dem „Brechdurchfall" nachgebildet. 1900 *ff.*

Spreche *f* Sprechweise. Als Gegenstück zu „↗Schreibe 2" entwickelt. 1950 (?) *ff.*

sprechen *v* **1.** keiner spricht mit keinem = es herrscht Zerwürfnis, Kriegszustand. *Sold* 1939 *ff.*
2. auf jn gut zu ~ sein = viel von jm halten; jm wohlwollen. Erweitert aus „gut zu sprechen sein = in guter Stimmung sein; zugänglich, umgänglich sein". 1700 *ff.*

Sprechfehler *m* dreiste Lüge. Euphemistisch dargestellt als Irrtum in der Wortwahl. 1930 *ff.*

Sprechmatismus *m* Geschwätzigkeit, Zungengeläufigkeit. Gekreuzt aus „sprechen" und „Automatismus". 1900 *ff.*

Sprechmechanismus *m* Redseligkeit. 1900 *ff.*

Sprechstunde *f* du hast heute wohl keine ~?: Frage an einen Schweigenden. Der Betreffende ist heute nicht zu sprechen. 1950 *ff.*

Spree-Athen *n* Berlin. „Athen" spielt an auf die Pflege von Kunst und Wissenschaft sowie auf die Wiederbelebung antiker Architektur. Seit 1706 (Erdmann Wircker in einem Gedicht auf den ersten Preußenkönig).

Spreewasser *n* mit ~ getauft = in Berlin geboren. Berlin seit dem 19. Jh.

spreizen *refl* **1.** sich brüsten; prahlen. Hergenommen von der Körperhaltung des Prahlers: er spreizt die Beine und erweckt dadurch den Eindruck größerer Standfestigkeit und Gewichtigkeit (Wichtigtuerei). Seit dem 16. Jh.
2. sich sträuben; Umstände machen; Widerworte geben. Man stellt sich breitbeinig hin und hat dadurch mehr Halt; *vgl* auch „sich auf die ↗Hinterbeine stellen". Seit dem 19. Jh.

Spreizen (Spreizn, Spreiz, Spreitzl, Spreitzerl) *f* **1.** Zigarette. *Oberd* „Spreiz

= Balken, Stange, Stab". Analog zu „↗Stäbchen". 1900 ff, von Studenten ausgegangen und in die Soldatensprache und ins *Rotw* eingedrungen.
2. Penis. Die Bezeichnungen für die Zigarette gelten weitgehend auch für das männliche Glied, wohl in Anspielung auf Fellation. *Österr* 1920 ff.

sprengen *v* **1.** *intr* = harnen. Eigentlich soviel wie „befeuchten, begießen". *Jug* 1920 ff.
2. *tr* = jn fortjagen, entlassen, abwählen. Aufzufassen als „jn springen machen". Seit dem 19. Jh.

Sprengkommando *n* Gruppe von Leuten, die den Ablauf einer Veranstaltung vereiteln wollen. 1925 ff.

Sprengkraft *f* Durchsetzungsvermögen beim Publikum. Eigentlich die Kraft des Sprengstoffs. 1960 ff.

Sprengmeister *m* Mann, der Versammlungen zu vereiteln sucht. Eigentlich einer, der mit Dynamit o. ä. Sprengungen vornimmt. 1925 ff.

Sprengstoff *m* ~ in den Beinen haben = den Fußball sehr kräftig stoßen. *Sportl* 1950 ff.

Sprieß *m* Flasche Wein. Gehört zu „sprießen = hervorkommen, gedeihen" und meint „Wachstum" oder „Kreszenz". 1950 ff.

springen *v* **1.** *intr* = koitieren. Aus der Viehzucht übernommen. Seit dem 19. Jh.
2. *intr* = eilfertig zu Diensten sein; sich anstrengen. Man bewegt sich in Sprüngen. 1900 ff.
3. *intr* = vorzeitig in die nächsthöhere Schulklasse versetzt werden. Man überspringt einen Jahrgang. 1920 ff.
4. *intr* = das Studienfach wechseln. 1920 ff, *stud.*
5. *intr* = von einer Fahrspur auf die andere wechseln. 1950 ff.
6. jn ~ lassen = jn antreiben, gefügig machen. ↗springen 2. 1900 ff.
7. etw (Geld) ~ lassen = Geld leichtfertig ausgeben; Geld hergeben. Früher warf man die Münzen auf die Tischplatte, damit man am Klang hören konnte, ob sie echt waren. 1600 ff.

Springer *m* **1.** Zeitungsbezieher, der vom Dauerbezug zurücktritt. 1950 ff.
2. Schüler, der eine Schulklasse überspringt. ↗springen 3. 1920 ff.
3. beischlafwilliges Mädchen; intime Freundin. ↗springen 1. 1950 ff.
4. Studienwechsler. 1920 ff, *stud.*
5. fluchtverdächtiger Verbrecher. Man befürchtet, daß er zu entspringen sucht. 1950 ff, polizeispr.
6. Kraftfahrer, der (oft) die Fahrspur wechselt. 1950 ff.

Springerl *n* **1.** kohlensäurehaltiges Getränk. Kohlensäure bringt das Wasser zum „Springen", vor allem nach kräftigem Schütteln der Flasche. *Bayr* 1900 ff.
2. Abführmittel. Wer es einnimmt, springt oft zum Abort. 1900 ff, bayr.

Spring'inkerl (Spring'ingerl, Spring'-ginkerl) *n (m)* = sehr lebhaftes Kind; unruhiger, nervöser Mensch; leichtsinniger Bursche; Geck. Gehört zu „ginkeln, gankeln = hin- und herschwanken; umherschlendern". Vorwiegend *oberd* seit dem 19. Jh.

'springle'bendig *adj* sehr beweglich, mun-

ter. Hergenommen von den springfrohen Lämmern. Seit dem späten 19. Jh.

Springstrecke *f* kurze Entfernung. Aus der Fliegersprache übernommen; eigentlich die kurze Strecke zwischen zwei Orten, die angeflogen werden. *Sold* und *ziv* 1939 ff.

Sprinter *m* **1.** junger Mann. Eigentlich der Kurzstreckenläufer (bis 400 m). Nach den Olympischen Spielen Berlin 1936 aufgekommen.
2. junger ~ = a) Rekrut. *Sold* 1936 ff. – b) Neuling, Berufsanfänger. 1950 ff.

Sprit *m* **1.** Schnaps, Alkohol. Aus „Spiritus" verkürzt. 1870 ff.
2. Benzin, Treibstoff. 1920 ff.
3. Geld. Es ist der Betriebsstoff für den Lebensunterhalt. 1965 ff, halbw.
4. ~ in die Antenne schieben = Funkverbindung aufnehmen. Sprit = elektrischer Strom. Fliegerspr. 1939 ff.
5. ist bei dir der ~ alle? = kannst du nicht weiter? bist du am Ende deiner Kraft? Hergenommen vom Kraftfahrzeug, dessen Motor bei Treibstoffmangel selbsttätig zum Stillstand kommt. *Sold* 1939 ff.

spriten *intr* Alkohol trinken. ↗Sprit 1. *BSD* 1960 ff.

Spritfahne *f* nach Alkohol riechender Atem. ↗Fahne 1. 1920 ff.

Spritfresser *m* Auto mit hohem Kraftstoffverbrauch. 1920/30 ff.

Spritheini *m* gerichtlich vereidigter Alkoholsachverständiger. ↗Sprit 1; ↗Heini 1. 1950 ff.

spritig *adj* **1.** bezecht. ↗spriten. *Sold* 1960 ff.
2. alkoholhaltig. *Halbw* 1960 ff.

Spritkopf *m* Trinker. 1910 ff.

Spritonkel *m* Tankwart. *Sold* 1935 ff.

Spritsäufer *m* Auto mit großem Benzinverbrauch. 1950 ff.

Spritvernichtungsschlacht *f* allgemeine große Zecherei. *Sold* 1939 ff.

Spritzbüchse *f* **1.** weibliche Person. Anspielung auf die Entleerung der Harnblase. Wahrscheinlich *stud* Herkunft. 1700 ff.
2. liederliche weibliche Person; Prostituierte. ↗spritzen 3. Kundenspr. seit dem 19. Jh.

Spritzdüse *f* Harnröhrenmündung beim Mann. 1945 ff, Wortschatz der Medizinstudenten.

Spritze *f* **1.** kleine Vergnügungsreise; Ausflug. Verkürzt aus ↗Spritzfahrt. Seit dem 19. Jh.
2. Sendeantenne. Verkürzt aus ↗Saftspritze 1. Technikerspr. 1955 ff.
3. Mädchen. Spielt entweder auf die Harnröhrenmündung und das Wasserlassen an oder gehört zu „spritzen = eilen; geschäftig sein". Seit dem 16. Jh.
4. Prostituierte. Seit dem 19. Jh.
5. Vorzimmerdame, Chefsekretärin. Bürospr. 1950 ff.
6. Penis. Vielleicht verkürzt aus ↗Samenspritze. 1900 ff.
7. Gewehr, Karabiner. Verkürzt aus ↗Kugelspritze. *Sold* seit dem späten 19. Jh bis heute.
8. Pistole, Revolver, Maschinenpistole; Maschinengewehr. *Sold* 1914 bis heute.
9. Geschütz; leichte Flak; Panzerkanone o. ä. *Sold* 1935 bis heute.
10. Spöttelei. Von „spritzig" beeinflußte „Spitze = Anspielung". Kann auch von der Injektionsspritze des Arztes her aufge-

faßt werden als antreibendes, aufmunterndes Mittel. 1930 ff.
11. ~! = ich verdopple den Spielwert! Deutlich von der Injektionsspritze hergenommen. Kartenspielerspr. seit dem späten 19. Jh.
12. Borgversuch; Geldhilfe. Übertragen von der Injektion eines stärkenden Medikaments. 1930 ff.
13. Betrug, Diebstahl. ↗spritzen 8. 1900 ff, Wien.
14. dreckige ~ = Zuführung von verbotenen Reizmitteln, um die sportliche Leistungskraft zu steigern. 1960 ff.
15. schnelle ~ = a) Klistier. 1910 ff. – b) Nachhilfe, wenn der Motor nicht anspringen will; Benzineinspritzung in den Vergaser. Kraftfahrerspr. 1925 ff.
16. schwere ~ = schweres Maschinengewehr. ↗Spritze 8. *Sold* 1939 ff.
17. voll wie eine ~ = volltrunken. Übertragen von der Feuerlöschspritze. Seit dem 18. Jh.
18. jn durch eine finanzielle ~ dopen = jn durch Geldzuwendung zu vermehrter Anstrengung anspornen. 1960 ff.
19. mit der ~ (wie mit der ~) essen = hastig essen. Hergenommen von den sogenannten „Bouillonkellern", in denen die Suppe mittels einer Spritze in die Vertiefung des Tisches gespritzt wurde. 1900 ff.
20. jm eine ~ geben (verpassen) = jn antreiben, aufmuntern. Von der Injektionsspritze des Arztes übernommen. 1910 ff.
21. dem Motor eine ~ geben = mehr Gas geben. Kraftfahrerspr. 1930 ff.
22. jm eine ~ geben = jn für sich einnehmen. Herzuleiten von der Injektionsspritze mit einem betäubenden Medikament. 1945 ff.
23. eine ~ haben = überheblich sein. Fußt auf der Vorstellung, daß man Hochmut mittels einer Spritze einflößen könne. 1920 ff.
23 a. an der ~ hängen = rauschgiftsüchtig sein. 1960 ff.
23 b. jn von der ~ holen = einen Rauschgiftsüchtigen entwöhnen. 1970 ff.
24. eine ~ kriegen = a) mit verbotenen Anregungsmitteln zu höchsten (übernormalen) Leistungen befähigt werden. Turfspr. 1910 ff. – b) aufgemuntert, angespornt werden. 1920 ff. – c) sich von jm einnehmen lassen. ↗Spritze 22. 1945 ff. – d) einen Fehlschlag erleiden. Hergenommen vom kalten Wasserstrahl, von der kalten Dusche o. ä. 1955 ff. – e) heftig gerügt werden. Man kühlt den Übermut ab wie mit einer Wasserspritze. 1925 ff.
25. an der ~ sein (stehen) = in leitender Stellung sein. Leitet sich her vom Leiter der Feuerwehr oder der Löscharbeiten. 1840 ff.
26. eine intravaginöse ~ verpassen = koitieren. Aus „intravenös" (= in eine Vene gegeben) umgewandelt in Anlehnung an „Vagina". Medizinerspr. 1925 ff.

spritzen *v* **1.** *intr* = einen (kurzen) Ausflug unternehmen. Hergenommen vom Davoneilen mit der Feuerspritze. *Stud* 1800 ff.
2. *intr* = eilen; in höchster Eile laufen. Eilige Schritte lassen den Straßenschmutz, das Wasser aus Pfützen usw. aufspritzen. *Sold* 1914 ff.

3. *intr tr* = koitieren, ejakulieren. ↗Spritze 6. 1900 *ff.*

4. *intr* = onanieren. 1925/30 *ff.*

5. *intr* = sich Rauschgift injizieren. 1955 *ff.*

6. jn ~ = jn aus dem Dienst entlassen; jn ohne Ehren verabschieden; jn vertreiben; jn von der Schule verweisen. Faktitivum zu „↗spritzen 2". *Österr* und *nordd*, seit dem 19. Jh.

7. jn ~ = durch „Kontra" den Spielwert verdoppeln. ↗Spritze 11. Kartenspielerspr. seit dem späten 19. Jh.

8. etw (jn) ~ = etw stehlen; jn bestehlen, betrügen, belügen. Meint eigentlich „jn beharnen"; analog zu „↗anpinkeln 1". Wien 1900 *ff.*

9. etw ~ = eine Arbeit nicht verrichten; einen Unterrichtsstoff nicht lernen. Man „spritzt" über ihn hinweg = man überspringt ihn. *Schül* 1950 *ff*, österr.

10. jn ~ = auf jn sticheln. ↗Spritze 10. 1930 *ff.*

11. jn (etw) ~ lassen = von etw Abstand nehmen; etw aufgeben. Analog zu „etw ↗sausen lassen". *Österr* 1930 *ff.*

Spritzenmann *m* **1.** Feuerwehrmann. Spritze = Feuerlöschspritze; ↗Spritze 25. 1900 *ff.*

2. Mann mit Pistole. ↗Spritze 8. 1950 *ff.*

Spritzensportler *m* mit Anregungsmitteln behandelter Sportler. Dem „Spitzensportler" nachgebildet. 1960 *ff.*

Spritzer *m* **1.** kleine Menge; Beimischung von Sodawasser zum Wein o. ä. Vorwiegend *oberd*, seit dem 19. Jh.

2. kleiner Ausflug. ↗spritzen 1; ↗Spritze 1. Spätestens seit 1900.

3. leichter Rausch. Im Sinne von „↗Spritzer 1" hat man nur eine kleine Menge Alkohol getrunken. 1900 *ff.*

4. Trickbetrüger; Betrug. ↗spritzen 8. 1900 *ff.*

5. Diebstahl, Einbruch. ↗spritzen 8. Wien 1900 *ff.*

6. Rauschgiftsüchtiger. 1965 *ff.*

7. Zuhälter. ↗Spritze 4. 1973 *ff*, *prost.*

8. ~ auf der weißen Weste = Makel. 1950 *ff.*

9. junger ~ = a) Rekrut; Soldat ohne ausreichende militärische Erfahrung; Offiziersbursche. Gehört zu „↗spritzen 2"; denn beim Militär wird „geeilt". 1914 bis heute. – b) junger Mann. 1900 *ff.* – c) Schüler der Unterstufe. 1950 *ff.*

10. schwarzer ~ = Vorstrafe. Sie ist der dunkle Fleck auf der weißen Weste. 1950 *ff.*

11. einen ~ machen = geschlechtlich verkehren. ↗Spritze 6. 1920 *ff.*

Spritzfahrt *f* kurze Ausflugsfahrt. ↗spritzen 1; ↗Spritze 1. *Stud* seit dem 19. Jh.

Spritztour *f* **1.** Ausflug; kleine, kurze Vergnügungsreise. ↗spritzen 1; ↗Spritze 1; ↗Tour. *Stud* seit dem frühen 19. Jh.

2. Arztbesuch am Krankenbett mit Vornahme von Spritzungen. 1930 *ff*, medizinerspr.

3. Geschlechtsverkehr. ↗spritzen 3. 1920 *ff.*

Sprossen *pl* zuviel (zu wenig) ~ haben = nicht recht bei Verstand sein. Von der (schadhaften) Leiter hergenommen. 1900 *ff.*

Sprößling *m* **1.** Sohn, Tochter. Eigentlich der Pflanzentrieb. Seit dem 19. Jh.

2. Schulneuling. 1930 *ff.*

3. *pl* = Sommersprossen. 1960 *ff.*

Sprotte *f* **1.** lebenslustiges, frisches Mädchen. Es gilt noch als Kleinfisch. *Jug* 1955 *ff*, Berlin.

2. Beamtenanwärter. Er will erst noch ein „großer Fisch" werden. 1950 *ff.*

sprotzen *intr* starr blicken. Geht zurück auf „Protz = Frosch" mit s-Vorschlag. *Oberd* seit dem 19. Jh.

Spruch *m* **1.** Klang des Motors. Sprechen = Laut geben. *Österr* 1940 *ff*, jug.

2. Redegewandtheit. *Österr* 1940 *ff*, jug.

3. faule Sprüche = verlogene Reden. ↗faul 1. Seit dem 16. Jh.

3 a. flotte Sprüche = leichtfertige, aber eindrucksvolle Äußerungen. ↗flott 1. 1950 *ff.*

3 b. fromme Sprüche = unaufrichtige Beteuerungen. 1960 *ff.*

4. große Sprüche = pathetische Redensarten; übertriebene Zusagen. Seit dem 19. Jh.

5. bei jm seine Sprüche nicht anbringen können = mit seinen leeren Redensarten keinen Eindruck auf jn machen können. 1920 *ff.*

6. schöne Sprüche draufhaben (am Leib haben) = pathetisch ohne Gehalt sprechen. „Am Leib = an sich". 1920 *ff.*

7. Sprüche klopfen (kloppen) = leere Redensarten machen; Höflichkeiten ohne Überzeugung sagen. „Spruch" meint die feierliche, formelhafte Äußerung (wohl nach dem Predigerbrauch des Bibelspruchs). „Klopfen" führt über „dreschen" zu der anschaulichen Redewendung „leeres ↗Stroh dreschen". 1900 *ff.*

8. (dicke, starke) Sprüche machen = leere Worte sagen; die Wahrheit durch Ausreden oder Umschweife verschleiern. Beliebter Schüler-, Studenten- und Soldatenausdruck seit dem späten 19. Jh gegenüber Äußerungen, die schwülstig, aber substanzlos sind.

9. in Sprüchen reisen = a) Geistlicher sein. *Sold* in beiden Weltkriegen. – b) Wander-, Propagandaredner sein. 1930 *ff.*

10. Sprüche reißen = a) das große Wort führen. *Bayr* seit dem späten 19. Jh. – b) Witze machen. 1900 *ff.*

Spruchbude *f* Parlament. Die breite Masse der Bevölkerung hört von den Abgeordneten vorwiegend leere „Sprüche". 1900 *ff.*

Sprudelball *m* alkoholfreies Tanzvergnügen junger Leute. 1900 *ff.*

Sprudelware *f* Tanzstättengäste, deren Zeche nur aus einer Flasche Sprudel besteht. 1920 *ff.*

Sprung *m* **1.** kurze Weile. Von der kurzen räumlichen Entfernung übertragen auf die zeitliche in Anlehnung an die springenden Uhrzeiger. Seit dem 18. Jh.

2. Geschlechtsverkehr. Hergenommen von der Begattung beim Vieh. 1900 *ff*; wohl älter.

3. weibliches Geschlechtsorgan. Wird gern auf einen Kinderausspruch zurückgeführt: Beim Anblick des neugeborenen Schwesterchens sagt Karlchen „die tauschen wir um; die hat ja einen Sprung!". 1900 *ff.*

4. Gelegenheitsfreund(in). *Halbw* 1960 *ff.*

4 a. ~ ins gemachte Bett = vorteilhafte Einheirat. ↗Bett 14. 1900 *ff.*

5. ~ nach oben = plötzliches Bekanntwerden eines Künstlers. 1960 *ff.*

6. ~ ins kalte Wasser = risikoreiches Vorhaben. 1960 *ff*, journ.

7. einen ~ im Kasten (in der Schüssel) haben = nicht recht bei Verstand sein. Sprung = Defekt. 1920 *ff.*

8. große Sprünge im Kopf haben = sich mit großen Plänen aufspielen. 1920 *ff.*

9. tolle Sprünge im Kopf haben = übermütig sein. 1920 *ff.*

10. jm auf die Sprünge helfen (jn auf die Sprünge bringen) = jm aus einer Verlegenheit aufhelfen; einen Begriffsstutzigen belehren. Bezieht sich eigentlich auf den Jagdhund, der dem Jäger auf die Spur (Sprünge = Trittsiegel) hilft. 1700 *ff.*

11. zu jm auf einen ~ kommen = jm einen kurzen Besuch abstatten. ↗Sprung 1. Seit dem 18. Jh.

12. jm auf (hinter) die Sprünge kommen = jds Schliche und Ränke erkennen. Stammt aus der Jägersprache: der Jäger folgt den Spuren des Wilds. 1700 *ff.*

13. Sprünge machen = leichtfertig leben; sich ausleben. *Vgl* das Folgende. Seit dem 19. Jh.

14. keine großen Sprünge machen können = ein eingeschränktes Leben führen; keinen großen Aufwand entwickeln können. Das Weidevieh kann nicht weit springen, weil man ihm die Vorderbeine zusammengebunden und ein Stück Holz daran befestigt hat. 1600 *ff.*

15. keine großen Sprünge mehr machen = hinfällig sein. 1900 *ff.*

16. nicht viel Sprünge machen = ohne Umstände an eine Arbeit gehen. Übertragen von den Tanzsprüngen. 1900 *ff.*

17. einen ~ machen = einen kurzen Besuch abstatten; zum Kaufmann eilen. ↗Sprung 1. 1800 *ff.*

18. auf dem ~ sein (stehen) = bereit sein; eine Sache gerade vorhaben; es eilig haben. Meint eigentlich „bereit zum Springen sein; gerade springen wollen". 1600 *ff.*

19. jm auf den Sprüngen sein = jds geheime Machenschaften oder Absichten aufdecken. ↗Sprung 12. 1700 *ff.*

Sprungbein *n* Penis. Eigentlich das Bein, mit dem der Sportler beim Anlauf abspringt. Hier bezogen auf „↗springen 1". 1870 *ff.*

Sprunggeld *n* Entgelt für den Geschlechtsverkehr. Meint in der Viehzucht die Deckgebühr. *Vgl* ↗Sprung 2. 1920 *ff.*

Sprunghügel *m* Liegestatt des Liebespaares. Aus dem Skisport übernommen in Anlehnung an „↗Sprung 2". 1925 *ff.*

Sprungriemen *m* Penis. ↗Riemen 2; ↗Sprung 2. 1910 *ff.*

Sprungschanze *f* Liegestatt des Liebespaares. ↗Sprunghügel. Vom Skispringen übernommen. 1910 *ff*, sold und ziv.

Sprungteufel *m* Fallschirmspringer. „Teufel" meint anerkennend den mutigen Könner. *BSD* 1965 *ff.*

Spucke *f* **1.** Speichel. Fußt auf dem Intensivum „spucken" zu „speien". 1700 *ff.*

2. pfui, ~!: Ausdruck des Widerwillens, der Verachtung. Seit dem 19. Jh.

3. wie ~ und Asche aussehen = bleich, fahl aussehen. 1950 *ff*, Ruhrgebiet.

4. die ~ erneuern = ein Glas Alkohol zu sich nehmen. 1900 *ff.*

5. ~ machen = Speichel bilden. Kinderspr. 1900 *ff.*

6. mir bleibt die ~ weg = ich bin sehr erstaunt, bin sprachlos. Hängt mit der Tatsache zusammen, daß im Augenblick starker innerer Erregung vorübergehend der Speichelfluß versiegt. 1900 *ff.*

7. das nimmt ihm die ~ weg = daraufhin verstummt er. 1950 *ff.*

8. die ~ wird lang = man langweilt sich. Anspielung auf den trockenen Mund und wohl auch auf den Mangel an alkoholischen Getränken. 1900 *ff, schül* und *stud.*

9. nicht die ~ wert sein = niederträchtig sein. 1840 *ff.*

spucken *intr* **1.** schimpfen; wütend sein; sich heftig ärgern. Jede Hervorbringung des Menschen, vor allem die aus dem Mund, dient zur Bezeichnung groben Anherrschens. Hier vielleicht vom Fauchen der Katzen übertragen. 1840 *ff.*

2. sich über jn gehässig äußern. 1950 *ff.*

3. ein Geständnis ablegen. 1920 *ff.*

4. spuck' nicht, Alter!: Redewendung, mit der man Erwachsene zu reizen sucht. Hamburg 1967 *ff,* Rockerspr.

5. dann spuckt es = dann gibt es eine erregte Auseinandersetzung; dann gibt es Prügel, Rügen o. ä. 1900 *ff.*

6. sich erbrechen. Hehlwort. 1920 *ff.*

7. sich ekeln. *Vgl* ↗ Spucke 2. 1920 *ff.*

8. schießen, feuern. Man speit Feuer. *Sold* in beiden Weltkriegen.

9. wohin man spuckt = überall. Gehört dem späten 19. Jh an und steht im Zusammenhang mit den Spucknäpfen, die man damals in öffentlichen Gebäuden reichlich aufstellte.

10. auf etw ~ = etw gründlich verachten. 1900 *ff.*

11. (Geld) ~ = Geld hergeben, ausgeben. Seit dem frühen 19. Jh.

12. ich spucke nicht ins Bier = ich trinke gern Bier. *Vgl* ↗ spucken 10. 1920 *ff.*

13. der Motor spuckt = der Motor arbeitet unregelmäßig. Seit dem ausgehenden 19. Jh.

Spuckerl *n m* **1.** kleinwüchsiger Mensch. Gehört zu „spucken" im Sinne des schleimigen Auswurfs; hier übertragen auf Minderwertigkeit und Minderleistungsfähigkeit. *Österr* seit dem 19. Jh.

2. Kellnerlehrling. *Österr* seit dem 19. Jh.

3. kleiner, armseliger Apparat; kleines, wenig taugliches Fahrzeug; unbrauchbares Werkzeug. *Österr* 1900 *ff.*

Spuckerlbetrieb (-geschäft) *m (n)* Geschäftsbetrieb mit wenigen Angestellten; kleine Fremdenpension. *Österr* und *bayr,* 1900 *ff.*

Spuckkuchen *m* Kuchen mit nichtentsteinten Kirschen. Jeden Kern muß man einzeln ausspucken. 1920 *ff, jug.*

Spuckschuster *m* unbedeutender Mensch. Anspielung auf den geringen gesellschaftlichen Stand des Flickschusters. *Sächs* 1900 *ff.*

Spucksuppe *f* **1.** Suppe mit nichtentsteinten Kirschen. 1900 *ff.*

2. Suppe mit Buchweizengrütze. Die Spelze des Buchweizens waren so schlecht geschält, daß die Soldaten beider Weltkriege sie ständig ausspucken mußten.

Spucktorte *f* Torte mit nichtentkernten Kirschen. 1920 *ff, jug.*

spuckwütig *adj* nörgelsüchtig; launisch; gern schimpfend. *Ziv* und *sold* 1930 *ff.*

spuken *v* bei ihm spukt es (im Kopf) = er ist nicht recht bei Verstand. 1700 *ff.*

'spuk'häßlich *adj* abschreckend häßlich. So häßlich, wie man sich eine Spukgestalt vorstellt. Seit dem 19. Jh.

Spule *f* **1.** das rollt keine ~ = das ist unerheblich. Witzelnd verdreht aus „das spielt keine Rolle". 1920 *ff.*

2. setz' dich auf eine ~ und roll' ins Ausland!: Aufforderung zum Weggehen. *Schül* 1955 *ff,* Graz.

spulen *v* **1.** *intr* = nicht bei Verstand sein; wirr reden. Parallel zu „↗ spinnen 1". 1920 *ff.*

2. *intr tr* = essen. ↗ spinnen 7. *Rotw* seit dem späten 19. Jh.

spülen *v* bitte ~!: Zuruf zum Zutrinken. Hergenommen aus der Zahnarztpraxis. 1900 *ff.*

Spulmaschine *f* Tonbandgerät. *Jug* 1960 *ff.*

Spülmittel *n* Ehemann, der Geschirr spült. Wortwitzelei. 1960 *ff.*

Spülstein *m* hochherrschaftlicher ~ = im Essen nicht wählerischer Mensch. Er äße auch, was bei hohen Herrschaften in den Spülstein wandert. 1900 *ff, westd.*

Spülung *f* zieh' die ~! = begehre nicht auf (weil es zwecklos ist)! verwinde die Bemerkung wortlos! Hergenommen von der Spülung des Wasseraborts. *Sold* und *ziv* 1910 bis heute.

Spülwasser *n* Wassersuppe; gehaltloses Getränk. Das Abwaschwasser ist eine trübe Flüssigkeit, die man niemandem zum Trinken anböte. Johann Fischart („Gargantua", 1590) sprach von „spulwasserigen Hofsuppen". In der heutigen Form seit dem 19. Jh gebräuchlich.

Spülwurm *m* Geschirrspüler. Wortspiel mit „Spulwurm" und „Wurm" (= unbedeutender Mensch). 1955 *ff.*

Spund *m* **1.** Penis. Eigentlich der Zapfen, mit dem man ein Faß verschließt. Seit dem späten 19. Jh.

2. Vagina, Vulva. Ursprünglich soviel wie „Faßöffnung" und „Kerbe, Schlitz". 1900 *ff.*

3. After. 1900 *ff.*

4. Kleinwüchsiger. Meint im engeren Sinne den Knabenpenis. 1900 *ff.*

5. junger ~ = a) Rekrut; junger Soldat; Soldat ohne ausreichende militärische Erfahrung. Gewertet als Besitzer eines Penis. *Sold* seit den frühen 20. Jh. – b) Halbwüchsiger; unreifer junger Mann; Schulanfänger u. ä. 1900 *ff.*

6. mieser ~ = unkameradschaftlicher Schüler. ↗ mies. Berlin 1950 *ff.*

7. reicher ~ = wohlhabender junger Mann. 1950 *ff.*

8. ihm hat's den ~ rausgehauen = er läßt Darmwinde entweichen. Der Schließmuskel des Afters versagt. ↗ Spund 3. 1920 *ff.*

Spundschau (-beschau) *f* polizeiärztliche Untersuchung der Prostituierten. ↗ Spund 2. *Österr* 1950 *ff;* wohl älter.

Spundus *m* Angst; Respekt. Die seit dem späten 19. Jh in Österreich verbreitete Vokabel beruht vielleicht auf *ital* „spunto = bleich, fahl", oder hängt in latinisierter Form zusammen mit „↗ Spund 3" im Sinne eines Versagens des Schließmuskels.

Spur *f* **1.** heiße ~ = Spur, die zur Ergreifung des Täters führt. 1950 *ff,* polizeispr.; Kriminalroman- oder -filmvokabel.

2. kalte ~ = fruchtlos verfolgter Hinweis auf einen Täter. 1950 *ff.*

3. keine ~ = durchaus nichts; überhaupt nicht; nicht im geringsten. Übertragen vom fruchtlosen Versuch, die Fährte eines Wilds ausfindig zu machen. Seit dem 19. Jh.

4. lauwarme ~ = wenig ergiebiger Hinweis auf einen Täter. 1960 *ff.*

5. tote ~ = fruchtloser Täterhinweis. 1960 *ff.*

6. nicht die ~ einer ~ finden = überhaupt nichts finden. 1960 *ff.*

7. aus der ~ geraten = das Gleichgewicht verlieren. Spur = Karren-, Räderspur. 1900 *ff.*

8. keine ~ von einer Ahnung haben = nicht das mindeste ahnen. Seit dem 19. Jh, *jug.*

9. nicht die ~ von einer Idee haben = nichts besitzen; nichts ahnen; nichts wissen; nichts begreifen. Seit dem 19. Jh.

10. neben der ~ laufen (sein) = nicht recht bei Verstand sein. ↗ Spur 7. 1900 *ff.*

11. aus der ~ springen = den Gedankenzusammenhang verlieren. Spur = Räderspur = Gedankenfaden. 1930 *ff.*

spuren *v* **1.** *intr* = gefügig sein; sich einordnen; einer Weisung nachkommen; mitarbeiten; richtig auffassen. Hergenommen von Rädern, die spuren, was sie genau in der Spur des Vorderrads oder in der des vorangefahrenen Fahrzeugs laufen. Bei den Soldaten gegen 1920 aufgekommen.

2. *impers* = den erwarteten Verlauf nehmen; glücken. 1920 *ff.*

3. *intr* = gehen. Man geht der Spur nach. *Rotw* 1850 *ff.*

'Spurius *m* **1.** Ahnung, Vorgefühl, Gespür. Latinisierung zu „spüren". *Österr* seit dem 19. Jh.

2. auf den ~ kommen = eine Sache ergründen, durchschauen. 1910 *ff.*

Sputnik *m* **1.** Gefährte, Kamerad, Mitschüler. Russisch „sputnik = Weggenosse, Reisegefährte". Aufgekommen 1957 mit den ersten russischen Erdsatelliten.

2. einflußloser Persönlicher Referent eines Ministers. Bonn 1957, *journ.*

3. junger Mann, der stets in Begleitung derselben weiblichen Person gesehen wird. Berlin 1957 *ff.*

4. Schüler, der dem Lehrer immer zustimmt; bei den Lehrern beliebter Schüler. 1958 *ff.*

5. Kind einer Ledigen. 1960 *ff.*

6. schnellfahrender Zug. Neben dem Begriff „Begleiter" verbindet sich mit „Sputnik" die Vorstellung der Schnelligkeit. 1958 *ff.*

7. rascher Läufer. *Sportl* 1958 *ff* (DDR).

8. flinker Fußballspieler. *Sportl* 1960 *ff.*

9. aufgeregter Chef auf dem Weg durch den Betrieb. 1958 *ff.*

10. schlechteste Leistungsnote. In der Zensurenkonferenz bewirkt sie ein Scheitern mit Sputnik-Geschwindigkeit. 1957/58 *ff, schül.*

11. hochprozentiges alkoholisches Getränk. Seine Wirkung macht sich rasch bemerkbar, und sie beginnt im Kopf des Trinkenden zu kreisen. 1958 *ff.*

12. Schnellimbißstube. 1958 *ff.*

13. Kleinauto. *Iron* Anspielung auf die Fahrgeschwindigkeit. 1958 *ff.*

14. dummer Mensch. Die „Sputniks" senden hohe Signaltöne aus. Daher Anspielung auf die Vorstellung „bei ihm ↗ piept es". Auch ein Zusammenhang mit der Redewendung „er ist hinter dem ↗ Mond" erscheint möglich. 1957 *ff.*

15. Frikadelle. Anspielung auf die Rundform sowie auf „Sputnik II", der die Hündin Laika an Bord hatte: man vermutet in der Frikadelle Hundefleischbeimengung. 1957 *ff.*

16. *pl* = Flugabwehrraketenverband. Erdsatelliten wurden anfangs stets mittels Raketen in ihre Umlaufbahn geschossen. Der Abwehrraketenverband bekämpft feindliche Objekte mittels Raketen. *BSD* 1967 *ff.*

sputniken *intr* ein Mädchen umwerben; intime Beziehungen mit einem Mädchen unterhalten. ↗Sputnik 3. 1958 *ff*, Berlin, *halbw.*

staaken (staaken) ↗staken.

staakig ↗stakig.

staaksen ↗staksen.

Staat *m* **1.** Putz, Pracht; Stattlichkeit; beste Kleidung. „Staat" bezeichnete anfangs den gesellschaftlichen Stand, dann auch den Vermögensstand. Daraus entwickelte sich der Begriff „kostspieliger Lebensunterhalt" und „äußerliche Ansehnlichkeit". 1700 *ff.*
2. alles an den ~ hängen = sein Geld für Kleider ausgeben; auf elegantes Äußeres bedacht sein. Seit dem 19. Jh.
3. ~ machen = sich festlich kleiden. Seit dem 18. Jh.
4. mit etw ~ machen = mit etw prunken. Seit dem 18. Jh.
5. mit etw (jm) keinen ~ machen können = mit etw kein Aufsehen erregen können; mit jm keine Ehre einlegen. 1700 *ff.* *Vgl franz* „faire état de quelqu'un" *und ital* „fare gran stato".
6. es ist ein ~ (daß es ein ~ ist) = es ist überaus prunkvoll, herrlich anzusehen; es macht einen großartigen Eindruck. Seit dem 19. Jh.
7. das ist ein wahrer ~ = das ist überaus prächtig, wohlgelungen. Seit dem 19. Jh.
8. im ~ sein = gut, elegant, vorschriftsmäßig gekleidet sein. ↗Staat 1. Seit dem 19. Jh.
9. das ist nur zum ~ = das dient nur zu prunkvoller Ausschmückung; das soll nur großartig wirken. Seit dem 19. Jh.
10. sich in ~ werfen (schmeißen) = sich festlich kleiden. Seit dem 18. Jh.

staats (staatsch) *adj adv* **1.** geputzt, prächtig; stattlich. Wohl aus dem Bestimmungswort „Staats-" in substantivischen Zusammensetzungen verselbständigt; vielleicht von „statiös" beeinflußt. 1700 *ff.*
2. sich ~ machen = sich elegant kleiden. Seit dem 19. Jh.

Staatsaffäre *f* aus etw eine ~ machen = eine Sache wichtiger darstellen als der Wirklichkeit entsprechend; etw aufbauschen. Moderne Variante des Folgenden. 1920 *ff.*

Staatsaktion *f* aus etw eine ~ machen = eine belanglose Sache aufbauschen. Ursprünglich Bezeichnung für ein Schauspiel, in dem Staatsbegebenheiten verselbständigt wurden; dann wegen „↗Staat 1" die prächtig herausgeputzte Handlung (Ausstattung) mit dem Nebensinn des Umständlichen, Unnötigen und Übertriebenen. 1900 *ff.*

Staatsanwalt *m* **1.** fragen wie ein ~ = unerbittlich fragen; keine Ausreden oder Umschweife zulassen. 1920 *ff.*
2. da hat der ~ noch den Finger drauf = dieses Mädchen ist noch keine 16 Jahre alt. Anspielung auf § 182 StGB. Seit dem ausgehenden 19. Jh.

Staatsbegräbnis *n* ~ Erster Klasse = a)

ehrenvoll abgelehnter Parlamentsantrag. 1920 *ff.* – b) feierliche Verabschiedung eines wegen Erreichens der Altersgrenze ausscheidenden Mitarbeiters (Beamten o. ä.). 1920 *ff.*

'Staats'bengel *m* stattlicher junger Mann. ↗Staat 1. 1900 *ff.*

Staatsbürger *m* ~ in Uniform = Angehöriger der Bundeswehr. ↗Bürger. Gegen 1955 geprägt von Graf von Baudissin.

'Staats'dame *f* gefallsüchtige Frau. ↗Staat 1. 1900 *ff.*

Staatsdienst *m* im ~ sein = eine Freiheitsstrafe verbüßen. Euphemismus. 1900 *ff.*

Staatsfrau *f* Ministerin, Staatssekretärin. Gegenwort zum „Staatsmann". Spätestens seit 1980.

'Staats'frau *f* stattliche Frau. 1900 *ff.*

Staatshämorrhoidarier *m* Staatsdiener; Beamter. Im Anschluß an die 1844 von Franz Graf Pocci in den „Fliegenden Blättern" entwickelte Figur „Staatshämorrhoidarius" im späten 19. Jh aufgekommen.

'Staats'hund *m* Luxushund. 1900 *ff.*

'Staats'hut *m* Hut für festliche Gelegenheiten. 1870 *ff.*

'Staats'kerl *m* stattlicher, gesunder, anstelliger Mann. Seit dem 19. Jh.

Staatskosten *pl* 1. auf ~ = auf Kosten der Vereinskasse. Betont den Gegensatz zu „auf eigene Kosten". 1900 *ff*, wandervogelspr.
2. auf ~ leben = eine Freiheitsstrafe verbüßen. 1900 *ff.*

Staatskrüppel *m* **1.** junger Mann, der bei der Musterung für „dauernd untauglich" erklärt wird. Er gilt als gebrechlicher Mensch mit staatlicher Anerkennung. *Sold* 1900 *ff.*
2. Wehrdienstbeschädigter. *Sold* 1939 *ff.*
3. Pensionierter. 1945 *ff.*
4. anerkannter Wehrdienstverweigerer. 1960 *ff.*

'Staats'mädchen (-mädel) *n* schönes, stattliches, anstelliges Mädchen von gutem Charakter. 1800 *ff.*

Staatspapa *m* Reichs-, Bundespräsident. Von der Präsidentschaft Hindenburgs (1925–1934) übergegangen auf alle Präsidenten der Bundesrepublik Deutschland.

Staatspension (-pensionat) *f (n)* **1.** Gefängnis, Arrest. Scherzhaft aufgefaßt als staatlich eingerichtetes Fremdenheim mit kostenloser Verpflegung oder als vom Staat bezahlter Erholungsurlaub. Seit dem 19. Jh.
2. auf Lebenszeit = lebenslängliche Zuchthausstrafe. 1900 *ff.*

'Staats'puppe *f* putzsüchtiges Mädchen; nach der neuesten Mode gekleidetes Mädchen. ↗Puppe. Seit dem 19. Jh.

'Staats'strauß *m* prächtiger Blumenstrauß. Seit dem 19. Jh.

'Staats'stube *f* (nur) bei besonderen Gelegenheiten benutztes, kostbar eingerichtetes Zimmer. Spätestens seit 1900.

'Staats'stück *n* Feiertagskleid; prächtiger Gegenstand. Seit dem 19. Jh.

Staatsverdrossenheit *f* Bürgerunzufriedenheit mit der staatlichen Verwaltung o. ä. 1965 *ff.*

'Staats'weib *n* stattliche, tüchtige, gutgekleidete, charakterlich einwandfreie Frau. Seit dem 19. Jh.

'Staats'wein *m* besonders guter Wein. 1800 *ff.*

Stab *m* **1.** einer vom ~ = hohe Karte, die nicht überspielt werden kann. Wer dem Stab angehört, hat von vielen Vorgängen eher Kenntnis als die nachgeordneten Formationen; daher kommt er sich wichtig und unangreiflich vor. Kartenspielerspr. 1900 *ff.*
2. über jn den ~ brechen = über jn ein vernichtendes Urteil fällen. Fußt auf der Rechtspraxis des 16. Jhs: der Richter brach über dem Kopf des zum Tode Verurteilten den Stab zum Zeichen, daß sein Leben verwirkt sei (abgebrochen werde), und warf ihm die Stücke vor die Füße. 1700 *ff.*

Stäbchen *n* **1.** kleiner Penis; Knabenpenis. 1900 *ff.*
2. Zigarette. Formähnlich mit einem kleinen Stab. Analog zu „↗Span", „↗Spreizen" u. a. 1900 *ff*, vorwiegend *sold* und *halbw.*
3. lungenfreudiges ~ = Filterzigarette. 1955 *ff.*

Staber *m* **1.** Stabsarzt. Hieraus verkürzt, wohl auch mit Anspielung auf den Äskulapstab auf den Schulterstücken. *Sold* 1914 bis heute.
2. Stabsfeldwebel, -unteroffizier. *Sold* 1939 bis heute.

Stabsfeld *m* Stabsfeldwebel. Hieraus verkürzt. *Sold* 1939 bis heute.

Stabsheini *m* Stabsoffizier. ↗Heini. *Sold* 1939 bis heute.

Stachel *m* **1.** Penis. Aufzufassen als Stechwerkzeug; stechen = koitieren. 1935 *ff.*
2. ~ mit Hilfsmotor = Ungeziefer. Der „Hilfsmotor" befähigt zur Fortbewegung. *Sold* und *ziv* seit 1940 *ff.*

Stachelbeere *f* **1.** *pl* = streng anzügliche Bemerkungen. Beruht auf „sticheln" und „aufstacheln". 1935 *ff.*
2. rasierte ~ = Weintraube. *BSD* 1968 *ff.*

Stachelbeerbeine *pl* stark behaarte (Männer-) Beine. Aufgekommen im Zusammenhang mit der Reform der Bademode, auch mit der Kurzhosentracht des Wandervogels. 1900 *ff.*

Stacheldraht *m* **1.** hochprozentiger Schnaps. Er „sticht" in der Gurgel, als habe man Stacheldraht verschluckt. 1910 *ff.*
2. Regelbinde. Zu verstehen als Vorfeldhindernis für den „↗Stachel 1". *Sold* in beiden Weltkriegen.
3. Dörr-, Gefriergemüse o. ä. ↗Drahtverhau 1. *Sold* in beiden Weltkriegen.
4. ~ auf den Zähnen haben = unverträglich sein; strenge Strafen verhängen. Verstärkung von „↗Haare auf den Zähnen haben". 1900 *ff*, *schül.*
5. den möchte ich mal nackt durch den ~ ziehen!: Redewendung auf einen unsympathischen Menschen. 1920 *ff.*

Stachelschwein *n* **1.** schlechtrasierter Mann. 1900 *ff.*
2. widerborstiger Mensch. 1900 *ff.*
3. ein ~ am Arsch lecken = eine aussichtslose Sache beginnen; bei einem aussichtslosen Unternehmen eine empfindliche Abfuhr erleiden. 1900 *ff*, *sold.*

stad *adj* still, ruhig, friedlich, langsam. Geht zurück auf *mhd* „staete = bleibend, beständig" (= *hd* „stet"). *Bayr* und *österr,* 1800 *ff.*

Stadtbummel *m* zielloser Spaziergang durch die Stadt; ziellose Autofahrt in der Stadt. ↗Bummel 1. 1870 *ff.*

Städte-Ehe *f* Zusammenschluß zweier Städte. Aufgekommen gegen 1960 mit der Verwaltungsreform.

stadtfein *adj* **1.** gut gekleidet. Man kleidet sich nach Städterart. ↗landfein. 1920 *ff.* **2.** sich ~ machen = sich zum Ausgehen anziehen. 1920 *ff.*

Stadtfloh *m* Kleinauto im Stadtverkehr. ↗Floh 3. 1925 *ff.*

Stadtfrack *m* Städter *(abf).* „Frack" spielt auf die bürgerliche Alltagskleidung des Städters in früherer Zeit an, im Gegensatz zum „Kittel" des Bauern. Etwa seit 1870, vorwiegend *bayr* und *österr.*

Stadt-Husaren *pl* städtische Arbeiter. ↗Husar. 1950 *ff, bayr.*

Stadtmief *m* **1.** unsaubere Großstadtluft. ↗Mief. 1970 *ff.* **2.** kleingeistiges Städtertum. 1920 *ff.*

Stadtrandsiedlung *f* große Glatze mit schmalem Haarkranz. 1950 *ff.*

Stadtstreicher *m* Obdachloser in Städten. Dem „Landstreicher" nachgebildet. Während „↗Stadtstreicherin" wesentlich früher bezeugt ist, war für das männliche Gegenstück kein Beleg vor 1960 zu finden.

Stadtstreicherin *f* in Städten vagabundierende weibliche Person; prostituierende Obdachlose; Straßenprostituierte. 1840 *ff.*

Stafettenwechsel *m* Amtsübergabe. 1970 *ff.*

Staffeln *pl* ~ schneiden = das Haar verschneiden. Staffel = Treppe am Hauseingang; Leitersprosse. Analog zu „↗Treppen schneiden". Seit dem 19. Jh, *südd.*

stageln *intr* **1.** den Unterricht (Kirchgang o. ä.) absichtlich versäumen. Gehört zu „Steg" und „steigen" und meint das Wandern über Weg und Steg. Wien 1940 *ff, schül.* **2.** langsam gehen; schlendern. Wien 1920 *ff.* **3.** koitieren. *Vgl* ↗steigen. Wien 1920 *ff.*

Stagflation *f* mit Geldentwertung verbundener Stillstand der wirtschaftlichen Aufwärtsentwicklung. Zusammengesetzt aus „Stagnation" und „Inflation". Gegen 1970 aus dem *angloamerikan* Sprachgebrauch übernommen.

Stagler *m* **1.** Hinauswurf, Entlassung. ↗stageln 1. Hier faktitiv gemeint. Wien 1920 *ff.* **2.** Beischlaf. ↗stageln 3. Wien 1920 *ff.*

Stahl *m* **1.** ~ und Eisen = Steinhäger, gemischt mit Kräuterschnaps. Geläufig an Rhein und Ruhr, etwa seit 1950. **2.** hart wie ~ = seinen Grundsätzen treu. 1930 *ff.*

Stahlbaron *m* Stahlgroßindustrieller. Geht zurück auf die Erhebung von Großindustriellen in den Freiherrenstand unter Kaiser Wilhelm II. 1900 *ff.*

'stahl'blau *adj* schwer bezecht. Verstärkung von „↗blau 5". 1920 *ff.*

Stahler *m* Kinderspielkügelchen aus schimmerndem Metall. Berlin 1950 *ff.*

Stahlesel *m* Fahrrad (mit Hilfsmotor). Umgeformt aus ↗Drahtesel. 1925 *ff.*

Stahlgebiß *n* Zahnspange. 1970 *ff, jug.*

Stahlhelm *m* **1.** ich glaube, mein ~ hat einen Knutschfleck!: Ausdruck der Verwunderung. Zur Erklärung *vgl* ↗Hamster. *BSD* 1965 *ff.* **2.** ihm geht der ~ hoch = er braust auf. Analog zu „ihm geht der ↗Hut hoch". *Sold* 1935 *ff.* **3.** zu lange ~ getragen haben = glatz-

köpfig sein. Im Ersten Weltkrieg aufgekommen. Älter ist die gleichbed Redewendung „zu lange Helm getragen haben".

Stahlhut *m* Stahlhelm. *Sold* 1917 bis heute.

Stahlkocher *m* Schwerindustrieller an der Ruhr; Stahlwerksarbeiter. 1950 *ff* (1920?).

Stahlkutscher *m* Panzerfahrer. *Sold* seit 1939.

Stahlpanzer *m* Korsett, Büstenhalter. ↗Panzer. 1900 *ff.*

Stahlroß *n* **1.** Fahrrad. Scherzhafte Wertsteigerung nach dem Muster von „Dampfroß = Lokomotive". „Stahl" spielt auf stählerne Speichen und Stahlrohre an. Seit dem ausgehenden 19. Jh. **2.** Motorroller. 1955 *ff.* **3.** motorisiertes ~ = Moped. 1955 *ff.*

Stahlroßkavallerist *m* Angehöriger einer Radfahrtruppe. Hängt zusammen mit dem Umstand, daß die ehemaligen Kavallerie-Regimenter ihre Pferde abgeben und auf Panzer oder Fahrräder umsteigen mußten. 1930 *ff.*

Stahlsarg *m* **1.** Panzerkampfwagen. *Sold* 1934 bis heute. **2.** Unterseeboot. *Sold* 1939 *ff.*

Stahltüte *f* Stahlhelm. ↗Hurratüte. *Sold* 1939 bis heute.

Stahlvogel *m* (Kampf-)Flugzeug. *Sold* 1914 bis heute.

staken (staaken, stakern) *intr* schwerfällig, ungelenk, mit großen Schritten gehen. Stake = lange Stange. Man geht auf Stelzen, wie es die Kinder gern tun. Nördlich der Mainlinie seit 1700.

Staken *m* **1.** Penis. Analog zu „↗Latte", „↗Stange" u. a. 1900 *ff.* **2.** *pl* = dünne Beine. Seit dem 19. Jh. **3.** langer ~ = großwüchsiger, hagerer Mensch. Seit dem 19. Jh.

Stakenfahrer *m* Skiläufer. Meint mit „Staken" entweder den Skistock oder (beim Slalomlauf) die Torstange. *Nordd* 1900 *ff.*

Stakettrang *m* erhöhter Sitz außerhalb der Einfriedigung eines Sportplatzes. Stakett = Eisen-, Holzgitter. Dem „Parkettrang" im Theater nachgebildet. 1955 *ff*, Berlin, *jug.*

stakig (staakig) *adj* steif, unbeholfen; großwüchsig und ungelenk. ↗staken. Seit dem 19. Jh.

Staks *m* langer ~ = großwüchsiger, ungelenker Mensch. Seit dem 19. Jh.

staksen (staaksen) *intr* steif, ungelenk gehen. Intensivum zu ↗staken. Seit dem 19. Jh.

Stalin *m* Winter-, Postenmantel. Stalin trug auf vielen Bildern einen langen, gefütterten Mantel. *BSD* 1965 *ff.*

Stalin-Gedächtnismantel *m* Winter-, Postenmantel. ↗Stalin. *BSD* 1965 *ff.*

Stalingrad-Gedächtnismantel *m* Winter-, Wachmantel. Erinnerung an die verschlissene Winterkleidung der Soldaten der bei Stalingrad geopferten 6. Armee (1942/43). *BSD* 1965 *ff.*

Stalin-Kleister *m* Brotaufstrich minderwertiger Art. 1948 aufgekommen.

Stalinorgel *f* russisches Salvengeschütz („Katjuscha"). Vorform ist 1870/71 „Orgelgeschütz = Mitrailleuse": sie besaß mehrere Rohre, die schnell nacheinander oder gleichzeitig feuerten. *Sold* 1941 *ff.*

Stall *m* **1.** Schule, Unterrichtsgebäude; Klassenzimmer. Eigentlich der Raum, in dem Vieh eingestellt wird. Ähnlich eingepfercht empfinden sich die Schüler. 1840 *ff.*

2. kleine Wohnung; Zimmer; Daheim. *Halbw* 1950 *ff.* **3.** schlechte, dürftige, vor Schmutz starrende Wohnung. Seit dem 19. Jh. **4.** Lokomotiv-, Straßenbahn-, Flugzeugschuppen; Autogarage. 1910 *ff.* **5.** Kaserne; Baracke; Kasernenstube. *Sold* seit dem späten 19. Jh bis heute. **6.** Klublokal. *Halbw* 1960 *ff.* **7.** zweifelhaftes Lokal. Wohl gekürzt aus „Sau-, Schweinestall". 1920 *ff.* **8.** Abstammung, Elternhaus. Seit dem späten 19. Jh entwickelt aus der Vorstellung „Gestüt". **9.** Arbeitsraum, Büro o. ä.; Geschäftsbetrieb. 1920 *ff.* **10.** Stammeinheit; Kompanie, Zug o. ä. Meint die Behausung einer zusammengehörigen Gruppe. *Sold* 1900 bis heute. **10 a.** Lager der Betreuer eines Sportlers. 1950 *ff.* **11.** Schauspieler-Ensemble. Theaterspr. 1900 *ff.* **12.** Gesamtheit der Prostituierten, die demselben Zuhälter unterstehen. Für ihn ist es das „Gestüt", und die Prostituierten sind seine „↗Pferdchen". 1920 *ff.* **13.** Hosenlatz. Aufgefaßt als Stalltür, hinter der sich der „↗Bulle" befindet. Seit dem frühen 19. Jh. **14.** ein ~ voller Kinder (ein ganzer ~ voll) = viele Kinder. Übernommen vom Stall des Bauern, dessen Viehbestand sein Reichtum ist, oder vom Kaninchenstall. Seit dem 19. Jh. **15.** bester ~ = hervorragender Körperbau. Vom Reitpferd übertragen. 1900 *ff.* **16.** guter ~ = achtbares Elternhaus; Abstammung von vornehmer (ehrenwerter) Familie. Meint eigentlich das Gestüt mit hochgezüchteten, rassereinen Pferden. Seit dem späten 19. Jh. **17.** ~ zu, Affe drin!: Redewendung, wenn ein Junggeselle einen Ehepartner gefunden hat. 1955 *ff.* **18.** einen ~ ausmisten = gründlich Ordnung schaffen; üble Mißstände beseitigen. Übernommen vom Augiasstall der Heraklessage. *Vgl* ↗ausmisten 1. Spätestens seit dem 19. Jh. **19.** jm den ~ austun = jn beim Kartenspiel plündern. Austun = leeren. Kartenspielerspr. seit dem 19. Jh. **20.** in einem guten ~ stehen = a) einen guten Posten haben. *Rotw* 1920 *ff.* – b) gute Verpflegung haben. *Rotw* 1930 *ff.*

Stalldrang *m* Bedürfnis heimzugehen, möglichst bald zur Familie zurückzukehren, den Heimathafen anzulaufen o. ä. *Sold* 1939 *ff.*

stallen *intr* harnen. Wird seit dem 14. Jh von den Pferden gesagt. Das Wort fußt auf einem Grundwort mit der Bedeutung „tröpfeln" und meint weiter das Stillhalten, um zu harnen. Im 18. Jh von Studenten übernommen und später in die Soldatensprache übergegangen, vor allem bei berittenen und bespannten Truppengattungen.

Stallgeruch *m* in vielen Jahren erworbene Zugehörigkeit zu einer Gruppe o. ä. 1950 *ff.*

Stallhase *m* **1.** zahmes Kaninchen. Zum Unterschied vom Feldhasen. *Westd* und *südd* seit dem späten 19. Jh. **2.** rachitischer ~ = Schimpfwort. Rachitis als Knochenerweichung spielt hier auf charakterliche Schwäche an. *Jug* 1950 *ff.*

Stalltrieb *m* Drang, möglichst rasch zur Familie zurückzukommen. ↗Stalldrang. 1939 *ff.*

Stallwache *f* 1. Person, die im vorübergehend verwaisten Haus zurückbleibt. Eigentlich der Knecht, der Nachtwache im Pferdestall hat. 1920 *ff.*
2. Abendregisseur. Theaterspr. 1920 *ff.*
3. ärztlicher Bereitschaftsdienst; Bereitschaftsapotheke. 1920 *ff.*
4. Vertreter für den abwesenden Amtsleiter. 1920 *ff.*

Stamm I *m* 1. der (die, das) letzte seines (ihres) ~s = der (die, das) letzte. Geht zurück auf „Ich bin der letzte meines Stammes" aus Schillers Drama „Wilhelm Tell" (II 1). 1870 *ff.*
2. vom ~e Nimm sein = a) lieber nehmen als geben. Scherzhafte Hinzufügung eines Stammes zu den aus der Bibel bekannten israelitischen Stämmen. Spätestens seit 1830. – b) diebisch sein. 1930 *ff.*
3. ~ sein = Stammgast sein. 1965 *ff,* Berlin.

Stamm II *n* Stammgericht; Essen für Stammgäste; preiswertes Standardgericht eines Eßlokals. Früh im Zweiten Weltkrieg aufgekommen im Zusammenhang mit der Lebensmittelbewirtschaftung.

Stammbaum *m* 1. Baum, an dem der Hund zu harnen pflegt. Wortwitzelnd nachgebildet den Begriffen „Stammplatz", „Stammgast", „Stammlokal", wobei „Stamm-" soviel meint wie „angestammt". Spätestens seit 1900.
2. den ~ abhacken = ohne Nachkommen sterben. 1930 *ff.*

Stammboy *m* fester Freund eines Mädchens. *Halbw* 1955 *ff.*

Stammbruder *m* intimer Freund einer Halbwüchsigen. ↗Bruder 4. *Halbw* 1955 *ff.*

Stammfrau *f* intime Freundin eines Halbwüchsigen. ↗Frau 3. *Halbw* 1955 *ff.*

Stammhase *m* intime Freundin. ↗Hase 2. 1955 *ff.*

Stammkneipe *f* 1. Stammlokal. ↗Kneipe 1. Seit dem 19. Jh.
2. Klublokal der jungen Leute. *Halbw* 1955 *ff.*

Stammpinte *f* Stamm-, Klublokal. ↗Pinte. Seit dem 19. Jh.

Stammschraube *f* intime Freundin. ↗Schraube 1. *Halbw* 1955 *ff.*

Stamm-Strich *m* Stadtbezirk, in dem eine Prostituierte Kunden sucht. ↗Strich. 1950 *ff.*

Stammtischfeldherr *m* Mann, der am Biertisch seiner strategischen Besserwisserei die Zügel schießen läßt. *Sold* und *ziv* in beiden Weltkriegen. *Vgl engl* „beer parlor cracle".

Stammtischheld *m* Mann, der am Stammtisch sich als mutiger Soldat aufspielt. *Sold* in beiden Weltkriegen und nachher.

Stammtischlöwe *m* Mann, der am Stammtisch mit seinem angeblichen Mut prahlt. 1950 *ff.*

Stammzahn *m* 1. angestammte intime Freundin eines Halbwüchsigen; Dauerfreundin. ↗Zahn 3. *Halbw* 1950 *ff.*
2. fester Freund einer Halbwüchsigen. *Halbw* 1950 *ff.*
3. Dauer-, Stammgast in einer Vergnügungsstätte. *Halbw* 1950 *ff.*

Stamp *m* Kartoffelbrei. Die Kartoffeln werden gestampft. Seit dem 19. Jh.

Stampe *f* 1. kleine Schenke. Aus *franz* „estaminet" entstanden während oder nach der Besetzung Berlins durch die französischen Truppen (1806–1813). Vorwiegend Berlin und *mitteld.*
2. Tanzlokal. Als Sonderbedeutung aus dem Vorhergehenden entwickelt, wohl mit Anspielung auf die stampfenden Beine der Tänzer. *Vgl auch* ↗Bums 6. 1900 *ff,* Berlin.
3. dickwandiges Schnapsgläschen. Ihm schadet kräftiges Aufsetzen nicht. Schlesien seit dem 19. Jh. [Jh (1826 Joseph von Eichendorff, „Aus dem Leben eines Taugenichts").

stampen *tr* jn hinauswerfen, entlassen. Nebenform zu „stampfen = stoßen, wegstoßen". *Bayr* und *österr,* seit dem 17. Jh.

Stamperl *n* Gläschen. Verkleinerungsform von ↗Stampe 3. *Bayr* und *österr,* seit dem 19. Jh.

stampern *v* 1. jn ~ = jn vertreiben; jm die Tür weisen. ↗stampen. *Oberd* seit dem 18. Jh.
2. jn ~ = jn zur Rede stellen. *Bayr* 1900 *ff.*
3. *intr tr* = koitieren. Analog zu ↗stoßen. *Österr* 1900 *ff.*

Stampfbeton *m* 1. feststehen wie ~ = unerschütterlich sein. *Sold* 1939 *ff; jug* 1955 *ff.*
2. feststehen wie ~ mit eingelegten U-Eisen = sich durch nichts aus der Fassung bringen lassen. *Sold* 1939 *ff; jug* 1955 *ff.*

Stand *m* aus dem ~ = ohne Vorbereitung. Aus der Sportlersprache übernommen im Sinne von „ohne Anlauf"; der Schütze schießt „aus dem Stand" (= stehend). 1920 *ff.*

standeln (ständeln) *intr* beisammenstehen; für kurze Zeit stehenbleiben. 1900 *ff.*

Ständer *m* 1. erigierter Penis. Eigentlich der freistehende Pfosten, der längliche, aufrechtstehende Gegenstand o. ä. Seit dem 16. Jh.
2. Bein. Im späten 19. Jh aufgekommen, vorwiegend *sold* und *halbw.*
3. ausgespielte Karte, die weder übertrumpft noch überspielt werden kann („Stehkarte"). Kartenspielerspr. Seit dem 19. Jh.

Ständerchen *n* ein ~ machen = zum Plaudern auf der Straße stehenbleiben. Seit dem 19. Jh.

Standerl *n* ~ machen = für kurze Zeit stehenbleiben und miteinander plaudern. *Österr* seit dem 19. Jh.

Ständerling *m* einen ~ halten (machen) = im Stehen miteinander plaudern. *Oberd,* 1500 *ff.*

ständern *intr* plaudernd umherstehen. *Ostmitteld* seit dem 19. Jh.

Standesamt *n* 1. kein ~ gründen wollen = die Geselligkeit beenden müssen; nicht länger zusammenbleiben wollen. 1900 *ff.*
2. hier ist kein ~ = hier darf man sich getrost niedersetzen. Aufforderung an Gäste, die im Stehen plaudern und nicht Platz nehmen. 1900 *ff.*

Standesperson *f* 1. Markthändler. Eigentlich eine Person von Stand, von Adel; hier scherzhaft auf den Marktstand bezogen. 1910 *ff.*
2. ich bin eine ~ = ich setze mich nicht; ich bleibe lieber stehen. 1900 *ff.*

Ständige *f* intime Freundin eines Halbwüchsigen. *Vgl* das Folgende. *Halbw* 1955 *ff.*

Ständiger *m* üblicher Begleiter einer weiblichen Person; intimer Freund einer Halbwüchsigen; Freund (Zuhälter) einer Prostituierten. Verkürzt aus „ständiger ↗Begleiter". 1955 *ff.*

Standler *m* Händler am Verkaufsstand. *Bayr* und *österr,* seit dem 19. Jh.

Standlerin *f* Inhaberin eines Verkaufsstands. *Bayr* und *österr,* seit dem 19. Jh.

Standlfrau *f* Marktfrau. *Bayr* 1900 *ff.*

Standlmann *m* Besitzer eines Verkaufsstands auf dem Markt, auf dem Kirmesplatz o. ä. *Bayr* 1900 *ff.*

Standortältester *m* ausdauerndster Bewohner eines Obdachlosenheims. Eigentlich Bezeichnung für den dienstältesten Offizier des Standorts. Kundenspr. 1950 *ff.*

Standpauke *f* 1. heftige Zurechtweisung; Strafrede. ↗Pauke 1. Seit dem späten 19. Jh.
2. Standkonzert. Wegen der Paukenschläger. *BSD* 1968 *ff.*

Standpunkt *m* 1. Fuß (auf dem einer dem anderen steht). Wortwitzelei. 1950 *ff.*
2. jm den ~ klarmachen = jn energisch in seine Grenzen weisen; jn heftig zurechtweisen. Meint eigentlich den Gesichtspunkt, von dem aus man eine Sache betrachtet und zu dem man den anderen umstimmen will. Seit dem 19. Jh.

Standuhr *f* stehengebliebene Uhr; Uhr, die dauernd stehenbleibt. Eigentlich die aufrecht stehende Zimmeruhr. 1900 *ff.*

Stange *f* 1. großwüchsiger Mensch. Verkürzt aus „↗Bohnenstange", „↗Hopfenstange" o. ä. 1800 *ff.*
2. hohes, schlankes Trinkglas; Glas Bier. Wegen der zylindrischen Form. Seit dem frühen 19. Jh.
3. Flasche. Analog zu ↗Rohr 3. 1950 *ff, halbw.*
4. Tüte oder schlanke Büchse für Flüssigkeiten. Berlin 1950 *ff, halbw.*
5. (erigierter) Penis. Vorwiegend *sold* und *stud,* etwa seit dem späten 19. Jh.
6. 20 Packungen Zigaretten. 1950 *ff.*
7. eine ~ Geld = sehr viel Geld. Geht zurück auf die Form, in der man unverarbeitetes Metall herstellt, aufbewahrt und in den Handel bringt; auch gerolltes Hartgeld (Geldrolle) sieht wie eine Stange aus. Seit dem späten 19. Jh.
8. von der ~ = nicht individuell; unpersönlich; einheitlich, vorfabriziert. Gegen 1900 aufgekommen mit Bezug auf die (an der Kleiderstange aufgereiht hängende) Konfektionskleidung im Gegensatz zur Maßschneiderei. Nach 1950 auch auf Kunststoffgegenstände bezogen. Ein überaus geläufiger Ausdruck, der nach dem Zweiten Weltkrieg im Zusammenhang mit der Konsumgesellschaft und deren materieller Einebnung der Standesunterschiede fast täglich zu hören und zu lesen ist; auch in übertragenen Bedeutungen wie Gesinnung, Moral, eine Krankheit, eine Tugend usw. „von der Stange".
9. abgefaßte ~ = Glas Bier, das man seinem Tischnachbarn fortnimmt, wenn er es 3 Minuten vor sich hat stehen lassen, ohne es anzutrinken. ↗Stange 2. *Stud* 1900 *ff.*
10. lange ~ = a) großwüchsiger, hagerer

Mensch. ↗Stange 1. Seit dem 19. Jh. – b) lange Zeit. 1935 ff.

11. eine ~ angeben = sich stark aufspielen. ↗angeben 1. 1910 ff.

12. aussehen wie von der ~ = einheitlich gekleidet sein. ↗Stange 8. 1920 ff.

13. eine ~ blechen = eine hohe Zahlung leisten. ↗blechen. 1920 ff.

14. bei der ~ bleiben (sich bei der ~ halten) = a) standhaft aushalten; nicht abschweifen; keine Ausflüchte machen; zu seiner Meinung stehen. Hergenommen von der Fahne(nstange), um die sich die Soldaten scharen und die sie bis zum letzten zu verteidigen haben. 1700 ff. – b) den erlernten Beruf (trotz Schwierigkeiten) beibehalten. 1950 ff.

15. sich eine ~ einbilden = sich viel einbilden. 1920 ff.

16. auf die ~ fliegen = zu Bett gehen. Vom Verhalten der Hühner übertragen. 1900 ff.

17. von der ~ gehen = a) Fahnenflucht begehen. Stange = Fahnenstange. BSD 1965 ff – b) eine abweichende Meinung mannhaft vertreten. 1980 ff. .

18. ~n im Kopf haben = überheblich, ehrgeizig sein. Vergröberung von „↗Nagel I 10". Seit dem 19. Jh.

19. jm die ~ halten = a) treu zu jm stehen; für jn eintreten. Leitet sich her vom Turnier oder vom gerichtlichen Zweikampf: der Grieswart hielt die Stange und war stets bereit, mit ihr zum Schutze des bedrohten oder besiegten Gegners einzugreifen; er hielt sie schützend über den Gefallenen oder trennte mit ihr die Kämpfer. 1600 ff. – b) sich von jm nichts vorgaukeln lassen; jm gewachsen sein. Hergenommen vom Zweikampf mit Lanzen. Seit dem 17. Jh.

20. jn bei der ~ halten = jn nicht abschweifen lassen; jn zu folgerichtigem Vorgehen anhalten. Steht entweder mit der Fahnenstange oder mit der Deichsel in Zusammenhang. Seit dem 19. Jh.

21. ihn haut es von der ~ = er erleidet einen völligen Zusammenbruch. Leitet sich her vom Huhn, das tot von der Sitzstange fällt. 1930 ff, bayr.

22. ihn hat's von der ~ gehaut (gehauen) = er ist tot, tödlich verunglückt. Bayr 1930 ff.

23. einen von der ~ holen = onanieren. ↗Stange 5. Hinter „einen" ergänze "Samenerguß". 1900 ff.

24. von der ~ kaufen = Fertigkleidung kaufen; Vorgefertigtes kaufen; ein Fertighaus kaufen. ↗Stange 8. 1900 ff.

25. mit der ~ im Nebel rumfahren (rumstochern) = nach Ausflüchten suchen; unsicher raten. Seit dem 19. Jh.

26. eine ~ Sprit vor sich her schieben = nach Alkohol riechen. ↗Sprit 1. Marinespr 1914 ff.

27. siehst du den Hut dort auf der ~? = siehst du da die großwüchsige Frau mit dem Hut? Fußt wortwitzelnd auf Schillers „Wilhelm Tell" in der Szene mit dem Geßlerhut. ↗Stange 1. 1900 ff.

28. eine ~ in die Ecke stellen (wegstellen, kaltstellen; eine ~ Wasser in die Ecke stellen) = im Stehen harnen. Übertragen von dem in Stangen gelieferten Eis. 1900 ff, vorwiegend sold, stud und schül.

Stangenkledage (Endung franz ausgespro-

chen) f Konfektionskleidung. ↗Stange 8; ↗Kledage. 1900 ff, Berlin.

Stangerl n Zigarette. Verkleinerungsform von „Stange". Vgl auch ↗Stengel. Bayr 1920 ff.

Stangerlgucker m Lorgnette. Bayr seit dem 19. Jh.

Stanitzel n Papiertüte. Soll auf ital „scartoccio = Tüte" und slovak „kornut = Tüte" zurückgehen. Oberd 1500 ff.

Stank m Unfriede, Zank; Verdruß. ↗stänkern. Seit dem 14. Jh.

Stänker m 1. Zänker, Unfriedenstifter, Störenfried. ↗stänkern. 1600 ff.
2. stark riechender Käse. Er verbreitet Gestank. Seit dem 19. Jh.

Stänkerbock m Unfriedenstifter, Zänker. Eigentlich Bezeichnung des Ziegenbocks wegen seines aufdringlichen Geruchs; übertragen auf den Menschen, der „↗Stank" macht. Berlin 1840 ff.

Stänkerich m Unfriedenstifter. ↗stänkern. Seit dem 19. Jh, sächs.

stänkern intr Unfrieden stiften; zanken. Faktitivum zu „stinken = Gestank verbreiten". Übler Geruch „sticht" in der Nase. 1600 ff.

stante'pe adv sofort. Geht zurück auf lat „stante pede = stehenden Fußes". 1700 ff.

stänzeln intr Mädchen den Hof machen. ↗Stenz II. Schwäb seit dem 19. Jh.

stanzen (stänzen) tr 1. jn prügeln, niederschlagen. Gehört zu „Stenz = Rohrstock". Österr, bayr und fränkisch seit dem 19. Jh.
2. jn wegjagen, entlassen. Man treibt ihn mit Prügelschlägen fort. Seit dem 19. Jh, südd, rhein und hess.

Stapel m 1. etw auf dem ~ haben = schwanger sein. Stapel = Unterlage, auf der ein Schiff während der Bauzeit aufliegt. 1800 ff.
2. eine Äußerung vom ~ lassen = eine Erklärung abgeben; eine Verfügung erlassen; etw mündlich oder schriftlich von sich geben. Hergenommen vom Stapellauf des Schiffes. Seit dem 18. Jh.
3. vom ~ laufen = geboren werden. Seit dem 19. Jh.
4. eins auf ~ legen = eine Frau schwängern. 1800 ff.

Stapellauf m Geburt. Übertragen vom Schiffbau: Das in der Werft fertiggestellte, „vom Stapel laufende" Schiff gleitet erstmals ins Wasser, d. h. in das Element seiner Bestimmung. Spätestens seit 1900.

stapeln intr 1. gehen, eilen; umherziehen. Gehört wohl zu „Stab = Wanderstab" oder zu „stapfen = treten; schwerfällig gehen". 1755 ff, rotw.
2. betteln. Versteht sich als „bettelnd umherziehen". Rotw 1755 ff.
3. betrügen, stehlen. Bezieht sich ursprünglich auf einen, der nicht aus Not, sondern betrügerisch bettelt. Rotw seit dem 19. Jh.
4. prahlen. Verkürzt aus „hochstapeln = den Anschein von Vornehmheit erwecken, aber im Grunde ein Gauner sein". Halbw 1955 ff.
5. im Gasthaus Mitgebrachtes verzehren. Man schichtet die „Mitbringsel" auf dem Tisch auf. 1900 ff.

Stapler m 1. Bettler. ↗stapeln 2. Seit dem 18. Jh, rotw.
2. Zechpreller. ↗stapeln 3. 1900 ff, österr.
3. Prahler. ↗stapeln 4. Halbw 1955 ff.

Star m 1. Klassenbester. Stammt aus dem

Angloamerikan, wo „star" den Stern und dann den gefeierten Künstler meint. 1955 ff, schül.
2. Klassenwiederholer. Iron gemeint. 1955 ff, schül.
3. ~ des leichten Gewerbes = Prostituierte, die nur wohlhabende Kunden empfängt. 1960 ff.
4. dufter ~ = gutangezogener, netter junger Mann. ↗dufte 1. Halbw 1950 ff.
5. schnafter ~ = Könner. ↗schnafte. Jug 1955 ff.
6. vom ~ gestochen = für Filmschauspieler(innen) schwärmend. ↗Star 8 c. 1955 ff.
7. sich einen ~ sehen = lange und vergeblich Ausschau nach etw halten; sich in seinen Hoffnungen gröblich getäuscht sehen. Hier auf die Augenkrankheit bezogen. Seit dem 19. Jh.
8. jm den ~ stechen = a) jm über seinen Irrtum, über schlimme Verhältnisse die Augen öffnen. Man befreit ihn von einem argen Augenfehler. 1600 ff. – b) jm etw zurechtweisen. 1900 ff. – c) jds Schwärmerei für Filmschauspieler(innen) tatkräftig entgegentreten. Doppeldeutige Redewendung. 1960 ff.

Starfighter (engl ausgesprochen) m 1. Klassenbester. Anspielung auf das sehr leistungsfähige und schnelle Mehrzweck-Kampfflugzeug. Schül 1964 ff.
2. Mensch, der oft zu Boden fällt; Epileptiker. Anspielung auf die Absturzhäufigkeit des Flugzeugtyps. Jug 1967 ff.

Starfimmel m übertriebene Verehrung von beliebten Künstlern; Künstlervergötterung. ↗Fimmel. 1950 ff.

stark adj 1. unübertrefflich; sehr eindrucksvoll. Steht im Zusammenhang mit der Wertschätzung der körperlichen Stärke; vor allem im Gefolge des Ringer- und Boxsports aufgekommen. Halbw 1960 ff.
2. sich für etw ~ machen = sich einer Leistung zutrauen; sich für eine Sache einsetzen. Meint eigentlich die Vorbereitung für eine körperliche (sportliche) Anstrengung. Etwa seit dem späten 19. Jh. Vgl franz „se faire fort de quelque chose".
3. sich für jn ~ machen = sich für jn verbürgen; für jn einstehen. 1950 ff.
4. ~ gewachsen sein = sehr üppige Körperformen aufweisen; dick sein. 1950 ff.
5. das ist ~ = das ist unerträglich, unzumutbar. Seit dem 19. Jh. Etwa seit das arg. Spätestens seit 1800.
6. ~ auf der Brust sein (ganz schön ~ sein) = bei Geld sein; wohlhabend sein. Die Stärke gilt der Stelle, wo sich die Brieftasche befindet. 1950 ff.

stärken refl trinken, zechen. Man kräftigt sich mit Alkohol. 1900 ff.

Starkstrom m hochprozentiger Schnaps. 1930 ff.

Starkstromroß n Straßenbahn. Dem „Dampfroß" nachgebildet. 1950 ff.

Starpreis m teures Eintrittsgeld. 1930 ff, Berlin.

Star-Rummel m übermäßige Betriebsamkeit um gefeierte Künstler, Sportler u. a. ↗Rummel. 1920 ff.

Starschnupfen m vorgeschützte Unpäßlichkeit um Künstlern. 1960 ff.

starten intr geboren werden. Man beginnt den Lebenslauf. 1920 ff.

Startfiguren pl Starthelfer bei Segelfliegern und Ballonfahrern. ↗Figur 1. 1930 ff.

Startloch n 1. günstige Ausgangsbasis für

eine aussichtsreiche berufliche Laufbahn. Der Sportsprache entlehnt, wo man so die Löcher für die Füße des sich zum Start anschickenden Läufers bezeichnet. 1950 ff.
2. ins ~ gehen (am ~ graben; im ~ stehen; sich in die Startlöcher begeben) = sich auf den Antritt einer Stellung vorbereiten; sich zum Handeln anschicken. 1950 ff.

Stationen pl ~ beten (machen) = nacheinander etliche Gasthäuser aufsuchen; kein Wirtshaus auslassen. Hergenommen vom Kreuzwegbeten in der katholischen Kirche. Die Leidensgeschichte Jesu wird in „Stationen" dargestellt. 1930 ff, rhein.

Statio'nöse f Stationsschwester im Krankenhaus. Meist ist sie gesetzten Alters und versteht es, ihre Autorität geltend zu machen. Von „↗Kommandeuse" beeinflußt. 1920 ff, sold, medizinerspr. u. a.

Statistengeneral m Chef der Komparserie. Theaterspr. 1920 ff.

Stativkutscher m Kamera-Assistent; Bühnenarbeiter, der den Kamerawagen steuert. Stativ = Auflagegestell für die Filmkamera. Filmspr. 1920 ff.

Stau m das Essen. ↗stauen. Marinespr 1910 ff.

Staub m **1.** Kleingeld. Auch Bezeichnung für Bleischrot; dadurch analog zu „↗Pulver". Rotw 1847 ff.
2. Rauschgift. Es handelt sich um weißes Pulver. 1925 ff.
3. Überbleibsel eines Essens. Es ist nicht der Rede wert. 1950 ff, rotw.
4. das geht ihn einen feuchten (nassen) ~ an = das geht ihn nichts an. „Feuchter Staub" ist Umschreibung für „↗Dreck". 1900 ff.
5. ~ ansetzen = aus der Mode kommen; veralten. 1900 ff.
6. ~ aufwirbeln (aufrühren, machen) = Anlaß zu lebhafter Erörterung geben. Herzuleiten von unzweckmäßigem Kehren, bei dem der Staub nicht beseitigt, sondern aufgewirbelt wird, oder vom Wirbelwind. Seit dem 17./18. Jh. Vgl franz „faire de la poussière".
7. jm den ~ ausklopfen = jn verprügeln. Euphemismus. Seit dem 19. Jh.
8. jm den ~ aus den Augen (Ohren) blasen = jm über schlimme Vorgänge die Augen öffnen. 1900 ff, westd.
9. das gibt ~ = das erregt unangenehmes Aufsehen. ↗Staub 6. Seit dem 19. Jh.
10. ~ unter der Kappe haben = betrunken sein. Analog zu „↗benebelt sein". 1920 ff, hess.
11. keinen ~ hinter der Stirn haben = klug sein. Halbw 1960 ff.
12. es interessiert ihn einen feuchten (nassen) ~ = es interessiert ihn überhaupt nicht. ↗Staub 4. 1900 ff.
13. jm den ~ aus der Jacke klopfen = a) jn stürmisch umarmen und dabei heftig beklopfen. 1900 ff. - b) jn prügeln, züchtigen. 1890 ff.
14. sich um etw einen nassen (feuchten) ~ kümmern = sich um etw überhaupt nicht kümmern; etw nicht beherzigen. Vgl ↗Staub 4. 1900 ff.
15. ~ machen = die Untergebenen hin- und herhetzen. Man meint, eine lebhafte Tätigkeit hervorzurufen. Vgl ↗Staub 6. 1900 ff, ziv und sold.
16. sich aus dem ~e machen = fliehen;

wegeilen. Im Qualm und Rauch des Schlachtfeldes, auch im Staub der Landstraßen und Wege kann man unauffällig entkommen. 1500 ff.
17. aus jm keinen ~ rausschlagen können = jm keine Äußerung (kein Geständnis; kein Geheimnis) entlocken können. Übertragen vom Teppichklopfen. 1960 ff.
18. den ~ von den Schuhen schütteln = eiligst davongehen; fliehen. Durch schnelle Bewegung verschwindet der Staub von den Schuhen. Sold in beiden Weltkriegen.
19. jm ~ in die Augen streuen = jn täuschen. Analog zu „↗Sand 23". 1964 ff.
20. in etw mal ~ gewischt haben = sich kurz und flüchtig mit etw beschäftigt haben. 1955 ff.
21. einen feuchten ~ wissen = nichts wissen. Vgl ↗Staub 4. 1900 ff.
22. den ~ zusammenfegen = dem Gegner die kleinen Trümpfe abfordern. Kartenspielerspr. 1900 ff.

'staub'dumm adj **1.** taubstumm. Hieraus scherzhaft umgestellt. Seit dem späten 19. Jh.
2. überaus dumm. 1860/70 ff.

stauben v **1.** tr = jn verjagen; jm die Tür weisen. Der Betreffende soll „sich aus dem Staube machen". Seit dem 19. Jh, vorwiegend oberd und fränkisch.
2. tr = etw stehlen. Gemeint ist ursprünglich das Entwenden beim Staubwischen; vgl ↗abstauben. 1900 ff.
3. hier staubt es = a) hier fehlt es an Getränken. Berlin seit dem späten 19. Jh. - b) hier herrscht Aufregung, Unfriede, lebhaftes Kommen und Gehen. ↗Staub 15. 1900 ff. - c) hier fliegen Granatsplitter o. ä. Anspielung auf den Staub des Schlachtfeldes. Sold in beiden Weltkriegen.
4. es staubt = es wird gefährlich. 1940 ff, rotw.
5. gleich staubt es!: Drohrede. Man will dem Betreffenden „den Staub aus der Jacke klopfen"; ↗Staub 13 b. 1950 ff.
6. jn ~ = jn prügeln. Vgl das Vorhergehende. 1950 ff.
7. jn ~ = jn im Fahren überholen; jm überlegen sein. ↗abstauben. Österr 1930 ff.
8. einen ~ = ein Glas Alkohol zu sich nehmen; sich betrinken. Man spült den Staub aus der Kehle. 1920 ff.
9. eine Zigarette (o. ä.) ~ = eine Zigarette rauchen. Man verwandelt sie in staubende Asche. Bayr und österr; seit 1900.
10. intr = mit der Zigarre viel Rauch entwickeln. 1920 ff.
11. intr = eilig gehen. Die Schuhe wirbeln den Staub auf. 1900 ff.

stäuben tr jn prügeln; jn nachdrücklich an seine Pflichten gegenüber der Gruppe erinnern. ↗Staub 7. 1930 ff.

Staubgefäß n **1.** Nase. Wortwitzelei mit dem bot Begriff. Der Blütenteil, der den Blütenstaub erzeugt, wird hier zum Staubfilter. 1920 ff.
2. Abfalleimer. Staub = Schmutz, Kehricht. 1920 ff.

staubig adj **1.** ärmlich, elend. Mildernder Ausdruck für „schmutzig". 1900 ff.
2. kleinbürgerlich, kleingeistig; veraltet. Man ist „verstaubt" in den Ansichten und Lebensgewohnheiten. Vgl ↗Staub 5. Jug 1960 ff.
3. betrunken. ↗stauben 8. 1920 ff.

4. ihm geht es ~ = er muß sich schwer abmühen; er ist in schlimmer Lage. Analog zu „ihm geht es ↗dreckig". 1920 ff.

Staubsauger m **1.** Ballkleid mit Schleppe. 1900 ff.
2. Nase. 1930 ff.
3. Gasmaske o. ä. 1930 ff.
4. Infanterist. Sold in beiden Weltkriegen.
5. Fußgänger im (motorisierten) Straßenverkehr. 1925 ff.
6. Putzfrau. 1925 ff, Berlin.
7. Radfahrer. 1925/30 ff.
8. Registraturbeamter. Österr 1930 ff.
9. dummer Mensch. In geistiger Hinsicht nimmt er nur „Dreck" auf. Schül 1950 ff.
10. fliegender ~ = Flugzeug. Schweiz 1965 ff.
11. rostiger ~ = Trinkernase. ↗Staubsauger 2. „Rostig" spielt auf die Rötung an. 1930 ff.

Staubsaugerfee f Hausgehilfin. 1955 ff.
Staubsaugfee f Hausgehilfin. 1955 ff.
'staub'trocken adj streng sachlich. 1920 ff.
Staubtuchwedler m Hausgehilfin, Putzfrau o. ä. 1955 ff.

Stauche f Beigefügtes; Ein-, Hinzugeschüttetes. Nebenform von „stauen = eine Schiffsladung im Laderaum sachgerecht verteilen und stapeln". Berlin 1955 ff, jug.

stauchen v **1.** tr = jn schlagen. Meint eigentlich „einen Gegenstand kräftig gegen einen anderen stoßen". Man staucht den Sack, indem man ihn vor dem Zubinden schüttelt und aufstößt, damit sich der Inhalt zusammendrückt. Der Schmied staucht, wenn er kräftig auf das Schmiedeeisen schlägt. Seit dem 17./18. Jh.
2. tr = jn zurechtweisen. Aus dem Vorhergehenden entwickelt im Sinne eines kräftigen moralischen Stoßes. ↗zusammenstauchen. 1800 ff.
3. tr = jn im Dienst hart plagen; jn rücksichtslos drillen. Sold seit dem späten 19. Jh.
4. tr = etw einschütten, hinzufügen. ↗Stauche. 1955 ff, jug.
5. tr = essen, trinken. Man drückt es in den Magensack. 1900 ff.
6. tr = Bier mittels eines Bierwärmers erwärmen; die Bierflasche in heißes Wasser tauchen. 1900 ff.
7. tr = stehlen; Begehrtes listig beschaffen. Man staucht das Gestohlene in den Sack oder in die Tasche. „Stauche" ist auch der sehr weite Ärmel, in dem man kleinere Gegenstände leicht verstecken kann. Seit dem späten 19. Jh. Anscheinend in Süddeutschland aufgekommen und später nordwärts gewandert.
8. intr = sich heftig anstrengen; angestrengt lernen. Man staucht den Wissensstoff in das Gedächtnis. Schül 1900 ff.

Staucher m **1.** starke (meist körperliche) Anstrengung. ↗stauchen 3. 1870 ff.
2. heftige Rüge. ↗stauchen 2. 1870 ff.

Staude f **1.** Hemd. Vielleicht verkürzt aus veraltetem „Hanfstaude = Hemd": aus der Bastfaser des Hanfs stellt man Nähgarn, Bindfaden und gröbere Gewebe her. Rotw seit dem frühen 19. Jh; seit 1870 auch sold.
2. Strickweste. Kundenspr. 1920 ff.
3. Kleidung. Bayr und österr; 1920 ff.
4. leichtes Mädchen; Prostituierte. Meint eigentlich die krautige Blattpflanze; dadurch analog zu „↗Pflänzchen". Österr 1900 ff.

5. ~ (lange ~) = großwüchsiger Mensch. Von der hochgewachsenen Blattpflanze auf den Menschen übertragen. Seit dem 19. Jh.

6. nasse ~ = rasch zu Tränen neigende weibliche Person. *Nordd* und *mitteld,* 1900 *ff.*

7. trockene ~ = hagere Frau höheren Alters. 1900 *ff.*

8. jn aus der ~ hauen = jn niederschlagen. Analog zu „jn aus dem ↗Anzug schlagen". 1920 *ff.*

stauen *tr* essen. Meint eigentlich „schichten; Waren im Schiffsleib unverrückbar zusammensetzen, stapeln." Verwandt mit ↗stauchen 1. *Marinespr* und seemannsspr. seit dem späten 19. Jh.

Staufferfett *n* Butter, Margarine o. ä. Meint eigentlich das nach dem Hersteller benannte, salbenartige Schmiermittel für Maschinen. *Sold* 1939 bis heute.

Staune *f* die große ~ kriegen = sehr in Erstaunen geraten. *Jug* 1960 *ff.*

staunen *v* da staunt die Laie, und der Fachmann wundert sich (da staunt der Fachmann, und der Laie wundert sich): Ausdruck des Erstaunens. Wohl hergenommen von irgendeinem technischen (chemischen, physikalischen) Versuch, der eine unvorhergesehene Entwicklung nimmt. *Schül* und *stud,* 1900 *ff.*

Stauraum *m* noch ~ haben = noch nicht gesättigt sein. ↗stauen. 1955 *ff, schül* und *stud.*

Stausee *m* ~ spielen = sich langsam betrinken. Stausee ist die Flußmenge, die vor einer Talsperre gestaut wird. Wahrscheinlich 1934 unter Studenten aufgekommen gelegentlich des Baus des Baldeney-Sees in Essen.

stechen *v* **1.** *tr intr* = stecken. Mundartlich nördlich der Mainlinie verbreitete Variante von „stecken" (wo hast du gestochen? = wo hast du gesteckt?). Seit dem 19. Jh.

2. *intr* = die Kopfbedeckung zum Gruß lüften. Hergenommen vom eckigen („stechenden") Schwung, mit dem Schüler und Studenten die Mütze abnehmen und wieder aufsetzen mußten. 1930 *ff.*

3. *intr* = koitieren. Der Penis als Stechwerkzeug. ↗Stecher 2. 1500 *ff.*

4. auf jn ~ = auf jn anzüglich anspielen. Verwandt mit *gleichbed* „sticheln". 1900 *ff.*

5. jm etw ~ = jm etw heimlich zu verstehen geben; durch eine Bemerkung jn treffen oder bloßstellen. Analog zu „jm etw ↗stecken" (↗stecken 8). 1700 *ff, stud, schül* und *rotw.*

6. was sticht? = was geht hier vor? wie ist die Stimmung? Hergenommen von der Frage des Skatspielers nach der Trumpffarbe, etwa im Sinne von „was gibt hier den Ausschlag?". *Sold* 1939 *ff.*

7. *intr* = Erfolg haben. Übertragen vom Kartenspieler, der eine Karte überspielen oder übertrumpfen kann und dadurch den Stich gewinnt. *Sportl* 1950 *ff.*

8. es sticht bei mir nicht = es macht auf mich keinen Eindruck; es überzeugt mich nicht. Versteht sich nach dem Vorhergehenden. 1960 *ff.*

9. einen ~ = ein Glas Alkohol trinken. Wohl hergenommen vom Stechheber, mit dem man Wein aus dem Faß nimmt, oder verkürzt aus der Vorstellung, daß man

sich „einen Schluck in die Brust sticht". Seit dem 19. Jh.

10. jm eine ~ = jn ohrfeigen. Stechen = die Hand vorschnellen lassen. Doch *vgl* auch „jm eine ↗Bremse stechen" 1800 *ff.*

11. was sticht dich? = warum ist dein Benehmen verändert? Analog zu „es juckt mich". 1900 *ff.*

12. ein komisches ~ in der Blase verspüren = Schlimmes ahnen. Analog zu „es im ↗Urin haben". *Sold* in beiden Weltkriegen.

Stecher *m* **1.** Fahrtenmesser. Verkürzt aus ↗Krötenstecher. 1945 *ff, jug.*

2. Penis. ↗stechen 3. Seit dem 19. Jh; wahrscheinlich sehr viel älter.

3. intimer Freund eines Mädchens; Bräutigam. ↗stechen 3. 1900 *ff.*

4. Zuhälter; nichtzahlender Freund einer Prostituierten *(abf).* 1960 *ff, prost.*

5. alter ~ = bejahrter Mann; alter Homosexueller. 1900 *ff.*

Steckbrief *m* **1.** Personenbeschreibung; Lebenslauf. Eigentlich die Beschreibung (das Fahndungsplakat) eines polizeilich gesuchten Verbrechers. 1920 *ff.*

2. Wehrpaß. *BSD* 1965 *ff.*

3. erfreuliche Nachricht. Diese Nachricht kann man an den Spiegel stecken; *vgl* ↗Spiegel 6. 1900 *ff.*

steckbriefen *refl* seinen Lebenslauf schreiben. *Halbw* 1955 *ff.*

Steckdose *f* **1.** Vagina. Von der Elektrotechnik übernommen. *Vgl* ↗Dose 1; ↗stecken 5. 1900 *ff.*

2. Prostituierte, Hure. 1935 *ff, sold* und *ziv.*

3. Mädchen. *BSD* 1967 *ff.*

Stecken *m* **1.** hagerer Mensch. Analog zu ↗Stange 1. Seit dem 19. Jh, vorwiegend *oberd* und *westd.*

2. ich gehe am ~! = Ausdruck höchster Verwunderung. Analog zu „da gehst du am ↗Stock!". 1935 *ff.*

3. etw am ~ haben = nicht unbescholten sein. *Vgl* „↗Dreck am Stecken haben". 1900 *ff.*

stecken *v* **1.** *intr* = sich befinden (wo steckst du? = wo bist du?). „Stecken" meint allgemein „in eine(r) Öffnung stecken", im engeren Sinne „sich versteckt halten". Seit dem 16. Jh.

2. drin ~ = in Not (Geldverlegenheit) sein. Verkürzt aus „in der ↗Patsche stecken". Seit dem 19. Jh.

3. da steckt alles drin = das hat Zukunft, hat gute Aufstiegsmöglichkeiten, hat Wert. Hergenommen vom Lostopf, der noch Gewinne enthält, oder vom Skat, in dem gute Karten liegen. 1870 *ff.*

4. da steckt nichts drin = das hat keinen Wert. 1870 *ff.*

5. *intr tr* = koitieren. Seit dem 19. Jh.

6. hinter etw ~ = an etw insgeheim maßgeblich beteiligt sein. Seit dem 18. Jh. *Vgl engl* „to be behind".

7. sich hinter jn ~ = sich um jds Fürsprache bemühen; für den eigenen Vorteil einen anderen vorschieben. Man tritt selbst nicht in Erscheinung, hält sich verborgen. Seit dem 18. Jh.

8. jm etw ~ = a) jm eine Heimlichkeit anvertrauen. Hergenommen vom Steckbrief aus den Zeiten des Ferngerichts: die Ladung zum Ferngericht steckte der Bote an das Tor des Beschuldigten. 1700 *ff.* – b) jm heftige Vorhaltungen machen; jm etw

streng untersagen. Vielleicht hergenommen von der Grenzmarkierung zum Nachbarn hin. Seit dem 19. Jh.

9. jm eine ~ = jn ohrfeigen; jm einen Stoß versetzen. ↗stechen 10. 1800 *ff.*

10. jn ~ lassen = jm in der Not nicht helfen. ↗stecken 2. Seit dem 19. Jh.

Steckenpferd *n* sein ~ füttern = seinen Liebhabereien nachgehen. 1960 *ff.*

Stecker *m* Penis. ↗stecken 5. 1900 *ff.*

Steckerleis (Steckerl-Eis) *n* Eis am Stiel. Steckerl = kleiner Stab. *Bayr* 1950 *ff.*

Stecknadel *f* etw wie eine ~ suchen = etw sehr gründlich suchen. Fußt auf der Metapher von der „Stecknadel im Heuhaufen". Seit dem 18. Jh. *Vgl engl* „we looked for it like for a pin in a haystack", *franz* „chercher une aiguille dans une botte de foin".

Steckrübenstudent *m* Schüler der Landwirtschaftlichen Winterschule, der Landwirtschaftsschule o. ä. 1900 *ff.*

Steckrübenwinter *m* Winter 1917/18. Steckrüben bildeten damals die vorherrschende Nahrungsgrundlage.

Stehaufmännchen (Stehaufmännlein) *n* **1.** Mensch, der sich aus noch so argen Fehlschlägen wieder aufrafft; lebhafter, munterer, unruhig sitzender Mensch. Stehaufmännchen sind kleine Figuren für Kinder; sie haben eine halbkugelförmige, mit Blei ausgegossene Grundfläche und richten sich stets wieder auf. 1800 *ff.*

2. Penis. 1900 *ff.*

Stehbier *n* im Stehen getrunkenes Glas Bier. Seit dem 19. Jh.

Stehbierhalle *f* Stehabort. Eigentlich die Gastwirtschaft, in der man sein Bier im Stehen trinkt. 1900 *ff.*

Stehbrötchen *n* hastig verzehrtes Morgenfrühstück. Man ißt sein Brötchen rasch im Stehen. 1955 *ff, jug,* Berlin.

Stehbrotzeiter *m* Mann, der in einem Stehausschank (Stehimbiß) sein Frühstücksbrot verzehrt. ↗Brotzeit. 1965 *ff.*

Steh-C. *m* tägliches Treffen der Verbindungsstudenten an einem bestimmten Punkt des Hochschulgebäudes und zu festgesetzter Zeit. Verkürzt aus „Steh-Convent". *Stud* 1900 *ff.*

stehen *intr* **1.** das steht = das ist erfolgversprechend, günstig. Es hat festen Grund und schwankt nicht. 1910 *ff.*

2. steht! = a) einverstanden! Auf die Frage „steht das fest?" antwortet man „(es) steht!". *Sold* in beiden Weltkriegen; *ziv* 1950 *ff.* – b) das Sendung ist fertig aufgenommen. Rundfunkspr. 1930 *ff.*

3. auf jn ~ = es auf jn abgesehen haben; auf jn Wert legen; es gut mit jm meinen; sich zu jm bekennen. Hergenommen von der Antenne, die auf einen Sender „steht" (= eingestellt ist). Gegen 1920/30 im *Oberd* aufgekommen und seit 1950 eine der häufigsten Halbwüchsigenvokabeln im *dt* Sprachraum.

4. auf etw ~ = für etw schwärmen; etw bevorzugen. *Vgl.* das Vorhergehende. 1920 *ff.*

5. es steht mir bis hier (wobei man auf den Hals oder unterhalb des Mundes zeigt) = ich bin dessen überdrüssig. Anspielung auf Brechreiz. Seit dem 19. Jh. *Vgl franz* „en avoir jusqu'ici".

6. es steht mir bis oben = es widert mich an. *Vgl* das Vorhergehende. Seit dem 19. Jh.

7. das steht nicht drin (davon steht nichts drin) = das ist nicht vorgesehen. Drin = im Brief, im Vertrag, im Gesetz, in der Zeitung o. ä. 1950 *ff, bayr.*

8. damit (davon) steht gar nichts drin = davon kann keine Rede sein. *Vgl* das Vorhergehende. 1950 *ff.*

9. für etw ~ = sich für etw verbürgen. Seit dem 19. Jh.

10. ihm steht er = sein Penis erigiert. *Vgl* ⟋ Steher 4. 1900 *ff.*

11. etw im ~ abmachen = a) etw schnell, oberflächlich erledigen. Seit dem 19. Jh. – b) eine Freiheitsstrafe ohne Reue verbüßen. 1900 *ff.*

12. neben sich ~ = eine Bühnenrolle ohne innerliche Beteiligung spielen (singen). Theaterspr. 1920 *ff.*

13. jn ~ lassen = den Läufer überholen; im Wettkampf siegen; davonlaufen. 1925 *ff, sportl.*

14. nichts ~ lassen können = diebisch sein. 1900 *ff.*

15. mit dem ~ geht's gut, nur mit dem Gehen steht's schlecht: Antwort auf die Frage nach dem Befinden. Wortspielerisch zusammengebastelt aus den Fragen „wie geht's?" und „wie steht's?". 1920 *ff.*

16. ~ üben = Posten stehen. Scherzhaft meint man, auch diese Fertigkeit könne der Soldat nur durch Üben erwerben. *BSD* 1960 *ff.*

stehend *adv* **1.** ~ freihändig = mühelos; gekonnt; lässig; im Vertrauen auf ziemlich sicheres Wissen hin; auswendig. Hergenommen entweder vom Schießen, wobei der Schütze steht und das Gewehr nicht aufliegt, oder vom Radfahren, bei dem man steht und die Lenkstange nicht berührt; in beiden Fällen sind Standsicherheit und große Konzentration vonnöten. Seit dem frühen 20. Jh, *schül, stud* und *sold.*

2. ~ sterben können = eine große Schuhnummer haben. Die Schuhe sind so groß wie kleine Särge. 1900 *ff.*

Stehhosen *pl* enge Hosen, in denen Bücken unmöglich ist. 1900 *ff.*

'Stehjuch'he *n* Stehplätze auf der obersten Theatergalerie. ⟋ Juchhe 1. Spätestens seit 1900.

Stehkleid *n* enganliegendes Kleid, in dem man schlecht oder nicht sitzen kann. 1950 *ff* (1900?).

Stehkonvent *m* **1.** Unterhaltung im Stehen. Stammt aus dem Studentenleben (⟋ Steh-C.). 1920 *ff.*

2. Gesamtheit der Gäste, die sich nicht entschließen, Platz zu nehmen. 1920 *ff.*

Stehkragen *m* **1.** Schaum auf dem Glas Bier. Wegen der Formähnlichkeit. Seit dem späten 19. Jh bis heute.

2. liegender ~ = Schillerkragen. 1920 *ff.* (Karl Valentin ?).

3. bis zum ~ gefüllt = bis obenhin gefüllt. 1950 *ff.*

4. voll bis zum ~ = a) volltrunken. 1950 *ff.* – b) dichtbesetzt. 1950 *ff.*

5. das Gaspedal bis zum ~ durchdrücken = so schnell wie möglich fahren. 1935 *ff.*

6. es satt sein (haben) bis zum ~ = einer Sache völlig überdrüssig sein. *Vgl* das Folgende. 1950 *ff.*

7. es steht mir bis zum ~ = es widert mich an. Anspielung auf Brechreiz. *Vgl* ⟋ stehen 5. 1950 *ff.*

8. es bis zum ~ stehen haben = Harndrang verspüren. *Sold* 1939 bis heute.

Stehkragenbetrüger *m* Wirtschaftsverbrecher o. ä. ⟋ Weiße-Kragen-Kriminalität. 1960 *ff.*

Stehkragenkriminalität *f* Wirtschaftsverbrechen. Geht zurück auf *angloamerikan* „white-collar-criminality". 1960 *ff.*

Stehkragenlouis (Grundwort *franz* ausgesprochen) *m* elegant gekleideter Zuhälter. ⟋ Louis. Berlin 1920 *ff.*

Stehkragenprolet (-proletarier) *m* **1.** Mann niederen Ranges, der sich durch Schlips und Kragen aus seinem Stande hervorzuheben sucht. Im späten 19. Jh aufgekommen.

2. Büroangestellter, Beamter. 1870 *ff. Vgl engl* „white-collar-worker".

3. Schüler mit abgebrochener höherer Schulbildung. 1920 *ff.*

4. Zivilist. *Marinespr* in beiden Weltkriegen.

Stehkragenproletariat *n* gesellschaftliche Mindergeltung von Berufstätigen, die ihren niedrigen gesellschaftlichen Rang durch gepflegtes Äußeres zu heben suchen. 1900 *ff.*

stehlen *v* **1.** er kann mir gestohlen werden (bleiben) = er ist mir gleichgültig; an ihm liegt mir nichts; er soll mich in Ruhe lassen! Was ungestraft gestohlen werden kann, ist wertlos. Im frühen 19. Jh aufgekommen.

2. gestohlen bei Tietz (o. ä.), als das Licht ausging: Antwort auf die Frage, woher man diesen Gegenstand habe. 1930 *ff.*

3. ich habe mein Geld nicht gestohlen = unnötige Ausgaben finanziere ich nicht. 1900 *ff.*

Stehpietz *f* pralle Frauenbrust. ⟋ Pieze 1. Seit dem 19. Jh, *mitteld.*

Stehpinte *f* Stehbierlokal. ⟋ Pinte. 1900 *ff.*

Stehrumchen *n m* Mann (Empfangschef), der im Restaurant die Gäste begrüßt. Er „steht rum". 1925 *ff,* Berlin.

Stehschoppen *m* rasch (im Stehen) getrunkenes Glas Wein (Bier). 1870 *ff.*

Stehsitz *m* **1.** Stehplatz. Berlin seit dem ausgehenden 19. Jh; auch Wien.

2. Zuschauerplatz der Zaungäste auf Bäumen, Laternenpfählen, Stehleitern usw. 1910 *ff.*

Stehvermögen *n* Durchhaltekraft. Aus *engl* „standing-power". Meint in der Sportsprache die länger anhaltende Leistungsfähigkeit eines Sportlers. 1950 *ff.*

steif *adj* **1.** betrunken. Man ist bis zur Erstarrung bezecht. Seit dem 19. Jh.

2. etw ~ und fest behaupten (erklären, glauben, versprechen usw.) = etw mit aller Bestimmtheit behaupten. „Steif" (= unbeugsam, hartnäckig) und „fest" (= bestimmt, unerschütterlich) sind hier formelhaft verbunden. 1700 *ff.*

3. sich ~ halten = sich ablehnend verhalten; nicht nachgeben; nicht freigebig sein. „Steif" bezieht sich hier auf das Rückgrat, das sinnbildlich für Unnachgiebigkeit und aufrechte Gesinnung steht. 1500 *ff.*

4. sich ~ machen = sich ablehnend verhalten. 1950 *ff.*

5. sich ~ trinken = sich sinnlos betrinken. ⟋ steif 1. Seit dem 19. Jh.

Steifer *m* **1.** erigierter Penis. Seit dem 19. Jh.

2. starker Grog; hochprozentiger Branntwein. *Vgl* auch ⟋ Grog. *Nordd* seit dem 19. Jh.

'steif'staats *adv* gut gekleidet. ⟋ staats 1. *Westd* seit dem 19. Jh.

Steige *f* Unterkunft. Verkürzt aus ⟋ Absteige. 1960 *ff,* Hamburg.

steigen *v* **1.** *intr* = gehen; sich begeben. Meint eigentlich das Schreiten, dann auch das Aufwärts- oder Abwärtssteigen. Man „steigt" ins Bett, ins Bad, in den Keller, in das Examen, in die Operation usw. *Stud* seit dem späten 18. Jh.

2. *intr* = jm auf den Fuß treten. *Bayr* 1930 *ff.*

3. *intr* = aufbrausen; die Beherrschung verlieren. Analog zu ⟋ hochgehen. Seit dem 19. Jh.

4. *impers* = stattfinden (ein Fest steigt; eine Rede steigt). Ursprünglich nur auf ein Lied bezogen, dessen Klänge zur Zimmerdecke aufsteigen; dann auch auf andere Gegebenheiten angewendet. 1700 *ff, stud.*

5. hinter etw (dahinter) ~ = etw ergründen, aufdecken, verstehen. 1900 *ff, schül* und *stud.*

6. hinter jn ~ = Interesse an einem Mädchen haben. ⟋ nachsteigen. 1900 *ff.*

7. in etw ~ = sich an etw beteiligen; sich anschließen. ⟋ einsteigen 1. *Halbw* 1960 *ff.*

8. in ein Kleid (in die Hose) ~ = ein Kleid von unten anziehen, aufwärtsziehen. Seit dem 18. Jh.

9. mit jm ~ = ein Mädchen begleiten. Analog zu „mit jm ⟋ gehen". Seit dem 19. Jh, *südd.*

10. etw ~ lassen = etw stattfinden lassen; ein Lied anstimmen; eine Rede beginnen. ⟋ steigen 4. Seit dem 19. Jh.

11. jn ~ lassen = jn in Verlegenheit bringen; jn verulken; jn erzürnen. ⟋ steigen 3. Seit dem 19. Jh.

Steign *f* **1.** flaches Kistchen ohne Deckel für Obst und Gemüse. Entwickelt aus *mhd* „stige = Stall für Kleinvieh" mit Anspielung auf das Lattengitter. *Bayr* und *österr,* seit dem 19. Jh.

2. Bett, Liege. Ursprünglich wohl Bezeichnung für das Gitterbett. *Österr* 1950 *ff, halbw.*

3. Unterkunft. *Vgl* ⟋ Steige. *Österr* 1950 *ff.*

steil *adj* **1.** höchst eindrucksvoll; von guter Figur; anziehend; sehr sympathisch. Leitet sich her von der Vorstellung steil aufsteigender Berge und Gebirgszüge; wohl beeinflußt von *angloamerikan* „steep". *Halbw* 1955 *ff.*

2. unübertrefflich. 1965 *ff.*

3. unnahbar, abweisend. Vom Begriff „steil aufragend" über „schwer erreichbar" weiterentwickelt zu „trotzig, stolz". 1400 *ff.* Nach 1950 erneut aufgelebt.

steilen *v* **1.** etw ~ = etw schwieriger darstellen als der Wirklichkeit entspechend. 1935 *ff, ziv* und *sold.*

2. *intr* = übertreiben, prahlen. 1935 *ff, ziv* und *sold.*

Stein *m* **1.** Geld, Markstück, Schweizer Franken. Analog zu „Kies", „Bims", „Schotter", „Split" usw. *Rotw* 1800 *ff.*

2. Maßkrug. Er ist aus gebranntem Ton (Steingut). *Vgl angloamerikan* „stone = Bierkrug". Seit dem 19. Jh.

3. auf ~ beißen = auf unüberwindlichen Widerstand stoßen. ⟋ Granit. 1920 *ff.*

4. den ~ ins Rollen bringen = den ersten Anstoß geben. Der ins Rollen geratene

Stein kann eine Lawine auslösen. Seit dem 19. Jh.

5. ihm fällt ein ~ vom Herzen = er wird von einer schweren Sorge befreit. Die Sorge erscheint umgangssprachlich meist unter dem Bild einer Last. „Stein auf dem Herzen" gehört dem 16. Jh an; die heutige Redensart kam im 18. Jh auf.

6. deswegen fällt (bricht) ihm kein ~ aus der Krone = deswegen vergibt er sich nichts; dadurch wird sein Ehrgefühl nicht gekränkt. In volkstümlicher Auffassung trägt der Dünkelhafte eine Krone, wohl in Nachahmung der Fürstenkrone, auch der Brautkrone; fällt aus der Brautkrone ein Stein, deutet sich Unheil an. Seit dem 19. Jh.

7. es friert ~ und Bein = es friert heftig. „Stein" und „Bein" sind schon früh Sinnbilder der Festigkeit, der Stärke und der Verläßlichkeit, weswegen sie zu einer verstärkenden Formel geworden sind; man sagt „der Boden ist steinhart (oder knochenhart) gefroren". 1600 ff.

8. bei jm einen ~ im Brett haben = bei jm viel gelten. Geht zurück auf die beliebten Brettspiele (Schach, Dame, Mühle, Puff usw.): wer mit den eigenen Steinen ins Feld des Gegners gelangt, hat Vorteil. Seit dem 16. Jh.

9. ~ und Bein auf jn halten = fest zu jm stehen; jm nichts Ehrenrühriges zutrauen. ↗ Stein 7. 1800 ff.

10. ~ und Bein jammern (klagen) = herzzerreißend jammern. ↗ Stein 7. Seit dem 19. Jh.

11. lieber ~e klopfen (kloppen) als ... = lieber schwere körperliche Arbeit verrichten als ... Seit dem 19. Jh.

12. der ~ kommt ins Rollen = die Sache nimmt ihren Anfang. ↗ Stein 4. Seit dem 19. Jh.

13. jm ~e in den Weg legen (werfen) = jm Hindernisse bereiten; jds Vorhaben erschweren. Seit dem 16. Jh.

14. zwei harte ~e mahlen selten klein = fallen die beiden höchsten Karten im selben Stich, so hebt sich ihre Wirkung auf, und sie bringen wenig ein. Kartenspielerspr. Seit dem 19. Jh.

15. einen ~ plumpsen hören = von drohender Gefahr befreit sein; sich befreit fühlen. ↗ Stein 5. 1920 ff.

16. ~ und Bein schimpfen = heftig schimpfen. ↗ Stein 7. Seit dem 19. Jh.

17. schlafen wie ein ~ = tief schlafen. Fußt auf der Vorstellung von der Unbeweglichkeit. 1900 ff.

18. schweigen wie ein ~ = sehr verschwiegen sein. 1900 ff.

19. ~ und Bein schwören = etw fest versichern; etw kräftig beteuern. ↗ Stein 7. 1500 ff.

20. es ist ihm ein ~ am Bein = es behindert seine Freiheit. Einen schweren Stein befestigte man früher mittels einer Kette am Bein des Gefangenen, um ihn am Entlaufen zu hindern. 1900 ff.

21. sich bei jm einen ~ ins Brett setzen = durch eine Gefälligkeit das Wohlwollen eines anderen erringen. ↗ Stein 8. Seit dem 19. Jh.

22. er sstolpert über den sspitzen Sstein: spottende Charakterisierung norddeutscher Aussprache. Seit dem 19. Jh.

23. ~e verdauen (vertragen) können = einen sehr gesunden Magen haben. Eine

übertreibende Redewendung, vielleicht zusammenhängend mit dem Märchen von Rotkäppchen und dem Wolf. 1900 ff.

Steinbruch m **1.** schlechter Zahnbefund; lückenhaftes Gebiß. 1910 ff.
2. Arbeitsstätte, an der die Arbeitnehmer körperlich überfordert werden. Die Arbeit ist schwer wie die im Steinbruch. Seit dem 19. Jh.

Steinerweichen n **1.** es ist zum ~ = es ist zum Verzweifeln; es geht einem seelisch sehr nahe. Seit dem 19. Jh.
2. zum ~ schluchzen (weinen o. ä.) = erschütternd weinen. 1700 ff. Früher auch in der Form „es möchte einen Stein erbarmen".
3. zum ~ singen = sehr schlecht singen. Seit dem 19. Jh.

'stein'hart adj sehr hart. Seit mhd Zeit auf dem Vergleich „hart wie ein Stein" beruhend.

Steinmeer n Großstadt. Anspielung auf die geringe Zahl der Grünflächen. 1920 ff.

'stein'müde adj sehr müde, abgespannt. Wie ein Stein könnte man ins Bett fallen. Bayr und österr, seit dem 19. Jh.

Steinpils (Steinpilz) m n Steinhäger zum Glas Bier. Wortspiel mit „Pils" (= Pilsner Bier) und „Pilz". Gegen 1950 in Westfalen aufgekommen.

'stein'reich adj sehr wohlhabend. Meint ursprünglich wohl „reich an Edelsteinen" oder „Geld haben wie Steine". Seit dem 15. Jh.

Steinschraube f sehr alte Frau mit altmodischem Benehmen und entsprechenden Ansichten. Diese „↗ Schraube" stammt noch aus der Steinzeit. 1925 ff, halbw.

'stein'schwer adj überaus schwierig. 1950 ff.

Steinsetzer m Schachspieler. 1905 in Berlin im Café Kerkau aufgekommen.

'stein'übel adv Brechreiz verspürend. Seit dem 19. Jh.

Steinwüste f Großstadt ohne (mit nur wenigen) Grünflächen. 1920 ff.

Steinzeit f **1.** Ansichten wie in (aus) der älteren ~ = völlig veraltete Ansichten. 1930 ff.
2. das ist ja mein Reden seit der ~ = das habe ich ja schon immer behauptet. Stud 1950 ff.
3. es bei jm verschissen haben bis zur (nächsten) ~ = sich jds Wohlwollen gründlich verscherzt haben. ↗ verscheißen. 1920 ff.
4. es bei jm verschissen haben, rückwirkend bis in die ~ = sich mit jm überworfen haben. 1920 ff.

steinzersetzend adj herzerweichend; seelisch sehr eindrucksvoll. Selbst wer ein Herz von Stein hat, wird seelisch ergriffen. Abwandlung von „↗ steinerweichend". Seit dem frühen 20. Jh.

Steiß m **1.** ~ mit Ohren = Schimpfwort. Klingt weniger derb als „↗ Arsch mit Ohren". 1950 ff.
2. feuchter ~ = Angst; Hosenbeschmutzung von innen. Der Schließmuskel des Afters versagt. 1914 ff.
3. ihm geht der ~ mit Grundeis = er hat Angst. Gemilderte Variante von „↗ Arsch 110". 1900 ff (Bert Brecht).
4. den ~ hochtragen = hochmütig sein. 1900 ff.
5. mit dem ~ jodeln = a) im Gespräch mit einem Höhergestellten ständig Ver-

beugungen machen. 1900 ff. – b) liebedienerisch sein. 1900 ff.
6. mit dem ~ rascheln = a) Empfangschef in einem Restaurant sein. Berlin 1930 ff. – b) liebedienern. 1940 ff, sold und ziv.
7. den ~ schwingen = aufreizend mit den Hüften wackeln. 1920 ff.
8. setz' dich auf deinen ~! = setz' dich hin! 1900 ff.
9. sich den ~ verrenken = liebedienern. 1900 ff.
10. der ~ wackelt = man ist würdelos dienstbeflissen. 1920 ff.
11. jm den ~ weisen (zeigen) = a) jm den Rücken zukehren. Seit dem 18. Jh. – b) davoneilen; flüchten. 1914 ff.

Steißbeinakrobat m **1.** widerlich schmeichlerischer Mensch. 1910 ff.
2. Empfangschef in Restaurants, Warenhäusern u. ä. 1920 ff.

steißen intr fleißig lernen. Der Schüler sitzt auf dem Steiß. 1950 ff.

Steißgeburt f schwieriges (auch: verunglücktes) Unternehmen. 1900 ff, ziv und sold.

Steißpauken n angestrengtes Lernen. ↗ pauken. Meint eigentlich „auf das Gesäß schlagen" und weiter „den Wissensstoff jm mittels Hieben beibringen". 1950 ff.

Steißstolz m zurückhaltendes, überhebliches Wesen. Vgl ↗ Steiß 4. 1945 ff.

Steißverrenker m würdelos untertäniger Mensch; überaus dienstbeflissener Mensch; Empfangschef in Hotels, Restaurants usw. ↗ Steiß 9. 1900 ff.

'stekum adv heimlich, leise, sachte. Fußt auf jidd „schtiko" = Stillschweigen". 1830 ff.

Stelle f **1.** sterbliche ~ = erogene Stelle. Geht zurück auf die Worte „Hier ist die Stelle, wo ich sterblich bin" aus Schillers Drama „Don Carlos" (I 6). 1920 (?) ff, prost.
2. weiche ~ = a) schwacher Punkt an der Front. Hergenommen von der weichen Stelle im Obst; hier bezogen auf „weich = ungenügend gesichert". Sold in beiden Weltkriegen. – b) Schwäche des Menschen gegenüber bestimmten Einflüssen. 1920 ff. – c) in Vorschriften nicht ausreichend festgelegte Maßnahme. 1950 ff.
3. der Text hat ~n = der Text enthält anstößige Stellen. Übertragen von anstoßenen, fleckigen Stellen im Obst. 1920 ff.
4. eine dünne ~ haben = an einer falschen Überlegung kranken; einen wichtigen Umstand unberücksichtigt lassen. Übernommen von der dünnen Stelle eines Gewebes oder von der schwachgesicherten oder schwachgesicherten Frontstelle. 1930 ff.
5. hüpf' auf der ~, bis der Tod eintritt: Rat an einen, der sich langweilt. BSD 1970 ff (Ausbilderjargon).
6. auf der ~ ~ stehen = keine Fortschritte erzielen. Leitet sich her von der wartenden Menge o. ä. 1950 ff.
7. auf der ~ treten = nicht weiterkommen. Stammt aus dem preußischen Exerzierreglement: man tritt auf der Stelle, wenn man auf demselben Fleck die Bewegung des Marschierens macht, um Gleichschritt und Gliedrichtung zu erhalten. 1920 ff.

Stellenpolster n Personalreserve. Verwaltungsspr. 1960 ff.

Stellung f **1.** für etw ~ beziehen = für etw Partei ergreifen. Stammt aus dem *Milit:* Stellung ist der besetzte Geländeabschnitt mit ausgebauten Schützengräben usw. *Sold* in beiden Weltkriegen; auch *ziv.*
2. eine sitzende ~ einnehmen = eine Freiheitsstrafe verbüßen. ↗sitzen 1. 1870 ff.
3. in ~ gehen = a) betrunken niedersinken. *Sold* 1935 ff. – b) sich zum Geschlechtsverkehr anschicken. Stellung = Lage der Koitierenden. 1935 ff. – c) nicht am Dienst teilnehmen. Man begibt sich in Ruhestellung. *BSD* 1968 ff.
4. die ~ halten = a) sich hartnäckig behaupten. Übertragen von der Verteidigung eines Geländeabschnitts bis zum äußersten. 1914 ff. – b) sich wohlfühlen und keine Stellenveränderung wünschen. *Sold* in beiden Weltkriegen.

Stelze f **1.** pl = Beine; lange, dünne Beine. Stelze ist die hölzerne Stütze an langen Laufstangen, wie sie bei Kindern beliebt sind, dann auch die einzelne Laufstange selber. 1600 ff.
2. sg = Eisbein. ↗Haxe 1. *Österr* seit dem 19. Jh.
3. ausschweifende ~n = auswärtsgebogene Beine o. ä. 1930 ff, *ziv* und *sold.*
4. mager wie eine ~ = hager, dünn. Hergenommen von der Bach- oder Wasserstelze. 1950 ff.
5. jm die ~n beschlagen = jm ernste Vorhaltungen machen; jn anherrschen. Stelzen = Stelzenschuhe. *Vgl* ↗versohlen. 1900 ff, *westd.*
6. auf ~n gehen = geziert, dünkelhaft schreiten; übervorsichtig gehen. Stelze = hoher Schuhabsatz. 1500 ff.

Stemmeisen n **1.** Eßbesteck. Eigentlich das Handwerksgerät zum Meißeln, auch zum Anheben schwerer Gegenstände. *Sold* in beiden Weltkriegen.
2. Penis. Das Stemmeisen dient auch zum gewaltsamen Aufbrechen. 1910 ff.

Stemmeisengilde f Einbrecher; Bande, die Panzerschränke aufbricht und ausraubt. 1920 ff.

stemmen v **1.** tr intr = stehlen, einbrechen. Leitet sich her von der Verwendung des Stemmeisens. Seit dem späten 19. Jh.
2. tr intr = koitieren. ↗Stemmeisen 2. Seit dem 19. Jh.
3. tr intr = essen. ↗Stemmeisen 1. 1910 ff.
4. einen ~ = Alkohol zu sich nehmen. Analog zu „einen ↗heben". 1910 ff.

Stemmzeug n Eßbesteck. ↗Stemmeisen 1. Berlin, spätestens seit 1900.

Stempel m **1.** schmales, kurzes Trinkglas. Wohl wegen des gedrungenen Fußes. Seit dem 19. Jh.
2. Penis. Übertragen vom Stößel im Mörser. Stößel und Mörser bilden zusammen ein Sexualsymbol. Seit dem 18. Jh.
3. Gaspedal. Mit seinem Gummibelag läßt es an einen Gummistempel denken. 1950 ff.
4. pl = kräftige Beine. Hergenommen von den hölzernen Stützen an Möbeln oder von den Grubenholz-Stützen. Seit dem 19. Jh. *Vgl engl* „piano legs".
5. jm einen ~ aufdrücken = koitieren (vom Mann gesagt). ↗Stempel 2. 1900 ff.
6. jm seinen ~ aufdrücken = einen an-

deren nach der eigenen Art behandeln; jn abrichten. Man prägt dem anderen sein Zeichen auf. ↗abstempeln. 1900 ff.

Stempelamt n Arbeitsamt. Wegen der Abstempelung der Meldekarten der Arbeitslosen. 1925 ff.

Stempelbewahrer m Beamter. 1950 ff.

Stempelbruder m Empfänger von Arbeitslosenunterstützung (Arbeitslosengeld). Gegen 1924 aufgekommen mit dem Ende der Inflation.

Stempelbude f Arbeitsamt. ↗Stempelamt. 1925 ff.

Stempe'lei f **1.** Arbeitsamtsgebäude. ↗Stempelamt. 1925 ff.
2. Arbeitslosmeldung beim Arbeitsamt. 1925 ff.

Stempelgeld n Arbeitslosenunterstützung, -geld. 1925 ff.

Stempelkarte f Meldekarte des Arbeitslosen. 1925 ff.

Stempelmark f Arbeitslosengeld. 1960 ff.

Stempelmaxe m Arbeitsloser. Berlin 1925 ff.

stempeln v **1.** intr = koitieren. ↗Stempel 2. Seit dem 19. Jh.
2. intr = als Prostituierte polizeilich zugelassen sein. 1920 ff.
3. intr = Arbeitslosenunterstützung empfangen (auch in der Form: „stempeln gehen"). Vom Begleitumstand (der Abstempelung der Meldekarten an den Kontrolltagen) übertragen auf den gesamten Sachverhalt. Kurz nach 1920 aufgekommen.
4. jn ~ = jn zu einer Aussage bewegen; jm ein bestimmtes Verhalten anerziehen. ↗Stempel 6. Seit dem 19. Jh.
5. jn zu etw ~ = jn auf eine Bühnen- oder Filmrolle festlegen; jn in immer gleicher Rolle auftreten lassen; jm eine bestimmte, unveränderliche Wesensart zuerkennen; jn für einen Könner (Lügner, Versager o. ä.) erklären. Zusammenhängend mit der Unverbrüchlichkeit eines amtlichen Stempels, auch mit der Brandmarke. 1800 ff.

Stengel m **1.** Zigarette, Zigarre, Zigarillo. Verkürzt aus ↗Glimmstengel. 1910 ff.
2. Penis. Aufgefaßt als kleiner Stiel. 1900 ff.
3. großwüchsiger, hagerer Mensch. ↗Stange 1. 1920 ff.
4. pl = Beine. *BSD* 1968 ff.
5. vom ~ fallen = a) herabfallen. „Stengel" meint die Sitzstange im Vogelkäfig o. ä. Seit dem 19. Jh. – b) erstaunt sein. Gemeint ist, daß man vor Überraschung oder Erschrecken das Gleichgewicht verliert und niederfällt. *Vgl* ↗Stange 21. Scheint gegen 1820 in Berlin aufgekommen zu sein. – c) abmagern. 1900 ff.

Steno f Kurzschrift. Aus „Stenographie" verkürzt. 1920 ff.

Stenografie f ~ sprechen = sehr schnell sprechen. 1950 ff.

Stenosprache f Verständigung durch Abkürzungen. 1954 ff, *jug.*

Stenz I m **1.** Stock, Rohrstock, Wanderstab. Stammt von „stemmen = sich auf etw stützen". *Rotw* 1800 ff. Vorform „Stems" im 17. Jh.
2. Regenschirm. Meint ursprünglich den Stockschirm. 1920 ff.
3. Zuhälter. Hergenommen von der Bedeutung „Stock": der Stock ist das Handwerkzeug des Viehtreibers, und „Sautrei-

ber" oder „Schweinehirt" sind Bezeichnungen für den Zuhälter. Seit dem 19. Jh.
4. Vornehmtuer; Prahler; junger Mann, der sich überaus wichtig nimmt. Wahrscheinlich trug er ursprünglich ein Spazier- oder Stutzerstöckchen. 1925 ff.
5. intimer Freund einer Halbwüchsigen. Hier meint „Stenz" über die Bedeutung „Stab" wohl den Penis. *Österr* 1900 ff.

Stenz II f auf der ~ sein = Mädchenbekanntschaft suchen. ↗stenzen 8. Seit dem 19. Jh.

stenzen v **1.** intr = vornehm ausgehen; modisch gekleidet auf- und abstolzieren; sich geckenhaft benehmen; sich brüsten. ↗Stenz I 4. 1925 ff.
2. tr = jn hart behandeln, schikanieren; jn schlagen. ↗Stenz I 1. 1800 ff.
3. tr = jn antreiben, aufstacheln. Man treibt ihn mit Prügelandrohung vorwärts. Seit dem 19. Jh.
4. tr = jn fortjagen; jn aus dem Zimmer weisen; jn von der Schule weisen. Versteht sich wie das Vorhergehende. 1850 ff.
5. jm Vernunft beibringen; jn beschwatzen. Auch hierbei wird wohl zum Prügelstock gegriffen oder mit ihm gedroht. Berlin, 1880 ff.
6. tr = jn einschüchtern. *Ostmitteld* seit dem 19. Jh.
7. tr = stehlen, einbrechen. „Stenz" meint hier über die Bedeutung „Stab" das Stemmeisen. 1800 ff, vorwiegend *südwestd.*
8. intr = umherschweifen; den Mädchen nachstellen; mit einem Mädchen ausgehen. Gehört entweder zu „↗stenzen 1" oder zu „stenzen = stoßen (zärtlich in die Seite stoßen; koitieren)". Seit dem 19. Jh.
9. intr = Zuhälterei treiben. ↗Stenz I 3. 1920 ff.
10. intr = koitieren. Analog zu ↗stoßen. 1850 ff.
11. intr = einen lockeren Lebenswandel führen. 1950 ff.
12. intr = seinen Lebensunterhalt auf unlautere Art erwerben. 1950 ff.

Stephan (Stephansjünger; Jünger Stephans) m Postbeamter. Benannt nach Heinrich von Stephan, dem Organisator des deutschen Postwesens. 1890 ff.

Stepp m Geschlechtsverkehr. Geht zurück auf *zigeun* „stepen = Sprung". Parallel zu „↗Sprung 2". 1900 ff.

steppen intr koitieren. *Vgl* das Vorhergehende; doch ist „steppen" auch soviel wie „↗nähen", und dies bezieht sich ebenfalls auf den Geschlechtsverkehr. 1900 ff.

Steppenwolf m **1.** Einzelgänger. Fußt auf dem Titel des Romans von Hermann Hesse (1927). *Jug* 1965 ff.
2. Nichtseßhafter. 1970 ff.

Steppke m **1.** kleiner Junge (auch Kosewort). *Niederd* Form von *hd* „Stiftchen" als Bezeichnung des Knabenpenis. Seit dem späten 19. Jh, vorwiegend Berlin und *ostmitteld.*
2. Antreiber. Übertragen vom Hütejungen. 1870 ff.

sterben intr **1.** nicht ums ~ = um keinen Preis; unter keinen Umständen. Gemeint ist „und wenn ich deswegen sterben müßte, ich bleibe bei meinem Nein!". Mildere Variante zu „nicht ums ↗Verrecken". Seit dem 19. Jh.
2. für etw ~ = an etw leidenschaftlich interessiert sein. Jungmädchenspr. 1900 ff.

3. der Motor stirbt = der Motor kommt zum Stillstand, wegen eines Defekts oder wegen Treibstoffmangels. 1930 ff, kraftfahrerspr.

4. gestorben sein = nicht mehr funktionieren; entzwei sein. 1930 ff.

5. du bist wohl soeben gestorben?: Frage an einen, der einen Darmwind hat entweichen lassen. Anspielung auf Leichengeruch oder auf das Entweichen des Lebenshauchs. 1914 ff.

6. gestorben sein = aufnahmetechnisch (drucktechnisch, redaktionell) beendet sein. Die Arbeit ist gestorben = die Arbeit ist erledigt. 1920 ff.

7. für jn gestorben sein = als Gegner abgeschlagen sein. *Sportl* 1950 ff.

8. er ist für mich gestorben = ich habe an ihm kein Interesse mehr; er ist für mich erledigt; die Beziehungen zu ihm sind endgültig abgebrochen. 1900 ff.

9. diese Sache ist für mich gestorben = diese Sache ist für mich endgültig abgetan. 1920 ff.

10. die Zeitung ist gestorben = die Zeitung hat ihr Erscheinen eingestellt. 1920 ff.

11. hier ist einer gestorben = hier ist eine Arbeit unfertig liegen geblieben. 1920 ff.

12. er ist gestorben = er ist nicht anwesend. 1920 ff.

13. gestorben sein = das Spiel mit 30 bis 50 Punkten verloren haben. Kartenspielerspr. 1900 ff.

14. ihm fällt neu ~ leicht = er ist dumm. Er hat nicht viel Geist aufzugeben. 1900 ff.

15. einen Plan ~ lassen = einen Plan aufgeben; eine Regelung abschaffen. 1950 ff.

Sterbenswort (-wörtchen) n kein ~ sagen = nicht das mindeste äußern. Meint ursprünglich „das sterbende Wort", das vergehende, kaum hörbare Wort oder das nicht mehr verständliche, nur noch gehauchte Wort des Sterbenden. 1800 ff.

Sterblicher m normaler ~ = Durchschnittsbürger; Angehöriger des Mittelstandes; Mensch mit gesundem Menschenverstand. Denker und Dumme liegen über (unter) der Norm. 1930 ff.

Stern m **1.** gefeierter Bühnenkünstler. Er ist der strahlende Stern am Bühnenhimmel. *Vgl* ↗ Star 1. Seit dem 17. Jh.

2. bevorzugter Junge; geliebtes Mädchen. Aus *engl* „star" übersetzt oder aus „↗ Augenstern" verkürzt. 1920 ff.

3. Liebchen, Liebschaft. 1920 ff.

4. Klassenbester. *Schül* 1960 ff.

5. ein ~ = ein besonderes Lob. Hergenommen von der Kennzeichnung in den Reisehandbüchern von Baedeker. 1950 ff.

6. ~ am Himmel aller Nationalpflaumen = großer Versager. „Nationalpflaume" ist aus „Nationalspieler" verändert mit Anspielung auf „↗ Pflaume 5". *Schül* 1950 ff.

7. Gebiß wie die ~e = künstliches Gebiß. Wortspielerei: die Sterne wie die künstlichen Zähne „kommen abends heraus", die einen am Himmel, die anderen aus der Mundhöhle. 1920 ff.

8. einen ~ ansagen = zu Sturz kommen. Leitet sich her vom Sturz auf dem Eis, bei dem die Eisdecke Sprünge bekommt, die sternförmig auseinanderlaufen. *Österr* 1920 ff.

9. einen ~ bauen = beim Skilaufen stürzen. *Vgl* das Vorhergehende. Auch bilden die gekreuzten Skier eine Sternform. 1920 ff.

10. laß mal die ~e kreisen! = laß' mal die Weinbrandflasche kreisen! Anspielung auf den mit drei Sternen gekennzeichneten Weinbrand. 1960 ff.

11. einen ~ reißen = a) auf dem Eis, mit den Skiern stürzen. ↗ Stern 8. *Österr* 1920 ff. – b) auf dem Boden liegen und alle vier Gliedmaßen von sich strecken. *Österr* 1920 ff. – c) sterben; im Sterben liegen. *Österr* 1930 ff, rotw.

12. ~e sehen = heftigen Schmerz empfinden; vorübergehend das Bewußtsein verlieren. Leitet sich her von einem Schlag aufs Auge, wobei sternähnliche Gebilde erkannt werden; sehr beliebtes Requisit der Witzzeichner. 1920 ff.

13. ich sehe ~e!: Ausdruck höchster Verwunderung. Vor Überraschung oder Erschrecken verliert man das Gleichgewicht und sinkt ohnmächtig zu Boden. 1950 ff, *schül.*

14. nach den ~en sehen = a) ein Glas Alkohol trinken; aus der Flasche trinken. Die Haltung der an den Mund gesetzten Flasche erinnert an die Haltung des zum Himmel gerichteten Fernrohrs. 1910 ff. – b) den Abort aufsuchen. Tarnausdruck. 1900 ff. Der Abort befand sich früher außerhalb des Wohnhauses. 1900 ff.

'sternbe'soffen adj volltrunken. „Stern" ist zu einem steigernden Präfix geworden, wohl im Hinblick auf die Unzählbarkeit der Sterne und ihrer großen Erdenferne. Seit dem 19. Jh.

Sterndeuter m Feldwebel; Ausbilder. Er sagt seinen Untergebenen die Zukunft voraus: „aus Ihnen wird nie etwas Gescheites!". *Sold* 1935 ff.

sternen intr zu Sturz kommen. ↗ Stern 8. *Österr* 1920 ff.

'sterngra'naten'voll adj volltrunken. ↗ sternbesoffen. Das steigernde Präfix „Stern-" (stern-) ist hier und in anderen Zusammensetzungen gekoppelt mit Wörtern gleichen Steigerungsgrads. Seit dem 19. Jh.

'stern'hagelbe'soffen (-be'trunken) adj volltrunken. ↗ sterngranatenvoll. Seit dem 19. Jh.

'stern'hagel'blau adj volltrunken. ↗ blau 5. Seit dem 19. Jh.

'stern'hagel'dick und -'duhn adj volltrunken. ↗ dick 4; ↗ duhn 1. Seit dem 19. Jh, *nordd* und *ostmitteld.*

'stern'hagel'voll adj volltrunken. Seit dem 18. Jh.

Sternschnuppe f **1.** Liebschaft eines (verheirateten) Kurgasts. Das Verhältnis ist kurzlebig wie die Sternschnuppe. Auch heißt es: „Erst war sie sein Stern; jetzt ist sie ihm schnuppe". 1960 ff.

2. Gelegenheitsfreundin. *Halbw* 1965 ff.

'stern'schnuppe adv völlig gleichgültig. Steigerung von ↗ schnuppe. 1925 ff, Berlin.

Sternstunde f sehr gute Stunde. Hängt mit der Sterndeuterei zusammen und meint eigentlich die Glücksstunde, zu der der Glückstern eine sehr günstige Stellung einnimmt. Nach 1960 häufig in der Politiker- und Journalistensprache; der Ausdruck ist in den zwanziger Jahren in der Dichtersprache heimisch war. (Stefan Zweig, „Sternstunden der Menschheit"; 1927).

Sterz m **1.** Gesäß. *Gleichbed* mit Schwanz, Hinterteil. Seit dem 19. Jh.

2. Penis. Analog zu ↗ Schwanz 2. Seit dem 16. Jh.

3. keine Ruhe im ~ haben = unruhig sitzen. Seit dem 19. Jh.

4. pack' deinen ~! = setz' dich hin! 1900 ff.

5. setz' dich auf deinen ~! = setz' dich hin! Seit dem 19. Jh.

6. jm auf den ~ treten = jn kränken. Parallel zu „jm auf den ↗ Schwanz treten". Seit dem 19. Jh.

7. sich den ~ verbiegen = überaus dienststeifrig sein; würdelos unterwürfig sein. 1910 ff.

8. sich den ~ verbrennen = sich eine Geschlechtskrankheit zuziehen (vom Mann gesagt). ↗ Sterz 2. Seit dem 19. Jh.

Steuer I f ~ einnehmen = betteln. Der freiwillige Geber wird hier als Zahlungspflichtiger angesehen: nach Auffassung der Bettler hat der Arme moralischen Anspruch auf die Mildtätigkeit der Wohlhabenden. Kundenspr. 1900 ff.

Steuer II n **1.** über ~ gehen = verlorengehen; zerbrechen. Steuer = Steuerruder, Steuerbord. Das Gemeinte fällt über Bord. 1920 ff.

2. das ~ rumreißen = eine einschneidende Änderung vornehmen. 1900 ff.

Steuerbescheid m gerollter ~ mit Tabakgeschmack (~, in den etwas Tabak eingerollt ist) = Zigarette. Anspielung auf die hohe steuerliche Belastung der Zigarette. 1958 ff.

Steuerchrist m Christ, der seine Zugehörigkeit zu einer der christlichen Kirchengemeinschaften nur durch Zahlung der Kirchensteuer bekundet. 1960 ff.

Steuerhimmel m Land mit geringer Besteuerung. Beruht auf der Vorstellung vom Himmel als dem Aufenthaltsort der Seligen. 1955 ff.

Steuerklasse f in der höchsten ~ sein = unverheiratet sein. 1970 ff.

Steuerklau m Wohnsitzverlegung in ein Land mit milder Steuergesetzgebung. ↗ klauen. 1970 ff.

Steuerparadies n Land, in dem die Bürger sehr niedrige Steuern zahlen. 1955 ff.

Steuerschraube f **1.** verstärkter Druck der Steuerschuld; Steuererhöhung. Nach 1860 aufgekommen als volkstümliche Veranschaulichung der den Notwendigkeiten anpaßbaren, strengeren oder milderen Steuergesetzgebung. Mit der Steuerschraube reguliert man den Druck auf den Steuerzahler. Wohl nach einer Anspielung auf mittelalterliche Folterinstrumente wie die „Daumenschraube" u. ä.

2. Finanzamtsangestellte. ↗ Schraube 1. 1970 ff.

stibitzen tr etw stehlen; einen kleinen Diebstahl begehen. Gestreckt aus „stitzen = stehlen" oder aus „stippen = sich etw aneignen", beeinflußt von der sogenannten Bi-Sprache der Schüler. 1700 ff.

Stich m **1.** Geschlechtsverkehr. ↗ stechen 3. 1600 ff.

2. ~ ins Blaue = leichter Rausch. Stich = Anflug (die Farbe hat einen Stich ins Rote). ↗ blau 5. 1920 ff.

2 a. ~ ins Höhere = Mehrgeltungsstreben. 1955 ff.

3. ~ ins Rötliche = geistige Nähe zum Sozialismus. 1950 ff.

4. ~ ins Ungewisse = verminderte Zurechnungsfähigkeit. 1920 ff.

5. ein ~ zu wenig = kurzbeiniger Mensch. Man hat ihn zu kurz genäht. *BSD* 1965 ff.

6. fetter ~ = Stich mit vielen zählenden Augen. Kartenspielerspr. seit dem 19. Jh.

7. keinen ~ bekommen = erfolglos bleiben. Aus der Kartenspielerspr. übernommen. 1950 ff.

8. einen ~ haben = a) angetrunken sein. Stich = kleine Menge (ein Stich Butter); auch Bezeichnung für den Beigeschmack von Verdorbenem (Angesäuertsein). Seit dem 18. Jh. – b) närrische Einfälle haben; ein hochmütiger Geck sein; nicht ganz bei Sinnen sein. Versteht sich nach dem Vorhergehenden. Spätestens seit 1600. – c) nicht mehr unbescholten sein. Übertragen von wurmstichigem Obst. 1920 ff.

9. einen ~ bei (in der) Birne haben = verrückt sein. Geht entweder zurück auf „Stich 8 b" oder auf „einen ↗Sonnenstich haben". ↗Birne 1. 1910 ff.

10. einen ~ ins Grüne haben = a) nicht recht bei Verstand sein. Grün = unerfahren; noch nicht zum Gebrauch der Vernunft gelangt. 1920 ff. – b) nicht gesellschaftsfähig sein. Grün = jung (womit sich Vorstellungen wie „unreif, ungesittet, ungezähmt" u. ä. verbinden). 1920 ff.

11. einen Stich in der Pflanzkartoffel haben = törichte Äußerungen tun; unsinnige Pläne hegen. 1950 ff.

11 a. gegen jn keinen ~ kriegen = der Unterlegene bleiben. Vom Kartenspiel auf den Sport übertragen. 1960 ff.

11 b. jm keinen ~ lassen = jn nicht zum Handeln kommen lassen. *Sportl* 1970 ff.

12. einen ~ machen = a) einen Erfolg erzielen. Von den Kartenspielern hergenommen. 1950 ff. – b) einen Tortreffer erzielen. *Sportl* 1950 ff.

13. bei jm keinen ~ machen = bei jm nichts ausrichten; jds Wohlwollen nicht erringen. 1950 ff.

14. keinen ~ tun = nichts tun. Hergenommen vom Schneider, vom Gärtner o. ä. Seit dem 19. Jh.

'stiche'dunkel *adj* völlig dunkel. Beim Nähen „nicht einen Stich sehen" war in *mhd* Zeit *gleichbed* mit „ganz im Dunkeln sein". Hieraus scheint das Wort spätestens um 1600 zusammengewachsen zu sein.

Stick *m* Zigarette. Eigentlich soviel wie „spitzer Stab; Stift". Analog zu ↗Stäbchen. *Halbw* 1950 ff.

Sticken *m* **1.** Streichholz. Soviel wie „Stab, Stift". *Westf* seit dem 19. Jh.

2. *pl* = dünne Beine. 1900 ff.

Sticker *m* Aufkleber. Aus dem *Engl.* 1965 ff, kraftfahrerspr.

sticksen *intr* faulig riechen. *Niederd* Intensivum, zu *hd* „Stich = Angesäuertsein" gehörig. Seit dem 19. Jh.

stief *adv* **1.** sehr; viel. Stammt aus *jidd* „stif = üppig"; wohl beeinflußt von *niederd* „stief = steif". 1900 ff, *nordd* und *westd.*

2. ~ haben = zu einer hohen Freiheitsstrafe verurteilt sein. 1900 ff.

Stiefel *m* **1.** große Menge. Hergenommen vom stiefelförmigen Trinkgefäß. Seit dem 16. Jh.

2. Unsinn; überflüssige Umstände; Aufbauschung. Wegen der Menge des Unsinns usw. Seit dem 19. Jh.

3. Art und Weise; Angewohnheit; gewohnte Handlungsweise; gleichbleibendes Vorgehen. Vermutlich von Studenten des 18. Jhs aus „Stil" scherzhaft gestreckt.

4. ungesitteter, grober Mensch. Er stampft mit den Stiefeln auf, tritt mit dem Stiefel, o. ä. Seit dem 19. Jh.

5. alter ~ = a) alter Mann. Seit dem 19. Jh. – b) längst Abgetanes; Allbekanntes. Oft in der Form „oller Stiebel". Seit dem ausgehenden 19. Jh.

6. ehrlicher ~ = ehrlicher, zuverlässiger Mann. 1900 ff.

7. lauter linke ~! = alles verkehrt! alles unbrauchbar! *Sold* 1935 ff.

8. süßer ~ = Stiefel, in dem der Kinder-Nikolaus nachts seine Gaben niederlegt. 1920 ff.

9. sich etw an den ~n abgelaufen haben = einen Standpunkt überwunden haben; über eine Sache Erfahrungen gesammelt haben. Parallel zu „↗Schuh 9". Seit dem 19. Jh.

10. sich an jm die ~ abputzen = jn entwürdigend behandeln. 1900 ff.

11. einen ~ angeben = lauthals prahlen; stark übertreiben. ↗Stiefel 1. *Vgl* auch ↗Stiefel 22. 1920 ff.

12. die ~ anhaben = a) die Führung haben. Bei Fußtruppen trugen früher nur die Offiziere Stiefel. 1890 ff. – b) im Hause herrschen. 1900 ff.

13. ~ anhaben, an denen Pech klebt = zu keinem Torball (Tortreffer) kommen. *Sportl* 1955 ff.

14. jm die richtigen ~ anpassen = jn nach seinen Wünschen formen; jds Verhalten in der wünschenswerten Richtung beeinflussen. 1920 ff.

15. sich einen ~ antrinken = sich betrinken. ↗Stiefel 1. Seit dem 19. Jh.

16. (sich) den ~ anziehen = eine Äußerung auf sich beziehen. Analog zu „↗Schuh 13". Seit dem 19. Jh.

17. seinen eigenen ~ arbeiten = selbständig, nach eigener Art arbeiten verrichten. ↗Stiefel 3. Seit dem 19. Jh.

18. seinen guten ~ arbeiten = gut in der Arbeit vorankommen. 1800 ff.

19. das zieht einem die ~ aus (da zieht's dir die ~ aus) = darüber gerät man in Erregung; das ruft beträchtlichen Unmut hervor. Analog zu ↗Schuh 17. 1870 ff.

20. in den ~n bleiben = sachlich, beherrscht bleiben. *Sold* 1935 ff.

21. ihn drückt der ~ = er hat Sorgen. ↗Schuh 21. Seit dem 15. Jh.

22. sich einen ~ einbilden = sehr dünkelhaft sein. ↗Stiefel 1. Kann auch meinen, daß der Betreffende sich brüstet, er könne einen Stiefel Bier allein austrinken. 1900 ff.

23. seinen ~ fahren (wegfahren) = in gewohnter Geschwindigkeit fahren. ↗Stiefel 3. 1800 ff.

24. in den ~ fahren = nach Italien reisen. Auf der Landkarte hat Italien die Form eines Stiefels. 1950 ff.

25. aus den ~n fallen = völlig erschöpft sein. Vor Ermüdung hat man keinen Halt mehr in den Stiefeln und stürzt nieder. *Sold* 1939 ff.

26. seinen ~ fortarbeiten = in gewohnter Weise weitermachen. ↗Stiefel 3. Seit dem 19. Jh.

27. einen im ~ haben = betrunken sein. Wohl eine scherzhafte Umschreibung für das Torkeln. 1900 ff.

28. es haut einen aus den ~n = es überrascht, erschreckt sehr; es ist unerträglich. Man verliert das Gleichgewicht und stürzt zu Boden. 1940 ff.

29. aus den ~n kippen = zu Boden fallen. 1940 ff.

30. nicht aus den ~n kommen = sich keine Ruhe gönnen können. 1940 ff.

31. es kostet einen tollen ~ = es kostet sehr viel; es erfordert kostspieligen Aufwand. 1900 ff.

32. seinen ~ laufen = seine Art bewahren; seine Grundsätze (o. ä.) aufrechterhalten. ↗Stiefel 3. 1920 ff.

32 a. nach den eigenen ~ leben = seine Lebensweise frei gestalten. ↗Stiefel 3. 1950 ff.

33. jm die ~ lecken = sich vor jm erniedrigen. 1920 ff.

34. einen guten ~ leisten = viel Alkohol vertragen. Seit dem 19. Jh.

35. mach' nicht so einen ~! = handle nicht so umständlich! rede nicht so weitschweifig! ↗Stiefel 2. 1900 ff.

36. sich in die eigenen ~ machen = seinem Ansehen schaden. Gemeint ist, daß man in die eigenen Stiefel harnt. ↗Stiefel 38. 1940 ff.

37. in die ~ müssen = zum Wehrdienst herangezogen werden. 1965 ff.

38. sich in die eigenen ~ pissen = sich gröblich irren; sich selbst schädigen. ↗Stiefel 36. 1940 ff, sold.

39. einen ~ quatschen (reden o. ä.) = viel, aber unsinnig reden. ↗Stiefel 2. Seit dem 19. Jh.

40. jn in die richtigen ~ reinpassen = jn zum richtigen Verhalten anleiten. 1920 ff.

41. es reißt ihn aus den ~n = er braust auf, springt vor Wut aus dem Sessel hoch. ↗Schuh 30. 1950 ff.

42. seinen ~ runterdiktieren = in gewohnter Weise diktieren. ↗Stiefel 3. 1920 ff.

43. seinen ~ runterdudeln = weiter wie bisher konzertieren. ↗dudeln. 1950 ff.

44. seinen ~ runterreißen = seelenlos seiner Amtspflicht genügen. *Vgl* ↗abreißen 6. 1950 ff.

45. seinen eigenen ~ runterspielen = die Bühnenrolle ohne jegliche Veränderung spielen; Fußball spielen, ohne Rücksicht auf das Zusammenspiel zu nehmen. 1950 ff.

46. jm in die ~ scheißen = a) jm einen häßlichen Streich spielen. Ursprünglich durchaus wörtlich gemeint. *Sold* 1939 ff. – b) jn dem Vorgesetzten melden. *Sold* 1939 ff.

47. einen schönen ~ schreiben = schlecht schreiben; schlechten Briefstil haben; einen schlechten Schulaufsatz schreiben. Ironie. ↗Stiefel 3. Seit dem 19. Jh.

48. im ~ sein = betrunken sein. ↗Stiefel 27. Seit dem 19. Jh.

49. voll wie ein ~ = volltrunken sein. 1900 ff.

50. das sind zwei Paar (zweierlei) ~ = das sind unvereinbare Sachen. Seit dem 19. Jh.

51. den gewohnten ~ spielen = in der üblichen Weise Fußball spielen. *Sportl* 1950 ff.

52. einen guten ~ spielen = ein guter Fußballspieler sein. *Sportl* 1920 ff.

53. einen schönen ~ spielen = schlecht musizieren. Ironie. Seit dem 19. Jh.

54. jm auf die ~ spucken = jm offen Mißachtung bezeigen. Seit dem 19. Jh.

55. seinen guten ~ trinken = wacker zechen können. 1700 ff.

56. einen schönen ~ verpacken = viel Alkohol vertragen. 1930 ff.

57. einen ~ vertragen können = viel Alkohol vertragen können; viel aushalten können. Seit dem 16. Jh.

58. den ~ vollhaben = betrunken sein. Seit dem 19. Jh.

59. sich die ~ vollhauen = sich betrinken. BSD 1968 ff.

60. das geht seinen ~ weiter = es wird gedankenlos, ohne die notwendigen Änderungen fortgesetzt. 1920 ff.

61. seinen ~ weitermachen = sich in der Arbeit durch nichts stören lassen; seinen Plan unentwegt verfolgen. 1920 ff.

62. sich einen ~ zurechtlügen = überaus lügnerisch sein; dreist lügen. ↗Stiefel 1. 1900 ff.

63. sich einen ~ zurechtschwätzen = viel und dumm reden; unüberlegt sprechen. Seit dem 19. Jh.

64. sich einen ~ zusammenbauen = bei der Arbeit unsachgemäß zu Werke gehen. 1900 ff.

65. sich einen ~ zusammenessen = viel von vielerlei essen. 1900 ff.

66. sich einen ~ zusammenfahren = ein schlechter Autofahrer sein. 1930 ff.

67. (sich) einen ~ zusammenreden = Unsinn reden; viel reden. Seit dem 19. Jh.

68. sich einen ~ zusammenreimen = übertrieben schildern; haltlose Verdächtigungen aussprechen. 1900 ff.

69. sich einen ~ zusammenschlafen = viel schlafen. 1900 ff.

70. sich einen ~ zusammenschmarren = dummschwätzen. ↗schmarren. Bayr 1900 ff.

71. sich einen ~ zusammenschreiben = Briefe (Zeitungsbeiträge) voller Irrtümer aufsetzen. Seit dem 19. Jh.

72. sich einen ~ zusammensingen = viel singen; unmusikalisch singen. Seit dem 19. Jh.

73. (sich) einen ~ zusammenspielen = a) schlecht, lustlos Fußball spielen. Sportl 1930 ff. – b) unmusikalisch musizieren. 1930 ff.

74. sich einen ~ zusammentrinken = von vielerlei Getränken viel trinken. Seit dem 19. Jh.

Stiefeletten pl Halb-, Knöpfstiefel; Gamaschen; Schuhwerk. Fußt entweder auf ital „stivaletto" oder auf dt „Stiefel" mit der franz Endung „-ette". Seit dem 17. Jh.

stiefeln (stiebeln) intr langsam gehen; wandern; einen beschwerlichen Weg gehen. Meint ursprünglich „Stiefel anziehen" und seit dem 18. Jh soviel wie „(in Stiefeln) schreiten".

Stiefelwichse f das ist klar wie ~ = das ist völlig einleuchtend. Entweder iron gemeint oder Anspielung auf den Glanz, den die Stiefelwichse den Stiefeln verleiht. Seit dem 19. Jh.

Stiefliebste f Geliebte eines Verheirateten; ehemalige Geliebte. „Stief-" geht zurück auf ahd „stiufen = berauben"; „stief = verwaist": die betreffende Person ist Ersatzperson für eine andere. Berlin seit dem 19. Jh.

Stiefliebster m intimer Freund einer Verheirateten. Berlin, seit dem 19. Jh.

stieke adv still, leise, vorsichtig. Nebenform von ↗stekum. Rotw 1830 ff.

stiekum adv heimlich. ↗stekum. Rotw 1750 ff.

Stiel m **1.** Penis. 1900 ff.

2. die Augen sitzen auf ~en = man will sehr genau sehen. Stark hervortretende Augen nehmen sich aus, als säßen sie auf Stielen. Spätestens seit 1900.

3. seine Augen kriegen ~e = er blickt starr. 1900 ff.

4. er hat nicht die ~e an die Kirschen gemacht = er ist dumm. 1920 ff, südwestd.

5. an etw keinen ~ kriegen = etw nicht verstehen. Man weiß nicht, wie man etwas „anfassen" soll oder wie man an einer Hacke o. ä. einen Stiel befestigt. 1900 ff.

Stielaugen pl **1.** große, stark hervortretende Augen. ↗Stiel 2. Spätestens seit 1900.

2. Fernglas. 1950 ff.

3. ~ kriegen = gierig, neugierig blicken. 1900 ff.

Stielaugentechnik f Absehen (Abschreiben) des Schülers vom Neben- oder Vordermann. Schül 1920/30 ff.

stiemen intr rauchen. Gehört zu engl „steam = Dampf". Marinespr 1900 ff.

Stier m **1.** plumper, grober Mann. Seit dem 19. Jh.

2. Klassenbester. Übertragen vom Bullen als dem Sinnbild der Kraft. Schül 1900 ff.

3. Lehrer. Wohl Anspielung auf die blinde Wut des Bullen. Schül 1955 ff.

4. Alkoholgegner. Wie ein Stier trinkt er nur Wasser. 1920 ff.

5. Zahlungsunfähigkeit. ↗stier 1. Österr seit dem 19. Jh.

6. ~ ohne Hörner = Mittelloser. 1950 ff, schül.

7. ~ in der Tüte = Stiersperma für künstliche Besamung. Berlin 1955 ff.

8. gequetschter ~ = Büchsenrindfleisch. Sold 1925 ff.

9. uriger ~ = derber, kraftvoller Mann. ↗urig. 1920 ff.

10. zweibeiniger ~ = Tierarzt für künstliche Besamung. 1955 ff, Berlin.

11. den ~ im Wappen führen = mittellos sein. ↗stier 1. 1930 ff, oberd.

12. im Zeichen des ~s geboren sein = mittellos sein. ↗stier 1. 1930 ff, oberd.

13. den ~ bei den Hörnern packen = tatkräftig handeln, ohne Gefahr zu scheuen; dem Gegner beherzt entgegentreten. 1850 ff.

stier adj adv präd **1.** zahlungsunfähig; mittellos; geldlich beengt. Nebenform zu „starr = unbeweglich". Auch sagt der Bauer, seine Kuh sei stier, wenn sie der Bulle nicht aufgenommen hat, oder sie sei stier, wenn sie keine Milch gibt. Vorwiegend oberd, seit dem 19. Jh.

2. geschäftsstill. Österr seit dem 19. Jh.

3. betrunken. Analog zu ↗steif 1. 1900 ff.

stieren v **1.** intr = nach Geschlechtsverkehr verlangen (auf weibliche Personen bezogen). Die Kuh verlangt nach dem Stier. 1900 ff.

2. intr = stochern. Fußt auf mhd „stüren = stöbern, stochern". Seit dem 14. Jh.

3. es stiert mich = es erbost mich. Leitet sich her entweder von der Blindwütigkeit des Bullen oder von der Verärgerung, die im Innern „stochert". Österr seit dem 19. Jh.

Stieri'tät f Geldmangel. Aus „↗stier 1" ge-

bildet nach dem Muster von „Kalamität, Schwulität" o. ä. Österr und bayr, 1920 ff.

stierln intr **1.** stochern. Iterativum zu ↗stieren 2. Österr seit dem 19. Jh.

2. gegen jn ~ = gegen jn hetzen; auf jn sticheln; jm Vorhaltungen machen. Österr seit dem 19. Jh.

Stiernacken m kräftiger, gedrungener Nakken. Seit dem 19. Jh.

Stiesel m ungebildeter, ungesitteter Mensch; begriffsstutziger Mann; langsam handelnder Mensch. Gehört zu mhd „stiezen = stoßen". „Stößer" ist auch der stoßende Schafbock, und „Schaf" ist der dumme Mensch. Berlin 1840 ff; ostd, mitteld und westd.

Stift I m **1.** Penis. Seit dem 16./17. Jh.

2. kleinwüchsiger Junge; junger Mann; Sohn. Vom Knabenpenis übertragen, pars pro toto. 1600 ff.

3. Kaufmanns-, Kellnerlehrling u. ä. 1800 ff.

4. Rekrut. Sold in beiden Weltkriegen.

5. Schüler der Unterstufe; Schulanfänger. Seit dem 19. Jh.

6. Schüler, der Nachhilfestunden erhält. Er ist ein „Lehrling". 1900 ff.

7. Kautabak. Er ist nagelähnlich. Kundenspr. und marinespr seit dem späten 19. Jh.

8. Studienreferendar. Im Verhältnis zu den Studienräten ist er noch Lehrling. 1920 ff.

9. pl = Bartstoppeln. Wie kleine harte Stifte stehen sie hervor. Seit dem 19. Jh.

10. einen ~ setzen = koitieren. ↗Stift I 1. 1920 ff.

11. sich auf den ~ setzen = koitieren (von weiblichen Personen gesagt). 1920 ff.

Stift II n Mädchenschule. Anspielung auf die strengen Regeln, vergleichbar jenen in geistlichen Heimen, Nonnenklöstern usw. Halbw 1950 ff.

Stiftekopf (-kopp; Stiftenkopp) m Kopf mit gleichmäßig kurzgeschnittenem Haar. Die Haare ragen wie kleine Stifte hervor. Vgl ↗Stift I 9. Seit dem späten 19. Jh.

stiften v **1.** tr = etw schenken; in Geberlaune sein. Stiften = etw als Gabe darbringen; etw zum Andenken schenken. Seit dem 19. Jh.

2. intr = Tabak kauen. ↗Stift I 7. Kundenspr. und sold seit dem späten 19. Jh.

3. intr = flüchten, ausbrechen, weggehen. ↗stiftengehen. Sold in beiden Weltkriegen.

4. tr intr = koitieren. ↗Stift I 1. Seit dem 19. Jh.

stiftengehen intr sich heimlich entfernen; flüchten; Fahnenflucht begehen. Gehört zu mhd „stieben = Staub aufwirbeln; schnell laufen". Sold, verbrecherspr. und polizeispr. 1900 ff.

stikum adv heimlich, unbemerkt. ↗stekum. Rotw 1750 ff.

still adj **1.** seitdem „~ ruht der See" = seitdem herrscht Schweigen; seither bleibt Nachricht aus; seitdem wird über die Sache nicht mehr geredet; die Frage bleibt unbeantwortet. Dem Eingang des von Heinrich Pfeil gedichteten und komponierten Lieds gleichen Namens entlehnt: „Still ruht der See; die Vöglein schlafen, ein Flüstern nur, du hörst es kaum . . .". Seit dem späten 19. Jh.

2. erst warst du ~, jetzt sagst du gar nichts (mehr): Redewendung an einen Schweigenden. 1930 ff.

Stille *f* ~ der Gefräßigkeit (gefräßige ~) = Verstummen der Unterhaltung bei Beginn der Mahlzeit. Seit dem ausgehenden 19. Jh.

Stil'lentium *n* Ruhe; Sprechverbot. Durch „still" abgewandeltes „Silentium". *Schül* und *stud*, 1870 *ff.*

Stillgeld *n* Löhnung, Sold. Eigentlich das Geld für die stillende Mutter; hier das Geld, mit dem man den Durst stillen kann. *BSD* 1968 *ff.*

stillvergnügt *adj* harmlos, ungefährlich. Ursprünglich soviel wie „seelenruhig"; weiterentwickelt zu „heiter" mit dem Nebensinn einer gewissen Dümmlichkeit. 1840 *ff.*

Stimmbandartist (-athlet, -held) *m* Sänger. 1920 *ff.*

Stimmbürger *m* Bürger, dessen politische Aktivität sich im Gang zur Wahlurne erschöpft. 1965 *ff.*

Stimme *f* **1.** ~ aus dem Keller = tiefe Stimme. ↗Kellerbaß. 1920 *ff.*
2. eine ~ wie eine Kreissäge = kreischende Stimme. ↗Kreissäge 3. Theaterspr. 1920 *ff.*
3. ~ der Natur = laut entweichender Darmwind. 1900 *ff, ziv* und *sold.*
4. ~ des Volkes = Klassensprecher. *Schül* 1960 *ff.*
5. angeräucherte ~ = rauhe, tiefe Stimme. 1900 *ff.*
6. blecherne ~ = klangunschöne Stimme. 1900 *ff.*
7. blonde ~ = Sopran, Diskant. Blond = hell. 1920 *ff.*
8. eingerostete ~ = nicht mehr klangreine Singstimme. 1950 *ff.*
9. fettige ~ = weiche, nicht markige Stimme. 1950 *ff.*
10. gepreßte ~ = Stimme auf Schallplatte. 1955 *ff.*
11. gequetschte ~ = unklare, unfreie Stimme. 1900 *ff.*
12. heiße ~ = temperamentvolle, leidenschaftliche Stimme. 1950 *ff.*
13. knödelige ~ = gutturale Stimme. ↗knödeln 2. 1900 *ff,* theaterspr.
14. nachtschwarze ~ = tiefe Alt-, Baßstimme. Steigerung von „dunkle" Stimme. 1930 *ff.*
15. rauchige ~ = tiefe, herbe Stimme. 1900 *ff.*
16. rostige ~ = rauhe, klangunreine Stimme. 1920 *ff.*
17. rußige ~ = rauhe Stimme. Seit dem 19. Jh.
18. schwarze ~ = tiefe Stimme. 1930 *ff.*
19. technisierte ~ = durch Lautsprecher und andere technische Mittel verstärkte Singstimme. 1960 *ff.*
20. verbeulte ~ = unfreie, klangunreine Stimme. 1960 *ff.*
21. verhangene ~ = unfreie, gedämpfte, leicht trübe Stimme. 1950 *ff.*
22. verrostete ~ = heisere, tiefe, leicht gebrochene Stimme. Seit dem 19. Jh.
23. verrußte ~ = tiefe, etwas heisere Stimme. Seit dem 19. Jh.
24. versoffene ~ = heisere, rauhe Stimme. 1900 *ff.*
25. verweinte ~ = schluchzende Gesangsstimme. 1955 *ff.*
26. die ~ ist im Keller = man krächzt, ist heiser. *Vgl* ↗Stimme 1. Theaterspr. 1930 *ff.*

stimmen *v* **1.** jn ~ = jn veralbern, übertöl-

peln, belügen. Übertragen vom Stimmen eines Musikinstruments: man sucht die richtige Tonhöhe zu erzielen, indem man die Saiten spannt. Ähnlich behandelt man einen Menschen, den man in die gewünschte Stimmung zu versetzen trachtet. Seit dem 15. Jh, *oberd.*
2. stimmt's, oder habe ich recht?: Frage, mit der man Zustimmung heischt. Scherzhaft entstellt aus „stimmt's, oder habe ich unrecht?". Im ausgehenden 19. Jh in Berlin entstanden.

Stimmenkonserve *f* Tonband-, Schallplattenaufnahme einer Stimme. ↗Konserve. 1920 *ff.*

Stimmenpolster *n* Gesamtheit der von einem Kandidaten erzielten Stimmen. 1960 *ff.*

Stimmenverleih *m* Synchronisierung. 1960 *ff.*

Stimmprotz *m* Künstler mit kräftiger, klangschöner Stimme, die er bei jeder Gelegenheit zur Geltung bringt. ↗Protz. Theaterspr. 1870 *ff.*

Stimmritzenöl *n* alkoholisches Getränk. 1920 *ff.*

Stimmung *f* **1.** dicke ~ = schlechte Stimmung; Zanksucht. Nachahmung von „dicke ↗Luft". 1920 *ff.*
2. faule ~ = Mißgestimmtheit; ungünstige Voraussetzung für einen Plan, für eine Erörterung, für eine Bitte o. ä. ↗faul 1. Seit dem 19. Jh.
3. schwarze ~ = schlechte Laune; Bedrücktsein; Schwermut; Trauer. Schwarz = ungünstig. Seit dem 19. Jh.
4. die ~ abtasten = die Gemütslage vorsichtig zu ergründen suchen. ↗abtasten. 1939 *ff.*
5. die ~ anheizen = die Stimmung steigern; die Leute zu begeistern suchen; die Zuhörer aufnahmebereit machen. ↗anheizen 1. 1920 *ff.*
6. die ~ ankurbeln = die Stimmung aufmuntern. ↗ankurbeln 1. 1920 *ff.*
7. ~ tanken = mit Frohen froh werden. ↗tanken. 1920 *ff.*

Stimmungsbarometer *n* **1.** seelische Stimmung. Vom Luftdruckmesser übertragen auf die seelische Wetterlage. 1920 *ff.*
2. da ~ hängt (steht) auf Tief = es herrscht gedrückte (gereizte) Stimmung. 1950 *ff,* politikerspr. und *sportl.*

Stimmungskulisse *f* Zuschauer bei Sportwettkämpfen. *Journ* 1960 *ff.*

Stimmungsmache *f* listige Erzeugung einer beabsichtigten Stimmung. ↗Mache 3. Ein politisches Schlagwort, etwa seit 1930.

Stimmungsspeicher *m* Schalttafel für die Bühnenbeleuchtung. Theaterspr. 1960 *ff.*

Stimmungstief *n* Niedergeschlagenheit. Vom Wetterbericht beeinflußt. 1960 *ff.*

Stimmvieh *n* kritiklose Wählermasse. Als politisches Schlagwort gegen 1860 aus *angloamerikan* „voting cattle" übersetzt.

Stina (Stine) *f* einfältige, unbeholfene weibliche Person. Kurzform von Vornamen wie Christine oder Justine. 1700 *ff.*

Stingel (Stingl) *m* großwüchsiger junger Mann mit ungelenkem Benehmen. Meint eigentlich den Fruchtstiel oder den Blumenstengel. (Anspielung auf den Penis?) Wohl parallel zu „↗Pflänzchen". Vorwiegend *südd,* seit dem 19. Jh.

Stinka'dores *f (m)* **1.** minderwertige Zigarre; schlechter Tabak. Entstanden aus „stinken" und der *span* Endung „-dores" nach

dem Muster von *span* „fumadores = Raucher". Eigentlich eine Mehrzahlbildung. Etwa seit 1840.
2. überriechender Käse. 1900 *ff.*
3. Auto. Wegen der Auspuffgase. 1930 *ff.*
4. unsauberer Mensch. 1920 *ff.*

Stinka'dorius *m* stark riechender Käse. Aus „↗Stinkadores 2" latinisiert. 1950 *ff.*

'stinkbe'leidigt *adj* schwer gekränkt. „Stink-" hängt mit der Miene zusammen, die „↗sauer" oder „↗muffig" ist. 1920 *ff.*

'stinkbe'soffen *adj* volltrunken. Der Betrunkene verbreitet üblen Alkoholgeruch. Seit dem 19. Jh.

Stinkbock *m* unreinlicher Mann. Böcke verbreiten einen sehr strengen Geruch. 1700 *ff.*

Stinkbombe *f* **1.** niederträchtige, falsche Bezichtigung. Eigentlich ein Scherzartikel, dem beim Zerplatzen Gestank entströmt. 1900 *ff.*
2. üble Enthüllung; Aufdeckung eines Skandals. 1900 *ff.*
3. Motorrad. 1920 *ff, jug.*
4. Bohnengemüse. Es erzeugt Blähungen. 1935 *ff.*
5. ~n loslassen = bösartige Bezichtigungen aussprechen. 1900 *ff.*

Stinkbomber *m* mit ungedämmtem Auspuff (ohne Auspufftopf) fahrendes Kraftfahrzeug; Fahrer eines solchen. 1950 *ff.*

Stinkburger (Stinkeburger) *m* Limburger Käse. 1920 *ff.*

'stink'bürgerlich *adj* engbürgerlich; Reformen ablehnend; sozialdemokratischen und sozialistischen Gedankengängen verständnislos gegenüberstehend. Mit den Unruhen der sechziger Jahre des 20. Jhs aufgekommen als Schlagwort der revoltierenden Jugend.

'stink'doof *adj* überaus dümmlich. ↗doof 1. Zu „stink-" *vgl* ↗stinken 4 a. 1920 *ff.*

'stink'dumm *adj* sehr dumm. *Vgl* ↗stinkdoof. 1920 *ff.*

'stink'echt *adj* unverfälscht; genau das Ziel treffend. „Stink-" als steigerndes Präfix, entwickelt aus Dingen und Zuständen besonders aufdringlichen Geruchs. 1935 *ff.*

stinken *v* **1.** es stinkt = es bahnt sich Übles an; hier herrscht starker Beschuß; Feindeinbruch steht zu befürchten; im Betrieb herrscht Kampfstimmung. Übertragen von der Wahrnehmung heftigen Gestanks. Der Ausdruck in Goethes „Faust I" (Am Brunnen) bezieht sich auf Schwangerschaft. 1900 *ff;* vorwiegend *sold.*
2. ihm stinkt es = er hat bange Befürchtungen; es mißfällt ihm sehr; es ärgert ihn sehr. 1900 *ff.*
3. die Sache stinkt = die Sache ist bedenklich; hier wird unredlich gehandelt. 1800 *ff.*
4. das täte mir ~ = das ließe ich mir nicht gefallen. *Schwäb* 1900 *ff.*
4 a. er stinkt mir = ich kann ihn nicht leiden. *Jug* 1920 *ff.*
5. hier stinkt es = hier hat sich einer selbst gelobt. „Eigenlob stinkt", heißt es sprichwörtlich. Spätestens seit 1900 *ff.*
6. er stinkt vor sich hin = a) er ist wütend. Er macht eine „muffige" Miene und hat eine „↗Stinkwut". 1940 *ff.* – b) er schmiedet üble Pläne und überlegt, wie er sich rächen kann. 1940 *ff.*
7. er lügt, daß er stinkt = er lügt dreist.

Vorstellung von der „stinkigen Lüge"; stinkig = unverkennbar. Seit dem 19. Jh.
8. er ist so geizig, daß er stinkt = er ist überaus geizig. Wahrscheinlich geizt er auch mit Wasser und Seife. Seit dem 19. Jh.
9. du stinkst ja!: Redewendung, mit der man die Richtigkeit einer Behauptung in Zweifel zieht. Stinken = lügen. Vgl ↗ stinken 7. 1930 ff.
10. etw ~ = einen Duft oder Gestank wahrnehmen (gern in der Form: „stink' mal, wie das hier riecht!"). Seit dem späten 19. Jh, Berlin.
Stinker m **1.** Gesäß. 1700 ff.
2. kleiner Junge (Kosewort). Ursprünglich eine zärtliche Benennung des Wickelkinds mit Anspielung auf die verunreinigten Windeln. Vgl ↗ Scheißerl 1. Seit dem 19. Jh.
3. Schüler der Unterstufe; Schulanfänger. 1950 ff.
4. mürrischer, langweiliger Mensch. Wohl weil er „↗ Stank" stiftet. 1900 ff.
stinkerig adj sehr gefährlich. ↗ stinken 1. Ziv und sold 1939 ff.
Stinkerl n Auto. Bayr und österr, 1930 ff.
'stink'ernst adj sehr ernst; äußerst traurig. 1920 ff.
'stink'fade adj **1.** sehr langweilig. Oberd seit dem 19. Jh.
2. abgestanden, schal; unschmackhaft. 1900 ff.
'stink'faul adj sehr träge. Adjektivisch entwickelt aus „vor ↗ Faulheit stinken". 1600 ff.
'stink'fein adj vornehmtuerisch; übertrieben vornehm; bis zur Ungemütlichkeit vornehm. Mildere Variante zu „↗ scheißfein". 1920 ff.
'stink'foin adj übertrieben vornehm (geziert). ↗ foin. 1920 ff.
'stink'freundlich adj unecht-freundlich. ↗ scheißfreundlich. 1950 ff.
'stinkge'launt adj sehr schlecht gelaunt. Vgl ↗ stinken 6. 1900 ff.
'stinkge'mein adj niederträchtig; rücksichtslos; charakterlos. 1920 ff.
Stinkhaken m Tabakspfeife. Sie ist hakenförmig gebogen. Seit dem 19. Jh.
Stinkhengst m Motorradfahrer (Autofahrer), der mit ungedämmtem Auspuff (ohne Auspufftopf) fährt. ↗ Hengst 1. 1930 ff.
Stinki m unreinlicher Mensch. Berlin 1965 ff, jug.
stinkig adj **1.** unbrauchbar; sinnlos; nicht unbescholten. Übernommen von faulenden Dingen und anrüchigen Zuständen. 1900 ff.
2. unangenehm; heikel; gefahrdrohend. ↗ stinken 1. 1900 ff.
3. verdrießlich, mürrisch. Wegen der „↗ muffigen" Miene. Vgl ↗ stinken 6. 1800 ff.
4. langweilig. ↗ stinken 2. Oberd 1950 ff.
'Stink'kerl m unsympathischer, niederträchtiger Bursche. 1910 ff.
'Stink'laden m anrüchiger Geschäftsbetrieb. 1920 ff.
Stinkladen m Chemiesaal. Schül 1950 ff.
'stink'langweilig adj überaus langweilig; keinerlei Abwechslung bietend. Halbw seit dem frühen 20. Jh. Eine gelegentliche bayrische Nebenform lautet: „gschtingat langweilig".
'Stink'laune f sehr schlechte Laune. Vgl ↗ stinkgelaunt. 1900 ff.

'stinklibe'ral adj durch und durch liberal ohne Zugeständnisse an andere politische Überzeugungen. Zur Sache vgl „↗ stinkbürgerlich". 1960 ff.
Stinkmoppel n Auto. ↗ Automoppel. 1920 ff.
Stinknagel m Tabakspfeife. Analog zu ↗ Stinkhaken. 1850 ff, vorwiegend oberd.
'stink'nobel adj unecht vornehm. 1950 ff.
'stinknor'mal adj **1.** geistig völlig normal; ohne irgendwelche Außergewöhnlichkeit. Das Wort hat tadelnden bis abfälligen Nebensinn für Leute, die das Normale für rückständig und veraltet ansehen. Vgl ↗ stinkbürgerlich. 1950 ff.
2. in geschlechtlicher Hinsicht normal veranlagt. Verächtliche Bezeichnung im Munde von Homosexuellen. 1950 ff.
'stink'nüchtern adj völlig nüchtern. 1950 ff.
Stinkorden m Gesamtheit der Umhertreiber, Müßiggänger und „Gammler". Anspielung auf die Unsauberkeit, die manche zu kultivieren verstehen. 1965 ff.
Stinkpott m Mensch, dem man nicht trauen darf. 1900 ff.
Stinkrakete (Stinkerrakete) f **1.** minderwertige Zigarette o. ä. Kundenspr. seit dem ausgehenden 19. Jh; später auch halbw.
2. ~n loslassen = Darmwinde laut abgehen lassen. Jug 1955 ff. „Stinkrakete" hieß im Ersten Weltkrieg die Gasgranate.
'stink'reich adj sehr wohlhabend. Der Betreffende „stinkt nach ↗ Geld". 1900 ff.
'stink'richtig adj völlig irrtumsfrei. 1950 ff, halbw.
'stink'sauer adj sehr verstimmt; verärgert; wütend. Steigerung zu ↗ sauer. 1950 ff.
'stinkseri'ös adj sehr redlich; sehr ehrenwert. Die Vokabel hat abfälligen Nebensinn: die Überzeugung von der Redlichkeit als einer auszeichnenden Tugend wird in Frage gestellt. 1950 ff.
Stinkstiefel m **1.** Angestellter der Straßenreinigung; Abortgrubenentleerer; Kanalisationsarbeiter. Man trägt hohe Wasserstiefel, watet mit den Stiefeln in stinkendem Unrat. Berlin 1870 ff.
2. unreinlicher Mann; Mann mit Schweißfüßen. Spätestens seit 1900, vorwiegend schül, arb und sold.
3. niederträchtiger Mann; Schimpfwort auf einen Schikanierer. 1910 ff.
4. Zänker. 1920 ff.
5. Feigling. Sold in beiden Weltkriegen.
6. unkameradschaftlicher Soldat; Soldat, der sich dem Dienst zu entziehen sucht. BSD 1965 ff.
7. übellauniger, unhöflicher, unverträglicher Mann. 1920 ff.
Stinktier n **1.** allgemeines Schimpfwort. Eigentlich dt Bezeichnung für den amerikanischen Skunk: es verspritzt bei Erregung (in Angst) eine stinkende Flüssigkeit aus Afterdrüsen. Übertragen auf einen äußerlich und charakterlich unsauberen Menschen. Seit dem 19. Jh.
2. Kraftfahrer. 1910 ff.
3. Klassenschlechtester. 1950 ff, schül.
'stink'vornehm adj sehr, übermäßig vornehm; unbehaglich vornehm. Mildere Variante zu „↗ scheißvornehm." 1920 ff.
Stinkwanze f Auto; qualmendes Auto; Auto mit Diesel-Antrieb. Wanzen scheiden ein übelriechendes Sekret aus. Seit dem frühen 20. Jh.

'Stink'wut f große Wut. Zusammengezogen aus „↗ stinkig 3" und „Wut". 1900 ff.
Stinos pl geschlechtlich normal veranlagte Personen. Abgekürzt aus „↗ stinknormal". Verächtliche Bezeichnung im Munde von Homosexuellen. 1950 ff.
Stint m **1.** Jugendlicher; Halbwüchsiger. Eigentlich der kleine Lachsfisch. 1900 ff.
2. besoffen (voll) wie ein ~ = volltrunken. Hierzu und zu den folgenden Ausdrücken vgl „↗ Stint 6". Spätestens seit 1900.
3. vergnügt wie ein ~ = sehr vergnügt; sehr lebenslustig, unternehmungslustig. 1900 ff.
4. verliebt wie ein ~ = heftig verliebt. Berlin 1816 ff.
5. sich ärgern wie ein ~ = sich heftig ärgern. Seit dem 19. Jh.
6. sich freuen wie ein ~ = sich übermäßig freuen. Geht zurück auf die Verse des Predigers Schmidt aus Werneuchen (erschienen im Berliner Musen- Almanach für 1795): „O sieh, wie alles weit und breit / An warmer Sonne minnt! / Vom Storche bis zum Spatz sich freut, / vom Karpfen bis zum Stint!". Seit dem 19. Jh.
7. saufen wie ein ~ = trunksüchtig sein. 1900 ff.
Stipp m **1.** Kleinigkeit. Gehört zu „↗ stippen 1" und meint den Stich, den Punkt, das Tüpfelchen. Nordwestd, seit dem 19. Jh.
2. auf einen ~ = für einen Augenblick; gleichzeitig. Seit dem 19. Jh.
3. auf dem ~ sein = sofort bereit sein. Seit dem 19. Jh.
Stippe f Tunke. Vgl das Folgende. Seit dem 19. Jh, nordd und westd.
stippen v **1.** tr = etw eintauchen, eintunken. Ein nordd Wort, Nebenform zu „steppen = nähen": sowohl beim Nähen als auch beim Eintauchen wird der Gegenstand nur kurz in Stoff oder Flüssigkeit eingeführt. 1600 ff.
2. tr = etw unterschlagen, stehlen. Meint eigentlich soviel wie „angeln". Seit dem 19. Jh.
3. intr = mittels Leimrute Geld aus der Ladenkasse (o. ä.) stehlen. Seit dem frühen 19. Jh, rotw.
4. intr = mit Hilfe eines feinen Drahts oder eines kleinen Bohrers den Spielautomaten leeren. 1950 ff.
Stippvisite f **1.** kurzer Besuch. Versteht sich nach „↗ stippen". Seit dem späten 18. Jh.
2. Stoßtruppunternehmen. Sold in beiden Weltkriegen.
3. intimes Betasten; Petting. Halbw 1955 ff.
Stips (Stipps) m **1.** Kleinigkeit. ↗ Stipp 1. Seit dem 19. Jh.
2. kleiner Junge. Seit dem 19. Jh.
3. leichter Stoß. Seit dem 19. Jh.
Stirn f **1.** entlaubte ~ = Stirnglatze. 1950 ff.
2. erweiterte ~ = Vorderhauptglatze. 1920 ff, stud.
3. hohe ~ = Stirnglatze. 1920 ff.
4. kahle ~ bis auf den Hinterkopf = Längsglatze. 1870 ff.
5. plissierte ~ = gekrauste Stirn; Stirnfalten. 1920 ff.
6. überhöhte ~ = Scheitelglatze. 1910 ff.
7. verlängerte ~ = Stirnglatze. 1920 ff.
8. die gußeiserne ~ haben = sich zu etw

erdreisten. Verstärkung von „eiserne Stirn" (nach Jesaya 48, 4). Seit dem 19. Jh.

9. eine hohe ~ bis hintenhin (bis in den Nacken) haben = glatzköpfig sein. 1920 ff.

10. die ~ gewinnt an Höhe = es bildet sich eine Stirnglatze. 1920 ff.

11. jm die ~ massieren = jn an den Kopf schlagen; jn besinnungslos schlagen. 1910 ff, verbrecherspr.

12. die ~ reicht (wächst) bis in den Nakken (Rücken) hinein = man hat (bekommt) eine Vollglatze. 1870 ff.

Stirntipper m Mensch, der einem Kraftfahrer die Dummheitsgebärde macht. Tippen = leicht berühren. 1955 ff.

stochen intr kräftig auf das Gaspedal treten. Übernommen vom Heizen, vom Schüren in der Glut. 1950 ff.

Stocher m **1.** Penis. Anspielung auf die Bewegung beim Geschlechtsverkehr. 1900 ff.

2. Lastwagenfahrer; Kraftfahrer. ↗ stochen. BSD 1965 ff.

Stock m **1.** eigensinniger, störrischer Mensch. Er ist steif und starr wie ein Stock. 1500 ff.

2. Flasche Rotwein für die Runde. Meint vielleicht die Grundlage unter den Nahrungsmitteln oder entstammt engl „stock = Brühe, Suppe". Gammlerspr. 1962 ff.

3. schlechteste Note. Wohl weil (Stock-)Schläge zu erwarten sind. 1940 ff.

4. pl = hagere Beine. 1900 ff.

5. oberer ~ = Kopf, Gehirn. Stock = Stockwerk. 1900 ff.

6. wasserdichter ~ = Stockschirm. 1900 ff.

7. sein siebter ~ ist abgebrannt = er ist nicht recht bei Verstand. Stock = Stockwerk. Schül 1950 ff.

8. dasitzen (dastehen) wie ein ~ = regungslos sitzen (stehen). 1600 ff.

9. mit einem weißen ~ davongehen = leer ausgehen; in Elend geraten. Der weiße Stock (oder Stab) war schon im Mittelalter das Zeichen des Elends und der Dürftigkeit (Bettelstab). Der ausgepfändete Bauer, der Haus und Hof verlassen mußte, ging „mit einem weißen Stock" davon. 1900 ff, nordd.

10. etw mit dem ~ fühlen (greifen) können = etw unschwer einsehen. Vom Blinden hergenommen, der mit dem Stock tastet. ↗ Blinder 5. Seit dem 19. Jh.

11. am ~ gehen = a) nichts mehr zu essen haben. Stock = Bettelstab. Kriegsgefangenenspr. 1945 ff (Rußland). – b) mittellos sein; Not leiden. Kriegsgefangenenspr. 1945 ff. – c) krank sein. Man stützt sich auf den Krückstock. Kriegsgefangenenspr. 1945 ff, Rußland.

12. da gehst du am ~ (Stöckchen)! Ausdruck der Überraschung. Man ist dermaßen verwundert, daß man nach dem Stock greift, um nicht umzufallen. 1930 ff, vorwiegend schül, stud, arb und sold.

13. auf den ~ gehen = dem Lehrer die Antwort schuldig bleiben; hartnäckig schweigen. „Stock" hieß früher das Arresthaus. Auch kann der Hieb mit dem Rohrstock gemeint sein. Schül 1900 ff.

14. einen ~ im Rücken haben = sich nicht verneigen. 1700 ff.

15. sich steif halten wie ein ~ = sich abweisend verhalten; kein Entgegenkommen zeigen. 1920 ff.

16. ~ und Hut nehmen = amtsenthoben sein. 1900 ff.

17. einen ~ verschluckt haben = sich nicht verbeugen; sich steif bewegen; unnachgiebig sein. ↗ Stock 14. Seit dem 19. Jh.

Stock- (stock-) 1. ~ in Verbindung mit Landschafts-, Stammes-, Konfessionsoder Nationalitätsbezeichnungen besagt, daß bei den Betreffenden die Eigenart seiner Heimat, seines Vaterlandes oder seiner geistigen (konfessionellen) Grundeinstellung besonders stark ausgeprägt ist und daß er im letzten nur sie gelten läßt. „Stock-" drückt hier das starre, unerschütterliche Festhalten aus, auch die Unzugänglichkeit gegenüber Eigenart und Daseinsrecht anderer.

2. ~ in Verbindung mit Adjektiven meint soviel wie „völlig"; herzuleiten von Wendungen wie „keinen Stock sehen" oder „dunkel wie im Stock (Gefängnis)" oder „steif wie ein Stock"; auch der Begriff „verstockt" spielt gelegentlich hinein. Hieraus entwickelt sich „stock-" zu einem verstärkenden Präfix.

'stockbe'soffen adj volltrunken. 1900 ff.

'stock'britisch adj britisch-konservativ; durch und durch britisch. Seit dem 19. Jh.

'stock'bürgerlich adj von bürgerlichen Anschauungen durchdrungen. Vgl auch ↗ stinkbürgerlich. 1950 ff.

'stock'dumm adj überaus dumm. 1600 ff.

'stock'dunkel adj völlig dunkel. Eigentlich soviel wie „dunkel wie im Stock (Gefängnis)". 1600 ff.

Stöckel pl hochhackige Damenschuhe ohne Schnüre und Spangen. Verkürzt aus ↗ Stöckelschuh. Im 19. Jh von Österreich und Bayern ausgegangen.

Stöckelabsatz m hoher, schmaler Absatz am Frauenschuh. Seit dem 19. Jh.

stöckeln intr **1.** Schuhe mit hohen, schmalen Absätzen tragen. ↗ Stöckelschuh. Seit dem 19. Jh.

2. steif, mühsam gehen. 1920 ff.

Stöckelschuh (Stöckleinsschuh) m Damenschuh mit hohem, schmalem Absatz. „Stöckel" ist die österr Verkleinerungsform von „Stock" und meint den stöckchendünnen Schuhabsatz. Um die Mitte des 17. Jhs in Wien aufgekommen und ziemlich bald gemeindeutsch geworden.

'Stock'engländer m Engländer, der das Wohl seines Vaterlands allen anderen Interessen voranstellt. 1800 ff.

stockern tr jn reizen, hetzen, kränken. Nebenform zu „stochern" im Sinne von „mit einem Stock stechen", „sticheln". 1920 ff.

'stock'finster adj völlig dunkel. ↗ stockdunkel. 1500 ff.

Stockfisch m **1.** steifer, ungewandter Mensch. Hergenommen vom Fisch, der zum Trocknen auf einen Stock gespießt oder an einen Stock gehängt und gepökelt wird; durch das Trocknen und das Salz wird er steif. 1500 ff.

2. sehr dummer Mensch. Von körperlicher Ungelenkheit auf den Mangel an geistiger Wendigkeit übertragen. Seit dem 16. Jh.

'Stockfran'zose (-fran'zösin) m (f) chauvinistischer Franzose (fremdenunfreundliche Französin). Seit dem 18. Jh.

Stockgymnasium n Schule für geistig behinderte Kinder. „Stock-" ist Verkürzung

von „↗ Stockfisch 2" oder von „↗ stockdumm". Schül 1950 ff.

stockig adj eigenwillig, unbeholfen, unzugänglich, befangen. ↗ Stock 1. Oberd seit dem 19. Jh.

'Stock'jude m vom Judentum leidenschaftlich überzeugter Jude. Seit dem 18. Jh (Lessing, „Nathan der Weise").

'Stockkatho'lik m Katholik, der engstirnig nur seine religiöse Überzeugung gelten läßt. Seit dem 19. Jh.

'stock'konservativ ('stockkonserva'tiv) adj unbelehrbar nur die konservative Einstellung befürwortend. Seit dem 19. Jh.

'stocknatio'nal adj nationalistisch. 1920 ff.

'stocknor'mal adj vom als normal geltenden Verhalten nicht abzubringen. 1950 ff.

'Stockphi'lister m sehr kleinlicher Mensch; unbelehrbarer Mensch kleinbürgerlichen Denkens. ↗ Philister 1. Seit dem 19. Jh.

'Stock'preuße m ganz im preußischem Geist aufgewachsener Bürger. 1800 ff.

'Stockprote'stant m fanatischer Protestant. Seit dem 19. Jh.

'stockreli'giös adj nur die religiösen Wahrheiten anerkennend. 1800 ff.

'stöckrig adj unschön-hager; ohne ausgeprägte Waden. ↗ Stock 4. 1900 ff.

'Stock'schwabe m Schwabe, dem Schwaben und schwäbische Lebensart über alles gehen. 1800 ff.

'stock'schwarz adj strengkatholisch; fanatisch-katholisch. ↗ schwarz 1. Seit dem 19. Jh.

'Stock'stiefel m **1.** ungelenker Mensch. ↗ Stiefel 4. 1920 ff.

2. hochmütiger Mensch. 1920 ff.

'Stocktheo'loge m Theologe, der nur theologische Gedankengänge gelten läßt. Seit dem 19. Jh.

'stock'trocken adj geistlos, schwunglos; streng sachlich. 1950 ff.

Stockwerk n im obersten ~ nicht richtig sein (o. ä.) = nicht recht bei Verstand sein. 1900 ff.

'Stockwest'fale m Westfale, der ganz von der Eigenart seiner Heimat geprägt ist. 1800 ff.

Stockzahn m **1.** unentschlossenes Mädchen. Eigentlich der Backzahn; hier beruhend auf „↗ Zahn 3". Gemeint ist ein Mädchen, das mit der Rede (vor allem mit dem Wörtchen „ja") stockt. Halbw 1960 ff.

2. auf dem letzten ~ gehen (daherkommen o. ä.) = erschöpft, entkräftet sein. 1950 ff.

3. auf seinem ~ lachen (lächeln; auf den hinteren Stockzähnen lächeln) = heuchlerisch lächeln; verhalten lachen; schadenfroh sein. Seit dem ausgehenden 18. Jh, vorwiegend oberd.

Stoff m **1.** Benzin, Kraftstoff. Hieraus gekürzt 1920 ff.

2. Geld. Entweder als „Betriebsstoff" für den Lebensunterhalt aufgefaßt oder übernommen aus dem angloamerikan Slang: „stuff = Zaster, Geld". 1950 ff.

3. alkoholisches Getränk. Aus „Trinkstoff" abgekürzt. Stud Herkunft seit dem frühen 19. Jh.

4. anregende, aufputschende Pille; Rauschgift. Aus engl „stuff" entlehnt. 1920 ff.

5. schikanöser Drill; strenge Behandlung; Bestrafung. „Stoff" meint die bewirkende Kraft, die Energie. Hieraus weiterentwikkelt zu „energische Handlungsweise" und „Strenge". *BSD* 1965 *ff.*

6. heißer ~ = pornografischer Filmstoff. 1970 *ff.*

7. roter ~ = Rotwein. ↗Stoff 3. *BSD* 1965 *ff.*

8. ~ geben = Gas geben. Kraftfahrerspr. ↗Stoff 1. 1920 *ff.*

Stöffchen *n* **1.** Qualitätstuch. Die Verkleinerungssilbe gilt kosewortähnlich zur Kennzeichnung von Lob. 1920 *ff.*

2. ausgezeichnetes alkoholisches Getränk. 1920 *ff.*

Stoffel *m* dummer, einfältiger, ungelenker, plumper Mann. Verkürzt aus dem männlichen Vornamen Christoph, vermutlich unter Einfluß der Legendengestalt des Christophorus, mit dem die Volksfrömmigkeit die Vorstellung von einem ungeschlachten Mann verbindet. Seit dem 18. Jh.

stoffeln *intr* einhertappen; unaufmerksam gehen. Seit dem 19. Jh.

Stoffhändler *m* Rauschgifthändler. ↗Stoff 4. 1955 *ff.*

Stöhnaufmännchen *n* Schlagersänger, der seine Darbietung durch Stöhnlaute o. ä. untermalt. Dem „Stehaufmännchen" nachgebildet. 1962 *ff*, *journ.*

Stöhnmichel *m* Mann, der durch Stöhnen lästig fällt. 1920 *ff.*

Stolperdraht *m* **1.** Fallstrick; unlösbare Aufgabe, an der einer scheitert; Maßnahme, die einen Angreifer zu Fall bringt; Äußerung, durch die einer seinen Posten gefährdet. Meint den im Vorgelände der Stellungen niedrig gespannten Draht, an dem der Angreifer ins Stolpern kommen. 1910 *ff.*

2. Achtung, ~! Mahnung zur Vorsicht; Warnung vor Betrügern. 1910 *ff.*

Stolperer *m* **1.** Fehltritt mit Sturzgefahr. Seit dem 19. Jh.

2. Versprecher; absichtliche „Verquatschung". Die Zunge gerät ins Stolpern. Seit dem 19. Jh.

Stolperstein *m* verfängliches Hindernis. 1960 *ff.*

stolz *adj* stattlich. Hergenommen von der in der Haltung zum Ausdruck kommenden Selbstsicherheit. Seit *mhd* Zeit.

stoned sein (Adverb *engl* ausgesprochen) unter dem Einfluß von Rauschgift stehen. Stammt aus dem *angloamerikan* Slang. Gegen 1970 aufgekommen.

Stop *m* auf ~ reisen = von Autofahrern, die man angehalten hat, mitgenommen werden. 1950 *ff.*

stopfen *v* **1.** ~! = aufhören! Schluß machen! Übernommen aus der *milit* Kommandosprache („das Feuer einstellen!") Das Kommando ist in der preußischen Armee 1859 eingeführt worden. Etwa seit 1900.

2. *intr tr* = koitieren. Analog zu ↗nähen 3. 1920 *ff*, vorwiegend *bayr.*

Stopfengeld *n* an den Wirt zu zahlendes Entgelt für mitgebrachte Getränke. Seit dem 19. Jh.

Stopfkarte *f* Freikarte. Mit ihr stopft man die Lücken im Zuschauerraum. Theaterspr. 1920 *ff.*

Stoppel I *m* kleiner Junge; Kleinwüchsiger. *Oberd* Form von „↗Stöpsel" (= Kork, Pfropfen). 1920 *ff.*

Stoppel II *f* schlecht geworfene Kegelkugel, die schließlich aus der Bahn springt. Meint

---

eigentlich das untere Stück des abgemähten Getreidehalms o. ä.; hier vielleicht Anspielung auf den Umstand, daß früher die Kegelbahn auf freiem Feld hergerichtet war. Keglerspr. 1900 *ff.*

Stoppe'lei *f* unkünstlerische Darbietung, die gleichwohl für Kunst ausgegeben wird. ↗stoppeln 1. 1950 *ff.*

Stoppelglatze *f* gleichmäßig sehr kurz geschnittenes Haar. *Österr* 1950 *ff.*

Stoppelhopsen *n* Geländedienst; infanteristische Ausbildung. Man benutzt dazu auch abgeerntete Getreidefelder. 1900 *ff.*

Stoppelhopser *m* **1.** Bauer; Gutsverwalter; Eleve. Hüpfend bewegt er sich über die Stoppeläcker. 1850 *ff.*

2. Infanterist; Heeresangehöriger; Panzergrenadier. ↗Stoppelhopsen. *Sold* 1870 bis heute.

3. Hase. *Österr* 1900 *ff.*

4. kleinwüchsiger Mann. ↗Stoppel I. 1955 *ff.*

5. Jazztänzer. 1955 *ff.*

Stoppelhuhn *n* **1.** unansehnliche, hagere Frau. Sie hat Haarstoppeln im Gesicht. 1910 *ff.*

2. Ährenleserin auf abgeerntetem Getreidefeld. 1945 *ff.*

stoppelköpfig *adj* mit gleichmäßig kurzgeschnittenem Haar. 1900 *ff.*

stoppeln *tr* **1.** etw mühsam zustandebringen; etw unsachgemäß bewerkstelligen. Meint eigentlich das Ährenlesen auf abgeerntetem Kornfeld. 1800 *ff.*

2. Liegengebliebenes diebisch an sich nehmen. 1900 *ff.*

'stoppen'voll (*'stoppe'voll*) *adj präd* dichtbesetzt. Zusammengezogen aus „gestopft voll". Seit dem 19. Jh.

Stopper *m* **1.** Taschendiebsgehilfe, der im Gang eines Zuges einen Fahrgast darauf aufmerksam macht, daß er sich im falschen Wagen befindet, oder der einen auf ihn zugetriebenen Menschen auflaufen läßt. Er arbeitet zusammen mit dem „↗Bremser 8". 1970 *ff.*

2. Vereitelung, Untersagung, Eingriff. 1970 *ff.*

3. seinen ~ haben = eine Ruhepause haben. Stoppen = eine Maschine zum Stehen bringen. *Nordd* 1960 *ff.*

'stoppe'satt *adj präd* völlig gesättigt. Aus „gestopft satt" zusammengezogen. Seit dem 19. Jh.

'stoppe'voll *adj* ↗stoppenvoll.

Stopplicht *n* **1.** plötzliche Einschränkung der Handlungsfreiheit. Vom Verkehrswesen übertragen. 1920 *ff.*

2. sein ~ brennt = a) sein Leistungsvermögen läßt nach; er ist den Anforderungen nicht länger gewachsen. 1920 *ff.* – b) er verliert seinen Einfluß 1920 *ff.* – c) er liegt im Sterben. 1920 *ff.*

Stöpsel *m* **1.** kleinwüchsiger, untersetzter Mensch; kleiner Junge. Beruht auf einer gewissen Formähnlichkeit mit dem Flaschenkorken. *Stud* seit dem späten 18. Jh.

2. Penis. Seit dem 19. Jh.

3. Versager; dummer Mensch. ↗stöpseln 1. 1900 *ff.*

4. einen ~ im Ohr haben = etw absichtlich überhören. 1900 *ff.*

Stöpselfee *f* Telefonistin. Bei der Handvermittlung wird die Verbindung mittels Stöpseln hergestellt. Seit dem späten 19. Jh.

Stöpselgeld *n* **1.** an den Wirt zu zahlende

Entschädigung für mitgebrachte Getränke. ↗Stopfengeld. Seit dem 19. Jh.

2. Prostituiertenentgelt. ↗stöpseln 3. 1910 *ff.*

stöpseln *intr* **1.** halbe Arbeit leisten; schlecht arbeiten. Intensivum zu „↗stoppeln 1". Spätestens seit 1900.

2. Ferngespräche vermitteln. ↗Stöpselfee. Etwa seit 1880.

3. koitieren. ↗Stöpsel 2. 1890 *ff.*

Stör *f* Arbeitsleistung im Hause des Kunden. Fußt auf „stören" im Sinne der Beeinträchtigung der Zunftordnung: man wirkt außerhalb der Zunft in einer Tätigkeit, die dem Zunftzwang unterliegt. 1500 *ff.*

Storch *m* **1.** langbeiniger Mensch. Seit dem 19. Jh.

2. hochgestellte Persönlichkeit. Ursprünglich auf den General bezogen wegen der breiten roten Streifen an der Hose. 1920 *ff.*

3. altes Auto. Es klappert laut und ausdauernd wie der Storch. 1955 *ff*, *jug.*

4. Frau ~ = Hebamme. Weil man Kindern weismacht, der Storch habe sie ins Elternhaus gebracht. 1900 *ff.*

5. ~ im Salat = langbeiniger Mensch mit stelzenden Schritten. Seit dem 19. Jh.

6. abbestellter ~ = empfängnisverhütendes Mittel. Zur Erklärung vgl ↗Storch 4. 1920 *ff.*

7. gefesselter ~ = Empfängnisverhütungsmittel. 1955 *ff*, werbetexterspr.

8. gelenkter ~ = künstliche Befruchtung bei Tier und Mensch. 1930 *ff.*

9. schneller ~ = Geburt kurz nach der Eheschließung. 1920 *ff.*

10. der ~ hat angerufen (angeläutet) = die Frau ist schwanger geworden. 1920 *ff.*

11. sich etwas beim ~ bestellen = ein Kind zeugen. Seit dem 19. Jh.

12. da brat' mir einer 'nen ~! = das ist unerhört! man sollte es nicht für möglich halten! Oft mit dem Zusatz: „aber die Beine recht knusprig!". Der Storch gehört zu den Vögeln, die unter das Mosaische Speiseverbot fallen (Leviticus 11). Nördlich der Mainlinie, etwa seit 1800.

13. du kannst mir einen ~ braten!: Ausdruck der Abweisung. Vgl das Vorhergehende. *Sächs* 1870 *ff.*

14. vom ~ ins Bein gebissen sein = schwanger sein; bald niederkommen; niedergekommen sein. An Kinder gerichtete Redensart: der Biß ins Bein hindert die Mutter am Gehen. Vgl ↗Storch 4. Etwa seit 1800.

15. dich hat wohl ein ~ gebissen?: Frage an einen, der törichte Behauptungen aufstellt oder unsinnige Pläne entwickelt. 1900 *ff*, *jug.*

16. wie der ~ im (durch den) Salat gehen = steifbeinig schreiten; stelzen. Hergenommen von der Hochbeinigkeit des Storchs und seiner stelzenden Gangart. ↗Storch 5. 1840 *ff.*

17. einen ~ haben = a) sehr hochmütig sein; prahlen. Der Betreffende macht sich groß und klappert. 1500 *ff.* – b) nicht recht bei Verstand sein. Der Storch ist eine besonders große Form jenes „↗Vogels", den einer im Kopf hat. *Sold* in beiden Weltkriegen.

18. der ~ hat Hochsaison = die geburtenstärksten Monate sind angebrochen. 1960 *ff.*

19. der ~ klappert schon = die Niederkunft steht unmittelbar bevor. 1900 *ff*, hebammenspr.

20. beim ~ gewesen sein = schwanger sein. 1900 *ff*.

21. vom ~ überfallen werden = a) unerwartet plötzlich niederkommen. 1900 *ff*. - b) kurz nach der Heirat niederkommen. 1900 *ff*.

storchen (storcheln) *intr* ungelenk, steifbeinig gehen. Seit dem 19. Jh.

Störer *m* Handwerker, der als Nichtmitglied der Zunft im Haus des Kunden arbeitet. ↗Stör. 1500 *ff*.

Störfeuer *n* Versuch, im Gang befindliche Verhandlungen zu beeinträchtigen. Meint eigentlich den auf militärische Vorbereitungen (Truppenansammlung o. ä.) gelenkten Beschuß in ungleichen Zeitabständen. 1950 *ff*.

Stoß *m* **1.** vollständiges Spiel Karten. Stoß = aufgeschichteter Haufen. Kartenspielerspr. seit dem 19. Jh.

2. Glücksspiel. Herleitung unbekannt. Wien 1920 *ff*.

3. gesamtes Diebesgut. *Rotw* 1850 *ff*.

4. Geschlechtsverkehr. ↗stoßen 3. Spätestens seit 1900.

5. linker ~ = vorschriftswidrige Handlungsweise. ↗link. 1960 *ff*.

6. seelischer ~ = a) schwere Enttäuschung. Vielleicht vom Boxsport hergenommen. 1940 *ff*. - b) böse Vorahnung. 1940 *ff*.

7. mit ~ = mit Verdopplung des Spielwerts. Kartenspielerspr. 1920 *ff*.

8. einen kräftigen ~ unter den Rock brauchen = den Beischlaf nötig haben (auf weibliche Personen bezogen). 1900 *ff*.

9. einen ~ geben = beim Skatspiel Kontra geben. Kartenspielerspr. 1920 *ff*.

10. einen ~ machen = die Gegner zu keinem Stich kommen lassen. Der Gewinner besitzt schließlich den ganzen „Stoß" (↗Stoß 1). Kartenspielerspr. seit dem 19. Jh.

Stößchen *n* **1.** Schnapsglas; kleines Glas Bier. Meint vor allem das kleine Glas mit massivem Glasfuß: es ähnelt dem Stößel im Mörser. 1920 *ff*, westd und Berlin.

2. Koitus. ↗stoßen 3. 1900 *ff*.

stoßen *v* **1.** *tr* = eine Zigarette an einer anderen anzünden. Die Zigarettenenden stoßen aneinander. *Sold* in beiden Weltkriegen; auch *stud* und *schül*.

2. *tr* = eine Zigarette rauchen. Stoßen = in den Mund stecken. 1914 *ff*.

3. *tr intr* = koitieren. Aus der Viehzucht übertragen. Spätestens seit 1900.

4. jm etw ~ = jm etw nachdrücklich zu verstehen geben; jm ernste Vorhaltungen machen. Analog zu „jm ↗Bescheid stoßen" und „jm etw ↗stecken". 1900 *ff*.

5. jn ~ = jn erinnern, an eine Geldschuld gemahnen. Parallel zu „jn ↗treten". *Österr* 1920 *ff*.

6. jn um etw ~ = jn um Geld ansprechen. 1900 *ff*.

7. jn ~ = betteln. Der Bettler stößt sein Opfer an, um es auf sich aufmerksam zu machen. *Rotw* seit dem 19. Jh.

8. *intr tr* = stehlen; Diebesgut ankaufen. ↗Stoß 3. Diebesgut rasch in den Sack. *Rotw* 1820 *ff*; *wohl älter* (↗Stößer 4).

9. ~ = zahlen, vorauszahlen. Man stößt die Summe ab. 1900 *ff*, *südwestd*.

10. *intr* = auswendig lernen. Man stößt

den Wissensstoff in sich hinein, wie man etwa eine Gans mästet. 1900 *ff*, *schül*.

11. etw nach innen ~ = etw essen. Vom Mästen hergenommen. 1935 *ff*.

12. sich ~ = sich täuschen; sich arg verrechnen. Aus eigener Unachtsamkeit trägt man einen Stoß davon. Seit dem 19. Jh.

Stößer *m* **1.** Zylinderhut. Verkürzt aus ↗Wolkenstößer. Seit dem 19. Jh.

2. Draufgänger in Liebesabenteuern. Stammt vielleicht aus der Jägersprache: der Habicht stößt auf sein Opfer. Doch *vgl* auch „~ stoßen 3". 1920 *ff*.

3. Penis. ↗stoßen 3. 1920 *ff*.

4. Dieb. ↗stoßen 8. *Rotw* 1350 *ff*.

Stoßgeschäft *n* **1.** plötzlich einsetzender Hochbetrieb in einem Ladengeschäft; Geschäft mit Verkaufsspitzen; schnell abgewickeltes Geschäft. Die Kunden kommen in Stößen und Schüben zur Ladentür herein, und man „stößt die Ware ab". 1910 *ff*.

2. Bordell. ↗stoßen 3. 1910 *ff*.

Stoßstange *f* mit der ~ schießen = mit dem Auto überfahren und töten (vorwiegend auf Wild bezogen). Die Stoßstange als Jagdwaffe. 1930 *ff*.

Stoßstangenfahrer (-kleber, -ritter) *m* Kraftfahrer, der zum Vordermann einen zu geringen Sicherheitsabstand einhält. 1965 *ff*.

Stoßzahn *m* **1.** Penis. Eigentlich (in der Zoologie) der Zahn, der als Waffe dient. ↗stoßen 3. 1910 *ff* und *sold*.

2. äußerst anziehendes Mädchen; Mädchen mit aufreizenden Körperformen. ↗Zahn 3. *Halbw* 1955 *ff*.

3. beischlafwilliges Mädchen. *Halbw* 1955 *ff*.

4. schöne Stoßzähne = gut entwickelter Busen. 1955 *ff*.

5. so ein ~!: Redewendung zur Kennzeichnung einer längst bekannten Tatsache, einer völlig veralteten Sache. Bei diesem Ausdruck fährt die Hand vom Mund aus weit abwärts, um die Länge des (fiktiven) Zahns anzudeuten; die Bewegung ähnelt der beim Aussprechen von „so ein ↗Bart!". 1955 *ff*.

Stoßzeit *f* **1.** Hauptgeschäftszeit; Zeit des Hochbetriebs. *Vgl* ↗Stoßgeschäft 1. 1930 *ff*, kaufmannsspr.

2. Hochzeitsurlaub o. ä. ↗stoßen 3. *BSD* 1968 *ff*.

Stotterbremse *f* Bremsbetätigung in Intervallen. Die Bremse wird kurz angedrückt, losgelassen und wieder betätigt. Kraftfahrerspr. 1950 *ff*.

Stottereleganz *f* auf Teilzahlung gekaufter Kleiderprunk. ↗stottern 1. 1930 *ff*.

Stotter-Krimi *m* Kriminalfilm in Fortsetzungen. ↗Krimi. 1965 *ff*.

stottern *intr* **1.** in Teilbeträgen zahlen. Die Zahlungsweise in Raten ähnelt der Sprechweise des Stotterers. Kurz nach 1920 aufgekommen.

2. wegen der Verkehrsampeln nur mit oftmaligem Anhalten vorwärtskommen. 1950 *ff*, kraftfahrerspr.

3. stotter' langsam!: Redewendung an einen, der sich beim schnellen Sprechen verspricht. 1950 *ff*, *schül*.

4. der Motor stottert = der Motor arbeitet unregelmäßig, setzt mitunter aus. Fliegerspr. und kraftfahrerspr. seit dem Ersten Weltkrieg.

5. der Sender stottert = der Sender setzt

mehrmals in kurzen Zeitabständen aus. 1925 *ff*.

6. auf ~ bezahlen (zahlen) = in Raten zahlen. Spätestens seit 1925.

7. auf ~ kaufen = auf Teilzahlung kaufen. Kurz nach 1920 aufgekommen.

8. etw auf ~ sterben lassen = ein Gebäude absichtlich verfallen lassen. 1950 *ff*.

9. auf ~ verkaufen = auf Teilzahlung verkaufen. 1920 *ff*.

Stotterstreik *m* Streik mit Unterbrechungen; Warnstreik. 1975 *ff*.

Stotterwechsel *m* Wechsel, auf den am Fälligkeitstag nur eine Anzahlung geleistet wird, während der Restbetrag wiederum mit neuer Laufzeit auf Wechsel gestundet wird. 1930 *ff*.

stra'banzen (stra'wanzen) *intr* müßiggehen; als Arbeitsloser sich umhertreiben. Streckform aus ↗stranzen. Vorwiegend *österr*, *bayr* und *sächs*; seit dem 19. Jh.

strack *adj präd* volltrunken. Eigentlich soviel wie „ausgestreckt" und daher analog zu „↗steif 1". 1920 *ff*.

Strafbank *f* die ~ drücken = wegen eines Fouls vorübergehend vom Spiel ausgeschlossen sein. Hockeyspielerspr. 1970 *ff*.

Strafe *f* **1.** dicke ~ = schwere Strafe. 1920 *ff*.

2. saftige ~ = schwere Bestrafung. ↗saftig. 1920 *ff*.

Strafer *pl* Strafgefangene. Polizeispr. 1970 *ff*.

straff *adj präd* volltrunken. Über die Bedeutung „angespannt" analog zu „↗strack". 1920 *ff*.

Strafgesetzbuch *n* sie hat noch das ~ zwischen den Beinen = sie ist noch keine 16 Jahre alt. Zur Sache *vgl* „↗Staatsanwalt 2 u. 3". 1900 *ff*.

sträflich *adv* **1.** sich ~ blamieren = sich peinlich bloßstellen. Seit dem 19. Jh.

2. jn ~ vernachlässigen = sich um jn überhaupt nicht mehr kümmern. Seit dem 19. Jh.

strafmäßig werden bestraft werden. ↗gerichtsmäßig. *Bayr* seit dem 19. Jh.

Strafraum *m* Vulva. Gegen 1960 aus der Fußballersprache übernommen.

Strafschuß *m* Strafstoß. ↗Schuß 9. *Sportl* 1920 *ff*.

Strahl *m* **1.** Redefluß. Dem Licht- oder Wasserstrahl nachgebildet. 1830 *ff*.

2. fauler ~ = Schweißfuß. „Strahl" nennt man die keilförmige Hornschicht an der Huf-Unterseite bei Huftieren; durch dauernde Nässe und eindringende Unreinheiten entsteht „Strahlfäule", die einen schweißfußähnlichen Geruch entwickelt. 1900 *ff*, *ziv* und *sold*.

3. einen duften ~ blasen = ausgezeichnet Trompete blasen. *Halbw* und musikerspr. 1955 *ff*.

4. einen ~ auf der Trompete haben = gut Trompete blasen. *Halbw* und musikerspr. 1955 *ff*.

5. einen satten ~ auf der Kanne haben = mißreißend trompeten. Satt = voll, vollendet. ↗Kanne 3. *Halbw* und musikerspr. 1950 *ff*.

6. einen ~ machen = ausgelassen, übermütig sein; sich aufspielen. ↗Strahl 1. 1910 *ff*.

7. einen schiefen ~ landen = a) sich genüßlich betrinken. 1960 *ff*. - b) ein unredliches Geschäft machen; straffällig werden. 1960 *ff*.

8. einen dicken ~ loslassen = langatmig reden; sich aufspielen. ↗Strahl 1. 1840 ff.

9. einen bedeutenden ~ reden = sich gewichtig äußern. 1870 ff.

10. einen gebildeten ~ reden = viel und anspruchslos reden. Ironie. Berlin 1870 ff.

11. einen langen ~ reden (erzählen o. ä.) = eine lange Geschichte erzählen; weitschweifig reden. Seit dem 19. Jh.

12. einen ~ in die Ecke stellen = harnen (vom Mann gesagt). ↗strahlen 1. 1920 ff.

Strahlemann m Mann mit strahlender Miene. 1920 ff.

strahlen v 1. intr = harnen. Bezieht sich ursprünglich auf das Harnen des Pferdes. Seit dem 19. Jh.

2. jm eine ~ = jn ohrfeigen. Fußt auf der Grundbedeutung von „Strahl = was von einem Gegenstand in gerader Richtung ausgeht", hier bezogen auf die ausholende und zuschlagende Hand. 1930 ff.

Strahlenschutz m Alkohol. Nach Ansicht russischer Wissenschaftler mindert Alkohol (Wodka oder Whisky u. ä.) die Gammastrahlenwirkung auf den lebenden Organismus. 1957 ff.

Strähne f Aufeinanderfolge von Glücks- oder Unglücksfällen. Verkürzt aus „↗Glückssträhne", „↗Pechsträhne". Zur Sache vgl „die ↗Gelegenheit beim Schopf ergreifen". 1900 ff.

stramm adj 1. wohlgenährt; prall; straff in Schenkeln und Waden (gern auf Mädchen bezogen). Seit dem 19. Jh.

2. hervorragend; tüchtig. Übernommen von der mustergültigen militärischen Körperhaltung. 1900 ff.

3. überzeugt (auf Parteianhänger bezogen). 1930 ff.

4. betrunken. Analog zu „↗strack" und „↗straff". 1900 ff.

5. ~ im Bett liegen = ernstlich bettlägerig sein. 1950 ff.

6. ~ in Kluft sein = nach der neuesten Mode gekleidet sein. ↗Kluft. Seit dem späten 19. Jh, sold und kundenspr.

7. ~ in der Weste sein = beleibt sein. Die Weste spannt sich über dem Leib. Seit dem 19. Jh, Berlin und nordd.

8. ~ zu tun haben = angestrengt zu arbeiten haben. 1920 ff.

9. sich ~ zurechtmachen = sich sehr modisch kleiden. Sold seit dem ausgehenden 19. Jh.

strammstehen intr 1. einen Tadel ohne Widerspruch entgegennehmen. Dem Soldatenleben entlehnt: der Soldat nimmt straffe Haltung an (↗stramm 2) und redet nur, wenn er gefragt ist. 1920 ff.

2. für eine Sache ~ = für etw die Verantwortung übernehmen; sich bedingungslos zu einer Sache bekennen. Analog zu ↗gradestehen 1. 1900 ff.

strammstehend adj von Befehlen geleitet; unselbständig; befehlsbereit. 1950 ff.

Strampelauto n Spielauto mit Pedalen. 1960 ff.

Strampelbruder m Radfahrer. Seit dem ausgehenden 19. Jh.

Strampelhöschen n Kurzhose für Radfahrerinnen. Eigentlich das weite Windelhöschen des Kleinkindes. 1960 ff.

strampeln intr 1. radfahren. Seit dem ausgehenden 19. Jh.

2. Rock'n'Roll tanzen; Twist tanzen. Halbw nach 1950.

3. sich heftig bemühen; sich eifrig um etw

bewerben. Hängt mit der Vorstellung der „↗Tretmühle" zusammen. 1800 ff.

4. sich nach oben ~ = berühmt werden; unter Mühen Geltung erlangen. 1920 ff.

5. sich müde ~ = sich abmühen. 1920 ff.

Strampel-Welle f weitverbreitetes Interesse am Radfahren. ↗Welle. 1965 ff.

Strampler m 1. Radfahrer, Radrennfahrer. 1890 ff.

2. Liebediener. Tarnwort für „↗Radfahrer 1". BSD 1968 ff.

Strand m 1. textilfreier ~ = Nacktbadestrand. ↗textilfrei. 1960 ff, journ.

2. mein ~ ist noch frei = ich bin einem Liebesabenteuer nicht abgeneigt. Da kann man noch „↗landen". 1960 ff.

Strandbulle m Strandaufseher; Bademeister im Strandbad. ↗Bulle 1. 1920 ff.

Strandfigur f Körperbau, der sich im Badeanzug vorteilhaft darbietet. 1950 ff.

Strandgazelle f schlanke Badende am Strand. 1955 ff.

Strandhaubitze f besoffen (blau, voll o. ä.) wie eine ~ = volltrunken. ↗Haubitze 1. 1900 ff.

Strandindianer m gebräunter Strandbadegast. Seine Hautfarbe erinnert an die der Indianer. 1920 ff.

Strandkanone f voll wie eine ~ = volltrunken. Parallel zu ↗Strandhaubitze. Seit dem ausgehenden 19. Jh.

Strandkrabbe f junge Besucherin eines Strand-, Seebads. Vgl ↗Krabbe 2 u. 4. 1920 ff.

Strandlöwe m Badender; Freund des Badelebens; Mann, der am Strand Liebesabenteuer sucht. Fußt auf dem Muster „↗Salonlöwe". 1910 ff.

Strandrummel m geschäftstüchtige Betriebsamkeit in Seebädern. ↗Rummel. 1920 ff.

Strandschlange f weibliche Person, die im Seebad ihre körperlichen Reize zur Schau stellt, um Männer anzulocken. 1950 ff.

Strandsegen m Diebesgut; nebenbei und listig beschaffte Gegenstände. Meint eigentlich das angeschwemmte Strandgut. Sold in beiden Weltkriegen.

Strandvilla f Strandkorb. Seit dem ausgehenden 19. Jh.

Strang m 1. Uhrkette. Diebe unterscheiden zwischen „Stranguhr" (= Uhr an der Kette) und „Banduhr" (= Armbanduhr). Rotw 1900 ff.

2. vor etw ~ haben = vor etw Angst (Scheu) haben. Geht zurück auf slaw „strach = Angst", beeinflußt von „bange" (gemäß Mitteilung von Oberstudienrat Veldtrup, Hagen). Im 19. Jh von russischen oder polnischen Bergleuten eingeschleppt; vorwiegend rhein und westf.

3. wenn alle Stränge reißen (brechen) = im höchsten Notfall; wenn es kein anderes Mittel mehr gibt. Hergenommen von „Strang = Zuggeschirr". 1700 ff.

4. über die Stränge schlagen (hauen) = leichtfertig leben; sich ungestüm gebärden; seine Grenzen überschreiten. Beruht auf der Vorstellung vom übermütigen Pferd, das beim Ausschlagen mit den Hinterbeinen leicht über die Stränge geraten kann. Seit dem späten 16. Jh. Vgl engl „to kick over the traces".

5. mit jm am gleichen (an einem) ~ ziehen = mit jm übereinstimmen; denselben Zweck verfolgen wie ein anderer; die-

selbe Arbeit verrichten. Hergenommen von Zugtieren, die im selben Geschirr gehen. Etwa seit 1650.

stranzen (stränzen, strenzen) intr 1. umherschlendern, ein faules Leben führen. Intensivum zu mhd „strandeln = wakkeln". Seit dem 16. Jh, oberd, rhein und hess.

2. dem anderen Geschlecht nachlaufen. Seit dem 19. Jh.

3. umherschlendern auf der Suche nach einer günstigen Diebstahlsgelegenheit. Seit dem 19. Jh.

strapazieren tr 1. etw ~ = etw immer von neuem vorbringen; etw über Gebühr in Anspruch nehmen. (Er strapaziert die Moral.) 1900 ff.

2. strapazier' dich nicht! = gib dir keine Mühe! überanstrenge dich nicht! 1900 ff.

Straße f 1. Tropfenreihe auf dem Tischtuch, Fußboden o. ä. Seit dem 19. Jh, vorwiegend südd.

2. eine von der ~ = Straßenprostituierte. 1920 ff.

3. heiße ~ = Straße, in der die Prostituierten auf Männerfang ausgehen. 1955 ff.

4. die ~ ausmessen = bezecht hin- und herschwanken. 1900 ff.

5. . . . PS auf die ~ bringen = mit einer Motorleistung von . . . PS fahren. 1930 ff.

6. wo alle ~n enden = Eintragung ins Klassenbuch o. ä. Fußt auf dem Titel des 1957 mit Richard Widmark gedrehten Films „The Wayward Bus". 1959 ff, schül.

7. die ~ fegen = als Straßenprostituierte Kunden suchen. Sie säubert die Straße von potentiellen Prostituiertenkunden. 1900 ff.

8. auf die ~ fliegen = plötzlich die Entlassung erhalten; rücksichtslos aus dem Haus gewiesen werden. ↗fliegen 1. 1920 ff.

9. auf die ~ gehen = a) Straßenprostituierte sein. 1900 ff. – b) seine politischen Ansichten außerhalb des Parlaments verteidigen; öffentlich aufbegehren. 1920 ff.

10. die ganze ~ nötig haben = betrunken torkeln. 1900 ff.

11. von der ~ kommen = a) den Müßiggang beenden und geregelte Arbeit annehmen. 1920 ff. – b) ernstlich aus Heiraten denken und häuslich werden wollen. 1900 ff.

12. die ~n leerfegen = ein spannendes Kriminalspiel (Fußballspiel) im Fernsehen senden. 1965 ff.

13. auf der ~ liegen = a) auf der Straße spielen. 1900 ff. – b) sich außerhalb der Wohnung umhertreiben; müßiggehen; arbeitslos sein. 1880 ff. Vgl franz „être sur le pavé". – c) keine feste Unterkunft haben. 1900 ff. – d) viel unterwegs sein. 1900 ff.

14. willst du die ~ messen?: Frage an einen, der auf der Straße zu Fall gekommen ist. 1870 ff.

15. der fetten ~ nachgehen = nur freigebige Bekanntschaften pflegen. Die „fette Straße" ist entweder die Straße, in der lauter wohlhabende und großzügige Anwohner leben, oder sie ist entstellt aus „↗Vetternstraße". 1900 ff.

16. mit etw die ~ pflastern können = etw in großer Menge zur Verfügung haben. Leitet sich her von einem, der mit seinen vielen Dukaten die Straße pflastern könnte. Seit dem 19. Jh.

17. jn auf die ~ schicken = eine weibli-

che Person zur Straßenprostitution anhalten. 1900 ff.
18. auf der ~ sein = aus der Arbeitsstelle entlassen worden sein und noch keine neue Arbeit gefunden haben. 1880 ff.
19. auf der ~ des Sieges sein = dem endgültigen Sieg entgegengehen. *Sportl* 1950 ff.
20. jn auf die ~ setzen = jm rücksichtslos kündigen; jm die Wohnung kündigen. 1900 ff.
21. auf der ~ sitzen (stehen) = seine Stellung verloren haben; erwerbslos sein. 1900 ff.
22. ~n vermessen = ein Landstreicherleben führen. Kundenspr. 1950 ff.
straßeln *intr* **1.** das Gewerbe der Straßenprostituierten ausüben. Wien seit dem 19. Jh.
2. von Lokal zu Lokal gehen. Wien 1900 ff.
3. Taxifahrgäste im Fahren suchen (nicht am Taxistand erwarten). Wien 1950 ff.
Straßenaquarium *n* verglaster Restaurantraum auf dem Bürgersteig. Man hat von allen Seiten Einsicht. Berlin 1955 ff.
Straßenbummel *m* zielloser Spaziergang durch die Straßen der Stadt. ↗Bummel 1. 1900 ff.
Straßendampfer *m* breitgebautes Auto. Um 1880 berlinische Bezeichnung für den dampfgetriebenen Kraftwagen. Die heutige Benennung kam kurz nach 1945 auf, anfangs auf die US-Luxusautos bezogen. ↗Straßenkreuzer.
Straßendreck *m* **1.** frech wie ~ = sehr frech, unverschämt, dreist. Analog zu „frech wie ↗Dreck". Seit dem 19. Jh, vorwiegend *westd.*
2. dumm wie ~ = sehr dumm. Aus dem Vorhergehenden als neutrale Steigerung übernommen. *Westd* 1900 ff.
3. faul wie ~ = sehr arbeitsträge. 1900 ff.
Straßenduell *n* Wettfahrt von Kraftfahrzeugen. *Halbw* 1955 ff.
Straßenfeger *m* **1.** Straßenprostituierte. ↗Straße 7. 1900 ff.
2. Verfasser eines spannenden Fernsehspiels; Künstler mit sehr großem Publikumserfolg. Beide treiben die Leute von den Straßen vor die Bildschirme. 1963 ff.
3. sehr beliebte Fernseh-, Rundfunksendung; Fernseh-Kriminalspiel mit großen Zuschauermengen. 1963 ff.
4. knöchellanger Rock, Mantel o. ä. 1970 ff.
Straßenfloh *m* **1.** Radfahrer, Motorradfahrer. *Sold* 1914 ff.
2. Kleinauto. In den frühen 20er Jahren aufgekommen als Benennung des Hanomag-Kleinautos; neuerdings verallgemeinert, vor allem in Halbwüchsigenkreisen.
Straßenflunder *f* breitgebautes Luxusauto. Nach 1945 aufgekommen. Die Bezeichnung selbst ist älter: gegen 1928 nannte man so das Ford-Modell 28 mit seiner breiten Bauart und der fischmaulartigen Kühlerform.
Straßenjumbo *m* Lastkraftwagen. ↗Jumbo. 1970 ff.
Straßenkampf *m* beschwerlicher, zähflüssiger Straßenverkehr mit schlechter Verkehrsdisziplin. 1960 ff.
Straßenkehrer *m* **1.** haarige Raupe. Sie ähnelt dem mechanischen Kehrbesen auf Rollen. 1930 ff.
2. langhaariger Hund. 1930 ff.

3. Jagdbomber beim Beschuß der Straßen. Wer auf der Straße ist, flieht ins erste beste Haus. *Sold* 1940 ff.
4. spannende Fernsehsendung. ↗Straßenfeger 2. 1963 ff.
Straßenkitzler *m* Straßenkehrer. Seit dem ausgehenden 19. Jh.
Straßenkreuzer *m* **1.** breitgebautes Luxusauto. Aus *angloamerikan* „cruiser" kurz nach 1945 entlehnt.
2. ~ des kleinen Mannes = Fahrrad; Moped. 1955 ff, Berlin.
Straßenlaus *f* **1.** Fahrrad; Radfahrer. Die Nichtradfahrer halten den Radfahrer für ein lästiges Ungeziefer. 1900 ff.
2. Kleinauto. 1925 ff.
Straßenmetzeler (-metzger) *m* Fahrer eines überschweren Last-, Panzerkampfwagens. Er beschädigt, zerstört die Straßen. 1935 ff.
Straßen-Möblierung *f* Ausstattung öffentlicher Wege und Plätze mit Laternen, Bänken, Wartehallen, Kiosken usw. 1950 ff, großstädtisch.
Straßenpascha *m* Zuhälter, für den mehrere Prostituierte arbeiten. „Pascha" ist Sinnbildbezeichnung für einen herrischen Mann, der müßiggeht und sich von anderen bedienen läßt. Berlin 1920 ff.
Straßen-Raffael *m* Pflastermaler. Anspielung auf den *ital* Maler und Baumeister Raffael (Raffaello Santi, 1483–1520). Seit dem späten 19. Jh (Theodor Fontane).
Straßenrakete *f* Rennwagen; Sportwagen. 1960 ff.
Straßenräumer *m* sehr beliebte Fernsehsendung. ↗Straßenfeger 2. 1963 ff.
Straßen-Sacher *m* kleine, auf Rädern befindliche Hütte, in der abends und nachts in den Straßen Wiens warme und kalte Imbisse verkauft werden. „Sacher" spielt auf das weltbekannte Hotel und Café in Wien an. 1950 ff.
Straßenschiff *n* breitgebautes Luxusauto. ↗Straßenkreuzer 1. Nach 1945 aufgekommen.
Straßenschlacht *f* Verkehrschaos. 1960 ff.
Straßenschlachtschiff *n* breitgebautes Auto. ↗Straßenkreuzer 1. 1950 ff.
Straßenschnecke *f* Traktor; langsames Fahrzeug. 1955 ff.
Straßenstrich *m* **1.** Straßenprostitution. ↗Strich 2. Seit dem 19. Jh.
2. von Prostituierten auf Kundensuche bevorzugte Straße. 1920 ff.
Straßenstrolch *m* rücksichtsloser Kraftfahrer. ↗Strolch. 1960 ff.
Straßentheater *n* kilometerlanger Verkehrsstau auf den Autobahnen. ↗Theater 1. 1979 ff.
Straßentrottel *m* Kraftfahrer ohne ausreichende Fahrpraxis. ↗Trottel. 1960 ff.
Straßen-Verkehr *m* Prostitution, bei der dem Auto eine entscheidende Rolle zukommt. Entweder spricht die Prostituierte die Männer vom Auto aus an, oder sie übt ihr Gewerbe im Auto aus. 1965 ff.
Straßenwanze *f* **1.** Radfahrer; Fahrrad. ↗Straßenlaus 1. Seit dem ausgehenden 19. Jh.
2. Kleinauto. Um 1924/25 aufgekommen, anfangs mit Bezug auf das erste DKW-Auto.
3. dreirädriges Motorfahrzeug. Wien 1950 ff.
4. Straßenprostituierte. 1950 ff.
Straßenyacht *f* breitgebautes Auto mit

Heckflossen, mit starkem Motor u. ä. ↗Straßenkreuzer 1. 1950 ff, kraftfahrerspr.
stratzen *intr* **1.** an Durchfall leiden. Schallnachahmung kräftigen Hervorspritzens. *Mitteld* und *westd,* seit dem 19. Jh.
2. schnell laufen. Parallel zu ↗spritzen 2. 1900 ff.
Strauchteufel *m* auf der Lauer liegender Kriminalbeamter. 1950 ff.
Sträußchen *n* **1.** Vulva. Geht wahrscheinlich zurück auf *lat* „flos = Blume = Bestes". *Österr* 1900 ff.
2. etw am ~ haben = nicht unbescholten sein. 1950 ff.
Streber *m* **1.** karrieresüchtiger Beamter. Spätestens seit 1850.
2. mit übertriebenem Ehrgeiz lernender Schüler; Schüler, der nur fleißig ist, um das Wohlwollen des Lehrers zu erringen, und sich unkameradschaftlich verhält; Klassenbester. Von einem, der sich redlich bemüht, übertragen auf einen, dessen Mühegabe ausschließlich selbstsüchtigen Zwecken dient. *Schül* seit dem späten 19. Jh.
3. ehrgeiziger Arbeiter. 1920 ff.
streber *adj präd* das ist ~ = das ist ausgezeichnet. Ist über den Begriff „emporstrebend" Analogie zu „↗steil 1". *Halbw* 1955 ff.
streberisch *adj* unkameradschaftlich. *Schül* 1930 ff.
Streberleiche *f* **1.** Schüler, der sich auf Kosten der Kameraden hervorzutun sucht; wegen seines Lernehrgeizes unbeliebter Mitschüler. Für die Mitschüler ist er „ein toter Mann". 1930 ff.
2. Alleskönner; sehr begabter Schüler. Sein Wissen und sein Ehrgeiz sind groß; aber an charakterlichen Vorzügen fehlt es ihm. *Schül* 1945 ff.
3. Versager. Schülerausdruck seit 1930 für einen Mitschüler, der viel theoretisches Wissen besitzt, aber in praktischer Hinsicht versagt.
strebern *intr* **1.** Diensteifer vortäuschen; nur auf die berufliche Laufbahn bedacht sein. ↗Streber 1. Seit dem späten 19. Jh.
2. fleißig, mit übermäßigem Ehrgeiz lernen. ↗Streber 2. *Schül* seit dem ausgehenden 19. Jh.
Streberseele *f* **1.** karrieresüchtiger Beamter. ↗Streber 1. 1900 ff.
2. Schüler, der durch seinen Fleiß bei den Lehrern geschätzt ist, aber den Kameraden mißliebig ist, weil er als Vorbild hingestellt wird. ↗Streber 2. 1920 ff.
Streckarbeit *f* Faulenzerei; langsame Verrichtung einer Arbeit zwecks bequemen Verdienstes. Die Arbeit wird künstlich gedehnt und gelängt. 1900 ff, *ziv* und *sold.*
Strecke *f* **1.** auf der ~ bleiben = a) dem Wettbewerb nicht gewachsen sein; unterliegen; nicht als Sieger hervorgehen. Stammt aus der Sportsprache und meint die Rennstrecke bei Pferde-, Auto- und Radrennen. Wer auf der Strecke bleibt, ist Verlierer. Doch vgl ↗Strecke 2. 1900 ff. – b) sterben; den Soldatentod erleiden. 1900 ff. – c) beruflich versagen und verabschiedet werden. 1920 ff. – d) scheitern; die Funktionsfähigkeit verlieren; in beschädigtem Zustand zurückgelassen werden. 1920 ff. – e) das Klassenziel nicht

erreichen; in der Prüfung versagen. 1920 ff, *schül* und *stud.*

2. jn zur ~ bringen = a) jn zu Fall bringen; jn aus seiner Stellung verdrängen. „Strecke" stammt hier aus der Jägersprache und meint das Jagdergebnis. Seit dem 19. Jh. – b) jn gefügig machen; jds Widerstand brechen. Seit dem 19. Jh. – c) jn töten, umbringen. Seit dem 19. Jh. – d) im Kartenspiel siegen. Kartenspielerspr. seit dem 19. Jh.

3. über die ~ kommen = den Mitbewerbern gewachsen sein. Strecke = Rennstrecke. 1920 ff.

4. jn auf der ~ lassen = jn (geschädigt, enttäuscht o. ä.) zurücklassen. 1920 ff.

strecken *v* **1.** *tr* = etw durch Beimischung längen. Übertragen von Tuch, das man straff ausreckt, um es bis zum äußersten auszunutzen. Seit dem 19. Jh.

2. *tr* = jn veralbern. Man legt ihn aufs Streckbett, „spannt ihn auf die ↗Folter" oder „legt ihn aufs ↗Kreuz". *Halbw* 1955 ff.

3. *tr* = jn übertölpeln, hintergehen. Versteht sich wie das Vorhergehende. 1950 ff.

Streich *m* **1.** alle ~e = alle Augenblicke. Streich = Zeitspanne; streichen = schlagen. Zusammenhängend mit dem Glockenschlag. *Vgl* ↗Schlag 12. Seit dem 19. Jh.

2. mit jm zu ~ kommen = mit jm gut auskommen. Bezieht sich wohl auf „Streich = Schlag mit dem Dreschflegel": man findet mit jm den richtigen Dreschtakt. Seit dem 19. Jh.

Streicheleinheit *f* **1.** Bekundung freundlicher Gesinnung; fühlbares Zeichen von Verträglichkeit. Gegen 1970 erfundene, fiktive Zähl- und Meßgröße.

2. seine ~ (auch *pl*) kriegen = freundlich behandelt werden. 1970 ff.

Streichelkätzchen *n* Heilgymnastin; Masseuse. Nach 1920/30 unter Freiburger Studenten aufgekommen.

Streichelwiese *f* Zoowiese, auf der Kinder die Tiere anfassen dürfen. 1975 ff.

streichen *v* **1.** *refl* = sich davonmachen. Übertragen von den abstreichenden Vögeln. 1700 ff.

2. einen ~ lassen = einen Darmwind lautlos entweichen lassen. Übernommen vom lautlosen Dahinstreichen der Vögel. Seit dem späten 15. Jh.

Streichholz *n* **1.** *pl* = dünne, hagere Beine. Seit dem späten 19. Jh.

2. ich geh' am ~!: Ausdruck des Erstaunens. Scherzhafte Verkleinerung von „ich geh' am ↗Stock". 1950 ff, *schül.*

3. haut ihn mit Streichhölzern (oft mit dem Zusatz: schmeißt ihn mit Popel)!: Aufforderung zu handfestem Vorgehen gegen eine oder mehrere unliebsame Personen. Soll gegen 1888 in Kreisen der Sozialdemokratie aufgekommen sein und ist in den Straßen- und Saalschlachten der Nationalsozialisten mit ihren Gegnern gegen 1929 wiederaufgelebt.

4. Streichhölzer rauchen = beim Rauchen einer Zigarre sehr viele Streichhölzer verbrauchen. 1900 ff.

Streichholzfrisur *f* gleichmäßig kurzgeschnittenes Haar. Es hat allenfalls Streichholzlänge und steht ungelockt, d. h. streichholzgerade vom Kopf ab. 1945 ff.

Streichholzmodell *n* schlankwüchsige Modenvorführerin. 1950 ff.

Streichkolonne *f* Straßenkehrertrupp. 1920 ff.

Streichmusik *f* **1.** Tätigkeit der Straßenkehrer. Eigentlich die Musik mit dem Bogen gestrichener Saiteninstrumente. 1920 ff.

2. Ausgabenverminderung des Staates (nach den Vorschlägen eines parlamentarischen Ausschusses). 1965 ff.

Streichorchester *n* **1.** Straßenreinigungstrupp. Gemeldet aus Mainz für 1940 im Zusammenhang mit den Aufräumungsarbeiten nach dem Rosenmontagszug.

2. Bundestagsausschuß, beauftragt mit der Kürzung des Bundeshaushalts. Er hat die Aufgabe, geplante Ausgaben zu streichen. 1965 ff.

Streichquartett (-quintett) *n* vier-, fünfköpfige Kommission aus Parlamentariern für die Vorbereitung einer langfristig angelegten Haushaltsplanung; parlamentarischer Sparausschuß. Aufgekommen nach der Bundestagswahl vom 19. September 1965.

Streifen *m* **1.** Trunk; großer Schluck Bier. Meint eigentlich das lange und schmale Stück (Tuch-, Papier-, Ackerstreifen); hier bezogen auf die „Pegelstandsänderung" im Glas vor und nach dem Trinken. *Stud* seit dem 19. Jh.

2. Film. Meint eigentlich das Filmband. 1920 ff.

3. Dienstzeit des Bundeswehrsoldaten. ↗Maßband. *BRD* 1970 ff.

4. ein ganzer ~ = viel. Versteht sich nach „↗Streifen 1". *Stud* seit dem 19. Jh.

5. heißer ~ = in politischer, moralischer o. ä. Hinsicht gewagter Film. ↗Streifen 2. 1960 ff.

5 a. scharfer ~ = Pornofilm. ↗scharf 4. 1965 ff.

6. silberner ~ = Hoffnungsstrahl. ↗Silberstreifen. 1924 ff.

7. mit ~ = mittelmäßig (als Antwort auf die Frage nach dem Befinden). Parallel zu ↗kariert 4. 1910 ff.

8. davon kann er sich einen ~ abschneiden = das sollte er sich angelegentlichst merken; das sollte er beherzigen. Streifen = längliches Stück (Kuchenstreifen; Streifen Speck). Analog zu „davon kann er sich eine ↗Scheibe abschneiden". 1930 ff.

9. einen ~ fahren = schnell fahren. Weiterentwickelt aus „↗Streifen 4". 1950 ff.

10. einen ~ haben = a) leicht betrunken sein. Vielleicht auf der Vorstellung vom Streifschuß beruhend. *Vgl* aber auch „↗Streifen 1". 1920 ff. – b) nicht recht bei Verstand sein. 1920 ff.

11. jm einen ~ kommen = jm einen Hochachtungsschluck darbringen. ↗Streifen 1. *Stud* seit dem 19. Jh.

12. jm einen gehörigen ~ kommen = jm kräftig zutrinken. *Stud* seit dem 19. Jh.

13. einen ~ mitmachen = viel ertragen müssen. 1940 ff.

14. jm ~ nehmen = jn degradieren. Streifen = Dienstgradabzeichen. *BSD* 1968 ff.

15. das paßt ihm nicht in den ~ = das sagt ihm nicht zu. „Streifen" meint entweder den Geländestreifen als Schußfeld (ein Hindernis nimmt die Sicht und vereitelt den Schuß) oder das gestreifte Stoff- oder Krawattenmuster. 1870 ff.

16. einen seichten ~ quasseln = Plattheiten äußern. 1950 ff.

17. einen ~ runterquasseln = langatmig, wortreich, unsinnig reden. 1920 ff.

18. einen ~ reden = viel, lange reden. 1900 ff.

19. sich für jn in ~ schneiden lassen = sich für jn bedingungslos, bis zum äußersten einsetzen. 1930 ff.

20. einen bedeutenden (guten) ~ trinken = viel trinken. ↗Streifen 1. *Stud* seit dem 19. Jh.

21. einen ~ verdienen = viel verdienen. 1920 ff.

Streifenbulle *m* **1.** Polizeibeamter auf Streife. ↗Bulle 1. 1920 ff.

2. Feldjäger; Angehöriger der Bundeswehrstreife. *BSD* 1960 ff.

Streifschuß *m* einen ~ kriegen = a) verhältnismäßig leicht bestraft werden. Man wertet es als leichte Verwundung. *Sold* in beiden Weltkriegen. – b) von einem Mädchen abgewiesen werden. *Sold* 1914–1945. – c) sich mit Gonorrhöe infizieren. Man hält sie für weniger schlimm als die Syphilis. *Sold* in beiden Weltkriegen.

Streikbrecher *m* kein ~ sein = sich von einem gemeinsamen Vorhaben nicht ausschließen. 1915 ff.

streiken *intr* **1.** nicht mehr funktionieren (die Uhr streikt; der Magen streikt). Von der Arbeitsniederlegung übertragen auf Funktionsstörung. 1915 ff.

2. nicht länger mitmachen. 1920 ff.

Streit *m* **1.** ~ um des Kaisers Bart = Streit um Nebensächlichkeiten. ↗Kaiser 7. Seit dem 19. Jh.

2. einen ~ vom Zaun brechen = unvorbereitet einen Streit beginnen. Gemeint ist, daß man die erste beste Latte vom Zaun bricht und mit ihr den Gegner bedroht. Seit dem 15. Jh.

3. bloß keinen ~ nicht vermeiden!: Redewendung eines Außenstehenden, der den Eindruck hat, daß zwei einander zum Streit herausfordern. 1920 ff.

Streitaxt *f* scharf wie eine ~ = heftig nach Geschlechtsverkehr verlangend. ↗scharf 4. 1920 ff.

Stremel *m* **1.** kleines Wegstück; kurze Zeitspanne. *Niederd* Form von „Striemen" im Sinne von „Streifen". Seit dem 19. Jh.

2. Abschnitt in einem Buch; Zeitungsspalte. *Niederd* seit dem 19. Jh.

3. Erzählung; kurze Geschichte. Seit dem 19. Jh.

4. der alte ~ = die alte Gewohnheit. Seit dem 19. Jh.

5. einen ~ ablaufen = seinen Kurs verfolgen. *Marinespr* 1939 ff.

6. einen ~ Schlaf abreißen = ein Schläfchen machen. ↗abreißen 6. Seemannsspr. 1920 ff.

7. sich einen ~ lachen = heftig lachen. 1900 ff.

8. einen ~ reden (o. ä.) = langatmig reden. Seit dem 19. Jh.

streng *adv* **1.** ~ verheiratet sein = von der Ehefrau beherrscht werden. Nachahmung von „streng bestraft sein". 1920 ff.

2. ~ verlobt sein = während der Verlobungszeit sich keinen Ausschweifungen hingeben können; vom Verlöbnispartner keinerlei Freiheiten erwarten können. 1900 ff.

strengverpackt *adj* züchtig gekleidet. 1960 ff.

strenzen *v* ↗stranzen.

Stresemann m Gesellschaftsanzug, bestehend aus schwarzer, grau gestreifter Hose und schwarzem Sakko; kleiner Abendanzug. Benannt nach dem Reichskanzler (1923) und Reichsaußenminister (1924–1929) Gustav Stresemann, der diesen Gesellschaftsanzug mit Vorliebe trug. Etwa seit 1925/26.

Streß m **1.** Leistungsbewertung; Leistungsanforderung; unablässige Anspannung. Aus dem *Engl* nach 1945 bei uns bekannt gewordener, ursprünglich physikalischer Begriff. *Schül* 1960 *ff.* **2.** Klassenarbeiten; häusliche Schularbeiten. 1960 *ff.*

stressen *impers* anstrengen; lästig werden. *Vgl* das Vorhergehende. Nach 1945.

stressig *adj* sehr anstrengend. 1965 *ff.*

Streßquelle *f* Schule. 1965 *ff.*

Streßraum m Klassenzimmer. 1965 *ff.*

Streßstufe *f* Oberstufe des Gymnasiums. 1965 *ff.*

Streune *f* Straßenprostituierte. Streunen = umherstreifen (gern auf Hunde und Katzen bezogen). 1930 *ff.*

Streuselkuchen m **1.** hautunreines Gesicht. 1910 *ff.* **2.** wie ein ~ aussehen = Windpocken haben; unter Pubertäts-Akne leiden. 1910 *ff.* **3.** wenn Faulheit Warzen gäbe, hätte er ein Gesicht wie ein ~: Redewendung auf einen Arbeitsträgen. 1950 *ff.*

stri'bitzen *tr* etw stehlen, entwenden. ↗stibitzen; ↗stritzen. 1700 *ff.*

Strich m **1.** üblicher Spazierweg in der Stadt. Übertragen vom üblichen Strich der Vögel. 1930 *ff.* **2.** den Straßenprostituierten vorgeschriebener Stadtbezirk; Straßenprostitution. Hergenommen vom Streichen der Vögel und Fische zum Zwecke der Begattung. Seit der Mitte des 16. Jhs. Die meist zur Herleitung herangezogene Vokabel „↗Schnepfenstrich" ist jünger. **3.** Landstreicherei; Wandergebiet der Hausierer. 1700 *ff.* **4.** Beobachtungsbereich des Kriminalpolizeibeamten. 1920 *ff.* **5.** Nach-, Wiederholungsprüfung. Fußt auf dem Begriff der „Strichprobe", mit der man auf Goldgehalt prüft. *Österr* 1900 *ff, stud.* **6.** schlankwüchsiger, hagerer Mensch. 1900 *ff.* **7.** ~ in der Landschaft = schlankwüchsiger Mensch. 1950 *ff.* **8.** dickster ~ = Stadtviertel, in dem sich die Prostitution am dichtesten konzentriert. 1955 *ff.* **9.** feiner ~ = von elegant gekleideten Prostituierten tagsüber begangene Promenade. Berlin 1820 *ff.* **10.** dünn wie ein ~ = sehr schlank; hager. 1900 *ff.* **11.** nach ~ und Faden = tüchtig, gehörig. Stammt aus der Fachsprache entweder der Weber (Strich und Faden entscheiden über die Güte der Ware) oder der Artilleristen („Faden" nennt man die Horizontale des Fadenkreuzes, und „Strich" ist die bewegliche Senkrechte). 1914 *ff.* **12.** unter dem ~ = a) unter dem normalen Preis. Strich = Schlußstrich einer Berechnung. 1950 *ff.* – b) heimlich; insgeheim. Leitet sich her von der Vereinbarung, die nach der Addition der Kosten

getroffen wird. 1950 *ff.* – c) in Summa; alles in allem. 1900 *ff*; wohl älter. – d) sehr minderwertig. *Jug* 1960 *ff.* **13.** unter dem ~ bleiben 3000 Mark = nach Abzug aller Ausgaben verbleibt ein Reinverdienst von 3000 Mark. 1900 *ff.* **14.** gegen den ~ bürsten (striegeln) = aufbegehren; Geltendes kritisieren. „Strich" ist die Richtung, in der die Haare gewachsen sind. Seit dem 19. Jh. **15.** einen ~ draufhaben = schnell fahren. Hergenommen von der Zeigernadel des Geschwindigkeitsmessers. 1950 *ff.* **16.** ~ fliegen = die vorgeschriebene Flugrichtung einhalten; die kürzeste Entfernung zwischen zwei Orten (= Luftlinie) fliegen. Strich = Gerade. Fliegerspr. 1935 *ff.* **17.** ~ franzen = durch den Beobachter das Flugzeug in gerade Luftlinie leiten. ↗franzen. 1914 *ff,* fliegerspr. **18.** auf den ~ gehen = a) Straßenprostituierte(r) sein. ↗Strich 2. Seit dem 18. Jh. – b) Mädchenbekanntschaften suchen. Seit dem 18. Jh. – c) Landstreicher sein. Seit dem 18. Jh. – d) seinen Urlaub antreten; Stadturlaub haben. *Sold* 1935 *ff.* – e) genau bis zum Eichstrich einschenken. 1920 *ff,* gastwirtsspr. **19.** das geht (ist) ihm gegen den ~ = das paßt ihm nicht, ist ihm zuwider. ↗Strich 14. 1900 *ff.* **20.** gegen den ~ gekämmt sein = mißlaunig sein. 1900 *ff.* **21.** jn auf den ~ haben = gegen jn auf Vergeltung sinnen; jm gedenken. „Strich" meint das dachförmige Korn über der Gewehrmündung, auch die den Gewehrlauf fortsetzende Luftlinie. Seit dem 19. Jh. **22.** einen ~ haben = a) betrunken sein. „Strich" meint hier über „Streich" den leichten Hieb, von dem man annimmt, er rufe Gehirnerschütterung hervor. Seit dem 18. Jh. – b) nicht ganz bei Sinnen sein. Seit dem 19. Jh. **23.** unter dem ~ leben = ärmlich leben. „Strich" bezeichnet hier den Durchschnitt. 1920 *ff.* **24.** einen ~ durch die Gemeinde machen = nacheinander viele Wirtshäuser aufsuchen. ↗Strich 1. 1930 *ff.* **25.** jm einen ~ durch die Rechnung (durch etw) machen = jds Absicht vereiteln. Mit einem Strich (einer Durchstreichung) kennzeichnet man die Ausrechnung als falsch. Spätestens seit 1600. **26.** unter etw einen ~ machen = einen Unfrieden beenden; einen Streitfall vergessen sein lassen. Hergenommen vom Schlußstrich, den man unter eine Zahlenreihe setzt. Seit dem 19. Jh. **27.** jn auf den ~ schicken = eine weibliche Person zur Straßenprostitution anhalten (zwingen). ↗ Strich 2. Seit dem 19. Jh. **28.** auf dem ~ sein = munter, gesund sein. Man ist wohlauf wie ein streichender Vogel oder Fisch. Seit dem 19. Jh. **29.** es ist unterm ~ = es ist unbegreiflich, unerträglich, überaus schlecht. Strich = Durchschnitt. 1900 *ff.* **30.** wissen, wo der rote ~ ist = seine Grenzen kennen; Herr seiner Begierden sein. Hergenommen vom roten Strich, der den Rand der Schreibseite kennzeich-

net, über den der Schüler nicht hinausschreiben darf. 1950 *ff.*

Strichbein n **1.** Straßenprostituierte. ↗Bein 1. 1920 *ff.* **2.** *pl* = hagere Beine. ↗Strich 10. 1900 *ff.*

Striche *f* Bordell. Verkürzt aus „Strichlokal" (o. ä.) im Sinne von „Gastwirtschaft mit Bordellbetrieb". 1955 *ff.*

stricheln *intr* Straßenprostitution betreiben. 1950 *ff.*

strichen (strichen gehen) *intr* auf Männerfang ausgehen. Spätestens seit 1900.

Stricher m **1.** Junge, der gegen Entgelt zu homosexuellem Verkehr bereit ist; Junge, der auf der Straße oder in öffentlichen Bedürfnisanstalten homosexuelle Bekanntschaften sucht. Spätestens seit 1900. **2.** umherstreunendes Mädchen. 1920 *ff.*

Stricherl n Geschlechtsverkehr. *Österr* 1920 *ff,* rotw.

Strichfahrerin *f* Prostituierte, die vom Auto aus Kunden zu finden sucht. 1955 *ff.*

Strichgang m abendliche Kundensuche von Straßenprostituierten. 1950 *ff.*

Strichgegend *f* Stadtviertel, in dem weibliche und männliche Prostituierte Kunden suchen. 1900 *ff.*

Strichhure *f* Straßenprostituierte; Frau, die, ohne gewerbliche Prostituierte zu sein, gelegentlich auf Männerfang ausgeht. 1900 *ff.*

Strichjunge m **1.** Prostituierter; Junge, der gegen Entgelt zu homosexueller Betätigung bereit ist, ohne selbst homosexuell veranlagt zu sein. Seit dem späten 19. Jh. **2.** Gefreiter. Er trägt einen „Strich" (= Streifen) am Oberärmel. In der Meinung der Soldaten ohne Rang auch Anspielung auf besondere Dienstwilligkeit gegenüber Vorgesetzten. *BSD* 1960 *ff.*

Strichkoffer m **1.** Kulturbeutel (Kosmetiktasche) der Straßenprostituierten. 1920 *ff.* **2.** ABC-Schutzmaskentasche. *BSD* 1965 *ff.*

Strichler m **1.** Zuhälter. 1850 *ff, prost.* **2.** Prostituierter. 1900 *ff.*

Strichlerin *f* Straßenprostituierte. 1950 *ff.*

Strichmädchen n junge Straßenprostituierte. 1900 *ff.*

Strichmaschine *f* Bleistift des Biertrinkers. Mit einem Strich und für jedes Glas einen Strich auf die Bierdeckel. 1965 *ff,* kellnerspr.

Strich-Milieu (Grundwort *franz* ausgesprochen) n Lebensbereich der Prostitution. 1920 *ff.*

Strich'ninchen n junge Straßenprostituierte. Entweder Anspielung auf das Gift „Strychnin" (im Sinne allgemeiner Gefährlichkeit) oder zusammenhängend mit „Kaninchen" (mollig faßt es sich an). 1950 *ff.*

Strichrabe m junger Prostituierter, der bei günstiger Gelegenheit auch Beischlafdiebstahl begeht. ↗Rabe 1 u. 4. 1920 *ff.*

Strichstraße *f* Straße, auf der die Prostituierten auf Männerfang ausgehen. Berlin seit dem frühen 19. Jh.

Strichvogel m **1.** Prostituierte(r) auf Kundenfang. Seit dem 19. Jh, *prost.* **2.** *pl* = umherziehende Schauspielertruppe. Seit dem 18. Jh.

Strick m **1.** zu Streichen aufgelegter Junge; verschlagener Mann. Mehr Schelt- als Schimpfwort; verkürzt aus ↗Galgenstrick. 1700 *ff.* **2.** Krawatte; Langbinder. Verkürzt aus ↗Kulturstrick. *Halbw* 1950 *ff.*

3. Strickjacke; Pullover o. ä. 1930 *ff.*

4. fauler ~ = träger Mensch. Seit dem 19. Jh.

5. feiner ~ = schlauer Mensch. Seit dem 19. Jh.

6. loser ~ = mutwilliger Junge. ↗los I 1. Seit dem 19. Jh.

7. jm aus etw einen ~ drehen = jn wegen einer Äußerung oder Handlung zu Fall bringen. Leitet sich entweder vom Strick des Galgens her oder vom Fallstrick des Wilddiebs (o. ä.). Seit dem 19. Jh.

8. sich einen ~ drehen = sich selber ernstlich schaden. Hergenommen vom Strick, an dem man sich aufhängt. 1920 *ff.*

9. jn am ~ haben = jn beherrschen. Strick = Leitseil der Kuh oder Leine des Hundes. Seit dem 19. Jh.

9 a. Kauf' dir einen ~ und erschieß' dich! = laß mich in Ruhe! *Schül* 1950 *ff.*

9 b. den ~ nehmen = sich erhängen. Seit dem 19. Jh.

10. wenn alle ~e reißen (brechen) = im höchsten Notfall. Parallel zu ↗Strang 3. Seit dem 18. Jh.

11. am selben ~ ziehen = a) in Übereinstimmung handeln. Seit dem 19. Jh. – b) derselben Unannehmlichkeit ausgesetzt sein. 1900 *ff.*

stricken *v* **1.** etw ~ = etw zusammensetzen, basteln, komponieren, schreiben. Von der Strickarbeit als einer Geduld erfordernden Beschäftigung verallgemeinert. 1950 *ff.*

2. an etw ~ = langsam, geduldig an etw arbeiten; etw einstudieren. 1950 *ff.*

3. das ist eine Menge, da muß eine alte Frau viel für ~ = das ist sehr teuer. 1955 *ff.*

Strickmuster *n* typische Handlungsweise; Entwurf; Plan, nach dem man sich richtet. Von der Strickvorlage übertragen. 1970 *ff.*

striegeln *tr* **1.** jn derb anfassen, prügeln. Meint eigentlich die Fellpflege des Pferdes mit dem Pferdekamm. Der Begriff „säubern" entspricht im volkstümlicher Auffassung sowohl dem Prügeln als auch dem Tadeln. 1700 *ff.*

2. jn ausschelten; jm ernste Vorhaltungen machen. 1700 *ff.*

strietzen *tr* jn ärgern, quälen, rücksichtslos einexerzieren; jn streng behandeln. Mit s-Vorschlag fußt es auf „↗triezen". Doch *vgl* „strietschen = heftig peitschen" *(Schleswig)*. Seit dem späten 19. Jh, vorwiegend nördlich der Mainlinie; *sold* und *schül.*

Strip-Lokal *n* Lokal mit Striptease-Vorführungen. 1956 *ff.*

Strippe *f* **1.** Bindfaden. *Niederd* und *mitteld* Form, fußend auf *mhd* „strüpfe = Schleife am Kleid; Aufhänger" und weiterentwickelt zu „Schlinge von Bindfaden". Seit dem 19. Jh.

2. Telefonleitung; elektrische Leitung. Seit dem späten 19. Jh.

3. Sammelaufstellung, die den Bankbelegen als Begleitpapier mitgegeben wird. 1950 *ff.*

4. großwüchsiger, magerer Mensch. In übertreibender Darstellung ist er lang und dünn wie ein Bindfaden. Seit dem späten 19. Jh.

5. die ~ abklemmen = jm die Telefonverbindung sperren. 1950 *ff.*

6. die ~ anziehen = energisch werden;

Gewaltmaßnahmen ergreifen. Strippe = Leitseil, Leine. Seit dem späten 19. Jh.

7. an der ~ bleiben = a) den Telefonhörer nicht auflegen. 1890 *ff.* – b) ehelich treu bleiben. 1920 *ff.*

8. jm eine(n) an die ~ geben = für jn eine fernmündliche Verbindung herstellen. 1920 *ff.*

9. es gießt ~n = es regnet heftig. Analog zu „es gießt ↗Bindfäden". Seit dem 19. Jh.

10. jn an der ~ haben = a) jn beherrschen. Hergenommen vom Hund an der Leine, vom Kind am Gängelband oder vom Puppentheater. 1870 *ff.* – b) mit jn telefonieren. 1890 *ff.*

11. jn an der ~ halten = mit jm ein Ferngespräch führen. 1890 *ff.*

12. an der ~ hängen = a) (andauernd) telefonieren. Hängen = sich befinden. 1900 *ff.* – b) keine Handlungsfreiheit haben. Strippe = Leitseil. 1930 *ff.*

13. sich an die ~ hängen = sich zu einem Telefongespräch anschicken. 1900 *ff.*

14. jn an die ~ kriegen = einen Fernsprechteilnehmer erreichen. 1900 *ff.*

15. jn von der ~ lassen = jn nicht länger bevormunden. Hergenommen vom Hund, den man von der Leine löst. 1920 *ff.*

16. an der ~ liegen = gehemmt sein; in seiner Bewegungsfreiheit behindert sein. Wie der Hund an der Kette oder Leine. 1880 *ff.*

17. jn an die ~ nehmen = jn in seinem Freiheitsdrang einschränken. 1900 *ff.*

18. es regnet in ~n = es regnet heftig. ↗Strippe 9. Seit dem 19. Jh.

19. ihm reißt die ~ = er verliert die Geduld. „Strippe" meint hier den „Geduldsfaden". 1900 *ff.*

20. an der ~ sein = am Telefon sein. 1900 *ff.*

21. mit beiden Beinen auf der ~ stehen = nichts begreifen. ↗Leitung 19. Berlin 1920 *ff.*

strippen *v* **1.** *tr* = melken. Frequentativum von „strepen = streifen": man streift die Milch heraus. 1700 *ff.*

2. *tr* = etw stehlen; ausrauben. Analog zu ↗melken 1. Seit dem 19. Jh.

3. *tr* = Beträge mit der Additionsmaschine addieren. Strippe = länglicher Papierstreifen. ↗Strippe 3. 1950 *ff*, kaufmannsspr.

4. *intr* = ein Zupfinstrument (auch: Akkordeon) spielen. Strippe = Saite. *Halbw* 1920 *ff, Berlin.*

5. *intr* = für Geld auf Geselligkeiten musizieren, zur Unterhaltung, zum Tanz aufspielen. *Stud* 1920/25 *ff.*

6. *intr* = Striptease vorführen. Man streift Kleidungsstücke ab. 1955 *ff.*

7. *refl* = sich entkleiden, umkleiden. 1900 *ff.*

Strippenlauscher *m* unbefugter Abhörer von Telefongesprächen. 1960 *ff.*

Strippenmädchen *n* Telefonistin. ↗Strippe 2. 1930 *ff.*

Strippenrenner *m* Hund an der Leine. 1950 *ff, Berlin.*

Strippensteher *m* begriffsstutziger Mensch. ↗Strippe 21. Berlin 1920 *ff.*

Stripper *m* Spieler eines Saiteninstruments. ↗strippen 4. 1920 (?) *ff.*

Stripperin *f* Striptease-Vorführerin. 1955 *ff.*

Stripper-Lokal *n* Lokal mit Striptease-Vorführungen. 1960 *ff.*

Stripp-strapp-strull *n* Melken. „Strippen" und „strappen" bedeuten „Milch herausstreifen"; strullen = strudeln. 1800 *ff.*

stripsen *tr* etw entwenden; etw bei Gelegenheit an sich nehmen. Iterativum zu „strippen = melken = bestehlen". Seit dem 19. Jh, *westd* und *mitteld.*

Striptease *(engl* ausgesprochen) *m* **1.** Gesundheitsbesichtigung. Übernommen von der *angloamerikan* Vokabel „striptease" = Vorführung einer Selbstentkleidungsszene". *BSD* 1960 *ff.*

2. Offenlegung der Geldverhältnisse. 1965 *ff.*

3. politischer ~ = Enthüllung politischer Absichten. 1965 *ff.*

4. seelischer ~ = Lebensbeichte; Memoiren u. ä. 1965 *ff.*

Striptease-Kappe *f* kleiner, polizeilich vorgeschriebener Schurz vor dem Geschlechtsorgan. 1960 *ff.*

Striptease-Tisch *m* Ausziehtisch. Wortspielerei mit der doppelten Bedeutung von „ausziehen": beim Striptease zieht sich die Vorführerin aus (= entkleidet sich), und den Ausziehtisch kann man auseinanderziehen und durch Einfügung einer Platte verlängern. Gegen 1955/60 aufgekommen und durch eine Rundfunkübertragung aus einem (Wiener?) Kabarett geläufig geworden.

Striptieschen *n* junge Striptease-Vorführerin. 1960 *ff.*

stritzen (strietzen) *v* **1.** jm etw ~ = jm etw stehlen, wegnehmen. Verkürzt aus ↗stibitzen. Vielleicht zusammenhängend mit „Strieze = Prostituierte" im engeren Sinne von „Beischlafdiebin". ↗Strizze. 1840 *ff.*

2. *intr* = schnell laufen. Zusammengesetzt aus „strieden = weit ausschreiten" und „↗spritzen". 1900 *ff.*

Strizze (Strieze) *f* Prostituierte, die für einen Zuhälter arbeitet. Aus dem *Slaw* entlehnt; *vgl* das Folgende. Seit dem späten 18. Jh, *prost.*

Strizzi (Striezi; Strietzi) *m* **1.** Zuhälter; Prostituiertenbeschützer. Fußt wahrscheinlich auf *tschech* „stryc = Vetter" (*vgl franz* „cousin = Lustknabe"), vielleicht mit Einfluß von *ital* „strizzare = ausbeuten". Großstädtische Prostituiertensprache (Wien, München, Zürich, Berlin) seit dem späten 19. Jh.

2. geckenhafter Müßiggänger; Herumtreiber; Tunichtgut. Vorwiegend *oberd*, seit dem 19. Jh.

3. Freund. *Oberd* seit dem 19. Jh.

Stroh *n* **1.** Lüge. Man erkennt sie als „leeres Stroh". 1920 *ff.*

2. Schrebers ~ = selbstangebauter Tabak. Anspielung auf den „Schrebergarten". 1945 *ff.*

3. dumm wie ~ = überaus dumm. Hergenommen von leeren Ähren. 1700 *ff.*

4. leeres ~ dreschen = gehaltlos schwätzen; vergebliche Arbeit verrichten. Seit dem 15. Jh geläufige Redewendung, deren Herkunft und Sinn sich von selbst verstehen. *Vgl franz* „hacher la menue paille".

5. ~ im Kopf (Hirn) haben = sehr dumm sein. „Stroh" kennzeichnet sinnbildlich das Hohle, Inhaltslose. 1600 *ff.*

6. nichts als ~ und Heu im Kopf haben = dumm sein. Seit dem 19. Jh.

7. ~ kauen = ohne Appetit essen. 1920 ff.

8. man könnte vor Wut ins ~ scheißen: Redewendung eines Zornigen. Vor Wut möchte man ins eigene Strohlager oder Bett exkrementieren. 1910 ff.

9. nicht von ~ sein = a) ansehnlich sein. Seit dem 19. Jh. – b) Liebesgefühlen zugänglich sein. Seit dem 19. Jh.

10. ihm wächst das ~ zwischen den Haaren durch = er ist sehr dumm. 1920 ff

Strohdach n **1.** hellblondes Kopfhaar; graues Haar. Seit dem 19. Jh.

2. Strohhut. Seit dem 19. Jh.

'stroh'dumm adj sehr dumm. ↗ Stroh 3. 1800 ff.

Strohfeuer n rasch vergehende Begeisterung. Ein Strohfeuer ist schnell abgebrannt.1500 ff.

Strohfrau f für geschäftliche Zwecke vorgeschobene weibliche Person. Das weibliche Gegenstück zum „Strohmann". 1950 ff.

Strohhalm m keinen ~ wert sein = nichts taugen. Seit dem 19. Jh. Vgl engl „that is not worth a straw" und franz „cela ne vaut pas un fétu".

Strohhutindianer pl in Gruppen auftretende Touristen, die eine auffallende Betriebsamkeit entwickeln. Der Strohhut ist ihre einheitliche Kopfbedeckung, vor allem am „Vatertag". „Indianer" spielt auf das Hintereinandergehen an. 1970 ff.

Strohmann m Mann, der (bei Geschäftsabschlüssen o. ä.) zum Schein vorgeschoben wird. Fußt auf dem franz Vorbild des „homme de paille". 1850 ff.

'stroh'nüchtern adj völlig nüchtern. Fußt auf der Vorstellung vom leeren und trokkenen Stroh. 1950 ff.

Strohpuppe f **1.** geistesbeschränktes Mädchen in hübscher Kleidung. Es ist eine „↗ Puppe", die Stroh im Kopf hat. 1900 ff.

2. vorgeschobener Mensch als Ersatz für den Verantwortlichen. ↗ Puppe 3. Analog zu ↗ Strohfrau, ↗ Strohmann. 1955 ff.

Strohsack m allmächtiger (gerechter, heiliger, himmelblauer, lieber o. ä.) ~!: Ausruf der Verwunderung oder des Entsetzens. „Strohsack" ist hier Hüllform für „Hodensack", eingekleidet in die übliche Form der Anrufung Gottes. 1800 ff.

'stroh'trocken adj dienstlich-sachlich ohne irgendwelche persönliche Regung; schwung-, einfallslos. Es fehlt Saft und Kraft. 1920 ff.

Strohwitwe (-wittib) f Frau, die für einige Zeit von ihrem Mann getrennt ist. Meint eigentlich das auf dem Stroh im Heuschober entjungferte und danach verlassene Mädchen; hat sich seit 1700 gemildert zur heutigen Bedeutung.

Strohwitwer m Mann, der für einige Zeit von seiner Frau getrennt ist. Das männliche Gegenstück zur „↗ Strohwitwe". 1700 ff.

Strolch m **1.** Vagabund; Umhertreiber; Mann, zu dem man kein Vertrauen haben kann. Geht zurück auf ital „astrologo". Im Dreißigjährigen Krieg eingeschleppt.

2. kleiner Junge (Kosewort). ↗ rumstrolchen. 1900 ff.

Strom m **1.** Geld. Wie der elektrische Strom elektrische Anlagen funktionsfähig macht, so setzt Geld die Lebensmaschine in Bewegung; auch wirkt Geld elektrisierend. 1950 ff, halbw, Rocker, BSD und prost.

2. Streichholz; Feuerzeug. Als Feuerquelle gewertet. BSD 1968 ff.

3. den ~ abschalten = einschlafen. Man löscht das „Licht" im Kopf. 1910 ff.

4. den ~ einschalten = a) aufwachen. Das „Licht" im Kopf geht an. 1910 ff. – b) begreifen. 1930 ff.

5. es gießt in Strömen = der Regen fällt dicht und heftig. Seit dem 19. Jh.

6. gegen den ~ schwimmen = eigene Wege gehen; nicht wie alle anderen handeln; widerspenstig sein; Opposition treiben. 1500 ff.

7. unter ~ stehen = a) betrunken sein. 1970 ff. – b) geschlechtlich erregt sein. 1970 ff. – c) unter Rauschgifteinwirkung stehen. 1970 ff.

Stromer m **1.** Landstreicher. ↗ stromern. Seit dem frühen 19. Jh.

2. Müßiggänger; Nachtschwärmer. 1800 ff, stud.

3. pl = Stiefel mit kurzem Schaft. Sie werden von Landstreichern getragen. 1930 ff.

4. pl = in einem Landgasthof vorübergehend einquartierte Kolonne von Starkstromarbeitern. 1975 ff.

stromern intr landstreichen; umherstreifen; müßiggehen; betteln. Entwickelt aus mhd „stromen" mit der jüngeren Bedeutung „stürmend einherziehen". Aufgekommen um 1800 mit dem Überhandnehmen des Vagabundentums.

Stromlinien pl wohlgefällige Formen des Frauenkörpers. Übertragen aus der Aerodynamik. 1930 ff.

Stromlinienflegel m rücksichtsloser Fahrer eines hochmodernen Autos. 1950 ff.

Stromlinienkarosserie f Frauenkörper mit starker Betonung von Brust und Gesäß. ↗ Karosserie 1. 1930 ff.

Stromlinienstrolch m rücksichtslos fahrender, prahlerischer Besitzer eines Luxusautos. ↗ Strolch 1. 1950 ff.

Stropp m **1.** Schlinge. Niederd „Strop = Strick, Schnur". Nebenform zu ↗ Strippe 1. Westd seit dem 19. Jh.

2. übermütiger Junge. Parallel zu ↗ Schlingel 1. Westd seit dem 19. Jh.

3. Rufname des Hundes. Westd 1900 ff.

ströppen tr mit Schlingen legen; wilddieben. ↗ Stropp 1. Westd seit dem 19. Jh.

strotten tr intr suchen, stöbern, fahnden. Geht zurück auf mhd „struten = rauben, plündern". Bayr und österr, seit dem 19. Jh.

Strotter m **1.** Zuhälter; Prostituiertenbeschützer. Er plündert die Prostituierte aus, gelegentlich auch den aufbegehrenden Kunden. Österr 1900 ff, prost.

2. Mann, der das unterirdische Kanalnetz einer Großstadt nach Abfällen (Wertgegenständen) sucht. Wien 1920 ff.

Strubbel (Strubel) m **1.** struppiges, wirres Haar. Gehört zu „strobel = struppig machen; starr emporstehen". Seit dem 19. Jh.

2. Mensch mit wirrem Haar. Seit dem 19. Jh.

3. jugendlicher Straftäter. Anspielung auf ungepflegte Haartracht. 1960 ff.

4. Durcheinander; Zank. Seit dem 19. Jh.

strubbelig adj ↗ struwwelig.

strubbeln v **1.** tr = jds Haar in Unordnung bringen, zerzausen. ↗ Strubbel 1. Seit dem 19. Jh.

2. sich ~ = sich zanken. Man „gerät sich in die Haare". 1900 ff.

Strubbelpeter m ↗ Struwwelpeter.

strudeln intr **1.** unordentlich arbeiten. Eigentlich soviel wie „wirbeln". Mancher macht um die Arbeit viel „Wirbel", aber erzielt keine gediegene Leistung. 1900 ff.

2. sich allerlei Vergnügungen und Liebesabenteuern hingeben. Man stürzt sich in den Strudel des „süßen Lebens". 1955 ff, Berlin.

strullen intr harnen; in breitem Strahl geräuschvoll Wasser lassen. Schallnachahmender Herkunft, aber auch verwandt mit „strudeln = heftig strömen". 1600 ff, vorwiegend nördlich der Mainlinie.

Strumpf m **1.** Penis. Meint eigentlich die Vorhaut. 1900 ff.

2. Präservativ. Er wird übergestreift. 1930 ff.

3. Schimpfwort auf einen Mann. Seit dem 19. Jh.

4. Versager. Spielt vielleicht auf Impotenz an. Berlin 1920 ff.

5. egal (adj) wie ein Paar Strümpfe = einander völlig gleich. 1850 ff.

6. egal (adv) wie ein Paar Strümpfe = völlig gleichgültig. 1850 ff.

7. ein Kerl wie ein Stück ~ = ein unbrauchbarer, ungeschickter Mann. Mit einem Stück Strumpf ist niemandem gedient. 1920 ff.

8. fauler ~ = a) träger Mensch. Leitet sich her von der Trägheit des Penis (↗ Strumpf 1). 1920 ff. – b) nicht vertrauenswürdiger Mensch. ↗ faul 1. 1920 ff.

9. scharfe Strümpfe = durchsichtige Strümpfe. Sie können eine aufreizende Wirkung haben. 1950 ff.

10. vollgefressener ~ = Vielesser; beleibter Mann. ↗ Strumpf 3. Seit dem späten 19. Jh; vorwiegend nördlich der Mainlinie bekannt.

11. vollgeschissener ~ = a) unförmig dicker Mann. Ostpreuß 1850; Hamburg 1900. – b) Versager; Feigling. Ziv und sold seit dem späten 19. Jh.

12. vollgestreckter ~ = dicker Mann. Der Strumpf ist gestreckt voll. BSD 1968 ff.

13. zwei Paar Strümpfe anhaben = schlecht hören; langsam denken; begriffsstutzig sein. Bei zwei Paar Strümpfen findet die Kälte größeren Widerstand; ähnlich groß ist die Behinderung der Aufnahmefähigkeit bei hör- oder denkgestörten Menschen. 1870 ff.

14. dicke (doppelte) Strümpfe anhaben = schlecht hören; absichtlich nicht hören. Vgl das Vorhergehende. 1870 ff.

15. wollene Strümpfe anhaben = nichts hören. Vgl ↗ Strumpf 13. 1870 ff.

16. das erzähle einem, der die Strümpfe mit Messer und Gabel anzieht = erzähl' das einem Dummen, aber nicht mir! 1935 ff.

17. die Strümpfe verkehrt angezogen haben = übelgelaunt sein. Berlin 1850 ff.

18. den ~ auswinden (auswringen) = harnen (auf Männer bezogen). ↗ Strumpf 1. 1930 ff.

19. jn auf den ~ bringen = jn antreiben; jm beistehen. Man bringt den Betreffenden so weit, daß er Strümpfe anzieht, es also allen gleichtut, oder man ermuntert den Bettlägerigen zum Aufstehen. Seit dem 19. Jh.

20. etw auf die Strümpfe bringen = eine Sache meistern; eine Sache vorantreiben. Parallel zu ↗ Bein 40. Seit dem 19. Jh.

21. jn von den Strümpfen bringen = jn hellauf begeistern. Vor Freude (bei freudigem Aufspringen) verliert man Schuhe und Strümpfe. 1950 *ff.*

22. die Strümpfe über einer Regentonne getrocknet haben = nach außen gewölbte Beine haben. *Sold* 1914 *ff.*

23. in den ~ greifen = Geld vom Sparkonto abheben. Anspielung auf den Sparstrumpf. 1900 *ff.*

24. Strümpfe für etw haben = die ausgespielte Karte abtrumpfen oder überspielen können. „Strümpfe" ist entstellt aus „Trümpfe". Kartenspielerspr. seit dem 19. Jh.

25. die Strümpfe haben Hunger = die Strümpfe haben große Löcher. Die Löcher sind hier als gierig aufgesperrte Münder aufgefaßt. 1900 *ff.*

26. krumme Strümpfe haben = krummbeinig sein. Krummbeinigkeit ist hiernach durch krumme Strümpfe verursacht. *Sold* 1939 *ff.*

27. jm auf die Strümpfe helfen = jm aus der Notlage aufhelfen. Leitet sich her von ermunternder Rede an einen bettlägerig Kranken, der endlich wieder die Strümpfe anziehen und aufstehen kann; von physischer Genesung übertragen auf wirtschaftliche Besserung. 1800 *ff.*

28. dir werde ich auf die Strümpfe helfen!: Warnrede an einen Säumigen. 1920 *ff.*

29. auf die Strümpfe kommen = Erfolg haben; zu gesicherter Existenz gelangen. Versteht sich nach ↗Strumpf 27. 1800 *ff.*

30. sich auf die Strümpfe machen = sich auf den Weg machen; aufbrechen; abmarschieren. Parallel zu ↗Socken II 20. Seit dem ausgehenden 18. Jh.

31. das paßt ihm nicht in den ~ = es widerstrebt ihm. Der Strumpf ist wohl zu klein. 1900 *ff.*

32. ihm platzen die Strümpfe = er ist wütend; er ist peinlich verwundert. Zugrunde liegt die Vorstellung von den schwellenden Zornesadern. 1900 *ff.*

33. gut im ~ (in den Strümpfen) sein = gesund sein; sich in angenehmer Lage befinden; gutgelaunt sein. Hergenommen vom Genesenden, der das Bett wieder verlassen kann. 1850 *ff.*

34. das sind zwei Paar Strümpfe = das sind sehr verschiedene Dinge. 1900 *ff.*

35. voll sein wie ein ~ = volltrunken sein. 1945 *ff.*

36. für den ~ sparen = sparen um des Sparens willen. Anspielung auf den Sparstrumpf. 1950 *ff.*

37. in den ~ sparen = Spargelder nicht bei Kreditinstituten einzahlen. 1900 *ff.*

38. stramm in den Strümpfen sein = kräftig entwickelte Beine haben. 1960 *ff.*

39. durch die Strümpfe wachsen = Löcher in den Strümpfen haben. Seit dem 19. Jh.

40. den Freund (die Freundin) wechseln wie die Strümpfe = nur kurze Liebesabenteuer schätzen. 1950 *ff.*

41. seine Strümpfe ziehen Wasser = seine Strümpfe hängen herab, schlagen Falten. Von faltenschlagenden Strümpfen nimmt man an, daß sie naß geworden sind und deswegen niederhängen. 1850 *ff.*

strumpfen *tr* etw stehlen. Der Gegenstand wird wohl in den Strumpf gesteckt. 1965 *ff.*

Strumpfwein *m* saurer Wein. Er zieht die Löcher in den Strümpfen zusammen. 1800 *ff.*

Strunz *m* **1.** Prahlerei. ↗strunzen 1. Seit dem 19. Jh.

2. träger Mensch; Müßiggänger. Gehört zu ↗stranzen. 1900 *ff.*

strunzen *intr* **1.** mit etw ~ = mit etw prahlen; sich aufspielen. Nebenform zu „stronzen", das mit Nasal-Infix ein Intensivum zu „strotzen" ist im Sinne von „vor Schmuck strotzen; mit Schmuck prunken". Beeinflußt von „↗stranzen" in der Bedeutung „geckenhaft müßiggehen". Vorwiegend *niederd*, etwa seit 1600.

2. umherschlendern; sich umhertreiben. Nebenform zu ↗stranzen 1. 1600 *ff.*

Struppi *m (f)* struppiger Hund; struppige Katze. 1900 *ff.*

struwwelig (strubbelig) *adj* struppig, ungekämmt. Gehört zu „struweln, strubeln, strobeln = struppig machen", verwandt mit „sträuben = starr emporstehen". Seit dem 18. Jh.

Struwwelpeter (Strubbelpeter) *m* Mensch mit ungekämmtem Haar. Im 18. Jh aufgekommen (Goethe hieß „Frankfurter Strubbelpeter") und volkstümlich geworden durch das gleichnamige Kinderbuch des Arztes Heinrich Hoffmann (1844).

Struwwelpeterkopf *m* struppiges Kopfhaar. 1955 *ff.*

Struwwelpeternägel *pl* lange Fingernägel. Fußt auf der Versen „An den Händen beiden / Ließ er sich nicht schneiden / Seine Nägel fast ein Jahr" aus dem Kinderbuch „Der ↗Struwwelpeter". 1920 *ff.*

Struwwelpetra *f* weibliche Person mit ungepflegtem Haar. Gegen 1955/60 aufgekommen mit den struppigen Frisuren der jungen Mädchen.

Stubben *m* **1.** einfältiger Mann. Meint eigentlich den Baumstumpf, hier als Sinnbild der Ungeschlachtheit im Körperlichen und Geistigen. Seit dem 19. Jh.

2. ungeschickter Mann. Seit dem 19. Jh.

3. pedantischer Beamter. Die Genauigkeit legt man ihm als geistige Unbeweglichkeit aus. 1955 *ff.*

4. schlecht zahlender Prostituiertenkunde. Er führt sich grob und störrisch auf. Seit dem 19. Jh, *prost.*

Stubbeschen *n* kleine Bierflasche. Als kleiner Baumstumpf aufgefaßt. 1960 *ff.*

Stubbi *n* kleine Bierflasche. *Vgl* das Vorhergehende. 1960 *ff.*

Stube *f* **1.** Vagina. 1900 *ff.*

2. grüne ~ = Aufenthaltsplatz im Garten, auf der Terrasse o. ä. 1950 *ff.*

3. gute ~ = a) Salon o. ä.; Besuchszimmer, das nur bei besonderen Gelegenheiten benutzt wird. Seit dem 19. Jh. – b) Festhalle (o. ä.) in einer Stadt. 1950 *ff*, *westd.* – c) Klassenzimmer. *Schül* 1950 *ff.*

4. die gute ~ Deutschlands = Schwarzwald. 1960 *ff*, fremdenverkehrsspr.

Stubenfeger *m* Hund. Entweder weil er im Zimmer umherrast, oder weil er mit seinen langen Haaren als Ersatzbesen dienen kann. 1900 *ff.*

Stubenfliege *f* Prostituierte, die ihre Kunden daheim empfängt. ↗Fliege 4. 1960 *ff.*

Stubenladen *m* unbedeutendes Einzelhandelsgeschäft. Der Verkaufsraum dient zugleich als Wohnraum. 1900 *ff.*

stubenrein *adj* **1.** nicht anstößig; die An-

standsregeln beherrschend; einwandfrei, erlaubt. Hergenommen vom Hund, der seine Notdurft nicht in der Stube verrichtet. Seit dem späten 19. Jh.

2. politisch (weltanschaulich) unverdächtig; charakterlich einwandfrei. 1900 *ff.*

3. frei von Geschlechtskrankheiten. *Marinespr* 1939 *ff.*

4. nicht ~ = Bomben abwerfend. *Sold* in beiden Weltkriegen; auch *ziv.*

Stubenvelo *n* Nähmaschine (ohne Elektromotor). Sie wird mit den Füßen betrieben, ähnlich einem „Velo(ziped) = Fahrrad". Zürich 1950 *ff.*

Stubs *m* ↗Stups.

stubsen *tr* ↗stupsen.

Stück *n* **1.** Mensch (gemütliche Schelte). Übernommen von der Bezeichnung „Stück Wild" oder „Stück Vieh" für das Einzeltier. Seit dem 16. Jh.

2. verächtliche Bezeichnung für eine Frau, vor allem für die liederliche; Hure; Prostituierte. Verkürzt aus ↗Weibsstück. 1600 *ff.*

3. Brotschnitte; Stück Brot. Seit dem 19. Jh.

4. Leistung; Streich; Tat, Untat. Gekürzt aus Helden-, Buben- oder Schelmenstück. Seit dem 15. Jh.

5. Geld; 5 Mark (als Wert, nicht immer als 5-Mark-Stück). 1950 *ff*, *prost.*

6. *pl* = Geld. Verkürzt aus „Geldstücke". 1930 *ff.*

7. ~ Arbeit = schwere Arbeit; langwierige Arbeit. Seit dem 18. Jh.

8. ein ~ Beamter = irgendein untergeordneter Beamter. 1900 *ff.*

9. du ~ Dreck!: Schimpfwort auf einen niederträchtigen Menschen. 1935 *ff.*

9 a. ~ Elend = armseliger Mensch. *Vgl* ↗Häufchen. Seit dem 19. Jh.

10. du ~ Fleisch!: Anrede an ein leichtlebiges Mädchen o. ä. 1930 *ff.*

11. ein ~ Geld (ein hübsches ~ Geld) = eine ansehnliche Geldsumme. *Vgl* ↗Stück 5. 1900 *ff.*

12. ein ~ vom Himmel = Religionsunterricht. Übernommen vom gleichlautenden Filmtitel, 1957. Schülervokabel.

13. ~ (Stückchen) Malheur = unmilitärischer Mann; Mensch, der stets Mißgeschick erleidet; Versager. 1900 *ff.*

14. ~ Mensch = Schimpfwort. 1939 *ff.*

15. ~ Mist = charakterloser, niederträchtiger Mensch. ↗Miststück 1. 1930 *ff.*

16. ~ auf Raten = Fernsehspiel in Fortsetzungen. 1960 *ff.*

17. ~ (Stückchen) Scheiße: Schimpfwort auf einen Prahler, auf einen Versager, auf einen Nichtswürdigen. 1900 *ff*, *jug* und *sold.*

18. du ~ Unglück = du Tunichtgut; harmlose Schelte. Berlin 1840 *ff.*

19. mein (unser) bestes ~ = lobender Ausdruck für ein Tier oder einen Menschen; Kosename. Hergenommen vom Bauern, der die leistungsfähigste Kuh „mein bestes Stück Vieh!" nennt. Seit dem 18. Jh.

20. blödes ~ = dummer Mensch. 1920 *ff*, *schül.*

21. dickes ~ = dickliches, dralles Mädchen. Seit dem 19. Jh.

22. dummes ~ = a) dummer Mensch. 1900 *ff.* – b) minderwertiges, langweiliges Theaterstück. 1900 *ff.*

23. faules ~ = a) träger, energieloser,

unordentlicher Mensch. 1900 ff. – b) unzuverlässiger, hinterhältiger Mensch. ↗faul 1. 1900 ff.

24. freches ~ = frecher Mensch. 1900 ff.

25. großes ~ = großwüchsiger Mensch. Seit dem 19. Jh.

26. gutes ~ = a) wertvolles Tier; wertvoller Mensch. ↗Stück 19. Seit dem 18. Jh. – b) Gesellschaftsanzug, Pelz. 1900 ff.

27. kein ~l: Ausdruck der Ablehnung oder Verneinung. Analog zu „kein bißchen". 1900 ff.

28. linkes ~ = unehrlicher Mensch. ↗link 1. 1920 ff.

29. mieses ~ = unsympathischer Mensch. ↗mies. 1920 ff.

30. steiles ~ = anziehendes junges Mädchen. ↗steil 1. 1955 ff.

31. übles ~ = schlechter Mensch. 1920 ff.

32. verkommenes ~ = verkommener Mensch. 1900 ff.

33. in (an) einem ~ = ununterbrochen, hintereinander (es regnet in einem Stück; er schwätzt in einem Stück). Seit dem 16. Jh.

34. sich von etw ein ~ abschneiden = sich an etw ein Beispiel nehmen; etw beherzigen. Analog zu ↗Scheibe 24. 1900 ff.

35. ein ~ abziehen = ein Musikstück schwungvoll spielen. ↗abziehen 1. 1930 ff.

36. sich große ~e einbilden = sich viel einbilden. 1800 ff.

37. es am ~ haben = a) nicht aufhören können. Hergenommen von der Vorstellung eines Zusammenhängenden, das man nicht zerstückeln mag (Stoffballen o. ä.). 1900 ff, westd. – b) guter Laune sein; gesprächig sein. Man hat den „Gesprächsfaden" ergriffen und läßt ihn nicht mehr los. 1900 ff, westd.

38. auf jn einem ~ -(e) halten = von jm viel erwarten; jm sehr vertrauen, viel zutrauen. Meint eigentlich den Einsatz bei einer Wette; „große Stücke" sind die großen Münzen, und „halten" hat den Sinn von „gegenwetten". Seit dem 17. Jh.

39. sich ein ~ (nettes ~) leisten = einen Streich spielen; eine Übeltat vollbringen. ↗Stück 4. Seit dem 19. Jh.

39 a. sich für jn (etw) in ~e reißen lassen = sich für jn (etw) überzeugt einsetzen. Seit dem 19. Jh.

40. jm etw aufs ~ schmieren = jm etw vorhalten. Über „↗Stück 3" analog zu „↗Butterbrot 4". 1900 ff.

41. sich für jn in ~e schneiden lassen = für jn jedes Opfer bringen. 1900 ff.

42. das ist ein starkes ~ = das ist eine sehr gewagte Handlungsweise; das ist unerhört; das ist eine unzumutbare Forderung. Kann sich herleiten von dem „starken Stück", das sich einer aus der gemeinsamen Eßschüssel nimmt, oder erklärt sich nach „↗Stück 4". Seit dem 18. Jh. Vgl engl „a bit thick".

43. jn in ~e zerlegen = jn umbringen. Meist als Drohrede verwendet. 1950 ff.

stucken v **1.** intr = angestrengt lernen; hart arbeiten. Nebenform zu „stauchen = auf den Boden stoßen; einsacken; eintreiben". Auch meint „stucken" im Oberd soviel wie „das Meisterstück machen", auch „anstückeln" (etwa im Sinne von „hinzu-

lernen"). Bayr und österr, spätestens seit 1900.

2. tr = jn beim Kartenspiel besiegen. Man „staucht" ihn (man „steckt ihn in den ↗Sack"). Kartenspielerspr. 1900 ff.

Stücker m ein ~ drei = ungefähr drei Stück. Zusammengewachsen aus „ein Stück oder drei". Seit dem 18. Jh.

stuckern intr **1.** sich ruckweise, holpernd bewegen; rütteln; erschüttern. Gehört zu „stucken = aufstoßen, aufstampfen, ruckweise bewegen". Nordd seit dem 19. Jh.

2. zögern; langsam vonstatten gehen. Seit dem 19. Jh.

3. stottern. Seit dem 19. Jh, nordd.

Stuckschwein n Klassenbester. Ein „Schwein" ist er wegen seines als niederträchtig empfundenen Lernehrgeizes, der den anderen Schülern zur Nachahmung empfohlen wird. Südd 1950 ff.

Student m **1.** Häftling. Er besucht die „↗Hochschule". 1950 ff, rotw.

2. ~ von Beruf = Student, der sich nicht zur Abschlußprüfung entschließen kann. 1960 ff, stud.

3. ewiger ~ = Student, der sich nicht zur Abschlußprüfung meldet. 1900 ff.

4. verbummelter ~ = ↗Verbummelter.

5. ~ spielen = Student sein. Leicht iron Bezeichnung: man nimmt gern an, der Betreffende studiere nicht aus Neigung und Berufung, sondern mehr zum Zeitvertreib. Wie auf der Bühne stellt er das Studentsein lediglich dar, ohne mit ihm verwachsen zu sein. 1800 ff.

Studentenfutter n Rosinen, Haselnüsse und Mandeln. Seit dem 17. Jh beliebte Mischung in Deutschland und Österreich; gern in den Pausen und auch während der Vorlesungen gegessen.

Studentenkneipe f von Studenten besuchtes Wirtshaus. ↗Kneipe. Seit dem 19. Jh.

Studentenkomment m Gesamtheit der studentischen Bräuche. ↗Bierkomment. Spätestens seit 1800.

Studentenparkett n Stehparkett im Theater. Die Preise sind dem Geldbeutel der Studenten angepaßt. 1965 ff.

Studentenwichse f Speichel. Man sagt den Studenten nach, sie putzten ihr Schuhwerk nicht mit Schuhwichse, sondern mit ihrem Speichel. Seit dem 19. Jh.

Studi m Student. Um 1980 Modewort geworden nach dem Muster der Hauptwörter auf „i" endenden, verkürzten Hauptwörter („Knacki", „Knasti" usw.)

studieren impers sich im Pfandhaus befinden (meine Uhr studiert). Zur Herleitung vgl „↗hebräisch". Wien 1700 ff.

Studierter m Vorbestrafter. ↗Student 1. 1950 ff, rotw.

Studiker m Studierender. Im späten 19. Jh nach dem Muster von „Musiker, Techniker" o. ä. entstanden.

Studio I m Student. Verkürzt aus lat „studiosus". 1700 ff.

Studio II n **1.** eigenes Zimmer; abgeschlossene Einzimmerwohnung. Halbw nach 1945, schweiz.

2. Fachgeschäft. Meint im Ital und Engl das Künstleratelier, auch den Versuchs- und Vorführraum. Nach 1960 aufgekommenes Modewort (Matratzen-, Bräu-

nungs-, Lern-, Foto-, Küchen-, Näh-, Gardinen-Studio usw.)

3. Arbeitszimmer der gewerblichen Prostituierten. ↗Studio II 1. 1950 ff.

stud. nub. Studentin, von der man annimmt, sie studiere nur, um Frau eines Akademikers zu werden. Lat „nubere = heiraten". 1950 ff.

stuff adj **1.** verärgert; gekränkt sich abwendend; verwirrt; bestürzt. Dem gleichbed ital „stufo" entlehnt. Oberd seit dem 19. Jh.

2. einer Sache ~ sein = einer Sache überdrüssig sein. Österr seit dem 19. Jh.

Stuhl m **1.** Motorrad. Man sitzt auf ihm wie auf einem Stuhl. Vgl ↗Feuerstuhl. 1930 ff.

2. elektrischer ~ = Behandlungsstuhl des Zahnarztes. Meint eigentlich den Stuhl, auf dem der zum Tode Verurteilte mittels des elektrischen Stroms hingerichtet wird; hier Anspielung auf die Schmerzen, die der Patient beim Zahnarzt auszuhalten hat, und wohl auch auf den elektrischen Bohrer des Arztes. 1910 ff.

3. flotter ~ = Auto mit sehr leistungsfähigem Motor. Vgl ↗Feuerstuhl. 1960 ff.

3 a. bitte, die kleinen Stühle: Redewendung, wenn einem bei der Mahlzeit etwas auf den Boden fällt. 1920 ff.

4. du kannst zwar alten Oma den ~ absaugen, aber sonst kannst du nichts!: Redewendung auf einen Prahler. BSD 1968 ff.

4 a. am ~ ankleben = die Schulklasse wiederholen. 1920 ff.

5. jm den ~ ansägen = jds Stellung untergraben. 1920 ff.

6. du kannst mir mal den ~ ansaugen!: Ausdruck der Abweisung. Derbe Anspielung auf das Götz-Zitat. 1950 ff, schül.

7. jm den ~ unterm Arsch anzünden = jn anfeuern, antreiben. 1940 ff.

8. auf dem ~ bleiben = Geduld bewahren; nicht davonlaufen; besonnen bleiben. 1940 ff.

9. der ~ brennt unter ihm (brennt ihm unter dem Arsch, unterm Hintern) = vor Ungeduld kann er nicht länger sitzen. 1700 ff.

10. den ~ drücken = übergebührlich lange den Besuch ausdehnen. Vgl ↗Sessel 3. 1950 ff.

11. vom ~ fallen = sehr überrascht, erschrocken sein. Man verliert das Gleichgewicht. Seit dem 19. Jh.

12. einen harten ~ haben = auf seiner Meinung beharren. Von der Stuhlverhärtung übertragen auf Starrsinn. 1920 ff.

13. das haut mich vom ~l: Ausdruck der Verwunderung oder Verzweiflung. Vgl ↗Sessel 7. 1920 ff.

14. vom ~ kippen = sich sehr verwundern. ↗Stuhl 11. 1920 ff.

15. die Stühle kleben = hier ist es zu gemütlich, als daß man weggehen mag. ↗kleben 1. 1900 ff.

16. am ~ kleben = sich von seinem Posten nicht trennen; sein Mandat nicht aufgeben wollen. 1920 ff.

17. mit etw zu ~ kommen = etw begreifen, meistern; etw erledigen. Stuhl = Kotabgang. Von erfolgreicher Verrichtung auf dem Abort übertragen auf jegliche handwerkliche oder geistige Leistung. Seit dem 19. Jh.

18. er kommt nicht zu ~ = er wird

beruflich behindert; er findet keinen Anklang. *Vgl* das Vorhergehende. 1900 *ff.*

19. das kostet ihn den ~ = dadurch verliert er seinen Posten. 1920 *ff.*

20. seinen ~ räumen = seinen Posten aufgeben. 1920 *ff.*

21. das reißt ihn vom ~ = das erregt, ärgert, begeistert ihn. Unwiderstehlich springt der Betreffende vom Stuhl auf. *Vgl* ↗ Sessel 7. 1950 *ff, halbw* und kritikerspr.

21 a. Stühle rücken = Posten umbesetzen. 1970 *ff.*

22. auf dem ~ rumrutschen = Büroangestellter sein. 1950 *ff.*

23. an jds ~ (jm am ~) sägen = jds Stellung erschüttern. *Vgl* ↗ Sessel 8. 1920 *ff.*

24. jm einen ~ unter den Hintern schieben = jn zuvorkommend behandeln. 1950 *ff.*

25. jm den ~ vor die Tür setzen = jn zum Haus hinausweisen; jm fristlos kündigen; die Beziehungen mit jm abbrechen. Der Stuhl ist ein altes Rechtssinnbild und drückt Eigentumsrecht und Herrschaft aus; der vor die Tür gesetzte Stuhl versinnbildlicht die Aufhebung des Besitzrechts. Seit dem 16. Jh.

26. sich zwischen zwei Stühle setzen = in der Wahl zwischen zwei Möglichkeiten oder Meinungen unentschieden bleiben; keine Sicherheit erwerben. Seit *mhd* Zeit.

27. auf angesägtem ~ sitzen = mit Entlassung rechnen müssen. 1920 *ff.*

28. zwischen zwei Stühlen sitzen = zwischen zwei gegensätzlichen Meinungen unentschieden stehen; in arger Verlegenheit sein; keinen Wahlkandidaten bevorzugen. *Vgl* ↗ Sessel 9. 1500 *ff. Vgl franz* „se trouver entre deux selles".

29. sich selber den ~ vor die Tür setzen = durch Eigenverschulden sich von etw ausschließen; kündigen ohne feste Aussicht auf eine neue Stelle. *Vgl* ↗ Stuhl 25. 1950 *ff.*

30. dreh' doch mal den ~ um!: Rat an einen vom Mißgeschick verfolgten Kartenspieler. Unter Spielern besagt eine Aberglaubensregel, man solle den Stuhl um die eigene Achse drehen, wenn man dem anhaltenden Spielerunglück ein Ende machen wolle. Kartenspielerspr., spätestens seit 1900.

31. auf dem ~ verwelken = keinen Tanzpartner finden. Weiterführung des Begriffs „↗ Mauerblümchen". *Halbw* 1950 *ff.*

32. sein ~ wackelt = seine Amtsenthebung droht. *Vgl* ↗ Sessel 10. 1920 *ff.*

33. jm den ~ unterm Hintern wegziehen = jn seines Amtes entheben; jn aus seiner Stellung verdrängen. 1900 *ff.*

34. wollen wir unsere Stühle zusammenstellen? = wollen wir heiraten? 1960 *ff.*

Stühlerücken *n* Ämterumbesetzung. ↗ Stuhl 21 a. 1970 *ff.*

Stuhlgang *m* **1.** ~ der Seele = Alkoholismus. Durch Alkohol meint man sich von Kummer und Sorgen befreien zu können. 1920 *ff.*

2. positiver ~ = heftiger Durchfall. *Sold* 1939 *ff.*

3. seelischer ~ = a) Auflockerung des Gemüts durch Alkohol. 1920 *ff.* – b) Schimpfen, Fluchen. Von NS-Propagandaminister Dr. Goebbels zu Beginn des Zwei

ten Weltkriegs in der Zeitung „Das Reich" aufgebracht.

4. jds ~ fördern = jn in gefahrvolle Lage bringen; jm Angst einflößen. Bei großer Angst versagt leicht der Schließmuskel des Afters. 1940 *ff, ziv* und *sold.*

5. einen schweren ~ haben = an einem lebensgefährlichen Unternehmen teilnehmen. Hergenommen von dem anekdotisch überlieferten, an Luther auf dem Weg zum Reichstag von Worms 1521 gerichteten Wort: „Mönchlein, du gehst einen schweren Gang". 1915 *ff, sold* und *ziv.*

6. harten ~ haben = begriffsstutzig sein. *Vgl* ↗ Stuhl 12. 1920 *ff.*

7. saufen ist der ~ der Seele = Trinken erleichtert (vorübergehend) das Ertragen mancher Pein. ↗ Stuhlgang 1. 1920 *ff.*

Stuka *m* **1.** Stützverband mit Cramerschienen. Cramerschienen sind biegsame Drahtschienen aus Aluminium, benannt nach dem Chirurgen Friedrich Cramer (1847–1903). Die Bezeichnung hat nichts zu tun mit der gleichlautenden Abkürzung für „Sturzkampfflugzeug", sondern ist zusammengesetzt aus „Stu" (für Stützverband) und „Ka" (eigentlich „Cra") für Cramer. *Sold* 1939 *ff.*

2. Wanze. Sie stürzt senkrecht (von der Zimmerdecke) auf ihr Opfer nieder wie ein Sturzkampfbomber. *Sold* 1939 *ff.*

3. Stechmücke. *Sold* 1939 *ff.*

Stulle *f* **1.** Butterbrot; Brotschnitte. Fußt auf *ndl* „stul = (Butter-)Stück", woraus sich *ostmitteld* „Stulle = kleiner Brotlaib" entwickelte. Vorwiegend nördlich der Mainlinie verbreitet, seit dem 17. Jh.

2. ~ mit Brot = Brotschnitte ohne Belag. Ironie. 1900 *ff.*

3. ~ mit Faltenwurf = dicht mit überquellendem Aufschnitt belegte Scheibe Brot. „Faltenwurf" meint in der bildenden Kunst die Art und Weise, wie die menschliche Figur bekleidet ist. Die Gewandung geht notwendig über den Umriß des Körpers hinaus. Berlin und *mitteld,* spätestens seit 1900.

4. ~ mit Fransen = dick mit Fleisch oder Wurst belegte Brotscheibe, wobei der Aufschnitt weit überragt. Übertragen von den Hängefäden an Tischdecke oder Teppich. 1920 *ff.*

5. ~ mit Schleppe = reichlich belegte Brotschnitte. Bildhaft verstärkt nach „↗ Stulle 3". Berlin 1900 *ff.*

6. schwangere ~ = dick mit Aufschnitt belegtes Butterbrot. Vielleicht beeinflußt von *ital* „panino gravido = schwangeres Brötchen". 1955 *ff,* Berlin, *jug.*

Stullen-Muffel *m* Student, der mitgebrachte Butterbrote verzehrt, statt in der Mensa zu essen. ↗ Muffel. 1966 *ff,* Hamburg (laut Mitteilung von Julius Hansen).

Stullenverhältnis *n* Liebesverhältnis mit dem Hintergedanken an gute Verpflegung. Vorläufer von ↗ Bratkartoffelverhältnis. Berlin 1900 *ff.*

stülpen *tr* ein Glas Alkohol zu sich nehmen. Stülpen = umkehren, umstürzen. Analog zu „einen ↗ kippen". 1870 *ff, hess* und *rhein.*

Stumme *f* auf die ~ = wortlos; beredt blicken. Verkürzt aus „auf die stumme ↗ Tour". Dazu das gereimte Liebesgeständnis eines Berliners: „Dein Blick gesteht mir auf die Stumme du bleibst immer meine Brummel". *Halbw* 1955 *ff.*

Stummel *m* **1.** kleines, kurzes Endstück eines zylinderförmigen Körpers. Gehört zu „Stumpf = abgeschnittenes Stück". 1500 *ff,* vorwiegend *niederd;* seit 1900 auch bis nach Österreich vorgedrungen.

2. kleine, gedrungene Nase; Stumpfnase. 1900 *ff.*

3. Penis. Seit dem 19. Jh.

4. kleines Kind (Kosewort). Seit dem 19. Jh.

5. kein ~ = nichts; keineswegs. 1920 *ff.*

Stummelquäler *m* **1.** Mann, der Zigarren oder Zigaretten bis auf den kürzestmöglichen Rest aufraucht. Berlin 1870 *ff.*

2. Mann, der Zigarren- oder Zigarettenendstücke auf der Straße oder aus Aschenbechern aufliest. Berlin 1870 *ff.*

Stummelstecher *m* Aufklauber von Zigarren- oder Zigarettenendstücken. 1900 *ff.*

Stummerl *m* Taubstummer. *Österr* seit dem 19. Jh.

Stump (Stumpen) *m* **1.** unteres Reststück; Stumpf. *Niederd* und *mitteld* Form für *oberd* „Stumpf". 1600 *ff.*

2. Penis. Analog zu ↗ Stummel 3. Seit dem 19. Jh.

Stümpchen *n* kleines Kind (Kosewort). 1700 *ff, niederd, mitteld* und *südwestd.*

stumpen *v* **1.** *tr* = etw (jn) stoßen. Mit Nasalinfix fußend auf „stupfen = stoßen, antreiben". *Hess* und *rhein,* seit dem 19. Jh.

2. *tr intr* = koitieren. Analog zu ↗ stoßen; *vgl* auch ↗ Stump 2. Spätestens seit 1900.

3. *tr* = kurzschneiden, stutzen. Versteht sich als „stumpf machen; kürzen". Spätestens seit 1900.

Stümper *m* Versager; Nicht-Fachmann. Gehört zu *niederd* „stump" und *hd* „stumpf" im Sinne von „körperlich geschwächt". 1900 *ff.*

stümpern *intr* unzweckmäßig arbeiten. ↗ Stümper. Seit dem 17. Jh.

stumpf *adj* schlecht, unbedeutend; unvollkommen. *Vgl* das Gegenwort „↗ spitz 2". Halbwüchsigenvokabel seit 1950; aber bereits um 1500 erstmals bezeugt.

Stumpf *m* etw mit ~ und Stiel aufessen (vertilgen o. ä.) = etw völlig aufessen; von der Speise nichts übriglassen. Stumpf ist der Wurzelstock, und Stiel ist der Stengel. 1500 *ff.*

Stunde *f* **1.** Nachhilfestunde. Hieraus gekürzt. Seit dem 19. Jh.

2. ~ der Umkehr = Religionsunterricht. Geht auf den Titel eines Films zurück. *Schül* 1967 *ff.*

2 a. ~ der Wahrheit = Parlamentswahl; Offenlegung der politischen Absichten; Geständnisablegung; Bewährungsnachweis; Schulabschlußprüfung; Körpergewichtsprüfung; Konkurs o. ä. Fußt wahrscheinlich auf dem *dt* Titel des Orson-Welles-Films „Histoire immortelle" (1967). Gegen 1970 bezeugt.

3. blaue ~ = Dämmerung. Mit „blau" gibt man den Farbeindruck der verschwimmenden Ferne wieder. Seit dem 19. Jh.

4. schwache ~ = a) Stunde, in der man der Verführung erliegt. „Schwach" bezieht sich auf die Schwächung des Widerstands. 1900 *ff.* – b) nicht ganz 60 Minuten. 1900 *ff.*

5. trockene ~ = militärischer Unterricht. Das Adjektiv spielt an auf die Geistlosig keit des Gegenstands und der Unterweisungsart. *Sold* 1935 *ff.*

6. ~n schieben (machen) = Überstunden machen. ↗ schieben 1. 1950 *ff.*

7. wem die ~ schlägt = a) Augenblick vor der Austeilung der Schulzeugnisse. Fußt auf dem *dt* Titel des 1943 mit Ingrid Bergman gedrehten amerikanischen Films „For Whom the Bell Tolls" nach dem gleichnamigen Buch von Ernest Hemingway. *Schül* 1958 *ff.* – b) Musterung. *BSD* 1971 *ff.*

Stundenfrau *f* Prostituierte. Meint eigentlich die Putzfrau, deren Dienste stundenweise bezahlt werden. 1930 *ff.*

Stundenhotel *n* **1.** Hotel, das Zimmer stundenweise vermietet. Seit dem 19. Jh.

2. fahrbares ~ = breitgebautes Auto. Anspielung auf den Geschlechtsverkehr, der dort praktiziert werden kann. 1960 *ff*, *halbw.*

stundenlang *adv* **1.** ihm könnte ich ~l: Drohrede. Verkürzt aus „ihm könnte ich stundenlang ins Gesicht schlagen, ins Gesicht spucken" u. ä. 1910 *ff.*

2. ~ mit (wachsender) Begeisterung = lange Zeit, ohne zu ermüden (ich könnte ihm stundenlang mit wachsender Begeisterung in die Fresse hauenl). 1910 *ff.*

Stundenlohn *m* Prostituiertenentgelt. 1955 *ff.*

Stundenlutscher *m* großes Bonbon am Stiel. 1965 *ff.*

Stunk *m* Zank; Unfrieden; streitlüsterne Stimmung; Anherrschung. Nebenform zu ↗ Stank. 1880 *ff*, Berlin, *mitteld* u. a.; vorwiegend *sold* und *schül.*

stupfen *tr* jn leicht stoßen; jn an etw erinnern. *Gleichbed* in *ahd* und *mhd* Zeit. Heute vorwiegend *oberd.*

Stupp *m* auf der ~ = ganz genau. „Stupp" ist das stumpfe Ende des Eies, auch das Wurstende und die Fingerspitze. 1900 *ff.*

Stups (Stubs) *m* Stoß. *Vgl* das Folgende. Seit dem 18. Jh.

stupsen (stubsen) *tr* gelinde stoßen. *Niederd* Form zu *hd* „stupfen". Seit dem 18. Jh.

stupsig *adj* kurz, gedrungen, zusammengedrückt (auf die Nase bezogen). 1900 *ff.*

Stupsnase *f* **1.** aufwärtsgerichtete Nase. Ein Stoß hat ihre normale Form verändert. Seit dem 19. Jh.

2. Mensch mit aufwärtsgerichteter Nase. Seit dem 19. Jh.

stur *adj* **1.** eigenwillig; unbeirrbar vorgehend; hartnäckig; unbeugsamen Charakters. *Niederd* „storr = störrisch" entspricht *hd* „stier, starr". Seit dem 19. Jh, vorwiegend in Preußen.

2. ~ und steif = starr aufgerichtet. Seit dem 19. Jh.

3. ~ heill: Landsergruß. Nach dem Muster von „Petri Heil", „Weidmannsheil", „Ski Heil" o. ä.; vielleicht auch schon *(iron)* beeinflußt von „unbeirrbar Heil (Hitler)". *Sold* und *ziv* 1933 *ff.*

4. ~ heil *(adv)* = unbeirrbar; unbelehrbar in gleicher Richtung bleibend; grundsatztreu; unverbesserlich. 1933 *ff.*

5. auf ~ schalten = sich zu rücksichtslosem Vorgehen entschließen; bei seiner ablehnenden Haltung bleiben; nicht im geringsten nachgeben. 1935 *ff.*

Sturheit *f* Hartnäckigkeit; geistige Unbelehrbarkeit; Unbeugsamkeit; Unnachgiebigkeit. 1920 *ff.*

Sturm *m* **1.** in Gärung übergehender Most. Der Gärungsvorgang erscheint als eine Form von Aufruhr und Tumult. *Österr* seit dem 19. Jh.

2. sich im ~ befinden = wütend sein; einen cholerischen Anfall haben. 1920 *ff.*

3. einen ~ haben = betrunken sein. Vom brausenden, rauschenden Wind übertragen auf den berauschten Zustand. Seit dem 19. Jh.

4. in ~ kommen = berauscht werden. Seit dem 19. Jh.

5. ~ läuten = heftig und wiederholt klingeln. Hergenommen vom *trad* Glockenläuten bei einer Feuersbrunst. 1900 *ff.*

6. im ~ sein = betrunken sein. Seit dem 19. Jh.

sturmfrei *adj* frei von jeglicher Behelligung durch den Vermieter (bezogen auf ein Zimmer mit gesondertem Eingang). Sturmfrei ist eine befestigte militärische Anlage, die für die Infanterie uneinnehmbar ist. Seit dem späten 19. Jh, vorwiegend *stud;* heute vor allem in Halbwüchsigenkreisen geläufig.

Sturmfrisur *f* hochtoupierte Frisur. *Halbw* 1965 *ff.*

Sturmtank *m* hervorragender Stürmer einer Fußballmannschaft. Eigentlich der angreifende Panzerkampfwagen. *Sportl* 1950 *ff.*

Sturmtolle *f* hochgekämmte Haarsträhne. ↗ Tolle. 1920 *ff.*

Sturmwasser *n* **1.** Schnaps. Eigentlich der vor dem Angriff ausgegebene Alkohol. *Sold* in beiden Weltkriegen.

2. Sekt. Angeblich steigert er den Drang zum anderen Geschlecht. Sturm = Geschlechtsgier. 1950 *ff.*

'sturzbe'trunken (-be'soffen) *adj* volltrunken. Man ist so bezecht, daß man sich nicht auf den Beinen halten kann und niederstürzt. Nördlich der Mainlinie, 1900 *ff.*

Sturzelhaar *n* kurzgeschnittene Jungmädchenfrisur. „Sturzel" ist der Torso eines Standbilds. 1960 *ff.*

stürzen *tr* **1.** jn bestrafen. Man stürzt ihn ins Gefängnis. *Rotw* 1840 *ff.*

2. jn beschimpfen. Mit abfälliger Kritik stürzt man vom Thron, vom Denkmalssockel: man entzieht ihm seine erhabene Größe. Seit dem 19. Jh.

3. in den Ehestand ~ = heiraten. *Iron* Bezeichnung im Munde von Junggesellen, verquickt mit dem Nebensinn „sich ins Unglück stürzen". 1955 *ff.*

Sturzflug *m* **1.** Schulverweisung. 1950 *ff.*

2. hast du schon etwas von Sturzflügen gehört?: Drohfrage. Seemannsspr. 1930 *ff.*

Sturzgeburt *f* übereilte Handlung. Eigentlich die ungewöhnlich schnelle, ruckartig erfolgende Geburt. 1900 *ff.*

Stuß *m* **1.** leeres Gerede; Unsinn; Dummheit, Torheit. Fußt auf *jidd* „schtus = Narrheit, Torheit, Unsinn". Aufgekommen in der ersten Hälfte des 18. Jh, *rotw* und *stud.*

2. Unsinnschwätzer. 1920 *ff.*

3. ~ mit Fransen = Unsinn. 1900 *ff.*

4. gediegener ~ = Unsinn, der durch seine Form nicht sofort als solcher erkennbar ist. 1930 *ff.*

5. höherer ~ = völliger Unsinn. 1920 *ff.*

6. verdrallter ~ = Unsinn von besonderer Güte. Wie der Gewehrlauf hat er einen Drall. 1960 *ff.*

stussen *intr* sich aufspielen. ↗ Stuß 1. *Jug* 1965 *ff.*

Stute *f* **1.** Frau. Eigentlich das weibliche Pferd, das Mutterpferd. 1500 *ff.*

2. träge weibliche Person. 1500 *ff.*

3. bejahrte, wenig ansehnliche Frau. 1900 *ff.*

4. Prostituierte. Meist befindet sie sich im „↗ Gestüt" eines Zuhälters. 1920 *ff.*

Stütze *f* **1.** Arbeitslosengeld; Sozialhilfe. Kurz nach 1920 verkürzt aus „Unterstützung".

2. ~ der Hausfrau = Korsett, Mieder. Fußt auf dem 1904 patentamtlichen Begriff „Bruststütze". Um 1920 aufgekommen. (Das Stichwort steht veraltend auch für „Haushaltshilfe".)

3. geistige (kleine) ~ = unerlaubte Übersetzung; Täuschungszettel. Verkürzt aus ↗ Gedächtnisstütze. *Schül* 1920 *ff.*

Stutzkopf *m* eigensinniger Mensch. Er ist „stößig = widerspenstig". 1900 *ff.*

Stuzzi *m f* intime Freundin. Stammt aus Österreich und fußt auf *ital* „stuzzicare = stochern, stacheln, reizen", vielleicht beeinflußt von *ital* „astuzia = List, Schlauheit". Auch Entstehung aus „stutzen = stoßen" ist möglich, zumal „stoßen" soviel meint wie „koitieren". 1920 *ff.*

Subteen *(engl* ausgesprochen*)* *m* Junge oder Mädchen unter 13 Jahren. ↗ Teen. Gegen 1955/60 aufgekommen, entweder in Halbwüchsigenkreisen oder von den Modeschöpfern geprägt.

subventionieren *v* geistig ~ = dem Mitschüler vorsagen. 1965 *ff.*

Such- und Hackapparat *m* Schreibmaschine. „Suchen" und „Hacken" beschreiben das Vorgehen ungeübter Benutzer. 1960 *ff.*

Suckel *m* **1.** schmutzendes Kind; unflätiger Erwachsener. Eigentlich das Saugferkel, auch das Mutterschwein. *Oberd* 1700 *ff.*

2. Schnuller. ↗ suckeln. Seit dem 19. Jh.

suckeln (sückeln) *tr intr* saugen. Hierzu als Intensivbildung spätestens im 19. Jh aufgekommen.

Sud *m* **1.** Bräune; Bräunung durch die Sonne. Gehört zu „sieden". *Österr* 1930 *ff.*

2. einen ~ aufziehen = erröten. *Österr* 1930 *ff, jug.*

3. ~ schinden = ein Sonnenbad nehmen. ↗ schinden 1. *Österr* 1930 *ff.*

4. einen ~ schwingen = a) sonnengebräunt sein. *Österr* 1930 *ff.* – b) erröten. *Österr* 1930 *ff.*

sudeln *intr* unsauber arbeiten; unreinlich sein; unsauber schreiben o. ä. Gehört zu „Sudel = Pfütze, Schmutz, Jauche". Seit dem 15. Jh.

sudeln gehen *intr* ausschweifend leben. Fußt auf dem Begriff der sittlichen Unsauberkeit. *Österr* 1920 *ff.*

Sudelschnauze *f* unflätige Redeweise; unflätig Redender. 1920 *ff.*

Süden *m* unterer Teil des Rückens. 1900 *ff;* wohl älter.

Südlicht *n* Süddeutscher. Analog dem ↗ Nordlicht. 1975 *ff.*

Suezpreise *pl* Preissteigerung. 1956 aufgekommen mit der Verknappung und Verteuerung der Waren in wirklichem oder angeblichem Zusammenhang mit der Suezkrise. Seitdem verallgemeinert.

Suff *m* **1.** das Zechen. Nomen actionis zu „saufen". 1500 *ff.*

2. gewohnheitsmäßiges Trinken; Trunksucht. 1800 *ff.*

3. Rausch. 1800 *ff.*

4. Gesamtheit der alkoholischen Getränke. Kaufmannsspr. vor 1850; *halbw* 1955 *ff.*

5. halber Liter Bier. Mannheim, *halbw* 1960 *ff.*

6. gesetzlicher ~ = Höchstgrenze des Blutalkoholgehalts eines Kraftfahrers. Gegen 1950 aufgekommen.

7. heimlicher (stiller) ~ = heimliches Trinken; Trinksucht ohne Gesellschaft. Seit dem frühen 19. Jh.

8. das kommt vom unregelmäßigen ~: Redewendung, wenn einer bezecht einschläft, im Zimmer sich erbricht o. ä. Berlin seit dem ausgehenden 19. Jh.

Süffel (Süffer, Süffler) *m* **1.** Mensch, der gern, aber nicht regelmäßig alkoholische Getränke zu sich nimmt. ↗süffeln. 1800 *ff.*

2. alter ~ = Auto mit großem Benzinverbrauch. 1950 *ff.*

süffeln *intr* gern trinken; in kleinen Schlukken genüßlich trinken. Iterativum zu „saufen“. Seit dem 19. Jh.

süffig *adj* **1.** angenehm zu trinken. Gegen 1850 aufgekommen.

2. flott geschrieben; schwungvoll, spritzig. 1850 *ff.*

Suffkopf (-kopp) *m* **1.** Zustand der Trunkenheit. Seit dem ausgehenden 19. Jh, Berlin.

2. Trinker. 1890 *ff,* Berlin.

Suffologie studieren viel trinken. Aus dem „Saufen“ ist eine Wissenschaft geworden. *Stud* 1950 *ff.*

suhlen *refl* sich wohlig dehnen und strekken. Meint in der Jägersprache soviel wie „sich in einer Lache wälzen“. 1950 *ff.*

Sülzbeine *pl* **1.** Schweißfüße. Sülze = salzige Brühe; sulzen = ein Sekret absondern. 1900 *ff.*

2. wacklige Beine. Sie sind unfest wie Sülze. 1920 *ff.*

Sülze *f* **1.** Gehirn, Kopf. Anspielung auf die weiche Gehirnmasse. 1910 *ff.*

2. Geschwätz; haltloses Gerede; Unsinn. Dergleichen ist substanzlos wie Sülze. 1920 *ff.*

3. enttäuschendes Ergebnis eines Einbruchs. *Rotw* 1920, Berlin.

4. Verkehrsunfall. Anspielung auf das Durcheinander. Kraftfahrerspr. 1955 *ff.*

5. sich wie zehn Pfund ~ auf nassem Asphalt benehmen = sich übertrieben, hysterisch gebärden. 1959 *ff.*

6. ~ in den Beinen (Knien) haben = vor Schreck oder Überraschung schwanken. *Sold* in beiden Weltkriegen.

sülzen *intr* **1.** inhaltslos, aber pathetisch sprechen. „Sülze“ ist hier Sinnbild der Substanzlosigkeit. *Sold* 1915 *ff;* *jug* 1935 *ff.*

2. schöntun, kosen, flirten; Komplimente machen. Derlei erscheint der Nachkriegsjugend als haltloses Gerede. *Halbw* 1950 *ff.*

Sülzfüße *pl* **1.** große, weiche Füße. 1900 *ff,* österr.

2. Schweißfüße. ↗Sülzbeine 1. *Österr,* 1900 *ff.*

sülzig *adj* ihm ist ~ zumute = er ist energielos, unentschlossen; er traut sich nicht. 1920 *ff,* Berlin und *nordd.*

Sülznase *f* **1.** laufende Schnupfennase. Sül-

zen = ein Sekret absondern. 1900 *ff,* Berlin.

2. freche, vorlaute Person. Analog zu ↗Rotznase. 1900 *ff.*

3. Schimpfwort. 1935 *ff.*

Sülzquanten *pl* Schweißfüße. ↗Quante 1. 1920 *ff;* *sold* 1939 bis heute.

Sümmchen *n* hübsches ~ = sehr ansehnlicher Geldbetrag. 1900 *ff.*

Sumpf *m* **1.** Bar o. ä., in der Prostituierte und Homosexuelle verkehren; Barbesitzer. ↗sumpfen. 1920 *ff,* großstadtspr.

2. den ~ austrocknen (trockenlegen) = Staatsfeinde und deren Helfershelfer unschädlich machen. Aufgekommen mit der Bekämpfung des Terrorismus. 1977 *ff.*

Sumpfblüte *f* sittlich verkommene Person; Prostituierte. Sie ist ein „↗Pflänzchen“, das im sprichwörtlichen „Sumpf der Großstadt“ gedeiht. 1920 *ff.*

sumpfen *intr* liederlich leben; sich alkoholischen und (oder) geschlechtlichen Ausschweifungen hingeben. Im „Sumpf des Lasters“ sinkt man ein und geht unter. 1850 *ff.*

Sumpfhuhn *n* leichtfertiger, liederlicher Mensch; Trinker. Dem Tiernamen ist durch „↗sumpfen“ eine neue Bedeutung untergeschoben worden. *Stud* 1850/60 *ff.*

Sumpfleben *n* liederliche Lebensweise. Seit dem 19. Jh.

Sumpfpflanze *f* leichtlebiges Mädchen; zwielichtiger Mensch. ↗Sumpfblüte. 1920 *ff.*

Sums *m* **1.** Wortschwall ohne Wert; Unsinn; nichts Gediegenes. Entwickelt aus dem Intensivwort „sumsen“ zu „summen“; man erzeugt einen dumpfen Dauerton (die Leistung verbleibt im akustischen Bereich). Etwa seit 1830/40.

2. viel ~ machen = viel Aufhebens machen; eine Sache aufbauschen; viel leeres Gerede machen. 1830/40 *ff.*

sumsen *intr* **1.** ausschweifend leben; einen verschwenderischen Lebenswandel führen. Nebenform zu ↗sumpfen. 1870 *ff.*

2. nörgeln. Schallnachahmend wie ↗brummen 3. Seit dem 19. Jh, *österr* und *schwäb.*

3. langsam arbeiten. *Österr* 1900 *ff.*

Sumser *m* **1.** Versager, Nichtskönner. ↗sumsen 3. *Österr,* 1900 *ff.*

2. Student mit hoher Semesterzahl. *Österr,* 1900 *ff.*

3. langweiliger Mensch. *Österr,* 1900 *ff.*

4. Nörgler. ↗sumsen 2. *Österr* seit dem 19. Jh.

5. Liebediener. Er macht viel „↗Sums“, etwa im Sinne von „beschwatzen“ oder „zum Munde reden“. *Österr* seit dem späten 19. Jh.

Sumsgesüßel *n* schmeichlerische Rede ohne Substanz. ↗Sums 1; ↗Gesüßel. 1920 *ff.*

Sünde *f* **1.** gerichtliche Vorstrafe. Eigentlich die mit voller Erkenntnis vollzogene Übertretung von Gottes Gebot. Verweltlicht spätestens seit dem 19. Jh.

2. Verstoß gegen die Straßenverkehrsordnung. 1950 *ff.*

3. ~ vom Dienst = Bordellprostituierte (soweit sie gerade keinen Urlaubstag hat). 1920 *ff.*

4. ~ im Dienst = Bühnendarstellung der Leichtfertigkeit; Schauspielerin in gewagter Rolle. 1955 *ff.*

5. weiße ~ = Unterlassung rechtzeitiger

Warnung vor Lawinengefahr. 1966 *ff,* *journ.*

6. dumm wie die ~ = geistesbeschränkt. Soll auf Evas Verhalten in der biblischen Paradiesgeschichte zurückgehen: Eva war so dumm, zu sündigen, weil sie auf die Verführerschlange hörte. Spätestens seit dem 19. Jh.

7. faul wie die ~ = sehr träge, arbeitsscheu. Die Sünde lähmt die Tatkraft. Seit dem 19. Jh.

8. schäbig wie die ~ = charakterlos. 1900 *ff.*

9. schön wie die ~ = verführerisch schön. Seit dem 19. Jh.

10. ihm fallen alle ~n bei (ein) = er ist sehr schuldbewußt; urplötzlich regt sich sein Gewissen; plötzlich fällt ihm eine Unterlassung ein. Seit dem 19. Jh.

11. ~n auf dem Buckel haben = vorbestraft sein. ↗Sünde 1. Seit dem 19. Jh.

12. etw hassen wie die ~ = etw sehr hassen, verabscheuen. Seit dem 19. Jh.

13. es ist eine ~ und Schande = es ist schändlich, unverzeihlich. Seit dem 13. Jh.

14. er (sie) ist eine ~ wert = er (sie) ist so schön, daß man sich mit ihm (ihr) vergehen könnte. Seit dem 19. Jh.

Sündenabwehrkanone *f* **1.** Militärpfarrer. *Vgl* ↗Sak. *Sold* 1915 bis heute.

2. fahrbarer Feldaltar. Der „Gulaschkanone“ nachgebildet. *Sold* 1915 bis 1945.

Sündenbock *m* Unschuldiger, der für die Schuld eines anderen mitsamt ihren Folgen büßen muß. Geht zurück auf 3. Moses 16, 21: ein mit den Sünden des Volkes beladener Bock wird in die Wüste geschickt, wie es einer jüdischen Sitte am Versöhnungsfest entsprach. Seit dem 18. Jh.

'Sünden'ge'halt *n* sehr hohes Gehalt. Die Doppelbetonung läßt erkennen, daß „Sünde“ hier die Geltung einer Verstärkung besitzt, fußend auf der Vorstellung von der Sündhaftigkeit. 1950 *ff.*

'Sündengeld *n* **1.** Prostituiertenentgelt. Meint eigentlich das Bußgeld, das früher der Sünder an die Kirche oder den Geistlichen zu entrichten hatte, wenn er von seinen Sünden losgesprochen werden wollte. 1950 *ff.*

2. Entgelt für die Abtreiberin (den Abtreiber). 1960 *ff.*

'Sünden'geld *n* sehr viel Geld. ↗Sündengehalt. Meint eigentlich das unrechtmäßig erworbene Geld. 1800 *ff.*

Sündenkonto *n* Gesamtheit der Straftaten. 1900 *ff.*

Sündenregister *n* **1.** Gesamtheit der Fehler, Versäumnisse o. ä. Meint im ursprünglichen theologischen Sinne das Verzeichnis der einzelnen Sünden, wie man es beispielsweise für die Zwecke der Beichte anfertigt; von da übertragen auf ungeistliche Alltagsvorgänge, etwa seit dem ausgehenden 18. Jh.

2. Strafregister. Die Führung eines solchen Registers wurde im Deutschen Reich 1882 vorgeschrieben. 1900 *ff.*

Sündenstunde *f* Besuch bei einer Prostituierten. 1960 *ff.*

Sündenwagen *m* Ford-Auto. Laut Moses sündigten die ersten Menschen „in einem fort“. Dieses „fort“ wird wortwitzelnd als „Ford“ aufgefaßt. 1925 *ff.*

Sünder *m* Bürger, der – absichtlich oder fahrlässig – gegen öffentlich-rechtliche Bestimmungen verstößt; Gesetzesübertreter; Straftäter. ↗Sünde 1. Seit dem 19. Jh.

Sünderbank (-bänkchen, bankerl) f (n) Angeklagtenbank. 1900 ff.

Sünderkartei f Verkehrszentralregister in Flensburg. Verkürzt aus ↗Verkehrssünderkartei. 1958 ff.

Sünderpunkte pl Strafpunkte in der ↗Sünderkartei. 1958 ff.

sündhaft adj adv **1.** adj = groß, stark; sehr viel (sündhaftes Geld; sündhafte Preise). Gemeint ist eigentlich, daß, wer solche Preise fordert oder soviel Geld besitzt, sich versündigt. Seit dem 19. Jh. **2.** sehr (sündhaft teuer; sündhaft viel Geld). Seit dem 18. Jh.

'sünd'teuer adj adv sehr teuer. Seit dem 18. Jh.

super adj präd **1.** hervorragend; unübertrefflich; hochmodern. Nach angloamerikan Vorbild nach 1945 in der Halbwüchsigensprache aufgekommen. Beliebt bei Werbetextern. **2.** überlegen; sehr leistungsfähig. 1950 ff, schül. **3.** total ~ (echt; unheimlich ~) = unübertrefflich. Jug 1965 ff.

su'perb adj hervorragend. Aus franz „superbe" gegen 1950 übernommen; schül.

Superbediene f **1.** ausgezeichnete Sache. ↗Bediene 2. Halbw 1955 ff. **2.** eine unheimlich schaue ~ aufreißen = ein sehr nettes Mädchen kennenlernen. ↗schau I; ↗aufreißen 8. Halbw 1955 ff.

Superblattl n Zwölfer-Treffer des Schützen. Blatt = Zielscheibe. Bayr 1950 ff.

Superboy m pfundiger ~ = großartiger Kamerad. ↗pfundig. 1950 ff, schül.

Superbulle m sehr leistungsfähiges Schubschiff. Der Bulle ist Sinnbild der Kraft. 1955 ff.

Superding n **1.** tollkühner Einbruch; Raubüberfall; Großschmuggel u. ä. ↗Ding II. 1950 ff. **2.** Großkrankenhaus. 1968 ff. **3.** sehr eindrucksvolle Sache. Halbw 1960 ff. **4.** besonders aufwendige Veranstaltung. 1960 ff.

Superdüse f **1.** sehr schöne Frau. Versteht sich nach dem Folgenden. 1950 ff. **2.** pl = sehr üppig entwickelte Brüste. 1950 ff.

superelegant adj ausgeklügelt, raffiniert. Vom Begriff für modisch geschmackvolle Kleidung übertragen zur Bedeutung „sehr fein". Jug 1955 ff.

superer adj überlegener; noch besser. Komparativ zu „↗super 1". 1955 ff, halbw und jug.

Superglatze f besonders beliebte Schallplatte. ↗Glatze 1. Halbw 1955 ff.

superhart adj überreich an Gewalttaten. ↗hart. 1960 ff.

superheiß adj **1.** hochmodern. ↗heiß 7. 1960 ff. **2.** ein obszön. ↗heiß 2. 1960 ff.

Super-hyper-Schuppen m Lokal mit Attraktionen aller Art. Berlin 1967 ff.

Superklamotten pl hochmodische Bekleidung. ↗Klamotte 7. Werbetexterspr. 1970 ff.

Superklamottenrolle f Bühnenrolle mit vielen anspruchslos-derben und plumpen Einlagen. ↗Klamotte 1. Theaterspr. 1955 ff.

Superknaller m **1.** großartige, zugkräftige Sache. ↗Knaller 4. 1960 ff. **2.** Hauptkönner. 1960 ff.

Superknutsche f intimes Betasten; sittlich sehr freie „Party". ↗knutschen. 1960 ff.

Superkomiker m ausgezeichneter Komiker. 1960 ff.

Superkurven pl sehr ausgeprägte Formen des Frauenkörpers. ↗Kurve 1. 1950 ff.

superkurz adj sehr kurz (auf den Mädchenrock bezogen). 1968 ff.

Super-Leinwand f Breitwand im Kino. 1960 ff.

Supermann m überstarker Mann; bester Könner. Eingedeutscht nach dem Titelhelden einer angloamerikan Bildergeschichten-Reihe (auch verfilmt). 1955 ff.

supermini adj überaus kurz; weit oberhalb des Knies endend (auf den Mädchenrock bezogen). 1966 ff.

Supermutter f sehr hübsches Mädchen. Halbw 1975 ff.

superneu adj völlig neu. Werbetexterspr. 1965 ff.

Superpreise pl sehr niedrige Preise. Werbetexterspr. 1965 ff.

superraffitechnisch adj ausgezeichnet. Zusammengesetzt aus „super", „raffiniert" und „technisch". Schül und stud, 1945 ff.

supersauer adj völlig unzugänglich; barsch abweisend. ↗sauer 1. 1955 ff.

Superschaffe f sehr eindrucksvolle Sache oder Person; Höchstleistung. ↗Schaffe 2. 1955 ff.

superscharf adj sehr liebesgierig. ↗scharf 4. 1960 ff.

Superscheiß m arge Wertlosigkeit; Minderwertigkeit; kaum mehr zu unterbietende Fehlleistung. ↗Scheiß. 1970 ff.

superschrill adj unübertrefflich. ↗schrill. 1980 ff.

Superschüler m **1.** Klassenbester. 1960 ff. **2.** Klassenwiederholer. Er übertrifft seine Mitschüler, weil er sich den Lehrstoff einer Klasse zweimal aneignet. 1960 ff.

super-sehr-furchtbarlich-groß adj adv sehr; überaus; außerordentlich. Häufung bedeutungsverwandter Wörter zu einem Superlativ der Größe. 1955 ff, jug.

Super-Sex m körperliche Geschlechtlichkeit in freiester Form. ↗Sex 1. 1955 ff.

Super-Sonderpreis (Super-Sonder-Sparpreis; Supersparpreis) m äußerst vorteilhafter Kaufpreis. Werbetexterspr. 1970 ff.

Supersprit m Weinbrand. ↗Sprit 1. BSD 1965 ff.

superst adj am weitesten überlegen. Superlativ von „↗super 1". 1955 ff, halbw und sportl.

superstark adj unübertrefflich. ↗stark 1. Jug 1960 ff.

supersteil adj äußerst eindrucksvoll; höchst anziehend. ↗steil 1. 1955 ff.

supertoll adj hochmodern, hochmodisch; unübertrefflich. ↗toll. Halbw 1950 ff.

superweich adj sehr dumm. Anspielung auf Gehirnerweichung. 1945 ff.

Superzahn m sehr anziehendes Mädchen. ↗Zahn 3. 1955 ff.

Süppchen n **1.** besonders wohlschmeckende Suppe. Die Verkleinerungssilbe drückt hier kosewörtlich ein Lob aus. Seit dem 19. Jh. **2.** mit jm ein ~ kochen = mit jm gemeinsame Sache machen. 1920 ff.

3. sein eigenes ~ kochen = den eigenen Vorteil verfolgen. 1920 ff. **4.** ein schlechtes ~ kochen = unredlich handeln. 1950 ff. **5.** auf etw sein ~ kochen = aus dem Schaden (aus der Dummheit) anderer seinen Vorteil ziehen. 1920 ff. **6.** jn sein ~ kochen lassen = jds Absichten nicht vereiteln; sich in jds Pläne nicht einmischen. 1920 ff.

Suppe f **1.** dichter Nebel. ↗Milchsuppe. Seemannsspr., kraftfahrerspr. und fliegerspr. 1920 ff. **2.** Dünnbier; schales Bier. Verkürzt aus „Wassersuppe": man schmeckt mehr Wasser als Würze. 1950 ff, halbw und BSD. **3.** unwahrscheinliches, unerwartetes Glück. Vielleicht hergenommen von einem, der einen Teller Suppe erhält, den er überhaupt nicht erwartet hatte. Jug 1920 ff; sold 1939 ff. **4.** einmal ~, der Herr!: Redewendung an einen, der unvermutet Glück gehabt hat. Vgl das Vorhergehende. Sold 1939 ff. **5.** verschüttete Flüssigkeit jeder Art. 1900 ff. **6.** (nasser) Straßenschmutz. Seit dem 16. Jh. **7.** Not; Bedrängnis; Ungelegenheit; Verlegenheit. Über „Suppe = Straßenschmutz" analog zu „↗Dreck 86". Etwa seit dem 16. Jh. **7 a.** ~ ohne Salz = fade, reizlose Sache. Seit dem 19. Jh. **8.** ~ aus der Tüte = Fertigsuppe. 1950 ff. **9.** alte ~ = alte Geschichte; längst Bekanntes. 1800 ff. **10.** blinde ~ = Suppe ohne Fettaugen. Seit dem 19. Jh. **11.** dicke ~ = a) dichter Nebel. ↗Suppe 1. 1920 ff. – b) ernste Gefahr; gefährliches Unternehmen. ↗Suppe 7. 1910 ff. **12.** die ganze ~ = das Ganze; dies alles. 1870 ff. **13.** gelbe ~ = Bier. 1939 ff, sold. **14.** harte ~ = große Schwierigkeit. ↗Suppe 7. 1950 ff. **15.** heiße ~ = lebensgefährliches Unternehmen; gefährliche Lage. Sold und rotw, 1935 ff. **16.** kalte ~ = Sache, die keinen Beifall findet. 1960 ff. **17.** rote ~ = Blut; Blut aus der Nase; Nasenbluten. Seit dem 17. Jh. **18.** russische ~ = Vorhaben, das einem gründlich verdorben oder gar vereitelt wird. Suppen der russischen Küche sind vielfach sehr scharf gewürzt und gesalzen; ↗Suppe 49. Sold 1941 ff. **19.** stolze ~ = fettlose Suppe. Geht wahrscheinlich auf einen Witz aus dem frühen 20. Jh zurück: Die Suppe guckt einen überhaupt nicht an, nicht einmal mit einem einzigen Fettauge. **20.** jm eine ~ anrühren (anrichten, einrühren) = jn in Ungelegenheiten bringen. ↗Suppe 7. 1800 ff. **21.** die ~ ausfressen (ausessen, auslöffeln), die man sich eingebrockt hat = für Selbstverschuldetes büßen. Durch Zugabe von Brotbrocken kann man die Suppe längen; aber bei gehaltvoller Suppe fällt es schwer, auch noch das Eingebrockte auszuessen. Seit dem 15. Jh. **22.** die ~ auslöffeln (o. ä.), die ein anderer eingebrockt (angerührt) hat = für das

Verschulden anderer zur Rechenschaft gezogen werden. 1900 ff.

23. eine heiße ~ auslöffeln (o. ä.) = eine arge Ungelegenheit durchstehen müssen. ↗heiß 5; ↗Suppe 7. 1935 ff.

24. die ~ blasen = völlig unmusikalisch sein. Reststück eines Witzes: Auf die Frage, ob jd musikalisch sei, und welches Instrument er spiele, wird geantwortet: „ich blase die Suppe". 1850 ff.

25. sich etw in die ~ brocken = einen Schaden selbst verschulden. ↗Suppe 21. Seit dem 19. Jh.

26. etw in die ~ zu brocken haben = in guten Lebensumständen sein. Seit dem 19. Jh.

27. nicht auf der ~ dahergeschwommen sein = kein Neuling, kein Unerfahrener, keiner von geringer Abkunft sein. Suppe = Schweinesaufe. Wien 1930 ff.

28. sich eine ~ einbrocken (anrühren) = eine Unannehmlichkeit selbst verschulden. ↗Suppe 21. Seit dem 18. Jh.

29. jm eine ~ einbrocken = jn in eine schlimme Lage bringen. Vgl ↗Suppe 22. 1800 ff.

29 a. jm in die ~ fallen = jn zur Essenszeit besuchen. 1900 ff.

30. die Uhr geht nach der ~ = die Uhr geht falsch. Anspielung auf wechselnde, unregelmäßige Tischzeiten. Berlin 1920 ff.

31. ich hacke dich in die ~!: Drohrede. Übertragen von den Suppenkräutern, die man zerhackt und in die Suppe gibt. 1950 ff.

32. seine eigene ~ kochen = eigene Pläne verfolgen; sich auf seinen Vorteil verstehen. Vgl ↗Süppchen 3 und 6. 1920 ff.

33. seine ~n auf verschiedenen Öfen kochen = vielfach tätig sein. 1950 ff.

34. die ~ am Kochen halten = ein Vorhaben weiterverfolgen. 1950 ff.

35. die ~ kommt ins (ans) Kochen = eine Angelegenheit steigert sich zur Siedehitze; der Aufruhr ist nicht mehr zu unterdrücken. Seit dem 19. Jh.

36. in eine böse (schlimme) ~ kommen (geraten) = in arge Bedrängnis geraten. ↗Suppe 7. Seit dem 18. Jh.

37. etw zwischen ~ und Gemüse machen = etw in kurzer Frist erledigen. 1950 ff.

38. das macht die ~ nicht fett = das verbessert die Sache nicht wesentlich; das nutzt wenig oder nichts. Analog zu ↗Kohl 11. Seit dem 19. Jh.

39. es regnet ihm in die ~ = er befindet sich in einer unangenehmen Lage. Hergenommen von einem Obdachlosen oder Bettler, der die Suppe vor der Haustür ißt. Seit dem 19. Jh.

40. die ~ muß erst sacken = man muß erst einige Zeit vergehen lassen; man muß warten können; man soll sich nicht vorzeitig aufregen. Die Suppe füllt den Magen; wer weiteressen will, soll abwarten, bis der Magen wieder aufnahmefähig ist. 1930 ff.

41. das ist klar wie ~ = das ist völlig einleuchtend. Kann unverstellt oder iron gemeint sein, je nach Art der Suppe. 1900 ff.

42. das ist unter aller ~ = das ist außerordentlich schlecht. Es ist noch schlimmer als die allerschlechteste Suppe. Berlin 1870 ff.

43. jm eine ~ zum Auslöffeln servieren

= jn zur Rechenschaft ziehen. ↗Suppe 22. 1950 ff.

44. in der ~ sein (sitzen, stecken) = in bedrängter Lage sein. ↗Suppe 7. 1500 ff. Vgl engl „to be in the soup".

45. in einer heißen ~ sitzen = sich in sehr gefährlicher Lage befinden. Vgl ↗Suppe 23. Sold 1939 ff; ziv 1945 ff.

46. jm in die ~ spucken = a) jm etw verleiden; jm die Stimmung verderben; jds Pläne beeinträchtigen; jn kränken. Anfangs wortwörtlich gemeint zum Ausdruck gröbster Anmaßung (Herr- Knecht-Verhältnis); dann zu „kränken" u. ä. gemildert. Seit dem 19. Jh. – b) die feindliche Stellung (unerwartet) unter schweren Beschuß nehmen. Sold 1939 ff.

47. ich lasse mir nicht in die ~ spucken! = ich lasse mir das nicht verleiden! ich weise dies als Zumutung energisch zurück! Seit dem 19. Jh.

48. jn in der ~ stecken lassen = jm aus der Notlage nicht aufhelfen. ↗Suppe 7. 1500 ff.

49. jm die ~ versalzen = jm etw gründlich verleiden, verderben; jm alle Freude an einer Sache nehmen. 1500 ff.

50. eine dicke ~ zusammenbrauen = sehr Übles planen. Sold 1939 ff.

süppeln (suppeln) tr intr trinken; trunksüchtig sein. Iterativum zu niederd „supen = saufen". 1900 ff.

suppen intr **1.** Suppe essen. 1500 ff.
2. zechen. Vokalgekürzte Nebenform zu niederd „supen = saufen". 1900 ff.
3. ausfließen, triefen (Eiter suppt). Ablautende Nebenform zu „↗siepen". Seit dem 19. Jh.

Suppengrün n **1.** Blumenstrauß. Seit dem frühen 20. Jh, schül und stud.
2. Grünabgabe zu Blumensträußen. Berlin 1920 (?) ff.

Suppenhenne f Schimpfwort auf eine weibliche Person. Meint vor allem die alte oder ältliche Frau, die hier mit einem Huhn gleichgesetzt wird, das nur noch zum Kochen taugt. Seit dem späten 19. Jh.

Suppenhuhn n **1.** weibliche Person (abf). Vgl das Vorhergehende. 1870 ff, gemeindeutsch.
2. dummer Mensch; Versager. 1930 ff.
3. altes ~ = alte, dümmliche Frau. 1870 ff.
4. da lachen ja die Suppenhühner! = das ist einfach lächerlich! Vgl ↗Huhn 31. 1930 ff.
5. da lacht das älteste ~!: Erwiderung auf eine törichte Äußerung. Schül 1950 ff.

'Suppenkaspar (Suppenkasper) m Mensch, der nicht gerne Suppen ißt. Übernommen aus dem Kinderbuch „Der Struwwelpeter" von Heinrich Hoffmann (1844). 1850 ff.

Suppenpott m ↗Suppentopf.

Suppenschlauch m **1.** Speiseröhre, Gurgel. 1950 ff.
2. jm den ~ abzwicken = jn würgen, erwürgen. 1970 ff.

Suppenschlurf m junger, ungesitteter Mann. ↗Schlurf. Österr 1900 ff.

Suppenschüler m Schüler (Student), der einen Freitisch bekommt. Bayr 1930 ff.

Suppentopf (-pott) m **1.** Helm, Stahlhelm. Es wird behauptet, im Stahlhelm habe man eigentlich Suppe gekocht. Gewährsleute haben das bisher nicht gemeldet. Seit dem späten 19. Jh.

2. durch Nebel verrufene Flußstrecke. Binnenschifferspr. 1900 ff.

Suppenwürfel m ~ mit Motor = Kleinauto. Um 1925 in Berlin aufgekommen als Bezeichnung für den kleinen „Hanomag" wegen seiner würfelförmigen Karosserie; später auch auf andere Kleinwagen bezogen.

Suri m Alkoholrausch. Meint eigentlich den Kreisel. Anspielung auf das Gefühl, es drehe sich alles um einen herum. Bayr 1900 ff.

'Surius m saurer Wein. Scherzhafte Latinisierung aus „sauer". 1900 ff.

Surrogatte m intimer Freund der Ehefrau o. ä. Zusammengesetzt aus „Surrogat" (= Ersatz) und „Gatte". Spätestens seit 1920.

Surrogattin f intime Freundin eines verheirateten Mannes. 1920 ff.

Suse f **1.** langsamer, energieloser, unaufmerksamer Mensch; Mensch, der alles gefallen läßt. Verkürzt aus „↗Transuse" oder ähnlichen verächtlichen Bezeichnungen mit der Endung „-suse". Seit dem 18. Jh.
2. liederliches, geistesbeschränktes Mädchen. Wohl beeinflußt von jidd „ssuss = Stute". Rotw 1800 ff.

Susi f (m) **1.** Soldat mit langen Haaren. Auf der Zeitungsseite „Für junge Leute" wird mit dem Bild eines Mädchens mit langen herabfallenden Haaren und der Unterschrift „Susi" etwa alle zwei Wochen in verschiedenen Zeitungen die Serie „Aus meinem Tagebuch" veröffentlicht. BSD 1971 ff.
2. Rufname der Hündin. 1900 ff.
3. Rufname der Katze. 1900 ff.

susig adj **1.** benommen, verträumt, energielos. ↗Suse 1. Seit dem späten 19. Jh, nördlich der Mainlinie.
2. oberflächlich bei der Arbeit. 1870 ff.

süß adj **1.** reizend, entzückend, allerliebst. „Süß" ist alles, was eine angenehme Empfindung hervorruft und ästhetisch erquickt. So können das Baby, das Mädchen, das Bild, der junge Hund usw. „süß" sein. Beliebte Jugend-, Leutnants- und Operettenvokabel. Seit dem späten 19. Jh.
2. schmeichlerisch, verlockend. Seit dem 15. Jh.
3. einmalig ~ = unübertrefflich. Schül und stud, 1945 ff.
4. zu und zu ~ = allerliebst. 1920 ff.
5. sich ~ benehmen = sich liebenswert, lobenswert benehmen. 1950 ff.
6. ~ schlafen = angenehm schlafen. Meist in der Befehlsform gebraucht. Seit dem 19. Jh.

Süße f **1.** Koseanrede an die Freundin, die Frau. Seit dem 19. Jh.
2. auf die ~ = mit Schmeichelei; kosend. Verkürzt aus „auf die süße ↗Tour". 1920 ff.

Süßer m **1.** Geliebter; intimer Freund; Ehemann (Kosewort). Seit dem 19. Jh.
2. Prostituiertenanrede an den Kunden. Seit dem 19. Jh.
3. Schmeichler. Seit dem 19. Jh.
4. Homosexueller. Seit dem 19. Jh.
5. Mann, der viel Zucker in den Kaffee (Tee) nimmt. 1900 ff.
6. Kuß. Seit dem 19. Jh.

Süßholz n **1.** Schlagstock, Prügel. Eigentlich die Süßwurzel oder Lakritze. Bei Kindern sehr beliebt; wird ihnen auch als „Trostpflaster" gegeben. Dadurch analog mit „↗Tröster". 1920 ff.

2. meterlanges ~ = plumpe, lang anhaltende Schmeichelei. *Halbw* nach 1955.

3. ~ raspeln = a) schöntun; den Hof machen; flirten. Wer Süßholz raspelt oder schabt, spricht „süßlich" im Sinne von „schmeichlerisch". Bei Hans Sachs (1494–1576) heißt es „süßes Holz ins Maul nehmen", wobei „süßes Holz" bildlich für „schöne Reden" steht. In der heute geläufigen Form im frühen 19. Jh aufgekommen; entweder *stud* Herkunft oder durch Studenten volkstümlich geworden. – b) die Wahrheit entstellend reden. 1900 ff.

Süßholzraspler *m* **1.** Schöntuer, Schmeichler. Etwa seit 1820.

2. jugendlicher Liebhaber (als Bühnenrolle). Theaterspr. 1900 ff.

Süßling *m* **1.** überfreundlicher Mensch. Seit dem 18. Jh.

2. weibischer Halbwüchsiger. 1900 ff.

3. Likör. Um 1900 *rotw* Bezeichnung für Honig und Kaffee. 1960 ff, *österr, rotw.*

süßmäulig *adj* nach leckeren Speisen (Süßspeisen, Süßigkeiten) verlangend. Seit dem 19. Jh.

süßsauer *adv* **1.** ~ grinsen = unecht, heuchlerisch lächeln. „Süßsauer" bezieht sich auf zwei gleichzeitige Geschmacksempfindungen. 1900 ff.

2. auf etw ~ reagieren = etw ablehnen mögen, aber beistimmen müssen. *Sold* in beiden Weltkriegen.

Süßstoff *m* Rührseligkeit; Schwelgen in Gefühlen. 1955 ff.

Süßwassermatrose *m* **1.** Binnenschiffer. Seit dem 19. Jh.

2. Angehöriger der Bundesmarine. *BSD* 1965 ff.

3. Homosexueller. ↗Süßer 4. 1900 ff.

sutje (suttje, sutchen) *adv* langsam, sacht, sanft, allmählich. Fußt auf *ndl* „zoetjes = sacht". Seit dem 18. Jh, vorwiegend nord-*westd.*

Sutter *m* Tabaksaft in der Pfeife. Gehört zu „Sudel = Jauche". Seit dem 19. Jh, fränkisch.

sutzeln (suzzeln) *intr* saugen. Fußt auf der Erweiterung „suckezen" von „saugen". Vorwiegend *oberd,* seit dem 17. Jh.

Swingheini *m* Tanzjüngling, Jazzanhänger.

„Swing" (nach *engl* „to swing = schaukeln, schwingen"), eigentlich Stilartbezeichnung des Jazz seit 1930, wurde im *dt* Sprachgebrauch der Nachkriegsjahre zum Synonym für „Jazz" schlechthin und für „moderne Tanzmusik" ganz allgemein. ↗Heini 1. 1950 ff.

Swutsch *m* **1.** liederlicher Lebenswandel; Schwelgerei; Ausschweifung. ↗Swutscher. Nord-*westd,* spätestens seit 1900.

2. zielloser Spaziergang; Wirtshausbesuch; Vergnügung. 1900 ff.

Swutscher *m* liederlich lebender Mensch. Geht zurück auf *franz* „suitier". 1900 ff.

Symbiose *f* eine ~ eingehen (schließen) = vom Mitschüler abschreiben. Dem Naturkundeunterricht entnommen: meint eigentlich das Zusammenleben zweier Arten von Lebewesen, das für beide Teile von Vorteil ist. *Schül* 1930 ff.

Sym'path *m* sympathischer Mensch. 1920 ff.

sympa'thetisch *adj* sympathisch. Zusammengesetzt aus „sympathisch" und „pathetisch". 1920 ff.

Sympathi'sant *m* Gesinnungsgenosse. Meint im engeren Sinne den Beschützer und geistigen Helfer von Umstürzlern. Gegen 1968 aufgekommen im Zusammenhang mit der Baader-Meinhof- Gruppe.

Sympi *m* (heimlicher) Gesinnungsgenosse von Terroristen. Zusammengezogen aus „↗Sympathisant". 1976 ff.

Syph *m* f Syphilis. Hieraus verkürzt. 1900 ff.

Syphilist *m* Zivilist. Wortwitzelei. *Sold* 1914 bis heute.

System *n* herrschende Gesellschaftsschicht; herrschende Gesellschaftsordnung. Aufgekommen um 1840 im Kampf der Arbeiterklasse und weiterverbreitet in den späten zwanziger Jahren als NS-Kampfwort gegen die Weimarer Republik und wiederaufgelegt nach 1950 in Kreisen der Kritiker des neuen Staatswesens der Bundesrepublik Deutschland, später auch allgemein der modernen Lebensformen, der großtechnischen Zivilisation.

Systemprodukt *n* von der herrschenden Schicht beeinflußter (beherrschter) Bürger; politisch unselbständiger Bürger. 1965 ff.

Systemüberwindung *f* Beseitigung der freiheitlich-demokratischen Grundord-

nung; Kampf gegen die kapitalistische Weltordnung. 1965 ff.

Szene *f* **1.** geräuschvolle Auseinandersetzung; lebhafter Wortwechsel. Übernommen vom Bühnenauftritt und in den Alltag eingeführt mit der Bedeutung eines leidenschaftlich bewegten Vorgangs. Seit dem 19. Jh.

1 a. Berufs-, Betätigungs-, Lebensbereich; Schauplatz. Nach 1965 übernommen aus *gleichbed engl* „scene". (Bonner ~, Musik-~, Terror-~, Rauschgift-~, Schlager-~, Mode-~, Streik-~, Wahlkampf-~, Disco-~ u. v. a. m.).

2. große ~ = heftige, aufgeregte Auseinandersetzung. 1900 ff.

3. auf offener ~ = auf offener Straße. Bezieht sich eigentlich auf die Bühne, vor der der Vorhang hochgezogen ist. 1950 ff.

4. die ~ ist gestorben = die Szene ist abgeschlossen, gut gelungen, zu Ende gefilmt. Filmspr. 1950 ff.

5. eine ~ im Kasten haben = die Aufnahme eines Filmauftritts beendet haben. Kasten = Filmkamera. Filmspr. 1920 ff.

6. eine ~ hinlegen = a) eine Bühnenszene hervorragend spielen. ↗hinlegen 2. 1920 ff, theaterspr. – b) sich vor jm übertrieben aufführen; sich zu einem Wutausbruch hinreißen lassen. 1920 ff.

7. über die ~ laufen (gehen) = sich ereignen. *Vgl* ↗Bühne 3. 1950 ff.

8. eine ~ machen = sich wie ein Schauspieler (eine Schauspielerin) benehmen. Seit dem 19. Jh.

9. jm eine ~ machen = sich in jds Gegenwart übertrieben aufregen; in laut und energisch rügen; jn entwürdigend anherrschen. Was mit dem Theater zusammenhängt, wird in volkstümlicher Auffassung als übertrieben und unnatürlich, auch als geheuchelt gewertet. Seit dem 19. Jh.

10. jn in ~ setzen = jn vorteilhaft an die Öffentlichkeit bringen; jn geschickt dem Publikum vorstellen. 1920 ff.

11. sich in ~ setzen = die Aufmerksamkeit aufdringlich auf sich lenken; sich von der vorteilhaftesten Seite darstellen; eine gewinnende Pose einnehmen; durch Äußerlichkeiten einen günstigen Eindruck zu erwecken suchen. 1870 ff.

T

TBH Tanzlokal. Abgekürzt aus ↗ Teenagerbefruchtungshalle. *Halbw* 1960 *ff.*

TBK 1. schwere Geistesstörung; hochgradige Begriffsstutzigkeit; ausgeprägte Dummheit. Abkürzung von „totale ↗ Beklopptheit". *Jug* 1950 *ff.*

2. Versteck für die Übermittlung von Geheimnachrichten. Abkürzung von „toter ↗ Briefkasten". 1969 *ff*, agentenspr.

TSP Lokal mit Mädchenbetrieb. Abgekürzt aus ↗ Tittenschwungpalast. *BSD* 1965 *ff.*

TTV (TTUVP) machen sich der Dienstpflicht entziehen; sich dem Dienst zu entziehen suchen; sich unerlaubt vom Dienst entfernen. Abkürzung von „↗ tarnen, täuschen und verpissen". ↗ verpissen. *BSD* 1965 *ff.*

TV-Idiot *m* Mensch mit dem Bildungsstand eines Fernsehzuschauers. 1965 *ff.*

T-Zug *m* Trans-Europ-Express. Die Abkürzung „TEE" klingt wie der Buchstabe T. Dem „D- Zug" nachgebildet. 1959 *ff.*

Tabak *m* **1.** ~ vom deutschen Bahndamm = minderwertiger Tabak. ↗ Bahndamm. 1939 *ff.*

2. alter ~ = längst Bekanntes. 1930 *ff.*

3. in den ~ schießen = weggehen; die Stellung aufgeben. Vorwiegend in der Befehlsform. Schießen = sich schnell bewegen. *Halbw* 1955 *ff.*

4. das ist scharfer ~ = das ist eine Zumutung, eine schroffe Zurechtweisung. Seit dem 19. Jh.

5. das ist starker ~ (Tobak) = das ist eine schwer begreifliche Sache, eine schwierige Sache, eine unerträgliche Zumutung, ein derber Witz o. ä. Beruht auf einer Volkserzählung: der Teufel begegnet im Wald einem alten Jäger und fragt ihn, was er da in der Hand halte und welchem Zweck es diene; der Jäger gibt seine Flinte für eine Tabakdose aus, und als der Teufel um eine Prise bittet, schießt ihm der Jäger eine Ladung ins Gesicht; darauf sagt der Teufel „das ist starker Tabak". Seit dem 18. Jh. *Vgl franz* „c'est un pot de fort de tabac".

täbern *intr* rauchen. Neues Verbum zu „Tabak". *Steir* 1964 *ff*, *jug.*

Tabernakel *m (n)* **1.** Kopf. Eigentlich Bezeichnung für das Sakramentshäuschen, dann auch für das Schutzdach über Standbildern. Variante zu „Dach = Kopf". Etwa seit dem ausgehenden 19. Jh, vorwiegend in Gegenden mit vorherrschender katholischer Bevölkerung.

2. Vagina. Vom Aufbewahrungsort für das Allerheiligste Altarssakrament übertragen. 1930 *ff.*

Tablett *n* **1.** aufs ~ kommen = zur Sprache kommen. Entstellt aus „aufs ↗ Tapet kommen", unter Einfluß des Folgenden. 1950 *ff.*

2. kommt nicht aufs ~! = ausgeschlossen! Ausdruck der Ablehnung. Versteht sich aus der Berliner Vorform „das kommt nicht aufs Tabrett!". „Tabrett" ist entstellt aus „tabouret = kleiner gepolsterter Hokker". Gemeint ist, daß das Betreffende bei jm keinen Platz beanspruchen kann, also nicht geduldet wird. Etwa seit dem frühen 20. Jh, gemeindeutsch und *österr.*

3. etw auf einem ~ rantragen = ein

Bühnenstück überdeutlich gestalten. *Vgl* auch ↗ Präsentierteller. 1955 *ff.*

4. jn aufs ~ stellen = jn der Öffentlichkeit vorführen; jn dem Publikum von der vorteilhaftesten Seite vorstellen. 1920 *ff.*

Tacheles reden 1. vom Geschäftlichen reden; zur Sache kommen; ohne Umschweife miteinander reden; ein Geständnis ablegen. Fußt (nach Mitteilung von Dr. Siegmund A. Wolf) auf *jidd* „tachlis = Endzweck"; *jidd* „letachlis kommen = zum Endzweck, Abschluß kommen". Etwa seit 1900.

2. jm Vorhaltungen machen. 1920 *ff.*

3. die Honorarfrage erörtern. Filmspr. 1920 *ff.*

tachinieren *intr* arbeitsscheu sein; sich einer Arbeit entziehen; dem Schulunterricht fernbleiben. Fußt wahrscheinlich auf *tschech* „tahnouti se = sich ziehen, dehnen; sich fortmachen". *Österr* 1900 *ff.*

Tachi'nose *f* Arbeitsscheu; Dienstunlust. ↗ tachinieren. Medizinischen Fachwörtern wie „Trichinose, Sklerose" usw. nachgeahmt. *Österr* 1900 *ff*, vorwiegend *sold.*

tacho im ~ sein = seinen Vorteil zu wahren wissen; sich zu helfen wissen. ↗ takko sein. Verwandt mit ↗ Tacheles 1. 1970 *ff*, rotw.

Tachtel *f* Ohrfeige; Schlag auf den Kopf. ↗ Dachtel 1. 1500 *ff.*

tack *adj* tüchtig, anstellig. Geht zurück auf *tschech* „tak = so" (nämlich „so, wie er sein soll"). Wien 1930 *ff.*

tackeln *intr* Straßenprostituierte sein. Nebenform und Bedeutungsverengung von „↗ dackeln 1". 1960 *ff*, Berlin, *prost.*

tacko sein (taku sein) 1. angesehen, einflußreich sein. Fußt auf *gleichbed jidd* „takiph". 1750 *ff.*

2. zuverlässig sein. 1900 *ff.*

3. dümmlich sein. Durch Einwirkung des Vorhergehenden umgewandelt aus „↗ ticktick an Birne". 1960 *ff*, *prost*, Frankfurt am Main.

Tafelaufsatz *m* Gast, mit dem man Eindruck macht. Eigentlich das zum Schmükken der Speisetafel verwendete zusätzliche Geschirr (Blumenarrangement o. ä.). 1900 *ff.*

Tafelkratzer *m* Schüler der untersten Volksschulklasse. Er lernte früher auf der Schiefertafel schreiben. 1900 *ff.*

Tafellecker *m* Schulneuling. Mit dem angefeuchteten Finger löschte man früher die Fehler auf der Schreibtafel aus. Seit dem späten 19. Jh.

tafeln *v* jm eine ~ = jm eine Ohrfeige versetzen. Analog zu „jm eine ↗ wischen". 1900 *ff.*

Taferlklasse *f* erste Volksschulklasse. *Österr* 1850 *ff.*

Taferlmann (-frau) *m (f)* Punktrichter(in) beim Eiskunstlauf. Bei Abgabe der Wertung heben sie ein Täfelchen mit der Wertungszahl in die Höhe. 1960 *ff.*

taff *adj* hervorragend. Nebenform von ↗ toff. 1950 *ff.*

Tag *m* **1.** ~ der Befreiung = Tag der Ehescheidung. 1930 *ff*, Jurastudenten.

2. ~ der inneren Einkehr = Tag, an dem man den Geschlechtsverkehr ausübt. Eigentlich der Tag der Besinnung; hier Anspielung auf die Einführung des männlichen Glieds in die Scheide. 1960 *ff.*

3. ~ der Entscheidung = Tag der Zeug-

---

nisausgabe. Geht auf einen Filmtitel zurück. *Schül* 1958 *ff.*

4. ~ der Freiheit = Entlassung aus dem Wehrdienst. Eigentlich der Tag der Entlassung aus der Haftanstalt. *BSD* 1965 *ff.*

5. ~ des Herrn = a) Tag der Herrenpartien. „Herr" ist eigentlich Gott; hier bezogen auf den Hausherrn. Seit dem späten 19. Jh, Berlin. – b) Lohnzahltag. Gewertet als der eigentliche Feiertag des Arbeitnehmers. 1900 *ff.* – c) Entlassung aus der Bundeswehr am Dienstzeitende. *BSD* 1965 *ff.* – d) arbeitsfreier Samstag. Die erwerbstätigen Männer haben arbeitsfrei, während die Arbeit der Hausfrauen weitergeht. 1958 *ff.*

6. ~ Null = Tag der Entlassung aus der Bundeswehr. Hängt zusammen entweder mit dem „↗ Maßband" (wenn kein Zentimeter mehr abzuschneiden ist) oder mit dem „Tag Null", wie man den Tag der Kapitulation am 7. bzw. 9. Mai 1945 bezeichnet: es ist der Tag völligen Neubeginns nach einer Katastrophe. *BSD* 1970 *ff.*

7. ~ der deutschen Schwarzarbeit = arbeitsfreier Samstag; Samstag der 45-Stunden-Woche. 1956 *ff.*

8. ~ der offenen Tür = leicht zugängliches Mädchen. Eigentlich der Tag, an dem Außenstehende öffentliche Einrichtungen, Ver- und Entsorgungsbetriebe, Kasernen usw. besichtigen können. *BSD* 1968 *ff.*

9. ~ der Wahrheit = Musterung. Fußt auf der Meinung, die Musterungsärzte ermitteln irrtumsfrei den körperlichen Zustand der angetretenen Zivilisten. *BSD* 1965 *ff.*

10. ~ der deutschen Zentralheizung = 1. Oktober. Mit ihm setzt die Heizperiode ein. 1960 *ff.*

11. am ~, als der Regen kam = Körperwaschung. Fußt auf dem gleichnamigen Schlagerlied, dessen Text von Ernst Bader und dessen Musik von Bécaud und Delanoe stammt. *BSD* 1971 *ff.*

12. blauer ~ = Tag geheuchelter Arbeitsunfähigkeit. ↗ blaumachen. 1950 *ff.*

13. dicker ~ = ereignisreicher, verlustreicher Tag. Dick = vollgestopft, vollgepreßt. *Sold* 1939 *ff.*

14. eisenfreier (eisenloser) ~ = Tag, an dem an der Front kaum ein Schuß fällt. *Sold* in beiden Weltkriegen.

15. ja, den ganzen ~!: Redewendung, mit dem man bestätigt, daß heute der soundsovielte Tag des Monats (der vermutete Wochen- oder Feiertag) ist. 1900 *ff.*

16. kritische ~e = Menstruationszeit. 1900 *ff.*

17. die längsten ~e = die letzten Tage im Monat. Man hat den Eindruck, die Tage bis zum Ersten (das zur Lohn- oder Gehaltszahlung) wollten nicht vorübergehen. 1920 *ff*, *stud.*

18. rabenschwarzer ~ = Tag voller Mißerfolge. Zusammenhängend mit Schwarz als Sinnbildfarbe des Unheils. 1900 *ff.*

19. rote ~e = Menstruationstage. Seit dem 19. Jh.

20. schöner ~, heute abend = schöner Abend heute. *Schül* 1930 *ff.*

21. schönster ~ meines Lebens = a) Tag der Versetzung. Fußt auf dem Titel eines 1957 gedrehten Films. *Schül* 1959 *ff.* – b) Tag der Entlassung aus der Bundeswehr am Dienstzeitende. *BSD* 1965 *ff.*

22. tolle ~e = a) Fastnachtstage. 1900 *ff.*

- b) Zeitspanne des Sommer-, Winterschlußverkaufs. 1970 ff.

23. in achtzig ~en um die Erde = Erdkundeunterricht in der Schule. Geht zurück auf den dt Titel des 1956 unter der Regie von Mike Todd gedrehten Films „Around The World in 80 Days" nach dem Roman von Jules Verne. 1959 ff.

24. den ~ andonnern = den Tag mit der Notdurftverrichtung beginnen. 1940 ff, sold; aber wahrscheinlich im Ersten Weltkrieg aufgekommen.

25. den ~ einläuten = morgens koitieren. 1935 ff.

26. seinen ~ haben = vorübergehend gereizt, verärgert, mißgestimmt sein. Auf den Mann übertragen von der Stimmung der menstruierenden Frau. 1920 ff.

27. ihre ~e haben = menstruieren. Seit dem 19. Jh.

28. einen (seinen, ihren) grauen ~ haben = mißgestimmt sein. Grau als Farbe der Freudlosigkeit. 1950 ff.

29. du hast heute wohl deinen schlauen ~? = du kommst dir heute wohl besonders klug vor? 1920 ff.

30. seinen sozialen ~ haben = sehr gebefreudig sein. 1950 ff.

30 a. seinen starken ~ haben = an einem bestimmten Tag hervorragender Könner sein. Sportl 1960 ff.

31. einen volksnahen ~ haben = als hochgestellte Persönlichkeit sich schlicht und natürlich geben. Hängt zusammen mit NS-Begriffen wie „volksverbunden" und ähnlichen Bezeichnungen schwülstiger Form und ungreifbarer Substanz. Stud 1950 ff.

31 a. sich einen flotten ~ machen = sich ausleben. Seit dem 19. Jh.

32. sich einen guten ~ machen = sorglos, bequem, gut leben. 1900 ff.

33. sich einen schlauen ~ machen = bequem, sorgenfrei, auf Kosten anderer leben. Seit dem 19. Jh.

34. guten ~ und gut Weg sagen (einander guten ~ und gut Weg geben, wünschen) = einander grüßen, aber nicht näher bekannt sein; höflich ein paar Worte wechseln und seiner Wege gehen. 1700 ff.

35. mit jm guten ~ und guten Weg stehen = mit jm oberflächliche Höflichkeiten austauschen. Vgl das Vorhergehende. Seit dem 19. Jh.

36. sich den ~ um die Ohren schlagen. ↗Ohr 73.

37. nun ist es ~ bei mir = nun ist für mich die Sache klar. Tag = heller Tag; Tageshelligkeit. 1700 ff.

38. den gestrigen ~ suchen = zerstreut sein; Aussichtsloses beginnen. 1800 ff.

39. nun wird's ~ = a) jetzt verstehe ich endlich die Zusammenhänge. Analog zu ↗dämmern 1. 1800 ff. – b) Ausdruck der Verwunderung, des Unwillens, der Ungeduld o. ä. 1800 ff.

Tagchen guten Tag! Seit dem frühen 20. Jh, halbw.

Tageblatt n Mensch, der gern über andere schwätzt. Er ist eine Art Tageszeitung. 1920 ff.

Tagelöhner m papierner ~ = a) Büroangestellter, Schreiber. Seit dem 19. Jh. – b) Kaufmann. 1900 ff.

Tagesform f Leistungsvermögen eines Sportlers an einem bestimmten Tag. ↗Form 1. Sportl 1950 ff.

Tageslöwe m (vorübergehend) gefeierter Künstler. ↗Löwe 4. 1830 ff.

Tagesordnung f über etw zur ~ übergehen = auf etw nicht eingehen. Hergenommen von der Verhandlungsfolge, außerhalb derer man nichts bespricht. 1920 ff.

Tageszeitung f lebende ~ = Mensch, der gern und ausführlich über andere schwätzt. ↗Tageblatt. 1920 ff.

tagtag gehen spazierengehen. Das Kind winkt zum Abschied „Tag, Tag" (guten Tag, guten Tag). 1900 ff, kinderspr.

tagtag machen jm zuwinken. Vgl das Vorhergehende. 1900 ff, kinderspr.

tailachen intr 1. gehen, laufen. Stammt aus jidd „talecha = gesandt werden". Rotw 1840 ff.

2. davongehen, fliehen. 1900 ff, rotw, prost und sold.

Taillentrainer m Korsett o. ä. Theaterspr. 1920 ff.

Taillenweite f 1. jds ~ prüfen = jn innig umarmen. 1930 ff.

2. das genau meine ~ = das sagt mir sehr zu, ist genau das Passende, ist mir hochwillkommen. 1940 ff.

tak adj lebenslustig, anständig, tüchtig. ↗tack. Österr 1930 ff.

Takel n 1. putzsüchtige Frau. Meint in der Seemannssprache die Ausrüstung, das Tauwerk des Schiffes. ↗auftakeln 1. 1840 ff.

2. in der Kleidung nachlässige Frau. ↗abtakeln 1. 1900 ff.

Takelage (Endung franz ausgesprochen) f **1.** Kleidung (vor allem die auffallende, geschmacklose). Seit dem 19. Jh.

2. übermäßig zur Schau getragener Schmuck. 1900 ff.

Takelung (Takelwerk) f (n) auffallende (billige, geschmacklose) Kleidung. 1900 ff.

Takt m 1. nach ~ und Noten = regelrecht, vorschriftsmäßig, gründlich. Nach Takt und Noten spielt Klavier, wer sich streng an die Vorschriften des Komponisten hält. 1900 ff.

2. den ~ aufstocken = sich höflicher, taktvoller benehmen als bisher. Hergenommen vom Haus, das man um ein Stockwerk erhöht. 1960 ff, jug.

3. das genaue ~ den ~ bringen lassen = unerschütterlich arbeiten; das Arbeitstempo beibehalten. 1910 ff.

3 a. ein paar ~e gehen = einen kurzen Spaziergang unternehmen. 1930 ff.

3 b. ein paar ~e Zeit haben = etwas Zeit erübrigen können. 1930 ff.

4. ein paar ~e plaudern (reden) = ein wenig plaudern. 1930 ff.

5. mit jm einen paar ~e reden = jm ernste Vorhaltungen machen. Man bringt ihm den Takt bei oder die „↗Flötentöne". 1925 ff.

6. jm einen paar ~e sagen = jm Anstand beibringen. 1925 ff.

7. jm den ~ schlagen = jn verprügeln. Aus dem Taktstock wird der Prügelstock. 1920 ff.

8. ~ ist Luxus = anstandsgemäßes Verhalten ist überflüssig. Jug 1955 ff.

taktfest adj 1. nicht ~ sein = a) leicht kränklich sein. Der Musiker ist taktfest, wenn er den musikalischen Takt beherrscht; der Soldat ist taktfest, wenn er den vorgeschriebenen Schritt-Takt einhält. 1800 ff. - b) unzuverlässig sein. 1800 ff.

2. in einem Fach ~ sein = ein Fach beherrschen. Seit dem 19. Jh.

Taktik f anständiges Benehmen; Schicklichkeitsgefühl. Aufgefaßt als Lehre vom Takt. 1800 ff.

taku sein ↗tacko sein.

Talarwanze f weibliche Person, die sich ohne Berufung aufdringlich mit kirchlichen Angelegenheiten befaßt. 1950 ff.

Talent n da sitzt (steht) er nun mit seinem ~ (und kann es nicht verwerten) = trotz Wissen und Fertigkeit ist er ratlos. Stammt aus der Berliner Posse „Berlin bei Nacht" von David Kalisch (1850).

Talentbestie f untalentierter Schauspieler. Der „↗Intelligenzbestie" nachgebildet. Theaterspr. um 1900.

Talentmühle f Bildungsanstalt, Fachschule o. ä. Dort werden Begabungen „durch die Mühle gedreht", d. h. die besondere Begabung wird zerschrotet, die allgemeine wird gefördert. 1950 ff.

Talentpächter m Theaterdirektor, -intendant. Seit dem ausgehenden 19. Jh.

talentverdächtig adj meistens dümmlich, aber gelegentlich gescheit redend (handelnd). Iron Adjektiv. 1920 ff.

Taler m runde Scheibe Wurst. Formähnlich mit dem ehemaligen Dreimarkstück. 1900 ff.

Talerchen pl Geld, Lohn, Gehalt, Sold. Burschikose Verniedlichung. 1920 ff.

Talfahrt f 1. Konjunkturrückgang, Währungsverfall, Kursverlust. Hergenommen von der Schiffahrt oder vom Skiabfahrtslauf. 1970 ff; geprägt von Bundeswirtschaftsminister Karl Schiller.

2. Abstieg einer Sportmannschaft; sittliches (gesellschaftliches) Absinken eines Menschen. 1973 ff.

talfen intr betteln. Fußt auf jidd „dalfen = arm". Rotw seit dem frühen 19. Jh.

Talglicht n 1. hervortretender Nasenschleim bei kleinen Kindern. ↗Licht 2. 1800 ff.

2. ihm geht ein ~ auf = er beginnt endlich zu begreifen; er erkennt endlich die Zusammenhänge. Analog zu „ihm geht ein ↗Licht auf". Talglichter waren bis ins 19. Jh üblich; sie wurden abgelöst von Paraffin- und Stearinkerzen. Seit dem 19. Jh.

3. jm ein ~ aufstecken = jn deutlich auf etw hinweisen; jm etw zu verstehen geben. Seit dem 19. Jh.

talkert adj ↗dalkert.

talmi adj adv 1. unecht. Entstanden aus der Abkürzung „Tal. mi. or" für die nach dem Erfinder Tallois „Tallois-demi-or" genannte, mit Gold überwalzte Kupfer-Zinn-Mischung. Gegen 1860/70 aufgekommen.

2. echt ~ = schlechte Ware; schlechte Leistung; unfeines Benehmen. 1900 ff.

Tal'mine f weibliche Person, an der vieles oder alles unecht ist. 1935 ff.

talpen intr 1. schwer auftreten; schwerfällig gehen. Schallnachahmung für das Geräusch, das man beim Gehen im Morast hervorruft. 1500 ff.

2. grob anfassen; schroffe Vorhaltungen machen. Seit dem 19. Jh.

3. es getalpt kriegen = Prügel erhalten. 1900 ff.

talpschen intr ungeschickt mit den Händen fassen. ↗talpen. Berlin und niederd, seit dem 19. Jh.

tälsch adj widerlich, linkisch, dümmlich. Wohl verwandt mit „↗dalkert (dalkig, dalkch, dalksch, dalsch)". Vorwiegend *schles*, seit dem 19. Jh.

Talsohle *f* 1. Tiefstand des Wirtschaftslebens. 1967 von Bundeswirtschaftsminister Karl Schiller aufgebrachter Fachausdruck in Anlehnung an den geographischen Begriff.
2. moralischer Tiefstand. 1967 *ff.*
3. Folge von Widrigkeiten; Niedergang, Abstieg; Tiefstand des Leistungsvermögens. 1971 *ff.*

Talsperre *f* 1. Regelbinde. 1914 *ff, sold* und *ziv.*
2. Busennadel, -brosche. *Jug* 1955 *ff.*
3. Durst haben wie eine ~ = heftigen Durst haben. 1930 *ff.*
4. ~ spielen = sich langsam betrinken. Man macht es der Talsperre nach, die langsam volläuft. 1930 *ff, halbw* und arbeiterspr.

Tampax rauchen Filterzigaretten rauchen. Übernommen von der Tampax-Hygiene der menstruierenden Frau. 1950 *ff.*

Tampen *m* Stück, Endstück. Tamp = dikkes Tauende. *Marinespr* 1900 *ff.*

Tam'tam (Tam-'Tam) *m n* geräuschvolles Beiwerk; Lärm; Reklamebetriebsamkeit; Propaganda; Marktschreierei; prunkvolle Aufmachung. Über *franz* Vermittlung übernommen von der gleichlautenden Bezeichnung für die Eingeborenentrommel in Afrika sowie in Vorder- und Hinterindien. Dem Wesen nach schallnachahmend, gibt das Wort den Doppelschlag auf die Trommel wieder. 1850 *ff.*

Tandel (Tantel) *m* Nachschlüssel, Dietrich. Ableitung ist ungesichert. *Rotw* 1840 *ff.*

Tände'line *f* Mädchen, das sich mit jedem Jungen flirtend oder intim einläßt. Tändeln = liebeln. 1960 *ff, halbw.*

Tandem *n* Schauspielerpaar. Eigentlich Bezeichnung für das Fahrrad mit zwei Sitzen und zwei Tretlagern, jedoch nur einer Lenkstange. 1970 *ff.*

Tandler (Tändler) *m* Händler, Gebrauchtwarenhändler; Trödler. Aus *lat* „tantum = soviel" entwickelte sich im Mittelalter „tendeler" im Sinne von „vielseitiger Händler. *Oberd* 1500 *ff.*

Tan'gente *f* eine ~ an die Kurve legen = eine weibliche Person mit üppigem Busen umarmen. Tangente ist in der Mathematik eine Gerade, die eine Kurve nur in einem einzigen Punkt berührt. *Vgl* ↗Kurve 1. *Halbw* nach 1955, Berlin.

Tangobeleuchtung *f* Halbdunkel. 1928 *ff.*

Tangobesen *m* Jazzbesen. 1955 *ff,* musikerspr.

Tangoblick *m* Blick schmachtenden Verlangens. 1960 *ff.*

Tango-Hosen (-Buxen) *pl* überweite Hosen (der Berufskleidung, auch der Gesellschaftskleidung). Derlei Hosen wurden nach 1920 Mode und wiederum nach 1955.

Tango-Jüngling *m* Stutzer; weibischer junger Mann (stark pomadisiert; in modischem Anzug usw.). 1920 *ff.*

Tank *m* 1. Harnblase. Aus der *engl* Bedeutung „Flüssigkeitsbehälter" hervorgegangen. 1925 *ff.*
2. Arrest(anstalt). Auch „Täng" gesprochen. Anspielung auf die Enge der Arrestzelle. „Tank" meint vor allem den Arrest an Bord. *Marinespr* 1914 *ff, BSD* 1965 *ff.*
3. Bauch; Magen. 1925 *ff, sold.*
4. vorwärts stürmender Fußballspieler.

Wie ein Panzerkampfwagen überrennt er die gegnerische Abwehr. *Sportl* 1950 *ff.*
5. stur wie ein ~ = unbeirrbar; seinem Vorsatz treu. ↗stur 1. *Sold* 1939 *ff.*
6. zuviel im ~ haben = betrunken sein. ↗Tank 3. 1925 *ff.*

tanken *tr* 1. Flüssigkeiten einfüllen (Benzin in das Taschenfeuerzeug, Tinte in den Füllfederhalter). Gegen 1925/30 aus der Kraftfahrersprache übernommen.
2. sich etw auf Vorrat zueigen machen (man tankt Frohsinn, Bräune, gute Laune, Kraft für den Alltag usw.). 1930 *ff.*
3. trinken, zechen. Wie man Betriebsstoff in den Benzintank füllt. ↗Tank 6. 1920 *ff.* *Vgl engl* „to tank up".
4. sich mit Geld versehen; sich die Löhnung, das Gehalt auszahlen lassen. Man füllt die Geldbörse auf oder nach. 1920 *ff.*
5. sich durch etw ~ = die gegnerische Abwehr durchbrechen. ↗Tank 4. *Sportl* 1950 *ff.*
6. sich randvoll ~ = sich bis zur Bewußtlosigkeit betrinken. 1930 *ff.*

Tankstelle *f* 1. Wirtshaus. ↗tanken 3. 1925 *ff.*
2. Feldküche. *Sold* 1939 *ff.*
3. Kantine. *BSD* 1965 *ff.*
4. Abort. Man leert dort den Tank der Harnblase (*vgl* ↗Tank 1), aber holt auch den für die Klassenarbeit versteckten Täuschungszettel hervor. 1925 *ff.*
5. ~ der Seele = Autobahnkirche. 1978 *ff.*
6. geistige ~ = Buchhandlung. Bundeskanzler Helmut Schmidt am 10. Mai 1981 in Mainz.

Tankwart *m* Gastwirt. ↗Tankstelle 1. 1925 *ff.*

Tannenbaum *m* 1. Angriffszeichen (Zielmarkierung) der Bombenflugzeuge. Analog zu ↗Christbaum 1. *Sold* und *ziv* 1939 *ff.*
2. Auto mit vielen Lampen. Kraftfahrerspr. 1955 *ff.*
3. o du grüner ~!: Ausdruck der Verwunderung. 1950 *ff.*
4. vergnügten ~!: scherzhafter Weihnachtswunsch. Seit dem ausgehenden 19. Jh.
5. da brennt der ganze ~ = da herrscht viel Betriebsamkeit, viel Arbeit. 1910 *ff.*
6. haben Sie schon einen Tannenbaum?: ablenkende Zwischenfrage. 1920 *ff.*

Tante *f* 1. Händlerin, Verkäuferin o. ä. Weibliches Gegenstück zu ↗Onkel. Seit dem 19. Jh.
2. Abort. Verkürzt aus „↗Tante Meyer". 1900 *ff.*
3. Mädchen, Freundin. Die Bedeutung schillert. Das Mädchen kann älter wirken als es ist; auch kann es „tantenhaft = albern, geziert" sein; oder es ist „tantig = sittenstreng, prüde". *Halbw* 1955 *ff.*
4. Vierzigjährige. *Halbw* 1960 *ff.*
5. ältliche Prostituierte. 1920 *ff.*
6. Homosexueller; Prostituierter. *Rotw* seit dem 19. Jh.
7. Transportflugzeug „Ju 52". Verkürzt aus „↗Tante Ju". *Sold* 1939 *ff.*
8. ~ aus Amerika = Menstruation. Tarnausdruck. *Vgl* ↗Onkel 16. 1900 *ff.*
9. ~ Anna = Abort. Wahrscheinlich übertragen von der Bezeichnung für die Abortwärterin. 1900 *ff.*
10. ~ Anne = Antenne. Das *engl* ge-

sprochene „aunt Anne" ergibt in *dt* Phonetik „Antenne". Technikerspr. 1955 *ff.*
11. ~ Arsch = Abortwärterin. Berlin 1905 *ff.*
12. ~ Dora = Pfandleihanstalt in Wien. Scherzhafte Umschreibung für „Dorotheum". 1930 *ff.*
13. ~ Dorothee = Pfandleihanstalt in Wien. *Vgl* das Vorhergehende. 1930 *ff.*
14. ~ Emma = Inhaberin eines kleinen Einzelhandelsgeschäfts. Emma war früher ein beliebter Vorname. 1955 *ff.*
15. ~ Frieda = Truppenführung. Deutung der amtlichen Abkürzung „T. F.". *Sold* 1935 bis heute.
16. ~ Ju = Flugzeugtyp „Junkers 52" (Ju 52). Es war die volkstümlichste Flugzeug der zivilen und militärischen Luftfahrt (seit 1932), weswegen man es vertraulich als „Tante" bezeichnete, – nach dem Vorbild der Seeleute, für die jedes Schiff weiblichen Geschlechts ist. *Sold* 1935 *ff.*
17. ~ Judela (Judula) = Flugzeugtyp „Junkers 52". *Vgl* das Vorhergehende. *Sold* 1935 *ff.*
18. ~ Klara = a) Sonne. ↗Klara. – b) Putzfrau. Sie schafft Sauberkeit. 1920 *ff.*
19. ~ Klärchen = Sonne. ↗Klärchen 1.
20. ~ Meyer = a) Abort. „Tante" bezieht sich auf die Kindergewohnheit, fremde erwachsene weibliche Personen als „Tante" anzusprechen. „Meyer" als weitverbreiteter Familienname vertritt das neutrale „Dings". 1850 *ff.* – b) Abortwärterin. 1920 *ff.*
21. ~ Rosa = Menstruation 1910 *ff.*
22. alte ~ = Flugzeugtyp „Junkers 52". ↗Tante 16. 1935 *ff.*
23. gute alte ~ = beliebte Zeitung. Ausgangspunkt ist die Berliner Bezeichnung „Tante Voß" für die „Vossische Zeitung". 1950 *ff.*
24. geschaffte ~ = unsympathisches Mädchen. ↗geschafft 1. Gemeint ist wohl, daß es als Tante hervorragend wäre. *Halbw* 1955 *ff.*
25. ach du liebe ~!: Ausdruck der Überraschung. 1950 *ff.*
26. dann nicht, liebe ~! (oft mit dem Zusatz: „heiraten wir den Onkel"): Redewendung, wenn einer einen Vorschlag ablehnt. Berlin 1850 *ff.*
27. meine ~ = Pfandamt. Nachahmung von *engl* „*at my uncle's* = beim Pfandleiher". Berlin 1860 *ff.*
28. rote ~ = Menstruation. 1900 *ff.*
29. trübe ~ = langweiliges, prüdes Mädchen. „Trübe" meint hier das Gegenteil von „lebenslustig". *Halbw* 1950 *ff.*
30. ~n einsammeln = Mädchenbekanntschaften anknüpfen. ↗Tante 3. *Halbw* 1955 *ff.*
31. auf die ~ gehen = den Abort aufsuchen ↗Tante 20. 1900 *ff.*
32. die ~ zu Besuch haben (die Tante aus Amerika zu Besuch haben; die rote Tante haben) = menstruieren. ↗Tante 8 und 28. 1900 *ff.*
33. wenn meine ~ Räder hätte, wäre sie ein Omnibus: Entgegnung auf einen Wenn-Satz. ↗Rad 7. 1900 *ff.*
34. eine ~ sterben lassen = für das Fernbleiben vom Schulunterricht eine glaubwürdige Begründung geben. Wien 1950 *ff.*

Tante-Emma-Laden *m* kleines Einzelhandelsgeschäft, in dem mit veralteten Methoden gearbeitet wird. ↗Tante 14. 1955 *ff.*

Tante-Emma-Pension *f* Gästehaus alten Stils. 1970 *ff.*

Tantel *m* ↗Tandel.

Tanz *m* **1.** Wortwechsel; Zank; Auseinandersetzung; Schlägerei; militärischer Angriff. Herzuleiten von den Bauerntänzen und Reigen, die mit ihrer lebhaften Gebärdensprache, überhaupt mit ihrem dramatischen Einschlag und ihren Freudenausrufen, getanzten Dialogcharakter haben. 1400 *ff.*
2. übliche Handlungsweise. Seit dem 19. Jh.
3. übertriebenes Gehabe; Aufsehen, 1900 *ff.*
4. *pl* = Ungebührlichkeiten. Hergenommen von den neuen Tänzen, die von der älteren Generation als sittenwidrig empfunden werden. 1900 *ff.*
5. ~ auf zwei (mehreren) Hochzeiten = Bemühen, zwischen entgegengesetzten Ansichten zu bestehen; doppelte Parteizugehörigkeit. 1900 *ff.*
6. ~ ums goldene Kalb = Umwerbung einer vermögenden jungen Dame. Aus der biblischen Geschichte von Moses übertragen. 1900 *ff.*
7. ~ verkehrt = Tanz, zu dem die Dame den Herrn auffordert; Damenwahl. 1920 *ff.*
8. neue Tänze = Neuerungen. 1870 *ff.*
9. schräger ~ = Jazztanz o. ä. ↗schräg. 1950 *ff.*
10. einen ~ hinlegen (aufs Parkett legen) = a) einen Tanz hervorragend tanzen. ↗hinlegen. 1900 *ff.* – b) heftig fordernd auftreten. ↗Tanz 1. 1950 *ff.*
11. an den ~ kommen = an die Reihe kommen. 1800 *ff.*
12. jm einen ~ machen = jm energische Vorhaltungen machen. ↗Tanz 1. Seit dem 19. Jh.
13. mach' keine Tänze! = mach' keine Umschweife! gib nach! sträube dich nicht! ↗Tanz 4. Seit dem 19. Jh.
14. einen ~ auf die Diele nageln = heftig, stürmisch tanzen. 1960 *ff.*

Tanzbein *n* **1.** sich beim ~ finden = sich beim Tanzen kennenlernen. 1920 *ff.*
2. ein tüchtiges ~ haben = gern und gut tanzen. 1850 *ff.*
3. kein ~ haben = zum Tanzen kein Talent haben. 1900 *ff.*
4. das ~ schwingen = tanzen. Vielleicht studentischer Herkunft. 1850 *ff.*

Tanzboden *m* **1.** Glatze. Sie nimmt sich aus wie das Runde der Tanzfläche. Seit dem späten 19. Jh.
2. Exerzierplatz, Truppenübungsgelände. Der militärische Drill ist mit der Choreographie verwandt. *Sold* 1935 bis heute.

tanzen *v* **1.** ~, bis die Sohle bricht (qualmt) = stürmisch und ausdauernd tanzen; Twist tanzen (o. ä.). Berlin 1959 *ff*, *halbw.*
2. ~ lassen = einen Ball geben. Berlin seit dem späten 19. Jh.
3. jn ~ lassen = a) jn züchtigen. Der Gepeinigte macht tanzende Bewegungen, um sich der Schläge zu erwehren. Vielleicht vom Kinderspielzeug hergenommen: man läßt den Kreisel tanzen, indem man ihn mit der Peitsche schlägt. Seit dem 19. Jh. – b) sich in willfährig machen. Der Betreffende „tanzt nach der ↗Pfeife". 1900 *ff.*

Tänzer *m* den ~ abklatschen = einen Tanzenden durch Klatschen zum Tanz (Tanzpartnerwechsel) auffordern. ↗abklatschen. 1900 *ff.*

Tänzerhüften *pl* schmale Hüften. 1920 *ff.*

Tanzgaudi *f* ausgelassenes Tanzvergnügung. ↗Gaudi. *Bayr* 1920 *ff.*

Tanzklappe *f* Tanzlokal mit schlechtem Ruf. ↗Klappe 5. 1910 *ff,* großstadtspr.

Tanzknüller *m* sehr beliebter Tanz. ↗Knüller. 1955 *ff.*

Tanzkörper *m* den ~ schütteln = Twist tanzen. *Halbw* 1955 *ff.*

Tanzladen *m* Tanzlokal. Leicht *abf,* da „Laden" aus „↗Kramladen" verkürzt ist. 1955 *ff.*

Tanzmaus *f* **1.** tanzfreudiges Mädchen. ↗Maus. 1950 *ff, halbw.*
2. Ballett-Tänzerin. 1920 *ff.*
3. zu Unterhaltung und Verzehr anhaltende Dame in einem Tanzlokal (Bar o. ä.). 1920 *ff.*

Tanzplatte *f* Kahlkopf. ↗Tanzboden 1; ↗Platte 3. 1900 *ff.*

Tanzschaffe *f* **1.** Tanzlokal. ↗Schaffe. *Halbw* nach 1950.
2. Tanz; Tanzdarbietung. *Halbw* nach 1950 *ff.*
3. zentrale ~ = sehr beliebter Tanzschlager. *Halbw* nach 1950.

Tanzstundengerät *n* junge Tanzpartnerin in der Tanzstunde; junge Tänzerin. Versachlichung nach dem Muster von „Turngerät" o. ä.; hier wohl als „Übungsgerät" aufzufassen. 1955 *ff, stud.*

Tanzwasser *n* alkoholfreies Getränk (für Jugendliche); Sekt (für Erwachsene). 1970 *ff.*

taperig *adj* **1.** unbeholfen, ungelenk. ↗tapern. Seit dem 19. Jh.
2. geistig nicht mehr rüstig. 1900 *ff.*

tapern *intr* sich ungeschickt benehmen; unüberlegt handeln. Iterativum zu „tappen = ungeschickt greifen; unsicher, stolpernd gehen; im Dunkeln Halt für die Füße suchen". Seit dem 19. Jh.

Ta'pet *n* **1.** etw aufs ~ bringen = etw zur Sprache bringen. „Tapet = Tapete" meint ursprünglich den Teppich als Wandbekleidung, dann auch den Teppich (Webteppich; Gobelin o. ä.) auf dem Beratungstisch. Beeinflußt von *franz* „mettre une question sur le tapis". 1600 *ff.*
2. etw auf dem ~ haben = a) gerade von etw reden. Seit dem 19. Jh. – b) schlagfertig sein. 1920 *ff.*
3. aufs ~ kommen = zur Sprache kommen. Spätestens seit 1700.
4. auf dem ~ sein = a) gerade besprochen werden. 1700 *ff.* – b) zur Stelle, bereit sein. Seit dem 19. Jh. – c) gesund, munter sein. Seit dem 19. Jh.

Tapete *f* **1.** bunter Kleiderstoff. Er ist gemustert wie eine farbenfrohe Tapete. 1900 *ff.*
2. Oberbekleidung. Die Tapete ist die (schmückende) Verkleidung der Wand. 1900 *ff.*
3. Haut des Menschen; innere Auskleidung der Leibeshöhle (Schleimhaut). 1900 *ff.*
4. graue ~ = dichter Nebel. Es ist alles Grau in Grau. *Marinespr* 1900 *ff.*
5. etw auf die ~ bringen = etw zur Sprache bringen. ↗Tapet 1. 1910 *ff.*
6. als ~ dienen = stummer Zeuge sein; nur Statist sein; keinen Tanzpartner finden. Vielleicht übernommen aus *gleichbed*

franz „faire tapisserie". Sinnverwandt mit „↗Mauerblümchen". *Jug* 1955 *ff.*
7. das kommt nicht auf die ~ = das kommt nicht in Betracht; das lehne ich ab. ↗Tapet 3. 1910 *ff.*
8. zur ~ passen = a) in die Umgebung passen. Niederhessisch, 1870 *ff.* – b) in eine passende Familie eingeheiratet haben. 1870 *ff.*
9. jm die ~ ruinieren = jm das Gesicht zerkratzen. ↗Tapete 3. 1900 *ff.*
10. andere ~n sehen wollen = nicht daheim bleiben wollen; den Aufenthaltsraum wechseln wollen. 1900 *ff.*
11. die ~ wechseln = a) seinen Wohnsitz verändern; das Gasthaus wechseln; in Urlaub reisen. 1900 *ff.* – b) die Partei wechseln. 1950 *ff.* - c) die Bekanntschaft wechseln; sich von jm abwenden. 1950 *ff.*
12. jm seine ~n zeigen = jm die eigene Wohnung zeigen. 1950 *ff.*

Tapetenflunder *f* Wanze. Die Wanze ähnelt in der Form einer Flunder und hält sich gern hinter den Tapeten auf, die sich von der Wand ablösen. 1900 *ff,* Berlin, *sächs* und *westd.*

Tapetenmark *f* Reichsmark bis zur Währungsumstellung am 20. Juni 1948. Die Kaufkraft der Reichsmark war so stark gesunken, daß man die Geldscheine als Makulatur einschätzte. 1945 *ff.*

Tapetenmuster *n* laufendes ~ = Bildstörung auf dem Bildschirm. 1960 *ff.*

Tapetenwechsel *m* **1.** Lokalwechsel. 1900 *ff.*
2. Wohnungswechsel; Wohnortverlegung. 1900 *ff.*
3. Luftveränderung. ↗Tapete 11 a. 1900 *ff.*
4. Regierungsumbildung. (1920?) 1950 *ff.*
5. Firmenwechsel, Arbeitsplatzwechsel. 1950 *ff.*
6. Partnerwechsel. *Jug* 1960 *ff.*

Tappe *f* Fußstapfe, -spur. Eigentlich die Pfote, dann der Abdruck der Pfote. 1500 *ff.*

Tappel (Tapper) *m* plumper, langsamer, ungeschickter Mann. ↗tappen. Seit dem 19. Jh.

Tappelschickse *f* Landstreicherin. ↗Schickse. „Tappeln" ist ablautende Nebenform zu „↗tippeln". 1920 *ff.*

tappen *intr* intim betasten. Eigentlich soviel wie „plump zugreifen; ungeschickt auftreten". Seit dem 16. Jh.

Tapper *m* Mann, der Frauen gern anfaßt. *Vgl* das Vorhergehende. Seit dem 19. Jh, *südwestd.*

Tapperei *f* intimes Betasten. Seit dem 19. Jh.

tappig *adj* **1.** schwerfällig, ungeschickt. Tappen = plump zugreifen. Seit dem 19. Jh.
2. zudringlich gegenüber Frauen. ↗Tapper. *Südwestd* seit dem 19. Jh.

Taps (Tappes, Tapps) *m* **1.** ungeschickter Mensch; Mensch, der Gegenstände zu Boden fallen läßt. Tappen = plump zugreifen; schwerfällig gehen. 1700 *ff.*
2. ~ ins Mus = ungeschickter Mensch. 1700 *ff.*

tapsen *intr* **1.** beim Gehen stark auftreten; plump schreiten. Iterativum zu „tappen". Seit dem 19. Jh.
2. unbeholfen zu Werke gehen. Seit dem 19. Jh.

Tarantel *f* **1.** wie von der ~ gestochen = wie besessen; urplötzlich. Meist auf plötz-

liches Auffahren bezogen. Laut Professor Dr. Rudolf Braun ist ein Tarantelbiß nicht schmerzhafter als ein Mückenstich; die Folge ist zwar eine stark schmerzende Entzündung, nie aber führt er zu jenen irren Zuckungen, die man ihm früher zugeschrieben hat. Gegen die vermeintliche Wahnsinnswirkung des Tarantelgiftes sollte das ekstatische Tanzen der Tarantella helfen. Seit dem späten 18. Jh. *Vgl franz* „être piqué de la tarentule".
2. eine ~ im Arsch haben = unruhig sitzen; ungestüm sein. 1840 *ff.*

Tarif *m* übliches Strafmaß. Eigentlich der Gebührensatz, der Lohnsatz, das Preisverzeichnis. 1930 *ff.*

tarnen *intr* **1.** sich einer Verpflichtung, einer Verantwortung, einer Arbeit entziehen. Man macht sich unsichtbar, paßt sich in Form und Farbe der Umgebung an. 1935 *ff,* sold und Reichsarbeitsdienst.
2. ~, täuschen und verpissen = sich der militärischen Dienstpflicht entziehen; nachlässig Dienst tun; sich einem Dienst zu entziehen suchen. Der Ausdruck „Tarnen und Täuschen" ist der Zentralen Dienstvorschrift ZDv 3/11 entlehnt. Täuschen = irreführen; sich verpissen = unauffällig weggehen. *BSD* 1965 *ff.*

Tarzan *m* **1.** behaarter Mann. Benannt nach dem unter Tieren im Dschungel aufgewachsenen Weißen in den Abenteuerbüchern von Edgar Rice Burroughs und den Filmen mit Johnny Weissmuller u. a.; dieser „Affenmensch" verfügt über außerordentliche Körperkräfte. 1920 *ff.*
2. Lastkraftwagen mit schwerer Kranausrüstung. Benannt nach einem Kraftmenschen, der später in Hamburg einen Kranwagendienst unter diesem Namen gründete. 1930 *ff.*

Täschchen *n* ~ schwenken = als Straßenprostituierte unterwegs sein. 1950 *ff.*

Tasche *f* **1.** weibliches Geschlechtsorgan bei Tier und Mensch. 1500 *ff.*
2. alte ~ = a) Frau *(abf).* Seit dem 18. Jh. – b) geschwätzige Frau. Seit dem 18. Jh.
3. in die eigene ~ arbeiten = als Kompagnon nur auf den eigenen Vorteil achten. 1920 *ff.*
4. ~n ausfegen (fegen) = Taschendieb sein; Taschen leeren. *Rotw* 1800 *ff.*
5. ohne ~n baden = nacktbaden. 1950 *ff.*
6. die ~n nach links drehen = beweisen, daß man kein Geld bei sich hat. 1900 *ff.*
7. tief in die ~ greifen = viel bezahlen. 1600 *ff.*
8. jn in der ~ haben = jn in seiner Gewalt haben; jm überlegen sein. Analog zu ↗ *Sack* 46. 1500 *ff.*
9. etw in der ~ haben = ein Studium abgeschlossen haben; Erfolg eingeheimst haben; Geld eingenommen haben. Seit dem 19. Jh.
10. große ~n haben = sich gern beschenken lassen. Seit dem 19. Jh.
11. offene ~n haben = a) bestechlich sein. 1850 *ff.* – b) Berufsbettler sein. 1900 *ff.*
12. weite ~n haben = a) lieber nehmen als geben. Seit dem 19. Jh. – b) bestechlich sein. 1850 *ff.*
13. etw kennen wie die eigene ~ = etw sehr genau kennen. In der eigenen Anzug- oder Hosentasche kennt man sich genau aus. Seit dem 19. Jh. *Vgl franz*

„connaître quelqu'un (quelque chose) comme sa poche".
14. leck' mich in der ~!: Ausdruck der Abweisung. Euphemismus für „leck' mich am ↗ Arsch!". Vorwiegend *westd,* 1900 *ff.* Die an Polizeibeamte gerichtete Aufforderung trug 1971 der „Täterin" eine Freiheitsstrafe von vier Monaten ein: man wertete die Redewendung als Beleidigung.
15. jm auf der ~ liegen = auf jds Kosten leben. Tasche = Geldtasche. 1850 *ff.*
16. jn von der ~ lossein = für jn geldlich nicht mehr sorgen müssen. 1900 *ff.*
17. in die eigene ~ lügen = zum eigenen Vorteil lügen. 1920 *ff.*
18. jm in die ~ lügen = jm zu Gefallen lügen. 1920 *ff.*
19. sich selbst in die ~ lügen = sich selbst belügen. 1920 *ff.*
20. sich etw von vornherein in die ~ schieben = sich etw von vornherein sichern; auf etw von vornherein Anspruch erheben. 1920 *ff.*
21. er ist in meiner ~ = ich beherrsche ihn. ↗ *Tasche* 8. Seit dem 19. Jh.
22. etw in die ~ stecken = etw an sich nehmen, annektieren, entwenden. Seit dem 18. Jh.
23. jn in die ~ stecken = jm überlegen sein; sich jds bemächtigen. Analog zu ↗ *Sack* 72. 1700 *ff.*
24. er kann mir in die ~ steigen!: Ausdruck der Ablehnung. „Tasche" steht euphemistisch für „Arsch". 1900 *ff.*
25. in die eigene ~ wirtschaften = Entscheidungen so treffen, daß man selbst den Hauptvorteil hat; für Spesen-, Diätenerhöhung eintreten. 1955 *ff.*
26. die ~n zunähen = geizig sein. Berührt sich mit Goethes Zeile „Mann mit zugeknöpften Taschen". 1900 *ff.*

Taschenflak *f* Revolver, Pistole. *Sold* 1935 bis heute.

Taschengeldpreis *m* niedriger Preis. 1972 *ff,* werbetextersprl.

Taschenkrebs *m* Taschendieb(in). ↗ *Krebs. Rotw* 1840 *ff.*

Taschenküche *f* Kochnische. Hängt zusammen mit dem Begriff „↗ Westentaschenformat". 1930 *ff,* Berlin.

Taschenmacher *m* Vater von lauter Töchtern. Eigentlich der Täschner; hier bezogen auf „↗ Tasche 1". *Bayr* seit dem 19. Jh.

Taschenmäuse *pl* Wollkrümel in der Hosen- oder Jackentasche. Durch Farbe und Weichheit erinnern sie an Mäuse. 1900 *ff.*

Taschenmesser *n* **1.** da geht einem das ~ aufl: Ausdruck des Unwillens, der Unerträglichkeit. ↗ *Messer* 2. 1900 *ff.*
2. zusammenklappen (-knicken) wie ein ~ = a) zusammenbrechen; schnell in sich zusammenfallen; ohnmächtig werden; plötzlich bettlägerig erkranken. 1600 *ff.* – b) sich eckig verbeugen. 1850 *ff.* – c) bei Widerstand schnell nachgiebig werden. 1940 *ff.*

Tasse *f* **1.** Trinkglas. Gegen 1920 in Studentenkreisen aufgekommen.
2. Scheinwerfer. Wegen der Formähnlichkeit. 1950 *ff,* technikerspr.
2 a. ~ mit Sprung = empfindliche Einbuße. 1930 *ff.*
3. alte ~ = Schimpfwort. Tasse = Tassenkopf = Schädel. 1920 *ff.*
4. dämliche ~ = dummer, unbeholfener Mensch. 1950 *ff.*

5. müde ~ = schwungloser, energieloser Mensch. 1940 *ff.*
6. trübe ~ = a) Versager, Langweiler, Einzelgänger. Trüb = nicht lebenslustig. 1920 *ff, schül, stud* und *sold.* – b) unmilitärischer Mensch. *Sold* 1920 bis heute.
7. nichts davon in der ~!: Ausdruck der Ablehnung. 1955 *ff.*
8. hoch die ~n!: Zuruf zum Mittrinken. Oft mit dem Zusatz: „in Afrika ist Muttertag!". ↗ *Tasse* 1. Gegen 1920 in Berlin aufgekommen und seit dem Zweiten Weltkrieg *ziv* und *sold* sehr verbreitet.
8 a. die ~n bleiben im Schrank = man bleibt besonnen. ↗ *Tasse* 11. 1971 *ff.*
9. seine ~ hat einen Sprung = er ist nicht recht bei Verstand. Anspielung auf geistigen Defekt. ↗ *Tasse* 2 a. 1930 *ff.*
10. nicht alle ~n im Schrank (Spind, Schlag) haben = unsinnige Gedanken äußern; töricht handeln. – In der geläufigen Redewendung „nicht alle haben = nicht alle Sinne haben" wird „alle" gern vervollständigt und veranschaulicht, etwa durch „nicht alle Tasten auf dem Klavier", „nicht alle Glaserl im Kasten". Etwa seit 1920, vorwiegend *sold* und *jug.*
11. die ~n im Schrank lassen = besonnen bleiben. Fußt auf der Vorstellung eines Wortwechsels, der zum Werfen mit Tassen ausartet, auch auf der Metapher „Porzellan zerschlagen". 1971 *ff.*
12. die ~ schwenken = zechen. ↗ *Tasse* 1. 1930 *ff.*
13. da wackeln die ~n = da wird kräftig gezecht. Berlin 1935 *ff.*

Tastatur *f* **1.** Nervensystem. 1940 *ff.*
2. Vulva, Vagina. 1940 *ff.*
3. abgegriffene ~ = Mund mit schlechten Zähnen. 1940 *ff.*
4. jm auf die ~ fallen = jn nervös machen. ↗ *Tastatur* 1. 1940 *ff.*

Taste *f* **1.** magische ~ = untrügliches Vorgefühl. Stammt aus der Fototechnik: eine Taste schaltet den Meßzeiger für Belichtung und Blende ein. 1939 *ff, sold* und *ziv.*
2. auf die falsche ~ drücken = eine falsche Andeutung machen. Hergenommen von der Taste des Klaviers, der Schreibmaschine o. ä. 1935 *ff.*
3. die falsche ~ erwischen = nicht sicher genug zu Werke gehen; sich irren; gegen die Anstandsregeln verstoßen. 1935 *ff.*
4. in die ~n greifen = sich aufspielen; prahlen. Vom virtuosen Klavierspiel übertragen. 1910 *ff.*
5. etw auf den ~n haben = a) vorzüglich Maschine schreiben. 1955 *ff.* – b) ein guter Klavierspieler sein. 1955 *ff.* – c) etw gründlich beherrschen. 1955 *ff.*
6. nicht alle ~n auf dem Klavier haben = nicht recht bei Sinnen sein. *Vgl* ↗ *Tasse* 10. 1920 *ff.*
7. mächtig auf die ~n hauen = übertreiben; sich aufspielen. ↗ *Taste* 4. 1910 *ff.*

Tastenakrobat *m* Klavierspieler, -virtuose. 1920 *ff.*

Tastenlöwe *m* Klavierspieler, -virtuose. Wie der Löwe in der Tierfabel ist er ein König auf seinem Gebiet; auch schüttelt er sein Haar (= Mähne) wie der Löwe. Soll gegen 1850/60 Bezeichnung für Franz Liszt gewesen sein.

Tastenschnecke *f* ungeübte Maschinenschreiberin. 1935 *ff.*

Tata (Tate, Tatte) *m* Vater. Kindliches Lallwort. Seit dem 17. Jh.

'**tata gehen** *intr* spazierengehen, ausgehen, weggehen. ⁊ada 1. Kinderspr., seit dem 19. Jh.

Tatarennachricht *f* Falschmeldung, die den Geschehnissen weit vorauseilt. Aufgekommen am 30. September 1854 im Zusammenhang mit dem Fall der Festung Sewastopol: ein Tatar berichtete, die Festung sei am 30. September 1854 gefallen; tatsächlich kapitulierte sie jedoch erst am 11. September des folgenden Jahres.

Tater (Tatter) *m* 1. Zigeuner. Meint eigentlich den Tataren. Seit dem 14. Jh. **2.** Landstreicher. *Nordd* seit dem 19. Jh.

Täterä'tä *n* 1. überflüssige Umstände; Reklamegeschäftigkeit; Aufbauschung von Belanglosigkeiten. Meint schallnachahmend den Klang schmetternder Trompeten. 1914 *ff.* **2.** ~ machen = zechen. Die an den Mund gesetzte Flasche ähnelt der an den Mund gesetzten Trompete; *vgl* auch „einen ⁊blasen". 1930 *ff.*

Tatortbesichtigung *f* Untersuchung (geschlechtskranker) Prostituierter durch den Amtsarzt. 1925 *ff,* medizinerspr., polizeispr. *und prost.*

Tatsache *f* 1. halbnackte ~ = Frau im Badeanzug. 1950 *ff.* **2.** nackte ~n = Nacktheit; spärliches Bekleidetsein; Entblößung des Körpers. Meint eigentlich Tatsachen ohne Übertreibung, ohne Beschönigung, ohne subjektive Wertung. 1920 *ff.* **3.** jn vor nackte ~n stellen = vor jm Striptease vorführen; sich vor jm unbekleidet produzieren. 1955 *ff.*

Tatsch *m* leichter Schlag; Klaps. Tatschen = leicht (mit einem klatschenden Laut) aufschlagen. 1800 *ff,* vorwiegend *oberd.*

Tätsche'lei *f* Liebkosung. 1500 *ff.*

Tätscheler *m* Mann, der gern streichelt. Seit dem 19. Jh.

tätscheln (tatscheln, tätschen) *tr* jn liebkosend klopfen; jn betasten; jn verweichlichen. Gehört zu „tatsch", dem Schallwort für klatschende Geräusche. 1500 *ff. Vgl engl* „to touch".

tatschen *v* 1. *intr* = von einem Fuß auf den andern fallend gehen. Schallnachahmender Herkunft. Seit dem 19. Jh. **2.** *intr* = mit Händen oder Füßen ungeschickt in etw fassen oder treten. Seit dem 19. Jh. **3.** *tr* = etw befühlen, anfassen. ⁊Tatsch 1. 1800 *ff.* **4.** *tr* = jn intim betasten. Seit dem 16. Jh.

Tatter (Tatterer) *m* alter ~ = alter, gebrechlicher Mann. Seit dem 19. Jh.

Tattergreis *m* 1. alter Mann. 1900 *ff.* **2.** Altgedienter. 1965 *ff, sold.*

Tatterich *m* 1. Zittern der Hände. Gehört zu „⁊tattern" und ist aus dem Adjektiv „⁊tatterig" substantiviert. Seit dem 19. Jh. **2.** Zittern in der Stimme; vibrierende Stimme. 1920 *ff.* **3.** alter Mann. 1920 *ff.*

tattern *intr* zittern; erschrocken sein; stottern. Lautmalender Natur; seit dem 15. Jh.

Ta'tüta'ta *n* 1. Aufsehen. Aufgekommen im frühen 20. Jh in Nachahmung des Hornsignals, mit dem der letzte deutsche Kronprinz in seinem Auto durch die Straßen fuhr. **2.** Reklameaufmachung. 1955 *ff.* **3.** Tatarbeefsteak. Kellnerspr. 1960 *ff.*

Tatze *f* 1. grobe, plumpe Hand. Von der Pfote der großen Raubtiere auf den Menschen übertragen. 1300 *ff.* **2.** Zeigestab in der Schule. *Schül* 1958 *ff.* **3.** Tablett. Fußt auf *ital* „tazza = Schale, Tasse". *Österr* seit dem 19. Jh.

Tatzenkommode *f* Klavier. 1900 *ff.*

tau *präp* denn man taul: Aufforderung zum Anfangen, zum Zugreifen o. ä. *Niederd* „tau (to) = zu". Seit dem 19. Jh.

Tau I *m* 1. von etw keinen ~ haben = von einer Sache nichts wissen. *Österr* 1900 *ff.* **2.** vom himmlischen ~ leben = in Not leben. 1945 *ff.*

Tau II *n* 1. in die ~e geschleudert werden = a) eine empfindliche Niederlage erleiden. Dem Boxsport entlehnt. 1930 *ff.* – b) einen geschäftlichen Rückschlag erleiden. 1930 *ff.* **2.** sich in die ~e legen = sich für etw (jn) nachdrücklich einsetzen. Der Artillerist „legt sich in die Taue" (= Zugseile), um das Geschütz von der Stelle zu bewegen; auch der Matrose „legt sich in die Taue". Vielleicht spielt auch die Vorstellung mit, daß man beim sportlichen Wettkampf des Tauziehens Partei ergreift. *Sold* 1930 *ff.* **3.** am gleichen ~ ziehen = denselben Zweck verfolgen wie ein anderer. Analog zu ⁊Strang 5; *vgl* auch ⁊Tauziehen. 1950 *ff.*

taub *adj* dümmlich; einfältig; unselbständig; schwunglos, langweilend. Von der Taubheit der Nuß übertragen auf Gehaltlosigkeit und geistige Leere. Spätestens seit 1500. Heute beliebte Halbwüchsigenvokabel.

Täubchen *n* 1. Kosewort. Verkürzt und verniedlicht aus ⁊Turteltaube. Seit dem 19. Jh. **2.** Mädchen. 1900 *ff.* **3.** Straßenprostituierte. Sie „flattert" umher auf der Suche nach Kunden. 1920 *ff,* Berlin. **3 a.** günstiger Gelegenheitskauf. ⁊Ringeltaube. 1960 *ff.* **4.** ein ~ fliegen lassen = eine Zeitungsanzeige aufgeben. Hergenommen von der Taube, die Noah aus der Arche entsandt haben soll. 1960 *ff.*

Taube *f* 1. Kosewort für eine weibliche Person. ⁊Turteltaube. Seit dem 19. Jh. **2.** hübsches Mädchen. 1900 *ff.* **3.** durch Helfershelfer aus der Haftanstalt herausgeschmuggelter Kassiber. Geht zurück auf die Taube Noahs. 1960 *ff.* **4.** frische ~ = junge Frau. *Halbw* 1960 *ff.* **5.** gefüllte ~ = geschwängertes Mädchen. 1910 *ff.* **6.** na erlaube, liebe ~!: Ausdruck des Widerspruchs. Berlin 1890 *ff.* **7.** taube ~ = sittenstrenges Mädchen. Es bleibt taub gegenüber den Verlockungen des Mannes. 1930 *ff.* **8.** ~n haben = a) Glück haben; glimpflich davonkommen. Bezieht sich vielleicht auf die „⁊Ringeltaube". 1870 *ff, rotw.* – b) bei einer Straftat unentdeckt bleiben. 1870 *ff, rotw.* **9.** gebratene ~n suchen = Stiche mit hoher Augenzahl zu machen suchen, um möglichst rasch die zum Gewinnen erforderliche Punktzahl zu erreichen. Die „gebratenen Tauben" sind dem Märchen vom Schlaraffenland entlehnt. Kartenspielerspr. seit dem 19. Jh.

Taubenklappe *f* Hosenschlitz. Eigentlich das mit einer Klappe versehene Flugloch am Taubenschlag. Hier ist die Klappe für den Penis gemeint. 1920 *ff.*

Taubenschlag *m* 1. Hosenschlitz. ⁊Taubenklappe. 1870 *ff.* **2.** das reinste ~ (hier geht's zu wie in einem ~) = hier gehen Leute unaufhörlich ein und aus; hier herrscht ständiges Kommen und Gehen. Übertragen von der Unruhe des Taubenschlags. 1800 *ff.*

Taubenschnabel *m* Pazifist; Friedensvermittler. Anspielung auf die Friedenstaube. Seit dem 19. Jh.

Tauche *f* 1. auf ~ gehen = sich niederlegen. Übernommen von der Sprache der Unterseebootbesatzungen. Hier ist verkürzt aus „auf ⁊Tauchstation gehen". *Halbw* 1955 *ff.* **2.** bei jm auf ~ gehen = bei jm Unterschlupf vor Verfolgung suchen/finden. 1960 *ff.*

tauchen *v* 1. *intr* = koitieren. *Österr* 1930 *ff.* **2.** *intr* = mit einem Hechtsprung den Torball abwehren. *Sportl* 1950 *ff.*

Taucherbrille *f* von einem Schlag blau angelaufene Umgebung des Auges. 1975 *ff, halbw.*

Tauchstation *f* 1. auf ~ bleiben = nicht öffentlich auftreten. Hergenommen vom Unterseeboot, das abtaucht, um beispielsweise von gegnerischen Schiffen aus nicht gesehen zu werden. 1950 *ff.* **2.** auf ~ gehen = a) versenkt werden. *Marinespr* 1939 *ff.* – b) die Koje aufsuchen; zu Bett gehen. *Marinespr* 1939 bis heute. – c) sich vor einem Möbelstück, im Schrank verstecken. 1940 *ff.* – d) sich aus politischen Gründen verborgen halten. 1937 *ff.* – e) sich dem Dienst entziehen; sich unauffällig machen. *Sold* 1939 bis heute. – f) Feierabend machen. 1955 *ff.* – g) als Politiker vorübergehend nicht in Erscheinung treten. 1965 *ff.* – h) nicht zu sprechen sein; sich in Schweigen hüllen; sich nicht blicken lassen; sich verleugnen lassen. 1955 *ff.* – i) die Öffentlichkeit ausschließen. 1960 *ff.* **3.** auf ~ leben (sein) = a) im Verborgenen leben; sich versteckt halten; abwesend sein. 1935 *ff.* – b) sich nicht äußern. 1955 *ff.*

Taufe *f* Spielansage. Von der (Feier der) Namengebung übertragen. Kartenspielerspr. 1900 *ff.*

taufen *v* 1. *tr* = dem Wein (der Milch o. ä.) Wasser beimischen. Durch das Wasser wird das Getränk „christlich". 1500 *ff.* **2.** *tr* = Kognak in die Bowle geben. 1950 *ff.* **3.** *tr* = jn wegen unkameradschaftlichen Verhaltens mit mehrmaligem Eintauchen ins Wasser bestrafen. Hergenommen vom seemännischen Brauch der Äquator- oder Linientaufe. 1955 *ff.* **4.** tauf' endlich dein Spiel! = sag' endlich, welche Farbe du spielst! ⁊Taufe. Kartenspielerspr. 1900 *ff.*

taufrisch *adj* 1. allerneuest; völlig ungebraucht (auf Gegenstände bezogen). 1820 *ff.* **2.** jungmädchenhaft; in schöner, jugendlicher Natürlichkeit; unberührt; noch nicht defloriert. Seit dem ausgehenden 19. Jh. **3.** unverbraucht; nicht gealtert. 1960 *ff.*

Taufscheinchrist *m* Christ, der nicht am

kirchlichen Leben teilnimmt. Wortspiel zwischen „Taufschein" und „Scheinchrist". 1900 *ff*.

Taufscheindemokrat *m* Bürger, der einer demokratischen Partei angehört, aber kein überzeugter Demokrat ist. *Vgl* das Vorhergehende. 1960 *ff*.

taugen *v* 1. es taugt mir = es gefällt mir, tut mir gut, ist mir bekömmlich. Taugen = tüchtig sein; brauchbar sein. *Oberd* und *hess*, seit dem 18. Jh.
2. sich ~ = sich sehr freuen. *Österr* 1960 *ff*, *jug*.
3. gut ist er, aber ~ tut er nichts = er ist von zweifelhaftem Charakter. Berlin seit dem späten 19. Jh.

Tausend *m* der ~ (ei, der ~; ~ nochmal)!: Ausruf des Erstaunens und Unwillens. „Tausend" ist Hüllwort für den Teufel; wahrscheinlich verkürzt aus „Tausendkünstler". 1600 *ff*.

Tausende *interj* Aufforderung, Trumpf zu spielen. Verkürzt aus „Tausende laufen in London brotlos herum, weil sie vergessen hatten, Trumpf zu ziehen". Kartenspielerspr. 1900 *ff*.

Tausender *m* Tausendmarkschein. 1900 *ff*.

tausendprozentig *adj* gänzlich; völlig; durch und durch. Verstärkung von ↗ hundertprozentig. 1955 *ff*.

'tausendsakra'ment *interj* Ausruf des Unwillens. ↗ Sakrament. 1700 *ff*.

'Tausendsapper'ment *m* Schimpf-, Scheltwort. ↗ sapperment. 1800 *ff*.

'Tausendsapper'menter *m* Draufgänger; tüchtiger Bursche. Seit dem 19. Jh.

Tausendsassa *m* pfiffiger Mensch; Viel-, Alleskönner. Der Hetzruf für Hunde „sa sa" wird seit 1745 durch „tausend" verstärkt, vielleicht unter Einfluß von entsprechenden Fluchwörtern oder Ausdrücken der Verwunderung. ↗ Tausend. Seit dem späten 18. Jh.

Tausendschönchen *n* hübsches, schlankes Mädchen. Eigentlich ein volkstümlicher Blumenname. Seit dem 15. Jh.

Tausend-Taler-Pferd *n* ein Hinterquartier (Arsch) wie ein ~ = sehr breites Gesäß. Seit dem 19. Jh.

Tausendzünder *m* unzuverlässiges Taschenfeuerzeug. Spöttisch behauptet man, es funktioniere erst beim tausendsten Versuch, wohingegen die Werbetexter behaupten, seine Füllung reiche für tausendmaligen Gebrauch. 1914 *ff*.

Tauwetter *n* Milderung politischer Strenge; Milderung der diktatorischen Herrschaft; nach langem Warten eintretende Verhandlungsbereitschaft. Der Ausdruck ist angeblich von Ilja Ehrenburg nach Stalins Tod (1953) geprägt worden.

Tauziehen *n* hartnäckig hin- und herwogender Streit. Der Sportsprache um 1950 entlehnt.

Taxi *n* 1. ~ mit Blaulicht = Funkstreifenwagen der Polizei. Kraftfahrerspr. 1955 *ff*.
2. schnelles ~ = a) Taxi mit Sprechfunkanlage. 1955 *ff*. – b) Polizei-Funkwagen. Berlin 1955 *ff*.
3. laß dir ein ~ kommen = scher' dich schleunigst weg! 1935 *ff*.

Taxler *m* Droschkenfahrer (mit eingebautem Taxameter); Taxifahrer. 1920 *ff*, *österr*.

Tea (*engl* ausgesprochen) *m* Marihuana, Haschisch. Aus dem *angloamerikan* Slang gegen 1960 übernommen.

teach-in (*engl* ausgesprochen) koitieren.

Meint eigentlich eine Zusammenkunft zur Aufdeckung von Mißständen o. ä. *Halbw* 1963 *ff*.

Teamarbeit (Bestimmungswort *engl* ausgesprochen) *f* 1. Vorsagen in der Schule; Abschreiben voneinander. 1955 *ff*.
2. Geschlechtsverkehr; Zeugung eines Kindes. 1965 *ff*.

Tebe *f* 1. Hündin, Hund. ↗ Tiffe. 1900 *ff*.
2. Prostituierte, Hure. 1900 *ff*.

Tebs (Teebs, Teeps) *m* 1. lauter Amüsierbetrieb; Ausgelassenheit; fröhlicher Lärm. Gehört wohl zu „täppisch = unbeholfen" und ist von „toben = tollen, lärmen" beeinflußt. Vorwiegend *ostmitteld* und Berlin, seit dem 19. Jh.
2. Unfug, Unsinn. Berlin 1870 *ff*, *jug*.
3. einen ~ machen = viel Wesens um eine Sache machen. Berlin 1920 *ff*.

-technisch *adj adv* hinsichtlich der Durchführbarkeit, der Anwendbarkeit (wohnungstechnisch, verkehrstechnisch). Eigentlich soviel wie „kunstgerecht", „fachmännisch" o. ä. Vielfach *gleichbed* mit „-mäßig". Aus der Amtssprache vor allem seit 1945 stark vorgedrungen; auch von Journalisten verschwenderisch bevorzugt.

technisch *unmöglich adj* gänzlich untauglich (auf einen Menschen bezogen). Übertragen von einem Vorhaben, das mit den Mitteln der Technik nicht zu verwirklichen ist. *Schül* 1955 *ff*.

'Techtel'mechtel *n* Liebelei; Liebschaft; Flirt. Fußt möglicherweise auf *tschech* „tlachy-machy" im Sinne von „Schwätzerei"; von da weiterentwickelt zur Bedeutung „heimliche Abmachung" und „heimliches Einverständnis". Im späten 18. Jh in Österreich aufgekommen und gegen 1830 nach Deutschland vorgedrungen.

Teckel *m* 1. Polizeibeamter, Landjäger. Kann von der Hunderasse übertragen sein oder ist entstellt aus „Deckel", der Bezeichnung für die Dienstmütze des Polizeibeamten. *Rotw* 1850 *ff*.
2. krummbeiniger Mensch. Seit dem 19. Jh.

teckeln *intr* mit nach innen gestellten Füßen, krummbeinig gehen. Seit dem 19. Jh.

Teddy *m* 1. Mann von dicklich-weichlicher Gestalt und leicht ungelenkem Benehmen. Geht zurück auf den Teddybären (Koala), benannt nach dem amerikanischen Präsidenten Theodore („Teddy") Roosevelt (1858–1919), einem leidenschaftlichen Bärenjäger. 1920 *ff*.
2. Kosewort für den Mann. 1920 *ff*.

Teddy-Boy *m* 1. Halbwüchsiger. Eigentlich Bezeichnung für einen Halbwüchsigen in England, wegen der charakteristischen Kleidung im sogenannten „Eduard-Stil" (Eduard VII. wurde in der königlichen Familie „Teddy" genannt). 1950 *ff*.
2. lebenslustiger junger Mann. 1950 *ff*.

Tee *m* 1. Prügel, Schläge. Wohl hergenommen vom bitteren Kräutertee für Kranke in Analogie zur „bitteren ↗ Pille". Seit dem 19. Jh.
2. Gerichtsstrafe. Identifiziert mit Prügeln. Wien seit dem 19. Jh
3. Verweis, Rüge. In volkstümlicher Auffassung ist Prügeln und Rügen dasselbe. *Österr* seit dem 19. Jh.
4. Marihuana, Haschisch u. ä. Aus dem *angloamerikan* Slang (↗ Tea) gegen 1960 übernommen.
5. ~ mit Luft = Bier. Es ist farbähnlich

mit Tee. „Luft" meint den Bierschaum, die Kohlensäurebläschen. *BSD* 1965 *ff*.
6. ~ mit Schaum = Bier. *BSD* 1965 *ff*.
6 a. abgestandener ~ = fades Geschwätz. 1950 *ff*.
6 b. eine schöne Tasse ~ = eine arge Unannehmlichkeit. Gern auf naßkalte Witterung bezogen, bei der eine schöne Tasse Tee (mit Rum) bevorzugt wird. 1920 *ff*, *nordd*.
7. weißer ~ = Schnaps. Stammt aus der Zeit der Alkoholknappheit, als man den Schnaps der Unauffälligkeit halber in Teetassen servierte. Seit dem Ende des Ersten Weltkriegs.
8. ~ anwerfen = Teewasser auf das Feuer stellen. Hergenommen vom Motor, der angeworfen wird. Pfadfinderspr. 1960 *ff*.
9. jm einen ~ einschenken = a) jn prügeln. ↗ Tee 1. Seit dem 19. Jh. – b) jm Vorhaltungen machen. ↗ Tee 3. Seit dem 19. Jh.
10. jm seinen ~ geben = jn prügeln. *Österr* seit dem 19. Jh.
11. zum ~ gebeten werden = zum Vorgesetzten beordert werden. ↗ Tee 3. Berlin 1950 *ff*.
12. ihm haben sie wohl in den ~ geschissen = er ist nicht recht bei Verstand. 1920 *ff*.
13. seinen ~ haben = a) abgefertigt, hinausgewiesen, entlassen worden sein. ↗ Tee 1 *ff*. Seit dem 19. Jh. – b) übel zugerichtet worden sein. ↗ Tee 1. Seit dem 19. Jh.
14. einen im ~ haben = a) nicht recht bei Verstand sein. ↗ Tee 12. 1920 *ff*. – b) angetrunken sein. Entweder als Sonderdeutung aus dem Vorhergehenden entwickelt, oder hinter „einen" ist „Schnaps" zu ergänzen; oder „Tee" meint den gesprochenen Buchstaben „T" als Abkürzung von „Tran", Torkel o. ä. 1920 *ff*.
15. du kannst dir mal ~ kochen (laß dir ~ kochen)!: Ausdruck der Abweisung. Wohl Anspielung auf einen, der Fieberphantasien hat und einen normalisierenden Tee trinken sollte. Seit dem 18. Jh, *stud*.
16. auf den ~ kommen = aus einer Sache übel hervorgehen. ↗ Tee 1 *ff*. Stud 1860 *ff*.
17. einen (seinen) ~ kriegen = a) barsch abgefertigt werden; schroff zurechtgewiesen werden. ↗ Tee 13 a. Seit dem 19. Jh. – b) Prügel beziehen. ↗ Tee 1. Seit dem 19. Jh. – c) bestraft werden. ↗ Tee 2. *Österr* seit dem 19. Jh. – d) sich eine schwere Krankheit zuziehen. Seit dem 19. Jh.
18. ~ reiten = sich einschmeicheln. Hängt vielleicht mit den literarischen und künstlerischen Salons zusammen, in denen Tee gereicht wurde; wer „Tee ritt", ging wohl von Salon zu Salon. 1820 *ff*, Berlin.
19. im ~ sein = a) sich jds Wohlwollen erfreuen. Versteht sich nach ↗ Teekind. 1840 *ff*, Berlin und *nordd*. – b) betrunken sein. Tee = T = Tran, Torkel o. ä. ↗ Tee 14 b. 1840 *ff*. – c) närrisch sein; in ausgelassener Stimmung sein. 1920 *ff*.

Teebs *m* ↗ Tebs.

Teekind *n* 1. Begünstigter; Mensch, der sich einzuschmeicheln versteht; Lieblingsschüler. Meint ursprünglich einen, den man (der Lehrer) zum Nachmittagstee einlädt. 1850 *ff*, Berlin und *nordd*.

2. verzogenes Kind. 1870 ff.

Teen (*engl* ausgesprochen) *m* Jugendliche(r) zwischen 13 und 19 Jahren. Dem *angloamerikan* Slang entlehnt (*engl* „-teen = -zehn" in den Zahlwörtern von 13 bis 19). 1950 ff.

Teenager (*engl* ausgesprochen) *m* **1.** Halbwüchsige(r) zwischen 13 und 19 Jahren. Das Wort wurde in den dreißiger Jahren des 20. Jhs in den USA geprägt. Es grenzt die Altersstufe zwischen zwei Zahlenwerten ein (*vgl* das Vorhergehende) und macht keinen Unterschied zwischen Jungen und Mädchen. Die Bezeichnung hat nichts von jener Poesie und Galanterie, die dem Wort „Backfisch" eigen ist. 1950 ff. **2.** doppelter ~ = weibliche Person über 30 Jahren. 1955 ff. **3.** gehobener ~ = Vierzigjährige(r). 1955 ff. **4.** später ~ = Dame in vorgerücktem Alter, die sich wie ein junges Mädchen kleidet und benimmt. 1960 ff. **5.** verspäteter ~ = Frau in vorgerücktem Alter, die aber erheblich jünger erscheinen möchte. 1960 ff.

Teenagerbefruchtungshalle (-schuppen) *f (m)* Tanzlokal; Diskothek. Vgl ↗TBH. *BSD* 1960 ff.

Teenager-Chinesisch *n* Halbwüchsigendeutsch. ↗Chinesisch. 1960 ff.

Teenager-Spätausgabe *f* Frau in vorgerücktem Alter. ↗Teenager 4 und 5. 1960 ff.

Teenager-Spätlese *f* **1.** bejahrter Erwachsener; die Erwachsenen; die Eltern usw. Spätlese = Traubenlese nach Beginn der allgemeinen Weinernte; Kennzeichen der Spätlese-Trauben ist ihre Vollreife. 1955 ff. **2.** 20jähriges (und älteres) Mädchen, das sich wie eine Halbwüchsige kleidet und benimmt. 1960 ff.

teenagig (*engl* ausgesprochen) *adj* jungmädchenhaft; halbwüchsig. 1962 ff.

Teener (*engl* ausgesprochen) *m* Dreizehnjähriger (und älter). ↗Teen. Werbetexterspr. 1975 ff.

teenig (*engl* ausgesprochen) *adj* dem Geschmack von „Teenagern" entsprechend. 1975 ff.

Teeny *n* (*f*) kleines Mädchen. Aus *engl* „teeny = sehr klein; winzig". Wohl als kosewörtliche Verkleinerungsform von „↗Teen" aufgefaßt. *Halbw* nach 1950 ff.

Teeps *m* ↗Tebs.

Teepüppchen *n* zierliches Mädchen. Eigentlich die kleine Puppe auf dem Teekannenwärmer, auch die kleine Sofapuppe zur Dekoration. *Halbw* 1950 ff.

Teer *m* **1.** im ~ sein = bezecht sein. Kann mißverstanden sein aus der üblicheren Redewendung „im ↗Tee sein" oder erklärt sich aus der Vorstellung „einen ↗kleben haben". 1910 ff, *nordd*. **2.** im ~ sitzen = sich in Not, Verlegenheit befinden. Analog zu ↗Pech. 1910 ff.

Teerbombe *f* steifer schwarzer Herrenhut. ↗Bombe 17. 1950 ff.

teeren *v* **1.** jm eine ~ versetzen = jm eine Ohrfeige versetzen. Parallel zu „jm eine ↗kleben". 1900 ff. **2.** die Sache ist geteert = die Sache ist abgemacht, erledigt, gut ausgeführt. Leitet sich wohl her vom Teeren als dem letzten Arbeitsgang beim Straßen- und Dachbau. 1900 ff. **3.** du mußt den Kragen mal wieder ~

lassen = du trägst einen schmutzigen Kragen. Weiß schimmert durch den Schmutz noch durch; aber hier wird als eigentliche Grundfarbe Schwarz vorausgesetzt: die Tatsachen werden scherzhaft auf den Kopf gestellt. Berlin 1870 ff.

Teerjacke *f* Matrose der Handelsmarine; Marinesoldat. Stammt aus *engl* „Jack-Tar = Hans Teer, Teer-Hans"; angelehnt an „Jacke" wegen der berufsüblichen Kleidung der Matrosen. Gegen 1840 aufgekommen.

Teetassen *pl* Augen wie ~ = große, weit geöffnete Augen. Geht zurück auf „Der Soldat und das Feuerzeug" von Hans Christian Andersen. Seit dem späten 19. Jh.

teff *adv* mit jm ~ sein = mit jm entzweit sein. Fußt auf *rotw* „tewern = zanken, keifen", beeinflußt von „Teffe = (knurrende) Hündin". Berlin 1920.

Teffe *f* Hündin, Hund. Nebenform zu ↗Tiffe. 1900 ff.

Teich *m* **1.** die See. Scherzhafte Verniedlichung. *Marinespr* 1880 ff, fliegerspr. 1939 ff. **2.** der große ~ = der Atlantische Ozean. Gegen 1850 aufgekommene *iron* Wertverkleinerung. **3.** in den ~ gehen = mißglücken. Analog zu ↗badengehen 2. 1900 ff. **4.** über den ~ gehen = den Soldatentod erleiden. Nach alter mythischer Vorstellung trennt Wasser die Aufenthaltsstätte der Toten von der Welt der Lebenden (*vgl* die Styx der *griech* Mythologie). *Sold* 1939 ff. **5.** eine Arbeit in den ~ schreiben = eine schlechte Schularbeit schreiben. ↗Teich 3. *Schül* und *stud* 1950 ff. **6.** im ~ sein = mißraten, zerstört sein. 1900 ff, *schül* und *stud*. **7.** da warst du noch im großen ~ = da warst du noch nicht geboren. Anspielung auf die Fabel vom Storch, der die Kinder aus dem Teich holt. 1900 ff.

Teigbirne *f* geistige Unzurechnungsfähigkeit. Parallel zu „weiche ↗Birne". 1910 ff.

teigig *adj* **1.** langweilig; ungeschickt; geistig unreif. Meint soviel wie ↗unausgebacken. 1500 ff. **2.** müde, schläfrig; nachgiebig. Seit dem 19. Jh.

Teil *m* **1.** mit verrollten ~en = a) mit verteilten Rollen. Hieraus umgestellt. 1920 ff. – b) zurückgeschlagen; verprügelt. ↗verrollen 1. *Sold* 1939 ff. **2.** in ~en denken = begriffsstutzig sein. 1930 ff. **3.** einen ~ haben = a) betrunken sein. Teil = zuträgliche Menge. 1700 ff. – b) geschädigt, geprügelt, verwundet sein. 1900 ff. **4.** der Schlag traf keinen edlen ~ = der Schlag traf nur den Kopf. Ein „edler Teil" ist in scherzhafter Auffassung das Gesäß. 1900 ff. **5.** seinen ~ kriegen = Prügel erhalten; gerügt werden. 1900 ff.

Teilhaber *m* stiller ~ = a) Ungeziefer; Laus. Meint eigentlich einen Menschen, der eine Geldeinlage in ein Geschäft macht, aber nach außen nicht in Erscheinung tritt und lediglich am Gewinn beteiligt ist. Ähnlich treten auch Flöhe usw. nicht in Erscheinung, heimsen aber blutigen Ertrag ein. *Sold* 1910 ff. – b) Finanzamt. 1925 ff. – c) betrügerischer Angestell-

ter; Angestellter, der Unterschlagungen begeht. 1925 ff. – d) intimer Freund der Ehefrau. 1925 ff.

Teilstrecke *f* auf ~ kaufen = auf Raten kaufen. Hergenommen vom Fahrkartentarif der Straßenbahnen und Omnibusse: der Fahrpreis ist nicht einheitlich, sondern nach der Zahl der Haltestellen gestaffelt. Kurz nach 1920 aufgekommen.

Teilzahlungs-Hai *m* Kaufmann, der betrügerische Teilzahlungsangebote und Ratenkäufer anderweitig zu übertölpeln sucht. 1960 ff.

Teint (*franz* ausgesprochen) *m* **1.** lebhafter ~ = sommersprossiges Gesicht. 1920 ff. **2.** pubertäteriger ~ = Halbwüchsigengesicht voller Hautunreinheiten (Akne). 1920 ff. **3.** ~ in der Handtasche haben = Schminke, Puder usw. bei sich tragen. 1960 ff. **4.** den ~ kitzeln = das Gesicht schminken. 1950 ff.

Teita *n* im ~ sein = fortgegangen sein. Substantiviert aus dem Folgenden. Seit dem 19. Jh, kinderspr.

teita gehen *intr* spazierengehen, weggehen. Kindersprachlich entstellt aus „↗tagtag gehen". Seit dem 19. Jh.

Teke *f* junger Nichtsnutz; aufbegehrender Halbwüchsiger. Im *Ostd* Bezeichnung für ein stechendes Insekt (Zecke). 1910 ff, Berlin.

Telefon *n* **1.** Abort. ↗telefonieren 4. *Schül* 1910 ff. **2.** Herr X. ans ~! = Zuruf an einen enttäuschenden Sportler (Schiedsrichter). Gemeint ist die Abberufung vom Platz. Berlin 1920 ff. **3.** mal ans ~ gehen = den Abort aufsuchen. Verhüllende Redewendung; ↗Telefon 1. 1910 ff. **4.** am ~ hängen = telefonieren; viele und/oder lange Ferngespräche führen. 1915 ff. **5.** sich ans ~ hängen = sich zum Telefonieren anschicken. ↗Telefonstrippe 2. 1915 ff. **6.** das ~ läuft heiß = man telefoniert ausdauernd. Übertragen vom Heißlaufen beweglicher Maschinenteile. ↗Telefondraht. 1920 ff. **7.** sich hinter das ~ klemmen = jn anrufen; etw sofort durch Ferngespräch(e) zu erledigen trachten. ↗klemmen 10. 1920 ff.

Telefonbriefkasten *m* Deck-Telefonanschluß zur Hinterlassung von Nachrichten des Geheimdienstlers. ↗Briefkasten 4, 9 und 10. 1950 ff.

Telefondraht *m* **1.** der ~ glüht = man telefoniert ausdauernd. ↗Telefon 6. 1920 ff. **2.** der ~ läuft heiß = man führt lange Telefongespräche. 1920 ff.

telefonieren *v* **1.** *intr* = sich durch Zeichen (Blicke, Gebärden) verständigen. 1920 ff. **2.** *intr* = sich unter dem Tisch mit den Füßen verständigen. 1910 ff. **3.** *intr* = dem Mitschüler vorsagen. 1900 ff. **4.** *intr* = zum Abort gehen. Scherzhaft-taktvolle Umschreibung. *Vgl* ↗Telefon 3. 1910 ff. **5.** das haben sie dir wohl telefoniert? =

aus eigener Kenntnis weißt du das gewiß nicht? 1920 ff.

6. ~, bis die Drähte glühen = ausdauernd telefonieren. ↗Telefondraht. 1920 ff.

Telefo'nitis f Freude an oftmaligen und ausdauernden Telefongesprächen. Als Krankhaftigkeit aufgefaßt durch die Nachahmung von Krankheitsbezeichnungen. 1930 ff. Vgl angloamerikan „telephonitis".

Telefonkirche f fernmündlich übermittelte, auf Band gesprochene Predigt. 1955 ff.

Telefonmädchen n **1.** Telefonistin. 1920 ff.
2. Callgirl. 1955 ff.

Telefonmarder m Berauber von Münzfernsprechern; Mann, der ein öffentliches Fernsprechgerät stiehlt oder zerstört. ↗Marder. 1950 ff.

Telefonpause f Reiseunterbrechung zwecks Notdurftverrichtung. Euphemismus. ↗Telefon 1. 1970 ff.

Telefonstrippe f **1.** Telefonleitung. ↗Strippe. Seit dem späten 19. Jh.
2. sich an die ~ hängen = sich zu einem Telefongespräch anschicken. 1915 ff.

Telefonzange f ausdauernd telefonierende Frau. ↗Zange. 1920 (?) ff.

telegähnen intr einem langweiligen Fernsehprogramm zusehen. Wortwitzelei mit „telegen" und „gähnen". 1957 ff.

'tele'gen adj wohlgebildet von Angesicht und Körperbau. Auf dem Bildschirm würde man eindrucksvoll wirken. Abgewandelt von „fotogen". 1958 ff.

Telegraphenmast m mit dem ~ winken = jm einen plumpen Wink geben. Verstärkung des „Winks mit dem Zaunpfahl". 1920 ff.

telegraphieren v **1.** jm eine ~ = jm eine Ohrfeige versetzen. Vom kurzen Telegrammtext übertragen auf die rasch zuschlagende Hand. 1850 ff.
2. intr = bei Boxhieben zu weit ausholen. In Zusammensetzungen meint „tele-" soviel wie „fern, entfernt": der Hieb kommt aus weiter Ferne. 1950 ff.
3. das kann ich dir ~! = das rate ich dir dringend an! an deiner Stelle würde ich das beherzigen! Parallel zu „das kann ich dir ↗flüstern". Halbw 1950 ff.

Telegucke f Fernsehgerät. ↗Gucke. 1960 ff.

Tele-Knüller m erfolgreicher Fernsehfilm. ↗Knüller. 1970 ff.

Telekratie f häufiges Auftreten von Politikern im Fernsehen. Wortprägung von Charles de Gaulle (?). 1960 ff.

Telemann m Kommentator, Nachrichtensprecher im Fernsehen. 1970 ff.

Telemieze f Fernsehansagerin, -künstlerin. ↗Mieze. 1960 ff.

'telen intr fernsehen. 1955 ff, jug.

Telepenne (-schule) f Schulfernsehen. 1965 ff.

Televidiot m leidenschaftlicher Fernseher. Zusammengesetzt aus „Television" und „Idiot" nach dem Muster von „↗Radiot". 1955 ff.

Televisionsschuhe pl bequeme Hausschuhe. Man trägt sie beim Fernsehen. 1960 ff.

telewischerln intr fernsehen. Aus engl „television" phonetisch abgewandelt. Wien 1960 ff.

telewinken intr in die Fernsehkamera winken. 1958 ff.

Telewinker m Mensch, der in die Fernsehkamera winkt. 1958 ff.

Telewischen n n Fernsehgerät; Fernsehen. Der engl Aussprache von „television" nachgebildet. 1955 ff.

Tell m Rufname des Jagdhundes. Seit dem 19. Jh.

Teller m **1.** Schirmmütze. Verkürzt aus „↗Plattenteller 2". BSD 1968 ff.
2. schwarzer ~ = Schallplatte. 1950 ff, halbw.
3. jm etw auf dem ~ bringen = Vorwürfe immer von neuem wiederholen. Man serviert sie gewissermaßen bei jeder Mahlzeit. Seit dem 19. Jh.
4. das fällt vom ~! = Ausdruck der Ablehnung. 1910 ff.
5. nichts auf dem ~ haben = schlechten Geschäftsgang haben. Hergenommen vom Opferteller in der Kirche oder vom Teller, auf dem der Abortbenutzer eine kleine Spende niederlegt, oder vom Teller, auf dem der Kellner mehr als den Rechnungsbetrag erwartet. 1925 ff.
6. das kommt nicht auf den ~! = Ausdruck der Ablehnung. 1950 ff.
7. ~ wischen = fernsehen. Wortwitzelei auf der Grundlage von „↗Telewischen". 1957 ff.
8. nichts mehr vom ~ ziehen = keinen Anklang mehr finden. ↗Teller 5. 1980 ff, jug.

Tellerlecken n das ist kein ~ = das ist keine leichte Sache. Analog zu „↗Zuckerlecken". 1900 ff.

Tellerlecker m **1.** Feinschmecker; Schmarotzer. 1500 ff.
2. Junge (gemütliche Schelte). 1920 ff.

Tellerrand m über den ~ blicken = die Tragweite einer Handlungsweise zu erkennen suchen; die Folgen eines Tuns bedenken; nicht egozentrisch sein. Nach 1970 aufgekommen, wahrscheinlich 1972 von Bundeswirtschaftsminister Karl Schiller geprägt.

Tellerwischen n Fernsehen. ↗Teller 7. 1957 ff.

telli'gent adj gescheit, klug. Die Vorsilbe „in-" wird als wertmindernd aufgefaßt und daher weggelassen. Seit dem frühen 20. Jh.

Tempel m **1.** Kirche. In umgangssprachlicher Verwendung gespielt-vornehm bis burschikos gemeint in Anlehnung an den biblischen Bericht. 1900 ff.
2. Haus, Wohnung. Aufgefaßt als Allerheiligstes. 1700 ff.
3. Schulgebäude. Verkürzt aus „Bildungstempel". 1950 ff.
4. Abort; öffentliche Bedürfnisanstalt („Rotunde"). Wegen der früher beliebten Rundbauform. 1875 ff.
5. Haftanstaltszelle. Wohl wegen der „stillen Einkehr". Häftlingsspr. 1970 ff.
5 a. ~ der Freude = Bordell. 1800 ff.
6. ~ des Goldes = Börse. 1950 ff.
7. beim ~ rausfahren = plötzlich wegeilen. 1900 ff.
8. zum ~ rausfliegen = unsanft, barsch hinausgewiesen werden. ↗fliegen. Fußt wohl auf dem biblischen Bericht von der Vertreibung der Wechsler und Händler aus dem Tempel zu Jerusalem. 1870 ff.
9. jn aus dem ~ raushauen = jn grob hinausweisen, hinauswerfen. 1900 ff.
10. jn zum ~ rausjagen = jn barsch aus der Wohnung, aus dem Haus weisen. 1700 ff.
11. jn zum ~ rausloben = einem un-

sympathischen Mitarbeiter durch übertriebenes Lob den Stellenwechsel erleichtern. 1870 ff.
12. jn zum ~ rausschmeißen (rauswerfen o. ä.) = jn derb aus der Wohnung, aus dem Haus weisen; jm kündigen. 1600 ff.
13. zum ~ raussein = fortgegangen sein. 1870 ff.
14. sich zum ~ rausscheren = das Zimmer schleunigst verlassen. Meist in der Befehlsform gebraucht. Seit dem 19. Jh.

Tempelfee f Abortwärterin. ↗Tempel 4. 1910 ff.

Tempelhüterin f Abortwärterin. ↗Tempel 4. 1910 ff.

tempeln intr sich an einem Glücksspiel beteiligen. Auf die Tischplatte wird eine tempelähnliche Skizze gezeichnet, in deren Felder die Spieler ihre Einsätze machen. Seit dem 19. Jh.

Temperament n **1.** Temperatur. Scherzhafte Wortvertauschung. Seit dem 19. Jh.
2. vulkanisches ~ = feuriges Temperament; Leidenschaftlichkeit. 1900 ff.
3. das ~ geht mit ihm durch = er läßt sich nicht zügeln. Übertragen vom Pferd, das seinem Reiter nicht gehorcht. 1920 ff.

Temperamentsbolzen m **1.** temperamentvoller Mensch. ↗Bolzen. 1950 ff.
2. mitreißende Sängerin, Tänzerin, Vortragskünstlerin o. ä. 1950 ff.

Temperamentsnudel f temperamentvolllustige Frau. ↗Nudel 4. 1935 ff.

Temperamentsskala f Fieberthermometer. ↗Temperament 1. 1945 ff.

Temperatur f **1.** Temperament. Vgl ↗Temperament 1. Stud seit dem späten 19. Jh.
2. angenehme ~ = scheußliche Lage; heftiger Beschuß. Kriegsminister Albrecht Graf von Roon gebrauchte den Ausdruck bei einer Rede im Preußischen Herrenhaus 1862 im eigentlichen Sinne, etwa als „wohlwollende Gestimmtheit". Ins Iron verkehrt durch die Soldaten beider Weltkriege.

Tempo n **1.** ~! = beeil' dich! Verkürzt aus „mach' Tempo!". 1910 ff.
1 a. ~ bolzen = schnell fahren. ↗bolzen. 1960 ff.
2. ein ~ draufhaben = a) schnell fahren. Drauf = auf dem Geschwindigkeitsmesser. 1920 ff. – b) es eilig haben (ohne Zusammenhang mit einem Fahrzeug). 1920 ff.
3. ~ draufnehmen = eine hohe Fahrgeschwindigkeit entwickeln. 1920 ff.
4. aufs ~ drücken = die Geschwindigkeit erhöhen. Man drückt aufs Gaspedal. 1950 ff.
5. ein ~ am Leibe haben = rasch fahren. Am Leibe = an sich. 1920 ff.
6. ein feines ~ haben = bequemen Dienst haben; sich nicht anstrengen müssen; ohne Eile tätig sein können. Sold in beiden Weltkriegen; auch ziv.
7. ein schlaues ~ haben = ein bequemes Leben führen. 1920 ff.
8. das ~ überdrehen = die Geschwindigkeit übersteigern. Anspielung auf die Drehzahl des Motors. 1950 ff.
9. hohes ~ vorlegen = sehr schnell tätig sein; Beschleunigung anstreben. 1950 ff.

Tempo-Bolzer m Langstreckenläufer, der den Rekord zu brechen sucht; Schnellfahrer. ↗bolzen. 1960 ff.

Tempomuffel m Autofahrer, der gemäßigtes Tempo bevorzugt. ⁊ Muffel 2. 1973/74 aufgekommen mit der Geschwindigkeitsbegrenzung.

Tempo-Sünder m Kraftfahrer, der gegen die Geschwindigkeitsbestimmungen verstößt. ⁊ Sünder. 1965 ff.

Tennenschwof m Tanzerei auf einem Bauernhof. ⁊ Schwof. 1960 ff.

Tennisamazone f (erfolgreiche) Tennisspielerin. ⁊ Amazone. 1920 ff.

Tennishase m alter ~ = erfahrener Tennisspieler. ⁊ Hase. 1920 ff.

Tennismäuschen n Tennisspielerin. ⁊ Mäuschen. 1925 ff.

Tennisplatz m Glatze. 1910 ff.

Tennisspiel n ~ des kleinen Mannes = Federballspiel. 1955 ff.

Tepp m ⁊ Depp.

teppern tr etw mit Geräusch zerschlagen. ⁊ töppern. Seit dem 19. Jh.

teppert adj ⁊ deppert.

Teppich m 1. mit vielen Bomben belegtes Geländestück; nahezu gleichzeitiger Abwurf vieler Bomben auf ein begrenztes Zielgebiet. Verkürzt aus ⁊ Bombenteppich. Sold und ziv 1939 ff.
2. für eine Landung außerhalb des Flugplatzes geeignete flache Wiese o. ä. Fliegerspr. 1939 ff.
3. Fußballrasen. 1900 ff.
4. ~ im Eßzimmer = Zunge. ⁊ Eßzimmer. 1930 ff.
5. fliegender ~ = a) Flugzeug. Aus der Märchensammlung „Tausendundeine Nacht" übernommen. 1960 ff. – b) Auto. Wohl wegen der Fahrgeschwindigkeit und der guten Federung. 1960 ff.
6. grüner ~ = Erdboden, Landeplatz. Fallschirmjägerspr. 1939 ff.
7. auf dem ~ bleiben = a) nicht übertreiben; sachlich bleiben; nicht überfordern; Vernunft walten lassen. Entstellt aus „Tapet", der Decke auf dem Beratungstisch, und weiterentwickelt zur Bedeutung „Beratungsgegenstand". Auch herleitbar von der Ringermatte: außerhalb der Matte darf nicht gerungen werden. 1910 ff, von Norddeutschland ausgegangen. – b) nicht leichtfertig leben. 1950 ff.
8. jn wieder auf den ~ bringen (holen) = jn zur Sachlichkeit zurückführen. Vgl das Vorhergehende. 1970 ff.
8 a. auf den ~ fallen = mißlingen. Hier ist „Teppich" wahrscheinlich die Ringermatte. 1925 ff.
9. etw unter den ~ kehren (fegen) = etw von der Erörterung ausschließen. 1950 ff.
10. mit etw auf den ~ kommen = etw zur Sprache bringen. Teppich = Tapet. 1950 ff.
11. das kommt nicht auf den ~ = das kommt nicht in Betracht; das lehne ich ab. 1920 ff.
11 a. auf den ~ kommen = sich zu Sachlichkeit zwingen; Vernunft annehmen. ⁊ Teppich 7. 1950 ff.
12. er kommt mir nicht auf den ~ = a) ich lehne seinen Besuch, seine Anwesenheit ab. 1940 ff. – b) er kann bei mir nichts erreichen, nichts werden. 1940 ff.
13. geistig unter den ~ gerutscht sein = geistesbeschränkt sein. 1950 ff, schül.
14. er ist zu weit unter den ~ gerutscht = er ist nicht recht bei Verstand. Schül 1950 ff.
15. jm auf den ~ scheißen = sich in

guter Gesellschaft ungebührlich verhalten. 1920 ff.
16. etw unter den ~ schieben = etw von der Erörterung ausschließen. ⁊ Teppich 9. 1950 ff.
17. auf dem ~ sein = die günstige Gelegenheit erkennen und wahrnehmen; sich auskennen. „Teppich" meint hier entweder die Decke des Beratungstischs oder die Ringermatte. 1910 ff.
18. in der Mitte des ~s sein = tüchtig, besonnen sein. Schül 1955 ff.
19. jm einen ~ unterlegen = jm die Arbeit erleichtern; jm eine leichte Bewerkstelligung ermöglichen. Der Teppich unter den Füßen erscheint hier als Sinnbild der Annehmlichkeit und Bequemlichkeit; wohl vom Teppich für Ehrengäste übernommen. 1925 ff.
20. den ~ unter den Füßen verlieren = unsachlich werden; unvernünftige Forderungen stellen. Man gerät außerhalb der Ringermatte. 1950 ff.
21. jm den ~ wegziehen = jm verbürgte Rechte absprechen; jn grob schädigen. 1950 ff.
22. auf den ~ zurückfinden = seine Beherrschung wiedergewinnen; zur Sachlichkeit zurückkehren. 1950 ff.
23. jn auf den ~ zurückholen (zurückbringen) = jn zur Sachlichkeit ermahnen. 1950 ff.

Teppichfrisur f ungekämmte, wirre Haartracht. Hergenommen von unordentlich liegenden Teppichfransen. 1939 ff.

Teppichhändler m um den Preis feilschen wie ein ~ = ausdauernd um das Entgelt handeln. Anspielung auf das Feilschen der umherziehenden Teppichhändler. 1960 ff.

Terminjäger m Angestellter, der Liefer-, Berichtstermine zu überwachen hat. 1920 ff, industriespr.

Terminkalender m Vorzimmerdame. 1950 ff.

Terminpeitsche f Zwang zur Einhaltung eines festgesetzten Zeitpunkts. 1960 ff.

Terpentintante f Kunstmalerin. 1900 ff, Berlin.

Ter'rain (franz ausgesprochen) n das ~ sondieren = vorfühlen; Vorkenntnisse sammeln. Aus der Militärsprache im 19. Jh übernommen.

Terror m 1. unangenehme, unter Zeitdruck stehende Arbeit. Meint eigentlich die Schreckensherrschaft. 1950 ff.
1 a. Streit, Unfriede, Widerstand; heftiger Widerspruch. 1960 ff.
2. = Entscheidung über die Stellenvergabe nach Maßgabe der Parteizugehörigkeit. Österr 1950 ff.
3. ~ machen = Aufregung verursachen; Aufhebens machen; Einhalt gebieten; aufbegehren. 1960 ff.
4. ~ schlagen = sich etw nachdrücklich verbitten. Analog zu „Lärm schlagen". 1960 ff.

Tertia-Abitur n Abgang vom Gymnasium am Ende der Unterstufe. Schül und lehrerspr. 1950 ff.

Terz m auf den ~ hauen (~ machen) = Streit suchen. Hier ist nordwestdeutsch „die Terz = Schlag" verquickt mit „⁊ Deez = Kopf". Rocker 1967 ff, Hamburg.

'Teschek m der ~ sein = der Benachteiligte sein. Herleitung unbekannt. Österr 1950 ff.

Testament n 1. Schulaufsatz, dessen Thema vorher nicht besprochen wurde. Dabei kann mancher Schüler „sein Testament machen", weil er den Anforderungen nicht gewachsen ist. 1935 ff.
2. Schulzeugnis. Für manche kommt es einer Schulverweisung gleich. 1920 ff, schül.
3. dickes ~ = Testament, das den (die) Erben sehr reichlich bedenkt. 1920 ff.
4. du kannst gleich dein ~ machen (mach' dein ~): Droh-, Warnrede. Seit dem 19. Jh.

testen intr flirten. Man testet die Art der Liebesgefühle. Jug 1970 ff.

Tester m Kopf. Fußt auf ital „testa = Kopf" oder meint „den Testenden" im Sinne von „das Testgerät". Wien 1940 ff.

Teste'ritis f übertriebene Wertschätzung der Meinungsbefragungen, der psychologischen Eignungsuntersuchungen usw. Die Wortbildung ahmt Krankheitsbezeichnungen nach. 1955/60 ff.

teuer adj 1. viel Geld kostend (mein teurer Sohn; mein teures Kind). Wortspiel zwischen „kostbar" und „viel kostend". Seit dem 19. Jh.
2. vorzüglich; sehr gut. Fußt auf der Volksweisheit: was nichts kostet, ist auch nichts wert. 1960 ff, halbw.
3. das kostet ~ = das wird dir noch leid tun; daran wirst du dich ungern erinnern. Seit dem frühen 20. Jh.

Teufel m 1. ~!: Ausruf des Erstaunens oder Entsetzens. Der Teufel als Widersacher Gottes, als Urheber aller menschlichen Irrungen und Wirrungen, als Verleumder und Verführer, als Fürst der Hölle usw. gilt als abscheuenswürdige Gestalt, als Superlativ des Bösen; daher eignet er sich für Fluchwörter und Entsetzensausrufe. 1700 ff.
2. aber ~!: Ausruf des Unmuts. 1700 ff.
3. zum ~! (zum ~ nochmal!): Verwünschung. Verkürzt aus „scher dich zum Teufel!". 1600 ff.
4. in ~s Namen (in drei ~s Namen)!: Ausruf des Unwillens. Analog zu „in Gottes Namen". 1500 ff.
5. noch eins!: noch einsl: Verwünschung. Seit dem 19. Jh.
6. ~ nochmal!: Ausruf des Unmuts. Seit dem 19. Jh.
7. alle ~!: Verwünschung (seltener: Ausdruck bewundernder Anerkennung). Seit dem 19. Jh.
8. ~ auch!: Ausdruck kräftiger Zustimmung; Ausruf zur Abwehr starker Zumutung. Wohl verkürzt aus „das täte der Teufel auch!". 1700 ff.
9. des ~s Gebetbuch (Gebetbuch des ~s) = Satz Spielkarten. Weil mancher durch das Kartenspiel verkommen ist. 1700 ff.
10. des ~s General = a) Vier-Sterne-General. Der Ausdruck fußt auf dem gleichnamigen Drama von Carl Zuckmayer (uraufgeführt im Dezember 1946 in Zürich) oder dem hiernach gedrehten Film (1955) von Helmut Käutner mit Curd Jürgens in der Titelrolle. Gemeint ist hier das ausführende Organ des Oberbefehlshabers. BSD 1965 ff. - b) Oberstabsfeldwebel. Er bekleidet den obersten Unteroffiziersgrad. Anspielung auf seine Machtfülle. BSD 1965 ff. – c) Oberstudienrat, Konrektor. Schül 1955 ff.
11. ~ in Seide = a) Lehrerin. Geht zurück auf den Titel eines Romans von Gina

Kaus, nach dem auch das Drehbuch für den gleichnamigen Film des Jahres 1955 (mit Lilli Palmer in der Titelrolle) geschrieben wurde. 1955 ff. – b) Frau des militärischen Vorgesetzten. *Sold* 1960 *ff, österr.*

12. des ∼s Unterfutter = unverträgliche Frau; Stief-, Schwiegermutter. Das Unterfutter als Zwischenlage zwischen Tuch und Futterstoff besteht meistens aus Steifleinen, und Steifleinen ist Sinnbild der Unnachgiebigkeit und Widersetzlichkeit. Seit dem 18. Jh.

13. der arme ∼ = bedauernswerter Mensch. Stammt wohl aus volkstümlichen Erzählungen vom geprellten Teufel. Jörg Wickram erzählt 1555 von einem Bauern, der beim Aufstecken einer Kerze vor Christi Bild sieht, daß man das Bild des Teufels in einen finsteren Winkel gemalt hat; voller Mitleid stellt er mit den Worten „ach, du armer Teufel" auch vor dessen Abbild eine Kerze. Seit dem 16. Jh.

14. die grünen ∼ = Fallschirmjäger. Grün ist die Uniformfarbe des Tarnanzugs, und „Teufel" steht hier anerkennend für Kampfgeist und Draufgängertum. Möglicherweise ist der Ausdruck in den USA geprägt worden. *Sold* 1939 *ff.*

15. roter ∼ = Skilehrer. Wegen der roten Farbe des Pullovers und der roten Zipfelmütze. 1960 *ff.*

16. rote ∼ = 1. FC Kaiserslautern. 1952 *ff.*

17. wie der ∼ = sehr schnell; tüchtig (er fährt wie der Teufel; er arbeitet wie der Teufel). Verkürzt aus „↗Teufel 79". 1600 *ff. Vgl engl* „like the devil".

18. in einem ∼ = sehr schnell. 1920 *ff, österr.*

19. häßlich wie der ∼ = überaus häßlich. Seit dem 19. Jh.

20. müde wie der ∼ = sehr müde. 1900 *ff.*

21. einen ∼ ist er klug = er ist überhaupt nicht klug. „Einen Teufel" (auch „den Teufel") ist zu einer verneinenden Verstärkung geworden, wohl im Anschluß an „er fürchtet nicht den Teufel", beeinflußt von Geschichten vom geprellten Teufel. 1800 *ff.*

22. dem ∼ ein Ohr abfahren = sehr schnell fahren. *Vgl das Folgende.* 1910 *ff.*

23. dem ∼ ein Ohr ablügen (abrennen, abschwätzen, abschwören u. ä.) = übermäßig lügen (o. ä.) können. Geht zurück auf Volkserzählungen, in denen man mit dem Teufel um ein Ohr wettet, daß man ihm im Lügen (o. ä.) überlegen sei; am unterlegenen Teufel vollzieht man die Strafe des Ohrabschneidens. Spätestens seit 1700.

23 a. dem ∼ den Schwanz abreizen = den Zahlenwert des Skatspiels so hoch wie möglich aushandeln. ↗reizen 1. 1970 *ff.*

24. das geht dich einen ∼ (einen blauen ∼) 'was an = das geht dich überhaupt nichts an. Seit dem 19. Jh.

25. den ∼ mit Beelzebub austreiben = ein kleineres Übel beseitigen wollen, aber ein größeres wählen. Geht zurück auf Matthäus 12, 24. Seit dem 16. Jh.

26. den ∼ über den Löffel balbieren = jn gründlich übervorteilen. ↗Löffel 6. 1930 *ff.*

27. vor dem Graf ∼ nicht bang sein = unerschrocken sein. „Graf Teufel" war der Beiname des preußischen Generalfeldmar-

schalls Gottlieb Ferdinand Albert Alexis Graf v. Haeseler (1836–1919), berüchtigt für Grobheit (daher der andere Beiname „der grobe Gottlieb") und Geiz. 1870 *ff.*

27 a. vom ∼ durch ein Sieb beschissen worden sein = Sommersprossen haben. ↗Teufel 46. Seit dem 19. Jh.

28. jn zum ∼ beten = jn hinwegwünschen. Man möchte beten, daß der Teufel den Betreffenden hole. 1900 *ff.*

29. jn in des ∼s Küche bringen = jn in eine sehr unangenehme Lage versetzen; jn unsanft behandeln. Des Teufels Küche ist die Hölle. 1700 *ff.*

30. sich zu etw eignen wie der ∼ zum Apostel = sich zu etw überhaupt nicht eignen. Seit dem 19. Jh.

31. fahren wie der ∼ = ungestüm, aber sicher fahren. Seit dem 19. Jh.

32. er fragt den ∼ danach = das kümmert ihn überhaupt nicht. ↗Teufel 21. 1800 *ff.*

33. in der Not frißt der ∼ Fliegen = in der Not nimmt man mit der geringsten Gabe vorlieb. Seit dem 19. Jh.

34. dich soll der ∼ frikassieren!: Drohrede. ↗frikassieren. Seit dem 19. Jh.

35. da soll mich doch der ∼ frikassieren!: Ausdruck des Unwillens. Seit dem 19. Jh.

36. etw fürchten wie des ∼s Urgroßmutter = etw sehr fürchten. 1900 *ff.*

37. etw fürchten wie der ∼ das Kreuz = etw sehr fürchten. Seit dem 19. Jh.

38. etw fürchten (hassen) wie der ∼ das Weihwasser = etw sehr fürchten (hassen). Seit dem 18. Jh.

39. auf ihm hat der ∼ Bohnen (Erbsen) gedroschen = er ist pockennarbig (sommersprossig). 1700 *ff.*

40. es geht zum ∼ = es geht verloren, ist nicht mehr zu retten. Wer oder was beim Teufel ist, kehrt nicht zurück. Seit dem 18. Jh.

41. zum ∼ gehen = davongehen, fliehen. 1700 *ff. Vgl engl* „to go to the devil".

42. und wenn der ∼ auf Stelzen geht = unter allen Umständen. Seit dem 19. Jh.

43. zum Graf ∼ gehen mögen = vor keiner gefährlichen oder unangenehmen Unternehmung zurückschrecken. ↗Teufel 27. 1880 *ff.*

44. dem ∼ von der Gabel gesprungen sein = im letzten Augenblick gerettet worden sein. Mit der Mistgabel hascht der Teufel nach den Seelen der Verstorbenen. 1880 *ff.*

45. dem ∼ aus der Kiepe gehupft (o. ä.) sein = ausgelassen, lebenslustig, verschlagen sein. Der Betreffende sollte vom Teufel in die Hölle gebracht werden; aber es gelang ihm, aus der Kiepe zu springen und zu entkommen, – Grund genug, sich des Lebens zu freuen. Seit dem 19. Jh.

46. bei ihm hat der ∼ durchs Sieb geschissen = er hat Sommersprossen. Derbe Veranschaulichung. Im 19. Jh aufgekommen.

47. dem ∼ aus dem Sack gesprungen sein = verschlagen sein. Um dem Sack des Teufels zu entkommen, bedarf es der List. Seit dem 19. Jh.

48. dem ∼ von der Schaufel gesprungen sein = knapp dem Tod entgangen sein. Entstellt aus „dem ↗Totengräber von der Schippe gesprungen sein". 1870 *ff.*

49. da hat der ∼ Kirmes = da geht es ausgelassen, stürmisch zu. 1920 *ff.*

50. den ∼ im Leib haben = unbe-

herrscht, nicht zu bändigen sein; überaus temperamentvoll sein. Fußt auf dem Glauben, der Teufel fahre in den Leib des Menschen und verursache dort jegliche seelische Absonderlichkeit. Seit dem Mittelalter. *Vgl franz* „avoir le diable au corps".

51. fahren, als hätte man den ∼ im Leib = waghalsig fahren. ↗Teufel 31. 1950 *ff.*

52. den ∼ im Nacken haben = unverträglich, streitlüstern sein. Meist auf eine Frau bezogen. Auf ihr reitet der Teufel. Seit dem 16. Jh.

53. den ∼ für ein Eichhörnchen halten = dumm, einfältig sein. ↗Teufel 76. Seit dem 19. Jh.

53 a. etw (jn) hassen wie den ∼ = etw (jn) gründlich verabscheuen. 1700 *ff.*

54. hol' dich der ∼ (der ∼ soll dich holen) hol's der ∼)!: Verwünschung. Seit dem 15. Jh. *Vgl engl* „the devil take it".

55. hol' mich der ∼: Ausdruck der Beteuerung. Der Teufel soll einen holen, wenn man die Unwahrheit sagt. Seit dem 18. Jh.

56. jn zum ∼ jagen (schicken) = jn energisch hinauswünschen; jn seiner Stellung entheben; jn in Unehren entlassen. 1500 *ff. Vgl franz* „envoyer quelqu'un au diable".

57. in des ∼s Küche (Garküche) kommen = a) in eine sehr unangenehme Lage geraten. Nach mittelalterlichem Aberglauben hatte der Teufel eine Küche, in der Hexen und Zauberer am Werk waren. 1700 *ff.* – b) ins Gefängnis kommen. Seit dem 19. Jh.

58. auf ∼ komm (he)raus = sehr stark; rücksichtslos; sehr schnell (er lügt auf Teufel komm (he)raus = er lügt viel und dreist). Fußt auf dem Glauben, der Mensch könne durch bestimmte Handlungen und Worte das Erscheinen des Teufels herbeiführen. 1900 *ff.*

59. das kümmert ihn einen ∼ = das kümmert ihn überhaupt nicht. ↗Teufel 21. Seit dem 19. Jh.

60. sich um etw den ∼ kümmern = sich um etw gar nicht kümmern. ↗Teufel 21. Seit dem 18. Jh.

61. sich den blauen ∼ um etw kümmern = sich um etw nicht kümmern; etw sich nicht zu Herzen nehmen. ↗Teufel 21. Seit dem 19. Jh.

62. sich den ∼ auf den Hals laden = sich erhebliche Unannehmlichkeiten zuziehen. ↗Hals 44. Seit dem 19. Jh.

63. der ∼ ist los = es herrscht Zank, Ausgelassenheit. Beruht auf der Offenbarung Johannis 20, 2: Satan ist gebunden in den Abgrund geworfen worden, und erst nach 1000 Jahren wird er für kurze Zeit frei. 1500 *ff.*

64. sich aus etw nicht den ∼ machen = eine Sache als belanglos einschätzen; etw nicht beherzigen. ↗Teufel 21. Seit dem 19. Jh.

65. den ∼ an die Wand malen = von möglicherweise drohendem Unglück sprechen; ein Unglück durch unbedachtes Handeln oder Reden herbeiführen. Nach dem Volksglauben kann man den Teufel durch bloße Nennung seines Namens herbeiholen, auch durch Malen seines Bildes; denn das Bild ist er selber (Bildzwang). 1500 *ff.*

66. ihn hat der ∼ gepackt = er ist übermütig geworden. ↗Teufel 50. Seit dem 19. Jh.

67. ihn reitet (plagt) der ∼ (er ist vom ∼

geritten) = er hat die Beherrschung verloren; er ist wie von Sinnen; er läßt sich von seinen Launen (Einfällen) leiten und ist nicht zurückzuhalten. Nach der Volksvorstellung setzt sich der Teufel auf den Menschen und quält ihn, vor allem als „Aufhocker" oder „Alb". Seit *mhd* Zeit.

68. der ~ scheißt immer nur auf große Haufen = wo Geld ist, kommt Geld hinzu. 1500 *ff.*

69. als sich der ~ noch in die Hosen schiß = vor sehr langer Zeit. 1900 *ff.*

70. sich von etw (jn) den ~ scheren = auf etw (jn) keine Rücksicht nehmen. ↗Teufel 21. Seit dem 18. Jh.

71. sich zum ~ scheren = sich davonmachen. ↗Teufel 40. Seit dem 17. Jh.

72. etw scheuen wie der ~ das Weihwasser = etw ängstlich (angstvoll) meiden; vor etw zurückscheuen. Alle kirchlichen Dinge sind dem Teufel verhaßt, weil sie seine Macht bannen. ↗Teufel 38. Seit dem 18. Jh.

73. darein soll der ~ schlagen (da soll der ~ dreinschlagen, dreinfahren)!: Ausruf heftigen Unwillens. Gelegentlich wird auch das Gewitter als Werk des Teufels aufgefaßt. Seit dem 19. Jh.

74. des ~s sein = unbeherrscht, ausgelassen, unbändig sein. Verkürzt aus „des Teufels Eigen sein" im Sinne von „vom Teufel besessen sein". Nach alter theologischer Lehre stehlen die zeugungsunfähigen Teufel den nächtlichen Samenerguß und lassen daraus „Kinder des Teufels" entstehen. Seit *mhd* Zeit.

75. der ~ ist im Spiel = man verliert ein vermeintlich unschlagbares Kartenspiel. Kartenspielerspr. seit dem 19. Jh.

76. der ~ ist ein Eichhörnchen = eine mit allergeringster Wahrscheinlichkeit zu erwartende Folge kann trotzdem eintreten. Eichhörnchen und Teufel sind geschwänzt. Wegen seines Schwanzes kann der Teufel ein Eichhörnchen sein: es ist ihm alles zuzutrauen. *Vgl* ↗Teufel 53. Seit dem 19. Jh.

77. bei (zum) ~ sein = verloren, vernichtet sein. Verkürzt aus „zum Teufel gegangen sein"; ↗Teufel 40/41. 1700 *ff.*

78. hinter etw hersein wie der ~ = etw unausgesetzt verfolgen; etw nicht aus den Augen lassen. *Vgl* das Folgende. Seit dem 19. Jh.

79. hinter etw hersein wie der ~ nach (hinter) einer (der) armen Seele (Judenseele) = etw unablässig und gierig zu bekommen suchen. Leitet sich her vom eschatologisch-apokalyptischen Motiv vom Kampf der Engel und Teufel um die Vereinnahmung der Seele. 1800 *ff.*

80. auf etw scharf sein wie der ~ auf eine arme Seele = etw hartnäckig begehren. ↗scharf 19. 1950 *ff.*

81. das ist 'ein ~ = das ist einerlei. Gemeint ist, daß es viele Teufel gibt, aber daß im Grunde der eine so arg ist wie der andere. 1800 *ff.*

82. einer ist dem andern sein ~ = man macht sich gegenseitig schwer zu schaffen; man gönnt einander keinen Vorteil. Seit dem späten 16. Jh.

83. ein Arbeiter sein wie der ~ ein Apostel = träge sein; arbeitsscheu sein. ↗Teufel 30. Seit dem 19. Jh.

84. der denkt auch, der ~ sei ein kleiner

Junge = er hat wunderliche Ansichten. 1800 *ff.*

85. als der ~ noch ein kleiner Junge (Bub) war (als der ~ noch klein war) = vor sehr langer Zeit. Seit dem 19. Jh.

85 a. der ~ steckt im Detail = die Ausführung ist schwieriger als die Planung. Eine Erfahrung aus der technischen Entwicklung immer größerer und komplizierterer Maschinen o. ä.: die größten Schwierigkeiten gibt es oft bei den kleinsten Einzelheiten; das Versagen eines Teilchens kann die ganze Anlage lahmlegen. Das Sprichwort sagt, eine Kette sei stets nur so stark wie ihr schwächstes Glied, – und mit diesem treibt den sprichwörtliche Teufel sein Spiel. Etwa seit 1940.

86. den ~ tanzen lassen = ausgelassen sein; sich einen vergnügten Tag machen (weil man Geld genügend bei sich hat). Seit dem 19. Jh.

87. da schlag' Gott den ~ tot! = das sollte man auch für möglich halten! 1800 *ff.*

88. ich werde den ~ tun = ich werde es nicht tun; ich werde mich nicht unterstehen. ↗Teufel 21. 1500 *ff.*

88 a. von etw den ~ verstehen = von etw nichts verstehen. ↗Teufel 21. 1700 *ff.*

89. ich werde Ihnen einen ~! : Ausdruck der Ablehnung. Versteht sich wie das Vorhergehende. 1950 *ff.*

90. endlich, endlich wird der ~ selbst erkenntlich: Ausruf des Kartenspielers, der endlich ein gutes Spiel bekommen hat. Das Motiv vom dankbaren Teufel ist äußerst selten. Kartenspielerspr. seit dem 19. Jh.

91. da möchte einer des ~s werden! = es ist zum Verzweifeln. ↗Teufel 74. Seit dem 19. Jh.

92. das weiß der ~ = ich weiß es nicht, frag' andere! Weil man Gottes Namen nicht mißbräuchlich verwenden soll, hilft man sich im Unmut mit dem Umweg über den Teufel, der in dämonistischer Auffassung mitsamt den Unholden Wisser des Ungünstigen ist. Seit dem 18. Jh.

93. den ~ von etw wissen = gänzlich unwissend sein. ↗Teufel 21. 1700 *ff.*

94. jn (etw) zum ~ wünschen = jn (etw) in weite Ferne wünschen. ↗Teufel 71. Seit dem 19. Jh. *Vgl engl* „to wish someone to the devil".

95. es müßte mit dem ~ zugehen, wenn . . . = es müßte ein Wunder geschehen, wenn . . . Seit dem 18. Jh.

teufeln *intr* fluchen, unflätig schimpfen. Hergenommen von der Verwendung von Fluch- und Schimpfausdrücken mit „Teufel". Seit dem 19. Jh.

Teufelsbuch *n* Spielkarten. ↗Teufel 9. Gleichlautend im *Engl* (devil's book). Seit 1700; wohl älter.

'Teufels'fahrt *f* überaus schnelle, waghalsige Fahrt. 1919 *ff.*

'Teufels'junge *m* tüchtiger, anstelliger Bursche. Seit dem 18. Jh.

'Teufelskarus'sell *n* **1.** unentwirrbare Verquickung von wechselseitigen Abhängigkeiten. Dem „Teufelskreis" (circulus vitiosus) nachgeahmt. 1950 *ff.* **2.** Sechstagerennen. Berlin 1920 *ff.*

'Teufels'kerl *m* **1.** Bösewicht; Schimpfwort. In ihn ist der Teufel gefahren, er ist des Teufels. Seit dem 16. Jh. *Vgl engl* „a devil of a fellow". **2.** sehr tüchtiger, anstelliger Mann. Sein

vielseitiges Können und Wissen kommt wohl daher, daß er mit dem Teufel im Bunde steht. 1600 *ff.*

Teufelsküche *f* **1.** Chemiesaal. Wegen des „höllischen" Gestanks. *Schül* 1955 *ff.* **2.** Klassenzimmer. *Schül* 1955 *ff.* **3.** jn in ~ bringen. ↗Teufel 29. **4.** in ~ kommen. ↗Teufel 57.

'Teufels'mädel (-'mädchen) *n* **1.** beherztes, entschlossenes, tüchtiges Mädchen. Versteht sich nach „↗Teufelskerl 2". Seit dem 19. Jh. **2.** temperamentvolles, unternehmungslustiges Mädchen. Seit dem 19. Jh.

Teufelsmensch *n* unverträgliche weibliche Person. ↗Mensch II. Seit dem 19. Jh.

Teufelsrad *n* Rennmaschine; schweres Motorrad. 1950 *ff.*

'teufels'schwer *adj* sehr schwer. Seit dem 19. Jh.

'Teufelsspek'takel *n* großer Lärm. ↗Spektakel 1. 1800 *ff.*

Teufelsware *f* Rauschgift. 1960 *ff.*

'Teufels'weib *n* **1.** tüchtige, anstellige, entschlossene weibliche Person. Seit dem 19. Jh. **2.** bösartige, berechnende, zügellose Frau. Seit dem 19. Jh.

Teufelszeug *n* **1.** unbrauchbarer Gegenstand; schlimme Angelegenheit; Unannehmlichkeit. 1700 *ff.* **2.** verführerisches Genußmittel. 1900 *ff.* **3.** Rauschgift. 1970 *ff, jug.* **4.** Massenvernichtungsmittel. 1970 *ff.*

Teutonengrill *m* italienische Küste mit sonnenbadenden Deutschen. 1955 *ff.*

Texasrohr *n* weite Hose. Meint die ungebügelte Hose nach Texanerart, wie sie aus Wild-West-Filmen bekannt ist. 1955 *ff.*

Text *m* **1.** weiter im ~! = fahre fort! mach' so weiter! Text ist der Gegenstand der Rede, in der man unterbrochen wurde, oder in der man auf Abschweifungen geriet. Mit der Redewendung kehrt man zum eigentlichen Text zurück. 1500 *ff.* **2.** ~e an der Kassel: rügende Redewendung, wenn die Sänger bei Proben zu undeutlich aussprechen, oder wenn der Schauspieler seinen Text nicht mehr weiß. Theaterspr. 1900 *ff.* **3.** seinen ~ dazugeben = seine Ansicht äußern, beisteuern. 1920 *ff.* **4.** einen ~ knacken = einen (Geheim-)Text entschlüsseln. Knacken = aufbrechen, gewaltsam öffnen. 1940 *ff.* **5.** jm den ~ lesen = jn zurechtweisen. „Text" ist die der Predigt unterlegte Bibelstelle, dann auch die Predigt selber, vor allem die Straf- oder Rügepredigt. *Vgl* ↗Leviten. Seit dem 15. Jh.

Textil *n* mit (ohne) ~ baden = mit (ohne) Badekleidung baden. 1955 *ff.*

textilarm *adj* spärlich bekleidet. 1955 *ff.*

Textilbad *n* Badeort mit Bekleidungszwang. 1960 *ff.*

textilfeindlich *adj* weitgehend unbekleidet. 1955 *ff.*

textilfrei *adj* **1.** nackt. 1955 *ff.* **2.** ~ baden = nacktbaden. 1955 *ff.*

Textilgegner *m* Nacktbadender; Freikörperkultur-Anhänger. 1955 *ff.*

Textilien *pl* **1.** junge ~ = Textilien für junge Leute. 1965 *ff.* **2.** ohne ~ = unbekleidet. 1955 *ff.* **3.** aller ~ ledig = nackt; nacktbadend. 1955 *ff.*

4. aus den ~ fahren = sich entkleiden. 1960 ff.

textillos adj nackt; nacktbadend. 1955 ff.

Textil-Requisiten pl Gesamtheit der Bekleidungsstücke. 1960 ff.

Textilstrand m Strand mit Nacktbadeverbot. 1955 ff.

Text-Kulisse f textgerechtes Beiwerk zum Vortrag von Schlagerliedern (Palmen, Pinien, weißer Strand usw.). 1964 ff.

Thad'dädl m unbeholfener, willensschwacher, dümmlicher Mann. Ursprünglich Name einer Komödienfigur, volkstümlich geworden durch Anton Hasenhut (1761–1841), am Josefstädter Theater in Wien seit 1787 tätig. Der Name ist Verkleinerungsform von Thaddäus. Österr 1800 ff.

Theater n **1.** geräuschvolle Auseinandersetzung; Zank, Streit. In der Volksmeinung gelten das Theater, die Aufführung, die Darstellung auf der Bühne mitsamt der Sprechweise und Gebärdensprache der Schauspieler als unecht, gekünstelt und übertrieben. Was das normale Alltagsverhalten übersteigt, ist „Theater". Spätestens seit 1900.
2. Durcheinander. 1900 ff.
3. ~ aus dem Hut = improvisiertes Theater. ↗ Hut 13. 1900 ff.
3 a. ~ hinter den Kulissen = der Öffentlichkeit unbekannt bleibender Zank unter den Vereinsführern. ↗ Kulisse 4. 1960 ff.
4. ~ des kleinen Mannes = Kino. Zu „kleiner Mann" vgl „↗ Mann 48". 1950 ff (1925 ff?).
5. ~ nach dem ~ = Gewimmel an der Kleiderablage, an der Garderobe im Theaterfoyer. 1959 ff.
6. das ganze ~ = das ganze Beiwerk; übertriebenes Gehabe; unnötige Umstände. 1900 ff.
7. 'das ~ nicht! = das kannst du mit mir nicht machen; darauf lasse ich mich nicht ein! 1920 ff.
8. das ist bloß ~ = das ist Verstellung, unecht, künstlich; das ist listige Vorspiegelung. 1900 ff.
9. um jn (etw) ein ~ machen = um jn (etw) großes Aufsehen machen; eine Sache wirkungsvoll aufbauschen. 1900 ff.
10. ein ~ machen (vorspielen, aufführen) = sich zum Schein aufregen; zum Schein schmollen; jm etw vorspiegeln; sich über Gebühr aufspielen. 1900 ff.
11. ~ machen = Unangenehmes zur Sprache bringen, ins Rollen bringen. 1940 ff.
12. linkes ~ machen = a) grobe Unwahrheiten sagen; sich wahrheitswidrig mit Taten brüsten. ↗ link 1. 1940 ff. – b) unnötige Verlegenheiten heraufbeschwören. 1940 ff.
13. ~ spielen = sich verstellen; übertreiben; sich wirkungsvoll aufspielen. 1900 ff.

Theateräpfel pl faule Äpfel (Tomaten, Eier) zum Bewerfen mißfälliger Künstler. Vgl auch ↗ veräppeln. Theaterspr., etwa seit dem ausgehenden 19. Jh.

Theaterdonner (-donnerschlag) m **1.** großartiger Bluff; aufsehenerregender Vorfall. Seit dem späten 19. Jh.
2. lautes Gezeter. 1920 ff.

Theaterehe f Theatergemeinschaft unter demselben Direktor; gemeinsamer Spielplan zweier Theater. 1958 ff.

Theaterfex m leidenschaftlicher Theaterbe-

sucher; Mann, der sich für alles, was mit dem Theater, den Schauspielern usw. zusammenhängt, lebhaft interessiert. ↗ Fex. Seit dem 19. Jh.

Theatergebiß n sehr lückenhaftes Gebiß. Zwischen zwei Zähnen befindet sich jeweils ein „Notausgang". 1960 ff, stud.

Theaterklingel f Weckruf; Alarmsignal. Übertragen vom Klingelzeichen im Theater zu Beginn der Vorstellung oder nach der Pause. Sold 1935 ff; auch ziv.

Theaterkrieg m Manöver. Es ist ein gespielter Krieg. 1870 ff, sold und stud. Vgl engl „theatre of war".

Theatermacher m heuchlerischer, sich übertrieben gebärdender Mensch. ↗ Theater 10. 1900 ff.

theatern intr **1.** Liebhaberaufführungen mit mehr gutem Willen als Talent veranstalten. Etwa seit 1900.
2. Unwahrheiten vorbringen. Sold in beiden Weltkriegen.
3. sich übertrieben aufführen; sich aufspielen. 1910 ff.
4. flirten. Halbw 1950 ff.

Theater-Nutte f Schauspielerin mit geringem Bühnentalent, aber tüchtig in der Nutzanwendung ihrer körperlichen Reize. ↗ Nutte 1. 1925 ff.

Theaterpferd (-gaul) n (m) erfahrener Schauspieler. ↗ Pferd 8. 1900 ff.

Theaterpflanze f Schauspielerin. ↗ Pflanze 1. 1900 ff.

Theaterprogramm n Wochendienstplan am Schwarzen Brett in der Kaserne. Sold 1939 ff.

Theaterschuhe pl alte, zerrissene Stiefel. Sie haben „Notausgänge" für die Zehen. 1870 ff.

Theatersekt m Mineralwasser, Zitronenlimonade. Auf der Bühne wird dergleichen als Sekt-Ersatz getrunken. 1900 ff.

Theaterspielerei f Verstellung; übertriebene Betriebsamkeit um des vorteilhaften Eindrucks willen. ↗ Theater 13. 1900 ff.

Theatertier n von seinem Beruf begeisterter Schauspieler. Ein Tier tut, was es instinktiv tun muß, wozu es bestimmt ist. 1960 ff.

theatralisch adj übertrieben; auf vorteilhafte Wirkung bedacht; sich aufspielend; Gediegenheit vortäuschend. 1900 ff.

Theke f **1.** Richtertisch. Verkürzt aus ↗ Knast-Theke. 1930 ff.
1 a. längste ~ Europas = Düsseldorfs Altstadt. Die Fußgängerzone weist ungefähr 220 Kneipen auf. 1975 ff.
1 b. schnelle ~ = Schnellimbißrestaurant. 1982 ff.
2. unter der ~ kaufen = unter Umgehung der Lebensmittelbewirtschaftung kaufen. Unter der Theke hält der Kaufmann die Waren für seine Stammkunden bereit. 1939 ff.
3. reine ~ machen = die Biergläser mit einem Schwung von der Theke schieben. Nachahmung von „reinen ↗ Tisch machen". 1959 ff.
4. einen von der ~ wischen = am Schanktisch einen Schnaps trinken. 1930 ff.

theken intr zechen; sich betrinken. Kann mit „Theke = Schanktisch" zusammenhängen, aber auch mit „Teeke", dem blutsaugenden Insekt bei Schafen. Man ist „besoffen wie eine Teeke", nämlich wie

das Insekt, das sich mit Blut vollgesogen hat. 1900 ff.

Thema n **1.** ~ durch! = erledigt! ich will nichts mehr davon hören! Meint eigentlich die Meldung des Unteroffiziers oder Feldwebels an den aufsichtführenden Offizier, wenn der befohlene Unterrichtsgegenstand ausreichend behandelt worden ist. Sold seit dem ausgehenden 19. Jh.
2. ~ Eins = a) Geschlechtlichkeit; das andere Geschlecht; Verhältnis der Geschlechter untereinander o. ä. Spätestens im Ersten Weltkrieg aufgekommen und seitdem über die Soldaten und Studenten in die allgemeine Umgangssprache übergegangen. – b) (Endspiel um die) Fußball-Weltmeisterschaft. 1966 aufgekommen.
3. ~ Eins–Zwei = Liebe und Trinken. Sold in beiden Weltkriegen.
4. ~ Eins–Zwei–Drei = Liebe, Trinken und Essen. Sold 1939 ff.
4 a. ~ Null = unerörtertes (unerörterbares) Thema. 1981 ff.
5. ~ Zwei = Gespräch über Autos und Motorisierung. Gegen 1953 aufgekommen.
6. das ist für mich kein ~ = das kommt für mich nicht in Betracht. 1950 ff.

Thermosflasche f **1.** runder Kirchturm ohne Spitze. Wegen der Formähnlichkeit. Solche Kirchtürme gab es seit 1943 in Deutschland in großer Zahl.
2. weibliche Person, die nach außen Kühle heuchelt, aber innerlich vor Liebesgier glüht. 1920 ff.

Thespiskarren m Wanderbühne. Benannt nach Thespis, dem Schöpfer der altgriechischen Tragödie um 540 v. Chr. Horaz („Ars poetica") berichtet von ihm, er sei mit einem Wagen umhergezogen. Theaterspr. seit dem 19. Jh.

Thomas m ungläubiger ~ = mißtrauischer Mensch. Geht zurück auf den biblischen Bericht im Evangelium Johannis 20, 24 ff. An den auferstandenen Jesus wollte Thomas erst glauben, wenn er Jesu Wundmale befühlt habe. Seit dem 16. Jh.

Thron m **1.** Nachtgeschirr, Abortsitz. Man sagt „das Kind sitzt auf dem Thron" (oder: Thrönchen). Der Thron als gesondert stehender, meist erhöhter Sitz des Herrschers entspricht in scherzhafter Auffassung dem Abortsitz, auf dem man den Sitz auf dem Nachtgeschirr oder „Töpfchen". Seit dem 18. Jh.
2. jn vom ~ kippen = eine leitende Person (eine führende Mannschaft) verdrängen, besiegen. 1950 ff.
3. der ~ wackelt = die Machtstellung ist bedroht. 1950 ff.

Thusnelda f **1.** Liebchen; intime Freundin; Soldatenhure. Die geschichtliche Thusnelda, zunächst Gattin des Cheruskerfürsten Arminius, wurde um 15 n. Chr. an die Römer ausgeliefert, war dann zuerst Geliebte des Germanicus neben dessen Frau Agrippina, sodann Hure seiner Generale und schließlich Hure aller Vertreter der gehobenen Gesellschaft Roms. 1840 ff.
2. Hausgehilfin. 1920 ff.
3. großwüchsige, vierschrötige Frau. Als Gegenstück zur Germania aufgefaßt. 1950 ff, halbw.
4. einfältige Frau. Jug 1960 ff.
5. erstgeborenes Kind, das früher als 9 Monate nach der Hochzeit zur Welt ge-

kommen ist. Wortwitzelei: es war „tu snell da". 1870 ff.

Tick m **1.** närrischer Einfall; wunderliche Angewohnheit; Eigensinn. Fußt auf *franz* „le tic = Versessensein; seltsame Eigenheit". 1700 ff.
2. ~ unterm (hinterm) Pony = leichte Geistesstörung; harmlos-törichte Angewohnheit. Dieser „Tick" befindet sich in der Stirngegend, wo der „↗ Vogel" seinen Sitz hat. Pony = ↗ Ponyfrisur. 1950 ff, Berlin und *westd.*
3. jm einen ~ anhängen = jn für geistesgestört erklären. ↗ anhängen 1. 1900 ff.
4. einen ~ in der Musik (in der Linse) haben = nicht recht bei Verstand sein. ↗ Musik 4. 1950 ff.
5. einen ~ im Sender haben = törichte Ansichten äußern. Sender = Mund. 1950 ff.

Ticke f (Taschen-, Wand-, Stand-)Uhr. Schallnachahmung. 1750 ff, *rotw* und kinderspr.

ticken v **1.** *intr* = auf dem Boden aufprallen. Verharmlosung; denn eigentlich meint „ticken" soviel wie „leicht, mit den Fingerspitzen berühren". 1950 ff.
2. *intr tr* = den Ball mit geringer Kraft stoßen. *Sportl* 1950 ff.
3. jm eine ~ = jn ohrfeigen; auf jn einschlagen. 1920 ff.
4. einen ~ = einen Raubüberfall ausführen. Das Opfer wird besinnungslos geschlagen und beraubt. 1950 ff.
5. bei ihm tickt es (bei ihm ticken sie) = er ist nicht recht bei Verstand. Der im Kopf befindliche Mechanismus arbeitet nicht lautlos. 1950 ff.
6. einen ~ = onanieren. 1950 ff.
7. nicht richtig ~ = a) nicht normal sein; unsinnige Behauptungen aufstellen. ↗ ticken 5. 1960 ff. – b) widersinnige Befehle erteilen. *BSD* 1965 ff. – c) nicht richtig funktionieren; geschäftliche Einbußen erleiden; nicht die volle Leistung erbringen. 1960 ff.
8. du tickst wohl nicht ganz sauber? = du bist wohl von Sinnen? 1960 ff.
9. die tickt nicht mehr = die Flasche ist leer. „Ticken", eigentlich auf das Geräusch der Uhr bezogen, meint hier soviel wie „ein Lebenszeichen von sich geben". *Halbw* 1960 ff.
10. die ~ nicht mehr = diese Karten befinden sich nicht mehr im Stoß. Kartenspielerspr. 1960 ff.
11. wissen, wie einer tickt = wissen, wes Geistes Kind einer ist. Ticken = merken, verstehen, reagieren. 1960 ff.

ticksch adj auf jn ~ sein = jm grollen. „Tiksch" ist aus „tückisch" zusammengezogen. 1870 ff, *nordd,* Berlin und *ostmitteld.*

ticksen *intr* eine wunderliche Angewohnheit haben. ↗ Tick 1. 1950 ff.

Ticktack I f **1.** Uhr. Schallnachahmung im Kindermund. Seit dem 19. Jh.
2. Herzschlag; Blutkreislauf. 1920 ff.

Ticktack II m Mann mit Holzbein. Beim Aufstoßen des Holzbeins entsteht der Laut „tack". 1920 ff.

Tick'tick m ~ an Birne = Geistesbeschränktheit, Dummheit. Bei „Ticktick" klopft man an die Schläfe oder auf die Stirn, um anzudeuten, daß man einen „Holzkopf" handele (in dem der Holzwurm tickt). ↗ Birne. 1920 ff.

Tief n **1.** Leistungsschwäche. Dem Wetterbericht entlehnt. *Sportl* 1960 ff.
2. das ~ überwinden (aus dem ~ rausfinden) = nicht länger Verlierer bleiben. *Sportl* 1960 ff.

tief adv ~ drinsitzen (drinstecken o. ä.) = stark verschuldet sein. Man sitzt tief in der „↗ Kreide" oder im „↗ Dreck". Seit dem 19. Jh.

Tiefblick m interessanter ~ = Blick ins großzügige Dekolleté. 1920 ff.

Tiefblödelei f leeres Geschwätz in vermeintlich tiefschürfender Form. ↗ blödeln. 1935 ff.

Tiefdrucksystem n schlechte politische Aussichten. Stammt aus dem Wortschatz der Meteorologie. 1960 ff.

Tiefenheini m **1.** Tiefenpsychologe; Psychiater. 1950 ff.
2. Werbepsychologe; Meinungsforscher. 1950 ff.

Tiefenperspektive f Blick ins weite Dekolleté. 1920 ff.

Tiefflieger m **1.** Mücke; Moskito. Wie Tiefflieger fliegen sie ihr Opfer an. *Sold* 1941 ff (Wolchow- Gebiet).
2. geistiger ~ = geistesbeschränkter Mensch; Klassenschlechtester. Er taugt nicht für geistige Höhenflüge. *Sold* 1935 bis heute; *schül* und *stud.*

Tiefgang m **1.** Vermeidung von Oberflächlichkeit; reiches Innenleben; Innerlichkeit. Eigentlich der unter Wasser befindliche Teil des Schiffes. 1950 ff.
2. Dekolleté. Es reicht tief abwärts. 1955 ff.
3. mit (geistigem) ~ = geistig anspruchsvoll. 1950 ff.
4. auf ~ getrimmt sein = ernste Themen erst abhandeln. 1950 ff.

tiefgefroren adj lange vor der Veröffentlichung in Bild und Ton aufgezeichnet. Von der Gefriertechnik übernommen. 1965 ff.

tiefgekühlt adj **1.** gefühlskalt, abweisend, unnahbar. 1935 ff.
2. geschlechtliche Unempfindlichkeit vorspiegelnd. 1935 ff.
3. tiefdekolletiert. 1925/30 ff.

Tiefkühlbaby (Grundwort *engl* ausgesprochen) n aus künstlicher Befruchtung hervorgegangenes Kind. 1960 ff.

Tiefkühlblondine f unnahbare Blondine. ↗ tiefgekühlt 1. 1935 ff.

Tiefschlag m **1.** schwerer geschäftlicher Verlust; schwerwiegende Ehrenkränkung; empfindlicher Schicksalsumschwung; folgenschwere Niederlage. Stammt aus der Boxersprache (Schlag unter die Gürtellinie). 1920 ff.
2. einen ~ einstecken = eine Niederlage hinnehmen. 1950 ff.
3. jm einen ~ verpassen (versetzen) = jn in seinem Selbstbewußtsein kränken; jn in seinen Erwartungen enttäuschen; jds Vorhaben zum Scheitern bringen. 1950 ff.

'tief'schwarz adj **1.** katholisch bis zur Unduldsamkeit gegenüber anderen Glaubensmeinungen. ↗ schwarz 1. Seit dem 19. Jh.
2. ~ sehen = überaus pessimistisch sein. ↗ schwarzsehen. 1940 ff.

Tiefseeforschung betreiben das Geschlechtsglied des Partners mit dem Mund berühren; fellieren. *Halbw* 1955 ff.

Tiefseich m geistloses Geschwätz. ↗ Seich 2. 1920 ff.

tiefstapeln *intr* weniger scheinen wollen als der Wirklichkeit entsprechend; beschei-

dener leben als nötig; durch geflissentliche Verharmlosung zu trügen suchen. Als Gegenwort zu „hochstapeln" gegen 1920 aufgekommen.

Tiefstaplerfuß m auf ~ leben = Pessimist sein; die Lage für schlimmer halten, als sie ist. Abwandlung von „auf großem ↗ Fuß leben". 1930 ff.

Tieftaucher m geistiger ~ = sehr empfindsamer, nachdenklicher, tiefschürfenden Gedanken nachhängender Mensch. *Halbw* 1955 ff.

Tier n **1.** Draufgänger. Übertragen vom ungezähmten, unbezähmbaren Tier der Wildnis. *BSD* 1965 ff.
2. Soldatenausbilder. Vom Tier übertragen im Sinne von „gefährlich, bissig" o. ä. *BSD* 1965 ff.
3. häßliches Mädchen. Vom dicken, plumpen Tier übertragen. 1900 ff.
4. einflußreicher Mann. Hergenommen vom großen, stattlichen Tier. 1700 ff.
5. ~ in Dosen = Fleischkonserven. *BSD* 1968 ff.
6. armes ~ = bedauernswerter Mensch. „Arm" hat hier die Bedeutung „unglücklich". Seit dem 18. Jh.
7. berühmtes ~ = berühmte Persönlichkeit. 1900 ff.
8. feines ~ = vornehmer Mensch. 1900 ff.
9. großes (hohes) ~ = hochgestellter Würdenträger; ehrfurchtgebietende Amtsperson; berühmter, erfahrener und hochgeehrter Mensch. Mit dem Ausdruck meinte man im 16. Jh den vornehmen, stutzerhaften, aber innerlich leeren Menschen, danach den Wichtigtuer. Die heutige Bedeutung setzte sich im 18. Jh durch, – vielleicht beeinflußt von der Phädrus-Fabel vom Frosch, der sich aufbläst, um die Größe eines Ochsen zu erreichen.
9 a. gutes ~ = umgänglicher Mensch. 1900 ff.
10. höheres ~ = Mensch in sehr verantwortungsvoller Stellung. 1870 ff.
11. höchstes ~ = wichtigste Amtsperson; Leiter einer Abordnung. 1900 ff.
12. mittelgroßes ~ = mittlerer Beamter; nicht besonders einflußreiche Person. 1900 ff.
13. das arme ~ haben = sich in gedrückter Stimmung befinden; sich bittere Vorwürfe machen; mit sich und allem unzufrieden sein. Das „arme Tier" ist der „↗ Kater", und die Stimmung ist der „↗ Katzenjammer". Seit dem 19. Jh, *niederd* und *rhein.*
14. das arme ~ kriegen = schlechte Laune bekommen; mit sich und allem unzufrieden werden; Handlungen oder Unterlassungen bereuen. *Vgl* das Vorhergehende. *Rhein* und *westf,* seit dem 19. Jh.

Tierchen n **1.** pl = Ungeziefer. Seit dem 18. Jh.
2. jedes ~ hat sein Pläsierchen (jedem ~ sein Pläsierchen) = jedermann hat an irgendetwas seine harmlose Freude, und das soll man ihm gönnen. Wahrscheinlich übernommen vom gleichlautenden Titel der 1887 erschienenen Liedersammlung von Edwin Borman und Adolf Oberländer.

Tierfreund m ein ~ sein = a) auf Gewaltanwendung verzichten; Kraftproben nicht schätzen; Milde walten lassen. Der Betreffende betrachtet die Menschen als unvernünftige Tiere und läßt sie seine geistige

Überlegenheit nicht spüren; er übt weder Härte noch Vergeltung. Etwa seit dem ausgehenden 19. Jh, vorwiegend *schül* und *stud.* – b) den Teller nicht leeren. Von den Speiseresten werden die Tiere ernährt. *BSD* 1965 *ff*.

Tiergarten *m* **1.** Exerzierplatz. Dort werden wilde Tiere besichtigt, vorgeführt, abgerichtet usw. *Sold* in beiden Weltkriegen.
2. Soldatenheim. Dort halten sich wilde Tiere „in Freiheit gezähmt" auf. *BSD* 1968 *ff*.
3. Schule. 1950 *ff*.
4. Herrgott, wie groß ist dein ∼! = wieviele dumme (merkwürdige) Menschen es doch gibt auf dieser Welt! 1870 *ff*.
5. was hat der liebe Gott für einen wunderlichen (sonderbaren) ∼! = was gibt es doch für eigenartige Menschen! 1870 *ff*.

tierisch *adj* **1.** unübertrefflich, schwungvoll. Verallgemeinert aus „∼bärig", „∼elefantös" o. ä. 1970 *ff, jug.*
2. ∼er Ernst. ↗Ernst.
3. *adv* = sehr. 1970 *ff*.

Tierschutzverein *m* im ∼ sein = nachsichtig, geduldig sein; auf Gewaltanwendung verzichten. ↗Tierfreund a. 1920 *ff*.

Tiffe *f* **1.** Hündin. Nebenform zu *niederd* „Tewe", *ndl* „teef", dänisch „taeve", alles in der Bedeutung „Hündin". Nördlich der Mainlinie, seit dem 14. Jh.
2. liederliche Frau; Straßenprostituierte. Seit dem 14. Jh.
3. zänkische Frau. Seit dem 19. Jh.

tifteln *v* ↗tüfteln.

Tiger *m* **1.** Geschäftsreisender. ↗tigern 1. Seit dem 19. Jh.
2. weibliche Person. Analog zu ↗Katze. 1960 *ff, jug.*
3. ungestümer, unbändiger Junge. *Halbw* 1960 *ff*.
4. sanft wie ein ∼ = geheuchelt freundlich, aber plötzlich angriffslustig. Analog zu ↗katzenfreundlich. 1935 *ff*.
5. einen ∼ im Bauch haben = sich austoben wollen; unternehmungslustig sein. 1960 *ff*.
6. den ∼ im Tank haben = sehr leistungsfähig sein. Geht zurück auf den Werbefeldzug der Esso- AG. Kraftstoff „Esso Extra". Die Aufforderung „Pack den Tiger in den Tank!" stammt von dem nordamerikanischen Werbefachmann Emery T. Smyth. Seit April 1965.

Tigerin *f* von ihrem Beruf leidenschaftlich erfüllte Schauspielerin. 1955 *ff*.

tigern *intr* **1.** wandern, reisen, marschieren. Fußt möglicherweise auf rabbinisch „th'gar = auf Handel ziehen". Seit dem 19. Jh, kundenspr. und *sold.*
2. ruhelos hin- und hergehen. Hergenommen vom typischen Verhalten des Tigers im Käfig. 1920 *ff*.
3. schleichen, heranschleichen. Nach Katzenart. 1940 *ff*.
4. sich um etw bemühen. *Österr* 1950 *ff*.

Tigertöter *m* Erzähler unglaublicher Erlebnisse; Prahler. 1910 *ff*.

Tiktak *f* Taktik (spött.). Keine bloße Verdrehung, sondern beeinflußt von „↗Tick 1". Offiziersspr. 1870 *ff*.

tilgern *intr* langsam gehen. Wahrscheinlich zusammengesetzt aus „tigern" und „pilgern" u. ä. 1920 *ff*.

Tille (Tilla) *f* **1.** Prostituierte. Nebenform zu „↗Tülle" im Sinne von „äußeres Ende des weiblichen Harnorgans". *Rotw* 1547 (in

der Form „Dille") bis heute: vorwiegend *prost.*
2. einfältige Frau. Wahrscheinlich als Kurzform aus den Vornamen Mathilde oder Ottilie entstanden. 1920 *ff*.
3. Mädchen. Anspielung auf das weibliche Geschlechtsorgan; ↗Tille 1. *Halbw* 1960 *ff*.

Tillenvater *m* Beamter des Sittendezernats. ↗Tille 1. Hamburg 1965 *ff, prost.*

time (*engl* ausgesprochen) Geld. Nach der sprichwörtlichen Redewendung „Zeit ist Geld". ↗Zeit 1. 1920 *ff*.

Timpe *f* Café, kleines Lokal; Bar. *Niederd* „Timpe = Ecke, Zipfel, Endchen"; bezieht sich im engeren Sinne auf ein Ecklokal. Berlin und *nordd,* 1920 *ff*.

timpelig *adj* **1.** kleinlich, geziert. Verkürzt aus „↗trübetimpelig" und beeinflußt von „zimperlich". *Niederd, rhein* und *schles* 1850 *ff*.
2. unentschlossen, einfältig; mißgestimmt. *Niederd, rhein* und *schles,* 1850 *ff*.
3. umständlich. *Schles* 1850 *ff*.

Timpen *m* einen im ∼ haben = leicht bezecht sein. Meint soviel wie „Zipfel, Ekke, Spitze", dann in der Baukunst auch das Giebelfeld und von da übertragen auf den Kopf. Vorwiegend *niederd* seit 1700.

Tinge'lei *f* anspruchslose Kabarettkunst o. ä. ↗tingeln. 1920 *ff*.

tingeln *intr* **1.** auf Kleinkunstbühnen auftreten; auf Tournee gehen. Verbum zu ↗Tingeltangel. 1900 *ff,* Berlin.
2. als Modenvorführerin tätig sein. 1950 *ff*.

Tingel'tangel *n* Singhalle zweifelhaften Charakters; Konzertcafé. Schallnachahmend für die Musik mit Beckenschlag und Schellenbaum. Berlin 1840 („Caffeehäuser, in denen leichte Frauenzimmer singen") bis heute.

Tingeltange'lei *f* anspruchslose Varietékunst. 1920 *ff*.

tingeltangeln *intr* auf Kleinkunstbühnen auftreten; mit der Wanderbühne über Land ziehen. 1870 *ff*.

Tingeltruppe *f* Kleinkunstbühnengruppe; umherziehende Theatertruppe. 1948 *ff*.

Tingler *m* umherziehender Kleinkünstler. 1950 *ff*.

Tinglerin *f* Künstlerin, die vorwiegend auf Kleinkunstbühnen auftritt. 1950 *ff*.

Tini *n* Mädchen. ↗Teeny. *Halbw* 1955 *ff*.

Tinnef *n (m)* **1.** minderwertige Ware. Fußt auf *jidd* „tinneph = Kot, Unrat". Seit dem frühen 19. Jh, *rotw* und kaufmannsspr.
2. Lüge. In der Umgangssprache wird „Lügen" mit Verunreinigung durch Kot gleichgesetzt; *vgl* ↗bescheißen. 1930 *ff*.
3. ∼ mit Lakritzen = besonders aufgemachter Schund. „Lakritzen" steht hier für eine freundliche Verschönerung des minderwertigen Gegenstands. 1900 *ff*.

Tinte *f* **1.** Ungelegenheit, Widerwärtigkeit, Notlage. Als gefärbte Flüssigkeit steht Tinte hier in Analogie zu „↗Dreck", „↗Patsche" u. ä. 1500 *ff*.
1 a. Malzkaffee. Häftlingsspr. 1970 *ff*.
2. alles hohle ∼ = Redewendung, wenn einer merkt, daß alles Vorspiegelung ist. Das Gemeinte ist eine Redensart in gefälliger Form, aber von nichtigem Inhalt; es ist „Tintendeutsch" ohne Gehalt. 1960 *ff, BSD.*
3. rote ∼ = Blut. *Rotw* 1930 *ff*.
4. klar wie (dicke) ∼ = völlig einleuch-

tend. Der Zusatz ist *iron* gemeint. Laut Mitteilung von Dr. Horst Gravenkamp führt Arthur Schopenhauer die Redewendung auf das *Franz* zurück: „c'est clair comme la bouteille à l'encre". Seit dem frühen 19. Jh.
5. jn in die ∼ bringen = jn in Ungelegenheiten bringen. ↗Tinte 1. Seit dem 19. Jh.
6. die ∼ ist eingetrocknet: Redewendung, mit der man die Schreibfaulheit entschuldigt. 1920 *ff*.
7. jn in die ∼ führen = jn ins Unglück bringen; an jds Unglück schuldig sein. ↗Tinte 1. Seit dem 18. Jh.
8. in die ∼ geraten (fallen, kommen) = in eine unangenehme, schlimme Lage geraten. ↗Tinte 1. 1700 *ff*.
9. jm aus der ∼ helfen = jm aus der Ungelegenheit aufhelfen. 1800 *ff*.
10. die ∼ nicht halten können = dem Drang zu dichten nicht widerstehen können; den Drang verspüren, über alles und jedes (ein Gedicht) zu schreiben; lange Zeitungsaufsätze (Leserbriefe) mit minderer Güte schreiben. Solch ein Drang ist ebenso stark wie der Harndrang. Seit dem 18. Jh.
10 a. aus der ∼ kommen = sich aus einer mißlichen Lage befreien. Seit dem 19. Jh.
11. jn in die ∼ reinreiten = jn in eine üble Lage versetzen. ↗Tinte 1; ↗reinreiten 1. 1800 *ff*.
12. du hast wohl ∼ gesoffen?: Frage an einen, der Unsinn schwätzt. Hat nichts mit der Schreibtinte zu tun, sondern mit dem „vino tinto" (= schwerer Rotwein), den die Rheinbundtruppen 1808 in Spanien kennenlernten; unverdünnt durfte man ihn nicht trinken, weil er zu rasch betrunken machte. Etwa seit 1830.
13. mit roter ∼ schreiben = ein Verlustgeschäft machen. Debetzahlen werden in der Buchführung rot gekennzeichnet. 1920 *ff*.
14. in die ∼ segeln = in eine böse Lage geraten. ↗Tinte 1. 1900 *ff*.
15. sich in die ∼ setzen = sich in eine unangenehme Lage bringen; einem folgenschweren Irrtum erliegen. Seit dem 19. Jh.
16. in der ∼ sitzen (sein, stecken) = sich in schlimmer Lage befinden. ↗Tinte 1. 1500 *ff*.
17. in der dicken (dicksten, allerdicksten) ∼ sitzen = sich in sehr übler Lage befinden. *Sold* in beiden Weltkriegen.
18. jn in der ∼ sitzen lassen = jds Notlage nicht berücksichtigen. Seit dem 19. Jh.
19. sich mit ∼ waschen = ein Vergehen mit der Straftat anderer zu entschuldigen suchen. Berlin 1870 *ff*.
20. jn aus der ∼ ziehen = jm aus der Verlegenheit helfen. Seit dem 19. Jh.
21. sich aus der ∼ ziehen = sich aus einer üblen Lage befreien. Seit dem 19. Jh.

Tintenburg *f* **1.** Bürogebäude. Dort verteidigt man seine Stellung mittels Tinte. 1920 *ff*.
2. Schule. 1960 *ff, schül.*

Tintendeutsch *n* Amts-, Bürosprache; Kaufmannssprache; im schriftlichen Gebrauch erstarrtes, stark formelhaftes Deutsch. 1870 *ff*.

Tintenfaß *n* steifer, runder schwarzer Herrenhut. Der Hut ähnelt in Form und Farbe dem Tintenfaß. 1950 *ff*.

Tintenfisch *m* **1.** Zeitungsschreiber; Büro-

angestellter; Buchhalter; Schreibstubendienstgrad. Der Tintenfisch sondert eine dunkle Flüssigkeit ab und entzieht sich in ihrem Schutz dem Zugriff. Berlin 1870 ff.
2. Tintenstift. 1920 ff.

Tintenkopf m Neger. *Halbw* 1955 ff.

Tintenkopfzahn m Negerin. ↗Zahn 3. *Halbw* 1955 ff.

Tintenkuli m Journalist; Schriftsteller; Büroangestellter. ↗Kuli. Das Wort soll 1891 von Maximilian Harden geprägt worden sein.

Tintenpalast m Bürogebäude. 1950 ff.

Tintenpfropfen (-proppen) m Zylinderhut. Er hat die Form eines Korken und ist schwarz wie Tinte. Seit dem späten 19. Jh, vielleicht von Schülern ausgegangen; Berlin, Hamburg u. a.

Tintenscheißer m **1.** Gelehrter. Da er beruflich mit Tinte umgeht, nimmt man an, er werde auch auf dem Abort Tinte von sich geben. ↗Blackscheißer. Seit dem 15. Jh.
2. Schriftsteller. Seit dem 15. Jh. *Vgl franz* „chieur d'encre".
3. Beamter; Lehrer. Seit dem 19. Jh.
4. Buchhalter, Büroangestellter u. ä. Seit dem 19. Jh.

Tintenspion m **1.** Büroangestellter; Schreibstubensoldat. Er kann in aktenkundigen Privatangelegenheiten spionieren. *Sold* seit dem 19. Jh bis heute. *Vgl engl sold* „dash-watcher".
2. Zeitungsreporter. 1920 ff.

Tintinger m der ~ sein = der Betrogene sein. Wohl aus „in der ↗Tinte sitzen" personifiziert. *Österr* und *schles,* seit dem 19. Jh.

Tip m **1.** heißer ~ = sehr aussichtsreicher Erfolgshinweis. Aus *engl* „tip" gegen Ende des 19. Jhs übernommen. 1950 ff.
2. steiler ~ = sehr erfolgversprechender Hinweis. ↗steil. 1950 ff.
3. jm einen ~ geben = jn auf eine Gewinnaussicht, auf einen Vorteil hinweisen. Kaufmannsspr. seit dem ausgehenden 19. Jh.
4. der ~ wackelt = man ist sich seiner Wette nicht sicher. 1950 ff.

Tipfel- ↗Tüpfel-.

Tipgeber m Mann, der auf Erfolgsaussichten aufmerksam macht. ↗Tip 3. 1920 ff.

Tippel m **1.** Marsch. ↗tippeln 1. *Sold* 1950 ff, *schweiz.*
2. Beule. ↗Dippel.

Tippelbruder m **1.** auf Wanderschaft befindlicher Handwerksbursche; bettelnder Landstreicher; Nichtseßhafter. ↗tippeln 1. Seit dem späten 19. Jh.
2. Wanderer. 1900 ff.
3. Infanterist; Angehöriger einer Fußtruppe. *Sold* 1939 ff.
4. Karten-, Falsch-, Glücksspieler. ↗tippeln 3. 1900 ff.

Tippe'line f Straßenprostituierte. ↗tippeln 1. Doch *vgl* auch ↗tippen 4. 1920 ff, Berlin.

Tippelmädchen n junge Straßenprostituierte. 1920 ff, Berlin.

Tippelmieze f Straßenprostituierte. ↗Mieze. 1950 ff.

tippeln *intr* **1.** auf der Landstraße gehen; marschieren. Entweder Häufigkeitsform zu „tupfen = mit der Spitze (des Fußes) leicht berühren" oder zusammengewachsen aus „trippeln" und „tippen" (= leicht

---

anstoßen und anbetteln). *Rotw* seit dem frühen 19. Jh; nach 1850 *sold.*
2. wandern. 1900 ff.
3. sich an einem Glücksspiel beteiligen; kartenspielen. Erklärt sich aus „mittippeln" im Sinne von „mitgehen" (nämlich beim Bieten). *Rotw* und offiziersspr. seit 1900.

tippeln gehen *intr* als Straßenprostituierte tätig sein. 1920 ff.

Tippelschickse f **1.** Landstreicherin; Begleiterin eines Landstreichers; Straßenprostituierte. ↗Schickse. Seit dem späten 19. Jh, *rotw* und *sold.*
2. Stenotypistin. „Tippen" ist hier scherzhaft zu „tippeln" entstellt. 1920 ff.

Tippelschwester f Landstreicherin; „Stadtstreicherin". Das weibliche Gegenstück zum „↗Tippelbruder". 1900 ff.

Tippeltour f auf ~ gehen = Wandergewerbetreibender sein. 1900 ff, kaufmannsspr.

tippen v **1.** *tr intr* = leicht berühren. *Niederd* und *mitteld* Form für *hd* „tüpfen = mit einer (Finger-) Spitze leicht und kurz berühren". 1500 ff.
2. *tr intr* = mit der Schreibmaschine schreiben. 1900 ff.
3. *intr* = wetten; in der Lotterie spielen; sich für eine Gewinnaussicht entscheiden. ↗Tip 1. Seit dem ausgehenden 19. Jh.
4. *intr* = koitieren. Tippen = leicht berühren; leicht stoßen. Stoßen = koitieren. *Rotw* seit dem frühen 19. Jh.
5. *intr* = in kurzen Intervallen bremsen. Das Bremspedal wird mehrmals nur ganz kurz angedrückt, sofort wieder losgelassen und neuerlich betätigt. Im Gegensatz zur (blockierenden) Vollbremsung hält dieses Verfahren den Wagen lenkbar in der Fahrspur. Kraftfahrerspr. 1950 ff.
6. an etw nicht ~ können = es mit etw nicht aufnehmen können; der Unterlegene sein. Analog zu „an etw nicht rühren können". Seit dem 19. Jh, *niederd.*
7. das ist nicht daran zu ~ = das ist unanfechtbar; das steht unerschütterlich fest. Seit dem 19. Jh.

Tippe'rei f **1.** Maschineschreiben; Maschinegeschriebenes. ↗tippen 2. 1910 ff.
2. Lotterie-, Totowesen. ↗tippen 3. 1950 ff.

tippern *intr* die Bremse nur kurz andrücken und gleich wieder loslassen. ↗tippen 5. Kraftfahrerspr. 1950 ff.

Tippfehler m **1.** Fehler beim Maschineschreiben. 1900 ff.
2. irrige Ansicht; falsche Vermutung. 1970 ff.

Tippflegel m Mann, der vor einem Älteren nicht den Hut lüftet, sondern nur lässig mit einem Finger den Hutrand berührt. 1950 ff.

Tippfräulein n Stenotypistin, Schreibdame. ↗tippen 2. 1900 ff.

Tippklavier n Schreibmaschine, Fernschreiber. ↗Schreibklavier. 1910 ff.

Tippmädel (-mädchen) n junge Stenotypistin. 1900 ff, nördlich der Mainlinie.

Tippmaschine f Stenotypistin (vor allem die bejahrte, unleidliche, gegenüber jüngeren Kolleginnen herrschsüchtige). 1930 ff.

Tippmaus f junge Stenotypistin. ↗Maus. 1920 ff.

Tippmieze f Stenotypistin. ↗Mieze. *Schül* 1960 ff.

Tippöse f Stenotypistin. Französiert aus „↗tippen 2". 1905 ff.

Tipp-Piano n Schreibmaschine, Fernschreiber. *Vgl* ↗Tippklavier. 1950 ff.

Tippse (Tipse) f Stenotypistin. Meint vor allem eine ohne die erforderlichen Fertigkeiten (Zehnfingersystem). Entweder verkürzt aus dem unechten *franz* „tippeuse" oder entstanden aus „↗tippen" mit Anhängung der Endung „-se" (Schickse o. ä.). 1905/10 ff.

tipptopp *adj* ↗tiptop.

Tippzettel m ↗Tipzettel.

Tipschein m Wettschein. ↗tippen 3. 1900 ff.

Tipse f ↗Tippse.

Tipster m Verkäufer sicherer Gewinnaussichten auf Rennbahnen. Aus dem *Engl.* Spätestens seit 1900, turfspr.

Tipste'rei f Rennwettbetrug. 1900 ff.

tipsy *adj* **1.** bezecht. Aus *engl* „tipsy = angeheitert"; *vgl ndl* „tipsie". 1920 ff.
2. verrückt. 1920 ff.
3. nett; von angenehmem Wesen und Aussehen. Geht nicht auf das *Engl* zurück; wahrscheinlich mit *engl* Endung verkürzt aus „↗tiptop". Berlin 1955 ff, *jug.*

Tipsy f **1.** Stenotypistin. Koseform aus ↗Tippse. 1950 ff.
2. nettes junges Mädchen. ↗tipsy 3. Berlin 1955 ff, *jug.*

tip'top (tipp'topp) *adj adv* einwandfrei, tadellos, hervorragend. Stammt aus dem *Engl:* „tip" und „top" bezeichnen die Spitze, hier also die „Spitze der Spitze". Etwa seit der Mitte des 19. Jhs. „Tiptop" hieß 1864 das Bier der Berliner Brauerei Happoldt.

Tipzettel (Tippzettel) m Wettschein. ↗Tip 1; ↗tippen 3. 1900 ff.

Tiroler m Untersuchungstisch (-stuhl) des Gynäkologen. Herleitung unbekannt. Seit dem frühen 19. Jh, *prost.*

tirren gehen *intr* flüchten, weglaufen. Übernommen in Westdeutschland aus *franz* „tirer le chausson = Reißaus nehmen". Wohl von den napoleonischen Truppen zu Beginn des 19. Jhs hereingetragen.

Tisch m **1.** der grüne ~ = wirklichkeitsfremdes Theoretisieren; Beschlußfassung ohne Anhörung der Betroffenen. Von der grünen Decke auf dem Beratungstisch übertragen. Seit dem 19. Jh.
1 a. Herr Ober, die kleinen ~e bitte! Redewendung, wenn einem vom Eßtisch etwas zu Boden fällt. 1900 ff.
2. krummer ~ = Tisch, an dem betrügerisches Glücksspiel gespielt wird. ↗krumm 2. 1950 ff.
3. unter dem ~ = heimlich; nur für Eingeweihte; nur für Stammkunden. Unter dem Ladentisch versteckt der Kaufmann die Ware, die er nur seinen guten (vertrauten) Kunden zukommen lassen will. 1939 ff.
4. einen ~ abräumen = eine Bank „sprengen". Tisch = Spieltisch. ↗abräumen 4. 1910 ff.
5. etw am grünen ~ besprechen (etw vom grünen ~ aus regeln o. ä.) = etw theoretisch besprechen, regeln, ohne die wirklichen Verhältnisse zu berücksichtigen. ↗Tisch 1. Seit dem 19. Jh.
6. Geld auf den ~ blättern = Geldscheine auf den Tisch legen; bezahlen. ↗Blatt 3. 1920 ff.

7. auf dem ~ bleiben = während der Operation sterben. Medizinerspr. 1920 (?) ff.

8. eine Frage bleibt auf dem ~ = eine Angelegenheit ist noch nicht abschließend erörtert; eine allseits befriedigende Lösung ist noch nicht gefunden. Seit dem 19. Jh.

9. etw auf den ~ bringen = etw zur Sprache bringen. Seit dem 19. Jh.

10. etw vom ~ bringen = einen Streitfall bereinigen. Tisch = Beratungstisch, Gerichtstisch. 1920 ff.

11. es fällt unter den ~ = es bleibt unerörtert; es wird nicht beachtet; es wird nicht verwirklicht. Vom Speisetisch auf den Beratungstisch übertragen. Seit dem 19. Jh.

12. etw unter den ~ fallen lassen = auf eine Sache nicht eingehen; etw nicht nochmals erwähnen. 1920 ff.

13. ~ fängt = die aufgeworfene Karte darf nicht zurückgenommen werden. Skatspielerspr. seit dem 19. Jh.

14. etw vom (unter den) ~ fegen (kehren) = etw von der Verhandlung ausschließen; eine Sache nicht zur Erörterung zulassen. 1920 ff.

15. es geht über ~ und Bänke = es geht ausgelassen her. Von den Mäusen hergenommen, die sich frei tummeln, sobald die Katze und die Herrschaft aus dem Hause sind. Seit dem 19. Jh.

16. durch den ~ gewachsen sein = völlig veraltet sein. Übernommen aus der Barbarossa-Sage; vgl Friedrich Rückerts Gedicht „Der alte Barbarossa" (1813). Nach dem Ersten Weltkrieg aufgekommen, als der Bart zum Sinnbild veralteter Ansichten und Gewohnheiten wurde.

17. auf den ~ hauen (schlagen) = a) energisch fordernd auftreten. Zur Bekräftigung der Forderung schlägt man mit der Faust auf den Tisch. Seit dem 19. Jh. – b) prahlen. Der Betreffende prahlt wohl mit seinem Reichtum und „haut" zum Beweis sein Geld auf die Tischplatte oder ist dermaßen temperamentvoll, daß er übermütig mit der Hand auf die Tischplatte schlägt. Österr 1945 ff.

18. auf den ~ hauen, daß die Rosinen aus dem Kuchen fallen (fliegen) = energisch seinen Standpunkt behaupten. 1950 ff.

18 a. jm etw auf den ~ hauen = jn plump benachrichtigen, bedrohen; etw grob vorbringen. 1970 ff.

19. eine Sache unter dem ~ kochen (handeln) = eine Sache insgeheim aushandeln, ehe man sie an die Öffentlichkeit bringt. Übertragen von der Verständigung mit den Füßen unter dem Tisch. 1950 ff.

20. es kommt auf den ~ = es kommt zur Sprache. Gemeint ist der Beratungstisch. Seit dem 19. Jh.

21. das kommt nicht auf den ~l: Ausdruck der Ablehnung. 1920 ff.

21 a. etw um den ~ kriegen (bekommen) = über etw abschließend verhandeln. Seit dem 19. Jh.

22. Geld auf den ~ legen = zahlen. Seit dem 19. Jh.

23. etw auf den ~ legen = etw offenbaren, öffentlich bekanntgeben. Der Kartenspielersprache entlehnt. 1900 ff.

23 a. es liegt auf dem ~ = es ist zur Bekanntgabe fertiggestellt; es ist beantragt, aber noch nicht entschieden. 1960 ff.

24. reinen ~ machen = aufräumen; einen Mißstand beseitigen; klare Verhältnisse schaffen. Hergenommen vom Arbeits- oder Werktisch, den man aufräumt, wenn die Arbeit beendet ist. Die Redewendung fußt auf der lat Metapher „tabula rasa" (man tilgt die Schriftzeichen auf dem Schreibtäfelchen, um neue einritzen zu können). Seit dem 19. Jh. Vgl franz „faire table nette".

24 a. etw vom ~ nehmen = über etw nicht länger verhandeln. Seit dem 19. Jh.

25. jn unter den ~ reden = jn nicht zu Wort kommen lassen; jn erfolgreich beschwatzen. Übertragen vom Zechen: man „trinkt" den anderen „unter den Tisch". Schül 1960 ff.

26. jm auf den ~ scheißen = jm grob die Meinung sagen; jn entwürdigend anherrschen. 1950 ff.

27. unter den ~ sein = seinen Einfluß verloren haben. Man nimmt von dem Betreffenden keine Kenntnis mehr wie von einer Speise, die unter den Tisch gefallen ist; oder der Betreffende sucht unter dem Tisch Schutz wie ein Haustier. 1950 ff.

28. vom ~ sein = kein Verhandlungsgegenstand mehr sein; abschließend verhandelt worden sein. ↗Tisch 10. 1920 ff.

29. weg vom ~ sein = der Unterlegene sein. Man ist vom Beratungs- oder Speisetisch ausgeschlossen worden. 1950 ff.

30. unter dem ~ sitzen = kleinlaut sein. Das Haustier verkriecht sich unter den Tisch. 1950 ff. Vgl dazu den Sagvers: „,Ich bin der Herr im Haus', sagte der Mann und saß unter dem Tisch."

31. jn unter den ~ trinken (saufen) = beim Zechgelage mehr trinken können als der andere, der schließlich betrunken unter den Tisch sinkt; jn durch fortwährendes Zuprosten betrunken machen. Spätestens seit 1700.

32. etw vom (unter den) ~ wischen = etw als unwichtig, unzutreffend behandeln; etw überstimmen. 1920 ff.

33. jn über den ~ ziehen = a) dem Gegner eine hohe Niederlage bereiten. Hergenommen vom Knaben, den man mit dem Oberkörper über den Tisch legt, um ihn aufs Gesäß zu prügeln. Prügel sind in der Umgangssprache gleichbed mit Niederlage. Kartenspielerspr. 1900 ff. – b) jn verulken. 1920 ff. – c) jn täuschen, übertölpeln. 1920 ff.

Tischdame f weibliche Person, die in Lokalen Männer zur Bestellung teurer Getränke verführt und ihnen dabei Gesellschaft leistet. Eigentlich an festlicher Tafel die Dame zur Rechten des Herrn. 1920 ff.

tischen intr zu Mittag essen; warme Verpflegung fassen; tafeln. Eigentlich „zum Essen sich an einem Tisch niederlassen". Seit dem 15. Jh.

Tischfrau f 1. weibliche Person, die in einer Bar dem männlichen Gast unterhält und gegen Entgelt auch zum Geschlechtsverkehr bereit ist. 1955 ff.
2. Callgirl. 1955 ff.

Tischgeld n Geldbetrag, den die Prostituierte vom Kunden für das Dabeisitzen am Tisch erhält. 1900 ff, prost.

Tischquatscher pl Leute, die sich im Fernsehen an einem Tisch unterhalten; Gesprächsrunde. 1955 ff.

Tischtuch n das ~ entzweischneiden = ein freundschaftliches (verwandtschaftliches, eheliches) Verhältnis aufheben. Geht

zurück auf einen alten sinnbildlichen Brauch bei Ehescheidungen. 1500 ff.

Titele'ritis f Titelsucht. Man faßt sie als krankhaft auf; daher Anlehnung an die auf „-itis" endenden Krankheitsbezeichnungen. 1920 ff.

Tite'litis f Titelsucht. ↗Titeleritis. 1920 ff.

Titelmädchen n Mädchenfoto als Titelbild einer Illustrierten. 1950 ff.

Titelverteidiger m sich erneut zur Wahl stellender Bundeskanzler (-präsident). Aus der Sportsprache entlehnt. 1965 ff.

Titi (Titti, Ditti) n kleines Kind. Gehört zu „↗Titte 1" oder spielt an auf „Tidde = Knabenpenis". Seit dem 19. Jh.

titschen v 1. tr intr = eintauchen, eintunken. Nebenform zu „tatschen, tätscheln". Vorwiegend ostmittel, 1600 ff.
2. tr = etw leicht berühren. Ostmittel und rhein, seit dem 19. Jh.
3. tr = jn ohrfeigen. ↗Tatsch. Ostmitteld, seit dem 19. Jh.
4. tr = jn rügen. Ostmitteld, seit dem 19. Jh.
5. intr = mit kleinen, flachen Steinen über die Wasseroberfläche werfen. 1900 ff, gemeindeutsch, kinderspr.
6. intr = genüßlich trinken. Meint eigentlich das Anstoßen mit den Gläsern. 1900 ff, ostmitteld und rhein.

titschkerln intr flirten; koitieren. Ablautende österr Nebenform von „↗tätscheln". 1910 ff.

Titte f 1. Brustwarze; Frauenbrust. Niederd Form von hd „Zitze". Vgl ndl „tiet". Seit dem 15. Jh.
2. Energieloser. Schüler meinen, er trinke noch an der Mutterbrust. 1900 ff, jug.
3. ~ im Beutel = Trockenmilchpulver. Sold 1939 ff.
4. heiße ~ = a) üppig entwickelter Busen. Von ihm geht eine geschlechtlich aufreizende Wirkung aus. 1955 ff. – b) liebesgieriges junges Mädchen. Heiß = geschlechtlich leidenschaftlich. 1955 ff, halbw.
5. kniefreie ~n = sehr tiefes Dekolleté. Von der Kürze des Frauenrocks übertragen auf die Kürze des Kleideroberteils. Berlin 1920 ff.
6. linke ~ = Mensch, dem nicht zu trauen ist. ↗link. Marinespr 1970 ff.
6 a. schlaffe ~ = Energieloser, Versager. 1970 ff.
7. tote ~ = Versager; untauglicher Soldat. Eigentlich die tote Brust, nämlich die eingefallene, welke Brust, die keine Milch mehr gibt. BSD 1968 ff.
8. nichts auf der ~ haben = a) mittellos sein. Übertragen vom Begriff „keine Milch geben". 1900 ff, nordd und Berlin. – b) energielos, schwunglos, untauglich sein. 1900 ff.
9. jm die ~ halten = jn ausnutzen, verulken. 1910 ff.
10. es schmeckt wie ~ = es schmeckt sehr gut. Seit dem späten 19. Jh, nordd; vorwiegend sold und stud.
11. es schmeckt wie ~ mit Ei = schmeckt besonders gut. „Mit Ei" ist ein beliebter Zusatz zu Ausdrücken, die etwas Vorzügliches meinen. Nordd 1920 ff, stud.
12. schwach auf der ~ sein = mittellos sein. ↗Titte 8. 1900 ff.
13. jm an die ~n tippen = jm zu nahe treten (nicht nur auf Frauen bezogen). 1900 ff.

Tittelchen (Tüttelchen) *n* **1.** Pünktchen. Verkleinerungsform von „↗Titte 1". 1700 *ff*.
2. kein (nicht um ein) ~ = nichts. 1700 *ff*.
Tittenhalter *m* **1.** Büstenhalter. 1910 *ff*, gemeindeutsch ohne das *oberd* Gebiet.
2. zärtlicher Liebhaber. 1920 *ff*.
Tittenheber *m* **1.** Büstenhalter. 1920 *ff*.
2. Schönheitsoperateur. 1920 *ff*.
Tittenheini *m* Frauenheld. ↗Heini. 1950 *ff*, *halbw*.
'Tittenpo'lente *f* Sittendezernat der Kriminalpolizei; weibliche Angehörige der Sittenpolizei. ↗Polente. Berlin 1920 *ff*, *prost*.
Tittensack *m* **1.** Büstenhalter. 1920 *ff*.
2. Brustbeutel. *Sold* 1955; wohl älter.
Tittenschoner *m* Büstenhalter. 1920 *ff*.
Tittenschwungpalast *m* Tanzlokal; Lokal mit Mädchenbetrieb. *Vgl* ↗TSP. *BSD* 1965 *ff*.
tittenträchtig *adj* mit einem üppigen Busen ausgestattet. 1950 *ff*.
Tittenwerk *n* üppiger Busen. Seit dem 17. Jh.
Titti *n* ↗Titi.
Titu'lar-Kaffee *m* **1.** Ersatzkaffee. Er nennt sich Kaffee, ist aber keiner. Gegen 1917 aufgekommen und bis heute geläufig.
2. koffeinfreier Kaffee. 1950 *ff*.
titulieren *tr* jn mit Schimpfwörtern belegen. Seit dem 19. Jh.
tjüs *interj* ↗adschüß.
To (Tö); Töchen (Tö-Tö) *f*; *n* Abort. Verkürzt als „Toilette". 1900 *ff*.
Tobak *m* Tabak. Fußt auf *engl* „tobacco". 1600 *ff*.
tobakig *adj* hausbacken, häuslich. Meint entweder „veraltet" im Sinne von „↗Anno Tobak" oder spielt an auf die Tabakspfeife, deren Benutzung manchen altertümlich vorkommt oder die man für ein Requisit des Lebens daheim, des Feierabends ansieht. 1960 *ff*.
Tobe *f* **1.** Wut, Wutschrei. Neuwort zu „toben = seine Wut äußern". 1950 *ff*, *jug*, Berlin.
2. verhaltene ~ = gedämpfter Wutschrei; leises Murren. 1950 *ff*, *jug*, Berlin.
Tobebude *f* Zimmer daheim, in dem die Kinder nach Herzenslust toben dürfen. 1970 *ff*.
toben *intr* eilen, umherjagen. Eigentlich soviel wie „rasen = von Sinnen sein". *Stud* seit dem 19. Jh.
töben *intr* ↗töwen.
Tobias 6, 3 Zuruf an den Gähnenden, der die Hand nicht vor den Mund hält. In der genannten Bibelstelle heißt es: „vor dem erschrak Tobias und schrie mit lauter Stimme und sprach: ‚O Herr, er will mich fressen!'". Seit dem 19. Jh, wohl von Theologiestudenten aufgebracht.
Toches (Doches) *m* Gesäß. Fußt auf *jidd* „tachas = der Hintere; das Untere"; *vgl* auch *griech* „tokhos". 1700 *ff*.
Tochter *f* **1.** Mädchen (gönnerhafte Anrede). 1300 *ff*, *südwestd*.
2. Töchter des Landes = die jungen Mädchen des Bürgerstandes. Fußt auf 1. Moses 34, 1. Seit dem 19. Jh.
3. ~ der Luft = Flugzeugstewardeß. 1955 *ff*.
4. meiner Mutter ~ = ich (wenn es sich um eine weibliche Person handelt).

Scherzhafte Umschreibung. Seit dem 19. Jh.
5. meines Vaters ~ = ich. Seit dem 19. Jh.
6. goldene ~ = Tochter eines Millionärs. 1900 *ff*.
7. die höheren Töchter = Gymnasiastinnen, Lyzeumsschülerinnen. Eigentlich die Schülerinnen der höheren Töchterschule. Die erste Schule dieser Art wurde 1802 in Hannover als „Städtische höhere Töchterschule" gegründet. In Berlin gab es 1866 eine „Privatschule für höhere Töchter". 1850 *ff*.
8. überreife ~ = trotz angestrengter Bemühungen noch immer unverheiratete Tochter. Seit dem späten 18. Jh.
9. ausgehen, um die Töchter des Landes zu besehen = a) sich nach einer Heiratskandidatin umsehen. ↗Tochter 2. Seit dem 19. Jh. – b) bei einem Kartenspiel, in dem die Damen die höchsten Trümpfe sind, durch Ausspielen kleiner Trümpfe den Besitzer der höchsten Trümpfe zu ermitteln suchen. Kartenspielerspr. seit dem 19. Jh.
Tochus *m* ↗Toches.
Tod *m* **1.** dem ~ sein Geschäftsreisender = bleich aussehender Mann. 1910 *ff*; *sold* in beiden Weltkriegen.
2. ~ auf Urlaub = hagerer Mann. ↗Leiche 8. Seit dem 19. Jh.
3. ausführlicher ~ = weitschweifig geschildertes Sterben eines Menschen. 1935 *ff*, *kritikerspr*.
4. elastischer ~ = Bühnendarstellung eines Sterbenden, der noch lange Monologe hält. Kritikerspr. 1850 *ff*.
5. der große ~ = etwas sehr Langweiliges. Meint eigentlich das tatsächliche Sterben; hier analog zu „↗todlangweilig" (↗Tod 25). *Halbw* 1955 *ff*.
6. grüner ~ = Spinat. Er ist kein beliebtes Soldatenessen und wird nach Meinung der Soldaten zu oft gereicht. Man kann ihn auf den Tod nicht ausstehen" o. ä. (↗Tod 26). *BSD* 1968 *ff*.
7. der nasse ~ = Tod durch Ertrinken. Seit dem 19. Jh.
8. trockener ~ = Tod ohne Blutvergießen (Hinrichtung durch den Strang, auf dem elektrischen Stuhl o. ä.). Entlehnung aus dem *Angloamerikan*? 1920 *ff*.
9. der weiße ~ = Tod in Eis und Schnee. 1920 *ff*.
10. ~ und Teufel = jedermann; viele Leute; alles Mögliche (ich habe Tod und Teufel gefragt; Tod und Teufel habe ich gelesen). Die Formel „Tod und Teufel" beruht auf dem Umstand, daß beide als Beherrscher der Hölle gelten. Seit dem 18. Jh.
11. mit allem ~ und Teufel = mit allem Zubehör. Seit dem 19. Jh.
12. auf ~ und Leben arbeiten = aus Leibeskräften arbeiten. Seit dem 19. Jh.
13. sich den ~ an den Hals ärgern = sich sehr ärgern. Seit dem 19. Jh.
14. aussehen wie der (lebendige) ~ = sehr elend aussehen; leichenblaß sein; abgemagert sein. In der bildenden Kunst ist der Tod meist von hagerer Gestalt. Seit dem 19. Jh.
15. aussehen wie der ~ von Basel = bleiche Gesichtsfarbe haben. Hergenommen von der Darstellung des Todes (des Totentanzes) an der Kirchhofsmauer des

Predigerklosters zu Basel. Seit dem 19. Jh, aber wohl viel älter (15. Jh?).
16. aussehen wie der ~ auf Laatschen = schlecht aussehen. „Tod auf Laatschen" hieß bei den Soldaten des Ersten Weltkriegs die Gasgranate: sie detonierte gedämpft. ↗Laatschen = Pantoffel. 1920 *ff*.
17. aussehen wie der ~ von Ypern = bleich, erschöpft aussehen. Hergenommen von der Figur des Todes in der Hauptkirche von Ypern in Belgien (Westflandern) in Erinnerung an die Pestepidemie von 1349. Etwa seit dem 19. Jh.
18. was nicht unmittelbar zum ~ führt, macht nur noch härter: *iron* Redewendung nach Art von Durchhalteparolen. *BSD* 1965 *ff*.
19. sich zu ~e fummeln = sich arg abmühen. ↗fummeln. 1920 *ff*.
20. er wird einen leichten ~ haben = er ist dumm. Der Sterbende gibt seinen Geist auf; wer nicht viel Geist aufzugeben hat, stirbt leichter. 1920 *ff*.
21. etw auf den ~ hassen = etw überaus hassen. Seit dem 18. Jh.
22. etw zu ~e hetzen = etw zerreden. Seit dem 19. Jh.
23. du kriegst den ~!: Ausruf des Erschreckens. Man kann sich zu Tode erschrecken (Herzschlag!). Berlin seit dem 19. Jh.
24. du kriegst den ~ in beide Waden!: Ausruf der Überraschung, des Erschreckens. Bezieht sich eigentlich auf den Wadenkrampf. Berlin und Hamburg seit dem frühen 19. Jh.
24 a. sich zu ~e lachen = hellauf lachen; des Lachens kein Ende finden. 1500 *ff*.
25. sich zu ~e langweilen = sich sehr langweilen. Seit dem 19. Jh.
26. etw (jn) in (für, auf) den ~ nicht leiden (ausstehen) können = etw (jn) durchaus nicht leiden können; sich mit etw (jm) nicht befreunden können. „In den Tod nicht" hat sich zu einer starken Verneinung entwickelt, etwa im Sinne von „beim besten Willen nicht". 1700 *ff*.
27. der ~ naht = das Spiel ist nicht mehr zu gewinnen. Kartenspielerspr. seit dem 19. Jh.
28. ihn hat der ~ auf die Schippe genommen = er ist dem Tode nahe. „Schippe" meint eigentlich die Schaufel des Totengräbers. *Sold* 1939 *ff*.
29. jn zu ~e pflegen = jds Tod verbrecherisch herbeiführen. 1900 *ff*.
30. sich zu ~e quälen = hart arbeiten. Seit dem 19. Jh.
31. jn zu ~e quatschen = auf jn anhaltend einreden, bis er nachgibt; jn beschwatzen. 1930 *ff*.
32. etw zu ~e reiten = a) etw so lange und weitschweifig erörtern, bis es zerredet ist. 1880 *ff*. – b) etw durch oftmalige Verwendung wirkungslos machen. 1920 *ff*. – c) ein literarisches Motiv bis zum Überdruß wieder und wieder gestalten. 1950 *ff*.
33. sich zu ~e schaffen = sich überanstrengen. Seit dem 19. Jh.
34. sich zu ~e schämen = sich sehr schämen. Seit dem 19. Jh.
35. er ist gut nach dem ~ zu schicken (er ist gut, den ~ zu holen) = er ist sehr langsam; er bleibt lange aus. Hätte er den Tod herbeizuholen, ließe er mit seiner

Saumseligkeit den Zurückbleibenden noch viel Zeit zum Leben. 1500 ff.

36. das ist mein ~ = durch diesen Stich werde ich zum Verlierer. Kartenspielerspr. seit dem 19. Jh.

37. umsonst ist der ~, - und der kostet das Leben = „umsonst = kostenlos" gibt es nichts. Der Tod kommt ohne Bestellung; aber man bezahlt ihn mit dem Leben. Seit dem 19. Jh.

37 a. ~ und Teufel in Bewegung setzen = nichts unversucht lassen. ⁊Tod 10. Seit dem 18. Jh.

38. sich zu ~e siegen = trotz vieler gewonnener Schlachten schließlich die Waffen strecken müssen. Sold und ziv jeweils seit der zweiten Hälfte beider Weltkriege geläufig geworden.

39. dem ~ von der Schippe gesprungen (gehopst) sein = dem Tod mit Mühe entgangen sein; sich im letzten Augenblick in Sicherheit gebracht haben. Fußt auf der Vorstellung vom personifizierten Tod mit der Grabschaufel in Anlehnung an den Totengräber mit der Schaufel. Vgl ⁊Tod 28. Sold 1870 ff; auch ziv (vor allem im Zusammenhang mit gefährlichen Berufen).

40. etw in (auf) den ~ vergessen = etw völlig vergessen. ⁊Tod 26. Seit dem 18. Jh.

41. sich zu ~e verwalten = für die Verwaltung mehr Geld ausgeben, als durch Steuern vereinnahmt wird. Vom Bund der Steuerzahler aufgebrachtes Schlagwort. 1965 ff.

42. etw auf den ~ nicht wollen = etw durchaus nicht wollen. ⁊Tod 26. Seit dem 19. Jh.

43. sich des ~es wundern = sich sehr wundern; sehr erstaunt sein. Seit dem 19. Jh.

44. das ist ihm auf den ~ zuwider = das ist für ihn unausstehlich. ⁊Tod 26. Seit dem 19. Jh.

tod- als erster Bestandteil einer meist doppelt betonten Zusammensetzung hat den Sinn einer Verstärkung; wohl übernommen von Ausdrücken wie „sicher wie der Tod", „zum Sterben müde" u. ä. Der Tod als das Schlußereignis des Lebens drückt sinnbildlich ein Äußerstes aus. 1700 ff.

'**tod'anständig** adj grundehrlich; sehr aufrichtig; äußerst großzügig. Seit dem 19. Jh.

'**tod'ehrlich** adj sehr redlich. Seit dem 19. Jh.

Todel m ⁊Dodel.

Todessitz m **1.** Platz neben dem Fahrersitz in Personenkraftwagen. Bei heftigen Zusammenstößen ist der Fahrgast auf diesem Platz besonders stark gefährdet. Der Ausdruck scheint um 1930 in der Automobilpresse aufgekommen zu sein und sich vor allem nach 1950 in allen dt und österr Landschaften verbreitet zu haben. Wegen seiner düsteren Anschaulichkeit und Knappheit halten viele ihn nicht mehr für umgangssprachlich.

2. Mitfahrersitz auf dem Motorrad. 1950 ff.

Todesstoß m entscheidender Stich beim Kartenspiel, auf Grund dessen der Spieler verliert. Kartenspielerspr. seit dem 19. Jh.

'**tod'gut** adj herzensgut; von edler Gesinnung; überaus hilfsbereit. 1700 ff.

'**tod'langweilig** adj sehr langweilig; einschläfernd. Vgl ⁊Tod 25. Seit dem 19. Jh.

tödlich adj **1.** unhaltbar; nicht abwehrbar. Sportl 1950 ff (Fußball, Tennis u. a.).

2. überaus langweilig; kein Interesse weckend. Jug 1950 ff.

'**tod'müde** adj sehr müde. Seit dem 18. Jh. Vgl engl „tired to death".

'**tod'schick (tot'schick)** adj sehr elegant; äußerst vorteilhaft gekleidet. Seit dem späten 19. Jh. Vgl engl „to be dressed to kill".

'**tod'sicher** adj ganz bestimmt; unbedingt zuverlässig. Seit dem 19. Jh.

'**tod'sterbens'krank** adj schwerkrank. Seit dem 19. Jh.

'**tod'sterbens'übel** adv der Ohnmacht nahe. 1800 ff.

'**tod'traurig** adj sehr traurig. 1900 ff.

'**tod'unglücklich** adj sehr unglücklich. Seit dem 19. Jh.

töfen intr ⁊töwen.

toff adj gut, nett; gut gekleidet; wohlschmeckend; leistungsfähig. Stammt aus jidd „tow = gut"; vgl ⁊dufte 1. Seit dem späten 18. Jh aus dem Rotw – wahrscheinlich über Berliner Vermittlung – in den Wortschatz der jungen Leute übergegangen.

Toffel (Töffel) m unbeholfener Mann; geistig anspruchsloser Mann. Entweder Abkürzung des Vornamens Christoffel (vgl ⁊Stoffel) oder herzuleiten von „Toffel = Pantoffel", bezogen auf einen Pantoffelträger (= unbeholfener Schreitender). 1700 ff.

toffig adj nett, eindrucksvoll, gut gekleidet. Erweitert aus ⁊toff. Halbw 1955 ff.

'**Töff'töff** n Auto. Kinderspr. Klangnachahmung des Hupentons, vielleicht auch des Motorengeräuschs. Um 1900 aufgekommen und trotz Verdrängung der Gummiballhupe noch heute geläufig.

toft (tofte, tofft, toffte) adj **1.** gut, schön, angenehm; sehr eindrucksvoll; tüchtig. Nebenform zu ⁊toff. Rotw seit 1835; später halbw; vorwiegend im Westf verbreitet.

2. kameradschaftlich. BSD 1965 ff.

Toilettenartikel m Stück Abortpapier. Eigentlich ein Gegenstand zur Körperpflege. Zu „Toilette"/„Toilettenscheißhaus". Sold 1941 (Afrikakorps); jug 1955 ff.

Toilettenergebnis n Ergebnis 0 : 0 eines Fußballspiels. Anspielung auf ⁊Null-Null. Sportl 1960 ff.

Toilettenjahrgang m Geburtsjahrgang 1900. Die Abkürzung „00" der Jahreszahl 1900 erinnert an die Beschriftung der Aborttüren in Hotels u. a. 1918 ff.

Toilettenscheißhaus n Abort mit Wasserspülung. „Scheißhaus" ist jeglicher Abort ohne Wasserspülung, wohingegen der Zusatz „Toilette" die vornehmere Abart zum Ausdruck bringt. Sold 1939 ff.

'**toi-'toi-'toi** adv (interj) glücklicherweise; auf gut Glück; viel Glück (wünsche ich dir!). Mit dem dreimaligen „toi" wird das Ausspucken klanglich nachgeahmt. Nach altem Aberglauben übt man durch dreimaliges Ausspucken eine dämonenbannende Kraft aus. Spätestens seit 1900.

Tokus m Gesäß. Nebenform zu ⁊Toches. Aus dem Rotw umgangssprachlich geworden. Seit dem frühen 19. Jh. Gleichbed und gleichlautend im Ndl.

Töle f **1.** Hündin; Hund (abf). Fußt vielleicht auf niederd „Döl (Dol) = Vertiefung; kleine Grube", anspielend auf das weibliche Geschlechtsorgan. 1600 ff, nördlich der Mainlinie.

2. liederliche Frau; Prostituierte. Bezeichnungen für die Hündin sind gleichzeitig fast immer auch Bezeichnungen für die Prostituierte. Seit dem 19. Jh.

tölen intr **1.** Unterhaltung in unflätigstem Ton führen. Berlin 1959 ff.

2. weibisch reden (auf Homosexuelle bezogen). 1900 ff, niederd.

toll adj adv **1.** gut, bewundernswert, herrlich; sehr schön; eindrucksvoll; tüchtig o. ä. Eigentlich soviel wie „irr", „ausgelassen, lärmend" und schließlich „über das übliche Maß hinausgehend" und daher zu superlativer Geltung gelangt. So schon im Mittelalter; heute vorwiegend jug.

2. ausgelassen. 1900 ff.

2 a. echt irre ~ = unübertrefflich. ⁊echt; ⁊irr. Jug 1970 ff.

3. adv = sehr. Seit dem 19. Jh.

4. ~ und voll sein = (sehr) bezecht sein. 1500 ff.

5. wie ~ = sehr schnell; sehr lebhaft; aus Leibeskräften (er lief wie toll); das Wasser kocht wie toll). 1800 ff.

6. auf etw ~ sein = auf etw versessen sein; nach etw heftig verlangen. Seit dem 19. Jh.

Tolle f **1.** Haarschopf; gebauschte Locke; wirre Frisur. Verwandt mit „Dolde = Pflanzenkrone". 1700 ff.

2. tolle ~ = „Beatle"-Frisur. 1960 ff.

tollen intr ausgelassen spielen; sich wild gebärden; ungestüm laufen und springen. Auf „toll = unsinnig" beruhend. Seit dem 15. Jh.

'**toll'günstig** adj sehr preiswert. Werbetexterspr. 1970 ff.

'**toll'hübsch** adj sehr hübsch. ⁊toll 3. 1950 ff.

Tolli'tät f Seine ~: Anrede an „Prinz Karneval". Entstanden aus „toll = närrisch" und „Majestät". 1900 ff, Köln.

Tollpatsch (Tolpatsch) m ungeschickter, tölpelhafter Mensch. Stammt aus ung „talpas = breitfüßig", einem Scheltadjektiv auf die ungarischen Fußsoldaten, der keine Schuhe trug, sondern lediglich mit Schnüren befestigte Sohlen. Im 18. Jh unter Einfluß von „Tölpel" und „patschen" zur heutigen Bedeutung weiterentwickelt.

tollpatschig adj tölpelhaft, plump. Seit dem 18. Jh.

Tollpunkt m ⁊Dollpunkt.

'**toll'schick** adj sehr elegant gekleidet. ⁊schick. 1920 ff.

Tolpatsch m ⁊Tollpatsch.

Tomate f **1.** Kopf. Wegen der Rundform und der (gelegentlichen) Rötung. 1910 ff.

1 a. gerötete Nase. 1960 ff.

2. Fußball. Schül 1950 ff.

3. Eierhandgranate. Sold 1914 bis heute.

3 a. rotes Leuchtspurgeschoß; roter Feuerwerkskörper. 1939 ff.

4. pl = Hoden. Die Tomaten nennt man auch „Liebesäpfel", und mit „Äpfeln" bezeichnet man die Hoden. Sold 1935 ff.

5. faule ~ = Versager. Jug nach 1945.

6. gequollene ~ = durch einen Schlag verletztes Auge, dessen Umgebung (fast) ganz zugeschwollen und blutverschmiert ist. Boxerspr. 1925 ff.

7. miese ~ = unsympathischer Mensch. ⁊mies 1. 1935 ff.

8. treue ~ = gemütliche Anrede an einen Kameraden. 1920 ff, ziv; 1939 ff, sold.

9. treulose ~ = unzuverlässiger Mensch,

der Zusagen nicht einhält; Wortbrüchiger o. ä. Nach einer Deutungsweise leitet sich der Ausdruck von den vielen Mißerfolgen des Tomatenanbaus im letzten Drittel des 19. Jhs her. Möglich ist auch die Annahme einer getarnten Fortführung des Begriffs „perfides Albion"; denn „Albion" ist England, und der englische Soldat ist uns seit dem Boxeraufstand 1900/01 als ↗ „Tommy" geläufig. Seit dem frühen 20. Jh.

10. unreife ~ = lebensunerfahrener, ratloser Mensch. Er ist noch „↗ grün". 1950 ff.

11. rot anlaufen wie eine ~ = das Aufsteigen des Ärgers sichtlich zu erkennen geben. 1920 ff.

12. er ist mit dem Fahrrad nach Italien, um die ~n rot anzustreichen: Antwort auf die Frage, wo sich jemand aufhält. BSD 1965 ff.

13. ~n auf den Augen haben = a) übernächtigt aussehen; noch nicht ganz wach sein. Die Umgebung der Augen ist noch gequollen. 1920 ff. – b) etw übersehen; etw nicht sehen. 1920 ff, schül, stud und sold.

14. ~n auf der Brille haben = dumm sein. Das Blickfeld ist verengt. 1950 ff, jug.

15. ~n in den Ohren (Ohrwaschein) haben = schwerhörig sein; absichtlich nicht hören. Der Schmutz in den Ohren wird zum Tomatenbeet. 1935 ff.

15 a. er hat ein Gesicht wie eine ~, - nicht so rot, aber so matschig = er hat ein feistes Gesicht. 1965 ff, jug.

16. mit ~n handeln = sich irren; trügerische Vorstellungen hegen. Der Tomatenanbau ist bei uns meist mit einem Risiko verbunden, und reife Tomaten faulen rasch. 1960 ff.

17. ~n verkaufen = erröten. 1950 ff, schül.

18. zur ~ werden = erröten. 1950 ff.

Tomatenkopf m hochroter Kopf. ↗ Tomate 1. 1920 ff.

Tommy m **1.** britischer Soldat; Engländer. 1837 aufgekommen im Zusammenhang mit einem kleinen Taschenbuch; es enthielt eine Tabelle der Ausrüstungsgegenstände, die die engl Soldaten selbst bezahlen mußten; zum besseren Verständnis waren die Militärverwaltung als Lieferant und ein angenommener Soldat Thomas Atkins als Empfänger der Ausrüstung genannt. Dieser Name wurde in der Kurzform „Tommy" volkstümliche Bezeichnung für den engl Soldaten. Bei uns etwa seit 1900 (seit dem Boxeraufstand in China) verbreitet.

2. britisches Flugzeug. Sold und ziv 1939 ff.

Ton m **1.** wildgewordene Töne = moderne Tanz-, Schlagermusik. Kurz nach 1945 aufgekommen.

2. noch 'ein ~, und ...: Aufforderung zum Verstummen unter Androhung von Tätlichkeiten. Seit dem ausgehenden 19. Jh, Berlin, Köln, Wien u. a.

3. den ~ abschalten = a) sprachlos sein. Der Rundfunk- und Fernsehtechnik entlehnt. 1955 ff. - b) vor Erkältung und Heiserkeit kein Wort mehr hervorbringen. 1955 ff.

4. andere Töne anschlagen = energischer werden; seine Forderungen erhöhen. Von der Stimmgabel übernommen. 1935 ff.

5. Töne ausspucken = sich äußern. 1950 ff.

5 a. voll auf ~ gehen = mit Hingabe Musik hören; in Musik schwelgen. Halbw 1970 ff.

6. jetzt geht es aus einem anderen ~ = jetzt wird es ernst; jetzt hört das angenehme Leben auf. Man wechselt die Tonart. 1900 ff.

7. hast du Töne? (hat der Mensch Töne?; hat man da noch Töne?): Ausdruck der Verwunderung und Überraschung, der Verständnislosigkeit. Der Staunende bringt keinen Ton mehr heraus, er ist ton-(sprach-)los. Seit dem späten 19. Jh, gemeindeutsch und (seit 1983) österr.

8. nicht alle Töne auf der Flöte (Zither) haben = nicht recht bei Verstand sein. 1920 ff.

9. einen ~ am Leibe haben = ungebührlich, hochfahrend, herrisch reden. Die gewählte Tonlage (Tonart) klingt unpassend, unschön, allzu schrill. Seit dem 19. Jh.

10. einen falschen ~ haben = nicht völlig aufrichtig sein. 1900 ff.

11. schöne falsche Töne haben = in liebenswürdiger Weise unaufrichtig sein. 1920 ff.

12. hohe Töne im Kopf haben = überheblich sein. Übertragen von der Kopfstimme. 1900 ff, westd.

13. große Töne kotzen = prahlen. „Große Töne" sind die scheinbar gewichtigen Worte, und „kotzen" meint derb soviel wie „von sich geben". 1920 ff.

14. den ~ mitzusingen wissen = sich anzupassen wissen. 1920 ff.

15. red' keine Tönel = sprich keinen Unsinn! Schül, stud und arbeiterspr. 1900 ff.

16. rede nicht soviel Tönel = komm' zur Sache! schwätze nicht! 1920 ff.

17. dicke (große) Töne reden (machen, schwingen o. ä.) = prahlen; sich aufspielen. ↗ Ton 13. 1910 ff.

18. einen ~ riskieren = dreist, unverschämt reden. Vgl „eine ↗ Lippe riskieren". 1890 ff.

19. dicke (mächtige o. ä.) Töne riskieren = sich aufspielen; seine (vermeintliche) Wichtigkeit hervorheben. ↗ Ton 17. 1920 ff.

20. dicke (große) Töne spucken = stark prahlen; mehr scheinen wollen als sein. Vgl ↗ Bogen 11. 1910 ff, schül, stud und sold.

21. der ~ stimmt = die zum Gewinnen des Spiels notwendige Punktzahl ist erreicht. Der Spieler klopft scherzhaft mit dem Päckchen auf den Tisch, zeigt die Tischkante und hält die Karten horchend ans Ohr wie eine Stimmgabel. Kartenspielerspr. 1910 ff.

22. die Töne verlieren = verstummen; sprachlos sein. ↗ Ton 7. 1890 ff.

Tonart f **1.** Rede-, Ausdrucksweise. Der Musiklehre entlehnt. 1870 ff.

1 a. sich in allen ~en ausschweigen = kein Wort äußern. 1870 ff.

2. die ~ kennen = sich nicht beschwatzen lassen; Schlagworten mißtrauen. 1910 ff.

3. in derselben ~ singen = mit jm übereinstimmen; jm beipflichten. Seit dem späten 19. Jh.

tonbandeln intr tr auf Tonband aufneh-

men; die Tonbandaufnahme vorführen. 1970 ff.

Tonbandkonserve f Tonbandaufnahme. ↗ Konserve. 1950 ff.

Tonbank f Wirtshaustheke; Ladentisch. Fußt auf mittel-niederd „tonen = zeigen": auf die Theke zeigt der Gastwirt oder Kaufmann seine Waren. Nordd 1800 ff.

tönen v **1.** etw ~ = einen Laut von sich geben; etw von sich hören lassen; anmaßend sich äußern; etw laut, feierlich verkünden. 1800 ff.

2. etw ~ = etw auseinandersetzen; etw mit wenigen Worten klarmachen. Sold und ziv 1935 ff.

3. intr = zechen. Entweder hergenommen vom Anstoßen mit den Gläsern oder Krügen oder analog zu „einen ↗ blasen", „einen ↗ schmettern", „einen ↗ zwitschern" o. ä. Spätestens seit 1900.

4. groß (dick, laut) ~ = sich aufspielen; übertriebene Behauptungen aufstellen. ↗ Ton 17. 1910 ff.

Tonhalle f **1.** öffentliche Bedürfnisanstalt; Kasernen-Latrine. Eigentlich die Konzerthalle. Anspielung auf die Nebengeräusche des Kotens. 1910 ff, sold und ziv. (1967 hieß so ein Wagen im Düsseldorfer Rosenmontagszug. „Tonhalle" heißt in Düsseldorf das Konzertgebäude.)

2. Musikzimmer in der Schule. 1950 ff, schül.

3. offene ~ = Gesäß, After. 1940 ff.

Tonkonserve f Schallplatte, Tonband. ↗ Konserve. 1950 ff.

Tonkulisse f Geräuschuntermalung einer Hörfunksendung. ↗ Geräuschkulisse 1. Rundfunkspr. 1930 ff.

Tonne f **1.** Schiff. Verkürzt aus „Bruttoregistertonne". Außerdem steht „Tonne" als Behälter in Analogie zu „↗ Eimer" und „↗ Pott". Marinespr 1939 ff.

2. breites Gesäß. 1960 ff.

3. Schultornister, -tasche. Wohl wegen des schweren Gewichts der Bücher und Utensilien. Schül 1940 ff.

4. Rucksack des „Hamsternden". 1918 ff.

5. beleibter Mensch. Vorausgegangen sind seit dem 16. Jh Vergleiche des menschlichen Körpers mit der Tonne. 1700 ff.

6. Könner von Rang. Analog zu ↗ Faß 6. Nach 1900 aufgekommen; 1950 ff, halbw.

7. wandelnde ~ = beleibter Mensch. Vgl ↗ Tonne 5. Seit dem 19. Jh.

8. dick wie eine ~ = beleibt. 1700 ff.

9. schlank wie eine ~ = sehr schlank. Scherzhaft entstellt aus „schlank wie eine Tanne". 1900 ff.

9 a. voll wie eine ~ = volltrunken. Vgl ↗ Tonne 13. 1920 ff.

10. über der (die) ~ gebügelt sein = nach außen gebogene Beine haben. Krummbeinigkeit ist hiernach die Folge unzweckmäßigen Bügelns. Seit dem frühen 20. Jh.

11. die Beine über eine(r) ~ getrocknet haben = nach außen gewölbte Beine haben. Vgl das Vorhergehende. 1910 ff, Berlin und mitteld.

12. über die ~ quatschen = weitschweifig reden. Der „Gesprächsfaden" verläuft nicht geradlinig. 1943 ff.

13. ~n versenken = sich betrinken. Sold 1939 ff.

Tootsch (Totsch) m Unbeholfener; einfältiger Mensch. Nebenform zu „Tatze = plumpe Hand". Seit dem 19. Jh, schles, rhein, Zürich.

top *adj* **1.** unübertrefflich. Fußt auf *engl* „top = Spitze; höchster Grad". *Halbw* 1955 *ff.*
2. aktuell. Das Betreffende ist eine Neuigkeit oder Errungenschaft höchsten Grades. *Halbw* 1955 *ff.*
3. ein Kleidungsstück sitzt ~ = ein Kleidungsstück hat einen hervorragenden Sitz. Modenkatalogspr. 1975 *ff.*
topaktuell *adj* hochmodisch. Werbetexterspr. 1970 *ff.*
Topf *m* **1.** Spielkasse; Kasse zur Aufnahme der Einsätze der Spieler. ↗Pott I 8. Seit dem 19. Jh.
2. Abort. Verkürzt aus „Nachttopf". 1920 *ff.*
3. Zylinder des Motors. Wegen der Formähnlichkeit. Fliegerspr. 1935 *ff.*
4. Stahlhelm. Vorausgegangen sind die Bedeutungen „Helm" und „Tschako". *Sold* 1917 bis heute.
5. topfförmiger Damenhut. 1920 *ff.*
6. Glas, Maßkrug. Eigentlich ein Flüssigkeitsmaß für Wein und Bier; dann auch soviel wie „Bierseidel". *Stud* seit dem späten 19. Jh.
7. Vagina. Versteht sich nach dem geschlechtlichen Sinnbildpaar „Topf und Deckel". 1950 *ff.*
8. unschönes Mädchen. Sein Körper hat keine ausgeprägten Rundungen. 1960 *ff*, *halbw.*
9. jm den ~ aufdecken = jm Fehler und Verstöße vorhalten. Fußt auf dem Bild, daß man den Deckel vom Topf abnimmt, aus dem es dann dampft (*vgl* ↗Dampf 37 *ff*). 1920 *ff.*
9 a. zu jedem ~ gibt es den passenden Deckel (jeder ~ bekommt – findet – seinen Deckel) = für jede weibliche Person gibt es den passenden Mann. „Topf" und „Deckel" als volkstümliches Sinnbildpaar von Mann und Frau. ↗Topf 7. 1900 *ff*, wenn nicht älter.
10. in einen falschen ~ greifen = sich irren. Wohl der Küchenpraxis entlehnt. 1910 *ff.*
11. jm in den ~ gucken = jn beaufsichtigen, kontrollieren. ↗topfgucken. Seit dem 19. Jh.
12. einen ~ auf dem Feuer haben = etw planen. Man bereitet etwas vor. 1950 *ff.*
13. kleine Töpfe haben auch Ohren = kleine Kinder hören zu; Warnung vor lauschenden Kindern. 1700 *ff.*
14. den ~ am Kochen halten = a) einen Plan weiterverfolgen. 1950 *ff.* – b) die Familie über wirtschaftlich schwere Zeiten hinwegbringen. 1950 *ff.*
15. in vielen Töpfen kochen = auf vielen Gebieten tätig sein. 1950 *ff.*
16. komm gut auf den ~ (aber brich nicht den Henkel ab)! = viel Glück! viel Erfolg! Gemeint ist der Nachttopf. 1950 *ff*, Berlin.
17. alles in einen ~ werfen = Verschiedenartiges gleichbehandeln. Abgewandelt aus „alles in einem Topf kochen". Seit dem 19. Jh.
Töpfchen (Topferl) *n* Nachtgeschirr. Seit dem 19. Jh, kinderspr.
'topf'eben *adj* völlig flach (auf ein Gelände bezogen). Es ist flach wie die Grundfläche eines Topfes. Seit dem 19. Jh.
töpfeln *tr* das kleine Kind auf das Nachtgeschirr setzen. ↗Töpfchen. 1950 *ff.*
Topfen *m* **1.** Unsinn. Meint eigentlich den

Quark; analog zu ↗Quark 1. *Bayr* und *österr* 1900 *ff.*
2. Minderwertiges. *Halbw* 1900 *ff*, *österr.*
'Topfen'neger ('Topfn'neger) *m* bleichgesichtiger, nicht sonnengebräunter Mensch. Die Hautfarbe ist weiß wie Quark. *Österr* 1920 *ff.*
topfgucken *intr* aus Neugierde sich in die Angelegenheiten anderer einmischen und die Wahrnehmungen verbreiten; sich um Dinge kümmern, die einen nichts angehen; private Dinge öffentlich zur Sprache bringen. *Vgl* das Folgende. Seit dem 19. Jh.
Topfgucker *m* unangebracht neugieriger Mensch. Eigentlich einer, der sich (unbefugt) um Küchenangelegenheiten kümmert. Mit vielen mundartlichen Varianten: „Pöttenkieker" *(niederd)*, „Döppegucker, Dippegucker" *(hess)* usw. Spätestens seit dem 18. Jh.
Topfhut *m* Damenhut mit ziemlich hohem Kopf (und ohne Krempe). Formähnlich mit einem umgestülpten (Blumen-)Topf. ↗Topf 5. 1920 *ff.*
topfig *adj* sehr schlecht; minderwertig. ↗Topfen 2. *Österr* 1955 *ff*, *schül.*
'top'fit *adj* volleistungsfähig. ↗top 1; ↗fit. 1950 *ff*, *halbw* und *sportl.*
Top-Form *f* **1.** höchste Leistungsfähigkeit. ↗top 1; ↗Form 1. *Sportl* 1950 *ff.*
2. zur ~ auflaufen = sich im Leistungsvermögen steigern. 1950 *ff.*
Topfrechnen *n* Kochen unter dem Gesichtspunkt der Sparsamkeit. Dem „Kopfrechnen" nachgebildet. 1970 *ff.*
Topfschuß *m* Abschuß eines Tieres zwecks Nahrungsbeschaffung. *Sold* in beiden Weltkriegen.
Topfschwenker *m* zum Krankenhausdienst verurteilter Wehrdienstverweigerer. *Vgl* ↗Pißpottschwenker. *Sold* 1965 *ff.*
Top-Hosteß *f* Prostituierte mit Luxuswohnung. ↗Hosteß. 1970 *ff.*
Top-Klasse *f* Spitzenkönner; Rang der Besten. 1960 *ff.*
Top-Kondition *f* hervorragende Leistungsfähigkeit und Kampfmoral (Mannschaftsgeist). *Sportl* 1960 *ff.*
Top-Leute *pl* Spitzenkönner. ↗top 1. 1960 *ff.*
Top-Mann *m* überlegener Könner. 1960 *ff.*
'top'modisch *adj* hochmodisch. ↗top 2. Werbetexterspr. 1960 *ff.*
topp *adj* tüchtig. ↗top 1. 1950 *ff.*
Topp *m* **1.** Zylinder des Motors. ↗Topf 3. Fliegerspr. 1935 *ff.*
2. Galerie im Theater. Meint eigentlich die Mastspitze von Segelschiffen, den Mastkorb, den Ausguck. Seit dem späten 19. Jh, *sächs.*
3. *pl* = Schuhe; Kommißstiefel; Fußballstiefel o. ä. Übertragen vom stiefelförmigen Trinkgefäß. Spätestens seit 1900.
4. auf dem ~ sein = sich nicht übervorteilen lassen; seinen Vorteil zu wahren wissen. „Topp" meint entweder den Mastkorb oder den Abort, analog zu „auf dem ↗Trichter sein". 1920 *ff.*
töppern *tr intr* (irdenes) Geschirr zerbrechen. Topp = irdener Topf; also soviel wie „Töpfergeschirr zertrümmern". Berlin, nord-ostd und *sächs*, seit dem 19. Jh.
Toppsau *f* sittlich verkommener Mensch; Hure schlimmster Art. Meint eigentlich die schmutzige Sau in einem Wasserloch, einer Suhle. Auf den Menschen übertra-

gen, ist einer gemeint, der äußerlich und auch moralisch in die Wäsche gehört. Gegen 1820 unter Prostituierten aufgekommen; übernommen von Soldaten und Studenten.
'top'schick *adj* äußerst elegant. ↗schick. Werbetexterspr. 1970 *ff.*
Top-Zehn *pl* die zehn führenden Schlagerlieder. Übersetzung von *engl* „Top-Ten". 1980 *ff.*
Tor *n* **1.** das goldene ~ = der siegentscheidende Tortreffer; einziger Tortreffer. *Sportl* 1950 *ff.*
2. das ~ sauberhalten = jeden Torball abwehren. *Sportl* 1950 *ff.*
3. ein ~ schießen = a) einen Tortreffer erzielen. *Sportl* 1920 *ff.* – b) als Zeuge oder Anwalt dem Angeklagten einen Vorteil verschaffen. 1950 *ff.*
4. ins eigene ~ treffen = sich selbst oder seinen Standesgenossen schaden. Der Sportsprache entlehnt. 1955 *ff.*
Torefabrik *f* ↗Torfabrik.
Toresschluß *m* kurz vor ~ = a) im letzten Augenblick; noch gerade zur rechten Zeit. Stammt aus der Zeit, als man feindliche Überfälle in der Nacht befürchtete und daher die Stadttore am Abend schloß. Seit dem 18. Jh. – b) kurz vor den Wechseljahren. 1900 *ff.*
Torf *m* **1.** Kommißbrot. Wegen der äußerlichen Ähnlichkeit mit einem Torfziegel, wegen der dunkelbraunen Färbung und wegen des Geruchs. *Sold* in beiden Weltkriegen.
2. Karte, die keinen Punkt zählt. Torf ist an Heizkraft geringer als Kohle und steht daher sinnbildlich für Minderwertigkeit. Kartenspielerspr. 1870 *ff.*
3. Wertlosigkeit. 1870 *ff.*
4. Geld. Fußt vielleicht auf *jidd* „teref = Beute" und bezieht sich also ursprünglich auf Taschendiebstahl. *Rotw* seit dem frühen 19. Jh.
5. Diebesbeute; Gegenstand des Diebstahls. *Vgl* das Vorhergehende. Seit dem 19. Jh.
6. ~ mit Aas = mit Wurst o. ä. belegte Brotschnitte. Wurst gilt *abf* als „Aas" (= verendetes Tier). *Sold* 1914 *ff.*
7. ~ mit Salbe = mit Schmalz oder Margarine bestrichene Brotscheibe. ↗Torf 1. Der Aufstrich gilt als weiße Salbe. *Sold* in beiden Weltkriegen; auch arbeiterspr.
8. klar wie ~ = völlig einleuchtend *(iron)*. 1870 *ff*, Berlin und *nordd.*
9. nicht für ~| = unter keinen Umständen! Torf = Geld. Berlin seit dem ausgehenden 19. Jh.
10. ~ baggern = homosexuell verkehren. 1935 *ff.*
11. mit ~ handeln = einen Fehlschlag erleiden; erfolglos spekulieren. ↗Torf 2. 1900 *ff*, Berlin, Neumark u. a.
Torfabrik *f* Fuß-, Handballmannschaft, die sehr viele Treffer erzielt. *Sportl* 1950 *ff.*
torfen *intr* **1.** Brot essen. ↗Torf 1. *Sold* in beiden Weltkriegen; auch arbeiterspr.
2. schlafen; unaufmerksam sein. Leitet sich wohl her von der Torfstreu als Bettunterlage für kleine Kinder. *Sold* seit dem frühen 20. Jh bis heute; auch arbeiterspr.
Torfeuerwerk *n* langanhaltender heftiger Angriff auf das gegnerische Tor. *Sportl* 1950 *ff.*
Torfkähne *pl* große, ausgetretene Schuhe. ↗Kahn 8. 1870 *ff.*

Torjäger *m* Spieler, der viele Tortreffer erzielt. *Sportl* 1950 *ff.*

Torkanone *f* Fußballspieler mit sehr vielen Tortreffern. ↗Kanone 4. *Sportl* 1950 *ff.*

Torkel *m* 1. unerwartetes Glück. Fußt auf der Vorstellung vom Glückstaumel, auch vom Wankelmut des Glücks. Analog zu ↗Dusel 2. Seit dem 19. Jh.
2. dummer, ungeschickter Mann. Anspielung auf unsicheren Gang. *Südd,* 1900 *ff.*
3. Branntwein. Meint eigentlich die Kelter, dann das gekelterte Getränk und schließlich den daraus destillierten Alkohol. 1900 *ff.*
4. Alkoholrausch. Von der Drehbewegung der Kelter übertragen auf die Drehwirkung des Rausches. 1800 *ff.*

torkeln *intr* 1. viel Schnaps trinken; zechen. Von der taumelnden Wirkung zurückgebildet auf die Ursache. Seit dem 19. Jh.
2. es torkelt = es glückt. ↗Torkel 1. Seit dem 19. Jh.

Tor-Konto *n* Zahl der erzielten und der erhaltenen Tortreffer. *Sportl* 1950 *ff.*

Torlawine *f* schnelle Aufeinanderfolge von Tortreffern. *Sportl* 1950 *ff.*

Tornister *m* 1. Buckel. 1900 *ff.*
2. nicht alle im ~ haben = nicht recht bei Verstand sein. *Rhein* 1920 *ff.*

tornisterblond *adj* rötlich (von den Haaren gesagt). Hergenommen von der Fellfarbe der äußeren Tornisterklappe beim Militär. Berlin 1870 *ff.*

torpedieren *tr* 1. eine Angelegenheit zum Scheitern bringen; befohlene Ausführungen verhindern. Übertragen vom Abfeuern eines Unterwassergeschosses. Seit dem ausgehenden 19. Jh.
2. jm ein Klistier setzen, einen Einlauf geben. 1914 *ff.*

Torpedo *m* 1. Vereitelung eines Plans; Gegenbefehl. ↗torpedieren 1. 1914 *ff.*
2. dunkle Zigarette. Verkürzt aus „↗Lungentorpedo". *BSD* 1965 *ff.*
3. anal eingeführter Kunststoffbehälter für Geld oder Kassiber. Häftlingsspr., 1970 *ff.*

Torpedo-Kaffee *m* sehr dünner Kaffeeaufguß. Die Bohnen hat man mit einem Torpedo hindurchgeschossen. *BSD* und *Halbw* 1965 *ff.*

Torregen *m* große Zahl von Tortreffern. *Sportl* 1950 *ff.*

Torschluß *m* kurz vor ~ ↗Toresschluß.

Torschlußpanik *f* 1. eifriges Bemühen einer älteren Ledigen, noch einen Ehemann zu finden. ↗Toresschluß 1. 1900 *ff.*
2. Stimmung der kinderlosen Frau vor den Wechseljahren. 1900 *ff.*
3. Angst vor unerwartet rasch eintretendem Ende. 1935 *ff.*

Torschuß *m* Torball. ↗Schuß 9. *Sportl* 1920 *ff.*

Torschußkanone *f* durch viele Tortreffer bekannter Fußballspieler. ↗Kanone 4. 1930 *ff.*

Torschütze *m* Spieler, der einen Tortreffer erzielt hat. *Sportl* 1920 *ff.*

Torsegen *m* hohe Zahl von Tortreffern. ↗Segen. *Sportl* 1950 *ff.*

Tort *m* jm den ~ antun (jm etw zum ~ antun) = jn kränken. Aus *franz* „tort" = Unrecht, Verdruß". Etwa seit 1700.

Törtchen *n* Freundin. Als Leckerei aufgefaßt. 1950 *ff.*

Torte *f* Freundin; hübsches Mädchen. *Vgl* das Vorhergehende. *Halbw* 1950 *ff.*

Tortenschachtel *f* freistehender Rundbau. 1960 *ff.*

Torwartkatze *f* weiblicher Torwart beim Handballspiel. 1965 *ff.*

tot *adj* 1. jn ~ und lebendig fragen = jn aufs genaueste ausfragen. 1900 *ff.*
2. jn ~ und lebendig reden = auf jn beharrlich einreden; ein Schwätzer sein. 1900 *ff.*
3. ~ sein = a) mittellos, ohne Geld sein. In geldlicher Hinsicht ist man bewegungsunfähig wie ein Gestorbener. *Vgl* ↗stier. Seit dem späten 19. Jh, kartenspielerspr., kundenspr. und *prost.* – b) erschöpft sein. 1900 *ff.*
4. halb ~ sein = übermüdet sein. 1900 *ff.*
5. du bist ~: Redewendung auf einen Versager. Er ist genauso wenig brauchbar und nützlich wie ein Toter. *BSD* 1965 *ff.*
6. der ist ~ und läßt grüßen: Redewendung unter Kartenspielern, wenn der Gegner eine hohe Karte nutzlos opfert. Stammt aus Goethes „Faust I": „Ihr Mann ist tot und läßt Sie grüßen". Kartenspielerspr. 1870 *ff.*
7. wer ist ~?: Frage, wenn man etwas nicht verstanden hat oder sich an einem Gespräch beteiligen will. *Nordd* und Berlin, 1830 *ff.*
8. da möchte ich nicht ~ sein = da möchte ich nicht immer leben müssen. Zur Herleitung *vgl* „↗begraben 4". Seit dem 19. Jh.

total *adj adv* 1. außerordentlich. Hergenommen vom Begriff „völlig" im Zusammenhang mit seltenen Ereignissen (totale Sonnenfinsternis; Totalausverkauf, Totalschaden o. ä.). *Halbw* 1965 *ff.*
2. ~ vergammelt = Territoriale Verteidigung. Deutung der Abkürzung „TV". *BSD* 1965 *ff.*

Totalfall *m* äußerst dummer Mensch. Er ist ein Fall von totaler Idiotie. *Sold* 1935 *ff;* auch handwerkerspr.

Totalschaden *m* 1. Tod. Eigentlich ein völliger Sachschaden, der keine Instandsetzung mehr zuläßt. Im Zweiten Weltkrieg aufgekommen, *sold* und *ziv.*
2. einen ~ haben = völlig verrückt sein. Der Sachschaden ist hier ein geistiger Defekt. *Schül* 1950 *ff.*

Totalverblöder *m* Fernsehgerät. Gehässige Deutung der Abkürzung „TV" für „Television". 1955 *ff.*

totärgern *refl* sich sehr ärgern (auch: sich halb totärgern; sich halbtot ärgern). Seit dem 18. Jh.

totbleiben *intr* verunglücken, sterben. Seit dem 14. Jh.

Tote *pl* 1. von den ~n auferstehen = a) aus dem Rausch erwachen und sich aufrichten. 1900 *ff.* – b) nach Verbüßung einer Haftstrafe zurückkehren. 1950 *ff.*
2. wieder auferstanden von den ~n?: Frage an einen, dem man nach längerer Krankheit wieder begegnet. 1900 *ff.*
3. laß die ~n ruhen!: Aufforderung an den Kartenspieler, außer dem letzten Stich keine früheren anzusehen. Kartenspielerspr. seit dem 19. Jh.

Töte *f* Handfeuerwaffe; Pistole. Substantivbildung zu „töten". Im Ersten Weltkrieg bei den Soldaten aufgekommen und dort bis heute geläufig geblieben, auch beim *österr* Bundesheer und unter Verbrechern bzw. bei den Verfassern von Kriminalromanen und -spielen.

töten *tr* 1. einen Schüler vor der Versetzung scheitern lassen; einen Schüler zum vorzeitigen Schulabgang bestimmen. Lehrerspr. 1920 *ff.*
2. jn moralisch ~ = jn durch Aufdeckung einer geheimen Schuld oder eines Vergehens moralisch erledigen. 1920 *ff.*
3. einen Ball ~ = einen Ball abfangen, unschädlich machen; einen Tortreffer vereiteln. *Sportl* 1950 *ff.*

Totengräber *m* 1. Pionier. Auch er gräbt in der Erde und wird bei der Anlegung von Massengräbern eingesetzt. Bei der Wehrmacht und in der Bundeswehr hat er schwarze Kragenspiegel. *Sold* seit dem späten 19. Jh bis heute.
2. dem ~ von der Schippe (Schaufel) gesprungen (gehopst) sein = mit knapper Not dem Tode entgangen sein. Eine grimmig-scherzhafte Vorstellung: Der Betreffende war dem Totengräber schon über antwortet, als er unverhofft wieder zu Kräften kam und am offenen Grab von der Schaufel sprang. Berliner Variante: „da bin ich Jrieneisen nochmal von der Schippe gehopst" (Grieneisen ist der Name eines Berliner Beerdigungsinstituts). 1900 *ff.*
3. mit dem ~ unter einer Decke stecken = Arzt sein. Selbstironische Ärztevokabel seit dem 19. Jh.
4. auf der Schaufel stehen = dem Tod verfallen sein. ↗Totengräber 2. 1900 *ff.*

Toter *m* 1. alter Mann. Als vermeintlich nutzloser Bürger wird er herzlos den Gestorbenen zugezählt. 1955 *ff.*
2. der Schnaps (die Suppe u. ä.) weckt einen Toten auf = der Schnaps (o. ä.) ist herzhaft stark, wärmt durch und durch. 1920 *ff.*
3. sie fürchtet ein ~ = sie hat ein widerwärtiges Wesen. *Bayr* 1900 *ff.*
4. und sie trugen einen Toten hinaus: Redewendung der Gegner, wenn der Spieler das Karten- oder Kegelspiel verloren hat. Fußt auf Lukas 7, 12 (der Jüngling von Nain). Kartenspieler- und keglerspr., 1870 *ff.*

totfreuen *refl* sich sehr freuen. Seit dem 18. Jh.

totgehen *intr* sterben. Entwickelt nach dem Muster von „entzwei gehen": man geht (kommt) zu Tode. Seit dem 19. Jh.

tothaben *tr* jn für tot erklärt haben; jds Toterklärung erreicht haben. Seit dem 18. Jh.

totkaufen *refl* bei Glücksspielen die höchstzulässige Augenzahl überschreiten und dadurch sofort verlieren. Seit dem 19. Jh.

totkriegen *v* nicht totzukriegen sein = a) kerngesund, unverwüstlich sein. Seit dem 19. Jh. – b) überflügelt, nicht übertrumpft werden können. 1900 *ff.*

totlachen *v* 1. sich ~ = herzhaft lachen; ausdauernd lachen. Zusammengewachsen aus „sich zu Tode lachen"; *vgl* ↗Tod 24 a. Seit dem 18. Jh.
2. sich halb ~ = kräftig lachen. „Halb tot" ist „mehr tot als lebendig". Seit dem 18. Jh.
3. es ist zum ~ = es ist überaus erheiternd. Seit dem 18. Jh.
4. es ist nicht zum ~ = es ist höchst unerfreulich. Seit dem 19. Jh.

totmachen *tr* 1. töten. Seit dem 18. Jh.
2. eine Sache zu Ende bringen. Juristenspr. 1920 *ff.*
3. mach' tot!: Aufforderung an den Mit-

spieler, den Gegner zu übertrumpfen. Kartenspielerspr. 1900 ff.

totmischen refl es hat sich schon mal einer totgemischt: Redewendung, wenn einer die Karten zu lange mischt. Kartenspielerspr., spätestens seit 1900.

Toto n auf ~ sein = seinen Vorteil zu wahren wissen. Hergenommen von Leuten, die die Toto-Ergebnisse laufend verfolgen und daraus Schlüsse für den eigenen Wettschein ziehen. 1948 ff.

Toto'ritis f Leidenschaft des Toto-Spielens. Nachahmung von Krankheitsbezeichnungen (Bronchitis, Diphtheritis o. ä.). Aufgekommen kurz nach 1950 als Titel einer Berliner Günther-Neumann- Revue sowie als Kölner Karnevalslied.

totquatschen tr über eine Sache solange reden, bis eine weitere Erörterung sich erübrigt oder Überdruß eintritt. ↗ quatschen 2. 1900 ff.

totquietschen refl schrill lachen. Seit dem 19. Jh.

totreden tr über etw ausdauernd reden; etw zerreden; jm an Beredsamkeit überlegen sein. 1900 ff.

totreiten tr etw durch stete Wiederholung wirkungslos machen. 1880 ff.

totsaufen v 1. jn ~ = jn sinnlos betrunken machen; jn „unter den Tisch trinken". 1900 ff.
2. sich ~ = sich sinnlos betrinken; sich zu Tode trinken. Seit dem 19. Jh.

Totsch m ↗ Tootsch.

totschämen refl sich sehr schämen. Seit dem 19. Jh.

totschießen v es ist zum ~ = a) es ist sehr zum Lachen. Vgl ↗ schießen 13. Seit dem 19. Jh. – b) es ist zum Verzweifeln. 1800 ff.

totschlagen v du kannst mich ~ (und wenn du mich totschlägst): Beteuerung, daß man das Gemeinte nicht weiß und nicht besitzt. Selbst bei Androhung des Totschlags ändert sich hieran nichts. Seit dem 19. Jh.

Totschläger m 1. Hartwurst. Sie ist so hart, daß man mit ihr jn totschlagen könnte. Sold 1939 bis heute.
2. jm das Profil mit dem ~ nachziehen = jn kräftig prügeln. Drohrede. 1950 ff.

totschreien refl hellauf lachen. Seit dem 19. Jh.

totschweigen tr eine Person oder Sache überhaupt nicht mehr erwähnen. 1870 ff.

'tot'sicher adj falsche Schreibung für „↗ todsicher".

totsiegen refl Schlachten um Schlachten gewinnen und am Ende dennoch den Krieg verlieren. Sold und ziv in, zwischen und nach beiden Weltkriegen verbreitet.

totsingen refl solange singen, bis die Zuhörer das Interesse verlieren. 1800 ff.

totsparen refl übertrieben sparsam leben. 1920 ff.

totstellen refl uninteressiert tun. 1920 ff.

tottanzen refl leidenschaftlich gern tanzen; bis zur Erschöpfung tanzen; solange tanzen, bis das Interesse der Zuschauer schwindet. 1870 ff.

Tour f 1. die übliche Handlungsweise; die übliche Erklärung; die übliche Redewendung; die übliche Ausrede o. ä. Stammt aus franz „tour = Wendung, Streich, Kniff" (tour de cartes = Kartenkunststück). Seit dem späten 19. Jh.
2. Art des Geschlechtsverkehrs. 1870 ff.

3. Kundensuche durch Straßenprostituierte. Tour = Reise, Weg. 1900 ff, prost.
4. ~ de Lukull = Gang von Schlemmerlokal zu Schlemmerlokal. Anspielung auf das üppige Leben des Lucius Licinius Lucullus (117–57 v. Chr.), wie es Plutarch beschrieb. Berlin 1960 ff.
4 a. ~ von der Stange = Urlaubsreise nach der Zusammenstellung durch ein Tourismus-Unternehmen. ↗ Stange 8. 1980 ff.
5. alte ~ = altbekannte, unveränderliche Art des Vorgehens. 1870 ff.
6. bequeme ~ = bequeme Handlungsweise. 1920 ff.
7. billige ~ = einfaches, einfallsloses Vorgehen. 1920 ff.
8. auf die deutliche ~ = ohne Umschweife; geradeheraus. 1910 ff.
9. diskrete ~ = schicklich-verschwiegene Handlungsweise. 1900 ff.
10. doofe ~ = Vorspiegelung von Dümmlichkeit. 1935 ff.
11. dumme ~ = a) Ausrede; scheinbar einfältiges Verhalten; vermeidbares Mißgeschick. 1920 ff. – b) Lust, Streiche und Torheiten zu begehen. 1920 ff.
12. falsche ~ = Homosexualität. ↗ Tour 2. 1870 ff.
13. faule ~ = unredliches Verhalten. ↗ faul 1. 1900 ff.
14. feine ~ = Höflichkeit; geschickte Handlungsweise; vornehmes Verhalten. 1920 ff.
15. auf die feine ~ = vornehm; verblümt; jegliche kränkende Wirkung vermeidend. 1920 ff.
16. fromme ~ = geheuchelte Frömmigkeit; Frommtun aus Zweckmäßigkeitsgründen. 1920 ff.
17. gerade ~ = ehrliche Handlungsweise; Vorgehen im Rahmen des Erlaubten. 1920 ff.
18. auf gerade ~ = ohne Perversität. 1920 ff.
19. halbkrumme ~ = Unredlichkeit kleineren Ausmaßes. ↗ krumm 2. 1950 ff.
20. harte ~ = rücksichtsloses Vorgehen; Brutalität. 1935 ff.
21. heilige ~ = vorgetäuschter Halt an der Religion; Scheinheiligkeit. 1920 ff.
22. auf die kalte ~ = infolge einer Lücke im Gesetz; rechtlich unangreifbar. Vgl „auf kaltem ↗ Weg". 1920 ff.
23. kesse ~ = schnippisches, herausforderndes Auftreten. ↗ keß. 1950 ff.
24. auf kleiner ~ = mit betrügerischer Absicht. 1960 ff.
25. krumme ~ = Unredlichkeit; listiger Umweg; Betrug, Urkundenfälschung o. ä. ↗ krumm 2. 1930 ff.
25 a. lahme ~ = Schwunglosigkeit. Jug 1960 ff.
26. linke ~ = anrüchige Handlungsweise. ↗ link 1. 1930 ff.
27. lose ~ = lockeres Führen beim Tanzen. 1920 ff.
27 a. miese ~ = unschöne, niederträchtige Handlungsweise. ↗ mies 1. 1920 ff.
28. milde ~ = gütliche Regelung. 1910 ff.
29. ruhige ~ = bequemer Dienst ohne besondere Vorkommnisse. Sold 1939 ff.
30. sanfte ~ = a) bequemer Dienst ohne Antreibung. Sold 1939 ff. – b) gewinnendes Bitten; Schmeichelei; Verhalten, das niemanden verletzt. 1920 ff.

31. schiefe ~ = Unredlichkeit; Sittenlosigkeit. ↗ schief 1. 1920 ff.
32. schräge ~ = Betrügerei. ↗ schräg 1. 1935 ff.
33. auf die stille ~ = unauffällig. 1920 ff.
34. süße ~ = flehentliches Bitten; gütliches Zureden zwecks Übertölpelung; Verlockung; freundliche Wahrheitsentstellung. ↗ süß. Spätestens seit 1920.
35. traurige ~ = gespieltes Traurigsein. 1950 ff.
36. vornehme ~ = vornehmes, großzügiges Verhalten. 1920 ff.
37. weiche ~ = geschmeidige Taktik; Versöhnlichkeit; Einschmeichelung; Verständigungsbereitschaft; milde Menschenbehandlung. 1935 ff.
38. in 'einer ~ = ohne Unterbrechung. Gemeint ist eigentlich der Reiseweg ohne Unterbrechung. Seit dem 19. Jh.
39. auf vollen ~ arbeiten = angestrengt tätig sein. Tour = Umdrehungs-, Drehzahl von Maschinen. 1920 ff.
40. jn auf ~en bringen = jn antreiben; ermuntern, anregen; jn aufregen. Aus der Maschinentechnik übertragen. 1920 ff.
40 a. etw auf ~en bringen = eine Sache vorantreiben. 1920 ff.
41. eine ~ drehen = koitieren. ↗ Tour 2. 1900 ff.
42. die scharfe ~ einschalten = streng vorgehen; eine Razzia veranstalten. 1950 ff.
43. auf ~ gehen = a) auf Einbruch ausgehen. Analog zu „↗ Fahrt 3". 1920 ff. – b) als Straßenprostituierte auf Männerfang gehen. ↗ Tour 3. 1920 ff. – c) sich vom Elternhaus lösen. 1975 ff.
44. auf ~ gehen = sich beeilen. Tour = Drehzahl der Maschine. 1920 ff.
45. seine ~ haben = seinen üblichen Anfall von Wunderlichkeit (Verrücktheit o. ä.) haben; im Affekt handeln. Verkürzt übernommen aus franz „tour de folie" oder „tour d'esprit". Seit dem 19. Jh.
46. etw auf ~en halten = etw in Gang halten. Tour = Drehzahl der Maschine. 1920 ff.
47. auf ~ kommen = a) in gute, mitreißende Stimmung geraten; ins Plaudern geraten; Glück beim Kartenspielen haben. 1910 ff. – b) energisch werden; sich in Wut reden. 1910 ff. – c) seine volle Leistungskraft erreichen. Sportl, musikerspr. u. a., 1920 ff.
48. jm auf die schräge ~ kommen = im Verkehr mit jm nicht die üblichen Umgangsformen beachten. ↗ schräg 7. 1950 ff.
49. seine ~ kriegen = von seiner üblichen Laune gepackt werden; zu wunderlichem Verhalten übergehen. ↗ Tour 45. Seit dem 19. Jh.
50. auf die laue ~ kriegen = etw entwenden. „Lau" meint hier den geringeren Grad von Straffälligkeit, auch die einfache Art der Durchführung. 1939 ff.
51. auf vollen ~en laufen = überaus beschäftigt sein. ↗ Tour 39. 1920 ff.
52. mit hundert (tausend) ~en reden = schnell sprechen; hastig reden. Der Maschinentechnik entlehnt. 1914 ff.
53. eine ~ (auf eine ~) reisen = ein bestimmtes Vorgehen beibehalten. ↗ Tour 1. 1935 ff.
54. eine ~ (auf eine ~) reiten = immer

auf dieselbe Weise handeln. ↗reiten 1. 1935 ff.

55. krumme ~en reiten = unredlich, listig handeln. ↗krumm 2. 1930 ff.

56. jn auf ~ schicken = eine Frau zur Straßenprostitution anhalten. ↗Tour 3. 1920 ff.

57. auf ~ sein = a) zu einem Einbruch unterwegs sein. ↗Tour 43. 1920 ff. – b) als Straßenprostituierte Kunden suchen. ↗Tour 3. 1920 ff.

58. mit seinen Gedanken auf ~ sein = geistesabwesend sein. Tour = Reise. 1900 ff.

59. auf ~en sein = a) in bester, ausgelassener Stimmung sein. ↗Tour 47. 1910 ff. – b) wütend sein. 1910 ff.

60. auf vollen ~en sein = anhaltend Glück beim Kartenspielen haben. 1910 ff, kartenspielerspr.

61. auf harte ~ spielen = Skat spielen mit Kontra und Re usw. 1935 ff, kartenspielerspr.

62. die verrückte ~ spielen = sich verrückt stellen; Irresein heucheln. Sold 1939 ff.

63. jm die ~ vermasseln = jds Plan vereiteln. ↗vermasseln. Seit dem 19. Jh, verbrecherspr., sold, schül, stud, kaufmannsspr. und prost.

64. es mit der spaßigen ~ versuchen = etw ins Lächerliche ziehen. Seit dem 19. Jh.

Touristenlatein n irrtümliche Vorstellung von fremden Ländern, Sitten und Gebräuchen. ↗Latein 2. 1960 ff.

Touristen-Rollbahn f Autobahn München–Salzburg. Sie ist eine der meistbefahrenen Autobahnstrecken Europas, besonders in der Urlaubszeit. 1960 ff.

Touristenrummel m Betriebsamkeit der (um die) Urlauber. ↗Rummel. 1965 ff.

Touristenspektakel n Sehenswürdigkeit für Urlaubsreisende. 1960 ff.

töwen (töben, töfen) intr warten. Ein niederd Wort seit dem 14. Jh.

Trab m **1.** zum ~ ansetzen = energisch, eilig vorgehen. Trab = Laufen in schreitender Bewegung. 1900 ff.

2. auf dem ~ bleiben = rüstig bleiben; seiner Beschäftigung weiterhin nachgehen. 1920 ff.

3. jn auf (in) ~ bringen = jn antreiben, zurechtweisen; jm Ordnung (Eile) beibringen; jn nötigen, zu tun, was sich gehört. Seit dem 19. Jh, nördlich der Mainlinie.

4. jn auf den ~ bringen = jn auf den Schub bringen; jn über die Landesgrenzen abschieben. 1900 ff.

5. es bringt mich in (auf) ~ = das Abführmittel wirkt stark und anhaltend. 1950 ff.

5 a. jn aus dem ~ bringen = jds Gewohnheiten stören. Seit dem 19. Jh.

6. am ~ gehen = Straßenprostituierte sein. Österr 1950 (?) ff, rotw.

7. jn auf dem (in) ~ halten = jm keine Ruhe gönnen. 1900 ff.

8. jm auf den ~ helfen = jn antreiben. Seit dem 19. Jh.

9. auf den ~ kommen = über die Landesgrenze abgeschoben werden. ↗Trab 4. 1900 ff.

10. ~ laufen (machen) = sich beeilen. Seit dem 19. Jh.

11. jm ~ machen = jn antreiben. 1900 ff.

12. sich auf den ~ machen = aufbrechen, abmarschieren. 1900 ff.

13. auf (auf dem) ~ sein = unterwegs sein; tätig sein; aus Geschäftsgründen sich sehr anstrengen; seinen Vorteil zu wahren wissen. Seit dem 19. Jh.

14. wieder auf dem ~ sein = wieder gesund sein. 1900 ff.

15. in ~ sein = es eilig haben; sich nicht aufhalten lassen. 1900 ff.

Tra'banten pl lärmende, mutwillige Kinder; Kinderschar. Fußt auf tschech „drabant = Krieger zu Fuß", dann auch soviel wie „Gefolge, Dienerschaft". Seit dem frühen 19. Jh auf Kinder bezogen.

traben intr **1.** gehen; eilig laufen. ↗Trab 1. Seit dem 14. Jh.

2. dienstbeflissen sein. 1900 ff.

3. als Straßenprostituierte auf Männerfang ausgehen. Die „↗Pferdchen" traben. 1900 ff.

4. Streifendienst machen. Polizeispr. 1950 ff.

trab'trab adv schnell. 1900 ff.

Trab'trab n Pferdefleisch. 1910 ff.

Tracht f **1.** Prügel (Tracht Prügel). „Tracht" ist die Menge, die man auf einmal tragen kann. 1700 ff.

2. Uniform. Meint eigentlich die Kleidung einer bestimmten (Epoche oder) Volksgruppe, die Landestracht, auch die Kleiderpracht. Sold 1939 bis heute.

Trachtengruppe f **1.** Bundeswehr (abf) Meint eigentlich die Volkstanzgruppe o. ä. in stilistisch einheitlicher Kleidung. 1955 ff, BSD.

2. Halbwüchsigenbande in einheitlicher Kleidung. 1960 ff.

3. Norddeutsche ~ (~ Nord- oder Ostsee) = Bundesmarine. BSD 1960 ff.

Traditionsmeierei f kleinbürgerliche Pflege von Traditionen. Der „↗Vereinsmeierei" nachgebildet. 1955 ff.

Tra'gant m schlechter Schauspieler. Zusammengesetzt aus „Tragöde" und „Komödiant". Theaterspr. 1900 ff.

tragen v **1.** ein Theaterstück (einen Film) ~ = einem Theaterstück (o. ä.) durch hervorragende Leistung (als Hauptdarsteller/in) zur Publikumswirkung verhelfen. Gehört zu der theaterspr. Metapher von der „tragenden Rolle". 1900 ff.

2. etw zum ~ bringen = einer Sache Tragfähigkeit geben; etw erfolgreich durchsetzen. Meint eigentlich „es so weit bringen, daß ein Geschäft sich trägt (= ohne Zuschüsse auskommt)". Wohl vom Schwimmen hergenommen. 1933 aufgekommen; vorwiegend seit 1955 verbreitet.

3. zum ~ kommen = glücken; verwirklicht werden; entscheidend ins Gewicht fallen. 1933 ff.

4. man trägt wieder Geschichte (Kind) = Bemühungen um ein Geschichtsverständnis sind an der Tagesordnung (man wünscht wieder Nachwuchs). Aufgekommen um 1975 in Nachahmung der Modenkatalogsprache („man trägt wieder Krawatte").

tragisch adj **1.** etw nicht ~ nehmen = sich etw nicht zu Herzen nehmen; etw nicht allzu ernst nehmen. Bezog sich anfangs nur auf die Tragödie im Sinne einer Ausgewogenheit von Schuld und Sühne; von daher außerhalb des Theaters weiterentwickelt zur Bedeutung „schwerwie-

gend". Spätestens seit 1800. Vgl franz „prendre quelque chose au tragique".

2. das ist nicht weiter ~ = das ist nicht schlimm; das hat keine schlimmen Folgen. 1900 ff.

Tragödienbeine pl nach innen gewölbte Beine. ↗Bein 17. 1900 ff.

trainieren v mit dem Maßkrug (o. ä.) ~ = zechen. 1950 ff.

Traki m Traktor. Hieraus kosewörtlich verkürzt. Österr 1960 ff, kinderspr.

traktieren tr jn schikanieren. Eigentlich soviel wie „bewirten". Seit dem 19. Jh.

Trall m **1.** Spaß, Belustigung, Unsinn. Verkürzt aus dem Kehrreim „trallala" des deutschen Lieds, beeinflußt von „Drall = kreisende Bewegung". Seit dem ausgehenden 19. Jh, vorwiegend schül, stud und künstlerspr.

2. einen ~ haben = nicht recht bei Verstand sein. Um mimisch anzudeuten, daß einer nicht recht bei Sinnen sei, deutet man mit dem Zeigefinger eine kreisende Bewegung an der Schläfe oder auf der Stirn an. 1890 ff.

3. ~ machen = Unsinn machen. 1900 ff.

4. mach' keinen ~! = handle nicht töricht! unterlaß' das! 1900 ff.

Tralla m **1.** Stumpfsinn; Narretei. Vgl ↗Trall 1. 1900 ff, stud; 1939 ff, sold.

2. es ist (zum) ~ = es ist verloren. Leitet sich wohl her von Geld, das man für Tanzvergnügen o. ä. ausgegeben, „verjubelt" hat. 1920 ff.

Trallala n m **1.** Unsinn, Albernheit. ↗Trall 1. 1900 ff.

2. lustige Begebenheit. 1920 ff.

3. Betriebsamkeit. 1920 ff.

3 a. Schlagersingsang. 1930 ff.

3 b. Musikunterricht in der Schule. 1965 ff.

4. vornehm-kindisches Benehmen. 1950 ff.

5. ~ mit Fransen = unechtes Gehabe. 1950 ff.

6. einen ~ im Bauch (Kopf) haben = nicht recht bei Verstand sein. 1910 ff, schül und sold.

7. im ~ sein (einen ~ haben) = betrunken sein. 1950 ff.

trallala gehen intr verloren gehen. ↗Tralla 2. 1900 ff.

trallala machen intr ausgelassen sein; ohne Ernst sein; flirten; sich amüsieren. ↗Trallala 1. 1950 ff.

trallala sein 1. verrückt sein; nicht ernst zu nehmen sein. ↗Trallala 1. 1900 ff.

2. nervlich erschöpft sein. 1914 ff.

Traller m leichte Geistesgestörtheit; wunderliche Angewohnheit. ↗Trall 1. Nordd, ostd und mitteld, seit 1900.

Trällerscheibe f Schallplatte. Jug 1960 ff.

trallig adj leicht verrückt. ↗Trall 1. 1850 ff.

Tralljen pl Gefängnis, Arrest. Geht zurück auf franz „traille = Gitterstab; Gitter". Seit dem frühen 19. Jh.

Tram f Straßenbahn. Verkürzt aus ↗Trambahn. 1890 ff.

Trambahn f Straßenbahn. Nachbildung von engl „tramway = Schienenbahn". 1890 ff, bayr.

tramhappet (-hapert) adj betäubt; schlaftrunken; traumverloren; blöde. „Tram = Traum"; „happet (hapert)" steht mundartlich für „häuptig". Bayr und österr, spätestens seit 1800.

Trampe f 1. schwerer Schuh. ↗trampen 1. 1900 ff.
2. plumper Fuß. 1900 ff.
Trampel m f n schwerfällig, plump gehender Mensch. ↗trampeln 1. Seit dem 17. Jh.
Trampelkonzert n allgemeine Mißfallensbekundung mit den Füßen. 1965 ff.
Trampeln pl derbe Schuhe. ↗trampeln 1. 1900 ff.
trampeln v 1. intr plump, schwer auftreten. Iterativum zu „↗trampeln 1". Seit dem Mittelalter.
2. intr radfahren. Vielleicht unter Einfluß von „treten" aus „↗strampeln" verkürzt. 1900 ff.
3. intr die Bühnenrolle zu energisch spielen. Theaterspr. 1900 ff.
4. auf jm ~ = jn streng rügen; in die Überlegenheit spüren lassen. Seit dem 19. Jh.
Trampelpfad m 1. durch häufige Benutzung allmählich entstandener, schmaler Fußpfad. 1900 ff.
2. ~ der Liebe = Kurpromenade o. ä. 1920 ff.
3. ~ des Massenverkehrs = vielbefahrene Autobahnstrecke. 1955 ff.
4. ~ der Sünde = Straße, auf der die Prostituierten nach Kunden suchen. Berlin 1920 ff.
Trampeltier n 1. schwerfällig, plump gehender Mensch. Eigentlich Bezeichnung für das zweihöckrige Kamel (nicht für das einhöckrige Dromedar). Seit dem 16. Jh.
2. langsam tätiger Mensch. 1900 ff.
3. ~ Gottes = Mensch, dem alles mißlingt. Man sagt, Gott selbst „trample auf ihm herum"; aber vermutlich ist von der Gleichung „Roß Gottes = Esel = dummer Mensch" auszugehen. 1900 ff.
Trampelwerk n dicke Beine. „Werk" meint den Mechanismus (Mühlwerk, Uhrwerk usw.). 1965 ff.
trampen intr 1. (dt ausgesprochen) plump gehen; schwer auftreten; mit den Füßen stampfen. Lautmalender Herkunft. 1300 ff.
2. (dt oder engl ausgesprochen) Autofahrer anhalten und um unentgeltliche Mitnahme bitten; mit Hilfe kostenloser Fahrt in fremden Autos weite Strecken zurücklegen. Fußt auf engl „tramp = Landstreicher, Wanderer". Von unentgeltlichen Fahrten der „tramps" auf den frühen Eisenbahnen (vor allem Nordamerikas) berichten zahlreiche Abenteuerromane. 1920 ff.
Trampfahrt (Bestimmungswort meist engl ausgesprochen) f unentgeltliche Fahrt in einem Auto, dessen Fahrer man um Mitnahme gebeten hat. ↗trampen 2. 1920 ff.
Tramp-Reise (Bestimmungswort engl ausgesprochen) f Reise im Auto, deren Fahrer einen unentgeltlich mitnimmt. ↗trampen 2. 1950 ff.
Tran m 1. den ~ anvisieren = sich der Volltrunkenheit nähern. „Tran (Dran)" meint eine geringe Menge alkoholischen Getränks, etwa im Sinne von „Träne = Tropfen". Andererseits ist „Tran" das Fischfett, und wer in Tran tritt, gerät ins Torkeln. Auch kann das Einfetten der Stiefel mit dem „Ölen" der Gurgel verglichen sein. Seemannsspr. 1900 ff.
2. in ~ getreten haben = bezecht sein. Seit dem frühen 19. Jh, nordd und Berlin.

3. einen im ~ haben = betrunken sein. 1950 ff, stud.
4. im ~ sein = a) betrunken sein. Seit dem frühen 19. Jh. Ursprünglich nordd, heute gemeindeutsch und österr. – b) unaufmerksam, gedankenlos, verträumt, langsam sein. Seit dem frühen 19. Jh.
Träne f 1. Tropfen; geringfügige Menge Flüssigkeit; geringfügiger Schluck; schlecht eingeschenktes Glas. 1800 ff, gemeindeutsch.
2. wehleidiger, weichlicher Mensch; Energieloser. Seit dem 19. Jh.
3. langsam handelnder Mensch; langweiliger Mensch; Versager. Seit dem 19. Jh, vor allem schül, sold und arbeiterspr.
4. Klassenwiederholer. 1950 ff.
5. ~ im Knopfloch = geheuchelte Rührung; Rührseligkeit. ↗Träne 13. Seit dem ausgehenden 19. Jh, schül und stud.
6. blutige ~ = völliger Nichtskönner. ↗blutig 1. Sold 1930 ff.
7. hinterletzte ~ = sehr dumme weibliche Person. Ihre Dummheit ist so grenzenlos, daß man zu ihrer Charakterisierung auf den Endbegriff „letzt" scherzhaft noch „hinterletzt" folgen läßt. 1955 ff, halbw.
8. müde ~ = energieloser Mensch; Phlegmatiker. 1930 ff.
9. trübe ~ = langweiliger Mensch; Versager. Über „↗Träne 1" analog zu „trübe ↗Tasse". 1950 ff.
10. mit einer ~ im Knopfloch und einer Nelke (Rose) im Auge = entmutigt; zu Tränen gerührt. ↗Träne 13. 1950 ff.
11. mit einer zerquetschten ~ im Knopfloch = voller Rührseligkeit; in weicher Stimmung. ↗Träne 13. 1920 ff, schül.
12. sich ~n abquetschen = gewaltsam Tränen herauspressen. 1920 ff.
12 a. ich breche gleich in ~n aus = Rührung überkommt mich (iron). 1960 ff.
13. danken mit einer ~ im Knopfloch = gerührt danken (iron). Im ausgehenden 19. Jh unter Schülern und Studenten verdreht aus „danken mit einer Träne im Auge und einer Nelke im Knopfloch".
14. über etw zu ~n gerührt sein = an etw keinen Gefallen finden; Schadenfreude verspüren. 1900 ff.
15. ~n in den Augen haben = etw mit gespieltem Bedauern ablehnen. 1950 ff.
16. mir kommen die ~n = ich bin gerührt (iron). 1950 ff.
17. ihm laufen die ~n kreuzweise den Rücken (den Buckel, den Wanst) runter = er schielt stark. Eine berlinische Prägung aus dem späten 19. Jh.
18. ~n lockermachen = geheuchelte Tränen vergießen. 1920 ff.
19. ~n melken = Mitleid hervorzurufen trachten; durch Hervorhebung trauriger Lebensstände der Verstorbenen das Trauergefolge zum Weinen bringen. 1900 ff.
20. eine ~ nehmen = Alkohol zu sich nehmen. ↗Träne 1. 1900 ff.
21. ganz ~ sein = wehleidig, weinerlich sein. 1920 ff.
22. auf den ~n spazieren gehen = mitleidige Gemüter antreffen. Vgl ↗Kahn 13. 1961 ff.
22 a. da steigen einem ja die ~n unter den Schädel: Ausdruck geheuchelter Anteilnahme. 1975 ff.

23. eine lange ~ weinen = harnen. Sold 1939 bis heute.
tranen intr langsam, saumselig zu Werke gehen; unaufmerksam sein. Verbal zu ↗Tran 4. 1900 ff, vorwiegend nordd und ostmitteld.
Tränenarie f Reuebezeigung unter reichlichem Tränenvergießen. Entstammt der Theatersprache unter Bezug auf eine unter Weinen gesungene Arie. 1950 ff, halbw.
Tränendrüse f 1. Schauspielerin, die ihr Bedarf herzhaft zu weinen versteht. Wahrscheinlich aufgekommen im Zusammenhang mit den Leistungen der Filmschauspielerin Maria Schell. 1955 ff.
2. leicht zu Tränen neigende weibliche Person. 1955 ff.
3. an die ~ appellieren = gerührte, weinerliche Stimmung hervorzurufen suchen. 1955 ff.
4. auf die ~ drücken = Mitleid wachzurufen suchen; rührselig predigen. Seit dem ausgehenden 19. Jh, gemeindeutsch und österr.
5. die ~n reizen (massieren, strapazieren) = rührselig singen, predigen o. ä. 1955 ff.
tränendrüsig adj rührselig. 1960 ff.
Tränenknüppel m Tränengasstab. 1963 ff.
Tränenmasche f zweckdienlicher, geschäftsträchtiger Einsatz von Rührseligkeit; Produktion rührseliger Filme o. ä. ↗Masche 1. 1950 ff.
Tränenorgie f überreichliches Vergießen von Tränen der Rührung. 1950 ff.
Tränenpumpe f rührseliges Bühnenstück o. ä. Seit dem frühen 19. Jh (Heinrich Heine 1822).
Tränensack m 1. wehleidiger, energieloser Mensch. 1920 ff.
2. Versager. 1935 ff.
3. ABC-Schutzmaskenbehälter. Anspielung auf Tränengas. BSD 1965 ff.
4. pl = Wülste unter den Augen. Seit dem 19. Jh.
Tränentier n 1. leicht zum Weinen neigender Mensch. Durch „Tränen-" verdeutlichte Variante zu „armes ↗Tier". Seit dem späten 19. Jh, gemeindeutsch.
2. langsamer, energieloser, langweiliger Mensch. 1900 ff, sold und halbw.
3. Versager. 1900 ff.
4. dummer Mensch. 1900 ff.
5. unaufmerksamer Mensch. 1900 ff.
tränentriefend adj sehr gefühlvoll. 1960 ff.
tränerig adj wehleidig. 1930 ff.
Tranflöte f langweiliger, unaufmerksamer, benommener Mann. Wohl Anspielung auf den inaktiven Penis. ↗Flöte 1. ↗tranig. 1900 ff.
Tranfunzel f 1. schwach brennende Lampe. Eigentlich die mit Tran gespeiste Lampe; ↗Funzel. Seit dem 19. Jh.
2. langweiliger, langsam tätiger Mensch. Vom trüben Lichtschein übertragen auf trübe Sinne. 1900 ff.
tranig adj benommen, trübselig, geistesabwesend; langweilig; schwerfällig. ↗Tran 4 b. 1800 ff.
tränig adj dumm. ↗Träne 3. 1920 ff.
'Tran'kloß m langweiliger, langsam tätiger Mensch. ↗Kloß. Spätestens seit 1900, schül und sold.
'tran'klößig adj langweilig; langsam tätig. 1900 ff.
'tran'klüterig adj lustlos, melancholisch. Niederd „klüterig" = hd „klößig". 1900 ff.

Tranlampe f langweiliger, schwungloser, geistig schwerfälliger Mensch. Analog zu ↗Tranfunzel. 1890 ff.

Tranpott m langweiliger, träger Mensch. Eigentlich der Topf zur Aufbewahrung von Tran; hier beeinflußt von „↗tranen". Nordd und westd. 1870 ff.

Trans (Transe) f fremdsprachliche Übersetzungshilfe für träge Schüler. Verkürzt aus engl „translation". 1900 ff, schül.

Transi m 1. Transvestit. 1980 ff.
2. (auch n) Transistorgerät. Jug 1970 ff.

Transistorialrat m Pfarrer, der im Fernsehen das „Wort zum Sonntag" spricht. Zusammengesetzt aus „Transistor" und „Konsistorialrat". Fernsehreporterspr. 1968 ff. (Mitgeteilt von Reinhard Albrecht.)

transparent adj 1. durchgeschwitzt, verschwitzt. Scherzhaft aus „transpiriert" entstellt. 1910 ff.
1 a. etw ~ machen = etw durchschaubar, erkennbar machen; etw der Öffentlichkeit zugänglich machen. 1960 ff.
2. für jn ~ sein = von jm nicht beachtet, absichtlich übersehen werden. Gewissermaßen sieht der eine durch den anderen hindurch. 1950 ff.

Transparen'titis f übertriebene Verwendung von Spruchbändern mit politischen Parolen, Werbetexten usw. Im Sinne einer krankhaften Erscheinung aufgekommen mit der NS-Zeit und nach 1945 beibehalten in Ost und West.

Transplantation f fremdsprachliche Übersetzung. Aus engl „translation" entstellt, wohl unter Einfluß der aufsehenerregenden Herz- und Nierenverpflanzungen seit 1968. Schül 1969 ff.

Transuse f langweiliger, energieloser, geistig schwerfälliger Mensch. Meint eigentlich eine langweilige weibliche Person namens Susanne. ↗Tran 4 b. Seit dem 19. Jh.

Trantute (-tüte) f 1. energieloser, temperamentloser Mensch. Wohl übertragen von einer Kindertrompete aus Ölpapier o. ä.: sie kann wehklagend klingen. Seit dem ausgehenden 19. Jh, Berlin und ostmitteld.
2. weinerliche Frau. 1900 ff.

Trapez n 1. etw aufs ~ bringen = etw zur Sprache bringen. Scherzhaft entstellt aus „etw aufs ↗Tapet bringen". Seit dem ausgehenden 19. Jh, schül, stud und sold.
2. kommt nicht aufs ~!: Ausdruck der Ablehnung. Das Gemeinte ist indiskutabel. 1890 ff, schül, stud und sold.
3. es ist auf dem ~ = es wird erörtert. 1900 ff.

trappeln intr kartenspielen. Geht zurück auf die ältesten europäischen Spielkarten (carta di Trappola), die aus Italien kamen. 1900 ff.

Trapper m Soldat, der dazu ausgebildet wird, im Krieg mit atomaren Waffen zu überleben. Stammt aus dem Angloamerikan und meint dort den Fallensteller, den Pelztierjäger. BSD 1965 ff.

Trapp'trapp n 1. Pferd; Pferdefleisch. Eigentlich schallnachahmend für das Pferdegetrappel. Vgl auch ↗Trabtrab. 1870 ff.
2. besser ~ als Miau-Wauwau! = lieber Pferdefleisch als Katzen- oder Hundefleisch. Sold 1939 ff.

Tra'ra n 1. lärmendes Aufsehen; geräuschvolles Beiwerk. Schallnachahmung des Klangs von Horn und Trompete, dann wegen der Lautstärke zur Geltung von „Lärm" und „Drum und Dran" gelangt. Seit dem 19. Jh.
2. dreistöckiges ~ = übertrieben starker Lärm; allzu lautstarke Gemütsäußerung. 1955 ff, jug.
3. aus (um) etw ein ~ machen = um etw Aufsehen machen; eine Sache aufbauschen. 1900 ff.

Tratsch m 1. Schneematsch. ↗tratschen 1. Vorwiegend oberd, seit dem 19. Jh.
2. leeres Gerede; Geschwätz. ↗tratschen 3. 1700 ff.
3. Flirt. Schül 1960 ff.

Tratsche (Tratschen) f geschwätziger Mensch, der über andere gehässig spricht. ↗tratschen 3. 1700 ff.

tratschen intr 1. in Nassem gehen, waten. Schallnachahmend wie „↗klatschen", „↗patschen" u. ä. Oberd seit dem 19. Jh.
2. heftig regnen. Lautmalend für das geräuschvolle Auftreffen von Wasser. Hess seit dem 19. Jh.
3. schwatzen; breit reden; ein Gerede machen. Vom Klatschen und Aufspritzen des Wassers übertragen. ↗klatschen 3. 1700 ff.
4. unbedachte Äußerungen tun; ausplaudern; verraten. Dieselbe Doppelentwicklung wie bei „↗klatschen". 1800 ff.

tratschig adj 1. morastig. ↗tratschen 1. Seit dem 19. Jh.
2. geschwätzig. ↗tratschen 3. Seit dem 18. Jh.

'tratsch'naß adj völlig durchnäßt. ↗tratschen 2. Seit dem 19. Jh, hess und rhein.

Tratschregen m starker Regen. ↗tratschen 2. Seit dem 19. Jh, hess und rhein.

Tratschwetter n anhaltendes Regenwetter. ↗tratschen 1. Seit dem 19. Jh. Bayr und österr.

tratzen (trätzen) tr jn necken, ärgern. Ablautende Nebenform zu „↗triezen" oder verwandt mit „trotzen, trutzen". Seit mhd Zeit.

Traubensaft m hochkarätiger ~ = Wein. ↗hochkarätig 5. BSD 1965 ff.

trauen v trau, Revue, wem! = trau, schau, wem! Wortwitzelei mit „schau" und „Schau". 1920 ff.

Trauer f 1. ~ blasen = trüben Gedanken nachhängen. Hergenommen vom Choralblasen zu Ehren eines Verstorbenen. Südd, 1900 ff; wohl sehr viel älter.
2. in ~ sein = zur Zeit keine Freundin haben. „In Trauer geht" eigentlich, wer einem Toten nachtrauert und Trauerkleidung trägt. Halbw nach 1945.
3. ~ haben (tragen) = a) schmutzige Fingernägel haben. Scherzhafte Bezeichnung. Vgl ↗Trauerrand. 1870 ff. – b) Ärger bekommen. Berlin 1950 ff.
4. seine ~ weiden = sein Unglück zur Schau tragen, um Mitleid zu erregen oder sich interessant zu machen. Die Wendung ist wohl durch die „Trauerweide" mit ihren niederhängenden Zweigen angeregt. 1900 ff.

Trauerbuxen pl zu kurze Hosen. Vgl ↗halbmast 3. 1900 ff, nordd.

Trauerdach n schwarzer Regenschirm. 1950 ff.

Trauerfahne f 1. schmutziges Taschentuch. 1900 ff.
2. sehr schmutziges Hemd. Sold in beiden Weltkriegen.
3. Alkoholdunst eines Menschen, der an

einer Beerdigungsgesellschaft teilgenommen hat. ↗Fahne. 1920 ff.

Trauerfall m . . . sonst gibt's in deiner Familie einen ~!: Drohrede. 1950 ff.

Trauerfunzel f trüb brennende Lampe. ↗Funzel. 1870 ff.

Trauerkloß m verdrossener Mensch. ↗Kloß. Gemeindeutsch, ohne Bayern, seit dem 19. Jh.

trauerklößig adj bedrückt, benommen, schwunglos, temperamentlos. Seit dem 19. Jh.

trauerklötig (-klötrig) adj niedergeschlagen, bedrückt, langweilig. „klötig" ist niederd Entsprechung zu hd „klößig". Seit dem 19. Jh.

Trauerklotz m 1. energieloser, mutloser Mann. 1920 ff, sold.
2. großer Spielverlust. Glücksspielerspr. 1950 ff.

Trauermädchen n Prostituierte, die von den Männern abgelehnt wird. Sie ist das Gegenteil von „Freudenmädchen". 1955 ff.

Trauernagel m schmutziger Fingernagel. ↗Trauerrand 1. 1870 ff.

Trauerrand m 1. schmutziger Fingernagel. Übertragen von der schwarzen Umrandung der Todesanzeigen. 1870 ff.
2. Schmutzrand. 1870 ff.
3. pl = dunkle „Ringe" unter den Augen. 1920 ff.

Trauerspiel n 1. traurige Lebensumstände; bittere Armut o. ä. Von der Tragödie übernommen. 1900 ff.
2. schlechte Spielkarten in der Hand. Kartenspielerspr. 1900 ff.
3. jämmerlicher Anblick; schlechter Ausgang einer Sache. 1920 ff.
4. schlechtes Fußballspiel. Sportl 1950 ff.

Trauerweide f 1. betrübter, wehleidiger Mensch. Bekannt als Friedhofsbaum mit hängenden Zweigen. Herabhängendes steht sinnbildlich für Mutlosigkeit (man „läßt den Kopf hängen"). 1900 ff.
2. Sentimentale (als Bühnenrolle). Theaterspr. 1900 ff.
3. Mädchen, das man nur in Ermangelung reizvollerer Partnerinnen zum Tanz auffordert. Halbw nach 1945.

Traum m 1. ~ von Abendkleid (o. ä.) = wunderschönes Abendkleid (o. ä.). Es ist so schön, wie man es eigentlich nur im Traum erleben kann. 1900 ff.
2. ~ aus der Ampulle = Rauschgift in flüssiger Form. 1960 ff.
3. ~ auf Bestellung = Hypnose. 1955 ff.
4. ~ einer Jungfrau = Bockwurst. Wegen Formähnlichkeit mit dem Penis. 1900 ff.
5. ~ meiner schlaflosen Nächte = Geliebte(r); Mädchen (Mann), das (den) man sich nicht schöner, lieber und netter wünschen kann; Sehnsuchtsziel. 1910 ff, stud.
6. ~ des Soldaten = Zivilist. BSD 1965 ff.
7. blonder ~ = angebetete Blondine. Bezog sich anfangs auf die Filmschauspielerin Lilian Harvey, die 1931 in dem Film „Ein blonder Traum" die Hauptrolle spielte. Schül und stud 1931 ff.
8. feuchter ~ = Traum mit unfreiwilligem Spermaerguß. 1935 ff.
9. violetter ~ = Lysergsäurediäthylamid (LSD). „Rot- oder Blauträume" fließen bei Halluzinationen meist zu Violett zusammen. 1960 ff, halbw.
10. weißer ~ = weißes Brautkleid. Vgl ↗Traum 1. 1900 (?) ff.
11. aus der ~! ↗aus II 1.

12. an etw nicht im ~ denken = etw weit von sich weisen. Nicht einmal im Traum ließe man sich auf derlei ein. Seit dem 19. Jh.

13. das fällt mir nicht im ~ ein!: Ausdruck der Ablehnung. Was einem nicht einmal im Traum einfiele, ist in wachem Zustand gänzlich unmöglich. 1700 ff. Vgl engl „I would not dream of it".

14. ein schöner ~ geht zu Ende: Redewendung der Kartenspieler, wenn die Niederlage des Gegners unausbleiblich ist. Der Ausdruck soll sich auf die letzten Worte des Marschalls Moritz von Sachsen auf dem Sterbebett (30. November 1750) beziehen. Kartenspielerspr. 1870 ff.

15. einen salzigen ~ gehabt haben = sehr durstig sein. 1900 ff.

16. auf etw nicht im ~ kommen = an etw auf keinen Fall denken. 1920 ff.

17. jn ins Land (Reich) der Träume schicken = jn durch „Knockout" besiegen. Gegen 1920 aus der Sprache englischer Sportreporter übernommen.

Traumauto n Auto, wie man es sich nicht schöner vorstellen kann. Übersetzt aus angloamerikan „dream car". 1955 ff.

Traumberuf m ersehnter, mit Illusionen reichlich ausgestatteter Beruf. 1950 ff.

Traumboot n blaues ~ = Polizeiwagen. „Traumboot" übersetzt engl „dream-boat". Die Vokabel wurde 1963 in Gießen in einem Obdachlosenasyl gehört.

träumen f **1.** das hätte er sich nicht ~ lassen = das hätte er nie erwartet. Das Gemeinte übertrifft alle geheimen, nur im Traum verwirklichten Wünsche. 1700 ff.

1 a. intr = unter Rauschgifteinwirkung stehen. 1960 ff.

2. süß ~ = angenehm träumen. ↗süß. Seit dem 19. Jh.

3. träume süß!: Gute-Nacht-Wunsch. Seit dem 19. Jh.

Traumfabrik f **1.** Filmatelier, -gesellschaft; Filmwesen; Filmkunst. Der Ausdruck soll um 1930 von Ilja Ehrenburg geprägt worden sein. Vgl engl „dream-factory".

2. Lysergsäurediäthylamid (LSD). Halbw 1955 ff.

Traumflöte f langsamer, wenig lebenstüchtiger Mensch. Vgl ↗Tranflöte. Berlin 1870 ff (auch in der Form „Droomflöte").

Traumfußball m ideales Fußballspiel. Sportl 1960 ff.

Traumgespielin f Geschlechtspartnerin mit Idealfigur. „Gespielin" übersetzt engl „play-girl". 1960 ff, journ.

traumhaft adj adv unglaublich schön. 1955 ff.

traumhappert adj benommen, schlaftrunken. ↗tramhappet. Bayr seit dem 19. Jh.

Trau-mich-nicht m zaghafter Mensch. Ein Satzname. 1960 ff.

Traumjahrgang m Weinjahrgang mit hohen Mostgewichten. 1955 ff.

Traumkapsel f Luxusauto mit allem erdenkbaren Komfort. 1950 ff.

Traumkloß m Träumer. ↗Kloß. 1930 ff.

Traumkutsche f Auto, das höchsten Ansprüchen gerecht wird. 1955 ff.

Traumlade f Träumer; unaufmerksamer, schwungloser, träger Mensch. Berlin 1870 ff.

Traumland n **1.** jn ins ~ schicken = jn niederboxen. Aus dem angloamerikan Sportlerwortschatz übersetzt. 1920 ff.

2. im ~ sein (weilen) = niedergeboxt worden sein; besinnungslos sein. 1920 ff.

Traummännleingeschichten pl erzähle mir keine ~! = belüge mich nicht! „Traummännlein" sind in Träumen erscheinende Zwerggestalten (Wichtel, Gnomen), die Wunder wirken können. Österr 1950 ff.

Traummodell n einzigartiges Modellkleid. ↗Traum 1. 1955 ff.

Traumpaar f beliebte Künstler, die (in den Augen des Betrachters) ein ideales Liebes- und Ehepaar abgäben. 1930/35 ff.

Traumpreis m erschwinglicher Preis. Werbetexterspr. 1965 ff.

Traumreise f **1.** Reise in ferne Länder, Kontinente („Welten"). 1955 ff.

2. Rauschgiftrausch. ↗Trip. 1960 ff.

Traumschaffe f herrliches Ereignis. ↗Schaffe 2. 1950 ff.

Traumschaukel f **1.** Hängematte. In ihr läßt sich gut träumen. 1940 ff.

2. Häftlingsbett. Ironie. Durch einstige Insassen des Konzentrationslagers Sachsenhausen nach 1945 verbreitet.

3. Luxusauto. 1955 ff.

4. Rauschgift. Halbw 1960 ff.

Traumschlitten m Luxusauto. ↗Schlitten. 1955 ff.

Traumsuse f träumerisch, schwärmerisch veranlagte weibliche Person; einfältiger Mensch. ↗Suse. Vgl auch ↗Transuse. 1900 ff, Berlin.

Traumtanz m Hingabe an Hirngespinste. Leitet sich her vom schwerelosen Tanzen im Traum (während man in wachem Zustand ein schlechter Tänzer ist). Spätestens seit 1939.

Traumtänzer m Mensch, der Vorstellungen hegt, die nicht zu verwirklichen sind. Vgl das Vorhergehende. Scheint nach 1933 aufgekommen zu sein.

Traumtute f unaufmerksamer Mensch. ↗Tute; ↗Trantute. 1900 ff.

Traumvase f Nachtgeschirr. 1900 ff, nördlich der Mainlinie.

Traumwagen m **1.** kostspieliges Auto mit jeder erdenklichen Annehmlichkeit. Stammt aus angloamerikan „dream car". 1955 ff.

2. Auto, dessen Fahrer einen Fremden unentgeltlich und möglichst weit mitnimmt. 1955 ff.

traun fürwahr interj Ausdruck der Bejahung oder Bekräftigung. Als stehende Wendung übernommen aus der Odyssee-Übersetzung von Johann Heinrich Voß (1781); der Ausdruck fußt auf mhd „entriuwen = in Treuen". Schül seit dem 19. Jh bis heute.

traurig adj **1.** schlecht, minderwertig, langweilig; untüchtig. Vom Begriff „beklagenswert" weiterentwickelt zur Bedeutung „jämmerlich" und „grundschlecht". Seit dem späten 19. Jh.

2. ~ für die Hinterbliebenen: Redewendung auf die Verlierer beim Kartenspiel o. ä. Kartenspielerspr. 1870 ff.

3. ~, aber wahr = bedauerlich, aber unabänderlich. Vielleicht dem Bänkelsang entlehnt. 1870 ff.

4. damit sieht es ~ aus = das ist nicht vorhanden. 1900 ff.

5. etw ~ raushaben (weghaben) = etw vorzüglich meistern. „Traurig" gibt die Stimmung der Unterlegenen wieder: es ist

traurig für uns, daß es so gut kann. Spätestens seit 1900, Berlin; sold 1905 ff.

Trautchen m n Langsamfahrer. Er hat nur wenig „↗Traute". 1935 ff.

Traute f **1.** Mut, Zutrauen. Substantiv zu „sich trauen = sich vermessen; wagen". Berlin und ostd seit dem späten 19. Jh.

2. Braut; Jungvermählte. Traut = lieb, behaglich, vertraut. Berlin, 1910 ff.

Trebe f **1.** auf ~ gehen = sich dem Fürsorgeheim, dem Elternhaus o. ä. entziehen; ohne festen Wohnsitz leben. Nach 1965 auf der Grundlage von „↗trefe" weiterentwickelt. Vielleicht schon um 1920 in Berlin geläufig.

2. auf ~ sein = aus der Familie o. ä. entwichen sein. 1965 ff.

Trebegänger (Treber) m dem Elternhaus, dem Fürsorgeheim o. ä. entwichener Jugendlicher. Berlin 1920 ff; wiederaufgelebt um 1970.

Trebegängerhaus (Trebehaus) n von der zuständigen Behörde angemietetes Haus, in dem Jugendliche, die dem Elternhaus entwichen sind, gemeinsam mit Gleichgesinnten leben. 1970 ff.

treben (trebengehen) intr sich dem Elternhaus entziehen und mit Gleichgesinnten zusammenleben. Berlin 1920 ff.

Treber m ↗Trebegänger.

Trebling m Jugendlicher auf Flucht vor dem Elternhaus. Vgl ↗Trebe 1. 1970 ff.

Treck m Wanderzug. ↗trecken. Niederd seit dem 14. Jh.

Treckbüdel (Treckebüdel, Treckbeutel) m Ziehharmonika. Büdel = Beutel; Balg; ↗trecken 1. 1900 ff, niedersächsisch.

trecken v **1.** tr = ziehen. Schon seit mhd Zeit. Herleitung ungesichert.

2. intr = mit Hab und Gut flüchtend das Land durchziehen. Im 19. Jh aus den Niederlanden entlehnt; ndl „trekken = mit dem Ochsenkarren wandern"; anfangs nur auf die Buren in Südafrika bezogen; etwa seit 1940 auch auf europäische Binnenwanderungen ausgedehnt, vor allem auf die Vertreibung der Deutschen aus den Ostgebieten des Deutschen Reiches.

trefe (treife) adj **1.** unrein; gestohlen. Geht zurück auf jidd „trepho = unrein"; weiterentwickelt zur Bedeutung „unehrlich, verdächtig, gestohlen". Rotw 1750 ff.

2. ~ gehen = unter ungünstigen Bedingungen auf der Flucht sein. Rotw 1750 ff.

3. jn ~ machen = jn einer Tat überführen. Rotw seit dem 19. Jh.

4. nicht ~ stehen = nicht überführt werden können. Rotw seit dem 19. Jh, Berlin.

Treff I m **1.** schneller, wohlgezielter Hieb; schwerer Schlag; Fähigkeit zu treffen. Seit mhd Zeit.

2. Verletzung; Verwundung. Treff = Treffer. Seit mhd Zeit.

3. Treffpunkt; Stelldichein; Begegnung. Eigentlich das Zusammentreffen. Spätestens seit 1900; möglicherweise anfangs rotw.

4. guter Griff bein Auswählen; glücklicher Zufall. Rhein 1900 ff.

5. Rufname des Hundes. Er ist wohl treffsicher im Zupacken. Seit dem 19. Jh.

6. blinder ~ = Verabredung mit unbekannter Person. 1930 ff.

7. guter ~ = glückliches Zusammentreffen; Glücksfall. 1900 ff.

8. seinen ~ abkriegen = verwundet werden. ↗Treff 2. Seit dem 19. Jh.

9. seinen ~ haben = sich durch eine Äußerung getroffen fühlen; eine Abfuhr erlitten haben. Man ist (wie) von einem Schuß getroffen. 1900 ff.

Treff II n **1.** ~ ist dicker als Pik = „Treff" gilt in der Bewertung mehr als „Pik"; eine „Treff"-Karte sticht die entsprechende „Pik"-Karte. Übertragen von der sprichwörtlichen Redensart: „Blut ist dicker als Wasser". Kartenspielerspr. seit dem 19. Jh. **2.** dastehen wie Treff-Sieben = verblüfft, ratlos sein; das Nachsehen haben. Vgl ↗Pik-Sieben 1. 1900 ff.

treffen ↗wir ~ uns nochmal woanders!: Drohrede, mit der man die handfeste Auseinandersetzung auf später und andernorts aussetzt. Spätestens seit 1900.

Treffer m **1.** Ejakulation. Analog zu ↗Schuß 3. Seit dem 19. Jh. **2.** ~ ins Schwarze = treffende Bemerkung; erfolgreiche Unternehmung. „Das Schwarze" ist die Zielscheibenmitte. 1900 ff. **3.** billiger ~ = Glücksfall; Zufallstreffer. „Billig" besagt, daß man zu dem Erfolg nichts (oder nur wenig) beigetragen hat. 1900 ff. **4.** einen ~ landen = im richtigen Augenblick ein treffendes Wort sagen. 1920 ff.

trefflich adj ~ schön singt unser Küster: Redewendung unter Kartenspielern, wenn Treff Spielfarbe wird oder mit einer Treffkarte getrumpft wird. Ausmalende Fortführung der Ansage „Treff". Seit dem 19. Jh.

treiben v **1.** es mit jm ~ = mit jm geschlechtlich verkehren. Treiben = sich mit etw beschäftigen. Vgl auch „sein Spiel mit jm treiben", anspielend auf das Liebesspiel. Seit dem 19. Jh. **2.** damit kann man ihn ~ = damit kann man ihn vergraulen, ihm das Verbleiben verleiden. Vgl ↗jagen 2. Seit dem 19. Jh.

Treibhauspflanze f zartes, empfindliches Mädchen. 1950 ff.

Treibstoff m **1.** Abführmittel. Eigentlich der Betriebs-, Kraftstoff für Verbrennungsmotoren. 1900 ff. **2.** die Geschlechtskraft förderndes Mittel. 1920 ff. **3.** alkoholisches Getränk, das geschlechtliche Hemmungen beseitigt. 1920 ff. **4.** chemischer ~ = Weckamine o. ä. 1960 ff.

treife ↗trefe.

Trentschen (Trentschn, Trenschn, Treanschen) f Mund; Hängelippe; mürrischer Gesichtsausdruck. Fußt auf dem Folgenden und ist dadurch Analogie zu „Flunsch". Bayr und österr, seit dem 19. Jh.

trentschen intr tr verunreinigen, beklecksen. Nasaliierte Nebenform zu „↗tratschen 1 u. 2". Bayr und österr, seit dem 19. Jh.

trenzen intr **1.** geifern. Versteht sich wie das Vorhergehende. Oberd 1500 ff. **2.** weinen, schreien. Bayr 1500 ff; auch hess.

Treppchen n **1.** ein ~ tiefer gehen = den Abort aufsuchen. Leitet sich her von der Anlage des Aborts im Treppenhaus zwischen den Stockwerken. Seit dem 19. Jh. **2.** jm vor das ~ scheißen = jn prellen, übertölpeln. „Treppchen" meint die kurze Treppe vor dem Hauseingang. Verunreini-

gung mit Kot ist gleichbed mit Betrug und Übervorteilung; ↗bescheißen. 1960 ff.

Treppe f **1.** hautenge ~ = sehr schmale Treppe. „Hauteng" ist hier von der Modensprache übertragen auf die Architektur. 1960 ff. **2.** auf halbe ~ gehen = den Abort aufsuchen. ↗Treppchen 1. Seit dem 19. Jh. **3.** die ~ rauffallen (nach oben fallen; hochfallen) = nach Entlassung aus der Stellung einen besseren, angenehmeren Posten erhalten. Der Degradierte fällt auf der Stufenleiter der Dienstränge und Amtsstellungen zurück; ist mit der Degradierung letztlich eine Verbesserung verbunden, faßt man es scherzhaft als ein Hinauffallen auf. Seit dem frühen 19. Jh (Heinrich Heine 1840). **4.** die ~ runterfallen = degradiert werden. Seit dem 19. Jh. **5.** die ~ runtergefallen sein = frisch die Haare geschnitten haben. Beruht auf der grotesken Vorstellung, daß beim Hinunterfallen die Treppenstufen wie Schere oder Messer gewirkt haben. Wird gelegentlich auch im Sinne von „↗Treppe 7" aufgefaßt und erklärt. Seit dem 19. Jh. **6.** die ~ runterfliegen = fristlos entlassen werden. ↗fliegen 1. 1900 ff. **7.** ~n schneiden = das Haar in unschönen Abstufungen schneiden. Seit dem 19. Jh.

Treppenreflex m Wutsteigerung durch eigene Schimpfrede. Man steigert sich stufenweise in seiner Wut. Wird heute „Eskalation" genannt. Sold in beiden Weltkriegen, vor allem mit Bezug auf die Vorgesetzten.

Treppenwitz m verspätete Erkenntnis; kluger Einfall, der zu spät kommt. Übersetzung von franz „esprit d'escalier" im Sinne eines guten Einfalls, der leider erst dann kommt, wenn man nach vergeblicher Audienz bereits auf der Treppe steht. Nach 1850 aufgekommen.

Tresen m Schanktisch, -theke; Banktheke. Geht zurück auf lat „thesaurus = Schatz" und bezieht sich auf die Geldschublade im Ladentisch, auch auf die Ladenkasse. Vorwiegend westf, auch hess u. a., seit dem 19. Jh.

Tresor m **1.** Vagina. ↗Schatztruhe 2. 1870 ff. **2.** Busenausschnitt; Mieder. Kann als vorübergehender Aufbewahrungsort für Geldscheine dienen. 1950 ff. **3.** verschlossen wie ein ~ = unzugänglich; wortkarg; schweigsam. 1950 ff.

Tresorknacker m **1.** Tresoreinbrecher. 1920 ff. **2.** pl = Panzerabwehr. BSD 1965 ff.

Tresse f Schaum auf dem Glas Bier. Er ähnelt (in der Seitenansicht) einer weißen Litze. 1860 ff.

treten v **1.** jn ~ = jm heftig zusetzen; jn quälen, überstreng behandeln. Man behandelt den Betreffenden mit Fußtritten. Seit dem 18. Jh. **2.** jn ~ = jn wegen einer Geldschuld mahnen; jn um Geldzuwendung angehen; jn drängen, antreiben. Man tritt ihm auf die Schuhspitze, um ihm einen heimlichen, aber unmißverständlichen Wink zu geben, oder man tritt ihn ins Gesäß, um ihn anzutreiben. Stud seit dem ausgehenden 18. Jh.

3. jn ~ = jn erpressen. Euphemismus im Munde von Verbrechern. 1900 ff. **4.** jn ~ = koitieren. Von den Vögeln hergenommen. 1920 ff. **5.** nicht zum ~ = gedrängt voll (bezogen auf Verkehrsmittel, auf Tanzflächen o. ä.). 1900 ff.

Treter m **1.** Vorgesetzter, der Untergebene schikaniert (aber Höhergestellte hofiert). ↗treten. Kann aber auch über den „Pedaltreter" den „↗Radfahrer" meinen. BSD 1965 ff. **2.** pl = Schuhe, Stiefel. Im späten 19. Jh aufgekommen. **3.** pl = Beine, Füße. Kundenspr. 1835 ff.

'Tret'esel m Fahrrad. Zum Unterschied vom „↗Benzinesel" muß dieses Fahrzeug getreten werden. 1890 ff.

Tretmine f **1.** leicht aufbrausender Vorgesetzter. Die Mine explodiert bei leichtem Darauftreten. Sold 1939 ff. **2.** Kothaufen, Kuhfladen. Sie sind formverwandt, und wer unversehens hineintritt, braust auf. Sold 1939 ff. **2 a.** heikle Aufgabe; bedenkenerregende Vereinbarung. Man läuft Gefahr, in eine „Falle" zu geraten. 1970 ff.

Tretmühle f **1.** eintönige, gleichmäßig abwechslungslose Tätigkeit; Arbeitsplatz mit immer derselben Arbeit; der Alltag. Meint eigentlich das Mühlrad, das nicht durch Wasser betrieben wird, sondern durch ein Tier oder einen Menschen, der im Innern des Radgangs fortwährend auf der Stelle tritt. Spätestens seit 1800. **2.** Schule. 1920 ff. **3.** Fahrrad. Auch diese „Mühle" wird durch Tretbewegungen in Gang gesetzt. 1910 ff. **4.** Ergometer; Zimmerfahrrad als Trainingsgerät. 1975 ff.

Tretroß n Fahrrad. Dem „↗Benzinroß" und dem „↗Dampfroß" an die Seite gestellt. 1920 ff.

Tretsport m Fußballsport. Die Vokabel läßt es absichtlich offen, ob nur der Ball getreten wird oder auch der Gegner. Sportl 1950 ff.

Treu m Rufname des Hundes. 1900 ff.

treu adj **1.** ~ und brav = bieder, genau, ordnungsgemäß. „Treu" bezieht sich auf die Leistungserwartung und „brav" auf den Gehorsam, den Pflichteifer. 1900 ff. **2.** du bist ~! = du bist wunderlich, naiv, töricht! Weiterentwickelt aus „treu = verläßlich, zuverlässig" zur Bedeutung „vertrauensvoll, gutmütig" und schließlich zu „leichtgläubig, einfältig". Seit dem ausgehenden 19. Jh.

'treu'deutsch adj adv **1.** in herkömmlicher Weise. Meint eigentlich „deutscher Sitte getreu". 1920 ff. **2.** eigentümlich im Wesen. Anspielung auf eine gewisse Versponnenheit, die man dem Deutschen zum Vorwurf macht oder als Nationaleigenschaft wertet. 1920 ff.

'treu'doof adj naiv, einfältig; zum eigenen Schaden aufrichtig. 1920 ff (1890?), vorwiegend schül, stud und sold.

tribulieren tr jn quälen, necken; jm hart zusetzen. Fußt auf mittellat „tribulare = pressen, bedrängen". Seit dem 13. Jh.

Tribüne f ~ des kleinen Mannes = Apfelsinenkiste als Podest des Zuschauers bei Karnevalszügen o. ä. 1960 ff.

Tribünensport m Teilnahme an sportlichen Veranstaltungen als Zuschauer von der Tribüne aus. *Sportl* 1955 *ff*.

Trichinen *pl* Läuse o. ä. Eigentlich schmarotzende Fadenwürmer im Fleisch. Kundenspr. 1900 *ff*; sold 1914 *ff*.

Trichinendoktor *m* 1. Arzt für Haut- und Geschlechtsleidende. Die Trichinen gelten hier (fälschlich) als die Erreger von Geschlechtskrankheiten. 1870 *ff*, sold und prost.
2. Amtsarzt, der die amtlich zugelassenen Prostituierten allwöchentlich zu untersuchen hat. 1870 *ff*, sold und prost.

trichinenfrei *adj* nicht anstößig. Vom Fleisch geschlachteter Tiere übertragen auf die Sittlichkeit. 1910 *ff*.

trichinös *adj* 1. anstößig; zotig. *Vgl* ↗ trichinenfrei. 1910 *ff*.
2. geschlechts-, tripperkrank. 1910 *ff*.

Trichter *m* 1. Mund, Kehle (zum Eingießen von Flüssigkeiten, vorwiegend alkoholischer Art). 1910 *ff*.
2. Abort. Das Abortbecken verjüngt sich nach unten und ähnelt dadurch einem Trichter. Seit dem 17./18. Jh.
2 a. Schule. ↗ trichtern. 1950 *ff*.
2 b. Klassenzimmer. 1950 *ff*.
3. jn auf den ~ bringen = jm etw begreiflich machen; jn auf einen guten Gedanken bringen. Derb gemeint ist, daß man einen auf den Abort bringt, ihn also zu einer gedeihlichen Tat anregt. Seit dem 19. Jh.
4. das hat bei ihm keinen ~ = das kann er nicht verstehen. Kann sich sowohl vom Abort herleiten als auch vom „Nürnberger Trichter". 1920 *ff*.
5. jm auf den ~ helfen = jn in eine aussichtsreiche Lage versetzen. Erklärt sich nach „↗ Trichter 3". Seit dem 19. Jh.
6. auf einen ~ kommen = einen Einfall haben. Seit dem 19. Jh.
7. mit etw auf den (richtigen) ~ kommen = etw zutreffend beurteilen; eine Sache richtig einschätzen, ergründen; eine Sache zu guter Vollendung bringen. Analog zu „↗ Stuhl 17". Angeblich seit dem 17./18. Jh.
8. auf einen anderen ~ kommen = eine andere Entscheidung treffen. 1920 *ff*.
9. wie kommst du auf 'den ~? = wie bist du auf diesen Gedanken gekommen? 1900 *ff*.
10. den ~ raushaben = sich zu helfen wissen. 1920 *ff*.
11. auf dem (richtigen) ~ sein = richtig auffassen; die richtige Folgerung ziehen; richtig handeln. 1900 *ff*.

trichtern *intr* Lehrer sein. ↗ eintrichtern 1. Seit dem 19. Jh.

Trick *m* 1. ~ mit Anschleichen = besonders kniffliger Trick. 1950 *ff*.
2. ~ 17 = üblicher (anspruchsloser) Trick; leicht durchschaubarer Trick. 1950 *ff*.
3. ohne ~ und Toupet = völlig aufrichtig. Aufgekommen kurz nach 1965, als die Mode der Haarersatzteile wiederkehrte.
4. fauler ~ = durchschaubarer Trick. ↗ faul 1 a. 1950 *ff*.

Trickkiste *f* 1. Trickreichtum. 1950 *ff*.
2. aus der ~ erzählen = Lebenserfahrungen mitteilen. 1950 *ff*.
3. in die ~ greifen = eine List anwenden. 1950 *ff*.

Trickler *m* Kartenspieler, dessen Täu-

schungsversuche durchschaut werden. Kartenspielerspr. 1920 *ff*.

tricksen *intr* 1. listig handeln; trickreich spielen; vorspiegeln; täuschen. *Sportl*, kartenspielerspr. u. a. 1950 *ff*.
2. in der Schule täuschen. *Schül* 1950 *ff*.

'trico-'traco ('tricko-'tracko) *interj* 1. ein Ablenkmanöver begleitender Ausruf, bei dem das Opfer um Brieftasche oder Geldbeutel beraubt wird. Dem Wort „Tricktrack = Puffspiel" nachgebildet mit Einfluß von „Trick" und „trecken = ziehen". 1950 *ff*.
2. ~ in Baracko (barakko) = a) Geschlechtsverkehr mit einer Italienerin. Italianisierung von „Tricktrack = Puffspiel"; vgl ↗ Puff I 5. Sold 1939 *ff*. - b) Italiener (sehr *abf*). 1935 *ff*.

Triebleben *n* 1. Gefräßigkeit. Fußt auf der volkstümlichen Vorstellung von Hunger und Liebe als den beiden Grundtrieben des Menschen. ↗ knistern 3. Sold 1939 *ff*.
2. das ~ knistert = die Geschlechtslust macht sich bemerkbar. ↗ knistern 3. Sold 1939 *ff*.

Triebtier *n* übereifriger Mensch. Trieb = Dienstbeflissenheit. *BSD* 1965 *ff*.

Triebwerk *n* Geschlechtsglied, -organ. Technisierung der Anatomie. 1920 *ff*.

Triefel *m* dummer Mensch. Gehört zu „triefeln = drehen"; *vgl* ↗ verdreht. *Nordd* und *mitteld*, 1900 *ff*.

triefeln *intr* zanken; anzügliche Bemerkungen machen. Triefeln = drehen; weiterentwickelt zur Bedeutung „kritisch hin- und herwenden, bis Anlaß zum Nörgeln gefunden wird". *Bayr* 1900 *ff*.

triefen *v* vor Liebenswürdigkeit ~ = unecht, übertrieben freundlich sein. Triefen = tropfen, tröpfeln. 1920 *ff*.

Triel *m* 1. hängende Unterlippe. ↗ trielen 1. 1500 *ff*, oberd.
2. Mund. Oberd seit dem 15. Jh.
3. Geifer. *Schwäb* seit dem 19. Jh.

trielen *intr* 1. geifern; Speichel aus dem Mund fließen lassen; rinnen. Wohl von „tröpfeln (triefeln)" beeinflußt. *Oberd* 1700 *ff*.
2. langsam tätig sein; zögern; umständlich reden. Wohl Nebenform zu „↗ trödeln". *Oberd* seit dem 19. Jh.

Triesel *m* 1. Spielkreisel der Kinder. ↗ trieseln 1. *Nordd* 1700 *ff*.
2. Taumel. ↗ trieseln 2. 1700 *ff*, Bremen, Berlin u. a.

trieseln *intr* 1. kreiseln. Gehört zu „drillen, drallen = im Kreis drehen". 1700 *ff*, *nordd* und *westd*.
2. taumeln. 1700 *ff*.

triezen (trietzen) *tr* 1. jn quälen, drängen, schikanieren. Gehört zu *nordd* „Tritze = Rolle, Winde": der schuldig gewordene Matrose wurde früher mit einem Seil unter den Armen unter die Rahe gehißt; im Mittelalter wurden Verbrecher an Wippgalgen in die Höhe gezogen. Sachverwandt mit ↗ aufziehen. Seit dem 18. Jh, vorwiegend nördlich der Mainlinie.
2. jn zur Arbeit antreiben. Seit dem 19. Jh.
3. jn abrichten, drillen. *Schweiz* 1920 *ff*.

Trikotbremse (Bestimmungswort *franz* ausgesprochen) *f* Festhalten des gegnerischen Fuß-, Handballspielers am Trikot. 1980 *ff*.

trillen *v* 1. jn ~ = jn prügeln. ↗ drillen.
2. *intr* = eine Freiheitsstrafe verbüßen. Gehört zu „drillen = Fäden ziehen; zwirnen" und bezieht sich auf die Beschäfti-

gung der Häftlinge mit Matten- und Korbherstellung. 1870 *ff*.

Triller *m* 1. Gefängnis. *Vgl* das Vorhergehende. 1900 *ff*.
2. Nervenheilanstalt. *Vgl* das Folgende. 1900 *ff*.
3. ~ unterm Pony = Dümmlichkeit. Der „Triller" ist der Vogellaut, das Vogelgezwitscher; daher Anspielung auf „einen ↗ Vogel haben". „Pony" meint die „↗ Ponyfrisur". 1920 *ff*.
4. einen ~ haben = nicht recht bei Sinnen sein. *Vgl* das Vorhergehende. 1870 *ff*, vorwiegend Berlin.

trillerig *adj* geistesgestört. ↗ Triller 3. Berlin 1900 *ff*.

Trillerkopf (-kopp) *m* Mensch, der zu lokkeren Streichen aufgelegt ist. ↗ Triller 3. 1900 *ff*, Berlin.

trillern *v* 1. *intr* = vor Freude jauchzen. 1900 *ff*.
1 a. *intr* = koitieren. 1920 *ff*.
2. einen ~ = ein Glas Alkohol zu sich nehmen. Analog zu „↗ zwitschern: der Trinker ist guter Laune und zum Pfeifen und Singen aufgelegt. Auch setzt er das Glas an die Lippen wie eine Trillerpfeife. 1920 *ff*.
3. jm eine ~ = jm eine Ohrfeige versetzen. Gehört zu der Vorstellung „↗ Backpfeife". 1870 *ff*.
4. bei ihm trillert es wohl = er ist verrückt. Der „↗ Vogel" im Kopf macht sich durch Trillern bemerkbar. Seit dem 19. Jh, Berlin.

Tril'lirium 'Clemens *n* Säuferwahn. Entstellt aus „Delirium tremens" mit Einfluß von „↗ Triller 4". 1920 *ff*, Berlin.

trilli sein nicht ganz bei Sinnen sein. Zusammengezogen aus der Tonfolge „tirili" der Lerche: man hat einen „↗ Vogel im Kopf". 1920 *ff*, *stud*.

Trimm *m* *n* 1. das Unterseeboot in ~ bringen = das Unterseeboot in Gleichgewichtslage bringen. *Engl* „trim = vorteilhafte Schwimmlage; Gleichgewichtslage; schmucker Zustand". *Marinespr* in beiden Weltkriegen.
2. jn gut im ~ haben = jn gut ausgebildet, gut angeleitet haben. *Marinespr* 1935 *ff*.
3. ein Schiff in ~ halten = ein Schiff in Ordnung halten. 1900 *ff*.

Trimmbude (Trimm-dich-Bude) *f* Turnhalle. ↗ trimmen 2. 1965 *ff*.

trimmen *v* 1. jn ~ = jn abrichten, einexerzieren, schulen. Stammt aus *engl* „to trim = putzen, ordnen, aus-/herrichten" und ergibt in der Seemannssprache die Bedeutung „in sachgemäße Ordnung bringen". 1935 *ff*.
2. *refl* = schlaffe Muskeln stählen; Fettansatz durch sportliche (gymnastische) Betätigung zum Verschwinden bringen. Gegen 1965 aufgekommen und vor allem in der Form „trimm dich! (trimm dich fit!)" volkstümlich geworden.
3. *intr tr* = koitieren. Als sportliche Betätigung aufgefaßt. 1965 *ff*.

Trimmer *m* Amateursportler aus gesundheitlichen Gründen. 1965 *ff*.

Trimmpfad *m* Waldweg mit den verschiedensten Sportgeräten o. ä. 1965 *ff*.

Trimoli *n* 1. heftiger Beschuß vor einem Großangriff. Übernommen aus der Musikersprache: „Tremolo" ist die mehrfache Wiederholung eines Tons in rascher Folge oder das ununterbrochene Auf- und Abschwingen der Tonhöhe. *Sold* in beiden Weltkriegen.

2. ausgelassene, vergnügte Feier; geräuschvolle Angelegenheit; Krach. 1914 *ff*.

Trina (Trine) *f* 1. unbeholfene, schwerfällige weibliche Person. Verkürzt aus den beliebten Vornamen Katharina oder Christine. Steht ersatzweise für „Frau". Seit dem 18. Jh.

2. langweiliges Mädchen. *Halbw* 1955 *ff*.

3. Prostituierte niedersten Grades. Im Hintergrund steht wahrscheinlich der Begriff „Latrine". Seit dem späten 18. Jh, Berlin; vorwiegend *rotw*.

trin'kabel *adj* trinkbar; angenehm zu trinken. Scherzhafte Latinisierung oder Französierung. *Stud* 1900 *ff*.

Trinkbares *n* irgendein Getränk. 1850 *ff*, *stud.*

trinken *v* 1. es trinkt sich von selbst = es ist ein vorzügliches Getränk. 1900 *ff*.

2. trink' langsam! = laß' dir Zeit! überhaste nichts! Fußt auf der Lebensweisheit: „wer langsam trinkt, begießt sich nicht"; woraus erfahrene Leute die Abwandlung formulieren: „wer langsam trinkt, wird auch besoffen". Hier vom Trinken auf andere Vorgänge übertragen. 1920 *ff*.

3. mit mir trinke ich am liebsten! = Redewendung eines Trinkers, dem niemand zuprostet. 1920 *ff*.

trinkfest *adj* ~ und arbeitsscheu = mehr den Trunk als die Arbeit liebend. Wahlspruch ausdauernder Trinker. 1950 *ff*.

trinkfreudig *adj* mit hohem Kraftstoffverbrauch. Vom fröhlichen Zecher auf den Kraftfahrzeugmotor übertragen. 1960 *ff*.

Trinkgeld *n* 1. Kleinigkeit; kleine Beigabe; geringe Summe; geringes Honorar. Das neuerdings „Bedienungsgeld" genannte „Trinkgeld" stellt im Verhältnis zur Summe des Verzehrs nur einen kleinen Betrag dar. 1850 *ff*.

2. besseres ~ = geringe Gage. 1900 *ff*.

3. dickes ~ = reichliches Bedienungsgeld. 1920 *ff*.

4. fürstliches ~ = sehr reichliches Bedienungsgeld. ↗ fürstlich. 1920 *ff*.

Trinkgeld-Arie *f* großartig-eindrucksvolle Handbewegung des Kellners beim Platzanweisen. Er gebärdet sich wie ein Opernsänger und hält dabei die Hand auf. 1965 *ff*.

Trinkgeldjäger *m* Portier, Kellner u. ä. 1880 *ff*.

Trinkgeldmuffel *m* Gast, der kein Bedienungsgeld gibt. ↗ Muffel. 1965 *ff*.

Trinkgeldpolitik *f* Bestechlichkeit der Politiker. 1870 *ff*.

Trinkhand *f* rechte Hand. Bei Linkshändern ist es die Linke. 1950 *ff*.

Trip *m* 1. Flug. Fußt auf *engl* „trip = Reise, Fahrt, Ausflug". *BSD* 1965 *ff*.

2. aufgeputschter Zustand nach Rauschgiftzuführung; Dauer der Bewußtseins- und Verhaltensänderung durch Rauschmittelgenuß. Aus dem *Angloamerikan* übernommen. 1967 *ff*.

3. Rauschgiftdroge, -packung. 1968 *ff*.

4. Tripper. Tarnende Verkürzung. 1955 *ff*.

5. auf einen ~ gehen = a) auf Reisen gehen. 1960 *ff*. – b) sich in einen Drogenrausch versetzen. 1967 *ff*.

6. auf ~ sein = unter Rauschgifteinwirkung stehen. 1967 *ff*.

7. auf einen (einem) ~ sein = an etw

starkes Interesse haben. *Vgl* ↗ abfahren 11. *Jug* 1970 *ff*.

8. einen ~ werfen (schmeißen) = sich mittels Drogen in einen Rauschzustand versetzen. 1969 *ff*.

Trippelbruder *m* Landstreicher; „Gammler" o. ä. Durch „trippeln" umgeformt aus „↗ Tippelbruder". 1950 *ff*.

trippe'lieren *tr intr* jn durch Bitten quälen; jm schwer zusetzen. Nebenform zu ↗ tribulieren. 1870 *ff*.

Trippe'line *f* Ballett-Tänzerin. Sie macht Trippelschritte, trippelt auf den Zehenspitzen. 1900 *ff*, Berlin.

trippeln *intr* 1. mit kleinen Schritten tanzen. 1920 *ff*.

2. arbeitslos umherziehen. 1950 *ff*.

3. Straßenprostituierte sein. 1950 *ff*.

Tripperspritze *f* 1. Maschinengewehr. *Sold* 1914 bis heute.

2. 2-cm-Flak. *Sold* 1940 *ff*.

3. Gewehr. *BSD* 1965 *ff*.

Tripperwasser *n* Mineralwasser. Tripperkranke müssen Alkohol und Kaffee meiden. *BSD* 1965 *ff*.

Trippler *m* Spaziergang; Wanderung; kurzer Weg. *Vgl* ↗ trippeln 1. 1950 *ff*.

Tripse *f* Chefsekretärin auf Geschäftsreise mit ihrem Chef. Zusammengesetzt aus „↗ Tipse" und *engl* „to trip = reisen". 1960 *ff*.

Trips'trill I *On* fingierter Ortsname. Dort denkt man sich die Narren wohnhaft. „Trips-" hängt ablautend wohl mit „↗ tratschen 1" zusammen; „-trill" gehört zu „drillen, drallen = drehen, zwirnen" und spielt an auf die Spinntätigkeit der Geisteskranken in geschlossenen Anstalten. Seit dem 15. Jh.

Trips'trill II *m* langsamer, unbeholfener Mensch. Seine Wesensart steht unter dem Einfluß von Geistestrübung. *Vgl* das Vorhergehende. Seit dem 19. Jh.

tritscheln *intr* 1. schwatzen; ausplaudern; gehässige Reden führen. Iterative Nebenform zu „↗ tratschen". Vorwiegend *bayr*, seit dem 19. Jh.

2. langsam, schwunglos arbeiten. Hat auch die Nebenbedeutung „Darmwinde entweichen lassen" und ist daher Analogie zu „↗ rumfurzeln". Seit dem 19. Jh.

Tritt *m* 1. Schuldenanmahnung. ↗ treten 2. *Stud* seit dem 19. Jh.

2. ~ in Alphabet = Tritt gegen den Hodensack. ↗ Alphabet. 1939 *ff*.

3. ~ in (vor) den Arsch = Kündigung, Entlassung, Schulverweisung. 1700 *ff*.

3 a. ~ ins Fettnäpfchen = Unschicklichkeit. ↗ Fettnäpfchen. 1900 *ff*.

4. ~ in den Hintern = schwere Abfuhr; fristlose Entlassung. 1700 *ff*.

4 a. ~ ins Kreuz = boshafter Verbalangriff; heftige Kritik. 1900 *ff*.

5. ~ vors Schienbein = empfindliche Kränkung. 1950 *ff*.

5 a. jn aus dem ~ bringen = jds gewohnte Ordnung stören; in jds Gedankengang störend eingreifen. 1900 *ff*.

6. ~ fassen = erfolgreich sein; gut ins Geschäft kommen. Vom Marschieren „ohne Tritt" geht man über zum Gleichschritt. 1910 *ff*.

7. jm einen ~ geben = a) jn seiner Stellung entheben; den Umgang mit jm abbrechen. Seit dem 19. Jh. – b) an eine Geldschuld erinnern. ↗ treten 2. Seit dem 19. Jh.

8. jm einen ~ in den Arsch geben = jn rücksichtslos entlassen. 1700 *ff*.

9. sich selber einen ~ in den Hintern (o. ä.) geben = sich ermannen; seine Bedenken zurückstellen. *Sold* 1939 *ff*.

10. falschen ~ haben = a) gegenteiliger Meinung sein. Man hält mit den anderen nicht denselben Schritt ein. 1920/30 *ff*. – b) homosexuell sein. 1930 *ff*.

11. einen ~ haben = bezecht sein. Meint wohl den falschen Tritt und das Torkeln. 1900 *ff*.

12. einen im ~ haben = betrunken sein. Seit dem 19. Jh.

13. jm auf den ~ helfen = jn zur Eile antreiben. Man verhilft ihm zum Gleichschritt mit den anderen. 1900 *ff*.

14. aus dem ~ kommen = a) nicht länger übereinstimmen. 1920/30 *ff*. – b) in Schwierigkeiten geraten; Mißerfolg erleiden. Seit dem 19. Jh. – c) moralisch absinken; in der Leistung nachlassen. 1900 *ff*.

15. in ~ kommen = erfolgreich werden. ↗ Tritt 6. 1910 *ff*.

16. einen ~ kriegen = a) unsanft aus dem Zimmer (aus dem Haus) gewiesen werden. 1840 *ff*. – b) in Unehren entlassen werden. 1840 *ff*.

17. einen ~ in die Fläche kriegen = angeherrscht, bestraft werden. Fläche = Sitzfläche, Gesäß. 1910 *ff*.

18. es schmeckt wie ein ~ vom Esel = es ist äußerst verabscheuungswürdig. ↗ Eselstritt. 1900 *ff*.

19. aus dem ~ sein = nicht mehr wettbewerbsfähig sein; nicht mithalten können. Seit dem 19. Jh.

20. im ~ sein = a) bezecht sein; in der Trunkenheit Unternehmungslust entwickeln. Tritt = Torkelgang des Betrunkenen. Seit dem 19. Jh., nördlich der Mainlinie. – b) volle Leistungskraft entfalten. 1910 *ff*.

21. nur einen ~ vor den Arsch wert sein = nichts taugen. 1840 *ff*.

22. seelisch den ~ verlieren = das innere Gleichgewicht, die Beherrschung verlieren. 1935 *ff*.

23. den ~ wechseln = beim Kartenspiel die Spielweise ändern. Kartenspielerspr. seit dem 19. Jh.

Trittbrett *n* 1. Schuh. Meist in der Mehrzahl: Trittbretter (Trittbrettln). 1940 *ff*.

2. ~ fahren (auf dem ~ mitfahren) = als Schwächerer sich mit dem Stärkeren halten. ↗ Trittbrettfahrer 1. 1970 *ff*.

3. aufs ~ springen = sich einer Entwicklung anschließen. 1970 *ff*.

Trittbrettfahrer *m* 1. Nutznießer ohne Eigenleistung. Der Betreffende fährt bei einem öffentlichen Verkehrsmittel auf dem Trittbrett mit, ohne eine Fahrkarte zu lösen, und kommt zum selben Ziel wie die zahlenden Fahrgäste. Gegen 1935 aufgekommen. Etwa seit 1955 auf die Nichtgewerkschaftsmitglieder bezogen, die bei Tarifvereinbarungen dieselben Vorteile genießen wie die organisierten Arbeitnehmer.

2. Fahrer eines Volkswagens. Das Auto hat ein Trittbrett. 1950 *ff*.

3. unbedeutenderer Bündnispartner. 1965 *ff*.

4. Helfershelfer bei einer Straftat. 1965 *ff*.

5. Nutznießer einer Erpressung oder Entführung; vorgeblicher Lösegeldempfänger. 1977 ff.

Trittchen pl 1. Schuhe, Stiefel. Treten = den Fuß aufsetzen. 1800 ff, rotw und sold. 2. Kinderschuhe; kleine Schuhe. Seit dem 19. Jh.

Trittling m Schuh, Stiefel. Rotw 1500 ff; sold 1870 ff. Vorwiegend oberd mit Ausstrahlung nach Thüringen und Westfalen.

Trizo'nesien Ln die von den drei westlichen Alliierten besetzte Bundesrepublik Deutschland. Volkstümlich geworden durch ein Kölner Karnevalslied („Wir sind die Eingeborenen von Trizonesien"; Text von Karl Berbuer, Musik von Kurt Feltz). Der Ländername ist an „Indonesien" angelehnt. 1947 ff.

trocken adj 1. mager; dürftig. Hergenommen von der Brotschnitte ohne Belag („trockenes Brot"): man faßt sie als dürftig auf. Berlin 1900 ff. 2. hager. Der Betreffende wirkt wie ausgedörrt. 1920 ff. 3. mittellos; ohne Geld. Man ist nicht „flüssig". 1950 ff. 4. spröde; langweilig; nicht lebensfrisch. Im 19. Jh aufgekommen im Zusammenhang mit dem Begriff der „trockenen Wissenschaft". 5. durstig. Kehle und Gaumen sind trocken. 1900 ff. 6. vom Alkohol entwöhnt. Man ist „trockengelegt" im Sinne der Prohibition. 1900 ff. 6 a. nicht mehr drogenabhängig. 1975 ff. 7. wortkarg; nicht viele Worte machend. Seit dem 19. Jh. 8. geizig. Hängt zusammen mit der Redewendung „einen trockenen ↗Daumen haben". Seit dem 19. Jh. 9. wuchtig und genau gestoßen (geworfen o. ä.). Fußt auf der Vorstellung vom trockenen Gewitter oder vom Blitz aus heiterem Himmel. Sportl 1950 ff. 9 a. ohne Zugang zum Meer. 1970 ff. 10. ~ leben = Alkohol meiden. 1900 ff. 11. ~ reden = eine Unterhaltung ohne Getränke führen. Seit dem 19. Jh. 12. etw ~ runterwürgen = Bier (Bowle) ohne einen Weinbrand trinken. 1920 ff. 13. nur ~ schlucken können = überaus erstaunt sein. Dem Betreffenden „bleibt die ↗Spucke weg". 1950 ff. 14. ~ sein (sitzen) = kein alkoholisches Getränk vor sich stehen haben. 1600 ff. 14 a. ~ singen = ohne Instrumentalbegleitung singen. 1900 ff. 15. ~ werden = sich einer Alkoholentziehungskur unterziehen. 1900 ff. 16. etw ~ wohnen = gegen geringe Miete eine feuchte Neubauwohnung bewohnen. Seit dem 19. Jh, Berlin.

Trockenes n 1. auf dem Trockenen sein (sitzen) = a) in arger Verlegenheit sein; mittellos sein; sich nicht zu helfen wissen. Hergenommen von einem Schiff, das auf eine Sandbank aufgelaufen oder an Land gezogen ist. Seit dem 18. Jh. Vgl franz „être à sec". – b) im Stich gelassen werden. 1920 ff. – c) ledig sein; keinen Ehepartner finden. Seit dem 19. Jh. – d) ein leeres Glas vor sich stehen haben; nichts zu trinken haben. ↗ trocken 14. 1800 ff. – e) keinen Kraftstoff mehr haben. 1930 ff. – f) kein Leitungswasser haben. 1970 ff. 2. im (auf dem) Trockenen sein = sich in

guter Lage befinden. Man ist vor dem Regen sicher. Seit dem 18. Jh.

Trockenkammer f Haftanstalt. Eigentlich die Kammer, in der man Wäsche zum Trocknen aufhängt; hier Anspielung auf den Entzug von Alkoholika. 1950 ff.

Trockenklo n Abort ohne Wasserspülung. ↗Klo. 1920 ff.

Trockenkrieg m Manöver. Es verläuft ohne Blutvergießen. Sold 1935 bis heute.

trockenlegen tr 1. einen Neuling genau einweisen. Übertragen von der Behandlung des Säuglings. 1900 ff. 2. jn mit Trockenkost ernähren. Aufgekommen 1951 in Berlin im Zusammenhang mit der Blockade durch die Sowjets. 3. jn in einer Alkoholentziehungskur unterwerfen. 1900 ff. 3 a. jm den Alkoholausschank untersagen. 1975 ff. 4. jm die Zufuhr von Rauschgift sperren. 1920 ff. 5. Hansi (o. ä.) ~ = harnen (auf Knaben bezogen). 1900 ff. 6. laß dich ~! = werde du erst einmal erwachsen, um mitreden zu können! 1900 ff.

Trockenmieter m ↗Trockenwohner.

Trockenperiode f Monate geringen Einkommens. Übernommen von der Bezeichnung für die Zeitspanne ohne Regen. 1960 ff.

Trockenrasierer m Mikrofon. Es ähnelt dem Rasierapparat und wird gleich ihm nahe an den Mund gehalten. Rundfunkspr. 1970 ff.

Trockentanzen n Tanzen ohne Musik. 1954 ff.

Trockenwäsche f Verabreichung heftiger Prügel, ohne daß Blut vergossen wird. ↗waschen. 1950 ff.

Trockenwohner (-mieter) pl Bewohner von Neubauwohnungen, ohne Miete (in der üblichen Höhe) zahlen zu müssen. ↗trocken 16. Berlin 1850 ff.

Trödel m der ganze ~ = das alles (abf). Eigentlich der Handel mit gebrauchten Gegenständen. Seit dem 19. Jh.

Trö'delei f Verkaufsmesse für alte Gegenstände; „Flohmarkt". 1965 ff.

trödelig adj langsam, zögernd. ↗trödeln 1. Seit dem 19. Jh.

trödeln intr 1. langsam handeln; zögern; schlendern. Hergenommen vom Handel mit gebrauchten Sachen im Sinne eines mühsamen, langsamen Geschäfts. ↗trudeln 1. Seit dem 15. Jh. 2. Posten stehen. In der Auffassung der Soldaten heißt das soviel wie „sich mit unnützem Zeug abgeben". BSD 1965 ff. 3. beim Trödler, in einem Antiquitätengeschäft, auf dem „Flohmarkt" einkaufen. 1955 ff.

Trödelphilipp m langsamer, schwungloser Mann. Dem „↗Zappelphilipp" nachgeahmt. 1870 ff.

Trödelsuse (-trine) f langsam tätige weibliche Person. ↗Suse; ↗Trina. Seit dem 19. Jh.

Trödelwelle f allgemein aufkommendes, (vorübergehend) weit verbreitetes Besitzinteresse an Antiquitäten. ↗Welle. 1960 ff.

Tröle f Gelegenheitsfreundin. Gehört wahrscheinlich zu „trölen, trolen = wälzen, rollen" und spielt auf den Geschlechtsverkehr an. 1955 ff, halbw.

Trollo m 1. einfältiger Mensch. Fußt auf

„Troll = grober, starker Kerl" und ist beeinflußt von „trillen = drehen; verdreht, närrisch sein". 1950 ff. 2. intimer Freund einer Halbwüchsigen. ↗Tröle. Halbw 1955 ff.

Trommel f 1. dicker Leib; Leib einer Schwangeren. Seit dem 19. Jh. 2. Ohrenbläserin. Versteht sich nach „↗eintrommeln". 1950 ff. 3. alte ~ = alte Frau. Seit dem 19. Jh. 4. die ~ anhaben = schwanger sein. Seit dem 19. Jh. 5. jm eine ~ anhängen = jn schwängern. Seit dem 19. Jh. 6. mit einer ~ gehen = schwanger sein. Seit dem 19. Jh. 7. auf die ~ hauen = a) prahlen. ↗Pauke 14 e. 1900 ff. – b) sich übergebührlich empören; stark übertreiben. 1900 ff. 8. für jn (etw) die ~ rühren = für jn (etw) öffentlich eintreten. 1920 ff.

Trommelfell n 1. Knabengesäß. ↗trommeln 2. 1905 ff. 2. einen Satz neue ~e anfordern: Redewendung des Soldaten nach lautem Abfeuern. BSD 1965 ff. 3. das ~ auswringen = die Ohren waschen. Sold 1935 ff. 4. ein dickes ~ haben = nicht hören; nicht hören wollen; nicht gehorchen wollen. 1870 ff. 5. schwach auf dem ~ sein = a) schwerhörig sein. 1870 ff. – b) nicht verstehen wollen. Berlin 1870 ff.

Trommelfeuer n 1. Aufeinanderfolge hörbar entweichender Darmwinde. Hergenommen aus dem Militärischen: Die Einschläge folgen so schnell und pausenlos aufeinander wie bei einem Trommelwirbel. 1870 ff. Vgl franz „pétarade". 2. Reihenfolge der Geschlechtsakte. Prost 1960 ff.

Trommelflegel m Werbefachmann. ↗trommeln 5. Kaufmannsspr. 1950 ff.

trommeln intr 1. kartenspielen. Die Karten werden laut auf die Tischplatte geschlagen. 1900 ff. 2. prügeln. Das Gesäß als Trommelfell und der Rohrstock als Trommelschlegel. 1870 ff. 3. fortwährend schießen. ↗Trommelfeuer. 1914 ff. 4. kollieren. Als Beschießung aufgefaßt. ↗Schuß. Seit dem 19. Jh. 5. für jn (etw) ~ = für jn (etw) werben. ↗Trommel 8. 1920 ff.

Trommelschlägel m Werbefachmann; Propagandist. Vgl das Vorhergehende. 1950 ff.

Trompete f 1. Frau mit lauter Stimme; unwirsche Ehefrau. Seit dem 18. Jh. 2. schwatzhafte Frau. Was sie erfahren hat, vor allem über die Mitmenschen, „trompetet" sie aus. 1900 ff. 3. Nase. Heftiges Schneuzen klingt wie ein Trompetenstoß. 1900 ff. 4. After. Anspielung auf laut entweichende Darmwinde. 1900 ff. 5. Penis. Analog zu ↗Flöte 1. 1900 ff. 6. die ~ blasen = fellieren. 1900 ff. 7. mit aus derselben ~ blasen = jm beipflichten. Analog zu „ins selbe ↗Horn stoßen". Seit dem 19. Jh. 8. die falsche ~ blasen = für eine aussichtslose (falsche) Sache eintreten. 1930 ff. 9. die große ~ führen = erheblichen

trompeten Redeschwall entwickeln; „starke" Worte gebrauchen. Seit dem 19. Jh.
10. ~ spielen = fellieren. 1900 *ff.*
11. in die ~ stoßen = Mißstände lautstark vor der Öffentlichkeit brandmarken. 1930 *ff.*

trompeten *intr* **1.** laut reden. Seit dem 19. Jh.
2. Alkohol trinken; zechen. Ursprünglich auf die Flasche bezogen, die man wie eine Trompete an die Lippen setzt. 1900 *ff.*
3. einen Darmwind hörbar entweichen lassen. 1900 *ff.*
4. sich laut schneuzen. ↗ Trompete 3. Seit dem 19. Jh.
5. Mitschuldige benennen. Analog zu „↗ singen", zu „↗ verpfeifen". 1900 *ff.*

Trompetenhose *f* Hose mit nach unten sich weitenden Beinen. 1963 *ff.*

Trompetenstimme *f* unangenehme, durchdringende Stimme. ↗ Trompete 1. 1900 *ff.*

Trompeterblech *n* Schmuck aus Messing o. ä. Trompeter sind bei Volksfesten u. ä. vielfach mit allerlei Metallketten, Ehrenzeichen usw. behangen. Außerdem glänzen Trompeten goldfarben. 1950 *ff*, *halbw.*

Trompetersuppe *f* Hülsenfrüchtesuppe. Wegen der hörbar entweichenden Darmwinde. 1900 *ff.*

Tropf *m* **1.** einfältiger Mensch. Gehört zu „Tropfen = geringe Menge", weiterentwickelt zur Bedeutung „Geringes" und „Minderwertiges". Seit dem 15. Jh.
2. am ~ hängen (an den ~ kommen) = eine Infusion erhalten; künstlich ernährt werden. Medizinerspr. 1950 *ff.*

Tröpfchen *n* **1.** hervorragender Wein. Lobend bezeichnet man ihn mit dem *dim* Kosewort. Seit dem 19. Jh.
2. scharfe ~ = hochprozentige alkoholische Getränke. 1950 *ff.*

Tröpfchenfrühling *m* feuchtwarmer, verregneter Frühling. Es tropft vom Himmel und aus der Nase. 1966 *ff.*

Tröpfelbier *n* abgestandenes Bier; Bierrest im Glas. 1900 *ff.*

Tropfen *m* **1.** ein fremder ~ im Blut = Trumpfkarte, die eine ausgespielte Karte (in Fehlfarbe) trumpft. Übernommen aus Goethes „Egmont" (1788). Kartenspielerspr. seit dem 19. Jh.
2. auserlesener (edler, guter) ~ = hervorragender Wein. Seit dem 19. Jh.
3. ~ einnehmen (seine ~ nehmen) = einen Schnaps (oder mehrere) zu sich nehmen. Meint eigentlich die vom Arzt vorgeschriebenen Medizintropfen. Seit dem späten 19. Jh.
4. das ist ein ~ auf den heißen Stein = das ist ein völlig unbedeutender Umstand; das ist viel zu wenig; das ändert an der Sache nichts. 1800 *ff.*

tropfen *v* es tropft = es kommt in kleinen Beträgen zusammen. 1900 *ff.*

Tropfenfänger *m* **1.** Präservativ. Meint eigentlich den Tropfenfänger an der Kaffeekanne. 1900 *ff.*
2. Damenschlüpfer; Slip. 1964 *ff.*
3. Bettvorleger. Bei Verwendung des Nachtgeschirrs fängt er die Tropfen auf. 1920 *ff, stud.*
4. Langbinder. Dem Suppenesser dient er als Kinderlätzchen. *BSD* 1965 *ff.*
5. kleiner (Schnurr-)Bart. Er fängt die Tropfen aus der Nase oder dem Mund auf. Spätestens seit 1900.

6. Regenschirm. 1950 *ff.*

tröpferlweise *adv* in geringer Anzahl nacheinander (die Gäste trafen tröpferlweise ein). *Bayr* 1900 *ff.*

Tropfsteinhöhle *f* **1.** feuchte Wohnung. Meint eigentlich die Höhle, in der aus tropfendem, kalkreichem Wasser eiszapfenähnliche Gebilde entstanden sind. Berlin 1870 *ff.*
2. Schnupfennase. 1939 *ff.*
3. Mund mit schlechten Zähnen. 1939 *ff.*
4. Stehabort für Männer. 1930 *ff.*

Trost *m* nicht bei ~e sein = nicht bei Verstand sein; von Sinnen sein. „Trost" meint den Zuspruch und bezieht sich hier auf einen, bei dem kein Zuspruch hilft. 1700 *ff.*

Trostbonbon *n* tröstende Nachricht. Eigentlich das Zuckerwerk, das man einem enttäuschten Kind zu naschen gibt. 1950 *ff.*

Tröster *m* **1.** Schnaps, Schnapsflasche. 1840 *ff.*
2. intimer Freund der Ehefrau. 1900 *ff.*
3. Prügelstock. *Iron* Bezeichnung. 1800 *ff.*
4. Schnuller. 1850 *ff.*
5. Daumen (bei Säuglingen). 1850 *ff.*
6. Penis. Seit dem 19. Jh.
7. (altes) Buch. *Stud* seit dem 17. Jh.
8. Kaffee. Seit dem 19. Jh.
9. Tabakspfeife. Seit dem 19. Jh.
10. gärender Apfelwein. Er tröstet bei Stuhlverhärtung. 1960 *ff.*
11. süßer ~ = a) in Zucker oder Sirup gewälzter Schnuller. 1880 *ff.* – b) intimer Freund der Ehefrau; Liebhaber einer Witwe. 1900 *ff.*

Trostpflaster (-pflästerchen) *n* **1.** Entschädigung für eine Verlust oder einen entgangenen Gewinn; mildernde Maßnahme. Ein kleines Geschenk, eine Leckerei o. ä. soll die seelische „Verwundung" überdecken. 1900 *ff.*
2. finanzielles ~ = geldliche Entschädigung für erlittenes Unrecht; Abfindungssumme. 1950 *ff.*

Trostpille *f* Umstand oder Bemerkung tröstlicher Art. 1920 *ff.*

Tröte *f* **1.** Kehle, Schlund, Luftröhre. Fußt auf *gleichbed niederd* „drote"; *vgl engl* „throat". Seit dem 19. Jh.
2. Kindertrompete; Blasinstrument. Seit dem 19. Jh.
3. Trompete im Jazz. *Halbw* 1950 *ff.*
4. es ist ihm in die falsche ~ geraten = er hat sich verschluckt. ↗ Tröte 1. 1900 *ff.*

tröten *intr* **1.** trompeten, blasen. ↗ Tröte 2. Seit dem 19. Jh.
2. laut schallend sprechen. Analog zu ↗ trompeten. Seit dem 19. Jh.
3. schmetternd singen. *Halbw* 1950 *ff.*

Trott *m* alteingewurzelte Gewohnheit; energielose, gelangweilte Lebens- und Handlungsweise; freudloser Alltag. Fußt auf *ahd* „trotton", *mhd* „trotten" als Intensivum zu „treten". Man spricht von „Trott", wenn einer einen Fuß gemächlich vor den anderen setzt. Zur Sache *vgl* auch „↗ Tretmühle". Seit dem späten 18. Jh.

Trottel (Troddel) *m* **1.** schwachsinniger, einfältiger Mensch; Mensch ohne Tatkraft. Iterativum zu „trotten = treten" im Sinne von „mit kurzen Schritten gehen", wie es auf den täppischen Gang des Schwachsinnigen zutrifft. Aus dem *Österr* um 1833 vorgedrungen.

2. akademisch gebildeter ~ = weltfremder Akademiker. 1900 *ff.*
3. leichter ~ = ungefährlicher Geisteskranker. 1900 *ff.*

trottelhaft *adj* energielos; völlig unselbständig; wie ein Schwachsinniger. 1920 *ff.*

trottelig *adj* schwachsinnig; energielos; unselbständig. Seit dem 19. Jh.

Trottelparagraph *m* Verordnung, die die einem Beamten drohenden Nachteile bei Minderleistung betrifft. § 38 lautet: „Bleiben die Leistungen eines Beamten hinter dem billigerweise zu fordernden Maß zurück, so soll die oberste Dienstbehörde entsprechend dem Mindermaß seiner Leistungen 1) ihm das nach den Dienstaltersstufen des Besoldungsrechts vorgesehene Aufsteigen im Gehalt in jeder Dienstaltersstufe bis zu zwei Jahren versagen" usw. (Gesetz- und Verordnungsblatt für Berlin; 8. Jahrgang; Nr. 53 vom 4. August 1952). 1937 *ff.*

Trottelpoker *m* Rummy, Rommé. *Iron* gekennzeichnet als Kartenspiel für Schwachsinnige. Wien und Berlin, 1920 *ff.*

Trotteltarock *m* Rummy; Rommé. ↗ Trottelpoker. Wien 1920 *ff*; Berlin 1935 *ff.*

Trottoiradel *m* Halbwelt *(abf)*. 1910 *ff.*

Trottoirbeleidiger *m* **1.** Polizeibeamter auf Streifengang. Sein Erscheinen betrachten Halbwüchsige in Gaggenau 1968 als Beleidigung für den Bürgersteig.
2. *pl* = Stiefel o. ä.; unbequeme, unzweckmäßige Damenschuhe. 1965 *ff, halbw* und *BSD.*

Trottoirfasan *m* auffallend gekleidete Frau in der Stadt. Anspielung auf das prächtige Federkleid des (männlichen) Goldfasans u. ä. 1950 *ff.*

Trottoir-Gesäß *n* Tische und Stühle auf dem Bürgersteig vor einem Café. Gesäß = Sitzgelegenheit. Berlin 1955 *ff.*

Trottoirpflanze *f* Straßenprostituierte. 1950 *ff.*

Trottoirschleicher *m* Fußgänger. 1955 *ff.*

Troyer *m* **1.** mit Ärmeln versehenes wollenes Unterhemd des Seemanns. Hängt möglicherweise mit dem Namen der *franz* Stadt Troyes zusammen, in der viele Trikotwarenfabriken ansässig sind. *Marinespr* 1900 *ff.*
2. jm etw unter den ~ jubeln = a) jm Vorhaltungen machen. ↗ unterjubeln. *Marinespr* 1939 *ff.* – b) jn belügen, übertölpeln. *Marinespr* 1939 *ff.*
3. einen unter den ~ jubeln = ein Glas Alkohol zu sich nehmen. *Marinespr* 1939 *ff.*
4. einer einen unter den ~ jubeln = koitieren. *Marinespr* 1939 *ff.*

'Trubbeldi'mut *m* rauschendes Fest. Zusammengesetzt aus *franz* „trouble = Unordnung, Unruhe" und *franz* „moût = Weinmost". *Nordd* und Berlin 1955 *ff.*

trübe *adj* **1.** fahl-einfarbig. 1950 *ff.*
2. undurchschaubar. *Halbw* 1955 *ff.*
3. dümmlich; schwach, matt; energielos, langweilig. Vom getrübten Blick übertragen auf Geistestrübung. *Halbw* 1955 *ff.*
4. für etw ~ sehen = etw als wenig erfolgversprechend beurteilen. 1950 *ff.*

trubeln *intr* **1.** ein ausgelassenes Fest feiern. *Franz* „trouble = Unruhe" entwickelte sich im späten 19. Jh zur Bedeutung „lebhaftes Durcheinander; lebhaftes Treiben". Man spricht vom „Trubel" des Faschingsballs.

2. es trubelt mich nicht = es betrifft, berührt, interessiert mich nicht im ausgelassenen Treiben. 1950 *ff.*

Trübetimpel (-tümpel) *m* Energieloser; Mißgestimmter. Der trübe Tümpel ist ein trübes Wasserloch, ein trüber Kolk. Von da übertragen zur Kennzeichnung eines trübseligen Menschen. Im frühen 19. Jh aufgekommen, wahrscheinlich in Schlesien und von dort nord- und westwärts gewandert.

Trübsal *f* **1.** ~ blasen = melancholisch gestimmt sein; jammern, klagen. ↗Trauer 1. 1700 *ff.*
2. ~ schwitzen = unfrohen Gedanken nachhängen. „Schwitzen" deutet wohl auf Weinen hin. 1900 *ff.*
3. ~ spinnen = der Trauer nachgeben. ↗spinnen 1. 1850 *ff.*

trudeln *intr* **1.** gehen; schlendern; sich langsam entfernen. Nebenform zu „trollen = gehen, rollen; schwerfällig sich bewegen". *Nordd* seit dem 19. Jh.
2. würfeln, rollen, kollern. Aus dem Vorhergehenden weiterentwickelt zur Bedeutung „langsam drehen", „langsam rollen lassen", verwandt mit „tründeln, tröndeln = kugeln, wälzen". 1800 *ff.*
3. in engsten Gleitflugspiralen (abwärts) fliegen. Fliegerspr. in beiden Weltkriegen.
4. ins ~ geraten = leichtsinnig werden; auf die schiefe Bahn geraten; unsicher werden; wirtschaftlichen Rückgang erleiden. 1935 *ff.*

Truhe (Trücherl) *f (n)* **1.** Bett. Wegen der Formähnlichkeit. *Vgl* auch ↗Kiste 12. 1920 *ff.*
2. Vagina. 1840 *ff*, Berlin und Wien.
3. weibliche Person. Seit dem 19. Jh.
4. Prostituierte. 1920 *ff*, *österr.*
5. die ~ sprengen = vergewaltigen. 1840 *ff*, Berlin und Wien.

Trulla (Trulle) *f* schwerfällige, füllige weibliche Person; unordentliche Frau, Mädchen *(abf).* Fußt auf „trollen = gehen, rollen; schwerfällig sich bewegen". Seit dem 18. Jh.

Trülle *f* große Kaffeekanne. Meint vor allem die dickbauchige und ist daher aus dem Vorhergehenden zu erklären. *Nordd* seit dem 19. Jh.

Trumm *n (m)* **1.** Stück, Bruchstück, Endstück. Eigentlich das dicke Endstück, der Holzklotz, der Baumstumpf. Im *Hd* nur in der Mehrzahlform „Trümmer" geläufig; *ahd* und *mhd* „drum = Endstück". Vorwiegend *oberd* und *mitteld,* seit dem 14. Jh.
2. großer, starker Mann; untersetzter Mann. Analog zu ↗Klotz. *Oberd* seit dem 19. Jh.
3. langer (langes) ~ = großwüchsiger, kräftiger Mann. *Oberd* seit dem 19. Jh.
4. in einem ~ = zusammenhängend; in einem. Fußt auf der Vorstellung vom Baumstumpf, der noch das Wurzelwerk an sich hat. 1900 *ff.*

Trümmerblume *f* Weidenröschen. Im Zweiten Weltkrieg volkstümlich geworden, als nach der Bombardierung der Städte das Weidenröschen auf den Trümmergrundstücken prächtig gedieh.

Trümmerfrau *f* **1.** bei der Trümmerbeseitigung tätige Frau. Spätestens 1945 aufgekommen, als dem Wiederaufbau die Trümmerbeseitigung vorausging. Ein Denkmal der Trümmerfrau steht in Berlin.

2. ältere weibliche Person, deren beste Jahre schon weit zurückliegen. Im Vergleich mit ihrer Vergangenheit ist sie nur noch ein Bruchstück ihrer selbst. 1955 *ff.*

Trumpf *m* **1.** dicker ~ = hohe Trumpfkarte. Kartenspielerspr. seit dem 19. Jh.
2. satter ~ = sehr befähigter Könner. ↗satt. 1955 *ff, halbw.*
3. einen ~ ausspielen = entschlossen gegen jn auftreten; im Wortgefecht siegen. Diesen „Trumpf" kann der andere nicht „stechen". Seit dem 19. Jh.
4. den letzten ~ ausspielen = mit einer bisher zurückgehaltenen, entscheidenden Äußerung den Gegner besiegen. Seit dem 19. Jh.
5. einen ~ draufgeben (draufsetzen) = eine derbe Antwort geben; das letzte Wort haben; mit einem Fluchwort bekräftigen. Man übertrumpft den Gegner. 1700 *ff.*
5 a. noch einen ~ im Ärmel haben = eine wichtige Information noch zurückhalten. 1960 *ff.*
6. alle Trümpfe in der Hand haben = alle Vorteile für sich haben; von niemandem benachteiligt werden können; dem Gegner überlegen sein. 1800 *ff.*
7. die Trümpfe jagen = Trümpfe ausspielen, damit die Gegenspieler ihre Trumpfkarten abgeben müssen. Kartenspielerspr. seit dem 19. Jh.
8. alle Trümpfe auf den Tisch legen = alle entscheidenden Gedanken offenbaren. 1900 *ff.*
9. ~ schlagen = Trumpf ausspielen. Zur Bekräftigung ihrer Bedeutung schlägt mancher Spieler die Trumpfkarte kräftig auf die Tischplatte. Kartenspielerspr. seit dem 19. Jh.
10. ~ sein = das meiste gelten; den Ausschlag geben. Seit dem 19. Jh.
11. ~ ist die Seele vom Spiel: Ausruf des Kartenspielers, der mit einem kleinen Trumpf einen Stich mit hoher Augenzahl einheimst. Seit dem 19. Jh.

Trumpf-As sein unübertrefflich sein; der Hauptkönner sein. 1920 *ff.*

Trumpfbruder *m* leidenschaftlicher Kartenspieler. 1900 *ff.*

Trumpf-Dicker *m* Trumpf-As. Kartenspielerspr. 1900 *ff.*

trumpfen *v* **1.** *intr* = durch eine schwerwiegende Erwiderung die Äußerung des Vorredners entkräften. Der Kartenspielersprache entlehnt. Seit dem 19. Jh.
2. jn ~ = jn anherrschen, zurechtweisen. Mit Trumpfkarten ist man der gewichtigere Spieler. Seit dem 19. Jh.
3. miteinander ~ = koitieren. Man macht ein „↗Spielchen"; *vgl* auch „↗stechen 3". Seit dem 19. Jh.

Trumpfkarte *f* **1.** überlegener Könner. 1920 *ff.*
2. besonders vorteilhafte Ware. Werbetexterspr. 1965 *ff.*
3. eine ~ ausspielen = einen gewichtigen Einwand vorbringen. 1920 *ff.*
4. alle ~n in der Hand haben = über die gewichtigsten Beweisgründe verfügen. ↗Trumpf 6. 1800 *ff.*

Truppe *f* **1.** ~ Arsch = Mannschaften. ↗Schütze 2. *BSD* 1965 *ff.*
2. grüne ~ = Bundesgrenzschutz. Wegen der grünen Uniformfarbe. 1951 *ff.*
3. einer von der schnellen ~ sein = rasch handeln; ein Heißsporn sein. ↗Kamerad 12. *Sold* 1939 *ff.*

4. leichte ~n = Gesamtheit der Prostituierten. 1700 *ff.*

Trutsch *m* schläfriger, schwerfälliger, schwachsinniger, gutmütig dummer Mann. Gehört zu „trotten = plump gehen". Seit dem 19. Jh.

Trutschel (Trutscherl) *n* dickliche weibliche Person gutmütigen Charakters; ältliche Ledige. Gehört entweder zu „trotten = schwerfällig gehen" oder ist Koseform von Gertrud. Auch *mhd* „trut = lieb (traut)" kann eingewirkt haben. 1500 *ff.* Von Oberdeutschland ausgegangen und bis ins *Mitteld* vorgedrungen.

trutschig *adj* einfallslos; streng; überaus bieder. 1900 *ff.*

tschak *interj* Ausruf des Erstaunens. Geht zurück auf die *ital* Interjektion „ciacche" in der Bedeutung „plumps", „knacks". *Österr* 1950 *ff, jug.*

Tschapperl *n* dummer, naiver, zu seinem Schaden gutmütiger Mensch; unbeholfener Mensch; Liebchen. Geht vielleicht zurück auf *tschech* „čapek = Ungeschickter". *Österr* und *bayr,* seit dem 19. Jh.

tschari gehen *intr* weggehen. Entlehnung aus dem *Tschech. Österr* seit dem 19. Jh.

tschari sein *intr* weggegangen, verloren, verdorben, verspielt sein. *Österr* seit dem 19. Jh.

tschau *interj* auf Wiedersehen! Fußt auf *ital* „ciao", einer venezianischen Dialektform des *ital* „schiavo = Diener", analog zu *österr* „Servus". *Österr* spätestens seit 1900; heute gemeindeutsche Halbwüchsigensprache.

Tschecherl *n* kleines Café; kleines Wirtshaus. Das äußerlich an „Tschechen" angelehnte Wort fußt wahrscheinlich auf kundenspr. „schlecher = Bier" und bedeutet auch „Wirt". Die Vokabel scheint im späten 19. Jh in Österreich, vor allem in Wien aufgekommen zu sein. Ein Lexikograph bemerkt 1905: „Unter Tschecherl verstand man auch ein kleines Kaffeehaus ohne Billard und später ein Lokal mit Mädchenbedienung ... Etwas Entehrendes liegt eigentlich in dem Worte ... nicht."

tschick *adj* **1.** gefährlich, anrüchig; häßlich; böse, arg. Leitet sich her von *zigeun* „tsik = Kot, Schmutz". *Österr* und *bayr,* 1920 *ff.*
2. das ist ~ = das ist wertlos. *Österr* und *bayr,* 1920 *ff.*

Tschick *m* **1.** Zigarettenrest; Zigarrenendstück; Kautabak; Zigarette. Geht zurück auf *ital* „cicca" oder *franz* „chique", beides in der Bedeutung „Kautabak"; wohl beeinflußt von dem Laut, der beim Auswerfen des Speichels zwischen den Zähnen entsteht. *Österr, Österr; anfangs rotw;* später auch in Südwestdeutschland geläufig. 1945 ist das Wort auch im *Nordd* bekannt.
2. angesoffen wie ein ~ = volltrunken. Fußt auf der Vorstellung vom Zigarrenendstück, das in der Gosse liegt und anschwillt. *Österr* 1920 *ff.*
3. einen ~ köpfen = ein Zigarettenendstück auflesen oder an einer Zigarette die Glimmstelle abstreifen und den Rest aufbewahren. *Österr* seit 1910 *ff.*

tschicken *intr* **1.** Tabak kauen. ↗Tschick 1. *Österr, schwäb* und *schweiz,* 1800 *ff.*
2. Zigarettenendstücke sammeln und rauchen. *Österr* 1910 *ff.*

Tschim'bum und Tra'ra *n* laute Reklame; Geschäftigkeit der Werbefachleute. Mit „Tschimbum" ahmt man den Becken- und Paukenschlag nach; „Trara" gibt den Klang von Trompete und Horn wieder. Spätestens seit 1955 (1933?).

Tschin *f* schlechteste Zeugnisnote. Stammt aus *ital* „cinque = fünf". *Schül* 1950 *ff.*

Tschi'nelle *f* Ohrfeige. „Tschinellen" (nach *ital* „Cinelli") sind die Becken als Schlagzeuge im Orchester. *Österr* 1920 *ff.*

'Tschingdarassa'bum *n* geräuschvolles Beiwerk. Schallnachahmung von Becken- und Paukenschlag, überhaupt von dem vielen Schlagzeug einer Militärkapelle. 1900 *ff.*

Tschingge (Tschinke) *m* (in der Ostschweiz arbeitender) Italiener. Geht zurück auf *ital* „cinque = fünf". Entweder betrachtet man die Italiener als fünfte Volksgruppe (Sprachgruppe) in der Schweiz, oder der Ausdruck spielt an auf die fünf Finger der Hand, mit der die Italiener lebhaft zu gestikulieren verstehen. Auch ist „Cinque" die Fünf-Rappen-Münze. 1900 *ff.*

tschintschen *intr tr* handeln; halblautere Geschäfte machen. Geht zurück auf *engl* „to change = wechseln, umtauschen", entlehnt durch deutsche Kriegsgefangene in England seit 1940 oder durch Seeleute.

tschö (tchö) *interj* Abschiedsgruß. Verkürzt aus *franz* „adieu". Seit dem 19. Jh.

Tschoch I *m* schwere Arbeit. Nebenform zu ↗Tschach. *Österr* 1900 *ff.*

Tschoch II *n* kleines Café; Lokal minderen Ranges. Gehört zu ↗Tschecherl. *Österr* (Wien) 1900 *ff.*

tschöchen (tschö-chen) *interj* Abschiedsgruß. Verkleinerungsform zu ↗tschö. *Westd* 1900 *ff.*

Tschocherl (Tschöcherl) *n* kleines Café. Nebenform zu ↗Tschecherl. Wien 1900 *ff.*

Tschuche *m* ↗Tschusch.

tschuldigen *v* entschuldigen. In der Aussprache werden der erste und der zweite Buchstabe meist verschluckt, weil sie unbetont bzw. schwachbetont sind. 1900 *ff.*

Tschusch (Tschusche, Tschuche) *m* ausländischer Arbeiter aus dem Osten und Südosten; Südslawe, Slowene u. a. Aus dem Russischen übernommen. *Österr* seit 1950.

tschüß (tschüs, tjüs) *interj* Abschiedsgruß. ↗atschüß. Seit dem 19. Jh.

tü *adv präd* verrückt. ↗Tüttelitü. *Sold* 1940 *ff*; *halbw* 1950 *ff.*

Tube *f* 1. auf die ~ drücken = a) jm durch nachdrückliche Mittel etw abgewinnen; jn durch Tränen mitleidig, gebefreudig stimmen; durch geschickte Effekte das Theaterpublikum beeinflussen; auf der Bühne übertrieben agieren. Hergenommen von der Tube Schminke; analog zu „dick ↗auftragen". Theaterspr. 1920 *ff.* – b) der Maschine erhöhte Leistung abfordern; die Geschwindigkeit erhöhen. Tube = Vergaserdüse. 1920 *ff*, kraftfahrerspr. – c) Pistolenschüsse abfeuern; das Maschinengewehr bedienen. *Sold* 1939 *ff.*) etw vorantreiben, beschleunigen; die Aktivität anfeuern. 1920 *ff*, *sportl* und *sold.* – e) sich hart anstrengen. 1920 *ff.* – f) sich auslassen; sich keinen Lebensgenuß entgehen lassen. 1920 *ff.*

---

2. zuviel auf die ~ drücken = sich überanstrengen. 1920 *ff.*

3. auf die ~ steigen (treten) = die Fahrgeschwindigkeit erhöhen. 1930 *ff*, kraftfahrerspr.

Tübs *On* Tübingen. In Studentenkreisen nach 1950 aufgekommene Abkürzung.

Tuch *n* 1. Bett. ↗Tuch 4. 1920 *ff.*

2. leichtes (leichtsinniges) ~ = Mensch, der unbekümmert in den Tag hineinlebt. Wohl Anspielung auf die sprichwörtliche Fahne im Wind. *Südwestd* 1800 *ff.*

3. schlechtes ~ = charakterloser Mann. *Südwestd* 1900 *ff.*

4. ins ~ gehen = schlafengehen. Tuch = Bettuch. 1920 *ff.*

5. das ist für ihn ein rotes ~ = das erregt ihn sehr; das bringt ihn in Wut. Wird hergeleitet von der Reaktion des Stieres auf das rote Tuch, das man ihm beim Stierkampf vorhält; auch der Truthahn reagiert so. Die rote Farbe wurde zum Sinnbild, obwohl nachweislich nicht sie, sondern das Flattern des Tuches die Angriffslust weckt. Im Laufe des 19. Jhs aufgekommen.

Tuchfühlung *f* 1. Nahkampf. Meint im Militärischen das Berühren mit den Armeln bei der im Glied stehenden Truppe. *Sold* in beiden Weltkriegen.

2. enges Umschlungensein; gedrängtes Beisammensitzen; nahes Beisammensein; Tanzen Körper an Körper. 1920 *ff.*

3. intime Beziehung zu einer Person des anderen Geschlechts. 1914 *ff.*

4. in ~ bleiben = die Verbindung persönlich oder brieflich aufrechterhalten. Erweiterung von „in Fühlung bleiben". 1950 *ff.*

5. auf ~ gehen = a) eng an jn heranrücken. 1920 *ff.* – b) sich anbiedern; in nähere Bekanntschaft zu jm treten. 1920 *ff.* – c) eng aneinandergeschmiegt tanzen. 1920 *ff.*

6. ~ nehmen = a) sich in einen Nahkampf einlassen. *Sold* in beiden Weltkriegen. – b) näher an jn heranrücken; langsam nähere Bekanntschaft anknüpfen. 1920 *ff.*

7. auf ~ tanzen = eng aneinandergeschmiegt tanzen. 1920 *ff.*

8. die ~ mit jm verlieren = die Verbindung mit jm verlieren, abbrechen o. ä. 1920 *ff.*

Tuck *m* 1. boshafter Streich. Seit *mhd* Zeit, verwandt mit „Tücke".

2. kurze, schnelle Bewegung. Meint im Mittelalter den kurzen, schnellen Schlag. Seit dem 15. Jh.

3. ein kleines Stück; ein bißchen. *Nordd* 1900 *ff.*

Tück *m* auf jn einen ~ haben = jm grollen. Tuck, Tück = Hinterlist; Groll. 1900 *ff.*

Tucke *f* 1. weibliche Person *(abf)*. Fußt auf dem Lockruf der Hühner. ↗Huhn. *Westd* seit dem 19. Jh.

2. weibischer Mann; Homosexueller. Seit dem frühen 20. Jh.

Tückebold *m* Heimtücker. 1700 *ff.*

tuckeln *intr* 1. langsam fahren. Schallnachahmend für das Motorgeräusch. 1900 *ff.*

2. Motorrad fahren. 1920 *ff.*

3. homosexuell verkehren; als Mann sich weibisch benehmen. Gehört zu „↗Tucke 2": Anspielung auf den „weiblichen" Typ des Homosexuellen. Seit dem frühen 20. Jh.

4. unlautere Geschäfte machen; tausch-

---

handeln. Fußt auf „Tücke = Hinterlist". 1918 *ff.*

tuckern *v* 1. *intr* = ein gleichmäßig stoßendes (pochendes) Geräusch hervorbringen. Lautmalend für das Geräusch des Bootsmotors, auch des Treckers o. ä. 1870 *ff.*

2. einen ~ = ein alkoholisches Getränk zu sich nehmen. Verkürzt aus ↗verkasematuckeln. 1940 *ff.*

3. es tuckert = langsam erreicht man die zum Gewinnen erforderliche Punktzahl. Übertragen von der langsamen Geschwindigkeit des Treckers o. ä. Kartenspielerspr. 1900 *ff.*

Tuckhuhn *n* 1. Huhn. Kindersprachlich nach dem Lockruf des Huhns. 1700 *ff.*

2. dümmlicher Mensch. ↗Huhn. Hühner gelten als dumm. Seit dem 19. Jh.

tücksch *adj* trotzig, zornig; übelnehmerisch; heimlich bösartig. Zusammengezogen aus „tückisch". Seit dem 19. Jh.

Tuddel *m* langsamer, umständlicher Mensch. ↗tütern. *Niedersächs* seit dem 19. Jh.

Tüdde'lei *f* umständliche Sache; umständliche Handlungsweise. ↗tütern. *Westd* seit dem 19. Jh.

tüddelig (tüdelig, tüttelig, tuddelig) *adj* 1. umständlich, ungeschickt, benommen, verwirrt, langsam. ↗tütern. *Niedersächs* seit dem 19. Jh. Stark verbreitet durch Fernsehübertragungen aus dem Hamburger Ohnsorgtheater.

2. hausbacken, enggeistig. *Westd* 1900 *ff.*

Tüddelkram *m* störende, lästige Sache. *Nordwestd* seit dem 19. Jh.

tüddeln (tüdeln, tuddeln, tutteln) *intr* sich mit unwichtigen Dingen beschäftigen. ↗tütern. *Nordwestd* seit dem 19. Jh.

tüdelütü'tü sein ↗Tüttelitü.

tüdern *intr* ↗tütern.

Tue'rei *f* Ziererei; Unaufrichtigkeit aus Albernheit; unnatürliches Benehmen. *Vgl* „sich ↗tun". Seit dem 19. Jh.

Tüftelbart *m* 1. leidenschaftlicher Bastler. ↗tüfteln. 1910 *ff.*

2. Mensch, der alles umständlich prüft und überlegt, ehe er einen Entschluß faßt. 1910 *ff*, *sold* in beiden Weltkriegen.

3. langweiliger Mensch. 1910 *ff.*

tüftelig *adj* mit viel mühsamer Kleinarbeit verbunden; kleinlich, schwierig; heikel. ↗tüfteln. Seit dem 19. Jh.

tüfteln (tifteln) *intr* eine kleinliche, mühsame Arbeit mit viel Ausdauer verrichten; sehr lange und genau an einer Sache arbeiten; grübeln. Hängt vielleicht zusammen mit „Tüpfelchen = Pünktchen" oder mit „tippen = leicht mit den Fingerspitzen berühren". 1750 *ff.*

Tüftler *m* erfindungsreicher Kopf; geduldiger Feinarbeiter; übergenauer Mensch. Seit dem 19. Jh.

Tugend *f* der ~ frönen = geschlechtlich enthaltsam leben. 1955 *ff*, *halbw.*

Tugendfutteral *n* Mantel, der alle Körperformen verhüllt. Seit dem 19. Jh.

Tugendhirt *m* Sittenwächter; Moralhüter. 1920 *ff.*

Tugendpinsel *m* übertrieben sittsamer Mensch. ↗Pinsel 5. 1950 *ff.*

Tugendprotz *m* Mensch, der sich seiner Sittenstrenge rühmt. ↗Protz. 1870 *ff.*

Tugendrose *f* sittsame Frau mit prüder Lebensart. Meint eigentlich die Goldene Rose, eine päpstliche Auszeichnung für hochgestellte Persönlichkeiten des öffentlichen Lebens. 1900 *ff.*

Tugendschnecke *f* schämige weibliche Person. Bei Bedrohung der Tugend verkriecht sie sich wie die Schnecke in ihr Haus. 1950 *ff.*

Tugendspiegel *m* sehr sittsamer Mensch. 1880 *ff, schül.*

Tugendweib *n* brave, folgsame, tugendhafte Schülerin. 1880 *ff.*

Tülle *f* **1.** äußeres Ende des weiblichen Harnorgans. Eigentlich der Ausguß an Kannen. 1800 *ff.*
2. Halbwüchsige mit geringen charakterlich-sittlichen Vorzügen. *Halbw* 1950 *ff.*
3. Prostituierte; intime Freundin. ↗Tülle 1. 1800 *ff,* Berlin, Frankfurt am Main u. a., *prost.*
4. olle ~ = liederliche Frau. Berlin 1900 *ff.*
5. tofte ~ = nettes, sympathisches Mädchen. ↗toft. *Halbw* nach 1950 *ff.*

tulli (tuli) *adj präd* schön, gut, großartig, in Ordnung. Zusammenhängend mit dem Freudenausruf „↗dulliäh" o. ä.? *Österr* 1900 *ff.*

Tülpchen *n* Prostituierte. Fußt auf der Vorstellung des zusammengehörigen Paars Tulpe und Tulpenstengel (Vagina und Penis). 1930 *ff.*

Tulpe *f* **1.** wunderlicher, dümmlicher Mensch; Versager. Entstellt aus „Tölpel". Gemeindeutsch seit dem späten 19. Jh.
2. Bierglas mit langem Stiel. Es ähnelt die Becherform der Tulpenblüte. 1600 *ff,* vorwiegend nördlich der Mainlinie.
3. unbeständiges Mädchen, das oft den Freund wechselt. ↗Tülpchen. Berlin 1950 *ff, halbw.*
4. im Wind umgestülpter Regenschirm. Er sieht dann wie ein Tulpenkelch aus. 1840 *ff,* Berlin, Leipzig, Wien.
5. gerötete Nase; Stülpnase. 1840 *ff.*
6. Uringlas. Krankenhausspr. 1940 *ff.*
7. trübe ~ = unfähiger Mensch; überheblicher Mann. Trübe = undurchsichtig, unklar, matt. „Tulpe" spielt wohl auf Hochnäsigkeit an. *Sold* 1935 *ff.*
8. ~ tun = sich unwissend stellen; Unwissen heucheln. ↗Tulpe 1. 1900 *ff.*

Tummel *m* **1.** ausgelassene Geselligkeit. Gehört zu „tummeln = lärmen; sich schnell bewegen; sich im Kreis hin- und herbewegen". Seit dem 19. Jh.
2. Alkoholrausch. Tummeln = taumeln. 1700 *ff.*

tummeln *refl* sich beeilen; sich lebhaft bewegen. Verwandt mit „taumeln". Seit dem 15. Jh.

tümpeln *tr* **1.** jn im Wasser hochheben und niederstoßen. 1900 *ff,* kadettenspr.
2. jn gefügig machen; jn heftig rügen. Man taucht ihn in ein Wasserloch ein und läßt ihn nicht eher frei, bis er nachgibt. 1955 *ff, halbw,* Berlin.

tun *v* **1.** als Hilfszeitwort in Verbindung mit einem Verbum (er tut gehen, tut schlafen, tut essen, tut arbeiten). Diese Konstruktion, in der Umgangssprache sehr häufig, dient zur Umschreibung der betreffenden Verbformen (geht, schläft, ißt, arbeitet). Schon in *mhd* Zeit; häufiger seit dem 15. Jh.
2. ~ (es jm ~) = koitieren. Analog zu ↗machen 8. 1500 *ff.* Vgl *engl* „to make".
3. jm etw ~ = jm etw geben, reichen, leihen (tu mir ein Butterbrot!). Seit *mhd* Zeit.

4. einen ~ = Alkohol zu sich nehmen. Gekürzt aus „einen trinken tun". 1900 *ff.*
5. es nicht mehr lange ~ = bald sterben. Seit dem 17. Jh.
6. mit jm zu ~ haben = mit jm verkehren (auch geschlechtlich). Seit dem 18. Jh.
7. es mit jm zu ~ kriegen = mit jm Ungelegenheiten bekommen. 1700 *ff.*
8. tu nicht so! = verstell' dich nicht! bleib' bei der Wahrheit! Verkürzt aus „tu' nicht so, als wärst du ein anderer!" oder „tu' nicht so, als entspräche dies deiner Art!". 1700 *ff.*
9. ~ als ob = sich verstellen; etw vorspiegeln. Man „tut, als ob" man reich wäre = man täuscht Reichtum vor; man „tut, als ob" man fleißig wäre = man täuscht Fleiß vor. Seit dem 19. Jh.
10. man tut, was man kann = man gibt sich Mühe nach besten Kräften. Gern als blasierte Erwiderung auf eine Anerkennung verwendet. Seit dem 19. Jh.
11. es tut's = es reicht aus. 1900 *ff.*
12. da tut sich was = da geht etwas vor sich; da bereitet sich etwas vor; da gibt es viel zu sehen. Tun = geschehen. 1850 *ff.*
13. ~ = reisen; sich begeben (in diesem Jahr tun wir nach Italien). Analog zu ↗machen 38. Seit dem 19. Jh.
14. du solltest mal etwas für dich ~ = du scheinst nicht recht bei Verstand zu sein. Meint eigentlich den Rat, für die Gesundheit zu sorgen. Berlin und *mitteld,* 1900 *ff.*
15. tu, was du nicht lassen kannst: Redewendung, wenn man einen gewähren lassen muß, ohne es für richtig zu halten. 1850 *ff.*
16. sich tun = a) sich anmaßend aufführen; sich aufspielen. Verkürzt aus „sich wichtig tun". Seit dem 19. Jh. – b) sich zieren. Man „tut sich albern". Seit dem 19. Jh.
17. nicht wissen, wohin man jn ~ soll = nicht wissen, wer jd ist, obwohl man ihn zu kennen glaubt. ↗hintun. Seit dem 19. Jh.

Tünbüdel *m* Dummschwätzer. ↗tünen; Büdel = Beutel (= Hodensack = Mann). *Nordwestd* seit dem 19. Jh.

Tünche *f* Schminke; Make-up. Meint eigentlich den Wandanstrich, das auf die Oberfläche Aufgetragene. 1920 *ff.*

tünen *intr* dummschwätzen; lügen. *Niederd* Entsprechung zu *hd* „zäunen", hier im Sinne von „allerlei in die Erzählung einflechten". 1800 *ff,* nordwestdeutsch.

Tunix *f* politische Verweigerungshaltung von Berliner Jugendlichen. Gegen 1977/78 aufgekommen aus der Zusammensetzung von „tun" und „nix" (= nichts).

tunken *v* **1.** jn ~ = jn ins Wasser tauchen. Seit dem 19. Jh.
2. jn ~ (jm eine ~) = jm einen heftigen Schlag versetzen; jn heftig prügeln; jn anherrschen. Versteht sich nach dem Vorhergehenden in Analogie zu „↗tümpeln 2". Seit dem 19. Jh.
3. jn ~ = jm böse mitspielen. Seit dem 19. Jh.
4. jn ~ = jn bestrafen. Analog zu ↗eintauchen. *Bayr* 1950 *ff.*
5. *intr* ~ = ein Schläfchen machen. Wohl hergenommen vom Kopf, den der Schläfer sinken läßt, so daß es aussieht wie ein Tauchen. Vorwiegend *oberd,* seit dem 19. Jh.

Tünkram *m* dummes Geschwätz; Unsinn;

Belanglosigkeit. ↗tünen. Nordwestd. seit dem 19. Jh.

Tunnel *m* **1.** in einen dunklen (langen) ~ geraten = einem ungewissen Schicksal entgegensehen; nicht wissen, wie eine Sache enden wird. 1970 *ff.*
2. das Ende des ~s kommt in Sicht = die Spanne der Ungewißheit geht zu Ende. ↗Tunnel 5. 1970 *ff.*
3. aus dem ~ rauskommen = einer Schwierigkeit Herr werden. 1970 *ff.*
4. kein Ende des ~s sehen = die Entwicklung pessimistisch beurteilen; eine Maßnahme noch nicht als wirksam erkennen. 1970 *ff.*
5. das Licht am Ende des ~s sehen = eine Entwicklung nimmt endlich die erhoffte, erfreuliche Wendung. Aus dem *Engl* übersetzt: „to see the light at the end of the tunnel." 1970 *ff.*
6. etw findet im ~ statt = die Entwicklung verläuft noch in völliger Ungewißheit. 1970 *ff.*

Tünnes *m* Spaßmacher. Fußt auf dem Vornamen Antonius. Bekannt geworden als eine der führenden Witzfiguren Kölns, vor allem durch die Kölner Witzsammlungen der „Kölschen Krätzcher". Seit dem 19. Jh.

Tunte *f* **1.** verzärtelte, langweilige Person; ältere unordentliche Frau; energieloser, unmilitärischer Mann. ↗tunteln. Seit dem 19. Jh, *niedersächs.*
2. Frau zwischen dreißig und fünfzig Jahren. 1950 *ff,* Wortschöpfung des Textileinzelhandels.
3. unsympathisches, unansehnliches Mädchen. *Halbw* 1955 *ff.*
3 a. intime, feste Freundin. *Jug* seit 1965.
4. „weiblicher" Typ des Homosexuellen; Homosexueller in Frauenkleidung. Seit dem 19. Jh, *prost.*
5. Lesbierin. 1950 *ff, prost.*

tunteln *intr* **1.** zögern; langsam sein; zimperlich zu Werke gehen. Nasalierte Nebenform zu „↗tüddeln". *Nordwestd* und Berlin, seit dem 17. Jh.
2. die Zeit mit Nichtigkeiten verschwenden. Seit dem 19. Jh.

tunten *intr* als „weiblicher Typ" homosexuell verkehren. ↗Tunte 4. Seit dem 19. Jh, *prost.*

tuntig *adj* **1.** unbeholfen; träge; schwunglos. ↗tunteln 1. Nordwestdeutsch seit dem 19. Jh.
2. verzärtelt; weibisch (wenn auf Homosexuelle bezogen). ↗Tunte 4. 1900 *ff.*

Tüpfel *m* den ~ aufs i setzen = etw bis in die kleinste Kleinigkeit ausführen, fertigstellen; jm etw genau auseinandersetzen. Tüpfel = Punkt. Seit dem 19. Jh.

Tüpfelchen *n* **1.** sehr kleines Stück. Eigentlich das Pünktchen, der kleine Farbtupfen. 1900 *ff.*
2. ~ auf dem i = kleiner Umstand, der eine Sache vervollkommnet. 1800 *ff.*
3. bis aufs ~ = bis in alle Einzelheiten; genau nach Vorschrift. Seit dem 19. Jh. *Vgl franz* „il n'y manque pas un iota".
4. da fehlt kein ~ auf dem i = da fehlt nicht die geringste Kleinigkeit. Seit dem 19. Jh. *Vgl franz* „il n'y manque pas un iota".
5. das ~ auf dem i nicht vergessen = sehr gewissenhaft sein. 1900 *ff.*

tüpfelig *adj* sehr gewissenhaft; übergenau. 1900 *ff.*

tüpfeln *tr* betasten. Iterativum zu „tupfen = berühren". Seit dem 16. Jh.

Tüpfelscheißer (Tüpfleinscheißer) *m*
Pedant. *Oberd* 1900 *ff.*

tupfen *tr* 1. jn prügeln, ohrfeigen. Tupf =
Punkt, Stoß. Seit dem 19. Jh.

2. jn stechen. Seit dem 19. Jh.

3. koitieren. Analog zu ↗stechen. Vorwiegend *oberd*, seit dem 19. Jh.

4. jn überflügeln. Tupfen = schlagen, den
Feind besiegen. *Bayr* 1900 *ff.*

Tupfer *m* 1. kleine Menge. 1900 *ff.*

2. Stich, Stoß. Seit dem 19. Jh.

3. Penis. ↗tupfen 3. Seit dem 19. Jh,
oberd.

4. Geschlechtsverkehr. *Oberd* seit dem
19. Jh.

tupsen *tr* leicht anstoßen. Iterativum zu
↗tupfen. Seit dem 19. Jh.

Tür *f* 1. Klappe an der Klapphose; Hosenschlitz. Seit dem 19. Jh.

2. ~ mit dem herzigen Ausschnitt =
Aborttür. Der „herzige Ausschnitt" ist der
herzförmige Ausschnitt, der früher an den
Aborttüren auf dem Lande üblich war und
teilweise noch heute Sitte ist. 1900 *ff.*

3. ~ mit Herz (Herzerl) = Aborttür. *Vgl*
das Vorhergehende. Seit dem 19. Jh, *bayr*
und *österr.*

4. hinter ~n ohne Klinke = im Gefängnis. 1950 *ff.*

5. zwischen ~ und Angel = schnell,
hastig; unvorbereitet; gerade beim Verlassen des Zimmers; unter der Haustür, beim
Weggehen. Seit dem 19. Jh.

6. vor der ~ abladen = den Beischlaf
kurz vor der Ejakulation abbrechen. *Vgl*
↗Haustür. 1900 *ff.*

7. jm die ~ zu etw aufstoßen = jm den
Zugang zu etw öffnen; jds beruflichen
Werdegang entscheidend fördern. 1950 *ff.*

8. jm die ~en aushängen = a) jn vertreiben; jm das Verweilen verleiden. Geht
zurück auf die alte Sinnbildhandlung der
Friedloserklärung. 1900 *ff.* – b) jm einen
bösen Streich spielen; jn ernstlich schädigen. 1900 *ff.*

9. die ~ dichtmachen = die Tür schlie
ßen, absperren. 1900 *ff.*

10. ~en eindonnern = energisch, leidenschaftlich auftreten. Mit Getöse tritt man
zur Tür herein. 1930 *ff.*

11. jm die ~ einlaufen = jn oft besuchen
und mit Bitten belästigen. Seit dem 19. Jh.

12. offene ~en einlaufen (einrennen) =
auf keinerlei Widerstand stoßen; für seinen Plan volle Unterstützung finden.
↗Tür 20. Seit dem 19. Jh.

13. jm die ~en einrennen = jm mit
Hausbesuchen lästig fallen. Seit dem
19. Jh.

14. mit ihm kann man ~en einrennen =
er ist sehr dumm. Der Begriffsstutzige hat
eine dicke Knochendecke, so daß man ihn
als Rammbock verwenden kann. 1840 *ff.*

15. mit der ~ ins Haus fallen = Unangenehmes ohne Vorbereitung und ohne Umschweife berichten. Gemeint ist, daß einer
die Tür nicht ordnungsgemäß öffnet, sondern sie einstürmt. Seit dem 16. Jh.

16. mit jm vor die ~ gehen = sich mit
jm prügeln. Rocker 1967 *ff.*

17. vor der eigenen ~ kehren (fegen) =
sich um seine eigenen Angelegenheiten
kümmern. Fußt auf dem Sprichwort: „Jeder kehre vor seiner Tür; er findet Dreck
genug dafür" (= davor). Seit dem 19. Jh.

18. er kriegt müde ~en = ihm fallen die
Augen vor Müdigkeit zu. 1950 *ff.*

19. sich eine ~ offenhalten = stets auf
einen Ausweg bedacht sein; stets so vorgehen, daß man ungehindert den Rückzug
antreten kann; auf eine Ablehnung mit
einem anderen Vorschlag erwidern. Seit
dem 19. Jh.

20. gegen offene ~en rennen = sich auf
Widerstände gefaßt machen, die gar nicht
bestehen. ↗Tür 12. Seit dem 19. Jh. *Vgl
franz* „enfoncer des portes ouvertes".

20 a. da ist die ~!: Aufforderung wegzugehen, das Zimmer (die Wohnung) zu verlassen. Seit dem 19. Jh.

21. jn vor die ~ setzen = jn entlassen;
jm die Wohnung kündigen; jn aus dem
Haus weisen. *Vgl* „jm den ↗Stuhl vor die
Tür setzen". Seit dem 19. Jh.

22. zwischen ~ und Angel sitzen = ratlos sein. Seit dem 19. Jh.

23. es steht vor der ~ = es ist in Kürze
zu erwarten; es steht bevor. 1900 *ff.*

24. anders geht die ~ nicht zu = anders
ist es nicht zu bewerkstelligen. Hergeleitet
von einer Tür, die klemmt: um sie zu
schließen, muß man die Kraftanstrengung,
den Lärm, die Hobelspäne o. ä. in Kauf
nehmen. 1900 *ff.*

25. ach, du kriegst die ~ nicht zu!: Ausdruck der Verwunderung. Man staunt darüber, daß einer nicht imstande ist, die Tür
zu schließen; entweder hat sie sich gekrümmt, oder der Riegel paßt nicht in die
Halterung, oder man hat gar eine Drehtür
im Sinn. *Jug* 1925 *ff.*

26. mach die ~ von außen zu!: Aufforderung an einen, sich zu entfernen. Seit dem
19. Jh.

27. jm die ~ vor der Nase zumachen
(zuknallen, zuschlagen) = dicht vor jm
die Tür schließen. ↗Nase 15. 1600 *ff.*

28. machen Sie Ihre ~ zu, sonst trägt
Ihnen jemand etwas hinein (nicht daß
Ihnen jemand etw hineinträgt)!: Redewendung an einen, der vergißt, die Wohnungstür zu schließen. 1930 *ff.*

29. die ~ zuschlagen = aus Empörung
die Verbindung gänzlich abbrechen.
1920 *ff.*

Türchen *n* kleine Reise, kleiner Ausflug.
Scherzhafte Verkleinerungsform zu
„Tour". Seit dem 19. Jh, *westd.*

Türke *m* 1. eingedrillte Besichtigungsübung; bis zum Überdruß Wiederholtes.
Leitet sich möglicherweise her von der
türkischen Begräbnisstätte, „die sich bis
zum Jahre 1866 auf der Tempelhofer Feldmark, dem späteren Grundstück der Franzer- Kaserne, befand. Das umliegende Gelände wurde in der ersten Hälfte des
19. Jhs mit Vorliebe zur Einübung von
Gefechten für die Besichtigung benützt. Da
das Türkengrab dabei eine gewisse Rolle
spielte, so mag die Bezeichnung ‚Türke' für
eingeübte Besichtigungsgefechte in den
allgemeinen Sprachgebrauch übergegangen sein" (Transfeldt). *Vgl* auch ↗Türke 5.

2. *pl* = durch Retusche oder Fotomontage
verfälschte Fotos; erfundene Geschichten;
betrügerische, falsche Angaben; Publikumsirreführung. 1950 *ff.*

3. *sg* = Hotelportier. Das Wort ist mit
gedehntem „ü" zu sprechen; denn der Betreffende steht an der „Tür". Wortwitzelei.
1910 *ff.*

4. heller ~ = Haschischart. 1960 *ff.*

5. einen ~n bauen = a) Unwahres für

wahr ausgeben; etw vortäuschen; eine oft
geprobte Übung als spontane Originalleistung vorführen; ein Täuschungsmanöver
vollführen. Hängt (möglicherweise mittelbar) zusammen mit dem Schachautomaten des Wolfgang von Kempelen aus dem
Jahre 1768: vor dem Kasten saß eine lebensgroße, in orientalische Gewänder gehüllte Puppe, weswegen man den Apparat
„der Türke" nannte (in ihm saß ein kleinwüchsiger Schachmeister). Das Geheimnis
dieses vermeintlichen Roboters lüftete erst
1838 Edgar Allan Poe. Die Redewendung
ist erst seit dem späten 19. Jh bezeugt,
vorwiegend *sold* und theaterspr. – b) Ehrenbezeugungen vollführen. 1920 *ff, sold.*

Turkel *m* 1. unerwartetes, unverdientes
Glück. ↗Torkel. Seit dem 19. Jh.

2. Taumel, Rausch; Verblendung; Irresein.
Seit dem 19. Jh.

türken *v* 1. etw ~ = etw vortäuschen; etw
dem Echten betrügerisch nachgestalten;
etw entgegen der Wahrheit für echt ausgeben. ↗Türke 5. 1920 *ff.*

2. die Meldung ist getürkt = die Meldung
ist frei erfunden oder mit erfundenen Einzelheiten durchsetzt. *Journ* 1950 *ff.*

Türkenkoffer *m* Tragetasche. Wegen der
Beliebtheit bei türkischen Gastarbeitern
und deren Angehörigen. 1980 *ff.*

Türkenmusik *f* Syphilis. ↗Musik 23. Seit
dem 19. Jh.

Türklinke *f* 1. Tabakspfeife. Wegen der
Formähnlichkeit. *Halbw* 1965 *ff.*

2. einer gibt dem anderen die ~ in die
Hand = viele sprechen nacheinander vor.
1920 *ff.*

3. einander die ~ aus der Hand nehmen
= zur Tür hereintreten, deren Klinke ein
anderer gerade losläßt. 1920 *ff.*

4. ~n putzen = als Bettler oder Hausierer
von Wohnungstür zu Wohnungstür gehen; Bittbesuche abstatten. ↗Klinke 6.
Seit dem 19. Jh.

5. bei ihm wird die ~ nicht kalt = viele
sprechen bei ihm vor. 1920 *ff.*

Turko *m* Türke; türkischer Gastarbeiter.
Übernommen aus dem *Ital* und *Span.*
Halbw 1960 *ff.*

türlich *adv* selbstverständlich. Verkürzt aus
„natürlich" wegen der Schwachtonigkeit
der ersten Silbe. 1900 *ff.*

Türschnapper *m* 1. Hauswart, Portier. Er
läßt die Haustür auf- und zuschnappen.
Wien 1900 *ff.*

2. Parkplatzwart. Wien 1950 *ff.*

Turm *m* 1. Hochfrisur. 1955 *ff.*

2. eigenes Zimmer. Etwa im Sinne von
„↗Burg" o. ä. zu verstehen. Kann auch
auf den Gefängnisturm zurückgehen oder
auf den „↗Elfenbeinturm" (↗Turm 5).
Halbw 1955 *ff.*

3. Hotelzimmer. Ganovenspr. 1970 *ff.*

4. dufter ~ = nettes Zimmer; angenehmes Mietzimmer bei sittlich großzügigen
Leuten. ↗dufte. 1955 *ff*, *halbw.*

5. elfenbeinerner ~ = a) Abkehr von der
Alltagswirklichkeit. ↗Elfenbeinturm.
1900 *ff.* – b) Bündnislosigkeit; Nichtzugehörigkeit zu einem politischen Pakt.
1955 *ff.*

6. einen vom ~ blasen = einen Schnaps
an der Theke trinken. ↗blasen 6. 1850 *ff.*

7. gut vom ~ blasen können = gut reden
können. Anspielung auf das Choralblasen
vom Kirchturm aus. 1900 *ff.*

8. jetzt wird vom ~ geblasen = beim

Kartenspiel wird Trumpf gefordert. Leitet sich her von dem auf dem Turm geblasenen Fanfarensignal zu Beginn eines Festes. Kartenspielerspr. 1870 ff.

9. einen vom ~ hauen = onanieren. Turm = erigierter Penis. *Halbw* 1950 ff.

10. Kennst du die Mehrzahl von ~?: Ausdruck der Abweisung. Die Mehrzahl von „Turm" lautet „Türme"; kleingeschrieben bedeutet „türme" soviel wie „geh weg!"; ↗türmen. *Jug* um 1880/90; *sold* 1914 ff.

türmen *intr* **1.** entspringen, fliehen. Die Herleitung ist umstritten. Im Neuhebräischen gibt es „tharam = entfernen". Kundenspr. „türmen = wandern, weiterwandern" kann auf „turmen, turmeln = taumeln" zurückgehen, aber auch auf das Wandern „von Ort zu Ort = von Kirchturm zu Kirchturm". Meir Fraenkel (Tel Aviv) verweist den Verfasser auf „stürmen" mit Fortfall des s- Anschlags. Im ausgehenden 19. Jh aufgekommen im *Rotw;* später auch *sold.* **2.** sich der Dienstpflicht zu entziehen suchen. *BSD* 1965 ff.

'turm'hoch *adj adv* sehr hoch (er ist ihm turmhoch überlegen; an Rang zeigt er turmhoch über ihm). Analogiesteigerung zu ↗haushoch. Beliebte Sportlervokabel. 1900 ff.

Turmstützer *m* Mensch, der zu spät zum Gottesdienst kommt und unter dem Turm stehenbleibt. 1960 ff, theologenspr.

Turn (*engl* ausgesprochen) *m* **1.** Flug. *Engl* „turn = Drehung, Wendung, Kursänderung". *BSD* 1960 ff. **2.** Abteilung; Teil einer Gruppe. *Engl* „turn = regelmäßige Abwechslung im Ausübung einer Pflicht; Arbeitsschicht"; *vgl* auch *engl* „it is my turn = ich bin an der Reihe". *BSD* 1965 ff. **3.** Rauschgiftrausch. Analog zu „↗Trip". 1965 ff.

turnen I *intr* **1.** tollen; sich ausgelassen, übermütig bewegen, tummeln. Bezieht sich ursprünglich auf die Leibesübungen; von da weiterentwickelt zu „klettern, balancieren". 1850 ff. **2.** sich geschickt hindurchwinden. 1870 ff. **3.** mit jm ~ = koitieren. Analog zu „↗klettern" u.ä.; *vgl* „↗Leibesübung = Geschlechtsverkehr". 1910 ff.

turnen II (*engl* ausgesprochen) *v* **1.** *intr* Haschisch (o. ä.) rauchen. ↗Turn 3. 1965 ff. **2.** *tr* = begeistern, anregen. *Vgl* ↗anturnen II. 1955 ff.

Turnstuhl *m* ~ für Ratentrinker und Barzahler = Barhocker. 1960 ff.

Turtel *f* Geliebte; intime Freundin. Verkürzt aus „↗Turteltaube". 1910 ff.

turteln *intr* **1.** verliebt tun; kosen. Die Turteltauben gelten in volkstümlicher Sicht als mustergültig verliebte Lebewesen. Seit dem 19. Jh. **2.** unecht vertraut sprechen. 1950 ff.

Turteltaube *f* **1.** Geliebte; Ehefrau. ↗turteln 1. Seit dem 19. Jh. **2.** wie die ~n schäkern = verliebt kosen. Seit dem 19. Jh.

Tusch *m* **1.** Prahlerei, Lüge. Aufgefaßt als leerer Schall. Seit dem 19. Jh. **2.** trügerischer Schein; Äußerlichkeit. Hier vielleicht beeinflußt von „Tusche = falscher Anstrich". Seit dem 19. Jh. **3.** Belanglosigkeit, Kleinigkeit. Sie ist nicht

mehr wert als flüchtiger Schall. Seit dem 19. Jh, *oberd.* **4.** Beleidigung, Herausforderung. ↗tuschieren 1. *Stud* seit dem späten 18. Jh.

tuschen *v* jm eine ~ = jn ohrfeigen, prügeln. Geht zurück auf *franz* „toucher = berühren". 1700 ff.

tuschieren *tr* **1.** jn beleidigen; jds Ehre verletzen. Aus *franz* „toucher = berühren". 1700 ff, *stud.* **2.** jn prügeln. ↗tuschen. *Österr* seit dem 19. Jh.

Tuschkasten *m* **1.** Schminkdose. Tuschen = Farben auftragen. 1890 ff. **2.** stark geschminkte Frau. 1900 ff. **3.** in einen ~ gefallen = geschmacklos geschminkt. 1900 ff.

Tussi (Tussy) *f* Mädchen; feste Freundin. Aus Thusnelda kosewörtlich entwickelt gegen 1920; allgemein seit 1975.

Tut *m* Tutanchamun. 1980 anläßlich der Ausstellung (in Berlin, Köln, München u.a.), aufgekommene Abkürzung.

Tute *f* **1.** Signalhorn, Trompete; Blasinstrument jeder Art. Eigentlich das Blashorn. Schallnachahmender Herkunft. 1800 ff. **2.** Vagina. Als Behältnis aufgefaßt (Tüte). Seit dem 19. Jh. **3.** Frau mittleren Alters. 1900 ff. **4.** blöde ~ = Schimpfwort auf eine (ältere) weibliche Person. 1900 ff. **5.** lange ~ = Teleobjektiv einer Kamera. 1950 ff, technikerspr.

Tüte *f* **1.** Polizeibeamter. Verkürzt aus ↗Hurratüte. 1920 ff. **2.** Blasinstrument. Nebenform zu ↗Tute 1. Seit dem 18. Jh. **3.** wunderlicher Mensch; langweiliger, unselbständiger Mensch; unmilitärischer Mann. Ist über schallnachahmendes Wort „Tüte" Analogie zu „↗Pfeife 1" oder fußt auf der Vorstellung von der aufgeblasenen Tüte, die nur Luft enthält. 1900 ff, vorwiegend Berlin und *sächs.* **4.** Stahlhelm. Verkürzt aus ↗Hurratüte. *BSD* 1965 ff. **5.** Hut. Sonderentwicklung aus dem Vorhergehenden. 1965 ff. **6.** Präservativ. 1930 ff. **7.** alte ~!: Anrede unter Halbwüchsigen. 1955 ff. **8.** geplatzte ~ = Verrücktheit. 1930 ff. **9.** lahme ~ = langsamer Mensch. 1950 ff, jug. **10.** müde ~ = langweiliger Mensch. 1950 ff, jug. **11.** traurige ~ = Versager, Schwächling. 1950 ff. **12.** volle ~ = vollschlankes Mädchen. 1950 ff, halbw. **13.** nicht in die ~!: Ausdruck der Ablehnung. Leitet sich her von der Tüte, in die der Verkäufer wohl etwas mit hineinpacken will (einen faulen Apfel o. ä.), das man nicht kaufen will. 1870 ff, Berlin u. a. **14.** das findet sich in der letzten ~ = am Ende wird alles klar (aufgeklärt). *Hess* seit dem 19. Jh. **15.** aus der ~ gehen (geraten) = außer sich geraten; verliebt kosen. Man „platzt vor Wut" o. ä. *Vgl* ↗Tüte 20. Seit dem 19. Jh. **16.** in die ~ gucken = bei einer Verteilung unberücksichtigt bleiben. Tüte, Tute = Röhre; daher analog zu „in die ↗Röhre gucken". Berlin und *sächs,* 1900 ff.

17. in die ~ kacken = in einen Papierbeutel erbrechen. 1930 ff. **18.** ~n kleben (drehen, machen) = Gefängnisinsasse sein. Hergenommen von einer *trad* Beschäftigung der Sträflinge. 1870 ff. **19.** das kommt nicht in die ~ = das kommt nicht in Betracht. ↗Tüte 13. 1870 ff, Berlin und *ostmitteld.* **20.** aus der ~ sein = fassungslos, verwirrt sein. „Tüte" steht hier für das Äußere eines Behältnisses und in übertragener Bedeutung für „Fassung" oder spielt an auf die Bedeutung „Haube, Haarbund". *Vgl* auch ↗Tüte 15. *Niederd* seit dem 19. Jh. **21.** in die ~ pusten = in ein Alkoholteströhrchen blasen. ↗Pustetest. 1960 ff.

tüteln *intr* zechen. ↗tuten 2. 1900 ff.

tuten *v* **1.** *intr* = ins Horn stoßen; Signal blasen. Lautmalender Natur. *Niederd* seit dem 14. Jh. **2.** einen ~ = ein Glas Alkohol trinken. Analog zu „einen ↗blasen". 1870 ff. **3.** *intr* = fellieren. 1910 ff. **4.** sie haben getutet = durch den letzten Stich hat der Spieler sein Spiel verloren. Hergenommen vom Blasen zum Zapfenstreich. Kartenspielerspr. seit dem 19. Jh. **5.** von ~ und Blasen keine Ahnung haben = von einer Sache nichts wissen; dumm sein. Wer vom Tuten und Blasen nichts versteht, taugt nicht einmal zum Nachtwächter, der bloß ins Horn zu stoßen hat: sein Horn gibt ihm den einzigen Ton von sich. Im 18. Jh aufgekommen.

tüten *intr* als Fluggast in einen (dafür vorgesehenen) Beutel erbrechen. 1930 ff.

Tütenkleber *m* Strafgefangener. ↗Tüte 18. 1870 ff.

tüterig *adj* **1.** wunderlich, seltsam; umständlich. ↗tütern 1. *Nordd* seit dem 19. Jh. **2.** wirr, aufgeregt; durcheinander. Seit dem 19. Jh. **3.** unbeholfen, kleinlich. Seit dem 19. Jh.

tütern *v* **1.** *intr tr* = in Unordnung bringen, verwirren; umständlich zu Werke gehen; zwecklos hin- und herreden. Gehört zu *nordd* „Tüter = Knoten, Verschlingung", weiterentwickelt zur Bedeutung „Unordnung". Seit dem 18. Jh. **2.** *intr* = Ausreden gebrauchen; Ausflüchte machen; unaufrichtig sein. *Nordwestd* 1900 ff.

Tuti *m* Tutanchamun. Kosewörtliche Form der Abkürzung „↗Tut". 1980 ff.

tutig *adj* **1.** wunderlich, treuherzig, naiv; harmlos. ↗Tüte 3. 1900 ff. **2.** albern, langweilig, weitschweifig. 1900 ff. **3.** spröde, unzugänglich; geschlechtlich abweisend. 1900 ff.

tutschen *intr* **1.** saugen. Meint eigentlich „an der ↗Tutte saugen"; auch schallnachahmender Natur (*vgl* ↗lutscheln 1). Berlin 1830 ff. **2.** an etw genüßlich (langsam) trinken. Berlin 1830 ff. **3.** zechen. Berlin 1830 ff.

Tutte *f* Brust. Ablautform von ↗Titte. Seit *mhd* Zeit.

Tüttelchen *n* bis aufs ~ = bis in die kleinste Kleinigkeit. Soviel wie „Pünktchen". *Vgl* ↗Tüpfelchen. 1850 ff.

Tütteli'tü (Tüddelitü'tü) *v* einen ~ haben = leicht verrückt sein; närrisch sein. Schallnachahmung des Vogelgezwitschers mit Anspielung auf „einen ↗Vogel haben". 1910 ff, niederd.

tütteli'tü sein nicht recht bei Verstand sein. 1910 ff, niederd.

Tutti n Busen. ↗Tutte. Halbw 1950 ff.

tutti adj adv **1.** gut, schön, in Ordnung. Stammt aus ital „tutto = ganz, völlig". Österr 1940 ff.
2. auf ~ gehen = es auf eine Liebschaft mitsamt Koitus abgesehen haben. Vgl „aufs Ganze gehen". 1960 ff.

tuttmähm'schoß adv gleichgültig. Aus franz „toute la même chose". Seit dem 18. Jh, südd und Berlin.

'tuttmähmschoße'gal adv völlig gleichgültig. Vgl das Vorhergehende. 1900 ff.

tutto kaputto (tutti kaputti) adv völlig erschöpft. Italianisierung. 1920 ff.

Tü'tü m **1.** närrischer Mensch. Verkürzt aus ↗Tüttelitü.
2. Homosexueller. Er gilt als unzurechnungsfähig. 1915 ff, ziv und sold.
3. kurzer Tanzrock der Ballerina. Fußt auf franz kinderspr. „tutu = Popo". Der Tanzrock bedeckt das Gesäß nicht völlig. 1900 ff.

TÜV (gesprochen wie geschrieben) m **1.** Musterung, Gesundheitsbesichtigung. Amtliche Abkürzung von „Technischer Überwachungsverein". Auf das Militärische übertragen gegen 1960, BSD.
2. Staatliches Gesundheitsamt als ärztliche Kontrollstelle der Prostituierten. 1960 ff, prost und medizinerspr.
3. Begutachtung durch Psychologen, Psychiater o. ä. Häftlingsspr. 1970 ff.
4. Schulaufnahmeprüfung. Schül 1965 ff.
5. Rassehundeprüfung. 1970 ff.
6. Schönheitsfarm. 1975 ff.

Tuwat f Hausbesetzung u. ä. durch Berliner Jugendliche. 1981 aufgekommen als Gegenwort zu „↗Tunix".

Twen m **1.** junger Mann (junges Mädchen) vom 20. Lebensjahr an. Verkürzt aus engl „twenty = 20". Stammt als Begriff jedoch nur scheinbar aus dem Engl; ist in Wirklichkeit eine Erfindung der deutschen Modeindustrie. 1955 ff.
2. Kleidungsstück für eine(n) Zwanzigjährige(n). 1955 ff.

Twennie f Zwanzig- bis Neunundzwanzigjährige. 1960 ff.

twennig adj auf Leute im dritten Lebensjahrzehnt bezogen (zugeschnitten; passend). 1960 ff.

tweno'gen adj dem Lebensstil der Zwanzigjährigen entsprechend. Gebildet nach dem Muster von „fotogen, telegen" o. ä. 1960 ff.

Twenty f m **1.** junge Dame (junger Mann) vom zwanzigsten Lebensjahr an. Das Wort ist in dieser Bedeutung in England unbekannt. 1955 ff.
2. doppelter ~ = Vierzigjährige(r). 1955 ff.

Twiggy m f **1.** flachbrüstiges Mädchen; hagerer Mensch. Fußt auf dem „Künstlernamen" des 1966 bekannt gewordenen, damals 17jährigen engl Mannequins Leslie Hornby. Diese „Twiggy" (wörtlich soviel wie „Zweigchen") war der Typ des „Knabenmädchens". BSD 1968 ff.
2. unschönes Mädchen. Es entspricht nicht dem Schönheitsideal der üppigen Körperformen. BSD 1968 ff.

Typ m **1.** Mann; junger Mann; Freund eines jungen Mädchens. (Dativ und Akkusativ

sg: Typen.) Meint soviel wie „Urgestalt, Vorbild": er entspricht dem Typ, den man sich vorgestellt hat. Halbw nach 1950.
2. Einzelgänger. Verkürzt aus „wunderlicher Typ" o. ä. Halbw 1955 ff.
3. arbeitsscheuer ~ = Soldat auf Zeit. Zeitsoldaten sind in den Augen der anderen faul; sie werden Zeitsoldat, um nicht viel arbeiten zu müssen. 1965 ff.
4. bedienter ~ = nervöser, geistesbeschränkter Mensch. ↗bedient. Halbw 1960 ff.
5. beknackter ~ = dummer Bursche. ↗beknackt. Halbw 1955 ff.
5 a. beschissener ~ = unsympathischer, unkameradschaftlicher Mensch. Jug 1965 ff.
5 b. blinder ~ = Einzelgänger. Schül 1965 ff.
5 c. cooler ~ = sympathischer Mensch; fester Freund. ↗cool 2. Jug 1965 ff.
6. dufter ~ = kameradschaftlicher, hilfsbereiter, charaktervoller Mensch. ↗dufte 1. 1960 ff, halbw.
7. feiner ~ = gut aussehender junger Mann. Halbw 1955 ff.
8. fester ~ = intimer Freund, der treu zu seinem Mädchen steht. 1960 ff, halbw.
8 a. fieser ~ = unsympathischer Mensch. ↗fies. 1960 ff.
8 b. flotter ~ = unternehmungslustiger, leichtlebiger Mensch. ↗flott. 1960 ff.
9. gefitzter ~ = gewandter Bursche; umgänglicher, anstelliger Kamerad. ↗gefitzt. Sold 1939 ff; halbw 1950 ff.
10. geschaffter ~ = Mensch, der sich lächerlich gemacht hat; junger Mann, den man von gemeinsamen Unternehmungen ausschließt. ↗geschafft sein. Halbw 1960 ff.
11. heißer ~ = leidenschaftlicher Mensch. 1955 ff.
12. irrer ~ = a) hervorragender Kamerad. ↗irr. Halbw 1960 ff. – b) hervorragender Könner. Halbw 1960 ff. – c) hochmodisch gekleideter junger Mann. Halbw 1960 ff.
13. kaputter ~ = a) Mensch, der sich außerhalb der herrschenden Gesellschaft stellt. Halbw 1960 ff. – b) Versager. Halbw 1960 ff. – c) Rauschgiftsüchtiger, der sich gesundheitlich zugrunde gerichtet hat. 1970 ff. – d) unkameradschaftlich handelnder Mensch. Jug 1965 ff.
14. klammer ~ = langweiliger, geistloser Mensch. ↗klamm. Halbw 1950 ff.
15. lahmer ~ = unsympathischer, schwungloser Partner. ↗lahm. Halbw 1950 ff.
16. letzter ~ = unsympathischer, charakterloser Mensch. ↗Letztes 2. Halbw und musikerspr. 1950 ff.
17. linker ~ = unsympathischer Mensch, vor dem man sich in acht nehmen muß. ↗link. Halbw nach 1950.
17 a. lockerer ~ = umgänglicher Mensch. ↗locker 1. 1960 ff.
17 b. mauser ~ = unsympathischer, vertrauensunwürdiger Mensch. ↗mies 2. 1960 ff.
17 c. müder ~ = energieloser, schwungloser Mensch. 1970 ff.
18. oller ~ = unsympathischer Partner. ↗oll. Halbw 1950 ff.
19. satter ~ = a) beleibter Mensch. Schül 1950 ff, halbw. – b) hervorragender Könner. ↗satt. Halbw 1950 ff.

20. scharfer ~ = Mädchenheld. ↗scharf 4. Schül 1955 ff.
21. schneller ~ = moderner Mann von Welt. ↗schnell. 1960 ff.
21 a. starker ~ = sympathischer Mann. ↗stark. Jug 1965 ff.
21 b. toller ~ = sehr sympathischer Junge. Jug 1960 ff.
22. trauriger ~ = langweiliger Mensch. Halbw 1950 ff.
23. hallo, ~!: Begrüßungsruf. Halbw 1950 ff.
24. das ist nicht mein ~ = das ist nicht mein Geschmack. „Mein Typ" meint eigentlich das Innere und Äußere eines Menschen, in dem sich die eigenen Wunschvorstellungen verkörpern. 1900 ff.
25. dein ~ wird verlangt (gefragt) = man verlangt nach dir. Stammt wahrscheinlich aus dem Bordellmilieu: „Typ" ist diejenige Prostituierte, die den Wünschen des Kunden entspricht. 1910 ff.
26. dein ~ wird hier nicht verlangt (ist hier nicht gefragt): Aufforderung zum Weggehen. 1910 ff.

Type f **1.** sonderbarer Mensch. Eigentlich wie „↗Marke" und „↗Sorte" Sammelbezeichnung für Waren derselben Art, der gleichen Herkunft. Vgl engl „poor type = armseliges Gebilde von Mensch". Seit dem späten 19. Jh.
2. einfältiger, dummer Bursche. 1920 ff.
3. billige ~ = untüchtiger Mensch; charakterlich wenig wertvoller Mensch. Müßte man ihn kaufen, wäre nur ein niedriger Preis zu zahlen. 1930 ff.
4. drollige ~ = lustiger Mensch; Spaßmacher. 1920 ff.
5. dufte ~ = gut aussehendes Mädchen. ↗dufte 1. Halbw 1950 ff.
5 a. fiese ~ = vertrauensunwürdiger Mensch. ↗fies. Jug 1960 ff.
5 b. flotte ~ = lebenslustiger Mensch. 1960 ff, jug.
5 c. irre ~ = hervorragender Mensch. ↗irr 1. 1950 ff.
5 d. kaputte ~ = ältlicher, untauglicher, verlebter Mensch. ↗kaputt. 1950 ff.
6. klasse ~ = tüchtiger, kameradschaftlicher Mensch. ↗klasse 1. 1920 ff.
7. letzte ~ = abstoßender Mensch; Mensch, mit dem man nichts zu tun haben will. ↗Letztes 2. 1950 ff.
7 a. linke ~ = niederträchtiger Mensch. ↗link. 1970 ff.
8. miese ~ = unsympathischer, charakterloser Mensch. ↗mies. 1920 ff.
9. nette ~ = angenehmer, lebenslustiger, umgänglicher Mensch. 1920 ff.
10. schräge ~ = unzuverlässiger, nicht vertrauenswürdiger, heimtückischer Mensch. ↗schräg 1. 1950 ff.

Typeuse (Typöse) f Stenotypistin, Schreibdame. Im Wortstamm anglisierte Schreibung von „↗Tippöse". Seit dem frühen 20. Jh, Berlin und ostd.

Typi f Stenotypistin; Chefsekretärin und Chefgeliebte. Nach 1950 aufgekommen.

Typin f Mädchen. Weibliches Gegenstück zu „↗Typ 1". Halbw 1955 ff.

Typöse f ↗Typeuse.

tz („te-zet" gesprochen) **1.** bis zum tz = bis zur äußersten Grenze; bis zum Ende; völlig. In den alten Fibeln, überhaupt im früheren Alphabet war „tz" der letzte Buchstabe. 1870 ff.
2. mit tz: Verulkung häufig vorkommen-

der Familiennamen, um einen Unterschied zu konstruieren (Meyer mit tz; Müller mit tz; Lehmann mit tz). Berlin 1870 *ff; sold* in beiden Weltkriegen. Noch heute oft zu hören.

tztztz (gesprochen wie geschrieben) *interj* Ausruf des Unwillens, des Mißvergnügens. Schallnachahmung für den Schnalzlaut der Zunge. Häufig in den „Comics" nach 1948.

U

u. A. w. g. Der noch heute verbreiteten Abkürzung für „um Antwort wird gebeten" wurden umgangssprachlich verschiedene Deutungen beigelegt, die vielfach noch jetzt geläufig sind. Zum Beispiel: **1.** und Austern werden gegessen (und Austern wie gewöhnlich). Geht zurück auf die Zeit König Friedrich Wilhelms III. von Preußen (1797–1840). **2.** und abends wird geprügelt. *Jug* 1933 *ff.* **2 a.** und abends wird gespeist. 1870 *ff.* **3.** und abends (um achte) wird getanzt. 1800 *ff.* **4.** und abends wird gevögelt. ↗ vögeln 1. 1935 *ff, sold* und *ziv.*

u. k. k. Ausruf großen Selbstbewußtseins. Abgekürzt aus „uns kann keiner" (Berlin: keener). 1890 *ff.*

u. T. für die Stammkundschaft bereitgehalten. Abkürzung von „unter der Theke" oder „unterm Tisch" (Ladentisch); ein mit Beginn des Zweiten Weltkriegs im Zusammenhang mit der Lebensmittelbewirtschaftung aufgekommener Geheimausdruck. Die Abkürzung als solche ist allerdings 40 Jahre älter und bezog sich auf die „Ufa-Theater" (U. T.-Lichtspiele).

Übel *n* empfindliches ~ = Gummiknüppel. Aufgekommen gegen 1930 bei politischen Straßen- und Saalschlachten in Berlin.

übel *adj adv* **1.** nicht ~ = recht ansehnlich; ganz nett. Ausdruck eingeschränkter Anerkennung. Seit dem 18. Jh. **2.** es ist nicht so ~, wie es einem danach werden kann = es ist mittelmäßig, einigermaßen erträglich. Wortspiel mit „übel = schlecht" und „übel = Brechreiz verursachend". 1890 *ff,* Berlin.

'überbekommen *tr* von etw angewidert werden. Verkürzt aus „von etw Überdruß bekommen". 1900 *ff.*

'überbelichtet *adj* **1.** sehr klug; mit trockenem Wissen vollgestopft. Übertragen von der fotografischen Aufnahme mit zu langer Belichtungszeit. 1930 *ff.* **2.** sehr dumm; verrückt. 1930 *ff.* **3.** bezecht, volltrunken. 1930 *ff.*

'überbleiben *intr* **1.** übrigbleiben. Seit dem 14. Jh. **2.** keinen Mann zum Heiraten finden. Seit dem 19. Jh.

'überbraten *v* jm einen (eine) ~ = a) jm einen heftigen Schlag versetzen; auf jn einen Schuß abfeuern. Hergenommen aus der Küchenpraxis: Fleisch überbraten = gebratenes Fleisch nochmals kurz braten. Im Zweiten Weltkrieg bei den Soldaten aufgekommen; *jug* 1950 *ff.* – b) jm eine Strafe (Strafverschärfung) auferlegen. *Sold* 1939 bis heute. – c) jm eine heftige Abfuhr erteilen; jn peinlich bloßstellen. 1938 *ff.* – d) einen Kartenspieler gründlich besiegen. 1925 *ff.* – e) dem Fußballgegner eine schwere Niederlage beibringen. *Sportl* 1950 *ff.* – f) jn übervorteilen; jn zu einem überflüssigen Kauf beschwatzen; jn belügen. 1938 *ff.* – g) koitieren. *Sold* 1925 *ff.*

'Überbrett *n* üppiger Busen. Eigentlich das Pultbrett mit überstehendem Rand. *Vgl* ↗ Brett 3 *ff.* 1890 *ff.*

'Überbrettl *n* **1.** Korsett zur Verhüllung eines schwach entwickelten Busens. Unter Anlehnung an das Vorhergehende über-nommen vom Namen des von Ernst von Wolzogen 1901 in Berlin gegründeten Kabaretts. Seit den frühen 20. Jh. **2.** stark entwickelter Jungmädchenbusen. 1910 *ff.*

über'drehen *v* **1.** *intr* = die Fassung verlieren. Man überdreht Schraube und/oder Mutter, wenn man sie so fest anzieht, daß die Gewindeführung ausreißt. 1920 *ff.* **2.** etw ~ = etw übertreiben. 1920 *ff.* **3.** sich nervlich ~ = die Nerven überanstrengen. 1920 *ff.*

'Überdruck *m* **1.** ~ im Kessel = Temperamentsausbruch. Der Maschinentechnik entlehnt. 1950 *ff.* **2.** ~ haben = angetrunken sein. *Marinespr* 1900 *ff.* **3.** zuviel ~ haben = verrückt, geistesgestört sein. 1900 *ff.*

übereinanderkommen *v* mit jm ~ = sich mit jm verfeinden. Übernommen von einer Rauferei oder vom Ringen. 1800 *ff.*

'überessen *v* sich etw ~ = den Appetit auf etw verlieren. 1500 *ff.*

über'fahren *tr* **1.** jn übervorteilen, mundtot machen. Man „fährt ihm über die Mund". Auch kann man mit Worten „anfahren" und der Überlegene bleiben. 1925 *ff.* **2.** eine Sache nicht zur Sprache kommen lassen. Übertragen vom Überfahren eines Straßenverkehrszeichens. 1950 *ff.* **3.** jn tadeln. Man „fährt ihm über den Mund". 1925 *ff.* **4.** gegenüber jm einen Vorsprung errin-gen; dem Gegner keine Erfolgsmöglichkeit mehr lassen; jn im Wettkampf überlegen besiegen. 1925 *ff.* **5.** jn im Fahren überholen. 1925 *ff.*

'Überfall *m* **1.** Überfallkommando der Kriminalpolizei. 1920 *ff.* **2.** unangemeldeter Besuch (meist von vielen Personen). Meint eigentlich den unerwarteten Angriff, dann auch die Heimsuchung. Seit dem 19. Jh.

über'fallen *tr* jn unangemeldet besuchen. *Vgl* das Vorhergehende. Um 1500 aufgekommen; wiederaufgelebt im 19. Jh.

'Überflieger *m* besonders tüchtiger Mensch; hochbezahlter Mensch; klassenbester Schüler. Meint eigentlich den Vogel, der anderen an Geschwindigkeit überlegen ist. 1820 *ff, schül, stud* und arbeiterspr.

über'fordern *tr* **1.** jm einen höheren Preis abverlangen als üblich. 1900 *ff.* **2.** jds Leistungsfähigkeit über Gebühr beanspruchen; von jm mehr fordern, als er vermag oder vermocht. 1920 *ff.*

'Überform *f* in ~ sein = den bisherigen Leistungsstand übertreffen. ↗ Form 1. *Sportl* 1930 *ff.*

über'fragen *tr* jm übergebührlich viele Fragen stellen; jm Fragen stellen, die er nicht beantworten kann. Im frühen 19. Jh aufgekommen, wahrscheinlich im *südwestd* Raum.

über'fressen *refl* **1.** mehr essen, als nötig und bekömmlich ist. Seit dem 19. Jh. **2.** sich an jm (etw) ~ = des langanhaltenden Umgangs mit einem Menschen (einer überreichlich genossenen Speise) überdrüssig werden. Seit dem 19. Jh.

'übergedreht sein nicht recht bei Verstand sein. Von der Uhrfeder hergenommen. Analog zu „überspannt sein". 1920 *ff.*

'übergeschafft *adj* ausgezeichnet. ↗ geschafft 1. *Halbw* 1950 *ff.*

übergewichten *tr* einen Vorfall überbewerten. ↗ gewichten. 1970 *ff.*

'überhaben *tr* **1.** jn (etw) ~ = einer Person oder Sache überdrüssig sein. Verkürzt aus „übergegessen haben"; ↗ überessen. Seit dem 19. Jh. **2.** etw ~ = etw übrig haben; etw erübrigt haben. Hieraus verkürzt. Seit dem 18. Jh. **3.** etw ~ = ein Kleidungsstück übergezogen haben. Hieraus verkürzt. Seit dem 19. Jh. **4.** für etw (jn) nichts (viel, wenig) ~ = zu etw (jm) keine (geringe, große) Neigung verspüren. Überhaben = im Übermaß besitzen. Seit dem 19. Jh.

'überhalten *tr* jm überhöhte Preise abverlangen. Verkürzt aus „übermäßig viel einbehalten". *Österr* 1950 *ff.*

über'haps *adv* flüchtig; ungefähr; aufs Geratewohl. Verkürzt aus „überhaupts" im Sinne von „ohne die einzelnen Häupter zu zählen" und weiterentwickelt zu „im ganzen". *Österr* seit dem 19. Jh.

über'haspeln *tr* etw übereilt zum Abschluß bringen. Haspeln = von der Spule abwickeln. 1920 *ff.*

über'haupt *adv* ~ und so = eigentlich; und so weiter. 1900 *ff.*

'Überhebe *f* Tanzfigur, bei der der Tänzer seine Partnerin über die Schultern hebt. *Halbw* 1955 *ff.*

über'heben *tr* jn übertölpeln; jn beim Kauf überfordern. Man erhebt von ihm übermäßig viel Geld. 1920 *ff, österr* und *rhein.*

über'hirnt sein überspannt sein; von Sinnen sein. *Oberd* seit dem 19. Jh.

'überhocken *intr* über die Polizeistunde hinaus im Wirtshaus sitzen. *Schweiz* 1900 *ff.*

über'holen *tr* jn überprüfen. Lehnübersetzung aus *engl* „overhaul = gründlich nachsehen und instandsetzen"; aus der Seemannssprache in die Kraftfahrersprache übergegangen. *Sold* 1939 *ff.*

Über'holschwein *n* Kraftfahrer, der beim Überholen die Windschutzscheibe des überholten Autos beschmutzt. 1960 *ff.*

über'holt *adj* leicht ~ = alt (auf ein Kraftfahrzeug bezogen). Euphemismus. 1950 *ff.*

'überholzen *v* **1.** ~ = a) jm einen Schlag versetzen. ↗ holzen. 1920 *ff.* – b) jn übertölpeln. Man betäubt ihn wohl durch einen Stockschlag am Kopf und kann ihn dann leicht übervorteilen. *Sold* 1939 *ff.*

über'hören *v* das möchte ich überhört haben = das möchte ich nicht gehört (nicht verstanden) haben; denn andernfalls müßte ich eingreifen. 1900 *ff, jug.*

'überjährig *adj* nicht mehr begattungsfähig. Stammt aus der Viehzucht: überjähriges Vieh wird geschlachtet. 1900 *ff.*

'überkan'didelt *adj* überspannt; übertrieben; überheblich; üppig; verrückt. ↗ kandidel. Seit dem späten 19. Jh (für 1898 als „augenblicklich sehr modern" gebucht), Berlin und *nordd.*

über'kaufen *refl* **1.** mehr kaufen als geplant. 1870 *ff.* **2.** beim Zukauf neuer Karten die bestimmte Punktzahl überschreiten. Kartenspielerspr. 1870 *ff.* **3.** zuviel bezahlen. 1870 *ff.*

'überkochen *intr* aufbrausen; vor Spannung außer sich geraten. ↗ kochen 1. Seit dem letzten Drittel des 19. Jhs.

'**überkriegen** *tr* 1. etw ~ = einer Sache überdrüssig werden. ↗überhaben 1. 1900 *ff.*

2. einen ~ = auf den Kopf geschlagen werden. 1900 *ff.*

3. etw ~ = ein Kleidungsstück überziehen können. 1900 *ff.*

über'kurbelt *adj* durch Überarbeit nervös. Analog zu ↗überdreht. 1910 *ff.*

'**überlassen** *tr* etw übriglassen. Seit dem 19. Jh.

'**Überläufer** *m* 1. unfreiwilliger Spermaerguß. 1910 *ff.*

2. Zecher, der sich erbricht. *Sold* 1939 *ff.*

3. vor Kriegsende fertiggestellter, erst nach Kriegsende vorgeführter Film. 1955 *ff.*

Über'legenheit *f* haushohe ~ = sehr große Überlegenheit. ↗haushoch. 1920 *ff.*

Über'lieferung *f* 1. mündliche ~ = das Küssen. 1900 *ff.*

2. mündliche ~en sammeln = sich oft küssen lassen. 1900 *ff.*

über'mangeln *tr* über jn hinwegfahren. Eigentlich „mit der Mangel Wäsche glätten", dann auch soviel wie „mit der Dampfwalze über etw fahren". Kraftfahrerspr. 1930 *ff.*

über'maulen *tr* jn niederschreien. Seit dem 18. Jh.

'**Überminuten** *pl* mehr oder minder kurze Zeit, die Lehrlinge über die festgesetzte Arbeitszeit hinaus arbeiten. Lehrlinge dürfen keine Überstunden machen. 1955 *ff.*

über'nachten *intr* wollen wir hier ~?: Frage an einen, der sich zu lange aufhält. 1920 *ff.*

über'nasern *tr* etw ergründen, verstehen, begreifen. Man „steckt die Nase in etw", wenn man sich etw geistig anzueignen sucht. 1940 *ff*, *österr.*

über'nehmen *v* 1. jn ~ = jn überlisten, überreden, verleiten. Meint eigentlich „übermäßig viel abnehmen" und „überwältigen". Vorwiegend *oberd*, seit dem 14. Jh.

2. etw ~ = vom Mitschüler absehen, abschreiben. Euphemismus für „plagiieren". 1950 *ff.*

3. *refl* = zuviel essen; sich betrinken. Man nimmt über das Maß des Bekömmlichen hinaus Speise und (oder) Trank zu sich. Seit dem 19. Jh.

über'probt sein durch Proben überanstrengt sein. Theaterspr. 1920 *ff.*

Über'raschungsbombe *f* die ~ platzen lassen = eine überraschende Mitteilung machen. 1962 *ff*, *journ.*

'**überreif** *adj* in höherem Lebensalter; altjüngferlich. Vom Obst übertragen. 1965 *ff.*

über'reißen *v* 1. etw ~ = verstehen, ergründen. Das Gemeinte reißt man zu sich herüber, indem man es sich geistig aneignet. *Österr* 1920 *ff.*

2. *intr* = den Stadturlaub überschreiten. Man überzieht den festgesetzten Zeitpunkt. *Österr*, *sold* 1920 *ff.*

über'rennen *v* sich etw ~ lassen = sich nicht übertölpeln lassen; seinen Standpunkt wahren. Jn überrennen = jn im Laufen anstoßen und zu Boden werfen; über den am Boden Liegenden hinwegeilen. 1930 *ff.*

über'ringeln *tr* 1. etw ergründen, verstehen. Man geht listig und geschmeidig vor, wie man sich von einer Schlange vorstellt. Vorwiegend *oberd*, 1920 *ff.*

2. jn überraschen, auf frischer Tat ertappen. *Österr* 1920 *ff.*

3. jn beschwatzen, übertölpeln. *Vgl* auch *gleichbed* „↗einwickeln 1". *Österr* 1920 *ff.*

über'rollen *v* 1. jn übervorteilen, überrumpeln, überreden, zum Schweigen bringen; jds Meinung absichtlich nicht beachten; Hergenommen vom Überrollen eines Hindernisses oder Widerstands: den Gegner überrollen = über die Stellungen des Gegners hinaus vorrücken. 1920 *ff.*

2. jn besiegen; jn überflügeln. *Sportl* 1950 *ff.*

3. eine zunächst abweisende Person zum Geschlechtsverkehr bewegen. 1930 *ff.*

4. jn völlig für sich einnehmen. 1935 *ff.*

5. sich ~ lassen = widerstandslos seinem Schicksal erliegen. 1950 *ff.*

über'runden *tr* jn überflügeln; jds Können überbieten; den Verfolgern zuvorkommen. Vom Radsport übernommen: man überholt den Mitbewerber um eine Runde. 1920 *ff.*

über'salzen *adj* stark übertrieben. ↗gesalzen 1. 1950 *ff.*

'**Überscheiße** *f* sehr mißliche Lage; äußerst unangenehme Sache. Verstärkung von ↗Scheiße. 1900 *ff. Vgl engl* „that's tough shit".

über'schlafen *tr* eine Entscheidung aussetzen. Man läßt eine Nacht darüber vergehen. Seit dem späten 19. Jh.

über'schlagen *refl* sich übereilen. Von (sehr) schnell ablaufenden) Turnübungen hergeleitet. 1900 *ff.*

'**überschnappen** *intr* 1. verrückt werden. Ursprünglich vom Türschloß gesagt, auch von der Stimme: man gerät über die vorgesehene Sperre, über das Maß des Üblichen, des Gewohnten hinaus. 1700 *ff.*

2. sehr reichlich urinieren. 1900 *ff.*

'**überschwappen** *intr* 1. über den Tellerrand hinausgehen. Schwappen = zitternd sich hin- und herbewegen (schallnachahmend für den Aufprall der Wellen o. ä.). Seit dem 16. Jh.

2. sich erbrechen. 1920 *ff.*

'**übersehen** *v* sich etw ~ = etw bis zum Überdruß sehen. 1870 *ff.*

'**übersein** *intr* 1. jm ~ = jm überlegen sein. Hieraus verkürzt. Seit dem 19. Jh.

2. das ist mir über = a) dessen bin ich überdrüssig. ↗überhaben 1. Seit dem 19. Jh. – b) das habe ich übrig. ↗überhaben 2. Seit dem 18. Jh.

Über'setzung *f* 1. große ~ = Langbeinigkeit. Übernommen von der Bewegungsübertragung zwischen Rädern: das bewegende Rad ist größer als das bewegte. 1900 *ff.*

2. kleine ~ = Kurzbeinigkeit. 1900 *ff.*

3. mit kleiner ~ = ohne Hast. 1900 *ff.*

'**übersitzen** *intr* über die Polizeistunde hinaus im Wirtshaus sitzen. 1900 *ff.*

über'spielen *v* 1. *intr* = die Bühnenrolle übertrieben gestalten. Man geht im Aufwand der Darstellung über das der Rolle zukommende Maß hinaus. Theaterspr. 1900 *ff.*

2. *tr* = einen Bühnenkollegen nicht zur Geltung kommen lassen; jm die Pointen vorwegnehmen; jds Bühnenrolle besser spielen, als er (sie) selbst es vermag. Theaterspr. 1900 *ff.*

3. *tr* = schlauer zu Werke gehen als ein

anderer. Der Sportlersprache entlehnt. 1920 *ff.*

4. *tr* = die Wirkung einer Sache entscheidend beeinträchtigen. Das Gemeinte spielt man so oft, bis man seiner überdrüssig wird. 1935 *ff.*

'**überständig** *adj* bejahrt; lebenslustiger als dem Alter entsprechend. Bezieht sich eigentlich auf das schlachtreife Vieh. 1900 *ff.*

'**Überstunde** *f* 1. Nachexerzieren. Eigentlich die über die vorgeschriebene Arbeitszeit hinausgehende Arbeitsstunde. *Sold* 1910 bis heute.

2. Ausrede des von der Arbeit spät heimkehrenden Ehemannes. 1930 *ff.*

3. Strafstunde des Schülers. 1930 *ff.*

4. ~n kloppen = Überstunden leisten. Übernommen vom *sold* Begriff „↗Griffe kloppen". 1950 *ff.*

5. ~n schinden = Überstunden machen; sich zu Überstunden drängen. ↗schinden 1. 1920 *ff.*

über'teufeln *tr* jn übervorteilen. Fußt auf dem Schwankmotiv vom geprellten Teufel. 1700 *ff.*

über'tragen *tr* vom Mitschüler abschreiben. Meint eigentlich die Übersetzung in eine andere Sprache. 1960 *ff.*

über'tragen *adj* alt, verlebt. Hergenommen vom Kleidungsstück, das man über die übliche Zeit hinaus getragen hat. 1700 *ff*, *bayr* und *österr.*

'**übertrinken** *v* sich etw ~ = ein Getränk nicht mehr trinken mögen. 1900 *ff.*

über'trumpfen *tr* jn in Worten oder Leistungen überbieten. Stammt aus der Kartenspielersprache. 1700 *ff.*

über'wältigend *adj* nicht ~ = nicht hervorragend; mittelmäßig. Das Gemeinte übermannt einen nicht, bringt einen nicht aus der Fassung. 1900 *ff*, *schül, stud*, lehrerspr. u. a.

'**überwarten** *tr* so lange auf etw warten müssen, daß man das Warten leid wird und sich über das Eintreffen des Erwarteten schließlich nicht mehr freuen kann. 1930 *ff.*

'**überwerden** *v* das wird mir über = ich werde dessen überdrüssig. ↗überhaben 1. Seit dem 19. Jh.

über'wintern *v* 1. bei jm ~ = den Besuch bei jm übergebührlich ausdehnen. 1870 *ff.*

2. wollen Sie hier ~?: fragende Aufforderung zum Weggehen. 1939 *ff*, *sold.*

über'witschen *refl* sich schminken. *Niederd* „witschen = kalken, weißen". 1950 *ff.*

'**Überwucht** *f* geistige ~ = anerkannte Geistesgröße; besonders kluger Mann. ↗Wucht. 1925 *ff.*

über'wuzelt *adj* ältlich, verlebt. ↗verwuzelt. *Österr* 1900 *ff.*

'**überzählen** *v* jm ein paar ~ = jn prügeln. Man zählt die Hiebe. 1900 *ff.*

'**Überzahn** *m* 1. sehr nettes Mädchen; Idealfreundin. ↗Zahn 3. *Halbw* 1955 *ff.*

2. steiler ~ = sehr gut aussehendes junges Mädchen. ↗steil. *Halbw* 1955 *ff.*

Über'zeugung *f* 1. ~ von der Stange = allgemeine, unpersönliche Überzeugung. ↗Stange 8. 1958 *ff.*

1 a. seine ~ an der Garderobe abgeben = nicht überzeugungstreu sein. Hergenommen von der Abgabe der Überkleidung an der Theatergarderobe. 1975 *ff.*

2. seine ~ wechseln wie sein Hemd = ohne feste Überzeugung sein; seine Mei-

nung nach der augenblicklichen Lage richten; Opportunist sein. 1900 *ff.*

'überziehen *v* **1.** jm ein paar ~ = jm ein paar Schläge versetzen; jm auf den Kopf schlagen. Ursprünglich auf den Degen des Fechters bezogen, dann auch auf Rutenschläge. Seit dem 19. Jh.
2. jm eins ~ = jm sehr ernste Vorhaltungen machen. Rügen und Prügeln gibt die Umgangssprache mit denselben Vokabeln wieder. 1920 *ff.*

'Überzieher *m* **1.** (~ ohne Ärmel) = Präservativ. Seit dem 19. Jh, *rotw* u. a.
2. Kopfschützer. *BSD* 1965 *ff.*
3. Schlag, Hieb. ↗überziehen 1. Seit dem 19. Jh.
4. Prügelstock. ↗überziehen 1. Seit dem 19. Jh.

über'zogen sein überzeugt sein. Scherzhafte Abwandlung, als läge „überziehen" zugrunde. Oft auch mit dem Nebensinn der übermäßigen Selbsteinschätzung. Seit dem frühen 19. Jh, vielleicht in Berlin aufgekommen.

U-Boot *n* **1.** im Verborgenen lebender Staatsfeind. Er „taucht unter" wie das Unterseeboot. 1933 aufgekommen.
2. Schallplattenrückseite mit einem weniger beliebten Musikstück. Es kommt selten oder nie an die Oberfläche. 1955 *ff.*
3. *pl* = ungewöhnlich lange Schuhe. *Sold* 1939 *ff.*
4. ~ fahren = sich als Staatsfeind verstecken. 1933 *ff.*
5. ein Schiff zum ~ machen = ein Schiff versenken. 1917 *ff.*
6. jn zum ~ machen = a) jn unter den Tisch trinken. 1925 *ff.* – b) jn verschwinden lassen. 1925 *ff.*
7. saufen wie ein ~ = sehr viel trinken. 1939 *ff.*
8. ~ spielen = a) unerkannt untertauchen; im Verborgenen leben. 1933 *ff.* – b) vom Mitschüler, aus einer Übersetzung o. ä. abschreiben. 1970 *ff, schül.*
9. wegtauchen wie ein ~ = spurlos verschwinden. 1970 *ff.*

übrigbleiben *intr* **1.** ledig bleiben; keinen Ehepartner finden. Seit dem 19. Jh.
2. bleib übrig! = Abschiedswunsch in der Zeit der Bombardierung der deutschen Städte. Gemeint ist „bleib' am Leben!". 1940 *ff.*

übrige *pl* die übrigen lassen bitten = die restlichen Stiche sind für mich! Kartenspielerspr. 1900 *ff.*

übrighaben *v* für jn etw ~ = jn sympathisch finden. Man hat für ihn Interesse übrig. Seit dem 19. Jh.

Übungsplatz *m* quer durch den ~ ↗quer 8.

Üchse *f* **1.** Vagina, Vulva. Eigentlich die Achselhöhle. Sie ähnelt dem Frauenschoß. 1900 *ff.*
2. weibliche Person. 1900 *ff.*

Udel *m* Polizeibeamter *(abfl).* Eigentlich „Uhl, Uul = Eule". ↗Eule 5. Nordwestdeutsch und *ostd,* 1900 *ff.*

Ufa *f* Arbeitsamt. Abkürzung der Scherzbezeichnung „Universität für Arbeitslose". Eigentlich Kurzname der Berliner Universum-Film AG (bis 1945) und Nachfolgegründungen seit 1955. 1930 *ff.*

Ufer *n* **1.** vom anderen (nicht von diesem) ~ sein = homosexuell sein. 1935 *ff.*
2. aus den ~n treten = aufbrausen. Von

der Überschwemmung übertragen. 1920 *ff.*
3. üppig über die ~ treten = beleibt werden. 1930 *ff.*

uff *interj* Ausruf der Erleichterung. Schallnachahmung für das kurze Geräusch, das beim Ausstoßen von Luft aus dem Mund entsteht. Seit dem 18. Jh.

uhaa *interj* Lautwiedergabe des Gähnens. Durch die „Comics" gegen 1950 beliebt gewordene „Füllung" der „Sprechblasen".

Uhr *f* **1.** rund um die ~ = zwölf Stunden lang; 24 Stunden lang; Tag und Nacht. Übersetzt aus *engl* „around the clock". Der Stundenzeiger umkreist einmal das Zifferblatt. Seit dem ausgehenden 19. Jh; sehr beliebt seit 1945.
2. seine ~ ist bald abgelaufen = er lebt nicht mehr lange. Geht zurück auf Schillers Drama „Wilhelm Tell", IV 3 (1804). 1880 *ff.*
3. für ihn ist die ~ abgelaufen = er ist erledigt, hat keine Erfolgsaussichten mehr. 1900 *ff.*
4. rund um die ~ arbeiten = täglich in drei Schichten arbeiten. ↗Uhr 1. 1950 *ff.*
5. die ~ aufziehen = a) ein Glas Alkohol zu sich nehmen; die Branntweinflasche nachfüllen. Fußt auf der Vorstellung vom Menschen als einem technischen Mechanismus. 1920 *ff, prost.* – b) koitieren. 1920 *ff.* – d) den Schleim in die Nase ziehen. 1920 *ff.*
6. die ~ geht richtig = die Voraussage bewahrheitet sich; die Sache ist in Ordnung. 1920 *ff.*
7. rund um die ~ geöffnet sein = Tag und Nacht geöffnet sein. 1950 *ff.*
8. dabei ist keine goldene ~ zu gewinnen = das verlohnt nicht die Mühe. In manchen Wettbewerben ist eine goldene Uhr der Preis für den Sieger. 1930 *ff.*
9. die ~ geht nach = er merkt zu spät, was andere längst wissen. 1920 *ff.*
10. rund um die ~ schlafen = zwölf Stunden schlafen. ↗Uhr 1. Seit dem ausgehenden 19. Jh.
11. wissen, was die ~ geschlagen hat = die Folgen genau kennen; sich über den Stand der Angelegenheit nicht täuschen. ↗Glocke 18. Seit dem 16. Jh.

Uhu *m* **1.** Nachtbomber. Der Uhu ist ein Nachttier. *Sold* 1939 *ff.*
2. Schimpfwort. Meist mit der Vorstellung der Häßlichkeit verbunden. Die beiden u im Namen klingen an Unheimliches, Furchteinflößendes an. 1910 *ff.*
3. unschön gekleidetes Mädchen. *BSD* 1965 *ff.*
3 a. blöder (greislicher, schiecher) ~ = Schimpfwort auf einen unsympathischen Menschen. Vorwiegend *bayr* und *österr,* seit dem späten 19. Jh.
4. ~ am Arsch haben = den schicklichen Zeitpunkt zum Weggehen nicht finden. Hergenommen von dem Alleskleber „Uhu" der Firma H. und M. Fischer in Bühl/Baden. 1955 *ff.*
5. ~ am Hintern haben = das Klassenziel nicht erreichen. Vgl das Vorhergehende. *Schül* 1960 *ff.*

Ulbricht-Kreuz *n* kreuzförmiger Lichtreflex auf der Restaurantkugel des Ost-Berliner Fernsehturms. Anspielung auf den ehemaligen Staatsratsvorsitzenden der DDR, Walter Ulbricht. 1969 *ff.*

ulkig *adj* sonderbar (auf Personen und Sa-

chen bezogen). Eigentlich soviel wie „lächerlich, scherzhaft". Weiterentwicklung wie bei „↗komisch". Seit dem ausgehenden 19. Jh.

Ulknudel *f* Spaßmacher(in). ↗Nudel 16. 1920 *ff.*

Ulkvogel *m* Spaßmacher. Dem „Spaßvogel" nachgebildet. 1920 *ff.*

Ulm *On* um ~ und um ~ rumwandern = durch Ausspielen bestimmter Karten die Kartenverteilung bei den Gegnern zu ermitteln suchen. Hängt zusammen mit der Schnellsprechübung „in Ulm und um Ulm und um Ulm herum". Kartenspielerspr. 1900 *ff.*

Ulrich *Vn* den Heiligen ~ anrufen (~ rufen, sagen) = sich erbrechen. Schallnachahmender Herkunft und zu einem Hehlausdruck erweitert. 1500 *ff,* wohl von Studenten ausgegangen.

ultra *adj präd* hochmodern. Aus dem *Lat* übernommen im Sinne von „über das Maß hinaus; äußerst". *Halbw* 1950 *ff,* Wien.

ultramarinblau *adj* volltrunken. Verstärkung von ↗blau 5. 1900 *ff.*

ultraschrill *adj* unübertrefflich. ↗schrill 1. 1980 *ff.*

ultrastark *adj* sehr eindrucksvoll; hervorragend; äußerst gediegen. ↗stark 1. 1980 *ff.*

um *präp* ~ ... rum = ungefähr, gegen (um Weihnachten rum; um 10 Mark rum). Verstärkung von „um". Seit dem 19. Jh.

umärmeln *tr* **1.** jn umarmen. Hieraus zerspielt aus Ulk und Gefühlsscheu. Im ausgehenden 19. Jh von Berlin ausgegangen.
2. mit jm raufen; in einen Nahkampf verwickelt sein. *Sold* in beiden Weltkriegen.

Umarmung *f* betrügerische Umarmung eines Fußgängers, dem dabei die Brieftasche oder der Geldbeutel geraubt wird. 1920 *ff.*

umbammeln *tr* etw umhängen (ein Kleidungsstück, ein Schmuckstück o. ä.). ↗bammeln. Seit dem 19. Jh.

umbehalten *tr* ein Kleidungsstück nicht ablegen (Mantel, Kragen o. ä.). Seit dem 19. Jh.

umbetten *tr* **1.** einen Beamten versetzen. Anspielung auf die volkstümliche Vorstellung vom schlafenden Beamten und vom „↗Beamtenfriedhof". 1965 *ff.*
2. den Leichnam eines Beamten beerdigen. 1970 *ff.*

umblasen *v* **1.** ihn kann man ~ = er ist sehr dünn und schwächlich. Seit dem 19. Jh.
2. zum ~ sein = hager und schwächlich sein. Seit dem 19. Jh.

umbringen *v* **1.** *tr* = jn auf dem Heimweg begleiten. „Um-" hat hier die Bedeutung „zurück, in die entgegengesetzte Richtung"; *vgl* ↗umgehen 2. 1900 *ff.*
2. ein Gerücht ~ = einem Gerücht die Grundlage entziehen. Umbringen = töten. 1935 *ff.*
3. sich ~ = sich leidenschaftlich gebärden; sich übermäßig aufregen. Man gebärdet sich wie auf der Bühne, als wolle man Selbstmord verüben. 1870 *ff.*
4. sich für jn ~ = sich für (um) jn sehr bemühen. 1900 *ff.*
5. nicht umzubringen sein = unverwüstlich sein (auf Personen und Sachen bezogen). 1850 *ff.*

umbuhen *tr* jn mit lauten Mißfallensäußerungen bedenken. ↗buh. 1960 *ff.*

umdrahen *intr* unbeschwert, ausgelassen leben; die Nacht durchschwärmen. ↗drahen 1. *Österr* seit dem 19. Jh.

'umdrehen *v* **1.** *tr* = jds Gesinnung ändern; jn überreden, zur politischen Gegenseite überzugehen; aus einem Feind einen Mitarbeiter machen. Vom Schneider übertragen, der ein Kleidungsstück wendet. *Vgl* ↗umkrempeln 3. 1930 *ff*.
2. *tr* = den Geheimagenten einer fremden Macht für den eigenen Geheim- oder Spionagedienst gewinnen. ↗umknicken 2. 1942 *ff*.
3. einen Zeugen ~ = einen Zeugen zu einer wahrheitswidrigen Aussage veranlassen. 1935 *ff*.
4. *intr* = ein Geständnis widerrufen. Man vollzieht mit der Aussage eine Kehrtwendung. 1950 *ff*.

umeseln *tr* etw unnötigerweise umändern und dadurch verschlechtern. ↗Esel 1. 1900 *ff*.

Umfall *m* **1.** plötzliche Meinungsänderung; Treubruch; Parteiwechsel o. ä. Umfallen = nicht aufrecht bleiben. Politikerspr. 1929 *ff*.
2. Wechsel der Studienrichtung. 1960 *ff*, *stud*.

umfallen *intr* **1.** seine Meinung (Gesinnung) plötzlich ändern; nicht zu seiner früheren Äußerung stehen; den Glauben, die Partei wechseln; die Zeugenaussage widerrufen. ↗Umfall 1. 1500 *ff*.
2. ein Geständnis ablegen; Mittäter benennen. Man bricht sein Schweigen. 1900 *ff*.
3. sich schlafen legen. Vor Müdigkeit fällt man in die Waagerechte. 1900 *ff*.
4. fallen Sie um! = hinlegen, hinwerfen! *Milit* Kommando. *Sold* 1939 *ff*.
5. ich will gleich ~ und tot sein! (ich will gleich tot ~l): Ausdruck der Beteuerung. 1870 *ff*.

Umfaller *m* **1.** Gesinnungswechsler; Wortbrüchiger; Mensch, dessen Ansichten durch die jeweilige Lage bestimmt sind. 1900 *ff*.
2. Geständnis. ↗umfallen 2. 1920 *ff*.
3. sportliche Niederlage. *Sportl* 1950 *ff*.

umficken *tr* **1.** etw abändern; Befehle rückgängig machen. Meint eigentlich die Geschlechtsumwandlung. *Stud* und *sold* 1800 *ff*.
2. etw umtauschen, eintauschen, wechseln; etw gegen Besseres heimlich umtauschen. *Sold* seit dem späten 19. Jh.
3. laß dich ~l: Rat an einen Törichten. 1870 *ff*.

umflort *adj* **1.** betrunken. Anspielung auf den umflorten, unklaren Blick. 1900 *ff*.
2. geistesgestört; geschlechtlich abartig. 1900 *ff*.

umfunktionieren *tr* einen Gegenstand für einen Zweck verwenden, für den er nicht gedacht ist; einer Sache eine neue, ursprünglich nicht vorgesehene Funktion geben. Stammt aus dem Wortschatz der Theaterkritiker (1920 *ff*); später verbreitet bei der Außerparlamentarischen Opposition, bei den Linksextremisten, den antikonservativen Studenten u. ä. 1960 *ff*.

'umfurzen *tr* ihn furze ich um!: Redewendung eines Kraftmenschen über einen Schwächling. ↗furzen. *Sold* und *ziv* 1939 *ff*.

um'gackern *tr* einen Mann umwerben. Vom Verhalten des gackernden Huhns übertragen. 1950 *ff*.

umgebrungen *part* umgebracht. ↗gebrungen. Seit dem 19. Jh.

'umgehen *intr* **1.** einen Umweg gehen; ein Umweg sein. Seit dem 18. Jh.
2. zurückgehen; umkehren; den Rückweg (Rückzug) antreten. Seit dem 19. Jh.
3. es geht um = die Mittel reichen zum Lebensunterhalt. Man kommt rund um den Lohnzahlungszeitraum aus. 1900 *ff*, *oberd*.
4. das geht um = das ist zu bewältigen; das geht vonstatten; das ist erträglich. Analog zu „es geht rund". *Südd* 1900 *ff*.

umgekehrt *adv* **1.** ~ essen (frühstücken) = sich erbrechen. 1900 *ff*, *stud*, *sold* und *schül*.
2. ~ wird ein Schuh draus!: Redewendung, wenn einer eine Sache völlig verkehrt anfängt oder eine Begebenheit gänzlich falsch beurteilt. Leitet sich vielleicht her von der Notwendigkeit, den unfertigen Schuh zu wenden, wenn eine Innennaht vorgenommen wurde. Seit dem 17. Jh.

umgekrempelt sein 1. im Wesen und Verhalten völlig verändert sein. Übertragen vom Ärmel oder Hosenbein (o. ä.), deren Inneres man nach außen kehrt. 1840 *ff*.
2. verrückt sein. 1900 *ff*.

umgucken *refl* sich sehr wundern; sich getäuscht sehen. Analog zu „das Nachsehen haben". Seit dem 19. Jh.

umhaben *v* **1.** etw ~ = etw umgelegt haben; etw am Leib, Hals o. ä. tragen. Verkürzt aus „umgelegt haben" oder „umgehängt haben". Seit dem 18. Jh.
2. nichts um- und anhaben = dürftig gekleidet sein. „Umhaben" bezieht sich auf den Mantel o. ä., „anhaben" auf Anzug und Kleid. Seit dem 19. Jh.

Umhängebart *m* Vollbart. Stammt aus der Theatersprache und meint dort den künstlichen Bart als Bestandteil der Maske. 1920 *ff*.

umhauen *v* **1.** *tr* = einen Baum fällen; jn zu Boden werfen. 1500 *ff*.
2. es haut einen um = es trifft einen tödlich, haut einen zu Boden. *Sold* in beiden Weltkriegen.
3. das haut mich um!: Ausdruck großer Überraschung. Das Ereignis ist so „umwerfend", daß man den Boden unter den Füßen verliert. Seit dem ausgehenden 19. Jh, *jug* und *sold*.
4. sich ~ = schlafen gehen. Man begibt sich in die Waagerechte. 1920 *ff*.

Umhauer *m* hochprozentiger Schnaps. Er wirft einen um, wenn man nicht trinkfest ist. *Sold* 1930 *ff*.

umhosen *refl* sich umziehen. *Stud* 1900 *ff*.

umkatern *tr* etw umändern, von Grund auf umbauen, verändern. Analog zu ↗umficken 1. Seit dem 19. Jh.

umkegeln *v* **1.** *tr* = etw umwerfen (ein gefülltes Glas, eine Flasche o. ä.). Ursprünglich auf die Kegelkugel bezogen. Seit dem 19. Jh.
2. *intr* = umfallen. Seit dem 19. Jh.

umkieken *refl* sich sehr wundern; einem Verlust nachtrauern. ↗umgucken. Seit dem 19. Jh.

umkippen *intr* **1.** umfallen, umschlagen; ohnmächtig zusammenbrechen. ↗kippen. Seit dem 18. Jh, *nordd*.
2. nicht zu seinen Worten stehen; seine Gesinnung wechseln. ↗umfallen 1. 1840 *ff*.

3. die Beherrschung verlieren. 1950 *ff*.
4. ein Geständnis ablegen; Mittäter benennen. Der Geständige bricht sein endlich sein Schweigen. ↗umfallen 2. 1920 *ff*.
5. eine Früh-, Fehlgeburt haben. Von der Viehzucht übernommen; *vgl* ↗verwerfen. 1830 *ff*.

umklappen *intr* **1.** nachgeben; seinen Widerstand aufgeben. Analog zu ↗umfallen 1. 1920 *ff*.
2. zur Gegenpartei übergehen; desertieren. 1910 *ff*.
3. nach langer Weigerung ein Geständnis ablegen. ↗umfallen 2. 1910 *ff*.
4. ohmächtig werden. ↗umkippen 1. Seit dem 19. Jh.

umknicken *v* **1.** *intr* = seine Meinung ändern; sich vom Gegenteil überzeugen lassen. Man weicht von der geraden, aufrechten Richtung ab. 1900 *ff*.
2. *tr* = jn veranlassen, zur Gegenpartei überzugehen; einen Agenten umstimmen. 1920 *ff*.

umkrempeln *v* **1.** etw ~ = etw durchwühlen, ausräumen, gründlich verändern. Hergenommen vom Drehen der Innenseite nach außen. 1900 *ff*.
2. jn ~ = jn an militärische Zucht und Ordnung gewöhnen; jm die richtige Dienstauffassung beibringen. *Sold* in beiden Weltkriegen.
3. jn ~ = jds Meinung völlig ändern; jn vom Gegenteil überzeugen; jm eine andere Lebensauffassung beibringen. 1900 *ff*.

umkriegen *tr* etw zum Fallen bringen (die Kegel mittels der Kugel). Seit dem 19. Jh.

umlassen *tr* ein Kleidungsstück nicht ablegen. Verkürzt aus „umgelegt lassen". Seit dem 19. Jh.

Umlauf *m* **1.** nicht in ~ sein = eine Freiheitsstrafe verbüßen. *Vgl* das Folgende. 1930 *ff*.
2. jn aus dem ~ ziehen = a) jn zu einer Freiheitsstrafe verurteilen. Übertragen von alten Münzen oder schadhaften Banknoten, die man aus dem Umlauf zieht. 1930 *ff*. – b) jn unschädlich machen; jn ermorden, beseitigen. Kriminalromanspr. 1950 *ff*.

umlegen *v* **1.** etw ~ = ein jagdbares Tier zur Strecke bringen. Man bringt es aus der Senkrechten in die Waagerechte und legt es auf die Strecke. 1900 *ff*.
2. jn ~ = jn erschießen, töten, totschlagen; einen politischen Mord verüben; jm den Genickschuß geben. 1910 *ff*, *sold* und verbrecherspr.
3. jn ~ = jn betrunken machen. *Sold* in beiden Weltkriegen; auch *ziv*.
4. jn ~ = jn durch Bestechung gewinnen. Mit Bestechungsmitteln bringt man ihn zu Fall. 1930 *ff*.
5. jn ~ = im Ringen dem Gegner eine Schulterniederlage beibringen. 1900 *ff*.
6. jn ~ = jn durch einen Boxhieb, durch einen Schlag auf den Kopf, durch einen Tritt gegen den Leib kampfunfähig machen. 1900 *ff*.
7. jn ~ = den Gegenspieler zu Fall bringen. Fußballspielerspr. 1950 *ff*.
7 a. jn ~ = den Fernsprechteilnehmer von einer falschen Verbindung trennen und mit der richtigen Stelle verbinden. Gedacht ist an das „Umlegen = Umschwenken" eines Hebels o. ä. 1920 *ff*.
8. eine ~ = eine Frau beischlafwillig machen, zum Beischlaf zwingen. 1910 *ff*.

9. sich ~ = a) sich schlafen legen. 1910 ff. – b) Selbstmord verüben. 1920 ff.

umnageln tr jn zu Fall bringen. Gemeint ist, daß der Betreffende wie ein umgeschlagener Nagel liegt. Sportl 1955 ff.

umnieten tr **1.** jn erschießen, töten, umbringen. Das Nietloch ist die Einschußstelle. Sold 1939 ff.
2. jn brutal niederschlagen. Kriminalromanspr. 1950 ff.
3. jn brutal niedertreten. Fußballspielerspr. 1950 ff.
4. jn überfahren. Kraftfahrerspr. 1955 ff.
5. eine Frau ~ = eine Frau vergewaltigen; eine Frau beischlafwillig machen. 1950 ff.

umorganisieren tr einen schlechteren oder entbehrlichen Gegenstand gegen einen besseren und nützlicheren heimlich umtauschen. ↗organisieren. Sold 1939 ff; ziv 1945 ff.

umpolen tr **1.** etw umändern; Äußerungen abändern, wie es gerade nützlich erscheint. Hergenommen von der Elektrizitätslehre: man vertauscht die Pole. 1935 ff.
2. jds Denkweise, Lebensgewohnheiten o. ä. völlig verändern. 1950 ff.

Umpoler m Studienwechsler. Stud 1950 ff.

Umpolung f Änderung der bisherigen öffentlichen Meinung; Wandel der politischen Zielrichtung; Stilwandel. 1955 ff.

umpuppen v **1.** intr refl = die Zivilkleidung gegen die Häftlingskleidung tauschen. Puppen = eine Spielpuppe an- und ausziehen. 1900 ff, rotw.
2. intr refl = die Zivilkleidung gegen die Uniform tauschen; den Militärdienst antreten. Sold in beiden Weltkriegen.
3. intr refl = die Uniform ab- und die Zivilkleidung anlegen. Sold 1918 und 1945 ff.
4. sich ~ = sich umziehen. 1910 ff.

umrasieren tr jn so anstoßen, daß er stürzt. Rasieren = leicht streifen. 1950 ff.

umrubeln tr West-Geld in Ost-Währung umtauschen. Rubel ist die russische Währungseinheit. Leipzig 1969 ff.

umrühren intr Ordnung schaffen. Aus der Küchenpraxis übernommen. 1900 ff, öster.

umrüsten intr den Wandel der Kleidermode mitmachen; vom kurzen Rock auf den knöchellangen übergehen (o. ä.). 1970 ff.

umsäbeln tr **1.** jn ~ = jn zu Boden werfen (durch Beinstellen oder Umrennen). Der Betreffende fällt wie von einem Säbelhieb getroffen. 1935 ff; auch sportl.
2. einen Baum ~ = einen Baum fällen. Seit dem 19. Jh.

umsacken intr ohnmächtig zusammenbrechen; niederstürzen. Wie ein schlaffer Sack fällt man in sich zusammen. 1950 ff.

umsatteln intr **1.** das Studium, die Religion, die Partei, die Berufstätigkeit, die Arbeitsstelle wechseln. Hergenommen vom Reiter, der das Pferd wechselt und seinen Sattel auf das neue Pferd legt. Seit dem 16. Jh, vorwiegend stud.
2. seine Meinung ändern; eine Äußerung zurücknehmen. Seit dem 19. Jh.

Umsatz m das ist kein ~!: Zuruf an den Verlierer im Kartenspiel. Kartenspielerspr. 1900 ff.

Umsatzschleuder f Würfelbecher. Würfler heben den Umsatz des Gastwirts, indem sie viele Runden auswürfeln. 1960 ff.

umschalten intr **1.** von einem Gedanken zum anderen übergehen; den Gesprächsgegenstand wechseln; sich auf eine neue Tatsache einstellen. ↗schalten 1. 1920 ff.
2. die Mannschaftsaufstellung, die Spielweise ändern. Sportl 1950 ff.

Umschaudame f Straßenprostituierte. Sie sieht sich nach Interessenten um. Schweiz 1950 ff.

Umschlag m **1.** pl = Prügel. Übertragen vom Umschlag auf einem schmerzenden Körperteil. Seit dem 19. Jh.
2. es hat mir fast den ~ gegeben = ich bin fast umgefallen. 1920 ff.
3. einen ~ haben = eine Früh-, Fehlgeburt haben. Von der Viehzucht übernommen. Seit dem 18. Jh.
4. ~ machen = von einem gemeinsamen Vorhaben zurücktreten; frühere Angaben widerrufen. ↗umfallen 1. Seit dem 19. Jh.
5. jm einen ~ machen = jm in den Rücken fallen. 1920 ff.

Umschlagplatz m **1.** ~ für (der) Gefühle = Lokal, in dem die Geschlechter Annäherung suchen. 1920 ff.
2. ~ der Liebe = Prostituiertenwohngegend; Stadtbezirk, in dem die kontrollierten Straßenprostituierten tätig werden dürfen; Nachtbar o. ä. 1950 ff.

um'schleimen tr jm würdelos liebedienern. ↗schleimen. 1950 ff, sold und ziv.

umschmeißen v **1.** etw ~ = etw umwerfen. ↗schmeißen 1. Seit dem 16. Jh.
2. etw ~ = einen Plan ändern; ein Vorhaben abbrechen. Seit dem 19. Jh.
3. jn ~ = jn beschwatzen. Man redet so lange auf ihn ein, bis er seine aufrechte Haltung aufgibt. 1900 ff.
4. jn ~ = jn einer Straftat überführen. 1900 ff.
5. jn ~ = eine weibliche Person vergewaltigen. Verstärkung von ↗umlegen 8. 1870 ff.
5 a. jn ~ = jds politischen Sturz herbeiführen. 1800 ff.
6. das schmeißt einen um = das raubt einem die Besinnung; das macht einen bestürzenden (sehr großen) Eindruck; das macht einen betrunken. Seit dem 19. Jh.
7. intr = umgeworfen werden; umfallen. Seit dem 19. Jh.
8. intr = Bankrott machen. Kaufmannsspr. seit dem 19. Jh.
9. intr = die Arbeit niederlegen; die Mitarbeit einstellen. 1950 ff.
10. intr = widerrufen; ein Geständnis zurücknehmen; ein Versprechen nicht halten. 1910 ff.
11. eine Früh-, Fehlgeburt haben. Von der Viehzucht hergenommen; ↗verwerfen. Seit dem 19. Jh.
12. durch einen falschen Ton die musikalische Aufführung stören; die Tonfolge verlieren. Theaterspr. seit dem späten 19. Jh.
13. eine Szene gründlich verderben. Theaterspr. 1870 ff.

Umschmeißer m **1.** Geständnis nach langer Verweigerung; Widerruf eines Geständnisses. 1910 ff.
2. hochprozentiger Schnaps. ↗umschmeißen 6. 1930 ff.

umschmeißerisch adj sehr eindrucksvoll. ↗umschmeißen 6. Jug 1965 ff.

'umschneiden intr Umschweife machen. Entwickelt als Gegensatzausdruck zu „den Weg abschneiden". Südd seit dem 19. Jh.

'umschwenken intr die Gesinnung ändern; sich der Gegenpartei anschließen. Schwenken = die Richtung ändern. 1920 ff.

umsehen refl sich sehr wundern; schmerzlich enttäuscht sein. ↗umgucken. Seit dem 19. Jh.

umsein v **1.** das ist um = das ist ein Umweg. 1700 ff.
2. er ist um = er ist zurückgekehrt. Seit dem 19. Jh.
3. es ist um = es ist geronnen, verdorben, ungenießbar. Verkürzt aus „umgehen" oder „umschlagen": Essig „schlägt um", wenn er die Säure verliert; Wein „schlägt (kippt) um", wenn er sich in der Flasche trübt. Seit dem 19. Jh.

umsetzen intr **1.** eine Liebschaft in Heirat verwandeln. Fußt auf der Vorstellung des Umpflanzens. 1925 ff.
2. aus einer Liebschaft geldliche Vorteile ziehen. Geht zurück auf den kaufmännischen Begriff „Ware umsetzen" = Ware verkaufen". 1925 ff.

umsonst adv **1.** etw ~ kaufen = etw stehlen. Hehlausdruck. Umsonst = kostenlos. 1900 ff.
2. etw ~ kriegen = etw stehlen. 1900 ff.

umsonstig adj kostenlos, unentgeltlich. Berlin 1870 ff.

'umspannen intr die Meinung, die Absicht ändern. Man spannt die Pferde vor einen anderen Wagen (andere Pferde vor den Wagen). Seit dem 19. Jh.

'umspringen intr mit jm ~ = jn rücksichtslos behandeln; wissen, wie man jn zu behandeln hat. „Um" meint „umher; in den verschiedenen Richtungen". Seit dem 19. Jh.

Umstandsbier n dunkles Bier. Man empfiehlt es Schwangeren. 1950 ff.

Umstandsdeutsche pl Deutsche, die eine umständliche Redeweise bevorzugen. 1960 ff.

Umstandskrämer (-kramer) m umständlicher Mensch. Meint ursprünglich den übergenauen Kaufmann. Seit dem 19. Jh.

umstecken intr seine Meinung ändern. Übertragen vom Umpflocken auf der Weide, vom Umsetzen der Stecknadeln an einer unfertigen Näharbeit o. ä. Seit dem 19. Jh, öster.

Umsteigedroge f stärkeres Rauschgift, zu dem man nach bisher leichteren übergeht. ↗umsteigen 5. 1969 ff.

Umsteigeehe f geplante Neuvermählung, deren Partner feststeht, ehe die bisherige Ehe geschieden ist. Man steigt um wie von einem Verkehrsmittel in das andere. 1960 ff.

umsteigen intr **1.** Gesinnung (Studium, Beruf, Partei, Religion, Arbeitsstelle, Partner o. ä.) wechseln. Hergenommen von den öffentlichen Verkehrsmitteln, die man an einer Kreuzungsstelle wechselt. 1930 ff.
2. den Freund (die Freundin) wechseln. Halbw 1955 ff.
3. desertieren. Sold 1940 ff.
4. aus dem Takt kommen. Musikerspr. 1950 ff.
5. von einem leichteren zu einem stärkeren Rauschgift übergehen. 1969 ff.
6. auf etw ~ = von einer Sache ablassen und zu einer anderen übergehen. 1930 ff.

Umsteiger m **1.** Partei-, Studien-, Berufswechsler o. ä. 1930 ff.
2. Mann, der sein Kraftfahrzeug verkauft

(in Zahlung gibt) und sogleich ein neues erwirbt. 1959 ff.

3. Rauschgiftsüchtiger, der von schwächeren zu stärkeren Drogen übergeht. 1969 ff.

4. Umsteigefahrschein. 1900 ff.

umstellwütig adj an oftmaliger Umgruppierung der Möbel leidenschaftlich interessiert. 1920 ff.

umstoßen tr **1.** jn besuchen. Analog zu ↗überfallen. 1870 ff.

2. jn absichtlich übersehen; jn nicht kennen wollen. 1910 ff.

3. jn zu einer Meinungsänderung bewegen. 1930 ff.

4. nach langer Weigerung ein Geständnis ablegen; eine Aussage widerrufen. 1950 ff.

umstülpen tr jn der Gegenpartei abspenstig machen; einen Spion für die Gegenspionage gewinnen. Übertragen vom Drehen der Innenseite nach außen (Hut, Ärmel o. ä.); ↗umdrehen 2. 1935 ff.

Umtauschteufel m weibliche Person, die umzutauschen pflegt, was immer man ihr schenkt. 1920 ff.

umtopfen v **1.** etw ~ = etw anders darstellen, verändern, verbessern (der Schüler topft seinen Aufsatz um). Hergenommen vom Umtopfen der Topfpflanzen. Jug 1955 ff.

2. sich ~ = eine andere Wohnung beziehen. Man „verpflanzt" sich. 1960 ff.

umtreiben v **1.** es treibt ihn um = er ist von innerer Unruhe erfüllt; es läßt ihm keine Ruhe. Übertragen von den Gespenstern und Wiedergängern, die nach volkstümlicher Vorstellung keine Ruhe finden. Um = hierhin und dorthin; in den verschiedensten Richtungen. 1900 ff.

2. intr = ausgelassen spielen; umherspringen, umherlaufen, klettern usw. 1900 ff.

umtuerisch adj fleißig, arbeitswillig. ↗umtun 2. Bayr seit dem 19. Jh.

umtun v **1.** etw ~ = ein Kleidungs- oder Schmuckstück umlegen, umhängen. Seit dem 19. Jh.

2. sich nach etw ~ = sich um etw bemühen; viele Wege machen, um etw zu bekommen, zu erreichen; geschäftig sein. Eigentlich soviel wie „sich um eine Sache bewegen". 1700 ff.

Umweltmuffel m Mensch, der sich um seine Umgebung, um die Rechte der Nachbarn o. ä. nicht kümmert. ↗Muffel. 1972 ff.

Umweltsünde f (Einzelfall von) Umweltverschmutzung. ↗Sünde. 1972 ff.

Umweltsünder m Landschafts-, Luft-, Wasserverschmutzer u. ä. 1972 ff.

Umwerfe f sympathisches, äußerst anziehendes Mädchen. Es macht einen „umwerfenden" Eindruck. Vgl ↗umschmeißen 6; ↗umwerfen 4. Halbw 1955 ff.

umwerfen v **1.** intr = Bankrott machen. Kaufmannsspr. seit dem 19. Jh.

2. intr = in der Rede steckenbleiben. Seit dem 18. Jh.

3. es wirft einen um = es raubt einem die Besinnung, macht einen betrunken. ↗umschmeißen 6. Seit dem 19. Jh.

4. jn ~ = auf jn einen unwiderstehlichen Eindruck machen. 1920 ff.

5. jn ~ = jn vergewaltigen. 1935 ff.

6. nicht umzuwerfen sein = nie die Beherrschung verlieren. Seit dem 19. Jh.

umwerfend adj **1.** höchst eindrucksvoll. 1920 ff.

---

2. adv = sehr, überaus. 1920 ff.

umwursteln tr etw unordentlich umbinden (Schlips, Halstuch o. ä.) Es sieht aus wie ein wurstähnliches Gebinde. 1910 ff.

umziehen intr **1.** ein anderes Wirtshaus aufsuchen; mit allem gerade Notwendigen in ein anderes Zimmer gehen. 1900 ff.

2. dreimal umgezogen ist so gut wie einmal abgebrannt: übertreibende Redensart angesichts der Beschädigungen und Verluste, die ein Umzug mit sich bringen kann. Wahrscheinlich Übersetzung eines Ausspruchs von Benjamin Franklin (1706–1790). Seit dem 19. Jh.

3. dreimal umgezogen ist so gut wie einmal ausgebombt: moderne Variante des Vorhergehenden. 1945 ff.

umzügeln intr umziehen. Schweiz 1900 ff.

unangenehm werden grob, streitlüstern werden. Es wird für den anderen unangenehm, wenn der Betreffende sich zu strenger Rüge oder zu Handgreiflichkeiten hinreißen läßt. Seit dem späten 19. Jh, schül, stud, lehrerspr. und sold.

unanständig adv ~ reich = übermäßig reich. Durch „anständige" Arbeit wird man 'so reich nicht. 1920 ff.

Unart f (auch mit dem natürlichen Geschlecht) ungezogenes Kind. 1800 ff.

unauffindbar adj etw ~ machen = etw stehlen; Lebensmittel entwenden und sofort aufessen. Sold 1939 ff.

unausgebacken adj charakterlich unfertig; geistig nicht gereift; zu jung für etw ↗ausgebacken. 1700 ff.

unausgebacken sein sich nicht wohl fühlen; kränkeln. Österr 1900 ff.

unausgegoren adj geistig unreif. Übertragen vom noch nicht abgeschlossenen Gärvorgang. 1900 ff.

Unaussprechliche pl Hosen, Unterhosen o. ä. Gegen 1830/40 aufgekommen nach dem engl Vorbild „the inexpressibles".

Unband m n ungezogenes, ausgelassen tobendes Kind. Es ist nicht zu bändigen. Seit dem 19. Jh.

unbedarft adj harmlos, ahnungslos; geistig anspruchslos; naiv; unbedeutend; nebensächlich. Unbedarft ist, wer „ohne Bedarf = anspruchslos" ist. Hier auf das Geistige übertragen. Seit dem 19. Jh, niederd.

unbedingt adv nicht ~ = nicht vorbehaltlos; durchaus nicht (man ist von etw nicht unbedingt beglückt). Stark abgeschwächte Superlativgeltung, fast bis zur Bedeutung „nichtig, wertlos". 1900 ff.

unbehauen adj plump, ungesittet. Soviel wie „unbearbeitet, roh, im Naturzustand". 1900 ff.

unbeleckt adj unerfahren; unbekümmert um Erfahrung. Vgl ↗Kultur 3 und 4. Seit dem 19. Jh.

unbeleckt adj von etw ~ = auf einem Gebiet keinerlei Erfahrung haben. Seit dem 19. Jh.

unbelichtet adj geistesbeschränkt. Stammt aus der Fototechnik. 1900 ff.

unberufen adv **1.** glücklicherweise; ohne sein (mein) Dazutun. Eigentlich soviel wie „ohne es berufen zu wollen" im Sinne von „ohne das Unheil herbeizufordern zu wollen". Eine alte Aberglaubensregel besagt, man solle von glücklichen Lebensumständen nicht sprechen, weil man sonst die schadenstiftenden Dämonen auf sich aufmerksam mache. Seit dem 19. Jh.

---

2. ~ toi-toi-toi: Verstärkung des Vorhergehenden. ↗toi-toi-toi. 1900 ff.

unbeschrieen adv glücklicherweise. Analog zu ↗unberufen 1. Vgl ↗beschreien. Seit dem 19. Jh.

unbezahlbar sein überaus tüchtig sein. 1900 ff.

unbürokratisch adj adv schnell und ~ = schnell und ohne kleinliche Bedenken. Stets auf einen Verwaltungsakt bezogen, der wegen Eilbedürftigkeit die strenge Einhaltung der Vorschriften und Verordnungen absichtlich vermeidet. Der Ausdruck beinhaltet zugleich eine Schelte auf die Langsamkeit und Umständlichkeit behördlichen Vorgehens. Gegen 1968/70 aufgekommen.

uncool (Grundwort engl ausgesprochen) adj minderwertig, untauglich, unsympathisch, einzelgängerisch. ↗cool. Halbw 1965 ff.

und konj **1.** und?: Gegenfrage, wenn man den Zusammenhang, die Pointe eines Witzes o. ä. nicht verstanden hat. Etwa soviel wie „und wie geht es weiter?". Seit dem 19. Jh.

2. und und und: und so weiter. Seit dem 19. Jh.

Und n da ist ein ~ bei = da gibt es noch eine Schwierigkeit, einen Nachteil. Die Erklärung ist noch nicht abgeschlossen, eine wichtige Fortsetzung steht noch aus. Seit dem 19. Jh.

undicht sein 1. einen Darmwind entweichen lassen. 1900 ff.

2. sein Wasser nicht halten können; Bettnässer sein; als Hund nicht stubenrein sein. 1900 ff.

3. anvertraute Geheimnisse nicht für sich behalten; nicht verschwiegen sein. 1700 ff.

4. politisch unzuverlässig sein. 1920 ff.

5. nicht ganz bei Verstand sein. ↗dicht 1 e. 1900 ff.

undoof adj nicht ~ = recht interessant. Litotes: die gleichzeitige Verwendung von „nicht" und „un-" im Sinne einer doppelten Verneinung dient zur gesteigerten Bejahung. Hinzu kommt hier scherzhafte Sinnverkehrung des Grundworts. 1930 ff, schül.

undufte adj **1.** unangenehm, unfreundlich, unpassend; nicht vertrauenerweckend; übel. ↗dufte 1. Halbw 1955 ff.

2. nicht ~ = hochwillkommen; nicht unpassend. Litotes. Halbw 1955 ff.

uneben adj nicht ~ = angenehm, brauchbar, verläßlich, tüchtig. Eben = gerade, glatt; uneben = holperig, unglatt. Litotes. Seit dem 17. Jh.

'unego adj präd kameradschaftlich. ↗ego. 1970 ff, jug.

uneigentlich adv entgegen der ursprünglichen Absicht. „Eigentlich" hat man dies und das tun wollen; aber „uneigentlich" hat man es unterlassen. 1920 ff.

unerhört adv sehr; überaus (er ist ein unerhört guter Sportler). 1900 ff.

Unfall-Ehe f Frühehe. Man ist die Ehe wegen Schwangerschaft eingegangen; die Schwängerung gilt als „Verkehrs-, Betriebsunfall". Halbw 1955 ff.

Unfäller m Verkehrsteilnehmer, der einen Unfall verursacht hat. 1950 ff.

Un-Fan (Grundwort engl ausgesprochen) m Mensch, der sich in den Bräuchen und Anschauungen der modernen Jugend nicht auskennt; Erwachsener, der moderne Musik und Schlager ablehnt. ↗Fan. *Halbw* 1950 *ff*.

unflott *adj* 1. verdorben (auf Speisen bezogen). ↗flott 1. 1950 *ff*, *jug*.
  1 a. unsympathisch. *Schül* 1920 *ff*.
  2. nicht ~ = anerkennenswert; ziemlich gut; nett; ziemlich lebenslustig. Litotes. ↗flott 2. Seit dem frühen 20. Jh, vor allem *schül* und *stud*.

unfrisiert *adj* ohne amtliche Zensur verbreitet; nicht auf politische oder sittliche Tunlichkeit überprüft. ↗frisieren. 1900 *ff*.

ungar *adj* nicht genügend durchdacht; nicht voll durchführbar. ↗gar. 1950 *ff*.

ungeblitzt *adj* unfotografiert. Blitzen = mit Blitzlicht fotografieren. 1950 *ff*.

ungebügelt *adj* ungeschlacht, grob. 1900 *ff*.

ungeheuer *adv* sehr; außerordentlich. Meint eigentlich „schreckerregend wegen Größe oder Menge". Seit dem 18. Jh.

ungehobelt *adj* roh, grob im Benehmen. Leitet sich her von der rauhen Sitte der Studenten und Zünfte, die Neulinge einer schweren Aufnahmeprüfung zu unterwerfen, bei der sie mit Hobel, Säge und Zange geschliffen und gezwackt wurden. *Vgl lat* „erudire = bilden", *franz* „poli = höflich", *engl* „unpolished = unhöflich". 1500 *ff*.

ungeil *adj* 1. langweilig, unausstehlich, widerlich. ↗geil 6. *Jug* 1965 *ff*.
  2. nicht ~ = sympathisch. Litotes. *Halbw* 1965 *ff*.

ungelogen sein etw ~ lassen = etw Zweifelhaftes nicht behaupten wollen; vor einer unwahren Aussage zurückschrecken. Stammt laut Büchmanns „Geflügelte Worte" aus dem Witzblatt „Ulk" von Siegmund Haber, 1873 *ff*.

ungenießbar *adj* mißvergnügt, gereizt, unzugänglich, unverträglich. Übertragen von unschmackhafter Speise, die man zu meiden versteht. Seit dem 19. Jh.

ungereimt *adj* unverständlich, widersprüchlich, verkehrt, falsch; töricht. ↗Reim. Seit dem 15. Jh.

ungerochen *part* nicht ~ = nicht ungerächt; nicht ungestraft; mit Widerspruch. Das Verbum „rächen" wurde ursprünglich stark gebeugt (räche – rach – gerochen); mit dem 15. Jh setzte die heutige Beugung ein. Die Vokabel wird heute eher als scherzhaft aufgefaßt.

ungeschliffen *adj* grob, ungesittet. *Vgl* ↗ungehobelt. Seit dem 18. Jh.

ungeschminkt *adj* unumwunden; unentstellt. *Vgl* ↗unrasiert 1. Seit dem 19. Jh.

ungeschoren lassen *tr* jn nicht behelligen. Von der Schafschur übertragen, die zur Bedeutung „Ausbeutung" und weiter zu „Belästigung" verallgemeinert wurde. Seit dem 17. Jh.

ungespitzt *adv* 1. ich schlage dich ~ in den Erdboden!: Drohrede. Der Kraftmensch traut sich zu, den Betreffenden wie einen stumpfen Pfahl in den Boden zu schlagen, ohne ihn vorher anzuspitzen. 1850 *ff*.
  2. ~ in den Boden sausen = mit nicht geöffnetem Fallschirm auf dem Erdboden auftreffen; mit dem Flugzeug senkrecht abstürzen. *Sold* in beiden Weltkriegen.

ungeteert *adj* schmutzig. Zum Verständnis *vgl* „↗teeren 3". 1920 *ff*.

Unglück *n* 1. fassen Sie mich nicht an,

sonst gibt es ein ~!: ernsthafte Warnrede. 1900 *ff*.
  2. sich ins ~ stürzen wollen = Heiratsabsichten haben. Burschikos-junggesellenhafte Redewendung seit dem frühen 20. Jh.

Unglücksboten *pl* falsche ~ = Überbringer erlogener Unglücksnachrichten. Polizeispr. 1950 *ff*.

Unglückshase (-häschen) *m (n)* unglücklicher Mensch; Mensch, der selten Glück hat. Fußt vielleicht auf dem Märchen „Der Hase und der Igel" oder auf der abergläubischen Meinung, der Hase im Angang (s. Duden) künde Unglück an. 1870 *ff*.

Unglücksrabe *m* unglücklicher Mensch; Mensch, der mit seinen Plänen und Unternehmungen meistens Unglück hat. Beruht auf der abergläubischen Vorstellung von bischen Meinung, der Hase im Angang künde Unglück an. 1870 *ff*.

Unglückssträhne *f* kurzzeitige Aufeinanderfolge von Unglücksfällen oder Mißerfolgen. ↗Glückssträhne. 1900 *ff*.

Unglückswurm *m n* unglücklicher Mensch; Mensch, der fast nur Mißerfolge erntet. ↗Wurm. Seit dem 19. Jh.

ungusti'ös *adj* geschmacklos, widerlich, unschmackhaft u. ä. ↗Gusto. *Österr* seit dem 19. Jh.

Unhahn *m* 1. Nörgler; unsympathischer Mann; Erwachsener, der für die Lebensgewohnheiten der heutigen Jugend kein Verständnis hat. Er ist als „↗Hahn im Korb" nicht anzuerkennen. *Halbw* 1955 *ff*.
  2. klammer ~ = langweiliger Erwachsener, der von der Lebensart der modernen Jugend nichts versteht. ↗klamm. *Halbw* 1955 *ff*.

unheimlich *adv* sehr (er hat unheimlich viel Geld). Aus der Bedeutung „unbehaglich, gruselig" hat sich die superlativische Steigerung entwickelt, parallel zu „↗ungeheuer", „↗furchtbar" u. ä. Gilt heute als Halbwüchsigenvokabel, war aber schon im 19. Jh geläufig.

unhübsch *adj* nicht ~ = sehr hübsch. Litotes. 1920 *ff*.

Uni *f* 1. Universität. Hieraus im späten 19. Jh verkürzt.
  2. Sonderschule für geistig behinderte Kinder. Spottwort. 1960 *ff*.

Uni-Bank *f* die ~ drücken = Student sein. Der „↗Schulbank" nachgebildet. 1930 *ff*.

Uni-Flegel *pl* demonstrierende Studenten. Aufgekommen 1967 mit den Studentenunruhen.

Uniform *f* sich in ~ schmeißen (werfen) = Uniform anziehen. Sich (in etw) schmeißen = sich rasch (in etw hinein)begeben. Man wirft sich die Kleidungsstücke hastig über. *Sold* 1900 bis heute.

Unikum *n* Sonderling; Spaßmacher. *Lat* „unicus = einzig; vorzüglich". Seit dem 19. Jh, *stud*.

Unisex *m* gleiche Mode für beide Geschlechter. 1960 *ff*.

Unität *f* Universität. Hieraus gegen 1920 verkürzt.

Universalflasche *f* völliger Versager. ↗Flasche 1. *Schül* und *stud* 1920/30 *ff*.

Universalidiot *m* völliger Versager; Mensch, der sich bei keiner Sache anstellig zeigt. *Schül* und *stud* 1920 *ff*.

Universaltunke *f* 1. zu allen Fleischgerichten unterschiedslos gereichte Tunke. 1914 *ff*.

  2. schön klingende, aber inhaltsleere Redewendung. 1930 *ff*.

Universität *f* Gefängnis. ↗Hochschule 1. 1920 *ff*.

Universitätswanze *f* Student, der von Universität zu Universität wechselt, ohne Fuß zu fassen. 1910 *ff*.

Uni-Zahn *m* nette, kameradschaftliche Studentin. ↗Zahn 3. *Stud* 1956 *ff*.

unjüngst *adv* kürzlich. Zusammengesetzt aus „unlängst" und „jüngst". 1925 *ff*, *schül* und *stud*.

Unkamerad *m* unkameradschaftlicher Mensch. *Sold* und *schül* 1960 *ff*.

unkastriert *adj* ohne Filter (auf Zigaretten bezogen). *Vgl* ↗Kastrierte. *Halbw* 1950 *ff*.

Unkavalier *m* ungesitteter Mann. 1950 *ff*.

Unke *f* 1. Pessimist; Unheilprophet. In abergläubischer Vorstellung kündigen Unke, Kauz, Eule usw. Unheil an. Volkstümlich geworden durch Gottfried August Bürgers Ballade „Lenore" und das von den Brüdern Grimm aufgezeichnete Märchen von der Unke. 1800 *ff*.
  2. unsympathisches Mädchen. Analog zu ↗Kröte. *Halbw* 1955 *ff*.
  3. Prostituierte. Aufgefaßt als Schlange (*germ* „unk = Schlange"). 1950 *ff*.
  4. alte Frau. Sie gilt als unheilverkündendes Wesen. Seit dem 19. Jh.
  5. bezecht (o. ä.) wie eine ~ = volltrunken. Weil die Unke am und im Wasser lebt, denkt man sich, daß sie viel trinkt. Seit dem 19. Jh.
  6. saufen wie eine ~ = ein Trinker sein. Seit dem 19. Jh.

Unkosten *pl* 1. die ~ erstatten = zurückschlagen; eine Ohrfeige erwidern; einen Gegenangriff machen. 1910 *ff*; *sold* 1914 *ff*.
  2. stürz' dich nicht in ~! = mach' keine Komplimente! Die Komplimente gelten hier als überflüssige Aufwendungen. Berlin 1870 *ff*.
  3. sich in geistige ~ stürzen = sich geistig stark verausgaben; schwierige Überlegungen anstellen. Seit dem frühen 20. Jh.

Unkumpel *m* unkameradschaftlicher Mensch. ↗Kumpel. *Sold* und *schül* 1960 *ff*.

unmaßgeblich *adj* nach meiner ~en Ansicht = nach meiner persönlichen Meinung; wenn ich in aller Bescheidenheit etwas dazu äußern darf. Redensart spöttischer Selbstverkleinerung. 1920 *ff*.

unmöglich *adj* 1. modisch geschmacklos gekleidet; gewagt gekleidet. Diese Kleidung gilt als unmöglich für das allgemeine Schönheits- und Schicklichkeitsempfinden. 1870 *ff*.
  2. gänzlich unpassend; völlig ungenügend; ohne positive Eigenschaften. Bezieht sich auf eine minderwertige Leistung. Lehrerspr. 1920 *ff*.

unmotiviert sein zu etw keine Lust haben. ↗Motivation. 1975 *ff*, *jug*.

unnatürlich *adv* sprechen sie schon ~? = hat die Theatervorstellung schon begonnen? 1920 *ff*, *theaterspr*.

Unnennbare *pl* Hosen. Im frühen 19. Jh übersetzt aus *engl* „the unmentionables".

un-ohne das ist nicht von ~ = das ist sehr beachtlich. ↗ohne 14. 1920 *ff*.

unrasiert *adj* 1. unverblümt; unumwunden; ungeschönt. Aus weiblicher Sicht analog zu „↗ungeschminkt". Seit dem 19. Jh.

2. ~ und fern der Heimat = a) unter primitiven Bedingungen an der Front, im Feindesland. Entstanden als Verballhornung der Zeilen aus August von Platens Ballade „Das Grab im Busento" (1820): „Allzufrüh und fern der Heimat / mußten hier sie ihn begraben, / während noch die Jugendlocken / seine Schultern blond umgaben". *Sold* in beiden Weltkriegen. – b) unrasiert. 1950 *ff*. – c) ohne kosmetischen Komfort. 1960 *ff*.

Unrat *m* **1.** ~ abholen = den Gegnern die möglicherweise gefährlichen Karten abfordern. Kartenspielerspr. seit dem 19. Jh.
2. ~ wittern = Übles ahnen. Seit dem 19. Jh; weithin geläufig geworden durch den Roman „Professor Unrat" von Heinrich Mann (1905).

Unreines *n* **1.** ins Unreine diskutieren = eine offene, unvorbereitete Unterhaltung führen. Unreines = Entwurf eines Schulaufsatzes o. ä., der später ins Reine übertragen wird. 1960 *ff*.
2. ein Jahr ins Unreine gemacht haben = eine Klasse wiederholen müssen. *Schül* 1900 *ff*.
3. ins Unreine reden (quatschen o. ä.) = a) natürlich, zwanglos sprechen. 1900 *ff*. – b) sich seine Worte reiflich überlegen. Der Betreffende verbessert bereits den Entwurf seiner Rede. 1900 *ff*.
4. ins Unreine heiraten = unüberlegt heiraten. 1950 *ff*.

unrühmlichst *adv* ~ abwesend sein = sich in Strafhaft befinden. ↗rühmlichst. 1846 *ff*, Berlin.

unschlagbar *adj* unübertrefflich. Stammt aus dem *Milit* oder *Sportl*. 1950 *ff*, halbw.

Unschuld *f* **1.** ~ vom Lande = a) Hausgehilfin. Meint ursprünglich das naive Mädchen vom Lande in einem städtischen Haushalt. 1850 *ff*. Geläufig geworden durch die Ariette Adeles in der Operette „Die Fledermaus" von Johann Strauß (1874). – b) Schuldloser, Lebensunerfahrener. 1900 *ff*.
2. gußeiserne ~ = unnahbares Mädchen. 1900 *ff*.
3. knitterfreie ~ = Mädchen, das sich unberührt stellt oder tatsächlich unberührt ist. 1939 *ff*.
4. leckere ~ = anziehendes junges Mädchen. ↗lecker. 1920 *ff*.
5. reine ~ = naiver Mensch. 1850 *ff*.
6. schwüle ~ = geschlechtlich abweisendes Mädchen, dessen Abwehr geheuchelt ist. 1950 *ff*.
7. überflüssige ~ = alte Jungfer. 1960 *ff*, Berlin.
8. wie die wie ~ vom Lande aussehen = harmlos (leicht dümmlich) aussehen, aber verschlagen sein. Berlin 1950 *ff*.
9. sich in ~ baden = für etw nicht verantwortlich gemacht werden können. Verstärkung von „seine Hände in Unschuld waschen". 1900 *ff*, schül, stud und sold.
10. sich in ~ und Mandelkleie baden (waschen) = seine Schuldlosigkeit beteuern. 1900 *ff*, schül.
11. seine ~ leugnen = sich zu Unrecht einer Straftat bezichtigen. 1920 *ff*.
12. ~ vom Lande spielen = Einfalt vortäuschen. *Vgl* ↗Unschuld 1. Wien 1900 *ff*.

Unschuldsengel *m* Mensch, der sich keiner Schuld bewußt ist. 1920 *ff*.

Unschuldskarnickel *n* Mensch, der sich unschuldig oder unwissend stellt. ↗Karnickel 1. 1920 *ff*.

Unschuldslamm *n* schuldloser Mensch; Mensch, der sich schuldlos stellt. Weiterentwicklung der biblischen Vorstellung von Christus als Opferlamm. Seit dem 19. Jh.

Unschuldsleugner *m* Mann, der sich einer Straftat zu Unrecht bezichtigt. 1920 *ff*.

Uns-Hirsch *m* sehr tüchtiger, anstelliger Mitschüler; tüchtiger Bursche. „Uns" ist verkürzt aus „unsinnig" und meint hier soviel wie „sehr eindrucksvoll". ↗Hirsch. *Schül* 1950 *ff*, schwäb.

unsicher *adj* **1.** eine Gegend ~ machen = sich in einer Gegend aufhalten. Hergenommen von Räubern o. ä., die in einer Gegend ihr Unwesen treiben. 1840 *ff*.
2. das Landvolk ~ machen = einen Ausflug aufs Land machen. 1950 *ff*.

unsichtbar *adj* **1.** sich ~ machen = a) fliehen; davongehen. 1900 *ff*, sold. – b) sich nicht blicken lassen; sich verleugnen lassen. 1920 *ff*.
2. etw ~ machen = etw entwenden. ↗unauffindbar. Seit dem späten 18. Jh.
3. es hat sich ~ gemacht = es ist entwendet worden. 1770 *ff*.
4. werde ~! = verschwinde! Seit dem späten 19. Jh, wahrscheinlich sold Herkunft; verbreitet unter Schülern und Studenten.

Unsinn *m* **1.** blühender ~ = großer Unsinn. ↗Blödsinn 2. 1833 *ff*.
2. blutiger ~ = völliger Unsinn. ↗blutig. 1920 *ff*.
2 a. bodenloser ~ = unüberbietbarer Unsinn. ↗bodenlos 1. 1900 *ff*.
3. geschwollener ~ = pathetische, aber unsinnige Worte. ↗geschwollen. 1950 *ff*.
4. höherer ~ = sehr großer Unsinn. ↗Blödsinn 6. Seit dem 19. Jh.
5. tierischer ~ = Unglaubhaftigkeit, über die man nicht lachen kann. ↗Ernst 2. 1930 *ff*.

unsozial *ajd* unkameradschaftlich. ↗sozial. *Jug* 1965 *ff*.

unsteil *adj* **1.** keinen vorteilhaften Eindruck erweckend. ↗steil. Halbw 1955 *ff*.
2. nicht ~ = gut, gekonnt; unübertrefflich. Litotes. Halbw 1955 *ff*.

Unsympath *m* unsympathischer Mensch. 1900 *ff*.

unten *adv* **1.** ~ mit = mit Badehose. 1964 *ff*.
2. ~ nichts, oben nichts = sehr knapp bekleidet (auf weibliche Personen bezogen). Seit dem 19. Jh.
3. ~ ohne = a) ohne Badehose (ohne Unterteil des zweiteiligen Damenbadeanzugs). Im Gefolge von „↗ oben ohne 8" 1964 aufgekommen. – b) ohne Spikes an den Schuhen. 1975 *ff*.
4. ~ besoffen sein = bei (vermeintlich) klarem Kopf betrunken torkeln. 1920 *ff*.

Untendrunter *n* Unterkleidung. 1950 *ff*.

untendurch sein Mißachtung sich zugezogen haben; nicht mehr beachtet werden. Soll auf die *ndl* Seemannssprache zurückgehen und sich ursprünglich auf das Schiff unter Sturzseen bezogen haben, später auch auf das Scheitern gewagter Unternehmungen. Die heutige Bedeutung ist von der Gleichung „Korb = Ablehnung" (↗Korb 4) beeinflußt. Seit dem 19. Jh.

unten sein verzweifelt, verbittert sein.

Analog zur Metapher „niedergeschlagen sein"; vgl engl „to be down". 1900 *ff*.

unterärmeln *tr* jn unterfassen; jm den Arm reichen. ↗umärmeln. Berlin 1850 *ff*.

unterbelichtet *adj präd* **1.** geistesbeschränkt; geistig behindert. Stammt aus der Fototechnik: die Belichtungszeit war zu kurz. Von daher übertragen auf das Geistige im Sinne eines zu schwachen Lichts des Verstandes. Seit den frühen 20. Jh, vorwiegend *schül, stud* und *sold*.
2. ungenügend entwickelt (unterbelichtetes Interesse). 1950 *ff*.
3. ~ aussehen = übernächtigt sein. 1935 *ff*.

unterbemittelt *adj* geistig ~ = dumm. Der Betreffende gehört zu den geistig Armen. Halbw 1955 *ff*.

unterbilanzieren *v* man unterbilanziert sich so durch = a) die Geschäfte gehen sehr schlecht. 1920 *ff*. – b) in der Einkommensteuererklärung stellt man sein Geschäft als stark konkursverdächtig hin. Finanzamtsspr. 1960 *ff*.

unterbringen *v* jn nicht ~ können = sich an jn nicht genau erinnern. Man weiß nicht, wo man ihn in seinem Gedächtnis einordnen soll. 1920 *ff*.

unterbuddeln *v* **1.** etw ~ = etw eingraben, verscharren. ↗buddeln. 1700 *ff*.
2. sich nicht ~ lassen = sich durchsetzen. Seit dem 19. Jh.

unterbuttern *v* **1.** jn ~ = einen Menschen in verantwortungsvoller Stellung so erniedrigen, daß er in der Masse verschwinde; jds Einfluß erheblich schmälern; jn nicht anerkennen. Ursprünglich ist gemeint, daß der Rahm in Butterfaß gestampft wird. Gegen 1860/70 in Journalistenkreisen aufgekommen.
2. etw ~ = etw zusetzen ohne Aussicht auf Rückerhalt. Vorwiegend *nordd*, 1840 *ff*.
3. etw ~ = etw bis zur Unscheinbarkeit verdrängen; etw rhetorisch erdrücken; etw vor lauter Erfolg unberücksichtigt lassen. 1920 *ff*.
4. sich nicht ~ lassen = sich nicht entmutigen lassen; nicht nachgiebig werden; seinen Standpunkt durchsetzen. 1920 *ff*, nordd.

unterentwickelt *adj* **1.** ohne geschlechtliche Erfahrung. Aufgekommen gegen 1950 mit dem weltwirtschaftlichen Begriff der „unterentwickelten Länder" (später „Entwicklungsländer" genannt).
2. minderwertig; sehr dürftig. *Schül* 1960 *ff*.
3. geistig ~ = dumm. *Jug* 1960 *ff*.
4. im Benehmen ~ sein = schlechte Umgangsformen haben. 1950 *ff*.

unterernährt *adj* **1.** unzulänglich, unvollkommen. Unterernährt ist, wer weit unter dem Durchschnitt ernährt ist; hier bezogen auf eine Arbeit, auf die zu wenig Sachverstand verwendet wurde. 1900 *ff*.
2. geistig ~ = ungebildet; dumm; bildungsunfähig. 1900 *ff*, vorwiegend *schül* und *stud*.

Unterform *f* geschwächtes Leistungsvermögen. ↗Form. 1965 *ff*.

Unterfutter *n* des Teufels = ↗Teufel 12.

untergehen *intr* **1.** besiegt werden. Hergenommen vom sinkenden Schiff und zunächst auf die militärische, dann auch auf die sportliche Niederlage bezogen: die

Sportmannschaft sinkt auf der Tabelle ab. *Sportl* 1950 ff.

2. ohne Wirkung bleiben; kein Publikumsliebling werden; aus dem Blickfeld der Öffentlichkeit verschwinden. 1950 ff.

Untergestell n Unterkörper. Seit dem 18. Jh.

untergewichten tr etw unterbewerten. ↗gewichten. 1970 ff.

Untergrundknutsch (-knutschkram) m Keller-Party. ↗Knutsch. Wahrscheinlich vom *Angloamerikan* beeinflußt. *Halbw* 1945 ff.

Untergrundschmuse f Party-Keller. ↗schmusen. 1945 ff, *halbw*.

unterhaben tr **1.** jn untergebracht haben. Hieraus verkürzt. 1900 ff.

2. jm überlegen sein; jn überwältigt haben. Stammt aus der Ringersprache: der eine Ringer liegt unter dem anderen. Seit dem 17. Jh.

3. auf etw liegen oder sitzen (ich habe ein Kissen unter); etw unter einem Kleidungsstück tragen. Seit dem 19. Jh.

'unterhaken tr den angewinkelten Arm in den angewinkelten Arm des Begleiters legen. Berlin 1850 ff.

unterhalten v sich mit etw ~ = Aufstoßen von etw haben. 1900 ff.

Unterhalter m **1.** eiserner ~ = Spiel-, Musik-, Unterhaltungsautomat. 1930 ff.

2. mechanischer ~ = a) Rundfunkgerät. 1930 ff. – b) Grammophon; Plattenspieler. 1930 ff. – c) Fernsehgerät. 1955 ff.

Unterhaltsmuffel m Mann, der seiner Unterhaltspflicht nicht nachkommt. ↗Muffel. 1970 ff.

Unterhaltung f **1.** mündliche Prüfung. *Schül* 1960 ff.

2. ~ von der Stange = wenig einfallsreiche Unterhaltungssendung der herkömmlichen Art. ↗Stange 6. 1960 ff.

3. fesselnde ~ = Verhaftung. Wortspielerei mit „fesselnd = spannend" und „fesselnd = Handfesseln anlegend". 1933 ff.

4. körperliche ~ = Geschlechtsverkehr. 1955 ff.

Unterhaltungsbombe f zugkräftige Varietésängerin o. ä. ↗Bombe 1. 1950 ff.

Unterhaltungsbomber m beliebter Unterhalter. ↗Bomber 5. 1950 ff.

Unterhaltungsdame f (zur Prostitution bereite) Tischdame in Nachtlokalen. 1960 ff.

Unterhaltungsexamen n Quiz. 1960 ff.

Unterhaltungskuchen m Gesamtheit aller üblichen Unterhaltungsmittel. 1959 ff.

Unterhaltungskünstlerin f Striptease-Vorführerin; Prostituierte in wohlhabenden Kreisen. 1955 ff.

Unterhaltungslektüre f schriftliche Urteilsausfertigung für den zur Unterhaltszahlung verurteilten Vater eines unehelichen Kindes. 1920 ff, juristenspr.

Unterhaltungsunternehmer m Quizmeister; Manager im Schaugeschäft 1965 ff.

unter'hauen tr etw schnell unterschreiben, ohne es durchzulesen. ↗hauen 2. Seit dem 19. Jh, *stud* und *schül*.

Unterhaus n **1.** Grundschule. 1960 ff.

2. Zweitliga *(sportl)*. 1980 ff.

unterhenkeln tr (sich bei jm ~) jn unterfassen. Henkel ist der angewinkelte Arm. *Schül* und *stud*, 1900 ff.

Unterhose f **1.** halbe ~ = Schimpfwort.

Drastisches Sinnbild für eine unfertige Sache oder Person. *Schül* 1955 ff.

2. du hast wohl grüne ~n an?: Frage an einen, der Unsinn äußert. Grün = unerfahren. 1950 ff.

3. die starke ~ anhaben = sich stark fühlen; mit seinen Körperkräften prahlen. 1930 ff, *schül*.

4. jn bis auf die ~n entkleiden = jds Ansehen völlig untergraben. Veranschaulichung der Vorstellung von der peinlichen Bloßstellung. 1950 ff.

5. auf der ~ fahren = auf abgenutzten Reifen fahren. Unterhose = Leinwandunterlage. 1935 ff, *schül*.

6. noch hängt die ~ nicht am Kronleuchter = noch ist Hoffnung. Veranschaulichung von chaotischen Zuständen. 1939 ff.

7. nach alter ~ riechen = scheußlichen Geruch verbreiten. *Sold* 1940 ff.

8. jm die ~ runterziehen = jm alles Wissenswerte abfragen; jn einem strengen Verhör unterziehen. Meint im engeren Sinne des Gesäßes, weil der After als Versteck für mancherlei dienen kann. 1940 ff; polizeispr.; Vokabel der Spionageabwehr.

Unterirdischer m Souffleur. Theaterspr. 1820 ff.

'unterjubeln v **1.** jm etw ~ = a) jm etw vorlügen; jn mit etw übertölpeln; jm etw aufschwatzen, unterschieben, andichten. Der Zauber- oder Illusionskünstler „jubelt" einem Zuschauer einen Gegenstand „unter die ↗Weste", wobei „jubeln" die Vorstellung „mit Leichtigkeit" oder „leichten Herzens" oder „voller Schadenfreude" weckt. *Sold* 1935 ff. – b) jm einen entwendeten Gegenstand ins Gepäck stecken, so daß der Betreffende fälschlich verdächtigt wird; jm verdächtiges Material betrügerisch zuspielen. 1935 ff. – c) jm beibringen, verständlich machen (oft mit dem Nebensinn der Unredlichkeit). *Halbw* 1960 ff.

2. jm einen ~ = koitieren (vom Mann gesagt). 1935 ff.

3. sich etw (jn) ~ lassen = sich etw (jn) aufschwatzen lassen. 1935 ff.

unter'klauen tr **1.** jm den Arm bieten; mit jm Arm in Arm gehen. Klaue = Hand. Seit dem 19. Jh, *nordd* und Berlin.

2. jn gefesselt oder mit rückwärts verdrehtem Arm abführen. Polizeispr. 1910 ff.

3. etw unsorgfältig unterschreiben. ↗Klaue 3. Seit dem 19. Jh.

unter'klecksen tr etw unsauber, unleserlich unterschreiben. Seit dem 19. Jh.

'unterkommen v es kommt ihm unter = es kommt ihm ins Gedächtnis; es fällt ihm wieder ein. Eigentlich soviel wie „Unterkunft finden". *Österr* 1850 ff.

'unterkriechen intr bei anderen Leuten bescheiden, ohne Aufwand leben; bei jm Asyl suchen. Man kriecht unter wie das Küken unter die Glucke. Seit dem 19. Jh.

'unterkriegen tr **1.** jn überwältigen, niederzwingen, besiegen. Hergenommen vom Ringersport. Seit dem 18. Jh.

2. dafür sorgen, daß einer eine Unterkunft findet; dafür sorgen, daß ein Gegenstand nicht schädlichen Witterungseinflüssen ausgesetzt ist. 1900 ff.

3. sich nicht ~ lassen = seinem Standpunkt treu bleiben; sein Ziel trotz aller Rückschläge verfolgen. Seit dem 19. Jh.

4. nicht unterzukriegen sein = unver-

wüstlich sein; unschlagbar sein; jedem Schicksalsschlag gewachsen sein. 1900 ff.

unterkühlt adj **1.** zurückhaltend, abweisend, prüde. 1910 ff.

2. streng sachlich; ohne jegliche Übertreibung. 1930 ff.

unter'laufen tr einer erfolgversprechenden Entwicklung auf andere Weise zuvorkommen; einer Sache mit List gewachsen sein. Hergenommen von der Jagd: der Fasan unterläuft den Jäger = er zieht so niedrig an dem Jäger vorbei, daß dieser nicht zum Schuß kommt. *Vgl* die andere Erläuterung bei „↗unterschneiden". 1950 ff.

'unterlegen tr etw essen. 1920 ff.

unter'legen tr etw lügen, vorspiegeln. Den Worten schiebt man eine andere, falsche Bedeutung unter. 1935 ff.

Unterleibsprosa f unterhaltendes Sexualschrifttum. 1960 ff.

unter'malen tr etw (säuberlich) unterzeichnen. 1900 ff.

Untermann m **1.** Kanalisationsarbeiter. Berlin 1900 ff.

2. Schuh. Übernommen aus der Zirkussprache als Bezeichnung für den auf dem Boden stehenden Akrobaten, der andere trägt. 1935 ff.

unter'mauern tr etw bekräftigen, noch stärker betonen. Übertragen von der Aufrichtung eines stützenden Mauerwerks. Journalistenspr. und politikerspr. 1950 ff.

Untermieter m **1.** Kind im Mutterleib. Es „bewohnt" den Mutterleib nur für eine bestimmte Zeit wie ein Mieter, der mit Kündigung rechnen muß. 1930 ff.

2. Bordellkunde nach Vorentrichtung des Entgelts. 1968 ff.

3. pl = Läuse. *Sold* 1914 bis heute.

4. einen ~ loswerden = entbinden. ↗Untermieter 1. 1930 ff.

unterminieren tr etw hintertreiben, zu vereiteln trachten. Meint eigentlich das Anbringen eines Sprengsatzes unter einer Brücke o. ä. 1910 ff.

untermittelkräftig adj stark mittelmäßig. Berlin, etwa seit 1938, *jug*; auch andernorts bekannt.

untermittelmäßig adj schlecht, geringwertig. 1950 ff.

untermittelprächtig adj mittelmäßig. ↗mittelprächtig. 1950 ff, *schül* und *stud*.

Unternehmen n **1.** ~ Kiste = Urlaubsfahrt mit sehr altem Auto. ↗Kiste 13. Dieser und die folgenden Ausdrücke mit „Unternehmen" gehen auf die amtliche Bezeichnung für militärische Einzelaktionen, auf Manövernamen o. ä. zurück. 1955 ff.

2. ~ Rütli = Obstdiebstahl in unbewachtem Garten. „Rütli" spielt auf den „Rütlischwur" in Schillers Drama „Wilhelm Tell" an, in dem auch der Apfel eine wichtige Rolle spielt. 1955 ff, *jug*.

3. ~ Schlafsack = a) Montagvormittag der Schüler. Am liebsten möchten sie schlafen und sich von den Anstrengungen des Wochenendes ausruhen. Die Bezeichnung ist dem Titel eines 1955 gedrehten Spielfilms entlehnt. 1957 ff. – b) Montagmorgen in der Kaserne, beim Exerzieren o. ä. *BSD* 1965 ff.

4. mündelsicheres ~ = Sache, von deren günstigem Ausgang man überzeugt ist. ↗mündelsicher. *Sold* 1939 ff.

Unternehmerhut m Herrenhut mit steifer

Krempe; schwarzer Filzhut. Gegen 1930 aufgekommen.

'**unterpflügen** *tr* 1. jds Einfluß entscheidend schwächen; jn degradieren; jn verdrängen. Von der Ackerbestellung übernommen. Seit dem späten 19. Jh. 2. etw aus dem Gesichtsfeld entfernen; Tatsachen vertuschen. 1950 *ff.*

'**unterquirlen** *tr* Wahrheit und Lüge geschickt miteinander vermengen. Der Küchenpraxis entlehnt. 1930 *ff.*

Unterredung *f* 1. mündliche Prüfung. Euphemismus. 1960 *ff, schül.* 2. nützliche ~ = Vorsagen durch den Mitschüler. 1960 *ff.*

Unterrock *m* der ~ herrscht (regiert o. ä.) = die Frau hat die Macht. Seit dem 19. Jh.

Unterrockstürmer *m* Sekt, Likör o. ä. Weil alkoholische Getränke geschlechtliche Hemmungen lockern und lösen können. 1940 (?) *ff.*

Untersatz *m* 1. Schiff. Aufgefaßt als Unterlage für die Beförderung von Lasten. 1910 *ff, marinespr.* 2. Kraftfahrzeug. 1935 *ff.* 3. *pl* = Füße. Übernommen vom Untersatz für Möbelstücke. *Sold* 1940 *ff.* 4. fahrbarer ~ = Kraftfahrzeug, Fahrrad o. ä. Übertragen von den Rollen laufenden Unterbrett, auf dem das Spielzeugpferd (o. ä.) befestigt ist. 1935 *ff.* 5. fahrender ~ = Kraftfahrzeug. 1935 *ff.* 6. großer ~ = großes Schiff; Kriegsschiff. 1910 *ff.* 7. motorisierter ~ = Kraftfahrzeug. 1940 *ff.* 7 a. reitbarer ~ = Reitpferd. 1970 *ff.* 8. rollender ~ = Motorrad, Moped o. ä. 1950 *ff.* 9. schwimmender ~ = Schiff, Boot, Yacht o. ä. *Marinespr* 1939 bis heute.

Unterschied *m* ~ wie Tag und Nacht = großer, wichtiger Unterschied. Seit dem 18. Jh.

Unterschuß *m* 1. Fehlbetrag; Unterbilanz; geschäftlicher Verlust. Gegenwort zu „Überschuß". 1930 *ff.* 2. Leben in schlechten Vermögensverhältnissen, bei ungenügenden Einnahmen. 1930 *ff.*

unterschwenglich *adv* jn ~ loben = jn weniger loben als verdient. Gegenwort zu „überschwenglich". 1870 *ff.*

Unterseeboot *n* 1. Hering, *Sold* in beiden Weltkriegen. 2. im Versteck lebender Staatsfeind. ↗U-Boot 1. 1933 *ff.* 3. Füße wie ~e = breite, lange Füße; breites, langes Schuhwerk. *Sold* in beiden Weltkriegen.

untersein *intr* 1. untergegangen sein (ertrunken sein). Hieraus verkürzt. Seit dem 19. Jh. 2. eine Unterkunft gefunden haben. Verkürzt aus „untergekommen sein". 1900 *ff.* 3. jm ~ = jm unterlegen sein. Seit dem 19. Jh.

unterstützen *tr* dem Mitschüler vorsagen. 1965 *ff.*

Unterstützungsverein *m* ich bin kein ~: Redewendung, mit der man es sich verbittet, daß ein anderer sich auf einen stützt. Wortspielerei mit „unterstützen" in der doppelten Bedeutung „Sozialhilfe gewähren" und „als Stütze dienen". 1920 *ff.*

Untersuchung *f* Ausspielen unwichtiger

Karten zwecks Ermittlung der Kartenzusammenstellung bei den Gegnern. Kartenspielerspr. 1900 *ff.*

Untertanen *pl* Beine, Füße; Schuhwerk. Seit dem 19. Jh.

Untertarifliche *f* amtlich nicht überwachte Prostituierte. 1900 *ff.*

'**untertauchen** *intr* 1. als Verbrecher die Öffentlichkeit meiden; bei jm Unterschlupf finden. Vom Unterseeboot übernommen. 1920 *ff.* 2. als Staatsfeind im Verborgenen leben. ↗U-Boot 1. 1933 *ff.* 3. sich vor der Öffentlichkeit zurückziehen; im öffentlichen Auftreten eine Pause einlegen; sich der militärischen Dienstpflicht entziehen (zu entziehen suchen). 1955 *ff.* 4. in Zivilkleidern fliehen. *Sold* 1943 *ff.*

unter'treiben *intr tr* etw absichtlich verharmlosen, aber gleichwohl den Ernst spüren lassen; die Bedeutung einer Leistung wahrheitswidrig schmälern; bescheidener auftreten, als nach den Umständen vertretbar wäre. Gegensatz zu „übertreiben". 1900 *ff.*

'**untertun** *tr* 1. etw ~ = ein Kleidungsstück unterziehen. Seit dem 19. Jh. 2. jn ~ = jn unterdrücken, bedrücken, bedrängen; jn zur Ordnung rufen; jm Zucht und Ordnung beibringen; jn entwürdigend anherrschen; jn schikanös einexerzieren. Fußt auf der Vorstellung, daß man einem den Kopf unter die Wasseroberfläche drückt. 1920 *ff.*

Unterwäsche *f* 1. auf der ~ fahren = auf abgenutzten Reifen fahren. Unterwäsche = Textileinlage der Reifen; *vgl* ↗Unterhose 5. 1935 *ff, schül.* 2. die ~ guckt raus = der Reifen ist bis auf die Leinwand abgefahren. Kraftfahrerspr. 1935 *ff.* 3. die Freunde (Freundinnen) wechseln wie die ~ = in der Freundschaft unstet sein. *Jug* 1960 *ff.*

Unterwasserschuß *m* versteckter Angriff. Hergenommen vom Torpedo. 1950 (?) *ff.*

unterwegs (unterwegens) *adv* 1. etw ~ lassen = etw unterlassen; von einer Sache Abstand nehmen. Man läßt das Gemeinte auf halbem Wege liegen. Seit *mhd* Zeit. 2. es ist etwas ~ = ein Baby wird erwartet. Seit dem 18. Jh.

Unterwucht *f* 1. Versager. Der Betreffende liegt weit unter dem, was man eine „↗Wucht" nennt. Berlin 1940 *ff, jug.* 2. Mädchen, das sich von gemeinsamen Unternehmungen (auch vom Beischlaf) ausschließt. *Halbw* 1960 *ff.*

unteuer *adj präd* er ist mir nicht ~ = ich bin ihm zugetan, mag ihn leiden, habe ihn gern. Litotes. 1920 *ff.*

Untier *n* 1. roher, widerwärtiger Mensch. Meint eigentlich das reißende Raubtier. Seit dem 14. Jh. 2. unförmiges Stück; großer Gegenstand, der Furcht oder Widerwillen erregt. Seit dem 19. Jh.

Untyp *m* unsympathischer Mensch. ↗Typ. *Halbw* 1960 *ff.*

unübel *adj präd* nicht ~ = durchaus erträglich; lobenswert, gut. Litotes mit Sinnverkehrung; *vgl* ↗undoof, ↗undumm u. ä. 1820 *ff, schül, lehrerspr. und stud.*

unverbogen *adj* charakterfest; sittlich ge-

---

radlinig. Umschreibung für den Begriff „aufrecht". 1950 *ff.*

unverdaulich *adj* schwer erträglich; unverständlich. ↗verdauen. Seit dem 19. Jh.

unverschämt *adj adv* 1. sehr groß; sehr genau; ganz nach Wunsch; sehr (er hat unverschämtes Glück; er hat in der Lotterie unverschämt gewonnen). Bezieht sich stets auf einen Umstand, der (in der ursprünglichen Bedeutung) den Sinn für Schicklichkeit und Maß herausfordert. 1800 *ff.* 2. sie sieht ~ gut aus = sie ist außergewöhnlich hübsch, sehr schön, überaus anziehend. 1950 *ff.*

unverzwickt *adj* nicht ~ = ziemlich einfach. ↗verzwickt. Litotes mit Sinnverkehrung; *vgl* ↗undoof. 1950 *ff.*

unvorbereitet *part* ~, wie ich mich habe = unvorbereitet, wie ich bin. Scherzhafte, wohl auf einem unabsichtlichen Rednerwitz beruhende Zusammensetzung aus „ich bin unvorbereitet" und „ich habe mich nicht vorbereitet". 1900 *ff.*

Unwahrheit *f* der ~ die Ehre geben = geschickt, glaubwürdig lügen. Scherzhafte Nachahmung von „der Wahrheit die Ehre geben = aufrichtig bekennen". 1900 *ff.*

unwahrscheinlich *adj adv* 1. unvorstellbar; geradezu unglaubhaft; bewundernswert; gut; hübsch. Meint eigentlich soviel wie „außerhalb des Gewohnten und des Vermutbaren"; hieraus zu superlativischer Bedeutung weiterentwickelt. 1920 *ff.* 2. sehr; in hohem Maße. 1920 *ff.*

Unwohlgefallen *n* sich in ~ auflösen = im Streit auseinandergehen; nach Abweisung davongehen. *Vgl* ↗Wohlgefallen. 1930 *ff.*

Unwucht *f* geistige ~ (~ im Gehirn) = Schwachsinn. Der Techniker spricht von „Unwucht", wenn bei einem rotierenden Körper die Masse unsymmetrisch verteilt ist. 1950 *ff.*

unzeln *intr* 1. mühsam, ohne rechtes Fortkommen tätig sein. „Unzel" ist Unschlitt, Talg. Aus Talg lassen sich Kerzen herstellen; aber sie sind von minderem Gebrauchswert. „Unzelmann" ist der Kerzenmacher; analog zu „↗Seifensieder 1". 1840 *ff,* Berlin und *schles.* 2. sich dumm stellen; lügen; töricht handeln. Wahrscheinlich eine Nebenform von „↗uzen". Kundenspr. 1840 *ff.*

Unzucht *f* staatliche ~ = amtlich genehmigter Bordellbetrieb. 1900 *ff.*

üppig *adj adv* übermütig, frech, unverschämt, dreist, ausfallend. Üppig = über das Maß hinausgehend. Hieraus weiterentwickelt zur Bedeutung „übermäßig". Seit *mhd* Zeit; wiederaufgelebt im 18. Jh und bis heute geläufig.

'**urassen (urrassen)** *tr* wählerisch essen; mit etw verschwenderisch umgehen; etw als unbrauchbar behandeln. Geht zurück auf die erschlossene *ahd* Form „urezzan = herausessen". *Oberd* seit dem 16. Jh.

urblond *adj* von Natur blond. 1945 *ff.*

üren *intr* grollen, nörgeln, schmollen. ↗ürig. *Westd* seit dem 19. Jh.

Urgroßmama *f* Urgroßmutter. ↗Mama. Seit dem 18. Jh.

Urgroßoma *f* Urgroßmutter. ↗Oma. 1800 *ff.*

Urgroßopa (-papa) *m* Urgroßvater. ↗Opa; ↗Papa. Seit dem 18. Jh.

Urheberpflichten *pl* Unterhaltsleistungen

des Vaters für das uneheliche Kind. 1920 *ff.*

urig *adj* **1.** urwüchsig, originell. Fußt auf „Ur- = das im Anfang Vorhandene". Anscheinend vom *Oberd* im 19. Jh ausgegangen.
2. hervorragend. Meint eigentlich „durch Urwüchsigkeit eindrucksvoll". *Halbw* 1955 *ff.*

ürig *adj* mißgestimmt, gekränkt. Fußt auf mittel- *niederd* „er, ere = zornig" (mittel-*ndl* „erre = wütend"), verwandt mit *nhd* „irre". *Niederd* seit dem 19. Jh.

Urin *m* **1.** Zusammenbruch. Scherzhaft entstellt aus „Ruin". 1850 *ff.*
2. nach dem ~ fliegen = ohne Ortung, nach Gutdünken fliegen. *Vgl* das Folgende. Fliegerspr. in beiden Weltkriegen.
3. etw im ~ haben = etw zuverlässig ahnen. Steht im Zusammenhang mit Harnuntersuchungen. Früh bei der Wehrmacht aufgekommen und seit 1930 über Studentenkreise weiter verbreitet.
4. der ~ meldet einem . . . = ein deutliches Gefühl verrät einem . . . 1930 *ff.*
5. das ist mein ~ = das ist mein Ende; jetzt ist es um mich geschehen; das ist mein Untergang (Prüfungsversagen, Verweisung von der Schule, Mißerfolg auf der Bühne usw.). ↗ Urin 1. 1850 *ff, stud, sold* u. a.

Urine *f* Ruine. ↗ Urin 1. Seit 1850 scherzhaft entwickelt.

Urinlyrik *f* obszöne Verse (Graffiti) an Abortwänden. 1900 *ff.*

uri'nös *adj adv präd* sehr schlecht; minderwertig; verderblich; gesetzwidrig. Spielt entweder an auf Harngeruch oder ist scherzhaft aus „ruinös" (↗ Urin 1) entstellt. 1910 *ff.*

Urinpeitsche *f* die ~ leeren = harnen (vom Mann gesagt). *BSD* 1965 *ff.*

Urinprophet *m* **1.** Arzt. Er diagnostiziert offenbar aus dem Harn. 1820 *ff.* In der Bedeutung „Prophet der Notwendigkeit rechtzeitigen Harnens" 1805 durch Jean Paul belegt.
2. Apotheker. 1920 *ff.*

Urinschwenker *m* Sanitätssoldat. ↗ Pißpottschwenker. *BSD* 1965 *ff*

Urklamotte *f* zugkräftiges Theaterstück, das die Zeiten überdauert. ↗ Klamotte 1. Theaterspr. 1920 *ff.*

Urlaub *m* **1.** Freiheitsstrafe; Mittelarrest. Soldaten fassen den Freiheitsentzug seit 1900 als Urlaub vom aktiven Wehrdienst auf, auch heute noch.
2. Dienstzeit. Meint entweder den Urlaub von der zivilen Berufsausübung oder die Dienstzeit als eine andere Form von Arrest. *BSD* 1965 *ff.*
3. Schulfeier. Die Teilnehmer sind vom Unterricht befreit. 1950 *ff.*
4. ~ auf schwedische Art = Verbüßung einer Freiheitsstrafe. „Schwedische Art" spielt auf die „schwedische ↗ Gardinen" an. 1967 *ff.*
5. ~ im Café am Eck = Arrest. ↗ Café 15 b. *BSD* 1965 *ff.*
6. ~ von der Ehe = Urlaubsreise des einen Ehepartners ohne den anderen. 1960 *ff.*
7. ~ auf Ehrenwort = a) Urlaub bis zum Wecken. Wer sich nach Zapfenstreich außerhalb der Unterkunft aufhalten will, bedarf der Zustimmung seines nächsten Disziplinarvorgesetzten. Literarischer Einfluß:

Novelle „Urlaub auf Ehrenwort" von Kilian Koll. *BSD* 1965 *ff.* – b) kurzfristige Aufhebung der Haft. 1960 *ff.*
8. ~ vom Knast = Sozialurlaub eines Häftlings. ↗ Knast. 1970 *ff.*
9. ~ auf Krankenschein = von der Krankenversicherung bezahlte Kur. 1955 *ff.*
10. ~ zum Kranzniederlegen = Hochzeitsurlaub. Eigentlich der Urlaub zwecks Teilnahme an einer Beerdigung; hier meint „Kranz" den Brautkranz und auch das Jungfernhäutchen. *BSD* 1965 *ff.*
11. ~ ohne = Urlaub auf einem Freikörperkultur-Gelände. 1965 *ff.*
12. ~ von Schlips und Kragen = Ablegung des üblichen Kleiderzwangs im Urlaub. 1925 *ff.*
13. ~ auf Staatskosten = a) Verbüßung einer Freiheitsstrafe. ↗ Staatspension 1. 1920 *ff.* – b) Teilnahme am Manöver. Man macht „im Grünen" Urlaub vom grauen Kasernen-Alltag. *BSD* 1965 *ff.*
14. ~ von der Stange = Urlaub nach den Plänen der Reiseunternehmen; nichtindividueller Urlaub. ↗ Stange 8. 1955 *ff.*
15. ~ ohne weiße Streifen = Ferien auf einem Freikörperkultur-Gelände. Weiße Streifen = ungebräunte Hautpartien. 1972 *ff,* werbetexterspr.
16. ~ bis zum Verrecken = Urlaub bis zum Wecken. Wortspielerei, *marinespr* in beiden Weltkriegen.
17. ~ bei der Wache = Arrest. Wache = Arrestwache. *BSD* 1965 *ff.*
18. ~ bis zum Wecken = unaufmerksame Teilnahme am Schulunterricht. Übernommen vom *dt* Titel des 1955 unter der Regie von Raoul Walsh gedrehten Films „Battle Cry" nach dem Roman von Leon (Marcus) Uris (*dt* 1955). *Schül* 1958 *ff.*
19. ~ von der Weltlage = Erholungsurlaub ohne Zeitungen, ohne Rundfunk und Fernsehen. 1920 aufgekommen; 1958 wiederaufgelebt.
20. ~ auf Zeit = Arrest. *BSD* 1965 *ff.*
21. ~ vom Zuchthaus = Schulferien. Die Schüler sehen sich in der Rolle von Zuchthäuslern. 1950 *ff.*
22. bezahlter ~ = religiöse Einkehrtage. Die Teilnehmer erhalten Sonderurlaub unter Beibehaltung der Geld- und Sachbezüge. *BSD* 1965 *ff.*
23. nahtlos brauner ~ = Urlaub am Nacktbadestrand. *Vgl* ↗ Urlaub 15. 1965 *ff.*
24. kleiner ~ = drei Tage Arrest; kurze Haftstrafe. *Sold* 1910 *ff.*
25. selbstgestrickter ~ = Urlaub nach eigenem Plan. 1960 *ff.*
26. unbewältigter ~ = Urlaub als Krankheitsursache. „Unbewältigt" kam kurz nach 1945 auf und bezog sich auf Nachwirkungen der NS-Zeit. Hiernach wurde „unbewältigt" zum Schlagwort für alles, was man innerlich nicht überwunden und verwunden hatte, und was mit den Reformbestrebungen der neuen Ära im Widerstreit stand. 1960 *ff,* medizinerspr.
26 a. unbezahlter ~ = Schulferien. *Schül* 1965 *ff.*
26 b. den ~ abliegen = die Ferienzeit am Strand verbringen. *Vgl* ↗ absitzen. 1975 *ff,* werbetexterspr.
27. sein Bewußtsein geht auf ~ = er wird besinnungslos. 1960 *ff.*
28. seine Stimme geht auf ~ = er wird heiser. 1920 *ff.*

29. ~ vom Koffer haben = nach der Urlaubsreise die Berufstätigkeit wiederaufnehmen. 1955 *ff.*
30. den ~ kaputtmachen = sich im Kurort erholen; eine Badereise unternehmen; seinen Urlaub schlecht und recht verbringen. Kaputtmachen = vernichten. Hier bezogen auf Urlaubszeit und Urlaubsgeld, die beide man „kleinkriegt", ohne ungetrübte Urlaubsfreuden genießen zu können. 1955 *ff, stud.*
31. auf ~ sein = gerade nicht vorhanden sein (auf einen Gegenstand bezogen). 1940 *ff, sold* und *ziv.*
32. geistig auf ~ sein = geistesabwesend sein; vor sich hinträumen; nicht recht bei Sinnen sein. 1940 *ff.*

urlauben *intr* Urlaub machen. (1920?) 1950 *ff.*

Urlaubs-Ehe *f* für die Dauer der Urlaubsreise geschlossene intime Gemeinschaft zweier Personen verschiedenen Geschlechts. 1930 *ff.*

Urlaubsgangster (Grundwort *engl* ausgesprochen) *m* Berauber von Urlaubsreisenden. 1975 *ff.*

Urlaubsgesicht *n* freundliche, entspannte Miene. 1920 *ff.*

Urlaubskandidat *m* Mensch kurz vor Urlaubsantritt. 1920 *ff.*

Urlaubskapitän *m* Mann, der seinen Urlaub auf einer Yacht verbringt. 1900 *ff.*

Urlaubskater *m* Lustlosigkeit bei Wiedereingewöhnung nach dem Urlaub in den Alltag. ↗ Kater 1. 1970 *ff.*

Urlaubsopfer *n* Mensch, der nach seiner Urlaubsreise verschiedene körperliche Beschwerden verspürt. 1965 *ff.*

Urlaubsprotz *m* Mensch, der mit seinen Urlaubserlebnissen prahlt. ↗ Protz. 1935 *ff.*

Urlaubsrummel *m* Vergnügungsbetriebsamkeit von Urlaubsreisenden (für Urlaubsreisende). ↗ Rummel. 1955 *ff.*

Urlaubssprache *f* mit Fremdwörtern durchsetzter Wortschatz von Leuten, die ihren Urlaub im Ausland verbracht haben. (1900 ?) 1955 *ff.*

Urlaubswelle *f* Verkehrsstrom der Urlaubsreisenden. ↗ Welle. 1960 *ff.*

Urlaubswitwe *f* Ehefrau, die ohne ihren Mann Urlaub macht. 1960 *ff.*

Urne *f* **1.** Aschenbecher. 1960 *ff.*
2. komm gut in die ~, laß die Asche nicht zu heiß werden!: Redewendung an einen dummen oder untauglichen Menschen. *Halbw* 1960 *ff.*
3. der sollte gleich in die ~ huscheln!: Redewendung auf einen betagten Menschen. 1970 *ff.*

'Uroma (Ur'omama, 'Uromi) *f* Urgroßmutter. ↗ Oma. Kinderspr. seit dem 19. Jh.

'Uropa (Ur'opapa) *m* Urgroßvater. ↗ Opa. Kinderspr. seit dem 19. Jh.

Urschel *f* **1.** dumme, unbeholfene weibliche Person. Geht zurück auf den weiblichen Vornamen Ursula. Vorwiegend *oberd, hess* und *rhein,* 1700 *ff.*
2. Schülerin einer Privatschule der Ursulinerinnen. 1900 *ff.*
3. alte ~ = geistesbeschränkte Frau; unordentliches Mädchen. Seit dem 19. Jh.
4. blöde ~ = dumme weibliche Person. Seit dem 19. Jh.
5. kleine ~ = unbedeutende, geistig wenig rege weibliche Person. Seit dem 19. Jh.

urschen *tr* etw vergeuden, unsorgfältig behandeln; aus dem Vollen nehmen. Verkürzt aus ↗urassen. *Nordd* und *ostmitteld* seit dem 19. Jh.

Ur'uroma *f* Ururgroßmutter. ↗Oma. Seit dem 19. Jh, kinderspr.

Ur'uropa *m* Ururgroßvater. ↗Opa. Seit dem 19. Jh, kinderspr.

Urviech (-vieh) *n* Naturbursche; Naturtalent; Draufgänger. ↗Viech. Seit dem 19. Jh.

Urwald *m* **1.** Schamhaare. Seit dem 19. Jh. **2.** üppiges, ungepflegtes Kopf-, Barthaar. 1900 *ff.* **3.** starke Brustbehaarung. Seit dem 19. Jh. **4.** ~ mit Spielwiese = Glatze (in der Kopfmitte, mit Haarkranz). 1920 *ff.* **5.** Benehmen wie im ~ = schlechte Umgangsformen. Leitet sich her von den für Deutsche fremden Sitten der Urwaldbewohner. *Vgl* auch ↗Axt 2. 1900 *ff, sold, stud* und *schül.* **6.** einen ~ abholzen = heftig schnarchen. ↗sägen 1. 1920 *ff.*

7. jn mit etw aus dem ~ locken = mit etw (unwiderstehlichen) Anreiz auf jn ausüben. Wohl in Berlin aufgekommen. *Vgl* „dir ham se woll mit ne Mohrrübe aus'n Urwald jelockt = du bist ein Affe". 1920 *ff.* **8.** nach ~ riechen = sich ungesittet benehmen. 1920 *ff.* **9.** einen ~ umlegen = heftig schnarchen. ↗sägen 1. 1920 *ff.*

Urwaldlichtung *f* Glatze (mit Haarkranz). 1945 *ff, stud.*

Urwaldtee *m* deutscher ~ = Kräuterteemischung. *Sold* und *ziv* in und nach beiden Weltkriegen.

Urzustand *m* im ~ sein = nackt sein. 1900 *ff.*

Uschi (Usche) *f* leichtes Mädchen; Prostituierte. Hängt zusammen mit den Bedeutungen von „↗Urschel" sowie mit der Legende von Ursula und den elf Jungfrauen. 1920 *ff,* vorwiegend *sold.*

'uselig *adj* armselig; kränklich aussehend; unordentlich; abscheulich. Fußt auf *mhd*

„usel = Asche, Aschenstäubchen" und spielt auf aschfahles Aussehen an. *Westd,* mittelfränkisch und *schles,* 1700 *ff.*

Uz *m* Scherz, Ulk. ↗uzen 1. Als Substantiv im 19. Jh aufgekommen.

uzen *v* **1.** *tr* = jn necken, anführen; sich mit jm einen Scherz erlauben. Hängt vielleicht zusammen mit „Utz, Uz", einer Koseform des männlichen Vornamens Ulrich: mit „Uz" verspottet man die Narren, die Säufer usw. Schallnachahmung der Würgelaute und der unartikulierten Sprechlaute. 1500 *ff.* **2.** *tr* = täuschen, prellen (der täuschende Schüler sucht den Lehrer zu prellen). *Schül* 1950 *ff.*

Uzer *m* Spaßmacher. ↗uzen 1. Seit dem 19. Jh.

Uzvogel *m* Mensch, der sich mit anderen gern einen Scherz erlaubt. Im 19. Jh aufgekommene Variante zum „↗Spaßvogel".

V

V. B. **1.** Auskundschafter von Diebstahlsgelegenheiten o. ä. Meint in der Militärsprache den vorgeschobenen Beobachter. *Rotw* 1920 *ff.*
2. Soldat, der für sich und seine Kameraden Ausschau nach Mädchen hält. *Sold* in beiden Weltkriegen.
VB Boden – Luft *m* Militärgeistlicher. Er stellt die Verbindung „Boden – Luft" (= Erde – Himmel) her. *BSD* 1965 *ff.*
VW-Beine *pl* kurze, krumme Beine. Die Volkswagen-Karosserie läßt den Beinen des Fahrers wenig Spielraum. 1955 *ff.*
VW-Nase *f* stark verschnupfte Nase. Hängt zusammen mit dem Werbespruch des Volkswagenwerks „läuft und läuft und läuft". 1968 *ff.*
v. z.l Ausdruck der Ablehnung. Verkürzt aus „verzichtel". Kartenspielerspr. 1890 *ff*, Berlin.
Vagabunden-Look (Grundwort *engl* ausgesprochen) *m* absichtlich verwahrloster Kleiderstil. ↗ Look. 1955 *ff.*
Vagi'nalbaß *m* sehr tiefe Singstimme einer Sängerin. Die Stimme kommt aus tiefster Tiefe. 1930 *ff.*
Vamp (*engl* ausgesprochen) *m* Filmschauspielerin in der Rolle der Verführerin; Frau, die herzlos die Männer ausbeutet. Gegen 1925 aus dem *Angloamerikan* übernommene Abkürzung, fußend auf dem 1915 gedrehten *franz* Spielfilm „Les Vampyres" von Louis Feuillades.
Vandalen *pl* hausen (sich benehmen) wie die ~ = rücksichtslos zerstören, verwüsten. Das ostgermanische Volk der Vandalen hat sich in der urkundlich gesicherten Geschichte nicht übler betragen als andere Völker seiner Zeit. Da aber die Vandalen 455 das christliche Rom geplündert haben, prägte 1794 der römisch-katholische Bischof von Blois (Grégoire) den Begriff „Vandalismus" als Schlagwort für sinnlose Zerstörungswut o. ä. Jene Redewendung hält sich wider besseres Wissen seit dem 19. Jh.
Vanille *f* **1.** Rührseligkeit, Gefühlsüberschwang, Liebesannäherung; Liebe. Vanille-Eis und Vanille-Soße sind übliche Süßspeisen mit Vanillegewürz. Von da übertragen zu einer „süßen", mit Tränen und Rührung gewürzten Gefühlsäußerung. Die Vokabel hat einen leicht *iron* Nebensinn. *Halbw* 1910 *ff.*
2. die ganze ~ = die ganze Familie. Aus „Familie" entstellt, vielleicht weil manche Halbwüchsige die Pflege des Familienzusammenhalts wenig schätzen und sie als zweifelhafte Rührseligkeit empfinden. 1955 *ff, halbw.*
Vater *m* **1.** der ~ vom Ganzen (vons Janze) = Urheber; Verantwortlicher; Firmeninhaber. 1900 *ff.*
2. der ~ von dem Kind = Urheber einer Entwicklung, einer Maßnahme, einer politischen Einstellung o. ä. 1920 *ff.*
3. ~ der Kompanie = Hauptmann. *Sold* 1914 bis heute.
4. ~ Philipp = Arrest-, Haftanstalt. Leitet sich her von einem Unteroffizier namens Johann Philipp, der seit 1818 Arrestaufseher der Potsdamer Garnison war. *Sold* bis heute.

5. ~ Rhein = der Rhein. Aufgekommen nach der Mitte des 18. Jhs mit dem Erwachen eines bis dahin unbekannten Naturgefühls, vielleicht durch Ludwig Christoph Heinrich Hölty („Ein Leben wie im Paradies / Gewährt uns Vater Rhein").
6. ~ Seemann = Arrestanstalt für Seeleute. *Marinespr* 1900 *ff.*
7. ~s Sohn (meines ~s Sohn; meinem ~ sein Sohn) = man selbst; ich (wenn es sich um eine männliche Person handelt). 1840 *ff.*
8. ~ und Sohn = a) Coca-Cola mit Weinbrand (Rum). Geht zurück auf die gleichnamigen Bildergeschichten, die O. E. Plauen (= Erich Ohser) seit 1933 in der „Berliner Illustrirten" veröffentlichte. 1950 *ff.* – b) Bier und Kornschnaps. 1950 *ff.*
9. ~ Staat = Regierung. Fußt auf der Vorstellung, daß die Regierung wie ein Vater für die Bürger zu sorgen hat. Wohl im späten 19. Jh aufgekommen.
10. ~ Weiß = Winter. Kundenspr. seit dem 19. Jh.
11. alter ~ = Altgedienter. *BSD* 1960 *ff.*
12. ach du armer ~!: Ausruf des Erstaunens, auch des Erschreckens. Wohl entstellt aus einer Anrufung Gottes. 1920 *ff.*
13. ach du dicker ~!: Ausruf der Überraschung. Oft in der Form: „Ach du dicker Vater, hast du dünne Kinder!". 1900 *ff.*
14. ach du heiliger ~!: Ausruf der Überraschung, der Bestürzung. 1920 *ff.*
15. ach du mein himmlischer ~!: Ausruf des Entsetzens oder Staunens. 1920 *ff.*
16. kesser ~ = aktiver Typ der Lesbierin. Keß = draufgängerisch. 1920 *ff.*
17. künstlicher ~ = Samenspender für das künstlich zu erzeugende Kind. 1955 *ff.*
18. schwarzer ~ = a) unbekannter Kindesvater. Er hüllt sich in Dunkel. Berlin 1920 *ff.* – b) unehelicher Kindesvater, der sich der Unterhaltszahlung erfolgreich entzogen hat. 1920 *ff.*
19. sie hat keinen ~ = sie steht allein. Bezogen auf eine Spielkarte, die von einer Spielfarbe die einzige ist. Kartenspielerspr. seit dem 19. Jh.
20. du hast wohl einen dicken ~?: Frage an einen schwerfälligen und begriffsstutzigen Jungen. *Schül* 1950 *ff.*
21. einen doofen ~ haben = nicht recht bei Verstand sein. ↗ doof. *Schül* 1950 *ff.*
22. das hilft dem ~ auf die Mutter = das ist eine kräftigende Speise. 1900 *ff.*
23. sein ~ ist Elektriker = er ist begriffsstutzig. Anspielung auf die „lange ↗ Leitung". *Schül* 1950 *ff, schül.*
24. dein ~ ist wohl Fußballer?: Frage an einen Jungen mit abstehenden Ohren. Wortspiel mit „abseits stehen". *Österr* 1955 *ff, jug.*
25. dein ~ ist wohl Glaser (Glaserer)?: Frage an einen, der dem Fragenden im Licht steht. Scherzhaft nimmt man an, der Glaser habe durchsichtige Kinder. Spätestens seit 1850.
Vaterland *n* **1.** das ~ ruft = der Befehl zum Antritt der Haftstrafe ist eingetroffen. Bezieht sich ursprünglich auf die Einberufung des Wehrpflichtigen. 1900 *ff.*
2. das ~ ist gerettet = der vermißte Gegenstand hat sich wiedergefunden. 1900 *ff.*
Vaterlandsrummel *m* übertriebene Pflege patriotischer Gedanken. ↗ Rummel. 1910 *ff.*

Vaterschaft *f* **1.** jm die ~ anhängen = jn als Vater benennen; jds Vaterschaft beweisen. ↗ anhängen. 1900 *ff.*
2. ich kündige dir die ~l: scherzhafte Drohung des Vaters an den Sohn. 1900 *ff.*
Vatertag *m* **1.** zweiter Pfingstfeiertag *(österr)*; Himmelfahrtstag *(dt)*; zweiter Sonntag im Juni *(österr)*. Aufgekommen bald nach 1918, als der erste Sonntag im Mai zum Muttertag erklärt wurde.
2. Tag, an dem der geschiedene Vater seine Kinder besucht oder abholt. Zürich 1979 *ff.*
Vaterunser *n* **1.** ihm kann man das ~ durch die Backen (Wangen) blasen (lesen) = er ist hohlwangig. Anspielung auf die Bitte des Vaterunsers „unser täglich Brot gib uns heute". Seit dem 18. Jh.
2. noch nicht das ~ beten können = als Mädchen noch unberührt sein. Bezieht sich auf die Bitte „vergib uns unsere Schuld" sowie „führe uns nicht in Versuchung". 1870 *ff.*
3. sein letztes ~ gebetet haben = dem Tode nahe sein. Seit dem 19. Jh.
4. dem katholischen ~ gleichen = energielos sein. Im katholischen Vaterunser fehlen die Worte „denn dein ist das Reich und die Kraft und die Herrlichkeit in Ewigkeit". 1800 *ff.*
5. etw herbeten wie das ~ = etw gedanken- und ausdruckslos vortragen. 1900 *ff.*
Veilchen *n* **1.** blauer Fleck auf der Haut; Auge mit blaugefärbter Umgebung. 1870 *ff.*
2. ~ für einen Ochsen = überaus karge Mahlzeit. 1930 *ff.*
3. blaues ~ = blaugeschlagenes Auge. 1870 *ff.*
4. trauriges ~ = Nichtskönner. Das Veilchen blüht im Verborgenen und kommt nur selten zur Geltung. 1900 *ff.*
5. blau wie ein ~ = betrunken. ↗ blau 5. Seit dem 19. Jh.
6. blau wie tausend ~ = volltrunken. 1930 *ff.*
7. die ~ von unten besehen = im Grab liegen. Mildere Variante zu „↗ Radieschen 9". 1920 *ff.*
8. die ~ blühen = es gibt blaugeschlagene Augen. 1920 *ff.*
9. wie ein ~ riechen = übel riechen; stinken. Ironie. 1920 *ff.*
10. die ~ von der Wurzel riechen = im Grab liegen. 1920 *ff.*
11. ~ spielen = betrunken sein. ↗ Veilchen 5. 1950 *ff.*
12. jm ein ~ überreichen = jm ein Auge blauschlagen. 1900 *ff.*
Veilchenaugen *pl* **1.** von tiefblauen Schatten umränderte Augen als Folge von Boxhieben o. ä. 1900 *ff.*
2. naiver, unschuldsvoller Blick. 1920 *ff.*
3. flirtende Blicke. 1920 *ff.*
'veilchen'blau *adj* schwer bezecht. ↗ Veilchen 5. Seit dem 19. Jh.
Veilchenhochzeit *f* Wiederkehr des Hochzeitstages nach 12 ½ Jahren. Zusammenhang unbekannt. 1970 *ff.*
Ventil *n* **1.** Schließmuskel des Afters, der Harnblase; After. 1900 *ff.*
2. das ~ nachstellen = Einhalt gebieten; Zornesausbrüche dämpfen. Übertragen vom Ventil am Dampfkessel. 1950 *ff.*
3. jm das ~ ölen = jn zur Eile antreiben. 1910 *ff.*

4. sein ~ ist nicht dicht = er kann sein Wasser nicht halten. 1900 *ff.*

Ventilator *m* **1.** Flugzeugpropeller. Fliegerspr. 1930 *ff.*
2. in seinem Kopf surrt ein ~ = er macht sich ernsthaft (ernste) Gedanken; Gedanken kreisen in seinem Kopf. 1920 *ff.*
3. er dreht sich im Grab um (er rotiert im Grab) wie ein ~ = wenn der Verstorbene dies wüßte, fände er keine Ruhe im Grab. Verstärkung von „↗Grab 3". 1920 *ff.*

ventilieren *tr* etw erwägen, erörtern, erkunden. Um 1800 aufgekommene Nachbildung von *engl* „to air = eine Frage prüfen, erörtern".

Venus *f* **1.** ~ von Kilo = beleibte Frau. Scherzhaft umgedeutet aus „Venus von Milo" unter Verwertung der Lautähnlichkeit von „Milo" und „Kilo". 1900 *ff.*
2. ~ per Pille = Liebesmittel (Aphrodisiakum). 1950 *ff.*
3. der ~ opfern = koitieren (ejakulieren). 1920 *ff.*

Venushöhle *f* Vergnügungslokal. 1955 *ff.*

Venussonde *f* Heiratsgesuch in der Zeitung. Aufgekommen 1973 mit dem Start der ersten Versuchssonde zum Planeten Venus.

Venustempel *m* **1.** Vagina. Seit dem 19. Jh.
2. Bordell. 1900 *ff.*

veraasen *v* **1.** *tr* = etw vergeuden, durchbringen. ↗aasen 1. Seit dem 19. Jh.
2. *intr* = verderben; umkommen lassen; verenden. Hergenommen vom Wild, das infolge eines schlechten Schusses im Verborgenen verendet. Seit dem 19. Jh.

verabreichen *v* jm eine ~ = jm ohrfeigen. Seit dem 19. Jh.

veramüsieren *tr* etw für Vergnügungen ausgeben; etw sinnlos vergeuden. 1920 *ff.*

Veranda *f* **1.** üppiger Busen. Analog zu ↗Balkon. 1940 *ff.*
2. Leib der Schwangeren. 1900 *ff.*
3. sich eine ~ über die Pißbude bauen lassen = sich schwängern lassen. 1900 *ff.*

verändern *refl* heiraten. Durch Heirat ändert sich der Personenstand. Seit dem 19. Jh.

Verantwortung *f* die ~ in (an) der Garderobe abgeben = unverantwortlich handeln. *Vgl* ↗Überzeugung 1 a. 1970 *ff.*

veräppeln *tr* **1.** jn verhöhnen, verspotten, veralbern. Hergenommen von den faulen Äpfeln, mit denen das Theaterpublikum früher die Schauspieler wegen schlechter Leistungen bewarf. Seit dem ausgehenden 19. Jh.
2. in der Schule täuschen. Dadurch verspottet der Schüler den Lehrer. 1950 *ff.*

verarbeiten *tr* **1.** jn durch Falschspiel betrügen. *Rotw* seit dem 19. Jh.
2. etw glatt ~ = eine plumpe Schmeichelei wohlgefällig hinnehmen; an etw keinen Anstoß nehmen (obwohl Anlaß gegeben ist). 1910 *ff.*

verarschen *tr* **1.** jn prügeln. ↗Arsch 1. 1870 *ff, jug* und *sold.*
2. sich mit jm einen Spaß erlauben; jn veralbern, beschwindeln; in der Schule täuschen. Hergenommen vom leichten Klaps auf das Gesäß des kleinen Kindes; daher soviel wie „jn wie ein kleines Kind behandeln". 1900 *ff.*

Verarschung *f* **1.** Übertölpelung; Veralberung; Täuschungsversuch. ↗verarschen 2. 1900 *ff.*
2. unerlaubter Drill. Entweder faßt man

---

ihn als eine Art Verprügelung auf, oder man spielt an auf die Verwendung derber Wörter durch den Ausbilder. *BSD* 1968 *ff.*

verarzten *tr* **1.** jn ärztlich behandeln. 1600 *ff.*
2. jn (etw) untersuchen, in Ordnung bringen, ausbessern; jn beraten. Von der ärztlichen Behandlung übertragen auf jegliche Behandlung eines Menschen, eines Gegenstands oder einer Angelegenheit. Seit dem späten 19. Jh.
3. jn prügeln, gewalttätig behandeln. 1930 *ff.*

verasten *tr* jn veralbern; jm ein Gerücht einreden. Ast = Buckel. Ein kleines Kind trägt man auf den Schultern. Daher soviel wie „jn wie ein kleines Kind behandeln". Seit dem ausgehenden 19. Jh.

verballern *v* **1.** *tr* = Munition nutzlos verschießen, wirkungslos verschießen. ↗ballern 1. *Sold* seit dem späten 19. Jh.
2. *tr* = etw vergeuden, vertun, durchbringen, vertrinken. 1890 *ff.*
3. *tr* = etw veräußern. Analog zu ↗verkloppen. 1890 *ff.*
4. *tr* = jn verprügeln. Seit dem 19. Jh.
5. *tr* = schwängern. Analog zu „schießen = ejakulieren". 1800 *ff.*
6. *intr* = mit einer Frau schlafen, ohne sie befriedigen zu können. ↗verballern 1. 1900 *ff.*

verballert *adj* bestürzt, aufgeregt. Man ist wie vor den Kopf geschlagen. 1900 *ff.*

verbandelt sein mit jm ~ = a) mit jm ein Liebesverhältnis haben. *Oberd* seit dem 19. Jh. - b) zu jm gehören; mit jm in geheimem Einverständnis stehen. *Oberd* seit dem 19. Jh.

Verbandstoff *m* du weißt wohl nicht, was hundert Meter ~ kosten: Drohrede. 1920 *ff, jug.*

verbaseln *v* **1.** etw verderben, aus Vergeßlichkeit vernachlässigen, versäumen. Ein *niederd* Wort, mittel-*niederd* „basen = unsinnig reden"; mittel*niederd* „vorbasen = von Sinnen kommen"; *ndl* „verbazen = in Verwirrung geraten". Seit dem 16. Jh.

verbauen *v* **1.** etw ~ = eine schlechte Arbeit schreiben. ↗bauen 1. *Schül* seit dem 19. Jh.
2. sich ~ = zuviel Geld für einen Bau aufwenden. 1870 *ff.*
3. jm etw ~ = jm etw vereiteln. Dem Betreffenden wird der Weg verbaut, versperrt. 1920 *ff.*

verbauern *intr* den Sinn für Höheres und Feineres verlieren. Beruht auf der Grundvorstellung der Städter, daß der Bauer ein plumper, kaum zivilisierbarer Mensch sei. Seit dem 18. Jh.

verbaut *adj* **1.** verwachsen; mißgestaltet. Seit dem 19. Jh.
2. wunderlich. Man ist in geistiger Hinsicht falsch gebaut. *Halbw* 1955 *ff.*

verbeißen *v* sich etw ~ = sich etw versagen; etw hinnehmen, ohne aufzubegehren. Man beißt sich auf die Lippen. Seit dem 19. Jh.

verbellen *v* jn (etw) heftig kritisieren. Stammt aus der Jägersprache: der Jagdhund verbellt ein krankes, verwundetes oder verendetes Stück Wild. 1950 *ff.*

Verbeuger *m* Empfangschef in Restaurants o. ä. 1900 *ff.*

Verbeugung *f* eine erstklassige ~ hinlegen

= sich formvollendet verneigen. ↗hinlegen 2. 1920 *ff.*

Verbeugungsreise (-tour, -tournée) *f* Propagandareise eines Künstlers, verbunden mit Bühnenauftritten, Autogrammgeben usw. 1955 *ff.*

Verbeugungsweg *m* Straße, die Flugzeugen als Einflugschneise dient. Das Tieffliegen der Flugzeuge veranlaßt die Fußgänger, den Kopf zur Erde zu senken, was wie eine Verbeugung aussieht. Berlin 1959 *ff.*

verbeult *adj* durch langes Tragen ausgeweitet (von Kleidungsstücken gesagt). Seit dem 19. Jh.

verbibbich (verbibscht) *interj* Ausruf des Unwillens. Vielleicht mit „Pipi" zusammenhängend, also bedeutungsähnlich mit „↗beschissen"(?). *Sächs* 1900(?) *ff.*

verbiegen *v* **1.** etw ~ = etw wahrheitswidrig entstellen; das Sittengesetz listig umgehen. Man bringt das Gerade aus der geraden Richtung. Seit dem 19. Jh.
2. *refl* = sich verbeugen. 1900 *ff.*

verbiestern *v* **1.** jn ~ = jn verwirren, einschüchtern. Fußt auf *ndl* „bijster = verwirrt, verrückt". Seit dem 15. Jh.
2. *refl* = a) sich verlaufen; in die Irre gehen. *Niederd* 1700 *ff.* – b) starrsinnig sich in etw vertiefen. 1700 *ff.*

verbimsen *tr* **1.** jn verprügeln. ↗bimsen 2. Seit dem 19. Jh.
2. jn quälen, mißhandeln. 1900 *ff, sold* und *rotw.*
3. koitieren. ↗bimsen 4. 1870 *ff.*
4. etw aufessen; viel essen; Geld für Eßwaren ausgeben. ↗Bims I; ↗Bims II 1. Seit dem ausgehenden 19. Jh.
5. etw vergeuden. ↗Bims II 1. 1900 *ff.*

Verbindung *f* **1.** schlagende ~ = a) unglückliche Ehe. Eigentlich eine Studentenverbindung, in der Mensuren gefochten werden. 1950 *ff.* – b) Schlagzeuggruppe eines Orchesters. 1920 *ff.*
2. eine telegrafische (drahtlose) ~ herstellen = dem Mitschüler vorsagen. 1920 *ff.*

verbissen *adv* etw ~ sehen = etw engherzig, unduldsam beurteilen. *Halbw* 1970 *ff.*

verblasen *tr* **1.** etw abessen. Stammt aus der Jägersprache: ein Hornsignal zeigt das Ende der Jagd an. ↗abblasen 1900 *ff.*
2. Geld vertrinken. ↗blasen 6. 1900 *ff.*

verblatten *tr* jn verraten. Der Jäger lockt durch „Blatten" (= Pfeifen auf einem Blatt) das Wild. 1933 *ff.*

verblechen *tr* **1.** etw zu Geld machen. ↗Blech 2. Seit dem 19. Jh.
2. sein Geld vergeuden. 1900 *ff.*

verblitzen *refl* Geld rasch ausgeben. Es geht schnell wie der Blitz dahin. 1910 *ff.*

verblöden *v* **1.** jn ~ = sich über jn lustig machen. ↗blödeln. 1920 *ff.*
2. etw ~ = einer Sache ungehörigerweise die Ernsthaftigkeit nehmen. 1950 *ff.*
3. *intr* = geistig abstumpfen. 1920 *ff.*

Verblödung *f* bis zur völligen ~ = bis zum äußersten. Seit dem ausgehenden 19. Jh.

Verblödungsröhre *f* Fernsehgerät. 1960 *ff.*

verblubbern *intr* nach und nach aufhören, aussetzen (auf einen Motor bezogen). ↗blubbern 5. 1939 *ff,* kraftfahrerspr.

verblühen *intr* refl sich rasch entfernen; unbemerkt verschwinden. Analog zu ↗verduften. Seit dem frühen 20. Jh, anfangs *stud* und *schül;* 1914 *ff sold.*

verbluten *intr* eine Sache verblutet = eine Sache scheitert kurz vor ihrer Verwirklichung. Übertragen vom Sterben durch Blutverlust. 1950 ff.

verbocken v **1.** tr = etw verderben, falsch machen. ↗Bock 15. 1800 ff.
2. intr refl = halsstarrig werden. ↗bokken 1. Seit dem 19. Jh.

verbohren v **1.** etw ~ = etw falsch handhaben; eine schlechte Klassenarbeit schreiben. Übernommen von der Vorstellung, daß man an einer unrichtigen Stelle bohrt; weiterentwickelt zur Bedeutung „fehldenken". 1910 ff, schül und sold.
2. sich in etw ~ = sich in ein starrsinnig vertiefen; sich von einem Irrtum nicht freimachen. Geht auf die Handwerkersprache zurück: wenn man falsch gebohrt hat, paßt ein Werkstück nicht aufs andere. Seit dem 18. Jh.
3. einen verbohrt kriegen = beschlafen werden. ↗bohren 7. 1900 ff.

verbongen tr gegen Abgabe eines Bons ein Arbeitsgerät erhalten. Franz „bon = Quittung" wird wie „bong" ausgesprochen. 1930 ff, arb.

verbonzen intr in führender Funktionärsstellung hartnäckig ein Ziel verfolgen; nur noch wie ein Funktionär denken können. ↗Bonze. 1920 ff.

verbösern tr einen Fehler durch einen neuen ersetzen; etw verschlechtern. Entstanden im 16. Jh nach dem Muster von „verbessern". Beliebte Lehrer- und Juristenvokabel.

verboten adv ~ aussehen = a) geschmacklos gekleidet, geschmacklos geschminkt sein o. ä. Es läuft dem Sinn für Schönheit und Schicklichkeit zuwider und „gehört verboten". Spätestens seit 1900. Vgl engl „it looks forbidding". – b) mürrisch, barsch dreinblicken. 1960 ff.

verbrannt sein 1. in Verbrecherkreisen erkannt und bekannt sein. Versteht sich nach „sich verbrennen = sich selbst schädigen". 1900 ff.
2. als politischer Agent erkannt und für weiteren Einsatz unbrauchbar sein. 1940 ff.
3. ledige Mutter sein. Vgl ↗anbrennen 1. 1950 ff.
4. sehr entkräftet sein. 1900 ff.
5. gescheitert sein (in bezug auf die polizeiliche Fahndung). 1970 ff.

verbraten tr **1.** etw aufbrauchen, abnutzen, bis zur Unwirksamkeit benutzen (man „verbrät" ein literarisches Motiv, ein Thema, einen Vorschlag). Der Küchenpraxis entlehnt: zu langes oder zu starkes Braten läßt das Fleisch „verbrennen = verschmoren" und macht es ungenießbar. 1920 ff, literaturspr.
2. Geld leichtfertig ausgeben. 1950 ff.
3. jn nicht als Individuum behandeln; alle unterschiedslos behandeln; um einer vorgefaßten Meinung willen keine Differenzierungen anerkennen. 1950 ff.
4. jn auf einen Rollencharakter festlegen. 1950 ff.
5. jn erledigen, der Lächerlichkeit preisgeben. 1950 ff.
6. einen ~ = koitieren. 1950 ff.
7. einen ~ kriegen = a) verwundet werden (durch eine Feuerwaffe). Im Sinne von „↗verbraten 1" ist die Verwundung so schwer, daß man nicht länger frontdienstfähig ist. Sold 1939 ff. – b) bestraft, gerügt werden. Sold 1939 bis heute.

verbrechen tr **1.** einen Roman (o. ä.) ~ =

einen Roman verfassen. Scherzhaft aufgefaßt als ein straffälliges Tun. Seit dem 19. Jh.
2. wer hat das verbrochen? = wer hat das getan? wer hat das verschuldet? Verbrechen = sich schuldig machen. Seit dem 19. Jh.

Verbrecher m **1.** ~ von Format = sehr erfahrener Verbrecher. Zu „Format" vgl „↗Frau 9". 1920 ff.
2. ~ in weißem Kragen (mit dem weißen Kragen) = Wirtschaftsstraftäter. Gehört zu dem Vokabelkreis um die Entlehnung aus dem engl „white collar crime". 1960 ff.
3. ~ mit der weißen Weste = gepflegt auftretender Verbrecher. 1960 ff.

Verbrenne f Feuerbestattungsverein. Berlin 1920 ff.

verbrennen v **1.** sowas hat man früher verbrannt: Redewendung auf eine äußerlich oder charakterlich garstige Person. Anspielung auf die Hexenverbrennungen. Jug 1935 ff.
2. sich ~ = a) sich selbst schaden. Verkürzt aus „sich die ↗Finger verbrennen". 1900 ff. – b) sich eine Geschlechtskrankheit zuziehen. Anspielung auf den brennenden Schmerz; vgl ↗Schwanz 48. Seit dem 19. Jh.
3. die Observation verbrennt = die Observation mißlingt. Vgl ↗verbrannt sein 5. 1970 ff.

verbretten tr jn verdummen. Anspielung auf das „↗Brett vor dem Kopf". 1933 ff, ziv und sold.

verbrezeln intr refl koitieren. Anspielung auf die brezelartige Stellung. 1920 ff.

verbrimmt adj **1.** mißmutig. Nebenform zu „brummen = grollen; mißgelaunt sein". Berlin 1960 ff, jug.
2. gekränkt, verärgert. 1960 ff, Berlin.

verbrockt haben etw verkehrt gemacht, verschuldet haben. Etwa soviel wie „durch Bröckeln unbrauchbar gemacht haben", beeinflußt von „sich etw eingebrockt haben" und „etw verbrochen haben". Westd seit dem 19. Jh.

verbruddeln tr etw verderben, vereiteln. Kann fußen auf „verbrodeln = durch zu langes Kochen verderben" oder auf „↗prudeln". Niederd, 1700 ff.

verbuddeln tr **1.** etw vergraben. ↗buddeln 1. 1700 ff.
2. etw durch Scharren zerwühlen. Seit dem 19. Jh.
3. etw vertrinken. ↗buddeln 4. Seit dem 19. Jh.

ver'bumbeuteln tr etw vergeuden, vertun. Abgewandelt aus „↗verbumfiedeln" mit Bezug auf „Beutel = Geldbeutel" oder verkürzt aus „Lumpenbeutel = Leichtsinniger". 1900 ff.

ver'bumficken tr schwängern. Durch „↗ficken" verdeutlichtes „↗verbumfiedeln" im Sinne eines Mißgeschicks mit Geschlechtsverkehr. 1900 ff.

ver'bumfiedeln tr **1.** etw leichtfertig vergeuden. Zusammenhängend mit „Fidelfumfei = Tanzvergnügen" und „Bumfiedel = Baßgeige". Vgl auch „Bums = öffentliches Tanzvergnügen". Also soviel wie „das Geld bei Tanzveranstaltungen ausgeben". Gegen 1840 aufgekommen.
2. etw verderben, falsch machen, schlecht behandeln. Leitet sich wohl her von falschem Streichen auf der „Bumfiedel = Baßgeige". Seit dem 19. Jh.

3. schwängern. ↗verbumficken. Seit dem 19. Jh.
4. etw versäumen, vergessen, verlegen, verlieren. 1900 ff.
5. jn verprügeln. Anspielung auf den Geigenbogen als Prügelstock. 1900 ff.

verbummeln v **1.** intr = seine Zeit mit Nichtstun vergeuden; träge werden. ↗bummeln 1. Seit dem 19. Jh.
2. tr = Geld für liederliche Lebensweise ausgeben. ↗bummeln 3. Seit dem 19. Jh.
3. tr = etw vergessen, vernachlässigen, verlegen. Seit dem 19. Jh.
4. refl = leichtsinnig dahinleben. Österr 1900 ff.
5. intr = Dienst nach Vorschrift leisten. ↗bummeln 4. 1960 ff.

Verbummelter m Student mit hoher Semesterzahl ohne Abschlußprüfung. ↗verbummeln 1. Seit dem 19. Jh.

verbumsen tr Geld leichtfertig ausgeben. Kann sich beziehen auf „↗Bums 6" (Geld vertanzen) und/oder „↗bumsen 11" (Geschlechtsverkehr). 1920 ff.

verbunkern tr etw gut verstecken. ↗Bunker. 1965 ff, rotw.

verbuttern v **1.** impers = vereitern. ↗buttern 4. 1900 ff.
2. tr = etw vergeuden, vertun, verderben, schlecht ausführen. Kurz nach den Freiheitskriegen aufgekommen, als man auf den großen Landgütern „Kunstbutter für das Gesinde" herstellte; hierzu wurde frischer Ochsentalg mit etwas Milch oder süßer Sahne zerrieben oder, wie der Fachausdruck lautete, „verbuttert".

Verdacht m auf ~ = auf gut Glück; vorsorglich. Man nimmt einen Gegenstand an sich, weil man den Verdacht hegt, später werde man ihn nicht mehr bekommen. Von daher weiterentwickelt zur Bedeutung „für alle Fälle". 1920 ff.

verdammich interj Ausruf des Unwillens. Verkürzt aus „Gott verdamme mich!". Seit dem 19. Jh.

verdammt I interj **1.** Fluch- und Scheltwort. Ursprünglich vorzugsweise in kirchlichem Sinne gebraucht (zur Hölle verdammt sein); dann auch in der Bedeutung „worüber ein Verdammungsurteil ausgesprochen ist; fluchwürdig; verdammenswert". Häufig seit dem 18. Jh, andeutungsweise schon bei Martin Luther.
2. ~ nochmal (~ noch eins)!: Ausruf des Unmuts. Seit dem 19. Jh.
3. ~ und zugenäht!: Verwünschung. ↗verflucht. Seit dem 19. Jh.
4. ~ juchhe!: Ausruf des Unwillens. Durch das Anhängsel „juchhe" (= Freudenausruf) abgeschwächte Verwünschung. 1910 ff.

verdammt II adj **1.** verwünscht; höchst unangenehm. ↗verdammt I 1. Seit dem 18. Jh.
2. adv = sehr, völlig. Seit dem 18. Jh.

verdampfen v **1.** intr refl = davoneilen, fliehen, flüchten. Man löst sich in Dampf auf; analog zu ↗verduften. 1820 ff.
2. intr = vor Wut nahezu bersten. Weiterentwickelt aus „vor Wut kochen" u. ä. Sold 1935 ff.
3. intr = stark schwitzen. 1920 ff.
4. tr = Geld für Tabakwaren ausgeben. Analog zu hd „verrauchen". 1900 ff.

Verdampfung f bis zur ~ = bis zum Überdruß; bis zum äußersten. „Bis zur Verdampfung" meint „bis zur Auflösung in Dampf"; „kalt" ist ein scherzhaft-*iron* Zusatz zur Verstärkung. *Sold* 1939 ff.

verdauen *tr* **1.** etw verstehen, geistig verarbeiten. Vom Verdauungsvorgang übertragen auf die Verarbeitung geistiger Nahrung. 1500 ff.
2. etw verwinden, verschmerzen. Seit *mhd* Zeit.
3. jn nicht ~ können = jn nicht ausstehen können. Der Betreffende „liegt einem schwer im Magen" wie unverdauliche oder schwerverdauliche Kost. 1800 ff.
4. er verdaut zehn Stunden später = er begreift sehr langsam. 1900 ff.
5. das ist schlecht verdaut = das ist nicht richtig begriffen worden. Seit dem 19. Jh.

Verdauungsseufzer *m* heftiges Aufstoßen. 1900 ff.

Verdauungsstörung *f* technische Störung eines Geldautomaten. 1950 ff.

Verdauungszigarette *f* Zigarette nach dem Frühstück. 1920 ff.

Verdeckter *m* Polizeibeamter in Zivil; Angehöriger der Wehrmachtstreife in Zivil. Der Beruf ist an der Kleidung nicht erkennbar. *Rotw* seit dem 19. Jh; *sold* 1939 ff.

verderben *v* warum es einer einzigen zuliebe mit allen anderen ~?: Gegenfrage des Junggesellen auf die Frage, warum er nicht heiratet. 1930 ff.

Verdichtung *f* hohe ~ = heftiges Verliebtsein. Übertragen von der Verdichtung des Luft-Gas-Gemischs im Verbrennungsmotor. 1940 ff, anfangs *sold*, später *halbw*.

Verdiene *f* auf die ~ gehen = a) sich zur Arbeitsstätte begeben; eine bezahlte Tätigkeit ausüben. 1900 ff. – b) seinen Lebensunterhalt durch Straßenprostitution verdienen. Berlin 1960 ff, *prost*.

verdienen *tr* **1.** seinen Lebensunterhalt durch Betrug und Diebstahl bestreiten. Hehlausdruck seit dem frühen 19. Jh, *rotw*.
2. ~ gehen = als Straßenprostituierte tätig sein. 1900 ff.
3. ~ großschreiben = geldgierig sein; wuchern; überhöhte Preise fordern. Berlin 1870 ff.

Verdiener *m* Dieb. ↗verdienen 1. Seit dem 19. Jh, *rotw*.

Verdienst *m* **1.** Diebesbeute; Anteil an der Beute. Eigentlich das redlich erworbene Arbeitsentgelt (Einkommen). 1900 ff, *rotw*.
2. fetter ~ = hohes Einkommen; großer Gewinnanteil. 1900 ff.
3. auf den ~ gehen = unlautere Geschäfte machen; als Straßenprostituierte tätig sein. Seit dem 19. Jh.

ver'dimmich *interj* Ausruf des Unmuts. Nebenform von „↗verdammich". Seit dem 19. Jh.

verdodeln *tr* etw als unsinnig, lächerlich darstellen. ↗Dodel. *Oberd* 1900 ff.

verdonnern *tr* **1.** jn zu einer Strafe verurteilen; jm etw als zwingend anraten. Fußt entweder auf „↗donnern 1" (mit donnernder Stimme verurteilen) oder (nach einem Hinweis von Siegmund A. Wolf) auf *jidd* „toan = beladen". Seit dem frühen 19. Jh, anfangs *stud*.
2. jn derb rügen, einschüchtern. Seit dem 19. Jh.
3. einem Fußballverein eine hohe Niederlage beibringen. ↗donnern 5. *Sportl* 1950 ff.

verdonnert sein bestürzt, betroffen sein.

Man ist „wie vom ↗Donner gerührt". Seit dem 19. Jh.

ver'dorri *interj* Ausruf des Unwillens. Vielleicht zusammengewachsen aus „verdammt" und „(Donner und) Doria". Seit dem 19. Jh.

verdösen *v* **1.** *tr intr* = (seine Zeit) mit vagen Träumereien zubringen. ↗dösen. Seit dem 19. Jh.
2. *tr* = etw vergessen; etw aus Vergeßlichkeit unterlassen. Seit dem 19. Jh.

verdötscht *adj* verwirrt, verrückt. Eine *westd* Variante des 19. Jhs zu *gleichbed* „verduttet", das aus einer Übereinanderlagerung klang- und bedeutungsähnlicher Wörter entstanden sein mag. *Vgl* „tottig = dumm, taumelig, betäubt"; *oberd* „vertutzen = vor den Kopf stoßen". ↗verdutzt.

verdrallt *adj* mißgeformt; unsachgemäß hergerichtet. Bei Deformierung der „Züge" im Lauf oder Rohr einer Schußwaffe ist die Treffsicherheit nicht mehr gewährleistet. 1920 ff.

verdrehen *refl* weggehen, entweichen. Man dreht sich um, wendet sich ab. *Rotw* 1920 ff.

verdreht *adj* verrückt, wunderlich, nicht ganz bei klaren Sinnen; übernächtigt. Fußt auf der Vorstellung von der verdrehten Schraube. 1800 ff.

verdrücken *v* **1.** *tr* = etw essen, aufessen, durchbringen. Man stopft es in den Mund und drückt es durch die Speiseröhre in den Magen. Seit dem späten 19. Jh, *sold* und *schül*.
2. *tr* = etw verschwinden lassen; etw zu verbergen suchen. Man drückt den Gegenstand zur Seite und nimmt ihn unauffällig an sich. 1900 ff.
3. *intr* = jm Unterschlupf gewähren; jn in der Wohnung verstecken. Ursprünglich auf Juden bezogen, später auch auf Soldaten. 1938 ff.
4. einen ~ = koitieren. Analog zu ↗Fleisch 28. 1900 ff.
5. *refl* = sich heimlich entfernen. Man drängt sich hinter der Umstehenden oder an der Wand entlang zur Tür oder preßt sich durch eine schmale Öffnung. ↗drücken 10. 1900 ff, *sold* und *schül.*

Verdrückte *pl* heimlich beiseite Gebrachtes. Übernommen vom Ablegen der beiden Skatkarten. 1910 ff, *sold* und *ziv*.

Verdrückung *f* **1.** in ~ geraten (kommen) = in Bedrängnis geraten. Entweder erweitert aus „in ↗Druck geraten" oder hergenommen aus der Bergmannssprache: Verdrückung = abnehmende, spärliche Mächtigkeit eines Flözes. 1900 ff.
2. in ~ sein = in Not sein. 1900 ff.

Verdruß *m* **1.** Rückenverwachsung, Rückenleiden. Scherzhaft gemeint. Seit dem 19. Jh.
2. kleiner ~ = a) Buckel. 1850 ff, nördlich der Mainlinie. – b) voreheliche Schwangerschaft. *Vgl* ↗Buckel 23. 1900 ff.

Verdrußkasten *m* **1.** Buckel. 1900 ff.
2. Tornister des Soldaten. *Sold* in beiden Weltkriegen.
3. Musterkoffer des Geschäftsreisenden. Kaufmannsspr. 1900 ff.

verdubbeln *intr* den geistigen Schwung verlieren. ↗Dubbel I 1. *Südwestd* 1900 ff.

verduckeln *tr* etw verbergen, verheimlichen. „Duckeln" ist Frequentativum von

„ducken = tauchen", weiterentwickelt zur Bedeutung „unter die Oberfläche, außer Sichtweite bringen". *Südd, hess* und *rhein,* 1700 ff.

verduften *intr refl* unbemerkt weggehen; fliehen; entweichen. Man verflüchtigt sich wie der Duft einer Blume. Seit dem frühen 19. Jh. *Gleichbed engl* „to fade away".

Ver'duftikus *m* den ~ machen = verschwinden, fliehen. Angeblich ein neuer Berliner Ausdruck. 1965 ff.

ver'dummbeuteln *v* **1.** *tr* = etw vergeuden. Entstellt aus ↗verbumbeuteln. 1900 ff.
2. *tr* = jn als dumm behandeln. ↗Dummbeutel 1. 1900 ff.
3. *tr* = den Mißerfolg verschulden. 1900 ff.
4. *intr* = verblöden. 1900 ff.

verdummteufeln *tr* jn als dumm behandeln, übertölpeln. Fußt auf dem Schwankmotiv vom dummen, leicht zu prellenden Teufel. 1700 ff.

Verdummungsanstalt *f* Schule. 1880 ff, damals sozialdemokratisches Schlagwort.

Verdummungskasten (-kiste) *m (f)* Fernsehgerät. 1960 ff.

verdünnen *refl* sich davonmachen; flüchten. ↗dünnmachen 2 b. 1900 ff.

verdünni'sieren *refl* **1.** unauffällig davongehen. Aus dem Vorhergehenden durch Studenten weiterentwickelt mit Anlehnung an eine halbromanische Endung. 1900 ff, *stud* und *sold*.
2. sich der Dienstpflicht zu entziehen suchen. *BSD* 1965 ff.

verdünnt *adj* **1.** geistig ~ = leichtverständlich gemacht; auf Ungebildete zugeschnitten. Hergenommen vom Verdünnen eines Getränks für Kinder. 1920 ff.
2. stark ~ = ohne Können nachgeahmt; nur entfernte Ähnlichkeit erreichend. 1930 ff.

Verdünnung *f* bis zur ~ = bis zum äußersten; bis zum Überdruß; bis zur Verzweiflung. Hergenommen von verdünnten Getränken (o. ä.), vor allem von der Verringerung des Alkoholgehalts, wodurch Unwillen hervorgerufen wird. 1900 ff.

verdutzt *adj* verwirrt, betroffen. ↗verdötscht. Seit dem 18. Jh.

verehren *v* jm eine ~ = jm eine Ohrfeige, einen heftigen Schlag versetzen. Euphemismus. Berlin 1840 ff.

Verehrerrummel *m* Betriebsamkeit der Verehrer von Künstlern und Künstlerinnen. ↗Rummel. 1950 ff.

Verein *m* **1.** Truppenteil. Ein spöttischer Ausdruck; denn ein Verein ist ein freiwilliger Zusammenschluß; das einzelne Mitglied wird so wenig wie möglich eingeengt, und die Disziplin ist locker. *Sold* 1900 bis heute.
2. Gruppe wunderlicher Leute; Betriebsgemeinschaft; Mitarbeiterstab. 1920 ff.
3. ~ der Einarmigen = Zuschauerschaft, die keinen Beifall spendet. Theaterspr. 1920 ff.
4. ~ ehemaliger Fußgänger = Automobilklub. 1910 ff.
5. lahmer ~ = a) langweilige Gesellschaft; Truppe ohne Angriffsgeist. ↗lahm. *Sold* 1914 ff; *ziv* 1920 ff. – b) Geschäftsbetrieb ohne Schwung. 1920 ff.
6. müder ~ = a) militärische Einheit ohne Angriffsgeist. *Sold* in beiden Welt-

kriegen. – b) langweilige Schulklasse. 1920 ff.
7. sauberer ~ = minderwertige Gesellschaft; unzuverlässige militärische Einheit. ↗sauber 4. 1914 ff.
8. schlapper ~ = Gruppe ohne Disziplin. ↗schlapp 1. 1914 ff.
9. beim ~ sein = der Wehrmacht angehören. *Österr* 1939 ff.
10. das ist kein ~: Ausdruck des Unmuts über einen bestimmten Personenkreis. Den Leuten fehlt das Zusammengehörigkeitsgefühl, der Korpsgeist u. ä. *Sold* 1914 ff; *ziv* 1920 ff.
vereinnahmen *tr* **1.** etw entwenden; sich etw diebisch aneignen. Analog zu ↗kassieren. Seit dem frühen 20. Jh, *sold* und *schül.*
2. ein Lob (eine Rüge) hinnehmen. *Sold* 1939 ff.
3. jn verhaften, gefangennehmen, in seine Gewalt bringen, kapern. 1910 ff.
4. jn zum Militärdienst einziehen; jn in eine militärische Einheit einreihen. 1935 ff.
Vereinsmeier *m* in Vereinen überaus tätiger Mensch. Meier = Mann (wegen der Häufigkeit des Familiennamens Meier). Spätestens seit 1870 ff.
Vereinsmuffel *m* Gegner von Vereinszugehörigkeiten. ↗Muffel 2. 1968 ff.
vereisen *intr* unnachgiebig werden; eine ablehnende Haltung einnehmen. Gegensatz zu „das ↗Eis brechen". 1910 ff.
verewigen *v* **1.** *refl* = a) einen Kothaufen hinterlassen. Gilt weithin als abergläubisches Mittel: der eigene Kothaufen soll den Verbrecher vor dem Entdecktwerden bewahren und dem Soldaten das Soldatenglück bescheren, wenigstens im Frontbereich. 1870 ff. – b) seinen Namen ins Gästebuch eintragen, in die Baumrinde schneiden. 1920 ff. – c) ein Autogramm geben. 1920 ff. – d) einen Darmwind abgehen lassen. 1900 ff. – e) etw nach eigenem Geschmack gestalten. 1960 ff.
2. *tr* = einen Schüler zur Strafe ins Klassenbuch eintragen. 1920 ff.
Verewigung *f* **1.** Namenseintrag im Gästebuch; Namenseinritzung in die Baumrinde, in das Holz der Schutzhütte o. ä. 1870 ff.
2. Eintragung ins Klassenbuch. 1950 ff.
verfachsimpeln *intr* nur für das eigene Berufsgebiet Interesse haben. ↗fachsimpeln. 1900 ff.
verfangen *refl* sich verlieben. Übertragen vom Netzfischen (*vgl* ↗angeln 2) oder von Tieren (Hunden), die sich ineinander verbeißen. Seit dem 19. Jh.
verfatzen *refl* sich entfernen. „Fatz" ist Nebenform zu „Furz". Analog zu ↗verduften. 1950 ff.
2. verfatz dich in die Wälder!: scher dich fort! 1950 ff.
verfault *adj* **1.** sehr schlecht; minderwertig; untüchtig. Entweder hergenommen von verfaultem Obst oder analog zu „↗vergammelt" oder hehlwörtlich für „verflucht". *BSD* 1965 ff.
2. *adv* = sehr; in hervorragender Weise. Wohl Hehlwort für „verflucht". 1900 ff, *schül, stud* und *sold.*
3. ei ~ (Ei ~)!: Ausruf mißfälliger Überraschung. Entstellt aus „ei verflucht!". Seit dem frühen 20. Jh.

Verfettung *f* seelische ~ = zunehmende Selbstsucht und Hartherzigkeit. 1955 ff.
verfeuern *tr* Geld leichtsinnig ausgeben. Bezieht sich wohl auf Heizzwecke, Munition oder Feuerwerkskörper, vielleicht auch auf Raucherwaren. 1920 ff.
verfilzen *refl* **1.** sich verlaufen, verfahren. Meint eigentlich „filzig werden; sich ineinanderwirren (von Haaren gesagt)". 1900 ff.
2. sich in eine Sache verrennen; in die Enge getrieben werden. 1900 ff.
verfilzt *adj* **1.** verlaust. ↗filzen 2. *BSD* 1965 ff.
2. untereinander personell verflochten; von Gönnern und Günstlingen abhängig. ↗Filz 6. 1920 ff.
verflimmern *tr* etw verfilmen. ↗Flimmer-. 1920 ff.
verflixt I *interj* **1.** Ausruf des Unwillens. Hehlwörtlich entstellt aus „verflucht", wohl unter Einfluß von „Blicks = Blitz". 1800 ff.
2. ~ und zugenäht: Verwünschung. Zur Erklärung *vgl* „↗verflucht I 3". Seit dem 19. Jh.
3. ~ juchhe nochmal!: Ausruf des Unmuts. „Juchhe" als Freudenausruf mildert die Verwünschung. 1900 ff.
verflixt II *adj* **1.** sehr unangenehm; höchst widerwärtig. Seit dem 19. Jh.
2. hervorragend, tüchtig. Seit dem 19. Jh.
3. *adv* = sehr. Seit dem 19. Jh.
Verflossene (Verflossener) *f (m)* ehemalige Liebschaft. „Verflossen" wird eigentlich auf zurückliegende Zeitläufte angewandt, zusammenhängend mit der Vorstellung vom „Fluß" der Zeit. Seit dem späten 19. Jh.
verflucht I *interj* **1.** Ausruf des Unwillens. Eigentlich soviel wie „von Gott verflucht", dann auch „verdammenswert". ↗verdammt I 1. Seit *mhd* Zeit.
2. ~ noch mal (~ noch eins)!: Verwünschung. Seit dem 19. Jh.
3. ~ und zugenäht!: Ausruf des Unwillens. Die Herkunft ist umstritten. Eine Deutung ist auf eine *stud* Ulkreimerei zurückzugehen: „Als sie mir neulich unverblümt die Folgen uns'rer Lieb' gesteht, / da hab' ich einen Hosenlatz verflucht und zugenäht." (Dazu die Fortsetzung: „Doch als sie gar zu sehr geflennt, / hab' ich ihn wieder aufgetrennt." Nach anderen Quellen lautet der Vers: „Und da fast täglich wie zum Hohn ihm Knopf um Knopf abgeht, / so hat er seinen Hosenlatz verflucht und zugenäht." Wieder andere meinen, aus den Wörtern „Zwillinge, Hosenlatz, verflucht, zugenäht" habe ein Schnellreimer einen Vers zu bilden gehabt. Seit dem 19. Jh.
verflucht II *adj* **1.** widerwärtig, verabscheuenswert. ↗verdammt I 1. Seit dem 15. Jh.
2. *adv* = sehr. 1700 ff.
verfrachten *v* **1.** jn ~ = jn zur Abfahrt begleiten; jn wegbringen; jn in einem vollbesetzten öffentlichen Verkehrsmittel unterzubringen suchen. Meint eigentlich „Frachtgut versenden", dann auch „Frachtgut verstauen". 1920 ff.
2. sich ~ = weggehen; sich an einen anderen Ort begeben. 1920 ff.
verfranzen *refl* **1.** sich verfliegen. ↗franzen 1. Fliegerspr. in beiden Weltkriegen und später.

2. sich völlig verirren; einen falschen Weg einschlagen. 1920 ff.
verfressen I *adj* gefräßig. 1600 ff.
verfressen II *v* **1.** etw ~ = Geld und Gut für Essen verbrauchen, verschlemmen. 1700 ff.
2. sich an etw ~ = sich an etw den Magen verderben; sich an etw übernehmen. 1900 ff.
verfuggern *tr* Ware gegen Ware tauschen; etw heimlich, auf nicht völlig einwandfreie Weise verkaufen. ↗fuggern. Vorwiegend *oberd,* seit dem 19. Jh.
Verführer *m* ~ vom Dienst = Schauspieler in der Rolle des Liebhabers. Theaterspr. 1930 ff.
Verführerschein *m* den ~ machen = das Auto für Zwecke des Geschlechtsverkehrs benutzen. 1955 ff.
Verführungswagen *m* Auto mit Schlafgelegenheit. 1950 ff.
ver'fumfeien *tr* **1.** etw verderben, vertun, leichtsinnig ausgeben. Gehört zu *niederd* „fumfeien = mit der Bierfiedel (Tanzgeige) zum Tanz aufspielen". Weiterentwickelt zur Bedeutung „für Tanzveranstaltungen verausgaben". Seit dem späten 16. Jh.
2. etw unauffindbar verlegen. Seit dem 19. Jh.
verfumfiedeln *tr* **1.** etw vergeuden. ↗verbumfiedeln 1. Seit dem 19. Jh.
2. etw verderben, falsch machen. Seit dem 19. Jh.
verfummeln *v* **1.** etw ~ = etw verderben, mißgestalten. ↗fummeln. 1900 ff.
2. sich in etw ~ = sich in etw verwickeln; wirr, unüberlegt reden. 1920 ff.
verfuttern *tr* **1.** etw verzehren. ↗futtern. Seit dem 19. Jh.
2. etw für die Beköstigung aufwenden. Seit dem 19. Jh.
verfüttern *tr* jn nutzlos opfern; etw sinnlos vergeuden. Spielt im *milit* Bereich auf das „↗Kanonenfutter" an, im *ziv* auf die mißbräuchliche Verwendung als Viehfutter. 1940 ff.
ver'gackeiern (ver'gageiern) *tr* jn verulken; dem Lehrer einen Streich spielen. Hergenommen vom Huhn, das gackert, ohne ein Ei gelegt zu haben; weiterentwickelt zur Bedeutung „irreführen". Im späten 19. Jh aufgekommen; nördlich der Mainlinie verbreitet.
vergallu'pieren *refl* aus der Meinungsbefragung falsche Schlüsse ziehen. Nach 1945 aufgekommen im Zusammenhang mit dem Befragungssystem des amerikanischen Statistikers George Horace Gallup. Scherzhaft mit dem Folgenden kontaminiert.
vergalop'pieren *refl* sich in der Eile versehen; etw unbedacht ausplaudern. Vom Galoppritt übertragen. 1700 ff.
vergammeln *v* **1.** *intr* = verderben; verschimmeln; verkommen; durch Feuchtigkeit unbrauchbar werden. ↗Gammel I 1. Etwa seit 1900, *sold, schül* und *stud.*
2. *tr* = die Zeit nutzlos verstreichen lassen, in Untätigkeit verbringen. ↗gammeln. 1955 ff, *stud* und *BSD.*
vergammelt *adj* **1.** faulig, schimmelig, abgestanden, verfallen; schmutzig, verkommen. ↗Gammel I 1. 1900 ff; von der Marine ausgegangen und verbreitet; *halbw* 1955 ff.
2. arbeitsunlustig. *Halbw* 1955 ff.

Vergangenheit *f* **1.** angedunkelte ~ = nicht unbescholtenes Vorleben. 1920 *ff.*
2. blütenweiße ~ = Unbescholtensein. 1920 *ff.*
3. braune ~ = das Dritte Reich; Verhalten eines Deutschen während der NS-Zeit. ↗braun 1. 1945 *ff.*
4. narbenreiche ~ = bewegtes Vorleben des Junggesellen. 1930 *ff.*
5. scharfe ~ = Vorleben mit vielen geschlechtlichen Ausschweifungen. ↗scharf 4. 1950 *ff.*
6. umfangreiche ~ = langes Vorstrafenregister. 1920 *ff.*
7. unbewältigte ~ = Nichtüberwindung der nationalsozialistischen Ideologie; Hadern mit der NS-Zeit; Nachwirkung des politisch-weltanschaulichen Vorlebens. Kurz nach 1945 aufgekommen im Zusammenhang mit der Umerziehung durch die Besatzungsmächte.
8. die ~ ausradieren = a) auswandern; einen anderen Namen annehmen und die Herkunft verschweigen. 1933 *ff.* - b) das Strafregister bereinigen; Vorstrafen löschen lassen. 1933 *ff.*
9. eine dunkle ~ haben = früher dunkelhaarig gewesen sein. Scherzausdruck. 1955 *ff.*
10. keine ~ haben = noch unberührt sein. 1920 *ff.*
11. seine ~ noch vor sich haben = das Leben zu genießen anfangen. 1950 *ff.*
12. die ~ verschrotten = Erinnerungen tilgen; pietätlos handeln. 1950 *ff.*

vergasen *tr* **1.** die Luft durch üble Gerüche verpesten. Aufgekommen im Ersten Weltkrieg mit der Verwendung chemischer Kampfstoffe.
2. ihn hat man vergessen zu ~ = er ist überaus dumm, unbrauchbar, unsympathisch. Nach 1950 aufgekommen in zynischer Erinnerung an die Vernichtungslager vor 1945.
3. bis zum ~ = bis zum Überdruß. ↗Vergasung 2. 1920 *ff.*

Vergaser *m* **1.** After, Gesäß. Der Vergaser erzeugt ein Gas-Luft-Gemisch. 1920 *ff.*
2. Magen. 1920 *ff.*
3. sich den ~ durchblasen lassen = sich der Behandlung in einer Nervenheilanstalt unterziehen. *Vgl* ↗Vergaserschaden. 1950 *ff.*

Vergaserschaden *m* einen ~ im Gehirn haben = nicht recht bei Verstand sein. Vom Defekt am Automotor übertragen auf einen geistigen Defekt. 1950 *ff, halbw.*

Vergasung *f* **1.** Luftverpestung (durch entwichene Darmwinde; durch stark riechenden Käse o. ä.). 1916 *ff.*
2. etw bis zur ~ tun = etw bis zum Überdruß tun (üben, lernen o. ä.). Aus der Physik übernommen: vergasen = sich völlig in Gas auflösen; den festen und/oder flüssigen Aggregatzustand verlassen. *Vgl* ↗vergasen 1. Kurz nach 1918 aufgekommen; *sold, schül* und *stud.*

vergattern *tr* **1.** jn dienstlich verpflichten; jn streng behandeln, ernsthaft ermahnen; jn zum Schweigen zwingen. Vergattern = (hinter einem Gitterzaun) versammeln, zusammenfassen. Bezogen auf die zum Wachdienst angetretenen Soldaten; sie werden ihrem herkömmlichen Befehlsbereich entzogen und den Wachvorgesetzten unterstellt. Die „vergatterte" Wache hat besondere Befehlsbefugnisse, auch gegen-

über höheren Dienstgraden, und unterliegt verschärften Strafbestimmungen. *Sold* 1914 bis heute.
2. jn zu einer Strafe verurteilen. Man verbringt ihn hinter „Gatter = Gitter". 1950 *ff.*
3. Fraktionszwang anordnen. 1950 *ff.*

vergeben sein verlobt, verheiratet sein. Eigentlich soviel wie „seine Selbstbestimmungsrechte übertragen haben". 1900 *ff.*

vergeigen *tr* **1.** etw schlecht ausführen, falsch machen, zum Scheitern bringen. Übertragen vom fehlerhaften Geigenspiel; moderne Variante zu „↗verbumfiedeln 2". Seit dem ausgehenden 19. Jh.
2. ein Geschoß ~ = ein Geschoß nutzlos abfeuern. *Sold* 1939 *ff.*
3. ein Spiel ~ = ein Skat-, Fußballspiel verlieren. 1920 *ff.*

Vergeß *m* Vergeßlichkeit. Hieraus verkürzt. 1900 *ff.*

vergessen *tr* **1.** etw ~ liegen zu lassen = etw stehlen. Euphemismus. 1910 *ff.*
2. etw aus Versehen mit Absicht ~ = etw absichtlich unterlassen. 1900 *ff.*
3. das Bezahlen (o. ä.) ~ = Ladendiebstahl begehen. Beschönigung. 1950 *ff.*
4. das kann man ~ (kannste ~l; vergiß esl) = das ist unwichtig geworden; das ist erledigt; Ausdruck der Ablehnung. Übernommen vom *engl* „forget it". 1975 *ff.*

vergipsen *tr* **1.** zu einer Freiheitsstrafe verurteilen. ↗Gips 2. *Sold* seit dem späten 19. Jh bis 1945.
2. jn in die Irre führen; jn verballern. Gipser = Tüncher. Der Begriff „übermalen" nimmt die Bedeutung „täuschen" an. Die Vokabel kann auch mit „Gips = Drill" zusammenhängen: manche Befehle beim Exerzieren kommen den Soldaten unsinnig und wie Verspottung vor. 1910 *ff,* vorwiegend *sächs; sold* in beiden Weltkriegen.

Vergißmeinnicht *n* **1.** blauer Fleck als Folge eines heftigen Hiebs. Er hält die Erinnerung an die Ursache lange Zeit wach. Seit dem 19. Jh, Berlin und Wien.
2. Vagina. 1900 *ff.*
3. uneheliches Kind. Es ist ein Andenken an seinen Erzeuger. 1900 *ff.*
4. jm ein ~ einpflanzen (pflanzen) = jm heftig ins Gesicht schlagen. Seit dem 19. Jh.

Vergißmeinnichtaugen *pl* durch einen Schlag blau angelaufene Augen samt Umgebung. Anspielung sowohl auf die Färbung als auch auf das Andenken. Eigentlich sanft-blaue Augen (Dichtersprache). 1900 *ff.*

vergnatzen *tr* jn verärgern, durch dumme Redensarten oder Veralberungen erzürnen; jn belügen. ↗gnatzen. *Nordd* und *ostd,* seit dem 19. Jh.

vergnettert *adj* **1.** runzlig. Nebenform zu „verknittert". Seit dem 19. Jh.
2. niedergeschlagen, mutlos. Man hat Kummerfalten im Gesicht. Berlin seit dem 19. Jh.

Vergnügen *n* **1.** ~ an und für sich = Onanie, Masturbation. 1920 *ff.*
2. mit dem dicksten ~ = mit dem größten Vergnügen. Seit dem späten 19. Jh.
3. diebisches ~ = Schadenfreude; heimliches Belustigtsein. ↗diebisch 2. Seit dem 19. Jh.
4. das nackte ~ = Freikörperkultur. 1950 *ff.*

Vergnügungsbombe *f* **1.** Vergnügungssüchtiger, der voll auf seine Kosten kommt. ↗Bombe 1. 1950 *ff.*
2. erfolgreiche Unterhaltungskünstlerin. 1960 *ff.*

vergnügungsfaul *adj* genußübersättigt. 1959 *ff.*

Vergnügungskarussell *n* Vergnügungsbetriebsamkeit; Vergnügungsbetrieb mit den verschiedensten Darbietungen. Dort „geht es ↗rund". 1965 *ff.*

Vergnügungskiste *f* großes Vergnügungsunternehmen mit mehreren Abteilungen. ↗Kiste 1. 1925 *ff.*

Vergnügungsmaschine *f* Musikautomat. 1955 *ff.*

Vergnügungspresse *f* Illustrierte Presse. 1960 *ff.*

Vergnügungsschuppen *m* Vergnügungslokal. ↗Schuppen. *Halbw* 1955 *ff.*

Vergnügungsspenderin *f* Prostituierte. 1920 *ff.*

Vergnügungssteuer *f* **1.** Prostituiertenentgelt. 1930 *ff.*
2. die ~ hinterziehen = die Prostituierte prellen. 1950 *ff.*

Vergnügungsvieh *n* die Prostituierten. 1920 *ff.*

Vergnügungswarze *f* (weibliche) Brustwarze. 1935 *ff.*

Vergnügungswurzel *f* Penis. ↗Wurzel. 1920 *ff.*

vergolden *tr* **1.** eine bisher mißliebige Person freundlicher schildern. 1950 *ff.*
2. den könnte (möchte) ich ~l: Ausdruck der Wut auf einen Menschen. Spielt an auf „Gold = Kot" (wegen der Farbähnlichkeit). 1945 *ff.*

Vergoldung *f* davon geht ihm die ~ nicht ab = damit vergibt er sich nichts. 1920 *ff.*

vergrätzen *tr* **1.** jn verstimmen. Fußt auf mittel- *niederd* „vorgretten = erbittern; zur Wut reizen", dazu *bayr* „gräten = unwillig machen; verdrießen" (verwandt mit ↗grantig). Wohl auch beeinflußt von „kratzen (es ↗kratzt mich)". Seit dem 19. Jh.
2. jm den Aufenthalt, das weitere Verbleiben verleiden. Seit dem 19. Jh.

vergraulen *tr* **1.** jn durch unfreundliches Wesen zum Verlassen einer Gesellschaft bewegen. Meint eigentlich soviel wie „Angst einflößen; durch Verängstigung vertreiben". 1900 *ff.*
2. jm etw ~ = jm etw verleiden. 1900 *ff.*

vergrellt *adj* ergrimmt, zornig. Gehört zu „Groll". Nordwestdeutsch seit dem 19. Jh.

vergrüßen *refl* sich beim Grüßen irren. Berlin 1950 *ff.*

vergucken *refl* **1.** falsch sehen; sich irren. ↗gucken 1. Seit dem 19. Jh.
2. sich in jn ~ = jn auf den ersten Blick hin lieben; sich in jn verlieben. 1700 *ff.*

vergurken *v* **1.** Sprit ~ = nutzlos Benzin verbrauchen. ↗gurken 3. 1930 *ff.*
2. jm eins ~ = koitieren. ↗Gurke 2. 1900 *ff.*

ver'hackstücken (ver'hackstückeln) *tr* **1.** etw verhandeln, besprechen, auseinandersetzen, verabredb. Hergenommen vom Zerkleinern in Hackstücke. *Niederd* seit dem 18. Jh.
2. jn prügeln. Seit dem 19. Jh.
3. jn für seine Zwecke benutzen. 1950 *ff.*
4. *tr* = jn vor Gericht bringen und verurteilen; jn demütigen, erniedrigen. 1930 *ff.*

verhaften *tr* **1.** sich etw aneignen. Man macht es dingfest. Seit dem 19. Jh.
2. eine hohe Spielkarte übertrumpfen. Kartenspielerspr. 1900 *ff.*
3. einen ~ = ein Glas Alkohol zu sich nehmen; etw leertrinken. 1870 *ff.*
verhageln *tr* **1.** eine schlechte Klassenarbeit schreiben. Weil es rote Striche „hagelt" (↗hageln). 1920 *ff.*
2. jn prügeln. Es „hagelt" Hiebe. 1900 *ff.*
3. jn etw ~ = jm etw verleiden, vereiteln. Fußt auf der vernichtenden Wirkung des Hagelschlags. 1920 *ff.*
4. der Plan ist ihm verhagelt = seine Absicht hat sich als nicht durchführbar erwiesen. 1920 *ff.*
verhagelt *adv* sehr. Seit dem 19. Jh.
verhagelt sein 1. verzweifelt, verwirrt sein. ↗verhageln 3. 1700 *ff.*
2. betrunken sein. 1900 *ff.*
3. übernächtigt, übellaunig sein; arg mitgenommen sein. 1900 *ff.*
Verhältnis *n* **1.** Liebespartner. Seit dem 19. Jh.
2. Liebschaft. Seit dem 19. Jh. Für das Jahr 1846 vermerkt Ernst Dronke: „. . erst in neuerer Zeit in Berlin bekannt, vermutlich dem Franzosen zu verdanken . . .".
3. Kümmelschnaps zum Glas Bier. Es paßt gut zusammen. 1900 *ff,* Hamburg.
4. dreckiges ~ = sittlich anrüchige Beziehungen zwischen einem Mann und einer Frau. 1870 *ff.*
5. dreieckiges ~ = Ehe zu dritt (zwei Männer und eine Frau). Volkstümlich geworden durch die *dt* Übersetzung von Henrik Ibsens Drama „Hedda Gabler" (1890).
6. geschlampertes ~ = ehebrecherisches Liebesverhältnis. ↗geschlampert. *Bayr* und *österr,* seit dem 19. Jh.
7. kleines ~ = a) Schnaps zum Bier. ↗Verhältnis 3. 1900 *ff.* - b) Prunelle mit Sahne. 1920 *ff.*
8. geistig über seine ~se leben = über Dinge reden, von denen man nichts versteht; den Fachkundigen vortäuschen; Unsinn schwätzen. Ohne „geistig" bezieht sich die Wendung ursprünglich auf einen, dessen Geldeinnahmen kleiner sind als seine Ausgaben. 1930 *ff.*
verhascht *adj* rauschgiftsüchtig; durch Rauschgift entkräftet. ↗haschen 1. 1965 *ff.*
verhaspeln *refl* **1.** beim (schnellen) Sprechen Fehler (Versprecher) machen. Hergenommen von der Haspel, die das Garn von den Spulen abwickelt; dabei können Fäden sich leicht verwirren. Seit dem 18. Jh.
2. sich verfangen. 1900 *ff.*
verhätscheln (verhätscherln) *tr* jn verwöhnen, verzärteln. ↗hätscheln. 1600 *ff.*
Verhaue *f* Irrtum, Fehler; Anstandswidrigkeit. *Halbw* nach 1945.
verhauen *v* **1.** *tr* = jn verprügeln. ↗hauen 1. 1600 *ff.*
2. *tr* = eine schlechte Schularbeit schreiben; etw verderben, schlecht ausführen. Meint eigentlich „sich im Hauen versehen", wie es beispielsweise bei der Mensur, beim Bildhauer, beim Metzger u. a. vorkommt. Spätestens seit 1900.
3. *tr* = etw billig verkaufen. Analog zu ↗verkloppen. 1870 *ff.*
4. *tr* = Geld durchbringen. Man schlägt

das zum Vertrinken vorgesehene Geld übermütig auf die Tischplatte. 1800 *ff.*
5. was haben sie uns ~! = wie gründlich haben sie uns militärisch besiegt! Verhauen = im Krieg schlagen (1700 *ff*). Bezeichnungen für die militärische Niederlage decken sich im Umgangsdeutsch meist mit den Vokabeln für „schlagen, prügeln". 1944 *ff.*
6. sich ~ = a) sich beim Reden gröblich irren; unbedacht etwas ausplaudern; einen schwerwiegenden Fehler machen; sich verrechnen. ↗verhauen 2. - b) eine falsche Taste auf dem Klavier, auf der Schreibmaschine anschlagen. 1900 *ff.* - b) unauffällig davongehen. Aus der Jägersprache übernommen, wo es „sich zurückziehen" bedeutet. *Oberd* seit dem 19. Jh.
verhaut *adj* unordentlich, liederlich, verkommen. Weiterentwickelt aus der Bedeutung „verschlagen; verprügelt". *Bayr* und *österr* 1900 *ff.*
verheben *v* **1.** etw ~ = etw zurückhalten; einen Drang bezwingen. *Oberd* „heben" entspricht *nordd* „halten". *Oberd* seit dem 19. Jh.
2. verheb' dich nicht! = täusche dich nicht! überschätze dich nicht! Man traut sich zu, eine schwere Last zu heben, und „verhebt" sich dabei. 1930 *ff.*
verheddern *v* **1.** Fäden ~ = Fäden verwirren. Hängt zusammen mit „Hede = Werg": beim Abspinnen von Werg können sich die Fäden verwirren. 1700 *ff.*
2. etw ~ = etw in Unordnung bringen. 1910 *ff.*
3. sich ~ = sich im Sprechen verwirren; sich in Widersprüche verwickeln. Seit dem späten 18. Jh, vorwiegend *nordd* und *ostd.*
verheerend *adj* **1.** furchtbar, sehr schlecht; geschmacklos (Frau Meyer trägt ein verheerendes Kleid; der Mann sieht verheerend aus). Ein im Ersten Weltkrieg aufgekommenes Modewort, beruhend auf Umfang und Wirkung einer Seuche; dann auch auf die verheerende Wirkung des Kriegs, einer Feuersbrunst, eines Orkans bezogen; hiernach verallgemeinert. *Sold* 1914 *ff; halbw* 1920 *ff.*
2. *adv* = sehr (es eilt ganz verheerend). 1950 *ff.*
verheiraten *v* **1.** sich ~ = die schickliche Zeit zum Weggehen verstreichen lassen. 1870 *ff.*
2. sich bei (mit, in) etw ~ = sich übermäßig lange und eingehend mit etw beschäftigen. 1870 *ff.*
3. nur verheiratet sein = kinderlos verheiratet sein. 1955 *ff.*
4. mit etw nicht verheiratet sein = sich (unschwer) von etw trennen können (mit dem Buch bin ich nicht verheiratet). 1850 *ff.*
5. mit der Firma (dem Beruf) verheiratet sein = übertrieben diensteifrig sein; das Privatleben vernachlässigen. 1850 *ff.*
6. sicher sind sie verheiratet, aber nicht miteinander = Redewendung auf Mann und Frau, die sich für ein Ehepaar ausgeben. 1920 *ff.*
7. schlecht verheiratet sein = mit einem Plan am Geschäftspartner scheitern; Mißerfolg erleiden; sich arg schaden. 1900 *ff.*
8. sich schön verheiratet haben = a) bösartige, schlimme Vorgesetzte haben. Bezieht sich eigentlich auf die unverträgliche

Frau oder den aushäusigen Mann. 1910 *ff.* - b) in eine schwierige Lage geraten sein. 1910 *ff.*
9. schwer (streng) verheiratet sein = ein treuer Ehepartner sein; von der Ehefrau beherrscht sein. Schwer = sehr (etwa wie in „schwerkrank"). 1900 *ff.*
10. stark verheiratet sein = eine große Familie haben. 1900 *ff.*
verheizen *tr* **1.** Truppen unvernünftig und rücksichtslos einsetzen; Leute rücksichtslos überfordern. Beruht auf der Vorstellung von der Schlacht als einem großen Feuerofen, in dem die Soldaten das Heizmaterial sind. Aufgekommen im Frühjahr 1941 gelegentlich des Kreta-Unternehmens und im Spätherbst 1941 bei den Truppen im ungewöhnlich früh einsetzenden Winter vor Moskau.
2. jn strafversetzen; jn bestrafen. 1950 *ff.*
3. einen unsympathischen Menschen als Mitarbeiter dulden müssen (und entsprechend behandeln). 1955 *ff.*
4. jn ohne Rücksicht auf die Rechte der Persönlichkeit behandeln. 1955 *ff.*
5. jm eine langwierige Arbeit zumuten, die nur kurz genutzt wird. 1960 *ff.*
6. einen ~ = ein Glas Alkohol zu sich nehmen. Man sorgt für die nötige Innenwärme. 1950 *ff.*
7. sich nicht ~ lassen = auf seiner Eigenart bestehen; sich nicht auf einen Rollentypus festlegen lassen. 1955 *ff.*
8. eine Maschine ~ = eine Maschine überfordern, verschleißen. 1960 *ff.*
verhimmeln *v* **1.** *tr* = übertrieben loben; für jn übertrieben schwärmen; jn schwärmerisch verehren. Meint eigentlich „in den Himmel versetzen", analog zu „vergöttern". Seit dem 19. Jh.
2. *intr* = vor Schmerz oder Ungeduld vergehen. ↗himmeln 2. Seit dem 19. Jh.
ver'hohne'piepeln *tr* jn verhöhnen, verspotten; mit jm seinen Scherz treiben. Gehört wahrscheinlich zu „Hohlhippe = dünner Kuchen"; er wurde von Jungen öffentlich ausgeboten, wobei die Verkäufer frech auftraten und die Leute verspotteten. Das Schelten der „Hohlhipper" ist schon für das 16. Jh vielfach belegt. Das Wort wurde an „höhnen" angelehnt. 1800 *ff.*
verhökern *tr* Ware gegen Ware tauschen; etw heimlich verkaufen. Hökern = auf dem Markt mit Lebensmitteln handeln, die man in der „Hucke" (= Rückentragekorb) herbeigebracht hat. Beeinflußt von „hucken, hocken = gebückt sitzen". Seit dem 19. Jh.
verholen *refl* **1.** sich erholen; langsam genesen. 1800 *ff.*
2. sich entfernen; sich einer Aufgabe entwinden. Stammt aus der Seemannssprache: das Schiff wird „verholt", wenn man es an einen anderen Liegeplatz bringt. 1900 *ff, marinespr.*
verhöllt *interj* Ausruf des Unwillens. Analog zu ↗verteufelt. *Österr* 1900 *ff.*
verholzt *adj* verhärtet, unempfindlich, gemütsarm; unzugänglich. Analog zu „verschlagen". 1900 *ff.*
ver'hoppassen *v* **1.** etw ~ = etw verderben. Eigentlich soviel wie „durch Hüpfen zerstören". Seit dem 19. Jh.
2. sich ~ = etw durch Übereile verfehlen; sich gröblich irren. Wohl übertragen von einem zu kurzen Sprung (etwa über

den Wassergraben). Seit dem 19. Jh, vorwiegend *hess* und *südwestd.*

verhopsen *v* 1. *tr* = koitieren. Hopsen = kleine Sprünge machen. Seit dem 19. Jh. 2. *refl* = sich gröblich irren. ↗verhoppassen 2. Seit dem 19. Jh. 3. es ist verhopst gelaufen = es ist falsch gelaufen, ist an den falschen Empfänger geraten. 1950 *ff.*

verhotten *tr* eine Melodie (die eigentlich keine Jazz-Komposition ist) nach Art des „hot jazz" spielen. 1940 *ff.*

verhumpsen *tr* etw betrügerisch einhandeln. ↗behumpsen. Seit dem 19. Jh.

verhungern *v* 1. *intr* = schlechte Spielkarten haben. Kartenspielerspr. 1900 *ff.* 2. *intr* = sein Ziel nicht erreichen (auf einen Ball o. ä. bezogen). *Sportl* 1930 *ff.* 3. *intr* = eine Steigung nicht bewältigen. Kraftfahrerspr. 1930 *ff.* 4. am Mikrofon ~ = eine (unprogrammgemäße) Pause bis zum (verspäteten) Beginn einer Reportage o. ä. mit irgendwelchen Äußerungen zu überbrücken suchen. Rundfunkspr. 1930 *ff.* 5. jn ~ lassen = a) jn absichtlich übersehen; jn nicht beachten; jn über Gebühr warten lassen. 1930 *ff.* – b) einen Spieler selten (nie) anspielen. *Sportl* 1930 *ff.*

verhunzen *tr* etw gründlich verderben. Auszugehen ist von der Schreibung „verhundsen" im Sinne von „wie einen Hund behandeln", weiterentwickelt zu „plagen, schinden". Seit dem 17. Jh.

Verhüterli *n* *m* empfängnisverhütendes Mittel. Seit dem 19. Jh.

verinnerlichen *tr* etw bedenken, sich innerlich aneignen. Vom Wortschatz der Psychologen übernommen. 1970 *ff.*

verjacken *tr* jn heftig prügeln. Man klopft ihm die Jacke aus. *Vgl* „den ↗Frack verhauen" u. ä. Seit dem 19. Jh.

verjacksen *tr* jn verprügeln. „Jacke" sind Schläge auf die Jacke. *Vgl* das Vorhergehende. 1850 *ff.*

verjagen *refl* 1. sich erschrecken. Man jagt sich selber in Angst und Schrecken. *Niedersächs,* spätestens seit 1900. 2. die Beherrschung verlieren. 1900 *ff.*

verjankern *tr* etw verschleudern, durchbringen. Janker ist die leichte Männerjacke, hier stellvertretend für Kleidung jeglicher Art. Also gibt man sein Geld für modische Kleidung aus. *Österr* 1950 *ff.*

verjubeln *tr* etw für Vergnügungen ausgeben. Jubeln = sich vergnügen; lustig sein. *Stud* seit dem ausgehenden 18. Jh.

verjuchen *tr* etw vergeuden, leichtsinnig verleben. Hängt mit dem Freudenausruf „juchhe" zusammen. *Stud* seit dem 19. Jh.

verjuchzen *tr* Geld lustig verleben. Juchzen = jauchzen. Seit dem 19. Jh.

verjuckeln (verjuckeln) *tr* sein Geld in ausgelassener Gesellschaft durchbringen. „Jucken" bezieht sich auf Tanzen und Springen; „juckeln" könnte „spazieren fahren" meinen. Seit dem 19. Jh.

verjuckstücken *tr* Geld verschwenden. „Juckstück" ist vielleicht das beischlafwillige Mädchen; *vgl* „↗jucken 4 und 5". 1967 *ff.*

verjujaxen *tr* etw vergeuden. Erweiterung von ↗verjuxen. *Ostd* und *westd,* 1930 *ff.*

verjuxen (verjuchsen, verjucksen) *tr* 1. Geld für leichtfertige Dinge ausgeben. Kann zu „↗Jux" gehören, aber auch zu

„↗verjuchen" und zu „↗verjuchzen". Seit dem 19. Jh. 2. etw zum Ulk gestalten. 1950 *ff.*

ver'kackeiern *tr* 1. jn veralbern, betrügen. ↗vergackeiern, beeinflußt von „↗kakken". Lieblingsausdruck des letzten Königs von Sachsen. Vor allem in Ostmitteldeutschland verbreitet, seit dem 19. Jh. *ff* 2. etw verschlechtern. Erweiterung von ↗verkacken. 1939 *ff, sold.*

verkacken *tr* 1. etw schlecht, fehlerhaft ausführen. Eigentlich soviel wie „mit Kot verunreinigen", weiterentwickelt zur Bedeutung „verderben". 1900 *ff.* 2. einen Wertgegenstand gegen Lebensmittel eintauschen. 1945 *ff.* 3. etw auseinanderrechnen, auseinandersetzen. Entstellt aus ↗verkleckern. 1920 *ff.*

verkalben *intr* eine Fehl-, Frühgeburt haben. Aus der Viehzucht auf den Menschen übertragen. 1870 *ff.*

verkalkt sein geistig nicht mehr rege sein; abständig sein; modernen Anschauungen verständnislos gegenüberstehen. 1900 *ff.*

verkaschperlt *adj* ins Schwankhafte, Alberne entstellt. ↗Kaschperl. 1920 *ff.*

verkasema'dachfenstern *tr* ein Glas Alkohol zu sich nehmen. Zusammengesetzt aus „verkonsumieren = verzehren" in Verbindung mit „Kasematte = schußsicherer Raum in alten Festungswerken; Gefängnis", anspielend auf „einen ↗verhaften = einen trinken". „Dachfenster" hängt mit Mansarde zusammen, die auch „Juchhe" heißt, woraus sich Überleitung zu „↗verjuchen = durchbringen" ergibt. 1900 *ff.*

verkasema'tuckeln *tr* 1. etw trinken, austrinken, verzehren. *Vgl* die Ausführungen zu „↗verkasemadachfenstern". Das Verbum „tuckeln" ist Iterativum zu „tucken = beim Zutrinken mit den Gläsern anstoßen". 1900 *ff,* wahrscheinlich von Westdeutschland ausgegangen. 2. etw auf die Seite schaffen; sich etw heimlich aneignen. 1930 *ff.* 3. etw verheimlichen. 1930 *ff.* 4. jn gefangennehmen, erledigen. 1930 *ff.* 5. jn verprügeln. 1920 *ff.* 6. jm etw ~ = jm etw genau auseinandersetzen. Gemeint ist gewissermaßen „kasemattensicher klarmachen". 1900 *ff.* 7. etw verräumen, verlegen. 1920 *ff.* 8. jn veralbern. 1930 *ff.* 9. koitieren. „Tuckeln" ist hier wohl entstellt aus „↗duckeln". *Westd* 1900 *ff.*

verkäsen *refl* sich davonmachen. Analog zu „↗verduften" mit Anspielung auf die „Käsefüße" (= Schweißfüße). 1940 *ff, ziv* und *sold.*

verkäst *adj* bleich im Gesicht; von ausschweifendem Lebenswandel gezeichnet. ↗käsig. 1910 *ff.*

verkatschen *tr* etw falsch abschneiden, verschneiden; etw durch unsachgemäße Behandlung verderben. Gehört zu *mitteld* „Katsch = Scharte". 1900 *ff.*

Verkaufe *f* Vorführung. Bezieht sich auf die Art und Weise, wie einer etwas verkauft. Neuerdings sagt man „der Musiker verkauft Musik", „der Nachrichtensprecher verkauft Nachrichten", „der Geistliche verkauft das Wort Gottes". *Halbw* 1970 *ff.*

verkaufen *v* 1. *intr* = wirkungsvoll auftreten und eine Darbietung gekonnt vorführen. 1950 *ff.*

2. jn ~ = jn für einen Posten vorschlagen. 1950 *ff.* 3. jn ~ = jn übervorteilen, prellen, hintergehen. Verkürzt aus „für ↗dumm verkaufen". 1850 *ff.* 4. jn ~ = jm überlegen sein. 1870 *ff.* 5. jn ~ = jn denunzieren. Hergenommen von der Anzeige um einer ausgeschriebenen Belohnung willen. Hängt wohl mit dem biblischen Judasbericht zusammen. Seit dem 19. Jh. 5 a. jn ~ = einen Straftäter gegen eine Ablösungssumme aus der Haft entlassen und in die Bundesrepublik Deutschland abschieben. Ost- Berlin 1970 *ff.* 6. etw ~ = Wissen, Einfälle, literarische oder filmische Stoffe bei einem anderen geschäftlich verwerten. 1950 *ff.* 7. nichts zu ~ haben = bei einer Geselligkeit still sein; nicht in Stimmung sein; nicht mehr weiterwissen. Übertragen vom Kaufmann, dem die Ware fehlt, um Kunden anzulocken. Seit dem 19. Jh. 8. jm etw ~ = a) jm etw so überzeugend darstellen, daß er es glaubt und die Übervorteilung nicht bemerkt. 1935 *ff.* – b) jm etw zu verstehen geben. 1950 *ff.* 9. etw ein paar Nummern zu groß ~ = etw stark aufbauschen, übertreiben. 1950 *ff.* 10. es verkauft sich gut = es macht großen Eindruck, ist publikumswirksam. 1950 *ff.* 11. sich ~ = a) einen Fehlkauf tun; einen schlechten Einkauf machen. Man irrt sich beim Einkauf. Von Südwestdeutschland im späten 18. Jh ausgegangen. – b) bei Glücksspielen die höchstzulässige Augenzahl überschreiten und dadurch sofort verlieren. Seit dem 19. Jh. 12. sich ~ können = wissen, wie man sich zu verhalten und zu kleiden hat, um im Schaugeschäft Erfolg zu haben und zu behalten. 1950 *ff.*

Verkaufsoffener *m* Tag, an dem die Geschäfte länger geöffnet sein dürfen als sonst vorgeschrieben. 1956 *ff* aufgekommen im Zusammenhang mit dem Ladenschlußgesetz.

verkauft sein 1. ratlos, verloren sein. Verkürzt aus „↗verraten und verkauft sein". 1900 *ff.* 2. jm ausgeliefert sein. 1900 *ff.* 3. wegen Überlastung keine weiteren Angebote annehmen können. Analog zu „↗ausgebucht sein". Künstlerspr. 1955 *ff.* 4. mit jm ~ = mit jm betrogen, von jm übervorteilt sein.

Verkehr *m* 1. nachehelicher ~ = gerichtliche Vermögens- oder Unterhaltsauseinandersetzung im Anschluß an die Scheidung; Rechtsstreit geschiedener Eheleute. 1950 *ff,* juristenspr. 2. jn aus dem ~ ziehen = a) jn verhaften, zu Freiheitsentzug verurteilen. Hergenommen von einem alten Verkehrsmittel (Zahlungsmittel), das nicht länger verwendbar (gültig) ist. 1920/30 *ff.* – b) jn umbringen, ermorden, erschießen. *Sold* und *ziv,* 1933 *ff.* – c) jm den Führerschein entziehen. 1960 *ff.* – d) jn seines Amtspostens entheben. 1950 *ff.* – e) jn ausweisen, über die Landesgrenze abschieben. 1950 *ff.*

Verkehrsandrang *m* Andrang im Bordell. 1910 *ff.*

Verkehrsbremse *f* langsam fahrendes Auto; Kraftfahrzeug mit sehr schwachem

Motor; Fahrzeug der Fahrschule. Es verlangsamt die Fahrgeschwindigkeit der anderen. 1950 ff.

Verkehrsdelikt n Übertragung einer Geschlechtskrankheit auf den Partner. Eigentlich der Verstoß gegen die Straßenverkehrsordnung. 1920 ff.

Verkehrsexpertin f Prostituierte mit Kraftwagen. 1955 ff.

Verkehrshindernis n 1. Frauen-Monatsbinde. 1900 ff.
2. ältliche Prostituierte, die sich nicht entschließen kann, der Prostitution zu entsagen. 1905 ff.
3. über die heranwachsende Tochter wachendes Elternpaar. 1930 ff.
4. Kleinauto. Vgl ↗Verkehrsbremse. 1950 ff, kraftfahrerspr.
5. Gegenstand, der einem in der Wohnung o. ä. im Wege steht. 1960 ff.
6. charmantes ~ = Frau am Steuer ihres Autos. 1960 ff.
7. rollendes ~ = Kleinauto. ↗Verkehrshindernis 4. 1955 ff.

Verkehrskurven pl dunkle Ringe unter den Augen. Sie gelten als Folgen ausschweifenden Lebenswandels. 1910 ff.

Verkehrslicht n rote Lampe am Bordelleingang. 1920 ff.

Verkehrsmittel n öffentliches ~ = Prostituierte. ↗Omnibus 1. 1910 ff.

Verkehrsrichter m rasender ~ = Mitglied des fliegenden Verkehrsgerichts. 1959 ff.

Verkehrsrüpel m rücksichtsloser Kraftfahrer. ↗Rüpel. 1955 ff.

Verkehrssalat m Verkehrschaos. ↗Salat 1. 1955 ff.

Verkehrssünde f 1. Vergehen gegen die Straßenverkehrsordnung. ↗Sünde 1. 1930 ff.
2. venerische Ansteckung durch den Geschlechtspartner. 1930 ff.

Verkehrssünder m 1. Person, die, mit einer Geschlechtskrankheit behaftet, den Beischlaf ausübt. ↗Sünder. Strafbar wegen Körperverletzung laut Reichsgesetz vom 18. Februar 1927. 1930 ff.
2. Sittlichkeitsverbrecher. 1930 ff.
3. Person, die gegen die Straßenverkehrsordnung verstößt. 1930 ff.
4. säumiger Alimentenzahler. 1927 ff.
5. Heiratsschwindler. 1955 ff.

Verkehrssünderkartei f Verkehrszentralregister beim Kraftfahrt-Bundesamt in Flensburg (seit 1. Januar 1958).

verkehrssündigen intr gegen die Straßenverkehrsbestimmungen verstoßen. 1965 ff.

Verkehrsteilnehmergesicht n uninteressierter, abgestumpfter Gesichtsausdruck. Hergenommen von der Miene der Teilnehmer an einer längeren Gesellschaftsfahrt: man sieht wie willenlos, wie ergeben aus. 1920 ff.

Verkehrsübung f erstmaliger Geschlechtsverkehr. Hergenommen von den Lehrgängen der Polizei für Kraftfahrer, die gegen die Straßenverkehrsordnung verstoßen haben. 1950 ff.

Verkehrsunfall m 1. geschlechtliche Erkrankung. 1930 ff.
2. ungewollte Schwangerschaft; Kind einer Ledigen. 1920 ff.
3. sittliche Fehlentscheidung. 1950 ff.

Verkehrsunterricht m Aufklärung über den Geschlechtsverkehr. Von den verkehrserzieherischen Maßnahmen der Polizei übertragen. 1958 ff.

verkehrswidrig adv ~ bekleidet = vollständig bekleidet. Die Bekleidung ist dem Geschlechtsverkehr im Wege. 1968 ff.

Verkehrszentrum n Stadtgegend, in der die Prostituierten ihrem Gewerbe nachgehen. 1900 ff, Berlin u. a.

verkehrt adv 1. ~ atmen = Darmwinde entweichen lassen. 1900 ff.
2. ~ aufgestanden sein = mißmutig sein. ↗Bein 26. Seit dem 19. Jh.
3. nicht ~ sein = in Ordnung, angebracht, willkommen sein. 1920 ff.

Verkehrter m 1. Homosexueller. 1900 ff.
2. Tasse Kaffee mit sehr viel Milch oder Sahne. Wien 1900 ff.

verkehrtrum adv 1. homosexuell veranlagt. 1900 ff.
2. ~ essen (frühstücken) = sich erbrechen. 1900 ff, seemannsspr., sold und stud.

verkeilen v 1. jn ~ = jn verprügeln. ↗keilen 1. Seit dem 19. Jh.
2. etw ~ = etw veräußern, zu Geld machen. Analog zu ↗verklopfen. 1700 ff, anfangs stud.
3. eine Karte ~ = in Mittelhand so hoch trumpfen, daß der Dritte nicht überstechen kann. Die Mittelhand treibt einen Keil hinein. Skatspielerspr. seit dem 19. Jh.
4. sich ~ = sich heftig verlieben. Verkürzt aus „sich den ↗Kopf verkeilen". Stud 1800 ff.

verkieken refl 1. sich versehen; in die falsche Richtung blicken o. ä. ↗kieken. Niederd 1700 ff.
2. sich in jn ~ = sich in jn verlieben. Analog zu ↗vergucken 2. Niederd seit dem 19. Jh.

verkindschen (verkinschen) intr einfältig, kindisch werden; verblöden. Vgl ↗kindschen. Seit dem 17. Jh.

verkitschen tr 1. etw unter Wert verkaufen; etw zu Geld machen; etw außerhalb des üblichen Handelswegs versetzen; etw zum Pfandamt bringen; tauschhandeln. Zusammengewachsen aus „verkuten = tauschen" (vgl ↗kutten) und rotw „verklitschen = verkaufen". Seit dem 19. Jh.
2. etw in künstlerischer Hinsicht stilunrein machen; etw ins Geschmacklose verändern. ↗Kitsch 1. Seit dem 19. Jh.

verkla'bastern tr 1. jn verprügeln. ↗klabastern 2. Seit dem 19. Jh.
2. jn schlechtmachen, verleumden; jn rügen. Gehört zur umgangssprachlichen Gleichsetzung von Prügeln und Tadeln. Südwestd seit dem 19. Jh.

verklaften (verklaftern) tr jn verleumden, anschwärzen, verraten. ↗klaften 2. Vorwiegend bayr und österr, 1900 ff.

verkl'müsern v jm etw ~ = jm etw auseinandersetzen. ↗klamüsern 2. 1960 ff.

verklappen v 1. jn ~ = jn anzeigen, verraten. ↗klappen 4. Seit dem 19. Jh.
2. etw ~ = etw ausplaudern. ↗Klappe 2. Seit dem 19. Jh.
3. etw ~ = etw verladen, umladen, umstürzen; etw ins Wasser (Fluß, Meer) schütten. Das Gemeinte setzt stets das Öffnen einer Klappe voraus. 1960 ff.
4. etw ~ = sich versprechen; unbedacht etw ausplaudern. Seit dem 19. Jh.

verklaren v jm etw ~ = jm etw erklären, klarmachen. Nordwestdeutsch seit dem 19. Jh.

verkleckern tr 1. etw vergeuden. ↗kleckern. Meint hier soviel wie „für viele kleine Dinge ausgeben". Seit dem 19. Jh.
2. eine größere Menge auf viele Empfänger verteilen. ↗kleckern 3. 1935 ff.
3. jm etw ~ = jm etw unmißverständlich auseinandersetzen. Weiterentwicklung von ↗kleckern 2. 1900 ff.

verkleistern tr 1. etw ~ = etw übertünchen, verdecken, unkenntlich machen. Man überdeckt es mittels Kleister, wie es der Tapezierer tut. 1900 ff.
2. jn ~ = jn täuschen; jm Lauterkeit vorspiegeln. Man „verkleistert" ihm die Sinne. 1920 ff.
3. jn ~ = jn prügeln. ↗kleistern 2. 1900 ff.
4. jm die Sinne ~ = bei jm durch Versprechungen trügerische Hoffnungen wecken. 1930 ff.

verklickern tr jm etw ~ = jm etw auseinandersetzen, klarmachen. Nebenform zu ↗verkleckern 3. 1900 ff.

verklitschen tr etw ~ = etw veräußern, versetzen. Da „↗klitschen" für „schlagen" steht, ist „verklitschen" Analogie zu „↗verklopfen". Seit dem 19. Jh.

verklopfen (verkloppen) v 1. tr = Geld durchbringen, verschwenden. ↗verhauen 4. Seit dem 19. Jh.
2. tr = etw unter Wert veräußern, versetzen, zu Geld machen. Hängt mit der öffentlichen Versteigerung zusammen: der Versteigerer erteilt den Zuschlag, indem er mit dem Hammer dreimal auf die Tischplatte schlägt. 1800 ff.
3. tr = etw schlecht ausführen; eine schlechte Klassenarbeit schreiben. Analog zu ↗verhauen 2. 1900 ff.
4. jn ~ = jn verprügeln. Analog zu ↗verhauen 1. Seit dem 19. Jh.
5. jm ~ = jm eine schwere militärische Niederlage beibringen. 1900 ff.
6. jn ~ = jn verraten. Parallel zu ↗verklappen 1. 1900 ff, rotw.
7. sich ~ = sich eine Geschlechtskrankheit zuziehen. Seit dem 19. Jh, prost.
8. sich ~ = auf der Schreibmaschine die falsche Taste anschlagen. 1910 ff.

verklubben tr einen Klub zur Verehrung eines Filmlieblings o. ä. gründen. 1955 ff, halbw.

verknacken tr 1. jn bestrafen, verurteilen. Beruht auf „knack", dem Laut, der entsteht, wenn man den Riegel vorschiebt oder den Schlüssel im Schloß dreht. Rotw, sold und schül seit dem späten 19. Jh.
2. jn verraten, zur Anzeige bringen. Man bewirkt seine Verhaftung. 1900 ff.
3. etw verzehren. Die Speise wird durch Knacken mit den Zähnen zerkleinert (vgl „Knackwurst", „knackig frisches Brötchen" o. ä.). Seit dem späten 19. Jh, vorwiegend Berlin.
4. jn verulken, veralbern. Man behandelt ihn, als habe er einen „↗Knacks". 1900 ff, sächs und Berlin.
5. jn nicht ~ können = jn nicht leiden können. Über die Bedeutung „zerkauen, zerbeißen" Analogie zu „jn nicht ↗verknusen können". 1900 ff.

verknacksen (verknaxen) v 1. tr = jm Freiheitsentzug auferlegen. Zusammengewachsen aus „↗Knacks = Krankheit" (die Angehörigen geben den Häftling für krank aus) und *jidd* „knas = Geldstrafe". Seit dem frühen 19. Jh.

2. sich den Fuß (Daumen) ~ = sich den Fuß (Daumen) verstauchen. Iterativum zu „knacken = brechen, umbiegen".

verknallen *v* **1.** etw ~ = etw schlecht herstellen, verderben; eine schlechte Klassenarbeit schreiben. Parallel zu ↗verhauen **2**. *Schül* 1900 *ff.*

2. etw ~ = etw verschwenden. ↗knallen 1. 1900 *ff.*

3. den Ball ~ = das Fuß-, Handballtor verfehlen. *Sportl* 1920 *ff.*

4. jn ~ = jn verurteilen, bestrafen. Eigentlich soviel wie „verprügeln". Seit dem 19. Jh.

5. *tr intr* = koitieren. ↗knallen 7. 1900 *ff.*

6. sich in jn ~ = sich heftig verlieben. *Vgl* das Folgende. 1800 *ff.*

verknallt sein heftig verliebt sein. Parallel zu „in jn ↗verschossen sein". 1800 *ff.*

verknassen (verknasten) *tr* jn zu einer Freiheitsstrafe verurteilen. *Jidd* „knas = Geldstrafe". ↗Knast 1. Seit dem 19. Jh.

verknaxen *tr* ↗verknacksen.

verkneifen *v* sich etw ~ = sich etw versagen; auf etw verzichten; etw unterdrücken. Verkürzt nach dem Muster von „sich das Lachen verkneifen", wobei man die Lippen fest aufeinanderpreßt wie die Backen einer Kneifzange. Gegen 1840 aufgekommen.

verknipsen *tr* **1.** Geld für das Fotografieren ausgeben. ↗knipsen 1. 1920 *ff.*

2. einen Film in der Kamera bis zum Ende aufbrauchen. 1925 *ff.*

verknöchert *adj* ungelenk; geistig unbeweglich; in alten Anschauungen befangen. Verknöchern = knöchern werden; verhärten. 1800 *ff.*

verknurpeln *tr* etw verzehren, hinunterschlucken. Hängt mit dem Kehlkopfknorpel zusammen. Seit dem 19. Jh.

verknurren *v* **1.** jn zu einer Freiheits- oder Geldstrafe verurteilen. Parallel zu ↗aufbrummen. Seit dem 19. Jh, *schül, stud* u. a.

2. sich ~ = sich entzweien. Übertragen von den knurrenden Hunden. Seit dem 19. Jh.

verknurrt *adj* gekränkt, wütend. Seit dem 19. Jh.

verknurrt sein 1. verfeindet sein. ↗verknurren 2. Seit dem 19. Jh.

2. eine strenge Ansicht vertreten; für strenge Behandlung (Bestrafung) eintreten. 1960 *ff.*

verknusen *tr* **1.** jn (etw) nicht ~ können = eine Person oder Sache nicht leiden mögen; etw nicht verwinden können. *Niederd* „verknusen = zermalmen, kauen, verdauen". Parallel zu ↗verdauen 3. 1800 *ff.*

2. sich etw nicht ~ können = sich etw nicht versagen können; etw aussprechen müssen. 1900 *ff.*

verkobern *refl* genesen. ↗bekobern. Seit dem späten 19. Jh, vorwiegend *nordd.*

verkoddert *adj* **1.** verkommen, heruntergewirtschaftet. ↗Kodder 1. *Nordd* und nordostdeutsch, seit dem 19. Jh.

2. abgetragen, verwaschen. ↗koddern. Seit dem 19. Jh.

verkohlen *tr* jm in weniger wichtigen Angelegenheiten die Unwahrheit sagen; sich

mit jm einen Scherz erlauben. ↗kohlen 1. 1870 *ff.*

verkoksen *v* **1.** *intr* = verschlafen. ↗koksen 4. 1920 *ff.*

2. *tr* = jn verspotten, veralbern; jn in Verruf bringen. Analog zu ↗verkohlen. 1900 *ff.*

verkokst *adj* unter dem Einfluß von Kokain (o. ä.) stehend. ↗Koks 4. 1920 *ff.*

verkommen *intr* davongehen. Oft in der Befehlsform gebraucht. Gemeint ist „aus den Augen kommen". Vorwiegend *oberd,* 1800 *ff.*

verkonsumieren *tr* etw verzehren. Ein fehlerhaftes Wort, weil in „konsumieren" der durch „ver-" ausgedrückte Begriff des Verbrauches bereits enthalten ist. Wohl als Eindeutschung aufgefaßt. 1600 *ff.*

verkopfen *refl* angestrengt nachdenken. Man nutzt den Kopf ab. 1700 *ff.*

verkorksen *tr* etw ungeschickt ausführen, falsch machen, verderben. ↗korksen 1. Seit dem 19. Jh.

verkorkst *adj* seelisch unfrei; seelisch verklemmt; „frustriert". 1920 *ff.*

Verkosterl *n* Kostprobe. Kosten, verkosten = von etw (wenig) essen oder trinken. *Bayr* 1900 *ff.*

verkracheln *refl* sich verlieben. ↗verkrachen 3. *Süd* 1900 *ff.*

verkrachen *n* **1.** *intr* = Bankrott machen. ↗Krach 2. Kaufmannsspr. seit dem großen Kurssturz von 1873.

2. *refl* = sich entzweien. ↗Krach 1. 1870 *ff.*

3. sich in jn ~ = sich in jn heftig verlieben. Verstärkung zu „↗verknallen 6". Spätestens seit dem ausgehenden 19. Jh.

verkracht *adj* nicht zum Studienabschluß gelangt; gescheitert; erfolglos geblieben; bankrott (verkrachter Student; verkrachte Existenz). Im Gefolge von „↗verkrachen 1" im späten 19. Jh aufgekommen.

verkraften *tr* **1.** den Pferdebetrieb auf Kraftfahrzeugbetrieb umstellen. Im Ersten Weltkrieg aufgekommen, als man militärische Versorgungsgüter mit bespanntem Fahrzeug „verfuhrwerkte" oder mit dem Kraftfahrzeug „verkraftete".

2. etw bewältigen, verarbeiten, noch verzehren können; mit etw fertig werden; die Kraft haben, etw zu tun oder auszuhalten. Meint hier die Fähigkeit des Bewerkstelligens. Seit dem 19. Jh.

verkrotzen *tr* jn veralbern, herabsetzen. Gehört wohl (eigentlich „verkrottsen" zu „↗Krott = kleines Kind": der Betreffende wird wie ein kleines Kind behandelt. *Westd* seit dem 19. Jh.

verkrümeln *v* **1.** etw ~ = etw zu Geld machen; Geld verschwenden. Krümel = Brotbröcken. Man gibt sein Geld für kleine Ding aus oder versetzt Gegenstände, die nur einen kleinen Gewinn bringen. Seit dem 19. Jh.

2. sich ~ = sich unbemerkt entfernen. Eigentlich „sich in kleine Bruchstücke auflösen"; von daher weiterentwickelt zur Umschreibung des langsamen Auseinandergehens einer Gruppe von Menschen oder des Verschwindens eines einzelnen, der in der Menge untertaucht. 1700 *ff.*

verkrüppeln *tr* jn kränken. Wohl weil man ihn „Krüppel" schimpft. *Bayr* 1900 *ff.*

verkrüppelt *adj* seelisch ~ = a) gefühllos, roh, mitleidlos. Bezieht sich auf die seelische Mißgestalt. 1920 *ff.* – b) geschlecht-

lich abweisend; spröde; gefühlskalt. 1920 *ff.*

verkrustet *adj* im Überkommenen befangen; unzugänglich gegenüber Veränderungen. Die alteingewurzelten Anschauungen sind wie von einer schützenden Kruste überzogen. 1975 *ff.*

verkullern *v* **1.** *intr* = von der Kegelbahn abgleiten und keinen Kegel treffen (auf die rollende Kugel bezogen). ↗kullern 1. Keglerspr. seit dem 19. Jh.

2. *tr* = Geld verschwenden, im Spiel verlieren. Kann sich beziehen auf das Kegeln, auf das Würfeln usw. 1870 *ff.*

verkümmeln *tr* **1.** etw verkaufen, verschachern, durchbringen. Abgeschliffen aus *gleichbed rotw* „verkimmern" (1510) unter Einfluß von „Kümmellikör". Seit dem 18. Jh.

2. einen ~ = ein Glas Alkohol zu sich nehmen. Bezieht sich ursprünglich auf den Kümmelschnaps. Seit dem 18. Jh.

3. etw ~ = etw verzehren. Aus dem Vorhergehenden im späten 19. Jh verallgemeinert.

4. jn ~ = jn prügeln. Steht im Zusammenhang mit „jm den ↗Kümmel reiben". Spätestens seit 1900.

5. sich ~ = heimlich davongehen. Vielleicht Wortwitzelei mit „sich durchbringen" (nämlich sich durch eine schmale Öffnung zwängen) oder überlagert von „sich ↗verkrümeln". 1930 *ff.*

verkümmern *intr* beim Fußballspiel unterliegen. Man geht ein wie eine Pflanze. *Sportl* 1950 *ff.*

verkungeln (verkunkeln) *tr* etw heimlich verkaufen; tauschhandeln. ↗kungeln 1. Seit dem 19. Jh, *niederd* und *mitteld.*

verkupfern *tr* Buntmetall zu Geld machen. 1970 *ff.*

Verlade *f* **1.** Mißerfolg; Enttäuschung; mißfällige Sache. ↗verladen. *Halbw* 1955 *ff.*

2. unredliche Handlungsweise; üble Verabredung zum Schaden dritter; Hintergehung, Niedertracht. ↗verladen. 1950 *ff.*

3. jn auf die ~ nehmen = jn übertölpeln, irreführen, veralbern. *Halbw* 1955 *ff.*

verladen *tr* jn falsch unterrichten; jn übervorteilen, täuschen; jn verdrängen; zu einer Verabredung nicht erscheinen. Variante zu „jn auf den ↗Besen laden". 1920 *ff, sold, sportl, halbw* u. a.

verlämmern *tr* etw aus Unachtsamkeit verschulden. ↗belemmern 2. 1800 *ff.*

verlampen *tr* **1.** jn bei der Polizei anzeigen; jm eine Falle stellen. ↗Lampe 19. 1870 *ff.*

2. jm Schwierigkeiten machen. *Rotw* 1900 *ff.*

3. jn verscheuchen. ↗Lampen. *Rotw* 1910 *ff.*

verlangen *tr* **1.** das kann ich gar nicht ~ = das kann ich eigentlich nicht annehmen. Meist Redewendung angesichts einer großen Zuvorkommenheit, um die man niemals bitten würde. 1900 *ff.*

2. das soll mich mal ~ = darauf bin ich sehr neugierig. Wohl gekürzt aus „das soll mich mal ~ zu erfahren". Seit dem 18. Jh.

Verlängerter *m* verdünnter (nochmaliger) Kaffeeaufguß. 1900 *ff,* Wien.

verläppern (verleppern) *v* **1.** etw ~ = Geld für viele kleine Gegenstände ausgeben, verschwenden, vertändeln. Eigentlich soviel wie „in Lappen zerschneiden", also „ein Ganzes in kleine Teile zerlegen".

„Lappen" nahm schon früh die Bedeutung der wertlosen Kleinigkeit an. Seit dem 18. Jh.

2. etw ~ = etw bei Tisch verschütten. Hängt zusammen mit „lappig = ungeschickt". Seit dem 19. Jh, *südd.*

verlassen v **1.** da verließen sie ihn = a) Redewendung, wenn ein Gedanke plötzlich abbricht, wenn man in der Rede stockt, wenn der Schüler dem Lehrer die Antwort schuldig bleibt o. ä. Fußt auf der Bibel: „da verließen ihn seine Jünger" (Matthäus 26, 56). 1900 *ff.* - b) Redewendung, wenn der Spieler sich mit seinen guten Karten verausgabt hat und mit weiteren Karten nicht rechnen kann. Kartenspielerspr. 1870 *ff.*

2. wenn man sich auf ihn verläßt, ist man ~ = er ist gänzlich unzuverlässig. Wortspielerei mit den beiden Bedeutungen von „verlassen": sowohl „vertrauen" als auch „im Stich lassen". 1870 *ff.*

Verlau n auf ~ = unentgeltlich. „Verlau" ist aus „für lau" entstellt; *vgl* ↗lau. 1960 *ff.*

verlaust adj nichtsnutzig; unangenehm; schlimm. Analog zu ↗lausig. Berlin 1920 *ff.*

verleckert adj naschhaft; im Essen wählerisch; ständig nach Süßigkeiten verlangend. 1900 *ff.*

verledern tr **1.** jn verprügeln. ↗Leder 8. 1800 *ff. Vgl. engl* „to leather".

2. Geld ~ = Geld durchbringen. Vom Vorhergehenden weiterentwickelt zur Analogie zu „↗draufhauen". 1928 *ff.*

verledert sein gut ~ = viel (hochprozentigen) Alkohol vertragen können. Man denkt sich die Kehle mit Leder verkleidet. 1910 *ff.*

Verlegenheitsfreund m Gelegenheitsfreund (weil der gewohnte abwesend ist). *Halbw* 1960 *ff.*

Verleider m Überdruß. *Schweiz* 1920 *ff.*

verleihen tr lieber die Frau ~ als ein Pferd = von zwei Übeln das kleinere wählen. Gemeint ist, daß von fremder Hand ein Pferd viel leichter überanstrengt und zugrunde gerichtet werden kann als eine Frau, bei der man Fremdschwängerung für den ungünstigsten Fall ansieht. 1840 *ff.*

verletzt part keiner verletzt?: Scherzfrage, wenn einer überlaut niest. 1950 *ff.*

verlieren v **1.** daran ist nichts verloren = das ist leicht zu missen, zu verschmerzen. 1900 *ff.*

2. er hat hier nichts verloren = er hält sich hier unbefugt auf. Seine Anwesenheit wäre nur erlaubt, wenn er hier einen Gegenstand verloren hätte und nach ihm suchte. 1890 *ff.*

3. mehr als ~ kann man ja nicht!: Trostwort für den Verlierer oder für den, der ein wenig aussichtsreiches Spiel nehmen muß. Kartenspielerspr. seit dem 19. Jh.

Verliererstraße f **1.** es bringt einen Verein auf die ~ = es führt einen Verein zu Spielverlusten. *Vgl* ↗Siegesstraße. *Sportl* 1955 *ff.*

2. jn auf die ~ drängen (schicken) = die Niederlage einer Mannschaft einleiten. *Sportl* 1955 *ff.*

3. auf die ~ geraten = einen Spielverlust hinnehmen. *Sportl* 1955 *ff.*

4. jn auf der ~ sehen = jn als Verlierer eines sportlichen Wettkampfs sehen. *Sportl* 1955 *ff.*

5. auf der ~ sein = a) in sportlichen Wettkämpfen mehrfacher Verlierer sein. *Sportl* 1955 *ff.* - b) gegenüber anderen im Nachteil sein. 1945 *ff.*

Verlies n Arrestanstalt. *BSD* 1965 *ff.*

verlinken v **1.** etw ~ = etw verfälschen. ↗link 1. *Rotw* 1840 *ff.*

2. sich ~ = sich verdächtig machen. *Rotw* 1840 *ff.*

Verlinz m Verhör. ↗linsen 1. *Rotw* seit dem 18. Jh.

verlobt sein er ist stark verlobt = er hat die Braut geschwängert. 1950 *ff.*

Verlobungskind n Kind, das vor der Hochzeit geboren wurde. 1950 *ff.*

Verlobungsring m **1.** pl = tiefe Ringe um die Augen; dunkelblaue Augenschatten. Man deutet sie als Folgen regen Geschlechtsverkehrs. *Stud* 1910 *ff.*

2. ihm wird der ~ zu eng = ihn reut die Verlobung. Fußt auf der Vorstellung vom zu engen Kleidungsstück oder von der lästigen Fessel. 1950 *ff.*

verlochen tr etw vergraben, verscharren. Seit dem 18. Jh.

verlogen sein erlogen sein. *Südwestd* 1500 *ff.*

verlöten tr **1.** einen ~ = ein Glas Alkohol trinken. ↗löten 1. Seit dem ausgehenden 19. Jh, anfangs *sold.*

2. koitieren. ↗löten 2. Dazu die Verszeilen: „Wir wollen uns mit Schnaps berauschen, / wir wollen unsre Weiber tauschen, / wir wollen unsern Zaren töten / und seinen Weibern eins verlöten." 1900 *ff,* vorwiegend *sold* und *stud.*

verludern v **1.** intr = sittlich verkommen. ↗Luder 1. 1500 *ff.*

2. etw ~ = etw verkommen lassen; sein Geld durchbringen, verschlemmen. 1500 *ff.*

verlümmeln tr das Leben ~ = sein Leben in Ausschweifungen vertun. ↗Lümmel 1. 1900 *ff.*

verlumpen v **1.** etw ~ = etw verschleißen, verwahrlosen lassen. Man nutzt es ab bis zu Lumpen. 1900 *ff.*

2. Geld ~ = Geld für liederlichen Lebenswandel ausgeben. ↗lumpen 1. Seit dem 18. Jh.

3. intr = sittlich sinken. Seit dem 19. Jh.

verlungern intr verkommen. ↗lungern 1. 1900 *ff.*

verlungert adj ärmlich, notleidend. Seit dem 19. Jh.

Verlustliste f jn auf die ~ setzen = mit jds Rückkehr nicht mehr rechnen; der Aufrechterhaltung einer Bekanntschaft nicht trauen. Übertragen von der im Ersten Weltkrieg laufend herausgegebenen Liste mit den Namen der gefallenen, vermißten oder in Gefangenschaft geratenen Soldaten. 1920 *ff.*

Vermach m Beschäftigung; Liebhaberei; Gefallen; Unterhaltung; frohes Genießen. Gehört zu „vermachen = kleinmachen" und bezieht sich auf einen Gegenstand, den man spielerisch auseinandernimmt und wieder zusammensetzt. Vorwiegend *niederd,* seit dem 18. Jh. *Vgl ndl* „vermaak = Ergötzung".

vermachen tr **1.** jn verprügeln. Soviel wie „zerkleinernd verarbeiten"; ↗machen 7. 1910 *ff.*

2. jn niederschlagen; jm die Widerstandskraft nehmen. ↗machen 7. 1955 *ff, halbw.*

3. jn umbringen. 1910 *ff.*

4. jn schlechtmachen, verleumden. Man macht ihn „klein" (im Sinne von „sittlich minderwertig"). 1900 *ff.*

5. jm etw ~ = jm etw vorübergehend leihen. Bezieht sich ursprünglich auf testamentarische Schenkung. *Halbw* 1950 *ff.*

6. etw vergeuden, leichtsinnig ausgeben, durchbringen. Seit dem 19. Jh.

7. einen ~ = koitieren. Soviel wie „verschließen". 1910 *ff.*

vermaddern tr etw vereiteln. Nebenform zu ↗vermasseln. Seit dem 19. Jh, *ostd.*

vermanschen tr **1.** etw vermischen, vermengen, durcheinanderbringen. ↗manschen 1. Seit dem 18. Jh.

2. etw verderben. Seit dem 18. Jh.

3. jn prügeln, ohrfeigen. Parallel zu „jn zu ↗Brei (zu ↗Mus) schlagen". 1920 *ff.*

vermasseln tr **1.** ein Geständnis ablegen; Mittäter benennen. Stammt aus *jidd* „mosser = Verräter". *Rotw* 1735 *ff.*

2. etw stören, verderben, vereiteln. Der Verräter durchkreuzt die Absicht des anderen. Seit dem 19. Jh.

vermatschen tr **1.** etw zerdrücken, durcheinandermengen. ↗matschen 1. 1800 *ff.*

2. Geld verschwenden. Seit dem 19. Jh.

vermatscht adj geistesbeschränkt; unzurechnungsfähig; verrückt. Das Gehirn des Betreffenden denkt man sich als einen Brei. 1920 *ff.*

vermauern tr **1.** etw schlecht ausführen. Hergenommen von unfachgemäßer Errichtung einer Mauer. 1900 *ff.*

2. etw zum Scheitern bringen. Analog zu ↗verbauen 1. 1870 *ff.*

3. jm etw ~ = jm etw unmöglich machen. 1870 *ff.*

4. jn auf einen Rollentyp festlegen. 1950 *ff.*

5. sich etw ~ = eine günstige Gelegenheit leichtfertig verscherzen. 1870 *ff.*

6. einer Frau einen ~ = koitieren. Vermauern = verschließen. 1950 *ff.*

vermengen tr etw unauffindbar verlegen; etw verderben. ↗mengen. 1920 *ff.*

vermickern v **1.** intr = im Wachstum nachlassen; verkümmern; wirtschaftlich, gesundheitlich oder charakterlich abnehmen. ↗mickrig. Seit dem 18. Jh, *niederd.*

2. tr = etw verderben. Seit dem 18. Jh.

vermickert adj **1.** schwächlich, kränklich, elend, bleich. Seit dem 18. Jh.

2. unfroh geworden; mürrisch. Seit dem 19. Jh.

vermiesen v **1.** jm etw ~ = jm etw verleiden; jm etw als wertlos hinstellen. ↗mies 1. Seit dem 19. Jh.

2. jm die Laune ~ = jm die gute Stimmung verderben; jds Unternehmungslust dämpfen. 1920 *ff.*

3. ~ = jn abschrecken. Seit dem 19. Jh.

vermisten v **1.** etw ~ = etw verderben, schlecht ausführen, durch Unachtsamkeit herunterwirtschaften; jm etw vergällen. Ursprünglich soviel wie „mit Mist verunreinigen". 1840 *ff.*

2. etw ~ = Darmwinde entweichen lassen. Man verbreitet Mistgeruch. 1910 *ff, ziv* und *sold.*

vermixen tr etw verderben, unsachgemäß behandeln. Übertragen von schlechtem Mischen. 1920 *ff.*

vermöbeln tr **1.** jn verprügeln. Übertragen vom Durchklopfen gepolsterter Sitz- und Liegemöbel. Seit dem 19. Jh.

2. etw verunstalten, verunzieren. 1920 ff.

3. jn in Kritiken schlechtmachen; jn schlecht beurteilen; jn auszanken. Die Rüge wird umgangssprachlich meist mit denselben Vokabeln bezeichnet wie Prügel und Ohrfeigen. 1850 ff.

4. etw zu Geld machen, durchbringen. Hergenommen von Möbelversteigerungen, bei denen der Auftraggeber meist Geld um jeden Preis haben will. 1750 ff.

vermodeln (vermoddeln) tr etw verkleiden, verzieren, umändern. Modeln = in eine Form bringen. 1900 ff.

vermodert adj geistig ~ = abständig. 1950 ff.

Vermögen n es kostet kein ~ = es ist erschwinglich. Werbetexterspr. 1960 ff.

vermorgenländern v **1.** sich ~ = a) sich orientieren. Ursprünglich als ernsthafte Übersetzung von „orientieren" gedacht. Sold in beiden Weltkriegen. – b) sich falsch orientieren; sich verirren. Sold in beiden Weltkriegen; fliegerspr. (sold und ziv) 1914 ff; schül 1935 ff.
2. jn ~ = jn im Gelände, nach der Karte orientieren; jn einweisen. Sold 1940 ff.

vermoschen tr **1.** etw gründlich verderben. ↗moschen. Norddund ostmitteld, 1900 ff.
2. etw unauffindbar verlegen; etw beiseite bringen. 1900 ff.
3. etw vergeuden. 1900 ff, nordd und sächs.

vermottet adj veraltet; abständig; unmodern gewordener Geschmacksrichtung entsprechend. Anspielung auf Mottenfraß oder auf die „↗Mottenkiste". 1920 ff.

vermotzt adj nörgelsüchtig. ↗motzen 1. 1950 ff.

vermuckt adj wunderlich; absonderlichen Einfällen zugänglich. ↗Mucken 1. 1950 ff.

vermuddeln tr **1.** etw beschmutzen. ↗muddeln 1. Niederd, seit dem 19. Jh.
2. etw verkramen, verwirren. ↗muddeln 5. Seit dem 19. Jh.
3. etw vertuschen, verheimlichen. Seit dem 19. Jh.

vermudeln tr etw zerknittern. Gehört zu „mudeln = kneten, streicheln". Österr seit dem 19. Jh.

vermufen refl (intr) unbemerkt davongehen; sich dem Dienst entziehen. ↗mufen 2. 1920 ff.

vermuffeln v **1.** intr = mürrisch, lebensunfroh werden; moderne Anschauungen ablehnen. ↗Muffel 1 u. 2. 1965 ff.
2. tr = jn verdrießen; jm eine Freude verderben. 1965 ff.

vermummt adj seelisch ~ = unzugänglich; abweisend; barsch. 1950 ff.

vernadern tr jn verraten, denunzieren. ↗nadern. Österr seit dem 19. Jh.

vernageln v **1.** jn zu einer Freiheitsstrafe verurteilen. Man macht ihn „(niet- und) nagelfest". 1920 ff.
2. eine Frau ~ = koitieren. ↗Nagel I 1. 1500 ff.

vernagelt adj geistesbeschränkt; begriffsstutzig. Hergenommen von der Vernagelung der früheren Vorderladergeschützrohre: durch Vernagelung des kleinen Zündlochs konnte das im Rohr befindliche Pulver nicht gezündet und der Deckel auf die naheliegende Möglichkeit, „vernagelt" hänge mit dem „Brett vor dem Kopf" (↗Brett 18) zusammen, ist aus Gründen der Altersbe-

---

stimmung auszuschließen. Seit dem 18. Jh.

vernaschen tr **1.** etw nebenher aufbrauchen; Waren von geringem Dauerwert verbrauchen. Man verwendet sie wie Leckereien, die man zwischen den Mahlzeiten zu sich nimmt. Seit dem 19. Jh.
2. jn mühelos vernichten; jn kampfunfähig machen; jn erschießen. Auch als harmlose Drohrede zu hören. 1920 ff.
3. mit jm ein kurzlebiges Liebesabenteuer haben; koitieren. 1920 ff.
4. jn verhaften, gefangennehmen. 1920 ff.
4 a. eine Ortschaft eingemeinden; eine Firma aufkaufen. 1970 ff.
5. einen Sportgegner schnell kampfunfähig machen; eine Mannschaft mühelos besiegen. Sportl, spätestens seit 1950.
6. jm das Geld abnehmen, abgewinnen. 1920 ff.
7. einen ~ = ein Glas Alkohol trinken. 1900 ff.
8. sei ruhig, oder ich vernasche dich!: Drohrede unter Jugendlichen. 1930 ff.

vernatzen tr jn veralbern; mit jm seinen Scherz treiben. ↗Nazi 1. 1900 ff.

vernebeln v **1.** jn ~ = jn betrunken machen. ↗benebelt. 1900 ff.
2. jn ~ = jn verdummen. ↗Nebel 7. 1900 ff.
3. sich ~ = davongehen. Man löst sich in Nebel auf; analog zu „↗verdampfen", zu „↗verduften" u. ä. 1920 ff.

vernegern intr durch Kohlenstaub schwarz werden. Seemannsspr., bergmannsspr. u. a., 1900 ff.

vernichten v **1.** etw ~ = etw verzehren. Sold 1939 ff.
2. sich ~ = a) sich einlogieren mit einer weiblichen Person, die man für eine Nichte ausgibt. Wortspielerei. 1930 ff. – b) eine Damenbekanntschaft eingehen. Halbw 1950 ff, Berlin.

vernieten tr eine Frau ~ = koitieren. ↗nieten 2. 1955 ff.

vernixen tr etw für unbedeutend, belanglos ausgeben; das Ansehen untergraben. Aus „vernichtsen" entstanden; ↗nix. 1920 ff.

vernuddeln (vernudeln) tr etw verderben, verlieren. ↗nuddeln 1. Seit dem 19. Jh.

Vernunft f die ~ an der Garderobe abgeben = vernunftwidrig handeln. ↗Verstand 1. 1920 ff.

Vernunftakrobat m Rationalist. 1920 ff.

vernünfteln intr ein wissenschaftliches Gespräch führen. Halbw 1950 ff.

vernusseln tr etw durch näselndes Sprechen unverständlich machen. ↗nusseln 1. Seit dem 19. Jh.

Veronika f **1.** Prostituierte (leichtlebige weibliche Person), die amerikanische Besatzungssoldaten empfängt. Dechiffriert aus der angloamerikan Abkürzung „V. D." für „venereal disease = Geschlechtskrankheit". In der US-Armee gab es Streichholzheftchen mit der Abbildung eines hübschen Mädchens und der Unterschrift „vD". Der Deckel trug die zweideutige Aufschrift „use cover"; das hieß, man solle die Zündhölzer mit dem Deckel auf die Reibfläche aufdrücken; andererseits meint „cover" soviel wie „Präservativ". In einer Bilderserie der US-Soldatenzeitung „Stars and Stripes" nannte der Zeichner Bill Mauldin die weibliche Hauptfigur, ein deutsches, blondgelocktes Mädchen, „Ve-

---

ronika Dankeschön", auch dort abgekürzt als „V. D.". Im Juli 1945 in Berlin erstmals gehört.
2. ~ Dankeschön = Liebchen eines US-Soldaten in Deutschland. 1945 ff.

verpacken v **1.** etw ~ = eine Darbietung umrahmen. 1900 ff.
2. die Wahrheit ~ = die Wahrheit umschreiben, ohne zu lügen. 1930 ff.
3. jn hübsch ~ = jn nett kleiden. 1920 ff.
4. sich ~ = a) sich kleiden, ankleiden. 1920 ff. – b) sich warm kleiden. 1920 ff.

Verpackung f **1.** Kleidung, Überkleidung; Art, sich zu kleiden. 1920 ff.
2. äußere Aufmachung (Einkleidung) einer Idee; Art und Weise, wie man eine Nachricht veröffentlicht oder eine neue Ware (eine alte Ware auf neue Weise) anpreist. 1900 ff.
3. sparsame ~ = spärliche Bekleidung. 1955 ff.
4. es liegt an der ~ = a) es kommt darauf an, welchen Eindruck eine Sache (auch: eine Person) äußerlich (vom Ansehen her) macht. 1900 ff. – b) das Scheitern einer Sache beruht auf schlechter Vorbereitung, auf ungenügenden Kräften o. ä. Sold 1939 ff.
5. ohne ~ quatschen (o. ä.) = ohne Umschweife reden. 1920 ff.

verpannen tr einen Mitschüler dem Lehrer melden. Der Angezeigte erleidet eine „↗Panne". 1955 ff, schül.

verpappt sein beschmutzt, nicht klar durchsichtig sein (von der Windschutzscheibe gesagt). ↗pappen 1. 1950 ff.

verpassen tr **1.** etw übergeben, aushändigen. Ursprünglich von militärischer Kleidung bezogen im Sinne von „anpassen": man wählt aus, bis man das (leidlich) Passende hat. Sold seit den späten 1900 ff.
2. jm eine ~ = jm eine Ohrfeige geben; auf jn einen Schuß abfeuern. Verpassen = anmessen = zielgenau treffen. 1900 ff.
3. jm einen ~ = jn rügen, bestrafen. Hinter „einen" ergänze „Verweis" o. ä. Sold 1914 bis heute.
4. einer einen ~ = koitieren. Hinter „einen" ist „↗Stoß" zu ergänzen. 1900 ff.
5. einer Frau ein Kind ~ = schwängern. 1910 ff.
6. jm einen Orden (Titel) ~ = jm einen Orden (Titel) verleihen. 1920 ff.
7. sich etw ~ = a) sich etw aneignen; etw widerrechtlich nehmen. Seit dem späten 19. Jh. – b) etw trinken, essen. 1900 ff.
8. sich etw ~ lassen = eine Meinung unwidersprochen hinnehmen. 1910 ff.

verpaßt adj **1.** nicht maßgeschneidert; auf Kammer empfangen. ↗verpassen 1. Sold seit 1890.
2. kritiklos übernommen. 1910 ff.

verpatzen tr **1.** etw verderben, schlecht ausführen, falsch machen. ↗patzen 1. Theaterspr., schül und stud seit dem 19. Jh, vorwiegend oberd.
2. etw vergeuden. 1900 ff.
3. jn verraten, zur Anzeige bringen. Nebenform zu ↗verpetzen. Seit dem 19. Jh, schül.

verpauken tr jn heftig prügeln. ↗pauken 5. Seit den späten 18. Jh.

verpaukt adj durch Auswendiglernen überanstrengt. ↗pauken 4. Seit dem 19. Jh.

verpecken *tr* 1. jn verprügeln. Pecke = Stock, Gerte. Berlin 1850 *ff.*
2. den Angreifer zurückschlagen. *Sold* in beiden Weltkriegen.

verpelzen *tr* Geld durchbringen. ↗pelzen 2. 1920 *ff, prost.*

verpetzen *tr* jn verraten, dem Vorgesetzten melden. ↗petzen. Seit dem späten 18. Jh, *schül* und *stud.*

verpfeffern *tr* 1. etw überteuern. ↗gepfeffert 5. Seit dem 19. Jh.
2. jm etw ~ = jm etw erschweren, verleiden. Zuviel Pfeffer ist nicht nach jedermanns Geschmack. Seit dem 19. Jh.

verpfeifen *v* 1. *intr* = verschlafen. Anspielung auf den pfeifenden Atem. *Österr* 1940 *ff.*
2. *tr* = jn verraten, zur Anzeige bringen, denunzieren. ↗pfeifen 1. 1800 *ff.*
2 a. einen Ballspieler zu Unrecht abpfeifen. *Sportl* 1970 *ff.*
3. *refl* = weglaufen, fliehen. Wohl übernommen vom pfeifenden (= sausend wehenden) Wind. 1830 *ff*, Berlin; *sold* in beiden Weltkriegen; *schül* 1945 *ff.*

Verpfiff *m* Verrat; Täterbenennung durch einen Mittäter. ↗verpfeifen 2. 1950 *ff.*

Verpflegung *f* 1. sich von der ~ abmelden = sterben. Hergenommen von der Pflicht des Soldaten, sich vor Urlaubsantritt oder Versetzung ordnungsgemäß abzumelden. *Sold* 1939 *ff.*
2. außer ~ gehen = den Soldatentod erleiden. *Sold* 1939 bis heute.
3. jn aus der ~ nehmen = jn erschießen. *Sold* 1939 bis heute.
4. die ~ verlieren = sich erbrechen; seekrank sein. *Sold* 1941 *ff.*

Verpflegungsteilnehmer *m* Soldat. *Sold* 1939 bis heute.

verpfuschen *tr* etw schlecht herstellen, unsachgemäß verfertigen; etw verunstalten. ↗pfuschen 1. Seit dem späten 17. Jh.

verpicht sein auf etw ~ = auf etw versessen sein. Parallel zu „↗erpicht sein". 1600 *ff.*

verpiepeln (verpippeln) *tr* 1. jn verwöhnen, verweichlichen. Ablautende Nebenform zu „↗verpäppeln"; vielleicht beeinflußt von „Piep", dem Vogel (im Käfig). Seit dem 19. Jh.
2. jn veralbern, nicht ernst nehmen. 1900 *ff.*
3. koitieren. ↗Piepel 1. 1850 *ff.*

verpieseln *refl* unbemerkt weggehen; wegschleichen; sich dem Dienst entziehen. Parallel zu ↗verpissen. *Sold* 1939 bis heute.

verpiesema'tuckeln *intr tr* koitieren. Von „↗Piesel 1" überlagertes „↗verkasematuckeln". 1950 *ff.*

verpinkeln *tr* etw vergeuden. Fußt auf ↗Pinkel 5. 1950 *ff.*

verpinseln *tr* etw verspeisen, vertrinken; Geld für Beköstigung ausgeben. ↗pinseln 10. 1920 *ff, westd.*

verpissen *refl* 1. unbemerkt davongehen; sich zurückziehen. Tarnausdruck: eigentlich ist das Aufsuchen des Aborts gemeint. Gegen 1840 aufgekommen, vorwiegend *sold* und *jug. Vgl franz* „pisser à l'anglaise" und *engl* „to piss off".
2. sich der militärischen Dienstpflicht zu entziehen suchen; sich einem dienstlichen Auftrag entwinden. *BSD* 1965 *ff.*

Verpissertrick *m* Trick, mit dem man sich einen leichten Dienst verschafft. *BSD* 1965 *ff.*

verplackt *adj* mit Zugewanderten durchsetzt. ↗eingeplackt. *Hess* 1820 *ff.*

verpladdern *tr* 1. etw ~ = etw verschütten, vorbeigießen. ↗pladdern 1. *Niederd*, seit dem 19. Jh.
2. etw ~ = etw vergeuden, vertun. *Niederd* seit dem 19. Jh.

verplappern *v* 1. seine Zeit ~ = seine Zeit verschwätzen. Seit dem 18. Jh.
2. etw (jn) ~ = etw (jn) verraten. Seit dem 19. Jh.
3. sich ~ = eine unbedachte Äußerung tun; geheimzuhaltende Dinge ausplaudern. Seit dem 18. Jh.

verplätten *v* 1. jn ~ (jm einen ~) = jm einen Schlag versetzen; auf jn einen Schuß abgeben; jn durch Beschuß verwunden. Bezieht sich ursprünglich auf den Schlag mit der flachen Hand, nicht mit dem Stock. 1900 *ff*, Berlin, Magdeburg u. a.
2. sich ~ = koitieren (vom Mann gesagt). Hinter „einen" ergänze „Schuß". 1920 *ff.*

verplempern *v* 1. *tr* = etw vergeuden, in kleinen Beträgen ausgeben; etw für unnütze Dinge ausgeben. Geht zurück auf *oberd* „Plempel = hin- und hergeschwapptes, daher minderwertiges, schal gewordenes Getränk"; von hier aus entwickelt zur Bedeutung unvernünftigen Umgangs mit Flüssigkeiten und weiter verallgemeinert zu „vergeuden". Seit dem 17. Jh.
2. *refl* = a) sich töricht verlieben; sich in eine unpassende Liebesverbindung einlassen. 1700 *ff.* – b) unbedacht sprechen; sich übereilen; sich verrechnen. Seit dem 19. Jh. – c) einen schlechten Kauf tätigen. 1830 *ff.* – d) viel beginnen und nichts (erfolgreich) beenden. Seit dem 19. Jh. – e) verkommen; sich keinen Zwang antun; seine Kräfte vergeuden. Seit dem 19. Jh. – f) zuviel Bier trinken. ↗Plempe 1. Seit dem 19. Jh.

verplempert *adj* außerehelich geschwängert. ↗verplempern 2 a. 1800 *ff.*

verpochen *tr* Geld durchbringen. Beruht wahrscheinlich auf dem Pochspiel. 1900 *ff*; *sold* in beiden Weltkriegen.

verpolken *tr* jn verprügeln. Bezieht sich ursprünglich wohl auf Ohrfeigen; *vgl* ↗polken. 1900 *ff.*

ver'posamen'tieren *tr* 1. etw vergeuden. Entstellt aus „verpassementieren = mit Zierat, Borden, Fransen usw. versehen"; von da weiterentwickelt zur Bedeutung „Geld für Kleiderprunk ausgeben". Seit dem 19. Jh.
2. etw auseinandersetzen, erklären. Wohl beeinflußt von „↗pöseln" und „↗pusseln". *Niederd*, Berlin und *ostpreuß*, spätestens seit 1900.

ver'posema'tuckeln *tr* etw genau auseinandersetzen. Zusammengesetzt aus „↗verposamentieren" und „↗verkasematuckeln". Berlin 1920 *ff.*

verprassen *tr* zwanzig Pfennig sinnlos ~ = mit einer Kleinigkeit verschwenderisch umgehen. Scherzhafte Redewendung angesichts eines Pfennigbetrags, den einer zuviel erhält oder den er auf eine größere Summe zurückerhält. *Stud* 1920 *ff.*

verprellen *tr* jn verärgern, kränken, kopfstutzig machen. Der Betreffende prallt errüstet zurück. Seit dem späten 19. Jh.

verprezeln *tr* 1. etw vergeuden. „Prezel =

Brezel" spielt auf Geldausgabe für Leckereien an. Berlin 1900 *ff.*
2. sich durch törichte Spielweise um den Sieg bringen. Die Brezel ist hier das Sinnbild umständlichen Verschlungenseins. 1900 *ff.*

verpritschen *tr* einen Mitschüler dem Lehrer melden. Pritschen = klatschend schlagen. Hieraus parallel zu „klatschen = ausplaudern". *Bayr* 1930 *ff.*

verpuffen *intr* erfolglos enden; wirkungslos bleiben. Hergenommen von der nicht detonierenden Granate: sie gibt nur einen Zischlaut von sich. 1700 *ff.*

verpulvern *v* 1. etw ~ = etw vergeuden, ausgeben, durchbringen. Leitet sich her vom Pulver, anfangs von dem für alchimistische Zwecke, später von Arzneien. Seit dem 19. Jh.
2. seine Zeit ~ = seine Zeit nutzlos verstreichen lassen; erfolglos warten. Seit dem 19. Jh.
3. jn ~ = jn sinnlos opfern. Leitet sich her von der Munition, aber im engeren Sinne vom „↗Kanonenfutter". 1870 *ff, sold.*
4. sich verpulvert haben = seine Geschlechtskraft eingebüßt haben. ↗Pulver 2. Seit dem 19. Jh.

verpuppen *v* 1. etw ~ = sein Geld mit Frauen durchbringen. ↗Puppe 1. 1900 *ff.*
2. sich ~ = sich vor den Mitmenschen zurückziehen; sich abkapseln. Von der Insektenlarve übertragen. 1900 *ff.*
3. sich ~ = sich verkleiden, um sich unkenntlich zu machen. ↗puppen 1. 1800 *ff.*

verpurren *tr* etw verderben, vereiteln, versperren. Purren = stochern. Leitet sich her vom Feuer, das man durch vieles Stochern in der Glut zum Erlöschen bringt. 1700 *ff.*

verpusten *refl* sich verschnaufen. ↗Puste 1. *Nordd*, seit dem 19. Jh.

Verputz *m* 1. Make-up. Eigentlich der Mauerbewurf. 1930 *ff*; heute bevorzugte Halbwüchsigenvokabel.
2. der ~ bröckelt ab = das Make-up gerät in Unordnung. Eigentlich soviel wie „der Bewurf löst sich in Brocken von der Wand ab". *Halbw* 1955 *ff.*
3. jm den ~ abkratzen = jds Nimbus zerstören; jn entlarven. 1950 *ff.*
4. den ~ emaillieren = das Make-up erneuern. *Halbw* 1955 *ff.*

verputzen *tr* 1. etw leichtfertig ausgeben, vertun. Meint eigentlich „für Putz ausgeben", nämlich für Kleiderpracht; von da seit dem 18. Jh verallgemeinert.
2. etw verzehren. „Putzen" meint hier das Leeren des Tellers, wohl gar das Auslecken. Seit dem 18. Jh.
3. jn anherrschen, entwürdigend behandeln, heftig · kritisieren. ↗ausputzen 3. 1870 *ff.*
4. jm eine ~ = jn ohrfeigen. Erklärt sich aus der umgangssprachlichen Gleichsetzung von „reinigen", „tadeln" und „schlagen". 1920 *ff.*
5. jn nicht ~ können = jn nicht leiden können. Versteht sich nach ↗verputzen 2": der unsympathische Mensch ist „ungenießbar" wie eine schlechte Speise. Seit dem 19. Jh.
6. das findet sich beim ~ = das regelt sich später. Das Verputzen ist die letzte Außenarbeit am Haus. 1900 *ff.*

verquasen *tr* etw verschwenden, verschlemmen. Gehört zu mittel-*niederd* „quasen = schwelgen" und zu *niederd* „dwas = töricht". 1700 *ff*.

verquast *adj* **1.** undeutlich, wirr; verwickelt. Gehört zu *niederd* „dwas = töricht" und zu *niederd* „quasen = dummschwätzen". Seit dem 19. Jh.
2. sonderbar, ungewöhnlich. Berlin 1920 *ff*.
3. ~ lachen = aus Verlegenheit, dümmlich grinsen. Berlin 1910 *ff*.

verquatschen *v* **1.** jn ~ = jn zur Anzeige bringen. ↗quatschen 3. 1870 *ff*.
2. etw ~ = eine Verabredung verfehlen. Man hat sie falsch abgesprochen oder die vereinbarte Uhrzeit verwechselt. *Halbw* 1955 *ff*.
3. etw ~ = einen sprachlichen Ausdruck durch willkürliche (sinnlose) Hinzufügung unverständlich machen, durch Reden verderben. Gilt als Eigenart der berlinischen Sprache. 1900 *ff*.
4. sich ~ = a) sich (bei schnellem Reden) versprechen; etw unbedacht ausplaudern). 1870 *ff*. – b) vom Gesprächsthema abkommen. 1900 *ff*. – c) unabsichtlich ein Geständnis ablegen. 1870 *ff*.

verquer *adv* **1.** ungelegen. Zusammengewachsen aus „für quer". Seit dem 19. Jh.
2. unecht; nicht aufrichtig; uneinig. Seit dem 19. Jh.
3. es geht ~ = es mißlingt. Seit dem 19. Jh.
4. mit jm ~ leben (es mit jm ~ haben) = mit jm in Unfrieden leben. Seit dem 19. Jh.
5. etw ~ nehmen = etw falsch auffassen; jm etw verübeln. Seit dem 19. Jh.
6. ~ sitzen = hinderlich sein; nicht gedeihen. Seit dem 19. Jh.
7. ihm sitzt einer ~ = ihm will ein Darmwind nicht entweichen. Seit dem 19. Jh.

verquetschen *v* **1.** etw ~ = etw unterdrücken, verdrücken. 1900 *ff*.
2. etw ~ = etw unter Mühen unterbringen. 1920 *ff*.
3. etw ~ = etw verzehren, durchbringen. Analog zu ↗verdrücken 1. 1800 *ff*.
4. sich ~ = sich davonmachen. Parallel zu ↗verdrücken 5; ↗drücken 10. 1900 *ff*, *sold*.

Verquetschte *pl* **1.** kleinere Speisen, die keine vollständige Mahlzeit ausmachen. ↗verquetschen 3. Man verzehrt sie ohne Mühe. Kellnerspr. 1960 *ff*.
2. tausend Mark und ein paar ~ = tausend Mark und ein paar kleinere Scheine (und etwas Kleingeld). ↗Zerquetschte. 1930 *ff*.

verrammeln *tr* **1.** etw unpassierbar machen, verstopfen. Man verschließt es durch Einrammen von Pfählen. Seit dem 18. Jh.
2. jn verhaften, einschließen. Seit dem 19. Jh.
3. etw unsachgemäß verrichten. Etwa soviel wie „durch Umherspringen oder -wälzen verderben". 1900 *ff*.
4. jn außerehelich schwängern. ↗rammeln 1. Seit dem 19. Jh.

verrannt sein in etw ~ = leidenschaftlich einer Sache (auch: einer Person) verbunden sein und nicht von ihr ablassen. Sich verrennen = beim Laufen sich verirren.

Verbindet sich oft mit der Vorstellung von einer Sackgasse. Seit dem 19. Jh.

verrasseln *intr* beim Kartenspiel verlieren; in der Prüfung scheitern. ↗durchrasseln. Kartenspielerspr. und *schül* 1900 *ff*.

verraten *v* **1.** *intr tr* = dem Mitschüler vorsagen. Man verrät ihm die richtige Antwort auf die Frage des Lehrers. 1900 *ff*.
2. jn ~ und verkaufen = jn preisgeben. Leitet sich her von der Passionsgeschichte Jesu und dem Verrat des Judas. Seit dem 19. Jh.
3. ~ und verkauft sein = preisgegeben sein; hilflos dastehen. 1500 *ff*.

Verräter *m* der ~ schläft nicht: Redewendung des Kartenspielers, der einen Trick des Gegners oder dessen Plan durchschaut und ihm rechtzeitig begegnet. Leitet sich her von der biblischen Geschichte von Jesus und Judas: während Jesus von Judas verraten wurde, schliefen die Jünger. Kartenspielerspr. 1870 *ff*.

verratzt sein verloren, vernichtet, erledigt sein; auf keine Rettung rechnen können. Geht möglicherweise zurück auf sorbisch „hrać = spielen" und bezieht sich auf einen Spielverlust. Seit dem 19. Jh.

verrecken *v* **1.** *intr* = sterben, elend umkommen. Meint eigentlich „die Glieder starr ausreckend verenden" oder spielt an auf die Leichenstarre. Anfangs nur auf Tiere bezogen, wird das Wort vor allem bei den Soldaten auf den Menschen übertragen. 1650 *ff*.
2. da verreck'!: Ausruf der Überraschung. *Bayr* und *schwäb*, seit dem 19. Jh.
3. da verreck' doch gleich (da verreck doch glei)!: Ausdruck des Erstaunens. *Bayr* seit dem 19. Jh.
4. der Motor verreckt = der Motor bleibt stehen, „stirbt ab". *Südd* 1930 *ff*.
5. er ist verreckt = er mußte arbeiten gehen. Wer um des Lebensunterhalts willen den Müßiggang aufgeben muß, gilt für die „Gammler" als gestorben. 1963 *ff*.
6. da möchtest du ~!: Ausruf des Unwillens. *Südd* seit dem 19. Jh.
7. es ist zum ~ = es ist zum Verzweifeln. Seit dem 19. Jh.
8. bis zum ~ = bis zum Überdruß; bis zur Erschöpfung. 1910 *ff*.
9. zum ~ = sehr, überaus (es reut ihn zum Verrecken). *Bayr* 1900 *ff*.
10. ums ~ = durchaus (er will ums Verrecken im Wirtshaus sitzen bleiben). 1800 *ff*.
11. nicht ums ~ = auf keinen Fall; unter keinen Umständen (nicht ums Verrecken will er zu Bett gehen). Seit dem 19. Jh.

Verrecker *m* **1.** niederträchtiger Mensch. Man wünscht ihm den Tod. *Südwestd,* Nürnberg und Frankfurt, seit dem 19. Jh.
2. schwächlicher Säugling; Frühgeburt (auch in den Formen „Verreckerchen" und „Verreckerl"). Seit dem 19. Jh.
3. Fehlschlag. 1920 *ff*.

Verreckerl *n n* **1.** schlecht, kränklich aussehendes Tier. *Bayr* und *österr,* seit dem 19. Jh.
2. unansehnlicher Baum. Seit dem 19. Jh.
3. grobes Schimpfwort. *Bayr* und *österr,* seit dem 19. Jh.

verregnen *n* jm etw ~ = jm ein Vorhaben zunichte machen. 1900 *ff*.

verreisen *v* **1.** *intr* = eine Freiheitsstrafe antreten. Tarnausdruck. Seit dem späten 19. Jh.

2. *intr* = dem Einberufungsbescheid Folge leisten. Den Aufenthalt in der Kaserne setzt man mit dem Aufenthalt im Gefängnis gleich. 1910.*ff*.
3. du willst wohl ~, da du die Hände schon eingepackt hast (da du schon den Sack gepackt hast)!: Redewendung an einen, der die Hände in den Hosentaschen hat. Sack = Hodensack; packen = in Händen halten. 1920 *ff*.
4. etw ~ = Geld für Reisen ausgeben. 1870 *ff*.

verreißen *v* **1.** jn (etw) ~ = eine Person oder Sache vernichtend (böswillig) kritisieren. Der Kritiker reißt sein Opfer in Stücke wie ein Raubtier. Theaterspr. seit dem späten 19. Jh.
2. jn ~ = jn verführen, notzüchtigen, einem anderen abspenstig machen. *Rotw* 1910 *ff*, *österr*.
3. *intr* = mit dem Kraftfahrzeug aus der Kurve getragen werden. Man hat wohl zu heftig am Steuer gerissen. *Österr* 1910 *ff*.
4. es hat ihn verrissen = er hat die Beherrschung verloren. Verreißen = verschleißen. 1910 *ff*.

verrenken *refl* tanzen. *Jug* 1955 *ff*.

Verrenkungen *pl* geistige ~ machen = sich geistig anstrengen; schwerwiegende Überlegungen anstellen. 1950 *ff*.

verrennen *refl* sich irren; fanatisch werden. ↗verrannt sein. Seit dem 19. Jh.

Verriß *m* vernichtende Kritik. ↗verreißen 1. Seit dem späten 19. Jh, theaterspr.

verrissen sein verreist sein. Scherzhafte Entstellung seit dem frühen 19. Jh. (1833 Friedrich Beckmann: „Nante im Verhör").

verrollen *v* **1.** jn ~ = jn heftig prügeln. ↗Rollkommando. 1910 *ff*, *sold* und *schül*.
2. jn ~ = jn streng behandeln, gesellschaftlich erledigen; jn übertölpeln. 1920 *ff*.
3. sich ~ = davongehen. Bezieht sich ursprünglich auf ein Wegfahren („sich auf Rollen entfernen"). Vorwiegend *oberd,* 1900 *ff*.

verrückt *adj* **1.** hochmodern. Was man nicht begreift, oder was mit dem Herkömmlichen nicht übereinstimmt, erscheint vielen unsinnig. *Halbw* 1955 *ff*.
2. wie ~ = sehr; sehr stark, sehr schnell (mir tun die Füße wie verrückt weh; er fährt wie verrückt). ↗rasend. Seit dem 19. Jh.
3. lügen wie ~ = dreist lügen. 1920 *ff*.
4. wenn die Leute ~ werden (einer ~ wird), fängt es im Kopf an: Redewendung auf einen, der unsinnige Gedanken äußert. 1870 *ff*.
5. auf ~ reiten = schwere Geistesstörung heucheln. ↗reiten 1. 1940 *ff*.
6. auf (in) eine Person oder Sache (nach einer Person oder Sache) ~ sein = nach einer Person oder Sache heftig verlangen. Seit dem 18. Jh. *Vgl engl* „he is crazy about her".
7. ~ und drei sind sieben: Redewendung zu einem törichten Vorschlag. Von einem Verrückten nimmt man an, er habe statt fünf Sinnen nur vier. 1870 *ff*.
8. ~ und drei sind neun: Ausruf angesichts hochgradiger Geistesbeschränktheit oder -verirrung. Hier hat der Verrückte wohl einen Sinn zuviel, nämlich den Unsinn. 1840 *ff*.
9. ~ und fünf ist neun: Redewendung auf

einen Dummschwätzer. ↗verrückt 7. 1870 ff.

10. ~ und drei (vier) ist elf: Redewendung angesichts einer besonders törichten Äußerung. Hier hat der Verrückte wohl etliche Sinne zuviel, so daß die Summe die „Narrenzahl" 11 ergibt. 1890 ff.

11. ~ spielen = a) sich verrückt stellen; sich übermäßig aufregen; die Beherrschung verlieren. 1900 ff. – b) vor übergroßer Freude sich unsinnig gebärden. 1900 ff. - c) am Fastnachtstreiben teilnehmen. 1920 ff.

12. spielen Sie nicht ~! = geben Sie solch unsinnige Meinung (Absicht) auf! 1920 ff.

13. ich werde ~!: Ausruf großer Verwunderung und Überraschung. Spätestens seit 1900.

14. ich werde ~ und ziehe aufs Land!: Ausdruck der Überraschung. Wohl Anspielung auf die Lage von Nervenheilstätten auf dem Lande oder am Stadtrand. 1920 ff.

Verrückter *m* **1.** wie ein ~ fahren = übermäßig schnell und riskant fahren. ↗verrückt 2. 1920 ff.

2. rauchen wie ein ~ = unmäßig rauchen. 1920 ff.

3. mit mir kannst du reden wie mit einem Verrückten = mir kannst du alles anvertrauen, ohne daß ich dir schaden werde; ich stelle mich so, als verstünde ich das Gesagte nicht. 1900 ff.

Verrücktwerden *n* es ist zum ~ = es ist zum Verzweifeln; vor Freude könnte man den Verstand verlieren. Seit dem 19. Jh.

Vers *m* **1.** *pl* = albernes Geschwätz; leere Redensarten; Lügen. Bezieht sich wohl auf schönklingende Verse ohne Gehalt oder auf Bibelverse, die manche gar zu leichtfertig im Munde führen. Seit dem 19. Jh.

2. in ~e ausbrechen = Gelegenheitsgedichte mehr schlecht als recht verfassen. Hergenommen vom Sänger mit kräftiger Stimme oder auch vom Dichter, dessen Poesie man als ein Singen auffaßt („der Dichter singt"). 1900 ff.

3. jm den ~ blasen = jn ausschimpfen. Vers = Bibeltext, Psalmenabschnitt. *Vgl* auch ↗Text 5". 1900 ff.

4. seinen ~ kriegen = gerügt werden. 1900 ff.

5. ~e machen = schwätzen, lügen, prahlen, sich aufspielen. ↗Vers 1. Seit dem 19. Jh.

6. sich keinen ~ drauf (draus) machen können = den Zusammenhang nicht begreifen. ↗zusammenreimen. Seit dem 19. Jh.

7. ~e schmieden = reimen. Spätestens seit 1800.

versäckeln *tr* **1.** jn heftig prügeln. Sack = Rock, Jacke. 1900 ff.

2. jn ausschimpfen. Rügen ist in der Umgangssprache *gleichbed* mit Prügeln. Doch kann auch auf „↗Säckel 2" zurückgegangen werden: man heißt die Betreffenden einen „Säckel". *Südwestd* seit dem 19. Jh.

3. jn verulken, narren. ↗Säckel 2. *Südwestd* seit dem 19. Jh.

4. etw durchbringen, vergeuden. Hängt mit dem Geldsack zusammen. 1920 ff.

5. jn ausbeuten. ↗Sack 72. 1900 ff.

versacken *intr* **1.** auf den Meeresboden langsam in Schlamm, Sand usw. versinken. Der Untergrund gibt nach, und das

Schiffswrack o. ä. sinkt immer weiter ein. ↗sacken 2. Seit dem 19. Jh.

2. untergehen. 1900 ff.

3. durch liederliches Leben verkommen; ausschweifend leben; sich über die übliche Zeit hinaus betrinken. Vom Vorhergehenden übertragen auf das Einsinken (Untergehen) im Schmutz des Unsittlichen/Unsittsamen. Seit dem 19. Jh.

4. geistig abstumpfen; beruflich sich nicht weiterentwickeln; den Lebenswillen verlieren. 1920 ff.

versalzen *tr* **1.** jn verprügeln. ↗salzen 1. Seit dem 19. Jh.

2. jm etw ~ = jm etw Erfreuliches verderben; jds Plan vereiteln. Verkürzt aus „jm die ↗Suppe versalzen". 1600 ff.

versaubeuteln *tr* **1.** etw durch Unachtsamkeit verderben, verschandeln. ↗Saubeutel 1. Seit dem 19. Jh.

2. etw verunreinigen. Seit dem 19. Jh.

3. etw vergeuden, leichtsinnig durchbringen. Seit dem 19. Jh.

4. etw durch eigene Schuld verlieren; etw vergessen, aus Vergeßlichkeit unterlassen. Seit dem 19. Jh.

5. jn streng zurechtweisen. Man heißt den Betreffenden einen „↗Saubeutel". 1900 ff.

versauern *v* **1.** *intr* = den inneren Schwung verlieren; geistig abstumpfen; in Trübsinn verfallen; beruflich nicht vorwärtskommen. Hergenommen vom Wein, der sauer und dadurch ungenießbar wird, oder vom Acker. Seit dem 17. Jh. *Vgl franz* „moisir".

2. *tr* = etw erschweren, beeinträchtigen, verderben. ↗sauer 1. Seit dem 19. Jh.

3. *tr* = jn in Mißstimmung versetzen. 1950 ff.

versaufen *v* **1.** *intr refl* = sich ertränken; ertrinken; mit dem Schiff untergehen. *Vgl* ↗absaufen. Seit *mhd* Zeit (damals kein Ausdruck sprachlicher Derbheit).

2. *tr* = etw vertrinken. Seit dem 15. Jh.

versäuseln *tr* Geld in Alkohol umsetzen. *Vgl* ↗angesäuselt. Seit dem 19. Jh.

verschalt *adj* kraftlos, unsinnig. Übertragen von Getränken, die Geruch, Geschmack und Gehalt einbüßen. *Westd* 1800 ff.

verschamu'rieren *tr* etw zu Geld machen. Fußt auf *franz* „chamarrer = verbrämen". 1920 ff.

verschänge'lieren *tr* etw verunstalten. Zu „Schande" hat sich das Verb „schändelieren = verschandeln" entwickelt, das im *Westd* entsprechend entstellt wurde. 1500 ff.

verschärfen *tr* **1.** unrechtmäßig Erworbenes verkaufen. Gehört zu „Scherf = kleinste Münze", heute noch als „Scherflein" geläufig. Die Diebesbeute wird „kleingemacht". *Rotw* seit dem frühen 19. Jh.

2. etw versetzen, zu Geld machen. Seit dem 19. Jh.

verschauen *refl* sich in jn ~ = sich in jn verlieben. Analog zu ↗vergucken 2. *Österr* seit dem 18. Jh.

verschaukeln *tr* **1.** jn necken, hintergehen, beschwatzen; jm eine minderwertige Ware verkaufen. Hergenommen von der Überschlag- oder Schiffsschaukel: man schaukelt so hoch und so heftig, daß dem Partner die Sinne vergehen. Auch ergibt sich durch die Vorstellung der Schaukelwiege Analogie zu „jn auf den ↗Arm nehmen". 1920 ff.

2. gegen jn mit unredlichen Mitteln vorgehen; eine augenblickliche Lage gegen jn ausnutzen (vor allem in politischer Hinsicht). 1950 ff.

3. einen unerwünschten Gast loszuwerden suchen. 1960 ff.

4. etw leichtfertig aufs Spiel setzen. 1920 ff.

5. etw verderben, falsch bewerkstelligen (meist im Sinne absichtlicher Schädigung eines anderen). 1920 ff.

verscheißen *tr* **1.** etw durch Kot verunreinigen. ↗scheißen 1. Seit dem 19. Jh; wohl erheblich älter.

2. jn verraten. Der Schandfleck wird in derber Rede zum Kotfleck. 1945 ff, *jug*.

3. nicht alles ~ können, was man zu fressen hat = sehr viel zu essen haben; im Überfluß leben. Bei deutschen Besatzungstruppen im Zweiten Weltkrieg aufgekommen.

4. etw verderben, vereiteln. 1920 ff.

5. es mit jm ~ = es mit jm verderben; sich jds Wohlwollen verscherzen. ↗Verschiß. Seit dem 19. Jh, *sold* und *jug*.

verscheißern *tr* **1.** etw verderben, vereiteln. Eigentlich soviel wie „mit Kot besudeln". 1920 ff.

2. jn verulken, in geringfügigen Dingen belügen. „Scheißer" ist das kleine Kind: man behandelt den Betreffenden wie ein kleines Kind. 1910 ff, vorwiegend *sold*, *stud* und *arb*.

verschenken *tr* **1.** jn nicht zur vollen Geltung kommen lassen. Hätte man den Betreffenden herzugeben, würde man ihn nicht etwa verkaufen, sondern geradezu verschenken. 1950 ff.

2. ich könnte mich so ~: Redewendung eines völlig Erschöpften. Man ist dermaßen ermattet und willensschwach, daß man sich dem Geschlechtspartner nicht versagen könnte. *BSD* 1965 ff.

3. etw ~ = die Erfolgsaussichten nicht nutzen. *Sportl* 1950 ff.

verscherbeln *tr* etw heimlich unter Wert verkaufen; etw zu Geld machen. Scherbe = Bruch-, Teilstück. Man macht das Gemeinte „zu Scherben", d. h. man verwandelt es in Kleingeld. 1900 ff.

verscheuern *tr* etw versetzen, zu Geld machen. *Vgl niederd* „verschudern, verschutern = tauschen, schachern". Doch kann auch die reibende Bewegung des Daumens auf dem oberen Glied des Zeigefingers gemeint sein, womit man den Begriff „Geld" andeutet. 1900 ff.

verschiecheln (verschiacheln) *tr* jn verleumden, schlechtmachen. ↗schiech. *Bayr* und *österr*, 1900 ff.

Verschiedenes *n* **1.** da hört denn doch ~ auf!: Ausdruck des Unwillens, der Unerträglichkeit. „Verschiedenes" meint etwa soviel wie „Geduld, Takt, Beherrschung, Gutmütigkeit" o. ä. Seit dem 19. Jh.

2. ihm geht ~ mit Grundeis = er hegt schlimme Befürchtungen. Gemilderte Variante zu „ihm geht der ↗Arsch mit Grundeis". 1910 ff.

verschießen *v* **1.** *tr* = die günstige Gelegenheit zu einem Torball verfehlen. ↗schießen 2. *Sportl* 1920 ff.

2. einen Film ~ = einen Film verbrauchen (bis zum letzten Bild belichten). ↗schießen 4. 1950 ff.

3. sich in jn ~ = sich in jn heftig verlieben. Die Bedeutungsentwicklung führt wahrscheinlich von „die Munition völlig verbrauchen" über „voreilig handeln" und „sich durch Voreiligkeit schaden" zu „sich unbedacht festlegen". Der Pfeil des Liebesgottes dürfte hier nicht heranzuziehen sein. 1700 ff.

verschimmeln intr **1.** grau, weiß werden (vom Kopfhaar gesagt). Die Haare nehmen die Farbe des Schimmels (Pferd) an. Seit dem späten 19. Jh. **2.** geistig abstumpfen; geistig altern; das Verständnis für die Moderne verlieren. Der Betreffende wird schimmelig wie tierische oder pflanzliche Stoffe, die durch Pilze zum Faulen gebracht werden. Seit dem späten 19. Jh, jug. **3.** sitzen (warten o. ä.), bis man verschimmelt = lange Zeit warten; nicht zum Tanz aufgefordert werden; keinen Ehepartner finden. 1910 ff.

verschimp'fieren tr etw (jn) herabwürdigen, beschimpfen, verächtlich machen. „Schimpfieren" geht zurück auf mhd „schumphieren = besiegen"; dann angelehnt an „Schimpf" und weiterentwickelt zur Bedeutung „verunglimpfen". Seit dem 17. Jh.

Verschiß m Ehrloserklärung, Ächtung, Verruf. Geriet im 18. Jh ein Student in Mißachtung, so scheute man sich nicht, sein Zimmer mit Kot zu beschmutzen. Seit dem späten 18. Jh.

verschissen haben 1. jds Achtung völlig eingebüßt haben. ↗verscheißen 5; ↗Verschiß. Seit dem 19. Jh, sold und jug. **2.** vgl die Wendungen unter ↗Eiszeit 9; ↗Kaisermanöver; ↗Steinzeit 3 und 4.

verschlabbern v **1.** tr = seine Zeit mit Schwätzen verbringen. ↗schlabbern 6. Seit dem 18. Jh. **2.** tr = etw verschütten, durch Verschütten verunreinigen. ↗schlabbern 2. Seit dem 18. Jh. **3.** tr = etw aus Vergeßlichkeit unterlassen. ↗schlabbern 5. Seit dem 19. Jh, westd. **4.** sich ~ = sich beim Sprechen versehen; unbedacht ausplaudern. Seit dem 18. Jh.

verschlampen v **1.** tr = etw aus Nachlässigkeit vergessen, irgendwo stehen oder liegen lassen; sich um etw nicht kümmern. ↗schlampen. 1600 ff. **2.** intr = unordentlich werden; in geistiger Hinsicht sich vernachlässigen; verkommen. Seit dem 19. Jh.

verschlappen tr etw aus Unordentlichkeit und/ oder Rücksichtslosigkeit verderben; etw aus Vergeßlichkeit unterlassen. Nebenform zu ↗verschlabbern 3. 1900 ff.

verschleckern tr Geld ~ = Geld für Leckereien ausgeben. ↗Schlecker 1. 1900 ff.

Verschleimter m X. der Verschleimte = Potentat unbekannten, vergessenen Namens. ↗Gerösteter. Schül und stud, 1920 ff.

verschleißen tr **1.** Männer (Frauen) ~ = kurzfristige Liebesabenteuer haben; viele Partner (Vorgesetzte o. ä.) erleben. Soviel wie „abnutzen". 1955 ff. Vgl ndl „mannen verslijten". **2.** ein Gesicht ~ = ein Gesicht zu oft (im Fernsehen, im Film o. ä.) zeigen. 1960 ff.

verschlimmbessern tr etw verschlechtern in der Absicht, es zu verbessern. Im späten 18. Jh aufgekommen.

Verschlimmböserung f mißglückter Verbesserungsversuch. Lehrerspr. 1920 ff.

verschlingen tr **1.** ein Buch ~ = ein Buch gierig lesen. Spätestens seit 1870. **2.** jn (etw) hingerissen anblicken. Seit dem 19. Jh.

verschlissen adj veraltet, verbraucht; nicht mehr publikumswirksam. 1900 ff.

verschlucken tr **1.** etw widerspruchslos hinnehmen. Analog zu ↗schlucken 4. 1700 ff. **2.** jn mit Leichtigkeit besiegen. Eigentlich soviel wie „als Jagdbeute sich einverleiben". Sportl 1950 ff.

verschlupfen intr unauffällig weggehen; sich verstecken. Schlupfen, schlüpfen = schleichen, kriechen; durch eine schmale Öffnung sich in Sicherheit bringen. 1700 ff, südd.

Verschlußklappe f After. Analog zu ↗Ventil 1. 1900 ff, sold.

verschmaddern tr **1.** etw beschmutzen. ↗schmaddern 1. Niederd seit dem 19. Jh. **2.** etw vergeuden, durchbringen. Seit dem 19. Jh. **3.** etw absichtlich vernichten. Seit dem 19. Jh.

verschmeißen v **1.** tr intr = falsch werfen, verwerfen. ↗schmeißen 1. Seit dem 18. Jh. **2.** tr = etw verlegen, verräumen. Seit dem 18. Jh.

verschmettern tr jn zu einer Freiheitsstrafe verurteilen. Anspielung auf die schmetternde Stimme; analog zu ↗verdonnern. Seit dem 19. Jh.

verschmicken tr jn prügeln. Gehört zu „Schmicke = Rute zum Schlagen; Fuhrmanns-, Kinderpeitsche"; vgl ↗Schmackes. Niederd, 1900 ff.

verschmieren tr jn im Fahren überholen. Anspielung auf die Verunreinigung der Windschutzscheibe. Kraftfahrerspr. seit dem frühen 20. Jh.

verschmitzt adj listig, verschlagen, pfiffig, schlau. Fußt auf „schmitzen = mit Ruten schlagen". Analog zu hd „verschlagen". Seit dem 16. Jh.

verschmockt adj vielschwätzerisch, gewissenlos (auf Journalisten bezogen). ↗Schmock 1. 1900 ff.

verschmusen v sich von jm ~ lassen = jn als Heiratsvermittler gewinnen. ↗schmusen 3. Bayr seit dem 19. Jh.

verschnacken v **1.** die Zeit ~ = die Zeit mit Schwätzen verbringen. ↗schnacken 1. Niederd, 1700 ff. **2.** sich ~ = Geheimes unbedacht ausplaudern. Seit dem 19. Jh.

verschnappen v **1.** refl = sich durch seine eigenen Worte verraten; unüberlegt ausplaudern. Eigentlich soviel wie „verkehrt schnappen; sich vergreifen". 1500 ff. **2.** tr = etw versehentlich preisgeben, verraten. 1600 ff.

verschnapsen tr Geld für Schnaps ausgeben. Seit dem 19. Jh.

verschnasseln tr Geld für Alkohol ausgeben. ↗schnasseln. 1900 ff.

Verschnaufe f Verschnaufpause. Jug 1965 ff.

Verschnaufinsel f Verkehrsinsel. 1950 ff.

verschneiden tr etw zu Geld machen. Meint eigentlich „vom ganzen Stück (Ballen Tuch o. ä.) ein Teil abschneiden" und weiter „in Einzelstücken verkaufen". Österr 1950 ff.

verschnudelt adj ungepflegt, unsauber. Gehört zu „Schnodder = Nasenschleim". 1900 ff.

verschnulzen tr **1.** jn an seichte musikalische oder literarische Machwerke gewöhnen. ↗Schnulze 1. 1950 ff. **2.** eine Melodie oder ein literarisches Motiv ins Anspruchslos-Gefühlvolle abändern. 1950 ff.

verschnupfen tr **1.** jn verstimmen, ärgern, kränken. Meint eigentlich „zum Schnupfen bringen". Gesundheitliche Verstimmung wird mit seelischer gleichgesetzt. Seit dem 17. Jh. **2.** Geld für Leckereien ausgeben. Gehört zu „schnuppern = Gerüche einatmen" und bezieht sich eigentlich auf einen, der an den Speisen riecht, ehe er sie verzehrt. Von da weiterentwickelt zur Bedeutung „wählerisch, naschhaft sein". Seit dem 19. Jh.

Verschönerungsarchitekt m Theaterfrisör, Maskenbildner. Theaterspr. 1900 ff.

Verschönerungsingenieur m Frisör. Österr 1920 ff.

Verschönerungskünstler (-rat) m Frisör. 1850 ff.

verschossen aussehen intr kränklich, übernächtigt aussehen. Hergenommen vom Begriff der „verschossenen = fahl gewordenen, ausgebleichten" Farbe. 1900 ff.

verschossen sein 1. verliebt sein. ↗verschießen 3. Seit dem 18. Jh. **2.** nicht bei Geld sein. Man hat sein ganzes „↗Pulver" verschossen. BSD 1965 ff.

verschraubt sein nicht bei klaren Sinnen sein. Fußt auf der Vorstellung vom Gehirn als einem Mechanismus; vgl ↗Schraube 12. Kann auch auf falsche Aufschraubung des Deckels auf ein Gefäß mit Schraubverschluß zurückgehen. 1900 ff.

verschrocken sein erschrocken sein; schreckhaft sein. Seit dem 19. Jh.

verschrubben refl **1.** unauffällig davongehen. Schrubben = scheuern, kratzen. Dadurch Analogie zu „↗auskratzen". Nordd 1910 ff. **2.** sich irren. Leitet sich wohl her vom Scheuern eines Gegenstands, der kein Scheuern verträgt. 1910 ff. **3.** falsch spielen; sich im Ton, in der Note vergreifen. ↗schrubben 3. Jug 1955 ff.

verschubt werden in eine andere Haftanstalt verlegt werden. ↗Schub 1. 1950 ff.

verschuften v **1.** tr = jn zur Anzeige bringen, verraten, verleumden. Der Angezeigte wird als „Schuft" hingestellt, und der Anzeigende handelt „schuftig". Vorwiegend oberd, seit dem 19. Jh. Beliebte Schülervokabel. **2.** refl = sich durch Hinterhältigkeit die allgemeine Achtung verscherzen. 1870 ff, kadettenspr.

verschulen (verschullen) refl eiligst, heimlich davongehen. Niederd „schulen = sich verbergen; Schutz suchen". Sold 1939 ff; ziv 1945 ff.

verschummeln tr heimlich etw verstecken. ↗schummeln. Österr seit dem 19. Jh.

verschupft adj **1.** verschüchtert. Analog zu „verstoßen = mit Stoßspuren versehen". Oberd, 1500 ff. **2.** geistesverwirrt. Oberd, 1500 ff.

verschustern tr **1.** etw verderben, unsorgfältig behandeln; etw vertun. ↗schustern 1. Seit dem 19. Jh.

2. etw unauffindbar verlegen. Seit dem 19. Jh.

verschustert *adj* geschlechtlich verbraucht. ↗ schustern 3. *Österr* seit dem 19. Jh.

Verschütt *m* Haft. *Vgl* das Folgende. *Rotw* 1920 *ff.*

verschütten *v* **1.** es bei jm ~ = sich mit jm entzweien; sich jds Wohlwollen verscherzen. Was man verschüttet, ist entweder das „↗ Fettnäpfchen", oder es sind die Suppe, der Brei, das Salz oder das Wasser, wie vollständige Redensarten des 16. Jhs belegen. Seit dem 16. Jh.
2. jn ~ = jn verhaften. ↗ verschütt gehen 2. *Rotw* seit dem frühen 19. Jh.

verschütt gehen *intr* **1.** verloren gehen; verderben; verkommen. Fußt auf *niederd* „schütten = einsperren": in fremde Felder gelaufenes Vieh durfte vom Flurschütz eingesperrt oder verpfändet werden. 1800 *ff.*
2. verhaftet werden. *Rotw* seit dem frühen 19. Jh.
3. in Kriegsgefangenschaft geraten. *Sold* in beiden Weltkriegen.
4. umkommen; vermißt werden. *Sold* in beiden Weltkriegen.
5. jn ~ lassen = jn verhaften. ↗ verschütt gehen 2. *Rotw* 1840 *ff.*

verschwätzen *refl* von Gesprächsthema zu Gesprächsthema kommen und darüber das eigentliche Anliegen vergessen. 1900 *ff.*

verschweinen *v* **1.** *tr* = etw durch unsachgemäße Behandlung verderben. Analog zu ↗ versauen. Seit dem 19. Jh.
2. *intr* = ins Pornografische abgleiten. 1960 *ff.*

verschweinigeln *tr* **1.** etw verunreinigen. ↗ schweinigeln. Seit dem 19. Jh.
2. etw durch Ungeschick verderben. Seit dem 19. Jh.
3. trotz guter Karten das Spiel verlieren. Kartenspielerspr. Seit dem 19. Jh.

verschwinden (verschwinden gehen) *intr* **1.** davongehen. Meist in der Befehlsform. Seit dem 19. Jh.
2. den Abort aufsuchen. Euphemismus. Seit dem 19. Jh.

Verschwindsucht *f* Bestreben, dem Wehrdienst zu entgehen. Zusammengesetzt aus „verschwinden" und „Schwindsucht". 1800 *ff.*

verschwitzen *tr* etw aus Vergeßlichkeit unterlassen; etw verlernen. Meint eigentlich „durch Schwitzen verlieren" (*vgl* ↗ Rippe 22); von da verallgemeinert für Gedächtnisschwund. 1700 *ff.*

verschwuddert *adj* verkommen, verlebt. Gehört zu „↗ Swutscher" (mit Konsonantenerleichterung). *Nordd* seit dem 19. Jh.

versemmeln *tr* **1.** jn verprügeln. Man schlägt den Betreffenden „semmelweich". *Schül,* 1920 *ff.*
2. etw veräußern. Eigentlich soviel wie „für Semmeln ausgeben". Da „Brot" die Bedeutung „Geld" hat, ergibt sich Analogie zu „etw zu Geld machen". *BSD* 1965 *ff.*

versenken *tr* **1.** die Diebesbeute verbergen, vergraben. *Rotw* 1900 *ff.*
2. jn zu einer Freiheitsstrafe verurteilen. Man steckt ihn ins „↗ Loch = Gefängnis". 1900 *ff.*
3. einen ~ = koitieren. Hinter „einen" ergänze „Penis". Seit dem frühen 20. Jh.

Versenkung *f* **1.** aus der ~ auftauchen (erscheinen) = nach längerem, spurlosem

---

Verschwinden wieder auftauchen. Übertragen von den Versenkungseinrichtungen der Bühne. Seit dem späten 19. Jh.
1 a. in der ~ verschwinden = a) sich entfernen; spurlos verschwinden. 1870 *ff.* – b) in Vergessenheit geraten. 1900 *ff.*
2. jn aus der ~ holen = einen Künstler nach langer Pause erneut engagieren. 1920 *ff.*
3. etw aus der ~ holen = die Schnapsflasche hinter den Büchern hervorholen; Familienandenken hervorkramen o. ä. 1920 *ff.*

'Verseschmied *m* Reimer. ↗ Vers 7. Spätestens seit 1800.

versetzen *v* **1.** jm einen ~ = jn schlagen, ohrfeigen. „Versetzen = von einer Stelle auf die andere bringen (und dort niedersetzen)"; übertragen auf den Fechtsport: man pariert beim Fechten. Seit dem 17. Jh.
2. jm eins ~ = an jm Rache nehmen; Kränkung mit Kränkung erwidern; eine Niederlage durch einen Sieg wettmachen. 1600 *ff.*
3. jn ~ = jn im Stich lassen; eine Verabredung nicht einhalten. Sachverwandt mit „sitzen lassen" (↗ sitzen 11). 1850 *ff.*
4. jn ~ = jn überflügeln, aus-, umspielen. *Sportl* 1950 *ff.*

versichert sein bist du gut versichert?: Drohfrage. Anspielung auf Kranken- und Lebensversicherung. 1930 *ff.*

versieben *tr* **1.** eine schlechte Klassenarbeit schreiben. ↗ durchfallen 1. *Schül,* spätestens seit 1900.
2. etw aus Vergeßlichkeit unterlassen; etw vergessen. Man hat ein „Gedächtnis wie ein ↗ Sieb". 1900 *ff.*
3. beim Kartenspielen verlieren. Kartenspielerspr. 1900 *ff.*
4. es bei jm ~ = sich jds Wohlwollen verscherzen. 1900 *ff.*
5. es ist versiebt gegangen = es ist gescheitert. 1955 *ff.*

'Versi'fex *m* Reimer. ↗ Fex. Seit dem 19. Jh.

versifft *adj präd* schmutzig; von Ungeziefer befallen. Bezieht sich vielleicht auf die durch Geschlechtsverkehr erworbenen Filzläuse; ↗ Siff = Syphilis. Kann aber auch auf „Siffilist = Zivilist" beruhen in der Meinung, nur der Soldat sei sauber und reinlich. *BSD* 1965 *ff.*

versilbern *tr* **1.** etw verkaufen, zu Geld machen. Hängt mit dem Silbergeld zusammen. Seit dem 15. Jh, vorwiegend *stud, sold* und *schül.*
2. jn mit einer Silbermedaille auszeichnen. 1960 *ff.*

versimpeln *f* **1.** *intr* = den geistigen Schwung verlieren; geistig abstumpfen; einfältig, abständig werden. ↗ Simpel 1. 1600 *ff.*
2. *tr* = etw durch Gedankenlosigkeit versäumen, verlieren, verderben, vergeuden. Seit dem 19. Jh.
3. *tr* = etw in unzulässiger Weise vereinfachen, verharmlosen. 1930 *ff.*

versitzen *v* **1.** *intr* = seine berufliche Laufbahn verfehlen. Eigentlich soviel wie „durch Sitzen versäumen"; man sitzt zu lange und wartet, statt rührig zu sein. *Österr* seit dem 19. Jh.
2. *refl* = keinen Ehepartner finden. Analog zu ↗ sitzenbleiben 1. *Österr* seit dem 19. Jh.

---

3. sich die Zeit ~ = seine Zeit (untätig) im Sitzen verbringen. Seit dem 18. Jh.

versohlen *tr* jn verprügeln. Analog zu ↗ verledern. Kann auch anspielen auf die Strafart der Bastonnade (Schläge auf die Fußsohlen). Seit dem 18. Jh.

Versöhnler *m* **1.** Kommunist, der die Zusammenarbeit mit der Sozialdemokratie für richtig hält. 1930 *ff.*
2. Politiker, der die Versöhnung politischer Gegner anstrebt. 1955 *ff.*

verspeisen *v* **1.** jn ~ = jn mit Leichtigkeit besiegen. *Vgl* ↗ verschlucken 2. *Sportl* 1950 *ff.*
2. von jm verspeist werden = von jm vollauf mit Beschlag belegt werden. 1950 *ff.*

verspielen *tr* **1.** zehn Pfund ~ = an Gewicht zehn Pfund abnehmen. Man hat sie umsonst zugenommen. 1920 *ff.*
2. drei Tage ~ = durch Krankheit (Streik, Aussperrung) den Arbeitslohn für drei Tage verlieren. 1920 *ff.*

verspießern *intr* im Sinn für Höheres verlieren; geistig abstumpfen. ↗ Spießer 1. 1900 *ff.*

verspießt sein wie ein Kleinbürger denken. ↗ Spießbürger. 1920 *ff.*

verspinnert *adj* vergrübelt; Hirngespinste verfolgend. ↗ spinnen 1. *Bayr* und *österr,* seit dem 19. Jh.

Versprechung *f* faule ~ = Versprechung, die kein Vertrauen verdient. ↗ faul 1. 1900 *ff.*

Verstand *m* **1.** du hast wohl deinen ~ in der Garderobe abgegeben?: Frage an einen, der unsinnige Äußerungen tut. 1920 *ff.*
2. der ~ ist durchgerostet = er hat rötliches Haar. *BSD* 1970 *ff.*
3. den ~ allein gefressen haben = als einziger so klug sein (sich so klug dünken). 1800 *ff.*
4. den ~ mit Löffeln gefressen haben = a) sich für besonders klug halten. ↗ Löffel 13. Seit dem 19. Jh. – b) ziemlich dumm sein. Der Betreffende hat wohl einen Schaumlöffel benutzt: der Verstand ist durch die Löcher ausgeflossen. Seit dem 19. Jh.
5. etw mit ~ genießen = einen Genuß voll zu würdigen wissen; etw mit Überlegung zu sich nehmen. Verstand ist hier das Verständnis für die Güte der Speise. Seit dem 19. Jh.
6. den ~ sauber halten. = die klare Überlegung bewahren. 1960 *ff.*
6 a. der ~ macht Feierabend = man ist begriffsstutzig. 1950 *ff.*
7. der ~ ist in den Hintern gerutscht = man handelt ohne Überlegung. 1920 *ff.*
8. der ~ ist im Arsch = die guten Vorsätze sind vergessen; man handelt unverständig. *Vgl* ↗ Arsch 205. 1900 *ff.*
9. ihm bleibt der ~ stehen = es ist ihm unverständlich. Wie ein Uhrwerk bleibt der Verstand stehen. Spätestens seit 1750 *ff.*
10. da steht mir der ~ still = das ist mir unbegreiflich. Erklärt sich wie das Vorhergehende. 1750 *ff.*
11. sich den ~ verrenken = angestrengt nachdenken. Von der Muskelzerrung o. ä. übertragen. Seit dem 19. Jh.

verstandez-vous? („-ez-vous" *franz* ausgesprochen) verstanden? Scherzhafte Bildung nach dem Muster *franz* Konjugation. 1830 *ff.*

verstänkern *v* 1. *tr* = etw mit Gestank erfüllen. 1600 *ff.*
2. *tr* = etw vergällen, unbenutzbar (ungenießbar) machen. 1900 *ff.*
3. *refl* = sich entzweien. ↗stänkern 1. 1900 *ff.*

verstauchen *tr* 1. etw verzehren. ↗stauchen 5. 1900 *ff.*
2. sich den Geist ~ = angestrengt nachdenken. Übertragen vom medizinischen Begriff der Bänderzerrung. 1950 *ff.*
3. sich die Psyche ~ = Psychopath werden. 1950 *ff.*

verstauen *tr* etw essen, aufessen; trotz Sättigung weiteressen. ↗stauen. Stammt aus dem Wortschatz der Seeleute und der Kriegsmarine; etwa seit dem späten 19. Jh.

Verstehste *f* (zuweilen auch *m*) 1. Verstand, Auffassungsgabe, Verständnis. Substantiviert aus „verstehst du mich?". Berlin 1840 *ff.*
2. schwere ~ = schlechtes Auffassungsvermögen; Schwerhörigkeit. Berlin 1840 *ff.*
3. seine ~ tagt = er begreift endlich. Tagen = taghell werden. Berlin 1900 *ff.*

Verstehstemich *m* (zuweilen auch *n*) 1. Verstand, Verständnis, Begriffsvermögen. ↗Verstehste 1. 1820 *ff.*
2. schwer von ~ sein = begriffsstutzig sein. 1900 *ff.*

versteifen *v* sich auf etw (jn) ~ = an einer Sache oder Person beharrlich (eigensinnig) festhalten. Eigentlich soviel wie „hartnäckig werden; sich verhärten". Seit dem 19. Jh.

versteuern *v* seine Freundlichkeit wird versteuert = er ist unfreundlich, ungesellig. 1950 *ff.*

verstiegen *adj* überspannt. Übertragen vom Weidevieh in den Bergen: es klettert so hoch, daß es ohne menschliche Hilfe nicht mehr zurückfindet. Seit dem 17. Jh.

verstinken *refl* mit einem Kraftfahrzeug abfahren; abfliegen. Man startet unter Gestankentwicklung. 1910 *ff.*

Verstopfter *m* X. der Verstopfte = Potentat, dessen Namen einem entfallen ist. ↗Gerösteter. *Stud* und *schül* 1920 *ff.*

verstoßen I *tr* eine ~ = koitieren, schwängern. ↗stoßen 3. 1900 *ff.*

verstoßen II *adj adv* 1. geschwängert. *Vgl* das Vorhergehende. 1910 *ff.*
2. ~ aussehen = mißschattete Augen haben. Man führt dies auf reichlichen Geschlechtsverkehr zurück. 1920 *ff.*

verströmen *refl* ejakulieren. 1920 *ff.*

verstrubbelt (verstruwwelt) *adj* ungekämmt, wirr, unfrisiert. ↗Strubbel 1. Seit dem 19. Jh.

verstunken *part* ~ und verlogen = völlig erlogen. ↗erstunken. 1800 *ff, südwestd.*

versturen *intr* geistige Interessen verlieren; starrsinnig werden. ↗stur 1. Im Ersten Weltkrieg bei den Soldaten aufgekommen und kurz nach seinem Ende von Schülern und Studenten aufgegriffen, vor allem als Scheltausdruck auf die Erwachsenen, die für die modernen Ansichten der jungen Leute kein Verständnis aufbrachten.

Versuch *m* letzter ~ = a) Damenhut von jugendlicher Machart, getragen von einer älteren Frau; auffällig-jugendliche Kleidung einer älteren Frau; herausfordernde Kleidung; violetter Damenhut usw. Gemeint ist der letzte Versuch, jugendlich zu wirken und auf die Männer Eindruck zu machen. 1850 *ff.* – b) klarer Schnaps mit Rum; Bier mit Rum; Bier mit Kornschnaps. Dergleichen soll geschlechtliche Hemmungen beseitigen. 1920 *ff.*

Versucherle *n* Kostprobe. *Südwestd* und *bayr,* 1800 *ff.*

Versuchsballon *m* Erkundungsvorstoß. Übertragen von dem zur Feststellung der Luftströmung aufgelassenen Ballon. Seit dem ausgehenden 19. Jh.

Versuchskaninchen (-karnickel) *n* 1. Mensch, mit (an) dem eine Neuerung ausprobiert wird. Übertragen vom Kaninchen als Versuchstier in Forschungslaboratorien. Seit dem späten 19. Jh.
2. Gelegenheitsfreund(in). *Halbw* 1965 *ff.*

versusen *tr* 1. etw aus Vergeßlichkeit unterlassen. ↗Suse 1. Spätestens seit 1900, *nordd* und *ostmitteld.*
2. etw unauffordbar verlegen. 1900 *ff.*

vertandeln *tr* etw zu Geld machen. ↗Tandler. *Oberd* seit dem 19. Jh.

Verteidigungsbeamter *m* Soldat. *BSD* 1965 *ff.*

Verteilung *f* planmäßige ~ von Staub und Dreck = a) gründliche Reinigung der Kaserne, der Kasernenstube. *Sold* 1910 *ff.* – b) Hausputz. 1920 *ff.*

vertepscht *adj* zerdrückt; niedergeschlagen; verwirrt. ↗tappig. *Österr* seit dem 19. Jh.

verteufeln *tr* eine Person oder Sache überaus schlechtmachen; jn verleumden; jn für einen Bösewicht ausgeben. Hängt zusammen mit der Vorstellung vom Teufel als der Verkörperung des Bösen. 1900 *ff.*

verteufelt *adj adv* 1. widerwärtig; höchst unliebsam. 1500 *ff.*
2. *adv* = außerordentlich; sehr. 1600 *ff.*

vertifft sein übermäßig liebesgierig sein. ↗Tiffe 1. 1800 *ff.*

vertilgen *tr* etw gierig aufessen. Seit dem 19. Jh.

Vertingelung *f* Bearbeitung im Schlager-, Chansonstil. ↗Tingeltangel. 1950 *ff.*

vertippen *v* 1. *refl* = a) die falsche Schreib-, Rechenmaschinentaste anschlagen. ↗tippen 2. 1900 *ff.* b) falsch wetten; sich irren. ↗tippen 3. 1900 *ff.*
2. *tr* = Geld für den Kauf von Lotterielosen, für Lotto-, Totowetten ausgeben. 1900 *ff.*

ver'tobaken *tr* 1. jn prügeln. Hängt wahrscheinlich mit der Redewendung „das ist starker ↗Tabak" zusammen; doch sie ist hier „verbacken = zusammenballen" (auf den Schneeball bezogen) erweitert worden. Seit dem 19. Jh. *Vgl franz* „passer à tabac".
2. etw essen, aufessen. Meint im Sinne des Vorhergehenden den auffallend großen Appetit. 1900 *ff.*

vertörnen *tr* etw erzählen, plaudern; seine Zeit mit Plaudern verbringen. Fußt auf *engl* „turn = Drehung, Windung", übertragen auf den Knoten im Garn und dadurch zusammenhängend mit „↗Garn spinnen". Seemannsspr. 1900 *ff.*

vertrackt *adj* 1. widerwärtig, sehr unangenehm; überaus schwierig. Gehört zu „vertrecken = verziehen, verwirren". Ursprünglich *mitteld.* Seit dem 17. Jh.
2. *adv* = sehr. 1700 *ff.*

Vertrag *m* 1. jn unter ~ haben = jn vertraglich an sich gebunden haben; mit jm verheiratet sein. Aus der Impresariosprache hervorgegangen. 1920 *ff.*
2. jn unter ~ nehmen = (als Arbeitgeber) mit jm eine vertragliche Vereinbarung treffen. 1920 *ff.*
3. den ~ verlängern = die Schulklasse wiederholen. *Schül* 1960 *ff.*

Vertragsspieler *m* Zeitsoldat. Meint eigentlich den Fußballspieler, der während einer vertraglich vereinbarten Zeitspanne in einem bestimmten Verein spielt. *BSD* 1965 *ff.*

vertrant *adj* benommen, unaufmerksam, betäubt; langweilig; geistig träge. ↗Tran 4. 1900 *ff, schül* und *sold.*

Ver'trauensduse'lei *f* allzu sorgfältige Leichtgläubigkeit. Seit dem 19. Jh.

Vertreiber *m* Mann, der die Kriminalpolizei auf die falsche Spur lenkt. Er handelt genau entgegengesetzt zum Treiber, der dem Jäger das Wild zutreibt. 1920 *ff.*

vertretbar *adj* schmackhaft. Die Speise ist „zu vertreten", d. h. man kann sie verteidigen gegen andere Meinung. Aufzufassen als abgeschwächtes Lob. *BSD* 1965 *ff.*

vertreten *tr* etw vertuschen, unkenntlich machen, „aus der Welt schaffen". Übertragen vom Verwischen einer Fußspur. 1930 *ff.*

Vertreter *m* 1. Mann *(abf).* Meint eigentlich den Abgesandten oder Bevollmächtigten eines anderen, einer Gruppe, einer Firma usw. Verkürzt aus „Handelsvertreter" oder aus „Volksvertreter". Seit dem ausgehenden 19. Jh.
2. komischer ~ = wunderlicher Mensch. 1910 *ff.*
3. müder ~ = a) Mensch ohne ausreichendes berufliches Können. Theaterspr. 1930 *ff.* – b) energieloser Soldat. *Sold* 1939 *ff.*
4. netter ~ = niederträchtiger Mann. *Iron* Sinnverkehrung 1920 *ff.*

Vertreterbunker *m* Abgeordnetenhaus. Vertreter = Volksvertreter. 1945 *ff,* Berlin.

vertrimmen *tr* jn verprügeln. Fußt auf *engl* „to trim = putzen". „Reinigen" steht in der Umgangssprache für „Rügen" und ist gleichgesetzt mit „Schlagen, Prügeln". All das soll Verbesserung bewirken. Auch meint in der Seemannssprache „Trimm" die richtige Lage, die gehörige Ordnung: durch Prügel kann man die Ordnung wiederherstellen. 1900 *ff.*

vertrocknen *intr* am Mikrofon kaum zu hören sein. Die Stimme „verdorrt". 1960 *ff.*

vertrocknet *adj* 1. mager, dürr (auf Frauen bezogen). Seit dem frühen 20. Jh.
2. geistig ~ = ohne Verständnis für moderne Lebensgewohnheiten und Ansichten. 1920 *ff.*

Vertrocknete *pl* Erwachsene, Eltern. ↗vertrocknet 2. *Halbw* 1920 *ff.*

vertrotteln *v* 1. *intr* = den geistigen Schwung verlieren; unselbständig, energielos werden. ↗Trottel 1. Seit dem späten 19. Jh.
2. *tr* = jn willenlos machen; jn unterjochen. 1910 *ff.*

vertuckeln *tr* 1. etw trinken, vertrinken. Tuckeln = Gläser leicht aneinanderstoßen. ↗verkasematuckeln 1. 1930 *ff.*
2. etw für wertlose Dinge verausgaben. 1930 *ff.*
3. etw verheimlichen, heimlich beiseite bringen; etw jds Zugriff entziehen. Fußt

auf „duckeln" (Frequentativum von „tauchen"), beeinflußt von „Tücke". 1910 *ff.*

4. etw versetzen, umtauschen. 1920 *ff.*

Vertun *n* da gibt es (hilft) kein ~ = das ist unabänderlich; das steht fest, ist festgesetzt. *Westd* 1900 *ff.*

vertunteln *v* **1.** tr = jn verwöhnen, verzärteln. ↗tunteln 1. *Westd* und *ostd,* seit dem 19. Jh.

2. *intr* = altjüngferlich werden. 1900 *ff.*

vertüre'lüren *tr* etw vergeuden. „Türelüren" ahmt den Gesang der Lerche nach und spielt hier auf heitere, ausgelassene Stimmung an; analog zu ↗verjubeln. *Rhein* 1900 *ff.*

vertütern (vertüdern) 1. *tr* = etw verwirren, durcheinanderbringen, verwechseln, verlegen, unachtsam behandeln. ↗tütern 1. *Nordd* seit dem 19. Jh.

2. *refl* = sich in etw (Widersprüche, Lügen o. ä.) verwickeln. Seit dem 19. Jh.

verunfallen *intr* einen Unfall erleiden. Nach dem Muster von „verunglücken" gebildet. 1950 *ff.*

verunnüchtern *refl* sich betrinken. 1900 *ff.*

verunsichern *tr* jn unsicher machen; jds Überzeugung oder Glauben untergraben. Gegen 1960 aus dem *Schweiz* übernommen; vorwiegend politikerspr. und *journ.*

veruri'nieren *tr* etw zerstören, zertrümmern, vernichten. ↗Urin 1. 1900 *ff.*

verurteilen *tr* jn ~ und vierteilen = jn durch sehr heftige Kritik erledigen. *Journ* 1925 *ff.*

ververwalten *tr* Gelder für Zwecke der öffentlichen Verwaltung verwirtschaften. 1950 *ff.*

verviehzeugen *intr* moralisch verkommen; verrohen. Umschreibung für „vertieren". *Sächs* 1900 *ff;* Berlin 1914 *ff.*

vervielfachen *refl* reichlich Nachwuchs zeugen (gebären). Seit dem frühen 20. Jh.

vervögeln *tr* **1.** koitieren. ↗vögeln. Seit dem 19. Jh.

2. sein Geld in geschlechtlichen Ausschweifungen durchbringen. Seit dem 19. Jh.

3. vervögelt aussehen = blaß, übernächtigt aussehen. 1900 *ff.*

verwachsen *v* das verwächst sich = dieser Mißerfolg (Schmerz usw.) wird bald überstanden sein. Verwachsen = überwachsen, überwuchern. Vgl „da ist ↗Gras drüber gewachsen". 1900 *ff.*

verwachteln *tr* jn ohrfeigen. ↗Wachtel. *Schles,* seit dem 19. Jh.

verwackeln *tr* jn verprügeln. Man schlägt so heftig zu, daß der Betreffende ins Wanken gerät. *Ostmitteld* 1900 *ff.*

verwählen *refl* **1.** eine Person oder Partei wählen, die im Wahlkampf unterliegt. 1920 *ff.*

2. die falsche Fernsprechnummer wählen. 1920 *ff.*

verwahrlaust *adj* verwahrlost. Hieraus scherzhaft umgestaltet mit Anspielung auf Verlausung, die meist mit der Verwahrlosung verbunden ist. 1910 *ff.*

Verwaltungsburg *f* Verwaltungsgebäude. ↗Beamtenburg. 1950 *ff.*

Verwaltungskram *m* Verwaltungsarbeit *(abf).* 1935 *ff.*

Verwaltungsstier *m* Beamter herrschsüchtigen Charakters. ↗Bulle 1. *Halbw* 1955 *ff.*

Verwaltungs-Wasserkopf *m* übermäßig entwickelte Bürokratie. 1935 *ff.*

verwandeln *intr* einen vom Mitspieler abgegebenen Ball ins Tor treten. *Sportl* 1950 *ff.*

Verwandlungskünstlerin *f* Frau, die ihre Haartracht und -farbe oft ändert. Von der Zauberkunst (der Bühne) übertragen. 1955 *ff.*

Verwandte *f* mit dem Handrücken versetzte Ohrfeige. ↗Verwendete. 1840 *ff.*

Verwandtenbesuch machen den Zoologischen Garten besuchen. Anspielung auf die Affen als stammesgeschichtlich nahe Verwandte des Menschen. 1930 *ff, schül.*

Verwandtschaft *f* **1.** feine ~ = charakterlose, heimtückische, mißgünstige, erbgierige Verwandtschaft. 1920 *ff.*

2. die ganze krummbucklige ~ = alle Verwandten. „Krummbucklig" meint entweder „altersschwach, betagt" oder „würdelos Geschenke (Erbe) heischend". ↗Verwandtschaft 4. 1900 *ff.*

3. krüpplige ~ = Verwandtschaft *(abf).* 1900 *ff.*

4. die ganze puckelige (bucklige) ~ = die ganze Familie. „Bucklig" fußt auf *rotw* „bockelig = hungrig, gierig, geizig"; vgl ↗Bock 17. 1900 *ff.*

5. keine ~ kennen = selbstsüchtig sein. 1900 *ff.*

verwanzen *tr* in einem Raum geheime Abhörmikrofone anbringen. ↗Wanze 9. 1960 *ff.*

verwanzt *adj adv* **1.** minderwertig, unansehnlich, verkommen. Analog zu ↗lausig. *Halbw* 1950 *ff.*

2. etw ~ kneten = ein Musikinstrument (Ziehharmonika) schlecht spielen. *Halbw* 1950 *ff.*

verweigern *refl* die herrschenden gesellschaftlichen Zustände ablehnen; sich vom Elternhaus trennen und keine feste Bindung eingehen; sich nicht anpassen. *Halbw* 1970 *ff.*

verwelkt *adj* verlebt; altjüngferlich; ohne den „Schmelz der Jugend". 1870 *ff.*

Verwendete *f* mit dem Handrücken geschlagene Ohrfeige. Verwenden = verdrehen. 1830 *ff.*

verwerfen *intr* eine Fehlgeburt haben. Dem Wortschatz der Viehzüchter entlehnte Vokabel. 1500 *ff.*

verwichsen *tr* **1.** jn verprügeln. ↗wichsen. Seit dem 19. Jh.

2. einen Vorteil über jn erringen; jn im Rennen besiegen. In der Umgangssprache wird Besiegen mit Prügeln gleichgesetzt. 1910 *ff.*

3. etw durchbringen, verzehren. Kann zusammenhängen mit „Wichs = Festtagstracht der Studenten" und also auf Geldausgabe für Kleiderprunk anspielen; „wichsen = putzen" ergibt auch Analogie zu „↗verputzen 2". Spätestens seit 1800.

verwichst *adj* schlaff, energielos. Fußt auf „wichsen = koitieren; onanieren". 1920 *ff.*

verwogen *adj* keck, übermütig. Früher in Schriftsprache und Mundarten verbreitete Form von „verwegen"; heute meist in burschikosem Sinn gebräuchlich. Seit dem 19. Jh.

verworfen *adj* **1.** unfähig, das Ziel zu erreichen. Leitet sich her von einem falschen Wurf, wahrscheinlich auf das Kegeln bezogen. 1900 *ff.*

2. leicht ~ = leicht unvornehm wirkend (auf Gegenstände bezogen). Hängt mit dem Künstlerwort „Wurf" zusammen; vgl ↗Schmiß 2. 1950 *ff.*

verwundbar *adj* leicht zu durchbrechen. Von der schwach besetzten Stelle der Frontlinie übertragen auf die Abwehrreihe der Fußballspieler. *Sportl* 1955 *ff.*

Verwünschung *f* jm eine kleine ~ an den Keks (Kopf) schmeißen = jn freundlich, höflich begrüßen. *Halbw* nach 1950, Berlin.

verwurschteln (verwursteln) *v* **1.** tr = etw durcheinanderbringen, verderben, verschwenden, unsachgemäß ausführen. Früher wurden Fleischabfälle jeder Art zu (minderwertiger) Wurst verarbeitet. ↗wurschteln. Seit dem 19. Jh, vorwiegend *oberd* und mit Ausstrahlung nach Hessen und ins Rheinland.

2. *refl* = sich übergroße Mühe geben. 1920 *ff.*

verwursten *tr* **1.** etw zerstören, durch unsachgemäße Arbeitsweise verderben. *Österr* seit dem 19. Jh.

2. etw für eine undankbare Aufgabe opfern. *Österr* 1900 *ff.*

3. Hochwertiges neben Minderwertigem darbieten. Kritikerspr. 1950 *ff.*

4. jn aus etw herausdrängen; jn verabschieden. Analog zu „durch den ↗Wolf drehen". 1900 *ff.*

verzapfen *tr* **1.** etw verabreichen, beisteuern, äußern (er hat einen Witz verzapft). Meint eigentlich „im Ausschank verabreichen"; dann von Studenten ins Scherzhafte gewendet und auf geistige Beiträge bezogen. Gegen 1860 aufgekommen.

2. Lügen vorbringen. *Österr,* 1920 *ff.*

verzickt *adj* **1.** kleingeistig; ohne geistigen Schwung; modernen Anschauungen verständnislos gegenüberstehend. ↗zickig. *Halbw* und musikerspr., 1950 *ff.*

2. von Launen geplagt. 1960 *ff.*

verziehen *v* **1.** jn ~ = jn zu einer Lustbarkeit mitnehmen. Meint soviel wie „wegführen". *Bayr* 1900 *ff.*

2. jm etw ~ = einen fremden Gegenstand verlegen, verstecken. *Bayr* 1900 *ff.*

3. *refl* = sich heimlich entfernen, weggehen; den Rückzug antreten. 1800 *ff.*

4. *refl* = den Abschied nehmen; in Pension gehen. 1920 *ff.*

Verzierung *f* **1.** brich dir keine ~ ab! = sei nicht so überheblich! tu nicht so übereifrig! Dünkelhafte Leute nehmen eine unnatürliche Haltung an und tragen die Nase hoch; ihre Nase kann als „Verzierung" gelten. Doch identifiziert man den Hochmütigen auch mit dem Adligen, und der Adlige trägt eine Krone, deren Zackenzahl ein aristokratisches Unterscheidungsmerkmal ist. Vgl ↗Zacke. Um 1840 in Berlin aufgekommen.

2. sich eine ~ (sämtliche ~en) abbrechen = sich um eine Person oder Sache heftig bemühen. In der Eile kann Zierat leicht abbrechen. Spätestens seit 1800.

3. bei ihr ist die ~ abgebrochen = sie hat ihre Schönheit eingebüßt. 1920 *ff.*

verzinken *tr* **1.** jn verraten. ↗Zinker. Verbrecherspr. seit dem 19. Jh.

2. koitieren (vom Mann gesagt). Zinken = Penis. 1920 *ff.*

verzoppen *refl* unbemerkt davongehen. ↗verzupfen. Berlin seit dem späten 19. Jh.

verzuckern *tr* etw entgegen den Tatsachen günstig darstellen, verharmlosen, beschönigen. ↗Pille 22. 1900 *ff.*

Verzug *m* verwöhnter Liebling. Man hat ihn „verzogen". 1820 *ff.*

verzupfen *v* 1. eine ~ = koitieren. Versteht sich nach „zupfen = zerren, ziehen" im Sinne eines Verführens. 1935 *ff.*
2. *intr refl* = unbemerkt davongehen. Parallel zu „↗verziehen 3". Vorwiegend *oberd,* 1900 *ff.*

verzwackt *adj* schwierig. Ablautende Nebenform zu „↗verzwickt". 1900 *ff.*

Verzweiflung *f* Verzeihung. Scherzhafte Entstellung, wohl unfreiwilligen „Fehlleistungen" nachempfunden, wie sie Sigmund Freud beschrieben hat. 1940 *ff.*

verzweigen *v* sich um jn ~ = jn umarmen. Seit dem 19. Jh.

verzwicken *v* 1. etw ~ = etw verzehren. Man „zwickt" es vom Teller. *Schül* 1956 *ff,* bayr.
2. es verzwickt ihn = es beunruhigt ihn; es stört ihn, macht ihn unsicher. Analog zu „klemmen = einengen"; *vgl* ↗Klemme 1. 1950 *ff.*

verzwickt *adj* verwickelt, verwirrt, ärgerlich, schwierig. Zwicken = mit einer Zange festhalten. Verzwicktes ist fest zusammengehalten und schwer zu lösen. Seit dem 18. Jh.

verzwiebelt *adj* schwierig. Gehört zu „zwiebeln = schikanieren". 1900 *ff.*

verzwiefeln *intr* verzweifeln. Berlin 1920 *ff.*

verzwirbelt *adj* 1. geistesgetrübt; benommen. Zwirbeln = drehen. Daher parallel zu „↗verdreht". 1870 *ff.*
2. schwierig; schwer lösbar. 1920 *ff.*

verzwofeln *intr* verzweifeln. Übernommen aus der Telefonverkehrssprache, in der für die Zahl 2 „zwo" gesagt wird. 1900 *ff.*

Vespasi'anum *n* öffentliche Bedürfnisanstalt. Fußt auf dem Namen des *röm* Kaisers Vespasian, der die Abortsteuer eingeführt hat. 1900 *ff.*

Vesper (Veschper) *n (f)* Zwischenmahlzeit, Nachmittagsmahlzeit. Fußt auf *lat* „vespera = Abend" und bezeichnet eigentlich die abendliche Gebetsstunde, den abendlichen Gottesdienst. Im 16. Jh übergegangen auf einen zwischen Mittag- und Abendessen eingenommenen Imbiß.

vespern (veschpern) *intr* 1. Zwischenmahlzeit halten. *Vgl* das Vorhergehende. 1700 *ff.*
2. bei jm ~ = dem Mitspieler in die Karten sehen. Analog zu ↗frühstücken 2. *Südwestd* seit dem 19. Jh.

Veteranenflinte *f* Regenschirm. Bei Aufmärschen trugen früher die Kriegsteilnehmer zivilen Standes statt des Gewehrs einen zusammengerollten Regenschirm geschultert. Gegen 1864 aufgekommen.

Vettel *f* alte Frau. Geht zurück auf *gleichbed lat* „vetula". Wohl durch Studenten aufgekommen. Seit dem 15. Jh.

Vetterleswirtschaft (Vetterchenswirtschaft) *f* Günstlingswesen. Seit dem 19. Jh.

vettermicheln *intr* sich anbiedern. Seit dem 19. Jh.

Vetternreise *f* Reise zu Verwandten und Bekannten, bei denen man kostenlos wohnt. Seit dem 19. Jh.

Vetternwirtschaft *f* Günstlingswirtschaft. Seit dem 19. Jh.

Vexierknöchelchen *n* volkstümlich als „Knöchelchen" aufgefaßte, besonders reizempfindliche Stelle am Ellbogen, bei der man wie elektrisiert stoßartiger Berührung zusammenzuckt. Vexieren = irreführen, necken, quälen. Vorwiegend *westd,* seit dem 19. Jh.

Vibrations *(engl* ausgesprochen) *pl* von andern bewirkte, gefühlsmäßige Anmutungen (Gefühlsreaktionen). *Halbw* seit 1983.

Vide'ot (Vidi'ot) *m* leidenschaftlicher, unkritischer Fernsehzuschauer; Benutzer von Video-Recorder und -Kassetten. Kontaminiert aus „ Video" („Television") und „Idiot". 1975 *ff.*

Viech *n* 1. Tier. Geht zurück auf *mhd* „vich = Vieh". 1500 *ff.*
2. starker, grober Mensch; tüchtiger Mensch. Seit dem 19. Jh.
3. Mensch, der stets zu Witzen und Streichen aufgelegt ist; hervorragender Unterhalter. *Bayr,* 1900 *ff.*
4. ~ mit Haxen = dummer Mensch. Meist „Viech mit zwei Haxen" genannt. *Bayr* und *österr,* 1900 *ff.*
5. hohes ~ = hochgestellte, einflußreiche Person. Parallel zu „↗Tier 9". *Südd* seit dem 19. Jh.
6. reiches ~ = Wohlhabender *(abf). Südd* 1950 *ff.*
7. das hält kein ~ aus = das ist unerträglich. *Österr,* 1900 *ff.*

Viecherei *f* 1. Tierwelt, Fauna. 1870 *ff.*
2. Tierbestand eines Gutshofs o. ä. 1900 *ff.*
3. Niedertracht, Grobheit, Rohheit. Parallel zu „↗Sauerei", „↗Schweinerei". Seit dem 19. Jh.
4. derber Scherz; loser Streich. *Oberd* seit dem 19. Jh.
5. schwere Anstrengung; harte Mühsal; Quälerei. 1920 *ff.*

Viechs- (viechs-) in doppelt betonten Zusammensetzungen verstärkt die Bedeutung des Grundworts. Diese Verwendung leitet sich her von der körperlichen Kraft höherer Haus- und Wildtiere, von ihrer Größe (Körpermasse) und Widerstandsfähigkeit, auch von ihrer Widersetzlichkeit und (vermeintlichen) Angriffslust. Seit dem 18. Jh.

'Viechs'arbeit *f* schwere Arbeit. Seit dem 19. Jh, *bayr* und *österr.*

'viechs'dumm *adj* sehr dumm. Seit dem 19. Jh.

'Viechs'glück *n* großer Glücksfall. Parallel zu „↗Sauglück" und „↗Schweineglück". 1900 *ff.*

'Viechs'kerl *m* 1. sehr kräftiger, grober, sinnlicher Mann. *Oberd* seit dem 19. Jh.
2. niederträchtiger Mann. *Oberd* seit dem 19. Jh.

'Viechs'rausch *m* schwerer Alkoholrausch. *Bayr* und *österr,* seit dem 19. Jh.

'Viechs-'Vieh *n* höchst widerwärtiger Mensch. 1900 *ff.*

'Viechs'zorn *m* heftiger Zorn. *Österr* seit dem 19. Jh.

Vieh *n* 1. dummer Mensch. Seit dem 19. Jh.
2. sinnlicher Mensch. Seit dem 15. Jh.
3. ~ mit zwei Haxen = a) dummer, ungebildeter Mensch. *Österr* 1910 *ff.* – b) gewitzter Mensch. *Österr* 1910 *ff.*
4. großes ~ = a) hochgestellte Person des öffentlichen Lebens. Analog zu ↗Tier 9. Seit dem 19. Jh. – b) hochgestellte Person, die rücksichtslos ihren Posten verteidigt und für eigene Zwecke nutzt. 1900 *ff.*

5. hohes ~ = hochgestellte Person. ↗Tier 9. Seit dem 19. Jh. 1960 erklärte in einem Beleidigungsprozeß des österreichischen Vizekanzlers Bruno Pittermann gegen einen Redakteur das Germanistische Institut der Universität Graz, das Wort sei nicht beleidigend, sondern burschikos anerkennend.
6. arbeiten wie ein ~ = schwer arbeiten. Seit dem 19. Jh.
7. saufen wie das liebe ~ = viel trinken. Seit dem 19. Jh.

'vieh'dumm *adj* sehr dumm. *Südd* seit dem 18. Jh.

Viehfabrikationsrat *m* Leiter einer (staatlichen) Deckstation. 1910 *ff.*

viehisch *adj* 1. niederträchtig, unkameradschaftlich, unwürdig, würdelos. „Das Vieh" gilt im allgemeinen als brutal, selbstsüchtig, heimtückisch u. ä.: es werden ihm typisch menschliche Wesenszüge zugeschrieben. 1920 *ff.*
2. unübertrefflich. Analog zu „↗tierisch 1". *Halbw* 1970 *ff.*
3. *adv* = sehr; heftig (es tut viehisch weh). 1920 *ff.*

viehmäßig *adj* wild, ausgelassen; sehr stark; sehr laut. 1700 *ff.*

'Viehs'arbeit *f* sehr schwere Arbeit. Seit dem 19. Jh.

Viehschein *m* Sammelfahrschein bei Gruppenreisen; Ermäßigungsschein der Bundesbahn für Angehörige kinderreicher Familien. 1955 *ff.*

'Viehsitte *f* Besuch. Aus *franz* „visite" scherzhaft eingedeutscht. Seit dem frühen 19. Jh.

Viehwagen *m* einstöckiger Omnibus. Er hat 30 Sitzplätze und 85 Stehplätze: man steht dichtgedrängt wie Vieh auf dem Transport. In West-Berlin aufgekommen, kurz nach Errichtung der Mauer (13. August 1961), als Omnibusse die unter Ost-Berliner Regie stehende Stadtbahn ersetzen mußten.

Viehzüchterblick *m* abwägender Blick eines Mannes in der Wahl zwischen mehreren Frauen. 1900 *ff.*

vielfältig *adj* ungebügelt (auf die Hose bezogen). ↗Mann 55. 1900 *ff.*

vielleicht *adv* da habe ich ~ gelacht = da habe ich heftig gelacht (Karl hat vielleicht Geld = Karl hat sehr viel Geld; Peter hat's vielleicht gut = Peter hat's überaus gut). „Vielleicht" dient in der volkstümlichen Rede entgegen dem Wortsinn und üblichen Sprachgebrauch als Verstärkung der Aussage. Der im Schriftdeutschen gültige Gebrauch kann in der Umgangssprache ohne weiteres mit dem alogischen vertauscht werden, z. B. in dem Satz: „er hat vielleicht gedacht, daß ich mich übertölpeln ließe; aber da hat er sich vielleicht geirrt!". Seit dem ausgehenden 19. Jh; *österr* seit 1938.

Vielliebchen essen den Doppelkern einer Mandel oder Haselnuß gemeinsam essen und dabei Duzbrüderschaft schließen (einen Kuß tauschen). Der Doppelkern ist selten und wegen der sinnbildlichen Lage ein weitbekanntes Liebessymbol. Das Wort selbst geht über „Filipchen" auf *franz* „Philippine" zurück, das wiederum auf *franz* „Valentine" beruht und mit Liebesbräuchen am Valentinstag in Verbindung steht. Seit dem 19. Jh.

Vielzweckmädchen n Flugzeugstewardeß. 1960 ff.

vierbeinig adv ~ heimkommen = in Damenbegleitung heimkommen. 1955 ff.

vierbuchstäblich adj auf das Gesäß bezüglich. ⤢Buchstaben 2. 1955 ff.

Vierer m 1. Vielesser. Bezieht sich auf die vierte Bitte des Vaterunsers in der Fassung des Matthäus: „Unser täglich Brot gib uns heute". 1900 ff. – 2. dummer Mensch. Er hat einen Sinn zu wenig. Sold 1939 ff. – 3. Leistungsnote 4. Schül 1920 ff. – 4. Wagen der Straßenbahn-, Omnibuslinie 4. 1900 ff. – 5. vier Gewinnzahlen im Zahlenlotto. 1955 ff.

Viererkandidat m unbegabter Schüler. Er „kandidiert" für die Note „4 = mangelhaft" (früher gültige Bewertung). 1950 ff.

Viererschein m Schulzeugnis. Es enthält vorwiegend die Note 4. Wohl von „Führerschein" beeinflußt. Bayr 1950 ff.

Vierhundertfünfundsiebziger m reicher Homosexueller. Addiert aus „⤢Hundertfünfundsiebziger" und „Mercedes 300". 1953 ff.

vierkant (vierkantig) adv 1. ~ rausfliegen = nachdrücklich aus dem Haus (Zimmer) gewiesen (schimpflich aus dem Beschäftigungsverhältnis entlassen) werden. Mit „vierkantiges Loch" bezeichnet man die Zimmer-, Haustür. 1910 ff. – 2. jn ~ rausschmeißen (rauswerfen) = jn rücksichtslos, gewaltsam hinausweisen, entlassen. 1910 ff.

Vierlinge pl Leute, die zu viert geschlechtlich verkehren. 1950 ff.

viersinnig adj geistesbeschränkt. Statt der üblichen fünf hat man nur vier Sinne „beisammen". 1850 ff.

vierspännig adv mit jm ~ fahren = mit jm eine gute Wahl getroffen haben. Anspielung auf Wohlhabenheit, die sich früher in der vierspännigen Kutsche ausdrückte. 1920 ff.

vierstöckig adj großwüchsig. 1900 ff.

Vierstöckiger m großer Schnaps. Als Maß das Doppelte eines „Doppelten". 1920 ff.

Viertaktmotor m ein Gemüt haben wie ein ~ = rücksichtslos sein; auf Gefühle keine Rücksicht nehmen. 1958 ff.

Vierteleschlotzer m Weintrinker. ⤢schlotzen. Südwestd seit dem 19. Jh.

Viertelstarker m schulpfiffiger Junge mit Ansätzen zu ungesittetem Halbwüchsigentum; kleinwüchsiger Junge. ⤢Halbstarker 1. Hamburg 1970 ff.

Viertelstundengeschäft n Kurzbesuch bei einer Prostituierten. 1920 ff.

Viertelstundenlöhnerin f Prostituierte. Der „Tagelöhnerin" nachgebildet. 1920 ff.

Viertelzahn m (körperlich) frühreifes Mädchen, das sich mit 12 oder 13 Jahren schon wie eine 16- bis 18jährige gebärdet; „halbes Kind". ⤢Zahn 3. Halbw 1955 ff.

vierundzwanzigkarätig adj charakterlich völlig einwandfrei. Hergenommen von der Kennzeichnung des Goldgehalts einer Legierung; 24 Karat hat reines Gold. 1910 ff.

Viez m Apfelwein. Fußt auf lat „vice vinum ≐ schlechter Wein". Rhein seit dem 19. Jh.

Vi'gine f 1. Herausforderung zum Streit. ⤢Figine. Rockerspr 1967 ff, Hamburg. – 2. ~ machen = Streit anfangen. 1967 ff.

Viktoria f entmilitarisierte ~ = Siegesgöt-

---

tin im Wagen der Quadriga auf dem Brandenburger Tor zu Berlin. Die Regierung in Pankow nahm dem Stab in der Rechten der Siegesgöttin den bekrönten Adler und das Eiserne Kreuz. 1958 ff.

Villa f 1. Arrest. Spottwort. BSD 1965 ff. – 2. ~ Bückdich = niedriger Unterstand. ⤢Café 2. Sold in beiden Weltkriegen. – 3. ~ Duckdich = Mansardenwohnung mit schrägen Wänden. ⤢Café 3. 1910 ff. – 4. ~ Durchzug = a) von Bomben beschädigtes Haus, durch das der Wind ungehindert pfeift. Berlin 1941 ff. – b) zugige Hütte. Basel 1952 ff. – 5. ~ Eichmann = ABC-Übungsraum. ⤢Eichmann. BSD 1965 ff. – 6. ~ Hügel = Bordell. Eigentlich Name des Wohnhauses der Familie Krupp (von Bohlen und Halbach) in Essen; hier wohl Anspielung auf „Venushügel", „Venusberg", „Wollusthügel" o. ä. BSD 1968 ff. – 7. ~ Klamott = Kasernenstube. Angeblich Anspielung auf die alte, abgenutzte Inneneinrichtung. ⤢Klamotte 5. BSD 1968 ff. – 8. ~ Niedlich = Abort. 1940 ff, schül. – 9. ~ Schleppheim = Haus eines Diebes. Dorthin schleppt er seine Beute. 1930 ff, polizeispr. und verbrecherspr. – 10. ~ Sperlingslust = Mansardenwohnung. ⤢Sperlingslust. 1900 ff. – 11. ~ von der Stange = Fertighaus. ⤢Stange 8. 1955 ff. – 12. imprägnierte ~ = Campingzelt. 1960 ff. – 13. kleine ~ = Abort. Variante zu ⤢Häuschen. 1900 ff. – 14. nicht für eine ~l: Ausdruck der Ablehnung. 1910 ff.

Viole f 1. Täuschung, Trug. Entstellt aus zigeun „fala = Wand". Mittäter „machen Wand", wenn sie den Dieb abdecken. 1900 ff. – 2. ~ machen = Schabernack treiben; Umstände machen; viel Wesens machen. Seit dem frühen 20. Jh, rotw. – 3. ~ schieben = a) sich einer Verpflichtung entziehen; täuschen, trügen; Kranksein heucheln; simulieren. Rotw 1900 ff; sold 1914 ff. – b) sich übertrieben benehmen. Man täuscht Geschäftigkeit (Anteilnahme, Hilfsbereitschaft) vor. 1910 ff. – 4. jm ~ vormachen = jn zu übertölpeln suchen. 1910 ff.

Violine f 1. das spielt keine ~ = das ist unbedeutend, gleichgültig. Scherzhaft verquickt aus „Violine spielen" und „eine Rolle spielen". 1920 ff. – 2. die erste ~ spielen = tonangebend, maßgebend sein. Analog zu ⤢Geige 12. 1920 ff.

violinen tr jn nach Hause ~ = jn streng rügen; jm etw entgelten. Scherzhafte Parallele zu „⤢heimgeigen". 1950 ff, stud.

Violinschlüssel m einen ~ nicht von einem Hausschlüssel unterscheiden können = unmusikalisch sein; keine Musiknoten lesen können. Musikerspr. 1900 (?) ff.

Visage (franz ausgesprochen) f 1. Gesicht; Gesicht mit widerwärtigem Ausdruck. Aus dem Franz im frühen 19. Jh übernommen. – 2. ~ in Rouge und Puder = grellgeschminktes Gesicht. Filmspr. 1920 ff; prost 1952 ff. – 3. belebte ~ = Gesicht voll kleiner Eiterpusteln („Mitesser"). 1920 ff. –

---

4. dämliche ~ = Gesicht eines unsympathischen Menschen; dümmlicher Gesichtsausdruck. ⤢dämlich. 1900 ff. – 5. polizeiwidrige ~ = Verbrechergesicht. Berlin 1840 ff. – 5 a. verbeulte ~ = Gesicht des Boxsportlers. 1920 ff. – 6. verhauene ~ = sehr häßliches Gesicht. Es sieht aus wie zerschlagen. 1870 ff. – 7. verzwickte ~ = undurchsichtige Miene. Verzwickt = verkniffen. 1920 ff. – 8. die ganze ~ eine Schnauze = Gesichtsausdruck des Demagogen bei seinen Reden. 1900 ff. – 9. eine gemischte ~ aufsetzen (machen) = niedergeschlagen dreinschauen. Im Gesicht spiegeln sich gemischte Gefühle wider. 1910 ff. – 10. jm die ~ polieren = jm ins Gesicht schlagen. ⤢Fresse 32. 1930 ff. – 10 a. jm eine neue ~ verpassen = jm brutal ins Gesicht schlagen. Er bekommt einen ganz anderen Gesichtsausdruck. ⤢verpassen 1 und 2. Rocker 1970 ff. – 11. jm die ~ zerkneten = a) jn rechts und links ohrfeigen. 1900 ff. – b) jm das Gesicht massieren. 1900 ff. – 12. jm die ~ zertrümmern = jm heftig ins Gesicht schlagen. 1950 ff.

vis-à-quer adj adv gegenüberliegend. Aus franz „vis-à-vis" umgeformt. 1900 ff.

Vis-à-vis n dem ~ stehst du machtlos gegenüber = in dieser Sache kann man nichts ändern; hier ist kein Eingreifen möglich. Substantivierung von „vis-à-vis" nach dem Vorbild von „mein Vis-à-vis = mein Gegenüber. 1900 ff, schül und stud.

Visitenkarte f 1. Legitimationsmarke des Kriminalpolizeibeamten. Seit dem 19. Jh. – 2. Erkennungsmarke des Soldaten. Sold in beiden Weltkriegen. – 3. Kothaufen von Mensch und Tier im Freien. Er beweist, daß Mensch oder Tier anwesend war. Seit dem späten 19. Jh. – 4. Beweis bisheriger Leistung. 1920 ff. – 5. Kleidung und Auftreten als Anhaltspunkte für Rückschlüsse auf die gesellschaftliche Herkunft einer Person oder auf die Gediegenheit einer Firma. 1950 ff. – 6. Hund (Pudel) als Begleiter der „leichten Damen". 1960 ff.

Vitalitätsbrocken m gesund und kraftvoll aussehender Mann. ⤢Brocken 1. 1975 ff.

Vitamin n 1. pl = Patronen, Munition. Sie sind lebensnotwendig für die Abwehr eines Angriffs. BSD 1965 ff. – 2. ~ A = a) Auto. In der Wohlstandsgesellschaft verrät das Auto bei vielen den Wohlhabenheit und den Mehrgeltungstrieb: beides ist für solche Leute lebenswichtig. 1963 ff. – b) homosexuelle Günstlingswirtschaft. A = Arsch, After. 1940 ff. – 3. ~ B = gute Beziehungen zu einflußreichen Leuten. Aufgekommen im Zweiten Weltkrieg, als die Lebensmittelbewirtschaftung dazu führte, daß man sich über die Zuteilung auf Karte hinaus um weitere Lebensmittel bemühte. – 4. ~ B₂ = besonders gute Beziehungen zu einflußreichen Personen. Halbw 1960 ff. – 5. ~ E = Sprengstücke (Granatsplitter), die durch die Luft schwirren und Leben gefährden. E = Eisen. Sold und ziv in beiden Weltkriegen. – 6. ~ F = Frau. 1950 ff. – 7. ~ K = Kleidung. 1955 ff.

8. ~ L = Luxus. 1955 *ff.*

9. ~ M = Schnaps. ↗M-Vitamin. *Sold* 1939 *ff*; *ziv* und 1950 *ff.*

10. ~ N = Naturalien. Mit dem Beginn des Zweiten Weltkriegs aufgekommen.

11. ~ P = Protektion. 1935 *ff.*

12. ~ S = Schmuck. 1955 *ff.*

13. ~ X = Geselchtes (als unerlaubte Gegengabe). „Geselchtes" (Rauchfleisch) wird in Bayern gern „Xelchtes" ausgesprochen. 1945 *ff.*

14. ~e sammeln = sich seelisch auf ein gefährliches Unternehmen vorbereiten; allen Mut zusammennehmen. *Sold* und *ziv* 1940 *ff.*

vitaminös *adj* **1.** eingebildet auf die Beziehungen zu Gönnern. ↗Vitamin 3, 4 und 11. 1939 *ff*, *ziv* und *sold*.

2. ~ aussehen = den Eindruck eines Wohlhabenden erwecken. 1950 *ff.*

Vivatnase *f* aufwärtsgestülpte Nase. Vivat = Lebehoch (Heilruf): in scherzhafter Auffassung erfüllt diese Nase den Wunsch „sie lebe hoch". 1900 *ff.*

Vize-Jesus *m* **1.** Papst. Fußt auf dem Begriff „Stellvertreter Christi auf Erden". Seit dem ausgehenden 19. Jh.

2. hoher kirchlicher Würdenträger. 1890 *ff.*

Vize-Zeus *m* Stellvertreter des Reichs-, Bundeskanzlers. Seit dem ausgehenden 19. Jh.

Vogel *m* **1.** Flugzeug. Im ersten Jahrzehnt des 20. Jhs aufgekommen, spätestens 1909 beim ersten Berliner Flugtag auf dem Tempelhofer Feld. *Vgl engl* „bird" und *franz* „oiseau".

2. Gewehrgeschoß. *Sold* in beiden Weltkriegen.

3. Orden. Benennung nach dem Wappenadler. Seit dem 19. Jh.

4. Adler auf Uniformknöpfen; Hoheitsabzeichen; Reichsadler mit Hakenkreuz. Seit dem 19. Jh.

5. Gerichtsvollziehermarke. Wegen des Wappenadlers, den das Siegel früher trug. ↗Kuckuck 2. 1900 *ff.*

6. Senderkennzeichen des Zweiten Deutschen Fernsehens. 1963 *ff.*

7. beliebiger Gegenstand, den man gerade sucht. Versteht sich nach „↗rumfliegen 2". 1930 *ff.*

8. absonderlich wirkender Mensch. 1870 *ff.*

9. Verbrecher. *Vgl* ↗Vogel 44. Seit dem 19. Jh.

10. Penis. Der Hosenschlitz gilt als „Starenkasten" und „Taubenschlag". Seit dem 19. Jh.

11. leichtes Mädchen. Es „flattert" hierhin und dorthin. Seit dem 19. Jh.

12. *pl* = Kinder. Fußt auf der Vorstellung der jungen Vögel im Nest. 1900 *ff.*

13. ~ im Frack = Pinguin. 1960 *ff.*

14. ~ vierter Güte = Roter Adlerorden 4. Klasse. ↗Güte 1. 1900 *ff.*

15. Vögel auf dem Kopf = Kopfläuse. Sie „nisten" auf dem Kopf. Seit dem 19. Jh.

16. blauer ~ = Siegelmarke des Gerichtsvollziehers. Anspielung auf die Wappenadler in blauer Farbe. 1900 *ff.*

17. blinder ~ = schlechter Schütze; untauglicher Mann. *BSD* 1965 *ff.*

18. geiler ~ = geiler Mensch. 1950 *ff.*

19. häßlicher ~ = a) häßlicher Mensch. 1900 *ff.* – b) übler Mitmensch; niederträchtiger Bursche. 1920 *ff.*

20. komischer ~ = a) Sonderling; Mensch mit wunderlichen Ansichten und/oder Gewohnheiten. 1920 *ff.* – b) Komiker. 1925 *ff.*

21. krummer ~ = Verdächtiger; unzuverlässiger Mensch. ↗krumm 2. 1950 *ff.*

21 a. lahmer ~ = kraftloser Mann. ↗lahm 2. Seit dem 19. Jh.

22. lautloser ~ = Segelflugzeug. 1920 *ff.*

23. leichter ~ = leichtlebiger Mensch. Seit dem 19. Jh.

24. leichtsinniger ~ = leichtsinniger Mensch. Seit dem 19. Jh.

25. linker ~ = Sozialist. 1920 *ff.* – b) listiger, heimtückischer Mensch. ↗link 1. 1950 *ff.* – c) unsympathischer, betrügerischer Prostituiertenkunde. *Prost* 1960 *ff.*

26. lockerer (loser) ~ = leichtlebiger, leichtsinniger Mensch. ↗los I 1. 1600 *ff.*

27. lustiger ~ = lustiger, stets zu Späßen und Scherzen aufgelegter Mensch. Seit dem 19. Jh.

28. mieser ~ = unzuverlässiger Mensch. ↗mies. 1920 *ff.*

29. müder ~ = a) langsames Flugzeug. *Sold* 1939 *ff.* – b) altes, nicht mehr betriebssicheres Schiff. *Marinespr* 1939 *ff.*

30. rarer ~ = wunderlicher Mensch. *Vgl* ↗Vogel 36. Seit dem 19. Jh.

31. roter ~ = Marihuana-Zigarette. Stammt aus den USA, wo es die Bezeichnung eines Barbiturats ist. 1960 *ff.*

32. sauberer ~ = leichtfertiger Mensch; vertrauensunwürdiger Mensch; Dieb, Einbrecher o. ä. ↗sauber 4. Seit dem 19. Jh.

33. scharfer ~ = mannstolle weibliche Person. ↗scharf 4. 1950 *ff.*

34. schiefer ~ = Soldat in unmilitärischer Haltung. *BSD* 1965 *ff.*

35. schräger ~ = a) Mann mit Sinn für Absonderlichkeiten. 1960 *ff.* – b) unzuverlässiger, übelbeleumdeter Mensch; Tunichtgut. ↗schräg 1. 1950 *ff.* – c) Sittlichkeitsverbrecher; Verbrecher. 1950 *ff.*

36. seltener ~ = Mensch mit wunderlichen Einfällen. Übersetzung von *lat* „rara avis". 1800 *ff.*

37. seltsamer (sonderbarer) ~ = wunderlicher Mensch. 1500 *ff.*

38. spitzer ~ = sinnlich veranlagtes Mädchen. ↗spitz 3. *Halbw* 1955 *ff.*

39. toller ~ = leichtlebiger, unbändiger Mensch. 1870 *ff.*

40. toter ~ = langweiliger, dummer Mann; Versager. *BSD* 1965 *ff.*

41. ulkiger ~ = a) wunderlicher Mensch. ↗ulkig. 1950 *ff.* – b) Spaßmacher. Von „Spaßvogel" beeinflußt. 1950 *ff.*

42. den ~ abschießen = a) das Beste leisten. Hergenommen von den Bräuchen der Schützenvereine: wer den „Vogel" von der Stange schießt, wird Schützenkönig. 1600 *ff.* – b) ein Flugzeug katapultieren. Fliegerspr. 1935 *ff.*

43. den ~ antippen = die Dummheitsgebärde machen. Man tippt sich mit dem Zeigefinger an die Stirn oder Schläfe, um anzudeuten, daß der andere „einen ↗Vogel" hat. 1920 *ff.*

44. der ~ ist ausgeflogen = der Gesuchte ist nicht daheim; der Verbrecher ist geflohen. 1500 *ff.*

45. seinen ~ auslassen = sein eigentliches Anliegen endlich vorbringen. Man läßt den Vogel aus dem Käfig oder „die ↗Katze aus dem Sack". 1950 *ff.*

46. sich einen ~ in die Stirn bohren =

die Dummheitsgebärde machen. ↗Vogel 43. 1920 *ff.*

47. sein ~ braucht Futter (oder Wasser) = er ist nicht recht bei Verstand. ↗Vogel 53. 1920 *ff.*

48. Vögel brauchen auch einen Spiegel: scherzhaftes Trostwort für einen Glatzköpfigen. *Schül* 1950 *ff.*

49. einen ~ fangen = einen Orden erhalten. ↗Vogel 3. Die Redewendung läßt es offen, ob man sich um den Orden bemüht hat (nach Art eines Vogelfängers), oder ob man ihn „gefangen" hat, wie man eine Erkältung „fängt". 1870 *ff.*

50. friß, ~, oder stirb! = entscheide dich! triff deine Wahl zwischen zwei Übeln! Leitet sich her von einem bestimmten Futter, an das man einen Vogel gewöhnen will; nimmt er es nicht an, muß er verhungern. 1500 *ff.*

51. sein ~ ist Amok gelaufen (läuft Amok) = er redet Unsinn. Der von blinder Wut befallene Amokläufer stößt jeden nieder, dem er begegnet. Die Sache selbst ist sehr bekannt geworden durch die 1922 veröffentlichte Novellensammlung „Amok" von Stefan Zweig. Hier ist der „↗Vogel 53" gemeint. 1950 *ff*, *schül.*

52. vom ~ gepiekt sein = verrückt sein. *Vgl* das Folgende. Seit dem 19. Jh.

53. einen ~ haben = a) närrisch, verrückt sein; eine wunderliche Angewohnheit haben. Nach dem Volksglauben geht Geistesgestörtheit auf Tiere zurück, die im Kopf nisten. 1800 *ff.* – b) einen Orden besitzen. ↗Vogel 3. 1870 *ff.* – c) Luftwaffensoldat sein. Anspielung auf die Schwinge am Kragenspiegel. *Sold* 1935 *ff.*

54. Vögel unter dem Hut (der Mütze) haben = die Kopfbedeckung nicht lüften. Dem Unhöflichen, der Hut oder Mütze nicht zieht, unterstellt man, daß er unter seiner Kopfbedeckung Vögel verbirgt, die beim Grüßen wegflögen. 1700 *ff.*

54 a. einen ~ haben = er hat die Beherrschung verloren. Berlin 1920 *ff.*

55. einen ~ haben, der mit dem Schwanz nach vorn fliegt = eine besonders wunderliche Angewohnheit haben. Berlin 1930 *ff.*

56. einen ausgewachsenen ~ haben = sehr verrückt sein. 1920 *ff.*

57. einen herrlichen ~ haben = die unsinnigsten Behauptungen aufstellen. 1920 *ff*, Berlin und *mitteld.*

58. einen toten ~ in der Tasche haben = einen Darmwind entweichen lassen; nach Darmgasen riechen. Stammt aus der Jägersprache: reichen die an der Jagdtasche befindlichen Lederriemen mit Schlaufe zum Anhängen der erlegten Vögel nicht aus, packt der Jäger die toten Vögel in die Manteltasche; vergißt er sie darin, machen sie sich erst durch den Verwesungsgeruch wieder bemerkbar. 1900 *ff*, *sold* und *schül.*

59. einen (seinen) ~ kriegen = seinen üblichen Anfall von Narretei bekommen. ↗Vogel 53 a. Seit dem 19. Jh.

60. die Vögel laufen = wegen schlechten Wetters liegt der Flugbetrieb still. Man bewegt die Flugzeuge allenfalls am Erdboden (rollt sie in die Hangars). *Sold* 1935 *ff.*

61. damit lockst du keinen ~ aus dem Bauer = damit übst du keinerlei Anreiz aus. 1920 *ff.*

62. die Vögel pfeifen hören = alles vermeintlich besser wissen. Versteht sich nach „↗Spatzen pfeifen es von den Dächern". 1920 ff.

63. jm einen (den) ~ weisen (zeigen) = zu jm die Dummheitsgebärde machen. ↗Vogel 43. Spätestens seit 1920. Wenn einer eindeutig mit dem Finger an die Stirn rührt und nicht bloß eine Handbewegung zur Stirn macht, ist der Tatbestand der Beleidigung gegeben. So entschied das Bayerische Oberlandesgericht (8 St 149/70).

Vögelchen n **1.** pl = Geldmünzen. Anspielung auf den heraldischen Adler. Seit dem ausgehenden 19. Jh.
2. sg = zärtliche, intime Freundin. ↗vögeln 1. 1920 ff.
3. sg = Straßenprostituierte. 1920 ff.
4. wie ein ~ essen = wenig essen. Seit dem 19. Jh.
5. gleich kommt das ~ raus: Redewendung des Fotografen, um die Aufmerksamkeit eines Kindes zu wecken. 1900 ff.
6. jm das ~ zeigen = durch Berühren der Stirn mit dem Zeigefinger die Dummheitsgebärde machen. ↗Vogel 63. 1920 ff.

Vogelgeste f Gebärde des Autofahrers gegenüber einem, der die Straßenverkehrsordnung nicht beachtet. ↗Vogel 63. 1955 ff.

Vogelhändler m Gerichtsvollzieher. ↗Vogel 5. 1900 ff.

Vögelkiste f mannstolle weibliche Person; Hure. ↗vögeln 1. Österr 1920 ff.

vögeln tr **1.** koitieren (auch intr). Fußt auf mhd „vogelen = begatten", anfangs auf Tiere begrenzt, vor allem auf Hahn und Enterich. Spätestens seit 1300 auf den Menschen übertragen.
2. jn dienstlich quälen, schikanieren. Analog zu ↗ficken 2. Bezieht sich wohl vor allem auf das Hin- und Herhetzen. Österr 1914 ff, sold.

Vogelnestfrisur f Mädchenfrisur, bei der der Knoten so auf dem Kopf geflochten wird, daß in seiner Mitte eine nestartige Vertiefung entsteht. Seit dem 19. Jh.

Vogelpicker m Gerichtsvollzieher. ↗Vogel 5. Picken = kleben. Österr 1920 ff.

Vogelscheuche f **1.** geschmacklos gekleidete, häßliche Frau; zerlumpte Gestalt. Vogelscheuchen bestehen meist aus alten, abgetragenen und zerfetzten Kleidungsstücken. Seit dem 18. Jh.
2. mutiger, tapferer Mann, der sich vor nichts fürchtet. Er verscheucht sogar die Gewehrgeschosse; ↗Vogel 2. Sold 1939 ff; ziv 1945 ff.

Vogel-Strauß-Politik f ~ treiben = aus Dummheit und Angst den Unbeteiligten heucheln; nichts hören und sehen wollen. Der Vogel Strauß gilt als dumm; bei Gefahr steckt er (vermeintlich) seinen Hals in ein Gebüsch (so Konrad von Megenberg in seiner Naturgeschichte im Anschluß an Plinius); im 19. Jh entstand die Meinung, er stecke seinen Kopf in den Sand; vgl ↗Kopf 138. 1900 ff.

vogu'lieren tr intr koitieren. Scherzhafte Latinisierung von „↗vögeln 1". Schweiz 1950 ff.

Volk n **1.** liederliche Gesellschaft. Hergenommen von Begriffen wie „Kriegsvolk", „Fußvolk", „gemeines Volk" o. ä., wie die Vorgesetzten oder die Vornehmen die Untergebenen oder die untere Bevölkerungsschicht nennen. Seit dem 18. Jh.
2. die Schüler der Unterstufe. 1940 ff.

3. fahrendes ~ = Autofahrer. Eigentlich die Landstreicher, die Nichtseßhaften o. ä. 1950 ff.
4. junges ~ = Jugendliche; die jungen Leute. 1500 ff.
5. sich allem ~ offenbaren = die Spielkarten offen auf den Tisch legen. Fußt auf der Bibelsprache. Kartenspielerspr. seit dem 19. Jh.

Völker pl Leute (abf). ↗Volk 1. Seit dem 18. Jh.

völkern intr Völkerball spielen. 1950 ff, schül.

Völkerversöhnungsduselei f unrealistische Vorstellung von der Völkerversöhnung. ↗Duselei. 1920 ff.

Völkerwanderung f Bewegung vieler Menschen (Autos) auf ein Ziel zu; Urlauberstrom; An- und Abmarsch zum (vom) Sportplatz. Seit dem 19. Jh.

Volksadel m deutscher = sehr häufig vorkommende Familiennamen wie Schulze, Müller, Meier, Schmidt usw. (in den verschiedenen Schreibweisen). 1920 ff.

Volksbelustigung f Sportstunde. BSD 1965 ff.

Volksbelustigungswasser n **1.** minderwertiger Branntwein. 1940 ff, sold.
2. Mineralwasser, Limonade u. ä. Vgl ↗Kinderbelustigungswasser. 1920 ff.

Volksberieselung f akustische ~ = Rundfunkwesen. ↗Berieselung 1. 1948 ff.

Volksbier n Trinkwasser. 1950 ff.

Volksbutter f Margarine. Etwa seit dem frühen 20. Jh. Wahrscheinlich noch älter, da Napoleon III. befahl, eine billige „Volksbutter" zu erfinden.

Volksempfängerin f Prostituierte. 1933 ff.

Volksgemurmel n ~ erheben = murren. Entstammt der Theatersprache und meint das Murmeln der „Volksmenge" auf der Bühne. 1930 ff, schül.

Volksglotze f Fernsehgerät. ↗Glotze 1. 1960 ff.

Volksmurmler m Statist als Mitglied der „Volksmenge" auf der Bühne. Theaterspr. 1900 ff.

Volksnahrung f Bier. Vgl „flüssiges ↗Brot". BSD 1965 ff.

Volksnahrungsknolle f Kartoffel. Sold 1942 ff (Ostfront).

Volksoffizier m ~ mit Arbeitergesicht = aus dem Unteroffiziersstand hervorgegangener Fachoffizier. Eine Bezeichnung mit klassen- und standeskämpferischem Einschlag seit dem Zweiten Weltkrieg bis heute.

Volksreden pl halte keine ~! = fasse dich kurz! Meint eigentlich die für die breite Masse bestimmte Rede eines Politikers. Um 1920/30 aufgekommen; beliebte Soldaten- und Jugendvokabel.

Volksseele f **1.** kochende ~ = a) allgemeine Empörung. Die „Volksseele" ist ein von Johann Gottfried von Herder geschaffenes Wort für die Schöpferkraft des Volkes und für das Allgemeinempfinden der breiten Masse, seit dem 19. Jh. – b) von der Regierung angefachte, künstlich angefeuerte Wut gewisser Bevölkerungskreise. 1933 ff.
2. ~ kocht = die Allgemeinheit ist empört. Im ausgehenden 19. Jh aufgekommen.
3. die ~ kocht über = die Massen gehen zu offener Empörung über. 1950 ff.
4. es bringt die ~ zum Kochen (die ~

gerät ins Kochen) = das empört die Allgemeinheit. 1920 ff.
5. die ~ zum Kochen bringen = die Allgemeinheit aufhetzen. 1950 ff.

Volkssport m **1.** Fensterln (Einsteigen des Liebhabers durch das Fenster zur Geliebten). 1950 ff.
2. Frühjahrsputz. 1960 ff.

Volksverdummer m **1.** Fernsehgerät. 1960 ff.
2. Schlagersänger. Halbw 1965 ff.
3. Lehrer. 1965 ff, schül.
4. Politiker. 1960 ff.

Volksverdummungsgerät (-kasten; -kiste; -röhre) n (m, f) Fernsehgerät. 1960 ff.

Volkswirt m Gastwirt. Er bewirtet „das Volk". 1960 ff.

voll adj **1.** betrunken. Eigentlich „mit Getränken gefüllt". Seit mhd Zeit. Vgl engl „full".
2. schwanger. 1900 ff.
2 a. unter Rauschgifteinfluß stehend. 1970 ff.
3. ~ bis an den Eichstrich = volltrunken. 1900 ff.
4. ~ bis obenhin = volltrunken. 1900 ff.
4 a. auf etw ~ abfahren = von etw sehr begeistert sein. ↗abfahren 11. 1970 ff.
5. ~ dasein = ganz bei der Sache sein; voll leistungsfähig sein. Sportl 1950 ff.
6. jn nicht für ~ nehmen (ansehen) = jn für geistesbeschränkt halten. Leitet sich wahrscheinlich von der Münzkunde her: „nicht voll" ist eine Münze, wenn sie nach Gewicht und Metall nicht den gesetzlichen Bestimmungen entspricht; sie ist nicht vollwertig. 1600 ff.
7. sich ~ und toll saufen = sich sinnlos betrinken. 1900 ff.
8. ~ sein = a) beschmutzt sein. Verkürzt aus „voll von Schmutz sein". Seit dem 19. Jh. – b) unter Rauschgifteinwirkung stehen. Halbw 1965 ff.
9. bis zum Stehkragen ~ sein = volltrunken sein. 1930 ff.

vollabern v ↗voll-labern.

vollaufen v **1.** sich (jn) ~ lassen = sich betrinken; jn betrunken machen. ↗voll 1. 1920 ff.
2. sich ~ lassen bis zum Stehkragen = sich sinnlos betrinken. ↗voll 9. 1930 ff.
3. sich ~ lassen, bis einem das Zeug aus den Ohren rieselt = sich hemmungslos betrinken. 1960 ff.

Vollbläue f schwere Trunkenheit. ↗blau 5. 1900 ff.

Vollblut- als erster Bestandteil von Zusammensetzungen kennzeichnet die besonders stark ausgeprägte Befähigung eines Menschen auf seinem Fachgebiet, sein leidenschaftliches Durchdrungensein von seinem Beruf o. ä. und die unverfälschte Verkörperung typischer Eigenschaften des Geschlechts, des Berufs usw. Das Wort geht zurück auf engl „full blood" und meint eigentlich die reine Abstammung von edlen Pferden mit gesicherten Stammbaum.

Vollblutarchitekt m von seinem Beruf begeisterter Architekt. 1900 ff.

Vollblut-Bulette f Beefsteak aus Pferdefleisch. ↗Bulette 1. Sold und ziv 1914 bis heute.

Vollblutidiot m überaus dummer Mensch. 1920 ff, schül.

Vollblutindianer m sehr dummer

Mensch. „Indianer" ist hier Euphemismus für „Idiot". *Schül, stud* und *sold,* 1920 *ff.*

Vollblutkünstler *m* von seinem Schaffen völlig erfüllter Künstler. 1920 *ff.*

Vollblutmädchen *n* Mädchen, wie man es sich schöner, lieber, verständiger usw. nicht denken kann. 1955 *ff, halbw.*

Vollblutpolitiker *m* Politiker mit allen für seine Tätigkeit erforderlichen Eigenschaften. 1950 *ff.*

Vollbluttorwart *m* vorbildlicher Torwart. *Sportl* 1955 *ff.*

vollbuddeln *refl* sich betrinken. ↗ voll 1; ↗ buddeln 4. 1900 *ff.*

Volldampf *m* **1.** größtes Leistungsvermögen. Hergenommen von der Dampfmaschine, vor allem von Lokomotive und Dampfschiff. 1880 *ff,* oft im Sportlerdeutsch.
2. mit ~ = a) so schnell wie möglich. 1920 *ff.* – b) mit aller Energie. 1920 *ff, sportl, sold* und *schül.*
3. ~ machen = a) sich sehr beeilen. 1920 *ff.* – b) sich körperlich sehr abmühen. 1920 *ff.*
4. unter ~ stehen = a) energiegeladen sein. 1950 *ff.* – b) ein starker Raucher sein. 1960 *ff.*

'voll'doof *adj* sehr geistesbeschränkt. ↗ doof 1. 1940 *ff.*

Volle I *f* Karte mit hohem Augenwert. Kartenspielerspr. 1900 *ff.*

Volle II *pl* **1.** in die ~n!: Ausruf beim Zuprosten. Hergenommen von der Kegelbahn: „die Vollen" sind alle aufgestellten Kegel. Von da übertragen auf die gefüllten Gläser. 1930 *ff.*
2. in die ~n gehen = a) ganze Arbeit leisten; eine Sache in vollem Umfang einleiten. 1950 *ff.* – b) rücksichtslos fordern. 1950 *ff.* – c) Geld verschwenden. Man vergeudet es mit (aus) vollen Händen. 1950 *ff.* – d) das geht in die ~n = das ist hin-, mitreißend. 1965 *ff.*

Vollgas *n* **1.** mit ~ = sehr schnell. Aus der Kraftfahrt übernommen. 1930 *ff.*
2. ~ geben = sich beeilen; weglaufen. *Sold* 1940 *ff.*

Vollgasmensch *m* rücksichtsloser Kraftfahrer. 1930 *ff.*

Vollgastänzer *m* ungestümer Tänzer. 1950 *ff.*

vollgetankt sein 1. betrunken sein. ↗ tanken 3. Spätestens seit 1920.
2. frisch mit Geld versehen sein. ↗ tanken 4. 1920 *ff.*

Vollglatze *f* blank wie eine ~ = völlig mittellos. ↗ blank 5. 1900 *ff.*

vollgummibereift *adj* wundgelaufen (auf die Füße bezogen). ↗ Ballon 8. *BSD* 1965 *ff.*

'voll'gut *adj* ausgezeichnet. *Jug* 1975 *ff.*

Vollidiot *m* sehr dummer Mensch. Spätestens seit dem ausgehenden 19. Jh, *schül, sold* und *arb.*

vollkleistern *refl* sich (beim Essen, beim Tapezieren) beschmutzen. Kleistern = kleben, leimen. 1900 *ff.*

vollknallen *refl* eine kräftige Dosis eines Rauschmittels nehmen; Rauschgift spritzen. 1970 *ff.*

vollkommen *adj* sehr beleibt; drall. 1870 *ff.*

Vollkornbrot *n* ein Gesicht wie ein ~ = ein unreines Gesicht voller Eiterbläschen. Berlin 1930 *ff.*

vollkrachen *refl* sich betrinken. Man be-

---

trinkt sich, „daß es nur so kracht"; ↗ krachen 2. *BSD* 1965 *ff.*

voll-labern *tr* auf jn einreden; jn mit leeren Redensarten mundtot machen. ↗ labern. *Jug,* 1970 *ff.*

voll-leimen *tr* jn belügen. ↗ leimen. 1945 *ff.*

vollmachen *v* **1.** *tr* = etw mit Kot verunreinigen. Seit dem 19. Jh.
2. *tr* = jn betrunken machen. ↗ voll 1. Seit dem 15. Jh.
3. *tr* = schwängern. 1800 *ff.*
4. *refl* = sich beschmutzen. 1800 *ff.*
5. *refl* = sich selbst übermäßig loben. Hängt mit dem Sprichwort „Eigenlob stinkt" zusammen: die Wirkung des Selbstlobs ähnelt der des Kots. 1840 *ff.*

Vollmond *m* **1.** feistes Gesicht. Seit dem 18. Jh.
2. Kahlkopf. 1840 *ff.*
3. Glatzköpfiger. Seit dem 19. Jh.
4. nacktes Gesäß. Seit dem 19. Jh.

Vollmondscheibe *f* dünne Brotscheibe. Durch sie scheint der Mond hindurch. 1870 *ff.*

vollmundig *adj* laut, prahlerisch. Der Fachsprache der „Weinschmecker" entlehnt unter Einfluß von „den ↗ Mund vollnehmen". 1920 *ff.*

'voll'nett *adj* kameradschaftlich, sympathisch. *Jug* 1975 *ff.*

Vollpension *f* Haftanstalt; Arrest; Schullandheim. Dort werden Unterkunft und Verpflegung geboten. ↗ Pension 2. Seit dem 19. Jh.

vollpissen *refl* sich töricht, ungeschickt benehmen. 1900 *ff.*

vollpumpen *v* **1.** *tr* = jn betrunken machen. Man pumpt ihn voll Alkohol. *Stud* 1870 *ff.*
2. *refl* = sich betrinken. 1870 *ff.*
3. *refl* = fleißig lernen; sich Wissensstoff aneignen. *Schül* und *stud* 1870 *ff.*
4. *refl* = sich viel Rauschgift einspritzen. 1965 *ff.*
5. ich pumpe dich voll!: Drohrede. Man droht, den Gemeinten „mit Blei vollzupumpen" (= viele Schüsse auf ihn abzufeuern). Um 1950 unter Schülern aufgekommene Entlehnung aus Kriminalromanen.

Vollrausch *m* ~ erster Klasse = Volltrunkenheit. ↗ Klasse 8. 1920 *ff.*

Vollrind *n* sehr dummer Mensch. ↗ Rindvieh. 1935 *ff.*

vollsaftig *adj adv* **1.** grob, derb, zotig; sehr unfein. ↗ saftig. 1910 *ff.*
2. ~ schimpfen = derb, beleidigend schimpfen. 1910 *ff.*

vollscheißen *tr* **1.** etw mit Kot beschmutzen. ↗ scheißen 1. 1500 *ff.*
2. jn verachten. 1820 *ff.*
3. scheiß' dich nicht voll! = prahle nicht! rege dich nicht auf! *Vgl* ↗ vollmachen 5. 1900 *ff.*

vollschlank *adj* angenehm füllig. Ein höflicher Euphemismus, heute nur noch selten als Beschönigung aufgefaßt. Aufgekommen gegen 1910.

vollschlauchen *refl* **1.** sich betrinken. ↗ schlauchen 7. 1900 *ff.*
2. sich reichlich sättigen; viel essen. ↗ schlauchen 8. 1900 *ff.*
3. viel schmarotzen. 1910 *ff.*

Vollschnäuzigkeit *f* Prahlerei; anmaßende Redeweise. *Vgl* „die ↗ Schnauze vollnehmen". 1910 *ff.*

Vollsein *n* zum ~!: Ausruf beim Zutrinken. Scherzhaft entstellt aus „zum Wohlsein!". 1870 *ff.*

vollspucken *tr* koitieren (vom Mann gesagt). 1900 *ff.*

Vollstarke *f* beleibte Frau von großer Körperkraft. Nachbildung von „Halbstarke". 1950 *ff.*

vollstrecken *intr* eine „Kombination" mit einem Tortreffer abschließen. Übertragen von der Vollstreckung eines Gerichtsurteils: der Spieler vollzieht, was ein anderer eingeleitet hat. *Sportl* 1950 *ff.*

volltanken *v* **1.** *tr* = etw bis oben füllen. Aus der Kraftfahrersprache übernommen. 1920 *ff.*
2. *tr* = koitieren (vom Mann gesagt). 1920 *ff.*
3. *tr* = jn betrunken machen. *Sold* 1914 *ff.*
4. *refl* = sich betrinken. 1914 *ff.*
5. *refl* = sich sattessen. 1920 *ff.*

Volltreffer *m* **1.** treffsichere Bemerkung. Kann sich herleiten vom Treffer in die Mitte des Ziels *(milit)* oder vom Treffer „in die Vollen" (keglerspr.). 1920 *ff.*
2. hervorragende Leistung. 1920 *ff.*
3. Volltrunkenheit. *Sold* 1939 *ff.*
4. Schwängerung. 1920 *ff.*
5. unhaltbarer Tortreffer. *Sportl* 1920 *ff.*

volltrichtern *v* **1.** *tr* = jn betrunken machen. ↗ Trichter 1. 1900 *ff.*
2. *tr* = schwängern. 1900 *ff.*
3. *refl* = sich Wissensstoff einprägen. ↗ eintrichtern 1. Seit dem 19. Jh.

Voll-Twen *m* unverheiratete Frau, die sich trotz ihrer 40 und mehr Lebensjahre jugendlich kleidet und benimmt, um Eindruck auf die Männer zu machen. ↗ Twen. *Halbw* 1955 *ff.*

Volte *f* eine ~ schlagen = jn durch eine betrügerische Handlung schädigen. „Volte" nennt man einen Kunstgriff beim Mischen der Spielkarten: dadurch kommt eine bestimmte Karte immer an denselben Platz zu liegen. 1900 *ff.*

Vomag *m* aus dem Mannschaftsstand hervorgegangener Offizier; Fachoffizier. Eigentlich Abkürzung und Firmenzeichen der „Vogtländischen Maschinenfabrik AG" in Plauen; hier abgekürzt aus der überheblichen Bezeichnung „↗ Volksoffizier mit Arbeitergesicht". Im Zweiten Weltkrieg in Offizierskreisen aufgekommen und in der Bundeswehr wiederaufgelebt.

von *präp* **1.** Herr von und zu = Neureicher. Abwandlung des Adelsprädikats. Oft in der Form „seine Mutter war eine von und zu, sein Vater ein (einer) auf und davon". 1920 *ff.*
2. sich „von" schreiben = hervorragend sein. Das Adelsprädikat gilt weiterhin als äußeres Kennzeichen besonderer Wertigkeit. 1950 *ff,* werbetexterspr.
3. sich „von" schreiben können = von Glück sagen können. 1950 *ff.*

Vorarbeiter *m* **1.** Mann, der die von ihm geschwängerte Frau heiratet. *Stud* 1955 *ff.*
2. ~ bei den Arbeitslosen = arbeitsscheuer Mann. 1950 *ff.*

vorarschen *intr* den Lehrstoff durcharbeiten, ehe er in der Schule behandelt wird. Aus „arschen" (= auf das Gesäß schlagen) ergibt sich die Überleitung zu „↗ pauken", das sowohl „schlagen" als auch „lernen" meint. 1920 *ff.*

vorbarmen *v* jm etw ~ = jm etw vorspiegeln, eine Notlage vortäuschen. Barmen = jammern. 1900 ff.

Vorbau m 1. dicke, große Nase. Parallel zu ↗Erker. 1900 ff.
2. üppiger Busen. Analog zu ↗Balkon. Seit dem späten 19. Jh, stud und schül.
3. dicker Leib; Leib der Schwangeren. ↗Balkon. Seit dem 19. Jh.

vorbauen v 1. auf Vollbusigkeit Wert legen. ↗Vorbau 2. 1955 ff.
2. vorgebaut haben = a) schwanger sein. 1900 ff. – b) vor der Heirat geschwängert sein. 1870 ff.
3. die kluge Frau baut vor = die listige Frau läßt sich schwängern, um den Kindesvater zur Heirat zu bewegen (zu zwingen). Nachgebildet dem Sprichwort „der kluge Mann baut vor" (aus Schillers Drama „Wilhelm Tell" volkstümlich geworden). 1910 ff.

vorbeibenehmen refl den Anstandsregeln zuwiderhandeln. Übertragen von der Vorstellung des Fehlschießens oder Fehlschlagens. Vgl ↗danebenbenehmen. 1900 ff.

vorbeibringen v jm etw ~ = jm etw beiläufig mitteilen, abgeben. 1900 ff.

vorbeidenken intr sich irren; falsch planen. Vgl ↗danebendenken. 1920 ff.

vorbeidreschen intr das Fußballtor verfehlen. ↗dreschen 3. Sportl 1920 ff.

vorbeifassen intr bei einer strafbaren Handlung ertappt werden; Mißerfolg erleiden. Hängt mit diebischem Zugreifen zusammen. 1900 ff.

vorbeigehen intr bei jm ~ = jn gelegentlich (kurz) besuchen. Verkürzt aus „vorbeikommen" und „hineingehen". 1900 ff.

vorbeigelingen impers mißlingen. Scherzhaft-beschönigende Vokabel. Vgl ↗danebengelingen. Seit dem späten 19. Jh.

vorbeigewinnen intr ein Kartenspiel, das man schon für gewonnen hielt, beim letzten Stich verlieren; in der Lotterie keinen Gewinn erzielen. 1900 ff.

vorbeigucken intr kurz zu Besuch kommen. Verkürzt aus „vorbeikommen" und „hineingucken". 1900 ff.

vorbeihauen intr 1. fehlschießen. Das Geschoß schlägt neben dem Ziel ein. Sold und schützenvereinsspr. seit dem späten 19. Jh.
2. eine schlechte Arbeit schreiben. ↗verhauen 2; ↗danebenhauen 2. Schül, 1900 ff.

vorbeikommen intr im Vorbeigehen jn aufsuchen. Verkürzt aus „vorbeikommen" und „hinein-" oder „hereinkommen". 1870 ff.

vorbeikönnen intr vorbeigehen können. Hieraus verkürzt. Seit dem 19. Jh.

vorbeilassen tr jn vorbeigehen lassen. Hieraus verkürzt durch Tilgung des Verbs der Bewegung. Seit dem 19. Jh.

vorbeileben intr allen Lebensfreuden entsagen. Berlin 1925 ff.

vorbeimogeln v 1. sich an jm ~ = jn unbemerkt umgehen. ↗mogeln. Sold 1939 ff.
2. sich an etw ~ = sich listig einer Verantwortung, einer Aussage o. ä. entwinden. 1950 ff.

vorbeipinkeln intr eine günstige Gelegenheit versäumen; Mißerfolg erleiden. ↗Brille 11. Seit dem 19. Jh.

vorbeipissen intr keinen Erfolg haben. Vgl ↗Brille 11. Berlin 1840 ff.

vorbeischicken tr jn zu einem Besuch veranlassen. 1900 ff.

vorbeischießen intr 1. sich irren. Vgl ↗danebenschießen. Seit dem 19. Jh.
2. koitieren, ohne zu schwängern; den Geschlechtsverkehr vorzeitig abbrechen. ↗schießen 11. 1900 ff.

vorbeisitzen intr aneinander ~ = im Lokal keinen Anschluß beim anderen Geschlecht finden. Vgl ↗danebensitzen 2. 1920 ff.

vorbeistoßen intr koitieren, ohne zu schwängern; den Koitus vorzeitig abbrechen. ↗stoßen 3. 1900 ff.

vorbeitraben intr schwülstige Reden führen, aber nicht auf das Wichtigste zu sprechen kommen; etw völlig falsch beurteilen. 1925 ff.

vorbeiverstehen refl sich aneinander ~ = einander nicht verstehen; einander falsch beurteilen. 1960 ff.

vorbeiwichsen intr eine schlechte Arbeit schreiben. Meint eigentlich „beim Fechten mit Säbeln den Gegner verfehlen". 1900 ff, schül.

vorbeizeigen intr 1. jn zu Unrecht beschuldigen. Man zeigt mit dem Finger auf den Falschen, oder man gibt beim Schützenanzeiger ein falsches Zeichen. 1920 ff.
2. falsch vermuten. Sold 1935 ff.

vorbelastet adj 1. schwanger. Die Frau trägt vorn eine Last. 1920 ff.
2. vollbusig. 1920 ff.

vorbeten v 1. intr = die Stiche offen zusammenzählen. Kartenspielerspr. seit dem 19. Jh.
2. tr = jm etw eindringlich, wiederholt anempfehlen, einprägen. Hergenommen vom Vorbeter im Gottesdienst. Seit dem 19. Jh.

vorbinden v 1. sich jn ~ = jn heftig zurechtweisen. Gemeint ist wohl, daß der Betreffende an der Halsbinde (Krawatte) ergriffen und nicht losgelassen wird, bis er die Rüge zu Ende angehört hat. Seit dem späten 19. Jh, stud und sold.
2. sich etw ~ = sich einer Sache energisch annehmen. 1900 ff.

vorblocken tr 1. das Kommen des Vorgesetzten (o. ä.) vorher anmelden. Der Eisenbahnersprache entlehnt: die Eisenbahnstrecken sind in Blockabschnitte unterteilt, die von Stellwerken geregelt werden; die Stellwerke melden die Züge einander vor. 1950 ff.
2. jn auf etw vorbereiten. 1950 ff.

vorbohren v 1. bei jm ~ = jds Ansicht (Stimmung) im voraus (vor einer Besprechung o. ä.) erkunden. Hergenommen vom Schreiner (o. ä.), der zunächst mit einem kleineren (dünneren) Bohrer bohrt, ehe er den größeren verwendet. ↗bohren 1. 1900 ff.
2. tr = jn intim betasten. 1960 ff.

vorbremsen v einen vorgebremst kriegen = geohrfeigt, geprügelt, beschossen werden. ↗bremsen 1. 1914 ff.

Vorderflosse f Hand, Arm. ↗Flosse. Seit dem 19. Jh.

Vorderfront f 1. Gesicht. ↗Fassade 1. 1890 ff.
2. Busen. 1900 ff.

Vorderkü m Leib der Schwangeren. ↗Kü 1. 1900 ff, Berlin.

vorderlastig adj 1. schwanger. Übertragen von einem Fahrzeug, das vorn zu schwer beladen ist. 1870 ff.

2. vollbusig. 1920 ff.

Vordermann m 1. jn auf ~ bringen = eine Gruppe von Menschen zur gleichen Ansicht bestimmen; jn in die Parteirichtung zwingen; jn zurechtweisen. Dem Exerzierreglement entlehnt: man richtet die Soldaten so aus, daß der Kopf hinter Kopf steht und der Vordermann die Richtung des Hintermanns bestimmt. Im frühen 20. Jh aufgekommen, anfangs sold.
2. etw auf ~ bringen = a) etw in Ordnung bringen, wiederinstandsetzen. 1920 ff. – b) ein Fahrzeug fahr-, startbereit machen. 1960 ff, BSD.
3. jn auf ~ trimmen = jn auf die Parteigrundsätze (Fraktionsdisziplin) einschwören. ↗trimmen 1. 1965 ff.

Vorderpfote f Hand. 1920 ff.

Vordersteven m Frauenbrust. Eigentlich der Endbalken (der Kiellinie) am Vorderschiff, früher oft geschmückt mit einer weiblichen Galionsfigur. 1920 ff, seemannsspr.

Vorderteil n 1. (dicker) Bauch, Unterleib. 1900 ff.
2. vom Vorder- und Hinterteil leben = Prostituierte sein. Hinterteil = Gesäß. 1900 ff.

Vorderzahn m Lieblingsfreundin eines jungen Mannes. Sie steht vorn in der Reihe seiner Freundinnen. ↗Zahn 3. Halbw 1955 ff.

vordreschen v jm Phrasen ~ = schwülstig mit jm reden, auf jn einreden. ↗Phrasen dreschen. 1870 ff.

vorexerzieren tr jm etw ~ = jm eine Handlungsweise vormachen; jm etw an einem Beispiel erklären. 1920 ff.

vorfahren tr etw auftischen. ↗auffahren. Berlin 1860 ff.

Vorfahrt f 1. ~ haben = Vorrechte haben; einen höheren Dienstrang haben und daher rechthaberisch und besserwisserisch sein. Von der Straßenverkehrsordnung hergenommen. 1930 ff.
2. ~ haben = bevorrechtigt abgefertigt werden; die Konkurrenz ausstechen. 1930 ff.
3. sich die ~ nehmen = sich vordrängen; ein Sprechzimmer betreten, ohne an der Reihe zu sein. 1960 ff.

Vorfahrtschneider m Kraftfahrer, der einen Vorfahrtberechtigten behindert. ↗schneiden 1. 1960 ff.

Vorfahrtsrecht n Vorrecht. 1930 ff.

Vorfall m ~ haben = in Verdacht einer strafbaren Handlung stehen. Hängt zusammen mit „es ist etwas vorgefallen", und man wird damit in Verbindung gebracht. 1950 ff, Berlin.

vorflimmern v 1. jm etw ~ = a) jm einen Film vorführen. ↗Flimmer-. Seit dem frühen 20. Jh. – b) jm etw vorspiegeln. Fußt auf der Vorstellung, daß der Film nur scheinbar die Wirklichkeit wiedergibt. 1920 ff.
2. sich etw ~ lassen = a) einer Filmvorführung beiwohnen. Seit dem frühen 20. Jh. – b) Zeuge übertriebenen Benehmens sein. 1920 ff.

Vorflitterwochen pl eheähnliches Zusammensein der künftigen Eheleute. 1930 ff.

Vorfotze f 1. große Schamlippen der Frau. ↗Fotze 1. 1900 ff.
2. Vorzimmerdame. ↗Fotze 3. Berlin 1930 ff.

vorfühlen *intr* **1.** behutsam Erkundigungen einziehen. 1920 *ff.*
2. intim betasten. 1920 *ff.*
Vorführdame *f* Prostituierte. Ein Wort zur Selbsttarnung; denn „Vorführdame = Mannequin". 1965 *ff.*
Vorgartenzwerg *m* **1.** dummer, untauglicher Mensch; Schwächling. ↗ Gartenzwerg. 1930 *ff, schül, stud* und *sold.*
2. kleinwüchsiger Soldat. *BSD* 1965 *ff.*
3. häßlicher ~ = häßlicher, unsympathischer Mensch. 1930 *ff.*
vorgehen *v* es geht ihm vor = er ahnt Schlimmes. Vorgehen = sich ereignen; hier soviel wie „dem Ereignis vorangehen". *Oberd* seit dem 19. Jh.
vorgekocht *adj* vorher abgesprochen. 1920 *ff.*
Vorgesetzte *f* Ehefrau. Aus der Sicht des energielosen Ehemanns gewertet. 1910 *ff.*
Vorgesetzte *pl* Elternpaar; die Erwachsenen. 1965 *ff, jug.*
Vorgriff *m* auf ~ leben = sich als Jugendliche(r) geschlechtlichen und anderen Ausschweifungen hingeben. Man nimmt Lebenserfahrungen vorweg. 1950 *ff.*
vorhaben *tr* **1.** eine Schürze o. ä. tragen. Verkürzt aus „vorgebunden haben". Seit dem 19. Jh.
2. sich mit etw beschäftigen (ich habe ein Buch vor = ich lese gerade ein Buch). Verkürzt aus „vorgenommen haben". Seit dem 19. Jh.
3. auf jn einreden; jn ermahnen; jn tadeln; jn prügeln, gewalttätig behandeln (vergewaltigen). Verkürzt aus „vorgenommen haben" (↗ vornehmen). Seit dem 18. Jh.
Vorhand *f* in der ~ sein (sitzen) = im Vorteil sein. Hergenommen vom Kartenspiel: „in Vorhand" spielt man die erste Karte auf. Kann sich auch vom Vorkaufsrecht herleiten. 1920 *ff.*
Vorhang *m* **1.** ~! = verstumme endlich! hör' auf mit deinem Geschwätz! Übernommen aus der Theatersprache: fällt der Vorhang (wird der Vorhang zugezogen), tritt die Pause ein. 1920 *ff.*
2. ~ zum Lustspielhaus = Damennachthemd. 1920 *ff.*
3. eiserner ~ = a) Gitter am Gefängnisfenster. Seit dem 19. Jh. – b) Sperrfeuer. *Sold* 1914 *ff.* – c) strenge Absperrung der Ostblockstaaten von den Ländern der westlichen Welt; politische Abschließung von der Umwelt. Die heutige Bedeutung – der Theatersprache (eiserner Vorhang = Feuerschutzwand) entlehnt – fußt auf dem Telegramm des britischen Ministerpräsidenten Winston Churchill vom 12. Mai 1945 an den US-Präsidenten Harry S. Truman, wiederholt am 5. März 1946 durch Churchill in seiner Rede im Westminster College in Fulton. Der Ausdruck an sich ist älter. Elisabeth, Königin der Belgier, verwendete ihn 1914 angesichts des Einmarsches der deutschen Truppen; der britische Botschafter in Berlin, Edgar Vincent, Viscount d'Abernon, und auch Gustav Stresemann bezeichneten mit dem Ausdruck die entmilitarisierte Zone am Rhein. Auch in der NS-Zeit nannte man so die Grenze des sowjetischen Machtbereichs; aber die Aussprüche der Staatsmänner jener Zeit sind erst nach Churchills Telegramm bekannt geworden. Erst durch Churchill wurde der Begriff volkstümlich.

4. handgeschmiedete Vorhänge = Fenstergitter im Gefängnis. 1920 *ff.*
5. bei ihm fällt der ~ = a) er gibt nach, fügt sich. 1920 *ff.* – b) er verliert die Fassung. Es wird ihm dunkel vor den Augen. 1930 *ff.*
6. bei mir ist der ~ gefallen = für mich ist die Sache erledigt. 1930 *ff.*
7. viele Vorhänge kriegen (sich viele Vorhänge holen) = viele Hervorrufe auf der Bühne haben. Theaterspr. 1900 *ff.*
8. Vorhänge machen = Claqueur sein. Theaterspr. 1900 *ff.*
9. Vorhänge schinden = zur Verbeugung der Schauspieler den Theatervorhang oftmals öffnen und schließen. ↗ schinden 1. 1920 *ff.*
vorhauen *v* jm ~ = dem Mitschüler vorsagen. Eigentlich soviel wie „den ersten Schlag ausführen". Berlin 1900 *ff.*
Vorhaut *f* **1.** einen unter die ~ jubeln = onanieren. 1950 *ff.*
2. das kannst du dir hochkant unter die ~ jubeln = mach damit, was du willst! *Sold* 1939 bis heute.
3. schieb' dir das unter die ~! = das kannst du (für dich) behalten! verschone uns damit! *Sold* 1939 *ff.*
4. jm die ~ spalten = dem Gegner im Kartenspiel so stark zusetzen, daß er keinen Stich mehr bekommt. Übertragen von der Operation bei Phimose. Kartenspielerspr. seit dem 19. Jh.
5. sich in seine ~ zurückziehen = sich einkapseln; das Vertrauen zu den Mitmenschen verlieren; sich auf sich selbst zurückziehen. *Stud* seit dem frühen 20. Jh; *sold* in beiden Weltkriegen.
Vorher *m* Mensch mit irgendwelchen auffallenden körperlichen Mängeln. Fußt auf der beliebten Reklameabbildung einer und derselben Person in doppelter Ausführung: einmal vorher (= vor Anwendung des Präparats), einmal nachher (= nach Anwendung des Präparats). Berlin 1950 *ff.*
vorkauen *v* jm etw ~ = jm etw genau auseinandersetzen; jm etw genau vorsagen. Kleinen Kindern, vor allem den zahnlosen Säuglingen, wurde früher die erste feste Nahrung vorgekaut, ehe man sie ihnen in den Mund gab. Die Wiederkäuer verarbeiten das Futter mehrmals im Maul. *Schül* seit dem 18. Jh.
Vorkind *n* in die Ehe mitgebrachtes uneheliches Kind; Kind aus früherer Ehe. Seit dem 19. Jh.
Vorklatscher *m* bezahlter Claqueur. Mit seinem Beifallspenden reizt er das Publikum, es ihm gleichzutun. 1920 *ff, theaterspr.*
vorknöpfen *v* **1.** sich jn ~ = a) jn zur Rede stellen; jn zur Rechenschaft ziehen. Man ergreift ihn an den Knöpfen der Jacke oder des Mantels und läßt ihn erst wieder los, wenn die Zurechtweisung beendet ist. Seit dem ausgehenden 19. Jh, *sold, schül* und *stud.* – b) jm auflauern und ihn erledigen; jn züchtigen. 1910 *ff.*
2. jn ~ = jm die Hosenklappe (den Hosenschlitz) öffnen. 1935 *ff, prost.*
3. sich etw ~ = etw prüfen, näher erörtern. 1930 *ff.*
vorkommen *intr* **1.** jn gelegentlich besuchen; bei jm vorsprechen. 1870 *ff,* Berlin.
2. alles kommt vor, nur der Arsch nicht, der ist immer hinten: abschwächende Redewendung angesichts eines seltsamen

Vorfalls. Wortwitzelei mit der Doppelbedeutung von „vorkommen" im Sinn von „sich ereignen" und von „nach vorn kommen". *Vgl* ↗ Arsch 88. 1900 *ff.*
3. wie kommen Sie mir denn vor?!: Ausdruck des Unmuts über eine Zumutung. 1920 *ff.*
Vorkoster *m* Kostprobe. 1950 *ff, rhein.*
Vorkrabbelbude *f* Kontaktraum im Prostituiertenwohnheim (Eros-Center). ↗ grabbeln 2. 1960 *ff, prost.*
vorkriegen *v* sich jn ~ = jn zur Rede stellen; jn verhören. Man zieht ihn aus der Gruppe hervor und unmittelbar vor sich hin. 1600 *ff.*
Vorkur *f* Prügel auf das Knabengesäß, um schlechten Schularbeiten oder schlechten Zeugnisnoten vorzubeugen. Scherzhaft dem Begriff „Nachkur" nachgebildet. Berlin 1870 *ff.*
vorlegen *v* **1.** *intr* = im voraus essen; beim Essen tüchtig zulangen. Eigentlich soviel wie „eine Grundlage schaffen", damit einem das nachfolgende Trinken bekommt. Berlin und *ostmitteld,* 1850 *ff.*
2. einen ~ = einen Tanz tanzen. Meint wohl den schwungvollen Tanz und ist dann übertragen vom Kellner, der mit schwungvoller Bewegung dem Gast die Speisen vorlegt. Doch *vgl* auch „↗ hinlegen 2". *Halbw* 1960 *ff.*
3. ein Tempo ~ = eine Geschwindigkeit erreichen (einhalten), der sich andere anschließen (angleichen müssen). 1920 *ff.*
Vorliebe *f* mit ~ heiraten = die geschwängerte Frau heiraten. Seit dem ausgehenden 19. Jh.
Vormaul *n* vorsagender Schüler. 1970 *ff.*
vormeckern *v* jm etw ~ = jm mit Nörgeleien lästig fallen; mit schnarrender Stimme eine Ansprache an jn richten. ↗ meckern. 1920 *ff.*
vorn *adv* **1.** ~ und hinten = immer; ständig (Emma vorn und Emma hinten = ständig gibt es um Emma; Preise vorn und Preise hinten = dauernd ist die Rede von den Preisen). Wohl hergenommen von einer geschäftig hin- und hereilenden Person. 1800 *ff.*
2. ~ dürr und hinten mager = sehr hager; ohne wohlgefällige Körperrundungen (auf weibliche Personen bezogen). 1870 *ff.*
3. von ~ bis hinten = gründlich (sie putzt die Wohnung von vorn bis hinten; er liest das Buch von vorn bis hinten). 1900 *ff.*
4. ~ zu schnell und hinten zu kurz: Spottrede auf den Jäger, der das Ziel verfehlt hat; Spottrede auf einen Menschen, der trotz schnellen Laufens das vorausfahrende Gefährt nicht einholt. 1905 *ff.*
5. sich nach ~ arbeiten = beruflichen Erfolg erlangen; in leitende Stellung gelangen. „Nach vorn" bezieht sich sowohl auf die Bühnenrampe als auch auf die Spitzengruppe der Könner. 1920 *ff.*
6. sich nach ~ boxen = beruflich vorandrängen. 1950 *ff.*
6 a. etw nach ~ boxen = eine Sache ins allgemeine Bewußtsein bringen. 1950 *ff.*
7. jn nach ~ bringen = jn dem Publikum als Könner vorführen; jn zum Publikumsliebling machen. ↗ vorn 5. 1920 *ff.*
8. was sie ~ zu wenig hat, fehlt ihr hinten: Redewendung auf eine hagere weibliche Person. 1920 *ff.*

9. was ~ fehlt, ist hinten zu wenig: Redewendung auf einen Kahlköpfigen. 1920 *ff.*

10. es fehlt uns ~ und hinten = es mangelt bei uns an allem. 1920 *ff.*

11. nach ~ flüchten = nach Scheitern eines Vorschlags einen noch kühneren vorbringen. ↗ Flucht 2. 1955 *ff.*

12. ~ liegen = führend sein; zu den Erfolgreichen gehören. Aus der Sportsprache übernommen, vor allem aus der Turfsprache. 1920 *ff.*

12 a. jn nach ~ peitschen = jn zur Leistungssteigerung anfeuern. *Sportl* 1950 *ff.*

13. das ist ~ so hoch wie hinten = das ist einerlei. 1900 *ff.*

14. ~ ist hinten wie höher = es ist völlig gleichgültig. 1900 *ff.*

14 a. sich nach ~ singen = sich zu einem beliebten Sänger (einer beliebten Sängerin) entwickeln. Theaterspr. 1920 *ff.*

15. sich nach ~ spielen = als Schauspieler(in) erfolgreich werden. Theaterspr. 1920 *ff.*

16. es stimmt ~ nicht und hinten nicht = es stimmt in keiner Hinsicht; es ist durch und durch falsch. 1920 *ff.*

17. nicht wissen, was (wo) ~ und hinten ist = a) völlig verwirrt sein. 1900 *ff.* – b) keine wohlgefälligen Körperrundungen haben (auf weibliche Personen bezogen). 1900 *ff.*

18. jm zeigen, was ~ und hinten ist = jn zurechtweisen. 1920 *ff.*

vornehm *adj adv* **1.** ~ doof = geziert, zimperlich. Man gibt sich vornehm, kann aber seine Dümmlichkeit nicht verbergen. Berlin 1950 *ff.*

2. ~ geht die Welt zugrunde: Redewendung auf einen, der in bescheidener Weise einen gewissen Aufwand treibt, oder auch auf einen, der seine Wohlhabenheit betont zum Ausdruck bringt. ↗ nobel 3. Stammt entweder aus den Gründerjahren nach 1870 oder aus der Umwelt der Schieber, der Raffkes und Neureichen nach 1918.

vornehmen *v* **1.** sich jn ~ = jn zur Rede stellen. Man ergreift ihn und hält ihn fest, während man ihm Vorhaltungen macht. 1600 *ff.*

2. eine ~ = koitieren (vom Mann gesagt). 1900 *ff.*

vornüber fallen *intr* **1.** übermäßig stolz auftreten. Man hat sich eine Person vorzustellen, die die Nase so hoch trägt, daß sie die Hindernisse im Weg nicht wahrnimmt und zu Fall kommt. 1900 *ff.*

2. sich zuviel zutrauen; sich aufspielen. 1900 *ff, ziv und sold.*

vorpfeifen *v* jm etw ~ = a) jm etw genau auseinandersetzen. Fußt auf der Vorstellung von der gepfiffenen Tonfolge, die der andere nachpfeifen soll. 1870 *ff.* – b) dem Mitschüler vorsagen. 1960 *ff.*

vorpinseln *v* sich etw ~ = einer Selbsttäuschung erliegen; unfruchtbaren Gedanken Raum geben. Pinseln = malen, ausmalen: man malt sich etwas aus, das mit der Wirklichkeit nicht im Einklang steht. 1930 *ff.*

vorpirschen *refl* auf Auskundschaftung gehen. Pirschen = das Wild beschleichen. 1920 *ff.*

vorplappern (vorplärren) *intr* dem Mitschüler vorsagen. *Schül* 1920 *ff.*

vorposaunen *v* jm etw ~ = jm etw prahlerisch, lauthals mitteilen. 1920 *ff.*

Vorpostengeplänkel *n* Ausforschung der Gesinnung eines Menschen; Vorerkundung einer Meinung. 1950 *ff.*

vorprellen *intr* einen schnellen Vorstoß wagen; sich zu weit vorwagen. Gehört zu „prallen = heftig aufschlagen; schwellend vordrängen". Aus dem *Milit* nach 1920 in die Umgangssprache übergegangen.

vorpreschen *intr* Unternehmungssinn entwickeln. Preschen = rennen; eilen. 1950 *ff.*

vorprogrammieren *tr* **1.** jn auf eine bestimmte Denk- oder Verhaltensweise einüben, festlegen o. ä. Fehlerhaftes Deutsch: in „pro" steckt bereits „vor". „Programmieren" ist der Computertechnik entlehnt. 1970 *ff.*

2. etw vorsehen, planen, vorausbestimmen. 1970 *ff.*

vorprogrammiert sein auf (für) etw ~ = zu etw veranlagt sein; zu einer bestimmten Denk- und Handlungsweise verpflichtet sein. 1970 *ff.*

Vorrat *m* **1.** auf ~ fressen = im voraus essen; sich für kommende Anstrengungen stärken. *Sold* in beiden Weltkriegen.

2. auf ~ schlafen = bei jeder passenden und unpassenden Gelegenheit ein Schläfchen machen. *Vgl* auch ↗ vorschlafen. 1870 *ff, sold.*

vorreiten *v* **1.** bei jm ~ = bei jm vorsprechen. 1900 *ff, beamtenspr.*

2. jm etw ~ = jm etw vorführen. 1900 *ff.*

Vorreiter *m* **1.** vor einem Glas Bier geleertes Glas Schnaps. Eigentlich der voranreitende Diener, der den Besuch seines vornehmen Herrn (einer hochgestellten Dame) ankündigt. Spätestens seit 1900 *ff.*

2. Mensch, der in einer Sache den ersten Schritt tut. 1900 *ff.*

3. den ~ machen = a) der voreheliche Geliebte sein. ↗ reiten 3. 1910 *ff.* – b) als erster unter mehreren einer Prostituierten beiwohnen. 1915 *ff, sold.*

vorrücken *v* jm etw ~ = jm etw vorwerfen. Man rückt es ihm vor die Augen, so daß er es nicht übersehen kann. 1500 *ff.*

vorschlafen *v* mit Rücksicht auf eine abendliche (nächtliche) Verpflichtung einen Teil des Schlafs vorwegnehmen. *Vgl* auch ↗ Vorrat 2. 1920 *ff.*

Vorschlag *m* **1.** zur Güte = Kompromißvorschlag. Man will sich gütlich einigen. 1870 *ff.*

2. diesiger ~ = undurchführbarer Vorschlag. Diesig = neblig, dunstig. *Vgl* ↗ Nebel 1 und 5. *Marinespr* 1900 bis 1945; *ziv* 1945 *ff.*

Vorschlaghammer *m* **1.** Frau mit wohlgerundeten Körperformen. Verstärkung von „↗ Hammer 4". *Halbw* 1950 *ff.*

2. mit dem ~ = sehr eindringlich; nachdrücklich. 1910 *ff.*

3. jm etw mit dem ~ klarmachen = jm etw sehr einleuchtend und handgreiflich auseinandersetzen. 1910 *ff.*

vorschmeißen *tr* **1.** früher werfen als die anderen. ↗ schmeißen. Seit dem 18. Jh.

2. jm etw ~ = jm etw zum Vorwurf machen. Seit dem 18. Jh.

3. sich etw ~ lassen = Worte (Rügereden) notgedrungen anhören müssen. 1900 *ff.*

vorschmusen *v* **1.** dem Mitschüler vorsagen. ↗ schmusen. 1900 *ff.*

2. jm etw ~ = jn zu überreden suchen; jm etw vorschwindeln. Seit dem 19. Jh.

vorschnallen *v* sich jn ~ = jn zur Rede stellen. Man ergreift ihn am Koppelschloß und läßt ihn nicht los, so daß er die Zurechtweisung bis zum Ende anhören muß. *Sold* in beiden Weltkriegen.

vorschnattern (vorschreien) *v* dem Mitschüler vorsagen. 1960 *ff.*

Vorschriftendschungel *m (n)* Wirrwarr von Vorschriften. 1970 *ff.*

vorschuhen *v* sich die Fresse (o. ä.) ~ lassen = ein künstliches Gebiß erhalten. Vom Schuhmacher übernommen, der den Stiefel vorn mit neuem Oberleder versieht. *Nordd* und Berlin, 1900 *ff.*

Vorschuß *m* **1.** voreheliche Schwängerung. ↗ Schuß 3. 1900 *ff.*

2. auf ~ grinsen = vor dem Ereignis grinsen. 1935 *ff.*

3. auf ~ schlafen = wegen bevorstehender „langer Nacht" (Nachtwache o. ä.) einen Nachmittagsschlaf einlegen. 1920 *ff.*

Vorschuß-Applaus *m* Beifall für einen Künstler vor seiner Darbietung. 1900 *ff.*

Vorschußlob *n* Anerkennung vor vollbrachter Leistung. 1920 *ff.*

Vorschußlorbeeren *pl* Lob vor vollendeter Tat. Früher wurde dem Dichter zu öffentlicher Ehrung ein Lorbeerkranz aufs Haupt gesetzt. Ein Vorgriff auf solche und ähnliche Ehrungen heißt seit Heinrich Heine (Romancero, 1846/51) „Vorschuß-Lorbeerkronen". Das heutige Wort ist seit dem Chinafeldzug von 1900 als Schlagwort vorgedrungen.

Vorschußsympathien *pl* ~ verteilen = von vornherein Sympathie ausstrahlen. 1955 *ff.*

vor sein vorgetreten sein. Hieraus verkürzt.

Vorsicht *f* **1.** ~, frisch gestrichen!: Ausruf angesichts einer stark geschminkten Frau. Vom Warnschild der Anstreicher übertragen. 1920 *ff.*

2. ~, heiß und fettig!: Warnruf an einen Entgegenkommenden in engem Gang (o. ä.), wenn man Zerbrechliches oder Flüssiges trägt. Ursprünglich Ausruf von Kellnern in Ausflugslokalen. Berlin 1950 (?) *ff.*

3. ~ ist die Mutter der Porzellankiste!: Mahnung zur Vorsicht. Scherzhaft entstellt aus „Vorsicht ist die Mutter der Weisheit" oder aus „Vorsicht ist der bessere Teil der Tapferkeit" (Shakespeare, „König Heinrich IV."). Etwa gegen 1860/70 aufgekommen; vielleicht Übersetzung aus dem *Ndl* („voorzichtigheid is de moeder van de porseleinkast").

4. ~ mit die jungen Pferde!: Warnung an einen stürmisch Handelnden. ↗ Pferd 13. 1900 *ff.*

5. etw mit ~ genießen = eine Behauptung anzweifeln, mit Vorbehalt (Zurückhaltung) zur Kenntnis nehmen. 1920 *ff.*

6. er ist mit ~ zu genießen = ihn muß man behutsam behandeln; er verdient kein Vertrauen; er ist kein redlicher Mensch. 1920 *ff.*

Vorspiegelung *f* ~ falscher Tatsachen = a) Korsett. Der Ausdruck ist pleonastisch; denn in dem Wort „Vorspiegelung" ist der Begriff „falsch" bereits enthalten. 1900 *ff.* – b) Schaumgummi-Büstenhalter. 1960 *ff.*

vorspielen *v* jm etw ~ = jm etw vorgaukeln. Seit dem 19. Jh.

Vorstadt-Orchidee *f* Mädchen aus der

Vorstadt. „Orchidee" steigert den Rang von „↗Pflanze". 1955 ff.

vorstellen *tr* einen vorteilhaften Eindruck machen; vorteilhaft wirken (der Sessel stellt etwas vor; der Bewerber stellt etwas vor). Hinter „etwas" ergänze „Gediegenes" o. ä. 1870 ff.

vorsündflutlich *adj* sehr alt; völlig veraltet. Verdeutschung von „antediluvianisch" im Sinne von „voreiszeitlich; der großen Überschwemmung vorausliegend". Hat eigentlich nichts mit „Sünde" zu tun; denn die richtige Schreibung lautet „Sintflut = große Flut". In scherzhafter Verwendung etwa seit 1800.

Vortrag *m* **1.** Frauenbusen. Wörtlich „was man vorn trägt" oder „was man vorausträgt". 1920 ff. **2.** einen gestreckten ~ halten = in der Rede nicht vorankommen. Man „streckt" die Worte, um inzwischen nachdenken zu können, oder um die Redezeit auszufüllen. 1910 ff.

vortun *v* sich etw ~ = sich eine Schürze, ein Mundtuch vorbinden. Seit dem 16. Jh.

Vorturner *m* maßgebliche Person. 1950 ff.

vorübergehend *adv* sich ~ das Leben nehmen = einen erfolglosen Selbstmordversuch unternehmen. 1950 ff.

vorverdauen *v* etw für jn ~ = ein schwieriges Thema volkstümlich darstellen. ↗verdauen. Übertragen vom Labmagen der Wiederkäuer. 1950 ff.

Vorwärmer *m* **1.** Einleitung einer Handlung, um Anhänger zu gewinnen; wohlhabender Spender, der eine Spendenliste anführt. Eigentlich die Vorrichtung zum Wärmen oder Warmstellen von Speisen. 1850 ff. **2.** Anreiz. 1850 ff.

vorwärtskommen *intr* durch langsames Gehen schneller ~ = Straßenprostituierte sein. 1950 ff; wohl älter.

Vorwitznase *f* vorwitziger Mensch. Er steckt seine Nase in Dinge, die ihn nichts angehen. Seit dem 19. Jh.

vorzappeln *v* eine Rede durch lebhaftes Gestikulieren wirkungsvoller zu gestalten suchen. 1840 ff.

vorzeigbar *adj* ansehnlich, eindrucksvoll o. ä. Gegen 1965 aufgekommen im Sinne äußerlicher Ansehnlichkeit oder nachweisbarer Verdienstlichkeit. In Heiratsmarktanzeigen steht „vorzeigbar" für die vorteilhafte äußere Erscheinung (man kann sich mit dem Betreffenden sehen lassen und mit ihm „Ehre einlegen").

Vorzeigedame *f* Dame, deren Aufgabe vorwiegend im Anwesendsein besteht; attraktive Moderatorin. 1970 ff.

Vorzeige-Leute *pl* Leute, deren Bekanntschaft das eigene Ansehen steigert. 1970 ff.

Vorzeige-Mann *m* Mann, mit dem sich trefflich renommieren läßt; Mann mit Verdiensten, guter Stellung und gutem Aussehen. 1970 ff.

vorzeigen *v* etwas (nichts) vorzuzeigen haben = einen üppigen (unentwickelten) Busen haben. 1900 ff.

Vorzeigepaar *n* Sängerpaar in Schlagerwettbewerben. 1975 ff.

Vorzeigeweibchen *n* Titelblattschönheit; Bildschirmschönheit. 1975 ff.

Vorzimmerdrache *m* unleidliche, herrschsüchtige Vorzimmerdame. ↗Drache. 1910 ff.

Vorzimmerfee *f* hübsche, hilfsbereite Vorzimmerdame. 1950 ff.

Vorzimmergymnastik *f* Unterwürfigkeit des Besuchers vor der Vorzimmerdame, um beim Chef vorgelassen zu werden. 1850 ff.

Vorzimmerhyäne *f* unverträgliche, herrschsüchtige Vorzimmerdame. 1950 ff.

Vorzimmerlöwe *m* anmaßender Vorzimmersekretär. 1950 ff.

Vorzimmerschlange *f* verführerische Vorzimmerdame. 1920 ff.

Vorzimmerschreck *m* ausdauernd wartender (sich nicht abweisen lassender) Besucher im Vorzimmer. 1930 ff.

'vorz . . . 'üglich *adj* vorzüglich (entschuldigen Sie, wenn ich mit einem „Forz" beginne). Scherzhaft- schämige Redewendung. 1900 ff.

Vorzündung *f* jäher Wutanfall; grundloser Zornesausbruch; Jähzorn. Übertragen vom Explosivgeschoß (Bombe), das – mittels Vorzündung – schon vor dem Aufprall detonieren soll. *Sold* 1914 ff.

Votze *f* ↗Fotze.

'Vox 'populi *f* **1.** Mißfallenskundgebung im Theater mittels fauler Eier, weicher Tomaten o. ä. Meint in *lat* Form das politische Schlagwort der „öffentlichen Meinung". Theaterspr. seit dem späten 19. Jh. **2.** ~, Vox Rindvieh = die angebliche Stimme des Volkes ist nicht beachtenswert. Verwandt mit „Stimmvieh", der kritiklosen Wählermasse. Vokabel im Munde selbstherrlicher Politiker. 1950 ff.

vulkanisieren *intr* sich erbrechen. Übertragen vom speienden Vulkan. 1930 ff.

W

W 1. die drei ~ = Weib, Würfel, Wein. 1650 *ff*.
2. die fünf ~ = wer? was? wo? wann? wie? *Journ* 1950 *ff*.

W-Achtzehner *m* 1. Wehrpflichtiger mit 18monatiger Dienstzeit. W = Wehrpflichtiger. *BSD* 1965 *ff*.
2. ~ mit Durchblick = Soldat auf Zeit. ↗Durchblick. *BSD* 1965 *ff*.
3. ~ mit Hirn = Soldat auf Zeit. *BSD* 1965 *ff*.
4. ~ de luxe („de luxe" *franz* ausgesprochen) = Soldat auf Zeit. Übernommen von der Bezeichnung „de Luxe" für die Luxusausführung einer Automobilserie. Der Soldat auf Zeit verpflichtet sich angeblich nicht aus Überzeugung, sondern um statt des Wehrsolds von vornherein ein Monatsgehalt zu beziehen; daher kann er mehr Geld ausgeben und ist somit die „Luxusausführung" des Wehrpflichtigen. *BSD* 1965 *ff*.
5. das juckt keinen ~l: Redensart der Gleichgültigkeit. Jucken = reizen. *BSD* 1965 *ff*.

W-Fragen *pl* wann? wo? was? wie? warum? *Vgl* ↗W 2. 1950 *ff*.

Wabbel *m* 1. schlotternde Masse. ↗wabbeln. *Niederd* seit dem 19. Jh.
2. Pudding. 1900 *ff*.

wabbelig *adj* 1. schlotterig, wackelnd, zittrig; füllig herabhängend; fett-weich. ↗wabbeln. Seit dem 17. Jh, vorwiegend *niederd* und *ostmitteld*.
2. speiübel; flau. Der Magen scheint zu schwanken wie das wogende Meer. 1700 *ff*.

wabbeln *intr* sich schlotterig hin- und herbewegen; hin- und herschwanken. Ein *niederd* Wort, ursprünglich von der Hin- und Herbewegung einer zähen, gallertartigen Masse gemeint, dann auch auf schlaff hängende Gegenstände bezogen. Seit dem 16. Jh. *Vgl engl* „to wabble".

Wachel *m* Zeigestab, Winkerscheibe des Verkehrspolizeibeamten. *Vgl* das Folgende. *Bayr* und *österr*, 1920 *ff*.

wacheln *intr* herüberwinken, fächeln, wedeln. Verwandt mit „wackeln" und „bewegen". *Bayr* und *österr*, seit dem 19. Jh.

Wachhund *m* 1. Offizier vom Dienst. *Sold* 1900 *ff*.
2. Soldat, der Posten steht. *Sold* 1900 bis heute.
3. Hausmeister, Portier, Portiersfrau. 1900 *ff*.
4. für den Notfall zurückgehaltene hohe Karte. Mit ihr „beißt" man im geeigneten Augenblick. Kartenspielerspr., 1870 *ff*.
5. ~ spielen = aufpassen. 1900 *ff*.

Wacholderbeeren *pl* du hast wohl ~ gegessen?: Frage an einen, der um eine einfache Sache viele Worte macht. Wacholderbeeren heißen auch „Quackelbeeren", und „quackeln" meint soviel wie „umständlich reden". Berlin 1920 *ff*.

Wachs *n* 1. Prügel. Ablautende Nebenform zu „↗Wichse". Berlin und *rhein*, seit dem späten 19. Jh.
2. weich wie ~ = nachgiebig; gefügig; leicht lenkbar. 1800 *ff*.
3. jm etw ins ~ drücken = jm etw als erschwerend anrechnen; es jm gedenken.

Man drückte das Siegel in Wachs (vor dem Siegellack gebräuchlich), wenn man ein Schriftstück amtlich beurkunden wollte; hieraus weiterentwickelt zur Bedeutung „jm etw versichern". 1500 *ff*.
4. ~ in jds Händen sein = jm zu Willen sein; unselbständig sein. 1900 *ff*.

wachsen *tr* jn prügeln. ↗Wachs 1. Berlin und *rhein*, seit dem 19. Jh.

Wachsfigur *f* 1. unansehnlicher Mensch. Er benimmt sich, als wäre er aus Wachs und leicht zu beschädigen. 1900 *ff*.
2. Mensch mit schwankender Meinung. Er ist modellierbar wie Wachs. 1900 *ff*.
3. geschlechtlich leicht zugängliche weibliche Person. ↗Wachs 4. 1950 *ff*.

Wachsflation *f* wirtschaftliches Wachstum in Verbindung mit Inflation. Der „↗Stagflation" nachgebildet. Wahrscheinlich geprägt von Klaus Dieter Arndt, dem Präsidenten des Deutschen Instituts für Wirtschaftsforschung. 1973 *ff*.

wachsweich *adj* leicht beeinflußbar; nachgiebig; unentschlossen; nicht standhaltig; nicht überzeugend. ↗Wachs 2. 1900 *ff*.

Wachtel *f* 1. Ohrfeige. Scherzhaft vom Wachtelschlag übernommen. 1700 *ff*.
2. unverträgliche, keifende Frau. Die Wachtel „schlägt" (= gibt einen „schlagenden" Laut von sich), und die Frau „schlägt" (= prügelt). 1800 *ff*.
2 a. Gefängnisaufseher, Schließer. Aus „Wachmann, Wachtmann" verändert. Häftlingsspr. 1965 *ff*.
3. Prostituierte. Die Wachtel ist ein Zugvogel; sie streicht leicht über den Boden dahin und frißt Körner (= Samen). 1920 *ff*.
4. Vagina. *Vgl* das Vorhergehende. 1900 *ff*.
5. alte ~ = alte Frau. 1900 *ff*.
6. ausgeleierte ~ = alte Frau. ↗ausgeleiert 1. 1900 *ff*.
7. dicke ~ = beleibte weibliche Person. Wachteln haben einen gedrungenen Körperbau. 1900 *ff*.
8. fette ~ = zur Fettsucht neigende Frau. 1900 *ff*.

wachteln *tr* jn ohrfeigen, prügeln. ↗Wachtel 1. Seit dem 18. Jh.

Wachter *m* 1. Polizeibeamter. Seit dem 19. Jh.
2. jm einen ~ vor die Tür legen (setzen) = vor jds Tür koten. Nach altem Diebesaberglauben ist der Täter vor Verfolgung sicher, solange der Kothaufen dampft. Seit dem 17. Jh.

Wachtmeister *m* 1. Kothaufen vor der Tür, auf dem Wege. ↗Wachter 2. Dem Kavallerie-Wachtmeister einen Kothaufen vor die Tür zu setzen, war Tradition gegenüber unbeliebten Wachtmeistern. *Sold* 1900 *ff*.
2. großes Glas Schnaps. Wachtmeister sind Soldaten mit mindestens fünfjähriger Dienstzeit; innerhalb dieser Zeit sind sie zu gnügen sich nicht mit kleinen Schnäpsen. Seit dem späten 19. Jh, *sold* und *rotw*.

Wacke *f* 1. beliebter Kamerad. Von „Wacke = Gesteinsbrocken" übertragen zur Bedeutung „Prachtstück" oder „Pfundskerl" o. ä. *Halbw* 1955 *ff*.
2. Mädchenfreund. *Halbw* 1955 *ff*.

Wackel *m* 1. kleines Kind; Säugling. Das Kind ist noch wacklig auf den Beinen

(beim Säugling wackelt sogar noch der Kopf). 1920 *ff*.
2. Gelatinepudding. ↗Wackelpudding. Berlin 1920 *ff*.
3. auf den ~ gehen (den ~ machen) = als Straßenprostituierte auf Männerfang gehen. Hergenommen vom aufreizenden Hin- und Herschwingen des Gesäßes oder vom typischen Schwenken des Handtäschchens. 1920 *ff*.

Wackelheini *m* 1. Schlagersänger, der seinen Vortrag mit Hüftenwackeln begleitet. 1955 *ff*.
2. Mann ohne feste Ansichten. *Vgl* ↗Wackel 2. 1955 *ff*.

Wackelkiste *f* vom Feindflug mit Abschußerfolg heimkehrendes Flugzeug. Vor der Landung läßt der Pilot sein Flugzeug um die Längsachse pendeln („wackeln"), um anzuzeigen, daß er erfolgreich war. ↗Kiste 13. Die Gepflogenheit war schon im Ersten Weltkrieg bekannt, nicht aber das Wort. *Sold* 1939 *ff*.

Wackelkontakt *m* 1. Unsicherheit im Beschäftigungsverhältnis; Gefährdung des Arbeitsplatzes. Übertragen vom schadhaften Kontakt in der Stromleitung, wodurch der Stromschluß unterbrochen wird. 1950 *ff*.
1 a. eheliche Unstimmigkeit. 1960 *ff*.
2. einen ~ haben = a) begriffsstutzig sein; ungenau auffassen. Die „geistige" Stromleitung ist unterbrochen. 1920 *ff*, vorwiegend *schül* und *stud*. – b) tremolieren. 1950 *ff*. – c) Twist tanzen. Die Tänzer nähern sich einander und entfernen sich wieder voneinander. 1962 *ff*.
3. einen ~ in der Denkdose haben = nicht recht bei Verstand sein. Die „Denkdose" ist scherzhaft aus der „Steckdose" abgewandelt. *Halbw* 1960 *ff*.
4. ~ herstellen = koitieren. 1935 *ff*.
5. einen ~ montieren = außerehelich ein Liebesverhältnis anknüpfen. 1930 *ff*.
6. ~ suchen = eine Geschlechtspartnerin suchen. 1935 *ff*.

wackeln *intr* 1. völlig erschöpft sein. Vor Müdigkeit ist man unsicher auf den Beinen. *Sold* 1939 *ff*.
1 a. schwankender Gesinnung sein. 1920 *ff*.
2. gewackelt hat er: schadenfrohe Trostrede, wenn ein einziger Kegel stehen geblieben ist. Keglerspr. seit dem 19. Jh.
3. kein gewinnsicheres Spiel in der Hand haben. Kartenspielerspr. 1820 *ff*.
4. das Flugzeug leicht um die Längsachse schwanken lassen. ↗Wackelkiste. Fliegerspr. 1939 *ff*.
5. bei ihm wackelt es = sein Geschäft geht schlecht; er steht vor dem Konkurs. Kaufmannsspr. seit dem späten 19. Jh.
6. er wackelt (mit ihm wackelt es) = seine Versetzung in die nächsthöhere Klasse ist ungewiß. *Schül* 1900 *ff*.
7. sich in unsicher gewordener Stellung befinden; mit Amtsenthebung rechnen müssen. 1870 *ff*.
8. einen ~ = Twist tanzen. ↗Wackelkontakt 2 c. 1962 *ff*.
9. ins ~ kommen = geschäftlich in eine Krise geraten; in der beruflichen Stellung erschüttert sein. 1870 *ff*.
10. am ~ sein = nicht dauerhaft, nicht standhaft sein. 1900 *ff*.

wackeln gehen *intr* als Straßenprostituierte

auf Männerfang gehen. ↗Wackel 3. 1920 ff.

Wackelpo (-popo) *m* beim Gehen hin- und herschwingendes Gesäß. ↗Po 1. 1920 ff.

Wackelpudding *m* **1.** Gelatinepudding; Wein-, Fruchtsaftgelee („Götterspeise"). Spätestens seit 1900.
2. schlechte sportliche Leistung. Der Sieg ist „wacklig" geworden. *Sportl* 1920 ff.
3. energieloser, wankelmütiger Mensch. 1900 ff.

Wackes *m* **1.** Umhertreiber; Tagedieb. Fußt auf *lat* „vagus = umherstreifend". 1800 ff.
2. grober, ungesitteter, plumper Mann. Seit dem 19. Jh, *westd* und *südwestd.*

wacklig *adj* **1.** hinfällig; nicht mehr rüstig; unsicher, schwankend (die Sache steht wacklig; seine Gesundheit ist wacklig). Seit dem 18. Jh.
2. dem Bankrott nahe. Kaufmannsspr. seit dem späten 19. Jh.
3. nicht völlig überzeugend (auf Geständnisse o. ä. bezogen). 1920 ff.
4. nicht gewinnsicher. ↗wackeln 3. Kartenspielerspr. seit dem 19. Jh.

Wade *f* **1.** kalte ~ = Beinprothese. 1915 ff.
2. mit strammer ~ = energisch, selbstbewußt. Übernommen von den zur Felduniform eingeführten Ledergamaschen der Infanterie-Offiziere. *Sold* und *ziv,* 1910 ff.
3. deinetwegen werde ich mir in die ~n beißen!: Ausdruck der Ablehnung. Berlin 1910/20 ff, *jug.*
4. sich die ~n bescheißen = übereifrig sein. ↗bescheißen 1. Berlin, 1920 ff.
5. mach' die ~ frei, ich bescheiße dich!: Ausdruck der Mißachtung; Scheltrede auf einen Versager. ↗beseichen 1. 1920 ff.
6. rechts mehr durchtreten, die linke ~ eiert: Redewendung, die man einer schlendernden Straßenprostituierten mit „Wakkelgang" nachruft. 1955 ff, *halbw.*
7. Platz für ~n haben = sehr dünne Beine haben. Berlin 1840 ff.
8. sich nicht an die ~n pissen lassen = sich nichts gefallen lassen. Vielleicht von üblen Erfahrungen mit einem Hund hergeleitet. Berlin 1840 ff.
9. jm die ~ nach vorn richten = jn zurechtweisen. *Österr* 1940 ff.

Wadenbeißer *m* Mensch, der sich mit verletzenden Äußerungen unbeliebt macht. Hergenommen vom bissigen Hund. 1970 ff.

Wadenheld *m* Ballett-, Solotänzer. Er hat sehr kräftig entwickelte Waden. Theaterspr. 1920 ff.

Wadenklemmer *m* enganliegende Hose. Sie zwängt die Waden ein. *Halbw* 1950 ff. Seit dem Ersten Weltkrieg Soldatenbezeichnung für die Wickel- und Ledergamaschen.

Wadenkneifer *pl* enge Hosenbeine; enganliegende Reithosen. Mit der Biedermeiermode aufgekommen, wohl in Berlin.

Wadenoper *f* Oper mit Ballett; Ballett-Aufführung. Berlin 1840 ff.

wafen (waafen) *intr* schwätzen. ↗waffeln. *Bayr* seit dem 19. Jh.

Waffe *f* **1.** *pl* = Lehrmittel der Schule. Sie sind eine Art Kampfwerkzeug. 1960 ff.
2. bayerische ~ = Maßkrug. Anspielung auf Raufhändel in Gastwirtschaften, wobei der Maßkrug als Schlagwaffe und Wurfgeschoß dient. 1900 ff.

3. mit ~ betteln = einen Raubüberfall ausführen. Euphemismus. 1930 ff.

Waffel *f* **1.** Mund. ↗waffeln. Vorwiegend *oberd,* 1500 ff.
2. große ~ = Großsprecher, Prahler. *Bayr* seit dem 19. Jh.

Waffelbeck *m* Nörgler. „-beck" meint entweder den Bäcker oder gehört zu „picken = stechen". *Bayr* 1900 ff.

waffeln *intr* schwätzen; Unsinn äußern. Vorwiegend *oberd* Entsprechung zu *niederd* „↗wabbeln". Seit dem 18. Jh. Vgl *engl* „to waffle".

Waffenschein *m* **1.** Führerschein. Anspielung auf das Auto, mittels dessen alljährlich Mensch und Tier auf den Straßen verletzt und auch getötet werden. 1955 ff.
2. er braucht für seine Hände und Füße einen ~ = er hat kräftig entwickelte Hände und Füße. 1920 ff.
3. für das Mundwerk (o. ä.) braucht er einen ~ = er führt verletzende Reden. 1920 ff.

Wagen *m* **1.** ~ mit Sex = Auto mit einem sehr leistungsfähigen Motor u. ä. Von der geschlechtlichen Anziehungskraft übertragen auf die maschinelle Anzugskraft. 1958 ff.
2. dicker ~ = Auto mit starkem Motor (über 600 ccm Hubraum); sehr kostspieliges Auto. 1950 ff.
3. feuriger ~ = Eisenbahn. ↗Elias 1. Seit dem 19. Jh.
4. gelber ~ = Gefangenentransportwagen. Wegen der Anstrichfarbe. *Österr* seit dem 19. Jh.
5. grüner ~ = Gefangenentransportwagen. *Vgl* „grüne ↗Minna". Preußen 1870 ff.
6. heißer ~ = Sportauto. 1955 ff.
7. krummer ~ = polizeilich nicht zugelassenes Kraftfahrzeug. ↗krumm 2. 1960 ff.
8. lahmer ~ = langsames Auto. 1930 ff.
9. den ~ dreschen = den Motor überdrehen. Man „drischt" die Gänge „rein". ↗reindreschen 1. 1950 ff.
10. jm an den ~ fahren (kommen, können) = jds Absicht durchkreuzen; jm zu nahe treten; sich jm überlegen zeigen; jm Vorhaltungen machen. Hergenommen vom Fuhrwerk, das ein anderes streift. Veranschaulichung der Redewendung „jm zu nahe treten". 1750 ff.
11. sich nicht an den ~ fahren lassen = unerschrocken sein; gegen Verunglimpfung aufbegehren. Seit dem 19. Jh.
12. der ~ kocht = das Kühlwasser kocht. 1955 ff.
13. der ~ läuft = die Sache entwickelt sich günstig. 1890 ff.
14. sich nicht an den ~ pinkeln lassen = sich keiner Unredlichkeit schuldig machen; sich nichts gefallen lassen; unverdiente Vorwürfe energisch zurückweisen. Wer einem an den Wagen (ans Wagenrad) harnt, drückt damit Verachtung aus. Seit dem frühen 20. Jh, *sold, stud,* bergmannsspr. u. a.
15. jm nicht an den ~ pinkeln können = jm nichts Schlechtes (Ehrenrühriges) nachsagen können. 1900 ff.
16. jm an den ~ pissen = jn kritisieren; jn belangen. 1900 ff.
17. den ~ quälen = dem Automotor höchste Leistung abverlangen. 1955 ff, kraftfahrerspr.

Wagenrad *n* **1.** breitrandiger Damenhut. Mit der Mode um 1900 aufgekommen.
2. Fünfmarkstück. ↗Rad 1. 1930 ff.
3. großer Kranz. 1930 ff.

waggonfarben *adj* schmutzig. Meint den (durch Verrußung) schmutzig-grau gewordenen Anstrich der Eisenbahnwagen. 1935 ff.

Wagscheitl *n* besoffenes ~ (bsuffas Waagscheitl) = Betrunkener. „Wagscheitl" ist der Schwengel oder das Zugscheit, woran die Stränge befestigt werden: der Schwengel bewegt sich hin und her. *Bayr* 1900 ff.

Wahlbonbon *m* Wahlversprechen; (versprochene) Vergünstigung zwecks Stimmenfangs. ↗Bonbon 1. 1960 ff.

Wähler *m* weicher ~ = Wahlberechtigter mit unbekannter politischer Richtung; Wähler, der keiner Partei angehört. Politiker und Demoskopen behaupten, er sei Parteiparolen verschiedener Art (gleichermaßen) zugänglich. 1955 ff.

Wählermagnet *m* Politiker, der von den Wählern bevorzugt wird. Wie ein Magnet das Eisen, so zieht er die Wähler an. 1955 ff.

Wahlkampfbombe *f* sehr zugkräftiges Thema im Wahlkampf. ↗Bombe 5. 1958 ff.

Wahlkampflokomotive *f* zugkräftiger Wahlkampfredner. ↗Lokomotive 1. 1950 ff.

Wahlkampfplattform *f* Wahlprogramm. Aus der Eisenbahnersprache: von Plattformwagen aus halten die Kandidaten (in den USA noch heute) ihre Ansprachen an die auf den Bahnsteigen wartende Menge. Aus den USA um 1965 übernommen.

Wahllokal *n* Versammlungsraum („Kontaktraum") der Prostituierten im Bordell. 1914 ff.

Wahlmunition *f* Gesamtheit der Themen, mit denen man die Stimmen der Wähler zu gewinnen hofft. 1960 ff.

Wahlplattform *f* Wahlprogramm einer politischen Partei. ↗Wahlkampfplattform. 1965 ff.

Wahlrecht *n* freies ~ = Wahl zwischen zwei Unannehmlichkeiten verwandter Art. 1940 ff, *sold* und *ziv.*

Wahlrummel *m* Betriebsamkeit der Politiker und Funktionäre zwecks Erringung von Wählerstimmen. ↗Rummel. 1925 ff.

Wahlspecht *m* von Wohnung zu Wohnung gehender Propagandist für eine politische Partei. Er klopft an jeder Tür. 1957 ff.

Wahlspeck *m* verlockende Versprechungen der Wahlredner. Versteht sich nach dem Sprichwort „mit Speck fängt man Mäuse". Seit dem späten 19. Jh.

Wahlsprüche *pl* Wahlkampfparolen. Meint eigentlich die Leitsprüche oder Losungen; hier soviel wie „leere Redensarten der Wahlredner". 1930 ff.

Wahltrottel *m* Bürger, der nicht weiß, welche Partei er wählen soll. ↗Trottel 1. 1955 ff.

Wahlvieh *n* unkritische Wählermasse. ↗Stimmvieh. 1960 ff.

Wahlzuckerl *n* Wahlversprechen. ↗Zuckerl. *Österr;* 1950 ff.

Wahnmoching *On* Schwabing. Um 1900 geprägt von Franziska (Fanny) Gräfin zu Reventlow (1871–1918) in Anlehnung an den Ortsnamen Feldmoching im Norden von München. „Feldmoching" stand damals sinnbildlich für bäuerliche Zurückgebliebenheit und für oberbayrisches Schildbürgertum. „Wahn" spielte an auf die erträumte Zukunftswelt, in der die bestehende Welt als lebensfeindlich geleugnet wurde.

Wahnsinn *m* **1.** heller ~ = völliger Unsinn; grenzenlose Torheit. 1920 *ff.*
2. bis zum kalten ~ = bis zum Überdruß; bis zur Verzweiflung. 1920 *ff.*
3. des ~s kesse (fette) Beute = Verrückter; Dummer. *Jug* 1945 *ff.*
4. du bist wohl des ~s knusprige Beute?: Frage an einen, an dessen Verstand man zweifelt. *Jug* 1950 *ff.*
5. vom ~ bekrallt sein = geistesbeschränkt sein. Man ist in die Krallen des Wahnsinns geraten. 1930 *ff*, *jug.*
6. vom ~ berotzt sein = dumm, einfältig sein. *Schül* 1930 *ff*; sold 1939 *ff.*
7. vom ~ umzingelt sein = nicht recht bei Verstand sein. 1930 *ff*, *jug*; 1939 *ff*, *sold.*
8. ist ja ~!: Ausdruck höchster Anerkennung. Das Gemeinte ist so unvorstellbar unübertrefflich, daß man darüber den Verstand verlieren könnte. *Jug* 1970 *ff.*
wahnsinnig *adj* **1.** hervorragend. Eigentlich soviel wie „geisteskrank, irrsinnig". Von da weiterentwickelt zur Bedeutung „jegliches Maß übersteigend". *Jug* 1920 *ff.*
2. *adv* = sehr (ich habe ihn wahnsinnig gern; der Tunnel ist wahnsinnig lang). Seit dem ausgehenden 18. Jh.
3. ich werde ~!: Ausdruck der Überraschung. Man tut so, als verlöre man angesichts des Gemeinten den Verstand. Analog zu „ich werde ↗verrückt!". 1900 *ff.*
Wahnsinnskluft *f* ungewöhnliche, originelle Kleidung. ↗Wahnsinn 8; ↗Kluft 1. *Halbw* 1975 *ff.*
wahnwitzig *adv* sehr, überaus. Eigentlich soviel wie „des Verstandes beraubt", dann im Sinne von „über jedes Maß hinausgehend" weiterentwickelt zu einer allgemeinen Steigerung wie „verrückt", „wahnsinnig" o. ä. 1850 *ff.*
wahr *adj* **1.** das darf (kann) doch nicht ~ sein: Ausruf der Überraschung, des Entsetzens, des Zweifelns usw. Das Gemeinte ist so unfaßbar, daß man seine Wirklichkeit in Frage stellt. 1950 *ff.*
2. es ist schon nicht mehr ~ = es ist schon lange her. Leitet sich her von Aussagen, deren Glaubwürdigkeit mit der Zeit nachläßt und schließlich völlig vergeht. 1500 *ff.*
Wahrheit *f* **1.** bloße ~ = Nacktheit. 1920 *ff.*
2. blutige ~ = schonungslose Wirklichkeit. ↗blutig. 1920 *ff.*
3. nackte ~ = Nackttanz, Striptease o. ä. 1920 *ff.*
4. nicht ganz innerhalb der ~ = mehr oder minder stark gelogen. Aufgekommen im Gefolge der Redewendung „etwas außerhalb der ↗Legalität", 1968 *ff.*
5. auf die ~ abonniert sein = rechthaberisch sein. 1955 *ff.*
6. jm die ~ geigen = jn derb rügen. Erklärt sich nach „↗geigen 5": Dem Betreffenden wird die Wahrheit mittels des Prügelstocks beigebracht. Seit *mhd* Zeit.
7. die ~ verfehlen = dreist lügen. Euphemismus. 1920 *ff.*
8. jm die ~ aus der Nase ziehen = jn auf den Wahrheitsgehalt einer Behauptung hin

eindringlich befragen. Variante zu „jm die ↗Würmer aus der Nase ziehen". 1958 *ff.*
Währung *f* **1.** neue deutsche ~ = Zigaretten. Aufgekommen 1945, als die Reichsmark wertlos war und Zigaretten als Mangelware gern eingetauscht wurden.
2. härteste ~ in Bayern = eine Maß Bier. „Harte Währung" nennt man die Währung mit voller Golddeckung. In Bayern war der Preis für 1 Liter Bier lange Zeit beständig, bis auch ihn der allgemeine Preisanstieg angeglichen wurde. 1966 *ff.*
wai *interj* au wai (au weih; au weia; au wai geschrien)! = o weh! „Wai" ist *jidd* Aussprache von *hd* „weh". 1700 *ff.*
Waisenkind *n* **1.** gegen jn im ~ sein = an Leistungsvermögen jm nicht gewachsen sein. Gemeint ist, daß ein Kind ohne Eltern in Unerfahrenheit aufwächst. Gegen jn = gegenüber (im Vergleich zu) jm. Seit dem 19. Jh.
2. du bist auch kein ~ = du sollst bei der Verteilung nicht benachteiligt werden. 1950 *ff.*
3. dastehen wie ein ~ = hilflos sein. 1900 *ff.*
Waisenknabe *m* gegen jn (daneben) ein ~ sein = weit hinter jm zurückstehen (hinsichtlich Leistungen, Kenntnissen usw.). ↗Waisenkind 1. Seit dem 19. Jh.
Wald *m* **1.** Schambehaarung. Seit dem 19. Jh.
2. starke Brustbehaarung bei Männern. Seit dem 19. Jh.
3. große Menge emporragender Gegenstände; unübersichtliche, vielgliedrige technische Anlage; unübersichtliche Gesamtheit von sehr vielen Einzelstücken verwandter Art. Aus den dichterischen Ausdrücken „Wald von Fahnen", „Wald von Masten, von Schiffen" u. ä. übernommen zur Bezeichnung eines vielgliedrigwirren Ganzen, vor allem eines senkrecht Aufragenden mit waagerechten Armen und Verzweigungen. 1930 *ff.*
4. ~ und Wiese = a) minderwertiger Tabak. 1945 *ff.* - b) Kräutertee. *Sold* 1935 bis heute.
5. ~, Wiese und Bahndamm = selbstgebauter Tabak (mit Tee vermischt). 1945 *ff.*
6. Marke deutscher ~ = minderwertige Raucherware. Dieser Tabak besteht vermeintlich aus Baum- und Strauchblättern. 1940 *ff.*
7. nicht für einen ~ voll Affen = um keinen Preis; für nichts in der Welt; unter keinen Umständen. Ina Seidel wies als Quelle nach: William Shakespeare, „Der Kaufmann von Venedig" (III, 1): Shylocks Tochter hat für einen Ring einen Affen eingehandelt, woraufhin Shylock sagt, nicht für einen Wald von Affen hätte er den Ring hingegeben. 1900 *ff.*
8. wer hat dich, du schöner ~, abgeholzt so hoch da droben?: Redewendung auf den Raubbau. Parodie auf das Gedicht „Der Jäger Abschied" von Joseph von Eichendorff (1837), vertont von Felix Mendelssohn-Bartholdy (1840), mit der Eingangszeile: „Wer hat dich, du schöner Wald, aufgebaut so hoch da droben?". 1920 *ff.*
9. im ~ aufgewachsen sein = a) kein gesittetes Benehmen haben. Seit dem 19. Jh. - b) unbelehrbar dumm sein. Seit dem 19. Jh.

10. ihm möchte ich nachts nicht im ~ begegnen: Redewendung auf einen Menschen mit verwildertem, grobem und abstoßendem Aussehen. Im Sinne der alten Räuberromane halten sich im Wald die Räuber und Unholde auf. 1900 *ff.*
11. sich benehmen wie die Axt im ~. ↗Axt 2.
12. geh in den ~ zu deinen Freunden! = geh weg! Waldbewohner gelten als dumm und unzivilisiert. ↗Wald 9. *BSD* 1965 *ff.*
13. einen ~ holzen = laut schnarchen. ↗sägen 1. 1900 *ff.*
14. aus dem ~e klingt es dumpf, Pik ist Trumpf: Spielansage „Pik". Kartenspielerspr. 1920 *ff.*
15. du kommst wohl aus dem ~?: Frage an einen, der dumme Fragen stellt. ↗Wald 12. *Sold* 1935 *ff.*
16. hinter dem ~ leben = weltfremd sein. ↗Hinterwäldler. Seit dem 19. Jh.
17. Marke „Deutsche, raucht eure Wälder!": übelriechender Tabak. ↗Wald 6. *BSD* 1965 *ff.*
18. scheiß an (in) den ~! = nimm es nicht wichtig! mach' dir nichts daraus! 1955 *ff.*
19. nach deutschem ~ schmecken = nach minderwertigem Tabak schmecken. ↗Wald 6. *Sold* 1940 *ff.*
20. den ~ vor lauter Bäumen nicht sehen = vor lauter Belanglosigkeiten das Wichtige nicht erkennen. Geht zurück auf Christoph Martin Wieland („Musarion, oder die Philosophie der Grazien", 1768), vielleicht in Erweiterung einer Stelle bei Ovid. *Vgl engl* „he does not see the forest for the trees" und *franz* „les arbres lui cachent la forêt".
21. im ~ sein = a) unwissend sein; nichts gesehen haben. Seit dem 19. Jh. - b) falsch, fehlerhaft (mißtönend) musizieren. Musikerspr. 1920 *ff.*
22. ich denke (glaube), ich bin (stehe) im ~!: Ausruf der Verwunderung, der Entrüstung. *Vgl* ↗Hamster. *Halbw* 1955 *ff.*
23. sind wir im ~?: Frage an einen, der sich ungesittet benimmt. *Österr*, 1900 *ff.*
24. im ~ wohnen = dumm sein; sich dumm stellen. *Vgl* ↗Wald 12. Seit dem 19. Jh.

Waldesel *m* **1.** dummer Mensch. Meint im eigentlichen Sinn den Wildesel; hier aufgefaßt als Verstärkung von „↗Esel". Der Wald versinnbildlicht die Abgelegenheit und Unzugänglichkeit (der mutmaßlichen Heimstatt des Gemeinten). *Schül* und *sold* seit dem ausgehenden 19. Jh.
2. furzen wie ein ~ = Darmwinde laut entweichen lassen. 1920 *ff.*
3. scheißen wie ein ~ = sich bei der Notdurftverrichtung keinerlei Zwang antun. 1920 *ff.*
4. stinken wie ein ~ = unausstehlich stinken. 1910 *ff.*
5. wichsen wie ein ~ = häufig onanieren oder koitieren. ↗wichsen. 1870 *ff.*
Waldfee *f* husch, husch die ~! = a) Ausruf junger Männer angesichts eines vorbeilaufenden jungen Mädchens. Märchenfreunde kennen die Fee fast nur als schöne Frauengestalt. Die Waldfee ist die dichterische Nachfolgerin der Waldnymphe aus der altgriechischen Mythologie. 1910 *ff*, *jug.* - b) schnell, behutsam! Meist in Verbindung mit dem Warnruf: „Kopf weg, - es kommt was geflogen!". *Sold* 1914 *ff.* -

c) Ausruf bei unhaltbarem Torball. *Jug* 1920 *ff.*

Waldheini *m* **1.** Naturbursche; Angehöriger der Wandervogelbewegung. ↗Heini. Seit dem frühen 20. Jh, *schül, stud, sold* und *arb.*

2. wunderlicher Mann; Dümmling; unbeholfener, langsam tätiger Mann; Neuling. 1920 *ff*, *sold* und *schül.*

Wald- und Wiesen- stabreimende Formel zur Kennzeichnung von Üblichem, Durchschnittlichem, Nicht-Ausgeprägtem u. ä. Etwa seit dem späten 19. Jh.

Wald- und Wiesenanwalt *m* Rechtsanwalt ohne ein bestimmtes Fachgebiet. 1920 *ff.*

Wald- und Wiesendoktor *m* praktischer Arzt. 1910 *ff.*

Wald- und Wiesenmischung *f* minderwertiger Tabak. 1940 *ff.*

Wald- und Wiesentee *m* Kräutertee. *Sold* 1935 bis heute.

Walfisch *m* **1.** Schlachtschiff; großer Kreuzer. *Marinespr* in beiden Weltkriegen.

2. großes Flugzeug. *Sold* in beiden Weltkriegen.

3. Schimpfwort. Anspielung auf großes Maul, kleines Gehirn, immer im „↗Tran" und im „Schwanz" die größte Stärke. 1930 *ff.*

4. deutscher ~ = Hering. *Marinespr* 1910 *ff.*

Walhalla *f* ~ für Beamte = Verwaltungshochhaus. Die Walhalla ist in der *germ* Mythologie der Aufenthaltsort der gefallenen Krieger; hier ist das Gebäude der „↗Papierkrieger" gemeint. 1960 *ff.*

Walke *f pl* = Prügel, Hiebe. Eigentlich die Walkmühle, in der Felle gewalkt werden. Seit dem 19. Jh.

2. jn in der ~ haben = jn prügeln. Seit dem 19. Jh.

3. jn in die ~ nehmen = jn heftig rügen; jn gründlich prügeln. Seit dem 19. Jh.

walken *v* **1.** *tr* = jn verprügeln. Übertragen vom Walken der Felle. Seit dem 18. Jh.

2. *intr* = Hausputz halten. Anspielung auf das Klopfen der Teppiche und Polster. 1950 *ff.*

3. *intr* = spazierengehen. Aus dem *Engl* (to walk) nach 1945 übernommen, *schül.*

Walküre *f* kraftvolle, stattliche Frau. Geht zurück auf die Frauengestalt der Walküre in Richard Wagners „Der Ring des Nibelungen" (1856). Seit dem ausgehenden 19. Jh.

Wallach *m* **1.** katholischer Geistlicher; Mönch. Fußt auf *jidd* „gallach = Geschorener, Tonsurierter"; auch Anspielung auf das Zölibat, wobei der zur Ehelosigkeit Verpflichtete mit dem verschnittenen Hengst gleichgesetzt wird. Kundenspr. seit dem frühen 19. Jh.

2. zeugungsunfähiger Mann. Seit dem 19. Jh.

3. furzen wie ein ~ = viele Darmwinde laut entweichen lassen. Auch in dieser Eigenart unterscheiden sich die Wallache von den Hengsten und Stuten. Seit dem 19. Jh.

4. scheißen wie ein ~ = die große Notdurft eilig verrichten. Pferde entledigen sich des Kots auch im Gehen oder Laufen. Seit dem 19. Jh.

Wallebart *m* lang herabhängender Vollbart. 1955 *ff.*

Wallebusen *m* wogende Frauenbrust. Seit dem 19. Jh.

Walle-Walle-Locken *pl* lockig herabfallendes Haar. 1965 *ff.*

Walroßbart (-schnurrbart) *m* struppiger, borstiger Oberlippenbart. 1955 *ff.*

Walz *f* **1.** Landstreicherei; Gesellenwandern; Wanderschaft, Wanderung. Fußt auf mundartlich „walzen = schlendern". Kundenspr. etwa seit 1850.

2. auf die ~ gehen = auf Wanderschaft gehen. 1850 *ff.*

3. auf der ~ sein = auf Wanderschaft sein. 1850 *ff.*

Walzbruder *m* Landstreicher; Handwerksbursche auf Wanderschaft; Wanderer. Kundenspr. seit dem späten 19. Jh.

Walze *f* **1.** üblicher Ablauf von Geschehnissen; bekannte Folge von Äußerungen. Hergenommen von der Musikwalze in Spieluhr, Drehorgel u. ä. Berlin 1840 *ff.*

2. schwerer Panzerkampfwagen. Übernommen von der Dampfwalze. *Sold* 1935 *ff.*

3. Trecker. 1960 *ff.*

4. beleibter Mensch. Verkürzt aus „↗Dampfwalze 1". 1920 *ff.*

5. Penis. Analog zu ↗Bolzen 3. Seit dem 19. Jh.

6. *pl* = dickliche Beine. Sie sind walzenförmig. 1900 *ff.*

7. die alte ~ = altbekannte Tatsache; hinreichend behandeltes Thema. Von der Drehorgel u. ä. hergeleitet. Seit dem 19. Jh.

8. nicht mit dieser ~ = nicht auf diese übliche Weise. 1900 *ff.*

9. dieselbe ~ = von neuem erwähntes, altbekanntes Geschehnis. 1900 *ff.*

10. heiße ~ = Schallplatte mit zündender Schlagermusik. ↗heiß 7. 1960 *ff*, *halbw.*

11. eine neue ~ = eine ungewohnte Ansicht; ein neuer Gesprächsstoff; neue Auffassung einer Bühnenrolle. 1840 *ff.*

12. eine ~ abstellen = Gesagtes nicht nochmals sagen. 1920 *ff.*

13. eine ~ auflegen = einen Trick anwenden; erfolgversprechend vorgehen. 1920 *ff.*

14. die gefühlvolle ~ auflegen = sich gefühlvoll äußern. 1950 *ff.*

15. die alte ~ drehen = einen hinreichend bekannten Standpunkt wiederholen. 1900 *ff.*

16. eine falsche ~ eingelegt haben = a) falsch, mißtönend singen. 1870 *ff*. – b) etw falsch machen, schlecht beginnen. 1910 *ff.*

17. etw nicht auf der ~ haben = etw nicht wissen; auf etw nicht vorbereitet sein; etw nicht beabsichtigen. Bezieht sich auf eine Melodie, die der Drehorgelspieler nicht auf seiner Walze hat. 1870 *ff*, vorwiegend Berlin.

18. (es ist) nicht auf der ~l: Ausdruck der Ablehnung. Berlin, 1900 *ff.*

19. eine leise ~ spielen = unaufdringlich, zurückhaltend spielen. 1920 *ff.*

walzen *intr* **1.** gehen, wandern, marschieren. Fußt auf *mhd* „walzen = sich drehen, rollen". Seit dem 19. Jh.

2. langsam, schwerfällig gehen. Seit dem 19. Jh.

3. Landstreicher sein; nach Landstreicherart das Land durchziehen. ↗Walz 1. 1850 *ff*, kundenspr.

4. (Walzer) tanzen. Seit dem 18. Jh.

5. tänzelnd schreiten. Seit dem 19. Jh.

wälzen *v* **1.** sich vor Lachen ~ = hellauf

lachen; des Lachens kein Ende finden. Anspielung auf das Vor- und Rückwärtsbiegen des Körpers bei heftigem Lachen. Seit dem 18. Jh.

2. es ist zum ~ = es ist sehr erheiternd. Seit dem 19. Jh.

Walzer *m* **1.** Landstreicher. ↗Walz 1. 1900 *ff*, kundenspr.

2. ~ ohne Füße = seitliche Schaukelbewegung im Sitzen, wobei man seine Nachbarn zu beiden Seiten unterfaßt. Zur Sache *vgl* „↗schunkeln 2". 1950 *ff.*

3. nervöser ~ = a) Wiener Walzer (im Unterschied zum English Waltz). 1950 *ff*. – b) moderner Tanz. 1950 *ff.*

4. ~ fahren = wegen Trunkenheit die Herrschaft über das Kraftfahrzeug verlieren und in Schlangenlinien fahren. Kraftfahrerspr. 1950 *ff.*

5. das spielt keinen ~ = das ist unbedeutend, gleichgültig. Wortwitzelnd entstellt aus „das spielt keine Rolle". 1935 *ff.*

6. langsamen ~ spielen = schwunglos Fußball spielen. *Sportl* 1955 *ff.*

Wälzer *m* unhandliches, dickes Buch. Scherzhaft übersetzt aus *lat* „volumen" unter gelehrter Einwirkung von *lat* „volvere = wälzen". 1750 *ff.*

Wamme *f* **1.** Bauch. ↗Wampe 1. Seit *mhd* Zeit.

2. Doppelkinn. Eigentlich die herabhängenden Hautwülste am Hals der Rinder. 1900 *ff.*

Wampe *f* **1.** Bauch; Hängebauch. Ein *germ* Wort, ursprünglich für den Bauch von Tieren; dann auch auf Unterleib und Mutterleib beim Menschen bezogen. Seit dem 16. Jh.

2. Schwangere. 1900 *ff.*

3. sich eine ~ anfressen (anfuttern) = beleibt werden. 1914 *ff.*

4. was die ~ hält = soviel der Magen aufnimmt. 1920 *ff.*

5. etw in die ~ schmeißen = etw essen. *BSD* 1965 *ff.*

wampert (wampet) *adj* dickbäuchig. *Oberd* 1600 *ff.*

wamsen *v* **1.** *tr* = jn prügeln. Euphemismus. Man klopft das Wams aus, um den Staub zu entfernen. 1700 *ff.*

2. *intr* = viel essen. Man füllt den Magen, damit das Wams wieder paßt. Kann verbal auch Intensivum zu „↗Wamme" sein. 1900 *ff.*

Wand *f* **1.** verdeckender Gegenstand (Zeitung, Mantel o. ä.), der von Taschendieben zur Tarnung benutzt wird. 1900 *ff.*

2. blaue ~ = Kriegsmarine. „Blau" wegen der Uniformfarbe. „Wand" legt die Vorstellung „breitgebaut; kräftig entwickelt; großwüchsig" nahe. 1910 *ff*, *sold.*

3. die fünfte ~ = a) Fernseh-Bildschirm; Fernsehen. Zu den „vier Wänden" (↗Wand 4) hinzuerfunden. 1960 *ff*. – b) Zimmerdecke. 1965 *ff.*

4. die vier Wände = die Wohnung; das Wohnhaus. Diese Bezeichnung für Haus und Hof stammt aus der mittelalterlichen Rechtssprache und wurde vor allem im 18./19. Jh sehr üblich.

5. vier Wände am Haken (auf Rädern) = Wohnwagen. 1965 *ff.*

6. vierte ~ = Theatervorhang. Theaterspr. 1920 *ff.*

7. immer an der ~ lang: Antwort auf die Frage nach dem Wohlbefinden. Geht zurück auf einen Schlagertext von Hermann

Frey gegen 1910: „Und dann ziehn wir / still und leise / immer an der Wand lang, / immer an der Wand lang, / heimwärts von der Bummelreise, / immer an der Wand lang ...“

8. weiß wie eine (gekalkte) ∼ = blutleer im Gesicht. 1900 *ff.*

9. schmücke dein Heim, scheiß (kotz) die ∼ an!: Redewendung der Verzweiflung oder Gleichgültigkeit. Vielleicht entstanden als Antwort auf die müßige Frage, was einer vor lauter Langeweile tun solle. „Schmücke dein Heim“ war gegen 1930 ein Werbespruch des Gardinenhandels. *Sold* 1935 *ff.*

10. die blaue ∼ steht auf = Matrosen beginnen eine Schlägerei. ↗Wand 2. 1910 *ff.*

11. die Wände begießen = a) Richtfest feiern. ↗begießen 1. Seit dem 16. Jh. – b) den Einzug in die neue Wohnung fröhlich feiern. Seit dem 16. Jh.

12. jn an die ∼ blasen = jn im Spiel eines Blasinstruments übertreffen. Entwickelt nach dem Muster des Folgenden. 1920 *ff.*

13. jn an die ∼ drücken = jn zurückdrängen, überflügeln, geschäftlich erledigen. Hergenommen vom Zweikampf, bei dem der Gegner an die Wand gedrückt wird und keine Rückzugsmöglichkeit mehr hat. 1600 *ff. Vgl* franz „mettre quelqu'un au pied du mur“ und *engl* „to push (thrive, thrust) someone to the wall“.

14. auf jn einreden wie auf eine ∼ = vergeblich auf jn einreden. 1900 *ff.*

15. mit ihm kann man Wände einrennen (einstoßen) = er ist überaus dumm. Anspielung auf „harter Schädel = Begriffsstutzigkeit“. 1830 *ff.*

16. jn an die ∼ fahren = jn beim Radrennen überflügeln. Fußt auf „↗Wand 13“. *Sportl* 1920 *ff.*

16 a. die Wände fallen ihm auf (über) den Kopf = er leidet unter Klaustrophobie. ↗Decke 3. 1920 *ff.*

17. sonst fliegst du an die ∼, daß du hängen bleibst und deine Alte dich mit dem (der) Spachtel abkratzen kann!: Drohrede. 1920 *ff.*

18. wie an die ∼ gepißt = völlig unbrauchbar; ohne jegliches künstlerisches Empfinden; künstlerisch wertlos. Im frühen 20. Jh aufgekommen; vielleicht von Max Liebermann geprägt, von dem diese Wendung als sein Lieblingsausdruck überliefert ist.

19. du bist wohl gegen die ∼ gerannt?: Frage an einen, der töricht zu Werke geht. Beim Stoß gegen die Wand hat der Kopf Schaden gelitten. *Schül* 1950 *ff.*

20. die Wände haben Ohren = man muß damit rechnen, belauscht zu werden. Seit dem 19. Jh.

21. er hat die ganze ∼ auf dem Buckel = beim Anlehnen an die (gekalkte) Wand hat er seinen Rock weiß beschmutzt. 1920 *ff*, Berlin.

22. etw an die ∼ hauen = etw verschwenden. Leitet sich her von einer Zecherei, in deren Verlauf man die geleerten Gläser aus Übermut an die Wand wirft. 1920 *ff.*

23. die ∼ (die Wände) hochgehen = sich sehr ärgern; aufbrausen. Vor Zorn möchte man Unsinniges tun und das Unmögliche möglich machen. Seit dem 19. Jh.

24. wenn man ihn an die ∼ haut (wirft), bleibt er kleben = a) er ist überaus unreinlich. 1700 *ff.* – b) er läßt alles mit sich geschehen; er ist ohne jegliches Interesse; er ist ein willenloser, energieloser Mensch. 1920 *ff.*

25. jn an die ∼ kochen = besser kochen als der andere. ↗Wand 13. 1960 *ff.*

26. das ist an die ∼ gekommen = diese Bestellung kann ich leider nicht mehr ausführen. Kellnerspr.: Neben der Küchenausgabe befindet sich an der Wand eine Tafel, auf der der Küchenchef notiert, welche Gerichte ausgegangen sind. 1960 *ff.*

27. mit dem Hintern (Rücken) an die ∼ kommen = sich sichern. Man hat Rückendeckung und ist von keiner Heimtücke bedroht. 1930 *ff*, Berlin.

28. von der ∼ in den Mund leben = a) seine Bilder gegen Lebensmittel veräußern; Kunstmaler sein. Aufgekommen mit dem Beginn der Inflation nach dem Ersten Weltkrieg; entweder vom Maler Max Liebermann oder vom Cellisten Heinrich Grünfeld geprägt; mit dem Ende des Zweiten Weltkriegs wiederaufgelebt, als die geringen Lebensmittelzuteilungen zu zusätzlicher Beschaffung zwangen. – b) an der Leine im Zimmer getrockneten Tabak rauchen. 1945 *ff.*

29. ∼ machen = a) sich breit vor den Dieb (Taschendieb) stellen, um ihn vor unerwünschten Augenzeugen zu decken. *Rotw* 1840 *ff.* – b) sich aufrecht setzen oder „den Rücken breit machen“, damit der Hintermann vom Banknachbarn abschreiben, eine verbotene Übersetzung o. ä. verwenden kann. *Schül* 1955 *ff.*

30. die ∼ mitnehmen = a) durch Anlehnen an eine getünchte Wand sich den Rücken weiß beschmutzen. ↗Wand 21. 1920 *ff.* – b) bezecht sein. Der Betrunkene lehnt sich an die Wand. 1920 *ff.*

31. jn an die ∼ quatschen = jm im Reden überlegen sein. Weiterentwickelt aus „↗Wand 13“. 1920 *ff.*

32. jn an die ∼ quatschen = jds Widerstand brechen; jn überflügeln. Derbere Variante zu „jn an die Wand drücken“ (↗Wand 13). 1900 *ff.*

33. es ist, um die Wände raufzulaufen (raufzuklettern)!: Ausdruck der Verzweiflung. ↗Wand 23. Seit dem 16. Jh.

34. jn die Wände rauftreiben = jn zur Verzweiflung bringen. ↗Wand 23 und 33. *ff.*

35. für die Wände predigen = vergeblich reden; keine Aufmerksamkeit finden. 1500 *ff.*

36. an (gegen) eine ∼ reden = auf einen Widerstrebenden vergeblich einreden; auf unbedingte Ablehnung stoßen. Seit dem 19. Jh. *Vgl franz* „parler à un mur“.

36 a. jn an die ∼ reden = jn im Reden übertreffen. ↗Wand 13. 1920 *ff.*

37. gegen Wände rennen = auf heftigen Widerstand stoßen. 1920 *ff.*

38. ich schiffe dich an die ∼!: Redewendung eines (vermeintlichen) Kraftmenschen. 1965 *ff*, bayr.

39. jn an die ∼ schlagen = jn übertreffen. ↗Wand 13; schlagen = besiegen. 1950 *ff.*

40. da sind die Wände so dünn, daß man im Parterre hört, wenn einer im fünften Stock Keks ißt: Redewendung auf hellhöri-

ge Wohnungen (in modernen Wohnhochhäusern). 1970 *ff.*

41. jn an die ∼ singen = jn im Singen überflügeln; aus einem Gesangswettbewerb siegreich hervorgehen. Weiterentwickelt aus „jn an die Wand drücken“ (↗Wand 13). 1920 *ff.*

42. jn an die ∼ spielen = a) jn durch besseres schauspielerisches oder sportliches Können überflügeln. Theaterspr. 1900 *ff*; *sportl* 1950 *ff.* – b) jn durch Lautstärke, an Kraft o. ä. überbieten. 1950 *ff.*

43. jn an die ∼ stürmen = jn mühelos besiegen. *Sportl* 1950 *ff.*

44. jn an die ∼ tanzen = besser tanzen können als der andere. ↗Wand 13. 1920 *ff.*

45. da wackelt die ∼! = da geht es ausgelassen zu. Oft mit dem Zusatz: „da muß was lossein“. Stammt wohl aus dem Munde eines Ausrufers der Volksfesten: den Grad der zu erwartenden Belustigung macht er dadurch anschaulich, daß er behauptet, durch das Gelächter der Zuschauer würden die Wände ins Wackeln geraten. Anscheinend gegen 1820 in Berlin aufgekommen.

46. brüllen (donnern, schreien o. ä.), daß die Wände wackeln = mit großem Stimmaufwand reden. 1900 *ff.*

47. fluchen, daß die Wände wackeln = lauthals, unflätig fluchen. 1930 *ff.*

48. lachen, daß die Wände wackeln = unbändig, dröhnend lachen. Berlin 1840 *ff.*

49. lügen, daß die Wände wackeln = dreist lügen; sehr grobe Unwahrheiten äußern. 1900 *ff.*

50. singen, daß die Wände wackeln = lautstark singen. 1900 *ff.*

51. tanzen, daß die Wände wackeln (daß eine alte Wand wackelt) = stürmisch, leidenschaftlich tanzen. Berlin 1840 *ff.*

Wand-Aktien *pl* Gemälde, die man kauft, um sie später mit Gewinn wieder zu veräußern. Gegen 1960 aufgekommen mit dem zunehmenden Interesse der Wohlstandsgesellschaft am Erwerb von Sachwerten.

Wandergewerbe *n* Straßenprostitution. Eigentlich die nicht ortsfeste Gewerbeausübung. 1950 *ff.*

wandern *intr* **1.** flüchten, fliehen. Eigentlich „auf Wanderschaft gehen“, dann auch soviel wie „umziehen; die Stelle wechseln“. *Rotw* seit dem späten 19. Jh; *sold* in beiden Weltkriegen.

2. zwischen zwei Unterrichtsstunden das Klassenzimmer wechseln. 1920 *ff.*

3. es wandert in den Papierkorb (Ofen o. ä.) = es wird weggeworfen, wird nicht zur Kenntnis genommen, bleibt unberücksichtigt. 1900 *ff.*

Wanderpokal *m* Mädchen mit häufig wechselndem Freund. Wie der Pokal, der von Jahr zu Jahr an die jeweils siegreiche Mannschaft weitergegeben wird, „wandert“ das Mädchen „von Hand zu Hand“. *Halbw* 1955 *ff.*

Wanderpreis *m* **1.** Mädchen, das seinen Freund oft wechselt. ↗Wanderpokal. *Halbw* 1950 *ff.*

2. flatterhafter Mann; Frauenheld. 1950 *ff.*

Wanderschmiere *f* Wandertheater. ↗Schmiere 5. Seit dem 19. Jh.

Wandervogel *m* **1.** Landstreicher. 1920 *ff.*

2. streunende(r) Halbwüchsige(r). 1960 *ff.*

3. Mensch, der oft seinen Arbeitsplatz wechselt. 1950 *ff.*
4. Student(in), der (die) mal an dieser, mal an jener Universität studiert. 1960 *ff, stud.*
5. Straßenprostituierte. Wohl beeinflußt von „↗vögeln 1". 1960 *ff.*
Wandmacher *m* Mittäter, der den Dieb gegen Beobachter deckt. ↗Wand 29. *Rotw* seit dem 19. Jh.
Wanduhr *f* stehengebliebene Uhr. Scherzausdruck: aus Zorn wirft man sie an die Wand. Berlin 1930 *ff.*
Wange *f* **1.** eine Strafe auf einer ~ absitzen = eine Strafe leichten Herzens verbüßen. „Wange" ist gespielt-schämige Analogie zu „Backe" (derber „↗Arschbacke"). 1960 *ff.*
2. jm „~ blau" servieren = jn ins Gesicht schlagen. Scherzhafte Abwandlung von „Forelle blau" im Hinblick auf Verfärbung der Wange infolge eines heftigen Schlags. 1970 *ff.*
Wanne *f* **1.** dicker Leib. Analog zu „↗Faß", „↗Tonne" oder entstellt aus „↗Wamme". *Ostmitteld* 1920 *ff.*
2. Essenträger, Essentrage. Eigentlich die Futterschwinge, der Korb mit Hafer und Häcksel für die Pferde. *Sold* 1939 *ff.*
3. Kübelwagen. Verkürzt aus ↗Badewanne 6. *Sold* 1935 bis heute.
3 a. Mannschaftswagen der Polizei. 1975 *ff.*
4. schwere Niederlage. *Vgl* das Folgende. *Sportl* 1930 *ff.*
5. ein Ding wie eine ~ = eine außergewöhnliche, eindrucksvolle, hervorragende Angelegenheit; eine feststehende Tatsache; eine Sache mit völlig sicherem Ausgang. Aufgekommen mit den Badewannen, die den Badezuber ablösten. 1910 *ff.*
6. eine ~ schlagen = beim Skilaufen stürzen. ↗Badewanne 10. *Oberd* 1950 *ff.*
7. es steht wie eine ~ = daran ist nicht zu rütteln; darauf kannst du dich fest verlassen. Übertragen von der eingebauten, eingekachelten Badewanne oder von „Wanne = Grenze zweier Grundstücke". 1930 *ff.*
Wanst *m* **1.** Bauch; dicker Bauch. Ein *dt* Wort, ursprünglich aus das Bauchstück des Tieres bezogen; etwa seit 1500 in derber Rede auf den Menschen übertragen.
2. beleibter Mensch. Seit dem 19. Jh.
3. ungezogenes Kind. Parallel zu ↗Balg 1. 1800 *ff.*
Wanze *f* **1.** lästiger Mensch; Person, die sich aufdrängt; Zuschauer beim Kartenspiel. Die üblen Eigenschaften des Ungeziefers werden dem Menschen zugeschrieben. Seit dem 16. Jh.
2. schmarotzender Mensch. Wie die Wanze lebt er von anderen und läßt sich's auf Kosten anderer wohl ergehen. 1900 *ff.*
3. Liebediener; würdeloser Schmeichler. 1920 *ff.*
4. Prostituierte. Man betrachtet sie als Ungeziefer. Sie saugt aus ihren Opfern „Blut" (= Geld). 1920 *ff.*
5. Kleinauto. Die Fahrer größerer und schnellerer Wagen fühlen sich durch es belästigt. 1955 *ff. Vgl engl* „bug".
6. Mondlandegerät. Aus dem *Angloamerikan* (bug) übersetzt. 1969 *ff.*
7. Heftzwecke. Sie ähnelt der Wanze mit ihrer abgeplatteten Körperform. 1900 *ff. Vgl franz* „punaise" und *span* „chinche".

8. *pl* = Befestigungsnägel für elektrische Leitungen (Krampen). 1920 *ff.*
9. kleines Abhörgerät. Man bringt es hinter der Wandverkleidung o. ä. an, wo sich auch die Wanzen gern verstecken. Wahrscheinlich übersetzt aus *angloamerikan* „bug". 1930 *ff.*
10. Kondensator in flacher Bauform. Elektrotechnikerspr. 1950 *ff.*
11. *pl* = Linsen. Wegen der Formähnlichkeit. *Sold* in beiden Weltkriegen.
12. *pl* = nichtzählende Beikarten. Kartenspielerspr. 1870 *ff.*
13. angeschossene ~l: Schimpfwort. „Angeschossen" bezieht sich wohl auf einen geistigen Defekt. 1940 *ff, jug.*
14. ausgequetschte ~l: Schimpfwort. *Sold* 1939 *ff.*
15. ausgewachsene ~ = Kleinauto. ↗Wanze 5. 1925 *ff.*
16. dreckige ~ = charakterloser Mensch, der sich aufdrängt; widerlicher Einschmeichler. ↗dreckig 1. 1920 *ff.*
17. freche ~ = frecher, unverschämter Bursche. *Schül* 1900 *ff.*
18. närrische ~ = Fastnachtsnarr. 1920 *ff.*
19. wie eine schwangere ~ = schwerfällig, dickbäuchig. *Sold* 1914 bis heute.
20. frech wie eine ~ = sehr dreist. 1900 *ff.*
21. aussehen wie eine angepoppte ~ = beleibt, feist sein. ↗poppen. *BSD* 1965 *ff.*
22. die ~n furzen hören = besserwisserisch sein; sich überklug dünken. *Vgl* ↗Wanze 26. Berlin 1900 *ff.*
23. da haben sogar die ~n Flöhe = da herrscht unbeschreibliche Verwahrlosung. 1955 *ff.*
24. an jm kleben wie eine ~ = von jm nicht ablassen; sich nicht abschütteln lassen. 1920 *ff.*
25. damit kann man keine ~ aus dem Bett locken = das ist nicht zugkräftig; das findet nicht den geringsten Anklang. Moderne Variante zu „damit lockt man keinen ↗Hund hinterm Ofen hervor"; ↗Hund 132. 1960 *ff.*
26. die ~n schleichen hören = sich für überaus klug halten. *Vgl* ↗Wanze 22. 1900 *ff.*
27. platt wie eine ~ sein = a) dünn, mager, ausgemergelt sein. 1850 *ff.* – b) sehr überrascht sein. ↗platt 7. 1900 *ff.* – c) sein gesamtes Geld verspielt haben. ↗platt 7 b. 1900 *ff.*
28. ~n spüren = Unheil wittern. Gegen 1930 aufgekommen im Zusammenhang mit dem Machtzuwachs der Nationalsozialisten; seit 1960 in der Bedeutung verallgemeinert und allgemein verbreitet.
29. da werden sogar die ~n rot: Ausdruck zur Charakterisierung einer derben Zote. 1930 *ff.*
wanzen *intr* **1.** gehen, marschieren. Eigentlich „sich bewegen wie eine Wanze". Spätestens seit 1900, *schül* und *sold.*
2. kriechen; sich auf den Ellbogen vorwärtsbewegen. *Sold* in beiden Weltkriegen.
3. häufig die Universität wechseln. ↗Universitätswanze. 1910 *ff.*
4. Kartenspielern zusehen. ↗Wanze 1. Seit dem 19. Jh.
Wanzenbude *f* unsaubere, ärmliche, verwahrloste Wohnung; Mannschaftsstube.

1870 *ff. Vgl franz* „trou de punaise", *ital* „cimiciaio".
Wanzenjäger *m* **1.** Tapezierer. 1900 *ff.*
2. Aufspürer von Abhör-Mikrofonen. ↗Wanze 9. 1975 *ff.*
Wanzenkiste *f* Bett. ↗Kiste 12. Spätestens seit 1900.
Wanzennest *n* Bett. 1850 *ff.*
Wanzenquetsche *f* Ziehharmonika, Akkordeon. 1914 *ff, sold, stud* und *rotw.*
Wanzentod *m* Daumen (Daumennagel). 1914 *ff, sold* und *ziv.*
wanzig *adj* frech, ungebührlich. ↗Wanze 20. 1900 *ff.*
Wapper *Fn* **1.** Frau ~ = irgendeine Frau. Zusammenhang unbekannt. *Steir* 1950 *ff, jug.*
2. ja, bei der Frau ~l: Ausdruck der Ablehnung. *Steir* 1950 *ff.*
3. das kannst du der Frau ~ erzählen! = erzähle das einem Dümmeren! *Steir* 1950 *ff.*
Wapperl *n* Etikett. Wegen des Wappenzeichens (früher = Stempel, Briefmarke). *Bayr* 1900 *ff.*
Ware *f* **1.** Rauschgift. Hehlwort. *Halbw* 1960 *ff.*
2. faule ~ = wertlose Wertpapiere; protestierte Wechsel; Aktien bankrotter Firmen. ↗faul 1. 1870 *ff.*
3. heiße ~ = a) Diebesgut; Schmuggel-, Schieberware; verbotene Ware. ↗heiß 5. 1914 *ff.* – b) Rauschgift. 1970 *ff.* – c) Waffen. 1980 *ff.*
4. leichte ~ = Mädchen mit lockerem Lebenswandel. 1900 *ff.*
5. nasse ~ = Alkohol; Getränke. 1900 *ff.*
6. scharfe ~ = Schmuggelgut; geschmuggelter Alkohol. ↗scharf 6. 1920 *ff.*
7. sündige ~ = Prostituierte. 1950 *ff.*
8. weiße ~ = Wasch-, Spülmaschine; Kühl-, Gefriergeräte. Kaufmannsspr. 1975 *ff.*
9. die ~ nicht liefern = einem Mann Hoffnungen machen, aber ihm den Geschlechtsverkehr schuldig bleiben. 1950 *ff.*
warm *adj* **1.** homosexuell. Warm = nicht heiß und nicht kalt. Seit dem späten 18. Jh.
2. *adv* = soeben erhalten; gerade veröffentlicht. Eigentlich soviel wie „gerade dem Backofen entnommen". Seit dem 18. Jh.
3. *adv* = mit Heizungskosten. 1960 *ff.*
4. etw ~ abbrechen (abreißen, abtragen) = ein baufälliges Gebäude in Brand stecken. Meint meist die Brandstiftung zwecks Versicherungsbetrugs. Etwa seit 1870.
5. ~ abmontieren = in der Luft Feuer fangen (durch Vergaserbrand oder durch einen Treffer in den Benzintank). Fliegerspr. in beiden Weltkriegen.
6. ~ angelegt sein = homosexuell veranlagt sein. ↗warm 1. 1910 *ff.*
7. sich ~ anziehen = die durchgeladene Faustfeuerwaffe griffbereit in der Tasche halten. 1925 *ff.*
8. ~ arbeiten = einen Geldschrank mit dem Schweißbrenner aufbrechen. 1910 *ff.*
9. das fällt mir lausig ~ ein = das fällt mir angelegentlichst ein. ↗lausig. 1960 *ff.*
10. ~ frühstücken = zum (als) Frühstück eine Zigarette rauchen. *Sold* 1939 *ff.*
11. es ~ unter der Mütze haben = Angst haben. Anspielung auf den Angstschweiß. *Marinespr* in beiden Weltkriegen.
12. sich jn ~ halten = sich jds Wohlwol-

len zu erhalten suchen. Hergenommen vom Warmhalten der Speisen. Seit dem 18. Jh.

13. jm den Platz ~ halten = sorgen, daß einem der Sitzplatz (die Stellung) erhalten bleibt. 1900 *ff.*

14. sich ~ laufen = sich in eine Rolle eingewöhnen. Vom Motor übernommen. 1950 *ff.*

15. es jm ~ machen = jm hart zusetzen. Bezieht sich entweder auf den Angstschweiß oder ist Variante zu „jm die ↗Hölle heiß machen". Seit dem 19. Jh.

16. jn ~ machen = a) jm im Spiel alles Geld abgewinnen. Versteht sich nach dem Vorhergehenden. Seit dem 19. Jh. – b) jn streng drillen. Man gerät ins Schwitzen. *Sold* 1930 *ff.*

17. ~ quetschen = koten. Gegenwort „kalt pressen" (Fachausdruck der Techniker für Kaltverformung). *BSD* 1965 *ff.*

18. jn ~ schnappen = jn auf frischer Tat ertappen. „Warm" übersetzt hier „in flagranti = brennend". 1930 *ff.*

19. bist du ~?: Frage an einen Mann, der sich auf einen lehnt. Anspielung auf Homosexualität. 1920 *ff.*

20. mit jm ~ sein = mit jm in ein herzliches Gespräch gekommen sein. Verkürzt aus „mit jm ~geworden sein". Seit dem 19. Jh.

21. komm' mit, du frierst, bei mir ist's ~: Redewendung, wenn einer einen Gegenstand entwendet. 1930 *ff.*

22. ~ unter der Mütze (unter dem Helm) sein = Angst haben. ↗warm 11. *Sold* in beiden Weltkriegen.

23. ~ sitzen = sorgenfrei leben; wohlhabend sein. Im Winter braucht der Reiche nicht zu frieren; das Tier im Bau, der Vogel im Nest frieren nicht. 1500 *ff.*

24. ~ 'umbauen = Feuer ans eigene Haus legen. ↗warm 4. 1900 *ff.*

25. ~ werden = sich eingewöhnen; sich langsam heimisch fühlen. Seit dem 18. Jh.

26. mit jm ~ werden = sich mit jm anfreunden. Seit dem 19. Jh.

27. sich ~ zittern = sehr stark zittern. 1920 *ff.*

Wärme *f* ~ schinden = Wärme unentgeltlich in Anspruch nehmen. ↗schinden 1. Seit dem 19. Jh.

wärmen *refl* **1.** sich an etw ~ = einen geliehenen Gegenstand über Gebühr lange behalten. Seit dem ausgehenden 19. Jh, Berlin u. a.

2. sich bei anderen Leuten ~ = auf Kosten anderer leben. 1900 *ff.*

3. sich an Geld ~ = zwischen Geldüberweisung und Gutschrift einige Tage vergehen lassen. 1965 *ff.*

Wärmer *pl* Taschendiebe, die sich zu mehreren an einen herandrängen, um ihn unauffällig besser berauben zu können. 1920 *ff.*

Wärmflasche *f* **1.** Brandflasche (↗Molotow- Cocktail). Eigentlich der flaschenähnliche Behälter mit warmem Wasser zur Anwärmung des Betts. *BSD* 1968 *ff.*

2. Eisstock (Curling). Formähnlich mit den früher üblichen Wärmflaschen aus Zinn. 1965 *ff.*

3. Branntweinflasche. 1900 *ff.*

4. Bettgenossin. Seit dem 18. Jh.

5. ~ mit Ohren (mit Ohrwascherln; lebendige ~) =Bettgenosse, Bettgenossin. Seit dem 18. Jh.

6. lebenslängliche ~ = Ehepartner. 1930 *ff.*

Warnschuß *m* ~ (~ vor den Bug) = nachdrückliche Warnung; Warnung vor Fortsetzung eines gefährlichen Vorhabens. Übertragen von dem in die Luft abgefeuerten Schuß, der dem gezielten Schuß vorausgeht, sowie von dem Schuß vor den Bug, womit man ein Schiff zur Übergabe oder zur Kursänderung zwingt. 1900 *ff.*

Warschauer *m* Kunde, der Ware besichtigt, aber sie nicht kauft. Er schaut sich die Ware an. Wortspiel mit seemannsspr. „Wahrschauer = Ausguck; Schiffsverkehrsregler an Binnengewässern". 1920 *ff.*

Wartburg *f* **1.** Vorzimmer des Chefs; Wartezimmer des Arztes. Wortspielerei mit dem Namen der Burg bei Eisenach. 1910 *ff.*

2. auf der ~ sitzen = a) warten. 1870 *ff.* – b) auf den Freier warten. 1870 *ff.* – c) auf den Tänzer warten. Tanzstundenspr. 1920 *ff.* – d) als Prostituierte am Fenster sitzen und die Männer heranwinken. 1870 *ff.* – e) schwanger sein; auf das Einsetzen der Wehen warten. 1900 *ff.*

warten *v* **1.** auf ihn haben wir (grade) noch gewartet = er ist hier überflüssig; es geht auch ohne ihn. *Iron* Redewendung seit dem späten 19. Jh.

2. warte nur, balde ruhest du auch: Ausruf des Kartenspielers, wenn er dem Gegner seine Überlegenheit zeigen will. Geht zurück auf „Wanderers Nachtlied" von Goethe (1780). Kartenspielerspr. seit dem 19. Jh.

wärtser *adv* mehr seitlich. Abgekürzter Komparativ von „seitwärts". Seit dem ausgehenden 19. Jh, Berlin und *ostmitteld.*

was *pron* **1.** etwas. Hieraus gekürzt. 1500 *ff.*

2. sehr; viel (da waren was Menschen unterwegs; ich habe mich was erschreckt). 1600 *ff.*

3. ach ~!: Ausruf der Ablehnung. Vielleicht verkürzt aus „ach, was denkst du dir!" o. ä. 1800 *ff.*

4. ~ haben = a) kränkeln. Was = irgendeine Krankheit. Seit dem 19. Jh. – c) mißgestimmt sein; einen versteckten Kummer haben. Seit dem 19. Jh. – c) wohlhabend sein. Seit dem 19. Jh. – d) Rauschgift in Besitz haben. 1965 *ff.*

5. ~ sein = bedeutend sein; einen angesehenen Beruf haben. Seit dem 19. Jh.

Wasch *m* Geschwätz. ↗waschen 1. *Österr,* seit dem 19. Jh.

Waschbrett *n* **1.** faltige Stirn. Wegen der Formähnlichkeit mit dem geriffelten Waschbrett. 1900 *ff.*

2. an Querrinnen o. ä. reiche Fahrbahn. 1930 *ff.*

3. Musik auf dem ~ = Skiffle. Nach 1950 aufgekommen.

Wäsche *f* **1.** Kleidung. Meint eigentlich die Gesamtheit der waschbaren Wäschestücke. 1900 *ff.*

2. ~ achtern = Marineuniform mit großem, zum Rücken hinabreichendem Schulterkragen (Kieler Knabenanzug). Achtern = hinten. *Marinespr* 1960 *ff.*

3. ~ vorn = Jacke mit Schlips und Kragen (bei Bootsleuten und Offizieren). *Marinespr* 1960 *ff.*

4. große ~ = a) Versetzungskonferenz. Da „wäscht man die schmutzige Wäsche" der Schüler, d. h. man erörtert die schlechten Leistungen und die Untugenden der

Schüler. Ursprünglich in Preußen die Wachtparade an Sonntagen, verbunden mit strenger Kritik. Seit dem ausgehenden 19. Jh. – b) Verhör und Bestrafung eines Übeltäters; Beratung der Lehrer über einen widersetzlichen Schüler. Seit dem frühen 20. Jh.

5. nasse ~ = a) Dinge, die noch nicht spruchreif sind. 1920 *ff.* – b) Dinge, über die man besser schweigt. 1920 *ff.*

6. schmutzige (dreckige) ~ = unsaubere Machenschaften; sittlicher Makel. Seit dem 19. Jh.

7. die ~ von innen abnutzen = Twist tanzen. Anspielung auf die wilden Körperverrenkungen der Twisttänzer. 1962 *ff,* Berlin.

8. schwarze ~ anhaben = nicht unbescholten sein; ein schlechtes Gewissen haben. Schwarz =mit einem Makel behaftet (Gegensatz „weiß = unschuldig"). 1910 *ff.*

9. bleib' mir damit von der ~! = behellige mich nicht damit! 1935 *ff.*

9 a. es bleibt nicht in der ~ = es geht einem nahe, läßt sich nicht leicht verwinden. ↗Kleid 9. 1950 *ff.*

10. jn in die ~ bringen = jn in Ungelegenheiten bringen. Anspielung auf das mißgünstige Gerede der Leute (↗Wasch); *vgl* aber auch „↗Wäsche 23". 1600 *ff.*

11. die Uhr in die ~ geben = die Uhr zum Pfandamt bringen. Wäsche = Waschanstalt. Scherzhafter Hehlausdruck. 1950 *ff, stud.*

12. jm an die ~ gehen = jn überfallen. 1939 *ff.*

13. es geht ihm an die ~ = er wird streng, rücksichtslos behandelt. Man ergreift ihn unsanft an der Kleidung. 1939 *ff.*

14. einer an die ~ gehen (kommen; sich bei einer an die ~ machen) = eine weibliche Person intim betasten. 1935 *ff.*

15. besoffen aus der ~ gucken = wie bezecht wirken. „Wäsche" meint hier (und in den folgenden Ausdrücken) vor allem Oberhemd, Kragen und Schlips. 1935 *ff, sold.*

16. dumm (dämlich, trübe) aus der ~ gucken (glotzen) = einfältig, verständnislos dreinsehen. 1930 *ff.*

17. schief aus der ~ gucken = ärgerlich, mißgestimmt sein. *Sold* 1939 *ff.*

18. schräg aus der ~ gucken = a) mißmutig, enttäuscht, mißtrauisch blicken. *Sold* 1939 *ff.* – b) betrunken wirken. 1939 *ff, sold.* – c) in einem heftig schwankenden Wasserfahrzeug vergeblich gegen die Seekrankheit ankämpfen. 1939 *ff.*

19. ulkig aus der ~ gucken = erstaunt, verblüfft blicken. 1940 *ff.*

20. wässerig aus der ~ gucken = kummervoll dreinsehen; einen hilflosen Eindruck machen. Der Betroffene ist den Tränen nahe. 1960 *ff.*

21. keine reine ~ haben = nicht unbescholten sein. ↗Wäsche 8. 1910 *ff.*

22. jn aus der ~ hauen = jn heftig prügeln. Seit dem frühen 20. Jh.

23. in die ~ kommen = in arge Verlegenheit geraten. Wäsche = Waschanstalt. Fußt auf der volkstümlichen Gleichsetzung von Reinigen und Rügen. *Bayr* und *österr,* seit dem 18. Jh.

24. aus der ~ schwimmen = sich entkleiden. Schwimmen = Arme und Beine bewegen. *Österr* 1945 *ff, jug.*

25. nur noch nasse ~ sein = stark geschwitzt haben. 1920 ff.

26. das ist eine saubere ~ = das ist eine sehr unangenehme Angelegenheit. *Vgl* ↗Wäsche 23. *Oberd* seit dem 19. Jh.

27. das bleibt nicht in der ~ stecken = das geht einem seelisch nahe. ↗Wäsche 9 a. Analog zu ↗Kleid 9. 1940 ff.

28. die ~ kocht über = die Unterwäsche wird sichtbar. 1970 ff.

29. seine schmutzige ~ waschen = seine eigenen Fehler und Schwächen eingestehen. Seit dem 19. Jh. *Vgl franz* „laver son linge sale en famille".

30. jds schmutzige ~ waschen = jds Fehler (Vorleben) mißgünstig erörtern. *Vgl* ↗Wäsche 6. Seit dem 19. Jh.

31. in alter ~ wühlen = längst abgetane Dinge erneut erörtern. Seit dem 19. Jh.

waschecht *adj* unverfälscht. Eigentlich „was beim Waschen die Farbe behält", also „beständig in der Farbe". Gern bezogen auf den gebürtigen Bewohner einer Stadt (waschechter Münchner, Berliner, Frankfurter). Im ausgehenden 19. Jh aufgekommen.

Wäschekünstlerin *f* Striptease-Vorführerin. 1957 ff.

Waschel *m* **1.** Malerbürste. Eigentlich das Büschel zum Auswaschen, der Strohwisch zum Reinigen. *Oberd* seit dem 19. Jh.

2. Badewärter, Schwimmeister. Hängt zusammen mit dem Badequast, mit dem früher die Badeknechte die Badenden reinigten. Seit dem 19. Jh, *bayr* und *österr*.

3. großwüchsiger, plump auftretender Mann. Die Badeknechte galten wegen ihrer vielfältigen säubernden, aber als unsauber angesehenen Tätigkeiten (Waschen, Schröpfen, Bartstutzen, Behandlung von Hautkrankheiten usw.) als roh und rücksichtslos. Seit dem 19. Jh, *bayr* und *österr*.

4. Mann mit schleppender Gangart; tückischer Mann. Verwandt mit „watscheln". Die Bedeutung „tückisch" hängt mit den Badeknechten von einst zusammen. 1900 ff, *bayr* und *österr*.

5. *pl* = Ohren. Waschel (Waschl) ist das Läppchen. *Bayr* und *österr*, seit dem 19. Jh.

waschen *v* **1.** *intr* = schwatzen. Ursprünglich schallnachahmender Herkunft; dann früh mit dem Reinigen der Wäsche in Verbindung gebracht, besonders im Hinblick auf die Waschfrauen, denen man nachsagte, sie unterhielten sich über die Untugenden und Gebrechen derer, deren Wäsche sie wuschen. Seit dem späten Mittelalter.

2. *tr* = alkoholische Getränke verdünnen. Waschen = wässern. 1900 ff.

3. jm eine ~ = jm eine Ohrfeige, einen Schlag versetzen. Analog zu ↗abreiben 1; ↗wischen 1. Seit dem 19. Jh, vorwiegend *oberd*.

4. jn ~ = jn rügen. Rügen und Prügel werden in der Umgangssprache gleichgesetzt, weil beide als ein Reinigen aufgefaßt werden. *Oberd* seit dem 19. Jh.

5. jn ~ = jm Schnee ins Gesicht reiben. Seit dem 19. Jh.

Wascher (Wäscher) *m* **1.** Platzregen. Er wäscht alles sauber. Das Wort hat aber auch schallnachahmenden Charakter. 1900 ff.

2. großes Exemplar. Analog zu ↗Wisch. *Österr* und pfälzisch, 1920 ff.

3. Schwätzer. ↗waschen 1. 1500 ff.

Waschfrau *f* **1.** geschwätziger Mensch. ↗waschen 1. 1900 ff.

2. vollbusige Frau. 1955 ff.

3. elektrische (stählerne) ~ = Waschautomat. 1955 ff.

4. verschwiegen wie eine ~ = sehr schwatzhaft. 1900 ff.

5. erzähl' das deiner ~! = erzähl' das Dümmeren! 1920 ff.

6. um die ~ trauern = unsaubere Wäsche tragen. Euphemismus. Seit dem 19. Jh.

Waschküche *f* **1.** diesige, trübe Witterung; tiefliegende Wolken; (dichter) Nebel. Übertragen von der dampferfüllten Waschküche. *Marinespr* 1894 ff; fliegerspr. 1914 ff; bergsteigerspr. 1920 ff.

2. anrüchiges Geschäftsunternehmen (Kleinbetrieb). Die Ware wird im Keller oder in der Waschküche hergestellt. 1890 ff.

Waschlappen *m* **1.** Hausgehilfin. Pars pro toto. 1910 ff.

2. Kindermädchen. 1950 ff.

3. Zunge. 1920 ff.

4. energieloser, weichlicher, feiger Mann. Der Waschlappen als Sinnbild der Weichheit und Nachgiebigkeit. 1800 ff.

5. Schwätzer. ↗waschen 1; ↗Lapp. Seit dem 19. Jh.

6. *pl* = sehr große Ohren eines Menschen. 1900 ff.

7. geistiger ~ = dummer Junge. 1955 ff, *schül.*

8. jn auf gefrorene ~ fordern = eine nicht ernstzunehmende Duell-, Mensurforderung aussprechen. Ausdruck zur Verulkung des Duell- und Mensurwesens. 1900 ff.

9. ihn schlage ich mit einem nassen ~ tot! Drohrede. 1840 ff.

10. dich steche ich mit einem gefrorenen ~ tot! Drohrede. Berlin 1900 ff.

waschlappig *adj* energielos, feige, schwächlich. ↗Waschlappen 4. Seit dem 19. Jh.

Waschmaul *n* Schwätzer. ↗waschen 1. 1600 ff.

waschmittelweiß *adj* sehr weißhaarig. Zusammenhängend mit der Waschmittelwerbung seit 1955 ff.

Waschweib *n* geschwätziger Mensch. ↗waschen 1. Seit dem 18. Jh.

Waschzettel *m* **1.** den Besprechungsexemplaren beigelegte, kurze Inhaltsangabe eines Buches; Aufdruck auf dem Schutzumschlag eines Buches. Eigentlich das Verzeichnis der in die Waschanstalt gegebenen Wäschestücke. Seit 1870 im Sprachgebrauch der Verleger, Buchhändler, Filmverleiher usw.

2. der Arzneimittelpackung beigelegte Verwendungsanweisung. 1920 ff.

Wasser *n* **1.** dickes ~ = Schnaps o. ä. „Dick" bezieht sich auf den Alkoholgehalt. 1890 ff.

2. gefärbtes ~ = Malzkaffee. Das Wasser ist nur gefärbt und ansonsten gehaltlos. 1920 ff.

3. das Große ~ = Atlantischer Ozean. Seit dem 19. Jh.

4. hupfertes (hupfats) ~ = Brauselimonade. Anspielung auf die hüpfenden Kohlensäurebläschen. *Bayr* 1920 ff.

5. lebendiges ~ = Harndrang. *Sold* 1939 ff.

6. vom reinsten ~ = unverfälscht. Übertragen vom wasserhellen Glanz der echten Perlen und Edelsteine (vom ersten, zweiten, dritten Wasser). Seit dem 16. Jh. auf Charaktereigenschaften bezogen. *Vgl engl* „of the first water".

7. scharfes ~ = hochprozentiges alkoholisches Getränk. ↗scharf 6. 1920 ff.

8. schmeckats ~ = Parfüm. *Bayr* „schmecken = riechen". 1920 ff.

9. schwarzes ~ = Erdöl. Aufgekommen (wiederaufgelebt?) 1973 anläßlich der Ölkrise.

10. stilles ~ = a) gefühlstief veranlagter Mensch. Fußt auf dem Sprichwort „stille Wasser gründen tief". Seit dem 19. Jh. – b) Mineralwasser ohne Kohlensäure. Es „prickelt" nicht. 1960 ff.

11. bei ~ und Brot = in Haft. Seit dem 19. Jh.

12. jenseits von ~ und Seife = in einer Gegend ohne die primitivsten Errungenschaften der Zivilisation. *Sold* 1941 ff (Afrikakorps, Ostfront usw.).

13. jm das ~ abgraben = jm das Geschäft verderben; jn beruflich vernichten. Hergenommen vom Wassermüller, dem einer den Mühlbach ableitet. Seit dem 19. Jh.

14. etw abschütteln wie ~ = sich von etw nicht beeindrucken lassen; sich etw nicht zu Herzen nehmen. Hergenommen vom Hund, der nach dem Bad sofort das Wasser abschüttelt. Seit dem 19. Jh.

15. bei ihm brennt das ~ an = a) er läßt das Wasser zu lange auf dem Feuer stehen. 1920 ff. - b) vom Kochen versteht er überhaupt nichts. 1920 ff.

16. ins ~ fallen = scheitern; nicht stattfinden. Früher *gleichbed* „in den Brunnen fallen": was in den tiefen Brunnen gefallen ist, holt niemand mehr heraus. Seit dem 19. Jh. *Vgl franz* „tomber à l'eau".

17. ~ fassen = sich waschen. „Fassen" beinhaltet ein jedem Soldaten zustehendes Maß (= bestimmte Menge) von etw *BSD* 1960 ff.

18. nahe ans (am) ~ gebaut haben = bei geringfügigem Anlaß Tränen vergießen. Man ist den Tränen so nahe wie das am Ufer gebaute Haus dem Gewässer. Seit dem 19. Jh.

19. es geht ins ~ = es mißlingt. Analog zu „es geht baden"; ↗badengehen 2. 1920 ff.

20. ins ~ gehen = koitieren. 1700 ff.

21. mit allen ~n gewaschen sein = listig, verschlagen sein. Anspielung auf den Seemann, von dem man annimmt, er habe sich im Wasser aller Ozeane gewaschen. *Vgl* ↗Wind 48. Seit dem 19. Jh.

22. jm ~ auf die Mühle gießen = jm beipflichten; jm wichtige Beweisgründe liefern. Hergenommen vom Müller, dem man Wasser auf das Mühlrad leitet. 1900 ff.

23. jm ~ in den Wein gießen (tun o. ä.) = jn in seiner Begeisterung ernüchtern; jn mäßigen. 1700 ff.

24. willst du einen Eimer ~ haben?: Frage an einen, der sich auf sein Arbeitsgerät stützt und eine Ruhepause einlegt. Weiterführung von „↗Arbeiterdenkmal 1": der Gefragte hat so heftig gearbeitet, daß sein Werkzeug heiß geworden ist und er nun warten muß, bis es sich abgekühlt hat;

mit einem Eimer Wasser ginge es schneller. Berlin 1950 ff.

25. ~ in den Ohren haben = etw absichtlich überhören. 1880 ff.

26. ~ im Vergaser haben = nicht recht bei Verstand sein. Mit dem „Vergaser" ist hier das Gehirn gemeint. 1930 ff.

27. jn über ~ halten = jm in der äußersten Not helfen; jn vor dem Schlimmsten bewahren. Hergenommen vom Schwimmer, der dem Ertrinkenden zu Hilfe kommt. Seit dem 18. Jh.

28. sich über ~ halten = sein Leben fristen; dem Zusammenbruch (Bankrott o. ä.) entgehen. Seit dem 18. Jh.

29. das ~ nicht halten können = a) vor Angst oder Schreck in die Unterwäsche harnen. Seit dem 18. Jh. – b) nicht verschwiegen sein. ↗dichthalten. Seit dem 19. Jh. – c) sich um Dinge kümmern, die einen nichts angehen; sich ungefragt einmischen. 1870 ff.

30. der geht ~ holen: Redewendung, wenn ein Kartenspieler zum Verlierer wird. Der Denkmechanismus ist heißgelaufen und soll mit Wasser gekühlt werden. Kartenspielerspr. 1890 ff.

31. mit ~ kochen = nicht anders handeln als alle anderen; keine Wundertaten vollbringen. Seit dem 19. Jh.

32. auch hier wird nur mit ~ gekocht = hier geht es zu wie überall; auch hier herrscht keine feinere Lebensart als anderswo. 1800 ff.

33. arbeiten, daß das ~ im Arsch kocht = angestrengt arbeiten. Anspielung auf Schweiß in der Gesäßkerbe. 1935 ff.

34. das ~ soll euch im Arsch kochen!: Drohrede. Sold 1935 ff.

35. das ~ kocht im Arsch = man hat einen anstrengenden Dienst hinter sich. 1935 ff, sold bis heute.

36. ihm kommt wieder das ~ auf die Mühle = für ihn kommen wieder bessere Zeiten. Der Bach, der lange nur ein Rinnsal war, ist wieder gestiegen und führt dem Müller Wasser aufs Rad. 1600 ff.

37. das leitet ~ auf seine Mühle = das ist ihm eine wertvolle Hilfe. Seit dem 19. Jh.

38. das ~ lieben, wenn es gebrannt ist = ein Schnapstrinker sein. Seit dem 19. Jh.

39. jm etw zu ~ machen = jm einen Plan vereiteln. Hergenommen von sehr starker Verdünnung eines Getränks. 1700 ff.

40. mach' kein ~! = prahle nicht! errege kein Aufsehen! Anspielung auf den Harn, den man in der Aufregung o. ä. nicht halten kann. Österr 1900 ff.

41. drei Tage unter ~ marschiert sein = als Soldat Schweres erlebt haben. Scherzhafte Wendung, meist bezogen auf ruhmredige Kriegsteilnehmer. Bezieht sich eigentlich auf die Unterwasserfahrt eines U-Boots. 1940 ff.

42. eine Handvoll ~ nehmen = sich waschen. BSD 1968 ff.

43. jm das ~ nicht reichen (bieten) können = jm nicht gleichkommen. Leitet sich her aus der Zeit, als man weder Gabeln noch Mundtücher kannte und die Hände während der Mahlzeit mehrmals wusch; dazu warteten Edelknappen mit kleinen Handwaschbecken (Fingerschalen) auf. Bedienstete geringeren Ranges durften den tafelnden Herrschaften nicht das Wasser reichen. 1500 ff.

44. bis dahin fließt (läuft) noch viel ~ den Rhein (Main, die Oder, Spree o. ä.) runter = bis dahin vergeht noch viel Zeit. Der unsinnliche Begriff der Zeit wird durch das Bild vom strömenden Wasser veranschaulicht. 1500 ff. Vgl franz „avant que cela arrive, il passera bien de l'eau sous le ponts"; engl „much water will drift under the bridges before that".

45. er sieht aus, als kriegte er das ~ nicht satt = er sieht schwächlich, abgemagert aus. 1920 ff.

46. er geht ~ saufen = der Spieler verliert das Spiel. Meint soviel wie „er geht unter", „er ertrinkt". Kartenspielerspr. 1870 ff.

46 a. mir schießt das ~ in die Augen = mich überkommt die Rührung. Ironie. 1960 ff.

47. es schlägt ins ~ = es ist wirkungslos. ↗Schlag 11. 1920 ff.

48. er ist damals noch unter ~ geschwommen = er hat damals noch nicht gelebt. Hängt zusammen mit dem Ammenmärchen, daß die Kinder aus dem Wasser kommen und vom Storch überbracht werden. 1900 ff.

49. das ist ihm ~ auf die Mühle (das ist ~ auf seine Mühle) = das kommt ihm sehr gelegen; das bestätigt seine Ansicht. Vgl ↗Wasser 36. 1600 ff. Vgl franz „c'est de l'eau sur son moulin".

50. damit ist es ~ = das ist mißglückt, gescheitert. ↗Wasser 39. Seit dem 19. Jh.

51. aus dem (über) ~ sein = die Notlage überwunden haben. Fußt auf dem Bild des Schiffbrüchigen. 1900 ff.

52. jn unter ~ setzen = jn zum Zeugen eines heftigen Tränenergusses machen. Gehört zur Vorstellung von einer Überschwemmung. 1900 ff.

53. ins kalte ~ springen = sich zu einem Risiko entschließen. 1920 ff.

54. ihm steht (reicht) das ~ bis an den Hals (er hat das ~ bis zum Hals stehen) = a) er ist in sehr großer Not. Übertragen von einem Menschen, der Opfer einer Überschwemmung zu werden droht, oder von einem Nichtschwimmer, der keinen Grund mehr unter den Füßen spürt. 1900 ff. – b) er verspürt heftigen Harndrang. 1930 ff.

55. ihm steht das ~ im Keller bis an die Halskrause = er hat heftigen Harndrang; er hat sich eingenäßt. Sold 1939 ff.

56. ihm steht das ~ bis an die Zähne = er ist in größter Not. ↗Wasser 54 a. 1920 ff.

57. ~ an die Wand stellen = harnen (vom Mann gesagt). „Stellen" ist vielleicht Entstellung von „stallen = harnen"; vgl aber auch „↗Stange 28". 1920 ff.

58. ~ treten = nicht von der Stelle kommen; sich nicht entschließen können; stocken. 1910 ff.

59. ein Schiff unter ~ treten = ein Schiff vom Flugzeug aus versenken. Fliegerspr. 1939 ff.

60. mir tritt (schießt) das ~ in die Augen = mich überkommt die Rührung (iron gemeint). 1950 ff, halbw.

61. ~ tut's freilich nicht = mit den üblichen Mitteln richtet man hier nichts aus; es muß strenger vorgegangen werden; man muß Gewalt anwenden, wenn jedes andere Mittel versagt. Geht wahrschein-

lich zurück auf Martin Luther, der gesagt hat, daß durch das Taufwasser allein aus einem Heiden noch lange kein Christ werde. 1900 ff.

62. mit kaltem ~ verbrüht sein = nicht ganz bei Verstand sein. Der scherzhaft gemeinte Unsinn verdeutlicht den „ernsthaften Unsinn", der zum Gebrauch jener Wendung Anlaß gibt. 1900 ff, Berlin; sold in beiden Weltkriegen.

63. er verdient nicht das ~ an die Suppe = er lebt überaus kärglich, hat ein sehr geringes Einkommen. Verstärkung von „er verdient dabei nicht das ↗Salz". 1900 ff.

64. da bekommt man nur ein Glas ~ mit Haut vorgesetzt = da wird einem wenig aufgetischt. Es reicht nicht einmal zur „Milch mit Haut". Wien 1930 ff, stud.

65. eine Kanne ~ wegbringen = harnen. BSD 1968 ff.

66. zu ~ werden = a) mißlingen; nicht stattfinden. Verstärkt nach „↗Wasser 39". 1500 ff. Vgl franz „aller à vau-l'eau". – b) heftig weinen; anhaltend schluchzen. 1925 ff.

67. ins Gesicht werfen = sich waschen. BSD 1968 ff.

68. jn ins ~ werfen = einem Menschen, der keinen Schauspielunterricht hatte, eine Bühnenrolle anvertrauen. Vom Nichtschwimmer hergenommen, der, ins Wasser geworfen, sich selber helfen muß. Theaterspr. 1920 ff.

69. nahe am ~ wohnen = schon aus geringstem Anlaß Tränen vergießen. ↗Wasser 18. Seit dem 19. Jh.

70. Strümpfe ziehen ~ = wegen schlechter Paßform oder Befestigung bilden die Strümpfe Querfalten; die Strümpfe hängen herab. Vollgesogenes Gewebe zieht nach unten. 1900 ff.

71. ihm läuft das ~ im Munde zusammen = er bekommt großen Appetit. Ein altbekannter Vorgang psychosomatischer Natur. Seit dem 15. Jh.

wasserbereift adj wundgelaufen (auf die Füße bezogen). ↗ballonbereift. BSD 1965 ff.

Wasserbüffel m Schubboot. Anspielung auf die Stärke des Motors. 1958 ff.

Wässerchen n kein ~ trüben (trüben können) = harmlos, unschuldig sein. Entstammt einem Fabelmotiv des Phädrus: Beim Trinken aus dem Bach sieht der Wolf weiter unterhalb ein Schaf aus demselben Bach trinken; da beschuldigt er es, den Bach verunreinigt zu haben, woraufhin das Schaf sagt, es habe „kein Wässerchen trüben können", weil der Bach nicht bergauf fließe. Seit dem 15./16. Jh.

wasserdicht adj 1. allen Einwänden (der Nachprüfung) standhaltend; unangreifbar. Übertragen von der Wasserundurchlässigkeit eines Behälters o. ä. 1930 ff.

2. unverdünnt (auf Milch bezogen). 1920 ff.

3. unerschütterlich in den sittlichen Grundsätzen; charaktervoll; vertrauenswürdig; zuverlässig; in politischer Hinsicht unbescholten. 1930 ff.

4. gegen Tränen (Rührseligkeit o. ä.) gefeit. 1930 ff.

Wasserfall m 1. Fall ins Wasser. Wortwitzelei. 1960 ff.

2. Harnstrahl der Frau. 1915 ff.

3. ~ auf Zeit = Schulabort. Vorwiegend

in der Großen Pause wird er benutzt. 1930 *ff.*

4. hoher ~ = langbeinige weibliche Person. Der Harn fällt aus großer Höhe. 1915 *ff,* *schül* und *sold.*

5. niedriger ~ = kurzbeinige weibliche Person. 1915 *ff.*

6. loslegen wie ein ~ = stürmisch zu sprechen beginnen und keine Pause einlegen. 1900 *ff.*

7. reden (quatschen o. ä.) wie ein ~ = fließend sprechen; laut und pausenlos reden. 1920 *ff.*

Wasserfrosch *m* **1.** Schwimmer; Kind am Strand; badendes Kind. Das Tier (Rana esculenta) lebt am Wasser. 1920 *ff.*

2. Marineangehöriger. *BSD* 1968 *ff.*

Wassergläubiger *m* Antialkoholiker. 1900 *ff.*

Wasserhahn *m* jm den ~ abdrehen = die Zahlungen an jn einstellen. Dem Betreffenden „fließt" kein Geld mehr zu, er kann keines mehr „abzapfen". 1950 *ff.*

Wasserkopf *m* **1.** Behörde mit übermäßig viel Personal. Übertragen von der *dt* Bezeichnung einer krankhaften Erweiterung der Hirnkammern, verursacht durch Anstauung von Gehirn- und Rückenmarksflüssigkeit. 1930 *ff.*

2. einen ~ haben = sehr dumm sein; schwachsinnig sein. Man denkt sich, Wasser ersetze die Gehirnmasse. (Die im Vorhergehenden genannte Anomalie kann Schwachsinn bewirken.) 1900 *ff.*

3. ich haue dir gegen deinen ~, daß es plätschert: Drohrede. 1920 *ff.*

4. leih' mir mal deinen ~, mein Holzbein brennt: Spottrede auf einen Jugendlichen mit großem Schädel. 1930 *ff.*

5. es plätschert in seinem ~ = er ist nicht recht bei Sinnen. 1920 *ff.*

6. laß deinen ~ nicht plätschern! = rede keinen Unsinn! 1920 *ff, jug* und *sold.*

Wasserkran *m* den ~ wieder zudrehen = zu weinen aufhören. 1920 *ff.*

Wasserkunst *f* Stehabort für Männer. Eigentlich die künstliche Anlage von Wasserspielen, mit Kaskaden, Springbrunnen u. ä. *Nordd* 1900 *ff.*

Wasserlatte *f* infolge Harndrangs erigierter Penis. ↗ Latte 2. 1910 *ff.*

Wasserleiche *f* **1.** sehr beleibter Mensch. Er erscheint aufgedunsen. 1900 *ff.*

2. ein einziger einziger Punkt verlorenes Kartenspiel. Das Spiel ist „ins Wasser gefallen"; ↗ Wasser 16. Kartenspielerspr. 1870 *ff.*

wasserleichenblond *adj* fahlblond. 1930 *ff.*

Wasserleitung *f* **1.** Harnleiter. 1900 *ff.*

2. musikalische ~ = Plattenspieler, Tonband(gerät) o. ä. Man „dreht auf" und läßt sich von der Musik „umplätschern" und „berieseln". 1950 *ff, jug.*

3. die ~ aufdrehen = a) zu weinen beginnen. 1900 *ff.* – b) harnen. 1900 *ff.*

Wasserleitungsmarsch *m* Volkslied „Wenn alle Brünnlein fließen". Wien 1950 *ff, jug.*

Wassermädchen *n* Heilgehilfin; Mädchen, das Kurbrunnen ausschenkt. 1935 *ff.*

Wassermaus *f* Mädchen, das am Strand oder im Wasser Männerbekanntschaft sucht. ↗ Maus. 1920 *ff.*

Wassermücke *f* kleines Motorboot. Anspielung auf das singende Motorenge-

räusch und das mückengleich schnelle „Hin- und Herschwirren". 1930 *ff.*

Wassermucker *m* Antialkoholiker. ↗ Mucker 1. 1920 *ff.*

wässern *v* **1.** *impers* = Harndrang verspüren; harnen. 1900 *ff.*

2. *intr* = baden. Eigentlich soviel wie „(Fisch) ins Wasser legen". 1930 *ff.*

3. der Mund wässert ihm = beim Anblick einer Speise oder beim Gedanken an sie bekommt er Eßlust. ↗ Wasser 71. Seit dem 15. Jh.

4. nach etw ~ (wassern) = Appetit auf etw haben; nach etw verlangen. ↗ Wasser 71. Seit dem 19. Jh.

Wasser-Oase *f* Ausschank von alkoholfreien Getränken an Autobahn-Rastplätzen. 1965 *ff.*

Wasserpfarrer *m* Sebastian Kneipp (1821–1897), Pfarrer und Wasser-Heilkundiger. 1900 *ff.*

Wasserpolacke *m* **1.** Oberschlesier; polnischer Schlesier; Pole, der schlecht Deutsch spricht. Meint eigentlich den aus dem oberschlesischen Polen stammenden Oderflößer; dann auch Bezeichnung für in Oberschlesien und Österreichisch-Schlesien wohnende Polen. Seit dem späten 18. Jh.

2. Angehöriger der Wasserschutzpolizei. Berlin 1900 *ff.*

Wasserratte *f* **1.** befahrener Seemann. Von der Rattenart im frühen 19. Jh auf den Menschen übertragen.

2. Wassersportler; leidenschaftlicher Schwimmer; Kind, das gern im Wasser ist. 1850 *ff.*

3. Matrose; Marinesoldat. *Sold* 1914 bis heute.

4. Pionier. *Sold* 1914 bis heute.

Wasserratz *m* leidenschaftlicher Schwimmer, Wassersportler o. ä. *Oberd* „Ratz" = Ratte". 1850 *ff.*

Wasserscheide *f* unberührtes Mädchen im heiratsfähigen Alter. ↗ „n.z.p.-Fall". 1920 *ff.*

Wasserscheue *f* Briefmarke, die kein Wasser verträgt, abfärbt oder die Farbe verliert. 1920 *ff.*

Wasserschlange *f* **1.** Anstehen vieler Personen um Wasser. ↗ Schlange 2. 1942 *ff.*

2. Wassersportlerin. 1950 *ff.*

Wassersparkasse *f* Wasserspeicher, Stausee. 1958 *ff.*

Wasserspeier *m* **1.** Mensch, der nur Plattheiten äußert. Er „spuckt große ↗ Bogen". 1925 *ff.*

2. Gernegroß, Prahler. 1925 *ff.*

Wassersport *m* ~ treiben = a) Geschirr spülen. 1960 *ff.* – b) Kirsch-, Zwetschgenwasser usw. trinken. 1965 *ff,* kellnerspr.

Wasserstand *m* hoher ~ = Harndrang. 1900 *ff.*

Wasserstandsmeldung *f* die letzte ~ verpaßt haben = zu kurze Hosen tragen. ↗ Hochwasser 1. Berlin 1965 *ff.*

wasserstoffblond *adj* künstlich blond. Anspielung auf Wasserstoffsuperoxyd. 1900 *ff.*

Wasserstoffblondine (-superblondine) *f* weibliche Person mit blondgebleichtem Haar. 1900 *ff.*

Wasserstoffbombe *f* Frau mit blondiertem Haar. Aus dem Vorhergehenden umgeformt unter Einfluß der Entwicklung der Wasserstoffbomben, nach 1950. Beliebte Halbwüchsigenvokabel.

'wasserstoff'super'kobalta'tom'bomben-'sicher *adj adv* ganz bestimmt; unumstößlich feststehend. Erweitert aus „↗ bombensicher" unter Einfluß der modernen Wasserstoff-, Kobalt- und Atombomben. 1960 *ff,* Berlin, *jug.*

Wasserstrahl *m* mit einem ~ gepiekt sein = nicht bei klarem Verstand sein. Meint entweder den kalten Blitzstrahl oder den Wasserwerfer. 1950 *ff.*

Wassersünder *m* Person oder Firma, die durch chemische Abfallstoffe das (Oberflächen- und/ oder Grund-)Wasser verunreinigt. ↗ Sünder. 1960 *ff.*

Wassersuppe *f* nicht auf der ~ dahergeschwommen sein = nicht von schlechter Abkunft sein; nicht dumm sein. Die Wassersuppe ist Sinnbild der Armut, der gesellschaftlichen Niedrigstellung. Vorwiegend *oberd,* seit dem späten 19. Jh.

Wasserträger *m* **1.** Begleiter des Radrennfahrers. Er holt für ihn Trinkwasser herbei. Vielleicht aus *ndl* „waterdrager" übersetzt. 1930 *ff.*

2. Spieler, der dem Kameraden den entscheidenden Fußballstoß (Handballwurf) überläßt. *Sportl* 1960 *ff.*

3. einflußloser Politiker; Hilfsreferent; wissenschaftlicher Hilfsarbeiter. 1930 *ff.*

Wasserwaage *f* hol' mal die Gewichte von der (für die) ~!: scherzhafter Auftrag des Zimmermeisters an einen Lehrling oder Laien. 1900 *ff.*

Wasserwärter *m* Küstenwachmann; Leuchtturmwärter. 1920 *ff.*

Wasserwerfer *m* strenger, unangenehmer Vorgesetzter. Anspielung auf Versprühen von Speichel. *Sold* 1939 *ff; ziv* 1945 *ff.*

Wasserwochenendler *m* Mann, der das Wochenende auf dem Wasser verbringt. 1950 *ff.*

Wastel (Wastl) *m* **1.** Rufname des Hundes. Eigentlich Koseform des Vornamens Sebastian. *Bayr* und *österr,* seit dem 19. Jh.

2. Polizeibeamter. Im Sinne des Vorhergehenden ist wohl der Spürhund gemeint. *Öster,* 1930 *ff.*

3. Gefängnisaufseher. ↗ Zerberus. *Österr,* 1930 *ff.*

4. Mann, der sich dem Wehrdienst, dem Fronteinsatz und überhaupt Verpflichtungen zu entziehen sucht. Vielleicht verkürzt aus „Schlappschuhwastl = Energieloser". *Bayr* 1914 *ff, sold.*

5. dicker ~ = beleibter Mann. *Österr,* 1900 *ff.*

Watsche (Watschn) *f* **1.** Ohrfeige. Schallnachahmender Herkunft: die Interjektion „watsch" ist eine Verwandte von „klatsch" und „patsch". Seit dem 18. Jh. Vorwiegend *oberd,* mit Ausstrahlung in die angrenzenden Gebiete.

2. empfindlicher geschäftlicher Rückgang; Unglücksfall. Seit dem 19. Jh.

Watschel *f* **1.** beleibte Frau mit schwerfälligem Gang. Enten, Gänse usw. „watscheln". 1800 *ff.*

2. *pl* = plumpe Beine. 1900 *ff.*

Watschenbaum *m* **1.** ich werde heute noch den ~ beuteln müssen: Redewendung, mit der man eine Ohrfeige androht. Der „Watschenbaum" ist ein erfundener Baum, an dem die „Ohrfeigen" wachsen. Er ist eine Abart des (Ohr-)Feigenbaums. *Österr* und *bayr,* 1900 *ff.*

2. der ~ fällt um = es werden Ohrfeigen in reichlicher Anzahl ausgeteilt. „Watschenbaum" nennt man auch den Wegweiser mit mehreren „Armen", an deren Ende sich holzgeschnitzte oder gemalte Hände befinden. 1900 ff.

Watschenbube (-bua) m Mensch, der für die Fehler anderer gemaßregelt wird. *Bayr* 1900 ff.

Watschenduell n heftiger Wortwechsel. 1950 ff.

Watschenkadi m (Bezirks-)Richter für Bagatellfälle. ↗ Kadi. Hergenommen von Schlägereien als Hauptanlässe der Anzeige. *Österr,* 1900 ff.

Watschenmann m **1.** dem Menschen nachgebildete Figur, die man gegen Entgelt nach Herzenslust ohrfeigen darf. ↗ Watsche 1. Eine solche Figur gab es im Wiener Prater seit 1842. *Österr* seit dem 19. Jh.
2. Mann, der Ohrfeigen verdient. *Österr,* 1900 ff.
3. strenger Kritiker. Seine Rügen wirken wie Ohrfeigen. 1920 ff.
4. Mann, der wegen freimütiger Außerungen befehdet wird. *Österr,* 1900 ff.
5. ich bin kein ~ = ich lasse mich nicht schlecht behandeln; an mir kann man seinen Unmut nicht auslassen. *Österr* 1920 ff.

Watte f **1.** Nebel. Man kommt sich darin vor wie in Watte: man kann sich ungehindert bewegen, sieht aber ringsum nur eine konturenlose Masse. Seemannsspr. und *sold,* spätestens seit 1900.
2. Vorspiegelung, Aufbauschung. Watte dient zum Unterlegen und Füttern von Kleidungsstücken; mit ihr kann man der Natur „nachhelfen". 1900 ff.
3. Theaterbesucher auf Freikarte. ↗ wattieren. Theaterspr. seit dem ausgehenden 19. Jh.
4. ~ auf dem Arsch = Wohlhabenheit. Anspielung auf das weiche „↗ Polster" einer wohlgefüllten Brieftasche in der Gesäßtasche. 1920 ff.
5. ~ auf der Brust = dicke Brieftasche. 1920 ff.
6. ~ in der Hose = Wohlhabenheit. Hergenommen vom Geldbeutel in der Hosentasche. 1920 ff.
7. wie ~ = anschmiegsam; bei der Umarmung angenehm sich anfühlend. 1950 ff, halbw.
8. auf (in) ~ fassen = es mit einem geschmeidigen Verdächtigen zu tun haben; die mutmaßlichen Täter wegen ihrer geschickten Aussagen nicht überführen können. 1920 ff.
9. ~ in den Beinen haben = weiche Knie haben; knieweich sein. 1950 ff.
10. ~ in den Ohren haben = schwerhörig sein; sich taub stellen. Seit dem 19. Jh.
11. gegen eine Wand voll ~ laufen = keine unumwundene Antwort erhalten. 1920 ff.
12. jn in ~ packen = jn übervorsichtig behandeln; jn verweichlichen. Watte dämpft den Stoß und erschwert die Beschädigung. 1870 ff.
13. etw in ~ packen = etw mildern, entschärfen, vorsichtig zur Sprache bringen. 1900 ff.
14. auf ~ stoßen = einen Gegner vor sich haben, der jeder Entscheidung aus dem Wege geht. Watte gibt nach. *Sold* 1939 ff.

wattieren v das Theater (o. ä.) ~ = Frei-

karten ausgeben. Hergenommen vom Schneider, der durch Wattepolster in der Kleidung Mängel der Figur ausgleicht: dank seiner Kunst erscheint nirgends zuviel und nirgends zu wenig. Theaterspr. seit dem ausgehenden 19. Jh. *Vgl engl* „to dress (to paper) the house".

watzen intr laufen; dahinstürmen; viele Wege machen. Gehört entweder zu „Watz = Wildschwein" oder ist Nebenform von „↗ wetzen". 1900 ff.

'Wauwau (Wau'wau) m **1.** Hund. Kindersprachliches Wort, beruhend auf der Schallnachahmung des Bellens. Seit dem 18. Jh.
2. Aufpasser; Anstandsbegleiter(in) eines jungen Mädchens auf Bällen (o. ä.). Anspielung auf die Wachsamkeit des Hundes. Seit dem 18. Jh.
3. Polizeibeamter. Törichte Erwachsene stellen ihn den kleinen Kindern als Schreckgestalt hin. 1920 ff.
4. überstrenger Mensch; strenger Vorgesetzter; strenger Staatsanwalt. Man ist „bissig". Seit dem 19. Jh.
5. mürrischer Mann. Wohl hergenommen vom Gesichtsausdruck des Boxerhundes. Seit dem 19. Jh.
6. korpulenter ~ = sehr eindrucksvolle Leistung; große Frechheit o. ä. Parallel zu „dicker ↗ Hund". *Schül* und *stud,* 1950 ff.
7. ~ spielen = als Polizeibeamter oder Aufseher einschreiten. ↗ Wauwau 3. 1920 ff.

'Webart f **1.** Individualität eines Menschen. 1950 ff.
2. das ist von meiner ~ = das ist nach meinem Geschmack. 1950 ff.

Webfehler m **1.** geistiger Defekt. Seit dem späten 19. Jh.
2. Charakterfehler, Untugend; Bescholtenheit. 1920 ff.
3. unsinnige (widersinnige) Bestimmung unter vielen vernünftigen. 1920 ff.
4. Nichtarier im Stammbaum. 1933 ff.
5. kleiner ~ = unbedeutender Mangel. 1920 ff.
6. politischer ~ = parteipolitisch hinderlicher Umstand in der Vergangenheit eines Menschen. 1933 ff.
7. einen ~ haben = a) nicht ganz bei Verstand sein. 1870 ff. – b) nicht wie alle anderen empfinden; charakterlich anders als die anderen sein. 1920 ff.

we'cetera Null-'Null konj undsoweiter. Aus „et cetera" umgeformt unter Einwirkung von „W.C." und *gleichbed* „Null-Null". 1950 ff, jug.

Wechsel m **1.** vorgeschriebener Bezirk der Straßenprostituierten. Übertragen vom Wildwechsel. 1900 ff.
2. fauler ~ = gefälschter Wechsel. ↗ faul 1. 1900 ff.
3. auf ~n fahren = mit einem Auto fahren, dessen (durch Wechsel gedeckte) Teilzahlungsraten noch nicht voll bezahlt sind. 1930 ff.
4. eine Gesinnung läuft auf ~n = seine Gesinnung ist unzuverlässig. Wie beim Zahlungsmittel des Wechsels weiß man nicht, ob das Betreffende Wort halten oder sein Versprechen einlösen wird. 1945 ff, jug.
5. der ~ platzt = der Wechsel wird nicht eingelöst (bankfachspr.: er wird protestiert). ↗ platzen 1. 1920 ff.

Wechselalter n Altersangabe, die je nach den Umständen wechselt. 1950 ff.

Wechsel-Auto n mit Wechseln bezahltes Auto. ↗ Wechsel 3. 1955 ff.

Wechselfallenschwindler m Mann, der beim Wechseln eines größeren Geldscheins betrügt. 1920 ff.

wechseln v jm ~ = jm keine Antwort schuldig bleiben; jn übertrumpfen. Vom Geldwechsel auf den Wortwechsel übertragen. 1900 ff.

Wechselreiter m Ehebrecher. Eigentlich der Kreditbetrüger; hier bezogen auf den Wechsel des Geschlechtspartners. ↗ reiten 3. 1920 ff.

Wechselritter m Wechselbetrüger. Das Wort „Wechselreiterei" kommt aus dem *Ndl* und ist bei uns seit 1770 bekannt. 1920 ff.

Wecker m **1.** Taschen-, Armbanduhr. Verkürzt aus „Weckeruhr". 1930 ff, jug.
2. Fahrrad. Wohl wegen der Fahrradklingel. *Schül* 1945 ff.
3. Schulglocke. Sie weckt die während des Unterrichts eingeschlafenen Schüler. 1950 ff.
4. Kopf, Verstand. Beim Klingeln der Weckeruhr erwacht der Schlafende (↗ klingeln 10 b), und sein Verstand beginnt zu arbeiten, ist „aufgeweckt", „hellwach" usw. Kurz nach 1900 aufgekommen.
5. Herz. Es schlägt normalerweise mit der Regelmäßigkeit einer Uhr. 1905 ff.
6. Versager. Wie bei der Weckeruhr „klingelt" es bei ihm nur alle zwölf Stunden. 1945 ff, jug.
7. hier ist der ~ abgestellt = das kommt nicht in Betracht; das dulde ich nicht. 1930 ff.
8. den ~ anstoßen = ein Glas Alkohol zu sich nehmen. Mit ihm setzt man die „Lebensuhr" wieder in Bewegung. ↗ Wecker 5. 1905 ff.
9. jm auf den ~ gehen (fallen, hauen) = jn nervös machen; jm lästig werden. ↗ Wecker 4. 1920 ff.
10. nicht alle auf dem ~ haben = nicht recht bei Verstand sein. ↗ Wecker 4. 1920 ff, schül und stud.
11. bei dir klingelt der ~ schon = du redest Unsinn. 1940 ff.
12. der ~ rasselt = man wird aufmerksam, hellhörig. 1940 ff.
13. es ist höchster ~ = es ist höchste Zeit. 1950 ff, schül.
14. da bleibt mir der ~ stehen!: Ausdruck des Staunens, des Unverständnisses. ↗ Wecker 4. Analog zu „da bleibt mir der ↗ Verstand stehen". *Schül* und *sold,* 1920 ff.
15. da bleibt der stärkste ~ stehen = das ist gänzlich unverständlich, unerträglich, zum Verzweifeln. 1935 ff.
16. etw zerlegen wie einen alten ~ = etw genau auseinandersetzen. 1920 ff.

Wedelfuchs m „wedelnder" Skifahrer. 1964 ff.

Wedelhexe f „wedelnde" Skiläuferin. 1964 ff.

wedeln v **1.** bei der Heimkehr vom Feindflug das Flugzeug absichtlich in schwankende Bewegung versetzen. Gehört zur Sprache ohne Worte: man zeigt auf diese Weise den Abschuß von feindlichen Flugzeugen an. Analog zu ↗ wackeln. Fliegerspr. 1939 ff.

2. jm ein paar ~ = jn ohrfeigen. Hergenommen von der wedelnden Handbewegung. 1960 *ff*.

3. nach etw ~ = würdelos sich um etw bemühen; schmeicheln. Hergenommen vom Schweifwedeln des Hundes. Seit dem 19. Jh.

Weg *m* **1.** ~ ohne Umkehr = a) Weg zur Schule, vor einer gefürchteten Klassenarbeit. Geht zurück auf den gleichlautenden Filmtitel des Jahres 1953. *Schül* 1958 *ff*. - b) Musterung. *BSD* 1960 *ff*.

2. feuchter ~ = Besuch vieler Gastwirtschaften. 1920 *ff*.

3. der halbe ~ nach Rom = beim Skat ein Stich mit 30 oder 31 Augen. Kartenspielerspr. 1870 *ff*.

4. auf kaltem ~ = ohne Aufsehen zu erregen; ohne den vorgeschriebenen Dienstweg allzu genau einzuhalten; ohne Umstände. Geht zurück auf chemische Verfahren, bei denen Extrakte ohne Erhitzung hergestellt werden. Seit dem ausgehenden 19. Jh.

5. auf krummem ~ = betrügerisch. ↗ krumm 2. 1900 *ff*.

6. krumme ~e = unlautere Machenschaften; schlechte Gewohnheiten; verwickelte Sachlage. 1500 *ff*. *Vgl engl* „crooked ways".

7. über den kurzen ~ = in gedrängter Form. Der kurze Weg ist die Abkürzung. 1950 *ff*.

8. vom graden ~ abweichen = bezecht torkeln. Der gerade Weg ist der „Pfad der Tugend". 1870 *ff*.

8 a. etw auf den ~ bringen = eine Sache anbahnen, beginnen, regeln. 1920 *ff*.

9. jm den ~ freischlagen = jm das berufliche Fortkommen erleichtern. Vom *Milit* gegen 1950 übernommen.

10. krumme ~e gehen = a) beim Skatspiel die erforderliche Punktzahl ohne Ausspielen der Buben erreichen. Der krumme Weg meint hier sinnbildlich den unüblichen Weg, vor allem im Gegensatz zu den Fahrstraßen. Kartenspielerspr. 1870 *ff*. - b) unehrlich handeln. Seit dem 19. Jh.

11. den unteren ~ gehen = sich bescheiden; nachgeben; Unannehmlichkeiten auf sich nehmen, um sein Ziel zu erreichen. Wahrscheinlich vom unteren Instanzenweg hergenommen. 1900 *ff*.

12. der ~ zur Hölle ist mit guten Vorsätzen gepflastert = gute Vorsätze werden selten eingehalten. ↗ Hölle 6.

13. den ~ zwischen die Beine nehmen = eine weite Strecke zu Fuß zurücklegen; kraftvoll ausschreiten. 1800 *ff*.

14. räum' dich aus dem ~! = geh weg! 1950 *ff*.

15. gut bei ~e sein = wohlauf sein. Man ist gut zu Fuß, ist rüstig. Seit dem 19. Jh.

16. jm nicht über den ~ trauen = jn beargwöhnen; jn für heimtückisch halten. Stammt aus der Zeit, als Straßen zu Fuß, Pferd oder Wagen gefährlich waren und unbekannte Reisegenossen nicht zu trauen war. Seit dem 19. Jh.

weg *adj* abgefahren, geflohen, verschwunden (der wege Omnibus; der wege Häftling). Seit dem 19. Jh.

wegbeißen *tr* jn durch Unfreundlichkeit vertreiben; jn von seinem Platz, aus seinem Posten verdrängen. Übertragen von den Hunden, die einander vom Futternapf wegbeißen. Seit dem 19. Jh.

wegbekommen *tr* **1.** etw beseitigen können. Seit dem 18. Jh.

2. sich etwas Schlimmes zuziehen. 1800 *ff*.

3. etw herausfinden, ergründen, begreifen. Parallel zu ↗ rauskriegen. Seit dem 19. Jh.

wegbleiben *intr* **1.** aus der Narkose nicht mehr erwachen; sterben. Man bleibt für immer bewußtlos. 1900 *ff*, medizinerspr. und *sold*.

2. nach der Rauschgifteinspritzung nicht mehr zu (klarem) Bewußtsein kommen. 1960 *ff*.

wegbügeln *tr* strittige Dinge beseitigen. ↗ ausbügeln. 1900 *ff*.

wegdrücken *tr* **1.** etw aufessen. ↗ verdrücken. *BSD* 1965 *ff*.

2. durch Preisminderung eine Ware günstig absetzen, ehe sie unverkäuflich wird. 1955 *ff*.

Wegelagerer *m* Mensch, der Autofahrer um unentgeltliche Mitnahme bittet. Eigentlich der Strauchdieb. 1970 *ff*.

wegen *präp* von ~! = ausgeschlossen! Ausdruck der Ablehnung, der Abweisung. „Von wegen" ist die ältere Form von „wegen" (von Amts wegen). Ihre selbständige Geltung beruht darauf, daß man auf eine Äußerung eingeht, aber in den meisten Fällen nur das entscheidende Stichwort in verneinendem Tonfall wiederholt und ein stark betontes „von wegen!" anschließt. (Beispiel: A.: Wir könnten ihn doch besuchen. B.: Den? Von wegen!) Spätestens seit 1800.

wegfinden *v* **1.** *tr* = etw entwenden. ↗ finden 1. 1900 *ff*.

2. nicht ~ = ungebührlich lange verweilen. Man findet nicht den Weg hinaus. 1900 *ff*.

weggabeln *v* jm etw ~ = jm listig und schnell etw wegnehmen. Hängt zusammen mit dem Essen aus gemeinsamer Schüssel. Seit dem 18. Jh.

weggeblasen *part* es ist wie ~ = es ist plötzlich verschwunden. Leitet sich her vom Blasen auf schmerzende Körperstellen, „brennende" und „juckende" Wunden o. ä. Der kühlende Hauch wirkt reizlindernd. Seit dem 18. Jh.

weggehen *intr* **1.** gut verkäuflich sein. Kaufmannsspr. seit dem 19. Jh.

2. das Bewußtsein verlieren. 1900 *ff*.

3. sterben; auf dem Operationstisch sterben. Man geht ins Jenseits hinüber. 1870 *ff*.

4. geh weg!: Ausdruck der Ungläubigkeit. Seit dem 19. Jh.

5. geh mir weg mit dem!: Ausdruck der Abweisung. Seit dem 19. Jh.

6. nach und nach ~ = beim Aufbrechen noch „zwischen Tür und Angel" verweilen und das Gespräch fortsetzen. 1900 *ff*.

weggetreten sein 1. geistig ~ = a) geistesabwesend, besinnungslos sein; begriffsstutzig sein. Hergenommen vom „Wegtreten" des Soldaten aus Reih' und Glied der „angetretenen" Soldaten; von da übertragen auf geistige Abwesenheit. Gegen 1920/30 aufgekommen; *sold* in der Reichswehrzeit; *schül* nach 1945. - b) heftig verliebt sein. Von Verliebten wird behauptet, sie könnten nicht klar denken. *BSD* 1960 *ff*.

2. geistig halb ~ = geistig abgestumpft

sein; nicht mehr völlig Herr seiner Sinne sein. 1939 *ff*.

3. völlig ~ = volltrunken sein. 1950 *ff*.

weggucken *v* **1.** ich gucke dir nichts weg: Redewendung an einen schämigen nackten oder spärlich bekleideten Menschen. ↗ abgucken 2. Seit dem 19. Jh.

2. sich ~ = starr blicken. 1955 *ff*, *schül*.

weghaben *tr* **1.** einen ~ = a) von etw betroffen sein; getroffen sein. „Weg-" bezieht sich auf die Wegnahme (Hinnahme) eines Teils von (aus) einem Ganzen und kann sowohl „fort" als auch „davon" bedeuten. Man ist z. B. sein Teil von der allgemeinen Trauer oder seinen Anteil am (vom) gegnerischen Beschuß „abbekommen" und „davongetragen". Seit dem 16. Jh. - b) betrunken sein. Verkürzt aus „einen Rausch davongetragen haben". 1700 *ff*. - c) einen Verweis erhalten haben. Seit dem 18. Jh. - d) nicht bei Sinnen sein. Man hat einen Schlag gegen den Kopf erhalten und ist dadurch geistesgestört. 1800 *ff*.

2. etw ~ = a) etw erfaßt haben; etw gründlich verstehen (in Mathematik hat er was weg). Seit dem 17. Jh. - b) etw eingeheimst, verdient haben; seinen Teil erhalten haben. Seit dem 16. Jh.

3. geistig etw ~ = klug sein; sehr gescheit sein. Man hat „Verstand „abbekommen" und „davongetragen". 1900 *ff*.

weghauen *tr* etw verzehren. Von der Speisenmenge „schlägt" man sich einen gehörigen Teil in Mund und Magen. *Vgl* ↗ einhauen 2 a. 1920 *ff*.

wegjubeln *tr* anläßlich der Versetzung oder Verabschiedung eines unsympathischen Menschen an der Abschiedsfeier teilnehmen. Man bejubelt sein Weggehen. 1910 *ff*, offiziersspr., beamtenspr. u.

wegkennen *tr* eine Person oder Sache von anderen unterscheiden. Man erkennt sie aus vielen. *Bayr* 1900 *ff*.

wegkriegen *tr* **1.** etw entfernen können (ich kriege die Flecken aus dem Anzug weg). ↗ abkriegen 1. Seit dem 18. Jh.

2. etw verstehen können. Seit dem 19. Jh.

3. ein fremdes Gespräch mitanhören; die Unterhaltung anderer belauschen. ↗ mitkriegen 2. Seit dem 19. Jh.

4. etw herausfinden, ergründen, verstehen, sich geistig aneignen. ↗ abkriegen 4; ↗ mitkriegen 2. Seit dem 19. Jh.

5. benachteiligt werden; von etw betroffen werden (vom Regen haben wir viel weggekriegt; bei der Prügelei hat auch er was weggekriegt). ↗ abkriegen 2. Seit dem 19. Jh.

6. er ist da nicht wegzukriegen = vom dortigen Aufenthaltsort ist er nicht abzubringen; vom Platz vor dem Ofen ist der Hund nicht wegzulocken. Seit dem 19. Jh.

weglachen *v* sich einen ~ = sich vor Lachen nicht zu halten wissen. 1900 *ff*.

wegloben *tr* einem unbeliebten Menschen durch übermäßiges Loben die Versetzung erleichtern. Seit dem 19. Jh.

wegmachen *v* **1.** *intr refl* = sich entfernen; davongehen; auswandern. Machen = sich begeben (kaufmannsspr.). 1850 *ff*.

2. *intr refl* = sterben. 1850 *ff*.

3. etw ~ = etw fertigmachen, zum Abschluß bringen. 1900 *ff*.

4. etw ~ = etw aufessen. Seit dem 19. Jh.

5. zwei Jahre ~ = eine zweijährige Freiheitsstrafe verbüßen. 1900 ff.

6. es ~ (es ~ lassen) = die Leibesfrucht abtreiben (lassen). Seit dem 19. Jh.

wegmuffeln tr etw genießerisch aufessen. ↗muffeln 3. 1900 ff.

wegmüssen intr **1.** entfernt werden müssen (auf Flecken bezogen). Seit dem 19. Jh. **2.** operiert werden müssen (auf den Blinddarm bezogen). Seit dem 19. Jh. **3.** umgebracht werden müssen. 1920 ff. **4.** weggehen müssen. Verkürzt durch Auslassung des Verbs der Bewegung. 1800 ff.

wegordnen tr etw unauffindbar verlegen. Man ordnet es falsch ein. 1900 ff.

wegpacken v **1.** etw ~ = etw verzehren. ↗packen 1. 1900 ff. **2.** pack' es weg! = begehre nicht auf! Im Sinne des Vorhergehenden analog zu „↗runterschlucken". Sold 1939 ff. **3.** sich ~ = sich schleunigst entfernen. ↗packen 9. 1900 ff.

wegpissen refl heimlich, unter einem Vorwand davongehen. Analog zu ↗verpissen. 1840 ff, sold und rotw.

wegpraktizieren tr etw heimlich, gewandt stehlen. Praktizieren = auf praktische Weise bewerkstelligen. Seit dem 18. Jh.

wegprügeln v er ist nicht wegzuprügeln = er dehnt seinen Besuch übergebührlich aus. 1900 ff.

wegputzen tr **1.** etw ohne Rest verzehren; etw listig wegnehmen, verschwinden lassen, stehlen. ↗verputzen 2. Seit dem 18. Jh. **2.** jn verdrängen, durch Beschuß vertreiben, erschießen, ermorden, beseitigen. 1840 ff. **3.** jn im Sport besiegen. Sportl 1920 ff.

wegräumen tr jn verhaften. Man räumt ihn beiseite, damit er nicht weiter stört. 1950 ff.

wegsacken intr **1.** untergehen; unter Wasser liegen. ↗absacken. Seemannsspr. 1900 ff. **2.** durch einen Schuß oder Schlag niederstürzen. Man fällt zusammen wie ein Sack. Sold 1914 ff. **3.** ohnmächtig werden; die Fassung verlieren; in Schlaf sinken. Seit dem 19. Jh.

wegsäubern tr jn aus dem Amt entfernen; jn hinrichten, beseitigen. Soll mit den „Säuberungsaktionen" Stalins nach 1935 aufgekommen sein.

wegschaffen tr etw meistern, durch zähen Fleiß fertigbringen. Man entfernt es vom Arbeitstisch. 1900 ff.

wegschlaffen intr **1.** er schlafft weg = er ist abgespannt, ohne Schwung. Schlaff = müde, energielos. ↗abschlaffen. 1967 ff. **2.** der Wind schlafft weg = der Wind flaut ab. 1967 ff.

wegschmeißen v **1.** tr = etw wegwerfen. ↗schmeißen 1. 1700 ff. **2.** refl = a) sich etw vergeben; sich gemein machen. Seit dem 19. Jh. – b) unter dem Stand heiraten. Seit dem 19. Jh. – c) sich aufregen. 1900 ff.

wegschmieren intr **1.** auf dem Eis den Halt verlieren. Übertragen vom Ausgleiten auf einer mit Schmierseife bestrichenen Fläche. 1920 ff. **2.** das Hinterrad schmiert weg = das Hinterrad schert aus der Fahrtrichtung aus. 1920 ff, kraftfahrerspr.

wegschwemmen tr jn aus Amt und Wür-

den verdrängen; jn beseitigen. Hergenommen von der Welle, die über Bord spült. 1900 ff.

wegschwimmen intr seelisch ~ = den seelischen Halt verlieren. 1920 ff.

wegsein intr **1.** von wo bist du weg? = woher bist du? aus welchem Ort stammst du? Verkürzt aus „weggegangen sein". 1920 ff, schül und stud. **2.** außer sich sein (vor Staunen, Aufregung o. ä.). Wer „außer sich" ist, ist wörtlich „aus sich heraus", ist „von sich fort", ist geistesabwesend. Seit dem 18. Jh. **3.** ohnmächtig, besinnungslos, betäubt, erschöpft sein. Seit dem 19. Jh. **4.** eingeschlafen sein. Seit dem 19. Jh. **5.** betrunken sein. Seit dem 18. Jh. **6.** nicht recht bei Verstand sein. 1800 ff. **7.** tot sein. 1920 ff. **8.** von etw ~ = von etw hingerissen, entzückt sein; heftig verliebt sein. Vor Begeisterung hat man die Fassung verloren. Seit dem 19. Jh. **9.** über etw ~ = etw verwunden haben; sich um etw nicht mehr kümmern. Man ist über das Hindernis hinweggekommen. Seit dem 19. Jh.

wegsteigen v über eine ~ = koitieren (vom Mann gesagt). 1920 ff.

wegsterben intr **1.** sehr verwundert sein. Vor Staunen wird der Betreffende ohnmächtig und sieht aus, als sei er seinem Ende nahe. Österr 1945 ff, jug. **2.** stirb weg! = entferne dich! Eigentlich „mit dem Tod abgehen". Österr 1945 ff, jug.

wegstinken tr jn durch üble Machenschaften vertreiben. Man verleidet ihm das Verbleiben durch „Gestank" (= Zank, Verleumdung, Lüge). 1870 ff.

wegtauchen intr **1.** besinnungslos werden; sterben. Fußt auf der Vorstellung von Untergehen und Versinken. 1930 ff. **2.** einem Schlag geschickt (nach unten) ausweichen. 1930 ff. **3.** sich einer Bedrohung entziehen; sich den Kritikern nicht stellen; offene Aussprache meiden. 1970 ff. **4.** davongehen; sich dem Dienst entziehen. 1970 ff.

Wegweiser m **1.** pl = Arme. Manche Wegweiser sind als Arm mit hindeutender Hand gestaltet. Wegweiser sind auch die Arme des Verkehrspolizeibeamten. Sold 1935 ff. **2.** sg = Halsketten-Anhänger bei einem flachbusigen Mädchen. Ohne ihn könnten Männer den Weg zu den Brüsten nicht finden. Berlin 1945 ff, halbw. **3.** eins achtzig mit ~ = großwüchsiges Mädchen mit spärlich entwickeltem Busen. Berlin 1945 ff, halbw.

wegwerfen refl **1.** sich etw vergeben. Gemeint ist, daß man die Würde seines Standes oder Amtes vergißt und sich in die gesellschaftliche Niederung begibt. Seit dem 19. Jh. **2.** unter dem Stand heiraten. Seit dem 18. Jh.

Wegwerfgesellschaft f Wohlstandsgesellschaft, die verbrauchte Gegenstände achtlos wegwirft und defekte nicht mehr instandsetzt. 1965 ff.

wegwischen intr refl unbemerkt davongehen. Analog zu „entwischen". 1920 ff.

Weh m **1.** dummer, einfältiger Mensch. ↗Wehmann. 1900 ff, österr und bayr.

2. Betrogener, Geschädigter. 1900 ff. **3.** Feigling. Er spiegelt Leiden und Schmerzen vor. 1930 ff, österr.

Wehdam m Leiden, Schmerz. Abgeschliffen aus „Wehtum = Schmerz". Heute vorwiegend unernst gemeint. Bayr 1930 ff.

Wehe I m Versager. ↗Wehmann. Sportl 1930 ff.

Wehe II f linke ~ = würdelos dienstbeflissener Mann. Die Wehe = das Unglück; link = charakterlos. BSD 1965 ff.

Wehmann m wehleidiger, energieloser Mann. Er klagt schon über geringe Schmerzen, sucht Anstrengungen auszuweichen usw. 1900 ff.

Wehr f **1.** schimmernde ~ = Wehrmacht; das Militär. 1902 geprägt von Alois Graf Lexa von Aehrenthal, dem österreichischen Botschafter in St. Petersburg und späteren Minister des Äußeren und des Kaiserlichen Hauses zu Wien. **2.** schwimmende ~ = Kriegsmarine. Dem Vorhergehenden nachgebildet. (1914?) 1955 ff.

Wehrbeitrag m **1.** ~ des kleinen Mannes = männlicher Nachwuchs. 1914 aufgekommen in dem Sinne, daß der Mann ohne Vermögen seinen Mangel an Geld für den Wehrbeitrag durch Knabenzeugung wettmacht, getreu der damaligen Devise „Der Kaiser braucht Soldaten". 1933 wiederaufgelebt mit der Prämie für kinderreiche Eltern. **2.** ~ des unbekannten Vaters = uneheliches Kind. 1933 ff.

Wehre'rei f unruhiges, ruheloses Benehmen; Hin- und Herlaufen. Gehört zu „sich wehren = sich sperren"; ↗wehrig. 1900 ff.

Wehrflüchtling m Wehrpflichtiger, der vor Erhalt des Einberufungsbescheids in Berlin wohnhaft wird. Die Bürger West-Berlins sind vom Dienst in der Bundeswehr ausgenommen. 1965 ff.

wehrig adj unruhig, widersetzlich, aufbegehrend. ↗Wehrerei. 1900 ff, westd.

Wehrkraftzersetzer pl Hülsenfrüchte. Sie bereiten Verdauungsschwierigkeiten und wirken so – in scherzhafter Deutung – „wehrkraftzersetzend". Sold 1939 bis heute.

Wehrmachteigentum n ~ nicht beschädigt! = Zielscheibe nicht getroffen! Sold Scherzausdruck 1939 ff.

Wehrschaffen n frohes ~ = militärische Grundausbildung. Iron Zuspruch. BSD 1968 ff.

Wehrsold-Grab n anrüchiges Lokal. Dem „↗Groschengrab" nachgebildet. BSD 1965 ff.

Wehrsport m „Wettkampf" um einen freiwerdenden Parkplatz. 1938 ff.

Wehrung f eine ~ drinhaben = als Alleinspieler gute Erfolgsaussichten bei einem kontrierten Spiel haben. Der Spieler kann sich gegen die beiden Gegner mit günstigeren Karten wehren. Kartenspielerspr. 1970 ff.

wehtun v was mir wehtut = Spielansage „Kreuz". Wortspiel mit „Kreuz = Treff" und „Kreuz = Rücken". Kartenspielerspr. 1920 ff.

Wehweh (Wehwehchen, Wehwederl) n Schmerzen; Wunde; Verletzung. Gleichbed schon ahd „wewo". Kinderspr. Ausdruck, mundartlich und lit seit dem 18. Jh belegt.

Weh'wehtscherl *n* Unpäßlichkeit. *Österr* 1900 *ff.*

wei *interj* ↗ wai.

Weib *n* **1.** *pl* = Mädchen. In Kreisen der Jugend seit 1930 vorwiegend in *abf* Sinn verbreitet.
2. feuchtes ~ = a) leicht zu Tränen neigende weibliche Person. Fußt in Entstellung wahrscheinlich auf Goethes Ballade „Der Fischer". 1900 *ff.* – b) liebesgierige Frau. Anspielung auf Vaginalsekretion. 1900 *ff.* – c) Menstruierende. 1900 *ff.*
3. irres ~ = schönes Mädchen mit modernen Ansichten. ↗ irr 1. *Halbw* 1955 *ff.*
4. ~ fassen = Umgang mit einem Mädchen suchen. ↗ fassen 1. *BSD* 1965 *ff.*
5. das kann ein altes ~ mit dem Stock fühlen = das ist sehr leicht zu begreifen. Bezieht sich eigentlich auf eine Blinde. Seit dem 19. Jh.
6. auf den ~ern rumrutschen = (als Mann) huren. 1920 *ff.*

Weibergeschichten *pl* **1.** Liebesabenteuer mit Frauen. Seit dem 19. Jh.
2. nackte ~ (Nackte-Weiber-Geschichten) = Intimitäten mit unbekleideten Frauen. 1900 *ff.*

Weiberkram *m* **1.** Angelegenheit von Frauen. Seit dem 19. Jh.
2. automatische Gangschaltung; Synchrongetriebe. Angeblich kommt diese Neuerung nur den (für fahruntüchtig gehaltenen) Kraftfahrerinnen zugute. 1965 *ff.*

Weiberleute *pl* auf die ~ gehen = den Mädchen nachstellen. *Bayr* 1920 *ff.*

Weiberrock *m* hinter jedem ~ hersein = jeder Frau nachstellen. Seit dem 19. Jh (wohl älter).

Weibi *n* **1.** kleines Mädchen (Kosewort). *Oberd,* seit dem 19. Jh.
2. Frau (Kosewort). *Oberd,* seit dem 19. Jh.

Weiblichkeit *f* holde ~ = die Frauen. 1870 *ff.*

Weibsbild *n* weibliche Person *(abf).* Ursprünglich soviel wie „Gestalt, Erscheinung eines Weibes", dann wertneutral verallgemeinert für „Frau, Weib". Der verächtliche Nebensinn kam im 16. Jh auf und setzte sich im 17. Jh durch. Vorwiegend *oberd.*

Weibsen *pl* Frauen (nicht unbedingt *abf).* Aus *mhd* „wibes name" seit dem 17. Jh zusammengewachsen.

Weibsstück *n* Frau *(abf).* „Stück" steht hier neutral für die Person. Seit dem späten 16. Jh.

Weibsteufel *m* unverträgliche Ehefrau. Sie ist ein „↗ Teufel" von Weib. Seit dem 19. Jh.

weich *adj* **1.** gebrechlich. Von der Knochenerweichung hergenommen. 1920 *ff.*
2. nicht mehr zeugungsfähig. Der Penis wird nicht mehr steif. 1920 *ff.*
3. ~ gefedert = a) sehr zugänglich; nachgiebig. Hergenommen von der Fahrzeugfederung. *Sold* 1940 *ff.* – b) schwermütig; hochempfindlich; schnell zu Tränen geneigt. Wohl auch beeinflußt von der Metapher „↗ Prinzessin auf der Erbse". 1940 *ff.*
4. ~ verpackt = sanftmütig; leicht verletzbar. Anspielung auf „Verpackung = Haut". 1960 *ff,* Berlin.
5. jn ~klopfen = jn mit Nachdruck gefügig machen; jn überreden. Leitet sich her entweder vom Weichklopfen eines Koteletts oder Steaks oder von Hieben, mit

denen man Nachgiebigkeit erzwingen will. 1890 *ff.*
6. jn ~kneten = jn gefügig machen. Von der Massage übertragen. 1950 *ff.*
7. jn ~kochen = jn beschwatzen, umstimmen, zermürben. Hergenommen vom Weichkochen der Eier, vom Garen einer Speise. *Sold* und *ziv* 1914 *ff.*
8. jn ~ kriegen = jn zum Nachgeben bewegen; jn rühren. 1900 *ff.*
9. jn ~machen = a) jn nachgiebig stimmen. Seit dem 19. Jh. – b) jm ein Geständnis entlocken. 1900 *ff.* – c) jn nervös machen. Der Betreffende wird nachgiebig, um nicht länger belästigt zu werden. 1900 *ff.*
10. jn ~ quatschen = jn beschwatzen. 1920 *ff.*
10 a. jn ~ reden = jn nachgiebig stimmen. Seit dem 19. Jh.
11. ~ im Kopf (im Gehirn) sein = nicht recht bei Verstand sein. Anspielung auf Gehirnerweichung. 1930 *ff.*
12. ~ sein = zum Geständnis bereit sein. Man hat lange auf den Betreffenden eingeredet und schließlich seinen Widerstand gebrochen. 1900 *ff.*
13. jn ~stoßen = jn zu einer Sache überreden. Man erweicht ihn mit Hilfe von Stößen, mit Androhung von Prügeln u. ä. Berlin 1930 *ff.*
14. ~ werden = a) sich rühren lassen; nachgeben. Hängt zusammen mit den Metaphern „weiches Gemüt" und „es wird ihm weich ums Herz". Seit dem 19. Jh. – b) ein Geständnis ablegen; das Abstreiten und Lügen aufgeben. 1920 *ff.*
15. ~ in den Knien werden = Angst bekommen. Die Knie zittern einem. 1900 *ff.*

Weiche *f* **1.** die ~n stehen falsch = so nimmt die Sache einen falschen Verlauf. Hergenommen vom Eisenbahnwesen. 1900 *ff.*
2. die ~n stellen = die Maßnahmen zur Erreichung eines Zieles festlegen; vorbereitende Maßnahmen treffen; jm keine andere Ausführungsmöglichkeit lassen als die erzwungene. 1900 *ff.*
3. die ~n sind gestellt = über die Wege zur Erreichung eines Zieles hat man sich geeinigt. 1900 *ff.*
4. die ~ falsch stellen = a) Aufstoßen haben. Die Luft nimmt einen falschen Weg. 1920 *ff.* – b) einen Darmwind entweichen lassen. 1920 *ff.*
5. die ~n falsch stellen = schwerwiegende Fehler begehen; sich gröblich irren. 1900 *ff.*
6. jm in die ~n treten = a) jn anspornen. Übertragen von Reiter, der dem Pferd die Sporen in die Weichen (= Flanken, Weichteile) tritt. 1900 *ff.* – b) jn empfindlich treffen; jn schwerwiegend kränken. 1900 *ff.* – c) jn zu etw nötigen, zwingen; jm hart zusetzen. 1900 *ff.*
7. jm die ~ verstellen = a) jn auf eine falsche Spur locken. 1935 *ff.* – b) jn in seinem Vorhaben behindern. 1935 *ff.*

Weichensteller *m* **1.** Diplomat, der insgeheim die Politik eines Staates entscheidend beeinflußt, ohne selbst in Erscheinung zu treten. Im ausgehenden 19. Jh aufgekommen mit Bezug auf Friedrich von Holstein (1837–1909), den Vortragenden Rat im Auswärtigen Amt (auch „Graue Eminenz" genannt). Den Weichensteller im Stellwerk

bekommt von den Reisenden kaum einer zu Gesicht.
2. Mensch, der die Richtlinien für künftiges Vorgehen bestimmt. 1950 *ff.*
3. Mensch, der die Fragen des Prüfenden auf das vom Prüfling gründlich beherrschte Fachgebiet zu lenken versteht. 1920 *ff.*
4. *pl* = Bodenpersonal der Luftwaffe. *Sold* 1935 bis heute.
5. ~ des Himmels = Flugsicherungspersonal. 1960 *ff.*

weichklopfen *tr* ↗ weich 5.
weichkneten *tr* ↗ weich 6.
weichkochen *tr* ↗ weich 7.
weichmachen *tr* ↗ weich 9.

Weichmann *m* **1.** energieloser Mensch. Weich = willensschwach. 1920 *ff.*
2. Feigling; verwöhnter Mann. *Sold* 1939 *ff, halbw* 1955 *ff.*

weichstoßen *tr* ↗ weich 13.

Weide *f* **1.** ~ für Benzinpferde = Parkplatz. 1950 *ff.*
2. fette ~ = gewinnbringendes Betätigungsfeld. Kaufmannsspr. 1870 *ff.*
3. sie muß noch etliche Jahre auf die ~: Redewendung angesichts eines schmächtigen Mädchens. Es muß sich körperlich erst noch entwickeln wie ein Kälbchen, ein Fohlen o. ä. 1960 *ff.*

weiden *intr* **1.** einen materiellen Vorteil erzielen, ohne ihn verursacht zu haben; vom Mitschüler absehen, abschreiben. Man grast ab, was man nicht selbst gesät hat. 1950 *ff, schül.*
2. beim Kartenspiel Stich auf Stich machen. Übertragen von der Herausnahme der Eingeweide bei Schlachttieren; *vgl* ↗ ausnehmen 1. Kartenspielerspr. 1840 *ff.*
3. bei jm ~ = bei jm literarische Anleihen machen. Man grast auf fremder Weide. 1920 *ff.*

Weihnachten I *f* **1.** ein Gefühl wie ~ = ein Gefühl von Behaglichkeit, Sauberkeit, Herzlichkeit, Friedlichkeit, von ungetrübter Annehmlichkeit; gelegentlich auch *iron* gemeint. Oft mit dem Zusatz: „nur nicht so feierlich". Übertragen vom Fest der Besinnlichkeit, der freudigen Erwartung, des Friedens. 1900 *ff.*
2. heiße ~ = unter südlicher Sonne verbrachter Weihnachtsurlaub. Werbetexterspr. 1960 *ff.*
3. lieber nichts zu ~!: Ausruf, mit dem man eine Zumutung zurückweist. 1930 *ff.*
4. lieber zehn (fünf) Jahre nichts zu ~: Ausdruck der Ablehnung, auch der Beteuerung. 1930 *ff.*
5. vergnügt wie ein Kind auf ~ = in froher Erwartung sein. Seit dem 19. Jh.
6. es war wie an ~ = es war eine freudige Überraschung, ein besonderer Glücksfall. *Sportl* 1950 *ff.*
7. deine Sorgen wünsche ich mir zu ~ = deine Sorgen sind unbedeutend. *Österr* 1950 *ff.*

Weihnachten II *n* **1.** Weihnachtsgeschenk; Weihnachtsgratifikation. Parallel zu ↗ Christkindchen 2. Seit dem 18. Jh.
2. ~ = eine äußerst unangenehme Überraschung. Ironie. Seit dem 19. Jh.

Weihnachtsbaum *m* **1.** Angriffsmarkierung (Zielausleuchtung) für Flugzeuge. Parallel zu ↗ Christbaum 1. *Sold* und *ziv* 1939 *ff.*
2. ~ von der Stange = Weihnachtsbaum aus Kunststoff. ↗ Stange 8. Die Sache

selbst ist wesentlich älter als die Vokabel. 1965 ff.

3. angeputzt (geputzt) wie ein ~ = geschmacklos gekleidet. 1910 ff.

4. am ~ die Lichter brennen = der Schleim tritt aus der Nase. Hier ist „↗Licht 2" in die Anfangszeile eines Weihnachtsliedes verkleidet. 1900 ff.

5. strahlen wie ein ~ = über das ganze Gesicht strahlen. 1920 ff.

Weihnachtsgans f **1.** dumme weibliche Person. Erweiterung von „↗Gans 1". 1920 ff.

2. jn ausnehmen wie eine ~ = a) jn gründlich ausbeuten; jm das letzte Geld abnehmen, abgewinnen. Veranschaulichung von „↗ausnehmen 1". 1870 ff. – b) jn entwürdigend behandeln. Redewendung schikanöser Soldatenausbilder. Sold 1939 ff. – c) jn gründlich ausfragen; jn einem Verhör unterziehen. 1950 ff.

Weihnachtsmann m **1.** wunderlicher, einfältiger, begriffsstutziger Mann. Weil nur noch kleine Kinder an ihn glauben, wird der Weihnachtsmann zur Sinnbildgestalt der Einfalt und Dummheit. Die Verwendung des Worts in diesem Sinne wurde laut Bericht der Stuttgarter Zeitung vom 13. August 1955 als „unparlamentarisch" gerügt. Ein Mann, der einem Polizeibeamten „Weihnachtsmann!" zugerufen hatte, wurde von einem Gericht 1956 zu einer Geldstrafe von 100 DM verurteilt, weil das Wort „eine beleidigende Schärfe" enthalte. Um 1920 aufgekommen, vorwiegend schül, stud und sold.

2. Buckliger. Weil der Weihnachtsmann auf seinem Rücken den Sack mit den Geschenken trägt. BSD 1965 ff.

3. Volkssturmmann. Die meisten Volkssturmmänner waren alt, und weisungsgemäß hatten sie zu glauben, daß ihr Einsatz den „Endsieg" bringen werde. 1944 ff.

4. so ein ~!: Redewendung zur Kennzeichnung eines altbekannten Witzes. Weiterführung von ↗ Bart 8. 1939 ff.

5. sich über etw freuen wie beim ~ = über etw sehr erfreut sein. 1930 ff.

6. noch an den ~ glauben = geistesbeschränkt, weltunerfahren, leichtgläubig sein. Vgl franz „croire au Père Noël". 1920 ff.

7. du hast wohl einen kleinen ~?: Frage an einen, der unsinnige Behauptungen aufstellt oder unerfüllbare Pläne entwickelt. 1920 ff.

8. der ~ war da: Ausruf, wenn man beim Kartenspiel einen Stich mit hoher Augenzahl eingeheimst hat. Kartenspielerspr. 1900 ff.

9. strahlen wie ein ~ = freudestrahlend blicken. 1920 ff.

Weihnachtsrummel m üble Geschäftemacherei aus Anlaß des Weihnachtsfestes. ↗Rummel. Spätestens seit 1950.

Weihrauch m **1.** ~ und Knoblauch = Katholizismus und Judentum; Katholiken und Juden. Weihrauch als Räuchermittel in der katholischen Kirche und Knoblauch als beliebtes Gewürz der (Ost-)Juden sind hier formelhaft verbunden, weil man es für klug hält, zu beiden nicht in Gegensatz zu treten, um nicht in Nachteil zu geraten. Aufgekommen im späten 19. Jh, wohl im Zusammenhang mit dem Kulturkampf und mit antisemitischen Strömungen.

2. den vielen ~ nicht vertragen können

= durch Ehrungen übermütig, dünkelhaft werden. 1950 ff.

Weihwasserkesselbewachungsverein m katholische Gottesdienstbesucher, die im rückwärtigen Teil der Kirche stehen bleiben. Dem „Technischen Dampfkesselüberwachungsverein" (heute Technischer Überwachungsverein) nachgebildet. Geistlichenspr. 1960 ff.

Weihwasserkesselkompanie f Gruppe von Leuten, die während des Gottesdienstes an der Kirchentür (in der Nähe des Weihwasserkessels) stehen bleiben. Bayr 1920 ff, geistlichenspr.

weilen intr sich irgendwo aufhalten (Familie Müller hat im Urlaub in München geweilt). Gilt manchen als Ausdruck gehobenen Sprach- und Lebensstils. Vgl ↗Mauernweiler. Seit dem 19. Jh.

Wein m **1.** ~ mit Knallkorken (Böllerkorken) = Sekt. Böller = Kanonenschlag. 1900 ff, gaststättenspr.

2. ~ ohne Reue = Rieslingwein. Fußt auf dem Reklamespruch „Genuß ohne Reue", mit dem eine Zigarettenfirma für ihre Erzeugnisse wirbt. Auf den Wein bezogen, ist gemeint, daß er kein Unbehagen, keine Kopfschmerzen verursacht, so daß man seinen Genuß nicht zu bereuen braucht. 1959 ff.

3. ~ zum Weinen = übermäßig teurer Wein. 1960 ff.

4. ~, der auf der Kellertreppe (-stiege) gewachsen ist = verwässerter Wein. Man vermutet, er stehe in Verbindung mit dem Wasser, das man für das Treppenwischen verwendet hat. Österr 1900 ff.

5. christlicher ~ = verwässerter Wein. Spielt an auf „↗taufen 1". 1920 ff.

6. ehrlicher ~ = unverwässerter, naturreiner Wein. Der Flascheninhalt entspricht den Angaben auf der Etikett. 1962 ff.

7. gewaschener ~ = verwässerter Wein. Euphemismus. Seit dem 19. Jh.

8. getaufter ~ = verwässerter Wein. ↗taufen 1. Seit dem 19. Jh.

9. hochnäsiger ~ = Sekt. Man hält ihn für vornehmer als Wein, für ein Getränk wohlhabender Leute; außerdem steigt seine Kohlensäure in die Nase. 1910 ff.

10. jm klaren (lauteren, reinen) ~ einschenken = jm unumwunden die Wahrheit sagen. „Reiner Wein" steht hier sinnbildlich für „das Wahre, Aufrichtige". Seit dem 16. Jh.

11. der ~ hat sich gewaschen = der Wein ist verwässert. ↗Wein 7. Seit dem 19. Jh.

12. ~ schmieren = Wein fälschen (durch Mischen einer edleren Sorte mit einer geringeren). Schmieren = unsauber zu Werke gehen. Wahrscheinlich schon im 15. Jh bekannt.

Weinbeißer m Weingenießer; Weinprüfer. Vgl ↗Weinzahn 1. Seit dem 15. Jh, österr.

Weinchen (Weinle) n besonders gut mundender Wein. Die Verkleinerungssilbe hat hier kosewörtlichen Sinn. Seit dem 18. Jh.

weinen intr **1.** Wein trinken. Wortspielerische Verbalisierung. 1900 ff.

2. ein Weinrestaurant aufsuchen. Berlin 1955 ff.

3. es ist zum ~ schön = es ist ganz besonders schön (nur oder auch spöttisch gemeint). 1910 ff.

4. der Rettich weint = der Rettich zieht

Wasser, nachdem er gesalzen wurde. Bayr 1900 ff.

Weinpipler m Weintrinker. ↗biberln. Österr, 1900 ff.

Weinreise f Besuch mehrerer Weinlokale. 1830 ff.

Weinschlauch m Weintrinker, -zecher. ↗Schlauch 14. 1500 ff.

weinselig adj weintrunken. ↗selig 1. Seit dem 19. Jh.

Weinzahn m **1.** Weinkenntnis. Weinkenner „beißen" den Wein, nehmen einen Schluck und „kauen" ihn, als handele es sich um feste Nahrung. Seit dem 16. Jh.

2. Weinkenner, -liebhaber. Seit dem 19. Jh.

3. sich den ~ ausbrechen lassen = sich das Weintrinken abgewöhnen. 1600 ff.

Weise I f in keinster ~ = in keiner Weise; keineswegs. Eine grammatikalische Fehlkonstruktion; denn „kein" verträgt kein Superlativum. Gleichwohl ein vielgebrauchter Ausdruck seit 1920.

Weise II (m) pl die fünf Weisen = Sachverständigenrat zur Begutachtung der gesamtwirtschaftlichen Entwicklung in der Bundesrepublik Deutschland. Es ist ein Gremium von fünf Fachleuten. 1970 ff.

Weisheit f **1.** ~ aus der Röhre = Schulfernsehen. 1960 ff.

2. behalte deine ~ (Weisheiten) für dich! = verschone uns mit deiner Meinung! 1920 ff.

3. die ~ mit Löffeln gegessen (gefressen) haben = sich für sehr klug halten. ↗Löffel 13. 1600 ff.

4. die ~ mit dem Schaumlöffel gefressen haben = sich ungemein klug dünken, aber im Grunde sehr dumm sein. Aus dem Schaumlöffel fließt die wertvolle Substanz durch die Löcher ab; was im Löffel bleibt, ist nur wenig mehr als Luft. Seit dem 19. Jh.

5. die ~ mit dem Suppenschöpfer gefressen haben = sich als übergescheit aufspielen. 1900 ff, österr.

6. mit seiner ~ am Ende sein (am Ende seiner ~ sein) = ratlos sein; weitere Fragen des Lehrers oder Prüfers nicht beantworten können. Parallel zu „mit seinem ↗Latein am Ende sein". 1920 ff. Vgl engl „I am at my wit's end".

Weisheitszahn m **1.** Gymnasiastin; intelligentes Mädchen; Klassenbeste; junge Brillenträgerin. Meint eigentlich den letzten Backzahn, der meist erst beim Erwachsenen durchbricht; hier überlagert von „↗Zahn 3". Halbw nach 1900.

2. überdurchschnittlich gebildete Frau in vorgerücktem Alter. 1955 ff.

3. jm den ~ ziehen = einen Besserwisser gründlich widerlegen. 1930 ff.

Weismacher m **1.** täuschender, prahlerischer Mensch. Gehört zu „jm etw weismachen = jm etw vorgaukeln". 1900 ff.

2. unglaubwürdige Behauptung. 1900 ff.

weiß adj **1.** ehrlich, vertrauenswürdig. Fußt auf Weiß als „Farbe der Unschuld". 1940 ff.

2. (hinreichend) mit Geld versehen; reich. Gegenwort zu „↗schwarz 3". Rotw 1900 ff, vorwiegend österr.

3. im Besitz eines guten Alibis. Versteht sich nach „↗weißwaschen". 1900 ff.

4. ~ sein = im Spiel ohne Punkte sein. 1900 ff.

Weiß n in ~ heiraten = als Jungfrau getraut werden. Anspielung auf das weiße Brautkleid. 1900 ff.

Weißbier n aussehen wie ~ mit Spucke = bleich aussehen. „Spucke" meint hier den Bierschaum. 1840 ff.

Weißbluten n jn zum ~ bringen = a) jn heftig erzürnen. Leitet sich her von so reichlicher Blutentnahme, daß der Betreffende bleich wird. 1900 ff. - b) jn bis zum letzten ausbeuten. Vielleicht Anspielung auf den Umstand, daß das Blut aus den Arterien (lebensgefährlich!) sehr hellrot spritzt und weißlich schäumt. 1900 ff. Vgl franz „saigner à blanc".

weißbluten refl **1.** sich schwere Entbehrungen auferlegen. Vgl das Vorhergehende. 1900 ff.
2. für etw ~ müssen = für etw viele Opfer bringen müssen. 1920 ff.
3. bis zum ~ müssen = bis zum äußersten zahlen müssen. 1920 ff.

weißbrennen v **1.** refl = seine Schuldlosigkeit nachweisen. Metall wird im Feuer von seinen Schlacken gereinigt und glüht zuletzt weiß. Von hier übertragen auf die innere Reinigung. 1500 ff.
2. tr = einem Beschuldigten entlasten. Seit dem 19. Jh.

Weiße f **1.** eine ~ mit (mit Schuß) = ein Glas Weißbier mit einer Zugabe von Fruchtsaft o. ä. Berlin, seit dem 19. Jh.
2. eine ~ mit Gefühl = ein Glas Weißbier mit Himbeersaft. Berlin, seit dem 19. Jh.
3. eine ~ mit Strippe = ein Glas Weißbier mit Korn- oder Kümmelschnaps. Strippe = Schnur = Verlängerung = Verdünnung. Berlin, seit dem 19. Jh. - b) ein Glas Weißbier mit Zugabe von Himbeersaft. Berlin, seit dem 19. Jh.

Weiße-Kragen-Gauner m Wirtschaftsverbrecher o. ä. Übersetzt aus angloamerikan „white collar criminal", einer gegen 1950 entstandenen Wortprägung des amerikanischen Soziologen Edwin Hardin Sutherland. Bei uns um 1960 bekannt geworden.

Weiße-Kragen-Seuche f Streben nach einer Angestelltentätigkeit. Der weiße Kragen ist noch immer Sinnbild einer „gehobenen Tätigkeit". 1960 ff.

weißen tr jn für unschuldig ausgeben; jn wahrheitswidrig besser beurteilen; jn gegen andere in Schutz nehmen. ↗ weißwaschen. Halbw 1950 ff.

Weißer m **1.** Nichtvorbestrafter. ↗ weiß 1. 1900 ff.
2. klarer Schnaps. Weiß = wasserklar, durchsichtig. Berlin 1870 ff.
3. harter ~ = hochprozentiger klarer Schnaps. „Hart" kennzeichnet den Unterschied zum Likör. 1900 ff.
4. klarer ~ = heller Kornschnaps. 1870 ff.

Weißer-Kragen-Arbeiter m Büroangestellter. ↗ Weiße-Kragen-Seuche. 1970 ff.

Weißer-Kragen-Beruf m Beruf des/der Büroangestellten, der Verkäuferin, der Arzthelferin, Friseuse o. ä. 1970 ff.

Weißes n das Weiße im Auge nicht gönnen = auf jn überaus neidisch sein. Man gönnt ihm nicht einmal das, was jedermann von Natur aus besitzt. 1700 ff.

Weißglühen n jn zum ~ bringen = a) jn heftig in Wut versetzen. Hergenommen vom Schmiedehandwerk, bei dem man Weißglühhitze benötigt. 1900 ff. - b) jn völlig zermürben. 1900 ff.

Weißglut f **1.** jn bis zur ~ ärgern = jn bis

zum äußersten ärgern. Vgl das Vorhergehende. 1900 ff.
2. jn in (zur) ~ bringen = jn heftig erzürnen. 1900 ff.
3. in ~ geraten = heftig aufbrausen. 1920 ff.
4. jn bis zur ~ reizen = jn bis zum äußersten reizen. 1900 ff.
5. jn zur ~ treiben = jn fortwährend ärgern, bis er die Beherrschung verliert. 1900 ff.

Weißmacher m **1.** Rechtsanwalt. ↗ weißwaschen. Beeinflußt von der Reklame für „Persil 65 mit zwei Weißmachern" sowie wortspielerisch von „weismachen" = vorspiegeln". 1966 ff.
2. Mann, der die Schuldlosigkeit eines anderen beteuert; Entlastungszeuge. Vgl das Folgende. 1966 ff.

weißwaschen tr jn von einem Verdacht oder Vorwurf reinigen; einen Beschuldigten entlasten. Verkürzt aus „einen Mohren weißwaschen" (engl „to wash an Ethiop white"), möglicherweise in Erweiterung einer Bibelstelle (Jeremias 13, 23). 1500 ff.

Weißwurstäquator m **1.** Mainlinie (gedachte Linie, die mitten durch Bayern verläuft). Südlich dieser Linie ist Weißwurst ein sehr beliebtes Essen. Hinsichtlich der landschaftlichen Herkunft stehen sich zwei Lager gegenüber: die einen halten das Wort für eine Erfindung von Nichtbayern, während die anderen nur die Bayern als Wortschöpfer gelten lassen. 1920 ff.
2. Donau (auf ihrem Lauf durch Bayern). 1920 ff.

Weißwursthorizont (-land) m (n) Freistaat Bayern. 1960 ff.

Weißwurstmetropole f München. 1955 ff.

Weißzeug n Kleidung. Eigentlich nur Bezeichnung für Bett-, Tisch- und Leibwäsche. Halbw 1964 ff.

weit adv das ist (damit ist es) nicht ~ her = das taugt nicht viel; das ist nichts Besonderes; das ist nichts recht gering. Fußt auf der Ansicht, die wertvollsten Lebenserfahrungen und Menschenkenntnisse gewinnt man nicht in der Heimat, sondern in der Fremde. Seit dem 17. Jh.

weiter adv und wie geht es ~?: Frage an einen, der seine Geschichte ohne Pointe erzählt oder mit seinem Schwätzen kein Ende findet. Berlin 1870 ff.

weitermachen v Sie können dann gleich bei mir ~: Redewendung an eine weibliche Person, die man Hausarbeiten verrichten sieht. 1920 ff.

weitermarschieren intr das bisherige Vorgehen nicht ändern; dem bisherigen künstlerischen Stil treu bleiben. 1950 ff.

weiterreichen tr einen Empfohlenen weiterempfehlen; jn an die zuständige Stelle verweisen. Hergenommen von der Unsitte, kleine Kinder zur Begrüßung von Schoß zu Schoß zu reichen. 1870 ff.

weiterrutschen intr in die nächsthöhere Klasse versetzt werden. Schül 1900 ff.

Weitschuß m aus großer Entfernung gezielter Torball. ↗ Schuß. Sportl 1920 ff.

Weizen m **1.** sein ~ blüht = für ihn ist eine günstige Zeit; seine Sache steht sehr gut. Hergenommen vom Bauern, dessen Weizenfeld eine gute Ernte verspricht. Seit dem 15. Jh.

2. der blonde ~ blüht = blonde Frauen werden bevorzugt. 1933 ff.
3. wissen, wo der ~ am besten blüht = seinen Vorteil wahrzunehmen wissen. 1930 ff.

Wellblech n **1.** Straße mit vielen Querrinnen. 1950 ff.
2. ~ auf der Stirn = Falten auf der Stirn. 1920 ff.
3. ~ erzählen = Unsinniges vorbringen. Verstärkung von „↗Blech 1". Seit dem späten 19. Jh.
4. quatsch' kein ~! = rede nicht so dumm. 1870 ff.

Wellblechanzug m Manchesteranzug. Wegen der äußeren Ähnlichkeit des gerippten Stoffs mit dem Wellblech. 1910 ff.

Wellblechbeine pl Hose mit vielen Querfalten. Theaterspr. 1920 ff.

Wellblechrock m plissierter Damenrock. 1920 ff.

Wellblechschaukel f Kleinauto. ↗Schaukel 1. 1960 ff.

Wellblechwetter n wechselhaftes Wetter. Mal herrscht ein „Hoch", mal ein „Tief". 1959 ff.

Welle f **1.** plötzlich aufkommendes, allgemeines Interesse an bestimmten Dingen (Bekleidungs-, Edelfreßwelle u. a.). Übernommen vom Bild der heranflutenden und überschwemmenden, dann langsam zurückweichenden, abebbenden Wasserwoge. Vereinzelt im 19. Jh geläufig (↗Besuchswelle); wiederaufgelebt gegen 1939 und überaus häufig seit 1948, als die Wiedereinführung einer gediegenen Währung die Erfüllung aufgestauter Bedürfnisse ermöglichte.
2. ~ der Keuschheit = Maßnahmen gegen die Prostitution. 1960 ff.
3. blonde ~ = vorübergehende Mode (künstlich) blonder Haartracht bei weiblichen Personen. 1955 ff.
4. grüne ~ = Demonstrationszug der Bauern. „Grün" ist seit dem „Grünen Plan" der deutschen Bundesregierung (1956) die Sinnbildfarbe der Landwirtschaft. 1970 ff.
5. harte ~ = a) Politik strengerer Zucht in der Bundeswehr. 1959 ff. - b) vorübergehende Zunahme der Kriminalität, von schweren Gewaltverbrechen. 1963 ff. - c) Werbung für hochprozentige alkoholische Getränke. „Hart" kennzeichnet den Unterschied zum „weichen" Likör. 1965 ff.
6. keusche ~ = Prostitutionsbekämpfung. ↗Welle 2. 1960 ff.
7. lange ~ = langfristige Ratenkäufe. 1950 ff.
8. nackte ~ = a) vorübergehende Beliebtheit von Nacktszenen. 1965 ff. - b) Ausbreitung der Freikörperkultur-Bewegung. 1965 ff.
9. nationale ~ = Bestreben, die nationalen Interessen selbstbewußter zu vertreten. 1965 ff.
10. weiche ~ = a) Abkehr von Formenstrenge; aufgelockerte Unterrichtsweise; Austausch von Höflichkeiten; Vermeidung von Gewalt. 1955 ff. - b) Zärtlichkeit beim Liebesspiel. 1955 ff. - c) Politik der Nachgiebigkeit, der Versöhnlichkeit (im Gegensatz zur „Politik der Stärke"). 1955 ff. - d) Bestechung(sversuch). 1960 ff. - e) einschmeichelnd-melodiöse Musik. 1958 ff. - f) Damenmode in lieblichem, fast kindlichem Stil. 1971 ff. - g) zunehmender Ver-

brauch von schwachprozentigen alkoholischen Getränken. 1967 ff.

11. weiche ~ à la Chantré = Milde, Versöhnlichkeit. Aufgekommen mit der Weinbrandwerbung unter dem Schlagwort „weiche Welle" für den Markenartikel „Chantré" der Firma Eckes in Niederolm bei Mainz. 1957 ff.

12. weiche ~ für Verbrecher (der Gerechtigkeit; der Gerichte) = milde Rechtsprechung; Milderung des Strafvollzugs. 1959 ff.

13. weiße ~ = a) Konkurrenzkampf auf dem Waschmittelmarkt um den Kunden. Die Hersteller der Waschmittel versprechen blendendweiße Wäsche. 1966 ff. – b) zunehmende Beliebtheit von klaren Schnäpsen. Weiß = farblos. 1967 ff.

14. eine ~ mehr, und du kannst schwimmen!: Redewendung, mit der man einen Schwätzer zur Mäßigung auffordert. Wie Wellen kommen die prahlerischen Äußerungen auf den Zuhörer zu; wäre es Wasser, was da Welle schlägt, könnte man bald darin schwimmen. Doch vgl auch das Folgende. *Jug* 1933 ff.

15. eine dicke (mächtige) ~ angeben = sich übermäßig aufspielen. Hängt mit der Schallwelle zusammen. ↗angeben 1. 1920 ff.

16. auf eine falsche ~ eingestellt haben = begriffsstutzig sein; nicht verstehen wollen. Vom Funkverkehr übertragen. 1940 ff, *jug.*

17. halbe ~ genügt! = spiel' dich nicht so auf! Welle = Schallwelle. *Jug* 1933 ff.

18. eine ~ haben = betrunken sein. Bezieht sich auf den wellenförmig schwankenden Gang. 1880 ff.

19. die ~n legen = in Schlangenlinien fahren. Radrennfahrerspr. 1960 ff, *österr.*

19 a. auf derselben ~ liegen = mit jm übereinstimmen. Vom Funkverkehr übertragen: Sender und Empfänger sind auf dieselbe Wellenlänge eingestellt; ↗Wellenlänge 1. 1940 ff.

20. auf der falschen ~ liegen (sein) = sich irren; falschen Vorstellungen erliegen; von falschen Voraussetzungen ausgehen. Aus der Rundfunktechnik übernommen: man hört den falschen Sender ab. 1950 ff.

21. ~n machen (schieben) = Ausflüchte machen; prahlen. Kann mit den Schallwellen zusammenhängen oder mit den Wellen, die ein Schwimmer, Turmspringer o. ä. im Wasser hervorruft, um Eindruck zu machen. 1920 ff.

22. mach' keine ~n! = rege dich nicht auf! prahle nicht! bleibe sachlich und beherrscht! *Vgl* das Vorhergehende. 1920 ff, Berlin.

23. große ~n machen = Aufsehen erregen; sich brüsten. ↗Welle 21. 1920 ff, Berlin.

24. mach' nur keine ~n auf dem Teppich! = bring' keine Unruhe in die Unterhaltung! Fußt auf dem Bild vom Teppich, der nicht glatt liegt, sondern Wülste zeigt. Dieses Bild ähnelt einer Unterhaltung, die nicht glatt verläuft. 1920 ff.

25. quatsch' (red') keine ~n! = prahle nicht! übertreibe nicht! Welle = Schallwelle. Berlin 1920 ff.

26. auf den ~n schaukeln = am Rundfunkgerät nach einem zusagenden Programm suchen. Übertragen von den Wasserwellen auf die Funkwellen. 1935 ff.

27. ~n schieben = prahlen; sich aufspielen. ↗Welle 21. 1920 ff.

28. es schlägt ~n = es erregt Aufsehen, beschäftigt die Phantasie der Leute. Hergenommen vom Bild des Steins, der, ins Wasser geworfen, kreisförmig sich ausbreitende Wellen erzeugt. 1900 ff.

29. schlag' ~n! = geh weg! 1950 ff.

29 a. auf einer ~ schwimmen = sich von bestimmten, gängigen Vorstellungen leiten lassen. ↗Welle 1. 1950 ff.

30. auf der weichen ~ schwimmen = rührselig sein; sich auf Rührseligkeit verlegen. 1955 ff.

31. das ist eine ~ = das ist eine großartige, eindrucksvolle Sache. Hergenommen von der hohen Wasserwoge. 1950 ff.

32. auf falscher ~ sein = sich irren; falsch auffassen. ↗Welle 20. 1940 ff.

33. auf anderer ~ senden = unterschiedliche Ansichten vertreten. 1945 ff.

34. auf lange ~ zahlen = auf Raten zahlen. ↗Welle 7. 1950 ff.

Wellenbummler m **1.** Rundfunkhörer auf der Suche nach einem zusagenden Programm. Wohl wegen des internationalen Senderangebots dem „Weltenbummler" nachgeahmt. ↗Bummler. 1970 ff.

2. Windsurfer. 1980 ff.

Wellenlänge f **1.** gleiche ~ = seelische Gleichgestimmtheit; Sympathie füreinander; Liebe auf den ersten Blick. Von der Funktechnik übernommen. *Vgl* ↗Welle 19 a. 1935 ff.

2. sich auf jds ~ einstellen = a) sich nach jds Begriffsvermögen richten. 1935 ff. – b) jds Zuneigung erwidern. 1935 ff.

3. auf der gleichen ~ funken (denken) = in den Ansichten und Lebensgewohnheiten übereinstimmen. *Vgl* ↗Welle 19 a. 1950 ff.

4. auf jds ~ gehen = sich auf jn einstellen; sich nach jds Eigenart richten. 1950 ff.

5. dieselbe ~ haben = dieselbe Ansicht vertreten; denselben Lebensstil bevorzugen; einander sympathisch sein. 1935 ff.

6. auf verschiedenen ~n leben = mit jm nicht übereinstimmen; sich zu anderer Lebensauffassung bekennen; als Eheleute nicht zueinander passen. 1950 ff.

7. auf der gleichen ~ sein = dieselbe Lebensart haben wie der andere. 1950 ff.

8. auf einer anderen ~ operieren = eine andere Art des Vorgehens für richtig halten. 1950 ff.

9. auf jds ~ sein = mit jm die Lebensauffassung teilen. 1935 ff.

10. auf gleicher ~ sein = gemeinsam Rauschgift genommen haben. *Halbw* 1960 ff.

11. auf der richtigen ~ sein = untadelig sein; die Sittengesetze befolgen. 1950 ff.

12. auf jds ~ senden = jm in der Denkart entsprechen. 1950 ff.

13. jds ~ treffen = jm beipflichten. 1950 ff.

Wellenreiter m **1.** Damenfrisör. Er „reitet" auf der Dauerwelle. 1920 ff.

2. Mensch, der mit seinem Rundfunkgerät möglichst viele Sender empfangen möchte. 1930 ff.

3. Funker. Er „reitet" auf den Funkwellen. *Sold* 1935 bis heute.

Wellenschlag m einen ~ machen = in großen Zügen trinken. 1920 ff.

Welt f **1.** eine ~ voller Rätsel = a) Physikunterricht in der Schule. Fußt auf dem *dt*

Titel des 1956 von Walt Disney gedrehten Films „Secrets of Life". *Schül* 1958 ff. – b) Beförderung in der Laufbahn. *Sold* 1970 ff.

2. bucklige ~ = wunderliches Erdenleben. Zu „bucklig" *vgl* auch ↗Verwandtschaft 4". 1920 ff.

3. die große ~ = die Erwachsenen. 1900 ff.

4. die große heiße ~ = Lebensalter der Jugend. Nachgebildet dem Werbeschlagwort „↗Duft der großen weiten Welt". *Halbw* 1960 ff.

5. die große weite ~ = die berühmten Leute; Leute von Welt; Weltbürger; Wohlhabende. ↗Duft 2. 1960 ff.

6. die halbe ~ = sehr viele Leute. 1900 ff.

7. die junge ~ = die jüngere Generation. 1900 ff.

7 a. kaputte ~ = Welt voller Katastrophen, Kriege, Unsicherheiten, Gegenwarts- und Zukunftsängsten. 1979 ff.

8. meine ~ = Geliebte, Frau (Kosewort). Seit dem 19. Jh.

9. sich die ~ von unten ansehen = im Grab liegen. 1920 ff.

10. da hört die ~ auf = das ist eine abgelegene Gegend; an diesem Zaun hört unser Weg auf. 1900 ff.

11. was kostet die ~?: Redewendung des überheblichen Wohlhabenden; Ausruf der Unternehmungslust. Man tritt auf mit der Haltung eines anmaßend selbstbewußten Menschen, der mit seinem Geld (mit seiner Körperkraft; mit seinem Einfluß) alles ermöglichen zu können glaubt. Seit dem 18. Jh, anfangs *stud.*

12. mit der ~ fertig sein = überarbeitet, verzweifelt sein. Welt = alle Menschen. 1910 ff.

12 a. in die ~ machen = die Heimat verlassen. Seit dem 19. Jh.

12 b. die ~ ist ein Dorf: Überraschungsausruf, wenn man an entferntem Ort unverhofft einen Bekannten trifft. 1900 ff.

13. das ist weit aus der ~ = das ist sehr abgelegen. „Welt" ist hier der gewohnte Lebenskreis eines Menschen, die gewohnte Umgebung. Seit dem 19. Jh.

14. das ist nicht aus der ~ = das ist nicht weit entfernt; das ist ziemlich nah gelegen. Seit dem 19. Jh.

15. das ist verdrehte (verkehrte) ~ = das schickt sich nicht; das widerspricht den herkömmlichen Regeln des Zusammenlebens. Hängt zusammen mit der Darstellung einer Welt, in der alles genau umgekehrt zugeht wie in der Wirklichkeit; früher Inhalt vieler Kinderbücher. 1870 ff.

16. das ist nicht die ~ (das kostet die ~) = das ist erschwinglich; das ist nicht schlimm; das ist belanglos. 1900 ff.

16 a. das ist nicht die ~ = das ist keine weite Entfernung. 1900 ff.

17. da ist die ~ mit Brettern vernagelt (zu) = dieser Bretterzaun (o. ä.) nimmt uns die Aussicht; hier geht der Weg nicht weiter; an diesem Ort ist man sehr rückständig; hier fehlt den Menschen jeder Weitblick. Geht wahrscheinlich zurück auf die Lügengeschichte des Variscus (= Johann Sommer), in der er 1608 erzählt, ein Mann sei ans Ende der Welt gelangt und habe sie dort mit Brettern vernagelt vorgefunden. Seit dem 18. Jh.

18. das ist am Ende der ~ = das ist eine rückständige, unzivilisierte Gegend. 1900 ff.

19. davon geht die ~ nicht unter = die Sache ist nicht sehr schlimm; deswegen braucht man nicht zu verzweifeln. 1900 ff. Durch einen Filmschlager der dreißiger Jahre sehr geläufig geworden.

welt adj präd unübertrefflich, hochmodern. Fußt auf „Weltklasse", einem bei Sportlern beliebten Begriff für die Weltbestleistung und ihr nahekommende Leistungen. Österr 1950 ff, halbw.

weltbewegend adj nicht ~ = mittelmäßig; ziemlich belanglos. „Weltbewegend" nennt man epoche- oder geschichtemachende Ereignisse. Was die Welt nicht bewegt, gilt Studenten seit 1930 als mittelmäßig. So können eine Rede, eine Party, ein Mädchen usw. „nicht weltbewegend" sein.

Weltgeschichte f **1.** Welt; bewohnte Erdfläche. Eigentlich die Geschichte der Menschheit, im weiteren Sinn die Geschichte des Weltalls. 1920 ff.
2. da hört (sich) doch die ~ auf!: Ausdruck des Unwillens, der Unerträglichkeit. Das Ende der Weltgeschichte ist das Ende der Menschheit, – Grund genug, hieraus einen Ausruf des Unmuts und böser Überraschung zu machen. 1870 ff, vermutlich in Berlin aufgekommen.
3. in der ~ rumfahren (-gondeln, -kommen) = die Welt kennenlernen; viel auf Reisen sein. 1920 ff.
4. in der ~ rumlaufen = viele Reisen unternehmen; ein unstetes Leben führen. 1920 ff.
5. in der ~ rumreisen = durch die Welt reisen; Handelsvertreter sein. 1920 ff.
6. in der ~ rumstreunen = spazierengehen; wandern; Urlaub machen. 1950 ff.
7. sich in der ~ rumtreiben = viel (lange) auf Reisen sein; viele Länder bereisen; selten daheim sein. 1920 ff.
8. die ~ verschlafen = ahnungslos, dumm sein. 1910 ff.

weltisch adj hervorragend, angenehm, schön. ↗ welt. Österr 1950 ff, jug.

Weltmensch m modern denkender junger Mensch mit Halbwissen und oberflächlicher Aufgeschlossenheit. Er ist kein „Mann von Welt", also keiner, der im gesellschaftlichen Verkehr gewandt ist. Halbw 1950 ff.

Weltraum-Bahnhof m Startplatz (Abschußrampe) für Weltraumraketen u. ä. (Cape Canaveral/ Cape Kennedy; Baikonur). 1960 ff.

Weltraumkutscher m Astronaut. 1965 ff.

Weltraumohr n Radioteleskop bei Effelsberg (über Münstereifel). 1971 ff.

Weltstadt f **1.** ~ mit Herz = München. 1960 ff, journ und kommunalpolitikerspr.
2. ~ mit Nerz = München. Anspielung auf Kleiderluxus. 1960 ff.
3. ~ mit Schmerz. (West-)Berlin. 1965 ff.

Wendehals m Opportunist. Vom gleichnamigen Vogel hergeleitet, der seinen Hals um 180 Grad verdrehen kann. Seit dem 19. Jh.

Wendewein m saurer Wein. Scherzhaft ist gemeint, man müsse sich mit solchem Wein im Magen immer wieder umdrehen (von einer Seite auf die andere legen), damit die Säure kein Loch in den Magen frißt. Seit dem 19. Jh.

wenig adv einen zu ~ haben = geistesbeschränkt sein. Es fehlt einer der fünf Sinne. Seit dem 18. Jh.

weniger adv **1.** und ~!: Zuruf an einen Prahler. Man tritt seinen Übertreibungen entgegen, indem man von seinen Worten einen Teil abzieht. 1940 ff.
2. das ~ = durchaus nicht. Südwestd 1900 ff.

Wenigkeit f meine ~ = ich. Iron oder scherzhafter Unterwürfigkeitsausdruck, nachgebildet den gleichbed lat Ausdrükken „mea parvitas" und „mea tenuitas". Seit dem frühen 17. Jh.

wenn konj **1.** ~ schon, denn schon = wenn dies eine schon geschehen soll, dann sollte auch dies andere geschehen. Seit dem 19. Jh.
2. ja, ~ ... der Hund bei Wandersleben nicht geschissen hätte, sagte der Jäger, dann hätten wir den Hasen gekriegt: Redewendung, mit der ein Bedingungssatz ironisiert wird. 1920 ff.

wennen v da gibt es nichts zu ~ und zu abern = Einwendungen sind hier nicht angebracht. Aus „wenn" und „aber" verbalisiert. Seit dem 19. Jh.

Wepse f **1.** Wespe. Schon im Mittelalter neben „wespe" geläufig, sowohl mhd als auch mittel-niederd.
2. lebhaftes, unstetes Mädchen. Übernommen vom Verhalten des Insekts. Seit dem 19. Jh.

wepsig (wepsert) adj **1.** unruhig, unstet, lebhaft, munter. Seit dem 19. Jh.
2. verärgert, aufgeregt, zornig. Seit dem 19. Jh, vorwiegend bayr. Vgl engl „waspish".

wer pron **1.** einer, jemand. Gekürzt aus „irgendwer" im Sinne eines namentlich Unbekannten (es hat wer geklingelt = irgendwer hat geklingelt). Seit dem 18. Jh.
2. ~ sein = eine gewichtige Persönlichkeit sein. „Wer" ist gekürzt aus „irgendwer Hochgestelltes", „jemand von Rang". Spätestens seit 1800.

Werbebomber m Fußballspieler im Dienst der kommerziellen Werbung. ↗ Bomber 11. 1979 ff.

Werbeholzhammer m nachdrückliche, plumpe Werbung. ↗ Holzhammer. 1965 ff.

Werbeknüller m sehr erfolgreicher Einfall eines Werbefachmanns. ↗ Knüller 1. 1950 ff.

Werbeleiter m Gottes ~ = Massenprediger; eifernder Geistlicher. 1920 ff.

Werbemagnet m zugkräftiger Personen- oder Warenname. 1955 ff.

Werbemieze f Fotomodell. ↗ Mieze. 1965 ff.

Werbepapst m maßgebender (sich für maßgebend haltender) Werbefachmann. 1968 ff.

Werberummel m Übergeschäftigkeit der Werbefachleute. ↗ Rummel. 1930 ff.

werden v **1.** er wird wieder = er erholt sich, genest. Sinngemäß verkürzt aus „er wird wieder, was er vorher war, nämlich gesund". 1800 ff.
2. ich werde dir was!: Ausdruck der Ablehnung. Verkürzt aus „ich werde dir was ↗ husten" (o. ä.). Vgl auch „↗ draufgeben". 1900 ff.
3. was nicht ist, kann ja noch ~: Redewendung zum Trost bei einem Mißerfolg. Seit dem 19. Jh.
4. da kann ich nichts ~ = da kann ich mich beruflich nicht weiterentwickeln. Seit dem 19. Jh.

werfen v **1.** intr = gebären. Tiere „werfen" Junge. Seit dem 19. Jh.
2. intr tr = gut, hastig essen. Man „wirft" (sich) die Speise mittels Gabel oder Löffel in den Mund. Rotw seit dem frühen 19. Jh.
3. intr = Rauschgift einnehmen. 1960/65 aus dem angloamerikan Slang übersetzt.
4. sich auf Pastor (Lehrer o. ä.) ~ = Theologie (Philologie o. ä.) studieren. Entnommen aus kaufmannsspr. „sich auf etw werfen = Handel mit etw treiben". 1920 ff.

Werk n **1.** frisch nach ~ duften = fabrikneu sein. 1966 ff.
2. seine sämtlichen ~e spazierenführen = (als Mann) mit seinen sämtlichen Kindern spazierengehen. 1920 ff.

Werkel n Drehorgel. Meint im Österr die (kleine) Maschine, das Räderwerk, die Mechanik. Österr seit dem 19. Jh.

Werkelmann m **1.** Drehorgelspieler. Österr seit dem 19. Jh.
2. spielen wie ein ~ = schlecht musizieren. Österr 1925 ff.

Wermutbruder m Obdachloser in der Stadt. Benannt nach dem billigen Wermutwein, den er ausgiebig zu sich nimmt. 1960 ff.

Wertarbeit f deutsche ~ = schlechte Arbeit. Ironie. 1960 ff.

Wertsachen pl **1.** Genitalien des Mannes. 1930 ff.
2. Orden und Ehrenzeichen. 1935 ff.

Wertzeichen n wohlgefüllte Brieftasche. 1965 ff, prost.

Werwolf m Hunger haben wie ein ~ = sehr hungrig sein. Der „Werwolf" gilt hier als Verstärkung von „↗ Wolf". Seit dem 19. Jh.

Wesen n **1.** ansprechendes ~ = Straßenprostituierte, die Männer anspricht. Eigentlich soviel wie „gefällige Art im Umgang mit den Mitmenschen"; hier das Lebewesen, das andere anredet. 1920 ff.
2. ein einnehmendes ~ haben = diebisch sein. Wortspiel mit zwei Bedeutungen von „einnehmend", nämlich „erobernd, bezaubernd" und „Geld entgegennehmend". Seit dem 19. Jh.
3. von einnehmendem ~ sein = lieber nehmen als geben; gerne kassieren; Zahlkellner sein. Seit dem 19. Jh.
4. ein hinhaltendes ~ haben = dem Beischlaf nicht abgeneigt sein (von einer Frau gesagt). „Hinhalten" hat die Bedeutung „vertrösten" und auch „hinreichen". 1935 ff.
5. aus (um) etw ein ~ machen = eine Sache aufbauschen; aus einer Belanglosigkeit eine Wichtigkeit machen. „Wesen" meint hier „Tätigkeit" und vor allem „geschäftiges, übertriebenes Treiben". Seit dem 19. Jh.

Wespe f **1.** lebenslustiges, unstetes Mädchen; leichtlebiges Mädchen. Vom Flug des Insekts übertragen. Seit dem 19. Jh.
2. heimtückischer, zudringlicher Mensch. 1920 ff.
3. Bildreporter, Pressefotograf. Er gilt als aufdringlich und äußerst lästig. 1955 ff.
4. Angehöriger der parlamentarischen Opposition; Staats-, Parteifeind. Den Regierenden versetzt er Stiche. 1933 ff.
5. künstlich verengte, sehr schmale Taille. Verkürzt aus „↗ Wespentaille". 1900 ff.

6. Ohrfeige, Schlag ins Gesicht. Analog zu ↗Bremse 1. 1900 ff.

7. Kampfflugzeug. Die Schüsse der Bordwaffen gelten als empfindliche Stiche. *Sold* seit 1914.

8. Hubschrauber. Wegen des Motorgeräusches. *BSD* 1965 ff.

9. Angehörige der weiblichen Schutzpolizei. Wohl weil die Uniform die Taille betont; außerdem ergeben die Buchstaben We, S und p aus der Bezeichnung „Weibliche Schutzpolizei" das Wort „Wesp(e)". Nach 1945 aufgekommen.

Wespennest *n* **1.** in ein ~ greifen (stechen) = eine gefährliche Sache aufrühren; die Leute gegen sich aufbringen. 1500 ff. Entsprechungen in vielen Fremdsprachen.

2. ein ~ im Hintern haben = unruhig sitzen. *Vgl* ↗Hummel 14 und 15 a. 1900 ff.

3. sich in ein ~ setzen = sich in eine gefährliche Lage begeben. Seit dem 19. Jh.

4. in einem ~ stochern = die Leute gegen sich aufbringen. Seit dem 18. Jh.

Wespentaille *f* (künstlich) verengte Taille. 1800 ff. *Vgl franz* „taille de guêpe", *engl* „a wasp waist", *ital* „vitina di vespa" usw.

Wessi (Wessie) *m* Bürger der Bundesrepublik Deutschland. Umgestaltend verkürzt aus „Westdeutscher". Berlin 1980 ff.

Wessiland *n* Bundesrepublik Deutschland. 1980 ff.

Weste *f* **1.** Frauenbrust. Wohl hergenommen vom taillierten Leibchen des Dirndlkleids o. ä. mit vorderem Knopfschluß. 1880 ff.

2. alte ~ = altbekannte Sache. Seit dem 19. Jh.

3. blütenweiße ~ = völlige Unbescholtenheit. Verstärkung von „↗Weste 12". 1910 ff.

4. gepunktete ~ = Bescholtensein leichterer Art. 1950 ff.

5. reine (saubere, weiße) ~ = charakterliche Untadeligkeit. ↗Weste 12. Seit dem 19. Jh.

6. stramme ~ = üppiger Busen. ↗Weste 1. 1880 ff.

7. weiße ~ = Tabellenstand ohne Verlustpunkt. *Sportl* 1955 ff.

8. sich einen unter die ~ brausen = ein Glas Alkohol zu sich nehmen. Beruht auf der Vorstellung vom brausenden Wasserfall. *Sold* in beiden Weltkriegen. *ziv* 1930 ff.

9. jm etw unter die ~ drücken (deuhen) = jm etw nachdrücklich zu verstehen geben. „Unter die Weste" umschreibt sowohl „nahegehend" als auch „insgeheim". Fußt auf der Vorstellung, daß man einem etwas zusteckt, ohne daß andere es sehen. ↗deuhen. 1900 ff, *westd.*

10. er kann seine ~ zur Besichtigung freigeben = er ist völlig unbescholten. 1950 ff.

11. das geht unter die ~ = das berührt einen innerlich. Analog zu „es bleibt nicht in den ↗Kleidern stecken". 1920 ff.

12. eine reine (weiße, saubere) ~ haben (tragen) = schuldlos, untadelig sein. Die weiße Weste war im 19. Jh ein beliebtes Kleidungsstück und wurde wegen der Farbenbedeutung von Weiß (= unschuldig) zum Sinnbild der Redlichkeit und Unbescholtenheit. Geflügeltes Wort seit Oktober 1892 durch Bismarck („keinen Flecken auf der weißen Weste haben").

13. jm eins (einen) unter die ~ jubeln = a) jn verulken, verspotten; jm etw weismachen. ↗unterjubeln 1. 1920 ff. – b) jn beim Kartenspiel betrügen. 1920 ff.

14. jm etw unter die ~ jubeln = jm Unangenehmes aufbürden; jm eine unangenehme Überraschung bereiten; jm etw deutlich zu verstehen geben; jn hart behandeln. ↗Weste 9. 1920 ff.

15. sich einen unter die ~ jubeln = ein Glas Alkohol trinken. 1920 ff.

16. sich jn unter die ~ jubeln = einem anderen in abspenstig machen. 1950 ff.

17. jm Frohsinn unter die ~ jubeln = jn aufheitern, erheitern, mit Humor unterhalten. 1950 ff.

18. einen hinter die ~ plätschern = ein Glas Alkohol zu sich nehmen. 1930 ff.

19. die ~ reinigen = die Ehre wiederherstellen; seine Schuldlosigkeit beweisen. *Vgl* ↗Weste 12. 1920 ff.

20. jm etw unter die ~ schieben = a) jm etw aushändigen, übergeben. Eigentlich ist gemeint, daß man es ihm ohne Augenzeugen zusteckt. ↗Weste 9. 1900 ff. – b) jm etw betrügerisch verkaufen, aufschwatzen. 1920 ff. – c) jm Vorhaltungen machen; jn rügen. ↗Weste 9. 1900 ff.

21. einen hinter die ~ schütten (gießen o. ä.) = ein Glas Alkohol trinken. 1930 ff.

westenrein *adj* unbescholten. ↗Weste 12. 1920 ff.

Westentasche *f* **1.** etw aus der (linken, rechten) ~ bezahlen = große Beträge mühelos bezahlen. Wer sein Geld in der Westentasche trägt, gilt als unbekümmert und großzügig im Umgang mit Geld. Seit dem 19. Jh.

2. aus der ~ husten = schwer lungenkrank sein. Wien 1970 ff.

3. jn (etw) kennen wie die eigene ~ (sich in etw auskennen wie in seiner ~) = eine Person oder Sache sehr genau kennen. 1900 ff.

4. er läßt viel hinter seiner ~ verschwinden = er ißt viel. 1940 ff.

Westentaschenformat *n* sehr kleines Format. 1920 ff.

Westentaschen-Sex *m* sehr schwache Anziehungskraft einer Frau. ↗Sex 1. 1960 ff.

wetten *v* **1.** wetten, daß? = wollen wir wetten, daß es sich so verhält, wie ich es sage? Hieraus verkürzt. Seit dem ausgehenden 19. Jh.

2. hundert gegen eins ~: Redewendung der Bekräftigung (ich wette hundert gegen eins, daß das und das geschieht). Man setzt hundert Mark gegen eine, ist sich seiner Sache also sehr sicher. 1890 ff.

3. zehn gegen eins ~: Redewendung der Bekräftigung. Seit dem 19. Jh. *Vgl engl* „I bet you ten to one".

4. so haben wir nicht gewettet = das ist nicht unsere Abmachung; das entspricht nicht meiner Meinung; dabei lasse ich es nicht bewenden; auf diese Weise ist die Sache nicht zu erledigen. Bezieht sich ursprünglich auf den Gegenstand einer Wette, dann auch auf jegliche Vereinbarung ohne Wette. Seit dem 17. Jh.

Wetter *n* **1.** Zank, stürmische Auseinandersetzung, Zornesausbruch o. ä. Übertragen von der Vorstellung eines Gewitters oder Unwetters. Seit dem 18. Jh.

2. ein ~ (Wetterchen) zum Eierlegen = schönes, warmes Sommerwetter. Die Le-

gefreudigkeit der Hennen nimmt mit dem warmen Wetter zu. 1900 ff.

3. ein ~ für die Götter = prächtiges Wetter. Nachgebildet dem „↗Schauspiel für Götter". 1920 ff.

4. alle ~! = Ausruf der Bekräftigung, der Anerkennung. Hergeleitet von Donnerwetter, Blitz und Hagelschlag und ähnlichen Naturgewalten, deren Gesamtheit als Sinnbild für Unüberbietbares gilt. 1800 ff.

5. durchwachsenes ~ = unbeständiges, mit Regen durchsetztes Wetter. ↗durchwachsen 1. Seit dem 19. Jh.

6. englisches ~ = Nebel, Nieselregen; feuchte Luft. Dergleichen gilt als die auf der britischen Insel vorherrschende Witterung. 1900 ff.

7. um gut (schön) ~ bitten (anhalten, flehen) = um Nachsicht, Milde, Verzeihung bitten. „Wetter" meint in übertragenem Sinn die Stimmung des Menschen. Hängt vielleicht zusammen mit Bittprozessionen und Wallfahrten, für die man gutes Wetter erfleht. 1600 ff.

8. ein ~ machen (anrichten) = eine harte Auseinandersetzung herbeiführen; zu toben beginnen; sich heftig aufregen. ↗Wetter 1. Seit dem 18. Jh.

9. gutes ~ machen = alles aufessen. Blasse Nachwirkung von Speiseopfern, die man früher den Wettergottheiten an geweihter Stätte darzubringen pflegte; wurden die Schüsseln und Krüge gänzlich geleert, nahm man das als Zeichen göttlichen Wohlwollens. Die Gewährung von gutem Wetter war die sichtliche Gegenleistung der Gottheit. Seit dem 19. Jh.

10. für jn gutes ~ machen = für jn (bei anderen) freundliche Stimmung erzeugen. Seit dem 19. Jh.

11. da soll doch gleich das ~ dreinschlagen!: Ausruf des Unwillens. ↗Donnerwetter 10. Seit dem 19. Jh.

12. das ~ schlaucht mich = unter diesem Wetter habe ich stark zu leiden. ↗schlauchen 3. 1900 ff.

13. dieses ~ ist für mich ein Schlauch = dieses Wetter setzt mir gesundheitlich sehr zu. ↗Schlauch 1. 1900 ff.

14. für gutes ~ sorgen = für freundliche Gestimmtheit sorgen; einen zu erwartenden Zornesausbruch mildernd zuvorkommen. 1900 ff.

15. das ~ schmeißt bald um = das Wetter ändert sich bald. Umschmeißen = umschlagen; ↗umkippen 1. 1900 ff.

16. ein ~, um Helden zu zeugen (zum Heldenzeugen) = sehr schönes Wetter. 1935 ff.

Wetterbiene *f* Modellflugzeug zur Erkundung der Wetterverhältnisse. ↗Biene 9. 1960 ff.

Wetterchen *n* freundliches, sonniges, warmes Wetter. Die Verkleinerungsform hat hier kosewörtliche Bedeutung. 1900 ff.

Wetterfahne *f* wankelmütiger, gesinnungsloser Mensch. Wie eine Wetterfahne auf dem Dach dreht er sich nach der augenblicklichen Windrichtung (oft in politischem Sinn gebraucht zur Kennzeichnung der Opportunisten). 1600 ff.

wetterfest *adj* trinkfest. Eigentlich „allen Wettern standhaltend". Gern auf Seeleute bezogen und wohl bei ihnen aufgekommen. 1900 ff.

Wetterfrosch *m* **1.** Meteorologe; Angehöriger eines Wettertrupps. Übertragen vom

Laubfrosch (im Glas), den manche Leute für einen zuverlässigen Wetterpropheten halten. 1870 ff.

2. Wetteransager in Funk und Fernsehen. 1960 ff.

Wetterhexe f **1.** Schimpfwort auf eine alte Frau. Aberglaubisch nimmt (nahm) man von ihr an, sie könne Wetter machen. 1800 ff.

2. weibliche Person mit zerzausten Haaren. 1950 ff.

Wettermacher m Meteorologe. Seit dem späten 19. Jh.

Wettermädchen n Ansagerin des Wetterberichts. 1960 ff.

wettern intr schimpfen, fluchen; zornige Worte ausstoßen. Verkürzt aus ↗donnerwettern. Seit dem 18. Jh.

Wetterverteiler m großer Hut. Fußt wie „↗Gewitterverteiler" auf der alten Vorstellung vom Dreispitz als einem „Nebelspalter". 1900 ff, westd und hess.

Wettlauf m den ~ gegen die Uhr gewinnen = eine Arbeit vorzeitig fertigstellen. 1965 ff.

Wettwackeln (-zittern) n Kampf um die Meisterschaft beim Twisttanzen. 1962 ff, Berlin.

Wettzwitschern n Wettsingen; Gesangswettbewerb. Zwitschern = Vogelgesang. 1920 ff.

Wetze f **1.** Straßenprostituierte. Hängt zusammen mit „↗wetzen" in der doppelten Bedeutung „hin- und herlaufen" und „koitieren". Österr 1900 ff.

2. Hin- und Herlaufen; Wettrennen; Fußballspiel. 1920 ff.

wetzen intr **1.** eilen, laufen. Verkürzt aus „die Sohlen wetzen": der Läufer schleift die Sohlen ab. Seit dem späten 19. Jh.

2. Fußball spielen. 1920 ff.

3. liebedienern, schmeicheln. Verkürzt aus „das ↗Maul wetzen". Wetzen = schärfen, schleifen. 1950 ff.

4. viel reden. Vgl das Vorhergehende. 1950 ff.

5. koitieren. Anspielung auf die Hin- und Herbewegung. Spätestens seit 1900, österr.

Whiskypumpe f Herz. ↗Pumpe 2. 1950 ff.

Whisky-Stimme f tiefe, rauhe Stimme. Vom Rauchgeschmack des Whiskys übertragen auf eine „rauchige" Stimme. 1960 ff.

wibbelig adj unruhig, nervös. ↗wibbeln. Seit dem 17. Jh.

wibbeln intr sich unruhig, nervös bewegen. Iterativum zu „wippen = schaukeln". Mhd „webeln = hin- und herschwanken". Vgl auch ↗wabbeln. Seit dem 17. Jh.

Wibbelsterz m unruhiger, nervöser Mensch. Meint eigentlich die Bachstelze, die beim Niedersetzen mit dem Schwanz „wibbelt". Seit dem 18. Jh.

Wichs I m **1.** prächtige Kleidung; Festgewand; Putz. Bezog sich anfangs auf glänzend gewichste Stulpenstiefel, dann auch auf den Schnurrbart, den man mittels heißen Wachses aufwichste; von da verallgemeinert zur heutigen Bedeutung, vor allem in Studentenkreisen. Seit dem späten 18. Jh.

2. Rausch. ↗wichsen 4. Oberd seit dem 19. Jh.

3. Onanie. ↗wichsen 3. 1900 ff.

4. kleiner ~ = Morgenrot, Hausanzug. 1920 ff.

5. in vollem ~ = in Festtagskleidung; in Paradeuniform; in vollem Ornat. Seit dem 19. Jh.

6. sich in ~ schmeißen (werfen) = sich festlich kleiden, herausputzen. Sich werfen = sich rasch ankleiden; Kleidungsstücke überwerfen. Seit dem 19. Jh, stud, offiziersspr. u. a.

7. in ~ sein = fertig angezogen, gesellschaftsfähig gekleidet sein. Seit dem 18. Jh.

Wichs II f Lodenjoppe mit Lederhose. Wichs = Wachsschmiere. Nach längerem Tragen wird die Lederhose dunkelfarbig, nahezu schwarzglänzend, wie eingefettet. Bayr und österr, 1900 ff.

Wichse f **1.** pl = Prügel, Schläge. ↗wichsen 1. Seit dem 18. Jh.

2. die ganze ~ = das alles (abf). Oberd seit dem 19. Jh.

3. das ist alles 'eine ~ = das ist dasselbe. Gemeint ist wohl, daß es viele Sorten von Schuhpflege- und -glanzmitteln gibt; aber im Grunde sind sie alle „Schuhwichse". Kann auch Analogie zu „↗Schmiere 1" sein. 1840 ff, nordd und mitteld.

wichsen v **1.** jn ~ = heftig auf jn einschlagen; jn verprügeln. Hergenommen vom „Schuhewichsen": man trägt die „Wichse" auf und bringt sie durch kräftiges, wiederholtes Reiben zum Glänzen. Durch den Begriff „kräftiges, wiederholtes Reiben" ergibt sich Analogie zu „↗abreiben 1". Seit dem 18. Jh, von Nord- und Nordostdeutschland ausgegangen; anfangs stud.

2. intr tr = koitieren. Übertragen von der Hin- und Herbewegung der Wichsbürste. Seit dem 19. Jh.

3. intr = onanieren. Seit dem 19. Jh.

4. intr = sich betrinken. Fußt auf „wichsen = schlagen"; dadurch Analogie zu „↗Hieb 3". Bayr und österr, 1800 ff.

5. die Karten ~ = die Karten heftig auf den Tisch schlagen. ↗wichsen 1. Kartenspielerspr.

6. unter etw den Namen ~ (den Namen drunterwichsen) = etw hastig unterschreiben. Über „↗wichsen 1" parallel zu „↗hauen 2". 1900 ff.

Wichser m **1.** Hotelpage. Er wichst auch die Schuhe der Gäste. 1935 ff, gaststättenspr.

2. Rausch. ↗wichsen 4. Bayr und österr, 1800 ff.

3. große Anstrengung. Sold seit dem ausgehenden 19. Jh.

Wichsgrenze f Zapfenstreich. Anspielung auf „↗wichsen 2" während des nächtlichen Ausgangs. BSD 1965 ff.

Wichsrock m Jacke des Verbindungsstudenten. ↗Wichs I 1. Seit dem späten 18. Jh.

Wichsvorlage f Aktbild; pornografische Abbildung; geschlechtlich aufreizendes Foto. 1935 ff.

Wicht m **1.** kleines Kind (Kosewort). Eigentlich Bezeichnung für den Kobold oder Zwerg. 1900 ff.

2. Rufname des Hundes. 1900 ff.

Wichtel m **1.** kleiner Junge (Kosewort). ↗Wicht 1. 1900 ff.

2. Halbwüchsiger. Verkürzt aus „Wichtelmann": der Betreffende ist noch kein vollgültiger Mann. BSD 1965 ff.

wichtig adj **1.** sich ~ haben (nehmen) = sich für bedeutend halten. 1800 ff.

2. sich ~ machen = sich aus Eitelkeit vordrängen; sich als unentbehrlich auf-

spielen; Interesse vorspiegeln, um bei Vorgesetzten Eindruck zu machen. 1800 ff.

3. sich ~ sein = von sich viel Wesens machen. Seit dem 19. Jh.

4. ~ tun = sich aus Eitelkeit aufspielen; sich überschätzen. Seit dem 19. Jh.

'Wichtigtue'rei f selbstgefällige Betriebsamkeit. Seit dem 19. Jh.

wichtigtuerisch adj aus Eitelkeit geschäftig; die Bedeutung der eigenen Person und Arbeit weit überschätzend. Seit dem 19. Jh.

Wicke f **1.** in die ~n gehen = a) verloren gehen; zugrundegehen. Parallel zu „in die ↗Binsen gehen". 1800 ff, niederd und ostmitteld. – b) fliehen. Seit dem 19. Jh.

2. sich aus den ~n machen = davongehen. 1900 ff.

3. in die ~n sein = fort, verloren, entzwei sein. Verkürzt aus „in die Wicken gegangen sein". Seit dem 19. Jh.

Wickel m **1.** warmer ~ = warmes Essen. Eigentlich die wärmende Leibbinde o. ä. Seit dem 19. Jh, vorwiegend oberd; kundenspr. und sold.

2. jn beim ~ haben = a) jn ergriffen, dingfest gemacht haben; jn in seiner Gewalt haben; jn würgen. „Wickel" meint die im Nacken zusammengedrehten, gebundenen Haare. Etwa seit dem frühen 19. Jh. – b) jn zur Verantwortung ziehen; jm Vorhaltungen machen. 1900 ff.

3. ein Thema (o. ä.) am ~ haben = ein Thema behandeln, gestalten. 1950 ff.

4. jn beim ~ kriegen (nehmen) = a) jn am Kopf fassen; jn ergreifen. 1800 ff. – b) jn verhaften. Seit dem 19. Jh. – c) jn zur Rechenschaft ziehen. Seit dem 19. Jh.

wickeln v **1.** jn ~ = jn für sich einnehmen; jm schmeicheln. Kann sich herleiten vom Wickeln des Säuglings in Windeln oder ist Analogie zu „jn um den ↗Finger wickeln". 1920 ff.

2. jn ~ = jn prügeln. Euphemismus. Seit dem 19. Jh.

3. jn richtig ~ = jn zur Rede stellen; jn zur Ordnung rufen. 1910 ff.

4. intr tr = viel, gierig essen. ↗Wickel 1. Vorwiegend oberd, seit dem 19. Jh.

widerborstig adj widerspenstig, aufsässig. Meint eigentlich „gegen den Haarstrich gekämmt". Seit dem 16. Jh.

widerhaarig adj widersetzlich, abweisend. ↗widerborstig. Seit dem 19. Jh.

Widerling m mißliebiger Mensch. 1930 (?) ff.

wie konj und (aber) wie! = sehr; sehr stark (und wie habe ich auf ihn eingeredet! und wie habe ich ihn verprügelt!). Oft in der Form „ich habe ihn verprügelt, und wie!". Hieraus verkürzt. 1870 ff. Vgl engl „and how!", franz „and comment!".

wiederbegucken v auf ~! = auf Wiedersehen! Rhein seit dem ausgehenden 19. Jh.

wiederbesehen v auf ~! = auf Wiedersehen. 1890 ff.

wiedergucken v auf ~! = auf Wiedersehen. 1900 ff.

Wiederholer m Feriengast, der jedes Jahr denselben Erholungsort aufsucht. Gaststättenspr. 1950 ff.

wiederkäuen v **1.** intr = sehr langsam essen. Übernommen vom wiederkäuenden Vieh. 1950 ff.

2. tr = etw nachplappern, wiederholen; eine längst erledigte Sache erneut vorbringen. Seit dem 19. Jh.

3. *tr* = Gelerntes wiederholen; eine Schulklasse wiederholen. Seit dem 19. Jh.

4. *intr* = sich erbrechen. 1910 *ff.*

Wiederkäuer *m* **1.** Vorgesetzter, der stets dieselben Ermahnungen vorbringt oder dieselben Ansichten wiederholt. 1900 *ff.*

2. Repetitor. 1900 *ff.*

3. Lehrer, Universitätsprofessor. 1900 *ff.*

4. Klassenwiederholer. 1900 *ff.*

5. Plattenspieler, Tonbandgerät. 1955 *ff, halbw.*

wiederkennen *v* ich kenne mich nicht wieder!: Ausdruck der Verzweiflung. Vor Aufregung und Wut ist man dermaßen außer sich, daß man sich selbst nicht mehr zu kennen meint. 1950 *ff.*

wiederkriegen *tr* etw zurückbekommen; Geliehenes wiederbekommen; beim Geldwechseln Geld zurückerhalten. ⁊ kriegen. Seit dem 18. Jh.

wiedersehen *v* **1.** den (die) siehst du nie wieder: Redewendung, wenn der Partner eine Karte aufspielt, die der Gegner mühelos überspielen oder abtrumpfen kann. Kartenspielerspr. 1870 *ff.*

2. mit dem Frühstück ~ feiern = seekrank sein; sich erbrechen. 1900 *ff.*

3. ~ macht Freude: Mahnung an einen, der sich etw ausleiht. 1900 *ff.*

Wiege *f* **1.** an der ~ sehen, wenn das Kind kacken will = böse Ahnung von kommenden Ereignissen haben; sich für überaus klug halten. *Vgl* Martin Luther, Sprichwörtersammlung (1535): „Kannst's an der Wiege sehen, wann das Kind beschissen hat." Seit dem 19. Jh.

2. das hat man ihm auch nicht an der ~ gesungen = davon hat er als Kind nichts zu hören bekommen; das hätte er früher auch nicht für möglich gehalten. Hergenommen von harmlosen Wiegenliedern, wie man sie den kleinen Kindern zum Einschlafen singt. 1700 *ff.*

wiehern *intr* **1.** schallend lachen. Hergenommen vom Pferdewiehern, das wie lautes Lachen klingt. 1800 *ff.*

2. Fachgespräche unter Reitern führen. 1900 *ff.*

3. es ist zum ~ (zum ~ komisch) = es ist überaus erheiternd. 1920 *ff.*

wienern *v* **1.** *tr* = putzen, blankreiben. Bezieht sich ursprünglich auf den „Wiener Putzkalk". Seit dem späten 19. Jh, vor allem *sold.*

2. *intr* = onanieren. Analog zu ⁊ wichsen 3. 1920 *ff.*

3. eine gewienert kriegen = eine heftige Ohrfeige erhalten; heftig geprügelt werden. Analog zu ⁊ abreiben 1. 1950 *ff, jug.*

wiescherln *intr* ⁊ wischerln.

Wiese *f* **1.** minderwertiger Tee; Kräutertee. Seine Bestandteile sind nicht vom Teestrauch gepflückt, sondern von der Wiese. 1914 *ff.*

2. halblange Haartracht. Ihre Länge erinnert an die des Grases auf der Wiese. Nimmt man „Wiese" hier als „Bergwiese", ergibt sich Analogie zu „⁊ Matte 1". *Halbw* 1950 *ff, österr.*

3. gemähte ~ = sehr günstige Gelegenheit, die man nur zu nutzen wissen muß; Sache, die überaus leicht zu bewerkstelligen ist. Anschauliches Sinnbild der bereits geleisteten Hauptarbeit. Seit dem 16. Jh, *oberd.*

3 a. grüne ~ = Gelände außerhalb der

Stadt zur Ansiedlung von Industrie und Handelsunternehmen. 1970 *ff.*

4. grün wie eine ~ = Spielansage Pik. Im deutschen Kartenspiel entspricht „Grün" dem Pik. Berlin 1870 *ff.*

5. dann ist die ~ grün! = dann ist die Geduld zu Ende! Berlin 1930 *ff.*

6. jn auf die ~ schicken = jn in eine geschäftlich ungünstige Gegend schicken. Auf der Wiese, wo höchstens Vieh grast, kann der Handelsvertreter keine Geschäfte machen. Kaufmannsspr. 1920 *ff.*

7. die ~ wird grün = das Geschäft beginnt zu gedeihen. 1950 *ff.*

Wiesel *n* wie ein ~ = sehr schnell. Wiesel bewegen sich sehr flink. Seit dem 18. Jh.

'wiesel'flink *adj* sehr rasch. Seit dem 19. Jh.

wieseln *intr* **1.** eilen. ⁊ Wiesel. 1900 *ff.*

2. harnen. Klangnachahmender Herkunft. 1900 *ff.*

Wiesen-Maß (Wiesn-Maß) *f* Bierkrug beim Münchner Oktoberfest. "Die Wiesn" = Oktoberfestwiese. ⁊ Maß I 1. 1900 *ff.*

Wiesenpieper *m* **1.** Waldhüter; Weide-Wächter. Eigentlich Name eines feuchte Wiesen bevorzugenden Singvogels. 1930 *ff.*

2. Schrebergärtner. Berlin 1925 *ff.*

Wieserlrutscher *m* Skiläufer (am Übungshügel). 1930 *ff, österr.*

Wigglwaggl (Wigelwagel) *m* Ungewißheit, Unentschlossenheit. Fußt auf den *gleichbed* Verben „wackeln" und „wiegeln" für „schaukeln, schwanken". *Bayr* und *österr,* seit dem 19. Jh.

wild *adj* **1.** wie ~ = heftig, eifrig, angestrengt. Wild = unbändig, unkultiviert. Aufgekommen im späten 19. Jh mit der Begründung der deutschen Kolonien und mit den beliebten Völkerschauen, in denen auch Eingeborenentänze usw. gezeigt wurden.

2. halb so ~ = nicht so schlimm, wie es den Anschein hat(te). Anfangs bezogen auf eine Geschichte, in der es wild hergeht; dann auch auf eine übertriebene Äußerung, die man mit „halb so wild" auf das erträgliche Maß herabmildert. Seit dem 16. Jh. *Schül* seit dem späten 19. Jh; *sold* 1910 *ff.*

3. ~ bauen = ohne behördliche Genehmigung, ohne Sachkenntnis bauen. Wild = ungesetzlich; ungelernt. 1920 *ff.*

4. ganz so ~ ist es nicht = es ist weniger schlimm, als man annehmen könnte. *Schül* und *sold* seit dem ausgehenden 19. Jh.

5. nach (auf) etw ~ sein = nach etw sehr begierig sein; etw heftig begehren (er ist wild auf die Rundfunknachrichten). Wild = ungezügelt, leidenschaftlich. 1870 *ff.*

6. ~ spielen = ohne festes Engagement für einen erkrankten Musiker (o. ä.) einspringen. Theaterspr. 1920 *ff.*

Wild *n* jagdbares ~ = leicht zugängliches Mädchen. Eigentlich Bezeichnung für alle Tiere, die unter die Bestimmungen des Jagdgesetzes fallen. Der Mann als Mädchen-, Frauenjäger oder „Schürzenjäger". *BSD* 1965 *ff.*

Wildbahn *f* **1.** Stadtviertel, in dem ein Mann den Mädchen („jagdbares ⁊ Wild") nachstellt. Meint eigentlich den Jagdbereich. 1870 *ff.*

2. freie ~ = a) freie Natur. Bezeichnung für das Jagdrevier ohne Gatter. Meint bei

den Soldaten vorwiegend das offene Gelände, in dem man seine Notdurft verrichtet. *Sold* 1939 *ff.* – b) unehelicher (außerehelicher) Geschlechtsverkehr. 1900 *ff.* – c) Prostitution außerhalb des Bordells. 1900 *ff.*

Wilde I *f* **1.** nicht amtlich überwachte Prostituierte. 1900 *ff.*

2. Prostituierte, die in den Bezirk einer anderen eindringt. 1920 *ff.*

Wilde II *pl* **1.** hausen wie die ~n = sinnlos zerstören; ein unbeschreibliches Durcheinander anrichten. Hier wie in den folgenden Wendungen werden (kraft Vorurteils) „die Wilden" als Gegensatz zu „den Zivilisierten" zitiert, sobald es ungesittetes Benehmen vermeintlich gesitteter Menschen zu umschreiben gilt. Seit dem späten 19. Jh.

2. hier riecht es wie zehn nackte ~ = hier herrscht ein übler Geruch. 1920 *ff.*

3. schimpfen wie die ~n = kräftig, unflätig schimpfen. 1920 *ff.*

4. toben wie die ~n = ausgelassen sein; unbändig spielen; unbeherrscht schimpfen. Steht im Zusammenhang mit den auf Durchschnittseuropäer fremdartig und unverständlich wirkenden Tanzzeremonien (o. ä.) afrikanischer Eingeborener, wie sie durch deutsche Kolonialberichte und durch „Hagenbecks Tier- und Völkerschauen" bekannt geworden sind. Geläufig seit 1885.

5. toben wie zehn nackte ~ im Busch = lärmen und toben. Erweiterung des Vorhergehenden zu einem anschaulichen Bild. 1920 *ff.*

6. toben wie zehn nackte ~ im Schnee = einen wüsten Lärm vollführen; Leute entwürdigend anherrschen. 1920 *ff.*

Wilder *m* **1.** Nichtverbindungsstudent. Er gilt als unkultiviert, weil er sich nicht den Gewohnheiten der Mehrheit anpaßt. Spätestens seit 1900.

2. Abgeordneter ohne Parteizugehörigkeit. 1848 *ff.*

Wildfang *m* **1.** ungebärdiges Kind. Ursprünglich Bezeichnung für den ausgewachsen gefangenen Falken o. ä., der sich sehr schwer zähmen läßt. Von da auf den Menschen übertragen seit dem 18. Jh.

2. Mädchen, das man unterwegs kennenzulernen sucht, um nähere Beziehungen anzuknüpfen. 1920 *ff.*

'wild'fremd *adj* gänzlich unbekannt; auswärtig; ortsfremd. Eine tautologische Bildung; denn „wild" meint „fremd". Seit dem späten 19. Jh.

Wildsau *f* **1.** ungestümer, heftiger Mensch; Draufgänger; Kameradenschinder. Übernommen vom Wildschwein, das große Angriffslust und Angriffswucht entwickeln kann. Vorwiegend *bayr* und *österr,* seit dem 19. Jh.

2. Mensch ohne jeglichen Anstand; ungepflegter Mensch; verwahrloster, schmutziger Mensch. Schwarzwild suhlt sich in flachen Tümpeln, in jeglichem Schlamm, zwecks Abkühlung und zur Abwehr von Ungeziefer. Seit dem 19. Jh, vorwiegend *bayr* und *österr.*

3. geiler Mann. 1900 *ff.*

4. rücksichtsloser Kraftfahrer. 1920 *ff,* kraftfahrerspr.

5. Gleiszerstörgerät. Es zerreißt Schwellen und Unterbau, um den Schienenweg unbrauchbar zu machen. *Sold* 1939 *ff.*

6. achtmotorige ~: Schimpfwort. Wohl hergeleitet von „↗Wildsau 9". *Schül* 1950 *ff.*
7. höllische ~: Schimpfwort. 1950 *ff.*
8. rasante ~: Schimpfwort. ↗rasant. 1950 *ff.*
9. viermotorige ~ = a) viermotoriges Bombenflugzeug. *Sold* 1941 *ff.* – b) Schimpfwort. *Sold* 1941 *ff.*
10. Benehmen wie eine ~ = sehr schlechtes Benehmen. 1920 *ff.*
11. sich aufführen wie eine angestochene ~ = sich wild gebärden; nicht zu bändigen sein. *Sold* 1939 *ff.*
11 a. fahren wie eine ~ = ungestüm, rücksichtslos fahren. 1920 *ff.*
12. jn zur ~ machen = jn körperlich (seelisch, moralisch) erledigen. Verstärkung von „jn zur ↗Sau machen". *Sold* 1939 *ff.*
Wildschwein *n* **1.** Draufgänger. ↗Wildsau 1. 1920 *ff.*
2. musikalisches ~ = unmusikalischer Mensch. *Österr,* 1920 *ff.*
3. sexuelles ~ = Mensch mit animalischer Triebhaftigkeit. 1950 *ff.*
Wilhelm *m* **1.** Penis. Das männliche Geschlechtsglied wird oft mit einem männlichen Vornamen (hehlwörtlich) benannt. 1950 *ff.*
2. falscher ~ (Willem) = a) falscher Damenzopf. Im preußischen Heer wurde der Zopf eingeführt durch Leopold I. von Anhalt-Dessau, bekannt als „der Alte Dessauer", preußischer Feldmarschall und strenger Exerziermeister seiner Soldaten (1693–1747). Der Name „Wilhelm" bezieht sich auf Preußens „Soldatenkönig" Friedrich Wilhelm I. „Falsch" spielt an auf die Tatsache, daß auch in die Zöpfe der Soldaten reichlich falsches Haar eingeflochten wurde. Die Bezeichnung ist im Laufe des 19. Jhs vorgedrungen. – b) Perücke. Seit dem 19. Jh.
3. seinen ~ draufmachen (druntersetzen) = unterschreiben. Verkürzt aus „↗Friedrich Wilhelm". Im engeren Sinne ist auszugehen von König Wilhelm I. von Preußen (= Kaiser Wilhelm I., 1871– 1888) und von Kaiser Wilhelm II. (1888–1918). 1900 *ff.*
4. den dicken ~ machen (markieren, spielen, rausbeißen) = verschwenderisch, großzügig leben; mit seinem Reichtum prahlen; sich aufspielen. Leitet sich her von König Friedrich Wilhelm II. von Preußen (er regierte von 1786–1797); er war wohlbeleibt, war ein großer Verschwender und hielt etliche Maitressen aus. 1850 *ff.*
5. den feinen ~ markieren = sich vornehm gebärden. 1920 *ff.*
6. den geschwollenen ~ markieren = sich aufspielen. ↗geschwollen 1. 1950 *ff.*
7. den starken ~ markieren = sich seiner Kräfte (seines Könnens) rühmen. 1930 *ff.*
Wille *m* **1.** erster und letzter ~ = Testament des von der Ehefrau beherrschten Ehemannes. 1920 *ff,* Berlin.
2. unterernährter ~ = Energielosigkeit. 1930 *ff.*
Willem *m* ↗Wilhelm 2.
Willi *m* **1.** falscher ~ = falscher Damenzopf; Perücke. ↗Wilhelm 2. 1900 *ff.*
2. schneller ~ = Durchfall. *BSD* 1965 *ff.*
3. den kleinen ~ auswringen = harnen. ↗Wilhelm 1. *BSD* 1965 *ff.*
4. den starken ~ markieren = sich viel

Durchsetzungskraft zutrauen. ↗Wilhelm 7. 1966 *ff.* Die Redensart spielt möglicherweise auf die Bemühungen des damaligen Bundesaußenministers Willy Brandt an.
wimmeln *v* **1.** *tr* = jn aus einer Gesellschaft, von der Schule verweisen. Meint eigentlich „sich regen; sich bewegen"; von da zu transitiver Geltung weiterentwickelt im Sinne von „jn wimmeln machen". Seit dem 19. Jh, *schül* und *stud.*
2. *tr* = jn abweisen. *Vgl* ↗abwimmeln. 1900 *ff.*
3. *intr* = dem Mitspieler eine hochwertige Karte zuspielen, in den Stich werfen. Meint hier soviel wie „regsam, geschäftig, flink sein". Kartenspielerspr. 1870 *ff.*
Wimmerheini *m* Schlagersänger, der seinem Vortrag schluchzende Laute beigibt. 1955 *ff.*
Wimmerholz *n* **1.** Mandoline, Zither, Violine. Anspielung auf wimmernde Spielart. Seit dem späten 19. Jh.
2. Drehorgel. *Rotw* 1900 *ff.*
3. Klavier. 1900 *ff.*
4. auf dem ~ hacken = schlecht klavierspielen. 1900 *ff.*
Wimmerl *n* **1.** Pustel; kleines Geschwür; Warze. Bezeichnet eigentlich die harte Stelle oder den knotigen Auswuchs (im Holz). *Bayr* und *österr,* 1700 *ff.*
2. Brustwarze. 1900 *ff.*
3. Penis. Er gilt als Auswuchs. 1900 *ff.*
4. Leib (der Schwangeren). Er wölbt sich vor wie ein „Knoten" im Holz. *Österr* seit dem 19. Jh.
5. Ohrfeige. Sie verursacht eine leichte Anschwellung. *Österr* 1950 *ff.*
6. Rucksack; Gürteltasche des Skifahrers. *Österr,* 1920 *ff,* bergsteigerspr.
7. Pistole. Sie wölbt (beult) die Tasche aus. *Österr* 1950 *ff, jug* und *sold.*
8. (Hand-, Fuß-)Ball. *Österr* 1920 *ff.*
wimmern *intr* **1.** zum ~ aussehen = unschön, unerträglich aussehen. 1950 *ff.*
2. es ist zum ~ = es ist zum Weinen (auch *iron*). 1920 *ff, halbw.*
3. zum ~ dämlich sein = unerträglich dumm sein. 1950 *ff.*
Wimmerschinken *m* Mandoline. „Schinken" spielt auf die Form an, und „wimmern" erklärt sich aus dem Vibrieren der Töne. Mandolinen wurden meist von der Arbeiterjugend gespielt und in der Wandervogelbewegung als „unzünftig" abgelehnt. Der Ausdruck ist im frühen 20. Jh beim „Wandervogel" entstanden.
wimmlig *adj* neugierig, nervös o. ä. Gehört zu „wimmeln = sich regen". 1920 *ff.*
Wimper *f* **1.** *pl* = Scheinwerferblenden. Kraftfahrerspr. 1950 *ff.*
2. ihr gehen die ~n ab = sie läßt ihn keinen Augenblick aus den Augen; sie blickt verzückt zu ihm hin. *Halbw* nach 1950 *ff.*
3. ich reiß' mir eine ~ aus und stech' dich damit tot: scherzhafte Drohrede. Fußt auf einem Schlagertext von Charles Amberg, 1928: „Ich reiß' mir eine Wimper aus und stech' dich damit tot. / Dann nehm' ich einen Lippenstift und mach' dich damit rot. / Und wenn du dann noch böse bist, weiß ich nur einen Rat: / ich bestelle mir ein Spiegelei und bespritz' dich mit Spinat." Über Tanzstunde, durch Schüler und Studenten volkstümlich geworden.
4. mit den ~n klimpern = den Männern

---

begehrliche Blicke zuwerfen. „Klimpern = (schlecht) klavierspielen"; hier verengt zu „spielen", vor allem zu „mit den Augen, Blicken spielen". Seit dem 19. Jh.
5. mir kann keiner an die ~n klimpern = mir kann niemand eine Unredlichkeit vorwerfen; mich kann keiner übertölpeln. Wohl in Berlin aufgekommen als Variante zu „jm zu nahe treten", beeinflußt von der Lust am Reimen. 1840 *ff.*
6. die ~n auf Halbmast senken = die Augenlider halb schließen. 1950 *ff.*
7. er kann seine ~n als Jalousien verkaufen = er öffnet und schließt seine Augen in ungewöhnlich rascher Folge. 1950 *ff.*
8. nicht mit den ~n zucken = a) beim Abfeuern eines Schusses völlig ruhig bleiben. 1900 *ff, sold* und schützenspr. – b) unerschütterlich sein; sich nichts anmerken lassen. 1900 *ff.*
Wimpernmähne *f* künstliche Wimpern. 1960 *ff, prost.*
wimsen *tr* jn prügeln. Zusammengewachsen aus den *gleichbed* Verben „↗bimsen" und „↗wamsen". *Niederd,* 1900 *ff.*
Wind *m* **1.** Geschwätz, Lüge, Gerücht. Es ist substanzlos und flüchtig. Seit dem 18. Jh.
2. geheime Nachricht. Sie ist sozusagen vom Wind zugeflüstert. 1900 *ff, rotw.*
3. frischer ~ = aus Kanada = schwungvolles Vorgehen ohne bürokratische Hemmungen. Fußt auf dem Titel eines deutschen Spielfilms von 1935. 1935 *ff.*
4. heißer ~ = starker Beschuß. *Sold* 1939 *ff.*
5. schallender ~ = laut entweichender Darmwind. *Sold* 1910 *ff.*
6. viel ~ und wenig Fahrt = Prahlerei ohne entsprechende Tat. Hergenommen von der Segelschiffahrt. 1920 *ff.*
7. zuviel ~ für das kurze Hemd = Übertreibung. Das kurze Hemd flattert schon beim geringsten Windstoß hoch, und man ist bloßgestellt (↗Hemd 46 b). 1910 *ff.*
8. flink wie der ~ aus dem Arsch = sehr schnell. *Nordd* seit dem 19. Jh.
9. den ~ anhalten = nichts weiter äußern; verstummen. Parallel zu „die ↗Luft anhalten". 1950 *ff, jug.*
10. jm ~ in die Segel blasen = jm tatkräftig beipflichten. 1920 *ff.*
11. frischen ~ blasen lassen = etw grundlegend ändern; für Geschäftsbelebung sorgen; eine schwunglose Gruppe anfeuern. 1920 *ff.*
12. bläst der ~ 'daher? = ist das in diesem Sinne zu verstehen? ist das anders geartet, als man erwarten sollte? Seit dem 19. Jh.
13. es geht ein ~ = es verlautet gerüchtweise. ↗Wind 1. Seit dem 19. Jh.
14. ~ gehen lassen = Darmwinde entweichen lassen. Seit dem 19. Jh.
15. in den ~ geschrieben (geschlagen) = vergebliche Ermahnung des Lehrers. Übernommen vom *dt* Titel des 1957 gedrehten Spielfilms „Written in the Wind". *Schül* 1959 *ff.*
16. ~ haben = Hunger haben. ↗Luft 2. *Rotw* 1900 *ff.*
17. ~ von etw haben = von einer Sache erfahren haben. ~ = Witterung. 1600 *ff. Vgl franz* „avoir vent de quelque chose".
18. jn unter ~ haben = jn verdächtigen; einen Verdächtigen beobachten. Wind = Witterung. 1920 *ff.*

19. etw in den ~ husten = etw vergeblich sagen oder tun. Der Husten ändert den Wind nicht. 1920 *ff.*

20. von etw ~ kriegen = etw beiläufig, zufällig, heimlich erfahren; etw ahnen. Stammt aus dem Jägerleben: weht der Wind vom Jäger zum Wild hin, wittert dieses die Gefahr. 1500 *ff. Vgl engl* „to get wind of something".

21. jn unter ~ kriegen = mit der Beobachtung eines Verdächtigen beginnen. ↗Wind 18. 1920 *ff,* polizeispr.

21 a. den ~ von vorn kriegen = von vielen Leuten verbal hart angegriffen, unter Druck gesetzt werden. 1930 *ff.*

22. der ~ kann nicht lesen = Rekrutentest. Übernommen vom *dt* Titel des 1958 gedrehten *engl* Spielfilms „The Wind Cannot Read". *BSD* 1970 *ff.*

23. ~ machen = a) Darmwinde abgehen lassen. 1500 *ff.* – b) sich aufspielen; Unwahrheiten erzählen. ↗Wind 1. Seit dem 18. Jh. *Vgl engl* „to raise the wind". – c) Aufregung verursachen; eine Sache vorantreiben; Leute antreiben, scharf drillen. 1900 *ff.* – d) Gewalt anwenden. Wohl vom Orkan übertragen. 1920 *ff.*

24. jm ~ unter das Hemd machen = a) jn antreiben, ermuntern. *Sold* 1900 *ff.* – b) jn in Verlegenheit bringen; jn einschüchtern. ↗Wind 7. Seit dem 18. Jh.

25. ~ vor der Tür machen = Darmwinde entweichen lassen. Tür = Hintertür = After. *Sold* 1935 *ff.*

26. zuviel ~ für ein kurzes Hemd machen = überheblich tun; mit angeblichem Können (o. ä.) prahlen. ↗Wind 7. *Sold* in beiden Weltkriegen.

27. mach' nicht solchen ~ mit dem kurzen Hemd! übertreibe nicht! bleibe sachlich! erdichte keine Lügen! ↗Wind 7. 1910 *ff.*

28. jm den ~ aus den Segeln nehmen = a) jm etw vorwegnehmen; jds Beweisführung hinfällig machen. Aus der Segelschiffahrt übertragen. 1900 *ff. Vgl engl* „to take the wind out of someone's sails", *franz* „prendre le dessus du vent à quelqu'un". – b) jds Angriffskraft schwächen. *Sportl* 1920 *ff.*

29. das nimmt ihm den ~ aus den Segeln = das raubt seiner Beweisführung die Schlagkraft; dadurch ist er sehr benachteiligt; das nimmt ihm den Schwung zum Weitermachen. 1900 *ff.*

30. pfeift der ~ aus diesem Loch? = hat man sich das völlig anders als erwartet zu erklären? Deine wahre Meinung ist also wohl völlig anders? ↗Wind 12. Seit dem 19. Jh.

31. jetzt pfeift der ~ aus einem anderen Loch (jetzt pfeift ein anderer ~) = jetzt herrscht mehr Strenge und Ordnung. Seit dem 19. Jh.

32. gegen den ~ pissen (schiffen o. ä.) = töricht handeln; einen schwerwiegenden Fehler begehen; sein Unglück sich selbst zuzuschreiben haben. 1900 *ff.*

33. etw in den ~ pusten = etw nicht beherzigen. *Vgl* ↗Wind 19. 1920 *ff.*

34. in den ~ reden = vergebliche Vorhaltungen machen; umsonst warnen. Der Wind als altes Sinnbild der Flüchtigkeit und der großen Leere. 1500 *ff.*

35. ~ reißen = leere Redensarten von sich geben. 1900 *ff.*

36. drei (sieben, zehn) Meter (Meilen) gegen den ~ riechen (stinken) = aufdringlich riechen; stark parfümiert sein; alkoholisierten Atem verströmen. Seit dem 19. Jh.

37. das riecht man drei Meilen gegen den ~ = daß dort nicht alles in Ordnung ist, spürt jedermann. 1930 *ff.*

38. ~ säen und Sturm ernten = etw Schlimmes verursachen, das noch ärgere Folgen nach sich zieht (ziehen wird). Geht zurück auf das Alte Testament (Hosea 8, 7). 1500 *ff.*

39. er schaufelt ~ über den Zaun = a) er handelt unsinnig. 1950 *ff.* – b) er täuscht Eifer (Betriebsamkeit) vor. 1950 *ff.*

40. er schaufelt ~ um die Ecke: Antwort auf die Frage, wo einer ist, was einer tut. *BSD* 1965 *ff.*

41. sechs Meter (Meilen) gegen den ~ scheißen = a) einen sehr übelriechenden Darmwind entweichen lassen. Seit dem 19. Jh. – b) heftigen Durchfall haben. Seit dem 19. Jh.

42. in den ~ schießen = a) das Schußziel verfehlen. *Sold* seit dem späten 19. Jh. – b) Filmaufnahmen unnötig vergeuden. ↗schießen 4. 1920 *ff.* – c) mit höchstmöglicher Geschwindigkeit davonfahren. Seemannsspr. 1900 *ff.* – d) bezecht heimwärts gehen; eilig nach draußen gehen; auf Vergnügungen ausgehen. 1950 *ff.*

43. jn in den ~ schießen = jm eine Abfuhr erteilen. 1950 *ff.*

44. schieß in den ~! = geh weg! 1900 *ff.*

45. etw in den ~ schlagen = etw geringschätzig aus sich weisen; Warnungen, Vorhaltungen usw. unbeachtet lassen. Formulierung der abweisenden Gebärde mit der Hand. Seit dem 14./15. Jh. *Vgl engl* „to fling to the wind".

46. etw in den ~ schreiben = von einer Sache Abstand nehmen; mit Rückerhalt des verliehenen Geldes oder Gegenstands nicht länger rechnen. 1920 *ff.*

47. mit dem ~ segeln = dem jeweiligen Regierungskurs folgen; nicht in die Opposition gehen. Seit dem 19. Jh.

48. mit allen ~en gesegelt sein = welt-, lebenserfahren sein. *Vgl* ↗Wasser 21. 1500 *ff.*

49. gegen den ~ spucken = a) sich im Alkoholrausch beschmutzen. Euphemismus. Seit dem 19. Jh. – b) unsinnig handeln. Seit dem 19. Jh.

50. etw in den ~ spucken = eine Vermutung äußern; einer Vermutung nicht nachgeben. 1900 *ff.*

51. vom ~e verweht = windzerzaust (auf die Haare bezogen). Fußt auf dem *dt* Titel des Romans „Gone With the Wind" von Margaret Mitchell, 1936 (*dt* Übersetzung 1937; Spielfilm 1939). 1950 *ff.*

52. vom ~e verweht sein = ohne Konzentration lernen; arbeitsunlustig sein. 1950 *ff.*

53. jm ~ vormachen = jm leere Worte geben; jn täuschen. ↗Wind 1. Seit dem 18. Jh.

54. sich den ~ um die Nase (die Ohren) wehen lassen = viel herumkommen; in der Fremde Erfahrungen sammeln. Entweder von Reiseschilderungen herzuleiten oder von den vorgeschriebenen Wanderungen der Handwerksgesellen. Auch lassen alle Wildarten sich „den Wind um die Nase wehen", wenn sie „sichern". Die Redensart ist in leicht abgewandelter Form seit dem 17. Jh belegt.

55. hier weht ein anderer ~ = hier sind die Leute anders als anderswo; hier herrschen andere politische Verhältnisse. Seit dem 18. Jh.

56. es weht ein eisiger ~ = es wird rücksichtslos, unnachsichtig durchgegriffen; es herrschen diktatorische Zustände. 1930 *ff.*

57. merken, woher der ~ weht = merken, wie sich die Dinge entwickeln werden. Seit dem 19. Jh.

58. sehen, wie der ~ weht = sich vergewissern, mit welchen Tatsachen man zu rechnen hat. Seit dem 19. Jh. *Vgl engl* „to see which way the wind blows", *franz* „voir de quel côté vient le vent".

59. wissen, woher (wie) der ~ weht = wissen, von wem man Schwierigkeiten zu erwarten hat. ↗Wind 57. Seit dem 19. Jh.

Winde *f* **1.** Tür. Sie „windet" (wendet) sich in den Angeln. *Rotw* 1750 *ff.*

2. Haus. Pars pro toto aus dem Begriff „Tür". *Rotw* 1850 *ff.*

3. Arbeitshaus. *Rotw* 1900 *ff.*

4. Gefängnis. *Rotw* 1920 *ff.*

5. aussichtsreiche Angelegenheit; Gelegenheit zu einer Straftat. Versteht sich nach „ein ↗Ding drehen". 1900 *ff.*

6. linke ~ = Sicherungsverwahrung, Arbeitshaus u. ä. Die Rechtsbrecher halten diese Einrichtung für Heimtücke; ↗link 1. *Rotw* seit dem frühen 19. Jh.

7. ~ her!: Ausruf angesichts eines altbekannten Witzes. Die Winde ist die Seilwinde, auf der hier der „Bart" des Witzes aufgewickelt werden soll; ↗Bartwickelmaschine. 1930 *ff.*

8. hast 'du 'ne ~! = du vermutest völlig falsch! Hier ist die Winde die Drehstange, mit deren Hilfe man Lasten hebt; mit ihr windet man auch den Eimer aus dem Brunnen hoch. Dazu braucht man ein langes Seil, woraus sich Analogie zu „lange ↗Leitung" ergibt. Berlin 1900 *ff.*

9. die ~ stoßen = sich in der Nachbarschaft umsehen; die als freigebig bekannten Häuser aufsuchen, um zu betteln. ↗Winde 1 = Tür; die Winde stoßen = an die Türen klopfen. *Rotw* seit dem 19. Jh.

'Wind'ei *n* **1.** Lüge; Falschmeldung; Vorspiegelung; Schwindelgeschäft; Betrug. Eigentlich das mit weicher oder gänzlich ohne Schale abgelegte Vogelei: es kann nicht ausgebrütet werden und taugt auch nicht zum menschlichen Verzehr. Seit dem 18. Jh.

2. Versager. 1935 *ff,* sold.

3. Fußball. „Wind" spielt auf die Luftfüllung an. *Jug* 1930 *ff.*

'windel'weich *adj* **1.** sehr nachgiebig. Säuglingswindeln sind aus besonders weichem Stoff gefertigt, und sie „schlucken" alles; *vgl* hiernach ↗schlucken 4. Seit dem frühen 19. Jh.

2. jn ~ hauen = jn kräftig verprügeln. 1800 *ff.*

Windfang *m* **1.** weiter Mantel; Umstandsmantel. Eigentlich der Windschutz vor der Haustür o. ä.; *vgl* ↗Vorbau. *Rotw* 1500 *ff; sold* 1870 *ff.*

2. Hemd. Es fängt die abgehenden Darmwinde auf. 1920 *ff.*

3. stark vorspringende Nase. Meint in der

Jägersprache die Nase des Schalenwilds. 1920 ff.

Windhund *m* **1.** unbeständiger Mensch; Leichtfuß. Anspielung auf Unbeständigkeit und Nichtigkeit, wie es das Bestimmungswort „Wind-" ausdrückt. 1800 ff.
2. Schnellboot. Übertragen von der Schnelligkeit des Windhunds. *Marinespr* 1914 bis heute.
3. Kradmelder; Radfahrer. *Sold* in beiden Weltkriegen.
4. mopsgedackelter ~ = Hund aus unbestimmbarer Kreuzung. 1930 ff.
5. flink wie die ~e = schnellfüßig. 1920 ff. *Vgl* auch „hart wie ↗Kruppstahl".

windig *adj* **1.** unzuverlässig, tückisch, vertrauensunwürdig. Fußt auf der Sinnbildgeltung des Windes für Flüchtigkeit, Leichtlebigkeit und Substanzlosigkeit. 1800 ff.
1 a. substanzarm; nicht sättigend; spärlich. Seit dem 19. Jh.
2. rechtlich nicht einwandfrei; straffällig; ans Verbrecherische grenzend. 1900 ff.
3. gefahrdrohend; gefährlich. Man kann der Sache nicht trauen. Wohl auch Anspielung auf umherfliegende Geschosse (↗Wind 4). Seit dem 19. Jh.
4. geschlechtlich leicht erregbar; mannstoll. 1900 ff.
5. es sieht ~ aus = es besteht keine Aussicht auf Erfolg. 1920 ff.

Windmacher *m* **1.** Prahler; Mensch, der leere Worte macht. ↗Wind 23 b. Seit dem 18. Jh.
2. Antreiber, Anfeurer. ↗Wind 23 c. 1900 ff.

Windsbraut *f* **1.** Motorradmitfahrerin. Eigentlich der Wirbelwind; hier Anspielung auf den Wind, dem das Mädchen ausgesetzt ist. „Braut" ist nicht wörtlich zu nehmen. 1920 ff, jug.
2. Flugzeugstewardeß. 1955 ff.
3. Rennfahrerin; Wassersportlerin. 1955 ff.

'wind'schief *adj* **1.** sehr schief. Eigentlich „gewunden schief" wie Holz, das in den Fasern verdreht ist. Das Wort wird heute meist als Verstärkung von „schief" aufgefaßt. Seit dem 18. Jh.
2. verkommen in Kleidung und Charakter; nicht vertrauenswürdig. 1900 ff.

windschlüpfig *adj* anpassungsfähig; geschmeidig. Aus der Aerodynamik nach 1950 übernommen.

Windsnutte *f* beischlafwillige Motorradmitfahrerin. ↗Nutte 1. Der „Windsbraut" nachgeahmt. 1928 ff, Berlin.

Windsorknoten *m* **1.** breiter Krawattenknoten. Benannt nach seinem „Erfinder", Herzog Edward von Windsor (1936 König Edward VIII. von England). 1950 ff.
2. jm einen ~ drehen = jn überwältigen, körperlich oder moralisch erledigen. Moderne Variante zu „jm eine ↗Krawatte drehen". 1955 ff, jug.

Windstärke *f* **1.** ~ Null = milde Form der Führung; Sanftmut in Stimme und Wesensart. Der Betreffende ist kein „↗Windmacher". 1935 ff.
2. ~ zehn = hochgradige Wut. Meteorologisch soviel wie „voller Sturm". 1939 ff, sold.
3. ~ elf = Torkeln des Bezechten. Meteorologisch soviel wie „schwerer Sturm". Seit dem späten 19. Jh, seemannsspr.
4. ~ elfeinhalb = völlige Bezechtheit.

1870 ff, seemannsspr.; *marinespr* in beiden Weltkriegen.
5. ~ zwölf = stark berauschendes Getränk. Meteorologisch soviel wie „Orkan". Seemannsspr. 1900 ff; sold 1939 ff.

Wink *m* **1.** ~ mit einem ausgewachsenen Baumstamm = unmißverständlicher Wink. 1920 ff.
2. ~ mit dem Besenstiel = deutlicher, plumper Hinweis; energische Aufforderung. Ursprünglich wurde wohl der Besenstiel dazu geschwungen als Zeichen der Prügelandrohung für den Fall der Nichtbefolgung. Berlin 1920 ff.
3. ~ mit dem Kirchturm = Wink, der nicht zu übersehen und nicht mißzuverstehen ist. Wahrscheinlich war es eigentlich ein Hinweis auf die Kirchturmuhr. 1930 ff.
4. ~ mit dem Knüppelstiel = unmißverständlicher Hinweis. Versteht sich wie „↗Wink 2". 1900 ff, schül.
5. ~ mit dem Laternenpfahl = deutlicher Hinweis; plumpe Aufforderung. Eigentlich der Hinweis darauf, daß die Straßenlaternen bereits brennen und also die Zeit zum Aufbruch gekommen ist. Seit dem späten 18. Jh.
6. ~ mit dem Mastbaum = Hinweis, dem man sich nicht entziehen kann. *Marinespr* 1900 ff.
7. ~ mit dem Palmenzweig = Friedensvorschlag. Hängt zusammen mit der sinnbildlichen Friedenspalme. 1850 ff.
8. ~ mit dem Scheunentor = plumpe Aufforderung. ↗Scheunentor 3. Seit dem 19. Jh.
9. ~ mit dem Telegraphenmast = deutliche Mahnung. 1920 ff.
10. ~ mit dem Tulpenstengel = unmißverständliche Anspielung. *Iron* Verniedlichung des Folgenden. Seit dem 19. Jh.
11. ~ mit dem Zaunpfahl (Zaunspfahl) = warnender Hinweis. Man schwingt den Zaunpfahl wie eine drohende Waffe. 1850 ff.

Winkeladvokat *m* **1.** Rechtsberater fragwürdiger Art; Mann, der unbefugt Rechtsauskünfte erteilt; Rechtskonsulent. „Winkel" bezieht sich auf die Wohngegend mit verwinkelten Gassen, in denen Kleingewerbetreibende wohnen und ihr Geschäftslokal haben. 1830 ff.
2. gescheiterter Jurist, der einfache Leute in rechtlichen Angelegenheiten mehr schlecht als recht berät. 1900 ff.
3. Bürovorsteher eines Rechtsanwalts. 1900 ff.

Winkelzüge *pl* in (mit) ~n fahren = bei Dienstfahrten einen Umweg wählen, um private Angelegenheiten zu erledigen. Wortwitzelei mit „Winkelzüge = Ausflüchte". *Sold* in beiden Weltkriegen; *ziv* 1945 ff.

winken *v* **1.** jm eine ~ = jm eine Ohrfeige versetzen. Wie zum Winken holt man aus und schlägt zu. 1900 ff.
2. der Bergesgipfel winkt = der Berggipfel wird sichtbar. Wahrscheinlich hergeleitet von Wolkenfetzen oder Nebelschwaden, die am Berggipfel festzuhängen scheinen und in Windrichtung wehen und verwehen: sie erinnern an flatternde Fahnen o. ä. Die Redewendung halten viele für besonders vornehm und für gebildete Ausdrucksweise. Seit dem 19. Jh.

Winker *m* **1.** Stirnlocke der Mädchen. Verkürzt aus ↗Herrenwinker. 1850 ff.
2. Mann, der Autofahrer anhält und sie um Mitnahme bittet. 1950 ff.
3. *pl* = Arme. Es sind die Querbalken der Wegweiser oder die Arme des Verkehrspolizeibeamten. 1935 ff.
4. *pl* = große, abstehende Ohren. Übernommen vom Richtungsanzeiger des Kraftfahrzeugs. 1930 ff.

winke-winke 1. ~ machen = mit der Hand winken. Kindersprachlicher Ausdruck, entstanden aus der Verdopplung der Befehlsform. Spätestens seit 1900.
2. mit ~ reisen = Kraftfahrer anhalten und sie um Mitnahme bitten. Gegen 1935 aufgekommen mit dem Bau der Autobahnen.

Wink-Nutte *f* Straßenprostituierte, die Autofahrer anspricht. ↗Nutte 1. 1955 ff.

Winsel *f* Geige. Winseln = gedehnte Klagelaute von sich geben. Vorwiegend österr und schles, seit dem 19. Jh.

Winselkasten *m* **1.** Geigenkasten. ↗Winsel. Österr seit dem 19. Jh.
2. Cello. Österr seit dem 19. Jh.
3. altes (verstimmtes) Klavier; altes Grammophon; altes Rundfunkgerät. 1920 ff. Um 1830 in Berlin Bezeichnung für die Drehorgel.

winseln *intr* **1.** singen. Übernommen von den wimmernden und jaulenden Lauten des Hundes. 1910 ff.
2. es ist zum ~ = es ist überaus langweilig. Analog zu „es ist zum ↗Heulen". 1950 ff.

Winter *m* **1.** grüner ~ = a) milder Winter. 1920 ff. – b) verregneter, kühler Sommer. 1966 ff.
2. grünangestrichener ~ = kühler Sommer. Wortprägung von Heinrich Heine; wiederaufgelebt seit 1978.
3. langer ~ = Winter, in dem lange Kleider und Mäntel Mode sind. 1970 ff.
4. milder ~ = kühler Sommer. 1962 ff.
5. gut über (durch) den ~ gekommen sein = gesund und gutgenährt aussehen. Aus dem bäuerlichen Lebensbereich übernommen. 1900 ff.

Winterfenster *n* **1.** Brille. Eigentlich das Fenster, das im Winter vor den üblichen Fenster angebracht wird, um den Kälteschutz zu verbessern. Ähnlich wirkt die Brille als „Fenster" vor den „Fenstern" (= Augen). Oberd seit dem 19. Jh.
2. Monokel. 1930 ff.

Winterflüchtling *m* Urlauber, der im Winter in den Süden reist. Er flieht vor dem Winter. 1970 ff.

Winterfrische *f* Erholungsurlaub im Winter. Der „Sommerfrische" nachgebildet. Seit dem späten 19. Jh.

Wintersaat *f* siehst du nach der ~?: Frage an einen gestürzten Skiläufer, der mit dem Kopf kaum aus dem Schnee herausfindet. *Bayr* 1920 ff.

Winterschlacht *f* Winterschlußverkauf. Vom *milit* Begriff übertragen, weil der Schlußverkauf im Sinne der „Schlacht" ist in dem Sinne, daß sich die Käuferinnen um die Ware „schlagen", d. h. erbittert kämpfen. (1930?) 1955 ff.

Winterschlitten *m* geschlossenes Auto; Limousine. ↗Schlitten 1. 1950 ff, jug.

Winzerfest *n* Einstufung der Beamten in höhere Besoldungsgruppen. Selbstironisch gemeint ist, daß neue Etiketts auf alte Flaschen geklebt werden. Ministerialjargon 1966 ff.

Winzerschweiß m saurer Wein. Gaststätenspr. 1920 ff.

Wippchen n 1. Petticoat. Bei jedem Schritt „wippt = schaukelt" er hin und her. 1955 ff.

2. Mädchen, das einen (oder mehrere) Petticoat(s) trägt. 1955 ff.

3. pl = Vorspiegelungen; kleine Kunstgriffe; Umschweife; Ausreden; Lügen u. ä. *Mitteld* und *niederd* Verkleinerung zu *hd* „Wipf = Sprung; Seiltänzerkunststück; Schaukelstoß". 1840 gebucht mit dem Zusatz: „aus der Zeit der Freiheitskriege"; stark verbreitet durch die von Julius Stettenheim für sein Witzblatt „Die Wespen" (1863 ff) erfundene Gestalt des Kriegsberichterstatters Wippchen.

wippen v 1. *intr* = schielen, zwinkern. Eigentlich soviel wie „schaukeln; auf- und abschwingen; hüpfen". 1900 ff.

2. *intr* = mit Falschgeld betrügen; abgefeiltes, beschnittenes Metallgeld als vollgültig in Verkehr bringen. ↗kippen 8. 1600 ff.

3. *intr* = sich amüsieren; ausgelassen feiern. Ergibt über die Bedeutung „schaukeln" Analogie zu „↗schunkeln". 1950 ff.

Wipprock (-röckchen) m (n) Petticoat. ↗Wippchen 1. 1955 ff.

Wippsterz m unruhiger, unruhig sitzender Mensch. ↗Wibbelsterz. Seit dem 18. Jh.

wir pron 1. wir zwei beide = wir beide. Ein im Mittelalter vereinzelt belegter, seit dem 19. Jh mundartlich häufiger Pleonasmus.

2. wir sind wir (mir san mir; mia san mia): Ausdruck übersteigerter Selbstbewertung. Dem Stil regierender Fürsten nachgebildet („Wir Wilhelm, König von Preußen"). *Bayr* und *österr*, 1920 ff.

Wirbel m 1. Aufregung; Aufbauschung einer Belanglosigkeit. Wohl hergenommen vom Trommelwirbel; *vgl* auch „auf die ↗Pauke hauen". 1900 ff.

2. schikanöser Dienst. ↗wirbeln. *Sold* 1870 ff.

3. heftiges Artilleriefeuer. Hergenommen von den Geschossen, die wie trommelnd auf die Stellung einschlagen. *Sold* in beiden Weltkriegen.

4. Zechgelage; lautes, ausgelassenes Fest. Man wirbelt im Tanz durcheinander; man „wirbelt ↗Staub auf" und „haut auf die ↗Pauke". 1900 ff.

5. es gibt = es gibt Durcheinander, Aufregung, Aufsehen. 1900 ff.

wirbeln *intr* 1. schikanös drillen. Soviel wie „durcheinanderwirbeln, durcheinanderjagen". *Sold* 1870 ff.

2. sich aufregen; aufgeregt sein; zornig, aufgeregt eilen. 1900 ff.

3. verwirrend, schnell spielen. *Sportl* 1950 ff.

Wirbelwind m 1. temperamentvoller Mensch. 1920 ff.

2. weißer ~ = Eiskunstläuferin. Übernommen vom Werbespruch für das Reinigungsmittel „Ajax, der weiße Wirbelwind". 1970 ff.

Wirf-es-weg-Produktion f Herstellung von minderwertiger, nur kurz haltbarer Ware. 1960 ff.

Wirrkopf m Mensch mit unklaren, widersprüchlichen Vorstellungen. 1900 ff.

Wirsing m 1. Kopf des Menschen. Wegen der Formähnlichkeit mit dem Kohlkopf,

wobei „Kohl" in der Bedeutung „Schwindel" eingewirkt haben kann. Seit dem frühen 20. Jh.

2. Sie haben wohl einen feuchten ~?: Frage an einen, der unsinnig redet. „Feuchter Wirsing" spielt wohl auf „Wasserkopf" an. *Sold* 1935 ff.

Wirt m 1. ohne den ~ rechnen = sich zu seinen Ungunsten verrechnen; falsch einschätzen. ↗Rechnung 10. Seit dem 16. Jh.

2. wer nichts wird, wird ~ = beruflich gescheiterte Leute taugen immerhin noch zum Gastwirt. Mehr ein sprachlicher Spaß als eine Lebensweisheit. 1900 ff.

3. man soll den ~ nicht vor der Rechnung loben = vorschnelles Lob kann in Enttäuschung enden. Abwandlung des Sprichworts „man soll den Tag nicht vor dem Abend loben". 1920 ff.

Wirtschaft f 1. unsachgemäße Handhabung einer Sache; Unordnung; Durcheinander. Verkürzt aus „schlechte (schöne) Wirtschaft", wobei „wirtschaften" allgemein für „handeln, hantieren" steht. Seit dem 18. Jh.

2. ~ (Herr, Frau ~)!: Ausruf, wenn beim Betreten des Lokals niemand zur Bedienung anwesend ist. 1900 ff.

3. böhmische ~ = große Unordnung. Von der „polnischen ↗Wirtschaft" übertragen gegen 1945.

4. heillose ~ = sehr großes Durcheinander; völlige Unordnung. ↗heillos 2. 1900 ff.

5. polnische ~ = unvorstellbare Unordnung. Aufgekommen um 1795 bei den preußischen Soldaten im Bezirk Warschau und Umgebung in Anspielung auf mancherlei Mißstände, die die Preußen nach der dritten Teilung Polens antrafen.

6. mit etw (jm) eine ~ haben = mit einer Sache oder Person viel Arbeit haben. Seit dem 18. Jh.

7. eine ~ machen = Umstände machen; Lärm vollführen; Unruhe stiften. Seit dem 18. Jh.

Wirtschaftsadel m Gesamtheit der Leiter führender Wirtschaftsunternehmen. 1900 ff.

Wirtschaftsgeld n zum Vertrinken in einem Lokal vorgesehener Geldbetrag. Eigentlich das Haushaltsgeld. 1960 ff.

Wirtschaftsgeographie f ~ treiben = in vielen Gastwirtschaften nacheinander zechen. *Stud* Wortwitzelei seit 1920.

Wirtschaftsprüfer m ausdauernder Wirtshausgast. Wortwitzelei seit 1960.

Wirtschaftswunder n 1. wirtschaftlicher Erfolg eines einzelnen Betriebs in Zeiten allgemeiner wirtschaftlicher Notlage. 1930 aufgekommen.

2. wirtschaftlicher Aufschwung in der Bundesrepublik Deutschland seit 1948. Der Stolz und die Bewunderung, die dem Wort anfangs anhafteten, wichen im Laufe der Jahre einer skeptischen Wertung, die letztlich zu einer Ironisierung führte.

3. Mensch, der wider Erwarten eine Gastwirtschaft nicht betritt. 1960 ff.

4. beleibter Mensch. 1965 ff.

5. des ~s liebstes Kind = Autofahrer. 1960 ff.

6. weißes ~ = starke Aufwärtsentwicklung des Wintersports. 1955 ff.

Wirtschaftswundereleganz f Bekleidungsluxus wohlhabend gewordener Leute. 1960 ff.

Wirtschaftswundergras n ~ über etw wachsen lassen = Peinlichkeiten vergangener Zeitläufte aus Gründen des inzwischen erworbenen Wohlstands und im Hinblick auf geschäftliche oder gesellschaftliche Interessen vertuschen. Zeitgenössische Variante zu „↗Gras über etw wachsen lassen". 1958 ff.

Wirtschaftswunderheini m Nutznießer des allgemeinen Wohlstands. ↗Heini. 1960 ff.

Wirtschaftswunderhyäne f gewissenloser Geschäftsmann, der durch die Blüte des Wirtschaftslebens wohlhabend geworden ist und sein Vermögen mit allen Mitteln weiter zu vermehren sucht. 1960 ff.

Wirtschaftswunderkaro n Glencheckmuster. 1959 ff.

Wirtschaftswunderkind n 1. Bundesdeutscher im Genuß des wirtschaftlichen Aufstiegs. 1955 ff.

2. wohlbeleibter Bundesdeutscher. 1955 ff.

3. Kind, das seine Eltern ins Wirtshaus begleitet. 1960 ff.

Wirtschaftswunderlaube f Bungalow. Moderne Variante zur Laube des Schrebergärtners. 1965 ff.

Wirtschaftswunderlichkeit f im Gefolge der wirtschaftlichen Blüte aufgekommene Sonderbarkeit. 1960 ff.

wirtschaftswundern *refl* den mit der günstigen wirtschaftlichen Entwicklung aufkommenden Luxus für sehr bedenklich halten. 1958 ff.

Wirtschaftswunderpärchen n in den Jahren nach der Währungsumstellung reich gewordenes Ehepaar, bei dem der gesellschaftliche Anstand sehr verkümmert ist. 1950 ff.

Wirtschaftswunderpflanze f wohlhabender Emporkömmling mit unterdurchschnittlicher Bildung. 1960 ff.

Wirtschaftswunderpolster n Beleibtheit, Fettansatz. 1960 ff.

Wirtschaftswunderschwein n Neureicher ohne Sinn für Anstand, ohne Verständnis für die Sozialpflichtigkeit des Besitzes. 1955 ff.

Wirtshase m Katzenbraten als Hasenbraten, in Speiselokalen aufgetischt. 1840 ff.

Wirtshauslehre f Wirtschaftskunde. Schülersprachliche Scherzvokabel. 1950 ff.

Wisch m 1. Schriftstück, Brief *(abf)*. Meint eigentlich den Wischlappen für den After. 1500 ff.

2. schlechtes Zeugnis. Seit dem späten 19. Jh.

3. Leistungsnachweis; Bescheinigung über die Teilnahme an einer akademischen Übung. 1900 ff.

4. Einberufungsbescheid. *BSD* 1960 ff.

5. Ohrfeige. ↗wischen 1. Seit dem 19. Jh.

6. Streifschuß. *Sold* 1900 ff.

7. Mutter = Abortwärterin. 1920 ff.

8. blauer ~ = schriftlicher Tadel. Übernommen aus „blauer ↗Brief". 1930 ff, *schül.*

wischen v 1. jm eine ~ = jm eine Ohrfeige geben. Meint eigentlich „mit der Hand leicht die Oberfläche streifen". Seit dem 17. Jh.

2. jm einen ~ = jm eine Abfuhr erteilen; jn tadeln. Gehört zu der umgangssprachlichen Gleichsetzung von Reinigen, Prügeln und Rügen. Seit dem 17. Jh.

3. *intr* = das Steuerrad kurz und schnell

einschlagen und die Räder sofort wieder geradestellen. Kraftfahrerspr. 1920 ff.

4. sich mit etw ~ können = auf etw keinen Wert legen (sollen). Anspielung auf die Reinigung des Gesäßes. 1900 ff.

Wischer m **1.** Ohrfeige; strafender Schlag. ↗ wischen 1. Seit dem 17. Jh.

2. Streifschuß; leichte Verwundung. Sold 1900 ff.

3. streifender, nicht hart treffender Boxhieb. 1920 ff.

4. Verweis, Rüge. ↗ wischen 2. Seit dem 17. Jh.

5. kleiner Oberlippenbart. 1840 ff.

wischern (wieschern) intr harnen. Schallnachahmender Herkunft. Österr seit dem 19. Jh.

'Wischi'waschi I n **1.** Geschwätz; wertloses Machwerk. Zusammengewachsen aus „Wisch = Schriftstück" und „waschen = schwätzen". Vgl engl „wish-wash = Geschätz" und „wishy-washy = dünn, seicht". 1700 ff.

2. Durcheinander, Unordnung. 1920 ff.

'Wischi'waschi II f Ohrfeige. ↗ wischen 1; ↗ waschen 3. 1900 ff.

'wischi'waschi adv ungenau, oberflächlich 1900 ff. Vgl engl „wishy-washy".

'wischi'wischi machen harnen. ↗ wischern. Kinderspr., österr, seit dem 19. Jh.

wissen v **1.** von keiner Sache nichts ~ = völlig unwissend sein; sich unwissend stellen. Falsch verstandene Litotes: doppelte Verneinung bedeutet eigentlich Bejahung. Seit dem 19. Jh.

2. keiner weiß von nichts = alle tun unschuldig. Ein sprachliches Mißverständnis wie im Vorhergehenden. 1920 ff.

3. so genau wollten wir es nicht ~: Redewendung an einen, der, zu einer Erklärung veranlaßt, allzu ausführlich (weitschweifig) oder gar indiskret wird. 1920 ff.

4. denn er weiß nicht, was er tut: Redewendung an den Kartenspielpartner, der eine Karte mit hoher Augenzahl den Gegner in den Stich gibt. Fußt auf dem Wort Jesu am Kreuz „Vater, vergib ihnen, denn sie wissen nicht, was sie tun" (Lukas 23, 34). Kartenspielerspr. seit dem 19. Jh.

5. denn sie ~ nicht, was sie tun = die Lehrer beim Nachsehen der Schularbeiten. Geht zurück auf den dt Titel des 1955 gedrehten Films „Rebel without a Cause" mit James Dean. Schül 1959 ff.

6. es genau ~ wollen = eine endgültige Entscheidung herbeizuführen suchen. Scheint aus der Sportlersprache zu stammen, gleichsam Messen mit Maßband, Stoppuhr o. ä. betreffend. 1930 ff.

7. da weiß man, was man hat = darauf kann man fest vertrauen. 1977 aufgekommen mit dem gleichlautenden Werbespruch für das Waschmittel „Persil" und seitdem volkstümlich.

Witfrau f Witwe. Geht zurück auf ein indogerm Wurzelwort mit der Bedeutung „leer". Seit spät-mhd Zeit.

Witmann m Witwer. Vgl das Vorhergehende. Seit dem 15. Jh.

witsch adj **1.** uneingeweiht; in diebischen Kunstgriffen nicht erfahren. Entstanden aus niederd „witt = unschuldig, ahnungslos". Rotw 1750 ff.

2. dumm, albern. Rotw 1750 ff; sold 1900 ff.

Witsche f Straßenprostituierte. Vgl das Folgende. 1930 ff, Berlin.

witschen intr huschen, eilen, entweichen. „Witsch" dient als Interjektion zur Bezeichnung einer schnellen Bewegung; verwandt mit „wischen = sich rasch bewegen". Niederd, hess und schwäb, 1800 ff.

Witwe f **1.** feldgraue ~ = Frau, deren Mann an einem Manöver teilnimmt. 1971 ff.

2. grüne ~ = a) Ehefrau in einer Wohnung am Stadtrand, während der Mann in der Stadt oder auswärts tätig ist. 1960 ff. – b) Frau, die erst kürzlich Witwe geworden ist. Grün = unerfahren. 1960 ff.

3. lustige ~ = Ehefrau, die bei längerer Abwesenheit ihres Mannes einen „Ersatzmann" hinzuzieht. Frei nach der Operette „Die lustige Witwe" von Franz Lehár (1905). 1910 ff.

4. politische ~ = Frau eines überbeanspruchten Politikers. 1955 ff.

5. schwarze ~ = schwarze Zigarette. Man meint, sie mache die Frau des Rauchers bald zur Witwe. 1940 ff, sold.

6. weiße ~ = a) winters in einer Schneelandschaft wohnende Frau, deren Mann sie nur am Wochenende aufsucht. 1965 ff. – b) Frau eines ins Ausland ausgewanderten Italieners, der dort eine zweite, ungesetzliche Familie gegründet hat. 1969 ff.

Witwenwein m in Gärung befindlicher neuer Wein. Er wirft den wackersten Zecher um und macht seine Frau zur Witwe. Winzerspr. 1950 ff.

Witz m **1.** (unsinniger) Befehl. Man meint, er sei nicht ernst zu nehmen. BSD 1965 ff.

2. Versager. Der Betreffende gilt als eine lächerliche Figur. 1910 ff.

3. ein ~ von Hut (Schlips o. ä.) = ein lustig wirkender Hut (o. ä.). 1870 ff.

4. ~ in der Dose = besonders guter Witz. Nachbildung von „↗ Wucht in der Dose". Jug 1950 ff.

5. ~ vom Alten Fritz = altbekannter Witz. Der Alte Fritz (= König Friedrich II. von Preußen) wird zur Sinnbildgestalt für eine weit zurückliegende Sache. 1920 ff.

6. ~ auf Rädern = Kleinauto für Einkaufsfahrten in der Stadt. 1970 ff.

7. ~ aus der untersten Schublade = zotiger Witz. 1920 ff.

8. ~ aus der siebten Sohle = Zote. Sohle = Förderstufe im Bergbau. 1950 ff.

9. abgehetzter ~ = altbekannter, bis zum Überdruß wiederholter Witz. Er ist schon sehr „müde" geworden. Seit dem 19. Jh.

9 a. bärtiger ~ ↗ Bartwitz.

10. blutiger ~ = Wortwitzelei. ↗ blutig. 1900 ff.

11. dreckiger ~ = anstößiger Witz. 1900 ff.

12. fauler ~ = a) harmloser Witz mit anspruchsloser Pointe. Die Pointe wird als träge oder morsch empfunden. Seit dem 19. Jh. – b) anrüchiger Witz. Die Pointe „stinkt" wie Verdorbenes. Seit dem 19. Jh. – c) arges Vorhaben; unredliche Absicht. ↗ faul 1. 1860 ff.

13. gepfefferter ~ = derber, obszöner Witz. Er ist „scharf" wie Gesalzenes. 1900 ff.

14. miefloser ~ = „anständiger" Witz, den man überall erzählen kann. ↗ Mief 1. Der Witz ist „nicht anrüchig". 1920 ff.

14 a. müder ~ = Witz ohne zündende Pointe. 1950 ff.

15. scharfer ~ = Zote. ↗ scharf. 1900 ff.

16. zünftiger ~ = Zote. ↗ zünftig. 1920 ff.

17. jm den ~ abkaufen = jm Kunstgriffe absehen und dann selbst verwenden. Witz = Geistesfähigkeit; weiterentwickelt zu „listiger Verstand; Trick". 1900 ff.

18. das hat keinen ~ = das hat keinen Sinn, ist unklug, zwecklos. 1900 ff.

19. sich ~ kaufen = Erfahrungen sammeln. Witz = „Gewitztheit", Klugheit, Schläue. 1870 ff.

20. ~e kloppen = Witze erzählen. Übernommen von „↗ Skat kloppen". 1930 ff.

21. mach' keine dummen ~e = a) mach' keine Ausflüchte! Hergenommen von einem, der, statt Rede und Antwort zu stehen, unsinnige Äußerungen von sich gibt. Seit den späten 19. Jh, vorwiegend schül, stud u. a. – b) begeh' keine Torheiten! nimm deinen Verstand zusammen! 1870 ff, schül und stud.

22. mach' keine faulen ~e = verulke mich nicht! laß' deine albernen Späße! 1900 ff.

23. mach' noch solch einen ~! = hör auf mit deinen Lügen! rede nicht weiter von Unmöglichkeiten! Witz = Unsinnigkeit. 1870 ff.

24. ~e reißen = Witze erzählen. „Reißen" meint ursprünglich „zeichnen, aufzeichnen", vor allem in der Verbindung „Possen reißen" geläufig. „Posse" ist eigentlich die „seltsame Figur". Von da verallgemeinert zum Begriff „gestalten, vortragen" u. ä. Seit dem 19. Jh.

25. der Ofen (o. ä.) ist ein ~ = der Ofen (o. ä.) ist unbrauchbar. „Witz" ist hier „was nicht ernst zu nehmen ist". 1930 ff, jug.

26. das ist der ~ bei der Sache = das ist das Entscheidende, der Kernpunkt. Meint eigentlich die Pointe, die dem Witz erst seinen Sinn gibt. 1820 ff.

27. das ist ein ~! = Ausdruck der Verneinung, der Überraschung o. ä. Soviel wie „das kann doch nicht wahr sein?!". 1920 ff.

28. wo ist dabei der ~? = was ist der Sinn des Ganzen? wo ist das Besondere daran, das Neue? 1920 ff.

29. einen ~ sauer werden lassen = über einen Witz nicht lachen. 1950 ff.

30. einen ~ zu Tode reiten = einen Witz so oft erzählen, bis man keinen Lacher mehr findet. ↗ Witz 9. Seit dem 19. Jh.

witzen tr jn verulken. Berlin 1950 ff, jug.

witzig adj seltsam, eigenartig. Parallel zu ↗ komisch 1. 1920 ff.

Witzkiste f in der ~ geschlafen haben = einen Witz nach dem anderen erzählen. Wien 1950 ff, stud.

witzlos adj unsinnig, zwecklos, uninteressant. Vgl ↗ Witz 17 und 25. 1930 ff, jug.

wo adv **1.** Zusammensetzungen von „wo" mit Präpositionen werden in der volkstümlichen Rede meist getrennt; zum Beispiel: wo hast du das her? (woher hast du das?); wo man dran sehen kann (woran man sehen kann); wo er keine Ahnung von hat (wovon er keine Ahnung hat); wo er viel Geld für gegeben hat (wofür er viel Geld gegeben hat) usw. Diese und ähnliche Wendungen kamen im 18. Jh auf und sind heute vor allem in der zwanglosen Rede häufig.

2. i wo (ach wo)!: Ausdruck der Verneinung. Entstanden im frühen 19. Jh durch

Kürzung „i wo werde ich denn?" für „ei, wie werde ich denn (so dumm sein und das tun)?". *Niederd* „i" = *hd* „ei". Berlin, *nordd* und nordostdeutsch.

Woche *f* **1.** angerissene ~ = über den Mittwoch hinausgediehene Woche. Angerissen = um ein Stück eines Ganzen verringert (angerissenes Dutzend). 1850 *ff.* **2.** blaue ~ = Woche, in der an die Eltern jener Schüler, deren Versetzung gefährdet ist, schriftliche Mitteilungen zugeschickt werden. Anspielung auf den „blauen ↗Brief". 1950 *ff.* **3.** stille ~ = Zeit der Menstruation. Übernommen vom christlichen Begriff der Passions- oder Karwoche; hier bezogen auf die Enthaltsamkeit vom Geschlechtsverkehr. 1900 *ff.* **4.** tausend ~n alt = zwanzigjährig; heiratsfähig. 1800 *ff.* **5.** lieber in der ~ faulenzen, als sonntags arbeiten: Wahlspruch der Arbeitsscheuen. 1890 *ff.* **6.** mit dem einen Auge in die andere ~ gucken = stark schielen. Seit dem späten 19. Jh. **7.** unrechte ~n halten = zu früh niederkommen. Seit dem 19. Jh. **8.** in unrechte ~n kommen = a) unehelich gebären. Seit dem 19. Jh. – b) eine Fehlgeburt haben. Seit dem 19. Jh. – c) die Leibesfrucht abtreiben (lassen). Seit dem 19. Jh. **9.** lieber die ganze ~ saufen, als am Sonntag etwas arbeiten: Leitspruch von Gegnern der Sonntagsarbeit. 1920 *ff.*

Wochenendarrestler *m* Mann, der seine Freiheitsstrafe an den Wochenenden verbüßt. 1965 *ff.*

Wochenendbraut *f* Mädchen, mit dem man das Wochenende verbringt. 1930 *ff.*

Wochenend-Ehe *f* Ehe, in der die Gatten aus beruflichen Gründen nur das Wochenende gemeinsam verbringen. 1955 *ff.*

Wochenendneurose *f* durch die Muße des Wochenendes verursachte Nervosität. 1955 *ff*, *ärztl.*

Wochenendsäufer *m* Mann, der nur am Wochenende Alkohol zu sich nimmt (aber dann in großen Mengen). 1960 *ff.*

Wochenend- und Beischlafutensilienkoffer *m* Kulturbeutel. *Vgl* ↗Wubuk. 1920 *ff.*

Wochenend- und Freizeitgammler *m* Mann, der sich am Wochenende und in seiner Freizeit ausschließlich dem Nichtstun überläßt. 1967 *ff*, polizeispr.

Wochenrundschau *f* Reste-Essen am Samstag. 1880 *ff.*

Wochenschau *f* **1.** Reste-Essen. Mit der Filmwochenschau gegen 1930 aufgekommen. **2.** tönende ~ = Erbsensuppe u. ä. Anspielung auf Blähungen. Die Bezeichnung geht zurück auf die Filmwochenschau der amerikanischen Gesellschaft „Twentieth Century Fox", bekannt unter dem Namen „Fox tönende Wochenschau". Etwa seit 1930, vorwiegend *sold.*

Wochenübersicht *f* **1.** Reste-Essen; faschiertes Fleisch. 1900 *ff*, *österr.* **2.** gedrängte ~ = a) Reste-Essen. Im ausgehenden 19. Jh aufgekommen, vielleicht in Berlin. – b) Deutsches Beefsteak; Frikadelle; Klops. 1910 *ff.*

Wogebusen *m* üppig entwickelter, hin- und herschwingender Busen. Wahr-

scheinlich zusammenhängend mit (Wagner-) Opernsängerinnen. Seit dem späten 19. Jh.

woher *konj* ach ~ (ach ~ denn)!: Ausdruck der Verneinung und Ablehnung. ↗wo 2. Seit dem 19. Jh.

wohin *konj* **1.** ~ gehen = den Abort aufsuchen. Verkürzt aus hehlwörtlichem „irgendwohin". Seit dem 19. Jh. **2.** ~ müssen = den Abort aufsuchen müssen. Seit dem 19. Jh. **3.** jm ~ treten = jm ins Gesäß treten. 1900 *ff.*

wohl *adv* **1.** ihm ist nicht ~ = er ist nicht recht bei Verstand. Nicht wohl = krank; hier im Sinne von „geisteskrank". Berlin 1800 *ff.* **2.** du 'bist ja ~!= du bist wohl nicht bei Sinnen? Hieraus verkürzt. 1870 *ff.* **3.** 'ist ja ~!: Ausdruck der Beteuerung. Verkürzt aus „es ist ja wohl wahr!" im Sinne von „trotz deiner gegenteiligen Ansicht ist es wahr". *Schül* 1900, *westd* und *nordd.*

Wohle *f* Wohlfahrtsamt, -unterstützung. Hieraus verkürzt. Berlin und *nordd,* spätestens seit 1900.

Wohlfahrt *f* Wohlfahrtsamt, -unterstützung. Hieraus verkürzt. 1920 *ff.*

Wohlfahrtsamt *n* ich bin das reinste ~: Redewendung des Kartenspielers, der ständig verliert und also ständig zahlen muß. Kartenspielerspr. 1920 *ff.*

Wohlfahrtsverein *m* kein ~ sein = seinen hart erworbenen Verdienst nicht verschenken. 1960 *ff.*

Wohlgefallen *n* sich in ~ auflösen = a) sich ohne Schwierigkeit auflösen; ohne Ärger auseinandergehen, sich leicht trennen (lassen). Ein Verein löst sich im Einverständnis seiner Mitglieder auf. Dieser oder jener chemische Stoff läßt sich auf einfache Weise in seine Bestandteile zerlegen. 1830 *ff.* – b) auseinanderfallen; zerfetzt werden; in Trümmer gehen. Meist bezogen auf ein abstürzendes Flugzeug, ein auf eine Mine geratenes Fahrzeug o. ä. *Sold* 1939 *ff.* – c) stark schwitzen. 1920 *ff.*

wohlhabend *adj* **1.** mit üppigem Busen versehen. 1930 *ff.* **2.** ~ aussehen = wohlgenährt, guterhalten aussehen. Berlin 1900 *ff.*

wohlpopotioniert *adj* mit einem hübsch gerundeten Gesäß ausgestattet. Aus „wohlproportioniert" umgeformt unter Einwirkung von „↗Popo". 1960 *ff.*

Wohlstandsäquator *m* dicker Bauch. Äquator = (hier Leibes-)Umfang. 1960 *ff.*

Wohlstandsdieb *m* Mann, der ohne Not zum Dieb wird. 1960 *ff.*

Wohlstandsgesicht *n* Gesicht ohne „Sorgenfalten"; widerlich feistes Gesicht. 1965 *ff.*

Wohlstands-Heidentum *n* Mangel der „Wohlstandsgesellschaft" an christlichem Verhalten. 1960 *ff.*

Wohlstandshund *m* Hund, den sich ein Wohlhabender aus Mehrgeltungsstreben leistet. 1960 *ff.*

Wohlstandskrankheit *f* **1.** Lebenshaltung ohne Rücksicht auf die Einkommensverhältnisse. 1965 *ff.* **2.** körperliche Übergewichtigkeit. 1970 *ff.*

Wohlstandskriminalität *f* Häufung von Verbrechen in Zeiten des Wohlstands. 1950 *ff.*

Wohlstandsmüll *m* Gegenstände, die man

in guten Zeiten achtlos wegwirft, aber in Notzeiten ängstlich hütet und verwertet. 1955 *ff.*

Wohlstandsruine *f* wegen Bankrotts des Bauträgers unvollendet gebliebener Großbau. 1967 *ff.*

Wohlstandsrüpel *m* wohlhabend gewordener Bundesbürger mit rücksichtslosem, flegelhaftem Benehmen. ↗Rüpel. 1955 *ff.*

Wohlstandssardinen *pl* Goldfische. 1965 *ff.*

Wohlstandsschachtel *f* große Geschenkpackung Zigaretten oder Pralinen; Luxuskiste Zigarren. 1965 *ff.*

Wohlstandssuff *m* Alkoholmißbrauch der wohlhabend gewordenen Bürger. 1958 *ff.*

Wohlstandstruhe *f* **1.** Musiktruhe mit Plattenspieler, Rundfunk- und Fernsehgerät. 1960 *ff.* **2.** Kühlschrank, Tiefkühltruhe. 1960 *ff.*

Wohlstandsvergehen *n* Vergehen, das in der „Wohlstandsgesellschaft" besonders häufig vorkommt. 1960 *ff.*

Wohn-Apparat *m* Wohnung. Anspielung auf Unpersönlichkeit und Serienfabrikation. 1960 *ff.*

Wohncontainer (Grundwort *engl* ausgesprochen) *m* Wohnhochhaus. Anspielung auf Normung und Schmucklosigkeit. 1972 *ff.*

Wohncouch *f* ~ mit Kochklosett = äußerst beengte Wohnung. Spöttische Anspielung auf Mehrzweck-Einrichtungsgegenstände. 1950 *ff.*

wohnen *v* **1.** wo ~ wir denn?: Ausdruck der Entrüstung über eine Ungehörigkeit oder Zumutung. Gemeint ist die Frage, ob man etwa unter unzivilisierten Völkern lebe oder im Wald. 1930 *ff.* **2.** geh heim ~!: Ausdruck der Geringschätzung und Abweisung. *Österr* 1955 *ff*, *schül.* **3.** nicht ~ = keine feste Unterkunft haben. Berlin, 1890 *ff.* **4.** ~ bleiben = den Besuch übergebührlich lange ausdehnen. 1890 *ff.*

Wohn-Etui *n* sehr bescheidene, beengte Unterkunft. 1950 *ff.*

Wohnfabrik *f* Wohnhochhaus. 1955 *ff.* In der Bedeutung „Vielparteienhaus" (o. ä.) schon 1913 belegt.

Wohnhemd *n* eine Woche, zwei Wochen und länger getragenes Hemd. *Sold* 1939 *ff*; *ziv* 1950 *ff.*

Wohnklo *n* **1.** enge Einzelzelle im Gefängnis. ↗Klo 1. 1960 *ff.* **2.** sehr beengte Kleinwohnung. 1948 *ff.* **3.** ~mit Kochnische = Einfachstwohnung; Notbehausung. 1948 *ff.*

Wohnklotz *m* plumpes, häßliches Mehrparteien- Miethaus. 1955 *ff.*

Wohnlandschaft *f* Polstermöbelgarnitur aus verschieden zusammensetzbaren Einzelteilen, mit Schrankwand usw. Werbetexterspr. 1970 *ff.*

Wohnlokus *m* **1.** ~mit Kochnische = Einfachstwohnung. ↗Wohnklo 3. 1948 *ff.* **2.** ~mit Kochnische und germanischem Hockergrab = äußerst beengte Wohnung. Die Bezeichnung „germanisches Hockergrab" für die Sitzbadewanne soll von dem Arzt und Psychologen Prof. Alexander Mitscherlich stammen. 1948 *ff.*

Wohnmaschine *f* **1.** Wohnhochhaus. Wortprägung von Le Corbusier um 1920/21. Geläufig vor allem seit 1950/55. **2.** Großhotel. 1970 *ff.*

3. Wohnwagen mit allem erdenklichen Luxus. 1964 *ff.*

Wohn-, Schlaf- und Eßklo *n* Einfachstwohnung. *Vgl* ↗Wohnklo 3. 1948 *ff.*

Wohnung *f* **1.** fahrbare ~ = geräumiges Auto. 1935 *ff.*
2. eine feuchte ~haben = weißhaarig sein. Feuchtigkeit erzeugt Schimmel, und Schimmel ist weißlich. 1920 *ff*, Berlin.
3. die Männer wie eine ~wechseln = nur kurzfristige Liebesabenteuer (Ehen) eingehen. 1955 *ff.*

Wohnungsgangster (Grundwort *engl* ausgesprochen) *m* wucherischer Wohnungsmakler. 1963 *ff.*

Wohnungsknacker *m* **1.** Besetzer einer leerstehenden Wohnung. ↗Knacker 2. 1970 *ff.*
2. Wohnungseinbrecher. 1960 *ff.*

Wohnungsnot haben in Bedrängnis sein; ratlos sein; nicht schnell genug die treffende Antwort finden; Stuhldrang haben. Thüringen 1945 *ff.*

Wohnungswelle *f* weitverbreitetes Interesse an einer den verbesserten Vermögens- und Einkommensverhältnissen angepaßten Wohnung, an der Modernisierung der Wohnungseinrichtung o. ä. ↗Welle 1. 1958 *ff.*

Wohnzimmer *n* **1.** ~von der Stange = Wohnzimmer ohne persönlichen Stil. ↗Stange 8. 1930 *ff.*
2. zweites ~des kleinen Mannes = Stammkneipe. ↗Mann 48. 1960 *ff.*
3. ins ~kommen = im Fernsehen auftreten. 1960 *ff.*

Wolf *m* **1.** Wundsein zwischen den Oberschenkeln. Nach einer Deutung ist das Wundsein ähnlich „fressend" wie der Wolf gefräßig; andere meinen, man gehe lendenlahm wie ein gehetzter Wolf. Seit dem 15. Jh.
2. Schankergeschwür, Syphilis. 1900 *ff.*
3. Nasenschmutz. Gehört zu „wühlen = wälzen". *Westd* seit dem 19. Jh.
4. Frontsoldat, der sich wie ein Rasender gebärdet und alles Erreichbare zertrümmert. Übertragen vom angriffslüsternen und zubeißenden Wolf. *Sold* 1941 *ff*, Afrikafront.
5. Häftling, der in der Zelle Selbstmord heuchelt und den herbeigeeilten Wärter überfällt. 1950 *ff*, rotw.
6. Rufname des Hundes. Seit dem 19. Jh.
7. ~und die sieben Geißlein = Wundsein zwischen den Oberschenkeln. Hehlausdruck, übernommen vom Titel des Märchens. *BSD* 1965 *ff.*
8. graue Wölfe = a) Unterseeboote. Grau spielt auf den Farbanstrich an. *Marinespr* 1939 *ff*. – b) Schnellboote. *BSD* 1965 *ff.*
9. hungrig wie ein ~ = sehr hungrig. Übernommen von der Gefräßigkeit des Wolfs. Seit dem 18. Jh.
10. jn durch den ~drehen = jm mit peinlichen Fragen zusetzen; jn streng verhören; jn hart behandeln; jn brutal niederschlagen; jn heftig beschießen. „Wolf" ist die Fleischhackmaschine des Metzgers. Dadurch Analogie zu „aus jm ↗Hackfleisch machen". Seit dem frühen 20. Jh, anfangs *ziv*, seit 1914 auch *sold.*
11. Appetit auf einen ~haben = großen Hunger verspüren. Verdreht aus dem Folgenden; wohl weil es unter hungrigen Wölfen auch zu Kannibalismus kommt. 1918 *ff.*

12. Hunger wie ein ~haben = großen Hunger haben. Seit dem 18. Jh.
13. mit den Wölfen heulen = in schlechter Gesellschaft seine Eigenart verbergen; als einzelner sich der Mehrheit fügen. Hervorgegangen aus einem seit spät-*mhd* Zeit geläufigen Sprichwort, zusammenhängend mit der Lebensweise der Wölfe in Rudeln. Seit dem 15. Jh.
14. jn durch den ~jagen = jn erledigen. ↗Wolf 10. Seit dem frühen 20. Jh.

Wolfsgrube *f* Vertiefung zwischen den weiblichen Brüsten. Eigentlich die Grube, in der man Wölfe fängt. 1900 *ff.*

Wölkchen *n* sich unter ein ~hängen = im Segelflugzeug fliegen. Segelfliegerspr. 1920 *ff.*

Wolke *f* **1.** ausgezeichnete Sache; Außergewöhnliches; Unübertreffliches. Hergenommen entweder aus dem Wortschatz der Modeschöpfer, die mit „Wolke" einen dünnen, schleierartigen Stoff bezeichnen, oder verkürzt aus „Duftwolke", oder auf die Explosionswolke bezogen (in diesem Fall sachverwandt mit „↗Bombe 1 u. 5"). Wahrscheinlich in Berlin aufgekommen um 1930. Heute *jug.*
2. Person oder Sache, für die man schwärmt. *Halbw* 1955 *ff.*
3. ~auf Eiern = ganz Vorzügliches. *Halbw* 1955 *ff.*
4. ~von Kleid = Tüllkleid. 1920 *ff.*
5. ~von Weib = sehr eindrucksvolle, außergewöhnliche Frau. 1930 *ff.*
5 a. dufte ~ = sehr sympathisches und hübsches Mädchen. *Jug* 1955 *ff.*
6. die letzte ~ = das Unübertreffliche. *Halbw* 1955 *ff.*
7. schöne ~ = große Menge. 1950 *ff.*
7 a. weiße ~ = die das Bett des Kranken umstehenden Ärzte, Assistenzärzte und Krankenschwestern. Krankenhausspr. 1950 *ff.*
8. eine ~angeben = sich aufspielen. Geht zurück auf die Tabakswolke; vgl „↗rauchen = prahlen". 1920 *ff.*
9. etw in die ~n blasen = etw durch einen Volltreffer vernichten. *Sold* 1939 *ff.*
10. eine ~drehen = kräftig rauchen. Wolke =Tabakswolke. 1950 *ff.*
11. den Ball in die ~n dreschen (schießen) = den Fußball hoch treten. *Sportl* 1950 *ff.*
12. aus allen ~n fallen = a) sehr erstaunt sein; einer Sache völlig verständnislos gegenüberstehen; unvorbereitet vor einem schwerwiegenden Ereignis stehen. Man ist gänzlich unwissend wie einer, der vom Himmel plötzlich auf die Erde kommt und sich nicht zurechtfindet. Seit dem 18. Jh. *Vgl franz* „tomber des nues". – b) Fallschirmspringer sein. Fliegerspr. 1939 *ff.*
13. der Ball geht hoch in die ~n = der Fußballspieler spielt den Ball steil aufwärts. *Sportl* 1950 *ff.*
14. in die ~n gucken = bei einer Verteilung benachteiligt werden. Analog zu „in die ↗Röhre gucken" oder „in den Mond schauen" (↗Mond 25). *Sold* 1939 *ff.*
15. mach' nur keine ~! = prahle, übertreibe nicht ↗Wolke 8. *Schül* 1950 *ff.*
16. sich nicht an die ~n polken lassen = sich nicht dreinreden lassen; sich nicht beirren lassen. ↗polken. Beeinflußt von der Lust am Binnenreim. Berlin 1900 *ff.*
17. dicke ~n reden = leere Worte mit Schwulst verbrämen. *Vgl* ↗Wolke 8. 1930 *ff.*

18. es reißt ihn aus allen ~n = es ernüchtert ihn plötzlich. *Vgl* ↗Wolke 21. 1920 *ff.*
18 a. jn aus den ~n runterholen = jds Überheblichkeit (Hirngespinste) dämpfen. 1970 *ff.*
19. das schreit in die ~n = das ist unerhört, skandalös. Analog zu ↗himmelschreiend. 1950 *ff.*
20. ich bin die ~ = ich gehe aus. Gehört zur Vorstellung von einer Duftwolke und entspricht „verduften = weggehen". *Öster* 1950 *ff, jug.*
21. in den ~n schweben (sein) = geistesabwesend sein. Denker, Dichter und Träumer schweben nach gängiger Vorstellung mit ihren Gedanken und Phantasien in höheren Regionen. Seit dem 19. Jh.

Wolkenbruch *m* es klärt sich auf zum ~ = a) die Wetterbesserung ist nur vorübergehend. *Iron* Redewendung, 1920 *ff*. Aus Berlin ist für 1840 verbürgt: „es klärt sich dick auf = es bleibt bewölkt". – b) das Abkommen entspannt die politische Lage nur vorübergehend (nur scheinbar). 1938 *ff.*

Wolkenkratzer *m* **1.** großwüchsiger Mensch. Meint eigentlich das Hochhaus (lehnübersetzt aus dem *angloamerikan* Scherzausdruck „skyscraper"). 1910 *ff.*
2. aufwendiger, hochgestalteter Damenhut. 1910 *ff.*
3. Flugzeugführer. *Sold* in beiden Weltkriegen.

Wolkenmädchen *n* Flugzeugstewardeß. 1950 *ff.*

Wolkenschieber *m* **1.** breitkrempiger Hut; hoher Dreispitzhut. In übertreibender Auffassung ist er so hoch in die Wolken, daß er deren Lage verändern kann. Seit dem 19. Jh.
2. Mütze mit breitem Schirm. Seit dem 19. Jh.
3. Schnaps. Er schiebt gleichsam die Wolken des Unmuts beiseite. 1870 *ff.*
4. Kulissenschieber, Bühnenarbeiter. Theaterspr. 1900 *ff.*
5. Meteorologe. 1920 *ff.*
6. Flugzeugführer. *BSD* 1965 *ff.*
7. Müßiggänger; Arbeitsscheuer; Landstreicher. 1900 *ff.*

Wolkenschiebermütze *f* Mütze mit breitem Schirm; Sportmütze. ↗Wolkenschieber 2. Vorform von „↗Schiebermütze". 1870 *ff.*

Wolkenstößer *m* Zylinderhut. *Vgl* ↗Wolkenschieber 1. Seit dem 19. Jh.

wolkenweich *adj* sehr weich. Werbetexterspr. 1975 *ff.*

wolkig *adj* **1.** undeutlich; vage; sich in Unklarheit hüllend (von Äußerungen gesagt). 1960 *ff.*
2. hervorragend. ↗Wolke 1. *Halbw* 1955 *ff.*

Wolle *f* **1.** sehr langes Kopfhaar; dickes, dichtes Kopfhaar. Vom Haarkleid der Schafe, Angorahasen usw. übertragen. 1870 *ff.*
2. Brustbehaarung des Mannes. 1920 *ff.*
3. Schamhaare der Frau. 1900 *ff.*
4. Marihuana u. ä. Übersetzt aus *angloamerikan* „cotton", was im Slang „Hanf = Haschisch =Marihuana" bedeutet. *Halbw* 1960 *ff.*
5. in der ~gefärbt (eingefärbt) = unverfälscht; überzeugungstreu; charakterlich zuverlässig. Die Farbe bleibt länger erhal-

ten, wenn man die Wolle färbt, wohingegen bei Färben des fertigen Gewebes die Farbe schneller vergeht. Etwa seit 1830/40. *Vgl engl* „dyed in the wool".

6. jn in die ~bringen = jn in Erregung versetzen. „In der Wolle" meint soviel wie „in Hitze" (man kennt die „hitzige Debatte", den „Heißsporn", „hitzig werden" usw.). 1900 *ff*.

7. bei jm in die ~gehen = bei jm beschäftigt sein. Bezieht sich ursprünglich wohl auf eine Tuchmanufaktur. Berlin 1840 *ff*.

8. jm in die ~greifen = a) jn an den Haaren ergreifen, zerren. ↗Wolle 1. 1900 *ff*. – b) eine Frau intim betasten. ↗Wolle 3. 1900 *ff*. – c) jn hart anfassen, grob behandeln, vor anderen bloßstellen. 1500 *ff*.

9. einander (sich mit jm) in der ~haben = miteinander streiten, handgreiflich werden. ↗Wolle 6. Seit dem 19. Jh.

10. in die ~kommen = aufbrausen. ↗Wolle 6. 1900 *ff*.

11. sich in die ~kriegen (geraten) = zu streiten beginnen; zornig werden; aufeinander losgehen. Analog zu ↗Haar 31. Seit dem 19. Jh.

12. jn bei der ~kriegen = jn am Haarschopf ergreifen. Seit dem 19. Jh.

13. jm die ~ scheren = a) jm die Haare schneiden. ↗Wolle 1. 1900 *ff*. – b) jn ausnutzen; jm Geld abnötigen. ↗scheren. *Nordd* 1900 *ff*.

14. in der ~ sein = eine Frau intim betasten. ↗Wolle 3. 1900 *ff*.

15. gut (warm) in der ~ sitzen (sein, sich befinden) = ein sorgloses Leben führen; gut versorgt sein; wohlhabend sein. Die Wolle der Schafe steht hier sinnbildlich für den Reichtum, auch für „Wärme = Geborgenheit". *Vgl* auch „↗warm 23". Seit dem 18. Jh.

16. bei jm in der ~ sitzen = sich jds Wohlwollen erfreuen. 1900 *ff*.

wollen *v* **1.** jm etw ~ = jm etw zuleide tun wollen. Hinter „etwas" ergänze „Übles, Böses" o. ä. Seit dem 19. Jh.

2. wer nicht will, hat schon = wer nicht zugreift, ist bereits versehen. Erwiderung auf ein Danke, mit der einer beim Essen nicht nochmals zugreifen möchte. 1850 *ff*.

3. wer will nochmal, wer hat noch nicht?: Frage an die Tischgäste, ob man noch einmal auffüllen darf. Hergenommen von der Einladung der Jahrmarktausrufer zum Betreten der Schießbude o. ä. 1920 *ff*.

4. dann wollen wir mal wieder!: ermunternder Ausruf zur Wiederaufnahme der Arbeit. Zu ergänzen ist „an die Arbeit gehen" oder „sich auf den Marsch machen" o. ä. 1930 *ff*.

5. mögen hätte ich schon ~, aber dürfen habe ich mir nicht getraut: gern hätte ich es getan, aber es fehlte mir der Mut dazu. 1920 *ff*.

Wollknäuel (Wollknäuerl) *n* lang- und rauhhaariger Mensch. 1900 *ff*.

Wollmäuse *pl* Flocken aus Gewebehaaren unter Möbeln, in der Hosentasche o. ä. Sie sind grau und fassen sich wollig an. 1890 *ff*.

Wollschwein *n* eierlegendes und milchgebendes ~ = Alleskönner. Karikaturistische Verbindung von Huhn, Kuh, Schaf und Schwein. *BSD* 1968 *ff*.

Wollustutensilien *pl* weibliches Geschlechtsorgan. Seit dem späten 19. Jh.

Wonne *f* **1.** ~ in Dosen = sehr eindrucksvolle Sache. Hergenommen von Leckereien in Dosen (Geschenkpackungen). *Vgl* ↗Wucht 8. *Schül* 1950 *ff*; *sold* 1958 *ff*.

2. zur ~ der Gattin = Urlaub daheim. Deutung der Abkürzung „zWdG" (zur Wiederherstellung der Gesundheit). *Sold* seit dem Ersten Weltkrieg.

3. ~ in Scheiben = hervorragende Sache. Hergenommen von Früchten, die in Scheiben verkauft oder vorgelegt werden (Ananasscheiben; kandierte Fruchtscheiben). *Vgl* ↗Wucht 10. 1950 *ff, jug.*

4. ~ in Tüten = großartige Angelegenheit. Geht zurück auf Tüten mit Gebäck- oder Pralinenmischungen oder auf die sogenannten „Wundertüten", in denen manche Überraschung versteckt ist. *Vgl* ↗Wucht 11 und 13. 1950 *ff, jug.*

5. ~ eingemacht = unübertrefflicher Vorfall. ↗Wonne 1; *vgl* ↗Wucht 15. *Schül* 1950 *ff*.

6. mit ~ (mit wahrer ~) = sehr gern. Analog zu „mit Freuden". Studenten-, Backfisch- oder Leutnantsdeutsch seit dem späten 19. Jh.

7. an etw wie wahre ~ haben = sich an (über) etw sehr freuen. 1830 *ff*.

8. in ~ panschen = sehr vergnügt sein. ↗panschen. 1960 *ff*.

9. das ist eine wahre ~ = das ist großartig, sehr erfreulich, ein wundervoller Anblick u. ä. 1920 *ff*.

10. dann war alles wieder ~ und Griesschmarrn = dann war alles wieder in schönster Ordnung. *Österr*; 1910 *ff*.

11. dann war alles wieder ~ und Waschtrog = dann war alles wieder gut. *Österr*, 1910 *ff*.

Wonnebalken *m* Sitzstange der Feldlatrine. „Wonne" spielt auf den Umstand an, daß man während des Sitzens jeglichem Dienst und jeglicher Kontrolle enthoben ist. *Sold* 1939 *ff*; *jug* 1948 *ff*.

Wonnebrocken *m* intime Freundin; Geliebte. ↗Brocken 9. 1955 *ff*.

Wonneflöckchen *n* Kosewort. 1950 *ff*.

Wonnegrunzen *n* mit ~ = sehr gern. Das grunzende Schwein ist ein Bild der Behaglichkeit, des satten Behagens. *Vgl* das Folgende. *Österr* 1920 *ff*.

wonnegrunzen *intr* über etw ~ = sich über etw amüsieren. *Vgl* das Vorhergehende und das Folgende. 1920 *ff*.

wonnegrunzend *adj* hocherfreut; sich wohl fühlend; vor Heiterkeit strahlend. Wohl Nachahmung von Vokabeln wie „wonneschluchzend", „wonnetrunken" u. ä. 1920 *ff*, *bayr*.

Wonnekloß *m* netter, lieber Mensch (auch *iron*). ↗Kloß 1 und 2. Berlin und *sächs*, 1870 *ff*.

Wonnepfropfen (-proppen) *m* **1.** Kosewort für eine weibliche Person. Pfropfen = untersetzter Mensch. Seit dem ausgehenden 19. Jh, *niederd*, Berlin und *sächs*.

2. kleinwüchsiger Mann. *BSD* 1965 *ff*.

3. mißliebiger Mann *(iron)*. 1910 *ff*.

Wonne-Utensilien *pl* weibliches Geschlechtsorgan. 1900 *ff*.

wonnig *adj* schön, nett, reizvoll, angenehm. Eigentlich soviel wie „ein Wonnegefühl erregend" (Richard Wagner, „Die Walküre"); von daher im Backfischdeutsch zu

superlativischer Geltung entwickelt. 1900 *ff*.

Wort *n* **1.** ~ zum Bierholen = „Das Wort zum Sonntag" im Deutschen Fernsehen. Anspielung auf den Umstand, daß der uninteressierte Fernsehzuschauer die Zeit lieber zum Bierholen nutzt. 1974 *ff*.

2. ~ Gottes in Feldgrau = Militärgeistlicher in Uniform. „Wort Gottes = Heilige Schrift". *Sold* 1914 *ff*.

3. ~ Gottes vom Lande (Gottes ~ vom Lande; wandelndes ~ Gottes vom Lande) = Dorfpfarrer. Etwa seit 1800.

4. den ~ in Gottes Ohr (Gehörgang)! = möge es sich bewahrheiten! Fußt auf der jüdischen Vorstellung, daß Gott dem Beter sein Ohr leiht. Übliche Darstellung in der jüdischen Kunst. Spätestens um 1910 aufgekommen.

5. mit dürren ~en = ohne Umschweife; unverschönt. Dürr = trocken, mager, schmucklos. 1500 *ff*.

6. gestandene ~e = treffsichere Worte. ↗gestanden. *Bayr* 1920 *ff*.

7. krummes ~ = abträgliche, gehässige Äußerung. ↗krumm 13. 1920 *ff*.

8. jn mit leeren (glatten, trockenen) ~en abspeisen. ↗abspeisen 2.

9. ein großes ~ gelassen aussprechen = Bedeutendes bescheiden äußern; unbedacht eine dumme Äußerung machen. Ironisiert nach Goethes „Iphigenie" (1787). 1840 *ff*.

9 a. jn mit ~en besoffen machen = jn mit leeren, wohlklingenden Redensarten zu beschwatzen suchen. 1900 *ff*.

10. entschuldigen (verzeihen) Sie das harte ~: Redewendung, wenn man einen anstößigen oder derben Ausdruck verwendet hat (Beispiel: das ist eine beschissene Geschichte; entschuldigen Sie das harte Wort „Geschichte"). 1920 *ff*, *stud*.

11. das ~ haben = mit dem Ausspielen an der Reihe sein; die Spielfarbe zu bestimmen haben. Kartenspielerspr. seit dem 19. Jh.

12. hast du ~e (hast du ~e für so 'ne Sorte; der Mensch ~e)? = Ausdruck der Überraschung. Der Betreffende ist sprachlos. Berlin, etwa seit 1850; auch *sächs, rhein* u. a.

13. das große ~ haben = sich aufspielen; viel Wesens von sich machen. 1890 *ff*.

14. Wörter am Leibe haben = unfeine Ausdrücke verwenden. 1900 *ff*.

15. es nicht ~ haben wollen = es nicht wahr haben wollen; es nicht gelten lassen. Wort = entscheidendes Wort; bindende Zusage. Seit dem 19. Jh.

16. immer (bei allem) das letzte ~ haben wollen (müssen) = rechthaberisch sein; nicht zu überzeugen sein. Seit dem 19. Jh.

17. zu ~ kommen = aus der Verteidigung zum Angriff übergehen. Meint eigentlich „ans Sprechen kommen; sich Gehör verschaffen". *Sportl* 1950 *ff*.

17 a. jm ~e in den Mund legen = dem Mitschüler vorsagen. 1960 *ff*.

18. jm das ~ im Munde rumdrehen (verdrehen) = jds Äußerung absichtlich mißverstehen; jds Worte aus Gehässigkeit anders auslegen. Umdrehen = das Innere nach außen, das Äußere nach innen drehen. 1500 *ff*.

18 a. im ~ sein (stehen) = durch ein Versprechen gebunden sein. 1965 *ff*.

19. ein paar warme ~e sprechen = ein

paar Worte herzlicher Freude oder Anteilnahme sagen. „Warm" bezieht sich auf das menschlich-herzliche Empfinden, steht aber oft auch für eine gefühlstriefende Äußerung, auf die man lieber verzichten möchte. *Stud* 1920 *ff.*

20. jm jedes ~ aus der Nase ziehen müssen = von einem Wortkargen mühsam eine Antwort erwirken. Variante zu „jm die ⟋Würmer aus der Nase ziehen". 1920 *ff.*

Wortbalgerei *f* Wortwechsel. ⟋balgen. 1950 *ff.*

Wörtchen *n* **1.** ein ~ mitzureden haben = mitzuentscheiden haben. „Wörtchen" meint hier nur scheinbar das unbedeutende Wort; in Wirklichkeit ist das gewichtige Wort gemeint. 1800 *ff. Vgl engl* „to have a say in everything" und *franz* „avoir son mot à dire".
2. ein ~ mitreden wollen = Mitentscheidung fordern. 1955 *ff.*
3. mit jm ein ~ zu reden haben = jn streng zur Rede stellen. 1900 *ff.*

Wortfickerei *f* inhaltslose Rede; von Schwulst überlagerte Rede. Bezieht sich eigentlich auf einen, der mit seinem Geschlechtsvermögen prahlt, aber beim Beweis versagt. 1933 *ff.*

wortreicheln *intr* schwätzen; leere Redensarten von sich geben. Man redet wortreich, aber substanzlos. 1930 *ff.*

Wotan *m* **1.** das walte ~!: Ausdruck der Hoffnung auf Eintritt des Gewünschten. Umgeformt aus „das walte Gott!", vielleicht als Spott auf deutsch-völkische Redewendungen. Wotan ist die höchste Gottheit der *germ* Mythologie. 1929 *ff.*
2. das walte ~ und die sieben Geißlein! = möge es so werden! einverstanden, ich billige es! Nach dem Muster des Vorhergehenden entstellt aus dem Märchen: „Der Wolf und die sieben Geißlein". 1933 *ff.*

Woyzeck *m* Angehöriger des Mannschaftsstandes. Geht zurück auf die Szenenfolge „Woyzeck" von Georg Büchner; sie spielt im Armeleuteleben der Soldaten. Die Bezeichnung scheint 1970/71 durch einen Fernsehfilm aufgekommen zu sein. *BSD* 1971 *ff.*

Wubuk *m* Kulturbeutel. Abkürzung von „⟋Wochenend- und Beischlaffutensilienkoffer". 1920 *ff.*

Wucht *f* **1.** Prügel, Strafe o. ä. Nebenform zu „Gewicht", auch im Sinne von „schwere Last". 1840 *ff*, Berlin, *ostmitteld* u. a.
2. große Menge; heftiger Beschuß; sehr viel. Seit dem späten 19. Jh, vorwiegend *schül* und *sold.*
3. eine ~ (das ist 'ne ~; das ist die ~) = ausgezeichnete, unüberbietbare Sache; große Kostbarkeit; unüberbietbarer Könner. Spätestens seit dem ausgehenden 19. Jh; *schül, stud, sold* und *sportl.*
4. Essensportion. Meint die „große Menge" ernsthaft oder spöttisch. *Sold* in beiden Weltkriegen.
5. üppiges Kopfhaar. *Jug* 1955 *ff.*
6. unnötige Aufregung; übertriebene Umstände. Vom Begriff „Gewichtigkeit" weiterentwickelt zur Bedeutung „vermeintlich Wichtiges". 1900 *ff.*
7. großwüchsiger, kräftiger, massiger Mensch; Könner. 1890 *ff*, *nordd* und *westd.*
8. ~ in Dosen = großartige Sache. ⟋Wonne 1. 1950 *ff.*

9. ~ in Säcken = sehr eindrucksvolle Sache. Übertragen von sackweise gelieferter Ware, vor allem von Obst. 1950 *ff.*
10. ~ in Scheiben = hervorragende Sache. ⟋Wonne 3. 1950 *ff, jug.*
11. ~ in Tüten (in Tüten und Dosen) = unübertreffliche Sache. ⟋Wonne 4. 1945 *ff, jug.*
12. ~ nebst Wolke = etw Vortreffliches. ⟋Wolke 1. Berlin 1950 *ff.*
13. ~ in Zuckertüten = Unüberbietbares. 1950 *ff.*
14. eine schaffe ~ = etw Außerordentliches. ⟋schaffe. Berlin 1955 *ff, jug.*
15. eingemachte ~ = großartige Leistung. ⟋Wucht 8; *vgl* ⟋Wonne 5. 1950 *ff, schül.*
15 a. einsame ~ = unerreichter Könner. 1920 *ff, jug.*

Wuchtbrumme *f* **1.** munteres junges Mädchen in reizvoller Aufmachung. ⟋Wucht 3; ⟋Brumme 2. *Halbw* 1955 *ff;* von Berlin ausgegangen.
2. etw Hervorragendes, beifällig Aufgenommenes (Person oder Sache). 1955 *ff,* Berlin.

wuchten *v* **1.** *tr* = Schweres heben; schwere körperliche Arbeit verrichten. Gehört zu „Gewicht" und bezieht sich im besonderen auf den Hebelarm zum Bewegen schwerer Lasten. 19. Jh; von Nord- und Ostmitteldeutschland ausgegangen.
2. *tr intr* = schießen; schwere Granaten abfeuern. *Sold* in beiden Weltkriegen.
3. *intr* = unter Einsatz aller Kräfte rudern. *Marinespr* und *sportl* 1930 *ff.*
4. *intr* = eine lange Strecke schwimmen. 1930 *ff.*
5. *intr* = den Ball sehr kräftig treten. *Sportl* 1930 *ff.*
6. *intr tr* = (viel) essen. ⟋Wucht 4. *Sold* in beiden Weltkriegen.
7. *intr* = sich schwerfällig bewegen; sich wiegend bewegen; wie ein Seemann gehen. 1850 *ff.*
8. *tr* = jm schwer zu schaffen machen; jm absichtlich Schwierigkeiten bereiten. 1910 *ff, ziv* und *sold.*
9. jm eine ~ = jm eine schallende Ohrfeige geben. 1900 *ff,* Berlin und *nordd.*

wuchtig *adj* **1.** sehr beachtlich; hervorragend. ⟋Wucht 3. *Jug* 1950 *ff.*
2. das ist halb so ~ = das ist halb so wichtig. 1950 *ff.*

wudeln *intr* Verwirrung, Unruhe stiften; aufwiegeln. Nebenform zu „⟋wurlen", wohl verwandt mit „wühlen". Seit dem 19. Jh, *bayr* und *österr.*

Wühl *m* Menge anstrengender Arbeit. Gehört zu „wühlen" und „Gewühl". *Rhein* 1900 *ff.*

Wühlarbeit *f* Durchstöbern der Tische mit den Stoffresten gelegentlich der Schlußverkäufe. 1960 *ff.*

wuhlen (wühlen) *intr* schwer, eifrig arbeiten. Eigentlich soviel wie „graben; aufwerfen; tief schürfen; durchsuchen". *Sold* 1900 bis heute.

Wühlmixtur *f* starkes Abführmittel. Es wühlt die Därme auf. 1910 *ff.*

Wühltisch *m* Verkaufstisch mit Waren, die der Kunde frei aussuchen kann. 1950 *ff.*

'wulacken ('wullachen) *intr* schwer arbeiten. Wahrscheinlich um die *slaw* Endung „-ak" (*dt* Schreibweise: Polack, Böhmack) erweitertes Verbum „wühlen". Ver-

mutlich von Ostpreußen aus im Gefolge polnischer Bergleute und Landarbeiter zur Ruhr und an die Saar gewandert. 1920 *ff.*

Wulst *m* Kunst kommt von „können"; meint es von „wollen", hieße es ~: Redewendung laienhafter Kunstkritiker, meist bezogen auf handwerklich nicht meisterlich erscheinende Malweise. 1920 *ff.*

wumm *interj* **1.** Klangnachahmung eines heftigen Hiebes, Stoßes o. ä. Daher „wummen = dumpf dröhnen". Geht beim Fußballspiel der heftig getretene Ball hoch über oder weit neben das Tor, ruft die Menge einstimmig „wumm!". Auch in den Sprechblasen der „Comic-Strips" kennzeichnet „wumm" den dumpfen Lärm beim Türzuschlagen o. ä. 1920 *ff.*
2. Ausruf des Erstaunens. Meint eigentlich das dumpfe Geräusch beim Aufprall eines Niederstürzenden. Vor Überraschung verliert man das Bewußtsein. *Schül* 1950 *ff, österr.*

Wumm *m* Energie, Schwung. Vom Vorhergehenden übertragen im Sinne von Kraftfülle, Körperkraft o. ä. Vielleicht von der Reklame („Bier hat Wumm") entlehnt. 1968 *ff.*

Wumme *f* **1.** Stoßkraft des Fußballspielers. ⟋wumm 1. *Sportl* 1969 *ff.*
2. Revolver, Pistole, Gewehr o. ä. Lautmalerei für das Geräusch beim Abfeuern. *Sold* 1939 bis heute.

wummen *intr tr* koitieren (vom Mann gesagt). Schallnachahmende Variante zu „⟋schießen 11". 1950 *ff.*

wummern *intr* **1.** schießen. Lautmalend für den dumpfen Klang von Abschuß und Einschlag. *Sold* 1914 *ff.*
2. den Fußball heftig treten. ⟋wumm 1. *Sportl* 1950 *ff.*

Wunder *n* **1.** das deutsche ~ = a) Entstehung des kraftstrotzenden NS-Reiches aus „dem völlig erschöpften, ausgebluteten und ausgeplünderten deutschen Volk" (wörtliches Zitat aus einer Rede von Dr. Robert Ley, „Deutsche Arbeitsfront"). 1942 *ff.* – b) Gegenangriff der deutschen Truppen im November und Dezember 1944. Die Bezeichnung stammt aus der Presse der Alliierten. Meint eigentlich die Wiederstandskraft des Wirtschaftslebens in der Bundesrepublik Deutschland nach der Währungsumstellung des Jahres 1948. *Vgl* ⟋Wirtschaftswunder 2.
2. des deutschen ~s liebstes Kind = Volkswagen. 1958 *ff.*
3. das weiß-blaue ~ = Auto, Marke BMW. Weiß- Blau = bayerische Landesfarben. 1966 *ff.*
4. sein blaues ~ erleben = peinlich überrascht werden; sehr enttäuscht werden; sich in seinen Erwartungen betrogen sehen. Leitet sich her von narkotisch wirkenden Dämpfen, mit welche Zauberkünstler die Beobachtungsgabe der Zuschauer zu beeinträchtigen suchten. 1600 *ff.*
5. wenn ich dies ~ fassen will, so steht mein Geist vor Erfurt still: Redewendung, wenn ein Kartenspiel wider Erwarten gewonnen wurde. „Erfurt" ist aus „Ehrfurcht" entstellt. Die Textzeile fußt auf dem Kirchenlied „Dies ist der Tag" von Christian Fürchtegott Gellert. Kartenspielerspr. seit dem 19. Jh.
6. aus jm ein anatomisches ~ machen =

jn bis zur Unkenntlichkeit verprügeln. 1920 ff.

wunderbar adj ~ ist Dreck dagegen = es ist überaus schön. ↗bildschön 2. 1920 ff, jug.

wunderfitzig adj neugierig; starr blickend. Kann auf „witzig = wißbegierig" beruhen oder auf „fitzen" in der Bedeutung „(die Sinne) reizen". Oberd seit dem 19. Jh.

wunderhaftbarlich adj adv außerordentlich. Von Jugendlichen gegen 1950 scherzhaft zusammengesetzt aus „wunderbar", „wunderhaft" und „wunderlich".

wunderlich adj schlechtgelaunt, launisch. Eigentlich soviel wie „sonderbar"; hier verengt auf ungewohnte Stimmung. Seit dem 15. Jh.

Wundermann m 1. Mann, dem man Wunderheilungen nachsagt. 1960 ff.
2. einen ~ machen = staunend zusehen. 1955 ff, halbw.

'wunder'nett adj überaus nett. Bayr und österr, 1900 ff.

wunderprächtig adj großartig. 1940 ff.

wunderprima adj adv hervorragend, unübertrefflich. Steigerung von ↗prima. 1950 ff, jug.

wunderschön adj 1. ~ ist ein (der reinste) Dreck dagegen = es ist unübertrefflich. ↗bildschön 2. 1920 ff.
2. ~ ist nichts dagegen = das ist großartig (auch iron). Berlin 1880 ff.

Wundertier n 1. Mensch, von dem viel Aufhebens gemacht wird. Hergenommen von einem Tier, das auf dem Jahrmarkt o. ä. als „Wunder" vorgeführt wird. Seit dem 18. Jh auf Menschen angewandt.
2. jn ansehen wie ein ~ = jn erstaunt, befremdet, mißtrauisch anblicken. 1900 ff.

Wundertüte f 1. Kopf. Eigentlich die Tüte, in die man allerlei Überraschungen packt (z. B. eine kleine Puppe zwischen Backwerk). Ein Mensch, dessen Kopf man als „Wundertüte" bezeichnet, überrascht oft mit seinen Einfällen. BSD 1965 ff.
2. Präservativ. 1910 ff.
3. Kastenmine. Wer auf sie tritt, „wird sich wundern". Sold 1939 ff.
4. Panzerabwehrgeschoß. Sold 1939 ff.
5. Atombombe. 1945 ff.
6. Stahlhelm. ↗Tüte 4. BSD 1965 ff.
7. ABC-Munition. BSD 1965 ff.
8. wunderlicher Mensch; Dummer. ↗Tüte 3. 1920 ff.
9. geschickt angelegter Plan zum Schaden eines anderen. 1950 ff.
10. du hast einen Kopf wie eine ~, in jeder Ecke eine Überraschung: Redewendung angesichts einer ungewöhnlichen Kopfform. 1935 ff.
11. es war wie eine ~, an jeder Ecke eine Überraschung = es war überaus spannend. 1930 ff.

Wunsch m 1. des Knaben ~ = Auto, Marke DKW. Die Abkürzung DKW entstand 1916 aus „Dampf-Kraft-Wagen"; von da 1919 übertragen auf einen Spielzeug-Zweitaktmotor, den J. S. Rasmussen „Des Knaben Wunsch" nannte. Aus diesem Motor wurde später der DKW-Zweitaktmotor für Motorräder und Personenkraftwagen entwickelt. Jug 1930 ff.
2. ~ eines Vorgesetzten = dienstlicher Befehl. Ironisierung. BSD 1965 ff.
3. der große ~ = Koten. 1900 ff, kinderspr.

4. der kleine ~ = Harnen. 1900 ff, kinderspr.
5. dein ~ ist mir Befehl = ich tue, was du willst. Scherzhafte Redewendung. 1880 ff.

wünschen v ich wünsch' dir was = ich wünsche dir guten Appetit. 1900 ff.

Wupp (Wups) m Ruck; plötzlicher Sprung; Hochschnellen. Gehört zu „wippen = schnellen". 1900 ff.

Wuppdich (Wuppdi) m 1. Schwung; schwungvoller Sprung; schnelle Bewegung. Substantivierung des Imperativs „wupp dich! = bewege dich schnell! schnelle hoch!". Seit dem 19. Jh.
2. kleines Glas Bier; kleiner Schnaps; Schluck Schnaps. Das Glas wird rasch geleert, mit ruckartiger Bewegung ausgetrunken. 1850 ff.
3. im (mit einem) ~ = schnell; mit Schwung. Seit dem späten 18. Jh.
4. einen ~ schieben = ein Glas leeren. 1920 ff.

Wuppdichbude f Schnellimbißstube; Automatenrestaurant. Berlin 1920 ff.

Wuppdizität f Schnelligkeit, Geschmeidigkeit. Eine Scherzbildung, entstanden aus „Wuppdich" und „Elektrizität". Gegen 1860 aufgekommen, vielleicht in Berlin.

Wups m ↗Wupp.

wups adv rasch, flink. Interjektion zu „wippen = schnellen". Niederd seit dem 19. Jh.

'wurachen intr angestrengt arbeiten; schwere körperliche Arbeit verrichten. Im 19. Jh zusammengewachsen aus „würgen" und „marachen", beide in der Bedeutung „sich heftig anstrengen"; nordd, ostd und westd.

würde ich würde sagen = dazu meine ich. Die Redewendung setzt eigentlich den Nebensatz „wenn ich gefragt worden wäre" voraus. Die sprachliche Modetorheit oder bloße „Kunstpausen"- Überbrückung ist es, wenn der Betreffende tatsächlich gefragt worden ist und auch tatsächlich antwortet. 1950 ff.

Wurf m 1. Stoß mit dem Ellbogen. Übernommen von der ausholenden Bewegung des Mähers oder Sämanns. Bayr 1900 ff.
2. Schluck Schnaps; kleiner Schnaps. Er ist schnell in den Mund geworfen. Seit dem 18. Jh.
3. Alkoholrausch. Er wirft den Zecher um. Bayr 1900 ff.
4. Rauschgift; Rauschgifttrausch. Halbw 1965 ff, bayr.
5. großer ~ = hervorragende Leistung; erfolgreiche Handlungsweise. Stammt aus dem Wortschatz der bildenden Künstler; eigentlich ist der Faltenwurf gemeint. Vgl „↗Schmiß 2". Seit dem 19. Jh.
6. schmaler ~ = unbedeutender Mensch; Schwächling. Wurf = Brut der Säugetiere. 1935 ff.
7. jm in den ~ kommen = jm zufällig begegnen. Wurf = Sensenschwung. Seit dem 18. Jh.

Würfel pl 1. Zeugnisnoten. Die Schüler halten (nur die schlechten) Noten für Ergebnisse des Würfelns unter den Lehrern. Die Punkte auf den Würfeln entsprechen den Noten von 1 bis 6. 1950 ff.
2. mit drei ~n Zwanzig würfeln = für unmöglich Gehaltenes möglich machen. 1950 ff.

würfeln intr 1. sich erbrechen. Die Nah-

rung wird in würfelförmigen Stücken erbrochen. 1910 ff.
2. (stark) essen. Hergenommen vom würfelförmigen Zuschneiden von Brot, Wurst und Speck, wenn man im Freien ißt. Österr 1940 ff, sold und jug.
3. Leistungen beurteilen. ↗Würfel 1. Schül 1950 ff.

Wurfkanone f tüchtiger Handballspieler. ↗Kanone 4. Sportl 1960 ff.

würg präd langweilig, widerlich. Das Gemeinte wirkt wie ein Würgen im Hals. 1980 ff, jug.

Würgeknoten m Krawatte; Selbstbinder mit sehr dünnem Knoten. 1920 ff.

würgen tr jn umarmen, umhalsen. Österr 1920 ff, stud.

Würger m Wucherer; Preisüberforderer. Seit mhd Zeit.

Würge'rei f Mühsal; schwierige Arbeit. Bedeutungsverengung von „würgen = Speise mit Anstrengung in die Speiseröhre befördern". 1900 ff.

wurlen (wurln) v 1. intr = wimmeln, krabbeln. Gehört zu „wirren = Unruhe verursachen" und ist wohl von „wirbeln" beeinflußt. Bayr und österr, seit dem 19. Jh.
2. intr = wühlen, bohren. Österr 1900 ff.
3. intr = grollen. Österr 1900 ff.
4. tr = etw betasten. Österr 1920 ff.

wurlert (wurlat) adj geschlechtlich erregt; mannstoll. ↗wurlen 1. Gemeint ist ein innerliches Krabbeln. 1920 ff, österr.

Wurm I m 1. Penis. Wegen der Formähnlichkeit. 1500 ff.
2. unbedeutender Untergebener. Er „kriecht" wie ein Wurm. 1930 ff.
3. Dienstgradabzeichen des Sanitätssoldaten. Die Äskulapschlange wird als Wurm aufgefaßt. Sold 1914 bis heute.
4. kunstvoll zusammengerollte Hängematte. Sie wird wurm- und wurstartig gerollt, nimmt auf diese Weise den geringsten Platz ein und kann in das vorgeschriebene Fach eingeschoben werden. Marinespr 1920 ff.
5. pl = Gesamtdauer des Freiheitsentzugs. Die Verbüßung der Freiheitsstrafe nennt man „brummen"; dasselbe Verbum hat auch die Bedeutung „sich mißvergnügt äußern; mürrisch sein". Damit bedeutungsverwandt ist „↗wurmen". Von da ergibt sich wohl die Brücke zu „Würmer". Rotw seit dem späten 19. Jh.
6. pl = erzielte Pluspunkte. Entweder hat man sie im Sinne des Vorhergehenden „verhaftet", oder man hält es mit gespielter Geringschätzung. Kartenspielerspr. 1920 ff.
7. der ~ im Ganzen = verborgener Schaden. Übertragen vom wurmstichigen Obst. 1900 ff.
8. es geht ihm ein ~ ab = er gibt es ungern. Der Betreffende scheint dermaßen geizig zu sein, daß er nicht einmal seinen Bandwurm hergeben mag. Westd 1920 ff.
9. jm einen (im Würmchen) abtreiben = jn an straffe Zucht gewöhnen. Hergenommen von einem stark wirkenden Mittel gegen Bandwurm. 1850 ff.
10. Würmer baden = angeln. Hergenommen vom Wurm als Köder an der Angel. Wird im Witz als Ausrede gebraucht von einem, der unbefugt angelt. 1900 ff.
11. auf jn fliegen wie die Würmer auf Aas

= sich von jm unwillkürlich angezogen fühlen. ↗fliegen 5. 1960 ff.

12. unter die Würmer geraten = sterben; den Soldatentod erleiden. 1830 ff.

13. Würmer (einen ~) im Kopf haben = a) nicht recht bei Verstand sein; wunderliche Einfälle haben. Zur Erklärung vgl „↗Drehwurm 1". 1900 ff. – b) hochmütig sein. Hochmut gilt in volkstümlicher Auffassung als Zeichen von Dummheit. 1900 ff.

14. jm einen ~ unter das Dach jubeln = jm einen aufstachelnden Gedanken eingeben; jm etwas Unsinniges einreden. Wurm = wunderlicher Einfall. 1950 ff.

15. da kommt der ~ rein = da macht sich ein arger Schaden bemerkbar; da bahnt sich Unfriede an. ↗Wurm I 7. 1900 ff.

16. ihm kommt der ~ = er wird wütend, braust auf. ↗Wurm I 13; ↗wurmen. 1900 ff.

17. der ~ nagt = es kriselt. ↗Wurm I 15; ↗wurmen. 1900 ff.

18. dir nagt wohl ein ~ im Hirn? = du bist wohl nicht recht bei Verstand? ↗Wurm I 13. 1900 ff.

19. der ~ schwimmt im Wasser = da offenbart sich eine verlockende Sache; da macht sich ein Anreiz bemerkbar. Hergenommen vom Wurm als Köder an der Angel. 1920 ff.

20. den ~ schwimmen lehren = angeln. Vgl ↗Wurm I 10. 1900 ff.

21. jm den ~ segnen = jn heftig zurechtweisen. Unwissend und abergläubisch hielt man früher viele Krankheiten für Hervorbringungen von Würmern. Man glaubte, sie durch Segnungen bekämpfen zu können. 1900 ff.

22. da ist der ~ drin = die Sache hat einen mehr oder minder verborgenen Schaden; die Behauptung ist unhaltbar; die Ausrede ist nicht überzeugend; der Betreffende ist nicht unbescholten. Hergenommen vom Wurm im Obst. 1900 ff. Vgl franz „cela n'est pas piqué de ver" und ital „questo non ha i bachi".

23. der ~ tritt, wenn er gekrümmt wird: scherzhafte Verdrehung von „der Wurm krümmt sich, wenn er getreten wird". Mit der Verdrehung ist gemeint, daß auch der mißachtete Mensch (↗Wurm I 2) sich gegen Unrecht und Kränkung aufbäumt. Berlin seit dem frühen 20. Jh.

24. Würmer wässern = angeln. ↗Wurm I 10. 1900 ff.

25. jm die Würmer aus dem Arsch ziehen = jn zu übertölpeln suchen, um ihm ein Geständnis zu entlocken oder ihn zu einer Sache zu veranlassen. Derbe Variante zum Folgenden, hier bezogen auf die Abtreibung von Bandwürmern. 1935 ff.

26. jm die Würmer aus der Nase ziehen = jm ein Geheimnis nach und nach entlocken; jn scharf verhören. Hergenommen vom Eingriff des Arztes bei Nasenverstopfung, Polypen usw. Spätestens seit 1700. Vgl franz „tirer des vers du nez de quelqu'un", ital „tirar i maccheroni dal naso di qualcheduno", engl „to worm a secret out of a person".

Wurm II n 1. Kind. Wegen der kriechenden Fortbewegungsweise des kleinen Kindes. Das grammatikalische Geschlecht ist durch das natürliche verändert. Seit dem 18. Jh.

2. Schüler der Unterstufe; Schulanfänger. 1930 ff.

3. armes ~ = bedauernswertes Kind. 1700 ff.

Würmchen n 1. kleines Kind (Kosewort). ↗Wurm II 1. Seit dem 19. Jh.

2. Koseanrede an ein Mädchen. Seit dem 19. Jh.

3. armes ~ = ohnmächtiger, einflußloser, geschundener, mißachteter Mensch. Vgl ↗Wurm I 2. Seit dem 19. Jh.

wurmen v 1. das wurmt mich = das ärgert mich; das erregt mich immer von neuem; diese Hintansetzung läßt mir keine Ruhe. Beruht auf dem Vergleich mit dem Holzwurm, der sich immer tiefer ins Holz hineinbohrt. Seit dem 18. Jh.

2. ich wurme mich = ich ärgere mich. Seit dem 18. Jh.

Wurmfortsatz m 1. kleine Partei als Koalitionspartnerin einer großen Partei. Als „Blinddarm" aufgefaßt. 1969 ff.

2. überflüssig wie ein ~ = völlig überflüssig. 1920 ff.

wurmig adj schlecht, anrüchig, gefährlich. ↗Wurm I 22. 1900 ff.

wurmstichig adj 1. alt und wunderlich; durch und durch krank. Hergenommen von Würmern sowie wurmähnlichen Larven und Maden, die sich im Obst einnisten. 1500 ff.

2. unehrlich, unzuverlässig; bedenklich; sittenwidrig. ↗Wurm I 22. 1500 ff; wiederaufgelebt im späten 19. Jh.

3. etw ~ machen = a) etw nicht ordnungsgemäß handhaben. Analog zu „↗madig machen". 1900 ff. – b) etw vereiteln, hintertreiben, verleiden. 1900 ff.

Wurscht f Gummiknüppel. Wegen der Formähnlichkeit mit einer Wurst. Wien 1920 ff.

wurscht adv präd gleichgültig. Die Form mit „-sch-" ist ursprünglich im Mitteld und Oberd beheimatet, gilt aber heute gemeindeutsch. Die Bedeutung rührt wohl daher, daß es einem gleichgültig sein kann, ob die Wurst am einen oder anderen Ende angeschnitten wird. Vielleicht ist auch von der Ansicht auszugehen, daß es beim Schlachten auf eine Wurst mehr oder weniger nicht ankommt. 1800 ff.

Wurschtblatt n unbedeutende Zeitung. Das kann ein „↗Blatt" sein, in das man Wurst einpackt, oder die Bedeutung hängt mit dem Vorhergehenden zusammen. Vgl ↗Käseblatt. 1870 ff.

'wurschte'gal adv völlig gleichgültig. Pleonastische Verstärkung von „↗wurscht". 1900 ff.

Wurschte'lei f mühselige, unzweckmäßige Arbeitsweise. ↗wursteln. 1900 ff.

wurschteln v 1. tr = etw durcheinanderbringen. Hergenommen vom Wurstmachen. Seit dem 19. Jh.

2. intr = ohne rechten Fortgang arbeiten. Seit dem 19. Jh.

wurschter adv das ist mir noch ~ als wurscht = das ist mir völlig gleichgültig. ↗wurscht. 1870 ff.

wurschtig adj gleichgültig, unbekümmert, phlegmatisch. ↗wurscht. Seit dem 19. Jh.

Wurst f 1. längliche Form des menschlichen oder tierischen Kots. 1800 ff.

2. Penis. Wegen der Formähnlichkeit. 1700 ff.

3. zu enge Hose; zu enges Kleid. Derglei-

chen erinnert an den prall gefüllten Wurstdarm. 1870 ff.

4. Gummiknüppel. ↗Wurscht. Österr 1920 ff.

5. ~ im Blechdarm = Büchsenwurst. Sold 1939 ff.

6. Unternehmen ~ und Liebe = mit guter Verpflegung verbundenes Liebesverhältnis. Sold 1939 ff.

7. ~ in Pelle (Haut) = enganliegende Hose o. ä. ↗Wurst 3. 1940 ff.

8. ~ am Stiel = Maiskolben. Der Ausdruck geht angeblich auf Nikita Chruschtschow zurück. Gebildet nach dem Muster von „Eis am Stiel". 1959 ff.

9. errötende ~ = Wurst mit Nitrit-Zusatz. 1958 ff.

10. heiß eingefüllte ~ = enganliegende Damenhose. Vgl ↗heiß 1 und 2. 1955 ff.

11. lose ~ = Kothaufen. Los = ohne Umhüllung. 1939 ff, sold.

12. vegetarische ~ = saure Gurke. Nur in der Form ähnelt sie der Wurst. 1920 ff.

13. nicht für ein Pfund ~ = um keinen Preis; auf keinen Fall. Seit dem ausgehenden 19. Jh, stud und sold.

14. nicht um 1000 Würste = unter keinen Umständen. 1920 ff.

15. ein Kerl wie ein Pfund (ein Viertel) ~ = energieloser Mann. Gemeint ist wohl Wurst von der billigen Sorte: mehr ist der Betreffende nicht wert. Seit dem späten 19. Jh, vorwiegend nördlich der Mainlinie.

16. ~ wider ~! = Gleiches wird mit Gleichem vergolten! Leitet sich her von der ländlichen Sitte, sich zur Zeit des Schlachtens gegenseitig mit frischen Würsten zu beschenken. Ein Sprichwort aus dem 15./16. Jh.

17. sich die ~ abbrechen = schwere körperliche Arbeit verrichten; sich überanstrengen; Übereifer entwickeln. Leitet sich her von einem, der vor lauter Eifer sein Exkrementieren abbricht. Vgl aber auch „↗abbrechen". Sold 1939 ff.

18. jm die ~ anschneiden = jn antreiben. Man droht ihm wohl eine Operation am Penis (Beschneidung) an, falls er nicht fleißiger arbeitet. 1900 ff.

19. die ~ am richtigen Ende anschneiden = zweckmäßig, erfolgversprechend vorgehen. Seit dem 19. Jh.

20. eine ~ in der Pfanne braten = koitieren. Wurst = Penis; Pfanne = Vagina. 1500 ff.

21. sich fühlen wie die ~ in der Pelle = ein zu enges Kleidungsstück tragen. ↗Wurst 3 und 7. 1950 ff.

22. es geht um die ~ = es geht um die Entscheidung. Leitet sich her von volkstümlichen Wettkämpfen bei, denen der Sieger eine Wurst erhielt oder (wie beim Wurstklettern, -schnappen, -angeln usw.) sich eine Wurst erringen mußte. 1850 ff. Beliebter Kartenspielerausdruck.

23. ihm hängt keine ~ zu hoch = geldlich ist ihm nichts unerreichbar. 1900 ff.

24. ~ machen = koten. ↗Wurst 1. Kinderspr. 1910 ff.

25. aus jm ~ machen = jn völlig erledigen. Vorwiegend als Drohrede gebräuchlich. 1870 ff.

25 a. sich die ~ vom Brot nehmen lassen = eine Interessenschädigung widerspruchslos hinnehmen. Vgl ↗Butter III 19. 1900 ff.

26. in der allerhöchsten (o. ä.) Not

schmeckt die ~auch ohne Brot: Redewendung, wenn einer Wurst ohne Brot ißt. 1920 ff.

27. die ~ schmeckt nach Seife = bei dieser Sache ist etwas nicht in Ordnung. Berlin 1850 ff.

28. das ist mir ~ (das ist mir wurst) = das ist mir gleichgültig. ↗wurscht. 1800 ff, wahrscheinlich von Studenten ausgegangen.

29. das ist ~ wie Pomade = das ist völlig gleichgültig. ↗wurscht; ↗pomade 2. Berlin 1900 ff; auch mehd.

30. verschwinde wie die ~ im Spindel = geh weg! Um 1900 aufgekommen, beeinflußt von der Freude am Reimen.

31. mit der ~ nach der Speckseite (nach dem Schinken) werfen = mit Kleinem Großes erreichen wollen; Geringerwertiges hergeben, um Wertvolleres zu erhalten. Gemeint ist einer, der von der Hausschlachtung eine Wurst verschenkt und als Gegengabe eine Speckseite (o. ä.) erwartet. Seit mhd Zeit.

Würstchen n **1.** einfältiger, energieloser Mann. Leitet sich wahrscheinlich von der Vorstellung des kleinen Penis her. 1900 ff; beliebtes Schimpfwort unter Jugendlichen.

2. Kosewort für einen kleinen Jungen oder ein kleines Mädchen. 1930 ff.

3. ahnungsloses ~ = argloser, unwissender Mann. 1920 ff.

4. armes ~ = bedauernswerter Mann; harmloser, unbedeutender Mensch. 1900 ff; in beiden Weltkriegen auf die Frontsoldaten bezogen.

5. armseliges ~ = unbedeutender, einflußloser Mensch in Abhängigkeit von der Willkür der Machthaber (der Vorgesetzten). 1950 ff.

6. doofes ~ = dümmlicher Mann. ↗doof 1. 1920 ff.

7. eingebildetes ~ = dünkelhafter Mann. 1930 ff.

7 a. elendes ~ = erbärmlicher, verachtungswürdiger Mensch. Jug, 1960 ff.

8. harmloses ~ = harmloser (argloser) Mensch. 1930 ff.

9. kleines ~ = unbedeutender Mensch; untergeordnete Person; Mensch ohne Einfluß. 1930 ff.

10. komisches ~ = Sonderling; dümmlicher Mann. ↗komisch 1. 1930 ff.

11. kümmerliches ~ = bedauernswerter, schwächlicher, wenig leistungsfähiger Mensch. Sold 1914 bis heute; ziv 1920 ff.

12. trauriges ~ = bedauernswerter Mensch; Versager. 1935 ff.

13. ungares ~ = Versager. Ungar = nicht ↗ausgekocht; unreif. BSD 1965 ff.

14. unmilitärisches ~ = unmilitärischer Soldat. Sold 1939 ff.

15. warmes ~ = Homosexueller; Homosexuellenpenis. ↗warm 1. 1910 ff.

16. das Kind drechselt ~ = das Kind exkrementiert. ↗Wurst 1; drechseln = rund formen. Kinderspr. 1920 ff.

wursteln v **1.** intr = unüberlegt arbeiten; Kleinarbeit verrichten; mit der Arbeit nicht vorankommen. Leitet sich angeblich von einem Kleinbauern her, der nur in geringem Umfang hausschlachtet und das Schlachtgut auf seine gewohnte, recht laienhafte Weise verarbeitet. Nach anderen Quellen ist auf "worsteln = vergebliches ringen" zurückzugehen. Seit dem 19. Jh.

2. sich nach oben ~ = unter Mühen

wirtschaftlich (gesellschaftlich) aufsteigen. 1950 ff.

wursten intr schlecht, langsam, wenig planvoll arbeiten. ↗wursteln 1. 1800 ff.

wurster adv es ist mir ~ = es ist mir völlig gleichgültig. Erste Steigerungsstufe von "wurst"; ↗wurscht. 1870 ff.

Wursthaut f **1.** enganliegendes Kleid. ↗Wurst 3. 1900 ff.

2. ausgezullte ~ = hagerer, kränklicher Mensch. Auszullen = aussaugen. Bayr 1920 ff.

3. voll wie in einer ~ = dichtbesetzt; überfüllt. 1870 ff.

Wurstkessel m **1.** Bedrängnis; unangenehme Lage; gefährliches Gedränge. Im Wurstkessel werden viele Würste gleichzeitig gekocht; sie werden dabei dick und prall. 1840 ff, vorwiegend sold.

2. Tanzlokal; dichtbesetzte Tanzfläche. Sold in beiden Weltkriegen.

3. sich im ~ auskennen = a) wissen, wo man seines Vorteils sicher ist. 1900 ff. – b) wissen, wie man Frauen zu behandeln hat. 1965 ff.

Wurstlabbe f ausdrucksloses, feistes Gesicht. ↗Labbe. Sächs 1920 ff.

Wurstler m **1.** Mensch, der keine brauchbare Arbeit zustandebringt. ↗wursteln 1. 1900 ff.

2. Mensch, der ohne feste Richtschnur lebt und auch anderen keine Regeln aufdrängt. 1950 ff.

Wurstmaxe m Wurstverkäufer auf der Straße, auf Jahrmärkten o. ä. Ursprünglich Spitzname eines Berliner Wurstverkäufers, der sich „Akademischer Wurstmaxe" nannte, ohne je studiert zu haben; sein Standplatz war Unter den Linden, Ecke Friedrichstraße, später an der Weidendammer Brücke. Etwa seit 1890, vorwiegend nördlich der Mainlinie verbreitet.

Wurst-Nomade m Straßenhändler, der heiße Würstchen feilbietet. Berlin 1920 ff.

Wurstpelle f **1.** enganliegendes Kleid. Vgl ↗Pelle 1 und 2; ↗Wurst 7. 1900 ff.

2. Hängematte. Marinespr 1914 ff.

3. Präservativ. ↗Wurst 2. 1930 ff.

Wurst- und Käseblatt n unbedeutende Zeitung. ↗Wurstchtblatt. 1870 ff.

Wurzel f **1.** Penis. Formverwandt mit der Rübenwurzel. 1910 ff, sold und rotw.

2. Klarinette. Sie ist form- und farbähnlich der ungeschabten Schwarzwurzel. Halbw 1955 ff.

3. gelbe ~n = schmutzige Füße. Schül 1950 ff.

4. eine ~ eingraben = koitieren (vom Mann gesagt). ↗Wurzel 1. 1940 ff.

5. ~n haben = muskulös sein. Die Muskelstränge sind deutlich sichtbar wie halb oberirdisch verlaufende Baumwurzeln. Österr 1960 ff, jug.

6. ~n schlagen (ziehen) = a) seßhaft werden; sich ansiedeln. Aus der Botanik übernommen. 1900 ff. – b) lange stehen; den Besuch übergebührlich ausdehnen. 1900 ff. Vgl franz „prendre racine".

7. sich die ~ schrubben = onanieren. ↗Wurzel 1. Schrubben = reibend hin- und herbewegen. 1950 ff.

8. jn stehen lassen, bis er ~n schlägt = jn lange Zeit stehen (warten) lassen. 1920 ff.

9. warten, bis man ~ schlägt = ausdauernd warten. 1920 ff.

Wurzelbunker m vegetarisches Restau-

rant. Anspielung auf Wurzelgemüse. 1930 ff.

wurzeln intr mühsam arbeiten. Übertragen vom mühseligen Wurzelausgraben. Seit dem späten 19. Jh.

Wurzelsau f Schimpfwort auf einen ungesitteten, plumpen Menschen. Meint eigentlich das nach Wurzeln grabende Wildschwein. ↗Wildsau. Seit dem späten 19. Jh.

Wurzelsepp m **1.** Mann in oberbayerischer Gebirglertracht. ↗Seppel 1. Meint eigentlich den Kräutersammler in den Alpen. 1890 ff.

2. Naturbursche; gutmütiger, derber Mann. 1890 ff, bayr und österr.

3. Arzt. Unter bayerischen Soldaten in beiden Weltkriegen verbreitet; wahrscheinlich Anspielung auf den aus Wurzeln gewonnenen Schnaps (Enzian), der auch als Arznei genommen wird.

4. Sanitätssoldat. Sold 1914–1945.

5. Apotheker, Drogist. Wegen des Handels mit Heilkräutern. 1920 ff.

6. Botaniklehrer. Schül 1950 ff, bayr.

7. alter Mann. Sein bärtiges Gesicht erinnert an moosbewachsene Baumwurzeln. 1920 ff.

8. Landstreicher. 1920 ff.

wurzen v **1.** intr = hart arbeiten. ↗wurzeln. 1870 ff, österr.

2. tr = jds Freigebigkeit ausnutzen; jn ausbeuten; bei jm schmarotzen; jn übertölpeln. Im Sinne des Folgenden zu verstehen als „jn wie ein kleines Kind behandeln"; „als Größerer dem Kleineren überlegen sein". Bayr und österr seit dem 19. Jh.

Wurzen f **1.** kleinwüchsiger Mensch. Meint eigentlich den Krautstock, den Strunk, die Wurzel. Von hier übertragen auf den kleinwüchsigen, untersetzten Menschen. Österr seit dem 19. Jh.

2. leichtgläubiger, zu seinem Schaden gutmütiger Mensch; willfähriges Opfer von Betrügern u. a.; unschuldig Benachteiligter. ↗wurzen 2. Vorwiegend bayr und österr, seit dem 19. Jh.

3. Betrug. Österr 1920 ff.

4. unbedeutende Bühnenrolle; Rolle, in der sich der Schauspieler nicht voll entfalten kann; Rolle, die dem Können eines Schauspielers nicht genügend Entfaltungsmöglichkeit gibt. Die Rolle ist unbedeutender als der Künstler. Theaterspr. 1920 ff.

5. Naturbursche, Sonderling. Meint im engeren Sinne den Wurzel- und Kräutersammler (↗Wurzelsepp), dann auch den knorrigen Mann. Von „Wurz, Wurzel" ergibt sich außerdem die Parallele zu „Pflanze 2" im Sinne von „wunderlicher Mensch". Bayr und österr, 1900 ff.

würzig adj sinnlich veranlagt. Herzuleiten vom Pfeffergewürz. Vgl ↗Pfeffer 3. BSD 1965 ff.

Wuschelhaar n ungepflegte Frisur. Seit dem 19. Jh.

wuschelig adj ungepflegt, unordentlich, zerzaust (vom Haar gesagt). ↗wuscheln. Seit dem 19. Jh.

Wuschel-Look (Grundwort engl ausgesprochen) m Mode der krausen, zerzausten Haare. ↗Look. 1972 ff.

wuscheln tr intr unordentlich sein; in Unordnung bringen; zerzausen, zerwühlen. Mundartliche Nebenform zu „wischen = mit kurzen, schnellen Bewegungen zerzausen". Seit dem 19. Jh.

Wuschelteppich *m* flauschig-weicher Teppich. 1965 *ff*.

wuselig *adj* lebhaft, ruhelos, leichtbeweglich. Seit dem 19. Jh.

wuseln *v* **1.** *intr* = flink kriechen; lebhaft sich hin- und herbewegen; geschäftig sein. Verwandt mit „wischen = schnell über etw hinfahren", vielleicht auch mit „Wiesel". Seit dem 17. Jh, *mitteld, westd* und *oberd.*
2. *refl* = sich regen; rege sein. 1920 *ff*.

wüst *adj adv* **1.** sehr ausgelassen; unbändig; unbeherrscht; ungesittet. Meint eigentlich „öde, ohne Vegetation"; von da weiterentwickelt zu „unkultiviert" und „wild". 1700 *ff, stud.*
2. draufgängerisch, mutig, verwegen. *Sold* 1870 *ff*.
3. *adv* = sehr (es ist wüst teuer; es ist wüst schön). Seit dem 19. Jh.
4. *adv* = grob, unflätig (jn wüst beschimpfen, wüst bestehlen, wüst angreifen). Seit dem 19. Jh.

Wüste *f* **1.** Kahlkopf. Eine Fläche ohne Vegetation. 1950 *ff, jug.*
2. in die ~ gehen = in Pension gehen. *Vgl* das Folgende. 1960 *ff*.
3. jn in die ~ schicken = jn seiner Stellung entheben. Fußt auf einem altjüdischen Brauch: am Versöhnungstag wurde der „↗Sündenbock" in die Wüste getrieben. Offiziersspr. und politikerspr. seit dem ausgehenden 19. Jh.

Wüstenfüchse *pl* Deutsches Afrikakorps im Zweiten Weltkrieg. Benannt nach dem in Wüstenregionen Afrikas und Westasiens lebenden kleinen Fuchs (Fenek, Fennek), dessen fahler Fellfarbe die Uniformfarbe des Afrikakorps ähnelte.

Wüstenroß *n* altes ~ = halbgemütliche Schelte. Eigentlich ist das Kamel (Dromedar) gemeint. *Sold* in beiden Weltkriegen; *ziv* 1950 *ff*.

Wüstenschiff *n* **1.** Kamel. Die Wüste gilt als „Sandmeer", und der Paßgang des Kamels läßt den Reiter schaukeln wie an Bord eines Schiffes bei mittlerem Seegang. Seit dem 19. Jh.
2. breites Luxusauto. Hat mit der Bezeichnung für das Kamel nur den Namen gemeinsam. „Schiff" spielt auf die Breite und Größe des Fahrzeugs an. 1950 *ff*.
3. dummer Mensch. ↗Kamel 3. 1880 *ff*.

Wut *f* **1.** kochende ~ = Wutanfall. ↗kochen 1. Seit dem 19. Jh.
2. nackte ~ = offene, unverhohlene Wut. 1920 *ff*.
3. von kalter ~ gepackt sein = überaus wütend sein. 1950 *ff*.
4. die ~ im Bauch (Balg, Leib) haben = sehr wütend sein. 1900 *ff*.
5. vor ~ kochen = hochgradig erregt sein. ↗kochen 1. Seit dem 19. Jh. *Vgl engl* „to boil with rage".
6. vor ~ platzen = sich vor Wut nicht (kaum mehr) beherrschen können. Seit dem 19. Jh.
7. die ~ runterfressen = die Wut nicht äußern. *Vgl* ↗runterschlucken. 1920 *ff*.
8. vor ~ zerspringen = vor Wut die Beherrschung verlieren. 1900 *ff, nordd* und *mitteld.*

wüten *refl* sich ärgern. Seit dem 19. Jh.

wutig *adj* wütend. 1500 *ff*.

Wutki *m* Schnaps. *Slaw* Nebenform von „Wodka". Von deutschen und österreichischen Soldaten in beiden Weltkriegen an der Ostfront übernommen.

Wutnickel *m* wütender Mensch. ↗Nikkel 2. Seit dem 19. Jh.

wutschen *intr* huschen; sich flink bewegen. Nebenform zu ↗witschen. 1800 *ff*.

Wutz *n* **1.** Schwein. Entweder Nachahmung der Stimme des grunzenden Schweins oder Ablautform zu „Watz = Eber". *Mitteld* und *oberd*, seit dem 19. Jh.

2. sich beschmutzender Mensch. Seit dem 19. Jh.
3. Zotenerzähler o. ä. Seit dem 19. Jh.
4. kleinwüchsiger Mensch. Meint hier eigentlich das Ferkel. 1920 *ff*.
5. die ~ rauslassen = sich unbeherrscht, ausgelassen aufführen. *Vgl* ↗Sau 66 a. 1960 *ff*.

Wutzelfinger (Wuzzelfinger) *pl* dickliche, plumpe Finger. *Vgl* das Folgende. *Österr* und *bayr*, seit dem 19. Jh.

wutzeln (wuzzeln) *v* **1.** tr = mit den Fingern hin- und herdrücken; hantieren, wühlen, bohren o. ä. *Oberd* Nebenform zu ↗wuseln. Seit dem 18. Jh.
2. *intr* = wimmeln, durcheinanderpurzeln; schnelle Schrittchen machen. *Bayr* und *schwäb*, seit dem 19. Jh.
3. sich eine ~ = sich eine Zigarette drehen. *Bayr* und *österr*, seit dem 19. Jh.
4. *intr* = onanieren. Seit dem 19. Jh.
5. *refl* = sich drehen, winden. *Österr*, 1900 *ff*.
6. *refl* = weggehen. *Österr*, 1900 *ff*.
7. sich vor Lachen ~ = hellauf lachen. Man windet sich vor Lachen. *Österr*, 1920 *ff*.

wutzen *intr* zotige Reden führen. ↗Wutz 3. *Mitteld*, 1900 *ff*.

Wutze'rei *f* **1.** Unsauberkeit. ↗Wutz 2. 1900 *ff*.
2. Obszönität, Pornografie o. ä. 1920 *ff*.

Wutzerl *n* **1.** kleines, untersetztes Kind. Eigentlich das Ferkel. *Bayr* und *österr*, 1900 *ff*.
2. hübsches, dralles Mädchen. *Österr*, 1900 *ff*.
3. beleibter Erwachsener. Wien, 1900 *ff*.
4. kleiner Hund. Wien, 1920 *ff*.

wutzerldick *adj* dick; drall. *Österr*, 1900 *ff*.

wuzeln (wuzzeln) *v* ↗wutzeln.

X

x 1. unzählig viel. Das mathematische Zeichen x ist entstellt aus „co", der *ital* Abkürzung für „cosa" im Sinne der unbekannten mathematischen Größe. In der zweiten Hälfte des 19. Jhs aufgekommen.
2. jm ein X für ein U vormachen = jn betrügen, täuschen. „U" ist in Lateinschrift das Zeichen „V" mit dem Zahlwert 5, während „X" den Zahlwert 10 hat. Wer ein „X" für ein „U" macht, schreibt also eine Zehn für eine Fünf. Seit dem 15. Jh.
3. ein X sein = a) ein Mensch sein, dessen Können und Eigenarten man nicht kennt. Der Betreffende ist eine „unbekannte ↗ Größe". 1900 *ff.* – b) undurchschaubar, unergründbar sein. 1900 *ff.*
4. ein X von einem U unterscheiden können = sich nicht übertölpeln lassen. ↗ x 2. 1920 *ff.*

Xanthippe *f* **1.** unverträgliche Frau. Der Frau des Sokrates sagt die Mit- und Nachwelt nach, sie habe ihrem Mann ständig mit Gezänk zugesetzt. 1747 versuchte Gotthold Ephraim Lessing eine Ehrenrettung Xanthippes, jedoch ohne Erfolg: Xanthippes angebliche Unverträglichkeit behielt sprichwörtliche Geltung. 1700 *ff.*
2. ~s Becken = Nachtgeschirr. 1900 *ff.*

X-Bein *n* **1.** Mensch mit nach innen gekrümmten Beinen. Seit dem 19. Jh.
2. *pl* = seitlich zu den Knien hin durchgebogene Beine. Die nebeneinanderstehenden Beine formen den Buchstaben X. Seit dem 19. Jh.

x-beliebig *adj* jede beliebige Person oder Sache betreffend; irgendein(e); irgendwelche(s). *Vgl* ↗ x 1. Seit dem 19. Jh.

x-fach *adj* vielfach. ↗ x 1. Seit dem 19. Jh.

X-Haxen *pl* zu den Knien hin gekrümmte Beine. ↗ Haxe 1. Seit dem 19. Jh.

x-mal *adv* unzählige Male; sehr oft. ↗ x 1. Seit dem 19. Jh.

X-te(r) *m f* die soundsovielte Person. ↗ x 1. 1870 *ff.*

xtmal („ixtmal" gesprochen) *adv* soundsooft. ↗ x 1. 1870 *ff.*

XY 1. XY antwortet nicht = der Mitschüler sagt bei Klassenarbeiten nicht vor. Entstellt aus dem Titel des 1932 mit Hans Albers gedrehten *dt* Spielfilms „F P 1 antwortet nicht". *Schül* 1935 *ff.*
2. XY ungelöst = Schülerkennwort für das unergründliche Zustandekommen der Leistungsnoten. Die Bezeichnung fußt auf dem gleichlautenden Titel einer Sendereihe von Eduard Zimmermann im Zweiten Deutschen Fernsehen. 1970 *ff.*

Y

Y Bundeswehr. Übernommen vom amtlichen Kraftfahrzeug-Kennzeichen der Bundeswehr. Witzbolde sagen, das „Y" sei „das Ende von Germany". *BSD* 1970 *ff.*

Yogis schwenken onanieren. Die altindische Yoga-Lehre (deren Ausübender „Yogi" heißt) beinhaltet Entspannungsübungen auch im geschlechtlichen Bereich.

1960 *ff.*

Yoyo *n* ~ mit Jadeschlamm = Roulade mit Kartoffelbrei. „Yoyo (Jojo)" ist der Name eines Geschicklichkeitsspiels mit einer an einer Schnur hängenden Spule. An dieses Spiel erinnert das Abrollen des Fadens von der Fleischrolle. ↗ Jadeschlamm. *Sold* 1939 *ff.*

Yul-Brynner-Locken *pl* Kahlkopf. Ironie. Der amerikanische Filmschauspieler Yul Brynner trägt Glatze. Etwa seit 1957, *schül* und *stud.*

Yul-Brynner-Look (Grundwort *engl* ausgesprochen) *m* Kahlköpfigkeit. ↗ Look. 1957 *ff.*

Yuppies *pl* in der Großstadt lebende, junge, berufstätige und wohlhabende Generation, die sich einen gehobenen Lebensstil erlauben kann. Abkürzung für „Young urban professional people". Aus dem *Engl* und *Angloamerikan* in den frühen achtziger Jahren dieses Jahrhunderts bei uns eingewandert.

Z

Z Zuchthaus, Zuchthausstrafe. Hieraus verkürzt. 1870 ff.

Z-Acht m ~ in Lauerstellung = Zeitsoldat, der sich für 8 Jahre verpflichtet hat. *BSD* 1965 ff.

Z-Ewig m Berufssoldat. Gemeint ist der Zeitsoldat auf ewige Zeit. *BSD* 1965 ff.

Z-Grabstein m Berufssoldat. Gemeint ist „bis der Tod uns scheidet". *BSD* 1965 ff.

z. K. Ausdruck des Überdrusses, der Verzweiflung. Abkürzung von „(es ist) zum Kotzen!". 1920 ff.

Z-Keiler m Zeitsoldat. ↗Keiler. *BSD* 1965 ff.

Z-Keule f Soldat auf Zeit. ↗Keule. *BSD* 1965 ff.

Z-Knüppel m Soldat auf Zeit. ↗Knüppel 1. *BSD* 1965 ff.

Z-Koffer m Zeitsoldat. ↗Koffer 6 und 7. *BSD* 1965 ff.

Z-Kopf (Z-Kopp) m Zeitsoldat. Variante zu ↗Kommißkopf. *BSD* 1965 ff.

Z-Sau f Soldat auf Zeit. *BSD* 1965 ff.

Z-Schuppen m Soldatenkneipe. ↗Schuppen 1. Ein beliebter Treffpunkt der Zeit- und Berufssoldaten. *BSD* 1965 ff.

Z-Schwein n Zeitsoldat. Bundeswehrsoldaten sagen, der Betreffende mäste sich während der Wehrdienstzeit wie ein Schwein und werde dadurch zum Nachfolger des „↗Etappenschweins". *BSD* 1965 ff.

Z-Vierer m Zeitsoldat, der sich auf vier Jahre verpflichtet hat. *BSD* 1965 ff.

z. W. Zuruf beim Trinken. Abkürzung von „zum Wohl!". 1950 ff.

z. W. d. G. ↗Wonne 2.

Z-Zwölfer m Zeitsoldat, der sich zu 12 Jahren Wehrdienst verpflichtet hat. *BSD* 1965 ff.

za'brali sein gestohlen sein. ↗zapralisieren. *Österr* 1945 ff.

zach adj **1.** schüchtern. Nebenform zu „zag = verzagt, eingeschüchtert". Seit dem 19. Jh, *nordd* und *sächs*.
2. geizig. Gehört zu „zäh" und spielt auf Ausdauer im Ablehnen an. *Ostmitteld* seit dem 19. Jh.

Zachlinder m Zylinderhut. „Zach = schüchtern" bildet die Brücke zur Vorstellung, daß mit dem Vokabel „↗Angströhre" verbunden ist. *Nordd* 1925 ff, *stud*.

zack I interj Ausruf zur Bezeichnung der Schnelligkeit (zack saß der Nagel in der Wand; zack habe ich ihm eine Ohrfeige gegeben). Die Interjektion ersetzt „das sitzt" im Sinne von „das haftet, ist unerschütterlich". 1920 ff.

zack II adv präd einwandfrei, tadellos. *Vgl* das Folgende. *Sold* 1925/30 bis heute.

Zack m **1.** militärische Straffheit; vorbildliche Ordnung; Einklang mit den Vorschriften. Außer den Bemerkungen zu „↗zack I" ist hier auch das Adjektiv „zackig" heranzuziehen, das zu „zucken = sich ruckartig bewegen" gehört und insbesondere die abgezirkelten, eckigen, knappen und straffen Bewegungen meint. *Sold* 1925 ff.
1 a. scharfe Kursänderung. *Marinespr* 1900 ff.
2. jn auf (unter) ~ bringen = jn zu vorschriftsmäßigem Verhalten anleiten; jn gründlich einweisen, drillen. *Sold* 1925 ff.
3. etw auf ~ bringen = etw in Ordnung bringen; etw sachgemäß herrichten. 1930 ff.
4. ~ haben = gute Umgangsformen haben. *Sold* und *ziv*, 1930 ff.
5. keinen ~ mehr haben = ohne Geld sein. „Zack" meint hier den Schwung, den Unternehmungsgeist. *BSD* 1965 ff.
6. jn auf dem ~ haben = jn nicht leiden können; es jm gedenken. Mit dem Ausruf „zack!" wird das Gewehr fest aufgelegt, und mit „zack!" feuert man den Schuß ab. Ausdrücke, die besagen, daß man es auf einen – in gutem oder bösem Sinne – abgesehen hat, fußen vielfach auf der Schießlehre. *Schül* 1945 ff.
7. auf ~ kommen = in die gewünschte Ordnung kommen. 1930 ff.
8. auf ~ sein = einer Lage gewachsen sein; seinen Vorteil wahrnehmen; in tadelloser Ordnung sein; gut bewandert sein; schlagfertig sein. In der Reichswehrzeit gegen 1925 aufgekommen und schnell von Schülern und Studenten aufgegriffen.

'zack'bumm adv sehr schnell. Mit „zack" begleitet man den Abschuß und mit „bumm" den Einschlag. Parallel zu „↗Knall und Fall". 1930 ff.

Zacke f **1.** sich eine ~ aus der Krone brechen = sich etw vergeben; unter seiner (vermeintlichen) Würde handeln. Anspielung auf die Zahl der Zacken in der Krone zur Unterscheidung der aristokratischen Würde (9 Zacken = Grafenkrone; 7 Zacken = Freiherrenkrone; 5 Zacken = Briefadelskrone). Fußt auf der Vorstellung vom Hochmut des Adels. 1920 ff.
2. ihm fällt deswegen keine ~ aus der Krone = dadurch büßt er an Achtung nichts ein. 1920 ff.

Zacken m **1.** (aufgebogene) Nase. Die Nasenspitze ragt empor. 1900 ff.
2. kurze Tabakspfeife. Bezeichnet eigentlich das derbe, kurze Stück, auch den Knorren. Von da wegen der Formähnlichkeit auf die Pfeife übertragen. Berlin 1840 ff.
3. Zigarette. Die Zigarette im Mund wirkt wie der spitz vorragende Teil eines Gegenstands. *BSD* 1965 ff.
4. Alkoholrausch. Meint wohl den „Zacken in der Krone" im Sinne von Dünkelhaftigkeit, weiterentwickelt zur Bedeutung „Narrheit" (der Hochmütige gilt volkstümlich als Narr). Der Betrunkene benimmt sich närrisch. Seit dem 19. Jh.
5. ganz schöner ~ = hochgradige Trunkenheit. *Vgl* das Vorhergehende. 1940 ff.
6. mit einem großen (ungeheuren) ~ = mit hoher (sehr hoher) Geschwindigkeit. „Zacken" ist hier der Zahnradzahn. Der Handgashebel wurde früher an der gezähnten Oberfläche eines Kreissegments entlanggeführt; je mehr man sich der Grenze des Segments näherte, „einen um so größeren Zacken hatte man drauf". 1920 ff.
7. ihm bricht ein ~ aus der Krone = er verliert an Ansehen. ↗Zacke 1. 1920 ff.
8. einen ~ draufhaben (zulegen) = sehr schnell fahren. ↗Zacken 6. 1920 ff.
9. sich einen ~ einbilden = sich viel einbilden; überheblich sein. Gehört zu der Vorstellung vom Hochmut des eine Zackenkrone tragenden Adligen. 1920 ff.
10. einen ~ haben = a) eingebildet sein.

Vgl das Vorhergehende. Die Zahl der Zakken in der Krone versinnbildlicht die Höhe des gesellschaftlichen Rangs. Da „Zacken" auch die Nase bezeichnet, ist auch die Vorstellung der Hochnäsigkeit heranzuziehen. 1920 ff. – b) nicht bei Verstand sein. In volkstümlicher Auffassung wird das Dünkelhafte von Sinnen. 1920 ff. – c) betrunken sein. ↗Zacken 4. 1840 ff.
11. einen zackigen ~ haben = stark betrunken sein. ↗zackig; ↗Zacken 4. 1940 ff.
12. einen ~ in der Krone haben = a) hochmütig sein. ↗Zacken 10 a. 1920 ff. – b) bezecht sein. ↗Zacken 4. 1920 ff.
13. einen ~ weghaben = betrunken sein. ↗Zacken 4. Seit dem 19. Jh.

zackerig adj unverträglich, zanksüchtig. ↗zackern. Seit dem 19. Jh.

zackerlot interj ↗ sackerlot.

zackern intr zetern, nörgeln. Verkürzt aus „zackermentern" im Sinne von „fluchen" (unter Verwendung von Flüchen mit „Sakrament"). Seit dem 19. Jh.

zackig adj straff; militärisch einwandfrei; hervorragend. ↗Zack 1. Im späten 19. Jh in Militärkreisen aufgekommen und bis heute geläufig.

'Zack-'Zack m **1.** militärische Straffheit. ↗Zack 1. 1930 ff.
2. diensteifriger, vorbildlicher Soldat. 1930 ff.

'zack'zack adv schnell, entschlußfreudig. Verdoppelung von ↗zack I. 1930 ff, *sold* und *ziv.*

Zadder m **1.** sehnige Streifen im Fleisch; Abfall bei Fleischstücken. Meint eigentlich in der Form „Zatteln" die Streifen in der Männerkleidung. Nebenform zu „↗Zotte" (= Haarsträhne). *Nordd, ostd* und *mitteld,* seit dem 19. Jh.
2. das ist ~ = das ist sehr minderwertig, schlecht, aussichtslos, mißglückt. *Sold* in beiden Weltkriegen.

Zä'fix interj Ausruf des Unmuts. Entstellt aus „↗Kruzifix". *Bayr* 1900 ff.

zäh adj **1.** langweilig. Weiterentwickelt aus der Vorstellung „zähflüssig" mit bezug auf eine ereignisarme Veranstaltung. 1975 ff, *jug.*
2. unübertrefflich. Die Vorstellung „zähe Ausdauer" oder „Zählebigkeit" nimmt superlativischen Sinn an. 1975 ff, *jug.*

Zahl f **1.** krumme ~ = 3 Mark 97 (statt 4 Mark). Kaufmannsspr.
2. rote ~ = schlechte Note. Man „kommt in die roten Zahlen", wenn das Bankkonto nicht mehr gedeckt ist. *Schül* 1955 ff.
3. in rosarote ~en geraten = nur geringen Gewinn erzielen. Kaufmannsspr. 1950 ff.
4. in die roten ~en geraten = mit Verlust arbeiten; ins Defizit geraten. Verlustziffern werden rot ausgewiesen. 1950 ff.
5. rote ~en (mit roten ~en) schreiben = mit Verlust arbeiten. 1950 ff.

Zahlchrist m Christ, dessen Kirchenzugehörigkeit sich in der Entrichtung der Kirchensteuer erschöpft. 1960 ff.

Zahlemann m **1.** (Ehe-)Mann, der alle Ausgaben (einer anderen Person, der Familie, einer Gruppe) finanziert. 1955 ff.
2. Bargeldautomat. 1980 ff.
3. ~ und Söhne = Begleichung der Zeche (o. ä.). Seit 1955 als Firmennamen getarnt.

zahlen v ~ und drum anschaffen können

= als Zahlender bestimmte Forderungen erheben können. ↗anschaffen 1 und 4. *Bayr* 1900 *ff.*

Zahlenlaboratorium *n* Statistisches Amt; Rechnungshof u. ä. 1900 *ff.*

Zahlenmensch *m* **1.** Statistiker; Meinungsforscher u. ä. 1955 *ff.* **2.** Rechnungsprüfer. 1955 *ff.*

Zahlenpest *f* Lotto. 1955 *ff*, Berlin.

Zähler *m* **1.** etw auf dem ~ haben = etw erlebt haben; reiche Lebenserfahrung haben. Hergenommen vom Kilometerzähler o. ä. 1950 *ff.* **2.** fünfzig auf dem ~ haben = fünfzig Jahre alt sein. 1950 *ff.*

Zahlmeister *m* **1.** freigebiger Gast. Er gilt als Meister im Zahlen. 1960 *ff.* **2.** Ehemann, der nur für den Lebensunterhalt seiner Frau aufzukommen hat (den Geschlechtsverkehr nimmt ein anderer wahr). Seit dem frühen 20. Jh, *ziv* und *sold.* **3.** lieber Rittmeister als ~ ↗Rittmeister 3 und 4. **4.** ausreißen wie ein ~ = bei geringstem Anlaß davonlaufen. Zahlmeistern sagte man nach, sie hätten als erste Angst um ihr Leben. *Sold* in beiden Weltkriegen. **5.** ihr bildet euch wohl ein, ich sei heute der ~: Redewendung des oftmaligen Verlierers beim Karten- oder Würfelspiel. 1930 *ff.*

Zahlmops *m* Zahlmeister, Rechnungsführer. „Mops" spielt auf die Beleibtheit an sowie auf den mürrisch-abweisenden Gesichtsausdruck. *Sold* 1939 bis heute.

zahlreich sein vermögend sein; viel Geld bei sich tragen. Berlin 1920 *ff.*

zahlungsfaul *adj* säumig im Begleichen von Schulden. 1955 *ff.*

Zahn *m* **1.** Taste am Rundfunkgerät. ↗Gebiß 3. Technikerspr. 1955 *ff.* **2.** Alkoholrausch. Analog zu ↗Zacken 4. *Österr* 1950 *ff, jug.* **3.** Mädchen; intime Freundin. Fußt auf *jidd* „sona = Dirne". Am bekanntesten (wiewohl unverstanden) in der „Dreigroschenoper" von Bert Brecht: „Und der Haifisch (aus *jidd* „cheifez = Zuhälter"), der hat Zähne, und die trägt er im Gesicht" (und der Zuhälter, der hat Dirnen, und die hält er unter Aufsicht). Aufgekommen gegen 1950 als Halbwüchsigenvokabel mit hohem Beliebtheitsgrad. **4.** Prostituierte. 1920 *ff.* **5.** intimer Freund eines Mädchens. *Jug* 1965 *ff.* **6.** ~ der Zeit = falsches Gebiß; Stiftzahn. Meint seit Shakespeare („Maß für Maß") eigentlich die langsam fortschreitende, unausbleibliche Zerstörung. 1900 *ff.* **7.** abgelaufener ~ = verlassenes Mädchen. ↗abgelaufen 1; ↗Zahn 3. *Halbw* 1955 *ff.* **8.** bedienter ~ = Mädchen mit starker geschlechtlicher Anziehungskraft. ↗bedienen 3. *Halbw* 1955 *ff.* **9.** blonder ~ = blonde Freundin eines Halbwüchsigen. ↗Zahn 3. 1955 *ff, halbw.* **10.** die dritten Zähne = künstliches Gebiß. ↗Zahn 82. 1900 *ff.* **11.** dufter ~ = hübsches Mädchen. ↗dufte 1; ↗Zahn 3. *Halbw* 1950 *ff.* **12.** falscher ~ = untreue Freundin. 1960 *ff, halbw.* **13.** fauler ~ = a) Turmruine der Kaiser-Wilhelm-Gedächtniskirche in Berlin.

1950 *ff.* – b) Mädchen, dessen Zuneigung man verliert; Mädchen, das seines Freundes überdrüssig ist. *Halbw* 1955 *ff.* – c) Ältlicher. Von der Zahnfäule übertragen. 1955 *ff, jug.* **14.** flotter ~ = Mädchen, das sich von der Geselligkeit nicht ausschließt. ↗flott 1. *Halbw* 1955 *ff.* **15.** geiler ~ = Soldatenhure mit großen geschlechtlichen Ansprüchen. ↗Zahn 4. *Sold* 1942 *ff.* **16.** geschaffter ~ = geschlechtlich sehr anziehendes Mädchen. ↗geschafft 1. *Halbw* 1955 *ff.* **17.** goldener ~ = reiche Freundin eines jungen Mannes. ↗Goldzahn. *Halbw* 1960 *ff.* **18.** großer ~ = hohe Fahrgeschwindigkeit. *Vgl* ↗Zacken 6. 1920 *ff.* **19.** hohler ~ = Turmruine der Kaiser-Wilhelm-Gedächtniskirche in Berlin. 1950 *ff.* **20.** irrer ~ = sehr anziehendes Mädchen. ↗irr 1; ↗Zahn 3. *Halbw* 1955 *ff.* **21.** irrsinniger ~ = überhöhte Fahrgeschwindigkeit. ↗Zahn 18. 1955 *ff.* **22.** einen kleinen ~ zu brav = übertrieben brav; unnatürlich artig. „Ein kleiner Zahn" meint „etwas (um ein geringes Maß)" oder *(iron)* „viel"; zur Erklärung *vgl* „↗Zacken 6". *Halbw* 1960 *ff.* **23.** leckerer ~ = nettes Mädchen. ↗lecker 1; ↗Zahn 3. *Halbw* 1955 *ff.* **24.** lockerer (loser) ~ = untreue Freundin. ↗los I 2. *Halbw* 1950 *ff.* **25.** mürber ~ = beischlafwilliges Mädchen. Mürbe = widerstandslos. *Halbw* 1955 *ff.* **26.** nasser ~ = junges, geschlechtlich noch unerfahrenes (unaufgeklärtes) Mädchen. Es ist noch „naß hinter den ↗Ohren". *Halbw* 1955 *ff.* **27.** nervöser ~ = nettes, reizendes, anziehendes Mädchen. ↗nervös. *Halbw* 1955 *ff.* **28.** neuer ~ = neues Mädchen in einer Gruppe. *Halbw* 1960 *ff.* **28 a.** satter ~ = sympathisches Mädchen. ↗satt 2; ↗Zahn 3. 1970 *ff, jug.* **29.** saurer ~ = ältliches Mädchen inmitten wesentlich jüngerer Leute; unleidliche weibliche Person. ↗sauer 2. *Halbw* 1955 *ff.* **30.** scharfer ~ = liebesgieriges Mädchen. ↗scharf 4. 1950 *ff, halbw.* **31.** schräger ~ = leichtes Mädchen. ↗schräg 1. *Halbw* 1955 *ff.* **32.** spitzer ~ = sinnlich veranlagtes Mädchen. ↗spitz 3. *Halbw* 1955 *ff.* **33.** ständiger ~ = fester Freund einer Halbwüchsigen. ↗Zahn 5. 1955 *ff.* **34.** steiler ~ = a) sehr hübsches Mädchen in reizvoller Aufmachung. ↗steil 1. 1955 *ff.* Sehr beliebter Ausdruck unter Jugendlichen. – b) großwüchsige, schlanke Freundin eines Halbwüchsigen. *Halbw* 1955 *ff.* – c) Prahler; Mensch, der sich aufspielt. ↗steilen 2. *Halbw* 1960 *ff.* – d) Fernsehturm in Ost-Berlin. 1969 *ff.* – e) Obelisk. 1970 *ff.* **35.** supersteiler ~ = äußerst anziehendes Mädchen. ↗supersteil; ↗Zahn 3. *Halbw* 1955 *ff.* **36.** süßer ~ = Lust auf Leckereien; Naschsucht. 1870 *ff.* **37.** tippender ~ = Stenotypistin. ↗tippen 2; ↗Zahn 3. 1955 *ff.*

38. toller ~ = a) sehr hohe Fahrgeschwindigkeit. *Vgl* ↗Zahn 48. 1920 *ff.* – b) sehr nettes Mädchen. ↗toll 1. *Halbw* 1955 *ff.* **39.** toter ~ = häßliches Mädchen. ↗tot 5. *Halbw* 1955 *ff.* **40.** weicher ~ = nachgiebiges Mädchen. ↗Zahn 3. *Halbw* 1955 *ff.* **41.** so ein ~! = völlig veraltet! längst bekannt! Zur Herleitung und Gebärde *vgl* „↗Stoßzahn 5". 1955 *ff.* **42.** noch einen ~ mehr! = schneller fahren! ↗Zahn 48; ↗Zacken 6. 1920 *ff.* **43.** ein ~ zuviel = übertrieben; geprahlt. Von der Fahrgeschwindigkeit hergenommen. Zur Erklärung *vgl* ↗Zahn 48. 1930 *ff.* **44.** jm einen ~ abschrauben = jm die Freundin abspenstig machen. ↗Zahn 3. Abschrauben = schraubend entwinden. *Halbw* 1955 *ff.* **45.** einen tollen ~ abstauben = ein sehr eindrucksvolles Mädchen kennenlernen. ↗Zahn 3; ↗abstauben. *Halbw* 1955 *ff.* **46.** einen ~ anbohren = die nähere Bekanntschaft eines Mädchens zu machen suchen. Von der zahnärztlichen Behandlung übernommen und an „↗Zahn 3" angelehnt. *Halbw* 1955 *ff.* **47.** vom ~ der Zeit angenagt = ältlich, beschädigt. ↗Zahn 6. 1900 *ff.* **48.** einen ~ aufdrehen = schnell fahren. Früher wurde der Handgashebel an einem gezähnten Kreisausschnitt entlanggeführt. Mit jedem Zahn, um den man sich der oberen Grenze näherte, nahm die Fahrgeschwindigkeit zu. 1920 *ff.* **49.** noch einen ~ mehr aufdrehen = die Fahrgeschwindigkeit weiter erhöhen. *Vgl* das Vorhergehende. 1920 *ff.* **50.** sich einen ~ aufreißen = die Bekanntschaft eines netten Mädchens machen. ↗Zahn 3; ↗aufreißen 8. *Halbw* 1955 *ff.* **51.** sich an etw die Zähne ausbeißen = sich um etw vergeblich bemühen; einer Aufgabe nicht gewachsen sein. Bezieht sich ursprünglich auf eine harte Frucht (Nuß), die man mit den Zähnen nicht zerkleinern kann. Seit dem 19. Jh. **52.** einem literarischen Werk ein paar Zähne ausbrechen = unerwünschte, anstößige Stellen aus einem literarischen Werk tilgen. Übertragen von den Giftzähnen der Schlange. 1920 *ff.* **53.** jm die Zähne auseinanderbrechen = jm gewaltsam ein Geständnis entreißen. 1920 *ff.* **54.** wie ein hohler ~ aussehen = verkommen, unvorteilhaft aussehen. 1920 *ff.* **55.** jm einen ~ ausziehen = jm beim Spiel viel Geld abgewinnen. Seit dem 18. Jh, kartenspielerspr. **56.** auf die Zähne beißen = sich bezwingen; sich zurückhalten. Beruht auf der alltäglichen Beobachtung, daß man vor Zorn und Verbitterung, auch bei körperlicher Anstrengung die Zähne zusammenbeißt. 1500 *ff.* **57.** das bleibt nicht im hohlen ~ = das geht einem seelisch nahe. Veranschaulichung tiefen Berührtseins. 1935 *ff.* **58.** einen ~ draufhaben = sehr schnell fahren; eilig sein. ↗Zahn 48. 1920 *ff.* **59.** einen ~ zuviel draufhaben = die zulässige Höchstgeschwindigkeit überschreiten. 1955 *ff.*

60. einen guten ~ draufhaben = eilig fahren; eilig gehen. 1930 ff.

60 a. einen tollen ~ draufhaben = rege, schwungvoll sein. 1975 ff.

61. einen schönen ~ draufkriegen = eine hohe Fahrgeschwindigkeit erzielen. ↗ Zahn 48. 1950 ff.

62. einen ~ drauflegen = schneller fahren; sich beeilen; schneller laufen. ↗ Zahn 48. 1925/30 ff.

63. einen ~ mehr drauftun = die Fahrgeschwindigkeit erhöhen. ↗ Zahn 48. 1925/30 ff.

64. mit langen Zähnen essen = ohne Appetit essen. Hergenommen von den Hunden, die die Lefzen hochziehen, wenn ihnen das Futter nicht schmeckt. Seit dem 19. Jh, vorwiegend nördlich der Mainlinie.

65. jm auf den ~ fühlen = jn prüfen; jds Wissen prüfen. Hergenommen von den Pferdehändlern, die das Gebiß der Tiere begutachten. 1700 ff.

66. jm auf den hohlen ~ fühlen = jds Schwächen oder Unwissen rücksichtslos bloßstellen. Erweiterung des Vorhergehenden. 1880 ff.

67. einen ~ Gas mehr geben = schneller fahren; sich mit der Arbeit beeilen; schneller gehen. ↗ Zahn 48. 1920 ff.

67 a. den Leuten zwischen die Zähne geraten ↗ Zahn 81.

68. einen auf den hohlen ~ gießen = ein Glas Alkohol zu sich nehmen. 1900 ff.

69. auf (gegen) jn einen ~ haben = jn nicht leiden können; gegen jn auf Rache sinnen. Leitet sich wohl her vom Zahn des bissigen Tieres; doch vgl auch ↗ Zahn 72. Seit dem 18. Jh., vorwiegend südd und westd. Vgl franz „avoir une dent contre quelqu'un".

70. einen süßen ~ haben = gern Süßigkeiten essen. Vgl ↗ Naschzahn. 1870 ff.

71. einen ~ in der Mache haben = sich mit einem Mädchen anfreunden. ↗ Zahn 3; ↗ Mache 4. Halbw 1955 ff.

72. jn auf dem ~ haben = jn nicht leiden können. Mit dem „Zahn" ist hier das „Korn" der Visiereinrichtung an Schußwaffen gemeint; vgl ↗ Korn 4. 1930 ff.

73. jn zwischen den Zähnen haben = mißgünstig über einen Abwesenden reden. Westd 1800 ff.

74. lange Zähne haben = auf etw begierig sein; habgierig sein; Gelüste haben. Hergenommen vom Hund, der die Zähne fletscht, wenn man ihm das Futter wegnehmen will. Seit dem 16. Jh.

75. jm in die Zähne hauen = jm ins Gesicht schlagen. Seit mhd Zeit.

76. die Zähne heben = ohne Appetit essen. ↗ Zahn 64. Seit dem 19. Jh, vorwiegend ostmitteld. Vgl franz „ne manger que du bout des dents".

77. einen guten (ordentlichen o. ä.) ~ hinlegen = sehr hohe Fahrgeschwindigkeit entwickeln. ↗ Zahn 48; ↗ hinlegen 2. 1920 ff, kraftfahrerspr.

78. die Zähne hobeln = die Zähne putzen. 1956 ff, jug.

79. auf einem hohlen ~ kauen = sehr wenig zu essen bekommen. 1920 ff.

80. durch die Zähne kauen = nachlässig, schwerverständlich sprechen. Man spricht mit fast geschlossenen Lippen, wie mit vollem Mund beim Kauen. 1950 ff.

81. den Leuten in die Zähne kommen = in üble Nachrede geraten. 1700 ff.

82. zum dritten Mal Zähne kriegen = ein künstliches Gebiß bekommen. Die beiden ersten Gebisse bekommt man von der Natur, das dritte dann vom Zahnarzt. 1900 ff.

83. lange Zähne kriegen = auf etw Lust bekommen. ↗ Zahn 74. Seit dem 19. Jh.

84. von etw lange Zähne kriegen = ein unbehagliches Gefühl im Mund bekommen; einer Sache überdrüssig werden. ↗ Zahn 64. Seit dem 19. Jh.

85. etw vor die Zähne kriegen = etw zu essen bekommen. 1900 ff.

86. auf den hintersten Zähnen lachen = hämisch lachen. 1920 ff.

87. ein paar Zähne laufen haben = Prostituierte für sich arbeiten lassen; Zuhälter sein. ↗ Zahn 3 und 4. 1920 ff, Berlin, Hamburg u. a.

88. jm die Zähne langmachen (jm lange Zähne machen) = jn auf etw begierig machen. ↗ Zahn 74. 1600 ff.

89. eine auf den ~ legen = eine Zigarre (Zigarette) rauchen. 1960 ff.

90. lange Zähne machen = a) etw gern besitzen wollen. ↗ Zahn 74. Seit dem 19. Jh. – b) ohne Appetit, mit Widerwillen essen. ↗ Zahn 64. Seit dem 19. Jh.

91. eins auf den ~ nehmen = ein Glas Alkohol trinken. Vgl ↗ Zahn 2. 1900 ff.

92. wissen, durch welchen ~ gepfiffen werden muß = sich auskennen; genau Bescheid wissen. Übertragen vom Pfeifsignal, mit dem die Diebe o. ä. sich untereinander verständigen. 1950 ff.

93. jm die Zähne plombieren = a) jm etw gründlich verleiden; jn gegen etw abstumpfen (abhärten). Zähneplombieren ist keinem Patienten angenehm. Die Bedeutung des Abstumpfens hängt wohl mit der örtlichen Betäubung zusammen. 1935 ff. – b) jm ins Gesicht schlagen. Euphemismus. 1940 ff.

94. da war der ~ raus = da (dadurch, damit) war die Schwierigkeit behoben. 1950 ff.

94 a. ich haue dich, daß dir die Zähne zum Arsch rausfliegen (ich haue dir die Zähne ein, daß sie dir zum Arsch rausfahren)! : Drohrede. 1920 ff.

95. das reicht nur für einen hohlen ~ = das ist sehr wenig zu essen. Scherzhafte Übertreibung, seit dem 18. Jh.

96. einen ~ reißen = ein Mädchen erobern. Vgl ↗ Zahn 50. Halbw 1960 ff.

97. jm einen ~ über das Chemisett rollen lassen = jm einen Zahn ausschlagen. 1910 ff.

98. jm etw aus den Zähnen rücken = jm einen Bissen wegnehmen. 1920 ff.

99. einen ~ runtertun = die Geschwindigkeit verlangsamen. ↗ Zahn 48. Kraftfahrerspr., 1930 ff.

100. über die Zähne scheißen = sich erbrechen. 1700 ff.

101. einen steilen ~ schwingen = mit einem netten Mädchen tanzen. ↗ Zahn 34. Halbw 1955 ff.

102. das ist für mich ein ~ zuviel = das geht mir zu schnell; das halte ich für voreilig. Von der Fahrgeschwindigkeit übertragen. 1950 ff.

103. einen ~ schneller sein = schneller fahren als andere. ↗ Zahn 48. 1930 ff.

104. etw im kleinen ~ spüren = etw ahnen. Entstellt aus „etw im kleinen ↗ Zeh spüren", wohl in Anlehnung an die

Hochempfindlichkeit schadhafter Zähne. 1930 ff.

105. etw hinter die Zähne stecken = etw essen. 1860 ff.

106. jm auf einen bestimmten ~ tasten = jn über gewisse Dinge vernehmen oder aushorchen. ↗ Zahn 65. 1920 ff.

107. jm auf den ~ tippen = jm eine heftige Ohrfeige geben. Iron Verharmlosung. 1930 ff.

108. die Zähne überleben = sehr alt werden (sein). Gemeint ist, daß man länger lebt, als die natürlichen Zähne halten. 1940 ff.

109. jm die Zähne verrücken = jm heftig ins Gesicht schlagen. 1955 ff, jug.

110. etw mit Zähnen und Klauen verteidigen = sich gegen die Hergabe eines Gegenstands heftig wehren; mit Nachdruck auf einem Plan beharren. Übertragen von der Gegenwehr eines Tieres. 1900 ff.

110 a. jn mit Zähnen und Krallen verteidigen = sich mit allen Kräften für jn einsetzen. Vgl das Vorhergehende. 1900 ff.

111. ein paar Zähne wegnehmen = die Fahrgeschwindigkeit verringern. ↗ Zahn 48. 1920 ff.

112. ihm tut kein ~ mehr weh = a) er ist tot. Spätestens seit dem 19. Jh. – b) er hat ein künstliches Gebiß. 1920 ff.

113. jm die Zähne zeigen (weisen) = jm drohend entgegentreten; tapfer aufbegehren. Hergenommen vom Zähnefletschen der Hunde. 1500 ff.

114. jm den ~ ziehen = a) jm eine törichte Absicht ausreden. Wohl hergenommen von der durch heftige Zahnschmerzen o. ä. bewirkten Unbeherrschtheit; ist der Zahn gezogen, kehrt das Normalverhalten zurück. 1700 ff. – b) die Anzüglichkeit einer Bemerkung zunichte machen. Beruht auf der Vorstellung vom Giftzahn der Schlange. 1950 ff.

115. diesen ~ laß dir ziehen (ausziehen)! = diesen törichten Gedanken (diese unsinnige Laune) mußt du aufgeben! trenne dich von deinem Hirngespinst! 1700 ff.

116. jm einen ~ ziehen = jm ein Mädchen abspenstig machen. ↗ Zahn 3. Halbw 1955 ff.

117. einer Sache den ~ ziehen = eine Hauptschwierigkeit beseitigen. ↗ Zahn 114 b. 1920 ff.

118. jm einen dicken ~ ziehen = jn nachdrücklich eines Besseren belehren; jn von einem unsinnigen Plan abbringen. ↗ Zahn 114 a. 1900 ff.

119. jm etw aus den Zähnen ziehen = jn unter Mühen zu einer Aussage bewegen; jn mit viel Geduld und Mühe zur Hergabe von etw bestimmen. Übertragen vom Versuch, einem Tier etwas abzunehmen, was es mit den Zähnen gepackt hat. Seit dem späten 19. Jh.

120. jm eine(n) aus den Zähnen ziehen = jm einen Menschen abspenstig machen. 1950 ff.

121. jn durch die Zähne ziehen = über einen Abwesenden mißgünstig reden. Hergenommen von den Zähnen der Hechel, des kammartigen Werkzeugs, mit dem Fasern gereinigt und getrennt werden; zusammenhängend mit ↗ durchhecheln. 1800 ff, vorwiegend nordd.

122. einen ~ zulegen = die Geschwindigkeit erhöhen; mehr Energie entwickeln; schneller gehen. ↗ Zahn 48. 1925 ff. – b)

lauter schnarchen. 1940 *ff.* – c) mehr Kampfkraft entwickeln. *Sportl* 1950 *ff.* – d) noch beweiskräftigere Gesichtspunkte vorbringen; die Kritik steigern. 1960 *ff.* – e) die Dividende, das Gehalt o. ä. erhöhen. 1960 *ff.*

123. einen ~ zurückschalten = sein Temperament zügeln; sich mäßigen; besonnener vorgehen. Von der Verminderung der Fahrgeschwindigkeit übertragen; ↗ Zahn 48. 1960 *ff.*

Zahnarzt *m* das war ~ = das war schlecht und geräuschvoll (knarrend) geschaltet. Anspielung auf die Bohrmaschine des Zahnarztes. Kraftfahrerspr. 1955 *ff.*

Zahnarzteffekt *m* Nachlassen der Zahnschmerzen beim Betreten des Wartezimmers einer Zahnarztpraxis. 1930 *ff.*

Zahnfleisch *n* **1.** junge Mädchen. ↗ Zahn 3. Das „Fleisch" zur Ware herabgewürdigt. 1960 *ff, halbw.*

2. etw bis aufs ~ auskosten = etw bis zur Neige betreiben. 1955 *ff.*

3. auf dem ~ daherkommen = völlig erschöpft daherkommen. Vielleicht hergenommen vom Bild des Dürstenden in der Wüste, der mit letzter Kraft, schon mit dem Mund am Boden, zu einem Wasserloch kriecht. 1930 *ff.*

4. auf dem ~ fahren = auf abgenutzten Reifen fahren; auf der Felge fahren (wenn der Reifen geplatzt ist). Weiterentwickelt aus dem Vorhergehenden. Kraftfahrerspr. 1940 *ff.*

5. jm eine ins ~ geben = jn heftig ins Gesicht schlagen. 1950 *ff.*

6. auf dem (rohen) ~ gehen (laufen, krauchen, kriechen o. ä.) = völlig erschöpft sein; sich die Füße wundgelaufen haben; müde vom Marschieren sein; mittellos sein. ↗ Zahnfleisch 3. *Sold, schül, stud* und bergsteigerspr. seit 1930. *Vgl franz* „être sur les dents".

7. ihm kräuselt sich das ~ = er wird wütend, verliert die Beherrschung. Hergenommen vom Hund, der die Lefzen hebt. 1950 *ff.*

8. auf dem ~ laufen = nicht vom Fleck kommen; keinen Schwung haben; kein Geld mehr besitzen. ↗ Zahnfleisch 3. 1930 *ff.*

9. auf blankem ~ laufen = aufs äußerste erregt sein. 1950 *ff.*

zahnlos *adj* nicht angriffslüstern; nicht verletzend; einfallslos, ideenarm. 1975 *ff.*

Zahnlücke *f* unbebautes Grundstück in geschlossener Häuserreihe. 1920 *ff.*

Zahnpastalächeln (-lachen; -Reklamelächeln) *n* Lächeln, bei dem beide Zahnreihen zum Vorschein kommen. Hergenommen von den Reklamebildern der Zahnpasta-Industrie. 1920 *ff.*

Zahnsalat *m* gefühlloses, knirschendes Schalten der Gänge beim Autofahren. Man denkt sich, die Zähne der Räder im Getriebe müßten abbrechen und durcheinanderwirbeln; ↗ Salat 1. Kraftfahrerspr. 1955 *ff.*

Zahnschmerzen *pl* **1.** Liebeskummer. ↗ Zahn 3 und 5. *Halbw* 1960 *ff.*

2. seelische ~ = bohrender, nagender Kummer. 1950 *ff.*

3. da kriegt man ja ~ = da verschlechtert man sich; da bringt man sich selbst in Nachteil. 1950 *ff.*

Zahnwechsel *m* **1.** Wechsel von einer Freundin zur anderen. ↗ Zahn 3. *Halbw* 1970 *ff.*

2. zweiter ~ = Einsetzung eines künstlichen Gebisses. 1900 *ff.*

Zammeln *pl* lang herabhängendes Haar. Gehört zu „zappeln = sich unruhig bewegen; lose baumeln. 1920 *ff.*

'Zampano *m* großer ~ = Mann, dem man die Bewältigung größter Schwierigkeiten zutraut; Wundermann; Anführer. Zampano heißt der Schausteller in dem *ital* Spielfilm „La Strada" (1954) von Federico Fellini. 1970 *ff.*

Zampel I *f* **1.** Pferd, Stute. Gehört wohl zu „zammeln = langsam gehen" und meint ein altes Tier mit schwerfälligem, unsicherem Gang, mit herabhängendem Kopf u. ä. Verwandt mit „zappeln = hin- und herbaumeln". Seit dem 19. Jh.

2. Dampfer, Schiff. Aufgefaßt als ein braves, aber altes Last- oder Zugtier. 1900 *ff.*

Zampel II *m* **1.** Leinensack der Hamburger Hafen- und Werftarbeiter. Verkürzt aus ↗ Zampelbüdel. 1900 *ff.*

2. mageres, sehniges Fleisch. Meint eigentlich das Fleisch eines alten Pferdes. 1900 *ff.*

Zampelbüdel *m (n)* Arbeits- und Frühstücksbeutel der Schauerleute. Ursprünglich der Mantelsack, den man auf das Pferd legt. Hamburg 1900 *ff.*

Zamperl *m (n)* nicht rassereiner Hund. Fußt auf „zempern = vor Ungeduld trippeln". *Bayr* 1920 *ff.*

Zange (Zangen) *f* **1.** unverträgliche Frau. Das Werkzeug meint eigentlich die „Beißerin", ganz deutlich in „Beißzange". Von hier übertragen auf die scheltende, mit Worten verletzende (um sich beißende) Frau. Seit dem 19. Jh.

2. Vagina. Aufgefaßt als Werkzeug zum Festhalten eines Gegenstands. 1900 *ff.*

3. Handfessel. 1920 *ff.*

4. Würgegriff. 1920 *ff.*

5. Motorrad. Fußt wohl auf dem Vergleich der Lenkstange mit den Griffen einer (Hebelzwick-)Zange. 1955 *ff*, kraftfahrerspr.

6. Dienstgradabzeichen des Hauptfeldwebels. Es ähnelt einer geschlossenen Zange. *BSD* 1965 *ff.*

7. etw (jn) nicht mit der ~ anfassen mögen = gegenüber einer Person oder Sache heftigen Abscheu empfinden. Hergenommen von der Brikett- oder Feuerzange, deren langer Griff den Abstand betont, den man zwischen sich und der Sache (oder Person) einzuhalten wünscht. Seit dem 18. Jh.

8. die ~ ansetzen = den Spieler in Mittelhand nehmen. Die Gegenspieler wirken auf den Spieler wie die Backen einer Zange. Kartenspielerspr. seit dem 19. Jh.

9. jm eine ~ bringen = jn zu schnellerer Verrichtung (seiner Notdurft) anhalten; jn anfeuern. Gemeint ist, daß man dem Abortbenutzer eine Zange bringen will, damit er die Kotwurst abkneife. *Sold* 1910 *ff.*

10. jn in der ~ haben = jn in der Gewalt haben. ↗ Zange 12. Seit dem 19. Jh. – b) jn militärisch eingekreist haben. *Sold* in beiden Weltkriegen.

11. die ~ machen = stehlen. Parallel zu ↗ Schere 4. 1920 *ff.*

12. jn in die ~ nehmen = a) jm von zwei Seiten zusetzen. Hergenommen vom Schmied, der ein Stück glühendes Eisen in die Zange nimmt, oder von der Zangenfolter. Seit dem 19. Jh. – b) jn in die Enge treiben; jn streng verhören. Seit dem 19. Jh. – c) den Spieler durch zwei Gegenspieler bedrängen. Kartenspielerspr. seit dem späten 19. Jh; *sportl* 1920 *ff.*

13. sich auf eine ~ schmeißen = sich auf das Motorrad setzen. ↗ Zange 5. Kraftfahrerspr. 1955 *ff.*

14. in der ~ sein = sich in unentrinnbarer Lage befinden; zur Entscheidung gezwungen sein. ↗ Zange 12. Seit dem 19. Jh.

zangen *tr* etw entwenden. ↗ Zange 11. 1920 *ff.*

Zangengeburt *f* **1.** sehr schwieriges Unterfangen. 1920 *ff.*

2. militärisches Unternehmen, bei dem der Erfolg durch Tricks usw. erreicht wird. *Sold* in beiden Weltkriegen.

3. unter großen Schwierigkeiten bestandene Prüfung. *Schül* und *stud,* 1920 *ff.*

zanken *v* **1.** liebe Kinder, zankt euch nicht, spuckt euch lieber ins Angesicht!: scherzhafte Mahnrede an Leute, die sich zanken. 1920 *ff.*

2. zankt euch nicht und streit't euch nicht, kriegt euch lieber in die Haare (bei die Köppe)!: scherzhaft begütigende Rede an Leute, die in einen Wortwechsel geraten sind. 1900 *ff, halbw.*

Zankteufel *m* zänkischer Mensch. 1800 *ff.*

Zapf *m* **1.** mündliche Prüfung. ↗ zapfen 1. *Österr* 1920 *ff, schül* und *stud.*

2. Hochschulübung mit Frage und Antwort. *Österr* 1920 *ff.*

Zapfen *m* **1.** Penis. Aufgefaßt als walzenförmiger Verschluß. 1900 *ff.*

2. Zapfenstreich. Hieraus verkürzt. *Sold* 1900 *ff.*

3. Flirt. Versteht sich aus „anzapfen" im Sinne von „die Reaktion ergründen". *Halbw* 1960 *ff.*

4. vierschrötiger Mensch mit mehr Muskel- als Geisteskraft. Übertragen von der gedrungenen Form des Spundlochverschlusses. 1910 *ff.*

5. wehleidige, energielose weibliche Person. Hängt über „↗ Zipf" wohl mit der Zipfelmütze (↗ Schlafmütze) zusammen. Doch kann auch vom tropfenden Eiszapfen ausgegangen werden. *Österr* 1920 *ff.*

6. Kälte. Anspielung auf die Eiszapfen. *Österr* 1920 *ff.*

7. fader ~ = langweiliger Mensch. ↗ Zipf. *Österr* 1920 *ff.*

8. ~ rein! = Gas geben! Mit dem Zapfen ist hier der Gashebel gemeint. Fliegerspr. 1935 *ff.*

9. der ~ ist ab = die Sache ist gescheitert; die Lage ist verloren; jetzt ist die Geduld am Ende. Oben am Zapfen läuft das Bierfaß (o. ä.) leer. 1900 *ff.*

10. jetzt ist aber der ~ ab!: Ausdruck der Unerträglichkeit, der sehr unangenehmen Überraschung. 1900 *ff.*

11. mir jagt's den ~ aus!: Ausruf des Unwillens, des Erschreckens o. ä. 1920 *ff.*

12. über den ~ brennen = die Ausgangserlaubnis überschreiten. ↗ Zapfen 2; ↗ brennen 2. *Sold* 1910 *ff.*

13. einen ~ haben = a) leidenschaftslos sein. Zapfen = Eiszapfen. *Österr,* 1920 *ff.* – b) Angst haben; aufgeregt sein. „Zapfen" meint die zapfenförmige Kotmasse im Darm und spielt auf Stuhldrang an. *Sold* in beiden Weltkriegen.

14. über den ~ hauen = a) die Ausgangserlaubnis überschreiten. ↗Zapfen 2. „Hauen" kann sich auf das Kartenspielen beziehen (man schlägt die Karten laut auf die Tischplatte). *Sold* 1900 ff. – b) verschwenderisch leben. 1920 ff.
15. ihm guckt der ~ raus = er hat Angst. ↗Zapfen 13 b. 1914 ff.
16. ~ streichen = die Ausgangserlaubnis überschreiten. Verkürzt aus „über den Zapfen streichen", wobei „streichen" für „umherstreichen, umherschweifen" steht. *Sold* 1900 ff.
17. den ~ streichen = a) harnen. ↗Zapfen 1. 1920 ff, *sold.* – b) onanieren. 1920 ff.
18. den ~ (über den ~) wichsen = den Abendurlaub überschreiten. „Wichsen" bezieht sich entweder auf Zechen oder auf Koitieren. *Sold*, spätestens seit 1900.
zapfen *tr* **1.** jn einer Prüfung unterwerfen. Zapfen = dem Faß einen kleineren Teil seines Inhalts entnehmen; hier weiterentwickelt im Sinne von „Stichprobe". *Österr* 1920 ff, *schül* und *stud.*
2. vom Banknachbarn abschreiben. 1950 ff.
3. jm Geld abgewinnen, abnehmen, ablisten. ↗anzapfen 2. 1950 ff.
Zapfenstreich *m* **1.** Polizeistunde. 1930 ff.
2. dann ist ~ = dann ist Schluß. 1930 ff.
3. über den ~ wichsen = die Ausgangsfrist überschreiten. ↗Zapfen 18. *Sold* 1900 ff.
Zappelgarten *m* **1.** Zoologischer Garten. Berlinische Umdeutung von „zoologisch" durch Annäherung an ↗zappelig. 1880 ff.
2. Kinderspielplatz. Berlin, im frühen 20. Jh aufgekommen.
zappelig *adj* unruhig, ungeduldig, nervöshastig. Zappeln = sich hastig (in raschen Bewegungsfolgen) bewegen. 1600 ff.
Zappe'linder *m* Zylinderhut. Der Bezeichnung liegt die Vorstellung des Zappelns aus Angst zugrunde, woraus sich Analogie zu „↗Angströhre" ergibt. 1920 ff.
zappeln lassen *tr* jn in Ungewißheit halten; jn in peinlicher Lage hinhalten. Hergenommen vom Vogel, der an der Leimrute oder im Netz zappelt, oder vom Fisch an der Angelschnur usw. 1500 ff.
Zappelphilipp *m* **1.** unruhiges Kind; lebhafter, nervöser Mensch. Stammt aus Heinrich Hoffmanns „Der Struwwelpeter" (1845). 1870 ff.
2. Radfahrer; Angehöriger einer Radfahrtruppe. 1900 ff.
zappenduster (-düster) *adj* **1.** da ist ~ = da ist es völlig dunkel. Nach dem Zapfenstreich wurden die Lichter in den Kasernen gelöscht. 1900 ff, *sold* und *stud*; vorwiegend nördlich der Mainlinie.
2. da ist (nun ist's; damit ist's) ~ = nun ist's zu Ende; jetzt ist nichts mehr zu ändern; jede weitere Bemühung ist aussichtslos. Weiterentwickelt aus dem Vorhergehenden. 1900 ff, *sold* u. a.
3. bei mir ist es ~ = ich weiß es nicht. Im Kopf bleibt es dunkel. Berlin 1950 ff, *schül.*
zappza'rapp machen etw stehlen, entwenden. Weiterentwickelt aus russisch „zabrat'" = wegnehmen" unter Einfluß von „zappen, zapfen" und „raffen". ↗sapralisieren. *Sold* 1941 ff.
zapralisieren *tr* etw entwenden; sich etw listig beschaffen. ↗sapralisieren. *Österr* 1941 ff.

Zarette *f* Zigarette. Hieraus verkürzt. *Sold* 1939 ff; *halbw* 1960 ff.
zarken *intr* **1.** Darmwinde entweichen lassen. Nebenform zu *bayr* „zörgen, zürken = misten, exkrementieren". Vom Stalltier auf den Menschen übertragen. 1920 ff.
2. verdorben riechen. *Vgl jidd* „sarchenen = übel riechen, stinken". 1920 ff.
Zaster *m* **1.** Geld, Sold. Stammt aus *zigeun* „sáster = Eisen". *Rotw* seit dem frühen 19. Jh; *sold* 1870 ff.
2. Munition. Ausdrücke für Munition werden in der Umgangssprache ausgetauscht gegen Ausdrücke für Geld und umgekehrt. *Sold* 1900 ff.
Zaster-Ede *m* Rechnungsführer. „Ede" ist berlinische Form des Vornamens Eduard. *BSD* 1965 ff.
Zasterhase *m* dicker (fetter) ~ = wohlhabender Mann. 1950 ff.
zastern *intr* bezahlen. ↗Zaster 1. Seit dem frühen 19. Jh, *ostd* und *mitteld.*
Zauber *m* **1.** Unsinn, Schwindel; Lug und Trug. Hergenommen vom Trick der Zauberer oder vom Spuk des früheren Zaubertheaters. 1840 ff.
2. angeblich spontane, in Wirklichkeit lang eingedrillte Truppenvorführung. *Sold* 1870 ff.
3. Gefecht; Gefechtslärm usw. Im Zaubertheater von einst gab es lärmenden Spuk, bengalisches Feuer u. ä. *Sold* in beiden Weltkriegen.
4. Sache, Angelegenheit *(abf).* 1870 ff.
5. fauler ~ = durchschaubare Täuschung; Sache, die keine Mühe wert ist; grobe Ungehörigkeit. ↗faul 1. Etwa seit 1850.
6. der ganze ~ = das alles *(abf).* 1900 ff.
7. den ~ kennen = a) auf Grund böser Erfahrungen Bescheid wissen; sich nicht nochmals übertölpeln lassen. 1900 ff. - b) mit militärischen Dienstobliegenheiten vertraut sein. 1900 ff.
8. mach' keinen ~! = übertreibe nicht! bleibe sachlich! 1870 ff.
9. das ist ~ = das ist unübertrefflich. Hängt mit der positiven Geltung von „↗zauberhaft" zusammen. *Halbw* 1955 ff.
zauberhaft *adj* **1.** vorzüglich; überaus reizend; unvorstellbar gut. Gegen 1950 aufgekommen.
2. *adv* = sehr. 1950 ff.
zaubern *v* **1.** *tr* = etw stehlen. Man praktiziert es weg, wie der Zauberer Gegenstände verschwinden läßt. 1950 ff.
2. nicht ~ können = nicht schneller handeln können. Seit dem 19. Jh.
Zaubertor *n* mit großem Einfallsreichtum (großer Geschicklichkeit) erzielter Tortreffer. *Sportl* 1955 ff.
Zauchtel *f* **1.** unordentliche Frau. Nebenform zu ↗Zuchtel. 1900 ff, Berlin und südostd.
2. schlimme, streitsüchtige Frau. 1900 ff.
Zaun *n* **1.** es (etw) vom ~ brechen. ↗Streit 2.
2. den ~ nicht einreißen = gute Nachbarschaft pflegen, aber zurückhaltend bleiben. *Österr* 1900 ff.
3. für jn einen ~ flicken = jds Schuld (Schulden) in Ordnung bringen. 1960 ff.
4. übern ~ gehen (durch den ~ grasen) = ehebrechen. Seit dem 19. Jh.
5. mit etw hinter dem (hinterm) ~ halten

= nicht alles sagen, was man weiß. Seit dem 19. Jh.
6. hier möchte ich nicht tot überm ~ hängen = hier möchte ich nicht immer leben müssen. *BSD* 1965 ff.
7. wir werden den ~ schon pinseln = wir werden die Sache meistern. 1900 ff, nördlich der Mainlinie.
8. jm den ~ pinseln = jn zurechtweisen, eines Besseren belehren. Parallel zu „jm etw ↗anstreichen". 1900 ff.
9. jn über den ~ schippen = jn übertölpeln, ausnutzen. ↗Schippe 6. Was man über den Zaun schaufelt, hält man für wertlos – wie den Menschen, den man ausgenutzt hat. 1930 ff.
'zaun'dürr *adj* hager, knochig. Man ist dürr (=ausgetrocknet) wie ein alter Bretterzaun. ↗Zaunlatte 2. *Oberd* und *rhein,* seit dem 18. Jh.
Zaungast *m* Zuschauer außerhalb der Einfriedigung. Seit dem 19. Jh.
'zaun'krach'dürr *adj* sehr dürr; ausgemergelt. ↗zaundürr. 1800 ff.
Zaunlatte *f* **1.** großwüchsiger schmächtiger Mensch. ↗Latte 13. Seit dem 19. Jh.
2. dürr wie eine ~ = hager. 1900 ff.
3. eine ~ verschluckt haben = steif, ungelenk sein; keine Verbeugung machen. 1920 ff.
Zaunpfahl *m* **1.** hölzern wie ein ~ = lebensungewandt. Veranschaulichung von „↗hölzern". 1950 ff.
2. mit dem ~ winken = jm einen unmißverständlichen Hinweis geben; plump auf etw anspielen. ↗Wink 11. Spätestens seit 1850.
Zausel *m* **1.** Pferd *(abf).* Gehört zu „zausen = struppig machen" und ist wohl beeinflußt von *gleichbed* „↗Zossen". 1900 ff, *österr, bayr,* südostdeutsch und niedersächsisch.
2. dummer Bursche. Parallel zu ↗Roß 1. 1920 ff.
3. alter ~ = alter Mann; alter Lüstling. 1920 ff.
zausig *adj* zerzaust. *Bayr* und *österr,* 1800 ff.
'zeam *adj* zünftig. ↗zerm. *Bayr* 1900 ff.
Zebe'däus *m* **1.** Penis. Die Bibel benennt Zebedäus, einen Fischer am See Genezareth, als Vater der Apostel Johannes und Jakobus, die als unzertrennlich geschildert werden. Hieraus ergab sich im *Ital* die Bezeichnung „zebedei = Hoden". Seit dem 18. Jh.
2. Zeigestab. Anspielung auf den erigierten Penis, vielleicht auch auf Exhibitionismus oder Zeigezwang. *Schül* 1955 ff.
Zebra *n* **1.** Man ist viel. Beruht auf Wortspielerei: Studenten nennen „Streifen" den großen Schluck Bier (↗Streifen 1). Da das Zebra viele Streifen hat, ist „ein Zebra" mehr als „ein Streifen". *Stud* 1920 ff.
2. Zuchthäusler. Wegen der gestreiften Anstaltskleidung. 1920 ff.
3. „Zebrastreifen"; gekennzeichneter Übergang für Fußgänger über die Fahrbahn. 1955 ff.
Zebra-Beine *pl* Mädchenbeine in zebragestreifter Strumpfhose o. ä. 1955 ff.
Zebra-Igel *pl* NATO-Truppen. Der nur zur Verteidigung eingestellte Igel ist das Sinnbild des „bewaffneten Friedens". *BSD* 1965 ff.
Zebra-Röhren *pl* mehrfarbig längsgestreifte, enge Damenhosen. 1959 ff.
Zebraspringer *m* Fußgänger, der die Fahr-

bahn eilig auf dem „↗Zebrastreifen" überquert. 1955 ff.

Zebra-Stock m schwarz-gelb quergestreifter Spazierstock für alte Leute. 1967 ff.

Zebrastreifen m mit schwarz-weißen Streifen auf der Fahrbahn markierter Fußgängerüberweg. 1955 ff.

Zeche f 1. die ~ bezahlen = für die unliebsamen Folgen einer gemeinschaftlichen Tat allein einstehen (müssen). Zeche = Gesamtbetrag des Verzehrs. 1500 ff.
2. eine ~ treiben = die männlichen Gäste eines Vergnügungslokals zu hoher Zeche verleiten. 1925 ff.
3. die ~ zahlen = für das Verschulden anderer haftbar gemacht werden. 1500 ff.

Zechenbaron m Bergbauindustrieller. „Baron" spielt auf den Umstand an, daß vor 1918 viele von ihnen in den Freiherrenstand erhoben wurden. Die Bezeichnung hat die Jahrzehnte bis heute überdauert, wird allerdings häufig in unternehmerfeindlichem Sinn gebraucht.

Ze'chinen pl 1. Geld. Die Bezeichnung geht zurück auf die 1280 unter dem Namen „zecchino" eingeführte venezianische Goldmünze. Seit dem 19. Jh.
2. zum Vertrinken bestimmtes Geld. Scherzhaft beeinflußt von „zechen". 1910 ff.

Zechpreller m 1. Mann, der die Prostituierte um das Entgelt zu prellen versucht. 1920 ff, prost.
2. Entgeltspreller gegenüber dem Abortwärter. Berlin 1900 ff.

Zeck m 1. Laufspiel, Streich, übermütiges Benehmen; Haschen. Gehört zu „zecken = einen leichten Schlag geben; den Erhaschten abschlagen", vielleicht beeinflußt von „Zicken = Kapriolen". Seit dem 18. Jh, vorwiegend Berlin.
2. ~ abreißen = ein steifes Zeremoniell entwickeln. Dem Außenstehenden erscheint es wie ein Spiel nach strengen Regeln. 1950 ff.
3. ~ spielen = Haschen spielen. 1700 ff.

Zecke f 1. aufdringlicher Mann. Übertragen vom zähen Festhalten der saugenden Hundszecke. Seit dem 19. Jh.
2. intime Freundin, die sich nicht abschütteln läßt. Seit dem 19. Jh.
3. zänkische, mit Worten verletzende Frau. Seit dem 19. Jh.
4. pl = die jüngeren Geschwister. Die älteren empfinden sie als lästig. 1930 ff.
5. an jm hängen wie die ~ = sich an jn anklammern. Seit dem 19. Jh.
6. kleben wie die ~n = fest zusammenhalten. 1500 ff.
7. saufen wie eine ~ = wacker zechen. Das Blutsaugen der Zecken erstreckt sich über mehrere Tage und endet erst, wenn ihr Körper ein Vielfaches seiner ursprünglichen Größe erreicht hat. Seit dem 19. Jh.

Ze'fix interj Ausruf des Unwillens. Verkürzt aus „Kruzifix". Bayr 1900 ff.

Zeh (Zehe) m (f) 1. garnierte ~en = lackierte Zehennägel. 1955 ff.
2. dem Herrgott die ~en abschlecken (abbeten) = übertrieben fromm sein. Hergenommen von der in der katholischen Kirche weitverbreiteten Sitte, einer Christusfigur (zu Ostern) die Füße zu küssen. 1900 ff.
3. sich in den dicken ~ beißen (beißen mögen) = vor Ärger, Wut, Enttäuschung,

---

Ratlosigkeit o. ä. etwas Unsinniges tun wollen. 1900 ff.
4. da schlafen einem die ~en paarweise ein = es ist überaus langweilig. Fußt auf der Metapher von den „eingeschlafenen Füßen". Sold 1935 ff.
5. über den großen ~ laatschen = mit einwärtsgerichteten Füßen gehen. ↗laatschen. 1870 ff, jug.
6. jm auf den ~en rumtrampeln = jds Ehre zu nahe treten. ↗Zeh 10. 1920 ff.
7. es im kleinen ~ spüren = es zutreffend ahnen. Hergenommen vom Auftreten rheumatischer Schmerzen im Zeh bei Witterungswechsel o. ä. 1900 ff.
8. jm auf den ~en stehen = einen Fußballspieler scharf bewachen. Sportl 1955 ff.
9. jm auf die ~en steigen = a) jn verletzen, beleidigen. ↗Zeh 10. Seit dem 19. Jh. – b) jm Einhalt gebieten. 1920 ff, bayr und österr.
10. jm auf die ~en treten = a) jn kränken. Handgreifliche Veranschaulichung von „jn zu nahe treten". Vgl engl „to step on one's toes". – b) jm einen unmißverständlichen Wink geben. 1850 ff. – c) gegen jn rücksichtslos vorgehen; jn gefügig machen. 1900 ff. – d) jn antreiben. 1930 ff.
11. tritt dir nicht auf den ~! = hüte dich vor einer Dummheit! bring' dich nicht selbst in Ungelegenheiten! 1900 ff.

Zehenmechanik f Ballett; akrobatischer Tanz. 1870 ff.

Zehner m bei ihm ist der ~ gefallen = er hat endlich begriffen. Parallel zu „bei ihm ist der ↗Groschen gefallen". 1920 ff.

Zehnminutenbrenner m langer, inniger Kuß. ↗Fünfminutenbrenner 1. Berlin 1900 ff.

Zehnührchen n Imbiß um 10 Uhr vormittags. 1900 ff. Vgl engl „elevens".

Zeichen n 1. seines ~s = von Beruf (er ist seines Zeichens Maler; seines Zeichens ist er Rechtsanwalt). Hergenommen von den Handwerks- und Zunftzeichen. Etwa seit dem frühen 19. Jh.
2. es geschehen noch ~ und Wunder = es ereignen sich unerwartete (ungeahnte) Dinge (zum Beispiel wenn man nach langer Zeit zufällig einen alten Bekannten wiedersieht). Stammt aus der Bibelsprache, ist aber erst durch Schillers „Wallensteins Lager" volkstümlich geworden. Seit dem 19. Jh.
3. ~ setzen = Grundsätze aufstellen. Hergenommen vielleicht von den Feldzeichen, die früher den Truppen vorangetragen wurden, oder – moderner – von den Verkehrszeichen, die für alle Verkehrsteilnehmer bindend sind. Politikerspr. und journ 1960 ff.
4. ein ~ setzen = die Leute aufrütteln. Fußt wohl auf der Vorstellung des Menetekels. 1960 ff.

Zeiger m 1. das haut auf den ~ = das ist eine beachtliche Leistung; das fördert die Sache. Hergenommen von einer Kraftprobe („haut den Lukas!"), bei der man auf einen Bolzen so kräftig schlägt, daß der Wertungszeiger ausschlägt. Sold 1935 ff; jug 1950 ff.
2. da bleibt einem glatt der ~ stehen! = Ausdruck der Verwunderung. Übertragen vom Zeiger der Weckeruhr in Verbindung mit „↗Wecker 4". 1950 ff.
3. den ~ weiterdrehen = die Schuld

(Verantwortung) einem anderen zuschieben. Man verstellt die Uhr, um sich eine bequeme Ausrede zu verschaffen. 1930 ff.

Zeile f ~n schinden = einen Text längen, um mehr Zeilenhonorar zu erhalten. ↗schinden 1. 1870 ff, journ.

Zeilengeldschmierer m Verfasser sehr ausführlicher Zeitungsaufsätze (abf). ↗Schmierer 3. 1925 ff, journ.

Zeiserlwagen m Gefangenentransportwagen; Polizeiauto. „Zeiserl" ist der Zeisig oder der Stieglitz (Distelfink). Die Fahrzeuge sind „zeiserlgelb" lackiert. Bayr und österr, 1920 ff.

Zeit f 1. Geld. Um anzudeuten, daß „Zeit" hier anders aufzufassen ist, macht man mit Daumen und Zeigefinger die Bewegung des Geldzählens. Versteht sich nach dem Sprichwort „Zeit ist Geld". 1920 ff, schül, stud und sold.
1 a. ~ der kleinen Brötchen = Zeitläufte, in denen Bescheidenheit, Anspruchseinschränkung o. ä. angebracht sind. ↗Brötchen 27. 1973 ff.
2. ~ der langen Nasen und der kleinen Pipimänner = die ersten feuchtkalten Wintertage. Niederhängende Tropfen „verlängern" die Nase; Pipimann = Penis. 1950 ff, stud.
3. braune ~ = NS-Zeit. ↗braun 1. Kurz nach 1945 aufgekommen.
4. alle heiligen ~en = sehr selten. Meint im kirchlichen Sinne alle Tage, an denen das übliche Tätigsein verboten und Ruhe, Fasten und Feiergesinnung geboten sind. Bayr und österr, 1900 ff.
5. alle heiligen ~en einmal = überaus selten. 1900 ff.
6. krumme ~ = Uhrzeit mit einer nicht durch 5 oder 10 teilbaren Minutenzahl. Vom kaufmännischen Begriff der „krummen Preise" übernommen. 1950 ff.
7. du liebe ~! = Ausruf des Erstaunens, des Entsetzens, der Entrüstung o. ä. Da „liebe" stark betont ist, scheint „Zeit" Ersatz für eine geheiligte Person oder Sache zu sein, die man in der Not anruft. Seit dem 18. Jh.
8. du 'meine ~! = Ausruf der Verwunderung. Seit dem 18. Jh.
9. tolle ~ = Bestzeit in sportlichen Wettkämpfen. ↗toll 1. Sportl 1930 ff.
10. tote ~ = Zeit zwischen Mitternacht und 5 Uhr. Wegen des geringen Straßenverkehrs. Polizeispr. 1950 ff.
11. als die ~ groß wurde = a) als im Weltkrieg der Sieg nahegerückt schien. Fußt auf den schwülstigen Reden der Staatsmänner. 1915 ff. – b) als Hitler Deutschland hoffnungsvollen Zeiten entgegenzuführen versprach. 1933 ff.
12. eine ~ abrackern = eine Zeit mühselig, mehr schlecht als recht verbringen. ↗abrackern. 1920 ff.
13. aussehen wie die teure ~ = blaß und abgemagert aussehen. Teure Zeit = Zeit der Teuerung; Notzeit. 1700 ff.
14. mal sehen, ob ich ~ habe: Redewendung, bei der man den Geldbeutel öffnet und nachschaut, wieviel Geld man bei sich hat. ↗Zeit 1. 1920 ff.
15. keine ~ haben = ohne Geld sein. ↗Zeit 1. 1920 ff, schül, stud und sold.
16. viel ~ haben = gut mit Geld versehen, reich sein. ↗Zeit 1. 1920 ff.
17. neben der ~ leben können = sich in aller Ungestörtheit erholen. „Neben der Zeit" meint soviel wie „ohne an eine Frist

gebunden zu sein" oder „ohne sich um die Neuigkeiten des Tages zu kümmern". 1960 ff.

18. die ~ ruinieren = die Zeit vergeuden; sich bei (mit) unwichtigen Dingen unnötig lange aufhalten. 1920 ff.

19. ~ schinden = mit Lug und Trug Zeit zu gewinnen suchen. ↗ schinden. 1920 ff.

20. sich die ~ um die Ohren schlagen. ↗ Ohr 73.

21. jm die ~ stehlen = jm mit belanglosen Dingen lästig fallen; jn mit seinem Besuch belästigen. 1500 ff.

22. ich habe meine ~ nicht gestohlen = ich habe keine Zeit, mich mit unnützen Dingen abzugeben. Seit dem 19. Jh.

23. mit etw die ~ totschlagen (totmachen) = die Zeit ohne ernste Beschäftigung verbringen. 1840 ff. Vgl franz „tuer le temps", engl „to kill time", span „matar el tiempo", ital „ingannare il tempo".

24. an der ~ vorbeitanzen = sich amüsieren und die Tagesereignisse nicht zur Kenntnis nehmen. 1960 ff.

Zeitbombe f **1.** Enthüllung, die nach einiger Zeit weite Kreise zieht und sich zu einem umfangreichen Skandal entwickelt. 1930 ff.

2. eine ~ legen = eine Kränkung (Hintanstellung o. ä.) nicht vergessen und auf eine Gelegenheit zur Vergeltung warten. 1950 ff.

3. eine ~ tickt = eine gefährliche Entwicklung mit schlimmen Folgen deutet sich an. 1960 ff.

Zeitklau m Mensch, der andere unnötig aufhält. ↗ Zeit 21. Ein später Nachfolger des „Kohlenklau". 1955 ff.

Zeitlang n nach etw ~ haben = sich nach etw sehnen. Es wird einem die „Zeit lang" vor Ungeduld. Bayr 1920 ff.

Zeitmine f die ~ geht hoch = eine üble Entwicklung wird plötzlich ausgelöst. 1950 ff.

Zeitpolster n geraume Zeit für die Ausführung eines Plans. ↗ Polster. 1970 ff.

Zeitschnitzer m Anachronismus. ↗ Schnitzer. 1930 ff.

Zeit-Schwein n Zeitsoldat. Hergeleitet vom ↗ Frontschwein. BSD 1965 ff.

Zeitung f **1.** Abortpapier. Als solches dient oft Zeitungspapier, vor allem in Massenunterkünften. Außerdem wird von mancher Zeitung behauptet, ihr Hauptzweck erfülle sich in der Verwendung als Abortpapier. BSD 1960 ff.

2. lebendige ~ = schwatzhafter Mensch. Seit dem 19. Jh.

3. die ~ abbestellen = sterben; den Soldatentod erleiden. Tarnausdruck. 1930 ff.

4. ~ lesen = den Sitzabort benutzen. ↗ Zeitung 1. BSD 1960 ff.

5. eine ~ verhaften = eine Zeitungsausgabe beschlagnahmen. 1950 ff.

Zeitungsfrömmigkeit f Glaube an die Wahrheit der Zeitungsmeldungen. 1900 ff.

Zeitungsjule f Zeitungsausträgerin. ↗ Jule. Berlin 1870 ff.

Zeitungspapier n platt wie ~ = sehr erstaunt, verblüfft. Scherzhafte Veranschaulichung von „↗ platt 7". 1950 ff.

Zeitungsplantage f Anzeigenteil der Zeitung. 1920 ff.

Zeitungsschlucker m Leiter eines Zeitungskonzerns. Er „schluckt" (= eignet sich an) die kleineren Zeitungen. 1960 ff.

Zeitungsschnitte f sehr dünne Brotschnit-

te. Durch sie hindurch kann man die Zeitung lesen. 1920 ff, ostd, mitteld, Berlin u. a.

Zeitungs-Strichmädchen n Prostituierte auf Kundenfang durch Zeitungsanzeigen. ↗ Strichmädchen. 1965 ff.

Zeitungstiger m **1.** neugieriger Mitleser in der Zeitung des Sitznachbarn (in öffentlichen Verkehrsmitteln); Mensch, der sich vom Mitfahrenden die Zeitung leiht. Er hat den Raubtierinstinkt des Tigers. 1920 ff.

2. Mensch, der im Lokal viele Zeitungen mit Beschlag belegt. 1920 ff.

3. Zeitungsreporter. Er ist nachrichtengierig; wohl auch beeinflußt von „↗ tigern". 1920 ff.

Zeitverdrückung f in ~ geraten = mit der verfügbaren Zeit nicht auskommen. ↗ Verdrückung 1. 1950 ff.

Zeitvertreib m **1.** Flirt, Geschlechtsverkehr. 1920 ff.

2. Strafstunde; häusliche Schularbeiten. Ironie. Schül 1960 ff.

Zeitzünder m **1.** begriffsstutziger Mensch. Der Zeitzünder löst die Explosion erst mit zeitlicher Verzögerung aus. 1920 ff, sold und jug.

2. Witz, dessen Sinn erst nach einer Weile verstanden wird. 1920 ff, sold und jug.

3. mit ~ = mit Verspätung; mit langsamer Wirkung. 1950 ff.

4. einen ~ haben = Temperament erst spät entwickeln. 1925 ff.

Zeitzündung f mit ~ = langsam wirkend; eine lange Anlaufzeit benötigend. 1950 ff.

Zellenkoller m Zornesausbruch eines Häftlings. ↗ Koller. 1920 ff.

Zellenpraktikum n Klausurarbeit. 1960 ff, stud.

Zellophansarg m Zellophanhülle für den Blumenstrauß. 1983 ff.

Zelluloid-Akrobat m guter Tischtennisspieler. 1960 ff.

Zelluloidberuf m Filmberuf. 1925 ff.

Zelluloid-Klassiker m bedeutender, wertvoller, beispielhafter Film. 1960 ff.

Zelluloidkopf m Kahlkopf. Er sieht aus wie eine Zelluloidkugel. 1920 ff.

Zelluloid-Musen pl Filmschauspielerinnen. 1960 ff.

Zelluloid-Prominenz f die führenden Filmhersteller und/oder -schauspieler(innen). 1955 ff.

Zelluloid-Schlager m Erfolgsfilm. 1960 ff.

Zelluloid-Wettkampf m Filmfestspiele. 1961 ff.

Zelt n **1.** ~ in der Hose = erigierter Penis. 1930 ff.

2. die ~e abbrechen = aufbrechen, abreisen, umziehen; zu einer anderen Gruppe wechseln. Aus dem Nomadenleben verallgemeinert. 1870 ff.

3. seine ~e aufschlagen = sich niederlassen. 1870 ff.

4. ein ~ bauen = sich geschlechtlich erregen (vom Mann gesagt). ↗ Zelt 1. 1930 ff.

5. hier laßt uns ~e bauen! = lassen wir uns hier nieder! Parallele zu „↗ Hütten bauen". 1870 ff.

Zelten (Zeltn) m langweiliger Bursche. Gehört wohl zu „Lebzelten = Lebkuchen". „Lebzelter" ist der Lebküchner, auch der Metsieder und der Wachsverarbeiter. Von

hier ergibt sich die Parallele zu „↗ Seifensieder 1". Bayr 1920/30 ff.

Zement m **1.** Geld, Sold. Meint vor allem das Hartgeld und ist analog zu „↗ Kies", „↗ Schamott", „↗ Schotter", „↗ Stein" u. a. Sold in beiden Weltkriegen.

2. ~ fahren = Bombenübungsflüge veranstalten. Die Übungsbomben sind aus Zement gegossen. Fliegerspr. 1935 ff.

3. bei mir ~, da kannst du lange kratzen!: Ausdruck der Ablehnung. Man läßt sich nicht erweichen. 1920 ff.

Zementbaß m schwere, kraftvolle Baßstimme (öfter auf die weibliche Alt-Stimme bezogen). „Zement" spielt auf die „Härte" der Stimme an. Theaterspr. 1920 ff.

Zementbinder m vorgeformter Querbinder. Er ist unverformbar und sitzt fest „wie Zement". 1930 ff.

Zementburg f Betonhochhaus. 1965 ff.

zementieren tr **1.** etw unverbrüchlich festsetzen, festigen. Journ und politikerspr. Wahrscheinlich dem Engl nachgebildet (to cement relations). 1950 ff.

2. Mittel gegen Durchfall (Ruhr) anwenden. Marinespr 1950 ff.

Zementinjektion f jm eine ~ machen = jds Entschlußkraft (Widerstandswillen) stärken. 1942 aufgekommen im Zusammenhang mit der Sportpalastrede von Dr. Joseph Goebbels („wollt ihr den totalen Krieg?").

Zementkragenträger m katholischer Geistlicher. 1920 bis heute.

Zementmixer m Maurer. 1950 ff.

Zement-Pappagallo m italienischer Bauarbeiter in der Bundesrepublik Deutschland. ↗ Pappagallo. 1960 ff.

Zementschnupfen m Arterienverkalkung. Berlin seit dem frühen 20. Jh.

Zementspecht m Verputzer am Bau. 1950 ff.

Zementspritze f Rede, mit der man den Widerstandswillen der Zuhörer stärken will. ↗ Zementinjektion. 1942 ff.

Zensurenschrauberei f Erteilung von Leistungsnoten nach sehr strengen Grundsätzen. Hergenommen vom Bild der Schraube, die man fest anzieht. 1965 ff.

Zentralheizung f **1.** Magen. 1910 ff.

2. die ~ anfeuern = zechen. 1910 ff.

3. jn mit etw nicht hinter der ~ hervorlocken = mit etw keinen Anreiz auf jn ausüben. Bezieht sich eigentlich auf den Hund; vgl ↗ Hund 134. 1900 ff.

Zentralirre f großer Irrtum. ↗ Irre. 1970 ff.

Zentralschaffe f **1.** außerordentlich eindrucksvoller Treffpunkt; unübertreffliches Können. ↗ Schaffe 2. Halbw 1955 ff.

2. sehr sympathisches Mädchen. Halbw 1955 ff.

3. steile ~ = sehr eindrucksvolles, nettes, zugängliches Mädchen. ↗ steil 1. Halbw 1955 ff.

Zenzi-Look (Grundwort engl ausgesprochen) m Dirndl-Kleider-Mode. „Zenzi" ist Koseform des weiblichen Vornamens Crescentia. ↗ Look. 1965 ff.

Zeppelinbohne f Gerstenkorn; Malzkaffee. Wegen der Formähnlichkeit des Korns mit dem Zeppelin-Luftschiff. Seit den frühen 20. Jh.

Zeppelinkaffee m Gersten-, Malzkaffee. ↗ Zeppelinbohne. Seit dem frühen 20. Jh.

zerackern refl mit etw sich bis zur völligen Erschöpfung beschäftigen. ↗ ackern. Seit dem 19. Jh.

zerbeißen *tr* ein Glas ~ = ein Glas Alkohol trinken. ↗abbeißen 3. 1950 *ff.*

Zerberus *m* **1.** Pförtner, Gefängniswärter, Türsteher, Schulhausmeister o. ä. Zerberus ist in der *griech* Mythologie der dreiköpfige Höllenhund, der darüber wacht, daß die Toten nicht zur Welt der Lebenden entfliehen. Er ist der Typus des grimmigen Aufpassers, der keine Nachsicht kennt. *Schül, stud* u. a. seit dem späten 19. Jh.
1 a. Begleiter(in) eines jungen Paares aus Schicklichkeitsgründen. Seit dem späten 19. Jh.
2. aufsichtführende Lehrkraft. 1920 *ff.*
3. Vorzimmersekretär, -dame. 1930 *ff.*
4. Torwart. *Sportl* 1950 *ff.*

zerbiegen *refl* laut und anhaltend lachen. Man biegt sich vor Lachen. 1920 *ff.*

zerbröseln *v* **1.** *intr* in Auflösung geraten. Brösel = Brotkrume. 1920 *ff.*
2. *tr* = etw durch überlange Erörterung „zerreden". 1920 *ff.*
3. *tr* = jn verprügeln. 1920 *ff.*

zerfetzen *tr* **1.** *tr* = jn scharf verhören; jn zu einem Geständnis zwingen. 1933 *ff.*
2. es zerfetzt mich = es strengt mich übergebührlich an; es macht mich nervös. ↗fetzen 6. 1930 *ff.*
3. *refl* = überaus belustigt sein. ↗fetzen 8. *Österr* 1950 *ff.*

zerfransen *refl* **1.** sich abmühen. Man löst sich gewissermaßen in Fransen auf wie ein verschlissenes Gewebe. *Österr* und *bayr,* 1900 *ff.*
2. heftig lachen. *Österr* und *bayr,* 1900 *ff.*

'Zerge *f* heftige Kritik. ↗zergeln. Berlin und *sächs,* seit dem 19. Jh.

zergeln (zergen) *tr* jn aufstacheln, dauernd rügen; jn zerrend necken. Gehört zu mittel-*niederd* und *ndl* „tergen = reizen", beeinflußt von „zerren". Seit dem 16. Jh, *niederd, mitteld* und *ostd.*

zerkiefeln (zerkiefen) *tr* **1.** etw zerkauen, beißen, essen. ↗kiefeln. 1500 *ff, oberd.*
2. etw zu begreifen suchen. *Oberd,* 1900 *ff.*

zerknallen *v* die Freundschaft (Verlobung o. ä.) zerknallt = die Freundschaft zerbricht. Anspielung auf ein lautes Zerwürfnis. 1930 *ff.*

zerknautscht *adj* erschüttert; reuig; niedergeschlagen; sorgenvoll. Hergenommen vom Gesicht, das von Kummer- und Sorgenfalten durchzogen ist. ↗knautschen 4. 1920 *ff.*

zerknittert *adj* **1.** bestürzt, niedergeschlagen. Anspielung auf die Sorgenfalten auf der Stirn, auf den bekümmerten Gesichtsausdruck. 1800 *ff.*
2. von Sorge ~ sein = sorgenvoll sein. Seit dem 19. Jh.
3. seelisch ~ sein = bekümmert sein. Seit dem 19. Jh.

zerknüllt *adj* zerfurcht, faltenreich, sorgenvoll. 1900 *ff.*

zerknutschen *tr* **1.** etw zusammendrücken. ↗knutschen 1. Seit dem 18. Jh.
2. jn stürmisch küssen, umarmen, betasten o. ä. Seit dem 19. Jh.

zerkrachen *v* sich mit jm ~ = sich mit jm entzweien. ↗krachen 1. Seit dem 19. Jh.

zerkrümeln *v* **1.** *tr* = etw aufteilen, parzellieren; den Großgrundbesitz zerschlagen. Krümel = Brotteilchen, Brösel. Seit dem 19. Jh.
2. *tr* = jn roh behandeln, schinden, entwürdigend ausschimpfen. In übertrage-

nem Sinne wird der Betreffende kleingeschlagen, so daß er sich in Teilchen auflöst. 1933 *ff.*

zerlaufen aussehen verweint aussehen. Die Tränen haben Rinnsale gebildet, als ob das Gesicht sich verflüssige; zerlaufen = schmelzen, geschmolzen. 1950 *ff.*

zerlegen *tr* **1.** jn sehr strenger Kritik unterziehen. Man zerlegt ihn gewissermaßen in seine Einzelteile wie einen Apparat, den man auseinandernimmt. *Vgl* ↗auseinandernehmen 1 und 4. Seit dem späten 19. Jh.
2. jn verprügeln. Meist Drohrede. Man will den Betreffenden zerlegen, wie es der Metzger mit dem getöteten Schlachttier tut. *Österr* 1945 *ff, jug.*
3. jn knockout boxen. *Sportl* 1950 *ff.*

zerlempern *tr* etw beschädigen, zerstören; jn verletzen. Meint eigentlich „zu Lappen (Lumpen) zerreißen" und ist beeinflußt von „lempen, lampen = schlaff herabhängen". *Österr,* 1900 *ff.*

zerlempert *adj* altersschwach. *Österr,* 1900 *ff.*

zerm *adj* zünftig, sehr eindrucksvoll, großartig. Entstanden aus „sich ziemen"; gemeint ist hier „wie sich's gehört". *Bayr* 1900 *ff.*

zermanschen *tr* **1.** etw zu Brei zerdrücken. ↗manschen 1. Seit dem 19. Jh.
2. etw vernichten, zerbrechen u. ä. 1900 *ff.*
3. jn bis zur Unkenntlichkeit zurichten. *Sportl* und *sold,* 1910 *ff.*
4. jn umbringen, erschießen. 1950 *ff.*

zermanscht *adj* niedergeschlagen, unfroh, lustlos. Man macht ein „gedrücktes" Gesicht. 1920 *ff.*

zermatscht *adj* geistig ~ = dümmlich. Anspielung auf Gehirnerweichung; auch auf „weiche ↗Birne". *Jug* 1930 *ff.*

zerpecken *refl* heftig lachen. Pecken = klopfen, schlagen. Vor Lachen schlägt man sich auf den Leib oder die Oberschenkel. *Österr* 1930 *ff, jug.*

zerquält *adj* eifersüchtig. Meint soviel wie „seelisch tief, schmerzlich getroffen". *Halbw* 1960 *ff,* Berlin.

Zerquetschte *f* **1.** heimlich beiseite Gebrachtes. Parallel zu ↗Verdrückte. 1910 *ff, sold* und *ziv.*
2. ein paar Münzen; kleinere Geldscheine. Meist in Verbindungen wie „tausend Mark und ein paar Zerquetschte = kleine unbestimmte Summe über tausend Mark". Kurz nach 1925 aufgekommen, vielleicht bei Schülern oder Studenten entstanden.
3. 1840 und ein paar ~ = kurz nach 1840. Etwa seit 1950 gebräuchlich.

Zerre *f* jn in der ~ haben = jn heftig kritisieren. Man zerrt ihn hin und her. *Vgl* auch ↗zergeln. Seit dem 19. Jh, *ostd.*

zerreißen *v* **1.** *tr* = eine größere Banknote wechseln. *Österr,* 1950 *ff.*
2. es zerreißt ihn = es trifft ihn schwer, macht ihn unglücklich. Es zerreißt ihm das Herz, ist herzzerreißend. 1950 *ff.*
3. ihn hat's zerrissen = a) Antwort auf die Frage, wo er ist. Hergenommen von der Granate, die einen Menschen zerreißt, so daß von ihm kaum noch etwas wiederzufinden ist. *Bayr* 1920 *ff.* – b) er hat die Beherrschung verloren. 1950 *ff.*
4. *refl* = sich heftig abmühen; sich völlig

verausgaben. Gemeint ist etwa, daß man sich in Stücke reißen möchte, um gleichzeitig sein zu können. 1800 *ff. Vgl franz* „se mettre en quatre".
5. *refl* = heftig lachen. *Österr* 1920 *ff, jug.*
6. sich nicht ~ können = nicht mehr tun können, als die Kräfte zulassen. *Vgl* ↗zerreißen 4. Seit dem 19. Jh.

Zerreißer *m* zusagende Sache; hervorragender Witz o. ä. ↗zerreißen 5. *Österr* 1920 *ff, jug.*

zerren *refl* davongehen (in der Befehlsform: Geh, zar di!). Meint soviel wie „sich verziehen", auch „↗ausreißen". *Österr* 1920 *ff.*

zersingen *tr* etw ausdruckslos singen; etw so oft singen, daß man des Vortrags überdrüssig wird. 1920 *ff.*

zersprageln *refl* sich abmühen. ↗sprageln. Bezieht sich wohl auf eine unübliche, übertriebene oder umständliche Arbeitsweise. *Österr* 1900 *ff.*

zerspringen *v* **1.** sehr erregt sein; die Beherrschung verlieren. Parallel zu „↗platzen 4". Seit dem 19. Jh, vorwiegend *österr.*
2. zerspring!: Zuruf an einen Niesenden. Scherzhaft wünscht man ihm, daß er beim Niesen zerplatzen möge. *Österr* 1930 *ff, jug.*

zerstören *v* mich zerstört's!: Ausruf des Erschreckens, des Unwillens, der Überraschung o. ä. *Südd* 1935 *ff, sold* und *ziv.*

Zerstreuungshalle *f* ~ des kleinen Mannes = Spielhalle. 1955 *ff.*

zerstrubbelt *adj* struppig, zerzaust. ↗Strubbel 1. Seit dem 19. Jh.

zerteilen *v* sich nicht ~ können = nicht gleichzeitig überall sein können. Analog zu ↗zerreißen 4 u. 6. 1900 *ff.*

zertepschen *tr* etw verbeulen, zerdrücken. ↗datschen. *Österr* und *bayr,* seit dem 19. Jh.

zertepscht *adj* **1.** verwahrlost. *Österr* 1900 *ff.*
2. reuig. Anspielung auf den „gedrückten" Eindruck. *Österr.*

zerteufeln *tr* etw zertrümmern, zerbrechen o. ä. Es „geht zum Teufel"; ↗Teufel 40. *Österr* 1920 *ff.*

zertrümmern *tr* jn im Boxkampf besiegen. *Sportl* 1955 *ff.*

zerwalten *tr* Gelder für Verwaltungszwecke ausgeben; öffentliche Gelder unzweckmäßig ausgeben. *Vgl* ↗ververwalten. 1955 *ff.*

Zet *n* Zuchthaus, Zuchthausstrafe. Ausgesprochener Buchstabe „↗Z" als verschleiernde Abkürzung. 1870 *ff, kundenspr.*

Zetermordio (Zeter und Mordio; Zeter und Mord) *n* ~ schreien = laut schreien. „Zeter" ist hervorgegangen aus „ziehet her = zur Verfolgung her!"; eigentlich ein Notruf, der die Mitbürger zu sofortiger Hilfeleistung verpflichtete, aus „um Hilfe schreien" hat sich die heutige Bedeutung im 18. Jh entwickelt.

Zett *n* **1.** Zuchthaus, Zuchthausstrafe. ↗Zet. 1870 *ff.*
2. ~ ziehen = mit Zuchthaus bestraft werden. „Ziehen" erinnert an eine Lotterie. 1900 *ff, kundenspr.*

Zettel *m* **1.** gutes Zeugnis. Versteht sich im Unterschied zum „↗Giftzettel". 1950 *ff, schül.*
2. halber ~ = 500 Mark. Gegen 1960 aufgekommen, als die Ausgabe von Fünf-

hundert- und Tausendmarkscheinen angekündigt wurde.

3. etw auf dem ~ haben = etw beabsichtigen. Leitet sich her vom Einkaufs- oder Notizzettel. 1930 *ff*.

Zetter *m* Zeitsoldat. Entstanden aus der Abkürzung „Z" für „(Soldat auf) Zeit". *BSD* 1965 *ff*.

Zeug *n* **1.** Schlechtes, Minderwertiges, Wertloses. Sammelausdruck für Gegenstände aller Art, auch für mündliche Äußerungen, künstlerische Vorträge und Darstellungen, weltanschauliche Überzeugungen usw. 1600 *ff*.

2. blödes ~ = unsinniges Geschwätz. Seit dem 19. Jh.

3. dummes ~ = Unsinn; Albernheit; großer Irrtum; unausstehliche Rede. 1700 *ff*.

3 a. dünnes ~ = oberflächliche, substanzlose Reden. 1900 *ff*.

4. elendes ~ = wertlose Sache. Friedrich der Große nannte 1784 die mittelhochdeutsche Dichtung „elendes Zeug".

5. heißes ~ = a) hot music. *Halbw* 1960 *ff*. - b) Diebsgut. ↗heiß 5. 1914 *ff*.

6. hinterlistiges ~ = alkoholische Mischgetränke. Sie schmecken verlockend, aber machen schnell betrunken und verursachen arge Nachwehen am nächsten Tag. 1955 *ff*.

7. tolles ~ = unsinniges Gerede. Seit dem 18. Jh.

8. ungereimtes ~ = Unsinniges, Unverständliches. ↗ungereimt. 1800 *ff*.

9. ungewaschenes ~ = Unsinn; unklare, unlogische Äußerung. Ungewaschen = unklar, getrübt. Seit dem 18. Jh.

10. warmes ~ = Werkzeug zum Aufschweißen von Geldschränken. ↗warm 8. 1910 *ff*.

11. jm am ~ flicken = jn (kleinlich) tadeln; an jm (unberechtigt) etwas auszusetzen haben. „Zeug" ist hier die Kleidung, der Kleiderstoff; hieran will der Tadler etw ausbessern, wobei das Flicken mehr oder minder berechtigt oder unberechtigt sein kann. 1700 *ff*.

12. forsch (scharf) ins ~ gehen = streng vorgehen; rücksichtslos handeln. Zeug = Zaumzeug, Geschirr der Zugtiere. 1800 *ff*.

13. das ~ zu etw haben = zu etw befähigt, begabt sein. „Zeug" meint hier das Werkzeug, das Rüstzeug (Zurüstung) zu einer Sache. Seit dem 18. Jh. *Vgl franz* „avoir l'étoffe pour faire quelque chose", *engl* „to get the stuff for it".

14. was das ~ hält = mit allen Kräften; aus Leibeskräften (er rennt, was das Zeug hält; er lügt, was das Zeug hält). Übertragen von „Zeug = Geschirr der Zugtiere" oder vom Werkzeug des Handwerkers. Sachverwandt mit der modernen Redewendung „was der Motor hergibt". Seit dem 18. Jh.

15. sich ins ~ legen = sich anstrengen; energisch werden. Das Zugtier legt sich kräftig ins Geschirr, um den Wagen vorwärtszubewegen. Spätestens seit 1800.

16. sich für jn ins ~ legen = sich für jn tatkräftig einsetzen. *Vgl* das Vorhergehende. Seit dem 19. Jh.

17. mach' kein ~! = a) tu' nichts Unerlaubtes, Ungehöriges! Parallel zu „mach' keine ↗Sachen!". 1900 *ff*. - b) mach' keine Ausflüchte! 1900 *ff*.

18. gut (schlecht) im ~ sein = mit Klei-

dung gut (schlecht) versehen sein. Zeug = Kleiderstoff. Seit dem 19. Jh.

Zeugenmassage *f* Beeinflussung eines Zeugen zu einer für den Angeklagten günstigen Aussage. Der „↗Seelenmassage" nachgeahmt. 1950 *ff*.

Zeugnis *n* das stellt ihm kein gutes ~ aus = das kann man ihm nicht zum Vorteil anrechnen; das offenbart seine Unfähigkeit; das stellt ihn in peinlicher Weise bloß. 1920 *ff*.

Zeugs *n* Gegenstand *(abf)*. Eigentlich der Genitiv von „Zeug". Entstanden aus der Aufzählung, an deren Schluß „und derlei Zeugs mehr" stand. Seit dem 17. Jh.

Zeus *m* **1.** Oberstudiendirektor o. ä. Die Gymnasiasten fühlen sich von (unnahbaren) Göttern regiert und betrachten den Schulleiter als den obersten dieser Götter. Seit dem 19. Jh.

2. was tun?, spricht ~: Frage eines Ratlosen. Scherzhaft entlehnt aus Schillers „Die Teilung der Erde" (1795). 1900 *ff*.

3. Frage an ~: was tun?: Redewendung eines Ratlosen. Aus dem Vorhergehenden verdreht. 1920 *ff*.

Zibbe *f* **1.** Mädchen. Bezeichnet eigentlich das weibliche Tier (bei Ziege, Kaninchen u. a.). Berlin und *ostd* seit dem späten 19. Jh.

2. Prostituierte. 1920 *ff*.

Zibbel *m* **1.** Penis. *Niederd* Variante zu ↗Zipfel. Seit dem 19. Jh.

2. banger ~ = furchtsamer, feiger Mann. *Niederd* seit dem 19. Jh.

3. nervöser ~ = a) unruhiger Penis. 1900 *ff*. - b) nach Geschlechtsverkehr verlangender Mann. 1900 *ff*. - c) nervöser, unruhiger, rastloser Mann. *Mitteld* und *niederd*, 1900 *ff*.

Zicke *f* **1.** weibliche Person *(abf)*. Ostmitteld und berlinische Variante zu „↗Ziege". Die Ziege gilt als knochig, unansehnlich, unschön, wild, „meckert" obendrein. Von da übertragen auf eine weibliche Person mit ähnlichem Äußeren und Verhalten. Seit dem frühen 19. Jh.

2. Dreirad-Fahrzeug. Kraftfahrerspr. 1955 *ff*.

3. mageres, abgetriebenes Pferd. Wie bei der Ziege tritt das Knochenskelett hervor. 1870 *ff*, Berlin.

4. alte ~ = (alte) weibliche Person. Seit dem 19. Jh.

5. blanke ~ = die „blanke Zehn" in den Spielkarten. Kartenspielerspr. 1870 *ff*.

6. doofe (dumme) ~ = langweilige, schwunglose weibliche Person. ↗doof 1. 1900 *ff*.

7. dürre ~ = hagere, magere Frau. 1900 *ff*.

8. faule ~ = törichte, durchschaubare Ausrede. ↗Zicke 17; ↗faul 1. 1910 *ff*.

9. gleichberechtigte ~ = unliebsame, unverträgliche, streitbare Frau. 1950 *ff*.

10. lahme ~ = a) altes Auto, dessen Motor nicht anspringen will. Im frühen 20. Jh. - b) Auto mit geringer Anzugskraft. Kraftfahrerspr. 1950 *ff*.

11. neugierige ~ = neugierige Frau. Seit dem 19. Jh.

12. trübe ~ = langweilige Frau. ↗trübe 3. *Halbw* 1960 *ff*.

13. eine ~ abschlachten = dem Gegner im Kartenspiel eine Zehn abfangen. ↗Zicke 5. 1870 *ff*.

14. eine ~ abziehen = einen (alten) Film

vorführen. *Vgl* ↗Zickenfilm. *Halbw* 1955 *ff*.

15. sich aufführen wie eine ~ am Strick = sich widerspenstig zeigen; wegen einer Belanglosigkeit sich übertrieben benehmen. 1900 *ff*.

16. einer ~ die ~n austreiben = dem Gegner im Kartenspiel eine Zehn abgewinnen. Wortspiel mit „↗Zicke 5" und der nachfolgenden Redewendung. Kartenspielerspr. 1870 *ff*.

17. ~n machen = dumme (dreiste) Streiche begehen; Schwierigkeiten machen. Leitet sich her entweder vom unberechenbaren Verhalten der Ziegen (Ziegensprünge; *vgl* ↗Kapriolen) oder gehört zu „Zickzack = ruckartige, gewaltsame Bewegung". „Zickzackweg" (berlinisch „Zicke") steht für „↗Bummel". Seit dem späten 19. Jh, Berlin und *mitteld;* heute auch südwärts vorgedrungen.

Zickendraht *m* **1.** Mitgift. ↗Zicke 1; ↗Draht 1. 1910 *ff*, Berlin und *schles*.

2. Geld, das die Prostituierte an den Zuhälter abzuliefern hat. 1910 *ff*, Berlin.

3. Schuster. Er zieht den Pechdraht. Seit dem 19. Jh.

4. Musiker, der in veraltetem Stil spielt. Im Zusammenhang mit dem Vorhergehenden analog zum Scheltwort „Schuster 1". Auch meint „Zicken-" ältliche weibliche Personen, die solchen Musikstil lieben. Überdies ist Anspielung auf die Herkunft der Saiten von Ziegenlämmern möglich. 1930 *ff*.

Zickenfilm *m* alter Film, der höchstens noch in ländlichen Gegenden (vorwiegend bei weiblichem Publikum) Anklang findet. *Vgl* ↗Zicke 14. Berlin 1950 *ff*.

Zickenverlade *f* langweilige Veranstaltung für Jugendliche beider Geschlechter unter Aufsicht engherziger Erwachsener. ↗Zicke 1; ↗Verlade 1. *Halbw* 1955 *ff*.

'zicke'zacke, 'hoi 'hoi 'hoi *interj* Anfeuerungsruf; Trinkspruch. Leitet sich her von den zeremoniell eckigen Bewegungen, bevor man das Glas an den Mund setzt. Das dreimalige „hoi" ist gekürzt aus dem Achtungs- und Anfeuerungsruf „ahoi". *Stud* und *schül*, 1920 *ff*.

zickig *adj* **1.** dürr, mager, knochig. ↗Zicke 1. 1870 *ff*.

2. gelangweilt, schwunglos, freudlos, unfreundlich, verkümmert. *Halbw* 1925 *ff*.

3. albern (auf junge Mädchen bezogen). *Halbw* 1925 *ff*.

4. linkisch im Benehmen; durch unnatürliches Verhalten Beachtung heischend; launisch. Hergenommen von den mutwilligen Sprüngen der jungen Ziegen-, Schafböcke. 1900 *ff*.

5. geschlechtlich abweisend; allzu brav; gespielt züchtig. 1870 *ff;* heute beliebte Halbwüchsigenvokabel.

6. stilistisch veraltet. ↗Zickendraht 4. Musikerspr. 1930 *ff*.

7. ~ schlagen = genau im Takt (musikalisch einfallslos) das Schlagzeug schlagen. *Vgl* das Vorhergehende. 1950 *ff*.

Zickzacken *m* Einbildung, Illusion; Überheblichkeit. Anspielung auf die „↗Zacken in der Krone" in Verbindung mit zeremoniell eckigen Bewegungen. 1950 *ff*, Berlin.

zickzacken *intr* torkelnd gehen; in Schlangenlinien fahren. 1920 *ff*.

'zick'zack'zive *adv* **1.** allmählich; nachein-

ander. Aus „sukzessive" abgewandelt unter Einfluß von „zickzack". 1900 *ff.*
2. gewunden. 1900 *ff.*
Ziege *f* **1.** weibliche Person *(abf).* ↗Zikke 1. Schon seit *mhd* Zeit.
2. alberne Frau. Seit dem 18. Jh.
3. *pl* = Mannschaften. Anspielung auf Unmutsäußerungen: Ziegen „↗meckern". *BSD* 1965 *ff.*
4. ausgemolkene ~ = weibliche Person mit schlaffem Busen. Wegen dieser hämischen Charakterisierung einer Fernsehansagerin durch eine Illustrierte Zeitschrift wurde der Betroffenen vom Gericht eine Entschädigung von 10 000 DM zugesprochen. 1960 *ff.*
5. blöde ~ = dumme weibliche Person. Seit dem 19. Jh.
6. doofe ~ = langweilige, dümmliche weibliche Person. ↗doof 1. 1900 *ff.*
7. dumme ~ = dumme Frau. Seit dem 19. Jh.
8. dürre ~ = hagere, magere Frau. 1900 *ff.*
9. kalte ~ = temperamentlose, berechnende Frau. 1920 *ff.*
10. magere ~ = sehr hagere, schmächtige weibliche Person. 1920 *ff.*
11. neugierige ~ = neugieriger Mensch. Seit dem 19. Jh.
12. ungefährliche ~ = Frau, die durch ihr Äußeres und ihr Wesen keinen Mann reizt. 1920 *ff.*
13. neugierig wie eine ~ = überaus neugierig. Seit dem 19. Jh.
14. aussehen wie eine gemolkene ~ = einen schlaffen Busen haben. ↗Ziege 4. 1960 *ff.*
15. eine ~ zwischen die Hörner küssen können = hager sein; ein sehr schmales Gesicht haben. Seit dem 19. Jh.
16. eine ~ melken = einer heiratswilligen Frau Geld und Gut abgewinnen; sich als Heiratsschwindler betätigen. ↗melken 1. 1920 *ff.*
17. es hört sich an, als ob eine ~ aufs Trommelfell scheißt = der Marschtritt ist ungleich. Kasernenhofjargon seit dem frühen 20. Jh bis heute. Bezog sich früher auf den ungleich ausgeführten Gewehrgriff oder auf eine nicht schlagartig geschossene Gewehrsalve (bei einer Beerdigung), auch auf schlechte Ausführung des Kommandos „Stillgestanden!".
Ziegenbart *m* **1.** Kinnbart. 1870 *ff.*
2. Kinnbartträger. Pars pro toto. 1870 *ff.*
Ziegenbock *m* **1.** Schneider. Hängt zusammen mit dem Ziegenlaut „meck" als Spottruf auf den Schneider. 1600 *ff.*
2. Maschinengewehr. Anspielung auf das „meckernde" Abschußgeräusch. *Gleichbed* „dreibeinige Ziege". *Sold* in beiden Weltkriegen.
2 a. nörglerischer Mann. ↗meckern. 1930 *ff.*
3. Gesicht wie ein ~ = boshafter Gesichtsausdruck. 1960 *ff.*
4. einen ~ melken = unsinnig handeln. Seit dem 19. Jh.
5. stinken wie ein ~ = üblen Geruch verbreiten. 1900 *ff.*
6. verstockt wie ein ~ = nicht aussagebereit. Der Ziegenbock ist störrisch. 1920 *ff.*
Ziegenhainer *m* Knotenstock. Benannt nach Ziegenhain, einem Vorort von Jena. Seit dem 19. Jh.

Ziegenkötel *m* **1.** Korinthe. Wegen der Form- und Farbähnlichkeit. 1900 *ff.*
2. mit ~n werfen = mit kleiner Trumpfkarte einstechen und dadurch Punkte sammeln. Kartenspielerspr. 1900 *ff.*
Ziegenmelker *m* Heiratsschwindler. ↗Ziege 16. Berlin 1920 *ff.*
Ziegenmilch *f* **1.** alkoholfreie (keimfreie) ~ = Mineralwasser. 1930 *ff.*
2. mit ~ großgezogen sein = nörglerisch sein. Anspielung auf ↗meckern 1. 1920 *ff.*
3. du hast wohl ~ getrunken?: Frage an einen Nörgler. ↗meckern 1. 1920 *ff.*
Ziegenscheiße *f* scharf wie ~ = sehr sinnlich veranlagt. Ziegenexkremente riechen streng. *Vgl* ↗scharf 4. 1960 *ff*, *BSD.*
Ziegenstall *m* **1.** Damenstift; Altersheim für Frauen. 1920 *ff.*
2. Damensalon (im Hotel, auf dem Schiff o. ä.). 1920 *ff.*
3. Frauenabteil in der Eisenbahn; Abteil für Mutter und Kind. 1920 *ff.*
4. Studentinnenwohnheim. 1950 *ff, stud.*
5. Vergnügungsstätte mit stark überhöhten Preisen. Die Gäste werden „gemolken" (↗melken 1) und sind darüber ungehalten (↗meckern 1). 1960 *ff.*
Ziehe *f* Zwangserziehung; Besserungsanstalt. Ziehen = erziehen. Berlin 1900 *ff.*
ziehen *v* **1.** *intr* = das Arbeitsverhältnis aufgeben. Ziehen = sich wegbegeben. 1870 *ff.*
2. es zieht: sagt man, wenn einer beim Gähnen o. ä. den Mund weit öffnet und nicht die Hand vorhält. Oft mit dem Zusatz: „mach' die Klappe zu!" Übertragen vom Durchzug. 1900 *ff.*
3. hier zieht es = a) hier fliegen Granatsplitter u. ä. Anspielung auf „eisenhaltige Luft" und „scharfen Wind". *Sold* 1939 *ff.* – b) hier läßt einer Darmwinde entweichen. ↗ziehen 17. *Sold* 1914 *ff.*
4. zieh!: ermunternder Zuruf an den Läufer. Ziehen = sich wegbewegen; davoneilen. *Sportl* und *schül* 1920 *ff.*
5. das zieht nicht = das hat keinen Erfolg; das macht keinen Eindruck, ist nicht werbewirksam. Verkürzt aus „das zieht die Leute nicht an", nämlich zum Kaufen, zum Besuch der Vorstellung usw. Seit dem 18. Jh.
6. er zieht nicht = er geht auf eine Sache nicht ein. Sache übt auf ihn keine Anziehungskraft aus. 1955 *ff.*
7. die Kiste zieht = das Flugzeug steigt, gewinnt an Höhe. Der Steuerknüppel wird angezogen. Fliegerspr. in beiden Weltkriegen.
8. *intr* = Marihuana rauchen. Eigentlich „einen Zug aus der Zigarette nehmen". Hier aus Tarngründen verkürzt. *Halbw* 1965 *ff.*
9. *tr* = für in den Umzug besorgen. 1900 *ff.*
10. einen ~ = Alkohol zu sich nehmen; zechen. Meint eigentlich den Zug aus der Flasche. 1900 *ff.*
11. *tr intr* = Taschendiebstahl begehen. Man zieht dem Opfer etw aus der Tasche. ↗zupfen 1. 1900 *ff.*
12. *tr* = jn ausnutzen, zu hohen Geldausgaben veranlassen. Analog zu ↗melken 1. 1900 *ff.*
13. ~ und melken = dem Prostituiertenkunden mehr Geld abzufordern suchen als vereinbart. 1960 *ff, prost.*

14. eine ~ = eine Zigarette (langsam) rauchen. 1910 *ff.*
15. *refl* = schleunigst verschwinden. Man „verzieht sich". *Bayr* 1900 *ff.*
16. jn ~ lassen = jn wegschicken, abweisen, ablehnen. Seit dem 19. Jh.
17. einen ~ lassen = einen Darmwind abgehen lassen. Ziehen = sich wegbegeben; hier wohl verbunden mit der Vorstellung vom „Luftzug = Zugwind". Seit dem 19. Jh.
18. *intr* = falschspielen. Gemeint ist, daß der Falschspieler dem Opfer das Geld aus der Tasche zieht. 1850 *ff.*
19. daran ~ müssen = sich geldlich einschränken, ↗ziehen = strecken, längen. Mit Bezug auf die Butter sagt man, man „ziehe" sie, wenn man sie dünn aufstreicht. 1920 *ff.*
Zieher *m* **1.** Falschspieler. ↗ziehen 18. 1870 *ff.*
2. (Glücks-)Spieler. 1870 *ff.*
3. Bankhalter. 1870 *ff.*
4. Taschendieb. ↗ziehen 11. 1900 *ff, rotw.*
5. Mann, der Leute in Ruinengrundstücke lockt und ausbeutet (ausraubt). *Rotw* 1945 *ff.*
6. Abwerber von Arbeitskräften. Er sucht sie von anderen Arbeitsstätten abzuziehen. 1910 *ff, nordd* und Berlin.
7. Drogensüchtiger; Raucher von Marihuana-Zigaretten. ↗ziehen 8. 1965 *ff, halbw.*
'Ziehgarre *f* (Berlin: *m*) Zigarre *(abf).* Ein sprachlicher Spaß: Die Zigarre ist zu fest gewickelt, weswegen man an ihr kräftig ziehen muß. Wohl in Berlin aufgekommen; 1840 *ff.*
Ziehharmonikahosen *pl* Herrenhose mit vielen Querfalten; Hose, die am Boden aufstaucht. Etwa seit dem ausgehenden 19. Jh.
Ziehharmonika-Taktik *f* Spielweise, bei der die Fußballspieler je nach Spiellage geschlossen verteidigen oder vorwärtsstürmen. *Sportl* 1955 *ff.*
Ziehhund *m* den ~ machen = dem Gegner beim Kartenspiel verlockende Karten vorsetzen, um ihn zum Stechen zu reizen. Meint eigentlich den Karrenhund (Hund des Scherenschleifers), der den Karren zieht, während der Mensch ihn lenkt. Kartenspielerspr. 1870 *ff.*
Ziehpuste *f* Posaune; Mundharmonika. Bei der Posaune wird der Stimmzug „gezogen", und in das Mundstück „pustet" man Luft; das Mundharmonikaspiel erfolgt durch „Blasen = Pusten" und „Saugen = Ziehen". *Sold* seit dem frühen 20. Jh.
Ziehungsamt *n* Kreiswehrersatzamt. Die Wehrpflichtigen werden „gezogen = eingezogen, einberufen"; dies geschah lange Zeit durch Losentscheid, weil die Bundeswehr nicht alle Wehrpflichtigen aufnehmen konnte. *BSD* 1965 *ff.*
Ziel *n* **1.** das ~ der Klasse erreichen = als Bewerber angenommen werden. ↗Klassenziel 1. Gegen 1920 aus der Schulsprache übernommen.
2. das ~ der Klasse nicht erreichen = a) keinen Anklang finden; dem Publikum mißfallen. ↗Klassenziel 2. 1950 *ff.* – b) in die Regionalliga absteigen. *Sportl* 1955 *ff.*
3. das ~ der Klasse erreicht haben = genug Alkohol getrunken haben. 1950 *ff.*
Zielansprache *f* Bekanntschaftsanknüp-

fung mit einem Mädchen. Meint im *Milit* die Beschreibung (Erkennung) eines Schieß- bzw. Angriffsziels. *Ziv* und *sold* 1935 *ff*.

Zielgerade *f* in die ~ gehen = der entscheidenden Auseinandersetzung entgegengehen. Vom Pferderennsport übertragen. 1920 *ff*.

Zielwasser *n* **1.** Rum, Weinbrand, Alkohol. Fälschlich als der Zielsicherheit förderliches Hilfsmittel gedeutet. Früher nannte man so das Wasser, das auf dem Schießplatz zur Strafe für Fehlschüsse getrunken werden mußte. Im späten 19. Jh aufgekommen; *sold*, jägerspr., keglerspr. und *halbw*.
2. Sie haben wohl kein ~ getrunken?: Frage an einen, der die Zielscheibe verfehlt hat. *Sold* 1900 *ff*.
3. kein ~ getrunken haben = das gegnerische Tor verfehlen. *SportL* 1955 *ff*.

ziemlich *adj* **1.** sehr stark; sehr heftig; beträchtlich (ein ziemlicher Knall: ein ziemlicher Waldbestand). Eigentlich soviel wie „geziemend, gebührlich; den Gegebenheiten angemessen". Seit dem 19. Jh.
2. so ~ = ungefähr; nahezu ganz (er hat seinen Teller so ziemlich geleert). Seit dem 19. Jh.
3. nach ~ vier Wochen = nach ungefähr vier Wochen. Seit dem 19. Jh.

ziepen *v* **1.** *tr* = etw wegnehmen, entwenden. Gehört zu „zupfen". *Nordd* und *ostd*, 1900 *ff*.
2. *intr* = Taschendieb sein. Berlin 1900 *ff*.
3. *intr* = an der Mutterbrust saugen. *Nordd* und *mitteld*, seit dem 19. Jh.
4. einen ~ = ein Glas Alkohol zu sich nehmen; zechen. Analog zu „↗lutschen", „saugen" o. ä. Berlin und *schles*, seit dem 19. Jh.

Zieps *m* Eßlust. Ziepen = zupfen, reizen. *Ostd* seit dem 19. Jh.

Zierbengel *m* Stutzer. ↗Bengel 4. Spätestens seit dem 18. Jh.

Zierliese *f* weibliche Person, die „sich ziert = sich (gespielt) schamhaft gebärdet". Seit dem 19. Jh.

Zierpflanze *f* **1.** weibliche Person, die sich überelegant oder geschmacklos kleidet. Eigentlich Bezeichnung für eine Schmuckpflanze. „Pflanze" ist im Umgangsdeutsch der Ab- oder Herkömmling, im engeren Sinne der Mensch mit wunderlicher Lebensart. 1900 *ff*, heute *halbw*.
2. geschlechtlich abweisendes Mädchen. ↗Zierliese. 1900 *ff*; *halbw* 1960 *ff*.

Zierpuppe *f* Frau, die sich unnatürlich benimmt; Frau, die sich gern gut kleidet und ungern arbeitet. Sie ähnelt den Puppen, die nicht zum Spielen, sondern nur zur Dekoration taugen. Seit dem 18. Jh.

Zieten *Fn* (wie) ~ aus dem Busch = überraschend, unversehens. Leitet sich her vom Reitergeneral Hans Joachim von Zieten (von Ziethen; 1699–1786), der völlig unerwartet, unverhofft auf dem Schlachtfeld aufzutauchen pflegte. Seit dem 18. Jh. Volkstümlich geworden vor allem durch Theodor Fontanes Gedicht „Der alte Zieten".

Zifferblatt *n* **1.** Gesicht. Wie man auf dem Zifferblatt die Uhrzeit ablesen kann, so kann man dem Gesicht ansehen, „was die Uhr geschlagen hat". Etwa seit 1870. *Vgl gleichbed engl* „dial".

2. das ~ abstauben = das Gesicht nur oberflächlich waschen. 1914 *ff*.
3. jm das ~ justieren = jm ins Gesicht schlagen. Justieren = einrichten, zurechtsetzen. 1950 *ff*.
4. bis aufs ~ sehen = in ein tiefes Dekolleté blicken. Die Kleidung gilt hier als Uhrdeckel. 1930 *ff*.
5. ich soll dir wohl mal die Zeiger in deinem ~verrücken?: Drohfrage. Berlin 1920 *ff*.
6. jm das ~ zerkratzen = jn im Gesicht verletzen. *Sold* 1914 *ff*.

zi'fix *interj* Ausruf des Unmuts. Verkürzt aus „↗Kruzifix". *Bayr*, 1900 *ff*.

zig *adv* unzählig viel(e); unzählig oft. Verstümmelt aus den Zehnerzahlen von 20 bis 90. 1870 *ff*.

Zig *f* Zigarette. Beliebte Verkürzung unter Jugendlichen; vernehmlich in Österreich. 1955 *ff*.

Zigags *pl* Zigarren, Zigaretten, Zigarillos. Verkürzung. *Halbw* 1955 *ff*, bayr.

Zigarette *f* **1.** gelinde Rüge. Versteht sich nach „↗Zigarre 5". *Sold* 1910 *ff*.
2. ~ mit orthopädischer Einlage = Filterzigarette. „Orthopädische Einlage" ist eigentlich die Stützsohle im Schuh. 1955 *ff*.
3. ~ mit Tampax-Hygiene = Filterzigarette. ↗Tampax. 1950 *ff*.
4. aktive ~ = nicht selbstgedrehte Zigarette. „Aktiv" meint soviel wie „vollwertig" im Zusammenhang mit dem *milit* Sprachgebrauch, d. h. der Geringschätzung des Reservisten im Vergleich zum aktiven Soldaten. 1939 *ff*.
5. blonde ~ = Zigarette aus hellem (türkischem, mazedonischem) Tabak. 1940 *ff*.
6. heiße ~ = Rauschgiftzigarette. „Heiß" spielt auf erhöhte Wirkung an. 1960 *ff*.
7. kastrierte ~ = a) nikotinarme Zigarette. ↗Kastrierte. 1950 *ff*. – b) Filterzigarette. 1950 *ff*.
7 a. lahme ~ = nikotinarme Zigarette. Lahm = schwunglos. 1950 *ff*.
8. orthopädische ~ = Filterzigarette. ↗Zigarette 2. 1950 *ff*.
9. er drückt die ~ in der Hosentasche aus = er ist überaus dumm. 1939 *ff*.

zigaretten *intr* **1.** eine Zigarette rauchen. 1920 *ff*.
2. es zigarettet ihn = er hat Verlangen nach einer Zigarette. 1945 *ff*.

Zigarettenbürschchen *n* halbwüchsiger Müßiggänger. 1950 *ff*.

Zigarettenfabrik *f* kleiner Apparat zum Selbstdrehen von Zigaretten. *Sold* und *ziv* 1939 *ff*.

Zigarettenlänge *f* Zeitspanne, in der man eine Zigarette raucht; kurze Zeit. 1910 *ff*.

Zigarettenpause *f* Pause, in der man eine Zigarette rauchen darf; kurze Beratungspause. 1930 *ff*.

Zigarre *f* **1.** Zeppelin-Luftschiff. Wegen der Formähnlichkeit. 1908 *ff*.
2. Torpedo. *Marinespr* 1939 bis heute.
3. Fliegerbombe. 1916–1945, *sold* und *ziv*.
4. Rakete „V 1". *Sold* 1942 *ff*.
5. Rüge; Strafrede des Vorgesetzten. Hergenommen vom höflichen Anbieten einer Zigarre als Zeichen freundlicher Gesinnung. Hier *iron* umgedeutet zur ungern entgegengenommenen Rüge. Der zu Rügende wird „angeblasen", „angehaucht" o. ä. Etwa 1900, vorwiegend *sold*.
6. ~ mit Stahlhelm = sehr heftiger Verweis. Zur Meldung beim Disziplinarvorge-

setzten ist der Stahlhelm aufzusetzen. *Sold* 1939 *ff*.
7. ~ mit verschiebbarem Deckblatt = Penis. Polizeispr. und *prost* 1950 *ff*.
8. ~ mit vierteljährlicher Kündigung = minderwertige Zigarre. Wortwitzelei: wer an einer solchen Zigarre zieht, muß alsbald ausziehen (wegen des unangenehmen Geruchs). *Sold* 1914 *ff*.
9. blonde ~ = Zigarre aus hellem Tabak. 1940 *ff*.
10. dicke ~ = scharfe Rüge. ↗Zigarre 5. *Sold* in beiden Weltkriegen, seither auch *ziv*.
11. fliegende ~ = a) Zeppelin-Luftschiff. 1908 *ff*. – b) langes, schmales, schlankes Flugzeug. *Sold* 1935 *ff*.
12. leichte ~ = milde Rüge. ↗Zigarre 5. *Sold* in beiden Weltkriegen.
13. meterlange ~ = heftige Rüge. *Sold* 1914–1945; *ziv* 1920 *ff*.
14. starke ~ = sehr scharfe Rüge. ↗Zigarre 5. *Sold* in beiden Weltkriegen.
15. vor Schreck geht die ~ aus = man ist erschüttert, fassungslos. 1920 *ff*.
16. eine ~ austeilen = einen Verweis aussprechen. ↗Zigarre 5. *Sold* 1900 *ff*.
17. eine ~ einstecken = einen Vorwurf widerspruchslos hinnehmen. ↗einstecken 2. 1914 *ff*.
18. eine ~ empfangen = gerügt werden. ↗Zigarre 5. 1900 *ff*, *sold*.
19. sich an einer ~ festhalten = die Zigarre nicht auf den Aschenbecher legen; sehr lange an einer Zigarre rauchen. *Vgl* ↗Flasche 13 b. 1950 *ff*.
20. an einer ~ lutschen = eine Zurechtweisung nicht verwinden. Meint eigentlich das Einnässen des Zigarren-Mundstücks mit Speichel; hier Bedeutungswandlung unter Einfluß von „↗Zigarre 5". 1925 *ff*.
21. ~n rauchen = ein umgänglicher Mensch sein. Geht zurück auf einen Vers im „Humoristisch-satirischen Volkskalender" auf das Jahr 1850 von David Kalisch: „Wo man raucht, da kannst du ruhig harren: böse Menschen haben nie Zigarren". Dies ist eine Parodie auf das Gedicht „Die Gesänge" von Johann Gottfried Seume (1804) mit dem Text „Wo man singet, laß dich ruhig nieder, ... Bösewichter haben keine Lieder". Berlin 1880 *ff*.
22. jm eine ~ verpassen = jn heftig rügen. ↗Zigarre 5. *Sold* 1900 bis heute.

Zigarrenguillotine *f* Zigarrenabschneider. 1900 *ff*.

Zigarrenhändler *m* strenger Vorgesetzter. Er handelt mit „↗Zigarre 5". *Sold* 1939 *ff*.

Zigeuner *m* **1.** aus dem Hals stinken wie der ~ aus dem Hosenlatz = widerlichen Mundgeruch verströmen. Gehässige Redewendung, die sich selbst entlarvt: der sie Aussprechende hat wohl schon sehr angelegentlich Zigeunern am Hosenlatz gerochen. 1950 *ff*.
2. da fahren sogar die ~ im Trab vorbei = das ist eine unfreundliche, zivilisationsarme Gegend mit lauter ärmlichen Leuten. 1930 *ff*.

Zigeunerartillerie *f* Infanteriegeschütz; Gebirgs-, Luftlandeartillerie; leichte Artillerie; Mörser, Minenwerfer o. ä. Anspielung auf häufigen Standortwechsel. *Sold* 1914 bis heute.

Zigeunerflak *f* **1.** Mörser. Er ist auf ein Ladefahrzeug montiert. *BSD* 1965 *ff*.

2. Flugabwehr-Rakete „HAWK". *BSD* 1965 *ff.*

Zigeunerkutsche *f* Kübelwagen, Jeep. Anspielung auf Format und Leichtbeweglichkeit. *BSD* 1965 *ff.*

zigeunern *intr* **1.** keinen festen Platz haben (auf Gegenstände bezogen). 1900 *ff.*
2. betrügen; diebisch sein. Eine offenbar unausrottbare, internationale Verunglimpfung der Zigeuner. Seit dem späten 19. Jh. *Vgl engl* „to gyp".

zigfach *adj* mehrfach. ↗ zig. 1870 *ff.*

zigmal *adv* oftmals. ↗ zig. 1870 *ff.*

zigst *adj* wiederholt. ↗ zig. 1870 *ff.*

Zigstel *n* soundsovielter Teil. ↗ zig. 1870 *ff.*

zigstündig *adj* vielstündig. 1920 *ff.*

zigtausend *num* zwanzig-, dreißigtausend (und mehr). ↗ zig. 1870 *ff.*

zigtausendfach *adj adv* (oftmals) wiederholt. 1920 *ff.*

Zillertal *n* Einsenkung zwischen den Frauenbrüsten. Hängt zusammen mit dem Volkslied „Zillertal, du bist mei Freud". 1890 *ff.*

Zim'bumm *m* äußeres Beiwerk; überflüssige Sache; vermeidbarer Aufwand; das Ganze *(abfl)*. Lautmalender Herkunft. „Zim" gibt den hellen Ton des Zimdeckels (= beckenartiges Schlaggerät aus Metall) wieder, „bumm" den dumpfen Schall des Trommelfells. 1900 *ff.*

Zimmer *n* **1.** ~ mit Fernsehen = Zimmer mit schöner Aussicht. Scherzhafte Entstellung aus „Fernsicht". 1960 *ff*, gaststättenspr.
2. gefangenes ~ = Zimmer, dessen Zugang nur durch einen anderen Wohnraum führt. 1950 *ff.*
3. gutes ~ = Salon, Speisezimmer; Zimmer, das nur an Feiertagen oder bei Besuch benutzt wird. Seit dem 19. Jh.
4. sturmfreies ~ ↗ sturmfrei.
5. ungeniertes ~ = Zimmer, in dem man vor Überraschung durch den Vermieter sicher ist. 1870 *ff.*
6. vermöbeltes ~ = möbliertes Zimmer. 1920 *ff.*
7. jn ans ~ fesseln = jn zu einer Freiheitsstrafe verurteilen. Übernommen von „ans Bett gefesselt sein = bettlägerig krank sein". 1925 *ff.*

Zimmerfee *f* Zimmermädchen im Hotel o. ä. ↗ Fee. 1920 *ff.*

Zimmerflak *f* **1.** Pistole, Maschinenpistole o. ä. *Sold* 1939 bis heute; polizeispr. 1945 *ff.*
2. lautes Entweichenlassen von Darmwinden in Räumen. 1940 *ff.*

Zimmerfrau *f* Zimmervermieterin. *Österr,* 1870 *ff.*

Zimmerkino *n* Fernsehgerät. 1963 *ff.*

Zimmerlinde *f* **1.** Ehefrau. Meint vor allem die häusliche Frau. Übertragen vom *dt* Namen der „Sparmannia", 1930 *ff.*
2. Zimmervermieterin. 1930 *ff.*

Zimmermann *m* **1.** Bewohner eines möblierten Zimmers. Berlin 1920 *ff.*
2. sehen, wo der ~ das Loch gelassen hat = sich nach der Tür umsehen, um schnell davonzukommen. Geht zurück auf den Fachwerkbau: im Gebälk der Wände ließ der Zimmermann eine Lücke für die Tür. 1600 *ff.*
3. jm zeigen, wo der ~ das Loch gelassen hat = jn derb zum Gehen veranlassen. 1600 *ff.*

Zimmermannsbleistift *m* das haben Sie

wohl mit dem ~ gemacht?: Frage an einen, der eine Arbeit grob und ungenau verrichtet hat. Mit seinem dicken Bleistift kann der Zimmermann keine feinen Striche ziehen. 1870 *ff.*

Zimmermannshaar *n* **1.** auf ein ~ kommt es nicht an = auf Genauigkeit wird kein Wert gelegt. Als „Zimmermannshaar" kennzeichnet man scherzhaft die Entfernung, die der Zimmermann mit seiner Axt erreichen kann. Hieraus weiterentwickelt zu einem Sinnbildwort für Ungenauigkeit und ein allzu großes Maß. 1830 *ff.*
2. es stimmt auf ein ~ = es stimmt sehr ungenau. 1830 *ff.*

zimmern *v* etw (an etw) ~ = etw zu gestalten suchen (Leben, Glück, Zufriedenheit, Behaglichkeit, Gesetzestext o. ä.). Das Gemeinte bearbeitet man wie Bauholz. Seit dem 18. Jh.

Zimmerpalme *f* Zimmerpflanze, -linde. 1920 *ff.*

Zimmerpflanze *f* häuslicher Mensch; Stubenhocker. *Vgl* ↗ Zimmerlinde 1. 1900 *ff.*

Zimmersatellit *m* knallender, von der Flasche fliegender Sektkorken. Vom Start der Weltraumraketen übernommen. 1960 *ff.*

Zimper *f* ohne mit der ~ zu wucken: verdreht aus „ohne mit der ↗ Wimper zu zucken". 1950 *ff.*

Zimperliese (-liesl, -lieschen) *f (f, n)* zimperliche weibliche Person. 1870 *ff.*

Zimt *m* **1.** Unwichtigkeit, Unsinn. Möglicherweise umgestellt aus *gleichbed* „↗ Mist". Etwa seit 1870, anfangs Berlin und *sächs;* seit dem Ersten Weltkrieg weitverbreitet nördlich der Mainlinie.
2. Geld. Fußt auf dem Farbenvergleich zwischen Zimt und Gold, kann sich aber auch im Sinne der vorhergehenden Bedeutung mit „Geld haben wie ↗ Mist" berühren. 1870 *ff, rotw.*
3. Schmuck, Goldsachen. *Rotw* 1900 *ff.*
4. längst Überholtes. 1920 *ff.*
5. fauler ~ = a) unsinniges Geschwätz; verfehlte Maßnahme; törichte Fehlleistung. 1920 *ff.* – b) rechtswidrige, fragwürdige Sache. ↗ faul 1. 1920 *ff.*
6. der ganze ~ = das alles *(abfl)*. ↗ Zimt 1. 1870 *ff.*
7. jm den ~ besorgen = a) jn heftig zurechtweisen. Parallel zu „jm den ↗ Kümmel reiben". 1870 *ff,* Berlin und *sächs.* – b) koitieren. 1900 *ff.*
8. den ~ kennen = mit einer Sache gründlich vertraut sein. 1900 *ff.*
9. ~ machen = sich zieren; sich unnatürlich benehmen; sich effekthascherisch aufregen. Berlin und *sächs,* 1870 *ff.*
10. mach' keinen ~! = mach' keinen Unsinn. ↗ Zimt 1. 1870 *ff,* Berlin und *sächs.*
11. aus einer Sache ~ machen = eine Sache aufbauschen. 1900 *ff.*
12. langen ~ machen = weitschweifig reden, ohne mehr als Belanglosigkeiten vorzubringen. 1920 *ff.*

zimtig *adj* ~ tun = sich zieren. ↗ Zimt 9; vielleicht verquickt mit „zimperlich". 1870 *ff.*

Zimtzicke *f* mäklige alte Jungfer; Frau von unangenehmem Wesen; albernes, langweiliges Mädchen. ↗ Zimt 9; ↗ Zicke 1. 1920 *ff.*

zimtzickig *adj* zimperlich. 1920 *ff,* Berlin.

Zimtziege *f* zimperliche, schnell gekränkte

Frau; dumme, einfältige, unansehnliche Frau. ↗ Zimt 9; ↗ Ziege 1. 1920 *ff.*

zingern (zinkeln) *intr* zwicken, jucken; Juckreiz verspüren. Lautmalend für einen hellen Ton; er wirkt wie ein Stich auf die Gehörnerven. *Niederd* und *mitteld,* 1700 *ff.*

Zink *m* Wink; Zeichen; geheime Verständigung. Geht zurück auf *franz* „signe = Zeichen". *Rotw* 1733 *ff.*

Zinken *m* **1.** Nase. Scherzhaft aufgefaßt als hervorstehender Zacken. 1500 *ff.*
2. heiler Zahn (neben vielen abgebrochenen o. ä.). 1700 *ff.*
3. Penis. 1500 *ff.*
4. Tabakspfeife. 1930 *ff.*
5. Turmruine der Kaiser-Wilhelm-Gedächtniskirche in Berlin. 1950 *ff.*
6. Alkoholrausch. Parallel zu ↗ Zacken 4. *Nordd* und *mitteld,* 1840 *ff.*
7. Stempel, Siegel. Fußt auf *franz* „signe = Zeichen". *Rotw* 1726 *ff.*
8. blutiger ~ = kupferrote Nase. ↗ Zinken 1. 1820 *ff,* nordostdeutsch und *sächs.*
9. verschämter ~ = hochrote Nase. Rot als Sinnbildfarbe der Scham. ↗ Zinken 1. 1910 *ff.*
10. ~ stechen = Zeichen geben. ↗ Zink. *Vgl* „es jm ↗ stecken". 1700 *ff, rotw.*
11. jm einen ~ stecken = a) jm einen Wink geben. *Rotw* 1733 *ff.* - b) jn derb zurechtweisen. Aus dem Vorhergehenden weiterentwickelt nach dem Muster von „im Bescheid sagen". Berlin und *sächs,* seit dem 19. Jh.

zinken *v* **1.** *tr* = Geheimzeichen anbringen; etw mit geheimen Zeichen versehen; Spielkarten betrügerisch kennzeichnen. Geht zurück auf *franz* „signe = Zeichen" oder übernimmt die Bedeutung „Steinmetz- und Hauszeichen". 1900 *ff.*
2. *tr* = etw fälschen. *Rotw* 1900 *ff.*
3. *tr* = jn zu einer Aussage oder Handlung beeinflussen. Der Betreffende wird präpariert wie eine Spielkarte. *Rotw* und *sold* 1900 *ff.*
4. *intr* = einen Wink, ein Zeichen geben. ↗ Zinken 11. *Rotw* seit dem 18. Jh.
5. *intr* = ausplaudern, verraten, denunzieren. 1900 *ff.*
6. *tr intr* = koitieren. ↗ Zinken 3. 1900 *ff.*

Zinkenstecher *m* Mann, der einem anderen ein geheimes Zeichen gibt. ↗ Zinken 10. *Rotw* 1754 *ff,* österr.

Zinker *m* **1.** Stempel-, Spielkartenfälscher. ↗ zinken 1. *rotw.*
2. Falschspieler. 1900 *ff.*
3. Verräter, Spitzel. ↗ zinken 5. 1900 *ff.*

Zinnober *m* **1.** Wertlosigkeit; Unsinn; überflüssige Umstände; Lüge; Prahlerei. Die Herleitung ist umstritten. Nach den einen ist von der Praxis der Alchimisten auszugehen, die bei ihren Versuchen einer Synthese von Schwefel und Quecksilber nur Zinnober und nie Gold gewannen; andere gehen auf die künstliche Nachahmung der natürlichen Zinnoberfarbe zurück. Auch wird Entstellung aus „Zimt" angenommen. Etwa seit 1900, anfangs vorwiegend *sold.*
2. der ganze ~ = das alles; die gesamte Habe *(abfl)*. *Sold* 1914 *ff.*
3. verfluchter ~!: Ausruf des Unwillens. 1920 *ff.*

Zins *m* **1.** schwarze ~en = Zinsen, die

steuerlich nicht zu erfassen sind. ↗ schwarz 5. 1950 ff.

2. jm etw mit ~ und Zinseszins heimzahlen = an jm Vergeltung üben. Übertragen vom geliehenen Geld, das man mit Zinsen und Zinseszinsen zurückzahlt. 1920 ff.

3. sich ~en holen = um Geld betteln; erpressen. „Zins" hat im *Rotw* die Bedeutung „Almosen": auf solche „Zinsen" glaubt man ein Anrecht zu haben. 1900 ff, *rotw.*

4. ~en schinden = Überweisungsaufträge verzögern, um in den Genuß von Zinsen zu kommen. ↗ schinden 1. 1960 ff.

5. etw mit ~en zurückgeben = einen Streich mit einem stärkeren vergelten. 1920 ff.

Zinsfuß *m* auf großem ~ leben = von den Zinsen eines größeren Kapitals angenehm leben. Modernisierung von „auf großem ↗ Fuß leben". 1950 ff.

Zinsgeier *m* Vermieter, der den Mietern kündigt, sobald sie den Mietpreis nicht mehr zahlen können. „Miete" heißt vor allem im *Südd* „Mietzins". Der Geier ist in seiner Eigenschaft als Raubvogel zitiert. 1914 ff.

Zinshahn *m* **1.** aufgeregter (nervöser) ~ = Mensch, der andere nervös macht; ruheloser Mensch. Leibeigene Bauern mußten früher ihren Herren als Bodenzins Hühner und Hähne liefern; darunter durften sich keine alten Tiere befinden. Um die Herren zu betrügen, entwickelten die Bauern Kunstgriffe, um auch ältere Hähne jugendlich-lebhaft erscheinen zu lassen. Seit dem 19. Jh.

2. wie ein ~ krähen (schimpfen, springen) = aufgeregt schreien o. ä. Seit dem 19. Jh.

3. zornig (rot) werden wie ein ~ = hochrot vor Wut werden; heftig erröten. Bei den früher den Lehnsherren abzuliefernden Hähnen mußte der Kamm hochrot durchblutet sein. Seit dem 19. Jh.

Zinsholer *m* Bettler, Erpresser. ↗ Zins 3. *Rotw* 1900 ff.

Zinskaserne *f* Vielparteienwohnhaus, dessen Besitzer hohe Mieten verlangt. Zur Erklärung *vgl* „↗ Zinsgeier". *Bayr* und *österr*, 1914 ff.

Zinskneifer *m* Wucherer; unerbittlicher Gläubiger. ↗ kneifen 3. 1850 ff, *nordd* und Berlin.

Zinti *pl* ↗ Sinte.

Zipf *m* **1.** Widerholungs-, Ergänzungsprüfung. Zipf = Schweif; daher analog zu „↗ Schwanz 5". *Bayr* und *österr*, 1900 ff.

2. fader ~ = Schimpfwort. Anspielung auf „Zipf = Schweif = Schwanz = Penis". Pars pro toto. 1900 ff.

Zipfel *m* **1.** Penis. Fußt auf der Vorstellung von spitz Zulaufendem. *Oberd* 1600 ff.

2. Mann. Pars pro toto im Sinne des Vorhergehenden. *Oberd* seit dem 18. Jh.

3. dummer Mann. *Oberd* seit dem 18. Jh.

4. frecher Mann; Versager. *Oberd* seit dem 18. Jh.

5. nervöser ~ = nervöser Mann. *Südd* 1900 ff.

Zipfelmütze *f* eine ~ aufhaben = nichts merken; einfältig-dümmlich sein. Zusammenhängend mit der Mütze, die der „deutsche Michel" trägt. 1900 ff.

zipfig *adj* langweilig, schwunglos. *Oberd* Form des Folgenden. *Halbw* 1950 ff.

zipp *adj* **1.** schämig, schnippisch. Herge-

nommen von der unnatürlichen Aussprache mit zugespitztem Mund. *Nordd* 1700 ff.

2. müde. 1900 ff, *nordd* und Berlin.

3. nicht ~ sagen können = sich zieren; zimperlich tun. 1700 ff.

4. nicht mehr ~ sagen können = erschöpft sein. Seit dem 19. Jh.

Zipp *m* Reißverschluß. Gehört zu „zupfen". *Österr* 1930 ff.

Zippel *m* **1.** Penis. *Niederd* Form zu ↗ Zipfel 1. 1900 ff.

2. *pl* = Schamlippen. 1920 ff.

3. Rufname des Hundes. Meint vor allem den kleinen Hund. 1900 ff.

4. kleiner Junge (Kosewort). 1900 ff.

5. dummer Mann. ↗ Zipfel 3. Seit dem 19. Jh.

6. sich am ~ reißen = sich energisch aufraffen. Analog zu „↗ Riemen 6". 1910 ff.

Zippelfransen *pl* kurze, gestutzte Haarsträhne (über der Stirn). Wohl Anlehnung an „↗ Simpelfransen" unter Einfluß von „Zipfel". 1920 ff.

Zippelziege *f* sich geziert benehmende weibliche Person. Gehört zu „zipp = pride" und „zippern = trippeln". Nordostdeutsch und Berlin, 1830 ff.

Zipperlein *n* **1.** Gelenkschmerzen; Gicht an Händen und Füßen. Gehört zu „zippern = trippeln" und spielt auf die Gangart der Erkrankten an. Seit dem 15. Jh.

2. das ~ haben = übernervös sein. 1920 ff.

Zirkel *m* böhmischer ~ = Diebstahl. Bezeichnung für die Gebärde des Einsackens: der rechte Daumen ist wie ein Zirkelschenkel, die vier übrigen Finger beschreiben einen Kreis. Im 19. Jh in Österreich aufgekommen und von da nach Westen und Norden gewandert.

Zirkus *m* **1.** Aufregung, Gezänk; Durcheinander; übertriebene Umstände; steifes Zeremoniell; Salutieren; förmliche Erstattung einer Meldung. Von der Dressurvorführung, der Vorführung akrobatischer Leistungen, den Clownauftritten und dem gesamten Schaugepränge weiterentwickelt zur Vorstellung übertriebener Geschäftigkeit im Äußerlichen. 1900 ff, theaterspr. und sold.

2. Kurvenfliegen eines Flugzeugs. Es erinnert an die Dressurvorführung im Zirkus. Fliegerspr. 1935 ff.

3. Formaldienst. *BSD* 1965 ff.

4. Appell mit Uniformwechsel. *BSD* 1965 ff.

5. die den ausbildenden Lehrer begleitenden Unterrichtskandidaten. 1945 ff, *schül* und lehrerspr.

6. Klublokal. Anspielung auf das ausgelassene Treiben: es geht „↗ rund" wie in der Manege. *Halbw* 1955 ff.

7. ~ Karajani = Neubau der Philharmonie in West-Berlin. Der Bau wirkt zeltartig. Anspielung auf Herbert von Karajan, den Chefdirigenten der Berliner Philharmoniker (seit 1955); angelehnt an den in Dresden beheimateten, früheren Zirkus Sarrasani. 1963 ff.

8. der ganze ~ = all die Betriebsamkeit; all der (Arbeits-)Aufwand *(abf)*. 1900 ff.

9. verlogener ~ = heuchlerische Geschäftigkeit. 1950 ff.

10. einen ~ aufführen = sich heftig auf-

regen; sich fassungslos gebärden (ohne es zu sein). 1920 ff.

11. ~ fliegen = rundfliegen. ↗ Zirkus 2. *Sold* 1935 ff.

12. ~ machen = Umstände, Schwierigkeiten machen. 1939 ff.

13. mit jm ~ machen = jn beim Strafexerzieren schikanös behandeln. So stellt der Laie sich die Behandlung des zur Dressur bestimmten Tieres vor. Sold 1939 ff.

14. um jn einen ~ machen = um jn eine vielseitige Reklametätigkeit entfalten. 1950 ff.

15. sich selber ~ vormachen = sich selbst belügen. 1950 ff.

Zirkuspferd *n* **1.** Mensch, der beim Arbeiten seine Wirkung auf Zuschauer beachtet; Künstler im Schaugeschäft. 1950 ff.

2. Straßenprostituierte. Sie tänzelt die Straßen auf und ab und achtet auf gewerbegemäß vorteilhafte Wirkung. 1950 ff.

3. sich aufputzen (aufdonnern) wie ein ~ = sich geschmacklos kleiden. 1950 ff.

Zisch *m* **1.** Alkoholmenge. ↗ zischen 3. 1950 ff.

2. Brauselimonade o. ä. Beim Öffnen der Flasche entsteht ein zischendes Geräusch. 1950 ff, *halbw.*

3. seinen täglichen ~ haben = seine übliche Tagesmenge an Alkohol getrunken haben. 1950 ff.

zischen *v* **1.** *intr* = harnen. Schallnachahmender Natur. Seit dem 19. Jh.

2. es zischt bei ihm = er ist nicht recht bei Verstand. Sein „Denkmechanismus" ist heißgelaufen; aus seinem Kopf entweicht der Überdruck oder „nichts als heiße Luft". 1910 ff, *schül* und *stud.*

3. einen ~ = ein Glas Alkohol trinken. „Zischen" gibt lautmalend das Geräusch wieder, das entsteht, wenn eine kalte Flüssigkeit auf einen heißen Gegenstand trifft. Das Bier „zischt", wenn es auf den „↗ Brand" im Hals trifft. Seit dem frühen 20. Jh, *sold, stud,* gaststättenspr. u. a.

4. einen ~ = das Bier löscht den Durst. 1900 ff.

5. *intr* = üble Nachrede führen; anzüglich reden. Eigentlich soviel wie „zischend flüstern"; gern bezogen auf das Zischen giftiger Schlangen. 1900 ff.

6. *intr* = schnell fahren; eilen; schnell laufen; im Düsenflugzeug fahren. Schallnachahmung. 1950 ff, *halbw.*

7. jm eine ~ = jn heftig ohrfeigen. Die schnell geschwungene Klinge, Sense, Peitsche oder auch Geschosse erzeugen ein zischendes Geräusch; von da übertragen auf die heftige Ohrfeige. 1930 ff.

Zischkonzert *n* anhaltendes Zischen vieler unzufriedener Leute. Zischen = sich erbost äußern. 1920 ff.

Zischröhre *f* schlankes, hohes Glas für Bier oder Limonade. ↗ zischen 3; ↗ Röhre 9. *Halbw* 1955 ff.

Zisla'weng *m* ↗ Cislaweng.

Zitatenfriedhof *m* Mensch, der gern in Zitaten spricht; Text, in dem Zitate aller Art (Bibelsprüche) vorkommen. 1955 ff.

Zitaterich *m* Mensch, der sich Aussprüche anderer zunutze macht. 1910 ff.

zithern *intr* Zither spielen. 1900 ff.

Zitherspieler *m* **1.** Mann, der die Frau intim betastet. 1900 ff.

2. Gefängnisbeamter, der mit einem Stück Eisen über die Gitterfenster der Zellen

fährt, um am Klang zu hören, ob ein Stab angefeilt ist. 1920 ff.

Zitrone f **1.** ausgepreßte (ausgequetschte) ~ = a) Mensch, der all sein Geld hergegeben hat. 1850 ff. – b) ausgemergelter energielos gewordener Mensch. 1850 ff. **2.** ein Gesicht, sauer wie eine unreife ~ = mürrischer Gesichtsausdruck. ↗ sauer 1. 1950 ff. **3.** jn wie eine ~ auspressen (ausquetschen) = a) jn gründlich ausfragen, scharf verhören. Seit dem 19. Jh. – b) jn schröpfen, arm machen; jm das Letzte abnehmen; jn im Kartenspiel gründlich besiegen. 1900 ff. – c) jm sehr hohe Steuern abverlangen. 1920 ff. – d) jm einen körperlich anstrengenden Dienst abverlangen. Sold 1939 ff. **4.** jn fallen lassen wie eine ausgepreßte ~ = sich von jm plötzlich trennen; jm die Gunst entziehen. 1950 ff. **4 a.** in eine ~ gebissen haben = lustig sein. Fußt auf dem Sprichwort „sauer macht lustig“. 1920 ff. **5.** mit ~n handeln = ein aussichtsloses Geschäft eingehen; einen Fehlschlag erleiden; einen wichtigen Umstand außer acht lassen. Zur Erklärung vgl ↗ Zitrone 2. 1915 ff. **6.** sauer prekeln wie eine ~ = a) eine aufgetragene Arbeit unwillig verrichten. „Prekeln“ ist Nebenform zu „prickeln = stechen, stochern“. Sold 1940. – b) übellaunig, mürrisch, abweisend sein. Sold 1940 ff. **7.** das ist (damit ist es) ~ = das ist geschiedert. Analog zu „damit ist es ↗ Essig“. 1950 ff. **8.** jm eine ~ überreichen = sich gegenüber jm niederträchtig äußern; auf jn bösartig-anzügliche Bemerkungen machen. Zitrone = saure Sache; Unfreundlichkeit. 1933 ff.

Zitronenfragen pl eingehende Wissensfragen. Der Befragte wird „ausgepreßt wie eine ↗ Zitrone 3“. Schül 1965 ff.

Zitronenfresse f mißmutiger, verdrossener Gesichtsausdruck. Von der saueren Zitrone auf das „saure“ Gesicht übertragen. ↗ sauer 1; ↗ Fresse 1. 1920 ff.

Zitronenpresser m vernehmender Polizeibeamter. ↗ Zitrone 3 a. Halbw 1960 ff.

zitronensauer sein sehr verärgert, beleidigt sein. Verstärkung von „↗ sauer 1“. 1955 ff.

Zitsch (Zitschwasser) m (n) Zitronenlimonade. Erscheint zusammengezogen aus „Zitrone“ und „↗ Zisch 2“. Seit dem frühen 20. Jh.

Zitterakrobat m Twist-Tänzer. Anspielung auf die Körperverrenkungen. 1962 ff.

Zitterjule f Motorradmitfahrerin. ↗ Jule. 1920 ff.

Zittermasche f Zittertanz, Twist-Tanz o. ä. ↗ Masche 1. 1960 ff.

zittern intr **1.** Zither spielen. ↗ zithern. 1950 ff. **2.** davongehen, -eilen. Man geht mit unsicheren, hastigen Bewegungen. 1870 ff. **3.** koitieren. ↗ Schuß 48. 1910 ff. **4.** ich kann nicht so schnell ~, wie ich friere = mich friert es sehr. 1930 ff, sold und ziv. **5.** mit ~ nicht nachkommen (nicht Schritt halten) = sehr stark zittern (vor Kälte oder Angst). 1930 ff. **6.** eine Zwei zittert im Zeugnis = man

hat im Zeugnis (nur) eine Zwei. Sie bietet dem Schüler keine Sicherheit auf Versetzung angesichts der anderen, schlechteren Noten. Schül 1955 ff. **7.** einen ~ = ein Glas Alkohol zu sich nehmen. Man tut es wohl schon mit zittriger Hand. 1955 ff.

Zitterpappel f Schauspielerin in sehr unbedeutender Nebenrolle. Sie „zittert“ nur selten über die Bühne und „pappelt“ nur wenige Worte. Theaterspr. 1930 ff.

Zitterpartie f Bangen um den Ausgang einer Wahl, besonders für eine Partei, die möglicherweise keinen Parlamentssitz mehr erringen kann. Journ und politikerspr., 1984 aufgekommen im Anschluß an ↗ Zitterpudding.

Zitterpudding m Gelatine-Pudding; „Götterspeise“. 1900 ff.

Zitterspiel n **1.** über den Abstieg in die Regionalliga entscheidendes Fußballspiel. Sportl 1960 ff. **2.** Fußballspiel, bei dem der Sieg der eigenen Mannschaft bis zum Schluß fraglich ist. Sportl 1960 ff.

Zittertorwart m unsicherer, ängstlicher Torwart. Sportl 1960 ff.

Zitterwochen pl Flitterwochen. ↗ zittern 3. 1935 ff.

Zitzen pl **1.** Frauenbrüste. Eigentlich das Euter der Säugetiere. 1600 ff. **2.** wüste ~ = unvorteilhafte, pralle Brüste. 1920 ff.

Zitzerl n Kleinigkeit; Stückchen. Meint eigentlich die kleine Brustwarze, dann auch jedes kleine Ding. Sachverwandt mit ↗ Tüttelchen. Bayr und österr, 1800 ff.

zitzerlweise adv in kleiner Menge; nacheinander (die Gäste trafen zitzerlweise ein). Vgl das Vorhergehende. Bayr und österr, seit dem 19. Jh.

zitzern intr sich über etw entrüsten. Man stößt den Laut „ts, ts“ aus. 1930 ff.

Zivi m **1.** Polizeibeamter in Zivil; Zivilfahnder. Hieraus verkürzt. 1975 ff. **2.** Zivildienstleistender.

Zivilbulle m ziviler Verwaltungsbeamter in Diensten der Bundeswehr. ↗ Bulle 1. BSD 1965 ff.

Zivilcourage (Grundwort franz ausgesprochen) f Bürgermut; Mut zur eigenen Überzeugung im bürgerlichen Leben. Wortprägung von Bismarck, 1864.

Zivilgelump n Zivilkleidung. ↗ Gelump 1. 1870 ff.

Zivilhelm m Zylinderhut; steifer Hut. Hut. Zivilistisches Konkurrenzwort zum militärischen „Helm“. In Berlin aufgekommen und südwärts gewandert; 1840 ff.

Zivilisation f achtlos weggeworfenes Papier; an Raststätten zurückgelassene Bierflaschen, Konservendosen usw. Ein anklägerisches Hohnwort, in den dreißiger Jahren des 20. Jhs aufgekommen.

Zivilist m **1.** Soldat, der sich unmilitärisch benimmt. Sold 1900 bis heute. **2.** ~ mit mildernden Umständen = Reserveoffizier. Die „mildernden Umstände“ bestehen in der Tatsache, daß er von Zeit zu Zeit wieder militärischen Dienst wahrnimmt. 1900 ff. **3.** gelernter ~ = unmilitärischer Mann; Mann, der für Wehrmacht, Wehrdienst usw. keinen Sinn hat. Sold 1939 ff. **4.** verkleideter ~ = Soldat, der trotz Uniform in seinem Empfinden, Denken und

Handeln Zivilist bleibt (bleiben möchte). Sold 1939 ff. **5.** ~ gesehen, – ganzer Tag versautl: Kraftwort eines Soldaten, der Zivilisten für minderwertig hält. Dem einstigen preußischen Offiziersjargon nachgeahmt. BSD 1965 ff.

Zivilpelle f Zivilkleidung. ↗ Pelle 2. Sold 1914 bis heute.

Zivilstratege m Zivilist, der sich in Dingen der Kriegsführung die gründlichere Kenntnis anmaßt. 1914 ff.

Zivi'lunke (Zi'villunke) m Zivilist; ziviler Truppenverwaltungsbeamter. Kann zusammengezogen sein aus „ziviler ↗ Halunke“ oder hängt zusammen mit „Lunken = Lumpen“. 1939 ff.

zockeln (zuckeln) intr **1.** langsam traben; schlendern. Beruht auf mundartlicher Weiterbildung zu „ziehen“. Seit dem 18. Jh. **2.** langsam fahren. Seit dem 19. Jh.

Zockeltrab m langsame Gangart des Pferdes. ↗ zockeln 1. Seit dem 18. Jh.

zocken intr **1.** Glücksspiel betreiben. Fußt auf jidd „zachkenen, zchoken = spielen“. Berlin seit dem späten 19. Jh; später auch in anderen Großstädten geläufig. **2.** musizieren; Gitarre spielen. „Zocken“ gehört zu „ziehen“ und spielt hier auf das Zupfen der Saiten an. Halbw 1950 ff. **3.** Petting betreiben. Versteht sich nach dem Vorhergehenden. Halbw 1950 ff. **4.** Fußball spielen. Kinderspr. 1920, Essen.

Zocker m **1.** Glücksspieler. ↗ zocken 1. 1870 ff, Berlin u. a. **2.** Handtaschenräuber. Polizeispr. 1960 ff.

Zockerwinde f Lokal, in dem Glücksspiel betrieben wird. ↗ Zocker 1; ↗ Winde 2. Polizeispr. 1960 ff.

Zoff m **1.** Unfrieden, Händel, Streit, Wut. Stammt aus jidd „zoff = Ende“ und meint wohl das Ende der Freundschaft, des Einvernehmens. 1850 ff. Neuerdings eine beliebte Halbwüchsigenvokabel. **2.** mieser ~ = schlechter Ausgang eines Geschäfts, eines Rechtsstreits o. ä. ↗ mies. 1920 ff. **3.** ~ machen = a) Schluß machen. 1920 ff. – b) Widerstand leisten; Ausschreitungen veranlassen; Streit suchen. 1950 ff.

Zöliba'tesse f Haushälterin eines katholischen Geistlichen. Der „Hostesse“, „Politesse“ u. ä. nachgeahmt mit Anspielung auf „Zölibat“. 1970 ff.

Zoll m den ~ unbeanstandet passiert haben = als Prostituierte die amtsärztliche Kontrolluntersuchung ohne Befund einer Geschlechtskrankheit überstanden haben. Berlin 1925 ff.

Zollmops m Zollbeamter. „Mops“ meint entweder den mürrischen oder den dicklichen Menschen. Vielleicht beeinflußt von „↗ Zahlmops“ und/ oder „Rollmops“. 1950 ff.

Zollschein m polizeiliches Prostituierten-Kontrollbuch. ↗ Zoll. Berlin 1925 ff.

Zoo m **1.** Kaserne. Aufgefaßt als Tiergehege und als ein Stück vom „Tiergarten Gottes“. ↗ Tiergarten. BSD 1965 ff. **2.** Bordell. BSD 1965 ff. **3.** ~ zu, Affe tot: Schluß! Polizeistunde! ↗ Bude 15. 1945 ff.

Zopf m **1.** Alkoholrausch. Analog zu ↗ Haarbeutel. Der Zopf war die Haartracht der Männer im 18. Jh; durch König Friedrich Wilhelm I. im preußischen Heer eingeführt, wurde er im Lauf des Jhs bürgerlich. Etwa seit 1800.

2. starres Festhalten an Überkommenem (Veraltetem). Aufgekommen gegen Ende des 18. Jhs, als der Zopf zum Sinnbild der befehdeten Herrschaftsschicht wurde.

3. fortschrittsfeindlicher Mensch. Seit dem 19. Jh.

4. Oberstudiendirektor. Man hält ihn für einen Gegner modernen Geistes. *Schül* 1890 *ff,* österr.

5. alter ~ = bejahrter „weiblicher" Typ des Homosexuellen. Er fühlt sich als „Dame". 1960 *ff.*

6. einen ~ abschneiden = überaltete Gewohnheiten abschaffen. Seit dem 19. Jh.

7. das hat keinen ~ = das hat keinen Zweck. „Zopf" meint hier den Baumwipfel, die Baumspitze. *Südwestd* 1900 *ff.*

8. einen ~ heimschleifen = betrunken sein. ↗ Zopf 1. 1800 *ff.*

zopfen *tr* etw stehlen. Nebenform zu „zupfen = ziehen, heranziehen". *Rotw* seit dem späten 17. Jh, vorwiegend *oberd.*

zopfig *adj* **1.** altertümlich, altmodisch. ↗ Zopf 2. Seit dem 19. Jh.

2. kleinlich, engherzig. 1900 *ff.*

zoppen *v* **1.** *tr* = etw ziehen. *Niederd* Entsprechung von *hd* „zupfen". 1500 *ff.*

2. *tr* = etw eintunken. *Westd* 1500 *ff.*

3. *tr intr* = koitieren. Versteht sich nach dem Vorhergehenden. 1900 *ff.*

4. *tr* = etw stehlen. ↗ zopfen. *Rotw* seit den frühen 19. Jh.

5. es (sie) gezoppt kriegen = geprügelt werden. ↗ überziehen 1. *Westd* seit dem 19. Jh.

Zores *m* **1.** Durcheinander; überflüssige Umstände; Bedrängnis; Ärger; Streit o. ä. Stammt aus *jidd* „zaar = Angst, Not". Um 1800 im *Rotw* aufgekommen, vorwiegend *westd* und *oberd.*

2. Gesindel. Geht zurück auf *jidd* „zoir = Geringer, Niedriger". 1800 *ff,* oberd und *mitteld.*

Zorn *m* **1.** im ~ erschaffen sein = den Menschen zum Schaden erschaffen sein; unausstehlich sein. Zur Erläuterung *vgl* „↗ Gott 21". 1900 *ff.*

2. ~ in der Brieftasche haben = kein Geld besitzen. 1930 *ff.*

3. er raucht vor ~ = er ist sehr zornig. Hängt nicht mit Tabakwaren zusammen, sondern versteht sich nach „↗ rauchen 9". 1900 *ff,* bayr.

4. ~ schnauben = wütend sein. 1800 *ff.*

Zornbinkel *m* rasch aufbrausender Mensch. „Binkel" meint entweder „Bündel" (der Betreffende ist ein „Zornbündel", wie man ja auch ein „↗ Nervenbündel" sein kann) oder „Beule" (etwa „Giftbeule"; „sich vor Zorn aufblähen"). *Bayr* und *österr,* seit dem 19. Jh.

Zornickel *m* wütender, jähzorniger Mensch. Entweder volksetymologisch aus dem Vorhergehenden entstellt oder zusammenhängend mit „↗ Nickel 2". *Oberd* und *mitteld,* 1700 *ff.*

Zossen (Zosse) *m* **1.** Pferd. Geht zurück auf *jidd* „sus = Pferd" und ist über *rotw* Vermittlung (1754 *ff*) zu den Soldaten 1870/71 gewandert. Seither vorwiegend Berlin und *sächs.*

2. Schiff, Kriegsschiff. Es gilt als braves Pferd, das „auf den Wellen" reitet. *Marinespr* in beiden Weltkriegen.

---

3. Kraftfahrzeug. ↗ Benzinpferd. 1950 *ff.*

4. übergroßer, eindrucksvoller Gegenstand. 1930 *ff.*

Zoten *pl* ~ reißen = unanständige Witze erzählen. ↗ Witz 24. *Stud* seit dem Ende des 18. Jhs.

Zotte *f* **1.** *pl* = Haare; ungepflegte Frisur. Meint eigentlich das lange, lang herabhängende Tierhaar, auch den Flausch von Haaren, die Schambehaarung. Seit dem 13. Jh.

2. *sg* = nachlässiges, unsauberes Mädchen. Seit dem 19. Jh.

3. *sg* = Schimpfwort auf eine weibliche Person. Seit dem 19. Jh.

4. *sg* = Prostituierte niederster Art. Seit dem 19. Jh.

5. alte ~ = Frau *(abfl)*. Seit dem 19. Jh.

Zottel *f* **1.** *pl* = lange, ungekämmte Haare; strähnig herabhängendes Haar. Verkleinerungsform von ↗ Zotte 1. Seit dem 13. Jh.

2. *sg* = unordentlich, unsauber gekleidete weibliche Person; Frau mit wirren Haaren. Seit dem 19. Jh.

Zottelbart *m* **1.** ungepflegter Bart. Seit dem 19. Jh.

2. alter, verlebter Mann. Seit dem (16. Jh?) 19. Jh.

Zottelfritze *m* unentschiedener, langsamer Mann. ↗ zotteln 1; ↗ Fritze. 1900 *ff.*

zotteln *intr* **1.** nachlässig, langsam gehen; schlendern. Wiederholungsform von „zotten" im Sinne von „watschelnd gehen"; eigentlich bezogen auf das Hin- und Herbaumeln der verschmutzten und verkletteten Haare von Schaf und Ziege. Seit *mhd* Zeit.

2. onanieren. „Zottel" nennt man auch den Topfausguß und die Gießkannenbrause. 1950 *ff.*

zu *adj* geschlossen, verschlossen (zuer Wagen; zue Tür; zues Fenster; gelegentlich auch „zune Tür; zunes Fenster"). Verkürzt aus zugemacht. ↗ zuen. Spätestens seit dem 16. Jh.

'Zuawi'ziecha ('Zuawi'ziahga) *m* Feldstecher, Opernglas. Man kann damit das Objekt „zu sich herziehen". *Bayr* 1900 *ff.*

zubeißen *intr* Kampfkraft entwickeln. ↗ Biß 2. *Sportl* 1950 *ff.*

zubleiben *impers* geschlossen bleiben. Seit dem 16. Jh.

zubringen *tr* etw schließen können. Seit dem 16. Jh.

Zubrot *n* Nebenverdienst. Eigentlich die Beikost, das Gemüse o. ä. 1950 *ff.*

zubuttern *tr* etw zusetzen ohne Aussicht auf Rückerhalt; etw hinzugeben. Stammt wohl aus *niederd* „toboten = zuschießen; Feuerung nachlegen". *Nordd, mitteld* und *westd,* seit dem 19. Jh.

Zucht *f* was ist das für eine ~? = was ist das für eine Ungehörigkeit, für ein Durcheinander? „Zucht" meint die Erziehung, vor allem das Ergebnis der Erziehung, das gesittete Benehmen; hier auch beeinflußt von der Nebenbedeutung „Brut". Vom Wortschatz der Eltern und Lehrer im frühen 19. Jh in die Schülersprache übergegangen.

Zuchtel (Zuchtl) *f* weibliche Person; Hure. „Zucht" bezeichnet im *Oberd* das Geschlechtsteil bei Stute und Kuh. 1800 *ff.*

zuchten *tr intr* koitieren. Vielleicht entstanden aus „jn in die Zucht nehmen". *Vgl* aber auch das Vorhergehende. 1920 *ff.*

Zuchthaus *n* **1.** Schule; Heimschule. Als Strafanstalt aufgefaßt. *Schül* seit dem späten 19. Jh.

2. Kaserne. Der Wehrdienst gilt als Verbüßung einer Freiheitsstrafe. *BSD* 1965 *ff.*

3. ~ ohne Gitter = Schule. 1950 *ff.*

4. einen Blick haben wie zehn Jahre ~ = böse, wütend, furchterregend blicken. Übernommen von der Amtsmiene strenger Staatswälte. 1934 *ff.*

5. da wir grade vom ~ reden, was macht dein Bruder?: Redensart, mit der man einen dumm herausfordern will. *BSD* 1965 *ff.*

Zuchthausbulle *m* **1.** Zuchthauswärter. ↗ Bulle 1. 1920 *ff.*

2. Zuchthäusler. 1920 *ff.*

Zuchthausknall *m* Haftpsychose bei Zuchthäuslern. ↗ Knall 6. 1955 *ff.*

Zuchthauspensionär *m* Zuchthäusler, der eine vieljährige Freiheitsstrafe verbüßt. 1870 *ff.*

Zuchthausschnitzel *n* Frikadelle. *BSD* 1965 *ff.*

Zuchthaustür *f* die ~ klappert = eine schwere Freiheitsstrafe ist zu erwarten. 1965 *ff.*

Zuchtochse *m* Versager. Die Bezeichnung ist absichtlich ein Widerspruch in sich: der Ochse als entmannter Stier ist für Zuchtzwecke ungeeignet. 1870 *ff.*

Zuchtwahl *f* Brautschau. Umgangssprachlicher Niederschlag des Darwinismus. Seit dem frühen 20. Jh, Berlin.

Zuck *m* Schwung; Wendigkeit; zielbewußt sicheres Handeln. Nebenform von ↗ Zack 1. Seit dem späten 19. Jh, vorwiegend *mitteld.*

zuckeln *intr* **1.** langsam gehen; langsam fahren; gemächlich wandern. ↗ zokkeln 1. Seit dem 18. Jh.

2. saugen. ↗ suckeln. Seit dem 19. Jh.

Zuckeltrab *m* langsame Gangart des Pferdes; Langsamfahrt. Seit dem 18. Jh.

Zuckeltrott *m* langsame Fortbewegung. ↗ Trott. Seit dem 19. Jh.

zücken *tr* die Brieftasche ~ = die Brieftasche hervornehmen. Intensivum zu „ziehen". Seit dem 19. Jh.

Zucker *m* **1.** schlechter Schütze. Zucken = sich hastig, ruckartig bewegen. *Sold* 1940 *ff.*

2. Feigling. Vor Gefahr oder Verantwortung zuckt er zurück. *Sold* 1940 *ff.*

3. Geistesblitz; vernünftiger Einfall eines Dummen. Der Gedanke durchzuckt ihn. 1935 *ff.*

4. nettes Mädchen. Gehört zur Vorstellung „↗ süß". Seit dem 19. Jh.

5. Lysergsäurediäthylamid (LSD). Hehlwort unter Halbwüchsigen. 1960 *ff.*

6. Zuchthaus. Fußt auf *hebr* „ssugar = Kerker" und auf *jidd* „sogar = verschlossen". 1965 *ff,* häftlingsspr. und *prost.*

7. ~ für den Affen = Rauschgift für einen Süchtigen. ↗ Affe 34. 1960 *ff.*

8. der ~ im Kaffee = (scheinbare Neben-)Sache von entscheidender Bedeutung. Kaffee ohne Zucker kommt vielen ungenießbar vor. 1955 *ff.*

9. einfach ~ (wie ~)! = hervorragend! ausgezeichnet! Das Gemeine wird als „süß" empfunden, als angenehm auf der Zunge zergehend, o. ä. Gern auf Mädchen bezogen. Seit dem späten 19. Jh, vorwiegend *schül* und *stud.*

9 a. süß wie ~ = sehr nett, liebreizend, liebenswürdig, reizend. 1850 ff.

10. der reine ~ = a) sehr große Annehmlichkeit; hervorragende, willkommene Sache. 1850 ff. – b) hochgradige Schönheit, Lieblichkeit. 1850 ff.

11. jm ~ in den Arsch (bis zum Mastdarm) blasen = a) sich bei jm einzuschmeicheln suchen; jn verwöhnen. ↗Puderzucker 1. Seit dem ausgehenden 19. Jh, *stud* und *sold.* – b) jn antreiben, schikanieren. ↗Puderzucker 2. *Sold* und *stud* seit dem ausgehenden 19. Jh.

12. jm ~ in den Arsch blasen und, wenn möglich, die Tüte dazu = jn übermäßig verwöhnen; jm würdelos liebedienern. ↗Zucker 11 a. 1960 ff.

12 a. dem kannst du ~ in den Arsch blasen – dann scheißt er dir trotzdem noch auf die Schuhe: Warnung vor Undank. Berlin 1950 ff.

13. jm ~ geben = jn übergebührlich loben. Die Lobesworte gehen ihm wie Zucker ein. 1950 ff.

14. der Phantasie ~ geben = seine Phantasie schweifen lassen. 1920 ff.

15. einem Talent ~ geben = ein Talent ermutigen. 1920 ff.

16. der Vordermann hat keinen ~ im Arsch!: Redewendung der Soldatenausbilders, wenn in der Exerzierkolonne nicht der erforderliche Abstand eingehalten wird. *Sold* in beiden Weltkriegen.

17. jm ~ in den Hintern (sonst wohin) pusten = jm liebedienern. ↗Zucker 11 a. 1900 ff.

18. nicht von (aus) ~ sein = a) Regen nicht scheuen. 1870 ff. – b) nicht empfindlich sein; viel aushalten können. 1920 ff.

19. ~ auf die Scheiße streuen = Unangenehmes bemänteln. 1910 ff.

20. jm ~ auf den Schwanz streuen = jm schmeicheln. Schwanz = Penis. 1940 ff.

Zuckerbaby (Grundwort *engl* ausgesprochen) *n* Kosewort für die Geliebte. 1920 ff.

Zuckerbäcker *m* Mensch, der sich mit Nebensächlichkeiten aufhält. Meint eigentlich den Feinbäcker, den Konditor. 1920 ff.

Zuckerbäckerlandschaft *f* Kulissen-Schneelandschaft. 1920 ff.

Zuckerbäckerplastik *f* Denkmal als Kunstgreuel. 1950 ff.

Zuckerbäckerprunk *m* unkünstlerische, verspielte Ornamentik. 1900 ff.

Zuckerbäckerstil *m* 1. Bauweise mit überladenem Fassadenschmuck. Von der Tortenverzierung übertragen. Im späten 19. Jh aufgekommen.
2. sowjetische Architektur. Dieser Baustil wurde besonders gefördert von Alexander W. Wlassow in der Stalin-Ära Chefarchitekt der Moskauer Stadt-Baubehörde. 1950 ff.

Zuckerbengel *m* kleiner Junge (Kosewort). ↗Bengel. 1900 ff.

Zuckerbiene *f* Geliebte (Koseanrede). ↗Biene 3. 1950 ff.

Zuckerboy (Grundwort *engl* ausgesprochen) *m* junger Freund eines älteren Homosexuellen. 1960 ff.

Zuckerbrot *n* 1. ~ und Peitsche = Gleichzeitigkeit von Maßnahmen, die kleine Annehmlichkeiten gewähren und zugleich Härte durchsetzen; Gleichzeitigkeit von Milde und Strenge. Sinnbildhaft übertragen von der Tierdressur. Seit dem späten 19. Jh.

2. ~ der armen Leute (des kleinen Mannes) = Nachrichten aus den höheren Gesellschaftskreisen nach dem Geschmack der einfachen Leute. 1900 ff.

Zuckerbüchse *f* 1. Mund der Geliebten. Seit dem frühen 20. Jh.
2. Vagina. ↗Büchse 3. 1900 ff.

Zuckerchen *n* 1. Bonbon. 1900 ff.
2. Kosewort. 1900 ff.

Zuckerdose *f* Mädchen (Koseanrede). ↗Dose 1. 1900 ff.

Zuckerengel (-engelchen) *m (n)* kleines Kind (Kosewort). 1920 ff.

Zuckerfabrikant *m* Schmeichler; übertreibender Lobredner. 1870 ff.

Zuckerfresser *m* Mensch, der für Schmeicheleien sehr empfänglich ist. 1890 ff.

Zuckergebäck *n* dem armen Mann sein ~ = Geschlechtsverkehr. 1920 ff.

Zuckergoscherl *n* 1. Naschkatze; naschhafter Mensch. ↗Gosche 1. *Österr* seit dem 19. Jh.
2. nettes Mädchen. *Österr* seit dem 19. Jh.

Zuckerguß *m* 1. Lobhudelei; Beschönigung, Verniedlichung. Übertragen von der Tortenverzierung. 1870 ff.
2. Zierat in Gips. Seit dem 19. Jh.

Zuckerguß-Architektur *f* unkünstlerische Bauweise mit viel Gips. ↗Zuckerbäckerstil. 1950 ff.

Zuckergußschnulze *f* überaus rührseliger Text. ↗Schnulze 1. 1955 ff.

Zuckerhäschen *n* Kosewort. ↗Häschen 1. 1900 ff.

Zuckerhut *m* 1. Artilleriegeschoß; schwere Granate. Wegen der Formähnlichkeit. Seit dem 19. Jh, *sold.*
2. Stahlhelm. Meinte ursprünglich in Preußen die Blechhaube des 1. Garde-Regiments zu Fuß und des Kaiser Alexander Garde-Grenadier-Regiments Nr. 1. *Sold* 1916 ff.
3. Hochfrisur für Damen. 1965 ff.
4. Präservativ. 1920 ff.

Zuckerhütchen *n* Eichel des Penis. 1920 ff.

Zuckerkanderl *n* Kosewort. Eigentlich ein Stück Kandiszucker. *Österr* seit dem 19. Jh.

Zuckerkind *n* Kosewort. 1900 ff.

Zuckerkitsch *m* lieblich-rührselige („süßliche") Darstellung. ↗Kitsch. 1925 ff.

Zuckerl *n* 1. Bonbon. *Österr* seit dem 19. Jh.
2. Fliegerbombe. Analog zu ↗Bonbon 3. *Sold* in beiden Weltkriegen.
3. Annehmlichkeit; verlockende Aussicht; eindrucksvolle Sache. ↗Bonbon 1. 1920 ff, *österr.*
4. anspruchslose Gefälligkeit; Bekundung guten Willens. 1920 ff, *österr.*

Zuckerle *n* Rheumatismus. Ironie. *Schwäb* 1800 ff.

Zuckerlecken *n* das ist kein ~ (kein reines ~) = das ist keine reine Freude; das ist mehr Mühsal als Freude. *Vgl* ↗Zuckerschlecken. 1900 ff.

Zuckerlöffel *pl* hübsche Mädchenbeine. Die Form der Waden erinnert an die sanfte Wölbung des Löffels. *Halbw* 1930 ff.

Zuckermädel *n* kleines Mädchen (Kosewort). 1920 ff.

Zuckermännchen *n* kleiner Junge (Koseanrede). 1920 ff.

Zuckermaul *n* Mädchen (Kosewort). 1600 ff.

Zuckermäulchen *n* Kosewort für eine Frau. Seit dem 19. Jh.

Zuckermäuschen *n* kleines Kind (Kosewort). ↗Mäuschen. 1900 ff.

zuckern *tr* etw günstiger darstellen als der Wirklichkeit entsprechend; eine Sache beschönigen. Man nimmt es eine Speise, der man Zucker untermischt oder die man mit Zucker bestreut. *Sold* 1935 ff.

Zuckerpille *f* Freundlichkeit für erlittene Unbill. Man versüßt die Unannehmlichkeit, wie man ein bitter schmeckendes Medikament mit einer Zuckerschicht umgibt. ↗Pille 22. 1920 ff.

Zuckerplätzchen *n* reizvolles Wahlversprechen. Es ist gern entgegen wie Zuckerbackwerk, aber es taugt nicht ernstlich zum täglichen Brot. 1955 ff.

Zuckerpuppe *f* 1. kleines Mädchen (Kosewort). 1900 ff.
2. intime Freundin. Bekannt durch den Schlager von der „Zuckerpuppe aus der Bauchtanzgruppe" (Text von Hans Brodke; Musik von Heinz Dietz). 1900 ff.

Zuckerschlecken *n* das ist kein ~ = das ist nicht leicht zu bewerkstelligen; das ist eine harte Mühe. *Vgl* ↗Zuckerlecken. 1900 ff.

Zuckerschnute (-schnutchen) *f (n)* Mädchen (Kosewort). Seit dem 19. Jh.

Zuckerseite *f* vorteilhafte Seite. Hergenommen von der mit Zucker bestreuten oder mit Zuckerguß bestrichenen Schauseite eines Backwerks. 1920 ff.

zuckersüß *adj* 1. übertrieben liebenswürdig; schmeichlerisch-gewinnend; aufdringlich hilfsbereit. 1870 ff.
2. liebreizend, anmutig. ↗Zucker 9 a. Seit dem 19. Jh.

Zuckerwasser *n* 1. gefälschter Süß-, Südwein. 1900 ff.
2. Likör. 1920 ff.

Zuckerwasserverein *m* Zusammenschluß von Alkoholgegnern. 1900 ff.

zuckrig *adj* allerliebst; liebreizend; nett; übertrieben liebenswürdig. 1970 ff.

zudämmern *tr* jn mit Schlägen eindecken. ↗dämmern 3. Es sind schallende Schläge. 1900 ff.

zudecken *tr* 1. auf eine niedrige Karte eine höhere legen. Kartenspielerspr. seit dem 19. Jh.
2. jn prügeln. 1700 ff, *nordd* und *mitteld.*
3. jn zum Schweigen bringen. Feigheit vor dem Feind, Fahnenflucht o. ä. wurde früher dadurch bestraft, daß man den Betreffenden mit Mist zudeckte, bis er erstickte. 1900 ff.
4. jn mit Artillerie beschießen. Prügel und Beschuß werden umgangssprachlich mit denselben Wörtern bezeichnet. *Sold* in beiden Weltkriegen.
5. jn betrunken machen. Fußt wahrscheinlich auf der derben Sitte, daß man den Bezechten einst in Misthaufen legte und mit fettem Dung zudeckte. 1500 ff.
6. koitieren (vom Mann gesagt). 1900 ff.
7. *refl* = sich betrinken. ↗zudecken 5. 1700 ff.

zuen *adj* verschlossen (die zuene Tür). ↗zu. 1800 ff.

zufahren *intr* fahr zu! = gib dir Mühe! streng' dich an! arbeite schneller! Eigentlich Aufforderung zu schnellerem Fahren. 1900 ff.

Zufall *m* 1. haariger ~ = ein durch natürliche Umstände nicht erklärbares Ereignis im Guten oder Schlimmen. ↗haarig. 1935 ff.

2. per ~ = zufällig. *Lat* „per = durch".
Seit dem 19. Jh.

zufliegen *v* 1. die Tür fliegt zu = die Tür schließt sich schnell (und geräuschvoll). Fliegen = sich schnell bewegen. Seit dem 18. Jh.

2. jm die Tür vor der Nase ~ lassen = vor jm die Tür ins Schloß fallen lassen. 1900 ff.

zufloppen *tr* die Tür ~ lassen = die Tür des Autos schließen. Lautmalerei. 1950 ff.

Zuflöte *f* Souffleuse. ↗flöten 1. Theaterspr. 1910 ff.

Zufrühzündung *f* jäher Zorn; hemmungslose Gemütsaufwallung. Übernommen von einem Sprengkörper (mit Zeitzünder o. ä.), der früher (oder schon bei geringerem Anlaß) „losgeht", als man erwarten konnte. 1930 ff.

Zug *m* 1. Eisenbahnzug. Hieraus verkürzt. Seit dem 19. Jh.

2. Unternehmungsgeist. Übernommen vom Luftstrom, mit dessen Hilfe man ein Feuer entfacht und am Brennen hält. 1900 ff.

3. Besuch mehrerer Gaststätten nacheinander. Übertragen vom Feld-, Fest- oder Umzug. 1900 ff.

4. Diebesfahrt. Wohl vom Fischzug herzuleiten. 1900 ff.

4 a. einmaliges Ziehen an der Zigarette o. ä. 1914 ff.

4 b. Essensportion. Die Schöpfkelle wird durch den Inhalt des Kessels gezogen. *Sold* 1870 ff.

5. der ~ ist abgefahren = die Entscheidung ist gefallen und nicht mehr rückgängig zu machen. 1950 ff.

6. vom fahrenden ~ abspringen = sich von einem (schon in der Verwirklichung befindlichen) Vorhaben trennen. 1950 ff.

7. auf den ~ aufspringen = sich an einer (bereits „laufenden") Sache beteiligen. 1950 ff.

8. jn auf den ~ bringen = jn antreiben, zur Ordnung rufen. Übertragen vom Luftstrom für ein Feuer. 1840 ff.

9. ~ in die Kolonne bringen = eine disziplinlose Gruppe an „Zucht und Ordnung" gewöhnen. Fußt auf dem Bild vom Zug im Ofen. *Sold* 1900 bis heute; auch *ziv.*

10. der ~ ist durch = die Maßnahme ist zu spät in Gang gesetzt worden; der Vorschlag kommt zu spät; eine Beteiligung ist nicht mehr möglich. 1950 ff.

11. in den ~ einsteigen = sich einem Vorhaben anschließen. 1920 ff.

12. in den falschen ~ einsteigen = a) sich einer politischen Partei (o. ä.) anschließen, die später scheitert. 1920 ff. – b) anal koitieren. 1920 ff.

13. den ~ erreichen = sich einer Notwendigkeit nicht versagen; realistisch handeln. 1930 ff.

14. der ~ fährt = die Entwicklung ist nicht mehr aufzuhalten. 1930 ff.

15. der ~ fährt planmäßig = die Sache entwickelt sich wie geplant. 1930 ff.

16. ~ in der Kolonne haben = in einer Gruppe „Zucht und Ordnung" beibehalten. ↗Zug 9. *Sold* 1900 bis heute; auch *ziv.*

17. einen guten (einnehmenden) ~ am Leibe (am Hals) haben = wacker zechen

können. „Zug" meint die saugende Einverleibung des Getränks, ähnlich wie „Atemzug". „Der Zug = das Trinken" gehört schon dem 16. Jh an. Die Redensart kam im 19. Jh auf.

18. einen wehmütigen ~ um die Beine haben = krummbeinig sein. Übertragen von der schrägen Kopfhaltung, die man in wehmütiger Stimmung leicht einnimmt. Berlin seit dem ausgehenden 19. Jh.

19. etw (jn) am (auf dem) ~ haben = eine Sache oder Person nicht leiden können; gegen jn auf Vergeltung sinnen. „Zug" meint hier den Abzugsbügel an der Handfeuerwaffe. Seit dem 19. Jh.

20. zum ~ kommen = Gelegenheit zum Handeln finden; an die Reihe kommen. Übertragen vom Zug beim Schachspiel o. ä. ↗Zug 23. 1900 ff.

21. einen ~ machen = in vielen Lokalen zechen. ↗Zug 3. 1900 ff.

22. einen ~ durch die Gemeinde machen = viele Wirtshäuser am Ort aufsuchen. ↗Zug 3. 1900 ff.

23. am ~ sein = an der Reihe des Handelns sein; Handlungsfreiheit haben. Vom Schachspiel übernommen. 1900 ff.

24. im ~ sein = a) in Mode sein. Herzuleiten entweder vom Zugtieren, die den Wagen zum Rollen gebracht haben, oder vom Luftstrom im Kamin. Man läßt sich aber auch vom „Zug der Zeit" mitreißen. Seit dem 19. Jh. – b) im Schwung sein. Seit dem 19. Jh.

25. hier ist kein ~ in der Kolonne = hier herrscht keine Ordnung. ↗Zug 9. *Sold* 1900 bis heute; auch *ziv.*

26. im falschen ~ sitzen = sich gröblich irren. ↗Zug 1. 1920 ff.

27. auf den falschen ~ springen = sich an einer erfolgversprechenden Sache beteiligen. 1950 ff.

28. in den falschen ~ steigen = einen schweren Fehler begehen. ↗Zug 1. 1920 ff.

29. einen großen ~ tun = einen großen Schluck aus der Schnapsflasche nehmen; ausgiebig zechen. ↗Zug 17. 1600 ff.

30. den ~ verpassen (versäumen) = a) keinen Ehemann finden. ↗Anschluß 3. 1900 ff. – b) nicht zeitgemäß denken und handeln; gegenüber anderen in Nachteil geraten; sich um die Anerkennung bringen. 1920 ff.

zugedreht *part* es ist ~ = es ist Schluß; die Sache ist entschieden. Hergenommen vom Gas- oder Wasserhahn, auch von der verschlossenen Tür. *Bayr* 1950 ff.

zugehen *intr* 1. geh zu! = a) beeil' dich! geh' weiter! Zugehen = auf ein Ziel zuschreiten. *Oberd* 1900 ff. – b) erzähl' keinen Unsinn! das glaube ich dir nicht! *Bayr* 1900 ff.

2. es geht zu = es herrscht lebhaftes Treiben. Verkürzt aus „es geht ausgelassen (munter, lustig) zu". *Bayr* 1920 ff.

zugeknöpft *adj* unzugänglich; nicht freigebig; zurückhaltend; sittenstreng. Ursprünglich auf die zugeknöpfte Geldtasche bezogen. Bei ernsten Anlässen trugen die Bauern Rock und Weste zugeknöpft; bei frohen Feiern durften drei Knöpfe ungeschlossen bleiben. 1800 ff.

Zügel *m* 1. jm ~ anlegen = jds Freiheit einschränken. Vom Reiten hergenommen. Seit dem 18. Jh.

2. leg' ~ an! = bleibe sachlich! Übertrei-

be nicht! Aufforderung, sich in seinen Äußerungen „zu zügeln = zu mäßigen". 1930 ff.

3. jn fest am ~ halten = auf jn streng achtgeben; jds Freiheitsdrang bändigen. Seit dem 19. Jh.

4. jn am langen ~ lenken = jm viel Freiheit lassen. *Vgl* „lange ↗Leine". 1900 ff.

5. die ~ locker lassen = Freiheit gewähren. Seit dem 19. Jh.

6. am langen ~ regieren = a) fern vom Regierungssitz die Regierungsgeschäfte führen. 1960 ff. – b) dem Bürger viele Freiheiten zugestehen; nicht autoritär regieren. 1960 ff.

7. die ~ schießen lassen = a) nicht in die Entwicklung eingreifen. Das Pferd darf laufen, wie es will. Seit dem 19. Jh. – b) sich (seinen Gefühlen) keinen Zwang antun. Seit dem 18. Jh.

8. die ~ schleifen lassen = a) eine passive Politik betreiben; nicht überstreng auf Disziplin achten; die Selbständigkeit der Mitarbeiter weitgehend fördern. 1900 ff. – b) im sportlichen Wettkampf nicht die volle Energie entfalten. *Sportl* 1950 ff.

zugenäht *adj* 1. unzugänglich, wortkarg, schweigsam. Dem Betreffenden ist der Mund gewissermaßen zugenäht. 1900 ff.

2. geizig, sparsam. Verstärkung von ↗zugeknöpft. 1900 ff.

3. verflixt und ~. ↗verflixt I 2.

zugenäht sein an Verstopfung leiden. 1900 ff.

Zugereister *m* Eingewanderter; Ortsfremder; Neubürger. Seit dem 19. Jh, vorwiegend *südd.*

Zugkarten *pl* mit Glaspapier (Schmirgelpapier) an den Kanten abgeschliffene Spielkarten für betrügerische Zwecke. Der Kenner kann sie leicht herausfinden. Sie haben rauhe Kanten, und der Falschspieler kommt mit ihrer Hilfe gut „zum Zug" (↗Zug 20). 1960 ff.

Zugnummer *f* beim Publikum beliebter Könner. Eigentlich die publikumswirksame Programmnummer einer Vorführungsfolge. 1920 ff.

Zugpferd *n* 1. zugkräftiger Schauspieler; Parteipolitiker, der großen Anklang findet. 1920 ff.

2. Vordermann beim Wettlauf. *Sportl* 1955 ff.

Zugvogel *m* 1. unsteter Mensch. Seit dem 19. Jh.

2. oftmaliger Arbeitsplatzwechsler. 1920 ff.

3. auswärtiger Schüler. Zug = Eisenbahnzug. 1930 ff.

4. Prostituierte, die von Mal zu Mal in einem anderen Stadtviertel oder in einer anderen Stadt ihrem Gewerbe nachgeht. *Stud* Herkunft; seit dem frühen 19. Jh.

5. hervorragender Könner auf Tournee; Künstler, der das Publikum anzieht; Handelsvertreter im Außendienst. 1920 ff.

zugvögeln *intr* von Ort zu Ort reisen; nirgendwo auf Dauer seßhaft werden. 1840 ff.

zuhaben *intr* geschlossen haben (ein Geschäft, die Kirche o. ä.). Verkürzt aus „zugemacht haben". ↗zu. 1500 ff.

zuhalten *tr* etw geschlossen halten; ein Geschäft nicht öffnen (der Frisör hält montags zu). Seit dem 19. Jh.

'zuicht (**'zuig**) *adj* verschlossen. ↗ zu. 1900 ff.

zujubeln *v* jm ~ = auf jds Wohl trinken. 1910 ff.

zuknöpfen *refl* sich abweisend verhalten; unnahbar werden. ↗ zugeknöpft. 1930 ff.

zukommen *intr* 1. auf jn ~ = a) jm ein Angebot machen. Man geht ihm mit einem Vorschlag entgegen. Kaufmannsspr. seit dem 19. Jh. – b) die Spielfarbe bestimmen und ausspielen. Der Spielmacher geht auf die Gegner zu. Berlin 1840 ff.
2. es kommt auf ihn zu = er hat es zu gewärtigen; es wird für ihn wichtig werden. Das Gemeinte nähert sich ihm unausweichlich. Wahrscheinlich dem Kartenlegerinnendeutsch entlehnt. 1950 ff.

zukratzen *v* jm etw ~ = jm einen Vorteil verschaffen; jn in den Genuß einer Vergünstigung bringen. Stammt vom Hühnerhof: der Hahn scharrt im Boden und läßt das Huhn seinen Fund picken. 1940 ff, ziv und sold.

zukriegen *tr* 1. etw schließen können (ich kriege den Deckel nicht zu). ↗ zu. Seit dem 18. Jh.
2. etw hinzubekommen. Seit dem 19. Jh.

Zukunft *f* 1. die ~ ist leider auch nicht mehr das, was sie (einmal) war = die Zukunft sieht nicht ermutigend aus; wir können der Zukunft nicht mehr mit großen Hoffnungen entgegensehen. Geht zurück auf einen Ausspruch des Franzosen Paul Valéry (etwa 1941), bei uns geläufig geworden vor allem durch „Schlachtbeschreibung" von Alexander Kluge, 1964.
2. die (seine) ~ hinter sich haben = keinerlei Zukunftsaussichten mehr haben. 1970 ff.

Zukunftsmusik *f* 1. Wunschprogramm, das sich vielleicht später erfüllen läßt. Meint eigentlich die Musik, auf die die kommende Entwicklung zusteuert. Das Wort kommt bei Richard Wagner vor, scheint aber nicht von ihm geprägt worden zu sein. Im heutigen Sinne gegen 1875 aufgekommen.
2. Kindergeschrei in der Vorstellung eines Brautpaars. Adolf Glaßbrenner: Lustiger Volkskalender für 1861. (Dresden 1860).

zulangen *v* bei jm tüchtig ~ = jn heftig prügeln. 1920 ff.

zulassen *tr* 1. verschlossen, geschlossen halten (er läßt das Fenster zu). ↗ zu. Seit dem 19. Jh.
2. laß zu (laß sie zu)! = verstumme! prahle nicht so stark! Zu ergänzen ist „deinen Mund" oder „deine Schnauze". 1900 ff.

zulegen *v* 1. *intr* = die Fahr- oder Marschgeschwindigkeit steigern; den Trab beschleunigen. Gekürzt aus „einen ↗ Zahn zulegen". 1930 ff, kraftfahrerspr., sold und sportl.
2. *intr* = das Spieltempo steigern. Sportl 1955 ff.
3. *intr* = an Gewicht, Umfang zunehmen. Man legt Pfunde hinzu. Seit dem 15. Jh; wiederaufgelebt gegen 1900.
4. etw zuzulegen haben = Fettreserven für schlechte Zeiten haben. 1900 ff.
5. sich eine Liebesbeziehung eingehen. „Zulegen" im Sinne von „zur Seite legen" wurde früher von der förmlichen Beilegung der Braut gesagt (Beilager). Später auch in der Bedeutung „anschaffen"

gebräuchlich. *Stud* Herkunft, seit dem frühen 18. Jh.

Zulp (**Zulpe**) *m* (*f*) 1. Schnuller. Meint eigentlich den Sauglappen, der früher aus Leinwandresten (= Zulpen) hergestellt wurde. 1700 ff.
2. Zigarre. Aufgefaßt als „Schnuller" für den erwachsenen Mann. Seit dem 19. Jh.
3. Schnapsflasche. Seit dem 19. Jh.
4. kräftiger Schluck aus der Schnapsflasche. Seit dem 19. Jh; sold in beiden Weltkriegen.

zumachen *v* 1. *tr intr* = schließen; den Betrieb einstellen. Seit dem 19. Jh.
2. *intr* = sich beeilen. Meint entweder „Geschwindigkeit zugeben" oder „sich auf ein Ziel zubewegen". 1700 ff.
3. machen Sie zu, sonst tut Ihnen einer etwas hinein: Redewendung an einen, der versehentlich Tasche oder Koffer offenläßt. 1930 ff.
4. *refl* = sich betrinken. ↗ zusein 4. 1960 ff.

Zumpel *m* 1. minderwertiges Kleidungsstück. Eigentlich der Lumpen. Seit dem 19. Jh.
2. Putzlappen. Seit dem 19. Jh.
3. unordentliche, liederlich aussehende Frau. Seit dem 19. Jh.
4. einfältiger Mensch. Analog zu ↗ Lapp. Seit dem 19. Jh.

Zund *m* 1. geheimer Wink unter Falschspielern u. ä. Entstellt aus „Schund = Kot", fußend auf *zigeun* „chinac = koten; betrügen". *Rotw* seit dem 19. Jh, österr.
2. jm ~ geben = jn antreiben, mahnen; bei jm eine Geldschuld eintreiben. Seit dem 19. Jh.
3. einen ~ reiben = jm heimlich eine Nachricht zukommen lassen. ↗ Zund 1. *Rotw* 1900 ff, österr.

zündeln *intr* 1. mit dem Feuer spielen; Feuer legen. Wiederholungsform von „zünden". Seit dem 18. Jh.
2. ein Streichholz anzünden. 1900 ff.
3. flirten. ↗ zünden 2. *Halbw* 1955 ff.

zünden *v* 1. *intr tr* = rauchen. Fußt wahrscheinlich auf der Vorstellung von der Zigarette als Zündschnur. *Sold* 1939 ff.
2. *intr* = flirten. Zusammenhängend mit der Metapher „Liebesfeuer": man legt Feuer, löst einen Zündvorgang aus. *Halbw* 1945 ff.
3. jm eine ~ = jn ohrfeigen. Die Ohrfeige wird plötzlich versetzt und erzeugt Wärme. *Oberd* seit dem 19. Jh.
4. *tr* = jn anzeigen, verraten. ↗ Zund 1. *Rotw* 1850 ff.
5. nicht ~ = sich abweisend verhalten; unwirksam bleiben. Analog zu ↗ anspringen 2. 1930 ff.
6. es hat bei ihm gezündet = er hat begriffen. *Vgl* die Metapher „Geistesblitz". 1900 ff.
7. es hat zwischen beiden gezündet = Liebe hat sich eingestellt. Der „Liebesfunke" ist übergesprungen. 1935 ff.

Zunder *m* 1. Beschuß, Feuerüberfall o. ä. Eigentlich der getrocknete Baumschwamm zum Feuerfangen; weiterentwickelt zum Begriff „alles, was Feuer fängt" und zu *milit* „in Brand schießen". *Sold* in beiden Weltkriegen.
2. Prügel, Schläge. *Sold* 1914 ff, ziv 1920 ff.
3. strenger Drill. *Sold* 1935 ff.

4. heftige Auseinandersetzung; Anherrschung. 1914 ff.
5. Munition. *Sold* in beiden Weltkriegen.
6. Motorleistung. *Halbw* 1950 ff.
7. Geld, Lohn, Sold. Analog zu „↗ Munition", „↗ Pulver". 1914 ff.
7 a. Alkoholgehalt. 1914 ff.
7 b. Angriffsspiel, Torbedrängung. *Sportl* 1920 ff.
7 c. Ansporn. 1914 ff.
8. brennen wie ~ = leidenschaftlich verliebt sein. *Vgl* die Metapher „Liebesglut". 1920 ff.

Zünder *m* 1. Streichholz. *Oberd* 1900 ff.
2. Verräter, Anzeigender. ↗ Zund 1. *Rotw* 1900 ff.
3. ohne ~ = schwunglos, uninteressant. *Jug* 1960 ff.

Zündholzspalter *m* geiziger, kleinlicher Mensch. Aufgekommen um 1910, als wegen vermehrter Aufwendungen für das Heer, für Schiffsbauten usw. die Verbrauchssteuern erheblich angehoben wurden (für zehn Schachteln Streichhölzer, die bisher einen Groschen kosteten, mußte man nun 22 bis 25 Pfennig bezahlen).

Zündhütchen *n* 1. sehr kleine Kopfbedeckung für Damen und Herren; farbiges Damenhütchen nach Herrenschnitt. Die Vokabel beruht auf dem Größenvergleich zwischen Zündhütchen und Patrone. *Sold* im Ersten Weltkrieg soviel wie „Soldatenmütze ohne Schirm". *Ziv* 1920 ff.
2. Rothaariger. Beim Zündhütchen war das Papier der Hülle rot, wie in den alten Armeen in Hannover, Preußen usw. vorgeschrieben. Seit dem späten 19. Jh.
3. Anlaß zum Wutausbruch. Dem Aufgebrachten fehlt nur noch das Zündhütchen, damit es zum „Knallen" kommt. 1930 ff.

Zündis *pl* Zünd-, Streichhölzer 1982 ff.

Zündloch *n* 1. After. Von den Feuerwaffen hergenommen. 1900 ff.
2. Schimpfwort. Gemilderte Variante zu „↗ Arschloch". *Sold* 1914 ff.

Zündschnur *f* 1. jm die ~ durchschneiden = in sterilisieren. 1937 ff.
2. eine nasse ~ haben = nicht begreifen; begriffsstutzig sein. 1940 ff.
3. ihm steht einer auf der ~ = er begreift nicht. *Vgl* ↗ Leitung 21 a. 1940 ff.

Zündstoff *m* ~ unter der Bluse haben = temperamentvoll, geschlechtlich aufreizend sein. ↗ zünden 2. 1955 ff.

Zunft *f* 1. ~ vom roten Licht = Bordellprostitution. 1900 ff.
2. blaue ~ = Marinesoldaten. Wegen des blauen Uniformtuchs. 1914 ff.
3. grüne ~ = die Jäger. 1920 ff.
4. nasse ~ = Winzer, Weinhändler o. ä. 1960 ff.
5. schwarze ~ = a) Setzer und Drucker. Wegen des Umgangs mit der Druckerschwärze. ↗ Schwarzkünstler. 1900 ff. – b) Schiffsheizer, Maschinenpersonal. Anspielung auf die ruß- und ölverschmierten Gesichter. *Marinespr* 1900 ff. – c) Schornsteinfegergewerbe. 1920 ff. – d) katholische Geistlichkeit. Wegen der schwarzen Amtstracht. *Nordd* und Berlin, 1900 ff. – e) Pioniere. Wegen der schwarzen Waffenfarbe. *BSD* 1965 ff.

zünftig *adj* 1. großartig, schwungvoll, tüchtig. Leitet sich von der Zunftordnung her und meint „den Zunftgesetzen entsprechend"; daher soviel wie „gehörig". Parallel zu ↗ anständig. Im späten 19. Jh aus der Kundensprache in die Soldatensprache und von da im frühen 20. Jh in den Wortschatz der Wandervogelbewegung übergegangen.

2. regelrecht, tatsächlich, stark (es hat zünftig geregnet; wir haben ihn zünftig verhauen). 1910 *ff.*

Zunge *f* **1.** besoffene ~ = Zunge in Madeira-Weinsoße. 1965 *ff.*

2. gedämpfte ~ = Ergebnis der staatlichen Zensur. Hier meint „Zunge" die „Redeweise"; gedämpft = gemäßigt. 1933 *ff.*

3. haarige ~ = Redegewandtheit. ↗haarig. 1960 *ff.*

4. rasiermesserscharfe ~ = verletzende Sprache. 1960 *ff.*

5. sich die ~ abbrechen = a) sich vergeblich bemühen, ein Wort auszusprechen. 1900 *ff.* – b) ausdauernd, hastig, gekünstelt sprechen. 1900 *ff.*

6. sich die ~ auskugeln = hastig, unüberlegt sprechen. Übertragen vom Gelenk, das man sich auskugeln kann. *Vgl* ↗Zunge 16. 1900 *ff.*

7. sich die ~ ausleiern = eindringlich auf jn einreden. Hergenommen von Schraubengewinden, die sich durch oftmaligen Gebrauch abschleifen, bis sie nicht mehr greifen. 1900 *ff.*

8. sich die ~ ausrenken = einen unversieglichen Redestrom entwickeln. ↗Zunge 6. 1880 *ff.*

9. mit der ~ ausrutschen = Unpassendes äußern. ↗ausrutschen 9. Spätestens seit 1890.

10. die ~ baden = ein Glas Alkohol zu sich nehmen. 1960 *ff.*

11. er wird sich noch über die ~ fahren: Redewendung angesichts eines tief vornübergebeugten Radrennfahrers. Berlin 1920 *ff.*

12. jm die ~ aus dem Mund gaffen = einen Sänger unverwandt anstarren. 1960 *ff.*

13. die ~ gradehalten = sehr vorsichtig zu Werke gehen. Bei Tätigkeiten, die viel Feingefühl erfordern, hält man die herausgestreckte Zungenspitze unwillkürlich mit den Lippen fest. 1920 *ff.*

14. ihm ist die ~ geschwollen = er kann vor Trunkenheit nicht mehr sprechen. 1900 *ff.*

15. eine elektrische ~ haben = ununterbrochen reden können. Die Zunge funktioniert mit der Ausdauer eines elektrischen Geräts. 1930 *ff.*

16. eine gelenkige ~ haben = redegewandt, schlagfertig sein. Seit dem 19. Jh.

17. eine scharfe ~ haben = aufrührerische Reden halten; mit Worten angriffslustig sein. Seit dem 19. Jh.

18. sich an jds ~ hängen = gespannt auf jds Rede lauschen. 1920 *ff.*

19. die ~ nicht mehr heben können = betrunken sein. Dem Zecher wird die Zunge schwer. 1700 *ff.*

20. die ~ hängt auf die Schuhe = man hat anstrengenden Dienst hinter sich; man ist völlig entkräftet. Wohl von der herabhängenden Zunge des hechelnden Hundes übertragen. *BSD* 1965 *ff.*

21. über die ~ kacken = sich erbrechen. ↗Zunge 26. 1820 *ff.*

22. deine ~ in deine Wade, und du könntest spielend bergauf radeln: Redewendung auf einen pausenlos Schwätzenden. Berlin, 1950 *ff.*

23. jm innerlich die ~ rausstrecken = jn

mißachten, ohne es sich anmerken zu lassen. 1870 *ff.*

24. die ~ reinhängen = sich an etw gütlich tun; wacker zechen. Seit dem frühen 20. Jh; *sold* in beiden Weltkriegen.

24 a. sich die ~ aus dem Hals rennen = unermüdlich laufen. 1920 *ff*, *sportl.*

25. jm die ~ schaben = jn zu einfacher Kost anhalten. Man tötet ihm gewissermaßen die Geschmacksnerven ab. 1920 *ff.*

26. über die ~ scheißen = sich erbrechen. ↗Zunge 21. Seit dem 19. Jh.

27. schlag' dir bloß nicht mit der ~ ins Augel = hör' auf mit deinem Wortschwall! 1910 *ff.*

27 a. sich die ~ aus dem Hals schreien = langanhaltend schreien. 1920 *ff.*

28. auf der ~ farbenblind sein = kein feines Geschmacksempfinden haben. Berlin 1950 *ff.*

29. unter der ~ feucht sein = beredt, schlagfertig sein. 1920 *ff.*

29 a. flink mit der ~ zu Fuß sein = beredt sein. *Vgl* das Folgende. 1900 *ff.*

30. die ~ spazieren führen (spazierengehen lassen) = unbedacht sprechen. Man läßt der Zunge freien Lauf wie dem Hund, den man beim Spazierengehen von der Leine löst. 1910 *ff.*

30 a. mit gespalteter ~ sprechen (reden) = zweierlei Standpunkte vertreten; es mit zwei Parteien halten. Aus (früheren) Indianerromanen im Sinn von „lügen; vertrauensunwürdig sein" geläufig. 1930 *ff.*

31. sich die ~ verbrennen = sich durch unüberlegte Äußerungen schaden. Entwickelt aus dem Muster von „sich die ↗Finger verbrennen". 1870 *ff.*

32. sich die ~ weichkauen = sich langweilen. 1960 *ff.*

33. sich die ~ zerfransen = eindringlich auf jn einreden. Fußt auf der Vorstellung vom ausfransenden Gewebe. 1930 *ff.*

34. sich etw auf der ~ zergehen lassen = etw gründlich auszukosten verstehen. Leitet sich her vom genießerischen Eisschlecken o. ä. 1920 *ff.*

35. jm an der ~ ziehen (jm die ~ ziehen) = jm ein Geständnis entlocken (entreißen); jn ausdauernd fragen. Geht wohl auf alte Foltermethoden zurück. 1870 *ff.*

Zungendrescher *m* **1.** redegewandter Mann; Vielschwätzer. Gewissermaßen wie ein Dreschflegel drischt er mit der Zunge auf die Zuhörer ein. 1500 *ff.*

2. Rechtsanwalt; Vertreter der Anklage. 1500 *ff.*

Zungengymnastik *f* Redegewandtheit. 1870 *ff.*

Zungensalat *m* **1.** Stottersprache; unverständliche Abkürzungssprache. ↗Salat 1. 1900 *ff.*

2. mit Fremdwörtern durchsetztes Deutsch. 1920 *ff.*

3. ~ machen = sehr hastig sprechen; Worte verdrehen; sich versprechen; stammeln; Silben verschlucken. Theaterspr. 1900 *ff.*

Zungenstolperer *m* Versprecher. 1920 *ff.*

Zungensünde *f* Berühren der Geschlechtsorgane mit dem Mund. 1900 *ff.*

Zungentatterich *m* **1.** Lallen des Betrunkenen. ↗Tatterich. 1870 *ff.*

2. den ~ haben = Vielschwätzer sein. 1900 *ff.*

Zupack-Preis *m* verlockend günstiger Preis. Kaufmannsspr. 1960 *ff.*

zupaffen *tr* etw heftig zuschlagen. Mit „paff" ahmt man den Schall des Schusses nach. 1900 *ff.*

zupängen *tr* etw heftig zuwerfen. „Päng" ist schallnachahmend für einen Schuß, ein plötzliches Platzen u. ä. 1900 *ff.*

Zupf *f* Gitarre. Verkürzt aus „Zupfgeige". Wandervogelspr. seit dem frühen 20. Jh.

zupfen *v* **1.** *tr* = stehlen, bestehlen. Meint eigentlich das diebische Herausziehen des Geldbeutels, der Taschenuhr o. ä. 1600 *ff.*

2. *tr* = jn um ein „Darlehen" angehen, das man nicht zurückzahlen will; jn prellen. Seit dem frühen 20. Jh.

3. *tr* = jn degradieren. Man reißt ihm die Abzeichen von der Uniform. *Sold* 1935 bis heute.

4. *intr* = liebedienern; sich einschmeicheln; flirten. Hergenommen vom Zupfen der Katzen am Kleid oder vom Ablesen etwaiger Verunreinigungen von Anzug oder Uniform. *Halbw* 1960 *ff.*

5. *intr* = Prostituierte sein. Spielt auf die Entgeltsforderung an, auf bestimmte sexuelle Praktiken oder auf zudringliches Zupfen am Ärmel o. ä. des Vorübergehenden. 1930 *ff.*

zurechtbiegen *tr* **1.** jm gutes Benehmen beibringen; jn drillen. Wohl vom Gärtner übernommen, die einer gekrümmt wachsenden Pflanze zu geradem Wuchs verhilft. 1910 *ff.*

2. jn erziehen; jm neuen Mut einflößen; jds Verstimmung zu beheben suchen. 1910 *ff.*

3. eine Sache in Ordnung bringen. 1910 *ff.*

zurechtboxen *tr* jm dazu verhelfen, seine Fassung wiederzufinden; jn kräftigen. „Boxen" läßt vermuten, daß die Hilfeleistung sich drastischer Mittel bedient. 1935 *ff.*

zurechtbügeln *tr* **1.** jn streng einexerzieren. „Bügeln" im Sinne von „glätten, polieren" ist Analogie zu „↗schleifen". *Sold* 1939 *ff.*

2. jn zu üblicher Gesittung und Gesinnung erziehen. 1950 *ff.*

zurechtfrisieren *tr* den Sachverhalt verschönend entstellen; die ungünstige Seite einer Sache zu verdecken suchen; ein gestohlenes Kraftfahrzeug durch Veränderungen unkenntlich machen. ↗frisieren 1. 1920 *ff.*

zurechthaben *v* sich wieder ~ = die Beherrschung wiedergewonnen haben. 1890 *ff.*

zurechtkriegen *tr* etw in Ordnung bringen; einen Fehler ausgleichen; eine Verstimmung beheben. Seit dem 19. Jh.

zurechtlaufen *v* es läuft sich schon zurecht = es wird schon in Ordnung kommen. Hergenommen von einem Wasserlauf, der sich seinen Weg bahnt. Seit dem 19. Jh.

zurechtmachen *v* **1.** jn vorteilhaft kleiden; jn für den Bühnenauftritt ausstatten, schminken usw. Seit dem 19. Jh.

2. *tr* = jn streng einexerzieren. *Sold* in beiden Weltkriegen.

3. *refl* = sich ankleiden; sich schminken o. ä.; sich geschmacklos, auffallend kleiden. Seit dem 19. Jh.

zurechtpfeifen *tr* als Schiedsrichter einen Sportler heftig rügen. Der Schiedsrichter gebraucht die Trillerpfeife. *Sportl* 1955 *ff.*

zurechtreden *v* sich etw ~ = unüberlegt reden; auf gut Glück reden. Ironische Vokabel. 1900 *ff.*

zurechtrücken *tr* etw richtigstellen. Man rückt die Dinge an den richtigen Platz, wie man es mit Möbeln tut. 1900 *ff.*

zurechtschwätzen *v* sich etw ~ = dumm, auf gut Glück, unverantwortlich reden. Ironisch gemeint. 1900 *ff.*

zurechtsetzen *tr* jm Vorhaltungen machen. Der Betreffende wird in die gehörige Ordnung gebracht. Seit dem 19. Jh.

zurechtsingen *v* sich etw ~ = viel, vielerlei, unschön singen. 1900 *ff.*

zurechtstutzen *tr* jn rügen, erziehen. Hergenommen vom Gärtner, der Gewächse stutzt, damit sie besser gedeihen. 1870 *ff.*

zureden *v* jm gut ~ = jn schlagen, bis er das Gewünschte herausgibt. Euphemismus. 1935 *ff.*

zurollen *v* etw auf sich ~ lassen = eine Entwicklung abwarten. Vom Stein hergenommen, der einen Abhang herunterrollt; *vgl* ↗ Stein 4 und 12. 1950 *ff.*

zurückbeißen *intr* Härte mit Härte begegnen. Übertragen von Hunden, die Biß mit Biß erwidern. 1920 *ff.*

zurückblenden *intr* zurückliegende Geschehnisse akustisch oder optisch erzählen. Aus der Filmsprache übernommen. 1950 *ff.*

Zu'rücker *m* Polizeibeamter vom Absperrdienst. Mit dem Ruf „zurück!" treibt er die Schaulustigen hinter die Absperrung zurück. 1950 *ff*, Berlin.

zurückgezogen *adj* sehr ~ leben (ein ~es Leben führen) = eine mehrjährige Freiheitsstrafe verbüßen. Ironie. 1920 *ff.*

zurückkeilen *intr* heftig entgegnen. Vom rückwärts ausschlagenden Pferd übertragen. 1960 *ff.*

zurückkommen *intr* es kommt auf mich zurück = die Folgen habe ich zu tragen. Vielleicht vom Bumerang hergenommen. *Stud* 1900 *ff.*

zurückkurbeln *intr* auf einen früher geäußerten Gedanken zurückkommen. Hergenommen vom Zurückspulen eines Films oder Tonbands. 1960 *ff.*

zurücknehmen *v* ich nehme alles zurück und behaupte das Gegenteil: scherzhafte Redewendung, wenn man eine unrichtige Behauptung zurücknimmt. Zielt eigentlich auf einen Verdächtigen, der seine Aussage widerruft und sich zum entgegengesetzten Sachverhalt bekennt. Juristenspr. 1870 *ff.*

zurückpfeifen *tr* **1.** jn ~ = einem Übereifrigen Einhalt gebieten. Hergenommen vom Jäger, der den Hund durch Pfeifen zurückkommandiert. 1920 *ff.*
2. etw ~ = eine Sache rückgängig machen; ein Unterfangen absagen; von einem Plan Abstand nehmen. 1920 *ff.*

zurückschalten *intr* den früheren Gedankengang wiederaufnehmen. Von der Funktechnik übernommen; *vgl* die stehende Wendung „wir schalten zurück zum Funkhaus". 1935 *ff.*

zurückschießen *intr* einer kritischen Äußerung Kritik entgegensetzen. 1950 *ff.*

zurückschlucken *v* ein Wort ~ = eine Äußerung zurücknehmen. 1965 *ff.*

zurückspucken *v* **1.** *tr* = Ausbezahltes zurückzahlen. Gegenwort zu ↗ ausspucken. Seit dem ausgehenden 19. Jh, Berlin und *mitteld.*
2. giftig ~ = angreifend erwidern; sich in einen argen Wortwechsel einlassen. ↗ giftig 1. 1950 *ff.*

zurückstecken *intr* in seinen Forderungen bescheidener werden; zum Einlenken bereit sein. Verkürzt aus „einen ↗ Pflock zurückstecken". 1900 *ff.*

zusammenackern *v* **1.** sich etw ~ = etw durch Fleiß nach und nach erwerben; etw erarbeiten. ↗ ackern 1. 1900 *ff.*
2. Geld ~ = durch Fleiß Geld verdienen. 1920 *ff*, *prost.*

zusammenballen *refl* sich innig umarmen. 1950 *ff.*

zusammenbeißen *tr* jn grob anherrschen. Hergenommen vom Verhalten des Hundes und des Raubtiers. 1950 *ff.*

zusammenblasen *tr* jn grob zurechtweisen. Gemeint ist ein so starkes „Anblasen", daß der Betreffende zusammenfällt wie ein Kartenhaus. 1910 *ff.*

zusammenbrauen *tr* **1.** Getränke und Speisen mehr schlecht als recht zubereiten. ↗ brauen 1. Seit dem 19. Jh.
2. etw zusammenstellen, zusammenfügen. 1920 *ff.*
3. etw gegen jn ~ = etw zu jds Nachteil planen. 1920 *ff.*
4. es braut sich etw zusammen = Unangenehmes bereitet sich vor; Mißstimmung kommt auf; Mißdeutungen schleichen sich ein. Hergenommen vom Gewitter, das sich allmählich entwickelt. 1920 *ff. Vgl engl* „something is brewing".

zusammenbrummen *intr* zusammenstoßen (auf Kraftfahrzeuge bezogen). ↗ brummen 1. Kraftfahrerspr. 1950 *ff.*

zusammenbügeln *tr* **1.** jm heftige Vorhaltungen machen; jn zur Ordnung rufen. ↗ bügeln 5. 1910 *ff*, *sold* und *ziv.*
2. koitieren. ↗ bügeln 8. 1900 *ff.*

zusammenbürsteln *tr* jn grob anherrschen. ↗ bürsten 2. *Bayr* 1920 *ff.*
2. jn ~, daß er in keinen Schuh mehr paßt = entwürdigend zur Rechenschaft ziehen. *Schül* 1950 *ff, bayr.*

zusammenfahren *intr* **1.** heftig erschrecken. Der Schreck „fährt einem in die Glieder". 1910 *ff, sold.*
2. Achtungsstellung einnehmen. 1910 *ff, sold.*
3. sich etw ~ = ohne ausreichende Sachkenntnis autofahren. 1920 *ff.*

zusammenfegen *v* du kannst dich ~ lassen!: Drohrede. Der Betreffende wird als Dreck angesehen. 1870 *ff.*

zusammenficken *v* **1.** sich etw ~ = viele Kinder zeugen; häufig geschlechtlich verkehren. ↗ ficken 1. 1935 *ff.*
2. etw ~ = etw oberflächlich bearbeiten, grob herstellen. Von hastigem Geschlechtsverkehr auf unsorgfältige Arbeitsweise übertragen. 1914 *ff, sold* und *ziv.*
3. laß dich ~!: Drohrede. Entstellt aus ↗ zusammenfegen. 1939 *ff, sold.*

zusammengehen *v* **1.** es geht etw zusammen = es kommt etw zustande; ein Ereignis tritt ein. Analog zu „es kommt zum ↗ Klappen"; zusammenpassende Teile schließen sich zusammen. *Bayr* 1900 *ff.*
2. *intr* = sauer werden; gerinnen. Die Teilchen der Flüssigkeit schließen sich zu Flocken zusammen. *Bayr* und *schwäb*, seit dem 19. Jh.
3. *intr* = kränklich aussehen; nach einer Krankheit angegriffen aussehen; kraftlos werden. Die Wangen fallen ein, die Körperkräfte gehen zur Neige. *Bayr* seit dem 19. Jh.
4. es geht mit dem Geld zusammen = das Geld nimmt ab. Etwa soviel wie „einschrumpfen". *Bayr* 1900 *ff.*
5. *intr* = ein Liebespaar werden. ↗ gehen 15. 1800 *ff.*

zusammengeigen *v* es geigt sich nichts zusammen = man ist auf sich allein angewiesen; es stellen sich keine Kameraden ein. Hergenommen vom Streichquartett, das nicht zustandekommt. 1960 *ff.*

zusammengeritten *adj präd* geschlechtlich verbraucht. ↗ reiten 3. 1900 *ff.*

zusammengespannt sein ein Ehepaar sein. ↗ Gespann 2. Seit dem 19. Jh.

zusammengestrebt haben *tr* gut vorbereitet sein. ↗ Streber 1. *Schül* 1950 *ff.*

zusammengezupft *adj präd* geschmacklos gekleidet. *Bayr* 1920 *ff.*

zusammenhaben *tr* **1.** zusammengebracht haben. Hieraus verkürzt. Seit dem 19. Jh.
2. nicht alle ~ = nicht recht bei Verstand sein. Die übliche Fünfzahl der Sinne ist nicht vollständig. Seit dem 19. Jh.

zusammenhängen *intr* ineinander verliebt sein; einander küssen; koitieren. Seit dem späten 19. Jh.

zusammenhauen *v* **1.** *tr* = etw flüchtig zusammenfügen. Vom Schreiner hergenommen, der einem Gegenstand mittels Nägeln notdürftig Halt gibt. Seit dem 19. Jh.
2. *tr* = etw zerschlagen; jn derb prügeln; den Feind vernichtend schlagen. Seit dem 18. Jh.
3. *tr* = etw flüchtig niederschreiben. ↗ hauen 2. 1900 *ff, schül* und *stud.*
4. *tr* = zwei Personen so lange beeinflussen, bis sie heiratswillig sind; eine Ehe stiften. 1920 *ff.*
5. es haut mich zusammen = es erschreckt mich, geht mir nahe, nimmt mich innerlich sehr mit. Es durchfährt einen wie ein elektrischer Schlag. 1935 *ff.*
6. *tr* = koitieren. 1870 *ff, sold* und *rotw.*
7. *refl* = eine Partnerschaft eingehen. *Sold* 1910 *ff.*
8. *refl* = heiraten. 1910 *ff.*

zusammenhocken *intr* beisammen sein. Hocken = sitzen. Seit dem 19. Jh, *südwestd.*

zusammenhökern *tr* etw zusammenbetteln. Hökern = Kleinhändler sein. 1910 *ff*, Berlin.

zusammenkacheln *intr* frontal zusammenstoßen. Aus „Kachel = Geschirr" ergibt sich hier die Bedeutung „Trümmer machen". Kraftfahrerspr. 1925 *ff*, vorwiegend *südd* und *mitteld.*

zusammenkitten *tr* eine Gruppe fest vereinen; eine Ehe stiften. ↗ kitten 1. 1920 *ff.*

zusammenklappen *intr* **1.** zusammenbrechen; ohnmächtig werden; erkranken. Seit dem 19. Jh.
2. den Widerstand aufgeben. 1900 *ff.*
3. sich eckig verbeugen. ↗ Taschenmesser. Seit dem 19. Jh.

zusammenklavieren *v* **1.** sich etw ~ = Zusammenhänge zu verstehen suchen. ↗ klavieren 1. 1840 *ff.*
2. sich etw (viel) ~ = oft und lange, aber mit geringem Können klavierspielen. 1900 *ff.*

zusammenknacken *intr* zusammenbrechen; der Erschöpfung nahe sein. 1920 *ff.*

zusammenknallen *v* **1.** *tr* = (mehrere, viele Menschen in einer Aktion) erschießen. ↗ knallen 5. *Sold* 1900 in beiden Weltkriegen.

2. *intr* = zusammenprallen. 1920 *ff.*

zusammenkrachen *intr* **1.** zusammenbrechen; ohnmächtig werden. 1900 *ff.*
2. als Kraftfahrer mit einem Kraftfahrzeug zusammenstoßen. 1920 *ff*, kraftfahrerspr.

zusammenkriegen *tr* **1.** Geld aufbringen. Man bringt es aus vielen Quellen zusammen. 1920 *ff.*
2. sich mühsam an etw erinnern. Gemeint ist der Versuch, die Zusammenhänge zu rekonstruieren. 1920 *ff.*
3. ein Verlöbnis oder eine Ehe stiften. 1900 *ff.*

Zusammenkünftler *m* Mann, der im Vereinsleben aufgeht. 1960 *ff*, Berlin.

zusammenleimen *tr* gestörte Beziehungen zwischen zwei Menschen wieder in Ordnung bringen. ↗leimen 1. Seit dem 19. Jh.

zusammenlöffeln *tr* sich Punkt um Punkt ~ = sich Punkt um Punkt mühsam erspielen. Übertragen vom Löffeln der Suppe. *Sportl* 1955 *ff.*

zusammenmachen *v* einen ~ = koitieren. 1900 *ff.*

zusammennageln *tr* heftig auf jn einschlagen. Man prügelt ihn so stark, daß er „wie an den Boden genagelt" liegen bleibt. Rockerspr. 1967 *ff.*

zusammennähen *v* **1.** *tr* = Dinge oder Personen miteinander in Verbindung bringen, ohne daß sie zueinander passen. Übertragen von unsachgemäßem Nähen. 1940 *ff*, sold; 1950 *ff*, ziv.
2. sich etw ~ = viel Näharbeit verrichten; viel, aber ohne ausreichendes Können nähen. Seit dem 19. Jh.
3. *tr* = jds Wunden vernähen. 1900 *ff.*

zusammennehmen *refl* Fassung, Anstand wahren. Meint soviel wie „seine positiven Eigenschaften zusammenraffen". Seit dem 19. Jh. Vgl engl „to pull oneself together".

zusammenpacken *v* **1.** *tr* = koitieren. Etwa soviel wie „ergreifen und in die richtige Lage bringen". *Bayr* 1900 *ff.*
2. ~ können = es mit jm verderben; sich um jds Wohlwollen bringen. Parallel zu „↗einpacken 3". *Südwestd* seit dem 19. Jh.

zusammenpappen *tr* **1.** jn ~ = die operierte Körperstelle notdürftig wieder verschließen. Anspielung auf das Klebepflaster. *Sold* in beiden Weltkriegen; ziv seit 1920.
2. etw ~ = ein Programm zusammenstellen, ohne daß die einzelnen Darbietungen sich dem Ganzen organisch einfügen. ↗pappen 1 u. 3. 1955 *ff.*

zusammenputzen *v* **1.** jn derb ausschimpfen, heftig rügen. ↗runterputzen. *Oberd* seit dem 19. Jh.
2. etw aufessen. ↗verputzen. *Bayr* seit dem 19. Jh.
3. sich etw ~ = oft, viel, unnötig viel, unsorgfältig putzen und wischen. Seit dem 19. Jh.

zusammenrappeln *refl* sich aufraffen; sich ermannen; sich beherrschen. ↗aufrappeln. Seit dem 19. Jh.

zusammenrasseln *v* mit jm ~ = a) mit jm eine heftige Auseinandersetzung haben. Übertragen vom lauten Aufeinanderprallen der Waffen bei Turnieren, Mensuren o. ä. *Sold* 1930 *ff.* – b) (im eigenen Kraftfahrzeug) mit jds Kraftfahrzeug zusammenstoßen. 1920 *ff*, kraftfahrerspr.

zusammenraufen *refl* sich aneinander ge-

wöhnen; als junges Ehepaar allmählich zu friedlichem Zusammenleben gelangen; nach langem Zank schließlich einig werden. Seit dem 19. Jh.

zusammenreimen *v* **1.** etw ~ = etw lügnerisch ersinnen. Reimen = dichten = lügen. Seit dem 19. Jh.
2. sich etw ~ = a) etw zu Unrecht als richtig annehmen; falsch folgern; einem Trugschluß unterliegen. Geht zurück auf Jeremia 23, 28. 1500 *ff.* – b) verschiedene Angaben (Einzelheiten) in den richtigen Zusammenhang bringen und daraus richtige Folgerungen ziehen. 1920 *ff.*
3. wie reimt sich das zusammen?: Frage angesichts eines unlogischen Zusammenhangs. Seit dem 19. Jh.

zusammenreißen *v* **1.** sich ~ = große Selbstbeherrschung üben; alle Energie aufbieten. Verstärkung von ↗zusammennehmen. Seit dem 19. Jh.
2. den Motor ~ = die höchstmögliche Fahrgeschwindigkeit zu erreichen suchen. 1955 *ff*, kraftfahrerspr.

Zusammenreißer *m* alkoholischer Stärkungstrunk vor einem schweren Unternehmen. *Sold* und ziv, 1940 *ff.*

zusammenrollen *refl* **1.** heiraten. 1900 *ff*, *nordd* und Berlin.
2. koitieren. 1900 *ff*, *nordd* und Berlin.

zusammenrufen *v* sich mit jm ~ = mit jm fernmündlich eine Verabredung treffen. 1975 *ff.*

zusammensacken *intr* **1.** in sich zusammenfallen, einstürzen; zusammensinken. Hergenommen vom Bild des leeren Sacks: läßt man ihn fallen, „sackt" er zu einem Haufen Tuch zusammen. *Sold* in beiden Weltkriegen; ziv 1920 *ff.*
2. ohnmächtig werden. 1920 *ff.*
3. nach langem Widerstand ein Geständnis ablegen; eine Aussage widerrufen. 1925 *ff.*

zusammensauen *tr* jn heftig ausschimpfen; jn entwürdigend anherrschen. Parallel zu „jn zur ↗Sau machen". *Sold* 1939 *ff.*

zusammenscheißen *tr* jn barsch, entwürdigend anherrschen. ↗anscheißen 2. *Sold* 1935 *ff*; schül 1955 *ff.*

zusammenschießen *intr* gemeinsam eine Summe aufbringen. „Schießen" als Terminus von „schnell bewegen" meint auch „schnell Geld beschaffen", „Geld hergeben, beisteuern" (vgl „Zuschuß"). Seit dem 15. Jh.

Zusammenschiß *m* Anherrschung. ↗zusammenscheißen. *Schül* 1955 *ff.*

zusammenschmeißen *v* **1.** *intr* = gemeinschaftlich eine Arbeit verrichten. Man vereinigt sein Können und teilt den gemeinsamen Verdienst. 1955 *ff.*
2. *intr* = heiraten. Die Partner werfen ihr bisher getrenntes Hab und Gut (auf einen Haufen) zusammen. 1955 *ff.*
3. *refl* = mit einem gemeinsamen Haushalt gründen, führen; mit jm zusammenleben, ohne mit ihm verheiratet zu sein. 1900 *ff.*

zusammenschmieden *tr* Heiratswillige trauen. Vgl ↗Eheschmiede. 1750 *ff.*

zusammenschmieren *v* **1.** *tr* = etw unter Benutzung vieler Quellen zu Papier bringen. ↗schmieren 1. Seit dem 18. Jh.
2. sich etw ~ = mit schlechter Handschrift schreiben; schlecht schriftstellern. Seit dem 19. Jh.
3. ein Paar ~ = eine standesamtliche

Trauung vollziehen. Schmieren = (unter)schreiben; ↗zusammenschreiben. Seit dem ausgehenden 19. Jh.

Zusammenschmiß *m* Ehe. ↗zusammenschmeißen 2. 1955 *ff.*

zusammenschreiben *v* **1.** Leute ~ = ein Paar standesamtlich trauen. Seit dem ausgehenden 19. Jh.
2. sich etw ~ = viel, unermüdlich schreiben. Seit dem 19. Jh.

zusammenschwanzen *refl* sich gefällig oder auffallend kleiden. Übertragen vom Pferd, dem man den Schwanz flicht und mit Bändern schmückt, o. ä. Von daher soviel wie „sich aufputzen". *Bayr* und *österr*, seit dem 19. Jh.

zusammenspinnen *v* **1.** *tr* = etw ersinnen, erlügen. Fußt auf der Metapher vom „Lügengespinst". 1900 *ff.*
2. mit jm ~ = mit jm ein Liebesverhältnis unterhalten. Hängt zusammen mit den früheren Spinnstuben; vgl ↗kungeln 2. 1900 *ff.*

zusammenspringen *tr* jn grob anherrschen. Übertragen vom Raubtier, das sein Opfer anspringt. *Bayr* 1900 *ff.*

Zusammenstand *m* das Zueinanderpassen. *Bayr* 1900 *ff.*

zusammenstecken *intr* eng befreundet, ein Liebespaar sein; insgeheim geschlechtlich miteinander verkehren. Seit dem 19. Jh.

zusammenstehen *intr* mit jm ~ = mit jm gut auskommen. *Bayr* 1900 *ff.*

zusammensterben *intr* die Familie ist zusammengestorben = alle Erblasser sind gestorben, so daß die gesamte Hinterlassenschaft in den Besitz der Erben übergeht. 1900 *ff.*

zusammenstoppeln *tr* aus vielen kleinen Teilen mühsam ein Ganzes machen. Hergenommen vom Ährenlesen auf dem Stoppelfeld. 1500 *ff.*

zusammenstreiten *refl* nach oftmaligem (langdauerndem) Streit sich wieder versöhnen, vertragen. Seit dem 19. Jh.

zusammentelefonieren *v* **1.** sich etw ~ = häufig telefonieren. 1900 *ff.*
2. sich mit jm ~ = eine Bekanntschaft fernmündlich anknüpfen oder erneuern; fernmündlich eine Verabredung treffen. 1950 *ff.*

zusammentreten *tr* jn beim sportlichen Wettkampf mehrmals treten, bis er nicht mehr weiterspielen kann. *Sportl* 1955 *ff.*

zusammentrinken *v* **1.** sich ~ = sich beim Trinken anbieder; sich bei Trinken wieder vertragen. *Bayr* 1900 *ff.*
2. trinkt euch zusammen (trinkt's euch zamm)! = trinkt aus und geht heim! *Bayr* 1900 *ff.*
3. sich etw ~ = viel und vielerlei trinken. Seit dem 19. Jh.

zusammentrommeln *v* Leute ~ = Leute herbeirufen, alarmieren. Ursprünglich soviel wie „durch Trommeln herbeirufen". Seit dem 18. Jh.

zusammenwachsen *v* **1.** mit jm ~ = mit jm Streit bekommen. Übertragen vom engen Umklammern. *Oberd*, 1600 *ff.*
2. sich hübsch ~ = sich körperlich sehr ansehnlich entwickeln. 1900 *ff*, *österr*.

zusammenwichsen *v* **1.** *tr* = etw durch Beschuß völlig zum Einsturz bringen. ↗wichsen 1. *Sold* in beiden Weltkriegen. 1900 *ff.*
2. *tr* = jn im Kampf völlig erledigen; jn besiegen. *Sold* 1939 *ff.*

3. sich ~ = sich festlich kleiden. ↗Wichs I 1. *Österr* seit dem 19. Jh.

Zusatzpennen *n* Strafstunde des Schülers. Aufgefaßt als eine weitere Gelegenheit zu einem Schläfchen. ↗pennen. *Schül* 1955 *ff.*

zuschanzen *v* jm etw ~ = jm etw heimlich zukommen lassen; jm etw beisteuern. Fußt auf *franz* „chance = günstige Gelegenheit, Glück" und hängt wohl mit dem Karten- oder Würfelspiel zusammen. Seit dem 16. Jh.

Zuschauersport *m* Fußballsport. Er lockt die größte Zahl von Zuschauern auf dem Sportplatz und vor dem Bildschirm an. 1960 *ff.*

zuscheißen *tr* **1.** jn unauffällig beseitigen. *Vgl* ↗Rez. *Sold* 1939 *ff.*
2. laß dich ~!: Rat an einen Versager. *Sold* 1939 *ff.*

Zuschläger *m* Richter, der höhere Strafen verhängt, als der Staatsanwalt beantragt hat. Zum beantragten Strafmaß gibt er noch einen „Zuschlag". 1920 *ff.*

Zuschuß *m* **1.** Prügel. Sie sind als Zugabe zur Rüge zu verstehen. Berlin und *sächs,* seit dem 19. Jh.
2. Tunke; Soße. Berlin 1910 *ff.*

zuschustern *v* **1.** jm etw ~ = jm etw zuwenden, zukommen lassen. Meist mit dem Nebensinn des Heimlichen o. ä. Hergenommen von „schustern = Flicklappen auf den Schuh setzen" und weiterentwickelt zur Bedeutung „Kleines hinzugeben". 1700 *ff.*
2. etw ~ = Geld zusetzen. Seit dem 19. Jh.

zusein *v* **1.** geschlossen sein. ↗zu. Verkürzt aus „zugemacht sein". 1500 *ff.*
2. die ist zu!: Redewendung, wenn einer eine Tür heftig ins Schloß geworfen hat, oder wenn der Durchzug die Tür zuschlagen ließ. 1900 *ff.*
3. unter Rauschgifteinwirkung stehen. Außeneinflüsse werden meist nicht wahrgenommen. 1970 *ff.*
4. ganz ~ = volltrunken sein. Die Speiseröhre ist bis oben voll. 1945 *ff.*
5. noch ~ sein = unberührt sein (auf ein Mädchen bezogen). 1920 *ff.*
6. verschlossen, unzugänglich, abweisend sein (auf Personen und Institutionen bezogen). Vorwurfswort der jungen Leute. 1980 *ff.*

Zusel *f* Prostituierte. Gehört wohl zu „zausen, zerzausen" und spielt auf wirre Haartracht und ungepflegte Kleidung als Sinnbildern der Liederlichkeit an. Spätestens seit 1900.

zusetzen *v* zuzusetzen haben = beleibt sein. ↗zulegen 4. 1900 *ff.*

Zustand *m* **1.** Zustände wie am oberen Nil = äußerst primitive Verhältnisse. Hergenommen von Reiseberichten aus Oberägypten und dem Sudan. 1900 *ff.*
2. Zustände wie im alten Rom (mit dem Zusatz: „nur nicht so feierlich") = unhaltbare Zustände. Geht zurück auf eine Stelle in den Annalen des Tacitus: „in Rom fließen alle Sünden und Laster zusammen und werden verherrlicht". Von Schülern und Studenten kurz nach dem Ersten Weltkrieg aufgebracht.
3. Zustände kriegen = a) die Fassung verlieren. Hergenommen vom Gemütszustand des aufgeregten Menschen (Exaltati-

onszustand). Seit dem ausgehenden 19. Jh. – b) ungeduldig werden. 1890 *ff.*
4. es ist, um Zustände zu kriegen (es ist zum Zuständekriegen) = es ist zum Verzweifeln. 1920 *ff.*
5. das ist kein ~ = das ist unerträglich, ungebührlich. Verkürzt aus „haltbarer, zumutbarer Zustand" o. ä. Seit dem ausgehenden 19. Jh.

zustecken *v* **1.** jm etw ~ = jm etw heimlich geben. Man steckt es ihm in die Tasche. 1600 *ff.*
2. *tr intr* = koitieren (vom Mann gesagt). 1930 *ff.*

Zustütze *f* **1.** zusätzlich zum Arbeitslosengeld erworbenes Geld. ↗Stütze. Kurz nach 1945 aufgekommen; Berlin u. a.
2. Sonderzuwendung bei besonderen Gelegenheiten; Gratifikation. Berlin 1950 *ff.*

zutschen *intr* **1.** saugen. Gehört zu „Zitze = Mutterbrust" und ist schallnachahmend beeinflußt von „↗lutschen 1". *Ostmitteld* seit dem 18. Jh.
2. trinken, zechen. Seit dem 19. Jh.

zutun *tr* etw schließen, verschließen. ↗zu. Seit dem 15. Jh.

Zutzel *m* **1.** Schnuller. ↗zutzeln 1. Vorwiegend *oberd,* seit dem 19. Jh.
2. Tabakspfeife; Zigarre. Mit beiden setzt man die Schnullergewohnheit der Kindheit fort. *Oberd* seit dem 19. Jh.
3. Penis. 1900 *ff, österr.*

zutzeln (zuzeln, zuzzeln) *tr intr* **1.** saugen, schlecken. Geht auf „saugen" zurück über die Mittelform „suckezen". Vorwiegend *oberd,* seit dem 17. Jh.
2. aus der Flasche trinken (als Säugling wie auch als Zecher). Seit dem 19. Jh, *bayr* und *österr.*
3. zechen. *Bayr* und *österr,* seit dem 19. Jh.
4. fellieren. 1900 *ff, österr.*
5. lügen. Versteht sich nach „sich etw aus den ↗Fingern saugen". *Österr,* 1900 *ff.*

Zuversicht *f* das ist eine schöne ~ = das ist eine schlimme Entwicklung. Zuversicht ist das feste Vertrauen; hier *iron* gemeint als Aussicht auf eine arge Enttäuschung. Seit dem 19. Jh.

zuviel *adv* **1.** einen ~ haben = a) nicht recht bei Verstand sein. Der Betreffende hat einen Sinn mehr als die anderen, nämlich den Unsinn. Seit dem 18. Jh. – b) angetrunken sein. Man hat ein Glas zuviel getrunken. 1700 *ff.*
2. was ~ ist, ist ~: Ausdruck der Unerträglichkeit, der Abweisung einer Zumutung. 1870 *ff.*
3. ~ kriegen = die Fassung verlieren; sich heftig erregen. Man hat erhöhten Blutdruck, oder der Geduld wird soviel zugemutet, daß der „Geduldsfaden" reißt. Spätestens seit 1900.
4. ~ machen = eine Bühnenrolle übertreibend gestalten. Theaterspr. 1920 *ff.*

Zuwachs *m* auf ~ gekauft (geschneidert, berechnet o. ä.) = reichlich groß (von Kleidungsstücken gesagt). Gemeint ist, daß der Träger an Gewicht und Größe getrost zunehmen kann: das Kleidungsstück paßt dann um so besser. 1870 *ff.*

Zuwiderwurzen *f* unverträglicher, mürrischer, widersprechender Mensch. ↗Wurzen 1. „Wurzen" ist eigentlich soviel wie „Wurz, Wurzel"; dadurch parallel zu „↗Pflanze 2". *Oberd,* 1870 *ff.*

'Zuwi'zarrer ('Zuwi'zahrer) *m* **1.** Fern-

glas. Wörtlich soviel wie „Herzu-, Herbeizerrer". ↗Zuawiziecha. *Österr,* 1900 *ff.*
2. Kundenzubringer zu Glücks-, Falschspielern oder Prostituierten. *Österr* 1920 *ff.*

zwacken *v* jm eine ~ = jn ohrfeigen. Ablautende Nebenform zu „zwicken"; meint eigentlich das Ziehen am Ohr, auch das Kneifen ins Ohr. 1900 *ff.*

Zwang *m* freiwilliger ~ = unter moralischem Druck und nur scheinbar freiwillig erwirkte Handlung. 1933 *ff.*

Zwangsanleihe *f* Beschönigen einer Teilglatze durch von den Seiten oder vom Hinterkopf her über die kahle Stelle gekämmte Haarsträhnen. Übernommen von den zeitlichen Zwangsanleihen. Die in Berlin aufgekommene Vokabel geht wahrscheinlich bis auf die napoleonische Zeit zurück und hängt zusammen mit der 1806 der Stadt Berlin auferlegten Kontribution von 5 Millionen Talern, die von den damals rund 300 000 Berlinern nur durch eine Zwangsanleihe beschafft werden konnten.

Zwangshose *f* enganliegende Hose. Man muß sich hineinzwängen und fühlt sich in ihr eingezwängt. 1955 *ff, halbw.*

Zwangsjacke *f* **1.** Korsett o. ä. Eigentlich die im Rücken zu schließende Jacke, die man Tobsüchtigen anzieht. Auch das Korsett wird im Rücken gebunden. 1900 *ff.*
2. Waffenrock, Uniform. Anspielung auf den engen Zuschnitt, auch auf die Unfreiwilligkeit des Tragens. *Sold* 1914 bis heute.
3. Gehrock, Sonntagsanzug. Man fühlt sich in ihm eng. 1900 *ff.*

Zwangsrock *m* enger Mädchenrock. *Halbw* 1955 *ff.*

Zwangstourist *m* Ausgebürgerter; von der Polizei über die Landesgrenze abgeschobener Mensch. 1933 *ff.*

Zwangsvergleich *m* Ehe, die gerade noch rechtzeitig geschlossen wurde, ehe das Kind zur Welt kommt. Eigentlich die letzte Möglichkeit zur Abwendung drohenden Konkurses. Berlin 1925 *ff.*

zwangsvergleichen *refl* rechtzeitig vor der Geburt des Kindes heiraten. 1925 *ff.*

Zwangsverwalter *m* Vater, Erziehungsberechtigter. Er ist der vom Amts wegen eingesetzte Verwalter eines Minderjährigen. *Jug* 1955 *ff.*

Zwanziger *m* **1.** Zwanzigmarkschein. 1900 *ff.*
2. Wagen der Omnibus-, Straßenbahnlinie 20. 1900 *ff.*

Zwanzigmarknutte *f* Straßenprostituierte. *Vgl* ↗Nutte 1. 1960 *ff.*

Zweck *m* **1.** Penis. Soviel wie Nagel oder Stift (= Zwecke 1). *Österr,* 1900 *ff.*
2. der ~ der Übung = der Zweck eines Vorhabens; der Sinn eines Tuns. Hergenommen von einer militärischen oder sportlichen Übung. 1870 *ff.*
3. ohne ~, marsch!: mach' weiter und denk' nicht weiter drüber nach! Entstellt aus dem *milit* Kommando „ohne Tritt, – Marsch!" in Anspielung auf Märsche, deren Zweck niemand einsieht. *Sold* in beiden Weltkriegen.

Zwecke *f* **1.** kleiner Penis. Eigentlich der kleine Nagel; ↗Zweck 1. 1900 *ff.*
2. sehr kleinwüchsiger Junge. Pars pro toto. *Ostmitteld* 1900 *ff.*

zwecken *intr tr* koitieren. ↗Zweck 1; ↗Zwecke 1. 1900 *ff.*

Zweckessen n Essen von Politikern, Offizieren o. ä., bei dem die zur Beratung stehenden Fragen weitererörtert werden. Vorläufer von ↗ Arbeitsessen. Gegen 1840 aufgekommen.

Zweckoptimismus m übertrieben optimistische Darstellung aus Gründen der Täuschung der Öffentlichkeit oder der politischen Gegner. 1914 *ff.*

Zweckpessimismus m pessimistische Äußerung, mit der man den Gegner zu täuschen sucht. Um 1914 im Generalstab aufgekommen.

zwei num **1.** ~ des kleinen Mannes = Leistungsnote 4. Der „kleine Mann" ist hier nicht der Arbeitnehmer mit mittlerem Einkommen, sondern der mittelmäßige Schüler. 1960 *ff.*
2. ~ bis siebzehn = mehrere, viele (ungefähre Zahlenangabe). *Schül* seit dem späten 19. Jh; *sold* in beiden Weltkriegen.
3. für ~ essen = schwanger sein. 1900 *ff.*
4. mir geht es ~ bis drei = mir geht es erträglich. Vor Einführung der Leistungsstufen 1 bis 6 wurde mit 2 bis 3 eine gutdurchschnittliche Leistung bewertet. 1920 *ff.*
5. ~ mal ~ ungerade sein lassen = leidlich (nicht sonderlich) begabt sein. 1950 *ff.*
6. alle ~ von sich strecken = a) tot sein. Umgemodelt aus *gleichbed* „alle viere von sich strecken"; „zwei" meint „die unteren Extremitäten". 1870 *ff.* – b) sich schlafen legen; schlafen. *Sold* 1939 *ff.*
7. nur bis ~ zählen = ein Bayer sein. Fußt auf der gesprochenen und gesungenen Aufforderung: „eins, zwei, gsuffa!". 1950 *ff.*

zwei- bis siebzehnmal adv ziemlich oft. ↗ zwei 2. Seit dem späten 19. Jh.

Zweierkiste f Form des Zusammenlebens zweier Menschen gleichen oder verschiedenen Geschlechts. ↗ Beziehungskiste. 1980 *ff.*

Zweig m **1.** das Geschäft auf keinen grünen ~ bringen = geschäftlich nicht erfolgreich sein. *Vgl* das Folgende. 1900 *ff.*
2. auf keinen grünen ~ kommen = a) sein Auskommen nicht finden; in wirtschaftlichen Angelegenheiten kein Glück haben. Der „grüne Zweig" ist Sinnbild des Gedeihens. Grün ist die Sinnbildfarbe der Hoffnung. Seit dem ausgehenden 15. Jh. – b) einen Verdächtigen nicht überführen können; den Schuldbeweis nicht erbringen können. 1955 *ff.*

zweigleisig adv **1.** ~ denken = es gleichzeitig mit zwei entgegengesetzten Parteien halten; die Einstellung beider Tarif- oder Vertragspartner verstehen. Von der Eisenbahn hergenommen. 1955 *ff.*
2. ~ fahren = a) gleichzeitig zwei gegnerischen Parteien angehören. 1920 *ff.* – b) gleichzeitig zwei verschiedene Möglichkeiten in Angriff nehmen; ein Vorhaben auf zweierlei Art zu verwirklichen suchen. 1920 *ff.* – c) neben der Ehe ein Liebesverhältnis aufrechterhalten. 1920 *ff.* – d) sowohl Winter- als auch Sommerurlaubsgäste aufnehmen. 1970 *ff.*

Zweihundertachtzehner m Arzt, der Abtreibungen vornimmt oder Verhütungseingriffe macht. Medizinerspr. auf der Grundlage des § 218 StGB (Abtreibung) seit 1920.

zweihundertprozentig adj fanatisch einer Sache anhängend. Verstärkung von ↗ hundertprozentig. 1950 *ff.*

zweimal adv **1.** er muß ~ reinkommen = er ist sehr hager. Man befürchtet scherzhaft, den Ankömmling beim ersten Mal (= auf den ersten Blick) nicht zu bemerken. 1920 *ff.*
2. sich etw nicht ~ sagen lassen = etw sofort ausführen; den Hinweis auf eine günstige Gelegenheit sofort wahrnehmen. 1830 *ff.*

zweischläfrig adv **1.** ~ denken = nach Geschlechtsverkehr verlangen. 1920 *ff.*
2. ~ gucken = lüstern blicken. 1920 *ff.*
3. ~ sein = verheiratet sein; eine intime Freundin haben. 1920 *ff.*
4. ~ sein = ein breites Gesäß haben. Spottwort auf Leute, die ihren Beruf im Sitzen ausüben: der „Büroschlaf" findet „auf beiden Backen" statt. 1950 *ff.*

Zweischläfrige f beleibte Ehefrau. 1955 *ff.*

zweispännig adj adv **1.** umfangreich. 1870 *ff.*
2. etw ~ essen = a) etw mit Gabel und Messer essen. Man hält Messer und Gabel mit der rechten und der linken Hand wie die Zügel. 1920 *ff.* – b) ein Butterbrot (belegtes Brot) mit beiden Händen greifen. 1920 *ff.*
3. ~ fahren = a) Doppelagent sein; es mit gegnerischen Parteien halten. 1900 *ff.* – b) Zuhälter von zwei Prostituierten (↗ Pferdchen 1) sein. 1950 *ff.* – c) neben der Ehefrau eine Geliebte haben. 1930 *ff.*

zweispurig adv **1.** ~ fahren = es mit zwei Parteien halten; keiner von zwei (gegensätzlichen) Meinungen widersprechen. 1930 *ff.*
2. ~ laufen = a) zweideutig reden. 1935 *ff.* – b) bisexuell veranlagt sein; gegen Entgelt auch homosexuell verkehren. 1930 *ff.*

zweistöckig adj **1.** von zwei Geistlichen gelesen (bezogen auf die katholische Messe). *Rhein* 1900 *ff.*
2. großwüchsig. In übertreibender Vorstellung ist der Betreffende zwei Stockwerke groß. 1870 *ff*, *schül.*

Zweistöckiger m doppelter Schnaps. Die Eichstriche am Glas bestimmen die „Stockwerkshöhe". Seit dem 19. Jh.

zweit adj zu ~ heimkommen = geschwängert heimkehren. Seit dem 19. Jh.

Zweitskalp m Perücke. Skalp = Haut und Haar des Kopfes. 1970 *ff.*

Zwerchfell n das ~ massieren = Lachstürme erregen. 1910 *ff.*

Zwerchfellgymnastik f anhaltendes Gelächter. 1920 *ff.*

Zwerchfellmassage f Auslösung von Lachstürmen; stürmisches Gelächter. 1920 *ff.*

Zwerg m **1.** Schüler der Unterstufe; Schulanfänger. Anspielung auf die Kleinwüchsigkeit. 1930 *ff.*
2. Versager. 1935 *ff.*
3. ausgewachsener ~ = Kleinwüchsiger. 1930 *ff.*
4. unterbelichteter ~ = dummer Mensch. ↗ unterbelichtet. 1920 *ff.*
5. es hat keinen ~ = es ist zwecklos. „Zwerg" ist scherzhafte Entstellung aus „Zweck". Seit dem späten 19. Jh.

Zwetsche f **1.** deutliche Anzüglichkeit. Parallel zu ↗ Pflaume 1. 1870 *ff.*
2. Vulva. ↗ Pflaume 8. Seit dem frühen 19. Jh.
3. weibliche Person. Pars pro toto. 1850 *ff.*
4. Versager; Mann, der nicht sachgemäß zu arbeiten versteht. ↗ Pflaume 5. 1920 *ff.*
5. Rekrut ohne irgendwelche militärischen Kenntnisse. 1920 *ff.*
6. unsympathisches Mädchen. Hier ist wohl von der gedörrten Pflaume auszugehen. *Halbw* 1960 *ff.*
7. alte ~ = alte Frau; Schimpfwort. 1900 *ff.*
8. blaue ~ = Polizeibeamter. Wegen des blauen Uniformtuchs. 1950 *ff.*
9. die sieben ~ = die gesamte Habe; die vollständige militärische Ausrüstung eines Soldaten. Parallel zu „Siebensachen" (früher ein Hehlwort für die Schamteile und den Geschlechtsverkehr). Von „Zwetsche" im Sinne von „Vulva" führt der Entwicklungsweg zur Bedeutung „Sache", sowohl im Sinne von „Geschlechtsverkehr" als auch von „Gegenstand". Im ausgehenden 19. Jh von Wien ausgegangen und von da nach Norden und Westen gewandert. – b) Kleinigkeit; geringe Geldsumme. 1900 *ff.*
10. die sieben ~n einpacken = dem Tode nahe sein. Wien, 1930 *ff.*
11. seine fünf ~n nicht beieinander haben = nicht recht bei Verstand sein. Die „fünf Zwetschen" sind hier die fünf Sinne. *Bayr* 1930 *ff.*

Zwetschendörre f Theatergalerie. Anspielung auf die dort herrschende Hitze. Seit den frühen 20. Jh, Berlin, Stuttgart u. a.

Zwetschgus m Zwetschgenwasser, Pflaumenschnaps. Latinisierte Form zu „Zwetsche". *Bayr* 1900 *ff.*

Zwetscherl n **1.** kleines Mädchen. Verkleinerungsform von ↗ Zwetsche 3. *Österr* 1900 *ff.*
2. weibliches Geschlechtsorgan. ↗ Zwetsche 2. *Österr* seit dem 19. Jh.

Zwicke f **1.** lästige, liederliche Frau. Parallel zu ↗ Zange 1. Seit dem 19. Jh.
2. Gefängnis, Arbeitshaus. ↗ zwicken 4. 1900 *ff*, *rotw.*
3. jn in der ~ haben = jn streng behandeln; ju etw zwingen. „Zwicke" steht in Analogie zu „Zange", „Klemme" u. ä. Kann auch Verkürzung von „↗ Zwickmühle" sein. 1900 *ff.*

Zwickel (Zwickl) m **1.** wunderlicher Mensch; Einzelgänger; einfältige Person. Gehört wahrscheinlich zu „zwicken = Vieh kastrieren" und „Zwick = unfruchtbare Kuh". Vorwiegend *oberd* und *mitteld*, 1700 *ff.*
2. Zweipfennigmünze. „Zwickel" gehört zu „zwei". Kundenspr. 1850 *ff*; *BSD* 1965 *ff.*
3. Zweimarkstück. ↗ Zwilling 1. 1960 *ff*, *rotw* und *BSD.*
4. böser ~ = charakterloser Mann. 1900 *ff.*
5. närrischer ~ = wunderlicher Mann. 1900 *ff*, *ostmitteld.*
6. jm in den ~ greifen = a) jn an einer empfindlichen Stelle treffen. Aufgekommen mit dem ↗ Zwickelerlaß". 1932 *ff.* – b) jn beleidigen. 1932 *ff.*

Zwickelerlaß m **1.** übertrieben prüde Anordnung; lächerliches Verbot. Leitet sich her von der Badepolizeiordnung vom 18. August 1932. In ihr bestimmte der kommissarische Preußische Innenminister Dr. Bracht u. a., daß der Damenbadeanzug und die Herrenbadehose mit einem

„Zwickel" versehen sein müssen. „Zwickel" meint das im „Schritt" eingenähte Dreieck, das das Durchscheinen der Geschlechtsteile verhindert. Der – umgehend der Lächerlichkeit preisgegebene – Erlaß schuf ein neues Sinnbild, nämlich das des Zwickels als Inbegriff der Prüderie und der moralischen Beschränktheit. 1932 ff.
2. höchst zweifelhaftes Gesetz (Gesetzesvorlage), das die Freiheit des Bürgers willkürlich knebelt. Aufgekommen 1958 im Zusammenhang mit dem Gesetzesvorschlag von Bundesjustizminister Fritz Schäffer zur Einengung der Pressefreiheit.

zwicken v **1.** tr = Spielkarten zu betrügerischen Zwecken einknicken o. ä. 1600 ff.
2. tr = jn betrügen. Parallel zu ↗ zupfen 1. 1700 ff.
3. tr = etw entwenden. Analog zu ↗ klemmen 4. Bayr und schwäb, 1900 ff.
4. tr = jn verhaften. Wie eine Zange schließt sich die Fessel um das Handgelenk. 1920 ff.
5. tr intr = essen. Wie eine Zange greifen die Zähne von Ober- und Unterkiefer den Bissen. 1950 ff, jug, österr.

Zwickmühle f **1.** Bedrängnis von zwei Seiten. Übernommen von dem Brettspiel „Mühle": wer durch Öffnen einer „Mühle" eine zweite schließt, kann dem Gegner bei jedem Zug einen Stein wegnehmen. Seit dem 15. Jh.
2. Schule. 1960 ff.
3. jn in die ~ nehmen = jn heftig bedrängen; jm heftig zusetzen. Seit dem 19. Jh.

Zwiderwurzen f ↗ Zuwiderwurzen.

Zwiebäckchen n wohlgeformtes Gesäß von Kindern, jungen Mädchen usw. Wortwitzelei um „zwei kleine Backen". 1900 ff.

Zwiebel f **1.** Haarknoten. Der Zopf wird in Windungen gelegt, die einzelnen Windungen erinnern an die Schichten der Zwiebel. 1870 ff.
2. Kopf. Von der Zwiebel auf den Rundschädel übertragen. 1950 ff.
3. Taschenuhr. Wegen der Rundlichkeit und Dicke der Uhren um 1800; wohl auch Anspielung auf die Sprungdeckel. Seit dem frühen 19. Jh.
4. Loch im Hacken des Strumpfes. Der hierbei sichtbar werdende Fersen-Ausschnitt hat rundliche Form und ähnelt einer Zwiebel. Etwa seit 1870, nördlich der Mainlinie.
5. pl = Hoden. Sold in beiden Weltkriegen; auch ziv.
6. alte ~ = alte Frau. 1870 ff.
7. treulose ~ = untreuer, unzuverlässiger Mensch. ↗ Tomate 9. 1930 ff.
8. vertrocknete ~ = akademisch gebildete Frau, deren einziger Lebenssinn die Wissenschaft ist. 1960 ff.
9. eine ~ entblättern = ein Mädchen entkleiden. 1955 ff.
10. ~n stecken = Tret- oder Kastenminen legen. Übertragen vom Setzen der Steckzwiebeln. Sold 1939 ff.

Zwiebeldrüse f Zirbeldrüse. Scherzhafte Entstellung. Von Schülern oder von Medizinstudenten ausgegangen; 1920 ff.

zwiebeln tr **1.** jn quälen, streng behandeln. Gemeint ist, daß der Betreffende so hart behandelt wird, daß ihm die Augen tränen wie beim Zwiebelschneiden. Seit dem 17. Jh.
2. jn verprügeln. 1700 ff.

Zwiebelring m Haarkringel an der Stirn. 1950 ff.

Zwiebelrock m kugelig geschnittener Damenrock. 1958 ff.

Zwiebeltränen pl geheuchelte Tränen. Theaterspr. 1900 ff.

zwiefotzig adj doppelzüngig. ↗ Fotze 8. Bayr 1920 ff.

Zwiegespräch n **1.** mündliche Prüfung. Schül 1960 ff, österr.
2. ~ mit der Natur = Blähungen. 1900 ff.

Zwielicht n sein ~ leuchten lassen = a) einen Hang zum Verbrechen offenbaren. Iron Abwandlung von „sein ↗ Licht leuchten lassen". 1950 ff. – b) Diebischsein hinter vornehmem Auftreten verbergen. 1950 ff. – c) ein Heiratsschwindler sein. 1950 ff.

zwieren tr (Geld) zählen. Fußt auf jidd „sphiras = Zahl, Zählung". Rotw 1840 ff.

Zwilling m **1.** Zweimarkmünze o. ä. 1950 ff.
2. zweigeteilter ~ = Zwillingskind, das sein Geschwister verloren hat. 1955 ff.
3. du bist wohl ein ~, einer allein kann nicht so dämlich sein: Redewendung auf einen überaus dummen Jungen. Seine Dummheit würde für zwei Menschen ausreichen. 1920 ff.
4. wenn du nochmal auf die Welt kommst, solltest du dafür sorgen, daß du als ~ geboren wirst: Redewendung an einen, der keine Ordnung halten kann. Gemeint ist, daß der andere Zwilling aufräumen wird, was der eine unordentlich zurückläßt. 1930 ff.

Zwinge f **1.** Vagina. ↗ Zange 2. 1900 ff.
2. Ehering. Meint eigentlich den Metallring am Werkzeuggriff, auch das Werkzeug zum Zusammenpressen. 1955 ff, jug, österr.

zwingen tr etw aufessen können; etw leertrinken können. Man bewältigt es. Seit dem 19. Jh.

Zwinkersprache f Verständigung durch Zwinkern, durch Blicke. 1920 ff.

Zwirbel m ruheloser Mensch. Gehört zu „zwirbeln = drehen; sich (schnell) drehen". 1900 ff.

Zwirn m **1.** Sperma. Anspielung auf die weißen Samenfäden; ↗ Zwirn 15. 1840 ff, rotw und sold.
2. Schnaps. Vom zweisträngigen Faden übertragen auf den doppeltgebrannten Schnaps. Auch ist Zwirn ein harter Faden, und der Schnaps gehört zu den „harten ↗ Sachen". Spätestens seit 1770.
3. Geld, Bargeld. Kann mit „↗ zwieren" zusammenhängen; andererseits bezeichnen die Vokabeln für Sperma auch die Munition und ebenfalls das Geld. 1850 ff, vorwiegend österr und ostmitteld.
4. Textilkleidung (im Gegensatz zur Lederkleidung). 1960 ff.
5. Uniform, Kampfanzug. BSD 1965 ff.
6. militärischer Diensteifer; Übereifer; pedantische Strenge. Zur Herstellung von Zwirn werden die Fäden gedreht oder gedrillt. Daher Analogie zu „Drill". Bayr und österr, sold seit dem späten 19. Jh.
7. Plage, Schikane. Österr, 1900 ff.
8. übereifriger, strenger Vorgesetzter. Bayr, sold 1870 ff.
9. ärarischer ~ = Drill. Ärarisch = staatlich. Österr 1900 ff.
10. bester ~ = Ausgehanzug. BSD 1965 ff.

11. blauer ~ = a) billiger, minderwertiger Schnaps. Es ist kein „klarer", kein „weißer" Schnaps. ↗ Zwirn 2. Spätestens seit 1770. – b) unsinniges Gerede. Meint wohl das Geschwätz eines Schnapstrinkers: er verliert den „Faden" seiner Gedanken und redet „ins Blaue". Seit dem späten 18. Jh.
12. derselbe ~ = dieselbe Art. 1870 ff, Berlin.
12 a. grauer ~ = Uniform. Ihre Farbe ist „feldgrau". BSD 1965 ff.
13. schlechter ~ = untaugliches Mittel. Vom Nähen hergenommen. Sold 1880 ff.
14. schwarzer ~ = Geld. ↗ Zwirn 3. 1900 ff.
15. weißer ~ = Sperma. ↗ Zwirn 1. 1900 ff. Vgl franz „fil blanc".
16. ~ auffüllen (nachfüllen) = a) potenzsteigernde Mittel einnehmen. ↗ Zwirn 1. 1900 ff. – b) nahrhafte Speisen verzehren; essen. 1900 ff.
17. der ~ geht ihm aus = er verstummt endlich. Zwirn = Gesprächsfaden. 1880 ff.
18. spiel' ~ und reiß' ab!: geh weg! ↗ abreißen 1. Österr 1935 ff, jug.
19. ~ wickeln = nicht zum Tanz aufgefordert werden. Leitet sich her von Tänzen in der Spinn-, Kunkelstube. 1900 ff.

zwirnen v **1.** intr = angestrengt arbeiten; sich sehr anstrengen. ↗ Zwirn 6. Sold 1870 ff.
2. tr = jn plagen, drillen. ↗ Zwirn 6. Sold seit dem späten 19. Jh, bayr und österr.
3. tr intr = koitieren. ↗ Zwirn 1. 1900 ff.
4. intr = zusammenhanglos, unüberlegt schwätzen; Unsinn reden. ↗ Zwirn 11 b. Seit dem späten 18. Jh.

Zwirnsfäden pl über ~ stolpern = an Kleinigkeiten Anstoß nehmen; Unwichtiges beanstanden. Seit dem 18. Jh.

Zwischenhändler m **1.** Heiratsvermittler. Aus der Kaufmannssprache gegen 1920 übernommen.
2. Kuppler; Inhaber eines kleinen Hotels, dessen Zimmer auch stundenweise vermietet werden. 1920 ff.

Zwischenhoch n vorübergehende politische Hochstimmung. Aus dem Wortschatz der Meteorologen gegen 1967 in die Politiker- und Journalistensprache übergegangen.

Zwischenlandung f Flirt eines Verheirateten; Ehebruch. Von der Verkehrsfliegerei übernommen. 1930 ff.

zwischenmang adv präp zwischen. ↗ mang. Berlin und sächs, seit dem 19. Jh.

zwischennehmen tr **1.** jn einem Verhör unterziehen; jn anfeinden, heftig kritisieren. 1900 ff.
2. ↗ dazwischennehmen.

zwischenschieben intr koitieren (vom Mann gesagt). 1900 ff.

Zwitsche f **1.** leichtes Mädchen; Callgirl o. ä. ↗ zwitschern 11. 1900 ff.
2. Zuträgerin, Ohrenbläserin. 1910 ff.
3. Trinkerin. ↗ zwitschern 11. 1900 ff.

Zwitscherecke f Straßenkreuzung mit etlichen Gastwirtschaften. ↗ zwitschern 11. 1920 ff.

Zwitscherkneipe f Stehbierlokal. ↗ zwitschern 11. Berlin 1920 ff.

Zwitscherl n Flirt. ↗ zwitschern 3. Oberd 1920 ff.

Zwitschermaschine *f* Grammophon, Rundfunkgerät, Plattenspieler. 1920 *ff.*

zwitschern *v* 1. *intr* = reden; ein Geständnis ablegen. Parallel zu ↗ singen 6. Seit dem frühen 20. Jh.

2. *intr tr* = dem Mitschüler vorsagen. 1920 *ff.*

3. *intr* = kosen, flirten. Anspielung auf Flüstern. 1910 *ff.*

4. *intr* = koitieren. Parallel zu ↗ vögeln. 1900 *ff.*

5. bei ihm zwitschert es = er ist nicht recht bei Verstand. Analog zu „einen ↗ Vogel haben". 1900 *ff.*

6. bei ihm zwitschert's unter dem Hut = er ist närrisch, verrückt. Erweiterung des Vorhergehenden. 1920 *ff.*

7. jm eine ~ = jn ohrfeigen. Gehört zur Vorstellung des „pfeifenden" Backenschlags. *Schül* seit dem späten 19. Jh.

8. *intr* = schießen, feuern. Anspielung auf den singenden, sirrenden Laut der fliegenden Geschosse. *Sold* 1939 *ff.*

9. *intr* = eiligst fahren oder gehen. 1920 *ff.*

10. jm etw ~ = jm etw zur Geheimhaltung anvertrauen. Zwitschern = flüstern. 1910 *ff.*

11. einen ~ = ein Glas Alkohol zu sich nehmen. Die älteste Buchung (für 1840, Berlin) leitet die Vokabel her vom Hin- und Herreiben des Korkens am Flaschenhals, wodurch ein Zwitscherlaut entsteht.

Zwitterlokal *n* Gastwirtschaft, in der sich ältere und jüngere Leute gleichermaßen wohlfühlen. 1960 *ff.*

zwo *num* zwei. So lautet im *Mhd* das Femininum von „zwei". Das Zahlwort hatte früher drei Geschlechter, die sich im 18. Jh auf „zwei" vereinigten. Die Form „zwo" kam im 18. Jh erneut auf, vermutlich durch *stud* Vermittlung, und nahm seit dem Ersten Weltkrieg an Verbreitung zu, gefördert durch den Fernsprechverkehr, der bei der lautlichen Ähnlichkeit von „zwei" und „drei" eine unverwechselbare Form benötigt.

Zwockel *m* 1. Kleinwüchsiger. Fußt auf *bayr* „Zwack = Heftnagel des Schuhmachers", dann auch Bezeichnung für den Schusterlehrling und schließlich für jede kleinwüchsige Person oder unbedeutende Sache. Auch *bayr* „Zwergel" für „Zwerg" kann eingewirkt haben. Seit dem 19. Jh.

2. österreichischer Soldat. Seit Anfang des 18. Jhs waren Zweige auf der Kopfbedeckung das übliche Feldzeichen der österreichischen Truppen. Solche Zweige wurden mundartlich „Zwogerl" genannt; diese Be-

zeichnung ging gegen 1850 auf die Soldaten über.

zwölf *num* 1. fünf Minuten vor ~ = kurz vor dem Ende; im letzten Augenblick. 1920 *ff.*

2. von ~ bis Mittag arbeiten = arbeitsscheu sein. Die „Zeitspanne" von 12 Uhr bis Mittag ist gleich Null. 1930 *ff.*

3. von ~ bis Mittag denken = dumm, gedankenlos sein. 1900 *ff.*

4. davon gehen ~ aufs Dutzend = das ist nichts Besonderes. 1900 *ff.*

5. nichts von ~ bis Mittag (bis zum Läuten) merken (behalten) können = ein sehr schlechtes Gedächtnis haben. Seit dem späten 19. Jh.

6. das reicht (dauert) von ~ bis Mittag = das reicht (hält) nur kurze Zeit. Entstellt aus „das reicht von elf bis Mittag". Auf dem Lande wurde meist um 11 Uhr geläutet, damit die auf dem Feld Arbeitenden rechtzeitig zum Mittagessen zu Hause waren. Die Wendung mit „elf" ergibt einen vernünftigen Sinn, während die mit „zwölf" fast bis zur Unkenntlichkeit verdorben ist. 1870 *ff.*

7. jetzt schlägt's aber ~!: Ausdruck der Unerträglichkeit, des Unwillens. Seit dem ausgehenden 19. Jh.

Zwölfender *m* 1. Mann, der 12 Jahre Wehrdienst abgeleistet hat und anschließend im Wehrdienst bleibt oder als Beamter in den Staatsdienst übernommen wird. Die Bezeichnung hat oft *abf* Charakter; denn der „Zwölfender" hat keine normale Ausbildung für den Beamtenberuf erhalten und wird daher von den Kollegen oft nur zwangsläufig geduldet, jedoch nicht anerkannt. Die Bezeichnung geht auf die Jägersprache zurück: Zwölfender ist der Hirsch, dessen Geweih zwölf Enden hat. Etwa seit 1900.

2. Student mit 12 Semestern ohne Abschlußexamen. 1950 *ff, stud.*

Zwölfer *m* Volltreffer. Eigentlich der beste Treffer auf der Schießscheibe (12 Ringe). *BSD* 1965 *ff.*

Zwölfmännertabak *m* minderwertiger Tabak. Gemeint ist, daß einer raucht und elf umfallen. *Sold* 1939 *ff.*

Zwölftonschaffe *f* Zwölfton-Musikwerk. ↗ Schaffe 2. *Halbw* 1955 *ff.*

Zwoling *m* Zweimarkstück. Durch „↗ zwo" verdeutlichtes „↗ Zwilling". 1950 *ff, halbw,* Hamburg.

zwot *adj* zweite. ↗ zwo. Seit dem 18. Jh.

Zyklop *m* 1. dümmlicher, unaufmerksamer Mann; Mann, den man leicht übertölpeln kann. Übernommen aus der *griech* Mythologie, vor allem aus der Odyssee mit

der Schilderung vom tölpelhaften Riesen Polyphem. 1935 *ff, sold* und *ziv.*

2. *pl* = Maschinenpersonal. In der *griech* Mythologie stehen die Zyklopen als Schmiedegesellen im Dienste des Hephästos, des Gottes des Erdfeuers. *Marinespr* 1939 *ff.*

Zyklopensuppe *f* fast fettlose Suppe. Gemeint ist, daß nur ein einziges Fettauge auf der Suppe schwimmt, die deshalb an den einäugigen Zyklopen Polyphem aus Homers „Odyssee" erinnert. Seit dem späten 19. Jh.

Zylinder *m* 1. Abortsitz. Wegen Formähnlichkeit mit dem Motor-Zylinder, der seinerseits „Topf" genannt wird, und „Topf" ist Verkürzung von „Nachttopf". *Sold* 1939 bis heute.

2. Stahlhelm. *Sold* 1916 bis heute.

3. den ~ erhalten (kriegen) = ins Zivilleben zurücktreten, weil man an der „↗ Majorsecke" versagt. Offiziersspr. nach 1870. *Vgl engl* „to give the bowler hat".

4. einen auf den ~ kriegen = a) einen Schlag auf den Kopf bekommen. Analog zu „einen auf den ↗ Deckel kriegen". 1920 *ff.* - b) einen Verweis erhalten. Rüge und Prügel werden im Umgangsdeutsch auf dieselbe Weise ausgedrückt. 1920 *ff.*

5. den ~ nehmen = um den Abschied einkommen; sich als amtsenthoben betrachten. Der Zylinderhut tritt an die Stelle des bisher getragenen Helms. ↗ Zylinder 3. 1870 *ff,* offiziersspr. und beamtenspr.

6. ~ putzen = a) den Abort reinigen. ↗ Zylinder 1. *Sold* 1939 bis heute. - b) onanieren. Anspielung auf die zylindrische Form und auf das „Reiben = Putzen". 1900 *ff, schül* und *stud.*

7. es schlägt mir auf den ~ = es ist eine arge Zumutung. Das Gemeine wird einem Schlag auf den Kopf gleichgesetzt. ↗ Zylinder 4 a. 1920 *ff.*

8. jm den ~ überreichen = jm die Amtsenthebung mitteilen. ↗ Zylinder 3. 1900 *ff.*

9. jm den ~ verleihen = jm den Abschied aus dem Amt geben. Der Abschied wird „verliehen" wie ein Orden oder Ehrenzeichen. 1900 *ff.*

10. jm den ~ verpassen = jn in den Ruhestand versetzen; jn vorzeitig amtsentheben. 1900 *ff.*

11. etw aus dem ~ zaubern = unbekannte, verblüffende Tatsachen plötzlich bekanntgeben. Von Zauberkunststücken übernommen. 1960 *ff.*

Notizen

Notizen

Notizen

Notizen